Wolters Kluwer · Wolters Kluwer

Wolters Kluwer · Wolters

rs Kluwer · Wolters Kluwer

er · Wolters Kluwer · Wolters

rs Kluwer · Wolters Kluwer

er · Wolters Kluwer · Wolters

rs Kluwer · Wolters Kluwer

er · Wolters Kluwer · Wolters

rs Kluwer · Wolters Kluwer

■ LA LEY

ACCESO ONLINE A FORMULARIOS:
http://www.digital.wke.es

El Proceso Penal Práctico

7.ª edición

Comentarios
Jurisprudencia
Formularios

José M.ª Rifá Soler
Manuel Richard González

. Wolters Kluwer

ACCESO ONLINE A FORMULARIOS
http://www.digital.wke.es

El Proceso Penal Práctico

7.ª edición

Comentarios
Jurisprudencia
Formularios

José M.ª Rifá Soler
Manuel Richard González

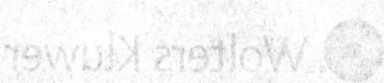

EL PROCESO PENAL PRÁCTICO(*)

Comentarios
Jurisprudencia
Formularios

7.ª Edición

JOSÉ M.ª RIFÁ SOLER
Catedrático de Derecho Procesal

MANUEL RICHARD GONZÁLEZ
Profesor Titular de Derecho Procesal

(*) Todos los Modelos incluidos en esta obra, pueden ser editados en la dirección http://digital.wke.es

Consulte en la web de Wolters Kluwer (http://digital.wke.es) posibles actualizaciones, gratuitas, de esta obra, posteriores a su publicación.

© José M.ª Rifá Soler y Manuel Richard González, 2017
© Wolters Kluwer España, S.A.

Wolters Kluwer
C/ Collado Mediano, 9
28231 Las Rozas (Madrid)
Tel: 902 250 500 – Fax: 902 250 502
e-mail: clientes@wolterskluwer.com
http://www.wolterskluwer.es

Séptima edición: octubre 2017
Depósito legal: M-27844-2017
I.S.B.N.: 978-84-9020-636-2 (papel)
I.S.B.N.: 978-84-9020-637-9 (digital)

Diseño, Preimpresión e Impresión: Wolters Kluwer España, S.A.
Printed in Spain

ÍNDICE SISTEMÁTICO

CAPÍTULO II

EJERCICIO DE ACCIONES PENALES Y CIVILES. LAS CUESTIONES PREJUDICIALES

CAPÍTULO III

JURISDICCIÓN Y COMPETENCIA. ABSTENCIÓN Y RECUSACIÓN ..

CAPÍTULO IV

LAS PARTES EN EL PROCESO PENAL – DERECHOS DE LA VÍCTIMA. EL DERECHO DE DEFENSA

CAPÍTULO VI

CAPÍTULO VII

ACTOS DE INVESTIGACIÓN Y COMPROBACIÓN JUDICIAL   533

19

CAPÍTULO VIII

CAPÍTULO IX

CAPÍTULO XI

LOS RECURSOS. LA NULIDAD DE ACTUACIONES. EL RECURSO DE AMPARO

CAPÍTULO XIII

PROCEDIMIENTO ESPECIAL PARA EL ENJUICIAMIENTO RÁPIDO DE DETERMINADOS DELITOS

CAPÍTULO XIV

ESPECIALIDADES EN MATERIA DE VIOLENCIA DOMÉSTICA O DE GÉNERO

CAPÍTULO XV

EL PROCEDIMIENTO POR DELITOS GRAVES

CAPÍTULO XVI

EL PROCEDIMIENTO POR DELITOS LEVES

CAPÍTULO XVII

CAPÍTULO XVIII

CAPÍTULO XX

PROCEDIMIENTOS Y PROCESOS ESPECIALES

CAPÍTULO XXI

CAPÍTULO XXII

RESPONSABILIDAD PATRIMONIAL DEL ESTADO POR ERROR JUDICIAL Y POR EL FUNCIONAMIENTO ANORMAL DE LA ADMINISTRACIÓN DE JUSTICIA

PRÓLOGO

En primer lugar, queremos agradecer a todos nuestros lectores la excelente acogida que siempre han ofrecido a todas las ediciones de «El proceso penal práctico» que una vez más vuelve a ver la luz y a ponerse a su disposición. Uno de los mejores alicientes para los autores consiste en poder comprobar el interés que despierta esta obra entre los profesionales del Derecho. También supone el mejor incentivo para seguir trabajando en ella para su continuo perfeccionamiento.

Esta décima edición (las tres primeras con Librería Bosch y las restantes siete con la Editorial La Ley) contiene una actualización profunda y completa del sistema de proceso penal incluyendo todas las reformas legales habidas hasta la fecha de su publicación, entre las que cabe destacar, especialmente las siguientes: LO 5/2015, de 27 de abril, de modificación de la LECrim al objeto de transponer la Directiva 2010/64/UE, de 20 de octubre de 2010, relativa al derecho a interpretación y a traducción en los procesos penales y la Directiva 2012/13/UE, de 22 de mayo de 2012, relativa al derecho a la información en los procesos penales; LO 4/2015, de 30 de marzo, de protección de la seguridad ciudadana; Ley 4/2015, de 27 de abril, del Estatuto de la víctima del delito; LO 13/2015, de 5 de octubre, de modificación de la Ley de Enjuiciamiento Criminal para el fortalecimiento de las garantías procesales y la regulación de las medidas de investigación tecnológica y, finalmente, la Ley 41/2015, de 5 de octubre, de modificación de la Ley de Enjuiciamiento Criminal para la agilización de la justicia penal y el fortalecimiento de las garantías procesales. Se trata de un buen número de reformas legales que culminaron en 2015 y que, como es bien sabido para los estudiosos y prácticos del proceso penal, han supuesto una modificación extensa y compleja del sistema de proceso penal español, especialmente en materias como los recursos, las intervenciones telefónicas y telemáticas o los derechos de las víctimas y también de los sometidos al proceso penal. Es por ello que por la complejidad y profundidad de las reformas hemos intentado ofrecer al lector, en esta edición, un análisis si cabe más exhaustivo y actualizado de cada procedimiento, norma, trámite o cuestión procesal de interés para el ejercicio práctico del Derecho Procesal Penal.

El fin pretendido en una obra de consulta es su utilidad y a ese fin se ha mantenido la relación de los distintos apartados que se refieren a todas las instituciones y procedimientos existentes en el proceso penal, aunque reordenados en busca de una mejor sistemática y entendimiento de su contenido. Todo ello con el objetivo de mostrar todos los trámites que se siguen en cada procedimiento penal ante el órgano jurisdiccional competente. La metodología y sistemática empleada en la obra es sencilla y consiste en el análisis de todas y cada una de las cuestiones relevantes en el proceso penal con base en la ley y la jurisprudencia ofreciendo las distintas soluciones u opciones que se plantean ante cada una de las distintas cuestiones y problemas objeto de comentario que siempre se fundamentan con la última jurisprudencia del Tribunal Constitucional, Tribunal Supremo y, en su caso, del Tribunal Europeo de Derechos Humanos o las Audiencias Provinciales. De modo que para cada trámite o cuestión procesal ofrecemos un análisis fundado doctrinal y jurisprudencialmente así como modelos para la práctica que se sitúan al final de cada capítulo siguiendo un orden sistemático. Con este método se pretende, por una parte, lograr una exposición más fluida y sin interrupciones; y por otra parte, facilitar la utilización de los modelos, al encontrarse todos agrupados de forma sucesiva. Con el fin de facilitar su búsqueda, se han efectuado las pertinentes referencias en el texto para una rápida localización de cada modelo.

Por último, queremos dejar constancia, una vez más, que el deseo de los autores es tratar de ofrecer a nuestros lectores no sólo la publicación de un nuevo libro sobre el proceso penal práctico, sino una obra de Derecho Procesal Penal. En consecuencia, deseamos que cumpla dignamente su objetivo: servir de instrumento útil y eficaz tanto para aquellos que se inician en el estudio de la ciencia procesal, como para los que se enfrentan diariamente con la realidad forense, con el fin de facilitarles tanto el conocimiento de las instituciones procesales como la práctica procesal penal.

José M.ª Rifá Soler
Manuel Richard González

ABREVIATURAS

A

ADH	Anuario de Derechos Humanos (Revista)
ADP	Anuario de Derecho Penal (Revista)
AJ	Actualidad Jurídica (Revista)
AP	Actualidad Penal (Revista)
ap.	apartado
art.	artículo
ATS	Auto del Tribunal Supremo

B

BOE	Boletín Oficial del Estado

C

CC	Código Civil
CCom.	Código de Comercio
CE	Constitución Española de 1978
CEDH	Convenio Europeo de Derechos Humanos
CGPJ	Consejo General del Poder Judicial
CP	Código Penal

D

D	Decreto
Disp. adic.	disposición adicional
DL	Decreto-Ley

E

EMF	Estatuto del Ministerio Fiscal

F

FJ	Fundamento Jurídico

L

LA LEY	Revista Jurídica Española LA LEY de Jurisprudencia, Doctrina y Bibliografía
LEC	Ley de Enjuiciamiento Civil
LECrim.	Ley de Enjuiciamiento Criminal
LO	Ley Orgánica
LODLEE	Ley Orgánica de Derechos y libertades de los extranjeros en España
LOHC	Ley Orgánica de Habeas corpus
LOPJ	Ley Orgánica del Poder Judicial
LOTC	Ley Orgánica del Tribunal Constitucional

M

MF	Ministerio Fiscal

O

OM	Orden Ministerial

P

p.	página
párr.	párrafo
PJ	Poder Judicial (Revista)
pp.	páginas

R

RD	Real Decreto
RDL	Real Decreto-Ley
RDLeg.	Real Decreto-Legislativo
RDProc.	Revista de Derecho Procesal
REDA	Revista Española de Derecho Administrativo
RFDUC	Revista de la Facultad de Derecho de la Universidad Complutense
RGD	Revista General de Derecho
Rgto.	Reglamento
RGLJ	Revista General de Legislación y Jurisprudencia
RJC	Revista Jurídica de Cataluña

S

S.	Sentencia
SAP	Sentencia la de Audiencia Provincial
SS	Sentencias
ss.	siguientes
STC	Sentencia del Tribunal Constitucional
STS	Sentencia del Tribunal Supremo
STEDH	Sentencia del Tribunal Europeo de Derechos Humanos

T

TC	Tribunal Constitucional
TEDH	Tribunal Europeo de Derechos Humanos
TS	Tribunal Supremo

V

Vol.	Volumen

T

TC	Tribunal Constitucional
TEDH	Tribunal Europeo de Derechos Humanos
TS	Tribunal Supremo

V

Vol.	Volumen

CAPÍTULO I

EL DERECHO PROCESAL PENAL:
SUS FUENTES Y PRINCIPIOS

SECCIÓN 1. EL PROCESO PENAL Y SUS FUENTES

1.1. Introducción

El Ordenamiento jurídico encomienda al Derecho sustantivo penal determinar qué hechos o conductas deben ser objeto de tipificación penal y al Derecho procesal penal la determinación y aplicación de un procedimiento judicial para enjuiciar los hechos punibles calificados como delito[1].

El *ius puniendi* se configura como una potestad soberana del Estado de Derecho, destinada a restablecer el orden jurídico perturbado. El Estado, que en el proceso penal se erige no como parte sino como Juez, según recordaba GOLDSCHMIDT[2], desarrolla

---

(1) Véase en general sobre el proceso penal: RIFÁ SOLER J.M.ª, RICHARD M., RIAÑO I., *Derecho procesal Penal*, Pamplona 2016; GÓMEZ ORBANEJA, *Derecho Procesal Penal*, Madrid, 1981, pp. 11 y ss.; FENECH, *El proceso penal*, Madrid, 1982, p. 15. GIMENO SENDRA V., *Manual de Derecho Procesal Penal*, Madrid 2008. GONZÁLEZ-CUÉLLAR A. y OTROS, *Ley de Enjuiciamiento Criminal y Ley del Jurado*, Concordancias y Comentarios, Madrid 2005. A.A.V.V. (Coord. PEDRAZ PENALVA) *Derecho Procesal penal*. Tomo I. Madrid 2000. A.A.V.V. (D. PICO JUNOY), *Problemas actuales de la Justicia Penal*, Barcelona, 2001. A.A.V.V. Director MORENO CATENA, El proceso penal 5 Vol., Valencia, 1999-2000. BANACLOCHE PALAO J., *Aspectos fundamentales de Derecho Procesal Penal*, La Ley, 2015. VÁZQUEZ IRUZUBIETA C., *Comentarios a la LECrim*, La Ley 2010.

ASENCIO MELLADO J.M.ª, *Derecho Procesal Penal*, 2015. GIMENO SENDRA V., *Derecho Procesal Penal*, 2015. 2016. BUJOSA VADELL L., NIEVA FENOLL J., *Nociones preliminares de Derecho Procesal Penal*, 2016. ARMENTA DEU T., *Lecciones de Derecho Procesal Penal*, 2016. MONTERO AROCA J., Derecho Jurisdiccional III, Proceso Penal, 2016, FUENTES SORIANO O., *El proceso penal cuestiones fundamentales*, 2017.

(2) GOLDSCHMIDT, *Problemas jurídicos y políticos del proceso*, Barcelona, 1935, p. 23, desarrolla su tesis en la fórmula gráfica de los triángulos colocando en el vértice superior al Estado. A él va dirigido el derecho de acusación para ejercer luego el derecho de acusación-condena y ejecución hacia el acusado. Critica igualmente la clásica teoría de Binding, cuya exigencia primitiva dirigida al acusado se realizaba independiente de la acción penal y como una parte más del proceso.

esta potestad por medio de la función jurisdiccional que ejercen los órganos de la Administración de Justicia. Por ello para la imposición de una pena siempre será indispensable la existencia previa de un proceso penal finalizado con sentencia condenatoria —art. 1 LECrim.—. En definitiva, tal y como señala CARNELUTTI, los términos delito, pena y proceso son rigurosamente complementarios, y no se puede excluir a ninguno de ellos si debe imponerse una pena a una persona determinada[3].

Con la base y punto de partida de los elementos citados, consustanciales al proceso penal, se han elaborado teorías que intentan explicar la naturaleza jurídica del proceso penal. Así, principalmente, la teoría que concibe al proceso como una relación jurídica, cuyo iniciador fue BETHMANN, aunque la desarrolló BULLOW y la perfeccionó KOHLER. O, también, la teoría que concibe el proceso penal como una situación jurídica, cuyo defensor fue GOLDSCHMIDT[4]. En España se adhiere a la primera teoría GÓMEZ ORBANEJA[5]. Pero, más allá de las teorías jurídicas apuntadas, y en un sentido finalista, cabe señalar que en el proceso penal se persigue, por una parte, el castigo del responsable penal y, por otra parte, la protección de todos los ciudadanos mediante una serie de garantías procesales que eviten la eventualidad de una condena injusta. Con base en estas premisas, el proceso penal español se vertebra en torno a dos principios constitucionales básicos: el principio acusatorio penal y la presunción de inocencia. Ambos principios han configurado el proceso penal moderno homologándolo con el vigente en los Ordenamientos jurídicos más avanzados[6].

---

(3) Véase, TORRES RUIZ, «Notas sobre el ejercicio de la jurisdicción penal en un Estado de Derecho Constitucional», *Segundas Jornadas de Derecho Judicial*, Madrid, 1985, p. 425; RUIZ VADILLO, «El Derecho Penal (procesal y sustantivo) y la Jurisprudencia Constitucional», *Segundas Jornadas...* cit., p. 395; «El futuro inmediato del Derecho Penal, las tendencias descriminalizadoras y las fórmulas de sustitución de la pena privativa de libertad de corta duración», *PJ*, 1987, n.º 7, p. 25; FERNÁNDEZ ENTRALGO, «Constitución, Derecho penal sustantivo y Derecho procesal penal», *RGD*, 1985, p. 833; MUÑOZ ROJAS, «Notas sobre la jurisdicción y la acción en el ámbito del proceso penal», *RDProc.*, 1977, p. 171; ATIENZA, «Para una teoría general de la acción penal», *ADP*, enero-abril 1987, p. 5; MORENO CATENA, «La justicia penal y su reforma», *Justicia*, 1988, p. 313; GARCÍA ARÁN, «Culpabilidad, legitimación y proceso», *ADP*, enero-abril 1988, p. 71. AGUILERA MORALES, E. *Algunas repercusiones procesales del nuevo código penal*; La Ley n.º 4465, 1998. GÓMEZ COLOMER, J.L. «El sistema de penas y su repercusión procesal»; *La Ley* n.º 3991; 1996. GIMENO SENDRA, V. *La aplicación procesal del nuevo Código Penal*; La Ley n.º 4180; 1996.

(4) Vid. GOLDSCHMIDT, *Principios Generales del Proceso*, V. II, Ed. EJEA, Buenos Aires, 1961, pp. 71 y ss. Afirma que si bien es cierto que al Juez le incumbe la obligación de conocer del proceso, aquélla nace no de una relación jurídica procesal, sino del Derecho público que impone al Estado el deber de administrar justicia, mediante sus órganos jurisdiccionales. Añade que no es posible construir el proceso con categorías de Derecho material, ya que en Derecho procesal debe hablarse de expectativas, probabilidades y de cargas (no de deberes). Entiende, en definitiva, que el proceso penal es una situación jurídica en continuo desarrollo.

(5) Vid. GÓMEZ ORBANEJA, *Derecho Procesal Penal*, Madrid, 1981, pp. 2 y ss. Este autor entiende que al igual que el proceso civil, constituye el penal una relación jurídica. Los derechos y deberes que contiene son diferentes de aquellos que nacen en virtud del Derecho penal material; para que se produzcan los que alberga la relación procesal basta con la apariencia de delito: la mera *notitia criminis*; basta ésta para poner en marcha la actividad judicial y, consecuentemente, crear en los órganos correspondientes la obligación de proceder. Vid. también MANZINI, *Trattato di Diritto Processuale Penale*, V. I. Torino, 1931, pp. 71 y ss.

(6) PRIETO CASTRO, *Repaso de la legislación de la justicia penal*, Tapia, diciembre, 1988, pp. 5 y ss.

El proceso penal, a diferencia del civil que pretende el restablecimiento de un derecho subjetivo privado lesionado, tiene como fin ejercer el «ius puniendi» del Estado para el restablecimiento del orden jurídico quebrantado[7]. De este modo, el Estado se atribuye la potestad para perseguir los delitos, dada la naturaleza pública del Derecho penal. A ese fin, y como pieza básica del sistema acusatorio penal mixto, existe la figura del Ministerio Fiscal como acusador público e independiente del órgano jurisdiccional. El Fiscal tiene como función esencial velar por la salvaguarda de la Ley y (el deber de) ejercer la acción penal en todos aquellos supuestos en los que considere que existe un hecho punible[8]. Además, el art. 108 exige al Ministerio Fiscal el ejercicio de la acción civil, exista o no en el proceso acusador particular. Ello no obsta para que se permita el ejercicio por el perjudicado de la acción penal y la acción civil para la reparación del daño causado y la indemnización de daños y perjuicios ocasionados —arts. 100 y 108 LECrim.—. No debe olvidarse que el Ministerio Fiscal es el defensor de la legalidad y del interés público. Es por ello que sin perjuicio de que ejerza la acusación pública el Fiscal está legitimado (y obligado en el caso que proceda) para invocar la vulneración de los derechos fundamentales del acusado, así como de todos los que son parte en el proceso (Véase el Cap. IV sobre las partes en el proceso penal)[9].

La distinta naturaleza del proceso penal con relación al proceso civil determina la existencia de distintas reglas y principios cuya exposición y análisis resultan útiles en orden a la mejor comprensión de ambas clases de procedimiento. Así, frente a los principios dispositivo y de aportación de parte que rigen en el proceso civil, en el proceso penal rigen los de oficialidad y de investigación de oficio. O, frente al carácter disponible de la acción civil se contrapone el carácter indisponible de la acción penal, salvo los escasos supuestos de delitos perseguibles sólo a instancia de parte mediante querella.

También son distintas las reglas que regulan la congruencia y la cosa juzgada. Respecto a la congruencia, mientras en el proceso civil el Juez queda vinculado absolutamente por el «petitum» de las partes expresado en el suplico de la demanda, en

---

(7)   Vid. DE LA OLIVA, *Sobre el derecho a la tutela jurisdiccional*, Barcelona, 1980; «Sobre conceptos básicos del Derecho procesal», *RDProc.*, 1976, pp. 191 y ss.; GÓMEZ COLOMER, «Acción particular, acción popular y sobrecarga de la Administración de Justicia penal», PJ, 1987, n.º 8, p. 27; FAIRÉN GUILLÉN, *Algunas bases para la reforma procesal en España y países ibero-americanos*, LA LEY, 1984-4, p. 1058.

(8)   Ver Estatuto del Ministerio Fiscal, aprobado por Ley 50/1981, de 30 de diciembre, modificado en 2003.

(9)   «De la doctrina del Tribunal Constitucional y de esta Sala que se deja expresada, acorde con lo que se establece en el art. 124 de la Constitución, resulta atribuida al Ministerio Fiscal la legitimación para actuar y postular en defensa de los derechos de los ciudadanos, tanto en los casos en que asume la defensa de derechos de personas determinadas —actuando por sustitución procesal— como en aquellos otros en que, portando el interés público tutelado por la ley, invoca el desconocimiento de derechos que titularizan la generalidad de los ciudadanos. El Fiscal no ejercita derechos propios en rigor, sino derechos que son de toda la Sociedad frente al Estado: intereses difusos. El Fiscal representa a la Sociedad y no al Estado y en el ejercicio de esos derechos de la Sociedad se le debe reconocer los mismos derechos procesales que a las demás partes». (STS 22 enero 1998).

el proceso penal no se exige una exacta correlación entre la querella y la sentencia, ya que será durante la investigación cuando se determine la exacta acusación que servirá de necesario correlato de la sentencia. Nótese que la configuración del proceso penal viene determinada por la naturaleza de su objeto, que no queda delimitado por el petitum de las partes acusadoras, o por el tipo de delito que se acusa al encausado, sino por el hecho punible sobre el que recae la acusación. Si ello no fuera así, cualquier variación en la calificación de la acusación sería suficiente para intentar un nuevo proceso contra una misma persona por unos mismos hechos[10]. Con relación a la cosa juzgada y la litispendencia, para que éstas operen en el proceso penal se exige solamente identidad subjetiva del acusado y del hecho punible. Por el contrario, en el proceso civil se exige la triple identidad: subjetiva, objetiva y de causa de pedir.

También, la terminología técnica procesal es diferente en ambos tipos de procesos. Así, mientras se habla en el proceso civil de: demanda, petitum, actor, demandado, fase de alegaciones, probatoria y decisoria, recurso de reposición, excepciones, renuncia, allanamiento, carga de la prueba, etc.; en el proceso penal se utilizan los términos: querella, atestado, denuncia, acusación, querellante, acusado, imputado, reo, inculpado, querellado, procesado, sumario, diligencias previas, período intermedio, juicio oral, recurso de reforma, artículos de previo pronunciamiento, sobreseimiento, conformidad del acusado, presunción de inocencia, etc.

Estas diferencias nos permiten afirmar que los conceptos y términos del proceso civil no son fácilmente extrapolables al proceso penal. Sin embargo, es indudable que muchas instituciones procesales de aplicación en el proceso penal tienen su base en las instituciones del proceso civil, por lo general más estudiadas por la doctrina. Por esa razón, no cabe duda que en ocasiones será precisa la utilización de conceptos y términos de raigambre procesal civil, pero debiendo hacerse con la debida cautela y con serias reservas.

En cualquier caso, tal y como se expone a continuación, el proceso penal cumple una función de especial relevancia cual es la de servir de cauce a la potestad punitiva del estado para castigar los delitos lo que sólo se puede llevar a cabo con el pleno respeto a los principios y límites que informan en su totalidad el proceso penal; entre los que destacan con especial fuerza el derecho de defensa y el de presunción de inocencia, que garantizan que los derechos del acusado[11].

_____

(10) «Estos dos componentes de la acusación, el conjunto de elementos fácticos y su calificación jurídica, conforman el hecho punible que constituye el objeto del proceso penal, el cual sirve para delimitar las facultades del Tribunal en orden a la determinación de la correspondiente responsabilidad criminal, porque si se excediera de los límites así marcados se ocasionaría indefensión al imputado que no habría tenido oportunidad para alegar y probar en contra de aquello por lo que antes no había sido acusado y luego resulta condenado». (STS 2 de abril 1998).

(11) «... desconoce el recurrente la realidad del juicio penal que, a diferencia del proceso civil, versa sobre el derecho público de castigar al culpable, mientras éste versa sobre el reconocimiento de derechos e intereses particulares que cabe transigir y desistir. El proceso penal posee un fondo ético, porque se trata de juzgar conductas humanas y porque, mientras la sanción civil es satisfactiva, dirigida a satisfacer el derecho del acreedor, la penal es aflictiva, porque el condenado sufre con la imposición de penas, personales que afecta a su libertad, honor y patrimonio. Por otra parte, el principio de la investigación de la verdad material obliga al Tribunal a enterarse

1.2. Las fuentes del proceso penal

La principal fuente del Derecho procesal penal es la Ley. Concretamente, la Ley de Enjuiciamiento Criminal promulgada por Real Decreto de 14 de septiembre de 1882. Con esta Ley finalizó la evolución codificadora desarrollada durante el s. XIX de la que fue punto de partida la Constitución de Cádiz que en el Título V reguló los Tribunales y de la Administración de Justicia en lo criminal» y estableció los principios básicos del futuro sistema.

La promulgación de la Ley de Enjuiciamiento Criminal supuso plasmar en nuestro Ordenamiento procesal penal la vigencia del sistema acusatorio mixto, desterrando el sistema inquisitivo. El sistema acusatorio se instauró no sólo mediante la celebración del juicio oral y público, sino llevándolo también en cierta medida hasta la fase de instrucción, según la Exposición de Motivos de la precitada Ley. Dicha forma acusatoria ha venido posteriormente consagrada en nuestra Constitución, en el art. 24. La LECrim. consta de 998 artículos, divididos en siete libros, que a su vez se subdividen en títulos y capítulos.

Nuestra Ley de Enjuiciamiento Criminal fue considerada como la más liberal de su tiempo, y como uno de los cuerpos legales dotados de mayores excelencias, según recoge FENECH[12]. Su sistema fue muy afín al adoptado contemporáneamente —GÓMEZ ORBANEJA[13]— en los principales países de Europa, incluso más que el seguido por la Ley de Enjuiciamiento Civil. Sin embargo, su espíritu ha sido sucesivamente vulnerado. Así, principios básicos tales como brevedad y publicidad del proceso, instancia única, diferenciación entre el Juez instructor y el del fallo, y el juicio oral y público han ido quedando muy diluidos a través de las sucesivas reformas introducidas en los últimos años. Con estas modificaciones legales se ha atendido a cuestiones tan diversas como son la proliferación de determinados delitos, la falta de medios humanos, y la evolución política. A modo de ejemplo, la incapacidad del proceso ordinario, proceso tipo de la LECrim., para el enjuiciamiento rápido y eficaz de los delitos ha intentado ser paliada por unos procedimientos rápidos, con una lejana base en el procedimiento «in fraganti», olvidando que el acortamiento de los plazos —que nunca han sido cumplidos—, con la conservación de formalismos innecesarios, no es la respuesta adecuada a la problemática planteada. En este sen-

---

de los supuestos de hecho con fidelidad histórica, al paso que la verdad formal se encierra y reduce a la verdad específica del proceso y ello conduce al principio de inmutabilidad o de no disponibilidad de las partes, no pudiendo quedar a la voluntad de las mismas la solución del proceso. La función punitiva del Estado sólo puede hacerse valer contra el que realmente ha cometido el delito y la verdad material a la que debe tender el proceso penal debe servir para fundamento de la sentencia. La verdad material es la identidad con lo realmente ocurrido, no lo que las partes afirmen como verdad. Ello conduce, asimismo, al principio de libre convencimiento judicial. Ello presenta trascendencia. No puede condenarse a aquel acusado, con independencia que se defienda adecuadamente o no, al que las pruebas practicadas "in facie iudicis" patentizan su inocencia e igualmente en los casos de condena atenuada, cuando se demuestra una menor responsabilidad, con independencia de que se haya o no alegado por la defensa». (STS 12 Jul. 1997, Rec. 333/1996, LA LEY 8838/1997).

(12) Vid. FENECH, *Estudios de Derecho Procesal*, Barcelona, 1962, p. 689.

(13) Vid. GÓMEZ ORBANEJA, *Comentarios a la LECrim.*, Barcelona, 1946, p. XVII,

tido, como ha señalado FENECH[14], la Ley de 1882 no ha sido comprendida por los llamados a aplicarla más que en su aspecto formal, ignorando su esencia. Por ello se ha afirmado que se derogará sin haber entrado en vigor.

Además de la LECrim., son también fuentes legales del derecho procesal penal otras leyes que regulan ciertos aspectos del proceso penal, y las leyes orgánicas procesales que tienen como objeto regular la organización y funcionamiento de los órganos de la Administración de Justicia, y el régimen jurídico de sus miembros. Así, la LO 6/1985 del Poder Judicial; LO 2/1987 de Conflictos Jurisdiccionales; la Ley 50/1981 del Estatuto del Ministerio Fiscal; la LO 5/1995 del Tribunal del Jurado; LO 4/2015 de seguridad ciudadana; Ley 4/2015 de Estatuto de la víctima del delito; LO 19/1994 de protección a testigos y peritos en causas criminales; Ley 6/1984, de 24 de mayo, reguladora del habeas corpus; Código de Justicia Militar, de 17 de julio de 1945, modificado por LO 9/1980, de 6 de noviembre, y por LO 4/1987, de 15 de julio, sobre competencia y organización de la Jurisdicción Militar; LO 2/1986, de 13 de marzo, de Fuerzas y Cuerpos de Seguridad; Convenio Europeo de Protección de los Derechos Humanos y de las Libertades Fundamentales, de 4 de noviembre de 1950, ratificado el 26 de septiembre de 1979; Convenio Europeo de 20 de abril de 1959, de Asistencia Judicial en materia penal, ratificado el 14 de julio de 1982; Convenio Europeo de Extradición, de 13 de diciembre de 1957, ratificado el 21 de abril de 1982; Ley 23/2014, de 20 de noviembre, de reconocimiento mutuo de resoluciones penales en la Unión Europea. LO 5/2000 de 12 de enero de Responsabilidad penal de los menores; LO 4/2000 de derechos y libertades de los extranjeros en España.

En principio, no puede considerarse como fuente del Derecho procesal a la jurisprudencia, ya que su función no es crear Derecho sino aplicarlo al caso concreto. No obstante, cuando forme una doctrina reiterada y constante complementará el ordenamiento jurídico (art. 1.6 CC). Y, concretamente, en el proceso penal debe destacarse la gran fuerza innovadora del derecho de la Jurisprudencia, que en muchas ocasiones ha determinado la modificación de la Ley para adaptarla a las nuevas necesidades del proceso penal, especialmente en el ámbito de los derechos y garantías. Dentro de las fuentes jurisprudenciales, además del TC y del TS, debe destacarse la gran importancia de la del Tribunal Europeo de Derechos Humanos que, con base en el art. 10 CE, sirve de interpretación de los derechos y garantías contenidos en nuestra constitución.

En el mismo sentido, debe atribuirse gran importancia, como fuente indirecta, a los principios generales del proceso, en cuanto orientan al legislador a la hora de confeccionar la norma procesal futura, y por su gran trascendencia en la interpretación de la Ley y en la evolución de la ciencia procesal penal. En cuanto a la costumbre no tiene vigencia en el proceso penal, a salvo de los usos judiciales uniformes que no pueden estrictamente calificarse de fuente consuetudinaria de derecho.

---

(14) FENECH, *El proceso penal*, Madrid, 1982, pp. 242-243; GONZÁLEZ CUÉLLAR-GARCÍA, «Crisis de la Justicia y reforma del proceso penal», *AP*, 1988, p. 1453.

1.3. La aplicación de la ley procesal penal en el tiempo

Con carácter general puede afirmarse que, en cualquier tipo de proceso, la ley procesal que se aplica es la vigente en cada momento del proceso, cualquiera que sea la ley sustantiva que deba ser aplicada. Esto no supone admitir el efecto retroactivo de las leyes penales, ya que en ningún supuesto éstas se aplican a procesos ya terminados o a fases del proceso ya precluidas[15].

Normalmente, las leyes procesales que se promulgan son las que regulan las normas de derecho intertemporal que deben aplicarse a los casos concretos. Suele ser consciente el legislador que, al ser el proceso una sucesión de actos que se desarrolla en el tiempo, las leyes procesales, que derogan o modifican las anteriores, deben incluir los criterios que tengan que seguirse respecto de los procesos que se encuentren pendientes en el momento de su entrada en vigor[16].

Las reglas generales de derecho transitorio que deben aplicarse al proceso penal pueden resumirse así: a) En cuanto a los actos procesales ya realizados, no les afectará la nueva ley. b) Si el proceso se encontrase en la fase de instrucción, se acomodará ésta a la nueva ley. El carácter averiguatorio y de recogida de material de esta fase permite la inmediata adecuación a los nuevos criterios de política legislativa aplicables, sin perjuicio de la vigencia de los actos ya realizados. c) Si el proceso se encontrase en la fase de juicio oral, no será posible ya la aplicación de una nueva ley procesal, dada la naturaleza unitaria y compacta de esta fase. Se considera esta fase abierta, cuando se hubiere iniciado la calificación provisional. La acomodación a la nueva regulación podrá hacerse a instancia de parte[17], o bien de oficio[18], según dis-

---

(15) «... Que como con reiteración tiene declarado esta Sala, las normas procesales están gobernadas, como todas las demás, en general, por el principio de irretroactividad del pfo. 2.º del art. 3.º del CC, lo que ocurre es que así como la aplicación de la nueva norma no ofrece problema alguno en cuanto los procesos terminados o no iniciados, sí puede ofrecerla en cuanto a los pendientes, pero al respecto tiene declarado este Tribunal, que tales normas no serán aplicables a los actos procesales o a los períodos o etapas ya realizados bajo el imperio de la legislación anterior, pero que sí lo son en cuanto los aun no iniciados, lo cual, como es lógico, no implica retroactividad en cuanto que no supone su aplicación al pasado sino al futuro...». (STS 30 marzo 1983; La Ley 34707). Véanse también con relación a la irretroactividad de las normas procesales sobre prisión provisional las SSTC 32/1987 de 12 de marzo y 117/1987 de 8 de julio.

(16) Vid., en este sentido, las disposiciones transitorias de la LECrim. (RD de 14 de septiembre de 1882); LO 7/1988, de 28 de diciembre, reguladora del Procedimiento abreviado; RDL de 4 de enero de 1977, sobre competencia a la Audiencia Nacional en materia de terrorismo; las Disposiciones transitorias de la Ley 38/2002 de 24 de octubre de reforma parcial de la LECrim sobre el procedimiento para el enjuiciamiento rápido de determinados delitos; o la D.T. 5.ª de la Ley 15/2003 de 25 de noviembre.

(17) Según la disp. trans. 4.ª del art. 2 del RD de 14 de septiembre de 1882, aprobatorio de la LECrim. de 1881: «4.ª Si las causas a que se refiere la regla anterior no hubieren llegado al período de calificación, podrán sustanciarse con arreglo a las disposiciones del nuevo Código, si todos los procesados en cada una de ellas optan por el nuevo procedimiento. Para ello, el Juez que estuviese conociendo del sumario en 15 de octubre próximo hará comparecer a su presencia a todos los procesados, acompañados de sus defensores. Si aún no los tuvieren, se les nombrarán de oficio para la comparecencia. Ésta se hará constar en la causa por medio de acta».

(18) La LO 7/1988, de 28 de diciembre, reguladora del procedimiento abreviado dispone en la disp. trans. quinta: «... Quinta.— Los procedimientos en curso a la entrada en vigor de la pre-

ponga el legislador en cada caso. Se entiende actualmente que se ha iniciado la fase de calificación, a partir del momento en que se haya dictado resolución ordenando el traslado de la causa al Fiscal para calificación[19].

Sin embargo, será en última instancia el legislador el que establezca las normas de derecho transitorio que sean de aplicación en cada caso concreto de modificación legislativa. Así sucede en las normas que han modificado la LECrim. La Ley 38/2002 estableció dos normas concretas: 1.ª Los procesos incoados antes de la entrada en vigor de la ley se seguirán sustanciando con arreglo a las normas vigentes al inicio del proceso; 2.ª El régimen de recursos previsto en la ley se aplicará a las resoluciones judiciales que se dicten con posterioridad a su entrada en vigor. El fundamento de estas disposiciones cabe hallarlo en la clase de procesos que modifica esta regulación: rápidos de breve tramitación, en los que resulta preferible la aplicación unitaria de la regulación con la que se iniciaron durante la fase de instrucción y de juicio oral. Sin embargo, los recursos se sustanciarán con arreglo a la nueva regulación. La Ley 15/2003, que modifica el Código Penal, así como distintas normas de la LECrim., también prevé normas de derecho transitorio respecto a la aplicación de la ley en la sustanciación de los recursos de apelación y casación que se estuvieren sustanciando al tiempo de entrada en vigor de la ley (véase sobre esta materia los Capítulos IX y XVII).

En todo caso, la interpretación de la norma aplicable en supuestos de derecho intertemporal corresponderá a los Tribunales ordinarios.

> «... La interpretación de la norma aplicable en supuestos de Derecho Transitorio —se razona en aquél— es una cuestión que, en virtud de lo dispuesto en el art. 117.3 de la CE, pertenece a la competencia exclusiva de los Tribunales ordinarios, a quien corresponde determinar la norma aplicable...». (STC 374/1993, de 13 Dic.).

Frente a la irretroactividad de la Ley procesal Penal respecto de los actos ya realizados, una ley sustantiva penal nueva sí podrá aplicarse con efecto retroactivo,

---

sente Ley se acomodarán a lo dispuesto en los arts. 779 y ss. de la LECrim, modificados conforme a lo establecido en esta Ley, salvo cuando ya se hubiera formulado por la acusación la calificación provisional».

(19) Así lo ha establecido el Acuerdo del Consejo General del Poder Judicial de 3 de febrero de 1989 en el punto 4.º: «4.º De conformidad con lo antes indicado, las Audiencias Provinciales acomodarán los procedimientos que estén en curso a la entrada en vigor de la Ley 7/1988 a los cauces procesales previstos en la misma, entendiéndose que no procede dicha modificación a partir del momento en que hubiere recaído resolución ordenando el traslado de la causa al Ministerio Fiscal para calificación (disp. trans. 5.ª de la Ley Orgánica 7/1988)». En igual sentido, la Circular 1/1989, de 8 de marzo de 1989, de la Fiscalía General del Estado, regla 8.ª: «8.ª La acomodación que las Audiencias Provinciales hagan al nuevo procedimiento se entenderá respecto a las fases iniciadas bajo las normas derogadas seguirán rigiéndose por éstas. En consecuencia se entenderá que debe seguir enjuiciándose por las normas del procedimiento ordinario (aunque por su pena debieran, en principio, acomodarse al abreviado) o de urgencia las causas pendientes ante la Audiencia que hubieren entrado en la fase de calificación, considerándose que han entrado en dicha fase desde que se acuerde su iniciación con la providencia de pase para calificación (o instrucción y calificación, en el procedimiento de urgencia ante la Audiencia) al Ministerio Fiscal (disp. trans. 5.ª de la LO 7/1988 y punto 4.º del Acuerdo del Consejo)».

cuando resulte más favorable al reo —art.º 9.3 CE y 2.2 CP—. Para la aplicación de este principio se estará actualmente a lo previsto en las Disp. Trans. del CP de 1995.

SECCIÓN 2. SISTEMAS Y PRINCIPIOS DEL PROCESO PENAL

2.1. Sistemas que informan el proceso penal

El proceso penal viene informado por tres sistemas principales: inquisitivo, acusatorio, acusatorio mixto, que han tenido vigencia según la concepción política y jurídica imperante en cada momento histórico en una determinada comunidad[20].

A) Sistema inquisitivo[21]

Los rasgos que caracterizan al sistema inquisitivo podrían ser los siguientes:

a) El órgano jurisdiccional actúa *ex officio*, concentrando las funciones acusadora, defensora y juzgadora.

b) Predomina un criterio contrario al «*favor libertatis*» del imputado, es decir, prevalece una idea de privación de libertad contra el acusado durante todo el desarrollo del proceso.

---

(20) En su desarrollo histórico no encontramos una manifestación pura de cada sistema. En consecuencia, no puede hablarse de uniformidad en la implantación del sistema inquisitivo o del acusatorio en cada momento histórico, sino en una interrelación de ambos hasta llegar a los tiempos actuales. En el derecho romano se pasó de un sistema acusatorio durante la época republicana hacia el inquisitivo en la época imperial con preeminencia del primero. Posteriormente en la época medieval se acentuó el inquisitivo, por la influencia del derecho canónico, que consideraba el delito un pecado que debía ser expiado. En España, el Fuero Juzgo estableció un sistema predominantemente acusatorio, mientras que en las Partidas se acentuó el inquisitorio hasta llegar a la Constitución de Cádiz de 1812, que constituyó el punto de partida para la instauración del tipo acusatorio mixto, que se plasmó en la LECrim. vigente de 1882.

(21) Aunque es contestada la existencia de un sistema inquisitivo como forma de perseguir las conductas delictivas, ya que se no constituye un verdadero proceso al no existir confrontación e igualdad de partes, no es menos cierto que históricamente se implantó tal sistema desde el S. XII hasta el S. XIX, por influencia del derecho canónico, con la supresión del acta de acusación, y cuya meta era lograr la confesión, por cualquier medio, del inculpado. Posteriormente, los movimientos filosóficos imperantes influyeron en la modificación del sistema que evolucionó hacia otro más humanitario. Decisivo para su inflexión fue la obra de BECCARIA «De los delitos y de las penas», que dedicó un capítulo a la proscripción de la tortura por ser «una crueldad consagrada por la mayor parte de las naciones» desprovista de total razón. Téngase en cuenta que su recepción en España se produce normativamente en la Constitución de Cádiz de 1812, cuyo C. III del Tít. V «De la Administración de Justicia en lo criminal» comienza con el art. 286, que dispone que: «las leyes arreglarán la administración de justicia en lo criminal de manera que el proceso sea formado con brevedad y sin vicios, a fin de que los delitos sean prontamente castigados», consagrando un sistema de garantías para la detención y prisión (arts. 290 y 300), sin exigir juramento al arrestado (art. 290), disponiendo en el art. 301 que al tomar confesión al «tratado como reo» se leerán íntegramente todos los documentos y las declaraciones de testigos.

c) El proceso es secreto y no se admite la contradicción del acusado.

d) Predomina la forma escrita y la valoración de la prueba viene tasada en la ley, debiendo ser ésta aportada por el Juez mediante la investigación de oficio.

e) No existe juicio oral, pero se admite la doble instancia.

B) Sistema acusatorio

El sistema acusatorio viene configurado por una serie de rasgos que, conforme a la doctrina mayoritaria, podrían sintetizarse en los siguientes términos:

a) La necesidad de existencia de una acusación, ya que el juez no puede proceder *ex officio*. Para los delitos públicos se instaura la acción popular mientras que para los privados se reserva la acción penal al perjudicado u ofendido.

b) Predomina un «*favor libertatis*» como regla para las cautelas penales.

c) Existencia de contradicción de las partes en el juicio, debiendo ser éste público y oral.

d) El material probatorio debe ser aportado exclusivamente por las partes, disfrutando éstas de igualdad de medios de acusación y defensa.

e) Libre apreciación de la prueba por el Juez, que se constituye en árbitro del proceso, no admitiéndose la doble instancia con carácter general.

C) Sistema acusatorio mixto

Existe un tercer sistema, denominado acusatorio formal o mixto, que reúne características de los sistemas antes descritos. A saber:

a) Existe una separación orgánica entre la función de investigar y la de juzgar. La acusación siempre será necesaria y será efectuada por el Ministerio Fiscal y por los acusadores particulares, si los hubiera.

b) El proceso penal se divide en dos grandes fases: la sumarial o de instrucción, en la que corresponde a los jueces dirigir la investigación; y la de juicio oral, en la que rige el principio acusatorio.

c) El juicio oral es público y se rige por la forma contradictoria y el principio de inmediación. La prueba será valorada libremente por el órgano decisor.

d) Necesaria correlación entre acusación y sentencia y prohibición de la *reformatio in peius*.

En nuestro derecho procesal penal es de aplicación el sistema acusatorio mixto, que no debe confundirse con la aplicación del principio acusatorio. Así, el principio acusatorio se concreta en una serie de garantías que informan el proceso penal: una neta distinción de las tres funciones procesales fundamentales: la acusación, propuesta y sostenida por persona distinta a la del Juez; la defensa, con derechos y facultades iguales al acusador; y la decisión por un órgano judicial independiente e imparcial, que no actúa como parte frente al acusado en el proceso contradictorio.

La adopción del sistema acusatorio supone la asunción de un determinado modelo de proceso penal basado en la división del proceso penal en dos fases diferenciadas: la de instrucción y la de juicio oral de las que han de encargarse dos órganos jurisdiccionales distintos. La necesidad de atribuir la fase de instrucción y la de enjuiciamiento a dos distintos órganos jurisdiccionales conforma hoy, frente al proceso penal inquisitivo del antiguo régimen, la primera nota que ha de concurrir en un proceso penal acusatorio (Véase en este sentido la STC 106/1989). Estas dos fases tienen distinta función y quedan sometidas a principios específicos. Aunque, debe ponerse de relieve que a partir de la Constitución —art. 24.2.º— se ha extendido a la fase de instrucción la aplicación del principio acusatorio y la forma contradictoria. Así, se ha instaurado la preceptiva intervención de Letrado y la defensa del acusado desde el inicio del proceso penal; el derecho a ser informado de la acusación; y el derecho a disfrutar de todas las garantías procesales (Véase, a este respecto, el § 2.2 A) de este capítulo)[22].

2.2. Principios del proceso penal[23]

El proceso penal se configura con base en unos principios que informan, de modo determinante, su estructura y desarrollo. Estos principios son definidos por FENECH

---

(22) «La fase instructora exige como ineludible presupuesto la existencia de un noticia criminis que en ella ha de ser investigada (arts. 299 y 300 LECrim.), sin que pueda el Juez de Instrucción, mediante el retraso de la puesta de conocimiento de la imputación, eludir que el sujeto pasivo asuma el status de parte procesal tan pronto como exista dicha imputación en la instrucción efectuando una investigación sumarial a sus espaldas, todo ello, naturalmente, sin perjuicio de la obligación del Juez de garantizar los fines de la instrucción mediante la adopción, en los casos que los legitiman, del secreto sumarial o de la incomunicación del procesado (SSTC 128/1993, 129/1993 y 152/1993). Todo ello no es más que consecuencia de que, entre las garantías que incluye el art. 24 de la CE para todo proceso penal, destacan por ser consustanciales al mismo, los principios de contradicción y de igualdad de armas procesales .../... Ello impone la necesidad, en primer término, de que se garantice el acceso al proceso de toda persona a quien se le atribuya, más o menos fundadamente, un acto punible y que dicho acceso lo sea en condición de imputada, para garantizar la plena efectividad del derecho a la defensa y evitar que puedan producirse contra ella, aun en la fase de instrucción judicial, situaciones materiales de indefensión (SSTC 44/1985 y 135/1989)». (STC 273/1993, de 20 septiembre).

(23) Véase sobre esta cuestión ARANGÜENA FANEGO C. (Coord.), *Garantías procesales en los procesos penales en la Unión Europea*, Valladolid 2007. GARCÍA SAN MARTÍN J., *El indulto particular: tratamiento y control jurisdiccional*, San Sebastián 2007. LANZAROTE MARTÍNEZ P., *La vulneración del plazo razonable en el proceso penal*, Granada 2005. MANJÓN-CABEZA OLMEDA, A., *La atenuante analógica de dilaciones indebidas*. Barcelona 2007. MORENILLA RODRÍGUEZ, «Las garantías del proceso penal según el Convenio Europeo de Derechos Humanos», *PJ*, n.º esp. II, 1987, p. 191; RUIZ VADILLO, *Algunas breves consideraciones sobre el sistema acusatorio y la interdicción constitucional de toda indefensión en el proceso penal*, LA LEY, 1987-4, pp. 873-888; MORENO CATENA, «Garantía de los derechos fundamentales en la investigación penal», *PJ*, n.º esp. II, 1987, p. 131; CONDE-PUMPIDO FERREIRO, «El proceso penal», *PJ*, n.º esp. VI, 1986, p. 17; GIMENO SENDRA, «El juez imparcial en la doctrina del Tribunal Constitucional», *PJ*, n.º esp. VI, 1986, p. 267; ALMAGRO NOSETE, «La prohibición constitucional de indefensión», *PJ*, n.º esp. VI, 1986, p. 231; MARTÍNEZ ARRIETA, *La nueva concepción jurisprudencial del principio acusatorio*, Granada, 1994; RUIZ VADILLO, *El principio acusatorio y su proyección en la doctrina jurisprudencial del TC y del TS*, Madrid, 1994; RODRÍGUEZ RAMOS, L. «Riesgos de una evolución inquisitiva»; *La Ley* n.º 4422; 1997.

como los «postulados fundamentales de la política procesal penal de un Estado concreto en un momento histórico determinado, que informan el contenido de las normas que rigen el proceso penal». En cualquier caso, no pueden considerarse como un conjunto de trámites sino un ajustado sistema de garantías[24].

Estos principios tienen un reflejo directo en el conjunto de derechos y garantías de aplicación al proceso penal que se incardinan en el marco de los derechos fundamentales garantizados por la Constitución. Concretamente, los arts. 15, 17, 18, 24, 25, 117, 120, 125, como los más significativos, establecen los derechos de aplicación a los procesos judiciales y, especialmente, al proceso penal. Así, el derecho a la libertad y a la seguridad, a la tutela judicial efectiva, a la intimidad personal y familiar, a un Juez ordinario predeterminado por la ley, a un juicio oral y público, y al ejercicio de las acciones pertinentes en el proceso penal.

«El ejercicio por el Estado del «ius puniendo» ha de llevarse a cabo exclusivamente en un proceso con todas las garantías, y con rigurosa observancia de las normas que regulan dicho proceso ... la Constitución ha establecido para este proceso, y a favor del imputado o acusado, un sistema complejo de garantías vinculadas entre sí en su art. 24 (SSTC 205/1989, de 11 de diciembre, 161/1994, de 23 de mayo, y 277/1994, de 17 de octubre). De suerte que cada una de las fases del proceso penal —iniciación (STC 111/1995, de 4 de julio); imputación judicial (STC 135/1989, de 19 de julio); adopción de medidas cautelares (STC 105/1994, de 11 de abril); Sentencia condenatoria (SSTC 31/1981, de 28 de julio; 229/1991, de 28 de noviembre, y 259/1994, de 3 de octubre); derecho al recurso y a la doble instancia (STC 190/1994, de 20 de junio)— está sometida a exigencias constitucionales específicas, destinadas a garantizar, en cada estadio del desarrollo de la pretensión punitiva e incluso antes de que el mismo proceso penal comience (STC 109/1986, de 24 de septiembre), la presunción de inocencia y otros derechos fundamentales de la persona contra la que se dirige tal pretensión (por todas STC 19/2000, de 31 de enero) y, muy en particular, el derecho a un juicio justo, por emplear la expresión del Tribunal Europeo de Derechos Humanos». STC 130/2002 de 3 de junio.

Sin embargo, no todos los principios de aplicación al proceso penal se concretan en una garantía o derecho concreto. En este sentido, es conocida la distinción entre principios jurídico-naturales del proceso que resultan consustanciales a cualquier clase de proceso: básicamente el de audiencia, igualdad y contradicción. Junto a estos principios esenciales encuadrados dentro de lo que podemos considerar como principios constitucionales, existen otros dos, como son el acusatorio y el de presunción de inocencia, que por su importancia han de destacarse en el enjuiciamiento criminal. Todos ellos informan todo el proceso penal y su desconocimiento desnaturalizaría su misma esencia y lo convertiría en mera cobertura formal de intereses distintos a la realización de la Justicia.

---

(24) «En la doctrina de este Tribunal ya se ha tenido ocasión de afirmar que en el proceso penal se instaura, por lo que aquí interesa, un "sistema complejo de garantías" vinculadas entre sí, que impone la necesidad de que "la condena recaiga sobre los hechos que se imputan al causado... puesto que el debate procesal vincula al juzgador, impidiéndole excederse de los términos en que viene formulada la acusación o apreciar hechos o circunstancias que no han sido objeto de consideración en la misma, ni sobre los cuales, por tanto, el acusado ha tenido ocasión de defenderse" (STC 205/1989, fundamento jurídico 2.º)». (STC 161/1994, de 23 mayo).

Por otra parte, los principios jurídico-técnicos informan el proceso de modo que éste puede adquirir formas y estructuras distintas todas ellas admisibles y respetuosas con los derechos fundamentales y garantías del proceso. En cualquier caso, estos principios inciden, en sentido general, en el correcto desarrollo del proceso, que siempre debe observar pleno respeto a los derechos fundamentales de los intervinientes en el mismo.

En cuanto a la exposición de derechos y principios estos pueden agruparse de distinto modo. Así, según afecten a todos los partícipes en el proceso: derecho a la tutela judicial efectiva, que comprende, entre otros, el derecho de acceso a la jurisdicción, a un Juez imparcial, a la alegación y prueba, derecho a los recursos, etc.; o bien sólo al sometido al proceso penal: el derecho a no declarar contra sí mismo, a no confesarse culpable, y a la presunción de inocencia. También se pueden clasificar: a) según se trate de garantías y derechos personales y concretos: v.g. tutela judicial efectiva, en sentido general, que compendia los derechos y garantías personales en el ámbito del proceso; o bien objetivos: v.g. principio de celeridad y proscripción de dilaciones indebidas, o a un Juez ordinario predeterminado por la ley; b) según las distintas fases del proceso: instrucción, fase de juicio oral o de recursos; c) o, finalmente, agrupando los distintos derechos en el amplio marco de los principios constitucionales en los que nuestra jurisprudencia ha incluido los derechos de aplicación y vigencia en el orden penal: principio acusatorio, pro-actione o de acceso a la jurisdicción y a los recursos; principio de defensa del acusado en el proceso penal, etc.

Por nuestra parte, distinguimos entre los principios, derechos y garantías constitucionales, y los principios técnicos según tengan incidencia o aplicación en la fase de instrucción o en el juicio oral. Los primeros los ordenamos según dos grandes principios. A saber: 1.º el principio acusatorio que incluye derechos y garantías de aplicación, preferentemente, al sometido al proceso penal pero también a la acusación particular y al Ministerio fiscal, y que tiene vigencia en todo el desarrollo del proceso; y 2.º El Derecho a la tutela judicial efectiva en el que se incluyen y compendian el catálogo de derechos y libertades del justiciable en el proceso y concretamente los derechos de audiencia, igualdad y contradicción. En segundo lugar, se exponen los distintos principios técnicos según tengan incidencia en la fase de instrucción o de juicio oral.

A) *Principios y Derechos Constitucionales*

Estos principios y derechos se encuentran recogidos en el art. 24 de nuestra Carta Magna y en la Declaración Universal de Derechos Humanos, aprobada en Nueva York, el 10 de diciembre de 1948. También en el Convenio Europeo de Roma, de 4 de noviembre de 1950, de protección de los derechos humanos y de las libertades fundamentales y en el Pacto Internacional de Nueva York, de 19 de diciembre de 1966, de derechos civiles y políticos. Conforme al art. 10.2 CE estas normas internacionales constituyen pautas auténticas para la interpretación de los derechos fundamentales que estructuran el sistema de garantías en el proceso penal. Entre sus normas pueden citarse, a los efectos examinados, los arts. 10 (derecho a ser juzgado por un Tribunal independiente en juicio público y en condiciones de igualdad) y 11 (presunción de inocencia) del Convenio de 1948 que se corresponden con los arts. 6 del Convenio de Roma y 14 del Pacto Internacional de Nueva York.

a)   Principio acusatorio[25]

El principio acusatorio forma parte de las garantías sustanciales del proceso penal incluidas en el art. 24 CE, según tiene reiterado abundante jurisprudencia constitucional, siendo aplicable a todas las fases e instancias del proceso penal[26].

A este respecto, en un sentido estricto, el principio acusatorio determina la necesaria existencia de una parte acusadora que ejercite la acción penal, distinta e independiente del Juez. Ahora bien, en la actualidad constituye una garantía fundamental del acusado que se concreta en el derecho del sometido al proceso penal a la existencia de un órgano judicial independiente que debe instruir y fallar con carácter absolutamente imparcial, a conocer de la imputación o acusación en todos sus términos de modo que pueda defenderse con igualdad de medios que la parte acusadora y, en todo caso, con proscripción de la indefensión[27].

«a) La doctrina elaborada por el Tribunal Constitucional acerca de las exigencias derivadas del principio acusatorio ha sido resumida, entre otras, en la STC 35/2004, de 8 de marzo, FJ 2, en los siguientes términos: "entre ellas se encuentra la de que nadie puede ser condenado por cosa distinta de la que se le ha acusado y de la que, por lo tanto, haya podido defenderse, habiendo precisado a este respecto que por "cosa" no puede entenderse únicamente un concreto devenir de acontecimientos, un *factum*, sino también la perspectiva jurídica que delimita de un cierto modo ese devenir y selecciona algunos de sus rasgos, pues el debate contradictorio recae no sólo sobre los hechos, sino también sobre su calificación jurídica, tal como hemos sostenido en las SSTC 12/1981, de 10 de abril, 95/1995, de 19 de junio, y 225/1997, de 15 de diciembre" (STC 4/2002, de 14 de enero, FJ 3; en el mismo sentido, STC 228/2002, de 9 de diciembre, FJ 5). La íntima relación existente entre el principio acusatorio y el derecho a la defensa ha sido asimismo señalada por este Tribunal al insistir en que del citado principio se desprende la exigencia de que el imputado tenga posibilidad de

---

(25)   ORTEGO PÉREZ F., «Instrucción Judicial y garantías», *La Ley* n.º 5514, 2002; «El control jurisdiccional de la acusación como garantía en el proceso penal», *La Ley* n.º 5106, 2000.

(26)   Vid., en este sentido, SSTC 53/1989, de 22 febrero (LA LEY 1989-3, p. 147); 53/1987, de 7 mayo (LA LEY, 1987-3, p. 23); 84/1985, de 8 julio (LA LEY, 1985-3, p. 99); 240/1988, de 19 diciembre (LA LEY, 1989-1, p. 110), y 277/1994, de 17 octubre.

(27)   Las SSTC 145/1986, de 24 noviembre (LA LEY, 1987-5, p. 67); 98/1987, de 10 junio; 102/1987, de 17 junio (LA LEY, 1987-4, p. 20); 155/1988, de 22 julio, y 35/1989, de 14 febrero, entre otras, han declarado que: a) Se entiende por indefensión una limitación de los medios de defensa producida por una indebida actuación del órgano judicial, situando a las partes en una posición de desigualdad o cuando se impida la aplicación del principio de contradicción, sin que pueda apreciarse la existencia de alguna posibilidad de defensa, en cualquier instancia. b) Se trata de un concepto relativo, o sea, valorado, según las circunstancias de cada caso. En definitiva, no surge indefensión constitucional por la simple infracción de normas procesales —aun siendo imperativas o de obligado cumplimiento—, sino cuando la vulneración de las mismas lleva consigo la privación del derecho a la defensa, con el consiguiente perjuicio real y efectivo para los intereses del afectado. c) Corolario de lo afirmado será distinguir entre una indefensión constitucional y otra jurídico-procesal, o sea, entre la material y formal, pues, en definitiva, la CE no protege situaciones de mera indefensión formal, sino material, en las que se haya podido razonablemente causar un perjuicio al recurrente, ya que de otra forma no se haría más que dilatar indebidamente el proceso. Vid. DEL RÍO FERNÁNDEZ, «Constitución y principios del proceso penal: contradicción, acusatorio y presunción de inocencia», *RGD*, 1992, p. 8099; ASENSIO, *Principio acusatorio y derecho de defensa en el proceso penal*, Madrid, 1991.

rechazar la acusación que contra él ha sido formulada tras la celebración del necesario debate contradictorio en el que haya tenido oportunidad de conocer y rebatir los argumentos de la otra parte y presentar ante el Juez los propios, tanto los de carácter fáctico como los de naturaleza jurídica (SSTC 53/1987, de 7 de mayo, FJ 2, y 4/2002, de 14 de enero, FJ 3). De manera que "nadie puede ser condenado si no se ha formulado contra él una acusación de la que haya tenido oportunidad de defenderse en forma contradictoria, estando, por ello, obligado el Juez o Tribunal a pronunciarse dentro de los términos del debate, tal y como han sido formulados por la acusación y la defensa, lo cual, a su vez, significa que en última instancia ha de existir siempre correlación entre la acusación y el fallo de la Sentencia" (SSTC 11/1992, de 27 de enero, FJ 3; 95/1995, de 19 de junio, FJ 2; 36/1996, de 11 de marzo, FJ 4; 4/2002, de 14 de enero, FJ 3)». STC 172/2016, de 17 de octubre.

Nótese, de este modo, que el principio acusatorio ha superado sus límites formales para afectar el pleno desarrollo del proceso penal en todas sus fases y constituir un sistema de garantía del sometido al proceso penal que se concreta en los siguientes derechos: 1.º a la defensa 2.º a ser informado de la acusación, y a la existencia de correlación entre acusación y sentencia; y 3.º a la igualdad de armas; 4.º a un Juez imparcial, y 5.º a la prohibición de la reformatio in peius.

1.º Derecho de defensa

El derecho de defensa, en sentido genérico, está compuesto por una serie de derechos instrumentales que se recogen en el art. 24.2.º CE. Así se encuentra el derecho a ser informado de la acusación, a utilizar los medios de prueba, a no declarar contra sí mismo y el derecho a no confesarse culpable.

Desde un punto de vista técnico-jurídico, el derecho genérico a la defensa garantiza al acusado tres derechos: 1.º a defenderse por sí mismo[28]; 2.º a defenderse mediante asistencia letrada de su elección, y 3.º a recibir, en los casos legalmente previstos, asistencia letrada gratuita. Así lo entiende el TC y el TEDH (Véase sobre el derecho de defensa del inculpado el § 4.ª del Capítulo IV)[29].

---

(28) La autodefensa no excluye, en ningún caso, la preceptiva defensa técnica, de acuerdo con el mandato contenido en los arts. 520 y 788 LECrim. El fundamento de este imperativo legal radica en la garantía de un adecuado uso de los medios técnicos de defensa previstos en el Ordenamiento (Véase sobre la designación de abogado y procurador y asistencia jurídica gratuita las Secciones 3.ª y 4.ª del Capítulo IV): «El contenido del derecho a defenderse por sí mismo no se extiende a la facultad de prescindir de la preceptiva defensa técnica. El mandato legal de defensa por medio de Abogado encuentra una propia y específica legitimidad, ante todo en beneficio del propio defendido, pero también como garantía de un correcto desenvolvimiento del proceso penal, asegurando, en particular, la ausencia de coacciones durante el interrogatorio policial y, en general, la igualdad de las partes en el juicio oral, y evitando la posibilidad de que se produzca la indefensión del imputado de tal modo que frente a una acusación técnica aparezca también una defensa técnica» (STC 29/1995, de 6 febrero).

(29) «Este Tribunal ha tenido ocasión de proclamarlo, con el apoyo interpretativo, dispuesto por la propia Constitución, del art. 6.3.c) CEDH, asumiendo la declaración contenida en la referida Sentencia del TEDH de 25 de abril de 1983 (caso "Pakelli"), según la cual dicho precepto "garantiza tres derechos al acusado: a defenderse por sí mismo, a defenderse mediante asistencia letrada de su elección y, en determinadas condiciones, a recibir asistencia letrada gratuita", sin que la opción en favor de una de esas tres posibles formas de defensa implique la renuncia o la imposibilidad de ejercer alguna de las otras, siempre que sea necesario, para dar realidad efectiva en cada caso a

El derecho de defensa también tiene plena vigencia en la fase de instrucción y, en especial en el ámbito del procedimiento abreviado; y exige: oír al imputado, a los efectos de evitar acusaciones sorpresivas en el juicio oral, informar al imputado sobre los hechos punibles objeto de acusación, sobre sus derechos constitucionales y sobre su posibilidad de defenderse y participar en dicha fase. La notificación lo antes posible la inculpación para evitar la vulneración del derecho de defensa (SSTC 273/1993. de 20 septiembre, 277/1994, de 17 octubre) Véase a este respecto el arts. 779.4 LE-Crim. que dispone que el Juez de instrucción no podrá decretar la finalización de las diligencias previas y la continuación del procedimiento abreviado sin haber tomado declaración a la persona a la que se imputan los hechos. (Véase § 3.6 Cap. IX).

2.° Derecho a ser informado de la acusación y a la congruencia entre acusación y sentencia. Prohibición de la reformatio in peius.

El derecho a la información de la acusación, a los efectos de permitir una adecuada defensa, exige que se conozca el hecho imputado y su calificación jurídica. Además, comprende la necesidad de congruencia entre la acusación y la sentencia (Véase sobre la congruencia de la sentencia penal § 1.4 del Capítulo XVI)[30].

Este derecho está también recogido en el art. 6.3 a) del Convenio para la protección de los Derechos Humanos, hecho en Roma el 4 de noviembre de 1950; y se complementa en el apartado b) del mismo precepto, en donde se recoge el derecho a disponer del tiempo y de las facilidades necesarias para la preparación de su defensa (véase la STEDH 29 noviembre 1989 (caso «Chiehlian y Ekindjian»; BJC n.° 133).

---

la defensa en un juicio penal (STC 37/1988, fundamento jurídico 6.°). Más recientemente hemos señalado cómo "el derecho a la defensa comprende, en este aspecto, no sólo la asistencia de Letrado libremente elegido o nombrado de oficio, en otro caso, sino también a defenderse personalmente [arts. 6.3 c) y 14.3 d) del Convenio y del Pacto más arriba reseñados] en la medida en que lo regulen las leyes procesales de cada país configuradoras del Derecho" (STC 181/1994, fundamento jurídico 3.°)». (STC 29/1995, de 6 febrero).

(30) «El órgano judicial, por exigencia de los referidos derechos y garantía constitucionales, en los que encuentra fundamento, entre otros, el deber de congruencia entre acusación y fallo como manifestación del principio acusatorio, no puede imponer pena que exceda, por su gravedad, naturaleza o cuantía, de la pedida por las acusaciones, cualquiera que sea el tipo de procedimiento por el que se sustancia la causa, aunque la pena en cuestión no transgreda los márgenes de la legalmente prevista para el tipo penal que resulte de la calificación de los hechos formulada en la acusación y debatida en el proceso». De este modo, se afirmó en la Sentencia por las razones en ella expuestas y a las que procede ahora remitirse, «por una parte se refuerzan y garantizan en su debida dimensión constitucional los derechos de defensa del acusado» y «[p]or otra parte el alcance del deber de congruencia entre acusación y el fallo por lo que respecta a la pena a imponer por el órgano judicial en los términos definidos ... se cohonesta mejor, a la vez, que también la refuerza en su debida dimensión constitucional, con la garantía de la imparcialidad judicial en el seno del proceso penal». Concluimos poniendo de manifiesto que esta doctrina constitucional sobre el deber de correlación, como manifestación del principio acusatorio, entre la acusación y el fallo en el extremo concerniente a la pena a imponer, en el sentido en que ha quedado expuesta y perfilada, viene a coincidir sustancialmente con el criterio que al respecto mantiene actualmente la Sala Segunda del Tribunal Supremo (Acuerdo de la Sala General adoptado en sesión de 20 de diciembre de 2006, precisado por Acuerdo de 27 de noviembre de 2007)». STC 186/2009 7 de septiembre.

Nótese la estrecha relación entre el principio acusatorio y el derecho de defensa que ha puesto de manifiesto el TC, que ha declarado que: «*El principio acusatorio admite y presupone el derecho de defensa del imputado y, consecuentemente, la posibilidad de "contestación" o rechazo de la acusación. Provoca en el proceso penal la aplicación de la contradicción, o sea, el enfrentamiento dialéctico entre las partes, y hace posible el conocer los argumentos de la otra parte, el manifestar ante el Juez los propios, el indicar los elementos fácticos y jurídicos que constituyen su base, y el ejercitar una actividad plena en el proceso*». (STC 53/1987 de 7 de mayo).

Este principio se manifiesta de distinto modo según la fase en la que se halle el proceso. En primer lugar, en la fase de instrucción en la que el imputado o inculpado puede intervenir para la defensa de su interés conociendo de las actuaciones, solicitando la práctica de diligencias, y participando en las que se practiquen con plena contradicción, a salvo de que las actuaciones se declaren secretas. En la fase de juicio oral el principio acusatorio determina que la parte acusadora ejercite la acusación frente al acusado que debe tener pleno conocimiento de la acusación contra él formulada, tanto en su contenido fáctico como jurídico, debiendo tener la oportunidad y los medios para defenderse contra ella mediante la solicitud y práctica de la prueba, así como la de alegar y concluir en el acto del juicio[31].

«La íntima relación existente entre el principio acusatorio y el derecho a la defensa deriva de que del mencionado principio se desprende la exigencia de que el imputado tenga posibilidad de rechazar la acusación que contra él ha sido formulada tras la celebración del necesario debate contradictorio en el que haya tenido oportunidad de conocer y rebatir los argumentos de la otra parte y presentar ante el Juez los propios, tanto los de carácter fáctico como los de naturaleza jurídica. De manera que nadie puede ser condenado si no se ha formulado contra él una acusación de la que haya tenido oportunidad de defenderse en forma contradictoria, estando, por ello, obligado el Juez o Tribunal a pronunciarse dentro de los términos del debate, tal y como han sido formulados por la acusación y la defensa, lo cual, a su vez, significa que en última instancia ha de existir siempre correlación entre la acusación y el fallo de la Sentencia. El debate contradictorio es la esencia del principio acusatorio: "lo que resulta esencial al principio acusatorio es que el acusado haya tenido oportunidad cierta de defenderse de una acusación en un debate contradictorio con la acusación» (STC 278/2000 (LA LEY 11786/2000) de 27 de diciembre). De modo que el marco penal que sirve de presupuesto al principio acusatorio no puede consistir solamente en la calificación delictiva, sino en la propia penalidad solicitada, que

---

(31)   En este sentido se manifiesta la doctrina del Tribunal Constitucional (cfr. Sentencia 20/1987, de 19 de febrero) y de esta Sala, como es buen exponente la Sentencia 1/1998, de 12 de enero de 1998 en la que se expresa que «es doctrina consolidada —se recuerda en la Sentencia de esta Sala de 11-11-1992, con cita de las SSTC 10-4-1981 y 16-5-1989 y de las de esta misma Sala de 19 6 1990 y 18-11-1991— que el verdadero instrumento procesal de la acusación es el escrito de conclusiones definitivas, por lo que la sentencia debe resolver sobre ellas y no sobre las provisionales. El derecho a ser informado de la acusación, junto con la interdicción de la indefensión —Sentencia de esta Sala de 6-4-1995— suponen, de un lado, que el acusado ha de tener pleno conocimiento de la acusación contra él formulada, tanto en su contenido fáctico como jurídico, debiendo tener la oportunidad y los medios para defenderse contra ella, y de otro, que el pronunciamiento del Tribunal ha de efectuarse precisamente sobre los términos del debate, tal y como han sido formulados por la acusación y la defensa». STS 8 de abril de 1999.

condiciona las expectativas del derecho de defensa, y los concretos mecanismos que lo relacionan (como la posibilidad de suspensión o sustitución de condena, entre otros)». STS 594/2015 de 30 Sep. 2015, Rec. 356/2015 Ponente: Conde-Pumpido Tourón, Cándido. LA LEY 143553/2015.[32]

Finalmente el pronunciamiento del Tribunal ha de limitarse a los términos del debate, tal y como han sido formulados por la acusación y la defensa. De este modo, el principio acusatorio se manifiesta en la fase de decisión del proceso al determinar la necesaria congruencia entre acusación y sentencia, que en el proceso civil se fundamenta en el principio dispositivo: sólo cabe otorgar lo efectivamente pedido; y en el proceso penal en el principio acusatorio: sólo cabe condenar con base en los delitos que fueron objeto de acusación y de debate contradictorio en el juicio oral. Así, debe existir una correlación entre la acusación y la sentencia, de tal modo que el acusado pueda haberse defendido de los hechos que se le imputan. Es decir, el debate procesal en el que se debe incluir necesariamente la acusación concreta vincula al juzgador, impidiéndole excederse de los términos en que viene formulada la acusación. No cabe, por tanto, condenar al acusado por cosa distinta de la que ha fue objeto de acusación y de la que haya podido defenderse[33]. No obstante, no se exige una exacta correlación entre la imputación y la condena. Véase sobre la correlación entre acusación y sentencia el § 1.4 C) del Cap. XVI en sede de sentencia.

«La íntima relación existente entre el principio acusatorio y el derecho a la defensa ha sido, asimismo, señalada por este Tribunal al insistir en que del citado principio

---

(32) «Si el "derecho a ser informado de la acusación", garantizado por el art. 24.2 de la Carta Magna, exige el conocimiento de aquélla (tanto referida a los hechos que se imputan como a la calificación jurídica penal atribuida a los mismos) facilitado por los acusadores y por los órganos jurisdiccionales ante los que el proceso se sustancia, y su función y esencia radica en impedir un proceso penal inquisitivo, que se compadece mal con un sistema de derechos fundamentales y de libertades públicas, proscribiendo, en consecuencia, la situación del hombre que se sabe sometido a un proceso pero ignora de qué es acusado, y que comprende también la necesidad de la "congruencia" entre la acusación y la condena, de modo que el sentenciador no pierda su objetividad alterando de oficio los hechos o su calificación jurídica —excepto supuesto de "homogeneidad" delictiva— o imponga penas más graves de las solicitadas —salvo que actúe dentro del marco legal de la pedida, en uso de su facultad individualizadora—, como se lee y deriva de las Sentencias del Tribunal Constitucional...». (STS 5 junio 1995;). V. también la STS 7 mayo 1998 La Ley 7858, 1998.

(33) «... entre las garantías que incluye dicho principio, se encuentra la de que "nadie puede ser condenado por cosa distinta de la que se le ha acusado y de la que, por lo tanto, haya podido defenderse", habiendo precisado a este respecto que por "cosa" no puede entenderse "únicamente un concreto devenir de acontecimientos, un *factum*", sino también "la perspectiva jurídica que delimita de un cierto modo ese devenir y selecciona algunos de sus rasgos, pues el debate contradictorio recae no sólo sobre los hechos, sino también sobre su calificación jurídica" (SSTC 4/2002, de 14 de enero, FJ 3; 228/2002, de 9 de diciembre, FJ 5; 71/2005, de 4 de abril, FJ 3). En consecuencia el pronunciamiento del Tribunal debe efectuarse precisamente en los términos del debate, tal como han sido planteados en las pretensiones de la acusación, no pudiendo el Tribunal apreciar hechos o circunstancias que no hayan sido objeto de consideración en ésta y sobre los cuales, por tanto, el acusado no haya tenido ocasión de defenderse en un debate contradictorio (SSTC 40/2004, de 22 de marzo, FJ 2; 183/2005, de 4 de julio, FJ 4). Además, este Tribunal ha afirmado que con la perspectiva constitucional del derecho de defensa, lo que resulta relevante es que la condena no se produzca por hechos o perspectivas jurídicas que de facto no hayan sido o no hayan podido ser plenamente debatidas (por todas, STC 87/2001, de 2 de abril, FJ 6)». STC 60/2008, de 26 de mayo de 2008.

se desprende la exigencia de que el imputado tenga posibilidad de rechazar la acusación que contra él ha sido formulada tras la celebración del necesario debate contradictorio en el que haya tenido oportunidad de conocer y rebatir los argumentos de la otra parte y presentar ante el Juez los propios, tanto los de carácter fáctico como los de naturaleza jurídica (SSTC 53/1987, de 7 de mayo, FJ 2; 4/2002, de 14 de enero, FJ 3). De manera que "nadie puede ser condenado si no se ha formulado contra él una acusación de la que haya tenido oportunidad de defenderse en forma contradictoria, estando, por ello, obligado el Juez o Tribunal a pronunciarse dentro de los términos del debate, tal y como han sido formulados por la acusación y la defensa, lo cual, a su vez, significa que en última instancia ha de existir siempre correlación entre la acusación y el fallo de la Sentencia" (SSTC 11/1992, de 27 de enero, FJ 3; 95/1995, de 19 de junio, FJ 2; 36/1996, de 11 de marzo, FJ 4; 4/2002, de 14 de enero, FJ 3)». STC 71/2005 de 4 de abril.

Consecuencia de la necesaria congruencia entre las peticiones de la acusación y la defensa es la prohibición de la «reformatio in peius», que impide que, por vía de un recurso de apelación o casación, se produzca una reforma peyorativa de la sentencia recurrida, salvo que el apelado recurra también o se adhiera a la apelación (Véase sobre esta cuestión § 6.3. G, del Cap. IX en sede de procedimiento abreviado)[34].

«La interdicción de la "reformatio in peius" no está expresamente enunciada en el art. 24 de la Constitución, pero que representa un principio procesal que forma parte del derecho a la tutela judicial efectiva a través del régimen de garantías legales de los recursos y, en todo caso de la prohibición constitucional de la indefensión (SSTC 54/1985, 84/1985 y 115/1986, entre otras). En el proceso penal, en cuyo seno se ha dictado la sentencia objeto de la pretensión de amparo, la prohibición de la reforma peyorativa para el recurrente tiene un reconocimiento explícito en la ley, limitado al recurso de casación en el art. 902 LECrim., pero que es sin duda trasladable a la apelación, para preservar el principio acusatorio y para evitar el agravamiento de la situación del condenado apelante por su solo recurso, cuando ejercita el derecho a la segunda instancia en el orden penal, reconocido como resultado de la conexión de los arts. 24.1 y 10.2 de la Constitución (STC 116/1988)» STC 56/1999 de 12 de abril.

Este principio sirve a los fines de garantizar el libre acceso a los recursos al evitar que el recurrente pudiera quedar penalizado por su propio recurso.

«... con la interdicción de la "reformatio in peius" se evita también la introducción de un elemento disuasorio para el ejercicio del derecho constitucional a los

_____

(34) «En efecto, este Tribunal ha tenido ocasión de reiterar en múltiples pronunciamientos que la interdicción de la reforma peyorativa o de la reformatio in peius, .../..., es una manifestación del principio de congruencia en la segunda instancia y, .../... En efecto, la dimensión constitucional de la prohibición de la reformatio in peius deriva del derecho fundamental a obtener una tutela judicial efectiva, a través de las garantías implícitas en el régimen de recursos y de la necesaria congruencia de la Sentencia que impide extender el pronunciamiento en ella contenido más allá de las pretensiones formuladas (STC 242/1988, fundamento jurídico 2.º), aspecto ciertamente predicable del pronunciamiento civil unido a la condena penal, pero, en cualquier caso, teniendo en cuenta no sólo la apelación inicial, sino también la ulterior modificación introducida por una eventual apelación adhesiva de alguna de las partes recurridas, que incremente el alcance devolutivo del recurso y amplíe, en consecuencia, los poderes del órgano de apelación (SSTC 242/1988, fundamento jurídico 2.º; 40/1990, fundamento jurídico 2.º)». (STC 279/1994, de 17 octubre) (V. también STC 120/1995, de 17 julio).

recursos establecidos en la ley, que sería incompatible con la tutela judicial efectiva, sin resultado de indefensión, que vienen obligados a prestar los órganos judiciales en cumplimiento del art. 24.1 CE, añadiendo que, en caso contrario, se estaría autorizando que el recurrente fuera penalizado, en términos legalmente no previstos, por el hecho mismo de interponer su recurso». STC 232/2001 de 11 de diciembre.

3.° Derecho a un Juez imparcial. Derecho al Juez ordinario predeterminado por la ley[35]

Una de las manifestaciones más importantes del principio acusatorio es la del Juez imparcial no prevenido. Se trata de una garantía protegida constitucionalmente en el art. 24 CE, dentro del derecho a un proceso con todas las garantías, que incluye, implícitamente, el derecho al Juez ordinario predeterminado por la Ley.

«La imparcialidad judicial, este Tribunal ha afirmado que constituye una garantía fundamental de la Administración de Justicia en un Estado de Derecho que condiciona su existencia misma, ya que sin Juez imparcial no hay, propiamente, proceso jurisdiccional. Por ello, la imparcialidad judicial, además de reconocida explícitamente en el art. 6.1 del Convenio europeo para la protección de los derechos humanos y las libertades fundamentales (LA LEY 16/1950) (CEDE), está implícita en el derecho a un proceso con todas las garantías (art. 24.2 CE (LA LEY 2500/1978)), con una especial trascendencia en el ámbito penal. El reconocimiento de este derecho exige, por estar en juego la confianza que los Tribunales deben inspirar en una sociedad democrática, que se garantice al acusado que no concurre ninguna duda razonable sobre la existencia de prejuicios o prevenciones en el órgano judicial. A esos efectos, se viene distinguiendo entre una imparcialidad subjetiva, que garantiza que el Juez no ha mantenido relaciones indebidas con las partes, en la que se integran todas las dudas que deriven de las relaciones del Juez con aquéllas, y una imparcialidad objetiva, es decir, referida al objeto del proceso, por la que se asegura que el Juez se acerca al thema decidendi sin haber tomado postura en relación con él (así, SSTC 47/2011, de 12 de abril (LA LEY 20749/2011), FJ 9; 60/2008, de 26 de mayo (LA LEY 61662/2008), FJ 3, o 26/2007, de 12 de febrero (LA LEY 3223/2007), FJ 4)». STC 133/2014 de 22 Jul. 2014, Rec. 3930/2012 Ponente: Xiol Ríos, Juan Antonio. LA LEY 93103/2014.

La predeterminación legal del Juez exige que la Ley, con generalidad y anterioridad al caso concreto, ha de contener los criterios de determinación competencial cuya aplicación a cada supuesto litigioso permita determinar qué Juzgado o Tribunal es el llamado a conocer del caso. Con ello se garantiza la inexistencia de Jueces nombrados «ad hoc». El tribunal así nombrado no podrá ser desposeído de su competencia en virtud de decisiones de un órgano gubernativo, sino únicamente en virtud de las causas legales previstas a ese fin[36].

---

(35) MONTERO AROCA J., «El Juez que instruya no juzga», *La Ley* n.° 4735, 1999. PICÓ JUNOY J., «Nuevas reflexiones sobre la regla "quien instruye no puede juzgar"», *Justicia* 99; «La imparcialidad objetiva del Juez a examen», *La Ley* n.° 4486, 1998. CHOCLÁN MONTALVO J.A., «La imparcialidad del Juez», *Actualidad J.ª Aranzadi* n.° 460 2000. JIMÉNEZ ASENSIO R., *Imparcialidad judicial y Derecho al Juez imparcial*, Pamplona 2002.

(36) «De este modo, es notoria la distinta configuración del contenido de ambos derechos fundamentales que se deduce de múltiples resoluciones de este Tribunal: El derecho al llamado Juez legal comprende, entre otros extremos, la exclusión en sus distintas modalidades del Juez ad hoc, excepcional o especial, junto a la exigencia de predeterminación del órgano judicial, así como

«… este derecho constitucional, reconocido en el art. 24.2 CE, exige que el órgano judicial haya sido creado previamente por la norma jurídica, que ésta le haya investido de jurisdicción y competencia con anterioridad al hecho motivador de la actuación o proceso judicial y que su régimen orgánico y procesal no permita calificarle de órgano especial o excepcional (SSTC 48/2003, de 12 de marzo, FJ 17; 32/2004, de 8 de marzo, FJ 4). Exige también que la composición del órgano judicial venga determinada por Ley y que en cada caso concreto se siga el procedimiento legalmente establecido para la designación de los miembros que han de constituir el órgano correspondiente (AATC 42/1996, de 14 de febrero, FJ 2, y 102/2004, de 13 de abril, FJ 4). De esta forma se trata de garantizar la independencia e imparcialidad que el derecho en cuestión comporta…» STC 60/2008, de 26 de mayo de 2008.

Ahora bien, el cambio de ponente no afecta al derecho al Juez ordinario, ya que el ponente de una sentencia solo expone el punto de vista común de todos los componentes del Tribunal.

«La Jurisprudencia del Tribunal Supremo (Cfr. STS 1561/2002, de 24-9 (LA LEY 155996/2002)) ha abordado en numerosos precedentes la cuestión suscitada sobre el cambio de Ponente o sustitución de los miembros integrantes del Tribunal, efectuada su notificación a las partes, y así, entre otras, la STS 18.2.2000, invocando la de 11.3.98, subraya que "el contenido esencial del derecho al Juez ordinario predeterminado por la Ley, que prevé el art. 24.2 CE (LA LEY 2500/1978), viene integrado por tres pilares básicos: la prohibición de sustituir órganos jurisdiccionales a no ser por una Ley en sentido estricto, pero no necesariamente mediante Ley orgánica (SSTC 95/1988, de 26.5 y 101/1984, de 8.11 (LA LEY 349-TC/1985)); la prohibición de Tribunales especiales; y la posibilidad de determinar con absoluta certeza el órgano llamado a resolver sobre un hecho delictivo desde el momento de su comisión. Estos criterios de generalidad y anterioridad constituyen la garantía de la inexistencia de Jueces "ad hoc" (SSTC 199/1987 (LA LEY 53413-JF/0000), de 16.12; 47/1983, de 31-5), y prohíben la aplicación retroactiva de normas modificadoras de la competencia. Y según se declara "el derecho a ser juzgado por un Tribunal predeterminado por la Ley no se ve afectado por el cambio de Ponente, en la medida en que dicho derecho no implica derecho aun ponente predeterminado, ya que el ponente de una sentencia solo expone el punto de vista común de todos los componentes del Tribunal"». STS 47/2014 de 4 Feb. 2014, Rec. 822/2013; Ponente: Monterde Ferrer, Francisco. LA LEY 6347/2014.

---

de su jurisdicción y competencia; predeterminación que debe hacerse por una norma dotada de generalidad y dictada con anterioridad al hecho motivador del proceso, y respetando la reserva de Ley en la materia (SSTC 47/1982, 47/1983, 101/1984, 111/1984, 44/1985, 105/1985, 23/1986, 30/1986, 199/1987, 153/1988, 106/1989, etc.). El derecho a un Juez imparcial, como señala, entre otras, la STC 145/1988, constituye una garantía que, aunque no se cita de forma expresa en el art. 24.2 de la Constitución, debe considerarse incluida entre ellas, ya que es un elemento organizativo indispensable de la Administración de Justicia en un Estado de Derecho; en este marco, la prohibición de que un mismo Juez sea competente para la instrucción y fallo de las causas busca preservar la llamada imparcialidad objetiva, es decir, aquella que se deriva no de la relación del Juez con las partes, sino de su relación con el objeto del proceso, y a asegurar esa imparcialidad tiende, en general, las causas de abstención y recusación que figuran en las leyes y, en particular, la establecida en el art. 54.12 de la LECrim., que establece como causa legítima de recusación haber sido instructor de la causa (ibid. fundamento jurídico 5.º)». STC 138/1991, de 20 junio. Véase también STC 55/1990, de 28 marzo.

El derecho al juez imparcial completa el derecho al Juez ordinario y garantiza la necesaria posición de ajenidad e independencia del Juez para el caso concreto. Se trata de asegurar que la contienda judicial sea resuelta por un Juez ajeno a los intereses de las partes y, más aún, que decida el asunto regido, únicamente, por el marco legal sin atender a las propias convicciones personales o prejuicios[37]. La protección de esta garantía se hará valer mediante la petición de recusación, sin perjuicio del deber del Juez de abstenerse de conocer cuando exista alguna causa legal para ello (Véase sobre la abstención y recusación § 5, Cap. III).

> «La obligación de ser ajeno al litigio puede resumirse en dos reglas: primera, que el Juez no puede asumir procesalmente funciones de parte; segunda, que no puede realizar actos ni mantener con las partes relaciones jurídicas o conexiones de hecho que puedan poner de manifiesto o exteriorizar una previa toma de posición anímica a su favor o en contra (STC 5/2004, de 16 de enero, FJ 2). Ahora bien, según la misma doctrina, aun cuando es cierto que en este ámbito las apariencias son muy importantes, porque lo que está en juego es la confianza que en una sociedad democrática los Tribunales deben inspirar a los ciudadanos, no basta con que tales dudas o sospechas sobre su imparcialidad surjan en la mente de quien recusa, sino que es preciso determinar caso a caso si las mismas alcanzan una consistencia tal que permitan afirmar que se hallan objetiva y legítimamente justificadas (SSTC 69/2001, de 17 de marzo, FFJJ 14 y 16; 140/2004, de 13 de septiembre, FJ 4). Por ello la imparcialidad del Juez ha de presumirse y las sospechas sobre su idoneidad han de ser probadas (SSTC 170/1993, de 27 de mayo, FJ 3; 162/1999, de 27 de septiembre, FJ 5) y han de fundarse en causas tasadas e interpretadas restrictivamente sin posibilidad de aplicaciones extensivas o analógicas. En distinto plano hemos afirmado también que, en razón a la subsidiariedad del recurso de amparo, no puede alegarse en esta vía la vulneración del derecho al Juez imparcial sin haberse planteado en tiempo ante los órganos de la jurisdicción ordinaria la recusación del Juez o Magistrado cuya imparcialidad se cuestiona, de forma que no cabe apreciar la lesión del derecho invocado cuando el recurrente tuvo ocasión de ejercer su derecho a recusar y no recusó (SSTC

---

(37) «La estricta sujeción del Juez a la Ley penal sustantiva y procesal que rige sus actos y decisiones constituye la primera y más importante garantía del juicio justo en la medida en que dicha sujeción asegura a las partes en el proceso que el Juez penal es un tercero ajeno a los intereses en litigio y, por tanto, a sus titulares y a las funciones que desempeñen en el proceso. Alejamiento que le permite decidir justamente la controversia, situándose por encima de las partes acusadoras e imputadas. Por esta razón le está vedado constitucionalmente asumir en el proceso funciones de parte (STC 18/1989, de 30 de enero, con cita de la STC 53/1987, de 7 de mayo), o realizar actos en relación con el proceso y sus partes que puedan poner de manifiesto que ha adoptado una previa posición a favor o en contra de una de ellas, lo que es aún más relevante cuando se trata del imputado en el proceso penal (por todas STC 162/1999, de 27 de septiembre). De ahí que la imparcialidad objetiva del Juez penal resulta sin duda una garantía esencial y debida del proceso penal justo …/… Hemos tenido ocasión de afirmar que en esta materia "las apariencias son muy importantes porque lo que está en juego es la confianza que, en una sociedad democrática, los Tribunales deben inspirar al acusado y al resto de los ciudadanos" (STC 162/1999, F. 5). También hemos sostenido que aquél puede traspasar el límite que le impone el principio acusatorio cuando, perdiendo su apariencia de juez objetivamente imparcial, ha llevado a cabo una actividad inquisitiva encubierta al desequilibrar la inicial igualdad procesal de las partes en litigio, al respaldar una petición de una de ellas formulada en clara conculcación de lo dispuesto en la legalidad sustantiva o procesal y que puede deparar un perjuicio a la otra (STC 188/2000, de 10 de julio, F. 2)». STS 130/2002 de 3 de junio.

140/2004, de 13 de septiembre, FJ 4; 28/2007, de 12 de febrero, FJ 3)». STC 60/2008, de 26 de mayo de 2008.

La imparcialidad del Juez determina la necesaria separación entre la fase de instrucción y la del juicio oral, correspondiendo conocer de ambas fases a jueces distintos, a fin de evitar un posible prejuzgamiento. Este derecho a ser juzgado por un órgano jurisdiccional independiente e imparcial viene recogido en el art. 14 del Pacto Internacional de Derechos Civiles y Políticos; y en el art. 6.1.º del Convenio Europeo de Derechos Humanos[38].

Pero, no toda intervención del Juez antes de la vista tiene carácter de actividad instructora[39]. En consecuencia, deberá examinarse la actividad desarrollada por un Juez determinado en cada caso, para poder calificar aquélla como de naturaleza instructora o no, en función del carácter inquisitivo de la actividad realizada. Así, mientras la declaración del imputado, prevista en los arts. 486 y 488 LECrim., no

---

(38) «Ciertamente este Tribunal ha incluido en el ámbito del derecho a un proceso con todas las garantías del art. 24.2 de la Constitución el derecho a un Juez imparcial (por todas, SSTC 145/1988 y 164/1988). Desde el principio, y con apoyo en la jurisprudencia del TEDH (asuntos Piersack, de 1 de octubre de 1982, y De Cubber, de 26 octubre de 1984), hemos distinguido en este derecho una doble vertiente: la subjetiva, que trata de evitar la parcialidad del criterio del Juez —o su mera sospecha— derivada de sus relaciones con las partes, y la objetiva, que trata de evitar esa misma parcialidad derivada de su relación personal con el objeto del proceso o de su relación orgánica o funcional con el mismo. Desde la STC 145/1988 hemos mantenido que la imparciali-dad del Juez queda afectada cuando coincide en una misma persona la función sentenciadora y la actividad instructora de contenido inquisitivo —no de simple ordenación del proceso—. La impar-cialidad objetiva del Juez instructor debe presumirse perdida para juzgar cuando ha llevado a cabo una actividad investigadora o instructora en sentido estricto. El hecho de que el Juez haya estado en contacto con las fuentes de donde procede el material necesario para que se celebre el juicio puede hacer nacer en su ánimo prejuicio o prevención respecto de la culpabilidad del encartado, quebrándose la imparcialidad objetiva que intenta asegurar la separación entre la función instruc-tora y la juzgadora (en el mismo sentido, entre otras muchas, STC 113/1992). Desde la perspectiva constitucional, el derecho a un Juez imparcial en su vertiente objetiva se afirma únicamente res-pecto del acusado (STC 136/1992), por lo que el mismo no es alegable en la fase de instrucción del sumario o de las diligencias previas, ya que, en esta sede constitucional, la lesión del derecho a la imparcialidad sólo se consuma tras el fallo de la causa por el titular del órgano judicial en primera instancia (SSTC 136/1989 y 170/1993), es decir, cuando se constata efectivamente que el Juez o Magistrado que ha realizado auténticas actividades de instrucción ha intervenido también en el enjuiciamiento del acusado». (STC 32/1992, de 31 enero) vid. también SSTC 372/1993, de 13 diciembre; 170/1993, de 27 mayo).

(39) «Este Tribunal ha elaborado una abundante jurisprudencia sobre la imparcialidad objetiva del juzgador. Según ella, el derecho a un Juez imparcial como garantía constitucional del proceso excluye, por exigencia del principio acusatorio, la posibilidad de acumulación en un mismo órgano de funciones instructoras y decisorias. Esta jurisprudencia se asienta sobre dos ideas esenciales: de una lado, que, al estar en contacto con el material de hecho necesario para que se celebre el juicio, pueden nacer en el ánimo del Juez o Tribunal sentenciador prejuicios y prevenciones respecto de la culpabilidad del imputado, y de otro, que no toda intervención del Juez antes de la vista tiene carácter instructor ni compromete su imparcialidad objetiva, por lo que será necesario analizar caso por caso la actividad realizada para determinar si se ha producido o no vulneración del art. 24.2 CE, teniendo en cuenta que no es suficiente que el Juez haya realizado actos de naturaleza instructora, sino acreditar, aunque sea indiciariamente, que la actividad ins-tructora desplegada pudo provocar en su ánimo prejuicio (por todas, SSTC 137/1992 y 170/1993)». (STC 372/1993, de 13 diciembre).

compromete la imparcialidad del Juez, dada su postura pasiva, sí la compromete el interrogatorio judicial, regulado en el art. 386 LECrim., en virtud del carácter indagatorio e inquisitivo del mismo, de acuerdo con lo previsto en el art. 389. También infringe aquel derecho la adopción de la prisión provisional del detenido de oficio por el Juez, sin existencia de un trámite contradictorio previo y sin previa petición de las partes acusadoras[40]. (Véase sobre abstención y recusación, y más concretamente, con relación a esta causa § 7.5 Capítulo III).

Finalmente, también se ha planteado la cuestión de la posible afectación de posición de imparcialidad del Tribunal que conoce del juicio oral cuando asume la iniciativa probatoria, de conformidad con el art. 729 LECrim. Sin embargo, se trata de una facultad del Tribunal que tiene por finalidad obtener la convicción sobre los hechos objeto del proceso que se ha definido como: «prueba sobre la prueba» (véase sobre esta cuestión § 2.2 Cap. XIV).

«No se puede temer legítimamente la pérdida de la imparcialidad objetiva de un Juez que acuerda una diligencia probatoria, en el seno del juicio oral —por tanto, con plena garantía de contradicción— con el fin de esclarecer un hecho reconocido por las acusaciones y por el mismo acusado. Y por lo que respecta a la imparcialidad subjetiva, que ha de presumirse salvo prueba en contrario, a falta de la más mínima acreditación, aun indiciaria, de que la Juez de lo Penal se hubiese guiado por otra intención que no fuese la de ahondar en la clarificación de los hechos enjuiciados, no cabe sostener con fundamento que la juzgadora ya conocía con antelación cuál iba a ser el sentido, favorable o perjudicial para el imputado, de la decisión por ella acordada. En definitiva: en las circunstancias del caso presente no cabe hablar, con el menor fundamento, de que la iniciativa del Juzgador entrañe una actividad inquisitiva

_____

(40) Vid. SSTC 145/1988, de 12 julio; 164/1988, de 26 septiembre; 11/1989, de 24 enero; 106/1989, de 8 junio. En este sentido, la STC 151/1991, de 8 julio, establece: «Es el examen de lo actuado en cada caso concreto lo que determina la apreciación de si el juez que decidió la causa realizó verdadera actividad instructora, y, en aplicación de la doctrina sentada en la anterior Sentencia, ello determina la apreciación de su falta de parcialidad de carácter objetivo o, por el contrario, si el análisis de las actuaciones y la inexistencia de actividad instructora que se derive de ella, impiden apreciar lesionada la repetida garantía. Por ello, planteada similar cuestión ante este Tribunal en ocasiones anteriores, es esa misma casuística y consideración del caso concreto la que ha motivado su estimación en unos casos (STC 11/1989) y su desestimación en otros (STC 164/1988). Los parámetros y criterios que permiten afirmar la existencia o carencia de actividad instructora, en cada supuesto, se indican ya en esa resolución inicial (STC 145/1988) y se perfilan y reiteran más tarde en las otras dos Sentencias citadas (SSTC 164/1988 y 11/1989). Así, se alude en la primera a diversas actuaciones de naturaleza instructora, como el interrogatorio del detenido, la decisión sobre su situación personal con la consiguiente valoración inicial e indiciaria acerca de su culpabilidad, las resoluciones a adoptar respecto de la admisión a trámite de la querella o denuncia, comprobación del hecho denunciado o práctica de diligencias de prueba propuestas en aquéllas cuando se consideren procedentes o, finalmente, los supuestos de práctica de prueba anticipada. Resumiendo genéricamente el concepto, se señala en la segunda de las resoluciones citadas que es la investigación directa de los hechos con una función en parte inquisitiva y en parte acusatoria (dirigida frente a determinada persona) la que puede considerarse integrante de una actividad instructora. Por último, en la STC 11/1989, se concretan las actuaciones determinadas que, en ese supuesto, se consideraron integrantes de verdadera actividad instructora, como las declaraciones tomadas a los protagonistas del hecho y a diversos testigos o la decisión motivada sobre libertad provisional del encausado, todo ello con anterioridad a la citación para el juicio oral».

encubierta o signifique una toma de partido por la acusación o por la defensa». STC 188/2000 de 10 de julio.

b)   Derecho a la tutela judicial efectiva[41]

El derecho a la tutela judicial efectiva tiene un contenido complejo que incluye, entre otros, los siguientes derechos: de acceso a la jurisdicción y a los recursos; a la prohibición de la reformatio «in peius»; a la igualdad de armas; a obtener una resolución fundada en derecho; a la prueba; a la motivación de la sentencias; y a la presunción de inocencia.

1.º Derecho de acceso a la jurisdicción

Este derecho constituye el primero y núcleo fundamental de los que se contienen en el derecho a la tutela judicial efectiva, en tanto que garantiza el derecho de acceso a la jurisdicción según está previsto en la ley procesal[42]. En el proceso penal este derecho se define como un: «ius ut procedatur», que incluye, únicamente, el derecho al proceso que se agota en el acceso a Jueces y tribunales, pero no comprende el derecho a que se dicte una sentencia. No supone, por tanto, un derecho incondicionado a la apertura del proceso, a su sustanciación, ni tampoco a obtener una sentencia favorable (véase STC 115/2001 de 10 de mayo) (véase sobre la acción penal § 1.1 Capítulo II). Pero, son aplicables al derecho de «ius ut procedatur» las garantías del art. 24.2 CE, de modo que, en caso de inadmisión, el justiciable tiene derecho a obtener una resolución fundada en derecho[43].

_____

(41)   BUJOSA VADELL, L.M. y RODRÍGUEZ GARCÍA, N., «Algunos apuntes sobre el derecho a la tutela judicial efectiva en la jurisprudencia constitucional», *La Ley* 4765, 1999.

(42)   «En STC 260/2000, de 30 de octubre (F. 2) que "el núcleo del derecho fundamental a la tutela judicial efectiva proclamado por el art. 24.1 CE consiste en el acceso a la jurisdicción. Por el contrario, con la única excepción de la materia penal, el derecho a los recursos no forma parte directamente de ese derecho fundamental... O, dicho de otro modo, en tanto que el derecho de acceder a la justicia viene otorgado por la Constitución misma, el sistema de recursos frente a las diferentes resoluciones judiciales se incorpora al derecho a la tutela judicial efectiva en la concreta configuración que reciba en cada una de las leyes de enjuiciamiento reguladoras de los diferentes órdenes jurisdiccionales, salvo en lo relativo a las sentencias penales condenatorias. Lógico corolario de esta distinción es la diferente intensidad del control constitucional de las resoluciones judiciales de inadmisión, puesto que el principio hermenéutico "pro actione" únicamente está llamado a informar las decisiones que limitan el acceso a la jurisdicción. En los supuestos de acceso a los recursos, la interpretación de las normas que contienen motivos de inadmisión es, en tanto que cuestión de estricta legalidad procesal, de la exclusiva competencia de los órganos judiciales, sin que, en general, en el ejercicio de la misma, el art. 24.1 CE les impongan más limitaciones que las derivadas de los cánones del error patente, la arbitrariedad o la manifiesta irrazonabilidad"». STC 236/2001 de 18 de diciembre.

(43)   «De acuerdo con nuestra consolidada doctrina, constituye el primero de los contenidos del derecho a la tutela judicial efectiva y, por ello, sobre él se proyecta con toda su intensidad el principio "pro actione", exigiendo un control riguroso de la decisión judicial que impide conocer de la pretensión suscitada por la parte. Y si bien es cierto que, en la medida en que dicho derecho se ejercita conforme a la configuración prevista por el legislador, los órganos judiciales pueden apreciar una causa impeditiva del pronunciamiento sobre el fondo, no lo es menos que la apreciación de dicha causa debe hacerse, desde la perspectiva constitucional, conforme a un criterio respetuoso para con el derecho fundamental, rechazando aquellas decisiones que por su rigorismo o excesivo formalismo revelen una clara desproporción entre el defecto o causa en que justifiquen el cierre

«El derecho a obtener de los Jueces y Tribunales una resolución razonada y fundada en Derecho sobre el fondo de las pretensiones oportunamente deducidas por las partes, se erige en un elemento esencial del contenido del derecho a la tutela judicial efectiva reconocido en el art. 24.1 CE que, no obstante, también se satisface con la obtención de una resolución de inadmisión, que impida entrar en el fondo de la cuestión planteada, si esta decisión se funda en la existencia de una causa legal que así lo justifique, aplicada razonablemente por el órgano judicial (SSTC 19/1981, de 8 de junio, FJ 2; 69/1984, de 11 de junio, FJ 2; 6/1986, de 21 de enero, FJ 3; 118/1987, de 8 de julio, FJ 2; 57/1988, de 5 de abril, FJ 1; 124/1988, de 23 de junio, FJ 3; 216/1989, de 21 de diciembre, FJ 3; 154/1992, de 19 de octubre, FJ 2; 55/1995, de 6 de marzo, FJ 2; 104/1997, de 2 de junio, FJ 2; 108/2000, de 5 de mayo, FJ 3; entre otras muchas), pues, al ser el derecho a la tutela judicial efectiva un derecho prestacional de configuración legal, su ejercicio y efectividad están supeditados a la concurrencia de los presupuestos y requisitos que, en cada caso, haya establecido el legislador, que no puede, sin embargo, fijar obstáculos o trabas arbitrarios o caprichosos que impidan la tutela judicial garantizada constitucionalmente (STC 185/1987, de 18 de noviembre, FJ 2)». STC 17/2008 de 31 de enero.

2.º Derecho a la igualdad de «armas»

Las partes personadas en el proceso penal deben disfrutar de igualdad de medios procesales para formular la acusación y la defensa. Cualquier desequilibrio de estos medios produciría una indefensión en la parte contraria, vulnerando con ello el art. 24 CE.

«Esa estricta sujeción impuesta al Juez a lo dispuesto en la ley procesal garantiza su neutralidad y asegura la igualdad procesal entre las partes en el proceso. En efecto, dicha exigencia de igualdad, que constituye un principio constitucional de todo proceso integrado en el derecho a un proceso con todas las garantías (art. 24.2 CE), significa que los órganos judiciales vienen constitucionalmente obligados a aplicar la ley procesal de manera igualitaria de modo que se garantice a todas las partes, dentro de las respectivas posiciones que ostentan en el proceso y de acuerdo con la organización que a éste haya dado la ley, el equilibrio de sus derechos de defensa, sin conceder trato favorable a ninguna de ellas en las condiciones de otorgamiento y utilización de los trámites comunes, a no ser que existan circunstancias singulares determinantes de que ese equilibrio e igualdad entre las partes sólo pueda mantenerse con un tratamiento procesal distinto que resulte razonable, y sea adoptado con el fin precisamente de restablecer dichos equilibrio e igualdad (SSTC 101/1989, de 5 de junio, FJ 4; y 230/2002, de 9 de diciembre, FJ 3)». STC 12/2011, de 28 de febrero.

Se trata de un derecho que se incluye en el derecho a un proceso con todas las garantías, de acuerdo con los arts. 11 de la Declaración Universal de Derechos Humanos; 14 del Pacto Internacional de Nueva York de 1966; y 6 del Convenio de Roma de 1950; y que determina que todas las partes personadas en la causa dispongan de las mismas posibilidades en cuanto a alegaciones, pruebas e impugnaciones para evitar el desequilibrio entre las partes. Este derecho adquiere singular relevancia en el juicio oral y concretamente en la actividad probatoria (STC 66/1989 de 17 de

---

del proceso y la consecuencia que se deriva para la parte, que es la imposibilidad de obtener un pronunciamiento judicial sobre su pretensión, pretensión para la que el acceso al procedimiento quedará definitivamente impedido ...». STC 84/2000 de 27 de marzo.

abril de 1989 y STS 10 de junio de 1999). Teniendo en cuenta que también debe ser observado en la fase de instrucción y en la fase intermedia, en las condiciones que permiten la especificidad y principios que rigen en esas fases del proceso penal[44].

«Esa dimensión del derecho a un proceso judicial con todas las garantías (art. 24.2 CE), dirigida a la efectiva garantía del derecho de defensa de las partes en ese proceso judicial, y que se manifiesta en el inexcusable respeto a los principios de contradicción e igualdad procesal de las partes, a los efectos de ejercer en paridad de condiciones precisamente sus derechos de defensa alegando y pudiendo probar lo alegado (SSTC 277/1994, de 17 de octubre, F. 2, y las en ella citadas, 64/1995, de 3 de abril, F. 4; 93/1996, de 28 de mayo, F. 3), ha sido respetada en el caso objeto de enjuiciamiento» STC 130/2002 de 3 de junio[45].

Ahora bien, este principio no debe relacionarse con el derecho a la igualdad ante la Ley que garantiza el art. 14 CE, al que nos referimos en el punto B.c.3.º de este epígrafe 2.2.

3.º Derecho de audiencia y de contradicción[46]

El derecho de audiencia se encuentra contenido en el aforismo que establece que «Nadie puede ser condenado sin ser oído y vencido en juicio». Manifestaciones del principio afirmado son las expresiones «*audiatur et altera pars*» o «*nemo inauditus damnare potest*». En su virtud el sometido al proceso penal debe haber tenido derecho a comparecer, ser tenido como parte en el proceso, alegar lo que convenga a su defensa y de aportar y practicar prueba sobre aquélla[47]. Es reiterada la doctrina

---

(44) Ahora bien, este principio de igualdad opera tanto durante la instrucción, en la fase intermedia, como en el juicio oral en la práctica de las pruebas. Sobre este particular, la STC 66/1989, de 17 abril, declaró que el principio general del equilibrio procesal cobra singular relevancia en el juicio oral, pero ha de respetarse también en la fase intermedia (vid. §, Cap. XI). En este sentido, el art. 627 LECrim no prohíbe el traslado a los procesados para solicitar y razonar sobre la procedencia del sobreseimiento o la práctica de nuevas diligencias, resultando dicho traslado una interpretación integradora del art. 627 LECrim. de conformidad con los arts. 24.2 CE, 5.1 y 7.2 LOPJ.

(45) «También ha dicho reiteradamente este Tribunal, que el art. 24.2 CE, al reconocer los derechos a un proceso con todas las garantías y a la defensa, ha consagrado, entre otros, el derecho a la igualdad de armas y el de defensa contradictoria de las partes, quienes han de tener la misma posibilidad de ser oídas y acreditar, mediante los oportunos medios de prueba, lo que convenga a la protección de sus derechos e intereses legítimos (SSTC 4/1982, 89/1986, 231/1992 y 273/1993, entre otras), determinándose que de la certeza de la identidad cuestionada depende la efectividad del cumplimiento de dicha sentencia o, por el contrario, la libertad personal de la persona objeto de enjuiciamiento (art. 17.1 CE), de cuya garantía constitucional forma muy señaladamente parte la intervención judicial (STC 71/1994), que constituye además una exigencia inexcusable para garantizar el correcto cumplimiento del principio de la responsabilidad personal por hechos propios, es decir, del principio de la personalidad de la pena, que como ha declarado este Tribunal, está protegido también por el art. 25.1 CE (STC 254/1988)». STC 93/1006 de 28 de mayo.

(46) Véase DE URBANO CASTRILLO E., «El principio de contradicción en el proceso penal», *La Ley* n.º 5474, 2002.

(47) Vid. STS 7 febrero 1989, en cuyo FJ 2.º establece: «... que la contradicción potencial o efectiva es un presupuesto de la exigencia constitucional de que nunca se produzca indefensión (art. 24.1 y 2 de la Constitución Española) y del reconocimiento del derecho a un proceso con todas las garantías de entre las cuales, como dice la doctrina científica con acierto, la primera de ellas ha de ser, sin duda, la posibilidad de contradicción. Sin ella no existe un proceso en el que la causa sea oída equitativa, públicamente y dentro de un plazo razonable (art. 6 del Convenio) o en

constitucional que, recuerda que el derecho fundamental a la tutela judicial efectiva comprende no solo el acceso al proceso y a todas sus incidencias, incluidos los recursos, sino también el adecuado ejercicio del derecho de audiencia bilateral para que las partes puedan hacer valer sus derechos e intereses legítimos.

Este principio de audiencia impone la necesidad, en primer término, de que se garantice el acceso al proceso de toda persona a quien se le atribuya, más o menos fundadamente, un acto punible y que dicho acceso lo sea en condición de imputada, para garantizar la plena efectividad del derecho a la defensa y evitar que puedan producirse contra ella, aun en la fase de instrucción judicial, situaciones materiales de indefensión[48].

> «Los principios de contradicción e igualdad de armas en el proceso son de particular vigencia en dos trámites de la instrucción que suelen presentarse sucesivamente, como son: a) La proposición de diligencias de investigación y medios de prueba, que corresponden al imputado en las mismas condiciones y términos en que pueda hacerlo las acusaciones, derecho sometido a la facultad directora del Juez de instrucción que admita y rechaza apreciando o no la pertinencia y utilidad de las propuestas. b) En el momento de la práctica de la prueba, tanto de la propuesta por la acusación como por la propia defensa, concediendo pues, las mismas posibilidades de interrogar en forma contradictoria a los testigos e intervenir activamente en la práctica de las demás diligencias propias de la instrucción, posibilidad que no implica asistencia efectiva, salvo a determinadas diligencias, y si necesidad de la notificación de aquella práctica para posibilitar esa intervención, que garantiza el cumplimiento de los principios de contradicción y de igualdad de armas». STS 5 May. 2010, Núm. de Sentencia: 383/2010; Núm. de Recurso: 10727/2009; LA LEY 41089/2010.

En igual sentido, el imputado debe conocer cuanto antes su condición de parte acusada y los hechos que se le imputan, para no ver mermado su derecho de defensa[49].

---

expresión de nuestra Ley Fundamental a un proceso público sin dilaciones indebidas y con todas las garantías (art. 24.2)».

(48) «Entre las garantías que incluye el art. 24 de la CE para todo proceso penal, destacan, por ser consustanciales al mismo, los principios de contradicción y de igualdad de armas procesales. Según constante y reiterada doctrina de este Tribunal [entre otras muchas, SSTC 76/1982, 188/1984, 27/1985, 109/1985, 47/1987, 155/1988 y 66/1989, el art. 24 de la CE, en cuanto reconoce los derechos a un proceso con todas las garantías y a la defensa, ha consagrado, entre otros, los citados principios de contradicción e igualdad, garantizando el libre acceso de las partes al proceso en defensa de sus derechos e intereses legítimos. Ello impone la necesidad, en primer término, de que se garantice el acceso al proceso de toda persona a quien se le atribuya, más o menos fundadamente, un acto punible y que dicho acceso lo sea en condición de imputada, para garantizar la plena efectividad del derecho a la defensa y evitar que puedan producirse contra ella, aun en la fase de instrucción judicial, situaciones materiales de indefensión [SSTC 44/1985 y 135/1989]». STC 273/1993 de 20 de septiembre.

(49) «La publicidad, la oralidad y la inmediación, como características intrínsecas al plenario, van de la mano de la contradicción cuando a su través se ejercita el derecho de hacer valer las pruebas propias y de refutar las ajenas y adversas de acuerdo con lo que al respecto se anunció por el Convenio de Roma de 1950 y el Pacto Internacional de Nueva York de 1966. La contradicción, tal acaba de decirse en la Sentencia de 3 de noviembre de 1995, obliga a que todas las pruebas se desarrollen, directa o indirectamente, en la vista oral, incluso en algunos supuestos con su simple lectura si ésta resultare jurídicamente imprescindible por causas justificadas, en cualquier caso para

La contradicción o *audiatur et altera pars* se erige en un derecho de las partes en el litigio, consistente en la necesaria función de dar a conocer la acusación como una manifestación del principio acusatorio. Impide juzgar y condenar sin que previamente se haya manifestado el hecho enjuiciado y el delito perseguido, a fin de que la parte acusada pueda contradecir las pruebas de la acusación y efectuar su pertinente defensa[50].

«La vigencia del principio de contradicción representa un principio estructural en el proceso penal. Con él se posibilita el adecuado ejercicio del derecho de defensa, no siendo incluso ajeno a una genuina dimensión ética del ejercicio de la actividad jurisdiccional. Su significado ha sido enfatizado por la jurisprudencia constitucional, que afirma que la posibilidad de contradicción es, por tanto, una de las "reglas esenciales del desarrollo del proceso" (SSTC 41/1997 (LA LEY 4688/1997), 218/1997, de 4 de diciembre (LA LEY 211/1998), 138/1999, de 22 de julio (LA LEY 9595/1999), y 91/2000), sin cuya concurrencia, debemos reiterar, la idea de juicio justo es una simple quimera. Se trata de un derecho formal (STC 144/1997, de 15 de septiembre (LA LEY 9175/1997)) cuyo reconocimiento no depende de la calidad de la defensa que se hubiera llegado a ejercer (SSTC 26/1999, de 8 de marzo (LA LEY 2501/1999)), de manera que puede afirmarse que ningún pronunciamiento fáctico o jurídico puede hacerse en el proceso penal si no ha venido precedido de la posibilidad de contradicción sobre su contenido, pues, como hemos señalado en anteriores ocasiones: "el derecho a ser oído en juicio en defensa de los propios derechos e intereses es garantía demasiado esencial del Estado de Derecho como para matizarlo o ponerle adjetivos" (STC 144/1997, de 15 de septiembre (LA LEY 9175/1997)) (SSTC 12/2006, de 16 de enero (LA LEY 10986/2006), FJ 3; 93/2005, de 18 de abril (LA LEY 12021/2005), FJ 3; y 143/2001, de 18 de junio (LA LEY 6389/2001), FJ 3). No faltan precedentes en la jurisprudencia constitucional en los que la rebeldía o el fallecimiento del coacusado autoriza, bajo determinados presupuestos y condiciones, la valoración probatoria de su declaración sumarial (cfr. SSTC 200/1996, 3 de diciembre (LA LEY 316/1997) y 1/2006, 16 de enero (LA LEY 161/2006))». STS 754/2016 de 13 Oct. 2016, Rec. 10244/2016. Ponente: Marchena Gómez, Manuel. LA LEY 142441/2016.

que se rectifiquen o ratifiquen. El plenario cobija, pues, no sólo las pruebas en él practicadas, sino también las de instrucción cuando excepcionalmente llegan al mismo, bien por ser de difícil o imposible reproducción, bien por ser pruebas preconstituidas o anticipadas (ver las SSTC 13 mayo y 15 abril 1991)». (STS 22 noviembre 1995).

(50) «El derecho a interrogar o hacer interrogar a los testigos de la acusación, como manifestación del principio de contradicción, se satisface dando al acusado una ocasión adecuada y suficiente para discutir un testimonio en su contra e interrogar a su autor en el momento en que declare o en un momento posterior del proceso (SSTEDH de 24 de noviembre de 1986 [TEDH 1986\14], caso **Unterpertinger c. Austria** .../... Por tanto, en este caso, desde la perspectiva cuestionada, ha de afirmarse que, por su forma de incorporarse al juicio oral, con plena posibilidad de interrogar a su autor y de poner de manifiesto sus posibles contradicciones, las manifestaciones sumariales del señor E. fueron prestadas en condiciones que permitieron al recurrente oponerse a su contenido, poniendo de relieve su credibilidad ante el Tribunal sentenciador. Por lo expuesto, la declaración sumarial incriminatoria, pese a ser obtenida en fase sumarial sin contradicción, se incorporó al juicio oral con plena posibilidad de contradicción». STC 57/2002 de 11 de marzo.

Asimismo, de la aplicación del principio de contradicción se deduce la necesidad de la suspensión del juicio oral, salvo en algunos supuestos, cuando el acusado no esté presente o bien no pueda darse cumplimiento a este principio, a diferencia de lo que ocurre en el proceso civil, con la finalidad de preservar la necesaria audiencia. (Vid. sobre las excepciones señaladas § 6.3 del Capítulo XII en sede de procedimiento abreviado, y § 1.3 del Capítulo XVII sobre el procedimiento por delitos leves).

4.º A la presunción de inocencia

La presunción de inocencia en un sentido lato equivale al principio de que toda persona es inocente mientras no se demuestre su culpabilidad. El art. 24.2 reconoce entre las garantías fundamentales de toda persona sometida a proceso, el derecho a la presunción de inocencia. Su alcance y delimitación ha sido puesto de relieve en diversas resoluciones del TC cuya exposición realizamos en § 3 Cap. XIV.

No se trata de una presunción, en sentido estricto, puesto que constituye una pauta primaria o verdad provisional interina, que informa el enjuiciamiento criminal en todas sus fases, hasta tanto no sea declarada su culpabilidad definitivamente. Este derecho se manifiesta durante la sustanciación del proceso penal donde opera como una regla de tratamiento del acusado, imputado o procesado que impide aplicar una condena anticipada[51]. Pero, donde es realmente eficaz es en la fase de resolución del proceso donde determina que la sentencia condenatoria debe estar sustentada en pruebas de cargo válidas, correspondiendo la carga de la prueba a quien acusa.

> «La presunción de inocencia, además de ser criterio informador del ordenamiento procesal penal, es ante todo un derecho fundamental en cuya virtud una persona acusada de una infracción no puede ser considerada culpable hasta que así se declare en sentencia condenatoria, siendo sólo admisible y lícita esta condena cuando haya mediado una actividad probatoria que, practicada con la observancia de las garantías procesales y libremente valorada por los Tribunales penales, pueda entenderse de cargo». STC 33/2015 de 2 Mar. 2015, Rec. 686/2012. Ponente: Valdés Dal-Ré, Fernando. LA LEY 26676/2015[52].

El principio de *in dubio pro reo* es una manifestación del de presunción de inocencia de la que se distingue por tener un alcance distinto. La presunción de inocencia constituye un principio constitucional que presupone la ausencia de prueba de cargo suficiente para enervar la presunción de inocencia, mientras que el *in dubio*

---

(51) «La presunción de inocencia da idea de la relevancia de un derecho, que "sirve de base a todo el procedimiento criminal y condiciona su estructura" (STC 56/1982), constituyendo "uno de los principios cardinales del Derecho penal contemporáneo, en sus facetas sustantiva y formal" (SSTC 138/1992 y 133/1995), por cuanto beneficia únicamente al acusado y le otorga toda una serie de garantías específicas en cada estadio de desarrollo del proceso (STC 41/1997, fundamento jurídico 5)». ATC 214/1998 de 13 de octubre.

(52) «Como venimos afirmando desde la STC 31/1981, de 28 de julio, el derecho a la presunción de inocencia se configura, en tanto que regla de juicio y desde la perspectiva constitucional, como el derecho a no ser condenado sin pruebas de cargo válidas, lo que implica que exista una mínima actividad probatoria realizada con las garantías necesarias, referida a todos los elementos esenciales del delito, y que de la misma quepa inferir razonablemente los hechos y la participación del acusado en los mismos». STC 111/2008, de 22 de septiembre.

pro reo opera como una regla de interpretación o valoración de la prueba cuando ésta resulte insuficiente para la condena de los acusados en el proceso.

5.º A la motivación de las sentencias

El derecho a la tutela judicial efectiva incluye el derecho a obtener de los órganos judiciales una respuesta razonada, motivada y congruente con las pretensiones oportunamente deducidas por las partes (art. 24 CE). Concretamente resulta exigible la motivación de las sentencias que resulta obligada, además, por el art. 120.3 CE. El fundamento de esta exigencia constitucional se halla en la necesaria acreditación del ejercicio de racionalidad en la aplicación del derecho que debe presidir el enjuiciamiento apartando cualquier atisbo de arbitrariedad y fortaleciendo la seguridad y confianza en la justicia. La motivación permite al justiciable conocer las razones de la decisión adoptada y de ese modo poder utilizar adecuadamente la vía de recurso y al tribunal superior el adecuado control de la resolución. (Véase sobre motivación de las sentencias § 1.1, Cap. XVI)[53].

La necesaria motivación de las resoluciones judiciales en el proceso penal resulta exigible respecto a todos los aspectos del enjuiciamiento. Así, con relación a la fijación de la responsabilidad civil «ex delicto»[54]; o a la individualización de la pena; adquiriendo un relieve cuando se trate de resoluciones que afecten al derecho fundamental a la libertad. También, naturalmente, con relación a la valoración de la prueba que debe se concreta y específica con relación a cada medio de prueba y su ponderación para la decisión final adoptada por el tribunal.

> «El deber de motivar los elementos fácticos de las resoluciones, tiene —entre otras— las siguientes conclusiones: 1.º) No es posible una simple valoración conjunta de la prueba, sin dar cuenta el Tribunal de las fuentes probatorias concretas de las que se ha servido para obtener su convicción judicial. 2.º) Que tal deber no se satisface con la mera indicación de las fuentes y los medios de prueba llevados a cabo al juicio, "sin aportar la menor información acerca del contenido de las mismas" (Sentencia 123/2004, entre otras). 3.º) Que, en el caso de tratarse de diversos acusados, deben individualizarse los mecanismos de apreciación probatoria, uno por uno, y no en forma globalizada. 4.º) Que, en caso de tratarse de prueba indirecta, han de recogerse pormenorizadamente los indicios resultantes de la prueba directa, de donde deducir, después, motivadamente la incriminación de los acusados. 5.º) Que en el supuesto de que tales pruebas se refieran a observaciones

---

(53)   En general véase sobre motivación: SSTC 20/1982, de 5 de mayo; 14/1984, de 3 de febrero; 177/1985, de 18 de diciembre; 23/1987, de 23 de febrero; 159/1989, de 6 de octubre; 63/1990, de 2 de abril; 69/1992, de 11 de mayo; 55/1993, de 15 de febrero; 169/1994, de 6 de junio; 146/1995, de 16 de octubre; 2/1997, de 13 de enero; 235/1998, de 14 de diciembre; 214/1999, de 29 de noviembre; 163/2000, de 12 de junio; 187/2000, de 10 de julio; y 214/2000, de 18 de septiembre.

(54)   «La necesidad de motivar las resoluciones judiciales (art. 120.3 CE), puesta de relieve por el Tribunal Constitucional, respecto de la responsabilidad civil "ex delicto" (v. SSTC 78/1986, de 13 de junio y la de 11 de febrero de 1987), y por esta Sala (v. SS. de 22 de julio de 1992, 19 de diciembre de 1993 y 28 de abril de 1995, entre otras), impone a los Jueces y Tribunales la exigencia de razonar la fijación de las cuantías indemnizatorias que reconozcan en sus sentencias, precisando —cuando ello sea posible— las bases en que se fundamenten (extremo revisable en casación)». STS 28 de enero de 2002.

telefónicas, no basta con una referencia genérica a la documental de la causa, o a sus transcripciones, sino que debe indicarse cuáles son las frases concretas de donde se deduce, por prueba directa o indirecta, la participación de cada acusado en cuestión». STS 376/2015 de 9 Jun. 2015, Rec. 1273/2014. Ponente: Moral García, Antonio del. LA LEY 89380/2015.

Aunque, no es exigible un razonamiento exhaustivo o pormenorizado con relación a cada uno de los puntos concretos del asunto sometido a juicio, sino, en definitiva, que se contenga la «ratio decidendi» de la resolución en la que se contengan las razones que determinaron la adopción de la resolución finalmente acordada[55].

6.° A la doble instancia

El derecho a los recursos no se integra en la tutela judicial efectiva del art. 24 CE excepto en materia penal respecto a la que el derecho a someter el fallo condenatorio a un tribunal superior integra el derecho a un proceso con todas las garantías reconocido, precisamente, en el art. 24 CE[56]. Asimismo el art. 14.5 del Pacto Internacional de Derechos Civiles y Políticos de Nueva York dispone que toda persona declarada culpable de un delito tiene derecho a que el fallo condenatorio y la pena que se le haya impuesto, sean sometidas a un Tribunal superior, conforme a lo prescrito por la ley; y el Protocolo núm. 7 al Convenio de Roma de 1950 se pronuncia en el mismo sentido, aunque éste último no está ratificado por España.

El sistema procesal penal español no preveía un sistema de segunda instancia para todos los juicios penales, sino que en su regulación inicial optó por el sistema de instancia única, que se justifica en la Exposición de Motivos por motivos de celeridad, considerando, a su vez, que con ello se respetaban debidamente todas las garantías procesales con plena vigencia de los principios de oralidad, inmediación y libre valoración de la prueba. La aprobación de la Constitución y el nuevo marco de

---

(55) «Como se dice en la STC 43/1997, de 10 de marzo, "es doctrina constante de este Tribunal que la exigencia constitucional de motivación, dirigida en último término a excluir de raíz cualquier posible arbitrariedad, no autoriza a exigir un razonamiento exhaustivo y pormenorizado de todos y cada uno de los aspectos y circunstancias del asunto debatido, sino que se reduce a la expresión de las razones que permiten conocer cuáles han sido los criterios jurídicos esenciales fundamentadores de la decisión, su "ratio decidendi" (SSTC 14/1991, 28/1994, 145/1995 y 32/1996, entre otras muchas). Pero lo que no autoriza la Constitución es, justamente, la imposibilidad de deducir de los términos empleados en la fundamentación qué razones legales llevaron al Tribunal a imponer como "pena mínima" la que se contiene en el fallo condenatorio" (F. 6). Es más: se subraya a continuación que esa exigencia constitucional de dar una respuesta fundada en Derecho para justificar la pena concretamente impuesta adquiría particulares perfiles al hallarse afectado el derecho fundamental de libertad personal y esa falta de justificación de la pena le llevó a otorgar el amparo. En la STC 225/1997, de 15 de diciembre, se ratificó después, implícitamente, dicha doctrina, al desestimar la queja relativa a la falta de motivación de la pena concretamente impuesta, no por carencia de contenido, sino porque había sido subsanada por la Sala Segunda del Tribunal Supremo». STC 59/2000 de 2 de marzo.

(56) «El derecho a someter el fallo condenatorio y la pena ante un Tribunal Superior, si bien no tiene un reconocimiento expreso en la Constitución, integra el derecho al proceso con todas las garantías reconocido en el art. 24.2 CE (SSTC 42/1982, de 5 de junio, F. 3; 76/1982, de 14 de diciembre, F. 5; 60/1985, de 6 de mayo, F. 2; 140/1985, de 21 de octubre, F. 2; 30/1986, de 20 de febrero, F. 2; 190/1994, de 20 de junio, F. 2 y 133/2000, de 16 de mayo, F. 3)». STC 66/2001 de 17 de marzo.

garantías determinaban la necesidad de proveer a lo previsto en el art. 14.5 del Pacto de Nueva York, que sirve de interpretación de los derechos y garantías constitucionales conforme con el art. 10.2 CE. Sin embargo, la LECrim no se modificó en ese sentido estableciendo un sistema limitado de acceso a la segunda instancia conforme con el cual se preveía el recurso de apelación frente a las sentencias dictadas en el procedimiento de juicio de faltas, procedimiento abreviado —cuyo fallo compete al Juez de lo Penal—, de enjuiciamiento rápido de determinados delitos y en el proceso del Tribunal del Jurado. En todos estos procesos la apelación abría la segunda instancia del proceso y la revisión del material aportado y valorado en la primera instancia (STC 102/1994, de 11 abril). Sin embargo, no estaba prevista una segunda instancia del proceso en el supuesto en el que conociera la Audiencia Provincial en primera instancia, lo que sucede cuando conozca en un procedimiento abreviado por delitos en los que la pena de prisión solicitada exceda de cinco años y en el supuesto del procedimiento por delitos graves. Frente a la sentencia dictada en estos procesos únicamente cabía el recurso de casación.

Este sistema absolutamente restrictivo y poco respetuoso con el derecho del condenado fue declarado constitucional por el TC que declaró que el derecho a la segunda instancia se cumplía con la posibilidad de interponer recurso de casación ante el Tribunal Supremo[57]. A tal fin, declaró que: «... de la lectura del art. 14.5 del Pacto (Internacional de Nueva York de 1966) se desprende claramente que *no se establece propiamente una doble instancia sino un sometimiento del fallo y la pena a un Tribunal superior* y como estos requisitos se dan en nuestra casación, este Tribunal ha entendido que tal recurso a pesar de su cognición restrictiva, cumple con la función revisora y garantizadora exigida por el art. 14.5 del Pacto...». (ATC. 369/1996, de 16 diciembre, STC. 37/1988, de 3 marzo)[58].

(57)   El Pleno del TS en reunión no jurisdiccional celebrada el 13 de septiembre de 2000 se pronunció sobre esta cuestión declarando que en la evolución actual de la jurisprudencia en España el recurso de casación previsto en las leyes vigentes en nuestro país, similar al existente en otros Estados miembros de la Unión Europea, ya constituye un recurso efectivo en el sentido del art. 14.5 del Pacto Internacional de Derechos Civiles y Políticos, si bien añadía la conveniencia de insistir en la instauración de un recurso de apelación previo al de casación. Naturalmente el Tribunal Supremo asumió este criterio en numerosas resoluciones: «La necesidad de que el fallo condenatorio sea sometido a un Tribunal superior puede ser interpretado con distinto alcance. Así cabe hacer una lectura estricta de ese mandato en el sentido de que no se impone necesariamente la doble instancia sino simplemente la necesidad de que el fallo condenatorio y la pena sean revisados por otro Tribunal. Otra interpretación más amplia y extensa llevaría a la necesidad de la revisión completa del juicio .../... El cumplimiento por este Tribunal del Pacto Internacional de Derechos Civiles y Políticos se mantiene, con el alcance del recurso de casación que se ha dejado expresado». STS 30 de abril de 2001, Ponente: Granados Pérez, Carlos. LA LEY 6046/2001.

(58)   «"Existe una asimilación funcional entre el recurso de casación y el derecho a la revisión de la declaración de culpabilidad y la pena declarado en el art. 14.5 PIDCP, siempre que se realice una interpretación amplia de las posibilidades de revisión en sede casacional y que el derecho reconocido en el Pacto se interprete no como el derecho a una segunda instancia con repetición íntegra del juicio, sino como el derecho a que un Tribunal superior controle la corrección del juicio realizado en primera instancia, revisando la correcta aplicación de las reglas que han permitido la declaración de culpabilidad y la imposición de la pena en el caso concreto. Reglas entre las que se encuentran, desde luego, todas las que rigen el proceso penal y lo configuran como un proceso justo, con todas las garantías; las que inspiran el principio de presunción de inocencia, y las reglas

La importancia de la cuestión motivó que en la reforma de la LOPJ de 2003 se previera un recurso de apelación frente a las sentencias dictadas por la Audiencia Provincial en única instancia del que conocería el TSJ. El problema consistió en el hecho que la propia ley fiara la implantación de ese recurso de apelación frente a las sentencias dictadas por la Audiencia Provincial a una necesaria reforma procesal que produjera la necesaria adaptación de las normas procesales a este respecto. Pues bien, esa reforma se ha dilatado 12 años, ya que no ha sido hasta la reforma de la LECrim operada por la Ley 41/2015 de 5 de octubre que se ha modificado el art. 846 ter LECrim que dispone que son recurribles en apelación: «*las sentencias dictadas por las Audiencias Provinciales o la Sala de lo Penal de la Audiencia Nacional en primera instancia son recurribles en apelación ante las Salas de lo Civil y Penal de los Tribunales Superiores de Justicia de su territorio y ante la Sala de Apelación de la Audiencia Nacional, respectivamente, que resolverán las apelaciones en sentencia*». De ese modo ahora sí podemos decir que el sistema de Derecho Procesal español reconoce el derecho a la doble instancia en todos los procesos penales, lo cual consideramos que era una exigencia ineludible.

7.º Derecho a la firmeza e intangibilidad de las sentencias

Esta es la vertiente procesal del principio «non bis in idem», derecho fundamental, integrado en el art. 25.1 CE, que en el ámbito material impide que un mismo sujeto sea sancionado en más de una ocasión con el mismo fundamento y por los mismo hechos. Desde el ámbito procesal se protege y garantiza la eficacia de la cosa juzgada material impidiendo un nuevo proceso con el mismo objeto y estableciendo una vinculación respecto a otros procedimientos penales en los que pueda tener relevancia las situaciones jurídicas declaradas en una sentencia firme (véase § 2 Cap. XVI sobre la cosa juzgada)[59].

«Forma parte del derecho a la tutela judicial efectiva (art. 24.1 CE) el derecho a que las resoluciones firmes no sean modificadas o revisadas fuera de los cauces expresamente previstos en el ordenamiento, derecho que se conecta con el principio de seguridad jurídica consagrado en el art. 9.3 CE. En concreto, hemos afirmado que el derecho a la tutela judicial efectiva asegura a los que son o han sido parte en el proceso que las resoluciones judiciales dictadas en el mismo no pueden ser alteradas o modificadas fuera de los cauces legales previstos para ello, de modo que si el órgano judicial las modificara fuera del correspondiente recurso establecido al efecto por el legislador quedaría asimismo vulnerado el derecho a la tutela judicial efectiva, puesto que la protección judicial carecería de eficacia si se permitiese reabrir un pro-

---

de la lógica y la experiencia conforme a las cuales han de realizarse las inferencias que permiten considerar un hecho como probado" (en el mismo sentido, SSTC 80/2003, de 28 de abril, FJ 2, 105/2003, de 2 de junio, FJ 2, y 116/2006, de 24 de abril, FJ 5)». STC 60/2008, de 26 de mayo de 2008. Véanse en el mismo sentido las SSTC 70/2002 de 3 de abril; 133/2000 de 16 de mayo; 42/1982 de 5 de julio; 190/1994 de 20 de junio; 69/1990 de 5 de abril.

(59) «El derecho a la tutela judicial efectiva del art. 24.1 CE protege y garantiza la eficacia de la cosa juzgada material, tanto en su aspecto negativo o excluyente de nuevos pronunciamientos judiciales con idéntico objeto procesal al ya resuelto en Sentencia firme, como en su aspecto positivo o prejudicial, impidiendo que los Tribunales, en un proceso seguido entre los mismos sujetos, puedan desconocer o contradecir las situaciones jurídicas declaradas o reconocidas en una Sentencia que haya adquirido firmeza». STC 15/2002 de 28 de enero.

ceso ya resuelto por sentencia firme. De esta manera el derecho a la tutela judicial efectiva reconocido en el art. 24.1 CE actúa como límite que impide a los Jueces y Tribunales variar o revisar las resoluciones judiciales definitivas y firmes al margen de los supuestos y casos taxativamente previstos por la Ley, incluso en la hipótesis de que con posterioridad entendiesen que la decisión judicial no se ajusta a la legalidad (por todas, SSTC 49/2004, de 30 de marzo, FJ 2; 89/2004, de 19 de mayo, FJ 3; 190/2004, de 2 de noviembre, FJ 3; 224/2004, de 29 de noviembre, FJ 6; 23/2005, de 14 de febrero, FJ 4; 162/2006, de 22 de mayo, FJ 6; 289/2006, de 9 de octubre, FJ 3; y 305/2006, 23 de octubre, FJ 5)». STC 65/2008, de 29 de mayo.

No existe en el proceso penal derecho a la ejecución de la sentencia teniendo en cuenta que no existe tampoco derecho de acción, sino el denominado: «ius ut procedatur» (Véase sobre este derecho el punto 1.º de este apartado).

c) La protección del derecho de tutela judicial efectiva. La exigencia de que concurra efectiva indefensión

La tutela judicial efectiva se protegerá mediante los recursos establecidos en la ley. Aunque debe tenerse presente que no toda infracción de derechos procesales tendrá por consecuencia la nulidad las actuaciones, sino cuando esta produzca indefensión constitucionalmente relevante[60].

«Este Tribunal sigue reiterando que para que "una irregularidad procesal o infracción de las normas de procedimiento alcance relevancia constitucional debe producir un perjuicio real y efectivo en las posibilidades de defensa de quien las denuncie" (por todas, SSTC 233/2005, de 26 de septiembre, FJ 10, o 130/2002, de 3 de junio, FJ 4). En relación con lo anterior, se viene afirmando de manera continuada la exigencia de la indefensión material no sólo respecto de la vulneración del art. 24.1 CE —por ejemplo, en supuestos de omisión del trámite de audiencia (por todas, STC 156/2007, de 2 de julio, FJ 4) o defectuosos emplazamientos (por todas, STC 199/2006, de 3 de julio, FJ 5)— sino, específicamente, respecto de derechos expresamente reconocidos en el art. 24.2 CE, como los derechos al juez ordinario predeterminado por la ley y a la imparcialidad judicial, en relación con las incidencias en las composiciones de los órganos judiciales (por todas, STC 215/2005, de 12 de septiembre, FJ 2), o determinadas garantías contenidas en el derecho a un proceso con todas las garantías, como pueden ser la de contradicción en la práctica de diligencias de entrada y registro domiciliario, respecto de su valor probatorio (por todas, STC 219/2006, de 3 de julio, FJ 7), o la de inmediación, respecto de dar por reproducido en juicio las pruebas documentales sin proceder a su lectura (por todas, STC 233/2005, de 26 de septiembre, FJ 10)». STC 258/2007, de 18 de diciembre de 2007.

Sobre este particular es doctrina sentada del TC que: «desde un punto de vista teleológico, lo que subyace en el contexto finalístico del derecho a la tutela judicial efectiva

---

(60) «En efecto, sobre la indefensión que el art. 24.1 CE proscribe, se ha dicho reiteradamente por este Tribunal que sólo cabe otorgar relevancia constitucional a aquella que resulta efectiva, de tal forma que no toda infracción o irregularidad procesal cometida por los órganos judiciales provoca, en todos los casos, la eliminación o disminución material de los derechos que corresponden a las partes en el proceso (SSTC 35/1989, de 14 de febrero; 52/1989, de 22 de febrero, y 91/2000, de 30 de marzo)». STC 2/2002 de 14 de enero. Véase también en ese sentido la STS 5 de diciembre de 2001, 6.

del art. 24.1 CE, es la interdicción de la indefensión, y dicha indefensión». Indefensión que tendrá relevancia constitucional cuando implique un perjuicio material definitivo (SSTC 67/2008, de 23 de junio de 2008; 100/2002, de 6 de mayo). A contrario, no tendrán relevancia constitucional la mera existencia de irregularidades formales.

La doctrina constitucional (SSTC 25/2011, de 14 de marzo (LA LEY 6063/2011) y 62/2009 de 9 de marzo (LA LEY 7046/2009), entre otras muchas) recuerda que la indefensión constituye una noción material que se caracteriza por suponer una privación o minoración sustancial del derecho de defensa; un menoscabo sensible de los principios de contradicción y de igualdad de las partes que impide o dificulta gravemente a una de ellas la posibilidad de alegar y acreditar en el proceso su propio derecho, o de replicar dialécticamente la posición contraria en igualdad de condiciones con las demás partes procesales. Es decir que «para que pueda estimarse una indefensión con relevancia constitucional, que sitúe al interesado al margen de toda posibilidad de alegar y defender en el proceso sus derechos, no basta con una vulneración meramente formal, sino que es necesario que de esa infracción formal se derive un efecto material de indefensión, con real menoscabo del derecho de defensa y con el consiguiente perjuicio real y efectivo para los intereses del afectado». (STC 185/2003, de 27 de octubre (LA LEY 10385/2004); y STC 164/2005 de 20 de junio (LA LEY 1681/2005)). STS 821/2016 de 2 Nov. 2016, Rec. 733/2016. Ponente: Conde-Pumpido Tourón, Cándido. LA LEY 156110/2016.

Véase sobre el recurso de amparo el § 8 del Cap. XVII; y Cap. XIX sobre la alegación de nulidad de actuaciones.

B) Principios jurídico-técnicos

Los principios técnicos de aplicación al proceso penal informan su estructura legal, y determinan la organización del proceso, su adecuación formal y los requisitos que constituyen el derecho a la tutela. Se trata de cuestiones de legalidad ordinaria, que permiten distintas formas procesales, siempre que se respeten los principios y derechos fundamentales de naturaleza constitucional.

Así, según la naturaleza pública o privada del delito se prevé la iniciación a instancia de parte o de oficio. O frente al carácter dispositivo del proceso civil, rige el de oficialidad de la acción o investigación de oficio. Y no cabe la disposición del proceso para las partes, salvo para determinados delitos.

a) Principios que rigen en la fase de instrucción

Como se ha expuesto, la doctrina constitucional en aplicación del art. 24 CE, ha incidido de forma notable en la sustanciación de la instrucción penal, determinando la introducción y aplicación de principios que se entendían restringidos a la fase de juicio oral como el de audiencia, contradicción e igualdad reconocidos en la Constitución como derechos fundamentales.

No obstante, la instrucción en el proceso penal sigue estando condicionada por su finalidad que no es otra que la de investigación de los hechos y de preparación del material que servirá de base a las pretensiones de acusación y defensa que se formularán y fundamentarán mediante la práctica de la prueba en el acto del juicio oral[61]. A este respecto, no puede mantenerse que la instrucción sirva únicamente para preparar la acusación, ya que el Juez de instrucción queda excluido de la función de juzgar debiendo dirigir imparcialmente la instrucción preparatoria del juicio oral. Así lo prevé el art. 2 LECrim. que dispone que: «*Todas las autoridades y funcionarios que intervengan en el proceso penal deberán consignar y apreciar las circunstancias así adversas como favorables al presunto reo*».

En esta fase del proceso penal se ponen de manifiesto los principios de escritura, secreto sumarial y de iniciación e investigación de oficio del proceso penal.

> «... Entre otras, podemos citar como características de la fase de instrucción: a) El carácter escrito de esta fase de instrucción opuesto a la oralidad e inmediación que tiene el Plenario exige el art. 120 de la Constitución. b) La competencia funcional diferenciada entre una y otra fase —instrucción y plenario—, de suerte que en la fase de Plenario intervengan Jueces imparciales diferentes de aquél que haya efectuado la instrucción, pues por ello, puede haber perdido la imparcialidad —basta la apariencia de su pérdida—, también aquí podemos citar la previsión de la LECrim. cuya Exposición de Motivos se refiere al "... Tribunal extraño a la instrucción...". c) Y con especial relevancia para la denuncia efectuada, el secreto de las actuaciones de instrucción, se justifica, precisamente por la naturaleza puramente preparatoria pero no enjuiciadora de la instrucción. Por ello el art. 301 establece el principio general de secreto del sumario, y el art. 302 prevé dicho secreto incluso para todas las partes personadas, excepto el Ministerio Fiscal». STS 1179/2001 de 20 Jul. 2001, Rec. 491/2000. Ponente: Giménez García, J. LA LEY 5828/2001.

1.º Principio de escritura.

Este principio es predominante durante la primera fase del proceso penal. A este respecto, el art. 321 LECrim. establece que los jueces de instrucción formarán el sumario ante sus secretarios (Letrados de la Administración de Justicia). Por su parte, el art. 774 LECrim. dispone que todas las actuaciones judiciales relativas a delitos de los comprendidos en el Título II, en el que se regula el procedimiento abreviado, se registrarán como diligencias previas, siéndoles de aplicación lo dispuesto en los arts. 301 y 302 LECrim.[62]. Por escrito se reflejará la constatación de la práctica de los medios de investigación, según disponen los arts. 326 y ss. (inspección ocular), 334 y ss. (cuerpo del delito) y 374 (identidad del delincuente), entre otras diligencias sumariales.

2.º Principio de secreto sumarial.

---

(61) «Pero esto no quita que en el proceso penal español la fase de instrucción atienda a cumplir un fin inquisitivo de averiguar y asegurar con carácter preparatorio los resultados del juicio, ni el principio acusatorio implica que la dirección de la investigación en los procedimientos penales no corresponda ya al Juez de Instrucción. Según establece la STC 164/1988, "la investigación directa de los hechos con una función que es en parte inquisitiva y en parte acusatoria (dirigida frente a una determinada persona) es la que puede considerarse integrante de una actividad instructora"». (STC 32/1994, de 31 enero).

(62) Vid., en igual sentido, entre otros, los arts. 326, 327 y ss., 334 y ss., 374, 392, 444, 452 LECrim.

El carácter secreto del sumario viene regulado en el art. 301 de LECrim. respecto de terceros ajenos al proceso, no así para las partes personadas en la causa. Pero, el art. 302 prevé con carácter excepcional, la posibilidad de declararlo secreto por un tiempo no superior a un mes. El Tribunal Constitucional tiene sentado que esta previsión legal no es anticonstitucional, y que se ajusta al contenido del art. 120 CE[63]. Precisa que, en todo caso, esta medida debe justificarse razonablemente y debe concederse a las partes la oportunidad posterior para defenderse.

> «Cuando el Juez de Instrucción declara el secreto del sumario de conformidad con el art. 302 LECr (LA LEY 1/1882), no está acordando una medida en sí misma limitativa de un derecho fundamental, del derecho al proceso público, al que no afecta, sino que tan sólo está adoptando una decisión con base en la cual se pospone el momento en el que las partes pueden tomar conocimiento de las actuaciones y se impide al mismo tiempo que puedan intervenir en las diligencias sumariales que se lleven a cabo en el período en el que el sumario permanece secreto. La suspensión temporal del conocimiento de lo actuado puede, no obstante, incidir en el derecho de defensa del sujeto pasivo del proceso penal (STC 176/1988, de 4 de octubre (LA LEY 1115-TC/1989)) ya que el conocimiento del sumario es requisito imprescindible para ejercer el derecho de defensa, esto es, para poder alegar, probar e intervenir en la prueba ajena controlando su correcta práctica y teniendo posibilidad de contradecirla (STC 176/1988 (LA LEY 1115-TC/1989)); de modo que, aunque el tiempo de duración del secreto del sumario no es por sí sólo dato relevante en orden a apreciar un resultado de indefensión (STC 176/1988 (LA LEY 1115-TC/1989)), sin embargo, si esta suspensión temporal se convierte en imposibilidad absoluta de conocimiento de lo actuado hasta el juicio oral, se ocasiona una lesión del derecho de defensa pues el acusado no habría estado "en disposición de preparar su defensa de manera adecuada" (STEDH de 18 de marzo de 1997, caso Foucher)». STS 670/2015 de 30 Oct. 2015, Rec. 2371/2014. Ponente: Jorge Barreiro, Alberto Gumersindo. LA LEY 167463/2015.

La doctrina del Alto Tribunal considera, además, ajustada a derecho la posibilidad de prorrogar el plazo de un mes previsto en el art. 302 LECrim., siempre que dicho plazo resulte insuficiente para impedir que se obstaculice la averiguación de la verdad de los hechos[64]. Véase sobre el secreto del sumario § 2.3 Cap. XI.

---

(63) «La restricción del principio de publicidad que supone la declaración de secreto de sumario no debe significar la atribución al Instructor de la facultad de omitir la tutela de los derechos fundamentales de los sujetos afectados, sino un instrumento para asegurar el éxito de la investigación, que debe emplearse con la necesaria cautela, evitando extenderse más allá de los límites materiales que sean imprescindibles. Conforme a este criterio, el secreto del sumario autoriza para impedir la publicidad de la situación y resultados de la instrucción judicial y, por ello, permite al Juez no incluir información sobre esos aspectos en las resoluciones que dicte y que haya de notificar a las partes, pero no autoriza sin más a ocultarles todos los fundamentos fácticos y jurídicos de aquéllas. Por ello el Instructor bien hubiera podido dictar un auto de prisión en el que se hiciera referencia de forma escueta a la concurrencia de los presupuestos fácticos (objetivos y subjetivos) y jurídicos que hacen necesaria la adopción de la medida cautelar ... Sin embargo, lo que no cabe es omitir en la notificación al detenido elementos esenciales para su defensa, lo que sin duda genera una situación que vulnera la letra y el espíritu de la Norma fundamental consagrada en el art. 24.1 CE». STC 18/1999 de 22 de febrero.

(64) «... cuando el párrafo segundo del art. 302 LECrim autoriza al Juez de Instrucción la declaración del sumario total o parcialmente secreto para todas las partes personadas, ello tiene

3.º Principio de iniciación e investigación de oficio.

Para poder iniciar el proceso penal no se requiere la existencia de una parte acusadora, salvo en los escasos supuestos en los que se exige, como presupuesto de procedibilidad, la denuncia o querella del ofendido. Así, basta que la «notitia criminis» llegue a conocimiento del juez instructor para que éste proceda a la averiguación del hecho y del delincuente —art. 303 LECrim.—. Ello sin perjuicio que los Jueces de Instrucción, inmediatamente, pongan en conocimiento del Ministerio Fiscal la incoación de la causa (art. 308 LECrim.). En parecidos términos se pronuncia el art. 777.1.º, con relación a las diligencias previas[65].

El Juez instructor no queda vinculado por las diligencias propuestas por las partes. Así se desprende de los arts. 299, 315 y 777.1.º LECrim., en los que se faculta al Juez instructor para que acuerde de oficio la práctica de cuantas diligencias entienda que son necesarias para la averiguación de los hechos[66]. Esta facultad de investigar de

---

como base evitar interferencias o acciones que pongan en riesgo el éxito de la investigación y la averiguación de la verdad de los hechos. Justificada la proporcionalidad de la medida en los términos planteados, la norma del art. 118 queda subordinada a la del art. 302.2 LECrim. Este último no determina expresamente la posibilidad de prorrogar el plazo de vigencia del secreto de las actuaciones de un mes señalado en el mismo. No obstante ello, la doctrina y la Jurisprudencia admiten dicha posibilidad, y así la STC de 14-10-1988 núm. 185, ... El Juez deberá apreciar la proporcionalidad de la medida y la gravedad de los hechos enjuiciados, reduciendo el período de duración del secreto a lo estrictamente imprescindible y procurando activar las diligencias con el mayor celo, y, siendo ello así, no concurre obstáculo para apreciar la posibilidad de las prórrogas, teniendo en cuenta que dicho secreto debe ser levantado con tiempo procesal suficiente todavía en fase de instrucción a los efectos de preservar la defensa de los intereses del imputado, que necesariamente deberá ser oído antes de concluir la fase de diligencias previas o de sumario». STS 24 de mayo de 2000. Véanse también SSTC 176/1988, de 14 octubre; y 13/1985, de 31 enero.

(65) «Basta para ello mencionar que la simple noticia criminis es suficiente para que se ponga en marcha la investigación judicial del delito (STC 169/1990), sin necesidad de que las partes lo pidan expresamente y que si bien la garantía del proceso penal comprende los derechos a promover y participar en la causa, también forma parte de esa garantía que el Juez de Instrucción realice la investigación que el caso requiera, cualquiera que sea el delito objeto de la instrucción (STC 1/1985, fundamento jurídico 4.º). Así pues, con independencia de la aportación de los hechos que pueden hacer las partes acusadoras —por medio de la denuncia (arts. 259 y ss. LECrim.) de la querella (arts. 270 y ss. LECrim.), o de las diligencias que puedan proponer en el curso de la instrucción (arts. 311 y 315 LECrim.), es al Juez de Instrucción a quien corresponde la introducción del material de hecho en la fase instructora (art. 306 LECrim.), haciendo uso de los medios que pone a su disposición los Títulos V a VIII de la LECrim.». (STC 32/1994, de 31 enero).

(66) «Bien es cierto que la Constitución mediante la consagración del principio acusatorio y del derecho a ser informado de la acusación, como derechos fundamentales, ha introducido en la fase de instrucción principios y paliativos propios del sistema acusatorio que han acentuado el derecho de defensa, el de conocer sin demora la imputación formulada contra una persona o los principios de contradicción o igualdad de armas, pero ni la Constitución, ni la Ley Orgánica 7/1988, que introdujo el procedimiento penal abreviado, han modificado la figura del Juez de Instrucción como director de la investigación. Únicamente podría sostenerse que a raíz de la entrada en vigor de dicha Ley Orgánica la investigación practicada por éste puede en algunos aspectos haber pasado a un nivel subsidiario respecto de la realizada por la Policía o por el Ministerio Fiscal, pero en cualquier caso, su competencia exclusiva sobre los actos de investigación o medidas cautelares que afecten a derechos fundamentales de las personas permanece intacta, como también la preeminencia de investigación judicial de los hechos sobre cualquier otra en curso [arts. 785 bis 3) y 789.3 LECrim.]». (STC 32/1994, de 31 enero).

oficio que se atribuye al Juez instructor, completada por las actuaciones de las partes acusadoras, no impide, en absoluto, que el imputado pueda realizar cuantos actos considere adecuados a su defensa, así como la práctica de las diligencias que solicite. Ésta es la consecuencia de la aplicación del principio acusatorio, que rige en todas las instancias y fases del proceso penal, como ya se ha señalado[67].

b) Principios que rigen en la fase de juicio oral

El enjuiciamiento penal tiene lugar, en sentido estricto, en la fase de plenario o de juicio oral, donde con plena vigencia del sistema acusatorio la acusación debe acreditar la prueba de cargo capaz de enervar la presunción de inocencia del acusado.

> «... el proceso penal propiamente dicho, viene precedido de una fase instructora, preparatoria del juicio, y es precisamente la superación de ésta la que nos conduce al Plenario, donde se realizan las alegaciones, la probanza y culmina con la decisión judicial que pone fin al conflicto, a salvo los recursos». STS 1179/2001 de 20 Jul. 2001, Rec. 491/2000. Ponente: Giménez García, J., LA LEY 5828/2001.

Dentro de esta fase cabe destacar los principios de oralidad, de publicidad, de inmediación, concentración, y libre valoración de la prueba

1.º Principio de oralidad

Fue voluntad del legislador de la LECrim. implantar el principio de oralidad durante la fase de juicio plenario, denominando incluso a ésta juicio oral, a la vez que convertía esta fase en la esencial del proceso. Así, en el art. 741 LECrim. se establece que el Tribunal sólo deberá apreciar, según su conciencia, las pruebas practicadas en el juicio oral. También se expone de ese modo en la Exposición de Motivos de la LECrim., que afirma que es en el juicio oral y público donde ha de desarrollarse con amplitud la prueba, y donde los magistrados han de formar su convicción.

El principio de oralidad fue especialmente ratificado con motivo de la promulgación de la Constitución, al establecer su art. 120.2.º que las actuaciones judiciales serán predominantemente orales, sobre todo en materia criminal. También la LOPJ de 1985, en su art. 229, reitera este principio recogiendo idénticamente el redactado Constitucional. Sin embargo, también pueden hallarse en la normas legales excepciones a este principio, concretamente en sede de recursos. Así, la Ley 7/1988, de 28 de diciembre, por la que se creó el procedimiento abreviado, previó que el recurso de apelación contra la sentencia dictada en dicho procedimiento pudiera sustanciarse por escrito, norma que se ha mantenido en la reforma del citado procedimiento por

---

(67) «Así cabe citar, en la fase instructora, la proposición verbal de la recusación del Juez instructor por parte del procesado privado de libertad en régimen de incomunicación (art. 58 LECrim.); la asistencia personal a la diligencia de investigación (art. 302 LECrim.) y, en particular, la posibilidad de formular observaciones en la diligencia de inspección ocular (art. 333 LECrim.) y en las diligencias sobre el "cuerpo del delito" (art. 336.2 LECrim.); la posibilidad de nombramiento de peritos (arts. 350.2, 356 y 471.2 LECrim.); la solicitud de práctica de la diligencia de identificación (art. 368 LECrim.); la posibilidad de oponerse personalmente al Auto de elevación de la detención a prisión provisional (art. 501 LECrim.), o finalmente, y como posibilidad más significativa, la de declarar cuantas veces quiera y cuanto estime pertinente para su defensa a lo largo del sumario (arts. 396 y 400 LECrim.)». (STC 29/1995, de 6 febrero).

Ley 38/2002. Así sucederá cuando no se hubiere propuesto prueba, y la Audiencia considerase que no es necesaria la celebración de la vista para la correcta formación de la convicción del Tribunal (arts. 791 y 792 LECrim.). Este procedimiento de apelación también es de aplicación para los recursos de apelación contra las sentencias dictadas en el procedimiento por delitos leves (art. 976 LECrim.).

Por último, téngase presente que este principio está estrictamente vinculado con los principios de publicidad, inmediación y contradicción, siendo unos consecuencia de los otros[68].

2.º Principio de publicidad

La publicidad del proceso constituye un principio esencial consagrado en el art. 120 CE. También la LECrim., en su art. 680 establece el carácter público de los debates del juicio, bajo pena de nulidad. Aunque, los arts. 681 y 682 LECrim prevé la posibilidad de que las sesiones se celebren a puerta cerrada para terceros en unos determinados supuestos, debiendo acordarse por auto motivado. Este principio, con sus excepciones, viene recogido también en el art. 232 LOPJ, y en el art. 138 LEC[69]. Se trata básicamente de proteger otros intereses que pueden resultar afectados por la publicidad del proceso. Es por ello que el art. 681 LECrim prevé la posibilidad de todos o alguno de los actos o las sesiones del juicio se celebren a puerta cerrada: «cuando así lo exijan razones de seguridad u orden público, o la adecuada protección de los derechos fundamentales de los intervinientes, en particular, el derecho a la intimidad de la víctima, el respeto debido a la misma o a su familia, o resulte necesario para evitar a las víctimas perjuicios relevantes que, de otro modo, podrían derivar del desarrollo ordinario del proceso».

Se trata de una garantía de los justiciables contra la justicia secreta que, de ese modo, pueda escapar a la fiscalización del público. Es por ello que la Ley también prevé que los tribunales hagan publica la relación de señalamientos a fin de que los ciudadanos conozcan cuales son los asuntos que van a ser objeto de enjuiciamiento. Así lo prevé el art. 232 LOPJ (conforme la redacción dada por la reforma de la LO 7/2015) que dispone que: «La relación de señalamientos del órgano judicial deberá hacerse pública. Los Letrados de la Administración de Justicia velarán por que los funcionarios competentes de la Oficina judicial publiquen en un lugar visible al

---

(68) Véase la STC 175/1985, de 17 diciembre, que declara que: «La actividad probatoria ha de realizarse normalmente en el acto de juicio oral, afirmación que se vincula al derecho del interesado a su defensa y a un proceso público con todas las garantías reconocidas en el art. 24.2.º CE, derechos que se traducen, en la legalidad vigente, en los principios de oralidad, inmediación y contradicción que rigen en el proceso penal, reflejados, entre otros, en el art. 741 LECrim.». Vid., asimismo, GOLDSCHMIDT, *Problemas jurídicos y políticos del proceso*, Barcelona, 1935, que tras distinguir en la inmediación un concepto formal (relación directa con los medios de prueba) y otro material (utilización de aquellos medios que se conectan con el hecho enjuiciado), afirma que, mientras la inmediación constituye un escalón de percepción, la oralidad es una forma de entendimiento. Ambos coinciden en sus efectos sobre el proceso, si bien sin identificarse. Vid. LATOUR BROTONS, «Consideraciones en torno al principio de oralidad», *AP*, 1987, p. 1168.

(69) No supone la vulneración del derecho a la presunción de inocencia, ni del derecho a la tutela efectiva, la celebración de un juicio a puerta cerrada. Ahora bien, esta medida debe acordarse por medio de resolución motivada. Vid. SSTC 62/1982, de 15 octubre, y 86/1987, de 10 junio.

público, el primer día hábil de cada semana, la relación de señalamientos correspondientes a su respectivo órgano judicial, con indicación de la fecha y hora de su celebración, tipo de actuación y número de procedimiento».

Ahora bien, el principio de publicidad, no es aplicable a todas las fases del proceso, sino tan sólo al acto oral que lo culmina y al pronunciamiento de la subsiguiente sentencia. En este sentido, tal y como se ha expuesto, la instrucción penal no es pública, sino para las partes personadas, y aún para éstas puede decretarse el secreto de sumario en el «interés de la justicia» (véase la STS 20 de julio de 2001). Véase sobre el secreto de sumario el § 2.3 Cap. XII.

La publicidad del proceso es la regla general e incluye el acceso a las actuaciones cuando concurra interés legítimo (art. 234 LOPJ), incluyendo las sentencias. Aunque, el acceso al texto de las sentencias, o a determinados extremos de las mismas, podrá quedar restringido cuando el mismo pudiera afectar al derecho a la intimidad, a los derechos de las personas que requieran un especial deber de tutela o a la garantía del anonimato de las víctimas o perjudicados, cuando proceda, así como, con carácter general, para evitar que las sentencias puedan ser usadas con fines contrarios a las leyes (art. 266 LOPJ). También serán públicas las actuaciones orales que se celebrarán en audiencia pública con las excepciones previstas en las leyes de procedimiento, o cuando existieran razones de distinto orden que fundamenten la restricción de la publicidad (menores, intimidad, orden público, etc. Véanse arts. 232 LOPJ, 138, y 140 LEC, 680 LECrim.). (Véase sobre la publicidad de los actos procesales § 2.3.C Cap. V; y § 1.4.C.c Cap. XIV sobre la declaración de testigos protegidos u ocultos).

3.º Principio de inmediación

La vigencia de este principio se debe a la necesidad que se realice la actividad procesal en presencia de los miembros del órgano jurisdiccional. Así se desprende de los arts. 683 y ss. LECrim. La doctrina constitucional tiene sentado que no pueden darse por reproducidas como prueba las diligencias sumariales, salvo en determinadas ocasiones, según prevé el art. 730 LECrim. Así, el Tribunal debe llegar a la convicción por medio de las pruebas que se practiquen en el juicio en su presencia. El art. 229.2.º LOPJ ha reafirmado la vigencia de este principio, exigiendo la presencia judicial en los actos procesales de importancia (declaraciones, interrogatorios, testimonios, careos, exploraciones, etc.). Esto principio ha sido definido por el Tribunal Supremo del siguiente modo:

> «a) La inmediación es una técnica de formación de la prueba, que se escenifica ante el Juez, pero no es ni debe ser considerada como un método para el convencimiento del Juez. b) La inmediación no es ni debe ser una coartada para eximir al Tribunal sentenciador del deber de motivar, en tal sentido, hoy puede estimarse totalmente superada aquella jurisprudencia que estimaba que "... la convicción que a través de la inmediación, forma el Tribunal de la prueba directa practicada a su presencia depende de una serie de circunstancias de percepción, experiencia y hasta intuición que no son expresables a través de la motivación..." —STS de 12 de febrero de 1993—. c) La prueba valorada por el Tribunal sentenciador en el ámbito de la inmediación y en base a la que dicta la sentencia condenatoria puede y debe ser analizada en el ámbito del control casacional como consecuencia de la condición de esta Sala Casacional como garante a la efectividad de toda decisión arbitraria...». STS

1322/2009 de 30 Dic. 2009, Rec. 528/2009; Ponente: Berdugo Gómez de la Torre, Juan Ramón. LA LEY 254326/2009.

4.º Principio de concentración

Este principio tiene por finalidad que las actuaciones procesales, en especial las pruebas, se realicen de la forma menos dispersa posible, a fin de que el Tribunal no tenga una imagen fraccionada del proceso, sino completa o global. En el art. 744 LECrim. se establece que las sesiones del juicio oral se celebrarán de forma consecutiva hasta la conclusión del juicio, previéndose algunas posibilidades de suspensión del mismo en los arts. 746 y ss. LECrim. Del mismo modo se pronuncia el art. 788 LECrim. en sede de procedimiento abreviado que prevé la suspensión o aplazamiento de la sesión, hasta el límite máximo de treinta días en los supuestos del art. 746 LECrim.

5.º Principio de libre valoración de la prueba

En el proceso penal rige con especial fortaleza el principio de libre valoración de la prueba, establecido en el art. 741 LECrim. que dispone que el Tribunal apreciará, según su conciencia, las pruebas practicadas en el juicio oral.

> «Desde la perspectiva constitucional, el principio de libre valoración de la prueba, recogido en el art. 741 LECr., implica que los distintos medios de prueba han de ser apreciados básicamente por los órganos judiciales, a quienes compete la misión exclusiva de valorar su significado y trascendencia en orden a la fundamentación de los fallos contenidos en sus Sentencias». STS 121/2017 de 23 Feb. 2017, Rec. 1916/2016. Ponente: Monterde Ferrer, Francisco. LA LEY 6225/2017

Este principio ha sido configurado por la doctrina del Tribunal Constitucional que ha definido sus exigencias y características esenciales, con relación a otros derechos de aplicación en el proceso penal.

> «Es doctrina consolidada de este Tribunal desde su STC 31/1981, de 28 de julio —recurso de amparo 113/1980—, que únicamente pueden considerarse auténticas pruebas que vinculen a los órganos de la justicia penal en el momento de dictar sentencia aquéllas a las que se refiere el art. 741 de la Ley de Enjuiciamiento Criminal, esto es, las practicadas en el juicio oral. En efecto, conforme a lo que se declara en su propia exposición de motivos, la citada ley, frente al sistema inquisitivo precedente, introdujo en nuestro ordenamiento procesal penal los principios de publicidad, oralidad e inmediación, que en la actualidad no sólo constituyen elementos consustanciales del sistema acusatorio en que se inscribe nuestro proceso, sino que tienen el valor que les otorga el reconocimiento constitucional efectuado en el art. 120.1 y 2 de la Norma Fundamental». STC 137/1988 de 7 de julio.

En primer lugar, ha señalado que es necesario para que la libre valoración de la prueba por el Juez pueda desvirtuar la presunción de la inocencia, la existencia de una mínima actividad probatoria, producida con pleno respeto de las garantías procesales, de cuyo resultado pueda deducirse la culpabilidad del acusado[70]. Ahora bien, dicha actividad probatoria debe ser de cargo, pues sólo esta prueba de cargo

---

(70) No constituyen medio de prueba los atestados policiales ni los actos de investigación efectuados por la policía judicial, sino que deben ser objeto de prueba en el juicio oral (Vid. SSTC 101/1985, de 4 octubre; 31/1981, de 28 julio; 9/1984, de 30 enero). Igual tratamiento debe darse

puede servir para desvirtuar la presunción de inocencia. Se entenderá que es de cargo la prueba, no cuando se haya practicado con amplitud, sino cuando del resultado de la misma se pueda racionalmente deducir la culpabilidad del acusado.

El TC, también ha admitido la posibilidad de condenar con base en la estimación de una prueba no de cargo, sino indiciaria. Pero, en ese caso se exige una especial motivación del fallo, describiendo la operación deductiva; es decir, indicando cuáles son los indicios probados, y cómo se deduce de ellos la participación del acusado, de manera que cualquier otro Tribunal, que intervenga ulteriormente, pueda comprender el juicio formulado a partir de los indicios. El Tribunal Constitucional ha precisado que el exigir bien una mínima actividad probatoria de cargo, bien una prueba indiciaria motivada no significa que se quiera imponer al juzgador regla alguna sobre la valoración de la prueba, sino que lo único que se pretende es que se expresen los criterios generales que han presidido la estimación de aquélla y el resultado de la prueba practicada[71]. Por otra parte, la necesidad de motivar las sentencias viene impuesta en el art. 120.3.º CE, en el art. 248.3.º LOPJ, y en el art. 218 LEC.

c) Otros principios de aplicación al proceso penal

Además de los principios expresados, existen otros como el de celeridad y proscripción de las dilaciones indebidas, el de legalidad e inmutabilidad que se exponen a continuación.

Cabe también referirse al principio de *subsanación y favorecedor de los actos procesales*, de conformidad con lo dispuesto en los arts. 11 y 243 LOPJ, como opuestos a la nulidad absoluta y con la finalidad de no provocar dilaciones indebidas. En su virtud, la nulidad solamente procederá en aquellos supuestos en que los defectos de forma en los actos procesales impliquen ausencia de los requisitos indispensables para alcanzar su fin o determinen efectiva indefensión conforme lo dispuesto en los arts. 238 y 240.1 LOPJ[72].

Igualmente se ha de considerar que el *principio de buena fe* ha de presidir toda conducta procesal, tal como dispone el art. 11.1 LOPJ. Éste debe entenderse como sinónimo y paralelo a la prohibición de toda conducta procesal inadecuada y de abuso de derecho.

1.º Principio de celeridad y de proscripción de dilaciones indebidas[73].

---

a las pruebas o test de alcoholemia, que no pueden fundar exclusivamente una sentencia condenatoria (Vid. SSTC 100/1985, de 3 octubre; 145/1985, de 28 octubre; 148/1985, de 30 octubre).

(71) Vid. SSTC 31/1981, de 28 julio; 174/1985, de 17 diciembre; 175/1985, de 17 diciembre; 229/1988, de 1 diciembre; 140/1985, de 21 octubre. Vid. Capítulo X.

(72) Estos preceptos se modificaron en la reforma de la LOPJ por LO 19/2003. De este modo se ha producido la necesaria adaptación de las normas sobre nulidad de actuaciones de la LOPJ a los arts. 225 y ss. de la LEC.

(73) GIMENO SENDRA, «El derecho a un proceso sin dilaciones indebidas», *PJ*, n.º esp. I, 1986, p. 47; GISBERT, «El derecho a un proceso sin dilaciones indebidas en el orden penal», *RDG*, 1992, n.º 571, p. 2581. MORENO-TORRES HERRERA M.ªR., «La valoración jurídica de las dilaciones indebidas en el proceso penal», *La Ley* n.º 4923, 1999. LANZAROTE MARTÍNEZ P., «El Derecho a un proceso sin dilaciones indebidas y su tratamiento en el nuevo Código Penal», *La Ley* n.º 4425, 1997; MARTÍNEZ VAL, «El derecho a un proceso sin dilaciones indebidas en el orden

El derecho a un proceso sin dilaciones indebidas constituye un derecho autónomo, aunque mantiene una íntima conexión con el derecho a la tutela judicial efectiva del art. 24.1 CE y las garantías y derechos que aquel derecho incluye, y se concreta en el derecho del justiciable a obtener tutela jurisdiccional en tiempo razonable[74]. Este derecho es invocable en toda clase de procesos, si bien en el proceso penal adquiere especial relevancia ante la naturaleza de los derechos afectados.

> «En cuanto al alcance objetivo del derecho, este Tribunal, en coincidencia con la doctrina del Tribunal Europeo de Derechos Humanos (sintetizada en las recientes resoluciones de 23 de septiembre de 1997 [TEDH 1997\74], caso Robins, y de 21 de abril de 1998 [TEDH 1998\13], caso Estima Jorge), ha destacado que es invocable en toda clase de procesos, si bien en el penal, en que las dilaciones indebidas pueden constituir una suerte de "poena naturalis", debe incrementarse el celo del juzgador a la hora de evitar su consumación (SSTC 35/1994, F. 2, y 10/1997, F. 2) y, asimismo, en las sucesivas fases e instancias por las que discurre el proceso, incluida la ejecución de Sentencias». STC 237/2001 de 18 de diciembre.

La doctrina constitucional, siguiendo el criterio del Tribunal Europeo de Derechos Humanos ha afirmado que el derecho a un proceso sin dilaciones indebidas debe entenderse como un concepto jurídico indeterminado, cuyo contenido concreto deberá determinarse en cada caso, atendidos unos determinados criterios objetivos[75]. Tales

---

penal», *RGD*, 1992, n.º 571; BARCELÓ SERRAMALERA y DÍAZ MAROTO VILLAREJO; «El derecho a un proceso sin dilaciones indebidas en la jurisprudencia del TC»; *Poder judicial*, n.º 46; 1997.

(74) «Juntamente con la autonomía del derecho fundamental en cuestión, se ha destacado su doble faceta prestacional y reaccional. La primera, cuya relevancia fue resaltada en la STC 35/1994, F. 2, consiste en el derecho a que los órganos judiciales resuelvan y hagan ejecutar lo resuelto en un plazo razonable y supone que los Jueces y Tribunales deben cumplir su función jurisdiccional de garantizar la libertad, la justicia y la seguridad con la rapidez que permita la duración normal de los procesos, evitando dilaciones indebidas que quebranten la efectividad de la tutela (Sentencia citada y, en igual sentido, las SSTC 223/1988, F. 7; 180/1996, F. 4, y 10/1997, F. 5). A su vez, la reaccional actúa en el marco estricto del proceso y se traduce en el derecho a que se ordene la inmediata conclusión de los procesos en que se incurra en dilaciones indebidas (STC 35/1994, F. 2)». STC 237/2001 de 18 de diciembre.

(75) «El derecho a un proceso sin dilaciones indebidas es una expresión constitucional que encierra un concepto jurídico indeterminado que, por su imprecisión, exige examinar cada supuesto concreto a la luz de determinados criterios que permitan verificar si ha existido efectiva dilación y, en su caso, si ésta puede considerarse justificada, porque tal derecho no se identifica con la duración global de la causa, ni aun siquiera con el incumplimiento de los plazos procesales (STC 100/1996, de 11 de junio, FJ 2). Como se dijo en la STC 58/1999, de 12 de abril (FJ 6), el derecho fundamental referido no se puede identificar con un derecho al riguroso cumplimiento de los plazos procesales, configurándose a partir de la dimensión temporal de todo proceso y su razonabilidad. En la misma Sentencia y fundamento jurídico indicamos que la prohibición de retrasos injustificados en la marcha de los procesos judiciales impone a Jueces y Tribunales el deber de obrar con la celeridad que les permita la duración normal o acostumbrada de litigios de la misma naturaleza y con la diligencia debida en el impulso de las distintas fases por las que atraviesa un proceso. Asimismo, en coincidencia con la jurisprudencia del Tribunal Europeo de Derechos Humanos sobre el art. 6.1 del Convenio de Roma (derecho a que la causa sea oída en "un tiempo razonable"), que ha sido tomada como el estándar mínimo garantizado en el art. 24.2 CE, afirmamos que el juicio sobre el contenido concreto de las dilaciones, y sobre si son o no indebidas, debe ser el resultado de la aplicación a las circunstancias específicas de cada caso de los criterios objetivos que a lo largo de nuestra jurisprudencia se han ido precisando, y que son la complejidad del litigio, los márgenes

criterios serán: complejidad del litigio; tiempo ordinario de duración de los litigios del mismo tipo; la naturaleza de los intereses de las partes afectados por el proceso; su conducta procesal y la conducta de las autoridades.

«La doctrina de esta Sala, considera la "dilación indebida" como un concepto abierto o indeterminado, que requiere, en cada caso, una específica valoración acerca de si ha existido efectivo retraso verdaderamente atribuible al órgano jurisdiccional, si el mismo resulta injustificado y si constituye una irregularidad irrazonable por la duración del procedimiento mayor de lo previsible o tolerable. Se subraya también su doble faceta prestacional, como derecho a que los órganos judiciales resuelvan y hagan ejecutar lo resuelto en un plazo razonable, y reaccional, como derecho a que se ordene la inmediata conclusión de los procesos en que se incurra en dilaciones indebidas (STS 489/2014, de 10 de junio). Para valorar el carácter razonable o no de la dilación de un proceso, ha de atenderse a las circunstancias del caso concreto con arreglo a criterios objetivos consistentes esencialmente en la complejidad del litigio, los márgenes de duración normal de procesos similares, el interés que en el proceso arriesgue el demandante y las consecuencia s que de la demora se siguen a los litigantes, así como el comportamiento de éstos y el del órgano judicial actuante». STS 15/2017 de 20 Ene. 2017, Rec. 10397/2016. Ponente: Monterde Ferrer, Francisco. LA LEY 574/2017.

La misma doctrina añade que no puede excluirse del concepto de dilaciones indebidas las producidas como consecuencia de los defectos de estructura de la organización judicial, ya que ello sería tanto como dejar sin contenido este derecho frente a esta clase de dilaciones. En consecuencia, un sobreexceso de trabajo de los órganos jurisdiccionales puede exculpar a sus titulares de toda responsabilidad personal por los retrasos, pero no puede privar a los ciudadanos de reaccionar frente a tales retrasos, ni permite considerarlos inexistentes[76].

«Hemos afirmado, de acuerdo con la doctrina del Tribunal Europeo de Derechos Humanos, por todas, STC 153/2005, de 6 de junio, FJ 6, que "la circunstancia de que las demoras en el proceso hayan sido consecuencia de deficiencias estructurales u organizativas de los órganos judiciales, o del abrumador trabajo que pesa sobre algunos de ellos, si bien pudiera eximir de responsabilidad a las personas que los integran, de ningún modo altera la conclusión del carácter injustificado del retraso ni limita el derecho fundamental de los ciudadanos para reaccionar frente a éste, puesto que no es posible restringir el alcance y contenido de aquel derecho (dado el lugar que la recta y eficaz Administración de Justicia ocupa en una sociedad democrática) en función de circunstancias ajenas a los afectados por las dilaciones. Por el contrario es exigible que Jueces y Tribunales cumplan su función jurisdiccional, garantizando la libertad, la justicia y la seguridad, con la rapidez que permita la duración normal de los procesos, lo que lleva implícita la necesidad de que el Estado provea la dotación a los órganos judiciales de los medios personales y materiales precisos para el correcto desarrollo de las funciones que el Ordenamiento les encomienda (STC 180/1996, de 16 de noviembre, FJ 4). En este sentido el Tribunal Europeo de Derechos Humanos ha

---

ordinarios de duración de los litigios del mismo tipo, el interés que en aquél arriesga el demandante de amparo, su conducta procesal y la conducta de las autoridades». STC 93/2008, de 21 de julio.

(76) Vid. SSTC 223/1988, de 25 noviembre; 5/1985, de 2 enero; 36/1984, de 14 mayo; 67/1984, de 7 junio; 50/1989, de 21 febrero; 81/1989, de 8 mayo, y STEDH de 7 de julio de 1989 (LA LEY, 1990-II, p. 1243). Vid., asimismo, sobre responsabilidad patrimonial del Estado, Capítulo XX.

reafirmado que el art. 6.1 [del Convenio europeo para la protección de los derechos humanos y de las libertades fundamentales (CEDH)] obliga a los Estados contratantes a organizar su sistema judicial de tal forma que sus tribunales puedan cumplir cada una de sus exigencias, en particular la del derecho a obtener una decisión definitiva dentro de un plazo razonable (STEDH de 11 de marzo de 2004, caso Lenaerts contra Bélgica)"». STC 93/2008, de 21 de julio.

Por otra parte, la existencia de dilaciones no puede justificar, en ningún caso, el denominado «utilitarismo judicial» que conduce a un reformismo procesal simplificador, consistente en reducir garantías y abreviar plazos[77]. Los tribunales han entendido que no cabe establecer una protección constitucional automática ante el incumplimiento de los plazos procesales[78]. Es por ello, que en ocasiones se han pronunciado considerando que corresponde al interesado denunciar el retraso o dilación al efecto de dar oportunidad al órgano judicial para reparar o evitar la lesión[79].

> «Es necesario denunciar previamente el retraso o dilación, con el fin de que el Juez o Tribunal pueda reparar la vulneración que se denuncia; de forma que la supuesta infracción constitucional no puede ser apreciada si previamente no se ha dado oportunidad al órgano jurisdiccional de reparar la lesión o evitar que se produzca, ya que esta denuncia previa constituye una colaboración del interesado en la tarea judicial de la eficaz tutela a la que obliga el art. 24.2 de la Constitución Española; mediante la cual poniendo la parte al Órgano Jurisdiccional de manifiesto su inactividad, se le da oportunidad y ocasión para remediar la violación que se acusa». STS 786/2002 de 25 Abr. 2002, Rec. 1942/2000; Ponente: Conde-Pumpido Tourón, Cándido. LA LEY 6675/2002.

---

(77)   DE LA OLIVA, *Jueces imparciales, fiscales investigadores y nueva reforma*, Barcelona, 1988, pp. 46 y ss.

(78)   La STC 81/1989, de 8 mayo, afirma en su FJ 7.º que el derecho a un proceso sin dilaciones indebidas tiene naturaleza prestacional y que, en consecuencia, no puede quedar excluido cuando estas dilaciones tengan su origen en carencias o defectos de la estructura de la organización judicial (ver STC 36/1984, de 14 mayo, y STEDH de 23 julio 1983, caso Zimmermann y Steiner), por lo que el abrumador volumen de trabajo que pesa sobre determinados órganos judiciales puede exculpar a los Jueces y Magistrados de toda responsabilidad personal por los retrasos en sus decisiones, pero no priva a los ciudadanos de reaccionar frente a tales retrasos, ni permite considerarlos inexistentes, aunque esta doctrina no puede aplicarse con el mismo rigor a pleitos civiles que a causas penales o contencioso-administrativas. Vid., sobre responsabilidad de la Administración del Estado, Capítulo XX.

(79)   «La expresión constitucional "dilaciones indebidas" (art. 24.2 CE) constituye un "concepto jurídico indeterminado", lo que por su imprecisión exige examinar cada supuesto concreto a la luz de determinados criterios que permitan verificar si ha existido efectiva dilación y si ésta puede considerarse justificada, porque tal derecho no se identifica con la duración global de la causa, ni aun siquiera con el incumplimiento de los plazos procesales; y también ha señalado que es necesario denunciar previamente el retraso o dilación, con el fin de que el Juez o Tribunal pueda reparar —evitar— la vulneración que se denuncia; de forma que la pretensión de amparo no puede prosperar si previamente no se ha dado oportunidad al órgano judicial de reparar la lesión o evitar que se produzca, ya que esa denuncia previa no significa un simple requisito formal, sino una colaboración del interesado en la tarea judicial de la eficaz tutela a la que obliga el art. 24.2 CE, por la cual, poniendo de manifiesto al órgano judicial su inactividad, se le da oportunidad y ocasión para remediar la violación que se acusa (STC 73/1992)». STC 100/1996 de 11 de junio.

Ahora bien, otras resoluciones han considerado que no corresponde al sometido al proceso penal la carga de denunciar las dilaciones indebidas.

«Se ha advertido en algunos precedentes de este Tribunal que la obligación de denunciar las dilaciones indebidas con el fin de evitar cuanto antes, o en su caso paliar, la lesión del derecho fundamental, no alcanza al acusado. En primer lugar porque en el proceso penal, y sobre todo durante la instrucción, el impulso procesal es un deber procesal del órgano judicial. Y, en segundo lugar, porque el imputado no puede ser obligado sin más a renunciar a la eventual prescripción del delito que se podría operar como consecuencia de la inactividad procesal. Esto marca una diferencia esencial entre el procedimiento penal, en lo que se refiere a la posición del imputado, y otros procesos que responden a diversos principios. El derecho a ser juzgado sin dilaciones indebidas está configurado en el art. 24 CE (LA LEY 2500/1978) sin otras condiciones que las que provienen de su propia naturaleza (SSTS 1497/2002, de 23-9; 705/2006, de 28-6; 892/2008, de 26-12 (LA LEY 198357/2008); 269/2010, de 30-3; y 590/2010, de 2-6)». STS 416/2013 de 26 Abr. 2013, Rec. 10989/2012; Ponente: Jorge Barreiro, Alberto Gumersindo. LA LEY 50136/2013.

También merece la pena destacar que: «no pueden merecer el calificativo de "indebidas" aquellas supuestas dilaciones que obedezcan única y exclusivamente... a la intencionada conducta de la parte recurrente en amparo». STC 98/2002 de 29 de abril.

La denuncia de las dilaciones indebidas se deberá producir durante la sustanciación del proceso y, en su caso, acudiendo al recurso de amparo ante el TC, sin que sea admisible esta alegación una vez el proceso haya finalizado.

«No cabe denunciar ante este Tribunal las dilaciones indebidas una vez que ha concluido el proceso penal en ambas instancias, pues la apreciación en esta sede de las pretendidas dilaciones no podría conducir a que este Tribunal adoptase medida alguna para hacerlas cesar (STC 224/1991, de 25 de noviembre, F. 2). Así, hemos declarado que, "no siendo posible la "restitutio in integrum" del derecho fundamental, dado que el proceso ha fenecido, el restablecimiento, solicitado por la recurrente, en la integridad de su derecho con la adopción de las medidas apropiadas, en su caso, para su conservación (art. 55.1.c LOTC) sólo podrá venir por la vía indemnizatoria" (STC 180/1996, de 12 de noviembre, F. 8). En consecuencia: "Las demandas de amparo por dilaciones indebidas, formuladas una vez que el proceso ya ha finalizado, carecen de viabilidad y han venido siendo rechazadas por este Tribunal, por falta de objeto" (STC 146/2000, F. 3). Es lo que debe apreciarse en el presente caso». STC 237/2001 de 18 de diciembre.

Además, las infracciones de las normas o reglas procesales sólo constituyen una lesión del derecho a un proceso con todas las garantías si con ellas se ocasiona una merma relevante de las posibilidades de defensa, lo que deberá ser acreditado por el recurrente (Véase la STC 87/2001 de 2 de abril). Pero, sin que sea admisible en vía constitucional una petición de tutela de fondo con base en esta infracción[80].

_____

(80) «No basta con haber manifestado ante los órganos judiciales que la tramitación de un proceso ha tenido una duración excesiva, sino que es preciso que la denuncia de tal retraso permita al órgano judicial pronunciarse sobre si el retraso padecido ha vulnerado el derecho fundamental a no padecer dilaciones indebidas que consagra el art. 24.2 CE y, en el supuesto de que apreciara

Denunciada y estimada la infracción se plantea el problema de la reparación de los efectos causados por los retrasos judiciales en el proceso penal. Respecto a esta cuestión, el TS ha utilizado, con mayor o menor acierto, distintos mecanismos procesales con la finalidad de reparar esta clase de perjuicios: a) En primer lugar, de carácter sustitutorio, mediante la exigencia de responsabilidad civil y penal al órgano judicial responsable y la exigencia de la responsabilidad patrimonial del Estado; b) En segundo lugar, la modificación de la realidad del delito y las circunstancias determinantes de la responsabilidad criminal[81]. De entre estas posturas el Tribunal Supremo acogió en un primer momento la primera, a cuyo efecto el Pleno de la Sala de lo Penal del TS de 2 de octubre de 1992, estableció que la reparación de las dilaciones indebidas, debía servir de fundamento para solicitar el indulto y, eventualmente, una indemnización en favor del acusado[82]. Sin embargo, el Pleno del 21 de mayo de 1999 modificó este criterio, entendiendo que la reparación de la vulneración queda abierta a cualquier modalidad que parta de la validez de la sentencia recaída en el proceso: indemnización, condonación de la pena mediante el indulto o su moderación por vía de atenuante analógica.

---

tal lesión repararla, bien poniendo fin a la dilación padecida o bien declarando la vulneración del referido derecho con el fin de poder reclamar ante las instancias oportunas (SSTC 118/2000, de 5 de mayo de 2000, F. 4; 310/2000, de 18 de diciembre, F. 2). Por ello en este caso, como la alegación en la que se ponía de manifiesto la excesiva duración del proceso penal, no tenía por objeto permitir al órgano judicial que reparase la vulneración del derecho a no padecer dilaciones indebidas, sino que la Sala accediera a sus pretensiones de fondo, no puede considerarse que el recurrente haya cumplido el requisito de haber invocado en el proceso la vulneración del derecho constitucional alegado que establece el art. 44.1 c) LOTC. Todo ello con independencia de los efectos que, en el caso de que realmente la duración del procedimiento penal hubiera sido excesiva, pudieran producirse en otros ámbitos (por ejemplo, en el supuesto previsto en el art. 4.4 CP); cuestión sobre la que no le corresponde pronunciarse a este Tribunal». STC 51/2002 de 25 de febrero.

(81) «Junto al derecho constitucional a un proceso sin dilaciones indebidas, el ordenamiento ha previsto otras medidas para reparar los efectos de tales retrasos. Unas son sustitutorias o complementarias, para cuando no puede ya establecerse in natura la integridad del derecho o su conservación; otras quedan fuera del ámbito estricto de las dilaciones procesales, aunque tienden también a paliar los efectos de las mismas. Entre las primeras figuran, además, parcialmente de la posible exigencia de responsabilidad civil y aun penal del órgano judicial, la responsabilidad patrimonial del Estado prevista en el art. 121 CE para los supuestos de funcionamiento anormal de la Administración de Justicia, ya que las dilaciones indebidas constituyen, sin duda, una manifestación de ese mal funcionamiento. Las segundas son especialmente relevantes en el orden penal; en él, la tardanza excesiva o irrazonable en la finalización de los procesos puede tener sobre el afectado unas consecuencias especialmente perjudiciales, de modo que en materia penal la dimensión temporal del proceso tiene mayor incidencia que en otros órdenes jurisdiccionales, pues están en entredicho valores o derechos que reclaman tratamientos preferentes. Ese especial relieve de la dimensión se acentúa singularmente en los supuestos de medidas preventivas de privación de libertad (Cfr. TC 1.ª S 8/1990, de 18 enero; LA LEY, 1990-2, 45)». (STC 35/1994, de 31 enero).

(82) «En conclusión, esta Sala, no sin alguna excepción, se inclina por la aplicación del beneficio para mitigar las consecuencias de la lesión de tal derecho constitucional (cfr. SS 31 enero, 28 febrero, 26 junio, 6 y 26 julio y 30 diciembre 1992 [618, 1397, 5887, 6123 y 10542], 11 febrero, 5 marzo, 7 y 12 mayo, 1 y 24 julio, 20 septiembre y 18 y 27 octubre 1993 [1042, 1839, 3863, 4213, 5612, 6431, 6800, 7788 y 7881] y 14 mayo, 15 septiembre y 7 diciembre 1994, además de las ya citadas de 30 octubre 1992 y 24 junio 1993). Dicha conclusión es acorde en un todo con la tesis mantenida por el Tribunal Constitucional, así en las muy recientes SS 382/1993, de 20 diciembre y 8 y 35/1994, de 17 y 31 enero». (STS 5 junio 1995).

«La doctrina jurisprudencial ha venido operando para graduar la atenuación punitiva con el criterio de la necesidad de pena en el caso concreto, atendiendo para ello al interés social derivado de la gravedad del delito cometido, al mismo tiempo que han de ponderarse los perjuicios que la dilación haya podido generar al acusado. Son dos los aspectos esenciales que han de tenerse en consideración a la hora de interpretar esta atenuante desde la perspectiva de los derechos fundamentales. Por un lado, la celebración del juicio dentro del "plazo razonable", a que se refiere el art. 6.º del Convenio para la Protección de los Derechos Humanos y de las Libertades Fundamentales (LA LEY 16/1950), que reconoce a toda persona el "derecho a que la causa sea oída dentro de un plazo razonable", y por otro lado, la concurrencia de "dilaciones indebidas", que es el concepto que utiliza nuestra Constitución en su art. 24.2.º (LA LEY 2500/1978)». STS 15/2017 de 20 Ene. 2017, Rec. 10397/2016. Ponente: Monterde Ferrer, Francisco. LA LEY 574/2017.

El argumento que sigue el TS, consiste en entender que pueden ser computados en la pena los males injustificados ocasionados al acusado por un proceso penal irregular. En este sentido, el Tribunal juzgador podrá modular la responsabilidad penal del acusado, en orden a la aplicación de la ley penal. A estos fines el TS ha entendido de aplicación la circunstancia atenuante genérica prevista en el art. 21.6 CP, referida a cualquier circunstancia análoga a las anteriores, calificada según el caso como ordinaria o extraordinaria o muy cualificada (dilaciones superiores a ocho años).

«En lo que atañe a la cualificación de la atenuante de dilaciones indebidas, acogida como simple por el Tribunal de instancia, ha de partirse de la premisa de que las circunstancias particulares del caso permiten hablar de una dilación del proceso extraordinaria, pero nunca como especialmente extraordinaria o superextraordinaria, que es la condición que ha de tener para poder apreciar la atenuante de dilaciones indebidas como muy cualificada, a tenor de la redacción que le ha dado el legislador en el nuevo art. 21.6.ª del C. Penal (LA LEY 3996/1995). Pues si para apreciar la atenuante genérica o simple se requiere una dilación indebida y extraordinaria en su extensión temporal, para la cualificada siempre se requerirá un tiempo superior al extraordinario …/… En las sentencias de casación se suele aplicar la atenuante como muy cualificada en las causas que se celebran en un período que supera como cifra aproximada los ocho años de demora entre la imputación del acusado y la vista oral del juicio». STS 670/2015 de 30 Oct. 2015, Rec. 2371/2014 Ponente: Jorge Barreiro, Alberto Gumersindo. LA LEY 167463/2015.

Por último, debe tenerse en cuenta que el TC ha declarado que por no tratarse de un imperativo legal, la inaplicación de esta doctrina no podrá ser objeto de recurso de amparo[83].

---

(83) «En el caso presente, tanto el Tribunal de instancia como el de apelación intentaron la reparación, aquél absolviendo y éste aplicando la atenuante analógica; estas decisiones no han vulnerado el derecho fundamental a un proceso sin dilaciones indebidas, sino que se muestran como una modulación de la responsabilidad criminal del recurrente en aplicación por los Jueces de la legalidad penal dentro del ejercicio de su potestad exclusiva (art. 117.2 CE). Sin embargo, no siendo un imperativo derivado de la Constitución esa modulación de la pena ni estando prevista en el ordenamiento dicha consecuencia como un medio de reparación de la lesión del derecho invocado, ni menos como una exigencia constitucional para ello, no puede ahora estimarse la pretensión del recurrente de que se aplique una reparación consistente en su absolución. Y sin que,

2.º Principio de legalidad e inmutabilidad[84]

El «ius puniendi» es una potestad del estado que se constituye en una obligación de persecución obligatoria de los hechos delictivos, y en una reserva para el estado del derecho de penar. Ahora bien, únicamente cabe ser condenado en virtud de acciones u omisiones que en el momento de producirse constituyan delito, ello como consecuencia del principio de legalidad establecido en el art. 25.1 CE.

> «Los Tribunales están sujetos al principio de legalidad y como se expresa en las sentencias de esta Sala 657/2013, de 15 de julio, y 300/2012, de 3 de mayo, la consideración ética sobre la reprochabilidad de los actos denunciados no puede determinar la sanción penal del hecho, con independencia de la opinión personal del Juzgador, si en la conducta enjuiciada no concurren rigurosamente los elementos típicos integradores de la figura delictiva objeto de acusación, pues el Derecho Penal se rige por el principio de legalidad estricta (art. 4.1.º del Código Penal (LA LEY 3996/1995)) que prohíbe taxativamente la analogía in malam partem, es decir la aplicación del tipo penal a casos distintos de los comprendidos expresamente en él. Así lo ha expresado nuestro Tribunal Constitucional (por todas, SSTC 123/2001, de 4 de junio (LA LEY 5013/2001); 120/2005, de 10 de mayo (LA LEY 1350/2005); 76/2007, de 16 de abril (LA LEY 14415/2007); 258/2007, de 18 de diciembre (LA LEY 202068/2007); y 91/2009, de 20 de abril (LA LEY 40338/2009)), que de forma reiterada ha recordado que el derecho a la legalidad penal supone que nadie puede ser condenado por acciones u omisiones que no constituyan delito o falta según la legislación vigente en el momento de la comisión del hecho, quebrándose este derecho cuando la conducta enjuiciada es subsumida de un modo irrazonable en el tipo penal que resulta aplicado, añadiendo que en el examen de razonabilidad de la subsunción de los hechos probados en la norma penal el primero de los criterios a utilizar está constituido por el respeto al tenor literal de la norma y la consiguiente prohibición de la analogía in malam partem». STC 358/2016 de 26 Abr. 2016, Rec. 1322/2015. Ponente: Granados Pérez, Carlos. LA LEY 35737/2016.

En su virtud, el art. 773 LECrim. establece que inmediatamente que el Ministerio Fiscal tenga conocimiento de la comisión de un hecho punible practicará por él mismo, o bien ordenará a la Policía judicial los actos necesarios para la averiguación de aquél, en consonancia con la oficialidad que rige en el proceso penal. No obstante, también aquel hecho podrá ser comunicado al Juez por medio de un acto de parte —denuncia o querella—, que dará lugar a la apertura de un procedimiento penal. De igual forma se pronuncia el art. 308 LECrim., que obliga a los Jueces de Instrucción que tuvieron noticia de la perpetración de un delito a ponerlo inmediatamente en conocimiento del Fiscal.

El principio de inmutabilidad se refiere a la imposibilidad de que el proceso sea suspendido, interrumpido o modificado por voluntad de las partes, siendo indisponible el objeto del proceso penal. En consecuencia, no será admisible ni el allana-

---

por otra parte, corresponda a este Tribunal revisar la atenuación aplicada por la Sentencia que se impugna». (STC 295/1994, de 7 noviembre).

(84) GIMENO SENDRA, V.; «La aplicación procesal del nuevo Código Penal», n.º 4180, 1996. GÓMEZ COLOMER J.L.; «El sistema de penas y su repercursión procesal», *La Ley* n.º 3991, 1996. BARQUIN SANZ, J., «Sistema de sanciones y legalidad penal», *Poder judicial* n.º 58, 2000.

miento, la renuncia o el desistimiento. Tampoco las partes podrán disponer sobre los medios de prueba[85].

3.º Principio de igualdad en la aplicación de la ley

En nuestro sistema jurídico los órganos jurisdiccionales no quedan vinculados por otros precedentes judiciales dictados con anterioridad. Esta afirmación se apoya, por una parte, en la propia dinámica jurídica que se manifiesta en las constantes modificaciones normativas; por otra, en una razonable evolución en la interpretación y aplicación de la legalidad; y en la exigencia de corregir posibles criterios erróneos o desfasados con la realidad social.

En este sentido, el principio de igualdad ante la Ley se refiere a la identidad de trato legal de todos los ciudadanos, mientras que el principio de igualdad en aplicación de la Ley no supone mantener una constante interpretación legal, sino un medio de evitar interpretaciones arbitrarias incurriendo en desigualdades no justificadas en un cambio de criterio frente a determinadas personas. El Tribunal Constitucional se ha pronunciado sobre esta cuestión declarando que como tal Tribunal solamente podrá apreciar, en aras del principio de igualdad —art. 14 CE—, si el cambio producido en la interpretación y aplicación de la Ley, se realizó reflexivamente por el órgano judicial, lo que no entraña reconocer la existencia en nuestro Ordenamiento de un principio de sujeción al precedente, ya que el Juez sólo está sujeto a la Ley.

«Como recuerda la STC 58/2006, de 27 de febrero, FJ 3, "en una línea jurisprudencia1 iniciada en la STC 8/1981, de 30 de marzo (FJ 6), este Tribunal ha venido señalando que la vulneración del derecho a la igualdad en la aplicación judicial de la ley se produce cuando un mismo órgano judicial se aparta de forma inmotivada de la interpretación de la ley seguida en casos esencialmente iguales; de modo que son requisitos de la apreciación de dicha vulneración la existencia de igualdad de hechos (por todas, STC 91/2004, de 19 de mayo, FJ 7; 132/2005, de 23 de mayo, FJ 3); de alteridad personal (SSTC 150/1997, de 29 de septiembre, FJ 2; 64/2000, de 13 de marzo, FJ 5; 162/2001, de 5 de julio, FJ 4; 229/2001, de 11 de noviembre, FJ 2; 46/2003, de 3 de marzo, FJ 3); de identidad del órgano judicial, entendiendo por tal la misma Sección o Sala aunque tenga una composición diferente (SSTC 161/1989, de 16 de octubre, FJ 2; 102/2000, de 10 de abril, FJ 2; 66/2003, de 7 de abril, FJ 5); de una línea jurisprudencia1 consolidada que es carga del recurrente acreditar (por todas, SSTC 132/1997, de 15 de julio, FJ 7; 117/2004, de 12 de julio, FFJJ 3 y 4; 76/2005, de 4 de abril, FJ 2); y, finalmente, el apartamiento de dicha línea de interpretación de forma inmotivada, pues lo que prohíbe el principio de igualdad en aplicación de la ley "es el cambio irreflexivo o arbitrario, lo cual equivale a mantener que el cambio es legítimo cuando es razonado, razonable y con vocación de futuro, esto es, destinado a ser mantenido con cierta continuidad con fundamento en razones jurídicas objetivas que excluyan todo significado de resolución ad personam" (STC 117/2004, de 12 de julio, FJ 3; en sentido similar, entre muchas, SSTC 150/2004, de 20 de septiembre, FJ 4; 76/2005, de 4 de abril, FJ 2)"». STC 67/2008, de 23 de junio.

---

(85) Vid. FENECH, *Derecho Procesal Penal*, Barcelona, 1960, pp. 74-75.

No se trata, por tanto, de obtener una resolución igual a las que se hayan adoptado, sino de tener una razonable confianza en que la nueva pretensión merecerá del juzgador la misma respuesta que en supuestos análogos anteriores. Con ello se protege constitucionalmente la previsibilidad de obtener una resolución judicial con una concreta aplicación e interpretación de la ley, salvo que se motive razonablemente la adopción de un criterio distinto[86].

«La única perspectiva desde la que podríamos canalizar la queja del recurrente sería la referida al derecho a la tutela judicial efectiva. Hemos señalado, en efecto, que "los datos básicos del proceso de individualización de la pena debían inferirse de los hechos probados, sin que fuera constitucionalmente exigible ningún ulterior razonamiento que los tradujera en una cuantificación de pena exacta, dada la imposibilidad de sentar un criterio que mida lo que, de suyo, no es susceptible de medición (STC 47/1998, de 2 de marzo, FJ 6)" (STC 136/2003, de 30 de junio, FJ 3), y la aplicación de este canon conduce a la desestimación del alegato, porque ningún reproche puede hacerse a la valoración jurídica contenida en la Sentencia de la Audiencia Provincial de Madrid de 4 de junio de 2002, que en su fundamento de Derecho 3.2 explica las razones por las que se les impone a cada uno de los hermanos Pizarro Dual la condena de once años de prisión)». STC 26/2006 de 30 de enero[87].

---

(86) Vid. STC 48/1987, de 22 abril, en la que se establece que: «A lo largo de no pocas resoluciones ha declarado ya este Tribunal las exigencias que impone el principio constitucional de igualdad (art. 14) en orden a la aplicación judicial del Derecho. Recordando sumariamente esta doctrina, es de reiterar que la norma citada, cuando se proyecta sobre la labor de interpretación y aplicación de la Ley por los órganos judiciales, no puede entenderse como impeditiva del cambio, aun sobre supuestos jurídicamente iguales, del sentido de las resoluciones que se sucedan en el tiempo, porque el juzgador se halla sujeto a la Ley (art. 117.1 de la Constitución), no a sus precedentes (Sentencia 125/1986, de 22 octubre, 1.°) y porque la modificación de la anterior línea jurisprudencial puede venir impuesta —sin quebrar con ello el mandato constitucional que aquí se considera— en razón, entre otros factores, de la necesidad de acomodar la interpretación de las normas a circunstancias también nuevas o, incluso, por la necesidad de corregir lo que se juzguen errores anteriores en el entendimiento de aquéllas. Para considerar respetado el principio de igualdad basta, en tales casos, con que la nueva y distinta resolución se haya adoptado reflexivamente por el juzgador, es decir, con que por quien aplique el Derecho se tengan en cuenta —para modificarlos en esta hipótesis— sus propios precedentes, de tal forma que la resolución finalmente dictada no aparezca como fruto de un mero voluntarismo selectivo frente a los casos anteriores resueltos en modo diverso. Se alcanzará así la garantía debida del principio de igualdad en la aplicación judicial de la Ley, regla que, en este ámbito, y como también hemos tenido ocasión de señalar (Sentencia 30/1987, de 11 marzo) está al servicio de la preservación para los justiciables de "la razonable confianza —enlaza con la seguridad jurídica que la Constitución consagra (art. 9.3)— de que la propia pretensión merece del juzgador, a salvo de que por éste se fundamente la imposibilidad de atender tal expectativa, la misma respuesta obtenida por otros casos iguales" (FJ 2.°)». Vid. también SSTC 30/1987, de 11 marzo, y 49/1985, de 28 marzo.

(87) «Como resulta de una muy abundante jurisprudencia de este Tribunal, el principio de igualdad en la aplicación de la Ley no impone que Jueces y Tribunales se sometan rígidamente al precedente. La formulación del citado derecho es diversa, en cuanto proscribe que el mismo órgano judicial se aparte de las resoluciones dictadas anteriormente por él en casos semejantes sin una argumentación razonada de dicha separación que permita deducir que la solución dada al caso responde a una interpretación abstracta y general de la norma aplicable, y no a una respuesta ad personam, singularizada, que pudiera constituir un supuesto de arbitrariedad —SSTC 177/1985, 41/1986, 52/1986 y 52/1987, entre otras—». (STC 47/1995, de 14 febrero).

CAPÍTULO II

EJERCICIO DE ACCIONES PENALES Y CIVILES. LAS CUESTIONES PREJUDICIALES

SECCIÓN 1. LA ACCIÓN PENAL

1.1. Naturaleza y Principios que informan la acción penal. Especial referencia a la prescripción de la acción penal[1]

El concepto de acción penal sigue siendo, en la actualidad, una noción dogmática compleja, aunque menos conflictiva que en el proceso civil. Las polémicas doctrinales existentes en el ámbito civil se han atenuado en el enjuiciamiento criminal, debido a las especialidades derivadas de la prevalencia de un interés público y de su naturaleza conectada con la noción de delito. El proceso penal, a diferencia del civil, que pretende el restablecimiento de un derecho subjetivo privado lesionado, tiene como fin ejercer el «ius puniendi» del Estado para el restablecimiento del orden jurídico quebrantado.

El derecho a obtener la tutela efectiva, proclamado en el art. 24.1 CE, en el proceso civil comprende, según la teoría concreta de la acción, no solo el libre acceso a los Tribunales y el derecho al proceso, sino también el derecho a una sentencia favorable. No ocurre igual en el proceso penal, ya que la acción penal es, por esencia, de contenido abstracto. El concepto civil de acción independiente y autónoma no es aplicable en el enjuiciamiento criminal, ya que en éste no existen intereses privados sino públicos, pertenecientes a la sociedad. Tampoco tiene derecho la víctima o el ofendido a que se castigue al culpable o a la obtención de una sentencia condenatoria[2].

---

(1) Véase ORTEGO PÉREZ F., «El control jurisdiccional de la acusación como garantía en el proceso penal», *La Ley*, n.º 5106, 2000.

(2) «... este Tribunal Constitucional tiene establecido que el ejercicio de la acción penal no comporta un derecho incondicionado a la apertura y plena substanciación del proceso, sino sólo a un pronunciamiento motivado del Juez sobre la calificación jurídica que le merecen los hechos, en la que indudablemente cabe la consideración de su irrelevancia penal y la denegación de la tramitación del proceso, o su terminación anticipada según las previsiones de la Ley de Enjuicia-

«... procede recordar que ni la Constitución otorga un derecho a obtener condenas penales (entre muchas, SSTC 199/1996, de 3 de diciembre; 41/1997 de 10 de marzo y 163/2001, de 11 de julio, ni puede confundirse el derecho a la jurisdicción penal, como instrumento para la aplicación del "ius puniendi", con el derecho material a penar, de exclusiva naturaleza pública y cuya titularidad corresponde al Estado (SSTC 157/1990, de 18 de octubre; 31/1996, de 27 de febrero, y 115/2001, de 10 de mayo)». STC 63/2002 de 11 de marzo.

En el proceso penal debe diferenciarse el derecho a castigar el delito, «ius puniendi», de la acción penal que conforma el denominado «ius ut procedatur». El derecho de tutela judicial efectiva, en el ámbito del enjuiciamiento criminal, no comprende el derecho a que se dicte una sentencia, sino solo un derecho al proceso, que se agota con una resolución motivada del Juez sobre la continuación o no de aquél. En este sentido, el derecho al proceso constituye una manifestación del derecho a la jurisdicción que exige, únicamente, un pronunciamiento motivado del Juez sobre la calificación jurídica que le merecen los hechos[3]. No supone, por tanto, un derecho incondicionado a la apertura del proceso, a su sustanciación, ni tampoco a obtener una sentencia favorable[4].

---

miento Criminal .../... por lo que tampoco se garantiza el éxito de la pretensión punitiva de quien la ejercita, ni obliga al Estado, titular del "ius puniendi", a imponer sanciones penales en todo caso, con independencia de que concurra o no alguna causa de extinción de la responsabilidad penal .../... como hemos declarado recientemente, no forma parte de los derechos fundamentales sustantivos el derecho de acción penal (STC 21/2000, de 31 de enero). O sea, que no puede confundirse el derecho a la jurisdicción penal para instar la aplicación del "ius puniendi", que forma parte del derecho fundamental a la tutela judicial efectiva, con el derecho material a penar, de exclusiva naturaleza pública y cuya titularidad corresponde al Estado (STC 157/1990, de 18 de octubre, F. 4). Dicho con otras palabras: "El particular no tiene un derecho fundamental constitucionalmente protegido a la condena penal de otra persona...."». STC 163/2001 de 11 de julio. Véanse en este sentido, SSTC 157/1990, de 18 de octubre; 31/1996, de 27 de febrero; 77/1996, de 11 de noviembre; 199/1996, de 3 de diciembre; 41/1997, de 10 de marzo; 74/1997, de 21 de abril; 116/1997, de 23 de junio; 218/1997, de 4 de diciembre; 67/1998, de 18 de marzo; 138/1999, de 22 de julio; 120/2000, de 10 de mayo.

(3)   «El Tribunal Constitucional ha configurado el derecho de acción penal esencialmente como un *ius ut procedatur,* es decir, no como parte de ningún otro derecho fundamental sustantivo, sino, estrictamente, como manifestación específica del derecho a la jurisdicción [SSTC 31/1996, fundamentos jurídicos 10 y 11 y 199/1996, fundamento jurídico 5.º, que contienen abundantes referencias a la doctrina anterior], que ha de enjuiciarse en sede de amparo constitucional desde la perspectiva del art. 24.1 CE y al que, desde luego, son aplicables las garantías del 24.2». (STC 41/1997, fundamento jurídico 5.º). STC 218/1997, de 4 de diciembre.

(4)   «Hemos de reiterar que el ejercicio de la acción penal no comporta en el marco del art. 24.1 CE un derecho incondicionado a la apertura y plena substanciación del proceso penal, sino sólo a obtener un pronunciamiento motivado del Juez en la fase instructora sobre la calificación jurídica que le merecen los hechos, expresando las razones por las que inadmite su tramitación, o acuerda el sobreseimiento y archivo de las actuaciones. De modo que las exigencias derivadas del derecho a la tutela judicial efectiva se verán satisfechas por la resolución de inadmisión si se fundamenta de forma razonable en la exclusión "ab initio" del carácter delictivo de los hechos imputados, y, si se admite la querella, por la resolución que acuerda la terminación anticipada del proceso penal, sin apertura de la fase de plenario, en caso de que se sustente razonablemente en la concurrencia de los motivos legalmente previstos de sobreseimiento libre o provisional de conformidad con los arts. 637, 641 y 789.5.1 LECrim [entre otras muchas, SSTC 148/1987, de 28 de septiembre; 175/1989, de 30 de octubre; 297/1994, de 14 de noviembre; 111/1995, de 4 de julio;

«La víctima de un delito no tiene un derecho fundamental constitucionalmente protegido a la condena penal de otra persona (por todas, SSTC 157/1990, de 18 de octubre, FJ 4, 199/1996, de 3 de diciembre, FJ 4, 215/1999, de 28 de diciembre, FJ 1, y 168/2001, de 16 de julio, FJ 7), sino que meramente es titular del ius ut procedatur, es decir, del «derecho a poner en marcha un proceso, substanciado de conformidad con las reglas del proceso justo, en el que pueda obtener una respuesta razonable y fundada en Derecho» (por todas, STC 120/2000, de 10 de mayo, FJ 4), que ha sido configurado por este Tribunal como una manifestación específica del derecho a la jurisdicción (por todas, SSTC 31/1996, de 27 de febrero, FFJJ 10 y 11; 16/2001, de 29 de enero, FJ 4) y que no se agota en un mero impulso del proceso o una mera comparecencia en el mismo, sino que de él derivan con naturalidad y necesidad los derechos relativos a las reglas esenciales del desarrollo del proceso (SSTC 218/1997, de 4 de diciembre, FJ 2, 138/1999, de 22 de julio, FJ 5, 215/1999, de 29 de noviembre, FJ 1; 16/2001, de 29 de enero, FJ 4, entre otras muchas). Por ende, la función de este Tribunal en el cauce constitucional de amparo se limita a enjuiciar si las resoluciones judiciales impugnadas han respetado el ius ut procedatur del justiciable que ha solicitado protección penal de los derechos que las leyes en vigor le reconocen». STC 218/2007 de 8 de octubre.

De este modo, acción penal y derecho a penar se mueven por caminos distintos aunque convergen en el proceso. La acción penal existe con independencia del *ius puniendi*. Se trata de un derecho de naturaleza subjetiva pública, que corresponde a muy diversas personas y se concreta en la notificación al Juez de un hecho o *notitia criminis,* y en la posibilidad de comparecer en el proceso y ejercer los derechos relativos a su desarrollo, ya sea en calidad de acusación particular o popular (arts. 125 CE, 101 LECrim.).

«La inexistencia de un derecho a obtener condenas penales, así como de un derecho a la completa sustanciación del proceso penal no implica sostener que el haz de derechos cobijados en el art. 24 CE a la hora de configurar la efectividad de la tutela judicial efectiva se agote, en el proceso penal, con el mero respeto de las garantías allí establecidas en favor del imputado, procesado o acusado, según las distintas fases de aquél. Tal norma incorpora, también, el interés público, cuya relevancia constitucional no es posible, y ni siquiera deseable, desconocer en un juicio justo donde queden intactas tales garantías de todos sus partícipes (SSTC 116/1997, 138/1999). De ello deriva que el "ius ut procedatur" que asiste a la víctima de un delito no se agota en un mero impulso del proceso o una mera comparecencia en el mismo, sino que de él derivan con naturalidad y necesidad los derechos relativos a las reglas esenciales del desarrollo del proceso (STC 218/1997) (STC 215/1999, de 29 de noviembre)». STC 16/2001 de 29 de enero.

Sin embargo, debemos referirnos a los supuestos determinados en los que, como excepción, y por la especial naturaleza de los hechos, el Estado delega en determinados sujetos particulares su potestad de perseguir el delito y castigar al culpable. Así sucede en los delitos privados en los que el orden público y social no resulta perturbado

---

31/1996, de 27 de febrero; 177/1996, de 11 de noviembre; 138/1997, de 4 de junio; 115/2001, de 10 de mayo; 129/2001, de 4 de junio, y 178/2001, de 17 de septiembre». STC 63/2002, de 11 de marzo. Véanse en el mismo sentido SSTC 115/2001 de 10 de mayo; 129/2001 de 4 de junio, 16/2001 de 29 de enero.

por la comisión de una conducta delictiva. En estos casos, como en el delito de injurias el querellante monopoliza ya no solo la acción penal, sino, también, el impulso y prosecución del proceso (Véase sobre estos procedimientos el Capítulo XV, Sección 1.ª). Solamente para estos supuestos cabría aplicar ciertas similitudes con el proceso civil, al tener unas facultades dispositivas con plena incidencia en su conclusión.

Tampoco existe en el proceso penal un derecho a la ejecución de la sentencia, que forma parte del derecho de tutela judicial efectiva. Las sentencias deberán ejecutarse en sus propios términos, según establece el art. 18.2 LOPJ. Sin embargo, a diferencia del proceso civil, en que existe una acción ejecutiva y un derecho al despacho de ejecución, en el proceso penal no puede hablarse de un derecho del particular o de la víctima a «hacer cumplir la pena». En el ámbito de la ejecución penal no existe tampoco un «ius ut procedatur», puesto que corresponde al Estado, por medio de sus órganos judiciales y administrativos, el cumplimiento de la condena.

Cuestión distinta de la ejecución de la pena es la referente a la responsabilidad civil «ex delicto», que participa de la misma naturaleza de la acción civil. Nótese, que conforme al art. 1089 CC., las obligaciones nacen de la ley, de los contratos y cuasi contratos y de los actos y omisiones ilícitas o en que intervenga cualquier género de culpa o negligencia. Añade el art. 1092 CC., que las obligaciones civiles que nazcan de los delitos se regirán por las disposiciones del Código Penal, sin que ello les haga perder su naturaleza privada que responde al interés particular del perjudicado o de la víctima (Véase sobre esta cuestión la Sección 3.ª de este Capítulo).

La acción penal queda determinada por el sistema de principios que informan en su conjunto al proceso penal y que ya fueron objeto de examen en el Cap. I Sección 2.ª. Además, son aplicables concretamente a la acción penal pública los siguientes principios:

A) *Principio de oficialidad*

Un proceso viene regido por el principio de oficialidad, cuando el Juez puede comenzar el proceso sin necesidad de que nadie lo solicite (art. 101 LECrim.). Este principio no excluye que puedan existir excepciones, como ocurre con el delito de injurias, para el que solamente el ofendido puede ejercitar la acción penal, convirtiéndose en el «dominus litis»; u otra clase de delitos que, en razón de su naturaleza, sólo son perseguibles a instancia de parte, según se expone en el epígrafe siguiente. Así, para el inicio del proceso penal no se precisa la iniciativa del particular perjudicado, ni siquiera del Ministerio Fiscal (vid. Capítulo VI). Al Juez le basta con la adquisición del conocimiento de la «notitia criminis» para que proceda a la investigación y averiguación de los hechos, sin perjuicio de que, inmediatamente, sea puesto en conocimiento del Ministerio Fiscal (principio de investigación de oficio) (arts. 303 y 777 LECrim. en relación con el art. 308 LECrim.).

B) *Principio de legalidad*

Se caracteriza por el carácter obligatorio del ejercicio de la acción penal por el Ministerio Fiscal, conforme a los arts. 105 y 271 LECrim. Conforme a este principio el Ministerio Fiscal, tras la práctica de diligencias preliminares y cuando entienda que existen indicios de criminalidad, deberá poner el hecho en conocimiento de la Autoridad Judicial (art. 773.2 LECrim.). Para los particulares éste poder/deber se desarrolla en los arts. 259 ss. LECrim. Esta declaración de voluntad solamente supone ejercicio de la acción penal cuando se interpone querella (art. 270 LECrim.).

Se afirma que rige el principio de oportunidad, frente al principio de legalidad, cuando el órgano o el sujeto encargado de deducir la acción penal puede decidir o abstenerse cuando lo estime oportuno. La opción por aplicar uno u otro principio es una decisión de política legislativa, que corresponde al Poder Legislativo para desarrollar el sistema procesal penal. Aun cuando en nuestro enjuiciamiento se aplica, por lo general, el de legalidad, existen criterios, como los de utilidad pública, que permiten, con fundamento en el principio de intervención mínima que preside el derecho penal, que se deje en manos del ofendido la posibilidad de iniciar el proceso. Así, en el proceso de declaración penal la necesidad de denuncia para los delitos semipúblicos o de querella para los delitos privados (Véase Capítulo XV, Sección 1.ª). Igualmente, existen otras manifestaciones del principio de oportunidad en el proceso de ejecución, como el indulto (art. 130.3 CP y Ley 18 de junio de 1870 modificada por Ley 1/1988, de 14 de enero), el perdón del ofendido (art. 130.4 CP), o la suspensión de la ejecución de las penas privativas de libertad (arts. 80 ss. CP), entre otras.

C) Principio de indisponibilidad

La acción penal es indisponible. En el proceso penal operan el principio de oficialidad y de investigación de oficio junto al sistema acusatorio penal (vid. Capítulo I, Sección 2.ª). Además, rigen el derecho público de acusar que tiene cualquier ciudadano (art. 101 LECrim.); el que corresponde al Estado para el castigo de los delitos (*ius puniendi*); y la obligación del Ministerio Fiscal de ejercitar las acciones penales —art. 105 LECrim.—. De acuerdo con estos principios se llega a la conclusión de que el acusador particular no dispone de la acción penal pública, una vez utilizado su derecho para iniciar el proceso. Ello sin perjuicio de la posibilidad no infrecuente en la práctica de que alguna de las partes acusadoras decida retirarse del proceso penal iniciado, debido bien a una transacción extrajudicial, bien a otros motivos. En este supuesto deberá diferenciarse según que se trate de un delito público, semipúblico o privado, ya que según el caso la renuncia del acusador particular tendrá distintas consecuencias (Véase sobre renuncia de la acción penal el § 1.2 de esta Sección).

D) El principio de preferencia

En este sentido, debe tenerse en cuenta que el proceso penal es preferente por lo que una vez iniciado quedarán en suspenso los procedimientos que pudieran sustanciarse con relación a los mismos hechos en otro orden jurisdiccional (art. 44 LOPJ, 40 LEC).

«Finalmente, afirmar la posibilidad de que un procedimiento penal pierda su objeto por haberse dictado resolución en un proceso contencioso-administrativo implica la subversión de la prioridad y supremacía del orden y jurisdicción penal que se desprende del diseño constitucional (art. 25 CE) y que se manifiesta, entre otros extremos, en que, si hubiere cuestiones prejudiciales o dos procedimientos sancionadores en curso, son los procedimientos no penales los que, con carácter general,

131

deben paralizarse (art. 10.1 LOPJ, art. 7 Reglamento para el Ejercicio de la Potestad Sancionadora)». STC 63/2002, de 11 de marzo.

E) El principio de prescripción de la acción penal[5]

El ejercicio de la acción penal está limitado en el tiempo por el principio de prescripción de los delitos. La prescripción es una institución jurídica de naturaleza material cuya apreciación determina la extinción de la responsabilidad criminal y, por consiguiente, la imposibilidad de que el Estado pueda ejercitar su derecho a la persecución del delito y, en su caso, a la imposición de una pena. La prescripción supone una autolimitación del Estado que se fundamenta en distintas razones de carácter socio-jurídico. Entre estas el hecho de que el paso del tiempo produce el efecto de disminuir la necesidad y oportunidad de la respuesta penal. Así lo ha puesto de manifiesto el TC que ha declarado que: «*el simple transcurso del tiempo disminuye las necesidades de respuesta penal, dado que la imposición de una pena carecería de sentido por haberse ya perdido el recuerdo del delito por parte de la colectividad e incluso por parte de su autor, posiblemente transformado en otra persona*». (STC 6/1991, de 15 de enero, FD 6.°). Por otra parte, la vigencia del principio de seguridad jurídica aconseja que la respuesta penal del Estado no pueda producirse una vez transcurrido un cierto tiempo, cuya extensión dependerá de la gravedad del delito de que se trate[6].

La prescripción opera fuera del proceso de conformidad con su naturaleza material y se produce, de forma automática, por el simple transcurso del plazo legalmente previsto al margen de las posibles conductas procesales de las partes[7]. Así, transcu-

---

(5) Véase sobre esta materia RICHARD G., Manuel, «La interrupción de la prescripción en el proceso penal. reflexiones críticas sobre el estado actual de la cuestión». *La Ley* n.° 7098. 2009. MAZA MARTÍN, J. M. «Comentarios a propósito de la STC de 20 de febrero de 2008...», *La Ley* n.° 7017, 2008. RODRÍGUEZ RAMOS, «Inconstitucionalidad de algunas interrupciones del plazo de prescripción del delito», *Actualidad J.ª Aranzadi*, n.° 669, 2005; «¿Derecho penal figurativo, abstracto o surrealista?», *Actualidad J.ª Aranzadi*, octubre 2003. SILVA SÁNCHEZ, J.M.ª, «¿Cuando se interrumpe la prescripción del delito?», *La Ley* n.° 4934, 1999. BACIGALUPO ZAPATER, E., «Problemas constitucionales de la prescripción de la acción penal», *La Ley* n.° 6265, 2005.

(6) Los tribunales de justicia han relacionado la prescripción con otros derechos como el de un proceso sin dilaciones indebidas. Sin embargo, no creo que sea necesario, ni tampoco conveniente, buscar más fundamento para esta institución que la necesidad de garantizar la seguridad jurídica.

(7) «En orden al instituto de la prescripción en el campo penal, tiene declarado esta Sala que el mismo responde a la necesidad de que no se prolonguen indefinidamente situaciones jurídicas expectantes del ejercicio de acciones penales, que sólo pueden poner en actividad a los órganos de justicia de ese orden impulsadas dentro de los plazos que, según la trascendencia de la infracción delictiva, establece el ordenamiento jurídico; teniendo su fundamento en el aquietamiento de la conciencia social y de la intranquilidad producida, en las dificultades de prueba y en la enmienda que el tiempo produce en la personalidad del delincuente (v. SS. 21 enero 1956; 30 noviembre 1963, 19 diciembre 1974 y 9 junio 1975, entre otras). La institución de la prescripción debe interpretarse también en relación con el derecho fundamental a un proceso sin dilaciones indebidas (v. SS. núms. 955/1986 y 1606/1987). Por lo demás, la prescripción ha de ser estimada, concurrentes los principios en que se asienta (paralización del procedimiento y transcurso del lapso de tiempo correspondiente); pudiendo ser examinada y proclamada "de oficio", por ser de naturaleza sustantiva, de legalidad ordinaria, próxima al instituto de la "caducidad", y siendo indiferente cual haya

rrido el plazo legalmente determinado sin concurrir causa legal de interrupción, la prescripción producirá el efecto de enervar el ejercicio del derecho al «ius puniendi» que ostenta el Estado. En este sentido se ha pronunciado el Tribunal Constitucional en las SSTC 6/1991, 63/2005 y 29/2008. También el TS en jurisprudencia reiterada. Por ejemplo, en la SSTS de 1 de diciembre de 1999, 30 de junio de 2000 y 19 de mayo de 2005). De modo que producida la prescripción de un delito no podrá iniciarse procedimiento penal alguno, por cuanto la responsabilidad penal que en su día pudiera haber existido, ya no podrá exigirse. Ahora bien, en el caso de que el proceso se hubiere iniciado, no obstante la existencia de éste óbice procesal, las partes personadas o el Tribunal de oficio podrán acoger la existencia de prescripción con la consecuencia de determinar inexorablemente la finalización del proceso penal.

El cómputo de la prescripción se interrumpirá conforme con lo previsto en el art. 132 CP que dispone que: «*la prescripción se interrumpirá, quedando sin efecto el tiempo transcurrido, cuando el procedimiento se dirija contra el culpable, comenzando a correr de nuevo el término de la prescripción desde que se paralice el procedimiento o termine sin condena*». De modo que una vez interrumpida la prescripción del delito ningún obstáculo existirá para proseguir la causa hasta su finalización sin que a ello obste que durante la sustanciación del proceso transcurra el tiempo establecido en la Ley para la prescripción del delito. La prescripción se producirá siempre que, conforme con el art. 132 CP, el procedimiento se dirija frente al presunto responsable mediante una resolución motivada. Sea de admisión de querella, sin que sea necesario un auto posterior de imputación e incoación de unas diligencias penales.

«Lo relevante después de la reforma de 2010 —y también antes según la doctrina constitucional— es el dictado de una resolución judicial que no sea de puro trámite, sino que encierre un contenido decisorio que suponga ese *dirigir el procedimiento* contra una persona determinada o determinable por unos hechos suficientemente identificados en sus coordenadas básicas y supuestamente delictivos. Eso es materialmente lo que exige el actual art. 132 y lo que en definitiva venía a exigir la jurisprudencia constitucional interpretando el anterior art. 132. La redacción del art. 132 emanada de la reforma de 2010 además de esa esencialidad o sustancialidad que ha de ser predicable de una resolución para que se le anude esa fuerza interruptora, introduce otra exigencia más formal o exterior: su necesaria motivación, aunque sea sucinta. Ese requisito adicional ha de proyectar toda su fuerza para las resoluciones dictadas ya bajo la vigencia de tal precepto (aunque con razonabilidad: la motivación por remisión o la que fluye naturalmente del contexto no quedan anatematizadas: no es idéntico ni muchísimo menos el estándar exigible a una decisión de condena que a un acto procesal que se limita a encauzar o dirigir una investigación) .../... En consecuencia, admitida judicialmente la querella, e incoada una causa penal contra el querellado, por su participación en los hechos que se le imputan en la misma, la prescripción queda interrumpida y no se requiere un auto adicional de imputación formal, así lo afirma entre otras la STS 832/2013 de 24 de octubre (LA LEY 194800/2013) ya citada...». STS 794/2016 de 24 Oct. 2016, Rec. 171/2016; Ponente: Moral García, Antonio del; LA LEY 146034/2016.

---

sido la causa inmediatamente productora del transcurso del plazo que la Ley señala (v. SS. de 10 febrero y 10 mayo 1989, y de 4 junio y 23 julio 1993)». STS 13 octubre 1995, Aranzadi n.º 7853.

El problema se plantea en los supuestos en los que se interpone la denuncia o querella cercano el *«dies ad quem»* de finalización del tiempo de prescripción del delito. Por ejemplo, y en los casos más extremos, el día antes de finalización del plazo de prescripción. En ese caso, parece poco probable que el órgano jurisdiccional pueda pronunciarse sobre la admisión de la querella dentro del plazo de prescripción, con la consecuencia de que de admitir la querella cuando dicte la resolución la prescripción ya habrá tenido lugar, al haberse cumplido el plazo de prescripción material antes de que el Tribunal se pronuncie y antes de que, conforme con el art. 132.1 CP, se dirija el procedimiento contra: *«la persona indiciariamente responsable del delito»*. Esa situación es evidente que produce un menoscabo de los derechos de los ciudadanos, ya que el delito puede haber prescrito al tiempo que se pronuncie el tribunal aun habiendo interpuesto la querella dentro del plazo de prescripción.

La cuestión ha sido objeto de una importante controversia habiéndose dictado resoluciones contradictorias del Tribunal Supremo y del Tribunal Constitucional. Es por ello que para evitar las dudas planteadas y garantizar la necesaria seguridad jurídica la LO 5/2010 modificó el art. 132.2 CP para introducir en nuestra legislación el mecanismo, existente en otros países, de la suspensión de la prescripción durante un tiempo de seis meses (art. 132.2 CP). Ésta es una modificación legal muy adecuada por ofrecer una solución al problema planteado, ya que durante el tiempo de suspensión el Juez podrá emitir la resolución motivada que resulta precisa para interrumpir la prescripción. Ello todavía en el caso de que la denuncia o la querella se hubieren interpuesto el último día del plazo previsto de prescripción.

«Hasta la aprobación de dicha norma, el Tribunal Supremo entendía, en síntesis, que la interposición de una denuncia o querella interrumpía el plazo de prescripción, mientras que para el Tribunal Constitucional se exigía algún "acto de interposición judicial para entender dirigido el procedimiento contra una determinada persona e interrumpido el plazo de prescripción (...) que garantice la seguridad jurídica y del que pueda deducirse la voluntad de no renunciar a la persecución y castigo del delito" (STC 59/2010, de 4 de octubre de 2010), lo que, como regla general, implicaba que la interrupción de la prescripción no se producía hasta la admisión judicial de la denuncia o querella. De acuerdo con esta nueva regulación del Código Penal (art. 132.2.2.ª CP), dichos criterios se han refundido, ganándose en seguridad jurídica, en una norma que impone que la interposición de una querella o denuncia interrumpe el plazo de prescripción, como sostenía la doctrina del Tribunal Supremo, pero siempre y cuando en el plazo de 6 meses (o 2 meses para el caso de las faltas) desde la interposición de la misma se dicte una resolución judicial motivada en la que se atribuya a una persona en concreto su presunta participación en unos hechos que puedan ser constitutivos de delito o falta, es decir se admita judicialmente la denuncia o querella (como sostenía la jurisprudencia del Tribunal Constitucional)». STS núm. 832/2013 de TS, Sala 2.ª, de lo Penal, 24 de octubre de 2013. Ponente: Conde-Pumpido Tourón, Cándido. LA LEY 194800/2013.

De este modo se ponía fin a uno de los más enconados episodios de disputa competencial entre el Tribunal Constitucional y el Tribunal Supremo, que merece la pena resumir para tener conocimiento de cuál es el trasfondo de la modificación legal de la prescripción por la LO 5/2010 de reforma del Código Penal. Nótese que una interpretación racional del art. 132 CP conduce a entender que la prescripción sólo puede interrumpirse por un acto de intermediación judicial. Sin embargo, este argumento no fue acogido por el TS que se había pronunciado sobre esta materia declarando que la prescripción se interrumpe desde el momento en el que se interpone la querella, sin que haya existido una resolución judicial, siempre que aparezcan nominadas unas determinadas personas como supuestos responsables del delito de que se trate. Esta interpretación fue corregida en la sentencia 63/2005 del Tribunal Constitucional en la que el TC declaró, frente a la jurisprudencia dominante del TS, que el cómputo de la prescripción únicamente podía interrumpirse mediante un acto de intermediación judicial, que no podía ser el de la presentación en el juzgado de la denuncia o querella. Esta jurisprudencia constitucional no fue acogida por el TS que dictó sendos Acuerdos con fecha de 12 de mayo de 2005[8] y 25 de abril de 2006[9] en los que se rechazaba la interpretación que del art. 132 CP hacia el TC y se confirmaba la jurisprudencia que sobre la cuestión había venido manteniendo el TS según la cual el cómputo de la prescripción se interrumpía con la simple presentación en el juzgado de la denuncia o querella. Además reprochaba el TS al TC haberse excedido en el ejercicio de su jurisdicción en perjuicio de la competencia del TS como interprete de la legalidad. De modo complementario, la Fiscalía general del Estado dictó la instrucción 5/2005 sobre la interrupción de la prescripción en la que de un modo amplio analizaba la cuestión constatando la existencia de dos interpretaciones la del TS y la del TC para resolver finalmente que los fiscales debían mantener la interpretación emanada de la jurisprudencia del TS conforme a la cual la interrupción de la prescripción se producía desde el mismo momento en el que se interponer la querella o denuncia que considera actos integrados en el procedimiento judicial y, por tanto, aptos a ese fin. Pero, anunciaba que esta posición era provisional en tanto: «se consolide alguna de las alternativas interpretativas o surjan nuevos criterios». Y ello con la finalidad de «preservar la seguridad jurídica (art. 9.3 CE), cuidando de evitar soluciones irreversibles». No obstante, tras la STC 63/2005 la jurisprudencia del TS se modificó, a pesar del contenido aparentemente inmovilista de los acuerdos no jurisdiccionales citados. Muestra de ello es la STS 21 de junio de 2006 en la que el Tribunal Supremo estableció que «... *lo relevante es la existencia de una resolución judicial que reviste la forma de auto, en cuanto que tiene antecedentes de hecho, fundamentos jurídicos y parte dispositiva y contra el mismo cabe el Recurso de Reforma. El auto contiene la decisión judicial de investigar*

---

(8)   El Acuerdo de 12 de mayo de 2005 es el siguiente: «*La sala penal del tribunal supremo ha examinado la sentencia del tribunal constitucional 63/2005 y considera que la misma insiste en la extensión de la jurisdicción constitucional basándose en una interpretación de la tutela judicial efectiva que, prácticamente, vacía de contenido el art. 123 de la constitución española que establece que el tribunal supremo es el órgano jurisdiccional superior en todos los órdenes salvo lo dispuesto en materia de garantías constitucionales, por lo que, consiguientemente, le incumbe la interpretación en última instancia de las normas penales*».

(9)   El Acuerdo de fecha de 25 abril 2006 (Sala de lo Penal) tiene el siguiente contenido: «*el art. 5.1 LOPJ, interpretado conforme a los arts. 117.1, 161.1 b) y 164.1 CE, no puede impedir que el Tribunal Supremo ejerza con plena jurisdicción las facultades que directamente le confiere el art. 123.1 CE*». Y dentro del mismo acuerdo se planteaba la cuestión sobre: «*¿Qué debe entenderse por procedimiento que se dirija contra el culpable?*». Acordando a ese respecto: «*Mantener la actual jurisprudencia sobre la interrupción de la prescripción pese a la sentencia del Tribunal Constitucional 63/2005*».

el hecho y perfilar la participación del denunciado o querellado...». En ese punto, la STC 29/2008 de 20 de febrero confirmó la jurisprudencia contenida en la STC 63/2005 intentando solventar el problema planteado por el TS de la compatibilidad de las funciones de ambos tribunales con relación a la aplicación de la doctrina sobre la prescripción penal. Sin embargo, el TS dictó el Acuerdo no jurisdiccional de 26 de febrero de 2008 ratificando sus precedentes acuerdos y considerando que el TC se excedía en su jurisdicción con base en una interpretación de la tutela judicial efectiva que vacía de contenido el art. 123 CE que atribuye al TS la interpretación de la legalidad ordinaria[(10)]. En ese punto, se produjo la reforma del art. 132 CP que ha venido a pacificar la cuestión ofreciendo una solución técnica adecuada que consideramos satisface todos los intereses en juego en esta materia.

— La suspensión de la interrupción de la prescripción. Concepto y Requisitos.

La suspensión de la interrupción de la prescripción es un mecanismo jurídico que abre un plazo determinado legalmente de seis meses para la sustanciación de un incidente procesal al efecto de dejar en suspenso un plazo de carácter material, como es el de prescripción de los delitos. Plazo que continuará su cómputo una vez finalizado el plazo procesal de suspensión. Ello a salvo de que dentro del plazo procesal se dicte una resolución judicial que tenga todos los requisitos para interrumpir el cómputo material de prescripción del delito. Se trata de un mecanismo procesal de carácter singular que se aleja de otros supuestos previstos en la Ley. Por ejemplo en la LEC que prevé la suspensión de las actuaciones solicitada por las partes: *«Asimismo, las partes podrán solicitar la suspensión del proceso, que será acordada por el Secretario judicial mediante decreto siempre que no perjudique al interés general o a tercero y que el plazo de la suspensión no supere los sesenta días» (art. 19.4 LEC)*. Como se advierte, la suspensión del proceso civil resulta una consecuencia de la aplicación del principio dispositivo que determina que el proceso dependa de las partes. Más concretamente del actor que es el *«Dominus litis»*. La suspensión prevista en el art. 132.2.2 del Código Penal no tiene, sin embargo, la misma naturaleza, pues se trata de un plazo de tiempo establecido legalmente que no depende de la voluntad de las partes y que abre un incidente procesal dentro de un plazo de carácter material[(11)].

---

(10)   El Texto completo del Acuerdo es el siguiente: *«ratificamos nuestros precedentes Acuerdos de Sala General de 12/05/2005 y 25/04/2006, por cuanto el Órgano Constitucional reitera la extensión de su jurisdicción basándose de nuevo en una interpretación de la tutela judicial efectiva, en este caso, en relación con el potencial derecho a la libertad personal de los recurrentes, que vacía de contenido el art. 123 CE. Este precepto constitucional, dentro del Título correspondiente al Poder Judicial, tiene como misión preservar el debido equilibrio entre órganos constitucionales del Estado, en este caso, el Tribunal Constitucional y el Tribunal Supremo, para asegurar el adecuado funcionamiento de aquél, de forma que se desconoce su esencia, fijando una interpretación de la legalidad ordinaria que sólo corresponde al Tribunal Supremo».*

(11)   La suspensión de la interrupción de la prescripción se regula en el art. 132.2.2 CP en los siguientes términos: «2.ª No obstante lo anterior, la presentación de querella o la denuncia formulada ante un órgano judicial, en la que se atribuya a una persona determinada su presunta participación en un hecho que pueda ser constitutivo de delito o falta, suspenderá el cómputo de la prescripción por un plazo máximo de seis meses para el caso de delito y de dos meses para el caso de falta, a contar desde la misma fecha de presentación de la querella o de formulación de la denuncia.

Con base en la regulación expuesta podemos concluir que para que opere la suspensión de la interrupción de la prescripción resulta necesario: 1.º Que la querella o denuncia se interponga ante un órgano judicial. No es suficiente, por lo tanto, con la denuncia ante la policía o la Fiscalía. 2.º En el escrito de querella o denuncia debe atribuirse, como norma general, a una persona determinada su participación en un hecho constitutivo de delito[12]. Cumplidos los requisitos expuestos, la interposición de la querella producirá la suspensión del cómputo del plazo de prescripción. Plazo que quedará definitivamente interrumpido si dentro del plazo de suspensión se dicta una resolución motivada dirigida concretamente frente a la persona descrita en la querella o denuncia. Ahora bien, la Ley permite otras posibilidades que se fundamentan en la propia dinámica de los hechos delictivos que pueden resultar difíciles de individualizar al inicio del procedimiento penal. Especialmente si se trata de una responsabilidad de una persona jurídica o si el escrito de inicio del proceso es una denuncia. Es por ello que la norma prevista en el art. 132.2.2.ª CP que establece que: *«No obstante lo anterior, la presentación de querella o la denuncia formulada ante un órgano judicial,* **en la que se atribuya a una persona determinada su presunta participación en un hecho** *que pueda ser constitutivo de delito, suspenderá el cómputo»,* debe ser interpretada en relación con las normas que se refieren a la clase de resolución apta para interrumpir la prescripción. Resolución que se debe dictar dentro del plazo de prescripción con el transcurso, en su caso, del plazo de suspensión del plazo de prescripción. Estas normas, citadas anteriormente, prevén la interrupción de la prescripción cuando el procedimiento se dirija frente una persona concreta o bien que se contengan: *«… datos que permitan concretar posteriormente dicha identificación en el seno de la organización o grupo de personas a quienes se atribuya el hecho»* (art. 132.2.3.ª CP), o bien: *«contra cualquier otra persona implicada en los hechos»* (art. 132.2.2.ª in fine CP).

«La interpretación sistemática de la norma pone manifiestamente de relieve, que "entre las resoluciones previstas en este artículo", que tienen la virtualidad de ratificar la suspensión de la prescripción producida por la presentación de la querella

---

Si dentro de dicho plazo se dicta contra el querellado o denunciado, o contra cualquier otra persona implicada en los hechos, alguna de las resoluciones judiciales mencionadas en el apartado anterior, la interrupción de la prescripción se entenderá retroactivamente producida, a todos los efectos, en la fecha de presentación de la querella o denuncia.

Por el contrario, el cómputo del término de prescripción continuará desde la fecha de presentación de la querella o denuncia si, dentro del plazo de seis o dos meses, en los respectivos supuestos de delito o falta, recae resolución judicial firme de inadmisión a trámite de la querella o denuncia o por la que se acuerde no dirigir el procedimiento contra la persona querellada o denunciada. La continuación del cómputo se producirá también si, dentro de dichos plazos, el Juez de Instrucción no adoptara ninguna de las resoluciones previstas en este artículo».

(12) Ahora bien, la ley también permite un cierto grado de indeterminación al regular el contenido de la resolución judicial que interrumpe la prescripción. Sobre este particular el art. 132.2.3.ª CP dispone que: «… *la persona contra la que se dirige el procedimiento deberá quedar suficientemente determinada en la resolución judicial, ya sea mediante su identificación directa o mediante datos que permitan concretar posteriormente dicha identificación en el seno de la organización o grupo de personas a quienes se atribuya el hecho».* Y el art. 132.2.2.ª in fine CP establece que interrumpirá la prescripción la resolución que se dicte dentro del plazo de suspensión de seis meses: **contra el querellado o denunciado, o contra cualquier otra persona implicada en los hechos».**

o denuncia en la que se atribuya a persona determinada su presunta participación en un hecho que pueda ser constitutivo de delito o falta, la más caracterizada es precisamente el auto de admisión de dicha querella o denuncia. Resolución que necesariamente tiene que ser motivada por su naturaleza de auto, y que determina la incoación de un procedimiento penal contra el querellado, precisamente porque le atribuye su presunta participación en los hechos objeto de la querella o denuncia, y se considera judicialmente que éstos hechos pueden revestir los caracteres de delito o falta. En consecuencia, admitida judicialmente la querella, e incoada una causa penal contra el querellado, por su participación en los hechos que se le imputan en la misma, la prescripción queda interrumpida y no se requiere un auto adicional de imputación formal». STS núm. 832/2013 de TS, Sala 2.ª, de lo Penal, 24 de octubre de 2013. Ponente: Conde-Pumpido Tourón, Cándido. LA LEY 194800/2013.

— Interrupción y reanudación del cómputo de prescripción. Efectos del recurso frente a la resolución del juez de instrucción dictada dentro del plazo de suspensión.

La suspensión interrumpirá el cómputo de la prescripción por un plazo máximo de seis meses a contar desde la misma fecha de presentación de la querella o de formulación de la denuncia. En su virtud la interposición del escrito iniciador del proceso abrirá un plazo durante el cual el cómputo de la prescripción se halla en suspenso y durante el que el Juez podrá dictar la resolución judicial motivada en la que dirija el proceso penal frente a persona determinada. En ese caso, la interrupción de la prescripción se entenderá retroactivamente producida, a todos los efectos, a la fecha de presentación de la querella o denuncia. También cabe la posibilidad de que el Juez dicte, dentro del mencionado plazo de seis meses, resolución judicial de inadmisión a trámite de la querella o denuncia.

En el plazo previsto en la Ley el Juez de Instrucción debe dictar un acto de imputación con capacidad de producir el importante efecto de interrumpir la prescripción que, según dicción literal de la Ley debe ser aquél que: «*dirija el procedimiento contra el culpable*». En estricta justicia cabe señalar que, en procedimiento abreviado, el único acto en el que en realidad se dirige el procedimiento frente, no ya al culpable, sino al imputado es el auto en el que se pone fin a las diligencias previas (o el auto de procesamiento en el procedimiento por delitos graves —art. 384 LECrim—; o el auto de incoación del procedimiento ante el Tribunal del Jurado —art. 24 LJ—, ya que es en ese momento en el que el Juez debe concretar cuáles son los hechos punibles y la persona a la que se imputan (art. 779.1.4 LECrim). Aunque, no es ésta la tendencia jurisprudencial del TS que ha declarado que tienen la capacidad de interrumpir la prescripción el auto de incoación de las diligencias previas o el auto de admisión de querella. De los que dice el TS, en su sentencia de fecha 19 de mayo de 2005, que si se dictan por separado, interrumpirá la prescripción el primero. Si no se dictase éste (o se dictasen ambos a la vez) habrá que estar a la fecha del auto de admisión. El problema consistirá en el caso de que exista falta de fundamentación del auto de incoación de diligencias previas o de admisión de querella que, en algunos casos, no contienen más que una imputación formal fundada en hechos simplemente alegados por las partes acusadoras. Es por ello que, más allá de la clase de resolución que se dicte a ese fin, a nuestro juicio únicamente podrá interrumpir la prescripción un auto de imputación, que siempre debe dictar el Juez de instrucción y que debe contener los hechos punibles y el sujeto a que se imputan. Auto que puede coincidir, pero no tiene porque, con el admisión de querella o el de incoación de diligencias previas. Además, dicho auto debería dictarse siempre tras haber tomado declaración al imputado a fin de que pueda ser oído, conforme con el art. 118 LECrim, y rebatir las imputaciones formuladas en su contra por la acusación.

El plazo de seis meses es improrrogable y no puede ser ampliado por ninguna circunstancia. Así se deduce de la propia redacción legal que literalmente se refiere a: *«un plazo máximo de seis meses»*. De modo que transcurrido el plazo proseguirá, sin necesidad de dictarse ninguna resolución judicial, el cómputo del plazo de prescripción. La improrrogabilidad del plazo de suspensión plantea el problema de determinar qué sucede en el caso de que la resolución dictada por el Juez de instrucción fuese objeto de recurso de apelación, teniendo en cuenta que, en ese caso y por lo general, el plazo de seis meses no será suficiente para sustanciar la apelación. Pueden darse dos supuestos: 1.º que el auto objeto de impugnación haya dirigido el procedimiento frente a persona concreta por los hechos obrantes en la denuncia o querella; 2.º que el auto objeto de impugnación fuese de inadmisión de la querella o denuncia.

En el primer caso, ningún problema se plantea en tanto que la resolución impugnada ya habrá, de hecho, interrumpido el plazo de prescripción y el recurso de apelación se admite, con carácter general, en un solo efecto. De modo que la apelación no tendrá incidencia sobre el plazo de suspensión que habrá finalizado en el momento en el que se hubiere dictado el auto impugnado. En esa situación procesal la prescripción se habrá interrumpido y ya no podrá operar en la causa. Ello sin perjuicio de que la Audiencia revoque el auto del Juez para acordar el sobreseimiento provisional o libre de las actuaciones. En ese caso, las actuaciones quedarán paralizadas, pero por una causa distinta a la prescripción, que como se ha dicho ya habrá quedado interrumpida retroactivamente desde el momento en el que dictó el auto motivado abriendo el procedimiento penal frente a una persona concreta.

En el segundo caso, cuando el auto que se impugne hubiese inadmitido la denuncia o querella, se plantea el problema de que sucede cuando el plazo de seis meses de suspensión hubiere llegado a su fin, pendiente el recurso de apelación. En este caso resulta claro que la inicial resolución de inadmisión, sometida al recurso de apelación, no habrá producido el efecto de interrumpir la prescripción, lo que únicamente sucederá en el caso de que el auto hubiera dirigido el procedimiento frente a una persona concreta. En este sentido se pronuncia literalmente el art. 132.2.2.º CP. Por su parte, las resoluciones desestimatorias sometidas a recurso ningún efecto pueden producir. Siendo así la sustanciación de la apelación no afectará al plazo de seis meses de suspensión de la interrupción de la prescripción. Plazo que continuará su cómputo hasta finalizar, momento a partir del cual se reanuda el cómputo de la prescripción que quedó suspendido con la presentación de la denuncia o querella. De lo expuesto se deduce lo siguiente:

— La resolución de la Audiencia provincial, estimatoria del recurso y revocatoria de la resolución de inadmisión, dictada dentro del plazo de seis meses producirá el efecto de interrumpir la prescripción.

— La resolución de la Audiencia provincial, desestimatoria del recurso y confirmatoria de la resolución de inadmisión, dictada dentro del plazo de seis meses tendrá el efecto de proseguir con el cómputo de la prescripción desde el momento en que adquiriese firmeza (art. 132.2.2.º CP).

— Una vez transcurridos los seis meses del plazo de suspensión, la resolución de la Audiencia provincial, ya sea estimatoria o desestimatoria del recurso de apelación, podrá interrumpir, o no, la prescripción atendiendo al plazo previsto para cada delito y al tiempo que faltara del plazo para la prescripción.

Lo anterior significa que finalizado el plazo de suspensión de seis meses el cómputo de la prescripción continuará. De modo que habrá que acudir al caso concreto. Así, por ejemplo, se interrumpirá el plazo de prescripción, y podrá seguirse la causa, en el supuesto en el que la querella se hubiere interpuesto tres meses antes de la prescripción y la resolución de la Audiencia, revocando la decisión de inadmisión de la querella, se hubiere producido a los 8 meses desde la interposición de la querella. En ese caso el delito no habrá prescrito. Ahora bien, en el mismo caso expuesto, si la querella se hubiere interpuesto un mes antes de la prescripción del delito, la resolución de la Audiencia dictada a los ocho meses no podrá tener el efecto de interrumpir la prescripción, ya que al momento de dictarse el delito habría prescrito. Éste es el criterio adoptado por el Tribunal Supremo en la STS, Sala Segunda, de lo Penal, de 27 de diciembre de 2010, núm. de recurso 1177/2010, en la que el TS conoce de un asunto en el la Audiencia Provincial había revocado la decisión del juzgado de inadmitir una querella. Decisión de la Audiencia que se produce transcurrido el plazo de seis meses previsto en la Ley. En ese supuesto considera el Tribunal Supremo que la sustanciación del recurso no obsta para que el cómputo de la prescripción prosiga cuando finalice el plazo de suspensión fijado en la Ley.

«Si, dentro de tales seis o dos meses, la Audiencia revocando la decisión anterior del Juzgado, admite la querella a trámite, es meridiano que "la interrupción de la prescripción se entenderá retroactivamente producida, a todos los efectos, en la fecha de presentación de la querella o denuncia". Si fuera de esos plazos, y aquí en efecto consta que han transcurrido en exceso, la Audiencia dicta esta resolución judicial motivada, no podemos operar del mismo modo, pues el legislador opta por regular una respuesta jurídica que necesariamente se ha de producir dentro de tales plazos para que el efecto suspensivo de la presentación de la querella o denuncia tenga virtualidad jurídica. Entender lo contrario, dejando al recurso de apelación un espacio temporal indefinido que se proyectase retroactivamente a la fecha del dictado de la resolución judicial por el Instructor, dejaría sin contenido la previsión del legislador de que en ese plazo se decida definitivamente la cuestión, como parece apuntarlo en el caso de inadmisión, en donde ha de recaer resolución judicial firme de inadmisión a trámite de la querella o denuncia o por la que se acuerde no dirigir el procedimiento contra la persona querellada o denunciada, para que se produzca el efecto contrario, esto es, que el término de prescripción continúe desde la fecha de presentación de la querella o denuncia como si nada hubiera sucedido. Al incluir el legislador en este último supuesto la mención "firme", valora la posibilidad de que tal resolución judicial haya sido sometida al criterio de un recurso ulterior, devolutivo o no». STS, Sala Segunda, de lo Penal, de 27 de diciembre de 2010, Núm. de Sentencia: 1187/2010, Núm. de recurso 1177/2010.

El Tribunal Supremo intenta con esta sentencia impedir que el recurso de apelación abra un nuevo lapso temporal indefinido durante el cual la Audiencia pudiera resolver la apelación planteada. De ser así considera el TS que se: «*dejaría sin contenido la previsión del legislador de que en ese plazo se decida definitivamente la cuestión*». También aduce el Tribunal Supremo un argumento más que es el de la referencia que hace la Ley en el sentido de que haya de recaer resolución judicial firme, durante el plazo de seis meses, para que continúe el cómputo del término de prescripción (art. 132.2.2.ª CP)[13]: «... *Al incluir el legislador en este último supuesto la mención "firme", valora la posibilidad de que tal resolución judicial haya sido sometida al criterio de un recurso ulterior, devolutivo o no*». Aunque, también cabe señalar que esta mención a la firmeza de la resolución puede interpretarse en el sentido contrario. Es decir, que no continuará el cómputo de la prescripción, mientras que no recaiga resolución firme de inadmisión de la querella. En cualquier caso, la interpretación del Tribunal Supremo es la que es y su criterio resulta meridiano en el sentido de que el plazo de seis meses de suspensión es improrrogable y no puede ser ampliado por ninguna circunstancia.

1.2. Ejercicio y renuncia de la acción penal

El ejercicio de acciones en el proceso penal viene establecido en el art. 100 LECrim. Este precepto dispone que de todo delito nace una acción penal para el castigo del culpable, y puede nacer también una acción civil para cubrir la responsabilidad civil derivada del hecho punible. La LECrim. distingue tres tipos de legitimación activa para ejercitar la acción penal (véase sobre cada uno de los legitimados, en su calidad de partes en el proceso penal el Capítulo IV).

1. La acción penal particular o popular que pueden deducir todos los ciudadanos españoles sean o no ofendidos por el delito —arts. 101 y 270 LECrim.— (Véase § 1.2. C) del Capítulo IV). También podrán ejercitar la acción penal los extranjeros cuando los delitos se hubieran cometido contra sus personas o bienes (art. 270.2 LECrim.). (Véanse Modelos de querella en M. 64, 109, 168, 238, 311).

Deben tenerse en cuenta las inhabilidades establecidas en los arts. 102 y 103 LECrim. que prevén que no puedan ejercitar la acción penal: quienes hubieran sido condenados dos veces por sentencia firme por delitos de querella o denuncia falsa, ejerzan de Juez o Magistrado, o no gocen de la plenitud de sus derechos. En estos casos, los sujetos citados no podrán ejercer la acusación popular, pero sí la acusación particular cuando el delito sea cometido contra su persona o bienes o contra los bienes de sus cónyuges, ascendientes, descendientes o hermanos (art. 102 LECrim.). Los sujetos incluidos en los dos primeros supuestos podrán también deducir la acción penal por delito cometido contra las personas o bienes de los que estuvieren bajo

---

(13)   Art. 132.2.2.ª CP: «*Por el contrario, el cómputo del término de prescripción continuará desde la fecha de presentación de la querella o denuncia si, dentro del plazo de seis o dos meses, en los respectivos supuestos de delito o falta, **recae resolución judicial firme de inadmisión a trámite** de la querella o denuncia o por la que se acuerde no dirigir el procedimiento contra la persona querellada o denunciada. La continuación del cómputo se producirá también si, dentro de dichos plazos, el Juez de Instrucción no adoptara ninguna de las resoluciones previstas en este artículo*».

su guarda legal (art. 102 LECrim. in fine). Por otra parte, el art. 103 LECrim. faculta para el ejercicio de la acusación particular a los cónyuges, cuando se trate de delitos cometidos el uno contra la persona del otro o la de los hijos, al igual que si se trata de ascendientes, descendientes o hermanos por naturaleza, adopción o afinidad[14]. Otra diferencia entre ambos tipos de acusación estriba en la circunstancia que el acusador particular está exento de prestar fianza, en atención a su condición de ofendido por el delito (art. 281 LECrim.) (Véase sobre la acusación particular y popular § 1.2, Sección 1.ª, Capítulo IV).

La regla general es que la de la contingencia del ejercicio de la acción por el perjudicado u ofendido por el delito, de conformidad con el principio de oficialidad y ejercicio de la acción pública por el Ministerio Fiscal. Sin embargo, debemos distinguir los delitos semi-públicos para los que resulta necesaria la previa denuncia del ofendido, a los que se refieren los arts. 105 y 106 LECrim.

2. La que viene otorgada «ex lege», con carácter general, al Ministerio Fiscal por el art. 105 LECrim. (Véase § 1.2. A) del Capítulo IV)

Nótese que el ejercicio de la acción popular o particular no excluye la obligación que tiene el Ministerio Fiscal de ejercitarla respecto de hechos presuntamente delictivos; quedarán a salvo aquellos supuestos en que el presunto ilícito penal sólo pueda ser perseguido por querella del ofendido, como sucede en el delito de injurias y calumnias de conformidad con lo dispuesto en el art. 215 CP.

3. La que exclusivamente pertenece a los ofendidos en delitos de calumnias e injuria contra particulares, a tenor de lo dispuesto en el art. 104 LECrim. (Véase § 1.2. D) del Capítulo IV). Véase Modelo de Querella en M.311).

Respecto a la renuncia o apartamiento de la acusación ejercida en el proceso debe tenerse en cuenta que en el proceso penal rige el principio de oficialidad, investigación de oficio, y carácter público de la acusación. Teniendo en cuenta estos principios debemos distinguirse entre los siguientes supuestos, según la clase de delito de que se trate:

1. Cuando se trate de la persecución de delitos públicos, la renuncia del querellante o denunciante (si se ha constituido posteriormente en parte acusadora) no extingue la acción penal, sino que sólo cesa aquél como parte, pero sigue el proceso —arts.

(14) «El art. 103 de la Ley de Enjuiciamiento Criminal.../... debe interpretarse conforme a la realidad social del tiempo en que han de ser aplicadas —art. 3 del Código Civil— y desde la perspectiva constitucional, toda vez que la redacción de dicho precepto, teniendo en cuenta la fecha de promulgación de la Ley Procesal, mantenida, incluso después de la modificación a que se ha hecho mención, ha de reputarse totalmente desfasada en época actual. .../... Estimar que la referencia que se efectúa en el precepto procesal citado varias veces, a los delitos y faltas cometidos por "el uno contra la persona del otro" se circunscriben a las infracciones que afectan a su integridad física, supone verificar una interpretación restrictiva, que parece confrontar los delitos contra las personas a los realizados contra la propiedad, pero reduciendo el ámbito de aquéllos, sólo a lo que supongan un quebranto físico, y no, a todos, con los que se tutelan derechos inherentes a la persona, entre los cuales, obviamente, habrían de comprenderse los que integran el derecho a la intimidad, que es el que se cuestiona en el presente recurso». STS 24 Jun. 1999, Rec. 1136/1998; Ponente: Móner Muñoz, Eduardo. LA LEY 8165/1999.

106.1.º y 274.2.º LECrim.— (Véase M. 1). Ello sin perjuicio de la responsabilidad en que incurra por los actos realizados. Como supuestos específicos de abandono de la acción cabe citar los desarrollados en los arts. 275.2.º y 276 LECrim. en que opera una presunción *iure et de iure* de renuncia tácita de la acción; es decir, motivada por inactividad u omisión del perjudicado[15].

2. Cuando se trate de delitos semipúblicos para cuya persecución haga falta denuncia del ofendido, sólo el perdón de éste conducirá a la extinción de la acción penal, salvo en aquellos casos (delitos contra la libertad sexual) en los que el Ministerio Fiscal sigue obligado a continuar sosteniendo la acusación —arts. 105 LECrim. y 191.2.º CP—. Téngase presente que en estos delitos el perdón del ofendido o del representante legal no extingue la acción penal ni la responsabilidad de esa clase.

Actualmente, el perdón del ofendido viene reglado en el art. 130.4.º CP, que establece la necesidad de su otorgamiento en forma expresa antes de que se haya iniciado la ejecución de la pena impuesta. Declarada la firmeza de la sentencia, el Juez o Tribunal sentenciador oirá al ofendido antes de ordenar la ejecución de la pena, trámite de inexcusable observación en los supuestos de los delitos de injurias y calumnia, descubrimiento y revelación de secretos y daños causados por imprudencia grave, en los términos establecidos en los arts. 215.2, 201.3.º y 267.3.º del Código Penal.

En los casos de delitos contra menores o incapacitados los Jueces y Tribunales, oído el Ministerio Fiscal, podrán siempre rechazar el perdón otorgado antes de la sentencia o ante de iniciar la ejecución, ordenando la continuación del procedimiento o el cumplimiento de la condena. Para ello se habrá de otorgar nueva audiencia al representante del menor, con carácter previo a la resolución motivada, con la finalidad de comprobar y valorar las circunstancias de otorgamiento del mismo, según lo dispuesto en el art. 130.4.º pfo. 2.º y 3.º CP.

3. Cuando se trate de delitos privados perseguibles sólo mediante querella, es decir, para las injurias y calumnias en los términos establecidos en el art. 215.1.º CP., los arts. 106.2.º y 275 LECrim. regulan expresamente la posibilidad de esta renuncia. En estos supuestos, se deja la acción penal a disposición del acusador que la ejercita, por entenderse que sólo a él le interesa la persecución o no de tales delitos, sin que deba intervenir el Ministerio Fiscal.

Finalmente, la acción civil, ejercitada conjuntamente con la acción penal, es siempre renunciable por los acusadores —art. 106.2.º LECrim.— alcanzando la renuncia sólo al renunciante pero no a los demás acusadores, si los hubiere —art. 107 LECrim.—. Ahora bien, cuando a pesar de la renuncia a la acción civil y penal, el proceso deba continuar, según lo anteriormente expuesto, el Fiscal se limitará a

---

(15) Existe una práctica, técnicamente no correcta, seguida por algunos órganos jurisdiccionales, con poco acierto, que en los supuestos de renuncia de los acusadores particulares, en especial en ciertos delitos patrimoniales (estafa, usura, apropiación indebida...), archivan la causa, previo «Visto» del Ministerio Público (hallándose las diligencias en fase de instrucción). La única razón de esta conducta radica en la disminución de trabajo que supone para los Juzgados de Instrucción la eliminación de causas «privatizando» contra legem los delitos públicos.

sostener exclusivamente la acción penal —art. 108 LECrim.— (véase Sección 3.ª de este Capítulo).

En cualquier caso será preciso que el procurador o apoderado se halle provisto de poderes especiales para la renuncia. En caso contrario, deberá comparecer el interesado a ratificarse en la renuncia ante el tribunal.

1.3. Los elementos de identificación del objeto del proceso penal

El objeto del proceso es el «tema» o la «cuestión» sobre el que se proyecta el enjuiciamiento criminal. En un primer estadio se corresponde básicamente con la investigación o averiguación de los hechos punibles que son puestos en conocimiento del Juez y, en su caso, por la persona a la que indiciariamente se le atribuyen, cuya presencia no es necesaria hasta la fase de juicio oral en la que se dirigirá la acción penal frente al acusado. Ello sin perjuicio de haberle puesto en conocimiento de la imputación tan pronto ésta se hubiere puesto de manifiesto.

No puede afirmarse que el objeto del proceso lo constituya una «pretensión punitiva» o el mismo *ius puniendi* o derecho a penar del Estado. En el proceso penal no se deducen acciones concretas para castigar a los presuntos culpables, sino que se ponen en conocimiento del Juez determinados hechos. Si éstos resultan delictivos y se atribuyen a determinados sujetos, se desarrolla el proceso penal con el fin de que sean condenados o, en caso contrario, absueltos. El objeto no resulta identificado por la existencia de delitos sino de hechos que, tras la correspondiente investigación, constituyen la base de la acusación. De ahí que pueda modificarse, con ciertos límites, la calificación jurídica (p.ej. arts. 733, 788 y 789 LECrim.), si bien queda restringida a límites estrechos tanto desde el punto de vista legal como en la jurisprudencia, lo que acentúa y vigoriza el principio acusatorio (Véase sobre los límites a la modificación de las conclusiones provisionales el § 6.10 del Capítulo IX, § 3.8 del Capítulo XI; y § 1.3 del Cap. XVI respecto a la correlación entre acusación y sentencia).

De este modo, el objeto del proceso penal no se identifica con los tres elementos que configuran el objeto del proceso civil (sujetos, petitum y causa de pedir, o sea, «eadem personae», «eadem res» y «eadem causa petendi»), de acuerdo con lo previsto en el art. 222 y 421 LEC. Esto es así, al no existir una petición concreta de tutela jurídica, sino que el inicio del proceso y la acción penal se agotan con el *ius ut procedatur*. En consecuencia, bastará para la delimitación del proceso penal la existencia de unos hechos punibles y, en menor medida, la de personas determinadas, cuya existencia solo se exige para la apertura del juicio oral.

La delimitación del objeto del proceso penal provoca, entre otros, los siguientes efectos procesales:

— La determinación de la jurisdicción y competencia, ya que una vez fijados los hechos y los acusados podrá determinarse el Juez ordinario predeterminado por la Ley (vid. Capítulo III).

— La prohibición de una modificación o un cambio en los hechos que son objeto de investigación. De ahí que si durante la instrucción surgen otros nuevos, han de ser objeto de otro proceso (art. 300 LECrim.), salvo cuando se trate de delitos conexos (art. 17 ss. LECrim.), cuyo examen pertenece al objeto del proceso y no a la del presupuesto procesal de la competencia (vid. Sección 2 de este Capítulo).

— La litispendencia, que impide la sustanciación de un proceso, cuando se encuentra pendiente otro con los mismos hechos sometidos a enjuiciamiento.

— La cosa juzgada, que impide volver a enjuiciar a un sujeto absuelto o condenado por los mismos hechos de los que haya sido objeto de acusación (vid. sobre cosa juzgada § 2, del Capítulo XVI).

— La congruencia, que impide al Juez pronunciarse sobre cuestiones que no han sido objeto de investigación o enjuiciamiento (vid. sobre congruencia § 1.3, del Capítulo XVI).

A) El hecho punible

El hecho en abstracto, o un acontecimiento natural no constituye objeto del proceso. Por tanto, al hecho debe añadirse otro requisito como es el de encontrarse tipificado como delito susceptible de ser castigado conforme a la Ley Penal. Ahora bien, no resulta posible investigar, por medio de una «inquisitio generalis» (Véase sobre los límites de la investigación sumarial § 1.2 Cap. VII en sede de instrucción del proceso penal), la averiguación de cualquier conducta independientemente de que se encuentre o no castigada por la Ley. En consecuencia, es el hecho punible lo que constituye el verdadero objeto de investigación, acusación y, posteriormente, condena o absolución.

En la determinación de dicho elemento se han enfrentado diversas corrientes doctrinales que ponen el acento en cada uno de los dos extremos que lo delimitan: evento histórico y delito. De modo análogo a como sucede en el proceso civil con la confrontación entre las denominadas teorías de la individualización y de la sustanciación para delimitar lo que constituye la «causa de pedir», ninguna de ambas resulta completamente satisfactoria para resolver el problema planteado.

Por tanto, para delimitar el requisito objetivo habrá que acudir tanto al hecho como a su tipificación penal y a su penalización. Es decir, se precisa que el hecho venga tipificado en la Ley como delito y resulte homogéneo con el que es objeto de acusación.

B) Los sujetos

La determinación del elemento subjetivo para identificar el objeto del proceso adquiere diversa relevancia según la fase procesal de la que tratemos. La identificación del sujeto viene referida solamente a la persona del acusado y no a las partes acusadoras, salvo cuando se trate de delitos privados.

Es evidente que no existe ni se precisa identidad total entre los sujetos que son objeto de investigación y los que posteriormente son sometidos a una acusación en el juicio oral. Téngase en cuenta que el inicio del proceso penal no requiere siquiera la identificación del sujeto, a menos que se deduzca querella (art. 277.3 LECrim.).

145

Ahora bien, ninguna persona podrá ser acusada si no ha sido previamente imputada o procesada en la fase de instrucción; y al mismo tiempo no todos los que son imputados deben ser posteriormente acusados, pues ello constituye la materia de la investigación sumarial, conforme lo dispuesto en el art. 299 LECrim.

En cambio, en el juicio oral se exige la determinación del acusado como consecuencia de la vigencia del principio acusatorio. El derecho de tutela judicial efectiva, con interdicción de la indefensión, presupone necesariamente el derecho a ser parte en el proceso y conocer de la acusación para poder defenderse de forma contradictoria frente a ella (SSTC 47/1991, de 28 de febrero, 11/1992, de 16 de enero, 56/1994, de 24 de febrero, 95/1995 de 19 de junio, 36/1996 de 11 de marzo, 4/2002 de 14 de enero). La condena de persona no acusada produciría una infracción de los reseñados principios, más que una alteración del objeto del proceso. De este modo, quedan impedidas las acusaciones implícitas o sorpresivas.

Sin embargo, existe una excepción. Los procedimientos por delitos leves están informados por los principios de oralidad, concentración y sumariedad (vid. Capítulo XIII). Ello conduce a que se trate de una clase de proceso penal muy poco apropiado para ser sometido a formas concretas de acusación, especialmente cuando versa sobre hechos que por su propia naturaleza presuponen confluencia de distintas posibles responsabilidades de los que han intervenido (accidentes de tráfico), que se entrecruzan de tan íntima manera que cada uno de ellos ostenta la doble condición de acusador y acusado (V. SSTC 358/1993, de 29 de noviembre y 319/1994 de 28 de noviembre). En estos especiales supuestos se ha admitido la acusación implícita y solamente existe la limitación de que la condena no ha de ser inesperada o sorprendente, de tal modo que del debate contradictorio ha de inferirse que venía implicado como acusado.

SECCIÓN 2. EL ENJUICIAMIENTO DE DELITOS CONEXOS

La regla general prevista en la LECrim. es que de cada delito de que conozca la Autoridad Judicial dará lugar y será objeto de un procedimiento penal (art. 300 LECrim.). Pero, puede suceder que diversos actos ocasionen como resultado varios delitos —concurso real—, que requieran, para un mejor enjuiciamiento, un tratamiento procesal único, debido a la conexión existente entre ellos. Así se prevé en el art. 17.1 LECrim, conforme con la nueva regulación dada por la Ley 41/2015 de reforma de la LECrim, prevé que: «Cada delito dará lugar a la formación de una única causa. No obstante, los delitos conexos serán investigados y enjuiciados en la misma causa cuando la investigación y la prueba en conjunto de los hechos resulten convenientes para su esclarecimiento y para la determinación de las responsabilidades procedentes salvo que suponga excesiva complejidad o dilación para el proceso».

A los efectos de la atribución de jurisdicción y de la distribución de la competencia el art. 17.2 LECrim considera conexos los siguientes delitos:

1.º Los cometidos por dos o más personas reunidas.

2.º Los cometidos por dos o más personas en distintos lugares o tiempos si hubiera precedido concierto para ello.

3.º Los cometidos como medio para perpetrar otros o facilitar su ejecución.

4.º Los cometidos para procurar la impunidad de otros delitos.

5.º Los delitos de favorecimiento real y personal y el blanqueo de capitales respecto al delito antecedente.

6.º Los cometidos por diversas personas cuando se ocasionen lesiones o daños recíprocos.

Además, a instancia del Ministerio Fiscal, también podrán ser enjuiciados en la misma causa: «Los delitos que no sean conexos pero hayan sido cometidos por la misma persona y tengan analogía o relación entre sí, cuando sean de la competencia del mismo órgano judicial .../... si la investigación y la prueba en conjunto de los hechos resultan convenientes para su esclarecimiento y para la determinación de las responsabilidades procedentes, salvo que suponga excesiva complejidad o dilación para el proceso» (art. 17.3 LECrim).

En estos supuestos se produce la necesidad de proceder al enjuiciamiento conjunto de las distintas causas por una evidente razón de economía procesal, lo que puede tener por resultado la alteración de las reglas de la jurisdicción, competencia objetiva e incluso territorial, según prevé el art. 300 LECrim. que dispone que los delitos conexos se comprenderán en un solo proceso. En este caso, se producirá una acumulación de autos que no afecta al derecho al Juez ordinario predeterminado por la Ley, ya que se trata de una previsión regulada *ex ante* y no *ex post facto*. La consecuencia, de la acumulación será la del enjuiciamiento conjunto de la responsabilidad por los distintos actos con la finalidad de que no se rompa la continencia de la causa. Aunque también puede darse el supuesto que la acumulación de delitos conexos pueda tener el efecto de una mayor complejidad del proceso. Para este supuesto el art. 762.6.º LECrim., en sede de procedimiento abreviado dispone que podrán formarse distintas piezas separadas para el enjuiciamiento de delitos conexos cuando existan elementos para hacerlo con independencia, para simplificar y activar el procedimiento.

La ley no establece un tratamiento procesal de la conexión, salvo específicos preceptos dispersos; aunque por lo que se refiere a su incidencia sobre la competencia territorial, el art. 18 LECrim. desarrolla unas normas especiales que determinan el Juez competente conforme a tres criterios jerárquicamente ordenados:

— En atención a la penalidad del ilícito: el del territorio en que se haya cometido el delito o que esté señalada pena mayor.

— Aplicación de un criterio de temporalidad: el que primero comenzare la causa en el caso de que a los delitos les esté señalada igual pena, y

— En supuestos de identidad de pena y tiempo de iniciar la causa: el que la Audiencia de lo criminal o el Tribunal Supremo en sus casos respectivos designen.

— Se atribuye, con preferencia, la competencia para conocer de los delitos conexos al tribunal del partido judicial sede de la correspondiente Audiencia

Provincial, cuando los delitos se hubieren cometido por dos o más personas en distintos lugares si existiera concierto para ello (art. 18.2 LECrim.).

La acumulación en un proceso de los delitos conexos puede realizarse tanto de oficio como por solicitud de parte, siendo normalmente realizados al inicio de la instrucción de la causa. Aunque podrá procederse a su acumulación hasta la preparación del juicio oral, que es el momento preclusivo para la reunión de las distintas causas. En realidad, únicamente se plantearán problemas en esta materia en sede de competencia territorial, ya que la competencia objetiva para conocer de los delitos acumulados por conexión corresponderá al tribunal superior al que el tribunal inferior, que será el Juez de lo Penal, no podrá plantear cuestión de competencia alguna (art. 759.2.ª LECrim.). En cualquier caso, la parte interesada podrá impugnar la competencia con base en la conexidad según los criterios expuestos en sede de competencia (Véase § 5.3 del Capítulo III).

Un supuesto especial será el que se produce con relación a los delitos de los que debe conocer el Tribunal del Jurado. En materia de delitos conexos el art. 5.2 de la Ley del Jurado atribuye la competencia del Tribunal del Jurado para los delitos conexos por alguno de los tres motivos siguientes: a) Aquellos que cometan simultáneamente dos o más personas reunidas; b) Cuando dos o más personas cometan más de un delito en distintos lugares o tiempo, si hubiere precedido concierto para ello; c) Que alguno de los delitos se haya cometido para perpetrar otros, facilitar su ejecución o procurar su impunidad. Con esta norma se pretende evitar la desviación de la competencia a otros tribunales por causa de conexidad. Sin embargo, en la reforma de la Ley del Jurado por LO 10/1995 se excluyó de la competencia del Tribunal del Jurado los delitos de prevaricación o «aquellos delitos conexos cuyo enjuiciamiento pueda efectuarse por separado sin que se rompa la continencia de la causa» (Véase § 2 Cap. XII, en sede de Proceso ante el Tribunal del Jurado).

SECCIÓN 3. LA ACCIÓN CIVIL EX DELICTO

3.1. La acción civil en el proceso penal[16]

El tenor literal del art. 100 LECrim. establece que de todo delito: «puede nacer también acción civil para la restitución de la cosa, la reparación del daño y la indemnización de perjuicios causados por el hecho punible». Este enunciado puede llevar «prima facie» a varias conclusiones erróneas como son que: 1.º el origen de la acción civil es el delito; 2.º del acto dañoso, penalmente reprochable, nace una acción; y finalmente 3.º que esta acción puede considerarse como tal en el sentido procesal del término.

_____

(16) MARTÍN RÍOS, M.ª del Pilar, *El ejercicio de la acción civil en el proceso penal*, Madrid 2007. GARCÍA GARCÍA M. A. (Coord.), *Responsabilidad penal de las personas jurídicas*, CGPJ, Madrid 2007.

Sin embargo, el origen de la acción civil «ex delicto» radica en que el hecho castigado por la ley penal, además de constituir un delito, constituye un acto ilícito civil. La llamada accesoriedad de la acción civil, en relación a la criminal, lo es, únicamente, por imposición de nuestro legislador, ya que no participa ni de su contenido ni de sus principios. Así, si bien el origen de la acción civil es el delito se trata de dos acciones distintas, ya que ni su naturaleza ni sus principios se corresponden, siendo ambos independientes (p.ej. el derecho de disposición de su objeto o sus causas de extinción). En este sentido, la acción civil no pierde su naturaleza por el hecho de ejercitarse conjuntamente con la acción penal.

> «Nos encontramos ante una responsabilidad civil consecuencia del delito. Dejamos el ámbito del derecho penal para desplazarnos al del derecho civil resarcitorio de la infracción penal cometida, como acción distinta aunque acumulada al proceso penal por razones de utilidad y economía procesal, con finalidad de satisfacer los legítimos derechos (civiles) de las víctimas. Las acciones civiles no pierden su naturaleza propia por el hecho de ejercitarse ante la jurisdicción penal y su contenido y extensión igualmente habrá de calibrarse con arreglo a la normativa civil aplicable, siempre que no exista un especial precepto penal que modifique su régimen. Como dijo la STS 298/2003 de 14 de marzo (LA LEY 1243/2003) que "la acción civil "ex delicto" no pierde su naturaleza civil por el hecho de ejercitarse en proceso penal. El tratamiento debe ser parejo, so pena de establecer agravios comparativos, o verdaderas injusticias, según decida el sujeto perjudicado ejercitar su derecho resarcitorio en el propio proceso penal, o lo reserve para hacerlo en el correspondiente civil"» STS 865/2015 de 14 Ene. 2016, Rec. 1167/2014. Ponente: Ferrer García, Ana María. LA LEY 177/2016. CASO PRESTIGE.

En consecuencia, le son de aplicación los principios dispositivo, de rogación y aportación de parte. No obstante, en tanto que el perjudicado no renuncie o se reserve su ejercicio el Ministerio Fiscal la ejercitará en su nombre (art. 108 LECrim.).

> «En nuestro ordenamiento jurídico el proceso penal no queda limitado al ejercicio y conocimiento de la acción penal; por el contrario, en el proceso penal puede ejercitarse y decidirse también la acción civil dirigida a satisfacer la responsabilidad civil derivada del hecho ilícito que es constitutivo de delito o falta. Además, el legislador, por razones de economía o de oportunidad, considera que el ejercicio de la acción penal lleva aparejado el ejercicio de la acción civil, de forma que salvo que el perjudicado por el hecho delictivo haya renunciado a la acción civil o se haya reservado expresamente esta acción para ejercitarla después de terminado el proceso penal en el correspondiente juicio civil (art. 112 de la Ley de enjuiciamiento criminal: LECrim), la sentencia que ponga fin al proceso penal, en el caso de que sea condenatoria (y excepcionalmente, cuando sea absolutoria en los supuestos del art. 118 del Código penal) deberá pronunciarse también sobre la responsabilidad civil ex delicto. A este fin, el Ministerio Fiscal está obligado, haya o no acusador particular, a ejercer la acción civil, salvo que el perjudicado haya renunciado o se haya reservado las acciones civiles (art. 108 LECrim)». STC 17/2008 de 31 de enero[17].

Del acto dañoso castigado por la ley penal no se deriva el nacimiento de una acción, sino una obligación civil, de la que surge un derecho del perjudicado para

---

(17)   En el mismo sentido STC 15/2002 de 28 de enero.

reclamar la correspondiente indemnización. No obstante, esta pretensión se adecua a los principios civiles del enjuiciamiento, especialmente al dispositivo y al conocido aforismo romano *ne eat iudex extra petita partium*. De este modo, el Juez penal no podrá conceder más de lo solicitado por el Ministerio Fiscal, y por la acusación particular, si se hubiese personado. De igual manera, si no es llamada a la causa una persona determinada como responsable civil subsidiario, no podrá tampoco ser condenada. Tampoco el Juez penal podrá pronunciarse sobre la responsabilidad civil si el perjudicado renunciara a ella o se la reservase.

La acción civil ejercitada en el proceso penal es siempre renunciable por los acusadores —art. 106.2.º LECrim.— alcanzando la renuncia sólo al renunciante, pero no a los demás acusadores, si los hubiere —art. 107 LECrim.—.

> «Por tanto, por lo que respecta a las acciones civiles, cualesquiera que sea la naturaleza del delito del que procedan, la renuncia del ofendido extingue las mismas que, desde ese momento no podrán ser ya ejercidas en su nombre por el Ministerio Fiscal (STS 13/2009 de 20.1). La renuncia por el perjudicado de esta clase de acciones tendrá los mismos límites que aparecen impuestos por el ordenamiento privado (art. 6.2 Código Civil (LA LEY 1/1889)) (STS 29/2007 de 15.1). En definitiva, como precisa la STS 1045/2005 de 29.9, debe significarse que así como la acción penal por delito o falta que dé lugar al procedimiento de oficio no se extingue por la renuncia del perjudicado, si se extinguen como consecuencia de la renuncia de las acciones civiles cualquiera que sea el delito o falta de que proceden (art. 106.1 LECrim (LA LEY 1/1882)). Del mismo modo el art. 109.2 CP (LA LEY 3996/1995), contempla la posibilidad de la renuncia al ejercicio de la acción civil "ex delicto" en el curso del proceso penal, en armonía con el criterio doctrinal de que, aún ejercitada dentro del proceso penal, la pretensión civil no pierde su naturaleza y se rige por los principios propios de esta rama procesal, entre los que se encuentra el dispositivo y los que son consecuencia del mismo, como el de renunciabilidad que establecen los arts. 106 y ss. LECrim, y el de reserva para ejercitarla en un procedimiento civil una vez concluido el de naturaleza penal, que previene el art. 112 LECrim (LA LEY 1/1882)». STS 380/2014 de 14 May. 2014, Rec. 1423/2013; Ponente: Berdugo Gómez de la Torre, Juan Ramón. LA LEY 60544/2014.

En ese caso, el proceso continuará y el Fiscal se limitará a sostener exclusivamente la acción penal —art. 108 LECrim.—.

La renuncia del perjudicado debe ser expresa. A este respecto, el TS ha declarado que carece de relevancia, a estos efectos, la manifestación del perjudicado en el acto del juicio oral en el sentido, por ejemplo, de no pretender la obtención de un beneficio económico, o de no pretender nada más que justicia, o similares[18]. Se trata

---

(18) «Por último, respecto a la vulneración del principio dispositivo que se aduce, analizado el contenido de las actuaciones se constata que en el acta del juicio figura que la víctima, tras ser preguntada en el plenario al respecto, respondió que sólo quería que se hiciese justicia y que no quería indemnización. Sobre este punto, expone el Tribunal de instancia que aunque la víctima sea mayor de edad y no esté incapacitada, la psicóloga puso de manifiesto su limitación o deficiencia en el procesamiento de la información recibida, derivada de su discapacidad, habiendo constatado los miembros del Tribunal su situación de inseguridad. Por tanto, considera que la declaración de la víctima en este punto no debía ser tomada más allá del estereotipo de las declaraciones que tanto se oyen en los medios cuando se pregunta a perjudicados por hechos delictivos, en que como

de declaraciones que suelen emitirse por la víctima en el interrogatorio de testigos practicado en el juicio oral a preguntas del abogado de la defensa, y al que no debe atribuirse la consecuencia de renuncia a la acción[19]. Tampoco puede admitirse la renuncia del Fiscal emitida en el informe de conclusiones.

«Desde el punto de vista de la temporaneidad del desistimiento del ejercicio de la acción civil en el proceso penal en la fase del informe final del juicio, resulta incuestionable que ese ya no era momento para abandonar el ejercicio de la acción civil, toda vez que el último trámite final en que cabía modificar las pretensiones formuladas era el de la calificación definitiva, por lo que solo una reapertura por razones extraordinarias de ese trámite procesal habría permitido un replanteamiento de la pretensión civil formulada en el proceso penal. Esta situación no consta en la causa que en modo alguno se haya dado ...\.../... Por último, y en lo que atañe a la legitimidad y legalidad de la alegación del Ministerio Fiscal sobre la "supresión" de la indemnización de la víctima, es claro que contradice de plano lo que dice la norma. Pues el art. 108 de la LECr. (LA LEY 1/1882) dispone que la acción civil ha de entablarse juntamente con la penal por el Ministerio Fiscal, haya o no en el proceso acusador particular. Y añade al respecto el párrafo segundo del art. 110 de la misma Ley procesal que aun cuando los perjudicados no se muestren parte en la causa, no por esto se entiende que renuncian al derecho de restitución, reparación o indemnización que a su favor puede acordarse en sentencia firme, siendo menester que la renuncia de este derecho se haga en su caso de una manera expresa y terminante». STS 251/2014 de 18 Mar. 2014, Rec. 1504/2013, Ponente: Jorge Barreiro, Alberto Gumersindo.LA LEY 40132/2014.

Carece igualmente de relevancia la circunstancia de que el acusador particular no hubiere solicitado cantidad alguna en concepto de indemnización, ya que la obligación del Fiscal de ejercitar las acciones civiles y penales no desaparece por el hecho de comparecer la acusación particular.

«El fundamento de derecho quinto de la sentencia, argumenta "que no habiendo sido solicitado por la acusación particular cantidad indemnizatoria alguna, para la

---

coletilla siempre dicen que sólo quieren justicia. A mayor abundamiento, argumenta que la víctima no había sido capaz de procesar plenamente la información que se le transmitía en la aclaración de este Tribunal, habiendo mantenido su representación procesal la petición de indemnización. Conforme a la jurisprudencia de esta Sala (SSTS 1045/2005 y 1125/2011 (LA LEY 218054/2011)), la renuncia al ejercicio de la acción civil en el proceso penal debe observar las exigencias marcadas por el art. 108 de la Ley de Enjuiciamiento Criminal (LA LEY 1/1882), que exige que el ofendido renuncie "expresamente" a su derecho de restitución, reparación o indemnización, insistiendo en el art. 110 en que es preciso que se haga en su caso de una manera "expresa y terminante", lo que no se consta en el presente caso». ATS 51/2015 de 15 Ene. 2015, Rec. 1403/2014; Ponente: Marchena Gómez, Manuel. LA LEY 3106/2015.

(19) «Ahora bien, la renuncia al ejercicio de la acción civil en el proceso penal —como ya hemos indicado— debe observar las exigencias marcadas por la Ley Procesal penal (LA LEY 1/1882), en concreto por el art. 108, que requiere que el ofendido renuncie "expresamente" a su derecho de restitución, reparación o indemnización, insistiendo el art. 110 en que "es menester que la renuncia de este derecho se haga en su caso de una manera "expresa y terminante", lo que no acontece en casos de no ratificación judicial de renuncias en sede policial. Por ello, los actos de renuncia deben entenderse de un modo restrictivo, inexistencia (STS 6/2008, de 23-1)». STS 380/2014 de 14 May. 2014, Rec. 1423/2013; Ponente: Berdugo Gómez de la Torre, Juan Ramón. LA LEY 60544/2014.

menor Sandra, procede en consecuencia no determinar cantidad alguna". Tal postura, sin embargo, no puede aceptarse. Es evidente que tal renuncia expresa no se ha producido en la causa, sin que pueda tener trascendencia alguna, el que la acusación particular no haya postulado indemnización alguna, cualquiera que sea la causa de tal omisión, mientras no conste acreditado la renuncia expresa a ella, máxime cuando el Ministerio Fiscal si solicitó dicha indemnización. Por otra parte, tratándose de derecho económicos correspondientes a un menor, tal renuncia, requiere que cumpla los requisitos que exigen los arts. 166, 1810, 1813 y concordantes del Código Civil, en relación con los arts. 2011 y siguientes de la Ley de Enjuiciamiento Criminal, esto es, causas justificadas de utilidad o necesidad, y precia autorización del Juez del domicilio, con audiencia del Ministerio Fiscal, o consentimiento del mayor de dieciséis años, lo que se explica por ser la renuncia un acto dispositivo especialmente grave —dejación de un derecho— sin en principio nada a cambio, todo lo cual, obviamente no se ha acreditado». STS 22 de abril de 1998, Rec. 2617/1997; Ponente: Móner Muñoz, Eduardo. LA LEY 7194/1998.

Ahora bien, téngase presente que el Ministerio Fiscal se personará en el proceso para ejercitar la acción penal y civil que corresponda en nombre de las víctimas (art. 108 LECrim), con la consecuencia que aquellos perjudicados que no tengan estrictamente la consideración de víctimas deberán comparecer en el proceso penal para solicitar aquello que corresponda a su derecho.

> «No se concedió indemnización a favor de los hermanos de la víctima Benito, porque no se personaron en la causa ni como acusadores particulares ni como actores civiles. El Tribunal Superior de Justicia deniega la indemnización por falta de reclamación. Se considera correcta dicha apreciación porque no consta que los hermanos de la víctima ejercitaran acciones civiles en el proceso penal contra el recurrente, siendo éste requisito necesario para conceder una indemnización a su favor según la jurisprudencia de esta Sala». ATS 1319/2014 de 10 Jul. 2014, Rec. 10283/2014; Ponente: Saavedra Ruiz, Juan.LA LEY 136202/2014.

3.2. La pretensión de resarcimiento: Legitimación. Contenido

El contenido de la pretensión de resarcimiento, es decir, la responsabilidad civil derivada de delito, comprenderá la restitución, reparación y la indemnización de perjuicios materiales y morales, que se derivasen de los daños y perjuicios causados por la ejecución de un hecho descrito por la Ley como delito (arts. 109 y ss. CP).

En el ámbito de la responsabilidad civil derivada de delito, tienen cabida no solamente las típicas acciones de condena a una indemnización o reparación, sino también, conforme a lo dispuesto en el art. 110 CP, las referentes a la restitución o la *reparación in integrum* del orden jurídico alterado, reintegrando al patrimonio del condenado los bienes que ilícitamente hayan salido (p.ej. el alzamiento de bienes). Esta posibilidad supone la admisión de acciones constitutivas que conllevan, en ocasiones, una ejecución impropia (nulidad de compraventa y su inscripción registral).

La ordenación de la responsabilidad civil dimanante del ilícito civil, que a su vez es delito, se encuentra regulada en el Código Penal, sin que por ello altere su naturaleza. Su regulación se desarrolla en el Título V del Libro Primero, relativo a «De la responsabilidad civil derivada de los delitos y de las costas procesales». Los cuatro capítulos agrupados correlativamente en los arts. 109 a 126, tratan: de la responsabilidad civil y su extensión: arts. 109 a 115 CP; de las personas civilmente responsables: arts. 116 a 122 CP; de las costas procesales: arts. 123 y 124 CP; del cumplimiento de la responsabilidad civil y demás responsabilidades pecuniarias: arts. 125 y 126 CP. Además existen normas dispersas en otros Cuerpos Legales: Así los arts. 1089, 1092, 1813, 1956 y 1964 CC; 85 y 86 CCom, así como otros preceptos relativos a su origen y ejercicio en la LECrim.

El principio general en la materia se desarrolla en los arts. 109.1.º y 116.1.º del CP. Estos disponen, respectivamente, que: «La ejecución de un hecho descrito por la Ley como delito obliga a reparar en los términos previstos en las Leyes, los daños y perjuicios causados»; y «Toda persona criminalmente responsable de un delito lo es también civilmente si del hecho se derivaren daños o perjuicios...».

«B) En materia de responsabilidad civil, cuando en el proceso penal se han ejercitado tanto las acciones penales como las civiles derivadas del hecho delictivo (arts. 100 (LA LEY 1/1882) y 108 LECrim (LA LEY 1/1882) y art. 109.2 C. Penal (LA LEY 3996/1995)), es menester tener en cuenta que en el art. 109 del Código Penal (LA LEY 3996/1995) establece que la ejecución de un hecho descrito por la Ley como delito obliga a reparar, en los términos previstos en las Leyes, los daños y perjuicios por él causados; obligación que comprende, según dispone el art. 110 del mismo Código: 1.º. La restitución. 2.º. La reparación del daño. Y, 3.º. La indemnización de perjuicios materiales y morales. Fácilmente se comprende que la obligación de establecer las bases de la correspondiente responsabilidad civil no pueden ser las mismas para los supuestos de reparación de un daño o de indemnización de un perjuicio patrimonial que para los supuestos de indemnización de los daños morales, en los que no puede acudirse normalmente a parámetros objetivos». ATS 436/2017 de 23 Feb. 2017, Rec. 2058/2016; Ponente: Palomo del Arco, Andrés. LA LEY 15315/2017.

De lo expuesto se deduce que:

a) Para que derive de una responsabilidad criminal otra civil, se precisa que la criminal produzca consecuencias dañosas, distinguiéndose entre ofensa y daño patrimonial:

— Ofensa constituye la «lesión jurídica» o peligro para los bienes jurídicos protegidos por la infracción criminal; es decir, su «antijuricidad material», que encierra una conducta socialmente dañosa; y

— Daño es el perjuicio particular sobre el patrimonio del perjudicado, en su más amplia acepción material, moral, etc.

Se trata de una diferencia que se percibe claramente en los llamados delitos formales o de peligro abstracto, o en los imperfectos. En todos ellos no necesariamente la responsabilidad criminal lleva unida otra civil, por no aparecer perjuicio concreto económicamente valorable. Aunque, no necesariamente de toda responsabilidad criminal deriva una responsabilidad civil, puesto que, como señala el art. 116.1.º del CP, para que una persona criminalmente responsable de un delito lo sea también civilmente se requiere que del hecho ilícito se deriven daños o perjuicios. En este sentido, existen ciertos ilícitos formales (por. ej. conducción bajo la influencia de bebidas alcohólicas y contra la seguridad del tráfico tipificados en los arts. 379 o 382

CP, entre otros tipos penales) que no producen consecuencias dañosas ni originan la responsabilidad civil, al no coincidir el presupuesto civil y la antijuricidad material.

b) En el proceso penal constituye una regla general la necesaria condena del autor del delito para la declaración de responsabilidad civil. No obstante, existen supuestos en que no rige esta regla. Así ocurre en los supuestos descritos en el art. 118 CP, en que basta la fijación del hecho como ilícito típico y antijurídico, para que proceda la responsabilidad civil, incluso con absolución del acusado.

Estarán legitimados para ejercer la pretensión de resarcimiento los sujetos o personas legitimadas para reclamar los daños previstos en el art. 113 CP, debe diferenciarse entre: a) El ofendido y perjudicado, que si bien pueden ser sujetos distintos, normalmente son coincidentes. A este respecto, nótese que aun cuando sea la misma persona la depositaria de la ofensa y el daño, únicamente será indemnizable este último. b) Los herederos, aunque la indemnización no siempre se transmite *iure hereditatis*, sino *iure proprio* por no haber ingresado el bien en el patrimonio del causahabiente. c) Terceros con relación al delito. Tendrán esta condición: «quienes adquirieron de buena fe, merced a medios legales, una cosa de la que se ven privados debido a su procedencia delictual». Aunque, no puede predicarse una interpretación excesivamente amplia del concepto de tercero. Aquélla permitiría exigir la responsabilidad al acusado hasta las últimas consecuencias del delito. No puede el acusado, de ninguna manera reclamar responsabilidad civil de un tercero.

> «Como se ha dicho por esta Sala en reiteradas ocasiones (una de las últimas viene representada por la STS 1026/2013, de 2 de diciembre, que evoca la 643/2007, de 3 de julio), el acusado no ostenta legitimación para reclamar la responsabilidad civil de un tercero. Su posición en la causa es la de una parte pasiva acusada que no puede ejercitar la acción civil. Ni en la instancia; ni posteriormente en vía de recurso; y, ni siquiera, por vía adhesiva. Carece de gravamen. Un acusado no puede ejercitar ni acciones civiles, ni acciones penales frente a otros coacusados o frente a responsables civiles. Como no podría reclamar la condena penal de otros aduciendo que siendo varios los responsables penales la asignación de cuotas decrecería el importe de su responsabilidad civil. Su responsabilidad civil es principal, y por tanto en nada le afecta que existan o no terceros civiles responsables subsidiarios. Eso no merma su obligación principal. Tan solo puede variar eventualmente quién sea su acreedor (si no paga directamente, pasará al tercero responsable civil la facultad de repetir)». STS 300/2014 de 1 Abr. 2014, Rec. 1831/2013; Ponente: Moral García, Antonio del. LA LEY 46736/2014;

En cuanto al daño indemnizable, o sea, la violación o lesión que se produce en intereses jurídicamente protegidos que produzcan una disminución patrimonial, en el sentido más amplio del término (daño emergente, lucro cesante, daños morales), puede agruparse en dos grandes apartados: 1.º restitución de la cosa y, 2.º resarcimiento de los daños.

1.º La restitución, como forma específica de devolver la cosa a su dueño, deberá hacerse de idéntica cosa, ya que si es análoga, ya no estaremos ante una restitución, sino ante un resarcimiento.

Dicha restitución puede pretenderse tanto de la persona responsable criminalmente, como de un tercero civil responsable —adquisiciones a título lucrativo—, podrá demandarse siempre que la cosa no sea irreivindicable por su naturaleza. En dicho sentido, el art. 111 CP establece que la restitución tendrá lugar aunque el bien se halle en poder de tercero y éste lo haya adquirido legalmente y de buena fe, sin perjuicio del derecho de repetición, quedando a salvo cuando el tercero haya adquirido el bien en la forma y con los requisitos establecidos por las Leyes para hacerlo irreivindicable (como, p.ej., sucede con las compras de mercaderías en tiendas y almacenes públicos con los requisitos establecidos en el art. 85 Ccom).

2.º mayor problema presenta la delimitación del contenido del resarcimiento de los daños. En principio, comprende tanto la reparación como la indemnización de daños y perjuicios —arts. 112 y 113 CP—.

El art. 112 CP regula la reparación de los daños en consonancia con la distinción clásica que recogen los arts. 921 y 923 y ss. LEC y que también sigue el art. 1108 CC: «Toda obligación consiste en dar, hacer o no hacer alguna cosa». Añade el art. 112 CP la obligación de que el Juez o Tribunal la establezcan «atendiendo a la naturaleza de aquél y a las condiciones personales y patrimoniales del culpable, determinando si han de ser cumplidas por el mismo o pueden ser ejecutadas a su costa», de conformidad con los arts. 1096 y 1097 CC. Por tanto, serán supletorias las normas reseñadas de la Ley Procesal Civil y Código Civil para su determinación.

Asimismo, el art. 113 CP establece que la «indemnización de perjuicios materiales y morales comprenderá no sólo los que se hubiesen causado al agraviado, sino también los que se hubiesen irrogado a sus familiares o terceros».

En su contenido quedan, pues, comprendidos los daños emergentes y lucro cesante, precio de la cosa y su valor de afección, y los daños morales, cuyo alcance ha sido vivamente discutido.

El lucro cesante, aunque se trata de un daño futurible, deberá deducirse de los módulos de fijación de las ganancias procedentes, y quedarán eliminados los daños que comúnmente suelen llamarse como «sueños de ganancia».

El daño moral, definido como la lesión en bienes o derechos de la persona que no determinan una disminución patrimonial concreta, recogido en el art. 113 CP y reconocido por el TS que el Pleno no jurisdiccional de 20.12.2006 acordó que: «Por regla general no se excluye la indemnización por daños morales en los delitos patrimoniales». Cuestión distinta es su cuantificación que suele ser motivo de polémica. Sobre este particular, el problema se plantea por cuanto los daños morales no se hallan sujetos a reglas o criterios de determinación, teniendo en cuenta que no tienen una exacta traducción económica[20]. No obstante, ello no significa que el tribunal no deba establecer

---

(20) «Pero no cabe olvidar que, cuando de indemnizar los daños morales se trata, los órganos judiciales no pueden disponer de una prueba que les permita cuantificar con criterios económicos la indemnización procedente, por tratarse de magnitudes diversas y no homologables, de tal modo que, en tales casos, poco más podrán hacer que destacar la gravedad de los hechos, su entidad real o potencial, la relevancia y repulsa social de los mismos, así como las circunstancias personales de los ofendidos y, por razones de congruencia, las cantidades solicitadas por las acusaciones (véanse SSTS de 20 de diciembre de 1996 y 24 de marzo de 1997). De tal manera que las bases para fijar el «pretium doloris» por los sufrimientos psicológicos generados por las lesiones sufridas y las secue-

los criterios y circunstancias que fundamentan la cuantificación de la indemnización por este concepto, con base en lo preceptuado en el art. 115 CP que impone el deber de establecer razonadamente las bases en que se fundamenta la cuantía de los daños e indemnizaciones que se reconocen en favor de los perjudicados.

> «En cuanto a los daños morales no es fácil precisar la diferencia de los materiales porque no es infrecuente que éstos sean generadores de aquéllos, el llamado precio del dolor, el sufrimiento, el pesar o la amargura están ahí en la realidad sin necesidad de ser acreditados porque lo cierto, es que el daño moral no necesita estar justificado en los hechos probados cuando fluye de manera directa y natural del referido relato histórico o hecho probado. El daño moral tiene un amplio aspecto para acoger también el sentimiento de dignidad lastimada, el sufrimiento, la incertidumbre en este caso sobre el destino real de los restos de sus familiares y la pertenencia concreta de las cenizas recibidas, que excede del perjuicio real, efectivo, valorable económicamente y de entidad determinada y determinable característico de la estafa, pero que se infiere de la naturaleza, trascendencia y ámbito dentro del cual se propició la figura delictiva y es susceptible de valoración pecuniaria sin que haya en ello nada que se identifique con pura hipótesis, suposición o conjetura determinantes de daños o perjuicios desprovistos de certidumbre o seguridad que es la base del ordenamiento jurídico (SSTS 1632/1994 de 26.9, 105/2005 de 29.1 (LA LEY 870/2005)). Así se ha pronunciado el Pleno no jurisdiccional de esta Sala que adoptó el 20.12.2006 el siguiente acuerdo: "Por regla general no se excluye la indemnización por daños morales en los delitos patrimoniales y es compatible con el art. 250.1.6 CP (LA LEY 3996/1995)", y las SSTS 1094/2006 de 20.10 (LA LEY 138582/2006) y 1/2007 de 2.1 (LA LEY 86/2007), respecto a su cuantía los daños morales no es preciso tengan que concretarse en relación con alteraciones patológicas o psicológicas sufridas por las víctimas, bastando que sean fruto de una evaluación global de la reparación debida a las mismas, de lo que normalmente no podrán los Juzgadores contar con pruebas que faciliten la cuantificación económica para fijarla más allá de la expresión de la gravedad del hecho y las circunstancias personales de los ofendidos, así como por razones de congruencia, constatar que hayan sido objeto de petición por las partes acusadoras (SSTS 16.5.98, 29.5.2000, 29.6.2001)». STS 1036/2007 de 12 Dic. 2007, Rec. 1649/2006; Ponente: Berdugo Gómez de la Torre, Juan Ramón. LA LEY 353458/2007

No obstante, el Tribunal Supremo ha admitido que la fundamentación de la indemnización por este concepto se deduzca del relato de hechos probados.

> «Sólo se dice que tal indemnización es por daños morales. No obstante, como en los hechos probados aparece con claridad cuál fue el comportamiento del acusado contra el dueño del bar que, además de .../... sufrió moralmente al verse amenazado

---

las originadas por éstas puede decirse que las constituyen la propia descripción de esas lesiones y su tiempo de curación y sus secuelas, ya que no existe baremo o referencias preestablecidas que puedan objetivar la evaluación económica de un daño de esta naturaleza, razón por la cual, el Tribunal ejerce, en efecto, una legítima discrecionalidad al decidir el monto de la indemnización por tal concepto». STS 28 de enero de 2002. Por su parte, la STS de 10 de abril de 2000 declaraba al respecto que corresponde a la prudente discrecionalidad del Tribunal de la instancia la fijación del «quantum» indemnizatorio cuando se trata de daños o perjuicios de índole moral que no tienen una exacta traducción económica, salvo que el criterio valorativo se apoye en datos objetivos —realidades materiales valorables— erróneamente establecidos como concurrentes o no, o que la valoración misma se sitúe fuera de los límites mínimos o máximos dentro de los cuales resulta razonable el ejercicio de la discrecionalidad prudencial del Tribunal.

y retenido por un espacio de tiempo considerable durante una madrugada del mes de diciembre, en su propio establecimiento donde, además, se encontraban privados de libertad otros cuatro clientes suyos. La realidad de ese daño moral aparece en la sentencia recurrida y por ese daño se concedió tal indemnización de dos millones de pesetas. Las bases de la indemnización se encuentran en el propio texto de la resolución de instancia». STS 1663/2000 de 31 Oct. 2000, Rec. 791/1999; Ponente: Delgado García, Joaquín. LA LEY 7054/2001

También destacar que el art. 193 CP, en consonancia con una amplia acepción de la indemnización de daños y perjuicios, no circunscrita a rígidos y antiguos esquemas, contiene un reenvío a las normas civiles, para que se adopten igualmente las declaraciones pertinentes en las sentencias condenatorias por delitos contra la libertad sexual en orden a la filiación y fijación de alimentos, además del pronunciamiento correspondiente a la responsabilidad civil. Estas declaraciones, que exceden de una obligación propiamente civil provocan, además el nacimiento de un nuevo juicio civil dentro del proceso penal.

Téngase presente que resulta aplicable a la determinación del contenido de la responsabilidad civil derivada de delito la denominada «compensación de culpas» en la fijación de la indemnización (art. 114 CP). En este sentido, el art. 114 CP introduce, como norma, la doctrina jurisprudencial que establece que: Cuando la víctima hubiera contribuido con su conducta a la producción del daño o perjuicio sufrido, los Jueces y Tribunales podrán moderar el importe de su reparación o indemnización. Esta doctrina se conoce como «compensación de culpas», o, más correctamente, concurrencia de conductas en la producción del daño, o gradación de la culpa reprochable, y/o ponderación de módulos más objetivos.

Finalmente, debemos señalar la frecuente aplicación de los criterios previstos para la determinación de la responsabilidad civil derivada de accidente de circulación, el denominado baremo, contenidos en la Ley 35/2015 de 22 de septiembre de reforma del sistema para la valoración de los daños y perjuicios causados a las personas en accidentes de circulación. Esta Ley sustituyó a la Ley 30/1995, de 8 de noviembre, para adaptar el sistema de valoración del daño a las nuevas circunstancias surgidas desde la aprobación de la Ley de 1995, que tras plantearse la duda sobre su aplicación en el proceso penal, el TC declaró su plena constitucionalidad con la salvedad de determinados apartados de la ley[21], afirmando que:

«Ha de concluirse que el sistema tasado o de baremo introducido por la cuestionada Ley 30/1995 vincula, como es lo propio de una disposición con ese rango normativo, a los Jueces y Tribunales en todo lo que atañe a la apreciación y determinación, tanto en sede civil como en los procesos penales, de las indemnizaciones

_____

(21) A saber: «son inconstitucionales y nulos, en los términos expresados en el último fundamento jurídico de esta Sentencia, el inciso final "y corregido conforme a los factores que expresa la propia tabla" del apartado c) del criterio segundo (explicación del sistema), así como el total contenido del apartado letra B) "factores de corrección", de la tabla V, ambos del Anexo que contiene el "Sistema para la valoración de los daños y perjuicios causados a las personas en accidentes de circulación", de la Ley sobre Responsabilidad Civil y Seguro de Circulación de Vehículos a Motor, en la redacción dada a la misma por la Disposición adicional octava de la Ley 30/1995, de 8 de noviembre, de Ordenación y Supervisión de los Seguros Privados». STC 181/2000 de 29 de junio.

que, en concepto de responsabilidad civil, deben satisfacerse para reparar los daños personales irrogados en el ámbito de la circulación de vehículos de motor. Tal vinculación se produce no sólo en los casos de responsabilidad civil por simple riesgo (responsabilidad cuasi objetiva), sino también cuando los daños sean ocasionados por actuación culposa o negligente del conductor del vehículo». STC 181/2000 de 29 de junio. Véanse también en el mismo sentido STC 131/2002 de 3 de junio.

Este criterio de aplicación de los criterios del baremo ha seguido siendo asumido por la jurisprudencia de nuestros tribunales no con carácter vinculante, sino como pautas orientativas al efecto de determinar la indemnización en cada caso concreto.

«B) Las dudas suscitadas en su día en la doctrina y en la jurisprudencia sobre el carácter vinculante del baremo introducido por la Disposición Adicional Octava de la Ley 30/1995, de 8 de noviembre, de Ordenación y Supervisión de los Seguros Privados (LA LEY 3829/1995), fueron resueltas en sentido afirmativo por la STC 181/2000, de 29 de junio (LA LEY 134400/2000) y por varias sentencias de esa Sala, entre otras, la 2001/2000, de 20 de diciembre y 786/2001 de 8 de febrero (LA LEY 3942/2001). Su ámbito, sin embargo, es el de la responsabilidad patrimonial derivada de los daños a personas en accidentes de circulación, como se dice en la Exposición de motivos de la ley y se precisa en el art. 1.2 de las Disposiciones Generales. El sistema del baremo, por tanto, no era aplicable obligatoriamente al presente caso, lo que no quiere decir que el Tribunal sentenciador no pueda tenerlo en cuenta, también en los delitos dolosos, aunque no sea con carácter vinculante, como pautas orientativas adaptándolo al caso concreto con todas las especificidades y matices que estimen pertinentes y justificadas dentro de su arbitrio interpretativo (STS 23-1-2003)». ATS 428/2017 de 23 Feb. 2017, Rec. 2275/2016, Ponente: Soriano Soriano, José Ramón. LA LEY 15320/2017.

3.3. El ejercicio de la acción civil en el proceso penal

El sistema jurisdiccional de la LECrim. se fundamenta en el principio de competencia adhesiva civil del Juez penal o de acumulación heterogénea de acciones, con la finalidad de que la Sentencia penal decida definitivamente toda las consecuencias penales y civiles derivadas del hecho delictivo. Ahora bien, el sistema admite la reserva de la acción civil por el perjudicado para hacer valer su acción en un proceso civil, que deberá ser posterior en razón de la preferencia de la jurisdicción penal frente a cualquier otra (art. 44 LOPJ y 111, 114 LECrim). Así, no existiendo reserva expresa, o en su caso renuncia, la acción civil derivada de delito se ejercitará y resolverá junto con la penal en el proceso penal que corresponda. Conforme con lo dicho pueden darse los siguientes supuestos:

1.º) La regla general será la del ejercicio conjunto de la acción civil con la penal, que ejercitará obligatoriamente el Ministerio Fiscal, siempre que el perjudicado no la hubiese renunciado o reservado de forma expresa (art. 108 LECrim.)[22].

---

(22) El sistema de ejercicio acumulativo o de acumulación heterogénea de ambas acciones proviene del art. 3-I del Code d'instruction criminelle, y éste del proceso del derecho común italiano. Sin embargo, las legislaciones de Derecho comparado que siguen aquél reservan normalmente el ejercicio de la acción civil al perjudicado y no obligan a un órgano público a su ejercicio en interés de aquél. Contrariamente, el Derecho español, en el art. 108 LECrim., ofrece un sistema

«... en nuestro Ordenamiento, el proceso penal no queda limitado al ejercicio y conocimiento de la acción penal a través de la cual se manifiesta el "ius puniendi" del Estado; por el contrario, en el proceso penal puede ejercitarse y decidirse también la acción civil dirigida a satisfacer la llamada responsabilidad civil "ex delicto", es decir, la responsabilidad civil derivada del hecho ilícito que es constitutivo de delito o falta. Además, el legislador, por razones de economía o de oportunidad, considera que ejercitada la acción penal se entiende utilizada también la acción civil, de forma que salvo que el perjudicado por el hecho delictivo haya renunciado a la acción civil o se haya reservado expresamente esta acción para ejercitarla después de terminado el proceso penal en el correspondiente juicio civil (art. 112 LECrim.), la Sentencia que ponga fin al proceso penal, en el caso de que sea condenatoria (y excepcionalmente, cuando sea absolutoria en los supuestos del art. 118 del Código Penal) deberá pronunciarse también sobre la responsabilidad civil "ex delicto". A este fin, el Ministerio Fiscal está obligado, haya o no acusador particular, a ejercer la acción civil, salvo que el perjudicado haya renunciado o se haya reservado las acciones civiles (art. 108 LECrim.). De este modo, .../... el Ministerio Fiscal ostenta una legitimación extraordinaria o por sustitución para ejercer, en nombre de los perjudicados, las acciones civiles que puedan corresponderles, por lo que ejercitadas estas acciones por el Fiscal, el perjudicado no podrá ya volver a ejercitarlas en un posterior proceso civil, salvo que se trate de objetos o cuestiones civiles no discutidas en la Sentencia penal». STC 15/2002 de 28 de enero.

Por tanto, en el supuesto de que sólo se hubiera ejercitado la acción penal deberá entenderse ejercitada también la civil —art. 112 LECrim.—. No obstante, tratándose de delitos privados, el ejercicio único de la acción civil supone la renuncia tácita de la penal (arts. 108, 110 y 112 LECrim.). En cuanto al ofendido o perjudicado por el delito, que no hubiere renunciado a su derecho, podrá mostrarse parte en la causa, en cualquier momento previo al trámite de calificación del delito, sin que se pueda retroceder en el curso de las actuaciones (art. 110 LECrim.). El ejercicio de la acción civil se hará por medio de querella (art. 270 LECrim.); excepto en el procedimiento abreviado en el que no se exigirá para personarse en el procedimiento (art. 761 LECrim.). Ejercitada así la acción civil en el proceso penal y obtenida una condena, con declaración de responsabilidad civil, la ejecución de la responsabilidad civil será competencia del Juez penal competente para la ejecución de la sentencia.

2.º) Prevalencia de la jurisdicción penal para el enjuiciamiento de las consecuencias dañosas del ilícito civil derivado del delito, mientras estuviese pendiente el

---

obligatorio para su ejercicio por el Ministerio Fiscal, que sólo una declaración expresa de parte puede excluir. Ésta es una peculiaridad frente a otros ordenamientos, que viene a constituir una prolongación de la doctrina del positivismo jurídico con el fin de proteger a las víctimas del delito. «Este Tribunal Constitucional admite la licitud de la obtención de la indemnización civil a través del procedimiento penal, siempre que el sistema jurídico lo posibilite en atención a criterios de eficacia y funcionalidad de la Justicia que no cabe considerar arbitrarios (STC 120/2000, F. 3), si bien el conocimiento de la acción civil, dentro del proceso penal, tiene carácter eventual, por estar condicionada a la existencia de responsabilidad penal; no es una exigencia constitucional que el derecho material penal y el correspondiente proceso penal se articulen exclusivamente para asegurar el resarcimiento civil de las víctimas de actos culposos (STC 157/1990, F. 4)». STC 163/2001 de 11 de julio.

proceso penal (arts. 111 y 114 LECrim.)[23]. En consecuencia, mientras esté pendiente el proceso penal no podrá ejercitarse separadamente la acción civil hasta que aquél finalice por sentencia firme —art. 111 LECrim.—, ni tampoco podrá seguirse pleito sobre el mismo hecho —art. 114 LECrim.—, en virtud de la regla de preferencia de la jurisdicción penal.

Este principio determina que sea necesario notificar a la parte perjudicada, aún o personada en el proceso penal, la terminación de aquél con la finalidad que pueda ejercitar, en su caso, la acción civil que corresponda. En caso contrario se produciría una vulneración del derecho a la tutela judicial efectiva, por ejemplo, cuando la falta de notificación impidiese ejercitar la acción con la consecuencia de su prescripción.

> «El conocimiento de la fecha en que han finalizado dichas actuaciones consti-
> tuye un presupuesto necesario para el ulterior ejercicio de la acción civil ante otro
> orden jurisdiccional», por lo que «si el perjudicado ignora el momento en el que
> ha finalizado el proceso penal, por no haberse personado en las actuaciones, ese
> desconocimiento puede suponer que transcurra el plazo de prescripción de un año,
> y si así ocurre, que se vea privado del acceso a la jurisdicción en el orden civil para
> la defensa de sus pretensiones y que se extinga, de ese modo, su derecho a obte-
> ner reparación el daño sufrido. Lo que no se compadece con la plena efectividad
> del derecho a la tutela judicial que el art. 24.1 CE reconoce» (STC 220/1993). ATC
> 300/2001 de 30 de noviembre.

3.º) Finalizado un procedimiento penal por sentencia podrá iniciarse un procedi-
miento civil para ejercitar la acción civil que se hubiera reservado la víctima. En este caso, rige el principio de vinculación del Juez civil a determinados pronunciamientos que realice el Juez penal en la sentencia que pone fin al proceso penal (arts. 116 y 117 LECrim). Esta vinculación se puede resumir del siguiente modo:

— La sentencia penal condenatoria presupone la acreditación de la realidad del hecho y su ilicitud. De modo que esas cuestiones se consideran cosa juzgada y fun-
damento de la discusión procesal en el proceso civil respecto a la estimación de los daños que se pueden reclamar, incluso, a terceros no condenados. En este caso el fallo se proyecta también sobre la responsabilidad civil del condenado sobre la que se pronunciará la sentencia motivando debidamente la imposición de la condena y, en su caso, las bases en orden a su cuantificación (art. 115 CP).

> «Consecuencia directa de esta opción de nuestro ordenamiento es que —siempre
> que el acto ilícito sea, además, constitutivo de delito o falta, de él nazca una obliga-
> ción civil y el perjudicado no haya renunciado a la acción civil o no la haya reser-

---

(23) Correlativamente, existirá prejudicialidad penal y preferencia de la jurisdicción criminal para su enjuiciamiento, como excepción a la regla general recogida en el art. 10.1 LOPJ. Este precepto establece que los jueces de cada orden jurisdiccional y a los solos efectos prejudiciales tienen jurisdicción para conocer de asuntos que no les están atribuidos. Ambos principios vendrían a glosar el clásico aforismo de derecho francés: «Le criminel tient le civil en etat». Frente al sistema de total separación de jurisdicciones civil y penal como en el Derecho anglosajón, o derogándose como en el alemán las normas que establecen la vinculación del Juez civil a las sentencias penales, los más seguidos son los sistemas que, como el nuestro, establecen una preferencia jurisdiccional penal en el enjuiciamiento de la acción civil derivada del hecho castigado por la vía penal con un cierto grado de enlace entre ambas.

vado para ejercitarla en otro procedimiento—, el fallo condenatorio pronunciado en el orden jurisdiccional penal, contenga dos pronunciamientos distintos en caso de condena: uno por el que se determina la pena a imponer del acusado, y otro en el que se decide si del hecho ilícito nace la responsabilidad civil, en cuyo caso se pronuncia también la condena a reparar el daño causado, restituir la cosa o indemnizar los perjuicios ocasionados». STC 135/2001 de 18 de junio.

En consecuencia, acreditada en la sentencia penal la realidad del hecho y su ilicitud, éstas serán cuestiones ya juzgadas que no podrán volver a plantearse en la vía civil. En este sentido, la declaración de ilicitud penal es un «plus» sobre los elementos comunes de ambas responsabilidades, sin que sea función de la jurisdicción civil suplir omisiones o errores en que pudo incurrir la penal en su enjuiciamiento criminal. Ahora bien, la jurisprudencia ha matizado, en ocasiones, esta solución, en el sentido de que la civil puede complementar la penal cuando en ésta no se pudieron tener en cuenta determinados supuestos o resultados no previstos. De este modo, el perjudicado podrá dirigir la acción civil contra otros sujetos no condenados, o bien solicitar responsabilidad civil al condenado cuando considere que no se apreciaron todos los daños producidos.

— La sentencia puede ser absolutoria con declaración de la inexistencia del hecho. En este caso quedará precluida la acción civil. Así lo prevé el art. 116.1 LECrim que establece que: «*La extinción de la acción penal no lleva consigo la de la civil, a no ser que la extinción proceda de haberse declarado por sentencia firme que no existió el hecho de que la civil hubiese podido nacer*». Esto significa que no puede iniciarse un procedimiento civil por unos hechos que el Juez penal declaró que no existieron, porque ese pronunciamiento es cosa juzgada. Pero, no sucederá a la inversa según dispone el art. 117 LECrim. Es decir, que la extinción de la acción civil no determina la de la acción penal. No obstante, en el caso de sentencia absolutoria por producirse alguno de los supuestos descritos en el art. 118 CP, bastará la fijación del hecho como ilícito típico y antijurídico, para que proceda la responsabilidad civil, incluso con absolución del acusado (art. 119 CP).

«Cuando la Sentencia penal, por haber sido absolutoria, no haya entrado a examinar ni se haya pronunciado sobre las acciones civiles derivadas del hecho enjuiciado en el ámbito criminal, nunca podrá producir efectos de cosa juzgada en el posterior proceso civil, por la sencilla razón de que las acciones civiles quedaron imprejuzgadas. La citada regla sólo sufre una excepción en virtud de lo dispuesto en el art. 116 LECrim, según el cual si la Sentencia penal resultó absolutoria precisamente por declarar que no existió el hecho que fue objeto de enjuiciamiento en el ámbito criminal, este pronunciamiento vinculará positivamente al juez civil que no podrá ya fundar ninguna responsabilidad civil en la existencia del hecho que fue declarado inexistente por la jurisdicción penal». STC 17/2008 de 31 de enero.

— La sentencia puede ser absolutoria con declaración de la existencia del hecho. En este caso, nada impide ejercitar la acción civil frente al acusado absuelto o frente a terceros reclamando lo que en derecho se considere que proceda. Éste es un supuesto muy común si tenemos en cuenta que unos hechos pueden haberse cometido y no existir responsabilidad penal, pero sí responsabilidad civil. Piénsese, por ejemplo, en una acusación por imprudencia profesional de la que resulta absuelto el acusado en vía penal, sin que ello signifique que no pueda haber existido una responsabilidad civil por la que puede ser juzgado y condenado el mismo profesional. Así lo prevé el art. 116.2 LECrim que dispone que: «*En los demás casos (cuando no se hubiere declarado que no existió el hecho), la persona a quien corresponda la acción civil podrá ejercitarla, ante la jurisdicción y por la vía de lo civil que proceda, contra quien estuviere obligado a la restitución de la cosa, reparación del daño o indemnización del perjuicio sufrido*».

«... la Sentencia penal condenatoria que se haya pronunciado sobre la responsabilidad civil del condenado produce efectos de cosa juzgada en el ulterior proceso civil que pueda plantear el perjudicado, pues la Sentencia penal produce efectos consuntivos de cuantas acciones penales y civiles se ejercitaron y ventilaron en el proceso penal. Sólo aquellas acciones civiles que no fueron objeto de la Sentencia penal, ya sea porque la Sentencia fue absolutoria, ya sea porque el perjudicado se las reservó para ejercitarlas en un posterior proceso civil, o porque no fueron ejercitadas en el proceso penal, son las que podrán ejercerse y ventilarse en un posterior proceso civil y no quedarán afectadas por la cosa juzgada que produce la Sentencia penal. Es decir, cuando la Sentencia penal, por haber sido absolutoria, no haya entrado a examinar ni se haya pronunciado sobre las acciones civiles derivadas del hecho enjuiciado en el ámbito criminal, nunca podrá producir efectos de cosa juzgada en el posterior proceso civil, por la sencilla razón de que las acciones civiles quedaron imprejuzgadas. La citada regla sólo sufre una excepción en virtud de lo dispuesto en el art. 116 LECrim., según el cual si la Sentencia penal resultó absolutoria precisamente por declarar que no existió el hecho que fue objeto de enjuiciamiento en el ámbito criminal, este pronunciamiento vinculará positivamente al juez civil que no podrá ya fundar ninguna responsabilidad civil en la existencia del hecho que fue declarado inexistente por la jurisdicción penal». STC 15/2002 de 28 de enero.

— La sentencia puede ser, finalmente, absolutoria porque acoge una excusa absolutoria. Aunque, lo más frecuente será que la excusa absolutoria opere sus efectos en la fase de instrucción o en la intermedia siempre que sus presupuestos aparezcan suficientemente acreditados. Por ejemplo, la prevista en el art. 268 CP respecto a la exención de responsabilidad criminal de cónyuges, ascendientes, descendientes y hermanos respecto de los delitos patrimoniales que se causaren entre sí, siempre que no concurra violencia o intimidación. En ese caso, los responsables quedarán sujetos únicamente a la responsabilidad civil que deberá ser exigida en un proceso de esa naturaleza.

«Como hemos dicho en la STS 412/2013, de 22 de mayo (LA LEY 56113/2013), una vez acordada la absolución por el delito contenido en la acusación, no es posible un pronunciamiento respecto de la responsabilidad civil que se hubiera derivado del mismo, debiendo acudir a la jurisdicción civil para obtener el resarcimiento que fuera procedente. Así se acordó, en la STS núm. 430/2008, de 25 de junio (LA LEY 62312/2008), en la que, tras las argumentaciones que en la misma constan, concluyó que «el conocimiento de la acción civil dentro del proceso penal tiene carácter eventual al estar condicionada por la existencia de la responsabilidad penal. La estimación de una causa extintiva de la responsabilidad criminal impide resolver la reclamación civil en el proceso penal (STS 172/2005 de 14 de febrero (LA LEY 11811/2005)), precedentes que la mayoría de la Sala ha decidido mantener. En consecuencia, la exención de responsabilidad penal, cuando sus presupuestos fácticos estén claramente establecidos y no resulten razonablemente cuestionados, no autoriza a la prosecución del proceso penal con la única finalidad de establecer la responsabilidad civil, salvo en los casos expresamente contemplados en la ley, ante una sentencia absolutoria. En igual sentido la STS 1288/2005 de 28.10, dice que no cabe realizar pronunciamientos civiles, ya que la obligación de pronunciarse sobre las acciones civiles, dimanantes del delito, se debe producir cuando existe el hecho originador de dichas responsabilidades que es el delito, pero no existe responsabilidad civil en el caso de inexistencia de punibilidad por la concurrencia de una excusa absolutoria». ATS 1912/2014 de 13 Nov. 2014, Rec. 1726/2014; Ponente: Maza Martín, José Manuel. LA LEY 191738/2014.

Ahora bien, podrá pronunciarse el tribunal penal sobre la responsabilidad civil en el caso que en el proceso penal se hubiere practicado prueba para establecer de forma terminante la concurrencia de los presupuestos fácticos de la excusa absolutoria. Ello puede suponer la prueba de la existencia del delito, su autoría e incluso extenderse a la propia responsabilidad civil. Por ello en estos casos sí puede determinarse la responsabilidad civil para no repetir un proceso de las mismas características.

«La exención de responsabilidad penal, cuando sus presupuestos fácticos estén claramente establecidos y no resulten razonablemente cuestionados, no autoriza a la prosecución del proceso penal con la única finalidad de establecer la responsabilidad civil, salvo en los casos expresamente contemplados en la ley. A pesar de ello, no faltan sentencias de esta Sala (STS núm. 719/1992, de 6 de abril, o STS núm. 198/2007, de 5 de marzo (LA LEY 8241/2007)) en algún caso citadas por la parte recurrente, que admiten la declaración de responsabilidad civil una vez que el Tribunal ha procedido a establecer unos hechos determinados aunque luego aplique la excusa para acordar la absolución del acusado. La aparente contradicción entre ambas afirmaciones encontraría una explicación razonable en que, en algunos supuestos, se presenta la necesidad de practicar la prueba en el juicio oral para establecer de forma terminante la concurrencia de los presupuestos fácticos de la excusa absolutoria, y, además y en esos mismos casos, en la conveniencia de no repetir un proceso que, en sus extremos más trascendentales entre los que se encuentran los aspectos civiles, ya se había desarrollado en su integridad, con respeto a los derechos de todos los afectados». STS 618/2010 de 23 Jun. 2010, Rec. 51/2010; Ponente: Colmenero Menéndez de Luarca, Miguel.LA LEY 114111/2010.

En cualquier caso, la resolución de archivo de una causa penal no produce por sí misma vulneración alguna del derecho al proceso del perjudicado, cuando le determina a acudir a un proceso civil.

«No genera por sí misma indefensión la estimación de una causa extintiva de la responsabilidad criminal que impide resolver la reclamación civil en el proceso penal y hace necesario plantear la reclamación civil ante los tribunales ordinarios. Los inconvenientes que de ello puedan derivarse para la víctima resultarían de la regulación del proceso civil, pero ello no puede ser razón suficiente para condicionar una política criminal determinada, o partir de una presunta prevalencia del proceso penal para satisfacer pretensiones resarcitorias civiles y admitir que la sanción penal, en caso de falta, es sólo un elemento accesorio, aunque punto de anclaje necesario, a fin de obtener, en la más rápida y económica vía penal, el resarcimiento de la víctima (STC 157/1990, de 18 de octubre, F. 4)». STC 163/2001 de 11 de julio.

SECCIÓN 4. CUESTIONES PREJUDICIALES[(24)]

4.1. Concepto y clases

Las cuestiones prejudiciales son cuestiones de naturaleza distinta a la materia penal que es objeto del proceso, y cuya resolución previa resulta necesaria para determinar la responsabilidad penal en un proceso de enjuiciamiento criminal de un ilícito penal.

El principio general en esta materia determina que el tribunal competente para conocer del proceso penal lo sea también para resolver las cuestiones prejudiciales que puedan plantearse cuando tales cuestiones aparezcan tan íntimamente ligadas al hecho punible que sea racionalmente imposible su separación (art. 3 LECrim.). En sentido similar se pronuncia el art. 10 LOPJ, cuando determina que: «A los solos efectos prejudiciales, cada orden jurisdiccional podrá conocer de los asuntos que no le estén atribuidos privativamente». Así, se prevé expresamente para determinadas cuestiones a las que se refiere el art. 6 LECrim. que establece la competencia del Tribunal de lo penal para su conocimiento.

La competencia del tribunal penal se extiende a la cuestión prejudicial, pero a los solos efectos de resolver sobre la responsabilidad derivada de delito. Por otra parte, la cuestión prejudicial se determinará según las normas sustantivas aplicables al supuesto de que se trate. Ahora bien, el tribunal debe valorar el hecho según los criterios y principios propios del proceso penal, y específicamente teniendo en cuenta que: en el proceso penal la prueba de la culpabilidad del acusado, que incluye elementos objetivos y subjetivos integradores del delito, corresponde a la acusación; que no son

---

(24) Vid. Bibliografía general. Vid. también VALBUENA GONZÁLEZ, F., *Las cuestiones prejudiciales en el proceso civil*, Madrid 2004. GÓMEZ ORBANEJA, «Comentarios a los arts. 3 al 7 LECrim» en *Comentarios a la LECrim.*, Ed. Bosch. 1947 p. 126 ss.; CARRERAS LLANSANA, «Preceptos procesales penales en las Leyes civiles», en *Estudios de Derecho Procesal*, Barcelona, 1962 p. 760; PRIETO CASTRO, *Prejudicialidad penal. Estudios y comentarios para la teoría y la práctica procesal civil*, Madrid, 1950, p. 43; VIADA, «Cuestiones prejudiciales», *N.E.J. Seix*, vol. VI, p. 100; FENECH, «Estudio sistemático de las llamadas cuestiones prejudiciales», *RJC*, 1945; CARRETERO, «La teoría general de las cuestiones prejudiciales», *Der. Jud.*, 1963, p. 141; Idem, «Estudios de jurisprudencia. La legitimación para proponer cuestiones prejudiciales», *Der. Jud.*, 1963, p. 123; GONZÁLEZ MONTES, *La calificación de la quiebra en el proceso penal*, Pamplona, 1974; PASTOR LÓPEZ, «La cuestión prejudicial del art. 177 del Tratado CEE y su conexión con nuestro Ordenamiento procesal», *Justicia*, 1983, p. 519; DEVIS ECHANDIA, «De la prejudicialidad. Influencia del proceso penal en el civil y viceversa», *RDProc.*, 1963, p. 629; PÉREZ GORDO, *Prejudicialidad penal y constitucional en el proceso civil*, 1982; MUÑOZ ROJAS, «Las cuestiones previas en el proceso penal», *RDProc.*, p. 95; AGUILERA DE PAZ, *Comentarios a la LECrim.*, Madrid, 1923; FUENTES CARSI, «Las cuestiones prejudiciales en el proceso de propiedad industrial», *RDProc.*, 1980, pp. 649 a 679; GIMENO PÉREZ DE LEÓN, «Consideraciones sobre la suspensión de los procesos civiles por procesos penales», *RGD*, 1989, p. 3583; CATALÁ COMAS, «Efectos en el proceso civil posterior de las resoluciones penales que no contienen un pronunciamiento civil», La Ley, 1993-1, p. 1121; RODRÍGUEZ RAMOS L., «Cuestión prejudicial devolutiva, conflicto de competencia y derecho al Juez predeterminado por la ley», *Actualidad Jurídica Aranzadi* n.º 285, 1997. GUILLÉN PÉREZ, M.E., «Las cuestiones prejudiciales administrativas devolutivas en el proceso penal», *La Ley* n.º 4925, 1999.

admisibles presunciones legales contra reo; ni tampoco la inversión de la carga de la prueba. Por último, resulta de obligada aplicación el principio constitucional de la presunción de inocencia y de «in dubio pro reo».

Sin embargo, en los arts. 4 y 5 LECrim., así como el art. 10.2 LOPJ prevén excepciones a esa regla general para determinados supuestos en los que debe diferirse la resolución de la cuestión prejudicial al órgano competente a efectos de su resolución. En el art. 5 se establecen supuestos concretos de cuestiones que tienen carácter devolutivo absoluto; mientras que el art. 4 LECrim. se contiene una norma de carácter excepcional que atribuye carácter devolutivo aquellas cuestiones extra-penales que resultaren determinantes de la culpabilidad o de la inocencia del inculpado.

La distinción esencial entre ambas clases de cuestiones prejudiciales se refiere a la suspensión del procedimiento penal que producen las primeras al tener que diferir la decisión a otro tribunal, razón por la que se denominan cuestiones prejudiciales devolutivas.

«Las cuestiones prejudiciales presuponen la conexión entre materias penales y otras pertenecientes a distintas ramas jurídicas de carácter heterogéneo que necesariamente han de ser resueltas con carácter previo a la resolución penal, como aquí ha sido hecho. Pero entre las cuestiones prejudiciales hay que distinguir las llamadas "prejudiciales devolutivas o excluyentes" y las "no devolutivas o no excluyentes", según la aplicación que se haga de los arts. 3 y 4 de la ya referida Ley Procesal (ver la Sentencia de 5 de noviembre de 1991)». STS 29 Mar. 1999, Rec. 1922/1998; Ponente: Vega Ruiz, José Augusto de, LA LEY 5311/1999.

Debemos distinguir, por tanto, entre: 1.º) las cuestiones prejudiciales no devolutivas del art. 6 LECrim.; 2.º) Las cuestiones prejudiciales devolutivas absolutas del art. 5 LECrim.; 3.º) Las cuestiones prejudiciales de carácter relativo respecto a las que existe un doble criterio: a) Con carácter general tendrán naturaleza no devolutiva (art. 3 LECrim.); b) Con carácter excepcional tendrán naturaleza devolutiva en el caso que de su resolución dependa la culpabilidad o inocencia del inculpado (art. 4 LECrim.).

A) Cuestiones prejudiciales no devolutivas (art. 6 LECrim.)

Tienen carácter no devolutivo las cuestiones a las que se refiere el art. 6 LECrim. respecto a las cuestiones relativas a la propiedad de un inmueble o cualquier otro derecho real podrán ser resueltas por el Tribunal de lo penal cuando tales derechos aparezcan fundados en un título auténtico o actos indubitados de posesión. Para decidir dichas cuestiones —art. 7 LECrim.— el Tribunal penal aplicará los preceptos de derecho civil o administrativo pertinentes, que sirvan directamente para dilucidar la constitución o extinción de la cuestión prejudicial no devolutiva sometida a juicio.

B) Cuestiones prejudiciales devolutivas absolutas (art. 5 LECrim.)

El art. 5 LECrim. dispone que las cuestiones referentes a la validez de un matrimonio o la supresión del estado civil deben resolverse previa e inexorablemente en la jurisdicción civil.

Pero, a pesar de su carácter devolutivo absoluto, la jurisprudencia ha declarado que a los efectos de la represión penal, en un delito de bigamia, basta con la ausencia de la disolución legal[25].

En este supuesto, resultará preciso el pronunciamiento del tribunal del orden correspondiente de modo que su resolución será vinculante para el órgano penal.

C) *Cuestiones prejudiciales de carácter relativo (art. 3 y 4 LECrim.)*[26]

Cabe distinguir entre: a) una regla de carácter general que atribuye a las cuestiones prejudiciales no mencionadas en el art. 5 LECrim. naturaleza no devolutiva (art. 3 LECrim.). b) Una regla de carácter excepcional que atribuye a las cuestiones prejudiciales carácter devolutivo cuando de su resolución dependa la culpabilidad o inocencia del inculpado (art. 4 LECrim.).

a) Como regla general las cuestiones prejudiciales en el proceso penal tienen carácter no excluyente o no devolutivas, conforme a los arts. 3 y 10 LECrim., por lo cual, los Tribunales encargados de la Justicia Penal pueden resolver, a los solos efectos de atribución de responsabilidad penal, las cuestiones civiles y administrativas prejudiciales cuando parezcan tan íntimamente unidas que sea racionalmente imposible su separación. Éstas son las que se contemplan en el enjuiciamiento criminal, como regla primaria, y que han experimentado un avance frente al retroceso de las prejudiciales devolutivas.

Éste es el criterio del Tribunal Supremo que ha declarado en numerosas sentencias la preferencia por la resolución por los tribunales de lo penal de las cuestiones prejudiciales que afecten a normas sustantivas extra-penales.

> «Ha surgido controversia sobre la aplicación del art. 4 del mismo texto procesal, una posición se inclina por la subsistencia de las cuestiones prejudiciales devolutivas que entrañan la suspensión del procedimiento penal hasta la resolución de aquéllas por el órgano jurisdiccional competente; otras, por el contrario, afirman la eficacia derogatoria que respecto a ese artículo de la Ley de Enjuiciamiento Criminal supone lo dispuesto en el art. 10.1 de la Ley Orgánica del Poder Judicial que atribuye a cada orden jurisdiccional, a los solos efectos prejudiciales, conocer de asuntos que no le estén atribuidos privativamente. Esta Sala se ha pronunciado a favor de la resolución, por los Tribunales penales, de las cuestiones prejudiciales civiles o administrativas, sin necesidad de suspender el procedimiento —efecto devolutivo— para que previamente decida un Juez de otro orden jurisdiccional .../... la regla contenida en el pfo. 1.º del art. 10 de la LOPJ no se encuentra limitada por excepción alguna que se refiera a cuestiones de naturaleza civil, administrativa o laboral que se susciten

---

(25) La jurisprudencia es restrictiva en la admisión, incluso, de las cuestiones prejudiciales devolutivas y absolutas (por ejemplo la validez de un matrimonio), pues mientras en la STS 11 noviembre 1971 ha señalado que la jurisdicción penal no es competente para determinar la validez de un matrimonio, en otras como las SSTS 7 junio 1973 y 22 diciembre 1978 ha declarado que debe concederse al Juez penal plenitud de competencia cuando se constata, por las inscripciones, la validez del matrimonio, sin esperar a la sentencia que recaiga en el proceso civil dado el carácter formal del delito de bigamia.

(26) Véase GUILLÉN PÉREZ, M.E., «Las cuestiones prejudiciales administrativas devolutivas en el proceso penal». *La Ley* n.º 4925, 1999.

en el orden jurisdiccional penal, por lo que en principio ha de estimarse que esta norma posterior y de superior rango ha derogado tácitamente lo prevenido en el art. 4 de la decimonónica LECrim. Otra sentencia de esta Sala, la 1772/2000, de 14 de noviembre, también se pronuncia por la atribución a los Tribunales del orden penal de la competencia para resolver sobre tales cuestiones civiles o administrativas». STS 2059/2001 de 29 Oct. 2001, Rec. 4601/1999. Ponente: Granados Pérez, Carlos. LA LEY 931/2002.

Tienen este carácter no devolutivo la cuestión referente a la determinación de la cuota defraudada como elemento del tipo delictivo contra la Hacienda Pública:

«La determinación de la cuota defraudada como elemento del tipo delictivo prevenido en el art. 305 del CP/1995 constituye una cuestión prejudicial de naturaleza administrativa-tributaria que conforme a la regla general prevenida en el art. 10.1 de la LOPJ debe resolver el propio Órgano Jurisdiccional Penal. Este criterio se contiene asimismo en las sentencias de 24 de febrero de 1993, 25 de febrero de 1998 y 30 de octubre de 2001, núm. 1807/2001. Para la resolución de estas cuestiones prejudiciales, en lo que se refiere a las cuestiones de derecho, el Tribunal penal se atendrá a las reglas del Derecho administrativo, y específicamente fiscal, como previene expresamente el art. 7 de la LECrim. (Sentencia de 20 de mayo)». STS 2486/2001 de 21 Dic. 2001, Rec. 761/2000; Ponente: Conde-Pumpido Tourón, Cándido. LA LEY 3679/2002. En el mismo sentido la STS 1688/2000 de 6 Nov. 2000, Rec. 3286/1998; Ponente: Conde-Pumpido Tourón, Cándido. LA LEY 11011/2000.

Esta doctrina general de atribución de carácter devolutivo a las cuestiones prejudiciales penales no queda excepcionada por una jurisprudencia reiterada del TC en la que ha mantenido el carácter devolutivo de algunas cuestiones prejudiciales. Ahora bien, como pone de manifiesto la jurisprudencia del Tribunal Supremo el TC se ha pronunciado básicamente en materia de intrusismo profesional, respecto de la que mantiene una posición favorable a la devolución de la causa al órgano jurisdiccional contencioso-administrativo ante la posibilidad que se produzcan contradicciones entre la jurisdicción penal y la contencioso-administrativa sobre la validez del título empleado para el ejercicio de la profesión (SSTC 30/1996, 50/1996, 91/1996, 102/1996 y 255/2000). Así, a título de ejemplo la STC 255/2000 de 30 de octubre en la que se reconoce el amparo al recurrente con base en que en el momento de dictarse la Sentencia penal «se encontraba pendiente un proceso administrativo respecto a si el recurrente tenía derecho o no a que se le expidiera el correspondiente título oficial reconocido por convenio internacional». Entiende el TC que dado que el elemento típico del delito de intrusismo del art. 403 CP se fundamenta en la circunstancia de no poseer el título académico correspondiente reconocido en España, esta cuestión se revelaba como una cuestión prejudicial que, por ser determinante de la culpabilidad o inocencia del acusado, merece ser calificada como devolutiva y, por tanto, enmarcada en el art. 4 LECrim.

«Este Tribunal ha reconocido reiteradamente "la legitimidad desde la perspectiva constitucional del instituto de la prejudicialidad no devolutiva" (SSTC 62/1984, de 21 de mayo, 171/1994, de 7 de junio), pero cuando el Ordenamiento jurídico impone la necesidad de deferir al conocimiento de otro orden jurisdiccional una cuestión prejudicial, máxime cuando del conocimiento de esta cuestión por el Tribunal competente pueda derivarse la limitación del derecho a la libertad, el apartamiento arbitrario de esta previsión legal del que resulte una contradicción entre dos resoluciones judiciales, de forma que unos mismos hechos existan y dejen de existir respectivamente en cada una de ellas, incurre en vulneración del derecho fundamental a la tutela judicial efectiva, por cuanto la resolución judicial así adoptada no puede considerarse como una resolución razonada, fundada en Derecho y no arbitraria, contenidos estos esenciales del derecho fundamental reconocido en el art. 24.1 CE». STC 255/2000 de 30 de octubre.

Puede observarse que la citada doctrina jurisprudencial del TC halla su fundamento en supuestos concretos en los que se ponen de manifiesto circunstancias de carácter excepcional, como la de la dilación extraordinaria en el reconocimiento de títulos extranjeros. Sin embargo, en materias de carácter general, como la referida en la STC 278/2000 de 27 de noviembre, el Tribunal Constitucional con relación a un supuesto de delito de estafa acoge el criterio de preferencia de la jurisdicción penal para conocer de las cuestiones prejudiciales[27].

b) Con carácter excepcional tendrán carácter devolutivo aquellas cuestiones prejudiciales que fuesen determinantes de la culpabilidad o la inocencia del sometido al proceso penal (art. 4 LECrim.). Véanse M. 2 a 5.

«... la regla general del art. 10.1.º de la LOPJ —que deroga las denominadas cuestiones prejudiciales devolutivas, cuyo conocimiento era obligado deferir a otro orden jurisdiccional— tiene como excepción aquellos supuestos en que la cuestión prejudicial tenga una naturaleza penal y condicione de tal manera el contenido de la decisión que no pueda prescindirse de su previa resolución por los órganos penales a quien corresponda». STS 2059/2001 de 29 Oct. 2001, Rec. 4601/1999. Ponente: Granados Pérez, Carlos. LA LEY 931/2002.

Estas cuestiones prejudiciales relativas son las que pueden presentar mayor dificultad para su resolución teniendo en cuenta la relatividad del criterio de aplicación. Aunque, en la jurisprudencia se constata una fuerte oposición de la suspensión del juicio criminal al señalar que el Juez penal debe tener poderes absolutos sin mediatización alguna para la apreciación de la culpabilidad penal. Consecuencia de lo afirmado es la de la plenitud, por lo general, del Juez penal para resolver todas las cuestiones prejudiciales que se presenten, y, por ende, lo restrictivo que se debe ser en la admisión de las prejudiciales devolutivas, que en la práctica son de casi nula aplicación[28].

_____

(27) «En los asuntos que hemos denominado complejos (es decir, en aquellos en los que se entrecruzan instituciones integradas en sectores del Ordenamiento cuyo conocimiento ha sido legalmente atribuido a órdenes jurisdiccionales diversos) es legítimo el instituto de la prejudicialidad no devolutiva, cuando el asunto resulte instrumental para resolver la pretensión concretamente ejercitada y a los solos efectos de ese proceso, porque no existe norma legal alguna que establezca la necesidad de deferir a un orden jurisdiccional concreto el conocimiento de una cuestión prejudicial y corresponde a cada uno de ellos decidir si se cumplen o no los requerimientos precisos para poder resolver la cuestión, sin necesidad de suspender el curso de las actuaciones, siempre y cuando la cuestión no esté resuelta en el orden jurisdiccional genuinamente competente». STC 278/2000 de 27 de noviembre.

(28) No constituyen ni pueden incardinarse como cuestiones prejudiciales devolutivas para resolver sobre el incumplimiento de los deberes sobre impago de pensiones del art. 227 CP, la existencia de alteraciones sustanciales para dejarlas de satisfacer puesto que declarada la obligación en

«Una interpretación amplia de lo prevenido en el citado art. 4.º de la LECrim. impediría prácticamente el enjuiciamiento autónomo de los referidos tipos delictivos, pues en todos ellos la determinación de la concurrencia de alguno de los elementos integrantes del tipo —y en definitiva la culpabilidad o inocencia del acusado— dependen de la previa valoración, resolución o interpretación de una cuestión jurídica de naturaleza extrapenal. El análisis de la práctica jurisdiccional penal y de la propia jurisprudencia de esta Sala revela el efectivo respeto del principio contenido en el art. 10.1.º de la LOPJ en detrimento de lo anteriormente establecido por el art. 4.º de la LECrim., atendiendo a la generalizada inadmisión en la práctica de las cuestiones prejudiciales pretendidamente devolutivas (ver, entre la jurisprudencia reciente, la sentencia de 22 de marzo de 2001, caso "escuchas del Cesid", la sentencia de 28 de marzo de 2001, caso "Urralburu", la sentencia 1688/2000, de 6 de noviembre, sobre delito fiscal, la sentencia 1772/2000 de 14 de noviembre, sobre delito de prevaricación, en un supuesto en el que se pretendía plantear cuestión prejudicial devolutiva a resolver por los Tribunales de lo Contencioso-Administrativo sobre la legalidad o ilegalidad del acto administrativo integrador de la prevaricación, la sentencia 1274/2000, de 10 de julio, en un delito de apropiación indebida, en el que se pretendía plantear una cuestión prejudicial devolutiva civil sobre la naturaleza del título o contrato en virtud del cual se había recibido la mercancía objeto de apropiación, etc.)». STS 1490/2001 de 24 Jul. 2001, Rec. 3204/1999; Ponente: Conde-Pumpido Tourón, Cándido; LA LEY 8608/2001.

Téngase en cuenta, que en la regulación vigente los tipos penales se extienden a la protección de distintos bienes jurídicos gran parte de los cuales presentan una base normativa extrapenal: delitos ambientales, delitos urbanísticos, delitos societarios, delitos fiscales, delitos de prevaricación u otros contra la administración pública, insolvencias punibles, delitos contra la propiedad intelectual e industrial, etc. Esta realidad determina la necesidad que el tribunal penal, con excepciones muy concretas, deba conocer de distintas cuestiones prejudiciales. De otro modo, si hubiese que suspender el procedimiento y esperar la previa resolución de la cuestión, en otra jurisdicción, la persecución de los delitos quedaría impedida, coartada o vacía de contenido efectivo.

«El mantenimiento exclusivo de las cuestiones prejudiciales devolutivas de naturaleza penal en el sistema jurisdiccional establecido por la L.O.P.J. (LA LEY 1694/1985) se encuentra además limitado por el condicionamiento consignado en el último apartado del precepto. La suspensión de los litigios seguidos ante otros órdenes jurisdiccionales para la resolución de las cuestiones prejudiciales de naturaleza penal tampoco será necesaria en los casos en que la ley así lo establezca. Ahora bien la regla contenida en el pfo. 1.º del art. 10.º de la LOPJ (LA LEY 1694/1985) no se

---

la vía civil ha de cumplirse la sentencia firme que no consta haya sido modificada (SAP Tarragona 29 abril 1993), siendo en todo caso que el problema debatido pertenece a la misma esencia del delito (SAP Badajoz 12 noviembre 1997). Respecto a las cuestiones prejudiciales en el ámbito administrativo, no pueden estimarse con carácter devolutivo aquéllas que cuestionan la legalidad del acto administrativo (SAP Ávila) ni siquiera cuando se encuentren sometidas a recurso en la vía contencioso-administrativa (SAP Baleares 4 julio 1998, puesto que deben entenderse que no tienen otro valor que el de constituir meros presupuestos procesales (STS 5 noviembre 1991). Asimismo, la STS 23 noviembre 1998, entendió que «según lo dispuesto en el art. 3 LECrim. el Tribunal tenía jurisdicción para resolver a los solos efectos de la existencia del delito la vigencia de la relación arrendaticia».

encuentra limitada por excepción alguna que se refiera a cuestiones de naturaleza civil, administrativa o laboral que se susciten en el orden jurisdiccional penal, por lo que en principio ha de estimarse que esta norma posterior y de superior rango ha derogado tácitamente lo prevenido en el art. 4.º de la decimonónica LECriminal». STS 450/2007 de 30 May. 2007, Rec. 10575/2006; Ponente: Berdugo Gómez de la Torre, Juan Ramón. LA LEY 26760/2007.

Por otra parte, el problema que plantea esta opción por la atribución de naturaleza no devolutiva a las cuestiones prejudiciales en el orden penal es el de la posibilidad de que se produzcan resultados contradictorios entre las decisiones recaídas en los distintos órdenes jurisdiccionales. Aunque, sobre esta cuestión el TC ha declarado que la regla general es la de no otorgar a la contradicción relevancia constitucional cuando sea debida a los distintos enfoques jurídicos que los diversos Tribunales hayan dado a unos mismos hechos, en virtud del principio de independencia judicial[29].

«Como regla general, carece, pues, de relevancia constitucional que puedan alcanzarse resultados contradictorios entre decisiones provenientes de órganos judiciales integrados en distintos órdenes jurisdiccionales, cuando esta contradicción tiene como soporte el haber abordado bajo ópticas distintas unos mismos hechos sometidos al conocimiento judicial, pues, en estos casos, "los resultados contradictorios son consecuencia de los criterios informadores del reparto de competencias llevado a cabo por el legislador" entre los diversos órdenes jurisdiccionales (SSTC 158/1985, 70/1989 y 116/1989)...». (STC 30/1996, de 26 febrero).

Ahora bien, lo que no cabe es que unos mismos hechos se declaren existentes para un orden jurisdiccional existieron y para otro no. Con ello se puede producir una vulneración del principio de seguridad jurídica y, además, del derecho constitucional a una tutela efectiva[30]. Por ello, el TC al enfrentarse a éste problema ha resuelto que en los casos en que existiere una resolución firme jurisdiccional, los otros órganos judiciales que conociesen de los mismos hechos, deberán asumirlos, adecuadamente,

---

(29) «... Normalmente carece de relevancia constitucional la posibilidad de que puedan producirse resultados contradictorios entre resoluciones de órganos judiciales de distintos órdenes, cuando la contradicción es consecuencia de los distintos criterios informadores del reparto de competencias que ha llevado a cabo el legislador...». STC 278/2000 de 27 de noviembre. Véanse en el mismo sentido, SSTC 171/1994, de 7 de junio; 30/1996, de 27 de febrero; 50/1996, de 26 de marzo; 59/1996, de 4 de abril; 102/1996, de 11 de junio; 89/1997, de 5 de mayo; y 190/1999, de 25 de octubre.

(30) «... Ahora bien, con ser cierto lo anterior, tampoco lo es menos que hemos afirmado que no todos los supuestos de eventuales contradicciones entre resoluciones judiciales emanadas de órdenes jurisdiccionales distintos carecen de relevancia constitucional, pues ya desde la STC 77/1983 tuvimos ocasión de sostener que "unos mismos hechos no pueden existir y dejar de existir para los órganos del Estado", lo que sucede cuando la contradicción no deriva de haberse abordado unos mismos hechos desde perspectivas jurídicas diversas, sino que reside precisamente en que "unos mismos hechos ocurrieron o no ocurrieron, o que una misma persona fue su autor y no lo fue". Ello vulneraría, en efecto, el principio de seguridad jurídica que, como una exigencia objetiva del ordenamiento, se impone al funcionamiento de todos los órganos del Estado en el art. 9.3 de la CE. Pero, en cuanto dicho principio integra también la expectativa legítima de quienes son justiciables a obtener para una misma cuestión una respuesta inequívoca de los órganos encargados de impartir justicia, ha de considerarse que ello vulneraría, asimismo, el derecho subjetivo a una tutela jurisdiccional efectiva, reconocido por el art. 24.1 de la CE (SSTC 62/1984 y 158/1985)...». (SSTC 30/1996, de 26 febrero, y 50/1996, de 26 marzo).

de una forma similar, o bien justificar con la distinta apreciación. A dichos efectos, será necesario que las partes incorporen al proceso la resolución firme, debiendo el Tribunal admitirla, en virtud del art. 5.1 LOPJ, al margen de lo dispuesto en normas procesales[31].

En consecuencia, en aplicación de este criterio excepcional tendrá carácter devolutivo la cuestión prejudicial referida a la existencia de un arrendamiento respecto a un proceso penal por allanamiento de morada en el caso que por su especial incidencia en el delito de que se trate, determine la culpabilidad o inocencia del acusado (STS 23 Nov. 1998, Rec. 3832/1997, Ponente: García-Calvo y Montiel, Roberto. LA LEY 914/1999).

Cuando concurra una cuestión prejudicial devolutiva el tribunal suspenderá el procedimiento hasta la resolución de aquélla por el órgano competente de la jurisdicción civil o contencioso-administrativa (Véase M. 4). Pero, en este supuesto, corresponde a la parte interesada acudir al tribunal que corresponda a interponer la correspondiente demanda; y el tribunal podrá fijar un plazo que no exceda de dos meses a este efecto. Transcurrido el plazo sin que se acredite haberlo utilizado el tribunal penal alzará la suspensión y continuará el procedimiento (art. 4 LECrim.).

> «... aunque la afirmación de la existencia del arrendamiento constituya una cuestión prejudicial de naturaleza civil que, por su especial incidencia en el delito de que se trata, determine la culpabilidad o inocencia del acusado, no se posibilita sin más su estimación casacional, pues, en este supuesto, al no haberse iniciado el correspondiente procedimiento civil y una vez celebrado el juicio oral, la Sala "a quo", según lo dispuesto en el art. 3 LECrim., tenía jurisdicción para resolver a los solos efectos de la represión del delito. En su consecuencia, si, como se ha evidenciado, el Tribunal tenía pruebas suficientes para determinar a los solos efectos de la existencia del delito la vigencia de la relación arrendaticia, no puede plantearse ahora a través de tan artificial utilización de un expediente procesal relativo a cuestiones competenciales...». STS 23 Nov. 1998, Rec. 3832/1997, Ponente: García-Calvo y Montiel, Roberto. LA LEY 914/1999.

4.2. Tramitación

Las cuestiones prejudiciales pueden proponerse por todas las partes procesales, incluido el Ministerio Fiscal, y pueden, igualmente, ser planteadas de oficio por el órgano jurisdiccional.

La LECrim. carece de normativa sobre el trámite adecuado para el planteamiento de las cuestiones prejudiciales. Ante la falta de norma expresa, se ha tratado de incardinar el tratamiento de estas cuestiones en el régimen establecido en el Libro III,

---

(31) «... La doctrina establecida en las Sentencias antes citadas, y que aquí se reitera y se adapta al caso concreto planteado, implica la necesidad de arbitrar medios para evitar contradicciones entre las decisiones judiciales referidas a los mismos hechos y para remediarlos si se han producido. Ello supone que si existe una resolución firme dictada en un orden jurisdiccional, otros órganos judiciales que conozcan del mismo asunto deberán también asumir como ciertos los hechos declarados tales por la primera resolución, o justificar la distinta apreciación que hacen de los mismos...». (STC 158/1985, de 26 noviembre).

Título II, para los artículos de previo pronunciamiento, regulados en los arts. 666 y ss. LECrim. en sede de procedimiento por delitos graves[32].

«Las denominadas cuestiones prejudiciales de los arts. 3 a 7 LECrim., de conformidad con las Memorias de la Fiscalía del Tribunal Supremo de 1888 y 1910, y con la jurisprudencia de este Tribunal, han de proponerse o plantearse como artículos de previo y especial pronunciamiento conforme a lo dispuesto en el art. 667 LECrim. y sustanciarse por el procedimiento regulado en los arts. 667 y ss. de la misma». STS 23 Nov. 1998, Rec. 3832/1997, Ponente: García-Calvo y Montiel, Roberto. LA LEY 914/1999.

No obstante, debe distinguirse la diversa naturaleza de ambas clases de cuestiones: sustantiva, para las prejudiciales, y procesal en los artículos de previo pronunciamiento. En este sentido deben diferenciarse las cuestiones prejudiciales de otras cuestiones procesales que pueden plantearse en el proceso penal como los artículos de previo pronunciamiento que no son sino presupuestos procesales, a modo de requisitos y condiciones del derecho al proceso o de óbices determinantes de su admisibilidad. Así, mientras las del art. 666 LECrim. se refieren a presupuestos procesales, es decir, a las condiciones formales de admisión del proceso o de una fase de él (declinatoria de jurisdicción, cosa juzgada, prescripción del delito, amnistía o indulto y falta de autorización administrativa para procesar en los casos en que sea necesaria), las cuestiones prejudiciales son presupuestos del contenido de la sentencia con distinta naturaleza. A estos efectos, ha de tenerse presente que mientras las cuestiones prejudiciales tienen contenido sustantivo, de derecho material ligadas a la resolución de fondo, las previas o de previo pronunciamiento presentan una naturaleza procesal (vid. sobre los artículos de previo pronunciamiento § 3.3, Capítulo XI).

«Las cuestiones prejudiciales pueden afectar al derecho material aplicado en la sentencia, al paso que las previas —o artículos de previo pronunciamiento— tan solo pretenden obviar, en el caso del núm. 1 del art. 666 LECrim., una sentencia nula por falta de competencia en el órgano y con relación a las causas 2.º, 3.ª y 4.ª de dicho precepto, evitar la esterilidad de la actividad de los sujetos procesales, constituyen, por ende, requisito de procedibilidad». (STS 25 marzo 1994; Ponente: Martínez-Pereda Rodríguez, José Manuel. LA LEY 2995/1994.

En igual sentido, han de diferenciarse las cuestiones prejudiciales de óbices procesales como son p. ej. la licencia del órgano judicial para deducir acción de calumnia o injuria vertida en juicio —art. 279 LECrim. y 215.2 CP—; o la necesaria instancia de parte en la persecución de delitos previa denuncia o querella de parte, ya que su naturaleza procesal es la determinante de su configuración y regulación, mientras que en las cuestiones prejudiciales es la naturaleza sustantiva extrapenal la definitoria y determinante para acordar la suspensión del proceso criminal.

---

(32)   Véase la STS de 14 diciembre 1976, al reconsiderar la doctrina de la Sala, que calificó de auténtica «creación judicial» ante las lagunas de su tramitación, reitera que «a) si bien pueden plantearse tanto en fase sumarial como en plenario, deberán ser resueltas por el Tribunal sentenciador, al que se elevarán, si fueren promovidas ante el instructor; b) que el término ad quem de su proposición alcanza hasta el período de calificación (salvo las cuestiones prejudiciales relativas), reconduciendo su tramitación como artículos de previo pronunciamiento, pues se trata de incidentes atípicos...». En análogo sentido, vid. SSTS 25 marzo 1994, 6 julio 1998.

De este modo, en el procedimiento por delitos graves las cuestiones prejudiciales tanto devolutivas como no devolutivas se podrán plantear como cuestión de previo pronunciamiento en el término de tres días a contar desde el de la entrega de los autos para la calificación de los hechos (art. 667 LECrim.).

En el procedimiento abreviado puede plantearse en el escrito de defensa (art. 784 LECrim.); o al inicio del acto del juicio oral (art. 786.2.° LECrim.), en cuyo momento se resolverán. Si se estimase su procedencia, se suspenderá el procedimiento hasta su resolución por quien corresponda, de acuerdo con lo previsto con los arts. 4 y 5 LECrim. Respecto al procedimiento por delitos leves, podrán plantearse dichas cuestiones en el acto del juicio oral.

«En el denominado procedimiento abreviado, trámite por el que se siguieron las actuaciones de instancia, es a través del escrito de defensa y en el trámite previsto en el art. 793.2 LECrim. al iniciarse el acto del juicio oral, cuando procede plantear los artículos de previo y especial pronunciamiento. En este caso, según el propio recurrente reconoce en su escrito, tal cuestión no fue planteada por aquél a lo largo del procedimiento, ni en el momento de formular escrito de defensa, ni en el referido trámite del art. 793.2 LECrim., ni tan siquiera en el de conclusiones definitivas, lo que contradice la doctrina jurisprudencial (SS 4 abril 1908, 19 mayo 1964 y 6 julio 1998, entre otras) que afirma la necesidad de que las cuestiones prejudiciales se planteen antes del trámite de calificación». STS 23 Nov. 1998, Rec. 3832/1997, Ponente: García-Calvo y Montiel, Roberto. LA LEY 914/1999.

También pueden proponerse ante el Juez de Instrucción (Véase M. 2). No obstante, como el Juez Instructor carece de competencia para resolver sobre la cuestión prejudicial, debe limitarse a acordar que remita todo lo actuado al Juzgado de lo Penal o la Audiencia Provincial para que decida lo procedente sobre la admisión de aquélla (Véase M. 3).

«... Por lo demás, las cuestiones prejudiciales deben proponerse —al menos en principio— antes de evacuarse el trámite de calificación, según mantuvo ya la Circular de la Fiscalía del Tribunal Supremo de 30 de abril de 1988, buscando una equiparación con los artículos de previo pronunciamiento, bien entendido que, si bien las especiales características del caso apuntarían a la posible alegación en un momento posterior, como correspondería a una problemática que podría incluso plantearse de oficio, es lo cierto que la notoria circunstancia de ser aquella cuestión conocida de antemano por la parte privaría a ésta de toda razón en cuanto a la transgresión excepcional del repetido plazo. De ahí se inferiría a su vez la improcedencia de acudir al mencionado precepto procesal para obtener contestación a lo no interesado en tiempo y forma. A mayor abundamiento, es constante la jurisprudencia en el sentido de que tales cuestiones no son susceptibles de casación por quebrantamiento de forma (Sentencia de 22 octubre 1926), como tampoco lo son en cuanto al fondo —Sentencia de 23 octubre 1946—, y al igual que no cabe discutir si existía o no una cuestión que, como previa, debería haber sido resuelta en primera instancia (Sentencia de 12 enero 1928)...». STS 30 Abr. 1990; Ponente: Manzanares Samaniego, José Luis. LA LEY 13079-R/1990.

Recibidas las actuaciones en el Juzgado de lo Penal o la Audiencia Provincial, y también en el caso de que la cuestión prejudicial se presente directamente ante estos órganos, se confiere traslado al querellante, si lo hubiese, y al Ministerio Fiscal para que contesten en el término de tres días, acompañando también los documentos en que funden sus pretensiones o designando la oficina o archivo donde estuvieren, caso de no tenerlos en su poder, para que los reclame el Tribunal.

Si el Tribunal accede a la reclamación de documentos, recibirá el incidente a prueba por término que no excederá de ocho días, transcurridos los cuales señalará inmediatamente día para la vista, y al día siguiente de su celebración, dictará auto resolviendo la cuestión prejudicial propuesta (Véase M. 4). Contra la resolución podrá interponerse recurso de reforma o súplica[33].

En el caso de que se acredite haber interpuesto la demanda civil, el Juez de lo Penal o la Audiencia dispondrá que queden en suspenso las actuaciones criminales hasta la resolución del pleito civil. En el caso de que transcurra el plazo concedido sin que se acredite haberlo utilizado, se ordenará alzar la suspensión y continuar el procedimiento, devolviendo, en su caso, los autos al Juez instructor. Igualmente sucederá en el supuesto de que estime no haber lugar a admitir la cuestión prejudicial promovida.

---

(33)   El recurso que puede deducirse es el de reforma o súplica, según los casos. No puede interponerse el de casación independiente, sin perjuicio del que pueda deducirse conjuntamente con el fondo de la cuestión; pues aunque formalmente reciben un tratamiento como artículos de previo pronunciamiento no son declinatorias propiamente dichas, ni se hallan entre las resoluciones comprendidas en el art. 884 LECrim. Vid., en este sentido, las SSTS de 1 febrero 1973, 14 diciembre 1976, 3 octubre 1983 y 25 marzo 1994. La STS 6 julio 1998 (1) declara «... porque la jurisprudencia de esta Sala ... ha estimado que no procedía el recurso de casación contra los autos de la Audiencia Provincial declarando la admisión o la inadmisión de cuestiones prejudiciales».

MODELOS

M. 1. Escrito de renuncia y actuaciones judiciales subsiguientes

AL JUZGADO (O A LA SALA)

D. [.../...], Procurador de los Tribunales y obrando en nombre de [.../...], cuya representación ya tengo acreditada en la causa [.../...] seguida ante este Juzgado de Instrucción de [.../...] contra [.../...],

DIGO:

Que habiendo mis mandantes recuperado los géneros y demás objetos que desaparecieron en su domicilio en [.../...] (*o la razón, si lo creen oportuno, por lo cual se apartan de las actuaciones*); y satisfechos totalmente los perjuicios económicos sufridos, siguiendo las instrucciones de mis poderdantes, renuncio a cualquier indemnización que les pudiera corresponder, apartándome y separándome de la querella interpuesta.

AL JUZGADO (O A LA SALA), SUPLICO admita este escrito y tenga por realizadas las anteriores manifestaciones y por apartados de la querella interpuesta, con renuncia a las acciones civiles y penales ejercitadas.

Lo que pido en [.../...], a [.../...] de [.../...] de 20[.../...]

(Firma del Abogado)

(Firma del Procurador)

DILIGENCIA DE PRESENTACIÓN

Caso de que careciese de poderes especiales para renunciar, como normalmente sucede, deberá dictarse proveído por el órgano judicial, ordenando se ratifique su poderdante, fijando día al respecto y haciéndolo constar en dicho acto.

ACTA DE RATIFICACIÓN

En [.../...], a [.../...] de [.../...] de 20[.../...]

Ante S.S.ª (o el Magistrado Ponente, si es en la Audiencia) y de mí el Letrado de la Administración de Justicia, comparece [.../...] (se hacen constar sus circunstancias personales), quien manifiesta renunciar a todas las acciones civiles y penales que pudieran corresponderle, ratificándose en el escrito y presentado por su Procurador D. [.../...]

Leída y hallada conforme, firman la presente S.S.ª, con los demás asistentes al acto, doy fe.

(Firma Juez, Letrado de la Administración de Justicia, perjudicado y Procurador)

M. 2. Escrito de planteamiento de una cuestión prejudicial determinante de la suspensión del proceso penal

Las cuestiones prejudiciales se pueden plantear en distintos momentos, según la clase de procedimiento de que se trate. En el caso que se expone a continuación se plantea ante el Juez de instrucción en la fase de diligencias previas de un procedimiento abreviado. Aunque también pueden plantearse en el escrito de defensa, o al inicio del acto del juicio oral.

AL JUZGADO

D. [.../...], Procurador de los Tribunales, obrando en nombre y representación de D. [.../...] en la causa que se le sigue por un supuesto delito de robo con fuerza, DIGO:

Que en el día de ayer se citó a declarar a mi representado imputándole un delito de robo con fuerza, y como se funda en el supuesto equivocado de que pertenece al denunciante la casa cuya puerta forzó mi representado por habérsele extraviado la llave, para posteriormente extraer muebles y diversos objetos que en ella tenía depositados por ser de su propiedad, en uso del derecho que le confiere el art. 4 LECrim., propongo esta cuestión prejudicial que por ser determinante de la culpabilidad o inocencia de mi patrocinado debe producir el efecto de suspender el procedimiento hasta que aquélla sea resuelta por el Tribunal civil correspondiente.

La casa aludida fue comprada por mi representado el día [.../...] a D. [.../...], por escritura pública, quien a su vez y en la misma forma la había adquirido al denunciante.

Por lo expuesto,

SOLICITO al Juzgado que, teniendo por presentado este escrito, con el poder, escritura pública de compraventa y sus respectivas copias, se sirva tenerme por parte y por promovida en tiempo y forma esta cuestión prejudicial, suspendiendo el procedimiento hasta que se resuelva por la Audiencia Provincial, y fijando el plazo que se considere conveniente para acudir al Tribunal civil a fin de que se declare que tanto la expresada casa como los muebles y efectos que en ella se encontraban, que son objeto de la denuncia, pertenecen a mi representado, con imposición de costas a quien se oponga a estas pretensiones, por ser así de justicia, que pido en [.../...], a [.../...] de [.../...] de 20[.../...]

(DILIGENCIA DE PRESENTACIÓN)

En el caso planteado, y en general cuando la solicitud fuere deducida ante el Juez de Instructor, éste acordará remitir todo actuado al Tribunal competente para conocer del juicio a fin que decida sobre la cuestión planteada. En el caso planteado, tratándose de un delito de robo con fuerza del art. 238 CP, castigado con pena de 1 a tres años (art. 240 CP) es competente para resolver sobre la admisión de la cuestión prejudicial el Juez de lo Penal.

M. 3. Auto admitiendo a trámite la cuestión prejudicial

AUTO

En [.../...], a [.../...] de [.../...] de 20[.../...]

Dada cuenta y

HECHOS

1.º. La presente causa se incoó en virtud de denuncia presentada por D. [.../...] ante la comisaría de Policía de [.../...]., en fecha [.../...], compareciendo como propietario de la finca sita en la calle [.../...], núm. [.../...] de esta ciudad, contra D. [.../...], por la comisión de un delito de robo con fuerza en las cosas, cometido con rotura de la puerta y apropiación de diversos muebles y efectos que había en su interior.

2.º. Que tras las oportunas diligencias, se dirigió el procedimiento con la apertura de diligencias previas contra el denunciado D. [.../...] como presunto autor de un delito de robo con fuerza, y el Procurador que le representa presentó escrito, alegando ser el procesado el dueño de la finca en la que se perpetró el hecho y de los efectos existentes en su interior.

FUNDAMENTOS DE DERECHO

1.º. La culpabilidad o inocencia del procesado en esta causa se halla en relación directa con la titularidad que pudiera corresponderle sobre el lugar en que se perpetró el delito y los efectos habidos en su interior, lo que deber dilucidarse en el procedimiento oportuno, conforme al art. 4 LECrim., y habida cuenta de que la admisión de la cuestión prejudicial debe ser acordada, en su caso, por el Juez de lo Penal, procede remitir a la misma las actuaciones practicadas.

VISTOS los artículos citados y demás de pertinente aplicación.

PARTE DISPOSITIVA

Únase al escrito presentado al sumario de su razón, que se remitirá al Juez de lo Penal para que acuerde lo que estime procedente sobre la admisión o inadmisión de la cuestión prejudicial planteada; póngase asimismo dicha remisión en conocimiento del Ministerio Fiscal y emplácese a las partes para que comparezcan ante el Juzgado de lo Penal a hacer uso de su derecho en el término de diez días, dejando nota en los libros de este Juzgado.

Contra la presente resolución no cabe recurso.

Lo manda y firma el Sr. D. [.../...], Juez de Instrucción de [.../...], doy fe.

Como se ha expuesto, decidirá sobre la admisión de la cuestión prejudicial el Tribunal sentenciador. En el caso anterior sería el Juez de lo penal. El auto que se expone a continuación se refiere a un supuesto distinto. A saber, se trata de una causa que se sustancia por procedimiento abreviado pero por delito castigado con pena superior a cinco años, concretamente un delito contra el medio ambiente del art. 325 CP, agravado al tratarse de espacio natural con lo que tiene atribuida una pena de hasta 6 años, por lo que conocerá la Audiencia Provincial (art. 338 CP).

M. 4. Auto resolutorio de la cuestión prejudicial acordando la suspensión del procedimiento

AUTO

ILMOS. SRES.

[.../...]

En [.../...], a [.../...] de [.../...] de 20[.../...]

HECHOS

1.º. Las diligencias previas a que se refiere este Rollo fue incoado en virtud de denuncia interpuesta por D. [.../...] contra D. [.../...] sobre un supuesto delito contra el medio ambiente por una actividad de extracción de tierras y excavaciones en el paraje de [.../...], calificado por la Fiscalía de Medio Ambiente como espacio natural protegido.

2.º. El imputado presentó por medio de su Procurador un escrito ante el Juzgado por el que promovía cuestión prejudicial contencioso-Administrativa basada en la circunstancia que estaba en posesión de una licencia para realizar la actividad industrial, y que el paraje no tenía al tiempo de los hechos la calificación administrativa de Espacio Natural protegido, solicitando la suspensión del curso de los autos para la sustanciación de dicha cuestión.

3.º. Recibidas las actuaciones para tramitar el incidente, se pasó al Ministerio Fiscal y a las partes, y tras practicarse la prueba admitida aparece que el imputado aporta justificación suficiente de estar, o haber estado en posesión de una autorización administrativa respecto a determinados usos y aprovechamientos de tierras y extracciones. Igualmente, de la documentación aportada aparecen dudas sobre la calificación administrativa del paraje donde se produjeron los hechos, que si bien consta se declaró espacio de interés no resulta evidente que hubiese sido declarado espacio natural protegido.

FUNDAMENTOS DE DERECHO

1.º. Conforme a lo dispuesto en el pfo. 1 del art. 4 LECrim., cuando la cuestión prejudicial fuere determinante de la culpabilidad o de la inocencia, el Tribunal de lo criminal suspenderá el procedimiento hasta la resolución de aquélla por quien corresponda, y puede fijar un plazo, que no exceda de dos meses, para que las partes acudan al Tribunal competente.

2.º. En el presente supuesto ha de señalarse que [.../...]

PARTE DISPOSITIVA

Se admite la cuestión prejudicial contencioso-administrativa propuesta por el imputado D. [.../...]. y en su virtud quede en suspenso el curso del procedimiento hasta la resolución de la cuestión prejudicial, concediéndose al procesado un plazo de dos meses para que acuda al Tribunal competente, lo que hará constar debidamente; y en caso de que transcurra dicho plazo sin que justifique haberlo utilizado, dese cuenta de ello.

Contra la presente resolución cabe interponer recurso de súplica dentro del plazo de tres días, ante la Sala.

Así lo mandan y firman los Sres. del Tribunal, doy fe.

DILIGENCIA. Seguidamente se cumple lo acordado, doy fe.

(NOTIFICACIÓN. A las partes personadas).

CAPÍTULO III

JURISDICCIÓN Y COMPETENCIA.
ABSTENCIÓN Y RECUSACIÓN

SECCIÓN 1.   LA JURISDICCIÓN Y REGLAS PARA LA DETERMINACIÓN DEL JUEZ ORDINARIO

1.1.   Concepto[(1)]

El art. 1 LECrim. establece la garantía procesal consistente en que la pena se impone en virtud de sentencia dictada por Juez competente. El art. 24 de nuestra Constitución regula esta garantía refiriéndose al órgano jurisdiccional predeterminado por la Ley[(2)], y a la necesidad de un proceso público con todas las garantías procesales (véase sobre las garantías del proceso penal § 2.2 Cap. I).

> «El derecho fundamental al Juez ordinario predeterminado por la ley, que se recoge en el art. 24.2 CE, exige, en primer término y en lo que ahora interesa, que el órgano judicial haya sido creado previamente por la norma jurídica, que ésta le haya investido de jurisdicción y competencia con anterioridad al hecho motivador de la actuación o proceso judicial y que su régimen orgánico y procesal no permita calificarlo de órgano especial o excepcional ... la referencia del art. 24.2 CE a la ley exige que el vehículo normativo para determinar el Juez del caso sea la Ley en sentido

---

(1) Vid. Bibliografía general. Vid., asimismo, ARAGONESES MARTÍNEZ, «El derecho al juez ordinario predeterminado por la Ley en el Orden Penal», *RFDUC*, 1989, pp. 93 y ss.; BURGOS LADRÓN DE GUEVARA, «Concepto de juez ordinario en el Derecho español», *Justicia* 1990-I, p. 77; DE MIGUEL, *La unidad de jurisdicciones en materia penal. Problemas actuales de derecho penal y procesal*, Salamanca, 1971; GIL SUÁREZ Y GÓMEZ DE LIAÑO, *Jurisdicción y competencia en materia penal*, Madrid, 1988; Idem, *Jurisdicción y competencia en materia penal*, 2.ª parte, Madrid, 1994; MUÑOZ ROJAS, «Notas sobre la jurisdicción y la acción en el ámbito del proceso penal», *RDProc.*, 1977, n.º 1; RUIZ-RUIZ, *El derecho al juez ordinario en la Constitución Española*, 1991; SERRA DOMÍNGUEZ, «Jurisdicción Penal», N. E. J. Seix, T. XIV. CANDIL MUÑOZ, R., «La competencia de nuestra jurisdicción penal en los supuestos de intervención militar en el extranjero», *Boletín de información del Ministerio de Justicia*, n.º 1832, 1998.

(2) Vid. Capítulo I, Sección 2.2 B) a).

estricto, que la predeterminación legal del Juez significa que la Ley, con generalidad y anterioridad al caso, ha de contener los criterios de determinación competencial cuya aplicación a cada supuesto litigioso permita determinar cuál es el Juzgado o Tribunal llamado a conocer de la causa». STC 69/2001 de 17 de marzo.

La determinación del Juez competente para conocer del proceso se producirá de conformidad con los criterios legales de jurisdicción y competencia, que debemos diferenciar con carácter previo. A este respecto la jurisdicción hace referencia a la potestad general de juzgar y hacer ejecutar lo juzgado —art. 117.3.º CE—, que ostenta todo Juzgado o Tribunal; mientras que la competencia se refiere a la concreta disposición por la cual se atribuye a un órgano jurisdiccional el conocimiento de un asunto en particular.

La función jurisdiccional penal se realiza por los órganos jurisdiccionales penales, previstos en el Título IV de la Ley Orgánica del Poder Judicial. Aun cuando la jurisdicción penal es única, el ejercicio de dicha jurisdicción, al igual que los demás tipos de jurisdicción (civil, laboral, contencioso-administrativa), debe ser desempeñada por unos determinados órganos jurisdiccionales constituidos jerárquicamente. Corresponde a los criterios de competencia determinar el órgano jurisdiccional que debe instruir y el que debe fallar una causa penal con preferencia y exclusividad sobre todos los demás.

Las reglas sobre jurisdicción y competencia pertenecen al Derecho público al igual que la determinación efectiva del Juez ordinario competente (Juez natural o legal). Además, deberá establecerse por la Ley de modo previo (ex ante), con carácter taxativo e inderogable, el ámbito dentro del cual cada Tribunal penal deba enjuiciar el hecho punible que constituye el objeto del proceso penal.

«El derecho constitucional al juez ordinario predeterminado por la Ley reconocido en el art. 24.2 CE exige que "el órgano judicial haya sido creado previamente por la norma jurídica, que ésta le haya investido de jurisdicción y competencia con anterioridad al hecho motivador de la actuación o proceso judicial y que su régimen orgánico y procesal no permita calificarle de órgano especial o excepcional", ... sin que, en principio, las normas de reparto de los asuntos entre diversos órganos judiciales de la misma jurisdicción y ámbito de competencia, afecte al juez legal o predeterminado por la Ley pues todos ellos gozan de la misma condición legal de Juez ordinario ...». STC 170/2000 de 26 de junio.

Ahora bien, garantizado el derecho al Juez ordinario predeterminado por la ley la interpretación de las normas sobre distribución de competencia en el proceso penal es una cuestión que corresponde a los tribunales ordinarios[3].

---

(3) «No cabe confundir el contenido del derecho al Juez ordinario predeterminado por la ley con el derecho a que las normas sobre distribución de competencias entre los órganos jurisdiccionales se interpreten en un determinado sentido. La interpretación de las normas que regulan la competencia, y, por consiguiente, la determinación de cuál sea el órgano competente, es cuestión que corresponde en exclusiva a los propios Tribunales de la jurisdicción ordinaria y los criterios de aplicación de la delimitación de competencias entre distintos órganos jurisdiccionales no constituyen por sí solos materia que sea objeto del derecho al Juez ordinario predeterminado por la ley (SSTC 43/1984, fundamento jurídico 2.º; 43/1985, fundamento jurídico 1.º; 93/1988, fundamento

«Este Tribunal ha afirmado que las normas sobre competencia y, consecuentemente, la determinación del órgano judicial competente, son materias que conciernen exclusivamente a los Tribunales de la jurisdicción ordinaria (SSTC 171/1999, de 27 de septiembre (LA LEY 12124/1999), F. 2; 35/2000, de 14 de febrero, F. 2, y 126/2000, de 16 de mayo, F. 4), de modo que al Tribunal Constitucional solamente le corresponde analizar si en el supuesto concreto la interpretación y aplicación de las normas competenciales se ha efectuado de un modo manifiestamente irrazonable o arbitrario (SSTC 136/1997, de 21 de julio (LA LEY 9170/1997), F. 3; 183/1999, de 11 de octubre (LA LEY 284/2000), F. 2, y 35/2000, 14 de febrero, F. 2). Línea jurisprudencial reiterada sin solución de continuidad por el Tribunal Constitucional, entre otras muchas, en las SSTC 199/1987, de 16 de diciembre (LA LEY 53413-JF/0000), F. 6; 55/1990, de 28 de marzo (LA LEY 55896-JF/0000), F. 3; 6/1996, de 16 de enero (LA LEY 2102/1996), F. 2; 177/1996, de 11 de noviembre (LA LEY 191/1997), F. 6; 193/1996, de 26 de noviembre (LA LEY 204/1997), F. 1; 6/1997, de 13 de enero (LA LEY 1526/1997), F. 3; 64/1997, de 7 de abril (LA LEY 5113/1997), F. 2; 238/1998, de 15 de diciembre (LA LEY 641/1999), F. 3, y 170/2000, de 26 de junio, F. 2; AATC 42/1996, de 14 de febrero (LA LEY 3647/1996), 310/1996, de 28 de octubre, 175/1997, de 27 de octubre (LA LEY 11153/1997) y 113/1999, de 28 de abril (LA LEY 69021/1999)». STS 426/2016 de 19 May. 2016, Rec. 2107/2015; Ponente: Berdugo Gómez de la Torre, Juan Ramón. LA LEY 51966/2016[4].

1.2. Reglas para la averiguación del Juez ordinario predeterminado por Ley

La determinación del Juez ordinario predeterminado por la ley, que debe conocer del proceso penal en sus distintas fases se realizará de acuerdo con los siguientes criterios que seguidamente examinaremos: competencia internacional, jurisdicción por razón del objeto o la materia, competencia objetiva, funcional y territorial. La jurisdicción, la competencia objetiva y la funcional, a tenor del art. 9.6 LOPJ deben examinarse de oficio, con audiencia de las partes y del Ministerio Fiscal. Serán nulas las actuaciones sustanciadas por Juez que carezca de jurisdicción o competencia (art. 238.1 LOPJ); con la excepción de las normas sobre competencia territorial que si bien en Derecho procesal penal no tienen carácter dispositivo, como sucede en el proceso civil, su infracción no determinará la nulidad de pleno derecho de todo lo actuado.

A) La competencia internacional. La denominada Jurisdicción universal

En primer lugar, debe resolverse si los Jueces y Tribunales nacionales tienen competencia para decidir un determinado asunto; es decir, si les corresponde su

---

jurídico 2.º; en sentido similar, STC 49/1999, fundamento jurídico 2.º)». STC 183/1999 de 11 de octubre.

(4) «... no cabe confundir el contenido del derecho al Juez ordinario predeterminado por la ley con el derecho a que las normas sobre distribución de competencias entre los órganos jurisdiccionales se interpreten en un determinado sentido. La interpretación de las normas que regulan la competencia, y, por consiguiente, la determinación de cuál sea el órgano competente, es cuestión que corresponde en exclusiva a los propios Tribunales de la jurisdicción ordinaria y los criterios de aplicación de la delimitación de competencias entre distintos órganos jurisdiccionales no constituyen por sí solos materia que sea objeto del derecho al Juez ordinario predeterminado por la ley (SSTC 43/1984; 43/1985; 93/1988 49/1999)». STC 183/1999 de 11 de octubre.

enjuiciamiento conforme lo dispuesto en el art. 23 LOPJ. Este precepto determina la jurisdicción de los Tribunales españoles para conocer de los delitos con base en un doble criterio: 1.º de territorialidad respecto al lugar de comisión del ilícito penal. 2.º de extraterritorialidad con relación a la comisión de cierta clase de delitos por españoles o extranjeros.

Con base en el criterio de territorialidad, se atribuye competencia a los Tribunales españoles para conocer de los delitos cometidos en España o a bordo de aeronaves españolas, sin perjuicio de lo dispuesto en los Tratados internacionales de los que aquélla sea parte (art. 23 LOPJ). Así, tienen especial importancia las excepciones a la jurisdicción de los Tribunales españoles basadas en criterios de inmunidad derivados de normas de Derecho Internacional Público (art. 21.2 LOPJ).

> «El primer motivo del recurso sostiene que se ha vulnerado el derecho al juez predeterminado por la Ley, dado que los hechos habrían ocurrido en aguas territoriales del Reino de Marruecos. El recurrente argumenta sobre la base del principio territorial. El motivo debe ser desestimado. La cuestión planteada se rige por el art. 23.1.º LOPJ. En esta disposición se establece que los delitos cometidos en buque que naveguen bajo bandera española pertenecen a la jurisdicción de los Tribunales españoles. En los hechos probados se ha consignado que la nave en la que tuvieron lugar los hechos era española, es decir, que tenía pabellón español. Consecuentemente, el motivo carece manifiestamente de fundamento». STC 2 de abril de 2002.

Los Convenios de aplicación en esta materia son: Convenio de Viena de 18 de abril de 1961 sobre «relaciones diplomáticas», y de 24 de abril de 1963 sobre «relaciones consulares», que establecen y desarrollan supuestos de inmunidad de Jurisdicción y de ejecución. Se trata de inmunidades que se conceden a los Jefes de Estado y de misiones diplomáticas y consulares que se conceden no en beneficio de las personas, sino con el fin de garantizar el desempeño eficaz de las misiones diplomáticas, que alcanzan a los edificios, archivos, documentos y valija diplomática (arts. 22 ss. del Tratado de 1961). Otras exenciones se derivan de la ratificación de Tratados internacionales relacionadas con organismos como los de la ONU, Consejo de Estado, Parlamento Europeo, miembros del «Intelsat», «Immarsat» o «Eutelsat».

Conforme a las reglas de extraterritorialidad contenidas en el art. 23 LOPJ la competencia de los Tribunales españoles se extenderá al conocimiento de los delitos cometidos fuera del territorio nacional por españoles o extranjeros nacionalizados, siempre que tengan su encaje en alguno de los supuestos descritos en los apartados 2.º a 6.º del citado art. 23.

La Ley contempla en estos preceptos una extraterritorialidad basada en un principio de personalidad en el enjuiciamiento de los delitos cometidos por nacionales o extranjeros nacionalizados españoles fuera del territorio nacional, cuando concurran: a) los requisitos establecidos en el núm. 2 del art. 23 LOPJ (que el hecho sea punible en el lugar de ejecución, se denuncie por el agraviado o Ministerio Fiscal ante los Tribunales españoles y que no haya sido absuelto, indultado o penado en el extranjero); b) por la comisión de determinados delitos agrupados por criterios de protección de intereses nacionales —art. 23.3 LOPJ— (traición, rebelión, sedición, delito contra el titular de la Corona, su consorte, sucesor o el regente, falsificación y expedición de moneda española...); c) de trascendencia universal —art. 23.4 LOPJ— (genocidio, terrorismo, piratería...), con independencia de que fueran cometidos fuera del territorio español por españoles o extranjeros.

«Los hechos que han dado lugar a la solicitud de extradición se enmarcan en el ámbito de la delincuencia internacional de tráfico de drogas, y si bien es cierto que, de acuerdo con el art. 23.4 LOPJ, los Tribunales españoles son competentes para conocer de los hechos cometidos por españoles o extranjeros susceptibles de ser calificados, conforme a la Ley española, de tráfico ilegal de drogas psicotrópicas, tóxicas y estupefacientes, también lo es que el fundamento último de esta norma atributiva de competencia radica en la universalidad de la competencia jurisdiccional de los Estados y de sus órganos para el conocimiento de ciertos hechos sobre cuya persecución y enjuiciamiento tienen interés todos los Estados, de forma que su lógica consecuencia es la concurrencia de competencias, o, dicho de otro modo, de Estados competentes, respecto de las actuaciones indicadas». STC 102/2000 de 10 de abril.

Se denomina Justicia Universal a aquella que tiene por objeto la persecución de delitos que atentan contra los derechos y principios que se consideran de especial importancia y esenciales para la protección de la humanidad en su conjunto. Entre estos se hallan los delitos de genocidio, lesa humanidad, bienes protegidos en caso de conflicto armado, tortura o los delitos de desaparición forzada, que vienen referidos a hechos de especial trascendencia tipificados en los arts. 607 y ss. CP y que tienen la peculiaridad que no prescriben en ningún caso (art. 131.3 CP). En razón de su gravedad se trata delitos que prácticamente todos los países reconocen por su especial y trascendente entidad. Es por ello que se contienen en diversos convenios elaborados en el ámbito de las Naciones Unidas[5]. Sin embargo, los Convenios citados carecen de la necesaria eficacia para perseguir los delitos de esa naturaleza. Ello sin perjuicio de la creación de la creación de la Corte Penal Internacional creada por el Estatuto de Roma de 1998, que tiene por función juzgar esa clase de crímenes. Ahora bien, como la propia regulación de la Corte dispone, se trata de un Tribunal complementario de los Tribunales de los Estados: *«La Corte será una institución permanente, estará facultada para ejercer su jurisdicción sobre personas respecto de los crímenes más graves de trascendencia internacional de conformidad con el presente Estatuto y tendrá carácter complementario de las jurisdicciones penales nacionales»* (art. 1 Estatuto de Roma de 1998). También cabe destacar la creación de los Tribunales penales Internacionales para juzgar los crímenes en la antigua Yugoslavia y Ruanda destinados al fin concreto de juzgar de los delitos cometidos en aquellas partes del mundo sometidas a una situación generalizada de violación de derechos humanos de todos conocida.

De modo que no podemos hablar todavía de una Jurisdicción Internacional, razón por la cual todavía hoy día resultan de importancia las normas procesales de

(5) Entre éstos: la Convención para la Prevención y la Sanción del Delito de Genocidio de 1948; la Convención sobre la imprescriptibilidad de los crímenes de guerra y de los crímenes de lesa humanidad de 1968; la Convención de la ONU contra la Tortura y Otros Tratos o Penas Crueles, Inhumanos o Degradantes de 1984; o, finalmente, la Convención internacional para la protección de todas las personas contra las desapariciones forzadas, hecha en Nueva York el 20 de diciembre de 2006.

185

atribución de jurisdicción extraterritorial en los casos citados de crímenes de lesa humanidad, genocidio, etc. La Ley regulación original de la LOPJ española había permitido la iniciación de distintos procedimientos en esta materia con un resultado práctico dispar, pero que había permitido investigar e incluso juzgar a personas acusadas de esta clase de delitos. Esto era así en tanto que la regulación no establecía más limitación que la existencia de un delito, entre otros, de genocidio, terrorismo o cualquier otro que según los Tratados Internaciones deba ser perseguido por España.

> «No puede dejar de resaltarse, y ello tanto en relación con la resolución de la Audiencia Nacional como con la del Tribunal Supremo, que el art. 23.4 LOPJ otorga, en principio, un alcance muy amplio al principio de justicia universal, puesto que la única limitación expresa que introduce respecto de ella es la de la cosa juzgada; esto es, que el delincuente no haya sido absuelto, indultado o penado en el extranjero. En otras palabras, desde una interpretación apegada al sentido literal del precepto, así como también desde la voluntas legislatoris, es obligado concluir que la Ley Orgánica del Poder Judicial instaura un principio de jurisdicción universal absoluto, es decir, sin sometimiento a criterios restrictivos de corrección o procedibilidad, y sin ordenación jerárquica alguna con respecto al resto de las reglas de atribución competencial, puesto que, a diferencia del resto de criterios, el de justicia universal se configura a partir de la particular naturaleza de los delitos objeto de persecución. Lo acabado de afirmar no implica, ciertamente, que tal haya de ser el único canon de interpretación del precepto, y que su exégesis no pueda venir presidida por ulteriores criterios reguladores que incluso vinieran a restringir su ámbito de aplicación. Ahora bien, en dicha labor exegética, máxime cuando esa restricción conlleva asimismo la de los márgenes del acceso a la jurisdicción, deben tenerse muy presentes los límites que delimitan una interpretación estricta o restrictiva de lo que, como figura inversa a la de la analogía, habría de concebirse ya como una reducción teleológica de la ley, caracterizada por excluir del marco de aplicación del precepto supuestos incardinables de modo indudable en su núcleo semántico». STC 237/2005 de 26 de septiembre.

La situación descrita cambio, sin embargo, con la reforma de 2009 dirigida a limitar el alcance de esta atribución de jurisdicción y a evitar una proliferación de querellas criminales que, en algunos casos, han podido resultar altamente inconvenientes para los intereses del Estado. Así, la LO 1/2009 de 3 de noviembre, complementaria de la Ley de Reforma de la legislación procesal para la implantación de la nueva Oficina Judicial procedió a añadir un nuevo pfo. 4.º al art. 23 en el que se estableció que *sin perjuicio de lo que pudieran disponer los tratados y convenios internacionales suscritos por España, para que puedan conocer los Tribunales españoles de los anteriores delitos deberá quedar acreditado que sus presuntos responsables se encuentran en España o que existen víctimas de nacionalidad española, o constatarse algún vínculo de conexión relevante con España y, en todo caso, que en otro país competente o en el seno de un Tribunal internacional no se ha iniciado procedimiento que suponga una investigación y una persecución efectiva, en su caso, de tales hechos punibles*. En su virtud, la ley exige, a partir de la reforma citada de 2009 un vínculo de conexión relevante entre el asunto y el estado español, lo que, obviamente, ha tenido el efecto de limitar de forma importante la atribución de jurisdicción por parte de los Jueces españoles de la Audiencia Nacional respecto a esta clase de asuntos. Consecuencia que, probablemente, no es negativa al entender, desde nuestro punto de vista que no resulta adecuado que un estado se atribuya jurisdicción para conocer de esta clase de asuntos de los que debería conocer un Tribunal Internacional.

La reforma de esta materia continuó con la LO 1/2014 de 13 de marzo que volvió a modificar el art. 23 LOPJ para mantener los anteriores criterios de conexión del asunto con España y, además introducir otros nuevos criterios, que se repiten farragosa y confusamente en el art. 23.4 LOPJ que relaciona un buen número de conductas delictivas para cuya investigación y enjuiciamiento son competentes los tribunales españoles, siempre que se cumplan los requisitos previstos en la Ley. Las conductas a las que se refiere la Ley son aquéllas de especial gravedad que hemos citado antes para las cuales se justifica la extensión de la jurisdicción nacional aunque los hechos se hubieren cometido fuera del territorio nacional por españoles y/o extranjeros.

En cuanto a la conexión de los delitos citados de *«justicia universal»* con España el art. 23.4.a LOPJ con relación al delito de genocidio establece que serán competentes los tribunales españoles cuando: *«… el procedimiento se dirija contra un español o contra un ciudadano extranjero que resida habitualmente en España, o contra un extranjero que se encontrara en España y cuya extradición hubiera sido denegada por las autoridades españolas».* Como se ve se trata de una concreción del criterio de vinculación del asunto con España centrado en la persona del investigado y/o acusado que deberá ser o bien un español o bien un extranjero que resida habitualmente en España o se halle en España al tiempo de la investigación y/o enjuiciamiento de los hechos. De ese modo se impide la prosecución de delitos de los previstos en la Ley respecto de hechos cometidos por extranjeros que no residan en nuestro país. En este sentido se pronunció la STS 296/2015 de 6 May. 2015, Rec. 1682/2014; Ponente: Conde-Pumpido Tourón, Cándido. LA LEY 56238/2015. Caso «Tibet». En la que considera el TS que no concurren los requisitos legales establecidos en los arts. 23.4 a), b), c) y e) LOPJ, respectivamente; en tanto que ningún querellado es español, ni reside ni se encuentra en España ni se les denegó su extradición por parte de las autoridades nacionales, y tampoco existen víctimas de nacionalidad española en el momento de comisión de los hechos. Este criterio personal de conexión con España se reitera para los otros tipos de delitos de lesa humanidad, tortura, desapariciones forzadas, etc.[6]. De ese modo se ha puesto fin a un buen número de procedimientos

---

(6) Los tipos delictivos que se prevén en el art. 23.5 LOPJ son los siguientes: a) Genocidio, lesa humanidad o contra las personas y bienes protegidos; b) Delitos de tortura y contra la integridad moral de los arts. 174 a 177; c) Delitos de desaparición forzada incluidos en la Convención internacional para la protección de todas las personas contra las desapariciones forzadas, hecha en Nueva York el 20 de diciembre de 2006; d) Delitos de piratería, terrorismo, tráfico ilegal de drogas tóxicas, estupefacientes o sustancias psicotrópicas, trata de seres humanos, contra los derechos de los ciudadanos extranjeros y delitos contra la seguridad de la navegación marítima que se cometan en los espacios marinos, en los supuestos previstos en los tratados ratificados por España o en actos normativos de una Organización Internacional de la que España sea parte; e) Terrorismo; f) Los delitos contenidos en el Convenio para la represión del apoderamiento ilícito de aeronaves; h) Los delitos contenidos en el Convenio sobre la protección física de materiales nucleares hecho en Viena y Nueva York el 3 de marzo de 1980; i) Tráfico ilegal de drogas tóxicas, estupefacientes o sustancias psicotrópicas; j) Delitos de constitución, financiación o integración en grupo u organización criminal o delitos cometidos en el seno de los mismos, siempre que se trate de grupos u organizaciones que actúen con miras a la comisión en España de un delito que esté castigado con

penales en materia de jurisdicción Universal en los que no se cumplía esta regla de conexión. Ahora bien, otros supuestos las reglas de competencia son más amplias para incluir otros criterios de conexión[7]. Por ejemplo en el supuesto de terrorismo (art. 23.5.e) para el cual además de la conexión personal la ley prevé otros criterios de conexión que pueden determinar la competencia de los tribunales españoles[8]. En cualquier caso, no deja de ser cierto que la Ley ha limitado considerablemente el ámbito de actuación de los Tribunales españoles para conocer de esta clase de delito. Desde nuestro punto de vista, y salvo lo que se dirá respecto al modo de iniciación de estos procedimientos, la reforma es correcta en tanto que, más allá, de la innegable necesidad de perseguir los crímenes contra la humanidad, consideramos que se trata de delitos que deben ser juzgados, preferentemente, ya sea en el país en el que tienen lugar o de donde son nacionales sus perpetradores o en Cortes de Justicia Internacional, sin que sea adecuado que un país se arrogue el derecho de convertirse en una suerte de gendarme del mundo. Cuestión distinta es la desestructuración de la norma en la que se incluyen especies distintas de hechos delictivos que se tratan en el mismo artículo (denso y extenso), con una cierta confusión, lo que no contribuye al correcto entendimiento de la norma. Un ejemplo de esa relativa dificultad

---

una pena máxima igual o superior a tres años de prisión; k) Delitos contra la libertad e indemnidad sexual cometidos sobre víctimas menores de edad; l) Delitos regulados en el Convenio del Consejo de Europa de 11 de mayo de 2011 sobre prevención y lucha contra la violencia contra las mujeres y la violencia doméstica; m) Trata de seres humanos; n) Delitos de corrupción entre particulares o en las transacciones económicas internacionales; o) Delitos regulados en el Convenio del Consejo de Europa de 28 de octubre de 2011, sobre falsificación de productos médicos y delitos que supongan una amenaza para la salud pública; p) Cualquier otro delito cuya persecución se imponga con carácter obligatorio por un Tratado vigente para España o por otros actos normativos de una Organización Internacional de la que España sea miembro, en los supuestos y condiciones que se determine en los mismos.

(7)   Como son el terrorismo (23.4.e LOPJ) y la piratería, terrorismo, tráfico ilegal de drogas tóxicas, estupefacientes o sustancias psicotrópicas, trata de seres humanos, contra los derechos de los ciudadanos extranjeros y delitos contra la seguridad de la navegación marítima que se cometan en los espacios marinos (23.4.d LOPJ); delitos contra la libertad e indemnidad sexual cometidos sobre víctimas menores de edad (23.4.k LOPJ); delitos regulados en el Convenio del Consejo de Europa de 11 de mayo de 2011 sobre prevención y lucha contra la violencia contra las mujeres y la violencia doméstica (23.4.l LOPJ); trata de seres humanos (23.4.m LOPJ), delitos de corrupción entre particulares o en las transacciones económicas internacionales (23.4.n LOPJ); delitos regulados en el Convenio del Consejo de Europa de 28 de octubre de 2011, sobre falsificación de productos médicos y delitos que supongan una amenaza para la salud pública (23.4.O LOPJ).

(8)   Art. 23.5.e LOPJ: «e) Terrorismo, siempre que concurra alguno de los siguientes supuestos: 1.º el procedimiento se dirija contra un español; 2.º el procedimiento se dirija contra un extranjero que resida habitualmente o se encuentre en España o, sin reunir esos requisitos, colabore con un español, o con un extranjero que resida o se encuentre en España, para la comisión de un delito de terrorismo; 3.º el delito se haya cometido por cuenta de una persona jurídica con domicilio en España; 4.º la víctima tuviera nacionalidad española en el momento de comisión de los hechos; 5.º el delito haya sido cometido para influir o condicionar de un modo ilícito la actuación de cualquier Autoridad española; 6.º el delito haya sido cometido contra una institución u organismo de la Unión Europea que tenga su sede en España; 7.º el delito haya sido cometido contra un buque o aeronave con pabellón español; o, 8.º el delito se haya cometido contra instalaciones oficiales españolas, incluyendo sus embajadas y consulados. A estos efectos, se entiende por instalación oficial española cualquier instalación permanente o temporal en la que desarrollen sus funciones públicas autoridades o funcionarios públicos españoles».

de entender la norma (y también probablemente de una renuencia de la Audiencia Nacional respecto a la nueva redacción de la Ley) es el supuesto del barco MAYAK que fue incautado por las autoridades policiales considerando la Audiencia Nacional que los tribunales españoles no eran competentes con arreglo a lo previsto en el art. 24.5.I LOPJ que dispone que será competente la Jurisdicción española para conocer de Tráfico ilegal de drogas tóxicas, estupefacientes o sustancias psicotrópicas, siempre que: «... *1.º el procedimiento se dirija contra un español; o, 2.º cuando se trate de la realización de actos de ejecución de uno de estos delitos o de constitución de un grupo u organización criminal con miras a su comisión en territorio español*». Sin embargo, la realidad es que, conforme prevé el art. 24.5.d LOPJ, sí que serán competentes los tribunales españoles para el supuesto en el que el tráfico de drogas se realice en espacios marinos[9]. Ésta es la decisión del Tribunal Supremo que resolvió un aspecto de los distintos que se pueden plantear en esta materia, provocados en parte por la mala redacción de la Ley.

«Por ello, al interpretar los apartados correspondientes a las letras d) e i) del art. 23.4 de la LOPJ observamos que sus principios inspiradores son distintos. La letra d) está basada en la atribución de jurisdicción por medio de los supuestos previstos en los tratados internacionales ratificados por España o en actos normativos de una organización internacional de la que España sea parte, mientras que la letra i) está basada en otros dos principios: el de personalidad (cuando el procedimiento se dirija contra un español) y el de protección, esto es, cuando se trate de la realización de actos de ejecución de uno de estos delitos o de constitución de un grupo u organización criminal *"con miras a su comisión en territorio español"*. Ambos apartados son supuestos distintos y autónomos, y ambos contienen reglas de atribución de jurisdicción a los tribunales españoles .../... De lo expuesto, la aplicación del art. 4.1.b) ii) aparece meridiana, puesto que se trata de un delito cometido a bordo de una nave abordada en aguas internacionales, por lo que la Convención de Viena nos proporciona jurisdicción (en su terminología "competencia") siempre que se cumplan los requisitos del art. 17 de la misma. Este precepto establece que el Estado español es competente para el abordaje, inspección, incautación de sustancias y detención de los tripulantes de cualquier embarcación que enarbole el pabellón de otro Estado, cualquiera que sea el lugar en que se encuentre, siempre que obtenga la autorización del Estado de abanderamiento del barco (art. 17.3 y 4 de la Convención). Esta competencia supone, lógicamente, la del enjuiciamiento de los imputados, salvo que el Estado del pabellón reclame su competencia preferente como prevé la Convención de Ginebra sobre Alta Mar, de 29 de abril de 1958 y la Convención de Montego Bay». STS 24 julio 2014. núm. 592/2014. Recurso casación núm. 1205/2014.

Además de limitarse la competencia de nuestros tribunales para investigar causas en materia de Justicia Universal, la Ley establece una normas de aplicación general a todos los supuestos previstos en el art. 23.5 LOPJ que determinan la terminación de los procedimientos que eventualmente se hubieran iniciado en los siguientes casos:

(9) Art. 23.5.d): «*Delitos de piratería, terrorismo, tráfico ilegal de drogas tóxicas, estupefacientes o sustancias psicotrópicas, trata de seres humanos, contra los derechos de los ciudadanos extranjeros y delitos contra la seguridad de la navegación marítima que se cometan en los espacios marinos, en los supuestos previstos en los tratados ratificados por España o en actos normativos de una Organización Internacional de la que España sea parte*».

«a) Cuando se haya iniciado un procedimiento para su investigación y enjuiciamiento en un Tribunal Internacional constituido conforme a los Tratados y Convenios en que España fuera parte. b) Cuando se haya iniciado un procedimiento para su investigación y enjuiciamiento en el Estado del lugar en que se hubieran cometido los hechos o en el Estado de nacionalidad de la persona a que se impute su comisión, siempre que: 1.º la persona a la que se impute la comisión del hecho no se encontrara en territorio español; o, 2.º se hubiera iniciado un procedimiento para su extradición al país del lugar en que se hubieran cometido los hechos o de cuya nacionalidad fueran las víctimas, o para ponerlo a disposición de un Tribunal Internacional para que fuera juzgado por los mismos, salvo que la extradición no fuera autorizada». Como se ve se trata de supuestos en los cuales se difiere, con algún matiz, la competencia a tribunales o bien internacionales o bien de un país tercero con mayor vinculación con los hechos que nuestros tribunales. De ese modo se introduce el principio de subsidiariedad, por el cual únicamente podrá proseguirse una causa penal por estos hechos cuando el delito no haya sido ya objeto de un pronunciamiento judicial o político en el extranjero, lo que remite al sistema jurídico del Estado en el que se hayan producido los hechos. Se introduce así en nuestro derecho una regla de prioridad tendente a evitar una eventual duplicidad de procesos y la vulneración de la interdicción del principio «*ne bis in idem*», a favor de la jurisdicción del Estado donde el delito fue cometido. Finalmente, a renglón seguido el mismo apartado 5.º del art. 23 LOPJ dispone una reglas de exclusión las normas citadas (incluidas en el art. 23.5 LOPJ) que se refieren a la falta de garantías que el proceso en el país extranjero se va a realizar conforme con los estándares en materia de procedimientos judiciales[10].

Finalmente, la reforma del año 2014 introduce otra modificación de calado, que puede llegar a considerarse como la principal —y novedosa— limitación establecida por la última redacción adoptada en el ámbito de la justicia universal. A saber, la previsión incluida en el apartado 6 del art. 23, que establece de manera literal que «*los delitos a los que se refieren los apartados 3 y 4 solamente serán perseguibles en España previa interposición de querella por el agraviado o por el Ministerio Fiscal*». Ello se traduce en primer término en una exclusión expresa de la acusación popular

---

(10)   Art. 23.5 LOPJ in fine: «Lo dispuesto en este apartado b) no será de aplicación cuando el Estado que ejerza su jurisdicción no esté dispuesto a llevar a cabo la investigación o no pueda realmente hacerlo, y así se valore por la Sala 2.ª del Tribunal Supremo, a la que elevará exposición razonada el Juez o Tribunal. A fin de determinar si hay o no disposición a actuar en un asunto determinado, se examinará, teniendo en cuenta los principios de un proceso con las debidas garantías reconocidos por el Derecho Internacional, si se da una o varias de las siguientes circunstancias, según el caso: **a)** Que el juicio ya haya estado o esté en marcha o que la decisión nacional haya sido adoptada con el propósito de sustraer a la persona de que se trate de su responsabilidad penal. **b)** Que haya habido una demora injustificada en el juicio que, dadas las circunstancias, sea incompatible con la intención de hacer comparecer a la persona de que se trate ante la justicia. **c)** Que el proceso no haya sido o no esté siendo sustanciado de manera independiente o imparcial y haya sido o esté siendo sustanciado de forma en que, dadas las circunstancias, sea incompatible con la intención de hacer comparecer a la persona de que se trate ante la justicia. A fin de determinar la incapacidad para investigar o enjuiciar en un asunto determinado, se examinará si el Estado, debido al colapso total o sustancial de su administración nacional de justicia o al hecho de que carece de ella, no puede hacer comparecer al acusado, no dispone de las pruebas y los testimonios necesarios o no está por otras razones en condiciones de llevar a cabo el juicio».

y, en segundo lugar, en una exclusión de la posibilidad de que la víctima incoe el procedimiento a través del planteamiento de una denuncia. Con relación al primero de los términos mencionados, hay que decir que el planteamiento de una reforma de estas características genera serias dudas en torno a su eventual carácter constitucional, sobre todo si tenemos en cuenta el reconocimiento que el art. 125 de la Constitución efectúa con relación a la posibilidad de ejercicio de la acción popular por parte de los ciudadanos españoles. Precepto que establece literalmente que *«los ciudadanos podrán ejercer la acción popular y participar en la Administración de Justicia mediante la institución del Jurado, en la forma y con respecto a aquellos procesos penales que la ley determine, así como en los Tribunales consuetudinarios y tradicionales».* Aunque a primera vista pudiera parecer que el precepto establece la posibilidad de matizar el ejercicio de la acción popular por vía legislativa, lo cierto es que una interpretación adecuada del mismo debe conducir a una admisión sin matices —ni limitaciones— de tal ejercicio. Sin considerar aplicable a la acción popular la expresión legal referida a «la forma y con respecto a aquellos procesos penales que la ley determine». Así lo manifiesta —a nuestro entender con acierto— ENRIQUE GIMBERNAT, quien subraya que «la frase que en el art. 125 se refiere conjuntamente —estableciendo restricciones de forma y procesales— al jurado y a los tribunales consuetudinarios y tradicionales rige únicamente para la participación de los ciudadanos en la Administración de Justicia, y no es aplicable, en cambio, a la acción popular». Conclusión que alcanza tras un examen exhaustivo del precepto y del trámite de elaboración de la norma legal (*Cerco a la acción popular.* Diario del Derecho, 09.01.2008).

Sobre la base de tal enunciado legal, el Tribunal Constitucional, aun concibiéndolo como un derecho de configuración legal, considera que esta *última «ha de ejercerse con sometimiento al ordenamiento constitucional, lo que impide no sólo exclusiones procesales arbitrarias, sino incluso aquellas otras que, por su relevancia o extensión, pudieran hacer irreconocible el propio derecho de acceso al proceso»* (STC 67/2011 de 16 de mayo de 2011). Lo cual conduce a valorar necesariamente la existencia o no de una causa que justifique la exclusión de la acusación popular, así como el hecho de que tal exclusión determine una eliminación del derecho de acceso al proceso. Elementos ambos sobre los que deberá pronunciarse el propio Tribunal Constitucional en el marco de los recursos de inconstitucionalidad planteados frente a la reforma legal establecida. En este sentido, el Tribunal Constitucional admitió a trámite en el mes de julio del año 2014 un recurso de inconstitucionalidad presentado por el Grupo Parlamentario Socialista contra la LO 1/2014; recurso en el que —entre otras cosas— se establece que «en delitos como el genocidio, el terrorismo, la piratería, la prostitución y corrupción de menores e incapaces, el tráfico ilegal de drogas o la trata de personas, el Ministerio Fiscal agotaría el interés público en la persecución del delito y no sería posible proceder a la apertura del juicio a instancia de un acusador popular, cuando el Ministerio fiscal no los persiga. La reforma pretende, por lo tanto, garantizar el control por parte del Ministerio público del desarrollo del proceso, monopolizando el ejercicio de la acusación, e impidiendo que para este tipo de delitos pueda existir un interés público distinto del defendido por el Ministerio Fiscal, en ejercicio de la política criminal del Gobierno». Además, al margen de cuestionar la constitucionalidad de la previsión establecida con relación a la acción popular, el recurso considera que la LO 1/2014 atenta directamente contra el derecho fundamental a la tutela judicial efectiva (art. 24 CE), contra principios constitucionales como los de seguridad jurídica e interdicción de la arbitrariedad de los poderes públicos (art. 9.3 CE), contra el principio de exclusividad de la potestad jurisdiccional (art. 117 CE), contra el principio de igualdad (art. 14 CE) y porque vulnera el derecho internacional (art. 10.2 CE) y convenios internacionales ratificados por España, pretendiendo así su inaplicación sin haber utilizado el procedimiento constitucionalmente previsto para ello (art. 96 CE).

Por otra parte, y con relación a la imposibilidad de plantear denuncia y a la exigencia de querella, no se alcanza a comprender las razones que han podido llevar al legislador a excluir lo que no constituye sino un medio para poner en conocimiento de la autoridad —judicial, fiscal o policial— la eventual perpetración de un delito. Sobre todo porque tal medio resulta —si se nos permite la expresión— «inofensivo» si lo ponemos en relación con la querella y el ejercicio de la acción penal que esta última lleva aparejada. Además, a ello debe sumarse que en el caso de los delitos previstos en el art. 23 de la LOPJ no concurren de ninguna manera los motivos que justifican la persecución exclusivamente privada de los delitos, asociados a una escasa incidencia en el orden social.

No hemos querido dejar de anotar, ya como punto final, algunos de los hitos que han marcado la evidente tensión entre distintos tribunales en España a propósito de la denominada jurisdicción universal. Tensión que es evidente que las reformas legales de 2009 y 2014 no han podido eliminar. De hecho en la actualidad se hallan pendientes de resolución por el Tribunal Constitucional distintos recursos en esta materia, que evidencia la continuidad de la tensión entre la Audiencia Nacional y el Tribunal Constitucional por un lado y el Tribunal Supremo por otro. La postura de la Audiencia Nacional ha sido claramente favorable a la interpretación amplia de la justicia universal. En cuanto al Tribunal Supremo se opuso inicialmente a una aplicación extensiva del principio de jurisdicción universal con base, entre otros argumentos, que: *«sólo cuando viniera expresamente autorizado en el Derecho convencional el recurso a la jurisdicción universal unilateral, resultaría ésta legítima y aplicable en virtud tanto del art. 96 CE como del art. 27 del Convenio sobre el Derecho de los tratados, según el cual lo acordado en los tratados internacionales no puede ser incumplido por la legislación interna de cada Estado».* (STS 25 de febrero de 2003, La Ley 1215/2003) (Querella contra dirigentes de Guatemala). En consecuencia, el TS acogió un criterio restrictivo de la extensión de la jurisdicción española, sin perjuicio de su procedencia cuando existieran determinados «vínculos de conexión», como que el presunto autor del delito se halle en territorio español, que las víctimas fuesen de nacionalidad española o bien que existiera otro punto de conexión directo con intereses nacionales. Interpretación combatida por el TC en la profusa STC 237/2005 de 26 de septiembre en la que el TC, tras rechazar los argumentos del TS, adoptó una interpretación absolutamente extensiva del art. 23.4 LOPJ y, en consecuencia, de la denominada jurisdicción universal[11]. Criterio extensivo en el que se despreciaba la

---

(11) «Tan restrictiva asunción de la competencia jurisdiccional internacional de los Tribunales españoles establecida en el art. 23.4 LOPJ conlleva una vulneración del derecho a acceder a la

utilización de los Instrumentos Internacionales al fin de perseguir esta clase de delitos. Concretamente el asunto por el denunciado genocidio en Guatemala al que se refería la STC 237/2005, el Derecho Internacional, que se concreta en el Convenio sobre Genocidio y el Estatuto de Roma de 1998, establece normas precisas, de las que se puede deducir que la jurisdicción universal reside, en su caso, en la Corte penal Internacional y no en los tribunales nacionales de los Estados parte. Así pareció entenderlo el TS en su STS de 20 de junio de 2006, en la que conoció del recurso interpuesto frente a la decisión de la AN de no admitir la querella contra determinados dirigentes chinos por genocidio y torturas[12]. Aunque, extrañamente, el TS (en la STS 20 de junio de 2006 citada a nota) acaba declarando la admisión de la querella, aparentemente, en contradicción con su propio criterio.

Pero ha sido el Tribunal Constitucional el que se ha venido pronunciado en favor de una interpretación extensiva de la denominada jurisdicción universal, criterio ratificado en la STC 227/2007 de 22 de octubre en la que confirmó punto por punto, todas las consideraciones contenidas en la anterior STC 237/2005[13]. En la citada

jurisdicción reconocido en el art. 24.1 CE como expresión primera del derecho a la tutela efectiva de Jueces y Tribunales .../... con ello se frustra la propia finalidad de la jurisdicción universal consagrada en el art. 23.4 LOPJ y en el Convenio sobre genocidio, por cuanto sería precisamente la inactividad judicial del Estado donde tuvieron lugar los hechos, no dando respuesta a la interposición de una denuncia e impidiendo con ello la prueba exigida por la Audiencia Nacional, la que bloquearía la jurisdicción internacional de un tercer Estado y abocaría a la impunidad del genocidio. En suma, tan rigorista restricción de la jurisdicción universal, en franca contradicción con la regla hermenéutica pro actione». STC 237/2005 de 26 de septiembre (Querella contra dirigentes de Guatemala).

(12) «Esta conclusión se ve además subrayada por el art. 8 del Convenio, que establece que "toda parte contratante puede recurrir a los órganos competentes de las Naciones Unidas, a fin de que estos tomen, conforme a la Carta de las Naciones Unidas, las medidas que juzguen apropiadas para la prevención y la represión de actos de genocidio o de cualquiera de los otros actos enumerados en el art. 3". Es de suponer que, si el Convenio estuviera animado por el espíritu del principio de la jurisdicción universal hubiera establecido que cada Parte contratante quedaba autorizada a ejercer su propia jurisdicción o, por lo menos, no hubiera impuesto la obligación de acudir a la Naciones Unidas. Por lo demás el art. I del Convenio sólo obliga a los Estados que lo suscriben a sancionar el delito de genocidio en su propio territorio, pero no les impone adoptar en sus legislaciones el principio de la justicia universal .../... En conclusión, parece claro que nada está más alejado del pensamiento jurídico internacional que la idea de un principio absoluto de la jurisdicción universal, que la STC 237/2005 (LA LEY 1822/2005) ha establecido. Por el contrario, los conceptos expuestos por la sentencia del Tribunal Supremo, tanto por la mayoría del Tribunal como por los Magistrados que suscribieron el voto particular, reflejan rigurosamente las cuestiones actuales de la aplicación del principio de la justicia universal, reconocidos por otros Estados de la Unión Europea, que han tenido ocasión de pronunciarse al respecto». STS 20 de junio de 2006, LA LEY 63017/2006 (Querella por genocidio y torturas contra dirigentes de China).

(13) «a) Con carácter general dijimos en nuestra citada Sentencia, previamente a proceder al análisis de aquellos vínculos o elementos de conexión, que "el art. 23.4 LOPJ otorga, en principio, un alcance muy amplio al principio de justicia universal, puesto que la única limitación expresa que introduce respecto de ella es la de la cosa juzgada; esto es, que el delincuente no haya sido absuelto, indultado o penado en el extranjero. En otras palabras, desde una interpretación apegada al sentido literal del precepto, así como también desde la voluntas legislatoris, es obligado concluir que la Ley Orgánica del Poder Judicial instaura un principio de jurisdicción universal absoluto, es decir, sin sometimiento a criterios correctivos de corrección o procedibilidad, y sin ordenación jerárquica alguna con respecto al resto de las reglas de atribución competencial, puesto que, a dife-

sentencia el TC rechazó además, expresamente, las dos objeciones sobre las que más incidencia había hecho el TS en su STS de 20 de junio de 2006: la necesidad de que el sospechoso se hallase al alcance de nuestros tribunales para celebrar el eventual juicio y el cumplimiento de la pena y la existencia de conexión con intereses españoles. Sobre este particular el TC declaró que: 1) No es preciso que el presunto responsable de los delitos denunciados se halle en territorio español, puesto que el problema de la imposibilidad de sustanciarse juicios en ausencia puede suplirse con la petición de extradición al Estado donde se halle el imputado. 2) No es precisa la existencia de elementos de conexión como el de personalidad u otros s intereses españoles relevantes[14]. En cualquier caso, la aparente firmeza de la doctrina del TC no podía enmascarar los evidentes problemas que plantea el desbordamiento legal de este criterio de competencia extraterritorial fundado en la interpretación completamente abierta de su ámbito de aplicación. Problemas en primer lugar de carácter simplemente material, ya que con la anterior regulación se estaba produciendo un imparable aumento de las querellas fundadas en multitud de hechos que, conforme con la doctrina expuesta, podían tener cabida en este marco extraordinario de competencia. Por ejemplo, el Auto de 29 de enero de 2009 del Juzgado Central de Instrucción núm. 4 de la Audiencia Nacional por el que se admitió la querella presentada por determinadas personas frente al Ex Ministro de Defensa de Israel y otros Militares del más alto rango con base en la muerte de determinadas personas sucedida en una acción militar. Y, en segundo lugar, de carácter estrictamente jurídico que se producen ante la insólita mezcolanza de normas y criterios legales utilizados por el TC, y también en parte por el TS, sin atender a los Tratados de Derecho Internacional firmados por España que establecen normas propias sobre estas materias. Normas de los tratados que sirven para justificar la extensión de la Jurisdicción Universal y que,

---

rencia del resto de criterios, el de justicia universal se configura a partir de la particular naturaleza de los delitos objeto de persecución. Lo acabado de afirmar no implica, ciertamente, que tal haya de ser el único canon de interpretación del precepto, y que su exégesis no pueda venir presidida por ulteriores criterios reguladores que incluso vinieran a restringir su ámbito de aplicación. Ahora bien, en dicha labor exegética, máxime cuando esta restricción conlleva asimismo la de los márgenes del acceso a la jurisdicción, deben tenerse muy presentes los límites que delimitan una interpretación estricta o restrictiva de lo que, como figura inversa a la analogía, habría de concebirse ya como una reducción teleológica de la ley, caracterizada por excluir del marco de aplicación del precepto supuestos incardinables de modo indudable en su núcleo sistemático. Desde el prisma del derecho de acceso a la jurisdicción tal reducción teleológica se alejaría del principio hermenéutico pro actione y conduciría a una aplicación del Derecho rigorista y desproporcionada contraria al principio consagrado en el art. 24.1 CE" (FJ 3)». STC 227/2007 de 22 de octubre. (Asunto Secta Falun Gong Vs. China).

(14) «La cuestión determinante es que el sometimiento de la competencia para enjuiciar crímenes internacionales como el genocidio o el terrorismo a la concurrencia de intereses nacionales, en los términos planteados por la Sentencia, no resulta cabalmente conciliable con el fundamento de la jurisdicción universal. La persecución internacional y transfronteriza que pretende imponer el principio de justicia universal se basa exclusivamente en las particulares características de los delitos sometidos a ella, cuya lesividad (paradigmáticamente en el caso del genocidio) trasciende de las concretas víctimas y alcanza a la comunidad internacional en su conjunto. Consecuentemente su persecución y sanción constituyen, no sólo un compromiso, sino también un interés compartido de todos los Estados (según tuvimos ocasión de afirmar en la STC 87/2000, de 27 de marzo, FJ 4), cuya legitimidad, en consecuencia, no depende de ulteriores intereses particulares de cada uno de ellos». STC 227/2007 de 22 de octubre. (Asunto Secta Falun Gong Vs. China).

sin embargo, no se respetan. Efectivamente, tanto el Convenio para la prevención del Genocidio de 1948 como el Estatuto de Roma de la Corte Penal Internacional de 17 de julio de 1998, prevén mecanismos para perseguir los delitos de genocidio, crímenes de guerra y de lesa humanidad. Así el art. VI El Convenio para la prevención del Genocidio de 1948, dispone que: «*Las personas acusadas de genocidio o de uno cualquiera de los actos enumerados en el artículo III serán juzgadas por un Tribunal competente del Estado en cuyo territorio el acto fue cometido, o ante la corte penal internacional que sea competente respecto a aquellas de las Partes Contratantes que hayan reconocido su jurisdicción*». Y el art. 14 del Estatuto de Roma de 1998, dispone que: «*1. Todo Estado Parte podrá remitir al fiscal una situación en que parezca haber cometido uno o varios crímenes de la competencia de la Corte y pedir al fiscal que investigue la situación a los fines de determinar si ha de acusar de la comisión de tales crímenes a una o varias personas determinadas*» y el art. 15 que: «*El fiscal (de la Corte) podrá iniciar de oficio una investigación sobre la base de información acerca de un crimen de la competencia de la Corte*». Expuesto lo anterior, resultaba difícil justificar el exceso competencial de nuestros tribunales, máxime cuando ello supone sustraer la competencia de la Corte Penal Internacional expresamente creada para la persecución de esta clase de hechos que por su naturaleza requieren de un Tribunal Internacional. La situación resulta insólita cuando se advierte que tanto los querellantes, en esta clase de procedimientos, como el TC admiten su expresa intención de soslayar los Instrumentos internacionales específicos en la previsión de que éstos no van a ser eficaces[15]. Presunción insólita e inasumible en derecho que el TC acogió, sin embargo, sin mayores reservas[16]. Sin embargo, aún quedan distintos asuntos en esta materia sobre los que debe pronunciarse el TC, por ejemplo la causa por el presunto genocidio del Tibet que se ha citado anteriormente. Asunto archivado por el Tribunal Supremo que fue recurrido en amparo, demanda que se admitió por el TC con fecha de diciembre de 2016. Se trata de un asunto pendiente de resolución que, probablemente, nos depare alguna sorpresa.

---

(15) «Al propio tiempo destacan (los querellantes), en los términos que quedan reflejados en el antecedente 4 b), la imposibilidad de enjuiciamiento de los delitos denunciados por la Corte Penal Internacional, ya que China no ha ratificado el Estatuto de Roma, por lo que no reconoce la competencia de la Corte Penal Internacional, y es además miembro del Consejo de Seguridad de las Naciones Unidas, por lo que dispone de derecho de veto de cualquier resolución que pudiera dictarse para su remisión al Fiscal de la Corte Penal Internacional, de ahí que la única vía procesal a disposición de las víctimas de los delitos sea la aplicación del principio de jurisdicción universal». STC 227/2007 de 22 de octubre. Antecedentes. (Asunto Secta Falun Gong Vs. China).

(16) «Debe empezarse afirmando la corrección del planteamiento de los recurrentes respecto a la imposibilidad de acceso a la Corte Penal Internacional por las razones que indican, lo que en consecuencia no deja otra salida, como sostienen, para el posible enjuiciamiento de los delitos denunciados que la que han elegido, situando así la clave de la decisión en el alcance del art. 23.4 LOPJ en relación con el derecho de acceso a la jurisdicción, que es precisamente la cuestión decidida en nuestra STC 237/2005. En ella este Tribunal, por las razones que se transcribirán a continuación, ha declarado que la exigencia de vínculos o elementos de conexión para la entrada en juego de la regla jurisdiccional del art. 23.4 LOPJ, expresada en la Sentencia de la Sala de lo Penal del Tribunal Supremo de 25 de febrero de 2003 es contraria al derecho a la tutela judicial efectiva, en su vertiente de derecho de acceso al proceso (art. 24.1 CE)». STC 227/2007 de 22 de octubre. (Asunto Secta Falun Gong Vs. China).

B)   *La Jurisdicción por razón de la materia*

Fijada la competencia de los Tribunales españoles, debe determinarse cual sea el orden jurisdiccional competente dentro de los cuatro en que se encuentra dividida la jurisdicción ordinaria. Respecto a este criterio el art. 9.3 LOPJ dispone que los tribunales del orden jurisdiccional penal tendrán atribuido el conocimiento de las causas y juicios criminales, con excepción de los que correspondan a la jurisdicción militar. En el mismo sentido, se pronuncia el art. 10 LECrim. Estos juicios criminales son los seguidos para la persecución de los actos punibles que constituyan delito según lo previsto en la Ley (arts. 25 CE, 1 CP, 1 LECrim.).

Como es sabido unos mismos hechos pueden originar una responsabilidad de distinta naturaleza. Concretamente, toda persona responsable de unos hechos que constituyan delito lo es también civilmente si del hecho se derivaren daños y perjuicios (art. 116 CP). Respecto a la responsabilidad civil los Jueces penales tendrán competencia exclusiva para conocer no sólo de los hechos castigados por la Ley como delitos, sino también de la acción civil derivada del delito (vid. § 3.1, Capítulo II), así como, por regla general, la competencia de los Tribunales encargados del enjuiciamiento criminal se extiende a resolver, para el sólo efecto de la represión, las cuestiones civiles y administrativas prejudiciales propuestas (vid. § 5, Capítulo II)[17].

La jurisdicción penal será preferente de tal modo que no podrá suscitarse un conflicto o cuestión de competencia, ya que según dispone el art. 44 LOPJ ningún Juez o Tribunal pueda plantear «conflicto de competencia» a los órganos del orden jurisdiccional penal.

C)   *Conflictos de jurisdicción*

Determinada la naturaleza delictiva de una determinada conducta, puede plantearse el problema referente a si el asunto pertenece a la jurisdicción ordinaria o a la especial (militar). A este efecto son de aplicación las siguientes reglas o principios:

1.º El conocimiento de las causas y juicios criminales corresponde a la jurisdicción ordinaria, reduciéndose la militar lo estrictamente castrense y a los supuestos de estado de sitio conforme lo dispuesto por los arts. 117.5 CE, 3.2 LOPJ y 12 y ss. de la LO 487, de 15 de julio, de competencia y organización de la jurisdicción militar[18].

---

(17)   «... la LECrim. sólo regula expresamente las cuestiones prejudiciales civiles y administrativas respecto de una causa penal, pero no contempla ni regula los supuestos, como el planteado de prejudicialidad penal respecto de otra causa penal... para ello el Tribunal penal se atemperará, respectivamente, a las reglas de Derecho civil o administrativo en las cuestiones prejudiciales que deba resolver (art. 7 LECrim.)... y los órganos jurisdiccionales penales han examinado las pruebas practicadas en el juicio relativo a la validez de la póliza de seguro y con base en dicho resultado (han fallado)... en ese sentido... la queja de la indefensión es meramente aparente y formal...». (STC 176/1991, de 19 septiembre).

(18)   Así, es competencia de la jurisdicción militar: La negativa a realizar el servicio militar por ser testigo de Jehová, posteriormente a la incorporación a filas (SS 23 junio y 15 diciembre 1993), resistencia a centinela militar (S 14 diciembre 1993), lesiones graves producidas en marcha militar por un «golpe de calor» no atendido por mandos militares (S 5 julio 1994) o los daños en vehículo militar producidos por un soldado (S 15 diciembre 1994). Y es competencia de la jurisdicción ordinaria: Los supuestos de amenazas y agresión a fuerza armada castigada en el CP (S 19 diciem-

«El art. 117.5 CE limita expresamente el ejercicio de la jurisdicción militar, regulado por la Ley al "ámbito estrictamente castrense y en los supuestos de estados de sitio", lo que impone una consideración forzosamente restrictiva del alcance de esa jurisdicción a los supuestos previstos constitucionalmente». (STC 93/1986, de 7 julio) (Vid. SSTC 111/1984, de 28 noviembre; 105/1985, de 7 octubre, y 194/1989, de 16 noviembre).

2.º Será competente la jurisdicción militar únicamente en el denominado ámbito estrictamente castrense o militar, que se conforma por aquellas conductas tipificadas en el Código Penal Militar que producen la lesión de bienes jurídicos de naturaleza militar (vid. art. 20 CJM)[19]. Además, debe distinguirse según se trate de tiempo de paz durante el que se extiende su competencia a cualquier clase de delito en el supuesto de tropas desplazadas fuera del territorio militar; y tiempo de guerra para el que se fija un ámbito más amplio (vid. arts. 12 y 13 de la LO 4/1987, de 15 de julio, de competencia y organización de la jurisdicción militar.

«... Lo estrictamente castrense sólo puede ser aplicado a los delitos exclusiva y estrictamente militares, tanto por su directa conexión con los objetos, tareas y fines propios de las Fuerzas Armadas; es decir, los que hacen referencia a la organización bélica del Estado, indispensable para las exigencias defensivas de la Comunidad como bien constitucional (STC 160/1987) como por la necesidad de una vía judicial específica para su conocimiento y eventual represión, habiendo de quedar fuera del ámbito de la justicia militar todas las restantes conductas delictuales... (es decir) para que puedan ser calificados como de estrictamente castrense, ha de ponerse en necesaria conexión con la naturaleza del delito cometido, con el bien jurídico o los intereses protegidos por la norma penal, que han de ser estrictamente militares, en función de los fines que constitucionalmente corresponden a las Fuerzas Armadas y de los medios puestos a su disposición para cumplir esa misión (arts. 8 y 30 CE), con el carácter militar de las obligaciones o deberes cuyo incumplimiento se tipifica como delito y, en general, con el sujeto activo del delito sea considerado... militar...». (STC 60/1991, de 14 marzo).

3.º Por lo tanto, la jurisdicción ordinaria prevalece frente a la militar, conforme lo dispuesto en los arts. 9.3 LOPJ y 10 LECrim., sin posibilidad de interpretaciones extensivas por vía de conexidad o analogía.

---

bre 1990), la insumisión con anterioridad a su incorporación a filas (SS 14 y 15 diciembre 1993), lesiones y daños producidos en accidente de circulación por vehículo militar (S 17 marzo 1994), delito de insulto a superior y detención ilegal por guardia civil eventual (S 19 diciembre 1994).

(19)   Se incluye en este régimen militar a la Guardia Civil, tal y como ha declarado reiteradamente el TC: «no es inconstitucional aplicar el régimen disciplinario militar a la Guardia Civil, tras un razonamiento en el que, en primer lugar, se ha de analizar si es conforme con la Constitución atribuir a determinados órganos de la jurisdicción militar la competencia para conocer de las reclamaciones por vulneración de derechos fundamentales en el ámbito castrense y, concretamente en la materia disciplinaria militar, con lo que ello supone de atribución de la tutela judicial prevista en el art. 53.2 CE. Si la respuesta a esta primera cuestión es afirmativa, habrá de pasarse a determinar si los casos que están en el origen de estos recursos de amparo, unas sanciones disciplinarias a miembros de la Guardia Civil, se encuentran incluidos dentro de ese ámbito estrictamente castrense, único en el que nuestra Constitución permite el desenvolvimiento de la jurisdicción militar, evitando cualquier posibilidad de hipertrofia de la misma (STC 60/1991)». STC 161/1995 de 7 de noviembre.

«La especificidad y prevalencia del tipo penal ordinario aleja cualquier posibilidad de aplicar técnicas de especialidad, alternatividad o absorción por preceptos sustantivos contenidos en el Código Penal Militar, ya que con ello se produciría la sustracción a la jurisdicción ordinaria del conocimiento de hechos tipificados en el Código Penal común que extiende su prioritaria aplicación también a las personas que tengan la condición de militar, salvo cuando los hechos enjuiciados afecten al buen orden y régimen de funcionamiento de los Ejércitos o a la disciplina castrense... No tienen cabida en nuestro sistema constitucional los criterios anteriores que determinaban la competencia de la jurisdicción militar en función de la persona, del lugar o de la naturaleza del hecho... manteniendo la especialidad de la jurisdicción militar en el ámbito estrictamente castrense y en los supuestos de estado de sitio, con sometimiento, en todo caso, a los principios constitucionales conforme al art. 117.5 CE» (S 19 diciembre 1990 de la Sala de Conflictos Jurisdiccionales). STS Sala Conflictos de Jurisdicción 2/2014 de 4 Dic. 2014, Rec. 2/2014; Ponente: Pignatelli Meca, Fernando. LA LEY 176004/2014.

Aunque, la jurisprudencia del TS y de la Sala de conflictos ha determinado el carácter permanente de la relación de jerarquía establecida en las normas militares. De ese modo las disputas que se produzcan entre militares, aunque sean ajenas al servicio y funciones militares, se sustanciarán por los órganos de la jurisdicción militar. Ahora bien, teniendo en cuenta que quedará excluida la jurisdicción militar en el caso que exista relación de parentesco entre ambos militares y la disputa se haya producido en un marco personal ajeno a la relación militar.

«Reiterada jurisprudencia de la Sala V del Tribunal Supremo ha declarado el carácter permanente de la relación jerárquica en el marco castrense, que no desaparece cuando los hechos entre personal militar se producen en ocasión no relacionada con el servicio que cumplen, constituyendo esa relación una situación objetiva jerárquica que no se desvirtúa en cualquiera de las relaciones que entre ellos mantengan y en particular en caso de una disputa privada (SS 11 Jun. 1993, 23 May. y 20 Sep. 1994, 4 Nov. 1998 y 28 Oct. 1999 (LA LEY 149105/1999)). A ello hemos de añadir que en idéntico sentido se ha pronunciado esa Sala Especial de Conflictos Jurisdiccionales pudiendo citarse al respecto las SS 6 May. 1991, 28 Mar. 1994 y 30 Mar. 1999 .../... De este modo, entendemos que deben ser enjuiciadas por la jurisdicción penal ordinaria aquellas agresiones causadas por un subordinado a un superior cuando, mediando entre ellos una relación de parentesco, del conjunto de las circunstancias se deduzca que se ha producido en el seno de una relación totalmente ajena al carácter militar de ambos, al no quedar afectada la disciplina, que es el bien jurídico que se quiere proteger primordialmente en el delito de insulto a superior del art. 99.3 del Código Penal Militar». STS Sala de Conflictos de Jurisdicción, Sentencia 1/2001 de 29 Oct. 2001, Rec. 1/2001; Ponente: García-Calvo y Montiel, Roberto. LA LEY 2852/2002.

4.º De otro modo podría quedar afectado el derecho al juez ordinario predeterminado por la ley que garantiza, entre otras cuestiones, que no se atribuya un asunto determinado a una jurisdicción especial y no a la ordinaria.

«La jurisdicción militar que, por mandato constitucional y bajo el principio de unidad de jurisdicción, conoce de un ámbito objetivo diferente del que es propio de los demás órganos integrantes del Poder Judicial (SSTC 60/1991 y 113/1995) no puede extender su cognición más allá del "ámbito estrictamente castrense" a que se refiere el art. 117.5 CE, por lo que —como se declaró en la STC 111/1984 (fundamento jurídico 3.º)— la transgresión de las reglas definidoras de ese orden jurisdiccional, tanto en su formulación como en su indebida aplicación o interpretación, puede, en ocasiones, conducir a una vulneración del derecho al Juez legal que garantiza el art. 24.2 CE». STC 177/1996 de 11 de noviembre.

Para el supuesto que se plantease conflicto sobre estas cuestiones la LOPJ regula los denominados conflictos de jurisdicción —arts. 38 a 41— con la finalidad de solventar los conflictos que puedan producirse entre los Juzgados o Tribunales de cualquier orden jurisdiccional, y los órganos judiciales militares[20]. El tratamiento procesal está contenido en los arts. 22 y ss. de la Ley Orgánica 2/1987, de 18 de mayo, sobre conflictos jurisdiccionales, y corresponde dilucidar la jurisdicción competente a la Sala de Conflictos especialmente designada a este efecto por el art. 39 LOPJ, a la que se remitirán las actuaciones o un testimonio de éstas para su resolución. No cabe recurso alguno frente a la resolución de la Sala en la que se decida el conflicto jurisdiccional planteado, pero sí en su caso recurso de amparo, aunque continúe el procedimiento en la jurisdicción designada.

«Frente a las Sentencias de la Sala de Conflictos, no cabe recurso judicial alguno, así como su carácter vinculante frente a los órganos judiciales, tanto ordinarios como militares, en lo que constituye su ámbito propio de conocimiento, es decir, la determinación de cuál sea el órgano competente, estándoles vedado entrar a resolver cuestiones ajenas al conflicto jurisdiccional planteado (art. 17 LOCJ). Por consiguiente, la cuestión de la competencia debe entenderse definitivamente resuelta de ahí que, frente a estas Sentencias, y tal como señala expresamente el art. 20 LOCJ, el único recurso que proceda sea el de amparo constitucional, lo que, por otra parte, es congruente con la propia naturaleza y firmeza de la infracción denunciada...». STC 161/1995 de 7 de noviembre.

También puede producirse un conflicto de jurisdicción entre los Tribunales del orden penal y la Administración que se resolverán por el órgano colegiado al que se refiere el art. 38 LOPJ. Aunque, en realidad (Véanse SS Tribunal de Conflictos 21 de marzo de 1994; 17 de marzo de 1999).

D) La competencia objetiva, funcional y territorial

Las normas de competencia atañen al derecho fundamental a ser juzgado por un Juez ordinario predeterminado por la Ley (art. 24 CE) (Véase § 2.2.B.a.2 Capítulo I). Precisamente, la salvaguarda de este derecho queda refrendada por el deber que

---

(20)   En relación con la jurisdicción militar, vid. FORASTER SERRA, «La nueva regulación de la jurisdicción militar», en *RJCat.*, 1989, n.º 1, p. 71; Idem, «La organización de la Justicia militar en España» *RGD*, 1990; JIMÉNEZ VILLAREJO, *Potestad disciplinaria militar y control jurisdiccional*, 1991; PARADA VÁZQUEZ, «Réquiem por la justicia militar», en «La Protección jurídica del ciudadano», en *Estudios en homenaje del Profesor González Pérez*, Madrid, 1993; PÉREZ-CABEZOS Y GALLEGO, *Derecho Procesal penal y militar*, Madrid, 1994; RAMÍREZ SINEIRO, «Consideraciones acerca de la constitucionalidad de la estructura orgánica de la Jurisdicción Militar, con arreglo a la doctrina del Tribunal Europeo de Derechos Humanos», en *RGD*, 1992, n.º 574/575; Idem, «La estructura orgánica de la jurisdicción militar: consideraciones acerca de su constitucionalidad con arreglo a la doctrina del Tribunal Europeo de Derechos Humanos», en *PJ*, marzo 1994; ROJAS CARO, *Derecho procesal penal militar*, 1.ª ed., 1991.

tiene el Juez, determinado con carácter general en las leyes procesales, de conocer de un determinado asunto con exclusión de todos los demás. Así lo recoge también el art. 9.3 LOPJ[21].

> «... juez predeterminado que implica a su vez, en el lenguaje internacional, la existencia de "un Tribunal independiente e imparcial establecido por la Ley" (art. 6 del Convenio de Roma) cualidades a las cuales se añade que sea "competente" [Pacto de Nueva York de 1966 sobre derechos civiles y políticos (art. 14)], exigencia constitucional cuya eficacia se despliega en todos y cada uno de los sectores jurisdiccionales. Pues bien, dentro del perímetro de tal derecho fundamental y, a la vez, principio cardinal de la organización judicial, se encuentran las reglas que, en la Ley Orgánica correspondiente y sólo en ella, a la cual se reserva esta materia constitucionalmente, configuran esa predeterminación del juez, en cuya virtud su existencia ha de ser anterior a la iniciación del proceso en cuestión, oponiéndose a la figura del Juez "ad hoc", establecido "ex post facto"». STC 35/2000 de 14 de febrero.

Atribuido un asunto a la jurisdicción penal, según las reglas expuestas, las normas de competencia, en general, determinan cuál sea el órgano jurisdiccional que deba conocer del conocimiento y fallo del juicio en sus distintas fases. Estas normas, de carácter improrrogable, fijan la competencia objetiva, funcional y territorial para cada asunto o trámite procesal concreto determinando a qué órgano jurisdiccional le corresponde conocer del mismo (art.º 8 LECrim.).

La competencia objetiva (vid. § 2, del presente Capítulo) determina qué órgano jurisdiccional deberá conocer de cada uno de los procedimientos previstos en la ley. La competencia territorial (vid. § 4 del presente Capítulo) establece, una vez conocido el grado del órgano competente, cual conocerá, dentro de aquéllos del mismo grado. La competencia funcional (vid. § 3 del presente Capítulo) servirá para señalar qué órgano jurisdiccional deberá conocer, en cada caso concreto, de los sucesivos actos procesales, tales como incidentes, fases del proceso, recursos, ejecución de la sentencia, etc. Finalmente, en el caso que determinado el órgano concreto que deba conocer, existan varios de igual grado en la misma población, se acudirá al denominado reparto de asuntos, previsto en los arts. 167, 152.1.º y 160.9.º LOPJ (véase § 6 del presente Capítulo).

El tratamiento procesal de la competencia en el proceso penal incluye el planteamiento y resolución de conflictos de competencia que, tratándose de normas improrrogables, pueden plantearse de oficio o bien a instancia de parte. Estas cuestiones de competencia, que no tienen la importancia que adquieren en el proceso civil, pueden originar distintos incidentes procesales o trámites de alegaciones que, bajo el término «cuestiones de competencia» (arts. 51 y 52 LOPJ), serán objeto del debido análisis en el § 5.2.B de este Capítulo.

---

(21) «El derecho al llamado Juez legal comprende, entre otros extremos, la exclusión en sus distintas modalidades del Juez ad hoc, excepcional o especial, junto a la exigencia de predeterminación del órgano judicial, así como de su jurisdicción y competencia; predeterminación que debe hacerse por una norma dotada de generalidad y dictada con anterioridad al hecho motivador del proceso, y respetando la reserva de ley en la materia (SSTC 47/1982, 47/1983, 101/1984, 111/1984, 44/1985, 105/1985, 23/1986, 30/1986, 199/1987, 95/1988, 152/1988, 106/1989...)». (STC 138/1991, de 20 junio).

SECCIÓN 2.   LA COMPETENCIA OBJETIVA

2.1.   Concepto[22]

La determinación de la competencia objetiva se realiza en nuestro derecho con base en la clasificación proveniente de nuestra tradición jurídica que distinguía entre: a) delitos graves y b) delitos menos graves (y faltas conforme con la anterior regulación legal). De acuerdo con este criterio, le correspondía al Código Penal encuadrar dentro de esta clasificación los distintos tipos de hechos delictivos, mientras que sería función de la Ley Procesal Penal designar para cada tipo de delitos el procedimiento penal aplicable.

Esta técnica fue utilizada en la legislación penal sustantiva antigua, apareciendo recogida la citada clasificación en el Código Penal de 1848. Dicho sistema se mantuvo en los sucesivos Códigos hasta el Código Penal de 1932. Este último Código, siguiendo determinados criterios doctrinales, adoptó una clasificación bipartita, distinguiendo entre delitos y contravenciones o faltas. Así, refundió los dos tipos de delitos en una sola categoría. A partir del mencionado Código Penal de 1932, los sucesivos textos hasta el vigente aprobado por la LO 10/1995, de 23 de noviembre, modificado por distintas leyes, han partido siempre de la diferenciación genérica entre delitos y faltas, rectificada en el sistema punitivo que ha retornado, como hemos señalado, a su inicial regulación. El problema consistía en la falta de adecuación entre penas y procedimientos penales. En este sentido, los arts. 13 y 32 a 34 del CP, diferencian entre delitos graves (infracciones sancionadas con pena grave), menos graves (castigados con pena menos grave) y faltas (corregidas con pena leve)[23]. De forma concordante el art. 14 LECrim. distribuía la competencia objetiva según la

---

(22)   Vid. Bibliografía general. Vid., también, GARCÍA SÁNCHEZ, J. F., «Competencia de las Audiencias Provinciales y de los Juzgados de lo Penal para el conocimiento de las causas por delitos» *PJ*, n.º 37, 1995; GÓMEZ COLOMER, J. L., «El sistema de penas y su repercusión procesal» en *La Ley*, n.º 3991, de 8 marzo 1996; MONTON REDONDO, «La Audiencia Nacional, Juzgados, Centrales de Instrucción y competencia objetiva en materia penal», *RDProc.*, 1979, pp. 341 y 535 y ss.: Idem, «Algunas reflexiones sobre la incidencia de la Ley Orgánica del Poder Judicial en las actuales competencias de los órganos jurisdiccionales», LA LEY, 1987-1, pp. 975-984; SERRERA CONTRERAS, «La Audiencia Nacional, Juzgados Centrales de Instrucción y competencia objetiva en materia penal», *RDProc*, 1979; TASENDE CALVO, J., «La delimitación de competencias para el conocimiento de determinados delitos entre las Audiencias Provinciales y los Juzgados de lo Penal», *PJ*, n.º 37, 1995; VALLS GOMBAU, «Las competencias penales de los Tribunales Superiores de Justicia», en *PJ*, marzo 89.; VILLAGÓMEZ, «Competencias de los órganos judiciales penales en la nueva organización judicial», *Actualidad Penal*, 1989-I, p. 437. MAGRO SERVET, V.; «La reforma del art. 14 LECrim por la Ley 14/1999 y su incidencia en el ámbito de protección de las mujeres maltratadas», *La Ley* n.º 4850, 1999. MAGRO SERVET, V. «La reforma del sistema competencial de los Juzgados de lo Penal y las Audiencias Provinciales (art. 14 LECrim)», *La Ley* n.º 4410, 1997; GARCÍA SÁNCHEZ, J.F., «Competencia de las Audiencias Provinciales y de los Juzgados de lo penal para el conocimiento de las causas por delitos; problemas que suscita la delimitación, en base a la pena señalada al delito cometido», *Poder Judicial*, n.º 37, 1995; BERMÚDEZ OCHOA, D; «La competencia objetiva en el procedimiento abreviado», *Actualidad J.ª Aranzadi* n.º 291, 1997.

(23)   De conformidad con el art. 13.4, cuando la pena, por su extensión, pueda incluirse a la vez entre las mencionadas en los dos primeros números de este artículo, el delito se considerará, en todo caso, como grave.

citada clasificación[24]. Pero, la clasificación de los delitos y sus penas en el CP —art. 33 CP— no coincidía con los procedimientos previstos a los que se refería el art. 14 LECrim., ya que la Ley de Enjuiciamiento Criminal regulaba la competencia objetiva según la cuantía de la pena, por medio de tres procedimientos «ordinarios», que no se correspondían, en su extensión, con las penas atribuidas a los delitos graves, menos graves y leves[25]. Esta discordancia fue sido superada en parte tras la modificación del CP por LO 15/2003 que estableció el límite temporal de cinco (penas de prisión, inhabilitación, suspensión de empleo o cargo público, prohibición de aproximarse, residir o de comunicarse con la víctima) u ocho años (privación de derechos) para diferenciar entre los delitos graves y menos graves. Los primeros son los castigados con penas superiores a los cinco u ocho años según se trate de prisión o pena de distinta naturaleza, los segundos con penas hasta el citado límite (art. 33 CP). De ese modo, se estructuraba de forma más adecuada la relación entre clase de pena y la atribución de competencia para conocer de los distintos delitos. Al Juez de lo Penal le corresponderá conocer de los delitos castigados con penas menos graves y a la Audiencia provincial de los delitos castigados con penas graves. Aunque esa equiparación únicamente es válida para las penas de prisión, ya que cuando se trate de penas de distinta naturaleza también cabe la competencia del Juez de lo Penal para conocer de delitos castigados con penas graves (véase el art. 33 CP en relación con los arts. 14.2 y 757 LECrim.). Finalmente, debemos referirnos a la supresión del denominado juicio de faltas por la LO 1/2015 de 30 de marzo de reforma del Código Penal. Aunque, naturalmente las conductas tipificadas como tal no desaparecieron, sino que algunas se eliminaron, pero la mayoría se han mantenido como delitos leves. Sobre este particular la Exposición de motivos de la LO 1/2015 declara que: «… se suprimen las faltas que históricamente se regulaban en el Libro III del Código Penal, si bien algunas de ellas se incorporan al Libro II del Código reguladas como delitos leves. La reducción del número de faltas —delitos leves en la nueva regulación que se introduce— viene orientada por el principio de intervención mínima, y debe

---

(24)   La Ley de Enjuiciamiento Criminal de 1882 optó por regular inicialmente solamente dos tipos básicos de procedimientos, partiendo únicamente de las dos grandes categorías de infracciones penales: delitos y faltas. Sin embargo, se regularon en la propia Ley una serie de procedimientos especiales, aunque, en realidad, no podían calificarse propiamente de tipos de procedimientos distintos de aquellos dos básicos. Las Leyes de 8 de junio de 1957 y, en especial, la de 8 de abril de 1967 vinieron a modificar aquel originario sistema de la LECrim. Introdujeron un nuevo tipo de procedimiento, denominado de «urgencia», para el enjuiciamiento de unos determinados delitos que, de facto, suponía una implantación de la clasificación trimembre. Posteriormente, la Ley Orgánica 10/1980, de 11 de noviembre, ratificó también la aludida clasificación, introduciendo el denominado proceso oral (equívocamente denominado en la práctica, juicio monitorio). La LO 7/1988, de 28 diciembre, mantuvo la regulación de tres tipos de procedimientos penales: a) el procedimiento para los delitos graves; b) el denominado procedimiento abreviado para los delitos menos graves, y c) el juicio de faltas. A estos procedimientos se añadió, por Ley 38/2002 un procedimiento de enjuiciamiento rápido de determinados delitos.

(25)   El art. 33 CP establecía que son penas graves la de prisión superior a tres años, inhabilitaciones o suspensiones superiores a tres años. Mientras que el procedimiento abreviado es el procedimiento establecido para los delitos castigados con pena de hasta nueve años, atribuyéndose la competencia para conocer del procedimiento al Juez de lo Penal (hasta cinco años o la Audiencia Provincial de cinco a nueve años). De este modo, no sólo no coincidía el procedimiento con la clase de pena, sino que tampoco existía correlación respecto con el tribunal competente.

facilitar una disminución relevante del número de asuntos menores que, en gran parte, pueden encontrar respuesta a través del sistema de sanciones administrativas y civiles». Eliminadas las faltas subsiste, no obstante, en lo básico el procedimiento de juicio de faltas que se regulaba en la LECrim, en los arts. 962 y ss., pero cambiando de denominación, ya que ahora será el procedimiento para el juicio sobre delitos leves, e introduciendo alguna norma nueva como la posibilidad que tiene el Juez de instrucción de sobreseer las actuaciones en atención a la falta de gravedad del hecho y la ausencia de interés público (art. 963 y 964 LECrim).

La distribución de asuntos penales viene establecida en la actualidad con base en los siguientes criterios:

1.º Criterio general por razón de la materia. El art. 14 y 757 LECrim. determina la distribución de la competencia entre los distintos grados de los órganos jurisdiccionales, atendiendo a la clase y naturaleza de la infracción penal y a la pena establecida para cada uno de los delitos. También se establece que corresponderá conocer al Tribunal del Jurado cuando se trate de delitos que le hayan sido atribuidos exclusivamente.

El procedimiento por delitos leves se aplicará al enjuiciamiento de los delitos leves (art. 33.4 CP); el procedimiento abreviado —arts. 757 y ss. LECrim.— está previsto para los delitos castigados con penas menos graves, así como los castigados con penas graves cuando la pena privativa de libertad no sea superior a nueve años o se prevean penas de distinta naturaleza. El enjuiciamiento y fallo corresponderá a los Jueces de lo Penal cuando la pena de prisión no fuere superior a cinco años (delitos menos graves) o a las Audiencias si la pena superara esa cuantía (delitos graves). Por el procedimiento para el enjuiciamiento rápido de determinados delitos se enjuiciarán delitos castigados con penas menos graves de hasta cinco años de privación de libertad. El procedimiento por delitos graves se aplicará exclusivamente para el enjuiciamiento de los delitos graves, siempre serán competentes para fallar las Audiencias Provinciales. Todo ello sin perjuicio de las competencias por la razón de la materia atribuidas en el art. 1 de la LO 5/1995, de 22 de mayo, al Tribunal del Jurado, modificado por LO 5/1995, de 22 de mayo; LO 8/1995, de 16 de noviembre, y por tercera, y hasta ahora, última vez, por LO 10/1995, de 23 de noviembre.

2.º) Se atribuye competencia al Juez de instrucción que estuviere de guardia competencia para dictar sentencia de conformidad en los términos establecidos en el art. 801 LECrim. Esta norma introducida mediante LO 8/2002, se inserta en el procedimiento para el enjuiciamiento rápido de determinados delitos, halla justificación en la necesidad de proveer de procedimientos que permitan la aceleración del enjuiciamiento de determinados delitos que producen una evidente alarma social y sensación de aparente impunidad en la ciudadanía (véase exposición de motivos de la ley 38/2002).

3.º) Se atribuye competencia a los Juzgados de violencia sobre la mujer que conocerán (art. 87 Ter LOPJ y 14.2,3 y 5.º LECrim): — de la instrucción de los procesos para exigir responsabilidad penal por los delitos recogidos en los títulos del Código Penal relativos a homicidio, aborto, lesiones, lesiones al feto, delitos contra la libertad, delitos contra la integridad moral, contra la libertad e indemnidad sexuales o cualquier otro delito cometido con violencia o intimidación, siempre que se hubiesen cometido contra quien sea o haya sido su esposa, o mujer que esté o haya estado ligada al autor por análoga relación de afectividad, aun sin convivencia, así como de los cometidos sobre los descendientes, propios o de la esposa o conviviente, o sobre los menores o incapaces que con él convivan, siempre que se haya producido un acto de violencia de género. — De la instrucción de los procesos para exigir responsabilidad penal por cualquier delito contra los derechos y deberes familiares. — De la adopción de las correspondientes órdenes de protección a las víctimas. — Para dictar sentencia de conformidad en los términos previstos en el art. 801 LECrim, en el caso de delitos de violencia de género. — La competencia de estos Juzgados se extiende al conocimiento en el orden civil de determinados procedimientos cuando se produzcan actos de violencia de género

Estos Juzgados tienen ámbito de partido judicial, en el que habrá uno o más Juzgados de Violencia sobre la Mujer, con sede en la capital de aquél y jurisdicción en todo su ámbito territorial. No obstante lo anterior, podrán establecerse, excepcionalmente, Juzgados de Violencia sobre la Mujer que extiendan su jurisdicción a dos o más partidos dentro de la misma provincia. Aunque, también se prevé que ejerzan esta función uno de los Juzgados de Primera Instancia e Instrucción, o de Instrucción en su caso, que conocerá de forma exclusiva o conociendo también de otras materias. En los partidos judiciales en que exista un solo Juzgado de Primera Instancia e Instrucción será éste el que asuma el conocimiento de los asuntos a que se refiere el art. 87 ter de esta Ley (art. 87 bis LOPJ). Véase sobre las especialidades en materia de violencia de género el Cap. XI.

4.º Criterio especial por razón de la persona del acusado. Este criterio se aplicará con carácter excluyente en aquellos casos en los que los acusados sean aforados. Por ejemplo, el supuesto de los Senadores y Diputados que los arts. 71 CE, 10 a 14 Rgto. Congreso; arts. 22 y 23 Rgto. Senado y art. 57 LOPJ prevén que sean juzgados por el Tribunal Supremo.

2.2. Competencia objetiva por razón de la materia

Los criterios para la determinación de la competencia objetiva en el proceso civil se establecen en los arts. 14 y 757 LECrim. y 65, 82, 83, 87 y 89 bis LOPJ en los que se especifica el órgano competente y el tipo de procedimiento a seguir. A saber:

A) Procedimiento por delitos leves

Para el conocimiento y fallo del Procedimiento por delitos leves, cuyos trámites vienen regulados en los arts. 962 y ss. LECrim., serán competentes:

a) El Juez de Instrucción. Conocerá del conocimiento y fallo de los juicios por delito leve, salvo que la competencia corresponda al Juez de Violencia sobre la Mujer en los casos que se exponen a continuación (art. 14.1 LECrim).

b) En el procedimiento por delito leves no existe fase de instrucción por lo cual no se plantea problema alguno en atribuir al Juez de instrucción el enjuiciamiento de los delitos leves. Ahora bien, esta cuestión puede cobrar toda su importancia en los supuestos en los que, incoadas unas Diligencias Previas, el Juez de Instrucción remitiera la causa a un procedimiento por delitos leves, en cuyo caso no podría conocer el mismo Juez de Instrucción.

c) Juez de violencia sobre la mujer. Conocerán del conocimiento y fallo de los delitos leves contenidas en los títulos I y II del libro III del Código Penal, cuando la víctima sea quien sea o haya sido su esposa, o mujer que esté o haya estado ligada al autor por análoga relación de afectividad, aun sin convivencia, así como de los cometidos sobre los descendientes, propios o de la esposa o conviviente, o sobre los menores o incapaces que con él convivan (arts. 87 Ter.1.d LOPJ y 14.1 y 5.d LECrim).

d) Juez de lo Penal. Conocerán de los delitos leves sean o no incidentales, imputables a los autores de los delitos para los que sea competente el Juez de lo Penal. En el caso de un delito de violencia de género conocerá el Juez de lo Penal de la circunscripción del Juzgado de Violencia sobre la mujer (art. 14.3 LECrim).

B) Procedimiento abreviado

En este tipo de procedimiento pueden distinguirse, con relación a la competencia objetiva, dos fases: a) Fase de instrucción, denominada Diligencias Previas, y b) Fase de juicio oral (Véase Cap. IX).

a) Fase de instrucción o de Diligencias Previas

Esta fase se desarrollará ante:

1.º Juez de Instrucción: Del art. 14.2.º LECrim. se desprende que para la instrucción de las causas que deban seguirse por este procedimiento será Juez competente el de Instrucción del partido en que el delito se hubiera cometido. La instrucción se realizará conforme a lo previsto en los arts. 757 y ss. LECrim.

2.º Juez de violencia sobre la mujer: conocerá de la instrucción de los procesos para exigir responsabilidad penal por los delitos que deban sustanciarse en procedimiento abreviado cuando se haya producido un acto de violencia de género (art. 14.2 y 5 LECrim).

Conocerá el Juez de violencia contra la mujer, conforme con lo establecido en el art. 87 ter LOPJ, de la instrucción de las causas por delitos que referidos a la integridad física, la libertad, la integridad moral y la libertad e indemnidad sexuales, cualquier otro delito cometido con violencia o intimidación y contra los derechos y deberes familiares; que se haya cometido (en relación con el agresor) contra quien sea o haya sido su esposa, o mujer que esté o haya estado ligada al autor por análoga relación de afectividad, aun sin convivencia, así como de los cometidos sobre los descendientes, propios o de la esposa o conviviente, o sobre los menores o incapaces que con él convivan o que se hallen sujetos a la potestad, tutela, curatela, acogimiento o guarda de hecho de la esposa o conviviente.

3.º Juez Central de Instrucción: Estos jueces tendrán competencia para la instrucción de aquellas causas penales previstas en el art. 65 LOPJ. También tramitarán los expedientes de extradición pasiva, conforme a lo establecido en el art. 88 de la citada LOPJ. La instrucción se realizará de acuerdo a lo dispuesto en los arts. 757 y ss. LECrim.

b) Fase de juicio oral. Esta fase se desarrollará ante el Juez de lo Penal o la Audiencia Provincial según la «cuantía» de la pena

En este punto se plantea el problema de resolver si el concepto de delito debe entenderse en sentido abstracto, es decir, como delito consumado, o bien debe atenderse a las reglas de aplicación de la pena referentes a tentativa, frustración o a las circunstancias concurrentes. Nótese, que al delito abstracto se le señala una pena abstracta, mientras que al responsable se le impone una pena concreta en función del grado de perfección del delito y de las circunstancias concurrentes que se aprecian en la sentencia. A nuestro entender, a los efectos de determinar la competencia objetiva, será siempre la pena abstracta la que fijará el procedimiento a seguir, con la finalidad de obtener mayor certeza y seguridad jurídica desde el primer momento, al tiempo que se refuerza el principio del Juez ordinario predeterminado por la Ley, según recuerda reiterada jurisprudencia[26].

> «Es doctrina reiterada por esta Sala, que la competencia objetiva para conocer de un determinado proceso, se concreta en el acta de acusación o escrito de conclusiones provisionales de las partes acusadoras, ya sean el Ministerio Fiscal, la Acusación Particular o la Acusación Popular. Los tres actúan en igualdad de condiciones, pues como se sabe, y es una de las características más significativas de nuestro sistema de enjuiciamiento penal es que el Ministerio Fiscal no tiene, el monopolio del ejercicio de la acción penal. Antes bien, este ejercicio está compartido con las acusaciones particular y popular, y en tal caso, a la hora de determinar la competencia objetiva del caso concernido, ha de estarse a la más grave de las acusaciones para determinar la competencia del órgano de enjuiciamiento, es decir, hay que atender a la pena imponible en abstracto, y por lo tanto teniendo en cuenta los subtipos agravados incluidos en la más grave de las acusaciones». STS 235/2016 de 17 Mar. 2016, Rec. 1946/2015; Ponente: Giménez García, Joaquín. LA LEY 15974/2016.

Con base en esta doctrina, cuando se trate de delitos a los que se puede imponer penas de distinto grado, según las circunstancias de los mismos, la competencia para dictar sentencia vendrá determinada por el grado de la pena más grave, inde-

---

(26)   Esta Sala ha tenido ocasión de pronunciarse sobre el motivo de oposición en una reiterada jurisprudencia (Sentencias del Tribunal Supremo de 8 febrero 1995, 16 febrero 1996 y, recientemente tras la promulgación del nuevo Código Penal, en la Sentencia de 10 julio 1997) integrando un criterio jurisprudencial firme y consolidado que en esta sentencia se ratifica con los mismos argumentos que los mantenidos en la Sentencia de 10 julio 1997: «Esta Sala ya se ha pronunciado en numerosas ocasiones a favor de la penal abstracta fijada por el tipo, y no a la que resulte del juego de las reglas de la aplicación de la pena, sea por el grado de perfeccionamiento, sea por el grado de participación atribuible, sea por la naturaleza o el número de las circunstancias concurrentes (cfr. Sentencias de 10 noviembre 1992, 4 mayo y 25 octubre 1993, 8 febrero 1995, 16 febrero y 19 septiembre 1996, entre otras muchas). Solución que, de acuerdo con las numerosas Sentencias mencionadas, otorga un mayor grado de seguridad y un mejor cumplimiento del principio del Juez predeterminado por la Ley, principios constitucionales que esta Sala ha de respetar y potenciar en su función unificadora del ordenamiento jurídico, opción que se estima más correcta en cuanto la competencia "ab initio", y, por consiguiente, se eliminarían las posibles maniobras fraudulentas encaminadas a forzar la repetición de la vista oral ante otro órgano jurisdiccional distinto, lo que se produciría, lamentablemente, con frecuencia si se deja en manos de las partes acusadoras tan amplio margen de discrecionalidad». (STS 4 de mayo de 1998). Véanse también, SSTS 4 mayo 1993; 9 octubre 1992 (La Ley, 1992, R-12.763); 11 diciembre 1992, 12 junio 1993, 30 abril 1994.

pendientemente de la pena concreta que se haya solicitado. Otra cuestión se refiere a aquellos supuestos en los que existe la posibilidad de imponer distintos grados de pena de un determinado tipo de delito. En tales casos, deberemos distinguir entre el carácter preceptivo o facultativo de la elevación o degradación de la pena. Cuando el aumento de la pena sea preceptivo será la más grave la que determine la competencia. Cuando el aumento o modificación de la pena sea facultativo la competencia vendrá determinada en función de la pena atribuida al tipo delictivo de que se trate, sin perjuicio de lo dispuesto en el art. 788.5.º LECrim.

1.º Ante el Juez de lo Penal: Corresponderá a estos Jueces el enjuiciamiento por este procedimiento de las causas por delitos a los que la Ley señale pena privativa de libertad de duración no superior a cinco años o pena de multa cualquiera que sea su cuantía, o cualesquiera otras de distinta naturaleza, bien sean únicas, conjuntas o alternativas, siempre que la duración de éstas no exceda de diez años (art. 14.2 LECrim.). De este modo conocerá de todos los delitos menos graves, es decir, los sancionados con penas menos graves por el art. 33.3.º CP, así como de los delitos graves castigados con pena de prisión hasta cinco años o con penas de diferente naturaleza hasta diez años. También conocerá de los delitos leves sean o no incidentales, imputables a los autores de esos delitos o a otras personas cuando la comisión del delito leve o su prueba estuviesen relacionadas con aquéllos (art.º 14.3 LECrim)[27].

Así, conocerán de los delitos (sean o no incidentales) castigados única, conjunta o alternativamente con las siguientes penas (art. 33 CP y 14.2 LECrim.): a) Prisión de tres meses a cinco años. b) Inhabilitaciones especiales hasta 10 años. c) Suspensión de empleo o cargo público hasta 10 años. d) La privación del derecho a conducir vehículos a motor y ciclomotores de un año y un día a diez años. e) La privación del derecho a residir en determinados lugares o acudir a ellos de seis meses a diez años. f) La prohibición de aproximarse o comunicarse con la víctima, o con otras personas susceptibles de protección, por un tiempo de seis meses a diez años. g) La privación del derecho a la tenencia y porte de armas de un año y un día a diez años. h) La multa de más de dos meses. i) La multa proporcional, cualquiera que fuese su cuantía. j) Los trabajos en beneficio de la comunidad de 31 a 180 días.

Conocerá el Juez de lo Penal de la circunscripción del Juzgado de Violencia sobre la mujer cuando el delito sea de los denominados de violencia de género (art. 14.3 LECrim) (véase sobre el ámbito de estos delitos § 2.1 in fine, Cap. III; y Cap. XI.

---

(27) Respecto a esta regla de competencia objetiva deben realizarse dos consideraciones. En primer lugar, debe señalarse que la norma específica, que extiende la competencia del Juez de lo Penal al conocimiento de las faltas relacionadas con el delito principal, no se encuentra prevista para los casos en que conoce la Audiencia Provincial. En estos supuestos, cuando se trata de faltas no incidentales deberá remitirse testimonio al Juez de Instrucción o de Paz competente. En segundo lugar, la norma extiende la competencia de los Jueces de lo Penal a las faltas imputables a terceras personas, siempre que la falta o su prueba estuviesen relacionadas con el delito principal. En consecuencia, la competencia del Juez de lo Penal alcanzará tanto a las personas (acusados, cómplices o encubridores) que hayan participado en la comisión de aquel delito, como a terceras personas autoras de una falta meramente relacionada con aquél o con su prueba. Nótese que tal previsión puede llegar a producir una situación en que el autor de la falta pueda aparecer en el proceso abreviado como acusado, testigo o acusador por el delito principal.

2.º Ante la Audiencia Provincial: Será competente la Audiencia Provincial para el enjuiciamiento por procedimiento abreviado —arts. 757 y ss. LECrim.— de los delitos castigados con penas de prisión de cinco a nueve años y, en general, los delitos castigados con penas de otra naturaleza que no se hallen comprendidas entre las atribuidas a la competencia del Juez de lo Penal. Por tanto, conocerá de los delitos castigados con las siguientes penas[28]: a) Pena de prisión entre cinco años y no superior a nueve años. b) La inhabilitación absoluta. c) Las inhabilitaciones especiales por tiempo superior a 10 años. d) La suspensión de empleo o cargo público por tiempo superior a 10 años. e) La privación del derecho a conducir vehículos a motor y ciclomotores por tiempo superior a diez años. f) La privación del derecho a la tenencia y porte de armas por tiempo superior a diez años. g) La privación del derecho a residir en determinados lugares o acudir a ellos, aproximarse o comunicarse con la víctima, por tiempo superior a diez años.

En el supuesto delitos en materia de violencia de género conocerá del Juicio oral una sección de la Audiencia Provincial especializada en el enjuiciamiento en primera instancia de asuntos instruidos por los Juzgados de Violencia sobre la Mujer de la provincia, conforme con lo previsto en el art. 98 LOPJ (art. 82.1 LOPJ).

3.º Ante el Juez Central de lo Penal o la Sala de lo Penal de la Audiencia Nacional[29]: Serán competentes el Juez Central de lo Penal o la Sala de lo Penal de la Audiencia Nacional para enjuiciar los delitos, cuya pena coincida con las señaladas en los dos apartados anteriores, referentes a los Jueces de lo Penal y a las Audiencias Provinciales, respectivamente, cuya competencia les venga atribuida en virtud de lo previsto en los arts. 65 y 89 bis 3.º LOPJ.

C) Procedimiento para el enjuiciamiento rápido de determinados delitos

En este procedimiento pueden distinguirse, con relación a la competencia objetiva, dos fases: a) Fase de instrucción, denominada Diligencias Urgentes, y b) Fase de juicio oral (Véase el Cap. X).

---

(28) Las Audiencias provinciales se compondrán de un Presidente y dos o más magistrados. Ahora bien, según la carga de trabajo podrá tener una composición inferior o superior conforme prevé el art. 81 LOPJ. También se prevé la adscripción de los magistrados a las distintas secciones con carácter funcional, cuando no estuviere separadas por orden jurisdiccional; si lo estuvieren la adscripción se producirá dentro del mismo orden o especialidad.

(29) La Audiencia Nacional es un órgano jurisdiccional, con ámbito estatal, que conoce en razón de la materia de determinados delitos; cuya creación y funcionamiento han sido declarados conformes a los principios constitucionales: «No es superfluo recordar que la Comisión Europea de Derechos Humanos en su informe de 16 de octubre de 1986 reconoció que la Audiencia Nacional es órgano judicial ordinario, como habían declarado y reiterado esta Sala y el Tribunal Constitucional. En la STC 199/1987, de 16 de diciembre, tantas veces citada en el recurso, se afirmaba en el fundamento sexto, que la prohibición constitucional de jueces excepcionales o no ordinarios no impide que el legislador pueda razonablemente en determinados supuestos disponer que la instrucción y enjuiciamiento de los mismos se lleve a cabo por un órgano judicial centralizado sin que ello contradiga el art. 24 de la Constitución». STS 546/2002 de 20 Mar. 2002, Rec. 3627/1999; Ponente: Martínez Arrieta, Andrés. LA LEY 4987/2002.

a) Fase de instrucción o de Diligencias Urgentes. Esta fase se desarrollará: Ante el Juzgado de Instrucción en funciones de Guardia, del lugar de comisión del delito, o ante el Juzgado de Violencia sobre la mujer cuando se trate de un delito de violencia de género (arts. 14.3 y 5; 797 y ss. LECrim.).

Recibido el atestado policial, el Juez de guardia incoará, si procede, diligencias urgentes. Nótese que a diferencia de los criterios de competencia de aplicación a otros procedimientos, los referidos a este procedimiento especial resultan muy flexibles. Especialmente el que se refiere a la presumible sencillez de la instrucción, que en algunos casos será difícil de prever «a limine». Igual sucede en el caso de cualquiera de los delitos que se hallan dentro del ámbito posible de aplicación de este procedimiento, ya que puede suceder que un delito de hurto o robo plantee dificultades especiales para su instrucción. En ese caso, nada impide que el Juez de instrucción de guardia acuerde abrir diligencias previas continuándose en consecuencia el procedimiento abreviado.

b) Fase de juicio oral: Corresponderá conocer de esta fase del proceso y dictar sentencia:

1.º El Juez de lo penal (art. 14.3 LECrim.).

El ámbito máximo de este procedimiento se corresponde con la establecida para el procedimiento abreviado respecto a los delitos de los que conoce el Juez de lo Penal. Así lo prevé el art. 795.1 LECrim. que dispone que el procedimiento especial para el enjuiciamiento rápido se aplicará a la instrucción y enjuiciamiento de delitos castigados con pena privativa de libertad que no excedan de cinco años. Dentro de este límite podrá seguirse este procedimiento especial en el caso que el proceso penal se incoe en virtud de un atestado policial con detención del implicado que se hubiere puesto a disposición del Juzgado de Guardia o bien citado para comparecer ante éste en calidad de denunciado en el atestado policial. Además deben concurrir cualquiera de las siguientes circunstancias:

a) Que el delito que se imputa sea alguno de los siguientes: Los previstos en el art. 795.1.2.ª LECrim.: lesiones, coacciones, amenazas o violencia física o psíquica habitual contra las personas previstas en el art. 173.2 CP (violencia de género); hurto; robo; hurto y robo de uso de vehículos; y contra la seguridad del tráfico. Delitos de daños referidos en el art. 263 CP; contra la salud pública previstos en el art. 368.2 CP (drogas que no causan grave daño a la salud) y delitos flagrantes relativos a la propiedad intelectual e industrial previstos en los arts. 270, 273, 274 y 275 CP.

b) Que se trate de delitos flagrantes, aún no comprendidos en la anterior relación. A este efecto se entenderá por delitos flagrantes el que se estuviere cometiendo o se acabare de cometer cuando el delincuente fuere sorprendido en el acto, o se le detuviere tras persecución inmediata, o bien sorprendido con efectos del delito cometido inmediatamente después de cometido el delito (art. 795.1.1.ª LECrim.).

c) Cuando se presuma que la instrucción será sencilla (art. 795.1.1.ª y 3.ª LECrim.).

2.º El Juez de instrucción en funciones de guardia en el caso de producirse la conformidad en los términos del art. 801 LECrim. (art. 14.2 LECrim.). O, en el supuesto de delitos de violencia de género, el Juez de violencia sobre la mujer competente (art. 14.3 y 5 LECrim.).

D) Procedimiento por delitos graves (o «sumario»)

El procedimiento por delitos graves es el cauce procesal establecido para enjuiciar los delitos graves castigados con pena privativa de libertad superior a nueve años. Debe distinguirse entre instrucción de la causa y fallo:

a) Fase de instrucción o sumario

La instrucción de las causas que deban seguirse por este procedimiento corresponderá a los Jueces de Instrucción del partido en que el delito se hubiera cometido —art. 14.2.º LECrim.—, a los Jueces Centrales de Instrucción, mediante la incoación de un sumario —arts. 299 y ss. LECrim.— o a los Jueces de violencia sobre la mujer cuando se trate de un delito de violencia de género (art. 14.2 y 5 LECrim).

b) Fase de juicio oral

Para el conocimiento y fallo de la causa será la Audiencia Provincial de la circunscripción donde el delito se hubiera cometido, o la Sala de lo Penal de la Audiencia Nacional cuando se trate de los delitos que se atribuyen a su competencia. Corresponderá a la Audiencia o a la Sala de lo Penal el enjuiciamiento por este procedimiento de los delitos castigados con penas graves, que excedan de las señaladas para el procedimiento abreviado, es decir, prisión superior a nueve años —art. 14.4.º LECrim.—. Si se tratase de un delito de violencia de género conocerá una sección especializada de la Audiencia Provincial (art. 82.1 LOPJ).

La atribución de competencia a la Audiencia Nacional (Juez Central de Instrucción, de lo Penal y Sala Penal de la Audiencia Nacional), se debió a que el legislador entendió que debía unificarse ante la Audiencia Nacional el enjuiciamiento de unos determinados delitos[30], bien por su especial naturaleza, bien por el carácter organizado de los delincuentes, bien por la amplia extensión territorial donde eran cometidos.

Las normas de atribución de esta competencia objetiva vienen recogidas en el art. 65 LOPJ y el procedimiento aplicable para estos delitos será el que resulte en función

---

(30) En relación con la competencia objetiva, cabe señalar que la promulgación de la LO 12/1983, de 16 de noviembre, modificó el art. 5 RDL 1/1977, de 4 de enero, estableciendo que: «Las cuestiones que se susciten entre Jueces, Tribunales y Audiencia Nacional se sustanciarán con arreglo a lo establecido en la LECrim. y demás normas de general aplicación». Tras su derogación por la LOPJ, debe seguirse igualmente el criterio de que, con respecto a los Juzgados Centrales y Audiencia Nacional, rigen las normas generales de competencia, siendo preciso que se persigan acciones delictivas con repercusión en varios lugares y producción de perjuicios a una generalidad de personas —AATS 15 junio 1985, 18 noviembre 1989 y 19 septiembre 1994— o repercutir gravemente en la seguridad del tráfico mercantil o en la economía nacional —ATS 22 mayo 1985—. Sobre concepto de banda armada, vid. SSTS 28 noviembre 1983, 26 mayo 1984 y 19 noviembre 1985. Vid. BERMÚDEZ DE LA FUENTE, «La Audiencia Nacional en la LOPJ», *AP*, 1987 (I), p. 561 y (II) p. 609.

de la pena que tengan asignada (procedimiento abreviado, o bien por sumario). Serán competentes para la instrucción los Juzgados Centrales de Instrucción, y para su enjuiciamiento el Juez Central de lo Penal, o la Sala Penal de la Audiencia Nacional, según la pena con que están castigados[31], según hemos reseñado.

E)   Procedimiento ante el Tribunal del Jurado

El art. 14.3.º y 4.º, establece que, no obstante, los supuestos de competencia del Juez de lo Penal o de la Audiencia Provincial, si el delito fuere de los atribuidos al Tribunal del Jurado, el conocimiento y fallo corresponderá a éste. Esta declaración general, algo imprecisa, ha de ser completada con lo dispuesto en el art. 1 de la Ley del Jurado, que tras tres reformas sucesivas, durante el año 1995, ha establecido la competencia objetiva del Tribunal del Jurado[32]. Debe distinguirse entre instrucción de la causa y fallo:

a) Fase de instrucción o Diligencias previas: Esta fase corresponde al Juez de Instrucción, salvo las competencias atribuidas por razón de las personas a otros Tribunales, conforme los arts. 24 y ss. de la Ley del Jurado; o cuando se trate de un delito de violencia de género en cuyo caso conocerá el Juez de violencia sobre la mujer (art. 14.2 y 5 LECrim).

b) Fase de juicio oral: Dentro del ámbito de enjuiciamiento previsto en el apartado anterior, el Tribunal del Jurado será competente para el conocimiento y fallo de las causas por los delitos tipificados en los siguientes preceptos del Código Penal: a) Del homicidio (arts. 138 a 140). b) De las amenazas (art. 169.1.º). c) De la misión del deber de socorro (arts. 195 y 196). d) Del allanamiento de morada (arts. 202 y 204). e) De la infidelidad en la custodia de documentos (arts. 413 a 415). f) Del cohecho (arts. 419 a 426). g) Del tráfico de influencias (arts. 428 a 430). h) De la malversación de caudales públicos (arts. 432 a 434). i) De los fraudes y exacciones ilegales (arts. 436 a 438). j) De las negociaciones prohibidas a funcionarios (arts. 439 y 440). k) De la infidelidad en la custodia de presos (art. 471). Véase sobre el procedimiento ante el Tribunal de Jurado véase Cap. XII.

2.3. Competencia objetiva por razón de la persona[33]

En nuestro ordenamiento jurídico existe diversidad de normas, incluida la Constitución, que atribuyen a unos determinados órganos jurisdiccionales el enjuiciamiento de unos delitos específicos. Con ello se pretende que, dada la especial naturaleza

(31)   La STC 199/1987, de 16 diciembre, ha establecido que tanto los Juzgados Centrales de Instrucción como la Audiencia Nacional son orgánica y funcionalmente, por su composición y modo de designación, órganos judiciales ordinarios, sin que sus competencias vulneren las previsiones constitucionales.

(32)   La Exposición de Motivos de la Ley del Jurado señala en su epígrafe II: «Los ciudadanos jurados» que «... el ámbito competencial correspondiente al Tribunal del Jurado se fija en el art. 1. Sin embargo, el legislador en el futuro valorará sin duda, a la vista de la experiencia y de consolidación social de la institución, la ampliación progresiva de los delitos que han de ser objeto de enjuiciamiento...».

(33)   Véase una exposición detallada de la legislación y de los procedimientos aplicables en el Capítulo VII. Vid. GARCÍA PÉREZ, «La competencia objetiva y funcional en el enjuiciamiento penal de los Gobernadores Civiles», *Justicia*, 1988, p. 379.

de los delitos, así como la relevancia de los posibles acusados, conozcan de las causas directamente unos órganos jurisdiccionales de un determinado grado.

Cabe destacar de entre las personas que gozan de esta prerrogativa de fuero las siguientes (vid. más ampliamente § 3, 4 y 5 Capítulo XV): a) Senadores y Diputados (art. 71 CE; arts. 10 a 14 Rgto. Congreso; arts. 22 y 23 Rgto. Senado; art. 57 LOPJ). b) Parlamentarios de las Comunidades Europeas (Tratado de Adhesión a las CEE). c) Parlamentarios de Comunidades Autónomas (Estatutos de Autonomía). d) Miembros del Ejecutivo de las Comunidades Autónomas (Estatutos de Autonomía). e) Miembros del Ejecutivo de la Administración Central (art. 102 CE; art. 57 LOPJ). f) Delegados del Gobierno (art. 3 Ley 17/1983 de 16 de noviembre). g) Jueces, Magistrados y Fiscales (arts. 57 y 73 LOPJ). h) Defensor del Pueblo, e instituciones similares en las Comunidades Autónomas.

2.4. Competencia objetiva por razón de la conformidad prestada por el acusado

Un supuesto especial de competencia objetiva para conocer de un asunto concreto es el previsto en el art. 14.3.º LECrim. que atribuye competencia al Juez de instrucción de guardia del lugar de la comisión del delito para dictar sentencia de conformidad en el supuesto previsto en el art. 801 LECrim.

Se trata de un supuesto especial de competencia que únicamente puede tener lugar en el marco de un procedimiento para el enjuiciamiento rápido de determinados delitos. Por tanto, debe concurrir alguna de las circunstancias previstas en el art. 795 LECrim., y el Juez de guardia debe haber acordado continuar por el cauce del citado procedimiento (art. 800 LECrim.). Además, deben concurrir los requisitos previstos en el art. 801 LECrim., que delimitan el ámbito de esta competencia atribuida al Juez de instrucción. Cumplidos estos requisitos, el Juez de Guardia tiene competencia objetiva para dictar sentencia, aunque no para conocer de la ejecución de la sentencia; competencia funcional que se atribuye al Juez de lo Penal, al que le correspondería conocer en razón de la cuantía de la pena (arts. 9 y 801.1 LECrim.).

Debemos señalar la singularidad de esta norma de atribución de competencia, por cuanto la sentencia la dicta el mismo Juez de instrucción, lo que puede afectar al principio que reza: «quien instruye no juzga», que garantiza la imparcialidad de los tribunales en la impartición de justicia. Sin embargo, no cabe duda de que el Juez de guardia practicará diligencias de instrucción. Véase, en este sentido, que la sustanciación de este procedimiento no excluye que se hayan practicado las diligencias urgentes previstas en el art. 797 LECrim. Pero, en realidad, el fundamento de esta norma de atribución de competencia se halla en el hecho de que el Juez de instrucción no juzga, sino que refrenda en la sentencia la conformidad a la que llegan las partes. De este modo, la circunstancia de que el Juez pueda haber realizado algún acto de instrucción no impide que pueda dictar sentencia, ya que ésta no se dicta y fundamenta de conformidad con los criterios ordinarios en esta materia, sino que lo que hace el Juez es ratificar la conformidad del acusado en los términos previstos en el art. 801 LECrim. (Véase sobre este procedimiento § 3.4 Cap. X).

SECCIÓN 3. LA COMPETENCIA FUNCIONAL

La competencia funcional determina el órgano jurisdiccional que deberá conocer en cada caso de los actos procesales, las distintas fases del proceso, de los recursos, de la ejecución de la sentencia, o de las cuestiones de competencia. La competencia funcional es un criterio que se aplicará una vez haya sido determinada la competencia objetiva; es decir, una vez que un órgano jurisdiccional esté conociendo o haya conocido de la causa. En consecuencia, la competencia funcional quedará determinada de forma automática a partir del órgano que, con aparente competencia objetiva, conozca de la causa[34].

Con base en la competencia funcional se determinan la competencia para conocer de los siguientes actos o fases procesales:

1.º Incidentes: El órgano jurisdiccional que esté conociendo de la causa será competente para sustanciar los incidentes que se promuevan, dictar las providencias que pertinentes para el desarrollo del proceso (art. 9 LECrim.), y de los recursos contra el acuerdo denegatorio de la asistencia jurídica gratuita (art. 20.2 Ley 1/1996, de 10 de enero).

2.º Ejecución: Para la ejecución de la sentencia será competente funcionalmente el órgano jurisdiccional que la hubiere dictado (arts. 9 y 794 LECrim.); sin perjuicio de que cuando se hubieren impuesto penas en distintos procesos, competa la ejecución al último órgano sentenciador (art. 985 LECrim.).

El Consejo General del Poder Judicial, en el ámbito de las competencias que le vienen atribuidas por el art. 98 LOPJ, puede asignar a uno o varios de los Juzgados de lo Penal o Secciones de las Audiencias Provinciales, en régimen de exclusividad, la competencia respecto a la ejecución de la sentencia. En este sentido, la disposición transitoria quinta de la LO 10/1995, de 23 de noviembre, del Código Penal, dispone que el CGPJ podrá asignar a aquellos Juzgados o Secciones de la Audiencia la revisión de las sentencias firmes[35].

---

(34) Debe señalarse que si bien la competencia funcional se determina en función de la competencia objetiva y, lógicamente, de la territorial de un determinado órgano jurisdiccional, no depende la legalidad de aquélla de la correcta aplicación de las normas de competencia objetiva y territorial a dicho órgano. Así, puede ocurrir que un órgano actúe con correcta competencia funcional, aun cuando el órgano del que deriva dicha competencia sea incompetente objetiva o territorialmente. Ad exemplum, puede indicarse que tal sería el supuesto en que, enjuiciada una causa por un Juez de lo Penal, se interpusiera recurso de apelación contra la sentencia, y la Audiencia Provincial, órgano que conocería del recurso por ser el funcionalmente competente, revocara la misma por falta de competencia objetiva de aquél. Nótese que en tal supuesto, la Audiencia habrá actuado conforme a su competencia funcional, por ser ésta automática, aunque posteriormente, con motivo de conocer del asunto con base a dicha competencia, declare la falta de competencia objetiva o territorial del órgano que hubiera conocido en primera instancia.

(35) «... La Ley ha establecido un incidente especial para aplicar esta limitación (por aplicación de las penas impuestas en diversos procesos) y ha encomendado esta facultad al último órgano sentenciador (sea Juez o Tribunal), equiparando a estos efectos a los Jueces de lo Penal con las Audiencias...». (STS 6 abril 1995, LA LEY, 1995-2459).

213

La ley establece una excepción en el supuesto de las sentencias de conformidad dictadas por el Juez de guardia al amparo del art. 801 LECrim. (art. 9 in fine LECrim.). En este caso, dictada la sentencia de conformidad el Juez de guardia remitirá todas las actuaciones al Juez de lo Penal que corresponda para la ejecución de la sentencia (art. 801.1 LECrim.).

3.º Recursos: La competencia funcional en materia de recursos devolutivos corresponderá a:

a) Los Jueces de Instrucción para conocer de los recursos contra las resoluciones dictadas por los Jueces de Paz del partido [art. 87.1 e) LOPJ][36].

b) Las Audiencias Provinciales para conocer de los recursos de apelación contra las sentencias de los Jueces de Instrucción y de lo Penal de la provincia (art. 82.1.2.º LOPJ); y de los Jueces de Instrucción dictadas en los procedimientos por delitos leves (art. 82.2 LOPJ). En este último caso, para el conocimiento de los recursos contra sentencias de los Jueces de Instrucción en procedimiento por delitos leves, la Audiencia se constituirá con un solo Magistrado, mediante un turno de reparto (art. 82.2 LOPJ). Por otra parte, de los recursos que establezca la ley frente a los Juzgados de violencia sobre la mujer de la provincia conocerá una sección (o varias según el número de asuntos) especializada (conforme con lo previsto en el art. 98 LOPJ) de la Audiencia Provincial especializada en violencia de género (art. 82.1 LOPJ).

c) La Sala de lo Penal de la Audiencia Nacional conocerá de todos los recursos establecidos en la Ley contra las sentencias, y otras resoluciones de los Juzgados Centrales de lo Penal y de los Centrales de Instrucción (art. 65.5.º LOPJ).

d) La Sala de Apelación de la Audiencia Nacional conocerá del recurso de apelación frente a las resoluciones dictadas en primera instancia por la Sala de lo Penal de la Audiencia Nacional (art. 64.1 Bis LECrim.).

e) La Sala de lo Civil y Penal de los Tribunales Superiores de Justicia conocerá de los recursos contra las sentencias dictadas por el Tribunal de Jurado en el ámbito de la Audiencia Provincial y, en primera instancia, por el Magistrado-Presidente del Tribunal del Jurado (art. 73.3c LOPJ). También conocerán del recurso de apelación frente a las resoluciones dictadas en primera instancia por las Audiencias Provinciales (art. 846 bis.a) LECrim.

f) El Tribunal Supremo conocerá de los recursos de casación frente a las sentencias dictadas por las Audiencias en juicio oral y única instancia (en procedimiento abreviado o delitos graves); así como frente a las sentencias dictadas por la Sala de los Civil y Penal de los TSJ en única o en segunda instancia (en procedimiento de Jurado o frente a sentencias dictadas cuando se trate de aforados) (arts. 57.1 LOPJ y 847 LECrim.). No cabe recurso de casación frente a las sentencias dictadas en apelación en procedimientos por delitos leves (Acuerdo TS de 9 de junio de 2016).

_____

(36) Esta competencia en el momento presente ha quedado prácticamente vacía de contenido en tanto que desde la reforma de la LO 1/2015 los Jueces de Paz no conocen de los antiguos procedimientos de faltas.

Finalmente, en materia de resolución de las cuestiones de competencia, los jueces de instrucción conocerán de las cuestiones de competencia entre Jueces de Paz [art. 87.1.º d) LOPJ]; y las Audiencias Provinciales y Salas Civil y Penal de los Tribunales Superiores de Justicia, resolverán cuestiones de competencia que se susciten entre Juzgados de la Provincia o de la Comunidad Autónoma que no tengan otro superior común [art. 82.5 a) LOPJ]. También conocerán de las recusaciones de sus Magistrados, con excepciones [art. 82.5 b) LOPJ].

SECCIÓN 4. RESUMEN DEL SISTEMA DE COMPETENCIA EN EL PROCESO PENAL

La anterior exposición de las normas de atribución de competencia objetiva, salvo las especialidades por razón de la persona, podrían sintetizarse en el siguiente esquema:

1) Procedimiento por delitos leves ante el Juez de Instrucción:

a) Instrucción y fallo: Vista oral. Juez competente: Juez de Instrucción (art. 14.1.º LECrim.; art. 87.1.º b LOPJ; arts. 962 y ss. LECrim).

b) Recursos: Apelación ante la Audiencia Provincial constituida con un Magistrado (art. 82.1.2.º LOPJ).

2) Procedimiento por delitos leves competencia del Juzgado de violencia sobre la mujer: Infracciones punibles contenidas en los títulos I (delitos contra las personas) y II (delitos contra el patrimonio) del libro III del Código Penal, cuando se trate de violencia de género (que se determina porque la víctima sea o haya sido su esposa, o mujer que esté o haya estado ligada al autor por análoga relación de afectividad, aun sin convivencia; los descendientes, propios o de la esposa o conviviente; o los menores o incapaces que convivan con ellos (arts. 87 Ter.1.d LOPJ y 14.1 y 5.d LECrim). *Instrucción* y fallo: Juez de violencia sobre la mujer. Recursos: apelación ante la Audiencia Provincial constituida por un Magistrado, de una sección especializada en violencia de género (art. 82.1.2.º LOPJ).

3) Procedimiento abreviado (fallo Juez de lo Penal):

a) Delitos punibles: Delitos sancionados con penas de hasta cinco años de prisión, de multa cualquiera que fuere su cuantía, a penas de otra naturaleza que no excedan de 10 años, así como los delitos leves sean o no incidentales (art. 14.3.º LECrim., en relación con el art. 33.3.º CP).

b) Instrucción: Diligencias previas (arts. 774 y ss. LECrim.). Juez competente: Juez de Instrucción o Juez de violencia sobre la mujer (art. 14.2.º y 5.º LECrim.).

c) Enjuiciamiento: Juicio oral (arts. 785 y ss. LECrim.). Juez competente: Juez de lo Penal (art. 14.3.º LECrim.).

215

d) Recursos: Apelación ante Audiencia Provincial (arts. 790 y ss. LECrim.; art. 82.1.2.º LOPJ).

4) Procedimiento abreviado (fallo Audiencia Provincial):

a) Delitos punibles: Delitos sancionados con penas graves privativas de libertad superiores a los cinco años y que no sobrepasen los nueve años o de cualesquiera otra naturaleza no atribuidas al Juez de lo Penal (arts. 14.4.º y 757 LECrim., en relación con el art. 33.2.º CP).

b) Instrucción: Diligencias previas (arts. 774 y ss. LECrim.). Juez competente: Juez de Instrucción o Juez de Violencia sobre la mujer, según la clase de delito (art. 14.2.º y 5.º LECrim.).

c) Enjuiciamiento: Juicio oral (arts. 785 y ss. LECrim.). Órgano competente: Audiencia Provincial (art. 14.4.º LECrim.). En el supuesto delitos en materia de violencia de género conocerá del Juicio oral una sección de la Audiencia Provincial especializada en el enjuiciamiento en primera instancia de asuntos instruidos por los Juzgados de Violencia sobre la Mujer de la provincia, conforme con lo previsto en el art. 98 LOPJ (art. 82.1 LOPJ).

d) Recursos: Apelación ante la Sala de lo Civil y Penal de los Tribunales Superiores de Justicia (art. 846 bis.a) LECrim.

5) Procedimiento abreviado (fallo Juez Central de lo Penal):

a) Delitos punibles: Los previstos en el art. 65 LOPJ castigados con las penas señaladas respecto al Juez de lo Penal, así como de los delitos leves sean o no incidentales (art. 14.3.º LECrim., en relación con el art. 33.3.º CP).

b) Instrucción: Diligencias previas (arts. 774 y ss. LECrim.). Juez competente: Juez Central de Instrucción (art. 14.2.º LECrim.).

c) Enjuiciamiento: Juicio oral (arts. 785 y ss. LECrim.). Órgano competente: Juez Central de lo Penal (art. 14.3.º LECrim.).

d) Recursos: Apelación ante la Sala de lo Penal de la Audiencia Nacional (art. 65.5.º LOPJ).

6) Procedimiento abreviado (fallo Sala de lo Penal de la Audiencia Nacional):

a) Delitos punibles: Los previstos en el art. 65 LOPJ castigados con penas privativas de libertad superiores a los cinco años y no superiores a nueve años y, en general, aquéllos no atribuidos a la competencia del Juez Central de lo Penal (art. 14.4.º LECrim.).

b) Instrucción: Diligencias previas (arts. 774 y ss. LECrim.). Órgano competente: Juez Central de Instrucción (art. 14.2.º LECrim.).

c) Enjuiciamiento: Juicio oral (arts. 785 y ss. LECrim.). Órgano competente: Sala de lo Penal de la Audiencia Nacional (art. 14.4.º LECrim.; art. 65.1.º LOPJ).

d) Recursos: Apelación ante la Sala de Apelación de la Audiencia Nacional (art. 64.bis1.º LOPJ).

7) Procedimiento para el Enjuiciamiento rápido de determinados delitos y de conformidad producida ante el Juez de Guardia.

a) Delitos punibles: Los previstos en el art. 795.1.2.ª LECrim.: lesiones, coacciones, amenazas o violencia contra las personas a las que se refiere el art. 173.2 CP (violencia de género); hurto; robo; contra la seguridad del tráfico; daños referidos en el art. 263 CP; contra la salud pública previstos en el art. 368.2 CP (sustancias que no causan grave daño a la salud); y delitos flagrantes contra la propiedad intelectual e industrial previstos en los arts. 270, 273, 274 y 275 CP. También pueden enjuiciarse por este procedimiento otros delitos no comprendidos en la anterior relación cuando se trate de delitos flagrantes, o bien cuando se presuma que la instrucción será sencilla (art. 795.1.1.ª y 3.ª LECrim.). En cualquier caso la pena a imponer no podrá exceder de la que corresponde al Juez de lo Penal. Es decir cinco años de privación de libertad, o diez años en otro caso.

b) Instrucción: Diligencias urgentes ante el Juzgado de Guardia (art. 797 y ss. LECrim.). El Juez competente será el Juez de Instrucción o el de violencia sobre la mujer, cuando se trate de un delito de violencia de género (art. 14.2 y 5 LECrim), que también conocerán de la fase intermedia o de preparación del juicio oral: (art. 800 LECrim.).

d) Enjuiciamiento: (art. 802 LECrim. que se remite a la regulación del procedimiento abreviado de los arts. 786 a 788 LECrim.). Se producirá en todo caso ante el Juez de lo penal. Sin perjuicio, que en el caso de producirse conformidad en los términos del art. 801 LECrim, la sentencia la dictará el Juez de Guardia o el Juez de Violencia sobre la Mujer, según la clase de delito (art. 14.3 LECrim.).

e) Recursos: Apelación ante la Audiencia Provincial que se sustanciará de conformidad con las normas de la apelación en juicio ordinario (art. 803 LECrim.).

8) Procedimiento por delitos graves o sumario:

a) Delitos punibles: Prisión superior a nueve años (arts. 14.4.º y 757 LECrim. a «sensu contrario»).

b) Instrucción: Sumario con auto de procesamiento cuando proceda (arts. 299 y ss. LECrim.). Juez competente: Juez de Instrucción, Juez Central de Instrucción o el Juez de Violencia sobre la Mujer según el delito (art. 14.2.º LECrim.).

c) Período intermedio y fallo: Período intermedio (arts. 622 y ss. LECrim.). Juicio oral (arts. 649 y ss. LECrim.). Órgano competente: Audiencia Provincial y Sala de lo Penal de la Audiencia Nacional (art. 14.4.º LECrim.).

d) Recursos: de apelación ante el Tribunal Superior de Justicia (art. 846 bis.a) LECrim.

9) Tribunal del Jurado:

a) Delitos punibles: Los tipificados en el art. 1.2.º de la Ley del Jurado, anteriormente reseñados en el epígrafe 2.3 D) del presente capítulo.

217

b) Incoación e instrucción complementarias: Juez de Instrucción conforme lo dispuesto en los arts. 24 a 35 de la Ley del Jurado, o el Juez de Violencia sobre la Mujer según la clase de delito (arts. 14.2 y 14.5 LECrim).

c) Período intermedio y fallo: Ante el Magistrado-Presidente y el Jurado a tenor de lo establecido en los arts. 36 y ss. de la Ley del Jurado. Estos juicios se podrán celebrar en el ámbito de la Audiencia Provincial, y, en su caso, por razón de aforamiento, ante la Sala Civil y Penal de los Tribunales Superiores de Justicia y Tribunal Supremo, excluyéndose la Audiencia Nacional.

d) Recursos: Apelación ante la Sala de lo Civil y Penal del Tribunal Superior de Justicia de la correspondiente Comunidad Autónoma [arts. 846 bis a) a bis f)], cuando la sentencia sea dictada en el ámbito de la Audiencia Provincial y en primera instancia por el Magistrado-Presidente del Tribunal del Jurado, y de casación ante el Tribunal Supremo —art. 847 LECrim.— contra las sentencias dictadas en única o segunda instancia por las Salas de lo Civil y Penal de los Tribunales Superiores de Justicia.

SECCIÓN 5.   LA COMPETENCIA TERRITORIAL

5.1.   Concepto[37]

La competencia territorial determina el órgano jurisdiccional, dentro de aquéllos del mismo grado, que va a conocer en primera instancia, con exclusión de todos los demás. Se trata de un criterio que tiene aplicación respecto a la instrucción de los delitos. Sobre este particular, téngase en cuenta que, con excepción de los procedimientos por delitos y aquéllos en los que se produzca conformidad en los supuestos del art. 801 LECrim., el proceso penal se inicia con la fase de instrucción para la que es competente el Juez del mismo nombre que ejerce su jurisdicción sobre un partido judicial determinado. De este modo, son los jueces de instrucción los que en su conjunto extienden la jurisdicción penal sobre todo el territorio, y respecto de los cuales resultan de aplicación los criterios de competencia territorial, ya que el órgano jurisdiccional competente para la fase de juicio oral, predeterminado por criterios de competencia objetiva, será el que corresponda según normas de organización y reparto de asuntos.

En consecuencia, determinado que conocerá de la fase de instrucción del proceso el Juez de instrucción la competencia territorial nos concretará qué órgano específico de entre todos de la misma clase deberá conocer de aquélla, con exclusión de todos

---

(37)   Vid. Bibliografía general. Vid., también, MONER MUÑOZ E., «La competencia territorial», *RGD* 1997. DE LA OLIVA, *La conexión en el proceso penal*, Pamplona, 1972; GIL SUÁREZ Y GÓMEZ DE LIAÑO, *Jurisdicción y competencia en materia penal*, Madrid, 1988; Idem, Jurisdicción y competencia en materia penal, 2.ª parte, Madrid, 1994; ROBLES GARZÓN Y SENES MOTILLA, «Normas de competencia en materia criminal de la LO 2/1986, de 13 de marzo. Comentario a la STC (Pleno) 55/1990, de 28 de marzo», *LA LEY*, 1990-3, p. 15.

los demás. Este tipo de competencia tendrá el mismo carácter improrrogable que la funcional y la objetiva.

«Todos los Jueces de Instrucción de la ciudad ostentaban competencia territorial, funcional y objetiva para conocer de los hechos. Una asignación equivocada no podría tener mayor incidencia que la que comporta una hipotética falta de competencia territorial en la fase de instrucción: cuando es tardíamente puesta de manifiesto no ha de tener trascendencia alguna si el enjuiciamiento es realizado por el órgano objetivamente competente (ver STS 757/2009, de 1 de julio (LA LEY 125089/2009)). Ha declarado el Tribunal Constitucional que la tramitación por un órgano territorialmente incompetente en la fase de instrucción no inválida sus actuaciones; tan solo será necesario que la instrucción prosiga ante el órgano competente. Si es ya durante la fase intermedia cuando se decide la competencia en favor de otro territorio eso no comporta retrotraer las actuaciones aunque la fase de instrucción en su totalidad se haya llevado a cabo por un juez territorialmente incompetente. En la medida en que el enjuiciamiento se verifica por un órgano competente e investido de imparcialidad, en nada queda afectado del derecho al «juez natural» por eventuales irregularidades en la instrucción salvo que se muestre que han condicionado, contaminado o influido en el enjuiciamiento en alguna forma indebida (vid. STC 69/2001 (LA LEY 3270/2001), de 17 de mayo). Todas estas consideraciones debieran ser matizadas en el caso de que efectivamente se detectase una espuria actuación policial tendente a elegir al juez. Pero ni siquiera esa injustificada hipótesis podría sin más llevar a anular el enjuiciamiento efectuado por el órgano jurisdiccionalmente competente y, sobre todo, ningún indicio apoya ese infundado reproche de la defensa, en todo caso amparado por la amplitud que debe conferirse al ejercicio del derecho de defensa». STS 426/2016 de 19 May. 2016, Rec. 2107/2015; Ponente: Berdugo Gómez de la Torre, Juan Ramón. LA LEY 51966/2016.

5.2. Principios que informan la competencia territorial

A) Principio general

El principio o regla principal que rige en el proceso penal en esta materia es el del fuero del lugar de la comisión de la infracción penal (forum delicti commissi), previsto en el art. 14 LECrim.

«En materia penal, el fuero que con carácter preferente determina la competencia de los distintos órganos judiciales que han de conocer el proceso es el del lugar donde fue cometida la infracción penal, de modo que los demás que la Ley procesal establece tienen carácter subsidiario, como claramente expresa el art. 15 LECrim., que sólo tiene aplicación cuando no conste el lugar en que se haya cometido una falta o delito». (STS 19 septiembre 1994, LA LEY, R-14.090).

Pero, este principio general no es de aplicación en el caso de delitos en materia de violencia de género, cuya instrucción o conocimiento corresponda al Juez de Violencia sobre la Mujer. En ese caso, la competencia territorial vendrá determinada por el lugar del domicilio de la víctima, sin perjuicio de la adopción de la orden de protección, o de medidas urgentes por el Juez de guardia del lugar de comisión de los hechos (art. 15 bis LECrim.). El fundamento de la norma no es otro que favorecer a la víctima al establecer como juez competente el denominado Juez natural, que es el de su domicilio.

B) Principio subsidiario

En el supuesto que no conste el lugar donde se hubiere cometido el delito el art. 15 LECrim. establece los siguientes criterios para determinar el Juez competente para conocer del proceso:

1.º. El del término municipal, partido o circunscripción en que se hayan descubierto pruebas materiales del delito[38].

2.º. El de término municipal, partido o circunscripción en que el presunto reo haya sido aprehendido.

3.º. El de la residencia del presunto reo.

4.º. Cualquiera que hubiese tenido noticia del delito.

En el supuesto de suscitarse cuestión de competencia entre esos Jueces o Tribunales, ésta se decidirá dando la preferencia según el orden establecido en los diversos apartados del citado precepto (art. 15 in fine LECrim.).

Respecto a los delitos cometidos en el extranjero[39], cuando sean competentes los tribunales españoles, en base a una extraterritorialidad de la Ley penal, conforme lo establecido en el art. 23 LOPJ, se estará a lo establecido en este art. 15 LECrim. Es decir, se procederá como si no constase el lugar en que se haya cometido el delito.

---

(38) Como aplicación de este principio de subsidiariedad, la STS 20 abril 1970 y el ATS 6 julio 1982, en supuestos de falsificación de documentos, declararon la competencia del Juez del lugar donde se descubrieron las pruebas materiales de la falsificación, aunque, por su especial contenido, dichos documentos tenían que haber sido previamente presentados en Madrid para incorporarse a la preceptiva inspección, en los dos casos contemplados por aquellos autos.

Tratándose de la falsedad cometida en un documento mercantil respecto de la cual se ignora el lugar exacto en que fue realizada, la competencia para el conocimiento y fallo de la causa en que tal infracción se persigue conjuntamente con otra de estafa corresponde a los Jueces y Tribunales del lugar en que se hayan descubierto pruebas materiales del delito de que se trata (en el caso, el juzgado del lugar en cuyo banco se presentó el conocimiento de embarque presuntamente tachado de falso) —STS 21 mayo 1990—.

(39) Vid. SSTS 15 octubre 1983, 11 diciembre 1980 y 20 diciembre 1980, al examinar el supuesto de un feto expulsado por una mujer española en país extranjero, a consecuencia de prácticas abortivas realizadas con su consentimiento en dicho país, declararon que, por tratarse de delito cometido por un español contra otro español en el extranjero, podía ser castigado en España, en aplicación del principio de personalidad, sin que deba aplicársele el de territorialidad. Obsérvese que de seguirse este último criterio quedaría impune el ilícito, ya que en los casos examinados el delito no era punible en el país extranjero donde se cometió el hecho, acudiéndose en ambas resoluciones a una ficción: reputar el feto como nacido en aplicación no literal de los arts. 29 y 30 CC. En contra de esta tesis, FERNÁNDEZ ENTRALGO, «Aborto y extraterritorialidad: el turismo abortivo», en PJ, 1983, n.º 8, pp. 23 y ss. La STC 75/1984, de 27 junio, declaró que la sanción de un aborto realizado fuera del territorio español vulnera el derecho del art. 25 CE que consagra el principio de legalidad de los delitos y las penas, otorgando el amparo contra el criterio mantenido por las primeramente mencionadas resoluciones. Así lo entendió el TC en la S 75/1984, de 27 junio, que revocó la STS 15 octubre 1983.

C) Determinación del lugar de comisión del delito

Al efecto de determinar el lugar de comisión del delito a efectos de establecer la competencia territorial se aplicarán los siguientes criterios:

a) El del forum delicti commissi o lugar donde el delito se cometió;

b) El principio de relatividad, conforme a la estructura jurídica de la infracción que se persigue sin que pueda seguirse un criterio rígido porque la mecánica comisiva puede ir variando[40], y

c) El principio de seguridad o certeza jurídica y probada, porque no constando el lugar de forma segura entra en funciones el principio de subsidiariedad, que anuncia el art. 15 LECrim.

Los principios expuestos son variantes del general, «forum delicti commissi», contenido en el art. 14 LECrim. Así, el denominado «principio de relatividad» responde como el primero al de determinación del lugar del delito conforme a su resultado, que varía en atención a la estructura jurídica de la infracción. Por su parte, el denominado de «seguridad o certeza jurídica» se constituye en un principio complementario que opera en forma subsidiaria y como mecanismo de cierre.

La razón de establecer unos criterios complementarios se halla en la insuficiencia del criterio del lugar donde el delito se cometió para determinar en todos los supuestos cual sea el Juez competente. Pero, debe tenerse en cuenta, que la fijación «prima facie» de la competencia no atribuye definitivamente su conocimiento a los órganos que en ellas se citan, sino que sólo lo hacen con carácter provisional hasta que conste el lugar de comisión.

«La infracción procesal predicable de la instrucción por el Juzgado de El Puerto no rebasa la de falta de competencia territorial. Esto no acarrea la sanción de nulidad que el art. 238 de la Ley Orgánica del Poder Judicial (LA LEY 1694/1985) reserva para los casos de falta de competencia objetiva y funcional. Al contrario, la propia Ley de Enjuiciamiento Criminal (LA LEY 1/1882) establece la subsistencia y validez de lo actuado por Instructores sin competencia territorial mientras se dilucida la co-

---

(40)   En aplicación de esta doctrina, vemos que el principio de relatividad, atendiendo a la mecánica comisiva y especialmente al resultado final, es reiteradamente aplicable por la doctrina legal, así: a) en delitos de apropiación indebida, por el lugar de domiciliación del individuo o empresa donde radica la actividad mercantil y tenía que devolver la cantidad aprehendida —AATS 23 marzo 1983 y 23 marzo 1984—; b) en las denominadas infracciones a distancia (injurias remitidas por carta que se remitieron a otro distinto del lugar de recepción, colaboraciones periodísticas o su publicidad por otros medios de comunicación social), vid. nota 38; c) en los delitos de objeción de conciencia, el lugar de residencia y del cual el acusado se resistió a salir para la prestación del servicio social sustitutorio —ATS 7 abril 1992—; d) en delitos de desobediencia, el lugar donde se produjo el quebrantamiento de la orden, no donde fue dada —AATS 27 noviembre 1980 y 9 julio 1981—; e) en estafas, no el lugar del engaño, sino donde se produjo el perjuicio mediante el desplazamiento patrimonial —AATS 16 junio 1977, 4 febrero 1981, 21 noviembre 1985—; f) en estafas, cuando la secuencia comisiva se desarrolla en diversas poblaciones, el lugar donde se perfecciona y completa su comisión, y si no fuese consumado, por el lugar de su perpetración imperfecta —STS 28 abril 1989—; así será el lugar de la venta y no el de la fabricación —ATS 22 mayo 1961—, el lugar de la lesión patrimonial y no el del engaño —AATS 20 enero 1970 y 21 enero 1981— el lugar de la entrega del cargamento y no el de la maquinación —ATS 22 marzo 1971—.

rrespondiente cuestión al efecto. Menos aún cabe calificar dichas actuaciones como incursas en la ilicitud que, conforme al art. 11 de la Ley Orgánica del Poder Judicial (LA LEY 1694/1985) impide la utilización de lo así sabido como medio de prueba». Y en nuestra STS núm. 39, de 1-2-2011, «se precisó que la cuestión de la determinación del órgano competente dentro de los Tribunales ordinarios, tanto para la instrucción como para el enjuiciamiento, carece de la relevancia constitucional que el recurrente le pretende dar, salvo en aquellos casos en que un asunto se sustraiga indebida o injustificadamente al órgano al que la Ley lo atribuye para su conocimiento, manipulando el texto de las reglas de distribución de competencias con manifiesta arbitrariedad, como señala la sentencia 35/2000, del Tribunal Constitucional, de 14 de febrero». STS 714/2016 de 26 Sep. 2016, Rec. 1951/2015; Ponente: Berdugo Gómez de la Torre, Juan Ramón. LA LEY 126702/2016.

Por lo tanto, al margen de los distintos criterios aplicables para fijar «prima facie» la competencia territorial, se plantea el problema de determinar «el forum delicti comissi», ya que el hecho delictivo suele tener un desarrollo en diversos grados, tanto respecto a la acción como al tiempo. Sobre este particular se han formulado distintas teorías que podemos reconducir a las siguientes: 1) la teoría de la actividad, que entiende que aquél radica en el lugar donde se inician y realizan los actos delictivos; 2) la teoría del resultado, que lo fija en el lugar donde finalizan los sucesivos actos que dan como resultado el delito; 3) la teoría de la ubicuidad, la cual considera cometido el delito tanto en el lugar donde el reo realiza los actos de ejecución, como en el lugar donde se produce el resultado[41].

En el Derecho comparado se ha impuesto la teoría de la ubicuidad, mientras el Tribunal Supremo español, basándose, con anterioridad a la publicación de la LO 6/1985, de 1 de julio, del Poder Judicial, en el principio contenido en el art. 335 de la anteriormente vigente LOPJ (referente a los extranjeros que delinquen en España) había venido considerado que el principio aplicable era el del resultado, que debía ser aplicado analógicamente para todos los delitos que se cometen en España tanto si sus presuntos autores son nacionales o no, con lo que debe entenderse que el delito se comete donde se consuma; es decir, aplica la teoría del resultado (art. 23.1.º LOPJ): «En el orden penal corresponderá a la jurisdicción española el conocimiento de las causas por delitos cometidos en territorio español o cometidos a bordo de buques o aeronaves españolas...». La adopción de tal teoría ocasiona una serie de problemas. Así, entre otros, podemos señalar: 1) Queda sin determinar el lugar del delito cuando se trata de ilícitos de pura actividad o delitos de riesgo, en los que no se exige un resultado[42]. 2) Los supuestos de tentativa y delito frustrado, en los que el

---

(41) Vid. RODRÍGUEZ DEVESA, *Derecho Penal Español*, Parte general, Madrid, 1977, pp. 336 y ss.; GÓMEZ ORBANEJA, E., *Comentarios a la LECrim.*, 1947, pp. 381 y ss., y Derecho Procesal, Madrid, 1981, p. 41.

(42) Así, en los supuestos de delitos contra la salud pública cometidos mediante el tráfico de sustancias estupefacientes, en el lugar de la aprehensión de la droga u ocupación de la misma, dado el carácter permanente de estas infracciones —SSTS 29 junio 1984, 23 septiembre 1985, 7 junio 1990 y 24 julio 1992—, siendo de destacar el principio de jurisdicción universal para el castigo de los precitados delitos —STS 22 noviembre 1978—.

Cuando el delito se cometió por un grupo o banda organizada y la droga se aprehendió en la provincia de la que no había salido aún, la competencia no es de la Audiencia Nacional, sino de

hecho delictivo no ha sido consumado[43], y 3) Los casos de delitos de omisión y de comisión por omisión[44]. 4) Otros supuestos, con carácter general, en que no proceda aplicar la teoría del resultado, por lo que la jurisprudencia ha acudido a soluciones especiales[45].

Es por ello que el Tribunal Supremo dictó el Acuerdo de la Sala Segunda, de lo Penal, de 3 Feb. 2005, en el que establecía que: «El delito se comete en todas las jurisdicciones en las que se haya realizado algún elemento del tipo. En consecuencia, el juez de cualquiera de ellas que primero haya iniciado las actuaciones procesales será, en principio, competente para la instrucción de la causa». En definitiva con el citado acuerdo se introducía en nuestro sistema procesal el principio de la ubicuidad entendiendo que el delito se consuma en todos los lugares en los que se ha llevado a cabo la acción o en el lugar en el que se haya producido el resultado.

«Respecto del lugar en el que debe entenderse cometido el delito, la Jurisprudencia de esta Sala (STS 1/2008, de 23.1 (LA LEY 470/2008)) tiene señalado que debe venir fijado a través de la llamada teoría de la ubicuidad, esto es, que el delito se consuma en todos los lugares en los que se ha llevado a cabo la acción o en el lugar en el que se haya producido el resultado. De esta premisa básica se derivan asimismo otras reglas que completan el alcance del criterio para ciertas formas particulares de delitos y, tanto para los supuestos de tentativa, como para los de preparación del delito de tráfico de drogas tóxicas, estupefacientes o sustancias psicotrópicas, se ha entendido que el lugar de comisión será el lugar donde se realice la preparación o donde se dé comienzo a la ejecución, así como el lugar en el que, según la representación del hecho del autor, debía producirse el resultado o el agotamiento del delito». Decíamos en nuestra Sentencia 111/2010, de 24.2 FJ 9.º: «En estos casos no corresponde aplicar otro principio que el territorial, dado que el delito debe reputarse cometido en el territorio nacional. Las razones que sostienen esta regla especial de aplicación del derecho nacional a los casos que se preparan o que comienzan a ejecutarse para ser cometidos en el territorio del Estado son claras y tienen total paralelismo con las que conforman el criterio de la ubicuidad y pueden aplicarse a los delitos contra la salud pública: el lugar de comisión debe estar determinado no sólo por la ejecución de la acción o el de la producción del resultado, sino también por el lugar en el que el autor piensa atacar el orden jurídico nacional». Lo expuesto determina que, en este caso, la norma atributiva de jurisdicción a los Tribunales españoles no es otra que la recogida en el art. 23.1 de la LOPJ (LA LEY 1694/1985), que preceptúa que «En el orden penal corresponderá a la jurisdicción española el conocimiento de las causas por delitos y faltas come-

---

la Audiencia Provincial del lugar de la aprehensión, pues los efectos de la posesión no se produjo —STS 24 septiembre 1988—.

(43) Vid. ATS 20 enero 1981, que aplicó a un presunto ilícito de tentativa de estafa, el criterio jurídico-penal de potencialidad de consumación, es decir, el lugar de comisión se equiparó a aquél donde iba a ser consumado, frente a otros criterios que recogía la misma resolución, según la actividad mayor desarrollada, o el relativo, según requiere la agilidad, economía y unidad.

(44) Vid. ATS 5 junio 1982, que alude como posible criterio interpretativo, al de la acción esperada, o sea, no constando lugar de comisión, donde hubiera podido desplegarse la conducta última de actuar positivamente.

(45) Respecto al delito de estafa de quien viaja sin billete, el delito se comete no donde el viajero sube al tren, sino en el sitio preciso en que se verifica la reclamación del importe sin obtener el pago (AATS 16 enero 1972 y 26 junio 1986, y 3183, respectivamente).

tidos en territorio españolo cometidos a bordo de buques o aeronaves españoles, sin perjuicio de lo previsto en los tratados internacionales en los que España sea parte, pues los acusados comenzaron la ejecución del delito en nuestro país, es aquí donde han realizado la mayor parte de los actos de ejecución determinantes de su responsabilidad, es en el territorio español en el que pretendían introducir la droga transportada (por más que su transporte marítimo finalizara en el vecino Portugal) y la acción delictiva amenazaba claramente el orden jurídico español, en consideración a que el bien jurídico puesto finalmente en riesgo no es otro que la salud pública de la población aquí establecida». STS 504/2016 de 9 Jun. 2016, Rec. 1879/2015; Ponente: Llarena Conde, Pablo. LA LEY 68072/2016.

Una vez conste el lugar en que se hubiese cometido el delito, se remitirán las diligencias al Juez o Tribunal a cuya demarcación corresponda, poniendo a su disposición a los detenidos y efectos ocupados (art. 15 in fine LECrim.).

D) Reglas especiales

Puede suceder que diversos actos ocasionen como resultado varios delitos —concurso real—, que requieran, para un mejor enjuiciamiento, un tratamiento procesal único, debido a la conexión existente entre ellos. Los delitos que merecen esta calificación de conexos vienen enumerados en el art. 17 LECrim., es decir, son: a) Los cometidos simultáneamente por dos o más personas reunidas, siempre que éstas vengan sujetas a diversos Jueces o Tribunales ordinarios o especiales, o que puedan estarlo por la índole del delito; b) los cometidos por dos o más personas en distintos lugares o tiempos si hubiera precedido concierto para ello; c) los cometidos como medio para perpetrar otros o facilitar su ejecución; d) los cometidos para procurar la impunidad de otros delitos, y e) los diversos delitos imputados a una persona al incoarse contra la misma causa por cualquiera de ellos, si tuvieren analogía o relación entre sí, a juicio del Tribunal, y no hubiesen sido hasta entonces sentenciados.

Se trata de reglas que establecen el enjuiciamiento conjunto de causas por una evidente razón de economía procesal, sin que por ello comporte una alteración del Juez ordinario predeterminado por la Ley, pues son reguladas ex ante y no ex post facto como excepciones a los principios ya expuestos sobre competencia territorial.

> «Los delitos cometidos por miembros de una asociación ilícita pueden, aunque no deben, ser necesariamente juzgados por el mismo Tribunal, pues pueden, y de hecho así ocurre, haber tenido diverso lugar de comisión. Las reglas de la conexidad no tienen, por otra parte, el carácter de reglas determinantes del Juez competente, sino que constituyen excepciones basadas en la economía procesal, al principio de territorialidad, cuya aplicación puede tener lugar antes o después de la celebración del proceso, como lo demuestra el art. 988 LECrim.». (STS 30 marzo 1995, LA LEY, R-14.439).

El art. 18 de la LECrim. ha regulado consecuentemente unas normas especiales que determinan el Juez competente conforme a dos reglas: una especial y una general que contiene, a su vez, tres criterios jerárquicamente ordenados, para conocer de las causas con delitos conexos:

La regla general establece la competencia para conocer de los delitos conexos según los siguientes criterios (art. 18.1 LECrim.):

1.º En atención a la penalidad del ilícito: el del territorio en que se haya cometido el delito o que esté señalada pena mayor,

2.º Aplicación de un criterio de temporalidad: el que primero comenzare la causa en el caso de que a los delitos les esté señalada igual pena, y

3.º En supuestos de identidad de pena y tiempo de iniciar la causa: el que la Audiencia de lo criminal o el Tribunal Supremo en sus casos respectivos designen.

Pero, estas reglas no se aplicarán en el supuesto que se trate de delitos conexos cometidos por dos o más personas en distintos lugares de una misma provincia, si hubiera precedido concierto para ello. En este caso será competente el Juez o Tribunal del partido judicial sede de la Audiencia Provincial que corresponda, siempre que, además, al menos uno de los delitos se hubiere cometido en el partido judicial donde tuviere la sede el citado partido judicial (art. 18.2 LECrim.).

Finalmente, téngase presente que la regla general de la «unificación» del procedimiento por el que se tiende a la acumulación de las causas mediante las reglas de conexidad, tienen una excepción en el caso que sea más conveniente separar la causa en varios procedimientos o piezas separadas para su mejor tramitación, conforme está previsto en el art. 762.6 LECrim que dispone que: «*Para enjuiciar los delitos conexos comprendidos en este Título, cuando existan elementos para hacerlo con independencia, y para juzgar a cada uno de los encausados, cuando sean varios, podrá acordar el Juez la formación de las piezas separadas que resulten convenientes para simplificar y activar el procedimiento*».

«La unificación de procedimiento tiene una funcionalidad de mera facilitación de tramitación o de resolver los problemas derivados de la inescindibilidad del enjuiciamiento. Desde luego así ocurriría en caso de unidad de delito y pluralidad de partícipes, caso que, en puridad, no cabe considerar de conexidad. Por ello, cuando la unidad procedimental se erige en escollo, causa de dificultades, o cuando desaparece esa inescindibilidad, la unidad de procedimiento es relevada por la misma ley, como ocurre en el caso del art. 762 y a salvo de las específicas excepciones dirigidas a mantener la competencia específica previstas en la ley, que no la unidad procedimental» STS 752/2015 de 24 Nov. 2015, Rec. 835/2015; Ponente: Granados Pérez, Carlos. LA LEY 177370/2015. «Trama Gürtel», pieza 4.ª

SECCIÓN 6. TRATAMIENTO PROCESAL DE LA COMPETENCIA

6.1. Introducción

Las normas que regulan la competencia —objetiva, funcional y territorial— en el proceso penal tienen carácter improrrogable. Es decir, son inderogables e indisponibles por las partes (art. 8 LECrim.).

El carácter de «ius cogens» de estas normas obliga a los órganos jurisdiccionales que conozcan de los asuntos penales a examinar de oficio el cumplimiento de las mismas. Las partes podrán también denunciar la falta de cualquier clase de competencia en la que incurra el órgano jurisdiccional que está conociendo, para lo que deberá utilizar los mecanismos procesales que a continuación se exponen.

No obstante, en el proceso penal los problemas de competencia tienen una relativa importancia. A este respecto, téngase en cuenta que el primer criterio de competencia en materia penal será la competencia territorial que se atribuye en cualquier caso a los jueces de instrucción con carácter provisional, sin perjuicio de que se pueda plantear, posteriormente, una cuestión de competencia.

«De acuerdo con esta interpretación constitucional del contenido material del derecho que se dice vulnerado, hemos de insistir en que la simple vulneración de normas de competencia territorial no genera, por sí sola, el menoscabo del derecho al Juez predeterminado por la ley. Ni siquiera es causa de nulidad de los actos procesales, que conforme al art. 238.1 de la LOPJ (LA LEY 1694/1985), sólo se genera en los supuestos de falta de competencia objetiva o funcional. La defensa suma a su desacuerdo el hecho de que dos delitos que no presentan lazos de conexión entre sí hayan sido enjuiciados por la misma Audiencia Provincial. Sin embargo, obligado resulta insistir en que la vulneración delas normas de conexión carece de la trascendencia para derivar una infracción de alcance constitucional. La proclamación del art. 300 de la LECr (LA LEY 1/1882), conforme al cual, cada delito dará lugar a un único proceso es compatible con la excepción representada por los delitos conexos a que se refiere el art. 17 de la LECr (LA LEY 1/1882). Pero este último precepto a su vez, vuelve a excepcionar su contenido en el art. 762.6.º, que permite desconectar lo que, en principio, aparece como susceptible de conexión. En él se tolera el enjuiciamiento de delitos conexos con independencia, autorizando al Juez instructor a formar las piezas separadas que resulten convenientes para simplificar y activar el procedimiento. Y por si fuera poco, el art. 988 de la LECr (LA LEY 1/1882), en su pfo. 3.º, al fijar las reglas para la refundición de condenas, parte de la hipótesis de que delitos conexos hayan sido enjuiciados con independencia y este hecho sea advertido cuando las sentencias dictadas sean ya firmes. En definitiva, las reglas de conexión procesal están al servicio de un enjuiciamiento más ágil y conveniente, orientado a evitar que hechos de similar naturaleza puedan tener como desenlace pronunciamientos contradictorios. Pero la inobservancia de esas reglas tiene, como regla general, un alcance relativo si se pretende enlazar su vigencia con dictados de relieve constitucional». STS 426/2016 de 19 May. 2016, Rec. 2107/2015; Ponente: Berdugo Gómez de la Torre, Juan Ramón. LA LEY 51966/2016.

Determinada la competencia territorial la posterior aplicación de las normas sobre competencia objetiva no planteará excesivos problemas, ya que iniciado un procedimiento por las normas del procedimiento abreviado en cuanto que aparezca que el hecho debe sustanciarse por otro procedimiento se continuará sin retroceder ni suponer mayor inconveniente. Además, debe tenerse en cuenta que no pueden plantearse cuestiones de competencia entre órganos jurisdiccionales de distinto grado jerárquico y que esta clase de cuestiones no afectan al derecho a un Juez predeterminado por la Ley.

«3. Ciertamente, no puede entenderse producida infracción del derecho al juez predeterminado. Tiene declarado este Tribunal que: en efecto como hemos dicho en SSTS 942/2011 de 21.9 (LA LEY 192592/2011), 729/2012 de 25.9 (LA LEY

151726/2012), 1053/2013 de 30.9 (LA LEY 148690/2013), según constante doctrina de esta Sala de casación y también del Tribunal Constitucional, la mera existencia de una discrepancia interpretativa sobre la normativa legal que distribuye la competencia entre órganos de la jurisdicción penal ordinaria, no constituye infracción del derecho fundamental al Juez ordinario predeterminado por la Ley. Y dicho derecho no resulta vulnerado cuando se trate de un mero deslinde y amojonamiento de distintos y colindantes ámbitos de actuación en hipótesis polémicas o en situaciones problemáticas, no suponiendo por tanto la ruptura deliberada del esquema competencial (STC 35/2000 (LA LEY 5701/2000), 93/1998 (LA LEY 6677/1998) ATC 262/1994, de 3 de octubre, STS de 15-3-2003 e igualmente podemos añadir en consonancia con la STS 25.2.2010) que las discrepancias interpretativas relativas a la competencia entre órganos de jurisdicción penal ordinaria no pueden dar lugar a la infracción del derecho constitucional al juez predeterminado por la Ley» STS 793/2016 de 20 Oct. 2016, Rec. 918/2016; Ponente: Monterde Ferrer, Francisco. LA LEY 146032/2016.

6.2. Examen de oficio de la competencia

No existen especiales problemas respecto a la competencia funcional, ya que se trata de unas reglas que operan de forma automática en función del órgano aparentemente competente de modo objetivo. Por otra parte, corresponde a los propios Juzgados y Tribunales la aplicación de tales reglas, ya que son ellos los que dan trámite a los procesos.

En cuanto a la competencia objetiva, la norma general atribuye competencia al Juez de Instrucción instruir el proceso penal, por esa razón no se plantearán en instrucción problemas de competencia objetiva, salvo en el supuesto en el que se acuse a personas aforadas, y los que sean competencia de los Juzgados Centrales de lo Penal o a la Sala de lo Penal de la Audiencia Nacional (véase sobre este procedimiento § 4, Cap. XV).

En consecuencia, el problema se traslada al de la tipificación provisional de los hechos punibles por el Juez de instrucción a efectos de determinar el procedimiento a seguir. En la regulación vigente los hechos punibles de los que conozca el Juez de instrucción pueden dar lugar a las siguientes actuaciones o procedimiento:

a) Que el hecho punible constituya un delito leve. En este caso procederá iniciar un procedimiento por delitos leves ante el Juez de Instrucción, según lo previsto en el art. 14.1.º LECrim.

b) Que el hecho punible lleve aparejada unas penas menos graves o graves, salvo la de prisión superior a nueve años. En este supuesto deberán incoarse unas Diligencias previas, siguiéndose los trámites del procedimiento abreviado.

c) Se acordará sustanciar un procedimiento para el enjuiciamiento rápido de determinados delitos en los siguientes supuestos: delitos previstos en el art. 795.1.1.ª LECrim.: lesiones, coacciones, amenazas o violencia contra las personas previstas en el art. 173.2 CP; hurto; robo; contra la seguridad del tráfico; daños referidos al art. 263 CP; contra la salud pública previstos en el art. 368.2 CP (sustancias que no causan grave daño a la salud); y delitos flagrantes contra la propiedad intelectual e industrial previstos en los arts. 270, 273, 274 y 275 CP; o bien de otra clase siempre que se trate de delito flagrante, o que se presuma que la instrucción será sencilla. En cualquiera de los casos la pena que corresponda no debe exceder de cinco años de prisión o de 10 cuando fuere de otra naturaleza, y debe iniciarse e virtud de atestado policial (art. 795 LECrim.).

d) Si el hecho punible puede racionalmente constituir un delito penado con más de nueve años de privación de libertad, procede incoar sumario, sustanciándose por los trámites del procedimiento ordinario (art. 299 y ss. LECrim.).

e) Cuando el hecho punible se encuentre tipificado en alguno de los supuestos que el art. 1.2 de la Ley del Jurado establezca como competencia exclusiva del Jurado, en cuyo caso serán de aplicación las normas establecidas en la Ley Orgánica 5/1995, de 22 de mayo, con independencia de la pena aplicable al ilícito cometido. Deberá incoarse procedimiento para el juicio ante el Tribunal del Jurado, cuya tramitación se acomodará a las disposiciones de la Ley del Jurado, practicando, en todo caso, aquellas actuaciones inaplazables a que hubiere lugar, según lo dispuesto en el art. 24.1 de la citada Ley, siendo de aplicación supletoria la LECrim. en todo lo que no se oponga a la misma —art. 24.2—.

Si surgiese duda al Juez de Instrucción sobre la tipificación del hecho punible, lo ordinario será que el Juez incoe unas Diligencias previas del procedimiento abreviado, ya que durante esta fase instructora tendrá aquél ocasión de poder determinar el órgano competente y el procedimiento adecuado para el enjuiciamiento. Así lo establece el art. 760 LECrim. que prevé que si se iniciara un proceso de acuerdo con las normas del procedimiento abreviado y apareciere que el hecho no se halla comprendido entre los que se sustancian por ese clase de procedimiento, se continuará instruyendo conforme a las disposiciones generales de la LECrim., produciéndose, de ese modo, un cambio del procedimiento abreviado al ordinario[46]. Igualmente, en sentido contrario, si iniciado un proceso por sumario constase que el hecho enjuiciado se halla comprendido en los que determinan que se siga procedimiento abreviado continuará su sustanciación por éste. Si el hecho podría constituir un delito cuyo enjuiciamiento corresponda al Tribunal del Jurado se incoará un procedimiento de jurado conforme al art. 309 bis LECrim.

Por último, cabe indicar respecto de la competencia territorial que los órganos jurisdiccionales de un mismo grado podrán, en cualquier momento de la fase instructora promover una cuestión de competencia por razón del territorio cuando entiendan que deben conocer o abstenerse del conocimiento de un determinado asunto. Las reglas de este tipo de competencia vienen establecidas en los arts. 14 y 19 y ss. y 759 LECrim.

Cuando un órgano jurisdiccional revise de oficio su competencia podrán darse los siguientes supuestos:

---

(46)   Vid. STS 14 febrero 1989, que declara: «... el eventual cambio de procedimiento nunca ha de producir retroceso en la tramitación (y por ello mismo aún menos nulidad de lo actuado) más que en el caso de que resulte necesario practicar diligencias o realizar actuaciones con arreglo a dichos preceptos legales (los del procedimiento ordinario), según expresamente dispone el art. 780 LECrim...».

A) Requerimiento e inhibición del órgano jurisdiccional

El órgano que se encuentre conociendo de un asunto podrá acordar la inhibición a favor del órgano que considere competente. Esta decisión del Juez podrá fundarse en un previo requerimiento de otro Tribunal o bien por considerar que no le corresponde el conocimiento de la causa —art. 25 LECrim.— (Véanse M. 5 a 8). Frente al auto dictado por el Juez de instrucción, o de lo Penal, inhibiéndose a favor de otro tribunal o jurisdicción cabe recurso de apelación. Frente al dictado por las Audiencias cabe recurso de casación. Todas las decisiones de estos órganos deberán fundarse en los preceptos que la LECrim. dedica a la competencia territorial, sin que se planteen problemas especiales.

En el supuesto de inhibición, y entre tanto no recaiga resolución definitiva sobre la cuestión de competencia planteada, el Juez de instrucción que hubiere conocido inicialmente de los hechos seguirá practicando todas las diligencias necesarias para comprobar el delito, averiguar e identificar a los posibles culpables y proteger a las víctimas y perjudicados. A este fin el Juez requirente conservará en su juzgado los autos y remitirá testimonio al Juez requerido. Los autos originales se remitirán una vez aceptada o resuelta la cuestión de competencia. Estos extremos se harán constar en la resolución de inhibición (arts. 25 LECrim. y 759.1.ª LECrim. en sede de procedimiento abreviado).

B) Inexistencia de acuerdo entre los órganos jurisdiccionales en conflicto

Si existe acuerdo entre el órgano que se inhibe y el órgano al que le es remitida la causa, o bien entre aquél y el requirente, no se plantea problema alguno. Ahora bien, si tal acuerdo no se produce, habría que acudir en tal supuesto al procedimiento que establece la LECrim. para resolver tales conflictos planteados de oficio. En este sentido, debemos diferenciar entre:

a) Resolución de las controversias sobre competencia por decisión del superior jerárquico, cuando se trate de órganos de distinto grado en supuestos de conflictos relativos a competencia objetiva

En estos casos nos encontramos ante un requerimiento coercitivo del órgano superior al inferior, por lo que no cabe que el Juez de inferior jerarquía se oponga. La ley establece, con carácter general, este criterio sólo para el Tribunal Supremo (art. 21 LECrim.); sin embargo resulta extensivo a aquellos otros casos en los que se plantee la cuestión de competencia entre un órgano superior y un inferior[47], según ha previsto

---

(47) Cuando corresponda el conocimiento de algún asunto a órganos superiores jerárquicos, ya resulte competente el Tribunal Superior de Justicia o la Sala 2.ª del TS, y el que se halle conociendo fuese un Juzgado de Instrucción, este último no podrá promover controversia sobre competencia de forma implícita o explícita, absteniéndose de remitir la causa o dictar resolución en dicho sentido, sino que «... en su caso, deberá remitir los antecedentes necesarios para resolver a la Sala a quien corresponde la competencia...». (ATS 21 marzo 1984), junto con una sucinta exposición, de conformidad con los arts. 21, 22.3.º, 303.5.º, 309 y 782.2.º LECrim. Verificado lo cual se dictará la resolución que proceda con arreglo a derecho por la Sala, que el órgano inferior habrá de cumplimentar.

el art. 52 LOPJ[48]. Ahora bien, la decisión adoptada por la Audiencia Provincial será susceptible de recurso de casación.

> «Muy recientemente la STS 235/2016, de 17 de marzo (LA LEY 15974/2016) reitera esa doctrina jurisprudencial. Tras citar en apoyo de su posición las SSTS 975/1994; 21 de febrero de 2007; 28 de enero de 2008; 484/2010; 254/2011; 264/2011; 964/2011; 272/2013; 286/2013; 697/2013 o 473/2014, razona así: «Ciertamente, el art. 52 de la LOPJ (LA LEY 1694/1985)establece que no podrán suscitarse cuestiones de competencia entre Jueces y Tribunales subordinados entre sí, de suerte que el Tribunal Superior fijará su competencia sin ulterior recurso, pero esta Sala tiene una consolidada jurisprudencia —ya citada—, en la que se afirma que la exclusión del recurso a que se refiere el art. 52 LOPJ (LA LEY 1694/1985), se refiere a los recursos ordinarios en tanto que el recurso de casación es por su propia naturaleza, un recurso extraordinario que el propio art. 25 in fine de la LECriminal (LA LEY 1/1882) lo autoriza expresamente contra los autos de las Audiencias Provinciales en materia de inhibición o rechazo de su competencia»...». STS 282/2016 de 6 Abr. 2016, Rec. 1929/2015; Ponente: Moral García, Antonio del. LA LEY 24094/2016.

b) Resolución de las controversias sobre competencia promovidas entre órganos jurisdiccionales de igual grado en materia de competencia territorial

Cuando se sigan los trámites del procedimiento por delitos graves, el art. 22 LECrim. establece que lo resolverá el superior jerárquico competente. Este se determinará de acuerdo con lo previsto en el art. 20 LECrim., al que se remite también el art. 51 de la LOPJ.

c) Resolución de las controversias sobre competencias objetiva y territorial en el procedimiento abreviado

El art. 759 LECrim. recoge la misma tramitación para el procedimiento abreviado, si bien con mayor precisión. En este precepto se exige que los órganos motiven razonadamente sus resoluciones y se regula la intervención de las partes. Así dispone que:

1. Cuando se trate de órganos de distinto grado en materia de competencia objetiva:

— Los Jueces de Instrucción, de lo Penal o Centrales de Instrucción o de lo Penal, no podrán promover cuestiones de competencia a las Audiencias respectivas, sino que deberán exponerles, oído el Ministerio Fiscal, las razones que tengan para creer que corresponde a la Audiencia el conocimiento del asunto. El Tribunal dará vista de la exposición y antecedentes al Ministerio Fiscal y a las partes personadas, y luego de oídos todos, sin más trámites, resolverá lo que estime procedente (art. 759.1.º LECrim.).

— En el caso que algún Juez de Instrucción, de lo Penal, o Central de Instrucción o de lo Penal, viniere conociendo de una causa atribuida a la competencia

---

(48) Vid. FENECH, El proceso penal, Madrid, 1982, pp. 56 y ss. El art. 52 LOPJ establece, asimismo, que no podrán suscitarse cuestiones de competencia entre Jueces y Tribunales subordinados entre sí; correspondiendo al Juez o Tribunal Superior fijar, en todo caso y sin ulterior recurso, su propia competencia. Vid., respecto de la interpretación del superior común, los arts. 20 LECrim. y 82.5 a) y 73.3 c) LOPJ. En todo caso, la Sala 2.ª del TS conocerá en los problemas de competencia no previstos en los que intervengan órganos de especial relevancia o pertenecientes a distintas Comunidades Autónomas.

de las Audiencias respectivas, éstas se limitarán a ordenar a aquéllos, oído el Ministerio Fiscal y las partes personadas, que se abstengan de conocer y les remitan las actuaciones (art. 759.3.º LECrim.).

2. Cuando se trate de órganos del mismo grado en controversias relacionadas con la competencia territorial:

Cuando está conociendo de un asunto un órgano jurisdiccional determinado puede ocurrir que otro órgano jurisdiccional distinto entienda que es aquél a quien corresponde conocer. Una vez haya sido requerido de inhibición el primero podrá contestar afirmativa o negativamente a dicho oficio. Tanto en los supuestos de contestación afirmativa o negativa al oficio de inhibición, se continuarán practicando, en todo caso, las diligencias necesarias para la comprobación del delito, la averiguación e identificación de los responsables, y la protección de los ofendidos o perjudicados, debiendo remitirse recíprocamente, ambos juzgados, testimonio de lo actuado y comunicarse cuantas diligencias practiquen —arts. 22.2.º y 759.1.ª.2 LECrim.— (Véanse M. 7 a 10).

En el caso de accederse al requerimiento, no se planteará ningún problema puesto que se remitirán al requirente las diligencias practicadas para que siga conociendo dicho órgano. En el segundo caso, después de producirse la «primera comunicación» denegándose el requerimiento por el órgano requerido, el requirente remitirá oficio al superior jerárquico, juntamente con otro al órgano requerido, para que a su vez remita oficio a aquél, expresando en cada caso los hechos y razones que les asistan (Véase M. 10). Deberán acompañar a dichos oficios los testimonios de las actuaciones que se estimen convenientes, salvo si la cuestión es entre Audiencias y hubiese concluido ya la fase instructora, en cuyo caso se podrá no sólo remitir los testimonios, sino todas las diligencias practicadas.

El superior jerárquico decidirá la cuestión oyendo «in voce» al Fiscal y a las partes personadas, en comparecencia que se celebrará dentro de las veinticuatro horas siguientes, decida en el acto lo que estime procedente, sin ulterior recurso (art. 759.1.ª LECrim.) (Véase M. 11). Nótese la ausencia de recurso frente a la decisión del superior jerárquico que, por tanto, será firme. Por último, conviene señalar que estos preceptos resultan aplicables tanto a los supuestos en los que se discuta de oficio la competencia objetiva o funcional de los órganos jurisdiccionales afectados como a las denominadas cuestiones de competencia territorial que se planteen entre aquellos órganos, como hemos señalado.

6.3. Examen de la competencia a instancia de parte

A) Competencia objetiva o funcional

Las partes podrán denunciar la falta de competencia objetiva o funcional durante la fase de instrucción. Esta denuncia deberá circunscribirse a los supuestos de personas aforadas, o de los delitos atribuidos a los Juzgados Centrales de Instrucción —arts. 19 y 21 LECrim.—. En los demás casos, al corresponder la competencia al Juez de Instrucción, no cabrá tal posibilidad de carencia de competencia objetiva.

En el supuesto más habitual que se sigan Diligencias previas, las partes tendrán, antes que el Juez de Instrucción decida el órgano competente que va a conocer del juicio oral, posibilidad de manifestarse sobre la competencia de aquel órgano. En primer lugar, podrán interponer recurso de reforma y/o apelación frente a la resolución prevista en el art. 779 LECrim., por la que el Juez de Instrucción, practicadas sin demora las diligencias pertinentes, adoptará alguna de las siguientes resoluciones: sobreseimiento libre o provisional y archivo, remisión a delito leve (véanse M. 12 y 117), remisión al juzgado de menores o a la jurisdicción militar. Igualmente cabrá interponer recurso de reforma y/o de apelación contra los autos del Juez instructor que remita las actuaciones al procedimiento por delitos graves —art. 760 LECrim.— (véase M. 121). También podrán manifestarse respecto de la competencia, al presentar el escrito de acusación (art. 781 LECrim.) o defensa (art. 784 LECrim.); o al iniciarse el juicio oral (art. 786.2.º LECrim.) (vid. Cap. IX).

B)   Competencia territorial

Cuando surja alguna duda sobre la competencia territorial del órgano jurisdiccional que se encuentra conociendo de un determinado asunto, las partes podrán promover una cuestión de competencia para determinar a qué órgano en concreto le corresponde, dentro de los del mismo grado, conocer de aquella causa. El instrumento procesal por medio del cual las partes pueden promover una cuestión de competencia podrá ser bien una declinatoria, bien una inhibitoria. La primera se interpondrá ante el órgano que está conociendo, por considerarlo incompetente. La inhibitoria se interpondrá ante el órgano que se considere competente, a fin que requiera de inhibición al que se halla conociendo, para que deje de conocer y le remita los Autos. La utilización de uno de estos expedientes procesales excluye al otro (art. 26 LECrim.). Las cuestiones de competencia podrán ser positivas o negativas, según que los órganos jurisdiccionales intervinientes pretendan conocer ambos del asunto, o se nieguen a hacerlo.

Podemos distinguir según la clase de procedimiento.

a)   En el procedimiento por delitos leves

El art. 19.1.º LECrim. establece que las partes podrán promover cuestiones de competencia desde la citación hasta el acto de la comparecencia. El procedimiento para promover la inhibitoria viene recogido en los arts. 27 a 31 LECrim., indicándose todos los trámites a seguir. La declinatoria viene regulada en los arts. 32 y 46 LECrim.

b)   En el procedimiento abreviado y de enjuiciamiento rápido de determinados delitos

En la regulación del procedimiento abreviado, no se establece ninguna norma específica o un momento procesal concreto para el planteamiento de estas cuestiones. Ante la ausencia de norma legal debe entenderse que son de aplicación las normas generales de los arts. 19 y ss. LECrim. Así, las partes podrán plantearse la cuestión de competencia en la fase de instrucción, y hasta la apertura del juicio oral, por medio de inhibitoria o declinatoria ante el correspondiente Juzgado (arts. 26 y ss. LECrim.). Esta interpretación se refrenda por la doctrina del TC que declara que en el proceso penal el art. 11.3.º LOPJ impide una absolución en la instancia por motivos formales. En todo caso, con la discusión de la competencia territorial en la fase instructora se evita que se pueda plantear en el juicio oral una cuestión que pueda conducir a que el órgano judicial no dicte sentencia sobre el fondo.

«La parte recurrente que ahora invoca la falta de competencia territorial de la Sala sentenciadora, no utilizó mecanismo alguno, suscitando cuestión de competencia durante la instrucción, de conformidad con lo dispuesto en los arts. 19 y siguientes de la Ley de Enjuiciamiento Criminal, o por medio de remisión a lo prevenido en el art. 782 para el procedimiento penal abreviado, ni lo llevó tampoco como cuestión previa al acto del juicio oral, de conformidad con lo dispuesto en los arts. 45 y 793.2 de la Ley Adjetiva Penal, aun cuando este último precepto dispone de forma literal que, en un turno de intervenciones, las partes pueden exponer lo que estimen oportuno acerca de, entre otros extremos, "la competencia del órgano judicial". Nada de ello hizo el ahora recurrente, no formulando alegación alguna en dicho trámite, ni anteriormente. Como hemos dicho en nuestra Sentencia de 29 de diciembre de 2000, una vez comenzado el juicio oral, ya no es posible la inhibición por declinatoria, únicamente prevista para la competencia objetiva en el art. 793.8 de la Ley de Enjuiciamiento Criminal. Por consiguiente, y como interesa el Ministerio Fiscal en esta instancia, el único motivo del recurso tiene que ser desestimado» STS 7 de marzo de 2002, STS 395/2002 de 7 Mar. 2002, Rec. 1008/2000; Ponente: Sánchez Melgar, Julián. LA LEY 4988/2002.

Asimismo el art. 786.2.° LECrim. prevé la posibilidad de que las partes, al comenzar el juicio oral expongan lo que estimen oportuno acerca de la competencia del órgano judicial. Al no exigirse una resolución expresa, y tratarse de un acto presidido por el principio de concentración, debe entenderse que habrá de ser resuelta oralmente en aquel acto, y se documentará la resolución y su motivación en el acta que el Letrado de la Administración de Justicia levante del juicio oral, conforme a lo previsto en el art. 788.6.° LECrim. Pero, téngase en cuenta la jurisprudencia que establece la doctrina de la perpetuatio iurisdiccionis que supone el mantenimiento de una competencia declarada una vez abierto el juicio oral por el Juez de instrucción.

«Junto con el anterior argumento, se puede añadir, también, la doctrina de esta Sala que tiene invariablemente declarado que cuando se ha procedido a la apertura del juicio oral —recuérdese que su dictado corresponde en el Procedimiento Abreviado al Juez de Instrucción—, no cabe modificación de la competencia objetiva declarada y hay que estar necesariamente a la doctrina de la perpetuatio iurisdiccionis, en cuanto ello supone el mantenimiento de una competencia declarada una vez abierto el juicio oral, incluso en los casos en los que la acusación desistiera de la calificación más grave que dio lugar a la atribución de la competencia. Dicho de otro modo, *abierto el juicio oral ante un órgano judicial* —en el presente caso ante la Audiencia Provincial de Tarragona—, *el proceso solo puede terminar por sentencia o por similar resolución*». STS 282/2016 de 6 Abr. 2016, Rec. 1929/2015; Ponente: Moral García, Antonio del. LA LEY 24094/2016.

c)   En las causas seguidas por el procedimiento de delitos graves (o sumario)

En este tipo de procedimiento serán de aplicación las reglas generales previstas en los arts. 19 y ss. LECrim. Podrán promoverse cuestiones de competencia territorial durante la tramitación de la fase de instrucción o sumario, y antes de la presentación del escrito de calificación provisional. Los mecanismos procesales que podrán utilizar las partes serán la inhibitoria o la declinatoria, excluyendo la elección de una el uso de la otra —art. 26 LECrim.—.

233

La interposición de aquéllas durante la fase sumarial implica la suspensión de los trámites, salvo las diligencias de carácter urgente o indispensable —arts. 23 y 22.2.º LECrim.—. Si se interpusiere, finalizado el sumario, el art. 24 prevé la suspensión del proceso hasta la decisión de aquélla. Por último, señalar que el art. 666 establece la posibilidad de que se interponga la declinatoria como artículo de previo pronunciamiento, antes de la calificación provisional, en cuyo caso también suspende la tramitación del proceso.

> «La cuestión de competencia, por inhibitoria o declinatoria puede proponerla cualquier parte, ya en la instrucción ya en la fase de juicio oral. En un proceso ordinario, como en el del caso, en último término tenía que haberse propuesto como artículo de previo pronunciamiento al amparo de los arts. 666 y ss. LECrim., cuya resolución, en la declinatoria de jurisdicción, tiene abierta siempre la vía del recurso de casación (art. 676.3)... En todo caso, la cuestión relativa a la competencia no puede proponerse ex novo en casación...». (STS 17 febrero 1995, LA LEY, 1995, 2162).

d)   Cuestiones de competencia promovidas a iniciativa de parte: Sustanciación

   a) Declinatoria. Tramitación

La declinatoria se regula en el art. 45 LECrim. que se limita a remitir la tramitación de la declinatoria a los artículos de previo pronunciamiento, es decir, a los arts. 666 y ss. Debe destacarse que el art. 676.3.º permite que contra el auto resolutorio de la declinatoria, alegada como artículo de previo pronunciamiento, se interponga recurso de casación. Previsión ésta unánimemente criticada por la doctrina, dado su innecesario efecto dilatorio del proceso, como sucede, en general, con el tratamiento excesivamente complejo de las declinatorias e inhibitorias en la LECrim. (Véanse M. 13 a 15).

   b) Inhibitoria. Tramitación

La cuestión de competencia también puede surgir como consecuencia de haberse planteado una inhibitoria. La tramitación de ésta consistiría en presentar un escrito ante el órgano jurisdiccional que se reputase competente, continuando el curso de las diligencias si no hubiese concluido la instrucción. En caso contrario, procedería suspender la tramitación de las correspondientes diligencias, según lo previsto en el art. 24 LECrim. (Véanse Modelos 16 a 23).

e)   La competencia territorial por delitos conexos

Las normas generales de determinación de la competencia territorial quedan alteradas cuando se trate de delitos conexos, según los supuestos regulados en el art. 17 LECrim. (vid. § 4.2.D de este Capítulo). En estos casos, con independencia del lugar donde se hubiesen cometido, el Tribunal competente viene determinado por las reglas establecidas en el art. 18 LECrim.[49]. Además, en estos supuestos de delitos

---

(49)   La jurisprudencia ha seguido diversos criterios en los casos de dilucidar la competencia por conexión. Entre otros, pueden señalarse los siguientes: a) La competencia que afecta al autor absorbe la de los cómplices y encubridores, debiéndose por ello sustanciarse en una sola causa los hechos que pueden imputarse a diversas personas, aunque su participación en los mismos revistiera distinta naturaleza —AATS 16 marzo 1982 y 23 marzo 1982—. b) Cuando se trate de ilícitos que se

conexos se formará, a efectos de tramitación, una pieza con cada hecho punible —art. 300 LECrim.—[50] (Véanse M. 24 y 25).

SECCIÓN 7. EL REPARTO DE ASUNTOS

Las normas sobre competencia sirven para determinar la circunscripción territorial o Partido Judicial a cuyos órganos judiciales les corresponde el enjuiciamiento de un determinado asunto. Cuando existiesen varios órganos en un mismo Partido judicial, la definitiva fijación del Juzgado o Tribunal que debe conocer se realizará mediante la distribución de asuntos conforme a normas de reparto, aprobadas por la Sala de Gobierno de los Tribunales Superiores de Justicia a propuesta, en su caso, de las Juntas de Jueces —art. 152.1.1.º, 152.2.1.º, 167.1 LOPJ y 4.a Reglamento 1/2000 de los órganos de gobierno de los tribunales—.

Estas normas, de naturaleza gubernativa, tienen por objeto la distribución de los asuntos conforme a criterios numéricos y cuantitativos. Es decir, procurando la mayor igualdad posible entre los Juzgados de Instrucción, Penales u órganos judiciales (p. ej. Secciones dentro de la misma Audiencia Provincial), siempre que existan dos o más, según criterios de aleatoriedad (art. 25.2 Reglamento 1/2015, de 15 de diciembre de los aspectos accesorios de las actuaciones judiciales).

---

concibieron y concertaron en distintos tiempos y lugares, y no constase el lugar donde se hubiera cometido el delito de pena mayor, conocerá el Juzgado que, en primer lugar, hubiese incoado la causa —AATS 28 y 29 julio 1984— o el del centro donde radiquen las actividades comerciales en los que se fraguaron los distintos delitos, si la actividad inicial hubiese partido del mismo lugar, desarrollándose posteriormente en diversos puntos —STS 7 marzo 1980 y ATS 23 marzo 1984—.

(50) Actualmente, tras la consagración legal del delito continuado —art. 74 CP—, adquiere gran importancia el enjuiciamiento en un solo proceso de los delitos conexos, en los supuestos de tratarse de ilícitos que se imputen a una misma persona —art. 17 LECrim.— puesto que ha de pronunciarse sobre la base de dos circunstancias íntimamente relacionadas: a) se trate de infracciones o delitos conexos, y b) sean apreciados según criterio del juzgador —STS 15 marzo 1985—. Este enjuiciamiento conjunto en un solo sumario —art. 300 LECrim.— queda condicionado a la formación de piezas separadas por cada uno de los hechos delictivos, dentro del mismo sumario. Esta Importancia se acentúa, atendidas las directrices jurisprudenciales —SSTS 4 octubre 1983 y 17 mayo 1985— del delito continuado, que recargan las notas objetivas (pluralidad de acciones e infracción del mismo o semejante precepto penal), frente a las subjetivas (que abarcan desde el propósito unitario o plan preconcebido, hasta la simple reiteración de la mera culpa; apareciendo ésta cuando por unas actuaciones ocasionales se realizan los hechos por procedimientos similares que configuran un modus operandi determinado). No obstante, debe exceptuarse, en todo caso, las infracciones a bienes eminentemente personales, salvo las constitutivas de infracciones contra el honor y la libertad sexual. Dicha acumulación es aconsejable solicitarla en los primeros trámites sumariales, aunque es posible realizarla hasta que no hayan sido sentenciados los hechos. No debe proponerse la acumulación como artículo previo pronunciamiento en trámite de calificaciones, ya que no se trata de supuestos encuadrables dentro de una cuestión de competencia. En definitiva, para que se acuerde la acumulación bastará que se dirija petición al Tribunal competente —art. 18 LECrim.—, el cual, previo informe del Ministerio Público, resolverá lo procedente. Igualmente podrá verificarse la acumulación de oficio.

Se trata de lograr la mayor eficacia y racionalidad en la prestación del servicio de la Administración de Justicia, mediante una distribución equitativa de las cargas competenciales entre los diversos órganos judiciales. En el ámbito penal no se han utilizado los criterios de especialización tanto como en el civil, para la distribución de asuntos. En la práctica han ido evolucionando en un sentido restrictivo (p. ej. los Juzgados Penales en la Audiencia Nacional o la creación de una Sección de Ejecutorias en las Audiencias Provinciales). Estas normas de reparto han de venir fijadas con anterioridad, y cualquier modificación debe ser aprobada por las Salas de Gobierno. Se les otorgará la publicidad necesaria para que los criterios de distribución puedan ser conocidos «ex ante», conforme establece el art. 159.2 LOPJ.

> «Como establece la STS de 25 de octubre de 2002: "Las normas de reparto son disposiciones públicas, aunque de carácter interno que no tienen por finalidad establecer la competencia, lo que corresponde a las Leyes procesales, sino regular la distribución de trabajo entre órganos jurisdiccionales que tienen la misma competencia territorial, objetiva y funcional, por lo que la eventual infracción de las mismas no da lugar sin más exigencias a la vulneración de ningún derecho fundamental (STS núm. 917/2001, de 16 de mayo (LA LEY 98721/2001), STS núm. 1313/2000, de 21 de julio). Y el Tribunal Constitucional, por su parte, ha señalado, que, desde la STC 47/1983 (LA LEY 7926-JF/0000), ha quedado establecido que lo que exige el art. 24.2. CE (LA LEY 2500/1978), en cuanto consagra el derecho constitucional al juez ordinario predeterminado por la Ley, es que el órgano judicial haya sido creado previamente por la norma jurídica, que ésta le haya investido de jurisdicción y competencia con anterioridad al hecho motivador de la actuación o proceso judicial y que su régimen orgánico y procesal no permita calificarle de órgano especial o excepcional (SSTC 23/1986, de 14 de febrero (LA LEY 543-TC/1986), 148/1987, de 28 de septiembre (LA LEY 870-TC/1987), 138/1991, de 20 de junio (LA LEY 55910-JF/0000), 307/1993, de 25 de octubre (LA LEY 2394-TC/1993) y 191/1996, de 26 de noviembre (LA LEY 195/1997)). Por ello, en principio, las normas de reparto de los asuntos entre diversos órganos judiciales de la misma jurisdicción y ámbito de competencia, no se refieren al mencionado derecho (STC núm. 170/2000, de 26 de junio (LA LEY 10060/2000))». STS 426/2016 de 19 May. 2016, Rec. 2107/2015; Ponente: Berdugo Gómez de la Torre, Juan Ramón. LA LEY 51966/2016.

No deben confundirse estas normas de ordenación del trabajo entre los diversos órganos judiciales de una misma circunscripción, con la especialización de determinados Juzgados y Secciones, conforme a lo establecido en los arts. 98.1 LOPJ y 17 y ss. del Reglamento 1/2015 de 15 de diciembre. Mientras las normas de reparto hacen referencia a una distribución aleatoria de «todos» los asuntos, la especialización conlleva la atribución a uno o varios Juzgados de Instrucción, Penales o Secciones de las Audiencias Provinciales, con carácter de exclusividad, el conocimiento de determinadas clases de asuntos o las ejecuciones propias del órgano jurisdiccional que se trate. Los presupuestos para su regulación también son diferentes. Mientras las normas de reparto son aprobadas por la Sala de Gobierno, la especialización requiere la aprobación del Consejo General del Poder Judicial y su publicación en el Boletín Oficial del Estado.

El acto material del reparto se realiza por el Letrado de la Administración de Justicia bajo la supervisión del Juez Decano, cuando se distribuyan los asuntos entre los Juzgados de Instrucción o de lo Penal. Esta función corresponderá al Presidente de la Audiencia Provincial, en los órganos colegiados, a quienes les corresponde resolver las cuestiones y conflictos que puedan suscitarse, sin ulterior recurso ¾arts. 160.9, 167.2 LOPJ y art. 27 del Reglamento 1/2015¾. Corresponderá al Juez Decano resolver las cuestiones que se planteen y corregir las irregularidades que puedan producirse, adoptando las medidas necesarias y promoviendo, en su caso, la exigencia de las responsabilidades que procedan (art. 167.3 LOPJ).

Las partes podrán impugnar la infracción de las normas de reparto vigentes en el momento de incoarse las actuaciones, mediante recurso gubernativo que se interpondrá frente a las decisiones de los Letrados de la Administración de Justicia y que resolverá el Juez Decano si se trata de Juzgados (art. 168.2.a. LOPJ), o el Presidente de la Audiencia Provincial, si fueren secciones de la Audiencia Provincial. No se prevé recurso alguno frente a la resolución del recurso, pero el art. 68.4 LEC establece que serán nulas las resoluciones dictadas por tribunales distintos a los que correspondiere conforme a las normas de reparto, siempre que la nulidad se haya instado en el trámite procesal inmediatamente posterior al momento en que la parte tuvo conocimiento de la infracción mediante el correspondiente recurso gubernativo. La petición de nulidad se producirá, conforme a las normas de la LOPJ, mediante los recursos previstos en la ley y los demás medios que establecen las leyes procesales (art. 240.1 LOPJ).

SECCIÓN 8. ABSTENCIÓN Y RECUSACIÓN DE JUECES Y MAGISTRADOS

8.1. Fundamento jurídico de la abstención y recusación[51]

La función jurisdiccional está encomendada, exclusivamente, a los órganos de la Administración de Justicia —art. 117.3.º CE—, y se caracteriza por las notas siguientes:

---

(51) Véase, JIMÉNEZ ASENSIO, R., *Imparcialidad judicial y Derecho al Juez imparcial*, Pamplona 2002; MORENO CATENA, «Algunas notas sobre abstención del Juez», *Justicia*, 1988, p. 561; VALLS GOMBAU, «Las competencias penales de los TSJ», *PJ*, 1989, p. 27; LORENTE HURTADO, «Apuntes críticos sobre la STC 145/88», *PJ*, n.º 11, 1988, pp. 89 y ss.; ESCUSOL BARRA, *Manual de Derecho Procesal Penal*, Madrid, 1993, p. 158. DE LA OLIVA SANTOS, *Derecho Procesal civil*, V. I, Madrid, 1988, p. 329; DE LA OLIVA SANTOS, Jueces imparciales, fiscales investigadores y nueva reforma para la vieja crisis de la justicia penal, Barcelona 1988. CALVO SÁNCHEZ, «La recusación de los Jueces y Magistrados», *RUDP*, 1989, n.º 2, p. 69. CALVO SÁNCHEZ, «Reflexiones sobre la causa 9.ª del art. 219 LOPJ», *RPJ*, 1989, n.º 13, p. 9; «De nuevo sobre la recusación: análisis de las modificaciones introducidas en esta materia en el anteproyecto de la LEC», *RGD*. PRIETO CASTRO, *Derecho Procesal Civil*, T. 1, Madrid, 1972, p. 76. LÓPEZ BARJA DE QUIROGA, J., «El Juez imparcial», *Cuadernos de Derecho Judicial*. MONTERO AROCA, *Sobre la imparcialidad del Juez y la incompatibilidad de funciones procesales*, Valencia 1998; «El Juez que instruye no juzga», *La Ley* n.º 4735, 1999. PICO JUNOY, *La imparcialidad judicial y sus garantías: la abstención y la recusación*, Barcelona 1998; «La imparcialidad objetiva del Juez a examen», *La Ley* n.º 4486, 1998; SANTOS VIJANDE, J.M. «Abstención y recusación de jueces y Magistrados», *La Ley* n.º 4719, y 4720, 1999; MUÑIZ VEGA, G., «La sentencia del TEDH en el caso Castillo Algar y la jurisdicción militar», *La Ley* n.º 4749, 1999. RODRÍGUEZ RAMOS; «La imparcialidad judicial objetiva, comentario a la STEDH de 28 octubre de 1998, Caso Algar», *Actualidad J.ª Aranzadi* n.º 376, 1999.

a) Imparcialidad del órgano jurisdiccional: El Juzgador se encuentra en una posición supra ordenada y neutral respecto de las partes del proceso.

b) Independencia judicial: Desde una perspectiva funcional, debe indicarse que el Juzgador no está sometido a las directrices de ningún órgano superior; y desde un ámbito personal no podrá ser separado, jubilado o trasladado, sino por los motivos previstos expresamente en la Ley.

c) Desinterés objetivo: Supone la inexistencia de relación funcional alguna entre el Juzgador y el asunto que se somete a su decisión—nemo iudex in causa sua—.

La preservación de estas notas de la función jurisdiccional constituye la principal garantía de un correcto funcionamiento del sistema procesal. Su proyección constitucional tiene lugar a través del derecho de defensa, del derecho a una tutela jurisdiccional efectiva y, en especial, del derecho al Juez ordinario predeterminado por la Ley. Así se desprende del contenido de los arts. 24 y 117.3.º CE, que viene refrendado por el art. 6.1 del Convenio de Roma de 4 de noviembre de 1950, referente a la Protección de los Derechos Humanos y las Libertades Fundamentales, y por el art. 14.1.º del Pacto Internacional de Nueva York de 19 de diciembre de 1966, sobre Derechos Civiles y Políticos. Esta imprescindible independencia, imparcialidad y desinterés objetivo de los órganos jurisdiccionales vienen reiteradamente refrendadas por la doctrina del TC.

La garantía de la independencia e imparcialidad de los Jueces, amparada por el derecho al Juez ordinario predeterminado, radica en la Ley, que deberá regular, con generalidad y «ex ante», los criterios de competencia judicial, que servirán para determinar el órgano concreto que deberá conocer en cada caso. Esta generalidad de los criterios aplicables garantiza la inexistencia de Jueces «ad hoc». Por otra parte, la anterioridad de tales criterios evita que el Juez que resulte competente según los mismos, pueda ser separado del conocimiento del caso concreto por decisiones de —carácter administrativo[52].

Las normas procesales que regulan la determinación del Juez se encuentran dentro del ámbito del art. 24 CE. Dentro de este grupo de normas quedan comprendidas no sólo las que regulan la Jurisdicción y competencia de los órganos jurisdiccionales, sino también las referentes a preservar la imparcialidad de los titulares de estos órganos[53].

El Tribunal Europeo de Derechos Humanos de Estrasburgo tiene sentada también reiterada jurisprudencia sobre esta materia. A este respecto, deben ponerse de manifiesto las sentencias recaídas en el caso De Cubber[54] y en el caso Piersack[55], en los que aquel Tribunal llegó a afirmar la importancia que en esta cuestión tienen, incluso, las apariencias, que deben llevar a los Jueces a abstenerse cuando pueda legítimamente temerse de ellos una falta de imparcialidad. El fundamento de esta

(52) Vid. SSTC 101/1984, de 8 noviembre; 44/1985, de 22 marzo; y 47/1983, de 31 mayo.
(53) Vid. STC 47/1982, de 12 julio.
(54) Vid. STEDH de 26 octubre 1984.
(55) Vid. STEDH de 1 octubre 1982.

afirmación lo apoya el Alto Tribunal en la indudable confianza que los Tribunales de una sociedad democrática deben inspirar a los justiciables.

«... la imparcialidad del Juez trasciende el límite meramente subjetivo de las partes para erigirse en una auténtica garantía previa del proceso y, por ello, puede poner en juego nada menos que la auctoritas o prestigio de los Tribunales que, en una sociedad democrática, descansa sobre la confianza que la sociedad deposita en la imparcialidad de su Administración de Justicia. Ahora bien, en tal marco genérico, el Tribunal Europeo separa luego dos aspectos de la imparcialidad, a veces interrelacionados pero distinguibles en una contemplación abstracta. La imparcialidad objetiva, con soporte en una situación, es configurada como ausencia de toda «idea preconcebida» .../... concepto que comprende las condiciones objetivas de imparcialidad e independencia de los órganos jurisdiccionales, pueden surgir por varias causas, una la incompatibilidad de las funciones del instructor con las de juzgador en cualesquiera de las instancias y otra la incompatibilidad de las funciones de Juez de instancia y de apelación. Las dos modalidades de una eventual parcialidad se recogen indiscriminadamente en las listas de las causas de abstención y de recusación que contiene la Ley Orgánica del Poder Judicial (art. 219) y las Leyes de Enjuiciamiento de los distintos órdenes jurisdiccionales». (STC 142/1997 de 15 de septiembre). Véase en el mismo sentido, SSTC 60/1995 de 17 de marzo; 64/1997, de 7 de abril.

De especial trascendencia en el ámbito de nuestro derecho, por referirse a una sentencia española, es la STEDH caso «Castillo Algar», de 28 de octubre de 1998, respecto a falta de imparcialidad del Tribunal que conoció de la ratificación de un auto de procesamiento, cuando alguno de sus miembros habían conocido de la cuestión en una instancia previa de cuyos miembros (Vid. sobre esta sentencia § 7.5 de este Capítulo)[56].

8.2. Concepto de abstención y recusación

El derecho a un Juez neutral, imparcial y desvinculado del objeto del litigio, no queda garantizado por los criterios de competencia judicial. Éstos no son suficientes para garantizar un Juez neutral, imparcial y desvinculado del objeto del litigio, ya que pueden existir vicios objetivos o subjetivos que condicionen la neutralidad del Juez. Para superar éstos aparecen las instituciones procesales de la abstención y de la recusación, que se definen como aquéllas que sirven para determinar la concreta idoneidad de un Juez en relación con un asunto concreto. Esta idoneidad se funda en la imparcialidad del Juez, que deberá medirse no sólo por las condiciones subjetivas de ecuanimidad y rectitud, sino también por las de desinterés y neutralidad.

A este respecto, la doctrina del TEDH distingue entre imparcialidad subjetiva y objetiva[57]. La primera tiene su fundamento en la existencia de vínculos personales,

---

(56) Véanse también sobre esta materia, las SSTEDH Delcourt de 17 de enero de 1970; Hauschildt de 24 de mayo 1989; Oberschlick de 23 de mayo 1991; Castillos Algar de 28 de octubre 1998.

(57) «... Ciertamente este Tribunal ha incluido en el ámbito del derecho a un proceso con todas las garantías del art. 24.2 de la Constitución el derecho a un Juez imparcial (por todas, SSTC 145/1988 y 164/1988). Desde el principio, y con apoyo en la jurisprudencia del TEDH (asuntos Piersack, de 1 octubre 1982, y De Cubber, de 26 octubre 1984), hemos distinguido en este derecho

parentesco, enemistad, entre el Juez y las partes que intervienen en el proceso. La imparcialidad objetiva radica en averiguar si, con independencia de la conducta personal del Juez, algunos hechos que pueden comprobarse permiten poner en duda su imparcialidad[58].

> «El reconocimiento de este derecho exige, por estar en juego la confianza que los Tribunales deben inspirar en una sociedad democrática, que se garantice al acusado que no concurre ninguna duda razonable sobre la existencia de prejuicios o prevenciones en el órgano judicial. A esos efectos, se viene distinguiendo entre una imparcialidad subjetiva, que garantiza que el Juez no ha mantenido relaciones indebidas con las partes, en la que se integran todas las dudas que deriven de las relaciones del Juez con aquéllas, y una imparcialidad objetiva, es decir, referida al objeto del proceso, por la que se asegura que el Juez se acerca al thema decidendi sin haber tomado postura en relación con él (así, SSTC 47/2011, de 12 de abril (LA LEY 20749/2011), FJ 9; 60/2008, de 26 de mayo (LA LEY 61662/2008), FJ 3, o 26/2007, de 12 de febrero (LA LEY 3223/2007), FJ 4). A tal efecto resulta ilustrativa la STEDH de 15 de octubre de 2009, caso Micallef contra Malta (LA LEY 237721/2009), en la cual el Tribunal Europeo afirma que: «93. La imparcialidad normalmente denota la ausencia de prejuicios o favoritismos y su existencia puede ser probada de diferentes formas. De acuerdo con la jurisprudencia constante del Tribunal, la existencia de imparcialidad en lo que se refiere al art. 6.1 debe ser determinada de acuerdo a una valoración subjetiva donde se deben tener en cuenta la convicción personal y el comportamiento de un juez en particular, esto es, si el juez tiene algún prejuicio personal o favoritismo en algún caso dado; y también de acuerdo con una valoración objetiva, es decir asegurando si el tribunal en sí mismo y, entre otros aspectos, su composición, ofrece suficientes garantías para excluir cualquier duda legítima con respecto a su imparcialidad (ver, ínter alia, Fey contra Austria, 24 de febrero de 1993 (LA LEY 923/1993), Series A núm. 255, ap. 27, 28 y 30, y Wettstein contra Suiza, núm. 33958/1996, ap. 42, TEDH 2000-XII)». STC 133/2014 de 22 Jul. 2014, Rec. 3930/2012. Ponente: Xiol Ríos, Juan Antonio. LA LEY 93103/2014.

De lo expuesto se deduce que de los derechos constitucionales de defensa y al Juez ordinario predeterminado por la ley, surge la obligación de abstenerse, o bien el derecho a recusar a aquellos Jueces en quienes se estime la concurrencia de alguna de las causas legalmente previstas que les prive de su presunta imparcialidad.

> «Para que, en garantía de la imparcialidad, un Juez pueda ser apartado del conocimiento concreto de un asunto, es siempre preciso que existan sospechas objetivamente justificadas, es decir, exteriorizadas y apoyadas en datos objetivos, que

---

una doble vertiente: la subjetiva, que trata de evitar la parcialidad de criterio del Juez —o su mera sospecha— derivada de sus relaciones con las partes, y la objetiva, que trata de evitar esa misma parcialidad derivada de su relación personal con el objeto del proceso o de su relación orgánica o funcional con el mismo...». (STC 32/1994, de 31 enero).

(58) Véanse SSTEDH de 1 de octubre de 1982 (TEDH 1982\6) (caso Piersack), de 26 de octubre de 1984 (TEDH 1984\14) (caso De Cubber), de 24 de mayo de 1989 (TEDH 1989\8) (caso Hauschildt), 16 de diciembre de 1992 (TEDH 1992\76) (caso Saint-Marie), de 24 de febrero de 1993 (TEDH 1993\5) (caso Fey), de 26 de febrero de 1993 (TEDH 1993\13) (caso Padovani), de 22 de abril de 1994 (TEDH 1994\19) (caso Saraiva de Carvalho), de 22 de febrero de 1996 (TEDH 1996\16) (caso Bulut), de 20 de mayo de 1998 (TEDH 1998\73) (caso Gautrin y otros), y de 28 de octubre de 1998 (TEDH 1998\51) (caso Castillo Algar).

permitan afirmar fundadamente que el Juez no es ajeno a la causa, o que permitan temer que, por cualquier relación con el caso concreto, no utilizará como criterio de juicio el previsto por la ley, sino otras consideraciones ajenas al Ordenamiento jurídico. Por más que hayamos reconocido que en este ámbito las apariencias son importantes porque lo que está en juego es la confianza que, en una sociedad democrática, los Tribunales deben inspirar al acusado y al resto de los ciudadanos, no basta para apartar a un determinado Juez del conocimiento de un asunto que las sospechas o dudas sobre su imparcialidad surjan en la mente de quien recusa, sino que es preciso determinar, caso a caso, más allá de la simple opinión del acusado, si las mismas alcanzan una consistencia tal que permita afirmar que se hallan objetiva y legítimamente justificadas». STC 66/2001 de 17 de marzo.

La doctrina constitucional se refiere a las normas procesales reguladoras de la abstención y recusación, como aquellas que sirven para determinar la concreta idoneidad de un Juez en relación con un asunto concreto. Esta idoneidad se funda en la imparcialidad del Juez, que deberá medirse no sólo por las condiciones subjetivas de ecuanimidad y rectitud, sino también por las de desinterés y neutralidad[59]. De lo expuesto se deduce que de los derechos constitucionales de defensa y al Juez ordinario predeterminado por la ley, surge la obligación de abstenerse, o bien el derecho a recusar a aquellos Jueces en quienes se estime la concurrencia de alguna de las causas legalmente previstas que les prive de su presunta imparcialidad.

«... Como ya dijimos en nuestra STC 138/1991 (fundamento jurídico 2.º), si bien es cierto que, en nuestro Derecho, la recusación no constituye un recurso en su acepción procesal estricta, no es menos cierto que es un remedio arbitrado por la Ley para desplazar del conocimiento del proceso a aquellos Jueces y Magistrados que posean una especial relación con las partes o con el objeto del proceso y que, por ello, susciten recelo sobre su imparcialidad...». (STC 384/1993, de 21 diciembre).

La abstención consiste en un acto procesal de un órgano jurisdiccional por el que se aparta espontánea y voluntariamente del conocimiento de un asunto litigioso por entender que carece, o así puede parecerlo, de las condiciones necesarias —neutralidad, imparcialidad, ecuanimidad, desinterés objetivo— para actuar correctamente[60].

La recusación supone un acto procesal de parte, por el que se rechaza al órgano competente, por concurrir en el mismo alguna de las causas taxativamente enumeradas en la Ley, que pueden afectar a su imparcialidad. La «ratio essendi» de esta institución estriba en la necesidad de eliminar los recelos o sospechas nacidas de la condición humana del Juez, que induzcan a pensar que no actuará con la serenidad, ponderación, rectitud, e imparcialidad debidas. Así pues, se trata de un mecanismo procesal creado para desplazar del conocimiento de un proceso a aquellos Jueces en quienes concurran algunas de las causas legalmente previstas. Estas causas serán las únicas que podrán incapacitar subjetivamente a un Juez para conocer de un determinado asunto, al convertirlo en iudex suspectus[61].

---

(59) Vid. SSTC 447/1982, de 12 julio, y 44/1985, de 22 marzo.

(60) MORENO CATENA, «Algunas notas sobre abstención del Juez», *Justicia*, 1988, p. 561.

(61) «Las SSTS 751/2012 de 28.1, 648/2009 de 25.6, 319/2009 de 23.3, insisten en que la jurisprudencia de esta Sala ha llegado a flexibilizar al máximo las exigencias formales en orden a la

«La legislación española por razones de seguridad jurídica y para evitar tanto precipitadas abstenciones como abusivas o infundadas recusaciones, ha precisado legalmente las circunstancias que sirven taxativamente de causas comunes de abstención y recusación, causas legales que se fundamentan en parámetros objetivos que determinan al legislador a considerar que en éstas concurre una apariencia de imparcialidad. Lo relevante es que objetivamente concurra una causa legal de pérdida de imparcialidad, aun cuando subjetivamente el juez estuviese plenamente capacitado para decidir imparcialmente. Pero como quiera que esta condición subjetiva no puede conocerse con certeza, la ley la objetiva, estimando que la concurrencia de la causa legal debe provocar, como consecuencia necesaria, la abstención o, en su defecto, la recusación». ATS de 23 Feb. 2017, Rec. 1813/2016; Ponente: Soriano Soriano, José Ramón. LA LEY 5677/2017.

8.3. Regulación legal

La regulación legal de la abstención y recusación se contiene en los arts. 217 a 228 LOPJ. También resultan de aplicación los arts. 52 y ss. LECrim. El art. 54 LECrim. remite a la regulación de la LOPJ con relación a las causas de abstención y recusación; y al procedimiento, por lo dispuesto en la LEC, en todo aquello no regulado en las normas previstas en los arts. 57 a 71 LECrim. Esta remisión se debe al hecho de que la LEC reguló la abstención y recusación de Jueces, Magistrados, Letrados de la Administración de Justicia, Fiscales y personal al servicio de los tribunales civiles, con vocación de convertirse en la regulación subsidiaria en esta materia (arts. 99 a 123 LEC). Esa regulación no había entrado en vigor, ya que la Disposición Final Decimoséptima de la LEC 1/2000 estableció la no aplicación de los arts. 101 a 119 LEC en esta materia en tanto no se procediera a la reforma de la LOPJ. Esa circunstancia ha tenido lugar con la reforma de la LOPJ por la LO 19/2003, que no ha derogado la regulación de la LOPJ, sino que los arts. 217 a 228 LOPJ regulan la materia de modo completo y paralelo a la LEC, ya que se trata de idéntica regulación. En consecuencia, debe entenderse que la regulación de la LOPJ es aplicable con carácter general a todos los procedimientos, a salvo de las especialidades que se contengan en las respectivas leyes procesales.

A) Personas que pueden ser recusadas

La recusación se refiere, principalmente, a los Jueces y Magistrados, que según establece el art.º 217 LOPJ deberán abstenerse y, en su defecto, podrán ser recusados cuando concurra causa legal. Sin embargo, el deber de abstención y la posibilidad

---

viabilidad de la recusación no planteada en los términos exigidos por la LOPJ (LA LEY 1694/1985), llegando a admitir, en el ámbito del procedimiento abreviado —art. 786.2 LECrim (LA LEY 1/1882)— una suerte de recusación vestibular, suscitada con anterioridad al inicio de las sesiones del juicio oral. Sin embargo, la excepcionalidad del supuesto contemplado en la STS 1372/2005, 23 de noviembre (LA LEY 10379/2006), además de no excluir la aplicación de la doctrina general que la propia resolución recuerda, no concurre en el presente caso, en el que la primera alegación sobre la falta de imparcialidad del órgano decisorio se plantea en sede casacional. En orden a la garantía de la imparcialidad, la Ley prevé los mecanismos de la abstención, que se refiere a la actuación que debe desarrollar el Juez que entienda que concurre alguna causa de las previstas expresamente en el texto legal, y de la recusación, que atribuye la iniciativa a la parte que considere que tales circunstancias concurren de forma que impiden la imparcialidad del Tribunal». STS 79/2014 de 18 Feb. 2014, Rec. 829/2013; Ponente: Berdugo Gómez de la Torre, Juan Ramón. LA LEY 10171/2014.

legal de recusar no solo se predica de Jueces y Magistrados, sino, también, de otro personal al servicio de la Administración de Justicia, como los Letrados de la Administración de Justicia, Médicos forenses, y peritos.

Los Letrados de la Administración de Justicia deben abstenerse y pueden ser recusados al amparo del art. 446 LOPJ y los art. 144 a 148 del RD 1608/2005, de 30 de diciembre, por el que se aprueba el Reglamento Orgánico del Cuerpo de Secretarios Judiciales. La abstención se formulará por escrito motivado dirigido al Secretario Coordinador Provincial, quien decidirá la cuestión. En caso de confirmarse la abstención, el Letrado de la Administración de Justicia que se haya abstenido debe ser reemplazado por su sustituto legal; en caso de denegarse, deberá aquél continuar actuando en el asunto; en caso de denegarse, deberá aquél continuar actuando en el asunto. La recusación se producirá a instancia de parte y se sustanciará conforme con las normas previstas para jueces y magistrados, véase infra, con las siguientes excepciones: a) Los Letrados de la Administración de Justicia no podrán ser recusados durante la práctica de cualquier diligencia o actuación de que estuvieren encargados. b) La pieza de recusación se instruirá y resolverá por los mismos jueces o magistrados competentes para conocer de la abstención. c) Presentado el escrito de recusación, el Letrado de la Administración de Justicia recusado informará detalladamente por escrito si reconoce o no como cierta y legítima la causa alegada. d) Cuando el recusado reconozca como cierta la causa de la recusación, el tribunal dictará auto, sin más trámites y sin ulterior recurso, teniéndolo por recusado, si estima que la causa es legal. Si estima que la causa no es de las tipificadas en la ley, declarará no haber lugar a la recusación. Contra este auto no se dará recurso alguno. Cuando el recusado niegue la certeza de la causa alegada como fundamento de la recusación, se procederá conforme a lo previsto en el apartado 3 del art. 225 de la LOPJ. e) El Letrado de la Administración de Justicia recusado, desde el momento en que sea presentado el escrito de recusación, será reemplazado por su sustituto legal.

Los peritos también pueden ser recusados por las partes, por alguna de las causas o motivos previstos en el art. 468 LECrim. Su solicitud es por escrito dirigido al órgano jurisdiccional, antes de la iniciación de la diligencia pericial. Este escrito no precisará necesariamente de firma del Procurador. Cuando se solicite la recusación del perito en la fase de juicio oral se ajustará a lo establecido en los arts. 662 y 723 LECrim., debiéndose formular la recusación dentro de los tres días siguientes al de la entrega al recusante de la lista que contenga el nombre del recusado, y tras el recibimiento a prueba, en su caso, se resolverá el incidente por auto, contra el que no cabe recurso alguno. La sustanciación del incidente podrá tener lugar desde la admisión de las pruebas propuestas hasta la apertura de las sesiones (Véase sobre la prueba pericial § 1.4.F Cap. XIV). A los funcionarios del Cuerpo de Médicos Forenses, les serán de aplicación las prescripciones que establezcan las normas procesales respecto a la recusación de peritos (art. 499.3 LOPJ).

Los funcionarios de la Administración de Justicia (Cuerpo de Gestión Procesal y Administrativa, Cuerpo de Tramitación Procesal y Administrativa y Cuerpo de Auxilio Judicial) están obligados a poner en conocimiento del Juez o Presidente las causas que en ellos concurran y que puedan justificar su abstención, adoptándose, de oficio o a instancia de parte, las medidas necesarias para garantizar su imparcialidad (arts. 497 y 499 LOPJ). También podrán ser recusados conforme está previsto en el art. 499 LOPJ, por las causas legalmente previstas y por los trámites previstos para la recusación de los Letrados de la Administración de Justicia con determinadas excepciones: a) El incidente gubernativo se instruirá por el Letrado de la Administración de Justicia del juzgado del que jerárquicamente dependa, y lo decidirá quién sea competente para dictar la resolución que ponga término al pleito o causa en la respectiva instancia. b) Si, a la vista del escrito de recusación, el Letrado de la Administración de Justicia estimare que la causa no es de las tipificadas en la ley, inadmitirá en el acto la petición expresando las razones en que se funde tal inadmisión. Contra esta resolución no se dará recurso alguno. c) Admitido a trámite el escrito de recusación, y en el día siguiente a su recepción, el recusado manifestará al Letrado de la Administración de Justicia si se da o no la causa alegada. Cuando reconozca como cierta la causa de recusación, el Letrado de la Administración de Justicia acordará reemplazar al recusado por quien legalmente le deba sustituir. Contra esta resolución no cabrá recurso alguno. d) Si el recusado niega la certeza de la causa alegada como fundamento de la recusación, el Letrado de la Administración de Justicia, oído lo que el recusado alegue, dentro del quinto día y practicadas las comprobaciones que el recusado proponga y sean pertinentes o las que él mismo considere necesarias, remitirá lo actuado a quien haya de resolver para que decida el incidente (art. 499.2.d LOPJ).

El Ministerio Fiscal no podrá ser recusado (art. 28 EMF, aprobado por Ley 50/1981, de 30 diciembre). Pero, la imparcialidad es un principio orientador de su actuación (art. 7 EMF), debiendo realizar su actividad con plena objetividad en la defensa de los intereses que le están encomendados. Por tanto, se abstendrán de intervenir en las causas cuando les afecten alguna de las causas de recusación establecidas para los Jueces y Magistrados en la LOPJ; previniéndose para el caso de que no lo hicieren, la posibilidad de la parte de acudir en queja al superior jerárquico, quien resolverá de plano sin ulterior recurso.

B) Personas que pueden recusar

Podrán recusar en los asuntos penales, según dispone el art. 218.2 LOPJ: el M.º Fiscal, el acusador particular o privado, el actor civil, el procesado o inculpado, el querellado o denunciado y el tercero responsable civil. A este fin la personación es presupuesto de admisibilidad de la recusación, por tanto para recusar se requiere la previa personación en la causa[62].

Concurriendo causa de recusación cualquiera de las partes puede recusar. Pero, el TC ha introducido una restricción al derecho de recusar de las partes acusadoras, respecto de la afectación de la imparcialidad objetiva y consecuente «contaminación» del Juez instructor. Entiende el TC que esta circunstancia, de haber instruido la

---

(62) «... El principio general establecido es que sólo las partes legítimas pueden recusar, comprendiéndose tanto las que sean parte como aquellas que tengan derecho a serlo, pero éstas sólo podrán proponer la recusación una vez que se personen en el proceso de que se trate...». (ATC 109/1981, de 30 octubre).

causa, no puede afectar ni perjudicar a la acusación, ya que lo que se trata de evitar es el prejuicio respecto de la culpabilidad del acusado.

«... Por el contrario, las exigencias derivadas del derecho al Juez imparcial consagrado en el art. 24.2 CE no son extensibles, sin más, a la parte acusadora, puesto que, por la propia naturaleza y finalidad de la instrucción preparatoria, ningún prejuicio o prevención puede nacer en el ánimo del Juez sentenciador en relación con la acusación por el solo hecho de haber instruido la causa. En consecuencia, pues, la denominada imparcialidad "objetiva" sólo puede hacerse valer por el acusado, al contrario de lo que ocurre con la imparcialidad "subjetiva", predicable tanto para el acusado como para las partes acusadoras...». (STC 136/1992, de 13 octubre). Vid. también STC 60/1995, de 17 marzo.

8.4. Causas de abstención y, en su caso, de recusación

Las causas de abstención y, en su caso, de recusación, se establecen en el art. 219 LOPJ. Se trata de una enumeración taxativa, con carácter de *numerus clausus*. Se da prioridad a la abstención frente a la recusación. Solamente tendrá lugar esta última cuando la persona en la que concurra alguna de aquellas causas no se abstenga voluntariamente. Los Tribunales han sido siempre muy rígidos a la hora de interpretar las causas de abstención y de recusación. Normalmente, se ha adoptado un criterio restrictivo para evitar una fácil tendencia proclive a la recusación, aunque no falta alguna sentencia que entiende que debe conceptuarse como causa de recusación toda aquella que pudiera racionalmente estimarse comprendida en alguna de las expresadas en la Ley[63].

«El derecho vigente ha objetivado en un catálogo extenso (art. 219 LOPJ (LA LEY 1694/1985)) los supuestos en los que el Juez no reúne las condiciones que, en una sociedad democrática de Derecho, permiten considerarlo como Juzgador imparcial. Tal extensa enumeración de las causas de abstención y recusación, referida a los casos en los que la imparcialidad resulta comprometida, no puede ser susceptible, lógicamente, de una interpretación que suponga la creación de causas inexistentes, como la que ahora se pretende por haber formado parte de un Tribunal que enjuicio previamente al acusado en relación a otros hechos, al tratarse de una materia que afecta a la propia seguridad jurídica, respecto de la composición legalmente preordenada del Tribunal». STS 460/2016 de 27 May. 2016, Rec. 10994/2015; Ponente: Ferrer García, Ana María. LA LEY 59390/2016.

Aunque no falta alguna sentencia que entiende que debe conceptuarse como causa de recusación, toda aquella que pudiera racionalmente estimarse comprendida en alguna de las expresadas en la Ley[64]. A favor de un criterio no restrictivo

---

(63) «... Efectivamente, la imparcialidad objetiva del Juez se halla protegida por la referida causa de recusación, pero lo que no puede hacerse es una interpretación extensiva de dicha causa, cuando es doctrina jurisprudencial que las causas de abstención y de recusación enumeradas en los arts. 54 de la LECrim. y 219 de la LOPJ, han de ser objeto de interpretación restrictiva, tanto más que la causa que pretende el procesado de sustitución del Tribunal a quo (en realidad, de abstención o de recusación) se pretende como análoga a la n.º 12 del art. 54 de la LECrim. y n.º 10 del art. 219 de la LOPJ [S de 14 junio de 1991]...». (STS de 11 noviembre 1992;). Vid. también SSTS de 28 febrero 1984; 28 junio 1982; 4 octubre 1982.

(64) Vid. SSTS 1 diciembre 1906; 19 noviembre 1983.

y teleológico de interpretación de las causas de recusación, basado en una necesaria preservación de la imparcialidad del juzgador se ha pronunciado el Tribunal Europeo de Derechos Humanos de Estrasburgo[65]. Aunque, no parece ser éste el criterio del TC.

«... La Sala, sin embargo, ha entendido que el art. 219.10 LOPJ no es de aplicación en el presente supuesto, toda vez que el Magistrado cuya recusación se solicita ni había actuado como instructor de la causa penal, ni había resuelto el pleito o causa en anterior instancia; por lo demás, la relación de motivos de recusación del art. 219 LOPJ tiene el carácter de numerus clausus, sin que quepa la analogía como regla interpretativa del precepto...». (STC 138/1994, de 9 mayo).

Las causas enumeradas en el art. 219 LOPJ son las siguientes:

1.ª El vínculo matrimonial o situación de hecho asimilable y el parentesco por consanguinidad o afinidad dentro del cuarto grado con cualquiera de los expresados en el artículo anterior.

No se exige que el vínculo matrimonial o la relación de parentesco sean actuales. En consecuencia, podrá alegarse como causa de recusación la existencia de un matrimonio anterior[66].

2.ª El vínculo matrimonial o situación de hecho asimilable y el parentesco por consanguinidad o afinidad dentro del segundo grado con el Letrado y el Procurador de cualquiera de las partes que intervenga en el pleito o causa.

Debe tenerse en cuenta la incompatibilidad que tienen los Abogados —art. 24 del Estatuto General de la Abogacía, de 22 de junio de 2001—, y los Procuradores —art. 8.6.º del Estatuto General de los Procuradores, de 30 de julio de 1982— para intervenir en asuntos en que deban conocer como Jueces sus parientes. Al mismo tiempo ténganse en cuenta las prohibiciones previstas en el art. 393 LOPJ respecto al desempeño del cargo de Juez o Magistrado en las Salas o Tribunales donde ejerzan habitualmente como abogado o Procurador su cónyuge, o pariente hasta el segundo grado, con las excepciones que allí se prevén.

3.ª Ser o haber sido defensor judicial o integrante de los organismos tutelares de cualquiera de las partes o haber estado bajo el cuidado o tutela de alguna de éstas[67].

4.ª Estar o haber sido denunciado o acusado por alguna de las partes como responsable de algún delito siempre que la denuncia o acusación hubieran dado lugar a la incoación de procedimiento penal y éste no hubiera terminado por sentencia absolutoria o auto de sobreseimiento.

---

(65) Vid. STEDH, caso De Cubber, de 26 octubre 1984.

(66) Véase DE LA OLIVA, Derecho Procesal civil, V. I, Madrid, 1988, p. 329; CALVO SÁNCHEZ, «La recusación de los Jueces y Magistrados», *RUDP*, 1989, n.º 2, p. 69; PRIETO CASTRO, *Derecho Procesal Civil*, T. 1, Madrid, 1972, p. 76. Véase asimismo STC 44/1985, de 22 marzo, que entiende que al no haberse abstenido un Magistrado incurso en esta causa se ha producido una alteración de las normas establecidas sobre la integración de las Salas al no ser sustituido por quien debió reemplazarle.

(67) Vid. arts. 215 y ss. CC.

En este apartado puede entenderse incluido también el supuesto en que, iniciado un proceso penal frente a un tercero, resultase posteriormente implicado el Juez, objeto de recusación, siempre que el recusante se hubiese constituido en acusador[68]. También puede interpretarse que, dentro del concepto genérico de responsabilidad que utiliza el Legislador, quede incluida no solo la de carácter penal, sino además la de carácter civil. No cabe duda que, en este último supuesto, la imparcialidad del Juez afectado podría perfectamente ser objeto de sospecha. La denuncia, la querella o la implicación del Juez afectado deberá ser siempre anterior al inicio del incidente de recusación por el recusante. Ahora bien cabe la posibilidad de que el hecho que motive la denuncia sea posterior al inicio del pleito. Ello puede suceder con algo tan sencillo como un simple accidente de tráfico con lesiones susceptibles de constituir un delito leve. En ese caso interpuesta denuncia existiría causa de recusación. Aunque, en general, la regla debe ser que la denuncia sea anterior, extremándose el rigor para apreciar la causa de recusación, en caso de que no fuera así, para evitar denuncias infundadas con el único objeto de apartar al Juez de la causa. A este objeto en la reforma de la LOPJ por LO 19/203 se ha añadido la prevención referida a que se hubiere iniciado, efectivamente, un procedimiento penal y que éste no hubiere finalizado por sobreseimiento o sentencia absolutoria. De otro modo una simple denuncia o querella, posteriormente desestimada o inadmitida daría lugar a una recusación.

5.ª Haber sido sancionado disciplinariamente en virtud de expediente incoado por denuncia o a iniciativa de alguna de las partes.

Esta causa es complementaria de la anterior. Se ha introducido por LO 19/2003 con la misma prevención de la causa anterior, respecto a la necesidad de que el expediente iniciado hubiere dado lugar a una sanción.

6.ª Haber sido defensor o representante de alguna de las partes, emitido dictamen sobre el pleito o causa como Letrado, o intervenido en él como Fiscal, perito o testigo.

Dentro del concepto de representante de las partes se incluye tanto la actuación del Procurador, como representante técnico procesal, como la actuación de un representante legal o voluntario. De lo contrario se habría referido el precepto exclusivamente al Procurador, como ocurre en la causa segunda.

Respecto a la emisión de dictámenes, pueden darse en la práctica supuestos en los que un Juez o Magistrado, que haya accedido a la carrera judicial mediante el tercer o cuarto turno, hubiera emitido dictámenes por encargo de alguna de las partes procesales, con anterioridad a su acceso. En tales casos, al haber habido esta prestación de servicios, o una determinada vinculación económica, aparece la sospecha sobre la debida imparcialidad del Juzgador, por lo que será susceptible de recusación. Una interpretación apegada al tenor literal de este motivo, llevaría a negar la abstención/recusación de quien ha emitido dictámenes jurídicos para una de las partes no relacionados con lo que es objeto del pleito. Sin embargo, parece más adecuado entender que la prestación anterior de servicios para una de las partes

---

(68) Vid. DE LA OLIVA, *Derecho Procesal Civil*, V. I, Madrid, 1988, p. 329; CALVO SÁNCHEZ, «La recusación de Jueces y Magistrados», *RUDP*, Madrid, 1989, p. 70.

puede suscitar recelos sobre la imparcialidad de la persona recusada, lo que aconseja su sustitución.

Distinto sería el caso en que un Juez hubiese investigado una materia jurídica determinada y publicado sus estudios y conclusiones sobre la misma. La intervención de este Juez en un pleito que verse sobre aquella misma materia no podrá ser objeto de recusación. Ello se deberá a que el estudio profundo de una materia no implica, en absoluto, una posible parcialidad de su autor. De no ser ello así, cualquier Juez especialista en una determinada materia, sobre la que hubiera publicado sus trabajos, quedaría invalidado para fallar sobre asuntos relacionados con aquélla.

7.ª Ser o haber sido denunciante o acusador de cualquiera de las partes.

Según diversas sentencias del TS, el inicio de un proceso penal de oficio por el Juez —supuesto de que un Juez presenciase la comisión de un delito— no convierte al instructor en un denunciante. Entiende, también, el Alto Tribunal que el inicio de las diligencias previas por un Juez por desacato a su autoridad no lo convierte en acusador o denunciante, ya que, en estos casos, aquéllos se limitan a cumplir con su deber.

8.ª Tener pleito pendiente con alguna de éstas.

Dentro de este apartado deben incluirse no sólo los supuestos en que el Juez recusado tenga un pleito pendiente contra alguna de las partes, sino también aquéllos en que el Juez litigue en otro pleito juntamente con una de las partes.

Será indistinto para la alegación de esta causa el que se trate de personas físicas o jurídicas. Bastará que exista un nexo de unión con alguna de éstas para que pueda prosperar la recusación.

9.ª Amistad íntima o enemistad manifiesta con cualquiera de las partes.

Estas personas serán las referidas en el art. 218 LOPJ, incluyendo al Ministerio Fiscal —art. 218 LOPJ—. Con esta opción legislativa ha quedado vedada la extensión de esta causa a los Abogados y Procuradores. Este criterio ha quedado refrendado con la modificación de la redacción de la norma por LO 19/2003 que antes se refería a la amistad o enemistad del Juez respecto a los indicados en el art. 218 LOPJ, mientras que ahora la norma delimita la causa estrictamente a las partes.

La amistad íntima no debe identificarse con la cortesía o con un simple afecto personal[69]. Tampoco puede presumirse, a falta de otras pruebas más decisivas, de la

---

(69)   No debe considerarse amistad recusable «el estrechar la mano del querellado, acompañarle, mandarle sentar cuando el querellante ya lo había hecho, darle el original de la querella y permitirle redactar su declaración contra lo acostumbrado, actos estos últimos reclamables dentro del proceso», según expresa la STS 17 enero 1964. Tampoco debe considerarse amistad recusable «el hecho meramente casual de sentarse a comer en una misma mesa de un hotel o fonda un procesado, su defensor y el Juez que conoce la causa», o «los saludos que se cruzaron el defensor y el Juez por este motivo», según afirma la STS 19 noviembre 1983. La STS 9 junio 1980 añade que no es lícito presumir, a falta de otras pruebas más decisivas, la amistad de la simple circunstancia de haber sido adversos para él, y favorables para la otra parte, dos resoluciones dictadas por el Juez recusado».

simple circunstancia de haber dictado el Juez recusado determinadas resoluciones favorables a una de las partes[70]. Los parámetros para medir la amistad íntima deben fundarse en los criterios, de carácter social, existentes sobre el concepto de amistad, que pueden venir dados por el trato social, continuo y relaciones mutuas entre las partes. Se trata, en todo caso, de un concepto hartamente lacónico y de difícil interpretación por carecer de otras especificaciones legales[71].

Con relación a la enemistad manifiesta se exigen los siguientes requisitos: a) Que sea personal o nacida en la esfera emocional hasta crear una suerte de incompatibilidad u hostilidad de persona a persona, aunque los motivos de la misma pueden ser exógenos y ajenos al respectivo carácter, pero sin necesidad de que sean irreconciliables, bastando que sea grave y verosímil en su especie[72]; b) Que sea manifiesta o que se haga extensible por hechos externos[73]; c) Que tenga carácter extraprocesal, ya que una presunta actuación del Juez de carácter parcial debe remediarse por medio de los pertinentes recursos[74]. Dentro de este concepto cabe tanto el odio, la antipatía como la animadversión que el Juzgador sienta respecto de alguna de las partes[75]. No bastan, por sí solas, las resoluciones adversas para deducir de ellas la aversión o el odio del Juzgador, ni para inferir que éste detesta y abomina de uno de los contendientes. Sin embargo, la existencia de resoluciones sistemáticamente adversas, infundadas, irrazonadas y desacertadas pueden también evidenciar por sí solas aquella animosidad intraprocesal que aconsejen sustituir al Juzgador[76].

Debe resaltarse, por otra parte, la necesaria relación interpersonal que debe existir entre el recusante y el juzgador recusado. En este sentido, no cabe invocar relaciones entre personas por su pertinencia a partidos políticos, creencias religiosas opuestas, corporaciones en conflicto, incluso a familias enfrentadas, mientras las relaciones, objeto de recusación, no se hayan traducido en actos recíprocos de los individuos que las forman[77]. El TC ha señalado que en el sistema de valores instaurados en la Constitución —art. 16—, la ideología es una cuestión privada e íntima, dotada de la más amplia libertad. En consecuencia, la enemistad ideológica no puede constituir una causa de recusación por quedar la ideología sustraída al control de los poderes públicos[78].

Por último, señalar que la enemistad manifiesta debe acreditarse, según criterio jurisprudencial reiterado, con medios ciertos, seguros y concretos, y con fundamento en determinadas relaciones extraprocesales. En ningún caso, la recusación podrá apoyarse en resoluciones extraprocesales. Tampoco en resoluciones judiciales pre-

---

(70) Vid. SSTS 8 junio 1980 y 28 junio 1982.
(71) Vid. STS 19 noviembre 1983.
(72) Vid. SSTS 11 diciembre 1978; 21 octubre 1986.
(73) Vid. STS 11 diciembre 1978.
(74) Vid. SSTS 28 junio 1982; 17 enero 1964; 11 diciembre 1978; 24 junio 1988; 21 diciembre 1984.
(75) Vid. STS 28 junio 1982; 29 abril 1985; 17 enero 1964.
(76) Vid. SSTS 28 junio 1982; 29 abril 1985; 21 diciembre 1984; 9 junio 1980.
(77) Véanse SSTS 21 octubre 1986; 28 junio 1982.
(78) Vid. ATC 195/1983, de 4 mayo.

suntamente injustas, ya que éstas podrían dar lugar, por vía de recursos, a otras y distintas pretensiones judiciales, pero nunca a la recusación de quien las dictara[79].

«En lo que se refiere a la valoración subjetiva, el principio de que debe presumirse que un tribunal está libre de prejuicios personales o parcialidad lleva largo tiempo establecido en la jurisprudencia del Tribunal (ver, por ejemplo, Kyprianou contra Chipre [GS], núm. 73797/2001 (LA LEY 241503/2005), ap. 119, TEDH 2005). El Tribunal sostiene que la imparcialidad personal de un juez debe ser presumida hasta que haya pruebas de lo contrario (ver Wettstein, citado arriba, ap. 43). En lo que se refiere al tipo de prueba requerida, el Tribunal busca, por ejemplo, asegurar si un juez ha demostrado hostilidad o mala voluntad por motivos personales (ver De Cubber contra Bélgica, 26 de octubre de 1984 (LA LEY 636/1984), Series A núm. 86, ap. 25)». STC 133/2014 de 22 Jul. 2014, Rec. 3930/2012 Ponente: Xiol Ríos, Juan Antonio. LA LEY 93103/2014.

10.ª Tener interés directo o indirecto en el pleito o causa.

La Jurisprudencia ha interpretado que este interés debe tener siempre carácter personal, bien individual, bien como miembro de una sociedad mercantil, sin que pueda incluirse dentro de este motivo un interés por razones ideológicas o de carácter abstracto. Este interés no puede derivarse de deducciones sobre las resoluciones judiciales dictadas por un Juez, sino que deberá acreditarse basándose en la existencia de un estado anímico que influya en una solución parcial del proceso que afecte a la persona o bienes del recusado[80]. Se exige que este interés sea actual; es decir, que tenga carácter circunstancial y temporal al momento de ejercitarse la recusación. Frente a esta contemporaneidad del interés con la tramitación del proceso, existe otro grupo de motivos o causas de recusación que no precisan de esta actualidad —son las que se inician con la expresión «ser o haber sido»—, ya que una vez ha ocurrido pueden dejar efectos psíquicos duraderos en el juzgador que pueden impedir su imparcialidad[81].

Algunos autores entienden que deberían incluirse también dentro de este apartado, las manifestaciones hechas por el Juez o Magistrado con relación a un asunto sometido a su decisión, en las que dejara entrever claramente su criterio sobre el mismo al inicio del proceso[82].

---

(79) Véanse SSTS 24 junio 1988; 29 abril 1985. Esta última sentencia, en su considerando 7.º, dispone que «... la interpretación concreta de enemistad manifiesta habría de acreditarse con medios ciertos, seguros y también concretos, no pudiendo apoyarse en resoluciones judiciales presuntamente injustas que, en todo caso, darían lugar a otras distintas pretensiones judiciales, pero jamás la recusación de quien las dictara».

(80) Véanse SSTS 6 octubre 1972; 28 junio 1982. Destaca por su claridad la STS 29 noviembre 1969, que en su considerando 4.º establece que: «el interés directo o indirecto en la causa se refiere únicamente a un interés personal, de condición económica, ética o afectiva, como esperanza de utilidad o beneficio propio, de alcance bien material o bien espiritual, referida al Juez, como persona particular, a su patrimonio, ya que este egocentrismo para que los haga suspectus, ha de implicar una relación causal con materia objeto del proceso, que tenga su carácter diferente, del interés, celo u obligación profesional, que impele al funcionario a cumplir con su deber...».

(81) Vid. STS 17 febrero 1975.

(82) Véase CALVO SÁNCHEZ, «La recusación de los Jueces y Magistrados (II)», *RUDP*, Madrid 1989, pp. 72 y ss.

No parece acertada la supresión que el legislador ha hecho de la referencia al interés que el Juez pudiera tener en otro pleito semejante. No cabe duda que la imparcialidad de un Juez puede resentirse cuando juzgue sobre un asunto en el que una de las partes sostenga intereses coincidentes con los que el juzgador tenga con relación a otro pleito semejante (bien como acreedor o deudor, fiador, prestatario, etc.).

11.ª. Haber participado en la instrucción de la causa penal o haber resuelto el pleito o causa en anterior instancia.

Esta causa se analizará por su importancia en el proceso penal en el epígrafe siguiente.

12.ª. Ser o haber sido una de las partes subordinado del Juez que deba resolver la contienda litigiosa.

La redacción originaria de la LOPJ únicamente preveía la subordinación al momento del pleito. De ese modo, tal situación sólo podrá producirse con relación al personal que preste sus servicios ante el órgano jurisdiccional del que el recusado sea titular. Sin embargo, la redacción vigente, introducida por LO 19/2003, también prevé la situación de subordinación pasada, de modo que esta causa se extiende también a situaciones en las que el Juez hubiere sido el superior de la parte, por ejemplo en el ámbito de la abogacía, la universidad u otras desde las que se puede acceder a la función judicial.

13.ª. Haber ocupado cargo público, desempeñado empleo o ejercido profesión con ocasión de los cuales haya participado directa o indirectamente en el asunto objeto del pleito o causa o en otro relacionado con el mismo.

Esta causa se relaciona con la prevista en el núm. 16.ª del art. 219 LOPJ con la diferencia del mayor alcance objetivo de la que aquí se regula por referirse también al ejercicio, por el Juez, de profesión con ocasión de la cual haya podido participar en el asunto objeto del pleito. Aunque, para esta causa se exige una participación, directa o indirecta, en el asunto, mientras que en la causa prevista en el núm. 16 cabe la recusación por la mera circunstancia de haber podido forma criterio respecto del objeto del litigio.

14.ª. En los procesos en que sea parte la Administración Pública, encontrarse el Juez o Magistrado con la autoridad o funcionario que hubiese dictado el acto o informado respecto del mismo o realizado el hecho por razón de los cuales se sigue el proceso, en alguna de las circunstancias mencionadas en las causas 1.ª a 9.ª, 13.ª y 15.ª.

La causa ha sido introducida por LO 19/2003 como una concreción de las anteriores para el supuesto en el que existiera una relación del Juez con el funcionario u autoridad que hubiere dictado el acto objeto del juicio.

15.ª El vínculo matrimonial o situación de hecho asimilable, o el parentesco dentro del segundo grado de consanguinidad o afinidad, con el juez o magistrado que hubiera dictado resolución o practicado actuación a valorar por vía de recurso o en cualquier fase ulterior del proceso.

Se introdujo por LO 19/2003 para atender al supuesto concreto de existir relación entre el Juez o Magistrado que conoce del recurso y el que conoció de la resolución o de cualquier fase anterior.

16.ª Haber ocupado el juez o magistrado cargo público o administrativo con ocasión del cual haya podido tener conocimiento del objeto del litigio y formar criterio en detrimento de la debida imparcialidad.

Esta causa tiene por finalidad apartar de la causa a los Jueces respecto de asuntos de los que han conocido con ocasión de haber ocupado cargo público o administrativo. Así puede suceder cuando se produzca el reingreso en la carrera judicial de un Juez que hubiere ocupado cargo de aquella naturaleza. Se introdujo por LO 5/1997, de 4 de diciembre, con el objeto de reforzar la protección de los valores de la Administración de Justicia y evitar al máximo lo que pueda objetivamente perjudicarlos o dejarlos en entredicho ante la opinión pública, con ocasión del acceso a cargos públicos.

No resulta, en principio relevante, la circunstancia contraria a la prevista por la Ley. Es decir, la recusación de un magistrado fundada en el nombramiento para un cargo público acaecido «a posteriori» de haber intervenido en el proceso. Así se planteó en el supuesto del nombramiento de un magistrado del Tribunal Supremo como Fiscal General del Estado, respecto al cual el TC consideró que no cabía, sin más, achacar al magistrado una suerte de modificación de su objetivad por la previsión de un futuro nombramiento para un cargo público.

> «Este precepto considera como relevante el dato del nombramiento de una persona para un cargo público, pero circunscribiendo éste a que tal designación hubiera tenido lugar con anterioridad al desempeño de la actividad jurisdiccional (causas 13 y 16), porque es entonces cuando tal contingencia podría afectar en ciertos casos a su debida imparcialidad. El hecho de que el Ponente de la causa tuviera la expectativa de ser nombrado para dicho cargo no tiene la suficiente entidad o consistencia como para entender que su convicción estuvo mediatizada por prejuicios o tomas de partido previos a favor de la tesis de una de las partes, en este caso de la acusación, como sugiere el recurrente, y menos aún si no se aporta en la demanda ningún dato o indicio complementario. Esta previsión de futuro no es suficiente por sí misma, o por lo menos no ha sido así demostrado en la demanda, para concluir que hubiera podido tener una influencia en la persona del Juez para desviar la objetividad de su juicio, por lo que las afirmaciones que vierte el recurrente son puramente gratuitas y se reducen a una mera invocación abstracta o genérica, insuficiente para fundamentar una pretensión de amparo». STC 60/2008, de 26 de mayo de 2008.

8.5. Examen especial de la causa 11.a del art. 219 LOPJ

El art. 219.11.a LOPJ dispone que será causa de recusación: «*Haber participado en la instrucción de la causa penal o haber resuelto el pleito o causa en anterior instancia*».

En esta causa se regula la una causa de imparcialidad objetiva, que intenta evitar la prevención del Juez como consecuencia de su relación con el objeto del proceso en la fase de instrucción. El fundamento se halla en la circunstancia que la intervención del Juez en la fase de instrucción pueda haber hecho nacer en su ánimo prejuicios o prevenciones respecto a la culpabilidad del acusado[83]. (Véase sobre el derecho a un Juez imparcial, ordinario y predeterminado por la Ley § 2.2.A.a.3.º Cap. I).

«... el mismo Magistrado que ordenó la deducción del testimonio de particulares que dio lugar a la iniciación de las actuaciones penales forme parte del órgano judicial que resolvió el recurso de apelación interpuesto contra la Sentencia recaída en ese procedimiento, debamos apreciar que en este supuesto se ha vulnerado el derecho a un proceso con todas las garantías que consagra el art. 24.2 CE, ya que una de las garantías esenciales de todo proceso lo constituye el que el Juez o Tribunal llamado a dirimir el conflicto aparezca institucionalmente dotado de independencia e imparcialidad (STC 60/1995, de 17 de marzo, F. 3)...). Por otra parte debe indicarse también que a efectos de apreciar esta infracción constitucional es suficiente con que uno de los Magistrados incurra en una causa de abstención, por lo que, a estos efectos, resulta irrelevante que los demás Magistrados que componían la Sala no se encontraran incursos en ninguna. Como hemos señalado en la STC 230/1992, de 14 de diciembre, la garantía de imparcialidad del juzgador ha de vincularse necesariamente a la intervención del mismo en la causa, con independencia de la influencia que su voto pueda tener en el resultado final de la votación, ya que es precisamente la participación en el conocimiento, deliberación y votación del litigio de aquel en quien concurra o pueda concurrir alguna de las causas de recusación previstas legalmente lo que se intenta salvaguardar a través de aquella garantía, todo ello con total independencia de su eventual influencia en la deliberación de la resolución de que se trate, por otro lado secreta, a tenor de lo dispuesto en el art. 233 LOPJ». STC 51 /2002 de 25 de febrero.

De este modo, se incluirá en esta causa la práctica de aquella actividad que requiera una valoración de los hechos o bien suponga la adopción de medidas cautelares, o el interrogatorio del acusado, entre otras.

También es causa de recusación incluida en el art. 219.10.ª LOPJ el haber resuelto la causa en anterior instancia. Para el TC el fundamento de esta causa radica en los prejuicios que pueda haber adquirido el Juez que falló la primera instancia sobre el objeto del proceso[84]. Al determinar la exclusión de los miembros del Tribunal se

---

(83) «... En estas últimas decisiones se ha resumido la jurisprudencia de este Tribunal en los siguientes términos: "Dicha doctrina se asienta sobre dos ideas esenciales: de un lado, que el hecho necesario para que se celebre el juicio puede hacer nacer en el ánimo del Juez o Tribunal sentenciador prejuicios y prevenciones respecto de la culpabilidad del imputado, quebrándose así la imparcialidad objetiva que intenta asegurar la separación entre la función instructora y la juzgadora (por todas, STC 145/1988, antes citada); de otro, será en cada caso concreto donde habrá que determinar si se da o no la apariencia de imparcialidad, pues es la investigación directa de los hechos, con una función inquisitiva dirigida frente a determinada persona, la que puede provocar en el ánimo del intructor que influyan a la hora de sentenciar" (STC 136/1992, FJ 2.º)...». (STC 60/1995, de 17 marzo).
(84) «... Esta Sala ha conocido ya de algunos supuestos como el que ahora nos ocupa y ha sostenido que, cuando un Tribunal en la instancia ha procedido con infracción de alguna norma de las que ordenan el desarrollo del proceso, como en este caso aconteció, no debe conocer de nuevo de las actuaciones, porque al hacerlo pudiera verse comprometida su imparcialidad objetiva. Cuando se produce un quebrantamiento de forma la resolución se anula porque, habiéndose infringido las formas prescritas por la norma procesal para la actuación de la Ley sustantiva, no puede saberse si aquél, es decir, el fallo, corresponde o no a dicha voluntad. El nuevo resultado

garantiza el verdadero fin de los recursos y la doble instancia penal[85]. Esta causa opera en el caso que el mismo Tribunal conoce de un nuevo proceso con los mismos acusados y la prueba practicada es idéntica a la verificada en el proceso anterior. Al no estar tipificada esta causa ni en la LOPJ ni en la LECrim., el Tribunal Supremo la incluyó dentro del art. 24 CE y, en concreto, dentro del derecho a un proceso con todas las garantías[86]. Sin embargo, no se producirá este defecto en el supuesto en el que la Audiencia provincial hubiere declarado la nulidad de un juicio y su repetición, sin haber procedido a la valoración de la prueba[87].

_____

sentencial podrá ser el mismo, pero también puede ser diferente. Las dos opciones están abiertas. En tales circunstancias no puede conocer ya el mismo Tribunal. No se trata, en absoluto, de la más mínima reserva frente al juzgador que, sin duda, trataría de actuar, como siempre, con objetividad, serenidad, equilibrio e independencia, es decir, con imparcialidad...». (STS 24 junio 1991).

(85) «... Con relación a las causas de abstención y recusación, el TC ha manifestado que dentro de las garantías previstas para asegurar la independencia e imparcialidad del juzgador se encuentra la causa de abstención y recusación establecida en el art. 219.10, ap. 2.º, LOPJ —haber resuelto el pleito o causa en anterior instancia—, con respecto a la cual ha de proclamarse su carácter integrador del derecho al Juez legal contemplado en el art. 24 CE, ya que mediante su instauración no sólo se evita que el órgano jurisdiccional ad quem pueda constituirse con prejuicios sobre el objeto procesal derivados de su anterior conocimiento en la primera instancia, sino que se garantiza también el cumplimiento efectivo del carácter devolutivo de los recursos, pues de nada serviría la existencia de una segunda instancia si el mismo órgano jurisdiccional que conoció de la primera y que dictó la resolución impugnada pudiera —por haberse promovido alguno de sus miembros o por cualquier otra causa— conocer de nuevo el mismo objeto procesal en la segunda instancia...». (ATC 132/1996, de 27 mayo; La Ley, n.º 4090, 30 julio 1996, Ref. 7143).

(86) «... Y este derecho reiteradamente declarado por el Tribunal Europeo de Derechos Humanos, entre otras en las sentencias de 1 octubre 1982 (caso Piersack), 25 marzo 1983 (caso Silver y otros) y 26 octubre 1984 (caso De Cubber), supone básicamente, como expresa la sentencia de 6 de diciembre de 1988 (caso Barberá, Messegué y Jabardo), que los miembros del Tribunal, al desempeñar sus funciones no partan de la idea preconcebida de que el acusado ha cometido el acto de que se trata. Y ello sucede claramente en los casos de unión de funciones instructoras y sentenciadoras —SSTC 113/1987, de 3 julio; 145/1988, de 12 julio, y la reciente Sentencia de esta Sala de 25 junio 1990—. Con independencia de que lo correcto en tales situaciones es repetir la prueba en el segundo proceso, lo cierto es también que entre ambos existe un decisivo elemento diferencial: el testimonio de los acusados, que son distintos en uno y otro proceso y que por ello pueden ser valorados en modo diferente por el órgano sentenciador...». (STS 4 abril 1991).

(87) «Como se estableció en la STC 145/1988, de 12 de julio, F. 5, la falta de imparcialidad que justifica esta doctrina se encuentra en la naturaleza especial de los actos de instrucción que se "llevan a cabo en contacto directo con el acusado", y "al margen de un proceso público" y "del procedimiento predominantemente oral". Esto es, en que haya existido una relación directa entre el instructor y el objeto del proceso susceptible de crearle un prejuicio a favor o en contra del acusado que pueda influir en su decisión posterior .../... Pues bien, a la luz de dicha doctrina no cabe estimar que la actuación de la Sala sentenciadora del primer recurso de apelación pueda equipararse a la del Juez instructor, pues, como en la segunda Sentencia de la Audiencia Provincial se afirma, no se llevó a cabo ni siquiera una actuación valorativa de la prueba, sino que con base en consideraciones jurídicas procesales y sustantivas se llegó a declarar la nulidad de la primera Sentencia y a acordar la celebración de un nuevo juicio oral con práctica de todas las pruebas propuestas y admitidas, ante otro Magistrado de lo Penal, para que éste resolviera con libertad de criterio. Fue este Magistrado pues quien procedió a la valoración de la prueba y no la Sala al resolver el recurso de apelación, que estuvo centrado en determinar si ciertas pruebas eran o no constitucionalmente legítimas. De suerte que en ningún momento llevó a cabo una actuación investigadora ni inquisitiva (STC 136/1992, de 13 de octubre, F. 2), que son las que pueden afectar a la imparcialidad del

En este sentido, no toda actividad del Juez instructor compromete su imparcialidad. Concretamente, el TS se ha pronunciado respecto a la actividad de la Audiencia Provincial con relación a su competencia de conocimiento de los recursos contra las resoluciones de los Jueces de instrucción; y ha declarado que no es motivo legítimo para cuestionar o negar la imparcialidad de los miembros de un Tribunal: la realización de actos de ordenación procesal; haber resuelto la desestimación de una apelación interpuesta contra el auto de procesamiento dictado por el instructor[88] (pero quedaría afectada la imparcialidad del Tribunal si la audiencia hubiere dictado el auto de procesamiento «ex novo» con base con base en imputaciones no formuladas por el Juez de Instrucción[89]); o la resolución por la que se mantiene la situación de prisión provisional[90].

> «... son causas significativas de tal posible inclinación previa objetiva no solo la realización de actos de instrucción, la adopción de decisiones previas que comporten un juicio anticipado de culpabilidad o la intervención previa en una instancia anterior del mismo proceso sino "más en general, el pronunciamiento sobre hechos debatidos en un pleito anterior" (así, SSTC 143/2006 (LA LEY 60299/2006), de 8 de mayo, FJ 3, o 45/2006, de 13 de febrero (LA LEY 16775/2006), FJ 4). Por lo demás, tal doctrina ha sido aplicada con reiteración por este Tribunal (entre otras SSTC 162/1999, de 27 de septiembre (LA LEY 12075/1999), FJ 5; 140/2004, de 13 de sep-

---

Juzgador. En consecuencia, tampoco cabe estimar esta última alegación de los demandantes». STC 14/2001 de 29 de enero.

(88) «... establece una distinción entre los casos en que se resuelve el recurso de apelación contra el auto de procesamiento dictado por el Instructor, confirmándolo —en las que no cabe apreciar un prejuicio que haga peligrar la imparcialidad objetiva a la hora de ver la causa—, y los supuestos en que la Audiencia dictó el procesamiento "ex novo", en los que la imparcialidad del Tribunal queda contaminada». STS 5 de abril de 2000.

(89) «El Auto de esta Sala de 8 febrero 1993 —caso Tous— y la Sentencia de 8 noviembre 1993, distinguen dos supuestos que consideran diferentes, y que dan lugar a distintas consecuencias: cuando la Audiencia Provincial resuelve un recurso interlocutorio contra el procesamiento acordado por el Juez instructor para confirmarlo, no queda afectada su imparcialidad objetiva, a diferencia de lo que sí ocurre cuando dicta el procesamiento "ex novo" y en base a imputaciones no formuladas por aquél. Más recientemente la Sentencia del Tribunal Constitucional 142/1997, de 15 septiembre, mantiene el mismo criterio, en el sentido expuesto, de no poder examinarse en abstracto la cuestión debatida, sino que hay que descender al caso concreto, comprobando si efectivamente se ha vulnerado la imparcialidad del juzgador, citando la Sentencia del propio Tribunal 98/1990». STS 28 de noviembre de 1997.

(90) «Se alega, asimismo, falta de imparcialidad del Tribunal por haber resuelto con anterioridad al juicio una solicitud de libertad provisional en sentido negativo. Es cierto que la estrategia de la defensa fue, aparentemente, demorar el juicio mientras se solicitaba por otro lado la libertad provisional. El Tribunal la denegó, motivadamente, pero sin efectuar pronunciamiento alguno que comportase un prejuicio sobre el fondo de la cuestión o sobre la culpabilidad del procesado, por lo que conforme a una reiterada doctrina jurisprudencial (SSTS 15 y 21 de diciembre de 1999, entre otras) no ha quedado comprometida su imparcialidad .../... Por otra parte el recurrente en momento alguno recusó al Tribunal sentenciador, como debió hacer si dudaba de su imparcialidad. Lo cierto es que la pretensión planteada es claramente insostenible: es el Tribunal sentenciador —a cuya disposición se encuentra el preso provisional— el que conforme a la ley debe resolver esta clase de peticiones, que pueden reiterarse hasta la misma víspera del juicio. Es claro que si su resolución determinase la necesidad de abstención y constitución de un nuevo Tribunal, ante el que podría reproducirse la solicitud, y así indefinidamente, el juicio oral nunca llegaría a celebrarse». STS 18 de mayo de 2001.

tiembre (LA LEY 2268/2004), FJ 4; 26/2007, de 12 de febrero (LA LEY 3223/2007), FJ 4; 60/2008, de 26 de mayo (LA LEY 61662/2008), FJ 3; 47/2011, de 12 de abril (LA LEY 20749/2011), FJ 9; y 149/2013 (LA LEY 145704/2013), de 9 de septiembre, FJ 3). En ellas hemos estimado que habrá de analizarse cada caso a la luz de sus concretas características y bajo los presupuestos de que en principio la imparcialidad del Juez ha de presumirse y los datos que pueda objetivamente poner en cuestión su idoneidad han de ser probados, por una parte, y de que, por razones obvias de estricta y peculiar vinculación del Juez a la ley, tal imparcialidad es especialmente exigible en el ámbito penal». (SSTC 240/2005, de 10 de octubre (LA LEY 1963/2005), FJ 3; 143/2006 (LA LEY 60299/2006), de 8 de mayo, FJ 3; y 156/2007 (LA LEY 91887/2007), de 2 de julio, FJ 6)». STC 133/2014 de 22 Jul. 2014, Rec. 3930/2012 Ponente: Xiol Ríos, Juan Antonio. LA LEY 93103/2014.

Tampoco será causa de recusación haber desestimado pruebas solicitadas en el escrito de calificación provisional[91]; haber estimado el recurso frente al auto de sobreseimiento dictado por el Juez de instrucción ordenando de ese modo la continuación del procedimiento[92]; cuando hubiere decidido la Audiencia sobre la prisión o libertad provisional[93]. Podemos decir que, en general, no queda afectada la imparcialidad de la Audiencia cuando resuelve los recursos contra decisiones del juez instructor.

---

(91) «La Sala, en el auto de 17 de noviembre de 1999 lo único que efectuó es ejercer su papel de dirigir en el Plenario y determinar las pruebas pertinentes en relación a los hechos enjuiciados, y lo hizo fundamentadamente, esto es, resolviendo por auto y dando cuenta de la razón de cada prueba inadmitida. Precisamente, ese deber cumplido de fundamentación es instrumentalizado con el pretexto de una pérdida de imparcialidad —o de su apariencia— porque se rechaza una testifical en base a la acreditada incredibilidad de lo dicho por el testigo en la instrucción. Ello no supone que la Sala se cierra a otras posibles versiones, siempre que éstas tengan un mínimo de verosimilitud». STS 1179/2001 de 20 Jul. 2001, Rec. 491/2000; Ponente: Giménez García, Joaquín. LA LEY 5828/2001.

(92) «El Tribunal Constitucional ha subrayado ... que dichas decisiones previas al juicio no afectan la imparcialidad del Tribunal cuando no haya "propiamente intervención en la instrucción" y que no la constituye "haber resuelto (...) un recurso de apelación". Especial relevancia tiene, en este sentido, la STC 151/1991, en la que se fijó el criterio del "caso concreto" de manera categórica, diciendo que "es el examen en cada caso concreto lo que determinará la apreciación de si el juez que decidió la causa realizó verdadera actividad instructora"». (Fundamento Jurídico 4.º). De acuerdo con el art. 5.1. LOPJ esta jurisprudencia es obligatoria para los Tribunales del Poder Judicial. STS 21 de julio de 2000.

(93) «Como el propio Tribunal Europeo de Derechos Humanos, el Tribunal Constitucional y esta Sala hemos declarado, la pérdida de imparcialidad por haber dictado anteriores resoluciones en el mismo asunto debe ser trasladada a cada supuesto, para evaluar el posible grado de incidencia de la actuación en cuestión sobre la imparcialidad objetiva de los miembros del tribunal. Se trata, en definitiva, de comprobar y evaluar la intensidad de su implicación en la actividad procesal anterior al juicio, desarrollada en la causa. En este caso el recurrente simplemente ha identificado los autos de los que arranca la implicación del Tribunal sentenciador por sus respectivas fechas, 14 de mayo y 10 de septiembre de 2015 y hace una alusión genérica a que los mismos denegaron la libertad provisional al recusante. El examen de las actuaciones no ha permitido localizar las resoluciones en cuestión, probablemente porque se encuentren en la pieza de situación personal que no ha sido remitida a esta Sala. En estas condiciones no es posible comprobar si el grado de implicación del Tribunal y si la valoración que el mismo hizo sobre el material que la instrucción había conseguido acumular fue de intensidad suficiente para poder deducir una toma de postura o predisposición de los miembros del Tribunal sobre la culpabilidad del recurrente». STS 460/2016 de 27 May. 2016, Rec. 10994/2015; Ponente: Ferrer García, Ana María. LA LEY 59390/2016.

«Con carácter general, la doctrina de esta Sala Segunda del Tribunal Supremo ha venido entendiendo que no constituye motivo bastante para cuestionar la imparcialidad de los miembros de un Tribunal colegiado, normalmente una Audiencia Provincial o bien la Audiencia Nacional, el hecho de que hayan resuelto recursos de apelación interpuestos contra resoluciones del juez instructor, lo que puede extenderse a cualquiera otras decisiones que supongan una revisión de lo actuado por aquél. En este sentido, no puede apreciarse, generalmente, prejuicio alguno cuando el Tribunal se limita a comprobar la racionalidad de la argumentación y la corrección legal de la decisión de la que conoce en vía de recurso. Por el contrario, su imparcialidad puede verse comprometida cuando adopta decisiones que suponen una valoración provisional de la culpabilidad que no ha sido previamente adoptada por el juez instructor, pues ello implica una toma de contacto con el material instructorio y una valoración del mismo desde esa perspectiva». STS 79/2014 de 18 Feb. 2014, Rec. 829/2013; Ponente: Berdugo Gómez de la Torre, Juan Ramón. LA LEY 10171/2014.

O el Juez de instrucción que resuelve reputar delito leve el hecho que hubiere dado lugar a la formación de la causa, y conociere del posterior procedimiento por delitos leves cuando fuese competente (art. 779.1.2.ª LECrim.). Aunque, siempre que el Juez no haya practicado actos de instrucción.

«La queja del demandante se sitúa en el ámbito de la llamada imparcialidad objetiva, puesto que hace referencia a la circunstancia de haber actuado el juzgador como instructor y dictar después sentencia condenatoria en el juicio de faltas .../... "cuando se trata de examinar si se ha producido una vulneración del derecho al Juez imparcial en el ámbito del juicio de faltas, no puede olvidarse en este aspecto la especial configuración legal de este proceso, caracterizada por la informalidad y por la concentración de sus trámites, así como, en muchos casos, por la indeterminación del sujeto pasivo del proceso hasta el momento mismo del juicio oral y, en definitiva, por la menor intensidad de los actos de investigación previos al juicio que de estas notas se deriva" .../... En estas circunstancias, en las que claramente se puede comprobar que el Juez instructor no ha desplegado, en puridad, actividad instructora alguna tendente al esclarecimiento de los hechos, ni ha adoptado medidas cautelares de ningún tipo, limitándose a recibir las denuncias contenidas en el atestado policial y precisar cuál es el trámite procesal que aquéllas merecen, al declarar que los hechos denunciados no son constitutivos de delito, hemos de concluir que ello en nada prejuzga la decisión futura del juzgador, que sólo depende del examen y valoración de lo que resulte acreditado en el juicio de faltas que se celebre. No puede apreciarse, en consecuencia, que el juzgador, al calificar los hechos denunciados como constitutivos, en su caso, de simples faltas, asumiese, en este caso, una actividad procesal que pudiera comprometer su imparcialidad objetiva». STC 52/2001 de 26 de febrero.

Otro supuesto en el que se plantea la posible afectación del Tribunal es en aquellos casos en los que la propia legislación prevé la competencia y compatibilidad funcional de un tribunal para revisar sus decisiones anteriores (recursos no devolutivos; incidente de nulidad). Tampoco en este caso se admite, necesariamente, que exista una conculcación del derecho al juez imparcial.

«Ni la ley en abstracto ni esta Sala en concreto advierte esa quiebra del presupuesto constitucional que garantiza el derecho a un proceso justo. La clave radica en dilucidar si la legislación procesal determina en los casos de anulación de una sentencia en apelación o casación para repetición del juicio un cambio de Tribunal de forma imperativa determinando esa incompatibilidad funcional; o, por el contrario, no arrastra a esa inevitable conclusión habilitando al mismo órgano que ya enjuició en un proceso público y contradictorio, volver a enjuiciar previa subsanación de los defectos que determinaron la nulidad. Y es claro que nuestra legislación no impone esa alteración del órgano jurisdiccional, aunque tampoco la impide». STS 703/2016 de 14 Sep. 2016, Rec. 237/2016; Ponente: Moral García, Antonio del. LA LEY 119463/2016.

En definitiva, lo realmente trascendente para apreciar si un Tribunal conserva su imparcialidad, no es que haya intervenido de algún modo en la instrucción del procedimiento penal, v.g. resolviendo recursos contra las resoluciones del Instructor, sino si en aquellas decisiones se han manifestado o no, con claridad suficiente, prejuicios o prevenciones sobre la culpabilidad del acusado. Hay que evitar, por tanto, que al final prime la sensación subjetiva de la parte levantando sospechas carentes del debido fundamento.

> «Es cierto que en materia de imparcialidad del Juzgador las apariencias son importantes, ya que lo que está en juego es la confianza que los Tribunales deben inspirar a los ciudadanos en una sociedad democrática. Pero ello no significa que deba primar la subjetividad de una de las partes a la que le resulte suficiente para excluir al Juez predeterminado por la Ley, con levantar unas sospechas carentes de fundamento objetivo y que no resulten razonables para un observador externo, pues ello conduciría a un sistema de Juez a la carta. En todo caso debe partirse de que en un Estado de Derecho, en el que los Tribunales están organizados sobre la base de un criterio de ajenidad a la causa, la imparcialidad se presume como regla de principio, por lo que es a la parte que alega su ausencia a la que le corresponde acreditar la base fáctica que fundamente su pretensión». STS 460/2016 de 27 May. 2016, Rec. 10994/2015; Ponente: Ferrer García, Ana María. LA LEY 59390/2016.

Es decir, que lo determinante será discernir en cada supuesto si en las decisiones que hubo de tomar el Tribunal pudo quedar afectar la imparcialidad de los miembros de aquél[94].

> «El Tribunal Constitucional ha rechazado la existencia de vulneración del derecho al juez imparcial en supuestos que se limitan a abordar aspectos puramente formales del desarrollo de la instrucción y al análisis de cuestiones absolutamente abstractas y generales sobre la eventual concurrencia de una cuestión previa de legalidad administrativa, sin ninguna relación con las circunstancias fácticas de la presunta infracción cometida, ni con la participación en los hechos del inculpado

---

(94) «Es evidente que los Magistrados que formaron la Sala sentenciadora, en ningún momento ostentaron la condición de instructores de la causa, por lo que resulta imposible incardinarlos en las previsiones del art. 54.12 de la Ley Procesal Penal, anteriormente mencionado.../... Como pone de relieve la sentencia recurrida, la Sala solamente acordó que se incorporasen a la causa unas cintas de cassette con grabaciones, que ni siquiera estaban en ese momento a disposición del Tribunal, por lo que es obvio que no podía conocerlas. Asimismo decidió que se tomara declaración a uno de los implicados, para reforzar su derecho de defensa, puesto que, hasta ese momento no había declarado. En todo lo demás el material investigador del que se ha dispuesto ha sido, el que se había acopiado por la Juez de Instrucción hasta el momento de dictar el Auto de Archivo. Una decisión tan superficial y descomprometida, como la que tomó la Sala sentenciadora, en ningún caso puede ser considerada como actividad investigadora encaminada a concretar una responsabilidad criminal, aunque sea indiciaria». STS 22 de marzo de 2001.

(STC 38/2003, de 27 de febrero (LA LEY 1370/2003)). Por el contrario, en el segundo caso, es decir, cuando lo ordenado al instructor, en contra de su criterio, sea la continuación de las diligencias al entender que existen indicios criminales para juzgar al imputado o investigado, o que los marcadores correspondientes a la prueba indiciaria se han colmado de forma positiva al entender que ha de sufrir el enjuiciamiento de la causa, o en suma, que procede dictar auto de procesamiento contra una persona en particular —si tal título de imputación pertenece al proceso seguido en el caso—, conviniendo en la existencia de indicios racionales de criminalidad, es evidente que tal contacto con el objeto del proceso, asumiendo una decisión de esta naturaleza, implicará un compromiso demasiado intenso con el mismo, que impedirá ya que, a la hora de su enjuiciamiento, pueda entrar a realizarlo sin un prejuicio previo, o por lo menos, que no se satisfagan las exigencias de apariencia que se requieren en el ejercicio de la actividad jurisdiccional». STS 79/2014 de 18 Feb. 2014, Rec. 829/2013; Ponente: Berdugo Gómez de la Torre, Juan Ramón. LA LEY 10171/2014.

En el mismo sentido se ha pronunciado el TEDH que en el caso Hauschildt (STEDH 24 de mayo 1989), declaró que para resolver si un Tribunal había perdido su imparcialidad debía atenderse al supuesto concreto, ya que ello dependía de las circunstancias concurrentes[95]. Por lo tanto, habrá que analizar cada acto, sin que proceda una declaración genérica sobre esta materia[96].

«... Nuestra doctrina constitucional se asienta sobre varias ideas esenciales. La primera, que su finalidad consiste exclusivamente en evitar que el Juez o algún Magistrado del Tribunal encargado del juicio oral y de dictar la correspondiente Sentencia prejuzgue la culpabilidad del acusado (SSTC 145 y 168/1988, 11 y 106/1989, 55/1990 y 113/1992). Ahora bien, por ello mismo, la asunción sucesiva de funciones instructoras y sentenciadoras no puede examinarse en abstracto y se hace inevitable descender al caso concreto, comprobando allí si se ha vulnerado efectivamente la imparcialidad del juzgador (STC 98/1990). En efecto, no todo acto de instrucción la compromete, sino tan sólo aquellos que, por provocar una convicción anticipada

---

(95) Véase MIRA ROS CORAZÓN, La Ley n.º 5257, 2001.

(96) «... En cualquier caso, la acumulación de funciones instructoras y sentenciadoras no puede examinarse en abstracto, sino que hay que descender a los casos concretos y comprobar si se ha vulnerado efectivamente la imparcialidad del juzgador (STC 98/1990), debiéndose tener muy en cuenta que no todo acto instructorio compromete dicha imparcialidad, sino tan sólo aquellos que, por asumir el Juez un juicio sobre la participación del imputado en el hecho punible, puedan producir en su ánimo determinados prejuicios sobre la culpabilidad del acusado que lo inhabiliten para conocer de la fase del juicio oral (SSTC 106/1989, 151/1991, 136/1992, 170 y 320/1993)». (STC 60/1995, de 13 marzo).

«... El Magistrado al que se imputa ausencia de imparcialidad objetiva no realizó actividades de investigación directa de los hechos, es decir, como resulta de las circunstancias del presente caso, no ejerció aquella función en parte inquisitiva y en parte acusatoria a la que nos referimos en la STC 151/1991, sino que se limitó, en virtud de una sustitución reglamentaria del titular del Juzgado Central de Instrucción, a citar a las partes para una diligencia de careo y a presidir la misma poniendo de manifiesto las contradicciones entre los careados. A continuación no tuvo más contacto con la instrucción de la causa hasta el momento del juicio. Dicha actividad, en consecuencia, no requirió una valoración inicial de los hechos, ni se tradujo en la adopción de medidas cautelares o en el interrogatorio activo de la parte por el Juez. No consistió, en suma, en actividad instructora susceptible de producir prejuicios o impresionantes, en contra del recurrente, que hubieran podido comprometer su imparcialidad...». (STC 372/1993, de 13 diciembre). Vid. también STC 170/1993, de 27 mayo.

sobre la participación del imputado en el hecho punible, puedan crear en su ánimo determinados prejuicios sobre la culpabilidad, inhabilitándole así para conocer del juicio oral (SSTC 106/1989, 151/1992, 170/1993 y 320/1993). En tal sentido, la circunstancia de haber estado en contacto con el material probatorio necesario para que se celebre el juicio es la que puede hacer nacer en el ánimo del Juez o Tribunal sentenciador prejuicios y prevenciones respecto de la culpabilidad del acusado, quebrándose así la imparcialidad objetiva que intenta asegurar la separación entre la función instructora y juzgadora (por todas, STC 145/1988). Por otra parte, en cada caso concreto habrá de determinar si se da o no la apariencia de imparcialidad, pues es la investigación directa de los hechos, con una función inquisitiva dirigida frente a determinada persona, la que puede provocar en el ánimo del instructor prejuicios e impresiones respecto del acusado que influyan a la hora de sentenciar (STC 136/1992, fundamento jurídico 2)». STC 142/1997 de 15 de septiembre. Véase también STC 15/1991.

Frente a esta doctrina la STEDH Castillo Algar contra España declaró vulnerado el derecho del acusado a ser juzgado por un Tribunal imparcial, cuando algunos de los jueces se habían pronunciado sobre la ratificación del auto de procesamiento. Con base en esta sentencia cualquier intervención del Juez en la instrucción puede suponer una sospecha de parcialidad que le impediría actuar en la fase de juicio oral para decidir la causa. Esa nueva interpretación puede conducir a establecer las máximas garantías para el acusado en el proceso penal, pero al mismo tiempo se corre el riesgo de convertir la abstención y la recusación en meras excusas formales de eliminación, a los efectos del enjuiciamiento, de determinados magistrados, efecto que en algunas Audiencias puede conseguirse mediante las sucesivas impugnaciones. Por estas prevenciones, nuestra jurisprudencia ha reafirmado la doctrina expuesta que, acertadamente, se inclina por analizar, en cada caso, de qué modo la actividad instructora pudo comprometer su imparcialidad. En este sentido, el TS se ha pronunciado en la STS 17 abril 1999 (LA LEY 6359, 1999) respecto a la citada sentencia del TEDH, declarando que en ningún caso este pronunciamiento modifica la doctrina anteriormente expuesta:

«La doctrina que se ha dejado expresada del TEDH no se ha visto alterada, sustancialmente, por la sentencia dictada el 28 de octubre 1998, en el caso Castillo Algar, y no podía serlo en cuanto el Tribunal Europeo, en esa sentencia, se fundamenta en anteriores pronunciamientos de ese mismo Tribunal y, en este caso, deben ser resaltadas las especiales circunstancias que concurrieron y los específicos razonamientos que se esgrimieron .../... De ahí que pueda estimarse razonable que, en ese caso, el TEDH apreciase el temor de una pérdida de imparcialidad en los dos miembros del Tribunal sentenciador que habían formado parte de la Sala que confirmó el auto de procesamiento. Si bien, en esta sentencia, el TEDH destaca que la respuesta a la pregunta de sí se pueden considerar estas dudas como objetivamente justificadas depende y puede variar según las circunstancias de la causa, y que el simple hecho de que un juez haya tomado decisiones antes del proceso no puede, por tanto, en sí mismo, justificar las aprehensiones, en cuanto a su imparcialidad (caso Hauschildt, citado)». (STS 17 abril 1999, La Ley 6359, 1999).

Incluso, la doctrina jurisprudencial contenida en la STEDH en el Caso Castillo-Algar, ha sido corregida en la STEDH de 2 de marzo de 2000 (Caso Garrido Guerrero contra España), en la que se el TEDH declara, precisamente, en el sentido que siempre lo ha hecho nuestra jurisprudencia que la participación del juez en actos de instrucción no determina, necesariamente, que deba considerarse afectado en su imparcialidad.

«... el simple hecho de que un juez haya ya tomado decisiones antes del proceso no puede, por lo tanto, por sí mismo, justificar los temores en cuanto a su imparcialidad (Sentencia Hauschildt). .../... en el caso presente, el Tribunal de apelación tuvo mucho cuidado en precisar los límites del acto de inculpación, su carácter de resolución formal y provisional, sin prejuzgar en nada la solución del litigio ni en cuanto a la calificación de los hechos que se discutían ni en cuanto a la culpabilidad del inculpado. Además, el Tribunal señala otra diferencia no menos importante con relación al asunto Castillo Algar ya citado. En efecto, en este último, dos magistrados que participaron en el marco del examen del auto de procesamiento del señor Castillo Algar, participaron posteriormente como Presidente y Juez Instructor, respectivamente, en la Sala del Tribunal Militar Central que le juzgó y le condenó. No sucede lo mismo en este caso, en el que el Juez señor D. R. G., únicamente participó como simple magistrado en la Sala del Tribunal Militar Central compuesta por cinco jueces que, el 13 de diciembre de 1996, reconoció al demandante culpable y le condenó a una pena de prisión. Teniendo en cuenta lo que antecede, el Tribunal considera que, en las circunstancias del caso, los temores de una falta de imparcialidad expresados por el demandante no están objetivamente justificados. De ello se deriva que el motivo debe ser rechazado como manifiestamente sin fundamento en aplicación del art. 35.3 del Convenio». STEDH 115/2000 (Garrido) de 2 de marzo.

8.6. Sustanciación

A) De la Abstención del Juez o Magistrado

El Juez se abstendrá del conocimiento de un asunto, sin esperar a que se le recuse, cuando concurra alguna de las causas establecidas legalmente (art. 217 LOPJ). La tramitación de una abstención se ajustará a lo prevenido en los arts. 221 y 222 LOPJ. Conforme con esta regulación el magistrado o juez en quien concurra causa legalmente prevista comunicarán la abstención por escrito motivado en el que se expresará la existencia de la causa (V. M. 26.1). Este escrito se dirigirá a la Sección o Sala de la que forme parte o al órgano judicial al que corresponda la competencia funcional para conocer de los recursos contra las sentencias que el juez dicte, que resolverá sobre la abstención en el plazo de 10 días. El proceso quedará suspendido hasta que se resuelva sobre ella o transcurra el plazo previsto para su resolución. En todo caso, la suspensión del proceso terminará cuando el sustituto reciba las actuaciones o se integre en la Sala o Sección a que pertenecía el abstenido.

Si el órgano competente no estimare justificada la abstención, ordenará al juez o magistrado que continúe el conocimiento del asunto, sin perjuicio del derecho de las partes a hacer valer la recusación (V. M. 26.2). Recibida la orden, el juez o magistrado dictará la providencia poniendo fin a la suspensión del proceso. Si se estimare justificada el abstenido dictará auto apartándose definitivamente del asunto y ordenará remitir las actuaciones al que deba sustituirle. Cuando que se abstenga forme parte de un órgano colegiado, el auto lo dictará la Sala o Sección a que aquél pertenezca. El auto que se pronuncie sobre la abstención no será susceptible de recurso alguno.

B) De la recusación a instancia de parte

La recusación deberá ser propuesta tan pronto como se tenga conocimiento de la causa en que se funde —arts. 56 LECrim., y 223.1.º LOPJ— (V. M. 27.1)[97]. En caso contrario no se admitirá a trámite. Concretamente, los arts. 223 LOPJ y 56 LECrim. especifican que no se admitirán a trámite las recusaciones: 1.º) Cuando no se propongan en los diez días siguientes al de la notificación de la resolución en la que se identifique el Juez o Magistrado que deba conocer de cualquier fase del proceso, si el conocimiento de la concurrencia de la causa de recusación fuese anterior a aquél[98]. 2.º Cuando se propusieren iniciado ya el proceso, si la causa de recusación se conociese con anterioridad al momento procesal en que la recusación se proponga.

> «Ésta ya es una doctrina reiteradamente consagrada por esta Sala de lo Penal del Tribunal Supremo y también por el Tribunal Constitucional para los casos de recurso de amparo. Así la sentencia 85/2006 de 3 de febrero, señala que "Precisamente, para evitar los demoledores efectos de diversa índole que provoca la anulación de un juicio y su reiteración (es obvio que ya nunca en las condiciones originales) el legislador condiciona la viabilidad de objeciones como la que se examina a que su formulación sea temporánea. Esto por la razonable inferencia de que quien sabiendo de una causa de recusación o abstención no denuncia es que, una de dos, no la da importancia o asume reflexivamente sus consecuencias. Y también porque el curso de la administración de justicia no puede quedar a expensas del capricho o el eventual cálculo de los implicados, ni a merced de sus intereses"». STS 47/2014 de 4 Feb. 2014, Rec. 822/2013; Ponente: Monterde Ferrer, Francisco. LA LEY 6347/2014.

En consecuencia, no puede reservarse la recusación para un momento posterior[99]. En caso contrario procederá la inadmisión. Sin que sea posible utilizar algún medio de impugnación «a posteriori» para denunciar la causa de recusación que ya se conocía con anterioridad[100].

----

(97) «... Esta falta de proposición de la recusación "tan luego como se tenga conocimiento de la causa en que se funde", como manda el art. 223.1 LOPJ, ha sido señalada de forma coincidente en el presente proceso por el Ministerio Fiscal en sus dos escritos de alegaciones y por quien fue querellante en la vía judicial previa, y debe ser reconocida por este Tribunal. Es patente, en efecto, que la recusación, pese a lo alegado por el recurrente, pudo intentarse por él en diversos momentos, según se desprende con claridad en las acciones... La pasividad del recurrente, incumpliendo los requisitos procesales legalmente exigibles, hace, en definitiva, inviable el enjuiciamiento de esta pretendida lesión del derecho a un Juez imparcial...». (STC 138/1991, de 20 junio).

(98) La causa 10.ª del art. 219 LOPJ deberá alegarse, en su caso, en la fase de instrucción, ya que la imparcialidad sólo puede verse afectada por el órgano que vaya a decidir. «... Desde la perspectiva constitucional, el derecho a un Juez imparcial en su vertiente objetiva se afirma únicamente respecto del acusado (STC 136/1992), por lo que el mismo no es alegable en la fase de instrucción del sumario o de las diligencias previas, ya que, en esta sede constitucional, la lesión del derecho a la imparcialidad sólo se consuma tras el fallo de la causa por el titular del órgano judicial en primera instancia (SSTC 136/1989 y 170/1993), es decir, cuando se constata efectivamente que el Juez o Magistrado que ha realizado auténticas actividades de instrucción ha intervenido también en el enjuiciamiento del acusado...». (STC 32/1994, de 31 enero).

(99) Aunque, en la STEDH en el caso Algar contra España de 28 de octubre de 1998, el TEDH consideró que, aún no intentada la recusación, el condenado puede una vez finalizado el juicio, alegar la recusación con base en motivos que ya le eran conocidos.

(100) «No hay que olvidar, como decíamos en la STC 140/2004, de 13 de septiembre, FJ 4, que la omisión de la recusación no puede ser suplida con posteriores recursos contra la resolución

«La Ley, con rango de Ley orgánica, configura el ejercicio de este derecho estableciendo el mecanismo de la recusación al alcance de la parte que se considere agraviada por la intervención de un Juez que no considere imparcial, e impone que la cuestión se plantee tan pronto se tenga conocimiento de la causa en que se funde. La exigencia es radical, habida cuenta que la sanción para caso de incumplimiento es el rechazo liminar de la pretensión ("no se admitirá a trámite", art. 223.1 LOPJ (LA LEY 1694/1985)). Por lo tanto, incluso ante un planteamiento realizado en trámite de recurso, la resolución debería ser la inadmisión del motivo, al tratarse de un planteamiento tardío» STS 79/2014 de 18 Feb. 2014, Rec. 829/2013; Ponente: Berdugo Gómez de la Torre, Juan Ramón. LA LEY 10171/2014.

Para el correcto funcionamiento de la institución resulta necesario que las partes conozcan la composición de la Sección o Sala que va a enjuiciar una determinada causa, de forma que las partes puedan determinar la existencia de alguna de las causas de recusación previstas en el art. 219 LOPJ. A este efecto, el Tribunal deberá notificar a las partes su composición, así como los cambios que pudieran producirse.

«... Los Tribunales tienen el deber de poner en conocimiento de las partes la composición de la Sección o de la Sala que va a juzgar el litigio o causa, lo que, entre otras cosas, hace posible que puedan ejercer su derecho a recusar en tiempo y forma a aquellos Jueces o Magistrados que pudieran incurrir en causa para ello; derecho de recusación cuyo ejercicio diligente es a su vez presupuesto procesal de un posterior recurso de amparo en defensa del derecho fundamental al Juez imparcial, pues normalmente ese incidente es el que permite invocar el derecho constitucional tan pronto como, una vez conocida la violación, hubiere lugar para ello, y simultáneamente agotar los recursos utilizables dentro de la vía judicial —LOTC art. 44.1, aps. c) y d)—...» (STC 180/1991, de 23 septiembre)[101].

Concretamente, con relación a los cambios de las secciones de tribunales colegiados, resulta frecuente que estos se produzcan sin tiempo hábil para su notificación. En ese caso, se anunciará la modificación al inicio de la vista, conforme con el art. 190 LEC, al que se remite el art. 226.2 LOPJ, sin que la omisión de la notificación del

---

de fondo basados en la alegación posterior a ésta de la concurrencia de una supuesta causa de recusación en alguno de los Magistrados que la han dictado. Hay que tener en cuenta que las garantías establecidas en el art. 24 CE son aplicables a todas las partes en el proceso y que, de admitirse ahora la infracción denunciada —la del derecho al Juez imparcial formulada por quien tuvo ocasión de recusar—, resultarían lesionados los derechos de las demás partes que, una vez obtenida resolución favorable a sus intereses, se verían privadas de ella por una causa que pudo en su caso ser corregida durante la tramitación de la causa y que no fue alegada hasta conocerse el resultado de la misma». STC 60/2008, de 26 de mayo de 2008.

(101) Al alterarse los miembros de una Sala o Sección deberá notificarse a las partes el nombre de los componentes que vayan a completar el Tribunal. La falta de esta notificación a los efectos de la recusación sólo podrá dar lugar a la casación por quebrantamiento de forma cuando se haga la protesta formal en el inicio del juicio oral, expresando sus motivos, ya que puede en este momento intentarse la recusación —STS 24 septiembre 1979—. Vid. además SSTS 15 marzo 1990; 9 diciembre 1987. No obstante, como declaró el Tribunal Europeo de Derechos Humanos en sentencia de 6 diciembre 1988 (asunto Barberá y otros), un cambio inesperado en la composición del Tribunal antes del comienzo de las sesiones del juicio oral sin conocimiento de las partes o con escasa antelación de forma sorpresiva, que les impida tomar una decisión, puede incidir en una violación del art. 6.1 del Convenio para la Protección de los Derechos Humanos y Libertades Fundamentales, sobre la necesidad de un proceso equitativo y público.

cambio produzca necesariamente la vulneración de derecho fundamental alguno, a no ser que se acredite el perjuicio efectivo producido[102].

> «Es doctrina de este Tribunal que "la mera omisión de notificar a la recurrente los cambios en la composición de los Tribunales, y el consecuente desconocimiento acerca de la composición exacta del órgano judicial, no justifican por sí solos el amparo constitucional. Para apreciar la lesión aducida es preciso que la irregularidad procesal tenga una incidencia material concreta, consistente en privar al justiciable del ejercicio efectivo de su derecho a recusar en garantía de la imparcialidad del Juez. Y esta privación solo podría ser apreciada por este Tribunal si la demandante de amparo hubiera puesto de manifiesto, al menos indiciariamente, que el nuevo Magistrado que completó la Sala que resolvió la apelación incurría en una concreta causa legal de recusación que no pudo ser puesta de manifiesto por la omisión imputable al órgano judicial (SSTC 64/1997, de 7 de abril, FJ 3, y 162/2000, de 12 de junio, FJ 3)" (STC 4/2001, de 15 de enero, FJ 2)». STC 105/2016, de 6 de junio.

En el caso, de modificación de la composición de la Sala, la parte podrá recusar al Magistrado que se hubiere incorporado al tribunal, no al resto que ya constaban en la notificación del señalamiento que hubieron de plantearse en el plazo de diez días previsto en el art. 223.1.1 LOPJ. Pero, en ese caso se plantea el problema de que la causa de recusación no sea conocida al momento de informar, pero sí en un momento posterior. Es decir, producida la modificación de la composición de la Sala, notificada al inicio del juicio, es probable que no se conozca de la concurrencia de una causa de recusación, hasta un momento posterior. Por ejemplo, una vez que la parte o testigos hayan podido consultar con el abogado la existencia de circunstancias previstas en el art. 219 LOPJ. En ese caso, cabría recusar en un momento posterior. Ahora bien, si no se produce la recusación en el acto proseguirá la vista y si se dictara la resolución se plantearía un problema, ya que podría utilizarse el expediente de la recusación para atacar una resolución desfavorable. Para ese supuesto el art. 226 LOPJ se remite a la regulación prevista en los arts. 190 a 192 LEC, que regulan las siguientes normas de salvaguardia que es la siguiente:

— En el caso de cambio de Juez o de Magistrado o Magistrados, cuando se hubiere celebrado la vista por no haber mediado recusación, el tribunal fuere unipersonal, dejará el Juez transcurrir tres días antes de dictar la resolución y si se tratare de tribunal colegiado, se suspenderá por tres días la discusión y votación de la misma.

---

(102) «... la queja en cuestión carezca también de relevancia constitucional, pues no concreta tampoco el recurrente la incidencia material que aquella sustitución funcional produjo en este determinado caso; esto es, la repercusión que, en la garantía de imparcialidad que constituye la *ratio* de aquel derecho fundamental al Juez predeterminado por la Ley, supuso la modificación de la composición de la Sala Juzgadora. Respecto de esta omisión sólo puede ahora reiterarse lo ya dicho en la STC 97/1987, fundamento jurídico 4.°, al señalar que: «... el art. 24.2 de la CE no se extiende a garantizar un Juez concreto, sino únicamente comprende el derecho a que la causa sea resuelta por el Juez —el competente— o por quien funcionalmente haga sus veces», de forma que, junto a la constatación de aquella sustitución procesal, es preciso alegar cuál sea la trascendencia material y real que la misma comporta en el caso concreto, para dotar de cierto contenido material a la incidencia procesal que, de otro modo, carece del mismo». STC 100/1996 de 11 de junio.

— La recusación deberá plantearse en el plazo citado de tres días, y si las partes no hicieren uso de ese derecho, empezará a correr el plazo para dictar resolución (art. 191 LEC).

— Cuando se declare no haber lugar a la recusación, dictarán la resolución el Juez o los Magistrados que hubieren asistido a la vista (art. 192.2 LEC), comenzando a correr el plazo para dictarla al día siguiente de la fecha en que se hubiese decidido sobre la recusación.

— Si se declarase procedente la recusación, quedará sin efecto la vista y se verificará de nuevo en el día más próximo que pueda señalarse, ante Juez o con Magistrados hábiles en sustitución de los recusados.

La sustanciación de una recusación se regula en los arts. 57 a 71 LECrim., y 223 y ss. LOPJ (V. M. 27.1 y ss.). Se propondrá por escrito firmado por abogado y por procurador si intervinieran en el pleito, y por el recusante, o por alguien a su ruego, si no supiera firmar. En todo caso, el procurador deberá acompañar poder especial para la recusación de que se trate. En el caso que no interviniere procurador y abogado, el recusante habrá de ratificar la recusación ante el Letrado de la Administración de Justicia del tribunal de que se trate.

El principio general es el de la admisión a trámite de la recusación interpuesta, sin perjuicio de su posterior desestimación. Ahora bien procede la inadmisión «a limine» en el supuesto de recusaciones sin fundamento alguno y con único ánimo dilatorio.

«Una recusación formalizada en tal fundamento —con tal falta de fundamento— sólo es expresión de una actuación que entraña un **manifiesto fraude de Ley Procesal** en los términos del art. 11 de la LOPJ, que determina el rechazo de los incidentes o excepciones formulados con manifiesto abuso de derecho o entraña fraude de Ley o procesal. En efecto la recusación, expediente legal para garantizar el derecho al Juez imparcial, aparece instrumentalizada con fines diferentes a aquellos para la que se creó, y con la consecuencia de dilaciones y entorpecimientos en el iter de la causa, por ello, la desestimación "a limine" de tal recusación es la respuesta adecuada a tales planteamientos. En tal sentido, podemos citar la STC 136/1999, de 20 de julio de 1999 que determina "... en consecuencia la inadmisión liminar de la recusación puede sustentarse tanto en la falta de designación de una causa legal de abstención como en su invocación arbitraria, esto es, manifiestamente infundada, ya que este último comportamiento también constituye una evidente infracción del deber de actuar con posibilidad en el proceso —art. 11-2 LOPJ—, sin formular incidentes dilatorios, que resulta de la genérica obligación de colaborar en la recta Administración de Justicia..."». STS 1179/2001 de 20 Jul. 2001, Rec. 491/2000; Ponente: Giménez García, Joaquín. LA LEY 5828/2001.

O las planteadas reiteradamente[103]. En estos casos, procede la inadmisión «a limine» con base en el art. 11.1 y 2 LOPJ por tratarse de una pretensión notoriamente extemporánea y formulada con abuso manifiesto del derecho.

_____

(103) «... cualquier intento de reiterar la recusación, debe ser rechazado de plano por el órgano judicial al que corresponde inicialmente el conocimiento del asunto y ante el que se había formulado la anterior recusación que, tramitada en forma, fue rechazada por el órgano competente para decidirla, utilizando criterios perfectamente legales ajustados a las pautas elaboradas por la

Formulada la recusación se dará traslado a las partes personadas para que, en tres días, manifiesten si se adhieren o se oponen a la causa de recusación propuesta. También podrán formular nueva causa de recusación. Si no lo hicieren en ese momento no podrán hacerlo con posterioridad, salvo que acredite cumplidamente el desconocimiento de la nueva causa de recusación. La recusación suspenderá el curso del pleito hasta que se decida el incidente de recusación salvo en el orden jurisdiccional penal, en el que el juez de instrucción que legalmente sustituya al recusado continuará con la tramitación de la causa (art. 225.4 LOPJ). Ahora bien, no existirá necesariamente nulidad de lo actuado respecto a aquellas diligencias que hubiera realizado el Juez recusado durante la tramitación del incidente, en tanto no se acredite que se hubiere producido efectiva indefensión.

> «La pretensión de nulidad y de retroacción de las actuaciones que formula la parte recurrente no puede, sin embargo, acogerse, pues aunque el Juez de Instrucción vulneró la normativa relativa a la tramitación de la recusación, ello no quiere decir que la infracción de la norma procesal en que incurrió, por no separarse de la tramitación de la causa y por no trasladar la competencia al sustituto hasta que se dirimiera el incidente de recusación, genere una nulidad absoluta del procedimiento. En efecto, en lo que respecta al principio de imparcialidad no puede afirmarse que la haya perdido el Instructor debido a la omisión procesal en que incurrió. De hecho, la Audiencia confirmó después la competencia del Magistrado que instruía la causa al entender que no concurría ningún supuesto de falta de imparcialidad que justificara apartarlo de su conocimiento. Y en el mismo sentido debemos pronunciarnos sobre la alegación de indefensión. Pues el Tribunal Constitucional tiene reiteradamente afirmado que solo cabe hablar de indefensión cuando la actuación judicial produzca un efectivo y real menoscabo del derecho de defensa con el consiguiente perjuicio para los intereses del afectado». STS núm. 747/2015 de 19 Nov. 2015, Rec. 686/2015. Ponente: Jorge Barreiro, Alberto Gumersindo. LA LEY 185990/2015.

El recusado habrá de pronunciarse, al día hábil siguiente del plazo de tres días otorgado a las partes, sobre si admite o no la causa de recusación (arts. 223.3.º LOPJ y 225.1.2 LECrim.) (V. M. 27.5 y 6). Dentro del citado plazo, o el siguiente hábil, pasará la causa al conocimiento del sustituto. Si el Juez admite la causa de recusación el incidente se resolverá sin más trámite (art. 225.3 LOPJ). En caso contrario, se remitirá el incidente, con todos los documentos presentados, al órgano competente para su instrucción, que será el previsto en el arts. 224 LOPJ y 63 LECrim. según el cargo jurisdiccional que ocupe el recusado (V. M. 27.4). El órgano instructor podrá inadmitir la recusación propuesta. Si la admite ordenará la práctica de la prueba solicitada, y la que estime necesaria y tras oír al Ministerio Fiscal remitirá lo actuado al órgano competente, previsto en el arts. 227 LOPJ y 68 LECrim., para que decida lo procedente por medio de auto (art. 225.3 LOPJ) (V. M. 27.6).

---

jurisprudencia constitucional y de esta Sala. En todo caso, los motivos de recusación son taxativos y no pueden ser extendidos a casos o circunstancias no previstas en la Ley. La aparición de una sentencia novedosa y de unas nuevas normas de reparto, no constituyen una base legal para sustentar la recusación y mucho menos pueden tener viabilidad, si su alegación se produce de forma extemporánea y cuando prácticamente iban a comenzar las sesiones del juicio oral...». STS 22 de marzo de 2001.

Si la resolución es desestimatoria se condenará en costas al recusante. En el caso de apreciarse la existencia de mala fe en el recusante se podrá imponer a éste de una multa de 180 a 6000 Euros. El auto que estime la recusación apartará definitivamente de la causa al recusado y continuará conociendo el sustituto (art. 228 en relación con los arts. 207 y ss. LOPJ). Contra el auto resolutorio no se dará recurso alguno, sin perjuicio de poderse alegar su nulidad al recurrir la sentencia definitiva, de acuerdo con lo establecido en los arts. 228.3 y 238 LOPJ.

Precisamente, es la posible nulidad de la sentencia por existir realmente la causa de recusación la que permite interponer recurso de casación con base en el motivo previsto en el art. 851.6.º LECrim. Este precepto dispone que podrá interponerse recurso de casación por quebrantamiento de forma: «*Cuando haya concurrido a dictar sentencia algún Magistrado cuya recusación, intentada en tiempo y forma, y fundada en causa legal, se hubiese rechazado*». El contenido aparentemente contradictorio de este motivo ha sido interpretado por el TS en el sentido que sólo podrá prosperar[104]:

a) Cuando la recusación del Magistrado que vaya a dictar sentencia hubiera sido estimada; b) cuando hubiera sido desestimada, siendo procedente, y c) cuando no se hubiese tramitado la pieza separada por quien corresponda o no se hubiesen respetado los trámites legales[105].

---

(104) «a) Ciertamente el texto del art 851.6.º LECrim. tiene una redacción que induce a suponer que el magistrado recusado no puede formar parte del Tribunal, aunque la recusación hubiera sido rechazada. Sin embargo, existen claras razones para considerar esta tesis como inaceptable. La primera surge del texto mismo del art. 227.1.º LOPJ, en el que se establece que "la resolución que desestime la recusación acordará devolver el conocimiento del pleito o causa al recusado". De allí surge con claridad que el rechazo de la recusación implica la continuación del Juez recusado en el trámite de la causa. Por otra parte, ni el art. 54 LECrim., ni el art. 219 LOPJ establecen que haber sido recusado sin éxito por alguna parte sea causa para excluir al Juez del Tribunal que debe entender en la causa. Por último, es evidente que si el legislador hubiera querido estatuir estos efectos para la recusación sin éxito, hubiera autorizado la recusación sin causa en materia penal, cosa que no ha hecho. b) Distinta es la cuestión de si en el fondo la recusación el recurrente tenía razón, pues ello puede ser un fundamento de la nulidad del proceso penal que se debía decretar por la vía que abre el art. 851.6.º LECrim...». (STS 30 marzo 1995).

(105) STS 17 diciembre 1991.

MODELOS

M. 5.   Auto de inhibición por falta de competencia territorial

JUZGADO DE INSTRUCCIÓN núm. [.../...]

Diligencia previas núm. [.../...]

AUTO

En [.../...], a [.../...] de [.../...] de 20[.../...]

Dada cuenta, y

HECHOS

1.º. Que durante la instrucción de las presentes diligencias, se ha acreditado que la sustancia estupefaciente de [.../...]. ha sido introducida en territorio nacional por la población de [.../...], habiéndose aprehendido la misma en este Partido Judicial.

FUNDAMENTOS DE DERECHO

1.º. De conformidad con el art. 14.2.º LECrim., serán competentes para la instrucción de las causas los Jueces de Instrucción del Partido en que se haya cometido el delito, que en el caso de autos, corresponde al Juzgado de Instrucción de [.../...] por iniciarse en éste los actos de tráfico.

2.º. El art. 25.1 LECrim. dispone que el Juez competente acordará la inhibición cuando considere que el conocimiento de la causa no le corresponde.

3.º. Conforme con los arts. 25.2 y 759.1 LECrim. el Juez requirente de inhibición seguirá practicando todas las diligencias necesarias para comprobar el delito, entre las que se halla la de entrada y registro, y la de [.../...], solicitadas por la Fiscalía en el domicilio de [.../...], que se acuerdan en auto aparte debidamente motivado.

VISTOS los preceptos citados, el art. 368 CP y demás de pertinente aplicación.

PARTE DISPOSITIVA

Este Juzgado se inhibe del conocimiento de la presente causa en favor del Juzgado de Instrucción de [.../...], por haberse cometido los hechos en el territorio de su Partido Judicial, al cual se remitirá testimonio de las actuaciones y diligencias practicadas, previo «Visto» del Ministerio Fiscal, solicitando acuse de recibo.

Así lo manda y firma el Sr. D. [.../...], Juez de Instrucción de [.../...], doy fe.

(Firma Juez)

(Firma Letrado de la Administración de Justicia)

DILIGENCIA. Seguidamente se cumple lo acordado, doy fe.

M. 6. **Providencia incoando diligencias para tramitar de oficio la cuestión de competencia**

JUZGADO DE INSTRUCCIÓN Núm. [.../...]

Diligencia previas núm. [.../...]

PROVIDENCIA JUEZ

En [.../...], a [.../...] de [.../...] de 20[.../...]

Por recibidas las presentes diligencias procedentes del Juzgado de Instrucción de [.../...], incóense diligencias previas (o indeterminadas), acúsese recibo y óigase al Ministerio Fiscal, verificado lo cual se acordará. *(Si hay partes personadas se les dará traslado.)*

Lo manda y firma el Sr. D. [.../...], Juez de Instrucción de [.../...], doy fe.

(Firma Juez)

(Firma Letrado de la Administración de Justicia)

Seguidamente se cumple lo acordado y se registran con el núm. [.../...], doy fe.

(Notificación. A las partes personadas, si las hubiere.)

M. 7. **Informe Fiscal sobre la cuestión de competencia suscitada**

INFORME FISCAL

Que procede de conformidad con el anterior dictamen del Ministerio Fiscal evacuado en el Juzgado de Instrucción [.../...], aceptar la competencia por [.../...] *(O no aceptarla en disconformidad con el anterior dictamen por [.../...])*

(Firma Ministerio Fiscal)

(A continuación, no aceptándose la competencia:

M. 8. **Auto denegando la competencia para el conocimiento de las diligencias remitidas**

AUTO

En [.../...], a [.../...] de [.../...] de 20[.../...]

Dada cuenta, y

HECHOS

1.º. Remitidas las diligencias núm. [.../...] por el Juzgado de Instrucción X, se incoaron diligencias núm. [.../...] acusando recibo y dando traslado al Ministerio Fiscal, quien informó [.../...]

FUNDAMENTOS DE DERECHO

1.º. No acreditando el forum delicti commissi y tratándose de delito permanente, corresponde el conocimiento de los hechos según el fuero subsidiario determinado por el lugar donde se hayan descubierto pruebas materiales del delito —art. 15.1.º LECrim.—, siendo competente el Juzgado de Instrucción [...].

VISTOS el precepto citado y los demás de pertinente y general aplicación.

PARTE DISPOSITIVA

No procede aceptar el requerimiento de inhibición, por lo que de conformidad con el art. 759.1 LECrim. se acuerda mantener la competencia para la instrucción de las presentes diligencias, elevando las actuaciones a la Audiencia Provincial, previa notificación y [...](emplazamiento en caso de partes personadas) solicitando acuse de recibo.

Así lo manda y firma el Sr. D. [...], Juez de Instrucción de [...], doy fe.

(Firma Juez) (Firma Letrado de la Administración de Justicia)

DILIGENCIA. Seguidamente se cumple lo acordado, doy fe.

(NOTIFICACIÓN. A las partes personas, si las hubiere, con emplazamiento de dichas partes.)

La elevación a la Audiencia Provincial o superior jerárquico se hará por testimonio de las actuaciones practicadas, en el supuesto en el que no exista acuerdo. En ese caso, tras oír al Fiscal y a las partes personadas, se dictará la pertinente resolución según el Modelo siguiente.

M. 9. Auto de la Audiencia Provincial declarando competente a uno de los Juzgados

JUZGADO DE INSTRUCCIÓN Núm. [...]

Diligencia previas núm. [...]

AUTO

Ilmos. Sres.

[...]

En [...], a [...] de [...] de 20[...]

Dada cuenta, y

HECHOS

1.º. Elevado oficio y testimonio de las actuaciones dimanantes de las diligencias núm. [...], constando en el oficio que [...] y formado Rollo se evacuó informe por el Ministerio Fiscal, quien [...]

FUNDAMENTOS DE DERECHO

1.º. El art. 14.2.º LECrim. establece como Tribunal competente para la instrucción de las diligencias el del lugar en que se hubiese cometido el hecho y, no constando, como fueros subsidiarios el del término municipal, partidos o circunscripción en que se hayan descubierto pruebas materiales de delitos —art. 15.1.º LECrim.—; y siendo que el delito contra la salud pública previsto y penado en el art. 368 CP tiene un carácter permanente, permitiendo ser consumado mientras las sustancias nocivas se encuentren en poder del culpable con la potencial finalidad de transmisión a terceros, de conformidad con la jurisprudencia —STS 504/2016 de 9 Jun. 2016, Rec. 1879/2015; Ponente: Llarena Conde, Pablo. LA LEY 68072/2016; AATS 23 marzo y 21 abril 1983 y STS 24 julio 1992, entre otros— y lo dispuesto en el art. 15.1.º LECrim., no constando el lugar donde se ha cometido, pues no se debe reputar como tal el hecho de introducción en territorio nacional de la sustancia estupefaciente, procede declarar competente el del término municipal en que se hayan descubierto pruebas materiales del delito, que resulta ser el del Juzgado de Instrucción X.

VISTOS los preceptos citados y demás de pertinente aplicación.

PARTE DISPOSITIVA

Se declara que el Juzgado de Instrucción X es el competente para el conocimiento de los presentes hechos, remitiéndose certificación de la presente resolución a ambos Juzgados y debiendo quedar los objetos y piezas de convicción a disposición del Juzgado competente.

Contra la presente resolución no cabe recurso.

Así lo mandan y rubrican los Sres. miembros del Tribunal, doy fe.

      (Firma Presidente   (Firma Letrado de la
       y Magistrados)   Administración de Justicia)

DILIGENCIA. Seguidamente se cumple lo acordado, remitiéndose exhorto con certificación para su cumplimiento al Juzgado de Instrucción […/…], y certificación al Y, doy fe.

(NOTIFICACIÓN. Al Ministerio Fiscal y a las partes personadas, si las hubiere.)

M. 10. Recurso de reforma contra el Auto que ordena la remisión de las Diligencias al Juzgado Instrucción por ser los hechos constitutivos de un delito leve

AL JUZGADO

D. […/…], Procurador de los Tribunales y obrando en nombre de […/…], cuya representación acredito mediante escrito de designa (o por escrito de apoderamiento) a mi favor, comparezco y DIGO:

271

Que me ha sido notificada la resolución dictada por este Juzgado en [.../...] con fecha de [.../...], en la que se reputan constitutivos de delito leve los hechos que han dado lugar a la presente causa y se ordena la remisión de las actuaciones al Juez de Instrucción de [.../...] por ser los hechos constitutivos de delito leve cuyo conocimiento le corresponde. Y estimando la misma gravosa a los intereses de mi representado, por medio del presente escrito formulo RECURSO DE REFORMA (1) que baso en las siguientes

ALEGACIONES

PRIMERA. Esta parte considera que de los hechos investigados se desprende que los hechos que tuvieron lugar en el domicilio de mi mandante consistieron en el ejercicio de violencia contra mi representado D. [.../...] con la consecuencia de producirle lesiones específicas que precisaron tratamiento médico consistente en la aplicación de tres puntos de sutura y la posterior aplicación de curas y vendajes. De todo ello se deduce sin ninguna duda la naturaleza delictiva de la acción del imputado D. [.../...] que se incardinan en el tipo del art. 147 CP teniendo en cuenta las lesiones y la necesidad de tratamiento médico para su curación. Por ello, y con base en estos argumentos esta parte solicita que prosiga el procedimiento abreviado ordenando seguir con las actuaciones por dicho cauce procesal por los trámites de los arts. 757 y ss. LECrim.

SEGUNDA. Para el caso que el Juzgado no considere la anterior petición esta parte solicita la práctica las siguientes diligencias que resultan imprescindibles a fin de aclarar suficientemente la naturaleza de los hechos que se imputan y a efecto de la mejor defensa de mi representado: 1) Tómese declaración a [.../...]; 2) Ofíciese a [.../...], para que [.../...]

Por lo expuesto,

AL JUZGADO SUPLICO:

Que dé por admitido este escrito de RECURSO DE REFORMA y tras los trámites pertinentes se acuerde haber lugar al mismo y [.../...] (2)

En [.../...], a [.../...] de [.../...] de 20[.../...]

Firmado por Abogado y Procurador

(DILIGENCIA DE PRESENTACIÓN)

(1) En el caso de interponerse apelación de forma subsidiaria se hace constar «y subsidiariamente recurso de apelación».

(2) Si se ha interpuesto subsidiariamente apelación se solicitará que caso de desestimarse la reforma se tenga por interpuesto el de apelación.

M. 11. Escrito interponiendo cuestión de competencia por declinatoria

AL JUZGADO DE INSTRUCCIÓN

D. [.../...], Procurador de los Tribunales y obrando en nombre de [.../...], cuya representación tengo acreditada en el sumario [.../...] DIGO:

Que dentro de los tres primeros días desde que recibí el sumario arriba indicado para el trámite de calificación, propongo al amparo de lo dispuesto en el art. 45, en relación con el art. 666 LECrim., como artículo de previo pronunciamiento con base en la excepción primera, declinatoria de competencia, y ello por los siguientes:

HECHOS

1.º. El día [.../...] de [.../...] de [.../...], fue librada y aceptada la cambial núm. [.../...] en la población de A, según consta en el [.../...] de las diligencias previas.

2.º. En el título-valor reseñado aparece como librador mi representado, pero fue aceptada por su librado D. [.../...]. en la población de A.

3.º. Mi mandante presentó a descuento bancario la citada cambial en la población de B, ante el Banco X, obteniendo la cantidad de 1000 Euros, que fue cargada en la cuenta corriente

núm. [.../...] que mi representado tiene en la precitada sucursal.

4.º. Obtenido el numerario, mi mandante dispuso del numerario y lo distribuyó para el pago de sus deudas.

FUNDAMENTOS DE DERECHO

— Arts. 14 y ss. LECrim., sobre competencia que resulta de A.

— Art. 32 LECrim., sobre procedimiento.

Por ello, y haciendo mención de no haber usado la inhibitoria,

AL JUZGADO SUPLICO: Admita este escrito con sus copias, tenga por propuesta dentro de plazo declinatoria de jurisdicción y se inhiba en favor de A, remitiendo las actuaciones por corresponderle el conocimiento de la presente causa, con emplazamiento de las partes personadas en autos.

Lo que pido en [.../...], a [.../...] de [.../...] de 20[.../...]

(Firma Letrado)   (Firma Procurador)

DILIGENCIA DE PRESENTACIÓN. En [.../...], a [.../...] de [.../...] de 20[.../...], me ha sido presentado el anterior escrito, doy fe.

La declinatoria se sustanciará como artículo de previo pronunciamiento (art. 45, en relación con el 666 LECrim.) Véase sobre los artículos de previo pronunciamiento § 4.3 Cap. XI.

M. 12.   Auto resolviendo la declinatoria propuesta

AUTO

En [.../...], a [.../...] de [.../...] de 20[.../...]

Dada cuenta, y

HECHOS

1.º. El Procurador [.../...], en nombre y representación de [.../...], interpuso declinatoria como artículo de previo pronunciamiento en base a las siguientes consideraciones: [.../...]

FUNDAMENTOS DE DERECHO

1.º. Cometido un presunto delito constitutivo de falsificación como medio para obtener numerario, en concurso ideal con otro de estafa, previstos y penados en los arts. 386 y 248 CP, de conformidad con los arts. 17 y 18 LECrim., siendo delitos conexos, corresponde su conocimiento al Juzgado del territorio en que se haya cometido el delito al cual corresponda pena mayor, que en el caso de autos lo es el de falsificación penado con prisión de 8 a 12 años y multa, siendo el de estafa penado con prisión de 1 a 6 años y multa.

2.º. No quedando acreditado el forum delicti commissi, pues el domicilio consignado en el «acepto» es presuntamente falso, y no prueba que la precitada falsificación se haya realizado en la población de A, resulta competente el Juzgado del partido o circunscripción en que se han descubierto pruebas materiales del delito, que es la de B, perteneciente a esta circunscripción territorial.

VISTOS los preceptos citados y demás de aplicación.

PARTE DISPOSITIVA

Se desestima la declinatoria propuesta por [.../...], acordando la continuación de la tramitación de la presente causa este Juzgado de Instrucción, dando traslado para calificación a la defensa por el término de [.../...] días (1).

Contra la presente resolución cabe recurso de apelación dentro del plazo de cinco días ante la Ilma. Audiencia Provincial (2).

Así lo manda y firma el Sr. D. [.../...], Juez de Instrucción de [.../...], doy fe.

(Firma Juez) (Firma Letrado de la Administración de Justicia)

DILIGENCIA. Seguidamente se cumple lo acordado, doy fe.

(NOTIFICACIÓN. Al Ministerio Fiscal y partes personadas)

(1) Caso de aceptarse la declinatoria, deberá remitirse al Tribunal competente, emplazando a las partes para que comparezcan ante el mismo; pudiendo surgir, caso de no aceptación de competencia, una cuestión negativa de competencia, como ya expusimos en la Sección 5.2 B) del presente Capítulo.

(2) Contra la resolución de la Audiencia, a nuestro entender, no cabe recurso por aplicación analógica del art. 759 LECrim. No procede lo dispuesto en el art. 32 in fine. En cambio, tratándose de sumario, cabría recurso de casación (art. 676 LECrim.), como señalamos en Capítulo XI, § 4.3.

M. 13. Escrito interponiendo cuestión de competencia por inhibitoria

AL JUZGADO DE INSTRUCCIÓN

D. [.../...], Procurador de los Tribunales, obrando en nombre de [.../...], cuya representación tengo acreditada en virtud de escritura de poderes que acompaño, ante este Juzgado comparezco y digo:

Que paso a formular cuestión de competencia por inhibitoria al amparo de los arts. 33 y 45 LECrim. ante este Juzgado, que considero competente en base a los siguientes:

HECHOS

1.º. El Juzgado de Instrucción de Alicante incoó diligencias previas núm. [.../...], en virtud de querella por preguntas injurias vertidas por mi representado contra X.

2.º. Las presuntas injurias fueron realizadas por mi poderdante Y en la población de Alicante y en ellas se decía [.../...]

3.º. Estas palabras, que luego resultaron tergiversadas, aparecieron publicadas en el rotativo de la población de Vigo, correspondiente al núm. [.../...] del diario [.../...] página [.../...] columna [.../...] a cuyos efectos acompaño ejemplar del mismo; por ello la competencia para la instrucción de la causa debe asumirla este Juzgado de Instrucción de Vigo.

FUNDAMENTOS DE DERECHO

— Arts. 14 y ss. LECrim., sobre competencia, ya que corresponde la instrucción de la causa a este Juzgado, debido a que el resultado se ha producido en el territorio de este Partido judicial por la publicación de las mismas en el periódico [.../...]

— Arts. 33 y ss. LECrim., a efectos de procedimiento.

En atención a lo expuesto, y con la manifestación de no haber hecho uso de la declinatoria.

AL JUZGADO SUPLICO: Admita este escrito y documentos con sus copias, tenga por propuesta cuestión de competencia por inhibitoria y, previos los trámites legales, acuerde librar oficio inhibitorio al Juzgado de Instrucción de Alicante a fin de que se inhiba de los presuntos hechos reputados como delictivos, remitiendo las actuaciones y emplazando a las partes que hubiesen comparecido.

OTROSÍ, solicito, que previo testimonio de los poderes, se devuelva la escritura original de los mismos.

Lo que pido en [.../...], a [.../...] de [.../...] de 20[.../...]

(Firma Letrado)   (Firma Procurador)

Diligencia de presentación. Recibido por el Juzgado de Instrucción y tras la extensión de la diligencia de presentación, se dictará la siguiente resolución:

M. 14. Providencia tramitando cuestión de competencia por inhibitoria

PROVIDENCIA JUEZ

En [.../...], a [.../...] de [.../...] de 20[.../...]

Dada cuenta, incóense las correspondientes diligencias y el escrito presentado por [.../...], únase el mismo y documentos presentados, dándose traslado de las actuaciones al Ministerio Fiscal por el plazo de dos días para que dictamine sobre la competencia.

Lo manda y firma el Sr. D. [.../...], Juez de Instrucción de [.../...], doy fe.

(Firma Juez)   (Firma Letrado de la Administración de Justicia)

Seguidamente se cumple lo acordado y se registran con el núm. [.../...], doy fe.

(Notificación. Al solicitante y Ministerio Fiscal.)

M. 15. Dictamen Fiscal en cuestión de competencia por inhibitoria

DICTAMEN FISCAL

El Fiscal, evacuando el traslado conferido dice: Que procede acceder a la competencia de este Juzgado, pues le corresponde la instrucción y conocimiento de los hechos, ya que se han consumado en el territorio del mismo.

En [.../...], a [.../...] de [.../...] de 20[.../...]

(Firma Ministerio Fiscal)

M. 16. Auto admitiendo la inhibitoria propuesta

AUTO

En [.../...], a [.../...] de [.../...] de 20[.../...]

Dada cuenta, y

HECHOS

1.º. El Procurador [.../...], en nombre y representación de [.../...], formuló cuestión de competencia en base a las siguientes consideraciones: [.../...].

2.º. Dado traslado posteriormente al Ministerio Fiscal, evacuó el traslado en sentido de [.../...], y concluyendo que procedía estimar la inhibitoria propuesta.

FUNDAMENTOS DE DERECHO

1.º. El art. 14 LECrim. establece la competencia de los Juzgados y Tribunales por el lugar de comisión de los hechos presuntamente delictivos, debiendo señalarse por tal lugar aquel en que se consuman, es decir, donde se practican todos los hechos necesarios para su tipificación como ilícito penal, conforme tiene declarado reiterada jurisprudencia a tenor de la teoría del resultado; puntualizándose que si los mismos se han diversificado en varios puntos territoriales, será competente el Juzgado de Instrucción del lugar donde se realice el último acto consumativo final integrador del tipo, doctrina que aplicada al caso de autos, hace que proceda declarar la competencia de este Juzgado.

VISTOS el precepto citado y demás de pertinente aplicación.

PARTE DISPOSITIVA

Ha lugar a la inhibitoria propuesta por el Procurador [.../...], en nombre y representación de [.../...], a cuyo fin diríjase oficio inhibitorio al Juzgado de Instrucción núm. [.../...] de Alicante que se halla conociendo del asunto, acompañado testimonio de la presente resolución, dictamen fiscal, escrito y documentos presentados, y requiriéndole para que previos los trámites oportunos, se inhiba del conocimiento de los hechos narrados en el escrito de inhibitoria, remitiendo las diligencias y piezas de convicción, con emplazamiento de las partes que hubiesen comparecido.

Contra la presente resolución cabe recurso de apelación dentro de plazo de cinco días ante la Ilma. Audiencia Provincial.

Así lo manda y firma el Sr. D. [.../...], Juez de Instrucción de [.../...], doy fe.

(Firma Juez) (Firma Letrado de la Administración de Justicia)

DILIGENCIA. Seguidamente se cumple lo acordado, remitiendo oficio y testimonio al Juzgado de Instrucción núm. [.../...] de Alicante, doy fe.

(NOTIFICACIÓN. A la parte personada y Ministerio Fiscal)

Si el Juzgado admite la inhibitoria propuesta, remitirá el correspondiente oficio al órgano que está conociendo para que se inhiba, y le remita las actuaciones.

M. 17. Oficio requiriendo de inhibición

JUZGADO DE INSTRUCCIÓN Núm. [.../...] DE VIGO

Ilmo. Sr.

Adjunto a VI. testimonio de escrito, documentos, dictamen del Ministerio Fiscal y resolución dictadas por este Juzgado, a fin de que de conformidad con la precitada resolución, se inhiba del conocimiento de la causa núm. [.../...] seguida ante este Juzgado, remitiendo las actuaciones practicadas y piezas de convicción, tras el emplazamiento de las partes personadas.

En [.../...], a [.../...] de [.../...] de 20[.../...]

(El Juez de Instrucción)

ILMO. SR. JUEZ DEL JUZGADO DE INSTRUCCIÓN Núm[.../...] DE ALICANTE

Recibido el oficio por el Juzgado de Instrucción de Alicante, requerido por el de Vigo, acusará recibo, y resolverá si procede inhibirse o no.

M. 18. **Providencia incoando diligencias por Juzgado de Instrucción requerido para tramitar la cuestión de competencia**

PROVIDENCIA JUEZ

En [.../...], a [.../...] de [.../...] de 20[.../...]

Dada cuenta, únase el oficio y testimonios recibidos a la causa de su razón, acúsese recibo y óigase al Ministerio Fiscal y [.../...]. (acusación particular y partes acusadas, de conformidad con los arts. 118 y 520 LECrim., si se hubieran personado) por el plazo de veinticuatro horas a cada uno de ellos, comenzando por el Ministerio Fiscal, a fin de que manifiesten si procede o no dar lugar al requerimiento de inhibición.

Lo manda y firma el Sr. D. [.../...], Juez de Instrucción de [.../...], doy fe.

(Firma Juez)   (Firma Letrado de la Administración de Justicia)

DILIGENCIA. Seguidamente se cumple lo acordado, doy fe.

NOTIFICACIÓN. (Y traslado sucesivo a las partes referidas, que podrán presentar el correspondiente escrito).

DICTAMEN FISCAL. *(Igual en su forma al del modelo núm. 18)*

Si no se accede a la inhibitoria, deberá dictarse el siguiente auto:

M. 19. **Auto denegando la inhibitoria propuesta**

AUTO

En [.../...], a [.../...] de [.../...] de 20[.../...]

Dada cuenta, y

HECHOS

1.º. Recibido oficio requiriendo de inhibición por el Juzgado de Instrucción núm [.../...] de Vigo, se dio traslado a [.../...], quienes sucesivamente informaron oponiéndose a la inhibitoria.

FUNDAMENTOS DE DERECHO

1.º. De conformidad con los arts. 14 y ss. LECrim., y siendo imputado un presunto delito de injurias, resulta competente el Juez del lugar donde se hubiesen cometido, y aunque la Ley Procesal Penal no define el concepto de «lugar de comisión», corresponde el forum delicti commissi al territorio de este Juzgado por haberse realizado en una entrevista desarrollada en Alicante, independientemente de que luego fuera publicada en el Diario [.../...], cuya sede es la población de Vigo.

VISTOS el precepto citado y demás de pertinente y general aplicación.

PARTE DISPOSITIVA

Desestimo la cuestión de inhibitoria propuesta, declarando la competencia de este Juzgado para el conocimiento de la presente causa, remitiéndose al Juzgado de Instrucción n.º [.../...] de Vigo oficio acompañando testimonio de la presente resolución, a fin de que remita las actuaciones practicadas al superior competente, que resulta ser la Sala 2.ª del Tribunal Supremo (1).

Así lo manda y firma el Sr. D. [.../...], Juez de Instrucción de [.../...], doy fe.

(Firma Juez) (Firma Letrado de la Administración de Justicia)

DILIGENCIA. Seguidamente se cumple lo acordado, doy fe.

(NOTIFICACIÓN. Al Ministerio Fiscal y partes personadas.)

(1) El art. 20 LECrim. señala los Juzgados y Tribunales que han de resolver las cuestiones de competencia.

M. 20. Auto de inhibición del conocimiento de un asunto por tratarse de hechos conexos

AUTO

En [.../...], a [.../...] de [.../...] de 20[.../...]

Dada cuenta, y

HECHOS

1.º. Los días [.../...] fueron perpetrados sendos presuntos robos a las Entidades Bancarias X e Y, sitas en las poblaciones de A y B, respectivamente, interviniendo en ambos [.../...], con empleo de idénticas armas y por el mismo procedimiento de [.../...], habiéndose incoado primeramente con fecha [.../...] por el Juzgado de Instrucción de A, las diligencias núm. [.../...], informando el Ministerio Fiscal en el sentido favorable a la inhibición.

FUNDAMENTOS DE DERECHO

1.º. A tenor de lo dispuesto en los arts. 17.5.º y 18 LECrim., será competente en los delitos conexos, el Juez del territorio en que se haya cometido el delito que esté señalada pena mayor, que en este caso no rige, por ser de idéntica penalidad ambos hechos, por lo cual, constando que el Juzgado de [.../...] incoó las diligencias con anterioridad a las de este Juzgado de Instrucción, procede la inhibición de conformidad con el art. 18.2.º LECrim.

VISTOS los preceptos citados y demás de pertinente aplicación.

PARTE DISPOSITIVA

Ha lugar a la inhibición del conocimiento del presente asunto en favor del Juzgado de Instrucción de A, a quien se remitirán, previo «Visto» del Ministerio Fiscal y una vez firme la presente resolución, las diligencias y piezas de convicción. Notifíquese esta resolución, solicitando acuse de recibo (1).

Contra la presente resolución cabe recurso de reforma dentro del plazo de tres días ante este Juzgado

Así lo manda y firma el Sr. D. [.../...], Juez de Instrucción de [.../...], doy fe.

(Firma Juez) (Firma Letrado de la Administración de Justicia)

DILIGENCIA. Seguidamente se cumple lo acordado, doy fe.

(NOTIFICACIÓN. A las partes personadas)

(1) Aunque podría obviarse el Informe del Fiscal por el «Visto» posteriormente realizado, es conveniente para estos supuestos que se haga con carácter previo. Si hay detenidos en situación de prisión preventiva, deberán ponerse a disposición del Juzgado A, comunicándolo al Director de la prisión. Una vez recibidas las diligencias por el Juzgado A, deberá ratificar o dejar sin efecto la resolución acordada por el Juzgado remitente B.

Cuando el anterior auto sea firme se remitirán las diligencias con el siguiente oficio:

M. 21.1. **Auto por el que se inhibe un Magistrado del conocimiento de un asunto sometido a su enjuiciamiento por haber sido instructor**

AUTO

ILMOS SRES.

[.../...]

En [.../...], a [.../...] de [.../...] de 20[.../...]

HECHOS

1.º. Formado el Rollo [.../...] procedente del Juzgado de Instrucción de [.../...], con el número de Sumario [.../...], seguido por el delito de [.../...]., resulta que el Juez componente de esta Sala fue instructor del mismo desde la fecha de [.../...] a [.../...], habiendo dictado el procesamiento de [.../...]

FUNDAMENTOS DE DERECHO

1.º. Habiendo sido el Magistrado D. [.../...], instructor anteriormente de la causa, procede que se inhiba del conocimiento de la misma, de conformidad con los arts. 219.11.ª y 221 LOPJ y 54.12.º y 55.1.º LECrim.

VISTOS los preceptos citados y demás de pertinente aplicación.

PARTE DISPOSITIVA

Procede declarar la abstención de oficio para la sustanciación de la causa, por parte del Magistrado D. [.../...], elevándose comunicación al Excmo. Sr. Presidente del Tribunal Superior de Justicia, a fin de que la Sala de Gobierno provea al oportuno nombramiento.

Contra la presente resolución no cabe recurso.

Así lo mandan y firman los Sres. Magistrados del Tribunal, doy fe.

DILIGENCIA. Seguidamente se cumple lo acordado, doy fe.

(NOTIFICACIÓN. Al Fiscal y a las partes personadas)

M. 21.2. Auto de la Audiencia denegando la abstención instada por causa de enemistad manifiesta

JUZGADO DE INSTRUCCIÓN DE [.../...]

ROLLO [.../...]

SECCIÓN [.../...]

AUTO

ILMOS. SRES.

[.../...]

En [.../...], a [.../...] de [.../...] de 20[.../...]

ANTECEDENTES DE HECHO

PRIMERO. Que por el Sr. Juez-Magistrado del Juzgado de Instrucción núm. [.../...] de [.../...] D. [.../...], se presentó con fecha [.../...] de [.../...] escrito acordando la abstención de oficio para conocer de las Diligencias Previas núm. [.../...] en las que está imputado D. [.../...] y comparecido D. [.../...] como acusación particular, con base en la existencia de enemistad manifiesta que el Juez relaciona y funda en los siguientes hechos [.../...]

SEGUNDO. Y dentro del plazo de diez días, Visto y siendo ponente el Ilmo. Magistrado D. [.../...],

FUNDAMENTOS DE DERECHO

1.º. Que la causa de abstención alegada que deriva de la relación del Magistrado-Juez con el imputado no puede admitirse, pues ésta se deduce de una interpretación particular y extensiva del núm. 9.º del art. 219 LOPJ, ya que de la ley exige la existencia de enemistad manifiesta, que no se acredita que exista. A este efecto el Juez únicamente alude a presuntas discrepancias genéricas a raíz de la notoria posición del Juez en materia de [.../...] lo que supondría, a su juicio, una situación de contraposición con los intereses del imputado en el procedimiento señalado.

2.º. Que de los documentos y alegaciones en los que se pretende fundar la causa no se desprende la existencia de tal enemistad, que la Ley exige que sea manifiesta. A este respecto, no puede ampararse el Juez en una causa genérica que serviría para apartarse de un gran número de procedimientos afectando, de ese modo, el derecho al Juez ordinario predeterminado por la Ley que también puede quedar afectado por el acogimiento de una causa de abstención inexistente o no suficientemente fundada.

PARTE DISPOSITIVA

DEBEMOS ACORDAR Y ACORDAMOS que no ha lugar a la abstención de oficio acordada por el Magistrado Juez del Juzgado de Instrucción n .º [.../...] de [.../...] en los autos de Diligencias Previas núm. [.../...] que se siguen en aquel Juzgado, y, en consecuencia, se ORDENA al referido Magistrado que continúe, por sus trámites, con el conocimiento de las actuaciones.

Así lo acordaron los Sres. Magistrados de Sala y firman, de lo cual certifico.

M. 21.2. Escrito del recusante solicitando la recusación por causa de interés del Juez en el asunto

(Véase el auto que resuelve esta recusación en M 27/9)

Asunto [.../...]

AL JUZGADO

D. [.../...] Procurador de los Tribunales y de D. [.../...] comparece en su nombre y representación mediante poder especial y con la intervención del abogado D. [.../...], en la causa al margen mencionada, como mejor en derecho proceda, DIGO:

Que me dirijo al Ilmo. Sr. Juez a los efectos de solicitar su ABSTENCIÓN en el procedimiento de diligencias Previas en el que estoy imputado, con base en las alegaciones que constan en este escrito, y solicito, subsidiariamente, en el caso de no abstenerse, su RECUSACIÓN, con base en las siguientes:

ALEGACIONES

PRIMERA. La LOPJ regula las causas de recusación y abstención de Jueces y Magistrados en sus arts. 217 al 228. Concretamente el art. 219 establece las causas de abstención y, en su caso, recusación; disponiendo en el apartado 10.ª la abstención por: «Tener interés directo en el pleito o causa».

SEGUNDA. A este respecto esta parte ha tenido conocimiento de la participación de la esposa del Sr. Juez en el capital social de la empresa [.../...] querellante y comparecida en estas diligencias como acusación particular. Además y a mayor abundamiento resulta que [.../...] Todo ello se acredita con los datos que constan en el Registro Mercantil [.../...]

En su virtud,

AL JUZGADO SALA SUPLICO: Que habiendo por presentado este escrito, junto con el justificante de entrega de copias, se sirva admitirlo, y tenga por propuesta la ABSTENCIÓN para la instrucción del suscrito en la causa de las menciones del margen y, para el caso de no proceder a la abstención tenga por propuesta RECUSACIÓN, acordando entonces la tramitación de oportuno incidente en la forma en derecho procedente.

OTROSÍ DIGO: Que se aporta poder especial para recusar conforme al art. 223 LOPJ.

SUPLICO A LA SALA: Tenga por hechas las anteriores manifestaciones.

Firma del recusante (1)   Firma del Abogado   Firma del Procurador

(1) Este escrito estará firmado por el abogado y por procurador si intervinieran en el pleito, y por el recusante, o por alguien a su ruego, si no supiera firmar. En todo caso, el procurador deberá acompañar poder especial para la recusación de que se trate. Si no intervinieren procurador y abogado, el recusante habrá de ratificar la recusación ante el Letrado de la Administración de Justicia del tribunal de que se trate —art. 233 LOPJ—.

M. 21.3. Escrito del recusante solicitando la abstención y subsidiariamente la recusación

A LA SALA

D. [.../...], cuyas circunstancias constan en la causa al margen mencionada, como mejor en derecho proceda, DIGO:

Que la Sentencia dictada por la Sala Segunda del Tribunal Supremo, en el recurso n.º [.../...] y en fecha de [.../...], declara haber lugar al recurso de casación interpuesto por mi representación procesal contra la sentencia de esta Ilma. Sección por la que se me condenó como autor de un delito de [.../...]

Que en virtud de la citada sentencia de casación me dirijo a la Ilma. Sección, a los efectos de solicitar su ABSTENCIÓN en el nuevo enjuiciamiento que deberá celebrarse por mandato de aquélla. Asimismo, solicito, subsidiariamente, en el caso de no abstenerse esta Ilma. Sección, su RECUSACIÓN, con base en las siguientes:

ALEGACIONES

PRIMERA. La Sentencia de la Sala Segunda del Tribunal Supremo declara la necesidad de celebración de un nuevo Juicio Oral, por analogía, con lo previsto en el art. 901 bis a) LECrim.

SEGUNDA. La LOPJ regula las causas de recusación y abstención de Jueces y Magistrados en sus arts. 217 al 228. Concretamente el art. 219 establece las causas de abstención y, en su caso, recusación; disponiendo en el apartado 11.ª la abstención por: «Haber participado en la instrucción de la causa o HABER RESUELTO EL PLEITO O CAUSA EN ANTERIOR INSTANCIA».

Es evidente que esta Sección falló ya en esta causa en anterior instancia, por lo que, de acuerdo con lo previsto en el citado precepto está incursa la causa de abstención mentada.

El fundamento del contenido del art. 219.11.º LOPJ se encuentra en la garantía que quiere el legislador que disfrute el acusado en aras de lograr la máxima imparcialidad y objetividad del órgano juzgador. Por ello, el Tribunal Constitucional, en su Sentencia 145/1988, de 12 julio, ha sentado la necesaria garantía de evitar la prevención de los jueces llamados a juzgar en un asunto determinado. Esta garantía deberá ser aplicada en el presente supuesto por imperativo del tenor literal del art. 219.11.º LOPJ y de la citada doctrina constitucional posteriormente reiterada.

En su virtud,

A LA ILMA. SALA SUPLICO: Que habiendo por presentado este escrito se sirva admitirlo, tenga por propuesta la ABSTENCIÓN para el enjuiciamiento del suscrito en la causa de las menciones del margen y, para el caso de no proceder a la abstención tenga por propuesta la RECUSACIÓN DE LA ILMA. SECCIÓN [.../...], acordando entonces la tramitación de oportuno incidente en la forma en derecho procedente.

OTROSÍ: Firma como es preceptivo el Letrado al que designo para mi defensa en el Juicio Oral que se celebre.

SUPLICO A LA SALA: Tenga por hechas las anteriores manifestaciones.

Firma del recusante (1)   Firma del Abogado

(1) Este escrito estará firmado por el abogado y por procurador si intervinieran en el pleito, y por el recusante, o por alguien a su ruego, si no supiera firmar. En todo caso, el procurador deberá acompañar poder especial para la recusación de que se trate. Si no intervinieren procurador y abogado, el recusante habrá de ratificar la recusación ante el Letrado de la Administración de Justicia del tribunal de que se trate —art. 233 LOPJ—.

M. 21.4. Auto de la Audiencia denegando la abstención

JUZGADO DE INSTRUCCIÓN [.../...]

SUMARIO [.../...]

ROLLO [.../...]

SECCIÓN [.../...]

AUTO

ILMOS. SRES.

[.../...]

En [.../...], a [.../...] de [.../...] de 20[.../...]

ANTECEDENTES DE HECHO

Único. Que por el procesado D. [.../...], se presentó con fecha [.../...] de [.../...] en el sumario [.../...] del Juzgado de Instrucción [.../...] escrito solicitando la abstención y recusación de esta Sala para la celebración del juicio oral.

FUNDAMENTOS DE DERECHO

1.° Que la causa de abstención alegada por la parte que la insta y que deriva de supuesta relación de los Magistrados que integran esta Sala de Justicia con el objeto del proceso, que han fallado con anterioridad, no puede admitirse, pues ésta se deduce de una interpretación particular y extensiva del núm. 10 del art. 219 LOPJ y de otra parte supone desconocer los efectos de la nulidad que priva de efectos a lo actuado y retrotrae como si no se hubieran producido las actuaciones al momento en que se cometió la infracción, por lo que deberá celebrarse nuevamente el acto del juicio oral y dictarse sentencia.

PARTE DISPOSITIVA

No ha lugar a la abstención de oficio interesada por el procesado, y fórmese al efecto pieza separada con el escrito original y esta resolución, quedando nota expresiva de uno y otro en el proceso y remítase al Excmo. Sr. Presidente del Tribunal Superior de [.../...] para que decida conforme la Ley, a quien corresponde su instrucción y resolución.

Así lo acordaron los Sres. Magistrados de Sala y firman, de lo cual certifico.

285

M. 21.5. **Escrito de alegaciones de la parte no recusante**

EXP. RECUSACIÓN REF. [...]

AL JUZGADO

D. [.../...], Procurador de los Tribunales y de D. [.../...], cuyas demás circunstancias constan en el expediente de recusación al margen referenciado, como mejor en Derecho proceda, DICE:

Que evacuando el trámite conferido por resolución de [.../...], al amparo del art. 223.3 LOPJ, formular las siguientes:

ALEGACIONES

PRIMERA. Interpone recusación el apelante D. [.../...], al entender afectada la imparcialidad de la Sala para conocer de la apelación que pende ante aquélla una vez declarada la nulidad de actuaciones por el Tribunal Supremo en sentencia dictada en recurso de casación, que anuló la sentencia dictada por la Audiencia Provincial por vulneración de Derecho Constitucional y ordena la retroacción de la causa al momento del Juicio Oral para su conclusión con arreglo a Derecho.

SEGUNDA. Esta causa no puede acogerse, por cuanto la nulidad decretada limita sus efectos a los que le son propios, de modo que retrotrae, únicamente, el procedimiento al momento en que se produjo el vicio, para que el Tribunal competente vuelva a examinar el recurso una vez depurado de vicios el proceso.

TERCERA. Estos argumentos se contienen en el mismo art. 219.11 LOPJ, que establece como causa legal «haber fallado el pleito en anterior instancia», supuesto que debe limitarse a los supuestos de movilidad de los titulares dentro de los distintos grados de los órganos jurisdiccionales.

En su virtud,

AL JUZGADO SUPLICO: Que habiendo por presentado este escrito se sirva admitirlo y en sus méritos tenga por formuladas las alegaciones que en el mismo se contienen y por evacuado el trámite conferido y se tenga a mi representado por opuesto a la recusación pretendida por la apelante, y seguido el incidente por sus trámites se acuerde no haber lugar a la recusación interpuesta.

En [.../...], a [.../...] de [.../...] . de 20[.../...]

Firma del Procurador   Firma del Abogado

Una vez finalizada la anterior sustanciación del incidente de recusación, el instructor, si no se hubiere propuesto la práctica de prueba, remitirá lo actuado a la Sala competente para que decida lo procedente por medio de auto, conforme lo previsto en los arts. 225 y 227 LOPJ. Contra el auto resolutorio no se dará recurso alguno, sin perjuicio de poderse alegar su nulidad al recurrir la sentencia definitiva, de acuerdo con lo establecido en el art. 228 LOPJ.

M. 21.6. Informe de los Magistrados recusados

> AUDIENCIA PROVINCIAL DE [.../...]
>
> SECCIÓN [.../...]
>
> ILMO. SR.
>
> Que en cumplimiento de lo acordado por el Ilmo. Sr. Magistrado Instructor del expediente de recusación n.° [.../...] instado contra los Ilmos. Sres. Magistrados que integran la Sección [.../...] de la Audiencia Provincial de [.../...] ., éstos pasan a emitir el preceptivo informe:
>
> Que se reproducen por esta vía los razonamientos contenidos en la resolución dictada por esta Sala de Justicia, rechazando la abstención propuesta por D. [.../...] .
>
> En [.../...], a [.../...] de [.../...] de 20[.../...]
>
> ILMO. SR. MAGISTRADO INSTRUCTOR SECCIÓN NÚM. [.../...] DE LA AUDIENCIA PROVINCIAL DE [.../...]

M. 21.7. Informe del Ministerio Fiscal

> El Ministerio Fiscal, evacuando el traslado conferido para informe en el expediente de recusación [.../...], propuesto por el procesado [.../...] dice:
>
> 1.°. Sobreviene el incidente de recusación, a consecuencia del recurso de casación planteado contra la sentencia dictada por la Sección [.../...] de la Audiencia Provincial en el Sumario [.../...] del Juzgado de Primera Instancia e Instrucción n.° [.../...], estimándose, que interpuesto aquél por infracción de un precepto constitucional en el desarrollo del juicio celebrado, la nulidad decretada por la Sala 2.ª del Tribunal Supremo, que estimó la infracción aludida, obliga a reponer las actuaciones al momento de la infracción, y el nuevo enjuiciamiento del caso, sitúa a la Sala en el deber de abstenerse, por analogía a la causa 10.a del art. 219 LOPJ, proponiéndose alternativamente, de no prosperar la abstención, el incidente de recusación.
>
> 2.°. Si se apreció por la Sala 2.ª del Tribunal Supremo, la infracción a una norma constitucional en el desarrollo del juicio seguido ante la Sección [.../...] de la Audiencia, ello quiere decir, que debe ser la propia Sala que incurrió en tal defecto, la que lo subsane, sin que ello implique una nueva instancia, sino la posibilidad de examinar ex novo la causa, a la luz de un segundo juicio en el que se haya subsanado la infracción de la norma constitucional en que se apoyó el recurso, ofreciendo una segunda posibilidad a la Sala, de pronunciarse sobre el hecho, una vez superado el obstáculo que dio lugar a la casación.
>
> Por lo expuesto, y considerando inadecuada la recusación propuesta, se estima que no debe prosperar la causa de recusación alegada, y en consecuencia, que la propia Sección [.../...] de la Audiencia Provincial, debe ser la competente para seguir conociendo de las actuaciones.
>
> En [.../...], a [.../...] de [.../...] . de 20[.../...]
>
> El Fiscal

M. 21.8. Auto de la Audiencia desestimando la recusación interpuesta por causa de tener el Juez interés en el asunto

JUZGADO DE INSTRUCCIÓN Núm. [.../...] DE [.../...]

DILIGENCIAS PREVIAS Núm. [.../...]

Exp. Recusación [.../...]

AUTO

ILMOS. SRES.

[.../...]

En [.../...], a [.../...] de [.../...] de 20[.../...]

ANTECEDENTES DE HECHO

Único. Que por D. [.../...], imputado en las Diligencias Previas núm. [.../...] que se siguen ante el Juzgado de Instrucción núm. [.../...] de [.../...] se interpuso escrito de recusación del Sr. Juez con base en la causa prevista en el pfo. 10 del art. 219 LOPJ de tener interés en el asunto enjuiciado. Y seguido por sus trámites, se formularon los correspondientes escritos de alegaciones y se practicada por el Sr. Instructor la prueba solicitada por las partes, quedo sobre la mesa y visto para resolución, de la que ha sido ponente el Ilmo. Magistrado D [.../...], que expresa el parecer de esta Sala.

FUNDAMENTOS DE DERECHO

1.º. Que la causa de recusación alegada por la parte que la insta y que deriva de la supuesta relación del Sr. Juez con los intereses debatidos en las actuaciones, carece absolutamente prueba alguna que la acredite.

2.º. Así se desprende de la prueba practicada que se basa en meros recorte periodísticos y documentación del registro en los que únicamente cabe considerar la coincidencia de los apellidos de la Sr.ª esposa del Juez con los de la administradora de la empresa querellante, comparecida en las actuaciones como acusación particular.

3.º. La conclusión a la que cabe llegar, por tanto, es la de la absoluta falta de fundamento de la recusación interpuesta [.../...], concurriendo además mala fe en su interposición por cuanto de un simple examen de los documentos cabe apreciar la inexistencia de la citada relación comercial y consiguiente interés del Juez en el asunto. Más aún de los documentos obrantes en el expediente se aprecia que el recusante tuvo que seleccionar cuidadosamente los fragmentos para ofrecer la apariencia de falso interés en el Juez, Además [.../...] Es por ello que este Tribunal apreciando mala fe debe imponer al recusante una multa de 1000 Euros, además de la expresa imposición de las costas.

PARTE DISPOSITIVA

NO HA LUGAR a la recusación interesada por D [.../...], en los autos de Diligencias previas núm. [.../...] que se siguen ante el Ilmo. Sr. Juez del Juzgado de Instrucción núm. [.../...] de [.../...] y, en consecuencia, SE ORDENA que siga con el conocimiento de las actuaciones y continúe por sus trámites, con la expresa imposición de costas al recusante. Asimismo se IMPONE MULTA de 1000 Euros al recusante fundada en la existencia de mala fe en la recusación interpuesta.

Contra esta resolución no cabe recurso alguno.

Así lo acordaron los Sres. Magistrados de Sala y firman, de lo cual certifico.

PARTE DISPOSITIVA

NO HA LUGAR a la reclamación interesada por D. [...] en los autos de Diligencias previas núm. [...] que se siguen ante el Iltmo. Sr. Juez de Instrucción núm. [...] de [...] y en consecuencia, SE ORDENA que siga con el conocimiento de las actuaciones y continúe por sus trámites con la expresa imposición de costas al recurrente. Asimismo se IMPONE MULTA de 1000 euros al recurrente fundada en la existencia de mala fe en la recusación interpuesta.

Contra esta resolución no cabe recurso alguno.

Así lo acuerdan los Sres. Magistrados de sala y firman, de lo que certifico.

CAPÍTULO IV

LAS PARTES EN EL PROCESO PENAL – DERECHOS DE LA VÍCTIMA. EL DERECHO DE DEFENSA

SECCIÓN 1. LOS DERECHOS DE LA VÍCTIMA EN EL PROCESO PENAL

Los derechos de la víctima son objeto de una especial atención en la Ley del Estatuto de la víctima 4/2015 de 27 de abril que, según su preámbulo, pretende: «... ofrecer desde los poderes públicos una respuesta lo más amplia posible, no sólo jurídica sino también social, a las víctimas, no sólo reparadora del daño en el marco de un proceso penal, sino también minimizadora de otros efectos traumáticos en lo moral que su condición puede generar, todo ello con independencia de su situación procesal». Se trata de una Ley que cumple con el mandato de la Directiva 2012/29/UE del Parlamento Europeo y del Consejo, de 25 de octubre de 2012, por la que se establecen normas mínimas sobre los derechos, el apoyo y la protección de las víctimas de delitos. Con ese fin la Ley modifica ciertos artículos de la LECrim y al mismo tiempo establece normas que pretenden ser una suerte de catálogo general de los derechos, procesales y extraprocesales, de todas las víctimas de delitos. Ello sin perjuicio de las normas específicas que atienden a víctimas de una especial necesidad o vulnerabilidad. Estas normas se contienen en la siguiente regulación: Ley 35/1995, de 11 de diciembre, de ayudas y asistencia a las víctimas de delitos violentos y contra la libertad sexual (desarrollada por el Real Decreto 738/1997, de 23 de mayo), la Ley Orgánica 1/1996, de 15 de enero, de Protección Jurídica del Menor, la Ley Orgánica 1/2004, de 28 de diciembre, de Medidas de Protección Integral contra la Violencia de Género, y la Ley 29/2011, de 22 de septiembre, de Reconocimiento y Protección Integral a las Víctimas del Terrorismo.

Los derechos de las victimas los podemos analizar desde cuatro aspectos: el derecho a participar en el proceso como parte; el derecho a obtener información y recursos desde la posición de víctima, el derecho a la salvaguarda de su intimidad la de sus familiares y, finalmente, el derecho a las medidas de protección que fueren necesarias.

1.1. El derecho de la víctima a ser parte en la causa

El ofendido por el delito tiene, entre otros, el derecho a mostrarse parte en la causa. A ese fin, en el acto de recibirse declaración al perjudicado por el delito se le instruirá del derecho que le asiste para mostrarse parte en el proceso así como el resto de derechos que prevé la ley (arts. 109, 282, 776 LECrim y 11 Ley 4/2014).

En el supuesto que el perjudicado fuese desconocido, el ofrecimiento de acciones se podrá realizar por medio de edicto que se insertará en los periódicos oficiales y BOE, siempre que el Juez lo considere necesario, acompañándolo de oficio remisorio. La importancia del ofrecimiento de acciones ha sido puesta de relieve por la STC 66/1992, de 29 abril, que añade que, en caso de cambio de procedimiento, aquél debe reiterarse por incidir en la efectividad del derecho a la tutela efectiva sin indefensión. En el procedimiento por delitos graves la personación como parte sólo podrá realizarse mediante querella; en los demás procedimientos bastará un escrito de comparecencia (art. 761.2 LECrim).

La personación de las víctimas del delito podrá producirse en cualquier momento antes del trámite de calificación del delito, si bien ello no permitirá retrotraer ni reiterar las actuaciones ya practicadas antes de su personación. El ejercicio de la acción penal por alguna de las víctimas no impide su ejercicio simultáneo o posterior por cualquier otra víctima. La acción penal también podrá ser ejercitada por las asociaciones de víctimas y por las personas jurídicas a las que la ley reconoce legitimación para defender los derechos de las víctimas, siempre que ello fuera autorizado por la víctima del delito (art. 109 bis y 110 LECrim).

La Ley 4/2014 ha introducido una norma para el reembolso de los gastos que le hubiese ocasionado a la víctima su participación en el proceso penal. Estos gastos los podrá recuperar la víctima, en el caso de condena del acusado, con preferencia respecto del pago de los gastos que se hubieran causado al Estado, siempre y cuando: *«… se imponga en la sentencia de condena su pago y se hubiera condenado al acusado, a instancia de la víctima, por delitos por los que el Ministerio Fiscal no hubiera formulado acusación o tras haberse revocado la resolución de archivo por recurso interpuesto por la víctima»* art. 14 Ley 4/2014.

1.2. El derecho de la víctima a la información y la obtención de asistencia y atención[1]

La personación en el proceso penal de la víctima constituye un derecho que no una obligación. De todos modos, aun no siendo parte, la ley atribuye a la víctima un amplio catálogo de derechos que se resumen en el art. 3 Ley 4/2015 que establece que: *«Toda víctima tiene derecho a la protección, información, apoyo, asistencia y atención, así como a la participación activa en el proceso penal y a recibir un trato respetuoso, profesional, individualizado y no discriminatorio desde su primer contacto con las autoridades o funcionarios, durante la actuación de los servicios de asistencia y apoyo a las víctimas y de justicia restaurativa, a lo largo de todo el proceso penal y por un período de tiempo adecuado después de su conclusión, con independencia de que se conozca o no la identidad del infractor y del resultado del proceso».* Se trata de satisfacer una

---

(1) Véanse FERNÁNDEZ FUSTES M.D., *La intervención de la víctima en el proceso penal*, Valencia 2004. SANZ HERMIDA A., *La situación jurídica de la víctima en el proceso penal*, Valencia 2008.

necesidad moral de la víctima a la que debe otorgarse la importancia debida. A esta cuestión ha atendido el legislador. Primero en la regulación del procedimiento abreviado que establece un sistema de información a la víctima que se producirá de forma escrita no sólo con relación a su derecho a personarse en la causa, sino que se extiende a la notificación de los actos relevantes del proceso aunque no se hubiese constituido como parte. En segundo lugar, mediante la Ley 4/2015 que ha otorgado a la víctima un status de especial protección. (Véase también el § 4 Cap. XI sobre ayuda y asistencia a las víctimas de delitos violentos y contra la libertad sexual).

Entre los derechos que se conceden a la víctima se hallan los siguientes: a denunciar los hechos, a las medidas de asistencia y apoyo disponibles, sean médicas, psicológicas o materiales, y procedimiento para obtenerlas; a conocer del procedimiento para obtener asesoramiento y defensa jurídica y, en su caso, condiciones en las que pueda obtenerse gratuitamente; a los servicios de interpretación y traducción disponibles; a las ayudas y servicios auxiliares para la comunicación disponibles, etc. (art. 6 Ley 4/2015). A asistir a la declaración como testigo acompañada por: «... *su representante legal y por una persona de su elección .../..., salvo que en este último caso, motivadamente, se resuelva lo contrario por el Juez de Instrucción para garantizar el correcto desarrollo de la misma*» (art. 433 LECrim).

Especial relevancia tienen dos clases de derechos: El primero, el derecho de la víctima a ser notificada de las resoluciones esenciales del proceso penal. Concretamente de las siguientes: «*La resolución por la que se acuerde no iniciar el procedimiento penal. La sentencia que ponga fin al procedimiento. Las resoluciones que acuerden la prisión o la posterior puesta en libertad del infractor, así como la posible fuga del mismo. Las resoluciones que acuerden la adopción de medidas cautelares personales o que modifiquen las ya acordadas, cuando hubieran tenido por objeto garantizar la seguridad de la víctima. Las resoluciones o decisiones de cualquier autoridad judicial o penitenciaria que afecten a sujetos condenados por delitos cometidos con violencia o intimidación y que supongan un riesgo para la seguridad de la víctima*» (art. 7 Ley 4/2015)[2]. Sobre este particular, el art. 771.1.º LECrim. establece que se informará por escrito a la víctima de los derechos que se asisten para personarse en la causa; así como de las medidas de asistencia a las víctimas (art. 776 LECrim.). Si así lo hicieren podrán tomar conocimiento de todo lo actuado. Pero, aún en el caso de no personarse la ley dispone que se informe al perjudicado de los siguientes actos procesales: la notificación del sobreseimiento del proceso cuando el Juez de Instrucción estimare que el hecho no es constitutivo de infracción penal o no aparece suficientemente justificada su perpetración (art. 779.1.ª LECrim.), también se le notificará la pretensión de sobreseimiento del Ministerio fiscal (art. 782.2.a) LECrim.); de la celebración del juicio (art. 785.3 LECrim.); de la sentencia que se notificará por escrito a los ofendidos y perjudicados por el delito (art. 789.4 LECrim.); de la vista en apelación a efectos de información (art. 791.2 LECrim.); y, finalmente, de la sentencia dictada en apelación (art. 792.4 LECrim.).

---

(2) La víctima, al efecto de ser notificada, deberá efectuar una solicitud, conforme está previsto en el art. 5.1.m Ley 4/2014, en la que deberá designar una dirección de correo electrónico y, en su defecto, una dirección postal o domicilio, al que serán remitidas las comunicaciones y notificaciones por la autoridad.

El segundo derecho se refiere al derecho a impugnar determinadas resoluciones y a la participación en la ejecución de la sentencia de condena. Efectivamente, la víctima tiene derecho a recurrir: el auto de sobreseimiento de la investigación, aunque no estuviere personada en la causa (arts. 636 LECrim y 12 Ley 4/2015); determinadas resoluciones dictadas en ejecución como, por ejemplo, el auto que autoriza la posible clasificación del penado en tercer grado antes de que se extinga la mitad de la condena; el auto en el que el Juez acuerde que los beneficios penitenciarios, permisos de salida, la clasificación en tercer grado y el cómputo de tiempo para la libertad condicional se refieran al límite de cumplimiento de condena, y no a la suma de las penas impuestas; el auto por el que se conceda al penado la libertad condicional, siempre que se hubiera impuesto una pena de más de cinco años de prisión[3]. Finalmente, la víctima también podrá: «*interesar que se impongan al liberado condicional las medidas o reglas de conducta previstas por la ley que consideren necesarias para garantizar su seguridad, cuando aquél hubiera sido condenado por hechos de los que pueda derivarse razonablemente una situación de peligro para la víctima*» (art. 13 Ley 4/2015). A los fines descritos el Juez de Vigilancia Penitenciaria dará traslado a la víctima de cuestión para que en el plazo de cinco días pueda formular sus alegaciones. Recuérdese que la víctima deberá haber realizado la solicitud de ser notificada conforme a lo previsto en el art. 5.1.m Ley 4/2015.

1.3. El derecho de la víctima a la salvaguarda de su intimidad y la de sus familiares

En tercer lugar, la ley prevé que se salvaguarde la intimidad de la víctima y de sus familiares en los actos procesales que tengan lugar durante la causa. Así, el art. 433 LECrim, en sede de investigación judicial dispone que en el caso de menores e incapaces el Juez podrá acordar que: «*… las preguntas se trasladen a la víctima directamente por los expertos o, incluso, excluir o limitar la presencia de las partes en el lugar de la exploración de la víctima*». En sede de juicio oral, pero aplicable a cualquier trámite de la causa, el art. 681.3 LECrim establece la prohibición de: «*la divulgación o publicación de información relativa a la identidad de víctimas menores de edad o víctimas con discapacidad necesitadas de especial protección, de datos que puedan facilitar su identificación de forma directa o indirecta, o de aquellas circunstancias personales que hubieran sido valoradas para resolver sobre sus necesidades de protección, así como la obtención, divulgación o publicación de imágenes suyas o de sus familiares*». Además de esta medida de protección genérica el art. 681.1. y 2 y el 682 LECrim disponen medidas concretas. Así prevén que el Juez puede acordar que: «*todos o alguno de los actos o las sesiones del juicio se celebren a puerta cerrada, cuando así lo exijan razones de seguridad u orden público, o la adecuada protección de los derechos fundamentales de los intervinientes, en particular, el derecho a la intimidad de la víctima, el respeto debido a la misma o a su familia, o resulte necesario para evitar a las víctimas perjuicios relevantes que, de otro modo, podrían derivar del desarrollo ordinario del proceso. Sin embargo, el Juez o el Presidente del Tribunal podrán autorizar la presencia de*

---

(3) Siempre que la condena lo sea por alguno de los siguientes delitos: homicidio, aborto, lesiones, contra la libertad, tortura, agresión sexual, robo con intimidación, terrorismo y trata de seres humanos (art. 13 Ley 4/2014).

personas que acrediten un especial interés en la causa» (art. 681.1 LECrim). Y el pfo. 2.º del art. 681 LECrim añade que el Juez también podrá acordar: *«Prohibir la divulgación o publicación de información relativa a la identidad de la víctima, de datos que puedan facilitar su identificación de forma directa o indirecta, o de aquellas circunstancias personales que hubieran sido valoradas para resolver sobre sus necesidades de protección. Prohibir la obtención, divulgación o publicación de imágenes de la víctima de sus familiares».*

Finalmente, el art. 682 LECrim regula la presencia de medios de comunicación audiovisuales en las sesiones del juicio y prevé la posibilidad de prohibir: *«… que se graben todas o alguna de las audiencias cuando resulte imprescindible para preservar el orden de las sesiones y los derechos fundamentales de las partes y de los demás intervinientes, especialmente el derecho a la intimidad de las víctimas, el respeto debido a la misma o a su familia, o la necesidad de evitar a las víctimas perjuicios relevantes que, de otro modo, podrían derivar del desarrollo ordinario del proceso».* A ese fin el Juez podrá acordar: *«a) Prohibir que se grabe el sonido o la imagen en la práctica de determinadas pruebas, o determinar qué diligencias o actuaciones pueden ser grabadas y difundidas. b) Prohibir que se tomen y difundan imágenes de alguna o algunas de las personas que en él intervengan. c) Prohibir que se facilite la identidad de las víctimas, de los testigos o peritos o de cualquier otra persona que intervenga en el juicio».*

1.4. El derecho de la víctima y sus familiares a medidas de protección

En cuarto y último lugar, la Ley 4/2015 prevé medidas de protección de las víctimas que tienen como finalidad: *«… garantizar la vida de la víctima y de sus familiares, su integridad física y psíquica, libertad, seguridad, libertad e indemnidad sexuales, así como para proteger adecuadamente su intimidad y su dignidad, particularmente cuando se les reciba declaración o deban testificar en juicio, y para evitar el riesgo de su victimización secundaria o reiterada. En el caso de las víctimas menores de edad, la Fiscalía velará especialmente por el cumplimiento de este derecho de protección, adoptando las medidas adecuadas a su interés superior cuando resulte necesario para impedir o reducir los perjuicios que para ellos puedan derivar del desarrollo del proceso»* (art. 19 Ley 4/2015). La primera medida genérica que establece la ley es la prevención de evitar el contacto directo entre las víctimas y sus familiares, de una parte, y el sospechoso de la infracción o acusado (art. 20 Ley 4/2015). Además la ley prevé otras medidas que se contienen en los arts. 19 y ss. Ley 4/2015 y pueden consistir en alguna de las previstas en los arts. 21, 25 y 26 Ley 4/2015 que distinguen entre las víctimas ordinarias y las que fueren menores de edad o con alguna discapacidad[4] y según

---

(4) Art. 26 Ley 4/2015. Medidas de protección para menores y personas con discapacidad necesitadas de especial protección: *«… además de las medidas previstas en el artículo anterior se adoptarán …/…: Las declaraciones recibidas durante la fase de investigación serán grabadas por medios audiovisuales y podrán ser reproducidas en el juicio en los casos y condiciones determinadas por la Ley de Enjuiciamiento Criminal. La declaración podrá recibirse por medio de expertos. 2. El Fiscal recabará del Juez o Tribunal la designación de un defensor judicial de la víctima, para que la represente en la investigación y en el proceso penal, en los siguientes casos…».*

el Procedimiento se halle en la fase de investigación[5] o en la fase de juicio oral[6]. Además de las medidas citadas el Juez de instrucción también podrá acordar la adopción de alguna o algunas de las medidas de protección a que se refiere el art. 2 de la Ley Orgánica 19/1994, de 23 de diciembre, de protección a testigos y peritos en causas criminales.

La adopción de alguna de las medidas previstas en la Ley se adoptará tras la valoración de las necesidades y circunstancias de la víctima, que será realizada por el Juez o Tribunal que conozca de la instrucción y del enjuiciamiento, que tendrá en cuenta especialmente: «... *Las características personales de la víctima y en particular: 1.º Si se trata de una persona con discapacidad o si existe una relación de dependencia entre la víctima y el supuesto autor del delito. 2.º Si se trata de víctimas menores de edad o de víctimas necesitadas de especial protección o en las que concurran factores de especial vulnerabilidad. La naturaleza del delito y la gravedad de*

(5) La Ley distingue entre dos conjuntos de medidas, sin que parezca que tal distinción sea necesaria. Por una parte prevé, en el art. 21 que: «*las autoridades y funcionarios encargados de la investigación penal velarán por que, en la medida que ello no perjudique la eficacia del proceso: a) Se reciba declaración a las víctimas, cuando resulte necesario, sin dilaciones injustificadas. b) Se reciba declaración a las víctimas el menor número de veces posible, y únicamente cuando resulte estrictamente necesario para los fines de la investigación penal. c) Las víctimas puedan estar acompañadas, además de por su representante procesal y en su caso el representante legal, por una persona de su elección, durante la práctica de aquellas diligencias en las que deban intervenir, salvo que motivadamente se resuelva lo contrario por el funcionario o autoridad encargado de la práctica de la diligencia para garantizar el correcto desarrollo de la misma. d) Los reconocimientos médicos de las víctimas solamente se lleven a cabo cuando resulten imprescindibles para los fines del proceso penal, y se reduzca al mínimo el número de los mismos*». Y en el art. 25 dispone que, durante la fase de investigación, se podrán acordar las siguientes medidas de protección: — Que se les reciba declaración en dependencias especialmente concebidas o adaptadas a tal fin. — Que se les reciba declaración por profesionales que hayan recibido una formación especial para reducir o limitar perjuicios a la víctima, o con su ayuda. — Que todas las tomas de declaración a una misma víctima le sean realizadas por la misma persona, salvo que ello pueda perjudicar de forma relevante el desarrollo del proceso o deba tomarse la declaración directamente por un Juez o un Fiscal. — Que la toma de declaración, cuando se trate de víctimas de violencia doméstica, contra la libertad sexual (referidas en el art. 23.2.b.3 y 4 Ley 4/2014) y las víctimas de trata con fines de explotación sexual, se lleve a cabo por una persona del mismo sexo que la víctima cuando ésta así lo solicite, salvo que ello pueda perjudicar de forma relevante el desarrollo del proceso o deba tomarse la declaración directamente por un Juez o Fiscal. (art. 25.1 Ley 4/2015).

(6) — Medidas que eviten el contacto visual entre la víctima y el supuesto autor de los hechos, incluso durante la práctica de la prueba, para lo cual podrá hacerse uso de tecnologías de la comunicación. — Medidas para garantizar que la víctima pueda ser oída sin estar presente en la sala de vistas, mediante la utilización de tecnologías de la comunicación adecuadas. — Medidas para evitar que se formulen preguntas relativas a la vida privada de la víctima que no tengan relevancia con el hecho delictivo enjuiciado, salvo que el Juez o Tribunal consideren excepcionalmente que deben ser contestadas para valorar adecuadamente los hechos o la credibilidad de la declaración de la víctima. — Celebración de la vista oral sin presencia de público (véase el art. 681 LECrim). En estos casos, el Juez o el Presidente del Tribunal podrán autorizar, sin embargo, la presencia de personas que acrediten un especial interés en la causa (art. 25.2 Ley 4/2015). La prevención de evitar el contacto visual y de evitar preguntas de la vida privada de la víctima también podrán acordarse en la instrucción de la causa.

los perjuicios causados a la víctima, así como el riesgo de reiteración del delito» (art. 24 Ley 4/2004).

Los fiscales tendrán competencia para acordar medidas de protección en el ámbito de su competencia de investigación (art. 773.2 LECrim) o en los procedimientos sometidos a la Ley Orgánica de Responsabilidad Penal de los Menores[7]. También tendrán competencia para acordar medidas de protección provisionales los funcionarios de policía que actúen en la fase inicial de las investigaciones. Véase el art. 24.1.a Ley 4/2015. A este respecto el art. 282 LECrim dispone que: *«Cuando las víctimas entren en contacto con la Policía Judicial, cumplirá con los deberes de información que prevé la legislación vigente. Asimismo, llevarán a cabo una valoración de las circunstancias particulares de las víctimas para determinar provisionalmente qué medidas de protección deben ser adoptadas para garantizarles una protección adecuada, sin perjuicio de la decisión final que corresponderá adoptar al Juez o Tribunal».*

SECCIÓN 2. PARTES ACUSADORAS

2.1. Introducción

En el proceso penal español rige el sistema acusatorio formal o mixto que determina la existencia de contradicción entre partes opuestas y enfrentadas. Así, puede distinguirse entre las partes acusadoras y acusadas. Los primeros ejercen la acusación para solicitar la condena del acusado con fundamento en su presunta participación en los hechos punibles de los que se le acusa. En cuanto el acusado es el sometido al proceso penal, en el que comparecerá constituido como parte acusada debidamente defendido y representado.

Puede discutirse sobre la naturaleza jurídica de las partes en el proceso penal, respecto a sí pueden calificarse como tales partes; o si en realidad sólo lo son en sentido formal. Pero, se trata de una cuestión que poco resultado puede ofrecer; y lo cierto es que la constante evolución del proceso penal hacia el sistema acusatorio estricto, acercan cada vez más a los sujetos del proceso penal al concepto de verdaderas partes procesales.

En consecuencia, debemos partir de la tradicional conceptuación de partes del proceso, distinguiendo entre las partes acusadoras y acusadas. Las primeras serán: el Ministerio Fiscal; Abogado del Estado; Acusador particular; Acusador privado; y Actor civil. Como partes acusadas se encuentran: el acusado; y el responsable civil.

---

(7) Art. 773.2 LECrim: «Cuando el Ministerio Fiscal tenga noticia de un hecho aparentemente delictivo, bien directamente o por serle presentada una denuncia o atestado, informará a la víctima de los derechos recogidos en la legislación vigente; efectuará la evaluación y resolución provisionales de las necesidades de la víctima de conformidad con lo dispuesto en la legislación vigente».

2.2. Partes acusadoras

A) Ministerio Fiscal[8]

El Ministerio Fiscal es un órgano constitucional al que el art. 124 CE encomienda la función de promover la acción de la justicia en defensa de la legalidad, de los derechos de los ciudadanos y del interés público tutelado por la ley, de oficio o a instancia de los interesados[9]. De igual modo se pronuncia el art. 541 LOPJ y art. 1 del Estatuto del Ministerio Fiscal, aprobado por la Ley 50/1981, de 30 de diciembre. Se trata de un órgano del Estado integrado, con autonomía funcional, en el Poder Judicial, que ejerce sus funciones conforme a los principios de unidad de actuación y dependencia jerárquica, con sujeción, en todo caso, a los principios de legalidad e imparcialidad —art. 124.2.º CE y art. 2 EMF—.

«Porque la defensa del interés público (al que se refiere el Auto como protegido por la norma), representado por el principio de autoridad, corresponde al Ministerio Fiscal, presente en el proceso penal, que tiene como misión, según expresa el art. 124.1 CE, "promover la acción de la justicia en defensa de la legalidad, de los derechos de los ciudadanos y del interés público tutelado por la ley"». STC 129/2001 de 4 de junio.

---

(8) Vid. ALAMILLO CANILLAS, *El Ministerio Fiscal español (su organización y funcionamiento)*, 1990; BUJOSA VADELL, «Notas sobre la protección procesal penal de intereses supraindividuales a través del Ministerio Fiscal y de la acción popular», *Justicia*, 1990, I, pp. 101 y ss.; CONDE-PUMPIDO FERREIRO, «El modelo postconstitucional del Ministerio Fiscal en España», *PJ*, n.º 27, 1992; FAIRÉN GUILLÉN, «La reorganización del Ministerio Fiscal español», en *Temas del Ordenamiento Procesal*, Madrid, 1969, T.I. Idem, «La situación actual del Ministerio Fiscal», *RDProc.*, 1970, p. 759; Idem, «El Ministerio Fiscal en la reforma procesal de 1988», *Tapia*, enero-febrero y marzo-abril 1989; GIMENO SENDRA, «Algunas sugerencias sobre la atribución al MF de la investigación», *PJ*, n.º 31, 1993; GRANADOS, *El Ministerio Fiscal*, Madrid, 1989; IBÁÑEZ, «Independencia y autonomía del Ministerio Fiscal en el proceso penal», RDProc., 1967, pp. 103 y ss.; ORTELLS, «Nuevos poderes para el MF en el proceso penal: límites constitucionales y valoración político-jurídico», *RDProc.*, 1990, 2, pp. 223-59; PÉREZ GORDO, «Naturaleza y funciones del Ministerio Fiscal en la Constitución y en su Estatuto Orgánico de 1981», *RJCat.*, 1983, pp. 331 y ss.; PRIETO CASTRO, «El Ministerio Fiscal en Europa», *RDProc.*, 1977, pp. 7 y ss.; ROJO URRUTIA, «El Fiscal defensor de los derechos del ciudadano». *BJCAbog.*, Madrid, 1987, 3, pp. 49 y y ss.; RUIZ VADILLO, «La actuación del Ministerio Fiscal en el proceso penal», en *PJ*, n.º especial II; SERRA DOMINGUEZ, «El Ministerio fiscal», en *N. E. J. Seix*, T. XVI, p. 563; Idem, «El Ministerio Fiscal», RDProc., 1979, p. 609; VERCHER NOGUERA, «Hacia un Ministerio Fiscal Inglés», *LA LEY*, 1987-2, pp. 923 a 927; LÓPEZ BARJA DE QUIROGA, «La Legitimación de la acusación en relación con los derechos fundamentales», *Actualidad Jurídica Aranzadi*, N.º 334, 1998; GIMENO SENDRA, V., «La legitimación del Ministerio Fiscal en los procesos de amparo», *La Ley* n.º 4973, 1999.

(9) «La sujeción a la legalidad se erige en canon fundamental de la actuación del Ministerio Público (art. 124.2 CE), y es la propia ley la que, en este caso, ha marcado la línea de tutela del interés público y las formas en que ha de ser defendido... sin que puedan entenderse desconocidas las competencias ni la definición misma de la función del Ministerio Fiscal que, por lo demás quedan adecuadamente salvaguardadas con las precisiones del art. 969.2 LECrim. y la estricta sujeción al interés público que ha de orientar las instrucciones que al respecto se impartan por el Fiscal General del Estado...». (STC 115/1994, de 14 abril).

Debe resaltarse el carácter jerárquico y dependiente del Ministerio Fiscal, al frente del cual se encuentra el Fiscal General del Estado[10]. A éste corresponde impartir las órdenes e instrucciones convenientes al ejercicio de las funciones, tanto de carácter general como referidas a asuntos específicos —art. 25 del Estatuto—. A este fin la fiscalía General del Estado impartirá Circulares para unificar los criterios de los Fiscales, pero que no son vinculantes para el tribunal.

«No se alcanza a comprender en que consiste la supuesta "vulneración" de una Circular de la Fiscalía General del Estado pues el recurrente no lo aclara, pero en cualquier caso ha de recordarse que estas Circulares, pese al respeto que merecen por su elevada calidad técnica, no tienen la consideración de norma de obligado cumplimiento para los Tribunales, por lo que su supuesta desatención no permite fundamentar un recurso casacional» STS 1833/2001 de 17 Oct. 2001, Rec. 768/2000; Ponente: Conde-Pumpido Tourón, Cándido. LA LEY 1254/2002.

En todos los Juzgados y Tribunales habrá uno o varios representantes del MF, pero existirá una sola Fiscalía con un Jefe único, a cuyas directrices deberán someterse sus subordinados —arts. 22, 25, 26 del Estatuto—, al ser una institución que interviene en las causas y asuntos que le están encomendados en «unidad de actuación»[11]. Ahora bien el Fiscal es un órgano constitucional que está sometido al principio de legalidad (art. 124.2 CE), debiendo actuar conforme al principio de imparcialidad con plena objetividad e independencia en defensa de los intereses que le están encomendados (art. 7 del EOMF). Siendo así se prevé que en caso de que un Fiscal recibiera una orden que considerase contraria a las leyes, lo razonará a su Fiscal Jefe, mediante informe motivado. Si el superior la ratificase, lo expondrá razonadamente, y relevará a aquél de las responsabilidades que pudieran derivarse de su cumplimiento, o bien encomendará a otro Fiscal el despacho del asunto cuestionado —art. 27 del Estatuto—[12].

En el proceso penal la actuación del Ministerio Fiscal tendrá lugar con sujeción a la Constitución y demás normas del Ordenamiento jurídico, dictaminando, informando y ejercitando, en su caso, las acciones procedentes, u oponiéndose a las indebidamente actuadas en la medida y forma en que las Leyes lo establezcan. En este sentido, la actuación ordinaria del Fiscal en el proceso penal consistirá en el ejercicio

---

(10)   El Fiscal General del Estado será nombrado por el Rey, a propuesta del Gobierno, oído el Consejo General del Poder Judicial —art. 29 del Estatuto—. El Gobierno podrá interesar del Fiscal General que promueva ante los Tribunales las actuaciones pertinentes en orden a la defensa del interés público —art. 8 del Estatuto—.

(11)   De conformidad con lo dispuesto en el art. 22 EMF., el Ministerio Fiscal es único para todo el Estado. El Fiscal General del Estado ostenta la Jefatura Superior del Ministerio Fiscal y su representación en todo el territorio español. A él corresponde impartir las órdenes e instrucciones convenientes al servicio y al orden interno de la Institución y, en general, la dirección e inspección del Ministerio Fiscal. La jurisprudencia ha declarado —SSTS 14 febrero 1994 y 10 febrero 1995 (LA LEY, 1995, R-14.368)— que «El Ministerio Fiscal es una institución que actúa a través de cualquiera de las personas físicas que lo integran. El hecho de que la calificación provisional sea firmada por un Fiscal distinto al que interviniera en el juicio oral es muy frecuente y no haya nada patológico en ello, de acuerdo con el EMF...».

(12)   En el art. 40 del EMF se prevé el traslado de los Fiscales de sus respectivas plazas por disidencias graves con el Fiscal Jefe respectivo por causas a aquéllos imputables.

de la acción pública penal formulando acusación y solicitando la imposición de penas al acusado[13]. Ahora bien, esta función debe estar presidida por los principios de su actuación que son los de defensa de la legalidad y los derechos de los ciudadanos entre los que se encuentran tanto los ofendidos por el delito, como los imputados y acusados en un proceso penal. Sobre este particular, téngase en cuenta que la actuación del Fiscal debe ser imparcial velando por tanto por la protección de los derechos de la víctima, como por el respeto de las garantías procesales del imputado (art. 773 LECrim.), debiendo consignar en sus conclusiones tanto las circunstancias adversas como las favorables al presunto culpable (art. 3 LECrim.).

Para el pleno cumplimiento de las finalidades expuestas el Fiscal actuará en el proceso penal ejercitando las siguientes funciones:

a) Práctica de diligencias preliminares de investigación

En primer lugar, y con carácter previo al inicio del proceso penal la ley atribuye al Fiscal la función de investigación de los hechos indiciarios de delito para lo cual realizará por sí mismo u ordenará a la policía la práctica de las diligencias pertinentes para la comprobación del hechos y la responsabilidad de los partícipes, en virtud de las facultades que le vienen atribuidas en los arts. 773.2, 287 a 290 LECrim., y art. 20 del RD 769/1987, de 19 de junio, sobre Policía Judicial[14].

> «El modelo histórico proclamado en el art. 306 de la LECrim (LA LEY 1/1882), según el cual "los Jueces de instrucción formarán los sumarios de los delitos públicos bajo la inspección directa del Fiscal del Tribunal competente', ha dado paso a un modelo proteico en el que el Fiscal puede practicar por sí u ordenar a la Policía Judicial que practique '... las diligencias que estime pertinentes para la comprobación del hecho o de la responsabilidad de los partícipes en el mismo' (art. 773.2, primer párrafo); un modelo, en fin, en el que el Ministerio Público "... podrá hacer comparecer ante sí a cualquier persona en los términos establecidos en la ley para la citación judicial, a fin de recibirle declaración, en la cual se observarán las mismas garantías señaladas en esta Ley para la prestada ante el Juez o Tribunal" (art. 773.2, segundo párrafo). Este precepto, a su vez, no es sino reflejo de lo que ya proclamaba el art. 5 del EOMF (LA LEY 2938/1981), aprobado por Ley 50/1981, 30 de diciembre, redactada conforme a la Ley 24/2007, 9 de octubre (LA LEY 10162/2007), en el que se

---

(13) «El Tribunal Constitucional igualmente se ha pronunciado en favor de la legitimación directa del Ministerio Fiscal para invocar la vulneración del derecho a la tutela judicial efectiva. Así: Ha declarado que tal legitimación se apoya en el carácter prevalente del interés público cuya defensa atribuye también al Fiscal el art. 124 de la Constitución Española, lo que le permite incluso "invocar en esos recursos un derecho fundamental distinto del alegado por el actor en su demanda y autoriza también al Tribunal a tener en cuenta ese motivo introducido por el Fiscal" (STC 65/1983, de 21 julio). Agrega el Tribunal Constitucional que "esa legitimación del Ministerio Fiscal se configura como un «ius agendi» reconocido en ese órgano en mérito a su específica posición institucional, funcionalmente delimitada en el art. 124.1 de la Norma Fundamental. Promoviendo el amparo constitucional, el Ministerio Fiscal defiende, ciertamente, derechos fundamentales, pero lo hace, y en eso reside la peculiar naturaleza de su actuación, no porque ostente su titularidad, sino como portador del interés público en la integridad y efectividad de tales derechos"». (STC 86/1985, de 10 julio). (STS 22 enero 1998).

(14) Vid. Instrucción 2/1988, de 4 de mayo, sobre el Ministerio Fiscal y la Policía Judicial. BIMJ, n.º 1518.

dispone expresamente que "para el esclarecimiento de los hechos denunciados o que aparezcan en los atestados de los que conozca, puede llevar a cabo u ordenar aquellas diligencias para las que esté legitimado según la Ley de Enjuiciamiento Criminal (LA LEY 1/1882), las cuales no podrán suponer la adopción de medidas cautelares o limitativas de derechos. No obstante, podrá ordenar el Fiscal la detención preventiva"». STS 980/2016 de 11 Ene. 2017, Rec. 1498/2016; Ponente: Marchena Gómez, Manuel. LA LEY 35/2017.

Estas diligencias se denominan preliminares y se iniciarán de oficio o bien por denuncia o atestado —art. 5 Estatuto y arts. 294, 295 y 773 LECrim.—[15]. El Fiscal podrá acordar cualquier diligencia, con excepción de las limitativas de derechos, o de naturaleza cautelar; salvo la posibilidad de acordar la detención preventiva sometida a los requisitos y plazos previstos en el art. 17 CE y 520 bis LECrim. Concretamente, en sede de procedimiento abreviado, el Ministerio Fiscal podrá hacer comparecer ante sí a cualquier persona en los términos establecidos en la Ley para la citación judicial, a fin de recibirle declaración, en la que deberán observarse las mismas garantías señaladas en esta Ley para la prestada ante el Juez o Tribunal (art. 773.2 LECrim.). A este efecto el art. 5 EMF dispone que el sospechoso habrá de estar asistido de abogado. Además podrá tomar conocimiento de las diligencias practicadas. Véase sobre las diligencias preliminares en el procedimiento abreviado § 2.3 Cap. IX.

El Fiscal cesará en sus diligencias tan pronto como tenga conocimiento de la existencia de un procedimiento judicial sobre los mismos hechos (art. 773 in fine LECrim.). Este procedimiento puede iniciarse, precisamente, por querella del Ministerio Fiscal. Las diligencias del Fiscal no podrán durar más de seis meses, salvo prórroga acordada motivadamente por el Fiscal General del Estado. A este efecto transcurrido el plazo de seis meses el Fiscal deberá poner fin a su investigación mediante el archivo, o la interposición de querella o denuncia ante el Juez competente (art. 5 EMF). Ahora bien, el art. 5 EMF prevé expresamente una duración máxima de 12 meses, salvo prórroga acordada mediante Decreto motivado del Fiscal General del Estado, cuando las diligencias de investigación tengan por objeto los delitos referidos a la corrupción y a la criminalidad organizada a los que se refiere el art. 19.4 EOMF, que regula las dos Fiscalías especializadas que son las la Fiscalía Antidroga y la Fiscalía contra la Corrupción y la Criminalidad Organizada.

b)   Ejercitando las acciones penales y civiles que correspondan

El art. 3.4.º del Estatuto, y los arts. 105 y 773 LECrim., establecen la obligación del MF de ejercitar las acciones penales que considere procedente, exista o no acusador particular[16].

---

(15)   Vid. Instrucción 3/1993, de 16 de marzo, sobre la función del Ministerio Fiscal y la defensa de los derechos ciudadanos a la tutela judicial efectiva y a un proceso público sin dilaciones indebidas. Su deber de velar por el secreto del sumario. La denuncia anónima: su virtualidad como notitia criminis en BIMJ, n.º 1697.

(16)   «... el motivo segundo del procesado recurrente no tiene entidad alguna en cuanto supone que falta el requisito de la querella del ofendido o de cualquiera de las personas que puedan hacerlo con arreglo a las leyes, entendiendo que la querella del M.º Fiscal no llena esta exigencia por no ser éste persona sino una Institución; pero si con arreglo al art. 105 de la L.E.Crim., el M.º

301

«El Ministerio Fiscal tiene encomendada la función de promover la acción de la justicia en defensa de la legalidad y del interés público tutelado por la ley, así como procurar ante los Tribunales la satisfacción del interés social... en el proceso penal esta actuación se justifica, en los delitos perseguibles de oficio, al estar en juego el ius puniendi del Estado, cuyo mantenimiento y eficaz funcionamiento repercute sin duda en el interés público, que en tales casos se concreta en la paz social mediante el castigo de los actos que la alteran lesionando los bienes protegidos por el Ordenamiento jurídico: en el ejercicio de tales funciones el MF puede y debe ejercitar acciones y recursos...». (STS 11 octubre 1993, LA LEY, R-13.511).

El deber de ejercitar la acción penal que le viene impuesto al MF, se refiere exclusivamente a los delitos públicos[17]. Pero, aún con relación a éstos, debe tenerse en cuenta que el ejercicio por el Fiscal de la acción penal queda condicionado a la existencia de un hecho punible, al margen de la calificación que los particulares puedan atribuir a los hechos[18].

El Ministerio Fiscal deberá entablar la acción civil juntamente con la penal, haya o no en el proceso acusador particular, salvo que el ofendido renuncie expresamente a la misma, en cuyo caso proseguirá la acción penal exclusivamente —arts. 108 y 112 LECrim.— o se la hubiese reservado, ya que el perjudicado puede optar, en todo caso, por exigir la responsabilidad civil ante la Jurisdicción civil —art. 109.2 CP—[19].

«De acuerdo con el art. 108 LECrim., la acción civil nacida de delito ha de entablarse por el Ministerio Fiscal juntamente con la penal, haya o no en el proceso acusador particular, salvo que el ofendido haya renunciado expresamente su derecho de restitución, reparación o indemnización. No es preciso, pues, que el ofendido haya formulado reclamación ni que haya sido parte en el procedimiento para que se le reconozca el derecho que le atribuye el art. 109 CP. Lo único que hace falta, porque lógicamente el régimen de la acción civil está sometido al principio de rogación, es que la ejercite el Ministerio Fiscal en cumplimiento de la obligación institucional

---

Público debe interponer querella siempre que lo considere procedente, salvo en las causas reservadas exclusivamente a la querella privada, es obvio que está legitimado para entablar la acción penal ...». (STS 20 de diciembre de 1980).

(17) «Cuando el derecho fundamental que se invoca como vulnerado tiene carácter estrictamente personal, el amparo sólo puede ser recabado por el propio titular del derecho presuntamente violado o, en su caso, por aquellas personas a quienes la Ley faculta para ejercitar el derecho ajeno, como lo son el Defensor del Pueblo o el Ministerio Fiscal (SSTC 141/1985 y 11/1992 y AATC 942/1985 y 69/1994)» ATC 96/2001 de 24 de abril.

(18) «No mejor suerte ha de correr el segundo motivo del recurso, pues si bien es cierto que los arts. 105 y 108 de la Ley de Enjuiciamiento Criminal imponen al Ministerio Fiscal la obligación de ejercitar acciones civiles y penales, salvo en las causas por injustos perseguibles únicamente mediante querella, tales acciones no son las que los particulares interesados deseen, sino las que el propio Ministerio Fiscal considere procedentes, como expresamente señala el citado art. 105, y en este caso es evidente que el Ministerio Público no estimó procedente ejercitar las que el apelante se duele no ejercitara». (SAP Barcelona de 4 de octubre de 1996, 859).

(19) «Es bien cierto que las acciones nacidas de un delito o falta podrán ejercitarse junta o separadamente (art. 111 LECrim.) y que la extinción de la acción penal no conlleva la de la acción civil (arts. 113 y 116 LECrim.) y viceversa (art. 117 LECrim.), pero no es menos cierto que la opción por una u otra vía implica consecuencias que no pueden ser ignoradas, pues el ejercicio de la acción civil dentro del cauce del proceso penal no elimina ni podría eliminar la participación que en éste tiene el Ministerio Fiscal...». (STC 15/1987, de 11 febrero).

que le incumbe. Y ejercitada la acción civil, es claro que el mismo principio prohíbe que se imponga al condenado el pago de una indemnización superior a la solicitada pero no, naturalmente, que el Tribunal reconozca el derecho de recibirla a la persona que hubiese resultado efectivamente perjudicada por el delito». STS 396/2000 de 13 Mar. 2000, Rec. 3893/1998; Ponente: Jiménez Villarejo, José. LA LEY 58220/2000[20].

Respecto de los semipúblicos será precisa la previa denuncia del ofendido, y en los delitos privados perseguibles sólo mediante querella no será necesaria la intervención del MF —arts. 104 y 105 LECrim.—[21]. Finalmente, en el procedimiento por delitos leves el Fiscal será citado siempre excepto que el delito fuere únicamente perseguible a instancia de parte (art. 964.3 LECrim.). Ahora bien, aun cuando fuere citado a juicio, el Fiscal puede dejar de asistir al juicio cuando la persecución del delito exija la denuncia del ofendido o perjudicado, de conformidad con las Instrucciones impartidas por la Fiscalía General del Estado (art. 969.2 LECrim.)[22].

c) En la sustanciación del proceso penal

Iniciado el proceso penal el Fiscal será parte necesaria y actuará con una legitimación por sustitución configurada como un «ius agendi» reconocido a este órgano como portador del interés público en la integridad y efectividad de los derechos fundamentales de todo ciudadano[23].

«El Ministerio Fiscal es parte necesaria en todo proceso penal —excepto los delitos estrictamente privados—, al tiempo que es garante del interés público y de la legalidad. Por ello le incumbe actuar el derecho a la tutela judicial efectiva, al proceso debido o a la utilización de los medios de prueba idóneos proclamados en el art. 24 CE (LA LEY 2500/1978), cuando éstos hayan podido verse conculcados, siempre en defensa de la legalidad del proceso y su desarrollo con todas las garantías que conforman un juicio justo (art. 6 CEDH (LA LEY 16/1950)), que el Fiscal asume (art. 3.1 EOMF (LA LEY 2938/1981)) y actúa cuando ejercita su derecho al recurso. En definitiva, en palabras del Tribunal Constitucional STC 86/1985 de 10 de julio (LA LEY 456-TC/1985), el Ministerio fiscal defiende derechos fundamentales pero lo

---

(20) «Una de las características del proceso penal español, característica de signo progresivo... (conforme) al sentido social del Estado de Derecho proclamado en el art. 1 CE, es la posibilidad de la concurrencia simultánea de la acción penal para la averiguación del delito con el correlativo castigo del delincuente y de la acción civil para el resarcimiento de los daños y perjuicios sufridos por la víctima. Esta simultancidad y sobre todo su ejercicio preceptivo por el Fiscal beneficia directamente a los sectores de la población menos dotados económicamente, a quienes facilita la defensa de su derecho para conseguir con esa actuación tuitiva la igualdad efectiva de individuos y grupos, a la cual encamina el art. 9 CE y, con ella, la justicia (STC 123/1992)...». (STC 98/1993, de 22 marzo).

(21) Respecto al ejercicio de la acción penal según la clasificación de los delitos en públicos, semipúblicos y privados, véase Capítulo II.

(22) Vid. Capítulo XIII sobre el juicio de Faltas; así como la Circular 1/1989, y la Instrucción 6/1992.

(23) La STS 14 abril 1994, declara que «... la legitimación por sustitución del Ministerio Fiscal para accionar defendiendo derechos fundamentales de un ciudadano es incuestionable, en cuanto aparece constitucionalmente reconocido en el art. 124.1 CE... (y se trata, conforme a la doctrina del TC) de un ius agendi... no porque ostente su titularidad, sino como portador del interés público en la integridad y efectividad de tales derechos... (STC 86/1985, de 10 julio)...».

hace, y en eso reside la peculiar naturaleza de su actuación, no porque ostente su titularidad, sino como portador del interés público en la integridad y efectividad de tales derechos» STS 423/2016 de 18 May. 2016, Rec. 1286/2015; Ponente: Ferrer García, Ana María. LA LEY 51976/2016.

La actuación del Ministerio Fiscal se producirá en el proceso penal de conformidad con los principios expresados. Ello no es óbice para que existan especialidades en las normas que regulan la intervención del fiscal en cada uno de los procedimientos penales regulados en la ley. En el procedimiento por delitos graves le corresponde la inspección directa del mismo y la proposición de diligencias al Juez instructor — arts. 306, 311, 334 LECrim.—. Concretamente, intervendrá en los supuestos previstos en los arts. 501, 504, 504 bis.2, 529, 539, 594, 662.2.º, 623 y 641, 645 LECrim., con una participación cada vez más activa inspirada en el principio acusatorio, como se desprende de la reforma operada por LO 5/1995, de 22 de mayo, en relación con la adopción de medidas cautelares personales[24]. En la fase de juicio oral el Fiscal calificará provisionalmente los hechos punibles —art. 649 LECrim.—; intervendrá en la práctica de la prueba —art. 701 LECrim.—, etc.

En el procedimiento abreviado le corresponde igual actividad investigadora y directiva de la Policía Judicial —arts. 773, 767 LECrim.—; así como la intervención en la fase de diligencias previas solicitando su práctica o interviniendo en su realización, para lo cual el Juez le dará cuenta (art. 777 LECrim.). También intervendrá, decisivamente, en la preparación del juicio oral formulando, en su caso, escrito de acusación o la práctica de diligencias complementarias—art. 780 y ss. LECrim.—. En el juicio oral actuará como parte tanto en la práctica de la prueba, en la calificación definitiva de los hechos, y en el informe en conclusiones finales—arts. 786.1.º, 788 y ss. LECrim.—[25] (véase sobre el procedimiento abreviado Cap. IX).

En el procedimiento para el enjuiciamiento rápido de determinados delitos la ley prevé una intervención activa del Ministerio Fiscal al efecto de poder cumplir con los plazos breves que justifican la regulación de este procedimiento. A este efecto, el Fiscal comparecerá en las diligencias urgentes ante el Juzgado de Guardia y, especialmente, en la comparecencia prevista en el art. 798 LECrim. en la que podrá solicitar que se ponga fin al procedimiento, que siga por el cauce del enjuiciamiento rápido, o bien que se continúe como diligencias previas, además de la adopción de medidas cautelares. El Juez adoptará la resolución en el acto y en el caso que resuelva continuar el procedimiento de enjuiciamiento rápido solicitará al Fiscal que solicite, en su caso, la apertura del juicio oral y presente de inmediato escrito de acusación (art. 800

---

(24) Vid. Circular de 13 de mayo de 1926 sobre la conclusión del sumario e interpretación de los arts. 622 y 630 LECrim. (Gaceta, día 18 julio) y Circular 7 de mayo de 1953, referente a la formación del sumario, así como Instrucción 3/1993, en nota 6. Vid. Capítulo VI, Sección 1. Ver Circular 2/1995 de 22 de noviembre, sobre el nuevo régimen procesal de la prisión preventiva.

(25) Vid. con relación a la intervención del Ministerio Fiscal en el procedimiento abreviado, § 2.3 Cap. IX; Vid. asimismo, Circular 1/1989, de 8 de marzo, sobre cuestiones relacionadas con el procedimiento abreviado introducido por la Ley 7/1988, de 28 de diciembre, en BIMJ, 1522, y la Instrucción 6/1992, de 22 de septiembre, sobre aplicación de algunos aspectos del proceso penal en virtud de la reformar llevada a cabo por la Ley 10/1992, de 30 de abril, de medidas urgentes de reforma procesal BIMJ n.º 1660.

LECrim.), procediéndose a la celebración del Juicio en la fecha más próxima y, en cualquier caso, dentro de los quince días siguientes. La premura de los plazos exige al Fiscal una presencia constante en los tribunales de justicia y una coordinación con el los Juzgados de Guardia y de lo Penal que anuncia el art. 800.3 LECrim. (Véase Cap. X sobre el procedimiento de enjuiciamiento rápido para determinados delitos).

En el procedimiento del Tribunal del Jurado el Fiscal tiene una intervención esencial tanto en la preparación como en el desarrollo de las causas seguidas antes ese Tribunal —arts. 24 y ss. LO 5/1995, de 22 de mayo—[26]. Concretamente, actuará en la selección de los jurados art. 38 LOTJ), en el acto del juicio oral (arts. 42 y ss. LOTJ), en la audiencia previa a la entrega a los jurados del objeto del veredicto (art. 53 LOTJ) (Véase el Cap. XII sobre el procedimiento del Tribunal del Jurado).

La intervención del Fiscal se producirá, con carácter general, mediante escrito o comparecencia. Pero, el art. 3 in fine EMF, modificado en 2003, dispone que también podrá producirse por medios tecnológicos siempre que aseguren el ejercicio de las funciones del Fiscal y ofrezcan las garantías suficientes de la validez del acto de que se trate.

Finalmente, el Fiscal podrá ejercer el derecho al recurso impugnando las resoluciones dictadas por los tribunales penales, con alegación, en su caso, del derecho a la tutela judicial efectiva.

«El bien construido recurso del Fiscal se desarrolla en un único motivo apoyado en el art. 852 LECrim (LA LEY 1/1882). Combate la decisión mediante la que la Audiencia rechazó la posibilidad de suspender el juicio oral para aportar las pruebas documentales que devenían necesarias a la vista de las cuestiones aducidas en el trámite preliminar por algunas defensas (legitimidad de las intervenciones telefónicas). Tal negativa habría lesionado el derecho a la tutela judicial efectiva de la parte acusadora. No se discute ya la legitimación del Fiscal para invocar derechos fundamentales procesales de los que son titulares todas las partes. No es óbice para tal aseveración la configuración del Ministerio Público como órgano del Estado. La asunción por el Fiscal de intereses sociales (art. 124 CE (LA LEY 2500/1978)) —que no propios—, ante los Tribunales deshace la aparente paradoja (derechos del Estado frente al mismo Estado)» STS 428/2014 de 20 May. 2014, Rec. 2163/2013. Ponente: Moral García, Antonio del. LA LEY 64259/2014.

B) Abogado del Estado

Los Abogados del Estado asumen la representación y defensa en juicio de las autoridades, funcionarios y empleados del Estado, sus Organismos públicos y constitucionales, cualquiera que sea su posición procesal, cuando los procedimientos se sigan por actos u omisiones relacionadas con su cargo (arts. 551 LOPJ; 2 de la Ley 52/1997, de 27 de noviembre, de asistencia jurídica al Estado e Instituciones Públicas y 1.3 RD 997/2003 de 25 de julio).

Los abogados del Estado están adscritos a la Subdirección General de los Servicios Contenciosos que se integra en la Dirección General del Servicio Jurídico del Estado

(26) Véanse las Circulares 3 y 4/1995 de 27 y 29 de diciembre sobre el Proceso ante el Tribunal del Jurado.

del Ministerio de Justicia. Este organismo tendrá, entre otras funciones, la representación y defensa del Estado y de sus Organismos autónomos, así como de las demás Entidades públicas correspondientes. Las normas específicas sobre representación y defensa en juicio del Estado se establecen en los arts. 5 y ss. de la Ley 52/1997 y arts. 31 y ss. del RD 997/2003 que desarrolla el apartado 1.º.4.º de la disposición adicional 9.ª de la Ley 30/1984, de 2 de agosto, por la que se crea el Cuerpo Superior de Abogados del Estado, que dispone en su art. 1.º que quienes desempeñan los puestos de trabajo de Abogados del Estado, sean o no funcionarios, podrán asumir la representación y defensa del Estado, sus Organismos autónomos y demás Entidades públicas, como igualmente lo establece el art. 551 LOPJ, sin perjuicio de que, y de acuerdo con lo que reglamentariamente se determine, puedan ser encomendadas a abogado colegiado especialmente designado al efecto[27]. Además, debe tenerse en cuenta que la configuración del Estado Autonómico ha determinado que corresponda a los propios servicios establecidos en las Comunidades Autónomas las funciones de asesoramiento jurídico y defensa en juicio y de control, fiscalización y contabilidad en la Administración que corresponda a los servicios que se transfieren a cada Comunidad Autónoma.

En el campo del proceso penal, la intervención del Abogado del Estado se producirá:

a) Como acusador particular en aquellos procesos por delitos comunes en los que el Estado pueda resultar perjudicado.

b) Como defensor en aquellos supuestos en los que un funcionario del Estado sea acusado por actos u omisiones cometidos en el ejercicio de su cargo en los que se haya sujetado estrictamente a la legalidad vigente, o haya cumplido orden de autoridad competente.

En ambos casos, se precisará Orden del Ministerio competente para la correspondiente actuación procesal, conforme a lo establecido en el Reglamento Orgánico de la Dirección General de lo Contencioso. Su actuación se acomodará a lo dispuesto en los preceptos de la LECrim., y deberá velar por el aseguramiento de las responsabilidades pecuniarias.

Igualmente, el Abogado del Estado podrá intervenir en un proceso penal como defensor en aquellos supuestos en que el Estado pudiera verse condenado como responsable civil subsidiario (Véase STS 7 julio de 2000).

También el Abogado del Estado puede actuar en el proceso en la doble condición de acusador y responsable civil subsidiario como, p. ej., sucede en los delitos de malversación de caudales públicos, pues el Estado, de una parte, es perjudicado respecto de las sumas de que dispuso el funcionario, y por otra es responsable civil subsidiario en relación a las cantidades que se distrajeron.

_____

(27) A este respecto véase el RD 2016/1994 que establece la Asistencia jurídica del Estado a las Entidades de Derecho Público; el RD 1433/1993 con relación a los Puertos del Estado y las autoridades aeroportuarias. Y la Ley 14/2000 modificó la Ley 52/1997 para añadir un añade un segundo párrafo al apartado 3 del art. 1, de la Ley, con la siguiente redacción: «Asimismo, los Abogados del Estado podrán representar, defender y asesorar a las Corporaciones locales en los términos que se establezcan reglamentariamente y a través de los oportunos convenios de colaboración celebrados entre la Administración General del Estado y las respectivas Corporaciones o las Federaciones de las mismas».

«... el Estado de una parte es perjudicado respecto de las sumas de que dispuso la procesada, y por otra parte es responsable civil subsidiario frente a las cantidades propiedad de los particulares que hizo suya aquélla cuando ejercía su función pública en el Juzgado de Instrucción de Pola de Lena, y de las que debe responder el Estado, en su caso, al ser aquélla funcionaria de empleo al servicio de la Administración. No existe, pues, incongruencia en esa doble posición del Abogado del Estado, por lo que el motivo debe rechazarse». (STS 9 Oct. 1991; Ponente: Móner Muñoz, Eduardo. LA LEY 467/1992).

Las actuaciones procesales realizadas por el abogado del Estado devengarán costas que deberá satisfacer la parte que resultare condenada y actúe en el proceso contra del Estado, sus Organismos públicos, los Órganos constitucionales o personas defendidas por el Abogado del Estado (art. 13 Ley 52/1997 sobre Asistencia Jurídica al Estado e Instituciones Públicas y 44 RD 997/2003). La tasación de costas se regirá, en cuanto a sus conceptos e importe, por las normas generales, aplicándose las percibidas al presupuesto de ingresos del Estado.

«En el supuesto actual consta de modo expreso en la Minuta formulada por la Abogacía del Estado que la cantidad reclamada "se ingresará a favor del Tesoro Público por cualquier medio en la cuenta abierta a nombre de la Dirección General del Servicio Jurídico del Estado, haciendo constar expresamente que el ingreso se efectúa exclusivamente por el concepto de costas a favor del Estado, honorarios del Abogado del Estado". En consecuencia carece de fundamento la impugnación realizada pues la reclamación de las costas de la Abogacía del Estado se ha formulado conforme a lo dispuesto en la Ley, adaptándose a las reglas generales y con destino al Tesoro Público» (ATS de 19 Feb. 2000, Rec. 3440/1995; Ponente: Conde-Pumpido Tourón, Cándido. LA LEY 246993/2000).

Por otra parte, también el Estado podrá ser condenado en costas, que serán abonadas con cargo a los presupuestos, conforme a lo establecido reglamentariamente (art. 13.3. Ley 52/1997 y art. 44 RD 997/2003). Véase también la STS 868/2014 de 17 Dic. 2014, Rec. 1513/2014; Ponente: Varela Castro, Luciano. LA LEY 187863/2014.

C) Acusador particular y popular[28]

En nuestro sistema procesal penal se permite que, junto al Ministerio Fiscal, comparezca otra parte que formule acusación. En este sentido, ni la acción penal ejerci-

---

(28) Vid. Bibliografía general. Vid., asimismo, GIMENO SENDRA V., «La doctrina del Tribunal Supremo sobre la acusación popular», *La Ley* n.º 6970, 2008. LUZÓN CANOVAS A., «La acción popular. Análisis comparativo con la acusación particular», *La Ley* n.º 5483, 2002; ORTEGO PÉREZ F., «El control jurisdiccional de la acusación como garantía en el proceso penal», *La Ley* n.º 5106, 2000; BUENO ARÚS, «La atención a la víctima del delito», LA LEY, 1990-3, 951; CASADO JIMÉNEZ, *Litisconsorcio necesario y derecho de acusación en el proceso penal*, LA LEY, 1981, tomo 1, pp. 714 y ss.; FAIRÉN GUILLÉN, *Acción, proceso y ayuda a las víctimas del delito*, LA LEY, núm. 28///1991; GIMENO SENDRA, «La fianza del acusador particular: Notas sobre la legitimación activa y la caución juratoria en el proceso penal», *RDProc.*, 1976; GUTIÉRREZ-ALVIZ Y CONRADI, «Nuevas perspectivas sobre la situación jurídica penal y procesal de la víctima», en *RUDP*, n.º 5, 1991; Idem, «Nuevas perspectivas sobre la situación jurídico-penal y procesal de la víctima», en *PJ*, junio 90; HERNÁNDEZ ENRÍQUEZ, «Ofrecimiento de acciones en el proceso penal (especial atención a los arts. 109 y 118 LECrim.)», *RDProc.*, 1976, n.º 4; MARTÍN BERNAL, «La acción popular y tutela de los grupos», *AP*, 1988-1, p. 809; MUÑOZ ROJAS, «En torno al acusador particular

tada por el Fiscal excluye la posible acción penal de los particulares, ni la de éstos excluye la del Fiscal, salvo en aquellos supuestos en que se trate de delitos perseguibles sólo a instancia de parte[29]. En este sentido, conviene resaltar que en nuestro Ordenamiento el ejercicio de la acción penal no es de carácter excluyente por parte del Fiscal, como ocurre con otros Ordenamientos como el francés, italiano, o incluso el alemán, en los que sólo el Ministerio Fiscal puede ejercitarla. En nuestro sistema constitucional de derechos el de tutela judicial efectiva ampara a los ofendidos por el delito que tienen derecho a ejercer la acción penal y ser parte en el proceso penal. Más aún, con base en el art. 125 CE se permite a cualquier ciudadano el ejercicio de la acción penal en concepto de acusación popular.

> «El acusador particular es parte principal, no siendo coadyuvante sino litisconsorte en relación con el Ministerio Fiscal, de forma que en relación con la actividad procesal, apertura del juicio, determinación de su objeto o presupuestos de la condena, la acusación particular se encuentra en situación de igualdad, estando regulada por los mismos requisitos que la oficial representada por el Ministerio Fiscal. Así, los arts. 651 (LA LEY 1/1882) y 653 LECRIM (LA LEY 1/1882), no establecen ninguna restricción al escrito de calificación de la acusación particular. Por otra parte, sería verdaderamente anómalo que el acusador particular se encontrase en una situación de desventaja respecto al popular al que son aplicables los arts. 270 LECRIM (LA LEY 1/1882) y las condiciones previstas en el 280, también LECRIM (LA LEY 1/1882). De la misma forma que el Ministerio Fiscal, sostiene en el proceso un derecho ajeno, que es el derecho penal subjetivo del Estado, careciendo de poder de disposición sobre el mismo. Por todo ello del sistema general establecido en LECRIM (LA LEY 1/1882) en punto al ejercicio de la acción penal, no se advierten divergencias básicas entre el Ministerio Fiscal y la acusación particular. Debemos tener en cuenta que mediante el ejercicio de la acción penal no se hace valer una exigencia punitiva sino se crea el presupuesto para que el órgano jurisdiccional ejerza las funciones que le son propias en orden a la averiguación del delito y de su autor, e imponga al culpable la pena que le corresponda y no propiamente la solicitada por la acusación». STS 724/2015 de 17 Nov. 2015, Rec. 754/2015, Ponente: Palomo del Arco, Andrés. LA LEY 174841/2015.

En consecuencia, debe distinguirse, dentro del concepto amplio de acusación particular, entre la que ejercita el ofendido afectado por el delito —acusación particular, en sentido estricto—, y la que puede ejercer cualquier ciudadano —acusación popular—. El acusador particular al ser ofendido por el delito fundamenta su legitimación en la tutela de sus derechos e intereses reconocidos en el art. 24.1 CE. Por su parte, el acusador popular, en su condición de simple ciudadano, basa su legitimación extraordinaria en el art. 125 CE.

---

en el proceso penal español», *RDProc.*, 1973; NAVAJAS LAPORTA, *Momento preclusivo para la comparecencia del perjudicado en el proceso penal (una reinterpretación del art. 110 LECrim. con el art. 24.1 de la Constitución)*, LA LEY, 1984-2, pp. 957 a 961; RAYMOND DUMAS, «La acción de acusación pública», *Justicia*, 93-I; SORIA VERDE, *La víctima entre la justicia y la delincuencia: aspectos psicológicos, sociales y jurídicos de la victimización*, 1993; MARTÍN GARCÍA, P., «Derecho de defensa y fase de instrucción», *La Ley* n.º 4737, 1999, SOTO NIETO, *Posibilidad excepcional de ostentar la doble condición de acusador y acusado en un mismo proceso.*

(29) Vid., *Sobre la clasificación de los delitos en públicos, semipúblicos y privados*, § 1, Cap. VI; y § 1.2 Cap. II.

«Los Concejales de un Municipio, cualquiera que sea el partido político al que pertenezcan, no pueden considerarse directamente ofendidos o perjudicados por los delitos que se hayan podido cometer por otros integrantes de la Corporación Pública en el ejercicio de sus funciones. El bien jurídico protegido en los delitos de prevaricación, cohecho y usurpación de funciones o cualquier otro relacionado con el ejercicio de la función pública, es el recto y normal funcionamiento de las Administraciones Públicas que constituye un presupuesto básico de una sociedad democrática. Existe un incuestionable interés general de todos los ciudadanos en que los órganos de la Administración del Estado en general y de las demás Administraciones Públicas en particular, responsan a criterios de legalidad y efectividad con lo que se refuerza el estado de derecho y la confianza de los ciudadanos en las personas que por representación o por cualquier otra causa ejerciten funciones de relevancia e interés general. Se trata de un interés difuso, que no puede ser encarnado por ninguna persona en particular ni siquiera por aquellas que están integradas también en el organismo o corporación en que se han desarrollado los hechos que presumiblemente pudieran tener el carácter de delictivos. Pertenece a la comunidad en general y por ello la única forma de personarse en unas actuaciones penales en concepto de parte es a través del ejercicio de la acción popular. Ello supone que como se dice tanto en la sentencia de instancia como en el auto de aclaración de la misma de 24 Oct. 2000, estamos ante un caso de ejercicio de la acción popular». STS 537/2002 de 5 Abr. 2002, Rec. 494/2001, Ponente: Abad Fernández, Enrique. LA LEY 3520/2002.

No se trata de posturas procesales idénticas, sino que por el contrario existen caracteres y notas diferenciadas entre ambas clase de acusación debido a los diversos y diferenciados intereses en conflicto. Entre éstas que la acusación particular puede reclamar responsabilidad civil derivada del delito, no así la acusación popular que debe limitarse al ejercicio de la acción penal.

«... las posiciones de la acusación particular y la de la acusación popular no son idénticas, pues, de una parte, mientras el acusador particular, en cuanto perjudicado por el hecho delictivo, puede acumular el ejercicio de las acciones penales y civiles, la acusación popular debe limitarse necesariamente al ejercicio de la acción penal; de otra parte, la acción civil derivada del acto ilícito pertenece a la disponibilidad del perjudicado y éste puede renunciar a ella o excluirla del proceso penal ejercitándola separadamente...». (STC 193/1991, de 14 octubre).

Además de tan sustancial diferencia, a la acusación popular se le exige querella para instar el inicio del proceso y prestación de fianza (arts. 270, 280 y 761 LECrim.). Por el contrario, el acusador particular puede mostrarse parte en la causa sin necesidad de formular querella, en sede de procedimiento abreviado (art. 761 LECrim.); y queda exento de la obligación de prestar fianza (art. 281 LECrim.). En cualquier caso, se deberá producir la personación efectiva del perjudicado para que le tenga como parte en la causa (Véase M. 28).

Finalmente, cabe añadir una última diferencia que ha sido concretada por el TS en las SSTS de 17 de diciembre de 2007, LA LEY 185357/2007 (Caso Botín) y STS 8 de abril de 2008, LA LEY 6547/2008 (Caso Atutxa), respecto a la imposibilidad de abrir juicio oral cuando únicamente lo solicite la acusación popular. Doctrina a la que atendemos, a continuación, en sede de acusación popular.

En resumen, junto al Ministerio Fiscal podrán comparecer como parte acusadora los perjudicados u ofendidos por la infracción penal, así como aquellos ciudadanos no ofendidos ni perjudicados que quieran ejercitar la acción popular. Todos ellos tendrán el carácter de parte principal en el proceso penal, condición que adquirirán con la interposición de la querella, tras lo cual podrán deducir las oportunas peticiones e interponer los recursos procedentes[30]. (Véanse Modelos de Querellas en M. 64, 109, 168, 238, 311).

Téngase en cuenta que el derecho a la acción en el proceso penal ha sido configurado por el Tribunal Constitucional como un «*ius ut procedatur*». Por tanto, no se trata, propiamente, de ningún derecho fundamental sustantivo, sino de una manifestación específica del derecho a la jurisdicción del que se derivan los derechos relativos a la intervención en el desarrollo del proceso, pero no un derecho al mismo proceso y a la obtención de una sentencia de fondo (Véanse SSTC 115/2001 de 10 de mayo, 81/2002 22 abril, 218/1997 de 4 de diciembre) (Véase § 2.2 A. b.1.º del Cap. I)[31].

a)   La acusación particular en concepto de perjudicado u ofendido por el delito

Cuando la acusación se ejercite en concepto de ofendido o perjudicado por el hecho punible, el acusador comparecerá en el proceso en calidad de acusador particular en sentido propio, con caracteres y notas diferenciadas de las del acusador popular, en razón de los diversos y diferenciados intereses en conflicto. A este fin, el art. 109 LECrim. prevé que en el acto de recibírsele declaración al ofendido, se le instruirá de su derecho a mostrarse parte en el proceso ejercitando la acusación que se deducirá en forma de querella (art. 270 LECrim.), sin necesidad de prestar fianza alguna (art. 281 LECrim.). (Véase M. 60, en Cap. VI).

La instrucción al perjudicado del derecho que le asiste a personarse en la causa como acusación particular resulta relevante al efecto de que la parte pueda ejercer su derecho en el proceso. Sin embargo, el Tribunal Supremo ha declarado que la omisión de tal información no produce necesariamente la nulidad de lo actuado y la

---

(30)   En relación con la doctrina de la «voluntad impugnativa», las SSTS 24 noviembre 1993 y 21 marzo 1994 han señalado que el grado de exigibilidad de los requisitos que establece la Ley procesal penal no son iguales en lo que afecta a acusados y acusadores, teniendo en cuenta la naturaleza misma del Derecho Penal.

(31)   «... no es éste un derecho de libertad ejercitable sin más y directamente a partir de la Constitución, ni tampoco de un derecho absoluto e incondicionado a la prestación jurisdiccional, sino de un derecho a obtenerla por los cauces procesales existentes y con sujeción a una concreta ordenación legal. Como tal derecho de carácter prestacional, su alcance y contenido debe ser precisado por las normas legales, que son las que establecen los presupuestos y requisitos para su ejercicio, pudiendo definir límites al pleno acceso a la jurisdicción siempre que obedezcan a razonables finalidades de protección de bienes e intereses constitucionalmente protegidos. En nuestro sistema el acusador particular tiene la consideración de parte principal, juntamente con el Fiscal, ya que ejercita directamente la acción penal por medio de querella existiendo en el proceso penal, en tales supuestos, una situación de litisconsorcio. No obstante, la presencia del acusador particular en el proceso penal tiene naturaleza contingente, no así la intervención del Fiscal que es necesaria, al estar obligado por la Ley —art. 105 LECrim.— a ejercitar la acción penal en todos los supuestos en que exista un presunto hecho punible». ATC 79/2001 de 3 de abril.

retroacción de las actuaciones, sino que se trata de un defecto formal que para que produzca la nulidad debe producir indefensión material al perjudicado.

«... Es cierto que, como alegan las dos acusaciones particulares aquí recurrentes hubo una omisión en el trámite de la instrucción al no haberse realizado el ofrecimiento de acciones a los perjudicados ordenado por el art. 109 LECrim.; pero esta omisión, que evidentemente constituye una infracción de carácter formal, en el caso presente, por sus circunstancias concretas, carece de relevancia material, porque el hecho delictivo por el que aquí se condena y la iniciación del presente procedimiento penal tuvo una repercusión social muy importante en ... En tales condiciones, nula relevancia ha de darse al hecho de que formalmente el Juzgado de Instrucción omitiera el preceptivo ofrecimiento de acciones del art. 109 LECrim. Este trámite sólo tiene por objeto poner en conocimiento de los perjudicados la existencia de un procedimiento penal para que puedan mostrarse parte en el mismo si lo desean. Los ciento diez ofendidos que aparecen relacionados en el apartado III del relato de Hechos Probados de la sentencia recurrida así lo hicieron. Si los demás que se encontraban en la misma situación optaron por no personarse, en su derecho estaban, pero desde luego no fue porque ignoraran la iniciación de un procedimiento que tan directamente les afectaba y tanto eco tuvo en una pequeña ciudad. Ciertamente en el caso la omisión de esta preceptiva diligencia del art. 109 CP no produjo indefensión material a quienes conocían ya aquello que el Juzgado tenía obligación de hacerles saber por lo mandado en esta norma procesal. Véase la STC 140/1997». STS 846/2000 de 22 May. 2000, Rec. 3262/1998; Ponente: Delgado García, Joaquín. LA LEY 8925/2000.

La querella constituye un acto de parte que expresa una declaración de voluntad del ofendido o perjudicado mediante la que ejercita la acción penal y/o civil y le permite comparecer en el proceso como acusación particular. Téngase presente que mediante la querella el perjudicado por el hecho dañoso se constituye en acusador particular solicitando la imposición de unas determinadas penas. De este modo, su actuación quedará limitada a las peticiones efectivamente ejercitadas en el proceso sin que esté legitimado para recurrir respecto a la denegación de aquellas pretensiones de condena que no hubiera asumido en su escrito de conclusiones definitivas[32].

No será necesaria la formulación de querella en el procedimiento abreviado, por cuyo cauce se sustancian la mayor parte de los delitos, ya que la Ley establece que aquélla no será necesaria para mostrarse como parte en la causa (arts. 761 y 771 LECrim.). No obstante, debe precisarse que a pesar de no exigirse querella en el procedimiento abreviado el perjudicado debe manifestar la voluntad inequívoca de ser

---

(32) «En efecto, la acusación particular, carece de legitimación para en trámite casacional, efectuar la acusación que se postula en el proceso, al no gozar del interés necesario que le legitime para ello. Es evidente que los recurrentes, personados en el proceso, y por ende parte acusadora en el mismo, tienen la facultad de calificar el hecho punible en su integridad como estimen conveniente, y porque el derecho que dimana de su posición de parte, le posibilita, no sólo peticionar respecto al aspecto concreto del hecho, en que haya resultado perjudicado alguno o algunos de los que representa, sino a la totalidad de los datos fácticos y fundamentos jurídicos que sustenten su calificación, pero, sin embargo, a efectos de casación, no puede, porque carece de legitimación para ello, recurrir para conseguir una modificación de la sentencia, en un particular, que no afecta especialmente a algunas de las personas que representa». STS 28 de noviembre de 1997.

parte en el proceso, en cuyo caso deberá comparecer con abogado, o bien solicitar al órgano jurisdiccional que se le nombre uno de oficio. (Véase M. 31).

«La demandante de amparo no se limitó a efectuar una puesta en conocimiento de la autoridad judicial de unos hechos que, en su criterio, pudieran ser constitutivos de delito, sino que, cuando conforme al art. 109 LECrim (LA LEY 1/1882), se le instruyó del derecho a mostrarse parte, lejos de adoptar la actitud pasiva de quedar simplemente enterada de dicha facultad, manifestó clara y terminantemente su interés en el ejercicio de la acción penal que como perjudicada podía ejercitar. Más aún, su declaración de querer constituirse en parte y ejercitar la acción penal no se hacía pro futuro, sino que, en el mismo acto de la ratificación de la denuncia, a presencia del Juez de Instrucción y del Secretario Judicial que daba fe de la comparecencia, efectuó la designación del Abogado y Procurador que habrían de hacerse cargo de su defensa y representación, utilizando así la posibilidad que ofrece el art. 181.3 LOPJ (LA LEY 1694/1985) de otorgar apud acta la representación en juicio. Es cierto que cuando el Juzgado de Instrucción dictó el auto de archivo de las diligencias el Procurador designado todavía no había presentado el escrito solicitando que se le tuviese por personado y parte en representación de la denunciante, sino que lo hizo el 12 Jul. siguiente, es decir, tan sólo doce días hábiles después. Pero tal demora, que no puede calificarse de excesiva ni de indiligente, no autoriza al órgano judicial a prescindir de quien, estando autorizado por el Ordenamiento jurídico para el ejercicio de la acción penal, ha manifestado expresa e inequívocamente su voluntad de hacer uso de tal derecho mediante su incorporación al proceso como parte». STC 16/2001 de 29 Ene. 2001, Rec. 3111/1997; Ponente: Jiménez Sánchez, Guillermo. LA LEY 1647/2001.

La legitimación para personarse como acusación particular corresponde al ofendido o perjudicado por el delito, sin que sean de aplicación las inhabilidades establecidas en los arts. 102 y 103 LECrim. que se refieren al ejercicio de la acción popular. De modo que podrán querellarse y personarse como acusación particular el Juez o el cónyuge, frente al otro cónyuge, cuando ellos fueren los perjudicados por el delito. También pueden ser acusación particular los extranjeros ofendidos por el delito, que están excluidos de la posibilidad de ejercitar la acción popular (art. 270 LECrim). En todo caso se les exigirá la prestación de fianza, prevista en el art. 280 LECrim., salvo que resulten exentos en virtud de Tratado internacional, o por el principio de reciprocidad, según prevé el art. 281, in fine, LECrim.

La circunstancia de que el perjudicado no haga uso de su derecho a personarse en la causa como acusación particular, no puede dar a entender que renuncie a la restitución, reparación o indemnización que pudiera corresponderles. Téngase presente que el art. 108 dispone que el Fiscal debe entablar la acción civil juntamente con la penal, salvo que el perjudicado haya optado por exigir la responsabilidad civil ante la Jurisdicción civil —art. 109.2 CP—, o la hubiere renunciado, lo cual no puede presumirse y debe realizarse en forma expresa. En el mismo sentido, el art. 771.1 in fine LECrim., en sede de procedimiento abreviado, establece que de no personarse en la causa el ofendido y no hacer renuncia o reserva de las acciones civiles, el Fiscal las ejercitará si correspondiere.

«... En efecto, la circunstancia de no haberse personado (el perjudicado) no autoriza a presumir su renuncia a la restitución, reparación o indemnización, renuncia que ha de hacerse, en su caso, de una manera expresa y terminante (art. 110 LE-

Crim.), única modalidad excluyente de la intervención del acusador público al respecto...». (STC 98/1993, de 22 marzo). Vid., asimismo, STC 220/1993, de 30 junio.

Nada impide que el funcionario policial que haya resultado lesionado en una actuación de la que derive un procedimiento penal actúe como testigo en está y como acusador particular ejercitando acción penal por las lesiones que se le produjeron. Aunque, tal y como establece el TS será conveniente que el funcionario perjudicado no actúe en el resto de actuaciones pre-procesales a partir de que se produjeron los daños.

«En cuanto al ejercicio de la acción penal, obviamente nada lo impide y se trata de una actuación procesal posterior al hecho que generó la realización del atestado en la posición que en el mismo actuaron. Si legalmente nada impide que el funcionario agredido confeccione el atestado, hubiera sido aconsejable que, por su específica posición de perjudicados en una de las conductas, no intervinieran en la actuación preprocesal. Ahora bien señalado lo anterior, esta Sala y el tribunal de instancia han valorado las especiales circunstancias concurrentes en los hechos y comprobado que ninguna lesión se ha producido al derecho de defensa del acusado». STS 699/2002 de 17 Abr. 2002, Rec. 686/2001; Ponente: Martínez Arrieta, Andrés. LA LEY 5013/2002.

No cabe el ejercicio de la acusación particular en el ámbito del proceso militar en el supuesto que «ofendido e inculpado sean militares y exista entre ellos relación jerárquica de subordinación», y ello por aplicación de lo dispuesto en el art. 108, pfo. 2, de la Ley Orgánica 4/1987, de 15 de julio, de Competencia y Organización de la Jurisdicción Militar (LOJM), y en el art. 127, pfo. 1, de la Ley Orgánica 2/1989, de 13 de abril, Procesal Militar (LOPM). Sin embargo, el TC en su sentencia 115/2001 de 10 de mayo concedió el amparo solicitado y reconoció el derecho a comparecer como acusación particular en dicho proceso, por entender que la prohibición citada no tiene justificación constitucional suficiente, y conculca el principio constitucional de igualdad en la Ley. En el mismo sentido se pronuncia la STC 157/2001 de 2 julio[33]. También cabe la personación como acusación particular en el proceso de menores. Esta posibilidad, vedada en la redacción originaria de la ley, ha sido admitida por la modificación de la Ley por LO 15/2003 que establece que

_____

(33) «Ha de concluirse que no existe justificación razonable y objetiva que legitime constitucionalmente la exclusión, en el supuesto enunciado, del ejercicio de la acusación particular por el ofendido o víctima del delito que, como el demandante de amparo, pretende mostrarse parte en el procedimiento penal militar iniciado en virtud de su denuncia, y siendo ello así, tal exclusión o prohibición vulnera el principio de igualdad en la ley garantizado por el art. 14 de la Constitución. La exclusión del ejercicio de la acusación particular que, frente al régimen legal general, efectúan los preceptos de repetida cita incide, por otra parte, en la facultad de formular pretensiones ante los órganos jurisdiccionales para, si son admitidas y mediante el adecuado proceso, obtener de ellos una tutela judicial efectiva y sin indefensión garantizada por el art. 24.1 CE. Por ello, y con independencia de que la legitimidad constitucional de dicha exclusión o prohibición hubiera requerido de una justificación asentada en poderosas razones, orientadas a la protección de bienes o derechos constitucionalmente relevantes, la eliminación de tal facultad de constituirse en parte procesal para formular la acusación particular produce, como consecuencia, la vulneración del derecho a la tutela judicial efectiva en su vertiente de acceso a la jurisdicción, "ex" art. 24.1 CE, al impedir, con un resultado falto de proporcionalidad, el ejercicio de la acción penal a determinados miembros de la institución militar». STC 115/2001 de 10 de mayo. En el mismo sentido se pronuncia la STC 157/2001 de 2 julio.

podrán personarse como acusación particular las personas directamente ofendidas por el delito con las facultades y derechos que derivan de ser parte en el procedimiento (art. 25 LORPM) (Véase sobre esta cuestión § 5 Cap. XV).

Los legitimados para comparecer en el proceso como acusador particular podrán mostrarse parte en el proceso hasta el momento en que se evacue el trámite de calificación del delito (art. 110 LECrim.). Cuando se personaren dos o más personas, o cuando resulten coincidentes las dos acusaciones, lo verificarán bajo una misma dirección y representación cuando sus intereses fuesen coincidentes (art. 113 LECrim.)[34].

> «... el art. 110 LECrim. que permite a los perjudicados por un delito o falta mostrarse parte en el proceso penal correspondiente "si lo hicieron antes del trámite de calificación del delito", es decir, antes de los escritos de calificación provisional en los procesos por delitos (art. 649 y ss. LECrim.), que para el procedimiento abreviado se llaman ahora escritos de acusación (art. 790 LECrim.), a fin de que su reclamación tenga lugar antes de que las defensas hayan realizado sus contestaciones a las pretensiones condenatorias de quienes ejercitan sus acciones en este proceso, esto es, antes de que haya comenzado el trámite de calificación provisional de las defensas. Después de este momento procesal ya no cabe ejercitar las acciones civiles en el seno del procedimiento por delito, pues para ello sería necesario el retroceso de las actuaciones, que es lo que trata de evitar este art. 110, según se deduce de su propio texto». STS 846/2000 de 22 May. 2000, Rec. 3262/1998; Ponente: Delgado García, Joaquín. LA LEY 8925/2000.

No obstante, en la ponderación del interés del derecho a la defensa y asistencia de Letrado libremente elegido por el interesado y un derecho a un proceso sin dilaciones indebidas por reiteración de actuaciones de idéntica finalidad, debe prevalecer el derecho a la libre designación de abogado y procurador[35].

---

(34) Téngase presente que el art. 113 LECrim. dispone que cuando sean dos o más las personas que ejerciten las acciones derivadas de un delito o falta lo verificarán en un sólo proceso y, si fuere posible, bajo una misma dirección y representación, a juicio del Tribunal, lo cual, a la luz del derecho constitucional de defensa y asistencia Letrada, ha sido interpretado por el TC, en el sentido de que «... se dé una suficiente convergencia de intereses e incluso de puntos de vista en la orientación de la actuación procesal que haga absolutamente inútil la reiteración de las diligencias instadas o actos realizados por sus respectivas representaciones y asistencia letradas...» (STC 193/1991, de 14 octubre).

(35) En relación con el ejercicio de acciones dimanantes de delito o falta por varias personas a la vez, y a la vista de la facultad que el art. 113 LECrim. concede al Tribunal para establecer un litisconsorcio necesario impropio permitiéndole acordar que tal ejercicio se haga bajo una misma dirección y representación, la STC 30/1981, de 24 julio, ha declarado que si bien tal facultad concedida por la Ley al Tribunal viene a reforzar el derecho constitucional a un proceso sin dilaciones indebidas y el principio de economía procesal, no debe entenderse la facultad en un sentido meramente discrecional, pues para que el Juez pueda ejercitarla es preciso una convergencia de intereses e incluso de puntos de vista en la orientación de la actuación procesal que haga absolutamente inútil la reiteración de diligencias instadas o actos realizados por sus respectivas representaciones letradas; en otro caso se produce una merma del derecho de defensa ante los Tribunales. El TC, en este caso, otorgó el amparo contra el auto de la Audiencia Provincial que acordaba que las personas que ejercitaban la acusación particular lo hicieran «bajo una misma y única representación y dirección letrada».

«... (para ello) es preciso que se dé una suficiente convergencia de intereses e incluso de puntos de vista en la orientación de la actuación procesal que haga absolutamente inútil la reiteración de diligencias instadas o de actos realizados por sus respectivas representaciones y asistencias letradas. En otro caso, se produciría una merma del derecho de defensa ante los Tribunales, que difícilmente se justificaría en aras de una economía procesal...». (STC 193/1991, de 14 octubre).

El acusador particular podrá separarse del proceso penal en el que era parte, sin que a ello sea óbice la naturaleza indisponible del proceso penal, ya que el ejercicio del «ius puniendi» correspondiente al Estado lo ejercita en todo caso el Fiscal. En efecto, a diferencia del Ministerio Fiscal que debe actuar por imperativo legal, el acusador particular ejercita un derecho renunciable en cualquier momento (Véase escrito de renuncia en M. 1); sin que ello afecte la continuación del proceso penal que seguirá, a pesar de la renuncia del acusador particular (arts. 106 y 107 LECrim.). La LECrim. ha previsto esta retirada del acusador particular del proceso en los arts. 274 y 276, aunque quedará sujeto a las responsabilidades que pudieran resultarle por actos anteriores[36].

Se extinguirá la acción penal en aquellos casos en los que la Ley admite el perdón del ofendido, como ocurre en los delitos de calumnia e injuria de conformidad con lo dispuesto en el art. 215.3.º CP o en los de daños por imprudencia grave, descubrimiento y relevación de secretos según lo previsto en el art. 267.3.º CP, con las limitaciones impuestas en el art. 130.4 CP. Es decir, el perdón habrá de ser otorgado de forma expresa antes de que se haya iniciado la ejecución de la pena impuesta, y cabe la posibilidad de ser rechazado por el Juez o Tribunal sentenciador cuando el perdón hubiera sido otorgado por los representantes de menores o incapacitados.

En el caso del fallecimiento del querellante los herederos podrán continuar con su acción en la misma posición del originario acusador particular, para lo cual deberán personarse dentro de los treinta días siguientes con el fin de sostener la acción, a cuyo efecto se les citará dándoles a conocer el procedimiento. Pero, en muchos casos pueden existir problemas para la determinación de quien sea el heredero que hiciere preciso, v.g., instar un expediente judicial de declaración de heredero. En ese caso, debidamente acreditada esta circunstancia, debe procederse a la suspensión de la causa hasta su resolución. De otro modo, se impedirá la personación de los legítimos herederos con la consecuencia de la vulneración de su derecho a la tutela judicial efectiva. Así lo ha declarado el Tribunal Constitucional, respecto a un supuesto de fallecimiento del querellante en un proceso por estafa.

«Teniendo en cuenta que el Juzgado conocía ya entonces la circunstancia de que el querellante no había otorgado testamento, y la consecuente necesidad de incoar

---

(36) Las SSTS 18 febrero 1965 y 7 febrero 1962, señalan que son indemnizables los perjuicios que se ocasionen con el ejercicio de una querella infundada si medió culpa o negligencia, máxime cuando sean consecuencia de las medidas precautorias instadas por el querellante. En análogo sentido, la STS 5 diciembre 1980 declaró que «... para la viabilidad de la petición de resarcimiento, ocasionado por actuaciones judiciales de cualquier índole, es menester que la parte que las inició ... haya actuado dolosamente o cuando menos con manifiesta negligencia por no haberse asegurado el alcance de la acción ejercitada y lo que significa la concurrencia de un animus nocendi o intención dañosa, que no existirá cuando, sin traspasar los límites de la buena fe se pone en marcha el mecanismo judicial...».

un expediente judicial de declaración de herederos, como así hizo el demandante ante el Juzgado núm. 8 de A Coruña, la concesión de un nuevo plazo de tres días para la acreditación de los herederos, cuando el art. 276 LECrim. permite la comparecencia de aquéllos "dentro de los treinta días siguientes a la citación", resulta claramente arbitraria y menoscaba su derecho al proceso, ya que de este modo se impidió la posibilidad de proseguir la acción del querellante fallecido, dirigida precisamente a evitar el sobreseimiento de las actuaciones. .../... En una interpretación de los requisitos del art. 276 LECrim. guiada por el principio "pro actione", el Juzgado debería haber esperado a la finalización del expediente de declaración de herederos para, una vez conocidos éstos, citarlos, darles conocimiento de la querella y abrir un nuevo período para que comparecieran». STC 84/2000 de 27 de marzo.

En cuanto a su actuación en el proceso, el acusador particular, en su calidad de parte, equipara su actuación a la postura procesal que se otorga al Ministerio Fiscal. De este modo, podrá promover cuestiones de competencia —art. 19.5.º LECrim.—; intervenir en la fase instructora y proponer la práctica de diligencias que estime adecuadas para la averiguación del delito —arts. 302, 311, 312, 314, 623, y 776.3 en sede de procedimiento abreviado LECrim.; 25 y 27 LOTJ—; intervenir en la petición de sobreseimiento —arts. 642, 544, 645, 782 LECrim., 32 LOTJ—; emitir escrito de calificación provisional —art. 651, 780 LECrim., 29 LOTJ—; proponer prueba —art. 656, 781 LECrim., 29 LOTJ—; intervenir en el juicio oral —arts. 701 y ss., 785 y ss. LECrim., y 42 y ss. LOTJ—, etc.

En todas estas actuaciones la acusación particular deberá comparecer debidamente constituida con abogado y procurador. Así deberá suceder en el acto del juicio, o en la vista de recursos. Sin embargo, no es infrecuente que comparezca únicamente el abogado. En ese caso, no obstante la infracción procesal producida el Tribunal Supremo considera que se trata de un defecto formal que no puede impedir el ejercicio efectivo del derecho de la acusación particular a defender sus pretensiones en el acto del juicio[37].

_____

(37) «El contenido del párrafo primero del art. 24 de la Constitución es de aplicación en favor de toda persona que pretenda ejercitar sus derechos e intereses legítimos posibilitando su acceso al proceso y la defensa dentro de él de sus posiciones y pretensiones. Cuando por el Tribunal se frustra el derecho del ofendido por un hecho delictivo a erigirse en acusador particular en el correspondiente proceso penal se deniega el derecho a la tutela judicial y a la vez se produce indefensión, entendida en el sentido material de causación de un real y efectivo menoscabo del derecho a defender legítimas pretensiones (Sentencias del Tribunal Constitucional 366/1993 y 18/1995)...⁄... En el presente caso el Tribunal sentenciador resolvió, tras la no comparecencia de la procuradora en el mismo momento de la vista oral, que no consideraba personada a la acusación particular, sin ofrecer entonces razones explícitas que motivaran su decisión, la que determinó el que ya no tuviera intervención alguna en el acto la Letrada .../... En este caso el Letrado de la acusación no fue oído, ni se preguntó al procesado si se conformaba con la calificación más grave ni con la mayor petición de responsabilidad civil contra él formuladas. La falta en la sentencia de razonamientos jurídicos respecto a la eliminación de la parte acusadora en el proceso constituyó frente a ésta una denegación de su derecho a la tutela judicial efectiva, como también y aún en mayor medida, lo fue la retirada a la acusación particular de su condición de parte en el proceso y a poder continuar interviniendo en el mismo. La denegación pues de los derechos de audiencia y defensa a una parte con la subsiguiente indefensión efectiva para hacer valer sus pretensiones (art. 238.3.º de la Ley Orgánica del Poder Judicial) determina la nulidad de lo desde entonces actuado en la presente causa». STS 10 de junio de 1998.

En definitiva, la acusación particular interviene plenamente en el proceso penal y en calidad de parte le asisten los derechos que le son propios. En este sentido, la tutela judicial efectiva ampara a todos los intervinientes en el proceso, pero ello no supone una completa equiparación con la parte acusada que ostenta derechos que le son propios, como el derecho a la presunción de inocencia o de defensa al detenido e inculpado que únicamente ostenta el sometido al proceso penal (Véase STC 20/1998 de 27 de enero). Sin embargo, en alguna sentencia el TC ha equiparado a ambos intervinientes, acusación particular y acusado. Así sucedió en el supuesto de la STC 218/2007 de 8 de octubre, en la que el TC, a nuestro modo equivocadamente, consideró del mismo rango y necesidad de protección la posición procesal de la acusación particular que la del acusado. En el supuesto citado se amparó a la acusación particular, que había renunciado a su propia defensa letrada y había solicitado al Magistrado-Presidente del Tribunal de Jurado la designación de abogado y procurador de oficio. Solicitud que el Magistrado-Presidente resolvió instruyendo a los perjudicados del contenido de la Ley de asistencia jurídica gratuita y siguiendo con el juicio en el que no comparecieron las perjudicadas. Juicio en el que resultó absuelto el acusado. Recurrida en Casación la sentencia el TS consideró que, efectivamente, las perjudicadas fueron indebidamente privadas de su derecho de accionar en juicio. Ahora bien, que: «*el derecho a la presunción de inocencia de los que fueron acusados ya soportó el gravamen de un juicio que, según la citada norma del [Pacto internacional de derechos civiles y políticos], es lo máximo que cabría imponerles en su calidad de imputados. De manera que la repetición de esa experiencia sería equivalente a acusarles de un nuevo delito, por los mismos hechos, con la consiguiente exposición a un riesgo ciertamente extraordinario. Por tanto, el peso de la presunción de inocencia de los recurrentes, cabe afirmar, es actualmente superior incluso al que corresponde a este derecho en condiciones de normalidad estándar. Pues ha salido indemne del test que implica la sumisión a juicio de sus titulares en virtud de una acusación por delito. En cambio, el peso concreto del derecho de las perjudicadas al personal ejercicio de su pretensión en este asunto, aquí y ahora, es inferior al constitucional-abstracto, ya que subsiste en su dimensión más bien formal, una vez que, como se ha visto, pudo desplegar toda su material eficacia en la instancia*» (STS 15 de febrero de 2005, LA LEY 12386/2005). Doctrina con la que estamos completamente de acuerdo. Pero no así el TC que declaró que se había producido una violación del derecho fundamental de las perjudicadas que era compatible con la repetición del juicio oral, aún a pesar del perjuicio obvio y evidente que supone para el acusado que resultará juzgado dos veces.

«Se produjo un quebrantamiento de las exigencias propias del correcto desarrollo del procedimiento en curso que limitó los derechos de defensa de la parte y generó indefensión material, proscrita por el art. 24.1 CE, deparando a las recurrentes un perjuicio real y efectivo en sus derechos e intereses legítimos. Esta violación, de acuerdo con la doctrina constitucional anteriormente expuesta, es compatible con la anulación de la Sentencia impugnada y, en definitiva, con la repetición del juicio oral. La decisión contraria del Tribunal Supremo, otorgando un "peso" relativo superior a la presunción de inocencia de los acusados por el "grave perjuicio que representa [para los acusados] hacer frente nuevo frente al riesgo de una condena por delito" y, correlativamente, un "peso" inferior al derecho a la tutela judicial efectiva de las acusadoras, que tendría en este caso una dimensión "más bien formal", porque "no cabe racionalmente prever que la reiteración de la vista fuera a aportar nada esencial, más allá de lo que pudiese representar la comprensible gratificación personal de las interesadas", implicó desconocer que toda resolución judicial ha de dictarse en el seno de un proceso respetando en él las garantías que le son consustanciales y, por tanto, de acuerdo con nuestra doctrina, supuso una nueva violación del derecho a la tutela judicial efectiva de las demandantes (art. 24.1 CE), que se sumó a la que ya había sido reconocida por los propios órganos jurisdiccionales. Todo ello, en consecuencia, conduce a la estimación de la pretensión de amparo». STC 218/2007 de 8 de octubre.

b) La acusación popular

La acción popular se fundamenta en la legitimación genérica que se concede a todos los ciudadanos españoles en los arts. 125 CE y 19.1 LOPJ. Este derecho se incluye en el de tutela judicial efectiva, siempre que haya sido reconocido por la Ley ordinaria (art. 101 LECrim.), y se concreta en el derecho a ser parte en un proceso y poder promover la actividad jurisdiccional. Estas normas, no obstante, condicionan su ejercicio a lo establecido en la Ley. En este sentido, los arts. 101 y 270 LECrim. establecen el derecho de los «ciudadanos españoles», hayan sido o no ofendidos por el delito, a ejercitar la acción penal por medio de querella. En el mismo sentido, el art. 761 LECrim. dispone que el ejercicio de la acción penal por los particulares, sean o no ofendidos por el delito se efectuará en la forma y con los requisitos señalados en los arts. 270 y ss. LECrim.

La posibilidad de ejercitar la acción popular en el proceso penal constituye una singularidad de nuestro sistema procesal, que deberá ejercitarse con observancia de los límites previstos en la ley que se constatan en los siguientes: 1.º respecto a los sujetos legitimados e inhabilitados para el ejercicio de la acción popular; 2.º a la constitucionalidad y límites de la fianza prevista en la ley.

Los límites expresados exigen únicamente el cumplimiento de determinados requisitos formales. De este modo, cualquier persona física o jurídica de nacionalidad española que preste la debida fianza podrá personarse en calidad de acusación popular en el proceso, lo que ha determinado críticas doctrinales. Sobre este particular, se aprecian determinados supuestos en los que la acción popular sirve como arma procesal destinada a la persecución selectiva de determinadas conductas o personas, sin que en realidad exista una legitimación concreta que soporte esta acción, teniendo en cuenta que la acción pública ya la ejercita el Ministerio Fiscal. El Tribunal Supremo se ha pronunciado a este respecto, aunque «obiter dicta», poniendo de relieve este problema.

> «Otras limitaciones surgen del Código Penal y excluyen la acción popular: arts. 191 (LA LEY 3996/1995) y 296 CP (LA LEY 3996/1995). En todos los casos se trata de limitaciones consideradas por el Legislador adecuadas a las exigencias, a los fines y a los límites del derecho penal. La consecuencia lógica de las limitaciones previstas en la ley es que las personas que carecen del derecho de ejercer la acción penal no pueden invocar el derecho a la tutela judicial efectiva de un derecho del que carecen y que su derecho a la tutela judicial efectiva se satisface con la obtención de una decisión judicial motivada, que no necesita ser favorable al derecho invocado, lo que

el auto recurrido cumple. Las limitaciones del derecho de acusación popular, por otra parte, nunca han sido consideradas contrarias al derecho a la igualdad ni entendidas como el fundamento de un privilegio para los supuestos autores de un delito respecto del que la ley excluya a ciertas personas del ejercicio de la acción». STS 1045/2007 de 17 Dic. 2007, Rec. 315/2007; Ponente: Bacigalupo Zapater, Enrique. LA LEY 185357/2007.

Además, cabe añadir otro límite concretado por el TS en su STS de 17 de diciembre de 2007, LA LEY 185357/2007 (Caso Botín), respecto a la imposibilidad de abrir juicio oral cuando únicamente lo solicite la acusación popular. Doctrina del TS que se fundamenta en una interpretación literal del art. 782.1 LECrim, en sede de procedimiento abreviado, que dispone que Juez acordará el sobreseimiento cuando lo hayan solicitado el Ministerio Fiscal y el acusador particular. De modo que no concurriendo acusación de uno ni otro, pero sí de la acusación popular, el TS considera que debe sobreseerse el proceso.

«La Sala tampoco comparte el criterio de los recurrentes en cuanto estos entienden que el art. 782.1 LECrim. no puede ser interpretado como una limitación del derecho de la acción popular a solicitar por sí la apertura del juicio. Es cierto que en la STS 168/2006 se ha sostenido que "entre los encauzamientos legales a que aluden los arts. 125 CE, 19 LOPJ y 101 LECrim. no se encuentra aquella restricción" por la que se excluya la legitimación de la acción popular para solicitar la apertura del juicio cuando el Ministerio Fiscal y la acusación particular hayan solicitado el sobreseimiento de la causa. Sin embargo, no es menos cierto que la limitación no tiene por qué estar contemplada en las normas generales que habilitan la regulación legal, pues al tratarse de un derecho de configuración legal es un acto del Legislador el que tiene que decidir la forma del ejercicio del derecho en cada especie de procedimiento. En consecuencia, la limitación, en este caso, surge directamente del propio art. 782.1. LECrim. de la misma manera que otras limitaciones legales de la acción pública o de la acción popular, como las contenidas en los citados arts. 191 y 296 CP …/… Por lo tanto: esa exclusión de la acción popular en el art. 782.1. LECrim. es una decisión consciente del Legislador, no es meramente arbitraria, tiene una justificación plausible desde el punto de vista constitucional, es razonable en lo concerniente a la organización del proceso y al principio de celeridad y equilibra la relación entre derecho de defensa y la multiplicidad de acusaciones. Es correcto, en consecuencia, concluir que la enumeración es cerrada y que no existen razones interpretativas que justifiquen una ampliación del texto legal». STS de 17 de diciembre de 2007, LA LEY 185357/2007 (Caso Botín).

Esta doctrina jurisprudencial se matizó en la posterior STS 8 de abril de 2008, LA LEY 6547/2008 (Caso Atutxa), dictada a continuación de la anteriormente citada STS de 17 de diciembre de 2007, en la que el TS sí que admite la apertura del juicio oral a petición de la acusación popular. Decisión que fundamenta en la diferencia existente entre los dos supuestos expuestos. Así, en el caso de la STS de 17 de diciembre de 2008, la petición de apertura del juicio oral de la acusación popular se alzaba, en solitario, frente a la voluntad en contrario del Ministerio Fiscal y de la acusación particular, que es la directamente perjudicada, que solicitaban el sobreseimiento de la causa. En esa situación entiende el Tribunal Supremo que la interpretación del art. 782.1 LECrim debe ser literal y que no procede abrir el juicio oral sólo a instancia de la acusación popular. Sin embargo, en el supuesto de la STS de 8 de abril de 2008 la situación de hecho es distinta en razón de la naturaleza del delito y la inexistencia de perjudicados directos.

«Por tanto, nuestro criterio de la legitimidad de la restricción fijada por el art. 782.1 de la LECrim., no puede extenderse ahora, como pretenden la defensa de los recurridos y el Ministerio Fiscal, a supuestos distintos de aquellos que explican y justifican nuestra doctrina. El delito de desobediencia por el que se formuló acusación carece, por definición, de un perjudicado concreto susceptible de ejercer la acusación particular. Traducción obligada de la naturaleza del bien jurídico tutelado por el art. 401 del CP es que el Fiscal no puede monopolizar el ejercicio de la acción pública que nace de la comisión de aquel delito. De ahí la importancia de que, en relación con esa clase de delitos, la acción popular no conozca, en el juicio de acusación, restricciones que no encuentran respaldo en ningún precepto legal. Como ya expresábamos en nuestra STS 1045/2007, 17 de diciembre, esta Sala no se identifica con una visión de la acción popular como expresión de una singular forma de control democrático en el proceso. La acción popular no debe ser entendida como un exclusivo mecanismo jurídico de fiscalización de la acusación pública. Más allá de sus orígenes históricos, su presencia puede explicarse por la necesidad de abrir el proceso penal a una percepción de la defensa de los intereses sociales emanada, no de un poder público, sino de cualquier ciudadano que propugne una visión alternativa a la que, con toda legitimidad, suscribe el Ministerio Fiscal». STS 8 de abril de 2008, LA LEY 6547/2008 (Caso Atutxa).

En definitiva, tal y como se expresa con claridad en las sentencias citadas la doctrina sentada por el TS se fundamenta en un correcto, a nuestro parecer, entendimiento y ponderación de los fines y límites de la acusación popular en nuestro derecho procesal en el marco de los derechos del sometido a proceso penal. Desde ese punto de vista resulta excesivo que un ciudadano pueda ser acusado por una persona física o jurídica ajena a los hechos, frente a la explícita ausencia de esa voluntad de persecución del Ministerio Fiscal y el acusador particular que, no se olvide, es el directamente perjudicado. En ese caso, admitir la apertura del juicio oral con base en la única solicitud de la acusación popular significaría convertir: *«… el juicio penal en un escenario ajeno a los principios que justifican y legitiman la pretensión punitiva. Y éste es el supuesto de hecho que, a nuestro juicio, contempla el art. 782.1 de la LECrim»* STS 8 de abril de 2008, LA LEY 6547/2008 (Caso Atutxa).

«La solicitud de aplicación de la doctrina fijada en nuestra anterior sentencia, exige tomar como punto de partida la diferencia entre el supuesto que allí fue objeto de examen y el que ahora motiva nuestro análisis. Y es que sólo la confluencia entre la ausencia de un interés social y de un interés particular en la persecución del hecho inicialmente investigado, avala el efecto excluyente de la acción popular. Pero ese efecto no se produce en aquellos casos en los que los que, bien por la naturaleza del delito, bien por la falta de personación formal de la acusación particular, el Ministerio Fiscal concurre tan solo con una acción popular que insta la apertura del juicio oral. En tales casos, el Ministerio Fiscal, cuando interviene como exclusiva parte acusadora en el ejercicio de la acción penal, no agota el interés público que late en la reparación de la ofensa del bien jurídico». STS 8 de abril de 2008, LA LEY 6547/2008 (Caso Atutxa).

1.° Límites y legitimados para el ejercicio de la acción popular

En primer lugar con relación a la legitimación para ejercer la acción popular, el art. 125 CE la atribuye a todos los ciudadanos en la forma que la ley determine (art.

125 CE). Por tanto, se trata de un derecho que se inserta en el genérico de tutela judicial efectiva de los ciudadanos, que queda condicionado, sin embargo, por los límites establecidos en la ley. Estos límites se concretan en la inexistencia de la acción popular en aquellos procesos en los que no se halle expresamente prevista.

Otros límites para el ejercicio de esta acusación se concretan en las inhabilitaciones absolutas para el ejercicio de la acción popular previstas en los arts. 102 y 103 LECrim. Estos supuestos se refieren a las personas que no gocen de la plenitud de los derechos por incapacitación legal (art.º 200 CC); los condenados dos veces por sentencia firme como reo de delito de denuncia o querella falsa; el Juez o Magistrado; los cónyuges, ascendientes, descendientes y hermanos, entre sí. Pero sí se podrá ejercitar la acción penal cuando sea el ofendido por el delito quien actúa en calidad de acusación particular. En cualquier caso no se impide la denuncia del hecho delictivo al órgano competente. La razón de estas limitaciones se halla en la protección y salvaguardia de derechos e intereses; por ejemplo en el caso de los cónyuges la de la propia institución familiar, a cuyo fin se impide el ejercicio de la acción penal en calidad de acusación popular, lo que podría socavar la estabilidad y armonía de las relaciones familiares.

> «Mas, .../... dicha interdicción no puede ser equiparada, desde una perspectiva puramente negativa, a la imposibilidad de que un pariente por afinidad pueda ejercitar la acción penal contra otro pariente, pues una prohibición semejante, ayuna de mayores matizaciones, podría restringir seriamente el derecho a la tutela judicial efectiva del pariente ofendido, .../... Pues bien, extendiendo dicha unánime orientación jurisprudencial del ámbito material al de la legislación procesal, no resulta en modo alguno censurable o erróneo considerar que la prohibición contenida en el art. 103.2.º LECrim., que, como ya se ha dicho en repetidas ocasiones, tiene por fundamento justificativo la tutela de la estabilidad y la armonía familiar, deja de tener sentido como tal en aquellos casos en que dicha estabilidad o armonía ya no existen por haberse perdido los naturales lazos de afectividad entre los familiares implicados». ATSJ Castilla La Mancha de 2 Mar. 2001, Rec. 2/2001, Ponente: Garberí Llobregat, José. LA LEY 49079/2001.

En cuanto a las personas jurídicas también están legitimadas para el ejercicio de la querella penal en concepto de acción popular. La interpretación amplia del precepto legal, y en consecuencia la admisibilidad de la querella ejercitada por personas jurídica, se desprende de la naturaleza, en el proceso penal, de los intereses en conflicto. Si todas las personas tienen derecho a la jurisdicción y al proceso, y se reconoce protección a las personas jurídicas dentro del ámbito del art. 53.2 CE, debe admitirse que se encuentran legitimadas para el ejercicio de la acción popular. Sin embargo, una primera doctrina jurisprudencial de la Sala 2.ª TS no permitía interponer la acción popular a las personas jurídicas. Finalmente, se ha abierto paso la doctrina opuesta que considera que también las personas jurídicas pueden ejercitarlas. En este sentido, como razona la STC 241/1992, de 21 diciembre, en doctrina reiterada en las SSTC 34/1994, de 31 de enero y 154/1997, de 29 septiembre, las personas jurídicas también pueden invocar la vulneración de derechos fundamentales como los de tutela efectiva, en su vertiente de prestación de la actividad jurisdiccional.

«El derecho a mostrarse parte en un proceso penal mediante el ejercicio de la acción popular, manifestación de la participación ciudadana en la Administración de Justicia, cuenta con un profundo arraigo en nuestro ordenamiento. Ya fue objeto de un expreso reconocimiento en la Ley de Enjuiciamiento Criminal, de 14 de septiembre de 1882. En esta misma línea, la Constitución de 1978 quiso reforzar dicho derecho y para ello le dio carta de naturaleza en el título VI, dedicado sistemáticamente al Poder Judicial (art. 125) ...∕... En lo relativo a la legitimación, que procede examinar con carácter previo, dijimos en la Sentencia 34/1994 que "no hay razón que justifique una interpretación restrictiva de término ciudadano previsto en el art. 125 C.E. y en las normas reguladoras de la acción popular (STC 241/1992). Por tanto, no sólo las personas físicas, sino también las personas jurídicas, se encuentran legitimadas para mostrarse parte en el proceso penal como acusadores populares"». STC 50/1998 de 25 de abril.

Cuestión distinta es la del ejercicio de la acción popular por Entes sin personalidad jurídica, a quienes no puede aplicárseles la anterior doctrina, por no quedar amparados por lo dispuesto en el art. 53.2 CE. En cualquier caso, se requerirá una conexión directa que ampare el ejercicio de la acción popular, ya que carecen de personalidad jurídica y quedan inhabilitadas para ejercitar otros derechos que no tengan relación con los fines que desarrollan[38].

«En la TC S 50/1998 señalábamos que para que el derecho a la acción popular pueda ser protegido también por el art. 24.1 CE, en su dimensión procesal y para que las resoluciones recurridas puedan examinarse desde el canon más favorable que protege el acceso al proceso, es necesario que la defensa del interés común sirva, además, para sostener un interés legítimo y personal, obviamente más concreto que el requerido para constituirse en acusación popular y que, razonablemente, pueda ser reconocido como tal interés subjetivo». STC 79/1999 de 26 de abril. Vid. STC 50/1998, de 2 de marzo.

No cabe sin embargo que se persone como acusación popular una administración pública, ya que los derechos fundamentales y las libertades públicas son derechos individuales que tienen al individuo por sujeto activo y al Estado por sujeto pasivo en la medida en que tienden a reconocer y proteger ámbitos de libertades o prestaciones que los poderes públicos deben otorgar o facilitar a aquéllos, y frente a los que se alzan, precisamente, las garantías constitucionales (V. SSTC 64/1988, de 12 de abril; 91/1995, de 19 de junio; 197/1988, de 24 de octubre; 129/1995, de 11 de septiembre).

«Lo que con carácter general es predicable de las posiciones subjetivas de los particulares, no puede serlo, con igual alcance y sin más matización, de las que ten-

---

(38)   «Sin embargo, también se ha de destacar, aunque sólo sea a efectos de doctrina procesal, que la personalidad exigida para ser parte en un proceso penal, ha de medirse con el máximo cuidado en aquellos supuestos, como el presente, en los que con el simple enunciado de ejercer una "acción popular" ya se puede tener derecho a una intervención inmediata en el proceso, sin haber demostrado previamente su interés directo en la cuestión, y sin que pueda servir de sustento a ese interés (y éste es el caso) la defensa genérica de la moral pública, cuando tal defensa viene encomendada, por ley, a una institución del Estado como es, paradigmáticamente, el Ministerio Fiscal, cuyas pretensiones, dada su imparcialidad, están destinadas "ope legis" y con un carácter lógico, a defender a la sociedad en su conjunto, a través o por impulso del principio de legalidad». STS 5 de junio 1993.

gan los poderes públicos, frente a los que, principalmente, se alza la garantía constitucional» (SSTC 197/1988, de 24 de octubre; 129/1995, de 11 de septiembre .../... Es claro, en todo caso, que, dados los términos del art. 125 CE, no puede estimarse dicha pretensión. En efecto, este precepto constitucional se refiere explícitamente a «los ciudadanos», que es concepto atinente en exclusiva a personas privadas, sean las físicas, sean también las jurídicas (a las que hemos extendido este concepto en las SSTC 34/1994, de 31 de enero, 50/1998, de 2 de marzo, 79/1999, de 26 de abril, entre otras), tanto por sus propios términos como por el propio contenido de la norma, que no permite la asimilación de dicho concepto de ciudadano a la condición propia de la Administración pública y, más concretamente, de los órganos de poder de la comunidad política». (STC 129/2001 de 4 de junio).

Aunque esta doctrina quedó matizada respecto a la posibilidad que la Ley establezca la posibilidad de ejercicio por las Comunidades Autónomas de la acción popular en determinado tipo de procesos. Por ejemplo en materia de violencia de género. En estos supuestos el TC ha declarado, en franca contradicción con su doctrina general expresada en la STC 129/2001, que la norma legal autonómica específica prevalece frente al mandato constitucional interpretado por el propio TC (que establece que la acción popular la pueden ejercer los ciudadanos) y, por tanto, no cabe negar esta posibilidad de comparecencia a los entes autonómicos que tienen encomendada esta función. Sin perjuicio señala el TC que pudiera plantearse una cuestión de inconstitucionalidad respecto a las citadas normas.

«La ley prevé, por tanto, la posibilidad de que la Generalitat Valenciana se persone ejerciendo la acción popular en algunos de los procesos penales seguidos por violencia de género, esto es, en aquéllos en los cuales la víctima sea residente en la Comunidad Autónoma y siempre que se haya producido muerte o lesiones graves. A la vista de lo expuesto hemos de concluir en que los argumentos aducidos por la resolución impugnada en la interpretación de la referida regulación legal en relación con el ejercicio de la acción popular de la Generalitat Valencia son desproporcionadamente restrictivos y por tanto, contrarios al principio pro actione. Así las cosas hemos de examinar ahora si la inaplicación de la ley que prevé esa posibilidad vulnera el derecho a la tutela judicial efectiva (art. 24.1 CE) en su dimensión de acceso a la jurisdicción. 5. El Auto recurrido parte de la incompatibilidad entre la institución de la acción popular y su titularidad por los órganos de gobierno de las Comunidades Autónomas. Pues bien, la ponderación que tal apreciación judicial conlleva corresponde efectuarla al legislador, pues, como hemos recordado, es el legislador quien tiene la competencia para configurar los mecanismos procesales de acceso a la jurisdicción entre los cuales en los procesos penales se cuenta con el de la acción popular. Y como señalamos en la STC 175/2001, de 26 de julio, el contenido limitado del derecho a la tutela judicial efectiva sin indefensión para las entidades públicas no opera frente al legislador». Lo razonado no implica un juicio sobre la constitucionalidad abstracta de la ampliación de la acción popular a las personas públicas, juicio que sólo podríamos realizar en caso de que la ley que así lo establezca fuera recurrida ante este Tribunal. En el ejercicio de la jurisdicción de amparo, desde la perspectiva del derecho de acceso al proceso aquí alegado, existiendo una ley vigente, no impugnada ante este Tribunal, que prevé la posibilidad de ejercicio de la acción popular por la Generalitat Valenciana, no compete a este Tribunal pronunciarse sobre la oportunidad de tal previsión legal ni sobre su constitucionalidad» STC 311/2006, de 23 de octubre de 2006.

En el mismo sentido se ha pronunciado la STC 8/2008 de 21 de enero en la que el TC ampara a la Administración autonómica, de Cantabria, a la que se había negado la personación como acusación popular, con base en el mismo criterio expresado en la STC 311/2006.

«La STC 311/2006 retoma la STC del Pleno 175/2001 para recordar que "corresponde a la Ley procesal determinar los casos en que las personas públicas disponen de acciones procesales para la defensa del interés general que tienen encomendado" y que, una vez que la Ley ha incorporado dichos mecanismos procesales, "la interpretación judicial de las normas de acceso al proceso estará guiada, también en relación con las personas públicas, por el principio pro actione cuando se trata del acceso a la jurisdicción, ya que la limitación del alcance del art. 24.1 CE en relación con las personas públicas actúa respecto del legislador, no en relación con el juez" (FJ 2.a). Por lo demás, la STC 311/2006 concluye que "los órganos judiciales no pueden fiscalizar las normas postconstitucionales con rango de ley" y añade, acto seguido, que "en el ejercicio de la jurisdicción de amparo, desde la perspectiva del derecho de acceso al proceso aquí alegado, existiendo una ley vigente, no impugnada ante este Tribunal, que prevé la posibilidad de ejercicio de la acción popular por la Generalitat Valenciana, no compete a este Tribunal pronunciarse sobre la oportunidad de tal previsión legal ni sobre su constitucionalidad" (FJ 5)». STC 8/2008 de 21 de enero.

Esta doctrina del TC ha quedado constatada en la STC en la que se reconoce la potestad del legislador para determinar la legitimidad que pueda tener una administración pública para ejercitar la acción popular, sin que los tribunales puedan limitar tal posibilidad establecida por ley.

«Recogiendo la doctrina sentada en la STC 175/2001, 26 de julio, recuerdan que el legislador dispone de un amplio margen de actuación (no exento de límites) para determinar los casos en que las personas jurídicas públicas tienen legitimación procesal, pero, una vez que ha plasmado en la norma la opción adoptada, los órganos judiciales han de interpretarla conforme al indicado principio, el cual no tolera decisiones que cierren el acceso al proceso que por su rigorismo, su formalismo excesivo o cualquier otra razón se revelen desfavorables para la efectividad del derecho a la tutela judicial efectiva o resulten desproporcionadas entre los fines que se pretenden preservar y los intereses que sacrifican (por todas, la reciente STC 38/2010, de 19 de julio) …/… ni en el art. 125 CE ni en la normativa general constituida por la LECrim existe una exclusión expresa de las personas jurídicas públicas para el ejercicio de la acción popular, y que corresponde al legislador la ponderación de la compatibilidad entre la institución de la acción popular y su titularidad por los órganos de gobierno de las Comunidades Autónomas, pues "es el legislador quien tiene la competencia para configurar los mecanismos procesales de acceso a la jurisdicción entre los cuales en los procesos penales se cuenta con el de la acción popular. Y como señalamos en la STC 175/2001, de 26 de julio, el contenido limitado del derecho a la tutela judicial efectiva sin indefensión para las entidades públicas no opera frente al legislador" (FJ 5). Por lo demás, la STC 311/2006, de 23 de octubre, FJ 5, concluye que "los órganos judiciales no pueden fiscalizar las normas postconstitucionales con rango de ley" y añade, acto seguido, que "en el ejercicio de la jurisdicción de amparo, desde la perspectiva del derecho de acceso al proceso aquí alegado, existiendo una ley vigente, no impugnada ante este Tribunal, que prevé la posibilidad de ejercicio de la acción popular por la Generalitat Valenciana, no compete a este Tribunal pronunciarse sobre la oportunidad de tal previsión legal ni sobre su constitucionalidad"». STC 67/2011, de 16 de mayo de 2011.

Ahora bien, no cabe el ejercicio de la acción popular en el ámbito de la jurisdicción militar.

«... Es, por tanto, atribución de los Jueces y Tribunales ordinarios discernir si es aplicable en ese ámbito supletoriamente la Ley de Enjuiciamiento Criminal, en razón de lo dispuesto en la disposición adicional primera de la última de las leyes, y determinar la eventual compatibilidad entre la regulación de la acción popular en aquélla y la Ley Orgánica 2/1989, sin que nuestro control de las decisiones judiciales pueda ir más allá de comprobar si adolece, o no, de falta de fundamento o error patente.../... "no es irrazonable entender —del mismo modo en que también así ha sido entendido por el Fiscal— que tanto la LECrim. como la Ley Orgánica 2/1989, regulan una sola acción penal (no dos, particular y popular) y, por ello, tampoco puede serlo interpretar, como lo han hecho las resoluciones impugnadas, que el régimen de la acción popular establecido en la LECrim. no puede aplicarse como supletorio de lo establecido en la Ley Orgánica 2/1989, al resultar incompatibles dada la distinta amplitud con que una y otra norma regulan el ámbito de los legitimados para ejercer la acción penal" (STC 64/1999, de 24 de junio, F. 5)». STC 280/2000 27 de noviembre.

Finalmente, puede darse el supuesto del ejercicio de la acción popular por varias acusaciones particulares. En este caso será de aplicación el art. 113 LECrim., que impone la obligación de litigar conjuntamente. Esta norma tiene por finalidad la de evitar innecesarias reiteraciones en las actuaciones judiciales que, a su vez, pudieran vulnerar el derecho a no sufrir retrasos indebidos en la tramitación y resolución de la causa; y se fundamenta en el hecho de que al no concurrir en la acusación popular la condición de perjudicado puede existir una mayor convergencia de intereses, más allá del particular del ofendido por el delito. Pero, al mismo tiempo la aplicación de esta exigencia puede obstaculizar o limitar el derecho de defensa de la acusación popular que pudiera verse lesionado. Con base en estas premisas el TC ha declarado que la norma del art. 113 LECrim. configura un litisconsorcio necesario impropio, que determina la necesidad que dos o más acusaciones populares litiguen conjuntamente, debe interpretarse y aplicarse de forma que respete el derecho de defensa y asistencia letrada de la parte o partes a las que se obliga a litigar bajo una misma defensa y representación.

«Por ello, la facultad de apreciación contenida en el art. 113 LECrim. no puede entenderse como enteramente discrecional, pues habrá de tener presente los dos principios constitucionales que han de ser conciliados: el derecho a la defensa y asistencia de Letrado y el derecho a un proceso sin dilaciones indebidas. De aquí que el presupuesto jurídico indeterminado "si fuere posible" haya de traducirse en algo más que una necesaria ausencia de incompatibilidad entre las distintas partes que ejercen la acción penal o civil derivada del delito —requisito mínimo—; es preciso una suficiente convergencia de intereses, e incluso de puntos de vista, en la orientación de la actuación procesal que haga absolutamente inútil la reiteración de diligencias instadas o actos realizados por sus respectivas representaciones y asistencias letradas .../... en aplicación de la anterior doctrina no basta, pues, con que el órgano judicial haya motivado la aplicación de la norma ni que la interpretación del precepto sea explícita y razonada; es preciso, además, que .../... efectivamente, los intereses y enfoques de la actuación procesal de todos ellos sean coincidentes, porque, en otro caso, el derecho de defensa —del que, en efecto, es titular también la parte acusadora y no sólo la acusada (SSTC 30/1981 y 193/1991)—, pudiera verse lesionado, conforme se mantiene en este supuesto por la demandante en amparo». (STC 154/1997 de 29 de septiembre).

2.° Requisitos para el ejercicio de la acción popular: la fianza

La acción popular se ejercitará en el proceso mediante querella que deberá contener los extremos y observar los requisitos previstos en el art. 277 LECrim. Además, según resulta de los arts. 280 y 281 LECrim. el querellante que no fuere ofendido por el delito deberá prestar fianza en la cuantía que fijare el tribunal para responder de las resultas del juicio.

> «La acción popular lleva consigo la prestación de una fianza, que deberá ser proporcionada y equitativa de tal manera que no impida a nadie, en función de su condición económica, el acceso al proceso negándole así su derecho a la tutela judicial efectiva. En este sentido el art. 20.3 de la ley Orgánica del Poder Judicial (LA LEY 1694/1985) establece que no podrán exigirse fianzas que, por su inadecuación, impidan el ejercicio de la acción popular». ATS de 3 Feb. 2017, Rec. 20079/2017, Ponente: Conde-Pumpido Tourón, Cándido. LA LEY 3438/2017.

El TC se ha planteado la cuestión de si la fianza establecida en la Ley para el ejercicio de la acción popular (art. 280 LECrim.) puede ser contraria al derecho constitucional resolviendo que no se vulnera el derecho a la tutela judicial efectiva siempre que la cuantía de la fianza impuesta al acusador popular esté en relación con los medios de quienes pretendan ejercitarla, y, por tanto, no impida u obstaculice gravemente su ejercicio. En caso contrario, se produciría una situación de indefensión proscrita en nuestro ordenamiento jurídico. En ese sentido, el art. 20.3 LOPJ establece que no podrán exigirse fianzas que por su inadecuación impidan el ejercicio de la acción popular[39]. Tampoco existe desigualdad, o trato discriminatorio, respecto a la exclusión de fianza de los ofendidos por el delito, herederos y otra personas con ellos relacionados, cuando ejerzan la acción particular (art.° 281 LECrim.). (vid. SSTC 62/1983, de 11 julio; 147/1985, de 29 octubre, y 202/1987, de 17 diciembre, 326/1994, de 12 diciembre, 154/1997, de 29 septiembre).

> «Hemos declarado que la "exigencia de una fianza para el ejercicio de la acción penal, que se impone a quien no resulta directamente ofendido por el delito que trata de perseguir (arts. 280 y 281 LECrim.), no es en sí misma contraria al contenido esencial del derecho, pues no impide por sí misma el acceso a la jurisdicción (TC SS 62/1983, 113/1984 y 147/1985), siempre que su cuantía, en relación a los medios

---

(39)   «Como ya se ha dicho la acción popular lleva consigo la prestación de una fianza, que deberá ser proporcionada y equitativa de tal manera que no impida a nadie, en función de su condición económica, el acceso al proceso negándole así su derecho a la tutela judicial efectiva. En este sentido el art. 20.3 de la Ley Orgánica del Poder Judicial establece que no podrán exigirse fianzas que, por su inadecuación, impidan el ejercicio de la acción popular. En atención a estas circunstancias y teniendo en cuenta el interés que para el restablecimiento de la justicia tienen acciones como las emprendidas por los querellantes, se estima que una fianza módica que satisface las exigencias legales y cumple con las previsiones moderadoras de su importe sería la de cien mil pesetas». ATS 19 abril de 1999.

de quienes pretenden ejercitarla, no impida ni obstaculice gravemente su ejercicio, pues ello conduciría en la práctica a la indefensión que prohíbe el art. 24 CE"». STC 79/1999, de 26 de abril.

D) Acusador privado[40]

El acusador privado es aquel sujeto procesal que comparece en el proceso penal únicamente en aquellos supuestos en que se trate de delitos perseguibles solo a instancia de parte —art. 104 LECrim.—. Actualmente sólo deben incluirse en esta categoría los delitos de injurias y calumnias (art. 215.1.º CP), que precisarán de la previa formulación de querella por parte del ofendido. En estos supuestos, la personación del acusador privado resulta necesaria, ya que el Ministerio Fiscal no se constituye en parte en este tipo de procesos. En consecuencia, cuando el ofendido ejercite la acusación en este tipo de delitos privados comparecerá en su calidad de acusador privado, ya que sólo a éste corresponde el ejercicio de la acción penal en este tipo de procesos.

La legitimación únicamente la ostenta la persona ofendida por el delito o su representante legal, siendo suficiente la denuncia cuando se dirija contra funcionario público, autoridad o agente de la misma sobre hechos concernientes al ejercicio de su cargo. El acusador privado dispondrá de la acción, pudiendo bien renunciar a ella (arts. 106.2.º y 275 LECrim.), o bien ofrecer el perdón al acusado (art. 215.3.º en relación con el 130.4.º CP).

Pero téngase en cuenta que en los delitos de injurias y calumnias entre particulares se exige, como presupuesto de procedibilidad la interposición del acto de conciliación, salvo que fueran hechas con publicidad (arts. 278 y 804 LECrim.) (vid. § 2, Cap. XV). En el supuesto de que las injurias o calumnias se hubieren vertido en juicio será necesaria la licencia del Tribunal (art. 215.2.º CP, y 279 LECrim.). Este presupuesto ha sido declarado constitucional por el ATC 102/1986, de 3 diciembre y STC 100/1987, de 12 junio.

La querella se entenderá abandonada cuando se dejase de instar el procedimiento dentro de los diez días siguientes a la notificación del auto en que el instructor la acuerde (art. 275 LECrim.). No se trata sólo de una caducidad del proceso, sino de una renuncia tácita al derecho, siempre que la causa de la paralización resulte imputable a la parte y no al órgano judicial. Idénticos efectos se producen en caso de muerte o incapacitación del querellante, si no comparece ninguno de sus herederos o representantes legales a sostener la querella dentro de los treinta días siguientes a la citación que al efecto se les deba hacer, de conformidad con el art. 276 LECrim.

E) Actor civil

Tiene el carácter de actor civil aquella parte procesal que, siendo perjudicada por el hecho punible, solamente ejercita la acción civil «ex delicto». La existencia

---

(40) Vid. Bibliografía general. Vid., asimismo, MUERZA ESPARZA, «Notas a la acusación privada», *RDProc.*, 1990, n.º 2, pp. 261 y ss.; ROBLES GARZÓN, «El acusador privado», *RDProc*, 1978, pp. 533 y ss.

de esta parte procesal trae causa de la posibilidad de que en el proceso penal, junto con la acción penal, se ejercite la acción civil. Por medio de esta acción se solicita la restitución, reparación y la indemnización que a favor de los perjudicados pueda acordarse.

La acción civil pueden ejercitarla: a) El Ministerio Fiscal, que la formulará juntamente con la penal, por imperativo legal según dispone el art. 108 LECrim.; b) los perjudicados por los hechos punibles, cuando lo hagan juntamente con la acción penal, presumiéndose tal ejercicio conjunto en el art. 112 LECrim.; c) los perjudicados por los hechos constitutivos de delitos públicos o semipúblicos, cuando ejerciten aquélla exclusivamente, dejando que sea el Fiscal el único acusador que accione penalmente. d) Las Entidades aseguradoras tenga concertado un contrato de seguro con el perjudicado por el delito y satisfagan cantidades en virtud de tal contrato, que podrán reclamar frente al responsable penal en el seno del proceso penal que se siga contra el mismo, como actor civil, subrogándose en la posición del perjudicado (Conforme con el Acuerdo de la Sala General de la sala segunda del TS adoptado en su reunión del día 30.01.07).

Será en este último supuesto cuando el perjudicado se denomina actor civil. El actor civil se constituye como parte en el proceso, quedando constreñida su actividad procesal a la obtención del contenido jurídico privado del proceso: la reparación del daño, restitución de la cosa, o la indemnización de los daños y perjuicios ocasionados por el hecho punible.

La sucesión procesal, por transmisión «inter vivos» del posible crédito a terceros, queda excluida. En consecuencia, las aseguradoras que hayan suscrito un seguro para cubrir los daños que se puedan ocasionar por la comisión de un ilícito penal culposo quedan excluidas como perjudicadas, ya que la lesión patrimonial que alegan se ha producido como consecuencia del cumplimiento de las obligaciones contractuales contraídas y no por el delito castigado, sin perjuicio del derecho de repetición (art. 117 CP).

Nótese, por otra parte, que ha sido suprimida la regla de transmisión mortis causa de la obligación de restituir, reparar o indemnizar a los herederos —art. 105 CP derogado—, por lo cual ha de entenderse que la legitimación corresponderá a los perjudicados, salvo en el supuesto de que los daños se produzcan con anterioridad a la muerte de la víctima, y consecuentemente han ingresado en su patrimonio antes del fallecimiento siendo transmisible a sus herederos; pero aquellos que son causados por su muerte o posteriormente, son sólo los perjudicados quienes ostentan la legitimación para pedir la correspondiente indemnización.

En las diligencias de investigación y comprobación del delito, su intervención se limitará a procurar la práctica de aquéllas que puedan conducir al mejor éxito de su acción, apreciadas discrecionalmente por el Instructor (art. 320 LECrim.). También debe notificársele el auto de conclusión del sumario y su emplazamiento ante la Audiencia (art. 623 LECrim.), y se le pasará la causa para calificación provisional (art. 651 LECrim.), con posibilidad de proponer la correspondiente práctica de la prueba (art. 656 LECrim.). Intervendrá en la práctica de la prueba en el juicio oral (art. 701 LECrim.), y emitirá su informe al final del juicio oral circunscrito a la responsabilidad civil derivada del delito (art. 735 LECrim.). Podrá interponer recurso de casación, si bien su legitimación se circunscribe sólo a aquello que pudiera afectar a su derecho (art. 854.2.º LECrim.) (vid. § 6, Capítulo XVII).

El actor civil podrá actuar en la pieza separada que se siga sobre fianzas y embargos (arts. 589 a 614 LECrim.). Cuando se trate de procesos relativos a hechos derivados del uso y circulación de vehículos de motor el Juez o Tribunal podrá señalar y ordenar el pago de la pensión provisional que, según las circunstancias, considere necesaria en cuantía y duración para atender a la víctima y a las personas que estuvieren a su cargo (art. 765.1 LECrim.). Esta pensión se ajustará a lo previsto en los arts. 6.3.º de la Ley de Responsabilidad civil y circulación de vehículos de motor y 17.2.º de la Ley 21/1990, de 19 de diciembre.

SECCIÓN 3. PARTES ACUSADAS EN EL PROCESO PENAL. LOS DERECHOS DEL SOMETIDO AL PROCESO PENAL

3.1. El investigado, encausado y acusado[41]

La situación y *«status»* procesal del sometido al proceso penal es descrita en la LECrim con distintos nombres cuales son los de: investigado, encausado y acusado, que dan cuenta del distinto momento y afectación procesal en la que se halla el individuo incurso en un proceso penal. El investigado es el sometido a una investigación penal conducida por el Juez de instrucción. El encausado es el sujeto frente al que el Juez de instrucción ha dictado un auto de conclusión de la investigación de los hechos y

---

(41) Vid. Bibliografía general. Vid., asimismo, RODRÍGUEZ RAMOS L., «El imputado en el proceso penal», *La Ley* n.º 5218, 2001. ORTELLS RAMOS M., Las partes no oficiales en el proceso penal abreviado, La Ley n.º 3983, 1996; ARAGONESES ALONSO, «El encausado en el proceso penal español», 1979, n.º 105; FAIRÉN GUILLÉN, «El encausado en el proceso penal», en *Temas del Ordenamiento Procesal*, Madrid, 1969, T. II, p. 1249; GIMENO SENDRA, «Algunas sugerencias de reforma para una nueva regulación de la defensa en la instrucción (breve comentario a la Ley 53/ 1978, de 4 de diciembre)», en *RGD*, 1980; Idem, «La naturaleza de la defensa penal y la intervención del defensor en la instrucción», en *RDProc.*, 1977; GÓMEZ DEL CASTILLO, *El comportamiento procesal del imputado*, Barcelona, 1979; GÓMEZ COLOMER, *La exclusión del abogado defensor de elección en el proceso penal*, Barcelona, 1988; GUTIÉRREZ-ALVIZ Y CONRADI, «Aspectos del derecho de defensa en el proceso penal», en *RDProc.*, 1973; MARTÍN OSTOS, «La posición del imputado en el nuevo proceso penal abreviado», en *Justicia*, 89, IV, pp. 813 y ss.; MORENO CATENA, La defensa en el proceso penal, Madrid, 1982; Idem, «Garantía de los derechos fundamentales en la investigación penal», en *PJ*, n.º especial II; PUYOL MONTERO, GENEROSO HERMOSO Y MUÑOZ FERNÁNDEZ, *Manual práctico de doctrina constitucional en materia de asistencia letrada y postulación*, Madrid, 1992; RAMOS MÉNDEZ, «Estudio sobre el derecho de asistencia letrada a los detenidos», en *RJC*, 1979; SERRA DOMÍNGUEZ, «El imputado», en *Estudios de Derecho Procesal*, Barcelona, 1969; SOLDADO GUTIÉRREZ, «Rechazo reiterado de letrados de oficio, sin designación de letrado de confianza, en el proceso penal», LA LEY, n.º 2956, 1992; SERRANO GÓMEZ, A., «La condición de imputado en el proceso penal», *La Ley* n.º 4843, 1999. ORTEGO PÉREZ F., «La imputación formal ante la reforma del proceso penal», *La Ley* n.º 5569, 2002.

de continuación del procedimiento para la preparación del juicio oral. Finalmente, se denominará acusado al sujeto frente al que las acusaciones personadas han formulado una acusación que el Tribunal ha refrendado mediante el correspondiente auto de apertura del juicio oral. A estas denominaciones se añade la de procesado que será la condición que adquiere el investigado en el procedimiento por delitos graves cuando el Juez de instrucción dicte auto de procesamiento (art. 384 LECrim).

La denominación de imputado, que es la que venía utilizando la LECrim para denominar al sometido al proceso penal desde que el Juez dirigía contra él el procedimiento hasta que se formalizaba la acusación, ha quedado proscrita en virtud de la LO 13/2015 que justificaba la modificación en la denominación aludiendo a: *«la necesidad de evitar las connotaciones negativas y estigmatizadoras de esa expresión, acomodando el lenguaje a la realidad de lo que acontece en cada una de las fases del proceso penal, razones que han de llevarnos a la sustitución del vocablo imputado por otros más adecuados, como son* **investigado y encausado**, *según la fase procesal. La reforma ha hecho suyas esas conclusiones. Y así, el primero de esos términos servirá para identificar a la persona sometida a investigación por su relación con un delito; mientras que con el término encausado se designará, de manera general, a aquél a quien la autoridad judicial, una vez concluida la instrucción de la causa, imputa formalmente el haber participado en la comisión de un hecho delictivo concreto».* Apartado V Preámbulo de la LO 13/2015.

Conforme con lo expuesto se denominará investigado a la persona frente a la que se dirige el proceso penal al imputarle unos determinados hechos de carácter punible. Esta inculpación puede tener lugar desde el mismo inicio del proceso, por constar la identificación del presunto responsable en la querella, denuncia o atestado, o bien puede efectuarse en un momento posterior como consecuencia de las diligencias practicadas en la fase instructora. Corresponde al Juez instructor efectuar una provisional ponderación de aquella atribución, y sólo cuando nazca una sospecha contra determinada persona, deberá considerársela como investigado[42].

> «... En su versión actual, el art. 118 LECrim., reconoció la nueva categoría de imputado a toda persona a quien se le atribuya, más o menos fundadamente, un acto punible, permitiéndole ejercitar el derecho de defensa en su más amplio contenido...» (SSTC 44/1985, de 22 marzo, y 135/1989, de 19 julio).

Como se ha dicho ya no es legal la denominación de imputado, ahora bien lo que sigue siendo aplicable es el hecho de que el investigado es aquél a quien se investiga por la sospecha de comisión de un delito. En definitiva recae sobre el investigado

---

(42)   Así, cuando el órgano instructor entienda en un sumario que existen suficientes indicios racionales de criminalidad contra un inculpado, dictará contra él un auto de procesamiento —art. 384 LECrim.—. Cuando se incoen diligencias previas en un procedimiento abreviado, al no existir auto de procesamiento, el instructor podrá acordar la detención, prisión o libertad provisional con o sin fianza, así como el aseguramiento de las responsabilidades pecuniarias que pudieran derivarse del delito. Cualquiera de estos actos procesales implica la imputación formal de un presunto delito a una persona determinada. Para llegar a la imputación formal contra una persona el titular del órgano instructor deberá ponderar provisionalmente los hechos y las circunstancias, de modo que nazca en él una sospecha contra persona determinada.

una imputación que resulta un acto trascendente por cuanto desde ese momento el interesado podrá acceder al proceso y ejercer su derecho de defensa, y con éste una efectiva y equilibrada contradicción procesal. En caso contrario se producirá una omisión procesal que podrá producir una efectiva indefensión según el supuesto[43]. Así sucederá en el caso que se hubiere tramitado la instrucción sin notificar al investigado su condición y sin darle ninguna posibilidad de intervenir hasta la fase de juicio oral. En este caso se producirá una obvia afectación del derecho de defensa del justiciable (Véanse SSTC 220/1998 de 16 de noviembre; 273/1993 de 20 de septiembre).

> «Como afirmamos en la STC 41/1998, F. 27, recogiendo la doctrina anterior, prohíbe el art. 24 de la Constitución que el inculpado no haya podido participar en la tramitación de las diligencias de investigación judiciales o que la acusación se "haya fraguado a sus espaldas", de forma que el objetivo y finalidad del art. 118 LECrim. reside en informar al acusado acerca de su situación para que pueda ejercitar su derecho de defensa y evitar, de esta forma, una real indefensión derivada del desconocimiento de su condición procesal. Reiterando esta doctrina y extractando la anterior, en la STC 14/1999, F. 6 (igualmente, STC 19/2000, de 31 de enero, F. 5), hemos sostenido que la posibilidad de ejercicio del derecho de defensa contradictoria ha sido concretada por este Tribunal en tres reglas ya clásicas (STC 273/1993, de 20 de septiembre): a) nadie puede ser acusado sin haber sido, con anterioridad, declarado judicialmente imputado; b) como consecuencia de lo anterior, nadie puede ser acusado sin haber sido oído con anterioridad a la conclusión de la investigación; y c) no se debe someter al imputado al régimen de las declaraciones testificales, cuando de las diligencias practicadas pueda fácilmente inferirse que contra él existe la sospecha de haber participado en la comisión de un hecho punible, ya que la imputación no ha de retrasarse más allá de lo estrictamente necesario». STC 87/2001 de 2 de abril.

Por esa razón, el Juez instructor no debe retardar la puesta en conocimiento del investigado de los hechos que se le imputan a fin de que, efectivamente, pueda defenderse. Ahora bien, la condición de investigado en un proceso penal no conlleva únicamente ventajas, sino también una serie de cargas o efectos negativos, tanto procesales como extraprocesales. Es por ello por lo que si bien no debe retardarse la puesta en conocimiento de la imputación, tampoco puede admitirse que se atribuya

---

(43) «... se constata la existencia de una irregularidad procesal en las actuaciones penales que se examinan, consistente en la falta de traslado y notificación al querellado de la interposición y admisión de la querella criminal formulada contra el mismo, en la forma que expresamente dispone el art. 118.2 de la vigente Ley de Enjuiciamiento Criminal. Ahora bien, la constatación de tal omisión procesal —merecedora, sin duda, de reproche desde esa perspectiva procesal— no dota por sí misma de contenido y relevancia a la queja planteada, desde la perspectiva constitucional que ahora nos ocupa, pues la finalidad de aquella comunicación judicial se encuentra precisamente en la información acerca de la situación o condición real en que se encuentra el querellado en la causa, para que éste pueda ejercitar su derecho de defensa y sin que se produzca una real indefensión material como consecuencia del desconocimiento de su verdadera condición .../..., la aplicación de la anterior doctrina, atendidas las circunstancias específicas del supuesto que se examina, priva de contenido constitucional a la actual pretensión de amparo; porque, en este caso, aun constatada aquella falta de notificación al recurrente de la admisión de la querella, es lo cierto, y así también se desprende de lo actuado, que el juzgador prácticamente no realizó diligencia alguna limitándose a requerir la aportación de determinados documentos respecto de los hechos recogidos en la querella, que no pueden sino considerarse como orientadas precisamente a la determinación de la verosimilitud del hecho punible que se imputaba al querellado». STC 100/1996 de 11 de junio.

la condición de investigado sin un control previo basado en una provisional ponderación de aquella atribución con base en la responsabilidad indiciaria del investigado en los hechos objeto de la instrucción penal[44].

> «... la doctrina constitucional se ha cuidado de recordar que dicha condición no se atribuye automáticamente, en virtud de cualquier imputación de parte más o menos fundada, sino que requiere un control jurisdiccional. .../... la atribución de un hecho punible a una persona determinada por un testigo o imputado en el curso de una instrucción sumarial no basta para conferir la condición procesal de imputado, pues la fórmula del art. 118 no pude ser interpretada literalmente, debiendo complementarse dicha atribución de parte con la imprescindible valoración circunstanciada del Juez Instructor (SSTC núm. 37/1989 y núm. 135/1989). .../... En definitiva "es el Instructor quien debe efectuar una provisional ponderación de aquella atribución y sólo si la considera verosímil o fundada, de modo que nazca en él una sospecha contra persona determinada, deberá considerarla como imputado" (STC núm. 135/1989, fundamento jurídico 3.º)». ATS de 14 Nov. 1996, Rec. 2530/1995; Ponente: Conde-Pumpido Tourón, Cándido. LA LEY 151/1997.

Concretamente, el Tribunal Constitucional ha determinado que la atribución de un hecho punible en la declaración sumarial de un testigo o imputado debe cumplir dos requisitos para dar lugar a la imputación formal del art. 118 de la LECrim.: 1.º) estar dirigida contra persona determinada, y 2.º) ser fundada a juicio del Instructor (Véase STC 135/1989, y art. 488 LECrim.).

> «... La fórmula del art. 118.2 LECrim. no puede ser entendida literalmente, sino que debe ser completada por la imprescindible valoración circunstanciada del Juez instructor, como ya se dijo en la STC 37/1989, de 15 febrero. Es el titular del órgano instructor quien debe ponderar si la atribución, formulada, por ejemplo, por un testigo, de un hecho punible a persona cierta es "más o menos fundada" o por el contrario manifiestamente infundada, inverosímil o imposible en su contenido. Es el instructor quien debe efectuar una provisional ponderación de aquella atribución, y sólo si él la considera verosímil o fundada de modo que nazca en él una sospecha contra persona determinada, deberá considerar a ésta como imputado, poner en su conocimiento la imputación y permitirle o proporcionarle la asistencia de Letrado...». (STC 135/1989, de 19 junio).

El investigado deberá tener conocimiento pleno de su condición procesal desde el primer momento en que se dirija frente a él la acusación a fin de permitirle, precisamente, que ejerza el derecho de defensa que le asiste. En todo caso, resulta obligada la asistencia de abogado desde la primera declaración del imputado o detenido y adopción de medidas cautelares así como para la práctica de las diligencias de investigación.

---

(44) «... El Juez de Instrucción, en cualquier caso, está siempre obligado a determinar dentro de la fase instructora —haya dirigido ab initio o no las diligencias previas— quién sea el presunto autor del delito a fin de citarlo personalmente de comparecencia, comunicarle el hecho punible cuya comisión se le atribuye, ilustrarle de la totalidad de los derechos que integran la defensa —y, de modo especial, de su derecho a la designación de abogado— y tomarle declaración con el objeto de indagar, no sólo dicha participación, sino también permitir que el imputado sea oído por la autoridad judicial y pueda exculparse de los cargos contra él existentes, con independencia de que haya prestado ante otras autoridades que hayan intervenido en el sumario...». (STS 5 marzo 1996, La Ley, 1996, 3169).

La imputación formal de un acto punible a una persona determinada tendrá lugar en el procedimiento por delitos graves mediante el auto de procesamiento —art. 384 LECrim.— que dictará el órgano instructor cuando entienda que en el sumario existen suficientes indicios racionales de criminalidad contra un inculpado. En las diligencias previas del procedimiento abreviado no existe auto de procesamiento, pero sí imputación que se producirá en la primera comparecencia en la que el Juez informará al investigado de sus derechos y los hechos que se le imputan (art. 775 y 765.2 LECrim.). Con base en esta imputación el instructor podrá acordar la detención, prisión o libertad provisional con o sin fianza, así como el aseguramiento de las responsabilidades pecuniarias que pudieron derivarse del delito. Cualquiera de estos actos procesales implica la imputación formal de un presunto delito a una persona determinada. El imputado podrá intervenir en la fase instructora y solicitar las diligencias que estime pertinentes —arts. 303 y 311 LECrim.—.

«Una de las funciones esenciales de la instrucción es la de determinar la legitimación pasiva en el proceso penal, función que en el procedimiento común se realiza a través del procesamiento, y que en el abreviado, suprimido el procesamiento, debe llevarse a cabo mediante la previa imputación judicial, pues de lo contrario las partes acusadoras, públicas o privadas, serían enteramente dueñas de dirigir la acusación contra cualquier ciudadano, confundiéndose el principio acusatorio con el dispositivo, con sustancial merma de las garantías de defensa, y permitiéndose, en definitiva, que personas inocentes pudieran verse innecesariamente sometidas a la "penalidad" de la publicidad del juicio oral. Así pues, el conocimiento de la imputación forma parte del contenido esencial del derecho fundamental a la defensa en la fase de instrucción, para cuya efectividad, en la primera comparecencia, el Juez informará al imputado de sus derechos (arts. 118 y 789.4 LECrim.), con lo que se produce la asunción formal del status de imputado; independientemente de que haya o no una formal personación en las actuaciones, a partir de aquel momento el imputado tiene ya la condición de parte en sentido material (Cfr. STC 186/1990, de 15 noviembre; LA LEY, 1991-1, 90)...». (STC 121/1995, de 18 julio).

En cualquier caso, y con base en el art. 118 LECrim., el investigado, en su concepto más amplio, tiene capacidad procesal para defenderse desde el mismo momento en que se le comunique la existencia del proceso o la adopción de cualquier medida cautelar[45].

«Lo determinante, desde el punto de vista constitucional, es que el Juzgado de Instrucción no impida acceder al proceso de toda persona a quien se atribuya, más o

---

(45) Vid. SSTC 30/1981, de 24 julio, 7/1986, de 21 enero, 216/1988, de 14 noviembre, 178/1991, de 19 septiembre, 188/1991, de 3 octubre. Vid. también las SSTS 9 febrero 1995, LA LEY, 1996, R-16.705, y la 15 noviembre 1995, LA LEY, 1996, R-55, que declara: «... Es indudable que al imputado no sólo no le está legalmente vedada la posibilidad de comparecer en las diligencias previas, sino que el examen del art. 789.4.º LECrim. a la luz del art. 24 CE, ha de llevar también a la siguiente conclusión: a) la de que el Juez de Instrucción, en cualquier caso, está siempre obligado a determinar, dentro de la fase instructora, haya dirigido ab initio o no las diligencias previas, quién sea el presunto autor del delito a fin de citarlo personalmente de comparecencia, comunicarle el hecho punible cuya comisión se le atribuye, ilustrarle de la totalidad de los derechos que la integran, y, de modo especial, de su derecho a la designación de abogado en los términos de los arts. 788 y 118.4.º LECrim... y b) la acusación no puede exclusivamente desde el punto subjetivo dirigirse contra persona que no haya adquirido previamente la condición judicial de imputada...».

menos fundadamente, un acto punible: para lo que debe comunicarle inmediatamente la admisión de denuncia o querella, ilustrándole de su derecho a defenderse en el procedimiento y a designar Abogado (SSTC 44/1985, fundamento jurídico 3.°; 186/1990, fundamento jurídico 5.°, y 100/1996, fundamento jurídico 3.°). Como subrayamos en esta última Sentencia, "la finalidad de aquella comunicación judicial se encuentra precisamente en la información acerca de la situación o condición real en que se encuentra el querellado en la causa, para que éste pueda ejercitar su derecho de defensa y sin que se produzca una real indefensión material como consecuencia del desconocimiento de su verdadera condición. De lo que se trata, en definitiva, es de «garantizar la plena efectividad del derecho a la defensa y evitar que puedan producirse contra [la persona inculpada en una causa penal], aun en la fase de instrucción judicial, situaciones materiales de indefensión» (STC 273/1993, fundamento jurídico 2.°, con cita de las SSTC 44/1985 y 135/1989)"». STC 41/1998 de 24 de febrero.

3.2. Los derechos del sometido al proceso penal[46]

El sometido al proceso penal por el simple hecho de serlo es titular de un conjunto de derechos que se fundamentan en la Constitución y en la legalidad aplicable al proceso penal. Los derechos atribuidos al sometido al proceso penal, expresión en la que incluimos a toda persona sometida al proceso penal en cualquier fase del mismo, tienen su origen en el sistema de proceso penal democrático que se fundamenta en unos principios que lo vertebran como son el acusatorio o el de presunción de inocencia, defensa y contradicción. Principios que fueron objeto de análisis en el capítulo primero de este libro. De la aplicación de tales principios surge un marco de garantías procesales que se contienen tanto en la Constitución como en las leyes de enjuiciamiento penal. En su virtud, desde el primer momento de una imputación sea policial, del Fiscal o judicial, y en adelante, el detenido, el investigado, procesado, encausado y acusado son titulares del conjunto de derechos que se pueden encuadrar en el concepto amplio de la tutela judicial efectiva. Estos derechos se recogen en el conjunto de la regulación procesal penal que prevén los límites de cada actuación procesal así como los distintos trámites de alegación que las partes pueden realizar en defensa de sus derechos. Más específicamente, los derechos constitucionales y legales del sometido al proceso penal se relacionan en los arts. 24 CE, 118 y 520 LECrim. En los preceptos indicados se contiene una relación de derechos que, finalmente, tienden a garantizar la posición jurídica del imputado en el proceso penal que debe poder defenderse desde una posición de partida que no es otra que la de su presunción de inocencia. Desde esa consideración el imputado debe poder conocer la imputación, nombrar un abogado, conocer que no está obligado a confesar o declarar, contar con asistencia letrada, etc. De todo ello podemos deducir que a lo que, fundamentalmente, tiene derecho el imputado es a poder defenderse sin que su posición de sometimiento al proceso penal pueda devenir en un menoscabo de sus derechos que le convierta en sujeto pasivo del proceso penal.

---

(46) ORTEGO PÉREZ, F., *El juicio de acusación*, Barcelona 2007. ORTELLS RAMOS M., *Criterios de actuación del abogado del imputado en las etapas previas al juicio oral*, Valencia 2003. GOYENA HUERTA J., «Los derechos a no declarar contra sí mismo y a no confesarse culpable», *Actualidad J.ª Aranzadi* n.° 476 2001. MARTÍN GARCÍA, P., «Derecho de defensa y Fase de instrucción», *La Ley* n.° 4737, 1999.

El derecho básico y fundamental del imputado es el de defensa que podemos decir que incluye, y presupone, el resto de derechos constitucionales y legales. Desde este punto de vista cualquier norma o regulación garantista del proceso penal tiende, finalmente, a fortalecer el derecho de defensa. Por ejemplo, el derecho al Juez ordinario permite al imputado defenderse eficazmente evitando desde el inicio que pueda nombrarse un Juez «ad hoc» para una causa concreta. O el derecho a un proceso sin dilaciones evita que la causa se prolongue sin límite impidiendo, de hecho, que el imputado pueda siquiera defenderse. No obstante, resulta útil diferenciar entre el derecho de defensa y otros derechos también caracterizados por otras peculiaridades. Por ejemplo, la importancia del derecho de asistencia letrada aconseja un tratamiento separado, aunque es obvio que este derecho es el soporte fundamental del derecho de defensa. A esas consideraciones responde el esquema de análisis de los derechos del sometido al proceso penal que se inicial con el derecho al Juez ordinario predeterminado por la Ley que se fundamenta en la existencia de reglas preestablecidas y previas al inicio del proceso penal.

A) Derecho al Juez ordinario predeterminado por la Ley

El derecho a un Juez ordinario predeterminado por la Ley se reconoce como derecho constitucional en el art. 24 CE como una manifestación del derecho a un proceso con todas las garantías. La garantía efectiva de este derecho exige, fundamentalmente, la creación *ex ante* y no *ex post facto* del órgano judicial por una norma con rango de Ley, invistiéndole de jurisdicción y competencia, sin que pueda calificársele de especial o excepcional para preservar su imparcialidad (SSTC 60/1995, de 17 marzo y 19 julio 1999).

La predeterminación legal del Juez significa que la Ley, con generalidad y con anterioridad al caso, ha de contener los criterios de determinación del Juez competente para un asunto concreto. De modo que aplicación de la norma legal permitirá en cada supuesto litigioso determinar el Juzgado o Tribunal llamado a conocer del caso. Con ello se garantiza la inexistencia de Jueces nombrados «ad hoc», y que el Juez que resulte nombrado con arreglo a una norma preexistente al caso litigioso no pueda ser desposeído de su conocimiento en virtud de decisiones de un órgano gubernativo. Según afirma el Tribunal Constitucional, la norma para determinar al Juez competente deberá ser una Ley Orgánica, y no un Decreto-ley ni disposiciones emanadas del Ejecutivo. Ahora bien, no quedará vulnerado este derecho por la mera discrepancia interpretativa o cuestión de competencia.

«En efecto como hemos dicho en SSTS 942/2011 de 21.9 (LA LEY 192592/2011), 729/2012 de 25.9 (LA LEY 151726/2012), 1053/2013 de 30.9 (LA LEY 148690/2013), según constante doctrina de esta Sala de casación y también del Tribunal Constitucional, *la mera existencia de una discrepancia interpretativa sobre la normativa legal que distribuye la competencia entre órganos de la jurisdicción penal ordinaria, no constituye infracción del derecho fundamental al Juez ordinario predeterminado por la Ley.* Y dicho derecho no resulta vulnerado cuando se trate de un mero deslinde y amojonamiento de distintos y colindantes ámbitos de actuación en hipótesis polémicas o en situaciones problemáticas, no suponiendo por tanto la ruptura deliberada del esquema competencial (STC 35/2000 (LA LEY 5701/2000), 93/1998 (LA LEY 6677/1998)

ATC 262/1994, de 3 de octubre, STS de 15-3-2003 e igualmente podemos añadir en consonancia con la STS 25.2.2010) que *las discrepancias interpretativas relativas a la competencia entre órganos de jurisdicción penal ordinaria no pueden dar lugar a la infracción del derecho constitucional al juez predeterminado por la Ley».* STS 793/2016 de 20 Oct. 2016, Rec. 918/2016; Ponente: Monterde Ferrer, Francisco. LA LEY 146032/2016.

B) *Derecho de defensa*

El derecho de defensa es un derecho constitucional que tiene un contenido complejo y que garantiza al sometido al proceso penal la posibilidad de realizar aquellos actos necesarios a fin de defender su posición procesal. El fundamento del derecho de defensa se halla en el art. 24.2.º CE que reconoce como derechos fundamentales el derecho a la defensa y la asistencia de letrado, a ser informado de la acusación, a utilizar los medios de prueba, a no declarar contra sí mismo y el derecho a no confesarse culpable. El derecho de defensa se atribuye, en sentido amplio, a todos los intervinientes en el proceso y garantiza la intervención de las partes en el procedimiento penal de modo que puedan defender su posición procesal sin que pueda producirse indefensión. Esta concepción, y los derechos que incluye, se analizaron en el Capítulo I (Véase § 2.2), y se incluyen en el marco amplio del principio acusatorio y el derecho de tutela judicial efectiva de los que se deducen el derecho de defensa en todas las fases del proceso[47].

La regulación del derecho de defensa se ha reforzado notablemente por efecto de la LO 13/2015 que modificó los arts. 118 y 520 LECrim que incluyen la relación de derechos que la legislación procesal reconoce a los sometidos al proceso penal. En este sentido, el art. 118 dispone que: *«Toda persona a quien se atribuya un hecho punible podrá ejercitar el derecho de defensa, interviniendo en las actuaciones, desde que se le comunique su existencia, haya sido objeto de detención o de cualquier otra medida cautelar o se haya acordado su procesamiento, a cuyo efecto se le instruirá, sin demora injustificada, de los siguientes derechos...».* La relación de derechos contenida en el art.º 118 LECrim se asocia al ejercicio del derecho de defensa por el imputado. De modo que es mediante su respeto, conocimiento, atribución y ejercicio como el imputado puede ejercitar eficazmente su derecho de defensa.

El art. 118 LECrim reconoce a *«toda persona a quien se atribuya un hecho punible...»* los siguientes derechos: a) Derecho a ser informado de los hechos que se le atribuyan, así como de cualquier cambio relevante en el objeto de la investigación

---

(47) «El art. 24 CE establece un máximo de garantías cuando se trata de procesos donde se resuelve sobre penas o sanciones administrativas, e impone un grado especial de protección constitucional cuando se trata de la persona que comparece como acusada (SSTC 205/1989 y 277/1994). Sólo la persona acusada en un proceso penal o sancionador disfruta de determinados derechos fundamentales, como el de ser presumida inocente (SSTC 81/1988, 42/1989, y 72/1991), el derecho a ser informada de la acusación (STC 136/1992, o el derecho al recurso penal (SSTC 33/1989 y 112/1989. Otros derechos fundamentales tienen un efecto especialmente intenso cuando quien los ejerce es el acusado, como los derechos a la asistencia letrada (SSTC 37/1988, 162/1993, y 217/1994, a la defensa». (SSTC 30/1989 y 19/1993 o a la prueba pertinente para su defensa STC 199/1996 STC 70/1999 de 26 de abril).

y de los hechos imputados. b) Derecho a examinar las actuaciones con la debida antelación para salvaguardar el derecho de defensa y en todo caso, con anterioridad a que se le tome declaración. c) Derecho a actuar en el proceso penal para ejercer su derecho de defensa de acuerdo con lo dispuesto en la ley. d) Derecho a designar libremente abogado. e) Derecho a solicitar asistencia jurídica gratuita, procedimiento para hacerlo y condiciones para obtenerla. f) Derecho a la traducción e interpretación gratuitas. g) Derecho a guardar silencio y a no prestar declaración si no desea hacerlo, y a no contestar a alguna o algunas de las preguntas que se le formulen. h) Derecho a no declarar contra sí mismo y a no confesarse culpable. Toda la información referida: *«se facilitará en un lenguaje comprensible y que resulte accesible. A estos efectos se adaptará la información a la edad del destinatario, su grado de madurez, discapacidad y cualquier otra circunstancia personal de la que pueda derivar una modificación de la capacidad para entender el alcance de la información que se le facilita»* (art. 118 LECrim). Una relación de estos derechos con relación al detenido se contiene en el art. 520 LECrim que analizaremos posteriormente al tratar la detención en sede de medidas cautelares. Véase § 2.1 Cap. VIII.

De entre los derechos relacionados en el art. 118 LECrim, en relación con el art. 24 CE, 520 LECrim y otros preceptos legales que atribuyen derechos al imputado y definen el status del imputado en el proceso penal podemos distinguir entre tres órdenes distintos. 1.º El derecho a la presunción de inocencia, a no declarar y con confesarse culpable. 2.º El derecho de información y actuación en el proceso en igualdad con las partes acusadoras. 3.º El derecho a la asistencia letrada de libre designación y en su defecto de oficio y a la asistencia jurídica gratuita. En el art. 520 LECrim se relacionan otros derechos que son específicos del detenido como son los derechos a: — a que se ponga en conocimiento del familiar o persona que desee, sin demora injustificada, su privación de libertad y el lugar de custodia en que se halle en cada momento (art. 520.2.e LECrim);

— a comunicarse telefónicamente, sin demora injustificada, con un tercero de su elección (art. 520.2.f LECrim);

— derecho a ser visitado por las autoridades consulares de su país, a comunicarse y a mantener correspondencia con ellas (ART. 520.2.g LECrim) y;

— a ser reconocido por el médico forense o su sustituto legal y, en su defecto, por el de la institución en que se encuentre, o por cualquier otro dependiente del Estado o de otras Administraciones Públicas (ART. 520.2.i LECrim). A estos últimos derechos nos referimos específicamente en el § 2.1 Cap. VIII.

El análisis que realizamos a continuación de cada uno de los derechos reconocidos en los arts. 118 y 520 LECrim, parte del punto de vista del sometido al proceso penal, aunque debe tenerse presente que cada derecho supone, al mismo tiempo una obligación de los intervinientes en el proceso penal, en especial de los de naturaleza pública (órganos jurisdiccionales, fiscalía, policía) de proveer en conformidad con la Ley. De modo que la infracción de los derechos del imputado podrá ser denunciada y dar lugar a la nulidad de lo actuado y a la responsabilidad personal y/o patrimonial que proceda.

a) Derecho a la presunción de inocencia, a guardar silencio, no confesar contra sí mismo y a no confesarse culpable

El derecho a la presunción de inocencia se materializa en el proceso en distintos preceptos que vienen a establecer, básicamente, la regla según la cual el status jurídico del imputado en el proceso penal es la de inocente en tanto que la acusación, cualquiera de las que están previstas en la Ley, acredite mediante prueba suficiente en el proceso su culpabilidad. En su virtud, el completo sistema de proceso penal parte de la premisa que los hechos que permiten imputar a una persona y someterla al proceso tienen una validez limitada a impulsar la investigación y, en su caso, el sometimiento del acusado al juicio oral. Siendo así, el imputado es una persona objetivamente inocente hasta que en fase de juicio oral se acredite su culpabilidad y el tribunal así lo estime dictando una sentencia condenatoria. Precisamente, la principal manifestación del principio de presunción de inocencia se da en el procedimiento de valoración de la prueba por el tribunal sentenciador que deberá dictar sentencia partiendo de las reglas de la carga de la prueba que corresponden a la acusación El Tribunal Constitucional, de forma reiterada, ha señalado que será necesario, para que opere la protección constitucional de esta presunción, que se haya dictado sentencia condenatoria en un proceso en el que no haya existido una mínima actividad probatoria practicada con las debidas garantías procesales, o bien que haya existido insuficiente prueba de cargo.

El derecho a guardar silencio, no confesarse culpable y a no declarar también se relaciona con la presunción de inocencia en tanto que otorga al imputado, desde el inicio del proceso, una posición y tratamiento procesal que parte de su consideración de no culpable en tanto no se acredite lo contrario en un juicio oral contradictorio. En tanto eso no suceda, corresponde a la acusación actuar investigando los hechos para acreditar la culpabilidad, sin que el imputado pueda convertirse en un objeto de prueba al que pueda obligarse a declarar, confesar o admitir ninguna clase de hecho o de responsabilidad. Esclarecer los hechos y hallar evidencia de la implicación del imputado será responsabilidad de la acusación.

b) Derecho a ser informado de los hechos imputados, a la prueba y a actuar en el proceso con igualdad de armas

El derecho a ser informado de la acusación, a los efectos de permitir una adecuada defensa, exige que se conozca el hecho imputado y su calificación jurídica. A ese efecto, el imputado tiene derecho:

— a conocer de modo inmediato la imputación policial o judicial, la admisión de una denuncia, querella o cualquier actuación procesal de la que resulte la imputación de un delito.

— a conocer de cualquier cambio relevante en el objeto de la investigación y de los hechos imputados.

— al examen de las actuaciones con la debida antelación para salvaguardar el derecho de defensa y en todo caso, con anterioridad a que se le tome declaración (STEDH de 29 noviembre 1989 (caso «Chiehlian y Ekindjian»).

El imputado también tiene derecho a actuar en el proceso, en calidad de parte, en todas las fases del proceso. En la fase de investigación podrá solicitar las diligencias que estime pertinentes —arts. 303 y 311 LECrim.— y participar en todas las diligencias practicadas en sede judicial, por aplicación directa del principio constitucional de tutela judicial efectiva. En la fase de juicio oral podrá calificar los hechos, solicitar y practicar la prueba que estime adecuada para la defensa de su posición procesal. El derecho a usar los medios de prueba pertinentes incluye todas las pruebas que puedan practicarse en el proceso, siempre que sean pertinentes al fin del proceso (arts. 118, 520 y 767 LECrim). No supone un derecho ilimitado a practicar cuantas pruebas proponga la parte, sino sólo las que resulten pertinentes; es decir, las que guarden relación entre los hechos objeto de prueba y el «thema decidendi». Esta declaración corresponderá al Tribunal de instancia, debiendo motivar la resolución en que se declaren impertinentes.

c)   Derecho a la traducción e interpretación

Los destinatarios de este derecho son aquellos imputados que no hablen o entiendan el castellano o la lengua oficial en la que se desarrolle la actuación. En ese caso, y conforme con los arts. 123 y ss. LECrim tendrán los derechos que se relacionan a continuación, cuyo coste será sufragado por la Administración, con independencia del resultado del proceso. Esta materia ha sido objeto de una reforma importante por la LO 5/2015, de 27 de abril, de modificación de la LECrim al objeto de transponer la Directiva 2010/64/UE, de 20 de octubre de 2010, relativa al derecho a interpretación y a traducción en los procesos penales y la Directiva 2012/13/UE, de 22 de mayo de 2012, relativa al derecho a la información en los procesos penales. La finalidad de la ley ha sido establecer un claro marco de derechos con relación a una materia tan importante como es la referida al entendimiento del sometido al proceso penal de todas las actuaciones que se realicen. Cabe destacar que también se incluyen entre los titulares del derecho a la traducción e interpretación a las personas sordas que podrán conocer de las actuaciones mediante un intérprete de lengua de signos.

A ese fin la Ley dispone de los siguientes derechos (art. 123 LECrim):

— Derecho a ser asistidos por un intérprete que utilice una lengua que comprenda durante todas las actuaciones en que sea necesaria su presencia, incluyendo el interrogatorio policial o por el Ministerio Fiscal y todas las vistas judiciales[48].

— Derecho a servirse de intérprete en las conversaciones que mantenga con su Abogado y que tengan relación directa con su posterior interrogatorio o toma de declaración, o que resulten necesarias para la presentación de un recurso o para otras solicitudes procesales.

---

(48)   El art. 123 LECrim prevé que: «4. La traducción se deberá llevar a cabo en un plazo razonable y desde que se acuerde por parte del Tribunal o Juez o del Ministerio Fiscal quedarán en suspenso los plazos procesales que sean de aplicación. 5. La asistencia del intérprete se podrá prestar por medio de videoconferencia o cualquier medio de telecomunicación, salvo que el Tribunal o Juez o el Fiscal, de oficio o a instancia del interesado o de su defensa, acuerde la presencia física del intérprete para salvaguardar los derechos del imputado o acusado».

— Derecho a la interpretación de todas las actuaciones del juicio oral[49].

— Derecho a la traducción escrita de los documentos que resulten esenciales para garantizar el ejercicio del derecho a la defensa. Deberán ser traducidos, en todo caso, las resoluciones que acuerden la prisión del imputado, el escrito de acusación y la sentencia. Excepcionalmente, la traducción escrita de documentos podrá ser sustituida por un resumen oral de su contenido en una lengua que comprenda, cuando de este modo también se garantice suficientemente la defensa del imputado o acusado.

— Derecho a presentar una solicitud motivada para que se considere esencial un documento.

La solicitud de designación de traductor se producirá, por lo general, por el propio imputado. Ahora bien, corresponderá al Juez, de oficio o a instancia del abogado, comprobar la necesidad de la asistencia de un intérprete o traductor a cuyo fin se asegurará que imputado conoce y comprende suficientemente la lengua oficial en la que se desarrolle la actuación. En su virtud, cuando lo considere necesario procederá a la designación y determinará qué documentos deben ser traducidos (art. 125 LECrim)[50]. Finalmente, cabe señalar que el imputado puede renunciar a este derecho, pero únicamente una vez haya podido ser asistido por su abogado con la finalidad de que haya recibido un asesoramiento jurídico suficiente y accesible que le permita tener conocimiento de las consecuencias de su renuncia (art. 126 LECrim).

d) Derecho a un proceso sin dilaciones indebidas y con todas las garantías

El Tribunal Constitucional, siguiendo el criterio del Tribunal Europeo de Derechos Humanos, ha afirmado que el derecho a un proceso sin dilaciones indebidas debe entenderse como un concepto jurídico indeterminado, cuyo contenido concreto deberá determinarse en cada caso, atendidos unos determinados criterios objetivos. Tales criterios son: complejidad del litigio y tiempo ordinario de duración de los litigios del mismo tipo; comportamiento de los litigantes; y la conducta de las autoridades judiciales (SSTC 181/1996, de 12 noviembre, 109/1997,

---

(49) La Ley declara la preferencia por la traducción simultánea. En caso, de que no fuere posible la traducción realizará mediante una interpretación consecutiva de modo que se garantice suficientemente la defensa del imputado o acusado. Véase en este sentido el art. 123 LECrim.

(50) Art. 124 LECrim: «1. El traductor o intérprete judicial será designado de entre aquellos que se hallen incluidos en los listados elaborados por la Administración competente. Excepcionalmente, en aquellos supuestos que requieran la presencia urgente de un traductor o de un intérprete, y no sea posible la intervención de un traductor o intérprete judicial inscrito en las listas elaboradas por la Administración, en su caso, conforme a lo dispuesto en el apartado 5 del artículo anterior, se podrá habilitar como intérprete o traductor judicial eventual a otra persona conocedora del idioma empleado que se estime capacitado para el desempeño de dicha tarea. 2. El intérprete o traductor designado deberá respetar el carácter confidencial del servicio prestado. 3. Cuando el Tribunal, el Juez o el Ministerio Fiscal, de oficio o a instancia de parte, aprecie que la traducción o interpretación no ofrecen garantías suficientes de exactitud, podrá ordenar la realización de las comprobaciones necesarias y, en su caso, ordenar la designación de un nuevo traductor o intérprete. En este sentido, las personas sordas o con discapacidad auditiva que aprecien que la interpretación no ofrece garantías suficientes de exactitud, podrán solicitar la designación de un nuevo intérprete».

de 2 junio y 99/1998 de 4 mayo recogiendo reiterada doctrina del TEDH en sus sentencias de 7 julio 1989 —*Caso Sanders*— y 8 febrero 1996 —*Caso A. y otros contra Dinamarca*—). En consecuencia, el Tribunal Constitucional ha definido este derecho como autónomo, aunque instrumental, respecto del Derecho a una tutela efectiva, sin que quepa un amparo constitucional automático del cumplimiento de los plazos procesales, debiendo atender a la complejidad del litigio, conducta de las partes, etc...

En cualquier caso, el derecho a un proceso sin dilaciones indebidas ha quedado reforzado con la modificación introducida en la LECrim por la Ley 41/2015 en el art. 324 que prevé una duración máxima de la instrucción de los procesos penales que será de seis meses (art. 324 LECrim). Se trata de un plazo breve pero que debe bastar para la mayoría de las instrucciones penales y que se puede prolongar en el caso que se declare la complejidad de la causa. Con esta norma se garantizan mejor los derechos de los imputados en tanto que el establecimiento de un límite máximo obliga a los jueces a motivar la prórroga de la instrucción evitando, de ese modo, la prolongación de los procesos penales sin la existencia de una causa que lo justifique. Véase más ampliamente sobre este derecho § 2.2.B.c Cap. I.

C) El derecho a la asistencia letrada[51]

El derecho a la asistencia letrada es uno de los contenidos esenciales del derecho a la defensa. Este derecho se reconoce en los arts. 24.2.º y 17.3.º CE, y su efectivo cumplimiento en el proceso penal constituye una exigencia estructural de su propio desarrollo, en garantía del derecho a un juicio justo. Su finalidad consiste en asegurar la efectiva realización de los principios de igualdad de las partes y de contradicción,

---

(51) Vid. Bibliografía general. También vid. ALONSO PÉREZ, F., «Intervención del Abogado ante la policía judicial», *LA LEY*, 29 marzo 1996; ALMAGRO NOSETE, «La prohibición constitucional de la indefensión», *PJ*, n.º VI-Especial, marzo 1986; AUGER LIÑAN, «El papel y la posición del abogado defensor en el curso del procedimiento penal y el comportamiento que de ellos se deriva», *PJ*, marzo 1985, p. 13; FAIRÉN, «La disponibilidad del derecho a la defensa en el sistema acusatorio español», en *Temas del Ordenamiento Procesal*, II, Madrid, 1969; FENECH, «El secreto profesional del Abogado», *RJC*, 1960; JIMÉNEZ ASENJO, «Defensa procesal», en *N.E.J.* Seix, Vol. VI; GIMENO SENDRA, «La naturaleza de la defensa penal y la intervención del defensor en la instrucción», *RDProc.*, 1977, p. 103; Idem, «La naturaleza de la defensa penal a la luz de la CE y del CEDH», *LA LEY*, 1988-3, p. 787; GOLDSMICHDT, «La misión del Abogado», en *Pretor*, 1954; GUTIÉRREZ ALVIZ, «Aspectos del derecho de defensa en el proceso penal», *RDProc.*, 1973, p. 760; MARTÍNEZ CALCERRADA, «El ius representationis en el proceso penal», *Der. Jud.*, 1963; MORENO CATENA, *La defensa en el proceso penal*, Madrid, 1982; HERNÁN-DEZ ENRÍQUEZ, «Garantías del justiciable e inadecuada iniciación del proceso penal por delitos públicos y semipúblicos», *RDProc.*, 1975, p. 451; LÓPEZ LÓPEZ, «Defensa técnica y proceso penal», *AP*, 39, 1994; MARTÍN DE LA LEONA, «El derecho de defensa en la fase de preparación del juicio oral en el procedimiento abreviado», *PJ*, junio 1991; PUYOL MONTERO y MUÑOZ FERNÁNDEZ, *Manual práctico de doctrina constitucional en materia de asistencia letrada y postulación*, Madrid, 1992; ROMERO COLOMA, «La actuación del defensor en el proceso penal», *RGLJ*, n.º 4, abril 1984, p. 418; RUIZ-JARABO COLOMER, «El derecho del inculpado a no declarar y a no decir la verdad», *PJ*, 1983, n.º 6, pp. 27 y ss.; SOTO NIETO, «Compromiso humano y ético del abogado», *LA LEY*, n.º 3641, 1994; STAMPA BRAUN, «Los derechos de defensa y los límites de su ejercicio», *PJ*, marzo 1985, p. 23; VILA MAYO, «Consideraciones en orden a los medios de defensa penales», *LA LEY*, 1986-2, p. 1225.

de modo que se eviten desequilibrios entre las partes actuantes en el proceso penal, o limitaciones en la defensa que causen indefensión[52].

> «El derecho de defensa, desarrollado sustancialmente a través de la asistencia letrada, aparece reconocido como un derecho fundamental del detenido en el art. 17 de la CE (LA LEY 2500/1978), y del imputado, con el mismo carácter aunque no exactamente con el mismo contenido, en el art. 24. Su especial relevancia se destaca porque no se encuentra entre los que el art. 55 de la CE (LA LEY 2500/1978) considera susceptibles de suspensión en casos de estado de excepción o de sitio. En el art. 24 aparece junto a otros derechos que, aunque distintos e independientes entre sí, constituyen una batería de garantías orientadas a asegurar la eficacia real de uno de ellos: el derecho a un proceso con garantías, a un proceso equitativo, en términos del CEDH (LA LEY 16/1950); en definitiva, a un proceso justo. De forma que la pretensión legítima del Estado en cuanto a la persecución y sanción de las conductas delictivas, solo debe ser satisfecha dentro de los límites impuestos al ejercicio del poder por los derechos que corresponden a los ciudadanos en un Estado de Derecho». STS 821/2016 de 2 Nov. 2016, Rec. 733/2016. Ponente: Conde-Pumpido Tourón, Cándido. LA LEY 156110/2016.

A este efecto, el ejercicio adecuado de este derecho precisa que los sometidos al proceso penal estén representados por Procurador y defendidos por Letrado, como único medio de asegurar los principios procesales de igualdad y contradicción, con proscripción de la indefensión. Ahora bien, el derecho fundamental a la asistencia letrada se cumple con la del abogado que es en realidad quien defiende los intereses del sometido al proceso penal. El procurador cumple una función distinta, si se quiere más técnica, que no se incluye en el derecho fundamental a la asistencia letrada[53].

> «... el art. 24.2 CE incluye también el derecho a la asistencia de Letrado entre el haz de garantías que integran el derecho a un juicio justo, garantías que, cobrando proyección especial en el proceso penal, son aplicables a todos los procesos. Su finalidad es "asegurar la efectiva realización de los principios de igualdad de las partes y de contradicción que imponen a los órganos judiciales el deber positivo de evitar desequilibrios entre la respectiva posición procesal de las partes o limitaciones en la defensa que puedan inferir a alguna de ellas resultado de indefensión

---

(52) Existe abundante doctrina constitucional sobre el amparo de este derecho, pudiéndose destacar los siguientes pronunciamientos: con carácter general (STC 24 julio 1981 y STS 5 octubre 1994); la asistencia letrada es, en ocasiones, un derecho estricto del imputado, y, en otras, además, un requisito procesal (STC 42/1982, de 5 julio); solamente puede entenderse infringido el derecho de defensa como consecuencia de una insatisfactoria actuación de un Abogado, si éste hubiese sido designado de oficio; en tal caso, cabría equiparar éste a la actuación de un órgano jurisdiccional, a los efectos del art. 44.1.b) LOTC (STC 94/1983, de 24 noviembre); el derecho de defensa puede ser ejercitado por el imputado desde el mismo momento en que tenga conocimiento del proceso (STC 44/1985, de 22 mayo), ya que asumida la condición de imputado surge con plenitud el derecho de defensa, lo que implica (arts. 270 LOPJ y 2 LECrim.) la necesidad de que se lleven a cabo las notificaciones precisas para la efectividad de aquel derecho (STC 121/1995, de 18 julio). Respecto a la nulidad de las actuaciones realizadas sin presencia de Letrado, vid. Capítulo XIX.

(53) Además debe tenerse presente que en el procedimiento abreviado se presenta la particularidad de que el Abogado designado para la defensa tendrá también habilitación legal para la representación de su defendido, no siendo por tanto necesaria la intervención de Procurador hasta la apertura del juicio oral —hasta entonces el abogado debe cumplir el deber de señalamiento de domicilio a efectos de notificaciones y traslados de documentos— (art. 768 LECrim.).

prohibido en el núm. 1 del mismo precepto constitucional" (STC 47/1987, fundamento jurídico 2.º). Se configura, así, como un derecho fundamental autónomo, estructural e instrumental al principio de igualdad de las partes (STC 139/1992).../... Su carácter de derecho fundamental impide considerarlo un mero requisito formal cuyo incumplimiento impide la continuación del proceso o, incluso, el ejercicio de otros derechos fundamentales como son los de acceder a los recursos previstos por la ley, o el de someter la condena penal a un Tribunal Superior (SSTC 42/1982, fundamento jurídico 3.º, y 37/1988, fundamento jurídico 6.º). Por ello, cuando la ley exige la intervención de Letrado para dar validez a una actuación procesal, los órganos judiciales han de considerar su ausencia como un requisito subsanable (SSTC 112/1989 y 53/1990), por lo que no sólo ha de dársele oportunidad al interesado de reparar tal omisión, sino que, además, "la exigencia a la parte de tener un defensor acentúa la obligación de los poderes públicos de garantizar la efectiva designación de Letrado" (STC 91/1994, fundamento jurídico 2.º)». STC 233/1998 de 1 de diciembre[54].

Se trata de un derecho fundamental que, en ningún caso, cabrá transformar en un mero requisito formal, sino que debe garantizarse su plena efectividad[55].

«Dentro del haz de garantías que conforman el derecho al proceso debido se integra el derecho a la asistencia de Letrado reconocido en el art. 24.2 CE. Es un derecho instrumental que trata de asegurar la efectiva realización de los principios de igualdad y de contradicción entre las partes, y en los supuestos en que la ley exige su preceptiva intervención persigue garantizar a la parte una defensa técnica. Ello comporta que tal asistencia, además de prestarse de modo real y efectivo, ha de ser proporcionada en determinadas condiciones por los poderes públicos, por lo que la designación de estos profesionales se torna en una obligación jurídico-constitucional que incumbe singularmente a los órganos jurisdiccionales (SSTC 42/1987, 139/1987 y 135/1991)...». (STC 132/1992, de 28 septiembre).

El derecho de defensa predomina sobre cualquier otra clase de finalidad de menor entidad. En este sentido, el TS considera que el abogado puede tomar conocimiento de las causas penales sin necesidad de haber comparecido en el procedimiento penal, salvo respecto de aquéllas que hubieren sido declaradas secretas por la Ley.

---

(54) «... El derecho de defensa fue incorporado al ordenamiento jurídico con anterioridad a la CE, si bien ésta ha servido para reinterpretar y complementar tal asistencia letrada, derecho fundamental y requisito decisivo del proceso penal que nunca puede ser considerado como mero requisito formal, viniendo configurado su contenido estricto por el derecho del acusado para encomendar su representación y asesoramiento técnico a quien merezca su confianza... Como quiera que el derecho de defensa ha de estimarse identificado, a través de la tutela efectiva, con la proscripción de la indefensión, tiene que entenderse que la no asistencia del letrado provocará no sólo la indefensión formal, sino la material...». (STS 28 de septiembre 1995, LA LEY, R-14.717).

(55) La STC 42/1982, de 5 junio, declara que «... La asistencia de Letrado es, en ocasiones, y además (unida ya con la representación del Procurador), un requisito procesal (para) cuyo cumplimiento el propio órgano judicial debe velar, cuando el encausado no lo hiciera mediante el ejercicio oportuno de aquel derecho, informándole de la posibilidad de ejercerlo o incluso, cuando aun así mantuviese una actitud pasiva, procediendo directamente al nombramiento de Abogado y Procurador. En ningún caso cabe transformar un derecho fundamental, que es simultáneamente un elemento decisivo del proceso penal, en un mero requisito formal...». Vid. también SSTC 194/1987, de 9 diciembre, 216/1988, de 14 noviembre, y 132/1992, de 28 septiembre, entre otras.

«Una interpretación adecuada a la concepción constitucional de la asistencia del abogado no puede reducir el derecho de defensa a la intervención formal en la causa mediante comparecencia, como acredita el derecho de asistencia al detenido, que constituye una manifestación concreta y consagrada constitucionalmente de uno de los aspectos del derecho de defensa en el proceso penal que no discurren por el cauce formal de la personación. ..../... No es ajena a esta doctrina la Sala Segunda de este Tribunal. En la sentencia que se acaba de citar se declara que la apertura de las actuaciones al conocimiento de las partes intervinientes se consagra de manera expresa en el art. 234 de la Ley Orgánica del Poder Judicial, que obliga al secretario y personal judicial a dar a los interesados —que pueden no ser parte—, la información que soliciten sobre las actuaciones salvo que se hubieran declarado secretas conforme a la ley». STS 11 Nov. 1997, Rec. 55/1997; Ponente: Puerta Luis, Luis Roman. LA LEY 430/1998.

El abogado que intervenga en la causa tendrá plena libertad para comunicarse con su cliente, sin que puedan someterse sus contactos al control del tribunal ni producirse ninguna otra restricción del ejercicio libre del derecho de defensa[56]. La ley garantiza el carácter confidencial de todas las comunicaciones entre el investigado o encausado y su abogado (art. 118.4 LECrim)[57]. La plena vigencia del derecho de defensa se extiende a las diligencias tanto judiciales como policiales. A este respecto, el detenido o inculpado tiene derecho a solicitar la presencia de abogado para que asista a cualesquiera diligencias policiales y judiciales de declaración e intervenga en todo reconocimiento de identidad que sea objeto (art. 520.6.b LECrim.). Así, es necesaria la asistencia letrada en la rueda de reconocimiento[58]. Además podrá participar en las demás que sean practicadas en sede judicial, por aplicación directa de los principios constitucionales de tutela efectiva de los Jueces y Tribunales, de un proceso público sin dilaciones indebidas, y el de utilizar todos los medios de prueba necesarios para su defensa. En este sentido, la LECrim. se refiere en determinados preceptos aislados como los arts. 333, 336 y 476, a la asistencia del defensor a la práctica de determinadas diligencias judiciales en sede de investigación sumarial.

---

(56) A tenor de lo declarado por la STEDH de 30 septiembre 1985, «no es compatible con el derecho de asistencia efectiva de un abogado garantizada por el art. 6.3.c) CEDH someter los contactos entre el abogado y el acusado al control del Tribunal». Ello sin perjuicio del establecimiento de las correspondientes normas deontológicas, disciplinarias o penales contra los Abogados que incumplan sus Estatutos o del establecimiento de legislaciones excepcionales antiterroristas.

(57) Ello sin perjuicio de que se constate la existencia de indicios objetivos de la participación del abogado en el hecho delictivo investigado o de su implicación junto con el investigado o encausado en la comisión de otra infracción penal; así como de lo dispuesto en la Ley General Penitenciaria (art. 118 LECrim).

(58) «... la asistencia de letrado a toda persona está establecida en el art. 24.2 y garantizada al detenido tanto en las diligencias policiales como judiciales... El art. 118 LECrim. afirma el derecho de defensa de toda persona a quien se imputa un acto punible mediante la designación de letrado por los mismos imputados y, en defecto de designación, de oficio, y la misma LECrim. en su art. 520.2 c) recoge el derecho de todo detenido o preso a designar abogado y solicitar su presencia en todas las diligencias policiales y judiciales... señalando la jurisprudencia la necesidad de extremar las cautelas para que el derecho de defensa no sea meramente formal y la asistencia letrada sea real y efectiva...». (STS 24 marzo 1995, LA LEY, R-14.434). Véanse SSTC 181/1991, de 3 octubre, y 162/1993, de 18 mayo, LA LEY, 1994-1, 32, y SSTEDH 9 octubre 1979, 13 mayo 1980 y 25 abril 1993.

Asimismo, los arts. 118, 520 y 767 LECrim., con carácter más general, establecen imperativamente su asistencia en todos aquellos casos de declaración de persona imputada o que hubiera sido detenida.

Pero «la ausencia de Letrado en una declaración sumarial sólo ha de valorarse como lesiva cuando la defensa ejercitada se revela determinante de la indefensión, atendidas las circunstancias del caso, por haber servido dicha declaración para apreciar su culpabilidad (SSTC 55/1984 y 194/1987), tal situación no concurre en modo alguno en el presente, dado que la ahora recurrente de amparo negó en todo momento los hechos que se le imputaban cuando aún no contaba con asistencia letrada y la condena se basa en otras pruebas de cargo». STC 185/1998 de 28 de septiembre».

La infracción del derecho de defensa, al igual que sucede con el resto de los derechos fundamentales de aplicación al proceso penal, sólo será objeto de nulidad de lo actuado, en el caso que se produzca efectiva indefensión. Ciertamente, en el caso de la asistencia letrada existen actos procesales que no pueden realizarse sin la efectiva presencia del abogado. Así el acto del juicio oral al que deberá asistir preceptivamente el abogado que defienda al acusado sin cuya presencia no podrá sustanciarse el juicio. Sin embargo, en la fase de instrucción únicamente podrá acogerse un vicio por la infracción de este derecho en el caso que la ausencia de asistencia letrada hubiere producido efectiva indefensión[59].

«En el caso actual, y valorando todas las circunstancias concurrentes, podemos apreciar fácilmente que las decisiones de la Audiencia Provincial relativas a la denegación de la nulidad interesada por indefensión material del acusado durante la tramitación del procedimiento y a la inadmisión de su solicitud de que se le permitiese designar un letrado de confianza, apoyada por su abogado de oficio, ordenando la continuación del juicio con el letrado proveniente del turno de oficio, sin admitir la posibilidad de practicar prueba alguna adicional, quebrantaron el derecho constitucional de defensa del recurrente, al impedir que dispusiera de una defensa efectiva …/… Desconocemos el resultado de las pruebas que el acusado alega disponer para acreditar que acudió acompañado a devolver el vehículo a un aparcamiento utilizado como base por la compañía propietaria del vehículo y que puede aportar testigos de ello, así como otras pruebas relativas a este hecho. Pero es lo cierto que no las pudo proponer, y no llegaron a practicarse en momento alguno, ante la falta de conocimiento por su parte del estado del procedimiento y ausencia de comunicación con su abogado, pese a encontrarse localizado en prisión por otras causas, por lo que

---

(59) «... en efecto, no consta que se llevase a efecto con la presencia de Letrado de lo que deviene la nulidad de dicha prueba por vulneración del art. 520 apartado 1.º en su letra c) que exige preceptivamente la presencia de Letrado en todo reconocimiento en rueda siempre que se encuentre detenido el imputado, lo que a la sazón ocurría en el presente caso en el que el recurrente fue puesto a disposición judicial en calidad de detenido, y el mismo día de la práctica del reconocimiento en rueda se acordó la prisión —auto obrante al folio 23—. No obstante lo anterior, ningún efecto práctico tiene la nulidad del reconocimiento cuestionado en la medida que en el presente caso, tal prueba era innecesaria ya que según consta por declaración de la víctima conocía al recurrente de vista —folio 3— y fue precisamente con ocasión de haberlo visto en la calle al día siguiente del robo, que avisó a la policía quien procedió a la inmediata detención, siendo precisamente el detenido la persona indicada por la víctima, todo ello pone de manifiesto la innecesariedad de la diligencia de reconocimiento en rueda …/… cuando ya hubiese sido identificado de forma directa e indubitada». STS 27 de diciembre de 1999.

ha de apreciarse que se ha producido un *menoscabo real y efectivo de su derecho de defensa, que implica* indefensión material». STS 821/2016 de 2 Nov. 2016, Rec. 733/2016. Ponente: Conde-Pumpido Tourón, Cándido. LA LEY 156110/2016.

La asistencia de abogado no impide ni limita el derecho del imputado a recibir por sí mismo las informaciones referidas a los derechos que le reconoce el ordenamiento jurídico y de defenderse por sí mismo alegando lo que proceda en los supuestos que prevé la ley, como el derecho a la última palabra. Ello no obsta para que la auténtica garantía de los derechos del imputado precisa de la intervención y asistencia jurídica de abogado en todos los trámites del proceso penal. Es por ello que este derecho es al mismo tiempo un requisito esencial para la sustanciación del proceso penal, de modo que si el imputado no lo nombrara, la administración de justicia le proveerá uno de oficio que será remunerado por el Estado cuando no lo pueda hacer el imputado por insuficiencia de recursos económicos (asistencia letrada gratuita)[60].

«... conforme a la doctrina del TEDH... se comprenden tres derechos... a defenderse por sí mismo, el de defenderse mediante asistencia letrada a su elección, y en determinadas ocasiones, a recibir asistencia letrada gratuita, sin que la opción en favor de una de esas tres posibles formas de defensa implique la renuncia o la imposibilidad de ejercer alguna de las otras... El mandato legal de defensa por medio de Abogado encuentra una propia y específica legitimidad, ante todo en beneficio del propio defendido, pero también como garantía de un correcto desenvolvimiento del proceso penal... La cuestión última, sin embargo, es la de si nuestra legislación procesal garantiza suficientemente el derecho a defenderse por sí mismo como derecho autónomo... que sí existe... (en tanto) se respeta el derecho a hacer cuantas alegaciones estime procedentes en defensa de sí mismo (incluido el derecho a la última palabra)...». (STC 29/1995, de 6 febrero).

a) Derecho a la libre designación de abogado y procurador

El derecho a la defensa y la asistencia letrada incluye el derecho del inculpado a encomendar su defensa al abogado de libre designación que considere conveniente

---

(60) El derecho de defensa garantiza que las partes que intervengan en el proceso sean representadas y defendidas por profesionales libremente elegidos o, en su caso, nombrados de oficio, sin perjuicio de la autodefensa que no excluye la preceptiva defensa técnica, de acuerdo con el mandato contenido en los arts. 520 y 784.1 LECrim. En este sentido se pronuncia el TC que ha declarado que: «*el carácter no preceptivo de la intervención del Abogado, en ciertos procedimientos no obliga a las partes a actuar personalmente, sino que les faculta para elegir entre la autodefensa o la defensa técnica, quedando por consiguiente incólume en tales casos el mencionado derecho cuyo ejercicio se deja a la libre disposición de la parte*». (*STC 208/1992, de 30 noviembre*). El fundamento de este imperativo legal radica en la garantía de un adecuado uso de los medios técnicos de defensa previstos en el Ordenamiento. El derecho de defensa tiene plena vigencia en la fase de instrucción. Concretamente, en el ámbito del procedimiento abreviado exige: — oír al imputado, a los efectos de evitar acusaciones sorpresivas en el juicio oral; — informar al imputado sobre los hechos punibles objeto de acusación, sobre sus derechos constitucionales y sobre su posibilidad de defenderse y participar en dicha fase; y notificar lo antes posible la inculpación para evitar la vulneración del derecho de defensa. Véase a este respecto el arts. 779.4 LECrim, que dispone que el Juez de instrucción no podrá decretar la finalización de las diligencias previas y la continuación del procedimiento abreviado sin haber tomado declaración a la persona a la que se imputan los hechos. Véanse también sobre esta cuestión las SSTC 37/1988. de 3 marzo y 29/1995, de 6 febrero que recogen doctrina sentada por el TEDH en sus sentencias de 25 de abril de 1983 (*Caso Pakelli*) y 28 de marzo de 1990 (*Caso Granger*).

(arts. 118.2 y 520.5 LECrim) (Véase M. 30). A ese fin se informará al sujeto al procedimiento penal (sea en calidad de investigado o detenido) de sus derechos en ese sentido de forma clara y comprensible (arts. 520.2 y 2 bis LECrim); sin que sea admisible que ninguna autoridad o agente efectúe recomendación alguna sobre el abogado a designar más allá de informarle de su derecho (art. 520.5 LECrim). Ahora bien, la ley prevé que este derecho pueda ser limitado conforme está previsto en el art. 527 en relación con el 509 LECrim en los supuestos de incomunicación del detenido o preso (véase también el art. 545 LOPJ). Véase sobre el régimen de restricción de derechos del imputado el § 3.4 de este Capítulo.

> «El expresado derecho ha sido calificado por el Tribunal Europeo de Derechos Humanos en la sentencia del caso "Ártico", de 13 Feb. 1980, como "derecho a la defensa adecuada" y consagra sin duda la preferencia de otorgar la defensa técnica al letrado de libre elección frente a la designación de oficio. Y en la misma sentencia se señala que el derecho se satisface, no con la mera designación, sino con la efectiva asistencia, pudiendo ser comprobada la ineficacia del Letrado por el Tribunal o denunciada por el acusado. Y en la sentencia del mismo Tribunal de 19 Dic. 1989, en el caso Kamasinski se establece que le incumbe al Tribunal, una vez descubra por sí o porque se lo pone de manifiesto el acusado, la inefectividad de una defensa, o sustituir al Letrado omitente, o bien obligarle a cumplir su tarea. 2.-Nuestro Tribunal Constitucional ha recogido esa doctrina, entre otras en la Sentencia Tribunal Constitucional núm. 162/1999 (LA LEY 12075/1999) afirmando que del invocado derecho deriva la garantía de tres derechos al acusado: a defenderse por sí mismo, a defenderse mediante asistencia letrada de su elección y, en determinadas condiciones, a recibir asistencia letrada gratuita, sin que la opción en favor de una de esas tres posible formas de defensa implique la renuncia o la imposibilidad de ejercer alguna de las otras, siempre que sea necesario, para dar realidad efectiva en cada caso a la defensa en un juicio penal (STC 37/1988 (LA LEY 53432-JF/0000), fundamento jurídico 6.°)». STS 127/2012 de 5 Mar. 2012, Rec. 1334/2011; Ponente: Varela Castro, Luciano. LA LEY 29316/2012.

Designado un abogado el sometido al proceso penal podrá modificar su elección cuando lo considere conveniente[61]. Pero, el tribunal podrá desestimar la petición cuando se produzca en fraude procesal con la consecuencia de producir dilaciones

---

(61) «En el caso presente, los acusados al inicio del Juicio Oral reiteraron lo que ya antes habían solicitado: ser defendidos por el Letrado señor M. Ninguna dilación o perjuicio procesal ocasionaba esta petición porque tal Letrado, que ya antes había aceptado reanudar la defensa abandonada, estaba presente en el acto del Juicio Oral, dispuesto a asumirla y los Letrados de oficio, presentes también, estaban de acuerdo. Bastaba pues con acceder a ello, y seguidamente continuar la Vista Oral. Ninguna razón objetiva impedía el concreto ejercicio del derecho a la libre designación del Letrado que allí se actuaba, ya que —al margen de la valoración que mereciera la actuación pasada del Letrado designado— ningún derecho o principio se sacrificaba o perjudicaba con la nueva designación, y su denegación, además, contrastaba con habérsele aceptado antes esa libre designación al acusado Manuel R. B. La continuación del Juicio con los Letrados de oficio no satisface el derecho invocado, no solo porque su pasividad durante la Vista lo desmiente, sino porque como esta Sala ya dijo en Sentencia de 14 de febrero de 1994, lo que el art. 6.3 c) del CEDH garantiza es el derecho "a ser asistido por un defensor de su elección" y sólo subsidiariamente se otorga además el derecho a contar con la asistencia de un Abogado de oficio si el acusado no tiene medios para pagar uno de su libre elección». STS 3 de mayo de 2001, Rec. 1726/1997-P/1997; Ponente: Prego de Oliver Tolivar, Adolfo. LA LEY 88810/2001.

indebidas (v.g. de producir la suspensión del juicio) o perjuicio procesal a alguna de las partes. En ese caso, cuando el tribunal considere que la petición se produce en fraude procesal o abuse de derecho (con la consecuencia, v.g. de producir la suspensión del juicio) podrá desestimar la petición de cambio de abogado[62].

> «Igualmente resultó conforme a derecho la inadmisión de la renuncia al Letrado nombrado de oficio al inicio del junio oral, pues la capacidad de todo imputado de designar a un Abogado de su confianza no ampara estrategias dilatorias ni actuaciones que sean expresivas de una calculada desidia a la hora de hacer valer el propio derecho de defensa (STS 816/2008, de 2 de diciembre (LA LEY 207476/2008)). En el mismo sentido, las SSTS 1989/2000 (LA LEY 88810/2001), 3 de mayo, 1732/2000, 10 de noviembre (LA LEY 1189/2001) y 327/2005, 14 de marzo (LA LEY 59385/2005), señalan que la facultad de libre designación implica a su vez la de cambiar de Letrado cuando lo estime oportuno el interesado en defensa de sus intereses, si bien tal derecho no es ilimitado pues está modulado, entre otros supuestos, por la obligación legal del Tribunal a rechazar aquellas solicitudes que entrañen abuso de derecho, o fraude de ley procesal según el art. 11.2 de la LOPJ (LA LEY 1694/1985)». STS 19 Oct. 2016, Rec. 10332/2016; Ponente: Palomo del Arco, Andrés. LA LEY 146028/2016.

La designación libre incluye al abogado y al procurador. Ahora bien, en el procedimiento abreviado se presenta la particularidad de que el Abogado designado para la defensa tendrá también habilitación legal para la representación de su defendido, no siendo por tanto necesaria la intervención de Procurador hasta la apertura del juicio oral —hasta entonces el Letrado debe cumplir el deber de señalamiento de domicilio a efectos de notificaciones y traslados de documentos— (art. 768 LECrim.). Cuando éstos no sean designados por los imputados, se les podrán nombrar de oficio, siempre que lo soliciten, y en todo caso, cuando no tuvieran aptitud legal para verificarlo[63]. Este nombramiento tiene, no obstante, carácter obligatorio cuando la causa llegue a un estado en que sea necesario el consejo de aquéllos o expresamente lo prevea la Ley. (Véase M. 33)

---

(62) «La facultad de libre designación implica a su vez la de cambiar de Letrado cuando lo estime oportuno el interesado en defensa de sus intereses, si bien tal derecho —ha dicho esta Sala— no es ilimitado pues está modulado, entre otros supuestos, por la obligación legal del Tribunal a rechazar aquellas solicitudes que entrañen abuso de derecho, o fraude de ley procesal según el art. 11.2 de la Ley Orgánica del Poder Judicial (SSTS 23 de abril de 2000; 23 de diciembre de 1996; 20 de enero de 1995; entre otras). De ahí la improcedencia, por ejemplo, del cambio de letrado cuando suponga la necesidad de suspender la celebración de la Vista y no conste una mínima base razonable que explique los motivos por los que el interesado ha demorado hasta ese momento su decisión de cambio de Letrado. Fuera de estos supuestos de ejercicio abusivo del derecho en que se afectan otros valores y derechos como el de un proceso sin dilaciones indebidas, sin una justificación razonable basada en la proscripción de una efectiva y material indefensión, los cambios de Letrado están amparados por el ejercicio del derecho a la defensa que incluye el de libre designación del Abogado». STS 3 de mayo de 2001, Rec. 1726/1997-P/1997; Ponente: Prego de Oliver Tolivar, Adolfo. LA LEY 88810/2001.

(63) El TC ha declarado «... en reiterada jurisprudencia que el derecho de defensa y la asistencia letrada consagrado en el art. 24.2 CE tiene por finalidad asegurar la efectiva realización de los principios procesales de igualdad y de contradicción que imponen a los órganos judiciales el deber positivo de evitar desequilibrios entre la respectiva posición de las partes en el proceso o limitaciones en la defensa que puedan inferir a alguna de ellas con resultado de indefensión...». (STC 208/1992, de 30 noviembre).

«... ha de tenerse presente que la postulación es un presupuesto general de la validez de los actos procesales y comprende tanto la dirección y defensa a cargo del Letrado como la representación procesal que compete al Procurador, actuando éste ante el órgano jurisdiccional en nombre de la parte como se desprende de los párrafos 3.º y 4.º del art. 118 LECrim. y de los arts. 436 y 448 LOPJ. En particular, respecto a la representación de la parte mediante Procurador cabe observar que el primer apartado del art. 438 LOPJ la requiere con carácter general, salvo las excepciones legalmente previstas que permiten bien la intervención procesal de aquélla o el ejercicio de ambas funciones, defensa y representación por un mismo profesional; como es el art. 788.3.º LECrim... hasta la apertura del juicio oral...». (STC 11/1995, de 16 enero)[64].

b) Designación de abogado de oficio por el órgano jurisdiccional

La asistencia de letrado constituye un requisito procesal por cuyo cumplimiento el propio órgano judicial debe velar de oficio. De este modo, si el encausado no lo ejercita, el órgano jurisdiccional deberá proceder a solicitar el nombramiento de abogado y procurador de oficio al inculpado, informando a éste de la posibilidad de ejercer tal derecho por sí mismo designado al abogado que considere conveniente.

«... en el proceso penal el órgano judicial habrá de proceder a nombrar al imputado o acusado un letrado del turno de oficio tan sólo en los casos en que, siendo preceptiva su asistencia, aquél, pese a haber sido requerido para ello, no hubiere designado letrado de su elección o pidiere expresamente el nombramiento de uno de oficio y, además, y en cualquier caso, en los supuestos en los que, siendo o no preceptiva la asistencia de letrado, carezca de medios económicos para designarlo y lo solicite al órgano judicial o éste estime necesaria su intervención...». (STC 18/1995, de 24 enero).

En este sentido, los arts. 118.3.º y 4.º, 767 LECrim. establecen que toda persona a quien se impute un hecho punible podrá ejercitar el derecho de defensa, y para el ejercicio del mismo, cuando los interesados no hubiesen nombrado por sí mismos al Abogado y Procurador, se les designarán de oficio —art. 118.3.º LECrim.—. A dichos efectos, el órgano jurisdiccional les requerirá para que lo nombren, y cuando no lo hicieran y lo solicitaren, y siempre cuando no tuvieren aptitud para verificarlo, se les designará de oficio. Y si la causa llegará a un estado en que necesiten el consejo de aquéllos (detención o imputación de un delito contra persona determinada, según el art. 767 LECrim.) o haya de intentar algún recurso que hiciera indispensable su actuación, se les nombrará de oficio cuando no lo realicen voluntariamente; obligación ex lege que deriva de la necesaria e imperativa presencia de Letrado y Procurador en las señaladas actuaciones penales[65].

---

(64) Reiteradamente tanto la jurisprudencia constitucional (STC 11/1995, de 16 enero), como la del Tribunal Supremo en SS 26 mayo 1984, 11 octubre 1984, 27 enero 1988 (20 y 30 marzo 1995 (LA LEY, 1995, R-14.424 y 14.459, respectivamente), entre otras, han señalado que las declaraciones sumariales sin asistencia de Letrado, si bien carecen de fuerza para provocar la nulidad del juicio, tampoco podrán tenerse en cuenta a los efectos de destruir la presunción de inocencia que favorece a todo ciudadano cuando no exista una mínima actividad probatoria, por lo que aquéllas no constituirán prueba y operará aquella presunción.

(65) Vid. SSTC 216/1988, de 14 noviembre, y 132/1992, de 28 septiembre, declarándose en la primera de las resoluciones que «... según el art. 118 LECrim., el órgano judicial ha de designar

«Las muy claras irregularidades —como resulta de las exigencias expuestas en el anterior fundamento 2.º— en que sucesivamente incurrieron las resoluciones que denegaron al recurrente la aplicación de los beneficios anteriormente previstos en la 2.ª regla del art. 70 CP, llegaron al extremo de excluir, como nos recuerda el Fiscal, no ya alguna respuesta a su solicitud de contar con la debida asistencia letrada, sino también, en la práctica, a denegarle una respuesta afirmativa a esa pretensión, la única posible e imaginable en los términos proclamados en el art. 24.2 CE, y a cuyo exacto cumplimiento obligan numerosas decisiones de este Tribunal, incluso en procedimientos en los que no sea legalmente obligada la intervención de Letrado (SSTC 92/1996 y 212/1998, fundamento jurídico 3.º, por todas las anteriores). Todo ello tuvo como consecuencia una evidente imposibilidad de adecuada defensa de los derechos del recurrente en el ámbito de la legalidad —como argumenta la demanda de amparo—, así como una clara incongruencia constitutiva de ausencia de tutela judicial, como nos recuerda el Fiscal (últimamente, STC 206/1998 recopilando en su fundamento jurídico 2.º los supuestos en que la ausencia de respuesta implica además la vulneración del derecho a la tutela judicial)». STC 237/1998 de 14 de diciembre.

En consecuencia, en el caso que el detenido no designe abogado para que le asista en su declaración en sede policial, se asegurará el derecho de defensa requiriendo la asistencia de un abogado del turno de guardia que se establece a esos efectos en el correspondiente Colegio de Abogados. La designación del abogado de oficio la realizará el Colegio de Abogados, requerido a ese fin por la autoridad que tuviera en custodia al detenido, que procederá a comunicar el encargo profesional al abogado designado y la localización del detenido[66]. Los arts. 26 a 29 del RD 996/2003, de 25 de julio desarrollan la prestación de los servicios de guardia mediante turnos permanente de presencia física o localizable de los letrados y a disposición de dicho servicio durante las veinticuatro horas del día. El abogado designado acudirá al centro de detención, cuando ese fuera el caso, con la máxima premura, siempre dentro del plazo máximo de tres horas desde la recepción del encargo. Si en dicho plazo no compareciera, el Colegio de Abogados designará un nuevo abogado del turno de oficio que deberá comparecer a la mayor brevedad y siempre dentro del plazo indicado, sin perjuicio de la exigencia de la responsabilidad disciplinaria en que haya podido incurrir el incompareciente (art. 520.5 LECrim). También se procederá a designar abogado de oficio en el caso que el abogado designado por el interesado rehusare el encargo o no compareciere a asistir al detenido dentro del plazo de tres horas previsto en la Ley (art. 520.5 LECrim).

---

de oficio Procurador y Letrado cuando el acusado, pese a habérsele requerido para ello, no los hubiese nombrado por sí mismo, pero precisa, en relación con la fase de recurso, que este poder/ deber se le impone cuando el acusado haya de intentar algún recurso que hiciere indispensable su actuación... esto es, cuando la Ley exija preceptivamente la intervención del Letrado como requisito del recurso...».

(66)   En el caso que el detenido no designe abogado para que le asista en su declaración en sede policial, se asegurará el derecho de defensa requiriendo la asistencia de un abogado del turno de guardia que se establece a esos efectos en el correspondiente Colegio de Abogados. Así lo establece el art. 29 de la Ley 1/1996, de 10 de enero, de asistencia jurídica gratuita. A estos efectos los arts. 26 a 29 del Reglamento aprobado por RD 996/2003, de 25 de julio desarrollan la prestación de los servicios de guardia mediante turnos permanente de presencia física o localizable de los letrados y a disposición de dicho servicio durante las veinticuatro horas del día.

La defensa del abogado designado de oficio debe producirse en los términos profesionales adecuados a la función desempeñada. No obstante, el TC se ha pronunciado sobre la posible indefensión que puede ocasionar la actuación procesal de un abogado designado de oficio respecto de su defendido. En esta jurisprudencia el TC contrapone la actuación del abogado designado libremente por el inculpado, de la que no se podrá predicar indefensión, con la del abogado de oficio que hipotéticamente podría producir una infracción del derecho de defensa, si aquélla hubiera sido ocasionada por las circunstancias concurrentes en un letrado designado de oficio. Ello es así porque sólo en este supuesto cabría buscar un nexo causal entre la violación denunciada y la actuación de los Tribunales, conforme exige el art. 44.1.º.b) LOTC. Cuando la lesión del derecho de defensa proviniera de la actuación de un abogado libremente designado por el perjudicado no procederá el amparo por no encuadrarse dentro del supuesto de hecho de aquel precepto[67].

c) Actos y diligencias excluidos del derecho de asistencia letrada

El derecho a la asistencia letrada tiene rango de derecho constitucional reconocido en los arts. 17 y 24 CE y se incluye en el marco amplio del principio acusatorio y de tutela judicial efectiva que exigen la plena vigencia del derecho de defensa en el proceso con la finalidad de garantizar un proceso debido según reconoce el art. 24.2 CE. No cabe excepcionar la intervención de abogado cuando la ley la exige expresamente y, en general, respecto de aquellas diligencias dirigidas a obtener del sujeto el reconocimiento de determinados hechos, o en las que se pueda producir una declaración de culpabilidad. Ahora bien, existen algunos supuestos en los que, sea por disposición de la Ley, o por no ser posible por la naturaleza del acto, la asistencia letrada no es necesaria o es pospuesta para un momento posterior.

— En primer lugar, no se precisa la asistencia letrada en el procedimiento por delitos leves. En este procedimiento la asistencia del abogado resulta potestativa (art. 967 LECrim). Pero nada impide que la parte designe abogado, o bien que solicite el nombramiento de uno de oficio[68]. Tampoco es necesaria la asistencia de letrado en materia de derecho penitenciario y concretamente en los expedientes ante el Juez de vigilancia penitenciaria o en los recursos de apelación frente a las resoluciones dictadas por aquél. En todos estos casos, únicamente se producirá indefensión en el supuesto que la capacidad del interesado, el objeto del proceso o su complejidad técnica hagan estéril la autodefensa que el mismo puede ejercer mediante su comparecencia personal.

— Existen determinadas diligencias de investigación en las que en función de las circunstancias concurrentes la asistencia de abogado puede quedar pospuesta para un momento posterior. Ahora bien, debe tenerse presente lo siguiente: 1.º los

---

(67) Vid. SSTC 94/1983, de 14 noviembre, y 112/1989, de 19 junio. Obsérvese que del contenido de estas sentencias se deduce que el Tribunal Constitucional parece equiparar, a los efectos del recurso de amparo, el Letrado de oficio con un órgano judicial. En el mismo sentido, la STC 71/1988, de 19 abril, le atribuye un carácter semipúblico.

(68) En materia de intervención del Abogado véase la STC 208/1992 de 30 noviembre que distingue entre la defensa técnica necesaria y el derecho potestativo a la designación y actuación de Abogado de confianza.

supuestos indicados suelen ser de falta de exigencia de asistencia de abogado, sin que se excluya su intervención si ésta pudiera producirse[69]; 2.º estas excepciones deben tener lugar con carácter restrictivo privilegiando en la medida de lo posible la intervención plena del abogado en todas las diligencias que afecten al investigado o acusado en el proceso penal. Estas diligencias son las siguientes:

1.º No resulta necesaria la asistencia de letrado en los supuestos de restricción provisionalísima de la libertad deambulatoria, practicados por la policía en el ejercicio de sus funciones de averiguación del delito y descubrimiento de los delincuentes, a cuyo efecto está facultada para efectuar registros e inspecciones oculares de conformidad con el art. 126 CE, art. 282 y ss. LECrim. y art. 11.1 g) de la LO 2/1986 de Fuerzas y Cuerpos de Seguridad. A esta clase de diligencias se refiere el art. 19 LO 4/2015 de seguridad ciudadana que dispone que las diligencias de identificación, registro y comprobación practicadas por la policía no estarán sujetas a las mismas formalidades que la detención. De ello resulta que no sea exigible la asistencia de abogado para la realización de las diligencias de identificación (arts. 17 y 18 LO 4/2015) o cacheo (art. 20 LO 4/2015). Más discutible es la admisión de la falta de exigencia de abogado en el caso de la práctica de una exploración radiológica en el aeropuerto al amparo de la LO 12/1995, de 12 de diciembre de Represión del Contrabando[70]. (Véase sobre esta materia § 2.13.d. del Capítulo VII sobre actos de investigación y comprobación judicial).

2.º No será necesaria la asistencia de abogado en las diligencias de instrucción en las que por su momento de realización no se haya procedido a formalizar la imputación. Este será el caso de las siguientes diligencias de instrucción: De registro domiciliario; de apertura del paquete postal en presencia judicial (art. 584 LECrim); el acto de lectura de derechos previsto en el art. 520.2 y 771.2 LECrim; o la declaración efectuada por un testigo ante la policía en el curso de las denominadas diligencias de prevención, aunque posteriormente el citado como testigo resulte finalmente detenido o imputado por los hechos por los que fue preguntado.

---

(69)   Es decir lo que se admite es la posibilidad de realizar una determinada diligencia sin la presencia/asistencia de abogado y sin que el interesado pueda reclamar esa intervención. Así, el ciudadano requerido por la policía en la vía pública no puede excusarse en la ausencia de abogado para no cumplir la orden emitida por la policía de mostrar su identificación. Ahora bien, si resulta, por cualquier razón, que está presente en el hecho un abogado de la confianza del interesado nada impide que el abogado intervenga en nombre de su representado solicitando a la policía las explicaciones que considere oportunas, sin que la policía pueda impedir el desempeño de su labor profesional.

(70)   A este efecto, el Pleno no jurisdiccional de la Sala de lo Penal del Tribunal Supremo, en su reunión de 5 de febrero de 1999 adoptó el siguiente Acuerdo: «*Cuando una persona —normalmente viajero que llega a un Aeropuerto procedente del extranjero— se somete voluntariamente a una exploración radiológica con el fin de comprobar si es portador de cuerpos extraños dentro de su organismo no está realizando una declaración de culpabilidad ni constituye una actuación encaminada a obtener del sujeto el reconocimiento de determinados hechos. De ahí que no sea precisa la asistencia de Letrado ni la consiguiente previa detención con instrucción de sus derechos*». Véanse en este sentido jurisprudencia constante del TS: SSTS 22 de diciembre de 1999; 27 de septiembre de 2000.

De registro domiciliario:

«... el art. 520 de la Ley Procesal Penal, que regula la asistencia letrada al detenido, exige la asistencia de Letrado en las diligencias de carácter personal, como reconocimientos de identidad y declaraciones del detenido, sin referencia alguna a la entrada y registro para la que sí se exige la presencia del interesado y, en su defecto, de las personas que relaciona para garantizar los derechos que pueden resultar afectados por la diligencia .../... La presencia de un Letrado en la entrada y registro no es, por lo tanto, una exigencia derivada de la Ley Procesal Penal, ni es una exigencia constitucional en la medida que los derechos fundamentales en luego aparece protegidos con la disciplina de garantía que para la diligencia previene la Ley Procesal Penal». STS 666/2002 de 17 Abr. 2002, Rec. 1896/2000; Ponente: Martínez Arrieta, Andrés. LA LEY 6607/2002.

«En lo que se refiere a la presencia del Letrado defensor en la diligencia, nos remitimos a lo señalado en el Fundamento Jurídico anterior, donde ya hemos declarado que la presencia de letrado no es preceptiva en la práctica de una diligencia de entrada y registro». ATS 1247/2016 de 30 Jun. 2016, Rec. 2176/2015; Ponente: Martínez Arrieta, Andrés. LA LEY 119469/2016.

Pero, no cabe que el detenido preste su consentimiento para efectuar el registro de forma voluntaria sin la debida asistencia letrada.

«Respecto a la autorización prestada por el mismo detenido a invitación policial para realizar un registro en su domicilio porque, detenido a las 10 horas, 43 minutos, del día 29 de noviembre de 1996, y no habiendo aun designado letrado y por tanto sin asistencia letrada, ese consentimiento para el registro aparece prestado a las 12 horas de ese mismo día. Como han expresado las sentencias de esta Sala de 2 de diciembre de 1998 y 14 de noviembre de 2000, para dar válidamente autorización para disponer de un derecho fundamental es necesario que el titular del mismo, si se encuentra detenido, disponga de la asistencia letrada que la Ley le concede para que pueda valorar la trascendencia de la decisión que adopte sobre el ejercicio de su derecho y velar por sus posibilidades de defensa y preservación de sus garantías y derechos. Consecuentemente el resultado de prueba de la que la validez del consentimiento para su obtención debe ser cuestionada y que procede del resultado de una diligencia de entrada y registro, sobre tal consentimiento practicado viola el derecho constitucional que el art. 18.2 de la Constitución garantiza y deviene radical e insubsanablemente nula. Lo que, como antes se ha dicho en precedente fundamento jurídico de esta resolución, no afecta a la legítima desvirtuación en este caso de la presunción de inocencia porque, aun suprimiendo de la prueba de cargo la derivada del resultado del registro nulo, pervive la derivada de la verificación del contenido del paquete al acusado dirigido». STS 249/2002 de 19 Feb. 2002, Rec. 3757/2000; Ponente: Martín Canivell, Joaquín. LA LFY 4212/2002.

No será exigible la asistencia de abogado para la apertura del paquete postal en presencia judicial. Así, lo establece la ley, art. 584 LECrim. y la jurisprudencia.

«La apertura del paquete en sede judicial no es una diligencia de declaración ni de identidad, es sólo la incorporación a la instrucción del objeto del delito. En tal sentido el propio art. 584 de la LECrim. sólo exige la presencia del interesado...». STS 1085/2000 de 26 Jun. 2000, Rec. 1475/1999; Ponente: Giménez García, Joaquín. LA LEY 11109/2000. En el mismo sentido STS 249/2002 de 19 Feb. 2002, Rec. 3757/2000; Ponente: Martín Canivell, Joaquín. LA LEY 4212/2002.

Ni tampoco para el registro de mochilas o bolsas de viaje».

«Por otra parte, en el art. 520.2 c) de la LECrim. se dice que el detenido tiene derecho a designar Abogado y a solicitar su presencia para que asista a las correspondientes diligencias policiales y judiciales de declaración e intervenga en todo reconocimiento de identidad de que sea objeto. Solo es preceptivo, por consiguiente que el abogado asista a las declaraciones del detenido y a los reconocimientos de que sea objeto (STS 31.3.2001). En definitiva, el registrar un paquete por la policía entra dentro de sus atribuciones administrativas o funcionales y existiendo indicio de delito, la fuerza policial actuó correctamente a prevención, llevando a cabo las pesquisas para descubrir el delito y detener al delincuente, y como dice la STS 6.3.2003, no es necesaria para la apertura de paquete la presencia de Abogado, incluso después de practicada la detención, dada la limitación de la preceptiva intervención, contraída exclusivamente a las diligencias de declaración y reconocimiento (art. 520 LECrim .), y tampoco el requerimiento policial a un pasajero para que acompañe a la policía a fin de presenciar el registro de un paquete que formaba parte de su equipaje, constituye una privación de libertad, implicativa de una formal detención». STS de 25 de enero de 2007, LA LEY 2449/2007.

O en el acto de lectura de derechos previsto en el art. 520.2 y 771.2 LECrim.

«Sin que según la Sentencia de esta Sala de 22 febrero 1994, legalmente sea necesario que el Letrado asista a la información de los derechos indicados, cuestión ésta que sin embargo —como en ella se expone— debería considerarse por el legislador sin perjuicio de que los Jueces extremen y vigilen el cumplimiento de las exigencias legales en torno a estas cuestiones, con objeto de evitar manifiestas indefensiones». STS 817/2000 de 10 Jul. 2000, Rec. 565/1999; Ponente: Sánchez Melgar, Julián. LA LEY 9880/2000.

Ahora bien, una vez leídos los derechos al detenido es necesario proveerle, precisamente, de uno de los fundamentales que es el derecho a asistencia letrada. También será necesaria proveer de esta asistencia en el caso de la declaración ante la policía de la persona que en la inteligencia y entendimiento de los agentes es sospechoso de un delito.

«QUINTO.- Se coincide con la sentencia de instancia en rechazar la validez probatoria de la declaración prestada en policía sin asistencia letrada. Nada hay que objetar a la fundada argumentación que aboca a esa inutilizabilidad. Las razones aducidas por la recurrente principal en reproducción de las blandidas como apelada en su día no menoscaban la fuerza de esa argumentación. El hecho de que el acusado acudiese voluntariamente a la comisaría de policía, declarase también voluntariamente y no estuviese privado de libertad no eximía de la asistencia letrada que, si bien no es necesariamente exigida por la Constitución en esos casos, sí que lo es por la legislación procesal a partir de la reforma de 2002». STS 299/2013 de 27 Feb. 2013, Rec. 735/2012; Ponente: Moral García, Antonio del. LA LEY 36258/2013.

Finalmente debemos hacer referencia a la previsión contenida en el art. 520.8 LE-Crim que prevé la posibilidad de renuncia del derecho del detenido a la designación de Abogado y su presencia en el lugar de custodia, para el supuesto que la detención lo fuere por hechos susceptibles de ser tipificados exclusivamente como delitos contra la seguridad del tráfico[71]. Se trata de una norma singular introducida en la reforma

---

(71) Art. 520.8 LECrim: «… el detenido o preso podrá renunciar a la preceptiva asistencia de abogado si su detención lo fuere por hechos susceptibles de ser tipificados exclusivamente como

de 1983 que en la actualidad carece de fundamento válido, ya que resulta difícil que pueda renunciarse a un derecho que cumple una función de garantía objetiva de la legalidad y de los principios procesales.

3.3. El régimen de incomunicación y limitación de derechos

La detención, y en su caso la prisión provisional, se adoptarán conforme al régimen ordinario previsto en la Ley que supone la aplicación de todo el catálogo de derechos que hemos expuesto con anterioridad. Estos derechos, sin embargo, pueden limitarse en el régimen de incomunicación previsto en la ley en los arts. 509, 510, 520 bis, y 527 LECrim que establecen la posibilidad de restricción de derechos del detenido o preso en dos supuestos[72]. En primer lugar cuando la persona detenida lo sea con relación a alguno de los delitos referidos en el art. 384 bis LECrim (delitos de terrorismo y cometidos por bandas armadas). En segundo lugar, cuando así lo acuerde motivadamente el juez de instrucción (o en su caso otro tribunal) cuando concurra alguna de las siguientes circunstancias: a) necesidad urgente de evitar graves consecuencias que puedan poner en peligro la vida, la libertad o la integridad física de una persona, o b) necesidad urgente de una actuación inmediata de los jueces de instrucción para evitar comprometer de modo grave el proceso penal (art. 509 LECrim)[73].

> «... Tal modulación, en aras de asegurar otros intereses de la justicia, es igualmente explicitado por el TEDH, que si bien reconoce a todo acusado, de conformidad con el art. 6.3.c) del CEDH (LA LEY 16/1950), el derecho a la asistencia de un defensor de su elección (asunto Pakelli c. Alemania, de 25 de abril de 1983) y pese a la importancia de las relaciones entre abogado y cliente, precisa que tal derecho no es absoluto y está forzosamente sujeto a ciertas limitaciones, pues corresponde a los tribunales decidir si los intereses de la justicia exigen dotar al acusado de un defensor de oficio (asunto Croissant c. Alemania de 25 de septiembre de 1992, § 29); criterio que reitera en Meftah y otros c. Francia [GC], § 45, de 26 de julio de 2002; Mayzit c. Rusia, § 66, de 20 de enero de 2005; Klimentïev c. Rusia, § 116, de 16 noviembre de 2006; Vitan c. Rumania, § 59, de 25 marzo de 2008; Pavlenkoc. Rusia, § 98, de

---

delitos contra la seguridad del tráfico, siempre que se le haya facilitado información clara y suficiente en un lenguaje sencillo y comprensible sobre el contenido de dicho derecho y las consecuencias de la renuncia. El detenido podrá revocar su renuncia en cualquier momento».

(72)   El fundamento de esta restricción de los derechos constitucionales se halla en la protección de los bienes reconocidos en los arts. 10.1 y 104.1 de la Constitución, cuales son la paz social y la seguridad ciudadana, en cuya defensa constituyen pieza esencial la persecución y castigo de los delitos (STC 196/1987; ATC 155/1999). Para ello resulta necesario ante cierta clase de delitos evitar el conocimiento del estado de la investigación por personas ajenas, de modo que se puedan destruir u oculten pruebas o bien puedan sustraerse a la acción de la justicia otros implicados (STC 196/1987; ATC 155/1999). No obstante, la preeminencia del derecho de asistencia letrada al detenido o preso impone una interpretación restrictiva de las normas limitativas previstas en la ley.

(73)   Art. 509 LECrim: *«1. El juez de instrucción o tribunal podrá acordar excepcionalmente, mediante resolución motivada, la detención o prisión incomunicadas cuando concurra alguna de las siguientes circunstancias: a) necesidad urgente de evitar graves consecuencias que puedan poner en peligro la vida, la libertad o la integridad física de una persona, o b) necesidad urgente de una actuación inmediata de los jueces de instrucción para evitar comprometer de modo grave el proceso penal».*

1 de abril de 2010; Zagorodniy c. Ucrania, § 52, de 24 de noviembre de 2011; y Martín c. Estonia, § 90, de 30 de mayo de 2013). Y asimismo, precisa el TEDEH que al contrario del supuesto de la denegación del acceso al letrado, un criterio menos exigente se aplica cuando se alega el problema menos grave del rechazo de la elección de letrado (asunto Dvosrki c. Croacia, de 20 de octubre de 2015)». STS 821/2016 de 2 Nov. 2016, Rec. 733/2016. Ponente: Conde-Pumpido Tourón, Cándido. LA LEY 156110/2016.

En estos casos el Juez podrá limitar el derecho de asistencia letrada del sometido al proceso penal conforme establece el art. 527 LECrim que dispone que el detenido o preso podrá ser privado de los siguientes derechos si así lo justifican las circunstancias del caso: «*a) Designar un abogado de su confianza. b) Comunicarse con todas o alguna de las personas con las que tenga derecho a hacerlo, salvo con la autoridad judicial, el Ministerio Fiscal y el Médico Forense. c) Entrevistarse reservadamente con su abogado. d) Acceder él o su abogado a las actuaciones, salvo a los elementos esenciales para poder impugnar la legalidad de la detención*». Además, la ley prevé la posibilidad de prolongar la detención por 48 horas más de las 72 inicialmente previstas en la Ley en el supuesto de ser acusado el detenido por delitos de terrorismo (art. 520 bis LECrim)[74]. El Tribunal Constitucional se ha pronunciado sobre la constitucionalidad de esta norma que establece que cuando el detenido se encuentre sujeto a un régimen de incomunicación en los términos establecidos en el art. 527 LECrim.

«La situación de incomunicación de detenidos constituye una limitación del derecho a la asistencia letrada recogida como una de las garantías consagradas en el art. 17.3 CE, en la medida en que la incomunicación supone tanto la imposibilidad de nombrar letrado de la confianza del detenido, como la de entrevistarse de forma reservada con el letrado nombrado de oficio, conforme establece el art. 527 en relación con el 520 LECrim. (STC 196/1987, de 16 de diciembre)». STC 127/2000 de 16 de mayo.

También se ha pronunciado el Tribunal Constitucional respecto a las restricciones previstas en la Ley:

a) La restricción a la libertad de elección de Abogado que, en todo caso, será designado de oficio.

«... la imposición de Abogado de oficio se revela como una medida más de las que el legislador, dentro de su poder de regulación del derecho a la asistencia letrada, establece al objeto de reforzar el secreto de las investigaciones criminales. Teniendo en cuenta que la persecución y castigo de los delitos son pieza esencial de la defensa de la paz social y de la seguridad ciudadana, los cuales son bienes reconocidos en los arts. 10.1 y 104.1 de la Constitución y, por tanto, constitucionalmente protegidos, la limitación establecida en el art. 527 a) de la L. E. Cr. encuentra justificación en la

---

(74) Art. 520 bis LECrim: «*1. Toda persona detenida como presunto partícipe de alguno de los delitos a que se refiere el art. 384 bis será puesta a disposición del Juez competente dentro de las setenta y dos horas siguientes a la detención. No obstante, podrá prolongarse la detención el tiempo necesario para los fines investigadores, hasta un límite máximo de otras cuarenta y ocho horas, siempre que, solicitada tal prórroga mediante comunicación motivada dentro de las primeras cuarenta y ocho horas desde la detención, sea autorizada por el Juez en las veinticuatro horas siguientes. Tanto la autorización cuanto la denegación de la prórroga se adoptarán en resolución motivada*».

protección de dichos bienes que, al entrar en conflicto con el derecho de asistencia letrada al detenido, habilitan al legislador para que, en uso de la reserva específica que le confiere el art. 17.3 de la Constitución, proceda a su conciliación, impidiendo la modalidad de libre elección de Abogado. De esta forma, la medida de incomunicación del detenido adoptada bajo las condiciones previstas en la Ley sirven en forma mediata a la protección de valores garantizados por la Constitución y permiten al Estado cumplir con su deber constitucional de proporcionar seguridad a los ciudadanos, aumentando su confianza en la capacidad funcional de las instituciones estatales. De ello resulta que la limitación temporal del detenido incomunicado en el ejercicio de su derecho de libre designación de Abogado que no le impide proceder a ella una vez haya cesado la incomunicación, no puede calificarse de medida restrictiva irrazonable o desproporcionada, sino de conciliación ponderada del derecho de asistencia letrada —cuya efectividad no se perjudica— con los valores constitucionales citados, pues la limitación que le impone a ese derecho fundamental se encuentra en relación razonable con el resultado perseguido, ajustándose a la exigencia de proporcionalidad de las leyes.../... en nuestro orden constitucional, el art. 527 a) de la L. E. Cr. no vulnera el contenido esencial del derecho a la asistencia letrada garantizando al detenido por el art. 17.3 de la Constitución». STC 196/1987 de 11 de diciembre.

b) Limitación del derecho a la comunicación prevista con distintas personas en el art. 520.2 LECrim.

c) Limitación de la comunicación con el abogado prevista en el art. 520.6 LECrim[75].

El fundamento de esta restricción de los derechos constitucionales se halla en la protección de los bienes reconocidos en los arts. 10.1 y 104.1 de la Constitución, cuales son la paz social y la seguridad ciudadana, en cuya defensa constituyen pieza esencial la persecución y castigo de los delitos (STC 196/1987; ATC 155/1999). Para ello resulta necesario ante cierta clase de delitos evitar el conocimiento del estado de la investigación por personas ajenas, de modo que se puedan destruir u oculten pruebas o bien puedan sustraerse a la acción de la justicia otros implicados (STC 196/1987; ATC 155/1999). No obstante, no cabe duda de que ante la importancia del derecho de asistencia letrada al detenido o preso, las normas limitativas de estos derechos deben merecer una interpretación restrictiva aunque realista en atención a los intereses en conflicto[76]. En consecuencia, debe analizarse en cada caso que la

---

(75) Vid. STC 196/1987, de 11 diciembre, en base a que la persecución y castigo de los delitos son pieza esencial de la defensa de la paz social y de la seguridad ciudadana (arts. 10.1 y 104.1 CE), siendo que las limitaciones del art. 527 LECrim. encuentran su justificación en la protección de dichos bienes. Vid. también SSTC 46/1988, de 21 marzo, y 60/1988.

(76) «... El art. 17.3 CE establece que la asistencia letrada al detenido se realizará en los términos que la ley establezca; y al respecto, el art. 527 LECrim. limita el derecho del detenido o preso incomunicado en el sentido de que, en todo caso, su abogado, sea designado de oficio mientras dure la incomunicación. La limitación pretende conciliar la libertad del inculpado a la elección de abogado con el aseguramiento de la eficacia de la investigación de los hechos, y constituye una excepción de los principios constitucionales y de la jurisprudencia del TEDH, lo que determina que debe reducirse hasta el límite máximo posible todo cuanto permite y justifica la incomunicación; en este sentido, la imposibilidad de valerse de letrado designado por el inculpado... ha sido declarado acorde con la CE, por la jurisprudencia constitucional...». (STS 24 marzo 1995, LA LEY, R-14.435).

medida de incomunicación se halle debidamente y específicamente fundada según el supuesto de que se trate.

«La situación de incomunicación de detenidos constituye una limitación del derecho a la asistencia letrada recogida como una de las garantías consagradas en el art. 17.3 CE, en la medida en que la incomunicación supone tanto la imposibilidad de nombrar letrado de la confianza del detenido, como la de entrevistarse de forma reservada con el letrado nombrado de oficio, conforme establece el art. 527 en relación con el 520 LECrim. (STC 196/1987, de 16 de diciembre, F. 5). Por consiguiente, las resoluciones que acuerdan la incomunicación de los detenidos deben contener los elementos necesarios para poder sostener que se ha realizado la necesaria ponderación de los bienes, valores y derechos en juego, que la proporcionalidad de toda medida restrictiva de derechos fundamentales exige (ATC 155/1999, F. 4). De manera que es ciertamente exigible la exteriorización de los extremos que permiten afirmar la ponderación judicial efectiva de la existencia de un fin constitucionalmente legítimo, la adecuación de la medida para alcanzarlo y el carácter imprescindible de la misma (por todas SSTC 55/1996, de 28 de marzo, 161/1997, de 2 de octubre, 61/1998, de 17 de marzo y 49/1999, de 5 de abril). Será necesario asimismo que consten como presupuesto de la medida los indicios de los que deducir la conexión de la persona sometida a incomunicación con el delito investigado, pues la conexión "entre la causa justificativa de la limitación pretendida —la averiguación del delito— y el sujeto afectado por ésta —aquél de quien se presume que pueda resultar autor o partícipe del delito investigado o pueda hallarse relacionado con él— es un «prius» lógico del juicio de proporcionalidad" (SSTC 49/1999, de 4 de abril, F. 8 y 166/1999, de 27 de septiembre, F. 8)». STC 127/2000 de 16 de mayo.

El régimen de incomunicación y/o restricción de derechos se acordará por auto en el que se ponderarán los bienes, valores y derechos en juego, que la proporcionalidad de toda medida restrictiva de derechos fundamentales exige. A este efecto, deberán constar en la resolución la existencia de indicios que relacionen al sometido a la medida con el delito investigado de terrorismo o relacionado con banda armada (art. 520 bis LECrim) (o la concurrencia de las circunstancias previstas en el art. 509 LECrim), en tanto que se trata del presupuesto para la adopción de esta medida. A este efecto, deberán constar en la resolución la existencia de indicios que relacionen al sometido a la medida con el delito investigado de terrorismo o relacionado con banda armada, en tanto que se trata del presupuesto para la adopción de esta medida[77]. Teniendo en cuenta que el TC ha admitido una motivación por remisión de las resoluciones que acuerdan la restricción de derechos fundamentales[78].

«... En efecto, de ellos deriva que en el Auto impugnado, por sí mismo y por remisión expresa a la solicitud gubernativa, no obstante su parquedad, aparecen explicitados, de un lado, el presupuesto de la misma y su procedencia por razón de los hechos investigados (delitos de terrorismo); los indicios de la conexión con tales hechos de la persona sometida a la incomunicación a partir de las informaciones conocidas a través de las diligencias de investigación realizadas desde el día 20 de

---

(77) Véanse SSTC 49/1999 de 4 de abril; 55/1996, de 28 de marzo; 161/1997, de 2 de octubre; 61/1998, de 17 de marzo; 49/1999, de 5 de abril.

(78) Véanse SSTC 123/1997, de 1 de julio; 49/1999 de 5 de abril; 139/1999 de 22 de julio; 239/1999, de 20 de diciembre.

septiembre (detenciones, declaraciones de los detenidos, registros) que constan en autos en poder del Juez de Instrucción, y a las que alude expresamente la solicitud gubernativa; y, por último, la necesidad estricta de tal medida (para conseguir la más completa investigación de los hechos) .../... En consecuencia, tampoco resulta constitucionalmente exigible un mayor razonamiento acerca de la necesidad de la incomunicación para alcanzar la finalidad que la legitima, ya que ésta puede afirmarse en estos delitos de forma genérica en términos de elevada probabilidad y con independencia de las circunstancias personales del sometido a incomunicación, dada la naturaleza del delito investigado y los conocimientos sobre la forma de actuación de las organizaciones terroristas». STC 127/2000 de 16 de mayo.

La incomunicación durará el tiempo estrictamente necesario para practicar con urgencia diligencias tendentes a evitar los peligros a los que se refiere la ley. En cualquier caso, la incomunicación no podrá extenderse más allá de cinco días, que se podrá prorrogar por otros cinco días en el supuesto de la imputación de los delitos de terrorismo referidos en el 384 bis u otros delitos cometidos concertadamente y de forma organizada por dos o más personas (art. 509.2 LECrim).

SECCIÓN 4. NOMBRAMIENTO DE ABOGADO Y PROCURADOR DE OFICIO. ASISTENCIA JURÍDICA GRATUITA

4.1. Introducción: normativa vigente y contenido material del derecho de asistencia jurídica gratuita[79]

La designación de abogado es un derecho de la parte. Ahora bien, por distintas razones también cabe que se nombre de oficio. A saber: porque así lo prevea la ley

---

(79) Vid. Bibliografía general. Vid también BERNAT I MIQUEL VILANOVA, «La LLei d'assistència jurídica gratuïta, una llei esperada», *Rev. Mon Jurídic*, 1995, núm. 123, pp. 67 y ss.; CID CEBRIÁN, *La justicia gratuita*, 1995; GÓMEZ COLOMER, *El beneficio de pobreza*, 1982; Idem, «El nuevo sistema del beneficio de la asistencia jurídica gratuita», *LA LEY*, 1996, n.º 4020, de 22 abril; HORTAS NIETO, «La ausencia de Procurador de oficio durante la instrucción del proceso penal abreviado», *AP*, n.º 1, 1992; MARTÍN HERRERO, *El beneficio de pobreza. Estudio práctico y doctrinal*, 1954; SOLDADO GUTIÉRREZ, «Rechazo reiterado de letrados de oficio sin designación de letrado de confianza, en el proceso penal», *LA LEY*, 1992, n.º 2956.

En relación con otras normas aplicables en determinadas Comunidades Autónomas, vid. Decreto 200/1990, de 24 de julio, del Gobierno Vasco, por el que se regula el procedimiento de subvención de las actuaciones correspondientes al turno de oficio y a la asistencia letrada al detenido o preso; Decreto 233/1995, de 25 de julio, del Departamento de Justicia de la Generalidad de Cataluña, sobre medidas para instrumentar la subvención para las actuaciones profesionales correspondientes al turno de oficio y a la asistencia letrada al detenido (art. 2), y Decreto 252/1995, de 7 de septiembre, de la Consejería de Justicia de la Xunta de Galicia, sobre medidas para instrumentar la compensación económica de la Comunidad Autónoma de Galicia a la asistencia jurídica gratuita (art. 3.2). Asimismo, la disposición adicional primera de la Ley y del Reglamento establecen las normas de aplicación general en todo el territorio nacional y cuáles pueden ser objeto de desarrollo por las Comunidades Autónomas que hayan asumido el ejercicio efectivo de la competencia en materia de provisión de medios para la Administración de Justicia.

como excepción (v.g. en el caso de decretarse la prisión incomunicada conforme con el art. 527 LECrim.), lo solicite el interesado o en el caso que se niegue a nombrarlo siendo preceptiva su intervención. En todos estos supuestos el Juez procederá a la designación de oficio del abogado, que tendrá carácter gratuito para quien acredite insuficiencia de recursos para litigar en los términos previstos en la ley (art. 545.2 LECrim.). El derecho a la justicia gratuita se reconoce en el art. 119 CE que establece que: «*La justicia será gratuita cuando así lo disponga la Ley y, en todo caso, respecto de quienes acrediten insuficiencia de recursos para litigar*». En igual sentido, se pronuncian los arts. 20.1.º y 2.º LOPJ. Se trata de un derecho de carácter prestacional e instrumental respecto del derecho de acceso a la jurisdicción, que se configura legalmente por el legislador determinándose su alcance y contenido según criterios de distinto orden, entre estos presupuestarios.

«El derecho a la asistencia jurídica gratuita consignado en el art. 119 CE es "un derecho prestacional y de configuración legal cuyo contenido y concretas condiciones de ejercicio, como sucede con otros de esta naturaleza, corresponde delimitarlos al legislador atendiendo a los intereses públicos y privados implicados y a las concretas disponibilidades presupuestarias" (STC 16/1994, de 20 de enero, F. 3). La LAJG es precisamente la disposición encargada de dar contenido a ese derecho y regular su ejercicio y para ello parte, en su Exposición de Motivos, de la premisa de que mediante el sistema de justicia gratuita el Estado lleva a cabo "una actividad prestacional encaminada a la provisión de los medios llevarios para hacer que este derecho [a la tutela judicial efectiva] sea real y efectivo incluso cuando quien desea ejercerlo carezca de recursos económicos"». STC 97/2001 de 5 abril.

En desarrollo del reseñado marco normativo la Ley 1/1996, de 10 de enero, de asistencia jurídica gratuita (modificada por el RDL 3/2013 de 23 de febrero y por la Ley 42/2015 de reforma de la LEC) y el RD 996/2003 de 20 septiembre, por el que se aprueba el Reglamento de asistencia jurídica gratuita, establecen el contenido y procedimiento para su reconocimiento y efectividad, que unifica el sistema de justicia gratuita, frente a la precedente dispersión normativa. Se permite a quienes acrediten insuficiencia de recursos para litigar, según parámetros legales predeterminados, solicitar el nombramiento de Abogado y Procurador de oficio, así como otros derechos que configuran su contenido material (art. 6 Ley de Justicia gratuita).

El contenido material del derecho comprende la defensa y representación gratuita, la asistencia de abogado al detenido o preso, la inserción gratuita de anuncios o edictos en el curso del proceso, la exención del pago de depósitos para recurrir, la asistencia pericial gratuita, la obtención gratuita de copias, testimonios, instrumentos y actas notariales, y la reducción del 80% de los derechos arancelarios de Notarios y Registradores en los supuestos establecidos en sus párrafos 8, 9 y 10 del art. 6 de la Ley 1/1996 de 10 de enero.

Las normas sobre asistencia jurídica gratuita tienen una vocación unificadora para desarrollar las reglas comunes y generales sobre estos derechos, con las particularidades que para el orden penal se derivan de los preceptos citados. En este sentido, la promulgación y entrada en vigor de la Ley de asistencia jurídica gratuita ha tenido como consecuencia una profunda modificación de la LECrim., con derogación de sus preceptos y mantenimiento exclusivo de las necesarias especialidades en el orden jurisdiccional penal. Entre éstas, las más singular es la que se refiere al derecho a la defensa que tiene todo imputado desde el mismo momento de su detención, y la consiguiente asistencia Letrada al detenido (art. 17.3.º CE y desarrollado en los arts. 118.3, 520 y ss., 767, 775 LECrim., art. 29 Ley 1/1996, de 10 de enero).

Aunque los Convenios Internacionales —art. 14.3.d) PIDCP y art. 6.3.c) CEDH— condicionan la intervención del abogado de oficio a que el acusado carezca de medios suficientes para sufragarlos, el Tribunal Europeo de Derechos Humanos ha rechazado una interpretación literal de sus normas reguladoras en sus sentencias de 25 abril 1983, 9 octubre 1983 y 28 marzo 1990 (Casos Pakelli, Airer y Granger) entre otras, por cuanto prima el mandato constitucional de una defensa técnica efectiva y obligatoria. En esta última se precisa que si bien se reconoce en principio el derecho a la asistencia jurídica gratuita por el Abogado de oficio si el acusado no tiene medios para pagarlo, lo será siempre «cuando los intereses de la justicia así lo exijan», matizando una solución que debería ser aceptada con mayor amplitud.

De este modo, en ningún caso la falta de asistencia letrada, cualquiera que sea la causa, puede ocasionar indefensión al inculpado en un proceso penal. En este sentido, en sede de procedimiento por delitos leves, el TC ha declarado que la falta de asistencia letrada gratuita en un proceso que permite la comparecencia personal, sólo produce indefensión si la autodefensa ejercida no puede compensar la ausencia de Abogado, examinando las circunstancias del caso concreto (STC 233/1998 de 1 diciembre). Además, esta doctrina parte de la levedad de las condenas que pueden recaer en dicho juicio. En cualquier otro procedimiento penal, la asistencia letrada no es sino una de las garantías que incluye el derecho fundamental de defensa proclamado en el art. 24.2 CE, que no puede quedar al albur ni siquiera del propio inculpado[80].

> «Sin embargo, la exigencia legal de postulación no coincide siempre con la necesidad constitucional de asistencia letrada. Por ello, el que la ley permita la comparecencia personal del interesado no justifica siempre la negativa judicial al nombramiento de Letrado del turno de oficio si quien lo solicita carece de recursos económicos para designar uno de su elección. La necesidad constitucional de asistencia letrada viene determinada por la finalidad que este derecho cumple. Si, como dijimos antes, se trata de garantizar la igualdad de las partes y la efectiva contradicción para el correcto desarrollo del debate procesal, será constitucionalmente obligada la asistencia letrada allí donde la capacidad del interesado, el objeto del proceso o su complejidad técnica hagan estéril la autodefensa que el mismo puede ejercer mediante su comparecencia personal. Por eso hemos reconocido —en relación con la gratuidad de tal asistencia letrada— que será determinable, en cada caso concreto, atendiendo a la mayor o menor complejidad del debate procesal a la cultura y conocimientos jurídicos del comparecido personalmente, deducidos de la forma y nivel

---

(80) «... El derecho a que se proceda por el órgano judicial a la designación de abogado del turno de oficio únicamente despliega toda su eficacia en relación el imputado en un proceso penal, siendo en los demás casos un derecho sometido a diversos condicionamientos procesales y materiales. La ausencia de abogado sólo debe valorarse como lesiva del derecho fundamental cuando la autodefensa ejercitada en concreto se revela determinante de la indefensión...». (STC 1/1996, de 26 marzo, LA LEY, R-4011). Vid. también STC 216/1988, de 14 noviembre.

técnico con que haya realizado su defensa». (STC 47/1987, fundamento jurídico 3.º). STC 233/1998 de 1 diciembre.

Corresponde a los órganos jurisdiccionales velar, más allá de la designación de abogado y procurador de oficio, porque el inculpado tenga una debida y efectiva defensa jurídica especialmente cuando esta defensa le viene concedida por justicia gratuita.

> «Como declaramos en la STC 53/1990, el Tribunal, en el seno del proceso penal, debe velar especialmente por los derechos del justiciable en los casos en que la dirección y representación se realiza mediante designación de oficio (fundamento jurídico 2.º) También en este sentido, hemos advertido que la doctrina que declara la plenitud de las notificaciones realizadas a la representación del encausado, en cuanto suficientes en principio, para garantizar su adecuada defensa, "se ha de modular en relación con los casos en que la postulación procesal no se sustenta en una previa relación de confianza entre la parte y los profesionales que la asisten" (STC 184/1997, fundamento jurídico 7.º)». ATC 148/1998 de 29 de junio.

El reconocimiento del derecho a la asistencia gratuita lleva consigo, como establece el art. 27 de la Ley 1/1996, la designación de Abogado, y cuando sea preciso de Procurador, que resulta ser el aspecto más relevante para quien carezca de medios económicos y solicite el beneficio de justicia gratuita, al tratarse de la partida más cuantiosa y relevante para el ejercicio del derecho de defensa. A dichos efectos, hemos de distinguir diversos tipos y modos de designación, de conformidad con los arts. 15, 21, 27 y ss. de la Ley 1/1996, de 10 de enero, en concordancia con los arts. 11 y 12 del Reglamento. Véase el procedimiento de solicitud y concesión de asistencia gratuita en M. 34 a 40).

La designación provisional tiene lugar, conforme establece el art. 15 de la Ley y art. 11 del Reglamento, cuando de la solicitud y los documentos justificativos que presente resulta acreditado que el peticionario reúne los presupuestos para su concesión conforme dispone el art. 2 de la Ley. Este nombramiento que se lleva a cabo directamente por el Colegio de Abogados, con anterioridad a la intervención de la Comisión de Asistencia Jurídica, ha de efectuarse en un plazo máximo de 15 días y se sigue de una inmediata comunicación al Colegio de Procuradores para que cuando sea preceptivo se designe Procurador que le represente. Realizada la designación se da traslado del expediente en el plazo de tres días a la Comisión de Asistencia Jurídica para su verificación y resolución. Y para el supuesto de que no se dictará resolución en el plazo máximo anteriormente indicado, el solicitante puede dirigirse directamente a la Comisión para que proceda a dicha designación provisional.

La importancia de la designación provisional reside en que el instante pueda obtener defensa y representación a la mayor brevedad, sin esperar a la sustanciación del procedimiento administrativo que ha de llevarse a cabo ante la Comisión, dado que, en ocasiones, la perentoriedad de los plazos, o la urgente situación del perjudicado puede ocasionarle evidentes perjuicios por su tardía personación.

Como modalidad de especial relevancia para el proceso penal, con independencia de la asistencia letrada al detenido y al imputado, previstas en los arts. 520 y 118 LECrim., respectivamente, se contempla en el art. 21 de la Ley, la posibilidad de que el órgano judicial que se encuentre conociendo del proceso dicte resolución motivada requiriendo de los Colegios Profesionales el nombramiento provisional de Abogado y Procurador, en atención a las circunstancias o de la urgencia del caso y siempre que fuera preciso asegurar de forma inmediata los derechos de defensa y representación de las partes, y alguna de ellas manifestara carecer de recursos económicos, continuando luego la sustanciación del expediente ante el Colegio de Abogados y la Comisión de Asistencia Jurídica para su designación definitiva. (Véase M. 39).

Para la organización de los servicios de asistencia letrada, defensa y representación gratuita, los arts. 22 a 26 y 37 a 41 de la Ley, regulan diversas particularidades respecto a la distribución por turnos, formación y especialización, responsabilidad patrimonial y otorgamiento de subvenciones para satisfacer los gastos correspondientes[81].

Sustanciado el expediente administrativo, y en su caso, la subsiguiente impugnación ante los órganos judiciales, desarrollados en el epígrafe precedente, podrá reconocerse, a tenor de lo dispuesto en el art. 18 de la Ley 1/1996, y el art. 16 del Reglamento, el derecho definitivo al nombramiento de Abogado y Procurador de oficio. En cambio, si la Comisión de Asistencia Jurídica desestimara la petición, quedarán sin efecto los nombramientos y la subsiguiente obligación de abonar los honorarios de estos profesionales[82]. En todo caso, el art. 19 de la Ley 1/1996 y el art. 19 del Reglamento, establecen una potestad de revisión de oficio por parte de la Comisión de Asistencia Jurídica cuando se justifique que la declaración fuese errónea, o se constatara el falseamiento u ocultación de los datos, quedando igualmente sujeta su resolución a la impugnación judicial en los términos previstos en el art. 20, ya expuestos precedentemente[83].

De conformidad con lo dispuesto en el art. 121 LECrim. reformado por la Ley 1/1996, todos aquellos que sean parte en una causa, cuando no se les hubiere reconocido el derecho a la asistencia gratuita tendrán la obligación de satisfacer los derechos de los Procuradores que les representen y los honorarios de los Abogados que les defienda, así como de los peritos que informen a su instancia y las indemnizaciones de los testigos y peritos cuando al declarar, hubieran formulado su reclamación y el Juez o Tribunal lo estimen pertinente, a tenor de lo reglado en el art. 121.1.º LECrim. Y el Procurador que hubiere aceptado y fuera de su elección se halla obligado a pagar los honorarios de los Letrados de que se valiesen los clientes para su defensa, previsión que se asienta sobre el dato de que son dichos profesionales quienes han de disponer de la oportuna provisión de fondos, si bien en la realidad y

---

(81) Vid. arts. 26 a 35 del Reglamento, sobre la organización de los servicios de asistencia, defensa y representación gratuita, y arts. 36 a 44 del Reglamento, sobre la subvención y supervisión de los servicios de asistencia jurídica gratuita. Ha de tenerse presente que según lo previsto en el art. 26 de la Ley y art. 34 del Reglamento, los daños producidos por el funcionamiento de los servicios de asistencia jurídica gratuita serán resarcidos conforme a las reglas y principios de responsabilidad patrimonial del Estado. Vid. Capítulo XX, Sección 2.ª.

(82) Vid. Anexo II del Reglamento, que desarrolla los módulos y bases de compensación económicas para los profesionales que actúen en defensa y representación nombrados de oficio.

(83) Vid. art. 20 del Reglamento, sobre revocación del derecho de Abogado y Procurador nombrados de oficio.

la práctica lo cierto es que quienes tienen un mayor contacto con los mismos suelen ser los Letrados[84]. Los procedimientos respectivos para su reclamación se reglamentan en los arts. 8 y 12 LEC. Y todo ello sin perjuicio del reintegro económico de los derechos establecido en el art. 36 de la Ley 1/1996, de 10 de enero.

Quienes hubiesen obtenido el derecho a la asistencia jurídica gratuita —art. 27 Ley 1/96— no podrán actuar simultáneamente con Abogado designado de oficio y Procurador libremente elegido o viceversa, salvo que el profesional de libre elección renunciara por escrito a percibir sus honorarios o derechos ante el titular del derecho a la asistencia jurídica gratuita y el Colegio correspondiente. Esta previsión que tiene su correlación con la regla desarrollada en el art. 121.4.º LECrim., posibilita la actuación de Abogado y Procurador de su elección a quienes hubieran obtenido el derecho de asistencia gratuita, salvo la renuncia de éstos en los términos ya reseñados.

Juntamente con la renuncia a la designación —art. 28—, se contempla en el art. 31 la posibilidad, solamente en el proceso penal —art. 31.2.º Ley 1/96—, de excusarse del nombramiento siempre que concurra un motivo personal y justo que debe alegarse en el plazo de tres días y resolverse dentro de los cinco días siguientes a su presentación, por los Decanos de los Colegios respectivos.

En todo caso, los Abogados y Procuradores designados desempeñarán sus funciones de forma real y efectiva —art. 31.1.º— hasta la terminación del proceso[85] en la instancia judicial de que se trate y, en su caso, la ejecución de la sentencia siempre que se produzca dentro de los dos años desde la designación.

Para la defensa y representación cuando la competencia para el conocimiento de los recursos —art. 7.3.º— corresponda a un órgano jurisdiccional cuya sede se encuentre en distinta localidad, el Juzgado o Tribunal una vez recibido el expediente judicial requerirá a los respectivos Colegios la designación de Abogado y Procurador ejercientes en dicha sede jurisdiccional. (Véase M. 40).

En cuanto al perjudicado por el delito también le asiste el derecho al nombramiento de abogado y Procurador de oficio, tal y como reconoce el art. 771 LECrim., en sede de procedimiento abreviado, en caso de ser titular del derecho a la justicia gratuita, de conformidad con las normas generales de la Ley 1/1996, de 10 de enero[86].

---

(84) Vid. art. 6.6.º de la Ley y arts. 45 y 46 del Reglamento, que regulan la asistencia pericial gratuita.

(85) De conformidad con el art. 25 de la Ley y 33 del Reglamento, se prevé la formación y especialización de Abogados y Procuradores, y el establecimiento de los requisitos generales mínimos necesarios para prestar los servicios de asistencia jurídica gratuita, así como aquellos relativos a experiencia profesional previa, con posible desarrollo reglamentario por las Comunidades Autónomas. Sin embargo, la disp. trans. segunda del Reglamento establece que hasta tanto no se dicte la OM por el Ministerio de Justicia, serán de aplicación la condiciones fijadas en virtud del art. 6 del RD 108/1995, de 27 de enero, que se deroga en todo lo demás, sobre medidas para instrumentar la subvención estatal a la asistencia jurídica gratuita.

(86) Sobre el nombramiento de Abogado y Procurador de oficio para los perjudicados, véanse las SSTC 115/1984, de 3 diciembre, 63/1985, de 10 mayo, y 217/1994, de 18 julio, declarando la vulneración de derechos fundamentales por indefensión al no proceder al nombramiento de Procurador de oficio, archivando las diligencias. Por ello, no será necesaria una previa solicitud para el ejercicio de las acciones penales, sino que bastará su petición en el mismo escrito, pro-

«... en la reciente STC 221/2000, de 18 de septiembre, hemos advertido que "incluso cuando la Ley exige la intervención de Letrado y Procurador para dar validez a una actuación procesal, los órganos judiciales han de considerar su ausencia como un requisito subsanable (STC 53/1990, de 26 de marzo), por lo que hemos afirmado [que] ha de dársele oportunidad al interesado de reparar tal omisión". Y es que, como dijéramos ya en la STC 115/1984, de 3 de diciembre, en un caso en el cual el denunciante solicitaba el nombramiento de Procurador del turno de oficio, el órgano judicial está obligado a facilitar el acceso del denunciante que mostró su interés en el ejercicio de la acción penal, "cumpliendo de esta forma el mandato implícito al legislador y al intérprete, contenido en el art. 24 de la Constitución, dirigido a promover en la medida de lo posible la defensa en el proceso de los derechos e intereses legítimos de los ciudadanos"». STC 16/2001 de 29 de enero.

En cualquier caso, este derecho queda condicionado, obviamente, por la existencia de responsabilidad penal en los hechos objeto del procedimiento penal. Téngase en cuenta que no puede haber causa penal sin indicios racionales de criminalidad, y si el Juez advierte que éstos no existen no dará curso a la petición de los perjudicados de nombramiento de abogado y procurador de oficio.

«La existencia del derecho al nombramiento de Abogado y Procurador del turno de oficio tiene, pues, ex art. 119 LECr., como presupuesto la apreciación por el Juez de la existencia de un "hecho punible", con lo que su inexistencia hace que, "no sólo tales nombramientos apareciesen como innecesarios sino también como inconvenientes por razones de economía procesal" (STC 217/1994, f. j. 2.º). Ello ha llevado a este Tribunal a constatar la existencia de supuestos en los que, en virtud de las circunstancias del caso, no es posible considerar que la decisión de sobreseer las diligencias sin responder a la solicitud del denunciante de que se le nombrase Abogado y Procurador del turno de oficio suponga una vulneración del derecho a la tutela judicial efectiva (STC 131/1991). En este sentido la reciente STC 120/1997 ha declarado que debe tomarse en consideración, a estos efectos, diversos factores, tales como la existencia de otro derecho fundamental cuya tutela se intente a través del proceso penal iniciado con la denuncia en cuestión; la concreción, desde el inicio, del hecho denunciado; o el alcance de la actividad judicial exigible para resolver el asunto, especialmente si se limita a la mera constatación de la inexistencia de una actuación delictiva, que resultase evidente, o si, contrariamente, integra la práctica de actividad instructora de cualquier clase». STC 138/1997 de 22 de julio.

Entre los beneficiarios al derecho a justicia gratuita se hallan los ciudadanos españoles y también ciertas personas jurídicas, atendiendo a su naturaleza y fines, de conformidad con el art. 2 LO 1/1996.

«Que la "insuficiencia de recursos para litigar", contenido constitucional indisponible para el legislador del derecho a la justicia gratuita, sólo es reconducible a las personas físicas. En consecuencia, el legislador ordinario es libre para decidir cuándo

---

veyéndose a su nombramiento, sin paralización de las diligencias de investigación. En cambio, la STC 131/1991, de 13 junio, declara que la decisión de sobreseer las diligencias sin responder a la solicitud del denunciante de que se le nombrase Abogado y Procurador del turno de oficio no obstaculizó el acceso del denunciante al proceso en cuanto no se trató de una decisión infundada o injustificada, en cuanto el proceso que se pretendía incoar mediante la denuncia era reproducción de otro anterior que había sido sobreseído y archivado tras la pertinente tramitación.

y en qué condiciones las personas jurídicas merecen ser acreedoras de la asistencia jurídica gratuita. C) Dentro del expresado margen de libertad, tanto en la Ley 1/1996 como en la normativa antes vigente —la aplicable, por cierto, al supuesto aquí debatido— el legislador ha ido, caso por caso, otorgando el beneficio de justicia gratuita a determinadas personas jurídicas, atendiendo a su naturaleza y fines. Beneficio reconocido únicamente, en la legislación anterior y en la actual, a las personas jurídicas "de interés general"; excluyendo, en cambio, al resto de las entidades asociativas y, dentro de ellas, especialmente a las sociedades, dado su marcado fin de interés particular. D) Por lo que respecta, en especial, a las sociedades mercantiles de capital, a la hora de resolver si la denegación de la asistencia jurídica gratuita entraña o no un obstáculo injustificado para su acceso a la jurisdicción, es relevante considerar la realidad sobre la que se sustenta su personificación jurídica, a saber: el ánimo de lucro y el propósito de racionalizar los riesgos de la actividad empresarial limitando la responsabilidad patrimonial al valor de la aportación social». ATC 166/1999 de 16 de junio.

Por ejemplo, el art. 2.i LO 1/1996 reconoce el derecho de asistencia jurídica gratuita a las asociaciones que tengan como fin la promoción y defensa de los derechos de las víctimas del terrorismo, señaladas en la Ley 29/2011, de 22 de septiembre (LA LEY 18062/2011), de reconocimiento y protección integral a las víctimas del terrorismo. También tienen derecho a solicitar la asistencia jurídica gratuita los extranjeros que acrediten insuficiencia de recursos para litigar, con independencia de que tengan o no residencia legal en nuestro país. Así resulta de la interpretación realizada por el TC del art. 22.2 LO 4/2000 de derechos y libertades de los extranjeros en España.

«La STC 95/2003 (LA LEY 2117/2003), partiendo de "la conexión instrumental entre el derecho a la asistencia jurídica gratuita y el derecho a la tutela judicial efectiva" (FJ 3), y reiterando la titularidad del derecho a la tutela judicial efectiva por parte de los extranjeros, "con independencia de su situación jurídica" (FJ 5), concluye que la norma impugnada está viciada de inconstitucionalidad por entrañar "una vulneración del derecho a la tutela judicial efectiva consagrado en el art. 24.1 CE, del que, como se dijo, son titulares todas las personas (también los extranjeros no residentes legalmente en España)" (FJ 6). Es más, al precisar el alcance de la declaración de inconstitucionalidad del art. 2 LAJG, la Sentencia puntualiza que: "Al apreciarse inconstitucionalidad en la exigencia del requisito de la legalidad de la residencia, los extranjeros que se encuentren en España y reúnan las condiciones requeridas legalmente para ello podrán acceder a la asistencia jurídica gratuita en relación con cualquier tipo de proceso a efectos del cual gocen de la precisa legitimación." (FJ 8). La aplicación de esta jurisprudencia al enjuiciamiento del art. 22.2 de la Ley Orgánica 4/2000, modificado por la Ley aquí impugnada, lleva directamente a apreciar su inconstitucionalidad. En efecto, el apartado 1 del art. 22 concede a "los extranjeros que se hallen en España y carezcan de recursos económicos suficientes (...)" el derecho a la asistencia jurídica gratuita "en los procedimientos administrativos o judiciales que puedan llevar a la denegación de su entrada, a su devolución o expulsión del territorio español y en todos los procedimientos en materia de asilo". Por su parte, el apartado 2 del art. 22, aquí impugnado, reserva a los "extranjeros residentes" el derecho a la asistencia jurídica gratuita "en iguales condiciones que los españoles en los procesos en los que sean parte, cualquiera que sea la jurisdicción en la que se sigan". Ello supone la exigencia del requisito de la legalidad de la residencia para que los extranjeros puedan acceder a la asistencia jurídica gratuita en relación con cualquier tipo de proceso a efectos del cual gocen de la precisa legitimación, lo cual resulta inconstitucional por las razones expuestas». STC 236/2007 de 7 de noviembre.

Finalmente, y de modo específico, se refiere a la asistencia jurídica gratuita la Ley 35/1995 de ayuda y asistencia a las víctimas de delitos contra la libertad sexual que establece el deber de informar a la víctima de las posibilidades para reclamar la tutela judicial de sus derechos e intereses, así como de la obtención del beneficio de justicia gratuita (art. 15.4 Ley 35/1995). En el mismo sentido, el art. 20 LO 1/2004 de protección integral contra la violencia de género garantiza la defensa jurídica, gratuita y especializada de forma inmediata a todas las víctimas de violencia de género que lo soliciten, sin perjuicio de que si no se les reconoce con posterioridad el derecho a la asistencia jurídica gratuita, éstas deberán abonar al abogado los honorarios devengados por su intervención (Véase sobre las especialidades en materia de violencia de género Cap. XI).

4.2. Requisitos y procedimiento para la concesión de la asistencia jurídica gratuita

El beneficio de justicia gratuita, como señala la jurisprudencia constitucional y la mejor doctrina, es un derecho subjetivo público de carácter estrictamente procesal por su finalidad y rango constitucional, cuyo fundamento es el derecho de acción establecido en el art. 24.1 CE en relación con el principio de igualdad establecido en el art. 14 de la Norma Fundamental[87].

A) Presupuestos para su otorgamiento

El beneficio de justicia gratuita deberá ser solicitado por una persona física o jurídica para litigar por derechos propios. Quedan excluidos los extranjeros que no sean de la Comunidad Europea ni aquellos otros de países que tengan suscritos Tratados y Convenios, se debate su posible inconstitucionalidad derivada de una indebida aplicación del principio de igualdad. De todos modos, en el orden jurisdiccional penal —art. 1.2.º—, tendrán derecho a la asistencia letrada y a la defensa y representación gratuitas, los ciudadanos extranjeros que acrediten insuficiencia de recursos para litigar, aun cuando no residan legalmente en territorio español. Además, debe concurrir la sostenibilidad de la pretensión, es decir, que no sea del todo infundada. El examen de este presupuesto tiene su cauce en los órdenes civil, laboral o contencioso—art. 32 de la Ley 1/96—. En cambio, en el proceso penal basta que se incoe un proceso en que el hecho perseguido se encuentre tipificado en el Código Penal, para que sea presupuesto suficiente para declarar a una persona imputada y se dirija el procedimiento contra él[88].

Los requisitos para su concesión se hallan regulados en los arts. 2 y 3 de la LO 1/1996 que prevé los siguientes supuestos:

1) Se reconoce, y se prestará de inmediato, el derecho de asistencia jurídica gratuita con independencia de la existencia de recursos para litigar a:

---

(87) Vid. SSTC 28/1981, de 23 julio, 30/1981, de 24 julio, 77/1983, de 3 octubre, 47/1987, de 22 abril, y 216/1988, de 14 noviembre. Vid. también Gómez Colomer, «El nuevo sistema del beneficio de la asistencia jurídica gratuita», *LA LEY*, 1996, n.º 4020, de 22 abril; pp. 1 y ss.

(88) Vid. art. 35 del Reglamento aprobado por RD 996/2003, de 25 de julio, sobre la sostenibilidad de la pretensión.

— las víctimas de violencia de género, de terrorismo y de trata de seres humanos en aquellos procesos que tengan vinculación, deriven o sean consecuencia de su condición de víctimas (también se reconoce el derecho a los causahabientes en caso de fallecimiento de la víctima, siempre que no fueran partícipes en los hechos)[89];

— a los menores de edad y las personas con discapacidad intelectual o enfermedad mental cuando sean víctimas de situaciones de abuso o maltrato (art. 2 g Ley 1/1996);

— a quienes a causa de un accidente acrediten secuelas permanentes que les impidan totalmente la realización de las tareas de su ocupación laboral o profesional habitual y requieran la ayuda de otras personas para realizar las actividades más esenciales de la vida diaria, cuando el objeto del litigio sea la reclamación de indemnización por los daños personales y morales sufridos (art. 2 h Ley 1/1996);

— a las asociaciones que tengan como fin la promoción y defensa de los derechos de las víctimas del terrorismo, señaladas en la Ley 29/2011, de 22 de septiembre, de reconocimiento y protección integral a las víctimas del terrorismo (art. 2 i Ley 1/1996).

2) Se reconoce el derecho de asistencia jurídica gratuita a las personas físicas que litiguen para defender intereses propios cuando carezcan de medios económicos suficientes conforme con el art. 2 Ley 1/1996 que dispone que: «Los ciudadanos españoles, los nacionales de los demás Estados miembros de la Unión Europea y los extranjeros que se encuentren en España, cuando acrediten insuficiencia de recursos para litigar». También se podrá solicitar el derecho cuando se litigue por intereses ajenos que tengan fundamento en una representación legal. En este caso, los requisitos para la obtención del beneficio vendrán referidos al representado, art. 3.5 Ley 1/1996). Los límites económicos para la concesión del derecho se contienen en el art. 3.1 Ley 1/1996 que establece como criterio que los recursos e ingresos económicos brutos del solicitante, computados anualmente por todos los conceptos y por unidad familiar, no superen los siguientes umbrales: «Dos veces el indicador público de renta de efectos múltiples vigente en el momento de efectuar la solicitud cuando se trate de personas no integradas en ninguna unidad familiar. Dos veces y media el indicador público de renta de efectos múltiples vigente en el momento de efectuar la solicitud cuando se trate de personas integradas en alguna de las modalidades de unidad familiar con menos de cuatro miembros. El triple de dicho indicador cuando se trate de unidades familiares integradas por cuatro o más miembros o que tengan reconocida

---

(89) Dispone la Ley que: «A los efectos de la concesión del beneficio de justicia gratuita, la condición de víctima se adquirirá cuando se formule denuncia o querella, o se inicie un procedimiento penal, por alguno de los delitos a que se refiere esta letra, y se mantendrá mientras permanezca en vigor el procedimiento penal o cuando, tras su finalización, se hubiere dictado sentencia condenatoria. El beneficio de justifica gratuita se perderá tras la firmeza de la sentencia absolutoria, o del sobreseimiento definitivo o provisional por no resultar acreditados los hechos delictivos, sin la obligación de abonar el coste de las prestaciones disfrutadas gratuitamente hasta ese momento. En los distintos procesos que puedan iniciarse como consecuencia de la condición de víctima de los delitos a que se refiere esta letra y, en especial, en los de violencia de género, deberá ser el mismo abogado el que asista a aquélla, siempre que con ello se garantice debidamente su derecho de defensa» (art. 2 g Ley 1/1996).

su condición de familia numerosa de acuerdo con la normativa vigente»[90]. Estos límites quedarán matizados, sin embargo, cuando a pesar de no superar el citado límite se aprecie la existencia de signos exteriores de riqueza (art. 4 Ley 1/1996)[91]. Por otra parte, puede reconocerse, excepcionalmente, el derecho para quienes, sobrepasando aquellos límites, acrediten determinadas circunstancias familiares, estado de salud u obligaciones económicas, a tenor de lo dispuesto en el art. 5, siempre que sus ingresos no excedan del quíntuplo del indicador de renta (IPREM)[92]. En estos casos, el derecho de asistencia jurídica tendrá el contenido que la Comisión de Asistencia Jurídica gratuita determine, entre los beneficios establecidos en el art. 6 de la Ley 1/1996, de 10 de enero[93]. Estas circunstancias económicas deben existir al momento de la solicitud. Pero, en el supuesto de insuficiencia económica sobrevenida con posterioridad a la sustanciación de la causa o en fase de recursos, el interesado podrá solicitar el beneficio acreditando aquella circunstancia (art. 8 LO 1/1996).

3) El derecho a la asistencia jurídica gratuita se atribuye también a: «1.º Asociaciones de utilidad pública, previstas en el art. 32 de la Ley Orgánica 1/2002, de 22 de marzo, reguladora del Derecho de Asociación 2.º Fundaciones inscritas en el Registro Público correspondiente» (art. 2.c Ley 1/1996), cuando careciendo de patrimonio suficiente el resultado contable de la entidad en cómputo anual fuese inferior a la cantidad equivalente al triple del indicador público de renta de efectos múltiples (art. 3.5 Ley 1/1996).

B) Procedimiento

a) Fase administrativa

Una de las novedades de la Ley es la actuación administrativa y «desjudicialización» del procedimiento para reconocer el derecho a la asistencia jurídica gratuita.

---

(90) El Indicador de Renta (IPREM) es un índice empleado en España como referencia para la concesión de ayudas, becas, subvenciones o el subsidio de desempleo entre otros. Este índice nació en el año 2004 para sustituir al Salario Mínimo Interprofesional como referencia para estas ayudas. Para el año 2016, que no se actualiza desde 2010, asciende a 532,51 euros (mensual) 6.390,13 euros; (anual 12 pagas); 7.455,14 euros (anual 14 pagas).

(91) Para valorar la existencia de patrimonio suficiente se tendrán también en cuenta la titularidad de bienes inmuebles siempre que no constituyan la vivienda habitual del solicitante, así como los rendimientos del capital mobiliario (art. 4.2 Ley 1/1996).

(92) También: *«… se podrá reconocer el derecho a la asistencia jurídica gratuita atendiendo a las circunstancias de salud del solicitante y a las personas con discapacidad señaladas en el apartado 2 art. 1 de la Ley 51/2003, de 2 de diciembre, de igualdad de oportunidades, no discriminación y accesibilidad universal de las personas con discapacidad, así como a las personas que los tengan a su cargo cuando actúen en un proceso en su nombre e interés, siempre que se trate de procedimientos que guarden relación con las circunstancias de salud o discapacidad que motivan este reconocimiento excepcional»* art. 5.2 Ley 1/1996.

(93) Los arts. 1 a 7 del Reglamento aprobado por RD 996/2003 de 25 de julio establecen las normas de organización y funcionamiento de las Comisiones de Asistencia Jurídica Gratuita. Las funciones de dicha Comisión, según establece el art. 7, son el reconocimiento o denegación del derecho de asistencia jurídica gratuita, la revocación del derecho, la realización de las comprobaciones necesarias para la confirmación de la exactitud de los datos proporcionados por el solicitante, la tramitación de las solicitudes y las comunicaciones relativas a la insostenibilidad de la pretensión, y la supervisión de las actuaciones de los Servicios de Orientación Jurídica previstos en el art. 21 del Reglamento.

La solicitud se presentará ante los Colegios Profesionales del lugar en que se halle el Juzgado o Tribunal que haya de conocer del proceso principal —art. 9— con los documentos que reglamentariamente se determinan en el art. 8 y Anexo I del Reglamento aprobado por RD 996/2003, de 25 de julio, para su acreditación, los datos que permitan apreciar la situación económica del interesado y de los integrantes de su unidad familiar, sus circunstancias personales y familiares, la pretensión que se quiere hacer valer y la parte o partes contrarias en el litigio, si los hubiese. (Véase M. 34).

Dicho documento será presentado en los Servicios de Orientación Jurídica y en las sedes que se indican en el art. 9 del Reglamento. Tras la presentación, y constatada la insuficiencia de la documentación o algunas deficiencias se procederá por los servicios de Orientación Jurídica de los Colegios de Abogados a la concesión de un plazo de diez días para su subsanación —art. 14 de la Ley y art. 10 del Reglamento— con el apercibimiento de su archivo. Si de la solicitud y sus documentos se demuestra, ab initio, que se reúnen los requisitos reseñados, se podrá realizar una designación provisional —art. 15 de la Ley y art. 10 del Reglamento—, comunicándolo inmediatamente al Colegio de Procuradores para que, caso de ser preceptivo, se designe Procurador en el plazo de tres días para que asuma la representación.

En cualquier caso, teniendo en cuenta las circunstancias que pueden imposibilitar la acreditación a priori de la insuficiencia de recursos económicos, la OM de 23 de septiembre de 1997, sobre tramitación de las solicitudes de asistencia jurídica gratuita en el ámbito de la jurisdicción penal, establece que cuando el Colegio de Abogados aprecie la imposibilidad de acreditar la documentación a la que se refiere el art. 8 del Reglamento de Justicia Gratuita, remitirá el expediente a la Comisión de Asistencia para que continúe la tramitación. En este caso se acompañarán las gestiones realizadas por el Colegio de Abogados y por el Abogado designado para recabar la documentación, así como un informe del abogado con la valoración concreta que le merece la situación del interesado a estos efectos.

Realizada la designación se procederá en el plazo de tres días al traslado del expediente a la Comisión de Asistencia Jurídica Gratuita para la resolución definitiva de la solicitud. Dicha Comisión se encuentra compuesta en la forma desarrollada en los arts. 9 y 10 de la Ley y art. 3 del Reglamento, si bien el Fiscal como parte en el proceso penal, a nuestro entender, no parece pueda ser componente de dicha Comisión, a los efectos de su verificación y resolución en este orden jurisdicción penal.

La Comisión podrá realizar las comprobaciones pertinentes y recabar los datos que estime necesarios, inclusive a la Administración Tributaria, tras lo cual dictará resolución en el plazo de treinta días, de conformidad con los arts. 17 de la Ley y 15 a 17 del Reglamento. Y si no la dictara, el silencio será positivo, procediendo a petición del interesado, del Juez o Tribunal, a declarar el derecho. Nótese que el funcionamiento de las Comisiones de Asistencia Jurídica, debe ajustarse a lo dispuesto por la Ley 30/1992, de 26 de noviembre, reguladora de la Ley de Régimen Jurídico de las Administraciones Públicas y del Procedimiento Administrativo Común —art. 11 de la Ley 1/96—, según establece el art. 6 del Reglamento, reuniéndose con una periodicidad, como mínimo de quince días. En su consecuencia se ratifica la naturaleza administrativa del órgano y su sujeción a las normas administrativas comunes.

b) Fase jurisdiccional

Finalizado el procedimiento administrativo, la impugnación de la resolución desarrollada en el art. 20 de la Ley y 19 del Reglamento, se realiza ante un órgano jurisdiccional, sin que sea preceptiva la intervención de Letrado. Dicha impugnación deberá efectuarse en el plazo de cinco días, desde la notificación de la resolución o desde que haya sido conocida por cualquiera de los legitimados, ante el Secretario de la Comisión de Asistencia Jurídica Gratuita, quien remitirá el escrito junto con el expediente y una copia certificada de la misma al Juez o Tribunal competente o al Juez Decano para su reparto. (Véase M. 35).

Tras la remisión de actuaciones y recepción por el órgano judicial se iniciará una fase jurisdiccional de revisión de la actuación administrativa anteriormente desarrollada que comenzará con la citación a comparecencia de las partes, y al Abogado del Estado o Letrado de la Comunidad Autónoma correspondiente, dentro de los ocho días siguientes. Tras oírles y practicar la prueba que estime necesaria dentro del plazo de cinco días, dictará auto manteniendo o revocando la resolución impugnada, sin que el auto que recaiga sea susceptible de ulterior recurso. (Véanse M. 36 a 38).

c) Procedimiento en el proceso especial para el enjuiciamiento rápido de determinados delitos

El RD 996/2003 de 25 de julio ha introducido una regulación especial para la designación de abogados en el procedimiento de enjuiciamiento rápido de determinados delitos, de modo que se asegure la asistencia letrada y defensa en estos procedimientos caracterizados por la rapidez y concentración de actuaciones.

Designado abogado de oficio, el procedimiento se iniciará presentando solicitud normalizada, conforme con el M. 41, que cumplimentará y firmará el interesado, que presentará el abogado ante el servicio de orientación jurídica del Colegio de abogados. Dada la inmediatez en la prestación de asistencia letrada, no será precisa la acreditación previa de la carencia de recursos económicos por parte del asistido, sin perjuicio de la obligación de presentar la documentación necesaria ante el Colegio de Abogados. No obstante, si el abogado designado para la defensa apreciara que el posible beneficiario carece, de manera notoria, de medios económicos, elaborará informe que se unirá a la solicitud, para su valoración por la Comisión de Asistencia Jurídica Gratuita. Sin perjuicio de recabar las informaciones que estime necesarias sobre la situación económica del interesado (Véase M. 41.1).

El procedimiento se impulsa, en gran parte, por el abogado que podrá presentar la solicitud, aunque no estuviere firmada por el interesado por cualquier circunstancia, cuando apreciara que es posible beneficiario de asistencia jurídica gratuita. En ese caso, se hará constar esta circunstancia, a fin de que continúe la tramitación, lo cual se acreditará mediante certificación expedida por el Letrado de la Administración de Justicia del órgano judicial en el que se lleva a cabo la instrucción del procedimiento judicial (art. 21 RD 996/2003).

La solicitud se presentará en el plazo de cinco días. Analizada la solicitud y documentación presentada, si ésta fuere insuficiente, se le requerirá para que subsane los defectos advertidos en el plazo de 10 días; de no hacerlo así, se le tendrá por desistido. Si la documentación fuese suficiente o subsanase los defectos advertidos, una vez analizado el informe emitido por el letrado, el Colegio de Abogados adoptará una primera decisión provisional sobre si el solicitante reúne los requisitos legalmente exigidos para la concesión del derecho y la trasladará, junto con el expediente completo, en el plazo de tres días a la Comisión de Asistencia Jurídica Gratuita para su verificación y resolución definitiva, comunicándole asimismo la designación de letrado efectuada (art. 22 RD 996/2003).

La Comisión de Asistencia Jurídica Gratuita dará preferencia absoluta a la tramitación de estas solicitudes procurando que la resolución, que reconozca o deniegue el derecho, se dicte con anterioridad a la fecha de celebración del juicio oral y sin que en ningún caso el plazo para efectuar comprobaciones y recabar la información necesaria para verificar la exactitud de los datos declarados, así como para dictar resolución, exceda de 30 días desde su recepción (art. 23 RD 996/2003). La falta de resolución expresa de la Comisión de Asistencia Jurídica Gratuita en el plazo establecido en el artículo anterior producirá la confirmación de las decisiones previas adoptadas por el Colegio de Abogados referentes al cumplimiento por parte del solicitante de los requisitos legalmente establecidos para ser beneficiario del derecho a la asistencia jurídica gratuita o al archivo de la solicitud por falta de documentación (art. 24 RD 996/2003). Véanse los M. 35 y ss.

SECCIÓN 5. EL RESPONSABLE CIVIL

5.1. El responsable civil[94]

La responsabilidad civil derivada de un hecho delictivo calificado como delito obliga a reparar los daños y perjuicios causados —art. 109 CP— y comprende tanto la restitución de la cosa, como la reparación del daño ocasionado, y la indemnización de perjuicios materiales y morales —art. 110 CP—[95]. En materia de responsa-

---

(94) Vid. Bibliografía general. Vid., asimismo, COBOS GAVALA, «Legitimación del responsable civil subsidiario para recurrir en vía penal», *Justicia*, 1991-1; HERNÁNDEZ HENRÍQUEZ, «La responsabilidad civil en el proceso penal», *RDProc.*, 1979, p. 498; LORCA NAVARRETE, «Sobre el contenido de la legitimación del responsable civil en el proceso penal», *Justicia*, 1985, III, pp. 565 y ss.; Idem, «Aproximación al estudio del responsable civil como parte civil en el proceso penal», *RDProc.*, 1983, pp. 135 y ss.; Idem, «Acerca de los principios que informan la actuación del responsable civil en el proceso penal», *RGD*, mayo 87; idem, «¿Es inconstitucional por producir indefensión (art. 24 CE) e ir contra la utilización de los medios de prueba pertinentes para su defensa (art. 24.2 CE), la exigencia al responsable civil en el proceso penal de responsabilidad subsidiaria in re ipsa?», LA LEY, 1985; RUIZ VADILLO, «Algunas consideraciones sobre la responsabilidad civil procedente del delito. Especial referencia a la jurisprudencia del Tribunal Supremo», en *AP*, 1987, n.º 40, p. 1873.

(95) «El art. 48 sólo permite aplicar los efectos del delito a las responsabilidades del penado y éstas son penales y civiles y las segundas están constituidas, según el art. 101 del mismo Código, por la restitución, la reparación del daño causado y la indemnización de perjuicios. Resulta así de

bilidad civil, el Tribunal penal debe actuar de conformidad con los principios de rogación y congruencia, propios del ámbito civil, de tal modo que no podrá condenar sin la correspondiente pretensión previa de la parte, y tampoco podrá condenar a más de lo pedido.

Dentro del concepto de responsabilidad civil puede distinguirse una responsabilidad directa y una subsidiaria.

A) La responsabilidad civil directa

Será responsable civil directo toda persona que resulte responsable criminalmente —art. 116 CP—, sea como autor o cómplice. También será responsable directo el que por título lucrativo hubiere participado de los efectos de un delito —art. 122 CP—. Con base en esta responsabilidad el art. 127 CP dispone que la imposición de la pena llevará consigo la pérdida de los efectos que de ellos provengan, los instrumentos, así como las ganancias del delito. A ese fin serán decomisados los bienes a no ser que pertenezcan a un tercero de buena fe no responsable del delito que los haya adquirido legalmente (art. 127 quater CP)[96].

El decomiso de los bienes se prevé como el procedimiento para la realización de los bienes afectos o provenientes de actividad criminal. Esta actuación había adolecido de una adecuada regulación legal que se ha establecido mediante la LO 1/2015 de modificación del Código Penal que modificó esta materia (arts. 127 a 127 octies CP) y también mediante la introducción en la LECrim de un procedimiento autónomo en los arts. 803 ter a y ss. LECrim. La regulación del procedimiento de decomiso autónomo se justifica en la Exposición de Motivos de la Ley 41/2015, de 5 de octubre, de modificación de la Ley de Enjuiciamiento Criminal para la agilización de la justicia penal y el fortalecimiento de las garantías procesales. Esencialmente, se debió a la necesidad de trasponer a nuestro sistema procesal penal la Directiva 2014/42/UE del Parlamento Europeo y del Consejo, de 3 de abril de 2014, sobre el embargo y

---

una claridad meridiana que con los efectos del delito sólo se pueden hacer abonos a los perjudicados por tal infracción y no se puede entender incluidas las costas procesales, concepto derivado del delito, pero diferente de la responsabilidad civil. Igualmente acontece con lo dispuesto en el art. 127 del vigente Código Penal ("... Los que se decomisan se venderán, si son de lícito comercio, aplicándose su producto a cubrir las responsabilidades civiles del penado y, si no lo son, se les dará el destino que se disponga reglamentariamente y, en su defecto, se inutilizarán"). La responsabilidad civil "ex delicto" para reparar los danos y perjuicios del mismo sólo comprende la restitución, la reparación del daño y la indemnización de perjuicios materiales y morales (arts. 116.1 y 110 del Código Penal vigente). En resumen, confunde el recurrente lamentablemente, responsabilidades civiles y costas procesales y de ahí el equivocado planteamiento del motivo que debe ser desestimado por ello». STS 20 de enero de 1998.

(96)   Pero no se incluyen las costas en el concepto de responsabilidad civil: «De la configuración del comiso como una sanción penal accesoria, en el ordenamiento penal citado, se derivaba, debido a las exigencias del principio de culpabilidad, entre otras consecuencias, la de que sólo podría imponerse al sujeto responsable del ilícito penal y, por ello, exclusivamente respecto a los instrumentos de su propiedad. En modo alguno, como precisaban los preceptos transcritos, podrían ser decomisados los instrumentos del delito que, aun habiendo sido utilizados para la comisión del mismo, pertenecieran a un tercero no responsable de la infracción penal...». STC 92/1997 de 8 de mayo.

el decomiso de los instrumentos y del producto del delito en la Unión Europea. Esta Directiva exige a los Estados miembros articular cauces para su implementación, en especial para permitir la efectividad de las nuevas figuras de decomiso. Véase sobre el procedimiento de decomiso autónomo el Cap. XVIII.

Tendrán responsabilidad civil directa aquellas personas que ejerzan su potestad o guarda sobre los individuos señalados en el art. 20, apartados 1.º y 3.º, CP, siempre que hubiere por su parte culpa o negligencia —art. 118.1.º CP—. Igualmente tendrán este carácter aquellas personas comprendidas en el art. 20, apartado 2.º (estado de intoxicación plena o síndrome de abstinencia a causa de dependencia de sustancias psicotrópicas), de conformidad con el art. 118.2.º CP. En el caso del núm. 5.º del art. 20, es decir, estado de necesidad, serán responsables civiles directos las personas en cuyo favor se haya evitado el mal. Y en el supuesto del núm. 6 (miedo insuperable), quienes hubieran causado el miedo y en defecto de ellos, los que hayan ejecutado el hecho. Cuando concurra un error invencible sobre un hecho constitutivo de infracción penal —art. 14 CP—, los autores del hecho serán igualmente responsables civiles.

También responden de forma directa los aseguradores que hubieran asumido el riesgo de las responsabilidades pecuniarias derivadas del uso o explotación de cualquier bien, empresa, industria o actividad, cuando se ejercite contra ellos en el proceso penal la acción civil indemnizatoria, serán responsables civiles directos hasta el límite de la indemnización legalmente prevista (seguro obligatorio) o convencionalmente pactado (seguro voluntario), sin perjuicio del derecho de repetición —art. 117 CP—, en concordancia con el art. 76 Ley 50/1980, de 8 de octubre, del Contrato de Seguro.

«El sentido del seguro de responsabilidad civil profesional es (...) precisamente dotar a las actividades desempeñadas por los profesionales de la Procura (los hechos se referían a un procurador) de una garantía eficiente de responsabilidad frente a terceros, de modo que quienes contraten a estos profesionales, y les confíen sus intereses patrimoniales, cuenten con la seguridad de que serán económicamente resarcidos en caso de pérdidas derivadas directamente de una mala praxis profesional, negligente o voluntaria. Por ello se incluyen expresamente en la cobertura objetiva del contrato tanto la responsabilidad civil derivada de daños negligentes (errores) como voluntarios (faltas), responsabilidad que en ambos casos puede ser reclamada directamente al asegurador por el perjudicado (art. 76 de la Ley de Contrato de Seguros (LA LEY 1957/1980)), sin perjuicio del derecho del asegurador a repetir contra el asegurado, en el caso de que el daño o perjuicio causado al tercero sea debido a conducta dolosa del asegurado, acción directa que es inmune a las excepciones que puedan corresponder al asegurador contra el asegurado». Concluía esta sentencia, afirmando que «entenderlo de otro modo vaciaría de contenido efectivo el aseguramiento contratado». ATS 653/2016 de 17 Mar. 2016, Rec. 10759/2015; Ponente: Monterde Ferrer, Francisco. LA LEY 44074/2016.

A este efecto, el art. 762.11.ª LECrim. en sede de procedimiento abreviado prevé que: «cuando los hechos enjuiciados deriven del uso y circulación de vehículos de motor, se reseñará también, en la primera declaración que presten los conductores, los permisos de conducir de éstos y de circulación de aquéllos y el certificado del seguro obligatorio y el documento que acredite su vigencia en aquellos otros casos en que la actividad se halle cubierta por igual clase de seguro». Y, el art. 764.3 LEC dispone que se requiera a la entidad aseguradora o al Consorcio de Compensación de Seguros, para que afiance, hasta el límite del seguro obligatorio, la responsabilidad civil. La entidad aseguradora o el Consorcio no tendrán la consideración de parte en el proceso penal, sin perjuicio de su derecho de defensa en relación con la obligación de afianzar que podrá ejercer en la pieza correspondiente (art. 764.3.2 LECrim.). Por su parte, el art. 764.1.º LECrim. establece que el Juez de Instrucción podrá acordar, mediante auto, el aseguramiento de las responsabilidades pecuniarias de los que pudieran resultar responsables directos o subsidiarios, formándose a tal efecto pieza separada. Por su parte el art. 783.2 prevé que, si no lo hubiere hecho ya, el Juez de instrucción al acordar la apertura del juicio oral exigirá fianza si no la prestare el acusado. Téngase presente que, en la actualidad, el art. 117 CP regula la responsabilidad directa de las Aseguradoras cuando se produzca el evento que determine el riesgo asegurado y hasta el límite de la indemnización legalmente establecida o convencionalmente pactada. Véase el apartado anterior «in fine».

B) La responsabilidad civil subsidiaria

La responsabilidad civil subsidiaria se constituye en una obligación legal de indemnizar que proviene y se fundamenta en el riesgo creado[97].

> «La fundamentación radica en las clásicas culpas "in eligendo" o "in vigilando", que han ido evolucionando hacia una mayor objetivización basada en la teoría del riesgo o beneficio (cfr. SSTS 13-12-1995, 20-4-1996 y 14-2-1997). En esta misma línea argumentativa de destacar la progresiva objetivización de la responsabilidad civil subsidiaria, es interesante observar cómo el postulado del art. 1902 del Código Civil —propio del liberalismo de la época— basado en el principio no hay responsabilidad sin culpa, ha venido a ser sustituido, en aras a la creciente exigencia de atención y protección a las víctimas por los daños derivados de comportamientos humanos, por el de no ha de haber daño derivado de un riesgo previsto sin justa indemnización, más propio de un Estado Social de Derecho proclamado en el art. 1 de la Constitución. En su consecución se abrió paso el principio de creación de riesgo como fundamento de la obligación de indemnizar los daños causados. De la constatación en la infracción de reglamentos y de la culpa "in vigilando" o "in eligendo", ya clásicas, se ha pasado a una fundamentación basada en el servicio útil, la creación del riesgo o del propio beneficio». STS 22 de enero de 1999, Rec. 1969/1998; Ponente: Martínez Arrieta, Andrés. LA LEY 2218/1999.

Tendrán el carácter de responsables civiles subsidiarios, por insolvencia del responsable criminal, según la vigente redacción de los arts. 120 y 121 CP[98]:

a) Los padres o tutores, por los daños y perjuicios causados por los hijos mayores de 18 años, sujetos a su patria potestad o tutela, cuando vivan en su compañía y haya

---

(97) La jurisprudencia de la Sala 1.ª del TS ha señalado —SSTS 27 julio 1985, 20 febrero 1989, 25 junio 1990, entre otras— que el art. 1902 CC, respecto a la obligación legal de indemnizar los daños y perjuicios causados, no tiene el carácter de norma sancionadora, sino de reparación o compensación. Añade que no se trata de probar, en el derecho civil, la existencia de «culpables» o «inocentes», sino de acreedores y deudores. Si el deudor no cumple se presume culpa. Por tanto, acreditado el hecho ilícito realizado por los deudores, éstos deben responder de los daños causados.

(98) Vid. Capítulo III, Sección 3.3 C).

mediado culpa o negligencia (120.1 CP). Se refiere la ley a la falta de la diligencia del buen padre de familia, a la que se refiere el art. 1104 CC.

Este motivo requiere que el criminalmente responsable del delito sea una persona mayor de dieciocho años sujeta a la patria potestad o tutela de los padres o tutores y que éstos hayan incurrido en culpa o negligencia en el ejercicio de los deberes inherentes a la patria potestad o a la tutela hayan sido expresamente declarados probados por el Tribunal y no meramente presumida o sospechada. Además, este motivo también resulta aplicable a instituciones que tengan atribuida la guarda y custodia del que causare el perjuicio.

«SEGUNDO. El art. 120.1 CP, en la responsabilidad civil subsidiaria que declara, también exige el requisito de la convivencia; y aunque la tutora en este caso sea una persona jurídica, de modo que no puede ser literalmente interpretado en forma análoga a la que tendría lugar con respecto a personas físicas, tampoco resulta eludible, sino como explicita la sentencia recurrida, en coherencia con los citados preceptos del Código en torno a la custodia y guarda de los tutelados, deberá ser entendida como una situación de residencia bajo el control y cuidado del organismo público competente, que habrá de entenderse concurrente siempre que tal asistencia sea precisada por el incapacitado, pues otra inteligencia llevaría a entender que no existiría, ni tampoco la consiguiente responsabilidad que se establece, si el incapacitado queda por completo al margen de la protección derivada de la tutela en su más amplio contenido». STS 16/2015 de 20 Ene. 2015, Rec. 1368/2014; Ponente: Palomo del Arco, Andrés. LA LEY 338/2015.

b) Las personas naturales o jurídicas titulares de medios de difusión oral o escrita, por quienes los hayan utilizado, sin perjuicio de la solidaridad establecida en el art. 212 CP, es decir, cuando el hecho sea tipificado como calumnia o injuria (120.2 CP).

c) Las personas naturales o jurídicas, por los delitos cometidos en los establecimientos de que sean titulares, cuando se hayan infringido los reglamentos de policía o las disposiciones gubernativas relacionadas con el hecho punible, de modo que éste no se hubiera producido sin dicha infracción (120.3 CP).

«Los requisitos que se requieren, según la jurisprudencia de esta Sala (SSTS 599/2005 de 10-5 (LA LEY 1641/2005); 1208/2005, de 28-10 (LA LEY 210309/2005); 1150/2006, de 22-11 (LA LEY 145074/2006); 228/2007 (LA LEY 10731/2007), de 22-3; 544/2008, de 15-9 (LA LEY 132391/2008); 180/2010 (LA LEY 5339/2010), de 4-2; 926/2013, de 2-12 (LA LEY 191141/2013)), para aplicar el art. 120.3 del Código Penal (LA LEY 3996/1995) son los siguientes. 1) Que se haya cometido un delito o falta. 2) Que el delito o falta se haya perpetrado en un establecimiento dirigido por el sujeto pasivo de dicha pretensión indemnizatoria. 3) Que se haya infringido un reglamento de policía o alguna disposición de la autoridad, entendidos estos reglamentos como normas de actuación profesional en el ramo de que se trate (abarcando cualquier violación de un deber impuesto por ley o por cualquier norma positiva de rango inferior, incluso el deber objetivo de cuidado que afecta a toda actividad para no causar daños a terceros). 4) Que dicha infracción sea imputable no solamente a quienes dirijan o administren el establecimiento, sino a sus dependientes o empleados, bien entendido que no es necesario precisar qué persona física fue la infractora de aquel deber legal o reglamentario. Bastará con determinar que existió la infracción y que ésta se puede imputar al titular de la empresa o cualquiera de sus dependientes, aunque por las circunstancias del hecho o por dificultades de prueba, no sea posible su concreción individual. 5) Que tal infracción esté relacionada con el delito o falta cometido, de modo que éstos no se hubieran cometido sin dicha infracción». STS 778/2015 de 18 Nov. 2015, Rec. 10445/2015; Ponente: Jorge Barreiro, Alberto Gumersindo. LA LEY 191137/2015.

d) Las personas naturales o jurídicas dedicadas a cualquier género de industria, por los delitos en que hubiesen incurrido sus empleados o dependientes en el desempeño de sus obligaciones o servicios (120.4 CP).

«Según la doctrina de esta Sala para que proceda declarar la responsabilidad subsidiaria en el caso del art. 120.4 CP (LA LEY 3996/1995), es preciso, de un lado que el infractor y el presunto responsable civil subsidiario se hallan ligados por una relación jurídica o de hecho o por cualquier otro vinculo, en virtud del cual el primero se halle bajo su dependencia onerosa o gratuita, duradera o puramente circunstancial y esporádica, de su principal o, al menos que la tarea, actividad, misión, servicio o función que realice cuenten con el beneplácito, anuencia o aquiescencia del supuesto responsable civil subsidiario; y de otro lado que el delito que genera la responsabilidad se halle inscrito dentro del ejercicio normal o anormal de las funciones desarrolladas en el seno de la actividad o cometido a tener confiados al infractor, perteneciendo a su esfera o ámbito de aplicación …/… Por ello, la interpretación de aquellos requisitos debe efectuarse con amplitud, apoyándose la fundamentación de tal responsabilidad civil subsidiaria no solo "en los pilares tradicionales de la culpa in eligiendo y la culpa in vigilando, sino también y sobre todo en la teoría del riesgo, conforme al principio qui sentire commodum, debet sentire incomodum" (Sentencias 525/2005 de 27.4 (LA LEY 12404/2005); 948/2005 de 19.7 (LA LEY 13299/2005)), de manera que quien se beneficia de actividades que de alguna forma puedan generar un riesgo para terceros debe soportar las eventuales consecuencias negativas de orden civil respecto de esos terceros cuando resultan perjudicados. La STS núm. 1987/2000 (LA LEY 5891/2001), de 14 de julio, admite incluso la aplicación de esta clase de responsabilidad civil en los casos en que la actividad desarrollada por el delincuente no produce ningún beneficio en su principal, "bastando para ello una cierta dependencia, de forma que se encuentre sujeta tal actividad, de algún modo, a la voluntad del principal, por tener éste la posibilidad de incidir sobre la misma", lo que constituye una versión inequívoca de la teoría de creación del riesgo antes mencionada (STS 47/2007 (LA LEY 1245/2007) de 26.1). Por tanto, la interpretación de los requisitos mencionados ha de hacerse con un criterio amplio que acentúe el criterio objetivo de la responsabilidad civil subsidiaria, fundamentada no solo en los pilares tradicionales de la culpa, sino también en la teoría del riesgo, interés o beneficio. En definitiva para delimitar los supuestos en que el empleado o subordinado vincula la responsabilidad civil subsidiaria de su principal puede atenderse a la doctrina de la apariencia. Así la STS 348/2014 de 1.4 (LA LEY 59768/2014), precisa que "el principal ha de responder si el conjunto de funciones encomendadas al autor del delito le confieren una apariencia externa de legitimidad en su relación con los terceros, en el sentido de permitirles confiar en que el autor del delito está actuando en su condición de empleado o dependiente del principal, aunque en relación a la actividad concreta delictiva el beneficio patrimonial buscado redundase exclusivamente en el responsable penal y no en el principal"». STS 413/2015 de 30 Jun. 2015, Rec. 10829/2014; Ponente: Berdugo Gómez de la torre, Juan Ramón. LA LEY 98975/2015.

e) Las personas naturales o jurídicas propietarias de vehículos, por la comisión de delitos cometidos por sus dependientes, representantes o personas autorizadas en la utilización de aquéllos (120.5 CP).

Se trata en los dos últimos supuestos de una responsabilidad que descansa sobre presupuestos meramente objetivos, configurándose, en cierto modo, como una responsabilidad «in re ipsa» y que el Tribunal Supremo ha fundado en la llamada doctrina de la apariencia.

> «Para delimitar los supuestos en los que el empleado o subordinado vincula la responsabilidad civil subsidiaria de su principal puede atenderse a la doctrina de la apariencia (STS de 6 de marzo de 1975 o 18 de diciembre de 1981, y entre las más recientes STS 348/2014, de 1 de abril): el principal ha de responder si el conjunto de funciones encomendadas al autor del delito le confieren una apariencia externa de legitimidad en su relación con los terceros, en el sentido de permitirles confiar en que el autor del delito está actuando en su condición de empleado o dependiente del principal, aunque en relación a la actividad concreta delictiva el beneficio patrimonial buscado redundase exclusivamente en el responsable penal y no en el principal. Y esto es precisamente lo que ocurrió en el caso enjuiciado, pues las funciones desempeñadas por la condenada como Jefa de Administración y temporalmente Gerente de Mercasantander, y su condición de apoderada, creaban una apariencia externa de legitimidad en su relación con los terceros, en el sentido de permitirles confiar en que la condenada, al suscribir el crédito, estaba actuando en su condición de empleada o dependiente de MercaSantander, por lo que el BBVA concedió, en dicha confianza, un crédito a MercaSantander que nunca habrían concedido a la acusada a título personal. Procede, en consecuencia, la estimación del motivo, pues concurren los dos elementos de los que se deduce la responsabilidad civil subsidiaria de la empresa, que exista una relación de dependencia entre el autor del delito y el principal sea persona física o jurídica para quien trabaja, y que el autor actúe dentro de las funciones de su cargo, aunque extralimitándose de ellas». STS 532/2014 de 28 May. 2014, Rec. 1382/2013; Ponente: Conde-Pumpido Tourón, Cándido. LA LEY 80874/2014.

Finalmente, un criterio importante para determinar la existencia de responsabilidad civil subsidiaria será el principio de que quien se benefició de una actividad de otro que puede generar perjuicio para tercero, está obligado a asumir la carga económica de las acciones perpetradas por el responsable principal, en tanto en cuanto no pueden ser resarcidas con el peculio de éste. Concretamente, el Tribunal Supremo ha declarado la existencia de esta responsabilidad en supuestos de actuaciones delictivas de empleados de sucursales bancarias, en tanto que se beneficiaban de la actividad delictiva.

> «Por tanto, se pone de manifiesto la concurrencia de los requisitos para determinar, en base al art. 120.4.° CP (LA LEY 3996/1995), la responsabilidad civil subsidiaria de la entidad M.G., ya que, al ser, de forma indirecta, el acusado Desiderio Teodosio representante suyo, existía un vínculo jurídico entre ambos; y el delito de estafa imputada a Desiderio Teodosio se cometió en el ejercicio de su actividad de captación de fondos para invertir, entre otras, en la citada agencia de valores. En consecuencia, de conformidad con la doctrina jurisprudencial expuesta, si M.G. se beneficiaba de las inversiones realizadas por su representante Desiderio Teodosio con el cobro de las comisiones pactadas, del mismo modo debe responder del perjuicio que el acusado, mediante la captación de dinero para realizar supuestas inversiones

a través, entre otras, de M.G., causó a los clientes que tenían firmados contratos de gestión de cartera y de administración de patrimonio con esta entidad... No es que existiera jerarquía o dependencia entre Investahorro y M.G., sino que en realidad, M.G. puso —con una complaciente pasividad— todos sus recursos y su imagen pública al servicio de Desiderio Teodosio dejándole hacer, en una situación de total pasividad que cumple de manera absoluta los elementos para dar vida a la declaración de Responsable Civil Subsidiario, pues si M.G. se beneficiaba de esta situación en la medida que cobraba las comisiones pertinentes, allí mismo se encuentra la causa de su deber de responder al no haber sido garante frente a los inversionistas de las obligaciones que le correspondía como Agencia de Valores, de acuerdo con el principio ubi commodum ibi incommodum que viene a ser el precedente del art. 120-4.º Cpenal». STS 468/2014 de 10 Jun. 2014, Rec. 1806/2013; Ponente: Giménez García, Joaquín. LA LEY 94356/2014.

f) El Estado y de los Entes públicos por hechos cometidos por sus funcionarios en actos de servicio, cuando sea consecuencia directa del funcionamiento de los servicios públicos que les estuvieren confiados, sin perjuicio de la responsabilidad patrimonial derivada del funcionamiento normal o anormal de dichos servicios (art. 121 CP)[99]. Sobre la aplicación de esta norma, en relación con el art. 120.3 CP, se pronunció el Pleno no jurisdiccional celebrado el día 26 de mayo de 2000 tomando el siguiente Acuerdo: «El art. 121 del nuevo Código Penal no altera la jurisprudencia de esta Sala relativa a la responsabilidad civil subsidiaria del estado por delitos cometidos en establecimientos sometidos a su control, cuando concurran infracciones reglamentarias en los términos del art. 120.3 CP». Y la jurisprudencia ha delimitado los elementos determinantes de esta clase de responsabilidad:

«Esta Sala se ha pronunciado en numerosas sentencias sobre el alcance de la responsabilidad civil subsidiaria del Estado en el caso de delitos cometidos en establecimientos de los que sea titular la Administración a que se refiere el art. 120.3 del Código Penal (LA LEY 3996/1995) .../... Esta doctrina —nos recuerda la STS de 2-12-2013, núm. 926/2013 (LA LEY 191141/2013)—, ha sido seguida, entre otras, por la sentencia 1046/2001, de 5 de junio (como también la STS 135/2001 (LA LEY 3569/2001), de 5 de marzo), en la que se señala que los elementos determinantes de la responsabilidad civil subsidiaria son los siguientes: a) Que se haya cometido un delito o falta; b) Que tal delito o falta haya tenido lugar en un establecimiento dirigido por la persona o entidad contra la cual se va a declarar la responsabilidad;

---

(99) Vid. Capítulo III, Sección 3.3 D). Vid. STS 11 marzo 1996 (La Ley, 1996, 3952), que declaraba: «... La administración del Estado está sometida, sin ningún tipo de excepcionalidad, a los principios generales del orden jurídico que directamente nacen de la CE, y de ahí que el art. 22 CP contenga una descripción ejemplificativa y no exhaustiva respecto de personas físicas y personas jurídicas, y dentro de éstas al Estado. Se está además produciendo una exégesis progresiva del citado precepto en el sentido de una objetivación de la responsabilidad civil subsidiaria propia de aquellas sociedades en las que el derecho se pone al servicio de la solidaridad social, dándose la necesaria cobertura a las actuaciones de todos los que desarrollan su actividad al servicio del Estado, y buscándose el amparo, bajo el principio de legalidad, de la responsabilidad de los poderes públicos del art. 9.3 CE y esta responsabilidad subsidiaria del Estado es ajena al derecho que el art. 106.2 CE otorga a los particulares para ser indemnizados por el mal funcionamiento de los servicio públicos en general, como también lo es respecto del perjuicio sufrido por el anormal funcionamiento de la Administración de Justicia o por error judicial (SSTS 19 octubre 1994 y 5 mayo 1995)...».

c) Que tal persona o entidad o alguno de sus dependientes hayan cometido alguna infracción de los reglamentos generales o especiales de policía. Esta última expresión se debe interpretar con criterios de amplitud, abarcando cualquier violación de un deber impuesto por la ley o por cualquier norma positiva de rango inferior. Para establecer la responsabilidad subsidiaria basta con determinar que existió la infracción y que ésta se puede imputar al titular de la entidad o a cualquiera de sus dependientes, aunque por las circunstancias del hecho o por dificultades de prueba no sea posible su concreción individual; d) Por último, es necesario que la infracción de los reglamentos de policía esté relacionada con el delito o falta cuya comisión acarrea la responsabilidad civil, es decir, que de alguna manera, la infracción penal haya sido propiciada por la mencionada infracción reglamentaria». STS 130/2015 de 10 Mar. 2015, Rec. 1347/2014; Ponente: Monterde Ferrer, Francisco. LA LEY 21924/2015.

De este modo resultará responsable el Estado cuando se constate la concurrencia de dos requisitos: a) La existencia de una relación de dependencia entre el autor de la infracción penal y la Administración de la que depende. b) Que el agente de la actividad delictiva actúe dentro de las funciones de su cargo, aunque sea extralimitándose en ellas. En consecuencia, la responsabilidad civil subsidiaria del Estado no tiene carácter objetivo, ya que se requiere un engarce o conexión del delito con el desempeño de deberes, obligaciones o servicios, que se estatuyen como la premisa de arranque de la responsabilidad civil. Un supuesto ejemplificativo es el del uso irregular de armas por parte de los agentes de policía. Sobre esa cuestión se dictó el Acuerdo del Pleno no jurisdiccional del Tribunal Supremo de 12 de julio de 2002, así como diversas sentencias que han precisado los elementos determinantes para que concurra esta clase de responsabilidad[100].

«Se parte del principio (STS 27-10-2003) de que la responsabilidad civil subsidiaria por daños causados por los miembros de las fuerzas de seguridad del Estado utilizando abusivamente su arma de fuego reglamentaria se deriva de la creación del riesgo que la organización del servicio de seguridad pública, mediante agentes a quienes se dota de armas de fuego, representa para los ciudadanos que puedan resultar perjudicados por dicha utilización abusiva. La sentencia en cuestión sienta los siguientes criterios: 1) Los agentes deben portar en todo momento el arma reglamentaria para encontrarse en condiciones de cumplir con el deber de intervención per-

---

(100) Véase respecto al mal uso de armas por parte de la Policía el Acuerdo del Pleno no jurisdiccional del Tribunal Supremo de 12 de julio de 2002, que establece lo siguiente: «a) La responsabilidad civil subsidiaria del Estado por los daños causados por los agentes de las Fuerzas y Cuerpos de seguridad, por el mal uso del arma reglamentaria, se deriva de que, aun cuando el arma no se haya utilizado en acto de servicio, el riesgo generado con el hecho de portarla sí es una consecuencia directa del modo de organización del Servicio de Seguridad, por lo general beneficioso para la sociedad, pero que entraña este tipo de riesgos. Pero el mero hecho de la utilización del arma reglamentaria no genera de manera necesaria la responsabilidad civil del Estado, quedando ésta excluida en aquellos supuestos en los que el daño no sea una concreción del riesgo generado por el sistema de organización del Servicio de Seguridad. Entre tales supuestos deben incluirse las agresiones efectuadas con el arma reglamentaria, en el propio domicilio del agente, contra sus familiares o personas que convivan con él. Si bien, incluso en los casos mencionados en el apartado anterior, habrá responsabilidad civil subsidiaria del Estado, si existen datos, debidamente acreditados, de que el arma debió habérsele retirado al funcionario por carencia de las condiciones adecuadas para su posesión».

manente que les impone el art. 5.4 L.O. 2/1986 de 13 de marzo (LA LEY 619/1986), lo que determina una especial responsabilidad en las labores de selección y posterior control, para evitar que el arma constituya una fuente incontrolada de riesgo en manos de quien no se encuentra en condiciones de utilizarla cuidadosamente. 2) Consecuentemente la responsabilidad civil subsidiaria del Estado se funda en el principio de creación del riesgo, derivado directamente de la forma de organizar el servicio de seguridad pública, a través de la fórmula de disponibilidad permanente. 3) El Estado o entidad pública que organiza el servicio de seguridad, selecciona y forma a los agentes y les dota del armamento correspondiente, será el responsable subsidiario de los daños causados por los agentes por el mal uso del arma reglamentaria, fuera de su domicilio. 4) Deberán excluirse los casos en que el riesgo no sea concreción generada por el sistema de organización del servicio de seguridad, como sucede en el caso de su uso en el ámbito familiar e íntimo en que el agente hace uso del arma que tiene en su domicilio frente a personas de su entorno familiar, del mismo modo en que pudiera hacerlo otro ciudadano que también la tuviera, o como también podría haber utilizado otro tipo de armas. 5) Esta Sala sin llegar al límite de la responsabilidad objetiva, ha seguido unos criterios interpretativos del art. 121 equilibrados y progresivos, en evitación de situaciones de desamparo, que ha permitido basar la responsabilidad civil subsidiaria en los criterios de "culpa in eligendo", "culpa in vigilando" o "culpa in educando", incluso en el principio de la creación del riesgo». STS 514/2016 de 13 Jun. 2016, Rec. 10043/2016; Ponente: Soriano Soriano, José Ramón. LA LEY 61403/2016.

En su virtud, como ha declarado la jurisprudencia del Tribunal Supremo, la responsabilidad civil subsidiaria del Estado, ha de ser interpretada extensivamente, desbordando incluso los tradicionales criterios de la culpa «in eligendo» o culpa «in vigilando», para adentrarse en los terrenos marcados por la creación del riesgo o peligro que supone poner en marcha una actividad o servicio, de tal manera que debe hacerse cargo de las consecuencias que se derivan del peligro creado, siempre que exista una situación de dependencia entre el autor del hecho delictivo y el ente en el que está integrado (STS de 21 de octubre de 1997). Con base en esta interpretación extensiva se ha declarado la responsabilidad subsidiaria del estado en el caso de agresiones a internos en Centros Penitenciarios con base en el insatisfactorio cumplimiento de las medidas exigibles para garantizar la seguridad de los reclusos, así como la integridad física de las personas encomendadas a su custodia (SSTS 5 de junio de 2001; 28 de junio de 2000; 10 de julio 2000), declarando compatibles los arts. 120.3 y 121 CP.

«… toda esta corriente doctrinal ha sido refrendada por el Pleno de esta Sala celebrado en 28 May. 2000 al establecer que "el art. 121 del nuevo CP no altera la jurisprudencia de esta Sala relativa a la responsabilidad civil subsidiaria del Estado por delitos cometidos en establecimientos sometidos a su control, cuando concurran infracciones reglamentarias en los términos del art. 120.3.º CP". Como conclusión de cuanto antecede debe señalarse que en contra de lo que sostienen la sentencia y la parte recurrida en el presente caso, los arts. 120.3.º y 121 del Código vigente no son incompatibles ni excluyentes uno del otro, porque se refieren a situaciones y conductas diferentes, de modo que en el art. 120.3.º lo determinante —en la línea jurisprudencial examinada— es el lugar donde se comete el hecho punible, mientras que en el art. 121 lo decisivo es la dependencia funcional del autor de ese hecho delictivo con el Estado, con independencia del lugar de comisión del delito, y así se ha mantenido en recientes pronunciamientos de esta Sala (véanse SSTS de 28 y 30 Jun. 2000) que reiteran que uno y otro precepto son autónomos y que ambos, cada uno en su ámbito, pueden generar la responsabilidad civil subsidiaria del Estado, como en anterior Código lo hacían los arts. 21 y 22. En el supuesto presente, es claro que no cabe aplicar el art. 121 CP toda vez que el responsable criminal del homicidio generador del daño a indemnizar carece de todo vínculo funcional con el Estado. Pero sí lo es el art. 120.3.º pues homicida y víctima se encontraban recluidos en un Centro Penitenciario del Estado, que fue el lugar donde se cometió el delito para cuya ejecución tuvo singular relevancia la ausencia o el déficit de la vigilancia que la sentencia del Tribunal del Jurado pone especialmente de relieve en el fundamento jurídico séptimo.A), siendo esta infracción reglamentaria de los encargados de establecer o llevar a cabo las medidas de control y vigilancia necesarias para garantizar la seguridad de los internos el elemento causal que contempla y exige el tan citado art. 120.3.º CP». STS 135/2001 de 31 Ene. 2001, Rec. 1517/1999-P/1999; Ponente: Ramos Gancedo, Diego Antonio. LA LEY 3569/2001.

Sin embargo, el Tribunal Supremo ha considerado que no concurre la responsabilidad subsidiaria del Estado en el supuesto de delitos cometidos por un interno durante un permiso concedido por el Juez de vigilancia Penitenciaria.

«El art. 121 del Código Penal, con una visión integradora, establece la responsabilidad civil subsidiaria del Estado, la Comunidad Autónoma, la provincia, la isla, el municipio y los demás entes públicos, respecto de los daños causados por los penalmente responsables de los delitos dolosos o culposos, cuando sean cometidos por la autoridad, agentes y contratados de la misma o funcionarios públicos en el ejercicio de sus cargos o funciones. Se circunscribe, por tanto, a la responsabilidad a los delitos cometidos por personas que desempeñan una función pública y que actúan en el ejercicio de sus cargos o funciones. No es el caso que nos ocupa, los delitos fueron cometidos por un particular, que no tenía ningún vínculo funcionarial o de especial sujeción o dependencia con la Administración del Estado o de otros entes públicos. Por otro lado no debe olvidarse que según las actuaciones el acusado se encontraba disfrutando de un permiso penitenciario concedido por un Juez de Vigilancia Penitenciaria, por lo que, en todo caso la responsabilidad, si es que existe, habría que derivarla hacia la Ley Orgánica del Poder Judicial y canalizarla por la vía de la responsabilidad civil, en un procedimiento autónomo. Sin prejuzgar la decisión definitiva parece oportuno, a primera vista, señalar que el camino es el previsto en los arts. 292 y siguientes de la Ley Orgánica del Poder Judicial que contemplan los daños y perjuicios producidos por error judicial o por funcionamiento anormal de la Administración de Justicia». STS 966/2001 de 29 May. 2001, Rec. 517/2000-P/2000; Ponente: Martín Pallín, José Antonio. LA LEY 5045/2001.

Aunque, la SAN de 20 de marzo de 2000 (La Ley 4793) otorgó indemnización por la muerte de un ciudadano ocasionada por un ciudadano extranjero sobre el que pesaba una orden de expulsión, y al que sin embargo se le puso el libertad sin proceder a la expulsión. En este caso, la AN basó la condena en la existencia de responsabilidad por «culpa in omitiendo» de la administración derivada de la pasividad, la falta de prevención o la no adopción de medidas encaminadas a evitar o a paliar el daño.

La LECrim. prevé que cuando aparezca la responsabilidad civil de un tercero, sea principal o subsidiaria, se forme una pieza separada —arts. 619 LECrim., art. 116 y ss. CP— (Véase M. 177); y podrá el Juez, a instancia del actor civil, exigirle fianza; y en su defecto, embargarle los bienes que sean necesarios para cubrir aquélla —art. 615 LECrim.—[101]. Este tercero tendrá la consideración de parte en el proceso penal, frente a quien se deducirá la acción civil[102].

«... sobre los responsables civiles subsidiarios... es preciso resaltar que: a) por su calidad de parte civil, las normas aplicables a los mismos en cuanto a capacidad procesal para ser parte y de obrar son las reguladoras del proceso civil; b) la legitimación de dichos responsables subsidiarios viene determinada por la concurrencia de las relaciones con el lugar o la persona del acusado, señaladas en los arts. 21 y 22 CP (actualmente, 120 y 121); c) en cuanto a la postulación, les son aplicables las prescripciones del proceso penal; d) en el proceso tienen las mismas facultades que las demás partes, paralelas a las del imputado penalmente, pero referidas exclusivamente al contenido civil que se les reclama, y e) para ingresar en el proceso como parte responsable civil subsidiaria es preciso que haya sido declarado como tal en el auto a que se refiere el art. 615 LECrim...». STS 29 Mar. 1995, Rec. 839/1994; Ponente: Hernández Hernández, Agustín. LA LEY 14389/1995.

La condición de parte del responsable civil subsidiario se deducirá de la efectiva petición de la acusación en las conclusiones provisionales y definitivas. No cabe, establecer una responsabilidad civil de un tercero que no fue parte en el proceso.

«Como es bien sabido, el escrito de calificación provisional deja delimitado el ámbito del juicio y su contenido vincula al Tribunal sentenciador, que no puede introducir hechos, imputaciones o reclamaciones que no figuraran en aquél. Es por ello razonable y acorde con la legalidad que al no reclamarse a persona distinta del procesado ninguna indemnización a título de responsabilidad civil subsidiaria el Tribunal no haya convocado al padre del procesado al Juicio Oral para defenderse de una acción que no se había ejercitado en el momento procesal marcado por la ley, teniendo en cuenta que la reclamación que se pudiera formular en el acto del juicio habría de ser calificada de extemporánea por violentar el derecho a la defensa de quien sorpresivamente se ve objeto de una acción civil desconocida hasta entonces y respecto de lo cual no ha tenido oportunidad de proponer prueba para refutarla, ni de ejercer una defensa eficaz (véase STS de 6 de abril de 1998)». STS 135/2001 de 31 Ene. 2001, Rec. 1517/1999-P/1999; Ponente: Ramos Gancedo, Diego Antonio. LA LEY 3569/2001.

Pero, al mismo tiempo es doctrina consolidada del Tribunal Supremo que para el ejercicio de la acción civil en las conclusiones provisionales no se requiere; *que previamente haya existido una declaración formal de responsabilidad civil subsidiaria que tenga naturaleza de una condición de procedibilidad civil»* (SSTS 31 de enero de 2001, 3 de diciembre de 1996). Por tanto, corresponde a la acusación ejercitar la acción civil contra el que responsable civil subsidiario, sin que sea necesario que previamente se haya producido una *«imputación»* formal respecto a esa petición.

(101)   Vid. § 3 Capítulo VIII.
(102)   Vid. § 3, Capítulo II, Sección 3 sobre el objeto civil del proceso penal.

Los autos que se dicten respecto a las medidas cautelares destinadas a asegurar la responsabilidad civil son irrecurribles según dispone el art. 621 LECrim., sin perjuicio de su reforma posterior una vez debatida esta cuestión en el juicio oral[103].

En cuanto a la actuación en juicio del tercero responsable civil éste tiene las mismas facultades que las demás partes, paralelas a las del imputado penalmente (excepto en lo referente al derecho de última palabra), pero referidas exclusivamente al contenido civil que se les reclama. A este efecto, durante la fase del juicio oral se establece el traslado de la causa al tercero civil responsable para el trámite de calificación provisional —art. 652 LECrim.—, cuando haya sido designado como tal en los escritos de calificación de las partes acusadoras —art. 650—. También se prevé en el art. 736 LECrim. el trámite de informe para el responsable civil, si no se defendieran bajo una sola representación[104]. En el procedimiento abreviado el art. 784.1 LECrim. dispone que abierto el juicio oral se emplazará a los terceros responsables para presentar escrito de defensa.

En el supuesto de no procederse a la citación del responsable civil subsidiario se producirá un defecto procesal. Ahora bien, corresponde a la parte interesada, es decir al perjudicado, ponerlo de manifiesto. En cualquier caso, no puede ampararse en esa irregularidad el acusado, al que en nada afecta la falta de emplazamiento del responsable civil subsidiario ni le puede producir indefensión.

«... aunque es cierto que en todo proceso judicial debe respetarse el derecho de defensa contradictoria de las partes, el mismo ha sido y es objeto de matizaciones en relación con la acción civil derivada del delito ejercitada contra terceras personas, por estar limitada al peculiar objeto indemnizatorio, pues la responsabilidad civil derivada del delito puede resolverse independientemente de la penal [SSTC 4/1982, 48/1984, 18/1985 y 90/1988, entre otras], debido a que la naturaleza de la acción civil derivada del delito participa del carácter dispositivo de las acciones reguladas en la LECiv (arts. 614 y 615 de la LECrim.).../... la falta de emplazamiento del responsable civil subsidiario, su incomparecencia en el acto de la vista y su posterior omisión en la sentencia, únicamente podía perjudicar a las personas ofendidas por el delito, las cuales eran las únicas legitimadas para pedir la subsanación del defecto procesal que originaba su omisión. Estas no actuaron así, e incluso en el trámite de casación desistieron del recurso interpuesto por ellas mismas. De aquí que no se origine indefensión alguna para el acusado, quien no ha visto mermados, por esta causa, sus medios de defensa ni le originaba perjuicio alguno la infracción de un precepto procesal que no tiene trascendencia constitucional [SSTC 53/1989, 90/1988 y 161/1985, entre otras]». STC 33/1992 de 18 de marzo.

En consecuencia el responsable civil subsidiario debe conocer de la acusación y ser citado al juicio oral, para poder ser condenado, ya que de lo contrario se pro-

---

(103)   Vid. § 3 Capítulo VIII. La formación de pieza separada tiene naturaleza meramente cautelar, de forma que su inexistencia no es obstáculo para que, en su momento, las responsabilidades pecuniarias sean exigidas y debatidas en el juicio oral, siempre que esta pretensión viniera oportunamente formulada desde la calificación, permitiendo al tercero alegar o probar lo conveniente a su defensa. Al respecto, ver STS 18 octubre 1976 e Instrucción 1/1992, de 15 de enero, de la Fiscalía General del Estado en nota 20 del Capítulo VI.

(104)   Vid. Capítulo XI, Sección 3.

duciría indefensión. De ser así cabría la anulación de la condena impuesta —art. 850.2.º LECrim—[105].

«... es cierto que el recurrente, en su condición de responsable civil subsidiario, a diferencia del acusado y de la Compañía aseguradora, no fue requerido por la Audiencia Provincial para que nombrase Procurador ni Letrado que le defendiese en tal concepto, siendo únicamente citado al acto del juicio como testigo y sin que en dicho acto estuviese defendido por Letrado. El art. 24.1 de la Constitución consagra el derecho que tienen todas las personas de obtener la tutela efectiva de los Jueces y Tribunales, en el ejercicio de sus derechos e intereses legítimos, sin que, en ningún caso, pueda producirse indefensión. Lo que comporta y significa que en todo proceso judicial deba respetarse el derecho de defensa contradictoria de las partes contendientes mediante la oportunidad de alegar y justificar procesalmente el reconocimiento judicial de sus derechos e intereses. La indefensión en sentido constitucional se produce, por consiguiente, cuando se priva al justiciable de alguno de los instrumentos que el ordenamiento pone a su alcance para la defensa de sus derechos. Y ello se ha producido en el presente caso ya que, como se acaba de dejar expresado, el recurrente, en su condición de responsable civil subsidiario, no ha podido ejercer su derecho de defensa». STS 2319/2001 de 3 Dic. 2001, Rec. 1279/2000; Ponente: Granados Pérez, Carlos. LA LEY 218107/2001

En este sentido, no cabe duda que el responsable civil resulta amparado por el derecho fundamental a la tutela judicial efectiva, de modo que únicamente cabe una condena cuando hubiese sido debidamente imputado, citado y vencido en juicio, pudiendo hacer uso del derecho de defensa que ampara a todo acusado en el proceso penal. Con base en este principio general en alguna sentencia se extendía los efectos de la presunción de inocencia al tercero responsable civil subsidiario, cuando no existiese prueba sobre los hechos que sustentan la responsabilidad civil, sea directa o subsidiaria (Véase la STS 18 de mayo 1988)[106]. No obstante, el TC corrigiendo la anterior doctrina ha estimado que la presunción de inocencia

(105) «... En el presente caso, hay que poner de manifiesto, en relación con la doctrina expuesta en el fundamento anterior, que —en sus conclusiones provisionales— ninguna de las partes acusadoras (Ministerio Fiscal y acusación particular) solicitó la condena de "Viasa Internacional, SA", como responsable civil subsidiaria. A ello se debe que no se diera traslado a la misma de los correspondientes escritos para evacuar el correspondiente trámite de defensa (v. arts. 652 y 791.1 LECrim), y que, en consecuencia, la citada entidad mercantil no se personase ni interviniese en la causa (v. encabezamiento de la sentencia recurrida). La acusación contra la referida sociedad —como responsable civil subsidiaria— tuvo lugar en la vista del juicio oral, concretamente en el trámite de "conclusiones definitivas" (v. arts. 732 y 793.6 LECrim), y por parte exclusivamente de la acusación particular (v. acta del juicio oral y el "sexto" de los "Antecedentes de Hecho" de la sentencia recurrida). Es de significar también, en relación con la cuestión aquí examinada, que, según se declaró en el Auto de este Tribunal de fecha 21 junio 1972, el presente motivo no exige la previa reclamación procesal». STS 6 abril 1998.

(106) «... el derecho de la presunción de inocencia no puede entenderse reducido al ámbito de las conductas presuntamente delictivas, sino que debe entenderse que preside la adopción de cualquier resolución tanto administrativa como jurisdiccional, que se base en la condición o conducta de las personas y de cuya apreciación se derive un resultado sancionador para las mismas o limitativo de sus derechos...». STC 13/1982, de 1 abril.

solamente se proyecta en relación con la comisión y autoría de un ilícito y no en el ámbito de la responsabilidad civil subsidiaria[107].

> «... Este derecho fundamental (de presunción de inocencia) actúa siempre que deba adoptarse una resolución administrativa o judicial, que se base en la condición o conducta de las personas y de cuya apreciación se derive un resultado punitivo, sancionador o limitativo de sus derechos (SSTC 13/1982 y 36/1985) y por ello no es aplicable a los supuestos de mera imposición de la responsabilidad civil en los que sólo se dilucida la imputación al responsable de un hecho productor o fuente de una obligación patrimonial de resarcimiento de daños y perjuicios derivada de un ilícito civil...». (STC 367/1993, de 13 diciembre).

Si fuesen varios los responsables civiles de un delito los Tribunales señalarán la cuota de la que deba responder cada uno de aquéllos —art. 116 CP—. Al respecto, ha de indicarse que los autores y los cómplices, según dispone el pfo. 2.º del art. 116 CP, cada uno dentro de su respectiva clase, serán responsables solidariamente entre sí por sus cuotas, y subsidiariamente por las correspondientes a los demás responsables, sin perjuicio del derecho de repetición que le asistiere. Esta se hará efectiva, primero sobre los bienes de los autores y luego, en la de los cómplices (vid. Sección 3.3 de este Capítulo).

En cuanto a los recursos se ha planteado la cuestión referente a si el responsable civil subsidiario puede recurrir la sentencia respecto a la responsabilidad penal del acusado, que determina en última instancia su condena. Sobre este particular el TC ha declarado que se vulnera el derecho de defensa de esta parte si no se le permite el acceso a la apelación, por lo que debe entenderse que es posible.

> «Como aparece expuesto en el antecedente 2 b), la recurrente alegó, entre otros motivos, error en la valoración de la prueba e infracción de ley, teniendo ambos como base la no concurrencia, en opinión de la recurrente, de la infracción del deber objetivo de cuidado del médico, es decir, de negligencia médica. La Audiencia Provincial rechazó entrar en el fondo de ambos motivos con el argumento de referirse a extremos que afectaban exclusivamente a la responsabilidad penal del médico y no a la responsabilidad civil subsidiaria de la recurrente. Pues bien, si, de conformidad con la jurisprudencia de este Tribunal, la indefensión constitucionalmente relevante, en cuanto limitación o privación del derecho de defensa, es la que "entraña mengua del derecho de intervenir en el proceso en el que se ventilan intereses concernientes al sujeto" (STC 48/1984, de 4 de abril, F. 1; 31/1989, de 13 de febrero, F. 2) no puede afirmarse, en principio, la irrelevancia constitucional de la negativa a contestar las pretensiones relativas a la prueba y existencia de los elementos de los cuales la ley hace depender la responsabilidad civil subsidiaria, esto es, la existencia de una infracción penal». STC 48/2001 de 26 de febrero.

---

(107) «... (la presunción de inocencia) alude estrictamente a la comisión y autoría de un ilícito en el ámbito sancionador y no a la responsabilidad indemnizatoria subsidiaria en el ámbito civil aunque esta responsabilidad se derive de un delito declarado en sentencia penal, porque una vez apreciada la prueba en relación con la infracción criminal, la responsabilidad civil subsidiaria se produce como consecuencia de ciertas relaciones jurídicas o de hecho con los autores del delito...». (STC 72/1991, de 8 abril).

Pero debe tenerse en cuenta que es doctrina del Tribunal Supremo que las cantidades fijadas como indemnizaciones derivadas de la responsabilidad criminal no son revisables en casación, ya que se trata de una cuestión que queda al prudente arbitrio del juzgador de instancia, por lo que los efectos de un recurso de esta naturaleza sólo pueden circunscribirse a la determinación de las bases sobre las que se asienta el señalamiento de la cantidad fijada (SSTS 22 de mayo de 2000; 29 de septiembre de 1999; 6 de octubre de 1997).

SECCIÓN 6. CONCURRENCIA DE LA POSICIÓN PROCESAL DE ACUSADOR Y ACUSADO

Una situación especial de intervención en el proceso penal es la referida a la posibilidad, con carácter excepcional, de que se produzca la confluencia, en una misma persona, de las posiciones procesales de acusado y acusador particular. Sobre esta cuestión se pronunció el TS que, en su Acuerdo de 27 de noviembre de 1998, estableció que cabía esta situación cuando se tratara del ejercicio de acciones distintas producidas en el ámbito de un mismo suceso.

> «La necesaria clarificación de la postura de esta Sala, en aras de lograr la unificación en la aplicación del Derecho que constituye uno de sus cometidos esenciales, determinó que se sometiera a Sala General el tema que nos ocupa, lo que tuvo lugar el pasado 27 de noviembre de 1998, adoptándose el siguiente acuerdo: Con carácter excepcional, cabe la posibilidad de que una misma persona asuma la doble condición de acusador y acusado, en un proceso en el que se enjuician acciones distintas, enmarcadas en un mismo suceso, cuando, por su relación entre sí, el enjuiciamiento separado, de cada una de las acciones que ostentan como acusados y perjudicados, produjese la división de la continencia de la causa, con riesgo de sentencias contradictorias, y siempre que así lo exija la salvaguarda del derecho de defensa y de la tutela judicial efectiva. En el supuesto que examinamos, concurren las razones excepcionales que se dejan expresadas para admitir esa doble situación procesal ya que de no hacerlo así no sólo se le impediría el ejercicio de las acciones que legalmente le vienen atribuidas, con la consiguiente vulneración de su derecho a la tutela judicial efectiva y a que no se le pueda causar indefensión, sino que también se podrían producir sentencias contradictorias e injustas, como hacía mención la Sentencia de esta Sala de 19 de enero de 1994». STS 10 diciembre 1998, (LA LEY 98/27847).

La razón que justifica esta posibilidad no es otra que la conveniencia de juzgar todas las responsabilidades que se deriven de unos hechos, a fin de evitar la ruptura de la continencia de la causa e impedir sentencias contradictorias. Éste es el supuesto típico de los hechos criminales en los que se producen lesiones recíprocas inferidas en un mismo enfrentamiento físico entre dos o más contendientes.

> «Con carácter excepcional cabe la posibilidad de que una misma persona asume la doble condición de acusador y acusado en un proceso en el que se enjuiciase acciones distintas, enmarcadas en un mismo suceso, cuando, por su relación entre sí el enjuiciamiento separado de cada una de las acciones que ostenten como acu-

387

sados y perjudicados produjese la división de la continencia de la causa, con riesgo de sentencias contradictorias y siempre que así lo exija la salvaguarda del derecho de defensa y tutela judicial efectiva. Consecuentemente si por las circunstancias concurrentes en un determinado proceso penal una persona está legitimada para ser parte en una determinada posición procesal y, además, en otra diferente, no tiene por qué haber incompatibilidad para actuar en los dos conceptos dentro del mismo procedimiento. El fundamento de esta compatibilidad se encuentra en la necesidad de que no se celebran varios procesos que pudieran originar sentencias contradictorias, lo que constituiría un grave atentado contra la seguridad jurídica (art. 9.3). Hay que evitar lo que la doctrina llama división de la continencia de la causa. Los diferentes problemas de un mismo acontecimiento o de acontecimientos no separables han de ser objeto del mismo procedimiento para evitar que su tramitación separada diera lugar a resoluciones diferentes que pudieran ser contradictorias. Y si esto es así —dice la STS 372/2006 de 31.3 (LA LEY 36070/2006)—, cuando se trata de acusados y acusadores en el mismo proceso respecto de las acciones penales, con mayor razón aún ha de serlo cuando se trata de examinar el mismo problema en relación a responsabilidades, de orden diferente como ocurre aquí, en el que la misma persona jurídica actúa, por un lado, como parte actora ejercitando la acción penal y, por otro lado, como demandada en calidad de responsable civil subsidiaria al tener que soportar las varias acusaciones dirigidas contra ella». STS 1036/2007 de 12 Dic. 2007, Rec. 1649/2006; Ponente: Berdugo Gómez de la Torre, Juan Ramón. LA LEY 353458/2007.

En estos casos puede admitirse, con fundamento en los argumentos expuestos, la posibilidad de que actúe como acusador y acusado un mismo partícipe, que aparece a la vez como agresor y agredido[108]. Ahora bien, según el supuesto puede ser más adecuado un enjuiciamiento separado de las respectivas responsabilidades criminales de los partícipes, de modo que se niegue la acumulación de las posiciones de acusador y acusado sin que esta decisión del Juez deba producir, necesariamente, indefensión a la parte.

> «Pero ello no quiere decir que del mero hecho de que en el caso actual se hayan celebrado dos enjuiciamientos, para dilucidar respectivamente las acusaciones delictivas suscitadas frente al recurrente y frente a su contrincante, se deduzca la vulneración del derecho fundamental a la tutela judicial efectiva del recurrente o algún tipo de indefensión. El recurrente ha podido plantear tanto su acusación en el otro proceso, como su defensa en éste, que es lo que ahora nos interesa, con plena libertad y sin cortapisa alguna, articulando los medios de defensa y prueba que ha estimado pertinentes y formulando las pretensiones oportunas. El Tribunal ha podido valorar con plenitud los hechos enjuiciados, y ha apreciado la concurrencia de una

---

(108)   «Ha de recordarse que esta Sala ha admitido (Acuerdo del Pleno adoptado en la Junta General de 27 de noviembre de 1998 y Sentencia de 10 de diciembre del mismo año) que con carácter excepcional una misma persona asuma la doble condición, de acusador y acusado en una misma causa penal, cuando se trate de un proceso en que se enjuicien acciones distintas, enmarcadas en un mismo suceso natural, siempre que, por su relación entre sí, el enjuiciamiento separado de cada una de las acciones en que actúan como acusados y perjudicados, respectivamente, produjese la división de la continencia de la causa, con riesgo de sentencias contradictorias, y siempre que así lo exija la salvaguarda del derecho de defensa y de la tutela judicial efectiva. Esto es lo que sucede en el caso actual, en el que nos encontramos ante una riña mutuamente aceptada con lesiones recíprocas, por lo que el enjuiciamiento conjunto fue plenamente correcto». STS 1296/2001 de 29 Jun. 2001, Rec. 1585/1999; Ponente: Conde-Pumpido Tourón, Cándido. LA LEY 6468/2001.

circunstancia semieximente de legítima defensa. La parte recurrente no aduce, en realidad, argumento de fondo alguno por el que la resolución pudiera haber variado caso de que las dos acusaciones cruzadas se hubiesen enjuiciado conjuntamente, pues en el juicio ahora impugnado no se impidió utilizar al recurrente medio de prueba alguno que pudiera haber modificado la resolución definitiva». STS 40/2002 de 25 Ene. 2002, Rec. 1518/2000; Ponente: Conde-Pumpido Tourón, Cándido. LA LEY 20065/2002.

No cabe, de ningún modo, la personación en el proceso penal en concepto de acusación particular, para asumir desde esa posición la defensa del acusado. Este supuesto se puede producir en el ámbito de los delitos cometidos en el entorno familiar, en los que la víctima puede pretender influir en el proceso personándose como acusación particular para ejercer una actividad de defensa del acusado. Sin embargo, la defensa es una postura procesal del acusado que ninguna otra parte puede asumir, sin que proceda la personación de persona alguna para defender la posición de aquél. En estos casos procederá decretar el cese de la personación de la acusación particular[109].

---

(109) «Carece de legitimación para personarse en casación a impugnar el recurso de la acusación pública, transmutando así su posición procesal: de ser una acusación particular se convierte en una "codefensa". Nuestro sistema procesal admite la acusación popular, pero no la defensa popular. El único legitimado procesalmente para defenderse frente a una acusación es el propio acusado, sin que sea admisible que terceras personas, por allegadas que sean, se constituyan en parte a los efectos de coadyuvar a esas tareas defensivas. Cuando quien se personó como acusación particular considera que no existen elementos suficientes para acusar, lo correcto procesalmente es abandonar el proceso, pero no constituirse en una esquizofrénica parte procesal: una acusación que solicita la absolución. Por tanto debe dictarse resolución haciendo cesar la personación de tal parte». Es a la persona agraviada a quien corresponde formular denuncia en los delitos de agresiones, acoso o abusos sexuales, por ser la titular del bien jurídico protegido, a salvo siempre las iniciativas que puede adoptar el Ministerio Fiscal ... La víctima tiene en sus manos que se inicie el proceso con la llave de su denuncia pero no la tiene para cerrarlo, provocando su crisis anticipada porque el perdón del ofendido no extingue la acción penal. Su legitimidad para poner en marcha el procedimiento, verdadera «legitimatio ad processum», y para ejercer la acusación no puede extenderse esquizofrénicamente, como señala el Ministerio Fiscal, a ejercer la defensa que es atributo esencial y exclusivo del acusado. La posición procesal de defensa que ha adoptado la acusación particular al postular lo mismo que el acusado recurrido, formulando igual pretensión de que se mantenga la nulidad del proceso que se sustanciaba contra su presunto agresor sexual, muda la naturaleza de su posición acusadora haciéndola irreconocible y vaciando de contenido su legitimación inicial. Si el acusador particular se constituye en parte activa en el proceso es precisamente para instar la sanción penal del responsable del delito y no para defenderlo». ATS de 9 Feb. 2001, Rec. 3087/2000; Ponente: Aparicio Calvo-Rubio, José. LA LEY 242679/2001.

MODELOS

M. 22. Escrito de personación del acusador particular en el procedimiento abreviado (1)

AL JUZGADO

D. [.../...], Procurador de los Tribunales y obrando en nombre de [.../...], cuya representación acredito mediante la escritura de poder que, debidamente bastanteada y aceptada, acompaño, comparezco y digo:

Que como parte interesada en las presentes actuaciones seguidas por [.../...], solicito se me tenga por parte, en calidad de [.../...], a todos los efectos procesales oportunos, dándome vista de lo actuado.

AL JUZGADO SUPLICO, se una el presente escrito a las diligencias que se relacionan, me tenga por comparecido y parte en los autos en nombre y representación de mi poderdante, y acordar se entiendan conmigo las sucesivas notificaciones y diligencias, con devolución de los poderes originales, previo su testimonio, dándome vista de lo actuado.

Lo que pido en [.../...], a [.../...] de [.../...] de 20[.../...]

(Firma del Abogado) (Firma del Procurador)

DILIGENCIA DE PRESENTACIÓN

(1) *En el procedimiento por delitos graves la personación debe necesariamente realizarse por medio de querella.*

M. 23. Otorgamiento de poderes ante el Letrado de la Administración de Justicia del Juzgado o Tribunal correspondiente

La representación en juicio podrá conferirse mediante comparecencia ante el Letrado de la Administración de Justicia del Juzgado o Tribunal que haya de conocer el asunto, que autorizará y documentará el otorgamiento de poderes para pleitos (art. 453 LOPJ).

OTORGAMIENTO DE PODER *APUD ACTA*

En [.../...], a [.../...] de [.../...] de 20[.../...]

Ante mí [.../...], Letrado de la Administración de Justicia del Juzgado de [.../...] (de la Sala [.../...])

COMPARECE:

D. [.../...], mayor de edad (se consignan sus circunstancias personales), y DNI núm. [.../...], que tiene a mi juicio la capacidad necesaria para este acto,

DICE: Que confiere poder a favor de [.../...] (*se designará el nombre del profesional apoderado, quien podrá aceptar en el acto y presentar escrito subsiguiente compareciendo en autos según formulario anterior*), para que en [.../...] y en relación al Sumario (Rollo [.../...]) núm. [.../...] de este Juzgado de [.../...] seguido entre [.../...] y [.../...], a fin que PUEDA: Seguir y terminar como acusador o en cualquier otro concepto, la tramitación del mencionado sumario (Rollo [.../...]); pedir suspensiones de juicios; firmar y presentar escritos y asistir a toda clase de actuaciones; solicitar y recibir notificaciones, citaciones y emplazamientos; recibir y contestar requerimientos; instar acumulaciones, embargos, cancelaciones, ejecuciones, anotaciones, remates de bienes, liquidaciones y tasaciones de costas; promover cuestiones de competencia e incidentes formular recusaciones; tachar testigos; suministrar e impugnar pruebas, renunciar a ellas y a traslados de autos; prestar cauciones; hacer depósitos y consignaciones judiciales y solicitar su cancelación y entrega; consentir las resoluciones favorables; interponer, seguir y renunciar toda clase de recursos, los de reforma, súplica, apelación, anulación, casación, queja y demás procedentes en derecho. Y, en general, practicar cuanto permitan las leyes de procedimiento sin limitación.

Así lo otorga el compareciente y leída que ha sido la presente, la ratifica y firma, de lo que yo, el Letrado de la Administración de Justicia, doy fe.

(Firma Letrado de la Administración de Justicia y otorgante)

M. 24. Escrito de designación de Abogado y Procurador y subsiguiente diligencia de ordenación

AL JUZGADO

D. [.../...], cuyas demás circunstancias ya constan, procesado (o encartado) en las actuaciones al margen referenciadas (1), comparezco y DIGO:

Que designo para mi defensa al Abogado [.../...], y al Procurador [.../...], para que me represente. Y que habiendo aceptado ambos, firman conmigo el presente escrito.

En su virtud,

AL JUZGADO SUPLICO: Tenga por presentado este escrito, lo admita y por realizadas las designas de Abogado y Procurador antes mencionadas.

En [.../...], a [.../...] de [.../...] de 20[.../...]

(Firma del Abogado) (Firma del Procurador)

DILIGENCIA DE ORDENACIÓN

LETRADO DE LA ADMINISTRACIÓN DE JUSTICIA SR. [.../...]

En [.../...], a [.../...] de [.../...] de 20[.../...]

Únase el anterior escrito a los autos de su razón. Se tienen por designados por D. [.../...] para su defensa y representación al Letrado D. [.../...] y al Procurador D. [.../...] con el que se entenderán las sucesivas diligencias.

Lo acuerda y firma el Sr. Letrado de la Administración de Justicia, dando cuenta de ello a S. S.ª

(Firma Letrado de la Administración de Justicia)

DILIGENCIA. Seguidamente se cumple lo acordado, doy fe.

(NOTIFICACIÓN. Al Ministerio Fiscal, Procurador y demás partes)

(1) *Indíquese al margen clase de procedimiento, su número y año, así como el delito por el que se tramita.*

M. 25. Escrito de comparecencia, solicitando vista de lo actuado y subsiguiente diligencia de ordenación

Ref. Autos [.../...]

AL JUZGADO

D. [.../...], Procurador de los Tribunales y obrando en nombre de [.../...], cuya representación ya tengo acreditada en las presentes actuaciones al margen referenciadas, comparezco y DIGO:

Que en virtud de las facultades concedidas por los arts. 118 y 302 LECrim., comparezco en el procedimiento al margen indicado y solicito se me dé vista de lo actuado a fin de interesar lo que en Derecho entienda pertinente.

Por todo ello,

AL JUZGADO DE INSTRUCCIÓN SUPLICO: Tenga por admitido el presente escrito y en sus méritos por comparecido y parte en las expresadas diligencias, dándome vista de lo actuado.

En [.../...], a [.../...] de [.../...] de 20[.../...]

(Firma del Abogado) (Firma del Procurador)

Diligencia de presentación

DILIGENCIA DE ORDENACIÓN

LETRADO DE LA ADMINISTRACIÓN DE JUSTICIA SR. [.../...]

En [.../...], a [.../...] de [.../...] de 20[.../...]

Únase el anterior escrito a los autos de su razón. Se tienen por designados por D. [.../...] para su defensa y representación al Letrado D. [.../...] y al Procurador D. [.../...] con el que se entenderán las sucesivas diligencias, y de conformidad con lo interesado désele vista de lo actuado.

Lo acuerda y firma el Sr. Letrado de la Administración de Justicia, dando cuenta de ello a S. S.ª

(Firma Letrado de la Administración de Justicia)

DILIGENCIA. Seguidamente se cumple lo acordado, doy fe.

(NOTIFICACIÓN. Al Ministerio Fiscal, Procurador y demás partes)

En los supuestos de renuncia del Letrado a la defensa y representación del acusado, ésta se llevará a cabo mediante la presentación de escrito ante el órgano jurisdiccional que procederá al nombramiento de nuevo Abogado y Procurador, en su caso, siempre que no sean específicamente designados por éste.

M. 26. Escrito de renuncia a la defensa y a la representación

AL JUZGADO

D. [.../...], Procurador de los Tribunales y obrando en nombre de [.../...], cuya representación ya tengo acreditada en las presentes actuaciones al margen referenciadas (1), comparezco y DIGO:

Que el Abogado que defiende al mencionado procesado así como su Procurador no han podido llegar a un acuerdo con él respecto de su defensa, y renuncian expresamente a la misma por existir incompatibilidad con dicho procesado relacionada con su defensa y representación.

En su virtud,

AL JUZGADO (O A LA SALA), SUPLICO: Tenga por presentado este escrito, firmado por los referidos Letrado y Procurador, y por renunciado a los mismos a fin de seguir manteniendo dichas defensa y representación.

En [.../...], a [.../...] de [.../...] de 20[.../...]

(Firma del Abogado) (Firma del Procurador)

Diligencia de presentación

(1) Indíquese al margen clase de procedimiento, su número y año, así como el delito por el que se tramita.

M. 27. Requerimiento judicial para la designación de Abogado al detenido o preso

PROVIDENCIA JUEZ

En [.../...], a [.../...] de [.../...] de 20[.../...]

De conformidad con lo dispuesto en los arts. 520 y ss. LECrim., 771 LECrim. y arts. 8 y 21 y ss. del Reglamento aprobado por RD 996/2003, con la finalidad de asegurar los derechos de defensa del detenido o preso [.../...] requiérase al Colegio de Abogados [.../...] para que se proceda al nombramiento de Letrado de oficio para [.../...]

Lo manda y firma el Sr. D. [.../...], Juez de Instrucción de [.../...], doy fe.

(Firma Juez)   (Firma Letrado de la Administración de Justicia)

NOTIFICACIÓN. A las partes y Ministerio Fiscal.

M. 28. Solicitud de asistencia jurídica gratuita

Según Modelo Normalizado publicado como Anexo I.I del RD 996/2003 de 25 de julio de Justicia Gratuita.

ANEXO I.I
Solicitud de asistencia jurídica gratuita (*)

I. DATOS DEL DECLARANTE

a. Persona física.

APELLIDOS Y NOMBRE		NIF/TARJETA RESIDENCIA

NACIONALIDAD	FECHA DE NACIMIENTO	ESTADO CIVIL
		❑ soltero ❑ casado ❑ unión de hecho
		❑ viudo ❑ separado ❑ divorciado

PROFESIÓN	RÉGIMEN ECONÓMICO MATRIMONIAL
	❑ Gananciales ❑ Separación de bienes ❑ Otro

DOMICILIO (calle, número y piso)	USO	MUNICIPIO	PROVINCIA
	❑ Propiedad ❑ Alquiler ❑ Otro		

CÓDIGO POSTAL	TELÉFONO
	fijo móvil

CÓNYUGE: APELLIDOS Y NOMBRE	NIF/T.RESIDENCIA	PROFESIÓN

FAMILIARES QUE CONVIVEN CON EL DECLARANTE

Apellidos y nombre	Parentesco	Edad (hijos)

b. Persona jurídica.

DENOMINACIÓN DE LA ENTIDAD		C.I.F.

DOMICILIO (calle, número y piso)	MUNICIPIO	PROVINCIA

CÓDIGO POSTAL	TELÉFONO	FAX

ASOCIACIONES: Fecha declaración utilidad pública	FUNDACIONES: Año inscripción en registro

(*) Antes de cumplimentar la solicitud, léanse las INSTRUCCIONES y la DECLARACIÓN que figuran en la última página.

II.   DATOS ECONÓMICOS

INGRESOS ANUALES DE LA UNIDAD FAMILIAR

Declarante/Cónyuge/Hijos/Otros	Importe bruto	Concepto (salario, subsidios, ...)	Retención judicial

PROPIEDADES INMUEBLES

Descripción (piso, local, ...)	Lugar (calle ...)	Uso (vivienda, negocio, ...)	Valoración	Cargas (hipotecas, ...)

CUENTAS CORRIENTES O DE AHORRO		OTROS PRODUCTOS FINANCIEROS	
Entidad	Saldo	Producto (letras, bonos, depósitos)	Importe

OTRAS PROPIEDADES MUEBLES

Concepto (vehículos, ...)	Año adquisición	Valoración

III.   DATOS DEL PROCEDIMIENTO JUDICIAL

El declarante es ❏ demandante/actor ❏ otro: ❏ demandado/denunciado _____ ❏ detenido	TIPO DE PROCEDIMIENTO

OBJETO Y PRETENSIÓN (Descripción del objeto del procedimiento judicial y de la pretensión que se desea ejercitar)

N.º PROCEDIMIENTO	ÓRGANO JUDICIAL	SITUACIÓN DEL PROCEDIMIENTO
		☐ Iniciado ☐ Sentenciado
		☐ En ejecución de sentencia

PARTE/S CONTRARIA/S

Apellidos y nombre/Denominación	Domicilio

IV.   DECLARACIÓN RESPONSABLE Y SOLICITUD

DECLARO bajo mi total y expresa **responsabilidad** que son **ciertos y completos todos los datos** que figuran en esta solicitud, así como en la documentación que se acompaña, y que pretendo litigar sólo por **derechos propios**. También declaro saber con precisión y aceptar que:

1.   Esta solicitud **no suspende** por sí misma el curso del proceso y que, por tanto, deberé solicitar personalmente al órgano judicial la suspensión del transcurso de cualquier plazo que pudiera provocarme indefensión o preclusión del trámite.

2.   Mis datos de carácter personal, que suministro al presentar esta solicitud serán incluidos en un **fichero automatizado** y tratados conforme a lo previsto en la Ley Orgánica 15/1999, de 13 de diciembre, a los efectos del reconocimiento del derecho, y que es destinataria de la información la Comisión de Asistencia Jurídica Gratuita que corresponda.

3.   En el caso de que la Comisión de Asistencia Jurídica Gratuita deniegue la solicitud que formulo, **me corresponderá abonar** los honorarios y derechos económicos que deriven de la intervención de los profesionales designados previamente a la resolución de mi pretensión.

4.   La declaración errónea, falsa o con ocultación de datos relevantes supondrá la **revocación** del reconocimiento del derecho; en tal caso, vendré obligado a pagar las prestaciones que haya obtenido, además de quedar sujeto a las responsabilidades que se me puedan exigir.

Conociendo todo lo anterior, **SOLICITO** que se me reconozca el derecho a la asistencia jurídica gratuita en:

EL/LA SOLICITANTE

_____
(lugar y fecha)

Fdo.: _____

V.   DOCUMENTACIÓN QUE EL DECLARANTE ADJUNTA

☐   Fotocopia del DNI, los ciudadanos de la Unión Europea.

☐   Fotocopia del pasaporte o tarjeta de residencia, los extranjeros.

☐   Declaración de utilidad pública (asociaciones) o inscripción registral (fundaciones).

☐   Declaración impositiva de la unidad familiar (IRPF y, en su caso, Patrimonio) o de la persona jurídica (impuesto sobre sociedades).

☐   Certificado de la Agencia Tributaria de no haber presentado declaración (En el caso de que la unidad familiar no esté obligada a presentar declaración del IRPF).

☐   Certificación catastral (bienes inmuebles).

☐   Nota simple del Registro de la Propiedad (si se alegan cargas sobre el inmueble).

☐   Certificado de los centros de trabajo y de las altas y bajas de la Seguridad Social.

☐   Certificado de empresa que acredite los ingresos brutos anuales.

☐   Certificado del INEM en el que conste la percepción de ayuda por desempleo y período al que se extiende.

☐   Certificado de cobro de pensiones públicas.

OTRA DOCUMENTACIÓN

☐   _____

☐   _____

VI.   INFORMACIÓN AL SOLICITANTE

Se informa personalmente al/a la interesado/a, por parte del/ de la Letrado/a del Ilustre Colegio de Abogados de _____, de la documentación que deberá aportar para **subsanar** los defectos observados en la presentación de esta solicitud, por lo que se le concede un plazo de diez días hábiles que concluye el día _____.

Se le informa asimismo que, de no atender este requerimiento en el plazo indicado, su solicitud será **archivada** de conformidad con el artículo 14 de la Ley 1/1996, de 10 de enero, de Asistencia Jurídica Gratuita.

En _____, a _____ de _____ de _____

EL/LA LETRADO/A
N.º _____

ENTERADO/A
EL/LA SOLICITANTE

Fdo.: _____

VII.   INSTRUCCIONES

DECLARANTE

-   Se consignarán todos los datos identificativos del <u>solicitante</u>; si actúa en representación de una persona jurídica, cumplimentará los datos de ésta.

-   Los datos del <u>cónyuge</u> y del <u>régimen económico matrimonial</u> se consignará en caso de matrimonio o unión de hecho. Si el cónyuge convive con el declarante, se indicará en el apartado familiares.

DATOS ECONÓMICOS

-   Se detallarán los <u>ingresos anuales</u> de la unidad familiar indicando la moneda en la que se perciben. Sólo en el caso de carecer absolutamente de ingresos no se consignará cifra, pero se indicará con claridad "No existen".

-   Las <u>propiedades inmuebles</u> reflejarán si se trata del domicilio utilizado por la unidad familiar, de vivienda en otro uso, local de negocio, plaza de garaje, solar, etc. También, el valor de mercado o catastral y las hipotecas o créditos que graven la propiedad de la unidad familiar.

M. 29. Solicitud de asistencia jurídica gratuita en el procedimiento especial de enjuiciamiento rápido

Según Modelo Normalizado publicado como Anexo I.II del RD 996/2003 de 25 de julio de Justicia Gratuita.

SOLICITUD

ANEXO I.II

Solicitud del beneficio de asistencia jurídica gratuita por asistencia letrada en el procedimiento especial de enjuiciamiento rápido

Impreso que debe rellenar el detenido, preso o denunciado.

D. _____
NIF_____, teléfono _____, vecino de _____
calle _____
solicito formalmente que me sea reconocido el derecho a la asistencia jurídica gratuita establecido en la Ley 1/1996, de 10 de enero, para las diligencias siguientes:

Procedimiento _____
Órgano jurisdiccional _____
Delito que se le imputa _____

A tal fin manifiesta expresamente que sus recursos e ingresos económicos computados anualmente por todos los conceptos y por unidad familiar no superan los _____ euros (*) mensuales, siendo de
_____ euros.

También solicita que le sean designados abogado y procurador del turno de oficio, y se compromete a abonar la minuta del abogado y procurador que le asistan de oficio en caso de que no le fuera reconocido el derecho a la asistencia jurídica gratuita.

Datos de interés económico o social del solicitante:

_____
_____
_____
_____
_____
_____
_____
_____

(*) **Cantidad correspondiente al salario mínimo interprofesional vigente.**

Firma del solicitante   Lugar y fecha

I. INFORMACIÓN AL SOLICITANTE

Se informa personalmente al/a interesado/a, por parte del/ de la Letrado/a del Ilustre Colegio de Abogados de _____, de la documentación que deberá aportar, para lo que se le concede un plazo de cinco días que concluye el día _____.

Se le informa asimismo que, de no atender este requerimiento en el plazo indicado, su solicitud será **archivada** de conformidad con el artículo 14 de la Ley 1/1996, de 10 de enero, de Asistencia Jurídica Gratuita.

En _____, a _____ de _____ de _____

EL/LA LETRADO/A	ENTERADO/A
N.º _____	EL/LA SOLICITANTE

Fdo.: _____

II. DOCUMENTACIÓN QUE DEBE PRESENTAR EL SOLICITANTE

☐ Fotocopia del DNI, los ciudadanos de la Unión Europea.

☐ Fotocopia del pasaporte o tarjeta de residencia, los extranjeros.

☐ Declaración de utilidad pública (asociaciones) o inscripción registral (fundaciones).

☐ Declaración impositiva de la unidad familiar (IRPF y, en su caso, Patrimonio) o de la persona jurídica (impuesto sobre sociedades).

☐ Certificado de la Agencia Tributaria de no haber presentado declaración (En el caso de que la unidad familiar no esté obligada a presentar declaración del IRPF).

☐ Certificación catastral (bienes inmuebles).

☐ Nota simple del Registro de la Propiedad (si se alegan cargas sobre el inmueble).

☐ Certificado de los centros de trabajo y de las altas y bajas de la Seguridad Social.

☐ Certificado de empresa que acredite los ingresos brutos anuales.

☐ Certificado del INEM en el que conste la percepción de ayuda por desempleo y período al que se extiende.

☐ Certificado de cobro de pensiones públicas.

OTRA DOCUMENTACIÓN

☐ _____

☐ _____

M. 30. **Informe del abogado pronunciándose sobre la existencia de los presupuestos para la concesión del beneficio de Justicia gratuita y asumiendo la defensa en tanto se resuelva la solicitud Informe del Abogado respecto a la carencia notoria de medios económicos del solicitante (art. 21.3 RD 996/2003)**

Según Modelo Normalizado publicado como Anexo I.III del RD 996/2003 de 25 de julio de Justicia gratuita.

ANEXO I.III

A LA COMISIÓN DE ASISTENCIA JURÍDICA GRATUITA

D/D.ª_____ colegiado n.º _____

designado con fecha _____ para la defensa de los

intereses de D/D.ª _____ en las diligencias

_____ que se tramitan en el Juzgado

_____ por el delito

_____

EXPONE

1.- Que ha resultado imposible para este letrado la obtención de otros datos económicos que los consignados en la solicitud de asistencia jurídica gratuita, a pesar de haber recabado del interesado la aportación de la documentación pertinente.

2.- Que, no obstante, de toda la información obtenida considero que la situación económica del solicitante:

❏ SÍ es merecedora del reconocimiento de los beneficios del artículo 6 de la Ley de Asistencia Jurídica Gratuita.

❏ NO es merecedora del reconocimiento de los beneficios del artículo 6 de la Ley de Asistencia Jurídica Gratuita.

3.- Tratándose de un procedimiento penal en el que la defensa letrada es obligatoria e inexcusable, se hace constar que el letrado firmante designado en el procedimiento de referencia continuará actuando mientras no se resuelva en contrario.

Madrid, a _____ de _____ de _____

Firma del letrado

M. 31. Solicitud de asistencia jurídica gratuita para la asistencia a la mujer víctima de violencia de género

Según Modelo Normalizado publicado como Anexo I.IV del RD 996/2003 de 25 de julio de Justicia Gratuita.

SOLICITUD

Solicitud del derecho de asistencia jurídica gratuita para la defensa y representación letrada a la mujer víctima de violencia de género

APELLIDOS Y NOMBRE			N.I.F., N.I.E. (o, en defecto de N.I.E., número de pasaporte)
NACIONALIDAD	FECHA DE NACIMIENTO	LUGAR DE NACIMIENTO	
DOMICILIO (calle, número y piso)	MUNICIPIO	PROVINCIA	CODIGO POSTAL
ESTADO CIVIL	PROFESIÓN U OFICIO		

SOLICITO formalmente que me sea reconocido el derecho a la asistencia jurídica gratuita establecida en la Ley 1/1996, de 10 de enero, para las siguientes diligencias:

Defensa y representación en:

PROCEDIMIENTO JUDICIAL / ADMINISTRATIVO	ORGANO JUDICIAL / ORGANISMO O ENTIDAD PUBLICA

A tal fin, manifiesto expresamente que:

Mi relación con el agresor es:

PARENTESCO	SITUACIÓN LEGAL	MEDIDAS JUDICIALES

Mi situación familiar es (familiares que conviven con el solicitante):

APELLIDOS Y NOMBRE	PARENTESCO	EDAD

Mi situación económica es (ingresos anuales de la unidad familiar):

MIEMBRO	IMPORTE BRUTO	CONCEPTO
		(salario, subsidio, pensión..)
☐ Declarante .... €		
☐ Cónyuge .... €		
☐ Hijos .... €		
☐ Otros .... €		
TOTAL INGRESOS: .... €		

USO DEL DOMICILIO FAMILIAR:

☐ Propiedad
☐ Alquiler
☐ Otros

OTROS BIENES:

☐ Propiedades muebles
☐ Propiedades inmuebles
☐ Cuentas corrientes y de ahorro
☐ Otros productos financieros

Manifiesto que son ciertos los datos indicados y me comprometo a presentar la documentación necesaria en el plazo máximo de 5 días a contar desde el de la presentación de la solicitud.

En el caso de no estar obligada a presentar declaración por el Impuesto sobre la Renta de las Personas Físicas, la presentación de esta solicitud implica que AUTORIZO a la Comisión de Asistencia Jurídica Gratuita a que obtenga de forma directa de la Administración tributaria la acreditación de dicha ausencia de obligación.

La declaración errónea, falsa o con ocultación de datos relevantes supondrá la revocación del reconocimiento del derecho; en tal caso vendré obligada a pagar las prestaciones que haya obtenido, además de quedar sujeta a las responsabilidades que se me puedan exigir.

Solicito que me sean asignados abogado y procurador del turno de oficio, comprometiéndome a abonar la minuta del abogado y procurador que me asistan de oficio en el caso de que no me fuere reconocido el derecho a la asistencia jurídica gratuita.

Firma de la solicitante   Lugar y fecha

→ DOCUMENTACIÓN A PRESENTAR POR LA SOLICITANTE:

● DOCUMENTACIÓN GENERAL:

☐ Fotocopia del N.I.F., los españoles y ciudadanos de la Unión Europea; fotocopia de la Tarjeta de Identidad de Extranjero en vigor o, en su defecto, del Pasaporte en vigor, los extranjeros no nacionales de un Estado miembro de la Unión Europea.

☐ Declaración impositiva de la unidad familiar (última declaración de I.R.P.F. y, en su caso, del Impuesto sobre el Patrimonio).

☐ Certificado de la **Administración tributaria** de no haber presentado declaración (en el caso de que la unidad familiar no esté obligada a presentar declaración del I.R.P.F.) **(la solicitante deberá aportar este certificado si deniega expresamente el consentimiento antes mencionado a la Comisión de Asistencia Jurídica Gratuita (1)).**

☐ Certificación catastral (bienes inmuebles).

☐ Nota simple del Registro de la Propiedad (si se alegan cargas sobre el inmueble).

☐ Certificado de los centros de trabajo y de las altas y bajas de la Seguridad Social.

☐ Certificado de empresa que acredite los ingresos brutos anuales.

☐ Certificado del Servicio Público de Empleo Estatal (SPEE) en el que conste la percepción de ayuda por desempleo y periodo al que se extiende.

☐ Certificado de cobro de pensiones públicas.

● OTRA DOCUMENTACIÓN:

☐ _____

☐ _____

(1) DENIEGO expresamente mi consentimiento para que la Comisión de Asistencia Jurídica Gratuita obtenga de forma directa de la Administración tributaria la acreditación, en su caso, de que no estoy obligada a presentar declaración por el Impuesto sobre la Renta de las Personas Físicas.

Firma de la solicitante   Lugar y fecha

M. 32. Impugnación de la resolución de la Comisión de Asistencia Jurídica Gratuita

A LA COMISIÓN DE ASISTENCIA GRATUITA DE [.../...]

D. [.../...], Procurador de los Tribunales, obrando en nombre de [.../...], cuya representación ha sido otorgada provisionalmente con fecha de [.../...], comparezco y digo:

Que con fecha de [.../...] le ha sido notificada resolución de la Comisión de Asistencia Jurídica Gratuita en el expediente [.../...], y no encontrándola ajustada a derecho formulo en tiempo y forma escrito de impugnación en los términos establecidos en el art. 20 de la Ley 1/1996, de 10 de enero, y 19 RD 996/2003, con base en las siguientes:

ALEGACIONES

Primera.— Errónea valoración de la documentación presentada.

D. [.../...] presentó como justificante de que reunía los presupuestos y requisitos necesarios para la concesión del beneficio de asistencia jurídica gratuita los siguientes documentos [.../...]

Tras requerirse de oficio por la Comisión de Asistencia Jurídica Gratuita a [.../...] se comunicó por la Agencia Tributaria que [.../...], si bien no se ha tenido presente que con fecha de [.../...] el solicitante fue despedido de su puesto laboral y la percepción de la indemnización evaluada en [.../...] ptas., no puede estimarse como un signo de riqueza en atención a las cargas familiares que pesan sobre el mismo.

Segunda.— Interpretación indebida del art. 4 de la Ley 1/1996, de 10 de enero.

Aun cuando el citado precepto establece que para comprobar la insuficiencia de recursos para litigar, se tendrán en cuenta además de las rentas y otros bienes patrimoniales, los signos externos que justifiquen su capacidad real, la vivienda adquirida con fecha reciente de [.../...], ha sido como consecuencia de la percepción de la anterior indemnización, lo cual no puede estimarse como un signo externo de riqueza que evidencie un salario superior al legalmente previsto en el art. 3 de la Ley 1/1996, ya que [.../...]

Por todo lo expuesto

A LA COMISIÓN DE ASISTENCIA JURÍDICA GRATUITA SOLICITO tenga por presentado este escrito y sus copias, y por interpuesto y formalizado en tiempo y forma escrito de impugnación contra la resolución dictada en fecha de [.../...], dándosele la oportuna sustanciación, tras lo cual

AL JUZGADO SUPLICO, dicte resolución revocando la de fecha [.../...] dictada por la Comisión de Asistencia Jurídica gratuita y concediéndole el beneficio de asistencia jurídica gratuita interesada en la solicitud presentada ante el Colegio de Abogados de [.../...], con designación definitiva de Abogado y Procurador de oficio.

Lo que pido en [.../...], a [.../...] de [.../...] de 20[.../...]

(Firma del solicitante o Abogado) (Firma de Procurador)

DILIGENCIA DE PRESENTACIÓN

M. 33. Providencia incoando procedimiento judicial para sustanciar el recurso

PROVIDENCIA JUEZ

En [.../...], a [.../...] de [.../...] de 20[.../...]

Fórmese el correspondiente expediente (si existen varios Juzgados previo reparto) con el escrito de [.../...], y el expediente remitido por la Comisión de Asistencia Jurídica Gratuita con las certificaciones y documentos previstos en el art. 20 de la Ley 1/1996 y art. 9 del Reglamento, cítese de comparecencia a las partes, Ministerio Fiscal y al Abogado del Estado (o en su caso, el Letrado de la Comunidad Autónoma) que se llevará a efecto el día [.../...] a las horas [.../...] en la Sala Audiencia de este Juzgado, para que puedan realizar las oportunas alegaciones y solicitar y practicarse las pruebas que estimen pertinentes en el plazo de cinco días, verificado lo cual se resolverá la impugnación presentada.

Lo manda y firma el Sr. D. [.../...], Juez de Instrucción de [.../...], doy fe.

(Firma del Juez) (Firma del Letrado de la Administración de Justicia)

DILIGENCIA. Seguidamente se cumple lo acordado, doy fe.

NOTIFICACIÓN. Al solicitante, Abogado del Estado y las demás partes personadas.

M. 34. Comparecencia para audiencia de las partes y práctica de pruebas

COMPARECENCIA.— En [.../...] a [.../...] de [.../...] de [.../...]

Ante S.S.ª y de mí el infrascrito Letrado de la Administración de Justicia comparece el Abogado del Estado (o Letrado de la Comunidad Autónoma), Ministerio Fiscal y [.../...], así como el imputado con el Letrado D. [.../...]

Abierto el acto, se concede la palabra al impugnante quien se afirma y ratifica en la solicitud presentada y pide la prueba de [.../...]

El Abogado del Estado y el Ministerio Fiscal se oponen a la petición de revocación con base en [.../...], sin que sea necesario la apertura de período probatorio alguno.

Por S.S.ª se acuerda (o se rechazan) las pruebas solicitadas de [.../...] (que se practicarán en el presente acto, y dando comienzo a [.../...]).

Con lo cual se da por concluido el presente acto que firma S.S.ª y todos los presentes, doy fe.

(Firman el Juez, el Letrado de la Administración de Justicia y demás asistentes)

M. 35. Auto resolviendo el recurso contra la resolución de la Comisión de Asistencia Jurídica Gratuita

AUTO

En [.../...] a [.../...] de [.../...] de [.../...]

Dada cuenta, y

HECHOS

Primero.— Incoada causa criminal con el núm. [.../...] de diligencias [.../...] sobre [.../...] contra [.../...], D. [.../...] solicitó designación de Abogado y Procurador de oficio que fue rechazada por la Comisión de Asistencia Jurídica Gratuita por resolución de [.../...]

Segundo.— En tiempo y forma se solicitó por D. [.../...] la revocación de la citada resolución de fecha [.../...] por [.../...], y sustanciado el procedimiento quedó pendiente para resolución.

FUNDAMENTOS DE DERECHO

Primero.— Los arts. 3 y 4 de la Ley 1/1996, de 10 enero, establecen que se reconocerá el derecho de asistencia jurídica gratuita a aquellas personas físicas cuyos recursos o ingresos, computados anualmente por todos los conceptos y por unidad familiar, no superen el doble del salario mínimo interprofesional vigente en el momento de efectuar la solicitud, sin perjuicio de que se justifiquen signos externos de los cuales se evidencia que se disponen de medios económicos que superan el límite fijado por la Ley.

Segundo.— La cuestión nuclear de la impugnación reside en la interpretación sobre este último extremo, que ha sido estimado por la resolución de la Comisión como suficiente para justificar dichos signos externos de riqueza, valoración que no puede compartirse en atención a que la indemnización por despido de su puesto laboral recibida ha sido reinvertida en la adquisición de una vivienda para su residencia habitual que no puede estimarse como suntuaria, sin que se desprendan de los demás medios o signos externos que evidencien la apreciación realizada por la resolución de la Comisión de Asistencia Jurídica Gratuita que consecuentemente procede revocar.

Vistos los preceptos citados y demás de pertinente aplicación.

PARTE DISPOSITIVA

Se revoca la resolución de fecha [.../...] dictada por la Comisión de Asistencia Jurídica Gratuita y procédase al nombramiento definitivo de Abogado y Procurador de oficio, con remisión del expediente y testimonio de la presente resolución a la citada Comisión para que lleve a efecto el mismo en los términos indicados en el auto dictado.

Contra el presente auto no cabe recurso alguno.

Lo manda y firma el Sr. D. [.../...] Juez de Instrucción de [.../...], doy fe.

(Firma el Juez)   (Firma el Letrado de la Administración de Justicia)

NOTIFICACIÓN. Al solicitante y demás partes.

M. 36. Resolución judicial ordenando la designación provisional de Abogado y Procurador de oficio

AUTO

En [.../...] a [.../...] de [.../...] de [.../...]

Dada cuenta, y

HECHOS

Único.— Incoada causa criminal con el núm. [.../...] de diligencias [.../...] sobre [.../...] contra [.../...], con fecha de [.../...] se realizó a [.../...]

FUNDAMENTOS DE DERECHO

Único.— De conformidad con lo dispuesto en el art. 21 de la Ley 1/1996, de 10 de enero, atendidas las circunstancias del caso y la urgencia de la situación derivada de [.../...], con la finalidad de asegurar los derechos de defensa y representación de [.../...] procédase a remitir los correspondientes oficios para la designación de Abogado y Procurador de oficio, tras haber manifestado que carece de recursos económicos para su defensa.

Vistos los preceptos citados y demás de pertinente aplicación.

PARTE DISPOSITIVA

S.S.ª ante mí el Letrado de la Administración de Justicia DIJO:

Requiérase a los Colegios de Abogados y Procuradores de [.../...] para que designen provisionalmente Abogado y Procurador de oficio a [.../...], en atención a las circunstancias anteriormente expuestas, comunicándose a dichos Colegios para que procedan a su nombramiento y la continuación del expediente administrativo para su definitiva designación.

Lo manda y firma el Sr. D. [.../...] Juez de Instrucción de [.../...], doy fe.

(Firma el Juez)   (Firma el Letrado de la Administración de Justicia)

NOTIFICACIÓN. A las partes y Ministerio Fiscal.

M. 37. Providencia del Tribunal solicitando la designación de Abogado y Procurador para la sustanciación del recurso cuando se desarrolla en distinta sede jurisdiccional

PROVIDENCIA

Ilmos. Sres.

[.../...]

En [.../...] a [.../...] de [.../...] de [.../...]

Por recibidos los anteriores autos y escritos de [.../...], fórmese el correspondiente Rollo de apelación y regístrese. Se designa como Magistrado Ponente para el examen de los autos a [.../...]

De conformidad con lo dispuesto en el art. 7.3.º Ley 1/1996, de 10 de enero, requiérase a los Colegios de Abogados y Procuradores de [.../...], la designación de Abogado y Procurador de oficio ejerciente en esta sede jurisdiccional.

Lo mandan y firman los Sres. Magistrados del Tribunal, doy fe.

(Firma el Presidente
y los Magistrados)

(Firma el Letrado de la Administración
de Justicia)

NOTIFICACIÓN

M. 38. Solicitud para la prestación de asistencia letrada en el procedimiento para el enjuiciamiento rápido de determinados delitos

ANEXO I.II

Solicitud del beneficio de asistencia jurídica gratuita por asistencia letrada en el procedimiento especial de enjuiciamiento rápido

Impreso que debe rellenar el detenido, preso o denunciado.

D. _____
NIF_____, teléfono _____, vecino de _____
calle _____
solicito formalmente que me sea reconocido el derecho a la asistencia jurídica gratuita establecido en la Ley 1/1996, de 10 de enero, para las diligencias siguientes:

Procedimiento _____
Órgano jurisdiccional _____
Delito que se le imputa _____

A tal fin manifiesta expresamente que sus recursos e ingresos económicos computados anualmente por todos los conceptos y por unidad familiar no superan los _____ euros (*) mensuales, siendo de _____ euros.

También solicita que le sean designados abogado y procurador del turno de oficio, y se compromete a abonar la minuta del abogado y procurador que le asistan de oficio en caso de que no le fuera reconocido el derecho a la asistencia jurídica gratuita.

Datos de interés económico o social del solicitante:
_____
_____
_____
_____
_____
_____
_____

(*) Cantidad correspondiente al salario mínimo interprofesional vigente.

Firma del solicitante   Lugar y fecha

I.   INFORMACIÓN AL SOLICITANTE

Se informa personalmente al/a interesado/a, por parte del/ de la Letrado/a del Ilustre Colegio de Abogados de _____, de la documentación que deberá aportar, para lo que se le concede un plazo de cinco días que concluye el día _____.

Se le informa asimismo que, de no atender este requerimiento en el plazo indicado, su solicitud será **archivada** de conformidad con el artículo 14 de la Ley 1/1996, de 10 de enero, de Asistencia Jurídica Gratuita.

En _____, a _____ de _____ de _____

EL/LA LETRADO/A   ENTERADO/A
N.º _____   EL/LA SOLICITANTE

Fdo.: _____

II.   DOCUMENTACIÓN QUE DEBE PRESENTAR EL SOLICITANTE

❑   Fotocopia del DNI, los ciudadanos de la Unión Europea.

❑   Fotocopia del pasaporte o tarjeta de residencia, los extranjeros.

❑   Declaración de utilidad pública (asociaciones) o inscripción registral (fundaciones).

❑   Declaración impositiva de la unidad familiar (IRPF y, en su caso, Patrimonio) o de la persona jurídica (impuesto sobre sociedades).

❑   Certificado de la Agencia Tributaria de no haber presentado declaración (En el caso de que la unidad familiar no esté obligada a presentar declaración del IRPF).

❑   Certificación catastral (bienes inmuebles).

❑   Nota simple del Registro de la Propiedad (si se alegan cargas sobre el inmueble).

❑   Certificado de los centros de trabajo y de las altas y bajas de la Seguridad Social.

❑   Certificado de empresa que acredite los ingresos brutos anuales.

❑   Certificado del INEM en el que conste la percepción de ayuda por desempleo y período al que se extiende.

❑   Certificado de cobro de pensiones públicas.

OTRA DOCUMENTACIÓN

❑   _____

❑   _____

CAPÍTULO V
ACTOS PROCESALES

SECCIÓN 1. LAS RESOLUCIONES JUDICIALES PENALES. INVARIABILIDAD Y ACLARACIÓN

El proceso se caracteriza por constituirse en una sucesión de actos de naturaleza procesal realizados por las partes o por el órgano jurisdiccional, que producen los efectos jurídicos previstos en Ley. La nota de voluntariedad del acto procesal sirve para diferenciarlo de los hechos procesales, ya que éstos producen efectos jurídicos en el proceso con independencia de la voluntad de su causante.

Las resoluciones judiciales son actos procesales del órgano jurisdiccional dictados en el ejercicio de su jurisdicción. Tradicionalmente se ha distinguido entre providencias, autos y sentencias, cuya regulación legal se encuentra, en la LEC, y en la LOPJ, además de en las normas específicas de la LECrim.

La LEC 1/2000 reguló las actuaciones judiciales en los arts. 129 a 235; y específicamente las resoluciones judiciales en los arts. 206 a 224. Esta regulación pretendía constituirse en la común para todos los procesos que se susciten en cualquier orden jurisdiccional. De ese modo la LEC asumirá la función de ley procesal común que hasta el momento desempeña la LOPJ[(1)]. Sin embargo, la reforma de la LOPJ por

---

(1)   En este sentido resulta ilustrativa la Exposición de Motivos de la LEC 1/2000 que dispone que: «la nueva Ley de Enjuiciamiento Civil aspira también a ser Ley procesal común, para lo que, a la vez, se pretende que la vigente Ley Orgánica del Poder Judicial, de 1985, circunscriba su contenido a lo que indica su denominación y se ajuste, por otra parte, a lo que señala el apartado primero del art. 122 de la Constitución. La referencia en este precepto al "funcionamiento" de los Juzgados y Tribunales no puede entenderse, y nunca se ha entendido, ni por el legislador postconstitucional ni por la jurisprudencia y la doctrina, como referencia a las normas procesales, que, en cambio, se mencionan expresamente en otros preceptos constitucionales. Así, pues, no existe impedimento alguno y abundan las razones para que la Ley Orgánica del Poder Judicial se desprenda de normas procesales, no pocas de ellas atinadas, pero impropiamente situadas y productoras de numerosas dudas al coexistir con las que contienen las Leyes de Enjuiciamiento. Como es lógico, la presente Ley se beneficia de cuanto de positivo podía hallarse en la regulación procesal de 1985».

LO 19/2003 no ha derogado completamente todas las normas que regulan los actos procesales, por lo que coexiste la regulación de la LOPJ y la de la LEC que, por otra parte, constituye la ley procesal supletoria aplicable con carácter subsidiario a los procesos penales, en defecto de disposiciones específicas en las leyes que regulan aquélla clase de procesos. La cuestión resulta compleja, ya que la disposición final 17.ª de la LEC 1/2000 establecía un régimen transitorio respecto a determinadas normas que pueden entrar en colisión con las previstas en la LOPJ. Según este precepto no entrarán en vigor los preceptos referentes a la abstención y recusación de Jueces, Magistrados y Letrados de la Administración de Justicia; así como a la nulidad de actuaciones, que precisamente la LO 19/2003 ha regulado en la LOPJ, por lo que ante la colisión de normas debe entenderse vigente la regulación de la LOPJ. En cuanto al resto de normas sobre actos procesales, la LO 19/2003 derogó los arts. 279 a 291 LOPJ que regulaban las funciones y resoluciones atribuidas a los Letrados de la Administración de Justicia, manteniendo vigentes, salvo alguna pequeña modificación, el resto de normas sobre actos procesales (secretarios que, en realidad, son Letrados de la Administración de Justicia, conforme con la reforma de la LO 7/2015). En este punto, cabe señalar que la D. Final 2.ª de la LO 19/2003 estableció que se procederá a la adecuación de las normas procesales para adecuar las leyes de procedimiento a la regulación de la LOPJ. Entre tanto, están vigentes las normas sobre actos procesales que se contienen en la LOPJ y en la LEC que es la más completa, sin que se produzcan discordancias entre la regulación prevista en ambas leyes. En este sentido, las modificaciones de la LOPJ por LO 19/2003, por ejemplo en nulidad de actuaciones o abstención y recusación, han recogido en la LOPJ la regulación prevista en la LEC.

Las providencias tienen por objeto la ordenación material del proceso, según establecen los arts. 206.2.1 LEC y art. 245.1 LOPJ. En el mismo sentido, el art. 141.1 LECrim. dispone que las resoluciones judiciales se denominarán providencias cuando sean de mera tramitación. En definitiva, por medio de esta resolución judicial se impulsa la tramitación del proceso, limitándose su contenido a lo ordenado por el Juez (art. 141 LECrim.). Por esta razón, no precisa de motivación, aunque podrán ser sucintamente motivadas cuando así se estime conveniente (arts. 208.1 LEC; 248.1 LOPJ)[2].

Las providencias deben distinguirse: de las diligencias de ordenación dictadas por el Letrado de la Administración de Justicia a pesar de la similitud de su finalidad, ya que éstas tienen por objeto resolver los actos de ordenación formal del proceso, dando a los autos el curso ordenado por la Ley (arts. 223 LEC y 456.2 LOPJ); y de las certificaciones o testimonios de las actuaciones judiciales que expedirán los Letrados de la Administración de Justicia art. 453.2 LOPJ).

---

(2) El contenido y forma de las providencias se regula en los arts. 206 y 208 LEC. Nótese que quedan suprimidas las providencias de mera tramitación siendo sustituidas, para la ordenación del proceso, por las diligencias de ordenación —arts. 223 y 224 LEC—. Se dictará providencia cuando la resolución no se limite a la aplicación de normas de impulso procesal, sino que se refiera, según dispone el art. 206.2.1.º LEC., a cuestiones procesales que requieran una decisión judicial, bien por establecerlo la Ley, bien por derivarse de ellas cargas o por afectar a derechos procesales de las partes, siempre que en tales casos no se exija expresamente la forma de auto. Igualmente quedan derogadas las propuestas de providencias y propuestas de autos, es decir, los arts. 290 y 291 LOPJ.

Los autos tienen por objeto la resolución de los incidentes y los puntos esenciales del proceso, con excepción de la decisión definitiva sobre el mismo. La ley opta por establecer una relación casuística de las resoluciones judiciales que deban adoptar forma de auto. Este será el caso de: las cuestiones que afecten de manera directa a los procesados o acusadores, la competencia, la recusación, la resolución de los recursos contra de providencias, la prisión, la libertad provisional, las admisión o denegación de prueba, o el derecho a la asistencia jurídica gratuita (arts. 141.3 LECrim., 206.2.2 LEC, 245.1 LOPJ). En definitiva, por medio de auto el Tribunal resuelve todas aquellas cuestiones que afectan de manera directa y esencial a los intervinientes en el proceso, y a los actos esenciales del proceso. En consecuencia, la ley exige que lo autos estén fundados y contengan los hechos y los fundamentos de derecho en los que el Tribunal basa su decisión (art. 208.2 LEC, 248.2 LOPJ)[3].

Finalmente, la sentencia pone fin al proceso y decide de forma definitiva sobre la acción penal ejercitada en el mismo (arts. 206.2.3.º LEC, 245.1.c LOPJ y 141 LECrim.). En este sentido, el art. 742 LECrim., con relación al procedimiento por delitos graves, dispone que en la sentencia se resolverán todas las cuestiones que hayan sido objeto del juicio, condenando o absolviendo a los procesados, y decidiendo, en su caso, sobre la responsabilidad civil. La sentencia se constituye, por tanto, en la resolución judicial en la que, además de un razonamiento o juicio sobre las peticiones deducidas por las partes, se contiene la declaración de la voluntad del órgano jurisdiccional imponiendo la pena en nombre del Estado[4].

En cuanto a la forma y contenido de las sentencias nos remitimos al Capítulo XVI, en el que se atiende de forma específica a esta clase de resolución que adquiere una importancia esencial en razón de la función que se le atribuye. Véase también sobre la instrucción de recursos que se incluye en las resoluciones judiciales el § 1.3 D Cap. XI.

SECCIÓN 2. REQUISITOS DE LOS ACTOS PROCESALES

La eficacia de los actos procesales está condicionada al cumplimiento de unos requisitos, según se regula en la LOPJ, sin perjuicio de las normas en esta materia que se contienen en los arts. 141 y ss. LECrim. También resultan de aplicación las normas sobre actuaciones judiciales previstas en la LEC. Se trata de una regulación que se introdujo con vocación de constituirse en ley procesal común, para todos los procesos que se susciten en cualquier orden jurisdiccional y, por tanto, destinada a sustituir a la contenida en la LOPJ que debía ser derogada. Sin embargo, la LOPJ se modificó

---

(3) El contenido y forma de los autos se regula en los arts. 206 y 208 LEC. Se dictarán autos en aquéllos supuestos que en forma casuística establece el art. 206.2.2.º LEC.

(4) La forma y contenido de las sentencias se regula en los arts. 206 y 209 LEC., con posibilidad de que sean dictadas oralmente conforme establecen los art. 210 LEC y 794.2 LECrim. Sobre requisitos internos de las sentencias y sus efectos, vid. arts. 218 a 222 LEC.

por la LO 19/2003 que adaptó determinadas normas de la LOPJ a la regulación de la LEC. Por ejemplo, en materia de nulidad de actuaciones (art. 238 y ss. LOPJ) o de subsanación y complemento de autos y sentencias (art. 267 LOPJ). De modo que, en la actualidad coexisten la regulación de la LOPJ y la de la LEC sin que se produzcan discordancias teniendo en cuenta su idéntico contenido, y debiendo aplicar en el ámbito del proceso penal la regulación de la LOPJ. Pero, también será de aplicación la LEC como norma de aplicación subsidiaria y, concretamente, en materia de presentación y comunicación de escritos y actos procesales por medios electrónicos, al preverse una regulación más completa en esta materia (arts. 132 y ss. LEC).

Los escritos procesales deberán entregarse, como regla general, mediante el sistema electrónico de comunicación procesal denominado LexNet. Esta es la voluntad de la Ley que ha ido reforzando este sistema de comunicación procesal, por otra parte absolutamente inevitable en los tiempos actuales, que debe conducir a la plena vigencia del expediente electrónico que debe regir con carácter general, con determinadas excepciones en las que puedan aportarse documentos escritos en formato papel. La regulación de las comunicaciones electrónicas se inició en la LEC por la Ley 41/2007 complementada posteriormente con otras normas básicas como son la Ley 18/2011, de 5 de julio, reguladora del uso de las tecnologías de la información y la comunicación en la Administración de Justicia y el Real Decreto 1065/2015, de 27 de noviembre sobre comunicaciones electrónicas en la Administración de Justicia en el ámbito territorial del Ministerio de Justicia y por el que se regula el sistema LexNET. A estas normas básicas se han sumado las que se han incluido en la LOPJ, concretamente el art. 230 LOPJ que fue reformado por la LO 7/2015 para establecer la obligación por parte de los Juzgados, Tribunales y las Fiscalías de utilizar cualesquiera medios técnicos, electrónicos, informáticos y telemáticos, puestos a su disposición para el desarrollo de su actividad y ejercicio de sus funciones. En el mismo sentido obligatorio se pronuncia el art. 8 Ley 18/2011 y la Disposición Final Primera de la Ley 42/2015 de reforma de la LEC dispuso la obligación de todos los profesionales de la justicia y órganos y oficinas judiciales y fiscales, que aún no lo hicieran, al empleo de los sistemas telemáticos existentes en la Administración de Justicia para la presentación de escritos y documentos y la realización de actos de comunicación procesal, respecto de los procedimientos que se iniciaran a partir del 1 de enero de 2016. También en el mismo sentido el art. 135.1 LEC. En su virtud, en la actualidad el modo habitual de presentación de escritos procesales será el telemático mediante los sistemas y procedimientos referidos en la Ley 18/2011 (modificada por la Ley 42/2015 de reforma de la LEC) y en el ya citado Decreto 1065/2015. Sistema que deberán utilizar obligatoriamente los profesionales de la justicia como son los abogados y procuradores, conforme a la Ley 42/2015 y los arts. 6.3 y 36.3 Ley 18/2011 y art. 9 RD 1065/2015.

En su virtud los profesionales de la justicia presentarán sus demandas y otros escritos por vía telemática a través de los sistemas previstos en esta Ley, empleando firma electrónica reconocida. Dicho escrito irá acompañado del formulario que corresponda en cada caso (art. 36 Ley 18/2011). También presentarán por vía telemática los documentos, dictámenes, informes u otros medios o instrumentos que se adjuntaran mediante copia digitalizada (art. 38 Ley 18/2011). En cuanto a las copias se trasladarán automáticamente por el servicio informático (art. 39 Ley 18/2011). La

Ley prevé la organización de la sede y el registro judicial electrónico que funcionarán las 24 horas en las oficinas judiciales mediante los medios electrónicos adecuados para la recepción y registro de escritos y documentos, traslado de copias, realización de actos de comunicación y expedición de resguardos electrónicos a través de medios de transmisión seguros, entre los que se incluirán los sistemas de firma y sellado de tiempo electrónicos reconocidos (arts. 9 y 30 Ley 18/2011). La presentación de los escritos por medios telemáticos no afecta al cumplimiento de los plazos que se contarán por la fecha y hora oficial de la sede judicial electrónica de acceso, que deberá contar con las medidas de seguridad necesarias para garantizar su integridad y figurar visible. El inicio del cómputo de los plazos que hayan de cumplir las oficinas judiciales vendrá determinado por la fecha y hora de presentación en el propio registro. Mientras que la presentación, en un día inhábil a efectos procesales conforme a la ley, se entenderá realizada en la primera hora del primer día hábil siguiente, salvo que una norma permita expresamente la recepción en día inhábil (art. 32 Ley 18/2011). La comunicación procesal por procedimientos telemáticos no supone, más allá de la novedad del sistema, mayor afectación respecto de los actos procesales, su contenido y requisitos, cuestiones que se regulan conforme a la regulación legal de los actos procesales. La Ley prevé la posibilidad de subsanar, el incumplimiento de la obligación de utilización de la comunicación telemática, en el caso de tratarse de la primera comunicación con el órgano judicial. A ese fin, el órgano judicial concederá un plazo máximo de cinco días con apercibimiento de que todas sus actuaciones ante ese órgano, en ese o en cualquier otro proceso, así como ante cualquier otro órgano del mismo partido judicial, deberán realizarse empleando medios electrónicos y de conformidad con esta Ley (art. 43 LO 42/2015).

No obstante lo expuesto, la comunicación tradicional, también puede ser necesaria en determinados supuestos:

1.º Cuando, el sistema electrónico no funcione por interrupción, planificada o no, del servicio de comunicaciones telemáticas o electrónicas. En ese caso, el interesado podrá proceder a la presentación del escrito en la oficina judicial el primer día hábil siguiente acompañando el justificante de dicha interrupción (art. 135.2 y 3 LEC).

2.º En los procedimientos antiguos tramitados en papel. Así lo prevé la Ley 18/2011 que dispone que: «Durante el tiempo en que coexistan procedimientos tramitados en soporte papel con procedimientos tramitados exclusivamente en formato electrónico, los servicios electrónicos de información del estado de la tramitación a que se refiere la presente Ley incluirán, respecto a los primeros, al menos la fase en la que se encuentra el procedimiento y el órgano o unidad responsable de su tramitación» (Disposición transitoria 1.ª Ley 18/2011). La norma prevé la realidad de procedimientos penales que se iniciaron hace bastantes años y que, por tanto, se han sustanciado y documentado en papel. Esos procedimientos se seguirán documentando de ese modo, aunque las comunicaciones, máxime si está personado procurador, ya se realizarán por medios telemáticos.

3.º En el supuesto de la impugnación de los documentos aportados mediante su escaneado digital. En ese caso, se procederá conforme: «a lo dispuesto en las leyes procesales y, en su caso, en la Ley 59/2003, de 19 de diciembre (LA LEY

1935/2003), de firma electrónica» (art. 38.2.c Ley 18/2011). En definitiva, habrá que proceder al cotejo del documento original que, a ese fin, deberá aportar la parte, en el caso que no se hubiere generado electrónicamente. Nótese que la única forma de acreditar la autenticidad de un documento electrónico generado electrónicamente será mediante una pericia informática.

4.º Precisamente, la Ley también dispone que el principio de no admisión de documentos en formato papel puede ser excepcionado en el supuesto: «… que, por las singularidades características del documento, el sistema no permita su incorporación como anexo para su envío por vía telemática. En estos casos, el usuario hará llegar dicha documentación al destinatario por otros medios en la forma que establezcan las normas procesales, y deberá hacer referencia a los datos identificativos del envío telemático al que no pudo ser adjuntada, presentando el original ante el órgano judicial en el día siguiente hábil a aquel en que se hubiera efectuado el envío telemático. Tales documentos serán depositados y custodiados por quien corresponda en el archivo, de gestión o definitivo, de la oficina judicial, dejando constancia en el expediente judicial electrónico de su existencia únicamente en formato papel. Cuando se deban incorporar documentos sobre los cuales existan sospechas de falsedad, deberá aportarse en todo caso además el documento original, al que se le dará el tratamiento contemplado en el párrafo anterior» (art. 38.2.d Ley 18/2011). Esta norma también se contiene en el art. 135.4 LEC que dispone que: «… *los escritos y documentos se presentarán en soporte papel cuando los interesados no estén obligados a utilizar los medios telemáticos y no hubieran optado por ello, cuando no sean susceptibles de conversión en formato electrónico y en los demás supuestos previstos en las leyes. Estos documentos, así como los instrumentos o efectos que se acompañen quedarán depositados y custodiados en el archivo, de gestión o definitivo, de la oficina judicial, a disposición de las partes, asignándoseles un número de orden, y dejando constancia en el expediente judicial electrónico de su existencia».*

Finalmente, también se procederá a la entrega o comunicación mediante el sistema tradicional en papel en el caso de determinados intervinientes en el proceso como testigos o la propia víctima. Estas personas también pueden, y tienen derecho a comunicarse con la administración por vía electrónica. Ahora bien, esta será una elección del ciudadano que podrá: «elegir en todo momento la manera de comunicarse con la Administración de Justicia, sea o no por medios electrónicos» (art. 33.1 Ley 18/2011)[5]. Cuestión distinta serán los peritos que pueden considerarse profe-

---

(5) Disposición transitoria segunda RD 1065/2015. Uso del correo electrónico como servicio de entrega electrónica certificada: «Hasta que el ciudadano que opte por el uso del correo electrónico como medio preferente de comunicación con la Administración de Justicia no disponga de un sistema que genere un acuse de recibo del acceso al contenido del mensaje, los órganos y oficinas judiciales y fiscales prestarán el servicio de comunicación y notificación al ciudadano que elija este medio, en todos los órdenes jurisdiccionales, a través de sede judicial electrónica. En estos supuestos, la dirección de correo electrónico facilitada servirá a los órganos y oficinas judiciales y fiscales como medio de apoyo para remitir al destinatario aviso de la realización del acto de comunicación y que identifique página web o enlace donde se encuentre a disposición del destinatario el acto de comunicación y la documentación correspondiente, pero nunca con efectos procesales».

sionales de la justicia. Sin embargo, no esa su consideración conforme con el art. 159 LEC que prevé que las comunicaciones con aquéllos se realicen a su domicilio de modo tradicional. Finalmente, la Ley prevé la posibilidad de establecer: «*legal o reglamentariamente la obligatoriedad de comunicarse con ella utilizando solo medios electrónicos cuando se trate de personas jurídicas o colectivos de personas físicas que por razón de su capacidad económica o técnica, dedicación profesional u otros motivos acreditados tengan garantizado el acceso y disponibilidad de los medios tecnológicos precisos*» (art. 33.1 Ley 18/2011). Éste será el supuesto de empresas, como bancos o aseguradoras que, por regla general, deberán utilizar sistemas electrónicos para su comunicación con los tribunales de justicia.

2.1. Requisitos de lugar

Las actuaciones judiciales deberán practicarse en la sede del órgano jurisdiccional, según establece el art. 129 LEC (art. 268.1 LOPJ). No obstante, el párrafo segundo del citado artículo prevé que los Juzgados y Tribunales podrán constituirse en cualquier lugar del territorio de su jurisdicción, cuando ello fuere necesario o conveniente para la práctica de las actuaciones judiciales. En la instrucción penal son frecuentes las diligencias que deben realizarse fuera de la sede del órgano jurisdiccional. Así, la inspección ocular o el levantamiento de cadáveres.

Cuando el acto procesal deba realizarse fuera de la circunscripción territorial del órgano jurisdiccional, éste deberá recabar la cooperación del Juzgado o Tribunal competente (arts. 274 LOPJ y 169 y ss. LEC). No obstante, los Jueces podrán realizar diligencias de instrucción penal en un lugar próximo al territorio de su jurisdicción, cuando ello fuere conveniente por razones de economía y eficacia procesal, dando inmediata noticia al Juez competente (art. 275 LOPJ, 323 LECrim.).

Con relación a los actos de parte, no adquieren eficacia procesal hasta su presentación en la sede del órgano jurisdiccional competente (mediante la sede electrónica). En consecuencia, carece de relieve procesal el lugar de su confección.

2.2. Requisitos de tiempo

Para que los actos procesales sean eficaces deben realizarse en tiempo hábil, y dentro del término o plazo señalado para su realización. Así, es preciso distinguir los requisitos de tiempo que atañen a los actos procesales en su conjunto (días y horas hábiles), y los relativos al cómputo de plazos y términos señalados por la Ley para los distintos actos procesales de las partes o del órgano jurisdiccional.

A) Días y horas hábiles

Son días hábiles para las actuaciones penales todos los del año, con excepción de los correspondientes al mes de agosto (art. 130 LEC), período durante el cual se constituirá una Sala de vacaciones (art. 180 LOPJ). También son inhábiles los sábados, domingos, días 24 y 31 de diciembre, festivos en el ámbito nacional y los festivos a efectos laborales establecidos en la correspondiente Comunidad Autónoma y en la localidad respectiva (art. 182 LOPJ). En consecuencia, ante la existencia de distintos días festivos en las diversas Comunidades Autónomas, el cómputo de plazos deberá hacerse con base en el calendario judicial que rija en cada Juzgado o Tribunal, según el calendario del municipio en donde radiquen[6].

Las horas hábiles van desde las ocho de la mañana hasta las ocho de la tarde, salvo que la Ley disponga lo contrario (art. 130.3 LEC). No obstante, el TC ha declarado que los días de los plazos deben considerarse como días naturales, a los efectos de computarlos de veinticuatro horas (STC 65/1989, de 7 abril). Así deberá transcurrir el último día completo —*dies ad quem*— para entender agotado el plazo.

> «... Y si bien es cierto que las actuaciones judiciales han de practicarse, bajo la sanción de nulidad (art.º 256 LEC), en las horas hábiles comprendidas entre las ocho de la mañana y las ocho de la tarde (art.º 182.2 LOPJ), dicha exigencia no se proyecta directamente sobre los actos de parte, sino sobre las actuaciones judiciales que proceda realizar a las que afectan dichos preceptos, sin que en ningún caso pueda reducir el plazo legal otorgado a las partes para la defensa de sus derechos, que en el presente ha de consistir efectivamente en nueve días, finalizando, por tanto, a las veinticuatro horas del último, y no a las veinte horas como resultaría de la aplicación indebida, por restrictiva del derecho fundamental del art. 24.1 CE, que se ha efectuado del art. 182.2 de la LOPJ...». (STC 65/1989, de 7 abril).

No obstante, teniendo en cuenta la especificidad de las actuaciones penales, la Ley establece las siguientes salvedades: a) Durante la instrucción son hábiles todos los días y horas del año, sin necesidad de habilitación especial (art. 201 LECrim.). b) En la fase decisoria, o de juicio oral, son hábiles los días festivos y los del mes de agosto para las actuaciones que se declaren urgentes en las leyes procesales (art. 131 LEC).

En el proceso penal es difícil que se presente este último supuesto, ya que las diligencias urgentes se desarrollan normalmente en fase de instrucción, las cuales precisamente no se suspenden por las razones antes apuntadas. No obstante, cuando surgiera esta necesidad respecto de las actuaciones de la fase de juicio oral, el órgano jurisdiccional correspondiente podrá habilitar días y horas hábiles. A este efecto se consideran urgentes las actuaciones cuya dilación pueda causar grave perjuicio a la buena administración de justicia, a los interesados, o hacer ilusorio lo acordado en una resolución judicial. El Juez o Tribunal apreciará la urgencia y resolverá lo que estime conveniente sin ulterior recurso. Véanse los arts. 6 a 8 del Reglamento 5/1995 de 7 de junio sobre aspectos accesorios de las actuaciones judiciales. (Véase M. 56). A este respecto, se ha pronunciado el TS en la STS de siete de abril de 2006 en la que declaró conforme a derecho el Acuerdo de la Junta de Jueces de lo Penal de Málaga en el que se acordaba el señalamiento de juicio oral, durante el mes de agosto, en el procedimiento de enjuiciamiento rápido, por entender el Alto Tribunal que la misma naturaleza del procedimiento permite esta posibilidad.

---

(6) «... Pues, dado el carácter fundamental de la ordenación de los plazos para la ordenación del proceso, resulta razonable que cada Tribunal se rija por su propio calendario judicial según el régimen de fiestas del municipio en que reside, para evitar la incertidumbre y variabilidad de la extensión de los plazos que resultaría si ésta se determinase por calendarios diversos y cambiantes correspondientes a los de la sede de los recurrentes, el Tribunal que realiza el emplazamiento, o a cualquier otro criterio distinto del de la adopción del calendario de la sede del órgano judicial que ha de computar los plazos y entender del caso...». (ATC 809/1986, de 15 octubre).

«Es evidente que la Junta de Jueces no ha ido más allá de las competencias que le atribuye el art. 170 de la Ley Orgánica del Poder Judicial porque, como se ha dicho, no declara la urgencia del procedimiento, sino que, precisamente porque la ley lo ha hecho, establece un calendario para los señalamientos que en agosto y otras fechas han de realizar los distintos Juzgados de lo Penal. Se limita, pues, a tomar unas medidas de funcionamiento interno que caben en esa unificación de criterios y prácticas que les corresponde efectuar». STS de siete de abril de 2006, LA LEY 36378/2006.

Una cuestión de indudable interés, no pacífica en la doctrina, es la de determinar si la previsión legal contenida en el art. 201 LECrim., referente a que todos los días del año son hábiles para la instrucción de las causas criminales, sin necesidad de habilitación especial, se aplica exclusivamente a actos de instrucción, o alcanza también al cómputo de los plazos para la interposición de recursos contra aquellos actos.

Sobre esta cuestión se ha pronunciado el Tribunal Constitucional, optando por equiparar los actos de instrucción como los recursos interpuestos contra aquéllos[7]. De acuerdo con esta interpretación, en los plazos establecidos por días para interponer recursos durante la fase de instrucción de un proceso penal deben computarse también los días inhábiles. El argumento básico en que se ha apoyado el Alto Tribunal es la conjunción de los arts. 184.1.º (ahora art. 201 LECrim.) y 185.2.º LOPJ, entendiendo que no cabe aplicar el art. 185.2.º LOPJ (ahora 133.4 LEC) que establece que si el último día del plazo fuera inhábil, se entenderá prorrogado el plazo hasta el primer día hábil siguiente. Entiende que ello es así porque en el art. 184.1.º no se distingue entre días hábiles e inhábiles, y, en consecuencia, no es aplicable el art. 185.2.º LOPJ.

Sin embargo, no cabe, a nuestro entender, la exclusión de los días inhábiles en el cómputo del plazo para interponer recursos, aunque con estos se impugne reso-

___

(7) Vid. STC 1/1989, de 16 enero, en cuyo FJ 3.º se afirma: «Todas las partes comparecidas son concordes en que la cuestión se encuentra regulada hoy en día por los arts. 182 a 185 LOPJ, de 1 de julio de 1985, si bien divergen solamente en punto a si el aplicable es el 185, como pretende la parte solicitante del amparo, o el aplicable es el 184, como sostienen la parte demandada y el Ministerio Fiscal. La interpretación es clara y la falta de razón de la parte recurrente palmaria. El último inciso del art. 185, según el cual si el último día de plazo fuera inhábil, se entenderá prorrogado al primer día hábil siguiente, supone, según la propia redacción, que hay distinción entre días inhábiles y días hábiles, por lo que tal precepto es notoriamente inaplicable a los casos prevenidos en el art. 184 cuando todos los días y todas las horas del año son hábiles, pues en este caso no hay lugar para distinguir entre hábiles o inhábiles, y no puede plantearse la supuesta reducción al absurdo que la parte recurrente pretende, que haya tres días seguidos festivos, porque, de acuerdo con los términos del art. 184, todos ellos eran días hábiles. Por lo demás, tampoco es posible realizar ninguna interpretación especial del art. 184.1 LOPJ que pudiera favorecer la tesis del recurrente, pues cuando dicho artículo declara hábiles todos los días para la instrucción de las causas criminales sin necesidad de habilitación especial, es claro que se está refiriendo a todos los actos procesales que realicen tanto las partes como los órganos jurisdiccionales, dentro de lo que la Ley llama instrucción de las causas, período en el cual se encuentra indudablemente englobada la instrucción del sumario y los recursos interpuestos dentro de ella contra las resoluciones judiciales. Se trata, por lo demás, como ya el Ministerio Fiscal puso de relieve en su momento, de una interpretación consolidada y no interrumpida de la práctica jurídica que en nada atenta a la seguridad jurídica ni puede sorprender las expectativas de los ciudadanos. Todo ello conduce, sin necesidad de mayores consideraciones, a la desestimación del presente recurso de amparo».

luciones dictadas en la fase de instrucción. Para la interposición de estos recursos la Ley fija unos plazos de días, respecto de los que ni la LOPJ ni la LECrim. autorizan expresamente a computar los días inhábiles. Además, la LECrim. regula los días hábiles para la realización de los actos de instrucción en el art. 201 y pospone a los arts. 211, 212 y 213 la cuestión referente a los plazos para interposición de los recursos. También supondría una infracción del principio de igualdad en cuanto en unos casos podrían existir estos días inhábiles y en otros no, por lo que se dispondría de más tiempo real[8].

> «... Constituye reiterada doctrina de este Tribunal que el cómputo de los plazos procesales es cuestión de mera legalidad ordinaria atribuida, como principio, a los órganos judiciales en el ejercicio de la exclusiva jurisdicción que les atribuye el art. 117.3 CE (SSTS 200/1988, de 26 de octubre; 1/1989, de 16 de enero; 32/1989, de 13 de febrero, entre otras). No obstante, el tema adquiere dimensión constitucional y es susceptible, por tanto, de residenciarse en la correspondiente vía de amparo, cuando la decisión judicial suponga la inadmisión de un proceso o de un recurso, o la pérdida de algún trámite u oportunidad procesal prevista en el ordenamiento jurídico para hacer valer los propios derechos o intereses de parte con entidad suficiente para considerar que su omisión es determinante de indefensión, siempre que tal decisión haya sido adoptada con base en un cómputo en el que sea apreciable error patente, fundamentación insuficiente, irrazonable o arbitraria o se haya utilizado un criterio interpretativo desfavorable para la efectividad del derecho a la tutela judicial que sería el supuesto denunciado en este recurso...». (STC 65/1989, de 7 abril).

Sin embargo, el TC viene considerando que la especialidad para el cómputo de los plazos procesales resulta de aplicación a todos los actos de investigación.

> «... tratándose de las causas criminales, la especialidad en materia de cómputo de plazos procesales, de conformidad con el art. 184 LOPJ, se limita a los actos de instrucción, pareciendo razonable la interpretación de que tal especialidad alcance no sólo a los actos de investigación y aseguramiento en sentido estricto, sino a cuantos actos procesales se lleven a cabo durante la fase destinada a esos fines, pero sin que pueda extenderse a otros actos realizados fuera de ella, lógicamente. Por ello queda referido el concepto de instrucción a aquellos actos procesales que, como señalan las SSTC 145/1988, de 12 de julio, F. 7, y 32/1994, de 31 de enero, F. 5, tienen por objeto la finalidad contemplada por el art. 299 de la Ley de Enjuiciamiento Criminal (LECrim.), esto es, la preparación del juicio, por medio de actuaciones encaminadas a averiguar y hacer constar la perpetración de los delitos, sus circunstancias y la culpabilidad de sus autores, así como a asegurar sus personas y sus responsabilidades pecuniarias». STC 133/2000 de 16 de mayo.

---

(8) Vid. RODRÍGUEZ RAMOS, «Días fastos y días nefastos para actuaciones y plazos en la instrucción penal», *LA LEY*, 1984-4, p. 972. Este autor critica acertadamente la STC 1/1989, de 16 enero, poniendo de relieve que aquella interpretación no está ni mucho menos consolidada y no es práctica constante, ya que existen muchos Juzgados penales en cuyas resoluciones se habla de días hábiles para interponer recursos. Llega a la conclusión de que, con base a una interpretación liberal, sistemática, teleológica y progresiva, una cosa es habilitar todas las horas y días para que un Juez de Instrucción resuelva y ejecute lo resuelto por razones de urgencia, y otra que para el cómputo de términos y plazos se pueda y deba distinguir entre días hábiles e inhábiles, «fastos y nefastos». Añade que la interpretación del TC se debe a una formulación incorrecta de la pretensión del recurrente. Vid. también GÓMEZ ORBANEJA Y HERCE, *Derecho Procesal Penal*, Madrid, 1986, pp. 132 y ss.

B)   Cómputo de plazos y términos. Presentación de escritos. El cómputo de los escritos presentados por el Ministerio Fiscal

Los actos procesales deben realizarse en el tiempo señalado, sea en un tiempo determinado o un plazo procesal. Términos son momentos exactos en que deben efectuarse unos determinados actos procesales. Los plazos suponen un período de tiempo durante el cual puede realizarse válidamente un acto procesal. Sin embargo, aunque se trata de conceptos distintos, la LECrim., al igual que la LEC, no distingue entre ambos, confundiéndolos en muchos casos (vid. arts. 197, 198, 202 o 215 LECrim.)[9].

Los actos y diligencias judiciales, se dictarán y practicarán dentro de los términos señalados para cada uno de ellos (art. 197 LECrim.). Corresponderá al Letrado de la Administración de Justicia asegurar la observancia y cumplimiento de los términos y plazos para evitar dilaciones inútiles. En este sentido, la ley encomienda a los Letrados de la Administración de Justicia la obligación de seguimiento de las causas penales —arts. 214, 215 LECrim.—. En los supuestos en los que no se fije término, se entenderá que han de dictarse y practicarse sin dilación (art. 198 LECrim.). La infracción de estas normas comportará, en su caso la corrección disciplinaria sin necesidad de petición de parte, y sin perjuicio de deducir queja ante el Ministerio de Justicia a efecto de dilucidar la responsabilidad que proceda y la indemnización de daños y perjuicios (arts. 199 y 200 LECrim., y 414 y ss. LOPJ).

Los plazos procesales son improrrogables salvo que la Ley expresamente disponga lo contrario (art. 202 LECrim.). No realizado dentro del plazo otorgado a la parte, el acto procesal es ineficaz, salvo que la ley disponga otro efecto. En este sentido, el art. 386.2 LECrim. prevé la prórroga del plazo de declaración del procesado si mediare causa grave. Con carácter general, el art. 202.2.º LECrim. prevé la posibilidad de reabrir el período hábil de un plazo ya transcurrido, derogando en este caso el principio de preclusión de los actos procesales. Se exige para ello que sea posible la reapertura del plazo sin necesidad de retrotraer el juicio del estado en que se halle al anterior, y que exista justa causa probada.

El cómputo de los plazos, salvo norma expresa en contrario, se regula en el art. 133 LEC, que prevé que en los plazos señalados por días, los comunes en el ámbito procesal, el cómputo se inicia el día siguiente al que se ha dictado la resolución excluyendo o no los días inhábiles, según se trate de actuaciones sumariales o de la fase decisoria (art. 201 LECrim.). Véase sobre el cómputo de plazos en los recursos § 1.3 B Cap. XI. La Ley encomienda a los Letrados de la Administración de Justicia la obligación de seguimiento de las causas penales, para asegurar la observancia y cumplimiento de los términos y plazos. Así, el art. 214 LECrim. dispone que los Letrados de la Administración de Justicia pondrán en conocimiento del Tribunal el vencimiento de los términos judiciales, consignándolo así por medio de diligencia.

Los escritos de parte se presentarán en los plazos señalados al efecto sea mediante la sede electrónica o en el caso que se utilice el sistema tradicional, dentro

---

(9)   VARELA CASTRO, «El plazo razonable como derecho fundamental en los procesos penales por delitos de escasa gravedad o flagrantes», *Justicia*, 1988, p. 361; HERNÁNDEZ LÓPEZ, «Cómputo de los plazos procesales en el procedimiento penal», *La Ley*, 1989-4.

del horario de la oficina judicial (de 8 a 14 horas)[10]. Pero el día debe computarse por entero. Esto ya no supone ningún problema en el caso de la comunicación telemática en tanto que los registros electrónicos permitirán la presentación de escritos, documentos y comunicaciones todos los días del año durante las veinticuatro horas (art. 32.2 Ley 18/2011). En cuanto a la constancia de la presentación y a efectos del cómputo de plazos los registros electrónicos se regirán por la fecha y hora oficial de la sede judicial electrónica de acceso, que deberá contar con las medidas de seguridad necesarias para garantizar su integridad y figurar visible (art. 32.2 Ley 18/2011). En el caso de presentación en un día inhábil a efectos procesales conforme a la ley, se entenderá realizada en la primera hora del primer día hábil siguiente, salvo que una norma permita expresamente la recepción en día inhábil (art. 32.3 Ley 18/2011).

Por otra parte, y con relación a la comunicación del órgano jurisdiccional con las partes, merece ser destacada la norma conforme a la cual los actos de comunicación al Ministerio Fiscal, a la Abogacía del Estado (y otras administraciones), así como los que se practiquen a través de los servicios de notificaciones organizados por los Colegios de Procuradores, se tendrán por realizados el día siguiente hábil a la fecha de recepción que conste en la diligencia o en el resguardo acreditativo de su recepción cuando el acto de comunicación se haya efectuado por los medios y con los requisitos que establece el art. 162 LEC[11]. Cuando el acto de comunicación fuera remitido con posterioridad a las 15:00 horas, se tendrá por recibido al día siguiente hábil (art. 151 LEC).

El sistema de comunicación telemática ha conseguido restar importancia al problema de la presentación él último día de escritos sometidos a plazo. La cuestión se planteaba en tanto si bien el plazo finalizaba con el día las oficinas judiciales no tienen recepción física de escritos por la tarde/noche. Es por ello que en ese caso el escrito debía presentarse ante el Juzgado de guardia de la sede donde están ubicados los órganos judiciales a que se dirigen, una vez cerrado el registro de entrada del órgano destinatario o la conclusión de la jornada de trabajo. Los escritos de esta clase dirigidos al TS deberán presentarse ante el Juzgado de guardia de Madrid, por radicar en esta ciudad la sede del Alto Tribunal[12]. La organización de los Juzgados de Guardia se regula en el Acuerdo Reglamentario 1/2005 de Aspectos accesorios

(10)   Para los actos de comunicación y ejecución se consideran también hábiles desde las 20 hasta las 22 horas —art. 130.3 LEC—.

(11)   Las conclusiones de la Consulta 3/1994, de 29 de noviembre, elevada a la Fiscalía General del Estado, sobre las notificaciones al M.º Fiscal fueron: «1.º El plazo para la interposición de recursos por parte del Fiscal cuando la resolución no le ha sido notificada directamente, sino a través de remisión postal, ha de comenzarse a contar, por aplicación del art. 647 de la LECrim., al día siguiente de la recepción de la copia de la resolución en la Fiscalía. 2.º La firma del acuse de recibo por un miembro del personal auxiliar de la Fiscalía no sustituye la notificación al Fiscal, pero sí es suficiente para acreditar la fecha en que la comunicación se ha recibido en la Fiscalía».

(12)   «... Porque la Ley Orgánica del Poder Judicial determina que la sede del Tribunal Supremo es la Villa de Madrid —art. 53—, el art. 268 de la propia Ley ordena que las actuaciones judiciales se practicarán en la sede del órgano judicial, y en el art. 272 admite la posibilidad de crear el Registro General para la recepción de los escritos o documentos dirigidos a órganos jurisdiccionales, pero todo ello referido a los órganos jurisdiccionales que tengan la misma sede, no a los que la tengan en distinta localidad...» (STS 29 enero 1993). Esta interpretación fue aceptada por el TC,

de las actuaciones judiciales modificado por el Acuerdo de 15 de octubre de 2013. Pero, en el caso que la oficia judicial se hallare cerrada los escritos sujetos a plazo podrán presentarse en la Secretaría del Tribunal al que va dirigido hasta las quince horas del día hábil siguiente al del vencimiento del plazo o, de existir, en la oficina o servicio de Registro Central que se haya establecido (art. 135.5 LEC). Este criterio fue refrendado por el Acuerdo no jurisdiccional del Pleno del TS de 24 de enero de 2003, que se contienen en el ATS 12 de febrero de 2003 y es todavía aplicable en el caso de presentación tradicional de escritos. Además, el art. 135.5 ha sido reformado por la Ley 42/2015 de reforma de la LEC en el sentido de resultar aplicable el denominado «plazo de gracia» a la presentación de escritos y documentos, cualquiera que fuera la forma en la que se presentaran, lo que se ha interpretado en el sentido de resultar aplicable tanto a la presentación tradicional como telemática.

Pero, el art. 135 LEC no es aplicable a la presentación de recursos de amparo, y escritos de vencimiento, ante el TC. Recursos que podrán interponerse en el Juzgado de Instrucción en funciones de Guardia de Madrid (AATC 138/2001, de 1 de junio, 212/2001, de 16 de julio y 243/2001, de 26 de julio).

> «Por otra parte, en cuanto a la aplicabilidad del art. 135.1 de la Ley de enjuiciamiento civil al recurso de amparo que aduce la recurrente en su escrito presentado el 22 de junio de 2005, conviene recordar que este Tribunal, en ATC 138/2001, de 1 de junio, FJ 4 (cuya doctrina reiteramos en AATC 212/2001, de 16 de julio, FJ 2, y 243/2001, de 26 de julio, FJ 2, así como en STC 64/2005, de 14 de marzo, FJ 5), ha señalado que la nueva Ley de enjuiciamiento civil no ha podido afectar a nuestra doctrina sobre el cómputo de plazos establecido en el art. 44.2 LOTC, de manera que "no resulta posible la aplicación supletoria de lo previsto en el art. 135.1 de la nueva Ley de enjuiciamiento civil, que permite presentar escritos hasta las quince horas del día siguiente del vencimiento del correspondiente plazo en la Secretaria del Tribunal o, de existir, en la oficina o servicio de registro central que se haya establecido", pues "la supletoriedad prevista en el art. 80 LOTC sólo cabe aplicarla en defecto de específica previsión o regulación en nuestra Ley Orgánica o en los acuerdos adoptados por el Tribunal en ejercicio de sus específicas competencias..."». STC 230/2006, de 17 de julio.

Finalmente, debemos atender al supuesto en el que el Fiscal presenta sus escritos fuera de plazo, práctica que el Tribunal Supremo ha considerado una irregularidad formal[13].

---

por no vulnerar ningún derecho fundamental, con independencia del mayor o menor acierto de la fundamentación utilizada por el TS, según entiende la STC 302/1994, de 14 noviembre.

(13)   Véase doctrina reiterada del Tribunal Supremo «Concretamente, respecto al Ministerio Fiscal, un Auto de esta Sala de 25 junio 1996, en concordancia con la Consulta núm. 3/1994 de 30 de noviembre de la Fiscalía General del Estado, tras repasar los problemas de entrada de asuntos de cada sede y sustitución entre los Fiscales, que ocupa un espacio de tiempo que absorbe con creces el plazo marcado por Ley, lo estimó difícilmente compatible con la exigencia del estricto cumplimiento de los plazos al Ministerio Fiscal, criterio también mantenido por la sentencia de 21 de julio de 1999, en la que se expresa que una cierta dilación en el cumplimiento del plazo para calificar, tiene otras vías de corrección y no puede generar la desproporcionada consecuencia que implique asimilar aquella demora al transcurso de los plazos de prescripción de la acción». STS 22 de enero de 2002. Véase también la STS 21 de julio de 1999.

«En el supuesto objeto de la casación, se trata de una mera irregularidad derivada de la inobservancia de los plazos previstos en la ley para que el Ministerio fiscal formule el escrito de acusación o solicite el sobreseimiento de las actuaciones. Lo preceptivo es la existencia de acusación formulada con carácter previo al enjuiciamiento y debidamente comunicada para el ejercicio de la defensa del acusado. El incumplimiento del plazo en nada afecta a la sustancia del derecho de defensa. Otro tanto cabe señalar con relación a la falta de notificación del Auto de incoación del procedimiento abreviado que en nada ha afectado a su defensa sin que pueda tenerse por lesión la hipotética posibilidad de recurrir una resolución que no tiene expresamente previsto su recurribilidad». STS 501/2002 de 14 Mar. 2002, Rec. 1633/2000; Ponente: Martínez Arrieta, Andrés. LA LEY 4974/2002.

Precisamente, el art. 3 in fine EMF modificado por Ley 14/2003, prevé que las actuaciones del Fiscal puedan tener lugar por medios tecnológicos lo que facilitara el cumplimiento de sus funciones en tiempo y forma. Posteriormente, el art. 8 de la Ley 18/2011 dispone que: *Los sistemas informáticos puestos al servicio de la Administración de Justicia serán de uso obligatorio en el desarrollo de la actividad de los órganos y oficinas judiciales y de las fiscalías por parte de todos los integrantes de las mismas, conforme a los criterios e instrucciones de uso que dicten, en el ámbito de sus competencias, el Consejo General del Poder Judicial, la Fiscalía General del Estado y las Administraciones competentes, así como a los protocolos de actuación aprobados por los Secretarios de Gobierno*.

En cualquier caso, el principio de igualdad de armas exige que la actuación del Fiscal, que es formalmente parte, deba ajustar su actuación a las normas procesales, lo que incluye la presentación de los escritos en plazo al igual que debe hacer el resto de partes personadas. Así, lo ha admitido alguna sentencia (véanse las SSTS 30 de junio de 1997; 21 de enero de 1999; 30 mayo de 1997; y STSJ de Cataluña de 7 de junio de 2000. Véase el § 4.1 Cap. XII sobre las consecuencias de la falta de presentación del escrito de acusación por parte del Ministerio Fiscal.

2.3. Requisitos de forma

A) Oralidad y Escritura

Las actuaciones judiciales pueden producirse en forma oral o escrita. A este respecto, el art. 120 de la Constitución establece que el procedimiento será predominantemente oral, sobre todo en materia criminal. En el mismo sentido se pronuncia el art. 229 LOPJ que establece que en esta materia las actuaciones judiciales serán predominantemente orales, sin perjuicio de su documentación[14]. En el proceso penal cabe distinguir, en orden a la forma, entre las actuaciones realizadas en la fase de instrucción y en la fase de juicio oral. En la primera, los actos procesales se producen,

---

(14) La documentación de las actuaciones es ampliamente desarrollada en los arts. 146 y 147 LEC que establecen que deberá realizarse en soporte apto para la grabación y reproducción del sonido y de la imagen. Para ello la Disposición Adicional Tercera LEC dispone que se adoptarán por el Gobierno y las Comunidades Autónomas que tengan transferidas las competencias aquellas medidas necesarias para que los órganos judiciales dispongan de los medios materiales necesarios para la aplicación de los preceptos reseñados sobre la documentación de las actuaciones judiciales.

preferentemente, en forma escrita. En la segunda, en el juicio oral, se manifiesta plenamente la forma oral con plena concentración e inmediación. Así se establece en los arts. 680 y ss. LECrim. para el procedimiento por delitos graves, y en los arts. 785 y ss. para el procedimiento abreviado.

En su virtud,

Debe tenerse presente lo explicado, al inicio de esta sección, con relación al uso de medios técnicos para el desarrollo de la actividad de los tribunales de Justicia. Sobre ese particular el art. 230.3 LOPJ establece la obligación de los tribunales de utilizar cualesquiera medios técnicos, electrónicos, informáticos y telemáticos, puestos a su disposición para el desarrollo de su actividad y ejercicio de sus funciones. A ese fin, y conforme con el art. 743 LECrim, el juicio oral se registrará en soporte apto para la grabación y reproducción del sonido y de la imagen correspondiendo al Letrado de la Administración de Justicia la custodia del documento electrónico que sirva de soporte a la grabación. Las partes podrán pedir, a su costa, copia de las grabaciones originales. La grabación realizada se añadirá al expediente electrónico proscribiendo el art. 230.3 in fine LOPJ la transcripción de las actuaciones orales y vistas grabadas y documentadas en soporte digital. Únicamente en el supuesto de no poder utilizarse los medios técnicos se levantará un acta por el Letrado de la Administración de Justicia en la que se recogerá con la extensión y detalles necesarios, el contenido esencial de la prueba practicada, las incidencias y reclamaciones producidas y las resoluciones adoptadas. Esta última norma se contiene en el art. 743.4 LECrim, sin embargo da la impresión que implantado el expediente electrónico y la grabación de las vistas puede resultar más conveniente suspender la vista oral ante la evidente mayor garantía que supone la grabación del juicio especialmente para la valoración de la prueba.

Finalmente, cabe precisar que la forma escrita puede contenerse en documentos audiovisuales o digitalizados que formarán parte del expediente electrónico que debe sustituir progresivamente el concepto de autos que se refieren al conjunto de escritos en el que se documentan las actuaciones (art. 26 Ley 18/2011). También se documentan mediante grabaciones audiovisuales las actuaciones orales como el juicio o las comparecencias. De hecho el archivo digital es el modo ordinario de documentar y archivar las actuaciones de cualquier clase que se produzcan en el proceso penal con independencia de si se trata de escritos o comparecencias u otra clase de actuaciones. En ese sentido se pronuncia el referido art. 26 de la Ley 18/2011 reguladora del uso de las tecnologías de la información y la comunicación en la Administración de Justicia que define el expediente judicial electrónico como: «… el conjunto de datos, documentos, trámites y actuaciones electrónicas, así como de grabaciones audiovisuales correspondientes a un procedimiento judicial, cualquiera que sea el tipo de información que contenga y el formato en el que se hayan generado».

B) Idioma

Los Tribunales usarán el castellano en todas las actuaciones judiciales, como idioma oficial del Estado (art. 142.1 LEC). No obstante, los integrantes y demás funcionarios de los órganos jurisdiccionales podrán usar, también, la lengua oficial de la Comunidad Autónoma, si ninguna de las partes se opusiere alegando desconocimiento que pudiera producir indefensión (art. 142.2 LEC). Los documentos presentados en el idioma oficial de una Comunidad Autónoma tendrán, sin necesidad de traducción al castellano, plena validez y eficacia. De oficio se procederá a su traducción cuando deban surtir efecto fuera de la jurisdicción de los órganos judiciales sitos en la Comunidad Autónoma, salvo si se trata de Comunidades Autónomas con lengua oficial propia coincidente. También se procederá a su traducción cuando así lo dispongan las leyes o a instancia de parte que alegue indefensión (art. 231 LOPJ). Véase sobre esta cuestión la STC 105/2000 de 13 de abril.

Con relación a las partes, éstas pueden utilizar en sus actos orales o escritos el idioma oficial de la Comunidad Autónoma en cuyo territorio tengan lugar las actuaciones judiciales (art. 142.3 LEC). En ese caso, el acto tendrá plena validez y eficacia sin necesidad de traducción al castellano. No obstante, respecto a los actos escritos, se procederá a su traducción: a) cuando deba surtir efecto fuera de la Comunidad Autónoma, que no comparta el mismo idioma; b) cuando no se acompañe copia traducida del escrito podrá el Juez de oficio requerir su traducción con suspensión del proceso; c) cuando alguna de las partes personadas alegue indefensión, o así lo dispongan las leyes (art. 142.4 LEC). En las actuaciones orales el Tribunal podrá habilitar, previo juramento o promesa, como intérprete a cualquier persona conocedora de la lengua autonómica empleada (art. 142.5 LEC).

Finalmente, cabe señalar el derecho a la traducción e interpretación de los imputados y/o acusados cuando no hablen o entiendan el castellano o la lengua oficial en la que se desarrolle la actuación conforme está previsto en el art. 123 LECrim redactado conforme con la LO 5/2015, de 27 de abril, de modificación de la LECrim, de transposición de la Directiva 2010/64/UE, de 20 de octubre de 2010, relativa al derecho a interpretación y a traducción en los procesos penales y la Directiva 2012/13/UE, de 22 de mayo de 2012, relativa al derecho a la información en los procesos penales. Véase sobre ese derecho el § 3.2. B. c) del Cap. IV.

C)   Publicidad y secreto de los actos procesales[15]

El último requisito relativo a la forma de los actos procesales es el de publicidad (vid. § 2.2.B.b.2.º, Capítulo I, respecto a la publicidad como principio del proceso). La regla general, establecida en el art. 120 de la Constitución, es la de la publicidad de las actuaciones judiciales con las excepciones que prevean las leyes de procedimiento. En el mismo sentido se pronuncia el art. 232 LOPJ. En el mismo sentido, el art. 140 LEC dispone que: «Los Letrados de la Administración de Justicia y funcionarios competentes de la Oficina judicial facilitarán a cualesquiera personas que acrediten un interés legítimo y directo cuanta información soliciten sobre el estado de las actuaciones judiciales, que podrán examinar y conocer…». En el mismo sentido se pronuncia el art. 235 LOPJ. Téngase en cuenta que la publicidad del proceso incluye, naturalmente, la que produce a través de los medios de información que pueden publicar sobre los asuntos judiciales o grabar imágenes en las salas de justi-

---

(15)   CALDERÓN CUADRADO, M.ª.P., «El acceso a libros, registros y archivos judiciales», *BIMJ* n.º 1872, 2000.

cia, con las limitaciones concretas que se puedan acordar en los supuestos a los que nos referimos a continuación.

«El juicio oral será público, lo que constituye una garantía orientada al mejor control social del ejercicio de la jurisdicción, evitando así el desarrollo de una justicia oculta a los ojos de los ciudadanos. No obstante, este principio admite restricciones cuya razón de ser está bien recogida en el art. 6.1 del CEDH (LA LEY 16/1950), cuando, luego de establecer que la sentencia deberá ser pronunciada públicamente, dice que "el acceso a la sala de audiencia puede ser prohibido a la prensa y al público durante la totalidad o parte del proceso en interés de la moralidad, del orden público o de la seguridad nacional en una sociedad democrática, cuando los intereses de los menores o la protección de la vida privada de las partes en el proceso así lo exijan o en la medida considerada necesaria por el Tribunal, cuando en circunstancias especiales la publicidad pudiera ser perjudicial para los intereses de la justicia"». STS 44/2015 de 29 Ene. 2015, Rec. 1553/2014. Ponente: Colmenero Menéndez de Luarca, Miguel. LA LEY 4620/2015.

De modo que la regla general será la publicidad de los actos procesales, para las partes durante la instrucción y para todos los ciudadanos en el juicio oral, siendo la excepción las limitaciones a tal conocimiento que se pueden fundamentar en las siguientes razones:

— En razón de garantizar la eficacia de la investigación procesal finalidad que determina que las diligencias de investigación sean secretas para todos aquellos que no sean partes en el proceso (art. 301 LECrim). No obstante, el Juez podrá acordar el secreto de las actuaciones con el fin de: a) evitar un riesgo grave para la vida, libertad o integridad física de otra persona; o b) prevenir una situación que pueda comprometer de forma grave el resultado de la investigación o del proceso. Pero, el secreto del sumario deberá alzarse necesariamente con al menos diez días de antelación a la conclusión del sumario (art. 302 LECrim). Véase sobre el secreto de sumario el § 2.2 Cap. XV.

«Como ha reconocido el Tribunal Constitucional (STC 13/1985, de 31 de enero (LA LEY 9639-JF/0000)), B.J.C. 41, pág. 233), a la que siguieron otras, entre ellas (sentencias 1761/1998 y 100/2002), el proceso penal puede tener fase instructora amparada por el secreto, si bien esta facultad de decretar el secreto debe interpretarse restrictivamente y no puede afectar a más derechos que los estrictamente afectados por el art. 302 de la Ley de Enjuiciamiento Criminal (LA LEY 1/1882)), y siempre deben decretarse con el fin de asegurar una eficaz represión del delito. En este sentido debe entenderse que el principio de publicidad no se aplica a todas las fases del proceso penal, sino tan sólo como exigencia imprescindible al acto del juicio oral que lo culmina y al pronunciamiento de la subsiguiente sentencia. Esta conclusión se haya respaldada por la interpretación del Tribunal Constitucional y del Tribunal Europeo de Derechos Humanos (sentencias casos Pretto, de 8 de diciembre de 1983, y Sutter, de 22 de febrero de 1984)». ATS de 24 Nov. 2015, Rec. 20483/2015; Ponente: Colmenero Menéndez de Luarca, Miguel. LA LEY 178873/2015.

— En razón de garantizar el funcionamiento de los tribunales colegiados que deciden como uno solo cuando dictan sentencias. Es por ello que el art. 233 LOPJ establece el secreto de las deliberaciones de los Tribunales colegiados —en el mismo sentido el art. 139 LEC—.

— Por razones de orden público o de protección de derechos y libertades de las partes, testigos o cualquier otra persona que pudiera resultar afectada por la publicidad del proceso (art. 232.3 LOPJ). Estas excepciones se refieren a la posibilidad de limitar, por resolución motivada del Juez o Tribunal, el ámbito de la publicidad o acordar el carácter secreto de todo o parte de las actuaciones especialmente en el juicio oral que es una fase en la que rige como norma general la publicidad. Así lo prevé el art. 649 LECrim que dispone que una vez abierto el juicio oral serán públicos todos los actos del proceso. También se prevé la publicidad del juicio oral el art. 680 LECrim.). No obstante, también en esta fase se prevé la posibilidad de celebrar las sesiones a puerta cerrada cuando así lo exijan razones apuntadas al principio de este párrafo (art. 681 LECrim). El Juez o Tribunal, previa audiencia de las partes, también puede restringir la presencia de los medios de comunicación audiovisuales en las sesiones del juicio y prohibir que se graben todas o alguna de las audiencias cuando resulte imprescindible para preservar el orden de las sesiones y los derechos fundamentales de las partes y de los demás intervinientes, especialmente el derecho a la intimidad de las víctimas, el respeto debido a la misma o a su familia, o la necesidad de evitar a las víctimas perjuicios relevantes que, de otro modo, podrían derivar del desarrollo ordinario del proceso. A ese efecto, podrá: a) Prohibir que se grabe el sonido o la imagen en la práctica de determinadas pruebas, o determinar qué diligencias o actuaciones pueden ser grabadas y difundidas. b) Prohibir que se tomen y difundan imágenes de alguna o algunas de las personas que en él intervengan. c) Prohibir que se facilite la identidad de las víctimas, de los testigos o peritos o de cualquier otra persona que intervenga en el juicio (art. 682 LECrim).

Los límites a la publicidad del proceso se fundamentan en los Tratados Internacionales como son el art. 14.1 Pacto Internacional de Derechos Civiles y Políticos y art. 6.1 Convenio Europeo de Protección de Derechos Humanos y Libertades Fundamentales, de los que se deduce que el derecho a un juicio público, y en concreto, el acceso del público y de la prensa a la Sala de audiencia, durante la celebración del juicio oral, puede ser limitado o excluido, entre otras, por razones de orden público justificadas en una sociedad democrática, que estén previstas en las leyes. El Tribunal Constitucional, en reiteradas resoluciones, ha estimado la constitucionalidad de celebrar el juicio a puerta cerrada por razones de orden público y/o moralidad, justificable para facilitar el correcto y ordenado desarrollo del proceso[16].

«… la decisión de celebrar el juicio a puerta cerrada supone una excepción del derecho a un juicio público que reconoce y ampara el art. 24.2 CE. Sin embargo, no

---

(16)   Cuando el Tribunal adopta la decisión de que un juicio se celebre a puerta cerrada, no se encuentra prejuzgando que el inculpado sea o no inocente ni está vulnerando el derecho a la tutela efectiva de Juez y Tribunales, siempre que la decisión de celebrar el juicio a puerta cerrada está fundada en derecho (STC 62/1982, de 15 octubre). Tampoco se desvirtúa el carácter público del acto del juicio cuando el Tribunal, por razones de seguridad dado el espacio de la Sala, tuvo que limitar el número de personas que accedieron a presenciarlo, sin poder permitir el acceso a otras (STC 30/1986, de 20 febrero). En el supuesto examinado en la STC 65/1992, de 29 abril «… la decisión de celebrar el juicio a puerta cerrada… tenía como finalidad el facilitar el correcto y ordenado desarrollo del proceso, evitando cualquier intimidación dirigida a los procesados, sus defensores y los testigos…».

se trata de un derecho absoluto, y así resulta de lo dispuesto al respecto por la Declaración Universal de Derechos Humanos y por los Tratados Internacionales sobre esta materia suscritos por España, de los que se deduce que puede ser limitado o excluido por razones de orden público justificadas en una sociedad democrática que estén previstas por las leyes...». (STC 65/1992, de 29 abril). Véase también STC 96/1997[17].

— El Tribunal también puede adoptar medidas de restricción de la publicidad en el caso de la declaración de testigos protegidos (art. 2, 3, 4 LO 19/1994), menores (arts. 4 y 9 LO 1/1996 de protección jurídica del menor), o víctimas de delitos de agresión sexual (art. 15.5 Ley 35/1995). (Véase sobre la declaración de estos testigos en el acto del juicio el § 1.4.C del Cap. IX en sede de prueba).

La resolución se tomará por el Tribunal, de oficio o a instancia de parte, previa audiencia de las partes y mediante auto motivado, antes de comenzar el juicio oral o en cualquier momento posterior (arts. 681 y 682 LECrim)[18].

> «1. El art. 24.2 de la Constitución (LA LEY 2500/1978) reconoce el derecho a un proceso público. Y el art. 120 dispone que las actuaciones judiciales serán públicas con las excepciones que prevean las leyes de procedimiento. El art. 232 de la LOPJ (LA LEY 1694/1985) admite que, excepcionalmente, por razones de orden público y de protección de los derechos y libertades, los Jueces y Tribunales podrán limitar el ámbito de la publicidad y acordar el carácter secreto de todas o parte de las actuaciones. En relación al juicio oral, el art. 680 de la LECrim (LA LEY 1/1882), luego de disponer la publicidad del plenario, bajo pena de nulidad, contempla la posibilidad de que el Tribunal pueda acordar, tras consulta del Presidente realizada de oficio o a petición de los acusadores, que las sesiones se celebren a puerta cerrada, cuando así lo exijan razones de moralidad o de orden público o el respeto debido a la persona ofendida por el delito o a su familia, consignando su acuerdo en auto motivado». STS 44/2015 de 29 Ene. 2015, Rec. 1553/2014. Ponente: Colmenero Menéndez de Luarca, Miguel. LA LEY 4620/2015.

---

(17)   SSTS 61/1982, 96/1987, 176/1988, ATC 96/1981.

(18)   Aunque, tampoco es exigible una especial motivación en las resoluciones que se adopten durante la sustanciación del juicio oral; y en cualquier caso, la ausencia de aquélla constituirá una irregularidad únicamente relevante en el caso de que la decisión aparezca como manifiestamente infundada con la consecuencia de haber producido indefensión a la parte: «En relación a la motivación de la decisión judicial, es evidente que las resoluciones judiciales han de contener la suficiente motivación, principalmente para permitir el control por el Tribunal que ha de conocer las impugnaciones que se efectúen contra las mismas. No obstante, estas exigencias no tienen el mismo contenido en todos los casos. Y así, la sentencia de esta Sala de 16 de mayo de 2000, precisamente en su supuesto de aplicación de la Ley 19/1994 de Protección a Testigos y Peritos en Causas Criminales, acordada en el mismo acto del juicio oral que: "una cuestión diferente es la que se refiere a la falta de motivación de la decisión de otorgar a los testigos la condición de protegidos. Sin embargo, la motivación de las decisiones adoptadas en el juicio oral no exigen una exposición escrita. Tampoco es necesario que el Secretario la haya hecho constar en el acta. Por tal razón, la supuesta falta de motivación de tales decisiones sólo pueden ser fundamento del recurso de casación cuando la decisión aparezca "ex-post" como manifiesta infundada"». STS 2461/2001 de 18 Dic. 2001, Rec. 354/2001; Ponente: Móner Muñoz, Eduardo. LA LEY 1666/2002.

Decisión de limitar la publicidad que debe ser objeto de recurso por aquellos que entiendan que no procede la medida, pues en caso contrario se considerarán aquietados con la resolución.

«En el caso sometido a debate, la decisión de excluir la presencia de la víctima mientras se tomaba declaración a dos de los testigos propuestos por la defensa, se asentó en la previa y expresa petición de los colaboradores de la justicia por quienes se tomó la decisión, y la medida se administró por el Presidente del Tribunal en sus funciones de dirección de juicio previstas en el art. 190.1 (LA LEY 1694/1985) y 190.2 de la LOPJ (LA LEY 1694/1985); una decisión que no sólo contó con la conformidad del resto de integrantes del Tribunal (en cuyo nombre se expresó el Presidente, según se aprecia en el acta videográfica levantada con ocasión del juicio), sino que no entrañó limitación ninguna de los derechos de la víctima, pues no solo se exteriorizó que se adoptaba la decisión por el temor que los testigos habían expresado, sino que la declaración testifical se recabó en audiencia pública, con presencia e intervención del abogado de la víctima y con un reflejo completo del desarrollo de la prueba en el vídeo grabado durante el plenario. A todo lo expuesto debe añadirse que la decisión del Tribunal no suscitó objeción o protesta alguna, ni procedente del perjudicado en cuyo nombre se interpone el actual recurso, ni del letrado que le asistía en su condición de acusación particular personada; aquietándose así a la decisión del Tribunal, de modo que no puede ahora alegarse violación de derechos en trámite casacional (STS 2461/2001, de 18-12 (LA LEY 1666/2002))». STS 775/2016 de 19 Oct. 2016, Rec. 224/2016; Ponente: Llarena Conde, Pablo. LA LEY 146039/2016.

SECCIÓN 3. ACTOS DE COMUNICACIÓN

3.1. Finalidad de los Actos de comunicación. Su protección constitucional

Los actos de comunicación tienen como finalidad la puesta en conocimiento de las partes, terceros, órganos jurisdiccionales, u organismos oficiales, de las resoluciones adoptadas por el órgano jurisdiccional que conoce del asunto. Partiendo de esta finalidad común es preciso distinguir entre los actos de comunicación que se dirijan a las partes, un tercero, o bien a otro órgano jurisdiccional, por responder a fines distintos. La finalidad de los primeros no es otra que permitir al destinatario, conocida la resolución, disponer la mejor defensa de sus derechos e intereses. Los segundos responden al concepto de «auxilio jurisdiccional» o deber de los órganos jurisdiccionales de prestarse auxilio mutuo para la práctica de todas las diligencias que fueren necesarias en la sustanciación de las causas criminales. En cualquier caso, corresponderá al órgano jurisdiccional, y específicamente a los Letrados de la Administración de Justicia, adoptar las debidas garantías que aseguren la práctica correcta de los actos de comunicación al objeto de En consecuencia, corresponde al órgano jurisdiccional asegurar que los actos de comunicación lleguen efectivamente a conocimiento de las partes, para que puedan cumplir su finalidad[19].

_____

(19) «... A los órganos judiciales corresponde, pues, asegurar que los actos de comunicación efectivamente lleguen a conocimiento de las partes (SSTC 167/1992, de 26 de octubre,

«En la medida en que los actos de comunicación procesal tienen la finalidad material de llevar al conocimiento de los afectados las resoluciones judiciales con objeto de que éstos puedan adoptar la postura que estimen pertinente para la defensa de sus intereses, a la Jurisdicción le viene impuesto un deber específico de adoptar, más allá del cumplimiento rituario de las formalidades legales, todas las cautelas y garantías que resulten razonablemente adecuadas para asegurar que esa finalidad no se frustre por causas ajenas a la voluntad de aquéllos a quienes afecte (entre otras, STC 64/1996, de 16 de abril, F. 2)». STC 42/2002 de 25 de febrero.

Especialmente en el caso de que la comunicación tenga por destinatario al sometido al proceso penal.

«El deber de los órganos judiciales de emplazar debidamente a quienes hayan de comparecer en juicio o en sus distintas instancias, si bien es exigible en todo tipo de procesos, ha de ser cumplimentado con especial rigor en el ámbito del proceso penal y especialmente en lo referente al imputado, acusado o condenado, dada la trascendencia de los intereses en juego y los principios constitucionales que lo informan, pues no en vano en el proceso penal se acude postulando la actuación del poder del Estado en su forma más extrema —la pena criminal— y esta actuación puede implicar una profunda injerencia en la libertad del ciudadano y en el núcleo más sagrado de sus derechos fundamentales (SSTC 118/1984, de 5 de diciembre, F. 2; 196/1989, de 27 de noviembre; 99/1991, de 9 de mayo; 18/1995, de 24 de enero; 135/1997, de 21 de julio; 102/1998, de 18 de mayo)». STC 130/2001 de 4 de junio.

El órgano jurisdiccional se comunica con las partes o terceros mediante las notificaciones, citaciones, emplazamientos y requerimientos, regulados en los arts. 166 a 182 LECrim. Estos actos pertenecen al ámbito de las garantías del derecho a la defensa, debiendo ejecutarse de modo que sirvan en plenitud a su objetivo. En este sentido, los actos de comunicación tienen por objeto permitir al destinatario conocer de las resoluciones que le afecten, y de ese modo poder disponer de la mejor defensa de sus derechos e intereses.

En consecuencia, no se trata de meros trámites, por lo que la actuación del órgano judicial no debe limitarse a cumplir las formalidades legales, sino que debe asegurar la efectividad del acto de comunicación, mediante su colaboración activa, así como la de las partes.

65/1999, de 26 de abril, entre otras), quienes no podrían aducir indefensión material alguna, aun en supuestos de procesos seguidos "inaudita parte", cuando de las actuaciones se deduzca que quien la denuncia no ha observado la debida diligencia en la defensa de sus derechos porque el apartamiento del proceso al que se anuda dicha indefensión sea la consecuencia de "la pasividad, desinterés, negligencia, error técnico o impericia de las partes o profesionales que los representen o defiendan (SSTC 112/1993, 364/1993, 158/1994 y 262/1994)" (SSTC 18/1996, de 12 de febrero, y 78/1999, de 26 de abril). Finalmente, este Tribunal ha dicho con reiteración que una incorrecta o defectuosa constitución de la relación jurídica procesal puede ser causa de indefensión lesiva del derecho a la tutela judicial efectiva (art. 24.1 CE) (SSTC 77/1997, de 21 de abril, y 176/1998, de 14 de septiembre). Pues sólo si aquélla tiene lugar en los términos debidos es posible garantizar el derecho a la defensa de quienes sean o puedan ser parte en dicho proceso y, muy en particular, la inexcusable observancia del principio de contradicción, sobre el que se erige el derecho a ser oído (SSTC 115/1988, de 10 de junio, 195/1990, de 29 de noviembre, 77/1997, 143/1998, de 30 de junio, y 176/1998). Por esta razón pesa sobre los órganos judiciales la responsabilidad de velar por la correcta constitución de aquella relación». STC 294/2000 de 11 de diciembre.

«Los actos procesales de comunicación no pueden ser considerados como meros trámites, puesto que son el soporte instrumental básico de la existencia de un juicio contradictorio, ya que sin un debido emplazamiento las partes no podrían comparecer en juicio ni defender sus posiciones» (SSTC 108/1995, de 4 de julio; 126/1996, de 9 de julio; 26/1999, de 8 de marzo, y 65/2000, de 13 de marzo). En concreto, y en relación con la citación a juicio como primer acto procesal de comunicación, hemos repetido en numerosas ocasiones que se trata de un requisito que cobra especial importancia, y que por ello se hace preciso, desde la perspectiva de la garantía del art. 24.1 CE, que el órgano judicial asegure en la medida de lo posible su efectividad real (SSTC 180/1995, de 11 de diciembre; 99/1997, de 20 de mayo, y 7/2000, de 17 de enero, entre muchas). STC 294/2000 de 11 de diciembre.

La omisión o práctica defectuosa de un acto de comunicación, tal como se ha expuesto, vulnera el derecho de defensa; especialmente cuando de la correcta realización del acto de comunicación depende la personación de la parte en el proceso.

«Ha sido reiterado por este Tribunal que la validez constitucional de un emplazamiento, cuando de ello depende la personación de la parte en el proceso, no se colma con el mero envío de la notificación, si no se tiene constancia fehaciente en las actuaciones de que la citación ha llegado efectivamente a su destinatario en la fecha requerida, ya que, de lo contrario, la exigencia de citación se convertiría en un mero formalismo, ignorándose su verdadera esencia de medio de comunicación que posibilita el ejercicio del derecho a la defensa (por todas, STC 155/1994, de 23 de mayo. De ese modo, un emplazamiento erróneo o no practicado en legal forma, que impida al denunciado conocer la convocatoria de la vista oral, le imposibilita hacer efectivo el ejercicio de derechos fundamentales en el proceso y conduce a una condena en su ausencia, no imputable a su voluntad o actuar negligente, constituye sin duda alguna una vulneración de la tutela judicial efectiva, que causa indefensión». STC 134/2002 de 3 de junio.

Ahora bien, el TC exige también que esta indefensión provocada a la parte deberá ser de naturaleza material; es decir que le impida el ejercicio de sus derechos de forma involuntaria[20].

_____

(20) «... Conviene destacar, para iniciar el análisis de estas alegaciones, que, como este Tribunal ha señalado reiteradamente, el concepto de indefensión con relevancia constitucional no coincide necesariamente con un concepto de indefensión meramente procesal; y que en ningún caso puede equipararse la idea de indefensión en su sentido jurídico-constitucional con cualquier infracción o vulneración de normas procesales que los órganos jurisdiccionales puedan cometer, aunque en este caso no se denuncia tal cosa. La indefensión con efectos constitucionales y, en consecuencia, la lesión de los derechos fundamentales reconocidos en el art. 24 de la Constitución, se produce únicamente cuando el interesado, de modo injustificado, ve cerrada la posibilidad de impetrar la protección judicial de sus derechos o intereses legítimos (STC 70/1984); o cuando la vulneración de las normas procesales lleva consigo la privación del derecho a la defensa, con el consiguiente perjuicio real y efectivo para los intereses del afectado (SSTC 194/1987, 155/1988, 43/1989, 123/1989, 145/1990, 196/1990, 154/1991, 366/1993, 18/1995 y 9/1997, entre otras)». STC 59/1998 de 16 de marzo.

«... Pues si bien este Tribunal ha declarado en constante doctrina que la omisión de la notificación de las actuaciones a las partes vulnera el derecho a la defensa reconocido en el art. 24.1 CE, en cuanto impide ejercitar los derechos procesales de los que son titulares, también ha reiterado que la indefensión provocada por el órgano judicial al no realizar de manera debida los referidos actos de comunicación ha de ser de naturaleza material, esto es, se ha de producir en circunstan-

«A pesar de que en nuestra jurisprudencia hemos subrayado la importancia que los actos de comunicación procesal revisten para la existencia de un juicio contradictorio (SSTC 108/1995, de 4 de julio; 126/1996, de 9 de julio; 26/1999, de 8 de marzo; 65/2000, de 13 de marzo; 145/2000, de 29 de mayo), hemos matizado que no toda falta de emplazamiento personal redunda en una vulneración del derecho fundamental a la tutela judicial efectiva sin indefensión, dado que la infracción procesal, desde la perspectiva de aquel derecho fundamental, debe enjuiciarse a la luz de diversas circunstancias, tales como los medios de los que el órgano judicial ha podido disponer para practicar y hacer efectivo el emplazamiento personal, la diligencia que el presuntamente lesionado ha observado a fin de comparecer en el proceso, o el conocimiento extraprocesal que haya podido tener acerca de su existencia (SSTC 65/1994, de 28 de febrero; 105/1995, de 3 de julio; 122/1998, de 15 de junio; 26/1999, de 8 de marzo; 1/2000, de 17 de enero)». STC 11/2001 de 29 de enero.

Por tanto, no se producirá infracción constitucional en el caso que la irregularidad no produzca, en definitiva, perjuicio alguno al recurrente.

«Aun cuando sea cierto que no se emplazó nominativamente a la condenada para que pudiera comparecer ante el Tribunal Supremo en la tramitación del recurso de queja formulado por el Fiscal .../... se trata de una irregularidad procesal que no produjo un real y efectivo menoscabo del derecho de defensa de la recurrente ni le impidió su personación y alegar sus derechos e intereses legítimos, máxime teniendo en cuenta que posteriormente se personó en el recurso de casación, se opuso al recurso del Fiscal e incluso denunció ante el Tribunal Supremo la —a su juicio— improcedente admisión del recurso de queja planteado por el Fiscal contra la declaración de firmeza de la Sentencia de instancia. Conviene recordar, en este sentido, que es reiterada doctrina de este Tribunal que no toda infracción procesal enerva siempre y automáticamente la efectividad de la tutela judicial como derecho fundamental, pues la indefensión proscrita constitucionalmente es tan sólo aquella que coarte, obstaculice o haga imposible la defensa de sus derechos e intereses legítimos en la esfera del proceso». STC 59/2000, de 2 de marzo.

En este sentido, el TS ha declarado, que no son supuestos de nulidad de actuaciones, en tanto que no se acredite el perjuicio o menoscabo sufrido por el recurrente: la falta de notificación al imputado del auto incoando procedimiento abreviado constituye una mera irregularidad que no puede producir la nulidad de las actuaciones:

«el Tribunal Constitucional tiene reiteradamente afirmado que solo cabe hablar de indefensión cuando la actuación judicial produzca un efectivo y real menoscabo del derecho de defensa con el consiguiente perjuicio para los intereses del afectado (SSTC 48/1984 (LA LEY 47281-NS/0000), 155/1988 (LA LEY 3611-JF/0000), 145/1990 (LA LEY 1560-TC/1991), 188/1993 (LA LEY 2302-TC/1993), 185/1994 (LA LEY 13519/1994), 1/1996 (LA LEY 1853/1996), 89/1997 (LA LEY 6640/1997), 186/1998 (LA LEY 9330/1998), 2/2002 (LA LEY 2641/2002), 32/2004 (LA LEY 11892/2004), 15/2005 (LA LEY 11012/2005), 185/2007 (LA LEY 132587/2007), 60/2008 (LA LEY 61662/2008), 77/2008 (LA LEY 86604/2008), 121/2009 (LA LEY 76104/2009), 160/2009 (LA LEY 119834/2009) y 57/2012 (LA LEY 40147/2012)). Y éste no es el supuesto en que ahora nos hallamos, vista la tramitación de las actuaciones procesa-

---

cias tales que prive efectivamente al interesado de la posibilidad de ejercitar tales derechos (STC 194/1988)...». (STC 122/1995, de 18 julio).

les y la falta de argumentos en el recurso relativos a la constatación de una situación realmente de indefensión en el caso concreto». STS núm. 747/2015 de 19 Nov. 2015, Rec. 686/2015. Ponente: Jorge Barreiro, Alberto Gumersindo. LA LEY 185990/2015.

O la falta de notificación al procesado y a su defensa del auto de incoación de Sumario; la del auto de acumulación de Diligencias Previas (STS 1990/2001 de 24 Oct. 2001, Rec. 143/2001-P/2001; Ponente: Giménez García, Joaquín. LA LEY 189382/2001); o la omisión de la notificación del cambio en la composición del Tribunal, al momento de procederse al acto del juicio (STS 2503/2001 de 26 Dic. 2001, Rec. 985/2000; Ponente: Granados Pérez, Carlos. LA LEY 2637/2002.

O cuando la falta o irregularidad de la comunicación fuere debida a la negligencia o pasividad de las partes impedirá que se produzca una situación de indefensión, lesiva para la causante de aquélla.

«... De ahí, la especial trascendencia de los actos de comunicación del órgano judicial con las partes, en especial, de aquel que se hace a quien ha de ser o puede ser parte en el proceso, pues, en tal caso, el acto de comunicación es el necesario instrumento que facilita la defensa en el proceso de los derechos e intereses cuestionados. Se trata, pues, con dichos actos de comunicación de garantizar la defensa de los derechos e intereses legítimos de las partes, de tal manera que su falta de eficiente realización, siempre que se frustre la finalidad con ellos perseguida, coloca al interesado en una situación de indefensión que es lesiva del derecho fundamental citado, salvo que la falta de comunicación tenga su causa en la pasividad o negligencia del interesado que adquirió conocimiento del acto o resolución por medios distintos...». (STC 17/1992, de 10 febrero)[21].

En definitiva, para que la omisión de un acto de comunicación produzca una vulneración sancionable del derecho de defensa el TC exige que deban concurrir las siguientes circunstancias:

«... 1.º Que la decisión fue efectivamente adoptada inaudita parte, siendo indiferente que tal indefensión se haya producido sólo en segunda instancia, pues también en ésta ha de preservarse el derecho constitucional de defensa (SSTC 102/1987 y 196/1992, por todas). 2.º Que ello no ocurrió por voluntad expresa o tácita o negligencia imputable al ahora recurrente (SSTC 112/1987, 251/1987 y 66/1988, entre

---

(21) El TC ha subrayado también en múltiples resoluciones «la necesidad de que la comunicación judicial llegue efectivamente a poder del destinatario de la misma, por lo que no puede reducirse a un mero requisito formal para la realización de los siguientes actos procesales, sino que es necesario que la forma en que se realice la citación garantice en la mayor medida posible que aquélla ha llegado a manos del interesado. Asimismo, los Tribunales se hallan obligados al cumplimiento escrupuloso de tales normas para que se satisfaga plenamente la tutela judicial efectiva, como es doctrina reiterada de este Tribunal. Pero también hay que señalar que la efectividad de este derecho fundamental sólo puede defenderse teniendo en cuenta los derechos fundamentales de todas las partes, cuya colaboración ha de procurar eliminar, sin daño para ninguna de ellas, las lesiones que podría originar la pasividad o negligencia en la conducción del proceso (SSTC 9/1981, 1/1983, 22/1987, 72/1988, 205/1988, 142/1989, etc.)». (STC 17/1992, de 10 febrero). Asimismo, vid. SSTC 121/1995, de 18 julio; 25/1996, de 13 febrero. También la STC 16/1989, de 30 enero, que señala para el supuesto de que se halle domiciliado en el extranjero, que deberá procederse de conformidad con el art. 177.2 en relación con el 193 LECrim. y los convenios multi o bilaterales que se suscriban.

otras muchas). 3.º Que la ausencia de posibilidad de defensa le deparó un perjuicio real y efectivo en sus derechos e intereses legítimos (STC 367/1993, por todas). 4.º Por último, y dado que la indefensión alegada nace de una defectuosa notificación, que el recurrente no tuviera conocimiento por otros medios del recurso contra él planteado (STC 227/1994), bien entendida que no le es exigible que pruebe dicha ignorancia, dada la imposibilidad de probar un hecho negativo (STC 56/1992)...». (STC 178/1995, de 11 diciembre).

3.2. Actos de comunicación con las partes o terceros

Los actos de comunicación del órgano jurisdiccional con las partes y con terceros son las notificaciones, citaciones, emplazamientos y requerimientos, regulados en los arts. 166 a 182 LECrim.

Estas comunicaciones se realizarán, como se ha expuesto al inicio de esta sección 2.ª, como regla general, mediante el sistema electrónico de comunicación procesal denominado LexNet que están obligados a utilizar tanto los tribunales como las profesionales que defienden y representan a las partes en el proceso (arts. 230 LOPJ; 6, 33, 36.3, 38 Ley 18/2011; 9 RD 1065/2015 y la Disposición Final Primera de la Ley 42/2015 de reforma de la LEC dispuso la obligación de todos los profesionales de la justicia y órganos y oficinas judiciales y fiscales, que aún no lo hicieran, al empleo de los sistemas telemáticos existentes en la Administración de Justicia para la presentación de escritos y documentos y la realización de actos de comunicación procesal, respecto de los procedimientos que se iniciaran a partir del 1 de enero de 2016. También en el mismo sentido el art. 135.1 LEC. En su virtud, en la actualidad el modo habitual de comunicación procesal, al menos con los profesionales de los tribunales, será el telemático mediante los sistemas y procedimientos referidos en la Ley 18/2011 (modificada por la Ley 42/2015 de reforma de la LEC) y en el Decreto 1065/2015. En su virtud los profesionales de la justicia serán notificados por vía telemática a través de los sistemas previstos en esta Ley, empleando firma electrónica reconocida. El cómputo de los plazos será el previsto por la Ley sin que la comunicación telemática tenga ninguna incidencia en esta cuestión. A ese fin, el art. 34 Ley 18/2011 dispone que el sistema de notificación permitirá acreditar la fecha y hora en que se produzca la salida y las de la puesta a disposición del interesado del acto objeto de notificación, así como de acceso a su contenido. Ahora bien, en el caso de las notificaciones realizadas por medios telemáticos al Ministerio Fiscal, a la Abogacía del Estado, a los Letrados de las Cortes Generales y de las Asambleas Legislativas, o del Servicio Jurídico de la Administración de la Seguridad Social, de las demás Administraciones públicas de las Comunidades Autónomas o de los Entes Locales, así como los que se practiquen a través de los servicios de notificaciones organizados por los Colegios de Procuradores, se tendrán por realizados el día siguiente hábil a la fecha de recepción que conste en la diligencia o en el resguardo acreditativo de su recepción (art. 151.2 LEC). Por otra parte, cuando constando la correcta remisión del acto de comunicación por dichos medios técnicos transcurrieran tres días sin que el destinatario acceda a su contenido, se entenderá que la comunicación ha sido efectuada legalmente desplegando plenamente sus efectos (art. 161.2 LEC). También se publicarán en la sede judicial electrónica las comunicaciones por edictos (art. 35 LEY 18/2011).

Ahora bien, se seguirán utilizando los medios tradicionales de comunicación en distintos casos, que se han expuesto al inicio de esta sección. Esto es así, porque los ciudadanos pueden utilizar los medios telemáticos para ser notificados (art. 33.1 Ley 18/2011 y art. 4 RD 1065/2015). A ese fin, en tanto no se provea una plataforma pública la comunicación se hará mediante el correo electrónico (arts. 22, 23 y Disp. Transitoria 2.ª RD 1065/2015). Pero, no existe una obligación de utilizar los sistemas electrónicos. Es por ello que en ese caso la notificación se producirá por medio de los sistemas tradicionales de notificación a los que nos referimos a continuación. Además, también pueden utilizarse esos sistemas cuando, por cualquier razón, el acto de comunicación no pueda llevarse a cabo por medios electrónicos. En ese caso, se procederá a imprimir la resolución y la documentación necesaria, procediéndose a la práctica del acto de comunicación en la forma establecida en las leyes procesales e incorporándose a continuación el documento acreditativo de la práctica del acto de comunicación, debidamente digitalizado, al expediente judicial electrónico. En todo caso, el destinatario del acto de comunicación tendrá derecho a obtener copia de la documentación recibida en formato electrónico (art. 34.2 Ley 18/2011).

A) Notificaciones

La notificación es el acto destinado a comunicar a las partes o a terceros un determinado acto procesal, de manera que se configura como un acto procesal complementario del principal, que es el objeto de la comunicación. (Véase M. 41). También deben ser notificados todos aquéllos a los que la resolución se refiera o pueda producir un perjuicio cuando así se disponga expresamente en aquellas resoluciones, de conformidad con la ley (art. 270 LOPJ).

> «En aquellos casos en los que de las actuaciones resulte con toda claridad la existencia de posibles interesados, o a partir de los datos que allí consten sea factible que el órgano judicial pueda efectuar el emplazamiento, recae sobre él el deber de velar por que dichos actos se efectúen, no sólo cumpliendo los requisitos legales, sino que además debe garantizar que los mismos sirven a su propósito y, en consecuencia, que garantizan que la parte pueda ser oída en el proceso. Todo ello sin perjuicio de que tampoco puede exigirse al órgano judicial que despliegue una desmedida labor investigadora, lo que podría lesionar el derecho a la tutela judicial efectiva de las otras partes procesales (por todas, STC 268/2000, F. 4)». STC 181/2001 de 17 de septiembre.

La víctima o perjudicado por el delito tienen derecho a ser notificada de las resoluciones esenciales del proceso penal. Concretamente de las siguientes: *«La resolución por la que se acuerde no iniciar el procedimiento penal. La sentencia que ponga fin al procedimiento. Las resoluciones que acuerden la prisión o la posterior puesta en libertad del infractor, así como la posible fuga del mismo. Las resoluciones que acuerden la adopción de medidas cautelares personales o que modifiquen las ya acordadas, cuando hubieran tenido por objeto garantizar la seguridad de la víctima. Las resoluciones o decisiones de cualquier autoridad judicial o penitenciaria que afecten a sujetos condenados por delitos cometidos con violencia o intimidación y que supongan un riesgo para la seguridad de la víctima».* Art. 7 Ley 4/2015. La víctima, al efecto de ser notificada, deberá efectuar una solicitud, conforme está previsto en el art. 5.1.m Ley 4/2014, en la que deberá designar una dirección de correo electrónico y, en su defecto, una dirección postal o domicilio, al que serán remitidas las comunicaciones y notificaciones por la autoridad[22]. Pero, aún en el caso de no personarse la ley dispone que se informe al perjudicado de los siguientes actos procesales: la notificación del sobreseimiento del proceso cuando el Juez de Instrucción estimare que el hecho no es constitutivo de infracción penal o no aparece suficientemente justificada su perpetración (art. 779.1.ª LECrim.), también se le notificará la pretensión de sobreseimiento del Ministerio fiscal (art. 782.2.a) LECrim.); de la celebración del juicio (art. 785.3 LECrim.); de la sentencia que se notificará por escrito a los ofendidos y perjudicados por el delito (art. 789.4 LECrim.); de la vista en apelación a efectos de información (art. 791.2 LECrim.); la sentencia dictada en apelación (art. 792.4 LECrim.) y los autos relativos a la situación personal del imputado (art. 506.3 LECrim.).

> «Con posterioridad a la regulación contenida en la Ley de Enjuiciamiento Criminal el art. 270 LOPJ ha establecido que los órganos jurisdiccionales han de notificar las resoluciones-judiciales, no solo a todos los que sean "partes" en el pleito o causa, sino también a "quienes se refieran o puedan parar perjuicios" cuando así se disponga expresamente en las resoluciones, de conformidad con la Ley. De manera que si el órgano jurisdiccional no notifica el archivo de las actuaciones a la perjudicada, no se le ha dado ocasión para conocer si el proceso penal ha finalizado y comienza a correr el plazo de prescripción para ejercitar la acción civil. Por tanto, subsistiendo la llamada acción civil [...] por no haberse renunciado a la misma el perjudicado, y, no habiéndose personado éste en el proceso penal, los órganos judiciales han de proceder a la notificación de la providencia de archivo de las actuaciones penales; pues en otro caso, la ausencia de esta notificación es susceptible de afectar negativamente, como aquí ha ocurrido, a la efectividad del derecho constitucional de la perjudicada de acceder al proceso en el orden civil y hacer valer sus pretensiones para la reparación del daño sufrido (STC 220/1993)». ATC 300/2001 de 30 de noviembre.

Las notificaciones deberán hacerse de forma personal al interesado por medio de un funcionario del Cuerpo de auxilio judicial (art. 478 LOPJ). Para la práctica de las notificaciones, el Letrado de la Administración de Justicia extenderá una cédula, que contendrá: 1.º) el motivo y los nombres y apellidos de las partes; 2.º) la copia literal de la resolución que hubiere de notificarse; 3.º) el nombre de las personas que deben ser notificadas; 4.º) la fecha y la firma del Letrado de la Administración de Justicia (art. 167 LECrim.). (Véase M. 42).

> «La notificación de las resoluciones judiciales tiene por objeto el conocimiento por los interesados del mandato judicial que aquéllas comportan, lo que puede obtenerse mediante la comunicación de su parte dispositiva, pero tiene igualmente otras finalidades, entre ellas la de que las partes puedan conocer las razones o fundamentos de la decisión para, en su caso, impugnarlos, oponiendo frente a unas y otros los argumentos que estimen procedentes y ejercitando su derecho de defensa .../... lo que no cabe es omitir en la notificación al detenido elementos esenciales para su defensa, lo que sin duda genera una situación que vulnera la letra y el espíritu de la Norma fundamental consagrada en el art. 24.1 CE, ya que, con independencia de que el demandante de

---

(22)   Sobre este particular, el art. 771.1.º LECrim. establece que se informará por escrito a la víctima de los derechos que se asisten para personarse en la causa; así como de las medidas de asistencia a las víctimas (art. 776 LECrim.). Si así lo hicieren podrán tomar conocimiento de todo lo actuado.

amparo pudiera presumir o conocer los hechos que motivaron el auto que acordó su prisión, bien por haber prestado previamente declaración sobre ellos, o bien por haberse celebrado la comparecencia prevista en el art. 504 bis 2) de la Ley de Enjuiciamiento Criminal, es un hecho incontrovertible que no se le dio traslado de la fundamentación jurídica de la resolución judicial adoptada». STC 18/1999 de 22 de febrero[23].

La notificación se efectuará leyendo la resolución y entregando la cédula a su destinatario. Se hará constar la entrega por diligencia en la cédula original. Se anotará el día y hora de la entrega y será firmada por el notificado y por el funcionario que practique la notificación (arts. 170 y ss. LECrim.). En el caso que el testigo no supiere o no quisiera firmar la cédula lo harán dos testigos (art. 171.2.º LECrim.). No obstante, en el caso que intervenga el Letrado de la Administración de Justicia no será preciso acudir a la firma de testigos.

«... De otro lado, el antes citado art. 281 de la LOPJ (plenitud de la fe pública judicial) establece terminantemente que, en virtud de la misma, los actos en que la ejerza el Secretario no precisa(n) la intervención adicional de testigos (apartado 2). Por consiguiente, si se conjugan el rango de la Ley, la efectiva indefensión a la que alude la misma, la doctrina de este Tribunal sobre el concepto de indefensión material (efectivo y real perjuicio de la parte) y, por último, la atribución de autenticidad (fe pública) concedida por la Ley al fedatario judicial, que fuerza a tener por practicada la notificación, es claro que la conclusión no puede ser otra que la de entender aplicable el art. 281 de la LOPJ, en el proceso civil, en el sentido de que la fe pública judicial es bastante, sin necesidad de testigos, salvo los supuestos de delegación en el personal auxiliar para considerar válida la notificación, todo ello de acuerdo, por lo demás, con la idea de que si bien debe exigirse al órgano judicial el máximo celo en la práctica de las notificaciones —por estar en juego la tutela judicial del art. 24 CE—, ello no debe ser a costa de la subsistencia de formalismos excesivos o inadecuados (en el caso, requisitos redundantes)...». (STC 37/1990, de 1 marzo).

En los supuestos en que no resulte posible notificar personalmente al interesado el acto, podrá, subsidiariamente, notificarse por cédula. En tal caso, deberán cumplirse los requisitos previstos en la LECrim. —arts. 172 y ss.—, y dejar constancia de ello debidamente diligenciada.

«... Aunque este Tribunal, como certeramente ha advertido el Ministerio Fiscal, haya declarado expresamente la conformidad a la Constitución del tipo de notificaciones por cédula que ahora nos ocupan, determinando su carácter subsidiario de la notifica-

---

(23)   «... En una de sus últimas Sentencias, en efecto —la 195/1990, de 29 noviembre—, se recuerda la jurisprudencia en vigor y se reitera la doctrina de la trascendencia que desde la perspectiva constitucional adquieren los actos judiciales de comunicación, de los que depende la comparecencia e intervención de las partes en el proceso (SSTC 202/1987 y 115/1988), lo que justifica la exigencia de su correcto diligenciamiento, ya sea en la comunicación personal, ya cuando se haga, permitiéndolo la Ley, a persona distinta del interesado. Ha de cumplirse en todo caso la finalidad que se pretende, no otra que la decisión o proveído judicial llegue efectivamente al interesado, dándole la oportunidad de su defensa. Esta falta de comunicación correcta es la que coloca al interesado en una situación de indefensión, lesiva del derecho fundamental que invoca, salvo que el desconocimiento procesal tuviera su causa en la pasividad o negligencia del mismo o la situación acaecida le fuera imputable (SSTC 205/1988, 117/1990 y 50/1991), y sin olvidar la hipótesis de un conocimiento del acto o resolución judicial por otros medios (SSTC 182/1987, 205/1988, 203/1990 y 50/1991, fundamento jurídico 5.º)...». (STC 126/1991, de 6 junio).

ción realizada personalmente al interesado (v. gr., STC 72/1988) y la necesidad de que en la diligencia acreditativa de su práctica queden escrupulosamente cumplimentadas todas las exigencias formales requeridas...». (STC 39/1996, de 11 marzo).

Así, cuando el destinatario no fuese hallado, cualquiera que fuese la causa y el tiempo de su ausencia, se entregará la cédula al pariente, familiar o criado, mayor de catorce años, que se halle en la dirección prevista. Si no hubiere nadie, se hará la entrega a uno de los vecinos más próximos (arts. 172 y ss. LECrim.):

«... De no ser hallado, es preciso que el emplazamiento se haga por el Secretario o funcionario en quien delegue, y si aun así resultara fallido, es preciso que la cédula de citación se entregue a un pariente, familiar o vecino, a quien se impone la obligación de hacerla llegar a aquél a la mayor brevedad posible. Las formalidades establecidas para el caso de no entrega al destinatario incluyen, además, que se consignen las circunstancias o personalidad del receptor (STC 216/1989)...». (STC 97/1992, de 11 junio)[24].

El receptor de la notificación tiene obligación de entregarla a la persona a la que aquélla se refiera inmediatamente que ésta regrese a su domicilio, y de no hacerlo así puede incurrir en una multa (art. 173 LECrim.).

Este modo de entrega plantea el problema de que la notificación no llegue de forma efectiva al interesado, lo cual se acreditará sin duda cuando se entregue directamente a aquél. En consecuencia, en el supuesto que se hubiere entregado la cédula a un tercero con la obligación de hacerla llegar a su destinatario y éste no cumpliere con su deber, o bien la entregara con evidente retraso, se podrá producir una situación de indefensión del destinatario que no le podrá ser imputada.

«... La ausencia de entrega de la cédula de citación habría así provocado en el presente caso que se haya producido indefensión material en el recurrente en amparo, que no ha tenido conocimiento de la citación efectuada, ni de la convocatoria para la celebración de la vista oral, sin que le pueda ser imputada falta de diligencia alguna, toda vez que no consta que conociera el señalamiento realizado ni tuviera medio alguno para conocer, como ya se indicó, la existencia de un procedimiento judicial contra él...» (STC 25/1996, de 13 febrero)[25].

_____

(24) «Y es asimismo consecuencia inmediata de la doctrina constitucional aludida que, si bien el legislador permite en ocasiones que el acto de comunicación procesal se realice a persona diferente del interesado, establece una serie de requisitos para tal modalidad de llamamiento que el acto ha de cumplir, pues aquellas exigencias encuentran su razón de ser y finalidad última en la garantía de que el destinatario del acto tendrá oportuna noticia del mismo. Y por ello, el cumplimiento de tales requisitos deberá examinarse en cada supuesto concreto de conformidad con aquella ratio y fundamento que inspira su existencia». (STC 195/1990, de 29 noviembre). Vid. también las SSTC 14/1987, de 11 febrero y 39/1987, de 3 abril, que establecen que si bien no es exigible legal ni constitucionalmente que la citación sea entregada al destinatario, pues tal exigencia podría perturbar el normal desenvolvimiento de la Administración de Justicia, sí lo es en cambio que cualquiera que sea la forma en que se realice, cuando no se practique en la persona del destinatario, se realice a una de las personas a quienes la Ley impone la obligación de hacérsela llegar a aquél, ya que estos requisitos constituyen la garantía mínima para que el destinatario pueda ejercitar el derecho de defensa. Asimismo, vid. STC 16/1989, de 30 enero.

(25) «... En efecto, tal y como afirmamos en la STC 275/1993, los órganos judiciales, ante un caso como el suscitado en el presente recurso de amparo, no pueden presumir, sin lesionar el dere-

Cuando el que haya de ser notificado no tuviere domicilio conocido, se darán las órdenes convenientes a los Agentes de Policía judicial por el Juez o Tribunal competente para que se le busque[26]. Si finalmente no fuere hallado, se mandará notificarlo, citarlo, o emplazarlo por edictos, publicados en los Diarios Oficiales correspondientes (art. 178.2.º LECrim.); pero en el procedimiento abreviado no será necesaria la publicación (art. 762.3 LECrim.). El Tribunal Constitucional ha entendido que antes de acudir a la comunicación por edictos deben haberse utilizado infructuosamente los demás medios[27]:

> «El órgano judicial, en suma, respetó el derecho fundamental de la recurrente. Intentó el emplazamiento personal, anuló incluso actuaciones para proceder a nueva citación una vez conocido el domicilio registrado, y acudió a la vía edictal sólo de forma subsidiaria. En consecuencia, la falta de diligencia de la parte que ahora se queja y su conocimiento del conflicto planteado tras la citación al acto de conciliación, son factores que excluyen toda lesión, como se sigue de la doctrina constitucional sentada en múltiples pronunciamientos (entre otros, SSTC 26/1999, de 8 de marzo, 67/1999, de 26 de abril, 152/1999, de 14 de septiembre, 1/2000, de 17 de enero, 20/2000, de 31 de enero, 41/2000, de 14 de febrero, 65/2000, de 13 de marzo, o 128/2000, de 16 de mayo)» ATC 262/2001 de 15 octubre.

> «La citación por edictos es una modalidad de emplazamiento supletoria y excepcional, a la que sólo cabe acudir cuando el órgano judicial llegue a la convicción o certeza de la inutilidad de cualquier otra modalidad de citación (SSTC 12/2000, de 17 de enero, F. 3; 232/2000, de 2 de octubre, F. 2; 268/2000, F. 4; 71/2001, de 26 de marzo, F. 2, entre otras muchas)». STC 181/2001 de 17 de septiembre[28].

---

cho consagrado en el art. 24.1 CE, que las notificaciones realizadas a través de terceras personas hayan llegado al conocimiento de la parte interesada cuando la misma cuestiona la fecha en que le ha sido entregada la cédula, supuesto en el cual, a la vista de las circunstancias del caso, de las alegaciones formuladas y de la prueba que pueda eventualmente ser aportada, están obligados a emitir un pronunciamiento expreso sobre la posibilidad o no de que haya existido una demora en la entrega de la notificación que haya impedido al interesado utilizar los medios de defensa para cuyo ejercicio efectivo establece el ordenamiento un determinado plazo. Debe tenerse en cuenta, además, que, como en reiteradas ocasiones ha afirmado este Tribunal, en el ámbito del derecho de acceso a la jurisdicción rige el principio de la interpretación más favorable a la efectividad del derecho fundamental...». (STC 39/1996, de 11 marzo).

(26) Vid. SSTC 118/1984, de 5 diciembre; 16/1989, de 30 enero; 97/1992, de 11 junio.

(27) «... La interpretación conforme a la Constitución de lo dispuesto en el art. 178 de la Ley de Enjuiciamiento Criminal, e incluso la interpretación de acuerdo con la realidad social de nuestro tiempo, atendido su espíritu y finalidad, exigen que antes de acudir a esa defectuosa vía se utilicen los medios que razonablemente, dada la organización actual de nuestra sociedad, ha de permitir la citación o emplazamiento directos, aunque, como también es evidente, la duración de estas pesquisas no habrá de ser llevada más allá de lo que la prudencia judicial estime necesario, atendidas, de una parte, la trascendencia que para el proceso tenga la comparecencia del llamado y, de la otra, el interés general en la rápida administración de la justicia y el particular de los perjudicados por el delito o falta...». (STC 196/1989, de 27 noviembre). Vid. también SSTC 97/1992, de 11 junio; 242/1991, de 16 diciembre; 16/1989, de 30 enero; 19/1993, de 18 enero y 9/1991, de 17 enero.

(28) «La citación y el emplazamiento edictal son válidos constitucionalmente, pero por ser "ficciones jurídicas con un significado más simbólico que real [...] cuya recepción por el destinatario no puede ser demostrada" han de entenderse necesariamente como "un último y supletorio remedio [...] subsidiario y excepcional [...] reservado para situaciones extremas, cuando la persona buscada no pueda ser habida" —STC 29/1997, fundamento jurídico 2, y en el mismo sentido SSTC

En el proceso penal este principio se refuerza con exigencias adicionales en razón de los derechos e intereses afectados, y concretamente en el caso de que se trate de la citación del acusado al acto del juicio oral. Para ese supuesto el Tribunal constitucional somete la validez de la citación edictal al cumplimiento de las siguientes condiciones:

«a) haber agotado antes las otras modalidades de citación con más garantías — arts. 166 a 171 y 178 LECrim. que prevén la citación personal con entrega de cédula en su defecto a través de los parientes que habitaren en el domicilio o de los vecinos más próximos a éste, y en caso de domicilio desconocido, orden de busca a la Policía judicial—; b) constancia formal de haberse intentado la práctica de los medios ordinarios de citación, y c) que la resolución judicial de considerar al denunciado como persona en ignorado paradero o con domicilio desconocido se funde en un criterio de razonabilidad que lleve a la convicción de la ineficacia de aquellos otros medios normales de comunicación (SSTC 234/1988, 16/1989, 196/1989, 9/1991 y 103/1994)». STC 135/1997 de 21 de julio.

Las notificaciones también podrán practicarse personalmente en estrados (Véase M. 43), o bien por medio de Procurador cuando esté personado en los autos, salvo en los casos previstos en el art. 182 LECrim. que se refiere a las notificaciones que por disposición expresa de la Ley deban realizarse en la persona del interesado; entre estas la sentencia. En este supuesto no obsta a la comunicación al Procurador para que se deba notificar a la parte la resolución de que se trate, por ejemplo la sentencia. A este efecto, resulta práctica usual que se cite al que deba ser notificado para comparecer ante el tribunal a tal efecto. En el supuesto de incomparecencia, se plantea el problema de determinar cuál sea el inicio del cómputo del plazo del recurso. A nuestro entender, lo procedente será dictar resolución motivada en la que se volverá a citar al interesado con el apercibimiento que de no comparecer se iniciará el cómputo del plazo para recurrir. Este momento inicial deberá ser el del día de la segunda citación, ya que dada la premura de los plazo, si se estableciese el del día en el que se notificó al Procurador ningún interés tendría para la parte acudir a la citación, teniendo en cuenta que el plazo para recurrir ya habrá transcurrido.

«Se ha recurrido en queja el auto de la Sección 2.ª de la Audiencia Provincial de Tenerife que disponía no tener por preparado el recurso de casación del condenado en esta causa. La razón es que, notificada la sentencia al procurador el día 4 de diciembre de 2000, y citado aquél personalmente para hacerle notificación de la sentencia, sin embargo, no compareció. Por ello, el tribunal tomó como referencia para el cómputo del plazo para recurrir el día de la notificación al procurador, de

---

97/1992 y 193/1993—, habiendo de quedar sometida su práctica a condiciones rigurosas, entre las que se encuentran: a) Haber agotado antes las otras modalidades de citación con más garantías arts. 166 a 171 y 178 LECrim.— que prevén la citación personal con entrega de cédula, en su defecto a través de los parientes que habitaren en el domicilio o de los vecinos más próximos a éste, y en caso de domicilio desconocido, orden de busca a la Policía judicial; b) constancia formal de haberse intentado la práctica de los medios ordinarios de citación, y c) que la resolución judicial de considerar al denunciado como persona en ignorado paradero o con domicilio desconocido se funde en un criterio de razonabilidad que lleve a la convicción de la ineficacia de aquellos otros medios normales de comunicación». (SSTC 234/1988, 16/1989, 196/1989, 9/1991 y 103/1994). (STC 135/1997 de 21 de julio).

manera que cuando éste presentó en la sala el escrito correspondiente, el día 28 de diciembre, ese plazo había transcurrido. Como señala el Fiscal, en la causa sólo consta un intento de citación al acusado, con lo que no se habría dado cumplimiento a la exigencia del art. 176 LECrim., que prescribe la realización de un segundo intento. A esto se ha de añadir que en el momento de realizar la notificación al procurador (día 4 de diciembre) éste no podía saber de la futura incomparecencia de su mandante en la fecha de la citación, con lo que mal podría haber llevado a cabo un cálculo adecuado del tiempo disponible para la presentación de su escrito. La actuación de la Sala podría considerarse regular, de haber mediado, al menos, una resolución fijando la fecha de notificación al procurador como la del inicio del plazo para la presentación del escrito del recurso, debidamente notificada. No ha sido así y, por ello, debe darse lugar al recurso de queja». ATS de 13 Sep. 2001, Rec. 6/2001; Ponente: Andrés Ibáñez, Perfecto Agustín. LA LEY 244049/2001.

Por tanto, no bastará con la notificación de la sentencia al Procurador. En un supuesto de falta de notificación al interesado el TC ha declarado que el cómputo para interponer el recurso de apelación no se iniciará hasta que se produzca la notificación personal de la sentencia.

«Las Sentencias dictadas tras la celebración de juicio oral —como es el caso de los juicios de faltas—, habrán de notificarse no sólo a los Procuradores, sino también personalmente a las partes, y así lo ha reconocido este Tribunal, entre otros pronunciamientos, en los AATC 160/1982, de 5 de mayo (F. 2) y 662/1985, de 2 de octubre (F. 2). Pues bien, en el caso presente, la situación es similar a la planteada en los mencionados pronunciamientos, ya que las resoluciones judiciales cuestionadas obviaron la necesaria notificación personal de la Sentencia a la demandante de amparo, de acuerdo con la previsión del art. 160, pfo. 1, LECrim., y establecieron el "dies a quo" para el cómputo del plazo para apelar la Sentencia dictada por el Juzgado de Instrucción núm. 1 de Torrox a partir de su notificación al Procurador de la actora, siendo así que dicho plazo aún no podía haber comenzado a correr, al no haberse producido el hecho al que la normativa legal referida, teleológicamente interpretada desde la perspectiva del art. 24.1 CE, vincula el inicio del cómputo del plazo de apelación: la notificación personal de la Sentencia a la condenada. Omitida la preceptiva notificación personal, el reiterado plazo debía comenzar su transcurso desde el momento en que la propia recurrente se dio por enterada de la Sentencia, esto es, cuando interpuso contra ella el correspondiente recurso de apelación». STC 91/2002 de 22 de abril.

Pero, la falta de notificación personal no puede aducirse como motivo de nulidad cuando efectuada al Procurador o al letrado se constata que llegó efectivamente a conocimiento de la parte, sin que se haya producido indefensión. (Véase § 3.1 de este capítulo).

«En cuanto a la notificación personal a los imputados del acta de acusación del Ministerio Fiscal, el Auto de apertura del juicio oral ... acuerda la notificación de dicha resolución a las partes personadas y por Providencia de ... se da traslado de las diligencias a la defensa de la recurrente (Letrado designado de oficio que la asistió en su declaración como imputada) para evacuar el escrito correspondiente ... Ello tampoco puede generar indefensión en la medida que el escrito de defensa se opone a la acusación solicitando las pruebas que estima pertinentes y desde esta perspectiva aducir la falta de notificación personal del escrito de acusación del Fiscal». STS 1850/2001 de 10 Oct. 2001, Rec. 4436/1999; Ponente: Saavedra Ruiz, Juan. LA LEY 8657/2001.

Las notificaciones al Procurador podrán efectuarse en el local de notificaciones previsto en los arts. 272 LOPJ y 160 LEC. La recepción de la notificación por este servicio producirá plenos efectos jurídicos. Ahora bien, debe tenerse en cuenta la jurisprudencia del TC en esta materia, que considera constitucionalmente correctas las fórmulas de comunicación procesal alternativas a aquellas que garantizan la recepción personal por el destinatario. De ese modo, se asegura el desarrollo normal del proceso y el derecho a la tutela judicial efectiva de la contraparte (SSTC 39/1987 o 216/1989). Pero, en estos supuestos se exige un especial rigor en la práctica del acto procesal de comunicación, ya que a través de dichos procedimientos de comunicación no queda igualmente garantizado su conocimiento por el afectado.

«... hemos exigido —SSTC 275/1993 y 39/1996— que el órgano judicial no se conforme en estos casos con el mero cumplimiento formal de los requisitos exigidos por el acto de comunicación, sino que es preciso que se asegure, en la medida de lo posible, su efectividad real (STC 37/1984), pues compete a los órganos judiciales, en virtud de lo establecido en el art. 24.1 C.E. promover la defensa mediante la correspondiente contradicción. Desde este punto de vista nada hay que objetar al procedimiento establecido en el art. 272.2 L.O.P.J. dirigido, sin duda, a facilitar la realización de los actos procesales de comunicación con los Procuradores de las partes. Sin embargo, de la misma forma que hemos considerado que una notificación defectuosa no siempre produce vulneración del art. 24.1 C.E. sino solamente cuando impide el cumplimiento de su finalidad —STC 155/1989, fundamento jurídico 3—, cabe afirmar que produce indefensión constitucionalmente relevante dar plena eficacia a aquellas notificaciones correctamente practicadas en el plano formal, cuando se acredita que no sirvieron para poner en conocimiento del Procurador, y a través del mismo, del interesado, la resolución a que se refieren, siempre y cuando dicho efecto no sea debido a causas que sean imputables a los mismos. En tales casos no pueden los órganos judiciales prescindir de cualquier enjuiciamiento de los motivos alegados por la parte sobre la no recepción de la notificación —STC 275/1993, fundamento jurídico 4—». STC 59/1998 de 16 marzo.

La notificación podrá, asimismo, efectuarse por correo certificado con acuse de recibo[29] (Véase M. 44). Así se prevé en el art. 166 LECrim. debiendo dar fe el Letrado de la Administración de Justicia del contenido del sobre remitido. El acuse de recibo, una vez devuelto cumplimentado, deberá unirse a los autos. Esta posibilidad fue introducida en el citado artículo por la Ley 33/1978, de 17 de julio, siendo tal innovación necesaria para aliviar el excesivo trabajo de los Juzgados, en orden a notificaciones, citaciones y emplazamientos.

«Las notificaciones realizadas por correo certificado —autorizadas expresamente por los arts. 261 LECiv/1881, 152 y 160 LECiv/2000, 271 LOPJ, y 56 LPL— resultan irreprochables desde el punto de vista constitucional siempre y cuando se efectúen con las garantías suficientes para asegurar su efectividad, siendo preciso, para ello, que los órganos judiciales no otorguen mecánicamente un valor absoluto al simple contenido formal de la diligencia de notificación, prescindiendo de cualquier enjui-

---

(29) «Tal emplazamiento ha de ser realizado por el órgano judicial con todo cuidado, cumpliendo las normas procesales que regula dicha actuación a fin de asegurar la efectividad real de la comunicación (STC 157/1987). En lo que atañe a la citación por correo certificado con acuse de recibo, es esencial la recepción de la cédula por el destinatario». (STC 97/1992, de 11 junio).

ciamiento sobre los motivos alegados por la parte acerca de la no recepción en plazo de la notificación». STC 42/2002 de 25 de febrero.

No obstante, el propio precepto establece una serie de excepciones a tal procedimiento, declarándolo no aplicable a las notificaciones contempladas en los arts. 160, 501 y 517 LECrim., que deberán realizarse personalmente. Se trata de supuestos legales de notificación directa a las partes, en razón de la importancia del acto. Este es el caso de la sentencia (arts. 160 y 789 LECrim.); el auto de procesamiento o su denegación (art. 384 LECrim.); notificación del auto elevando la detención a prisión o dejándola sin efecto (art. 501 LECrim.); requerimiento al procesado para que señale bienes (art. 597 LECrim.). Además el art. 160 LECrim, en la redacción dada por la LO 1/2004 de protección integral de las víctimas de la violencia de género, dispone que cuando la instrucción de la causa hubiera correspondido a un Juzgado de Violencia sobre la Mujer la sentencia será remitida al mismo por testimonio de forma inmediata, con indicación de si la misma es o no firme.

El art. 271 LOPJ añade que podrán practicarse por medio de telégrafo o cualquier otro medio en consonancia con el art. 160 LEC. Deberá ser, en todo caso, la autoridad judicial quien acuerde la utilización de esta vía, no procediendo de forma automática. Tal y como señala la jurisprudencia se trata de un modo de notificar que exige más que una forma concreta, la efectiva constatación de que la notificación ha llegado al destinatario.

«Lo anterior permite constatar el cabal conocimiento de la celebración del juicio que tenía la representación letrada del recurrente, máxime cuando el formalismo que pretende rodear a la notificación aparece enmarcado por el contenido del art. 271 de la Ley Orgánica del Poder Judicial que atiende a la constatación material de la notificación más que a una concreta formalidad en su realización». STS 372/2002 de 28 Feb. 2002, Rec. 213/2000; Ponente: Martínez Arrieta, Andrés. LA LEY 46540/2002.

«... Que es necesario que la forma en que se realice la citación garantice en la mayor medida posible que aquélla ha llegado efectivamente a poder del destinatario, siendo esencial la recepción de la cédula por el destinatario y la constancia en las actuaciones. En este sentido, el art. 271 de la Ley Orgánica 6/1985, de 1 de julio, del Poder Judicial, permite que las notificaciones se practiquen por medio del correo, del telégrafo o de cualquier otro medio técnico siempre que se alegue la constancia de su práctica y las circunstancias esenciales de la misma...». (STC 10/1995, de 16 enero).

Este medio podrá también utilizarse para las comunicaciones internacionales. Sin embargo, en estos casos deberá estarse a lo previsto en los Tratados y Convenios Internacionales o, en su defecto, al principio de reciprocidad —art. 177.2.º LECrim.—[30].

---

(30) «En consecuencia, para el órgano judicial doña Katia Imbernon no se encontraba en domicilio desconocido, sino que, por el contrario, una vez comprobado que había abandonado su domicilio provisional en España, conocía o, al menos, debía conocer, que aquélla tenía su domicilio en un país extranjero, en concreto en Francia, pues así constaba en las actuaciones, por lo que, de conformidad con el art. 177, pfo. 2.º, en relación con el 193, ambos de la Ley de Enjuiciamiento Criminal, y con el Convenio Bilateral entre España y Francia de 9 de abril de 1969, que regula la asistencia judicial en materia penal entre los dos Estados, ratificado por nuestro país mediante Instrumento de 25 de agosto de 1969 (BOE de 18 de agosto de 1970), que en sus arts. 1, 5 y 6 regula cómo han de hacerse las comisiones rogatorias, y que, de conformidad con los arts. 9.1,

El Tribunal Constitucional ha insistido en que la citación por correo con acuse de recibo deberá practicarse correctamente y repetirse cuando resulte infructuosa. No cabe pasar directamente a la citación por edictos cuando sea conocido el domicilio del acusado[31].

Respecto de las notificaciones efectuadas al Ministerio Fiscal mediante correo certificado, la Fiscalía General ha entendido que, a los efectos del cómputo de plazos, la firma del acuse de recibo por un miembro del personal auxiliar de la Fiscalía acredita la fecha de comunicación[32].

B) Citaciones

La citación es la convocatoria que se hace a una parte o a un tercero para que comparezca ante el órgano jurisdiccional en un momento determinado, siendo normalmente realizada por medio de acuse de recibo —art. 166 LECrim.—, según las fórmulas ya vistas, o por telégrafo o cualquier otro medio técnico más rápido. Se practicarán en la forma establecida para las notificaciones mediante cédula de citación que contendrá los siguientes requisitos: el tribunal que la hubiere dictado, la identificación del citado, el objeto de la citación, el lugar, día y hora en que ha de concurrir el citado, y las consecuencias del incumplimiento de la obligación de comparecencia que recae sobre testigos y peritos (art. 175 LECrim.). (Véase M. 45).

A este respecto, los testigos y peritos tienen obligación de comparecer al llamamiento judicial en la fecha acordada. En caso de imposibilidad temporal para hacerlo deberán comunicar al tribunal esta circunstancia (art. 410, 463 LECrim.) (a salvo de los supuestos excepcionales de exención de este deber del art. 412 LECrim.).

En la citación se hará constar el apercibimiento que de no comparecer al primer llamamiento se le podrá imponer multa de 200 a 5000 Euros; y si se tratase del se-

---

10.2 y 96.1 de la Constitución vincula al Juzgado de Distrito, debió éste proceder a la citación de la hoy actora para el acto del juicio de faltas del modo en que previenen las disposiciones legales citadas». (STC 16/1989, de 30 enero).

(31) La STC 41/1987, de 6 abril, establece que la utilización de los servicios de Correos no hace concluir el deber de colaboración de los órganos jurisdiccionales ni permite que en todos los casos en que ha sido practicada la citación por correo infructuosamente se acuda a la citación por edictos, pues este sistema sólo es utilizable cuando no conste en las actuaciones el domicilio de la persona que deba ser notificada o emplazada o se ignore su paradero por haber cambiado de domicilio. Aplicando esta doctrina general, dicha sentencia estima el amparo si en el acuse de recibo se hizo constar «ausente en horas de reparto» y se emplazó por edictos. También se otorgó el amparo cuando en el acuse de recibo no aparecía más que una firma ilegible que además no concordaba con la del interesado. Asimismo, vid. STC 234/1988, de 2 diciembre.

(32) Las conclusiones de la Consulta 3/1994, de 29 de noviembre, elevada a la Fiscalía General del Estado, sobre las notificaciones por correo al Ministerio Fiscal fueron: «1.° El plazo para la interposición de recursos por parte del Fiscal cuando la resolución no le ha sido notificada directamente, sino a través de la remisión postal, ha de comenzarse a contar, por aplicación del art. 647 de la LECrim., al día siguiente de la recepción de la copia de la resolución en la Fiscalía. 2.° La firma del acuse de recibo por un miembro del personal auxiliar de la Fiscalía no sustituye la notificación al Fiscal, pero sí es suficiente para acreditar la fecha en que la comunicación se ha recibido en la Fiscalía».

gundo de ser perseguido como reo de delito de obstrucción a la justicia tipificado en el art. 463.1 CP (art. 175.5 y 420.1 LECrim.). Terminada la declaración el Juez Instructor hará saber al testigo la obligación de comparecer cuando se le cite nuevamente a este efecto, así como la de poner en conocimiento del tribunal los cambios de domicilio que hiciere hasta ser citado para el juicio oral, bajo apercibimiento de incurrir en multa de 200 a 1000 Euros, sin perjuicio de incurrir en responsabilidad criminal (art. 446.1 LECrim.).

Comparecidos tienen la obligación de declarar la verdad sobre todo lo que sepa y se le pregunte. A salvo del derecho a no declarar sobre su ideología, religión o creencias; o a no declarar contra el acusado en el caso de ser cónyuge, padres, hijos, hermanos o parientes de aquél hasta el segundo grado civil (arts. 16 CE y 416 LECrim.). El incumplimiento de estas obligaciones puede dar lugar a la imposición de una multa; a que se acuerde su detención; a que sea acusado del delito de desobediencia o del de falso testimonio (arts. 420 LECrim., 237 y 326 CP).

En cuanto a los perjudicados, tienen derecho a ser parte acusadora en el proceso nombrando Abogado y Procurador (arts. 24 CE y 109 LECrim.). En caso contrario, serán citados en calidad de testigos con los derechos y obligaciones expuestos. Ello sin perjuicio que se informe y notifique al perjudicado por el delito de los actos procesales de especial relevancia tales como el acto del juicio, la sentencia, la vista de apelación, o la sentencia dictada en la alzada (véase § 3.2 Cap. IV).

Por último, debemos referirnos especialmente a las citaciones que tengan por objeto al inculpado o al acusado en el proceso penal que podrá tomar conocimiento de las actuaciones e intervenir en todas las diligencias del procedimiento (art. 302 LECrim.). En el procedimiento abreviado se practicarán conforme al art. 762.3 y 4.ª LECrim. También se citará al imputado para la práctica de diligencias complementarias (art. 780.2 in fine LECrim.). Aunque, la citación resulta especialmente trascendente cuando lo es para el acto del juicio oral. La asistencia del acusado al juicio es un presupuesto para su celebración, de modo que, salvo supuestos concretos y excepcionales, no puede celebrarse el juicio oral en ausencia del acusado. La justificación de esta garantía es clara, ya que un proceso con todas las garantías exige que el acusado haya podido tener la oportunidad efectiva de alegar y probar, especialmente, en el acto del juicio oral.

«... es una garantía contenida en el art. 24.1 CE la necesidad de que los actos de comunicación de los órganos judiciales con las partes se realicen de forma correcta y con la diligencia debida. Exigencia que se ve reforzada en los procedimientos penales por la naturaleza de los derechos fundamentales que en ellos se ventilan (por todas, STC 135/1997, de 6 de agosto. El correcto emplazamiento de las partes para la celebración de una vista oral en un juicio de faltas exige un especial cuidado en el órgano judicial, al depender de ello la presencia en un acto en el que, concentradamente, se articula la acusación, se proponen y practican pruebas y se realizan los alegatos en defensa de los intereses de las partes. El legal y correcto emplazamiento al denunciado, además, se ve especialmente exigido por la posibilidad de que, conforme al art. 971 LECrim., se produzca la celebración y resolución del juicio de faltas en su ausencia cuando conste habérsele citado con las formalidades prescritas en la Ley (STC 123/1991, de 3 de junio». STC 134/2002 de 3 de junio.

«En el proceso penal por faltas la citación del denunciado para comparecer en juicio constituye el único medio que se le ofrece para conocer la existencia del proceso y, por ello, para preservar el mandato constitucional según el cual nadie puede ser condenado sin conocer previamente la acusación contra él formulada». STC 135/1997 de 21 de julio.

La celebración del juicio oral en ausencia del acusado podrá tener lugar en el procedimiento abreviado cuando se den los siguientes requisitos: 1.º que el acusado hubiere sido citado personalmente en el domicilio que hubiere designado, o bien en la persona que hubiere designado, de conformidad con el art. 775 LECrim.; 2.º que lo acuerde el Juez a solicitud de la acusación, oída la defensa; 3.º que la pena solicitada no exceda de dos años de privación de libertad o, si fuera de distinta naturaleza, de seis años (art. 786.1 LECrim.) (Véase sobre esta materia § 6.3, Capítulo XII). En el procedimiento por delitos leves la ausencia injustificada del acusado no suspenderá la celebración, y resolución, del juicio siempre que conste haberse realizado correctamente la citación; y siempre que el Juez de oficio o a instancia de parte no crea necesaria su declaración (art. 971 LECrim.).

C) Emplazamientos

El emplazamiento es la convocatoria que se hace a una parte o a un tercero para que comparezca ante el órgano jurisdiccional dentro de un plazo determinado. (Véase M. 46).

Normalmente, el emplazamiento vendrá precedido de la notificación de la resolución respectiva en el que se acuerda efectuarlo. Puede destacarse, entre otras diligencias, la de notificación a los procesados del auto de conclusión del sumario y emplazamiento ante la Audiencia Provincial; o el emplazamiento al acusado para que comparezca en la causa de procedimiento abreviado con abogado y procurador (art. 784 LECrim.).

«... Este Tribunal ha sostenido en numerosas ocasiones que el emplazamiento tiene como finalidad poner en conocimiento del interesado el término en que ha de comparecer, el objeto y el órgano judicial ante el que debe hacerlo, como datos necesarios para poder defender sus derechos e intereses legítimos, de suerte que sólo la incomparecencia por voluntad expresa o tácita o por negligencia imputable al justiciable puede justificar una resolución judicial inaudita parte —SSTC 112/1987, 251/1987 y 114/1988, entre otras—...». (STC 117/1990, de 21 junio).

El emplazamiento podrá realizarse conforme al modo previsto en el art. 166 LECrim. Es decir, personalmente, o también mediante correo certificado con acuse de recibo, cuando el tribunal lo considere conveniente, dando fe el Letrado de la Administración de Justicia en los autos del contenido de la comunicación, y uniéndose a los autos el acuse de recibo.

En el supuesto de comunicación personal se hará en el modo ya expuesto para la notificación, entregando al interesado cédula de emplazamiento que contendrá los requisitos que señala el art. 175 LECrim., entre ellos el término o plazo dentro del cual ha de comparecer el emplazado, con la prevención de que si no comparece incurrirá en los perjuicios a que hubiere lugar en Derecho.

D) Requerimientos

El requerimiento es el acto por el que se impone a una persona —parte o tercero— una conducta consiste en entregar, hacer o dejar de hacer alguna cosa; es decir, una conducta distinta de la comparecencia ante el órgano jurisdiccional. (Véase M. 47).

La LECrim. no regula sistemáticamente los requerimientos, salvo en preceptos aislados. Éste es el supuesto de las normas respecto a la garantía de la responsabilidad civil derivada de delito. Por ejemplo los arts. 597 y 764.3 LECrim., para el procedimiento ordinario por delitos graves y abreviado; o la orden al imputado de abstenerse de conducir vehículos de motor, a cuyo efecto se requerirá al imputado con apercibimiento de incurrir en desobediencia. Como se puede observar, el requerimiento es un acto complejo que contiene una orden o mandato y que, por tanto, lleva aparejada una sanción en caso de incumplimiento. Concretamente la desobediencia prevista en el art. 556 CP.

La LECrim. también prevé que la policía judicial requiera a distintos sujetos al efecto de realizar las diligencias preliminares que la ley establece. Precisamente, por tratarse de actuaciones previstas en la LECrim., se trata de actuaciones preprocesales que la policía debe realizar tan pronto tenga conocimiento de un delito actuando por delegación del Juez. Se distinguen, por tanto, de las diligencias de prevención que realizan para la garantía de la seguridad ciudadana. En esta función, la policía judicial requerirá la presencia de cualquier facultativo o personal sanitario que fuere habido para prestar, sin fuere necesario, los oportunos auxilios al ofendido por el delito (art. 770.1.ª LECrim.); o el auxilio de otros miembros de las Fuerzas y Cuerpos de Seguridad cuando fuere necesario para el desempeño de las funciones que le encomienda la LECrim (art. 772 LECrim.).

3.3. Actos de comunicación entre órganos jurisdiccionales. Exhortos[33]

Los actos de comunicación entre órganos jurisdiccionales son inherentes al deber de cooperación y auxilio judicial que tienen los tribunales entre sí en el ejercicio de la función jurisdiccional (art. 273 LOPJ). En este sentido, los Jueces y Tribunales se auxiliarán mutuamente para la práctica de todas las diligencias que fueren necesarias en la sustanciación de las causas criminales (art. 183 LECrim.). Este auxilio se efectuará por medio de exhortos. (Véase M. 48).

El auxilio o cooperación judicial tendrá lugar siempre que una diligencia judicial deba ser ejecutarse por un Juez o Tribunal distinto del que la haya ordenado (art. 184

---

(33) Vid. Bibliografía general. Vid. también MORENO CATENA, «La fe pública y la publicidad en la LOPJ», *Justicia*, 1987-1, p. 73; GIMÉNEZ GARCÍA, «Reflexiones sobre la fe pública judicial y la ordenación del proceso», *AP*, n.º 42, 1993; MOYA GARRIDO, «Doctrina constitucional sobre emplazamientos y valoración legal de la jurisprudencia del TC, en recursos de amparo», *RJC*, 1988, 209. Téngase presente que la Ley 6/1984, de 8 de agosto, de reforma de la LEC, ha modificado respecto del proceso civil estos actos de comunicación entre órganos jurisdiccionales. Véanse en este sentido los arts. 284 y ss. LEC, reconduciéndolos a una única fórmula: exhorto. Y aunque para el proceso penal no han sido expresamente derogados los preceptos correspondientes desarrollados en los arts. 183 y ss. LECrim., entendemos, de conformidad con el art. 274.2 LOPJ y la mencionada Ley Procesal civil, que sólo ha de mantenerse la fórmula de exhorto.

LECrim.). Ello implica que no siempre que la actuación judicial se desarrolle fuera de la circunscripción del órgano que la hubiera ordenado (tal y como de modo general establece el art. 274 LOPJ), sea necesario recabar auxilio judicial. En este sentido, determinada la competencia judicial por el lugar de la comisión del delito, el Juez competente lo será para conocer de todas las incidencias del proceso de modo que el propio Juez podrá ordenar la práctica de diligencias incluyendo los mandamientos y requerimientos que sean oportunos entendiéndose directamente con la autoridad o funcionario que deba realizarla, sin que sea preciso en todo caso acudir al auxilio judicial, sino, únicamente, cuando fuere necesario (arts. 275 LOPJ y 762.1 LECrim., en sede de procedimiento abreviado).

> «El Juzgado competente para la instrucción lo es también para todas sus incidencias, debiendo utilizarse el exhorto correspondiente cuando sea necesaria una actuación judicial fuera del partido o circunscripción territorial a la que extiende su jurisdicción. Si no necesita auxilio de la autoridad judicial de otro territorio al que su competencia no se extiende, él, por sí mismo ha de acordar lo que sea necesario a los fines del proceso que está instruyendo. Así se deduce del art. 9 LECrim. que extiende la competencia de un juzgado o tribunal que conoce de una causa determinada a "todas sus incidencias", añadiendo el 184 que cuando una diligencia hubiera de ser ejecutada por un juez o tribunal distinto del que lo haya realizado, éste encomendará su cumplimiento por medio del correspondiente despacho .../... En conclusión, por lo dispuesto en el ya citado art. 9 LECrim., el Juez competente para instruir lo es para todas las incidencias de esa instrucción, también para dirigir requerimientos o mandamientos a los particulares que han de colaborar con el Juzgado en las correspondientes actuaciones. En este caso sólo quien conoce de las diligencias que se están practicado puede saber si procede o no la intervención de un determinado buscapersonas, por la relación de su usuario con el objeto del proceso. Sólo si hubiera de intervenir la autoridad judicial en unas actuaciones a realizar fuera del propio territorio, ha de actuar otro juzgado. No cuando cabe dirigirse directamente a la persona que ha de cumplimentar la orden, como ocurrió aquí con la empresa Mensatel, SA, aunque ésta tuviera su domicilio en Madrid». STS 2209/2001 de 23 Nov. 2001, Rec. 4795/1999; Ponente: Delgado García, Joaquín. LA LEY 212234/2001.

En cuanto al modo de cursar los despachos en solicitud de cooperación judicial, la LECrim. —arts. 183, 184, 185— sigue contemplando dentro de estos actos de comunicación los exhortos, suplicatorios y mandamientos. Sin embargo, tanto en la LEC —arts. 169 y ss.—, como en la LOPJ —art. 274— únicamente está prevista la fórmula del exhorto[34]. De acuerdo con esta nueva regulación, debe entenderse tam-

---

(34) La LEC regula el auxilio judicial en los arts. 169 a 177 LEC que disponen que las comunicaciones se llevarán a cabo mediante exhorto que contendrá los requisitos establecidos en el art. 171 LEC. Su expedición y autorización corresponde al Letrado de la Administración de Justicia y se remitirá directamente al órgano exhortado por medio del sistema informático judicial o cualquier otro sistema de comunicación que garantice la constancia de la recepción —art. 172 LEC—. Tras ser cumplimentado por el órgano jurisdiccional exhortado —art. 173 LEC— se procederá a devolverlo comunicándose al exhortante su resultado por medio del sistema informático judicial o cualquier otro que garantice la constancia de la recepción. No resulta aplicable en el orden jurisdiccional penal la posibilidad de intervención de las partes en la tramitación del exhorto, según dispone para el proceso civil el art. 174 LEC.

bién que esta única fórmula regirá en el proceso penal, aunque no han sido expresamente derogados aquellos preceptos. Así se desprende del art. 762.1.ª y 2.ª LECrim.

La petición de cooperación por medio de exhorto, cualquiera que sea el órgano judicial a que se dirija, se efectuará siempre directamente, sin dar lugar a traslados ni reproducciones a través de órganos intermedios —art. 274.2.º LOPJ—. El órgano exhortado acusará recibo al exhortante, y acordará su cumplimiento inmediato. Una vez cumplimentado, lo devolverá sin demora en la misma forma que lo hubiere recibido (art. 191 LECrim.). Cuando se demorare el cumplimiento el órgano exhortante remitirá, de oficio o a instancia de parte, un recordatorio al Tribunal exhortado.

En sede del procedimiento abreviado (art. 762.2.ª LECrim.) se ha dispuesto que los exhortos que se expidan se tramiten siempre por el medio más rápido posible, acreditando por diligencia las peticiones de auxilio que no se hayan solicitado por escrito. Así, se admite el exhorto telegráfico, por medio de telefax, o por comunicación telefónica, convenientemente diligenciada, que además de ser indispensable en ciertas ocasiones (cursar órdenes de libertad provisional), es frecuente en la práctica judicial. La copia del telegrama, sellada por la oficina de telégrafos, se unirá a los autos o la pieza correspondiente. (Véase M. 49).

Finalmente, debemos hacer referencia a la posibilidad de practicarse determinados actos procesales mediante el uso de la denominada «videoconferencia» que permite rapidez y contradicción, aunque no una efectiva inmediación. Este medio de comunicación puede utilizarse para la práctica de determinados actos en cumplimiento de la cooperación judicial, de conformidad con los arts. 229 y 230.1 LOPJ. Concretamente el art. 229 LOPJ dispone que las declaraciones, interrogatorios, testimonios, careos, exploraciones, informes, ratificación de los periciales y vistas actuaciones: «… podrán realizarse a través de videoconferencia u otro sistema similar que permita la comunicación bidireccional y simultánea de la imagen y el sonido y la interacción visual, auditiva y verbal entre dos personas o grupos de personas geográficamente distantes, asegurando en todo caso la posibilidad de contradicción de las partes y la salvaguarda del derecho de defensa, cuando así lo acuerde el juez o tribunal». Esta posibilidad también se regula en el art. 11 del Convenio Europeo de 29 de mayo de 2000 sobre asistencia judicial en materia penal. Así, lo ha admitido la Instrucción 1/2001 de 7 de febrero de la Fiscalía General del Estado, que sin embargo rechaza la posibilidad de celebrar juicios orales penales por videoconferencia, criterio que debemos compartir por vulnerar los principios de inmediación, publicidad, y la efectiva contradicción que no se puede garantizar plenamente con este medio de comunicación[35].

3.4. Actos de comunicación con otros órganos

Los actos procesales de comunicación con otros organismos de la Administración o con terceros ajenos a la misma son, en definitiva, los mandamientos y los oficios.

---

[35] Véase sobre esta materia VELASCO NÚÑEZ ELOY, La Ley n.º 5630, 2002. CHOCLAN MONTALVO, J.A., «Sobre la prestación de testimonios a distancia y su cobertura legal». *Actualidad J.ª Aranzadi* n.º 526, 2002.

A) Mandamientos

Se empleará la forma de mandamiento, cuando el Juez solicite de algún Registrador de la Propiedad, Mercantil, de Buques, de Ventas a Plazos, Notario, Corredor de Comercio, el libramiento de alguna certificación o testimonio; o bien ordene a algún Agente judicial o de la policía judicial la práctica de alguna diligencia (art. 186 LECrim.). (Véase M. 54).

B) Oficios y Exposiciones

Cuando los Jueces o Tribunales deban comunicarse con autoridades, funcionarios, o miembros de las Fuerzas Armadas, que no estuvieran bajo su autoridad, emplearán la forma de oficios (art. 195 LECrim.) (Véase M. 55).

Se utilizarán las exposiciones cuando se dirijan a miembros del Poder Legislativo o a Ministros del Gobierno, en demanda de auxilio o de obtención de datos (art. 196 LECrim.). Las exposiciones tienen una forma más solemne y se utilizan para la comunicación de asuntos importantes a altas personalidades del Estado[36].

SECCIÓN 4.   COOPERACIÓN Y AUXILIO JUDICIAL INTERNACIONAL

4.1.   Comisiones rogatorias. Auxilio judicial internacional

El auxilio judicial internacional se produce cuando un órgano jurisdiccional de un estado se dirige a otro de otro estado, a fin de practicar alguna diligencia judicial (art. 276 LOPJ y 193, 194 LECrim.).

Las peticiones de cooperación internacional serán elevadas por conducto del Presidente del Tribunal Supremo, del Tribunal Superior de Justicia o de la Audiencia al Ministerio de Justicia. Este tramitará la comisión rogatoria a las autoridades competentes del Estado requerido, en la forma prevista en los tratados internacionales, sea por vía consular o diplomática o bien directamente, si así se prevé —art. 276 LOPJ—[37]. A falta de Tratado internacional se estará al principio de reciprocidad (art.º

---

(36)   Vid. Real Orden Circular de 31 de diciembre de 1900 (Colección Legislativa M.º Ejército, n.º 253), en donde se faculta a los Jueces para dirigirse a los Capitanes Generales por medio de oficio. Asimismo, la Real Orden de 28 de febrero de 1931 (Gaceta, 4 marzo 1931), que regula las exposiciones elevadas a los Ministerios o Centros dependientes de éstos.

(37)   En la actualidad los Convenios más importantes suscritos por España en materia de asistencia judicial penal son los siguientes: — Convenio Europeo de Asistencia Judicial en materia penal, hecho en Estrasburgo el 20 de abril de 1959. Fue ratificado por España el 14 de julio de 1982 (BOE de 17 septiembre). — Convenio Europeo sobre la represión del Terrorismo, hecho en Estrasburgo el 27 de enero de 1977. Fue ratificado por España el 9 de mayo de 1980 (BOE de 8 octubre). — Convenio sobre traslado de personas condenadas, hecho en Estrasburgo el 21 de marzo de 1983, y ratificado por España el 10 de junio de 1983 (BOE de 10 junio 1985). — Protocolo Adicional al Convenio Europeo de Asistencia Judicial en materia penal, hecho en Estrasburgo el 17 de marzo de 1978. Ratificado por España el 27 de mayo de 1991 (BOE de 2 agosto). — Convención de las Naciones Unidas contra el tráfico ilícito de estupefacientes y sustancias sicotrópicas, hecha

193.2 LECrim.). En la comisión rogatoria deberá hacerse constar la autoridad que formula la solicitud, el objeto o motivo de ésta, la identificación de la persona de que se trate, la acusación y breve exposición de los hechos —art. 14 del Convenio Europeo de Estrasburgo de 1959—. (Véanse M. 50 a 53).

4.2. Cooperación y auxilio judicial en materia penal en el ámbito de la Unión Europea[38]

A) Cuestiones generales

La cooperación y auxilio judicial en el ámbito europeo tiene su base en la actividad normativa previa desarrollada en el Consejo de Europa. En ese ámbito resulta especialmente relevante el Convenio Europeo de Asistencia Judicial en Materia Penal, de 20 de abril de 1959, completado con el Protocolo Adicional al convenio de 17 de marzo de 1978, ratificado por España el 18 de agosto de 1982 y suscrito por todos los Estados de la UE. Existe otro protocolo adicional abierto a la firma el 8 de noviembre de 2001 que aún no ha entrado en vigor por falta de ratificaciones suficientes. Además, también existen Convenios en materia de transmisión de procedimientos en materia penal (1972), extradición (1957) o sobre el valor internacional de las sentencias penales (1970).

En el ámbito de la Unión Europea la primera norma importante en materia de Cooperación jurisdiccional es el Acuerdo de Schengen de 14 de junio de 1985 a partir del cual se instrumentaron una serie de medidas destinadas a intensificar la cooperación policial, el control de la inmigración, el derecho de asilo y la cooperación judicial entre los Estados firmantes. Este Acuerdo se desarrolló en el Convenio de aplicación del Acuerdo de Schengen, de 19 de junio de 1990. España se adhirió al Convenio de 1990, mediante Instrumento de ratificación de 23 de julio de 1993 (BOE 5 de abril de 1994) y entró en vigor el 1 de marzo de 1994.

---

en Viena el 20 de diciembre de 1988. Ratificada por España el 30 de julio de 1990 (BOE de 10 noviembre). — Convención Interamericana sobre exhortos o cartas rogatorias, hecha en Panamá el 30 de enero de 1975. Ratificada por España el 22 de junio de 1987 (BOE de 15 agosto). — Tratado de Extradición y Asistencia Judicial en materia penal entre España y Argentina, de 3 de marzo de 1987, y Canje de Notas de 12 y 20 de febrero de 1991 (BOE de 22 mayo). — Convenio Iberoamericano sobre el Uso de la Videoconferencia en la Cooperación Internacional entre Sistemas de Justicia, hecho en Mar del Plata el 3 de diciembre de 2010.

(38) Véanse BARRIENTOS PACHO, J.M.ª (Director), *La nueva ley para la eficacia en la Unión Europea de las resoluciones de embargo y aseguramiento de pruebas en procedimientos penales*, Madrid 2007. CALAZA LÓPEZ S., *El procedimiento europeo de detención y entrega*, Madrid 2005. CASTILLEJO MANZANARES R., *Procedimiento español de emisión y ejecución de una orden Europea de detención y entrega*, Pamplona 2005. DIAGO DIAGO, M. DEL P., *La obtención de pruebas en la unión Europea*, Cizur Menor 2003. MARCOS FRANCISCO D., *Orden Europea de detención y entrega*, Valencia 2008. PÉREZ CEBADERA M.ªA., *La nueva extradición europea: la orden de detención y entrega*, Valencia 2008. RODRÍGUEZ SOL, L., «El nuevo convenio de asistencia judicial en materia penal entre los estados miembros de la UE», *La Ley* n.º 5244, 2001. DE MIGUEL ZARAGOZA J.M., «La cooperación judicial en el T. VI del Tratado de Ámsterdam», *BIMJ* n.º 1807. CHOCLÁN MONTALVO J.A., «Hacia la unificación del Derecho Penal comunitario. El corpus Iuris europeo», *La Ley* n.º 4475, 1998. GONZÁLEZ MONTES J.L., «La cooperación judicial internacional en el ámbito del proceso penal», *RDP* 1996, n.º 1.

La eficacia de los acuerdos citados, a pesar de su importancia, no deja de estar limitada a determinadas cuestiones. Es por ello que a partir del Tratado de Ámsterdam y, especialmente, del Consejo Europeo de Tampere de 1999 se acordó que la cooperación judicial debía fundarse en el principio de reconocimiento mutuo de las resoluciones judiciales emitidas en los estados miembros, a cuyo efecto el Consejo adoptó el 29 de noviembre de 2000 un programa de medidas destinado a hacer efectivo ese principio. En este marco se han aprobado, entre otros, los siguientes instrumentos legales:

1.°) El Convenio de asistencia judicial en materia Penal entre los Estados miembros de la Unión Europea hecho en Bruselas el 29 de mayo de 2000, que tiene por finalidad la prestación de auxilio judicial y la ejecución de peticiones de extradición[39].

2.°) El Convenio 185 del Consejo de Europa de 23 de noviembre de 2001 sobre Ciber crimen. Este es un Convenio específico, que no impide la aplicación de los Convenios generales y que se refiere, entre otras cuestiones, a la obtención de pruebas electrónicas[40].

3.°) Decisión Marco del Consejo de la Unión sobre la Orden Europea de detención y entrega, de 13 de junio de 2002 (2002/584/JAI), que se introdujo en el derecho español por la Ley 3/2003, posteriormente derogada por la Ley 23/2014.

4.°) Decisión Marco del Consejo de la Unión Europea de 22 de julio de 2003, sobre ejecución de las resoluciones de embargo preventivo de bienes y de aseguramiento de pruebas (2003/577/JAI)[41].

---

(39)   Entre las principales novedades que incluye el convenio se halla la de la inversión de la norma general del Convenio de 1959 que prevé que la práctica de las comisiones rogatorias se producirá según las normas del Estado requerido. Por otra parte, se mantiene la norma general establecida en el Convenio de Schengen de trasmisión directa entre autoridades judiciales y, en caso de urgencia, por conducto de la INTERPOL. También pueden tramitarse por la Europol creada en el Convenio de 26 de julio de 1995. A efectos prácticos la norma más novedosa es la que se refiere a la admisibilidad y práctica del procedimiento de videoconferencia que está previsto en el art. 10 del Convenio; e incluso por conferencia telefónica (art. 11). Existe un Protocolo adicional de fecha 16 de octubre de 2001 en el que se prevén las solicitudes de información bancaria de uno a otro Estado miembro cuando se trate de un delito grave castigado con penas superiores a cuatro años como es el caso de los delitos de Trata de seres humanos.

(40)   A este respecto, la normativa europea permite a una autoridad judicial solicitar a otra de otro Estado miembro la intervención de las comunicaciones, ya que no está excepcionada tal posibilidad. A este respecto la Recomendación R (85) 10 del Comité de Ministros del Consejo de Europa estableció no obstante que podría denegarse esta diligencia entre otras razones, cuando la interceptación no estuviere justificada conforme a la legislación del Estado requerido. También resultan de aplicación a esta materia Las Recomendaciones R (95) 13, R (81) 29 y R (89) 9 del Comité de Ministros del Consejo de Europa referentes las tecnologías de la Información, armonización de legislaciones en relación con la prueba escrita y la admisibilidad de reproducción de documentos y archivos informáticos y sobre criminalidad informática.

(41)   Este instrumento tiene por finalidad permitir que la autoridad judicial del Estado de origen adopte una resolución acordando la realización de un embargo provisional en otro Estado miembro, de aquellos bienes que bien vayan a ser objeto de un ulterior comiso, o bien vayan a ser utilizados como prueba en juicio. Su incorporación al Derecho español se efectuó a través de la Ley 18/2006, de 5 de junio, para la eficacia en la Unión Europea de las resoluciones de embargo y aseguramiento de pruebas en procedimientos penales, posteriormente derogada por la Ley 23/2014.

5.º) Decisión Marco 2005/214/JAI, de 24 de febrero de 2005, relativa a la aplicación del principio de reconocimiento mutuo de sanciones pecuniarias[42].

6.º) Decisión Marco del Consejo de la Unión Europea de 21 de noviembre de 2005 relativa a los intercambios de información entre los registros de antecedentes penales (2005/876/JAI).

7.º) Decisión Marco del Consejo de la Unión Europea de 6 de octubre de 2006 relativa a la aplicación del principio de reconocimiento mutuo de resoluciones de decomiso (2006/783/JAI). Esta ley se introdujo en nuestro ordenamiento jurídico por la Ley 4/2010, de 10 de marzo, posteriormente derogada por la Ley 23/2014.

8.º) Decisión Marco 2008/909/JAI, de 27 de noviembre de 2008, relativa a la aplicación del principio de reconocimiento mutuo de sentencias en materia penal por las que se imponen penas u otras medidas privativas de libertad a efectos de su ejecución en la Unión Europea. Esta decisión tiene por objeto permitir que una resolución condenatoria por la que se impone a una persona física una pena o medida privativa de libertad sea ejecutada en otro Estado miembro cuando ello contribuya a facilitar la reinserción del condenado.

9.º) Decisión Marco 2008/947/JAI, de 27 de noviembre de 2008, relativa a la aplicación del principio de reconocimiento mutuo de sentencias y resoluciones de libertad vigilada con miras a la vigilancia de las medidas de libertad vigilada y las penas sustitutivas, que permite transmitir a otro Estado miembro distinto del de la condena la responsabilidad de vigilar el cumplimiento por el condenado de las medidas de libertad vigilada o de las penas sustitutivas previamente impuestas en el primero.

10.º) Decisión Marco 2008/978/JAI, de 18 de diciembre de 2008, relativa al exhorto europeo de obtención de pruebas para recabar objetos, documentos y datos destinados a procedimientos en materia penal, que consiste en una resolución judicial emitida por la autoridad competente de un Estado miembro con objeto de recabar objetos, documentos y datos de otro Estado miembro para su uso en un proceso penal.

11.º) Decisión Marco 2009/299/JAI, de 26 de febrero de 2009, por la que se modifican las Decisiones Marco 2002/584/JAI, 2005/214/JAI, 2006/783/JAI, 2008/909/JAI y 2008/947/JAI. Se trata de un instrumento legal destinado a reforzar los derechos procesales de las personas y a propiciar la aplicación del principio de reconocimiento mutuo de las resoluciones dictadas a raíz de juicios celebrados sin comparecencia del imputado.

12.º) Decisión Marco 2009/829/JAI, de 23 de octubre de 2009, relativa a la aplicación, entre Estados miembros de la Unión Europea, del principio de reconocimiento mutuo a las resoluciones sobre medidas de vigilancia como sustitución

---

(42)   Tiene por finalidad permitir al Estado requirente acudir a la autoridad judicial del Estado en que la persona obligada al pago de una sanción pecuniaria derivada de la comisión de una infracción penal (o administrativa en determinados casos) tuviera elementos patrimoniales, obtuviera ingresos o tuviera su residencia habitual, para ejecutar dicha sanción. La transposición de esta norma a nuestro Derecho se realizó mediante la Ley 1/2008, de 4 de diciembre, para la ejecución en la Unión Europea de resoluciones que impongan sanciones pecuniarias y la LO 2/2008, de 4 de diciembre, de modificación de la LOPJ.

de la prisión provisional, que permite supervisar a las autoridades judiciales de un Estado miembro aquellas resoluciones adoptadas en un proceso penal celebrado en otro Estado miembro por las que se imponga a una persona física una o más medidas de vigilancia de la libertad provisional.

13.°) Directiva 2011/99/UE, de 13 de diciembre de 2011, sobre la orden europea de protección. Esta Directiva, que se incorporó al derecho español por la Ley 23/2014, tiene por objeto extender la protección que a través de las medidas pertinentes haya impuesto la autoridad competente de un Estado miembro para proteger a una persona contra posibles actos delictivos de otra, al territorio del Estado miembro al que se desplace esa persona para residir o permanecer durante un determinado período de tiempo.

Estos instrumentos de cooperación jurisdiccional se completan con otros como son la red judicial europea y Eurojust, a los que se puede dirigir cualquier órgano judicial o fiscal para solicitar asistencia o auxilio, cuando lo consideren necesario para la correcta ejecución de un acto de cooperación judicial en el ámbito de la Unión, o específicamente en la emisión o ejecución de una orden europea[43]. Por su parte, la Red Judicial Europea está compuesta por especialistas en cooperación judicial internacional que actúan como intermediarios para facilitar la cooperación entre las autoridades judiciales de los Estados miembros de la Unión Europea, prestando asistencia a los órganos jurisdiccionales y a los fiscales que lo reclamen para la correcta remisión y eficaz cumplimiento de las solicitudes de cooperación jurisdiccional internacional. A este objeto: informan, asesoran y coordinan las actuaciones en esta materia. La Red Judicial Europea se organiza en España en dos redes internas: La Red Judicial Española de Cooperación Judicial Internacional (REJUE), regulada por el art. 76 bis del Reglamento del Consejo General del Poder Judicial 5/1995[44]; y la Red de Fiscales de Cooperación Judicial Internacional, regulada por la Instrucción de la Fiscalía General del Estado 2/2003[45].

B) *El reconocimiento mutuo de resoluciones penales en la Unión Europea: La Ley 23/2014. La orden Europea de detención y entrega*

La cooperación judicial penal en la Unión Europea se fundamenta, esencialmente, en el principio de reconocimiento mutuo de resoluciones judiciales entre los

---

(43) Eurojust es un órgano de la Unión europea, creado con fecha de 28 de febrero de 2002 por Decisión del Consejo de la Unión, constituido por Jueces y Magistrados, Fiscales y Policías de los estados miembros de la Unión que ejercen funciones de coordinación, cooperación e investigación de los procesos penales relacionados con la criminalidad organizada en los Estados miembros de la Unión.

(44) La REJUE está compuesta por 62 Magistrados especializados (30 en materia civil y 32 en materia penal), que se distribuyen por todo el territorio nacional. El Servicio de Relaciones Internacionales del Consejo General del Poder Judicial es el responsable de la coordinación de la Red y de su adecuado funcionamiento.

(45) Existe como mínimo un punto de contacto de la red en cada Fiscalía, que tiene la función de facilitar los contactos directos de la Fiscalía con las autoridades judiciales internacionales cuando dichos contactos fueran necesarios para la ejecución o la elaboración de una petición de auxilio judicial internacional.

estados miembros de la Unión Europea. De modo que las decisiones que se adopten en las distintas materias que pueden ser objeto de resolución en el proceso penal sean reconocidas y ejecutadas en los otros Estados miembros, salvo cuando concurra alguno de los motivos que permita denegar su reconocimiento. Así está previsto en el art. 82 del Tratado de Funcionamiento de la Unión Europea que establece el principio jurídico del reconocimiento mutuo en el que se basa la cooperación judicial en materia penal.

La tradición legal en España había sido aprobar leyes distintas para materias de cooperación distintas. Así se distinguía, por ejemplo, entre la orden de detención, la de protección o el decomiso que se regulaban en distintas leyes. Este proceder ha cambiado a partir de la Ley 23/2014 que regula distintas materias, que hasta la aprobación de la Ley se hallaban en leyes distintas, partiendo del principio común a todas ellas que es el del reconocimiento mutuo de las resoluciones judiciales. Precisamente, en la exposición de motivos de la Ley se dice que: *«la presente Ley da por amortizada la técnica de la incorporación individual de cada decisión marco o directiva europea en una ley ordinaria y su correspondiente ley orgánica complementaria, y se presenta como un texto conjunto en el que se reúnen todas las decisiones marco y la directiva aprobadas hasta hoy en materia de reconocimiento mutuo de resoluciones penales. Incluye tanto las ya transpuestas a nuestro Derecho como las que están pendientes, evitando la señalada dispersión normativa y facilitando su conocimiento y manejo por los profesionales del Derecho. Además, se articula a través de un esquema en el que tiene fácil cabida la incorporación de las futuras directivas que puedan ir adoptándose en esta materia».* La finalidad última de la ley es mejorar el conocimiento y aplicación de la legislación en esta materia sirviendo: *«como un instrumento integrador que, además de dar cumplimiento a las obligaciones normativas europeas, responde al compromiso de mejora de la cooperación judicial penal en la Unión Europea y la lucha contra la criminalidad, garantizando la seguridad y los derechos de los ciudadanos como fin irrenunciable del Estado».*

La Ley 23/2014 regula distintos instrumentos que se relacionan en su art. 2. Estos son los siguientes: a) La orden europea de detención y entrega. b) La resolución por la que se impone una pena o medida privativa de libertad. c) La resolución de libertad vigilada. d) La resolución sobre medidas de vigilancia de la libertad provisional. e) La orden europea de protección. f) La resolución de embargo preventivo de bienes o de aseguramiento de pruebas. g) La resolución de decomiso. h) La resolución por la que se imponen sanciones pecuniarias. i) El exhorto europeo de obtención de pruebas. Cada uno de estos instrumentos se regula detalladamente en la Ley, que se fundamenta en distintas Directivas y Decisiones marcos de la Unión Europea, a partir de los principios del reconocimiento mutuo y la comunicación directa con la autoridad judicial competente del Estado de ejecución, a través de cualquier medio que deje constancia escrita en condiciones que permitan acreditar su autenticidad (arts. 8 y 16 Ley 23/2014). El reconocimiento mutuo y ejecución de las órdenes europeas de protección se efectuará siempre con control de la doble tipificación (art. 20.3 Ley 23/2014). Ahora bien, ese control no será aplicable a los delitos que la propia Ley enumera en el art. 20.1 y 2 que podemos decir que incluyen todas las modalidades ordinarias de tipicidad penal.

Los principales instrumentos regulados en la Ley son los siguientes:

a) La orden europea de detención y entrega

Se trata de: «... *una resolución judicial dictada en un Estado miembro de la Unión Europea con vistas a la detención y la entrega por otro Estado miembro de una persona a la que se reclama para el ejercicio de acciones penales o para la ejecución de una pena o una medida de seguridad privativas de libertad o medida de internamiento en centro de menores*» art. 34 Ley 23/2014. También puede solicitarse la entrega y traslado temporal de la persona reclamada para: «... el ejercicio de acciones penales contra él, sin que sea posible para que el reclamado cumpla en España una pena ya impuesta .../... para llevar a cabo la práctica de diligencias penales o la celebración de la vista oral» (art. 43 Ley 23/2014). Pueden emitir una orden europea de detención y entrega el Juez o Tribunal que conozca de la causa en la que proceda tal tipo de órdenes. Por su parte, la autoridad judicial competente para ejecutar una orden europea de detención será el Juez Central de Instrucción de la Audiencia Nacional. Cuando la orden se refiera a un menor la competencia corresponderá al Juez Central de Menores (art. 35 Ley 23/2014).

El sistema funciona con base en la simplicidad del procedimiento. A saber, el Juez expedirá la Orden de detención que comunicará directamente, a la autoridad de ejecución competente según el país de que se trate, por cualquier medio fiable que permita dejar constancia de la autenticidad de la Orden de detención. A saber: correo certificado, fax, correo electrónico u otras vías de comunicación. En caso de duda la autoridad de ejecución, receptora de la orden, deberá ponerse en contacto con la autoridad de emisión al efecto de su solución. A este fin se podrá recurrir a todos los instrumentos europeos de cooperación judicial disponibles: Magistrados de enlace, red judicial europea de puntos de contacto y Eurojust. La Orden europea se podrán expedir en español (sin perjuicio de que sea conveniente que vaya acompañada de traducción al idioma oficial del Estado de ejecución o al idioma aceptado por el país receptor (de ejecución) (arts. 17 y 18 Ley 23/2014), y contendrá la siguiente información: «*a) La identidad y nacionalidad de la persona reclamada. b) El nombre, la dirección, el número de teléfono y de fax y la dirección de correo electrónico de la autoridad judicial de emisión. c) La indicación de la existencia de una sentencia firme, de una orden de detención o de cualquier otra resolución judicial ejecutiva que tenga la misma fuerza prevista en este Título. d) La naturaleza y tipificación legal del delito. e) Una descripción de las circunstancias en que se cometió el delito, incluidos el momento, el lugar y el grado de participación en el mismo de la persona reclamada. f) La pena dictada, si hay una sentencia firme, o bien, la escala de penas que establece la legislación para ese delito. g) Si es posible, otras consecuencias del delito*» (art. 36 Ley 23/2014).

b) La Orden europea de protección

Consiste en una: «*resolución en materia penal dictada por una autoridad judicial o equivalente de un Estado miembro en relación con una medida de protección que faculta a la autoridad competente de otro Estado miembro para adoptar las medidas oportunas a favor de las víctimas o posibles víctimas de delitos que puedan poner en peligro su vida, su integridad física o psicológica, su dignidad, su libertad individual o su integridad sexual, cuando se encuentren en su territorio»* (art. 130.1 Ley 23/2014). La orden de protección puede tener por objeto las medidas impuestas cautelarmente en un proceso penal como respecto de las penas privativas de derechos, siempre que consistan en: *«a) La prohibición de entrar o aproximarse a determinadas localidades, lugares o zonas definidas en las que la persona protegida reside o que frecuenta. b) La prohibición o reglamentación de cualquier tipo de contacto con la persona protegida, incluidos los contactos telefónicos, por correo electrónico o postal, por fax o por cualquier otro medio. c) O la prohibición o reglamentación del acercamiento a la persona protegida a una distancia menor de la indicada en la medida»* (art. 130.2 Ley 23/2014).

c)   Resolución de embargo preventivo de bienes y de aseguramiento de pruebas

Este instrumento legal tiene por finalidad solicitar el sometimiento de bienes, sitos en otro estado de la UE, que pudieran ser sometidos a decomiso o utilizarse como medios de prueba. A este fin los tribunales españoles, y recíprocamente los de cualquier estado de la UE, podrán solicitar el embargo de: *«cualquier tipo de bien, sea material o inmaterial, mueble o inmueble, así como con los documentos acreditativos de un título o derecho sobre ese bien, de los que la autoridad judicial del Estado de emisión considere que constituyen el producto de una infracción o los instrumentos u objetos de dicha infracción»* (art. 143 Ley 23/2014).

d)   Resoluciones de decomiso

Mediante este instrumento se notifica a los tribunales de otro estado miembro la imposición de una sanción o medida firme a raíz de un procedimiento relacionado con una o varias infracciones penales, que tiene como resultado la privación definitiva de bienes. La resolución judicial de decomiso puede afectar a cualquier tipo de bienes, ya sean materiales o inmateriales, muebles o inmuebles, así como a los documentos con fuerza jurídica u otros documentos acreditativos de un título o derecho sobre esos bienes respecto de los cuales el órgano jurisdiccional del Estado de emisión haya decidido que se hallan sometidos a las responsabilidades derivadas de un proceso penal (art. 157 Ley 23/2014).

e)   Exhorto europeo de obtención de pruebas

Con este instrumento legal se persigue recabar objetos, documentos y datos de otro Estado miembro para su uso en un proceso penal. El exhorto podrá comprender: *«objetos, documentos o datos que ya obren en poder de la autoridad de ejecución, así como cualquier otro objeto, documento o dato que la autoridad de ejecución descubra durante su ejecución cuando, sin mediar otras investigaciones complementarias, los considere relevantes para el procedimiento para el cual fue emitido y así lo declare»* (art. 186 Ley 23/2014). Los antecedentes penales no son objeto de este instrumento, en tanto que no pueden considerarse pruebas, por lo que se rigen por un régimen específico de transmisión.

MODELOS

M. 39. Escrito solicitando la aclaración de sentencia

Asunto [.../...]

Juicio [.../...]

AL JUZGADO DE LO PENAL

[.../...] Procurador de los Tribunales en representación de [.../...], según tengo acreditado en los presentes autos, como mejor proceda en Derecho, DIGO:

Que al amparo de lo previsto en el art. 267.2 LOPJ, solicito, dentro de tiempo hábil, la ACLARACIÓN de la sentencia dictada por éste Juzgado de lo Penal, en los autos referenciados al margen, con base en las siguientes CONSIDERACIONES.

1. Que en el día [.../...] recayó sentencia en las presentes actuaciones cuya parte dispositiva concluye absolviendo a mi representado de la acusación que frente a él dirigió la Acusación y el Ministerio Fiscal; mientras que se condenaba al coimputado Sr. [.../...]

2. En el fundamento jurídico [.../...], se declara que procede la imposición de costas a ambos acusados que deberán sufragar las costas propias y las de la acusación particular, incluyendo a mi representado, que si bien compareció en el procedimiento en calidad de querellado resultó finalmente absuelto en la sentencia dictada, sin que ninguna referencia se haga a condena alguna en el Fallo, lo que evidencia una contradicción que procede subsanar.

Por lo expuesto,

SUPLICO AL JUZGADO: Tenga por presentado el presente escrito, con el justificante de entrega de copias, lo una a autos y aclare la sentencia en lo relativo al pronunciamiento en costas.

En [.../...] a [.../...] de [.../...] de [.../...]

(Firma Abogado)   (Firma Procurador).

DILIGENCIA DE PRESENTACION.

M. 40. Auto resolutorio de la aclaración solicitada

AUTO

En [.../...] a [.../...] de [.../...] de [.../...]

Dada cuenta, y

HECHOS

ÚNICO. El Procurador [.../...] presentó escrito solicitando aclaración de la sentencia recaída en las presentes actuaciones ya que [.../...] (breve resumen de los solicitado en el escrito).

461

FUNDAMENTOS DE DERECHO.

ÚNICO. El art. 267.2 LOPJ establece que se podrán corregir, ya instancia de parte o incluso de oficio, los conceptos oscuros, rectificar errores o suplir omisiones, y en el caso examinado se advierte que [.../...] (*para razonar la aclaración*).

PARTE DISPOSITIVA

Ha lugar a la aclaración de la resolución recaída en las presentes actuaciones, rectificando el pronunciamiento de costas establecido en la parte dispositiva de la resolución en el sentido de que deben imponerse únicamente al acusado D. [.../...] que resultó condenado en el procedimiento de autos y no al coimputado que resultó absuelto.

Contra la presente resolución procede el recurso de apelación dentro del cinco días siguientes a su notificación (*Serán los mismos que se puedan interponer contra la sentencia definitiva*).

(Firma Juez) (Firma Letrado de la Administración de Justicia)

NOTIFICACION. A las partes personadas.

M. 41.   Cédula de notificación

El Juez de Instrucción de este Juzgado, en relación con las Diligencias Previas núm. [.../...] que se siguen contra [.../...], ha dictado la siguiente providencia: [.../...] [*se transcribirá la providencia*].

Y para notificar esta providencia a [.../...] expido la presente en [.../...]

A [.../...] de [.../...] de [.../...]

M. 42.   Diligencias para la práctica de la notificación

Hago constar por la presente, que hallado [.../...] le he leído íntegramente la providencia comprendida en la presente cédula, entregándole copia literal. Hechas las prevenciones legales pertinentes, firma conmigo la presente diligencia [se expresará aquí si no quiere o no puede firmar y los testigos].

Notificado   Agente Judicial

Cuando la cédula se entregara a persona distinta del notificado, se hará constar lo siguiente:

«Para hacer constar que constituido en el domicilio de [.../...] ., sito en [.../...] y no hallándole presente y sí a [.../...], le entregué a éste copia de la resolución, con la advertencia de la obligación que tiene de entregársela inmediatamente que regrese a su domicilio con los apercibimientos legales oportunos y en prueba de ello firma la presente. Doy fe.»

Debe tenerse presente que el art. 281.2 LOPJ deroga la prevención del art. 171.2 LECrim., ya que la fe pública del Letrado de la Administración de Justicia no precisa la intervención de testigos si dicha diligencia la practicase dicho funcionario. La STC 37/1990, de 1 marzo, entiende que dicho precepto sólo resulta aplicable a las notificaciones realizadas por el Letrado de la Administración de Justicia. En cambio, en los supuestos de delegación en el personal auxiliar subsiste la obligación establecida en el precepto mencionado.

M. 43. Notificación personal en estrados

Al día siguiente (1) notifiqué la anterior resolución por lectura íntegra y entrega de copia literal autorizada y comprensiva de este asunto a [.../...], firmando conmigo, de lo que doy fe (2).

Firma del notificado y del Letrado de la Administración de Justicia

(1) En todo caso, se expresará el día en que efectivamente se lleve a cabo la notificación.

(2) El art. 248.4 LOPJ prevé que al notificar la resolución se indicará si es firme o no, los recursos que proceden, órgano ante el que debe interponerse y plazo para ello.

M. 44. Providencia acordando citación por correo certificado

PROVIDENCIA JUEZ

En [.../...], a [.../...] de [.../...] de 20[.../...]

[.../...] y llévese a cabo por medio de correo certificado, de conformidad con el art. 166 LECrim.

Lo manda y firma el Sr. D. [.../...], Juez de Instrucción de [.../...], doy fe.

(Firma del Juez) (Firma del Letrado de la Administración de Justicia)

DILIGENCIA. Seguidamente se cumple lo acordado, uniéndose copia de la remitida en el sobre enviado por correo certificado, doy fe.

Recibido el acuse de recibo, se unirá a los autos.

M. 45. Cédula de citación

Como modelo de cédula de citación comprensiva de todos los casos posibles, y que además expresa los derechos y obligaciones del receptor de la citación, podrá redactarse el siguiente:

463

JUZGADO DE INSTRUCCIÓN Núm. [.../...] DE [.../...]

El Juez de Instrucción ha acordado en resolución dictada en el día de la fecha en el procedimiento abajo indicado, que se le cite a Vd. para que se presente en este Juzgado, sito en [.../...] ., el día [.../...], hora [.../...] y al objeto que se expresa a continuación, advirtiéndole de los perjuicios legales establecidos en caso de no hacerlo.

En [.../...], a [.../...] de [.../...] de 20[.../...]

El Letrado de la Administración de Justicia

PROCEDIMIENTO NÚM. [.../...]

sobre [.../...]

Sr. D. [.../...]

En [.../...]

M. 46. Notificación y emplazamiento

En el mismo día (1) notifiqué la anterior resolución por lectura íntegra y entrega de copia por mí autorizada a los procesados [.../...] y [.../...] emplazándoles para que en el término de [.../...] días comparezcan ante la Audiencia Provincial para hacer uso de sus derechos (2).

Firma de los procesados y del Letrado de la Administración de Justicia

(1) O bien: el día que se trate.

(2) Normalmente se efectuará designación de Abogado y Procurador por los procesados, haciéndose constar la designación a continuación.

M. 47. Requerimiento

En [.../...], a [.../...] de [.../...] de 20[.../...]

Teniendo a mi presencia al (procesado, inculpado) [.../...] le requiero en legal forma a fin de que en el término de una audiencia preste fianza en cuantía de [.../...] apercibiéndole de que en otro caso se procederá el embargo de sus bienes en cuantía suficiente para cubrir dicha suma; y enterado manifiesta: [.../...]

Firma del Letrado de la Administración de Justicia y del requerido

M. 48. Exhorto

D. [.../...], Juez de Instrucción del Juzgado núm. [.../...] de [.../...], al de igual clase de [.../...], atentamente saluda y participa:

Que este Juzgado se sigue procedimiento [especificar clase y número] contra [.../...] por un supuesto delito de [.../...], en el que se ha acordado dirigirle el presente para que practique las diligencias que intereso y una vez debidamente cumplimentadas me lo devuelva a la mayor brevedad posible.

En [.../...], a [.../...] de [.../...] de 20[.../...]

El Juez de Instrucción   El Letrado de la Administración de Justicia

DILIGENCIAS QUE SE INTERESAN [.../...] . [.../...] . [.../...] . [.../...]

M. 49. Providencia acordando la comisión rogatoria

PROVIDENCIA JUEZ SR. [.../...]

En [.../...], a [.../...] de [.../...] de [.../...]

Dada cuenta. Por recibido el anterior escrito, únase a las Diligencias Previas de su razón, y como se pide, se procede a librar exhorto a la Autoridad Judicial competente de [.../...], para que se tramite por conducto del Sr. Presidente del Tribunal Superior de Justicia de [.../...] y se remita por el Ministerio de Justicia de España al Ministerio de Justicia de [.../...]

Lo manda y firma el Sr. D. [.../...], Juez de Instrucción de [.../...] Doy fe.

M. 50. Comisión rogatoria

D. [.../...], JUEZ DE INSTRUCCIÓN DE [.../...] A LA AUTORIDAD JUDICIAL competente de [.../...]

Atentamente saluda y participa:

Que en este Juzgado se sigue procedimiento [.../...] .[especificar clase y número] contra [.../...] por un presunto delito de [.../...], en cuyos autos se ha acordado la práctica de la siguiente diligencia propuesta y admitida: [.../...] [se consignará la diligencia admitida].

Y para que tenga efecto lo acordado, esta Sala tiene el honor de dirigir a esa Autoridad Judicial la presente Comisión Rogatoria por la que en nombre de S.M. el Rey de España (q.D.g.) la exhorta y requiere y en el de este Juzgado se le ruega y encarga sea aceptada y se disponga su diligenciamiento; esperando que una vez verificado la devuelva por el mismo conducto que la reciba con las diligencias practicadas en su cumplimiento, con lo que dispensará a la Administración de Justicia de esta Nación el servicio que es de esperar de las buenas relaciones existentes entre ambos Estados, ofreciéndose este Juzgado para efectuar otro tanto cuando fuera solicitado por esa Autoridad o cualquiera otra de su Nación.

Dado en [.../...], a [.../...] de [.../...] de [.../...]

El Juez   El Letrado de la Administración de Justicia

M. 51. Oficio al Tribunal Superior de Justicia

JUZGADO DE INSTRUCCIÓN DE [.../...]

EXCMO. SR.:

En virtud de lo acordado por [.../...] en el proceso penal [.../...] [especificar clase y número] seguido ante este Juzgado, por un presunto delito de [.../...] ., contra [.../...], y como diligencia propuesta por la parte [.../...], remito a V.E., por si tiene a bien disponer lo procedente para su curso por vía diplomática, Comisión Rogatoria a la Autoridad Judicial de [.../...], a fin de que se practique la admitida a [.../...]

Permítame significar que la parte [.../...], representada por el Procurador [.../...], viene obligada a satisfacer todos los gastos inherentes originados por el curso, cumplimiento y reporte de la expresada Comisión Rogatoria.

En [.../...], a [.../...] de [.../...] de [.../...]

El Juez de Instrucción

EXCMO. SR. PRESIDENTE DEL TRIBUNAL SUPERIOR DE JUSTICIA DE [.../...]

M. 52. Oficio al Ministerio de Justicia

JUZGADO DE INSTRUCCIÓN DE [.../...]

EXCMO. SR.:

En virtud de lo acordado por [.../...], en el proceso penal [.../...] [especificar clase y número] seguido ante este Juzgado por un presunto delito de [.../...] contra [.../...], elevo a la Superior Autoridad de V.E. Comisión Rogatoria dirigida a la Autoridad Judicial de [.../...], a fin de que sea practicada la diligencia solicitada por [.../...]

Me permito significar que la representación [.../...] ., proponente de la diligencia, ha ofrecido y quedado obligada a satisfacer todos los gastos inherentes que se originen por el curso, cumplimiento y reporte de la expresada Comisión Rogatoria.

Lo que participo a V.E. en súplica de que, si a bien lo tiene, ordene lo procedente para su curso por vía diplomática, y en su día devolverla a este Tribunal con lo actuado en su diligenciamiento.

En [.../...], a [.../...] de [.../...] de [.../...]

El Juez de Instrucción

EXCMO. SR. MINISTRO DE JUSTICIA

M. 53. Mandamiento dirigido al Registrador de la Propiedad

D. [.../...], JUEZ DE INSTRUCCIÓN DE [.../...]

AL SR. REGISTRADOR DE LA PROPIEDAD DE [.../...], atentamente saludo y hago saber: Que en la pieza de responsabilidad civil, dimanante de [.../...] (indicar procedimiento o su número) instruido en este Juzgado contra [.../...] sobre [.../...] (indicar el supuesto delito) y en el que se exigen [.../...] Euros para las responsabilidades pecuniarias, se ha dictado la siguiente resolución:

PROVIDENCIA JUEZ

En [.../...], a [.../...] de [.../...] de 20[.../...]

Lo precedente únase al ramo de responsabilidad civil dimanante del [.../...] (indicar procedimiento, procesado o inculpado y supuesto delito); y para llevar a efecto la anotación preventiva del embargo efectuado el [.../...] (indicar el día) sobre [.../...] (indicar tipo de finca embargada y su dirección), propiedad de dicho procesado y para responder de la cantidad de [.../...] Euros que se exigen en el procedimiento, líbrese el oportuno mandamiento por duplicado al Sr. Registrador de la Propiedad de [.../...] con los insertos necesarios y cuando se reciba cumplimentado, dese cuenta.

Lo que manda y firma el Sr. Juez de Instrucción de [.../...], doy fe.

(Firmas Juez y Letrado de la Administración de Justicia).

El local a que se hace referencia en el anterior proveído, según escritura de [.../...] (indicar el negocio jurídico de que se trate) otorgada por [.../...] ante Notario de [.../...] Don [.../...] en [.../...] (fecha de otorgamiento), número del protocolo [.../...], tiene la siguiente descripción [.../...] (detallar la descripción). Figura inscrita en [.../...] el Registro de la Propiedad al [.../...] (indicar tomo, libro, folio, finca e inscripción).

Y para que lo acordado pueda cumplirse y se lleve a efecto la anotación preventiva de embargo, en cuanto a la anterior finca descrita e inscrita en ese Registro de la Propiedad, libro a Vd. el presente mandamiento por duplicado, que cumplirá devolviéndome uno de sus ejemplares, con diligencia de su cumplimiento, para constancia y unión a los autos a que se refiere.

Dado en [.../...], a [.../...] de [.../...] de 20[.../...]

Firma del Juez y del Letrado de la Administración de Justicia

M. 54. Oficio de conducción de presos para asistir a juicio

AUDIENCIA PROVINCIAL DE [.../...]

SECRETARÍA

SECCIÓN [.../...]

La Sección [.../...] de esta Audiencia Provincial, en proveído de fecha de hoy dictado en méritos de la causa anotada al margen, ha acordado remitir a V.S. la presente a fin de que el día [.../...] sea conducido ante este Tribunal el procesado [.../...] al objeto de que pueda asistir [.../...] y una vez llevado a efecto ingresará nuevamente en la Prisión donde se encuentre.

En [.../...] a [.../...] de [.../...] de 20[.../...]

SR. DIRECTOR DEL CENTRO PENITENCIARIO DE DETENCIÓN DE HOMBRES DE [.../...]

SR. COMANDANTE DEL PUESTO DE LA POLICÍA NACIONAL (O GUARDIA CIVIL) DE [.../...]

M. 55. Resolución habilitando las vacaciones judiciales para actuaciones penales no sumariales y urgentes

AUTO

En [.../...], a [.../...] de [.../...] de 20[.../...]

HECHOS

1.º. Las presentes diligencias han dado origen al procedimiento abreviado núm. [.../...] por un delito de [.../...] y tras haberse practicado las pruebas que se estimaron necesarias para esclarecimiento de los hechos y el procedimiento aplicable, han llegado a la fase de juicio oral.

FUNDAMENTOS DE DERECHO

1.º. De conformidad con el art. 131 LEC, y debido a la naturaleza preferente del procedimiento, así como a los perjuicios que podrían derivarse de su paralización durante el mes DE AGOSTO.

VISTOS los procedimientos citados y demás de general aplicación.

PARTE DISPOSITIVA

Se habilita el mes de agosto para la tramitación de la fase de juicio oral del procedimiento abreviado referido en esta resolución.

Contra la presente resolución no cabe recurso.

Así lo manda y firma D. [.../...], Juez de lo Penal de [.../...], doy fe.

DILIGENCIA. Seguidamente se cumple lo acordado, doy fe.

(NOTIFICACION. Al fiscal y a las partes personadas).

M. 56. Orden Europea de detención y entrega

El Modelo de orden Europea de detención europea se contiene en el Anexo I de la Ley 23/2014 de reconocimiento mutuo de resoluciones penales en la Unión Europea. También se contiene en la referida Ley otros modelos de Certificados referidos a la notificación, ejecución y cumplimiento de penas, sanciones y embargos. También se contiene en Modelo de Exhorto europeo para la obtención de pruebas (Anexo XIII).

CAPÍTULO VI
INICIACIÓN DEL PROCESO PENAL

1. Introducción. Formas de iniciación según la clase de delito[1]

El proceso penal se inicia con la recepción o conocimiento de la «notitia criminis» por parte del Juez instructor. Este conocimiento le puede llegar por medio de la querella, denuncia, atestado, o bien de oficio por conocimiento directo de los hechos. El objeto de esta noticia deberá ser necesariamente un hecho que revista los caracteres esenciales del delito subsumible en uno de los tipos especificados en el Código Penal o en las leyes penales especiales.

Iniciado un procedimiento penal con base en una «notitia criminis» pueden, posteriormente, aparecer indicios de otros delitos distintos. Este será el caso, por ejemplo, del descubrimiento casual de delitos durante la práctica de diligencias de prevención de la policía. En estos casos, se abrirá otro procedimiento penal distinto al efecto de esclarecer los hechos.

> «... que la instrucción en cuyo seno fue adoptado el Auto judicial de entrada y registro hubiera nacido de una *notitia criminis* procedente de un sumario distinto, y a raíz de una conversación telefónica interceptada al indagar otro delito, como era el de tráfico de drogas, no conlleva su invalidez. Que se estén investigando unos hechos delictivos no impide la persecución de cualesquiera otros hechos delictivos distintos, que sean descubiertos por casualidad al investigar aquéllos. Los funciona-

---

(1) Vid. Bibliografía general. Vid., también, FERNÁNDEZ LÓPEZ, «Nuevo panorama de los delitos perseguibles de oficio y de los delitos perseguibles sólo a instancia de parte», *RDProc.*, 1979, p. 345; GIMENO SENDRA, *La querella*, Barcelona, 1977; GONZÁLEZ VICENTE, «La denuncia condicionante y sus efectos en el orden material y procesal», *PJ*, n.º especial XII, 1990; HERNÁNDEZ HENRÍQUEZ, «Garantías del justiciable e inadecuada iniciación en el proceso penal por delitos públicos y semipúblicos», *RDProc.*, 1963, p. 97; MAGALDI PATERNOSTRO, «Aspectos esenciales de la acusación y denuncia falsa», *ADP*, enero-abril 1987, pp. 37-72; PRIETO CASTRO, «La acción penal y la querella», en *Trabajos y orientaciones de Derecho procesal*, Madrid, 1964, p. 608; QUINTANO RIPOLLES, «Naturaleza sustantiva y procesal de la querella privada», *RDProc.*, 1952; RODRÍGUEZ MASCARELL, J. R, «Las diligencias indeterminadas: a falta de una adecuada regulación de la materia», *PJ*, 1995, n.º 37, pp. 213 y ss.; TORRES ROSELL, *La denuncia en el proceso penal*, Madrid, 1991.

rios de policía tienen siempre el deber de poner en conocimiento de la autoridad penal competente los delitos de que tuvieren conocimiento, practicando incluso las diligencias de prevención que fueran necesarias por razón de urgencia, tal y como disponen los arts. 259 y 284 LECrim. y ha declarado la jurisprudencia del Tribunal Supremo (Sentencias del TS de 7 de junio de 1993, 15 de julio de 1993, 28 de abril de 1995 y 4 de octubre de 1996)». STC 41/1998 de 24 de febrero.

La iniciación del proceso penal se encuentra directamente relacionada con la forma de persecución de los delitos que, a su vez, deriva de su naturaleza. En este sentido, es clásica en Derecho Penal la diferencia entre delitos perseguibles de oficio y los perseguibles sólo a instancia de parte. La regla general, como es bien sabido, es que los delitos sean perseguibles de oficio. Su fundamento resulta obvio en tanto que el *ius puniendi*[2] sólo debe ser ejercitado por el Estado, sin que deba renunciarse tal derecho a disposición de los particulares. Así lo entendió el legislador de 1882, según se desprende de los arts. 105, 271 y 308 LECrim. No obstante, ello no es óbice para que las personas sean o no ofendidas puedan también, en algunos casos, provocar el inicio del proceso penal, obligados unas veces en calidad de denunciantes —art. 259 LECrim.—, y voluntariamente otras interponiendo querella —arts. 101 y 270 LECrim.—.

«La terminología de la LECrim (LA LEY 1/1882) es muy imprecisa al manejar los términos delitos públicos, perseguibles de oficio o a instancia de parte, sometidos a denuncia, acusación privada... Muchas veces hablando de delitos públicos lo hace por contraposición a los que denomina "delitos perseguibles a instancia de parte", es decir los estrictamente privados (arts. 275 (LA LEY 1/1882) o 278 LECrim (LA LEY 1/1882)). La denominación delitos públicos en muchos casos comprende en la norma también a los semipúblicos. Esta categoría, además, ha quedado desdibujada con las sucesivas reformas legales. Ya no es un grupo homogéneo y compacto. Hay delitos privados (injuria y calumnia) y delitos plenamente públicos (perseguibles de oficio y sin posibilidad de perdón). En la zona intermedia nos encontramos con una gradación muy variopinta: desde los delitos cuya única peculiaridad es la exigencia de denuncia, hasta aquellos otros en que además se anudan efectos extintivos al perdón del ofendido, pasando por otros que pueden ser perseguidos por denuncia del ofendido o querella del Ministerio Fiscal; o en los que basta la denuncia del Fiscal (como los abusos sexuales sobre menores). Por eso la interpretación de que la mención del art. 302 LECrim (LA LEY 1/1882) no excluye a los delitos semipúblicos no solo no es extravagante sino que es la más aceptada doctrinalmente (vid. Circular 8/1978 de la Fiscalía General del Estado). Así lo consideraba ya uno de nuestros más clásicos tratadistas en uno de los primeros y más afamados comentarios a la Ley de Enjuiciamiento Criminal (LA LEY 1/1882) cuando ésta llevaba pocos años de rodaje)». STS 290/2014 de 21 Mar. 2014, Rec. 10598/2013, Ponente: Moral García, Antonio del. LA LEY 38974/2014.

---

(2) «... el ejercicio de la acción penal no comporta un derecho incondicionado a la apertura y plena sustanciación del proceso, sino sólo a un pronunciamiento motivado del Juez sobre la calificación jurídica que le merecen los hechos, expresando, en su caso, las razones por las que inadmite su tramitación (STC 148/1987) por lo que tampoco se garantiza el éxito de la pretensión punitiva de quien la ejercita, ni obliga al Estado, titular del ius puniendi, a imponer sanciones penales... En definitiva, en modo alguno puede confundirse el derecho a la jurisdicción penal para instar la aplicación del ius puniendi, que forma parte del derecho fundamental a la tutela judicial efectiva, con el derecho material a penar, de exclusiva naturaleza pública y cuya titularidad corresponde al Estado...». (STC 157/1990, de 18 octubre).

Dentro de los delitos perseguibles sólo a instancia de parte, cabe distinguir entre: 1) delitos perseguibles sólo si media querella del ofendido, y 2) delitos perseguibles previa denuncia del perjudicado. Dentro de este segundo grupo, cabe diferenciar aquéllos en los que resulta necesaria la denuncia de la persona agraviada o de su representante legal (arts. 201 y 267 CP), y los delitos en los que junto a la denuncia del ofendido cabe también la querella del Ministerio Fiscal. Éste el supuesto de los delitos de agresiones, acoso o abusos sexuales (art. 191.1 CP). Estos últimos ilícitos se denominan, según el Tribunal Supremo, delitos semipúblicos.

Se trata de delitos de escasa incidencia en el orden social, aunque con posibles graves efectos para los sujetos privados (calumnia e injuria, de conformidad con el art. 215 CP) En estos supuestos el proceso sólo podrá iniciarse a petición de parte, facultad que opera como condición de procedibilidad.

«… (en) los supuestos de delitos semipúblicos y privados, … el ofendido o sujeto pasivo de la acción delictuosa ostenta, por razones de política criminal (ostenta) el derecho a la no perseguibilidad del delito a través del monopolio de la acción penal…». (STC 40/1994, de 15 febrero; v. también STC 108/1993, de 29 noviembre).

Por tanto, según lo expuesto, y con base en el Código Penal, cabe distinguir en esta materia entre las siguientes clases de delitos atendiendo a la forma de iniciación:

1) Delitos perseguibles de oficio

Es la regla general. Incluye todos los delitos para los que el CP no exige la previa querella o denuncia del ofendido.

2) Delitos perseguibles sólo mediante querella del ofendido

Para los delitos de injuria y calumnia es necesaria la querella de la persona agraviada o de su representante legal, siendo suficiente la denuncia cuando la ofensa se dirija contra funcionario público, autoridad o agente de la misma sobre hechos concernientes al ejercicio de sus cargos. Nótese a tenor de lo establecido en el art. 215.3 CP, que el perdón del ofendido o de su representante legal comporta la exención de la responsabilidad criminal en los términos del art. 130.5 CP.

Asimismo, cuando las injurias o calumnias fueran vertidas en juicio, será necesaria la previa licencia del Juez o Tribunal que de él conociere o hubiere conocido —art. 215.2 CP—[3].

3) Delitos perseguibles previa denuncia de la persona agraviada o de su representante legal

Al optar el legislador por esta vía procesal ha querido simplificar la postura procesal del ofendido, ya que la denuncia le dispensa de los requisitos formales exigidos

---

(3)   Se trata de un condicionante cuya constitucionalidad es admitida en el ATC 102/1986, de 3 diciembre, y la STC 100/1987, de 12 junio, puesto que «… La necesidad de obtener licencia del Juez o Tribunal … es una limitación razonable que opera como garantía del ejercicio efectivo de ese mismo derecho fundamental (tutela judicial efectiva) por parte de terceros. Desde este ángulo, la tutela judicial exige que las alegaciones formuladas en un proceso, que sean adecuadas o convenientes para la propia defensa, puedan resultar constreñidas por la eventualidad incondicionada de una ulterior querella…».

por la querella. También implica el impulso de oficio del proceso y la asunción por el Ministerio Fiscal de la acusación y del sostenimiento de la acción penal —art. 105 LECrim.—, quedando intacto al ofendido su derecho a participar en el proceso en calidad de parte, según se desprende de los arts. 109, 110.1 y, en todo caso, del art. 270 LECrim. Además, conviene señalar que, en estos supuestos, la denuncia no se reduce a una simple declaración de conocimiento, cuyo fin sea poner la «notitia criminis» en conocimiento del Juez, sino que equivale a la exteriorización de un acto volitivo, que tiene como efecto inmediato enervar la condición de procedibilidad (naturalmente esta barrera procesal podría también obviarse mediante la oportuna querella).

En estos casos, se pone de manifiesto el vigente principio de intervención mínima del Derecho Penal que determina que en ciertos supuestos se subordine la iniciación del proceso penal a la previa denuncia del ofendido. Este requisito de procedibilidad viene justificado por la aplicación de la llamada «teoría del doble fundamento», es decir: a) Por la escasa trascendencia del delito o infracción punible, dada la levedad de la infracción y su nula o escasa trascendencia social, y repercusión exclusiva en la esfera privada. b) Porque en determinados delitos los inconvenientes que para el agraviado derivan de la persecución judicial de la infracción deben primar sobre el interés del Estado y por ello se condiciona la perseguibilidad a la previa denuncia por estas razones de oportunidad.

Dentro del primer grupo de delitos respecto a los que cabe iniciar el proceso penal por denunciase incluyen los delitos de descubrimiento y revelación de secretos arts. 197 y ss. CP (salvo en los supuestos del art. 198 CP o cuando afecte a los intereses generales o a una pluralidad de personas en cuyo caso no será necesaria denuncia —art. 201 CP—); los delitos de daños causados por imprudencia grave en cuantía superior a 80.000 euros —art. 267.1 CP—; delitos relativos a la propiedad intelectual e industrial, al mercado o a los consumidores, salvo cuando la comisión del ilícito afecte a los intereses generales o a una pluralidad de personas —art. 287 CP—.

> «El art. 201.2 del C. Penal (LA LEY 3996/1995) dispone que para proceder por los delitos de descubrimiento y revelación de secretos será necesaria la denuncia de la persona agraviada o de su representante legal. Sin embargo, advierte que no será necesaria la denuncia cuando la comisión del delito afecte a los intereses generales o a una pluralidad de personas. Por lo tanto, estamos ante la imposición de un requisito de procedibilidad o de perseguibilidad que permite calificar a estas infracciones penales como semipúblicas (o cuasipúblicas, como también las denomina la doctrina). No son, pues, en principio, delitos públicos y perseguibles de oficio a no ser que se den las circunstancias especiales referidas en el citado precepto. El legislador sopesa, pues, los derechos e intereses de la persona ofendida o agraviada por el delito y los fines preventivos de la pena y del derecho penal, y permite que la iniciativa corresponda al individuo ofendido y no al Ministerio Fiscal cuando aquél estime que la tramitación del procedimiento supone un menoscabo de su dignidad personal que incrementa los perjuicios que ya de por sí le ocasionó la acción delictiva. Sin embargo, esa perseguibilidad privada es desplazada a manos de la acusación pública en el caso de que concurra un interés general relevante o cuando al afectar el delito a una pluralidad de sujetos se pondere que el conjunto de los derechos subjetivos afectados adquieren una transcendencia social que debe tutelarse con la intervención del Derecho penal. En el presente caso la Sala de

instancia consigna en la sentencia que nos hallamos ante uno de esos supuestos exceptuados que prevé el texto legal, por cuanto el acusado realizó, valiéndose de microcámaras de vídeo, captaciones de imágenes de forma clandestina e indiscriminada en tres servicios higiénicos o aseos del colegio de Zaragoza, donde numerosas personas realizaban actos de intimidad corporal apartados de la mirada ajena». STS 917/2016 de 2 Dic. 2016, Rec. 933/2016, Ponente: Jorge Barreiro, Alberto Gumersindo. LA LEY 179319/2016.

Ahora bien, la exención de la denuncia del interesado en el caso del art. 201 CP únicamente puede ser aplicable en el caso de la existencia de una verdadera pluralidad de personas, concepto interpretado por el Tribunal Supremo como algo más que una pluralidad entendida como varios o más de uno:

«*Pluralidad* no es *generalidad*. Pero en el sentido que es usado tal vocablo en este precepto significa algo más que un número plural de afectados. Estrictamente más de uno (dos) ya es un número plural. Pero es obvio que el legislador quiso ir más lejos buscando un concepto no idéntico pero sí similar al de generalidad, en equivalencia que no es ajena a la significación lingüística. La primera acepción de ese término —pluralidad— en el Diccionario de la RAE habla de multitud o número grande. *Pluralidad* indica algo más que varios *unos*. Sería sinónimo de multiplicidad. Nótese que el art. 201 CP (LA LEY 3996/1995) no solo levanta el requisito de la denuncia, sino que, al mismo tiempo y por coherencia, anula la relevancia del perdón de ofendido, tan significativo en hechos afectantes a un bien predominantemente individual como es la intimidad. La no localización de los afectados priva al sujeto activo del delito de esa posibilidad a la que podría llegar a través de un pacto o de mediación. Se hace difícil sostener que si cada uno de esos particulares individualizados hubiesen mostrado su desinterés por perseguir los hechos, la acción penal subsistiría. Cuatro personas no son pluralidad. Y tampoco —lo que ya es menos trascendente pues el otro acusado sí ha sido objeto de condena— nueve personas diferentes, pero afectadas de una forma secuenciada es decir particularizada y no simultánea, pueden considerarse *gran número* de personas. En los supuestos analizados por las SSTS 917/2016, de 2 de diciembre o 694/2003, de 20 de junio (LA LEY 2776/2003) sí podía, sin embargo, hablarse de número elevado de afectados lo que permitía prescindir del requisito de la denuncia. Este caso es esencialmente diferente». STS 201/2017 de 27 Mar. 2017, Rec. 1609/2016; Ponente: Moral García, Antonio del. LA LEY 19117/2017.

Sin embargo, en determinados supuestos como son los previstos en los arts. 201, 267 y 287, cuando el agraviado sea menor de edad, incapaz o una persona desvalida también podrá denunciar en los citados casos el Ministerio Fiscal. Por otra parte, nada impide que requerida la policía judicial a instancia de parte legítima tengan obligación de practicar las diligencias necesarias para su comprobación y descubrimiento de los delincuentes. Concretamente, cuando se trate de delitos relativos a delitos relativos a la propiedad intelectual e industrial la policía judicial podrá realizar las primeras diligencias de prevención sin necesidad de denuncia previa (art. 282.2 LECrim.).

Finalmente, respecto a esta clase de delitos el perjudicado o agraviado puede disponer, en algunos casos, del objeto del proceso, por medio del perdón, como en los supuestos reglados en los arts. 201.3 CP (descubrimiento y revelación de secretos) y 267.3 CP (daños causados por imprudencia grave en cuantía superior a 80.000 Euros).

En un segundo grupo de delitos se hallan los delitos contra la libertad sexual —arts. 178 y ss. CP—, es decir, los de agresiones, acoso y abuso sexual, resulta precisa la denuncia de la persona agraviada o su representante legal. Se trata de un requisito de procedibilidad que admite, no obstante y en razón de la naturaleza de estos delitos, la subsanación. Es decir, que podrá iniciarse el procedimiento de oficio admitiéndose la posterior comparecencia de la parte denunciando los hechos.

> «Los requisitos de procedibilidad como el contemplado en el art. 228 del CP (LA LEY 3996/1995) son presupuestos formales ajenos al delito, de carácter procesal, en virtud de los cuales se deja en manos del particular agraviado la iniciativa para poner en marcha el proceso penal, a diferencia de lo que ocurre con los delitos públicos, que son perseguibles de oficio. El delito, por tanto, existirá, pero el legislador entiende que en atención a las peculiaridades de este tipo de infracciones penales, sin la voluntad del agraviado en la sanción penal, decae el interés general en su persecución. Pero una vez constituida correctamente la relación jurídico procesal, por concurrencia de los requisitos formales establecidos por el legislador, el proceso avanza por sus cauces hasta, llegado el caso, el pronunciamiento de fondo, que ni siquiera cabría evitar, con que tan sólo el Ministerio Fiscal mantuviera la acusación. Por tanto, la concurrencia de este presupuesto debe analizarse al tiempo de formalizarse la denuncia, y si en ese instante, la persona que la interpone ostentaba la cualidad de representante legal del agraviado —cualidad jurídica indiscutible para la denunciante y respecto, al menos, su hija Sabina—, la apertura y prosecución de la causa resulta procesalmente inobjetable (SAP de Barcelona 661/2004, de 28 de junio (LA LEY 151464/2004); SAP de Madrid 294/2003, de 4 de abril (LA LEY 65612/2003); SAP de Asturias 78/2005, de 6 de abril (LA LEY 75489/2005); SAP de Vizcaya 308/2013, de 4 de marzo; SAP de Madrid 129/2012, de 29 de marzo (LA LEY 61783/2012), entre otras), sin que sea correcta la alusión a interpretaciones extensivas que no lo son de una norma penal sustantiva, sino de un presupuesto procesal». SAP de Las Palmas, Sección 1.ª, Sentencia 108/2015 de 28 Abr. 2015, Rec. 35/2015. LA LEY 114719/2015.

Esta denuncia ni siquiera debe constatarse de forma expresa, sino que basta con la posterior actuación de la parte o partes perjudicadas en el curso del procedimiento ya iniciado, colaborando con la investigación judicial del delito ofreciendo datos para el esclarecimiento de los hechos, o mediante su declaración inculpatoria, sin que el perjudicado o su representante legal, en el caso de menores, manifiesten su disconformidad con la continuación del proceso.

> «La previa denuncia es un requisito de procedibilidad para la persecución de estos delitos (art. 191.1.º CP), cuya inexistencia es convalidable. En este sentido la Sentencia de esta Sala de 25 de octubre de 1994 tiene declarado que se trata de un vicio de simple anulabilidad susceptible de convalidación mediante la posterior actuación de la parte o partes perjudicadas. Actitud convalidadora que se da cuando la parte perjudicada comparece en el curso del procedimiento ya iniciado, colaborando a la investigación judicial, al ofrecer en sus manifestaciones datos precisos para el esclarecimiento de los hechos sin mostrar reparo alguno a la continuación del proceso en respuesta al ofrecimiento de acciones que se le hace en la causa». STS 1341/2000 de 20 Nov. 2000, Rec. 2058/1998; Ponente: Prego de Oliver Tolivar, Adolfo. LA LEY 1198/2001.

Precisamente, atendiendo el evidente interés público en la persecución de esta clase de delitos el art. 191.1 CP dispone que cuando la víctima sea menor de edad, incapaz o se trate de una persona desvalida pueda también actuar el Ministerio Fiscal, mediante denuncia. En estos delitos, de conformidad con el art. 191.2 CP, el perdón del ofendido o del representante legal no extingue la acción penal ni la responsabilidad criminal.

> «Hemos declarado que tal requisito, que se corresponde con el art. 443 del anterior Código Penal, se cumple con la denuncia ante un órgano encargado de su persecución, así como con el ofrecimiento de acciones, sin protesta ni reserva, siendo suficiente para entender cumplimentado el requisito de procedibilidad (SSTS 12-2-1986, 10-2-1993, 19-4-2000). La exigencia de este requisito de procedibilidad ha estado presente en los Códigos penales respecto a conductas que agreden la libertad sexual, precisamente por sus derivaciones y por los aspectos críticos que pueden verse afectados por los hechos que se investigan pues el derecho penal, respetuoso con la intimidad y los derechos de la persona, deja en manos del titular de los bienes jurídicos afectados la oportunidad de su persecución exigiendo que sea la persona perjudicada quien actúe inicialmente para la represión del hecho delictivo. Ante menores e incapaces la norma punitiva establece una cadena sucesiva de personas que pueden actuar ese requisito». STS 223/2001 de 12 Feb. 2001, Rec. 1629/1999; Ponente: Martínez Arrieta, Andrés. LA LEY 3393/2001.

En materia de delitos leves también precisan de denuncia previa las amenazas leves (art. 172.7 CP); o los que causen a otro una amenaza, coacción, injuria o vejación injusta de carácter leve —art. 172.ter.4 CP-; las lesiones previstas en los arts. 147 y 152 causadas por imprudencia grave; o cuando por imprudencia leve se causare la muerte o una lesión constitutiva de delito, con o sin uso de vehículo a motor —arts. 147.4 y 152.2 in fine CP-, etc.

Finalmente, téngase en cuenta que la denuncia constituye un requisito de procedibilidad, que no de punibilidad. De este modo, iniciado un proceso penal con base en la imputación de un delito que no exige denuncia previa ninguna nulidad se produce si, finalmente, del delito objeto de la acusación se desglosa un delito leve autónomo que no se calificó inicialmente por entenderse incluida en el delito. En estos casos, la irregularidad de la ausencia de la denuncia previa quedará subsanada, por ejemplo, con la efectiva declaración inculpatoria de la víctima. A mayor abundamiento no cabe exigir el cumplimiento «ad cautelam» de requisitos procesales cuando éstos no resultan necesarios.

> «El juicio oral se abre correctamente por delito de robo con intimidación, por lo que no existe requisito de procedibilidad alguno y la víctima denuncia el hecho en el sentido de los arts. 25 y ss. de la Ley de Enjuiciamiento Criminal de transmitir la "noticia criminis" a quien tiene obligación de proceder. Al condenarse en sentencia, escindiendo el hecho en dos sucesivos, tentativa de robo con fuerza y amenazas, calificadas éstas como falta, no es de recibo imponer el cumplimiento de un requisito de procedibilidad no exigible hasta entonces, salvo a través de un ejercicio de adivinación de la conclusión final del proceso que supone la sentencia, lo que obligaría "ad cautelam" y "a priori" cumplir requisitos en principio no exigibles para proceder, en previsión de soluciones tan indefinidas como la levedad o no de la amenaza, en este caso concreto. Si, aun así, se entendiera que la exigencia de denuncia es, además, un requisito de punibilidad, la declaración de la víctima en el Juicio oral como testigo relatando los hechos habría que entenderla como suficiente a efectos de manifesta-

ción de voluntad, no constando perdón alguno en el plenario y existiendo, además, la previsión del art. 130.4 del Código Penal, que permite la aplicación del régimen de perseguibilidad de las infracciones privadas después de sentencia antes de iniciar la ejecución». STS 1720/2001 de 1 Oct. 2001, Rec. 3177/1999; Ponente: García-Calvo y Montiel, Roberto. LA LEY 172620/2001.

2. Formas de iniciación

El proceso penal se inicia por el Juez de instrucción una vez ha llegado a su conocimiento la «notitia criminis» de la comisión de hechos presuntamente delictivos. En ese caso, el Juez deberá proceder a la averiguación completa y exhaustiva del hecho, a cuyo efecto acordará las oportunas diligencias de instrucción encaminadas a tal fin. Estas diligencias se realizarán en la fase de instrucción que se denomina Diligencias previas en el procedimiento abreviado, y sumario en el procedimiento por delitos graves.

El Juez de instrucción puede conocer de la «notitia criminis» de varios modos. En primer lugar, de oficio, teniendo en cuenta el deber de persecución de los delitos públicos que se impone al Juez (art. 308 LECrim.). En segundo, lugar, y de modo más habitual mediante el atestado policial en el ejercicio de sus funciones de averiguación de los delitos públicos (art. 282 LECrim.). Finalmente, por medio de la denuncia o querella de los ciudadanos haciendo efectivo, según el caso, un deber o un derecho (arts. 259, 100, 110 LECrim.). Todos los casos expuestos constituyen formas de iniciación del proceso penal a las que se atiende a continuación.

A) De oficio

El art. 308 LECrim. dispone que, inmediatamente que los Jueces de instrucción tuvieren noticia de la perpetración de un delito, lo pondrán en conocimiento del Fiscal, salvo cuando se tratase de delitos sujetos al requisito de procedibilidad de la previa querella o denuncia. Por su parte, el art. 303 LECrim. dispone que el sumario puede empezar de oficio o a instancia de parte correspondiendo su formación a los Jueces de Instrucción por los delitos que se cometan dentro de su partido o demarcación respectiva.

Por lo tanto, podrán los Jueces de instrucción iniciar un proceso penal para perseguir el delito cuando hayan tenido conocimiento público —medios de comunicación— o privado de su comisión. Aunque se trata de un modo poco frecuente de iniciar el proceso. También puede iniciarse el proceso de oficio en el caso de los delitos cometidos contra la administración de justicia, tales como falso testimonio o desobediencia. Pero, en ningún caso, el hecho de haber iniciado el proceso penal convierte al Juez en acusador, sino que se limitará a dar traslado de lo incoado al Fiscal para que sostenga, en su caso, la acusación.

Finalmente, debe tenerse en cuenta la distinción apuntada respecto a los distintos modos de iniciación del proceso penal según la clase de delito (Véase § 1.1 de este Capítulo). Con base en esa distinción algunos autores consideran que debe el Juez de instrucción únicamente puede iniciar de oficio el proceso penal cuando se trate de delitos perseguibles de oficio, pero no en el caso de los delitos perseguibles a instancia de parte. Sin embargo, para otra corriente doctrinal no cabe establecer diferencia alguna, sino que el Juez de instrucción iniciará de oficio el proceso penal cuando llegue a su conocimiento la «notitia criminis», directamente, y sin distinguir entre la clase de delito.

En cualquier caso, la LECrim. hace referencia, en sus arts. 106 y 303, a ambas posibilidades, dejando a salvo, en cualquier caso, el principio acusatorio penal, toda vez que el inicio del período de instrucción no supone, en ningún caso, el ejercicio definitivo de la acción penal. Ésta será posteriormente fijada por el Ministerio Fiscal o por el acusador particular. De este modo, y teniendo en cuenta las dificultades de precisar en un primer momento la naturaleza de los hechos delictivos, y la posibilidad de subsanar que siempre le queda a la parte legitimada para ello, cabe entender que el Juez de oficio puede iniciar el proceso penal, sin perjuicio de la posterior presentación de denuncia, incluso de forma tácita declarando en contra del imputado o acusado, en el caso de ciertos delitos que precisan denuncia previa. Así, este criterio resulta de aplicación indudable en el caso, por ejemplo, de los delitos contra la libertad sexual, o cuando la víctima sea menor de edad o incapaz. Sin embargo, en otros supuestos este criterio no resulta de tan clara aplicación.

En el caso de los delitos relativos a la propiedad industrial o intelectual o similares, en razón de su naturaleza. Ahora bien, a nuestro juicio también podrá iniciarse de oficio, siempre que se interponga a posteriori la correspondiente denuncia, en este caso exigible de forma expresa. Un criterio a favor de este argumento se halla en el art. 282.2 LECrim. modificado por la Ley 38/2002 que establece que la ausencia de denuncia no impedirá que la policía judicial practique las diligencias de prevención necesarias para asegurar los delitos relativos a la propiedad intelectual e industrial. Ciertamente, la ley se refiere a la policía judicial, ahora bien entregado el atestado al Juez de instrucción, y a falta de denuncia, éste abrirá diligencias previas o incluso indeterminadas y requerirá al perjudicado a interponer denuncia (véase sobre diligencias indeterminadas § del Capítulo VII). Con base en esa regulación nada impedirá que sea el Juez de instrucción el que de oficio inicie el proceso penal, a los efectos de asegurar aquellos delitos, y por extensión los que requieren denuncia de parte, sometida su continuación a que se interponga denuncia por el perjudicado.

B) Atestados policiales

El proceso penal puede iniciarse mediante el atestado policial que realizará la policía judicial en el ejercicio de las funciones que le atribuye la ley para la averiguación de los delitos públicos que se cometieren en su territorio o demarcación, a cuyo fin practicarán, según sus atribuciones, las diligencias necesarias para comprobarlos y descubrir a los delincuentes; así como recogerá los efectos, instrumentos o pruebas del delito.

También actuarán realizando diligencias de prevención en el caso de ciertos delitos que precisan denuncia de partes: los relativos a la libertad sexual, o cuando intervengan menores. Igualmente en el supuesto de los delitos relativos a la propiedad intelectual e industrial, respecto a los que el art. 282.2 LECrim., modificado por la Ley 38/2002, dispone que aunque no exista denuncia la policía judicial deberá practicar las diligencias de prevención necesarias para asegurar los elementos del delito. Se trata de posibilitar la persecución de la venta en la vía pública de bienes producidos con violación de aquellos derechos de propiedad ante la falta, la mayoría de las veces de denuncia del perjudicado que desconocerá los hechos.

Estas funciones le vienen atribuidas a la policía judicial en los arts. 547 y ss. LOPJ; y en la normativa específica de los Cuerpos y Fuerzas de Seguridad del Estado, establecida por LO 2/1986 de 13 de marzo, y RD 769/1987 de 19 de junio, sobre regulación de la Policía Judicial, y LO 4/2015 de protección de la seguridad ciudadana; así como en los arts. 282 y 769 y ss. LECrim. Con base en esta habilitación legal la policía judicial podrá realizar, por su propia iniciativa, las primeras diligencias de prevención y aseguramiento del delito dando cuenta a la autoridad judicial directamente o a través de las unidades orgánicas de la Policía Judicial (arts. 282, 770 LECrim., 19 LO 1/1992, y 4 RD 769/1987). Téngase presente que dentro del concepto amplio de policía judicial deben incluirse las policías autonómicas y la local, así como el servicio de vigilancia aduanera[4].

«1.º) El art. 283 de la L.E. Criminal no se encuentra derogado, si bien deber ser actualizado en su interpretación. 2.º) El Servicio de Vigilancia Aduanera no constituye policía judicial en sentido estricto, pero **sí en el sentido genérico** del art. 283.1 de la L.E. Criminal, que sigue vigente. Conforme establece la Disposición Adicional Primera de la L.O. 12/1995, de 12 de diciembre, sobre Represión del Contrabando, en el ámbito de los delitos contemplados en el mismo tiene encomendadas funciones propias de Policía Judicial, que debe ejercer en coordinación con otros cuerpos policiales y bajo la dependencia de los Jueces de Instrucción y del Ministerio Fiscal. 3.º) **Las actuaciones realizadas** por el Servicio de Vigilancia Aduanera en el referido ámbito de competencia **son procesalmente válidas**. Los miembros del SVA tienen asimismo la condición legal de colaboradores de las Fuerzas y Cuerpos de Seguridad del Estado con quienes actúan en coordinación, y suelen realizar operaciones conjuntas, especialmente contra el tráfico de drogas». STS 16 JUNIO 2009. Ponente: Monterde Ferrer, Francisco. Núm. de Sentencia: 641/2009. Núm. de Recurso: 10864/2008. LA LEY 125080/2009.

A este respecto el art. 283 LECrim debe interpretarse de un modo amplio y flexible, teniendo en cuenta su redacción decimonónica.

«La jurisprudencia de esta Sala —conforme recuerda la reciente STS 615/2006, 29 de mayo (LA LEY 62774/2006)— ha entendido que *las Policías Locales pueden realizar este tipo de intervenciones en averiguación de los delitos y persecución de*

---

(4) La policía local está limitada además por el territorio en el que presta sus servicios salvo supuestos de urgencia. Ahora bien, ello no significa que los elementos incriminatorios obtenidos fuera de su circunscripción deban siempre considerarse nulos: «Dichos Cuerpos sólo podrán actuar en el ámbito territorial del municipio respectivo, salvo en situaciones de emergencia y previo requerimiento de las Autoridades competentes …/… Sin embargo, ello no obstante, como ya dijo el Tribunal Constitucional, en sus Sentencias 82 y 49/1993, "… no significa que los Agentes Policiales de un determinado municipio que se hallaren fuera de su territorio ante una de tales situaciones, y aun cuando no hubiera mediado requerimiento de la autoridad competente deban inhibirse en la prestación de auxilio o en la realización de las diligencias que procedan según las leyes"». STS de 15 Mar. 2016, N.º 210/2016, Rec. 1437/2015; Ponente: Sánchez Melgar, Julián. LA LEY 15972/2016.

los delincuentes, como colaboradores de la función de Policía Judicial, *carácter que les atribuye la* Ley Orgánica 2/1986 (LA LEY 619/1986).En este sentido, en la STS núm. 533/2005, de 28 de abril (LA LEY 95512/2005), se dice que "la argumentación relativa a la falta de atribuciones de la Policía Local para la persecución de delitos como el enjuiciado, carece de fundamento alguno, como tantas veces hemos tenido ya oportunidad de afirmar, con cita del art. 29.2 de la LO 2/1986 (LA LEY 619/1986), de Fuerzas y Cuerpos de Seguridad del Estado, dado el carácter auxiliar y colaborador de los miembros de tales fuerzas, en concreto para la persecución y represión de infracciones penales, de acuerdo con Resoluciones como la STS de 7 de junio de 2000 ...". En la STS núm. 1334/2004, de 15 de noviembre (LA LEY 239469/2004), se puede leer que "respecto a la validez de la intervención de la Policía Local, nada se opone a su intervención en funciones de Policía judicial, por lo que no es procedente declarar la nulidad de lo actuado"». STS de 15 Mar. 2016, Núm. 210/2016, Rec. 1437/2015; Ponente: Sánchez Melgar, Julián. LA LEY 15972/2016.

Aunque, la competencia de la Policía Local está limitada en virtud de su regulación. Así, conforme con los arts. 29.2, 53.1 LO 2/1986 y 4 RD 769/1987, de 19 de junio que prevén el carácter auxiliar respecto a adoptar diligencias de prevención.

«Lo que el ordenamiento jurídico pide de todo miembro de las Fuerzas y Cuerpos de Seguridad del Estado que, en el ejercicio de sus funciones, tiene conocimiento de la comisión de un hecho ilícito, es que adopte las primeras medidas de prevención (arts. 284 LECrim (LA LEY 1/1882) y 4 del Real Decreto 769/1987)), esto es, una inicial averiguación, recogida de instrumentos y efectos del delito, identificación de los sospechosos y aprehensión de los objetos del delito. Todo ello con el fin de ponerlos a disposición judicial, del Ministerio Fiscal o, como ocurrió en el presente caso, de la policía judicial especializada .../... el art. 29.2 de la LO de Fuerzas y Cuerpos de Seguridad, considera a las Policías Locales como colaboradores de las Fuerzas y Cuerpos de Seguridad del Estado para el cumplimiento de la función de policía judicial. Y finalmente, el art. 283 de la LECrim (LA LEY 1/1882), que no ha de considerarse derogado aunque requiera una interpretación conforme con los principios constitucionales, permite considerar incluidos en su amplio contenido a los funcionarios de las Policías Locales. Siempre, y en todo caso, bajo la dirección del Ministerio Fiscal o de la autoridad judicial. Así lo ha entendido esta Sala en las STS núm. 51/2004, de 23 de enero (LA LEY 20743/2004); STS núm. 270/2001, de 12 de noviembre (LA LEY 202967/2001); STS núm. 1225/2001, de 22 de junio (LA LEY 6477/2001), y STS núm. 1039/1999, de 22 de junio, entre otras. Y en el mismo sentido se pronunció esta Sala en la STS núm. 51/2004, de 23 de enero (LA LEY 20743/2004). En la STS núm. 1334/2004, de 15 de noviembre (LA LEY 239469/2004), se recuerda la amplia convocatoria, respecto de todas las Fuerzas y Cuerpos de Seguridad del Estado, a la función de Policía Judicial efectuada por el art. 547 de la Ley Orgánica del Poder Judicial (LA LEY 1694/1985). En esta misma línea se encuentran las Sentencias de esta Sala 51/2004, de 23 de enero; 270/2001, de 12 de noviembre (LA LEY 202967/2001); 1225/2001, de 22 de junio (LA LEY 6477/2001) y 1039/1999, de 22 de junio, entre otras». STS de 15 Mar. 2016, Núm. 210/2016, Rec. 1437/2015; Ponente: Sánchez Melgar, Julián. LA LEY 15972/2016.

Debe señalarse la progresiva potenciación de las diligencias y actuaciones de la policía judicial que se constata en la Ley 38/2002 en la que se regulan estas actuaciones en los arts. 769 a 772 LECrim. de aplicación al procedimiento abreviado, con precisiones de gran interés como la referida al traslado del cadáver cuando se hallare en la vía pública o en la vía férrea restableciendo el servicio interrumpido, y dando cuenta de inmediato a la autoridad judicial (art. 770.4.ª LECrim.). Además, en sede de procedimiento rápido para el enjuiciamiento rápido de determinados delitos la ley se refieren expresamente a diligencias que se desarrollan, con carácter general, en sede de instrucción judicial: la remisión al instituto de Toxicología de las sustancias aprehendidas cuyo análisis resulte pertinente; o la tasación de objetos por medio de perito o el servicio correspondiente (art. 796.1.6.ª y 8.ª LECrim.) (Véase sobre estas diligencias § 2.2 Cap. XII en sede de procedimiento abreviado; y § 2.1 Cap. XIII sobre procedimiento para el enjuiciamiento rápido de determinados delitos)[5].

Estas diligencias se documentarán en el atestado que no debe revestir una forma especial. Se extenderá en papel común y su redactor firmará todas las hojas de que conste. También firmarán en la parte que les afecte los peritos, testigos y demás intervinientes (Véanse M. 57 a 59). Si no lo hicieren se expresará la razón —art. 293 LECrim.—. El atestado deberá presentarse ante la autoridad judicial en un plazo máximo de 24 horas —art. 295 LECrim.—, poniendo en conocimiento de la autoridad judicial la comisión de un hecho presuntamente delictivo, y a su disposición los efectos instrumentos o pruebas del delito. El atestado constituye, por tanto, un escrito complejo en el que deberá constar la relación circunstanciada del hecho, declaraciones, diligencias prácticas, y todas las circunstancias observadas que pudiesen ser prueba o indicio del delito —art. 292 LECrim.—[6]. Además en el atestado se hará constar y se dará cuenta al Juzgado de las detenciones anteriores y de la existencia de requisitorias para su llamamiento y busca cuando así conste en las bases de datos de la policía.

El atestado no se halla regido por estrictos requisitos de forma, de modo que la existencia de un defecto o irregularidad no determinará la nulidad de todas las demás actuaciones contenidas en él, ni tampoco la de la prueba posterior practicada en el plenario.

«... No es defendible que una irregularidad del atestado policial consistente en no constar la firma del detenido, mejor dicho las razones que tuvo para no firmar

---

(5) Véanse, ÁLVAREZ RODRÍGUEZ J.R., *El atestado policial completo*, Madrid 2007. ESQUIROL ZULOAGA I., MARTÍN GARCÍA PEDRO y otros, *Actuación de la policía judicial en el proceso penal*, Madrid 2006. MARCHAL ESCALONA A.N., *El Atestado. Inicio del Proceso Penal*, Cizur Menor 2008. MARTÍN ANCÍN F., ÁLVAREZ RODRÍGUEZ J.R., *Metodología del atestado policial: aspectos procesales y jurisprudencia*, Madrid 2007. ALONSO PÉREZ F., «El atestado policial. Innovaciones introducidas por la Ley 38/2002», *La Ley* n.º 5679, 2002.

(6) «La Ley de Enjuiciamiento Criminal establece en su normativa tres grupos de actuaciones de los funcionarios policiales, a los que por lo demás impone el deber (párrafo tercero del art. 297) de "observar estrictamente las formalidades legales en cuantas diligencias practiquen", que son: 1.ª) Manifestaciones que hicieren a consecuencia de las averiguaciones que hubieren practicado, que según lo dispuesto en el párrafo primero del art. 297 citado "se considerarán denuncias para los efectos legales". 2.ª) Las demás declaraciones, en cuanto "se refieran a hechos de conocimiento propio" (art. 297, segundo, citado). Con esta norma se conecta de manera obvia el ámbito posible de la testificación de tales funcionarios en el juicio oral que previene el art. 717 de la tantas veces citada Ley procesal. 3.ª) Actuaciones que no son propiamente policiales, sino sustitutivas por delegación (el término está expresamente utilizado por el art. 572 de la referida Ley); en las que no cabe duda que el representante actúa como podría hacerlo el representado: en este caso el juez de instrucción». (STS 24 de marzo 1992).

porque se desprende de su contenido que su firma fue tenida en cuenta, para arrastrar la nulidad de las declaraciones inculpatorias de los agentes que realizaron la aprehensión». (STS de 12 Mar. 1993; Ponente: Moyna Ménguez, José Hermenegildo. LA LEY 3074-5/1993).

«Conforme al art. 297 de dicha Ley el atestado tiene un simple valor de denuncia y por ello las diligencias que en él se practiquen carecen, como entre muchas señala la STC 303/1993, de 25 junio, de la naturaleza de pruebas propiamente dichas, por lo que las posibles irregularidades que se cometan en manera alguna pueden viciar por defecto irradiante las pruebas practicadas en la fase de instrucción judicial y mucho menos las que se practiquen en el plenario». (STS de 14 Jun. 1997, Rec. 1947/1996; Ponente: Montero Fernández-Cid, Ramón. LA LEY 8207/1997).

El atestado policial no implica instrucción sumarial, ni comprende investigación judicial alguna, ya que constituye una investigación preliminar o preventiva de la causa, como acto preparatorio de la instrucción penal. Esta naturaleza se fundamenta en dos razones: a) la estructura de la policía judicial, al no hallarse adscrita orgánicamente al Poder Judicial[7], y b) el carácter meramente preliminar de estas diligencias. Debe distinguirse, por tanto, entre las actuaciones de carácter policial que se constatan en el atestado y las diligencias sumariales, aunque puedan coincidir en su contenido. Así sucede con las diligencias de inspección ocular y recogida de los efectos del delito que regula el art. 334 LECrim., pero que acostumbra a realizar la policía judicial levantando atestado al efecto.

«Se reputa infringido el art. 334 de la LECrim. precepto de naturaleza netamente procesal .../... En cualquier caso la hipótesis que nos concierne no es de las previstas en el art. 334, en el que regula la inspección ocular practicada por el Juez Instructor, lo que implica necesariamente la existencia de un procedimiento penal abierto; aquí se contempla la recogida de los efectos del delito y piezas de convicción realizada antes de la iniciación del proceso por la Policía Judicial, en cumplimiento de las obligaciones que le impone el art. 282 de la LECrim., entre las que figura la recogida de "todos los efectos, instrumentos o pruebas del delito de cuya desaparición hubiere peligro, poniéndolas a disposición de la autoridad judicial", como así se hizo». STS 321/2002 de 26 Feb. 2002, Rec. 767/2000; Ponente: Soriano Soriano, José Ramón. LA LEY 5903/2002.

En este sentido, son distintos los requisitos exigibles para la realización de las diligencias de prevención y las de instrucción. Así, en la práctica de la inspección

---

(7)   Esta premisa resulta ser una de las más viejas reivindicaciones de la doctrina en el proceso penal, que nuestro legislador igualmente ha reconocido, sin atreverse a implantarla. Expresamente, el art. 444 LOPJ, señala que: «Se establecerán unidades de Policía Judicial que dependerán funcionalmente de las autoridades judiciales y del Ministerio Fiscal en el desempeño de todas las actuaciones que aquéllos les encomienden», con lo cual la adscripción de la Policía Judicial se reduce al aspecto funcional —no al orgánico— y se reserva a determinadas unidades, cuya organización y régimen jurídico se fijará por ley. La LO 2/1986, de 13 de marzo, de Fuerzas y Cuerpos de Seguridad del Estado, en sus arts. 29 y ss., las considera como puente de unión entre las precitadas Fuerzas y el Poder Judicial, siendo el punto central de su regulación las relaciones de dependencia —arts. 31, 34 y 35— y el procedimiento de adscripción de Unidades o equipos de Policía —arts. 30 y 33—. Véase también RD 769/1987, de 19 de junio, sobre la Policía Judicial, que complementa y desarrolla la LO 2/1986.

ocular o de registro de vehículo por la policía judicial no es exigible la presencia del Abogado, que sí sería necesaria de procederse de conformidad con el art. 334 LECrim. en sede de diligencias previas en las que hubiere persona imputada.

> «La presencia del letrado del imputado tampoco era precisa en cuanto los funcionarios policiales se limitaron a dar cumplimiento a lo que se dispone en el art. 282 de la Ley de Enjuiciamiento Criminal sobre las obligaciones que corresponden a los miembros de la Policía Judicial sobre recogida de efectos e instrumentos del delito sin que se recibiera declaración en ese momento al imputado ni se estuvieran practicando pruebas preconstituidas, la prueba propiamente dicha se obtiene con la declaración de los funcionarios que intervinieron en el registro en el acto del juicio oral» STS 2184/2001 de 23 Nov. 2001, Rec. 702/2000; Ponente: Conde-Pumpido Tourón, Cándido. LA LEY 1743/2002.

Cuando se inicien las Diligencias previas o un sumario, la policía deberá cesar, con carácter inmediato, las diligencias que estuviese practicando. Acto seguido se entregarán al Juez de instrucción que estuviese conociendo, juntamente con los efectos del delito que se hubiesen recogido. Igualmente se podrán en el acto a su disposición los detenidos, si los hubiera —art. 285 LECrim.— (Véase M. 62). A partir de ese momento deberán atenerse exclusivamente a las instrucciones que reciban del Juez o del Fiscal competentes —arts. 287, 288, 773, 777 LECrim.—.

> «La labor especializada de búsqueda de vestigios o pruebas materiales de la perpetración del delito en el lugar de los hechos compete al personal técnico especializado de la Policía Judicial, bajo la superior dirección del Instructor pero sin necesidad de su intervención personal, al no constituir la búsqueda, recogida y conservación de huellas dactilares una función que entre en el ámbito de conocimientos y experiencia del Juzgador sino en el de la Policía Judicial. En consecuencia no se ocasiona indefensión alguna por el hecho de que las huellas hayan sido recogidas por los servicios policiales especializados —siguiendo las instrucciones judiciales (folio 112)— dado que dicha actuación no ha sido valorada en la sentencia como prueba preconstituida —lo que exigiría la intervención judicial— sino como diligencia de investigación, posibilitadora de la práctica de la prueba en sentido estricto, que es la emisión del dictamen pericial sometido a contradicción en el juicio oral». STS 715/2000 de 27 Abr. 2000, Rec. 627/1999; Ponente: Conde-Pumpido Tourón, Cándido. LA LEY 8141/2000.

Téngase en cuenta, que las declaraciones y manifestaciones que se contengan en el atestado deben ratificarse por los funcionarios de policía intervinientes en el acto del juicio oral, en el que su declaración tendrá valor de declaración testifical (arts. 297.2 y 717 LECrim.).

> «El atestado no puede ser directamente valorado, como prueba documental, por el Tribunal sentenciador, ya que su valor es el de mera denuncia, conforme a lo dispuesto en el art. 297 LECrim. Por ello, para que las percepciones de los agentes puedan ser valoradas por el Tribunal es preciso que aquéllos den cuenta de dichas percepciones, declarando como testigos en el acto del juicio oral. Bien entendido, de una parte, que la declaración de los agentes en el juicio no convierte en prueba documental valorable el atestado, lo que sucede es que los hechos reflejados en el atestado, dado que éste no los prueba, deben ser acreditados por medio de la prueba testifical de aquellos sujetos que los presenciaron; y de otra, que la práctica ausencia

de declaración en el acto del juicio de los agentes que intervinieron en el registro impide al Tribunal tener en cuenta los resultados de la diligencia —si no acceden al juicio oral de otro modo—». (STS 7 de marzo de 2007, LA LEY 8974/2007).

Sin que en ningún caso pueda considerarse a los policías actuantes parte acusadora.

> «Los agentes de la autoridad que redactan los atestados y demás diligencias consecuentes, no tienen el carácter de parte acusadora en las actuaciones judiciales, pudiendo ser únicamente citados para declarar en el acto del juicio oral en cualidad de testigos cuando así lo soliciten las partes o lo considere oportuno el propio Tribunal. Por ello, y como indica el Ministerio Fiscal en su escrito de impugnación, el recurrente carece, en este trámite casacional, de competencia para formular esa petición». STS de 17 Jul. 1999, Rec. 488/1998; Ponente: García Ancos, Gregorio. LA LEY 10630/1999.

Esto es así por cuanto el atestado tendrá la consideración, a efectos legales, de denuncia (art. 297 LECrim.)[8]. Por ello, como sucede con la querella o denuncia interpuesta por un particular, el atestado no puede ser incorporado a la libre apreciación realizada por el Tribunal para formar convicción acerca de la culpabilidad del inculpado. Dicha culpabilidad debe quedar acreditada por los medios de prueba practicados en el juicio oral, e incorporados a la causa en la fase de instrucción judicial.

> «A este respecto, refiere que en la STC 79/1994, ya citada, manifestamos que tratándose de las declaraciones efectuadas ante la policía no hay excepción posible. Este Tribunal ha establecido muy claramente que las manifestaciones que constan en el atestado no constituyen verdaderos actos de prueba susceptibles de ser apreciados por los órganos judiciales (STC 217/1989). Por consiguiente, únicamente las declaraciones realizadas en el acto del juicio o ante el Juez de Instrucción como realización anticipada de la prueba y, consiguientemente, previa la instauración del contradictorio, pueden ser consideradas por los Tribunales penales como fundamento de la sentencia condenatoria (FJ 3). La citada doctrina ha sido confirmada por las SSTC 51/1995, de 23 de febrero (LA LEY 13051/1995), y 206/2003 (LA LEY 10954/2004), de 1 de diciembre. En tales resoluciones afirmamos que "a los efectos del derecho a la presunción de inocencia las declaraciones obrantes en los atestados policiales carecen de valor probatorio de cargo" (STC 51/1995)». STS 848/2014 de 9 Dic. 2014, Rec. 1295/2014; Ponente: Jorge Barreiro, Alberto Gumersindo. LA LEY 176230/2014.

De este modo, el atestado deberá ratificarse por sus instructores en el juicio oral, a los efectos de permitir a la defensa del acusado someterlo a la oportuna contradic-

---

(8) «El art. 297 de la Ley de Enjuiciamiento Criminal admite la posibilidad de que se produzcan declaraciones testificales en el atestado con independencia de las que pueda prestar la persona a la que se imputa, o aparezca como posible autor de un hecho punible. Ahora bien, tanto esas manifestaciones como las de los testigos no tienen otro valor que servir como antecedentes de una posterior actuación judicial y que el atestado que se redacte y las manifestaciones que hiciesen los funcionarios de policía judicial, a consecuencia de las averiguaciones que hubiesen practicado, se considerarán denuncias a todos los efectos legales y para que puedan tener algún valor probatorio es necesario que sean debidamente contrastadas y acreditadas en el posterior trámite judicial, sin que pueda tener éxito un empeño acusatorio basado exclusivamente en el contenido del atestado policial». (STS 2 noviembre 1993;).

ción, salvo en los supuestos de datos objetivos y verificables que no puedan practicarse en el juicio oral[9].

«… Este Tribunal Constitucional ha explicado desde su STC 31/1981, que únicamente pueden considerarse auténticas pruebas las practicadas en el juicio oral, con posibilidad de debate contradictorio y en presencia del juzgador para conseguir así, en su caso, la convicción de éste sobre los hechos enjuiciados mediante el contacto directo con los elementos utilizados… (no obstante)… tiene virtualidad probatoria propia cuando contiene datos objetivos y verificables, que expuestos por los agentes … han de ser calificados como declaraciones testificales. Es claro que hay partes de ese atestado, como pueden ser los croquis sobre el terreno y las fotografías en él obtenidas, entre otras (que sin encajar exactamente en el perímetro de la prueba preconstituida o anticipada pueden ser aprovechables como elementos de juicio coadyuvantes)…». (STC 157/1995, de 6 noviembre)[10].

Ahora bien, debe tenerse presente el especial valor que se atribuye a los atestados, que se constata en una fehaciencia «erga omnes» en cuanto al «hecho» que ha motivado su actuación y a la «fecha» de éste[11]. En estos supuestos, se acentúa el valor

---

(9)   Vid. STC 173/1985, de 16 diciembre, en la que se establece: «Los atestados que redactaren y las manifestaciones que hicieren los funcionarios de la Policía Judicial, a consecuencia de las averiguaciones que hubiesen practicado, se considerarán denuncias para los efectos legales», según el art. 297.1 LECrim. No se trata, pues, de quitar valor a los atestados, sino de no valorarlos como lo que no son, es decir, como pruebas. Si se hubieran ratificado los policías (identificables fácilmente por sus placas) en el juicio oral, con la posibilidad de contradicción entre las partes, se produce una verdadera actividad probatoria destinada a destruir la presunción de inocencia, y cuyo resultado hubiera debido y podido ser valorado como suficiente o no a tal efecto por el Juzgador. Vid., también, SSTC 28 julio 1981; 9/1984, de 30 enero; 101/1985, de 4 octubre, 159/1985, de 27 noviembre; 49/1986, de 23 abril; 201/1989, de 30 noviembre; 107/1993, de 22 marzo, y 157/1995, de 6 noviembre.

(10)   «… a los efectos del derecho a la presunción de inocencia las declaraciones obrantes en los atestados policiales carecen de valor probatorio de cargo. Ya en la STC 31/1981, pudimos advertir que las declaraciones prestadas ante la policía, al formar parte del atestado y de conformidad con lo dispuesto en el art. 297 L.E.Crim., tienen únicamente valor de denuncia, no bastando para que se conviertan en prueba con que se reproduzcan en el juicio oral; "es preciso que la declaración sea reiterada y ratificada ante el órgano judicial" (fundamento jurídico 4). También en la STC 9/1984 tuvimos de nuevo ocasión de señalar que los atestados policiales tienen el valor de simples denuncias en tanto no sean reiteradas y ratificadas en presencia judicial, de modo que si no hubiese más prueba de cargo, habría de concluirse en la vulneración de la presunción de inocencia (fundamento jurídico 2). En consecuencia, las declaraciones vertidas en el atestado policial carecen de valor probatorio si no son posteriormente ratificadas en presencia judicial por los particulares declarantes, o bien, en ausencia de lo anterior, confirmadas por los funcionarios de policía mediante su testimonio en el acto del juicio oral». (STC 51/1995, de 23 de febrero).

(11)   La STS 3 julio 1984 declara: «… cuando se trata de actas extendidas por funcionarios del Cuerpo Superior de Policía y en las que uno de ellos actúa como Instructor y otro como Secretario, a tenor de lo dispuesto en el art. 596 LECrim. y en los arts. 1216 y 1218 CC tienen una fiabilidad incontrovertible e incontestable erga omnes, al menos a lo que se refiere al hecho que ha motivado el levantamiento de las referidas actas y a la fecha de éste». Por «hecho» no debe entenderse el contenido del acta que tiene el valor de denuncia, sino lo que haya motivado su actuación y las demás constataciones objetivas, que no sean apreciaciones personales. Vid. SSTC 60/1986, de 17 junio; 82/1988, de 28 abril, y 137/1988, de 7 junio. Véase también la STC 157/1995, de 6 noviembre, que declara «… En definitiva, el atestado equivale, en principio, a una denuncia (art. 297 LECrim., pero también tiene virtualidad probatoria propia cuando contiene datos objetivos y verificables que

probatorio de los atestados para participar del concepto de prueba preconstituida o anticipada, especialmente cuando la policía judicial actúa en diligencias de prevención por razones de urgencia o necesidad[(12)].

> «... Las diligencias policiales no pueden constituir ordinariamente pruebas preconstituidas porque como señala una reiteradísima doctrina del Tribunal Constitucional, las pruebas preconstituidas son aquellas que reúnen cuatro requisitos: el material (que se trate de pruebas de imposible reproducción en el juicio oral), el objetivo (cumplimiento de todas las garantías legalmente previstas), el formal (que sean reproducidas en el juicio oral a través del art. 730 LECrim.), y el subjetivo (practicadas ante el Juez de Instrucción), no cumpliendo las diligencias policiales este último requisito. Excepcionalmente el Tribunal Constitucional (sentencia núm. 303/1993, de 25 de octubre, por ejemplo), ha admitido la posibilidad de que un acta policial pudiese tener el valor de prueba preconstituida, reproducible en el juicio a través del art. 730 de la LECrim. con valor probatorio sin necesidad de comparecencia de los agentes policiales. Pero "para que tales actos de investigación posean esta última naturaleza (probatoria) se hace preciso que la policía judicial haya intervenido en ellos por estrictas razones de urgencia y necesidad, pues, no en vano, la policía judicial actúa en tales diligencias a prevención de la autoridad Judicial (art. 284 de la LECrim.)", según señala expresamente la STC 303/1993». STS 2184/2001 de 23 Nov. 2001, Rec. 702/2000; Ponente: Conde-Pumpido Tourón, Cándido. LA LEY 1743/2002.

Véase sobre el valor probatorio de los atestados como prueba preconstituida § 1.5 Cap. IX.

C) Denuncia

a) Concepto. Identificación del denunciante y denunciado. La denuncia anónima

La denuncia es el acto procesal por el que un ciudadano pone en conocimiento de la autoridad judicial, del Fiscal o de la Policía la comisión de un hecho delictivo, provocando, en su caso, el inicio del proceso penal (Véase sobre la admisión y efectos de la denuncia el epígrafe siguiente). Se trata, por tanto, de una declaración de conocimiento, que será de obligado cumplimiento para aquel que hubiere presenciado la perpetración de cualquier delito perseguible de oficio, a salvo de las excepciones

---

expuestos por los agentes con su firma y rúbrica y con las demás formalidades exigidas en los arts. 292 y 293 LECrim. han de ser calificados como declaraciones testificales...». Vid., también, SSTS 20 enero 1986, 1 noviembre 1993 y 25 noviembre 1994, sobre el valor de las percepciones directas que realizan los agentes de la Policía Judicial en la persecución y aprehensión de los presuntos autores de un delito.

(12) «En definitiva, el atestado equivale, en principio, a una denuncia, pero también tiene virtualidad probatoria propia cuando contiene datos objetivos y verificables, que expuestos por los agentes de la Policía Judicial con su forma y las demás formalidades exigidas por los arts. 292 y 293 de la Ley de Enjuiciamiento Criminal, han de ser calificados como declaraciones testificales (STC 22/1988). Es claro que hay partes de ese atestado, como pueden ser la aprehensión de los delincuentes sorprendidos in fraganti, la constancia del cuerpo, los efectos o los instrumentos del delito, el hallazgo de droga, armas, documentos o cualquier otro objeto, los croquis sobre el terreno, las fotografías en él obtenidas y la comprobación de la alcoholemia, entre otras, que encajan por definición en el concepto de la prueba preconstituida o anticipada». (STC 138/1992, de 13 de octubre).

previstas en la ley, a las que nos referimos a continuación (arts. 259, 260, 261, 263 LECrim.). (Véase M. 57 y 63).

Existen, por otra parte, algunos delitos que sólo podrán ser perseguidos a instancia de parte, o mediante denuncia (Véase § 1 de este Capítulo). En estos supuestos el requisito de la previa denuncia opera como una condición o presupuesto necesario de procedibilidad[13].

La denuncia no constituye en parte al denunciante, aunque éste podrá personarse en las actuaciones en tal calidad, ya sea como acusación particular o popular. Para ello deberá formular querella en el procedimiento por delitos graves (art. 270, en relación con el art. 101 LECrim.); mientras que en el procedimiento abreviado el ofendido o perjudicado por el delito puede mostrarse parte en la causa sin necesidad de formular querella (art. 761.2 LECrim.) (Véase § 1.2.C. del Cap. IV, con relación a las partes en el proceso penal).

No se exigirá fianza al denunciante, a diferencia de lo que ocurre con el querellante particular —arts. 280 y 281 LECrim.—. Tampoco deberá darse al denunciante traslado de las posteriores actuaciones judiciales, a menos que se constituya en parte[14]. Ahora bien, en el procedimiento abreviado, reformado por ley 38/2002, se establece la información y notificación a la víctima, aunque no sea parte en el proceso: de la fecha y lugar de celebración del juicio (art. 785.3 LECrim.), de la sentencia (art. 789 LECrim.), de la vista y de la sentencia dictada en apelación (arts. 791.2 y 792.4 LECrim.) (Véase sobre el procedimiento abreviado Cap. IX).

El deber jurídico de denunciar se establece en la LECrim. —art. 259 a 264—. Según estos preceptos, la obligación alcanza a todas las personas físicas, salvo a los incapaces —art. 260—. Están especialmente obligados a denunciar aquellas personas que por razón de sus cargos, profesiones u oficios tuvieren noticia de algún delito público. Quedan exceptuados de este deber especial los abogados y procuradores respecto de las instrucciones o explicaciones que recibieren de sus clientes[15]; y los

---

(13)   Esta denuncia no equivale propiamente a una mera notitia criminis, aunque el Tribunal Supremo de forma reiterada —SSTS 25 junio 1960, 1 marzo 1976 y 30 marzo 1978—, viene aceptando, con criterio progresivo, una flexibilización en esta materia. Este requisito de procedibilidad queda subsanado con el ofrecimiento de acciones a su titular o su manifestación ante el Juez de Instrucción, sin oponerse a la denuncia o sin ejercitar el perdón, en los supuestos que proceda — arts. 201, 215, 267, para los delitos, 620 y 621 CP, para las faltas—.

(14)   A este respecto, el ATC 132/1981, de 4 diciembre, dispuso que el derecho a la tutela efectiva —art. 24.1.º CE— no queda vulnerado por la falta de pronunciamiento sobre la denuncia presentada, ya que la formulación de una denuncia no supone el ejercicio de acción penal, ni constituye en parte al que la formula, por lo que no existe un derecho al procedimiento —art. 269 LECrim.—, a diferencia de lo que ocurre con la querella que ha de dar lugar al menos a una resolución relativa a su admisión o inadmisión. Vid., también, SSTC 15/1984, de 3 de diciembre, y 157/1990, de 18 octubre.

(15)   Vid. STC 110/1984, de 26 noviembre, que declaró: «El secreto profesional, es decir, el deber de secreto que se impone a determinadas personas, entre ellas los Abogados, de lo que conocieren por razón de su profesión, viene reconocido expresamente por la CE que, en su art. 24.2, dice que la ley regulará los casos en que, por razón de parentesco o de secreto profesional, no se está obligado a declarar sobre hechos presuntamente delictivos… La CE consagra aquí

sacerdotes respecto de las noticias conocidas en el ejercicio de su ministerio —art. 263 LECrim.—.

Este deber se deberá ejercitar con responsabilidad. Téngase en cuenta, a ese respecto, que tanto el denunciante como el querellante pueden incurrir en delito cuando imputaren falsamente a alguna persona hechos que, si fueran ciertos, constituirían delito —arts. 254.2 LECrim. y 456 CP—[16]. Corresponderá al Tribunal que conoce o debe conocer del hecho imputado la facultad discrecional de resolver si en la causa se encuentran o no méritos suficientes para declarar calumniosa la acusación y mandar abrir un nuevo proceso. Requisito de perseguibilidad será que se haya dictado sentencia firme absolutoria o Auto firme de sobreseimiento libre, o provisional (art. 456.2 CP, STC 34/1983 de 6 de mayo; 62/1984 de 21 de mayo de 1984; STS 16 de diciembre de 1991).

«A) La jurisprudencia ha señalado que el bien jurídico protegido en este delito es doble: de un lado, el correcto funcionamiento de la Administración de Justicia, que se perjudica al verse en la precisión de llevar a cabo actuaciones procesales penales basadas en hechos cuya falsedad consta desde el inicio a quien los pone en su conocimiento; y de otro, el honor de la persona a la que se imputan los hechos falsos, que se ve afectado negativamente al aparecer como imputado en una causa penal. El tipo objetivo requiere que sean falsos los hechos atribuidos al denunciado o querellado. En segundo lugar, es necesario que, de ser ciertos, los hechos imputados fueran constitutivos de infracción penal. Y además, es preciso que la imputación se haga ante funcionario judicial o administrativo que deba proceder a su averiguación. Estas dos exigencias, aun siendo diferentes, tienen relación directa con los bienes jurídicos protegidos, que precisamente se ven afectados cuando ese funcionario, en atención a la forma en que le son comunicados los hechos falsos que no autoriza a rechazar de plano su naturaleza delictiva, se ve en la obligación de proceder a su averiguación, y, por lo tanto, de abrir unas actuaciones o un procedimiento que, precisamente, causa la afectación negativa del bien jurídico, en los dos aspectos antes relacionados. En este sentido, lo que resulta relevante es que los hechos, tal como son presentados, tengan suficiente apariencia delictiva como para que no sea pertinente el rechazo de la querella o de la denuncia. Es decir, no se trata de que al final del proceso pudiera establecerse o negarse su carácter delictivo, sino que lo que importa es que, en el momento en que se realiza la imputación falsa, su contenido obligue a admitirla a trámite e imponga la comprobación de los hechos denunciados como paso necesario para su valoración jurídica. Esto no impide excluir la existencia del delito del art. 456 CP (LA LEY 3996/1995) cuando

lo que es, no un derecho, sino un deber de ciertos profesionales que tiene una larga tradición legislativa…».

(16) Vid. STC 34/1983, de 6 mayo, en la que se declara que el auto de sobreseimiento provisional firme puede dar lugar a ejercitar denuncia o querella por acusación o denuncia falsa: «… En materia de derechos fundamentales, como reiteradamente ha señalado este TC, la legalidad ordinaria ha de ser interpretada de la forma más favorable para la efectividad de tales derechos, lo que conduce en este caso a la conclusión de que el auto firme de sobreseimiento corresponde tanto al de carácter definitivo como al provisional, pues firmes formalmente son los autos de sobreseimiento cuando ya no procede contra ellos recurso alguno … De no darse esta interpretación resultaría que el auto de sobreseimiento provisional vendría a impedir el ejercicio del derecho fundamental a la tutela judicial efectiva que reconoce el art. 24.1 CE, por lo que sería incompatible con la misma…». En este mismo sentido, STS 18 junio 1990.

posteriormente pueda afirmarse, sin duda alguna, y siempre en una valoración del contenido de la denuncia o querella, que el procedimiento nunca debiera haberse incoado. El tipo subjetivo exige que el autor conozca la falsedad de la imputación. No basta, pues, con la falsedad de los hechos que se imputan, sino que es preciso que quien hace la imputación tenga la conciencia de que esos hechos no se corresponden con la realidad». ATS de 8 Jul. 2015, Rec. 20394/2015; Ponente: Marchena Gómez, Manuel. LA LEY 103249/2015.

Ahora bien, ello no significa que la denuncia, per se, suponga una afectación del derecho al honor de la persona denunciada.

«La denuncia no implica, por sí misma, un ataque al honor, al servir tan sólo como medio para poner en conocimiento del órgano jurisdiccional la posible existencia de un delito al amparo del derecho a la tutela judicial efectiva del que se siente perjudicado en sus intereses, siendo así que el descrédito que toda denuncia lleva aparejado para quienes figuran en ella no es bastante para apreciar la existencia de intromisión, ante la mayor protección que merece el derecho de la presunta víctima del ilícito penal. No concurriendo el supuesto de hecho previsto en el art. 7.7 de la Ley 1/1982 cuando "la imputación de hechos penales se realiza a través del medio legal previsto (denuncia), ante las autoridades penales competentes para conocerlos (policía judicial), en ejercicio del derecho como perjudicado y deber como ciudadano de poner en conocimiento la comisión de hechos delictivos" (STS 15 de noviembre 2012); doctrina aplicable al caso en el que se denunciaron unos hechos presunta o aparentemente delictivos de los que la acusada fue absuelta después de celebrarse el correspondiente juicio penal de faltas, sin vulneración, por tanto, de su derecho al honor, ni infracción del art. 7.7 de la LO 1/1982 (LA LEY 1139/1982)». STS Sala civil 278/2015 de 18 May. 2015, Rec. 1890/2013; Ponente: Seijas Quintana, José Antonio; LA LEY 54804/2015.

No están obligados a denunciar aquellos testigos presenciales que fuesen el cónyuge del delincuente; los parientes consanguíneos o afines hasta el segundo grado inclusive; los hijos extramatrimoniales respecto de la madre en todo caso y respecto del padre cuando estuvieren reconocidos, así como la madre y el padre en iguales casos —art. 261—.

Este deber jurídico de denuncia no alcanza a las personas jurídicas en general. Distinto ocurre cuando resulten afectados u ofendidos por un delito. En estos casos podrán denunciar o bien querellarse, ya que los intereses lesionados son los agrupados bajo una sola personalidad jurídica. Cuando se trate de meras declaraciones de conocimiento deberá actuar el preceptor de éste como persona física.

Deberá siempre hacerse constar la identidad del denunciador, que deberá comprobar el Juez, Fiscal o funcionario que recibiere la denuncia —art. 268 LECrim.—. En el supuesto de faltar ese requisito la denuncia sería anónima. Esta denuncia no sería hipotéticamente admisible en tanto que tal denuncia. Sin embargo, cabe señalar que los hechos puestos en conocimiento de las autoridades policiales o judiciales tendrá eficacia en tanto que aquellos la hagan suya sirviendo en este caso de inicio de unas diligencias de prevención pre-procesales o, directamente, de instrucción. A este respecto, téngase en cuenta que la LECrim. no prohíbe expresamente esta clase de denuncia, a diferencia de la legislación anterior a la promulgación de la LECrim. que prohibía su utilización como vía para la comunicación de hechos delictivos[17].

> «La LECrim (LA LEY 1/1882) vigente exige como requisito formal la identifica-ción del denunciante. Así, establece el art. 266 que "la denuncia que se hiciere por escrito deberá estar firmada por el denunciador". La denuncia verbal exige la misma formalidad en el art. 267, lo que da pie a pensar en el propósito legislativo de evitar el anonimato del denunciante. Conforme a esa concepción, la Real Orden Circular de 27 de enero de 1924 señalaba que "las denuncias anónimas no deben ser atendidas por las Autoridades, y menos dar lugar a actuación alguna respecto del denunciado sin previa comprobación de hechos cuando parezcan muy fundados". Sin embargo, la lógica prevención frente a la denuncia anónima no puede llevarnos a conclusiones contrarias al significado mismo de la fase de investigación. Se olvidaría con ello que el art. 308 de la LECrim (LA LEY 1/1882) referido al sumario ordinario, obliga a la práctica de las primeras diligencias "inmediatamente que los Jueces de instrucción (...) tuvieren conocimiento de la perpetración de un delito". Es indudable que ese conocimiento puede serle proporcionado por una denuncia en la que no consta la identidad del denunciante. Cuestión distinta es que ese carácter anónimo de la de-nuncia refuerce el deber del Juez instructor de realizar un examen anticipado, provi-sional y, por tanto, en el plano puramente indiciario, de la verosimilitud de los hechos delictivos puestos en su conocimiento. Ante cualquier denuncia —sea anónima o no— el Juez instructor puede acordar su archivo inmediato si el hecho denunciado "... no revistiere carácter de delito" o cuando la denuncia "... fuera manifiestamente falsa" (art. 269 LECrim (LA LEY 1/1882)). Nuestro sistema no conoce, por tanto, un mecanismo jurídico que habilite formalmente la denuncia anónima como vehículo de incoación del proceso penal, pero sí permite, reforzadas todas las cautelas juris-diccionales, convertir ese documento en la fuente de conocimiento que, conforme al art. 308 de la LECrim (LA LEY 1/1882), hace posible el inicio de la fase de investiga-ción». STS 318/2013 de 11 Abr. 2013, Rec. 1098/2012; Ponente: Marchena Gómez, Manuel. LA LEY 30533/2013.

Por tanto, nada impide que la denuncia anónima pueda servir como medio para que la policía judicial, o el Juez adquieran conocimiento de unos hechos delictivos para incoar las correspondientes diligencias policiales de prevención o de instruc-ción, según el caso (arts. 282 y 308 LECrim.). Concretamente, la denuncia anónima de ciudadanos o de confidentes, resulta ser un modo habitual de iniciar la investi-gación policial que se incluye en lo que se viene a denominarse la colaboración ciudadana. En el caso de confidencia a la policía puede discutirse su naturaleza de denuncia pues ésta requiere que se haga constar la identidad del denunciador, como exige el art. 268 de la LECrim.

> «No es una denuncia "Una confidencia a la policía no es una denuncia pues ésta requiere que se haga constar la identidad del denunciador, como exige el art. 268

---

[17] Ya la legislación anterior a la LECrim. —Título XXXIII, Ley VII de la Novísima Recopila-ción, como los arts. 166 y 168 LECrim. de 1872— proscribió la denuncia anónima como forma de comunicación de los hechos delictivos. Posteriormente, la RO Circular de 27 de enero de 1924, en consonancia con la obligación establecida en el art. 266 LECrim. sobre la necesidad de identifica-ción del denunciante, estableció que «... las denuncias anónimas no deben ser atendidas por las autoridades, y menos dar lugar a actuación alguna respecto del denunciado sin previa comproba-ción de los hechos cuando parezcan muy fundados».

de la LECrim., pero puede ser un medio de recepción de la "notitia criminis" que dé lugar a que la policía compruebe la realidad de la misma y como resultado de esa comprobación inicial, como señala el Ministerio Fiscal, las actuaciones establecidas en los arts. 282 y siguientes de la LECrim., elevándolas al órgano judicial computante. Las solicitudes policiales cuando no existe causa penal abierta tienen el valor de denuncia y obligan a incoar las correspondientes diligencias judiciales. Si no fuera así sería la propia policía la que, prácticamente, decidiría una medida que limita un derecho fundamental"». STS 82/2002 de 28 Ene. 2002, Rec. 1231/2000, Ponente: Aparicio Calvo-Rubio, José. LA LEY 2974/2002.

Pero, en cualquier caso, esta clase de denuncia puede ser un medio de recepción de la "notitia criminis" que dé lugar a que la policía compruebe la realidad de la misma y, en su caso, como resultado de esa comprobación inicial se levante atestado y se dé traslado al Juez de instrucción competente. De modo que lo que permite la denuncia anónima es producir el inicio de la investigación policial que deberá fundarse en lo sucesivo en la existencia de suficientes indicios de criminalidad[18].

> «La llamada anónima solo permite el inicio de la investigación policial, y eso es lo que ocurrió aquí, en base al resultado de la encuesta policial, de los seguimientos y demás datos obtenidos es cuando se pide la intervención telefónica y esta se concedió, pero no por la llamada anónima, sino por los resultados de la investigación policial desencadenada por ésta. SSTS 1945/2005 (LA LEY 298755/2005); 551/2006; 1354/2009 o 318/2013. Todas ellas refieren que la mera y sola denuncia anónima no puede justificar un sacrificio de derechos fundamentales, sólo la investigación policial encaminada a verificar en términos razonables la verosimilitud de lo denunciado anónimamente, puede justificar la intervención. La razón de que no sirva la sola y mera denuncia anónima, la encontramos en el viejo brocardo "Quien oculta el rostro para acusar, también es capaz de ocultar la verdad en lo que se acusa». STS 181/2014 de 11 Mar. 2014, Rec. 714/2013; Ponente: Giménez García, Joaquín. LA LEY 26586/2014.

Este es el caso de las informaciones periodísticas que no tiene naturaleza jurídica de denuncia, aunque puede servir para iniciar una investigación preliminar sobre los hechos objeto de la información.

> «Las informaciones publicadas en la prensa, o aparecidas en cualquier medio de comunicación social, no tienen como finalidad formular denuncia de los hechos de que dan noticia ante la autoridad competente para hacer cumplir las leyes, sino ilustrar a la opinión pública (SSTC 6/1981; 178/1993; 132/1995; 6/1996; 19/1996;

---

(18) «Todo indica, por tanto, que la información confidencial, aquella cuyo transmitente no está necesariamente identificado, debe ser objeto de un juicio de ponderación reforzado, en el que su destinatario valore su verosimilitud, credibilidad y suficiencia para la incoación del proceso penal. Un sistema que rindiera culto a la delación y que asociara cualquier denuncia anónima a la obligación de incoar un proceso penal, estaría alentado la negativa erosión, no sólo de los valores de la convivencia, sino el círculo de los derechos fundamentales de cualquier ciudadano frente a la capacidad de los poderes públicos para investigarle. Pero nada de ello impide que esa información, una vez valorada su integridad y analizada de forma reforzada su congruencia argumental y la verosimilitud de los datos que se suministran, pueda hacer surgir en el Juez, el Fiscal o en las Fuerzas y Cuerpos de Seguridad del Estado, el deber de investigar aquellos hechos con apariencia delictiva de los que tengan conocimiento por razón de su cargo». STS 318/2013 de 11 Abr. 2013, Rec. 1098/2012; Ponente: Marchena Gómez, Manuel. LA LEY 30533/2013.

y 28/1996). Nada impide, no obstante, que las víctimas de los hechos publicados, o las demás personas legitimadas por la ley, los pongan en conocimiento de las autoridades penales, en la medida en que estimen que revisten carácter delictivo, bajo su responsabilidad personal. Una información periodística no es prueba bastante, por sí sola, para destruir la presunción de inocencia de una persona; pero sí puede ser suficiente para formular denuncia ante la autoridad competente, y para que ésta abra una investigación sobre los hechos narrados, salvo que el Instructor aprecie a *limine* que la información es manifiestamente falsa (art. 269 LECrim.)». STC 41/1998 de 24 de febrero.

Así lo ha admitido el TEDH que ha declarado la legalidad de la utilización de fuentes confidenciales de información: «siempre que se utilicen exclusivamente como medios de investigación y no tengan acceso al proceso como prueba de cargo» (Sentencias Kostovski de 20 noviembre 1989, Windisch de 27 septiembre 1990).

«La Sala de casación no comparte la opinión del recurrente porque consideramos —en línea con la que entendemos doctrina científica mayoritaria— que la cualidad de anónima de una denuncia no impide automática y radicalmente la investigación de los hechos de que en ella se da cuenta, por más que la denuncia anónima (técnicamente "delación", sinónimo de "acusar", que puede definirse como "el hecho de revelar a la autoridad judicial, o demás autoridades y funcionarios competentes la perpetración de un delito, designando al autor o culpable, pero sin identificarse el denunciador, cuya identidad se esconde en el anonimato") deba ser contemplada con recelo y desconfianza. Sin embargo, al no proscribirla expresamente la Ley de Enjuiciamiento Criminal (LA LEY 1/1882), no puede decretarse su rechazo por principio, máxime teniendo en cuenta la multitud de hechos delictivos de que las autoridades policiales y judiciales son informadas de esta forma por quienes a causa de un temor razonable de represalias en ocasiones notoriamente feroces y crueles, prefieren preservar su identidad, de lo cual la experiencia cotidiana nos ofrece abundantes muestras. En tales casos, el Juez debe actuar con gran prudencia, y no puede ni debe actuar con ligereza en la admisión o en el rechazo de la denuncia anónima. Pero si ésta aparenta credibilidad y verosimilitud, debe inicialmente inquirir, con todos los medios a su alcance, en la comprobación, de la exactitud de su contenido, y si ello fuera afirmativo, puede proceder desde luego por sí mismo, de oficio, si el delito fuere público, sin necesidad de la intervención del denunciante y sin ningún otro requisito. a limine prima facie». STS 318/2013 de 11 Abr. 2013, Rec. 1098/2012; Ponente: Marchena Gómez, Manuel. LA LEY 30533/2013.

En consecuencia, en el supuesto ordinario de denuncia anónima a la policía, corresponderá a ésta decidir sobre su verosimilitud sirviendo como un modo de inicio de la investigación criminal que puede conducir, en su caso, a constatar la certeza de la denuncia con el esclarecimiento de los hechos y sus partícipes. En cualquier caso, la policía judicial, la fiscalía o el Juez de instrucción deben actuar para iniciar una investigación criminal según criterios de proporcionalidad y verosimilitud[19]; sin

---

(19) Vid. Instrucción de la Fiscalía General del Estado 3/1993, de 16 de marzo, que trata, entre otros extremos, la denuncia anónima y su virtualidad como notitia criminis, y concluye, tras analizar los antecedentes históricos, derecho comparado y legislación procesal, que habrá de ponderarse su intensidad ofensiva, la proporcionalidad y conveniencia de la investigación y en fin la legitimidad con la que se pretende respaldar las imputaciones delictivas innominadas. Véase en este sentido, el AAP Sevilla 12 julio 1993 (núm. 115, p. 9): «... Será, por tanto, el principio de

que la única existencia de una denuncia anónima pueda fundamentar una diligencia de instrucción limitativa de derechos fundamentales (entradas y registros, intervenciones telefónicas, detenciones, etc.), salvo supuestos excepcionalísimos de estado de necesidad (peligro inminente y grave para la vida de una persona secuestrada, por ejemplo). En cualquier caso, será la investigación policial la que podrá, con base en la denuncia anónima, comprobar que existen indicios racionales de criminalidad al efecto de solicitar una intervención judicial.

> «La policía, en el oficio de referencia no transmitió sospechas, intuiciones o simples afirmaciones sin soporte, antes bien facilitó datos concretos de la persona a la que se refería la denuncia anónima, verificó con los seguimientos y vigilancias, sus desplazamientos y las personas con las que se reunía, todas ellas ya investigadas por operaciones de droga …/… Como es doctrina de la Sala, la llamada anónima solo permite el inicio de la investigación policial, y eso es lo que ocurrió aquí, en base al resultado de la encuesta policial, de los seguimientos y demás datos obtenidos es cuando se pide la intervención telefónica y ésta se concedió, pero no por la llamada anónima, sino por los resultados de la investigación policial desencadenada por ésta. SSTS 1945/2005 (LA LEY 298755/2005); 551/2006; 1354/2009 o 318/2013. Todas ellas refieren que la mera y sola denuncia anónima no puede justificar un sacrificio de derechos fundamentales, sólo la investigación policial encaminada a verificar en términos razonables la verosimilitud de lo denunciado anónimamente, puede justificar la intervención. La razón de que no sirva la sola y mera denuncia anónima, la encontramos en el viejo brocardo "Quien oculta el rostro para acusar, también es capaz de ocultar la verdad en lo que se acusa». No fue éste el caso, como ya se ha dicho». STS 181/2014 de 11 Mar. 2014, Rec. 714/2013; Ponente: Giménez García, Joaquín. LA LEY 26586/2014.

Ahora bien, la denuncia anónima no puede constituir por sí sola prueba de cargo.

> «Una denuncia "anónima", sin perjuicio de que pueda servir de base lícita para iniciar las investigaciones necesarias para constatar la eventual veracidad de lo denunciado, no puede tener, por su propia naturaleza, efectividad alguna como prueba de cargo». STS 1881/2000 de 7 Dic. 2000, Rec. 1001/1999; Ponente: Conde-Pumpido Tourón, Cándido. LA LEY 2128/2001.

De este modo, la condena no podrá fundamentarse ni directa ni indirectamente en supuestas declaraciones de personas no identificadas. No será admisible, por tanto, el testimonio de referencia de la policía en el acto del juicio oral declarando sobre la denuncia anónima del confidente, en caso contrario se infringiría el art. 24 CE y el art. 6.3, d) Convenio de Roma respecto al derecho a interrogar a los testigos de cargo.

> «Asiste toda la razón al recurrente al estimar que la aceptación y valoración como prueba de cargo de las declaraciones de confidentes policiales anónimos, traídos

---

proporcionalidad el que habrá de determinar en cada caso concreto, atendiendo a la gravedad y trascendencia de lo comunicado, a la verosimilitud de los datos proporcionados, y también, de modo destacado, a los perjuicios que con la investigación se pueda causar a las personas, la actitud a seguir… Por lo tanto… la sola mención de determinadas personas en el anónimo no determinará por sí sola su condición de imputados en el proceso penal. Tal condición, por el contrario, sólo se materializará a través de la actividad de investigación, si de ella resulta la imputación de un delito a una persona determinada, tal como señala el pfo. 2.º del art. 118 LECrim…».

al proceso a través del testimonio referencial de la policía, vulnera el derecho constitucional a un proceso con todas las garantías (art. 24.2 Constitución Española) y, de modo concreto, el derecho a interrogar y hacer interrogar a los testigos de cargo, que garantiza el art. 6.3, d) del Convenio de Roma. Yerra, sin embargo, al afirmar que esta práctica "debió ser proscrita hace tiempo en nuestro país", pues ya lo está legalmente desde que se publicó la LECrim. en 1882. En efecto el art. 710 exige, de modo expreso, que los testigos de referencia "precisarán el origen de la noticia, designando con su nombre y apellidos, o con las señas con que fuere conocida, a la persona que se la hubiere comunicado", es decir que el testimonio de referencia no puede servir legalmente de cauce para traer al proceso, como prueba de cargo, los testimonios anónimos de confidentes policiales. En definitiva la utilización como prueba de cargo de testimonios de confidentes anónimos, que no pueden ser interrogados por el acusado ni siquiera cuestionados en su imparcialidad por desconocer su identidad, aparece proscrita en nuestro Ordenamiento en todo caso. En primer lugar, en el plano de los derechos fundamentales reconocidos supranacionalmente, por vulnerar el art. 6.3, d) del Convenio de Roma, ratificado por España el 26 de septiembre de 1979 (BOE 10 de octubre de 1979), que garantiza expresamente el derecho del acusado a interrogar a los testigos de cargo. En segundo lugar, en el plano Constitucional, por vulnerar el derecho a un proceso con todas las garantías y sin indefensión, reconocido en el art. 24.1.º y 2.º de la Constitución Española. En tercer lugar, en el plano de la legalidad ordinaria, por desconocer lo prevenido en el art. 710 de la LECrim. .../...». STS de 26 Sep. 1997, Rec. 3195/1996; Ponente: Conde-Pumpido Tourón, Cándido. LA LEY 10280/1997.

En cuanto a la figura del denunciado, la LECrim. no exige como requisito su identificación. Sucederá que, en muchas ocasiones, el denunciante ignorará todo sobre el denunciado. Precisamente, uno de los fines de la fase de instrucción será, en su caso, la identificación del delincuente y la posterior imputación y acusación en el marco del correspondiente proceso penal. Pero, no podrá seguirse el proceso penal cuando el denunciado resulte ser un menor o un incapaz. Una vez comprobado este extremo, la causa deberá ser sobreseída o archivada. Ahora bien, si apareciese identificada la persona denunciada, deberá el Juez darle traslado inmediato de las actuaciones practicadas, a los efectos de que pueda ejercitar su derecho de defensa —art. 118.2 LECrim.—.

Cuando se trate de una persona jurídica, el Juez deberá imputar formalmente a la persona que aparezca como responsable criminal. En principio, esta responsabilidad criminal recaerá sobre la persona del administrador o administradores de la persona jurídica, en función de su participación en los hechos denunciados.

b) Forma, contenido, admisión y efectos de la denuncia

No se exigen especiales requisitos de forma para formular el escrito de denuncia. Según el art. 265 LECrim., la denuncia podrá hacerse por escrito o de palabra, personalmente o por medio de mandatario con poder especial[20]. (Véanse M. 57 y 63).

(20) Si el denunciante no entendiera el idioma español no es aplicable a las denuncias la prevención del art. 440.3 LECrim., es decir, la necesidad de que la declaración sea consignada en el idioma empleado. Es suficiente la traducción del intérprete al castellano, realizada de forma simultánea y directa, por el intérprete —STS 20 abril 1977—.

En el caso que se formule por escrito, la denuncia deberá estar firmada por el denunciante, y la autoridad o funcionario que la recibiere rubricará y sellará todas las hojas. Cuando se presente por medio de mandatario, deberá constar el poder autorizado que faculta al representante para denunciar los hechos objeto de la denuncia. La denuncia verbal que se realice por medio de mandatario, deberá posteriormente ratificarse por el titular denunciante, sin perjuicio de presentar el poder especial al tiempo de formular la denuncia. Cuando el denunciante formule verbalmente la denuncia, se extenderá un acta por el funcionario que la recibiere, firmándola ambos a su término (art. 267 LECrim.).

Podrá utilizarse cualquiera de los idiomas oficiales de la Comunidad Autónoma, donde radique el órgano ante el que se presenta —art. 142 LEC—. La falta de la previa denuncia de los supuestos en que aparece como presupuesto procesal de procedibilidad, ha de entenderse subsanable por la posterior personación y ejercicio de las acciones penales y civiles por los legitimados para hacerlo.

La denuncia tendrá por objeto los hechos que revistan la apariencia de delito, independientemente de los tipos y las circunstancias concurrentes (art. 259 LECrim.). Por tanto, la denuncia podrá limitarse a describir los hechos presuntamente delictivos. Corresponderá a la autoridad receptora valorar aquéllos y comprobar su realidad, para lo que ordenará que se practiquen las diligencias procedentes —art. 269 LECrim.—. De este modo, y a diferencia de lo que ocurre en la querella —art. 277 LECrim.—, en la denuncia bastará que se expresen cuantas noticias tenga el denunciante relativas al hecho denunciado —art. 267 LECrim.—; ya que la finalidad de la denuncia no es valorar un hecho delictivo, sino la de provocar el inicio de un proceso penal, mediante la puesta en conocimiento ante la autoridad competente de la «notitia criminis».

Aunque, debe tenerse en cuenta que si bien la denuncia es un modo de iniciar el proceso penal, no necesariamente tendrá ese efecto. A este respecto, la denuncia dará lugar al inicio del proceso penal únicamente en el caso que se interponga ante el Juez y siempre que éste la admita y abra la instrucción penal ante la existencia de indicios racionales de criminalidad; ya que el Juez no podrá inadmitir la denuncia por motivos formales. Nótese, a este respecto, el diferente régimen que para la inadmisión de plano existe entre la querella (art. 313 LECrim.) y la denuncia (art. 269)[21]. Téngase presente que la simple denuncia de unos hechos no supone que se afecte ilícitamente el derecho al honor del denunciado.

> «La denuncia no implica, por sí misma, un ataque al honor, al servir tan sólo como medio para poner en conocimiento del órgano jurisdiccional la posible existencia de un delito al amparo del derecho a la tutela judicial efectiva del que se siente

---

(21)   A este respecto, el ATC 132/1981, de 4 diciembre, dispuso que el derecho a la tutela efectiva —art. 24.1.º CE— no queda vulnerado por la falta de pronunciamiento sobre la denuncia presentada, ya que la formulación de una denuncia no supone el ejercicio de acción penal, ni constituye en parte al que la formula, por lo que no existe un derecho al procedimiento —art. 269 LECrim.—, a diferencia de lo que ocurre con la querella que ha de dar lugar al menos a una resolución relativa a su admisión o inadmisión. Vid., también, SSTC 15/1984, de 3 de diciembre, y 157/1990, de 18 octubre.

perjudicado en sus intereses, siendo así que el descrédito que toda denuncia lleva aparejado para quienes figuran en ella no es bastante para apreciar la existencia de intromisión, ante la mayor protección que merece el derecho de la presunta víctima del ilícito penal. No concurriendo el supuesto de hecho previsto en el art. 7 7 de la Ley 1/1982 cuando "la imputación de hechos penales se realiza a través del medio legal previsto (denuncia), ante las autoridades penales competentes para conocerlos (policía judicial), en ejercicio del derecho como perjudicado y deber como ciudadano de poner en conocimiento la comisión de hechos delictivos" (STS 15 de noviembre 2012); doctrina aplicable al caso en el que se denunciaron unos hechos presunta o aparentemente delictivos de los que la acusada fue absuelta después de celebrarse el correspondiente juicio penal de faltas, sin vulneración, por tanto, de su derecho al honor, ni infracción del art. 7.7 de la LO 1/1982 (LA LEY 1139/1982)». STS Sala civil 278/2015 de 18 May. 2015, Rec. 1890/2013; Ponente: Seijas Quintana, José Antonio; LA LEY 54804/2015.

Si la denuncia se interpone ante la policía o el Fiscal se procederá al archivo de las actuaciones en el caso de que el hecho no revistiera caracteres de delito, previa práctica, en su caso, de una investigación preliminar. Aunque, en ese caso, el art. 773.2 LECrim. dispone que el Fiscal comunicará el archivo de las actuaciones al que denunciante a fin que pueda reiterar su denuncia ante el Juez de Instrucción. En el caso que el hecho revista caracteres de delito el Fiscal o la policía judicial remitirán las actuaciones al Juez de instrucción que iniciará la instrucción del delito cesando aquéllos en las diligencias preliminares. Estas actuaciones de la policía judicial formarán el atestado, al que se atribuye valor de denuncia, aunque en realidad no tiene ese carácter, sino que la denuncia «stricto sensu» se incluirá en su caso en el atestado. El Fiscal, por su parte, instará del Juez la incoación del procedimiento penal utilizando la denuncia o la querella.

Existen distintos tipos de denuncia según la persona o autoridad que la interponga. Así cabe distinguir entre: denuncia ordinaria de los particulares ofendidos o no por el delito; los partes profesionales o facultativos que sirven para comunicar a la autoridad judicial la comisión de un hecho delictivo, del que se ha tenido conocimiento en virtud del ejercicio de una profesión —art. 262 LECrim.—; la denuncia del Fiscal instando al Juez la incoación del procedimiento (art. 773.2 LECrim.); o finalmente, el llamado tanto de culpa que consiste en la remisión al Juez de Instrucción de la noticia de la perpetración de un hecho delictivo conocido o cometido durante la tramitación de un proceso jurisdiccional —arts. 40 y 186 LEC y 1300 LEC de 1881 con relación al proceso concursal—.

D) Querella

a) Concepto

La querella es un acto procesal en el que mediante una declaración de voluntad se ejercita la acción penal, provocando el inicio del proceso penal. Nótese la diferencia con la denuncia en tanto que ésta constituye una mera declaración de conocimiento mediante la que se transmite a la autoridad competente la «notitia criminis». Véase M. 64 en el que se contiene un escrito de Querella. Véanse otros escritos de Querella con relación a procedimientos determinados en M. 109, 168, 172, 238.

«Mientras que la querella es un acto de ejercicio de la acción penal, mediante el cual el querellante asume la cualidad de parte acusadora a lo largo del procedimiento, la denuncia no es más que una declaración de conocimiento y, en su caso, de voluntad, por la que se transmite a un órgano judicial, ministerio público o autoridad con funciones de policía judicial la noticia de unos hechos, presuntamente constitutivos de infracción penal». STC 94/2001 de 2 de abril.

En razón de su especial naturaleza la presentación de la querella convierte en parte al querellante por lo que se le deberán traslado de todas las actuaciones procesales posteriores. Para ello, deberán concurrir en la querella los requisitos previstos en el art. 277 LECrim., que constituyen presupuestos de obligada observancia; ya que, en caso contrario, el Juez de instrucción la inadmitirá[22].

Según el art. 270 LECrim. todos los ciudadanos españoles, hayan sido o no ofendidos por el delito, pueden querellarse. También podrán querellarse los extranjeros por los delitos cometidos contra sus personas o sus bienes o las personas o bienes de sus representados. Así podrán ejercitar la acción penal las personas físicas y las jurídicas[23]: en concepto de acusación particular cuando sean perjudicadas u ofendidas por el delito; o de acusación popular o pública cuando no hayan sido afectados por aquél.

«Aun cuando el art. 53.2 de la Constitución utiliza, como el art. 125, el término "ciudadanos", este Tribunal ha venido sosteniendo que con él se hace referencia tanto a las personas físicas como a las jurídicas (así STC 53/1983), no ya porque a ambas se refiere también el art. 162.1.b) de la Constitución, sino, antes aun, porque "si todas las personas tienen derecho a la jurisdicción y al proceso y se reconocen legítimamente las personificaciones que para el logro de un fin común reciben en conjunto el nombre de personas jurídicas"». STC 34/1994, de 31 de enero.

No existe ninguna restricción para el ejercicio de la acción penal en concepto de ofendidos por el delito, para aquellos que disponen de capacidad procesal; y si no la tuvieren podrán ejercitar la acción penal aquéllos que los representen. Sin embargo, para el ejercicio de la acción popular, se establecen límites. En este sentido, los arts.

---

(22)   Sin embargo, no cabe negar la validez de la actuación del que comparece en el proceso y actúa como parte acusadora, a pesar de que existiera algún defecto formal en su personación. Véase la STC 67/1986, de 27 mayo, en la que conoce de la nulidad de actuaciones decretada por la Audiencia de Barcelona s por falta de legitimación de una parte por ser simple denunciante y no haber ejercitado en forma la querella, aunque estaba personada e incluso propuso pruebas. El TC otorgó el amparo ya que la recurrente había creado una situación de apariencia jurídica digna de protección, que debía ser merecedora de un pronunciamiento en cuanto al fondo de su pretensión.

(23)   Véase respecto al ejercicio de la acción penal por las personas jurídicas el § 1.2.C.b del Capítulo IV. «En lo relativo a la legitimación, que procede examinar con carácter previo, dijimos en la Sentencia 34/1994 que "no hay razón que justifique una interpretación restrictiva del término ciudadano previsto en el art. 125 C.E. y en las normas reguladoras de la acción popular (STC 241/1992). Por tanto, no sólo las personas físicas, sino también las personas jurídicas, se encuentran legitimadas para mostrarse parte en el proceso penal como acusadores populares" STC 50/1998 de 2 de marzo. "Aun cuando el art. 53.2 de la Constitución utiliza, como el art. 125, el término "ciudadanos", este Tribunal ha venido sosteniendo que con él se hace referencia tanto a las personas físicas como a las jurídicas (así STC 53/1983), no ya porque a ambas se refiere también el art. 162.1.b) de la Constitución, sino, antes aun, porque "si todas las personas tienen derecho a la jurisdicción y al proceso y se reconocen legítimamente las personificaciones que para el logro de un fin común reciben en conjunto el nombre de personas jurídicas". STS 4 de marzo 1995.

102 y 103 LECrim. restringen la capacidad para querellarse a los que no gocen de la plenitud de los derechos civiles; a los que hubieren sido condenados dos veces o más por sentencia firme por delito de acusación calumniosa; y a los jueces y magistrados. Asimismo, tampoco podrán ejercitar acciones penales entre sí los cónyuges, ascendientes, descendientes y hermanos consanguíneos. En estos casos, los sujetos afectados no podrán ejercer la acción popular, pero si la acción particular cuando se trate de delitos cometidos contra sus personas o bienes; o los delitos cometidos por los unos contra las personas de los otros en el supuesto de delitos cometidos entre familiares.

También puede, y está obligado en los casos previstos en la ley, interponer querella el Ministerio fiscal, al que corresponde ejercitar de oficio las acciones penales por delitos públicos (arts. 105 y 271 LECrim.)[24]. Quedan a tanto al margen de la persecución del fiscal aquellos delitos en los que se exija querella del ofendido (Véase § 1 de este Capítulo).

b) Interposición y forma de la querella. Presupuestos procesales

La querella debe cumplir, obligatoriamente, una serie de requisitos formales para poder ser admitida a trámite. A este efecto, y conforme con el art. 277 LECrim., deberá presentarse por escrito en el que se expresará el Juez competente ante quien se presente. Se expresará la identidad del querellante y del querellado, y si se ignoran las circunstancias de éste, se expresarán las señas más adecuadas para su identificación. En la querella deberá relacionarse circunstanciadamente el hecho delictivo, con expresión del lugar, fecha y hora en que se ejecutó, si se conociere; y, en su caso, la expresión de las diligencias que deben practicarse para la comprobación del hecho. Finalmente, no basta con la transmisión de la «notitia criminis», como ocurre con la denuncia, sino que el art. 277.6 LECrim. exige que se exprese la petición de que se admita la querella, que se practiquen las diligencias solicitadas, que se proceda a la detención y prisión del presunto culpable, o que se exija fianza de libertad provisional y que se acuerde, en su caso, el embargo de bienes. (Véase M. 64).

Téngase en cuenta que el hecho de interponer una querella imputando unos hechos determinados implica una exigencia de que el querellante los acredite o bien proporcione los elementos necesarios para la investigación de los hechos que se imputan y en los que se fundamenta la querella.

«En relación con la admisión a trámite de la querella, la decisión debe contraerse a determinar si es procedente iniciar proceso penal o si debe rechazarse "a limine", cuestión que depende de la concurrencia de los requisitos procesales y sustantivos que condicionan la inicial idoneidad procesal de la querella para provocar la apertura de un proceso, siendo necesario la relevancia penal de los hechos, ya que el art. 313 LECrim (LA LEY 1/1882), ordena la desestimación de la querella cuando los he-

_____

(24) Sobre la obligación del Fiscal de formular querella, la Consulta n.º 8 de 3 de octubre 1973, entiende que sólo existe esta obligación cuando el Fiscal disponga de los elementos suficientes y los hechos denunciados son constitutivos de delito. Cuando carezca de elementos suficientes podrá limitarse a formular denuncia para que puedan comprobarse los hechos en la fase de instrucción.

chos en que se funda no constituyan delito. Para ello es preciso una inicial valoración jurídica de la misma y sólo si los hechos alegados, en su concreta formulación, llenan las exigencias de algún tipo penal debe admitirse la querella (AATS 31 de enero de 2011, 9 de febrero de 2012, 24 de abril de 2012). Ello es lo aquí acontecido. Esta sala emitió un pronunciamiento motivado sobre la calificación jurídica que le merecen los hechos, por lo que la inadmisión de la querella, a "limine litis» no es contraria a la tutela judicial efectiva, porque como decíamos ésta también se satisface con una resolución fundada en derecho en el supuesto del art. 313 LECrim (LA LEY 1/1882), que de otro modo, quedaría vacío de contenido, por ello procede desestimar esta alegación». ATS de 24 Feb. 2017, Rec. 20688/2016; LA LEY 5712/2017.

Todas estas peticiones formuladas en la querella no son vinculantes para el Juez, que podrá acordar otras distintas. Entre éstas el querellante podrá proponer la práctica de las diligencias de prueba que el Juez acordará o denegará razonando su decisión[25].

«Los querellantes no ostentan un derecho ilimitado a la práctica de los medios de investigación propuestos, ya que éstos están condicionados por la apreciación de su pertinencia que corresponde, en principio, al propio órgano instructor (art. 312 LECrim.), sin que tal consideración sea revisable en sede constitucional a menos que aparezca manifiestamente infundada o carente de apoyo en las actuaciones practicadas, o sea debida a la arbitraria denegación de la necesaria actividad investigadora…». (STC 191/1989, de 16 noviembre).

Por otra parte, aun cuando con la querella se ejercita la acción penal y se inicia el proceso penal, el objeto del proceso penal no puede quedar todavía fijado definitivamente, sino que habrá que esperar a la conclusión de la fase instructora y a la fijación definitiva del objeto mediante el auto de apertura del juicio oral que contendrá la calificación de los hechos formulada por las acusaciones personadas.

Además de estos requisitos de carácter general, también resultan exigibles otros que pasamos a analizar:

1.º) De postulación: La querella debe ser presentada por Procurador con poder especial y firmada por Letrado. El poder que debe acompañarse a la querella, en expresión del art. 277 LECrim., debe ser bastante, es decir, especialísimo, conteniendo una cláusula que faculte al apoderado para presentar la querella en relación a la persecución de un hecho punible concreto. Caso de que el poder fuese general para acciones penales sin especificar, será necesaria la ratificación del querellante, como trámite previo a su admisión, incoándose, antes de pronunciarse sobre dichos extremos, diligencias indeterminadas (vid. § 3 del presente Capítulo).

---

(25) La STC 33/1989, de 13 febrero, establece en su FJ 3.º que: «… inadmitida la querella, o desestimada en esta fase preliminar del proceso por resolución motivada —arts. 312 y 313 LECrim.—, no puede hablarse de un derecho a las pruebas, pues ni el Tribunal penal las necesita para apreciar que concurre el citado supuesto de desestimación a limine previsto por la ley (que los hechos en que se funde la querella no constituyan delito) ni, una vez adoptada en forma esta resolución, cabría proponer o practicar pruebas. Sin ellas, y con la única base del escrito en que se formula la querella puede apreciar el órgano judicial que los hechos relatados no son constitutivos de delito». Vid., también, las SSTC 148/1987, de 28 septiembre; 33/1989, de 14 febrero; 191/1989, de 16 noviembre.

«Los autos de 19/2/2013 acordando el archivo de las Diligencias Previas 1/2013, por ausencia del requisito de perseguibilidad consistente en la necesidad de presentar querella mediante procurador y firmada por letrado para dirigir acción penal contra juez y un miembro del Ministerio Fiscal, contiene una fundamentación motivada y con apoyo en los arts. 405 (LA LEY 1694/1985) y 406 LOPJ (LA LEY 1694/1985), es decir, "providencia del Tribunal competente, querella del Ministerio Fiscal, del perjudicado u ofendido o "mediante el ejercicio de la acción popular", si bien contiene un error en su FJ 3.º al referirse al Ilmo. Sr. Magistrado-Juez del Juzgado de lo Penal 1 de Guadalajara, fácilmente subsanable, lo bien cierto es que se declara competente para conocer de la denuncia contra la titular del Juzgado de 1.ª Instancia e Instrucción 3 (quiere decir 2) de Alcázar de San Juan y contra un miembro de la Fiscalía de Ciudad Real, acordando la inadmisión de la denuncia y archivo de las actuaciones, por ser imprescindible la presentación del escrito de querella por medio de Procurador y dirigido por Abogado, con los demás requisitos prevenidos en la Ley de Enjuiciamiento Criminal (LA LEY 1/1882)». ATS 5 Ene. 2015, Rec. 20060/2014 LA LEY 1141/2015

En cualquier caso, se trata de un vicio subsanable, que no puede erigirse en motivo de rechazo a limine de una querella[26].

2.º) De procedibilidad: En determinados supuestos de delitos únicamente perseguibles a instancia de parte se exige que con la querella se aporte acreditación de: a) la celebración del acto de conciliación, en los supuestos de delito de injuria o calumnias contra particulares —art. 804 LECrim.—, y b) la licencia de órgano judicial para deducir acción de calumnia o injuria vertidas en juicio —art. 279 LECrim. y 215.2 CP—[27].

3.º) Fianza: Cuando se ejercite la acción popular, el art. 280 LECrim. exige, como presupuesto de su admisibilidad, la prestación de fianza de la clase y en la cuantía que determine el Juez para responder de las resultas del juicio. Quedan exentos de este presupuesto el ofendido y sus herederos o representantes legales; en los delitos de asesinato o de homicidio, el viudo o viuda, los ascendientes y descendientes

---

(26)   La STS 6 febrero 1990 declara que la falta de poder especial del querellante debió motivar el oportuno requerimiento judicial para que el representante legal de la entidad querellante ratificase apud acta la querella, puesto que constituye un vicio subsanable que al no producir indefensión alguna al procesado no puede, por tanto, provocar la nulidad de apertura del juicio oral solicitada exclusivamente por la acusación particular.

Asimismo, en el supuesto de querella presentada en representación de una sociedad anónima, se plantea en la práctica el problema de qué debe entenderse por poder bastante, siendo preciso distinguir para su solución entre las diversas clases de órganos de administración que pueda tener la sociedad. Debe, pues, acudirse a sus Estatutos y examinar la forma de representación que la sociedad haya instituido. Así, si el órgano es unipersonal será preciso que se haya otorgado el poder por la persona individual encargada de la gestión —art. 87.2 RRM—; en cambio, si fuese pluripersonal solidario, cualquiera de los miembros del consejo de administración podrá otorgarlo. Y para el supuesto de que fuese pluripersonal colegiado —arts. 128 y 129 LSA— se precisará un acuerdo conjunto y especial para interponer la querella por todos sus miembros. En todo caso, si el hecho fuese constitutivo de delito debe admitirse como denuncia (SSTS 31 mayo 1977 y 9 diciembre 1982).

(27)   Sin embargo, la STC 99/1985, de 30 septiembre declaró anticonstitucional la exigencia de licencia del Tribunal para proceder por falso testimonio, puesto que «... tal exigencia vulnera el derecho fundamental a una tutela judicial efectiva reconocido en el art. 24.1 CE, que no puede verse trabado por decisiones judiciales no apoyadas en normas legales...».

consanguíneos o afines, y demás parientes fijados en el art. 282.2 LECrim. (Véase en general sobre la fianza § 1.2, C), b, 2.º del Capítulo IV).

«Dependiendo de si el particular es o no ofendido por el delito, el ejercicio de la acción penal está sujeto a determinadas particularidades, de entre las que cabe destacar la necesidad de la presentación de querella, que se impone al acusador popular que ejercita la acción penal (art. 270 LECrim.) y la obligación de prestar fianza para responder de las resultas del juicio, de la que, en cambio, se encuentra exonerado el ofendido por el delito (arts. 280 y 281 LECrim.)». (STC 34/1994, de 31 enero).

La exigencia de fianza sólo para el acusador popular no es discriminatoria, sino que trata de evitar posibles abusos de los no ofendidos y de facilitar la vía penal a los ofendidos, además de asegurar los perjuicios derivados de una acusación calumniosa o de una conducta procesal fraudulenta[28]. Tampoco debe considerarse contraria al contenido esencial del derecho reconocido en el art. 24.1 CE, ya que no impide el acceso a la jurisdicción[29].

La cuantía de la fianza será determinada por los órganos de la jurisdicción ordinaria por tratarse de una cuestión de hecho. Deberá ser adecuada y proporcional a la verdadera capacidad económica del acusador popular. En caso contrario podría constituir un límite para el ejercicio de la acción popular que condujera a la indefensión.

«No compete a este Tribunal —hemos dicho en anterior ocasión— la sustitución de los órganos de la jurisdicción ordinaria en la fijación de la cuantía (de la fianza), limitándose su función al control de la arbitrariedad e irracionalidad de la decisión judicial. Sin embargo, ni siquiera con dicho alcance, este Tribunal puede entrar a debatir si la cuantía de la fianza fijada impide el acceso a la jurisdicción (TC S 326/1994). Sin embargo, sí poseería trascendencia constitucional la cuestión que plantea la racionalidad de la cuantía de la fianza impuesta, pues, como ya apuntaba este Tribunal (TC SS 62/1983, 113/1984 y 147/1985), de ser desproporcionada en relación a

---

(28) La STC 62/1983, de 11 julio, declara que el tratamiento desigual en la necesidad de constitución de la fianza, entre los querellantes que han ejercitado la acción popular y los querellantes privados, que se encuentra establecida en los arts. 280 y 281 LECrim., no es discriminatorio, pues parte de la distinta afección que el delito produce sobre las personas y responde al criterio de dar mayores facilidades a los más afectados. En relación con el señalamiento de una cuantía determinada y su limitación, precisa «... que (debe) dar (se) prioridad a la efectividad del derecho fundamental, lo que puede exigir que se limite la cuantía de la fianza que resulte de la valoración de las posibles resultas del juicio». Vid., también, STC 147/1985, de 29 noviembre, tras declarar que el funcionario per se al interponer una querella no se encuentra exento de fianza, pues su deber se agota con poner en comunicación del Juez los hechos delictivos, al no ser tampoco ofendido, debe reputarse el señalamiento de fianza como constitucional, si bien deberá atemperarse a las circunstancias personales del querellante. Asimismo, SSTC 113/1984, de 29 noviembre; 202/1987, de 17 diciembre, y 326/1994, de 12 diciembre.

(29) «Desde esta perspectiva, hemos declarado que la exigencia de una fianza para el ejercicio de la acción penal, que se impone a quien no resulta directamente ofendido por el delito que trata de perseguir (arts. 280 y 281 LECrim), no es en sí misma contraria al contenido esencial del derecho, pues no impide por sí misma el acceso a la jurisdicción (TC SS 62/1983, 113/1984 y 47/1985), siempre que su cuantía, en relación a los medios de quienes pretenden ejercitarla, no impida ni su obstaculice gravemente su ejercicio, pues ello conduciría en la práctica a la indefensión que prohíbe el art. 24.1 CE». STC 79/1999, de 26 abril.

los medios de quienes pretendan interponen querella, se impediría u obstaculizaría gravemente su ejercicio, lo que podría conducir en la práctica a la indefensión que prohíbe el art. 24.1 CE». (STC 79/1999, de 26 de abril).

En consecuencia, no corresponde al TC ponderar la cuantía de la fianza ni valorar las circunstancias económicas del acusador popular. Sólo compete al alto Tribunal determinar si es gravemente desproporcionada, de forma que resulte irracional y arbitraria.

> «Y en esta línea, en la citada TC S 50/1998, insistíamos en nuestra doctrina según la cual la concreta ponderación de la fianza no corresponde a este Tribunal como tampoco la de las circunstancias económicas del recurrente a los efectos de determinar los límites en que deba exigirse. Se trata de una cuestión de hecho que los Tribunales debe resolver con arreglo a criterio de legalidad, correspondiéndonos únicamente apreciar si la fianza exigida es no gravemente desproporcionada hasta el punto de restringir el derecho fundamental invocado por merecer la calificación de arbitraria o manifiestamente irrazonable». (STC 79/1999, de 26 de abril).

c) Admisión

Presentada la querella, el Juez debe examinarla para comprobar si reúne o no los requisitos del art. 277 LECrim. En caso afirmativo, decretará su admisión mediante auto en el que ordenará la práctica de las diligencias que se propongan, denegando aquellas que sean contrarias a las leyes, innecesarias o perjudiciales para el objeto de la querella[30] —art. 312 LECrim.— (Véanse M. 110 y 169). El Juez también podrá desestimar la querella por entender que los hechos en que se funda no son constitutivos de delito (art. 313 LECrim.). Son ambos casos los únicos que permiten rechazar a limine una querella[31].

> «Todo ello, para no reiterarnos, entra dentro del ámbito de la decisión que se debe adoptar en relación con la admisión a trámite de la querella, ya que esta decisión debe contraerse a determinar si es procedente iniciar proceso penal o si debe rechazarse "a limine", cuestión que depende de la concurrencia de los requisitos procesales y sustantivos que condicionan la inicial idoneidad procesal de la querella para provocar la apertura de un proceso, siendo necesaria la relevancia penal de los hechos, ya que el art. 313 LECrm., ordena la desestimación de la querella cuando los hechos en que se funda no constituyan delito. Para ello es preciso una inicial valoración jurídica de la misma y sólo si los hechos alegados, en su concreta formulación, llenan las exigencias de algún tipo penal debe admitirse la querella (ver autos de 31-01-2011, 9-02-2012, 24-04-2012, 23-10-2013)», ATS de 29 Sep. 2015, Rec. 20393/2015 LA LEY 148756/2015.

---

(30) La denegación implícita de las diligencias solicitadas en un escrito de querella, al decretarse el archivo de las actuaciones sin resolución motivada sobre la negativa a su práctica, no constituye violación del art. 24.2 CE, respecto al derecho a utilizar los medios de prueba pertinentes para su defensa (STC 89/1985, de 19 julio). Vid., también, SSTC 148/1987, de 28 septiembre; 173/1987, de 3 noviembre, y 191/1989, de 16 noviembre.

(31) «... sin que nuestra Ley de Enjuiciamiento Criminal autorice al Juez de Instrucción a inadmitir una querella por alguno de los motivos distintos a los contemplados en los arts. 312-313 LECrim. de entre las que no encuentra, como no podía ser menos, la posibilidad de repeler a limine una querella por la sola circunstancia de carecer el querellante de la cualidad de ofendido de un delito público...». (STC 40/1994, de 15 febrero).

Téngase presente, que el «*ius ut procedatur*» que ostenta el querellante no contiene un derecho incondicionado a la iniciación de una instrucción penal. Por lo tanto, puede y debe el Juez decretar la inadmisión de la querella siempre que se dicte en aplicación razonada de una causa legal. En este caso, cuando considere que los hechos en los que se funda no constituyen delito[32].

> «... este Tribunal Constitucional tiene establecido que el ejercicio de la acción penal no comporta un derecho incondicionado a la apertura y plena substanciación del proceso, sino sólo a un pronunciamiento motivado del Juez sobre la calificación jurídica que le merecen los hechos, en la que indudablemente cabe la consideración de su irrelevancia penal y la denegación de la tramitación del proceso, o su terminación anticipada según las previsiones de la Ley de Enjuiciamiento Criminal (STC 191/1989, de 16 de noviembre, F. 2), expresando, en su caso, las razones por las que inadmite la tramitación (STC 148/1987, de 29 de septiembre, F. 2), por lo que tampoco se garantiza el éxito de la pretensión punitiva de quien la ejercita, ni obliga al Estado, titular del «ius puniendi», a imponer sanciones penales en todo caso, con independencia de que concurra o no alguna causa de extinción de la responsabilidad penal (STC 157/1990, de 18 de octubre, F. 4)». STC 163/2001 de 11 de julio.

Ahora bien, únicamente cabe inadmitir «a limine» la querella en el supuesto en el que no se aprecien indicios racionales de criminalidad, ya que si el hecho objeto de la querella constituye delito el Juez de instrucción deberá proceder a realizar las diligencias precisas para su comprobación y atribución al querellado.

> «A este respecto, debe distinguirse entre aquellos supuestos en los que la resolución judicial no excluya "ab initio" en los hechos denunciados las notas características de lo delictivo, de aquellos otros en que sí lo excluya. En el primer caso, existe un "ius ut procedatur", conforme al cual deben practicarse las actuaciones necesarias de investigación. No así por el contrario, en aquellos casos en los que el órgano judicial entienda razonadamente que la conducta o los hechos imputados, suficientemente descritos en la querella, carecen de ilicitud penal, en cuyo caso el derecho a la jurisdicción que ejercen el denunciante y el querellante "no conlleva el de apertura de una instrucción" (STC 111/1995, f. j. 4.º; en igual sentido, la STC 148/1987 f. j. 2.º). Ello supone, como inmediata consecuencia, que el Juez, cuando se aprecie de forma evidente que los hechos denunciados carezcan de relevancia penal, deba realizar,

---

(32) «Es cierto que este "ius ut procedatur" que ostenta el ofendido no contiene, ni un derecho absoluto a la incoación de toda instrucción penal, ni un derecho incondicionado a la apertura del juicio oral, pues el derecho de querella no conlleva el de la obtención de una Sentencia favorable a la pretensión penal .../... Una resolución de inadmisión o desestimación de la querella no es contraria al derecho fundamental a la tutela judicial efectiva, siempre que, de conformidad con lo dispuesto en el art. 313 LECrim, el órgano judicial entienda razonadamente que los hechos imputados carecen de ilicitud penal; lo que no obsta, sin embargo, para que al mismo tiempo se reconozca como facultad integrante del citado derecho fundamental un "ius ut procedatur", en virtud del cual, cuando la resolución judicial no excluya "ab initio" en los hechos denunciados las normas caracterizadoras de lo delictivo, deben practicarse las actuaciones necesarias de investigación, acordadas en el seno del procedimiento penal que legalmente corresponda, de sumario, diligencias previas o preparatorias, con la consecuencia de que la crisis de aquél o su terminación anticipada, sin apertura de la fase de plenario, sólo cabe por las razones legalmente previstas de sobreseimiento libre o provisional, conforme a lo establecido en los arts. 637, 641 o en su caso, 789.1 LECrim (SSTC 108/1983, de 29 de noviembre y 148/1987, de 28 de septiembre)». STC 94/2001 de 2 de abril.

con la mayor premura, las actuaciones necesarias para el inmediato archivo de la causa, como en el presente caso se ha hecho». STC 138/1997 de 22 de julio.

En cualquier caso, el Tribunal deberá desestimar la querella tan pronto considere que no existe causa penal que pueda justificar la apertura o continuación de un proceso penal.

«... lo relevante es que los órganos de la justicia penal apreciaron la falta de un requisito de procedibilidad, que la norma penal exige (art. 621.6 CP), al no existir un interés público suficiente para la persecución del hecho. Se negó a la hoy demandante, tras efectuar una ponderación de las circunstancias concurrentes fundada en una serie de datos objetivos obrantes en la causa, la condición de agraviada u ofendida por el hecho sancionable penalmente; estimaron que el proceso penal no debía proseguir. Conforme a la jurisprudencia constitucional citada, no puede considerarse contrario a los principios y reglas del proceso justo su cierre o terminación mediante una resolución motivada y fundada en una causa prevista legalmente, verbigracia la inexistencia de una condición de perseguibilidad...». STC 163/2001 de 11 de julio.

Este será el supuesto en el que no se ofrezcan datos o elementos fácticos que indiciariamente pudieran aparecer como constitutivos de los delitos que se imputan en el escrito de querella. No sirviendo a este efecto la mera aportación de recortes de prensa o similares sin más constatación o acreditación (véase ATS de 9 de mayo de 2000, 6653). En este sentido, debe ponerse de manifiesto que la querella no puede constituir un instrumento interesado de naturaleza coactiva que sirva a fines distintos de los legalmente previstos. A saber, no puede emplearse la querella como medio de presionar a los deudores con un instrumento procesal utilizado de forma inadecuada. Este es el caso de las denominadas, incluso por el TC, «querellas catalanas»: «esta querella tiene todo el aspecto de una querella "catalana", interpuesta única y exclusivamente con la finalidad de evitar la toma de posesión por el hoy recurrente». (ATC 71/1997).

«Esta nueva querella merece ya el rechazo de plano por la forma, pues el art. 277 LECrim. exige como requisito sustancial para la admisión a trámite de toda querella, que la misma contenga "la relación circunstanciada del hechos» que la motivan. No se trata de exigencia caprichosa, ni de mera formalidad, ni basta para cumplirlo con una imputación genérica, ni con la expresión de personales juicios de valor derivados de la disconformidad de los querellantes con las actuaciones de los Jueces y Tribunales de Córdoba, en las personas de sus Magistrados, Letrados de la Administración de Justicia y Fiscales, aquí querellados, una vez más. La querella es un acto procesal por el que quien desea constituirse en parte acusadora ejercita la acción penal, lo que implica un acto de imputación de un hecho determinado que ofrezca en su integridad los caracteres de un específico delito, para cuya averiguación deba procederse a la incoación de un proceso penal. Es imprescindible que en la descripción del suceso que realice el querellante se ofrezcan datos y las circunstancias que permitan subsumirlo en algunas de las descripciones típicas de las conductas delictivas contenidas en el Código Penal, siquiera con carácter indiciario que es propio de la fase preliminar del proceso penal, ya que para acordar su apertura el órgano jurisdiccional al que comunica la existencia de aquél hecho debe analizar, partiendo de la hipótesis de que fuera cierto, si el mismo cumple las exigencias de tipicidad descritas en la norma. La falta pues en esta nueva querella de la relación circunstanciada de los hechos, en relación con los aforados ante esta Sala, constituye un defecto insubsanable, en cuanto que implica la ausencia de un requisito de su contenido que afecta a la esencia misma del acto, impidiendo que surta el efecto prevenido por la ley, por lo que solo por la forma procede ya la inadmisión. En cuanto al fondo, reiterar el contenido de los Razonamientos del Auto antes citado de 7/2/2013 (causa especial 20758/2012). Recordando a los querellantes que no se puede poner en marcha el mecanismo de un proceso penal, que indudablemente ocasiona un gravamen para los querellados, con afirmaciones vacuas y carentes de solidez. La Ley de Enjuiciamiento Criminal (LA LEY 1/1882), contemplando esta posibilidad, establece como alternativa a las querellas infundadas, la posibilidad de acordar su archivo, si los hechos no son constitutivos de delito (art. 313 LECrim.) y, al mismo tiempo, solamente autoriza la admisión de las querellas en los supuestos en que fuera procedente (art. 312 LECrim.)». ATS de 24 Oct. 2016, Rec. 20688/2016, LA LEY 180249/2016

También puede inadmitirse la querella en razón de no ser competente el tribunal para su sustanciación, lo cual será el caso de los aforados, o de los delitos de los que conoce, en razón de la materia, la Audiencia Nacional (art. 313 LECrim.). En ese caso, debe distinguirse si el tribunal que se considera incompetente, considera que existen indicios de criminalidad. En ese caso, remitirá la querella y su documentación al Juzgado competente, con base en el deber de denunciar que tienen todos los ciudadanos (art. 259 y ss. LECrim.) y particularmente los que conocen por razón de sus cargos, profesiones u oficios (art. 262 LECrim.). Ahora bien, en el caso que se considere que no existe delito se procederá a inadmitir la querella y a su archivo.

«La argumentación del recurrente parece desconocer que las diligencias de investigación o instrucción no son una consecuencia automática de la interposición de una querella o denuncia, por cuanto tampoco es una consecuencia necesaria la incoación del correspondiente procedimiento penal (arts. 269 (LA LEY 1/1882) y 313 LECrim (LA LEY 1/1882)) y en el presente caso, este Tribunal ha estimado que los hechos objeto de la querella interpuesta por el hoy recurrente no revisten caracteres de delito. En tal sentido pueden citarse las resoluciones de esta Sala de 28 de julio de 2000 —RC 1450/2000— (LA LEY 244983/2000); de 5 de noviembre de 2003 —RC 1102/2003—; de 9 de mayo de 2000 —RC 60/2000—; o de 19 de enero de 2004 —RC 1048/2003— (LA LEY 305976/2004) y de 16 de enero de 2006 —RC 30/2005— (LA LEY 303245/2006), así como las del Tribunal Constitucional, con idéntica doctrina sobre la corrección de las inadmisiones a limine por no ser los hechos denunciados constitutivos de delito, sin que ello produzca lesión alguna del derecho a la obtención de la tutela judicial efectiva, así se pueden citar las STC 240/2005 (LA LEY 1963/2005) de 10 de julio, o 176/2006 de 5 de junio (LA LEY 69989/2006)». ATS 24 Feb. 2017, Rec. 20688/2016; LA LEY 5712/2017.

Cuando proceda la inadmisión el Juez de instrucción dictará auto motivado que podrá ser objeto de recurso de reforma y de posterior apelación ante la Audiencia; teniendo en cuenta que el Tribunal Constitucional ha admitido la motivación por remisión del auto de desestimación de la Audiencia Provincial.

«Se ha dicho en reiteradas ocasiones que quien ejercita la acción penal en forma de querella no tiene, en el marco del art. 24.2 CE, un derecho incondicionado a la apertura y plena sustanciación del proceso penal, sino sólo a un pronunciamiento motivado del órgano judicial durante la fase instructora sobre la existencia y calificación jurídica del hecho (SSTC 148/1987, 33/1989, 203/1989, 217/1994, entre otras), expresando las razones por las que se inadmite su tramitación y teniendo en cuenta que este Tribunal viene reiteradamente admitiendo la validez constitucional de la motivación aunque se haga por remisión a la motivación de otra resolución anterior (por todas, SSTC 146/1990, 175/1992 y 46/1996). Constando, por tanto, tal extremo, este Tribunal no puede entrar a revisar, como si de una nueva instancia se tratara, las decisiones judiciales que impiden la continuación del procedimiento penal, ya que en ningún caso puede entrar a conocer de los hechos que dieron lugar al proceso [art. 44.1 b) LOTC]». ATC 291/1999 de 1 de diciembre.

Contra la resolución de la apelación no cabrá recurso de casación, procediendo solamente el recurso de súplica, art. 884.2, en relación con el 848 LECrim[33].

«Se pretende recurso de casación, contra un auto resolviendo recurso de Apelación, frente al del Instructor recurrido en reforma inadmitiendo querella por no ser los hechos constitutivos de delito, que confirmó en su integridad el dictado en la instancia, ello en el seno de unas Diligencias Previas seguidas por estafa y falsedad denunciadas en la querella .../... En el caso que nos ocupa nos encontramos con un auto que inadmite una querella por resultar evidente que los hechos no eran constitutivos de delito (art. 313 LECrim (LA LEY 1/1882)) no asimilables a los autos de sobreseimiento libre y por tanto no susceptibles de recurso de casación (ver sentencias de 8 de abril de 2005, 20 de noviembre de 2006 entre otras muchas), por ello no concurre la primera exigencia del art. 848 LECrim (LA LEY 1/1882), ni del Acuerdo del Pleno. Está también ausente el requisito de que en la causa la posición de los querellados tuviera alguna similitud con la que produce el procesamiento, no siendo asimilable la posición de meros querellados o denunciados a procesados o imputados. Como dice el Ministerio Fiscal en el recurso de casación anunciado, concurrió causa objetiva de inadmisión por no ser recurrible en casación la resolución impugnada y por tanto ajustada a derecho y procede, en consecuencia la desestimación de la queja y la imposición de las costas al recurrente (art. 870 LECrim (LA LEY 1/1882))». ATS de 30 Abr. 2014, Rec. 20138/2014, LA LEY 55394/2014.

d) Efectos

El efecto principal de la querella, siempre que se admita a trámite, consistirá en la iniciación del proceso penal y la apertura de las correspondientes diligencias previas o de sumario en las que el querellante estará comparecido como parte con todos los derechos inherentes a tal condición (véase § 1.2 c) Cap. IV). Además, la querella produce otros efectos o consecuencias cuáles son la anotación preventiva, la interrupción de la prescripción, y la imposición de las costas.

1.º Anotación preventiva de querella

La anotación preventiva de querella es una de las diligencias que el querellante puede solicitar en su escrito de querella. Ahora bien, ésta no podrá acordarse cuando

---

(33) «... la doctrina de esta Sala ha sido constante en negar el carácter definitivo de los autos de inadmisión de querella —AATC 13 febrero 1985 (y 10 marzo 1986)—, excluyendo asimismo la apelación ante el Tribunal Supremo —AATC 15 febrero 1988, 21 enero y 28 febrero 1992 (... porque la apelación contra el auto de desestimación de una querella dictado por un Juez de Instrucción se atribuye a la Audiencia (y si) tal resolución se dicta por un Tribunal colegiado, sólo se otorga el recurso de súplica...)». (ATC 16 julio 1992).

se admita la querella, sino en un momento procesal posterior, cuando resulten indicios racionales de criminalidad de las diligencias practicadas.

No ha sido pacífica la admisión de esta anotación preventiva. Su planteamiento tiene su fundamento en la acción civil que se ejercita conjuntamente con la penal, que según el art. 100 LECrim. y 110 CP, tiene por objeto la restitución de la cosa, la reparación del daño y la indemnización de perjuicios. Es decir, de la comisión de un hecho delictivo pueden nacer efectos civiles, que pueden reclamarse por medio de una acción civil, dentro del proceso penal. En realidad, y desde un punto de vista técnico jurídico, nos encontramos ante una anotación preventiva de la pretensión civil ejercitada juntamente con la acción penal, encuadrable dentro del art. 42.10 LH. Sin embargo, en la práctica jurídica se ha optado por denominarla anotación preventiva de querella.

La dificultad planteada se hallaba en la ausencia de norma legal que acogiera este supuesto. En este sentido, en algunas resoluciones de la DGRN se había denegado la anotación preventiva por entender que la querella no se incluía en ninguno de los supuestos previstos en el art. 42 LH.

> «La querella, en la que el ejercicio de la acción penal cabe conjuntamente con el de la civil, no puede equipararse a la demanda en juicio civil de nulidad o eficacia de títulos inscritos. En esta última, la anotación está reconocida expresamente en la Ley —art. 42-1.º— mientras que en la primera en la que no va implícito el ejercicio de la acción de nulidad de títulos, ha de ser ordenada por el Tribunal cuando se cumplan las condiciones determinadas en el citado art. 589 de la Ley de Enjuiciamiento Criminal, a saber que resulten indicios de criminalidad como consecuencia de las diligencias de investigación practicadas, lo que no ha sucedido en el presente caso, en el que el Tribunal se ha limitado a trasladar la petición del interesado de anotarse la querella». (RDGRN 1 de abril 1991, LA LEY 429-RN/1992).

Ante esta situación en algunas sentencias se admitía la posibilidad de admitir demanda civil sobre los mismos hechos objeto del proceso penal, con el único objeto de proceder a la anotación preventiva de la demanda en el Registro de la Propiedad[34]. Sin embargo, finalmente se ha impuesto, ni ninguna duda, la práctica de anotar la pretensión civil que se hace valer en el proceso penal. De este modo,

---

(34) «El art. 111 de la Ley de Enjuiciamiento Criminal hace inadmisible el ejercicio de la acción civil con separación de la penal mientras ésta estuviese pendiente de resolución, por lo que, a primera vista no cabría admitir una demanda civil, cuando, como sucede en el presente caso, ya se acepta por el actor la existencia del proceso penal y su clara incidencia en el civil. Sin embargo, también es preciso tener en cuenta las dificultades existentes para obtener en vía penal una anotación preventiva, que en este caso sería de querella .../... lo cierto es que nos encontramos ante un supuesto en que la anotación preventiva se intentó sin éxito en el juicio penal, por lo cual se ha acudido a esta vía civil, en solicitud de admisión de la demanda, a los solos efectos de la práctica de tal anotación. Y, realmente, no existen razones sólidas para oponerse a tal petición, puesto que un caso similar sería si el proceso civil se hubiera iniciado con anterioridad al penal, se hubiera obtenido la anotación preventiva de la demanda, y, por lo dispuesto en el art. 114 de la Ley de Enjuiciamiento Criminal, se lograra la suspensión del juicio civil. En todo caso, la admisión de la demanda lo sería, como se ha dicho, a los solos efectos de su anotación preventiva, sin que, por consiguiente, supusiera el comienzo del ejercicio de la acción civil prohibido por el art. 111 de la LECrim, y, por otra parte, se cumpliría con el requisito exigido por el art. 139 del Reglamento

si bien es cierto que no cabe la anotación de la mera interposición de la querella criminal, en Resoluciones de la DGRN se admite actualmente la anotación cuando en la querella se hace valer, junto a la acción penal, la acción civil; siempre que ésta tenga trascendencia real inmobiliaria y se refiera a bienes inscritos a nombre de personas incursas en el procedimiento penal generalmente como sujeto pasivo.

«2. El primero de los defectos ha de ser mantenido, pues, como ha dicho reiteradamente este Centro Directivo, el principio de tracto sucesivo (cfr. art. 20 de la Ley Hipotecaria), corolario del principio constitucional de tutela judicial efectiva (cfr. art. 24 de la Constitución Española) impiden la práctica de la anotación solicitada cuando las fincas están inscritas a favor de terceras personas que no han intervenido en el procedimiento. 3. Igual camino ha de seguir el segundo de los defectos, pues, como también ha reiterado esta Dirección General, la interposición de la querella puede tener acceso al Registro de la Propiedad cuando, ejercitándose conjuntamente la acción civil con la penal, se ejerciera una acción de trascendencia real inmobiliaria (cfr. art. 42.1 de la Ley Hipotecaria) siempre que: a) del ejercicio de la acción pudiera resultar la nulidad del título en virtud del cual se hubiera practicado la inscripción; y b) que del mandamiento resultare el contenido de la acción civil ejercitada o se adjuntara al mismo el texto de la querella del que se derivase la nulidad anteriormente dicha. Pues bien, en el caso presente tampoco aparecen acreditados tales extremos». DGRN Resolución de 9 Sep. 2004; LA LEY 2485/2004.

Nótese que no cabe, en aplicación del principio de tracto sucesivo recogido en el art. 20 de la Ley Hipotecaria, la práctica de anotación preventiva si el titular registral es persona distinta de aquélla contra la cual se ha seguido el procedimiento.

«Si bien es cierto que los Registradores tienen la obligación de respetar y colaborar en la ejecución de las resoluciones judiciales firmes, no lo es menos que el principio constitucional de protección de los derechos e intereses legítimos y de interdicción de la indefensión impide extender las consecuencias de un proceso a quienes no han sido parte él ni han intervenido de manera alguna, por lo que, al amparo del art. 100 del Reglamento Hipotecario, no pueden practicarse asientos que comprometan una titularidad registral si no consta que el titular de un derecho inscrito ha sido parte en el procedimiento correspondiente. En consecuencia, debe rechazarse la inscripción de resoluciones judiciales si no consta que en el respectivo procedimiento los titulares de derechos inscritos que resulten afectados han tenido la intervención previstas por las leyes para su defensa, evitando así que sufran en el mismo Registro las consecuencias de su indefensión procesal, en virtud del principio de tutela judicial efectiva consagrado en el art. 24 de nuestra Constitución». DGRN Resolución de 19 Dic. 2006; LA LEY 168920/2006.

Ahora bien, el art. 20.3 LH prevé la posibilidad de anotar la querella en los procedimientos criminales respecto de bienes no inscritos a nombre del imputado, cuando a juicio del juez o tribunal existan indicios racionales de que el verdadero titular de los mismos es el imputado, haciéndolo constar así en el mandamiento.

Hipotecario, que requiere que se ordene la anotación al admitirse la demanda». AAP de Santa Cruz de Tenerife, de 17 noviembre 1994.

«2. Es doctrina reiterada de este Centro Directivo que las exigencias del principio de tracto sucesivo confirman la postura del Registrador toda vez que el procedimiento del que dimana el mandamiento calificado no aparece entablado contra el titular registral, sin que pueda alegarse en contra la limitación del ámbito calificador respecto de los mandamientos judiciales, pues el principio constitucional de protección jurisdiccional de los derechos e intereses legítimos, impide extender las consecuencias de un proceso a quienes no han tenido parte en él ni han intervenido en manera alguna, exigencia ésta que en el ámbito registral determina la imposibilidad de practicar asientos que compromenten una titularidad inscrita si, o bien consta el consentimiento de su titular, o que éste haya sido parte en el procedimiento de que se trata; de ahí que el art. 100 del Reglamento Hipotecario incluya los obstáculos que surjan del Registro. 3. El art. 20 párrafo último, de la Ley Hipotecaria introducido por Ley Orgánica 15/2003, de 25 Nov., ha facilitado la anotación preventiva en los supuestos de falta de tracto por aportación o transmisión de los bienes a sociedades interpuestas o testaferros, pero exige un doble requisito para que ello sea posible: que se trate de procedimientos criminales, y que a juicio del juez o tribunal existan indicios racionales de que el verdadero titular de los mismos es el imputado, haciéndolo constar así en el mandamiento. Esta última circunstancia no resulta de la documentación judicial aportada a este expediente, por lo que prevalece la regla general contenida en dicho artículo, cual es la de que no podrá tomarse anotación de demanda, embargo o prohibición de disponer, ni cualquier otra prevista en la Ley, si el titular registral es persona distinta de aquélla contra la cual se ha dirigido el procedimiento». DGRN Resolución de 18 Feb. 2009, LA LEY 14320/2009.

También es posible la anotación preventiva respecto de bienes inscritos a nombre del querellante para evitar su indefensión ante anotaciones registrales sobrevenidas.

«Cierto es que esta Dirección General ha aceptado la anotación de demanda —y por extensión, en su caso, de querella— cuando el titular de la finca es el propio demandante, de acuerdo con el antes aludido principio de tutela judicial efectiva, para el caso de que de no hacerse se produjera un supuesto de indefensión para el demandante, como cuando existe un título de transmisión o gravamen referente a la finca objeto de la demanda que aún no haya sido inscrito permitiendo con ello que no surjan terceros protegidos por la fe pública registral». (vid. DGRN Resolución de 25 Nov. 2014; LA LEY 177553/2014).

Finalmente, se ha admitido la anotación preventiva de querella aunque ésta no se dirija frente a todos los titulares del bien. Por ejemplo, en el caso de la interpuesta frente al Presidente de una Comunidad de propietarios.

«El primero de los defectos es el de no haberse dirigido la acción contra todos los titulares de los elementos privativos de la propiedad horizontal. Pero tal defecto ha de ser rechazado puesto que, por una parte, una acción penal sólo puede dirigirse contra aquel que se entiende ha incurrido en la infracción de tal tipo, y, por otra, según jurisprudencia reiterada del Tribunal Supremo (cfr. Sentencias de 5 de enero, 24 de octubre y 25 de noviembre de 1977 y 5 de octubre de 1979, por citar sólo algunas), cualquier comunero (y la propiedad horizontal es, en definitiva, una forma de comunidad, al menos de los elementos comunes), por sí solo, está legitimado para ejercitar acciones que defiendan a todos, resultaría absurdo entender que, sólo por ello, todos los restantes comuneros constituyen un litisconsorcio pasivo necesario». DGRN Resolución de 13 Jul. 2012; LA LEY 145958/2012.

La anotación preventiva puede instarse con independencia del medio a través del cual se hace aquélla valer y, consiguientemente, el vehículo formal que para ello se emplee (demanda o querella).

> «Ciertamente es doctrina de este Centro Directivo, basada en el propio art. 42 Ley Hipotecaria, que no cabe reflejar registralmente por vía de anotación preventiva la mera interposición de querella criminal. Ahora bien lo anterior no implica que cuando en la querella se hace valer no sólo la acción penal sino también la civil, quede vedada en todo caso la vía de la anotación preventiva para hacer constar registralmente el ejercicio de esta última. Por el contrario, si se analiza el art. 42-1 de la Ley Hipotecaria, se advierte que el objeto de la anotación en tal precepto contemplada, es el "demandar en juicio la propiedad de los bienes muebles o la constitución, modificación, transmisión o extinción de un derecho real inmobiliario", esto es, el ejercicio de la acción de trascendencia real inmobiliaria, siendo indiferente el procedimiento a través del cual se hace aquélla valer y, consiguientemente, el vehículo formal que para ello se emplee (demanda o querella)». (RDGRN de 13 de noviembre de 2000, LA LEY 309/2001).

Lo contrario carecería de sentido. Nótese que la acción civil que nace de un delito o falta se ejercita juntamente con la penal, salvo que el perjudicado la reserve o renuncie a su derecho (arts. 111 y 112 LECrim.). Por tanto, declarada la responsabilidad penal como fundamento de la civil, el tribunal penal deberá resolver en la sentencia declarando el derecho del querellante con las consecuencias registrales que sean oportunas, v.g. la nulidad de un título inscrito en el Registro, con todas las consecuencias que ello lleve aparejado.

En consecuencia, ningún obstáculo existe para hacer constar por vía de anotación preventiva el ejercicio en la querella criminal de la acción civil derivada del delito cuando esa acción tenga efectiva trascendencia real, con la finalidad de garantizar en el ámbito registral la efectividad del pronunciamiento judicial que en su día se dicte.

> «... habrá de concluirse que ningún obstáculo existe para hacer constar por vía de anotación preventiva el ejercicio en la querella criminal de la acción civil derivada del delito si esta acción, como ahora ocurre, tiene efectiva trascendencia real (cfr. arts. 1, 2, 40, 42 Ley Hipotecaria), a fin de garantizar en el ámbito registral la efectividad del pronunciamiento judicial que en su día se dicte; siendo preciso, en todo caso que del mandamiento resulte el contenido de la acción civil ejercitada o se adjunte el mismo el texto de la querella que se recoja el correspondiente suplico, pues, como se ha señalado, no es la mera interposición de la querella sino el ejercicio a través de ella de una acción civil de trascendencia real, lo que efectivamente se anota». RDGRN de 13 de noviembre de 2000, 2574. (V. En el mismo sentido, RDGRN 15 de noviembre de 2000; LA LEY 287/2001).

Con base en lo expuesto, cabe solicitar la anotación de la querella admitida a trámite, que el Juez de instrucción acordará con base en los preceptos civiles e hipotecarios de aplicación a la anotación preventiva de demanda. A este efecto, también resulta de aplicación el art. 589 LECrim. que prevé que podrán acordarse medidas cautelares reales —fianzas y embargo— para poder, cubrir las responsabilidades civiles derivadas del delito. Junto a estas medidas para cubrir condenas pecuniarias, deben situarse aquellas otras que sirvan para garantizar el cumplimiento de sentencias constitutivas o declarativas, en algunos casos. Entre esas debe situarse la anotación preventiva de querella.

Para que pueda adoptarse la anotación preventiva de querella será necesario: a) Que se acuerde en el momento procesal en el que el Juez entienda que existen indicios racionales de criminalidad contra el acusado. Este momento coincidirá bien con el auto de procesamiento (proceso por delitos graves), bien con una resolución judicial interlocutoria, en función del proceso penal incoado. b) Que con la querella se ejercite una pretensión civil que afecte, necesariamente, a un derecho real inscrito (delitos de alzamiento de bienes, cuya estimación conlleva la declaración de nulidad de la enajenación fraudulenta).

Cuando se cumplan estos dos requisitos se podrá acordar la medida y proceder a su ejecución con la anotación de la querella en el Registro correspondiente, para lo cual el tribunal dictará mandamiento al Registrador en el que debe constar el contenido de la acción civil ejercitada, o el mismo el texto de la querella que contenga el correspondiente suplico.

2.º La interrupción de la prescripción[35]

La interrupción de la prescripción de los delitos se producirá, conforme con el art. 132 CP, cuando el procedimiento se dirija frente al presunto responsable por un acto de intermediación judicial. De modo, que no interrumpe la prescripción la mera presentación de la querella, sino que se será preciso que el órgano judicial dicte una resolución material en la que se contenga un razonamiento judicial motivado respecto a la prosecución de un procedimiento penal por unos hechos concretos, frente a una persona concreta. Esta resolución puede identificarse tanto con el auto de admisión de querella como con el auto de incoación de diligencias previas. Así se viene declarando por el TS en conformidad de la doctrina del Tribunal Constitucional en esta materia contenida en diversas sentencias (entre otras las SSTC 63/2005 y 29/2008). Véase una exposición completa sobre esa cuestión el § 1.1 Capítulo II en sede de ejercicio de la acción penal.

3.º La imposición de las costas

Finalmente, una de las consecuencias de especial interés que puede derivar de la interposición de la querella es la de la imposición de las costas ya sea al condenado o al querellante según el caso. (Véase a este respecto, en sede de costas, § 3 Cap. X).

---

(35) Véase sobre esta cuestión: CHOCLAN MONTALVO J.A., «Prescripción de la acción penal y criminalidad organizada, ¿un modelo de excepción?», *Actualidad J.ª Aranzadi* n.º 448, 2001; «De nuevo sobre la incidencia del plazo de prescripción de la Ley del contribuyente en el contenido del injusto en la punibilidad del delito fiscal», *Actualidad Jurídica Aranzadi* 464, 2001. RODRÍGUEZ RAMOS, «La prescripción del delito fiscal», *Act. J.ª Aranzadi* n.º 470, 2001; «La prescripción de las infracciones tributarias», *Act. J.ª Aranzadi* n.º 518, 2002. SILVA Y RAGUÉS, «La determinación del hecho a efectos de prescripción del delito fiscal», *Act. J.ª Aranzadi* n.º 507, 2001; SALAS DARROCHA J.T., y GARCÍA FERNÁNDEZ L., «Prescripción cuatrienal de los delitos contra la Hacienda Pública», *La Ley* n.º 5105, 2000; SILVA SÁNCHEZ J.M.ª ¿*Cuando se interrumpe la prescripción del delito?* MEDINA CEPERO J.R., «La prescripción del delito: hacia una nueva regulación procesal penal», *Poder Judicial* n.º 59; 2000.

El criterio ordinario es que las costas de la acusación particular se impongan al condenado, abandonado el antiguo criterio de la relevancia; excepto en el caso que la acusación particular hubiera mantenido peticiones heterogéneas, inviables, inútiles o perturbadoras[36].

«En cuanto a las costas, la doctrina de esta Sala, en orden a la imposición de las costas de la acusación particular, ha prescindido del carácter relevante o no de su actuación para justificar la imposición al condenado de las costas por ellas causadas y, conforme a los arts. 123 Código Penal (LA LEY 3996/1995) y 240 de la Ley de Enjuiciamiento Criminal (LA LEY 1/1882), entiende que rige la "procedencia intrínseca" de la inclusión en las costas de la acusación particular, salvo cuando ésta haya formulado peticiones absolutamente heterogéneas de las mantenidas por el Ministerio Fiscal, de las que se separe cualitativamente y que se evidencien como inviables, inútiles o perturbadoras (STS 65/2011, de 2 de febrero), así como que, para tal imposición, "tampoco es exigible la íntegra acogida de sus peticiones" (STS 395/2007)». ATS núm. 1718/2014 de 16 Oct. 2014, Rec. 964/2014; LA LEY 190079/2014.

Ahora bien, el criterio también opera a la inversa. De este modo, se impondrán las costas al querellante cuando en la sentencia se estime que la interposición de la querella fue debida a temeridad o a mala fe, o cuando dicha conducta se observa a lo largo del proceso (art. 240.3 LECrim.).

«Las costas constituyen un gravamen y la condena a la Acusación Particular aparece justificada cuando el ejercicio de la acusación patentiza una manifiesta temeridad. En el caso de autos se solicitó la pena de seis años de prisión y multa en un escrito que no contenía hechos concretos, en tanto el Ministerio Fiscal interesó la absolución. En esta situación, reconocida por el Tribunal de instancia, como ya se ha visto, procede la condena en costas a la Acusación Particular. El argumento para su no imposición, no puede compartirse. La petición de condena a la Acusación Particular de las costas causadas a las absueltas debe considerarse incluida en la petición de absolución con todos los pronunciamientos favorables, porque la no imposición de las mismas deja sin contenido la petición de totalidad de pronunciamientos favorables. Procede la estimación del motivo». STS 702/2016 de 14 Sep. 2016, Rec. 337/2016; Ponente: Giménez García, Joaquín. LA LEY 119459/2016.

---

(36) «En efecto con estas razones formales que, quizás, podrían soslayarse (art. 11 LOPJ (LA LEY 1694/1985)), se alían otras materiales para convenir que la exclusión de las costas causadas por la acusación particular es correcta. Su intervención ha perturbado en alguna medida el buen orden procesal como consecuencia de una confusa doble posición que pese a ser insuficiente para generar un vicio del procedimiento relevante, sí que arroja alguna sombra sobre la total pulcritud de su actuación procesal.../... Esas razones son un elemento de fondo que, combinado con la no relevancia de su actuación —sus posiciones fueron las asumidas por el Ministerio Fiscal— convierten en razonable la exclusión de las costas aunque sea por razones no coincidentes con las aducidas en el auto de aclaración. No ya exclusivamente porque su actuación no fuese trascendente —la Jurisprudencia abandonó hace muchos años ese canon—, sino porque en cierta medida algunas de sus posiciones han enturbiado la ordenada y cristalina marcha procesal, propiciando incidencias, distorsiones y quejas que son legítimas —lo que no significa que sean acogibles— aunque inhábiles para acarrear ni una nulidad ni siquiera una real irregularidad como se razonará más adelante». STS 277/2015 de 3 Jun. 2015, Rec. 10546/2014. Ponente: Moral García, Antonio del. LA LEY 78499/2015.

Las costas podrán ser también impuestas al Estado que serán abonadas con cargo a los presupuestos, conforme a lo establecido reglamentariamente (art. 13.3. Ley 52/1997) (véase § 1.2 B Cap. IV).

3. Actuaciones del Juzgado de Paz. Diligencias indeterminadas

A) Actuaciones del Juzgado de Paz con carácter preventivo

La instrucción en las causas por delitos es competencia del Juez de Instrucción predeterminado por la Ley. No obstante, el Juez de Paz podrá realizar determinadas actuaciones de instrucción en dos supuestos: a) por delegación del instructor (art. 310 LECrim.), y b) práctica de determinadas diligencias urgentes e incoación de la fase de instrucción —arts. 307 y 308 LECrim.—.

En cualquier caso se trata de diligencias de carácter urgente cuya práctica no permita dilación que practicará el Juez de Paz cuando se le remita directamente el atestado, o bien conozca de cualquier modo del delito; o cuando el Juez de instrucción haya delegado en el Juez de Paz la práctica de diligencias que la ley no atribuya en exclusiva al primero y exista causa justificada. En este sentido, es frecuente que se practique por delegación el levantamiento de cadáver, o la inspección ocular. (Véase M. 65).

Requerido el Juez de Paz para la práctica de la diligencia, no cabe incumplimiento o resistencia para el cumplimiento de la orden recibida del Juez de Instrucción, que actúa como Juez Superior[37].

_____

(37) «El art. 310 de la Ley de Enjuiciamiento Criminal lejos de haber sido derogado por las posteriores disposiciones de carácter orgánico y procesal ha de ser adaptado a éstas en el sentido de que los Jueces de Instrucción pueden delegar en los inferiores radicados en el correspondiente Partido Judicial todos los actos y diligencias que la ley no reserve exclusivamente a ellos cuando concurra causa justificada que les impida realizarlos por sí, asimismo no puede ponerse en duda que la orden fue dada expresamente al recurrente lo que en ningún caso, ni en el propio motivo se cuestiona pues lo que se alega es la irregularidad o ilegalidad del medio a través del cual la orden fue dada, lo que es irrelevante en cuanto que basta la constancia de que la orden fue dada por el Superior y recibida por el inferior, lo que se halla plenamente admitido, así como por la resistencia del acusado a cumplirla no fueron las múltiples razones que se exponen en el escrito de interposición en cuanto que consta, expresamente, que la razón de negarse el recurrente a cumplir la orden recibida, personalmente, del titular del Juzgado de Instrucción fue su personal opinión de que no entraba dentro de la competencia de los Juzgados de Paz el realizar diligencia de levantamiento de cadáveres lo que resulta acreditado por sus propias declaraciones y las alegaciones hechas en el propio motivo, siendo totalmente equivocada la opinión sostenida en el recurso, avalada por algunas declaraciones de algunos testigos de que "nunca los Juzgados de Paz intervienen en una diligencia de levantamiento de cadáveres" pues, precisamente, la praxis judicial enseña que en todo tiempo, desde la publicación de la primera Ley Orgánica del Poder Judicial y de la Ley de Enjuiciamiento Criminal, hasta la fecha, ha sido, relativamente frecuente, que los Juzgados de Instrucción delegasen en los Jueces inferiores la práctica de tal diligencia de levantamiento del cadáver en aquellos casos en los que, sin perjuicio del resultado de la autopsia —que es lo importante—, por la apariencia externa, como ocurrió en el caso de autos, no existiesen razones para sospechar que la muerte se había producido como consecuencia de una acción delictiva ni que fuese preciso recoger, "in situ", "algo" que pudiera ser trascendente para el esclarecimiento de los hechos». STS de 10 Feb. 1995, Rec. 2815/1994; Ponente: García Miguel, Manuel. LA LEY 2117/1995.

B) Asuntos penales indeterminados: diligencias indeterminadas

La práctica de diligencias penales precisa la incoación del correspondiente proceso criminal. A saber, la apertura de unas diligencias previas, sumario para el enjuiciamiento de delitos graves o diligencias para sustanciar los delitos que corresponda enjuiciar al Tribunal del Jurado, a tenor de lo dispuesto en los arts. 14 y 779 LECrim. y 65, 82, 83, 87 y 89 bis LOPJ, en los que se especifica el órgano competente y el tipo de procedimiento a seguir.

Sin embargo, la realidad diaria ha puesto de manifiesto la existencia en los Juzgados de Instrucción de una serie de situaciones que, por su finalidad y naturaleza, no pueden encuadrarse en ninguno de los tipos de procesos penales regulados en la LECrim. Precisamente, la disparidad de criterios en el momento de practicar tales diligencias en los diversos Juzgados, determinó la Circular del TS de 24 de octubre de 1977 con el fin de lograr una unidad de criterio en esta materia. En esta Circular se reconoce que ante los Juzgados penales se plantean cuestiones que provocan unas mínimas actuaciones, cuya naturaleza y finalidad impide encajarlas dentro de alguno de los tipos de proceso penal previstos en la LECrim. A este respecto, se enumeran los principales supuestos que deben registrarse como asuntos penales indeterminados. A saber: 1) Las actuaciones practicadas por el Juzgado para elevar la detención a prisión, cuando se ponga a su disposición un detenido, y no sea el órgano competente para conocer del procedimiento —arts. 489, 499 y ss. LECrim.—. 2) Los supuestos en que se presente querella, sin poder especial, hasta tanto se ratifique el interesado y el delito denunciado sea de los que sólo pueden perseguirse a instancia de parte —art. 227 LECrim.—. 3) Los supuestos en que se formule querella, en la que sea preceptivo el acto de conciliación previo —art. 278 LECrim.— y no se acompañe su certificación. 4) Los casos de denuncia o querella por calumnia o injurias, causadas en juicio, sin previa licencia del Juez o Tribunal que hubiese conocido aquél —arts. 215.2 CP y 279 LECrim.—. 5) Las actuaciones a que den lugar los partes de los centros sanitarios, dando cuenta de asistencia a lesionados y en los que, desde el primer momento, aparezca que el hecho causante de las lesiones ocurrió en otro partido judicial; y, en general, todas las actuaciones a prevención practicadas por un Juzgado, cuando otro es el competente, conforme a las prescripciones de la Ley.

Se trata del supuesto de diligencias urgentes ante hechos que no se hallan determinados; o de cuestiones de las que se duda de su naturaleza penal, o que requieren de otro acto ulterior para formalizarse en forma pertinente la denuncia, querella o solicitudes deducidas. En estos casos se plantea el problema de determinar cuál deba ser el procedimiento de instrucción que abra el Juez teniendo en cuenta que el art. 269 LECrim. establece la obligación de instruir diligencias por el Juez al recibir una denuncia. Con base en este precepto tanto autorizada doctrina como la jurisprudencia del Tribunal Supremo han declarado que la apertura de diligencia indeterminadas constituye una irregularidad procesal que no tiene fundamento en nuestra legislación procesal, sin que ello afecte a la corrección de las actuaciones practicadas. En este sentido, en tanto que meras irregularidades la incoación de diligencias preliminares no determina la nulidad de las diligencias practicadas, por ejemplo las realizadas con carácter urgente.

Lo procesalmente relevante será que las resoluciones por las que se acuerdan diligencias de instrucción se hayan adoptado en un proceso penal, con independencia del nombre que se le deba o finalmente se le dé a aquél; así como que finalmente es que todas las partes vean reconocidos sus plenos derechos en el proceso. En cualquier caso, la utilización de las Diligencias indeterminadas deberá efectuarse con criterio restrictivo, limitándolas a supuestos como los enumerados o a otros de indudable semejanza con ellos y absteniéndose de seguir ese cauce procesal para investigar sobre hechos delictivos perfectamente determinados; o por el contrario para mantener una suerte de indagación general sobre una actividad o una conducta. En este sentido, lo que no cabe es sustituir unas Diligencias previas por unas Diligencias indeterminadas; ni tampoco pueden practicarse concretas diligencias sumariales en sede de diligencias indeterminadas, ya que aquéllas requieren siempre la sustanciación de uno de los procedimientos penales legalmente establecidos por la Ley (véase STC 173/1987 de 3 de noviembre). En este sentido, no será procedente abrir unas diligencias indeterminadas para autorizar intervenciones que afectan derechos fundamentales, ya que:

> «Su incoación no se notifica necesariamente al Ministerio Fiscal, a diferencia de las diligencias previas, lo que impide el ejercicio por éste de la relevante función de control que le corresponde desempeñar, y a la que específicamente se refiere el Tribunal Constitucional, por lo que en aquellos casos en que las diligencias indeterminadas no se transforman de inmediato en diligencias previas o no se incorporan a un proceso legal ya incoado se está vulnerando el derecho constitucional». STS 706/2014 de 22 Oct. 2014, Rec. 1411/2013; Ponente: Granados Pérez, Carlos. LA LEY 152538/2014.

No obstante lo dicho, es relativamente frecuente que se proceda a la apertura de diligencias indeterminadas para autorizar la entrada y registro domiciliario o la intervención telefónica. En estos supuestos, si resulta claro el delito perseguido lo procedente será la incoación del concreto procedimiento penal que proceda. En este sentido, las solicitudes policiales cuando no existe causa penal abierta tienen el valor de denuncia y obligan a incoar las correspondientes diligencias judiciales. Si no fuera así sería la propia policía la que, prácticamente, decidiría una medida que limita un derecho fundamental (STS 28 enero de 2002). No obstante, en el caso ordinario que la petición de control de la comunicación o registro domiciliario tenga por objeto concretar la naturaleza y alcance de los hechos presuntamente ilícitos no puede negarse validez a la actuación concreta realizada al amparo de unas diligencias indeterminadas. También se justificará la adopción de estas diligencias cuando se solicite el mandamiento con carácter urgente. (Véase M. 66).

> «Como se recoge en la Sentencia de esta Sala 301/2013, de 18 de abril, se recuerda que el Tribunal Constitucional estimó inicialmente que el hecho de que la decisión judicial se lleve a cabo en las denominadas diligencias indeterminadas no implica, per se, la vulneración del derecho al secreto de las comunicaciones, pues lo relevante a estos efectos es la posibilidad de control, tanto de un control inicial (ya que, aun cuando se practiquen en esta fase sin conocimiento del interesado, que no participa en ella, aquél ha de suplirse por la intervención del Ministerio Fiscal, garante de la legalidad y de los derechos de los ciudadanos por lo dispuesto en el art. 124.1 CE (LA LEY 2500/1978)), como de otro posterior (esto es, cuando se alza

la medida, control por el propio interesado que ha de poder conocerla e impugnarla) (SSTC núm. 49/1999, de 5 de abril (LA LEY 4215/1999); 126/2000, de 16 de mayo (LA LEY 8955/2000)). Y se añade que ha de tenerse en cuenta que el problema de las diligencias indeterminadas es, precisamente, que su incoación no se notifica necesariamente al Ministerio Fiscal, a diferencia de las diligencias previas, lo que impide el ejercicio por éste de la relevante función de control que le corresponde desempeñar, y a la que específicamente se refiere el Tribunal Constitucional, por lo que en aquellos casos en que las diligencias indeterminadas no se transforman de inmediato en diligencias previas o se incorporan a un proceso legal ya incoado se está vulnerando el derecho constitucional». STS 534/2014 de 27 Jun. 2014, Rec. 11138/2013. Ponente: Granados Pérez, Carlos. LA LEY 84989/2014.

Así lo ha declarado en jurisprudencia constante el Tribunal Supremo que, como se ha expuesto, concluye que lo importante y esencial no es el nombre, sino la naturaleza real de las diligencias practicadas y el efectivo control judicial[38]. En definitiva, la validez de las actuaciones se justifica en la incontestable naturaleza jurisdiccional de estas diligencias[39].

«Tiene declarado esta Sala, como es exponente la Sentencia 83/2009, de 28 de enero, que las resoluciones judiciales que autorizan injerencias en derechos fundamentales deben adoptarse en el curso de unas diligencias previas o de un sumario ordinario, pero no en el seno de unas diligencias indeterminadas, si bien ello no pasa de ser una mera irregularidad procesal no afectante a derechos fundamentales. Y en sentencias posteriores, como se recoge en la Sentencia de esta Sala 301/2013, de 18 de abril, se recuerda que el Tribunal Constitucional estimó inicialmente que el hecho de que la decisión judicial se lleve a cabo en las denominadas diligencias indetermi-

---

(38)   «... aun cuando "sería conveniente desterrar la práctica de la utilización de diligencias indeterminadas para acordar la intervención telefónica" (STS 16-2-1998, ello no implica la existencia de vicio alguno de la diligencia así acordada que puede conllevar su nulidad o imposibilidad de aceptación como medio probatorio (STS 22-1-1998, "ad exemplum")». STS 19 de marzo de 2001. Véanse también SSTS 1 de febrero de 2002; ATS 18 de junio de 1992; y SSTS 5 mayo 1995; 16 de febrero de 1998; 22 de julio de 1998; 29 de febrero de 2000; 7 de noviembre de 2000.

(39)   «... esta Sala ha señalado reiteradamente que la utilización de la indebida denominación de "indeterminadas" para las primeras diligencias de un procedimiento penal cuando se adoptan medidas urgentes como la intervención telefónica constituye una manifiesta irregularidad que resulta imperativo desterrar de modo definitivo criterio jurisprudencial reiterado que debe ser respetado sin dilaciones ni excusas por los Jueces Instructores bajo su personal responsabilidad. También se ha señalado de modo reiterado (ATS 18 de junio de 1992, SSTS 11 de octubre de 1994, 18 de octubre de 1995, 6 de mayo de 1997 y 22 de enero de 1998) que dicha irregularidad no determina por sí misma la inconstitucionalidad de la medida adoptada por el Juez competente, en el ejercicio de las facultades que la Constitución le atribuye en garantía de los derechos de los ciudadanos y del interés público tutelado por la ley, cuando concurren de modo efectivo los fundamentos materiales que la justifican (razonabilidad, proporcionalidad, necesidad, fundamentación), dado que en realidad bajo esa errónea denominación se encuentra materialmente un proceso penal incoado por Juez competente para averiguar y hacer constar la perpetración de un delito y la autoría de sus responsables, es decir unas verdaderas diligencias previas con independencia de que indebidamente se califiquen como "indeterminadas". En el caso actual, además, consta que de modo prácticamente inmediato la irregularidad fue subsanada, registrándose en breve plazo el procedimiento penal como diligencias previas y ratificándose la medida ya dentro de este cauce procesal adecuado, por lo que no se aprecia indefensión alguna que pudiese determinar la inconstitucionalidad de la medida con la radical consecuencia de nulidad de todo lo actuado». STS 2 de noviembre de 1999.

nadas no implica, per se, la vulneración del derecho al secreto de las comunicaciones, pues lo relevante a estos efectos es la posibilidad de control, tanto de un control inicial (ya que, aun cuando se practiquen en esta fase sin conocimiento del interesado, que no participa en ella, aquél ha de suplirse por la intervención del Ministerio Fiscal, garante de la legalidad y de los derechos de los ciudadanos por lo dispuesto en el art. 124.1 CE (LA LEY 2500/1978)), como de otro posterior (esto es, cuando se alza la medida, control por el propio interesado que ha de poder conocerla e impugnarla) (SSTC núm. 49/1999, de 5 de abril (LA LEY 4215/1999); 126/2000, de 16 de mayo (LA LEY 8955/2000))». STS 706/2014 de 22 Oct. 2014, Rec. 1411/2013; Ponente: Granados Pérez, Carlos. LA LEY 152538/2014.

Aunque, debemos señalar que un sector doctrinal sostiene su falta de validez por tratarse de diligencias que requieren la incoación del correspondiente proceso con todas las garantías —art. 18 CE— y por carecer de intervención el Ministerio Fiscal.

«En lo referente a la notificación de tal medida el Ministerio Fiscal, tras un primer momento de duda ante la exigencia de tal requisito por parte del Tribunal Constitucional —STC 197/2009 (LA LEY 184032/2009), reiterada posteriormente en otras—, hoy día ya ha quedado claro que tal notificación solo sería exigible cuando tal medida no se adopte en el seno de unas diligencias judiciales, esto es unas Diligencias Previas, y se hiciese en unas "Diligencias Indeterminadas" que no tienen el carácter de proceso strictu sensu más aún, carecen de regulación legal y en rigor no son un proceso legalmente existente —STC 72/2010 (LA LEY 187987/2010) y las en ella citadas—». STS 85/2017 de 15 Feb. 2017, Rec. 1701/2016, Ponente: Giménez García, Joaquín. LA LEY 4630/2017.

Finalmente, un problema que puede plantearse será la posibilidad de predeterminarse la competencia de un Juzgado determinado de instrucción mediante la práctica de solicitar al Juez de guardia un mandamiento de entrada y registro o de intervención telefónica, en el caso que existan varios juzgados en un concreto partido judicial. Este problema afecta a la determinación y fijación de la competencia para conocer de un asunto determinado mediante las normas de reparto, y se evita sencillamente turnando según las normas de reparto las diligencias previas o indeterminadas incoadas como cualesquiera otros asuntos penales, según las normas de reparto. En cualquier caso, iniciadas unas diligencias indeterminadas el Juez que las hubiere abierto se debe entender conocedor del asunto a efectos de determinar la competencia.

«SEGUNDO.- La cuestión de competencia negativa planteada debe ser resuelta determinando la competencia de ambos órganos jurisdiccionales, pues si bien el Juzgado de instrucción núm. 27 de Barcelona niega haber iniciado instrucción alguna, por el hecho de haber incoado diligencias indeterminadas, cuando debió incoar diligencias previas, lo cierto es, que el primero en conocer, fue el citado juzgado de Barcelona, lugar donde se produjo la venta masiva y continuada de las tazas protegidas por el diseño industrial de la denunciante y que fueron intervenidas por la Policía Nacional. Fue en esas intervenciones donde se conoció que la distribuidora era una empresa sita en el partido judicial de Ontinyent». ATS de 21 May. 2015, Rec. 20218/2015, LA LEY 79707/2015.

MODELOS

M. 57. Atestado policial por comparecencia del denunciante en dependencias policiales

MINISTERIO DEL INTERIOR

DIRECCIÓN GENERAL DE LA POLICÍA

Registro de Salida [.../...]

COMPARECENCIA

En [.../...], y la comisaría de Distrito del cuerpo Nacional de Policía [.../...], siendo las [.../...] horas del día [.../...] de 20[.../...]

Ante los Funcionarios del citado Cuerpo, ambos con categoría de policía, y carnets profesionales núm. [.../...] y [.../...], habilitados respectivamente como Instructor y Secretario para la práctica de las presentes [.../...]

COMPARECE/N

En calidad de denunciante [.../...] con DNI, núm. [.../...], domiciliado en la C/ [.../...] de [.../...], nacido el día [.../...], hijo de [.../...] y de [.../...]

Y MANIFIESTA: [.../...]

Que desde hace una semana viene acogiendo en su domicilio a una tal «CHAPI» de unos [.../...] años, del que no tiene más datos, salvo que estudia en la Universidad de [.../...], con las siguientes características físicas [.../...] El acogimiento se produjo en razón de una amistad previa y de forma temporal. El citado disponía de llave de la vivienda de modo que podía entrar y salir de aquélla sin ningún obstáculo [.../...]

Que en el día de hoy al volver a su domicilio del trabajo, ha observado un gran desorden en su habitación, comprobando la desaparición de los siguientes objetos de valor [.../...], [.../...], [.../...]. Asimismo no están los objetos y efectos personales del llamado «CHAPI». [.../...]

Que denuncia los hechos expuestos, los que atribuye al llamado «CHAPI», ya que es la única persona que tenía acceso a su vivienda. [.../...]

Y no teniendo nada más que manifestar firman la presente en señal de conformidad con lo en ella escrito, en unión del Instructor de lo que como Secretario CERTIFICO [.../...]

(firmas del denunciante, Instructor y Secretario)

M. 58. Atestado policial específico para delitos patrimoniales con violencia o intimidación

El atestado puede contener distintas diligencias, entre éstas incluimos un Acta de Inspección ocular del lugar de los hechos.

MINISTERIO DEL INTERIOR

DIRECCIÓN GENERAL DE LA POLICÍA

Registro de Salida [.../...]

COMPARECENCIA

En [.../...], y la comisaría de Distrito del cuerpo Nacional de Policía [.../...], siendo las [.../...] horas del día [.../...] de 20[.../...]

Ante los Funcionarios del citado Cuerpo, ambos con categoría de policía, y carnets profesionales núm. [.../...] y [.../...], habilitados respectivamente como Instructor y Secretario para la práctica de las presentes [.../...]

COMPARECE/N

En calidad de denunciante [.../...] con DNI, núm. [.../...], domiciliado en la C/ [.../...] de [.../...], nacido el día [.../...], hijo de [.../...] y de [.../...]

Y MANIFIESTA: [.../...]

Que llegando a su domicilio sito en el lugar indicado han comprobado que alguna persona desconocida ha entrado en el mismo violentando, al parecer, una pequeña ventana que da acceso a la cocina. Asimismo han podido comprobar que el interior de la vivienda se halla completamente revuelto apreciando la falta de los siguientes objetos [.../...]

Que denuncia los hechos expuestos, [.../...]

Y no teniendo nada más que manifestar firma la presente en señal de conformidad con lo en ella escrito, en unión del Instructor de lo que como Secretario CERTIFICO [.../...]

(firmas del denunciante, Instructor y Secretario)

DILIGENCIA DE REMISIÓN

Se extiende siendo las [.../...] del día [.../...], para hacer constar que [.../...]

En este Estado las presentes se remiten al JUZGADO DE INSTRUCCIÓN DE GUARDIA DE [.../...] se significa que se ha dado cuenta al Gabinete de Identificación en COMUNICADO INTERNO. Por Funcionarios de esta Dependencia Policial se realizan gestiones para el esclarecimiento de este hecho y detención de sus autores. Se adjunta a las presentes Acta de Información de Derechos al perjudicado.

CONSTE Y CERTIFICO

(A continuación se realizarán la siguientes Diligencias. En el caso que proceda, y fuere posible se realizarán de modo inmediato: la inspección ocular, confección del informe pericial, detención y puesta a disposición del denunciado, a efectos de la sustanciación de juicio rápido).

Diligencia de Inspección ocular y recogida de muestras

MINISTERIO DEL INTERIOR

DIRECCIÓN GENERAL DE LA POLICÍA

Comisaría de [.../...]

Diligencias [.../...]

ACTA DE INSPECCIÓN OCULAR

En [.../...] a [.../...] hora [.../...]

Los funcionarios actuantes con Carnet núm. [.../...], y núm. [.../...]

Comparecen en [.../...], por el motivo de [.../...] denunciado por [.../...], que comparece con los funcionarios.

HECHOS COMPROBADOS: [.../...] se comprueba que el modo de entrar en la vivienda ha consistido en fracturar el cristal de la cocina, quedando los restos esparcidos tanto hacia el interior de la vivienda como el exterior que da salida a una pequeña terraza de fácil acceso desde la calle [.../...]

RESULTADO DE LA INSPECCIÓN OCULAR: positivo *(o negativo)*

HUELLAS LOFOSCÓPICAS REVELADAS EN EL LUGAR DE LOS HECHOS: Si *(o no)*

Reveladores utilizados: Carbonato de Plomo

Objetos sobre los que se asientan: Trozos de cristal fracturado.

Las fotografías en el lugar de los hechos: Si *(o no)*. En el laboratorio: Si *(o no)*. Huellas trasplantadas: Si *(o no)*.

Objetos trasladados al laboratorio para su posterior estudio: Trozos de vidrio.

Se da por terminadas la presente a los [.../...] minutos de su iniciación. Firmándola en prueba de conformidad el testigo presencial y los funcionarios actuantes. CERTIFICO.

DILIGENCIA DE REMISIÓN.- En este Estado se remiten las actuaciones al Juzgado de Instrucción [.../...] de esta ciudad, significándose que la presente en ampliatoria a las Diligencias de la Comisaría arriba indicada. CERTIFICO.

(Firmas)

Diligencia de identificación de huellas

MINISTERIO DEL INTERIOR

DIRECCIÓN GENERAL DE LA POLICÍA

Comisaría de [.../...]

Diligencias [.../...]

En [.../...] a [.../...]

ASUNTO: IDENTIFICACIÓN DE HUELLAS

Para conocimiento y efectos oportunos, se participa la identificación de huellas lofoscópicas reveladas en la Inspección Ocular técnico-policial realizada por Funcionarios de policía Científica y que han sido producidas por el reseñado que se menciona y con motivo de los hechos que a continuación se indican.

Motivo: ROBO CON FUERZA. Fecha: [.../...] Denunciante [.../...] Lugar [.../...]

Comisaría [.../...] Diligencias [.../...]

IDENTIFICADO: El dedo ÍNDICE DE LA MANO DERECHA y dedo ÍNDICE DE LA MANO IZQUIERDA del identificado y reseñado como [.../...] con domicilio en [.../...], hijo de [.../...] y [.../...]

Reseñado en: Comisaría de [.../...]

Núm. Orden [.../...] Núm. Clisé: [.../...]

Se hace constar que no se remitirá Informe Pericial demostrativo de la identidad establecida, a no ser que así lo interese la Autoridad Judicial que entiende en el asunto, en cuyo caso debe solicitarse a esta Brigada de policía Científica para su confección y envío.

EL JEFE DE BRIGADA

[.../...]

El delito de robo se halla incluido entre los que permiten la sustanciación de un proceso de enjuiciamiento rápido de los arts. 795 y ss. LECrim. en caso que se hubiere identificado y detenido al sospechoso, se podrá poner a disposición del Juzgado de Guardia con remisión del Atestado, citación de los testigos para comparecer ante el Juzgado de Guardia y confección y remisión inmediata del informe lofoscópico. Véase en ese supuesto el Atestado Tipo del M. 160 que contienen la actuaciones de la policía judicial en esos supuestos.

M. 59. Atestado policial específico para delitos de alcoholemia. Actuaciones de la policía para la Tramitación de juicio rápido

El Atestado policial por alcoholemia puede incluir distintas diligencias policiales, de las que a continuación se exponen las principales:

COMANDANCIA DE LA GUARDIA CIVIL ([.../...])

PUESTO DE [.../...]

DILIGENCIAS NÚM [.../...]

FECHA [.../...]

INSTRUCTOR [.../...] Sargento con T.I.M. [.../...]

LETRADO DE LA ADMINISTRACIÓN DE JUSTICIA: Guarda Civil con T.I.M. [.../...]

MOTIVO: DETENCIÓN DE UNA PERSONA COMO PRESUNTO AUTOR DE UN DELITO CONTRA LA SEGURIDAD DEL TRAFICO.

DILIGENCIA DE INICIO.

En [.../...], siendo las [.../...], el Instructor y Secretario, por la presente diligencia hacen constar: [.../...]

Que a las [.../...], se procede a la detención de [.../...], como presunto autor de un DELITO CONTRA LA SEGURIDAD DEL TRAFICO, conforme a lo dispuesto en el art. 520 LECrim. [.../...]

Y para que conste se extiende la presente diligencia, la cual es firmada por el instructor y Secretario de la misma, siendo el lugar, fecha y hora, los consignados en un principio [.../...]

(firmas Secretario Instructor).

DILIGENCIA DE MANIFESTACIÓN

En [.../...] siendo las [.../...] del día [.../...], ante el Instructor de las presentes Diligencias comparecen los Guardias Civiles con T.I.M. [.../...] y MANIFIESTAN:

Que sobre las [.../...] del año en curso, cuando los agentes mencionados anteriormente prestaban servicio propio del Cuerpo en [.../...], observaron como el vehículo [.../...] circulaba a gran velocidad, realizando maniobras bruscas e inapropiadas, ante ello le pararon a la altura del núm. [.../...] Requerido para identificarse los agentes comprobaron que el conductor, posteriormente identificado como [.../...], mostraba evidentes síntomas de embriaguez por lo que se solicitó la presencia de un equipo de la Guardia Urbana de la localidad de [.../...] a fin que realizaran las pruebas legales a fin de determinar el grado de impregnación alcohólica, que se realizaron con un etilómetro evidencial marca [.../...] ALCOTEST [.../...] con fecha de revisión [.../...] válida hasta [.../...], informándosele de la obligación de someterse a la prueba de detección, y de su derechos que constan en la diligencia firmada por el conductor [.../...], que consta en este Atestado numerada como folio [.../...] Sometido a las pruebas con el resultado, que constan en la diligencia que se adjunta en el Atestado, se procede a la detención y lectura de derechos del conductor [.../...] como presunto autor de un delito contra la seguridad del tráfico, conforme a lo dispuesto en el art. 520 LECrim. con lectura de sus derechos y conducción a este puesto de la Guardia Civil para la continuación de las Diligencias y su posterior puesta a disposición judicial.

Que sobre las [.../...] del año en curso, cuando los agentes mencionados anteriormente prestaban servicio propio del Cuerpo en [.../...], observaron como el vehículo [.../...] circulaba a gran velocidad, realizando maniobras bruscas e inapropiadas, ante ello le pararon a la altura del núm. [.../...] Requerido para identificarse los agentes comprobaron que el conductor, posteriormente identificado como [.../...], mostraba evidentes síntomas de embriaguez por lo que se solicitó la presencia de un equipo de la Guardia Urbana de la localidad de [.../...] a fin que realizaran las pruebas legales a fin de determinar el grado de impregnación alcohólica, que se realizaron con un etilómetro evidencial marca [.../...] ALCOTEST [.../...] con fecha de revisión [.../...] válida hasta [.../...], informándosele de la obligación de someterse a la prueba de detección, y de su derechos que constan en la diligencia firmada por el conductor [.../...], que consta en este Atestado numerada como folio [.../...] Sometido a las pruebas con el resultado, que constan en la diligencia que se adjunta en el Atestado, se procede a la detención y lectura de derechos del conductor [.../...] como presunto autor de un delito contra la seguridad del tráfico, conforme a lo dispuesto en el art. 520 LECrim. con lectura de sus derechos y conducción a este puesto de la Guardia Civil para la continuación de las Diligencias y su posterior puesta a disposición judicial.

Y para que así conste se extiende la presente diligencia que es firmada por el Instructor y Secretario de las mismas, siendo el lugar, fecha y hora, los consignados en un principio.

(Firmas del Instructor, y los Guardias intervinientes)

En el atestado constarán además las siguientes diligencias:

DILIGENCIA DE DETERMINACIÓN DEL GRADO DE IMPREGNACIÓN ALCOHÓLICA

En [.../...] siendo las [.../...] por lo agentes actuantes T.I.M [.../...] y T.I.M [.../...], se procede a realizar las pruebas con el alcoholímetro [.../...] con el resultado siguiente, que consta en los tickets expedidos por el referido aparato que se adjuntan grapados a este folio, con indicación del nombre del probante, fecha de nacimiento, lugar donde se efectúa la prueba, fecha, hora inicio y final, resultado de la misma y firma del usuario del citado aparato alcoholímetro.

PRUEBA NULA: Efectuada a las [.../...] con resultado NULO por transcurrir el tiempo límite de espera para efectuar la prueba.

PRIMERA PRUEBA: Efectuada a las [.../...] con resultado positivo de 0,61 mmg. De alcohol por litro de aire espirado.

A continuación habiendo superado los límites legales, y de conformidad con el art. 23 RD 1428/2003, y transcurridos diez minutos se realiza una segunda prueba con el siguiente resultado:

SEGUNDA PRUEBA: Efectuada a las [.../...] con resultado positivo de 0,65 mmg. De alcohol por litro de aire espirado.

Asimismo, se informa al conductor de su derecho a exigir la práctica médica de un análisis de sangre, conforme los arts. 22.1 y 28.1 Reglamento General de Circulación.

Y para que conste se extiende la presente diligencia que es firmada por los agentes actuantes, y el conductor, en [.../...], siendo las [.../...]

(Firmas de todos los intervinientes. Si el conductor no accede a la firma se reseñará que se niega).

En el caso que el conductor se acoja a su derecho a la práctica de un análisis de sangre se le trasladará a un Centro sanitario a este fin. En ese caso, teniendo en cuenta que los delitos contra la seguridad del tráfico se tramitan, ordinariamente, como juicio rápido, se requerirá al Centro sanitario para que remita el resultado al Juzgado de Guardia por el medio más rápido (art. 796.7.º LECrim.). Lo que se hará constar por Diligencia.

DILIGENCIA PARA DETERMINAR LOS EFECTOS QUE PRODUCE LA INGESTIÓN DE BEBIDAS ALCOHÓLICAS EN EL CONDUCTOR

En [.../...] por la fuerza actuante se procede a la observación de aptitud, comportamiento y rasgos externos del conductor reseñado, con el fin de determinar los efectos que le produce la ingestión de bebidas alcohólicas y si sus facultades físicas y psíquicas se ven disminuidas por tales efectos resultando que el citados es un varón de [.../...] años de edad con un peso aproximado de [.../...] Kg. y de una estatura aprox. de [.../...] metros.

Se ha podido constatar que en lo referente a los siguientes puntos el resultado es que se señala:

ALIENTO: *(Alcohólico, normal)*

ROSTRO: *(pálido, normal, congestionado, enrojecido, etc...)*

RESPIRACIÓN: *(débil, normal, profunda, etc.)*

HABLA: *(clara, pastosa, titubeante, etc [.../...])*

CAPACIDAD DE EXPOSICIÓN Y JUICIO: *(normal, incoherente, etc...)*

ACTITUD: *(normal, educada, correcta, excitada,indiferente...)*

CONDUCTAS ANORMALES: *(grosería, violencia, ...)*

OJOS: *(normales, acuosos, enrojecidos,...)*

PUPILAS: *(normales, dilatadas, contraídas)*

ANDAR: *(seguro, vacilante, ...)*

AL SOLICITAR QUE ANDE CON LOS DOS PIES SOBRE LA LÍNEA QUE FORMA RESULTA QUE: *(Se niega, [.../...])*

AL SOLICITARLE QUE CIERRE LOS OJOS DURANTE UNOS SEGUNDOS: *(Se niega, [.../...])*

Y para que conste se extiende la presente diligencia que firma la fuerza actuante en el lugar y fecha señalados.

(Firmas intervinientes)

DILIGENCIA DE DETENCIÓN Y LECTURA DE DERECHOS

(La documentación de la diligencia, en las dependencia policiales, no obsta para que se haya procedido a la lectura de derechos en el momento de la detención).

En [.../...] a las [.../...], se procede a la detención de [.../...], nacido el día [.../...], hijo de [.../...] y de [.../...] con domicilio en [.../...], como presunto autor de un delito contra la seguridad del tráfico.

El detenido de conformidad con lo dispuesto en el art. 520 LECrim. es informado de las causas determinantes de su detención y de los derechos constitucionales que le asisten desde este momento consistentes en: *(Véase infra Modelo 61).*

Y para que conste se extiende la presente diligencia, que es firmada por el detenido, el Instructor y Secretario de la presente, siendo el lugar fecha y hora los consignados en un principio.

(Firmas)

(El art. 520.5 LECrim. permite que el detenido pueda renunciar a la preceptiva intervención de abogado. En cualquier caso, téngase en cuenta que los arts. 767 y 771 LECrim. disponen que desde la detención será necesaria la presencia y asistencia de letrado, de modo que si no lo nombrará el interesado la policía recabará de inmediato al Colegio de abogados el nombramiento de abogado de oficio).

En presencia del abogado que le asiste, D [.../...], núm. col. [.../...], se procede a efectuar una nueva lectura de los derechos que le asisten conforme al art. 520 LECrim., siendo las [.../...] horas de [.../...]

Y para que conste se extiende la presente que firma el abogado en presencia del Instructor, y de mí el Secretario que certifico.

(Firmas)

Téngase en cuenta que el art. 795 LECrim. prevé que se puedan tramitar como juicio rápido los delitos contra la seguridad del tráfico, lo que deberá ser la regla habitual. A este efecto, véanse los Modelos 160 y ss., en los que se contienen las actuaciones de la policía judicial, y concretamente las que se refieren a la citación del denunciado para que se persone en el Juzgado de Guardia cuando se le señale. En este punto se produce una duda, ya que el art. 796.1.3.ª LECrim. dispone que la citación se producirá en el caso que no se haya procedido a la detención. Sin embargo, a nuestro juicio en un supuesto como el de seguridad del tráfico aquí expuesto, deberá procederse a ponerle de inmediato a disposición judicial (en el caso de Juzgados de Guardia de 24 horas), o bien, conforme a los arts. 492 y 493 LECrim., a ponerle en libertad citándole para comparecer en el plazo más breve ante el Juzgado de Guardia, requiriéndole para que señale un domicilio para notificaciones, y apercibiéndole de las consecuencias de no comparecer según la citación policial (art. 796.1.3.° LECrim.). Estas consecuencias son las de convertir la orden de comparecencia en orden de detención conforme al art. 797.1.3.° en relación con el art. 487 LECrim.

DILIGENCIA DE CITACIÓN Y PUESTA A DISPOSICIÓN DE LA AUTORIDAD JUDICIAL

En [.../...] siendo las [.../...], el Instructor y Secretario de las presentes diligencias hacen constar,

Que considerando el Instructor que a los hechos objeto de las presentes diligencias le son de aplicación las normas sobre enjuiciamiento rápido de determinados delitos, y teniendo en cuenta el art. 493 LECrim., procede LA CITACIÓN Y PUESTA A DISPOSICIÓN JUDICIAL del denunciado, haciéndole saber al propio tiempo de la obligación de comparecer ante el Ilmo. Sr. Juez de Guardia de [.../...], el día [.../...], apercibiéndole que de no comparecer se podrá dictar orden de detención, conforme el art. 796.1.3.ª LECrim. [.../...]

Asimismo el denunciado declara que su domicilio a efectos legales y de notificación se halla en [.../...], y su número de teléfono es [.../...]

Y para que conste se extiende la presente diligencia, que es firmada por el Instructor, Secretario, el abogado y el detenido, siendo el lugar, fecha y hora los consignados.

(Firmas)

A los efectos de Coordinación de las citaciones de la policía judicial con el funcionamiento de los Servicios de Guardia, en el ámbito de los juicios rápidos y por delitos leves, se dictarán los Reglamentos oportunos, de conformidad con el art. 110 LOPJ (arts. 796.2 y 965.2 LECrim.).

Finalmente, además de las diligencias expresadas en el atestado de alcoholemia pueden incluirse otras diligencias. A saber: De reconocimiento médico, de inmovilización del vehículo, de aviso a familiar, etc.

M. 60. Diligencia de la policía Judicial de información de Derechos al perjudicado u ofendido

Esta diligencia se deberá practicar por escrito conforme al art. 771.1.ª LECrim.

MINISTERIO DEL INTERIOR

DIRECCIÓN GENERAL DE LA POLICÍA

Núm. Atestado [.../...]

Comisaría de [.../...]

ACTA DE INFORMACIÓN DE DERECHOS AL PERJUDICADO U OFENDIDO POR EL DELITO

En las dependencias de la Oficia de denuncias de [.../...], y en virtud de lo previsto en los arts. 109, 110, 761.2 y 771 LECrim. se extiende la presente acta, para hacer constar que, estando presente D [.../...], en representación y propio interés cuyos demás datos constan en su declaración, en el mismo acto de recibirla, e inmediatamente después, se le instruye de su derecho que le asisten como ofendido o perjudicado por el delito.

LOS DERECHOS QUE SE CITAN SON

Derecho a mostrarte parte en el proceso, mediante el nombramiento de Abogado y Procurador o, en su caso, que le sea nombrado de oficio, y a ejercitar las acciones civiles y penales que procedan, o solamente unas u otras, según estime oportuno, derecho que podrá ejercer en cualquier momento antes de la calificación del delito. Se le comunica que aunque no haga uso del anterior derecho, el Ministerio fiscal ejercitará además de las acciones penales que procedan, la acciones civiles que correspondan, salvo renuncia expresa por su parte. *(En caso de hechos que originen procedimiento abreviado, se informará que de no comparecer se informará al perjudicado de los actos principales del proceso, entre estos de la celebración del juicio y de la sentencia que recaiga).*

(El art. 771 LECrim. no se refiere a la información sobre estos derechos. No obstante, parece conveniente que el perjudicado tenga plena información de la posibilidad de estar informado del curso de las actuaciones sin necesidad de personarse como parte en la causa)

(En el caso que el delito fuere violento o contra la libertad sexual:)

Si ha sido víctima, directa o indirecta de un delito violento o contra la libertad sexual, se le informará del contenido de los derechos que se declaran en la Ley 35/1995 de 11 de diciembre, conforme Anexo que en este acto recibe.

Dándose por instruido e informado, firma, de lo que como Secretario certifico.

(El Policía Instructor Secretario)   (El perjudicado u ofendido)

M. 61. Modelo de información de derechos a un detenido contra el que se incoa un atestado policial

INFORMACIÓN DE DERECHOS DEL DETENIDO

Ha sido usted detenido por su participación en un presunto delito de [.../...] Por ello, según la Constitución (art. 17) y la Ley de Enjuiciamiento Criminal (art. 520), tiene derecho:

a) Derecho a guardar silencio no declarando si no quiere, a no contestar alguna o algunas de las preguntas que le formulen, o a manifestar que sólo declarará ante el juez.

b) Derecho a no declarar contra sí mismo y a no confesarse culpable.

c) Derecho a designar abogado y a ser asistido por él sin demora injustificada. (En caso de que, debido a la lejanía geográfica no sea posible de inmediato la asistencia de letrado, se facilitará al detenido comunicación telefónica o por videoconferencia con aquél, salvo que dicha comunicación sea imposible).

d) Derecho a acceder a los elementos de las actuaciones que sean esenciales para impugnar la legalidad de la detención o privación de libertad.

e) Derecho a que se ponga en conocimiento del familiar o persona que desee, sin demora injustificada, su privación de libertad y el lugar de custodia en que se halle en cada momento. Los extranjeros tendrán derecho a que las circunstancias anteriores se comuniquen a la oficina consular de su país.

f) Derecho a comunicarse telefónicamente, sin demora injustificada, con un tercero de su elección.

g) Derecho a ser visitado por las autoridades consulares de su país, a comunicarse y a mantener correspondencia con ellas.

h) Derecho a ser asistido gratuitamente por un intérprete, cuando se trate de extranjero que no comprenda o no hable el castellano o la lengua oficial de la actuación de que se trate, o de personas sordas o con discapacidad auditiva, así como de otras personas con dificultades del lenguaje.

i) Derecho a ser reconocido por el médico forense o su sustituto legal y, en su defecto, por el de la institución en que se encuentre, o por cualquier otro dependiente del Estado o de otras Administraciones Públicas.

j) Derecho a solicitar asistencia jurídica gratuita.

EJERCICIO DE LOS DERECHOS

Nombre del detenido: [.../...]

En uso de mis derechos deseo:

— Ser asistido por el Letrado D. [.../...]

— Ser asistido por el Letrado del turno de oficio.

— Que comuniquen mi detención a [.../...]

que vive en [.../...]

y cuyo teléfono es [.../...]

— Que comuniquen mi detención a mi Consulado.

— Ser asistido por un intérprete.

— Ser reconocido por un médico.

[.../...] a las [.../...] horas del día [.../...] ...

[.../...]   (fecha)

Firma

DILIGENCIA.— Se extiende para hacer constar que, seguidamente, se han cumplimentado los extremos solicitados por el detenido, por telefonema/s registrado/s.

Cuando el Juez de Instrucción de Guardia reciba un atestado de la Policía, al margen de acordar cualquier medida preventiva, dictará la siguiente Providencia:

M. 62. Providencia del Juzgado de Guardia incoando diligencias de guardia y acordando la remisión de las actuaciones al Decanato para reparto

JUZGADO DE INSTRUCCIÓN N.° [.../...]

Servicio de guardia

DILIGENCIAS PREVENTIVAS N.° [.../...]

HECHOS

PROVIDENCIA JUEZ En [.../...] a [.../...] de [.../...] de 20[.../...]

Sr. [.../...]

Instrúyanse diligencias preventivas con las actuaciones referentes al hecho referenciado, y terminado el mismo remítase lo actuado al Juzgado de Instrucción Decano de esta Ciudad, para su reparto, sirviendo este proveído de oficio de remisión.

Lo manda y firma S.S.ª, doy fe.

(Firma Juez) (Firma Secretario)

DILIGENCIA. Seguidamente se registran las diligencias con el número reseñado y terminado el servicio de guardia se cumple lo ordenado; doy fe.

ILMO. SR. JUEZ DE INSTRUCCIÓN DECANO DE [.../...]

M. 63. Escrito de denuncia ante el Juzgado

AL JUZGADO

D. [.../...], mayor de edad, vecino de [.../...] ., calle [.../...], DNI núm. [.../...], digo:

Que me veo precisado a poner en conocimiento del Juzgado los siguientes

HECHOS

1) El denunciante, cuyos datos han quedado ya expuestos, actúa en nombre propio (o como representante de [.../...]).

2) El denunciado es legal representante de la Entidad [.../...] . con domicilio en [.../...], calle [.../...]

3) El pasado día cuatro de enero de [.../...], acudió a mi domicilio quien dijo ser [.../...], representante de [.../...] y seguidamente me presentó al cobro dos cheques que habían sido entregados para el pago de [.../...]

Seguidamente empezó a amenazarme si no los hacía efectivos en el acto con secuestrar a mi hija de diez años, y causar daños en mi vivienda, a lo cual me negué por tratarse de géneros defectuosos. A continuación, me golpeó causándome lesiones de las que precise [.../...] días de asistencia facultativa, según justifico con el documento núm. 1.

En consecuencia, y dado que me considero víctima de un delito lo pongo en conocimiento del Juzgado.

En [.../...], a [.../...] de [.../...] de 20[.../...]

(Firma denunciante)

Ratificada la denuncia, el Juez procederá a la comprobación de los hechos denunciados, salvo que éstos no revistan carácter de delito o que la denuncia fuese manifiestamente falsa. En estos dos casos el Juez se abstendrá de todo procedimiento, sin perjuicio de la responsabilidad en que puede incurrir si desestimase la denuncia indebidamente. Contra estas resoluciones cabrán los recursos de reforma y subsiguiente de apelación —art. 269 LECrim.—.

M. 64. Escrito de querella

Véanse otros escritos de Querella con relación a procedimientos determinados en M. 109, 168, 172, 238.

AL JUZGADO DE INSTRUCCIÓN

D. [.../...], Procurador de los Tribunales, en representación de D. [.../...], cuya representación acredito mediante escritura de poder, comparezco y digo:

Que por medio de este escrito y por entender que los hechos que describiré son constitutivos de un delito de [.../...] previsto en el art. [.../...], formulo querella al amparo de lo dispuesto en el arts. 270 y ss. LECrim., y de acuerdo con el art. 277 de la referida Ley,

ALEGACIONES

1.º. Juez ante quien se presenta: Esta querella se formula ante el Juzgado de Instrucción de esta ciudad (que por turno de reparto le corresponda), por ser competente, conforme a lo dispuesto en el art. 14 de la LECrim.

2.º. Nombre, apellidos y vecindad del querellante: El querellante es D. […/…] vecino de […/…]

3.º. Nombre, apellidos y vecindad de los querellados: Los querellados, sin perjuicio de dirigir las acciones civiles y penales contra otras personas que a lo largo del proceso aparezcan relacionados con los hechos, son […/…]

4.º. Relación circunstanciada de los hechos (se harán constar los datos siguientes para individualizar el hecho presuntamente delictivo):

1. Antecedentes […/…]

2. Lugar en que han ocurrido los hechos […/…]

3. Fecha en que ocurrieron […/…]

4. Concreción del hecho delictivo […/…]

5. Tipificación de los hechos delictivos (resulta opcional, puesto que la Ley no lo exige en este momento procesal).

5.º. Diligencias cuya práctica se solicita: Con independencia de aquellas que estime oportunas el Instructor, creemos que sería necesario practicar las siguientes:

1. Admisión de los documentos […/…]

2. Interrogatorio de […/…]

3. Testifical de […/…]

4. […/…]

AL JUZGADO SUPLICO sea admitida esta querella, se practiquen las diligencias interesadas en el apartado quinto del presente escrito, y se tomen las pertinentes medidas cautelares sobre la situación personal y sobre los bienes de los querellados, a resultas de este proceso. También solicito se dicte inmediatamente auto de procesamiento contra los querellados (sólo en el proceso por delitos graves).

OTROSÍ DIGO: Que necesitando por otras actuaciones el poder que se acompaña, pido su devolución dejando aquí constancia del mismo, y

AL JUZGADO SUPLICO que se acuerde la devolución del poder, dejando en los asuntos testimonio del mismo.

Lo pido en […/…], a […/…] de […/…] de 20[…/…]

(Firma Procurador) (Firma Letrado)

(Firma querellante)

(sólo debe firmar en caso de no ser el poder especial)

M. 65. Resolución incoando diligencias preventivas y parte de incoación

PROVIDENCIA JUEZ SR. [.../...]

En [.../...], a [.../...] de [.../...] de 20[.../...]

Por presentado el anterior atestado entregado por la Guardia Civil del puesto de [.../...] (*juntamente con el detenido, en su caso*), y dado que los hechos pudieran ser constitutivos de delito, se acuerda la incoación de diligencias preventivas a cuyo efecto se practicarán (*En este espacio deben reseñarse las diligencias de instrucción que por su urgencia deban practicarse por el Juez de Paz*) [.../...], dando cuenta de su incoación al Ministerio Fiscal y al Sr. Juez de Instrucción, a quien se le remitirán a la mayor urgencia las presentes diligencias, y en todo caso, dentro de tres días.

Lo manda y firma el Sr. Juez de Paz, doy fe.

(*Firma Juez*) (*Firma Letrado de la Administración de Justicia*)

DILIGENCIA. Seguidamente se cumple lo acordado y se registra con el núm. [.../...] de diligencias preventivas, doy fe.

DILIGENCIA DE REMISIÓN. Seguidamente y por vía de [.../...] se remiten al Juzgado de Instrucción de [.../...],

doy fe.

JUZGADO DE PAZ DE [.../...]

ILMO. SR.

Tengo el honor de poner en conocimiento de V.I. en cumplimiento del proveído dictado en el día de la fecha, que he acordado instruir diligencias sumariales a prevención, con motivo de [.../...]

En [.../...], a [.../...] de [.../...] de 20[.../...]

(*Firma Juez de Paz*)

ILMO. SR. JUEZ DE INSTRUCCIÓN [.../...]

M. 66. Providencia de incoación de diligencias indeterminadas

PROVIDENCIA JUEZ

SR. [.../...]

En [.../...], a [.../...] de [.../...] de 20[.../...]

Por presentado [.../...] (1), regístrese en el Libro correspondiente de diligencias indeterminadas y [.../...] (2)

(Firma Juez) (Firma Letrado de la Administración de Justicia).

DILIGENCIA DE REGISTRO. Seguidamente se cumple lo acordado registrándose con el núm. [.../...] del libro de Diligencias indeterminadas y el número [.../...] del Registro General, doy fe.

(NOTIFICACIÓN. A la parte personada, si la hubiere).

(1) Deberá hacerse constar si ha sido un escrito de denuncia o querella.

(2) En cada uno de los supuestos o posibilidades de diligencias indeterminadas se hará constar lo procedente, por ejemplo: caso de querella que precise ratificación, es decir,... y ratifíquese el querellante, teniendo por personado el Procurador Sr. [.../...] en nombre y representación de [.../...], no dándose curso a la misma hasta que se cumpla la prevención anterior.

CAPÍTULO VII

ACTOS DE INVESTIGACIÓN Y COMPROBACIÓN JUDICIAL

SECCIÓN 1.   LA INSTRUCCIÓN DEL PROCESO PENAL

1.1.   Naturaleza y finalidad de las diligencias de instrucción[(1)]

Los actos de comprobación y averiguación judicial son aquéllos, realizados en la fase instructora del procedimiento penal que tienen por objeto la averiguación

_____

(1)   MONTERO AROCA, «Las cintas magnetofónicas como fuentes de prueba», *PJ*, 1983, n.º 7, pp. 39 a 48. GARZÓN REAL, «Análisis específico de la doctrina constitucional respecto a determinadas diligencias sumariales. Ruedas de reconocimiento. Toma de huellas. Toma de fotografías», *AP*, 1989, p. 1359; ASENCIO CANTISAN, «Algunas consideraciones en torno a la libertad condicional», *La Ley*, 1989-1, pp. 997-1007; FERNÁNDEZ ENTRALGO, «Medidas privativas y restrictivas de la libertad del enfermo mental en el proceso penal», *La Ley*, 1988-2, pp. 998-1026; BURGOS LADRÓN DE GUEVARA, *Valor probatorio de las diligencias sumariales en el proceso penal*, 1.ª ed., 1992; CORREA RAMÍREZ, *Identificación forense*, 1990; DE DIEGO DÍEZ, *La identificación del delincuente a través de las huellas dactilares: la prueba doctiloscópica*, 1992; FAIRÉN GUILLÉN, «Algunas ideas básicas sobre la entrada y registro en domicilio (del art. 21 de la ley 1/92, de protección de la seguridad ciudadana)», en *RDP*, n.º 1, 1993; «Acción del fiscal y acción popular El refuerzo de esta última», *Tapia*, octubre-noviembre 1989; «La identificación de personas desconocidas "examen del art. 20 de la Ley de Seguridad Ciudadana"», *Justicia*, n.º III, 1992; FORCADA JORDI, «Las inspecciones o registros sobre la propia persona», en *La Ley*, 1990, n.º 2604; PÉREZ CRUZ MARTÍN, «La prueba de alcoholemIa en el nuevo reglamento general de circulación», *La Ley*, 1990, n.º 3098; PERIS RIERA, «Identificación personal: avances genéticos e interrogantes jurídicos», en *Revista General de Derecho*, 1991, n.º 564; RIUS ALARCO, «La diligencia de reconocimiento en rueda en la más reciente doctrina jurisprudencial», *Revista General de Derecho*, n.º 572, 1992; ROMERO COLOMA, *El análisis psicológico del testigo en el proceso penal*, Barcelona, 1991; SEBASTIÁN LORENTE, «El derecho a la asistencia de intérprete», *Actualidad Penal*, n.º 43, 1992; SERRANO HOYO, «La nueva regulación de las pruebas de alcoholemia, su valor probatorio en la jurisprudencia constitucional», *La Ley*, 1993; TOMÉ GARCÍA, «Las diligencias de identificación en dependencias policiales del art. 20.2 de la Ley Orgánica sobre Protección Ciudadana», *RPD*, 1994-3. VELASCO NÚÑEZ, «El reconocimiento o identificación del autor de una infracción delictiva», en *Poder Judicial*, diciembre 91; «El confidente», *La Ley*, n.º 3707, 1993; «Presencias y ausencias (aspectos aclarados y discutidos) en materia de intervenciones telefónicas en espera de una regulación parlamentaria del tema», *Actualidad Penal*, n.º 18, 1993; GOYENA HUERTA, J, «La negativa del imputado a intervenir en las diligencias de identificación: consecuencias procesales», *Actualidad Jurídica Aranzadi* nº 367, 1998.

del hecho punible y la persona del delincuente. Por medio de estos actos, y con esa finalidad, se investigarán las circunstancias del delito y se preparará el juicio oral, proporcionando los elementos fácticos o personales necesarios para la acusación y la defensa. Deben distinguirse estos actos de investigación de los medios de prueba, que serán aquellos que se practiquen durante la fase de juicio oral con plena contradicción entre las partes. Los actos de investigación no constituyen verdaderas pruebas, sino sólo las preparan para el juicio oral.

«Es doctrina constitucional consolidada desde la STC 31/1981, de 28 de julio, que únicamente pueden considerarse auténticas pruebas que vinculen a los órganos de la justicia penal en el momento de dictar Sentencia las practicadas en el juicio oral, pues el procedimiento probatorio ha de tener lugar necesariamente en el debate contradictorio que, en forma oral, se desarrolla ante el mismo Juez o Tribunal que ha de dictar Sentencia, de suerte que la convicción de éste sobre los hechos enjuiciados se alcance en contacto directo por los medios aportados a tal fin por las partes. Por el contrario, las diligencias sumariales son actos de investigación encaminados a la averiguación del delito e identificación del delincuente (art. 299 LECrim.), que no constituyen en sí mismas pruebas de cargo, pues su finalidad específica no es la fijación definitiva de los hechos, para que éstos trasciendan a la resolución judicial, sino la de preparar el juicio oral, proporcionando a tal efecto los elementos necesarios para la acusación y defensa y para la dirección del debate contradictorio atribuido al juzgador». STC 141/2001 de 18 de junio. En el mismo sentido, SSTC 57/2002 de 11 de marzo, 2/2002 de 14 de enero.

Es decir, que la fase de plenario no tiene por finalidad revisar la actuación del Juzgado de Instrucción, como si se tratase de una fase de recurso, sino de practicar las pruebas propuestas por la acusación y la defensa en apoyo de sus respectivas tesis, y con independencia de que hayan sido o no practicadas durante la instrucción diligencias de contenido similar. Correlativamente el Tribunal sentenciador no puede fundar la condena, sino en la prueba practicada en el acto del juicio oral, a salvo de las excepciones referentes a la prueba anticipada, preconstituida y la posibilidad de otorgar fuerza probatoria a diligencias sumariales en ciertos supuestos excepcionales.

«... el proceso penal propiamente dicho, viene precedido de una fase instructora, preparatoria del juicio... La existencia de esta fase de instrucción se justifica por la necesidad de realizar las actuaciones necesarias para decidir si se debe o no abrir juicio contra persona determinada, ya que por el carácter estigmatizante que tiene el proceso penal, el abrir juicio contra una persona, supone ya, el sometimiento a lo que se suele denominar "la pena de banquillo", y por ello la instrucción se justifica por la necesidad de encontrar indicios suficientes para objetivar un "juicio de probabilidad" justificador del sometimiento de la persona inculpada a la "pena de banquillo", sin perjuicio de que la condena sólo sea posible tras la obtención de un "juicio de certeza" a la vista de las pruebas, ahora sí, practicadas en el Plenario a salvo los concretos supuestos de prueba preconstituida, o de introducción en el Plenario de diligencias practicadas en la instrucción». STS 1179/2001 de 20 Jul. 2001, Rec. 491/2000. Ponente: Giménez García, J. LA LEY 5828/2001.

En cualquier caso, siempre se deberán respetar los principios de inmediación, contradicción e igualdad de armas procesales.

«Es doctrina reiterada que las diligencias sumariales son actos de investigación encaminados a la averiguación del delito y a la identificación del delincuente (art. 299 LECrim), las cuales no constituyen en sí mismas pruebas de cargo (STC 32/1995). La instrucción previa, se llame diligencias o de cualquier otro modo, tiene una naturaleza análoga, si no idéntica a la del sumario y, como éste, la misma finalidad (STC 34/1996). Es decir, como hemos repetido desde nuestra STC 31/1981, sólo las pruebas practicadas en el juicio oral, con posibilidad de debate contradictorio y en presencia del Juez que haya de sentenciar, poseen la necesaria aptitud para destruir la presunción constitucional de inocencia, sin perjuicio de aquellos casos de prueba anticipada o preconstituida, que no son del caso». ATC 8/1999 de 20 de enero.

La presunción de inocencia únicamente podrá desvirtuarse por la prueba practicada en el juicio oral, con vigencia de los principios de igualdad, contradicción, inmediación y publicidad, en aras de la garantía del derecho de defensa[2]. Véase sobre la valoración de la prueba y presunción de inocencia el § 3 del Cap. IX.

«Es doctrina clásica de este Tribunal —reiterada desde las ya lejanas SSTC 137/1988 (LA LEY 1071-TC/1988), de 7 de julio, FJ 1, o 51/1995, de 23 de febrero (LA LEY 13051/1995), FJ 2— que la presunción de inocencia, además de ser criterio informador del ordenamiento procesal penal, es ante todo un derecho fundamental en cuya virtud una persona acusada de una infracción no puede ser considerada culpable hasta que así se declare en sentencia condenatoria, siendo sólo admisible y lícita esta condena cuando haya mediado una actividad probatoria que, practicada con la observancia de las garantías procesales y libremente valorada por los Tribunales penales, pueda entenderse de cargo». STC 33/2015 de 2 Mar. 2015, Rec. 686/2012. Ponente: Valdés Dal-Ré, Fernando. LA LEY 26676/2015.

No obstante, en algunos supuestos los actos de comprobación judicial pueden ser aptos para fundamentar una sentencia de condena siempre que se observe el cumplimiento de los siguientes requisitos: a) intervención del Juez de Instrucción en la práctica de la diligencia; b) oportunidad del imputado de participar en la diligencia con posibilidad de contradicción; c) que por causa independiente de la voluntad de las partes, las diligencias o actuaciones sumariales no puedan ser reproducidas en el juicio oral (vid. art. 730 LECrim); d) reproducción de aquélla en el juicio oral en condiciones que permitan la defensa del imputado o procesado (art. 730 LECrim). En

---

(2) «El derecho a la presunción de inocencia reconocido en el artículo 24 de la Constitución (LA LEY 2500/1978) implica que toda persona acusada de un delito debe ser considerada inocente hasta que se demuestre su culpabilidad con arreglo a la Ley, y, por lo tanto, después de un proceso justo (artículo 11 de la Declaración Universal de los Derechos Humanos (LA LEY 22/1948); artículo 6.2 del Convenio para la Protección de los Derechos Humanos y de las Libertades Fundamentales (LA LEY 16/1950), y artículo 14.2 del Pacto Internacional de Derechos Civiles y Políticos (LA LEY 129/1966)), lo cual supone que se haya desarrollado una actividad probatoria de cargo con arreglo a las previsiones constitucionales y legales, y por lo tanto válida, cuyo contenido incriminatorio, racionalmente valorado de acuerdo con las reglas de la lógica, las máximas de experiencia y los conocimientos científicos, sea suficiente para desvirtuar aquella presunción inicial, en cuanto que permita al Tribunal alcanzar una certeza objetiva, en tanto que asumible por la generalidad, sobre la realidad de los hechos ocurridos y la participación del acusado, de manera que con base en la misma pueda declararlos probados, excluyendo sobre los mismos la existencia de dudas que puedan calificarse como razonables». ATS 531/2017 de 16 Feb. 2017, Rec. 1589/2016; Ponente: Palomo del Arco, Andrés. LA LEY 28074/2017.

estos casos, la diligencia sumarial deberá ser reproducida, a modo de prueba documental, en el acto del juicio oral, sin que sea admisible la petición de lectura genérica de todo el sumario o diligencias previas, sino sólo de aquellas diligencias que no pudieran practicarse en dicho momento procesal. También cabe valorar como prueba la declaración sumarial de testigos o imputados cuando se produzca contradicción entre sus declaraciones en la fase de juicio oral y la de instrucción, en cuyo caso se procederá a reproducir en el juicio oral la declaración sumarial, y el Tribunal podrá ponderar la versión que ofrezca mayor verosimilitud (art. 714 LECrim). En todos estos supuestos las diligencias practicadas tendrán eficacia probatoria, de acuerdo con lo previsto en la LECrim y en la doctrina del TC[3]. Véase sobre la prueba preconstituida y lecturas de diligencias sumariales en el plenario los § 1.6 y 1.7 del Cap. IX.

Los actos de investigación judicial se realizan por medio de diligencias instructoras reguladas en sede del procedimiento por delitos graves (arts. 326 y ss. LECrim), aunque son también de aplicación en el procedimiento abreviado. Así, pueden adoptarse en un sumario o en diligencias previas. O, incluso, en su caso y excepcionalmente, en sede de diligencias indeterminadas (véase § 3 del Capítulo VI). La finalidad de las diligencias de instrucción será esclarecer los hechos determinando la existencia de indicios de la comisión de un delito y de la participación en éste de una o varias personas, y producirán como efecto el procesamiento del inculpado en el proceso por delitos graves y la inculpación o imputación formal en el procedimiento abreviado (art. 384 LECrim). Puede iniciarse una instrucción penal por un delito y continuar luego por otro, sin que ello constituya irregularidad alguna sino acomodación del procedimiento inicial a la verdadera naturaleza de los hechos investigados, y a la realidad material completa de lo sucedido.

«La Constitución no exige, en modo alguno, que el funcionario que se encuentra investigando unos hechos de apariencia delictiva cierre los ojos ante los indicios de delito que se presentaren a su vista, aunque los hallados casualmente sean distintos a los hechos comprendidos en su investigación oficial, siempre que ésta no sea utilizada fraudulentamente para burlar las garantías de los derechos fundamentales (STC 49/1996, fundamento jurídico 4.º).La pretensión de que, desde el mismo acto judicial de incoación del procedimiento instructor, queden perfectamente definidos los hechos

---

(3) «Las diligencias sumariales son actos de investigación encaminados a la averiguación del delito e identificación del delincuente (art. 299 de la L.E.Cr.) y que, como se advierte en la citada STC 101/1985, no constituyen en sí mismas pruebas de cargo. De acuerdo con la regulación contenida en el título V del libro II de la L.E.Cr., distinta de la que se refiere al modo de practicar la prueba en el juicio oral (título III del libro III de la propia L.E.Cr.), su finalidad específica no es la fijación definitiva de los hechos para que éstos trasciendan a la resolución judicial, sino la de permitir la apertura del juicio oral, proporcionando a tal efecto los elementos necesarios para la acusación y defensa y para la dirección del debate contradictorio atribuido al juzgador. Sólo cuando las diligencias o actuaciones sumariales son de imposible o muy difícil reproducción en el juicio oral, es posible traerlas al mismo como prueba anticipada o preconstituida, en los términos señalados por el artículo 730 de la Ley Procesal Penal, conforme ha declarado ya este Tribunal en la STC 62/1985, de 10 de mayo. Esta posibilidad está justificada por el hecho de que, estando sujeto también el proceso penal al principio de búsqueda de la verdad material, es preciso asegurar que no se pierdan datos o elementos de convicción, utilizando en estos casos la documentación oportuna del acto de investigación, llevado a cabo, en todo caso, con observancia de las garantías necesarias para la defensa». STC 137/1988 de 7 de julio.

sometidos a investigación, e incluso las calificaciones jurídicas de los delitos que pudieran constituir tales hechos, no es aceptable». STC 41/1998 de 24 de febrero.

Tampoco existirá ninguna nulidad en la circunstancia de que conociera de las primeras actuaciones de la investigación judicial que posteriormente se declarase incompetente en razón del territorio.

«Ha declarado el Tribunal Constitucional que la tramitación por un órgano territorialmente incompetente en la fase de instrucción no inválida sus actuaciones; tan solo será necesario que la instrucción prosiga ante el órgano competente. Si es ya durante la fase intermedia cuando se decide la competencia en favor de otro territorio eso no comporta retrotraer las actuaciones aunque la fase de instrucción en su totalidad se haya llevado a cabo por un juez territorialmente incompetente. En la medida en que el enjuiciamiento se verifica por un órgano competente e investido de imparcialidad, en nada queda afectado del derecho al "juez natural" por eventuales irregularidades en la instrucción salvo que se muestre que han condicionado, contaminado o influido en el enjuiciamiento en alguna forma indebida (*vid.* STC 69/2001 (LA LEY 3270/2001), de 17 de mayo)». STS 714/2016 de 26 Sep. 2016, Rec. 1951/2015; Ponente: Berdugo Gómez de la Torre, Juan Ramón. LA LEY 126702/2016.

1.2. Límites de la investigación sumarial

En la investigación sumarial, al igual que en toda investigación de hechos criminales, existen dos principios básicos que deben ser observados: Principio de investigación de oficio para la averiguación de los hechos que se imputan y, Principio de defensa que, en la fase de instrucción, se proyecta en: a) La obligación de otorgar audiencia al imputado para evitar acusaciones sorpresivas. b) La obligación de informar al imputado sobre los hechos punibles de los que es objeto de acusación. (Véase sobre el derecho de defensa del imputado Cap. IV).

Se trata de dos derechos irrenunciables que conectados con los artículos citados impiden que el sumario se «desborde» fuera de los hechos de los que se les investiga. Es decir, se prohíben en nuestra LECrim. investigaciones inquisitoriales generales, o con infracción de los derechos fundamentales. Lo contrario sería la realización y obtención de actos de investigación con nulidad radical (doctrina del fruto procedente del árbol envenenado) (véase sobre el derecho a la tutela judicial efectiva § 2.2.A.b Cap. I; y § 2.3 Cap. IX, sobre la prueba ilícita).

Nótese que la investigación sumarial ha de procurar un debate en que el principio de presunción de inocencia y no culpabilidad sean totalmente respetados y, también, evitando que la investigación sumarial no se extienda, de modo innecesario a hechos y actos de los que no es imputado. En este sentido, de conformidad con los arts. 299 y 311 LECrim. solamente han de ser practicadas las diligencias necesarias para la comprobación del hecho del que resulta imputado rechazando las diligencias inútiles o perjudiciales. Estos límites deben contribuir a evitar que una vez concluidas las diligencias, en su caso favorablemente, pueda producirse un grave descrédito gratuito al sometido al proceso penal[4].

---

(4) En el derecho comparado también se establecen límites a la investigación sumarial. Así, el art. 155 Ley procesal alemana dispone: «La investigación se extenderá solo al hecho mencionado

De lo afirmado se deduce que, partiendo de la obligatoriedad en nuestro derecho de que se averigüen todas las circunstancias que rodean el hecho investigado y las circunstancias tanto inculpatorias como exculpatorias —art. 2 LECrim—, han de rechazarse la práctica de diligencias cuando la prueba fuera inadmisible o carezca de importancia (inútil) o sea totalmente inapropiado (superfluo o perjudicial).

Cuando se vulneran dichos extremos existirá no solo una prohibición de la práctica de la diligencia, sino incluso del aprovechamiento de los resultados probatorios. Nos encontramos con la vieja formulación de que el imputado tiene derecho a exigir que el proceso, incluso el de investigación sumarial, se desarrolle en forma debida. Ésta no es otra que la desarrollada conforme a las normas de un Estado de Derecho, establecidas, entre otras, en los arts. 299, 300, 311, 313, 315, 777.1, 779.1.1 LECrim de las que se infieren límites naturales a la investigación ceñidos al hecho mencionado en la acción y a las personas inculpadas. Este «entorno jurídico», como se denomina en el derecho comparado constituye un límite para la acción investigadora, fuera del cual puede existir la arbitrariedad. En consecuencia, la investigación sumarial debe tener unos límites marcados por las Leyes contra las que, en su caso, ni siquiera la pendencia de su conocimiento y garantía por la imparcialidad de su conocimiento por un Juez comporta que cualquier diligencia haya de ser practicada, pudiendo, en su caso, incluso acudir a otras vías de amparo. Por tanto, el Juez no está autorizado para practicar cualquier investigación, sino tan solo las que sean de importancia para la determinación de las consecuencias jurídicas del hecho.

Ahora bien, también debe tenerse en cuenta la doctrina del TC que ha declarado que en ocasiones los delitos de los que se acusa, vg. de carácter económico o relacionados con la corrupción en instituciones públicas, suelen ser complejos y quedan ocultos en una multitud de operaciones económicas aparentemente inocuas. La investigación de tales hechos, por consiguiente, puede requerir un elevado número de diligencias que alcancen a un amplio círculo de personas y entidades para averiguar y hacer constar la perpetración de los delitos. Pero ese mero dato no permite concluir que se haya producido una inquisición general, incompatible con los principios que inspiran el proceso penal en un Estado de Derecho como el que consagra la Constitución española (*Vid*. SSTC 32/1994, y 41 /98 de 24 de febrero).

Finalmente, debemos referirnos al tiempo de duración de la fase de instrucción, sean diligencias previas en el procedimiento abreviado o sumario en el procedimiento por delitos graves, durante el cual se sustancian las diligencias de investigación judicial. En el sistema originario de la LECrim no se atendía a esta cuestión, con la consecuencia enormemente perniciosa de prolongación durante años, lustros e incluso alguna década de la instrucción penal. Resulta evidente que esa situación no era procedente, máxime cuando resulta admitida la institución de la prescripción de los delitos y penas. En efecto resultaba sorprendente que la instrucción de las causas pudiera prolongarse mucho tiempo, incluso más allá del tiempo de prescripción material del delito. Es por lo expuesto que la Ley 41/2015 de reforma de la LECrim introdujo en nuestro sistema

---

en la acción y a las personas inculpadas por la acción. Dentro de estos límites, estarán autorizados y obligados los Tribunales, a una actividad independiente...».

un tiempo máximo de duración de la causa que será de 6 meses. Este plazo podrá prorrogarse por 18 meses y finalizado éste por otros 18 meses o un plazo inferior, en el caso que el Juez de instrucción declare la causa compleja. Esa calificación de la causa deberá basarse en alguna de las circunstancias previstas en el art. 324.1 LECrim que son las siguientes: «*a) recaiga sobre grupos u organizaciones criminales, b) tenga por objeto numerosos hechos punibles, c) involucre a gran cantidad de investigados o víctimas, d) exija la realización de pericias o de colaboraciones recabadas por el órgano judicial que impliquen el examen de abundante documentación o complicados análisis, e) implique la realización de actuaciones en el extranjero, f) precise de la revisión de la gestión de personas jurídico-privadas o públicas, o g) se trate de un delito de terrorismo*». La concurrencia de alguna de estas circunstancias determinará la complejidad de la causa y, en consecuencia podrá determinar una prórroga de su instrucción. La Ley también permite que la prórroga se pueda acordar con base en la concurrencia de circunstancias sobrevenidas a la investigación que determinen ésta no pudiera razonablemente completarse en el plazo estipulado. Finalizada la prórroga el Juez deberá concluir la instrucción. No obstante el apartado 4º del art. 324 LECrim dispone que: «*Excepcionalmente, antes del transcurso de los plazos establecidos en los apartados anteriores o, en su caso, de la prórroga que hubiera sido acordada, si así lo solicita el Ministerio Fiscal o alguna de las partes personadas, por concurrir razones que lo justifiquen, el instructor, previa audiencia de las demás partes, podrá fijar un nuevo plazo máximo para la finalización de la instrucción*». Ésta es una prórroga que se suma a las anteriormente expuestas que suman hasta un máximo de 42 meses y que no prevé un plazo máximo. Cabe entender que se trata de una prórroga absolutamente excepcional que sólo se podrá acordar por razones de esa naturaleza.

La prórroga de la instrucción se acordará por el Juez de instrucción a instancia del Ministerio Fiscal que deberá presentar la solicitud de prórroga por escrito, al menos, tres días antes de la expiración del plazo máximo. Solicitada la prórroga el Juez oirá a la partes y acordará el plazo de prórroga que proceda con el máximo de 18 meses, que se podrá prorrogar nuevamente por hasta otros dieciocho meses. Contra el auto que desestima la solicitud de prórroga no cabrá recurso, sin perjuicio de que pueda reproducirse esta petición en el momento procesal oportuno según la clase de procedimiento de que se trate. La instrucción podrá prolongarse durante el plazo fijado por el Juez. Finalizado el plazo máximo o sus prórrogas, el instructor dictará auto de conclusión del sumario o, en el procedimiento abreviado, la resolución que proceda conforme al artículo 779 LECrim. Pero, el plazo fijado quedará interrumpido en los siguientes supuestos: «*a) en caso de acordarse el secreto de las actuaciones, durante la duración del mismo, o b) en caso de acordarse el sobreseimiento provisional de la causa*». Alzado el secreto o reabiertas las diligencias la instrucción continuará por el tiempo que reste hasta completar el plazos previsto. Concluida la instrucción, podrán incorporarse a la causa el resultado de las diligencias de investigación acordadas antes del transcurso de los plazos legales.

El art. 324.6 LECrim dispone que en el caso que el instructor no concluyese la instrucción el Ministerio Fiscal instará al juez que acuerde la decisión sobre el procedimiento que el Juez deberá adoptar en el plazo de quince días. No se refiere este precepto al investigado o procesado que, sin embargo, consideramos que también podrán solicitar que el Juez de instrucción dicte la resolución de finalización de la instrucción de la causa. La conclusión de la instrucción transcurrido el plazo máximo constituye una obligación del Juez de instrucción que, sin embargo, carece de un cauce procesal concreto para ser exigida. Ante esa ausencia cabrían dos soluciones o bien dirigirse al Juez Decano o bien a la Audiencia Provincial solicitando que el Juez dicte la resolución pertinente. En cualquier caso, el apartado 8º del art. 324 LECrim dispone que: «*En ningún caso el mero transcurso de los plazos máximos fijados en este artículo dará lugar al archivo de las actuaciones si no concurren las circunstancias previstas en los artículos 637 o 641*». Norma que pretende que evitar el perjuicio a los intereses de la víctima y de la sociedad en su conjunto que se produciría si la inactividad del Juez de Instrucción determinará el sobreseimiento de la causa.

1.3. Solicitud, adopción e intervención de las partes en la práctica de las diligencias de instrucción

Las diligencias de comprobación se caracterizan por la diversidad de supuestos o formas que pueden adoptar, si bien todas deben estar relacionadas con el hecho punible y los partícipes en el mismo. Las partes pueden solicitar al Juez de instrucción que realice las diligencias que estimen necesarias. Éste las admitirá si no las considera inútiles o perjudiciales. En todo caso corresponde al Juez decidir las actuaciones a practicar. Contra la resolución denegatoria del Juez de la realización de la diligencia de investigación, cuando se instase por la parte, cabe recurso de reforma y de apelación (arts. 311 y 766 en relación con el 777 LECrim).

El Ministerio Fiscal y las partes personadas pueden intervenir en las diligencias de investigación que se practiquen. Esta intervención se fundamenta en la plena vigencia en la fase de instrucción de los principios de publicidad y contradicción que se garantizan mediante la plena vigencia de los derechos de audiencia, asistencia y defensa del inculpado en el proceso penal (véase sobre estos principios § 2, Cap. I; y sobre el derecho de defensa del inculpado en el proceso penal § 4 del Cap. IV).

> «Rigen también en el trámite de instrucción del proceso penal los principios de publicidad y contradicción, y ello exige que se permita participar en el procedimiento a todas las partes que actúan en el mismo además del Ministerio Fiscal, salvo que las actuaciones hayan sido declaradas secretas en los términos permitidos por el art. 302 LECrim. Así, cuando haya de recogerse algún objeto del delito o, en general, haya de practicarse cualquier diligencia sumarial (arts. 118 y 333), ha de tramitarse ésta de modo que se dé a las acusaciones particulares o populares y a las personas imputadas (ya no hace falta que se haya dictado procesamiento) —el Ministerio Fiscal siempre está en la causa— la posibilidad de intervenir en las actuaciones correspondientes .../...». STS 155/2002 de 19 Feb. 2002, Rec. 1276/2000; Ponente: Delgado García, Joaquín. LA LEY 38940/2002.

Téngase presente, que el principio acusatorio rige en todas las fases e instancias del proceso penal, por así exigirlo el art. 24 CE. Por tanto, el imputado debe conocer cuanto antes su condición de parte acusada y los hechos que se le imputan, para no ver mermado su derecho de defensa[5].

---

(5) «Asimismo, según constante y reiterada doctrina de este Tribunal (SSTC 76/82, 188/84, 27/85, 47/87, 155/88 y 66/89, entre otras), el art. 24 CE, en cuanto reconoce los derechos a un pro-

«La esencia del principio acusatorio consiste en asegurar la vigencia del derecho de defensa, propiciando que la defensa del imputado pueda actuar su derecho a defenderse de una previa acusación que le ha sido comunicada y que no pueda verse sorprendido por una subsunción inesperada efectuada por un Tribunal que, como hemos señalado, no tiene legitimidad para efectuar un reproche sin una acusación previa. El Tribunal se sitúa en el enjuiciamiento como un órgano que recibe una relación fáctica y una subsunción, comunicada a la defensa, y que en el juicio debe proceder a la reconstrucción del hecho con la celebración de la prueba que las partes proponen para su valoración». STS 177/2016 de 2 Mar. 2016, Rec. 1481/2015; Ponente: Martínez Arrieta, Andrés. LA LEY 10062/2016[6].

También es necesaria la notificación al Fiscal de todas las diligencias que se realicen. Pero, la omisión de esta notificación no vicia de nulidad la diligencia practicada, a salvo de que hubiere podido afectar al derecho de defensa del sometido a la medida.

«Cuando se trata de un simple déficit formal, como la ausencia de notificación, sin otras carencias, esta Sala ha venido afirmando en modernas resoluciones (véase, entre otras, STS 1246/2005 de 31 de octubre, 138/2006, de 31 de enero, 1187/2006, de 30 de noviembre, 126/2007 de 5 de febrero, 203/2007 de 13 de marzo y 483/2007, de 4 de junio) que el verdadero garante (junto al Ministerio Fiscal) de los derechos fundamentales, y en concreto, del derecho al secreto de las comunicaciones, es el propio juez de instrucción. Esta misma cuestión ha sido ya resuelta por esa Sala casacional, en sentencia 1187/2006, de 30 de noviembre, que acabamos de citar, con el siguiente tenor literal "... es sobradamente sabido que el Ministerio público se encuentra permanentemente personado en las actuaciones con capacidad propia para tomar conocimiento de las mismas, por lo que no es necesaria la notificación a la que se refiere el recurso, máxime cuando no se aprecia en qué forma esa ausencia pudiera haber afectado al derecho de defensa, siendo el Juez instructor, en nuestro sistema, sobre quien recae la responsabilidad de tutela de los derechos de los investigados, mientras transcurren las intervenciones y especialmente cuando el propio fiscal no sólo no ha suscitado esta cuestión sino que impugna expresamente el motivo de la parte"». STS 14 noviembre de 2007, LA LEY 185172/2007.

Pero, obviamente, en el caso de que la investigación no haya determinado la identidad del presunto responsable las diligencias se practicarán sin la intervención del posteriormente inculpado. Cuestión distinta es la necesaria presencia del dete-

---

ceso con todas las garantías y a la defensa, ha consagrado, entre otros, los principios de contradicción e igualdad, garantizando el libre acceso de las partes al proceso en defensa de sus derechos e intereses legítimos, lo que requiere, en primer lugar, "que se garantice el acceso al proceso de toda persona a quien se le atribuye, más o menos fundadamente, un acto punible y que dicho acceso lo sea en condición de imputada, para garantizar la plena efectividad del derecho a la defensa y evitar que puedan producirse contra ella, aun en la fase de instrucción judicial, situaciones materiales de indefensión" (STC 273/93, fundamento jurídico 2.º, con cita de las SSTC 44/85 y 135/89)». (STC 277/94, de 17 octubre).

(6) «El retardo en la comunicación de la imputación puede disminuir las posibilidades de contradicción y de defensa durante la instrucción, y que lo hace en todo caso si la misma finaliza manteniendo al tácticamente imputado en la ignorancia de que lo es, de la razón por lo que lo es y de los derechos que como tal le asisten (por todas, SSTC 135/1989, 128/1993 y 277/1994)». STC 220/1998 de 16 de noviembre.

nido en determinadas diligencias de investigación. Así, en el caso de la apertura de correspondencia, o en el registro domiciliario. Véanse sobre las distintas diligencias de investigación en este mismo Capítulo. En cuanto al derecho de asistencia letrada el § 3.2 C) del Capítulo IV.

> «La ausencia de Letrado en una declaración sumarial sólo ha de valorarse como lesiva cuando la defensa ejercitada se revela determinante de la indefensión, atendidas las circunstancias del caso, por haber servido dicha declaración para apreciar su culpabilidad (SSTC 55/1984 y 194/1987), tal situación no concurre en modo alguno en el presente, dado que la ahora recurrente de amparo negó en todo momento los hechos que se le imputaban cuando aún no contaba con asistencia letrada y la condena se basa en otras pruebas de cargo». STC 185/1998 de 28 de septiembre.

Máxime cuando la falta de intervención del imputado se debe a su propia negligencia, de la que no cabe que pueda obtener un resultado positivo o ventaja[7]. Por tanto, en el caso de impugnar la falta de intervención de la parte en alguna diligencia de investigación será preciso indicar de qué modo habría mejorado su defensa y posición procesal en caso de haber realmente asistido a esa actuación procesal. No existirá infracción causante de nulidad en el supuesto que la intervención ningún efecto hubiere tenido; o en el caso que posteriormente se pudiera haber pedido prueba y no se hubiere hecho.

SECCIÓN 2. ACTOS DE INVESTIGACIÓN PROCESAL

2.1. La inspección ocular. Reconstrucción de hechos

La inspección ocular consiste en un acto de comprobación personal del Juez en el que observa directamente las circunstancias y elementos relacionados con el hecho punible, en el lugar donde éste ha ocurrido. La Ley distingue dos supuestos distintos: a) cuando existan vestigios o huellas —arts. 326, 329—, y b) cuando no existan aquéllos —arts. 330, 331—. La forma que deben adoptar estas diligencias viene recogida en los arts. 332 y 333 LECrim. (Véase M. 67).

---

(7) «Como este Tribunal ha tenido ocasión de decir anteriormente, "el carácter instrumental que cabe predicar de los actos de comunicación respecto del derecho de defensa obliga a sostener que no puede pretender beneficiarse en vía de amparo constitucional de un tardíamente descubierto derecho a la defensa quien ha mostrado una total pasividad y ha incurrido en una notoria falta de diligencia procesal" [STC 22/1992]. Por lo demás, tampoco se han visto afectadas las garantías del proceso. La contradicción procesal, derivada del art. 6.3 d) del CEDH a la luz del cual ha de interpretarse el art. 24.2 CE, exige que el acusado pueda interrogar o hacer interrogar a los testigos de cargo [STC 64/1994] y, en el presente caso, hemos reseñado anteriormente que el recurrente gozó de esta posibilidad en el acto del juicio oral y pudo proponer en su transcurso, como así hizo, toda la prueba de descargo a que hubo menester para poner en entredicho las declaraciones de los testigos que no pudo interrogar en la instrucción. Por tanto, ningún reproche cabe hacer a las sentencias impugnadas desde la perspectiva del derecho a un proceso con todas las garantías (art. 24.2 CE)». ATC 8/1999 de 20 de enero.

La función principal de esta diligencia consistirá en recoger y conservar los vestigios o pruebas materiales de la perpetración del delito para cuando se celebre el juicio oral. Además, se procederá a describir y consignar todo aquello que pueda tener relación con la existencia y naturaleza del hecho, y todos los detalles que pudieran utilizarse, tanto para la acusación, como para la defensa (art. 326 LECrim). Si no existieren huellas o vestigios del delito, el Juez instructor averiguará si las pruebas han desaparecido intencionadamente, y consignará las de cualquier clase en orden a la perpetración del delito (art. 330 LECrim). De todo lo practicado se levantará acta extendida por escrito en el acto de la inspección en la que se consignarán todas las diligencias que se practiquen, debiéndolas firmar el Juez, el Fiscal, si estuviere, el Letrado de la administración de justicia, y los demás presentes (art. 332 LECrim). Véase sobre la regulación legal de la recogida, custodia y análisis de evidencias el § 2.3 y 2.4 de este mismo Capítulo.

El Juez instructor puede completar la diligencia del siguiente modo: a) ordenando la comparecencia, y recibiendo declaración, de las personas que estuvieren en el lugar del delito, o en cualquier sitio próximo, a fin de dejar constancia de la ejecución del delito y sus circunstancias (arts. 329 y 331 LECrim); b) cuando fuera conveniente: se levantará plano suficientemente detallado del lugar, se realizará retrato de las personas objeto del delito, o copia o diseño de los efectos o instrumentos hallados (art. 327 LECrim); c) si se tratare de un robo u otro delito cometido con fractura, escalamiento o violencia, el Juez instructor puede consultar el parecer de peritos sobre la manera, instrumentos, medios o tiempo de la ejecución del delito (art. 328 LECrim).

Un supuesto, muy frecuente en la práctica, es el de que llegue a conocimiento del Juzgado el fallecimiento de una persona en circunstancias anormales. En este caso, el Juez se personará en el lugar en que se halle el cadáver, para proceder a su levantamiento, auxiliado por el médico forense, así como para llevar a efecto la inspección ocular, haciéndose constar por diligencia del Letrado de la administración de justicia la forma en que el Juzgado ha tenido conocimiento del evento. No obstante, en el procedimiento abreviado se regulan determinadas especialidades que, en definitiva, serán de aplicación general, ya que en el momento inicial de la aparición de un cadáver no cabe la inmediata determinación del procedimiento que corresponda. En este sentido, si la muerte se hubiere producido en la vía pública, férrea u otro lugar de tránsito la ley autoriza a la policía judicial a trasladar el cadáver al lugar más próximo aconsejable, restableciendo el servicio interrumpido. En este caso, deberán adoptarse medidas complementarias, como la reseña de la posición del cadáver, fotografías, señalamiento del lugar con la situación exacta que ocupaba el cadáver etc. (art. 770.4ª LECrim). Por otra parte, el Juez de instrucción podrá autorizar al médico forense para que asista en su lugar al levantamiento del cadáver. El forense realizará informe, que se adjuntará a las actuaciones, con la descripción detallada de su estado, identidad y circunstancias que tuvieren relación con el hecho punible (art. 778. 6 LECrim).

La ley también prevé que puedan existir huellas o vestigios cuyo análisis biológico pueda contribuir al esclarecimiento del hecho investigado. En ese caso el Juez de Instrucción adoptará u ordenará a la Policía Judicial o al médico forense que adopte las medidas necesarias para la recogida, custodia y examen de las muestras en condiciones que garanticen su autenticidad (art. 326.3 LECrim). Esta norma se complementa con la prevista en el art. 363.2 LECrim que autoriza al Juez de Instrucción a acordar, motivadamente, medidas de intervención corporal para obtención de muestras biológicas de personas «*sospechosas*». También se refiere a la toma de muestras de ADN el art. 129 bis CP respecto a personas condenadas por determinados delitos a cuyo efecto exige orden judicial y también la ejecución forzosa de la medida en caso de oposición del sospechoso. Los problemas que se pueden plantear en esta materia se refieren a las garantías respecto a la obtención y custodia de las muestras obtenidas. A este fin deberá reseñarse con precisión el lugar de recogida y las características y circunstancias ambientales, así como garantizarse la pureza del material obtenida evitando su contaminación. Especialmente discutida ha sido la cuestión referente a si la policía podía recoger vestigios genéticos abandonados por los sospechosos sin necesidad de autorización judicial. Cuestión que tras algunas sentencias contradictorias motivó el Acuerdo no jurisdiccional de la Sala Penal del TS de 31 de enero de 2006 en el que se estableció que: «*La Policía Judicial puede recoger restos genéticos o muestras biológicas abandonadas por el sospechoso sin necesidad de autorización judicial*». Y sin que tampoco sea necesario el consentimiento del sospechoso. Véase § 2.13.F, sobre la obtención y análisis de muestras biológicas, y el § 2.3.A.c., ambos de este Capítulo, sobre cotejo e identificación genética.

> «Sobre la ausencia de consentimiento de los acusados, en la toma de las muestras, la STS 179/2006 de 14.2 (LA LEY 506/2006), precisa que ni la autorización judicial ni la policial que investiga a sus órdenes ha de pedir permiso a un ciudadano para cumplir con sus obligaciones. Cosa distinta es que el fluido biológico deba obtenerse de su propio cuerpo o invadiendo otros derechos fundamentales, que haría precisa la autorización judicial. En el caso de autos las colillas arrojas por los recurrentes se convierten en *"res nullius"* y por ende accesibles a las fuerzas policiales pudiendo constituir instrumento de investigación del delito». STS de 4 de octubre de 2006, LA LEY 110540/2006.

Posibilidad que en principio únicamente podría producirse en el caso de riesgo de desaparición de la prueba. Aunque, es evidente que por razones de mera proximidad de las Fuerzas policiales a los escenarios delictivos esta es la forma habitual de recogida de restos genéticos.

> «En la recogida de muestras sin necesidad de intervención corporal para la práctica de análisis sobre ADN, conforme al art. 326 LECrim., la competencia la tendrá tanto el juez como la policía, dada su obligación común de investigar y descubrir delitos y delincuentes. Las medidas de garantía para la autenticidad de la diligencia deberán adoptarlas, según el orden preferencial siguiente: — El juez de instrucción en los casos normales. — En supuestos de peligro de desaparición de la prueba también la policía judicial en atención a la remisión que el art. 326 hace al 282 No obstante, esta Sala estima oportuno interpretar de forma flexible las facultades atribuidas a la policía, dada la vetustez del párrafo 1° del mentado art. 282 al que remite el art. 326, que debe verse enriquecido con una interpretación armónica en sintonía con el contexto legislativo actual, en atención a las más amplias facultades concedidas a una policía científica especializada y mejor preparada, con funciones relevantes en la investigación de los delitos». STS de 4 de octubre de 2006, LA LEY 110540/2006.

Así sucede con los restos genéticos hallados en la escena del crimen, cuya recogida por la policía judicial, sin ordenarlo el juez instructor y sin existir riesgo de que la prueba se pierda o desaparezca, supondrá una infracción procesal, pero que no viciaría de nulidad la diligencia. Ello sin perjuicio de los problemas que se pueden plantear con relación a la validez de los resultados para fundar una condena. Cuestión que dependerá en gran medida del modo en el que se haya procedido a la recogida y práctica documentada de la diligencia, su puesta en conocimiento al juez y aportación a la causa sus resultados.

También puede darse la obtención de muestras abandonadas o expulsadas (por ejemplo esputos o vómitos) por el sospechoso, sin intervención de métodos o prácticas incisivas sobre la integridad corporal. En esos casos el TS ha considerado que no es precisa la autorización judicial. Especialmente si la toma de muestras se lleva a cabo por razones de puro azar y a la vista de unos sucesos totalmente imprevisibles. Así sucede con los restos de saliva en las colillas de los cigarrillos o en un vaso. Restos genéticos que se convierten así en objetos procedentes del cuerpo de los sospechosos pero obtenidos de forma totalmente inesperada. El problema, en todo caso, consistirá en la forma de acreditar que la muestra obtenida había sido producida por el acusado.

«No nos encontramos ante la obtención de muestras corporales realizada de forma directa sobre el sospechoso, sino ante una toma subrepticia derivada de un acto voluntario de expulsión de materia orgánica realizada por el sujeto objeto de investigación, sin intervención de métodos o prácticas incisivas sobre la integridad corporal. En estos casos, no entra en juego la doctrina consolidada de la necesaria intervención judicial para autorizar, en determinados casos, una posible intervención banal y no agresiva. La toma de muestras para el control, se lleva a cabo por razones de puro azar y a la vista de un suceso totalmente imprevisible. Los restos de saliva escupidos se convierten así en un objeto procedente del cuerpo del sospechoso pero obtenido de forma totalmente inesperada. El único problema que pudiera suscitarse es el relativo a la demostración de que la muestra había sido producida por el acusado, circunstancia que en absoluto se discute por el propio recurrente, que sólo denuncia la ausencia de intervención judicial». STS 14 de octubre de 2005 (ponente Martín Pallín), LA LEY 1935/2005.

La inspección ocular podrá tener el carácter de prueba anticipada respecto de los hechos que hayan sido percibidos y reseñados por el Juez Instructor cuando sea éste el que practique la diligencia de investigación. Ahora bien, lo usual es que por razones de urgencia e inmediatez sea la policía la que practique la diligencia de inspección ocular, ya sea en cumplimiento de las funciones de prevención de la policía judicial o bien bajo las órdenes directas del Juez de instrucción (véase también sobre la distinción entre las funciones de prevención de la policía, y las de instrucción del Juez el siguiente epígrafe referente al cuerpo del delito)[8].

---

(8) «Como ha señalado reiteradamente la doctrina jurisprudencial (STS 30 de mayo de 2000, por todas), estas diligencias pueden practicarse a prevención por la propia policial judicial, tal y como se establece en el art. 282 de la LECrim que autoriza expresamente a la policía judicial a "recoger todos los efectos, instrumentos o pruebas del delito de cuya desaparición hubiese peligro, poniéndolos a disposición de la autoridad Judicial"». STS Sala Segunda, de lo Penal, Sentencia 2184/2001 de 23 Nov. 2001, Rec. 702/2000; Ponente: Conde-Pumpido Tourón, Cándido. LA LEY 1743/2002. Véase también la STC 150/89.

«La labor especializada de búsqueda y ocupación de vestigios o pruebas materiales de la perpetración del delito en el lugar de los hechos compete al personal técnico especializado de la Policía Judicial, bajo la superior dirección del Juez Instructor, pero sin necesidad de su intervención personal ... Es necesario y conforme a la realidad social así como a la actual legislación reguladora de la competencia y funciones de la policía judicial, distinguir los cometidos policiales de los judiciales: el Juez Instructor dirige y controla la investigación pero no está obligado a realizar personalmente sobre el terreno las labores policiales de búsqueda, recogida y conservación de vestigios o pruebas materiales, aunque así pudiera deducirse de la redacción decimonónica de la LECrim, pues éstas son funciones especializadas que no forman parte de su acervo de conocimientos y experiencias, sino del policial». STS Sala Segunda, de lo Penal, Sentencia 873/2001 de 18 May. 2001, Rec. 1572/1999; Ponente: Conde-Pumpido Tourón, Cándido. LA LEY 100650/2001.

En este sentido, el art. 282 LECrim establece la obligación de la policía judicial de perseguir los delitos públicos, a comprobarlos, y a recoger todos los efectos, instrumentos o pruebas del delito de cuya desaparición hubiere peligro, poniéndolos a disposición judicial, sin que sea necesaria la asistencia de abogado en tales diligencias de prevención, ni tampoco la presencia judicial[9]. Mientras que el art. 284.3 LECrim, conforme con la redacción dada por la Ley 41/2015, establece que: *«Si hubieran recogido armas, instrumentos o efectos de cualquier clase que pudieran tener relación con el delito y se hallen en el lugar en que éste se cometió o en sus inmediaciones, o en poder del reo o en otra parte conocida, extenderán diligencia expresiva del lugar, tiempo y ocasión en que se encontraren, que incluirá una descripción minuciosa para que se pueda formar idea cabal de los mismos y de las circunstancias de su hallazgo, que podrá ser sustituida por un reportaje gráfico. La diligencia será firmada por la persona en cuyo poder fueren hallados»*. Finalmente, en la regulación del procedimiento abreviado por Ley 38/2002 establece claramente estas funciones de la policía (art. 770 LECrim). En consecuencia, la policía podrá realizar la inspección ocular de los lugares del delito en cumplimiento de sus funciones sin necesitar un mandato judicial, excepto cuando se trate de un domicilio o espacio protegido en cuyo caso deberá solicitarse la preceptiva autorización judicial. (Véase sobre los requisitos de la entrada y registro § 3 de este Capítulo).

«Cuando no nos hallemos ante inspecciones oculares y retirada de efectos practicadas en domicilios o viviendas, según reiterada jurisprudencia de esta Sala (SSTS 87/2005 (LA LEY 27901/2005), de 21-12; 856/2007, de 25-10 (LA LEY 170376/2007); 861/2011, de 30-6 (LA LEY 172763/2011); y 143/2013, de 28-2 (LA LEY 10190/2013), entre otras),

---

(9) «Con cierta frecuencia empieza a cuestionarse la diligencia de inspección ocular efectuada por la policía a pretexto de no estar presente la autoridad judicial. En tal planteamiento olvida el artículo 282 de la LECrim que autoriza expresamente a la policía judicial a "... recoger los efectos, instrumentos o pruebas del delito...". Se trata de unas actuaciones efectuadas por la propia policía judicial anteriores a la investigación judicial en el ejercicio de las funciones que legalmente tiene atribuidas y que tiene por finalidad la obtención de las fuentes de pruebas con evidente riesgo de desaparición, como ocurre con la recogida de huellas. Esta diligencia puede ser judicializada a través de la presencia de los miembros actuantes en el Plenario, con lo que tal diligencia queda debidamente incorporada al mismo y sometida a los principios de publicidad y contradicción. En el mismo sentido puede citarse el art. 28 del RD 769/1987, regulador de la Policía Judicial». STS Sala Segunda, de lo Penal, Sentencia 996/2000 de 30 May. 2000, Rec. 3346/1998, Ponente: Giménez García, Joaquín. LA LEY 9639/2000.

es claro que no se precisa autorización judicial para realizar la diligencia de inspección ocular ni tampoco la presencia del Juez o del Secretario Judicial para la práctica de la misma. Como ya se ha reiterado, la intervención del juzgado y también la de los imputados solo sería necesaria para preconstituir la diligencia como prueba sin necesidad ya de ser imperativamente sometida a contradicción en el plenario cuando las circunstancias lo impidan». STS Sala Segunda, de lo Penal, Sentencia 747/2015 de 19 Nov. 2015, Rec. 686/2015. Ponente: Jorge Barreiro, Alberto Gumersindo. LA LEY 185990/2015.

Ello sin perjuicio de la validez de la actuación preventiva realizada por la policía en domicilio o vivienda cuando estuviese justificado en razón de las circunstancias (concurrencia de flagrancia).

«La flagrancia, basada en la inmediatez del hecho ocurrido y en la urgencia de la intervención, puede apreciarse en un primer momento, cuando los primeros agentes llegan al lugar y penetran en la vivienda con la finalidad de comprobar si había algún herido en su interior, luego de haber tenido noticia de un tiroteo que había finalizado muy poco antes, de haber comprobado que se habían causado heridas graves a algunas personas y de haber oído a alguno de los lesionados que existían otros heridos. Puede entenderse que, en esos primeros momentos, y a los efectos de comprobar si había alguna persona herida que pudiera necesitar ayuda, el delito acababa de cometerse. En todo caso, sería una actuación justificada por la necesidad, en atención a los bienes en conflicto. Pero finalizada esta inspección inicial con resultado negativo y una vez que se procedió al precintado de la vivienda, no existía ya inmediatez en la comisión del delito ni tampoco, especialmente, urgencia alguna en la actuación policial, pues la situación estaba controlada policialmente asegurando la vivienda e impidiendo el acceso de cualquier persona a la misma, de manera que nada impedía solicitar el correspondiente mandamiento judicial para proceder al registro». STS Sala Segunda, de lo Penal, Sentencia 749/2014 de 12 Nov. 2014, Rec. 10371/2014; Ponente: Colmenero Menéndez de Luarca, Miguel. LA LEY 173841/2014.

No será necesaria la previa imputación de ningún delito para realizar la diligencia de inspección ocular, ya que en la mayoría de las ocasiones la inspección ocular se llevará a cabo por la policía en sus funciones de prevención y averiguación de los delitos, sin que conste el autor de los hechos. Ahora bien, el art. 333 LECrim prevé que cuando al tiempo de practicarse la diligencia de inspección ocular hubiese alguna persona declarada procesada como presunta autora del hecho punible, podrá presenciarla ya sea sola o bien asistida de abogado, pudiendo hacer las observaciones que estime oportunas que se consignarán en la diligencia.

«Insiste el recurrente en la confusión entre la inspección ocular del art. 334 LECrim de la actuación de la Policía Local, en funciones de policía judicial (art. 282 LECrim). La intervención fue correcta, cuando debido a las sospechas fruto de las informaciones recibidas y vigilancias montadas sobre la persona que utilizaba el vehículo en cuestión, se intercepta el turismo, se le hace bajar al acusado y a cinco metros y custodiado por otro policía local, se registra y se obtiene de su interior las dos bolsas conteniendo cocaína. Con todo ello se conduce al interesado a la Guardia Civil, a la que se le hace entrega del mismo y de los efectos incautados, para que incoe el correspondiente atestado. La diligencia es plenamente regular y correcta. ... no es exigible la presencia del Abogado, ya que no existe un procedimiento judicial abierto, ni se ha imputado a persona alguna, ni adoptado medida contra ella, de las que originan el nacimiento del derecho de defensa. Cosa distinta es que el recurrente hubiera estado detenido y con un procedimiento abierto, en cuyo caso y actuando de conformidad al art. 334 LECrim, en evitación de la vulneración del derecho de defensa, hubiera debido dársele la oportunidad de que compareciera a la diligencia de inspección ocular acompañado de Abogado». STS 321/2002 de 26 Feb. 2002, Rec. 767/2000; Ponente: Soriano Soriano, José Ramón. LA LEY 5903/2002.

Cabe señalar que esa norma ha sido reforzada por la modificación de la LECrim por la Ley 5/2015 y LO 13/2015, que ha procurado fortalecer el derecho de defensa del sometido al proceso penal. Concretamente el art. 118.1 LECrim, modificado por la Ley 5/2015, dispone que: «Toda persona a quien se atribuya un hecho punible podrá ejercitar el derecho de defensa, interviniendo en las actuaciones, desde que se le comunique su existencia, haya sido objeto de detención o de cualquier otra medida cautelar o se haya acordado su procesamiento…». Por su parte el art. 520.6 LECrim conforme resulta de la modificación por la LO 13/2015 dispone que la asistencia del abogado consistirá en: «… *b) Intervenir en las diligencias de declaración del detenido, en las diligencias de reconocimiento de que sea objeto y en las de reconstrucción de los hechos en que participe el detenido. El abogado podrá solicitar al juez o funcionario que hubiesen practicado la diligencia en la que haya intervenido, una vez terminada ésta, la declaración o ampliación de los extremos que considere convenientes, así como la consignación en el acta de cualquier incidencia que haya tenido lugar durante su práctica*». De la regulación legal cabe extraer que el detenido podrá asistir o no a la diligencia de inspección ocular, siendo del todo punto aconsejable que salvo imposibilidad lo haga, conforme al art. 333 LECrim. Pero que en el caso que asista a la diligencia deberá estar asistido de abogado, máxime si formula alguna clase de declaración o se le pregunta sobre cualquier extremo sobre la práctica de la diligencia.

> «Si bien es cierto que el art. 333 LECrim establece que no es preceptiva la asistencia del letrado del procesado para la práctica de esta diligencia, y que no se suspenderá la misma por la falta de comparecencia de éste o de su defensor, no es menos cierto que en la diligencia de reconstrucción de hechos participó el acusado, que se encontraba detenido, y que en el desarrollo de la misma, el detenido hizo una serie de declaraciones en relación a los hechos que se le imputaban, por lo que resultaba de inexcusable aplicación el art. 520.2 c) LECrim, habiendo interpretado la doctrina de esta Sala que la asistencia letrada al detenido en las diligencias policiales y judiciales de declaración es una garantía constitucional de obligado cumplimiento y un derecho irrenunciable salvo en los delitos contra la seguridad del tráfico (véanse, entre otras muchas, SSTS de 21 de diciembre de 1995], 4 de marzo, 23 de septiembre y 15 de octubre de 1996 y 20 de junio de 2001; véase también ST Constitucional de 13 de diciembre de 1999 sobre la obligatoriedad de la asistencia letrada al detenido y en los supuestos de prueba preconstituida)». STS Sala Segunda, de lo Penal, Sentencia 88/2002 de 28 Ene. 2002, Rec. 1677/2000. Ponente: Ramos Gancedo, Diego Antonio. LA LEY 22436/2002. Véase en el mismo sentido STC 303/1993 de 25 octubre.

No obstante, en algunas sentencias se sigue declarando que la asistencia del detenido a la diligencia de inspección ocular no resulta necesaria conforme con la redacción del art. 333 LECrim[10].

---

(10) «A su juicio, sólo en caso de peligro de desaparición del vestigio o de urgencia por cualquier otra causa, se podría prescindir de la presencia de la persona afectada, lo que no sucedía

«El hecho de que la práctica del registro efectuada en estos casos sin la intervención judicial y sin la presencia de los imputados no vulnere ningún derecho fundamental que determine la nulidad radical de la diligencia, no quiere decir que los funcionarios policiales que la lleven a cabo no procuren que estén presentes los imputados cuando estos se hallen en las dependencias policiales y no concurran obstáculos fundados para que asistan al registro (razones de urgencia o de otra índole). Pues resulta incuestionable que el derecho de defensa y el principio de contradicción han de cumplimentarse en la medida de lo posible incluso en la fase preprocesal de la instrucción. Así lo requiere una lectura garantista de la ley ordinaria (art. 333 de la LECr (LA LEY 1/1882))». STS Sala Segunda, de lo Penal, Sentencia 747/2015 de 19 Nov. 2015, Rec. 686/2015. Ponente: Jorge Barreiro, Alberto Gumersindo. LA LEY 185990/2015.

No queda invalidada la diligencia por el hecho que la policía no informara al posteriormente acusado, en el momento inicial del registro o recogida de efectos, del delito del que se le imputaba.

«El hecho de que a los interesados se les comunique o no expresamente en esta actuación policial previa que la toma de muestras estaba destinada a la investigación y prueba de un presunto delito ambiental no constituye infracción legal alguna pues en este inicial momento de la investigación policial preprocesal no está legalmente prevista dicha específica información, máxime cuando las muestras pueden estar igualmente destinadas a la investigación de una infracción administrativa ambiental, no necesariamente penal. Sólo si los resultados obtenidos ponen de manifiesto una infracción de suficiente entidad para poder perjudicar gravemente el equilibrio de los sistemas naturales, la diligencia policial puede servir de base a una denuncia o querella penal, en otro caso la infracción será meramente administrativa». STS Sala Segunda, de lo Penal, Sentencia 2184/2001 de 23 Nov. 2001, Rec. 702/2000; Ponente: Conde-Pumpido Tourón, Cándido. LA LEY 1743/2002.

El resultado de la intervención policial se hará constar en atestado levantado por la policía judicial en el que hará constar las circunstancias y extremos referentes al delito de conformidad con lo previsto en los arts. 282, 297, 770 LECrim, y 11-g de la Ley Orgánica de Cuerpos y Fuerzas de Seguridad del Estado. El atestado redactado por la policía se incorporará a los autos de la causa. En cuanto al valor probatorio del atestado policial la diligencia de inspección ocular practicada por la policía sólo será válida como prueba preconstituida en el caso que concurran razones de urgencia y necesidad y la policía observe en la práctica de la diligencia las formalidades previstas en la ley, especialmente la asistencia del detenido, si existiera, solo o asistido

---

en el presente caso. Por ello afirma que, la realización de esa diligencia de inspección ocular sin la presencia del detenido, vulnera su derecho de defensa y que aunque la misma no es nula, sin embargo debe sacarse del acervo probatorio. No lleva razón el Sr. Letrado, pues, aunque es cierto que en ese momento ya estaba detenido el propietario del coche y permanecía en las dependencias policiales, sin embargo, no hay precepto legal que obligue a ello. El artículo 333 L.E.Crim (LA LEY 1/1882), se refiere a la práctica de esa inspección ocular como diligencia acordada y llevada a cabo por el Juez, no por la policía y prevé esa presencia como potestativa de la parte y en ningún caso de modo imperativo. La Policía Judicial cumplió con la obligación que le impone el artículo 282 LECrim (LA LEY 1/1882) de recoger todos los efectos, instrumentos o pruebas del delito de cuya desaparición hubiere peligro». SAP de Málaga, Sección 7ª, Sentencia 30/2015 de 29 May. 2015, Rec. 13/2013: Ponente: Martín Tapia, José Luis. LA LEY 77687/2015.

de abogado (art. 333 LECrim). En ese caso, los hechos objetivos constatados en el atestado de imposible reproducción, se podrán introducir en el plenario a través de su lectura como prueba documental, adquiriendo de ese modo valor probatorio, al tratarse de una actuación irrepetible en el acto del juicio oral.

> «La jurisprudencia de esta Sala de Casación es doctrina ya asentada en lo que respecta al mismo tema de la prueba preconstituida (SSTS 1269/2003, de 3-10 (LA LEY 155253/2003); 183/2005, de 18-2 (LA LEY 12238/2005); 1145/2005, de 11-10 (LA LEY 13903/2005); 1219/2005, de 17-10 (LA LEY 14098/2005); 1190/2009, de 3-12 (LA LEY 247525/2009); 545/2011, de 27-5 (LA LEY 90888/2011); y 143/2013, de 28 de febrero (LA LEY 10190/2013), entre otras) que las diligencias sumariales son actos de investigación encaminados a la averiguación del delito e identificación del delincuente (art. 299 de la LECr (LA LEY 1/1882)) que no constituyen en sí mismas pruebas de cargo, pues su finalidad especifica no es la fijación definitiva de los hechos para que estos trasciendan a la resolución judicial, sino la de preparar el juicio oral. Sin embargo, algunas diligencias sumariales pueden tener el valor de prueba preconstituida si se practican con todas las garantías, respetando el principio de contradicción mediante la asistencia del imputado y su letrado, si ello fuera posible. Ello es así conforme a una reiterada doctrina del Tribunal Constitucional referida a las pruebas de imposible reproducción en el juicio oral (requisito material), practicadas ante el Juez de Instrucción (requisito subjetivo), con cumplimiento de todas las garantías legalmente previstas (requisito objetivo) y reproducidas en el juicio oral a través del art. 730 LECrim (requisito formal) (SSTC 60/1988 (LA LEY 103343-NS/0000), 51/1990 (LA LEY 1465-TC/1990), 140/1991 (LA LEY 1770-TC/1991), 200/1996 (LA LEY 316/1997) y 40/1997 (LA LEY 4357/1997)).../... Esta Sala ha considerado —según subraya la STS 444/2013 (LA LEY 56114/2013), de 20 de mayo— que concurre un supuesto de prueba preconstituida en aquellas diligencias sumariales de imposible repetición en el juicio oral por razón de su intrínseca naturaleza y cuya práctica —como sucede con una inspección ocular y con otras diligencias— es forzosamente única e irrepetible (SSTS 96/2009, de 10-3 (LA LEY 30375/2009); 850/2009, de 28-7 (LA LEY 177114/2009); y 1375/2009, de 28-12 (LA LEY 268264/2009))». STS Sala Segunda, de lo Penal, Sentencia 747/2015 de 19 Nov. 2015, Rec. 686/2015. Ponente: Jorge Barreiro, Alberto Gumersindo. LA LEY 185990/2015.

En caso contrario, la diligencia no tendrá el valor de prueba preconstituida, sino que será una fuente de conocimiento producto de la investigación policial, que puede hacerse valer como prueba en el acto del juicio con la ratificación y declaración de los agentes actuantes sobre los hechos advertidos en la inspección practicada sometida a debida contradicción en el plenario[11].

---

(11) «La policía judicial está, no sólo autorizada, sino obligada, a actuar en su misión de averiguar el delito y descubrir y asegurar a los delincuentes [art. 126 CE, arts. 282 y ss. LECrim y art. 11.1 g) de la LO 2/1986, sobre Cuerpos y Fuerzas de Seguridad]. Y en tales funciones está facultada para efectuar registros e inspecciones oculares sin autorización judicial cuando no hay relación alguna con los derechos fundamentales de las personas. Otra cosa es la eficacia procesal de estas actuaciones que ordinariamente sólo sirven como medio de investigación y no como prueba de cargo apta para fundamentar una sentencia penal condenatoria. Sólo puede tener este último valor cuando acceden al juicio oral a través de las correspondientes declaraciones testificales de los funcionarios policiales que actuaron en el atestado correspondiente, que es lo que ocurrió en el caso presente, en el cual en el plenario testificaron varios guardias civiles, entre ellos dos que actuaron en esa diligencia de inspección ocular donde se produjo la recogida de las muestras luego anali-

«Cuando no se trata de prueba preconstituida sino de meras actuaciones policiales, para que se les otorgue a estas eficacia probatoria, según se dice en la jurisprudencia de esta Sala y del Tribunal Constitucional que se acaba de citar, es preciso que comparezcan en el plenario quienes las hubieren practicado, de forma que exista la posibilidad de contradicción mediante el interrogatorio de las partes y el contraste con los demás elementos probatorios de que se disponga en el proceso». STS Sala Segunda, de lo Penal, Sentencia 747/2015 de 19 Nov. 2015, Rec. 686/2015. Ponente: Jorge Barreiro, Alberto Gumersindo. LA LEY 185990/2015.

No existe obstáculo alguno para que la autoridad judicial, una vez se encuentre al frente de la investigación, acuerde, de conformidad con el art. 326 LECrim una diligencia de inspección ocular en el caso que se entendiere útil para la causa. Aunque su práctica dependerá de su utilidad[12]. La inspección ocular realizada por el Juez con intervención del Secretario que da fe de las circunstancias de la diligencia tendrá valor de prueba preconstituida[13]. También podrá acordarse en instrucción una reconstrucción de hechos, que es una variante de la inspección ocular reconocida jurisprudencialmente y ahora también legalmente en el art. 520.6 LECrim, que hace referencia a la práctica de esta clase de diligencia. Se trata de una diligencia de prueba que tiene por objeto reproducir ante el Juez o Tribunal y las partes lo sucedido en el lugar de los hechos[14]. Pero, teniendo en cuenta que sólo se acordará cuando pueda tener alguna utilidad a efectos del esclarecimiento de los hechos objetos de la causa.

«1. Respecto a la diligencia de reconstrucción de hechos, en el motivo parece afirmarse que la denegación podía responder a consideraciones razonables, susceptibles de ser asumidas por el recurrente. En efecto la sentencia del Tribunal del Jurado y la confirmatoria que en apelación dictó el Tribunal Superior de Justicia denegaban

---

zadas por el Instituto de Toxicología que realizó las mencionadas pruebas de ADN, lo que también tuvo acceso al juicio oral a través de las manifestaciones de los peritos que las realizaron». STS Sala Segunda, de lo Penal, Sentencia 1244/2001 de 25 Jun. 2001, Rec. 977/2000; Ponente: Delgado García, Joaquín. LA LEY 6482/2001.

(12)   «Y en este sentido, es claro que no era necesario proceder a una inspección ocular del lugar de los hechos, pues, de un lado, se contaba con la testifical de los agentes policiales y del testigo que encontró al denunciante, además de la declaración de este último; y, de otro lado, no se expresa en qué medida el resultado de dicha inspección hubiera podido influir en el fallo hasta el punto de alterar su sentido». STS Sala Segunda, de lo Penal, Sentencia 294/2014 de 9 Abr. 2014, Rec. 10981/2013; ponente: Colmenero Menéndez de Luarca, Miguel. LA LEY 40137/2014.

(13)   «También se ha echado de menos por el impugnante la realización de una inspección ocular de los lugares en que las menores han situado las acciones de que se trata y un registro de la vivienda del acusado. A lo que cabe objetar que los datos espaciales, a tenor de las circunstancias del caso, no parece que tengan un especial valor». STS Sala Segunda, de lo Penal, Sentencia 37/2017 de 26 Ene. 2017, Rec. 1094/2016. Ponente: Andrés Ibáñez, Perfecto Agustín. LA LEY 1280/2017.

(14)   «Respecto a la reconstitución de los hechos señala la doctrina de esta Sala que constituye una diligencia de prueba no recogida en la Ley de Enjuiciamiento Criminal, de naturaleza mixta entre la inspección ocular y la testifical, que tiene un carácter excepcional sólo útil cuando se hacen manifestaciones contradictorias de las que nacen dudas sobre la situación o participación de los protagonistas de los hechos. En el presente caso no concurren estas circunstancias especiales, ya que...». STS Sala Segunda, de lo Penal, Sentencia 1825/2000 de 22 Nov. 2000, Rec. 1789/1998; Ponente: Abad Fernández, Enrique. LA LEY 6447/2001.

la diligencia de reconstrucción de hechos por razones elementales. Así, si en la reconstrucción hay que tener conocimientos de lo sucedido, para en base a ellos, poder reproducir la forma de comisión del delito o desarrollo secuencial del mismo, mal puede lograrse tal objetivo si los únicos que conocen como sucedió aquél fueron el occiso y el acusado, el cual niega su intervención en los referidos hechos. Por otro lado, si la muerte no se produjo en tal lugar, como pudo concluir el Jurado en base al informe pericial forense, y se desconoce dónde ocurrió, las posibilidades reconstructivas son infinitas, y, por ende, absurda la práctica de la diligencia». STS Sala Segunda, de lo Penal, Sentencia 48/2004 de 22 Ene. 2004, Rec. 326/2003; Ponente: Soriano Soriano, José Ramón. LA LEY 12000/2004.

En todo caso, se debe procurar la asistencia de todas las personas relacionadas con los hechos objeto de investigación, a los efectos de contrastar sus declaraciones, debiendo asistir el abogado del detenido, conforme establece el art. 520.6 LECrim.

«Está la objeción relativa a la supuesta necesidad legal de la asistencia de letrado durante la práctica de las diligencias de entrada y registro judicialmente autorizadas. No la exigen el texto constitucional ni los pactos internacionales suscritos por España, y tampoco ninguno de los preceptos legales relativos al desarrollo de aquéllas y, además, el art. 520 LECRIM (LA LEY 1/1882), en la vigente redacción, tras la última reforma de 2015, solo impone la asistencia del abogado al detenido en el caso de las diligencias consistentes en la prestación de declaración, reconocimiento de que sea objeto y reconstrucción de hechos en la que debiera participar. Que serán las de rueda de reconocimiento, careos y reconstrucciones de hechos». STS Sala Segunda, de lo Penal, Sentencia 154/2017 de 10 Mar. 2017, Rec. 10484/2016; Ponente: Andrés Ibáñez, Perfecto Agustín. LA LEY 19091/2017.

Finalmente, también cabe la posibilidad de practicar la inspección ocular como prueba en el plenario. Aunque esta es una posibilidad que sólo procederá en casos excepcionales en razón de su absoluta pertinencia y necesidad (Véase M. 71). La razón de tal limitación estriba en la dificultad de su práctica en el plenario regido por los principios de concentración y publicidad y su falta de utilidad[15]. Por ello sólo se practicará en el caso que la parte que la solicite acredite su necesidad y relevancia para el esclarecimiento de los hechos.

«Aunque el art. 727 LECrim (LA LEY 1/1882), para el Procedimiento Abreviado, prevé la posibilidad de que la inspección ocular se practique durante las sesiones de la vista, siempre debe tenerse en cuenta que la práctica de una inspección ocular, que ha de hacerse fuera de la sala donde se celebra el juicio, lleva consigo una ruptura de la concentración y publicidad de las sesiones y unos trastornos por la necesaria

---

(15) «La diligencia de reconstrucción de los hechos, relacionada con la inspección ocular, tiene por objeto reproducir ante el Juez o Tribunal y de las partes lo sucedido en el lugar de los hechos. Pero, efectivamente, su utilidad práctica es muy reducida y afecta al principio de concentración que rige la celebración del juicio, por lo que sólo muy excepcionalmente debe llevarse a cabo. En el presente caso, la diligencia de reconstrucción de hechos denegada se ha revelado, luego de la amplia prueba practicada en el juicio oral, innecesaria, pues en este acto el Tribunal ha contado con el testimonio de varios policías, manifestando .../... Pruebas más que suficientes para que el Tribunal de instancia haya podido formar su necesaria convicción sobre la realidad de los hechos que declara probados». ATS Sala Segunda, de lo Penal, Auto 1819/2001 de 17 Sep. 2001, Rec. 3813/2000; Ponente: Saavedra Ruiz, Juan. LA LEY 244237/2001.

constitución de todos en un lugar diferente. Es conocida la doctrina de esta sala que habla del carácter excepcional de esta prueba de inspección ocular en el juicio oral, pues choca con los mencionados principios (concentración y publicidad), de modo tal que sólo debe practicarse cuando las partes no dispongan de ninguna otra prueba para llevar al juicio los datos que se pretendan». ATS Sala Segunda, de lo Penal, Auto 209/2014 de 6 Feb. 2014, Rec. 2122/2013; Ponente: Saavedra Ruiz, Juan. LA LEY 14287/2014.

2.2. Cuerpo del delito

Con la expresión cuerpo del delito se refiere la Ley a las armas, instrumentos o efectos de cualquier clase que puedan tener relación con el delito y se hallen en el lugar en que éste se cometió (art. 334 LECrim). En este concepto se incluyen tres manifestaciones que conjuntamente dan una idea cabal del mismo. Así, respecto a los actos de investigación sobre el cuerpo del delito, es preciso distinguir entre: a) cuerpo del delito, en sentido estricto; b) instrumentos del delito; c) piezas de convicción.

La primera actuación referente al cuerpo del delito será la de recogida de efectos, armas e instrumentos del delito, así como las huellas y vestigios genéticos, que los arts. 326 y 334 LECrim prevén que realice el Juez instructor extendiendo diligencia expresiva de la actuación, que debe distinguirse de la prevista en el art. 576 LECrim respecto al Registro de libros y Documentos.

«Las prevenciones exigidas consisten en la ocupación de los efectos de cualquier clase que pudieran tener relación con el delito y que se encontrasen en el lugar en que éste se cometió, en sus inmediaciones o en poder del reo, extendiendo diligencia expresiva del lugar, tiempo y ocasión en que se encontraron, describiéndolos minuciosamente para que se pueda formar idea cabal de los mismos y de las circunstancias de su hallazgo, diligencia que será firmada por la persona en cuyo poder fuesen hallados, notificándose a la misma el auto en que se mande recogerlos, obviamente si se hubiese dictado previamente, pudiendo acordarse el reconocimiento pericial de los referidos efectos si fuera conveniente (arts. 334 y 336 de la LECrim)». STS Sala Segunda, de lo Penal, Sentencia 873/2001 de 18 May. 2001, Rec. 1572/1999; Ponente: Conde-Pumpido Tourón, Cándido. LA LEY 100650/2001.

Sin embargo, esta actividad la realiza ordinariamente la policía judicial juntamente con la de la inspección ocular, sin perjuicio de que su resultado deban acceder al Juzgador y al Tribunal sentenciador para que, sometidas a contradicción puedan alcanzar el valor de pruebas[16].

---

(16) «El art. 334, en el que regula la inspección ocular practicada por el Juez Instructor, lo que implica necesariamente la existencia de un procedimiento penal abierto; aquí se contempla la recogida de los efectos del delito y piezas de convicción realizada antes de la iniciación del proceso por la Policía Judicial, en cumplimiento de las obligaciones que le impone el art. 282 de la LECrim, entre las que figura la recogida de "todos los efectos, instrumentos o pruebas del delito de cuya desaparición hubiere peligro, poniéndolas a disposición de la autoridad judicial", como así se hizo». STS Sala Segunda, de lo Penal, Sentencia 321/2002 de 26 Feb. 2002, Rec. 767/2000. Ponente: Soriano Soriano, José Ramón. LA LEY 5903/2002. Véase también la STS Sala Segunda, de lo Penal, Sentencia 1244/2001 de 25 Jun. 2001, Rec. 977/2000; Ponente: Delgado García, Joaquín. LA LEY 6482/2001.

«El descubrimiento y recogida de objetos para su ulterior examen en busca de huellas, perfiles genéticos, restos de sangre, etc... son tareas que exigen una especialización técnica de la que gozan los funcionarios de la Policía científica a los que compete la realización de tales investigaciones, sin perjuicio de que las conclusiones de las mismas habrán de acceder al Juzgador y al Tribunal sentenciador para que, sometidas a contradicción puedan alcanzar el valor de pruebas. En tal sentido pueden citarse las sentencias de esta Sala de 7.10.94, 9.5.97 y 26.2.99, 26.1.2000, que recuerdan que los arts. 326 y 22. LECrim. se han de poner en relación con los arts. 282 y 786.2 (actual art. 770.3) del mismo Texto Legal y con el Real Decreto 769/87 de 17.6, regulador de la Policía Judicial, de cuya combinada aplicación se puede llegar a establecer que la misión de los funcionarios policiales se extiende a la recogida de todos los efectos, instrumentos o pruebas del delito de cuya desaparición hubiera peligro, poniéndolos a disposición de la autoridad judicial. Estimación que no quebranta el art. 326 LECrim. ni se causa indefensión, por el hecho de que los vestigios hallados por los especialistas en identificación, sean remitidos a los respectivos Gabinetes científicos». STS 3 de diciembre de 2009. Ponente: BERDUGO GÓMEZ DE LA TORRE, Juan Ramón. N.º de Sentencia: 1190/2009. N.º de Recurso: 10663/2009. LA LEY 247525/2009.

En estas funciones la Policía Judicial actúa ejerciendo competencias propias, bajo la superior dirección del Juez, pero sin necesidad de su intervención personal. A este respecto, como ha declarado de forma ilustrativa el TS el Juez no es policía, por lo que la dirección de la actuación de aquellos funcionarios se limita a la dirección y control con relación a la instrucción criminal, pero sin que ello suponga que el Juez realice por sí funciones policiales[17]. Véase sobre la actividad de la policía el art. 282 LECrim, y lo expresado en el epígrafe anterior con relación a la inspección ocular. En realidad, como se ha explicado la policía actúa en cumplimiento de sus propias funciones, sin que sea necesario dar cuenta al Juez de su actividad.

«En primer lugar la recogida de las muestras de los vertidos por los servicios del Seprona para su análisis por los laboratorios oficiales no constituye una prueba preconstituida, por lo que dicha toma de muestras no necesitaba practicarse en condiciones similares de contradicción a las exigibles para la práctica de la prueba en el procedimiento judicial. La norma analógicamente aplicable a esta actuación policial preprocesal, y con independencia de la normativa administrativa que disciplina específicamente estas actuaciones, es la de la recogida u ocupación de los efectos de cualquier clase que pudieran tener relación con el delito y que se encontrasen en el lugar en que éste se cometió, en sus inmediaciones o en poder

---

(17) «El Juez Instructor dirige y controla la investigación pero no está obligado a realizar personalmente sobre el terreno las labores policiales de búsqueda, recogida y conservación de vestigios o pruebas materiales, aunque así pudiera deducirse de la redacción decimonónica de la LECrim, pues éstas son funciones especializadas que no forman parte de su acervo de conocimientos y experiencias, sino del policial. El Juez Instructor es Juez y no policía; realiza imparcialmente una instrucción preparatoria del juicio oral, tanto de cargo como de descargo, es decir consignando y apreciando todas las circunstancias tanto adversas como favorables al presente reo, y para ello debe dirigir y controlar legalmente la investigación policial, pero no es legalmente imperativo que practique personalmente labores policiales como son la búsqueda y ocupación de las pruebas materiales». STS Sala Segunda, de lo Penal, Sentencia 873/2001 de 18 May. 2001, Rec. 1572/1999; Ponente: Conde-Pumpido Tourón, Cándido. LA LEY 100650/2001.

del reo (arts. 334 y 336 de la LECrim.), que únicamente exige que se extienda un acta o diligencia expresiva del lugar, tiempo y ocasión en que se encontraron, describiéndolos minuciosamente para que se pueda formar idea cabal de los mismos y de las circunstancias de su hallazgo, diligencia que será firmada por la persona en cuyo poder fuesen hallados, notificándose a la misma el auto en que se mande recogerlos, obviamente si se hubiese dictado previamente, pudiendo acordarse el reconocimiento pericial de los referidos efectos si fuera conveniente …/… En el caso actual se extendió un acta o diligencia expresiva del lugar, tiempo y ocasión en que se tomaron las muestras, describiéndolas minuciosamente así como las circunstancias de su hallazgo, acta que fue firmada por una persona responsable de la empresa causante de los vertidos, por lo que se han cumplido los requisitos legales indispensables de la recogida de muestras o vestigios, desde la perspectiva del carácter meramente policial que tiene esta diligencia, y sin perjuicio de su necesaria acreditación en el juicio mediante comparecencia personal de los agentes policiales». STS 2184/2001 de 23 Nov. 2001, Rec. 702/2000; Ponente: Conde-Pumpido Tourón, Cándido. LA LEY 1743/2002.

a) El concepto de cuerpo del delito en sentido estricto se refiere a la persona o cosa, objeto de aquél. Las actividades instructoras que se llevarán a efecto con relación a aquéllas serán las siguientes:

El Juez de instrucción realizará los actos conducentes a la descripción detallada del mismo, sea cosa o persona, expresando su estado y circunstancias (art. 335 LECrim). En su caso, se tomará declaración testifical a las personas que hubieren estado presentes en la comisión del delito, acerca del modo y forma en que se hubiese cometido (art. 337 LECrim); o al agraviado respecto a la preexistencia y pertinencia de las cosas robadas, hurtadas o estafadas, cuando no hubiere testigos presenciales del hecho (art. 364 LECrim). En el procedimiento abreviado, sólo se practicará esta información cuando hubiese duda acerca de la preexistencia de la cosa (art. 785.2 a. LECrim).

Si la instrucción penal se hubiere iniciado con motivo de la producción de lesiones o de muerte aparentemente violenta, se practicarán los actos referentes a la asistencia facultativa (arts. 350, 352 y 355 LECrim). En los supuestos de muerte hay que distinguir entre los actos de identificación y de autopsia del cadáver. En primer lugar, es preciso identificar el cadáver por medio de testigos que, a la vista del mismo, den razón satisfactoria de su conocimiento e identidad (art. 340 y 341 LECrim). Si no fuera posible la identificación, el Juez requerirá, a estos efectos, informe a los laboratorios forenses expertos en la identificación de cadáveres (arts. 348 y 349 LECrim). La autopsia se practicará por el médico forense de cada Juzgado o por el Instituto Anatómico Forense. Cuando el Juez de Instrucción lo estimase pertinente podrá acordar la cooperación con aquél de otros facultativos (art. 343 a 349 LECrim). En sede de procedimiento abreviado, el art. 778.4 LECrim establece que el Juez podrá acordar que no se practique la autopsia cuando el Médico Forense, o quien haga sus veces, dictamine cumplidamente la causa y circunstancias de la muerte sin necesidad de aquélla. (Véase M. 67 y 68).

En el caso de haberse obtenido muestras biológicas, ya sea en la inspección ocular —art. 326 LECrim— o por intervención corporal acordada por el Juez de instrucción —arts. 363 y 520.6.c LECrim—, el Juez podrá acordar su análisis mediante los procedimientos técnicos establecidos a tal efecto. Véase el § 2.13.D del Cap. VII sobre reconocimiento e intervenciones corporales.

b) Son instrumentos del delito aquellos medios utilizados o preordenados a la comisión del hecho delictivo.

c) Finalmente, las piezas de convicción consisten en todos los demás elementos que coadyuven a investigar la existencia del hecho punible.

A pesar de esta distinción jurisprudencial, los instrumentos del delito y las piezas de convicción tienen un tratamiento común respecto a los actos de investigación. Así, las actividades de instrucción que podrán practicarse referentes a los instrumentos del delito y las piezas de convicción acreditadas por diligencia en autos son la recogida de las armas, instrumentos y efectos, y la custodia y conservación de los mismos (arts. 334 y 338 LECrim). Estos instrumentos se sellarán y retendrán, o bien se enviarán al organismo adecuado para su depósito (art. 338 LECrim), o para su examen pericial (art. 336 LECrim). Los análisis químicos, únicamente, se practicarán en aquellos supuestos en los que los Tribunales los consideren indispensables (363 LECrim).

2.3. Regulación legal de la recogida, custodia y análisis de evidencias

El procedimiento de recogida, custodia y análisis de evidencias está sometido a las normas sobre investigación criminal que en nuestra LECrim se regulan de un modo impreciso y deficiente debido a las múltiples modificaciones de la Ley, que han conducido a un sistema en el que se entremezclan las competencias del Juez y de la Policía de un modo difícil de entender y mucho más de gestionar en el día a día de la investigación criminal. Como es sabido, la LECrim de 1882 acoge un sistema de investigación criminal en el que, en principio, se otorga al Juez de instrucción un papel principal, no sólo como *«director»* de la investigación, sino también como interviniente directo de todas las diligencias de investigación previstas en la Ley incluida la recogida de las muestras y evidencias relacionadas con el delito. Así se prevé en los arts. 326 y ss. de la LECrim en los que la Ley señala expresamente que: *«Cuando el delito que se persiga haya dejado vestigios o pruebas materiales de su perpetración, el Juez Instructor o el que haga sus veces los recogerá y conservará para el juicio oral ...»* (art. 326 LECrim); o el art. 334 LECrim que dice que: *«El Juez instructor ordenará recoger en los primeros momentos las armas, instrumentos o efectos de cualquiera clase que puedan tener relación con el delito y se hallen en el lugar en que éste se cometió...».* Sin embargo, y sin perjuicio de que el Juez pueda personarse en el lugar del delito y realizar alguna de las funciones descritas, la función de recoger los objetos de cualquier clase relacionados con el delito se atribuye, con carácter general, a la policía. Así está previsto en los arts. 282 y 292 LECrim y especialmente en las normas del procedimiento abreviado y de enjuiciamiento rápido en las que se prevé que la policía judicial acudirá inmediatamente al lugar de los hechos y realizará las siguientes diligencias: *«Recogerá y custodiará en todo caso los efectos, instrumentos o pruebas del delito de cuya desaparición hubiere peligro, para ponerlos a disposición de la autoridad judicial»* (art. 770.3 LECrim) y *«Remitirá al Instituto de Toxicología, al Instituto de Medicina Legal o al laboratorio correspondiente las sustancias aprehendidas cuyo análisis resulte pertinente»* (art.

796.1.6 LECrim)[18]. Las normas citadas del procedimiento abreviado y de enjuiciamiento rápido regulan la cuestión de un modo más adecuado previendo que el Juez de instrucción instruya el procedimiento y *«dirija»* la investigación y que la policía sea, ordinariamente, la que sobre el terreno recoja los objetos, vestigios y las muestras que pudieran servir para la investigación de los hechos. En su virtud es la policía la que personada en el lugar del delito recoge, custodia y remite a los laboratorios oficiales las evidencias con la finalidad de su análisis pericial y su utilización como prueba que pueda fundar una sentencia condenatoria. Determinada la competencia para la recogida de evidencias el problema se halla en la ausencia en la LECrim de normas suficientes que determinen con precisión como se actúa. Es decir como se procede en la recogida, custodia y remisión de las muestras e indicios de modo que quede garantizada su integridad y la validez de la prueba pericial que se realice. A ese fin se refieren insuficientemente algunos preceptos de la LECrim, entre otros los arts. 13, 326, 330, 334 etc. y especialmente el art. 338 LECrim que dispone que: *«… los instrumentos, armas y efectos a que se refiere el artículo 334 se recogerán de tal forma que se garantice su integridad y el Juez acordará su retención, conservación o envío al organismo adecuado para su depósito».*

> «La legislación procesal penal pone un especial cuidado en regular el modo en que ha de procederse en la recogida de las piezas de convicción y su custodia. A esos efectos el art. 338 LECrim establece que los instrumentos, armas y efectos que puedan tener relación con el delito se sellarán, si fuera posible, y se acordará su retención, conservación o envío al organismo adecuado para su depósito, con la finalidad evidente de que, siendo elementos probatorios, se evite cualquier alteración en los mismos…». STC 170/2003 de 29 de septiembre.

Más precisas son otras normas reglamentarias que regulan, parcialmente, esta cuestión, pero que carecen del rango y la sistemática adecuada para servir correctamente a la regulación de una materia de indudable importancia por su relación con el derecho a un juicio justo que puede quedar vulnerado cuando las pruebas no sean válidas por la rotura de la cadena de custodia. Resulta evidente, por tanto, la necesidad de regular con precisión la documentación de todos los actos de recogida, custodia y remisión de las evidencias de forma que queden registradas todas las circunstancias relativas a las cosas, objetos o muestras recogidos con relación a una investigación criminal.

Entre las normas que regulan esta materia cabe citar las siguientes:

— La Orden JUS/1291/2010, de 13 de mayo, por la que se aprueban las normas para la preparación y remisión de muestras objeto de análisis por el Instituto Nacional de Toxicología y Ciencias Forenses. Se trata de una regulación moderna y útil, redactada como un conjunto de normas o reglas que debe observar la policía para tomar y enviar muestras aptas para su análisis por parte del Instituto Nacional de toxi-

---

(18)   Véanse también el art. 11.1.g de la Ley de Fuerzas y Cuerpos de Seguridad que dispone que son funciones de la policía: *«g) Investigar los delitos para descubrir y detener a los presuntos culpables, asegurar los instrumentos, efectos y pruebas del delito, poniéndolos a disposición del Juez o Tribunal competente, y elaborar los informes técnicos y periciales procedentes»*; y el art. 4º RD 769/87, de 19 de junio, sobre regulación de la Policía Judicial.

cología y ciencias forenses. En la norma se hace referencia a la cadena de custodia, pero únicamente como una de las informaciones que debe contener el formulario de solicitud de análisis o estudios de muestras (art. 3.3.f). Información que se limita a un pequeño cuadrado en el que se debe hacer constar: nombre u organismo, fecha y hora, actividad de custodia sobre las muestras (sic) y firma. Se trata de una información insuficiente para garantizar debidamente la trazabilidad de las evidencias. Véase que, por ejemplo, la derogada OM de 8 de noviembre de 1996 regulaba con mayor precisión la cadena de custodia haciendo referencia a la constancia de: — La toma de muestras se ha practicado en el día de / / — Las muestras han sido envasadas y etiquetadas por: ... — Tipo y/o número de precinto ... — Fecha de remisión de muestras al laboratorio / / — Condiciones de almacenaje hasta su envío ... (rellenar si procede) — Transporte efectuado por: ... Firmado por: ...

— El Acuerdo marco de colaboración entre el CGPJ, la Fiscalía general del estado, el Ministerio de Justicia, el Ministerio de Hacienda y Administraciones públicas, el Ministerio del Interior, y la agencia española de medicamentos y productos sanitarios, de 3 de octubre de 2012 que establece el protocolo a seguir en la aprehensión, análisis, custodia y destrucción de drogas tóxicas, estupefacientes o sustancias psicotrópicas. La finalidad de este acuerdo, recogida en el apartado II de la Exposición de Motivos, consiste en limitar el período de tiempo durante el cual las sustancias estupefacientes son almacenadas a disposición judicial, con la finalidad de evitar riegos para la salud y la seguridad ciudadana, especialmente los derivados de la custodia y el almacenamiento de las drogas. A ese respecto, cabe recordar el peligro de sustracción que pende sobre las drogas almacenadas que obliga a emplear un gran número de recursos para su vigilancia. Por otra parte, la custodia de gran cantidad de drogas impide su debida conservación produciendo, en muchos casos, la degradación de los principios activos de las sustancias intervenidas y su inutilidad para ulteriores análisis. Los problemas apuntados determinaron la redacción de los arts. 367.ter 1 LECrim y 374.1.1ª CP que establecen la posibilidad de decretar la: «... *destrucción (de drogas) conservando muestras suficientes de dichas sustancias para garantizar ulteriores comprobaciones o investigaciones*». Sin embargo, la destrucción de las drogas se ha visto condicionada por la falta de coordinación de las distintas administraciones implicadas en el procedimiento de destrucción, cuestión que es a la que atiende el Acuerdo que prevé la actuación coordinada de todas las Administraciones firmantes. Ahora bien, resulta patente el conocimiento por parte de los firmantes de la necesidad de ir más allá de la firma de un Acuerdo para la destrucción de drogas, lo que se manifiesta en la propia regulación del Protocolo que en su primer apartado establece que: «*El presente protocolo tiene por objeto abordar la problemática relativa a la documentación, toma de muestras, **cadena de custodia y conservación** o de drogas tóxicas, estupefacientes o sustancias psicotrópicas que son incautadas por las Fuerzas y Cuerpos de Seguridad del Estado .../... en el seno de un proceso penal, con la finalidad de: Garantizar las condiciones de ocupación y conservación de aquellas fuentes de prueba que resulten necesarias para el enjuiciamiento de los hechos delictivos; y Velar porque la sustancia incautada, de carácter ilícito y peligrosa para la salud pública, no vuelva a reintroducirse en los canales de distribución y consumo, excluyendo que las condiciones de su conservación originen un peligro para la pro-*

pia salud pública o incluso un riesgo de comisión de nuevos delitos». Como se ve el alcance del Protocolo va más allá de regular la destrucción de las sustancias al tratar cuestiones como la cadena de custodia que se regula en el apartado 4° en el que se dispone la documentación de cada acto que se lleve a cabo sobre las sustancias haciendo constar expresamente los siguientes datos: *«a) La persona y el lugar en el que se localizó las sustancias y muestras y la documentación del hallazgo. b) Relación de autoridades responsables de la custodia y de los lugares en que ha estado depositada la droga con indicación del tiempo que ha permanecido en cada uno de ellos, de forma que se garantice la trazabilidad de todo el proceso de custodia. c) El motivo por el que la fuente de prueba ha sido enviada a otro lugar o ha pasado a manos de otras personas. d) Las personas que han accedido a las fuentes de prueba, detallando en su caso las técnicas científicas aplicadas y el estado inicial y final de las muestras»*. Estas normas se han de poner en relación con el art. 13 de la Orden JUS 1291/2010, citada anteriormente, que regula el modo en el que se han de remitir al laboratorio las substancias estupefacientes. A saber: *«En caso de alijos superiores a 2,5 kilos se enviarán las muestras resultantes de un muestreo. En los casos de alijos inferiores a 2,5 kilos se enviarán todas las muestras disponibles, preferentemente en su envase original, con la menor manipulación posible»*. En cuanto al muestreo la Orden JUS se remite a su vez a lo previsto en la Recomendación del Consejo de Europa a la que me refiero a continuación.

— La Recomendación del Consejo de la Unión Europea de 30 de marzo de 2004 sobre directrices para la toma de muestras de drogas incautadas (2004/C 86/04), establece los actos que deberán realizarse para la toma de muestras de las drogas objeto de incautación que son las siguientes: *«1. Un informe detallado de la incautación: descripción, numeración, ponderación, embalaje, origen, características externas, apariencia, fotos, etc., de las muestras. 2. Una técnica de muestreo basada en los métodos hipergeométrico o bayesiano, con un nivel de confianza del 95% y una proporcionalidad del 50 % (como mínimo la mitad de los productos), o en el método recomendado por las Naciones Unidas»*.

— Finalmente, se refieren a esta materia, los arts. 4 y 31 de la Ley 17/1967, de 8 de abril, de estupefacientes; el Convenio único de 1961 sobre sustancias estupefacientes y el Convenio de 1971 sobre sustancias sicotrópicas

Las normas citadas son insuficientes en tanto que regulan parcialmente la materia. La Orden JUS de 2010 únicamente regula el modo de recoger y conservar las muestras para la remisión al laboratorio, mientras que el Acuerdo Marco Interministerial de 2012 y la Recomendación del Consejo de Europa se refieren específicamente a las sustancias estupefacientes. Por otra parte, las citadas no son normas legales, sino a la sumo reglamentarias. Entre las citadas normas destaca el Acuerdo Marco de 2012 que contiene la regulación más detallada de los extremos que deben constar expresamente para la documentación de la cadena de custodia. Estos son los siguientes: 1° Las personas y lugares de recogida y depósito de las evidencias con expresión del tiempo del acto incluyendo el de duración del depósito. 2° El motivo del acto, es decir el porqué la evidencia ha sido enviada a otro lugar o ha pasado a manos de otras personas. 3° Las personas que han accedido a la evidencia detallando en su caso las técnicas científicas aplicadas y el estado inicial y final de las muestras.

Los mencionados datos y circunstancias son suficientes para regular adecuadamente esta materia el problema se halla en el lugar en el que se contienen un Acuerdo de colaboración entre administraciones y su limitación a una evidencia concreta como son las sustancias estupefacientes.

Los Letrados de la administración de justicias judiciales responderán del depósito de los bienes y objetos afectos a los expedientes judiciales, así como del de las piezas de convicción en las causas penales[19]. Sin perjuicio de las excepciones que puedan establecerse reglamentariamente en cuanto al destino que deba darse a éstos en supuestos especiales (art. 459 LOPJ). A este efecto el art. 367 ter LECrim dispone que: *«podrá decretarse la destrucción de los efectos judiciales, dejando muestras suficientes, cuando resultare necesaria o conveniente por la propia naturaleza de los efectos intervenidos o por el peligro real o potencial que comporte su almacenamiento o custodia, previa audiencia al Ministerio Fiscal y al propietario, si fuere conocido, o a la persona en cuyo poder fueron hallados los efectos cuya destrucción se pretende».*

Por ejemplo, en el caso de drogas y armas. A las primeras nos hemos referido anteriormente. En cuanto a las armas, el art. 338 LECrim dispone que se recogerán de tal forma que se garantice su integridad y el Juez acordará su retención, conservación o envío al organismo adecuado para su depósito. Ahora bien, teniendo en cuenta la peligrosidad de esta clase de efectos, el art. 166 del Real Decreto 137/1993, de 29 de enero, por el que se aprueba el Reglamento de Armas, dispone que cuando el Juez considerase que las armas no pudieran custodiarse en sus locales con las debidas condiciones de seguridad, podrán remitirse bajo recibo a la Intervención de Armas y Explosivos de la Guardia Civil del lugar donde se ocupen o intervengan las armas, donde permanecerán a disposición de aquéllos hasta que surtan sus efectos en los correspondientes procedimientos.

2.4. La cadena de custodia

La cadena de custodia es el nombre que recibe el conjunto de actos que tienen por objeto la recogida, el traslado y la custodia de las evidencias obtenidas en el curso de una investigación criminal que tienen por finalidad garantizar la autenticidad, inalterabilidad e indemnidad de la prueba. No es absolutamente necesario que los actos de la cadena de custodia se documenten por escrito pudiendo darse cuenta de la realización de las citadas actividades mediante testimonio de las personas que actuaron.

«La STS núm. 343/2015, de 9 de junio (LA LEY 79681/2015), con cita de la núm. 600/2013, de 10 de julio (LA LEY 111817/2013) indica que la cadena de custodia hace referencia a las vicisitudes ocurridas en las muestras tomadas durante la investigación de los hechos delictivos desde que son recogidas hasta que se aportan las conclusiones de los análisis o pruebas periciales realizadas sobre las mismas. La finalidad de asegurar la corrección de tal custodia se encuentra en la obtención de la

---

(19) Véase el Decreto 2783/76, de 15 de octubre y la OM de 14 de julio de 1983, que organizan los Depósitos judiciales en determinadas poblaciones, con la finalidad de la mejor conservación de los objetos intervenidos en causas criminales.

garantía de que lo analizado obteniendo resultados relevantes para la causa es lo mismo que fue recogido como muestra. Aunque la pretensión deba ser alcanzar siempre procedimientos de seguridad óptimos, lo relevante es que puedan excluirse dudas razonables sobre identidad e integridad de las muestras. La jurisprudencia ha admitido, STS 685/2010 (LA LEY 114082/2010), entre otras, "que las declaraciones testificales pueden ser hábiles para acreditar el mantenimiento de la cadena de custodia, excluyendo dudas razonables acerca de la identidad y coincidencia de las muestras recogidas y analizadas". Con otras palabras, la integridad de la llamada cadena de custodia, tiene por finalidad alejar las posibles dudas que pudieran plantearse acerca de la identidad entre lo que se valora y lo que ha sido previamente hallado en el lugar de los hechos o en otros lugares relacionados con los mismos o con el acusado o sus actividades, en la medida en que pueda ser relevante para la resolución que haya de adoptarse». STS 660/2016 de 19 Jul. 2016, Rec. 10107/2016; Ponente: Palomo del Arco, Andrés. LA LEY 88293/2016.

Ahora bien, no cabe duda de la importancia de seguir protocolos de constancia, documentando todas las actividades relacionadas con el manejo de evidencias y, en definitiva, con la cadena de custodia. Lo que se pretende con ello es garantizar la trazabilidad de las evidencias. A ese fin: *Una correcta cadena de custodia ha de basarse en los principios de aseguramiento del tracto sucesivo del objeto custodiado desde su aprehensión hasta que se disponga su destino definitivo*». SAP de Huelva, Sección 1ª, de 25 Jun. 2007, Ponente: Fernández Entralgo, Jesús. N.º de Sentencia: 13/2007. LA LEY 212269/2007. De otro modo la prueba, como se expone a continuación, podrá ser declarada inválida a efectos de fundar una sentencia de condena. El problema consiste en la inexistencia de una regulación clara y completa de esta materia que únicamente se regula de un modo disperso, como se expone a continuación. En cualquier caso, en tanto no se regula de forma adecuada esta materia, los tribunales se han pronunciado considerando que existe un consenso sobre los requisitos que debe cumplir la cadena de custodia.

«Aun cuando no existe una normativa reguladora expresa de las exigencias mínimas garantizadoras formalmente de la indemnidad de la cadena de custodia, las nuevas reformas normativas, la doctrina y la jurisprudencia han construido un cuerpo jurídico que se atiene a la normativa internacional en la materia y cohonesta con la Recomendación del Consejo de Europa de 30 de marzo de 2004 sobre directivas para la toma de muestras de drogas incautadas en la cual se establecen las pautas que deben regir la cadena de custodia: a) informe detallado (descripción, numeración, pesaje, embalaje, origen, características externas, apariencia, fotos, etc.) de la incautación por parte de las fuerzas del orden destinado a la policía científica y a los tribunales; b) técnica de muestreo conforme a criterios predeterminados; y c) adoptar las medidas oportunas para garantizar la cadena de custodia en la transmisión de la sustancia o muestras...». SAP de Madrid, Sección 29ª, Sentencia de 29 Oct. 2012; n.º de Sentencia: 404/2012. LA LEY 195638/2012. Esta es una relación citada en numerosas sentencias, véase también entre otras la SAP de Las Palmas, Sección BIS, de 29 Jul. 2009; n.º de Sentencia: 52/2009. LA LEY 318411/2009.

En cualquier caso, las apuntadas son reglas que no están reguladas en la Ley lo que está propiciando una situación de cierta inseguridad jurídica respecto al correcto tratamiento de las evidencias obtenidas en la investigación criminal.

A)   Características esenciales de la cadena de custodia

Sobre que sea la cadena de custodia se ha pronunciado en diversas ocasiones el Tribunal Supremo con expresiones forzadas. Así se ha dicho que: *«es a través de la corrección de la cadena de custodia como se satisface la garantía de la "mismidad" de la prueba»*. O también la frase complementaria según la cual: *«la cadena de custodia es una figura tomada de la realidad a la que tiñe de valor jurídico»*.

> «El problema que plantea la cadena de custodia, hemos dicho en STS 6/2010 de 27.1 "es garantizar que desde que se recogen los vestigios relacionados con el delito hasta que llegan a concretarse como pruebas en el momento del juicio, aquello sobre lo que recaerá la inmediación, publicidad y contradicción de las partes y el juicio de los juzgadores es lo mismo. Es a través de la cadena de custodia como se satisface la garantía de la "mismidad" de la prueba. Se ha dicho por la doctrina que la cadena de custodia es una figura tomada de la realidad a la que tiñe de valor jurídico con el fin de, en su caso, identificar el objeto intervenido, pues al tener que pasar por distintos lugares para que se verifiquen los correspondientes exámenes, es necesario tener la seguridad de que lo que se traslada y analiza es lo mismo en todo momento, desde el momento en que se interviene hasta el momento final que se estudia y analiza y, en su caso, se destruye"». STS 20 julio 2011; n.º de Sentencia: 776/2011. LA LEY 119792/2011.

O pero todavía calificando a la cadena de custodia como un proceso temporal.

> «B) La STS 491/2016 de 8 de junio (LA LEY 61405/2016), reitera la doctrina de esta Sala que entiende que la cadena de custodia es el proceso que transcurre desde que los agentes policiales intervienen un efecto del delito que puede servir como prueba de cargo, hasta que se procede a su análisis, exposición o examen en la instrucción o en el juicio. Proceso que debe garantizar que el efecto que se ocupó es el mismo que se analiza o expone y que no se han producido alteraciones, manipulaciones o sustituciones, intencionadas o descuidadas». ATS Sala Segunda, de lo Penal, Auto 781/2017 de 27 Abr. 2017, Rec. 10559/2016. Ponente: Palomo del Arco, Andrés. LA LEY 64655/2017.

En cualquier caso, más allá del curioso empleo de términos de la definición del TS, existe un cierto consenso sobre el modo en el que la cadena de custodia se relaciona con la investigación y la prueba en el proceso penal. En este sentido podemos señalar como características esenciales de la cadena de custodia las siguientes:

1º. La cadena de custodia constituye un sistema formal de garantía que tiene por finalidad dejar constancia de todas las actividades llevadas a cabo por todas y cada una de las personas que se ponen en contacto con las evidencias. De ese modo la cadena de custodia sirve como garantía de la autenticidad e indemnidad de la prueba. La infracción de la cadena de custodia afecta a lo que se denomina la *«verosimilitud de la prueba pericial»* y, en consecuencia, a su legitimidad y validez para servir de prueba de cargo en el proceso penal.

> «Esta Sala tiene establecido que la integridad de la cadena de custodia garantiza que desde que se recogen los vestigios relacionados con el delito hasta que llegan a concretarse como pruebas en el momento del juicio, aquello sobre lo que recaerá la inmediación, publicidad y contradicción de las partes y el juicio del Tribunal es lo mismo. Al tener que circular o transitar por diferentes lugares la sustancia intervenida,

en la investigación de los delitos contra la salud pública, para que se emitan los dictámenes correspondientes, es necesario tener la seguridad de que lo que se traslada es lo mismo en todo momento, desde que se interviene hasta el momento final en que se estudia y analiza y, en su caso, se destruye (SSTS de 27 de enero de 2010, de 26 de julio de 2011, de 14 de octubre de 2011; 2012, de 25 de abril de 2012, de 13 de febrero de 2013; y de 12 de diciembre de 2013) (STS 208/2014, de 10 de marzo (LA LEY 26590/2014))». ATS 1247/2016 de 30 Jun. 2016, Rec. 2176/2015; Ponente: Martínez Arrieta, Andrés. LA LEY 119469/2016.

2º. La cadena de custodia constituye una garantía de que las evidencias que se analizan y cuyos resultados se contienen en el dictamen pericial son las mismas que se recogieron durante la investigación criminal, de modo que no existan dudas sobre el objeto de la prueba pericial[20]. A este respecto resulta evidente la relación entre la cadena de custodia y la prueba pericial, por cuanto la validez de los resultados de la pericia depende de la garantía sobre la procedencia y contenido de lo que es objeto de análisis. Es por ello que en una situación ideal sería el propio perito que realizará el análisis el que procediese a la recogida de las muestras y evidencias, ya que el análisis pericial puede quedar determinado, en gran medida, por el modo como se obtiene y se conserva la muestra a analizar. Ahora bien, esta es una dinámica de trabajo difícil de establecer de modo general y tal vez poco operativa, de modo que bastará con que los técnicos forenses, sean policías o no, actúen conforme con los criterios legales y/o reglamentarios establecidos. A ese fin sirve, precisamente, la Orden JUS/1291/2010, de 13 de mayo, por la que se aprueban las normas para la preparación y remisión de muestras objeto de análisis por el Instituto Nacional de Toxicología y Ciencias Forenses, que establece los protocolos sobre recogidas de muestras y rastros y su envío al laboratorio. Lo importante, en definitiva es que en todo informe pericial se contenga la información precisa de los actos de recogida, aprehensión y la cadena de custodia seguida con relación las evidencias o muestras objeto de análisis. En caso contrario se podrá poner en duda el resultado con base en la falta de verosimilitud de la prueba.

«La regularidad de la cadena de custodia constituye un presupuesto para la valoración de la pieza o elemento de convicción intervenido; se asegura de esa forma que lo que se analiza es justamente lo ocupado y que no ha sufrido alteración alguna (STS 1072/2012, de 11 de diciembre (LA LEY 220299/2012). Y en cuanto a los efectos que genera lo que se conoce como ruptura de la cadena de custodia, esta Sala tiene afirmado que repercute sobre la fiabilidad y autenticidad de las pruebas (STS 1029/2013 (LA LEY 230059/2013), de 28 de diciembre). Y también se ha advertido que la ruptura de la cadena de custodia puede tener una indudable influencia en la vulneración de los derechos a un proceso con todas las garantías y a la presunción de inocencia, pues resulta imprescindible descartar la posibilidad de que la falta de control administrativo o jurisdiccional sobre las piezas de convicción del delito pueda generar un equívoco acerca de que fue lo realmente traficado, su cantidad, su pureza o cualesquiera otros datos que resulten decisivos para el juicio de tipici-

---

(20) Véanse en esta materia EIRANOVA ENCINAS, E., «Cadena de Custodia y Prueba de Cargo», *Diario La Ley*, Nº 6863, Sección Doctrina, 17 Ene. 2008 y LACUEVA BERTOLACCI, R., «La importancia de la cadena de custodia en el proceso penal», *Diario La Ley*, Nº 8071, Sección Tribuna, 26 Abr. 2013.

dad. Lo contrario podría implicar una más que visible quiebra de los principios que definen el derecho a un proceso justo (SSTS 884/2012, de 8 de noviembre (LA LEY 194169/2012); y 744/2013, de 14 de octubre (LA LEY 160837/2013))». ATS Sala Segunda, de lo Penal, Auto 781/2017 de 27 Abr. 2017, Rec. 10559/2016. Ponente: Palomo del Arco, Andrés. LA LEY 64655/2017.

3º. La cadena de custodia se refiere y está asociada a la prueba como actividad y también como resultado. Efectivamente, la cadena de custodia determina la validez de la prueba e, indirectamente, de su resultado por cuanto la infracción de sus normas puede determinar que se «*aparte*» o «*expulse*» del procedimiento penal la evidencia y/o el resultado que se contuviere en el informe pericial. No puede haber un juicio justo sin una actividad probatoria válida y de cargo capaz de enervar la presunción de inocencia. Siendo así, la relación directa de la evidencia con los hechos objeto de enjuiciamiento y su verosimilitud respecto de la prueba pericial son requisitos para su validez. A ese fin es necesario que se garantice que las evidencias que sirven de prueba estén relacionadas con los hechos y que no hayan podido ser alteradas o modificadas desde su recogida hasta su aportación como prueba al juicio oral. En consecuencia, la cadena de custodia garantiza la verosimilitud de la prueba y por tanto se constituye en requisito necesario del proceso penal, sin el cual no puede hablarse de un juicio justo y con todas las garantías.

«… la vinculación de la cadena de custodia a la verosimilitud de la prueba, determina la vinculación de la actividad probatoria del proceso penal con los grandes principios que lo inspiran, de manera que sin verosimilitud de la prueba no puede hablarse siquiera formalmente de juicio justo o "proceso con todas las garantías" como declaró la STC de 29 de septiembre de 2003, antes citada, que otorgó el amparo precisamente por "rotura de la cadena de custodia" en cuanto, como también dijo la STC de 24 de octubre de 2005, "ante una rotura de la "cadena de custodia" de una prueba resulta prácticamente imposible defenderse en el caso de que los Tribunales estén dispuestos a validarla y sirva como prueba de cargo"». SAP de Las Palmas, Sección BIS, de 29 Jul. 2009; n.º de Sentencia: 52/2009. LA LEY 318411/2009.

4º. La cadena de custodia puede acreditarse documentalmente o mediante testimonio. Efectivamente, nada impide que la cadena de custodia se acredite mediante el testimonio de las personas que recogieron, custodiaron y/o conservaron las evidencias. Debe tenerse en cuenta, en este sentido, que el atestado policial donde se suelen contener los actos de la cadena de custodia tienen la consideración de denuncia por lo que suele ser necesario traer al plenario a los policías que actuaron en los actos de la cadena de custodia. De modo que para la plena convalidación de los actos de cadena de custodia será necesaria la declaración en el juicio oral de los agentes que la efectuaron, siempre que alguna de las partes alegue infracción y solicite su presencia. En caso de que la cadena de custodia esté debidamente documentada y no exista ninguna clase de impugnación la jurisprudencia viene considerando que no se producirá ninguna clase de irregularidad pudiendo valorarse la prueba conforme resulta del informe pericial. En cualquier caso, la naturaleza de garantía formal de la cadena de custodia, como en definitiva de muchos actos del proceso penal, debería determinar que el testimonio de los funcionarios que actuaron en el asunto no pudiera suplir la carencia absoluta de documentación que acredite los actos de custodia sobre las evidencias obtenidas en la investigación criminal.

5º. Finalmente, cabe señalar que no afectan a la cadena de custodia los problemas que se puedan plantear con relación a evidencias que puedan haber quedado en la escena o lugar del delito tras una primera inspección de la policía. Este es un supuesto que puede darse y que no se relaciona directamente con la cadena de custodia, sino con la acreditación de la autoría mediante la prueba de la relación entre los hechos delictivos y los acusados. De un caso de esta índole conoce la SAP de Santa Cruz de Tenerife, Sección 5ª, de 30 Mar. 2012; n.º de Sentencia: 147/2012. LA LEY 143884/2012, en el que se incautaron unas determinadas sustancias estupefacientes en un vehículo de alquiler, tras lo cual se entrega seis días después a su legítimo propietario. Un día después la policía vuelve a registrar el vehículo, ya en manos de la empresa propietaria, y halla otras cantidades de droga. Pues bien en este supuesto no se plantea una infracción de la cadena de custodia que todavía no se había iniciado, sino el problema de si pueden atribuirse a los acusados las nuevas sustancias prohibidas halladas siete días después del primer registro y detención de los acusados cuando el vehículo no estaba bajo custodia de la policía; teniendo en cuenta que otras personas podrían haber accedido al vehículo desde que fue entregado a su propietario. La decisión que toma la AAP de Tenerife es considerar que debe prevalecer la presunción de inocencia y el «in dubio pro reo».

6º. Finalmente, también debe distinguirse la cadena de custodia de determinadas actividades de investigación o documentación que puedan practicarse sobre los efectos intervenidos y que suelen incluirse junto con los actos de la cadena de custodia. Este es el supuesto, por ejemplo, del pesaje, aplicación de reactivos o destrucción de las de sustancias aprehendidas, la grabación de videos, toma de fotografías. Estos actos suelen aportar mayor información y detalle sobre lo incautado, pero no se corresponden estrictamente con los actores necesarios de garantía de la cadena de custodia. Por esta razón, las diferencias de descripción de los efectos, de la indicación de su naturaleza o del peso de lo incautado no implican necesariamente una ruptura o irregularidad en la cadena de custodia. Véase sobre esta cuestión la SAP de Huelva, Sección 1ª, de 25 Jun. 2007, Ponente: Fernández Entralgo, Jesús; n.º de Sentencia: 13/2007. LA LEY 212269/2007.

B) Tratamiento procesal de la «ruptura» de la cadena de custodia

a) Criterios generales sobre las consecuencias de la infracción de la cadena de custodia

El tratamiento procesal de las infracciones de la cadena de custodia está determinado en gran medida por la falta de una regulación legal específica que determine el modo en el que las evidencias deben ser recogidas, conservadas y custodiadas. No existiendo normas legales que aplicar no resulta fácil establecer cuáles son los exactos requisitos que deben cumplirse para el tratamiento de las evidencias. El resultado es una jurisprudencia que se pronuncia de un modo bastante impreciso sobre esta cuestión que debe analizarse desde los pronunciamientos judiciales en la materia, que suelen resolver las impugnaciones atendiendo a si la infracción constituye una irregularidad que puede ser subsanada o bien producir la invalidez de la prueba. Así, una infracción menor de la cadena de custodia supondría una irregularidad que no determinará, necesariamente, el «*apartamiento*» del proceso de la prueba que podría ser valorada; mientras que una infracción mayor tendría por consecuencia la invalidez de la prueba que no podrá ser valorada al existir dudas sobre la autenticidad de la fuente de prueba. En definitiva se trata de la aplicación de la doctrina clásica por todos conocida de la distinción entre irregularidad y nulidad. Sin embargo, el Tribunal Supremo se ha empeñado en negar la posibilidad de que la rotura de la cadena de custodia pueda producir la nulidad de la prueba afirmando que la irregularidad grave en esta materia no produce la nulidad de la prueba, sino que se trata de una cuestión de validez y, en definitiva, de verosimilitud de la prueba que el Tribunal no podrá valorar por falta de fiabilidad.

> «... es exigible hoy también asegurar y documentar la regularidad de la cadena para garantizar la autenticidad e inalterabilidad de la fuente de prueba. Cuando se comprueban deficiencias en la secuencia que despiertan dudas fundadas, habrá que prescindir de esa fuente de prueba, no porque el incumplimiento de alguno de esos medios legales de garantía convierta en nula la prueba, sino porque su autenticidad queda cuestionada, no está asegurada. No se pueden confundir los dos planos. Irregularidad en los protocolos establecidos como garantía para la cadena de custodia no equivale a nulidad. Habrá que valorar si esa irregularidad (no mención de alguno de los datos que es obligado consignar; ausencia de documentación exacta o completa de alguno de los pasos...) es idónea para generar dudas sobre la autenticidad o indemnidad de la fuente de prueba. Ese es el alcance que se atribuía a la regularidad de la cadena de custodia en la normativa proyectada aludida: "El cumplimiento de los procedimientos de gestión y custodia determinará la autenticidad de la fuente de prueba llevada al juicio oral... El quebrantamiento de la cadena de custodia será valorado por el Tribunal a los efectos de determinar la fiabilidad de la fuente de prueba" (art. 360). No es una cuestión de nulidad o inutilizabilidad, sino de fiabilidad». STS de 26 de marzo 2013; n.º de Sentencia: 308/2013; LA LEY 45510/2013.

También se pronuncian en este sentido, incidiendo en la irregularidad como resultado de la rotura de la cadena de custodia, las SSTS de 29 diciembre de 2009; n.º de Sentencia: 1349/2009. LA LEY 300228/2009 y de 4 junio 2002; n.º de Sentencia: 530/2010. LA LEY 93462/2010 (Ponente en ambas Maza Martín, José Manuel), en las que se hace referencia al carácter instrumental de la cadena de custodia.

> «La irregularidad de la cadena de custodia no constituye, de por sí, vulneración de derecho fundamental alguno que, en todo caso, vendrá dado por el hecho de admitir y dar valor a una prueba que se haya producido sin respetar las garantías esenciales del procedimiento y, especialmente, el derecho de defensa, y, en segundo lugar, que las "formas" que han de respetarse en las tareas de ocupación, conservación, manipulación, transporte y entrega en el laboratorio de destino de la sustancia objeto de examen, que es el proceso al que denominamos genéricamente cadena de custodia, no tiene sino un carácter meramente instrumental, es decir, que tan sólo sirve para garantizar que la analizada es la misma e íntegra materia ocupada, generalmente, al inicio de las actuaciones» (en el mismo sentido la STS 25 abril 2012; n.º de Sentencia: 347/2012. LA LEY 64415/2012).

La interpretación que ofrece el Tribunal Supremo es correcta al distinguir entre la simple irregularidad que puede ser subsanada y/o salvada por el razonamiento judicial y la invalidez de la prueba que se producirá cuando no exista garantía que la prueba se ha realizado sobre las muestras obtenidas en la investigación criminal. No obstante, cabe reprochar a la jurisprudencia citada la tendencia a relegar a un nivel inferior la infracción de la cadena de custodia cuando se afirma que su respeto y en su caso rotura no afectan a derecho fundamental alguno que, en su caso dice el Tribunal supremo, se producirá indirectamente por no: «... *respetar las garantías esenciales del procedimiento y, especialmente, el derecho de defensa*». De modo que, en cualquier caso, parece evidente que, aunque sea indirectamente, una infracción grave de la cadena de custodia determinará la invalidez de la prueba que no podrá ser valorada en tanto que nula y sin efecto. En caso contrario, se vulneraría el derecho de defensa, a un juicio justo y con todas las garantías y a la presunción de inocencia que no podría ser enervada con una prueba nula. Precisamente, el Tribunal Supremo ha declarado que la vulneración de la cadena de custodia tiene alcance casacional por su hipotética incidencia en el derecho a la presunción de inocencia del art. 24 CE (STS 26 de marzo de 2013, 308/2013, n.º de Recurso 1179/2012. LA LEY 45510/2013). De modo que, naturalmente, la rotura de la cadena de custodia puede afectar al derecho a un juicio justo con todas las garantías y a la presunción de inocencia.

No resulta fácil establecer reglas generales referentes a las consecuencias de la irregularidad en la cadena de custodia que quedaran determinadas en el caso concreto según las circunstancias concurrentes. Siempre teniendo presente que los tribunales partes de la presunción de veracidad de las actuaciones de la policía. Véase en este sentido la SAP de Madrid, Sección 29ª, Sentencia de 29 Oct. 2012; N.º de Sentencia: 404/2012. LA LEY 195638/2012, que declara que: «... *existe la presunción de lo recabado por el juez, el perito o la policía se corresponde con lo presentado el día del juicio como prueba, salvo que exista una sospecha razonable de que hubiese habido algún tipo de posible manipulación. O la prueba de dicha manipulación, tal y como establece la STS de 23 de junio de 2011*».

En general se suelen tratar como simples irregularidades la ausencia de algún documento o mención o constancia en el atestado. Así, la falta de documento de justificativo del transporte de una evidencia del lugar del delito al laboratorio podría ser subsanado por la declaración del funcionario que la realizó. (Véase la STS 6 de marzo de 2009; n.º de Sentencia: 221/2009. LA LEY 6925/2009). También se suelen tratar como irregularidad los errores referentes al número de bultos que componen un alijo de droga incautada. Este error es frecuente en las incautaciones de drogas y suele suceder cuando los paquetes o fardos van agrupados y algunos se separan durante el traslado. Este caso podría tratarse como una irregularidad formal, sin mayores consecuencias, que puede salvarse con el testimonio de los agentes en el acto del juicio para dar cuenta de la discrepancia. Incluso pueden darse diferencias del peso inicial obtenido por la policía y el realizado en el laboratorio. Estas diferencias pueden explicarse por la diferente precisión de los instrumentos utilizados en uno y otro caso. Sin embargo, deben tener por consecuencia la invalidez de la prueba: la absoluta falta de constancia documental del lugar de incautación y/o custodia de drogas, las diferencias relevantes de peso o de número de paquetes incautados o la falta de constancia del lugar y el modo en el que se obtuvo una muestra biológica. En estos últimos supuestos, la «*rotura de la cadena de custodia*» afectará a la denomina

567

verosimilitud de la prueba que habrá quedado entredicho, será sospechosa y por tanto no podrá ser valorada por el Juez.

«... no se puede atribuir a los inculpados la tenencia de la sustancia estupefaciente aprehendida en el curso de su detención, ya que no existe un análisis de pesaje, composición y pureza válido, y por tanto, una prueba válida formalmente y materialmente verosímil como prueba de cargo, por lo que procede dictar sentencia absolutoria». SAP de Las Palmas, Sección bis, de 29 Jul. 2009; n.º de Sentencia: 52/2009. LA LEY 318411/2009.

No debemos olvidar que el derecho procesal se constituye en un conjunto de reglas formales cuya observancia garantiza los derechos de todas las partes en el proceso. Siendo así, cabe plantearse hasta qué punto puede un Tribunal valorar como una simple irregularidad la rotura de la cadena de custodia que se produce, por ejemplo, cuando se advierte que una bolsa con pruebas no está correctamente cerrada y sellada. En ese caso, puede haber existido contaminación o haberse modificado su contenido convirtiendo la prueba en sospechosa. Es por ello que, probablemente, los tribunales deberían atender con mayor exigencia las reglas sobre la cadena de custodia, ya que en el derecho procesal el pleno cumplimiento de las formas y las reglas procesales constituyen presupuesto de un juicio justo y con todas las garantías. Sin embargo, y en sentido contrario, existen sentencias que vienen a convalidar las infracciones aduciendo incluso el teórico beneficio del acusado, por ejemplo cuando existen discrepancias con el peso total de la droga.

«El hecho de que el Instituto Nacional de Toxicología haya analizado una prenda menos que las intervenidas Don. Fernando (por haberse extraviado una de ellas o por cualquier otra circunstancia) no puede haber perjudicado los intereses de las defensas de los acusados, toda vez que de ello, tan solo podemos deducir, que es posible que el Instituto Nacional de Toxicología ha analizado un menor número de prendas (impregnadas de cocaína) que las efectivamente ocupadas por los agentes de la autoridad, lo que, en todo caso, solo podría haber beneficiado a las defensas de los acusados, a los que hipotéticamente cabría pensar que se les podría haber imputado la posesión de una mayor cantidad de sustancia estupefaciente que la que queda reflejada en el informe pericial». SAP de Barcelona, Sección 3ª, de 5 Nov. 2010; n.º de Sentencia: 845/2010. LA LEY 273693/2010.

b)   Impugnación de las infracciones de la cadena de custodia

Las infracciones de carácter procesal se han de impugnar tan pronto la parte tenga conocimiento de ellas. La impugnación puede producirse desde el inicio de la instrucción penal hasta el informe final de conclusiones. De otro modo es probable que la impugnación no sea atendida por entender el Tribunal «ad quem» en vía de recurso que la parte se aquietó con la cuestión[21].

_____

(21)   «Por lo demás, el hecho de que el recurrente no adujese nada de esas posibles irregularidades ni en sus conclusiones, ni en el juicio oral, ni en el informe final, con no ser motivo para esquivar el análisis de la cuestión planteada, es dato relevante y revelador. Nada interesó ni probatoriamente ni argumentativamente para descubrir esas irregularidades o suscitar dudas sobre la fiabilidad de la cadena de custodia en este supuesto concreto o sobre la naturaleza real de la

«Lo primero que procede redargüir sobre este vicio procesal omisivo es que ni fue alegado en la fase de instrucción, ni en el escrito de calificación de la defensa, ni tampoco en el trámite de las cuestiones previas de la vista oral del juicio, por lo que, tal como señala el Ministerio Fiscal, se trata de una cuestión planteada *ex novo* en el recurso de casación que, lógicamente, ni siquiera ha sido tratada en la sentencia recurrida. Y desde luego tampoco nos consta que haya sido debatida en el plenario. Tales factores ya serían por sí suficientes para desestimar el motivo sin entrar en mayores profundidades en la argumentación». STS 07/2016 de 13 Abr. 2016, Rec. 10412/2015; Ponente: Jorge Barreiro, Alberto Gumersindo. LA LEY 40316/2016.

En la impugnación se debe concretar el momento en el que se entiende que se produjo la rotura de la cadena de custodia y, en su caso, las normas infringidas y las personas o instituciones responsables de las mismas. Finalmente, resulta especialmente exigible que la parte argumente sobre el modo en el que la infracción convierte a la evidencia en sospechosa y a la prueba en nula por falta de garantías. Así se pronuncia el Tribunal Supremo que afirma que: «*debe exigirse la prueba de la manipulación efectiva (SSTS 629/2011, de 23.6; 776/2011, de 20.7)*». (STS 25 abril 2012; n.º de Sentencia: 347/2012. LA LEY 64415/2012).

«Advierte también la jurisprudencia de esta Sala Segunda que los eventuales defectos en la cadena de custodia no afectan propiamente a la validez de la prueba sino a su fiabilidad (STS 388/2015, de 18 de junio (LA LEY 79696/2015); 320/2015, de 27 de mayo (LA LEY 69773/2015)), que lógicamente habrán de ser objeto de análisis individualizado y casuístico. Por otro lado, para examinar adecuadamente si se ha producido una ruptura relevante de la cadena de custodia, no es suficiente con el planteamiento de dudas de carácter genérico, debiendo el recurrente precisar en qué momentos, a causa de qué actuaciones y en qué medida se ha producido tal interrupción, pudiendo, en su caso, la defensa, proponer en la instancia las pruebas encaminadas a su acreditación». STS 660/2016 de 19 Jul. 2016, Rec. 10107/2016; Ponente: Palomo del Arco, Andrés. LA LEY 88293/2016.

Véanse, también en este sentido, la STS 6 de marzo de 2009; n.º de Sentencia: 221/2009. LA LEY 6925/2009 (caso «el Solitario»), que declara que: «*no existe duda alguna acerca de la validez de la "cadena de custodia" ya que el subfusil que le fue ocupado en su detención fue entregado a la Policía española con todas las garantías, sin que el recurrente haga otra cosa que poner en duda su regularidad, pero sin aportar ningún elemento para dudar de ella*». Véase también la SAP de Les Illes Balears, Sección 1ª, de 27 Jul. 2007, n.º de Sentencia: 89/2007. LA LEY 154653/2007 que declara que: «*... la impugnación no ha de ser meramente retórica o abusiva, esto es, sin contenido objetivo alguno, no manifestando cuales son los temas de discrepancia, si la cantidad, la calidad o el mismo método empleado, incluyendo en esta la preservación de la cadena de custodia*».

sustancia interesada». STS 26 de marzo de 2013. Ponente: Moral García, Antonio del. Nº de Sentencia: 308/2013. Nº de recurso: 1179/2012. LA LEY 45510/2013.

c) La irregularidad de la cadena de custodia no constitutiva de la invalidez o nulidad de la prueba

La relación de supuestos de irregularidad de la cadena de custodia no determinantes de la invalidez de la prueba son innumerables. Por ello la relación que se contiene a continuación debe entenderse como meramente ejemplificativa. Por otra parte, cabe tener presente en esta materia las circunstancias concurrentes que pueden determinar consecuencias distintas en supuestos de infracciones aparentemente similares. Así, son supuestos de simple irregularidad por infracción de la cadena de custodia los siguientes:

— La falta de documentación sobre la incautación, traslado y custodia de los efectos intervenidos, siempre que comparezcan los funcionarios que actuaron.

«En este punto la principal alegación de las defensas, centradas en las intervenciones de sustancias …/… se centra en el hecho de que por los agentes policiales no se levantaron actas de incautación de las mismas. Sin embargo, aun pudiendo ser cierto que no se levantó un reportaje fotográfico o un acta *in situ* de las maniobras desarrolladas por los agentes para el descubrimiento de las diferentes sustancias y su incautación, ello no supone obstáculo alguno insalvable para dar plena validez a esas diligencias policiales». SAP de Santa Cruz de Tenerife, Sección 5ª, de 30 Mar. 2012; n.º de Sentencia: 147/2012. LA LEY 143884/2012.

— La falta de comparecencia en el juicio oral de alguno de los intervinientes en la cadena de custodia a efectos de declarar sobre esa cuestión, cuando la parte acusada no la solicitó ni aportó datos o elementos de juicio sobre la manipulación de las evidencias.

«Respecto de la incomparecencia en el plenario de los agentes que custodiaron la droga en dependencias policiales depositada en una caja fuerte cerrada con llave, hemos señalado en STS 629/2011 de 23.6 que apuntar por ello a la simple posibilidad de manipulación para entender que la cadena de custodia se ha roto no parece aceptable, ya que debe exigirse la prueba de la manipulación efectiva». STS 20 julio 2011; n.º de Sentencia: 776/2011. LA LEY 119792/2011. En el mismo sentido la STS 25 abril 2012; n.º de Sentencia: 347/2012. LA LEY 64415/2012.

— La comparecencia en juicio de los funcionarios que actuaron que no recuerdan con precisión los actos de la cadena de custodia en los que intervinieron.

«El hecho de que compareciera al acto del juicio oral y no recordara los detalles no priva de validez su testimonio ni la diligencia llevada a cabo en relación a la sustancia intervenida, pues transcurrido un período de cinco años desde los hechos, lo extraño sería recordar todos los detalles, teniendo en cuenta el n.º de intervenciones de similares características, que dichos agentes realizan en el ejercicio de sus funciones». SAP de Madrid, Sección 29ª, Sentencia de 29 Oct. 2012; n.º de Sentencia: 404/2012. LA LEY 195638/2012[22].

---

(22) Véase también, en este sentido, la SAP de Barcelona, Sección 2ª, de 21 Abr. 2010; nº de Sentencia: 252/2010. LA LEY 95352/2010, que declara que la discrepancia entre el número de objetos incautados según el atestado y la declaración en juicio del policía interviniente no debe considerarse trascendente a efectos de acreditar la rotura de la cadena de custodia: «… no cabe duda que las declaraciones del agente con carnet profesional núm. … en el acto del juicio oral sólo pudieron

— La discrepancia en el número de envases o bultos conteniendo sustancias estupefacientes (STS de 8 Nov. 2010, N.º de Sentencia: 984/2010, LA LEY 208838/2010) o por extensión cualquier otra clase de evidencias.

«Esta Sala entiende que la cadena de custodia no ha quebrado .../... Lo mismo cabe decir de la alegada existencia de un solo paquete al que se refiere el análisis de farmacia, pues la perito que declaró en el acto del juicio oral, manifestó claramente que se trataba de un único envoltorio pero que contenía diez tabletas, así se refleja claramente en el informe analítico que obra unido a las actuaciones al folio 143 de la causa». SAP de Madrid, Sección 29ª, Sentencia de 29 Oct. 2012; n.º de Sentencia: 404/2012. LA LEY 195638/2012.

Este es también el criterio de la SAP de Barcelona, Sección 3ª, de 5 Nov. 2010 que considera que la discrepancia en el número de prendas de ropa (impregnadas de droga) incautadas y las analizadas en el laboratorio no presupone la ruptura de la cadena de custodia, decisión a la que llega la Audiencia tras el examen de las actuaciones:

«Este Tribunal no puede por menos que dar la razón a los defensas de los acusados cuando han puesto de manifiesto la discordancia existente entre las prendas que se dicen intervenidas en el atestado policial y las que se dicen recibidas en el Instituto Nacional de Toxicología, pero creemos que existen otros datos en la causa que nos permiten afirmar que no se ha roto la cadena de custodia. En este sentido, basta con observar las fotografías obrantes .../... sin que hayan sido impugnados por la defensa de .../... en las que consta la maleta intervenida al Sr. ... y las prendas que se encontraban en el interior de la misma, .../... (cuya autenticidad tampoco se ha cuestionado por ninguna de las partes) para llegar a la conclusión de que las prendas analizadas por el Instituto Nacional de Toxicología son las mismas que fueron intervenidas el día .../... con ocasión del registro de la maleta que llevaba». SAP de Barcelona, Sección 3ª, de 5 Nov. 2010; n.º de Sentencia: 845/2010. LA LEY 273693/2010.

— El hecho de que la policía no procediera al pesaje de las sustancias incautadas. Véase a este respecto la SAP Audiencia Provincial de Sevilla, Sección 1ª, de 22 Ene. 2009; n.º de Sentencia: 45/2009. LA LEY 19844/2009.

— Los errores formales como la unión a otras actuaciones del informe pericial de las sustancias incautadas.

«En realidad, como indica el Fiscal en su Recurso, ni siquiera puede hablarse propiamente de irregularidades que afecten a la repetida "cadena de custodia", sino tan sólo de una errónea incorporación del informe analítico de la droga, una vez producido ya éste y, por ende, finalizado ya ese proceso "de custodia", ulteriormente corregido cuando se detecta y que en definitiva, como se acaba de decir, no ha supuesto verdadera, efectiva e insubsanable vulneración del derecho de defensa de los acusados». STS 4 junio 2010. N.º de Sentencia: 530/2010. LA LEY 93462/2010[23].

---

deberse a una equivocación, comprensible y razonable por el número de intervenciones que se ven obligados a realizar los funcionarios del Grupo de reacción de la Comisaría del Cuerpo Nacional de Policía del aeropuerto de El Prat de Llobregat y el tiempo pasado desde el momento de ocurrencia de los hechos de autos, que si bien no es en lo absoluto excesivo combinado con el anterior hecho hace explicable cualquier discrepancia no esencial con lo al mismo atribuido en el atestado policial».

(23) Véanse en el mismo sentido STS 29 Dic. 2009, nº de Sentencia: 1349/2009. LA LEY 300228/2009. No obstante, véase la SAP Barcelona 25 Ene. 2010; nº de Sentencia: 82/2010. LA

— Errores materiales respecto a las fechas de remisión o recepción de las sustancias estupefacientes, siempre que las sustancias aparezcan debidamente identificadas.

«... esta Sala entiende que la cadena de custodia no ha quebrado, y aun cuando valoráramos que se ha producido un error en cuanto a las fechas de remisión o recepción, ello no implicaría una rotura de dicha cadena, pues la sustancia aparece perfectamente identificada sin que genere ninguna duda al respecto...». SAP de Madrid, Sección 29ª, Sentencia de 29 Oct. 2012; n.º de Sentencia: 404/2012. LA LEY 195638/2012.

— La ausencia de algún documento o acta de los referidos en las normas reglamentarias citadas.

«La ausencia de alguno de los documentos a los que se refiere la normativa citada, no tiene por qué conllevar una quiebra de alcance constitucional. El motivo se limita a echar en falta algunos de los requerimientos formales del documento de remisión de la droga aprehendida». (STS 26 de marzo de 2013, cit.).

— El depósito de las evidencias en las dependencias de la policía, cuando no es posible el traslado a los depósitos de los laboratorios de sanidad. Así suele suceder en el caso de la incautación de grandes alijos de drogas los cuales se suelen custodiar en dependencia de la policía en lugar de en los órganos administrativos de sanidad y trasladándose a laboratorio únicamente las muestras para su análisis.

«... de ello infiere la Sala a quo que: " en modo alguno se ha quebrantado en el presente caso la cadena de custodia por la razón fundamental de que la policía judicial se halla habilitada para la ocupación y remisión al organismo administrativo competente de la sustancia intervenida con independencia de dar cuenta inmediata al Juzgado competente de las actuaciones. Si bien por las circunstancias que fuere ello no fue posible debido a la falta de capacidad de almacenamiento del citado organismo administrativo, lo que provocó la necesidad de que su custodia tuviera lugar en las dependencias de la Guardia Civil de Pontevedra, a la que se desplazó la comisión judicial y la Perito y de la citada diligencia se levantó acta por la Sra. Secretario, todo lo cual en modo alguno implica la nulidad de la referida diligencia de toma de muestras y del posterior análisis pericial de la sustancia ilícita como pretende la defensa"». STS 16 junio 2009; n.º de Sentencia: 641/2009. LA LEY 125080/2009.

— La entrega de las sustancias incautadas a los Servicios Centrales del laboratorio en lugar de a los peritos concretos que realizaron el análisis.

«Lo que debe de garantizar la cadena de custodia es que la sustancia analizada sea la intervenida a la persona de que se trate, y tal garantía no sufre menoscabo alguno si la sustancia que se interviene, debidamente identificada, se entrega en el organismo oficial correspondiente, sin que sea exigible legalmente que dicha entrega sea personal a los facultativos concretos que después serán los encargados de analizarla, bastando con que se entregue en el servicio o dependencia común encargada de recepcionar los efectos de toda clase que son enviados para analizar al Instituto Nacional de Toxicología Departamento de Barcelona». SAP de Barcelona, Sección 2ª, de 21 Abr. 2010; n.º de Sentencia: 252/2010. LA LEY 95352/2010.

LEY 5643/2010 en la que la Audiencia de Barcelona, en un caso similar, declara la invalidez de la prueba.

— La dilación temporal en el envío al laboratorio correspondiente de las evidencias para su análisis.

«La fiabilidad de la prueba tampoco puede depender del tiempo que tarde en mandarse al laboratorio o de que se haga constar la identidad del transportista material o la hora y minuto en que se produjo el traslado. Nada añade a las garantías esas "burocratización" de la prueba». STS 26 de marzo 2013. Ponente: Moral García, Antonio del N.º de Sentencia: 308/2013. N.º de recurso: 1179/2012. LA LEY 45510/2013.

d) La invalidez de la prueba por la «ruptura» de la cadena de custodia

La invalidez de la prueba y, por tanto, la imposibilidad de su valoración ha sido declarada por los tribunales en los casos en los que se han producido infracciones graves de la cadena de custodia de modo que no puede garantizarse la verosimilitud de la prueba[24]. Como ha dicho el Tribunal Supremo no se trata de una cuestión de nulidad o inutilizabilidad, sino de fiabilidad de la prueba.

«Recordaba la STS 725/2014 de 3 de noviembre (LA LEY 155262/2014) que la cadena de custodia constituye una garantía de que las evidencias que se analizan y cuyos resultados se contienen en el dictamen pericial son las mismas que se recogieron durante la investigación criminal, de modo que no existan dudas sobre el objeto de dicha prueba. De acuerdo con la STS 587/2014 de 18 de julio (LA LEY 91118/2014), la cadena de custodia no es prueba en sí misma, sino que sirve de garantía formal de la autenticidad e indemnidad de la prueba pericial. Su infracción afecta a lo que se denomina verosimilitud de la prueba pericial y, en consecuencia, a su legitimidad y validez para servir de prueba de cargo en el proceso. En palabras de la STS 195/2014 de 3 de marzo (LA LEY 37723/2014), no es una cuestión de nulidad o inutilizabilidad, sino de fiabilidad (en el mismo sentido STS 320/2015 de 27 de mayo (LA LEY 69773/2015) o STS 388/2015 de 18 de junio (LA LEY 79696/2015))». STS 460/2016 de 27 May. 2016, Rec. 10994/2015; Ponente: Ferrer García, Ana María. LA LEY 59390/2016.

También puede acordarse la invalidez de la prueba ante la existencia de numerosas irregularidades que por sí solas no serían determinantes de la invalidez, pero que juntas determinan esa consecuencia. Puede observarse la similitud de algunos de los supuestos mencionados en este apartado con los descritos en el anterior que fueron tratados como simples irregularidades. En definitiva, hay que atender a las circunstancias concurrentes en cada supuesto. Así, constituyen infracciones que comportan la invalidez de la prueba los siguientes supuestos:

_____

(24) «Aplicando nuestra doctrina jurisprudencial (STS de 26 de marzo de 2013, núm. 308/2013 (LA LEY 45510/2013), entre otras), a falta de un marco legal, ha de estimarse que una infracción menor de la cadena de custodia solo constituye una irregularidad que no determina la exclusión de la prueba del proceso, por lo que debe igualmente ser valorada como prueba de cargo apta para desvirtuar la presunción de inocencia, sin perjuicio de que el defecto apreciado pueda afectar a su poder de convicción o fiabilidad. Por el contrario una infracción mayor o muy relevante de la cadena de custodia debe determinar la invalidez de la prueba, en la medida que su valoración afectaría al derecho a un proceso con las debidas garantías, al no poderse garantizar la autenticidad de la fuente de prueba». ATS Sala Segunda, de lo Penal, Auto 781/2017 de 27 Abr. 2017, Rec. 10559/2016. Ponente: Palomo del Arco, Andrés. LA LEY 64655/2017.

— La falta de precisión en la atribución de las sustancias u objetos ilícitos a uno u otro acusado. Este es el caso examinado en la STC 170/2003 de 29 de septiembre que es, probablemente, la sentencia del Tribunal constitucional que trata esta cuestión con mayor precisión en el que se cuestionaba la validez de la prueba pericial referida a unos soportes informáticos con contenido ilícito incautados a distintas personas y en distintos domicilios. El objeto de la impugnación consistía en la ausencia de un correcto precintado y en la falta de identificación y de detalle documental de los domicilios y las personas a quien fueron incautados los objetos ilícitos. Pues bien, en ese caso el TC declaró que las irregularidades expuestas no permitían valorar la prueba en tanto que no estaba asegurada su integridad y no puede garantizarse que la prueba pericial versara sobre los objetos incautados en la causa.

«… se ha producido una deficiente custodia policial y control judicial de dicho material, que no estaba debidamente precintado y a salvo de eventuales manipulaciones externas tanto de carácter cuantitativo (número de las piezas de convicción halladas en los registros) como cualitativo (contenido de aquellos soportes que admitieran una manipulación por su carácter regrabable o simplemente por su naturaleza virgen en el momento de su incautación, e incluso su sustitución por otros), lo que impide que pueda afirmarse que la incorporación al proceso penal de los soportes informáticos se diera con el cumplimiento de las exigencias necesarias para garantizar una identidad plena e integridad en su contenido con lo intervenido y, consecuentemente, que los resultados de las pruebas periciales se realizaran sobre los mismos soportes intervenidos o que éstos no hubieran podido ser manipulados en cuanto a su contenido…». STC 170/2003 de 29 de septiembre.

— La ausencia de documentación suficiente sobre las evidencias objeto de análisis de modo que no pueda garantizarse la indemnidad de la prueba.

«… se ha producido una ruptura de la cadena de custodia de la sustancia intervenida a los acusados, toda vez que la sustancia se recibió en el Laboratorio tres meses más tarde, sin que se especifique en ningún momento la persona encargada de la entrega, ni el lugar donde fueron custodiadas las dos bolsas mencionadas, por lo que existe una duda más que razonable sobre la identidad existente entre la sustancia analizada por la Unidad del Laboratorio Químico de los Mossos d'Esquadra y la intervenida a los acusados, debiendo destacarse como, en el presente caso, no se cumplió el protocolo establecido en la Orden de 8 de noviembre de 1996 por la que se aprueban las normas para la preparación y remisión de muestras objeto de análisis por el Instituto de Toxicología». SAP de Barcelona, Sección 3ª, de 25 Ene. 2010; n.º de Sentencia: 82/2010. LA LEY 5643/2010.

— La discrepancia notoria en el número de envases o bultos conteniendo sustancias estupefacientes (STS de 8 Nov. 2010, N.º de Sentencia: 984/2010, LA LEY 208838/2010) o por extensión cualquier otra clase de evidencias.

— La existencia de error en la identificación de las evidencias con el procedimiento correspondiente con la consecuencia de la imposibilidad de otorgar valor alguno a la prueba pericial, que conduce a considerar la prueba obtenida inválida e inverosímil como prueba de cargo.

«… como hace constar el Juzgado de Instrucción, parece haber existido un cambio en los datos con los que se remitieron las sustancias aprehendidas en dos diligencias previas tramitadas simultáneamente, atribuyendo a los aquí acusados la heroína aprehendida supuestamente a otra detenida, y la cocaína a ésta. Ahora bien, por una parte no hay una certidumbre absoluta de que en efecto la sustancia analizada en las diligencias 380/2007 sea la aprehendida a los acusados. Existe un indicio importante, pero la cadena de custodia exige una certeza absoluta y no meros indicios. De hecho, ni siquiera consta una certificación del Secretario Judicial haciendo constar que se haya cometido dicho error, lo cual sólo se manifiesta en la providencia que ordena unir el testimonio de actuaciones. Además, desde el punto de vista formal, aunque se acreditara dicho error, la realidad es que el envío de la sustancia y su análisis se ha realizado en el seno de un procedimiento en que los acusados no han sido parte, por tanto durante varios meses no han tenido posibilidad alguna de ejercer el derecho de defensa y de contradicción respecto a los trámites de transporte, recepción, pesaje y análisis de la sustancia, hasta el punto de que el análisis se incorpora mediante testimonio de las otras diligencias meses después de efectuado e incorporado a éstas». SAP de Las Palmas, Sección BIS, de 29 Jul. 2009; n.º de Sentencia: 52/2009. LA LEY 318411/2009[25].

— La absoluta ausencia de cualquier formalidad en la incautación y custodia de las evidencias. Este es el supuesto analizado en la SAP Barcelona, Sección 2ª, de 25 Feb. 2009, en la que se incautan sustancias estupefacientes a un visitante en un Centro Penitenciario sin que se proceda a documentar debidamente la actividad.

«… no se documenta la entrega de las sustancias y objetos a los referidos e ignotos Mossos d'Esquadra ni, claro es, quien la efectúa y no existe tampoco acreditación documental de cuando se entregaron, donde quedaron depositadas y bajo la custodia de quien desde el momento que se entregan a los Mossos «el día de ayer» (el día 8)

---

(25)   Éste es también el supuesto analizado en la SAP Almería, Sección 3ª, de 1 Oct. 2008; nº de Sentencia: 319/2008. LA LEY 226669/2008, en la que se produce una evidente ausencia de *«afianzamiento»* suficiente de la cadena de custodia con la consecuencia de no poder valorar la sustancias incautadas: «… *no habiéndose incorporado a las actuaciones el acta de aprehensión que debió firmar y sellar la Dependencia de Sanidad de Almería con indicación del peso bruto y neto de las sustancias decepcionadas y su la distribución en lotes en función de las características diferenciadas de las mismas, habiendo manifestado las dos peritos del Dependencia de Sanidad de Almería que concurrieron al juicio que no reconocían la citada fotocopia del acta de aprehensión al no figurar la firma y el sello de su Servicio, ignorando si coincide con el que debía obrar en el expediente obrante en los archivos de Sanidad que no tenían a la vista en esos momentos, si bien la Perito que se personó en las instalaciones de la Comandancia de la Guardia Civil para proceder al pesaje y muestreo de los fardos incautados explicó que al proceder a la apertura de uno de ellos observó que contenía una sustancia distinta a los demás que por su apariencia externa pudiera tratarse de cocaína, mientras que los otros fardos que abrió contenían aparentemente hachís y ante dicho hallazgo optó por solicitar el traslado de todos los fardos a la Subdelegación del Gobierno en Almería, traslado del que, de haberse producido, no existe la más mínima constancia en el actuaciones, ignorándose dónde y cómo se produjo finalmente el pesaje y selección de muestras de los fardos correspondientes a la presente causa …/… Por consiguiente, existiendo un claro y acreditado quebranto de la cadena de custodia sobre los objetos, efectos o pruebas del delito, no podemos afirmar con plena rotundidad y sin duda alguna que el contenido de los fardos intervenidos por la G. Civil en estas actuaciones y en que sustenta la acusación del Fiscal se corresponda precisamente con las sustancias analizadas por el Laboratorio de Sanidad de Sevilla e identificadas como THC y cocaína, por lo que esta duda sobre la identidad de lo aprehendido, elemento esencial del delito contra la salud pública por el que se acusa a de los procesados, obliga a absolver a todos ellos en virtud del principio in dubio pro reo…».*

hasta que el o los ignotos Mossos las entregan al Laboratorio «el día de hoy», esto es el día 9. Siendo así, la única consecuencia que puede tener tal dejación es la de considerar rota la cadena de custodia y la prueba objeto de pericia sospechosa: «... entiende la Sala que, sin mayor insistencia argumental, la poco diligente actuación del Centro Penitenciario, preñada de omisiones y dejaciones, no permite considerar probada, más allá de toda duda razonable, que se ha salvaguardado la "cadena de custodia" de las sustancias. Al contrario, dicha actuación, genera objetivamente en Derecho una duda razonable sobre la indemnidad de la "cadena de custodia" en el concreto supuesto de autos...». SAP Barcelona, Sección 2ª, de 25 Feb. 2009; n.º de Sentencia: 132/2009. LA LEY 20245/2009.

2.5. Intervención y realización anticipada de sustancias estupefacientes u otros efectos[26]

Una de las funciones de la policía judicial consiste en recoger todos los efectos, instrumentos o pruebas del delito poniéndolos a disposición de la autoridad judicial, tal y como dispone el art. 282 LECrim. Esta intervención puede tener lugar durante los registros o cacheos preventivos que puede realizar la policía judicial en el ejercicio de sus funciones de persecución de los delitos públicos (arts. 16 y ss. LO 4/2015 de Seguridad Ciudadana, y art. 28 del RD 769/1987, de 19 de junio sobre regulación de la Policía Judicial) (véase sobre las diligencias de la policía al amparo de la LO 4/2015 el § 2.11.A de este Capítulo). Así, en el registro de automóviles o en los controles preventivos de tránsito en las Estaciones o Aeropuertos. Entre los efectos que puede intervenir la policía judicial están las sustancias estupefacientes que la policía judicial entregará al servicio oficial correspondiente, para su pesaje, análisis y posterior destrucción (véase el art. 4 de la Ley 17/1967 de 8 de abril); sin perjuicio que la sustancia se halle desde el momento de la intervención sometida a control judicial[27].

«... el artículo 282 de la Ley de Enjuiciamiento Criminal, que obliga a poner los efectos, instrumentos o pruebas del delito "a disposición judicial", no se quebranta por el hecho de remitirse la droga directamente al Organismo Oficial competente para su análisis y custodia .../... Por lo tanto la directa remisión en este caso de la sustancia aprehendida a la Unidad Administrativa del Ministerio de Sanidad y Consumo de Málaga por parte de la Policía de la misma ciudad no supuso irregularidad procesal alguna, habiéndose remitido los informes y análisis pertinentes elaborados por el organismo oficial competente al Juzgado de Instrucción, sin que se hubiese hecho por la defensa objeción alguna y no interesando, en su escrito de calificación, el interrogatorio de los peritos que había realizado dicho dictamen. En modo alguno puede exigirse que mencionado análisis y pesaje se efectúe a presencia del Juez, Fiscal, Letrado de la administración de justicia y partes, y en caso de discrepancia pueden solicitar las aclaraciones que se consideren oportunas, lo que en este caso no se han hecho». STS Sala Segunda, de lo Penal, Sentencia 1087/2000 de 19 Jun. 2000, Rec. 3606/1998. Ponente: Granados Pérez, Carlos. LA LEY 10324/2000.

---

(26) Véase MAGRO SERVET V., «El valor de la prueba documental de los informes emitidos por laboratorios oficiales en los delitos de tráfico de drogas en la LO 9/2002», *La Ley* nº 5697, 2003.

(27) En el mismo sentido la consulta 2/1986 de la Fiscalía General del Estado que expresa que serán entregadas en los servicios farmacéuticos de la Dirección General de Farmacia o Direcciones Provinciales de Sanidad y Consumo de cada Comunidad Autónoma.

Las sustancias se remitirán directamente por la policía a los laboratorios oficiales, según establece la Ley de 8 de abril de 1967 para su análisis y conservación, sin necesidad de que en éste se deposite materialmente la droga. Estos laboratorios emitirán informe pericial a los que les será aplicable lo expuesto en los puntos anteriores respecto al valor de los informes periciales de organismos oficiales; y concretamente en el ámbito del procedimiento abreviado el art. 782.2 LECrim dispone que tendrán valor de prueba documental, siempre que en ellos conste que se han realizado siguiendo los protocolos científicos aprobados por las correspondientes normas. De un modo similar, en el procedimiento para el enjuiciamiento rápido de determinados delitos el art. 796.6º LECrim dispone que la policía remitirá al Instituto de Toxicología, de medicina legal o al laboratorio correspondiente las sustancias intervenidas para su análisis; pero si no fuera posible la remisión del informe en el breve plazo existente hasta que se celebre el juicio la policía judicial podrá practicar por sí misma el análisis, sin perjuicio del debido control judicial.

«Por otro lado, en caso de considerar como alega el recurrente, que se ha procedido a la destrucción de la droga sin autorización judicial en este procedimiento, la propia jurisprudencia de esta Sala —cfr. Sentencia de 16 de mayo de 2001— establece que "proceder a la destrucción de la sustancia intervenida sin autorización judicial no es, por sí misma, causa de nulidad, aunque constituya una evidente irregularidad procesal" y la Sentencia de 5 de diciembre de 2001 analiza el referido artículo, para concluir que, no obstante, "disposiciones de carácter complementario permiten que, sobre todo en los casos de tráfico de sustancias estupefacientes, los efectos intervenidos sean remitidos directamente por la policía judicial al lugar donde se proceda a su análisis y destrucción. Así se desprende de la modificación posterior del artículo 338 de la Ley de Enjuiciamiento Criminal (LA LEY 1/1882) por Ley 21/1994 de 6 de julio (LA LEY 2417/1994), estableciendo la obligatoriedad de la destrucción conservando las muestras suficientes para hacer una posible prueba o investigación ulterior. En los casos en que se proceda con arreglo a estas previsiones, el dictamen emitido tiene el valor de prueba por las condiciones de objetividad e imparcialidad que reúnen dichos organismos. No es necesario que en el proceso de destrucción y reserva de muestras intervengan directa y personalmente el Juez de Instrucción o el Secretario Judicial, sino que es suficiente con la actuación administrativa de los servicios correspondientes"». STS Sala Segunda, de lo Penal, Auto 230/2015 de 5 Feb. 2015, Rec. 1925/2014; Ponente: Conde-Pumpido Tourón, Cándido. LA LEY 13716/2015.

De la regulación expuesta, se deduce que la parte a quien interese deberá solicitar la comparecencia de los peritos que hicieron el informe sobre pesaje y valoración de la sustancia intervenida, para someter al mismo a contradicción[28]. No haciéndolo

---

(28) «Por lo que se refiere a la tercera cuestión planteada (remisión directa de la droga al laboratorio de análisis, sin pasar por el Juzgado) tampoco concurre irregularidad alguna, pues tal es el modo correcto de actuar conforme a la normativa vigente en materia de estupefacientes. .../... Consta perfectamente documentada la entrega y recepción de la droga en el Laboratorio de Sanidad exterior de Algeciras, dependencia de Sanidad adscrita a la Delegación del Gobierno (folio 26). Consta asimismo documentada la toma de muestras para el análisis (folio 27) y el resultado del mismo, así como el peso y características de la sustancia analizada (folio 25), que coinciden perfectamente con las pastillas de hachís de 18,5 k de peso remitidas por la policía judicial y que constan reflejadas en la diligencia de identificación y fotografía obrante en el atestado (en la que, por cierto, se aprecian las pastillas con un envoltorio de plástico transparente). Todo ello fue debi-

así limitándose a dar los informes por reproducidos no cabe alegar error en la apreciación de la prueba. En defecto de esta solicitud, los informes tendrán igualmente el valor probatorio que el Tribunal les otorgue[29].

«Conforme al Acuerdo del Pleno de la Sala Penal del Tribunal Supremo de 21 de mayo de 1999 relativo a los informes periciales emitidos por laboratorios oficiales, sólo en el caso de que hubiera una impugnación manifestada por la defensa, se deberá practicar la prueba en el juicio oral. En este caso, el recurrente plantea en el motivo que se le pudo causar indefensión ante la posible destrucción de la sustancia, para el caso de que hubiera solicitado un contraanálisis de la droga. Por tanto, alega una hipotética indefensión ante otra hipotética destrucción de la sustancia en el otro procedimiento. Solo con este planteamiento el motivo deber decaer». STS Sala Segunda, de lo Penal, Auto 230/2015 de 5 Feb. 2015, Rec. 1925/2014; Ponente: Conde-Pumpido Tourón, Cándido. LA LEY 13716/2015.

En consecuencia, le corresponde al acusado impugnar la veracidad y fehaciencia del pesaje y análisis realizado[30]. A este efecto, las partes podrán someter los análisis a contradicción tanto en fase de instrucción, como en juicio oral o bien solicitar un análisis alternativo.

«El informe sobre pesaje y valoración de la sustancia intervenida a ... por la jefa de la unidad administrativa provincial de Almería del Ministerio de Sanidad y Consumo ... constituía actividad probatoria suficiente y bastante para enervar la presunción de inocencia, sin necesidad de ser ratificado en juicio, ante la actitud pasiva de la parte a quien perjudicaba el informe, que no instó su contradicción, bien proponiendo su ratificación en juicio, o bien articulando nueva prueba, conforme a doctrina

---

damente comunicado en su momento al Juzgado de Instrucción, bajo cuyo control se realizan las diligencias .../... En consecuencia la cadena de custodia se ha respetado, el depósito y análisis de la droga se ha realizado por el organismo competente y bajo control judicial, por lo que no cabe apreciar posibilidad alguna de vulneración del derecho a un proceso con todas las garantías denunciado como supuestamente infringido». STS Sala Segunda, de lo Penal, Sentencia 873/2001 de 18 May. 2001, Rec. 1572/1999; Ponente: Conde-Pumpido Tourón, Cándido. LA LEY 100650/2001.

(29) Aunque la Fiscalía General del Estado ha insistido en la necesidad de someter a contradicción estos informes periciales. Así lo ordena en la Instrucción 9/91, de 26 de diciembre. La citada Instrucción ordena en esta materia a los Fiscales: 1.º Que insten en fase instructora la ratificación contradictoria de los análisis como prueba anticipada y preconstituida, procurando que la ratificación por el perito, con citación de las partes y del Ministerio Fiscal se haga el mismo día, en horas sucesivas, en los Juzgados que sustancien varias causas por tráfico ilegal de drogas, y 2.º Que cuando no se haya propuesto prueba pericial por ninguna de las partes en el trámite del art. 656 de la LECrim. Soliciten en el acto del juicio oral la reproducción de la pericia con la lectura del análisis documentado o, en su caso, de la diligencia que recoja la prueba preconstituida. Este criterio también ha sido acogido por el TC que ha declarado que «la reproducción en el plenario ha de ser efectiva, sin que sea suficiente la fórmula de uso forense de dar la pericia por reproducida (STC 150/87, de 1 octubre), siendo bastante, sin embargo, para que haya debate contradictorio en el plenario, la lectura de la pericia documentado (SSTC 201/89 y 24/91)».

(30) «Como el propio recurrente acepta, la sustancia incautada fue depositada en esa entidad y, lo cierto, es que se hizo de un día para otro, es decir, en un tiempo razonable. Por otro lado, lo cierto es que no se discute que fuera hachís, que es por lo que se produce la condena, ya que los propios acusados lo aceptan. Y, en último término, la destrucción sin contar con el Fiscal y con la parte, si puede decirse connotada de cierta irregularidad formal, también es verdad que los recurrentes no se vieron privados por ese motivo de la posibilidad de realizar alguna prueba analítica de contraste, por la que no han expresado ningún interés». STS 21 de marzo de 2002.

aprobada por el pleno de esta Sala ... que atribuye valor probatorio a los informes periciales remitidos por los organismos oficiales, aunque no se hayan ratificado en el juicio oral, si ninguna de las partes pidió tal ratificación». STS Sala Segunda, de lo Penal, Sentencia de 12 Ene. 2000, Rec. 642/1998; Ponente: Marañón Chávarri, José Antonio. LA LEY 3258/2000.

A) *Destrucción de sustancias estupefacientes o efectos que violen la propiedad intelectual o industrial. Realización anticipada de efectos judiciales*

El art. 367. ter LECrim establece una excepción al criterio general de depósito de los instrumentos, armas y efectos del delito para el caso de las sustancias estupefacientes que en razón del peligro de su almacenamiento y custodia se destruirán inmediatamente, previa audiencia del Fiscal y las partes, dejándose muestras suficientes para garantizar ulteriores comprobaciones.

«Las disposiciones tradicionales de nuestra Ley de Enjuiciamiento Criminal sobre el cuerpo del delito (artículos 334 a 367) deben ser actualizadas a luz de la evolución de las normas reguladoras de la actuación de la Policía Judicial y teniendo en cuenta la naturaleza y características del hecho que se está investigando. Asimismo se deben tener en cuenta las últimas disposiciones legales (Ley 4/1984, de 9 de marzo y Ley 21/1994, de 6 de julio) que modifican sustancialmente el artículo 338 de la Ley de Enjuiciamiento Criminal en lo que respecta a la destrucción del cuerpo del delito cuando se trata de drogas o estupefacientes. Sobre esta materia actúan también otras disposiciones legales de carácter singular y varios tratados internacionales firmados por España e incorporados a nuestro ordenamiento jurídico. En su virtud, las sustancias estupefacientes decomisadas a los infractores de la normativa vigente serán entregadas a los Servicios Oficiales de Control de Estupefacientes. Se justifica una decisión de esta naturaleza ante los gravísimos problemas, de todo orden, que plantea el almacenamiento y custodia de estas sustancias». STS Sala Segunda, de lo Penal, Sentencia 1223/2000 de 8 Jul. 2000, Rec. 4465/1998; Ponente: Martín Pallín, José Antonio. LA LEY 9963/2000.

Esta excepción se extiende a los efectos intervenidos contra la propiedad intelectual e industrial, una vez que tales efectos hayan sido examinados pericialmente (art. 367.ter.3 LECrim).

La intervención de las sustancias, o efectos, y posterior remisión al órgano oficial encargado de sus destrucción se lleva a cabo directamente, sin que ello suponga un vicio relevante que ocasione indefensión; ya que nada impide que la parte pueda contradecir el análisis o solicitar una pericia alternativa.

«Es cierto que se imposibilitó su realización al destruirse la droga por orden de la Fiscalía Antidroga y sin la autorización judicial, infringiéndose lo dispuesto en el artículo 338 de la Ley de Enjuiciamiento Criminal. Esta cuestión carece en este caso de relevancia desde la perspectiva constitucional en que se plantea, al no suponerle a la acusada una verdadera y real indefensión. En efecto: A) Por lo que se refiere a la naturaleza de la sustancia, los testimonios de los funcionarios intervinientes y el dictamen pericial de Sanidad afirman que se trataba de "hachís".../... B) En cuanto a cantidad y composición la doctrina de esta Sala viene señalando que en los productos cannábicos, cuyo tipo es el cannabis índico o hachís, el límite de la cantidad a partir de la cual puede conceptuarse como notoria importancia, en su apreciación

579

cuantitativa es un kilogramo, atendiendo al peso bruto de la sustancia aprehendida y con independencia del porcentaje de pureza atribuible, en definitiva del grado de concentración de tetrahidrocannabinol que acuse .../... En este caso se trata de 540 kilogramos de hachís, de modo que aun admitiendo un amplísimo margen para el error en la composición y en el peso señalado en el peritaje, es evidente que la cantidad aprehendida supera de tal manera los límites determinantes del subtipo de "notoria importancia", que el posible resultado de cualquier otro análisis de la sustancia no alteraría esa apreciación». STS Sala Segunda, de lo Penal, Sentencia de 29 Mar. 1999, Rec. 1414/1998. Ponente: Prego de Oliver Tolivar, Adolfo. LA LEY 3836/1999.

La Ley también prevé que puedan realizarse los efectos judiciales (que serán todos aquellos bienes que hayan sido puestos a disposición judicial, embargados, incautados o aprehendidos en el curso de un procedimiento penal —art. 367 bis LECrim—), de lícito comercio, sin esperar al pronunciamiento o firmeza del fallo y siempre que no se trate de piezas de convicción o que deban quedar a expensas del procedimiento. Expresamente la Ley se refiere a los bienes que se hallen en alguna de las siguientes situaciones: que sean perecederos; que su propietario haga expreso abandono de ellos; cuando los gastos de conservación y depósito sean superiores al valor del objeto en sí; cuando su conservación pueda resultar peligrosa para la salud o seguridad pública, o pueda dar lugar a una disminución importante de su valor, o pueda afectar gravemente a su uso y funcionamiento habituales; cuando se trate de efectos que, sin sufrir deterioro material, se deprecien sustancialmente por el transcurso del tiempo; Cuando, debidamente requerido el propietario sobre el destino del efecto judicial, no haga manifestación alguna. En estos casos el Juez, de oficio o a instancia del Ministerio Fiscal o de las partes, y previa audiencia del interesado, podrá acordar su realización, que podrá consistir en:

— La entrega a entidades sin ánimo de lucro o a las Administraciones públicas.

— La realización por medio de persona o entidad especializada.

— La subasta pública (art. 367 quáter y quinquies).

B) *Entrega o circulación vigilada de drogas, u otros equipos materiales y sustancias*[31]

Al objeto de facilitar las investigaciones en materia de tráfico de drogas, la LO 8/92, de 23 de diciembre introdujo en la LECrim el art. 263 bis, incluido en el Título Primero del Libro II. Esta ubicación sistemática no parece correcta, ya que el citado artículo se inserta en sede de denuncia, cuando lógicamente se trata de un acto especial de investigación y comprobación judicial. En cualquier caso, este precepto permite la circulación o entrega vigilada de drogas tóxicas, estupefacientes o sustancias psicotrópicas, así como de otras sustancias prohibidas, con la finalidad de descubrir o identificar a las personas involucradas en la comisión de delitos en materia de drogas. Posteriormente, la LO 5/1999 modificó el art. 263.bis para extender la aplicación del

---

(31) Vid. PRIETO RODRÍGUEZ, *El delito de tráfico y el consumo de drogas en el ordenamiento jurídico español*, Pamplona, 1993. RODRÍGUEZ FERNÁNDEZ, R., «Comentarios a la LO 5/99 de "entrega vigilada" y el "agente encubierto"». *Actualidad Jª Aranzadi* nº 380, 1999.

precepto a otras sustancias o bienes: bienes materiales, objetos y especies animales y vegetales, moneda falsa, armas, etc.[32].

«El fundamento de la entrega vigilada de drogas tóxicas, estupefacientes o sustancias psicotrópicas es legitimar una cadena de custodia que en principio desborda la legalidad estricta de actuación de la policía judicial en aras del interés de la investigación y el descubrimiento de los culpables, pero no en sentido estricto preservar los derechos fundamentales del imputado, es decir, desde esta perspectiva, incluso de la falta de autorización no puede seguirse sin más la nulidad del resto de las diligencias de prueba». STS Sala Segunda, de lo Penal, Sentencia 723/2013 de 2 Oct. 2013, Rec. 10371/2013. Ponente: Saavedra Ruiz, Juan. LA LEY 154013/2013.

Según el apartado 2.º del art. 263 bis LECrim se entenderá por circulación o entrega vigilada la técnica consistente en permitir que remesas ilícitas o sospechosas de drogas y sustancias por las que se hayan sustituido las anteriormente citadas, circulen por territorio español o salgan o entren en él sin interferencia obstativa de la Autoridad o sus Agentes. Estas sustancias estarán bajo la vigilancia de la Autoridad con el fin de descubrir o identificar a las personas involucradas en la comisión de algún delito relativo a tráfico de drogas. Esta circulación o entrega deberá autorizarse caso por caso, debiendo respetar lo dispuesto en los Tratados internacionales sobre esta cuestión.

«Cuál es el régimen jurídico al que debe ajustarse la circulación y entrega vigilada de drogas que prevé el art. 263 bis LECrim (LA LEY 1/1882), y si se cumplieron o no sus presupuestos en este caso. Al respecto, destacamos con la STS núm. 766/2008, de 27 de noviembre (LA LEY 189441/2008), que dicho precepto somete a autorización judicial la adopción de una medida de investigación de esas características por la conveniencia de no sustraer al control jurisdiccional la práctica de diligencias policiales, tan útiles para los fines del sumario como potencialmente arriesgadas, por lo que entrañan de momentánea pérdida de control de piezas de convicción y remesas ilícitas de drogas y otras sustancias tóxicas. Ahora bien, el hecho de que esta decisión pueda ser adoptada no sólo por el Juez de instrucción, sino también por el Ministerio Fiscal o por los Jefes de las Unidades Orgánicas de Policía Judicial —centrales o de ámbito provincial—, así como por sus mandos superiores, refleja bien a las claras que no son la intimidad del imputado ni el derecho al secreto de las comunicaciones [excepción hecha, claro está, de los casos a los que se refiere el art. 263 bis (LA LEY 1/1882) 4 LECrim., los que tratan de preservarse con la requerida autorización. Esta resolución habilitante busca evitar espacios incontrolados en el marco de una investigación policial, pero no constituye —fuera de los supuestos mencionados—

---

(32)   Respecto a la reforma del art. 263 bis LECrim, en la regulación anterior la entrega vigilada se refería, únicamente, al delito de tráfico de drogas. La LO 5/1999 extiende su ámbito, con la finalidad de conseguir más eficacia en su represión, a otras formas de criminalidad organizada en concordancia con la obligación impuesta a los Estados Parte en el artículo 11 de la Convención de las Naciones Unidas contra el tráfico ilícito de estupefacientes y sustancias psicotrópicas, hecho en Viena el 20 de diciembre de 1988. El art. 11.1 de la Convención dispone: «Si lo permiten los principios fundamentales de sus respectivos ordenamientos jurídicos internos, las Partes adoptarán las medidas necesarias, dentro de sus posibilidades, para que se pueda utilizar de forma adecuada, en el plano internacional, la técnica de entrega vigilada, de conformidad con acuerdos o arreglos mutuamente convenidos, con el fin de descubrir a las personas implicadas en delitos tipificados de conformidad con el párrafo 1 del art. 3 y de entablar acciones legales contra ellas».

presupuesto de legitimidad para la injerencia en ningún derecho fundamental. De ahí que implique un notable desenfoque el razonamiento de la parte recurrente cuando pretende vincular una posible infracción de lo previsto en el art. 263 bis) LECrim (LA LEY 1/1882) con la vulneración de derechos fundamentales supuestamente convergentes, que relaciona con el derecho al proceso con todas las garantías». STS Sala Segunda, de lo Penal, Sentencia 723/2013 de 2 Oct. 2013, Rec. 10371/2013. Ponente: Saavedra Ruiz, Juan. LA LEY 154013/2013.

Especialmente importante en esta materia es el Convenio de Schengen, al que está adherida España, de 19 de junio de 1990. En el art. 73 de este Convenio se prevé la posibilidad de recurrir a entregas vigiladas, cuya decisión se adoptará en cada caso concreto basándose en una autorización previa de la Parte contratante. En consecuencia, el art. 263.bis LECrim dota a nuestra Ley de enjuiciamiento de un instrumento legal correlativo a lo previsto en el Convenio de Schengen.

Podrán autorizar la circulación o entrega vigilada el Juez de Instrucción competente, el Ministerio Fiscal, así como los Jefes de las Unidades Orgánicas de Policía Judicial de ámbito provincial y sus mandos superiores. Obsérvese que los responsables de la Policía podrán autorizar tales actuaciones directamente, sin autorización judicial previa. No obstante, una vez efectuada la operación deberán dar cuenta inmediata a la Fiscalía Especial de drogas y si existiere procedimiento judicial abierto, al Juez de Instrucción competente.

«B) El art. 263 bis LECrim. (LA LEY 1/1882) establece que "el Juez de Instrucción competente y el Ministerio Fiscal, así como los Jefes de las Unidades Orgánicas de Policía Judicial, centrales o de ámbito provincial, y sus mandos superiores podrán autorizar la circulación o entrega vigilada de drogas tóxicas, estupefacientes o sustancias psicotrópicas, así como de otras sustancias prohibidas. Esta medida deberá acordarse por resolución fundada, en la que se determine explícitamente, en cuanto sea posible, el objeto de autorización o entrega vigilada, así como el tipo y cantidad de la sustancia de que se trate. Para adoptar estas medidas se tendrá en cuenta su necesidad a los fines de investigación en relación con la importancia del delito y con las posibilidades de vigilancia. El Juez que dicte la resolución dará traslado de copia de la misma al Juzgado Decano de su jurisdicción, el cual tendrá custodiado un registro de dichas resoluciones"». ATS Sala Segunda, de lo Penal, Auto 76/2017 de 15 Dic. 2016, Rec. 1451/2016, Ponente: Marchena Gómez, Manuel. LA LEY 201701/2016.

A este respecto, la jurisprudencia ha declarado que el art. 263 bis contempla dos supuestos distintos: «Uno es el caso de que se disponga de constancia fehaciente de la presencia de drogas en el paquete porque se ha procedido a su apertura y otro distinto, aquel en que sólo se dispone de sospechas sobre su existencia. Cuando solamente se tienen sospechas del contenido de drogas, sustancias estupefacientes o psicotrópicas, y no existe un procedimiento judicial abierto, la propia policía judicial puede decidir que los paquetes o bultos sigan su circulación hasta su punto de destino con objeto de descubrir o identificar a las personas involucradas en la comisión del delito» (ATS Sala Segunda, de lo Penal, Auto 557/2000 de 3 Mar. 2000, Rec. 1537/1999; Ponente: Martínez Arrieta, Andrés. LA LEY 246218/2000)

La interceptación y apertura de los envíos postales sospechosos podrá efectuarse para sustituir, en su caso, la droga que hubiese en su interior, lo que se llevará a cabo con control judicial, con excepción de la presencia del interesado, por razones obvias de eficacia de la entrega vigilada.

«3. Conforme a lo expuesto nos hallamos ante un transporte en que el objeto por sus características externas no se acomoda a lo que es la correspondencia postal; se trata de un transporte de mercancías declaradas, cuya realidad deben comprobar los agentes de aduanas, además de lucir "la etiqueta verde", indicativa del transporte de mercancías; luego en modo alguno se vulnera el derecho al secreto de las comunicaciones. Tampoco puede argüirse si debió ser citado a la apertura de paquete su destinatario, pues en una investigación policial, no siempre la persona indicada como destinatario responde a la realidad, lo que obliga, como diligencia de investigación que la policía judicial averigüe quien se halla implicado en el delito, lo que se frustraría, si se llamara a una concreta persona, la finalmente indicada en el envío». STS 577/2015 de 6 Oct. 2015, Rec. 10312/2015; Ponente: Soriano Soriano, José Ramón. LA LEY 144824/2015.

Por último, téngase en cuenta que el tráfico de estupefacientes se configura estructuralmente como delito de peligro abstracto y consumación anticipada, cuya punibilidad se asienta en la situación de eventual peligro que nace de las conductas descritas en la figura penal. Es por ello que el delito se entiende consumado desde que se inicia el envío, siempre que exista convenio con el receptor[33].

«Es doctrina consolidada que si el acusado hubiese participado en la solicitud u operación de importación, o bien figurase como destinatario de la misma, debe estimársele autor de un delito consumado, por tener la posesión mediata de la droga remitida (SSTS 2108/1993 27 de septiembre, 383/94, 23 de febrero, 947/1994 5 de mayo, 1226/1994, 9 de septiembre, 357/1996, 23 de abril, 931/98, 8 de julio y 1000/1999, 21 de junio). Reitera la STS 1594/99, 11 de noviembre, que en envíos de droga el delito se consuma siempre que existe un pacto o convenio entre los implicados para llevar a efecto la operación, en cuanto que, en virtud del acuerdo, la droga queda sujeta a la solicitud de los destinatarios, siendo indiferente que no se hubiese materializado una detentación física del producto. En la sentencia 1567/1994, 12 de septiembre, se pone de relieve que, al existir un pacto entre el remitente y el recep-

_____

(33)   «Cita nuestra STS 39/2015, de 4 de febrero (LA LEY 4626/2015), que a propósito de un envío de cocaína por correo, declara que el hecho de figurar como destinatario del paquete es un indicio relevante, pero no concluyente por sí solo, cuando, como es el caso, no resulta corroborado por ningún otro dato probatorio. El Tribunal Constitucional en STC 137/2002, de 3 de junio (LA LEY 6260/2002) entendió, en un caso de particular similitud con el que se examina, que ni siquiera la condición de amigo del remitente de un paquete con una droga ilegal en su interior, autorizaba, sin más, a inferir el conocimiento de este contenido ni la connivencia en el envío de quien aparecía como destinatario. Por ello, sigue argumentando la citada Sentencia de este Tribunal Supremo (la 39/2015 (LA LEY 4626/2015)), que de atribuirse al acusado la implicación en el tráfico de cocaína de que se trata, en virtud del indicio representado por su calidad de destinatario, valorado conforme a la máxima de experiencia consistente en el criterio de que un envío de esa clase e importancia no se hace a cualquiera que no tuviera que ver con él, se estaría estableciendo implícitamente una regla de prueba legal que podría formularse así: a partir de una cantidad de droga de un determinado valor, todo aquel al que se remita por correo un paquete con tal clase de contenido, será considerado autor de un delito de tráfico de estupefacientes. Y no resulta necesario explicar por qué, en un régimen probatorio fundado en el criterio de libre convicción racional éste es un principio ciertamente insostenible». STS Sala Segunda, de lo Penal, Sentencia 232/2017 de 4 Abr. 2017, Rec. 1891/2016; Ponente: Sánchez Melgar, Julián. LA LEY 41402/2017.

tor, es atribuible a éste la posesión mediata de la droga, sin que la interceptación del estupefaciente suponga óbice alguno para estimar que el destinatario del mismo ha realizado de forma completa el acto de tráfico. Según se afirma en la STS 162/1997, 12 de febrero, el haber proporcionado un domicilio y un destinatario del envío de la droga, implica una colaboración que facilita la comisión del delito, y en la STS 887/1997, 21 de junio, se razona que el tráfico existe desde que una de las partes pone en marcha el mecanismo de transporte de la droga, que el receptor había previamente convenido». ATS Sala Segunda, de lo Penal, Auto 1480/2016 de 29 Sep. 2016, Rec. 577/2016. Ponente: Ferrer García, Ana María. LA LEY 151251/2016.

A este respecto la doctrina general es la de entender consumado el delito cuando el acusado llega a hacerse cargo de la droga, mientras que se entiende cometido en grado de tentativa cuando el autor, sin participación previa en el envío, ha intentado hacerse con la droga sin haber logrado su disponibilidad efectiva.

2.6. Identificación del delincuente y de sus circunstancias personales[34]

Debe distinguirse entre la identificación material y formal del delincuente. La primera tiene como objeto averiguar la persona que ha cometido un hecho delictivo. La segunda consiste en establecer los datos o circunstancias del presunto delincuente.

A) Identificación material: Reconocimiento fotográfico y en rueda[35]. Cotejo de muestras biológicas

La identificación material del delincuente es necesaria para dirigir el proceso penal contra una persona determinada. Para el caso que se produzcan dudas sobre su identidad la Ley establece un procedimiento de reconocimiento en rueda por medio de una diligencia documentada, que podrá acordarse a instancia de las partes personadas, incluso del propio inculpado (art. 368 y ss. LECrim). Pero, de modo previo y complementario a esta diligencia, y a pesar que la ley no se refiere expresamente a ella, resulta habitual que se identifique al acusado ante la Policía mediante la exhibición de fotografías. De este modo podemos distinguir, siquiera a efectos sistemáticos, entre estas diligencias.

a) Reconocimiento fotográfico

Esta práctica es admitida y consolidada en la jurisprudencia. Así, el TS declara que la diligencia de exhibición fotográfica supone una vía de iniciación, a veces necesaria, de la investigación del delito por la Policía (Véase M. 72).

«El reconocimiento fotográfico, como medio de investigación tiene sentido cuando no ha sido señalado ningún sospechoso o cuando ha sido señalado con dudas, con la finalidad de poder identificar a través de este medio al posible autor del delito

---

(34) Véase RICHARD GONZÁLEZ Manuel, «Comentario a las SSTS, Sala Segunda, de lo Penal, Nº 712/2016 de 21 de septiembre de 2016 y de 25 mayo de 2016, LA LEY 55772/2016, sobre la identificación del delincuente mediante el reconocimiento fotográfico y en rueda como diligencias de identificación no exclusivas ni excluyentes». *La Ley*. nº 8861, 11 noviembre 2016.

(35) Véase ALONSO PÉREZ F., «La llamada diligencia de reconocimiento fotográfico», *La Ley* 5663, 2002.

investigado. Cuando ha sido señalado algún sospechoso con razonable seguridad debe procederse a la búsqueda del mismo para la práctica en su caso de una diligencia de reconocimiento en rueda. Por ello carece de sentido realizar un reconocimiento fotográfico cuando el sospechoso se encuentra detenido, así se señala en SSTS 1595/98 de 22.12, 1638/2001 de 21.9, indicando que en tales casos procede realizar el reconocimiento en rueda». STS Sala Segunda, de lo Penal, Sentencia 353/2014 de 8 May. 2014, Rec. 1234/2013. Ponente: Berdugo Gómez de la Torre, Juan Ramón. LA LEY 69454/2014.

Por tanto, se trata de un acto de investigación admitido jurisprudencialmente que facilita una posterior identificación del presunto responsable mediante posteriores averiguaciones o, en su caso, mediante una diligencia de reconocimiento en rueda al efecto de señalar un posible autor del delito[36].

«Las SSTS 901/2014 de 30 de diciembre (LA LEY 189943/2014); 353/2014 de 8 de mayo (LA LEY 69454/2014); 16/2014 de 30 de enero (LA LEY 2495/2014); 525/2011 de 8 de junio (LA LEY 98659/2011); 169/2011 (LA LEY 6093/2011) de 22 de marzo y 331/2009 de 18 de mayo (LA LEY 99214/2009), incluyen entre las herramientas de investigación al alcance de la Policía, el reconocimiento fotográfico, que permite concretar en una determinada persona, de entre la multitud de hipotéticos sospechosos, las pesquisas conducentes a la obtención de todo un completo material probatorio susceptible de ser utilizado en su momento en sustento de las pretensiones acusatorias». STS 18/2017 de 20 Ene. 2017, Rec. 10261/2016; Ponente: Ferrer García, Ana María. LA LEY 1296/2017.

Esta previa identificación fotográfica no precisará la asistencia de abogado, ya que, por lo general, la diligencia tiene por finalidad averiguar la identidad del imputado; sin que por esa causa queden contaminadas las sucesivas diligencias de reconocimiento en rueda, que pudieran practicarse.

«La necesidad de presencia de letrado en los reconocimientos fotográficos ha sido valorada por la jurisprudencia, SSTS 674/99 de 10.5, 1479/99 de 19.10, 1263/2003 (LA LEY 2838/2003) de 25.9, llegando a la conclusión de que no es precisa ni coherente la presencia de las personas cuyas fotografías van a ser mostradas asistidas de letrado en una diligencia que pretende identificar entre varias o múltiples fotografías o la persona sospechosa de haber cometido un delito, tratándose además de una simple diligencia de investigación, la STS 347/2002 de 1.3, recuerda que no se puede pretender que todas las personas cuyas fotografías sean mostradas estén físicamente presentes y asistidas de letrado con ocasión de esa exhibición». STS Sala Segunda, de lo Penal, Sentencia 353/2014 de 8 May. 2014, Rec. 1234/2013. Ponente: Berdugo Gómez de la Torre, Juan Ramón. LA LEY 69454/2014.

---

(36) «Que el reconocimiento fotográfico realizado en sede policial, mediante la exhibición de un álbum o serie de fotografías de delincuentes conocidos que por sus "modus operandi" pueden ser sospechosos de haber cometido el delito que se persigue, constituye diligencia legítima de iniciación de la investigación dirigiéndola contra la concreta persona reconocida por aquel medio o técnica generalmente utilizada en la práctica de todas las Policías de los distintos países; diligencia cuyo valor es de naturaleza preprocesal por lo que no constituye por sí sola una prueba, aunque puede traerse al juicio por otros medios probatorios de los procesalmente admisibles; es decir, que carece de virtualidad probatoria en sí, pero puede tener eficacia cuando se corrobora en trámite judicial y se ratifica en las sesiones del juicio oral». STS Sala Segunda, de lo Penal, Sentencia 1051/2000 de 15 Jun. 2000, Rec. 1837/1998; Ponente: Prego de Oliver Tolivar, Adolfo. LA LEY 8689/2000.

Pero si existiera una situación de detención o imputación debe asistir el abogado del imputado[37]. En cualquier caso, el Tribunal Supremo ha declarado que su inasistencia en tal caso no contamina la posterior diligencia en rueda, realizada ya con asistencia de abogado.

> «A salvo quedaría la posibilidad de que se realizase un reconocimiento fotográfico cuando la persona sospechosa ya está detenida. En este supuesto si sería factible admitir que es precisa la presencia del que puede ser reconocido asistido de letrado, pues cuando existe un sospechoso detenido si se sustrae la diligencia de identificación del control del abogado defensor, puede comprometerse el derecho de defensa del investigado, si se tiende a sustituir el álbum de fotografías con el número más plural posible de clichés fotográficos por un número más reducido, sin dar oportunidad al letrado de cómo controlar e impugnar la composición de la muestra fotográfica —la STC 36/95 de 6.2 otorgó amparo en supuesto de identificación por fotografías a quien ya se encontraba detenido por falta de neutralidad del investigador, dado que la propia testigo reconoció que ya antes del reconocimiento tuvo ocasión de ver a la acusada y que fue informada por los funcionarios policiales de que ésta había sido detenida por la comisión de actos muy semejantes a los que se cometieron en relación con ella—. El incumplimiento de tal formalidad podría provocar la nulidad de la diligencia pero ello no determinaría la nulidad del posterior reconocimiento en rueda cumpliendo las exigencias y garantías legales y constitucionales». STS Sala Segunda, de lo Penal, Sentencia 353/2014 de 8 May. 2014, Rec. 1234/2013. Ponente: Berdugo Gómez de la Torre, Juan Ramón. LA LEY 69454/2014.

Los requisitos de la identificación fotográfica son varios y tienen por finalidad no afectar el criterio del testigo que no debe estar compelido por ninguna circunstancia moral o material que predetermine su identificación. Lo cual podría pasar si se muestra una sola fotografía o varias con una destacada especialmente. O los agentes predeterminan o inducen de algún modo el reconocimiento del testigo.

> «Existen factores intraprocesales que pueden afectar a la fiabilidad del reconocimiento, y que obligan a constatar que el procedimiento de reconocimiento se ha llevado a efecto en todas las fases de la investigación policial y judicial en las mejores condiciones posibles, sin dar lugar a sesgos condicionados por los propios investigadores (STS 901/2014 de 30 de diciembre (LA LEY 189943/2014) y 337/2015 de 24 de mayo (LA LEY 79685/2015)). En palabras de la STS 353/2014 de 8 de mayo (LA LEY 69454/2014), la diligencia quedaría gravemente viciada si los funcionarios policiales dirigen a los participantes en la identificación cualquier sugerencia, o indicación, por leve o sutil que fuera, acerca de la posibilidad de cualquiera de las identidades de

---

(37) «Es cierto que en los reconocimientos fotográficos realizados por .../... no estuvo presente el Abogado del acusado, lo que no deja de sorprender porque pudo estarla ya que aquél fue detenido y solicitó ser asistido por Letrado del turno de oficio el día 13 de mayo de 1997 —folios 21 y 36— y aquellas diligencias policiales se celebraron al día siguiente. Pero lo decisivo es que los dos mencionados perjudicados, meses más tarde, en diligencia de reconocimiento en rueda celebrada en el Juzgado de Instrucción con asistencia de Letrado, reconocieron sin dudas al acusado y que en el acto del juicio oral ratificaron su reconocimiento, sin que pueda decirse que en ambas ocasiones sus manifestaciones en el indicado sentido estuvieran determinadas por la primitiva diligencia policial de identificación fotográfica». STS Sala Segunda, de lo Penal, Sentencia 92/2002 de 1 Feb. 2002, Rec. 756/2000, Ponente: Jiménez Villarejo, José. LA LEY 26668/2002.

los fotografiados». STS 18/2017 de 20 Ene. 2017, Rec. 10261/2016; Ponente: Ferrer García, Ana María. LA LEY 1296/2017.

Los requisitos de la diligencias se relacionan de una forma muy clara en la STS de 18 de mayo de 2009. Estos son los siguientes: a) Que se muestren un número plural de fotografías con personas de distintas fisonomías coincidentes con la declaración del testigo, b) Que de ser varios testigos examinen las fotografías independientemente unos de otros, c) Lo funcionarios policiales deben abstenerse de dirigir a los testigos o formular sugerencia o indicación de ninguna clase, d) la diligencias se documentará incorporando al atestado la página del álbum exhibido donde se encuentra la fisonomía del identificado con la firma, sobre esa imagen, del declarante, así como cuantas manifestaciones de interés (certezas, dudas, reservas, ampliación de datos, etc.) éste haya podido expresar al tiempo de llevar a cabo la identificación[38].

«... b) Se realice mediante la exhibición de un número lo más plural posible de clichés fotográficos, integrado por fisonomías que, al menos algunas de ellas, guarden entre sí ciertas semejanzas en sus características físicas (sexo, edad aproximada, raza, etc.), coincidentes con las ofrecidas inicialmente, en sus primeras declaraciones, por quien procede a la identificación. c) Asimismo que, de ser varias las personas convocadas a identificar, su intervención se produzca independientemente unas de otras, con la necesaria incomunicación entre ellas, con la lógica finalidad de evitar recíprocas influencias y avalar la apariencia de "acierto" que supondría una posible coincidencia en la identificación por separado. Incluso en este sentido, para evitar más aún posibles interferencias, resulta aconsejable alterar el orden de exhibición de

---

(38)   Véase también respecto a los requisitos de la diligencia la STS Sala Segunda, de lo Penal, Sentencia 353/2014 de 8 May. 2014, Rec. 1234/2013. Ponente: Berdugo Gómez de la Torre, Juan Ramón. LA LEY 69454/2014, que dispone que: «viene requiriéndose que:

a) La diligencia se lleve a cabo en las dependencias policiales, bajo la responsabilidad de los funcionarios, Instructor y Secretario, encargados del atestado, que fielmente habrán de documentarla. b) Se realice mediante la exhibición de un número lo más plural posible de clichés fotográficos, integrado por fisonomías que, al menos algunas de ellas, guarden entre sí ciertas semejanzas en sus características físicas (sexo, edad aproximada, raza, etc.), coincidentes con las ofrecidas inicialmente, en sus primeras declaraciones, por quien procede a la identificación. c) Asimismo que, de ser varias las personas convocadas a identificar, su intervención se produzca independientemente unas de otras, con la necesaria incomunicación entre ellas, con la lógica finalidad de evitar recíprocas influencias y avalar la apariencia de "acierto" que supondría una posible coincidencia en la identificación por separado. Incluso en este sentido, para evitar más aún posibles Interferencias, resulta aconsejable alterar el orden de exhibición de los fotogramas para cada una de esas intervenciones. d) Por supuesto que quedaría gravemente viciada la diligencia si los funcionarios policiales dirigen a los participantes en la identificación cualquier sugerencia, o indicación, por leve o sutil que fuera, acerca de la posibilidad de cualquiera de las identidades de los fotografiados. e) Y, finalmente, de nuevo para evitar toda clase de dudas sobrevenidas, la documentación de (a diligencia deberá incorporar al atestado la página del álbum exhibido donde se encuentra la fisonomía del identificado con la firma, sobre esa imagen, del declarante, así como cuantas manifestaciones de interés (certezas, dudas, reservas, ampliación de datos, etc.) éste haya podido expresar al tiempo de llevar a cabo la identificación. Este proceso se cierra, en dos diferentes fases ya de claro carácter procesal y, por ende, con posibilidad de plenos efectos en este ámbito, ante sendas Autoridades judiciales: en primer lugar, en nueva "rueda", constituida y practicada con respeto a la norma procesal, ante el *juez* de Instrucción, con la posterior ratificación e interrogatorio contradictorio al respecto en el acto del Juicio oral, a presencia del Juzgador a quien, en definitiva compete la valoración sobre la credibilidad o el acierto de esa identificación».

los fotogramas para cada una de esas intervenciones. d) Por supuesto que quedaría gravemente viciada la diligencia si los funcionarios policiales dirigen a los participantes en la identificación cualquier sugerencia, o indicación, por leve o sutil que fuera, acerca de la posibilidad de cualquiera de las identidades de los fotografiados. e) Y, finalmente, de nuevo para evitar toda clase de dudas sobrevenidas, la documentación de la diligencia deberá incorporar al atestado la página del álbum exhibido donde se encuentra la fisonomía del identificado con la firma, sobre esa imagen, del declarante, así como cuantas manifestaciones de interés (certezas, dudas, reservas, ampliación de datos, etc.) éste haya podido expresar al tiempo de llevar a cabo la identificación». STS 18 mayo de 2009, LA LEY 99214/2009.

En su virtud, un especial requisito para validez de la diligencia será que se exhiban varias fotografías en el mismo formato, mostradas en un álbum o serie de fotografías.

«a) La diligencia se lleve a cabo en las dependencias policiales, bajo la responsabilidad de los funcionarios, Instructor y Secretario, encargados del atestado, que fielmente habrán de documentarla. b) Se realice mediante la exhibición de un número lo más plural posible de clichés fotográficos, integrado por fisonomías que, al menos algunas de ellas, guarden entre sí ciertas semejanzas en sus características físicas (sexo, edad aproximada, raza, etc.), coincidentes con las ofrecidas inicialmente, en sus primeras declaraciones, por quien procede a la identificación». STS Sala Segunda, de lo Penal, Sentencia 353/2014 de 8 May. 2014, Rec. 1234/2013. Ponente: Berdugo Gómez de la Torre, Juan Ramón. LA LEY 69454/2014.

Aunque, puede darse el caso en el que se exhiba una única fotografía por distintas razones. Por ejemplo cuando se pretende confirmar la identidad del sospechoso huido que dejó abandonado un documento con su fotografía en la escena del crimen.

«Las objeciones de la defensa al reconocimiento fotográfico no son aceptables. Como apuntan los Jueces de instancia, en el presente supuesto no se trata de un reconocimiento fotográfico por parte de las víctimas de un delito con la finalidad de identificar a su autor. La policía no exhibe un conjunto ordenado de fotografías. Se trata de un pasaporte con la fotografía del titular del mismo, documento que acaba de ser abandonado en la precipitada huida y que permite identificar a uno de los autores del hecho». STS 754/2016 de 13 Oct. 2016, Rec. 10244/2016. Ponente: Marchena Gómez, Manuel. LA LEY 142441/2016.

O cuando se exhibe una fotografía a efectos de concretar el aspecto actual y otras circunstancias, y no estrictamente la identificación, en cuyo caso, no existiría infracción alguna[39]. O en el caso del que conoce la STS 21 septiembre 2016. N.º de Recurso: 10136/2016. N.º de Resolución: 712/2016, Ponente: Marchena Gómez, Manuel. LA LEY 125669/2016, en la que se solicita a la víctima que reconozca al

---

(39) «En este caso, ni siquiera es una diligencia de identificación, ya que el testigo conoce al recurrente, por tanto lo individualiza respecto a otros, y dicha diligencia es de comprobación de la identidad, en el sentido de concretar su nombre y apellidos, que no es exactamente lo mismo que el reconocimiento en rueda de la Ley de Enjuiciamiento Criminal que se verifica para individualizar, e identificar al posible autor. El motivo, pues, ha de rechazarse». STS Sala Segunda, de lo Penal, Sentencia 254/2002 de 19 Feb. 2002, Rec. 659/2000; Ponente: Móner Muñoz, Eduardo. LA LEY 38919/2002.

presunto responsable a partir de una fotografía de grupo (12 personas) que localiza la policía a partir de sus investigaciones[40].

El resultado del reconocimiento fotográfico será valorable independientemente del posterior reconocimiento en rueda, aún en el supuesto de que este resulte negativo. Téngase presente, en ese sentido, que el reconocimiento fotográfico no es una diligencia necesaria y su práctica, sea cual sea su resultado, no excluye posteriores diligencias de identificación.[41]

«La doctrina de esta Sala, recogida entre otras en las STS 330/2014 de 23 de abril (LA LEY 46734/2014) o 675/2015 de 3 de noviembre, señala que los reconocimientos

---

(40) «El proceso de localización e identificación de los asaltantes de la morada de la víctima se inicia a partir del hallazgo sobre una cama de una de las habitaciones en la que estuvieron los asaltantes, de una figura que se correspondía con el tipo de obsequio que suele darse con motivo de la celebración de un bautismo (una figura de recordatorio) y que la víctima hizo llegar a la policía. Este hallazgo determinó que la investigación se orientase hacia los asistentes al bautizo, para lo cual fue necesaria una investigación policial inicial para determinar de qué bautizo podía tratarse, en el que se hubiese utilizado como recordatorio una figura como la descubierta en el piso robado. Localizado el bautizo se intentó buscar alguna fotografía de los asistentes, obteniéndose una foto de grupo a través de la madre de la bautizada, expareja del hoy recurrente. Fue esa fotografía, en la que figuraban una decena de personas, la que se mostró inicialmente a la víctima, identificando en ella como uno de los asaltantes de su vivienda al recurrente, que era precisamente el padre de la criatura bautizada. Esta figura constituye, en consecuencia, una prueba indiciaria de especial relevancia, pero la inicial identificación fotográfica no es más que una diligencia de investigación, que todavía no se puede calificar de prueba de cargo. Con posterioridad se practicaron dos reconocimientos en rueda en la instrucción y una identificación contradictoria en fase de juicio oral, cuya firmeza y credibilidad pudo ser valorada directamente por el propio Tribunal sentenciador, que es lo que puede ser calificado como prueba de cargo apta para desvirtuar la presunción constitucional de inocencia. La utilización inicial de la fotografía de los asistentes al bautizo constituye una diligencia de investigación razonable y proporcionada, pues el hallazgo del recordatorio permite centrar la investigación sobre los asistentes al mismo, y es lógico procurar que la víctima pueda localizar entre ellos al asaltante de su vivienda que, presumiblemente, perdió el recordatorio mientras la maniataba y agredía. No se vulnera la regla de mostrar una pluralidad de fotografías obrantes genéricamente en los archivos policiales, o al menos de características fisonómicas acordes con la descripción realizada por la víctima, cuando existe un indicio relevante que permite reducir el campo de sospechosos a un colectivo más reducido y se dispone precisamente de una fotografía de los integrantes de dicho grupo que puede ser examinada, sin sugestión alguna, por la propia víctima. En consecuencia no puede ser aceptada la alegación de la parte recurrente de que se vulneraron las condiciones de fiabilidad de la identificación fotográfica policial, con repercusión en la validez del posterior reconocimiento presencial tanto en la instrucción como en el juicio». STS 21 septiembre 2016. N° de Recurso: 10136/2016. N° de Resolución: 712/2016, Ponente: Marchena Gómez, Manuel. LA LEY 125669/2016.

(41) «1°. Que por sí solos no constituyen prueba apta para destruir la presunción de inocencia. Puede tener tal eficacia cuando el testigo o los funcionarios actuantes acuden al juicio oral y allí declaran sobre ese reconocimiento que se hizo en su día. 2°. Son meras actuaciones policiales que constituyen la apertura de una línea de investigación, a veces imprescindible porque no hay otro medio de obtener una pista que pueda conducir a la identificación el criminal. 3°. La policía procurará no acudir al reconocimiento fotográfico cuando ya ha sido identificado el sospechoso y, por tanto, se puede acudir directamente a la identificación mediante el procedimiento de la rueda judicial …/… 4°. No obstante, aunque se hubiera practicado el reconocimiento fotográfico antes de tal rueda judicial, incluso en aquellos casos en que existiera una previa identificación del sospechoso, tal reconocimiento fotográfico no priva de validez a las demás diligencias sumariales o pruebas del juicio oral que pudieran practicarse sobre el mismo dato de esa identificación». STS Sala Segunda, de lo Penal, Sentencia 1353/2005 de 16 Nov. 2005, Rec. 1191/2004; Ponente: Berdugo Gómez de la Torre, Juan Ramón. LA LEY 10367/2006.

fotográficos en sede policial, por sí solos, no constituyen prueba apta para destruir la presunción de inocencia, al constituir meras actuaciones policiales que sirven para la apertura de una línea de investigación, a veces imprescindibles porque no hay otra forma de obtener una pista que pueda conducir a la identificación del autor o de descartar a otros sospechosos». STS 18/2017 de 20 Ene. 2017, Rec. 10261/2016; Ponente: Ferrer García, Ana María. LA LEY 1296/2017.

Será necesaria, en todo caso, la intervención en el juicio oral de los testigos que identificaron al acusado.

«La STS 16/2014 de 30 de enero (LA LEY 2495/2014), con cita de las SSTS 617/2010 de 24 de junio (LA LEY 114055/2010), 1386/2009 de 30 de diciembre (LA LEY 273458/2009) y 503/2008 de 17 de julio (LA LEY 79476/2008), sintetiza la doctrina general sobre la operatividad procesal y eficacia probatoria de los reconocimientos fotográficos policiales y argumenta que "los reconocimientos efectuados en sede policial, o en sede judicial en fase sumarial, bien a través del examen de fotografías o bien mediante ruedas de reconocimiento, son en realidad medios de investigación que permiten, cuando es necesario, determinar la identidad de la persona a la que los testigos imputan la realización del hecho denunciado, y avanzar en el esclarecimiento de los hechos. *Solamente alcanzan el nivel de prueba, como regla general, cuando el reconocimiento se ha realizado en sede judicial, con todas las garantías, entre ellas la presencia del Juez, y quien ha realizado el reconocimiento comparece en el juicio oral y ratifica lo antes manifestado o reconoce en el plenario al autor de los hechos*, pudiendo ser sometido a interrogatorio cruzado de las partes sobre los hechos que dice haber presenciado y sobre el reconocimiento realizado. *Por tanto, el derecho a la presunción de inocencia no se desvirtúa por el resultado del reconocimiento fotográfico, sino por el resultado del medio de prueba practicado en el acto del juicio, consistente en la ratificación del testigo sometido al interrogatorio cruzado de las partes"*». STS 18/2017 de 20 Ene. 2017, Rec. 10261/2016; Ponente: Ferrer García, Ana María. LA LEY 1296/2017.

Nótese que el elemento esencial de la identificación del delincuente se halla en la necesidad de la comparecencia en el plenario de los testigos para la ratificación de la identificación con sometimiento al interrogatorio de las partes respecto a las circunstancias tanto del conocimiento de los hechos que presenció como las circunstancias en las que se llevó a cabo la diligencia/s de identificación del acusado: *«El derecho a la presunción de inocencia no se desvirtúa por el resultado del reconocimiento fotográfico, sino por el resultado del medio de prueba practicado en el acto del juicio, consistente en la ratificación del testigo sometido al interrogatorio cruzado de las partes»*. STS 25 mayo de 2016, LA LEY 55772/2016. En el mismo sentido, las SSTC 10/92, de 16 enero y 103/95, de 3 julio.

b)   Reconocimiento en rueda

La diligencia de reconocimiento en rueda tiene carácter subsidiario, y sólo se practicará cuando existan dudas sobre la identidad del acusado[42]. (Véase M. 73).

_____

(42)   Vid. VELASCO NÚÑEZ, «El reconocimiento o identificación del autor de una infracción delictiva», *PJ*, 1991, n.º 24; RIUS, «La diligencia de reconocimiento en rueda en la más reciente doctrina jurisprudencial», *RGD*, 1992, n.º 572, p. 3967.

La diligencia de reconocimiento fotográfico constituye un modo de iniciar el procedimiento de investigación penal mediante la identificación del presunto responsable. En su virtud declara el Tribunal Supremo que: *«los reconocimientos efectuados en sede policial, o en sede judicial en fase sumarial, bien a través del examen de fotografías o bien mediante ruedas de reconocimiento, son medios de investigación que permiten determinar la identidad de la persona a la que los testigos imputan la realización del hecho denunciado, y avanzar en el esclarecimiento de los hechos».* STS 25 mayo de 2016, LA LEY 55772/2016.

En consecuencia, su práctica no resulta inexcusable para la identificación material del delincuente que posteriormente pueda ser acusado y condenado. Es por ello que, siguiendo la doctrina del Tribunal Supremo, podemos afirmar que el reconocimiento en rueda es una diligencia legal, que puede ser esencial en algunos casos, pero que no es inexcusable. Se trata, en definitiva de un medio de identificación no exclusivo ni excluyente (STS 16 noviembre 2005, LA LEY 10367/2006).

> «En cuanto al reconocimiento en rueda es una diligencia esencial pero no inexcusable. Supone un medio de identificación, no exclusivo ni excluyente, destinado y dirigido a la nominación y concreción de la persona supuestamente responsable de todo delito investigado, diligencia evidentemente inidónea en el plenario porque su ejecución sería ya imposible. Es pues una actividad probatoria de la fase instructora, por lo que los defectos graves con que la misma se haya desarrollado en su inicio, difícilmente pueden ser subsanados ya con posterioridad precisamente porque en su esencia es una prueba anticipada (STS 500/2004 de 2.4)». STS Sala Segunda, de lo Penal, Sentencia 1353/2005 de 16 Nov. 2005, Rec. 1191/2004; Ponente: Berdugo Gómez de la Torre, Juan Ramón. LA LEY 10367/2006.

Esta diligencia se practicará conforme a las formalidades previstas en la Ley. Así, la persona que haya de ser reconocida se pondrá a la vista del que hubiere de verificarlo, junto con otras personas de circunstancias exteriores semejantes. A este respecto la similitud de características físicas requerido por el art. 369 de la LECrim hay entenderla referida a las generales de edad, corpulencia, altura, color de piel y pelo, y no a que en todos los componentes de la rueda concurran las mismas peculiaridades físicas. Por ejemplo un lunar, como en el supuesto del que conoce la STS Sala Segunda, de lo Penal, Sentencia 1849/2001 de 31 Dic. 2001 (Rec. 4732/1999; Ponente: Marañón Chávarri, José Antonio. LA LEY 236033/2001). En este sentido, la utilización de personas de similares características quedará condicionada por la posibilidad efectiva de contar con personas de aspecto semejante.

> «La jurisprudencia de esta Sala ha interpretado que la exigencia de personas de características similares a las del que se pretende identificar es un "desiderátum", condicionado por la posibilidad de contar con individuos de circunstancias externas semejantes (STS 2060/2001 de 8 de febrero de 2002 (LA LEY 31639/2002)). Que "la exigencia de semejanza entre las personas que integran la rueda se concreta en la imposibilidad de formar la rueda con un imputado que presente una nota peculiar de su semblante, fisonomía o de estructura personal, de manera que esa nota característica de la persona, como raza, tramo de edad etc., deben concurrir en los integrantes de la rueda asegurando el requisito de la semejanza que no debe ser entendido, como postula el recurrente, de forma tan rigurosa que hiciera imposible su realización. Prueba de lo anterior es que la Ley Procesal (art. 372) previene que se conserven las ropas

que el imputado llevara a fin de que sea la que vista al tiempo de las ruedas de identificación" (STS 1739/2002 de 23 de octubre (LA LEY 145/2003)). O que o bien que, "la no semejanza entre las personas mostradas ha de ser extrema para que no cumpla la exigencia del artículo 369 de la Ley de Enjuiciamiento Criminal (LA LEY 1/1882). Cabe pensar que tal sería el caso cuando hubiera diferencias de sexo o de color de piel, pero no cuando las personas mostradas vistan en forma semejante y tengan estaturas y condiciones físicas no extremadamente diferentes" (STS 1733/2000, de 7 de diciembre (LA LEY 223884/2000))». STS 18/2017 de 20 Ene. 2017, Rec. 10261/2016; Ponente: Ferrer García, Ana María. LA LEY 1296/2017.

En último término la similitud exigida por la ley se concreta en una mínima afinidad tipológica que deberá apreciar el Letrado de la administración de justicia judicial a presencia del juez en la práctica de la actuación referida, y que, en su caso, deberá impugnar la parte disconforme haciendo constar las circunstancias y aspecto de los intervinientes. Nada se prevé en cuanto al número de comparecientes, ni tampoco respecto al orden en que deben situarse las personas que forman parte de la rueda. En cuanto a lo primero un número de cinco comparecientes será lo más adecuado, sin que la comparecencia de un número inferior deba implicar ninguna clase de nulidad de la diligencia[43]. Respecto al orden deberán situarse de forma normal y aleatoria sin que exista ninguna clase de ubicación que otorgue más visibilidad a uno u otro compareciente.

«3°. En cuanto a la diligencia de reconocimiento en rueda, la LECrim, arts. 368 (LA LEY 1/1882) a 376 (LA LEY 1/1882), regula en procedimiento o diligencia de identificación por el que se pretende el reconocimiento visual a la persona contra la que se dirijan cargos o imputaciones por razón del delito, por el denunciante, con ciertas garantías que tienden a preservar la espontaneidad y sinceridad de la identificación, derivadas del método exigido, consistente en colocar al que debe ser reconocido entre otras personas de similares características físicas, a fin de evitar que aquel reconocimiento se vea inducido a converger sobre una única persona en virtud de meras apariencias creadas por la diligencia misma. En este sentido los arts. 368 (LA LEY 1/1882) y 369 LECrim (LA LEY 1/1882), señalan que debería efectuarse poniendo a la vista del que hubiera de reconocer a la persona que haya de ser reconocida, en unión con otras de semejantes características exteriores sin que la LECrim (LA LEY 1/1882), precise el número total de integrantes, recogiéndose las circunstancias del acto y los nombres de todos los que hubieran participado en la rueda o grupo en la diligencia, si bien cuando el art. 369 LECrim (LA LEY 1/1882), exige en cuanto a la rueda que haya "circunstancias exteriores semejantes", respecto de los que integren la rueda, ello no empece el que naturalmente, sean distintos entre sí, aun cuando si se debe ser riguroso en el registro al protocolo del art. 369 LECrim (LA LEY 1/1882), en cuanto a la semejanza de los integrantes de la rueda porque es obvio que una rueda mal constituida por falta de esa semejanza puede desembocar en un error de identificación y por tanto en un error judicial (STS 5989/2009 de 3.6)». STS Sala Segunda,

(43) «No cabe considerar inválida la diligencia de reconocimiento porque sólo integrasen la rueda cuatro personas, ya que, según reconoce la sentencia de esta Sala de 28-3-1998, el art. 369 de la LECrim, no exige número determinado de componentes de la rueda, y el único requisito que establece es que tengan circunstancias exteriores semejantes todos ellos». STS Sala Segunda, de lo Penal, Sentencia 1849/2001 de 31 Dic. 2001, Rec. 4732/1999; Ponente: Marañón Chávarri, José Antonio. LA LEY 236033/2001.

de lo Penal, Sentencia 353/2014 de 8 May. 2014, Rec. 1234/2013. Ponente: Berdugo Gómez de la Torre, Juan Ramón. LA LEY 69454/2014.

Si fueren varios los que hubieren de reconocer, lo harán separadamente sin que puedan comunicarse entre ellos hasta que finalice la diligencia (art. 370 LECrim). Tampoco podrá el testigo reconocer previamente a los imputados. Ahora bien, no quedará contaminada la identificación, cuando los testigos hubiesen visto previa y accidentalmente a los acusados.

«La fiabilidad, veracidad y consistencia de un reconocimiento o identificación no puede ser desvirtuada porque los testigos hubieran ya visto al acusado, pues ello no contamina ni erosiona la confianza que puedan suscitar las posteriores manifestaciones del testigo, tanto en las diligencias instructoras como en las sesiones del plenario...». (STS 5 junio 1995, La Ley, 1995, R-14.542).

Será necesaria la asistencia letrada como condición de validez de la rueda de reconocimiento. Exigencia que se ha reforzado con la LO 13/2015 que modificó el art. 520 LECrim, que dispone en su párrafo 6º que la asistencia del abogado consistirá en: *«Intervenir en las diligencias de declaración del detenido, en las diligencias de reconocimiento de que sea objeto y en las de reconstrucción de los hechos en que participe el detenido. El abogado podrá solicitar al juez o funcionario que hubiesen practicado la diligencia en la que haya intervenido, una vez terminada ésta, la declaración o ampliación de los extremos que considere convenientes, así como la consignación en el acta de cualquier incidencia que haya tenido lugar durante su práctica»* (art. 520.6.b LECrim)[44].

«En fin, está la objeción relativa a la supuesta necesidad legal de la asistencia de letrado durante la práctica de las diligencias de entrada y registro judicialmente autorizadas. No la exigen el texto constitucional ni los pactos internacionales suscritos por España, y tampoco ninguno de los preceptos legales relativos al desarrollo de aquéllas y, además, el art. 520 LECRIM (LA LEY 1/1882), en la vigente redacción, tras la última reforma de 2015, solo impone la asistencia del abogado al detenido en el caso de las diligencias consistentes en la prestación de declaración, reconocimiento de que sea objeto y reconstrucción de hechos en la que debiera participar. Que serán las de rueda de reconocimiento, careos y reconstrucciones de hechos, en el art. 3 de la Directiva 2013/48/UE del Parlamento Europeo y del Consejo, de 22 de octubre de 2013 (LA LEY 17638/2013)». STS Sala Segunda, de lo Penal, Sentencia 154/2017 de

---

(44) «La inexcusabilidad de la asistencia letrada como condición de validez de una rueda de reconocimiento ha sido reiteradamente declarada por esta Sala con relación a los detenidos y presos. En efecto, la Sentencia de 21 de febrero de 1995 declaró que a partir de la LO 14/1983, de 12 de diciembre, por la que se dio nueva redacción al artículo 520 de la Ley de Enjuiciamiento Criminal, se establece el derecho, en favor de toda persona detenida o presa, a designar abogado para que intervenga en todo reconocimiento de identidad, sin lo cual quedan afectados los derechos constitucionales del detenido, recogidos en los artículos 17.3 y 24 de la Constitución Española, con el efecto consiguiente de tener que considerar la diligencia de reconocimiento en rueda como inexistente e ineficaz para apoyar en ella el juicio de culpabilidad. En análogo sentido la Sentencia de 25 de junio de 1993 señaló que la asistencia de Letrado, cuando de detenidos o presos se trata, es decir, de privados de libertad, se convierte en derecho irrenunciable salvo que se investiguen infracciones contra la seguridad del tráfico». STS Sala Segunda, de lo Penal, Sentencia 901/2001 de 22 May. 2001, Rec. 327/199; Ponente: Prego de Oliver Tolivar, Adolfo. LA LEY 7416/2001.

10 Mar. 2017, Rec. 10484/2016; Ponente: Andrés Ibáñez, Perfecto Agustín. LA LEY 19091/2017.

Pero, debe tenerse en cuenta que la vulneración de esta norma únicamente producirá la nulidad de lo actuado en el caso que se hubiere producido efectiva indefensión (STS 27 de diciembre de 1999). Más aún el Tribunal Supremo distingue entre la situación de detenido y de imputado y considera que la asistencia letrada no es un requisito de validez de las ruedas de reconocimiento que se practican con relación a imputados que, sin estar detenidos ni presos, han sido instruidos previamente de sus derechos según el artículo 118 de la Ley de Enjuiciamiento Criminal, y voluntariamente se somete a la rueda de reconocimiento sin ejercitar su derecho a la asistencia letrada[45].

El testigo manifestará si se encuentra en el grupo la persona a quien hizo referencia en su declaración, designándola, en caso afirmativo, clara y determinadamente (art. 369 LECrim).

La diligencia de reconocimiento en rueda ya sea efectuada ante la Policía Judicial en presencia de Letrado o en fase de instrucción en presencia del Juez deberá ratificarse en el juicio oral por el testigo que efectuó el reconocimiento, donde se someterá al interrogatorio de las partes (SSTC 10/92, de 16 enero; 103/95, de 3 julio).

> «En esa misma sentencia se recuerda que "esta Sala ha declarado que ni siquiera el reconocimiento en rueda practicado en fase de instrucción es la diligencia de prueba susceptible de valoración, al señalar que tal diligencia, aun a pesar de ser hecha con todas las garantías, no puede considerarse que sea configurada como una prueba anticipada y preconstituida de imposible reproducción en el juicio oral en virtud de su supuesto carácter irrepetible. Para que pueda ser entendida como prueba válida y suficiente para desvirtuar la presunción de inocencia, la diligencia ha de ser reproducida en el juicio oral mediante la ratificación de la víctima o testigo en dicho juicio, a fin de poder ser sometida su declaración a contradicción con oralidad e inmediación, como las garantías constitucionales del proceso exigen. Es esencial, pues, que, siendo posible, la víctima o testigo acudan al plenario para ratificar dicha diligencia ya que, como prueba testifical, es, por su naturaleza, perfectamente reproducible en el acto del juicio oral y debe ser, por tanto, sometida a contraste y contradicción por las partes de forma oral y sin mengua de los derechos de defensa del imputado"». STS Sala Segunda, de lo Penal, Sentencia 353/2014 de 8 May. 2014, Rec. 1234/2013. Ponente: Berdugo Gómez de la Torre, Juan Ramón. LA LEY 69454/2014.

---

(45) «... En definitiva, mientras que el detenido precisa forzosamente de la asistencia de Abogado en toda diligencia de identificación (art. 520 LECrim), el imputado no privado de libertad tiene derecho a ejercitar su derecho a la defensa actuando en el procedimiento (art. 118 LECrim) pero puede someterse, si así lo estima oportuno, a una rueda identificativa sin asistencia letrada, no teniendo entonces más valor que el de una mera diligencia sumarial carente de valor probatorio por sí misma, sin perjuicio de la identificación que pudiera hacerse, ya como prueba, en el acto del Juicio Oral, bajo los principios de inmediación y contradicción, con la inexcusable asistencia de la defensa. También es válido el reconocimiento sin asistencia de letrado cuando el posteriormente acusado concurrió voluntariamente en calidad de testigo». STS Sala Segunda, de lo Penal, Sentencia 901/2001 de 22 May. 2001, Rec. 327/199; Ponente: Prego de Oliver Tolivar, Adolfo. LA LEY 7416/2001.

De este modo, el reconocimiento en rueda se constituye en una modalidad de testimonio que, debidamente sometido a contradicción en el acto del juicio, puede ser valorado libremente por el tribunal. (Véanse STS Sala Segunda, de lo Penal, Sentencia 1849/2001 de 31 Dic. 2001, Rec. 4732/1999; Ponente: Marañón Chávarri, José Antonio. LA LEY 236033/2001; STC 10/1992).

> «En efecto, el reconocimiento en rueda es una diligencia sumarial que tiene por fin la determinación del imputado en cuanto sujeto pasivo del proceso y que, para que tenga efecto probatorio, es imprescindible, como regla general, que el mismo sea ratificado en el acto del juicio oral por quien hizo el reconocimiento (entre otras, SSTC 10/1992, 323/1993, 283/1994, 36/1995, 103/1995, 148/1996 y 172/1997)». STC 164/1998, de 14 de julio.

Ahora bien, cuando se trate de un reconocimiento en rueda practicado como diligencia sumarial, podrá valorarse como prueba preconstituida cuando se acredite la imposibilidad del testigo de poder comparecer en el juicio oral. En ese caso deberán declarar los policías que practicaron la diligencia, aunque es evidente que se tratara de una prueba en extremo débil que deberá complementarse con otras para poder fundar una condena.

> «El reconocimiento en rueda en el curso del atestado policial y su ratificación en la fase de la instrucción judicial no encajan por sí mismas como prueba preconstituida o anticipada, salvo que fuera imposible materialmente la comparecencia del testigo en el juicio oral, donde no sólo puede ratificar o rectificar lo dicho antes, sino, en el primer caso, dar la razón de ciencia de su testimonio, mediante el interrogatorio cruzado de acusación y defensa, haciéndolo más o menos consistente y persuasivo, con la posibilidad de la prueba complementaria del careo». (STC 103/95, de 3 julio). *Vid.* también STC 10/92, de 16 enero. Véase en el mismo sentido Sala Segunda, de lo Penal, Sentencia 212/2002 de 15 Feb. 2002, Rec. 944/2000; Ponente: Martín Canivell, Joaquín. LA LEY 36641/2002.

Igual sucederá cuando el testigo se retracte del reconocimiento anterior. En ese caso, el tribunal puede, al igual que sucede con el resto de la prueba practicada, valorar en la sentencia la contradicción y otorgar plena validez a la diligencia sumarial. En este sentido, nótese que lo decisivo será la ratificación en juicio del testigo directamente inmediada por el tribunal[46].

---

(46) «El Tribunal enjuiciador contó con pruebas de la intervención de ... en los hechos de autos, que son los que se reflejan en el Fundamento de Derecho Primero de la sentencia recurrida, consistente básicamente en el reconocimiento en rueda, practicado al día siguiente del robo, adverado en el acto del juicio, en el que..., manifestó que en dicha diligencia de reconocimiento identificó sin duda alguna a César, aunque no lo hubiese expresado de forma explícita, limitándose a decir que el individuo que ocupaba el cuarto lugar de la rueda, y que era César, se parecía mucho al hombre que la había atracado el día antes. También es un elemento probatorio ponderado por el Tribunal la mancha o grano que apreció en la mejilla izquierda de César, y que puede corresponderse con el lunar que tenía el que cometió el robo, según lo manifestado por Javier C. en la denuncia. Las objeciones alegadas en el motivo deben ser rechazadas, pues frente a ellas, debe prevalecer la credibilidad que atribuyó el Tribunal a las manifestaciones del testigo Javier C. emitidas en el juicio, con sujeción a los principios de oralidad, inmediación, contradicción, publicidad y a la diligencia de reconocimiento en rueda, introducida en el debate del plenario por la vía del

«Los reconocimientos efectuados en sede policial, o en sede judicial en fase sumarial, bien a través del examen de fotografías o bien mediante ruedas de reconocimiento, son en realidad medios de investigación que permiten, cuando es necesario, determinar la identidad de la persona a la que los testigos imputan la realización del hecho denunciado, y avanzar en el esclarecimiento de los hechos. Solamente alcanzan el nivel de prueba, como regla general, cuando el reconocimiento se ha realizado en sede judicial, con todas las garantías, entre ellas la presencia del Juez, y quien ha realizado el reconocimiento comparece en el juicio oral y ratifica lo antes manifestado o reconoce en el plenario al autor de los hechos, pudiendo ser sometido a interrogatorio cruzado de las partes sobre los hechos que dice haber presenciado y sobre el reconocimiento realizado. Por tanto, el derecho a la presunción de inocencia no se desvirtúa por el resultado del reconocimiento fotográfico, sino por el resultado del medio de prueba practicado en el acto del juicio, consistente en la ratificación del testigo sometido al interrogatorio cruzado de las partes. En definitiva, para que pueda ser entendida como prueba válida y suficiente para desvirtuar la presunción de inocencia, la diligencia ha de ser reproducida en el juicio oral mediante la ratificación de la víctima o testigo en dicho juicio, a fin de poder ser sometida su declaración a contradicción con oralidad e inmediación, como las garantías constitucionales del proceso exigen. Es esencial, pues, que, siendo posible, la víctima o testigo acudan al plenario para ratificar dicha diligencia ya que, como prueba testifical, es, por su naturaleza, perfectamente reproducible en el acto del juicio oral y debe ser, por tanto, sometida a contraste y contradicción por las partes de forma oral y sin mengua de los derechos de defensa del imputado». STS Sala Segunda, de lo Penal, Sentencia 16/2014 de 30 Ene. 2014, Rec. 824/2013. Ponente: Berdugo Gómez de la Torre, Juan Ramón. LA LEY 2495/2014.

En el plenario los testigos podrán ser interrogados con relación a cualquier diligencia de identificación que se hubiera practicado en la instrucción[47]. Las contradicciones en las que pudiera incurrir el testigo respecto a la identificación del acusado serán valoradas por el tribunal del mismo modo que sucede con el resto de la prueba practicada. En su virtud, el tribunal valorará la contradicción en la sentencia pudiendo otorgar valor, o no, como prueba a la declaración en el plenario o a una u otra prueba sumarial. En definitiva, lo decisivo será la declaración del testigo en el acto del juicio dando cuenta de las circunstancias de la identificación. En primer lugar de las de carácter material y posteriormente las de carácter formal.

---

art. 714 de la LECrim.». STS Sala Segunda, de lo Penal, Sentencia 1849/2001 de 31 Dic. 2001, Rec. 4732/1999; Ponente: Marañón Chávarri, José Antonio. LA LEY 236033/2001.

(47) El Tribunal Supremo ha admitido la petición de comparecencia en el plenario de los que intervinieron en la rueda a efecto de que el tribunal pueda comprobar «in situ» la apariencia física de aquéllos: «lo que la ley demanda —semejanza en las circunstancias exteriores de los exhibidos en rueda (art. 369)— no es parecido esencial, sino afinidad tipológica dentro de unos márgenes de relativa amplitud; con lo que se trata de evitar que entre los comparecientes pudieran darse diferencias llamativas, por razón de raza, por la presencia en alguno de un rasgo particularmente disonante por inhabitual, o de un ostensible defecto físico, etc., lo que es claro que aquí no se dio. Pues de otro modo la defensa —que, obviamente, no estaba obligada a demostrar nada en tema de inocencia— sí podría haber cuestionado esa prueba de cargo, solicitando la comparecencia ante el tribunal de todos los que formaron la rueda». STS Sala Segunda, de lo Penal, Sentencia 1829/2001 de 15 Oct. 2001, Rec. 945/2000-P/2000; Ponente: Andrés Ibáñez, Perfecto Agustín. LA LEY 1243/2002.

«El Tribunal sentenciador debería analizar una serie de factores que afectan a la exactitud y fiabilidad de la identificación. En primer lugar los factores intraprocesales, que pueden afectar a la fiabilidad del reconocimiento, y que obligan a constatar que el procedimiento de reconocimiento se ha llevado a efecto en todas las fases de la investigación policial y judicial en las mejores condiciones posibles, sin dar lugar a sesgos condicionados por los propios investigadores. En segundo lugar los factores ambientales y personales que pueden afectar a la memoria de un testigo presencial durante la percepción inicial del suceso y el posterior período de retención, como las condiciones de luz, el lugar donde se produce el hecho, la duración del suceso, el tiempo de exposición de la cara del autor, la distancia entre el autor y el testigo, el número de agresores, e incluso la raza, pues los testigos tienen ordinariamente una mayor capacidad de reconocer los rostros de sujetos de su propia raza o grupo étnico. El análisis razonado de estos factores en un caso concreto sirve para que el Tribunal sentenciador valore el grado de probabilidad de que el testigo haya efectuado una identificación visual correcta, y para que el Tribunal *"ad quem"* aprecie si el Tribunal de instancia ha efectuado una valoración probatoria razonable». STS Sala Segunda, de lo Penal, Sentencia 444/2016 de 25 May. 2016, Rec. 10916/2015. Ponente: Conde-Pumpido Tourón, Cándido. LA LEY 55772/2016.

En ese caso, corresponde al Tribunal valorar las pruebas atendiendo, básicamente, a la persistencia, veracidad y verosimilitud del testimonio. Ahora bien, como bien señala el Tribunal Supremo en su STS 18 mayo de 2009, LA LEY 99214/2009: *«Pero, por desgracia, seguridad y sinceridad no son siempre sinónimo de acierto»*. Es decir, que también cabe tener en cuenta que el testigo puede estar muy seguro, no mentir y decir la verdad (su verdad) y, sin embargo, errar en la identificación del responsable de los hechos.

En la sentencia citada, STS Sala Segunda, de lo Penal, Sentencia 331/2009 de 18 May. 2009, Rec. 11288/2008 (Ponente: Ramos Gancedo, Diego Antonio. LA LEY 99214/2009), se analiza un supuesto significativo y de un gran interés por incidir en un aspecto distinto y útil, que creo puede servir de cierre al análisis de esta diligencia. En el caso juzgado en la STS de 18 mayo de 2009 las víctimas fueron agredidas por un sujeto que no identificaron en un primer reconocimiento fotográfico en el que entre las fotografías mostradas no se hallaba la del sujeto que luego fue acusado. Sí que reconocieron al acusado, y luego condenado, en un segundo reconocimiento fotográfico en el que la policía incorporó una fotografía del acusado que se hallaba detenido por otro delito. Posteriormente las víctimas reconocieron al acusado en rueda de reconocimiento y también en el juicio oral: *«Y no nos puede ofrecer, a este respecto, duda alguna que, como se afirma en la Sentencia recurrida, los testigos fueron concluyentes, firmes y categóricos en la expresión de su convencimiento de que se hallaban, en realidad, ante el autor de la brutal agresión que sufrieron»*. Efectivamente, el testimonio de las víctimas es calificado por la Audiencia como persistente, creíble y verosímil: *«La Sala "a quo", indudablemente sensible a los problemas de identificación a los que venimos refiriéndonos pero, a pesar de ello, con el convencimiento del acierto, además de la sinceridad, de los testigos, encuentra la clave definitiva para el sostenimiento de su arco argumental en un dato que, en principio, podría resultar efectivamente decisivo. La Sentencia se refiere, sin especificar más, que pudo comprobar que "... la apariencia de los ojos, las cejas y la nariz del procesado es muy particular, por lo que tienen un efecto identificador o caracterizador muy significativo"*». STS 18 mayo de 2009, LA LEY 99214/2009. Ahora bien, en este punto el Tribunal Supremo entra a considerar el problema del acierto de los testigos al identificar al acusado y a ese fin analiza: a) las condiciones de la agresión (estaba oscuro, el agresor llevaba la cara semi-tapada y sólo le podían ver los ojos, las cejas y la parte superior de la nariz) y b) el momento en el que las víctimas hacen referencia a esas especiales características de los ojos y cejas del acusado, a las que hace referencia el Tribunal sentenciador como un elemento valorativo importante en tanto que confirma la inidoneidad de la identificación. Y dice el Tribunal Supremo que: «*en ninguna de sus declaraciones iniciales hacen alusión alguna las víctimas a un aspecto que, al parecer, era el que más resaltaba en la fisonomía del agresor y que, sin duda, llamará tanto la atención posteriormente en la del acusado (folios 8 y 9 y 26 y 27). Ni siquiera cuando ofrecen una amplia descripción de su victimario (folios 35 y 36), ni cuando se lleva a cabo el reconocimiento fotográfico (folios 76 y 78). Y es precisamente, de modo harto significativo, ante el Juzgado de Instrucción, tan sólo una vez realizada esa diligencia de reconocimiento fotográfico de la que resultó la identificación del acusado, cuando por primera vez consta en las actuaciones (folios 115 y 118) la alusión por ambos declarantes a las especiales características del ' entrecejo del identificado*». STS 18 mayo de 2009, LA LEY 99214/2009. Es decir, que las victimas sólo se refieren a esos ojos tan llamativos del acusado cuando ya disponían de una cara en la que situarlos. Cara que fue proporcionada por la fotografía incluida por la policía entre las que se mostraron a las víctimas en la segunda diligencia de identificación fotográfica. Fotografía que tiene su origen en una detención realizada por la policía, en principio, relacionada con otro delito. Como bien dice el TS, que acaba estimando el recurso de casación y absolviendo al acusado, lo que se debate en este asunto es el problema del acierto del testigo que puede declarar absolutamente toda su verdad, pero sin que ello deba significar necesariamente que esa verdad tenga que ser la auténtica y fiel a lo que sucedió. En el caso analizado las víctimas sólo habían podido ver los ojos del agresor, no su cara, sin que en su primera declaración ante la policía hicieran especial referencia a una forma o característica distintiva de sus ojos. Esa especial referencia aparece una vez identificado el acusado, un acusado que en realidad no habían podido ver y que, al parecer tenía unos ojos llamativos. Dice el Tribunal Supremo que, en este caso, es lógico suponer que en los posteriores reconocimientos se mantenga la identificación inicial teniendo en cuenta que las víctimas ya habían obtenido una cara de su agresor que era lo que se les mostraba en la rueda de reconocimiento y a quien vieron en el banquillo en el plenario: «*… máxime cuando en esos sucesivos reconocimientos posteriores, policial y judiciales, y hasta en el propio acto del Juicio oral, de nuevo lo que se les exponía a su vista era el rostro completo del sujeto de la fotografía, pues tampoco se tuvo en ningún momento la precaución de reproducir las circunstancias exactas en las que aconteció la inicial percepción de las características personales del autor de los hechos*». Como finalmente declara el Tribunal Supremo: «*lo que a la postre se advierte es una profunda duda respecto del acierto de las víctimas en su intención de identificar correctamente al autor de la terrible agresión que sufrieron, propiciada por las circunstancias del hecho y el defectuoso proceder inicial de los investigadores, que levantan graves sospechas respecto de la fiabilidad para este caso de herramientas procesales que ostentan plena utilidad* *en otras muchas ocasiones, duda que no es despejada con argumentos de suficiente solvencia lógica y razonabilidad por parte del Tribunal "a quo"».* STS Sala Segunda, de lo Penal, Sentencia 331/2009 de 18 May. 2009, Rec. 11288/2008; Ponente: Ramos Gancedo, Diego Antonio. LA LEY 99214/2009.

c) La identificación del presunto responsable mediante otros medios o en el juicio oral

Decíamos en el apartado anterior que la diligencia en rueda de reconocimiento es una diligencia no exclusiva ni excluyente. Ello significa, entre otras cuestiones, que la identificación del presunto responsable puede producirse de formas bien diferentes en razón de las circunstancias. En esos casos la Sala Segunda del Tribunal Supremo ha aceptado la validez de procedimientos de identificación que, por razón de las singulares circunstancias en que se producen, no pueden acomodarse a las exigencias del art. 368 de la LECrim, desplegando pese a ello plena eficacia probatoria.

> «Es en este punto de la argumentación exoneratoria hecha valer por la defensa, en el que resulta im rescindible descartar la idea de que sin rueda de reconocimiento no es posible fundamentar una sentencia condenatoria más allá de toda duda razonable sobre la autoría del hecho criminal imputado. Decíamos en nuestra STS 850/2007, 18 de octubre, que es obligado distanciarse de la afirmación del recurrente que, llevada a sus últimas consecuencias, implicaría que toda identificación *in situ* es contraria a los derechos fundamentales. Conviene no perder de vista cuál es el fundamento de la diligencia de reconocimiento regulada en los arts. 369 y ss. de la LECrim. Hacer de la práctica de esa rueda el signo distintivo del respeto al derecho a un proceso con todas las garantías supone, tanto apartarse del genuino significado procesal de aquella diligencia de investigación, como de la verdadera dimensión constitucional del mencionado derecho. El reconocimiento en rueda —afirma la STS 1353/2005, 16 de noviembre— es una diligencia esencial pero no inexcusable. Supone un medio de identificación no exclusivo ni excluyente. Y la jurisprudencia de la Sala Segunda ha aceptado la validez de procedimientos de identificación que, por razón de las singulares circunstancias en que se producen, no pueden acomodarse a las exigencias del art. 368 de la LECrim, desplegando pese a ello plena eficacia probatoria». STS 21 septiembre 2016. N.º de Recurso: 10136/2016. N.º de Resolución: 712/2016.

Cabe así una identificación *«in situ»*. Por ejemplo la identificación del acusado en las dependencias policiales. Así, lo ha venido reconociendo el Tribunal Supremo. Este fue el caso de una de las testigos del caso que conoce la STS de 21 de septiembre de 2016, citada a continuación, que pudo ver con toda claridad al acusado que describió con precisión y al que identificó en las dependencias policiales al verle casualmente. Sin embargo, esa misma testigo no le identificó al verle con ropa diferente y sin la barba que el acusado tenía en el momento de los hechos. Tampoco identificó al acusado en la rueda de reconocimiento un segundo testigo que pudo identificar al acusado por su conocimiento previo de su persona al que conocía con anterioridad a los hechos y a quien identificó sin ninguna duda cuando presenció los hechos objeto de enjuiciamiento. En definitiva todos ellos supuestos de formas distintas de proceder a identificar al presunto responsable en el marco de una realidad que puede adoptar numerosas formas y situaciones.

«Así, la STS 456/2002, 12 de marzo, referida a una identificación casual llevada a cabo en las dependencias policiales, recordó que los reconocimientos espontáneos efectuados por testigos o perjudicados, fuera de las diligencias policiales o judiciales propiamente dichas, sin las garantías antes señaladas propias del reconocimiento en rueda, puedan tener virtualidad como prueba de cargo capaz de enervar la presunción de inocencia, siempre que su autor comparezca ante el Tribunal encargado del enjuiciamiento y pueda ser interrogado por las partes en el acto del juicio oral, con el objeto de permitirles poner de relieve aquellos aspectos del reconocimiento que afecten a su fiabilidad, valorando finalmente el Tribunal, que ha contado con la inmediación, la declaración como prueba testifical. En la misma línea, se había pronunciado la STS 4 de diciembre de 1992, que aceptó la identificación llevada a cabo por la víctima que se encontraba esperando turno para formular denuncia y vio aparecer al acusado en las dependencias policiales. También la STS 23 de abril de 1990, admitió la validez de ese reconocimiento efectuado en el hall del Juzgado de Guardia». STS 21 septiembre 2016. N.º de Recurso: 10136/2016. N.º de Resolución: 712/2016. Ponente: Marchena Gómez, Manuel. LA LEY 125669/2016.

Existen otros ejemplos en la jurisprudencia del Tribunal Supremo que avalan las identificaciones al margen o con resultado distinto al obtenido en rueda de reconocimiento. Así, la STS 12 de marzo de 2002, LA LEY 4995/2002, admitió una identificación casual llevada a cabo en las dependencias policiales y afirmó que los reconocimientos espontáneos efectuados por testigos o perjudicados, fuera de las diligencias policiales o judiciales propiamente dichas pueden tener virtualidad como prueba de cargo capaz de enervar la presunción de inocencia, siempre que su autor comparezca ante el Tribunal encargado del enjuiciamiento y pueda ser interrogado por las partes en el acto del juicio oral, con el objeto de permitirles poner de relieve aquellos aspectos del reconocimiento que afecten a su fiabilidad, valorando finalmente el Tribunal, que ha contado con la inmediación, la declaración como prueba testifical. En el mismo sentido se pronunció la STS 4 de diciembre de 1992 que consideró válida y eficaz la identificación llevada a cabo por la víctima que se encontraba esperando turno para formular denuncia y vio aparecer al acusado en las dependencias policiales. También la STS 23 de abril de 1990, admitió la validez de ese reconocimiento efectuado en el «hall» del Juzgado de Guardia. Todos los expuestos son supuestos de identificación del delincuente al margen del sistema legal del reconocimiento en rueda que sin embargo tienen validez y son eficaces para fundar una sentencia condenatoria. Finalmente, también cabe una identificación del acusado en el plenario teniendo en cuenta el carácter de prueba testifical del reconocimiento del delincuente[48]:

«En primer lugar, lo que ha señalado la jurisprudencia del Tribunal Supremo es que el reconocimiento en rueda constituye en línea de principio una diligencia específica sumarial de difícil practica en las sesiones del juicio oral por resultar atípica e inidónea (STS 1531/99), pero no que el testigo no pueda reconocer a la víctima

---

(48) «El Tribunal Constitucional ha considerado prueba suficiente para enervar la presunción de inocencia el reconocimiento efectuado en el juicio oral, sin ningún género de dudas, por parte del testigo, a pesar de las irregularidades de los reconocimientos fotográficos, o incluso de reconocimientos en rueda anteriores, (STC 323/1993 (LA LEY 2319-TC/1993) y STC 172/1997 (LA LEY 10518/1997))». STS Sala Segunda, de lo Penal, Sentencia 154/2017 de 10 Mar. 2017, Rec. 10484/2016; Ponente: Andrés Ibáñez, Perfecto Agustín. LA LEY 19091/2017.

directamente en el Plenario e inmediatamente a presencia del Tribunal, de forma que incluso un reconocimiento dudoso en fase sumarial puede ser subsanado mediante uno inequívoco en el Plenario o viceversa cuando en la fase de instrucción se ha producido una rueda de reconocimiento con todas las formalidades legales y el reconociente no ha admitido dudas sobre la identidad del reconocido y en el Plenario las suscita, el Tribunal, previa introducción de dicha diligencia en el juicio oral, puede acoger la que le ofrezca mayor verosimilitud». STS 16 noviembre 2005, LA LEY 10367/2006. En el mismo sentido la STS 25 mayo de 2016, LA LEY 55772/2016.

También puede darse el supuesto de falta de identificación en el juicio oral del acusado que fue identificado previamente en el reconocimiento fotográfico o en rueda. Máxime cuando hubiere pasado un cierto tiempo desde esa primera identificación. Aunque, esa circunstancia habrá que valorarla en el contexto del juicio. Puede pasar que el paso del tiempo o un cambio de apariencia haya sido la causa de la no identificación.

> «La defensa enfatiza el hecho de que en el acto del juicio oral la víctima Cosme no llegó a reconocer a Román. Sin embargo, el que este último fuera reconocido en la fecha de los hechos mediante la foto del pasaporte y que hubieran transcurrido más de seis años hasta el momento del enjuiciamiento, hace explicable —y es síntoma de credibilidad— las dificultades admitidas por el testigo en el plenario .../... En numerosos precedentes hemos llamado la atención acerca de la importancia de no interpretar la práctica de un reconocimiento en rueda, tal y como lo describe el art. 369 de la LECrim (LA LEY 1/1882), como presupuesto *sine qua non* de la vigencia del derecho a un proceso con todas las garantías. Son muchos los casos —el que ahora centra nuestra atención es uno de ellos— en los que esa diligencia deviene innecesaria (cfr. STS 850/2007, 18 de octubre (LA LEY 185192/2007); 1353/2005, 16 de noviembre (LA LEY 10367/2006) y 456/2002, 12 de marzo (LA LEY 4995/2002), entre otras muchas)». STS 754/2016 de 13 Oct. 2016, Rec. 10244/2016. Ponente: Marchena Gómez, Manuel. LA LEY 142441/2016.

El TS admite también que la identificación se realice por medio de una película obtenida durante la comisión de los hechos, ya que la LECrim no excluye la posibilidad de formas de identificación diversas del reconocimiento en rueda. En este sentido, el art. 368 LECrim deja a la discrecionalidad del Juez de Instrucción decidir sobre si «conceptúa fundamentalmente precisa la diligencia», aunque así lo hayan solicitado las partes. En consecuencia, si en el juicio oral es posible una identificación de los acusados con todas las garantías, debe ser admitida como válida la identificación del delincuente por medio de una cinta de vídeo que no hace más que perpetuar lo que una persona percibió con su vista (vid. STS Sala Segunda, de lo Penal, Sentencia de 14 Ene. 1994, Rec. 1873/1992; Ponente: Bacigalupo Zapater, Enrique. LA LEY 13678/1994).

d) Cotejo e identificación genética[49]

La evolución científica permite establecer con una fiabilidad prácticamente absoluta la pertenencia de una muestra biológica a un individuo determinado, mediante

---

(49) Véase ÁLVAREZ DE NEYRA KAPPLER S., *La prueba de ADN en el proceso penal*, Granada 2008.

el cotejo de huellas o vestigios biológicos, de modo que puede establecerse una relación directa entre un individuo y un delito determinado. Aunque el valor de la identificación genética dependerá del lugar y las circunstancias en las que se hubiere obtenido la muestra. Así no se valorará del mismo modo la identidad genética establecida entre un sujeto respecto a una huella hallada, por ejemplo en la vagina en un caso de agresión sexual de la que se acusa al sospechoso o la hallada, por ejemplo, en una colilla recuperada del lugar de los hechos. En el primer caso, la prueba resultará determinante, y en el segundo deberá valorarse junto con otras circunstancias: por ejemplo si el lugar donde se halló la colilla es público.

> «En relación a la prueba de ADN, su admisibilidad está fuera de dudas de acuerdo con el sistema de *numerus apertus* de prueba que impera en nuestro derecho. En este sentido el último párrafo del art. 326 y más concretamente, el art. 363-2º se refiere a la recogida de muestras de ADN por orden del Juez de Instrucción y con respeto a los principios de proporcionalidad y razonabilidad, dicho párrafo segundo fue introducido por la L.O. 15/2003. Por otra parte, esta Sala ha tenido ocasión de pronunciarse sobre la validez de dicha prueba, en relación a un aspecto concreto ajeno a la problemática que suscita el recurrente, ya que dicho Acuerdo de 31 de enero de 2006 se limitó a reconocer la capacidad de la Policía Judicial de recoger por sí misma, y sin autorización judicial, muestras biológicas abandonadas por el sospechoso». STS 11 de octubre de 2006, LA LEY 112234/2006.

Las muestras biológicas pueden obtenerse del lugar del delito, de la víctima, o bien directamente de la persona u objetos personales del sospechoso. La identificación se producirá mediante el cotejo del material genético hallado en el lugar del delito con el obtenido del sospechoso o bien con el que conste en la base de datos de estas muestras regulado en la LO 10/2007 de 8 de octubre. Véase sobre esta materia el § 2.1 sobre la inspección ocular y la recogida de vestigios y huellas del delito y el § 2.12 sobre la obtención y análisis de muestras biológicas, ambos de este Capítulo.

La LO 10/2007 regula la base de datos policial de identificadores obtenidos a partir del ADN en la que se integran los ficheros de esta clase que son titularidad de las Fuerzas y Cuerpos de Seguridad del Estado, con la finalidad de servir a la investigación y averiguación de delitos, como para los procedimientos de identificación de restos cadavéricos o de averiguación de personas desaparecidas. En la base de datos se anotarán los identificadores obtenidos a partir del ADN que proporcionen, exclusivamente, información genética reveladora de la identidad de la persona y de su sexo. Las muestras genéticas se obtendrán de:

— Muestras o fluidos que se hallaren u obtuvieren en una en una investigación criminal por delito grave y, en todo caso, los que afecten a la vida, la libertad, la indemnidad o la libertad sexual, la integridad de las personas, el patrimonio siempre que fuesen realizados con fuerza en las cosas, o violencia o intimidación en las personas, así como en los casos de la delincuencia organizada, debiendo entenderse incluida, en todo caso, en el término delincuencia organizada la recogida en el artículo 282 bis. 4º LECrim.

— De restos cadavéricos o de averiguación de personas desaparecidas (art. 1).

La conservación de las muestras de personas concretas e identificadas en la base de datos no podrá superar:

— El tiempo señalado en la ley para la prescripción del delito.

— El tiempo señalado en la ley para la cancelación de antecedentes penales, si se hubiese dictado sentencia condenatoria firme, o absolutoria por la concurrencia de causas eximentes por falta de imputabilidad o culpabilidad, salvo resolución judicial en contrario.

— En todo caso se procederá a su cancelación cuando se hubiese dictado auto firme de sobreseimiento libre o sentencia absolutoria (art. 9.1).

En el caso de muestras genéticas de personas no identificadas las muestras se conservará en tanto se mantenga el anonimato. Una vez identificada las personas, se cancelarán conforme a lo expuesto en el párrafo anterior (art. 9.4).

B) Identificación formal

La identificación formal del delincuente se efectuará consignando la filiación, edad, conducta, antecedentes penales y estado mental. Si se originase alguna duda sobre la identidad del procesado, deberá procurarse acreditar ésta por cuantos medios fueren conducentes a su averiguación (art. 373 LECrim). Nótese, que son especialmente importantes, a efectos penales, las circunstancias personales referentes:

a) A la edad, ya que el Código Penal fija la mayor edad penal a los dieciocho años (art. 19 CP). A este respecto, para acreditar la edad del procesado, se traerá al sumario certificación de inscripción de nacimiento. Cuando no fuera posible obtener certificación registral, se suplirá el documento por informe que acerca de la edad del procesado realice el médico forense (art. 375 LECrim). En sede de procedimiento abreviado, se acreditará la edad por medio del DNI, salvo que existieran dudas razonables acerca de si el imputado tuviere dieciocho años (art. 762.7º LECrim).

Téngase presente que según prevé el art. 1 de la ley de responsabilidad del menor LO 5/2000 se aplicará dicha regulación para exigir responsabilidad penal a las personas mayores de catorce años y menores de 18 edad en la que se fija la responsabilidad penal (art. 19 CP). También puede aplicarse la ley del menor a mayores de edad hasta los 21, siempre que concurran determinadas circunstancias (art. 1.2 y 4 LO 5/2000). Aunque debemos precisar que esta previsión está excluida para determinados delitos (Disp. Adicional 4ª LO 5/2000, modificada por la LO 9/2000). Además, la Disposición Transitoria única de la LO 9/2002 de 10 de diciembre ha suspendido la aplicación de las normas de la Ley del Menor a los mayores de edad que tuvieren entre 18 y 21 años. (Véase sobre el procedimiento de menores § 5 Cap. XVIII en sede de procedimientos especiales).

En caso de dudas sobre la edad del imputado el procedimiento más adecuado será el examen radiológico del sujeto que puede ofrecer una conclusión bastante exacta sobre la edad del individuo examinado. Sobre este particular se pronuncia la Consulta 1/2009 de la Fiscalía que dispone que: «en un contexto de ausencia de documentación acreditativa de la identidad y/o de la edad del presunto menor, o de exhibición de títulos con indicios de falsedad o generados en países que de hecho no garantizan la certeza de los datos que sobre la edad del titular figuran en los mismos, por lo que, existiendo dudas al respecto y no habiendo otros medios para despejarlas, puede ser necesario acudir a la práctica de ciertas pruebas médicas para poder determinar aquélla de modo aproximado». También se refieren a la necesidad de comprobar la edad de los menores sobre los que existieran dudas el art. 16.5 LORPM 5/2000. En igual sentido el Tribunal Supremo ha declarado que en caso de dudas debe procederse al examen pericial.

> «En estos casos, cuando se trata de extranjeros indocumentados detenidos por la comisión de un delito corresponde al juez de instrucción competente realizar las diligencias encaminadas a la determinación de la edad (artículo 375 LECrim (LA LEY 1/1882) y artículo 16.5 de la LO 5/2000 (LA LEY 147/2000)). Y es aquí donde entran en el juego escénico los informes médicos sobre cuya base se ha determinado en nuestra causa la edad del recurrente …/… En nuestro caso el Hospital de Algeciras utilizó el método primero y el médico forense, tanto el primero como el segundo. Sobre el margen de error la comunidad científica internacional está de acuerdo en que las pruebas de determinación de la edad presentan márgenes de error significativos. Las conclusiones formuladas por el Grupo de Trabajo sobre Determinación Forense de la Edad de los Menores Extranjeros no Acompañados, ratificadas por los directores de los institutos de Medicina Legal de España establecieron que "la determinación de la edad en menores no acompañados por medio de la estimación de la madurez ósea y la mineralización dental es un método sujeto a grandes márgenes de error"».
> Sala Segunda, de lo Penal, Sentencia 842/2014 de 10 Dic. 2014, Rec. 10515/2014, Ponente: Monterde Ferrer, Francisco. LA LEY 176239/2014.

b) A la conducta y antecedentes penales, en cuanto la pena a imponer, ya que ésta puede modificarse en caso de reincidencia, o bien puede condicionar la suspensión de la ejecución de la pena (arts. 22, 50, 66, 80 CP). La Ley contiene normas con relación a la petición de informes fundados, respecto a la conducta del procesado, a las Alcaldías o funcionarios de policía de los pueblos donde aquél hubiere residido. La virtualidad de estas normas en la actualidad es más bien escasa. No obstante, pueden tener alguna utilidad con relación a las circunstancias que atenúan la responsabilidad criminal (arts. 377 LECrim, 21 CP). Más importancia cabe atribuir a la aportación a la causa de los antecedentes penales del procesado, en orden a la agravante de reincidencia.

c) Al estado mental, ya que los trastornos mentales pueden modificar la responsabilidad penal (arts. 20, 21 CP). En este sentido, si el Juez apreciara indicios de enajenación mental le someterá a la observación de los médicos forenses, que realizarán un informe pericial al respecto (art. 381 LECrim). Si la demencia sobreviniera después de cometido el delito, y una vez concluido el sumario, se archivará la causa hasta que el procesado recobre la razón (art. 383 LECrim).

2.7. Declaraciones de detenidos, investigados y acusados[50]

El Juez de Instrucción tomará a los inculpados cuantas declaraciones considere convenientes para la averiguación de los hechos (art. 385 LECrim). También se podrá

---

(50) Vid. Bibliografía general. También SERRA, «Declaración del imputado e indagatoria», en *Estudios*, p. 181; SILVA MELERO, «El interrogatorio del inculpado», *RDProc.*, 1950, p. 401; GÓMEZ COLOMER, «Origen y evolución de la declaración indagatoria», *RDProc.*, 1980, p. 369, RUIZ-JARABO COLOMER, «El derecho del inculpado a no declarar y a no decir la verdad», *PJ*, 1983, n.º 6, pp. 27-30.

tomar declaración al inculpado a petición propia, o de la parte acusadora. En este sentido, el art. 400 LECrim dispone que el procesado podrá declarar cuantas veces quisiere, y el Juez le recibirá inmediatamente la declaración si tuviere relación con la causa. Por otra parte, no podrá acordarse la apertura de juicio oral sin que el Juez de Instrucción hubiese oído al acusado, por considerarse este trámite de carácter esencial. (Véase M. 69).

Así lo ha declarado el TC en STC 277/1994 de 17 de octubre en la que estableció que la tutela constitucional del derecho de defensa en el procedimiento abreviado conlleva una triple exigencia: «*a) Nadie puede ser acusado sin haber sido con anterioridad declarado judicialmente imputado; b) Nadie puede ser acusado sin haber sido oído por el Juez de instrucción con anterioridad a la conclusión de las Diligencias Previas, y sin haber puesto el Juez en conocimiento del imputado el hecho punible que se le atribuye indiciariamente; y c) No se debe someter al imputado al régimen de declaraciones testificales cuando de las actuaciones pueden inferirse sospechas de que participó en el hecho punible. La imputación no ha de retrasarse más de lo estrictamente necesario*». Sobre este particular, el art. 779.1.4ª LECrim, en redacción dada por la Ley 38/2002, en sede de procedimiento abreviado dispone que no podrá finalizar la fase de diligencias previas de instrucción si haber tomado declaración al imputado en los términos previstos en el art. 775 LECrim. A saber: informando al imputado de los hechos que se le imputan y de los derechos que le asisten.

La declaración del sospechoso, ante la policía (en calidad de detenido) o ante el Juez (en calidad de imputado) siempre deberá producirse con asistencia de letrado en cumplimiento del derecho de defensa garantizado en el art. 24 CE[51].

«CUARTO. Derecho a la defensa letrada. El derecho de defensa, desarrollado sustancialmente a través de la asistencia letrada, aparece reconocido como un derecho fundamental del detenido en el artículo 17 de la CE (LA LEY 2500/1978), y del imputado, con el mismo carácter aunque no exactamente con el mismo contenido, en el artículo 24. Su especial relevancia se destaca porque no se encuentra entre los que el artículo 55 de la CE (LA LEY 2500/1978) considera susceptibles de suspensión en casos de estado de excepción o de sitio. En el artículo 24 aparece junto a otros derechos que, aunque distintos e independientes entre sí, constituyen una batería de garantías orientadas a asegurar la eficacia real de uno de ellos: el derecho a un proceso con garantías, a un proceso equitativo, en términos del CEDH (LA LEY 16/1950); en definitiva, a un proceso justo. De forma que la pretensión legítima del Estado en cuanto a la persecución y sanción de las conductas delictivas, solo debe ser satisfecha dentro de los límites impuestos al ejercicio del poder por los derechos que corresponden a los ciudadanos en un Estado de Derecho». STS 821/2016 de 2 Nov. 2016, Rec. 733/2016. Ponente: Conde-Pumpido Tourón, Cándido. LA LEY 156110/2016[52].

---

(51) A salvo de la excepción, incomprensible, prevista en el art. 520.8 LECrim, en el caso de delitos contra la seguridad del tráfico respecto a los que la Ley permite que el detenido pueda renunciar a la asistencia de letrado. Precepto que, a nuestro juicio, es clara y abiertamente, inconstitucional y, por tanto, no aplicable.

(52) Véase también, en el mismo sentido, la STS Sala Segunda, de lo Penal, Sentencia 353/2014 de 8 May. 2014, Rec. 1234/2013: «el derecho del detenido a la asistencia letrada en las diligencias policiales y judiciales, reconocido en el art. 17.3 CE (LA LEY 2500/1978), adquiere relevancia constitucional como una de las garantías del derecho a la libertad protegido en el apartado

En su virtud será nula toda declaración ante la policía prestada sin asistencia letrada. Máxime con la reforma del enjuiciamiento criminal por la LO 13/2015 y 41/2015 que han reforzado el sistema de derechos y garantías del detenido, especialmente con relación al derecho de asistencia letrada.

«La declaración del inculpado prestada sin las debidas garantías procesales, no puede ser valorada (SSTS de 6 de junio de 1990, 25 de octubre de 1991, 175/1998 de 11 de febrero, o 1179/2001 de 20 de julio (LA LEY 5828/2001)). Es verdad que tanto el Tribunal Supremo como el Tribunal Constitucional siguiendo la literalidad del artículo 520 de la Ley Procesal, venían estimando que la asistencia letrada sólo era preceptiva en los casos de detención: SSTS de 21 de diciembre de 1995, de 19 de octubre de 1995, 4 de marzo de 1996, 1140/1998 de 5 de octubre, 685/2000 de 14 de abril (LA LEY 6676/2000), 1999/2001 de 29 de octubre (LA LEY 2367/2002); y la SSTC 229/1999, de 13 de diciembre (LA LEY 3410/2000) y 38/2003 (LA LEY 1370/2003), de 27 de febrero. Esta última alude ya a la reforma llevada a cabo por Ley 38/2002, de 24 de octubre (LA LEY 1490/2002), que generalizó a través del art. 767 LECrim (LA LEY 1/1882) la preceptiva asistencia de letrado a todo imputado, esté o no detenido, configurando, este derecho, como indisponible. Como tal reforma entró en vigor con posterioridad a los hechos a los que se refería el asunto analizado no se estimó el amparo. Y es que, en efecto, del artículo 767 de la Ley Procesal según la redacción conferida por la Ley 38/2002 (LA LEY 1490/2002) se deduce la imperatividad de esa asistencia letrada, aunque lo sea en términos difícilmente armonizables con la dicción del artículo 118 LECrim (LA LEY 1/1882) que no se vio alterada. Considerar que la asistencia letrada al imputado solo rige en el procedimiento abreviado (el art. 767 tiene esa ubicación sistemática) no es asumible. No sería coherente que precisamente para los delitos más graves el régimen de garantías fuese más relajado. La tesis más segura es la suscrita por el tribunal de apelación: considerar extensible la previsión del artículo 767 a todos los procedimientos por delito, también al ordinario y al del jurado». STS 299/2013 de 27 Feb. 2013, Rec. 735/2012; Ponente: Moral García, Antonio del. LA LEY 36258/2013.

Ahora bien, puede darse el caso de una declaración espontánea que puede tener plena validez, una vez sometida a contradicción en el acto del juicio con la declaración pertinente de los funcionarios presentes. Así, lo ha establecido el Tribunal Supremo, que gráficamente declara que lo que no cabe es que la policía «*amordace*» al detenido que quiere declarar ya sea por arrepentimiento espontáneo, o con cualquier otro fin. Lo que obviamente no cabe es la coacción, manipulación o engaño para obtener una declaración[53].

primero del propio artículo y su función consiste en asegurar que los derechos constitucionales de quien está en situación de detención sean respetados y no sufra coacción o trato incompatible con su dignidad y libertad de declaración y que tendrá el debido asesoramiento técnico sobre la conducta a observar en los interrogatorios, incluida la de guardar silencio, así como sobre su derecho a comprobar, una vez realizados y concluidos con la presencia activa del letrado, la fidelidad de lo transcrito en el acta de declaración que se le presenta a la firma (SSTC 196/87 (LA LEY 903-TC/1988) de 11.12, 252/94 (LA LEY 13008/1994) de 19.9, 229/99 (LA LEY 3410/2000) de 13.12, 199/2003 (LA LEY 10634/2004) de 10.11)».

(53) «El censurante entiende que no debe aceptarse ninguna declaración sin la presencia de la defensa letrada, después del momento de la comunicación al ciudadano de su condición de detenido... debemos tener en consideración, que fue el propio detenido, al que no pueda amordazarse para impedir que hable, el que se dirigió al agente y no viceversa, diciéndole que "sí que estu-

«Es cierto que la policía no puede eludir las garantías procesales que la Ley le impone respetar, entre ellas la de proporcionar a la persona sospechosa asistencia letrada, pero ninguna Ley prohíbe que las personas detenidas realicen, de forma voluntaria y espontánea, determinadas manifestaciones a la autoridad o a sus agentes, confesando su culpabilidad e incluso ofreciéndose a colaborar con ellos —cualesquiera que puedan ser los móviles de su conducta o la finalidad perseguida—, sea para evitar el agotamiento de la acción delictiva o para tratar de disminuir los efectos de la acción delictiva, por cuanto este tipo de conductas, cuya eficacia puede depender, en muchos casos de la intervención urgente de los agentes de la autoridad, está prevista en la propia Ley, arts. 2.1, 4, 5 y 6 CP es cierto, igualmente que tales manifestaciones efectuadas con anterioridad a ser informado el detenido de sus derechos no pueden luego incorporarse por escrito al atestado, pero si así se hiciese la ilegalidad consiguiente tendría carácter de ordinaria y, por lo tanto, la prueba habría de conceptuarse irregular, de manera que no deberá afectar a las restantes diligencias practicadas con pleno respeto a las exigencias legales y constitucionales». STS de 25 de enero de 2007, LA LEY 2449/2007.

Aunque, bien es cierto que en otras sentencias el Tribunal Supremo ha restado toda validez a la declaración efectuada sin la preceptiva asistencia de abogado.

«QUINTO. Se coincide con la sentencia de instancia en rechazar la validez probatoria de la declaración prestada en policía sin asistencia letrada. Nada hay que objetar a la fundada argumentación que aboca a esa inutilizabilidad. Las razones aducidas por la recurrente principal en reproducción de las blandidas como apelada en su día no menoscaban la fuerza de esa argumentación. El hecho de que el acusado acudiese voluntariamente a la comisaría de policía, declarase también voluntariamente y no estuviese privado de libertad no eximía de la asistencia letrada que, si bien no es necesariamente exigida por la Constitución en esos casos, sí que lo es por la legislación procesal a partir de la reforma de 2002. La declaración del inculpado prestada sin las debidas garantías procesales, no puede ser valorada (SSTS de 6 de junio de 1990, 25 de octubre de 1991, 175/1998 de 11 de febrero, o 1179/2001 de 20 de julio (LA LEY 5828/2001))». STS 299/2013 de 27 Feb. 2013, Rec. 735/2012; Ponente: Moral García, Antonio del. LA LEY 36258/2013.

Las declaraciones sumariales de los imputados o procesados se efectuarán en la sede del Juzgado, salvo que el Juez considere necesario que se hagan en el lugar de los hechos (art. 399 LECrim). En ese último caso, se procederá a realizarla por delegación en otra sede territorial por Juez diferente, o bien por el mismo Juez fuera de su demarcación. La declaración se producirá previa información del imputado de los derechos que le asisten, de conformidad con el art. 24 CE, 118, 520 y 775 LECrim. Los derechos básicos a los que tiene el derecho el interrogado son el derecho a no declarar contra sí mismo y a no confesarse culpable, el derecho a guardar silencio y a

---

vo esa noche con una chica rubia teñida, además de otras personas que había mencionado". Siguió diciendo que esa muchacha había accedido a realizar de forma voluntaria el acto sexual con él, "indicando asimismo que durante dicho acto desvirgó a esa chica rubia". Los agentes se limitaron a constatarlo por diligencia, lo que oyeron del detenido. Lo cierto es que en ningún momento, ni siquiera como consecuencia del recurso de casación, se ha dicho que el joven privado de libertad fuera coaccionado o manipulado antes de declarar, y por tanto antes de poder entrevistarse con su Abogado». STS Sala Segunda, de lo Penal, Sentencia 2380/2001 de 14 Dic. 2001, Rec. 374/2000; Ponente: Soriano Soriano, José Ramón. LA LEY 225587/2001.

no prestar declaración si no desea hacerlo y a no contestar a alguna o algunas de las preguntas que se le formulen. Además, la declaración siempre se deberá prestar asistido de abogado que podrá entrevistarse reservadamente con el detenido o imputado antes y después de la declaración (arts. 520 y 775 LECrim). Véase sobre los derechos del sometido al proceso penal el § 2 del Cap. IV.

El procedimiento de interrogatorio del imputado se halla en la sede de procedimiento ordinario por delitos graves en los arts. 385 a 409 LECrim. Debe destacarse la derogación por la Ley 13/2015 de los arts. 387 y 395 LECrim en los que se preveía que el procesado no podía excusarse de responder de forma clara y precisa a las preguntas exhortándole a decir verdad. Las preguntas deberán estar relacionadas con los hechos y con el cuerpo del delito y el inculpado tendrá libertad para manifestar lo que desee. Los derechos que asisten al declarante constituyen auténticas garantías y no meros formalismos, por lo que su incumplimiento puede determinar la nulidad de la declaración.

> «Es ciertamente censurable el error cometido por el Juzgado al trascribir su declaración en un impreso propio de declaraciones testificales. Es un error que no deja en buen lugar a los servicios de la Secretaría del Juzgado, y que el Letrado de la administración de justicia y el Juez hubieran debido evitar: las advertencias previstas por la ley antes de tomar declaración no deben ser despachadas como meras formalidades burocráticas, sino como lo que son, garantías propias del Estado de Derecho, dirigidas a asegurar que las personas que declaran ante el Juez son conscientes de sus derechos y de sus obligaciones, y a dejar adecuada constancia de ello en el proceso. Pero el error formal cometido en este caso por el Juzgado de Instrucción no puede hacer ignorar la realidad, pues la Constitución proclama derechos efectivos, no formalismos (STC 290/1993, fundamento jurídico 5.°)». STC 41/1998 de 24 de febrero.

En primer lugar, se preguntará al inculpado por su nombre, apellidos y demás datos personales (art. 388 LECrim). Posteriormente, se le interrogará sobre los hechos y su participación en ellos, y la de otras personas que hubieren contribuido a ejecutarlos o encubrirlos, y, también, con relación a los objetos que constituyan el cuerpo del delito (art. 391 LECrim). En caso de apreciarse contradicciones con declaraciones anteriores se le interrogará sobre el móvil y causas de aquéllas (art. 405 LECrim). Al procesado se le permitirá manifestar cuanto tenga por conveniente para su exculpación (art. 396 LECrim). Respecto a la práctica del interrogatorio, la Ley dispone que en ningún caso podrán hacerse al procesado cargos ni reconvenciones; las preguntas serán directas, sin que puedan hacerse de modo capcioso o sugestivo; tampoco se podrá emplear con el procesado género alguno de coacción o amenaza (arts. 396, 389, 391 LECrim). No obstante lo dicho en ocasiones se puede producir alguna clase de excesiva *«presión»* en el interrogatorio por cualquier de los comparecientes, especialmente del Juez de instrucción (que finalmente es el que dirige el interrogatorio). Ese proceder debe rechazarse por inapropiado. Además, la evidencia o prueba que pudiera obtenerse gracias a la coacción, el engaño o la presión probablemente se declararían nulas y sin valor probatorio. No obstante, el Tribunal Supremo se ha pronunciado declarando que por sí misma la incorreción en el interrogatorio del imputado no es sancionable ni tiene ninguna consecuencia en tanto no se utilice ninguna evidencia obtenida en el interrogatorio efectuado de un modo irregular.

«Tiene razón el Tribunal sentenciador cuando afirma que no comparte algunas de las expresiones del juez ni el tono empleado en el curso del interrogatorio, pues lo cierto es que algunos incisos de las preguntas del Juez de Instrucción o los comentarios a las respuestas del imputado están fuera de lugar, vista la dosis de ironía que utiliza para comentar o puntualizar las contestaciones del interrogado. Sin embargo, ello no significa que se le generara una situación de real indefensión que determine la nulidad de la diligencia practicada. Debiendo dejar claro que, en cualquier caso, la declaración del imputado no ha llegado a constituir una prueba de cargo relevante ni significativa para fundamentar la condena, dado que ésta no se ha cimentado sobre los datos que pudiera haber aportado el propio imputado». STS n.º 747/2015 de 19 Nov. 2015, Rec. 686/2015. Ponente: Jorge Barreiro, Alberto Gumersindo. LA LEY 185990/2015.

En el caso que el imputado no conociere el castellano ni, en su caso, la lengua oficial propia de la comunidad autónoma hubiese de ser interrogada o prestar alguna declaración, o cuando fuere preciso darle a conocer personalmente alguna resolución, el Tribunal, por medio de providencia se procederá conforme está previsto en los arts. 123 a 127 LECrim que regulan el derecho al intérprete del sometido al proceso penal. Concretamente el art. 123.1.a) LECrim reconoce el derecho del imputado a disponer de un intérprete en los interrogatorios policiales, ante el Fiscal o ante el Juez. A ese fin, se procederá a la designación del intérprete de entre los que se hallen incluidos en los listados elaborados por la Administración competente. Excepcionalmente, en aquellos supuestos que requieran la presencia urgente de un traductor o de un intérprete, y no sea posible la intervención de un traductor o intérprete judicial inscrito en las listas elaboradas por la Administración, se podrá habilitar como intérprete o traductor judicial eventual a otra persona conocedora del idioma empleado que se estime capacitado para el desempeño de dicha tarea (art. 124.1 LECrim. Las mismas reglas se aplicarán a las personas sordas y/o a las personas con discapacidad sensorial, que podrán contar con medios de apoyo a la comunicación oral (art. 127 LECrim). Véase sobre el derecho del sometido al proceso penal a la traducción el § A 3.2 c) del Capítulo IV.

En la diligencia en que se extienda la declaración, se contendrán íntegramente las preguntas y contestaciones (art. 401 LECrim). En su redacción no se admitirán tachaduras o enmiendas. En su caso, se consignarán al final las equivocaciones que se hubieren cometido, aunque, actualmente, esta cuestión puede resolverse fácilmente con medios informáticos (art. 403 y 450 LECrim). Una vez leída se firmará por todos los intervinientes y se autorizará por el Letrado de la administración de justicia (arts. 402, 404 LECrim).

La confesión del inculpado debe considerarse como un indicio importante, o principio de prueba que debe ser, en todo caso, confirmado por otros medios probatorios. Por tanto, la confesión del inculpado no obsta para que el Juez de instrucción practique todas las diligencias necesarias a fin de adquirir el convencimiento de la verdad de la confesión y de la existencia del delito (art. 406 LECrim). Aunque, puede constituir prueba de cargo si se cumplen determinados requisitos: a) Haber sido previamente informado de sus derechos constitucionales, entre los que se encuentra el de guardar silencio o negarse a contestar, b) encontrarse en el momento de la declaración asistido de su letrado y c) tratarse de una declaración voluntaria.

«En relación a la prueba de confesión del inculpado esta puede operar como una prueba autónoma e independiente de la prueba declarada nula siempre que se acredite que dicha declaración se efectuó: a) previa información de sus derechos constitucionales, entre los que se encuentra el de guardar silencio o negarse a contestar, b) encontrarse en el momento de la declaración asistido de su letrado y c) tratarse de una declaración voluntaria, sin vicios ni situaciones sugestivas que puedan alterar tal voluntariedad, condiciones todas que nos conducen a concretar como escenario de tal declaración el Plenario, por ser en ese momento donde tales derechos y garantías se desarrollan en la mayor extensión». STS de 25 de enero de 2007, LA LEY 2449/2007.

Al mismo tiempo la confesión también puede servir como una atenuante en beneficio del acusado en atención de su colaboración con la investigación de los hechos. A ese fin no es necesaria ninguna clase de arrepentimiento, sino, sencillamente que el sujeto confiese la infracción a las autoridades antes de conocer que el procedimiento judicial se dirige contra él.

«La reciente sentencia de esta Sala núm. 372/14, de 15 de mayo, recoge nuestra doctrina reiterada en sentencias como las STS 100/2014, de 18 de febrero (LA LEY 19186/2014), STS núm. 968/2013, de 19 de diciembre (LA LEY 213781/2013) y STS 877/2013, de 26 de noviembre (LA LEY 192209/2013), entre las más recientes, recordando que la atenuante de confesión del artículo 21.4º CP (LA LEY 3996/1995) exige que el sujeto confiese la infracción a las autoridades antes de conocer que el procedimiento judicial se dirige contra él. No es preciso ningún elemento subjetivo relacionado con el arrepentimiento por el hecho cometido, pues lo que se valora en la configuración de la atenuante es, de un lado, la colaboración del autor a la investigación de los hechos, facilitando que se alcance la Justicia, y, de otro, al mismo tiempo, su regreso al ámbito del ordenamiento, mediante el reconocimiento de los hechos y la consiguiente aceptación de sus consecuencias». STS 532/2014 de 28 May. 2014, Rec. 1382/2013. Ponente: Conde-Pumpido Tourón, Cándido. LA LEY 80874/2014.

Ahora bien, la confesión sólo tendrá valor de atenuante cuando sea voluntaria y espontánea (art. 21.4 CP). En su virtud no tendrá ese valor la simple comparecencia del imputado asumiendo su consideración de sujeto a un proceso penal.

«Hemos dicho en numerosos precedentes —recordábamos en la STS 25/2013, 16 de enero (LA LEY 1254/2013)— que la atenuante de confesión prevista en el art. 21.4 del CP (LA LEY 3996/1995) encuentra su justificación en razones de política criminal (cfr. SSTS 767/2008, 18 de noviembre; 527/2008, 31 de julio (LA LEY 112702/2008) y 767/2008, 18 de noviembre (LA LEY 176090/2008)). Al Estado le interesa que la investigación de los delitos se vea facilitada por la confesión —siempre voluntaria y espontánea— del autor del hecho. Con ello se simplifica el restablecimiento del orden jurídico por aquel que lo ha perturbado, se refuerza el respaldo probatorio de la pretensión acusatoria e incluso se agiliza el ejercicio del *ius puniendi*. Quien voluntariamente confiesa su participación en el hecho delictivo, rebaja la intensidad del juicio de reproche y demuestra una menor necesidad de pena. La aplicación del beneficio asociado a la atenuante exige, además de que la autoinculpación se verifique ante las autoridades, que esa confesión se produzca antes de que el acusado conozca que el procedimiento se dirige contra él. La veracidad de la confesión cierra el círculo de los presupuestos que esta Sala viene exigiendo para su apreciación. Ninguna de estas exigencias concurre en el presente caso. La defensa pretende identificar el acto procesal de personarse en un procedimiento que se sigue contra el recurrente con el acto de confesar su participación en los hechos. Esa participación no ha sido admitida, ni siquiera en el momento de la formulación del recurso de casación. No ha existido, por tanto, un verdadero acto de confesión tardía. La voluntaria asunción del estatuto de parte pasiva de un procedimiento nada tiene que ver con la voluntaria admisión de los hechos imputados». STS 754/2016 de 13 Oct. 2016, Rec. 10244/2016. Ponente: Marchena Gómez, Manuel. LA LEY 142441/2016.

O la que se produce cuando el sujeto comparece y confiesa una vez que se halla sujeto a investigación y control policial, conocido por el sospechoso, aunque la policía no haya descubierto todavía las evidencias y pruebas del delito.

«En la doctrina jurisprudencial se destaca como elemento integrante de la atenuante el temporal o cronológico, consistente en que el reconocimiento de los hechos se verifique antes de que el inculpado conozca que es investigado policial o judicialmente por los mismos, dado que en el concepto de procedimiento judicial se incluye la actuación policial (STS 199/2014, de 4 de febrero, entre la más recientes), por lo que se excluye de la aplicación de la atenuante aquellos supuestos en que la confesión se produce porque el responsable se encuentra ya bajo el control policial, sometido a su inspección, aunque no se hayan descubierto todavía las pruebas del delito. En definitiva, la apreciación de la atenuante requiere cuatro requisitos: 1°) Un acto de confesión de la infracción. 2°) La veracidad de la confesión en lo sustancial, pues de otro modo no puede calificarse en sentido propio de confesión. 3°) Habrá de hacerse ante la autoridad, incluyendo sus agentes, o funcionarios cualificados para recibirla. 4°) Debe cumplir un requisito temporal o cronológico, consistente en que el reconocimiento de los hechos se verifique antes de que el inculpado conozca que es investigado policial o judicialmente por los mismos, dado que en el concepto de procedimiento judicial se incluye la actuación policial». STS 532/2014 de 28 May. 2014, Rec. 1382/2013,; Ponente: Conde-Pumpido Tourón, Cándido. LA LEY 80874/2014.

En cuanto a la eficacia de la declaración sumarial, suele ser frecuente que el acusado, después de reconocer su participación en el hecho delictivo ante la Policía y de haberse ratificado, o no, ante el Juez de Instrucción, se retracte posteriormente en el juicio oral. Ello no es óbice para que, en ese caso, pueda quedar enervada la presunción de inocencia por tal hecho si aquella confesión inicial viene complementada con otros elementos de prueba que acrediten su intervención en el delito. Sobre esa cuestión se pronunció el Acuerdo del Pleno no jurisdiccional de 28 de noviembre de 2006 que estableció que: «Las declaraciones válidamente prestadas ante la policía pueden ser objeto de valoración por el Tribunal, previa su incorporación al juicio oral en alguna de las formas admitidas por la jurisprudencia». Ahora bien, debe tenerse presente que conforme con la jurisprudencia vigente, y conforme expresa con absoluta claridad el Tribunal Constitucional, no tiene ningún valor probatorio la declaración inculpatoria del detenido ante la policía que no es ratificada ante el Juez de instrucción o en el plenario.

«Como ya ha quedado expuesto, plantea la demanda el valor probatorio de las declaraciones autoinculpatorias prestada en unas diligencias policiales. La respuesta es inequívoca: ninguno. En el actual estado de nuestra jurisprudencia no es posible fundamentar una sentencia condenatoria, esto es, entender destruida la presunción de inocencia que constitucionalmente ampara a todo imputado con el exclusivo apoyo de una declaración en la que aquél reconozca su participación en los hechos que se le atribuyen. Sólo los actos procesales desarrollados ante un órgano judicial pueden generar verdaderos actos de prueba susceptibles, en su caso, de ser valorados conforme a las exigencias impuestas por el art. 741 LECrim. (LA LEY 1/1882)». STC Pleno, Sentencia 165/2014 de 8 Oct. 2014, Rec. 2698/2010, Ponente: Enríquez Sancho, Ricardo. LA LEY 145190/2014.

Ahora bien, es también doctrina jurisprudencial que los hechos a los que hace referencia la declaración inculpatoria, siempre que se hubiere obtenido lícitamente, pueden ser objeto de prueba mediante la declaración de los policías o la constatación de los hechos mediante otros medios de prueba Véase sobre la valoración de la prueba de interrogatorio del acusado el § 1.4 B del Cap. IX en sede de prueba.

«5. Ahora bien, aunque la declaración autoinculpatoria en el curso de las diligencias policiales no es una prueba de confesión, ni tiene valor de prueba de cargo para sustentar la condena según se ha razonado, sí es una manifestación voluntaria y libre documentada que cuando se realiza con observancia de requisitos legales adquiere existencia jurídica. La STC 165/2014 (LA LEY 145190/2014), del Pleno de este Tribunal, tantas veces citada, ha señalado y se ha ocupado del juicio de constitucionalidad que corresponde cuando esas declaraciones autoinculpatorias documentadas en el atestado policial, además de existir, "ponen de manifiesto unos hechos que son acreditados por otros medios de prueba". En esa última hipótesis, según la doctrina ya tantas veces recordadas, tres son los planos del análisis constitucional. El primero de ellos, comprobar que la declaración autoinculpatoria del demandante que documenta el atestado policial fue regularmente obtenida. Superado afirmativamente ese primer nivel, el siguiente escalón pide examinar si hubo pruebas de cargo válidamente practicadas que vengan a avalar los datos objetivos que de aquella declaración policial pudieren extraerse, convirtiendo el "objeto de prueba" en un "hecho acreditado", pues aquella declaración, como tal, aislada y en sí misma considerada, ya se dijo, no tiene valor probatorio alguno. De constatarse su existencia, el último peldaño consiste en constatar si, a partir de la convicción judicial así expuesta, es posible concluir que la presunción de inocencia del demandante resultó rectamente enervada». STC 33/2015 de 2 Mar. 2015, Rec. 686/2012. Ponente: Valdés Dal-Ré, Fernando. LA LEY 26676/2015.

Otra cuestión recurrente es la de las declaraciones de los coimputados, que el Tribunal Supremo ha declarado que pueden constituir pruebas de cargo válidas para fundar una condena, pero que su valoración: «... *exige un plus: unas condiciones externas, verificables desde fuera, más allá de que el proceso racional por el que un Tribunal llega a conferirles credibilidad esté fuertemente asentado y sea convincente*» (STS Sala Segunda, de lo Penal, Sentencia 213/2016 de 15 Mar. 2016). En su virtud la declaración de los coimputados deberán ser valoradas por el Tribunal y ser eficaces a efectos probatorios cuando ofrezcan la suficiente credibilidad, siempre que no se deban a razones de venganza, ánimo exculpatorio o trato procesal más favorable. En el supuesto de ofrecerse versiones contradictorias en las declaraciones realizadas ante el Juez instructor y en el momento del juicio oral, el órgano sentenciador podrá optar por la versión que considere más creíble, sin vinculación alguna a ninguna de ellas.

«En reiterada jurisprudencia hemos declarado, por todas la STS 871/2015, de 28 de diciembre (LA LEY 221749/2015), la habilidad de las declaraciones de coimputados dependiendo su eficacia como prueba de cargo, de la existencia de corroboraciones en esa declaración que la dote de fiabilidad. Conforme en la jurisprudencia del Tribunal Constitucional "las declaraciones de los coimputados carecen de consistencia plena como prueba de cargo cuando, siendo únicas, no resultan mínimamente corroboradas por otros datos externos. La exigencia de corroboración se concreta, por una parte, en que no ha de ser plena, sino mínima y, por otra, en que no cabe establecer qué ha de entenderse por corroboración en términos generales, más allá de que la veracidad objetiva de la declaración del coimputado ha de estar avalada por algún hecho, dato o circunstancia externa, debiendo dejarse al análisis caso por caso la determinación de si dicha mínima corroboración se ha producido o no. Igualmente ha afirmado el Tribunal Constitucional que los diferentes elementos de credibilidad objetiva de la declaración —como pueden ser la inexistencia de animadversión, el mantenimiento o no de la declaración, o su coherencia interna— carecen de relevancia como factores de corroboración, siendo necesario que existan datos externos a la versión del coimputado que la corroboren, no en cualquier punto, sino en relación con la participación del recurrente en los hechos punibles que el órgano judicial considera probados. Por último, también ha destacado que la declaración de un coimputado no puede entenderse corroborada, a estos efectos, por la declaración de otro coimputado y que los elementos cuyo carácter corroborador ha de ser valorado por este Tribunal son exclusivamente los que aparezcan expresados en las resoluciones judiciales impugnadas como fundamentos probatorios de la condena (SSTC 34/2006 de 13 de febrero (LA LEY 16773/2006); 230/2007 de 5 de noviembre (LA LEY 179917/2007); 102/2008 de 28 de julio (LA LEY 102300/2008); 56/2009 (LA LEY 6903/2009) y 57/2009 de 9 de marzo (LA LEY 6905/2009); 125/2009 de 18 de mayo (LA LEY 76107/2009) y 134/2009 de 1 de junio (LA LEY 92010/2009))"». STS Sala Segunda, de lo Penal, Sentencia 213/2016 de 15 Mar. 2016, Rec. 1094/2015; Ponente: Martínez Arrieta, Andrés. LA LEY 15979/2016.

Véase más sobre la eficacia y valor probatorio de las declaraciones del acusado y coimputados en el § 1.4.B del Capítulo IX en sede de Prueba.

Una cuestión de especial interés es la de la consecuencia del silencio del imputado en un proceso penal. En principio, tal y como se ha explicado, no existe ninguna norma que establezca obligación alguna del imputado de responder a ninguna de las preguntas que se le dirijan, con base en su derecho a no declarar y no confesarse culpable, sin que, por supuesto, ninguna consecuencia o perjuicio pueda devenir de su silencio. Ahora bien, es también cierto que partiendo de lo anterior se plantea el efecto que deba tener el silencio del imputado ante la existencia de prueba de cargo suficiente y válida para fundar una condena. Desde nuestro punto de vista, la respuesta es simple y no puede ser otra que el silencio no puede afectar al acusado, sino que, en su caso, le puede perjudicar indirectamente en tanto que de su declaración, en el caso que la hiciere, pudiera aportarse algún hecho al proceso que pudiera determinar su absolución. Pero lo dicho no significa que la condena pueda fundarse, de ningún modo, en la falta de explicación de los hechos por parte del acusado. Es decir, que el silencio no puede añadir incriminación al acusado, sino, simplemente, impedir la enervación de los hechos que le incriminan.

No obstante, lo cierto es que esta cuestión se ha planteado con relación a la última idea cuestionándose si ante la existencia de una prueba de cargo suficiente y fundada puede exigirse al acusado alguna clase de explicación, y si fuere así si su silencio pudiera tener consecuencias negativas. Este dilema se planteó en la conocida STEDH de 8 febrero 1996 (Caso John Murray), en la que se condenó al Sr. Murray por un delito de terrorismo teniendo en cuenta la negativa del Sr. Murray a dar explicaciones sobre determinados hechos que le incriminaban. En su sentencia el TEDH no amparó el derecho del Sr. Murray considerando que el derecho a guardar silencio no es absoluto.

> «45. No cabe duda de que, incluso si el artículo 6 del Convenio no los menciona expresamente, el derecho a permanecer en silencio en un interrogatorio de policía y el derecho a no contribuir a su propia incriminación son normas internacionales generalmente reconocidas que están en el centro de la noción de proceso equitativo consagrada por el artículo 6 (Sentencia Funke anteriormente citada, loc. cit.). Poniendo al acusado al abrigo de una coacción abusiva por parte de las autoridades, esas inmunidades cooperan para evitar errores judiciales y garantizar el resultado querido por el artículo 6. 47. Por un lado, es manifiestamente incompatible con las prohibiciones de las que se trata basar una condena exclusiva o esencialmente en el silencio del acusado o sobre su negativa a responder a las cuestiones o a declarar. Por otro, es también evidente para el Tribunal que esas prohibiciones no pueden y no deberían impedir tener en cuenta el silencio del interesado, en situaciones que requieren seguramente una explicación por su parte, para apreciar la fuerza de persuasión de los elementos de cargo. Se sitúe donde se sitúe la línea de demarcación entre estos dos extremos, se deriva de esta interpretación del "derecho a guardar silencio" que hay que responder negativamente a la pregunta de si este derecho es absoluto. No se podría decir, por lo tanto, que la decisión de un acusado de permanecer en silencio del principio al fin del procedimiento penal debería necesariamente estar desprovista de incidencia una vez que el Juez competente en cuanto al fondo intente apreciar los elementos de cargo. En concreto, como señala el Gobierno, las normas internacionales establecidas, si consagran el derecho a guardar silencio y la prohibición de contribuir a su propia incriminación, nada dicen sobre este punto». STEDH 1996\7, de 8 febrero 1996. Caso John Murray; contra Reino Unido. Demanda núm. 18731/1991.

Con base en esta sentencia se ha pronunciado el Tribunal Constitucional para considerar que el silencio del acusado, si bien no puede sustituir la prueba de cargo, sí que puede corroborar la culpabilidad del acusado.

> «Pone el acento también la demandante en la improcedencia de utilizar su silencio en juicio como elemento fundamentador del pronunciamiento condenatorio. A este respecto, hemos afirmado que "ante la existencia de ciertas evidencias objetivas aducidas por la acusación como las aquí concurrentes, la omisión de explicaciones acerca del comportamiento enjuiciado en virtud del legítimo ejercicio del derecho a guardar silencio puede utilizarse por el Juzgador para fundamentar la condena, a no ser que la inferencia no estuviese motivada o la motivación fuese irrazonable o arbitraria" (SSTC 202/2000, de 24 de julio (LA LEY 11293/2000);155/2002, de 22 de julio (LA LEY 6428/2002)); ciertamente, tal silencio no puede sustituir la ausencia de pruebas de cargo suficientes, pero, al igual que la futilidad del relato alternativo auto-exculpatorio, sí puede tener la virtualidad de corroborar la culpabilidad del acusado (STC 155/2002 (LA LEY 6428/2002), citando la STC 220/1998, de 16 de noviembre (LA LEY 10641/1998))». STC 26/2010, de 27 de abril.

Dicho de otro modo, y en palabras del Tribunal Constitucional (STC 155/2002 de 22 de julio), cuando existan pruebas incriminatorias objetivas: *«cabe esperar del imputado una explicación»* o también que: «*en circunstancias muy singulares, ante la existencia de ciertas evidencias objetivas aducidas por la acusación (...) la omisión de explicaciones acerca del comportamiento enjuiciado en virtud del legítimo ejercicio del derecho a guardar silencio puede utilizarse por el Juzgador para fundamentar la condena».* Es cierto que a continuación dice: «*a no ser que la inferencia no estuviese motivada, o la motivación fuese irrazonable o bien fuese la consecuencia del solo hecho de haber optado la recurrente por guardar silencio»*[(54)].

No podemos estar de acuerdo con esta doctrina, en tanto que sencillamente nada debe esperarse, procesalmente hablando, del imputado que no es objeto de prueba. Así, salvo confesión voluntaria, es a la acusación a la que corresponde acreditar y probar los hechos típicos en el proceso penal y no al acusado. Más de acuerdo estamos con la doctrina del Tribunal Supremo que se ha pronunciado sobre esta cuestión de un modo más razonable considerando, como no puede ser de otra manera, que la persona condenada lo debe ser: «*por las pruebas de cargo y solo por ellas, de suerte que la condena no precisa de la valoración incriminatoria de ese silencio».*

«De la aplicación que hace el Tribunal Constitucional de la doctrina procesal del *Caso Cesáreo* se desprende que la jurisprudencia que sienta el TEDH no permite solventar la insuficiencia de la prueba de cargo operando con el silencio del acusado. La *suficiencia probatoria* ajena al silencio resulta imprescindible. Esto es: una vez que concurre prueba de cargo *"suficiente"* para enervar la presunción de inocencia es cuando puede utilizarse como un argumento a mayores la falta de explicaciones por parte del imputado. Del mismo modo la STS 652/2010 (LA LEY 113893/2010) de uno de julio, recuerda que: "cuando la acusación ha presentado una serie de datos que incriminan al imputado, y éste, en el Plenario se acoge a su derecho al silencio, esta actitud no es algo neutro ni indiferente para el Tribunal sentenciador, sino que el hecho que se le ofrezca la posibilidad de que dé una explicación exculpatoria, o

---

(54) «Con carácter general, este Tribunal, mediante la expresa invocación de la doctrina sentada en la STEDH, de 8 Feb. 1996 (caso John Murray), en relación con la posibilidad de atribuir valor de indicio o probatorio de cargo al silencio o a la futilidad del relato alternativo de los acusados de su participación en los hechos incriminados, en virtud de los derechos a no declarar contra uno mismo y a no confesarse culpable como manifestación del derecho de defensa en su vertiente pasiva y concreción del derecho a la presunción de inocencia, tiene declarado que pueden extraerse consecuencias negativas del silencio de los acusados "cuando, existiendo pruebas incriminatorias objetivas al respecto, cabe esperar del imputado una explicación", de modo que "en circunstancias muy singulares, ante la existencia de ciertas evidencias objetivas aducidas por la acusación (...) la omisión de explicaciones acerca del comportamiento enjuiciado en virtud del legítimo ejercicio del derecho a guardar silencio puede utilizarse por el Juzgador para fundamentar la condena, a no ser que la inferencia no estuviese motivada, o la motivación fuese irrazonable o bien fuese la consecuencia del solo hecho de haber optado la recurrente por guardar silencio" (STC 202/2000, de 24 Jul. (LA LEY 11293/2000), FF.JJ. 3 y 5). En otras palabras, el silencio o la futilidad del relato alternativo de los acusados "puede servir acaso para corroborar su culpabilidad, pero no puede sustituir la ausencia de pruebas de cargo suficiente" (STC 220/1998, de 16 Nov. (LA LEY 10641/1998), FJ 6). De modo que el silencio del acusado no puede completar una prueba de cargo inexistente o insuficiente, sin que ello vulnere la presunción de inocencia, por la sencilla razón de que el derecho a la presunción de inocencia, comporta, en primer término, que el hecho delictivo ha de probarlo la acusación». STC Pleno, Sentencia 155/2002 de 22 Jul. 2002, Rec. 4858/2001; Ponentes: Vives Antón, Tomás; Gay Montalvo, Eugeni. LA LEY 6428/2002.

que contradiga dichas pruebas y nada diga, dicho silencio no es prueba de cargo, sino que solo tiene un valor de robustecer la certeza del Tribunal derivada de las pruebas de cargo porque si se le ofrece la posibilidad de una explicación y no ofrece ninguna, la conclusión es clara: no hay explicación exculpatoria alguna. En tal caso se insiste la persona concernida es condenada por las pruebas de cargo y solo por ellas, de suerte que la condena no precisa de la valoración incriminatoria de ese silencio —STS 957/2006 de 5 de octubre (LA LEY 135300/2006)—"». STS 71/2017 de 8 Feb. 2017, Rec. 1843/2016; Ponente: Berdugo Gómez de la Torre, Juan Ramón. LA LEY 3460/2017[55].

Véase también con relación a la versión de los hechos del acusado el § 1.4. B del Cap. IX en sede de prueba.

2.8. Declaración del ofendido y ofrecimiento de acciones

El ofendido por el delito tiene derecho a mostrarse parte en la causa. A este efecto, en el acto de recibirse declaración al perjudicado por el delito se le instruirá del derecho que le asiste para mostrarse parte en el proceso (arts. 109 y 776 LECrim). En el supuesto que aquél fuese desconocido, el ofrecimiento de acciones se podrá realizar por medio de edicto que se insertará en los periódicos oficiales y BOE, siempre que el Juez lo considere necesario, acompañándolo de oficio remisorio. La importancia del ofrecimiento de acciones ha sido puesta de relieve por la STC 66/92, de 29 abril, que añade que, en caso de cambio de procedimiento, aquél debe reiterarse por incidir en la efectividad del derecho a la tutela efectiva sin indefensión. En el procedimiento por delitos graves la personación como parte sólo podrá realizarse mediante querella; pero en el procedimiento abreviado bastará un escrito de comparecencia (art. 761.2.° LECrim). (Véase Cap. II sobre el ejercicio de acciones en el proceso penal). (Véanse M. 63 y 64).

El Juez instructor podrá también acordar que se tome declaración al ofendido que no se hubiese constituido como parte. Al recibírsele declaración, y si tuviese la capacidad legal necesaria, se le instruirá de su derecho de disposición —a reclamar o renunciar— sobre el extremo de la indemnización (art. 109 LECrim). Los perjudicados que no hubieren renunciado a su derecho, podrán mostrarse parte en la causa si lo hicieran antes del trámite de calificación del delito, y ejercitar las acciones civiles y penales que procedan en la forma expuesta art. 110 LECrim). Para que el

---

(55) Véase en el mismo sentido la STS Sala Segunda, de lo Penal, Sentencia 688/2016 de 27 Jul. 2016, Rec. 1536/2015. Ponente: Jorge Barreiro, Alberto Gumersindo. LA LEY 91579/2016: «el caso que ahora se juzga, a tenor de lo que se ha venido argumentando en el primer fundamento de esta sentencia, no puede afirmarse, como pudiera darse a entender con la interpretación que hace la defensa sobre los razonamientos de la sentencia recurrida, que el mero hecho de que los acusados guardaran silencio en la fase de instrucción y en la vista oral del juicio a las preguntas de la parte querellante pudiera corroborar una prueba de cargo que no se consideraba suficiente para enervar la presunción de inocencia. Y es que no puede corroborarse algo que no cuenta con prueba suficiente para que sea afirmado previamente como cierto. Por tanto, el silencio a que se refiere la parte recurrente no puede suplir la falta de prueba de cargo contra los dos acusados que se citan en el recurso, ni puede reforzar o reafirmar hechos que no están apoyados en una prueba de cargo suficiente para acreditarlos».

testimonio de la víctima pueda tener el carácter de prueba de cargo suficiente, será necesario que el contenido de dicho testimonio no se revele como contradictorio en las sucesivas declaraciones efectuadas en el proceso, y que se ratifique en el plenario. Podrá fundarse la condena en el testimonio único, valorando y ponderando el resto de elementos objetivos y subjetivos concurrentes en la causa. Concretamente, se valorará: «1) ausencia de incredibilidad subjetiva derivada de las relaciones acusado-víctima, que pudiera conducir a la deducción de la concurrencia de un móvil de resentimiento o enemistad que privara al testimonio de la aptitud para generar el estado subjetivo de certidumbre en que la convicción jurídica estriba; 2) verosimilitud de las imputaciones vertidas; 3) corroboraciones periféricas de carácter objetivo de tales imputaciones; y 4) persistencia de la incriminación, que, si es prolongada en el tiempo, deberá carecer de ambigüedades y contradicciones». Véase, entre otras, STS Sala Segunda, de lo Penal, Sentencia 1004/2016 de 23 Ene. 2017, Rec. 10262/2016; Ponente: Llarena Conde, Pablo. LA LEY 1612/2017.

Además, en virtud de la modificación del art. 109 LECrim, establecida por la LO 14/1999 de 9 de junio en materia de protección a las víctimas de malos tratos, en los procesos que se sigan por los delitos comprendidos en el art. 57 CP (homicidio, lesiones, aborto, torturas etc.) el Juez asegurará la comunicación a la víctima de los actos procesales que puedan afectar a su seguridad.

Véase sobre la valoración del testimonio de la víctima § 1.4.C.b, Capítulo XI; y el § 4 del Cap. IV sobre los derechos de las víctimas.

2.9. Declaración de los testigos

A) Concepto y deberes del testigo

Los testigos son aquellas personas físicas que declaran en el proceso penal respecto de los hechos delictivos de los que tuvieren conocimiento. Ya sea con relación a la persona del delincuente, la cosa objeto del delito, lugares, armas, instrumentos u otros efectos relacionados con el mismo (arts. 337, 364, 368, 421 entre otros LECrim). En este sentido, el art. 421 LECrim dispone que el Juez de instrucción hará concurrir y examinará a los testigos citados en las diligencias y a todos los demás que supieren hechos o circunstancias, o poseyeren datos convenientes para la comprobación o averiguación del delito y del delincuente (Véase sobre la declaración de los testigos en el acto del juicio oral § 1.4.C del Cap. IX).

El testigo no es parte en el proceso, sino que tienen la condición jurídica de tercero. Por esa razón, no tendrá el carácter de prueba de cargo la autoinculpación de una persona que declare en el proceso como testigo. Primero, porque su obligación de decir la verdad —delito de falso testimonio— colisiona con el derecho constitucional de que nadie está obligado a declarar en su contra. Segundo, porque carece de las garantías procesales que deben tener todos los acusados.

Los testigos tienen el deber de declarar cuanto supieren sobre los que les fuere preguntado (art. 410 LECrim). Dentro de este deber genérico, cabe distinguir las siguientes obligaciones específicas:

1) *Deber de comparecer*. Este deber alcanza a todas las personas que residan en territorio español, que no se hallen impedidas (art. 410). Quedarán exceptuados de este deber, así como el de declarar: el Rey o la Reina, su consorte, regentes, y el príncipe heredero; Agentes diplomáticos, en cualquier caso, y sus familiares según establezcan los Tratados (art. 411 LECrim).

En el supuesto que en la instrucción de una causa penal fuere necesaria la declaración de un Juez o Magistrado, ésta se realizará sin que pueda ser excusada. Si el Juez que hubiere de recibir la declaración fuere de categoría inferior, la realizará en el despacho del superior (art. 400 LOPJ). También está exceptuado de comparecer el testigo que estuviese físicamente impedido En ese caso, el Juez instructor se constituirá en su domicilio cuando el interrogatorio no haya de poner en peligro la vida del enfermo (art. 419 LECrim).

2) *Deber de prestar juramento*. El Juez deberá recibir juramento o promesa al testigo mayor de edad, advirtiéndole de la obligación que tiene de ser veraz y, en caso contrario, de las penas que el Código Penal castiga el delito de falso testimonio en causa penal (arts. 420, 433 LECrim. y 458 CP)[56].

3) *Deber de declarar*. Este deber es consecuencia de los anteriores, ya que el testigo, una vez personado y prestado juramento ante el órgano jurisdiccional, deberá declarar cuanto supiere sobre lo que se le pregunte (art. 410 LECrim). Quedan exentos de este deber, no pudiendo ser obligados a declarar: a) los abogados que deberán guardar secreto de todos los hechos o noticias de que conozcan por razón de su actuación profesional, no pudiendo ser obligados a declarar sobre los mismos (arts. 542.3 LOPJ, 416.2 LECrim); b) Los parientes del procesado en línea directa ascendente y descendente, cónyuge, hermanos y colaterales hasta el segundo grado (art. 416 LECrim) (se entienden incluidas las parejas de hecho o personas unidas al acusado por una relación de afectividad análoga a la del cónyuge)[57]; c) Los ministros religiosos sobre los hechos que les fueren revelados en el ejercicio de las funciones de su ministerio (art. 417.1 LECrim); d) Los funcionarios públicos, civiles o militares,

---

(56) BERNAL VALLS, «Deber de declarar y derecho al silencio en la prueba testifical del proceso penal: sumarias consideraciones sobre su problemática actual», *PJ*, 1987, n.º 5, p. 9; GRANADOS PÉREZ, «El olvidado art. 420 LECrim.», *AJ RAJ*, n.º 30.

(57) «El art. 261 LECrim. —dice la STS 28.1.2009— determina que no están obligadas a denunciar las personas que en él se relacionan, y entre ellas "el cónyuge del delincuente" si bien esta Sala, SS. 22.7.2007, 20.2.2008, 26.3.2009, y la mayoría de la doctrina extiende tal dispensa a las parejas de hecho o personas unidas al acusado por una relación de afectividad análoga a la del cónyuge. La dispensa de tal deber de denuncia que se corresponde con la de declarar testificalmente contra aquél establecida en el art. 416 de la LECrim., no comporta obviamente una prohibición, pero sí una facultad cuyo fundamento está en la voluntad de la ley de dejar al interesado la solución del conflicto moral o de colisión de intereses entre su deber como ciudadano de comunicar los hechos delictivos para su persecución y de testimoniar verazmente sobre ellos, y su deber personal de lealtad y afecto hacia personas ligadas a él por vínculos familiares. De ahí que esa legal atribución del poder de decidir el conflicto a quien lo soporta se acompañe de la correspondiente información de que puede ejercitarlo. Tal es el significado de la advertencia que el Juez instructor debe hacer al testigo de que no tiene obligación de declarar contra su pariente». (STS 5 Mar. 2010, Nº de sentencia: 160/2010, Nº de recurso: 2209/2009, LA LEY 4009/2010.

obligados por su cargo a guardar secreto (art. 417.2 LECrim); e) Los incapacitados física o moralmente (art. 417.3 LECrim).

Los exentos del deber de declarar pueden hacerlo, puesto que nada se lo impide, lo que ocurre es que tienen el derecho a no hacerlo teniendo en cuenta las circunstancias que concurren en su persona que suponen o bien una situación de sujeción legal o bien personal, razón que sirve de fundamento para la exención del deber de declarar

«El Tribunal Supremo, en una reiterada línea jurisprudencial constitucionalmente adecuada, invoca como fundamento de la dispensa de la obligación de declarar prevista en los arts. 416 y 707 Lecrim los vínculos de solidaridad que existen entre los que integran un mismo círculo familiar, siendo su finalidad la de resolver el conflicto que pueda surgir entre el deber de veracidad del testigo y el vínculo de familiaridad y solidaridad que le une al acusado. Y califica la información sobre dicha dispensa, en los supuestos legalmente previstos, como una de las garantías que deben ser observadas en las declaraciones de los testigos a los que se refiere el art. 416 LECrim, reputando nulas y, en consecuencias, no utilizables las declaraciones prestadas contra el procesado sin la previa advertencia, al no haber sido prestadas con todas las garantías. En cuanto a su práctica requiere que se informe a los testigos de la dispensa, si bien admite que su presencia espontánea puede entrañar una renuncia al derecho de no declarar contra el procesado o acusado, siempre que tal renuncia resulte concluyentemente expresada, lo que puede apreciarse en los casos en los que se trate de un hecho punible del que el testigo haya sido víctima (SSTS, Sala de lo Penal, núms. 6621/2001, de 6 de abril; 1225/2004, de 27 de octubre; 134/2007, de 22 de febrero; 385/2007, de 10 de mayo; 625/2007, de 12 de julio; 13/2009, de 20 de enero; 31/2009, de 27 de enero; 129/2009, de 10 de febrero; y 292/2009, de 26 de marzo)». STC 94/2010, de 15 de noviembre de 2010 (BOE núm. 306, de 17 de diciembre de 2010).

Teniendo en cuenta lo anterior resulta necesario que el Juez informe al testigo de su derecho a no declarar. En caso contrario, la declaración puede no resultar válida.

«CUARTO.— El segundo motivo de recurso, por infracción de ley, alega vulneración del art. 416 1º de la Lecrim (LA LEY 1/1882), entre otros, al no haberse advertido a las perjudicadas de su derecho a no declarar contra un familiar, concretamente su tío, que era el denunciado y finalmente quien fue condenado en función de sus declaraciones. El Ministerio Fiscal descarta la estimación del motivo en relación con la primera de las víctimas Eugenia, porque ésta ejerció la acusación particular en el juicio, y considera que en ese caso no es exigible la advertencia legal. Pero le otorga fundamento respecto de la víctima Remedios, estimando que sus declaraciones no son válidas por el incumplimiento de lo dispuesto en el art. 416 1º Lecrim (LA LEY 1/1882), y que la condena del recurrente en relación con esta víctima tendría que fundamentarse, en todo caso, en los testimonios de referencia de su hermana». STS 594/2015 de 30 Sep. 2015, Rec. 356/2015 Ponente: Conde-Pumpido Tourón, Cándido. LA LEY 143553/2015[58].

_____

(58) Los grados de parentesco se determinan por lo previsto en los arts. 915 y ss. C.Civil: «Como dispone el Código Civil (artículo 915), la proximidad del parentesco se determina por el número de generaciones. Cada generación forma un grado. La serie de grados forma la línea, que puede ser directa o colateral. Se llama directa la constituida por la serie de grados entre personas

Ahora bien, no siempre la falta de advertencia al testigo sobre su derecho a no declarar producirá la declaración de nulidad de lo que hubiese dicho. Así no se producirá en el caso que hubiese quedado acreditada la actuación procesal del testigo reveladora de una renuncia tácita de su derecho a no declarar. Por ejemplo, en el caso de la víctima que denuncia a su familiar. En ese caso la omisión de la prevención al testigo de su derecho a no declarar no puede implicar la consecuencia desproporcionada de la ilicitud de la declaración.

> «Aunque el Juez de lo Penal tampoco informó expresamente a ésta, víctima de los hechos objeto del proceso penal, de la dispensa de la obligación de declarar, la espontánea actitud procesal de la demandante de amparo, en las concretas circunstancias que concurren en este caso, no puede sino razonablemente entenderse como reveladora de su intención y voluntad de primar el deber de veracidad como testigo al vínculo de solidaridad y familiaridad que le unía al acusado, finalidad a la que obedece, como ya hemos tenido ocasión de señalar, la dispensa del art. 416 LECrim. En efecto, siendo sin duda exigible y deseable que los órganos judiciales cumplan con las debidas formalidades con el mandato que les impone el art. 416 LECrim, lo que ciertamente, como la Audiencia Provincial viene a poner de manifiesto en su Sentencia, no ha acontecido en este caso, no puede sin embargo obviarse la continua y terminante actuación procesal de la recurrente en amparo, quien denunció en varias ocasiones a su marido por actos constitutivos de violencia doméstica, prestó declaraciones contra éste por los hechos denunciados tanto ante la autoridad policial como ante el Juzgado de Instrucción, ejerció la acusación particular solicitando la imposición de graves penas contra él, así como, pese a la Sentencia condenatoria del Juzgado de Penal, interpuso recurso de apelación contra ésta al haber sido desestimadas sus más graves pretensiones calificatorias y punitivas. Como el Ministerio Fiscal afirma, difícilmente puede sostenerse que la esposa del acusado no hubiera ejercitado voluntariamente la opción que resulta del art. 416 LECrim cuando precisamente es la promotora de la acusación contra su marido, habiéndose personado en la causa como acusación particular y habiendo solicitado para él la imposición de graves penas, pues si su dilema moral le hubiera imposibilitado perjudicar con sus acciones a su marido no habría desplegado contra él la concluyente actividad procesal reveladora de una, al menos, implícita renuncia a la dispensa que le confería el art. 416 LECrim». STC 94/2010, de 15 de noviembre de 2010 (BOE núm. 306, de 17 de diciembre de 2010).

En el sentido expuesto se ha distinguido en la Jurisprudencia entre el familiar al que se interroga en el curso de la investigación (que necesariamente debe ser advertido de su derecho a no declarar) y el familiar que denuncia a otro familiar, en cuyo caso puede entenderse que ha renunciado tácitamente a tal derecho en tanto

que descienden una de otra. Y colateral la constituida por la serie de grados entre personas que no descienden unas de otras, pero que proceden de un tronco común (artículo 916). En las líneas se cuentan tantos grados como generaciones o como personas, descontando la del progenitor. En la recta se sube únicamente hasta el tronco. Así, el hijo dista del padre un grado, dos del abuelo y tres del bisabuelo. En la colateral se sube hasta el tronco común, y después se baja hasta la persona con quien se hace la computación. Por esto, el hermano dista dos grados del hermano, tres del tío», hermano de su padre o de su madre, cuatro del primo hermano, y así en adelante (artículo 918)». STS 594/2015 de 30 Sep. 2015, Rec. 356/2015. Ponente: Conde-Pumpido Tourón, Cándido. LA LEY 143553/2015.

que denunciante de su familiar. No obstante, como señala la STS 5 Mar. 2010, predomina en la actualidad el establecer la obligatoriedad de la advertencia tanto en sede policial como judicial y dentro de ésta en cada una de los dos fases del proceso —instrucción y plenario— así como que los efectos de la no observancia de dicha obligación es la nulidad de la declaración prestada y la consiguiente imposibilidad de su valoración por el juzgador.

«La STS de 20 febrero de 2.008, a que antes hemos hecho referencia, por cuanto declaraba la nulidad de las declaraciones efectuadas por mujer testigo incluida en el ámbito del 416.1, sin que fuera advertida de su derecho, también viene a precisar, con meridiana claridad que "Esa dispensa es un derecho del que deben ser advertidos las personas que encontrándose en esa relación sean requeridas para participar a la indagación de hechos delictivos una manifestación sobre lo que tengan conocimiento y que contribuyan al esclarecimiento de lo que se investiga. Resulta del precepto que analizamos que es un derecho del pariente del que debe ser advertido y que actúa cuando se produce un previo requerimiento por la fuerza instructora o el Juez de instrucción. Es decir, así como no es preceptivo realizarlo respecto a la persona que acude a la policía en demanda de auxilio, sí que es necesario realizarlo cuando, conocida la "notitia criminis", se indaga el delito. En este sentido la policía y el Juez de instrucción debieron, antes de recibir declaración sobre los hechos, hacer la información sobre el contenido de la dispensa a declarar, a colaborar en la indagación de un hecho delictivo que se investiga"». STS 5 Mar. 2010, N.º de sentencia: 160/2010, N.º de recurso: 2209/2009, LA LEY 4009/2010.

Otras personas, en razón de su cargo, están esentos de concurrir al llamamiento judicial pero no de declarar. En estos supuestos, podrán hacerlo: por escrito, en el despacho oficial, o en la sede del órgano del que sean miembros (art. 412 LECrim). Así, pueden declarar por escrito: el Presidente y demás miembros del gobierno, Presidentes del Congreso y Senado, Presidente del C.G.P.J., Fiscal General del Estado, y Presidentes de las CCAA, etc. (art. 412 LECrim). También están exentas de concurrir al llamamiento judicial las demás personas de la familia Real (art. 412.1 LECrim).

Téngase presente que el art. 420 LECrim dispone severas consecuencias para el testigo que no comparezca al llamamiento judicial o se resistiere a declarar lo que supiese acerca de los hechos sobre que fuere preguntado, salvo que estuviere exento por razón legal. A este fin la ley prevé la imposición de una multa de 200 a 5.000 euros. Si persistiere en el incumplimiento del deber el Juez ordenará su detención y puesta a disposición del Juez instructor por los agentes de la autoridad con una imputación por el delito de obstrucción a la justicia tipificado en el artículo 463.1 del Código Penal en el caso de incomparecencia y por un delito de desobediencia grave a la autoridad en el caso de negarse a declarar.

«El deber de prestar declaración como testigo está previsto genéricamente en el art. 118 CE. (LA LEY 2500/1978) El Convenio Europeo para la Protección de los Derechos Humanos y las Libertades Fundamentales (LA LEY 16/1950) menciona en su artículo 5.1.b) las privaciones de libertad dirigidas a asegurar el cumplimiento de una obligación legal además de las dirigidas a asegurar el desarrollo del proceso penal 5.1.c). Mediante su declaración el testigo contribuye a la tutela de valores y principios constitucionales e incluso de derechos fundamentales, dada su relación con el derecho de la parte a utilizar los medios de prueba pertinentes (art. 24.2 CE (LA

LEY 2500/1978)) y, más en general, con el adecuado funcionamiento de los órganos jurisdiccionales en el cumplimiento de la función que la CE les atribuye —art. 117 CE (LA LEY 2500/1978)— (STC 197/1998 de 13 de octubre (LA LEY 9843/1998)). Es lógico que la ley prevea mecanismos para hacer efectivo ese deber dotando de eficacia a los derechos procesales de las partes. La práctica viene entendiendo de forma pacífica que aunque incrustado en la regulación de la fase de instrucción, el art. 420 rige también para la fase de enjuiciamiento». STS 697/2016 de 6 Sep. 2016, Rec. 20665/2015; Ponente: Moral García, Antonio del. LA LEY 113885/2016.

B) Lugar, forma y práctica de la declaración testifical

El testigo, salvo las exenciones expuestas, tiene la obligación de comparecer al llamamiento judicial y declarar. El que sin estar impedido faltare a esta obligación incurrirá en multa de 200 a 500 Euros, y si persistiere en su resistencia será conducido a presencia del Juez instructor y, en su caso, procesado por obstrucción a la justicia (arts. 175.2.5°, 420 LECrim, y 463 CP). Si se negare a declarar podrá incurrir en delito de desobediencia grave a la autoridad (art. 556 CP).

La declaración del testigo se realizará en la sede del juzgado, con las excepciones expuestas. A este fin se citará al testigo con los apercibimientos legales según lo establecido en el art. 175 LECrim. Si el testigo residiere fuera del partido judicial solicitará auxilio judicial para que se le tome declaración en la sede del juzgado donde residiere (art. 422 LECrim). Cuando residiere en el extranjero se dirigirá suplicatorio, por vía diplomática, que contendrá los antecedentes necesarios y las preguntas que se han de realizar al testigo (art. 424 LECrim). No obstante, se podrá tomar declaración al testigo en el mismo lugar de los hechos (art. 337, 438 LECrim); y en supuestos de urgencia el Juez podrá recibir declaración al testigo en su propio domicilio (art. 430 LECrim). Por otra parte, el testigo puede comparecer voluntariamente ante el Juez de instrucción. Cuando fuere conveniente se podrá tomar declaración a determinadas personas, sobre cuestiones de las que hayan tenido conocimiento por razón de su cargo, en su domicilio o despacho oficial (art. 413 LECrim). Pueden declarar en el despacho oficial: Diputados y Senadores, Magistrados del Tribunal Constitucional, vocales del C.G.P.J., etc. (412.3° y 5° LECrim). La declaración también se podrá producir mediante videoconferencia al amparo del art. 731 bis LECrim que dispone que: *«El Tribunal, de oficio o a instancia de parte, por razones de utilidad, seguridad o de orden público, así como en aquellos supuestos en que la comparecencia de quien haya de intervenir en cualquier tipo de procedimiento penal como imputado, testigo, perito, o en otra condición resulte gravosa o perjudicial, y, especialmente, cuando se trate de un menor, podrá acordar que su actuación se realice a través de videoconferencia u otro sistema similar que permita la comunicación bidireccional y simultánea de la imagen y el sonido, de acuerdo con lo dispuesto en el apartado 3 del artículo 229 de la Ley Orgánica del Poder Judicial».*

La posibilidad de declarar por videoconferencia debe ser una excepción que debe ser aprobada por el Tribunal en supuestos muy concretos, ya que de ser posible es preferible la comparecencia del testigo para que el Juez pueda apreciar y valorar la declaración con directa inmediación. Ese es el criterio que mantiene la Audiencia Nacional respecto a la declaración del actual Presidente del Gobierno para declarar en la sede del Tribunal.

«1. D. Mariano Rajoy no comparece como presidente del gobierno sino como un ciudadano español (art. 14 CE) en calidad de testigo por hechos que se están juzgando en este Tribunal en razón a los cargos que tenía en el PP, colaboración con la justicia y en un acto ciudadano que se enmarca en la normalidad democrática y del estado de derecho. 2. El Tribunal de la Audiencia Nacional, sede institucional, se sitúa en el mismo plano en cuanto a los poderes del Estado que el ejecutivo, por lo que la comparecencia personal de su representante máximo, en sana relación institucional, se ajusta a derecho. Por todo ello, la importancia de su declaración, en cuanto a los conocimientos que el testigo pueda tener y datos que pueda aportar, hacen que la inmediación y la contradicción demanden como opción preferente su presencia física ante la Sala, si bien, dada la condición del testigo se considera procedente adoptar cuantas medidas sean necesarias para preservar su imagen institucional, testificando en estrados en la forma que determine el Tribunal». Auto de la AN de fecha 30 de mayo de 2017.

La declaración testifical se realizará oralmente (de «viva voz» establece el art. 437 LECrim), previo recibimiento del juramento o promesa, sin permitirse al testigo leer declaración, o respuestas escritas, a salvo de consultar algún apunte o memoria que contenga datos difíciles de recordar (art. 437 LECrim). Las preguntas se referirán al hecho delictivo, proscribiéndose las capciosas, o el empleo de coacción, engaño, promesa o artificio para obligarle o inducirle a declarar en determinado sentido (art. 439 LECrim). Si el testigo fuere sordomudo y supiere leer se le nombrará un intérprete de la lengua de signos adecuado por cuyo conducto se harán las preguntas y se recibirán las contestaciones. De las actuaciones que se practiquen en relación con las personas sordas se levantará la oportuna acta (arts. 143 LEC, 442 y 711 LECrim). Del mismo modo, si no hablase el idioma español se le nombrará un intérprete, según se establece en los arts. 440 y ss. LECrim, y que prestará juramento de desempeño fiel del cargo. Pero no se precisan requisitos especiales de titulación, ya que el Tribunal, por medio de providencia, podrá habilitar como intérprete a cualquier persona conocedora de la lengua de que se trate, exigiéndosele juramento o promesa de fiel traducción. En el acta constarán los textos en el idioma original y su traducción al idioma oficial, y que será firmada también por el intérprete (art. 143 LEC). En el supuesto de discrepar de la traducción deberá impugnarse razonadamente y en concreto cuales son los errores[59].

---

(59) «La única razón tomada en consideración por el Tribunal sentenciador para prescindir de la valoración del contenido de las conversaciones telefónicas, lícitamente intervenidas, realizadas en turco por los miembros de la mafia turca dedicada al tráfico de heroína, es la cuestión formal de no constar acreditado que la traducción de dichas conversaciones al idioma español se hubiese realizado por un intérprete jurado, lo que según los recurrentes podría determinar indefensión ante la eventual concurrencia de un error de traducción. Ahora bien es claro que nos encontramos ante una alegación de indefensión meramente rituaria o formal, pues ninguna de las partes que representan a acusados de lengua turca ha señalado fragmento alguno de las conversaciones que estuviese erróneamente traducido o traducido de forma confusa de modo que pudiese determinar un perjuicio para alguno de los acusados. Se impugna formalmente la fiabilidad de la traducción, por la eventual concurrencia de errores dada la no constancia de que el intérprete que la realizó fuese un traductor jurado, pero no se identifica materialmente ni un solo error. En tal situación no cabe duda alguna de que la Sala habría podido utilizar válidamente como prueba el contenido de las conversaciones obtenida de forma constitucionalmente incuestionable, sin perjuicio de que las partes pudiesen discrepar razonadamente —en concreto— de algún aspecto de la traducción que

No será necesaria la intervención de Abogado durante el interrogatorio del testigo. No obstante, éste puede concurrir al llamamiento con abogado que podrá estar presente en la declaración. Un supuesto singular se producirá en el caso en el que el testigo de cargo declare en la instrucción sin abogado con relación a determinados hechos cometidos por tercero y, al mismo tiempo, se autoincrimine. En este caso, ha declarado el Tribunal Supremo que es válida la declaración prestada por el testigo en esa calidad, ya que no puede quedar perjudicada por la falta de asistencia letrada que sólo es necesaria para valorar su declaración como imputado.

> «No invalida la prueba el que en su declaración sumarial el testigo de cargo no tuviera asistencia letrada no obstante autoincriminarse en determinados delitos. En efecto, esta circunstancia tendría relevancia en la consideración probatoria de su declaración como posible prueba de cargo contra el propio declarante, pero en modo alguno afecta a su valor como prueba de cargo contra el tercero incriminado. La cuestión ya ha sido resuelta por esta Sala en Sentencias de 30 de junio y 18 de febrero de 1997, en el sentido de que el principio *"nemo tenetur"* no resulta vulnerado cuando se trata de declaraciones que imputan a otro procesado. Una cuestión distinta es —como dice la primera Sentencia citada— si esas declaraciones pueden llegar a ser ponderadas en contra de quien las formula, pues respecto a la autoinculpación éste no ha contado con la información del derecho a no declarar contra sí mismo ni con asistencia letrada. Pero no es este el caso: la declaración valorada no lo ha sido como prueba contra el declarante, sino como testimonio incriminatorio contra un tercero —el recurrente—. De manera que en la medida en que tal declaración ha sido utilizada en cuanto imputa a otro y no a sí mismo, no existe ninguna vulneración del derecho fundamental a no declarar contra sí mismo, a ser informado de la acusación y a contar con asistencia letrada». STS Sala Segunda, de lo Penal, Sentencia 1989/2000 de 3 May. 2001, Rec. 1726/1997-P/1997. Ponente: Prego de Oliver Tolivar, Adolfo. LA LEY 88810/2001.

La defensa del imputado podrá concurrir a la declaración del testigo, sin que constituya un requisito para su validez. Sobre este particular el derecho de las partes a intervenir en las diligencias sumariales y concretamente en el interrogatorio del testigo constituye un derecho que queda cumplido dando a las partes personadas la posibilidad de interrogar, aclarar, o confrontar la declaración. Esta contradicción puede producirse en la fase de instrucción o bien en el acto del juicio oral, que será lo habitual. A este respecto no cabe alegar indefensión en el caso en el que se toma declaración a un testigo antes de dirigir la imputación, supuesto en el que no le es posible al acusado participar. Sin embargo, en ese caso debe suplir esa falta de intervención en el acto del juicio oral, sin que de no hacerlo pueda alegarse indefensión.

> «El derecho a interrogar o hacer interrogar a los testigos de la acusación, como manifestación del principio de contradicción, se satisface dando al acusado una ocasión adecuada y suficiente para discutir un testimonio en su contra e interrogar a su autor en el momento en que declare o en un momento posterior del proceso (SSTEDH de 24 de noviembre de 1986 [TEDH 1986\14], caso Unterpertinger c. Austria, § 31; de 20 de noviembre de 1989 [TEDH 1989\21], caso Kostovsky c. Holanda, §. 41; de 27 de septiembre de 1990 [TEDH 1990\21], caso Windisch c. Austria, §. 26; de 19

no considerasen especialmente fiel». STS Sala Segunda, de lo Penal, Sentencia 1866/2000 de 5 Dic. 2000, Rec. 4008/1997. Ponente: Conde-Pumpido Tourón, Cándido. LA LEY 6123/2001.

de febrero de 1991 [TEDH 1991\23], caso Isgro c. Italia, §. 34; de 20 de septiembre de 1993 [TEDH 1993\38], caso Saïdi c. Francia, §. 43; y la más reciente, de 27 de febrero de 2001 [TEDH 2001\96], caso Luca c. Italia, §. 40) Por tanto, en este caso, desde la perspectiva cuestionada, ha de afirmarse que, por su forma de producirse, las manifestaciones sumariales del señor G. C. fueron prestadas en condiciones que permitieron al recurrente oponerse a su contenido e interrogar o hacer interrogar a su autor». STC 2/2002 de 14 de enero. Véase también la STC 57/2002 de 11 de marzo.

Por esa razón, a fin de evitar posteriores dificultades para probatorias, en el supuesto de manifestar el testigo la imposibilidad de comparecer, o de existir motivo racional para temer su muerte o incapacidad física o intelectual, puede procederse, conforme establece el art. 448 LECrim, a tomar declaración al testigo en presencia del abogado defensor y, en su caso, del Fiscal y querellante.

Si la imposibilidad de comparecencia del testigo se produjese con posterioridad, por no ser posible localizar al testigo o si éste hubiere fallecido, podrá procederse a la lectura de su testimonio en el juicio oral, de acuerdo con el art. 730 LECrim., y ser valorado como prueba. Supuesto distinto será aquél en el que el testigo se retracta de lo declarado en la instrucción. En este caso, nada obsta para que, al amparo del art. 714 LECrim, se pueda poner de manifiesto la contradicción, y que el Tribunal acoja la versión que le ofrece mayor verosimilitud. En el mismo sentido, la STEDH 19 de febrero de 1991, caso Isgrò. Véase sobre la práctica y valoración de la prueba testifical § 2, Cap. XIV.

Finalmente, en la diligencia se consignarán todas aquellas cuestiones conducentes para la comprobación de los hechos delictivos, especialmente todo lo que pudiere servir de cargo o descargo (art. 445 LECrim). Finalizada la declaración el testigo podrá leerla por sí mismo o, en su caso, por medio de su intérprete o el Letrado de la administración de justicia; y la firmará junto con el Juez y los intervinientes, autorizándola el Letrado de la administración de justicia (art. 443 LOPJ). Una vez el testigo haya prestado declaración, tendrá la obligación de comparecer de nuevo cuando se le cite y, además, deberá comunicar sus cambios de domicilio, bajo apercibimiento, si no cumple lo preceptuado, de multa de 200 a 1000 Euros salvo que hubiere incurrido en falta (art. 446 LECrim).

C) Protección a testigos y peritos. El «agente encubierto»

a) Medidas de protección de testigos

La práctica ha demostrado que en algunas ocasiones, especialmente respecto a determinados delitos, los testigos pueden verse retraídos a la hora de prestar su declaración por el peligro que, para su seguridad, pueden implicar sus testimonios. Para paliar este temor y los posibles peligros y riesgos que puedan padecer los testigos, la Ley Orgánica 19/1994, de 23 de diciembre, ha previsto que los Jueces o Tribunales puedan acordar una serie de medidas tendentes a la protección de aquellos, de acuerdo con las directrices del Derecho comparado y con la doctrina del TEDH.

A este fin, el art. 2 contempla la adopción de las siguientes medidas:

a) Que no consten en las diligencias que se practiquen su nombre, apellidos, domicilio, lugar de trabajo y profesión, ni cualquier otro dato que pudiera servir para la identificación de los mismos, pudiéndose utilizar para ésta un número o cualquier otra clave.

b) Que comparezcan para la práctica de cualquier diligencia utilizando cualquier procedimiento que imposibilite su identificación visual normal.

c) Que se fije como domicilio, a efectos de citaciones y notificaciones la sede del órgano judicial interviniente, el cual las hará llegar reservadamente a su destinatario.

d) Que se impida la realización de fotografías o tomas de imagen.

e) Que se les proporcione, a instancia del fiscal, protección policial, incluso una vez finalizado el proceso.

f) Que se les facilite, en casos excepcionales, documentos de una nueva identidad y medios económicos para cambiar su residencia o lugar de trabajo.

g) Que sean conducidos a las dependencias judiciales, al lugar donde deba practicarse alguna diligencia o a su domicilio en vehículos oficiales cuando así lo soliciten los interesados.

h) Que se les facilite un local reservado para su exclusivo uso en las dependencias judiciales en que deban permanecer.

Las medidas de protección se adoptarán ya sea de oficio o a instancia de parte cuando se aprecie racionalmente un peligro grave para la persona, libertad o bienes de quien pretenda ampararse en ella, su cónyuge o persona a quien se halle ligado por análoga relación de afectividad o sus ascendientes, descendientes o hermanos (art. 1 LO 19/1994). En ese caso, el Juez instructor acordará motivadamente las medidas necesarias a tal fin. Recibidas las actuaciones el Tribunal competente para el enjuiciamiento podrá modificar las medidas acordadas o bien adoptar otras conducentes a la protección de los testigos (art. 4.1 LO 19/1994). El auto en el que se adopten las medidas podrá ser objeto de recurso de reforma o de súplica (art. 4.2.º). Además, las partes podrán solicitar, de forma motivada, al órgano que deba entender la causa que se dé a conocer la identidad de los testigos o peritos protegidos. Establece la ley que cumplidos esos requisitos: solicitud motivada el Juez o Tribunal en el escrito de calificación: «*deberá facilitar el nombre y los apellidos de los testigos y peritos, respetando las restantes garantías reconocidas a los mismos en esta Ley*» (art. 4.3 LO 19/1994). Ahora bien, la jurisprudencia se ha pronunciado sobre este precepto considerando que de lo que se trata es de que la defensa conozca las circunstancias concurrentes en los testigos al efecto de poder realizar un efectivo interrogatorio, sin que sea necesario que se conozca su identidad. Y sin que sea válida una simple petición de revelación de identidad sin motivar debidamente la razón de la petición. Véase sobre esa cuestión la STS 6 de marzo de 2009. Ponente: Monterde Ferrer, Francisco. N.º de Sentencia: 221/2009. N.º de Recurso: 11237/2008. LA LEY 6925/2009. Las declaraciones o informes de estas personas protegidas deberán ser ratificados en fase de juicio oral, para que puedan ser valorados como prueba. Si se considerasen de imposible reproducción (art. 730 LECrim), habrán de ser ratificados mediante lectura literal a fin de que puedan ser sometidos a contradicción (art. 4.5 LO 19/1994). Véase más adelante el apartado D de este mismo epígrafe sobre la declaración testifical de menores y personas con discapacidad necesitadas de especial protección. Véase también sobre la declaración de testigos protegidos el § 1.4.C d del Cap. IX.

b) El agente encubierto[60]

La figura del agente encubierto se introdujo en nuestro Ordenamiento procesal por la LO 5/1999 de 13 de enero. La regulación «ex novo» de la figura jurídica del infiltrado en nuestro ordenamiento jurídico, por medio del citado art. 282 bis, tiene por objeto afrontar con todas las garantías posibles los problemas que plantea la delincuencia organizada en materia de drogas, tráficos ilícitos de personas, sustancias o animales, o delitos en materia de propiedad intelectual e industrial. La reforma legal se justifica por la insuficiencia de las técnicas de investigación tradicionales en la lucha contra la criminalidad organizada, ante la dimensión internacional de estas organizaciones, la abundancia de recursos con los que cuentan, y la dificultad de conocer su estructura y funcionamiento dada la opacidad y relativa discreción de sus actividades. Debemos destacar también la introducción en la reforma de la LECrim por la LO 13/2015 de la figura del denominado agente encubierto informático que será aquel que actúa bajo identidad supuesta en comunicaciones mantenidas en canales cerrados de comunicación con el fin de esclarecer alguno de los delitos previstos en el art. 282 bis 4 y 588 ter a LECrim. En su actividad el agente encubierto informático, con autorización específica para ello, podrá intercambiar o enviar por sí mismo archivos ilícitos por razón de su contenido y analizar los resultados de los algoritmos aplicados para la identificación de dichos archivos ilícitos. (*Véase sobre las diligencias de investigación electrónica el* § 3.4 de este Capítulo).

A este objeto el artículo 282 bis LECrim proporciona habilitación legal a la figura del «agente encubierto» o «infiltrado» en las investigaciones relacionadas con la «delincuencia organizada»[61]. Esta cobertura legal permite a los miembros de la Policía Judicial participar del entramado organizativo, detectar la comisión de delitos e informar sobre sus actividades, con el fin de obtener pruebas inculpatorias y proceder a la detención de sus autores, según señala la Exposición de motivos de la Ley.

> «En primer lugar la consideración procesal del agente encubierto. Esta modalidad de actuación de la policía judicial en la investigación de hechos delictivos, se introduce en nuestro ordenamiento por la reforma de la Ley procesal operada por la ley 5/99, de 13 de enero (LA LEY 155/1999), con la finalidad de regular la actuación de funcionarios de policía judicial como agentes encubiertos. Destacamos que la autorización es para la investigación de organizaciones criminales. La autoriza el juez o el Ministerio fiscal, dando cuenta inmediata al juez. Se adopta por resolución fundada y se especifica que "la información que vaya obteniendo el agente encubierto deberá

---

(60) Véanse RIFÁ SOLER J.Mª, «El agente encubierto o infiltrado en la nueva regulación de la LECrim», *Poder Judicial* nº 55, 1999. BARJA DE QUIROGA J., «El agente encubierto», *La Ley* nº 4778, 1999. RODRÍGUEZ FERNÁNDEZ, R., «Comentarios a la LO 5/99 de "entrega vigilada" y el "agente encubierto"». *Actualidad Jª Aranzadi* nº 380, 1999. PÉREZ ARROYO M.R., «La provocación de la prueba, el agente provocador y el agente encubierto...», *La Ley* nº 4987, 4988, 4989, 2000.

(61) Véase la STS Sala Segunda, de lo Penal, Sentencia 277/2016 de 6 Abr. 2016, Rec. 10714/2015. Ponente: Moral García, Antonio del. LA LEY 25465/2016 en la que se analiza con extensión el concepto y ámbito legal de organización criminal.

ser puesta a la mayor brevedad en conocimiento de quien autorizó la investigación". Asimismo dicha información deberá aportarse al proceso en su integridad y se valorará en conciencia por el órgano judicial competente (art. 282 bis). Ha de tratarse de un miembro de la policía judicial que, por resolución motivada, recibe una especie de autorización para transgredir la norma respecto a alguno de los delitos que se relacionan en el art. 282 bis, una especie de excusa absolutoria impropiamente recogida en una norma procesal. La exención de la responsabilidad criminal por los delitos en los que hubiera podido incurrir el agente encubierto se refiere a aquellas ilicitudes cometidas y que sean consecuencia directa de la autorización para la que se le confiere la condición de agente encubierto. Esa autorización no comprende la realización de actividades que puedan lesionar derechos fundamentales. En tales supuestos, el art. 282 bis dispone que cuando las actuaciones de investigación puedan afectar a derechos fundamentales, el agente encubierto deberá solicitar del órgano judicial competente las autorizaciones que, al respecto, establezcan la Constitución y la ley y cumplir con las demás previsiones legales aplicables. Añade, por último, que esas actuaciones no pueden constituir una provocación al delito». STS Sala Segunda, de lo Penal, Sentencia 395/2014 de 13 May. 2014, Rec. 1792/2013. Ponente: Martínez Arrieta, Andrés. LA LEY 61190/2014.

A los efectos de este apartado, la incorporación de esta figura ofrece la posibilidad de utilizar una identidad supuesta a funcionarios de la Policía Judicial, que puede mantenerse también en el eventual proceso judicial posterior. De este modo, con esta reforma se completa el régimen de protección previsto en la Ley Orgánica 19/1994, de 23 de diciembre, respecto a la protección de peritos y testigos de causas criminales. Esta nueva regulación se ha basado, esencialmente, en la Convención de Viena de 1988[62].

---

(62) La regulación de esta actividad se ha realizado conforme también a lo previsto en la Convención de las NNUU contra el tráfico ilícito de estupefacientes y sustancias psicotrópicas, hecha en Viena el 20 de diciembre de 1988, en donde se insta a las Partes firmantes de la misma, entre ellas España, a adoptar las medidas necesarias, incluidas las de orden legislativo y administrativo, que, de conformidad con las disposiciones fundamentales de sus respectivos ordenamientos jurídicos internos, sean necesarias para hacer frente con la mayor eficacia a los diversos aspectos de tráfico ilícito de estupefacientes y sustancias psicotrópicas que tengan una proyección internacional. Véase el art. 2.1 de la Convención de las NNNUU de 20 de diciembre 1988: «El propósito de la presente Convención es promover la cooperación entre las Partes a fin de que puedan hacer frente con mayor eficacia a los diversos aspectos del tráfico ilícito de estupefacientes y sustancias psicotrópicas que tengan una dimensión internacional. En el cumplimiento de las obligaciones que hayan contraído en virtud de la presente Convención, las Partes adoptarán las medidas necesarias comprendidas las de orden legislativo y administrativo, de conformidad con las disposiciones fundamentales de sus respectivos ordenamientos jurídicos internos». Véase también el art. 9.18 de la citada Convención que establece: «El testigo, perito u otra persona que consienta en deponer en juicio o en colaborar en una investigación proceso o actuación judicial en el territorio de la Parte requirente, no será objeto de procesamiento, detención o castigo, ni de ningún tipo de restricción de su libertad personal en dicho territorio por actos, omisiones o por declaraciones de culpabilidad anteriores a la fecha en que abandonó el territorio de la Parte requerida. Ese salvoconducto cesará cuando el testigo, perito u otra persona haya tenido durante quince días consecutivos, o durante el período acordado por las Partes después de la fecha en que se le haya informado oficialmente de que las autoridades judiciales ya no requerían su presencia, la oportunidad de salir del país y, no obstante, permanezca voluntariamente en el territorio o regrese espontáneamente a él después de haberlo abandonado».

La aplicación de estas nuevas medidas legales deberá hacerse, según explica la exposición de motivos, respetando los principios que informan el proceso penal, así como los límites que se encuentran en el sistema de derechos y garantías que la Constitución reconoce a todo imputado. En ningún caso será justificable la utilización de medios de investigación que puedan violentar garantías constitucionales. En consecuencia, la actividad de los agentes infiltrados en el marco de las investigaciones de delincuencia organizada y la eficacia posterior en el proceso de los elementos de prueba obtenidos, quedará condicionada por el respeto a los principios del proceso penal, esencialmente el derecho de defensa y la presunción de inocencia. No debe confundirse esta figura con la del agente de policía de paisano que vigila y es testigo, en su caso, de actividades delictivas. En ese caso el policía realiza sus funciones al amparo de su autorización y obligaciones genéricas y específicas como agente de policía sin relación con la figura del agente encubierto que halla su cobertura en la autorización judicial.

> «Tampoco cabe duda alguna de la legalidad de la actuación del agente con número profesional NUM000, quien contrariamente a lo afirmado por el recurrente no se trataba de un agente encubierto, sino de un agente que en las labores de investigación que tiene encomendadas, observó directamente la comisión de un acto delictivo. El recurrente confunde la actuación de vigilancia con lo que es la intervención de "agentes encubiertos", que es la figura autorizada en el artículo 282 bis de la Ley de Enjuiciamiento Criminal (LA LEY 1/1882). Esta última se da cuando los agentes de la autoridad sospechan o conocen la existencia de una actividad delictiva y se infiltran entre quienes la llevan a cabo en busca de información o pruebas que permitan impedir o sancionar el delito. Se trató de una actividad de los agentes tendente a acreditar el delito, pero el agente no se infiltró, ni se hizo pasar como un consumidor de sustancias. Tampoco el agente, como insinúa el recurrente, indujo ni provocó al dueño del bar a delinquir, sino que el propio recurrente, sin mediar palabra ni acción previa del agente, le hizo saber que si necesitaba "tenía temita", y después realizó dos ventas de sustancia a dos clientes, sin ninguna intervención del agente, quien se limitó a ser un mero testigo presencial». STS Sala Segunda, de lo Penal, Auto 299/2017 de 26 Ene. 2017, Rec. 1764/2016; Ponente: Soriano Soriano, José Ramón. LA LEY 6530/2017.

Precisamente, la mención a la diferencia entre el agente encubierto y el agente de policía que realiza labores de vigilancia nos conduce a la cuestión de a partir de qué momento es necesaria la habilitación judicial como agente infiltrado. Sobre este particular se ha pronunciado el Tribunal Supremo conociendo de un recurso en el que se alegaba que un agente encubierto había empezado a actuar sin contar con autorización judicial. Sobre este particular declara el TS que la cobertura de la autorización judicial se relaciona básicamente con la injerencia en los derechos fundamentales que pudieran resultar afectados y la necesidad de dotar al agente de inmunidad por los actos realizados. En consecuencia no se precisa autorización para lo que pudieran denominarse actos de acercamiento al grupo o personas o sospechosas[63].

---

(63) «A la vista de esa información, no tiene lógica hacer depender la licitud de la medida de que el Juez instructor pregunte, con carácter previo a la autorización, si el agente llamado a ser infiltrado conocía ya personalmente a alguno de los principales sospechosos de la operación en marcha. Nada excluye y en nada perjudica a la validez de la diligencia, que buena parte de la

«En qué momento se torna imprescindible esa habilitación en las labores policiales de investigación. Eso obliga a preguntarse el porqué de esa autorización judicial. Pues bien, las razones radican tanto en las posibles injerencias en derechos fundamentales amparadas en un engaño o simulación (derecho a no declararse culpable o a no declarar contra sí mismo; inviolabilidad del domicilio); en la afectación de un derecho de nueva generación como es la autodeterminación informativa (recht auf informationelle selbstbestimmung); así como también en la necesidad de dotar al agente encubierto de inmunidad —en sentido figurado— respecto de actuaciones que objetivamente podrían ser típicas y, por tanto, susceptibles de persecución penal. Por eso el art. 282 bis LECrim (LA LEY 1/1882) establece implícitamente las actuaciones que ineludiblemente reclaman esa autorización: la utilización de identidad supuesta y la adquisición o transporte de los efectos del delito sin proceder a su incautación, lo que sería obligado si no mediase esa autorización judicial. Las exigencias del derecho a la autodeterminación informativa, concernido de manera determinante, no son tan intensas en cuanto a la necesidad de intervención judicial. Ese es el primero de los derechos que puede verse afectado». STS Sala Segunda, de lo Penal, Sentencia 277/2016 de 6 Abr. 2016, Rec. 10714/2015. Ponente: Moral García, Antonio del. LA LEY 25465/2016.

En este sentido, como bien dice el Tribunal Supremo resulta del todo punto lógico que la investigación se inicie con el objeto de recopilar información y datos que permitan, precisamente, ofrecer una base sólida al Juez para poder resolver sobre la petición de autorización del agente encubierto[64].

«No toda incidencia en ese derecho reclama inexorablemente habilitación judicial como demuestran las simulaciones policiales investigadoras de corta duración (v.gr., requerimiento de droga por un agente que oculta su identidad a quien parece estar vendiéndola en una vía pública) que, según entiende generalizadamente la doctrina y unánimemente la jurisprudencia, no precisan de ese previo plácet judicial …/… cuestionar la existencia de investigaciones previas a la entrada en acción del agente encubierto como tal, y, al mismo tiempo, pedir que su habilitación cuente con

---

información reflejada en el párrafo transcrito hubiera sido obtenida mediante un contacto personal, fechas atrás, con quien luego resultó condenado. Como hemos expuesto supra, la capacidad de infiltración en una organización delictiva no surge como consecuencia de una invitación formal a participar en una de las reuniones decisivas para la preparación de la estrategia de importación de droga. El intercambio de información entre agentes de organizaciones internacionales de lucha contra el tráfico de estupefacientes y, sobre todo, la existencia de una inicial corriente de confianza, son los elementos que hacen posible la exitosa atribución del carácter de agente encubierto». STS, Sala Segunda, de lo Penal, S de 28 Jun. 2013. Ponente: Marchena Gómez, Manuel. Nº de Sentencia: 575/2013 Nº de recurso: 11276/2012 Jurisdicción: penal La Ley 99607/2013.

(64) «La primera objeción no es atendible porque, de seguirse a la letra, haría ilegítima, incluso imposible, cualquier actuación de las que permite el art. 282 bis Lecrim (LA LEY 1/1882). En efecto, pues el precepto habla de investigaciones relativas a la delincuencia organizada, esto es, de indagaciones policiales, obviamente ya en marcha, generadoras de una información de cierta calidad y, por eso, apta para hacer pertinente y dotar de fundamento el recurso a la medida que se considera; que, es obvio, por su carácter extraordinario, solo podría adoptarse a la vista de datos de evidente consistencia. Por lo demás, las actividades criminales de que se trata, por su particular envergadura y complejidad, tienen ritmos y tiempos que pueden dilatarse a lo largo de meses, como habría sido el caso; que demandan un seguimiento previo, al objeto de contrastar los datos obtenidos y con el fin de evitar actuaciones precipitadas». STS 835/2013, de 6 de noviembre (LA LEY 176012/2013).

apoyo en elementos de juicio dotados de suficiente base empírica para dar racionalidad a la medida, tiene algo de contradictorio. En el caso, no cabe duda, los propios datos aportados ahora por el recurrente y que constan en las actuaciones, permiten advertir que quien luego se convertiría en agente encubierto, venía actuando durante algunos meses, antes de recibir esta investidura judicial conforme a la ley; es decir, ejerciendo, pura y simplemente, un cometido propio de policía, que podría muy bien haber tenido otro desenlace, de haber sido también otro el curso de las acciones objeto de investigación. Y lo cierto es que lo que consta al respecto no sugiere la existencia de ninguna incorrección». STS Sala Segunda, de lo Penal, Sentencia 277/2016 de 6 Abr. 2016, Rec. 10714/2015. Ponente: Moral García, Antonio del. LA LEY 25465/2016.

La autorización que acuerde la medida deberá ser motivada y en ella se consignará la identidad real y la supuesta. Esta resolución podrá adoptarse: Por el Juez de instrucción; y por el Ministerio Fiscal, en cuyo caso dará cuenta inmediata al Juez. La identidad supuesta se concederá por el Ministerio del Interior por un plazo de seis meses, prorrogables por períodos de igual duración. Por otra parte, la Ley prevé unas determinadas cautelas a los efectos de lograr una ordenada aplicación de estas medidas. Así, cuando las actuaciones de investigación puedan afectar a los derechos fundamentales, el agente encubierto deberá solicitar del órgano judicial competente las autorizaciones que para estos supuestos establezca la Constitución y la Ley, así como cumplir las demás previsiones legales aplicables. También se regula que el agente encubierto no podrá provocar el delito en ningún caso. A ese respecto el párrafo 7º del art. 282 bis introducido por la LO 13/2015 dispone que: «*En el curso de una investigación llevada a cabo mediante agente encubierto, el juez competente podrá autorizar la obtención de imágenes y la grabación de las conversaciones que puedan mantenerse en los encuentros previstos entre el agente y el investigado, aun cuando se desarrollen en el interior de un domicilio*». Ahora bien es absolutamente evidente que en el desarrollo de la actividad del agente encubierto se producirán actuaciones que puedan afectar derechos fundamentales de los investigados sin que el agente tenga tiempo o modo de dirigirse al Juez. Por ejemplo, imaginemos el simple caso de entrada en un domicilio de un investigado que el agente procura registrar en la medida que pueda. El consentimiento otorgado por los sospechosos para la entrada del agente encubierto está claro que está viciado. Ahora bien, eso no significa que las evidencias obtenidas no puedan servir como prueba, especialmente aquellas que dependan del testimonio directo del agente encubierto en el plenario sobre lo que vio y oyó en uno y otro lugar. Véase sobre estas cuestiones la exhaustiva e interesante *STS de 28 Jun. 2013. N.º de Sentencia: 575/2013, LA LEY 99607/2013.*

«La necesidad de incorporar a nuestro sistema procesal una norma que proporcione cobertura a las posibles entradas en el domicilio del investigado, sin otra autorización que un consentimiento viciado por el desconocimiento de la verdadera identidad del agente encubierto, resulta inaplazable. Sin embargo, en el presente caso, la Audiencia no ha dado por probada la existencia de contactos, ni previos ni simultáneos a la autorización, en el domicilio del sospechoso… añadíamos en la STS 1114/2002, 12 de junio (LA LEY 7676/2002), que …/… es cierto, como señala el recurrente, que en la fecha de los hechos no existía una previsión legal de las actuaciones del llamado agente encubierto. Pero eso no significa que su actuación haya de considerarse fuera de la ley y así lo había entendido la jurisprudencia de esta Sala

(STS de 5 Jun. 1999), que afirmó que la falta de autorización judicial o del Ministerio Fiscal en el empleo de agentes encubiertos no impide valorar como prueba sus declaraciones. Se trata de una actuación de la Policía Judicial en cumplimiento de las funciones que el ordenamiento le impone en relación a la averiguación de los delitos y al descubrimiento y aseguramiento de los delincuentes (artículo 126 de la Constitución (LA LEY 2500/1978)), que será lícita si no se convierte en una provocación al delito y no afecta de otra forma a derechos fundamentales, lo cual no consta que se haya producido en la investigación de los hechos objeto de la presente causa, tal como se ha puesto de manifiesto en los anteriores Fundamentos de Derecho». STS, Sala Segunda, de lo Penal, S de 28 Jun. 2013. Ponente: Marchena Gómez, Manuel. N.º de Sentencia: 575/2013 N.º de recurso: 11276/2012 Jurisdicción: penal LA LEY 99607/2013.

Conforme al art. 282 bis.4 LECrim, la conducta del infiltrado debe encaminarse, esencialmente, al descubrimiento de los hechos delictivos previstos en la Ley, que tienen carácter de delitos de tracto sucesivo. Por tanto, el «infiltrado» debe tener básicamente por objeto los medios, las formas o los canales por los que el tráfico ilícito se desenvuelve. Es decir, la actuación del infiltrado debe estar encaminada a la obtención de pruebas en relación a las actividades de delincuencia organizada previstas que se están produciendo. La prueba que se obtenga tendrá plena validez, siempre que en su obtención no se hayan violado derechos o libertades fundamentales; o se haya actuado como agente provocador del delito[65].

«En dirección semejante y con afán recopilador la STS 395/2014, de 13 de mayo (LA LEY 61190/2014). También la aludida STS 835/2013 (LA LEY 176012/2013) aborda este tema: La sala de instancia ha rechazado con razón el calificativo de agente provocador para el agente infiltrado. Y es que, como resulta entre otras de la STS 1166/2009, de 19 de noviembre (LA LEY 237364/2009), la provocación delictiva es una inducción engañosa, que supone generar en otro el propósito de delinquir; lo que no se da cuando este, es decir, el sujeto investigado es el dueño de la iniciativa criminal, al haber tomado por su cuenta la decisión de llevar a cabo una acción penalmente antijurídica .../... Según jurisprudencia, asimismo consolidada, de este Tribunal (por todas STS 39/2012 (LA LEY 13086/2012), de 10 de mayo), la figura del agente encubierto se distingue porque el que actúa como tal no crea las condiciones materiales del delito ni induce a ejecutarlo, sino que, sabiendo por un medio legítimo que está en curso de realización y podría llegar a cometerse, actuando con autorización judicial al efecto, se infiltra en el grupo criminal, mimetizándose dentro

---

(65) «En el mismo sentido la STS 427/2013 de 10 de mayo (LA LEY 61573/2013), recordamos que la existencia del delito provocado supone que este agente policial induce a otra persona a delinquir, de suerte que sin esa inducción tal persona no habría cometido el delito. En síntesis, el agente provocador quien injerta el dolo de delinquir en la otra persona, por lo que el delito cometido por éste, sería delito provocado. Diferente es la actuación del agente encubierto que con conocimiento de la intención de delinquir ya existente en la persona concernida, trata con su actuación de obtener pruebas del delito que se quiere cometer. El delito provocado se integra por una actuación engañosa del agente policial que supone una apariencia de delito, ya que desde el inicio existe un control absoluto por parte de la policía. Supuesto distinto es la actividad del agente tendente a verificar la comprobación del delito. No puede pues confundirse el delito provocado instigado por el agente con el delito comprobado a cuya acreditación tiende la actividad policial». STS Sala Segunda, de lo Penal, Sentencia 395/2014 de 13 May. 2014, Rec. 1792/2013. Ponente: Martínez Arrieta, Andrés. LA LEY 61190/2014.

del mismo con alguna contribución accesoria, no determinante, para neutralizarlo y propiciar la detención de sus componentes». STS Sala Segunda, de lo Penal, Sentencia 277/2016 de 6 Abr. 2016, Rec. 10714/2015. Ponente: Moral García, Antonio del. LA LEY 25465/2016.

Precisamente, la jurisprudencia ha delimitado la actuación lícita y válida del agente infiltrado contraponiéndola con la figura del agente provocador y el delito provocado que es aquel que se realiza por la inducción de una persona, por lo general funcionario de policía, de modo que sin tal provocación, previa y eficaz del agente provocador, el delito no se hubiere producido[66]. En este sentido, en el delito provocado no existe un verdadero propósito de perpetración y consumación del delito porque el sospechoso actúa a consecuencia de la incitación que tiene por objeto obtener del provocado la respuesta esperada del delito a fin de formular denuncia criminal en su contra[67].

---

[66] «El "delito provocado" consiste en aquel supuesto en el que la voluntad de delinquir surge en el sujeto, no por propia y libre decisión, sino como consecuencia de la actividad de otra persona, generalmente un agente o colaborador de los Cuerpos y Fuerzas de Seguridad que, guiados por la intención de detener a los sospechosos o de facilitar su detención, provoca a través de su actuación engañosa la ejecución de una conducta delictiva que no había sido planeada o decidida por aquel y que de otra forma no hubiera realizado (vid. la STS de 28 de junio de 2013)». STS Sala Segunda, de lo Penal, Auto 299/2017 de 26 Ene. 2017, Rec. 1764/2016; Ponente: Soriano Soriano, José Ramón. LA LEY 6530/2017.

[67] «En la STS nº 863/2011 (LA LEY 119819/2011)se decía que el delito provocado... según una consolidada doctrina de esta Sala de Casación, aparece cuando la voluntad de delinquir surge en el sujeto no por su propia y libre decisión, sino como consecuencia de la actividad de otra persona, generalmente un agente o un colaborador de los Cuerpos o Fuerzas de Seguridad, que, guiado por la intención de detener a los sospechosos o de facilitar su detención, provoca a través de su propia y personal actuación engañosa la ejecución de una conducta delictiva que no había sido planeada ni decidida por aquél, y que de otra forma no hubiera realizado, adoptando al propio tiempo las medidas de precaución necesarias para evitar la efectiva lesión o puesta en peligro del bien jurídico protegido (por todas, SSTS nº 24/2007, de 25 de enero (LA LEY 2449/2007), y nº 467/2007, de 1 de junio (LA LEY 42140/2007)). Al tiempo, se niega la existencia del delito provocado cuando la actuación policial haya tenido lugar incidiendo sobre una conducta ya existente que permaneciera oculta. Esta posibilidad es frecuente cuando se trata de delitos como el de tráfico de drogas, que se desarrollan sobre la base de conductas muy variadas entre las cuales está la mera tenencia con destino al tráfico, que ya supone la consumación. En consecuencia, cuando la actuación policial pone de relieve la existencia de una tenencia o de un poder de disposición sobre la droga con destino al tráfico, no puede apreciarse la existencia de delito provocado, pues simplemente se ha hecho aflorar algo previamente existente e independiente de la referida actuación policial. Doctrina mantenida sustancialmente, entre otras, en las SSTS 1233/2000 (LA LEY 11121/2000); 313/2010 (LA LEY 34224/2010); 690/2010 (LA LEY 114049/2010); 1155/2010 (LA LEY 236966/2010), y 104/2011 (LA LEY 5529/2011). En distintos precedentes se ha estimado la existencia de tal clase de actuaciones incitadoras de una conducta delictiva que no se ha podido demostrar que hubiera tenido lugar de no haber mediado la incitación realizada por el agente provocador o por alguien que actuara en connivencia con el mismo, lo que ha conducido en esos casos a la absolución de los recurrentes, extendiendo los efectos de la estimación a los no recurrentes. En la STS nº 1552/2002 (LA LEY 462/2003), se aprecia delito provocado en tanto que se considera que no está probado que el acusado tuviera en su poder o bajo su disposición la droga antes del acuerdo con quien opera como agente provocador en connivencia con la policía». STS Sala Segunda, de lo Penal, Sentencia 253/2015 de 24 Abr. 2015, Rec. 1485/2014. Ponente: Moral García, Antonio del. LA LEY 55085/2015.

«2.1. El delito provocado, como enuncia en primer lugar el recurrente, constituye principalmente la vulneración del derecho al juicio justo o equitativo, pues no lo es acusar y juzgar por hechos que han sido obtenidos mediante engaño aflorando una voluntad delictiva que no es fruto de una decisión libre y voluntaria .../... la figura del agente encubierto se subroga con autorización legal (artículo 282 bis LECrim (LA LEY 1/1882)) en la posición del remitente con la finalidad de continuar el "*iter*" criminal planeado y previsto por ambas partes, de forma que en modo alguno el encubierto provoca en el receptor una resolución criminal de la que carecía induciéndole al delito». STS Sala Segunda, de lo Penal, Sentencia 313/2017 de 3 May. 2017, Rec. 10639/2016. Ponente: Saavedra Ruiz, Juan. LA LEY 34998/2017.

El Tribunal Supremo ha resumido perfectamente la figura del delito provocado señalando que se integra por tres elementos: a) Un elemento subjetivo constituido por una incitación engañosa a delinquir por parte del agente a quien no está decidido a ello. b) Un elemento objetivo teleológico consistente en la detención del sujeto provocado que comete el delito inducido. c) Un elemento material que consiste en la inexistencia de riesgo alguno para el bien jurídico protegido, y como consecuencia la atipicidad de tal acción[68]. En su virtud, existirá delito provocado cuando el agente encubierto no se limita a investigar actividades delictivas de una manera «contenida», sino que ejercen una influencia sobre el sujeto que le incita a cometer un delito que, sin esa influencia, no hubiera cometido. Finalmente, para apurar la argumentación podemos acabar concluyendo que el delito provocado aparece cuando la voluntad de delinquir surge en el sujeto no por su propia y libre decisión, sino como consecuencia de la actividad de otra persona[69].

---

(68) Véanse acogiendo esta clasificación las SSTS Sala Segunda, de lo Penal, Sentencia 340/2016 de 6 Abr. 2016, Rec. 1584/2015, Ponente: Ferrer García, Ana María. LA LEY 32918/2016; 395/2014, de 13 de mayo (LA LEY 61190/2014).

(69) «La jurisprudencia de esta Sala, de la que el recurso ha espigado numerosas sentencias, no permite llegar a otra conclusión. Así, la STS 277/2016 (LA LEY 25465/2016), fundamento cuarto, citada por el recurrente nos dice: "Un recto entendimiento de la doctrina del delito provocado tal y como ha sido perfilada en nuestra jurisprudencia (vid. SSTS desde las primeras que abordaron esta cuestión 22 de junio de 1950, 15 de junio de 1956, 3 de febrero de 1969, 16 de noviembre de 1979 —hasta las más recientes—STS 395/2014, de 13 de mayo (LA LEY 61190/2014); así como algún pronunciamiento del TC —STC 111/1983, de 21 de febrero— lleva a descalificar la tesis de la defensa...", añadiendo la STS 204/2013, de 14 de marzo (LA LEY 16842/2013), recoge y sintetiza los contornos de esa doctrina: 1. El TEDH, en su STEDH de 1 marzo 2011, Caso Lalas contra Lituania, en la que recogía doctrina establecida en anteriores resoluciones, recordaba en el fundamento jurídico n.º 42, que, tal como se había establecido en la STEDH en el caso Ramanauskas contra Lituania, de 5 de febrero de 2008: "Se considera que ha tenido lugar una incitación por parte de la policía cuando los agentes implicados —ya sean miembros de las fuerzas de seguridad o personas que actúen según sus instrucciones— no se limitan a investigar actividades delictivas de una manera pasiva, sino que ejercen una influencia tal sobre el sujeto que le incitan a cometer un delito que, sin esa influencia, no hubiera cometido, con el objeto de averiguar el delito, esto es, aportar pruebas y poder iniciar un proceso". En la citada STEDH Ramanauskas contra Lituania, afirmaba que (54) "... el interés público no podría justificar la utilización de datos obtenidos tras una provocación policial", pues tal forma de operar es susceptible de privar definitivamente al acusado de su derecho a un proceso equitativo... Más adelante, con cita de la STS 863/2011 (LA LEY 119819/2011), expone que el delito provocado "... según una consolidada doctrina de esta Sala de Casación, aparece cuando la voluntad de delinquir surge en el sujeto no por su propia y libre decisión, sino como consecuencia de la actividad de otra persona, generalmente un agente

«El delito provocado se integra por una actuación engañosa del agente policial que supone una apariencia de delito, ya que desde el inicio existe un control absoluto por parte de la policía. Supuesto distinto es la actividad del agente tendente a verificar la comprobación del delito. No puede pues confundirse el delito provocado instigado por el agente con el delito comprobado a cuya acreditación tiende la actividad policial. El delito provocado se integra por tres elementos: a) Un elemento subjetivo constituido por una incitación engañosa a delinquir por parte del agente a quien no está decidido a ello. b) Un elemento objetivo teleológico consistente en la detención del sujeto provocado que comete el delito inducido. c) Un elemento material que consiste en la inexistencia de riesgo alguno para el bien jurídico protegido, y como consecuencia la atipicidad de tal acción». STS Sala Segunda, de lo Penal, Sentencia 313/2017 de 3 May. 2017, Rec. 10639/2016. Ponente: Saavedra Ruiz, Juan. LA LEY 34998/2017.

Tal forma de proceder no es conforme a derecho porque infringe los principios inspiradores del Estado de Derecho y, concretamente, el principio de legalidad y la interdicción de la arbitrariedad a los poderes públicos contenidos en el art. 9.3º de la CE. Por otra parte, el art. 11 de la LOPJ determina la nulidad de las pruebas obtenidas, directa o indirectamente violentando los derechos o libertades fundamentales; y en definitiva, como señala la STS 27 de diciembre de 2001, porque la misión de la policía judicial es descubrir el delito que se pretende cometer o se está cometiendo, pero no sugerir, iniciar o facilitar la comisión de hechos delictivos[70]. «Esta Sala ha tenido ocasión de pronunciarse en numerosas ocasiones sobre los presupuestos de validez de la figura del agente encubierto y acerca de los límites para impedir la

---

o un colaborador de los Cuerpos o Fuerzas de Seguridad, que, guiado por la intención de detener a los sospechosos o de facilitar su detención, provoca a través de su propia y personal actuación engañosa la ejecución de una conducta delictiva que no había sido planeada ni decidida por aquél, y que de otra forma no hubiera realizado, adoptando al propio tiempo las medidas de precaución necesarias para evitar la efectiva lesión o puesta en peligro del bien jurídico protegido (por todas, SSTS nº 24/2007, de 25 de enero (LA LEY 2449/2007), y nº 467/2007, de 1 de junio (LA LEY 42140/2007))". Al tiempo, se niega la existencia del delito provocado cuando la actuación policial haya tenido lugar incidiendo sobre una conducta ya existente que permaneciera oculta. Esta posibilidad es frecuente cuando se trata de delitos como el de tráfico de drogas, que se desarrollan sobre la base de conductas muy variadas entre las cuales está la mera tenencia con destino al tráfico, que ya supone la consumación. En consecuencia, cuando la actuación policial pone de relieve la existencia de una tenencia o de un poder de disposición sobre la droga con destino al tráfico, no puede apreciarse la existencia de delito provocado, pues simplemente se ha hecho aflorar algo previamente existente e independiente de la referida actuación policial. Doctrina mantenida sustancialmente, entre otras, en las SSTS 1233/2000 (LA LEY 11121/2000); 313/2010; 690/2010; 1155/2010, y 104/2011». Más recientemente la STS 496/2016 (LA LEY 61400/2016), fundamento segundo, vuelve a citar la SSTS 204/2013 (LA LEY 16842/2013), la 253/2015 (LA LEY 55085/2015) y la 863/2011 (LA LEY 119819/2011), ratificando estos precedentes jurisprudenciales. También se refiere y acoge la doctrina expuesta en la STS 395/2014 (LA LEY 61190/2014). STS Sala Segunda, de lo Penal, Sentencia 313/2017 de 3 May. 2017, Rec. 10639/2016. Ponente: Saavedra Ruiz, Juan. LA LEY 34998/2017.

(70) «Por tanto, solo cabe hablar de delito provocado cuando la intervención del agente tiene lugar antes de que los posibles autores hayan comenzado la preparación del hecho punible; por el contrario, cuando la preparación del delito ya ha comenzado, y la policía tiene sospechas fundadas de que éste es así, no existe ya provocación en el sentido de la inducción del art. 28 a) CP, dado que los autores ya tienen decidida la comisión del delito (SSTS 23.1.2001, y 20.11.98)». STS de 25 de enero de 2007, LA LEY 2449/2007.

desnaturalización de esa diligencia, provocando como indeseable efecto una verdadera provocación al delito. La STS 848/2003, 13 de junio (LA LEY 105790/2003), precisa que... el delito provocado aparece cuando la voluntad de delinquir surge en el sujeto, no por su propia y libre decisión, sino como consecuencia de la actividad de otra persona, generalmente un agente o un colaborador de los Cuerpos o Fuerzas de Seguridad, que, guiado por la intención de detener a los sospechosos o de facilitar su detención, provoca a través de su actuación engañosa la ejecución de una conducta delictiva que no había sido planeada ni decidida por aquél, y que de otra forma no hubiera realizado, adoptando al tiempo las medidas de precaución necesarias para evitar la efectiva lesión o puesta en peligro del bien jurídico protegido. Tal forma de proceder lesiona los principios inspiradores del Estado Democrático y de Derecho, afecta negativamente a la dignidad de la persona y al libre desarrollo de su personalidad, fundamento del orden político y de la paz social según el artículo 10 de la Constitución (LA LEY 2500/1978), y desconoce el principio de legalidad y la interdicción de la arbitrariedad de los Poderes Públicos, contenidos en el artículo 9.3 de la misma, sin que resulte admisible que en un Estado de Derecho las autoridades se dediquen a provocar actuaciones delictivas». STS Sala Segunda, de lo Penal, Sentencia 250/2017 de 5 Abr. 2017, Rec. 10441/2016. Ponente: Sánchez Melgar, Julián. LA LEY 27339/2017.

Sin embargo, la jurisprudencia admite la licitud de las actuaciones policiales en las que se hayan utilizado datos o informaciones engañosas sobre la identidad del agente encubierto o sobre sus intenciones, porque de hacérselas saber a los investigados es claro que no podría darse la actuación.

«Como dice la STS 575/2013, de 28 de junio (LA LEY 99607/2013), la existencia de un contacto previo entre el recurrente y el agente encubierto, enmarcados en una relación derivada de las labores de prevención y captación de información propias de las Fuerzas y Cuerpos de Seguridad, en modo alguno conlleva una infracción de alcance constitucional. Carecería de sentido, con el fin de sostener la validez de la diligencia de prueba, la exigencia de que la autorización del agente encubierto se produzca a ciegas, con exclusión de cualquier contacto previo entre la persona que va a infiltrarse en la organización y quienes aparecen como miembros sospechosos de una red delictiva. Es contrario a elementales máximas de experiencia concebir la infiltración en un grupo criminal como la respuesta a una invitación formal a un tercero que, de forma inesperada, curiosea entre los preparativos de una gran operación delictiva. La autorización judicial, por sí sola, no abre ninguna puerta al entramado delictivo que quiere ser objeto de investigación. Antes al contrario, la cerraría de forma irreversible. De ahí que esa resolución tiene que producirse en el momento adecuado que, como es lógico, no tiene por qué ser ajeno a una relación previa que contribuya a asentar los lazos de confianza». STS Sala Segunda, de lo Penal, Sentencia 250/2017 de 5 Abr. 2017, Rec. 10441/2016. Ponente: Sánchez Melgar, Julián. LA LEY 27339/2017.

Naturalmente también se admite la participación del agente encubierto en la actividad delictiva siempre que se limite a actividades de colaboración con el desarrollo de los hechos que no sean trascendentes o necesarias para la consumación del delito.

«En el caso enjuiciado, resulta evidente que no estamos en presencia de tal figura jurídica (delito provocado). No es el agente encubierto quien tiene los contactos en varios países de Sudamérica para facilitar un intenso tráfico de cocaína, ni quien adquiere la droga en aquellos países, ni quien la prepara e introduce en el avión en que será transportada, ni quien contrata a las personas que se harán cargo de su custodia y depósito a su llegada a Madrid, ni quien dispone de la infraestructura necesaria para la realización de la actividad proyectada, ni quien en suma pagará todas esas colaboraciones. El agente encubierto se limita a actividades secundarias, en una operación perfectamente diseñada y organizada, y ello en modo alguno puede tener cabida en la estructura de la figura comentada». STS Sala Segunda, de lo Penal, Sentencia 250/2017 de 5 Abr. 2017, Rec. 10441/2016. Ponente: Sánchez Melgar, Julián. LA LEY 27339/2017.

La teoría y consecuencias del delito provocado también resultan de aplicación a la actuación de confidentes o particulares que, por distintas razones, induzcan a otros a la comisión de un delito que sin esa idea inicial no se hubiere producido.

«Eso sucede aquí: no es que la Sra. Elvira se arrepienta en un momento dado, lo que nos llevaría a consideraciones muy distintas; sino que actúa según ideó desde el principio, en plan en el que estaba totalmente ausente toda intención de facilitar el consumo ilegal de drogas tóxicas. Solo quería —quizás como forma de venganza— arrancar de Amador su anuencia para plegarse a ese fingido plan criminal para lograr su implicación en esa grave infracción. Y lo consiguió. Amador asintió a colaborar con actitud muy reprobable, pero que no invade el campo penal como sostiene la acogida teoría del delito provocado. No era posible de forma alguna alcanzar el resultado desaprobado por la norma. .../... Si el delito es provocado y unos intervinientes han sido mera correa de transmisión de la intención delictiva provocada, extendida a su vez a otros, a todos alcanza la impunidad. Quien decide participar en un delito ab origine provocado resultará impune aunque la proposición efectuada a él no provenga directamente, sino de forma indirecta, del agente provocador (agente policial o colaborador)». STS Sala Segunda, de lo Penal, Sentencia 253/2015 de 24 Abr. 2015, Rec. 1485/2014. Ponente: Moral García, Antonio del. LA LEY 55085/2015.

Pero, será válida y eficaz la denuncia y actitud colaboradora del denominado confidente o arrepentido con relación a un delito del que da cuenta a la autoridad, ya que lo que hace es descubrir el delito aunque haya participado en su comisión.

«... se trata de basar la indefensión en que de las declaraciones de ese testigo en la causa se aprecia la existencia de un verdadero delito provocado al tratarse (el testigo) de un confidente de la policía. Es evidente que el así razonar supone confundir lo que es una simple denuncia de los hechos que ya han sido realizados, con la provocación para la comisión de los mismos, pues mientras en el primer supuesto el delito ya ha sido consumado y en nada incide el "confidente" en la acción comisora, en el segundo, el llamado agente provocador interviene cuando ésta aún no se ha llevado a efecto y su intervención es tan esencial, directa y decisiva, que sin ella el delito no se habría cometido. Por ello, la denuncia de lo ocurrido, aunque se haga con simple ánimo "colaboracionista", no vicia la acción cometida, ni la culpabilidad del agente comisor, mientras que la provocación sí hace desaparecer esa culpabilidad en cuanto que su actuación, aunque posiblemente querida, siempre está impulsada por un tercero que manipula de manera espuria su voluntad de delinquir. Y es que, en definitiva, una cosa es "descubrir" la existencia de un delito y otra totalmente diferente "colaborar" en su realización». STS de 12 de diciembre 1992.

637

Tampoco deben confundirse los fines de la actuación policial con los que pretendieran los investigados. A este respecto, el Tribunal Supremo rebate una alegación de recurso en el que se aducía que el agente encubierto «impulsaba» la perfección de la actividad delictiva en su recta final de consumación. Argumento que desestima el Tribunal Supremo señalando: «*Es efectista aducir que el agente encubierto apremiaba para cerrar la operación de tráfico de drogas e insistir en que es un delito provocado; pero no es correcto: en ese momento la droga ya estaba ocupada. Lo que tenía el agente encubierto en su poder era una sustancia inocua. Sus prisas y presiones estaban dirigidas a culminar con éxito no la operación de narcotráfico, sino la operación policial*». STS Sala Segunda, de lo Penal, Sentencia 277/2016 de 6 Abr. 2016, Rec. 10714/2015. Ponente: Moral García, Antonio del. LA LEY 25465/2016.

La información que recoja o recopile el agente encubierto deberá ser puesta a la mayor brevedad posible en conocimiento de quien autorizó la investigación. Asimismo, dicha información deberá aportarse al proceso en su integridad y se valorará en conciencia por el órgano judicial competente (art. 282 bis 1 *in fine* LECrim). La norma citada deberá observarse en la medida que la situación lo permita. En este sentido puede ser excusable el retardo en la aportación de los hallazgos que hubiere obtenido el agente encubierto o la existencia de alguna dificultad a ese respecto. Ahora bien, lo que no cabe es la absoluta opacidad y falta de comunicación de la actividad y resultados del agente encubierto, incluso aunque fuera extranjero.

«Señala la ley procesal que el agente encubierto deberá dar cuenta a la mayor brevedad a la autoridad que le nombró y su información aportarse al proceso en su integridad, correspondiendo su valoración al órgano judicial competente. En las actuaciones se ha procedido al nombramiento de unos agentes encubiertos para actuar en el seno de una organización que era investigada por la comisión de hechos delictivos de los relacionados en el art. 282 bis de la Ley procesal. La actuación documentada en la pieza separada es correcta y acorde a la previsión legal. Sin embargo, los funcionarios nombrados agentes encubiertos no han dado cuenta de su actuación a la autoridad que los nombró, pues la sentencia afirma que los agentes encubiertos no realizaron ninguna declaración al juez que los nombró, ni sus investigaciones han sido aportadas en su integridad al sumario seguido en indagación de los hechos. En la pieza separada, para documentar su nombramiento, constan distintos oficios, en idioma francés posteriormente traducidos, en los que se da cuenta de la resultancia de la investigación, lo que satisface, en principio, la previsión legal del art. 282 bis, sobre la dación de cuenta de las investigaciones aunque, en el caso, esa información se dirige más a la petición de ampliación de agentes encubiertos que a la preceptiva dación de cuenta. Esa información, aunque sucinta, pudiera satisfacer la inicial exigencia de una información inicial sobre las investigaciones, exigencia que es proporcionada a la autorización que se confiere a los agentes encubiertos». STS Sala Segunda, de lo Penal, Sentencia 395/2014 de 13 May. 2014, Rec. 1792/2013. Ponente: Martínez Arrieta, Andrés. LA LEY 61190/2014.

La actuación del agente encubierto se introducirá en el juicio oral mediante su declaración en el plenario y podrá servir de prueba directa con el apoyo del resto de prueba que se hubiera obtenido de su actuación. El agente encubierto podrá mantener dicha identidad cuando testifique cuando así se acuerde mediante resolución judicial motivada (art. 282.bis.2 LECrim)[71].

«Aquí estamos ante una prueba directa (manifestaciones del agente encubierto) respaldada por el contexto (que sería prueba indiciaria corroboradora). Pero no estamos ante exclusiva prueba indiciaria. Las declaraciones del agente encubierto, en efecto, constituyen prueba personal que acredita ese extremo y que además resultan las únicas realmente coherentes con el contexto en que se produce su detención. La valoración de esa prueba personal corresponde a la Sala de instancia. El esforzado intento de desacreditar esa declaración que efectúa en esta sede el recurrente está fuera de lugar y por tanto viene condenado al fracaso». STS Sala Segunda, de lo Penal, Sentencia 277/2016 de 6 Abr. 2016, Rec. 10714/2015. Ponente: Moral García, Antonio del. LA LEY 25465/2016.

Ahora bien, esto no significa que sea una declaración necesaria puesto que la prueba que se practique en el juicio oral dependerá de las partes y puede resultar que la acusación no solicite su declaración por ser bastante con la prueba aportada al proceso o, por ejemplo, porque los agentes encubiertos sean extranjeros y fuese difícil su comparecencia. (Véase la Sala Segunda, de lo Penal, Auto 1123/2014 de 26 Jun. 2014, Rec. 806/2014, Ponente: Soriano Soriano, José Ramón. LA LEY 96593/2014).

D) *La declaración testifical de menores y personas con discapacidad necesitadas de especial protección*

La declaración testifical de los menores es objeto de especial protección en la legislación que en los últimos años ha tenido especialmente en cuenta las especiales circunstancias que concurren en unos testigos que en razón de su edad deben ser especialmente protegidos cuando deban declarar sobre hechos criminales ya sea en la fase de investigación o en la fase de juicio oral. Máxime cuando el menor debe declarar en calidad de víctima del delito. Véase sobre las limitaciones a la publicidad del proceso § 2.3.C Cap. V; el § 1.4.C.c del Cap. IX sobre la declaración de menores en el acto del juicio oral y el § 1 del Cap. IV sobre los derechos de la víctima.

— Se refiere a la protección de los menores en su calidad de testigos el art. 19 de la Ley 4/2015, de 27 de abril del Estatuto de la Víctima del Delito que prevé que la Fiscalía vele por la protección de los testigos menores de edad: «… *adoptando las medidas adecuadas a su interés superior cuando resulte necesario para impedir o reducir los*

---

[71]   «Los agentes no han comparecido en el sumario, ni en el juicio oral, para dar cuenta íntegra de sus gestiones y de la información obtenida. Los funcionarios que actúan como agentes encubiertos, con independencia de su nacionalidad, han dispuesto de una autorización para actuar en el seno de la organización, delictiva y ostentan cierta autorización para delinquir, en la medida en que su conducta delictiva opera cubierta por la autorización judicial de actuar. Tal dimensión de la autorización exige, como mínima contrapartida, la exigencia de una actuación leal con la autoridad que los nombra y la comunicación íntegra de la investigación. La inobservancia de esta precisión legal hace que la investigación sea irregular al no haber sido aportada al proceso en las condiciones legales». STS Sala Segunda, de lo Penal, Sentencia 395/2014 de 13 May. 2014, Rec. 1792/2013. Ponente: Martínez Arrieta, Andrés. LA LEY 61190/2014.

perjuicios que para ellos puedan derivar del desarrollo del proceso»; y distinguiendo entre la fase de investigación y la de enjuiciamiento. Estas medidas se concretan en los arts. 25 y 26 de la Ley. El art. 25 prevé que durante la fase de investigación pueden adoptarse alguna de las siguientes medidas: «a) Que se les reciba declaración en dependencias especialmente concebidas o adaptadas a tal fin; b) Que se les reciba declaración por profesionales que hayan recibido una formación especial para reducir o limitar perjuicios a la víctima, o con su ayuda; c) Que todas las tomas de declaración a una misma víctima le sean realizadas por la misma persona, salvo que ello pueda perjudicar de forma relevante el desarrollo del proceso o deba tomarse la declaración directamente por un Juez o un Fiscal; d) Que la toma de declaración, cuando se trate de alguna de las víctimas a las que se refieren los números 3.º y 4.º de la letra b) del apartado 2 del artículo 23 y las víctimas de trata con fines de explotación sexual, se lleve a cabo por una persona del mismo sexo que la víctima cuando ésta así lo solicite, salvo que ello pueda perjudicar de forma relevante el desarrollo del proceso o deba tomarse la declaración directamente por un Juez o Fiscal. Durante la fase de enjuiciamiento la ley prevé que puedan adoptarse alguna de las siguientes medidas: a) que eviten el contacto visual entre la víctima y el supuesto autor de los hechos, incluso durante la práctica de la prueba, para lo cual podrá hacerse uso de tecnologías de la comunicación; b) para garantizar que la víctima pueda ser oída sin estar presente en la sala de vistas, mediante la utilización de tecnologías de la comunicación adecuadas; c) para evitar que se formulen preguntas relativas a la vida privada de la víctima que no tengan relevancia con el hecho delictivo enjuiciado, salvo que el Juez o Tribunal consideren excepcionalmente que deben ser contestadas para valorar adecuadamente los hechos o la credibilidad de la declaración de la víctima; d) Celebración de la vista oral sin presencia de público. En estos casos, el Juez o el Presidente del Tribunal podrán autorizar, sin embargo, la presencia de personas que acrediten un especial interés en la causa. Las medidas a las que se refieren las letras a) y c) también podrán ser adoptadas durante la fase de investigación».

Además de las medidas anteriores, que tienen carácter y ámbito general con relación a cualquier víctima, la Ley 4/2015 dispone en su art. 26 otras medidas complementarias dirigidas a la protección para menores y personas con discapacidad necesitadas de especial protección. Estas son las siguientes: a) Las declaraciones recibidas durante la fase de investigación serán grabadas por medios audiovisuales y podrán ser reproducidas en el juicio en los casos y condiciones determinadas por la Ley de Enjuiciamiento Criminal; b) La declaración podrá recibirse por medio de expertos. Finalmente, el art. 26.2 de la Ley prevé la designación por el Juez, que instará el Fiscal, de un defensor judicial de la víctima, para que la represente en la investigación y en el proceso penal, en el caso de carencia de padres o tutores o conflicto de intereses.

— Podrán acordarse alguna de las medidas previstas en la Ley Orgánica 19/1994, de 23 de diciembre, de protección a testigos y peritos en causas criminales y, especialmente, la prevista en el art. 2.b que dispone que podrá acordarse de que el testigo: «… comparezcan para la práctica de cualquier diligencia utilizando cualquier procedimiento que imposibilite su identificación visual normal».

— La LECrim también se refiere especialmente a la declaración en el procedimiento penal de los menores en varios preceptos, algunos de ellos modificados por la Ley del Estatuto de la víctima 4/2015: El art. 448 LECrim dispone: «*La declaración de los testigos menores de edad y de las personas con capacidad judicialmente modificada podrá llevarse a cabo evitando la confrontación visual de los mismos con el inculpado, utilizando para ello cualquier medio técnico que haga posible la práctica de esta prueba*». El art. 707.2 y 3 LECrim prevé que: «*La declaración de los testigos menores de edad o con discapacidad necesitados de especial protección, se llevará a cabo, cuando resulte necesario para impedir o reducir los perjuicios que para ellos puedan derivar del desarrollo del proceso o de la práctica de la diligencia, evitando la confrontación visual de los mismos con el inculpado. Con este fin podrá ser utilizado cualquier medio técnico que haga posible la práctica de esta prueba, incluyéndose la posibilidad de que los testigos puedan ser oídos sin estar presentes en la sala mediante la utilización de tecnologías de la comunicación. Estas medidas serán igualmente aplicables a las declaraciones de las víctimas cuando de su evaluación inicial o posterior derive la necesidad de estas medidas de protección*». El art. 730 LECrim dispone que: «*Podrán también leerse o reproducirse a instancia de cualquiera de las partes las diligencias practicadas en el sumario, que, por causas independientes de la voluntad de aquéllas, no puedan ser reproducidas en el juicio oral, y las declaraciones recibidas de conformidad con lo dispuesto en el artículo 448 durante la fase de investigación a las víctimas menores de edad y a las víctimas con discapacidad necesitadas de especial protección*»; y, finalmente, el art. 731 bis establece que: «*El Tribunal, de oficio o a instancia de parte, por razones de utilidad, seguridad o de orden público, así como en aquellos supuestos en que la comparecencia de quien haya de intervenir en cualquier tipo de procedimiento penal como imputado, testigo, perito, o en otra condición resulte gravosa o perjudicial, y, especialmente, cuando se trate de un menor, podrá acordar que su actuación se realice a través de videoconferencia u otro sistema similar que permita la comunicación bidireccional y simultánea de la imagen y el sonido, de acuerdo con lo dispuesto en el apartado 3 del artículo 229 de la Ley Orgánica del Poder Judicial*».

— El art. 229 LOPJ prevé que las declaraciones, interrogatorios, testimonios, careos, exploraciones, informes, ratificación de los periciales y vistas, se llevarán a efecto ante juez o Tribunal con presencia o intervención, en su caso, de las partes y en audiencia pública. Ahora bien, el párrafo tercero del citado art. 229 LOPJ prevé que: «Estas actuaciones podrán realizarse a través de videoconferencia u otro sistema similar que permita la comunicación bidireccional y simultánea de la imagen y el *sonido y la interacción visual, auditiva y verbal entre dos personas o grupos de personas geográficamente distantes, asegurando en todo caso la posibilidad de contradicción de las partes y la salvaguarda del derecho de defensa, cuando así lo acuerde el juez o Tribunal*».

Una buena parte de las medidas descritas tienen por objeto garantizar la protección personal y emocional de los menores frente a una actividad que puede resultarles perjudicial. Ahora bien, otras medidas se dirigen al modo en el que la prueba de la declaración del menor debe introducirse en el proceso. Sobre este particular, resulta claro que la regla general será que esa prueba, al igual que cualquier otra, deberá practicarse en el juicio oral con plena inmediación y contradicción. Ahora bien, pueden acordarse medidas de protección que impidan la confrontación visual con el acusado, la reproducción en el acto del juicio oral de la declaración prestada en la investigación o incluso que la declaración del menor se materialice en el acto del juicio oral mediante la declaración de expertos (art. 26 Ley 4/2015 del estatuto de la víctima). Esta última clase de medidas de protección pueden resultar excesivas, especialmente la posibilidad de recibir la declaración del menor indirectamente mediante la declaración de expertos que comparecerán en el juicio para dar cuenta de lo que dijo el menor. El problema es que el experto, más allá de su pericia profesional, no deja de ser una suerte de testigo de referencia que declara sobre lo que el menor dijo o quiso decir, teniendo en cuenta que según la edad del menor y la clase de hecho al que se refiera el juicio puede ser difícil interpretar y valorar cual fue la realidad de los hechos. Es por ello que las medidas de protección del menor no pueden en ningún caso ser de tal intensidad que impidan el derecho de defensa y contradicción del acusado. Véase sobre la declaración en juicio de la víctima el § 1.4.C.b del Cap. IX.

En el supuesto del que conoce la STC 147/2011 el acusado y condenado alego en sede constitucional no haber tenido ninguna oportunidad, ni en fase policial, ni en fase sumarial, ni durante el juicio oral, de interrogar de alguna forma a la menor cuyas manifestaciones sirvieron de única prueba de cargo al Tribunal para dictar una sentencia condenatoria. En ese supuesto el Tribunal Constitucional declaró que se habían vulnerado los derechos constitucionales del acusado que no había tenido oportunidad directa o indirecta de contradecir el testimonio de cargo de la víctima.

> «El acusado, que había solicitado reiteradamente el interrogatorio de la menor ofreciendo que éste se practicara adoptando las medidas procesales de protección de la misma previstas en la ley, no pudo en ningún momento, ni directa ni indirectamente, dirigirle pregunta alguna durante el proceso penal previo, sino sólo formular alegaciones sobre el desarrollo y contenido de su exploración policial. Pese a la limitada intervención que tuvo en fase de investigación, pues no se le convocó a la exploración policial ni a la judicial, no se utilizó ninguno de los mecanismos de interrogatorio en el juicio oral previstos en la ley que, evitando la confrontación visual, e incluso la presencia personal de la menor en el juicio, hubieran podido reequilibrar los déficits de defensa que se han descrito. Lo expuesto lleva a concluir con evidencia que en el proceso penal previo en el que fue juzgado y condenado el demandante no se respetaron sus derechos mínimos de defensa, es decir, no disfrutó de un proceso con todas las garantías, por lo que, conforme a su solicitud, debe estimarse el amparo pretendido a fin de que por un Tribunal imparcial se repita el juicio oral con pleno respeto de sus garantías procesales, sin perjuicio de la adopción de las medidas legales de protección que se consideren necesarias en beneficio de la menor de edad que aparece como víctima de los hechos, de conformidad con lo expuesto en los fundamentos jurídicos 3 y 4 de esta resolución». STC Sala Segunda, Sentencia 174/2011 de 7 Nov. 2011, Rec. 10202/2009; Ponente: Pérez de los Cobos Orihuel, Francisco. LA LEY 211655/2011.

2.10. Careo de los testigos e imputados

Suele ser frecuente que, de la confrontación de las declaraciones efectuadas por dos o más imputados o testigos, se aprecie la existencia de alguna contradicción sobre algún hecho o circunstancia de interés en el sumario. En este supuesto, se procederá a efectuar un careo entre los interesados en la forma prevista en los arts. 451 a 454 LECrim. Esta diligencia consistirá, básicamente, en la exposición por el Juez de las contradicciones y la subsiguiente confrontación entre los discordantes a fin de aclarar los hechos y comprobar la credibilidad de las respectivas declaraciones. Por tanto, se constituye en una diligencia complementaria de verificación y contraste de las declaraciones contradictorias de imputados o testigos. (Véase M. 70)[72].

> «Por lo que respecta a la diligencia de careo, también hay que recordar la reiteradísima doctrina de esta Sala (SSTS de 15 de enero de 1997 o 352/2013 de 18 abril (LA LEY 37040/2013) entre muchas otras) a propósito del carácter facultativo de la admisión de una diligencia probatoria como la mencionada y la intocabilidad en sede casacional de la decisión adoptada al respecto en orden a sostener la existencia de una vulneración del derecho a la prueba, pues el careo, más que una diligencia de prueba propiamente dicha, es un instrumento de verificación y contraste de la fiabilidad de otras pruebas (STS 1151/1999 de 9 de julio), visto que el artículo 455 LECRIM (LA LEY 1/1882) dispone que sólo se practicará el careo cuando no fuere conocido otro modo de comprobar la existencia del delito o la culpabilidad de alguno de los procesados». STS Sala Segunda, de lo Penal, Sentencia 1004/2016 de 23 Ene. 2017, Rec. 10262/2016; Ponente: Llarena Conde, Pablo. LA LEY 1612/2017.

El art. 454 prevé que el Juez no permitirá que los careados se insulten o amenacen, previsión legal que pone de relieve la situación conflictiva que se puede producir en el careo. Es ésta una de las razones que conducen a que este acto procesal tenga carácter subsidiario, y se realice, únicamente, en defecto de cualquier otro posible, y siempre que pueda resultar de utilidad (*vid*. art. 455 LECrim)[73].

> «A tal respecto, dice la STS 511/2007 (LA LEY 51993/2007): "El careo no es un medio de prueba autónomo, sino complementario de otros, como son las declaraciones de acusados y testigos, puesto que sólo sirve para contrastar y medir la credibilidad de éstos, depurando las contradicciones o discordancia que pudieran existir, razón por la cual la decisión de si procede o no su práctica se deja por el

---

(72) «En lo que se refiere al careo, como bien pone de relieve el Ministerio Fiscal, es una diligencia que se adopta a juicio del juez o tribunal competente en caso de que la considere necesaria, pero su denegación no es susceptible de recurso de casación. Además, tal como se dice en la sentencia, el Tribunal pudo presenciar las declaraciones del acusado y de los testigos bajo los principios de inmediación, oralidad y contradicción, lo que le ha permitido formarse criterio acerca de la credibilidad de unos y otros sin necesidad de acudir a una diligencia de careo». STS Sala Segunda, de lo Penal, Sentencia 294/2014 de 9 Abr. 2014, Rec. 10981/2013. Ponente: Colmenero Menéndez de Luarca, Miguel. LA LEY 40137/2014.

(73) «Por otra parte, no debe olvidarse que, de acuerdo con lo establecido por el art. 455 L.E.Cr. (LA LEY 1/1882). el careo no se practicará, "sino cuando no fuere conocido otro modo de comprobar la existencia del delito o la culpabilidad de alguno de los procesados". Esta condición negativa de la práctica del careo que introduce la ley responde, ante todo, al dudoso carácter probatorio del careo en el proceso penal moderno, y debe ser, por ello, estrictamente interpretada en cada caso. De ello se deduce que en el presente caso la diligencia de careo era innecesaria, dado que no se percibe ninguna circunstancia que permita afirmar que el Tribunal a quo carecía de otros medios para comprobar la existencia del delito o la culpabilidad de un acusado». STS Sala Segunda, de lo Penal, Sentencia 243/2013 de 25 Ene. 2013, Rec. 628/2012; Ponente: Moral García, Antonio del. LA LEY 26517/2013.

legislador a criterio del Tribunal o Juez que preside el juicio, como un reconocimiento más a las exigencias propias del principio de inmediación como factor fundamental de la valoración de las pruebas de carácter personal, lo que tiene como consecuencia el que contra el acuerdo relativo a su denegación no cabe recurso de casación, según reiteradísimos precedentes de esta Sala como son las SSTS de 13 de enero de 1949; 29 de abril de 1968; 5 de febrero de 1980; 12 de noviembre de 1986; 6 de noviembre de 1989; 17 de junio de 1990; 14 de septiembre de 1991; 18 de noviembre de 1992, 17 de junio de 1994; 4 de marzo de 1998; 13 de junio de 2005 y 6 de junio de 2006. Por otra parte, no debe olvidarse que, de acuerdo con lo establecido por el art. 455 Ley de Enjuiciamiento Criminal (LA LEY 1/1882), el careo no se practicará, "sino cuando no fuere conocido otro modo de comprobar la existencia del delito o la culpabilidad de alguno de los procesados". Esta condición negativa de la práctica del careo que introduce la ley responde, ante todo, al dudoso carácter probatorio del careo en el proceso penal moderno, y debe ser, por ello, estrictamente interpretada en cada caso". Conforme con la doctrina citada anteriormente, la práctica de la diligencia de careo es facultad exclusiva del Tribunal de instancia, que debe emplearla cuando estime que no hay otra manera de comprobar la existencia del delito o la culpabilidad de los procesados». STS Sala Segunda, de lo Penal, Auto 1523/2013 de 20 Jun. 2013, Rec. 1756/2012; Ponente: Sánchez Melgar, Julián. LA LEY 138539/2013.

Precisamente, en razón de la naturaleza de este acto, la LO 14/1999 de 9 de junio, estableció que no se practicarán careos con testigos menores de edad, salvo que el Juez lo considere imprescindible y no lesivo para el interés de dichos testigos, y previo informe pericial (art. 455 LECrim). Ahora bien, en algunos supuestos puede resultar una diligencia de prueba necesaria en términos de defensa. Éste será el supuesto de las declaraciones contradictorias de coimputados, por ejemplo en el caso del que conoció la STC 153/1997 de 29 de septiembre. Pero a este efecto, deberá solicitarse la práctica del careo y exponer los puntos concretos que se pretendan someter a contraste entre los coimputados.

«... en la presente demanda de amparo no se indica cuál fue la versión del coprocesado ... en el fundamental acto del juicio oral, ni se alega que este sujeto no hubiera sido sometido a interrogatorio en ese momento por parte de la defensa del ahora recurrente de amparo (art. 691 LECrim), cuando como es sabido corresponde al recurrente de amparo demostrar el carácter decisivo de la prueba no practicada. Luego si al incriminar al recurrente de amparo el coprocesado fue efectivamente interrogado por parte del Asesor letrado de aquél, el careo no habría sido una prueba "decisiva en términos de defensa", ya que aunque no hubiera existido un interrogatorio cruzado (cross examination) entre los dos coprocesados, sí que se habría producido al menos el interrogatorio del otro coprocesado por el Defensor del ahora recurrente de amparo. En definitiva, no consta que se haya impedido el ejercicio del derecho a interrogar o hacer interrogar a los testigos que declaran en contra y, en consecuencia, no cabe concluir que la prueba del careo fuera decisiva en términos de defensa, de modo que la ausencia de su práctica no supone la vulneración del derecho a la utilización de los medios de prueba pertinentes para la defensa. Tampoco se aprecia la vulneración de este derecho por parte del Tribunal Supremo, ya que el motivo de casación se articuló como un quebrantamiento de forma al amparo del art. 850, 1.º de la LECrim». ATC 214/1998 de 13 de octubre.

2.11. Reconocimiento e intervenciones corporales[74]

Los reconocimientos e intervenciones corporales son medidas de investigación que tienen en común la persona del sospechoso o imputado que se somete en mayor o menor grado e intensidad a la medida. Algunas de estas medidas las podrá realizar la policía en cumplimiento de sus funciones de investigación y prevención del delito en razón de su escasa incidencia sobre los derechos fundamentales de los ciudadanos (identificación, cacheos superficiales). Pero otras medidas pueden afectar al derecho fundamental a la integridad física o a la intimidad personal y, en ese caso, será necesaria una resolución judicial específica que acuerde la intervención. Lo que no cabe, en ningún caso, es la práctica de intervenciones corporales coactivas practicadas en contra de la voluntad del interesado, que están proscritas en nuestro sistema procesal de investigación criminal (véanse las SSTC 206/2007 de 24 de septiembre, 234/1997, de 18 de diciembre, FJ 9, y 25/2005, de 14 de febrero, FJ 6).

No existe en la LECrim una normativa expresa que autorice la adopción de medidas o actos de reconocimiento e intervención corporal. Sin embargo, distintos preceptos legales, de la LECrim, y otras normas, se refieren a esta clase de diligencias de intervención. Concretamente los arts. 339, 363, 399, 478 y 520 LECrim, en sede de cuerpo del delito, examen del procesado y contenido del informe pericial. También regulan diligencias de intervención la LO 4/2015 de protección de la seguridad ciudadana y el RDL 6/2015, de 30 de octubre de seguridad vial. Esta regulación, que no tiene carácter sistemático, ha sido interpretada por el TC que ha establecido los criterios con relación a la adopción, práctica, y valoración de las diligencias de instrucción de intervención corporal (V. SSTC 206/2007 de 24 de septiembre; 25/2005, de 14 de febrero; 70/2002, de 3 de abril; 207/1996 de 16 de diciembre y 37/1989 de 15 de febrero). A saber:

1) Sólo podrán acordarse este tipo de diligencias frente a los imputados o sospechosos respecto de los que recaigan serios indicios sobre la comisión de un delito, siempre que resulte ponderada esta intromisión con relación al interés público que se pretende defender.

2) Las intervenciones corporales serán ordenadas por los Jueces y Tribunales con intervención de Letrado. Especialmente se adoptarán mediante resolución judicial motivada todas aquellas intervenciones corporales que afecten al ámbito de la inti-

---

(74) Bibliografía: PÉREZ MARÍN M.A., *Inspecciones, registros e intervenciones corporales*, Valencia 2008. MAGRO SERVET V. «La actuación policial en los cacheos y registros como modalidad de las intervenciones corporales en el proceso penal», *La Ley* nº 5357 2001. FABREGA RUIZ CRISTÓBAL, Francisco, «Aspectos jurídicos de las nuevas técnicas de investigación criminal, con especial referencia a la "huella genética" y su valoración judicial», *La Ley* nº 4721, 1999. VARELA AGRELO J.A., «El cuerpo humano como medio de prueba; en especial, las intervenciones corporales», *BIMJ* nº 1772. SOTO NIETO F., Registro de automóviles su consideración procesal», *La Ley* nº 5038 2000. GIL HERNÁNDEZ, *Intervenciones corporales y derechos fundamentales*, Madrid, 1995; ASENSIO MELLADO, *Prueba prohibida y prueba preconstituida*, Madrid, 1989; GONZÁLEZ CUÉLLAR, *Proporcionalidad y derechos fundamentales en el proceso penal*, Madrid, 1990; MORENO CATENA, «Garantía de los derechos fundamentales en la investigación penal», *RPJ*, n.º especial II, Justicia Penal, CGPJ, Madrid, 1987; LÓPEZ BARJA y RODRÍGUEZ RAMOS, «La intimidad corporal devaluada», *RPJ*, n.º 14, pp. 125 y ss.

midad personal constitucionalmente protegido[75]. Este será el caso de la afectación de aquellas intervenciones que recaen sobre partes íntimas del cuerpo humano y que, por tanto, afectan al derecho fundamental a la intimidad corporal (art. 18.1 CE). También será preciso el control judicial cuando la intervención afecta al derecho a la integridad física (análisis de sangre, biopsias, etc.) (art. 17.1 CE)[76].

«Conforme a doctrina reiterada de este Tribunal, el derecho fundamental a la integridad física y moral (art. 15 CE) protege la inviolabilidad de la persona, no sólo en aquellos casos en los que existe un riesgo o daño para la salud, sino también —en lo que ahora interesa— contra toda clase de intervención en el cuerpo que carezca del consentimiento de su titular, por cuanto lo que se protege es el derecho de la persona a la incolumidad corporal, esto es, a no sufrir menoscabo alguno en su cuerpo o en su apariencia externa sin su consentimiento. Y precisando esta doctrina en relación a las diligencias practicables en el curso de un proceso penal como actos de investigación

---

(75) «Hemos afirmado que las intervenciones corporales pueden conllevar una intromisión en el ámbito constitucionalmente protegido del derecho a la intimidad personal, no tanto por el hecho en sí de la intervención (que, en su caso, afecta al derecho a la integridad física), sino por razón de su finalidad, es decir, por lo que a través de ellas se pretenda averiguar, si se trata de información referente a la esfera de la vida privada y que el sujeto puede no querer desvelar, como la relativa al consumo de alcohol o de drogas (SSTC 207/1996, de 16 de diciembre, FJ 3; 234/1997, de 18 de diciembre, FJ 9; 25/2005, de 14 de febrero, FJ 6; 196/2004, de 15 de noviembre, FJ 5, por todas). Esto es lo que sucede también en el presente caso, en el que se realiza un análisis de sangre al objeto de determinar si el afectado había consumido alcohol y cuál era su grado de impregnación alcohólica, lo que supone una injerencia en la vida privada de la persona». STC 206/2007 de 24 de septiembre.

(76) «... dentro de las diligencias practicables en el curso de un proceso penal como actos de investigación o medios de prueba (en su caso, anticipada) recayentes sobre el cuerpo del imputado o de terceros, resulta posible distinguir dos clases, según el derecho fundamental predominantemente afectado al acordar su práctica y en su realización: a) En una primera clase de actuaciones, las denominadas inspecciones y registros corporales, esto es, en aquellas que consisten en cualquier género de reconocimiento del cuerpo humano, bien sea para la determinación del imputado (diligencias de reconocimiento en rueda, exámenes dactiloscópicos o antropomórficos, etc.) o de circunstancias relativas a la comisión del hecho punible (electrocardiogramas, exámenes ginecológicos, etc.) o para el descubrimiento del objeto del delito (inspecciones anales o vaginales, etc.), en principio no resulta afectado el derecho a la integridad física, al no producirse, por lo general, lesión o menoscabo del cuerpo, pero sí puede verse afectado el derecho fundamental a la intimidad corporal (art. 18.1 C.E.) si recaen sobre partes íntimas del cuerpo, como fue el caso examinado en la STC 37/1989 (examen ginecológico), o inciden en la privacidad. b) Por contra, en la segunda clase de actuaciones, las calificadas por la doctrina como intervenciones corporales, esto es, en las consistentes en la extracción del cuerpo de determinados elementos externos o internos para ser sometidos a informe pericial (análisis de sangre, orina, pelos, uñas, biopsias, etc.) o en su exposición a radiaciones (rayos X, T.A.C., resonancias magnéticas, etc.), con objeto también de averiguar determinadas circunstancias relativas a la comisión del hecho punible o a la participación en él del imputado, el derecho que se verá por regla general afectado es el derecho a la integridad física (art. 15 C.E.), en tanto implican una lesión o menoscabo del cuerpo, siquiera sea de su apariencia externa. Y atendiendo al grado de sacrificio que impongan de este derecho, las intervenciones corporales podrán ser calificadas como leves o graves: leves, cuando, a la vista de todas las circunstancias concurrentes, no sean, objetivamente consideradas, susceptibles de poner en peligro el derecho a la salud ni de ocasionar sufrimientos a la persona afectada, como por lo general ocurrirá en el caso de la extracción de elementos externos del cuerpo (como el pelo o uñas) o incluso de algunos internos (como los análisis de sangre), y graves, en caso contrario (por ejemplo, las punciones lumbares, extracción de líquido cefalorraquídeo, etc.)». (STC 207/1996 de 16 diciembre).

o medios de prueba (en su caso, anticipada) sobre el cuerpo del imputado o de terceros, hemos declarado que en "las calificadas por la doctrina como intervenciones corporales, esto es, en las consistentes en la extracción del cuerpo de determinados elementos externos o internos para ser sometidos a informe pericial (análisis de sangre, orina, pelos, uñas, biopsias, etc.) o en su exposición a radiaciones (rayos X, TAC, resonancias magnéticas, etc.), con objeto también de averiguar determinadas circunstancias relativas a la comisión del hecho punible o a la participación en él del imputado, el derecho que se verá por regla general afectado es el derecho a la integridad física (art. 15 CE), en tanto implican una lesión o menoscabo del cuerpo, siquiera sea de su apariencia externa" (STC 207/1996, de 16 de diciembre, FJ 2)». STC 206/2007 de 24 de septiembre.

Ahora bien, también podrán ordenar medidas de intervención corporal los Fiscales o la Policía Judicial en el caso que no afecten a derechos fundamentales y que se hallen legalmente previstas en la Ley. Se realizarán siempre por personal técnico especializado sin que pueda incurrirse en violación de la intimidad o integridad de las personas o su sometimiento a un trato degradante. Este es el supuesto de las intervenciones que tienen lugar sobre determinadas partes del cuerpo por medio de instrumentos que no conllevan una violación del pudor o recato de la persona (cacheos, tests alcoholométricos, exámenes radiológicos, fotografías, toma de huellas, etc.)[77].

«No existe en la Constitución en relación a las inspecciones o intervenciones corporales, en cuanto afectantes a la intimidad y a la integridad física reserva absoluta de resolución judicial, y la Ley puede autorizar a la policía judicial para disponer, por acreditadas razones la urgencia y necesidad, la práctica de actos que comportan una simple intervención sin afección grave y se observen los requisitos dimanantes de los principios de proporcionalidad y racionalidad. La policía judicial tiene por imperativo constitucional, art. 126 CE. la averiguación del delito y el descubrimiento del delincuente, esto es, le corresponde la práctica de los actos de investigación pertinentes para el descubrimiento del hecho punible y de su autoría, y para la efectividad de este cometido está facultada para la recogida de efectos, instrumentos o pruebas que acrediten su perpetración como expresamente se recoge en el art. 282 de la LECrim. (LA LEY 1/1882) que expresamente faculta a la Policía Judicial para "recoger los efectos, instrumentos o pruebas del delito de cuya desaparición hubiere peligro, poniéndolos a disposición de la Autoridad Judicial". Se trata en todo caso, de actos de investigación policial que los arts. 282 (LA LEY 1/1882) y 770.3 LECrim (LA LEY 1/1882) atribuyen a la Policial Judicial y el art. 11.1 g de la LO 2/86 (LA LEY 619/1986) otorga a los Cuerpos y Fuerzas de Seguridad. El descubrimiento y recogida de objetos para su ulterior examen en busca de huellas, perfiles genéticos, restos de sangre, o en este caso toma de muestras de haber disparado, son tareas que exigen una especialización técnica de la que gozan los

---

(77) «... que el ámbito de la intimidad corporal constitucionalmente protegido no es una entidad física, sino cultural, y en consecuencia determinada por el criterio dominante en nuestra cultura sobre el recato corporal; de tal modo que no pueden entenderse como intromisiones forzadas en la intimidad aquellas actuaciones que, por las partes del cuerpo humano sobre las que se operan o por los instrumentos mediante los que se realizan, no constituyen, según un sano criterio, violación del pudor o recato de la persona». (STC 57/94, de 28 febrero). Vid. también STC 37/89, de 15 febrero.

funcionarios de la Policía científica, a los que compete la realización de tales investigaciones, sin perjuicio de que las conclusiones de las mismas habrán de acceder al Juzgador y al Tribunal sentenciador para que, sometidas a contradicción puedan alcanzar el valor de pruebas. En tal sentido pueden citarse las sentencias de esta Sala de 7.10.94, 9.5.97 y 26.2.99, 26.1.2000, que recuerdan que los arts. 326 (LA LEY 1/1882) y 22. LECrim. se han de poner en relación con los arts. 282 y 786.2 (actual art. 770.3) del mismo Texto Legal y con el Real Decreto 769/87 (LA LEY 1410/1987) de 17.6, regulador de la Policía Judicial, de cuya combinada aplicación se puede llegar a establecer que la misión de los funcionarios policiales se extiende a la recogida de todos los efectos, instrumentos o pruebas del delito de cuya desaparición hubiera peligro, poniéndolos a disposición de la autoridad judicial. Estimación que no quebranta el art. 326 LECrim (LA LEY 1/1882) ni se causa indefensión, por el hecho de que las muestras obtenidas por los especialistas en identificación, sean remitidas a los respectivos Gabinetes científicos». STS 5 May. 2010, N.º de Sentencia: 383/2010; N.º de Recurso: 10727/2009; LA LEY 41089/2010.

Sin que la obligatoriedad de someterse a esta clase de intervenciones (prueba de alcoholemia, toma de residuos del cuerpo o ropas del sospechoso) pueda argumentarse que se vulnera el derecho a no declarar del sometido a la medida ni tampoco el derecho de presunción de inocencia, al tratarse de pericias de resultado incierto que únicamente requieren una actitud pasiva del sujeto.

«Como dice el Tribunal Constitucional refiriéndose a la prueba de alcoholemia, se trata de prestar el consentimiento para que se haga a la persona objeto de "una especial modalidad de pericia" exigiéndole una colaboración no equiparable a la declaración comprendida en el ámbito de los derechos proclamados en los artículos 17.3º y 24.2º de la Constitución. Una prueba de estas características no vulnera la presunción de inocencia y así lo ha puesto de relieve, la Comisión Europea de Derechos Humanos en su Dictamen 8239/79 de 4 de diciembre al declarar que la posibilidad ofrecida al inculpado de probar un elemento que le disculpe no equivale a establecer una presunción de culpabilidad contraria a la presunción de inocencia, puesto que, si puede parecer evidente que, siendo positivo el resultado de la prueba, puede derivarse una sentencia condenatoria, tampoco lo es menos que este mismo examen, si fuere negativo, puede exculpar al imputado. (STS 1232/97 de 3.11). En efecto estas pruebas discutidas no constituyen actuaciones encaminadas a obtener del sujeto el reconocimiento de determinados hechos o su interpretación o valoración de los mismos, sino simples pericias de resultado incierto que, con independencia de que su mecánica concreta requiere un comportamiento exclusivamente pasivo, no pueden catalogarse como obligaciones de autoincriminarse, es decir, con aportaciones o contribuciones del sujeto que sostenga o puedan sostener su propia imputación penal. De ahí que no exista el derecho a no someterse a estas pruebas y si, por el contrario la obligación de soportarlas. Puede traerse también a colación a STEDH de 17.12.96 (caso Saunders versus Reino Unido) que en su parágrafo 69 afirma que el derecho a guardar silencio no se extiende al uso, en un procedimiento penal, de datos que se hayan podido obtener del acusado recurriendo a poderes coercitivos y cita, entre otras, las tomas de aliento de sangre y de orina». STS 5 May. 2010, N.º de Sentencia: 383/2010; N.º de Recurso: 10727/2009; LA LEY 41089/2010.

3) Deberá existir una proporcionalidad entre la intromisión o sacrificio del derecho constitucional y lo que se quiere investigar. En ningún caso se acordará la prác-

tica de una intervención corporal cuando pueda suponer, objetiva o subjetivamente, un riesgo o quebranto para la salud.

«Según una muy reiterada doctrina constitucional, la regla de la proporcionalidad de los sacrificios (STC 26/81, fundamento jurídico 5.º), es de observancia obligada al proceder a la limitación de un derecho fundamental (STC 13/85, fundamento jurídico 2.º), y bien se comprende que el respeto de esta regla impone la motivación de la resolución judicial que excepcione o restrinja el derecho (STC 62/82, fundamento jurídico 2.º), pues sólo tal fundamentación permitirá que se aprecie, en primer lugar, por el afectado y que se pueda controlar, después, la razón que justificó, a juicio del órgano judicial, el sacrificio del derecho fundamental». (STC 37/89, de 15 febrero). Ver también STC 57/94, de 28 febrero.

4) Como norma general no podrá acordarse la práctica de una intervención corporal por medio de la *vis compulsiva* o coacción física, por lo que será necesario el consentimiento del sometido a la intervención. El incumplimiento de esta norma supondrá que la prueba no podrá ser tenida en cuenta en el proceso. No obstante, en caso de negativa, se le advertirá a éste de la valoración de su postura como un indicio en su contra, o bien de la responsabilidad en la que puede incurrir (delito de desobediencia por negarse a cumplir los tests alcoholométricos art. 380 CP)[78].

«… ejecución a la que en otro caso podría ser compelida mediante la advertencia de las consecuencias sancionatorias que pueden seguirse de su negativa o de la valoración que de ésta quepa hacer en relación con los indicios ya existentes, pero no, claro está, en ningún caso, mediante el empleo de la fuerza física, que sería en este supuesto degradante e incompatible con la prohibición contenida en el artículo 15 de la Constitución». (STC 37/89, de 15 febrero). *Vid.* también STC 103/85, de 4 octubre.

Ahora bien, el art. 363.2 LECrim, modificado por la Ley 15/2003 dispone que el Juez podrá decidir la práctica de los actos de inspección, reconocimiento o in-

---

(78)   Ver en este sentido la explícita Instrucción a 6/88, de 12 de diciembre, de la Fiscalía General del Estado, referente a las personas portadoras de drogas ocultas en cavidades corporales. Sus conclusiones son: «Primera. La resolución de un Juez de Instrucción que ordene motivadamente un reconocimiento, como el que es objeto de este informe, con la finalidad de prevenir un delito grave y proteger la salud pública es constitucionalmente inobjetable, pues reúne, para serlo, los dos requisitos exigibles de legalidad y necesariedad. Desde un punto de vista formal goza de suficiente cobertura habilitante al estar prevista en la Ley (art. 8.1 de la Ley Orgánica 1/82 y arts. 339 y 478.1 de la LECrim.) y haber sido acordada por autoridad competente (art. 117.3 de la Constitución, art. 2.1 de la LOPJ y art. 10 y concordantes de la LECrim.). Materialmente es necesaria y proporcionada en una sociedad democrática, como exigencia derivada de la acción de la justicia, encaminada a la obtención de las pruebas necesarias para la averiguación del delito y sus circunstancias. Segunda. Es inaceptable la tesis de la Sección Tercera de la Audiencia de Cádiz de que nadie, ni siquiera el Juez, puede ordenar dicho reconocimiento en ningún caso. Tercera. Una orden judicial, como la descrita en la conclusión primera, contiene un mandato que debe ser acatado (art. 118 de la Constitución). La negativa de la persona así requerida a ese mandato constituye, en línea de principio (como parece admitir la Sección Segunda de la Audiencia de Cádiz) el núcleo de un delito de desobediencia, lo que aconseja, a nuestro juicio —si hay apelaciones pendientes o en las que, todavía, pudieran eventualmente sustanciarse— que por la Fiscalía de Cádiz se mantenga la misma postura que hasta ahora, coincidente con la de los Juzgados cuyas sentencias han sido revocadas, siendo muy conveniente que la cuestión controvertida se replanteara en proceso que permita el recurso de casación, para que el Tribunal Supremo estableciera doctrina sobre la misma, lo que es más aconsejable, si cabe, por la evidente discrepancia entre dos Secciones de la misma Audiencia».

tervención corporal que resulten adecuados a los principios de proporcionalidad y razonabilidad. En el mismo sentido se pronuncia el art. 129 bis del Código Penal (con relación a personas condenadas por determinados delitos) y el art. 520.6 LECrim[79]. De la redacción de la norma se desprende el otorgamiento de poderes de coacción para la realización de la diligencia con independencia de la actitud del sospechoso (o condenado en el caso del art. 129 bis CP) recurriéndose, si es necesario, al empleo de la compulsión personal para la obtención de la muestra. ADN (Véase *infra* el § E de este apartado).

5) Aunque, estos criterios quedan flexibilizados en los supuestos de medidas de protección de la seguridad ciudadana que pueden adoptarse en el marco de las funciones de indagación y prevención que encomiendan las leyes a las Fuerzas y Cuerpos de Seguridad y que se practicará con carácter previo a la imputación inicial.

> «La sentencia del Tribunal Supremo núm. 510/2002 de 18-3, afirma que la diligencia de cacheo "deberá practicarse siempre con el necesario respeto a los principios de necesidad y proporcionalidad, no es propiamente una detención, sino una restricción de la libertad de mínima entidad, tanto temporalmente como en atención a su intensidad, que constituye un sometimiento legítimo a las normas de policía que ha de entenderse normal en una sociedad democrática moderna sin que afecte al derecho fundamental a la libertad de quien se ve sujeto a ella, por lo que no le son aplicables las exigencias derivadas de las previsiones del art. 17 de la Constitución (LA LEY 2500/1978). Concretamente, ya hemos dicho que para el cacheo no se exige asistencia de letrado ni información de derechos y del hecho imputado (STS núm. 432/2001, de 16 de marzo (LA LEY 58509/2001)). Precisamente, por su naturaleza y finalidad, se trata de una diligencia que normalmente se practicará con carácter previo a la imputación inicial"». STS Sala Segunda, de lo Penal, Sentencia 838/2013 de 12 Nov. 2013, Rec. 10569/2013: Ponente: Monterde Ferrer, Francisco. LA LEY 174603/2013.

6) La infracción de las normas expuestas determinarán la ilicitud y falta de valor probatorio de las pruebas obtenidas.

> «El art. 11.1 de la LOPJ dispone que "En todo tipo de procedimientos no surtirán efecto las pruebas obtenidas, directa o indirectamente, violentando los derechos o libertades fundamentales".../... nos encontramos ante una prueba (una pequeña cantidad de droga) obtenida mediante el procedimiento de ordenar a la acusada, dete-

---

(79) Art. 129 bis CP: «Si se trata de condenados por la comisión de un delito grave contra la vida, la integridad de las personas, la libertad, la libertad o indemnidad sexual, de terrorismo, o cualquier otro delito grave que conlleve un riesgo grave para la vida, la salud o la integridad física de las personas, cuando de las circunstancias del hecho, antecedentes, valoración de su personalidad, o de otra información disponible pueda valorarse que existe un peligro relevante de reiteración delictiva, el juez o tribunal podrá acordar la toma de muestras biológicas de su persona y la realización de análisis para la obtención de identificadores de ADN e inscripción de los mismos en la base de datos policial. Únicamente podrán llevarse a cabo los análisis necesarios para obtener los identificadores que proporcionen, exclusivamente, información genética reveladora de la identidad de la persona y de su sexo. Si el afectado se opusiera a la recogida de las muestras, podrá imponerse su ejecución forzosa mediante el recurso a las medidas coactivas mínimas indispensables para su ejecución, que deberán ser en todo caso proporcionadas a las circunstancias del caso y respetuosas con su dignidad».

nida en una dependencia judicial, que se desnudara y efectuase flexiones, abriendo y cerrando las piernas, hasta que cayó al suelo el pequeño envoltorio, conteniendo menos de dos gramos de sustancia estupefaciente, que guardaba en su vagina. Esta misma Sala, en sentencias de 11 de mayo de 1996 y 26 de junio de 1998, ya ha tenido ocasión de calificar como constitucionalmente ilícito dicho procedimiento de obtención de pruebas, por constituir un trato degradante, constitucionalmente prohibido (art. 15.1º de la Constitución Española)». STS Sala Segunda, de lo Penal, Sentencia de 17 Feb. 1999, Rec. 1532/1998; Ponente: Conde-Pumpido Tourón, Cándido. LA LEY 2911/1999.

A) *Diligencias de identificación, registro, comprobación y cacheo previstas en la LO 4/2015 de protección de la seguridad ciudadana*[80]

La LO 4/2015 de protección de la seguridad ciudadana regula la práctica de diligencias que tienen por objeto: «... *la tutela de la seguridad ciudadana, mediante la protección de personas y bienes y el mantenimiento de la tranquilidad de los ciudadanos*» art. 1 LO 4/15. Se trata de las diligencias de:

— identificación personal;

— de control y comprobación de personas, bienes y vehículos y, en su caso, la ocupación y aprehensión de armas drogas tóxicas, estupefacientes, sustancias psicotrópicas u otros efectos procedentes de un delito o infracción administrativa;

— el registro corporal externo y superficial de personas. Estas diligencias se regulan en los arts. 16 a 20 de la LO 4/2015 y están asociadas directamente a las funciones de prevención de las Fuerzas y Cuerpos de Seguridad para la investigación y persecución de delitos. Resulta importante destacar que ninguna de las medidas citadas puede considerarse ni ser equiparada a una detención, aunque es cierto que se produce una sujeción de la persona a la actividad de la policía. Esta es una cuestión sobre la que se ha pronunciado el TC que ha declarado que las diligencias de comprobación, cacheo o identificación no afectan al derecho o libertad a la libre circulación, a pesar de las posibles molestias que comportan, ya que suponen un legítimo sometimiento a las normas de policía, no relacionadas necesariamente con un proceso penal (Véase la STC 341/93, de 18 noviembre).

«El denominado cacheo consiste en el registro de una persona para saber si oculta elementos, sustancias u objetos que puedan servir para la prueba de un delito, STS 11.11.97. El cacheo, acompañado de la identificación, constituye por lo general la primera y más frecuente medida de intervención policial que indudablemente implica una medida coactiva que afecta, de alguna forma, tanto a la libertad (art. 17 CE (LA LEY 2500/1978)), como a la libre circulación (art. 19 CE (LA LEY 2500/1978)), en tanto que, como la identificación misma, comportan inevitablemente, la inmovilización durante el tiempo imprescindible para su práctica, y además, puede afectar a la intimidad personal (art. 18 CE (LA LEY 2500/1978)), en la medida que sea practicado con exceso en cuanto a la justificación de su necesidad, al lugar en que se efectué o el trato vejatorio y abusivo dispensado en él por los agentes actuantes, o incluso

_____

(80) MAGRO SERVET, V., «La actuación policial en los cacheos y registros como modalidad de las intervenciones corporales en el proceso penal», *La Ley* nº 5357, 2001.

en la integridad corporal (art. 15 CE (LA LEY 2500/1978)), en función de la violencia o vis coactiva aplicado en su práctica». STS Sala Segunda, de lo Penal, Sentencia 838/2013 de 12 Nov. 2013, Rec. 10569/2013: Ponente: Monterde Ferrer, Francisco. LA LEY 174603/2013.

Es decir, ni se trata de una medida cautelar ni pueden aplicarse a las diligencias de identificación y comprobación de la LO 4/2015 las notas y presupuestos de la detención. En este sentido se pronuncia el art. 19 LO 4/2015 que dispone que: *«Las diligencias de identificación, registro y comprobación practicadas por los agentes de las Fuerzas y Cuerpos de Seguridad con ocasión de actuaciones realizadas conforme a lo dispuesto en esta sección no estarán sujetas a las mismas formalidades que la detención»*[81].

> «En cuanto a sus garantías el Tribunal Constitucional y la jurisprudencia de esta Sala, han distinguido nítidamente entre la detención contemplada en el art. 17.2 (LA LEY 2500/1978) y 3 CE y las meras retenciones o provisionalísimas restricciones de libertad que comportan de modo inevitable determinadas diligencias no dirigidas en principio contra la libertad ambulatoria o *strictu sensu*, tal y como sucede con las pruebas de alcoholemia, la identificación o los cacheos, los controles preventivos o el desplazamiento a dependencias policiales para ciertas diligencias. Y de forma unánime afirma que el cacheo se diferencia de forma esencial de la detención, pues en efecto es cuantitativamente reducido y por esta razón no pueden ser extendidas a la diligencia de cacheo las exigencias previstas en la LECrim (LA LEY 1/1882) para la detención». STS Sala Segunda, de lo Penal, Auto 1397/2016 de 6 Oct. 2016, Rec. 603/2016. Ponente: Marchena Gómez, Manuel. LA LEY 146991/2016.

Es por ello que no es precisa la asistencia letrada para la práctica de estas diligencias. Ello se razona por el Tribunal Supremo en razón de sus características:

> «Por ello se dice que el cacheo es una actuación inmediata sobre el detenido que no exige asistencia letrada por las siguientes razones: 1) por tener que cumplir siempre una finalidad preventiva de seguridad para los Agentes de la Autoridad y para el propio detenido, que por la propia exigencia de inmediatez hace imposible su vigencia; 2) porque la presencia de Letrado no supone un "plus" de garantía, dado que se trata de una actuación objetiva sólo tendente a asegurar que los derechos constitucionales del detenido sean respetados, no sufra coacción o trato incompatible con la dignidad y libertad de declaración, y tenga el debido asesoramiento técnico sobre

---

(81) «Respecto a su cobertura legal, con carácter general se encuentra en los arts. 11.1 f) y g) de la LO. 2/86 de 13.3 (LA LEY 619/1986) de Fuerzas y Cuerpos de Seguridad del Estado (STS 9.4.99), y en los arts. 18 (LA LEY 519/1992) a 20 LO. 1/92 de 21.2 (LA LEY 519/1992) sobre Protección de la Seguridad ciudadana (STS 31.3.2000). En cuanto a sus garantías el Tribunal Constitucional y la jurisprudencia de esta Sala, han distinguido nítidamente entre la detención contemplada en el art. 17.2 y 3 CE y las meras retenciones o provisionalísimas restricciones de libertad que comportan de modo inevitable determinadas diligencias no dirigidas en principio contra la libertad ambulatoria o "strictu sensu", tal y como sucede con las pruebas de alcoholemia, la identificación o los cacheos, los controles preventivos o el desplazamiento a dependencias policiales para ciertas diligencias. Y de forma unánime afirma que el cacheo se diferencia de forma esencial de la detención, pues en efecto es cuantitativamente reducido y por esta razón no pueden ser extendidas a la diligencia de cacheo las exigencias previstas en la LECr (LA LEY 1/1882), para la detención». STS Sala Segunda, de lo Penal, Sentencia 838/2013 de 12 Nov. 2013, Rec. 10569/2013: Ponente: Monterde Ferrer, Francisco. LA LEY 174603/2013.

la conducta a observar en los interrogatorios; y no cabe entender que el sometimiento al cacheo imponga una forma de autoincriminación, siendo comparable a estos efectos al *test* de alcoholemia». STS Sala Segunda, de lo Penal, Sentencia 156/2013 de 7 Mar. 2013, Rec. 416/2012; Ponente: Berdugo Gómez de la Torre, Juan Ramón. LA LEY 14174/2013.

La práctica de las diligencias de identificación, comprobación y cacheo deberán estar fundamentadas en los fines de prevención e investigación de delitos que tiene la policía y realizarse conforme con los principios de proporcionalidad, igualdad de trato y no discriminación. No obstante, el TS ha declarado que las fuerzas de seguridad pueden intervenir para realizar identificaciones y cacheos, por simples sospechas, sin necesidad de indicios de infracción, siempre que aquéllas no fuesen ilógicas o arbitrarias. De cualquier forma, la policía debe perseguir el delito, con racional cautela y adecuado espíritu investigador. En cualquier caso, debe imperar el principio de proporcionalidad entre lo que se quiere investigar y el perjuicio que se ocasiona a la dignidad de la persona, sin que quepa, en ningún caso, la práctica de comprobaciones o cacheos vejatorios o degradantes que menoscaben el derecho a la intimidad y la personalidad del sometido a la diligencia[82].

a) La diligencia de identificación personal

La diligencia de identificación personal tiene por objeto comprobar la identidad de las personas en la vía pública en el marco del cumplimiento de sus funciones de indagación y prevención delictiva, así como para la sanción de infracciones penales y administrativas (art. 16 LO 4/2015).

La autorización para identificar no es genérica o incondicionada, ya que está sujeta al respeto de los principios de proporcionalidad, igualdad de trato y no discriminación por razón de nacimiento, nacionalidad, origen racial o étnico, sexo, religión o creencias, edad, discapacidad, orientación o identidad sexual, opinión o cualquier

---

(82) «En los supuestos de cacheos externos no operan las garantías constitucionales del art. 18 C.E (LA LEY 2500/1978) y esas injerencias policiales se encuentran legitimadas por la Ley Orgánica de Cuerpos y Fuerzas de Seguridad del Estado 2/1986, de 13 de marzo, cuyo artículo 11.1, f) y g) impone a sus miembros el deber y otorga la facultad de realizar esta clase de actuaciones siempre que, atendidas las circunstancias concurrentes, esas diligencias no revistan caracteres de desproporcionadas o arbitrarias, sino racionalmente adecuadas a la prevención de actividades delictivas y a la seguridad de la colectividad. Finalmente, tampoco el derecho a la integridad física (art. 15 CE (LA LEY 2500/1978)) está afectado por el cacheo. La mínima intervención corporal que el cacheo supone excluye toda idea de riesgo para la integridad física del interesado. En SSTS 352/2006 de 15 de marzo (LA LEY 36065/2006) y 473/2005 de 14 de abril (LA LEY 82870/2005), en supuestos en que no existió propiamente una intervención corporal sino la extracción por el propio acusado de la bolsa que portaba en su ropa interior a requerimiento de uno de los agentes a quien le resultó sospechoso comprobar como trataba de ocultar algo en los genitales. El tribunal razona que, aún en el supuesto de que hubiera sido registrado por los agentes, tal actuación estaría amparada por la Ley de seguridad Ciudadana, como cacheo del detenido, sujeto a las exigencias de proporcionalidad, razonabilidad y respeto a la dignidad y decoro del detenido (STS 156/2013, de 7 de marzo (LA LEY 14174/2013), entre otras y con mención de otras muchas)». STS Sala Segunda, de lo Penal, Auto 1397/2016 de 6 Oct. 2016, Rec. 603/2016. Ponente: Marchena Gómez, Manuel. LA LEY 146991/2016.

otra condición o circunstancia personal o social. Además, la ley señala expresamente los supuestos que habilitan a la policía para requerir la identificación de personas:

— cuando existan indicios de que han podido participar en la comisión de una infracción;

— cuando, en atención a las circunstancias concurrentes, se considere razonablemente necesario que acrediten su identidad para prevenir la comisión de un delito;

— cuando el rostro del sospechoso no sea visible total o parcialmente por utilizar cualquier tipo de prenda u objeto que lo cubra, impidiendo o dificultando la identificación directa. La persona requerida será informada de modo inmediato y comprensible de las razones de la petición de identificación y de su carácter obligatorio, en tanto que la negativa, podrá constituir un delito de desobediencia ante la autoridad. La identificación se producirá, por lo general, mediante la exhibición de los documentos de identidad de la persona. En caso de que no fuera posible, o si la persona se negase a identificarse, los agentes: «... *para impedir la comisión de un delito o al objeto de sancionar una infracción, podrán requerir a quienes no pudieran ser identificados a que les acompañen a las dependencias policiales más próximas en las que se disponga de los medios adecuados para la práctica de esta diligencia, a los solos efectos de su identificación y por el tiempo estrictamente necesario, que en ningún caso podrá superar las seis horas*» (art. 16 LO 4/2015)[83].

b) Diligencia de control y comprobación de personas, bienes y vehículos

La diligencia de control y comprobación de personas, bienes y vehículos está prevista en los arts. 17 y 18 LO 4/2015 y tiene por finalidad: 1º «*la prevención de delitos de especial gravedad o generadores de alarma social, así como para el descubrimiento y detención de quienes hubieran participado en su comisión y proceder a la recogida de los instrumentos, efectos o pruebas*» (art. 17 LO 4/2015). 2º «*para impedir que en las vías, lugares y establecimientos públicos se porten o utilicen ilegalmente armas, explosivos, sustancias peligrosas u otros objetos, instrumentos o medios que generen un riesgo potencialmente grave para las personas, susceptibles de ser utilizados para la comisión de un delito o alterar la seguridad ciudadana, cuando tengan indicios de su eventual presencia en dichos lugares*» (art. 18 LO 4/2015). Las personas requeridas, y la población en general, tienen el deber de colaborar y no obstaculizar la labor de los agentes de la autoridad en el ejercicio de sus funciones.

---

(83) Véase el art. 16.3 LO 4/2015 que dispone que: «*En las dependencias a que se hace referencia en el apartado 2 se llevará un libro-registro en el que sólo se practicarán asientos relacionados con la seguridad ciudadana. Constarán en él las diligencias de identificación practicadas, así como los motivos, circunstancias y duración de las mismas, y sólo podrán ser comunicados sus datos a la autoridad judicial competente y al Ministerio Fiscal. El órgano competente de la Administración remitirá mensualmente al Ministerio Fiscal extracto de las diligencias de identificación con expresión del tiempo utilizado en cada una. Los asientos de este libro registro se cancelarán de oficio a los tres años. A las personas desplazadas a dependencias policiales a efectos de identificación, se les deberá expedir a su salida un volante acreditativo del tiempo de permanencia en ellas, la causa y la identidad de los agentes actuantes*».

La policía procederá a la ocupación y aprehensión de armas drogas tóxicas, estupefacientes, sustancias psicotrópicas u otros efectos procedentes de delito o infracción administrativa que hallaré durante la diligencia. Por otra parte, téngase presente que el vehículo no tiene la consideración de espacio protegido y, por tanto, es susceptible de la diligencia policial sin necesidad de previa orden judicial ni el cumplimiento de los supuestos previstos en el art. 18 CE. Véase sobre esta cuestión el § 3.1.C.g de este Capítulo.

> «A) El interior de un automóvil no es un espacio constitucionalmente protegido. El art. 18.1 de la CE (LA LEY 2500/1978) no incluye en el ámbito de exclusión que garantiza ese precepto los habitáculos de un coche en los que haya podido ocultarse droga. Así lo hemos entendido en numerosos precedentes. Razonábamos en la STS 21/2005, 19 de enero (LA LEY 10979/2005), que "... según reiterada jurisprudencia, no es equiparable el registro de un domicilio, protegido por la Constitución, artículo 18.2 (LA LEY 2500/1978), con el registro de un vehículo, salvo en el caso de que constituya de hecho un domicilio, pues la protección constitucional solo se refiere al primero, como lugar donde se desarrollan esferas de privacidad del individuo. En el caso actual, el vehículo utilizado era un mero medio de transporte, sin que presentara ninguna de las características que lo pudieran identificar con un domicilio. Por ello, la eventual autorización del interesado para proceder al registro del vehículo, además de no ser necesaria para su práctica en las circunstancias de los hechos del presente proceso, no precisaría de la asistencia de letrado, pues no se trata de la disposición de un derecho fundamental por parte de quien se encuentra en situación de detención". Confirman este criterio las SSTS 721/1996, 18 de octubre; 1103/2005, 22 de septiembre (LA LEY 13886/2005) y el ATS 1486/2006 (LA LEY 304888/2006), 16 de junio, entre otras resoluciones». STS 83/2014 de 13 Feb. 2014, Rec. 1729/2013; Ponente: Marchena Gómez, Manuel. LA LEY 10180/2014.

c) Los registros y cacheos personales

El registro corporal externo y superficial de personas o cacheo consiste en el registro de una persona con la finalidad de saber si oculta algún elemento que pueda servir para la prueba de un delito. Está diligencia se regula en el art. 20 LO 4/2015 que dispone que: «*Podrá practicarse el registro corporal externo y superficial de la persona cuando existan indicios racionales para suponer que puede conducir al hallazgo de instrumentos, efectos u otros objetos relevantes para el ejercicio de las funciones de indagación y prevención que encomiendan las leyes a las Fuerzas y Cuerpos de Seguridad*». Los ciudadanos requeridos serán informados de modo inmediato y comprensible de las razones de su realización y de la obligatoriedad de cumplir con el requerimiento. El cacheo podrá realizarse contra la voluntad del afectado, adoptando las medidas de compulsión indispensables, conforme a los principios de idoneidad, necesidad y proporcionalidad.

El cacheo se realizará respetando los principios de proporcionalidad, igualdad de trato y no discriminación por razón de nacimiento, nacionalidad, origen racial o étnico, sexo, religión o creencias, edad, discapacidad, orientación o identidad sexual, opinión o cualquier otra condición o circunstancia personal o social. Su práctica tendrá lugar por un agente del mismo sexo que la persona sobre la que se realiza, salvo que exista una situación de urgencia por riesgo grave e inminente para los agentes, deberá respetar el principio de injerencia mínima y realizarse del modo que cause el menor perjuicio a la intimidad y dignidad de la persona afectada.

«Por otro lado, hemos dicho que, en la realización de la diligencia policial de cacheo, el derecho a la intimidad personal (art. 18.1 CE (LA LEY 2500/1978)) queda preservado si se cumplen tres condiciones: 1. Que el cacheo se realice por persona del mismo sexo. 2. Que se haga, según su intensidad y alcance, en sitio reservado. 3. Que se eviten situaciones o posturas degradantes o humillantes. En cuanto a la forma de llevarse a cabo el cacheo hemos dicho que deberá practicarse siempre con el necesario respeto a los principios de necesidad y proporcionalidad, no es propiamente una detención, sino una restricción de la libertad de mínima entidad, tanto temporalmente como en atención a su intensidad, que constituye un sometimiento legítimo a las normas de policía que ha de entenderse normal en una sociedad democrática moderna sin que afecte al derecho fundamental a la libertad de quien se ve sujeto a ella, por lo que no le son aplicables las exigencias derivadas de las previsiones del art. 17 de la Constitución (LA LEY 2500/1978). Concretamente, ya hemos dicho que para el cacheo no se exige asistencia de letrado ni información de derechos y del hecho imputado (STS núm. 432/2001, de 16 de marzo (LA LEY 58509/2001)). Precisamente, por su naturaleza y finalidad, se trata de una diligencia que normalmente se practicará con carácter previo a la imputación inicial». STS Sala Segunda, de lo Penal, Auto 1397/2016 de 6 Oct. 2016, Rec. 603/2016. Ponente: Marchena Gómez, Manuel. LA LEY 146991/2016.

En el caso que el cacheo exigiera dejar a la vista partes del cuerpo normalmente cubiertas por ropa, se efectuará en un lugar reservado y fuera de la vista de terceros. Se dejará constancia escrita de esta diligencia, de sus causas y de la identidad del agente que la adoptó. De lo que se trata es de garantizar que no se vulnera el derecho a la intimidad y/o a la integridad física del sometido a la medida.

«... se vulnerará el derecho a la intimidad personal cuando la penetración en el ámbito propio y reservado del sujeto no sea acorde con la Ley, no sea eficazmente consentida o, aun autorizada, subvierta los términos y el alcance para el que se otorgó el consentimiento, quebrando la conexión entre la información personal que se recaba y el objetivo tolerado para el que fue recogida» (STC 206/2007, 24 de septiembre)». STS de 21 Dic. 2010, N.º de Sentencia: 1133/2010, N.º de Recurso: 1178/2010, LA LEY 236962/2010.

En definitiva, la policía deberá respetar, en la práctica del cacheo, tres exigencias:

— que el cacheo se realice por alguien del mismo sexo;

— que según la intensidad y alcance corporal del cacheo se haga en sitio reservado;

— y que se eviten posturas o situaciones degradantes o humillantes. Siempre en el marco del principio de justificación y necesidad de la actuación y proporcionalidad[84].

---

(84) «Por lo que se refiere al derecho a la intimidad personal (art. 18.1 CE (LA LEY 2500/1978)), la jurisprudencia afirma que queda preservado si se cumplen tres condiciones: 1. Que el cacheo se realice por persona del mismo sexo. Así en STS 29.9.97 se afirma que "la práctica del cacheo de la inculpada por una agente femenina, limitándose a palpar sobre su ropa el cuerpo, aún

«En la Sentencia 1393/2002 de 24/07/2002 se expresa que esta Sala, en reiterados precedentes, ha declarado la acomodación legal y constitucional de los cacheos. Concretamente la STS 1605/99, de 14 de febrero de 2000 declara que "las diligencias de cacheo suponen para el afectado un sometimiento normal a las normas de policía y no implican violación de sus derechos constitucionales a la intimidad, siempre que la actuación policial esté justificada y se mantenga dentro del respeto al principio de proporcionalidad" (Sentencias, entre otras, de 7 de julio de 1995 y 23 de diciembre de 1996). Por otra parte, la actuación queda amparada por el artículo 11.1, f) y g) de la Ley de Cuerpos y Fuerzas de Seguridad del Estado. En el mismo sentido las SSTS 1519/2000, de 6 de octubre (LA LEY 1770/2001), que declara que el cacheo constituye una diligencia policial legalmente amparada en el art. 19.2 de la Ley Orgánica 1/92, de 21 de febrero (LA LEY 519/1992), un comportamiento policial de averiguación absolutamente proporcionado, razonable y lícito en el que el agente actuó dentro del ámbito legítimo de su funciones. En cuanto al derecho a la intimidad, queda preservado si se cumplen tres condiciones: que el cacheo se realice por alguien del mismo sexo; que según la intensidad y alcance corporal del cacheo se haga en sitio reservado; y que se eviten posturas o situaciones degradantes o humillantes (STS 15-3-06)». ATS Sala Segunda, de lo Penal, Auto 571/2016 de 10 Mar. 2016, Rec. 2222/2015. Ponente: Marchena Gómez, Manuel. LA LEY 28864/2016.

No cabe, en ningún caso, la práctica de cacheos vejatorios o degradantes que menoscaben el derecho a la intimidad y la personalidad del sometido a la diligencia. Mucho menos cuando no existe motivación suficiente. Así es improcedente, por ejemplo, un cacheo desnudando a la persona con base en una sospecha genérica o la simple comisión de una infracción administrativa. Este es el caso del ATS de 31 de marzo de 2016 en él se confirma la condena a dos policías por un delito de atentado contra la integridad moral (previsto en el art. 175 CP) por proceder al cacheo personal desnudo de un ciudadano que no era sospechoso de la comisión de ningún delito, sino de una infracción de tráfico. Véase también en este sentido la STS, Sala Segunda, n.º 171/2013, de 7 de octubre de 2013.

«Describió cómo por una infracción vinculada con el tráfico, pues no llevaba el cinturón de seguridad, les pararon y tras identificarles y formularles genéricas pregun-

---

contorneando la zona pectoral, no puede calificarse como una intromisión en el ámbito protegido por el derecho a la integridad corporal proclamado en el art. 15 de la C.E. concurriendo en las condiciones concretas de su práctica la adecuación cualitativa y cuantitativa para la obtención del fin perseguido, que le hace respetuosa con el principio de prohibición del exceso, existiendo, asimismo, una correlación en términos de proporcionalidad entre su finalidad y el sacrificio del derecho". 2. Que se haga, según su intensidad y alcance, en sitio reservado. 3. Que se eviten situaciones o posturas degradantes o humillantes (STS 31.3.2000). En cuanto al derecho a la integridad física no está afectado por el cacheo. La mínima intervención corporal que el cacheo supone excluye toda idea de riesgo para la integridad física del interesado. En SSTS 352/2006 de 15.3 y 473/2005 de 14.4, en supuestos en que no existió propiamente una intervención corporal sino la extracción por el propio acusado de la bolsa que portaba en su ropa interior a requerimiento de uno de los agentes a quien le resultó sospecho comprobar como trataba de ocultar algo en los genitales. El tribunal razona que aún en el supuesto de que hubiera sido registrado por los agentes tal actuación estaría amparada por la Ley de seguridad ciudadana, como cacheo del detenido, sujeto a las exigencias de proporcionalidad, razonabilidad y respeto a la dignidad y decoro del detenido». STS Sala Segunda, de lo Penal, Sentencia 156/2013 de 7 Mar. 2013, Rec. 416/2012. Ponente: Berdugo Gómez de la Torre, Juan Ramón. LA LEY 14174/2013.

tas, procedieron a realizarle un primer cacheo. A continuación le solicitaron que se desnudara en el vehículo policial, a lo que se negó, y por tal motivo fue trasladado a las dependencias policiales donde se vio compelido a desnudarse ante los dos agentes, donde se le practicó el cacheo personal con desnudo integral. Niega que se encontrara afectado por el alcohol o drogas. Concluyó afirmando que la decisión de los agentes de dirigirse hacia él careció de justificación alguna y que fue por el caprichoso designio de los acusados, que enseguida le advirtieron que podían hacerle un registro con desnudo integral. Frente a estas declaraciones, los agentes no explicaron qué motivación concreta les llevó a dar el salto desde una aparente infracción de tráfico, a un requerimiento de registro corporal, y únicamente sobre Bernabé. No consta que se levantara acta alguna sobre infracción concreta, por lo tanto no existe evidencia alguna que relacionara al Sr. Bernabé con ningún delito». ATS Sala Segunda, de lo Penal, Auto 682/2016 de 31 Mar. 2016, Rec. 1888/2015; Ponente: Monterde Ferrer, Francisco. LA LEY 44037/2016.

La diligencia de cacheo no puede equipararse a una detención. En este sentido, el TC ha declarado que las diligencias de cacheo o identificación no afectan al derecho o libertad a la libre circulación, a pesar de las posibles molestias que comportan, ya que suponen un legítimo sometimiento a las normas de policía.

«B) El Tribunal Constitucional ha declarado que el derecho a la libertad, así como el derecho a circular libremente, no se vulnera por las diligencias policiales de cacheo e identificación, cuya realización y consecuente inmovilización momentánea del ciudadano durante el tiempo imprescindible para su práctica, constituyen un sometimiento legítimo, desde la perspectiva constitucional, a las normas de policía (cfr. STS 1380/1999 de 6 octubre)…/… Se alega que la identificación y el cacheo son diligencias que afectan a la libertad, artículo 17 de la CE (LA LEY 2500/1978), y a la libre circulación de las personas, artículo 19 de la CE (LA LEY 2500/1978). Se establece que en este caso la identificación y el cacheo fueron realizados como una forma de persecución, de modo que lo que se denuncia no es que se practicaran, sino que carecían de amparo legal y no estaba racionalmente justificada su práctica. En relación con esta cuestión, ha de señalarse que, de conformidad con los criterios jurisprudenciales anteriormente mencionados, ni la identificación ni el cacheo afectan a ningún derecho fundamental, tratándose de normas de actuación de la policía». ATS Sala Segunda, de lo Penal, Auto 2058/2013 de 17 Oct. 2013, Rec. 953/2013. Ponente: Saavedra Ruiz, Juan. LA LEY 174659/2013.

B) Test de alcoholemia y pruebas de detección de sustancias estupefacientes[85]

Conforme con el art. 14 del RDL 6/2015 de seguridad vial no se puede conducir un vehículo por la vía pública con tasas de alcohol superiores a las que reglamentariamente se determine. Tampoco puede hacerlo el conductor de cualquier vehículo

---

(85) Vid. SORIANO SORIANO, J.R., «Eficacia probatoria del atestado de tráfico. Su valoración en el juicio oral», *Rev. Jª de Catalunya* I, 2000. JIMENO BULNES M., «La prueba de alcoholemia y el nuevo delito del art. 380 CP: aspectos procesales», *Actualidad Jª Aranzadi*, nº 354 1998. GIL HERNÁNDEZ, *Intervenciones corporales y derechos fundamentales*, Madrid, 1995; MARÍN FERNÁNDEZ, «La prueba en el proceso penal», *CGPJ*, Madrid, 1992, p. 1147; PÉREZ-CRUZ, *La prueba de alcoholemia en el nuevo RG de Circulación*, La Ley, 1992; SERRANO HOYO, «La nueva regulación de la prueba de alcoholemia, su valor probatorio ante la jurisprudencia constitucional», *La Ley*, 1993, n.º 3240; VEGAS TORRES, «Presunción de Inocencia y prueba en el proceso penal»,

con presencia de drogas en el organismo, de las que se excluyen aquellas sustancias que se utilicen bajo prescripción facultativa y con una finalidad terapéutica, siempre que se esté en condiciones de utilizar el vehículo. Por su parte el art. 379 CP tipifica como delito la conducción de vehículo bajo las influencia de: «... *drogas tóxicas, estupefacientes, sustancias psicotrópicas o de bebidas alcohólicas. En todo caso será condenado con dichas penas el que condujere con una tasa de alcohol en aire espirado superior a 0,60 miligramos por litro o con una tasa de alcohol en sangre superior a 1,2 gramos por litro».*

Las tasas máximas de alcohol en sangre se regulan en el art. 20 del RD 1428/2003 de 21 de noviembre, que establece las tasas de alcohol en sangre susceptibles de constituir una infracción administrativa distinguiendo según la clase de vehículo de que se trate y el tiempo transcurrido desde la obtención del permiso o licencia de conducción[86]. Conforme con la regulación legal la conducción afectada por tasas de alcohol en la sangre superiores a las establecidas en el RD 1428/2003 determinará la existencia una infracción administrativa. Mientras que la superación de los límites establecidos en el art. 379 CP (superiores a 0,60 miligramos por litro de aire espirado o con una tasa de alcohol en sangre superior a 1,2 gramos por litro, conforme a LO 15/2007 de 30 de noviembre de modificación de C. Penal) será constitutiva de un delito contra la seguridad vial. Respecto a las drogas no existe un nivel medible de consumo previendo el art. 27 RD 1428/2003 que no podrán circular por la vía pública: «... *los conductores de vehículos o bicicletas que hayan ingerido o incorporado a su organismo psicotrópicos, estimulantes u otras sustancias análogas, entre las que se incluirán, en cualquier caso, los medicamentos u otras sustancias bajo cuyo efecto se altere el estado físico o mental apropiado para circular sin peligro».* En cualquier caso, el art. 77.c del RDL 6/2015 de seguridad vial califica la conducción bajo los efectos del alcohol o las drogas como muy grave, sin perjuicio que puedan ser constitutivas de delito.

La Ley, Madrid, 1993, p. 381; LORENTE HURTADO, «La prueba de alcoholemia en la jurisprudencia constitucional», *PJ,* 1986, n.º 1, p. 59. JIMENO BULNES, M., «La "prueba" de alcoholemia y el nuevo delito del art. 380 CP: aspecto procesales», *Actualidad Jurídica Aranzadi* nº 354, 1998; VAAMONDE FERNÁNDEZ, JM., «Conducción bajo la influencia de bebidas alcohólicas: La prueba de la alcoholemia», *La Ley* nº 4316 1997; RUSCA NADAL, J.O., «El delito de alcoholemia y la responsabilidad civil ex delicto: Una propuesta interpretativa», *La Ley* 4485, 1998; BORJA DE QUIROGA, J.L., «La urgente necesidad de reformar la regulación de las escuchas telefónicas», *Act. Jurídica Aranzadi* nº 359, 1998.

(86) «No podrán circular por las vías objeto de la legislación sobre tráfico, circulación de vehículos a motor y seguridad vial los conductores de vehículos ni los conductores de bicicletas con una tasa de alcohol en sangre superior a 0,5 gramos por litro, o de alcohol en aire espirado superior a 0,25 miligramos por litro. Cuando se trate de vehículos destinados al transporte de mercancías con una masa máxima autorizada superior a 3.500 kilogramos, vehículos destinados al transporte de viajeros de más de nueve plazas, o de servicio público, al transporte escolar y de menores, al de mercancías peligrosas o de servicio de urgencia o transportes especiales, los conductores no podrán hacerlo con una tasa de alcohol en sangre superior a 0,3 gramos por litro, o de alcohol en aire espirado superior a 0,15 miligramos por litro. Los conductores de cualquier vehículo no podrán superar la tasa de alcohol en sangre de 0,3 gramos por litro ni de alcohol en aire espirado de 0,15 miligramos por litro durante los dos años siguientes a la obtención del permiso o licencia que les habilita para conducir...». Art. 20 RD 1428/03.

A efecto de comprobar el cumplimiento de la Ley respecto a la ingestión de alcohol o drogas el art. art. 14.2 RDL 6/2015 de Seguridad Vial dispone que: «*El conductor de un vehículo está obligado a someterse a las pruebas para la detección de alcohol o de la presencia de drogas en el organismo, que se practicarán por los agentes de la autoridad encargados de la vigilancia del tráfico en el ejercicio de las funciones que tienen encomendadas. Igualmente quedan obligados los demás usuarios de la vía cuando se hallen implicados en un accidente de tráfico o hayan cometido una infracción conforme a lo tipificado en esta ley*». Estas pruebas según prevé el párrafo 3º del art. 14 RDL 6/2015 consistirán en: «*la verificación del aire espirado mediante dispositivos autorizados, y para la detección de la presencia de drogas en el organismo, en una prueba salival mediante un dispositivo autorizado y en un posterior análisis de una muestra salival en cantidad suficiente*». Las pruebas de detección alcohólica se realizarán conforme está previsto en los arts. 21 y ss. RD 1428/2003 que refiere consistirán, normalmente, en la verificación del aire espirado mediante etilómetros que, oficialmente autorizados, determinarán de forma cuantitativa el grado de impregnación alcohólica de los interesados. A petición del interesado o por orden de la autoridad judicial, se podrán repetir las pruebas a efectos de contraste, que podrán consistir en análisis de sangre, orina u otros análogos (art. 22 RD 1428/2003)[87]. En cuanto a la detección de drogas tóxicas y sustancias estupefacientes su práctica se regula en los arts. 27 y ss. RD 1428/2003. Concretamente el art. 28 dispone que: «a) Las pruebas consistirán normalmente en el reconocimiento médico de la persona obligada y en los análisis clínicos que el médico forense u otro titular experimentado, o personal facultativo del centro sanitario o instituto médico al que sea trasladada aquélla, estimen más adecuados. A petición del interesado o por orden de la autoridad judicial, se podrán repetir las pruebas a efectos de contras-

_____

(87) Artículo 23 RD 1428/2003 Práctica de las pruebas: «1. Si el resultado de la prueba practicada diera un grado de impregnación alcohólica superior a 0,5 gramos de alcohol por litro de sangre o a 0,25 miligramos de alcohol por litro de aire espirado, o al previsto para determinados conductores en el artículo 20 o, aun sin alcanzar estos límites, presentara la persona examinada síntomas evidentes de encontrarse bajo la influencia de bebidas alcohólicas, el agente someterá al interesado, para una mayor garantía y a efecto de contraste, a la práctica de una segunda prueba de detección alcohólica por el aire espirado, mediante un procedimiento similar al que sirvió para efectuar la primera prueba, de lo que habrá de informarle previamente. 2. De la misma forma advertirá a la persona sometida a examen del derecho que tiene a controlar, por sí o por cualquiera de sus acompañantes o testigos presentes, que entre la realización de la primera y de la segunda prueba medie un tiempo mínimo de 10 minutos. 3. Igualmente, le informará del derecho que tiene a formular cuantas alegaciones u observaciones tenga por conveniente, por sí o por medio de su acompañante o defensor, si lo tuviese, las cuales se consignarán por diligencia, y a contrastar los resultados obtenidos mediante análisis de sangre, orina u otros análogos, que el personal facultativo del centro médico al que sea trasladado estime más adecuados. 4. En el caso de que el interesado decida la realización de dichos análisis, el agente de la autoridad adoptará las medidas más adecuadas para su traslado al centro sanitario más próximo al lugar de los hechos. Si el personal facultativo del centro apreciara que las pruebas solicitadas por el interesado son las adecuadas, adoptará las medidas tendentes a cumplir lo dispuesto en el artículo 26. El importe de dichos análisis deberá ser previamente depositado por el interesado y con él se atenderá al pago cuando el resultado de la prueba de contraste sea positivo; será a cargo de los órganos periféricos del organismo autónomo Jefatura Central de Tráfico o de las autoridades municipales o autonómicas competentes cuando sea negativo, devolviéndose el depósito en este último caso».

te, que podrán consistir en análisis de sangre, orina u otros análogos (artículo 12.2, párrafo segundo, *in fine*, del texto articulado)». De modo que para la detección de la presencia de drogas en el organismo se procederá a una primer *test* salival que si diera positivo conduciría a un posterior análisis de saliva, sangre u orina o el que los médicos consideren más adecuados. En cualquier caso, debe quedar claro que el delito contra la seguridad del tráfico se puede cometer sin necesidad de hallarse bajo la influencia de alcohol o drogas (art. 380 CP) y que en el caso de haber ingerido esas sustancias se incurrirá en responsabilidad penal, concretamente, respecto a la ingestión de alcohol siempre que el nivel de alcohol en sangre supere los 0,60 miligramos por litro en aire o con una tasa de alcohol en sangre superior a 1,2 gramos por litro[88]. Pero eso no significa que no se pueda juzgar y condenar a pesar que la tasa de alcohol no llegue a esa cantidad o, naturalmente, cuando lo ingerido sean drogas tóxicas o sustancias estupefacientes.

Será punible la negativa del conductor requerido a someterse a las pruebas legalmente establecidas para detectar la influencia de drogas, estupefacientes o alcohol. Esta conducta negativa está tipificada en el art. 383 CP como un delito de desobediencia grave[89]. La petición de sometimiento a las pruebas puede producirse en controles preventivos, sin que sea necesario que existan sospechas de conducción bajo los efectos del alcohol[90]. La jurisprudencia ha exigido que el tipo del 383 CP

---

(88) Vid. Instrucción número 2, de 17 de mayo de 1999, de la Fiscalía General del Estado, sobre el Real Decreto 2.282/1998, de 23 de octubre y su incidencia en los delitos contra la seguridad del tráfico; Circular n.º 2/86, de 14 de febrero, sobre la prueba de alcoholemia, de la Fiscalía General del Estado; y Orden de 29 de julio de 1981, sobre la investigación del grado de impregnación alcohólica de los usuarios de las vías públicas (BOE 5 agosto 1981).

(89) Este precepto fue sometido a una cuestión de constitucionalidad, que el TC resolvió desestimando la cuestión planteada. En este sentido, la STC 103/1985 afirmaba que «el deber de someterse al control de alcoholemia no puede considerarse contrario al derecho a no declarar, y no declarar contra sí mismo y a no confesarse culpable, pues no se obliga al detectado a emitir una declaración que exteriorice un contenido, admitiendo su culpabilidad, sino a tolerar que se le haga objeto de una especial modalidad de pericia, exigiéndole una colaboración no equiparable a la declaración comprendida en el ámbito de los derechos proclamados en los arts. 17,3 y 24,2 CE». Y la STC 161/1997 de 2 octubre declara que: «la verificación de la prueba que se considera supone, para el afectado, un sometimiento, no ilegítimo desde la perspectiva constitucional, a las normas de policía, sometimiento al que, incluso, puede verse obligado sin la previa existencia de indicios de infracción, en el curso de controles preventivos realizados por los encargados de velar por la regularidad y seguridad del tránsito» (SSTC 22/1988, y 252/1994) .../... la STC 252/1984 reiteraba la caracterización de la prueba de alcoholemia como «una pericia técnica en que la participación del detenido con declaraciones autoinculpadoras está ausente». Más recientemente, la STC 197/1995 volvía a negar la catalogación de dicha prueba como declaración.

(90) «El art. 12 del Texto Articulado de la Ley sobre Tráfico, Circulación de Vehículos a Motor y Seguridad Vial establece la obligación genérica para los conductores y otros usuarios de la vía de someterse a los controles de alcoholemia, estupefacientes, psicotrópicos y otras sustancias análogas. Y el art. 21.4 del Reglamento General de Circulación permite que los Agentes de la Autoridad sometan a los conductores a exámenes de alcohol "dentro de los programas de controles preventivos de alcoholemia ordenados por dicha Autoridad". Por estos motivos, las sentencias impugnadas no estiman ilegal la conducta de los Agentes al ordenar la práctica de un test, a pesar de no haber apreciado que el conductor hubiera puesto en peligro previamente la seguridad del tráfico. Las sentencias impugnadas consideran, por tanto, que el delito de desobediencia específica del art. 380 CP puede realizarse tanto cuando existen indicios de una previa conducción bajo los efectos del

exige en todo caso un requerimiento de sometimiento a las pruebas de detección alcohólica por parte de un agente de la autoridad que se encuentre en ejercicio de sus funciones. Es decir, un mandato expreso y legal de los agentes impartido en el ejercicio de sus funciones y, por tanto, dentro de los límites de su competencia[91].

«Ciertamente el tipo previsto en el artículo 380 del CP (LA LEY 3996/1995) .../... exige en todo caso un requerimiento de sometimiento a las pruebas de detección alcohólica por parte de un agente de la autoridad que se encuentre en ejercicio de sus funciones. Es decir, un mandato expreso y legal de los agentes impartido en el ejercicio de sus funciones y, por tanto, dentro de los límites de su competencia. Ha de tratarse de una orden expresa, terminante y clara, lo que abarcara la información sobre las consecuencias de su incumplimiento, cuando existan motivos para sospecha que los destinatarios de la misma pudieran desconocerlas. Por último la negativa al cumplimiento debe ser seria y contundente, no una mera renuncia. Del citado artículo 380 dijo la STS 1/2002 de 22 de marzo (LA LEY 4071/2002), recogiendo la doctrina fijada por la anterior STS 3/1999 (LA LEY 12171/1999) de 12 de diciembre, que la negativa a la práctica de las pruebas de alcoholemia por parte de los conductores requeridos al efecto por los agentes de la autoridad, rebasa el ámbito del Derecho administrativo sancionador, y alcanza entidad suficiente como infracción penal cuando el requerimiento se dirige a conductores implicados en un accidente de circulación o que conduzcan con síntomas que permitan razonablemente presumir que lo hacen bajo la influencia de bebidas alcohólicas, es decir, en los supuestos previstos en el artículo 21.1 (LA LEY 1951/2003) y 2 del Reglamento General de Circulación. En el caso que nos ocupa se cumplen todos los presupuestos de tipicidad expuestos. El recurrente había protagonizado una previa colisión por alcance y, además, los ocupantes del otro vehículo implicado denunciaron haberle apreciado síntomas sugerentes de una previa ingesta etílica, el más revelador de todos el olor a alcohol en el aliento». STS Sala Segunda, de lo Penal, Sentencia 644/2016 de 14 Jul. 2016, Rec. 1237/2015; Ponente: Ferrer García, Ana María. LA LEY 82435/2016. Véase en el mismo sentido el ATS Sala Segunda, de lo Penal, Auto 138/2017 de 22 Dic. 2016, Rec. 1696/2016; Ponente: Sánchez Melgar, Julián. LA LEY 209710/2016.

Respecto a la práctica de los tests de alcoholemia y drogas el TC ha declarado que la verificación de esta prueba supone un sometimiento no ilegítimo a las normas de policía y, por tanto, no requiere las garantías incluidas en el art. 17.3 CE[92]. En

---

alcohol o de las otras sustancias, como cuando no se aprecia en la previa conducción tales indicios, ordenándose entonces el control como una medida de prevención general, para comprobar algo que resulta incierto». ATC 152/1999 de 14 de junio.

(91) «El art. 380 CP prevé un delito específico de desobediencia en el que se incurre por el simple hecho de negarse a someterse a estas pruebas —se hayan o no injerido las sustancias que a través de las mismas pretende detectarse—, por lo que el negarse a su práctica lesionaría el bien jurídico protegido por este delito. Cuestión distinta es la de determinar si este tipo de delitos debe ser aplicado cuando existen indicios de conducción bajo dichos efectos o como medida de policía general». ATC 165/2000 de 28 de junio.

(92) «En este sentido, se ha afirmado que "la verificación de la prueba que se considera supone, para el afectado, un sometimiento, no ilegítimo desde la perspectiva constitucional, a las normas de policía, sometimiento al que, incluso, puede verse obligado sin la previa existencia de indicios de infracción, en el curso de controles preventivos realizados por los encargados de velar por la regularidad y seguridad del tránsito". Por ello, la realización de esta prueba "no requiere de las garantías inscritas en el art. 17.3 de la Norma fundamental", no dispuestas en favor "de quien-

cualquier caso, para garantizar la posterior eficacia del resultado del *test* en el juicio oral deberá someterse su práctica a unos requisitos que ha establecido el Tribunal Constitucional en su doctrina sobre esta materia (STC 5/89 de 19 de enero; 252/94 de 19 septiembre)[93]. La referencia al TC había sido obligado en tanto que en razón de las normas de competencia y recursos el Tribunal Supremo no se había pronunciado sobre esta materia, excepto en materia de aforados en una jurisprudencia que no resultaba aplicable con carácter general. Esta situación ha cambiado con las últimas reformas del sistema de recursos que ya permiten, desde finales de 2015, el conocimiento de asuntos en los que se trata sobre esta diligencia de investigación policial[94].

1) Que se haya practicado el *test* con todas las garantías formales establecidas para evitar la indefensión y se haya informado al conductor de su derecho a un segundo examen alcoholimétrico en un intervalo de diez minutos (… el agente someterá al interesado, para una mayor garantía y a efecto de contraste, a la práctica de una segunda prueba de detección alcohólica por el aire espirado, mediante un procedimiento similar al que sirvió para efectuar la primera prueba, de lo que habrá de informarle previamente art. 23.1 RD 1428/2003). Respecto a este segundo examen existía una jurisprudencia bastante uniforme de Audiencia Provincial que venía considerando que se trataba de una garantía para el sometido a la prueba sin que de simple negativa del conductor pudiera desprenderse la comisión de un delito de desobediencia. Nótese que la interpretación contraria conduce a que el acusado pueda serlo de un delito contra la seguridad del tráfico por influencia del alcohol o

quiera que se halle sujeto a las normas de la policía de tráfico" (STC 107/85, fundamento jurídico 3.º; en el mismo sentido, STC 22/88)». (STC 252/94, de 19 septiembre).

(93) «En primer lugar, es necesario que en su práctica se cumplan las garantías formales establecidas al objeto de preservar el derecho de defensa en condiciones similares a las que se ofrecen dentro del proceso judicial, especialmente, el conocimiento del interesado a través de la oportuna información de su derecho a un segundo examen alcoholímetro y a la práctica médica de un análisis de sangre. En segundo lugar, es preciso que la incorporación al proceso se realice de forma que resulten respetados, en la medida de lo posible, los principios de inmediación judicial, oralidad y contradicción. En último término, no puede no ser bastante para desvirtuar la presunción de inocencia la simple lectura o reproducción en el juicio oral del atestado en el que conste el dato objetivo del correspondiente control practicado, si no hay además oportunidad para el juzgador de examinar por sí mismo la realidad de las circunstancias que determinaron su práctica, singularmente a través de la ratificación y declaración complementaria de quienes la efectuaron o de otros elementos probatorios concernientes a la conducción realizada, y para el mismo acusado de rebatir en el cauce procesal la versión de la acusación sobre tales extremos». STC 111//1999 de 14 de junio. Véanse también SSTC 252/94, de 19 septiembre; 5/89, de 19 enero; 22/88, de 18 febrero; 145/87, de 23 septiembre; 145/85, de 28 octubre; 103/85, de 4 octubre; 3/90, de 15 enero; 24/92, de 14 febrero.

(94) «Nos enfrentamos a la interpretación de un delito (art. 383 CP (LA LEY 3996/1995)) introducido en 2007 en el Código Penal remodelando el precedente del que es heredero. Es un tipo penal que solo en situaciones muy poco habituales podría acceder antes a casación (si se presentaba en conexión con delitos de mayor penalidad, lo que criminológicamente es infrecuente). En dos ocasiones en que el Tribunal Supremo se había pronunciado sobre la tipicidad precedente había sido en el seno de procesos contra aforados y con un alcance limitado. Otros precedentes podemos encontrar en los repertorios (SSTS 644/2016, de 14 de julio (LA LEY 82435/2016) o 2173/2002, de 19 de diciembre (LA LEY 10804/2003)), muy escasos si comparamos con el volumen de asuntos por tal delito ventilados en nuestros tribunales». STS 210/2017 de 28 Mar. 2017, Rec. 1859/2016; Ponente: Moral García, Antonio del. LA LEY 15364/2017.

las drogas y de otro de desobediencia. Este criterio ha sido modificado por el Tribunal Supremo que en su STS 210/2017 de 28 Mar. 2017, Rec. 1859/2016; Ponente: Moral García, Antonio del. LA LEY 15364/2017 ha analizado con extensión y profundidad la cuestión considerando finalmente que el conductor está obligado a someterse a esa segunda prueba, con la consecuencia legal que de no hacerlo incurrirá en un delito de desobediencia. Obligación que procede con independencia del resultado que se hubiere obtenido con la primera prueba[95].

«Es preciso poner de manifiesto la obligación que el conductor tiene de someterse a esta segunda diligencia, si concurren las circunstancias reglamentarias precisas para ello —como sucede en el presente caso—, y que su negativa hace que su conducta deba considerarse incluida en el tipo penal del art. 380 del Código Penal (LA LEY 3996/1995), pues entenderlo de otra forma, considerando que el conductor queda exento de responsabilidad penal sometiéndose únicamente a la primera diligencia, implicaría un verdadero fraude legal, por cuanto —dadas las características de los etilómetros con los que se practican las denominadas pruebas de muestreo— podría cuestionarse el resultado obtenido con ellos con lo que, en la práctica, devendría absolutamente ineficaz la norma legal. Es preciso concluir, por todo lo dicho, que la negativa a la práctica de la segunda prueba de medición de alcoholemia debe ser calificada como constitutiva de un delito contra la seguridad del tráfico del artículo 380 del Código Penal (LA LEY 3996/1995) «Es claro que el sometimiento a una prueba de aproximación nunca exonera, en caso de que haya dado positivo, de las pruebas con alcoholímetro de precisión. La negativa será delictiva …/… La segunda prueba —o, mejor segunda medición de una única prueba— es imperativa no solo para los agentes, sino también para el afectado. Así se desprende inmediatamente de la dicción del art. 21 del Reglamento General de Circulación (LA LEY 1951/2003). 4) Sin afán de extremar los argumentos semánticos, más que de dos pruebas sucesivas, estamos ante una única prueba cuya fiabilidad plena (aspiración del proceso y de la justicia penal y no solo garantía del imputado) requiere dos mediciones con un intervalo de tiempo. Sin esas dos mediciones la prueba está incompleta reglamenta-riamente; no alcanza las cotas deseables de fiabilidad por haber quedado inacabada. Lo apunta en su informe el Fiscal: la prueba reglamentada consta de dos mediciones con un intervalo de diez minutos. Si no se desarrolla así, no se respeta la legalidad reglamentaria». STS 210/2017 de 28 Mar. 2017, Rec. 1859/2016; Ponente: Moral García, Antonio del. LA LEY 15364/2017.

---

(95) «8) No podemos, sin traicionar la voluntad de la norma, convertir en potestativa una medición que inequívocamente aparece concebida como obligatoria. La comparación con la forma en que se regula la eventual extracción de sangre ofrece una conclusión rotunda. Lo que se quiso dejar sujeto a la voluntad del afectado, se consignó expresamente. El mensaje de la regulación es que el afectado está obligado a someterse a esa segunda medición. La interpretación del art. 383 CP (LA LEY 3996/1995) no puede retorcer esa clara conclusión desvirtuando ese mensaje y sustituyéndolo por otro que traslade al ciudadano la idea de que esa segunda medición queda a su arbitrio, sin perjuicio de las consecuencias probatorias que puedan derivarse de su negativa. El mensaje no puede ser: la segunda medición no es obligatoria; o bien, solo lo es cuando el afectado no se resigne a la condena por el delito del art. 379 CP. (LA LEY 3996/1995) La ley establece cui-dadosamente los derechos del sometido a la prueba (análisis de sangre de verificación, necesidad de ser informado, comprobación del transcurso de un tiempo mínimo...). No está entre ellos el no acceder a la segunda espiración». STS 210/2017 de 28 Mar. 2017, Rec. 1859/2016; Ponente: Moral García, Antonio del. LA LEY 15364/2017.

Ciertamente, las razones que aduce el Tribunal Supremo son atendibles y se dictan una vez analizado el fundamento de los criterios adoptados hasta la fecha. Hace referencia el Tribunal Supremo a la necesidad de garantizar la persecución de los delitos contra la seguridad del tráfico haciendo especial referencia al principio de autoridad de la policía. Llega a decir el Tribunal Supremo que: *«La cuestión nuclear es decidir si es obligatorio el sometimiento a esa segunda prueba en todo caso cuando se dan los requisitos legales. La respuesta afirmativa se justifica por la afectación del principio de autoridad, bien jurídico protegido …/… El bien jurídico directamente tutelado es el principio de autoridad, como en los delitos de desobediencia»*[96]. Por nuestra parte no estamos en absoluto convencidos de la procedencia del criterio del Tribunal Supremo que consideramos que no tienen en cuenta otras muchas cuestiones como la falta de una norma legal, no reglamentaria que establezca esta obligación, el hecho de que los usuarios de las vías públicas se someten a estas pruebas sin ninguna clase de asesoramiento legal o, finalmente, que hasta ahora nadie ha cuestionado que un primer valor de alcohol en aire que supere el permitido es suficiente para fundar una sentencia condenatoria, sin que se exija una segunda prueba que puede ser confirmatoria del valor primero o distinta (con mayor cantidad de alcohol en aire o menor). Segunda prueba que creemos que no es en absoluto descabellado que se produzca a petición del interesado que de no hacerlo así no puede impugnar la primera medición. En cualquier caso, la prueba de lo discutido de la decisión del Pleno del Tribunal Supremo se halla en la emisión de tres votos particulares además de otras tres adhesiones a uno de ellos, que se formulan ante un Pleno de diecisiete magistrados. En cualquier caso, la decisión del Tribunal Supremo es la que es y finaliza su argumentación aduciendo que con este criterio se persigue una mayor garantía en la determinación de los niveles de alcohol de los sometidos a las pruebas de detección.

«No se trata solo de una garantía del afectado y posible futuro investigado, sino también de una garantía institucional. Esto debe ser recalcado. Se quiere alcanzar un alto grado de objetividad (evitar v.gr. la contaminación derivada del «alcohol en boca» o despejar las dudas derivadas de los márgenes de error de los etilómetros: entre un 5% y un 7,5% según informes del Centro Español de Metrología de enero de 2008 y marzo de 2010). Es, sí, garantía del afectado; pero también del sistema (STS 636/2002, de 15 de abril (LA LEY 6680/2002): las irregularidades en la metodología afectan al derecho al proceso debido pues es en cierta medida prueba pericial preconstituida —STC 100/1985, de 3 de octubre (LA LEY 10339-JF/0000)— lo que

(96) «9) La cuestión nuclear es decidir si es obligatorio el sometimiento a esa segunda prueba en todo caso cuando se dan los requisitos legales. La respuesta afirmativa se justifica por la afectación del principio de autoridad, bien jurídico protegido. Y es que en el centro de toda esta controversia hay que situar una pregunta esencial que condiciona el curso del debate: ¿cuál es el bien jurídico protegido por el delito del art. 383 CP (LA LEY 3996/1995) ? Desde una perspectiva de política criminal es innegable su vinculación con la seguridad del tráfico vial. No puede dudarse de que el legislador tenía eso en mente. Pero si descendemos al terreno del derecho positivo y al plano de la estricta dogmática penal, esa conclusión tiene que ser modulada. Se trataría de un objeto de protección mediato; muy mediato. El bien jurídico directamente tutelado es el principio de autoridad, como en los delitos de desobediencia. De forma indirecta se protege la seguridad vial. El art. 383, por su especificidad, se ha emancipado definitivamente del genérico delito de desobediencia del art. 556, pero no dejar de ser una modalidad singularizada». STS 210/2017 de 28 Mar. 2017, Rec. 1859/2016; Ponente: Moral García, Antonio del. LA LEY 15364/2017.

reclama un cuidadoso protocolo). Las garantías establecidas en favor del inculpado constituyen a la vez garantías del sistema y por eso no indefectiblemente son renunciables». STS 210/2017 de 28 Mar. 2017, Rec. 1859/2016; Ponente: Moral García, Antonio del. LA LEY 15364/2017.

No será necesaria la intervención de Letrado en la práctica de la diligencia[97]. Asimismo, se le informará de su derecho a formular alegaciones u observaciones y a la práctica médica de un análisis de sangre, orina u otros análogos que el personal facultativo del centro médico al que sea trasladado estime más adecuados. En el caso de que el interesado decida la realización de dichos análisis, el agente de la autoridad adoptará las medidas más adecuadas para su traslado al centro sanitario más próximo al lugar de los hechos (art. 23.3 RD 1428/2003).

«... tanto el art. 12.2 del Texto Articulado de la Ley sobre Tráfico, Circulación de Vehículos a Motor y Seguridad Vial aprobado por Real Decreto Legislativo 339/1990, de 2 de marzo, como el art. 23.3 del Reglamento General de Circulación que lo desarrolla, aprobado por Real Decreto 13/1992, de 17 de enero, establecen que el Agente encargado de la vigilancia del tráfico "informará (a la persona sometida a la prueba de detección alcohólica) del derecho que tiene ... a contrastar los resultados obtenidos mediante análisis de sangre, orina u otros análogos que el personal facultativo del Centro Médico al que sea trasladado estime más adecuados". Asimismo, el art. 23.4 del mencionado Reglamento dispone que "en el caso de que el interesado decida la realización de dichos análisis, el Agente de la Autoridad adoptará las medidas más adecuadas para su traslado al Centro Sanitario más próximo al lugar de los hechos..."». ATC 2/99 de 13 enero.

La prueba de contraste mediante análisis médico será a costa del interesado que deberá depositar previamente su importe. Se trata de una prueba voluntaria por lo que su no realización no comporta ninguna clase de consecuencia para el interesado.

«iii) Procederá la prueba de contraste mediante análisis de sangre, orina u otros análogos en el solo en el caso de que informada la persona interesada, así lo solicite. En ese supuesto, habrá de proveerse la práctica de aquella en la forma prevenida en el artículo 23.4. Esta prueba es voluntaria, por oposición a las anteriores que se diseñan como obligatorias. Lo enfatiza en su dictamen el Ministerio Público». STS 210/2017 de 28 Mar. 2017, Rec. 1859/2016; Ponente: Moral García, Antonio del. LA LEY 15364/2017.

2) Que se reproduzca esta prueba en fase de juicio oral, a fin de ser sometida a contradicción por las partes. No bastará la simple lectura o reproducción del atestado. Deberá ser ratificada por los agentes que la practicaron.

«De otro, que se incorpore al proceso de forma que resulten respetados, en la medida de lo posible, los principios de inmediación judicial, oralidad y contradicción, no siendo suficiente al respecto la simple lectura o reproducción en el juicio oral del atestado en que consta el resultado de la prueba de impregnación alcohólica, pues es preciso en tales casos que la prueba alcoholimétrica sea ratificada en el acto

---

(97) «En relación con la validez de la prueba de alcoholemia, que el actor cuestiona en segundo lugar, es doctrina reiterada de este Tribunal que, como regla general, la asistencia letrada no es condición de validez —desde la perspectiva constitucional— de la práctica de dicha prueba». (STC 252/94, de 19 septiembre).

del juicio oral por los agentes que la practicaron a fin de ser sometida a contradicción...». (STC 5/89, de 19 enero).

Ahora bien, téngase en cuenta que el resultado del *test*, en cuanto dato objetivo, puede quedar refrendado, al efecto de fundamentar una condena, por: la declaración de testigos, el resultado del análisis de sangre, u otros hechos y circunstancias acreditadas en juicio. V.g. que se hubiere producido un accidente o hechos similares[98].

«2. Sin perjuicio de lo que ya se señaló en el anterior fundamento jurídico, en la sentencia se argumenta que para considerar acreditado que el recurrente conducía un vehículo bajo la influencia de bebidas alcohólicas, no es preciso tener en cuenta los resultados de la prueba de alcoholemia que se le practicó, pues es suficiente la prueba testifical, unida a los hechos acreditados relativos al comportamiento del propio recurrente». STS Sala Segunda, de lo Penal, Sentencia 825/2015 de 18 Dic. 2015, Rec. 727/2015; Ponente: Colmenero Menéndez de Luarca, Miguel. LA LEY 209614/2015[99].

Finalmente, cabe señalar que la existencia de unos límites objetivos de alcohol en la sangre a partir de los cuales se perfeccionaría el delito contra la seguridad vial (introducidos en la reforma del art. 379 Código Penal por la LO 15/2007 de 30 de noviembre de modificación de C. Penal) no ha modificado la naturaleza del delito que, a nuestro juicio, sigue siendo de peligro abstracto, no de resultado. En consecuencia, no obsta que existan unos criterios o tasas a partir de los cuales se entenderá que existe una conducta delictiva para que el delito se pueda cometer con una tasa menos elevada en función de las circunstancias concurrentes. Así lo ha entendido el TC que ha declarado que no puede admitirse una presunción «*iuris et de iure*» en el proceso penal, que se produciría cuando una tasa determinada de alcohol determinase la condena, o la absolución.

«La presunción "*iuris et de iure*", tampoco es lícita en el ámbito penal desde la perspectiva constitucional, puesto que prohíbe la prueba en contrario de lo presumido, con los efectos, por un lado, de descargar de la prueba a quien acusa y, por otro, de impedir probar la tesis opuesta a quien se defiende, si es que opta por la posibilidad de probar su inocencia, efectos ambos que vulneran el derecho funda-

---

(98) «Así, este Tribunal ha admitido la posibilidad de que el resultado del test sea ratificado, no por los agentes que lo verificaron, sino por otros testigos (SSTC 100/1985, 145/1987 y AATC 797/1985, 1421/1987 y 191/1988), por el resultado obtenido con una prueba de extracción de sangre (ATC 304/1985), por la declaración del perjudicado (ATC 305/1985), por las propias circunstancias que rodearon la conducción (ATC 649/1985) y por la propia declaración del acusado (SSTC 145/1987, 89/1988, 24/1992 y AATC 62/1983 y 1079/1987)». ATC 2/99 de 13 enero.

(99) «Es preciso —como se desprende del tenor literal del precepto— que conduzca "bajo la influencia" del alcohol, o de las otras sustancias legalmente previstas, en su caso, de modo que lo haga con indudable alteración de sus facultades psíquicas y físicas, en relación con sus niveles de percepción y de reacción. De ahí la relevancia que, junto al resultado de las pruebas de alcoholemia, deba reconocerse a otros elementos de prueba, tales como el testimonio de las personas que hayan observado la forma de conducir o de comportarse el conductor de que se trate, particularmente el de los agentes de la Autoridad que hayan practicado la correspondiente prueba. Para que exista el delito de conducción de vehículo de motor bajo influencia de bebidas alcohólicas es menester que la conducta enjuiciada haya significado un indudable riesgo para los bienes jurídicos protegidos (la vida, la integridad de las personas, la seguridad del tráfico, etc.)». STS 210/2017 de 28 Mar. 2017, Rec. 1859/2016; Ponente: Moral García, Antonio del. LA LEY 15364/2017.

mental a la presunción de inocencia. Ahora bien, como es lógico lo anterior no obsta a la legitimidad constitucional de la prueba de indicios, puesto que ésta versa sobre los hechos y no directamente sobre los elementos constitutivos del delito, y siempre que reúna los requisitos y condiciones que hemos exigido reiteradas veces (como más reciente, STC 220/1998). Si se aplica la doctrina que acabamos de expresar al presente caso, resulta que el derecho a la presunción de inocencia experimentaría una vulneración si por la acreditación de solamente uno de los elementos del delito —el de que el conductor haya ingerido bebidas alcohólicas— se presumieran realizados los restantes elementos del mismo. Pues el delito no se reduce —entre otras posibilidades típicas— al mero dato de la embriaguez del conductor, sino que exige los requisitos a los que ya se ha hecho referencia. Las SSTC 145/1985, 145/1987, 22/1988, 5/1989 y 222/1991 ya advirtieron que este supuesto delictivo no consiste en la presencia de un determinado grado de impregnación alcohólica, sino en la conducción de un vehículo de motor bajo la influencia de bebidas alcohólicas». STC 111/1999 de 14 de junio.

Por tanto, el elemento objetivo del tipo puede producirse con relativa independencia de la tasas del alcohol en la sangre, ya que en definitiva lo esencial es la afectación del alcohol en la conducción del sujeto.

«Sin que resulte constitucionalmente aceptable entender que, de no poder practicarse las pruebas de aire espirado, resulta legítimo practicar, en todo caso, otras pruebas legalmente previstas, como el análisis de sangre, a fin de acreditar el grado de impregnación alcohólica. Ciertamente, esas pruebas son idóneas para el esclarecimiento de un hecho relevante en la persecución del delito de conducción bajo influencia de bebidas alcohólicas, pero el resultado positivo de las mismas ni es la única prueba que puede conducir a una condena por este delito, ni es imprescindible para sustentarla, como hemos afirmado en múltiples ocasiones (.../... 68/2004, de 19 de abril, FJ 2; 137/2005, de 23 de mayo, FJ 3; 262/2006, de 11 de septiembre, FJ 2; 319/2006, de 15 de noviembre, FJ 2), dado que desde la STC 145/1985, de 28 de noviembre, FJ 4, sostenemos que el delito no consiste en un determinado grado de impregnación alcohólica, sino en la conducción de un vehículo de motor bajo la influencia de bebidas alcohólicas. Por tanto, en cada caso concreto y a la vista de las circunstancias concurrentes en el mismo, habrá de ponderarse la importancia y necesidad de la prueba para el esclarecimiento del delito y su incidencia en el derecho fundamental a la intimidad, sin que de la regulación legal se desprenda, en modo alguno, la existencia de una habilitación para la práctica de análisis de sangre en todos aquellos casos en que no puedan practicarse las pruebas de aire espirado». STC 206/2007 de 24 de septiembre.

Ello sin perjuicio que determinadas tasas de alcohol producen necesariamente una alteración de la conducción con la consecuencia de producirse un peligro potencial para la seguridad de todos los usuarios de la vía pública, incluido el conductor, que se deriva de la conducción en aquéllas condiciones. Por lo tanto, en esos casos el dato objetivo del etilómetro es suficiente para fundamentar una sentencia de condena (cuando se supere la tasa de 0,60 miligramos por litro de aire espirado conforme dispone el art. 379 CP), a pesar que la conducción del sujeto hasta el momento de realizarse la prueba sea perfecta. Este ha sido el fundamento de la LO 15/2007 de 30 de noviembre de modificación de C. Penal, al considerar que determinadas tasas de alcohol en la sangre determinan necesariamente la influencia del alcohol en la conducción. Esta última presunción deriva de los datos científicos que establecen que determinadas tasas de alcohol afectan sin lugar a dudas el control del sujeto, y tiene la misma naturaleza que las que admiten que determinadas lesiones o heridas pueden producir la muerte, o que la determinación genética en restos orgánicos pueden atribuirse a un individuo concreto. Este criterio es seguido en las Audiencia Provinciales, ya que de este delito conoce el Juez de lo Penal y la Audiencia por vía de apelación. Aunque, en algunas sentencias de Audiencia se hacía referencia, antes de la reforma del CP por la LO 15/2007, a que el simple dato de impregnación alcohólica no era suficiente para fundamentar la condena. Sentencias que hacían referencia a cierta jurisprudencia del TS dictada en supuestos de personas aforadas en las que consideraba que esta clase de delito era de peligro concreto. Así se establece, por ejemplo, en la STS 22 de marzo de 2002 (LA LEY 4071/2002), dictada en una causa especial por razón de aforamiento, en la que primero se declara que: «Para la subsunción del hecho enjuiciado en el referido tipo penal no basta comprobar el grado de impregnación alcohólica del conductor, es menester que, además, esté igualmente acreditado que el mismo conducía bajo la influencia de tal ingestión (v. S. de 9 diciembre 1999). Sin perjuicio, claro está, de que el Juzgador pueda inferir razonablemente dicha influencia en atención al alto grado de impregnación alcohólica del conductor». Es decir, acoge el criterio de que el delito del art. 379 CPO es de peligro concreto, lo que no se puede compartir de ningún modo, por las razones expuestas. Pero, a continuación, en el mismo fundamento de derecho, parece desdecirse para declarar que: «La jurisprudencia ha declarado también que, para que proceda la aplicación del art. 379 del Código Penal, no es necesario demostrar la producción de un "peligro concreto" ni, por supuesto, ningún resultado lesivo, como demandan otros tipos penales, por cuanto el tipo aquí examinado exige únicamente la existencia de un "peligro abstracto" que, en todo caso, ha de ser real y no meramente presunto (v. SS. de 19 mayo 1982, 7 julio 1989 y 5 marzo 1992, entre otras)». Para acabar finalmente con la errónea doctrina según la cual:

> «Para subsumir los hechos enjuiciados en el tipo penal del art. 379 del Código Penal, no basta comprobar el grado de impregnación alcohólica del conductor del vehículo, sino que es preciso comprobar la influencia de la ingesta en la conducción, y, en el presente caso, se trata de una cuestión que no puede considerarse suficientemente acreditada por la prueba practicada. Para ello, hubiera sido necesario conocer —de forma incuestionable— el grado de impregnación alcohólica con la que el acusado conducía su vehículo el día de autos, y, en la medida de lo posible, las incidencias relevantes de su viaje, de modo especial las determinantes de la salida fuera de la calzada del vehículo que conducía». STS 1/2002, de 22 de marzo (LA LEY 4071/2002).

También en materias de aforados se ha pronunciado el TS, en la STS Sala Segunda, de lo Penal, Sentencia 3/1999 de 9 Dic. 1999, Proc. 1350/1997; Ponente: Puerta Luis, Luis Román. LA LEY 12171/1999, declarando que no existe relevancia penal en la conducta del conductor (aforado) que se niega al requerimiento de la policía para realizar un control aleatorio de alcoholemia. Doctrina que no podemos compartir, ya que en ese caso tales controles preventivos carecerían de eficacia pues simplemente bastaría con negarse a la prueba de alcoholemia, legalmente obligatoria según hemos expuesto, para evitar consecuencia penal alguna[100].

C) Extracción sanguínea

La extracción de sangre para detectar el grado de impregnación alcohólica o bien para la identificación genética se basa en una técnica cada vez más avanzada, que le otorga una altísima fiabilidad. El soporte legal puede encontrarse en el art. 778.3 LECrim., que faculta al Juez de Instrucción para acordar que el médico forense o un perito obtengan muestras o vestigios, cuyos análisis pueda facilitar la mejor calificación del hecho enjuiciado. Nótese que los resultados que se obtengan pueden tener una finalidad acusatoria o también servir de fundamento a una eximente o atenuante atendiendo, por ejemplo, a la tasa de alcohol en sangre en el momento de cometerse el delito.

Según ya se expuso con carácter general, no cabe la imposición coactiva de la práctica de estas pruebas, a pesar de la nueva orientación que parece quiso darle la STC 7/94, de 17 enero. Así, no se admite de forma expresa una *vis compulsiva*, en caso de negarse el afectado.

«En segundo término, tampoco resulta dudoso —y de ello es prueba el propio contenido de la resolución judicial que acordó su práctica— que sea necesario el consentimiento del sujeto; es decir, que éste voluntariamente se preste a la extracción. Es cierto que la más reciente y autorizada doctrina científica procesal española propugna, con cita de derecho comparado europeo, la procedencia de la *vis compulsiva*; pero no menos cierto es que la precisión del consentimiento se desprende de la jurisprudencia del Tribunal Constitucional (SS 114/84, de 29 noviembre y 24/92, de 19 febrero); mas aunque así no se entendiera —y ello se indica a efectos puramente dialécticos—, siempre regiría tal precisión en este caso, pues la propia resolución

---

(100)   «Para la comisión del delito previsto en el art. 379 del Código Penal, no basta conducir con una determinada tasa de alcoholemia, sino que es menester que el conductor lo haga "bajo la influencia" del alcohol, o de cualquiera otra de las sustancias legalmente previstas en el citado artículo, ya que el mismo no es una norma penal en blanco y, por tanto, debe entenderse que el solo dato del nivel de alcoholemia, sin otras connotaciones, solamente es suficiente, en principio, para motivar una sanción administrativa. No basta, pues, para que deba entenderse cometido el delito de conducción de vehículo de motor bajo la influencia de bebidas alcohólicas del art. 379 del Código Penal, que el conductor del vehículo rebase las tasas establecidas (v. art. 20.1 del Reglamento General de Circulación), sino que es preciso —como se desprende del tenor literal del precepto— que conduzca "bajo la influencia" del alcohol, o de las otras sustancias legalmente previstas, en su caso, de modo que lo haga con indudable alteración de sus facultades psíquicas y físicas, en relación con sus niveles de percepción y de reacción .../... procede destacar: a) que la detención del vehículo conducido por el acusado para la práctica de la prueba de alcoholemia tuvo lugar en el curso de un control preventivo, de modo que la elección del mismo fue puramente aleatoria; y, b) que, tras la reiterada negativa del interesado a someterse a dicha prueba, el jefe de la patrulla de la Guardia Civil que se hallaba realizando dicho servicio, tras consultar el caso con el Juez de Instrucción de Guardia, advirtió al señor B. que se le instruirían diligencias por presunto delito de desobediencia y le dejó continuar viaje, al no haber observado en él síntomas de embriaguez. Por tanto, de acuerdo con aquellos principios, debe considerarse que la conducta enjuiciada no ha rebasado el ámbito del Derecho administrativo sancionador». STS Sala Segunda, de lo Penal, Sentencia 3/1999 de 9 Dic. 1999, Proc. 1350/1997; Ponente: Puerta Luis, Luis Roman. LA LEY 12171/1999.

judicial lo condicionó a su práctica, aun con la recusable fórmula de "providencia" y no de auto motivado». (STS 21 junio 1994). Véanse también SSTC 37/89 de 15 febrero, y 103/85.

En el caso que el sometido se halle detenido o inculpado deberá manifestar el consentimiento asistido de abogado. Ahora bien, no será exigible la asistencia de letrado en caso contrario. Tampoco es necesaria la práctica de un contraanálisis que, en cualquier caso, deberá solicitar el interesado.

«En relación a la autorización judicial se dice en el motivo que la misma supuso una vulneración del derecho a la intimidad del recurrente, porque sin su consentimiento se procedió a efectuar ambas analíticas. No existe tal vulneración de la intimidad personal: 1) La injerencia efectuada en la intimidad del recurrente se limitó a efectuar una analítica sobre una extracción de sangre ya efectuada por razones terapéuticas. 2) Dichos análisis fueron autorizados judicialmente en el auto ya indicado. 3) Se trataba de una medida idónea, apta y adecuada para averiguar la posible ingesta alcohólica que llevaba el recurrente cuando conducía el vehículo oficial y se produjo el accidente. 4) Tal injerencia está autorizada por la Ley pues resulta de interés público para todos los usuarios de la vía que cuando conduzcan vehículos no lo hagan bajo los efectos de la ingesta alcohólica. 5) En el presente caso la necesidad de tal analítica era obvia tanto por la dinámica del accidente, como por la actitud del recurrente en la Policlínica Lucense, que alegó el médico de guardia que le atendió, y por su negativa a someterse a la prueba de alcohol en aire aspirado, negándose a pretexto de que tenía cristales en la boca, habiendo sido advertido que no existía impedimento médico a que efectuase tal prueba como así lo confirmó el médico de guardia, siendo requerido por cuatro veces por el equipo de atestados con resultado negativo por lo que se le incoó el correspondiente atestado. 6) Fue una medida proporcionada al fin propuesto». STS Sala Segunda, de lo Penal, Sentencia 1/2014 de 21 Ene. 2014, Rec. 1154/2013. Ponente: Giménez García, Joaquín. LA LEY 890/2014.

Finalmente queremos referirnos a un supuesto relativamente frecuente que es aquel en el que el sospechoso de conducir bajo la influencia del alcohol acaba en el hospital. En ese caso se suele extraer una muestra de sangre a la persona con fines médicos. Pues bien esa muestra podrá ser utilizada como evidencia del grado de alcohol siempre y cuando se solicite al Juez que así lo acuerde y se garantice debidamente la custodia de la muestra. Siendo así, no existirá ninguna objeción en utilizar esa evidencia inculpatoria en el proceso.

«En relación a la nulidad por falta de motivación del auto judicial, como ya se razona en la sentencia de instancia donde ya se dio respuesta a estas cuestiones —f.jdco. primero— existió una autorización judicial que revistió la forma de auto que tiene una motivación escasa pero suficiente como para justificar la decisión. Debe recordarse que la autorización no era para la extracción de sangre, porque esta ya había sido hecho con fines terapéuticos, sino para sobre las muestras de sangre ya extraídas, que se efectuara una analítica por los laboratorios de la Policlínica Lucense en averiguación de una posible ingesta alcohólica —que se efectuó como consta al folio 99—, y, asimismo que como interesaba la Guardia Civil se le extrajeran unas muestras para efectuar otro análisis en el laboratorio de referencia interesado por la Guardia Civil, lo que así se hizo constando el resultado de esta segunda analítica al folio 100, y ambos arrojaron el mismo resultado como ya se ha dicho .../... Ante este escenario, no puede cuestionarse que la autorización judicial cubre sobradamente la injerencia constitutiva de las analíticas efectuadas al ser medida autorizada en la Ley con control judicial, constituyendo una medida necesaria y apta para el fin perseguido sobre cuya legitimidad es ocioso polemizar, y medida que, en fin es proporcionada no existiendo desmesura. Procede el rechazo de la denuncia efectuada en relación a la nulidad de la autorización judicial». STS Sala Segunda, de lo Penal, Sentencia 1/2014 de 21 Ene. 2014, Rec. 1154/2013. Ponente: Giménez García, Joaquín. LA LEY 890/2014.

Ahora bien la evidencia no podrá ser utilizada en el caso que la policía no hubiese solicitado la orden judicial o bien el caso que no se hubiere garantizado correctamente la cadena de custodia de la sangre extraída.

«Tratándose de una intervención que afecta al derecho a la intimidad, la regla general es que sólo mediante una resolución judicial motivada se pueden adoptar tales medidas y que, de adoptarse sin consentimiento del afectado y sin autorización judicial, han de acreditarse razones de urgencia y necesidad que hagan imprescindible la intervención inmediata y respetarse estrictamente los principios de proporcionalidad y razonabilidad. Del examen de lo actuado se desprende que los agentes de la Guardia civil se dirigieron directamente a los facultativos del centro hospitalario para solicitar la práctica de la analítica, y no previamente al Juez .../... En definitiva, ni existió una autorización judicial previa de la práctica del análisis de sangre, ni posteriormente los órganos judiciales realizaron ponderación de los intereses en conflicto teniendo en cuenta el derecho fundamental en juego que les condujera a considerar justificada —a la vista de las circunstancias del caso— la actuación policial sin previa autorización judicial. Por otra parte, ni en la solicitud de los agentes de la Guardia civil al centro hospitalario (que se fundamenta exclusivamente en la imposibilidad de someter a las pruebas de aire espirado al conductor accidentado, en el que los agentes habían advertido diversos síntomas de embriaguez, sin mencionar ninguna otra circunstancia), ni en las actuaciones procesales consta dato alguno que permita considerar acreditada la urgente necesidad de la intervención policial inmediata. En efecto, si el conductor en el que los agentes apreciaron síntomas de intoxicación alcohólica se encontraba ingresado en un centro hospitalario y las muestras de sangre existían, al haber sido extraídas con fines terapéuticos, podría entenderse que era necesario —a la vista de los síntomas detectados y de la imposibilidad de practicar las pruebas de aire espirado— y urgente solicitar al centro hospitalario que se adoptasen las medidas necesarias para la custodia y conservación de tales muestras al efecto de que pudiera realizarse sobre ellas la correspondiente analítica si ésta fuera ordenada judicialmente. Pero no puede afirmarse, sin la concurrencia de otras circunstancias, que resultara imprescindible también que los propios agentes policiales ordenaran la práctica de la analítica sin acudir previamente al Juez de guardia al objeto de que éste, tras ponderar todas las circunstancias del caso, decidiera motivadamente si resultaba o no proporcionado ordenar la injerencia en el derecho fundamental a la intimidad». STC 206/2007 de 24 de septiembre.

D) *Exámenes radiológicos, ecográficos y ginecológicos. Obtención de pruebas en intervenciones quirúrgicas*

Como ya se ha indicado, la doctrina del TC distingue entre dos tipos de intromisiones en la intimidad personal: a) las que no afectan de modo significativo el ámbito de derechos constitucionales y b) las que afectan al ámbito constitucionalmente protegido de derechos fundamentales como el derecho a la integridad física o la intimidad[101].

Los exámenes radiológicos o ecográficos se consideran medios lícitos que no suponen una afectación del derecho fundamental a la integridad física y se podrán acordar siempre que su práctica no suponga un riesgo inmediato o futuro para la salud del sometido a la medida[102].

> «En el caso, y según los hechos que en las resoluciones judiciales se declaran probados (y que, por consiguiente, nosotros no podemos revisar), el dictamen facultativo no reveló que las técnicas de aplicación y la periodicidad de los exámenes hubieran superado el nivel de riesgo exigible para temer o considerar daños futuros a la salud y consiguiente vulneración del derecho a la integridad física. Y así, las circunstancias concretas por las cuales el hoy recurrente se vio sometido a las exploraciones con rayos X son explicadas razonadamente, utilizando como criterio las normas establecidas por la Organización Mundial de la Salud..., no supone vulneración del derecho a la integridad física». (STC 35/96, de 11 marzo).

Más aún, esta clase de exámenes, además de servir para la investigación del delito, pueden permitir garantizar la protección de la salud del sospechoso que pudiera albergar sustancias estupefacientes en su cuerpo.

> «La razón de la vulneración de los derechos fundamentales del acusado se sustenta en el hecho de que la Juez de Instrucción acordó en el auto de 31 de julio de 2012 (folios 1115 a 1117 de la causa) su ingreso en el hospital de Hospitalet de Llobregat con el fin de que se le realizara una placa radiológica en el abdomen, al efecto de descubrir si portaba alguna clase de droga en el interior de su organismo. Entiende el recurrente que no había indicios suficientes para adoptar esa medida de investigación con merma de derechos fundamentales .../... El acusado, según consta en el oficio policial, no aportó respuestas convincentes al ser interrogado por la policía sobre su viaje a España, hablándose de nerviosismo en el auto judicial, circunstancia que unida a la procedencia del vuelo y a su negativa de que se realizara ninguna clase de comprobaciones sobre el posible porte de cuerpos extraños en el interior de su organismo, determinó que la Magistrada-Juez del Juzgado de Instrucción n.º 4 de El Prat de Llobregat acordara su ingreso en un centro hospitalario para controlar la posible expulsión de sustancias estupefacientes que pudiera ocultar en su aparato digestivo. Concurrirían, pues, buenas razones para acordar la medida que ahora se impugna, tanto en orden a la investigación criminal como en lo que respecta a la protección de la salud del viajero, dadas las posibilidades de que el recurrente estuviera

---

(101) «... El ámbito de la intimidad corporal constitucionalmente protegido no es una entidad física, sino cultural, y en consecuencia determinada por el criterio dominante en nuestra cultura sobre el recato corporal: de tal modo que no pueden entenderse como intromisiones forzadas en la intimidad aquellas actuaciones que, por las partes del cuerpo humano sobre las que se operan o por los instrumentos mediante los que se realizan, no constituyen, según un sano criterio, violación del pudor o recato de la persona...». (STC 57/94, de 28 febrero).

(102) «El Tribunal Constitucional, ha declarado que las exploraciones con rayos X no vulneran el derecho a la integridad física de la persona (v. art. 15 C.E. y STC de 11 de marzo de 1996); tales exploraciones, evidentemente, no constituyen ningún trato inhumano o degradante, si son practicadas bajo control médico y con las debidas garantías». STS Sala Segunda, de lo Penal, Sentencia 240/2013 de 8 Abr. 2013, Rec. 11035/2012; Ponente: Martínez Arrieta, Andrés. LA LEY 47352/2013.

realizando un transporte de droga». STS 07/2016 de 13 Abr. 2016, Rec. 10412/2015; Ponente: Jorge Barreiro, Alberto Gumersindo. LA LEY 40316/2016.

Precisamente el peligro que conlleva la ingestión y transporte de drogas en el cuerpo ha motivado distintos supuestos en los que tras comprobar la existencia de sustancias en el organismo se ha conducido al sospechoso a un Centro Médico donde se ha tenido que realizar una intervención quirúrgica de urgencia con la finalidad de extraer las sustancias estupefacientes que, finalmente, van a servir de prueba del delito. Siendo así se ha planteado ante el Tribunal Supremo sobre la legitimidad de esa prueba ante la alegación de la acusada de no haber prestado su consentimiento a la intervención ni tampoco existir orden judicial. A este respecto el Tribunal Supremo ha declarado que lo relevante es que la intervención quirúrgica se fundamente en necesidades terapéuticas y no en la búsqueda de pruebas. En definitiva, que sea el personal médico y no la policía quien decida practicarla. Siendo así considera el Tribunal Supremo que no puede admitirse nulidad alguna ni tampoco un trato inhumano contrario al artículo 3 del Convenio Europeo de Derechos Humanos. Precisamente el TEDH se pronunció con relación a dos supuestos de esta clase. En el primero el TEDH estimó la petición considerando que se había producido una infracción del Convenio (STEDH de 11 de julio de 2006 (Gran Sala: asunto Jalloh) al no concurrir una finalidad terapéutica en una intervención médica con la finalidad de acelerar de forma no natural la expulsión de la droga. Mientras que en la STEDH de 7 de octubre del año 2008 (Caso Bogumil contra Portugal) se consideró en un caso muy parecido al resuelto por el Tribunal Supremo que al regir una finalidad médica no podía estimarse trato inhumano o violación de derechos del sospechoso.

«Difícilmente puede concebirse que se produjo esa intervención quirúrgica sin el consentimiento de la ahora recurrente. Accedió a ser sometida a examen radiológico. Consintió con su traslado al Hospital. Carecía de sentido y de toda lógica una oposición, consciente como tenía que ser de que esa actitud no solo habría puesto en peligro su salud —que requería esa intervención— sino que además su negativa hubiese sido estéril pues hubiese abocado a una más que pronosticable detención con idénticos resultados finales. Con esto no se quiere evocar la doctrina del descubrimiento inevitable, sino manejar ese escenario que se presentaba *ex ante* para considerar muy improbable que en esa situación alguien se niegue al examen y en su caso tratamiento médico. *Es igualmente muy poco verosímil pensar que unos profesionales de la medicina de un Hospital público, conocedores de sus obligaciones y con una práctica profesional no incipiente se lanzasen irresponsablemente a realizar esa intervención sin contar con la anuencia formalizada de la paciente con olvido de normas elementales para cualquier sanitario.* Estaríamos ante una conducta que roza, si no traspasa, las fronteras penales. La robusta y más que *razonable convicción de que existió consentimiento* se ve apuntalada por otras dos consideraciones: una positiva o directa; y otra indirecta …/… a) La positiva radica en la rotunda afirmación de la agente de la autoridad que acompañó a la recurrente y que compareció como testigo en el plenario: la acusada prestó su consentimiento para la intervención. Lo manifestó sin vacilación alguna …/… b) Por el contrario las alegaciones de la recurrente despiertan desconfianza». STS Sala Segunda, de lo Penal, Sentencia 700/2014 de 29 Oct. 2014, Rec. 456/2014; Ponente: Moral García, Antonio del. LA LEY 161493/2014.

Cabe también señalar que es doctrina reiterada de nuestros tribunales que no caben nulidades presuntas. Ello quiere significar que salvo prueba en contrario, hay que suponer que los jueces, policías, autoridades y funcionarios en general adecuan su actuación a lo dispuesto en las leyes y en la Constitución; y que cuando se alega lo contrario es preciso probarlo o al menos demostrar que la ilicitud es más probable que la hipótesis contraria. Igual parámetro ha de regir respecto de «ilicitudes» o violaciones de derechos fundamentales achacables a particulares o a funcionarios de la Sanidad Pública STS Sala Segunda, de lo Penal, Sentencia 700/2014 de 29 Oct. 2014, Rec. 456/2014; Ponente: Moral García, Antonio del. LA LEY 161493/2014.

Al margen del caso prototípico de los exámenes radiológicos que se practican en los aeropuertos cualquier diligencia de investigación de esta clase deberá estar autorizada por el Juez de instrucción. Ahora bien, como sucede con otras tantas diligencias la policía puede solicitar al interesado su sometimiento a esta diligencia en casos de urgencia y necesidad en la necesidad de prevenir y perseguir la comisión de delitos. Es lo que sucede en los aeropuertos en los cuales la policía puede solicitar a los pasajeros sospechosos el sometimiento a esta clase de diligencia. En este caso se da un supuesto de control policial sobre cuya naturaleza y exigencias se pronunció el Tribunal Supremo en el Acuerdo de 1999 en el que estableció: «*Cuando una persona —normalmente un viajero que llega a un aeropuerto procedente del extranjero—, se somete voluntariamente a una exploración radiológica con el fin de comprobar si es portador de cuerpos extraños dentro de su organismo, no está realizando una declaración de culpabilidad ni constituye una actuación encaminada a obtener del sujeto el reconocimiento de determinados hechos. De ahí que no sea precisa la asistencia de letrado ni la consiguiente previa detención con información de sus derechos*». De este modo, la jurisprudencia a partir de ese acuerdo se ha pronunciado distinguiendo entre: 1º la inicial privación de la libertad deambulatoria del viajero que se puede producir al amparo de la legislación contra la represión del contrabando (LO 12/1995 de 12 de diciembre); 2º y el posterior sometimiento a la intervención que, de ser positiva, determinará la detención por razón del delito y, consecuentemente, la plena aplicación y vigencia de los derechos del art. 520 LECrim. En su virtud no se considera detención el primer requerimiento para el sometimiento a la diligencia, razón por la cual no es precisa la asistencia letrada ni la lectura de derechos. Pero, al mismo tiempo es necesario el consentimiento del sospechoso para someterse al examen radiológico sin el cual no puede someterse al sospechoso a la medida requiriéndose orden judicial. Véase sobre el registro de equipajes el § 3.3 de este Capítulo.

«Dos son los requisitos necesarios para que la exploración radiológica, realizada sin previa información de derechos ni asistencia letrada, sea constitucionalmente correcta y apta para ser valorada como prueba de cargo idónea para desvirtuar la presunción de inocencia: a) que la persona explorada no esté detenida, porque si lo estuviere le ampararían los derechos y garantías establecidos en el art. 17.3 CE (LA LEY 2500/1978), y b) que preste libremente su consentimiento para ser examinada por el indicado medio, toda vez que si no lo consintiere y fuere obligada por la fuerza a someterse a la prueba, desde ese mismo momento estaría sufriendo una privación de libertad constitutiva de detención, con independencia de la posible restricción de otros derechos fundamentales que estarían en todo caso, bajo la tutela y salvaguarda de la autoridad judicial. Concurrentes esos dos requisitos —y con ello contestamos a las alegaciones del recurrente— no habría vulneración del derecho a la intimidad porque el acceso a la misma, que supone la exploración radiológica, estaría legitimada por el consentimiento del interesado, ni la habría del derecho a la asistencia de letrado, toda vez que este derecho nace de la situación de detención "ex" art. 17.3 CE (LA LEY 2500/1978), o de la existencia de la imputación de un delito de acuerdo con lo dispuesto en el art. 118 LECrim (LA LEY 1/1882)». ATS Sala Segunda, de lo Penal, Auto 1136/2013 de 23 May. 2013, Rec. 11251/2012; Ponente: Saavedra Ruiz, Juan. LA LEY 83541/2013.

El Acuerdo del TS de 5 de febrero de 1999 vino a resolver el problema planteado en el supuesto de intervenciones corporales a las que se somete a viajeros sospechosos de transportar sustancias estupefacientes. Concretamente, existían dos líneas jurisprudenciales, una de las cuales establecía que en ese caso debía instruirse de sus derechos al sometido a la intervención entre ellos el de asistencia de letrado, de modo que la intervención sería nula de no cumplirse esos requisitos[103]; mientras que la otra línea jurisprudencial declaraba que no era preciso instruir de sus derechos al sometido a la medida[104].

---

(103) «La circunstancia de que en la causa no conste que el recurrente haya tenido el carácter formal de detenido antes de las 12.30 del 9 de junio de 1996 carece de toda relevancia, dado que el derecho de defensa no depende de la declaración formal de la detención, sino de la real situación de una persona respecto de la que se tienen sospechas de la comisión de un delito y se van a tomar contra ella medidas que pueden tener por resultado la obtención de pruebas en su contra. Es claro que el recurrente no podía disponer de su libertad ambulatoria y que si los Agentes de la Guardia Civil no tenían sospechas suficientes, tampoco podían haber ordenado la limitación de dicha libertad ambulatoria en la que aquél se encontraba, pues, como lo han establecido el Tribunal Constitucional en su STC 10 julio 1986 y STEDH de 6 noviembre 1980, así como la STS 24 febrero 1997, no existen situaciones intermedias entre la detención y la libertad. El artículo 520.2 LECrim establece que la instrucción sobre los derechos del detenido debe tener lugar en forma inmediata. Todo retardo, a partir del momento de la detención, constituye una infracción de dicha norma, que, por lo demás, en el presente caso aparece como injustificada. Asimismo, el acusado tenía derecho a solicitar la presencia de un abogado para que asista a las diligencias policiales, según lo que establece el artículo 520.2, c) LECrim. Tampoco fue instruido de este derecho cuyo ejercicio o renuncia —como es obvio— debe ser previo a toda diligencia policial o judicial». STS Sala Segunda, de lo Penal, Sentencia de 9 Oct. 1998, Rec. 147/1998; Ponente: Bacigalupo Zapater, Enrique. LA LEY 10608/1998.

(104) «... Antes del 5 de febrero de 1999, coexistían dos líneas jurisprudenciales en relación a si suponía vulneración constitucional la práctica de exploración radiológica a una persona, contando con su consentimiento, pero sin una previa instrucción de sus derechos, y sin asistencia de letrado. Según una doctrina jurisprudencial, de la que eran exponentes la sentencia de esta Sala de 8-1-1993, y la 792/1998, era constitucionalmente válido el examen radiológico consentido. Según otra corriente jurisprudencial, de la que es manifestación la sentencia 891 de 1998, de 9 de octubre, citada por el recurrente, la exploración radiológica era constitucionalmente nula, si no había precedido al consentimiento del explorado un previo asesoramiento jurídico. En la Junta General no jurisdiccional de esta Sala de 5 de febrero de 1999 se unificaron criterios sobre el tema .../... La transitoria sujeción de M. a las medidas de exploración radiológica, al haber accedido a ellas de forma voluntaria, no integraba ni imputación de delito, ni detención, por lo que no era obligada la instrucción de sus derechos, ni el nombramiento de abogado al requerido para la exploración, y no se infringieron por los Agentes de Policía los arts. 118 y 520 de la LECrim, que imponen tales exigencias procesales, ni se vulneró tampoco el ap. 2 del art. 24 de la CE, en cuanto establece el derecho de los inculpados a la defensa y a la asistencia

Por lo tanto, será necesario el consentimiento del sometido a la medida, sin en el cual no se podrá practicar la intervención con independencia de la consecuencia de que puedan adoptarse medidas sancionatorias o bien un indicio en su contra.

«La sentencia afirma que la autorización para el examen radiológico fue firmada por el acusado de modo voluntario y siendo consciente de lo que autorizaba con su firma, y los agentes actuantes de la Guardia Civil con número NUM000 y NUM001 dijeron que entendía perfectamente el español y prestó su consentimiento para efectuarle un reconocimiento radiológico .../... La reiterada jurisprudencia dictada en resolución de supuestos semejantes hace que el motivo deba ser desestimado, al constar la voluntariedad en la realización de la exploración radiológica y la observancia de las prescripciones que afectan a la dignidad de la persona. (STS 5-7-06)». ATS Sala Segunda, de lo Penal, Auto 312/2014 de 6 Mar. 2014, Rec. 11122/2013; Ponente: Saavedra Ruiz, Juan. LA LEY 17816/2014.

Pero no la asistencia de letrado en tanto que el sospechoso no haya sido detenido y entren en vigor los derechos del detenido previstos en los arts. 118 y 520 LECrim[105]. Así se expresa con rotundidad el Tribunal Supremo que declara que: *la sumisión de una persona a examen radiográfico, si presta su consentimiento, se ha considerado diligencia de investigación válida, que no exige ninguna información de derechos, ni asistencia de letrado*. STS Sala Segunda, de lo Penal, Auto 116/2012 de 12 Ene. 2012, Rec. 11748/2011; Ponente: Marchena Gómez, Manuel. LA LEY 6198/2012.

«El examen radiológico a que son sometidos algunos pasajeros al llegar a los aeropuertos españoles —en prevención de un posible transporte de droga en el interior de su organismo— no es por sí misma una detención, ni comporta que necesariamente ésta previamente se haya practicado. Por otra parte desde la perspectiva propia de la actividad probatoria tampoco la asistencia letrada es condicionante de la licitud del examen radiológico voluntario, por lo mismo que este examen carece por sí solo de valor alguno, más allá de la pura utilidad que representa para el posterior encauzamiento de la investigación policial. Será actividad probatoria en su caso el testimonio posterior de los Agentes sobre lo que vieron o la inspección

de letrado y a la información sobre las imputaciones pendientes contra ellos». STS Sala Segunda, de lo Penal, Sentencia 67/2001 de 29 Ene. 2001, Rec. 317/2000; Ponente: Marañón Chávarri, José Antonio. LA LEY 24746/2001.

(105) «No puede ignorarse, recuerda la STS 298/2008, de 26 de mayo (LA LEY 61797/2008), que, para que legalmente pueda acordarse la detención de una persona, es preciso que ésta intentare cometer un delito o que se trate de un delincuente "in fraganti" (v. art. 17.1 C.E. y arts. 409 (LA LEY 1/1882), 490 (LA LEY 1/1882) y 492 LECrim (LA LEY 1/1882)), o que existen indicios racionales de la comisión de un hecho delictivo en el que haya participado. El supuesto del hecho probado aunque pueda considerarse "detención", como otras privaciones de libertad deambulatoria inherentes a las diligencias de cacheo e identificación de un sospechoso, la diligencia de examen radiológico o los controles de alcoholemia, no es la propia de un delito, a la que corresponden correctas actuaciones sino que la detención está sujeta a su práctica legal, con las debidas cautelas, respetando los principios de necesidad y de proporcionalidad y no están sujetas al régimen de la actuación propia del delito. (v. STC de 18 de noviembre de 1993 y las STS de 2 de febrero y de 23 de diciembre de 1996). En el caso de la impugnación, el atestado inicial da cuenta de la sospecha policial sobre la llevanza de efectos que no declara y sujetos a control aduanero, el consentimiento del hoy recurrente a la exploración radiológica y, seguidamente, tras dar positivo a la llevanza de sustancias tóxicas, su detención». STS Sala Segunda, de lo Penal, Sentencia 240/2013 de 8 Abr. 2013, Rec. 11035/2012; Ponente: Martínez Arrieta, Andrés. LA LEY 47352/2013.

y análisis de lo que en el interior del cuerpo portara el sujeto, después de su expulsión, pero el momento del examen radiológico no se sitúa en la esfera de la prueba anticipada sino en el de la pura investigación policial. Y ya esta Sala, en la Junta General del día 5 de febrero de 1999, aprobó considerar que: "Cuando una persona —normalmente un viajero que llega a un aeropuerto procedente del extranjero— se somete voluntariamente a una exploración radiológica con el fin de comprobar si es portador de cuerpos extraños dentro de su organismo, no está realizando una declaración de culpabilidad ni constituye una actuación encaminada a obtener del sujeto el reconocimiento de determinados hechos. De ahí que no sea precisa la asistencia de Letrado ni la consiguiente previa detención con instrucción de sus derechos". En tal sentido se han pronunciado ya las SSTS 22 de diciembre de 1999, 17 de abril de 2000, 10 de junio de 2000, 5 de junio de 2000, entre otras» ATS Sala Segunda, de lo Penal, Auto 1136/2013 de 23 May. 2013, Rec. 11251/2012; Ponente: Saavedra Ruiz, Juan. LA LEY 83541/2013.

Distinta valoración constitucional merecen las exploraciones ginecológicas que afectan al ámbito personal íntimo constitucionalmente protegido. Por esta razón, será necesario que se acuerden por el Juez mediante auto motivado. En estos casos, el sometido a la medida en tanto que inculpado deberá haber sido instruido de sus entre los que se hallan el de no declarar contra sí mismo, no confesarse culpable y, obviamente, el de negarse a la realización de tal prueba.

> «Ni la intimidad puede, en supuestos tales, afirmarse como obstáculo infranqueable frente a la búsqueda de la verdad material que no pueda ser obtenida de otro modo, ni cabe desconocer, junto a ello, las facultades legales que corresponden al instructor, y que el Ministerio Fiscal recuerda, para ordenar, en el curso del sumario, la realización de exámenes periciales que, entre otros extremos, puedan versar sobre la "descripción de la persona (...), que sea objeto del mismo (del informe pericial), en el estado o del modo en que se halle (arts. 399 y 478 de la LECrim), habilitaciones legislativas éstas que no darían base legítima, por su carácter genérico e indeterminado, a una actuación policial, pero que sí pueden prestar fundamento a la resolución judicial, aquí exigible, que disponga la afectación cuando ello sea imprescindible, del ámbito de intimidad corporal del imputado o procesado"». STC 37/89, de 15 febrero.

2.12. Diligencia de obtención de muestras de ADN

A) *Introducción. Los acuerdos (de 2006 y 2014) del Tribunal Supremo sobre la toma de muestras biológicas para la práctica de la prueba de ADN. Recogida por la policía de muestras abandonadas por sospechosos*

Los análisis genéticos permiten establecer la correspondencia, con casi un cien por cien de fiabilidad, entre una huella o vestigio biológico y la persona, animal o vegetal de la que proceden. Es por esta razón que esta clase de análisis puede constituir un medio de investigación y prueba decisivo con relación a determinada clase de delitos. Por ejemplo los de agresión sexual, homicidio o asesinato, en los que suelen hallarse vestigios de esta clase en el lugar o la persona objeto del delito. Aunque, ciertamente la eficacia de esta prueba vendrá condicionada por la existencia de un procedimiento de recogida, custodia y análisis que garantice el origen exacto de la muestra, así como su autenticidad y pureza.

Téngase presente que la información que se extrae del ADN es de carácter no codificante. Es decir, no contiene información sobre las características físicas o personales del individuo del que procede la muestra.

«La referencia al principio de proporcionalidad del art. 363.2 de la Ley de Enjuiciamiento Criminal (LA LEY 1/1882) —reformado en el año 2003— permite inferir que la información a obtener mediante el ADN ha de ser la exclusivamente destinada a la identificación, es decir, la denominada "huella genética" que puede corresponderse con el análisis de unos marcadores neutrales (STS 777/2013 de 7 de octubre (LA LEY 185953/2013)). En este aspecto ninguna tacha de legalidad cabe atribuir a la huella obtenida en la vestimenta de la víctima». STS 834/2016 de 3 Nov. 2016, Rec. 838/2016. Ponente: Varela Castro, Luciano. LA LEY 156100/2016.

La recogida de estas muestras se regula en el art. 326 LECrim en sede de inspección ocular, que dispone que el Juez de Instrucción la acordará cuando existieran esta clase de huellas que pudieran contribuir al esclarecimiento del hecho investigado. Naturalmente, también podrá, y deberá, la policía recoger todas las huellas y vestigios genéticos cuando realice la inspección ocular de lugar del crimen[106]. O cabe la posibilidad de obtener muestras de residuos directamente del cuerpo del sospechoso o detenido. Respecto a esta posibilidad debe distinguirse según la situación del individuo sometido a la diligencia. En el caso que estuviere detenido la norma general determina que la toma de los residuos, por ejemplo, de pólvora en manos u otras partes del cuerpo, deberá realizarse con la asistencia del abogado cuya participación es necesaria para garantizar el derecho de defensa. Ahora bien, en el caso que concurra una situación de urgencia o necesidad, por riesgo de desaparecer los residuos por ejemplo, será lícita la toma de los residuos sin necesidad de consentimiento, orden judicial o asistencia de letrado.

«En la prueba de toma de muestras no se le obliga a emitir una declaración de voluntad que admita su culpabilidad, sino lo que hace es tolerar que en zonas corporales exteriores visibles se le aplique un adhesivo en orden a determinar la existencia de posibles residuos de la nube provocada por la deflagración del disparo con arma de fuego. Se trata por tanto, de una prueba que por sus características *no supone una intervención corporal propiamente dicha ya que para practicarla no es necesario realizar una invasión de derechos propios de la persona como la intimidad personal o la integridad física. Desde el punto de vista de su agresividad corporal podemos decir que se trata de una acción totalmente banal a la que el interesado puede prestarse sin que por ello se resientan sus derechos fundamentales* …/… Respecto a su situa-

_____

(106) «Es claro que la resolución judicial es necesaria bajo pena de nulidad radical, cuando la materia biológica de contraste se ha de extraer del cuerpo del acusado y éste se opone a ello. En tal hipótesis es esencial la autorización judicial. Pero el supuesto que nos concierne es otro. Será el art. 326 LECrim. sistemáticamente incluido dentro de la inspección ocular a practicar en el sumario, el aplicable, en el cual dando por supuesta la intervención del juez, se establece un mecanismo para dotar del mayor grado de garantía posible a la diligencia que atribuye el control de la misma a la autoridad judicial en los casos usuales y al sólo objeto de "garantizar la autenticidad" de la recogida de la muestra y posterior análisis. Pero lo cierto es que después de la reforma de 2003, y como criterio asumible antes y después de la misma, se puede concluir que la intervención del juez, salvo en supuestos de afectación de derechos fundamentales, no debe impedir la posibilidad de actuación de la policía, en el ámbito de la investigación y averiguación de los delitos en los que posee espacios de actuación autónoma». STS 4 de octubre de 2006, LA LEY 110540/2006.

ción de inconsciencia y falta de asistencia letrada en la toma de muestras, ya hemos señalado la no necesidad de consentimiento para la práctica de una diligencia de estas características, y sobre la presencia de letrado, en primer lugar la situación del recurrente no era propiamente la de "detenido" por cuanto se encontraba hospitalizado y operado de urgencia para salvaguardar su propia integridad física y de hecho la toma de muestras se realizó al día siguiente de los hechos, el 2 marzo, y la lectura de derechos el 5 marzo y en segundo lugar, aun tratándose de un detenido la toma de muestras en la forma que se practicó era una actuación inmediata que no exige asistencia letrada, no se trata de una diligencia de reconocimiento de la que debe ser objeto el acusado, y la presencia de letrado no supone un plus de garantía, dado que se trata de una actuación objetiva tendente solo a asegurar que los derechos constitucionales del detenido sean respetados, no sufra coacción o trato incompatible con la dignidad y libertad de declaración y tenga el debido asesoramiento técnico sobre la conducta a observar en los interrogatorios y no cabe entender que el sometimiento a esta diligencia imponga una forma de autoincriminación, siendo comparable a estos efectos a la toma de huellas dactilares o al test de alcoholemia». STS 5 May. 2010, N.º de Sentencia: 383/2010; N.º de Recurso: 10727/2009; LA LEY 41089/2010.

También puede el Juez adoptar una medida de intervención sobre la persona o sus objetos personales con la finalidad de obtener muestras biológicas que puedan ser de utilidad para la investigación criminal. Esta posibilidad está prevista en la ley. Concretamente el art. 363.2 LECrim, modificado por la LO 15/2003, autoriza al Juez a acordar, en resolución motivada la inspección, reconocimiento o intervención corporal sobre sospechosos para la obtención de muestras biológicas que permitan determinar su perfil de ADN. A este efecto el Juez acordará la medida menos restrictiva conforme con los principios de judicialidad, excepcionalidad y proporcionalidad.

«El protocolo exigido en el artículo 363-2º citado por el recurrente y al que se ha hecho referencia se compone de los siguientes pasos: a) Concurrencia de razones acreditadas que lo justifiquen, lo que debe conectarse con la importancia del delito que se está investigando, obviamente en la delincuencia menor o de bagatela, no sería admisible la utilización de esta prueba. b) Necesidad de la prueba en orden a concretar la intervención del sospechoso en el delito que se está investigando. El texto se refiere a la indispensabilidad de tal prueba. c) Decisión del Juez, o lo que es lo mismo control judicial a la hora de acordar la prueba. d) Como toda decisión judicial, debe venir sustentada por la imprescindible motivación, que verifique el juicio de ponderación entre la intromisión en la intimidad personal que supone la obtención de muestras biológicas del individuo concernido y la necesidad de investigar un hecho grave y además la necesidad/imprescindibilidad de tal prueba. Por tanto, respeto a los principios de proporcionalidad y razonabilidad». STS 11 de octubre de 2006, LA LEY 112234/2006.

Conforme con este precepto y partiendo de la utilización del medio menos invasivo la obtención de muestras se podrá producir mediante la inspección o reconocimiento de los objetos personales del sospechoso: en ropas, cepillos de cabello o dientes, material sanitario o de oficina, etc. Así, bastará con la recogida de unos cabellos hallados en un cepillo, saliva en una pipa o colilla o cualquier otra muestra similar que permiten, en la mayoría de los casos, la práctica del análisis de determinación genética. Ahora bien, por razones de eficacia de la prueba lo más adecuado será acordar por auto motivado una intervención corporal para obtener una muestra directamente de la persona del sospechoso. Por ejemplo pelo o mucho más frecuente y eficaz saliva, para lo cual no es necesaria más que una mínima compulsión personal, que no cabe duda que el art. 363.2 autoriza al Juez a acordar y a la policía a practicar. La muestras también podrán ser obtenidas por el médico forense o cualquier otro perito habilitados por el juez para esta tarea, conforme con lo previsto en el art. 778.3 LECrim. Precepto legal que el TS considera habilitación legal suficiente para la obtención de las citadas muestras. En cualquier caso esta es una materia de especial complejidad por afectar a distintas cuestiones relacionadas con el derecho de defensa, a la integridad física y a la intimidad. Es por ello que el Tribunal Supremo ha dictado hasta tres Acuerdos de Sala y, finalmente, se ha producido una reforma de la LECrim en esta materia por la LO 13/2015 como explicamos en el siguiente apartado. En definitiva son distintos los supuestos que pueden darse que resume y compendia perfectamente la jurisprudencia del Tribunal Supremo.

«Resulta evidente la importancia de que la toma de muestras de saliva u otros fluidos para obtener el perfil genético de cualquier imputado o procesado, se realice con respeto a las garantías impuestas por la intensa injerencia que un acto de esa naturaleza conlleva. Y su inmediata consecuencia, esto es, la incorporación al registro creado por la LO 10/2007, 8 de octubre (LA LEY 10118/2007), no es cuestión menor. Sobre esta materia ya nos hemos pronunciado en la STS 685/2010, 7 de julio (LA LEY 114082/2010). Decíamos entonces que "... resultará indispensable distinguir varios supuestos claramente diferenciados: 1) En primer lugar, cuando se trate de la recogida de huellas, vestigios o restos biológicos abandonados en el lugar del delito, la Policía Judicial, por propia iniciativa, podrá recoger tales signos, describiéndolos y adoptando las prevenciones necesarias para su conservación y puesta a disposición judicial. A la misma conclusión habrá de llegarse respecto de las muestras que pudiendo pertenecer a la víctima se hallaren localizadas en objetos personales del acusado. 2) Cuando, por el contrario, se trate de muestras y fluidos cuya obtención requiera un acto de intervención corporal y, por tanto, la colaboración del imputado, el consentimiento de éste actuará como verdadera fuente de legitimación de la injerencia estatal que representa la toma de tales muestras. En estos casos, si el imputado se hallare detenido, ese consentimiento precisará la asistencia letrada. Esta garantía no será exigible, a un detenido, cuando la toma de muestras se obtenga, no a partir de un acto de intervención que reclame el consentimiento del afectado, sino valiéndose de restos o excrecencias abandonadas por el propio imputado. 3) en aquellas ocasiones en que la policía no cuente con la colaboración del acusado o éste niegue su consentimiento para la práctica de los actos de inspección, reconocimiento o intervención corporal que resulten precisos para la obtención de las muestras, será indispensable la autorización judicial. Esta resolución habilitante no podrá legitimar la práctica de actos violentos o de compulsión personal, sometida a una reserva legal explícita —hoy por hoy, inexistente— que legitime la intervención, sin que pueda entenderse que la cláusula abierta prevista en el art. 549.1.c) de la LOPJ (LA LEY 1694/1985), colma la exigencia constitucional impuesta para el sacrificio de los derechos afectados"». STS 11/2017 de 19 Ene. 2017, Rec. 10371/2016; Ponente: Conde-Pumpido Tourón, Cándido. LA LEY 1289/2017.

Respecto a los Acuerdos, el último ha sido el Acuerdo de 24 de septiembre de 2014 del Tribunal Supremo que se suma a otros dos acuerdos no jurisdiccionales de la sala penal que se han dictado sobre la toma de muestras biológicas para la práctica de la prueba de ADN. Los acuerdos son los de fecha 13 de julio de 2005 y 31 de enero de 2006. El primer acuerdo del Tribunal Supremo de 2005 se relaciona directamente con el acuerdo de septiembre de 2014, mientras que el acuerdo de 2006 se refiere a una cuestión conexa cual es la toma de muestras biológicas abandonadas por el sospechoso. Precisamente, la razón por la que se dictó el acuerdo de septiembre de 2014 es por la deficiencia del criterio adoptado en el acuerdo de 2005, que es prácticamente ininteligible. Mientras que el acuerdo de enero de 2006 sí que ha conseguido establecer un criterio uniforme respecto a la cuestión de la toma por la policía de muestras biológicas abandonadas por el sospechoso.

Veamos en primer lugar, el acuerdo del Tribunal Supremo de fecha 31 de enero de 2006 que estableció que: «La Policía Judicial puede recoger restos genéticos o muestras biológicas abandonadas por el sospechoso sin necesidad de autorización judicial». Éste es un acuerdo, como mínimo comprensible y útil, en tanto que resuelve una cuestión jurídica de interés mediante un texto correctamente redactado que emplea término unívocos que nos sitúan en un contexto seguro de interpretación. Efectivamente, el acuerdo se refiere al: «sospechoso», expresión que no deja lugar a dudas que se refiere a la persona sometida a investigación judicial, pero no imputada. En este caso, conforme con el acuerdo citado, la policía está autorizada a recoger muestras genéticas sin que sea precisa la autorización judicial ni tampoco el consentimiento del sospechoso (en este sentido se ha pronunciado la STS 11 de octubre de 2006, LA LEY 112234/2006 y otras posteriores).

«Como nos recuerda la STS 7 de julio de 2010, núm. 685/2010 (LA LEY 114082/2010), la controversia inicial acerca del alcance gramatical de los arts. 326, párrafo 3 y 363, párrafo 2 de la Lecrim (LA LEY 1/1882), fue resuelta por la jurisprudencia de esta misma Sala y definitivamente clarificada a raíz de la publicación de la LO 10/2007, de 8 de octubre (LA LEY 10118/2007), reguladora de la base de datos policial sobre identificadores obtenidos a partir de ADN. En efecto, el acuerdo del Pleno no jurisdiccional que tuvo lugar el 31 de enero 2006, proclamó que "la Policía Judicial puede recoger restos genéticos o muestras biológicas abandonadas por el sospechoso sin necesidad de autorización judicial". Esta idea fue ratificada por numerosos precedentes, de los que las SSTS 1190/2009, 3 de diciembre (LA LEY 247525/2009), 701/2006, 27 de junio (LA LEY 70377/2006), 949/2006, 4 de octubre (LA LEY 110540/2006) y 1267/2006, 20 de diciembre (LA LEY 175856/2006), son sólo muestras significativas». STS 11/2017 de 19 Ene. 2017, Rec. 10371/2016; Ponente: Conde-Pumpido Tourón, Cándido. LA LEY 1289/2017.

Esto es así especialmente si la toma de muestras se lleva a cabo por razones de puro azar y a la vista de unos sucesos totalmente imprevisibles. Así sucede con los esputos o restos de saliva dejados en las colillas de cigarrillos, vasos o botellas abandonados por el sospechoso. Restos genéticos que se convierten así en objetos procedentes del cuerpo de los sospechosos, pero obtenidos de forma totalmente inesperada. Sobre este particular el Tribunal Supremo considera que las cosas o muestras abandonadas por los sospechosos y recogidas por la policía en lugares públicos (o privados a los que la policía ha accedido con la debida autorización) son «res nullius» y por tanto accesibles a la policía. Así se declara en la STS de 4 de octubre de 2006, LA LEY 110540/2006: «Sobre la ausencia de consentimiento de los acusados, en la toma de las muestras, la STS 179/2006 de 14.2 (LA LEY 506/2006), precisa que ni la autorización judicial ni la policial que investiga a sus órdenes ha de pedir permiso a un ciudadano para cumplir con sus obligaciones. Cosa distinta es que el fluido biológico deba obtenerse de su propio cuerpo o invadiendo otros derechos fundamentales, que haría precisa la autorización judicial. En el caso de autos **las colillas arrojadas por los recurrentes se convierten en «res nullius» y por ende accesibles a las fuerzas policiales pudiendo constituir instrumento de investigación del delito»**. Esta doctrina ha sido refrendada por sucesivas sentencias dictadas por el Tribunal Constitucional desde la STC del Pleno 199/2013 de 5 Dic. 2013 hasta la STC 43/2014 de 27 Mar. 2014 (se admite la validez de una muestra biológica obtenida de un esputo arrojado por sospechoso en la calle que se confronta con los restos biológicos existentes en dos capuchas que se encontraron en el lugar de los hechos) O en la STC 23/2014 de 13 Feb. 2014 en que el TC convalida la acción de la policía autonómica vasca que tras un año de investigación recoge unas colillas abandonadas por quien consideran sospechosos y que finalmente resultan condenados por los hechos criminales objeto de investigación.

> «Las circunstancias concretas del caso, consideradas en su globalidad, requerían una actuación urgente. Así, la eventual eficacia probatoria de los restos biológicos contenidos en los cigarrillos requería su rápida recogida, su urgente remisión a los laboratorios adecuados para su conservación y su pronto análisis, evitando todo riesgo de degradación de la muestra, contribuyendo a asegurar la cadena de custodia y minorando las posibilidades de contaminación de la muestra mediante el tratamiento de la misma siguiendo los protocolos ordinarios de actuación. Poco importa a tal efecto que las colillas luego analizadas se recogieran casi un año después de ocurrir los hechos, e incluso que la causa estuviera provisionalmente sobreseída por falta de autor conocido en espera de que las investigaciones policiales pudieran arrojar luz sobre la autoría de los hechos (situación procesal que, por lo demás, está prevista legalmente para las distintas modalidades procesales de enjuiciamiento según la naturaleza y gravedad de los hechos enjuiciados; *vid.* arts. 641.2 (LA LEY 1/1882) y 779.1.1 LECrim (LA LEY 1/1882)). La urgencia deriva de lo súbito e inesperado del abandono de las colillas luego analizadas, de modo que su recogida no podía demorarse. Como tampoco era aconsejable demora alguna en su análisis por las razones acabadas de exponer .../... La aplicación de la doctrina expuesta conduce a afirmar el respeto al principio de proporcionalidad en la realización de los análisis de ADN de los demandantes de amparo toda vez que: i) su comparación con el obtenido a partir de los restos biológicos hallados resultaba un medio adecuado para revelar la identidad de estos últimos (idoneidad); ii) no existía un medio alternativo para comprobar si los demandantes habían participado o no en los hechos delictivos enjuiciados (necesidad); y, iii) finalmente, el modo en el que los análisis del ADN se practicaron fue el menos invasivo de la intimidad personal en cuanto sólo afectó a las regiones no codificantes del ADN, esto es, a aquellas que tan sólo proporcionan datos identificativos mediante un análisis comparativo con el ADN obtenido a partir de otra muestra, excluyéndose por ello la revelación o puesta de manifiesto de toda característica que afectase a la intimidad personal. Es decir, la injerencia en el derecho fundamental consistió en el riesgo de comprometer la intimidad personal de los demandantes de amparo, riesgo que no llegó a materializarse (STC 199/2013, de 5 de diciembre, FJ 11)». STC 23/2014 de 13 Feb. 2014, Rec. 3488/2006, Ponente: Pérez de los Cobos Orihuel, Francisco. LA LEY 15116/2014.

El problema, en su caso, consistirá en la forma de acreditar que la muestra obtenida ha sido producida o procede del acusado. Este es el problema que se plantea en la STS 14 de octubre de 2005 (ponente Martín Pallín), LA LEY 1935/2005, según la cual en estos casos: «*La toma de muestras para el control, se lleva a cabo por razones de puro azar y a la vista de un suceso totalmente imprevisible. Los restos de saliva escupidos se convierten así en un objeto procedente del cuerpo del sospechoso pero obtenido de forma totalmente inesperada.* **El único problema que pudiera suscitarse es el relativo a la demostración de que la muestra había sido producida por el acusado, circunstancia que en absoluto se discute por el propio recurrente, que sólo denuncia la ausencia de intervención judicial**». Sobre ese particular resulta difícil ofrecer reglas fijas, ya que en cada supuesto habrá que resolver sobre el valor que se concede a la identificación obtenida y el modo en el que se puede probar, en su caso, la pertenencia de la muestra abandonada al acusado. No obstante, cabe señalar que por lo general la identificación de un sospechoso mediante el cotejo de una muestra obtenida de un objeto abandonado únicamente servirá de instrumento inicial de investigación del delito. Mientras que la acusación y eventual condena se fundarán en prueba de cargo directa que relacione al inicialmente identificado, por el cotejo de ADN, con los hechos por los que se le juzga. En definitiva, lo importante y relevante para la causa no es que determinada muestra genética abandonada corresponda a un sujeto, sino que exista prueba de cargo por la que pueda condenarse al acusado. Y si la prueba relevante a ese fin es la de ADN, la prueba no se fundará en la correspondencia entre la muestra abandonada y el perfil genético del acusado, sino entre el perfil genético del acusado (obtenido en la causa de que se trate) y las huellas o muestras biológicas que se hallaron en el lugar del crimen, no las que se obtuvieron por los medios expuestos.

El segundo acuerdo del TS sobre ADN al que nos vamos a referir, que fue cronológicamente el primero que se dictó, es de fecha 13 de julio de 2005 (publicado el 03 de octubre de 2005). En este acuerdo el alto Tribunal se planteaba la siguiente cuestión: «*¿Es suficiente la autorización judicial para extraer muestras para un análisis de ADN a una persona detenida a la que no se informa de su derecho a no autoinculparse y que carece de asistencia letrada?*». Cuestión frente a la que el Tribunal Supremo ofreció la siguiente solución: «*El Art. 778.3 LECrim., constituye habilitación legal suficiente para la práctica de esta diligencia*». Nótese el inadecuado planteamiento de la cuestión, puesto que carece de sentido plantearse si puede el Juez autorizar la obtención de una muestra de una persona detenida, que no está informada de sus derechos y que carece de asistencia letrada. Así es porque estando una persona detenida, actúe o no el Juez, ya están, o deben estar, plenamente vigentes los derechos constitucionales del detenido. Derechos que se contienen en los arts. 17 y 24 CE y en el art. 520 LECrim cuya restricción o negación no puede convalidar la autorización judicial. En segundo lugar, tampoco la respuesta ofrecida resulta consecuente con el supuesto planteado, sino que se refiere una norma legal que no ampara la práctica a la que se refiere la pregunta. Efectivamente, según el citado Acuerdo el art. 778.3 LECrim convalidaría la práctica de la diligencia acordada en el modo anteriormente expuesto. Pero sucede que el contenido del art. 778.3 LECrim no tiene esa virtualidad respecto al problema planteado en el Acuerdo, puesto que se refiere a la autorización del Juez para que el médico forense (u otro perito) procedan a la obtención de muestras biológicas.

Finalmente en el acuerdo de 24 de septiembre de 2014 el Tribunal Supremo se plantea dos cuestiones. La primera es: *«Si la toma biológica de muestras para la práctica de la prueba de ADN con el consentimiento del imputado, necesita la asistencia del Letrado cuando el imputado se encuentre detenido»*. Y la segunda es: *«Si es válido el contraste de muestras obtenidas en la causa objeto de enjuiciamiento con los datos obrantes en la base de datos policial procedentes de una causa distinta, cuando el acusado no ha cuestionado la ilicitud y validez de esos datos hasta el momento del juicio oral»*. Las respuestas que ofrece el Tribunal Supremo a las preguntas transcritas son las siguientes. Respecto a la primera cuestión acuerda el Tribunal Supremo que: *«La toma biológica de muestras para la práctica de la prueba de ADN con el consentimiento del imputado, necesita la asistencia de letrado, cuando el imputado se encuentre detenido y en su defecto autorización judicial»*. Mientras que con relación a la segunda cuestión el Tribunal Supremo resuelve que: *«Sin embargo es válido el contraste de muestras obtenidas en la causa objeto de enjuiciamiento con los datos obrantes en la base de datos policial procedentes de una causa distinta, aunque en la prestación del consentimiento no conste la asistencia de letrado, cuando el acusado no ha cuestionado la licitud y validez de esos datos en fase de instrucción»*. Como se observa del propio redactado de los dos acuerdos el Tribunal Supremo enlaza ambas cuestiones, de modo que el segundo acuerdo parece ser una excepción a lo acordado en primer lugar. Sin embargo, esta no es la interpretación correcta de la cuestión.

Teniendo en cuenta la previa emisión del confuso Acuerdo de 2005 sobre la toma de muestras biológicas sobre ADN y planteándose serias cuestiones en esta materia, hubiera sido deseable que el Tribunal Supremo dictase un Acuerdo claro y entendible que ofreciera soluciones adecuadas a los problemas planteados. Sin embargo, poco nuevo aporta el Acuerdo de 24 de septiembre de 2014 que se refiere a dos cuestiones que se resuelven mal redactadas y con una deficiente utilización de los conceptos técnicos procesales, lo cual produce más un efecto de confusión que de aclaración. Valga señalar que la emisión del acuerdo analizado viene dada por lo dispuesto por la STC 135/2014 de 8 de septiembre que, como se expone más adelante, declara válido el consentimiento del detenido para donar ADN aunque no estuviere asistido por abogado. Finalmente, no se afrontó en ese acuerdo del TS de 2014 el auténtico problema que se plantea en materia de toma de muestras de ADN que no es otro que el de las consecuencias que deba tener la negativa del imputado a donar una muestra de ADN en el supuesto en el que el Juez hubiere dictado la procedente resolución motivada conforme con lo previsto en el art. 363.2 LECrim. Esa cuestión ha sido resuelta finalmente, ante la falta de soluciones aportadas por la Jurisprudencia por la LO 13/2015 de reforma de la LECrim que ha previsto que se podrá proceder a la ejecución forzosa de la orden utilizando las medidas coactivas mínimas indispensables.

B)   Práctica de la toma de muestras de ADN del sospechoso

Hasta la reforma de la LECrim por la LO 13/2015 el problema consistía en la posibilidad de obtener las muestras empleando alguna clase de coacción moral o física. Sobre este particular, cabe señalar que hasta la LO 15/2003, y ante la ausencia de norma expresa en esta materia, la jurisprudencia, tanto del TC como del TS, había establecido la imposibilidad de acordar el cumplimiento de la resolución judicial de intervención corporal mediante la *vis compulsiva* o coacción física sobre la persona. En ese punto, la modificación del art. 363.2 LECrim estaba dirigida a permitir esa posibilidad, aunque sólo fuera en el caso que la compulsión sobre la persona fuere mínima como es, por ejemplo, el supuesto de la obtención de cabellos para la determinación del ADN. Sin embargo, la jurisprudencia no era uniforme respecto a la cuestión sobre qué hacer si el sospechoso se negaba a ofrecer una muestra.

Esas cuestiones han quedado definitivamente superadas con la LO 13/205 de reforma de la LECrim que modificó el art. 520.6 LECrim para disponer que el abogado que asista al detenido deberá informarle de las consecuencias de la prestación o denegación de consentimiento a la práctica de diligencias que se le soliciten. Y concretamente se refiere a la diligencia de obtención de muestras de ADN introduciendo una regla inequívoca sobre las consecuencias de la negativa del detenido a donar una muestra de ADN: «*Si el detenido se opusiera a la recogida de las muestras mediante frotis bucal, conforme a las previsiones de la Ley Orgánica 10/2007, de 8 de octubre, reguladora de la base de datos policial sobre identificadores obtenidos a partir del ADN, el juez de instrucción, a instancia de la Policía Judicial o del Ministerio Fiscal, podrá imponer la ejecución forzosa de tal diligencia mediante el recurso a las medidas coactivas mínimas indispensables, que deberán ser proporcionadas a las circunstancias del caso y respetuosas con su dignidad*». También el Código Penal ha introducido esta norma en su articulado como una consecuencia accesoria de la imposición de penas previendo el art. 129 bis CP (introducido por la LO 1/2015) que el Tribunal podrá acordar la toma de muestras de ADN en el caso de condenados por delitos especialmente graves[107]. Diligencia que se podrá realizar coactivamente ante la falta de colaboración del condenado: «*Si el afectado se opusiera a la recogida de las muestras, podrá imponerse su ejecución forzosa mediante el recurso a las medidas coactivas mínimas indispensables para su ejecución, que deberán ser en todo caso proporcionadas a las circunstancias del caso y respetuosas con su dignidad*» (art. 129 bis 2 CP).

a) Sobre el consentimiento del detenido para donar una muestra de ADN e intervención del abogado

Se trata de determinar si el sospechoso detenido por la policía debe estar asistido por abogado para prestar válido consentimiento para donar una muestra biológica destinada a la práctica de una prueba de ADN. A este respecto el art. 520.6.c LECrim resulta claro al establecer que entre las funciones del abogado que asiste al

---

(107) Art. 129.bis.1 CP: «Si se trata de condenados por la comisión de un delito grave contra la vida, la integridad de las personas, la libertad, la libertad o indemnidad sexual, de terrorismo, o cualquier otro delito grave que conlleve un riesgo grave para la vida, la salud o la integridad física de las personas, cuando de las circunstancias del hecho, antecedentes, valoración de su personalidad, o de otra información disponible pueda valorarse que existe un peligro relevante de reiteración delictiva, el juez o tribunal podrá acordar la toma de muestras biológicas de su persona y la realización de análisis para la obtención de identificadores de ADN e inscripción de los mismos en la base de datos policial. Únicamente podrán llevarse a cabo los análisis necesarios para obtener los identificadores que proporcionen, exclusivamente, información genética reveladora de la identidad de la persona y de su sexo».

detenido se halla, específicamente, la de: «*c) Informar al detenido de las consecuencias de la prestación o denegación de consentimiento a la práctica de diligencias que se le soliciten*». Entre estas la de ADN, a la que se refiere a continuación el precepto legal[108]. En su virtud el consentimiento del sospechoso detenido sólo será válido cuando haya podido ser informado por su abogado de las consecuencias de la diligencia. Además el consentimiento que permite prescindir de una autorización judicial ha de ser, naturalmente, libre y no condicionado.

> «El consentimiento, que hace innecesaria una resolución judicial habilitante, ha de prestarse en lo cognitivo de manera informada suficientemente y de libertad en lo volitivo. A tales efectos las condiciones en que se otorga el consentimiento por el imputado adquiere especial relevancia la situación de detenido en que se encuentre». STS 834/2016 de 3 Nov. 2016, Rec. 838/2016. Ponente: Varela Castro, Luciano. LA LEY 156100/2016.

La intervención del abogado será necesaria para la validez del consentimiento prestado para donar una muestra biológica con la finalidad de ser analizado, identificar el ADN y que ese análisis pericial pueda, en su caso, servir de prueba a una eventual acusación.

Esta es una norma lógica en tanto que el único modo de garantizar plenamente los derechos del detenido es mediante la intervención de abogado sea de oficio o designado por el interesado que deberá comparecer a ese fin en el término máximo de ocho horas desde la puesta en conocimiento de su designación. La función del abogado consiste en ofrecer: el debido asesoramiento jurídico al detenido respecto a los derechos que le asisten tanto en su aspecto formal como material, así como las consecuencias que pueden derivarse tanto de su negativa como de las consecuencias probatorias de los resultados del análisis pericial del ADN obtenido[109].

> «En suma, conviene insistir en la exigencia de asistencia letrada para la obtención de las muestras de saliva u otros fluidos del imputado detenido, cuando éstos sean necesarios para la definición de su perfil genético. Ello no es sino consecuencia del significado constitucional de los derechos de defensa y a un proceso con todas las garantías (arts. 17.3 (LA LEY 2500/1978) y 24. 2 CE (LA LEY 2500/1978)). Así se desprende, además, de lo previsto en el art. 767 de la Lecrim (LA LEY 1/1882)».

---

(108)   Esta es una cuestión que debiera haber quedado resuelta en el Acuerdo del TS 2014 que acaba acordando sobre la cuestión que: «*La toma biológica de muestras para la práctica de la prueba de ADN con el consentimiento del imputado, necesita la asistencia de letrado, cuando el imputado se encuentre detenido y en su defecto autorización judicial*». No tiene excesivo sentido comentar un Acuerdo superado por la legalidad vigente, pero digamos que la redacción de la respuesta introduce más dudas que certezas, por lo cual es preferible atender a la norma y no a la interpretación previa del Tribunal Supremo en esa materia.

(109)   Pero, naturalmente, esa asistencia de abogado no puede quedar nunca suplida por la autorización judicial conforme se dice en el acuerdo del TS de 2014 que parece ofrecer una doble alternativa o bien se da la asistencia de abogado al detenido para que pueda comprender cabalmente el significado de su consentimiento o bien se dicta una resolución judicial en cuyo caso la asistencia de abogado ya no sería necesaria. Esta es la interpretación que se obtiene al analizar el acuerdo que establece que: «*... (se) necesita la asistencia de letrado, cuando el imputado se encuentre detenido y en su defecto autorización judicial*».

STS 11/2017 de 19 Ene. 2017, Rec. 10371/2016; Ponente: Conde-Pumpido Tourón, Cándido. LA LEY 1289/2017.

Ahora bien, no se aplicará este requisito de la asistencia de abogado en supuestos concretos. Por ejemplo, cuando la toma de muestras de ADN se realice al amparo de una inspección ocular y recogida de evidencias pro parte de la policía que actúe por razones de urgencia y necesidad a fin de evitar la pérdida o destrucción de evidencias de un sospechoso en un momento en el que por razones de urgencia no se le ha provisto todavía de abogado. Este puede ser el caso de la obtención de muestras residuales del sujeto que puedan haber quedado adheridas al cuerpo o ropa por parte de los agentes de policía. O la obtención autorizada por el propio sujeto en determinados supuestos. Así puede suceder si el responsable de un crimen es sometido en la huida a una prueba de alcoholemia y él mismo solicita un análisis sanguíneo; o si tiene un accidente y se le extrae sangre como medida médica. En ese caso, nada impide utilizar el ADN de la muestra para poder establecer una relación con el crimen cometido, pero resulta necesaria una orden judicial para garantizar la indemnidad de la muestra obtenida.

Esta es una norma que no había sido tenida en cuenta por la Jurisprudencia del Tribunal Constitucional que en su STC 135/2014 de 8 de septiembre declaró constitucional el consentimiento dado por el detenido para donar una muestra de ADN sin estar asistido por su abogado. Supuesto en el que para mayor «inri» el detenido era extranjero con un conocimiento deficiente del idioma español. Para el TC, incomprensiblemente, el consentimiento ofrecido de este modo por el detenido es válido y eficaz para valorar la prueba y condenar al acusado.

> «... para que el consentimiento pueda ser considerado como libre y voluntario, debe tratarse de un consentimiento informado (STC 37/2011, de 28 de marzo (LA LEY 14199/2011) .../... el recurrente fue informado no solo del tipo de intervención corporal que se iba a practicar (un frotis bucal con un hisopo de algodón), sino también del fin de la diligencia .../... En estas circunstancias se cumplió con la necesidad de información previa, por lo que el consentimiento fue informado y no hubo lesión del derecho a la intimidad (art. 18.1 y 4 CE). En cuanto a la alegación del recurrente de que no estuvo asistido de intérprete en el momento de la obtención de las muestras biológicas, por lo que no llegó a comprender la finalidad de la diligencia que se iba a practicar, debe darse por bueno la respuesta judicial a esta queja, en la Sentencia dictada por el Tribunal Supremo, que sostuvo que, además de que el recurrente manifestó a la policía (folio 1.073) "tener algún conocimiento del castellano, la naturaleza de la diligencia de obtención de saliva mediante un frotis era tan explícita en cuanto a la finalidad perseguida, que no debió presentar para él dificultad alguna de comprensión .../... Por último, es relación a la queja relativa a no haber estado asistido por letrado durante la diligencia de obtención de la muestra biológica, el recurrente fue informado de su derecho a ser asistido de letrado, con carácter previo a la práctica de la diligencia policial de obtención de la muestras biológica, a pesar de lo cual en el momento en que se llevó a cabo esta diligencia no solicitó la presencia de letrado"». STC 135/2014 de 8 de septiembre.

El problema se puede plantear en el caso del ciudadano que se ofrece voluntariamente «motu proprio», o incluso a petición de la policía, sin que exista sospecha o imputación sobre el sujeto, para donar una muestra biológica. La razón que puede inducir a un sujeto a ofrecerse voluntariamente para un cotejo genético, esté o no imputado, puede hallarse en su voluntad de colaborar con la investigación descartándose como un probable sospechoso. Véase por ejemplo la STS Sala Segunda, de lo Penal, Sentencia de 24 Feb. 1995, Rec. 931/1994, en la que un ciudadano ofrece una muestra biológica como prueba de descargo de una imputación: «*la descripción del agresor por aquélla que permitió su la detención, el gran parecido con su hermano, al que la perjudicada confundió en la rueda de reconocimiento, pero que fue descartado por la prueba del ADN, así como la ocupación de una chamarra en el domicilio del recurrente que su acusadora había descrito al hacer referencia a su vestimenta*». Esta conducta de colaboración, digamos que muy activa, no es en ningún caso exigible a ningún ciudadano, pero cabe en nuestro sistema de justicia. Puede decirse que nadie puede ser condenado sin prueba de cargo y que nadie puede ser obligado a una actuación activa de descargo en un proceso penal. Ahora bien, nada impide una actividad tendente al descargo del imputado.

Más ampliamente, la petición de entrega de muestras de ADN a sujetos pertenecientes a grupos no muy numerosos es una técnica habitual en otros países para obtener el descarte previo de posibles sospechosos que se producirá cuando se cotejen, sin coincidencia, las muestras «*recolectadas*» con las que obran en la causa. Esta es una técnica de investigación policial que «*podría*» llevarse a cabo en determinados supuestos en España y que podría servir para descartar sospechosos, mediante la petición voluntaria a determinados sujetos de colaborar con la administración de justicia. Prestación que en ningún caso puede suponer una obligación ni puede imponerse con autorización judicial alguna. No es, por tanto, una prestación que pueda fundarse en una orden judicial emitida con base a lo previsto en el art. 363.2 LECrim, supuesto al que luego me referiré, ya que el citado artículo prevé que la orden judicial se acordará por el Juez frente al sospechoso concreto de un delito; mientras que en el supuesto que aquí se expone la cesión de la muestra se produce voluntariamente por el sujeto frente al que no existen indicios que permitan imputarle unos hechos determinados.

Ahora bien, lo que no puede admitirse es el fraude procesal de tratar como testigo a quien se considera sospechoso de un delito. Así sucede cuando un individuo, del que ya se sospecha por existir indicios de criminalidad, es «*invitado*» por la policía, el fiscal o incluso por la autoridad judicial a ceder una muestra biológica con finalidad de cotejarla con otras en poder de la policía. La validez de la prueba obtenida en estos casos dependerá de si el sujeto que se prestó a la obtención de la muestra era, o no, sospechoso en el momento en el que se le solicitó. Porque si en la inteligencia de la policía, el fiscal o el Juez de instrucción ya era un sospechoso puede haberse producido una vulneración de los derechos constitucionales previstos en el art. 24 CE. Esta vulneración se produciría por no otorgarle la consideración y los derechos inherentes a la condición de imputado desde el momento en el que existen indicios de criminalidad.

Igual regla se aplicará al imputado. Lo que sucede es que, en este caso, disponiendo de asistencia letrada desde la detención se da por supuesto que cualquier acto voluntario de participación en la investigación de la causa se deberá formalizar mediante abogado, de modo que su asistencia está garantizada. Ahora bien, en el caso improbable, pero posible, de un imputado que acudiese de *«motu propio»*, ante la policía, el fiscal o el Juez de instrucción solicitando que se proceda a la toma de ADN, considero que el funcionario que fuese debería abstenerse de realizar ninguna clase de intervención corporal en tanto no se hubiere asegurado de la necesaria, no ya conformidad, sino de la asistencia y comunicación del imputado con su abogado respecto a la práctica de la diligencia.

b)   La obtención de muestras de ADN acordada en orden judicial. Consecuencias y proceder en caso de oposición del detenido o imputado a la toma de muestras

La orden judicial será necesaria en el supuesto que el detenido no acceda voluntariamente a la toma de una muestra biológica directamente de su persona conforme está previsto en el art. 520.6 c) LECrim que dispone que: *«el juez de instrucción, a instancia de la Policía Judicial o del Ministerio Fiscal, podrá imponer la ejecución forzosa de tal diligencia mediante el recurso a las medidas coactivas mínimas indispensables, que deberán ser proporcionadas a las circunstancias del caso y respetuosas con su dignidad»*. También se requerirá orden judicial cuando el detenido hubiese sido puesto a disposición judicial y hubiese adquirido la calidad de investigado o procesado. En ese supuesto y salvo razones de urgencia y necesidad cualquier medida de esta naturaleza debe adoptarse por el Juez conforme está previsto en el art. 363.2 LECrim[110]. Así se pronuncia el Tribunal Supremo que ha declarado que: *«Es claro que la resolución judicial es necesaria bajo pena de nulidad radical, cuando la materia biológica de contraste se ha de extraer del cuerpo del acusado y éste se opone a ello. En tal hipótesis es esencial la autorización judicial»* (STS 4 de octubre de 2006, la ley 110540/2006). Nótese que decimos imputado y no detenido en tanto que una decisión de esta naturaleza únicamente puede acordarse conforme está previsto en el art. 363 LECrim en el supuesto de considerarse: *«… absolutamente indispensables … (y) Siempre que concurran acreditadas razones que lo justifiquen…»*. Se trata, por tanto, de una decisión que difícilmente puede acordar el Juez durante el período de detención policial sin haber recibido todavía el atestado de la policía y haber tomado declaración y, en su caso, imputar al detenido. Esto sin perjuicio de casos concretos en los que puede ser necesaria, por razones de urgencia, una actuación judicial acordando la práctica de cualquier clase de intervención corporal o de aseguramiento procesal de las muestras de ADN obtenidas, por ejemplo, en un análisis clínico efectuado al presunto responsable de un delito.

En cuanto a las consecuencias de la negativa del detenido o imputado a someterse a la medida queda absolutamente claro, conforme el art. 520.6 c LECrim (también en el mismo sentido el art. 129.bis CP) que en el caso que fuese necesario se podrán utilizar medidas coactivas naturalmente las mínimas y proporcionadas. Pero lo importante es que se podrá forzar el acceso a la cavidad bucal del detenido o imputado

---

(110)   Art. 363.2 LECrim: «Siempre que concurran acreditadas razones que lo justifiquen, el Juez de Instrucción podrá acordar, en resolución motivada, la obtención de muestras biológicas del sospechoso que resulten indispensables para la determinación de su perfil de ADN. A tal fin, podrá decidir la práctica de aquellos actos de inspección, reconocimiento o intervención corporal que resulten adecuados a los principios de proporcionalidad y razonabilidad».

ante la negativa a prestarse a ello. Por nuestra parte habíamos mantenido que esta solución era la única que cabía ante la obstrucción de un sometido al proceso penal que simplemente obstruía la acción de la justicia ante una diligencia que nada le obliga a hacer o decir, sino simplemente soportar… un leve frotis bucal[111]. Se trata de una coacción o fuerza que no puede, ni debe, preverse ni autorizarse en el auto en el que se acuerda la intervención, sino que en su caso será consecuencia de la negativa del imputado a colaborar en la toma de la muestra. Sobre este particular, cabe señalar que hasta la LO 15/2003, y ante la ausencia de norma expresa en esta materia, la jurisprudencia, tanto del TC como del TS, había establecido la imposibilidad de acordar el cumplimiento de la resolución judicial de intervención corporal mediante la *vis compulsiva* o coacción física sobre la persona. Ahora bien, la modificación del art. 363.2 LECrim no podía tener otra función que permitir el uso circunstancial de la fuerza para acceder, por ejemplo, a la cavidad bucal del sometido a la medida y de ese modo obtener una muestra de saliva que sirva para determinar el perfil genético del sospechoso. Cuestión distinta sería el empleo de una *«vis»* compulsiva de mayor intensidad como la necesaria para obtener una muestra de sangre que precisa una invasión física mediante la producción de una herida, el pinchazo, aunque ésta sea muy leve. Afortunadamente, la toma de ADN se realiza ahora mediante una actuación no invasiva que no produce ninguna clase de afectación o daño corporal ni requiere colaboración alguna del imputado, más allá de abrir la boca. Así se desprende también de la Disposición Adicional Tercera de la LO 10/2007 (reguladora de la base de datos policial sobre identificadores obtenidos a partir del ADN) donde se diferencia entre la toma de muestras con o sin consentimiento del sometido a la medida. En el primer caso la diligencia la podrá hacer directamente la policía, mientras que en el segundo se requerirá autorización judicial, que se justifica en razón, precisamente, de la falta de consentimiento del sometido y de la eventual utilización de la compulsión física para obtener la muestra, que no cabe duda que la policía podrá emplear. Esta es, por otra parte, una regla extendida entre los países de nuestro entorno que ahora ha adquirido rango y cobertura legal.

Sobre esta cuestión se ha pronunciado, indirectamente, la STC 207/1996 en la que, antes de la reforma de la LECrim por la LO 15/2003, se afirmaba que el órgano judicial no vulnera el derecho fundamental del sospechoso o imputado cuando la intervención decretada en los derechos fundamentales es proporcionada, aun en ausencia de previa habilitación legal, considerando constitucionalmente legítimas las intervenciones corporales en razón de su finalidad[112]. Más concretamente se

---

(111) Véase RICHARD GONZÁLEZ M , «Requisitos para la toma de muestras de ADN del detenido e impugnación de las que constan en la base de datos policial de ADN según el Acuerdo del Tribunal Supremo de 24 de septiembre de 2014 en esta materia», *Diario La Ley*, Nº 8445, Sección Tribuna, 19 de diciembre de 2014, Año XXXV, Ref. D-427, Editorial LA LEY.

(112) STC 206/2007 de 24 de septiembre: *«En concreto, y en relación con las diligencias de investigación o actos de prueba practicables en el curso de un proceso penal, hemos afirmado que las intervenciones corporales pueden conllevar una intromisión en el ámbito constitucionalmente protegido del derecho a la intimidad personal, no tanto por el hecho en sí de la intervención (que, en su caso, afecta al derecho a la integridad física), sino por razón de su finalidad, es decir, por lo que a través de ellas se pretenda averiguar, si se trata de información referente a la esfera de la vida privada y que el sujeto puede no querer desvelar, como la relativa al consumo de alcohol o de*

pronunció también sobre esta materia el ATC 405/2006 de 14 Nov. 2006, en el que el TC se pronuncia con relación a la orden dictada por un Juzgado de Instrucción para obtener ADN de un imputado en la que se le requería para someterse a la intervención corporal para la obtención de una muestra. En la resolución, confirmada por la Audiencia Provincial de Barcelona, se incluía el apercibimiento de incurrir en un delito de desobediencia a la autoridad judicial. No cumplida, por el imputado, la orden de someterse a la intervención corporal, que la Sala de la Audiencia provincial había considerado válida, para obtener una muestra de ADN se le juzgó y condenó por un delito de desobediencia a la autoridad judicial. El recurso de amparo se dirigió frente a la sentencia condenatoria por entender que se había vulnerado su derecho a la presunción de inocencia, a la integridad física y a la intimidad personal y a no declarar contra sí mismo y a no confesarse culpable. Estos derechos se habrían infringido, al decir del recurrente, en tanto que la orden judicial para que le tomara una muestra biológica requiere de una actuación positiva, activa o pasiva, del acusado tendente a su eventual culpabilización. El TC se pronunció, en la resolución sobre la admisión del recurso de amparo, indirectamente sobre la obligación de someterse a la intervención corporal que se había acordado por el Juez de instrucción y que, finalmente, no se produjo ante la negativa del imputado a acceder a ello. Negativa que se tradujo en una condena por desobediencia a la autoridad judicial que el TC convalidó al entender acreditada la comisión del delito, considerando que: 1°) No puede ampararse la negativa a obedecer una resolución judicial dictada conforme a derecho y confirmada por un tribunal superior. 2°) No existe vulneración de derechos fundamentales a la vista de la doctrina vertida por el Pleno de este Tribunal en la STC 234/1997, de 18 de diciembre, en relación con la obligación impuesta a los conductores por el art. 380 CP. 3°) La aplicación del tipo penal que sanciona el delito de desobediencia grave es previsible y anunciada, sin que en la misma se hayan manejado pautas valorativas extravagantes que pudieran haber provocado una lesión en el principio de legalidad. Por estos argumentos el TC inadmite el recurso de amparo.

La citada resolución del TC resulta interesante no tanto por lo que dice, sino por lo que no dice. En cuanto a lo primero no cabe duda de que el TC se pronuncia y reitera la legalidad de las órdenes de sometimiento a una intervención personal para obtener muestras biológicas, ya que en caso contrario se incurrirá en un delito de desobediencia a la autoridad judicial. Más interesante es lo que no dice el Tribunal Constitucional que es el argumento referido a si cabe utilizar la fuerza para realizar la diligencia, porque lo que tiene ningún sentido es que en ese caso exista una desobediencia a la autoridad judicial. Efectivamente, carece de lógica que la consecuencia de no acceder a una intervención corporal en la que, no se vulnera el derecho a la intimidad ni a la integridad física (recordemos que se trata de introducir un hisopo en la boca durante unos segundos frotándolo ligeramente sobre la piel), pueda ser incurrir en un delito de desobediencia a la autoridad judicial. Esta es una consecuencia, motivada por la intención de evitar el empleo de la coacción o «vis» compulsiva. Sin embargo, la consecuencia de la negativa a entregar una muestra de ADN no puede

drogas (SSTC 207/1996, de 16 de diciembre, FJ 3; 234/1997, de 18 de diciembre, FJ 9; 25/2005, de 14 de febrero, FJ 6; 196/2004, de 15 de noviembre, FJ 5, por todas)».

ser otra que la de que la fuerza pública emplee la fuerza necesaria para obtenerla. Al igual que sucede en otros tantos supuestos que se dan ordinariamente en el curso de un proceso penal. Piénsese, por ejemplo, en una detención ordenada por el Juez. En ese caso, no cabe duda de que sería esperpéntico que la consecuencia de la negativa a ser detenido fuese incurrir en un delito de desobediencia a la autoridad judicial. Sería algo así, como decir que se le apunta al delincuente otro delito a su cuenta, pero que se le debe dejar ir porque no se le puede obligar a comparecer ante el tribunal. Obviamente esto no es así y si el sospechoso se opone a la detención se aplica la fuerza necesaria para inmovilizarlo y detenerlo. Fuerza y *vis compulsiva* que no constan ni deben constar en el auto judicial en el que se acuerda la detención, sino que se trata de una posibilidad que la policía como depositaria del monopolio de la fuerza por el Estado debe aplicar según las circunstancias. En cualquier caso, resulta patente que la policía deberá cumplir con la orden con independencia de la voluntad del sujeto que, por lo general, ninguna intención tendrá de someterse voluntariamente a la detención. Es por ello que no se le pregunta y si ofrece resistencia se aplica la fuerza necesaria. No creo que exista mayor diferencia entre los supuestos expuestos y el que aquí analizamos consistente en una orden de intervención personal para obtener ADN. Más aún si se apura se verá que resulta más evidente la necesidad de aplicar la fuerza necesaria para obtener el ADN, si se advierte que no existe ningún menoscabo del sometido a la medida y que la orden judicial se fundamentará en la persecución de un delito grave para cuya investigación resulta necesaria la muestra de ADN. No es lógico que la simple negativa del imputado pueda obstruir o frustrar la persecución de un delito grave. Consecuencia indeseada que no puede ser compensada con la apertura de un procedimiento por desobediencia y la eventual imposición de una pena.

Finalmente debemos tener también presente que la obtención forzosa de ADN procedente del imputado y conforme a una orden judicial motivada no afecta al derecho a la intimidad, la integridad física o a no declarar contra sí mismo y no confesarse culpable. Nótese que la obtención de ADN debe estar autorizada por una orden judicial en la que el Juez está obligado a ponderar las circunstancias concurrentes y siempre con arreglo a los criterios de proporcionalidad y razonabilidad en el marco de los derechos del imputado. De modo que siendo proporcional y razonable la medida, la autorización para obtener una muestra de saliva del imputado será completamente legítima, sin que se vulnere el derecho a no declarar contra sí mismo, porque en verdad nada se le solicita que diga o haga, sino simplemente se autoriza una intervención que supone tolerar una compulsión personal justificada para la investigación de los hechos. Entendida de otro modo la cuestión resultaría, por ejemplo, que no podría registrarse el domicilio del imputado porque sus objetos, ropas y lo que allí se contuviere estarían, metafóricamente hablando, declarando en su contra. Tampoco se podría fotografiar o tomar las huellas dactilares al sospechoso e imputado porque de algún modo afecta a su intimidad. Naturalmente, no existen esas limitaciones en la práctica de las citadas actuaciones legítimas que se realizan en el marco de la investigación penal.

Finalmente, tampoco resulta afectado el derecho a la intimidad porque no puede tener ese poder la introducción de un palillo de muestras en la boca. Ni tampoco la integridad física, porque, afortunadamente, la técnica actual permite obtener muestras biológicas adecuadas para determinar el perfil de ADN a partir de una muestra de saliva que se obtiene con un palillo introducido en la boca. Esta tesis se ha mantenido en la jurisprudencia del TEDH que en su sentencia de 17 diciembre de 1996 (LA LEY 16065/1996), mantuvo que el derecho de presunción de inocencia y a no autoincriminarse no se infringe por el sometimiento a las pruebas de obtención de ADN, aún practicadas de forma obligatoria o coercitiva. A juicio del TEDH estos derechos quedan garantizados por la prohibición recurrir a elementos de prueba obtenidos mediante la coerción o las presiones en contra de la voluntad del acusado. No existe, sin embargo, infracción alguna cuando los elementos de prueba que se obtienen preexisten independientemente de la voluntad del sospechoso. Entre estos elementos se hallan los documentos recogidos en virtud de una orden, las extracciones de aliento, de sangre o de orina así como de tejidos corporales para un análisis de ADN[113].

C) *Uso en el proceso penal de los perfiles incluidos en la base de datos policial de identificadores de ADN (LO 10/2007)*

La custodia de la muestras obtenidas de ADN se regula en la LO 10/2007 que crea la base de datos policial de identificadores obtenidos a partir del ADN en la que se integran los ficheros de esta clase que son titularidad de las Fuerzas y Cuerpos de Seguridad del Estado. Su finalidad es servir a la investigación y averiguación de delitos, así como en los procedimientos de identificación de restos cadavéricos o de averiguación de personas desaparecidas. Véase sobre esta materia el § 2.6.A.d de este Capítulo sobre cotejo e identificación genética. Estos ficheros pueden servir de prueba en otra causa sin necesidad de realizar una nueva pericial de ADN sobre el sospechoso.

«Así en STS 794/2015 de 3.12 (LA LEY 186015/2015), con cita SS. 827/2011 de 14.7, y 880/2011 de 26.7 (LA LEY 173477/2011), que la metodología del análisis del ADN, a partir de la creación de la base de datos policial sobre identificadores genéticos, puede entenderse perfectamente ajustada a las exigencias impuestas por su propio significado científico, cuando el perfil genético de contraste se consigue a partir de los datos y ficheros que obran en ese registro, sin necesidad de someter la conclusión así obtenida a un segundo test de fiabilidad, actuando después sobre las muestras de saliva del procesado. Es obvio que ningún obstáculo puede afirmarse a la práctica convergente de ambos contrastes, pero también lo es que la identificación genética que obra en la base de datos, puesta en relación con los restos biológicos dubitados, normalmente hallados en el lugar de los hechos, permite ya una conclusión sobre esa coincidencia genética que luego habrá de ser objeto de valoración judicial». STS Sala Segunda, de lo Penal, Sentencia 286/2016 de 7 Abr. 2016, Rec. 1572/2015; Ponente: Berdugo Gómez de la Torre, Juan Ramón. LA LEY 24088/2016.

Sobre la cuestión del uso de los perfiles de ADN en otra causa se pronunció el TS en su Acuerdo de 24 de septiembre de 2014 la siguiente pregunta: «*Si es válido el contraste de muestras obtenidas en la causa objeto de enjuiciamiento con los datos obrantes en la base de datos policial procedentes de una causa distinta, cuando el*

---

(113)   En el mismo sentido se pronunció la STEDH Kruslin y Huvig de 24 de abril de 1990.

acusado no ha cuestionado la ilicitud y validez de esos datos hasta el momento del juicio oral». Esta cuestión la resuelve el alto Tribunal acordando que: *«Sin embargo es válido el contraste de muestras obtenidas en la causa objeto de enjuiciamiento con los datos obrantes en la base de datos policial procedentes de una causa distinta, aunque en la prestación del consentimiento no conste la asistencia de letrado, cuando el acusado no ha cuestionado la licitud y validez de esos datos en fase de instrucción».*

Este Acuerdo, en este punto concreto, se dictó para sentar un criterio sobre el derecho del imputado a impugnar en la fase de instrucción el resultado obrante en la base de datos de ADN, obtenido en actuaciones previas, y a realizar otra prueba distinta en la causa en la que está siendo utilizado como prueba indubitada. Este supuesto exacto es el que se contiene en la STS de 10 diciembre de 2013, n.º de Sentencia: 948/2013, LA LEY 213791/2013, en el que el imputado, acusado y más tarde condenado había solicitado en la fase de instrucción y, más tarde, reiterado en la fase intermedia y al inicio del juicio oral la práctica de prueba de ADN para contrastar con la obtenida en el lugar del delito por entender que la muestra obrante en la base de datos policial había sido obtenida de forma irregular. La petición del imputado, más tarde condenado, no fue atendida por la Sala que dictó sentencia condenatoria. En la sentencia citada de 10 de diciembre de 2013 el Tribunal Supremo resuelve el recurso de casación del condenado considerando que tenía derecho a la práctica de una prueba pericial de ADN al objeto de cuestionar la que constaba en la base de datos policial. Además el Tribunal Supremo estructura una serie de criterios a tener en cuenta en esta materia que sirven para complementar el contenido del Acuerdo de 2014.

En primer lugar, se parte de la presunción de legalidad y veracidad de los resultados que constan en la base de datos de ADN con relación a su utilización en otras causas. Ahora bien, esa presunción de veracidad es *«iuris tantum»*, de forma que: *«… el imputado puede acreditar en el procedimiento la ilicitud del acceso de esa reseña genética indubitada a la indicada base de datos —por ejemplo por no existir asistencia letrada en el consentimiento del imputado o por no existir, en su defecto, autorización judicial—* (STS 709/2013, de 10 de octubre (LA LEY 158625/2013))». STS de 10 diciembre de 2013, n.º 948/2013, LA LEY 213791/2013.

En segundo lugar, y con base en lo expuesto anteriormente, la identificación entre la muestra de la base de datos y la obtenida en otra nueva causa diferente: *«puede ser suficiente también como prueba de cargo bastante en el juicio…».* Ahora bien, esto sucederá así en tanto que: *«… el acusado se niegue a practicar otra prueba en el proceso enjuiciado, o cuando no cuestione la toma de muestras realizada en otra causa anterior, ni el resultado incriminatorio del contraste realizado entre los vestigios hallados en la causa enjuiciada y las muestras procedentes de la causa anterior».* STS de 10 diciembre de 2013, n.º 948/2013, LA LEY 213791/2013. O cuando el acusado impugne genéricamente la incorporación de la prueba al procedimiento sin motivar su impugnación.

«3. A la vista de lo que acabamos de exponer es patente que no se ha cometido ninguna ilicitud en la toma de muestras, ya que no se trató de una intervención corporal que necesitase de la previa autorización judicial, sino que la averiguación del perfil genético del recurrente se produjo a través de las muestras biológicas procedentes de los restos de semen hallados en el lugar de los hechos, así como en el sujetador y bragas de la víctima, y se llevó a cabo la identificación del acusado a través del registro policial en el que constaba haber sido identificado su ADN con ocasión de la comisión de hechos delictivos distintos .../... Consecuentes con todo ello y dado que el recurrente no cuestiona sus datos en el registro policial, sino simplemente que no se hallen unidos a la causa en la forma por él solicitada, pero constando la ratificación de los peritos en las pruebas de identificación de ADN, no se ha cometido ninguna irregularidad en su práctica, habiendo explicado suficientemente la Audiencia la legalidad de su consideración a efectos probatorios». STS Sala Segunda, de lo Penal, Sentencia 138/2017 de 6 Mar. 2017, Rec. 766/2016. Ponente: Soriano Soriano, José Ramón. LA LEY 8564/2017.

En tercer y último lugar, resulta evidente la necesidad de garantizar el derecho del imputado a la prueba en su doble faceta. La primera para cuestionar e impugnar la prueba obtenida de contrario, en este caso el resultado de la muestra de ADN obrante en la base de datos policial y procedente de una causa anterior. La impugnación puede dirigirse frente al modo y la forma en la que se obtuvo como al resultado mismo de la prueba. La segunda para solicitar la práctica de prueba en el procedimiento judicial en el que está siendo enjuiciado en el tiempo y la forma previstos en la Ley ofreciendo, en este caso, una muestra de ADN a ese fin y solicitando la práctica de prueba científica sobre las muestras donadas por el imputado.

«d) Es indudable también que cabe la IMPUGNACIÓN POR EL IMPUTADO DE LA PRUEBA DE ADN rechazando de forma expresa la conclusión pericial sobre su propia identificación genética, cuando ésta se logra a partir de los datos preexistentes en el fichero de ADN creado por la LO 10/2007, 8 de octubre (LA LEY 10118/2007). La posibilidad de que entre el perfil genético que obra en el archivo y los datos personales de identificación exista algún error, es una de las causas imaginables —no la única— de impugnación (STS 709/2013, de 10 de octubre (LA LEY 158625/2013)). Sin embargo, ese desacuerdo, para prosperar, deberá expresarse y hacerse valer en momento procesal hábil. No se trata de enfatizar el significado del principio de preclusión que, en el fondo, no es sino un criterio de ordenación de los actos procesales y, por tanto, de inferior rango axiológico frente a otros valores y principios que convergen en el proceso penal. Lo que se persigue es recordar que la destrucción de la presunción *iuris tantum* que acompaña a la información genética que ofrece esa base de datos —así lo autorizan la fiabilidad científica de las técnicas de obtención de los perfiles genéticos a partir de muestras ADN y el régimen jurídico de su acceso, rectificación y cancelación, autorizado por la LO 10/2007 (LA LEY 10118/2007), 8 de octubre—, sólo podrá ser posible mediante la práctica de otras pruebas de contraste que, por su propia naturaleza, sólo resultarán idóneas durante la instrucción». STS 11/2017 de 19 Ene. 2017, Rec. 10371/2016; Ponente: Conde-Pumpido Tourón, Cándido. LA LEY 1289/2017.

Nótese que la impugnación formal de la muestra de ADN obrante en la base de datos probablemente será del todo insuficiente sin la correlativa solicitud de práctica de prueba de ADN por parte del imputado. Siendo así, que es el caso resuelto en la sentencia citada, declara el Tribunal Supremo que debe admitirse la práctica de la prueba de ADN cuando se impugne la que consta en la base de datos en tanto que pueden existir vicios que la pudieran invalidar.

«… no se aprecia razón alguna para que la prueba de ADN, manifiestamente decisiva y solicitada por el propio acusado, no se practique en la causa enjuiciada, con todas las garantías, control judicial y participación de las partes, en lo que sea procedente, y sea sustituida por un simple contraste realizado sobre la base de una toma de muestras procedente de una causa anterior máxime cuando la posibilidad de error, aunque escasa, no es descartable, y cuando pueden existir vicios que afecten a la toma de muestras precedente, vicios que se podrían subsanar fácilmente atendiendo la solicitud probatoria efectuada por el propio acusado». STS de 10 diciembre de 2013, n.º 948/2013, LA LEY 213791/2013.

En definitiva se trata de una simple aplicación del Derecho fundamental a la prueba, que si bien no tiene carácter absoluto, legitima al acusado en un juicio a utilizar todos los medios de prueba que considere útiles y pertinentes para su propia defensa siempre que se soliciten en tiempo y forma. Ese fue el caso objeto de enjuiciamiento en la STS de 10 de diciembre de 2013 en el que imputado solicitó la prueba de ADN de contraste con la obrante en la base de datos policial, prueba que no cabe duda que debe considerarse necesaria y pertinente y que no podía ser denegada por el Juez en tanto que se solicitó debida y motivadamente y, especialmente, teniendo en cuenta que se trataba de la prueba de cargo en la causa que se estaba sustanciando de modo que la práctica de la prueba solicitada habría podido tener una incidencia favorable a la estimación de sus pretensiones. Siendo así, se produce, además de la infracción del derecho a la prueba, la infracción del derecho a un juicio justo en tanto que los tribunales de justicia no pueden una prueba propuesta en tiempo y forma.

«… denegar una prueba oportunamente propuesta y fundar posteriormente su decisión en la falta de acreditación de los hechos cuya demostración se intentaba obtener mediante la actividad probatoria que no se pudo practicar. En tales supuestos lo relevante no es que las pretensiones de la parte se hayan desestimado, sino que la desestimación sea la consecuencia de la previa conculcación por el propio órgano judicial de un derecho fundamental del perjudicado, encubriéndose tras una aparente resolución judicial fundada en Derecho una efectiva denegación de justicia (SSTC 37/2000, de1 4 de febrero (LA LEY 5197/2000); 19/2001, de 29 de enero (LA LEY 2903/2001); 73/2001 (LA LEY 5119/2001), de 26 de marzo; 4/2005 (LA LEY 10837/2005), de 17 de enero; 308/2005, de 12 de diciembre (LA LEY 10363/2006); 42/2007 (LA LEY 6553/2007), de 26 de febrero y 174/2008 (LA LEY 216406/2008), de 22 de diciembre)». STS de 10 diciembre de 2013, n.º 948/2013, LA LEY 213791/2013.

Ahora bien, es indudable que la petición de prueba se ha de producir en tiempo y forma, ya que de modo contrario se denegará su admisión.

«A) La prueba denegada ha de haber sido solicitada en tiempo y forma. En la causa no figura en el escrito de calificaciones provisional o definitiva la propuesta de prueba alguna referida a las pericias del ADN, identificadoras del acusado. Si el acusado lo solicitó en instrucción debe reiterarlo imperativamente en el plenario, previa formulación de la pertinente protesta que justificara la necesidad y conveniencia de la prueba, pues de no hacerlo así jamás la Audiencia pudo acordar su práctica». STS Sala Segunda, de lo Penal, Sentencia 138/2017 de 6 Mar. 2017, Rec. 766/2016. Ponente: Soriano Soriano, José Ramón. LA LEY 8564/2017.

Esta exigencia se fundamenta tanto en el principio de buena fe procesal como permitir que se pueda obtener la muestra de ADN y la realización de la prueba pericial en tiempo y forma para acceder al juicio oral.

«Sobre la razón de ser de la imposición de tal preclusión. La razón de dicha exigencia —se dice en la STS 734/2014 de 11.11 (LA LEY 159933/2014) dictada como consecuencia de dicho acuerdo plenario—, es doble. En efecto, por un lado guarda relación con el deber de buena fe o lealtad procesal consagrada en el art. 11 (LA LEY 1694/1985),1º LOPJ, que priva de legitimidad a las tácticas dirigidas a impedir el desarrollo del principio de contradicción, que debería regir de forma incondicionada en relación con la totalidad de las pretensiones parciales. Y, por otro, mira a hacer posible, en caso de negativa del requerido a prestar el consentimiento de la Disposición adicional tercera de la Ley orgánica 10/2007 (LA LEY 10118/2007) el recurso a la autorización judicial para la toma de muestras, previsto en la misma». STS 834/2016 de 3 Nov. 2016, Rec. 838/2016. Ponente: Varela Castro, Luciano. LA LEY 156100/2016.

2.13. Informes periciales[114]

El Juez acordará solicitar, de oficio o a instancia de parte, informes periciales cuando para conocer o apreciar algún hecho o circunstancia del sumario, fuesen necesarios o convenientes conocimientos científicos, artísticos o técnicos (art. 456 LECrim). Pero, nada impide a las partes solicitar y aportar al proceso los informes periciales que consideren oportunos que se unirán a los autos y podrán ser objeto de prueba en el acto del juicio oral; sin que sea precisa ninguna autorización o nombramiento judicial del perito. El informe pericial también puede ser realizado directamente por la policía, por delegación judicial, sobre los restos y evidencias recogidos en los lugares, objetos y personas relacionados con el delito. Se trata, en definitiva, de un medio de prueba que tiene por finalidad suplir la falta de conocimientos especializados del Juez para el adecuado conocimiento de los hechos sometidos a su enjuiciamiento penal. (Véase M. 75).

«En la prueba pericial lo que el perito aporta al juzgador no son los hechos, sino sus conocimientos técnicos o artísticos sobre los mismos que puedan resultar necesarios para su correcta apreciación. Así el art. 456 de la LECrim. Dice que "el Juez acordará el informe pericial cuando, para conocer o apreciar algún hecho o circunstancia importante en el sumario, fuesen necesarios o convenientes conocimientos científicos o artísticos". Naturalmente que el informe será más completo y ofrecerá mayores garantías de fiabilidad si se realiza sobre el cuerpo del delito, pero ello no

---

(114)   Vid. FORASTER SERRA y ARTES MORATA, «Valor pericial de la prueba pericial grafológica», *La Ley*, 1989-2, p. 1051; FISCALÍA GENERAL DEL ESTADO, «La prueba de alcoholemia como integradora del tipo definido en el art. 340 bis CP», *ADP*, pp. 598-605; RUIZ VADILLO, «La prueba pericial. Función del perito tasador de accidentes de tráfico», *RDCirc.*, 1985, 4, pp. 3 y ss.; MORALES RUIZ, «La prueba pericial médico-psiquiátrica, especial referencia a la drogadicción», en *Cuadernos de Derecho Judicial*, CGPJ, Madrid, 1992; SÁEZ COMBA, «La prueba pericial psiquiátrica», en *Cuadernos*, cit., Madrid, 1992; CLIMENT, «Sobre el valor probatorio de los certificados médicos oficiales», *RGD*, 1991, p. 3809; ROMERO COLOMA, «La prueba pericial en el proceso penal», *RGD*, 1989, p. 3593; RIVES SEVA, *La prueba en el proceso penal*, Pamplona, 1995; GARCÍA GIL, *La Prueba en los procesos penales*, Madrid, 1996.

excluye que los conocimientos del perito puedan realizarse, a falta de aquél, sobre los elementos que se le faciliten». (STC 33/92, de 18 marzo).

El informe pericial es un medio de prueba en el que lo relevante es el uso de la técnica para conocer de hechos que no son directamente aprehensibles por el ser humano. De ese modo sirve para esclarecer los hechos relevantes del proceso y, al mismo tiempo, mediante la pericia se introducen nuevos hechos que sin el examen técnico no hubieren sido conocidos. El análisis e investigación técnica de los hechos corresponde al perito que emite un juicio sobre un hecho que conoce porque se le informa de él en el proceso mediante un encargo del Juez de instrucción o de las partes. No cabe ninguna duda de que mediante la prueba pericial se introducen hechos en el proceso, ya sea hechos que complementan o aclaran los que obran en la causa o bien hechos nuevos que se desprenden del análisis pericial de los hechos y circunstancias del delito. Así es por cuanto los dictámenes periciales pueden ser de muy variado contenido y cumplir finalidades diversas. En este sentido, los dictámenes periciales pueden servir para:

— aportar certeza sobre unos hechos concretos del proceso (mediante el análisis o reconocimiento de objetos, lugares o personas);

— aportar reglas generales o máximas de la experiencia que permitan al Juez subsumir en ellas algunos hechos del proceso (mediante la exposición y explicación de aquéllas: Vg. exposición de las causas y efectos de una determinada lesión, explicación de las medidas de seguridad exigidas para una determinada actividad, exposición sobre resistencia de determinados materiales o sobre fenómenos o reacciones físicas o químicas, etc.);

— introducir hechos nuevos en el proceso como consecuencia del análisis o examen de hechos ya aportados (por ejemplo al detectar una causa de intoxicación o lesión distinta de la que aparecía aparentemente); descubrimiento de una causa distinta de una herida, lesión, unos daños determinados, una explosión, etcétera). Aunque, en algunas sentencias del Tribunal Supremo se niega, creemos que equivocadamente, que el informe pericial sirva para introducir nuevos hechos en el proceso[115].

«No se trata de pruebas que aporten aspectos fácticos, sino criterios que auxilian al órgano jurisdiccional en la interpretación y valoración de los hechos, sin modifi-

---

(115) «Como es sabido, la jurisprudencia de este Tribunal sostiene que los informes periciales son pruebas personales documentadas consistentes en la emisión de pareceres técnicos sobre determinadas materias o sobre determinados hechos por parte de quienes tienen sobre los mismos una preparación especial, con la finalidad de facilitar la labor del Tribunal en el momento de valorar la prueba. No se trata de pruebas que aporten aspectos fácticos, sino criterios que auxilian al órgano jurisdiccional en la interpretación y valoración de los hechos, sin modificar las facultades que le corresponden en orden a la valoración de la prueba. Por otro lado, su carácter de prueba personal no debe perderse de vista cuando la prueba pericial ha sido ratificada, ampliada o aclarada en el acto del juicio oral ante el Tribunal, pues estos aspectos quedan entonces de alguna forma afectados por la percepción directa del órgano jurisdiccional a consecuencia de la inmediación (SSTS 703/2010, de 15-7; 168/2008, de 29-4, y 755/2008, de 26-11, y las que en ésta se citan: 182/2000, de 8-2; 1224/2000, de 8-7; 1572/2000, de 17-10; 1729/2003, de 24-12; 299/2004, de 4-3; y 417/2004, de 29-3)». STS, Sala Segunda, de lo Penal, Sentencia 813/2012 de 17 Oct. 2012, Rec. 2076/2011. LA LEY 162474/2012.

car las facultades que le corresponden en orden a la valoración de la prueba». STS 912/2016 de 1 Dic. 2016, Rec. 355/2016. Ponente: Berdugo Gómez de la Torre, Juan Ramón. LA LEY 177402/2016.

Podemos señalar dos características esenciales de la prueba pericial. En primer lugar que la pericia es un genuino medio de investigación y prueba y no una suerte de medio auxiliar de conocimiento del Juez[116]. En segundo lugar, que la pericia es un medio de prueba en el que tiene especial importancia el elemento personal y la contradicción efectiva, aún a pesar de la documentación por escrito que se contiene en el informe pericial que se adjunta a los autos. Estas características son elementos esenciales de la prueba pericial que, sin embargo, han sido puestas en duda o discusión por una tendencia desnaturalizadora de ese medio de prueba tendente a tratarla como una prueba documental. Una de las razones de ello es la reiterada doctrina del Tribunal Supremo respecto a la admisión del motivo de casación previsto en el art. 849.2 LECrim que autoriza a interponer recurso de casación por infracción de Ley: «2.º Cuando haya existido error en la apreciación de la prueba, basado en documentos que obren en autos, que demuestren la equivocación del juzgador sin resultar contradichos por otros elementos probatorios». Documentos entre los que el Tribunal Supremo ha incluido los informes periciales.

«b) Por la doctrina de esta sala —a que nos referiremos más adelante con más profundidad— que en los últimos años viene considerando como prueba documental, a los efectos de este art. 849.2º LECrim (LA LEY 1/1882), a la pericial, para corregir apreciaciones arbitrarias hechas en la instancia cuando hay unos informes o dictámenes que no pueden dejar lugar a dudas sobre determinados extremos». STS 912/2016 de 1 Dic. 2016, Rec. 355/2016. Ponente: Berdugo Gómez de la Torre, Juan Ramón. LA LEY 177402/2016.

Como regla general los informes periciales se aportarán a la causa en la fase de instrucción y serán objeto de prueba en el juicio oral. Ahora bien, esta no es una secuencia necesaria, ya que la admisión y práctica de la prueba en el acto del juicio oral se producirá a petición de parte. De modo que únicamente los informes periciales que sirvan a los fines de las partes personadas van a ser objeto de prueba en el acto del plenario, mediante la expresa petición de parte. No sucederá así con los informes sobre los que ninguna de las partes solicite practicar prueba que, de ese modo, quedarán fuera del acervo probatorio del proceso y de la valoración del Juez, sin

---

(116)   Así se declara, por ejemplo, en la STS 5 May. 2010, Nº de Sentencia: 383/2010; Nº de Recurso: 10727/2009; LA LEY 41089/2010: «Respecto a las pruebas periciales la doctrina de esta Sala Segunda, SS. 13.2.2008, 5.12.2007, 6.3.2007, entre las más recientes, mantiene, que dichos informes no son en realidad documentos, sino pruebas personales documentadas consistentes en la emisión de pareceres técnicos sobre determinadas materias o sobre determinados hechos por parte de quienes tienen sobre los mismos una preparación especial, con la finalidad de facilitar la labor del Tribunal en el momento de valorar la prueba. No se trata de pruebas que aporten aspectos fácticos, sino criterios que auxilian al órgano jurisdiccional en la interpretación y valoración de los hechos, sin modificar las facultades que le corresponden en orden a la valoración de la prueba...». En el mismo sentido la STS de 29 Mar. 2010, Nº de Sentencia: 304/2010, LA LEY 34229/2010. Y también la STC 33/92, de 18 marzo, que declara que: «En la prueba pericial lo que el perito aporta al juzgador no son los hechos, sino sus conocimientos técnicos o artísticos sobre los mismos que puedan resultar necesarios para su correcta apreciación».

que puedan servir para fundamentar una condena. Por otra parte, cabe la posibilidad de que las partes puedan aportar informes periciales al proceso al inicio del juicio oral. Así está previsto, en sede de procedimiento abreviado, en el art. 786.2 LECrim que regula un trámite de cuestiones previas, al inicio del juicio oral, entre las que se halla la petición de prueba. Con base en esa norma nada impide a la parte solicitar al Juez de la práctica de prueba pericial con aportación en ese momento del informe.

Para la realización del informe pericial el Juez llamará a dos peritos, que pueden ser personas físicas u organismos especializados (Servicio Central de policía científica, Instituto de Medicina Legal, Instituto Nacional de Toxicología, etc.) (arts. 457-459 LECrim). Si los informes periciales fueren discordantes, el Juez nombrará un tercero que repetirá las operaciones efectuadas y aquéllas que considere oportunas (art. 484 LECrim). Pero, cabe que lo emita un solo perito cuando no hubiese más que uno en el partido judicial; en el caso que no fuere posible encontrarlos (art. 459 LECrim); o en sede de procedimiento abreviado cuando el Juez lo considere suficiente (art. 778.1 LECrim). También en el supuesto que el dictamen lo realice un laboratorio oficial o equipo técnico. Sin embargo, la jurisprudencia de la Sala II del Tribunal Supremo ha relativizado el alcance de la exigencia de practicarse la pericia en juicio ordinario por dos peritos en numerosas resoluciones[117]. Especialmente explicativa es la STS 5 Mar. 2010, N.º de sentencia: 160/2010, N.º de recurso: 2209/2009, LA LEY 4009/2010, que declara que la duplicidad de peritos no es esencial y que, en cualquier caso, la infracción de esta disposición no determina la prohibición de valoración de la prueba pericial realizada por un solo perito. Y que, en todo caso, la intervención de un solo perito no afecta a la tutela judicial efectiva si no produce indefensión, de manera que habrá de ser el recurrente quien argumente y razone que la irregularidad que aduce ha quebrantado el derecho de defensa y ocasionado un menoscabo real y efectivo de ese derecho en que consiste la indefensión (SSTS n.º 1313/2005 de 9 de noviembre de 2005 y n.º 31/2008 de 8 de enero de 2008).

«Como señalan las SSTS 1076/2006 de 27.10, 779/2003 de 30.5, y 1076/2002 de 6.6, entre otras, las previsiones de este precepto, art. 459, que se entienden mejor si se tiene en cuenta la fecha en que fue redactado, demuestran que la dualidad de peritos se justifica en la búsqueda de una mayor certeza y rigor técnico, pero no es condición inexcusable del informe pericial que puede ser válido, en algunos casos,

(117) «Las quejas de la acusación sobre la supuesta falta de experiencia del perito o sobre el hecho de que fuera uno solo el que dictaminara, en contra de lo prevenido en el art. 459 de la LECrim (LA LEY 1/1882), son inviables en el marco de una impugnación formalizada al amparo del art. 849.1 de la LECrim (LA LEY 1/1882). Aun así, baste ahora recordar que la causa penal en la que han sido investigados los hechos imputados al acusado José, se ha acomodado a los trámites del procedimiento abreviado —no el procedimiento ordinario—, para el que el art. 778 de la LECrim (LA LEY 1/1882) dispone que "el informe pericial podrá ser prestado sólo por un perito cuando el Juez lo considere suficiente". Y sobre la exigencia de un único perito, incluso en el ámbito del procedimiento ordinario, la jurisprudencia de esta Sala ha relativizado el alcance de aquella exigencia en numerosas resoluciones, de las que son botón de muestra las SSTS 537/2008, 12 de septiembre (LA LEY 137760/2008); 779/2004, 15 de junio (LA LEY 141931/2004); 1781/2001, 5 de octubre; 1599/1997, 18 de diciembre; 1619/2000, 19 de octubre (LA LEY 836/2001) y 21/2002, 15 de enero, entre otras muchas». STS 342/2013, de 17 de abril, Rec. 1461/2012, Ponente: Marchena Gómez, Manuel; (LA LEY 37037/2013).

aun prestado por un solo perito. Así la duplicidad de informantes no es esencial (SSTS 935/2006 de 2.11, 1313/2005 de 9.11, 161/2004 de 9.2, 779/2004 de 15.6), señala la STS 1313/2005 de 9.11, que la propia jurisprudencia, por ejemplo STS 26.2.93, tiene declarado que "es cierto que el art. 459 LECrim. establece que durante el sumario todo reconocimiento pericial se haga por dos peritos. Sin embargo la infracción de esta disposición no determina la prohibición de valoración de la prueba pericial realizada por un solo perito, dado que la duplicidad de informes no tiene carácter esencial, ello surge del propio texto del art. 459 LECrim. que establece que en determinadas actuaciones es suficiente con un solo perito y de la falta de una reiteración de esta exigencia entre las disposiciones que regulan el juicio oral. Pero además surge del hecho claro de que el tribunal contó de todos modos con un asesoramiento técnico" (SSTS 161/2004 de 9.2, ATS 50/2008 de 17.1). La intervención de un solo perito no afecta a la tutela judicial efectiva si no produce indefensión, de manera que habrá de ser el recurrente quien argumente y razone que la irregularidad que aduce ha quebrantado el derecho de defensa y ocasionado un menoscabo real y efectivo de ese derecho en que consiste la indefensión (SSTS 1313/2005 de 9.11, 31/2008 de 8.1). El mero hecho de que el informe pericial haya sido ratificado en juicio por un solo perito no implica por sí solo la nulidad del mismo, ni la existencia de dudas acerca de su contenido o forma de realización, no existiendo infracción de Ley ni se ha producido indefensión en el análisis de la prueba pericial. En todo caso, en relación con esta cuestión, es preciso tener en cuenta también que en el procedimiento abreviado, la propia Ley establece que "el informe pericial podrá ser prestado por un perito" (art. 788.2 LECrim.) y que las garantías del proceso penal alcanzan tanto al proceso ordinario como a las distintas modalidades del abreviado, por lo que el número de peritos no puede considerarse requisito esencial del proceso con todas las garantías a que todo acusado tiene derecho, art. 24 CE (STS 779/2004 de 15.6). En este sentido la STS 376/2004 de 17.3, señala que si para enjuiciar conductas susceptibles de ser castigadas con pena de prisión de hasta 9 años basta la intervención de un especialista, esta limitación numérica no infringe derecho constitucional alguno, pues las garantías fundamentales se extienden a todos y no cabría aceptar que por tratarse de procedimientos diferentes según la pena atribuida a los hechos objeto de enjuiciamiento a unos acusados se les garantiza la observancia del derecho y a otros no, pues por su propia naturaleza los derechos fundamentales y libertades básicas son universales (SSTS 97/2004 de 27.1, 935/2006 de 2.11). Asimismo la reciente STS 510/2009 de 12.5, con cita de las SSTS 537/2008 de 12.9, y 106/2009 de 4.2, ha precisado que, pese al tenor literal del art. 459 LECrim, se hará por dos peritos», tal duplicidad de informantes no es esencial. Conviene tener presente, en fin, que si la validez de una prueba pericial, su adecuación a las exigencias de un proceso justo, se explicará a partir de un entendimiento puramente cuantitativo, que atendiera exclusivamente al número de peritos que hubiera participado en la elaboración del informe, nos veríamos obligados a aceptar que el procedimiento abreviado se aparta de los requerimientos constitucionales, en la medida en que se acepta el dictamen pericial suscrito por un único perito (art. 778.1 LECrim.). STS 5 Mar. 2010, N.º de sentencia: 160/2010, N.º de recurso: 2209/2009, LA LEY 4009/2010.

Los peritos pueden ser, o no, titulares en su ciencia o arte, prefiriéndose los titulares (art. 458 LECrim). El nombramiento se hará saber al perito por oficio, o verbalmente en casos de urgencia (art. 460-461 LECrim). Los peritos estarán obligados a prestar juramento de proceder bien y fielmente en sus operaciones (art. 474 LECrim), a comparecer al llamamiento judicial, y a emitir su informe, bajo pena de la correspondiente sanción (arts. 462, 463, 420 LECrim). Podrá el perito excusarse cuando esté legítimamente impedido, y las partes podrán recusarle cuando el informe pericial no pudiera reproducirse en el juicio oral, o cuando concurra alguna de las causas legalmente previstas (arts. 467 y 468 LECrim). En ese último caso, las partes podrán nombrar a su costa un perito. Si procesados y querellantes fueren varios se pondrán de acuerdo para hacer el nombramiento (art. 471 LECrim). El perito llamado por el Juez tendrá derecho a reclamar los honorarios e indemnizaciones en tal concepto (art. 465 LECrim).

El contenido del informe vendrá determinado por lo que acuerde el Juez (art. 475 LECrim), y comprenderá los elementos descriptivos de las personas y las cosas, la relación detallada de todas las actuaciones practicadas, y las conclusiones que, a la vista, formulen los peritos conforme a los principios de su ciencia o arte (art. 478 LECrim). El acto pericial será presidido por el Juez instructor, o el funcionario de la policía judicial en quien delegue y el Letrado de la administración de justicia que actúe en la causa. También asistirán, en su caso, el querellante y/o el procesado que podrán someter a los peritos las observaciones que estimen convenientes, haciéndose constar en la diligencia. Así sucederá en el caso de que la prueba no pueda reproducirse en el acto del juicio oral, conforme con los arts. 467.2 y 476 LECrim. Pero estas normas decaen como norma general. Lo usual es que el Juez delegue la asistencia, por ejemplo a las autopsias, en funcionarios de la policía. En otros supuestos la asistencia de los funcionarios o de las partes no es posible. Así sucederá cuando se pueda afectar a la intimidad de las personas (pericia médica); o cuando lo impida la naturaleza técnica de la pericia (análisis de explosivos, de sustancias peligrosas).

En realidad, en una gran mayoría de supuestos, la pericia en el proceso penal será la que aporten a la instrucción penal los peritos de los laboratorios oficiales de la policía o del Instituto de Toxicología y Ciencias forenses del Ministerio de Justicia, que realizan el informe en su laboratorio sin asistencia de las partes. Muchas veces porque en un primer momento no existe ninguna persona imputada y es mediante los análisis periciales como se puede dirigir la investigación y, en su caso, la imputación frente a persona determinada. En estos casos, el laboratorio debe conservar los objetos y muestras para análisis posteriores que, principalmente, pueda solicitar o realizar el imputado. Más aún es práctica frecuente que los informes periciales se adjunten con los atestados policiales sin que la pericia técnica pierda su carácter por esta circunstancia. Así sucede con los certificados médicos forenses o los análisis de sustancias estupefacientes, sin que este proceder plantee, por sí mismo, ninguna infracción o nulidad. La pericia técnica no pierde ese carácter por el hecho que se adjunte o incluya en un atestado policial, práctica frecuente en el caso de los certificados médicos forenses, o de análisis de sustancias estupefacientes.

Por otra parte, la naturaleza y especial consideración de los análisis oficiales técnicos no obsta para que la parte pueda solicitar un contraanálisis. Téngase en cuenta, que las sustancias estupefacientes se destruirán, aunque se prevé que se dejen muestras suficientes para garantizar ulteriores comprobaciones[118]. Ése es el caso al que

---

(118) «Como señala la sentencia núm. 1973/2000, de 15 de diciembre, la posibilidad del presunto infractor de realizar un contraanálisis que pueda enervar el resultado incriminatorio del previamente practicado, se enmarca en el derecho a la práctica de pruebas exculpatorias del acusa-

hemos atendido en el apartado anterior con relación a la petición por la parte de una prueba pericial de contraste con la que conste en la Base de datos de perfiles de ADN regulada por la LO 2007.

> «Es indudable también que el imputado puede rechazar de forma expresa la conclusión pericial sobre su propia identificación genética, cuando ésta se logra a partir de los datos preexistentes en el fichero de ADN creado por la LO 10/2007, 8 de octubre (LA LEY 10118/2007). La posibilidad de que entre el perfil genético que obra en el archivo y los datos personales de identificación exista algún error, es una de las causas imaginables —no la única— de impugnación (STS 709/2013, de 10 de octubre (LA LEY 158625/2013)). Sin embargo, ese desacuerdo, para prosperar, deberá expresarse y hacerse valer en momento procesal hábil. No se trata de enfatizar el significado del principio de preclusión que, en el fondo, no es sino un criterio de ordenación de los actos procesales y, por tanto, de inferior rango axiológico frente a otros valores y principios que convergen en el proceso penal. Lo que se persigue es recordar que la destrucción de la presunción *iuris tantum* que acompaña a la información genética que ofrece esa base de datos —así lo autorizan la fiabilidad científica de las técnicas de obtención de los perfiles genéticos a partir de muestras ADN y el régimen jurídico de su acceso, rectificación y cancelación, autorizado por la LO 10/2007, 8 de octubre (LA LEY 10118/2007)—, sólo podrá ser posible mediante la práctica de otras pruebas de contraste que, por su propia naturaleza, sólo resultarán idóneas durante la instrucción». STS Sala Segunda, de lo Penal, Sentencia 286/2016 de 7 Abr. 2016, Rec. 1572/2015; Ponente: Berdugo Gómez de la Torre, Juan Ramón. LA LEY 24088/2016.

El informe pericial contendrá los elementos descriptivos de las personas y las cosas, la relación detallada de las actuaciones o exámenes practicados, y las conclusiones que formulen los peritos conforme a los principios de su ciencia o arte (art. 478 LECrim). Los dictámenes periciales deberán ser ratificados y sometidos a contradicción en el juicio oral para poder ser valorados como prueba. Sin embargo, en criterio adoptado por acuerdo de Sala General del Tribunal Supremo de 21 de mayo de 1999, el TS acordó que los informes emitidos por organismos oficiales, practicados en fase de instrucción, podrán ser valorados como prueba, si las partes no los impugnan expresamente. Precisamente, acogiendo este criterio la Ley 9/2002 de 10 de diciembre modificó el art. 788.2 de la LECrim para establecer que en el ámbito del procedimiento abreviado, tendrán carácter de prueba documental: «*los informes emitidos por laboratorios*

---

do, tanto en el procedimiento administrativo sancionador como en el proceso penal. Pero este ejercicio del derecho de defensa requiere, imperativamente, que la prueba en cuestión sea posible de practicar, tal y como sucede con cualquier solicitud de prueba que las partes procesales interesen del órgano judicial —o administrativo—. Cuando, como acaece en el supuesto actual, el análisis contradictorio de las muestras obtenidas resulta de imposible realización por haberse deteriorado las muestras —como el propio recurrente reconoce— es claro que la alegación de indefensión carece de sentido. Si, como aquí sucede, fue el propio acusado quien propició dicha imposibilidad material con su inactividad, recibiendo las muestras pero prescindiendo del ofrecimiento policial de practicar un análisis alternativo, es claro que no puede apreciarse indefensión alguna. Por otra parte en el caso actual la fiabilidad de los análisis oficiales está garantizada reforzadamente no sólo por la profesionalidad y objetividad de los Organismos públicos que los realizaron, sino también por la reiteración en dos Laboratorios oficiales distintos, que sirve ordinariamente de contraste sin necesidad de practicar otros contraanálisis». STS Sala Segunda, de lo Penal, Sentencia 2184/2001 de 23 Nov. 2001, Rec. 702/2000; Ponente: Conde-Pumpido Tourón, Cándido. LA LEY 1743/2002.

oficiales sobre la naturaleza, cantidad y pureza de sustancias estupefacientes cuando en ellos conste que se han realizado siguiendo los protocolos científicos aprobados por las correspondientes normas». Respecto al alcance de la impugnación de la parte del informe pericial policial el TS dictó el Acuerdo de 25 de mayo de 2005, en el que se acordó que: *«la manifestación de la defensa consistente en la mera impugnación de los análisis sobre drogas elaborados por centros oficiales, no impide la valoración del resultado de aquellos como prueba de cargo, cuando haya sido introducido en el juicio oral como prueba documental, siempre que se cumplan las condiciones previstas en el art. 788.2 Lecri. la proposición de pruebas periciales se sujetará a las reglas generales sobre pertinencia y necesidad. Las previsiones del art. 788.2 de la Lecri. son aplicables exclusivamente a los casos expresamente contemplados en el mismo. La aplicación de este art. no es extensible a otros procesos o pruebas, por lo que sus previsiones son aplicables exclusivamente a los casos expresamente contemplados en el mismo»*. En su virtud, en la actualidad los informes técnicos periciales de laboratorios oficiales se introducirán en el juicio oral y podrán ser valorados como prueba documental, sin presencia de los peritos en el plenario, si la acusada no los impugna y solicita la comparecencia de los peritos en el juicio oral. Véase sobre esta cuestión el § 1.4. E del Cap. IX sobre la práctica de la prueba pericial en el juicio oral.

«En el Pleno no jurisdiccional de esta Sala de 21.5.99, se acordó (punto 2º) la innecesariedad de ratificación del dictamen de los peritos integrados en organismos públicos, salvo que la parte a quien perjudique impugne el dictamen o interese su presencia para someterlos a contradicción en el plenario y lo hiciera en momento procesal oportuno, señalando la STS de 31.10.2002 el momento procesal en el que ha de producirse tal impugnación cuando dice que: "... la impugnación de la defensa debe producirse en momento procesal adecuado, no siendo conforme a la buena fe procesal la negación del valor probatorio de la pericial documentada si fue previamente aceptado, expresa o tácitamente. Aunque no se requiere ninguna forma especial de impugnación, debe considerarse que es una vía adecuada la proposición de pericial de los mismos peritos o de otros distintos mediante su comparecencia en el juicio oral, pues nada impide hacerlo así a la defensa cuando opta por si aceptar las conclusiones de un informe oficial de las características ya antes expuestas"». STS de 23 Sep. 2010, N.º de Sentencia: 771/2010, LA LEY 157568/2010.

A) Informe dactiloscópico[119]

El informe dactiloscópico, o lofoscópico, se suele incluir en el atestado formando parte de la denuncia, si bien la jurisprudencia considera que no puede atribuírsele el

(119) Vid. DE DIEGO DÍEZ, L.A., «Singularidades de la actividad pericial practicada por organismos oficiales. Especial referencia a los informes dactiloscópicos», *La Ley* nº 5301, 2001. CLIMENT DURAN, C., «Sobre el valor probatorio de la prueba pericial», *RGD*, abril 1990, pp. 2120 y ss.; PICÓN DEVESA, «La dactiloscopia como medio de prueba», *AP*, 1988, p. 2317; DE DIEGO DÍEZ, «La identificación de delincuente a través de las huellas dactilares: la prueba dactiloscópica», *Cuadernos de Derecho Judicial*, CGPJ, Madrid, 1992; MARTÍNEZ PEÑA, E, «La impresión dactilar en el proceso penal. Valor probatorio. Medidas de aseguramiento para su obtención: Las llamadas medidas de intervención sobre el cuerpo», *La Ley* 18 mayo 1998; FABREGA RUIZ, C.F., «Aspectos jurídicos de las nuevas técnicas de investigación criminal, con especial referencia a la huella genética y su valoración judicial», *La Ley* nº 4721, 1999.

valor de una mera diligencia. En los supuestos en los que este informe se realiza por indicación del Juez en la fase de instrucción representa un acto de instrucción con la validez de un informe pericial, que sirve para acreditar unos hechos esenciales para el proceso.

> «En el caso presente, pues, la Sala de instancia en relación a la autoría de Fidel destaca la existencia de una prueba definitiva y concluyente que acredita la participación del mismo, cual es la prueba pericial dactiloscópica realizada por la Policía científica. Con respecto a la prueba dactiloscópica, los agentes que efectuaron la recogida y análisis de las huellas, encontraron hasta 12 particularidades de coincidencia, sin que tuvieran duda alguna sobre la identificación de las mismas con el acusado aquí recurrente. Pues bien sobre esta prueba, como hemos dicho por ejemplo en STS 892/2008, de 26 de diciembre (LA LEY 198357/2008), recordando la jurisprudencia de esta Sala, se considera indicio especialmente significativo, es decir de una "singular potencia acreditativa, que las huellas dactilares del recurrente se encuentran en el lugar donde los hechos acaecieron". Como recuerda la STS 29.10.2001 y ha señalado esta Sala en reiteradas sentencias en las que se ha admitido la efectividad de esta prueba para desvirtuar la presunción constitucional de inocencia (entre otras las de 17.3, 19.6.99 y las de 22.3, 27.4 y 19.6.2000), la pericia dactiloscópica constituye una prueba plena en lo que respecta a la acreditación de la presencia de una persona determinada en el lugar en que la huella es encontrada y permite establecer, con seguridad plenamente absoluta, que sus manos han estado en contacto con la superficie en la que aparecen impresas». ATS Sala Segunda, de lo Penal, Auto 74/2016 de 14 Ene. 2016, Rec. 1626/2015, Ponente: Martínez Arrieta, Andrés. LA LEY 1306/2016.

La prueba dactiloscópica tiene una especial relevancia como consecuencia de los avances técnicos en su obtención y debido a la fiabilidad que presenta. En este sentido, cada huella dactilar es singular, inequívoca, e invariable a lo largo de la vida humana (Véase M. 74). De tal modo, que la pericia dactiloscópica es prueba directa en lo que respecta a la acreditación de la presencia de una persona determinada en el lugar en el que la huella se encuentre. Es decir, que permite acreditar de forma indudable que las manos de determinada persona han estado en contacto con la superficie en la que aparecen impresas. Cuestión distinta es la relación lógica que debe producirse entre el hecho indubitado de atribución de las huellas al imputado y la comisión del hecho delictivo lo que puede depender de otros hechos y evidencias[120].

---

(120) «La alegación de vulneración del derecho a la presunción de inocencia y quebrantamiento de forma por denegación de la prueba no puede ser acogida. Si bien la prueba fue propuesta dentro de plazo previsto en el artículo 780 de la Ley de Enjuiciamiento Criminal (LA LEY 1/1882), la misma no es necesaria, se solicita que se efectúe una pericial dactiloscópica a fin de determinar si en la mochila incautada se identificaban sus huellas. Tal y como justifica la sentencia recurrida, dicha prueba hubiera tenido valor acreditativo si se hubiera practicado al inicio de la investigación, no tres meses después, cuando la prueba ya se encontraba perjudicada por no haberse garantizado su cadena de custodia adecuada para preservar las huellas que hubiera en la mochila. En todo caso, tal y como señala la sentencia, dicha prueba no era determinante de la absolución o culpabilidad, pues se pudo usar la mochila sin dejar huellas (bien porque el tejido no fuera apto para captar la impresión, bien por la utilización de guantes, o porque en su manipulación se hubiera actuado con suma cautela); además, el resultado negativo que pudiera arrojar dicha prueba no es determinante del hecho que se pretende demostrar, que la mochila no era suya, pues es un dato más a valorar junto a otros; y, en todo caso, el Ministerio Fiscal aceptó como hecho no cuestionado que en la

«La alegación en cuanto a este extremo no se ajusta a los perfiles del cauce casacional empleado. No se trata en este caso de una interpretación sesgada de la pericial dactiloscópica. La recurrente no discute que la prueba dactiloscópica acredita la existencia de su huella, lo que supone que la acusada entró en contacto con el objeto donde la depositó, pero discrepa del alcance que a tal indicio atribuyó el Tribunal sentenciador». STS Sala Segunda, de lo Penal, Sentencia 885/2016 de 24 Nov. 2016, Rec. 597/2016. Ponente: Ferrer García, Ana María. LA LEY 174268/2016.

Desde un punto de vista científico, se considera acreditada la identificación si coinciden ocho o diez puntos comunes entre las huellas encontradas y las del imputado[121]. Sin embargo, aun reconociéndose la fiabilidad del informe dactiloscópico, para que el Tribunal pueda tener en cuenta la prueba obtenida es preciso que en su obtención y empleo se hayan observado, tanto las formalidades legales que ha de tener presente la Policía Judicial cuando recoja huellas dactilares (Título V del Libro II, Capítulos I y II de la LECrim.), como que se haya respetado la finalidad garantista de dichos preceptos. El cumplimiento de estas garantías exige que se hayan recogido las pruebas materiales de donde se extraen las huellas y se conserven hasta el juicio oral si fuera posible, haciendo constar el lugar en que dichos objetos se encontraron, y que el informe haya podido ser sometido a contradicción en el plenario. Es esta una actividad de la Policía judicial que está incluida entre las que le son propias, sin perjuicio de su posterior control judicial. El informe dactiloscópico no tiene el carácter de prueba preconstituida «stricto sensu» por cuanto ello exigiría la intervención judicial. En consecuencia, se exige la personación de los funcionarios actuantes en el juicio oral para que pueda tener fuerza probatoria. Sin embargo, el informe dactiloscópico implica la existencia de actividad probatoria, aun cuando no fuera ratificada personalmente por los peritos en el acto del juicio oral. Esto es así en tanto que se trata de un informe técnico elaborado por funcionarios públicos que pueden valorarse como prueba si ninguna de las partes los impugna y solicita la personación de los peritos en el plenario. Véase sobre esa cuestión el § 1.4.E y 1.6 del Capítulo IX sobre práctica de la prueba en el juicio oral.

No obstante, la necesaria presencia de los peritos actuantes puede ser necesaria teniendo en cuenta el objeto de esta clase de diligencia. Véase que tan importante como el informe pericial técnico, que insistimos no sería preciso que se ratificara en el acto del juicio a no ser que se impugnase, es la diligencia de inspección ocular y recogida

---

citada mochila no había huellas del recurrente». STS Sala Segunda, de lo Penal, Auto 2317/2013 de 5 Dic. 2013, Rec. 1582/2013; Ponente: Saavedra Ruiz, Juan. LA LEY 199683/2013.

(121) «La prueba, consistente en el análisis de las huellas de los dedos de las manos humanas, llevada a cabo por un técnico, tiene unas características muy especiales. En efecto, la llamada prueba lofoscópica o de dactiloscopia tiene un fundamento científico que, si alcanza ocho o diez puntos comunes en las huellas analizadas, sin que exista desemejanza alguna, alcanza a establecer la identidad del sujeto, sin género de dudas. Es decir, la naturaleza de esta actividad probatoria ha de situarse en una posición muy específica. Si en un objeto —utilizada la expresión en sentido amplio— se comprueban huellas dactilares de una persona, como en este caso, de dedos diferentes, con los puntos característicos que se describen en el Informe pericial puede afirmarse categóricamente, a la luz de la ciencia, que aquel objeto estuvo en contacto con la persona cuyas huellas se han detectado en el mismo». STS, Sala Segunda, de lo Penal, Sentencia de 2 Nov. 1994, Ponente: Ruiz Vadillo, Enrique. LA LEY 1738/1995.

de huellas y vestigios que predeterminan el informe dactiloscópico. Esa actividad de los funcionarios de la policía debe someterse a la contradicción en el acto del juicio oral, precisamente porque no es una pericia técnica sino un acto de inspección y recogida de huellas y vestigios. Téngase presente que es cierto que la pertenencia de una huella concreta a un individuo resulta una prueba directa, e indubitada. Por esa razón el objeto de debate en el juicio oral se centrará en la ubicación de los restos materiales donde se hallaban las huellas al efecto de relacionar huellas y actividad del que las dejó en el delito. Y, a este respecto, el informe lofoscópico no deja de ser un indicio de la autoría.

«La pericial dactiloscópica tiene virtualidad para acreditar que el titular de la huella ha estado en contacto con el objeto en el que ésta se detecta. Pero como señala el recurso, la conexión de ese dato con la atribución de la participación en un hecho delictivo, necesita de un juicio lógico inductivo sólidamente construido sin que se exista resquicios para la duda. Así lo ha afirmado en la jurisprudencia de esta Sala, en la sentencia que el recurso cita y en otras como STS 892/2008, de 26 de diciembre (LA LEY 198357/2008) .../... La inferencia de la Sala de instancia resulta excesivamente amplia. La simple presencia de la huella en hoja de la espada deja abierta una posibilidad razonable a conclusiones distintas de la que la sentencia alcanza. Entre otras, al mero contacto puntual del acusado con el arma que, no olvidemos, no es la que se considera prohibida, insuficiente para proyectar su órbita de disponibilidad respecto al conjunto de ellas, incluida la pistola. Su propia versión plantea un contacto meramente puntual, insuficiente para construir sobre él una disponibilidad ni de la espada, ni aun menos sobre la pistola. No olvidemos que una tenencia meramente fugaz que quedaría fuera del tipo (STS 603/2011 de 16 de junio (LA LEY 105377/2011))». STS Sala Segunda, de lo Penal, Sentencia 709/2014 de 30 Oct. 2014, Rec. 174/2014. Ponente: Ferrer García, Ana María. LA LEY 187864/2014.

Sobre este particular resulta ilustrativo el problema de determinar en qué lado de un cristal fracturado (por ejemplo una puerta o ventana de acceso a una vivienda o local) se halla en una huella, ya que de ello se puede deducir la atribución del delito a aquél a quien pertenece la huella[122]. En estos casos, lo esencial será el interrogatorio sobre la obtención de las huellas, lo que exigirá la presencia de los funcionarios actuantes, a estos fines. Además de la valoración del resto de pruebas practicadas que permitan dar cuenta de todo lo que acaeció respecto al hecho enjuiciado[123].

---

(122) «Como recuerda la STS 29.10.2001 y ha señalado esta Sala en reiteradas sentencias en las que se ha admitido la efectividad de esta prueba para desvirtuar la presunción constitucional de inocencia (entre otras las de 17.3, 19.6.99 y las de 22.3, 27.4 y 19.6.2000), la pericia dactiloscópica constituye una prueba plena en lo que respecta a la acreditación de la presencia de una persona determinada en el lugar en que la huella es encontrada y permite establecer, con seguridad plenamente absoluta, que sus manos han estado en contacto con la superficie en la que aparecen impresas. La conexión de estos datos con la atribución al titular de las huellas de la participación en los hechos delictivos necesita, sin embargo, un juicio lógico inductivo sólidamente construido, del que pueda deducirse, sin duda racional alguna, que por el lugar en que se encuentra la huella o por el conjunto de circunstancias concurrentes ésta necesariamente procede del autor del hecho delictivo, o bien quepa establecer conclusiones alternativas plausibles que conduzcan a la incertidumbre o a la indeterminación, porque las huellas han podido quedar impresas antes o con posterioridad a la comisión de los hechos delictivos de una manera ocasional». ATS Sala Segunda, de lo Penal, Auto 74/2016 de 14 Ene. 2016, Rec. 1626/2015, Ponente: Martínez Arrieta, Andrés. LA LEY 1306/2016.

(123) «En el presente caso no concurre esta posibilidad alternativa plausible, dadas las específicas circunstancias concurrentes, por lo que ha de estimarse que la conclusión del Tribunal sen-

«Pues bien en el presente caso no concurre esta posibilidad alternativa plausible, dadas las específicas circunstancias concurrentes, por lo que ha de estimarse que la conclusión del tribunal sentenciador es la única razonable y lógica, sin duda racional alguna. En efecto las huellas fueron localizadas de modo inmediatamente posterior a los hechos delictivos por la Policía Judicial, y los agentes policiales que tomaron las huellas y realizaron el análisis matizaron vehementemente en el acto del juicio que no existe margen a la duda y cómo actuó el reactivo rápidamente, lo que indica que eran recientísimas, incluso de horas antes. Por otra parte el propio acusado no proporciona una explicación alternativa plausible de cómo pudieron quedar impresas sus huellas dactilares en la caja registradora del local donde se perpetró el robo. Es cierto que no recae sobre el acusado la carga de acreditar su inocencia, pero cuando existen pruebas de cargo serias de la realización de un hecho delictivo —y las huellas dactilares indudablemente lo son— la ausencia de una explicación alternativa por parte del acusado, explicación «reclamada» por la prueba de cargo y que solamente este se encuentra en condiciones de proporcionar, puede permitir obtener la conclusión, por un simple razonamiento común, de que no existe explicación alternativa alguna». ATS Sala Segunda, de lo Penal, Auto 74/2016 de 14 Ene. 2016, Rec. 1626/2015, Ponente: Martínez Arrieta, Andrés. LA LEY 1306/2016.

Finalmente con base en todo lo expuesto resulta necesario que el Tribunal sentenciador lleve a cabo un juicio lógico-deductivo teniendo en cuenta todas las posibilidades que hubieran podido darse para justificar la existencia de la huella dactilar del acusado en el objeto en el que se halló. A ese fin debe valorar si concurre alguna posibilidad alternativa plausible, dadas las específicas circunstancias que se den en casa caso, que permita al Tribunal tener en cuenta otras posibilidades que puedan conducir a la absolución del acusado.

«Con respecto a la prueba dactiloscópica, el agente n.º NUM008 que efectuó la recogida y análisis de las huellas, encontró 12 particularidades de coincidencia, sin que tuviera duda alguna sobre la identificación de las mismas con los procesados Carlos José y Eugenio (informe pericial folios 868 a 879). Pues bien sobre esta prueba la STS 468/2002 de 15.3 (LA LEY 4559/2002) considera indicio especialmente significativo, es decir de una «singular potencia acreditativa, que las huellas dactilares del recurrente se encuentran en el lugar donde los hechos acaecieron». Como recuerda

---

tenciador es la única razonable y lógica, sin duda racional alguna. En efecto la huella fue localizada de modo inmediatamente posterior al hecho por la policía judicial especializada, y se encontraba situada precisamente en la barra del bar, al lado de la caja registradora, barra que lógicamente tuvo que saltar el ladrón para forzar la referida caja. Pero además consta que el empleado del bar había limpiado expresamente la barra justo antes de cerrar el establecimiento la noche anterior, y es por ello por lo que la huella del acusado es la única que existía en la barra del bar cuando se realizó la investigación dactiloscópica. Consta asimismo que dicha investigación se practicó antes de que el establecimiento fuese abierto al público, por lo que necesariamente la huella tiene que pertenecer a uno de los asaltantes, que efectuaron la sustracción durante la noche, en el intervalo temporal entre el cierre del bar, con limpieza total de la barra, y el momento del descubrimiento del robo, la mañana siguiente. Por tanto en el caso actual no cabe posibilidad alguna de que la huella se pudiese haber impreso casualmente, atendiendo al lugar y al momento de su descubrimiento, por lo que constituye una conclusión absolutamente necesaria que fue uno de los ladrones quien, al saltar la barra para acceder a la caja registradora, dejó en ella su huella dactilar». STS Sala Segunda, de lo Penal, Sentencia 468/2002 de 15 Mar. 2002, Rec. 1495/2000. Ponente: Conde-Pumpido Tourón, Cándido. LA LEY 4559/2002.

la STS 29.10.2001 y ha señalado esta Sala en reiteradas sentencias en las que se ha admitido la efectividad de esta prueba para desvirtuar la presunción constitucional de inocencia (entre otras las de 17.3, 19.6.99 y las de 22.3, 27.4 y 19.6.2000), la pericia dactiloscópica constituye una prueba plena en lo que respecta a la acreditación de la presencia de una persona determinada en el lugar en que la huella es encontrada y permite establecer, con seguridad plenamente absoluta, que sus manos han estado en contacto con la superficie en la que aparecen impresas. La conexión de estos datos con la atribución al titular de las huellas de la participación en los hechos delictivos necesita, sin embargo, un juicio lógico inductivo sólidamente construido, del que pueda deducirse, sin duda racional alguna, que por el lugar en que se encuentra la huella o por el conjunto de circunstancias concurrentes ésta necesariamente procede del autor del hecho delictivo, o bien quepa establecer conclusiones alternativas plausibles que conduzcan a la incertidumbre o a la indeterminación, porque las huellas han podido quedar impresas antes o con posterioridad a la comisión de los hechos delictivos de una manera ocasional». STS Sala Segunda, de lo Penal, Sentencia 892/2008 de 26 Dic. 2008, Rec. 10289/2008. Ponente: Berdugo Gómez de la Torre, Juan Ramón. LA LEY 198357/2008.

B) La pericial médico-forense

Los informes periciales médico forenses son un medio de prueba de frecuente utilización en la práctica del proceso penal. La razón, obvia, se halla en la habitual existencia de lesiones como consecuencia del delito. Lesiones que deben ser examinadas por el médico forense y, en su caso, por el perito designado por la parte, a fin de poder determinar, preliminarmente en la calificación y más tarde en la sentencia, no sólo la clase de delito y su gravedad, sino también la responsabilidad civil que se derive del delito[124]. Esta clase de informes deberán entregarse antes de la calificación de los hechos y sus autores comparecer en el acto del juicio oral a fin de ratificar su informe y someterlo a contradicción[125].

La práctica de la prueba pericial médico-forense requerirá la necesaria presencia del médico que la hubiere realizado en el acto del juicio a fin de ratificar su dictamen y someterse a las cuestiones que les puedan plantear las partes. A este respecto no existe mayor distinción entre las distintas clases de pericias que se pueden realizar, sean de lesiones o de autopsia. En cualquiera de los casos no será posible repetir la pericia en el acto del juicio oral, a ello se oponen un buen número de razones. Sin embargo, en el caso de la autopsia la jurisprudencia conviene en distinguirla al entender que se trata de una prueba pericial anticipada que por su propia naturaleza

---

(124) Véanse MORALES RUIZ, «La prueba pericial médico-psiquiátrica, especial referencia a la drogadicción», en *Cuadernos de Derecho Judicial*, CGPJ, Madrid, 1992. SÁEZ COMBA, «La prueba pericial psiquiátrica», en *Cuadernos*, cit., Madrid, 1992.

(125) Aunque nada impide la solicitud al inicio del juicio oral de la práctica de prueba pericial en el procedimiento abreviado al amparo del art. 786.2 LECrim. Lo que suele suceder, en estos casos, es la admisión de este medio de prueba supeditado a la presencia del perito en la Sala y a la entrega a las partes del informe que éste hubiera realizado. Esta posibilidad puede ser utilizada por cualquiera de las partes, aunque es lo frecuente que la emplee la defensa, ya que se entiende que la acusación, especialmente la pública, habrá podido solicitar, en su caso, la práctica de diligencias complementarias al amparo del art. 780.2 LECrim. En cualquier caso, las partes pueden solicitar la suspensión del juicio oral a fin de ilustrarse sobre el contenido de la prueba pericial propuesta.

no puede repetirse en el juicio oral siendo medio probatorio válido si los forenses que la practicaron comparecen al juicio oral y son sometidas sus conclusiones sobre cual es a su juicio la causa de la muerte y sus circunstancias (art. 343 LECrim), a la debida contradicción e inmediación ante el Tribunal.

> «a) En relación a la autopsia se trata de una prueba pericial anticipada que por su propia naturaleza no puede repetirse en el juicio oral siendo medio probatorio válido si los forenses que la practicaron comparecen al juicio oral y son sometidas sus conclusiones sobre cual es a su juicio la causa de la muerte y sus circunstancias (art. 343 LECrim (LA LEY 1/1882)), a la debida contradicción e inmediación ante el Tribunal, tal como sucedió en el caso presente. Se queja el recurrente que la incineración del cadáver le impidió la posibilidad de solicitar una segunda autopsia, queja que fue analizada por la sentencia impugnada con argumentos que esta Sala asume en su totalidad, por cuanto la defensa no ha justificado en qué medida la no práctica de una segunda autopsia le ha producido indefensión material». STS 5 May. 2010, N.º de Sentencia: 383/2010; N.º de Recurso: 10727/2009; LA LEY 41089/2010.

Efectivamente, la irrepetibilidad del informe pericial en el plenario es una característica de prácticamente cualquier clase de prueba pericial que difícilmente podrá realizarse en el acto del juicio oral, salvo pericias muy determinadas. Entre otras cuestiones porque cualquier análisis técnico requiere de un mínimo período de análisis y elaboración de conclusiones que es incompatible con la dinámica del juicio oral[126].

Finalmente, consideramos que debe distinguirse entre la pericia médico-forense y la pericial psicológica. La diferencia entre ambas clase de pericia se halla en el distinto fundamento, técnicas y conclusiones a las que se puede llegar en uno y en otro caso. La pericia médico-forense se fundamenta en el análisis objetivo y determinación científica del origen y consecuencias de las heridas que pueda haber sufrido una persona. En esta clase de pericia la información proporcionada por los testigos, incluida la propia víctima no resulta determinante de las conclusiones que se obtengan. Por su parte las conclusiones obtenidas en una prueba pericial psicológica se fundamentan básicamente en el análisis del relato personal del acusado, los testigos o la víctima, a partir del cual el psicólogo elabora y obtiene conclusiones sobre distintos aspectos de interés en el proceso como son básicamente la credibilidad del sujeto o el estado personal que tuviere antes, durante y después de la comisión del delito.

Naturalmente que la fuerza probatoria que tienen una y otra clase de informes son distintas. En el caso de la pericial médico-forense las conclusiones que se contengan en el informe pericial servirán para fijar los hechos en el proceso. Ello sin perjuicio de las discrepancias que puedan existir entre los peritos que actúen en una causa. Pero en cualquier caso, la prueba pericial servirá para determinar la realidad de los hechos relevantes en la causa. Ello naturalmente sin perjuicio de que la valoración

---

(126) Véase a este respecto la STS Sala Segunda, de lo Penal, Sentencia 387/2005 de 23 Mar. 2005, Rec. 1143/2003. Ponente: Bacigalupo Zapater, Enrique. LA LEY 67653/2005 que declara que: «... cualquiera de los funcionarios del ente puede informar sobre las cuestiones que podrían ser objeto de contradicción en el juicio oral. Dado que la operación analítica, por regla general, no es en sí misma repetible y que esta repetición, en todo caso, no ha sido solicitada por la Defensa, es claro que el debate sólo hubiera podido versar sobre los métodos y procedimientos de la pericia».

de la prueba corresponde al Tribunal que no está meditarizado por ninguna clase de regla con relación a esta o a ninguna clase de prueba.

«No puede hablarse por ello de error en la apreciación de la prueba o falta de motivación. En efecto la pericial medica tiene dos aspectos.: el biológico-psíquico y el normativo valorativo del anterior, aspecto competencia del Tribunal y revisable en casación. El juicio emitido por el órgano enjuiciante sobre la imputabilidad de un imputado, sobre la base de su informe pericial, no afecta a la presunción de inocencia por ser una cuestión jurídica —de derecho— (ATC 343/87 de 18.3 (LA LEY 1771/1987)). A los médicos les corresponderá señalar las bases patológicas de la anomalía que, en su caso, percibiesen, pero la valoración ha de hacerla el Tribunal, correspondiendo a éste la decisión sobre la imputabilidad, semiimputabilidad, inimputabilidad, por tratarse de conceptos eminentemente jurídicos (STS 125/2004, de 20-1 (LA LEY 11585/2004)) pues el diagnóstico pericial no debe equipararse automática o mecánicamente con la insuficiencia de capacidad de autodeterminación en el orden penal, siendo el perito un mero colaborador de los jueces y correspondiendo a estos determinar si la eventual deficiencia de las facultades de decidir la comisión del delito, alcanza el nivel necesario para afectar o no, la imputabilidad del sujeto (STS 670/2005 de 27.5 (LA LEY 1718/2005)). La compleja cuestión de la valoración de los informes periciales deriva, en buena medida, de las diferentes técnicas con que operan, de un lado, los peritos (la causal explicativa) y de otra los tribunales que es jurídica (es decir, normativa y valorativa) lo cual explica también las no infrecuentes voces entre unos y otros profesionales, de modo especial en el campo de la imputabilidad y responsabilidad personal, cuando se pide en vista la citada diferencia de perspectiva que actúan unos y otros (STS 103/2007 (LA LEY 9726/2007) de 21.12)». STC 912/2016 de 1 Dic. 2016, Rec. 355/2016. Ponente: Berdugo Gómez de la Torre, Juan Ramón. LA LEY 177402/2016.

Sin embargo, las conclusiones contenidas en la pericial psicológica no sirven, por lo general, para fijar los hechos controvertidos en el proceso, sino que pueden ilustrar al Tribunal sobre determinados hechos del proceso. Así es por dos razones. En primer lugar, porque las conclusiones de los psicólogos carecen de la fuerza objetiva de las conclusiones técnico-científicas. En segundo lugar, porque, por lo general, la pericial psicológica confronta o colisiona con la función de valoración de la prueba que corresponde a los Tribunales de justicia y que no puede ser anticipada o sustituida por el criterio o las conclusiones que consten en el informe pericial psicológico.

«Convertir el dictamen de los peritos psicólogos, singularmente lo que éstos denominan conclusión psicológica de certeza, en un presupuesto valorativo sine que non, llamado a reforzar la congruencia del juicio de autoría, supone convertir al perito en una suerte de pseudoponente, con una insólita capacidad para valorar anticipadamente la credibilidad de una fuente de prueba. Téngase en cuenta, además, que ese informe sobre la credibilidad de la víctima, para cuya confección el Juez instructor suministra a los técnicos copia de las distintas declaraciones prestadas en la fase de instrucción, se elabora con anterioridad al juicio oral, Se favorece así la idea de que, antes del plenario, algunos testigos cuentan con una anticipada certificación de veracidad, idea absolutamente contraria a nuestro sistema procesal y a las reglas que definen la valoración racional de la prueba. En suma, la existencia de un informe pericial que se pronuncie sobre la veracidad del testimonio de la víctima, en modo alguno puede desplazar el deber jurisdiccional de examinar y valorar razonablemente los elementos de prueba indispensables para proclamar la concurrencia del tipo y para afirmar o negar la autoría del imputado». STS 25 Jun. 2010, N.º de Sentencia: 648/2010, LA LEY 114096/2010.

C) Otros informes periciales[127]

La clase de pericias que pueden realizarse en un proceso penal es tan extensa como lo son los hechos, distintos e innumerables, que pueden producirse en torno a la comisión de los delitos tipificados en el Código Penal. De ahí resulta un extenso rango de hechos susceptibles de análisis pericial. Hechos que pueden tener como base, o soporte, personas, objetos o procesos naturales o artificiales. La relación de pericias es, por tanto y en principio, inabarcable. En este punto, al igual que sucede con el concepto amplio de prueba, puede ser objeto de pericia todos aquellos hechos que tengan relevancia en el proceso. De ahí resulta que podrá practicarse cualquier clase de prueba pericial siempre que sea conducente para acreditar hechos controvertidos en el proceso. No obstante lo anterior existen determinadas pericias que tienen una mayor incidencia y/o importancia en el proceso penal. Entre éstas se hallan las que podemos denominar clásicas como los informes forenses sobre personas (lesiones, autopsia o estado mental), y los informes periciales sobre el cuerpo del delito (tasación de daños, análisis de sustancias estupefacientes, análisis dactiloscópico, pericia balística, etc.). A estas pericias se unen las modernas técnicas periciales de determinación científica que se fundamentan en el análisis de muestras, huellas y vestigios biológicos o no que permiten obtener conclusiones extremadamente precisas sobre la composición y pertenencia de las muestras con objetos o personas. Estas pericias, de gran fiabilidad, se pueden realizar al amparo de lo previsto en la LECrim, ya que ésta no establece un catálogo tasado de pericias. Entre estas pericias destacan los análisis científicos de identificación de sustancias, fibras o, principalmente, restos genéticos que permiten el cotejo e identificación de objetos o personas con un alto grado de fiabilidad. Algunas de las pericias citadas ya han sido objeto de análisis en este Capítulo, mientras que otras son expuestas sintéticamente a continuación.

— Se ha admitido como medio de identificación del delincuente, el análisis científico de las huellas del calzado.

«Resulta acreditado por las manifestaciones de los policías que intervinieron en los hechos que en el mostrador de pagos de «OBE, S.A.» —empresa donde se cometió el robo—, se reveló la huella de una zapatilla de deportes y el informe pericial practicado al efecto y ratificado en el juicio oral, acredita que la citada huella fue impresa por la zapatilla "Paredes" que la Policía ocupó en el vehículo del acusado. Nuestra Ley de Enjuiciamiento Criminal bajo la rúbrica "de la identidad del delincuente y sus circunstancias personales" comprende una diversidad de actuaciones relativas a la identificación del inculpado. No hay referencia expresa a cualquier tipo de huella. No obstante, el art. 373 de referida Ley Procesal contiene una exhortación dirigida al Juez para que acredite la identidad del delincuente, por cuantos medios fueran conducentes a un delito, naturalmente siempre que sean válidamente obtenidas, lo que abre nuestro proceso penal a un *numerus apertus* en materia probatoria». STS Sala Segunda, de lo Penal, Sentencia de 3 Sep. 1992; Ponente: Huet García, Francisco. LA LEY 1706-5/1993.

---

(127)   FABREGA RUIZ, C.F., «Aspectos jurídicos de las nuevas técnicas de investigación criminal, con especial referencia a la "huella genética" y su valoración judicial», *La Ley* nº 4721, 1999.

— El análisis de residuos en el cuerpo o las ropas del sospechoso. Actividad que puede realizar la policía teniendo en cuenta la urgencia en evitar que estos residuos puedan desaparecer por frotamiento o limpieza de la zona.

«En la prueba de toma de muestras no se le obliga a emitir una declaración de voluntad que admita su culpabilidad, sino lo que hace es tolerar que en zonas corporales exteriores visibles se le aplique un adhesivo en orden a determinar la existencia de posibles residuos de la nube provocada por la deflagración del disparo con arma de fuego. Se trata por tanto, de una prueba que por sus características no supone una intervención corporal propiamente dicha ya que para practicarla no es necesario realizar una invasión de derechos propios de la persona como la intimidad personal o la integridad física. Desde el punto de vista de su agresividad corporal podemos decir que se trata de una acción totalmente banal a la que el interesado puede prestarse sin que por ello se resientan sus derechos fundamentales». STS 5 May. 2010, N.º de Sentencia: 383/2010; N.º de Recurso: 10727/2009; LA LEY 41089/2010.

— Los análisis de sangre y del ADN, que no tienen carácter determinante, aunque sí de alta probabilidad. Véase sobre el cotejo e identificación genética el § 2.6.A.d y el § 2.12, ambos de este Capítulo, sobre toma de muestras de ADN.

«Coincidencia de los componentes de la sangre recogida en el lugar de autos —excluida la de la propia víctima— con los componentes de la sangre que fue extraída al procesado, de tal modo que de los análisis practicados al respecto se deduce que sólo una persona de cada mil puede tener una sangre de las mismas características, extremo sobre el que en el sumario se practicaron diversos dictámenes periciales con la conclusión expuesta, y acerca del cual en el juicio oral informaron los peritos del Instituto Nacional de Toxicología, autores de tales dictámenes sumariales, junto con el doctor F., designado al respecto por la parte ahora recurrente». STS Sala Segunda, de lo Penal, Sentencia de 11 May. 1993. Ponente: Delgado García, Joaquín. LA LEY 3487-5/1993.

«En relación a la prueba de ADN, su admisibilidad está fuera de dudas de acuerdo con el sistema de *numerus apertus* de prueba que impera en nuestro derecho. En este sentido el último párrafo del art. 326 y más concretamente, el art. 363-2º se refiere a la recogida de muestras de ADN por orden del Juez de Instrucción y con respeto a los principios de proporcionalidad y razonabilidad, dicho párrafo segundo fue introducido por la L.O. 15/2003…». STS 11 de octubre de 2006, N.º de Recurso: 10274/2006, N.º de Resolución: 968/2006. LA LEY 112234/2006.

— Los cabellos, de los que puede obtenerse un alto índice de probabilidad en la valoración de la prueba.

«… del conjunto de la prueba morfológica y la de la queratina, practicada por el Departamento de Medicina Legal de la Universidad de Santiago de Compostela, el índice total en su conjunto supondría un porcentaje de 72 por 100 …/… La citada prueba no determina la existencia de error en el hecho probado de la sentencia recurrida, lo que hace, con toda corrección lógica y buen sentido, es estimar que una probabilidad, por muy alta que sea, no puede elevarse a certeza y que la prueba indirecta es susceptible de formar el elemento probatorio en un fallo condenatorio ha de existir una pluralidad indiciaria y no un solo indicio que nunca es una prueba. Otra cosa hubiera supuesto conculcar el principio de presunción de inocencia del acusado. Siempre será preferible la absolución de un posible culpable que la condena de un inocente y en una sociedad democrática avanzada nunca podrá condenarse por un delito sobre la base de un único indicio y con un margen de error como este caso de un 28 por 100». STS Sala Segunda, de lo Penal, Sentencia de 24 Nov. 1993; Ponente: Martínez-Pereda Rodríguez, José Manuel. LA LEY 2067/1994.

— La voz esté o no grabada. También las imágenes como fotográficas, grabaciones de video etc. Véase sobre la prueba y valoración de video, sonido o imágenes el § 1.5 del Cap. IX sobre práctica de la prueba en juicio oral.

«Algún sector doctrinal y también algunas sentencias de las Audiencias Provinciales han tratado el tema e incluso se ha contemplado la posibilidad de una especie de reconocimiento en «rueda de voces» o de cintas magnetofónicas. El tema no es, por consiguiente, nuevo… No sólo la voz, también la letra o firma estampada en documentos y la propia imagen a través de fotografías, pueden ser manipuladas, alteradas o falsificadas. Pero ese no es otro problema que ha de resolverse a través de los medios que la propia Ley regula como lo son las pruebas periciales caligráficas, de sonido, etc.». STS Sala Segunda, de lo Penal, Sentencia de 5 Feb. 1988; Ponente: Ruiz Vadillo, Enrique. LA LEY 53477-JF/0000.

— Pericia antropomórfica que consiste en el estudio comparativo entre una fotografía indubitada del acusado con otra imagen, sea de video o de fotografía, que relaciona al sujeto con los hechos enjuiciados. El TS ha admitido esta clase de pericia, aunque poniendo de manifiesto la dificultad de atribuirle, en todos los casos, el valor de prueba plena e indiscutible, por la dificultad de establecer rasgos exclusivos para un individuo concreto. Para ello será preciso que la fotografía de contraste sea reciente, y que de la comparación pueda deducirse sin lugar a dudas que se trata de la misma persona.

«b) Además, obran las periciales morfológicas o fisonómicas, de extenso análisis tanto en la redacción del voto mayoritario como en la crítica del particular minoritario. Prueba que por su parte, aún de menor relevancia que la derivada de un rastro biológico, también se ha admitido como prueba de cargo, si bien con ciertas limitaciones: Así como la identificación por las huellas dactilares (dactiloscopia) tiene un amplio consenso en el mundo científico de la criminalística, por la pluriformidad y variabilidad infinita de las crestas papilares, la pericia antropomórfica debe ser valorada con más cautela en cuanto utiliza rasgos o partes del rostro y del cuerpo de la persona para establecer la identidad. El universo de los signos distintivos que emplea esta última ciencia, nos sitúa ante un espectro de población muy amplio en el que pueden darse coincidencias o similitudes entre variados grupos de personas. Las partes del rostro de las personas, no son irrepetibles como sucede con las huellas dactilares sino que pueden presentar características cercanas entre sí que, nos llevaría a la formación de un grupo de varias personas con rasgos similares a la que se trata de identificar. No hay obstáculo, para que esta técnica se pueda utilizar como elemento valioso de investigación que permita hacer una aproximación hacia la persona sospechosa, pero es difícil atribuirle, en todos los casos, el valor de prueba plena e indiscutible (STS 61/2000, de 27 de enero de 2001 (LA LEY 1357/2001)). No obstante, debemos remarcar la obvia diferencia de los programas informáticos y de utilización de imágenes desde esa fecha hasta la actualidad, pues es indudable que en la actualidad, la precisión en la comparación y medición entre dos rostros a partir de dos fotogramas, resulta de una casi abismal superior precisión que entonces, con independencia de que el desarrollo de algoritmos para la identificación facial digital automatizada no haya sido plenamente desarrollado y universalizado». STS Sala Segunda, de lo Penal, Sentencia 315/2016 de 14 Abr. 2016, Rec. 1873/2015. Ponente: Palomo del Arco, Andrés. LA LEY 32909/2016.

— El análisis de aguas a fin de detectar sustancias tóxicas. El problema que se plantea en estos casos es el de los requisitos que deba observar la recogida de muestras. A este respecto, el TS ha declarado que se puede asimilar a la recogida por la policía de efectos e instrumentos del delito a efectos de prevención (arts. 334 y 336 LECrim). En consecuencia, no será preciso que se practique con directa intervención judicial, o con cumplimiento de los requisitos de las diligencias sumariales.

«La tesis central de la sentencia recurrida para la anulación de la prueba consiste en que la Sala sentenciadora estima que la recogida de las muestras de los vertidos por los servicios del Seprona para su análisis por los Laboratorios oficiales constituye una prueba preconstituida, por lo que dicha toma de muestras debió practicarse en condiciones similares de contradicción a las exigibles para la práctica de la prueba en el procedimiento judicial, lo que no se hizo en este caso, por lo que se vulneró el principio de contradicción, originando indefensión a los acusados. Esta indefensión procede, esencialmente, de que no se informó expresamente a los representantes de las empresas en esta diligencia policial inicial de toma de muestras de la existencia de una investigación preprocesal por la posible comisión de un delito contra el medio ambiente y tampoco de los parámetros concretos que iban a ser analizados por los laboratorios, aun cuando estos datos sí fueron conocidos por los acusados desde el primer momento de su imputación judicial. El criterio del Tribunal sentenciador no puede compartirse, pues en realidad la acusación no se fundamenta en una prueba preconstituida sino en una prueba pericial y testifical sobreabundante, legalmente practicada con las debidas garantías en el acto del juicio oral, que constituye una prueba en sentido propio, regularmente celebrada, que ha sido sometida en el juicio a la debida contradicción, y que puede ser valorada de modo directo, con inmediación, por lo que no constituye una prueba ilícita sino que es plenamente válida para desvirtuar la presunción constitucional de inocencia. La recogida previa de las muestras o vestigios del delito constituye una diligencia policial, que no tiene la naturaleza de prueba constituida, y que, en la medida que constituye un antecedente necesario del dictamen pericial practicado en el juicio, necesita ser incorporada al mismo mediante la comparecencia y declaración de los agentes que la practicaron, como así se ha hecho, sin que le sean aplicables a estas actuaciones policiales las exigencias propias de la prueba preconstituida, pues no tienen dicha naturaleza, sin perjuicio de someterse a los principios de legalidad, proporcionalidad e interdicción de la indefensión». STS Sala Segunda, de lo Penal, Sentencia 2184/2001 de 23 Nov. 2001, Rec. 702/2000; Ponente: Conde-Pumpido Tourón, Cándido. LA LEY 1743/2002.

Ninguna duda cabe de la actual la fiabilidad de los análisis oficiales de vertidos tóxicos que se incorporarán a los autos y tendrán plena validez en el proceso, si no se impugnan expresamente.

— La prueba pericial de inteligencia que el Tribunal Supremo considera una variante de la prueba pericial. Esta prueba pericial de inteligencia consiste en un conjunto de investigaciones de carácter complejo, aunque básicamente de análisis de datos económicos, estratégicos, de resultados de intervenciones de comunicaciones, análisis de videos y grabaciones, etc., que realiza la policía especialmente en los supuestos complejos de crimen organizado y corrupción política.

«4º. No obstante en orden a clarificar la naturaleza y validez de la llamada "prueba pericial de inteligencia", debemos recordar la doctrina expuesta en SSTS 157/2012 de 7.3, 1097/2011 (LA LEY 211657/2011) de 25.10, 480/2009 de 27.5, en el sentido de que tal prueba pericial de "inteligencia policial" cuya utilización en los supuestos de delincuencia organizada es cada vez más frecuente, está reconocida en nuestro sistema penal pues, en definitiva, no es más que una variante de la pericial a que se refieren tanto los arts. 456 LECrim. (LA LEY 1/1882), como el 335 LECivil, cuya finalidad no es otra que la de suministrar al Juzgado una serie de conocimientos técnicos, científicos, artísticos o prácticos cuya finalidad es fijar una realidad no constatable directamente por el Juez y que, obviamente, no es vinculante para él, sino que como el resto de probanzas, quedan sometidas a la valoración crítica, debidamente fundada en los términos del art. 741 de la Ley de Enjuiciamiento Criminal (LA LEY 1/1882). En tal sentido podemos también citar la sentencia de esta Sala 2084/2001 de 13 de diciembre. La prueba pericial es una variante de las pruebas personales integrada por los testimonios de conocimiento emitidos con tal carácter por especialistas del ramo correspondiente de más o menos alta calificación científica, a valorar por el Tribunal de instancia conforme a los arts. 741 (LA LEY 1/1882) y 632 de la LECrim. y 117.3 de la Constitución (STS 970/1998, de 17 de julio). Dicho de otro modo: la prueba pericial es una prueba personal, pues el medio de prueba se integra por la opinión o dictamen de una persona y al mismo tiempo, una prueba indirecta en tanto proporciona conocimientos técnicos para valorar los hechos controvertidos, pero no un conocimiento directo sobre cómo ocurrieron los hechos (Sentencia 1385/ 1997) …/… En definitiva podemos concluir que se trata de un medio probatorio que no está previsto en la Ley, siendo los autores de dichos informes personas expertas en esta clase de información que auxilian al Tribunal, aportando elementos interpretativos sobre datos objetivos que están en la causa, siendo lo importante si las conclusiones que extraen son racionales y pueden ser asumidas por el Tribunal, racionalmente expuestas y de forma contradictoria ante la Sala». STS Sala Segunda, de lo Penal, Sentencia 974/2012 de 5 Dic. 2012, Rec. 2216/2011. Ponente: Berdugo Gómez de la Torre, Juan Ramón. LA LEY 206499/2012.

SECCIÓN 3. ACTOS DE INVESTIGACIÓN PROCESAL QUE AFECTAN DERECHOS FUNDAMENTALES

3.1. Entrada y registro en lugar cerrado[128]

El derecho a la inviolabilidad del domicilio está consagrado en el art. 18.2.º CE y protege el ámbito físico dentro del cual se desenvuelve la vida privada de una perso-

---

(128) Vid. CABEZUDO BAJO, M.J., *La inviolabilidad del domicilio en el proceso penal*, Madrid 2004. MAGRO SERVET V., «Casuística sobre el concepto penal de domicilio en la diligencia de entrada y registro», *La Ley* nº 5479, 2002. ALONSO PÉREZ, F., «Formalidades en la práctica de la diligencia de entrada y registro en lugar cerrado», *La Ley* nº 5643, 2002.; SUÁREZ ROBLEDANO, «La salvaguardia y el control judicial de la inviolabilidad del domicilio, del control de la intervención de las comunicaciones y del secuestro de las publicaciones», *Segundas Jornadas de Derecho Judicial*, Madrid, 1985, p. 365; LORENZO MARTÍNEZ, «Diligencia de entrada y registro», en *Cuadernos de Derecho Judicial*, CGPJ, Madrid, 1992; FERRER TARREGA, «La entrada y registro domiciliario», *Cuadernos*, cit., Madrid, 1992; DE VEGA RUIZ, «Denegación de la suspensión y el registro domiciliario», *Cuadernos*, cit., Madrid, 1992; LUZÓN CUESTA, «Valor de las pruebas obtenidas en el proceso penal mediante registros domiciliarios efectuados por la policía», *PJ*, 1991, n.º 24.

na haciéndole inmune a las agresiones exteriores, con la salvedad del consentimiento del titular o el supuesto de flagrante delito.

«El domicilio, lugar de residencia habitual, según definición legal (art. 40 CC), acota el espacio donde el individuo vive sin estar sujeto necesariamente a los usos y convenciones sociales, haciéndolo con la libertad más espontánea (STC 82/84) y, por ello, su protección tiene un carácter instrumental para la defensa del ámbito en el cual se desarrolla la vida privada. Existe, pues, un nexo indisoluble de tal sacralidad de la sede existencial de la persona, que veda toda intromisión y, en concreto, la entrada y el registro en ella y de ella, con el derecho a la intimidad, por lo demás contenido en el mismo precepto que el otro (art. 18.1 y 2 CE). Sin embargo, este derecho fundamental no es absoluto y limita con los demás derechos y los derechos de los demás (SSTC 15/93 y 170/94) y, por ello su protección constitucional puede ceder en determinadas circunstancias como son el consentimiento del titular, estar cometiéndose un delito flagrante y la autorización judicial, a guisa de garantía» (STC 50/95, de 23 febrero)[129].

Este derecho fundamental se halla también proclamado en el artículo 12 de la Declaración Universal de Derechos Humanos de 10 diciembre 1948, art. 17.1 del Pacto Internacional de Derechos Civiles y Políticos de Nueva York de 16 diciembre 1966; y el artículo 8.1 del Convenio de Roma de 1950. En concordancia con el texto constitucional el art. 545 LECrim establece el principio de inviolabilidad del domicilio salvo consentimiento del titular, en los casos y en la forma expresamente prevista en las Leyes. En consecuencia, los actos de investigación que deban realizarse en lugares cerrados requerirán previa autorización judicial en aquellos supuestos en los que el lugar en el que se hayan de efectuar tengan la consideración de domicilio. En el caso de otros lugares cerrados que no tengan tal consideración, el registro deberá practicarse de conformidad con lo establecido en la ley, pero sin que la autorización judicial sea un requisito para su validez. En este sentido, en la LECrim se prevén distintas normas referentes a esta cuestión, que parten de la distinción entre lugares o edificios públicos, excluidos de protección constitucional, y domicilio, además de las atenientes a la práctica del consiguiente registro.

«De esta construcción interrelacionada resulta —como decíamos en la STS 609/2008 de 10.10 (LA LEY 169567/2008)—, que la protección de la inviolabilidad domiciliaria tiene carácter instrumental respecto a la protección de la intimidad personal y familiar (STC 22/1984, de 17 de febrero (LA LEY 8565-JF/0000), FJ 5), si bien dicha instrumentalidad no empece a la autonomía que la Constitución Española reconoce a ambos derechos, distanciándose así de la regulación unitaria de los mismos que contiene el art. 8.1 del Convenio Europeo de Derechos Humanos (LA LEY 16/1950) (STC 119/2001, de 24 de mayo (LA LEY 3644/2001), FJ 6). Si el derecho a

---

(129)   «Como se ha dicho acertadamente, el domicilio inviolable es un espacio en el cual el individuo vive sin estar sujeto necesariamente a los usos y convenciones sociales y ejerce su libertad más íntima. Por ello, a través de este derecho no sólo es objeto de protección el espacio físico en sí mismo considerado, sino lo que en él hay de emanación de la persona y de esfera privada de ella. Interpretada en este sentido, la regla de la inviolabilidad del domicilio es de contenido amplio e impone una extensa serie de garantías y de facultades, en las que se comprenden las de vedar toda clase de invasiones, incluidas las que puedan realizarse sin penetración directa por medio de aparatos mecánicos, electrónicos u otros análogos». (STC 22/84, de 17 febrero).

la intimidad personal y familiar (art. 18.1 CE (LA LEY 2500/1978)), tiene por objeto la protección de un ámbito reservado de la vida de las personas excluido del conocimiento de terceros, sean éstos poderes públicos o particulares, en contra de su voluntad (SSTC 144/99 de 22 de julio (LA LEY 10507/1999); 119/2001 de 24 de mayo (LA LEY 3644/2001)), el derecho a la inviolabilidad del domicilio protege un ámbito espacial determinado el "domicilio", por ser aquel en el que los individuos, libres de toda sujeción a los usos y convenciones sociales, ejercen su libertad más íntima, siendo objeto de protección de este derecho tanto el espacio fisco en sí mismo considerado como lo que hay en él de emanación de la persona y de su esfera privada (SSTC 22/84 de 17 de febrero (LA LEY 8565-JF/0000), 94/99 de 31 de mayo, 119/2001 de 24 de mayo (LA LEY 3644/2001)) .../... Del mismo modo la Declaración Universal de los Derechos Humanos (LA LEY 22/1948) proscribe en el art. 12 las injerencias arbitrarias en el domicilio de las personas, reconociendo el derecho de éstas a la protección de la Ley contra las mismas. En similar forma se manifiesta el Pacto Internacional de Derechos civiles y Políticos en su art. 17 (LA LEY 129/1966) y el Convenio Europeo para la Protección de los Derechos Humanos y de las Libertades Fundamentales (LA LEY 16/1950) dispone en el art. 8.1, que toda persona tiene derecho al respeto de su vida privada y familiar, de su domicilio y de su correspondencia». STS 912/2016 de 1 Dic. 2016, Rec. 355/2016. Ponente: Berdugo Gómez de la Torre, Juan Ramón. LA LEY 177402/2016.

A) Concepto de domicilio

El domicilio es el lugar o espacio en el que la persona ejerce sus vivencias más íntimas, sin sometimiento alguno a usos o convencionalismos sociales. Por tanto, su ámbito no coincide con el concepto jurídico utilizado en el art. 40 CC o en otras leyes que se refieren a un concepto de domicilio jurídico privado o administrativo de naturaleza formal o legal[130].

«Según ha declarado el Tribunal Constitucional, resaltando el carácter de base material de la privacidad (STC 22/1984 de 17 de febrero (LA LEY 8565-JF/0000)), el domicilio es un "espacio apto para desarrollar vida privada" (STC 94/1999 de 31 de mayo (LA LEY 8094/1999), F. 4), un espacio que "entraña una estrecha vinculación con su ámbito de intimidad", "el reducto último de su intimidad personal y familiar" (STC 22/1984 de 17 de febrero (LA LEY 8565-JF/0000), STC 160/1991 de 18 de julio (LA LEY 1771-TC/1991) y 50/1995 de 23 de febrero (LA LEY 13050/1995), STC 69/1999 de 26 de abril (LA LEY 5707/1999) y STC 283/2000 de 27 de noviembre (LA LEY 11788/2000)). Esta Sala, entre otras en la STS 1108/1999 de 6 de septiembre, ha afirmado que "el domicilio es el lugar cerrado, legítimamente ocupado, en el que transcurre la vida privada, individual o familiar, aunque la ocupación sea temporal o accidental". Se resalta de esta forma la vinculación del concepto de domicilio con la protección de esferas de privacidad del individuo, lo que conduce a ampliar el

---

(130) «Ha de ser considerado un "domicilio" a efectos de protección constitucional, porque en él era posible que la persona o personas que tenían su posesión y disfrute, es decir, legítimo acceso y uso, vivieran sin estar sujetos necesariamente a los usos y convenciones sociales, ejerciendo su libertad más íntima (STC 22/1984, fundamento jurídico 5°). Este concepto constitucional de domicilio, lo hemos repetido, es más amplio que el concepto jurídico-privado o jurídico-administrativo, ambos funcionales a otros fines distintos de la protección de la intimidad y la vida privada, y no admite concepciones reduccionistas, como la analizada, que lo equiparan al concepto jurídico-penal de morada habitual o habitación». STC 94/1999 de 31 de mayo.

concepto jurídico civil o administrativo de la morada para construir el de domicilio desde la óptica constitucional, como instrumento de protección de la privacidad». STS 423/2016 de 18 May. 2016, Rec. 1286/2015; Ponente: Ferrer García, Ana María. LA LEY 51976/2016[131].

Tendrá el carácter constitucional de domicilio cualquier lugar por humilde y precaria que resulte la construcción donde viva una persona o familia y con independencia de que el domicilio tenga carácter estable o transitorio; o que el lugar se encuentre en estado precario o ruinoso, ya que lo importante es que a un cierto espacio delimitado se le dé un uso domiciliario[132]. En definitiva, lo importante será que el espacio protegido sea el espacio en el que el individuo desarrolla su vida íntima y personal, con cierta vocación de permanencia y con exclusión de otras personas no autorizadas a entrar o permanecer en el mismo.

«En nuestra experiencia constitucional en curso, decir intimidad (en cualquiera de sus manifestaciones) es un modo de referirse a la necesidad vital de un espacio de reserva o retiro, de un "mundo propio", en el que resulte posible el repliegue del individuo sobre sí mismo. Es, por tanto, designar un reducto intrapersonal *espacialmente* circundado por el interpersonal de la "vida privada", que tiene su sede por antonomasia en el domicilio. De ahí su calidad de especial objeto de protección constitucional. Dada la importancia de los valores merecedores de tutela, el concepto de domicilio ha tenido un tratamiento potencialmente expansivo. Pero, en su sentido más estricto, aparece estrechamente vinculado al carácter doméstico de los posibles usos, que suele traducirse en la creación de un ambiente cerrado, o incluso parcialmente abierto, pero aislado del ambiente externo de algún modo que haga patente la voluntad de quienes lo habitan de excluir a las personas no autorizadas a entrar o permanecer dentro de él. Por eso, cuando se plantea alguna duda acerca de la caracterización de un determinado lugar a tales efectos, suele acudirse a criterios como la estructura del mismo, su destino, el carácter doméstico de las actividades que se realizan en él, y la potencial indeterminación de estas, por contraste con otros lugares destinados a actividades específicas, no domésticas en sentido propio». STS Sala Segunda, de lo Penal, Sentencia 154/2017 de 10 Mar. 2017, Rec. 10484/2016; Ponente: Andrés Ibáñez, Perfecto Agustín. LA LEY 19091/2017.

El derecho a la intimidad no deriva del derecho de propiedad, sino de derecho a la libertad personal, por lo que es indiferente el título por el que se posea el domicilio. Ya sea como propietario, arrendatario o mero ocupante en precario.

«Si el "rasgo esencial" del domicilio como objeto de protección del art. 18.2 CE es el de "constituir un ámbito espacial apto para un destino específico, el desarrollo

---

(131) «No existe una plena correlación entre el concepto legal de domicilio de las personas jurídicas —en el caso el establecido por la legislación mercantil—, con el del domicilio constitucionalmente protegido por el art. 18.2 CE, ya que éste es un concepto de mayor amplitud que el concepto jurídico privado o jurídico administrativo...» STC 69/99 de 26 de abril.

(132) «... Tanto el domicilio fijo y habitual como el accidental o transitorio encajan en la protección dispensada por la CE, pues no en balde también en lo eventual encuentra asiento cuanto sobre el derecho a la privacidad ha mantenido la jurisprudencia del TS; y así, en lo duradero o permanente, en lo transitorio o accidental, domicilio o tales efectos es el lugar que la persona elige para desarrollo de su vida íntima y privada, a él sólo perteneciente, con exclusión de otros terceros...». (STS 4 abril 1995; LA LEY, Ref. 16.817). Ver también SSTS 7 abril 1995 (LA LEY, Ref. 14.455).

de la vida privada" (STC 10/2002, de 17 de enero, FJ 6), de modo que se identifica con la "morada de las personas físicas", "reducto último de su intimidad personal y familiar" (STC 283/2000, de 27 de noviembre, FJ 2), resulta que la casa del amigo en la que se encontraba el demandante de amparo cuando fue detenido era su domicilio en tal momento, el lugar en el que, siquiera transitoriamente, mientras se encontraba en dicha localidad, "vivía", tenía su espacio vital de referencia, un ámbito en el que recogerse, salvaguardar sus objetos más personales y poder desarrollar los aspectos de su vida personal que considerara más privados. Hemos de recordar al respecto que nuestra STC 10/2002, de 17 de enero, consideró que "las habitaciones de los hoteles pueden constituir domicilio de sus huéspedes, ya que, en principio, son lugares idóneos, por sus propias características, para que en las mismas se desarrolle la vida privada de aquéllos habida cuenta de que el destino usual de las habitaciones de los hoteles es realizar actividades enmarcables genéricamente en la vida privada" (FJ 8), y que la STC 189/2004, de 2 de noviembre, extendió esta declaración "con mayor razón aún a las habitaciones ocupadas por quienes son definidos en las normas de régimen interior de la residencia militar como usuarios permanentes, máxime cuando … la función de estos alojamientos es facilitar aposentamiento a los militares destinados en una determinada plaza" (FJ 2). Y procede también recordar que el sustento de estas dos calificaciones de ciertos espacios como domicilio se encuentra en la definición de domicilio inviolable en el sentido del art. 18.2 CE, muy consolidada en nuestra jurisprudencia, como "espacio en el cual el individuo vive sin estar sujeto necesariamente a los usos y convenciones sociales y ejerce su libertad más íntima. Por ello, a través de este derecho no sólo es objeto de protección el espacio físico en sí mismo considerado, sino lo que en él hay de emanación de la persona y de esfera privada de ella" (STC 22/1984, de 17 de febrero, FJ 5; también, entre otras, SSTC 50/1995, de 23 de febrero, FJ 5; 133/1995, de 25 de septiembre, FJ 4; 10/2002, de 17 de enero, FJ 5; 189/2004, de 2 de noviembre, FJ 2). Existe así un "nexo indisoluble" entre la "sacralidad de la sede existencial de la persona, que veda toda intromisión y, en concreto, la entrada y el registro en ella y de ella, con el derecho a la intimidad, por lo demás contenido en el mismo precepto… (art. 18.1 y 2 CE)" (STC 50/1995, de 23 de febrero, FJ 5)». STC 209/2007 de 24 de septiembre.

Ahora bien, en cualquier caso el lugar que se repute domicilio debe estar delimitado físicamente, de modo que no cabe conceptuar domicilio un espacio libre o abierto, fácilmente accesible desde el exterior, en el que no resulta posible desarrollar la vida íntima y personal propia del ámbito domiciliario.

«Según ha declarado el Tribunal Constitucional, resaltando el carácter de base material de la privacidad (STC 22/84 (LA LEY 8565-JF/0000)), el domicilio es un "espacio apto para desarrollar vida privada" (STC 94/99 (LA LEY 8094/1999) de 21 de mayo), un aspecto que "entraña una estrecha vinculación con su ámbito de intimidad", "el reducto último de su intimidad personal y familiar" (SSTC 22/84 (LA LEY 8565-JF/0000), 60/91 (LA LEY 58176-JF/0000), 50/95 (LA LEY 13050/1995), 69/99 (LA LEY 5707/1999), 283/2000 (LA LEY 11788/2000)). Esta Sala, por su parte, entre otras STS 1108/99 de 6 de septiembre, ha afirmado que "el domicilio es el lugar cerrado, legítimamente ocupado, en el que transcurre la vida privada, individual o familiar, aunque la ocupación sea temporal o accidental", y en STS 1448/2005 de 18 de noviembre (LA LEY 10365/2006), se entiende como "domicilio" cualquier lugar cerrado en el que pueda transcurrir la vida privada, individual o familiar, o lo que es lo mismo, que "sirva de habitación o morada a quien en él vive", estimándose que constituye domicilio o morada, cualquier lugar, cualquiera que sea su condición y característica, donde vive esa persona o una familia, sea propiamente domicilio o simplemente residencia, estable o transitoria, incluidas las chabolas, tiendas de campaña, roulotes, etc…, comprendidas las habitaciones de un hotel en las que se viva. Se resalta de esta forma la vinculación del concepto de domicilio con la protección de esferas de privacidad del individuo, lo que conduce a ampliar el concepto jurídico débil o administrativo de la morada para construir el de domicilio desde la óptica constitucional, como instrumento de protección de la privacidad. Y al mismo tiempo restringe el concepto de domicilio excluyendo aquellos lugares donde no se desarrollan actos propios de dicha privacidad, aunque el titular pueda estar legitimado para no permitir la entrada o permanencia de terceros». STS 912/2016 de 1 Dic. 2016, Rec. 355/2016. Ponente: Berdugo Gómez de la Torre, Juan Ramón. LA LEY 177402/2016.

La doctrina jurisprudencial ha ido enumerando casuísticamente los distintos lugares que deben incluirse en el concepto de domicilio y, por tanto, son susceptibles de protección:

a)   Habitaciones de hotel, de pensiones y camarotes

Las habitaciones de hotel, de pensiones o similares tienen la consideración de domicilio aunque quienes en ellas residan lo hagan temporal o accidentalmente[133].

> «En efecto, es cierto que la habitación que ocupaban los dos acusados en el establecimiento hotelero se encuentra protegida por el art. 18 de la Constitución (LA LEY 2500/1978) en cuanto la doctrina de esta Sala viene equiparando esos espacios físicos al concepto de domicilio por constituir lugares propios donde las personas en ellos alojados ejercen las actividades propias de su intimidad y privacidad, similares, por tanto, al domicilio habitual. Precisamente por ello, esos lugares se encuentran protegidos por las garantías establecidas en el precepto constitucional, de manera que su invasión por extraños deberá someterse a los requisitos y condiciones especificadas en el texto de aquél. Por otra parte, y desde una perspectiva puramente procesal o de legalidad ordinaria, los resultados de la entrada y registro que se haya efectuado respetando las exigencias constitucionales, pero vulnerando la normativa procesal, carecerán de validez como medio de prueba, sin otras consecuencias». STS Sala Segunda, de lo Penal, Sentencia 1099/2001 de 6 Jun. 2001, Rec. 194/2000; Ponente: Ramos Gancedo, Diego Antonio. LA LEY 6685/2001[134].

También están protegidos los camarotes. Pero no las embarcaciones que por sus características pueda inferirse que no sirven a los fines que cumple un domicilio, salvo que se trate de camarotes o zonas aptas para el desarrollo de la vida privada. A este efecto el TS distingue entre zonas aptas para el desarrollo de la vida privada: camarotes; y otras zonas destinadas a otros fines: cubiertas y bodegas. Véase también el § C.g de esta misma sección.

> «Que una embarcación puede constituir la morada de una o varias personas cuando la utilicen como reducto de su vida privada, pues sin duda en ocasiones

---

(133)   A este respecto, el art. 557 LECrim que no consideraba domicilio las tabernas, casas de comida, posadas y fondas, ha quedado derogado por inconstitucional por la STC 10/2002 de 17 de enero.

(134)   Véase también la STS 7 abril 1995 (LA LEY, 1995, R-14.455).

están construidas de forma que algunas de sus dependencias, como los camarotes, resultan aptas. para que en las mismas se desarrollen conductas o actividades propias de áreas de privacidad, pero resulta dificultoso extender el concepto de domicilio en todo caso a otras zonas de aquélla. Nada impide, sino más bien lo contrario según la experiencia, que determinadas zonas del barco se destinen específicamente a otros fines distintos de los propios del domicilio, como puede ocurrir con la cubierta, utilizada en las maniobras náuticas o como lugar de esparcimiento, o las bodegas, utilizadas exclusivamente para la carga, o la zona de máquinas, y en estos casos no se puede extender indiscriminadamente a estas zonas del barco la misma protección que la Constitución otorga al domicilio, pues no pueden entenderse aptas, con carácter general para la vida privada. Como se reconoce en la STS núm. 1200/1998, de 9 de octubre, en el barco existen áreas propias y reservadas al ejercicio de la intimidad personal, que son precisamente las únicas protegidas por el derecho fundamental consagrado en el artículo 18.2 de la Constitución. Las demás zonas de la embarcación, destinadas a otras finalidades, no gozan de la protección que la Constitución dispensa al domicilio, aunque se trate de lugares respecto de los cuales su titular pueda excluir válidamente la presencia de terceros». STS 15 de mayo de 2008, LA LEY 47647/2008.

b) Oficinas o despachos profesionales: despachos de abogados o consultas médicas

Aunque no sirvan de residencia al titular siempre que en ese lugar se desarrolle su tarea profesional con implicación en el derecho a la intimidad de las personas, como sucede en el caso de los despachos de abogados o consultas de profesionales médicos[135].

«2) Respecto a los despachos profesionales (abogados, médicos, etc.) la línea jurisprudencial más común es la de considerar que se precisan de autorización judicial para su registro, dada la naturaleza de la actividad que en ellos se desarrolla y la eventualidad de que se busquen datos o efectos reservados que puedan afectar a la intimidad y ámbito privado de la persona, y de los que, en este caso, el abogado se convierte en custodio, el art. 5.1 del Código Deontológico de la Abogacía Española dispone que: "la confianza y confidencialidad en las relaciones entre cliente y abogado, *insita* en el derecho de aquél a su intimidad y a no declarar en su contra, así como en derechos fundamentales de terceros, impone al abogado el deber y le confiere el derecho de guardar secreto respecto de todos los hechos o noticias que conozca por razón de cualquiera de las modalidades de su actuación profesional, sin que pueda ser obligado a declarar sobre los mismos"». STS Sala Segunda, de lo Penal, Sentencia

---

(135) También serán espacios protegidos los despachos u oficinas profesionales, según el supuesto y atendiendo a la circunstancia de que el despacho esté, o no, abierto al público. «En efecto, como dice el recurrente, hay una sentencia de esta Sala, la 2206/93, de 11 octubre, que reconoce a los lugares en que se ejerce el trabajo, la profesión o la industria el carácter de domicilio a los efectos aquí examinados de su debida protección constitucional, aunque no estén situados en el lugar donde el ciudadano tiene su residencia particular, porque, a veces, tales espacios tienen una importancia decisiva para el libre desarrollo de la personalidad, es decir, porque en ocasiones la vida íntima de alguien puede desarrollarse también en estos lugares de trabajo no abiertos al público. Tal doctrina fue continuada y precisada por la expuesta en la S 797/94, de 14 abril, que se fija en la nota de la apertura o no al público como criterio para precisar hasta dónde puede extenderse el concepto de domicilio en relación con los locales en que una persona ejercita su actividad profesional o negocial». (STS 6 julio 1995; LA LEY, 1995, Ref. 14.637).

974/2012 de 5 Dic. 2012, Rec. 2216/2011. Ponente: Berdugo Gómez de la Torre, Juan Ramón. LA LEY 206499/2012. Caso Ballena Blanca[136].

Ahora bien, el Estatuto de la Abogacía exige la notificación previa al Decano del Colegio de Abogados a fin que pueda estar presente o bien delegar en otro colegiado. Pero el requisito de la presencia de un observador independiente no resulta necesario en el caso que se practique el registro del despacho en presencia del Letrado de la administración de justicia, ya que, en ese caso, la garantía pretendida queda suficientemente cumplida.

«Ninguna lesión del derecho a un proceso con todas las garantías y del derecho a la tutela judicial efectiva puede anudarse a la práctica del registro en el despacho del abogado coimputado, pues aunque pudiera sostenerse que a la luz de la STEDH en el caso "Niemietz" —de 16 de diciembre de 1992, núm. 75— el registro en un despacho profesional debe verificarse bajo garantías adicionales a las exigidas en un domicilio de particular, tales como la presencia de un observador independiente cuya función se orienta a preservar el secreto profesional del abogado, como afirman la Audiencia Provincial y el Tribunal Supremo esta garantía puede considerarse cumplida en el caso examinado, toda vez que estuvo presente en el mismo el Secretario judicial, garante de la fe pública y observador imparcial y ajeno a las partes del proceso. De otra parte, la presencia del Decano del Colegio de Abogados, como pretenden los recurrentes, no constituye una exigencia constitucional, dado que este Tribunal ha declarado que "[u]na vez obtenido el mandamiento judicial, la forma en que la entrada y registro se practiquen, las incidencias que en su curso puedan producirse..., se mueven siempre en otra dimensión, el plano de la legalidad" (SSTC 133/1995, de 25 de septiembre, F. 4º; 94/1999, de 31 de mayo, F. 3º; 171/1999, de 27 de septiembre, F. 11º), ni es exigida por la Ley de Enjuiciamiento Criminal». ATS 167/2000 de 7 de julio.

c) Autocaravanas o caravanas adosadas a un vehículo, se encuentren estacionadas o en movimiento

La protección constitucional no se extiende, por lo general, a los vehículos que no se consideran domicilios y, por tanto, su registro no requiere las especiales garantías

---

(136)   Son cuestiones que determinan la necesidad de proceder con extrema cautela en orden al registro de un despacho de abogados las siguientes consideraciones: «En primer lugar, el derecho a no declarar. La comunicación con el letrado defensor se desarrolla en la creencia de que está protegida por la confidencialidad, de manera que en ese marco es posible que el imputado, solo con finalidad de orientar su defensa, traslade al letrado aspectos de su conducta, hasta llegar incluso al reconocimiento del hecho, que puedan resultar relevantes en relación con la investigación. En segundo lugar, el derecho al secreto profesional. Concebido como un derecho del letrado a no revelar los datos, de la clase que sean, proporcionados por su cliente, o, con carácter más general, obtenidos en el ejercicio del derecho de defensa (artículo 416 de la LECrim (LA LEY 1/1882) y 542.3 de la LOPJ (LA LEY 1694/1985)), opera también como un derecho del imputado a que su letrado no los revele a terceros, ni siquiera bajo presión. El conocimiento indebido del contenido de las comunicaciones entre ambos, pues, dejaría en nada este derecho. En tercer lugar, el derecho a la intimidad. La relación entre el imputado y su letrado defensor se basa en la confianza, de forma que es probable que el primero traslade al segundo cuestiones, observaciones o preocupaciones que excedan del derecho de defensa para residenciarse más correctamente en el ámbito de la privacidad, que solo puede ser invadido por el poder público con una razón suficiente». STS Sala Segunda, de lo Penal, Sentencia 974/2012 de 5 Dic. 2012, Rec. 2216/2011. Ponente: Berdugo Gómez de la Torre, Juan Ramón. LA LEY 206499/2012. CASO BALLENA BLANCA.

previstas en la Constitución. Véase más ampliamente sobre esta cuestión el § C.g de esta misma Sección.

«Esta Sala viene declarando de forma constante y reiterada que, en términos generales, los automóviles no son domicilios sino simples objetos de investigación, por lo que la actuación policial sobre ellos en nada afecta a la esfera de la persona, estando sólo sujeta a las exigencias procesales de regularidad establecidas en la legislación ordinaria (Sentencias de 31 Oct. 1988; 28 Abr., 26 Jun. y 19 Jul. 1993; 31 Ene. 1994; 24 Ene. 1995; 1 Abr. 1996; 17 Ene. y 29 Dic. 1997; entre otras muchas). Las eventuales irregularidades cometidas no afectan al derecho fundamental reconocido en el artículo 18.2 de la Constitución Española (LA LEY 2500/1978)». STS Sala Segunda, de lo Penal, Sentencia 84/2001 de 29 Ene. 2001, Rec. 4959/1998; Ponente: Prego de Oliver Tolivar, Adolfo. LA LEY 3563/2001.

Ahora bien, también tendrán la consideración de domicilio, con aplicación de las garantías procedentes, las caravanas autónomas o adosadas a un vehículo o también a vehículos de cierto tamaño que permiten el desarrollo de la vida doméstica y privada. Y ello con independencia que el vehículo se halle parado o en movimiento[137].

«En tal sentido la citada sentencia de 21 Abr. 1994 declaró que una furgoneta-caravana, que tiene en su parte habitable todo lo necesario para el establecimiento en ella de la morada de los pasajeros —dormitorio, cocina, aseo, mobiliario— es apta para constituir el domicilio de una persona, como soporte básico del derecho a la intimidad personal y familiar, si ésta decide usarla a tal fin y sin que, en la actual concepción cultural de movilidad de las personas, su carácter itinerante pueda excluir tal condición domiciliaria. Y más recientemente la sentencia de 15 Abr. 1998 tiene dicho que el concepto de domicilio ha recibido una interpretación extensa en la moderna doctrina de esta Sala aplicándose a todo ámbito de intimidad personal, concepto de más amplitud incluso que los de habitación o morada, y que incluye lugares cerrados en los que, aun temporal o accidentalmente, se desarrollen los aspectos íntimos de la vida individual o familiar, teniendo así el carácter de domicilio los remolques o automóviles en los que se habite. Y en el mismo sentido la sentencia de 27 Feb. 1997». STS Sala Segunda, de lo Penal, Sentencia 84/2001 de 29 Ene. 2001, Rec. 4959/1998; Ponente: Prego de Oliver Tolivar, Adolfo. LA LEY 3563/2001.

Ahora bien, la determinación de si el vehículo es un domicilio o no requerirá de una verificación en el caso concreto, lo que plantea no pocas dificultades.

«Que una autocaravana pueda tener la condición de domicilio por desarrollarse en ella la privacidad de sus ocupantes, no supone que siempre y en todo caso sea así, por el contrario habrá de verificarse si en el caso concreto enjuiciado, junto con el transporte, se desarrollaba en su interior la vida privada de sus ocupantes. Obviamente no fue este el caso de autos, ya que la autocaravana se recogió de un camping y se hizo en un solo día el trayecto desde Cataluña hasta el polígono Polvoranca de Leganés —Madrid—, y vuelta con el cargamento de cocaína hasta el punto donde fueron detenidos por la policía que estaba al tanto de la operación mediante el correspondiente seguimiento y vigilancia de la operación». STS Sala Segunda, de lo Penal, Sentencia 621/2012 de 26 Jun. 2012, Rec. 11795/2011; Ponente: Giménez García, Joaquín. LA LEY 117791/2012.

---

(137)   Véase la STS 7 abril 1995 (LA LEY, 1995, Ref. 14.455).

d) Lavabos públicos

Resulta un supuesto complejo que muestra la dificultad de establecer un concepto determinado de domicilio, ya que en realidad lo que se protege es el ámbito de intimidad de la persona que se extiende a supuestos y lugares concretos y determinados. Este es el caso de los lavabos públicos, supuesto respecto al que se pronunció la Sala General del TS en la reunión de 3 de junio de 1997 y acordó que: «*sin perjuicio de lo que pueda resolverse en cada caso en virtud de especiales circunstancias, los Magistrados por unanimidad llegan a la conclusión de que los lavabos públicos son lugares donde se desarrollan actividades que afectan a la intimidad de las personas*». De este modo podemos decir que aunque un lavabo, obviamente, no pueda considerarse domicilio sí que puede resultar un lugar protegido en razón de la preservación del derecho a la intimidad de los que lo utilizan. El TS se ha pronunciado, con base en este acuerdo, sobre la protección constitucional de los lavabos públicos, ya sea para registrar a los que circunstancialmente los ocupen o bien para obtener grabaciones de su interior.

> «La invasión ilegítima en la intimidad que los aseos públicos representan invalida la legitimidad de la prueba aquí obtenida. Dejando de lado la posibilidad de un delito flagrante que en este caso difícilmente puede admitirse, no cabe duda que esa intimidad sólo se puede perturbar con la debida autorización judicial por estimarse que los lavabos, baños o aseos de los establecimientos públicos, son una prolongación de la privacidad que a toda persona corresponde en lo que es su domicilio. Ya fuera para registrar a la persona que proyecta su intimidad en el secretismo de tales habitáculos, ya fuera para obtener imágenes grabadas del mismo, la doctrina de esta Sala 2ª viene proclamando la naturaleza especial que a esos lavabos afecta, lo mismo en los inodoros que en la antesala de los mismos comúnmente denominada lavabos». STS Sala Segunda, de lo Penal, Sentencia de 7 Jul. 1998, Rec. 2233/1997. Ponente: Vega Ruiz, José Augusto de. LA LEY 8315/1998.

Aunque en otras sentencias se ha declarado que los aseos públicos o privados que se hallen en establecimientos públicos no están protegidos constitucionalmente:

> «La protección tanto constitucional como la establecida en la Ley de Enjuiciamiento Criminal (artículos 545 y siguientes), como ha señalado la Jurisprudencia de esta Sala, no se extiende a todo local cerrado y de carácter no público, sino al domicilio, que la Ley fundamental declara (artículo 18.2) inviolable y en el que la entrada y registro no podrá llevarse a cabo sin consentimiento del titular o resolución judicial. Es cierto que dicho concepto ha recibido una interpretación amplia en la doctrina de esta Sala aplicándose a todo ámbito de intimidad personal, concepto de más amplitud incluso que los de habitación o morada, y que incluye lugares cerrados en los que, aún temporal o accidentalmente, se desarrollen los aspectos íntimos de la vida individual o familiar, por ejemplo, remolques o automóviles en que se habite o las habitaciones ocupadas en hoteles, fondas o pensiones en las que se desarrolla la vida privada de una persona (SSTS de 15-2, 4-3 y 20-5-1997 o 15-4-1998). Sin embargo, este no es el caso. La existencia en un establecimiento público de un aseo reservado para el titular del mismo o sus empleados, integrado en el mismo, no equivale a un ámbito de privacidad donde se desarrolla la vida de la persona, sino simplemente un lugar adecuado para determinadas necesidades, de forma que no es susceptible de alcanzar la protección que dispensa al domicilio la norma constitucional». STS Sala

Segunda, de lo Penal, Sentencia 11/2002 de 16 Ene. 2002, Rec. 356/2001. Ponente: Saavedra Ruiz, Juan. LA LEY 2967/2002.

B) *Supuesto especial de jardines, porches, garajes, trasteros y similares*

Un supuesto de especial dificultad es el de aquellos espacios anexos a la vivienda como los jardines, garajes, trasteros y similares. La jurisprudencia había venido entendiendo que tales espacios no tenían la especial consideración de domicilio protegido y, por tanto, no podía extenderse a estos lugares la especial protección constitucional respecto a las garantías en su inspección y registro.

«La aplicación de esta doctrina al caso analizado conduce asimismo a la desestimación de la vulneración alegada. Como ha quedado expuesto en los antecedentes, la resolución impugnada de la Audiencia Provincial de Málaga sostiene que no puede compartirse la decisión del Juzgado de lo Penal en lo atinente a la "nulidad de la diligencia de entrada y registro practicada en el trastero... pues es doctrina reiterada del Tribunal Supremo —...— que los trasteros de las viviendas no constituyen parte de las mismas o espacios destinados a la habitación de las personas, por lo que no puede extenderse a ellos la protección constitucional ni por ende serles de aplicación las normas procesales reguladoras de las garantías que han de observarse en la práctica de las diligencias de entrada y registro en el domicilio de los particulares" (fundamento de derecho 1º)». STC 82/2002 de 22 de abril.

Sin embargo, en algunas sentencias se especificaba mejor y se concretaba en el sentido de que el espacio exterior de la vivienda, incluyendo jardín o porches, no tienen la consideración de domicilio protegido siempre que por su ubicación y características físicas sea accesible desde el exterior. De modo que había que entender, de contrario, que el espacio anexo a la casa no accesible desde el exterior sí que tiene protección constitucional y, por tanto, es necesaria orden judicial para su entrada y registro (salvo claro está flagrancia o consentimiento).

«Finalmente se denuncia la violación del domicilio de los recurrentes ya que si bien se reconoce que no entraron en su interior ni efectuaron registro alguno los agentes, estos procedieron a la detención de aquellos que se encontraban en el porche, espacio que estiman como parte del domicilio y protegido por su inviabilidad. Tampoco puede prosperar este motivo, sin desconocer el concepto de casa habitada del art. 241 del Código Penal, en el presente caso, según se reconoce por los recurrentes estaban en el porche comiendo, y los agentes cuando se presentaron, según consta en el acta del juicio oral sin tan siquiera entrar en el patio —del que nada consta si estaba o no cerrado— les dijeron que les acompañaran, lo que hicieron. En este contexto es obvio que no puede afirmarse intromisión ilegítima en espacio de privacidad protegido por la Constitución». STS Sala Segunda, de lo Penal, Sentencia 1230/2000 de 30 Jun. 2000, Rec. 724/1999. Ponente: Giménez García, Joaquín. LA LEY 11127/2000.

Precisamente, acogiendo esos criterios el Tribunal Supremo dictó el Acuerdo de 15 de diciembre de 2016 en el que ha establecido los supuestos que deben concurrir para incluir dentro de la protección constitucional determinados espacios anexos a las viviendas. Concretamente el TS se pronuncia acerca de la consideración de «dependencias de casa habitada» del art. 241.3 CP, que serán los siguientes: *«Los trasteros y garajes comunes sitos en edificio de propiedad horizontal, donde también se integran viviendas, tendrán la consideración de dependencia de casa habitada, siempre que tengan las características siguientes: a) Contigüidad, es decir, proximidad inmediata o directa con la casa habitada; que obviamente puede ser tanto horizontal como vertical; b) Cerramiento, lo que equivale a que la dependencia esté cerrada, aunque no sea necesario que se halle techada ni siquiera murada; c) Comunicabilidad interior o interna entre la casa habitada y la dependencia; es decir, que medie puerta, pasillo, escalera, ascensor o pasadizo internos que unan la dependencia donde se comete el robo con el resto del edificio como vía de utilizable acceso entre ambos. d) Unidad física, aludiendo al cuerpo de la edificación».*

El citado acuerdo, sin embargo, no ha puesto fin a la cuestión en tanto que, finalmente, habrá que atender a la concurrencia de cada una de las características expresadas en cada caso concreto. Así, la STS 54/2017 de 10 Mar. 2017, ha declarado que el jardín unido a la vivienda y cercado está protegido constitucionalmente, aunque lo que pudiera suceder allí sea visible desde la vía pública.

«El jardín de que se trata, es claro, formaba un todo con la vivienda, tanto por razón de la contigüidad espacial, como por la forma inequívoca de su delimitación, como por razón del destino. Esto es algo que no aparece realmente negado en la sentencia de instancia, que se fija, para privarle de la consideración de domicilio, en el hecho de que lo que pudiera hacerse dentro del mismo, como el propio espacio, resultaba visible desde el exterior. Pero este es un criterio que no puede compartirse, porque llevaría, por ejemplo, a negar la condición de domicilio, a los efectos del art. 18 (LA LEY 2500/1978),2 CE, a muchas infraviviendas que, por la mala calidad de los materiales empleados en su construcción o por la precariedad de esta, hicieran más o menos fácilmente observable, en todo o en parte, la vida familiar desarrollada en su interior. Desde otro punto de vista, podría decirse, que, también por ejemplo, un robo cometido dentro del espacio que nos interesa, acotado por la aludida verja perimetral, tendría seguramente encaje en el art. 241 CP (LA LEY 3996/1995), esto es, la cualificación de perpetrado en casa habitada». STS Sala Segunda, de lo Penal, Sentencia 154/2017 de 10 Mar. 2017, Rec. 10484/2016; Ponente: Andrés Ibáñez, Perfecto Agustín. LA LEY 19091/2017.

Sin embargo, la STS 912/2016 de 1 de diciembre de 2016 determinó que el garaje anexo a la vivienda no puede considerarse domicilio al no existir una comunicación directa con el domicilio y no reunir las condiciones precisas para que el local sea considerado ámbito de privacidad. Ahora bien, hemos de tener en cuenta que la sentencia citada se dictó quince días antes del Acuerdo del TS de fecha de quince de diciembre de 2016.

«Consecuentemente, un trastero como el de autos, que integra dependencia que se destina a su uso característico propio y no presenta comunicación directa con domicilio, no reúne las condiciones precisas para que el local sea considerado ámbito de privacidad; si no consta atisbo de desarrollo de vida privada, no puede considerarse como un domicilio ni por lo tanto se le puede atribuir la protección que a éste dispensa la Constitución en el art. 18.2 (LA LEY 2500/1978). Así lo ha entendido, la jurisprudencia de esta Sala, como se refleja en la STS 282/2004 de 1 de marzo (LA LEY 12376/2004), que recuerda que "abundantísima doctrina, siempre coincidente (SSTS 1431/1999 de 13 de octubre, 999/97 de 27 de junio, 686/96 de 10 de octubre, 824/95 de 30 de junio), define el concepto de domicilio a estos efectos y expresamente rechaza lo sean los trasteros y garajes por no albergar ámbitos en los que se desarrolle la vida privada de las personas". Por tanto, en el caso de garajes y trasteros no son aplicables las garantías derivadas de la protección constitucional a la inviolabilidad del domicilio, ni las normas procesales que regulan garantías relativas a la entrada y registro en el domicilio de particulares (STC 82/2002 de 22 de abril (LA LEY 4513/2002))». STS 912/2016 de 1 Dic. 2016, Rec. 355/2016. Ponente: Berdugo Gómez de la Torre, Juan Ramón. LA LEY 177402/2016.

En el mismo sentido la STS 492/2016 de 8 Jun. 2016, declara que no puede considerarse domicilio el trastero como pieza separada y alejado del domicilio cuya finalidad es la de guardar y almacenar objetos.

«Conforme a la jurisprudencia de esta Sala (SSTS 21/2005 (LA LEY 10979/2005) y 457/2007 (LA LEY 26741/2007)), un trastero, como pieza o dependencia separada y alejada del domicilio, cuya finalidad según los usos y costumbres es la de guardar y almacenar objetos de todo tipo, no puede merecer el calificativo de domicilio, salvo que en el supuesto de que determinadas personas puedan habilitarlo para ejercer alguna o algunas de las funciones o actividades domésticas, esenciales para el desenvolvimiento de la vida diaria, constituyéndose en un excepcional reducto de intimidad, lo que no ha sido alegado ni probado en este caso». STS 492/2016 de 8 Jun. 2016, Rec. 10545/2015. Ponente: Palomo del Arco, Andrés. LA LEY 59018/2016.

Finalmente, tampoco puede otorgarse la consideración de domicilio al garaje independiente en el que se almacenan objetos y no se atisba ninguna clase de ámbito de privacidad.

«Y en lo que se refiere a esta Sala de Casación, tiene establecido que no son domicilios legales sometidos a la protección constitucional los bares, los restaurantes, los almacenes y los garajes, siempre y cuando no conste espacialmente algún atisbo de privacidad; con la especial matización y excepción de aquellos casos en los que el garaje forme parte del domicilio como una habitación aneja, supuesto en el que el registro del garaje ha de acomodarse a las exigencias constitucionales del artículo 18.2 (SSTS 686/1996, de 10-10; 123/1997, de 16-12; 999/1997, de 27-6; 1431/1999, de 13-10; 282/2004, de 1-3 (LA LEY 12376/2004); 616-2005, de 12-5; y 924/2009, de 7-10 (LA LEY 191993/2009), entre otras). En el supuesto enjuiciado se especifica en la sentencia recurrida que el registro se practicó en una cochera o garaje independiente que estaba destinado a almacén, sin que concurriera atisbo alguno de que albergara en su interior algún ámbito de privacidad. Uno de los testigos manifestó que el interior se hallaba lleno de porquería, no aparentando siquiera ser un garaje. No cabe, pues, colegir que nos hallemos ante un espacio protegido por el art. 18.2 de la CE (LA LEY 2500/1978)». STS Sala Segunda, de lo Penal, Sentencia 747/2015 de 19 Nov. 2015, Rec. 686/2015. Ponente: Jorge Barreiro, Alberto Gumersindo. LA LEY 185990/2015. Sentencia Asunto Codice Calixtino.

C) *Supuestos excluidos de la protección del derecho fundamental a la intimidad y a la inviolabilidad de domicilio. Práctica del registro en estos supuestos*

Existe una abundante y clara doctrina jurisprudencial sobre los supuestos que deben entenderse fuera del ámbito de la protección constitucional. El criterio seguido por el TS ha sido la búsqueda de un equilibrio entre el derecho constitucional y la defensa de los intereses del Estado de Derecho.

«Respecto al concepto de domicilio y a los titulares del derecho a su inviolabilidad ha de tenerse presente que no todo local sobre cuyo acceso posee poder de disposición su titular debe ser considerado como domicilio a los fines de la protección que el art. 18.2 CE garantiza, y la razón que impide esta extensión es que el derecho fundamental considerado no puede confundirse con la protección de la propiedad de los inmuebles ni de otras titularidades reales u obligacionales relativas a dichos bienes que puedan otorgar facultad de exclusión de los terceros...». STC 69/1999 de 26 de abril.

En estos supuestos, el registro de tales lugares se llevará a cabo de acuerdo con los requisitos y garantías que exige «en cualquier edificio o lugar cerrado» el art. 567 y demás preceptos concordantes de la LECrim y, entre ellos, el de la presencia en su realización del Letrado de la administración de justicia, a los fines de fe pública judicial.

«No todo recinto cerrado merece la consideración de domicilio a efectos constitucionales. Por esta razón, tal concepto y su correlativa garantía constitucional no es extensible a aquellos lugares cerrados que, por su afectación —como ocurre con los almacenes, las fábricas, las oficinas y los locales comerciales (ATC 171/1989, fundamento jurídico 2)—, tengan un destino o sirvan a cometidos incompatibles con la idea de privacidad. .../... Lo expuesto no es obstáculo para entender que, pese a que los almacenes, locales comerciales y fábricas no sean susceptibles de calificarse como domicilios, a efectos de la protección constitucional dispensada por el art. 18 C.E., los registros practicados en tales inmuebles deben respetar los requisitos y garantías que exige "en cualquier edificio o lugar cerrado" el art. 567 y demás preceptos concordantes de la LECrim., y entre ellos, el de la presencia en su realización del Letrado de la administración de justicia, a los fines de fe pública judicial». STC 228/1997 de 16 diciembre.

En su virtud, la diligencia se debe producir permitiendo la asistencia a la misma y la contradicción del interesado, máxime cuando se halle detenido, a salvo que se hubiere declarado el secreto de la diligencia, o que concurrieren razones de urgencia, necesidad o fuerza mayor (véase sobre esta cuestión la doctrina aplicable a la notificación al interesado, e intervención del detenido en el registro domiciliario § 3.1 D a. y b.).

«Ningún obstáculo hay para la validez y eficacia jurídica de ese registro... Porque el hallazgo tuvo lugar en una nave existente en la parcela y en una pequeña caseta de hierro y ladrillos separadas de la vivienda propiamente dicha, no amparada por la inviolabilidad domiciliaria. Pero estas diligencias de registro en lugar cerrado con autorización judicial, para que puedan tener eficacia como prueba de cargo, es necesario que se practiquen con respeto de las exigencias propias del principio de contradicción procesal, de modo que, si no se ha dado, a alguno de los imputados al que tal prueba ha de perjudicar, la oportunidad de participar en esta diligencia, la prueba que de la misma pudiera obtenerse no puede ser eficaz contra él...». STS Sala Segunda, de lo Penal, Sentencia 265/2001 de 27 Feb. 2001, Rec. 568/2000. Ponente: Delgado García, Joaquín. LA LEY 4358/2001.

Ahora bien, debe distinguirse entre la diligencia de entrada y registro practicada como diligencia sumarial que, realizada según las normas expuestas, tendrá la consideración de prueba preconstituida, y la diligencia de investigación de la policía que precisará de la ratificación de los agentes en el juicio oral.

«El Acta que recoge el resultado del registro es una formalidad de las prevenidas en el art. 569 LECrim sólo exigible cuando la diligencia de entrada y registro es autorizada judicialmente, pero no cuando es practicada por la Policía como mera diligencia de investigación (art. 282 LECrim), de suerte que en el primer caso, cuando la diligencia de entrada y registro ha sido acordada por la Autoridad judicial y practicada con las formalidades exigidas procesalmente, adquirirá la naturaleza de prueba preconstituida (véase STS de 11 de septiembre de 1996) con eficacia probatoria propia; pero en el segundo supuesto, cuando la diligencia carece de cobertura judicial y es practicada por los funcionarios en el seno de la investigación policial, es preciso que los agentes que realizaron el registro comparezcan en el plenario y, como testigos, y bajo los principios de publicidad, oralidad, inmediación y contradicción, expongan ante el Tribunal lo acaecido en la diligencia y los efectos y objetos intervenidos, para que el órgano judicial sentenciador pueda valorar dicha diligencia como prueba de cargo válida para formar la convicción sobre los hechos…». STS Sala Segunda, de lo Penal, Sentencia 415/2001 de 12 Mar. 2001, Rec. 1248/1999. Ponente: Ramos Gancedo, Diego Antonio. LA LEY 54619/2001.

En el primer caso, diligencia sumarial autorizada judicialmente, deberán respetarse las formalidades contempladas por el art. 569 LECrim. Normas que de no son exigibles cuando la diligencia es practicada por los agentes policiales, como simple «diligencia de investigación». En ese último caso, no le son aplicables ni la protección constitucional de la inviolabilidad del domicilio, ni las normas procesales que regulan garantías relativas a la entrada y registro en el domicilio de particulares. Entre éstas normas no resultaría de aplicación la presencia del interesado en la práctica de la diligencia.

«El derecho a la inviolabilidad del domicilio constituye, por ello, un auténtico derecho fundamental de la persona, establecido para garantizar su ámbito de privacidad dentro del espacio limitado que la propia persona elige y que tiene que quedar exento o inmune a las invasiones o agresiones exteriores —de otras personas o de la autoridad pública—, por ser el espacio en el cual el individuo ejerce su libertad más íntima. A través de este derecho fundamental no se protege únicamente el espacio físico en sí mismo considerado, sino lo que en él hay de emanación de la persona y de su esfera privada. Precisamente por lo expuesto, cuando la diligencia de registro se practique en un lugar que no tenga tal consideración, no solo no será necesaria la correspondiente autorización judicial, sino que además, durante su práctica, no habrán de observarse todos los requisitos que serían exigibles si fuera un domicilio, y entre ellos, la presencia del interesado». STS 492/2016 de 8 Jun. 2016, Rec. 10545/2015. Ponente: Palomo del Arco, Andrés. LA LEY 59018/2016.

Quedan excluidos del concepto de domicilio protegido:

a) Bares, restaurantes, pubs, tiendas, locales de exposición y otros destinados a estar abiertos al público

No pueden conceptuarse domicilio los locales comerciales o de esparcimiento: bares, tabernas, pubs, restaurantes, tiendas, locales de exposición, almacenes, etc. En estos lugares no se proyecta la intimidad personal del individuo, sino, más al contrario, se fomentan las relaciones intersubjetivas entre las personas. Un elemento esencial es el hecho que se trate de lugares de acceso público[138].

---

(138) «No integra el concepto de vivienda, el local comercial o de esparcimiento (bares, tabernas, pubs, restaurantes, tiendas, locales de exposición, almacenes, etc.) (Cfr. Ss. de 11 de junio

«No constituye "domicilio" a efectos de la protección constitucional y de la necesaria autorización judicial para la entrada y registro en ellos, los bares, cafeterías, locales de recreo o esparcimiento (STS 10-2-1995) trasteros, locales destinados a almacén, ya que no se trata de la defensa de los bienes, sino de la inviolabilidad de la morada en cuanto espacio donde el individuo desarrolla su propia intimidad, no amparando el precepto constitucional la protección del local destinado a cuarto de almacén adyacente al bar (STS 19-7-1993 y 30-6-1997). C) En el presente caso el Tribunal de instancia declara la validez de la entrada y registro por verificarse en espacio que no constituye morada, sino local público, aun reconociendo que esporádicamente pudiera el recurrente pasar alguna noche en la trastienda». ATS Sala Segunda, de lo Penal, Auto 708/2001 de 4 Abr. 2001, Rec. 2756/2000; Ponente: Delgado García, Joaquín. LA LEY 242603/2001.

Ahora bien, en esos lugares pueden existir espacios cerrados en los que el titular del establecimiento o sus empleados ejerzan «su libertad más íntima», al margen de «los usos y convenciones sociales» y, en ese caso, ese concreto lugar podría tener la consideración de espacio protegido[139].

«Aunque el concepto del domicilio sea constitucionalmente más amplio que el concepto jurídico, privado o administrativo,... Es indudable que la cocina de un bar o restaurante —con independencia de las actividades que incidentalmente puedan llevarse a cabo en ella— constituye una dependencia de dicho local directamente relacionada con las actividades mercantiles o industriales desarrolladas en él, de modo que puede afirmarse categóricamente que no constituye, en ningún caso, un espacio cerrado en el que el titular del establecimiento o sus empleados ejerzan «su libertad más íntima», al margen de «los usos y convenciones sociales». De ahí que no pueda reconocerse a la misma la protección constitucionalmente dispensada al domicilio de las personas (art. 18.2 CE). Consiguientemente, no cabe apreciar la vulneración denunciada aquí por el recurrente». STS Sala Segunda, de lo Penal, Sentencia de 18 Feb. 1998, Rec. 1505/1997; Ponente: Puerta Luis, Luis Roman. LA LEY 3498/1998.

---

de 1991, 19 de junio y 5 de octubre de 1992, la antes citada de 17 de septiembre de 1993 y la de 21 de febrero de 1994), sencillamente porque no lo son al estar esencialmente destinados a estar abiertos al público y esto es así porque el derecho fundamental proclamado en el art. 18.2 CE, protege como antes se dijo, la "intimidad" como valor esencialísimo, que para nada se proyecta sobre bienes materiales en sí ni en defensa de su propiedad (Ss., entre otras, de 31 de octubre de 1988 y 28 de abril de 1993). Debiendo resaltarse por último, que las formalidades contempladas por el art. 569 de la Ley Procesal reiterada, no son exigidas nada más que cuando la diligencia de "entrada" y "registro" es autorizada judicialmente, pues sólo en dicho supuesto es verdadera "diligencia judicial", no cuando practicada por los agentes policiales, como simple "diligencia de investigación" (art. 282 LECrim.)». Sala Segunda, de lo Penal, Sentencia de 6 Nov. 1995, Rec. 1188/1994. Ponente: Hernández Hernández, Agustín. LA LEY 17165-R/1995.

(139) «Quedan así excluidos del concepto de domicilio, según una reiterada doctrina jurisprudencial, los restaurantes, bares, establecimientos públicos en general, trasteros, garajes, zaguanes, almacenes y locales comerciales [ver las SS 15 octubre y 14 abril 1994 y 27 noviembre y 17 marzo 1993 entre otras muchas], dentro de cuyo ámbito gramatical es lícito considerar las naves industriales, siempre y cuando no cobijen habitáculos independientes en los que alguien ejerza y detente, por más o menos tiempo, las vivencias propias de su vida íntima y personal». STS Sala Segunda, de lo Penal, Sentencia de 1 Dic. 1995, Rec. 402/1995. Ponente: Vega Ruiz, José Augusto de. LA LEY 731/1996.

b) Locales comerciales, naves industriales

«No cabe considerar que en un local comercial abierto al público pueda producirse vulneración del derecho fundamental a la inviolabilidad del domicilio, al igual que en aquellos locales, aun de acceso sujeto a autorización, donde se lleva a cabo una actividad laboral o comercial por cuenta de una sociedad mercantil que está vinculada con la dirección de la sociedad o de un establecimiento ni sirva a la custodia de su documentación...». STC 69/99 de 26 de abril.

c) Oficinas y edificios abiertos al público

«a) La LECrim (LA LEY 1/1882), no sólo regula las entradas y registros en los domicilios de particulares sino también en edificios y lugares públicos (arts. 546 (LA LEY 1/1882) y 547 LECrim (LA LEY 1/1882)). Señala la STS 591/2002 de 1.4 (LA LEY 6649/2002), que los lugares públicos caen fuera de la tutela del art. 18.2 CE (LA LEY 2500/1978), que protege el derecho del individuo a disponer de un núcleo de absoluta reserva en la santidad del domicilio un hogar donde se desarrolla su existencia y actividad humana. La entrada y registro en edificios o lugares públicos no está rodeada de estas mismas garantías. Simplemente se exige que el Juez comunique la práctica de la diligencia a la autoridad o persona que esté al frente del lugar». STS 426/2016 de 19 May. 2016, Rec. 2107/2015; Ponente: Berdugo Gómez de la Torre, Juan Ramón. LA LEY 51966/2016.

«Ahora bien, en el caso presente, estimamos que no cabe duda alguna respecto de que la oficina o despacho en que, a raíz de la detención del acusado, se practicó el registro de autos por los funcionarios de policía, no era domicilio de nadie, sino unos locales abiertos al público, como ya antes se ha indicado, pues tratándose de una empresa montada por dicho acusado para gestionar los pagos de otras empresas a Hacienda y a la S.S., con la consiguiente asesoría jurídica sobre tales extremos y otros semejantes, como si de una gestoría administrativa o algo similar se tratara, entendemos que lo que en tales locales se realizaba, fueran o no actividades lícitas, nada tenía que ver con el ejercicio de la vida privada de nadie ni con la protección de su intimidad. Podían acudir allí cualesquiera personas que necesitaran los servicios que allí se prestaban y en tal sentido estimamos que se encontraban abiertos al público, lo que radicalmente excluye la condición de domicilio». (STS 6 julio 1995; LA LEY, 1995, Ref. 14.637).

d) Cajas fuertes sitas en entidades bancarias

«Tiene razón el Juzgado de Instrucción cuando en el razonamiento jurídico 6º de su auto de 26-3-1997 afirma que, por tratarse de un registro practicado en un lugar público, como lo es un determinado establecimiento del Banco de Sabadell en Mahón, esa diligencia judicial de apertura y registro de una caja de seguridad no produce incidencia alguna sobre los derechos fundamentales relativos a la inviolabilidad del domicilio o al secreto de las comunicaciones. Añadimos nosotros aquí que tampoco incide en el derecho a la intimidad que se refiere a los lugares en que se desarrollan las actividades privadas de carácter personal o familiar y que por ello han de quedar excluidas de intromisiones ajenas, lo que nada tiene que ver con el contenido de una caja de seguridad en un banco por el carácter meramente patrimonial de lo que allí pudiera encontrarse. No debemos confundir el secreto del contenido de tales cajas, que se alquilan precisamente para que ni siquiera la entidad bancaria conozca lo que allí se guarda, con la índole exclusivamente personal de este derecho a la intimidad». STS 155/2002 de 19 Feb. 2002, Rec. 1276/2000; Ponente: Delgado García, Joaquín. LA LEY 38940/2002.

e)   Armarios o «taquillas» sitas en el centro de trabajo

No son protegibles con las garantías aplicables al ámbito de intimidad determinado constitucionalmente, los armarios y taquillas ubicados en el Centro de Trabajo en los que los trabajadores guardan sus ropas o efectos personales. Ello sin perjuicio que el art. del Estatuto de los Trabajadores, a efectos de la jurisdicción laboral, establezca ciertos requisitos para la práctica de esta diligencia, como son la presencia de un representante de los trabajadores. En el ámbito del proceso penal serán exigibles los requisitos ya expuestos para las inspecciones oculares (véase §2.1 de este Capítulo)[140].

f)   Automóviles, vehículos de transporte y barcos

Es doctrina jurisprudencial del TS que los vehículos automóvil que se utilizan exclusivamente como medio de transporte no encierra un espacio en cuyo interior se ejerza o desenvuelva la esfera o ámbito privado de un individuo. Se trata de objetos de investigación sobre los que puede recaer la actividad investigadora de la policía que puede proceder a su registro conforme a las normas previstas para la inspección y recogida de instrumentos y efectos del delito[141].

---

(140)   «En el presente caso, como se recoge en la sentencia de instancia, el registro de la casilla del acusado se realizó con intervención y en presencia del Director médico, del Director y Subdirector de ... Igualmente se citó y compareció una vez iniciado el registro el representante legal de los trabajadores, aunque su presencia no era obligada y asimismo se interesó la presencia del acusado, lo que no se consiguió a pesar de llamadas telefónicas y telegramas, y especialmente porque cambió de domicilio sin que constase el nuevo en la dirección hospitalaria. El registro, como igualmente se razona por el Tribunal sentenciador, aparecía acorde con los intereses generales del hospital ya que se estaba investigando un hecho extremadamente grave como era la desviación de medicamentos psicotrópicos que no habían llegado a los enfermos a los que se habían prescrito, siendo el acusado uno de los ATS que trabajaban en el departamento donde se habían producido los hechos. Así las cosas, no se ha producido la vulneración que se denuncia, máxime cuando el derecho a la intimidad defendido en modo alguno es absoluto e incondicionado, muy al contrario, debe ceder cuando están en juego otros valores constitucionalmente protegidos, debiéndose dar cumplimiento, como ha sucedido en este caso, a las normas que regulan la práctica del registro de que se trate. No debe olvidarse por otra parte, como bien señala el Ministerio Fiscal, que la apertura y el hallazgo de recetas, medicinas y otros efectos en la taquilla de acusado en modo alguno deviene acreditado por el registro efectuado, sino que es la declaración de los testigos presenciales, en el acto del juicio oral, lo que otorga a ese hallazgo la consideración de prueba susceptible de ser valorada por el Tribunal sentenciador». STS Sala Segunda, de lo Penal, Sentencia 2503/2001 de 26 Dic. 2001, Rec. 985/2000; Ponente: Granados Pérez, Carlos. LA LEY 2637/2002.

(141)   «Un vehículo automóvil que se utiliza exclusivamente como medio de transporte no encierra un espacio en cuyo interior se ejerza o desenvuelva la esfera o ámbito privado de un individuo. Su registro por agentes de la autoridad en el desarrollo de una investigación de conductas presuntamente delictivas, para descubrir y, en su caso, recoger los efectos o instrumentos de un delito, no precisa de resolución judicial, como sucede con el domicilio, la correspondencia o las comunicaciones. No resulta afectado ningún derecho constitucionalmente proclamado». STS Sala Segunda, de lo Penal, Sentencia 899/2001 de 16 May. 2001, Rec. 577/2000. Ponente: Granados Pérez, Carlos. LA LEY 6872/2001.

«En el mismo sentido se ha pronunciado el Tribunal Constitucional en la STC 197/2009, de 28 de septiembre (LA LEY 184032/2009), que declaraba, respecto a la inspección realizada en un vehículo, que no teniendo este último la condición de domicilio no le eran aplicables las garantías establecidas en el artículo 18 de la Constitución (LA LEY 2500/1978)». STS 492/2016 de 8 Jun. 2016, Rec. 10545/2015. Ponente: Palomo del Arco, Andrés. LA LEY 59018/2016.

Por tanto, no se precisa del cumplimiento de los requisitos establecidos para la entrada y registro domiciliario; sino las ordinarias para la práctica de la inspección ocular (véase § 2.1 de este Capítulo). Concretamente, para la diligencia de inspección ocular el art. 333 LECrim exige que de existir alguna persona procesada o privada de libertad, se le deberá comunicar la práctica de la diligencia del registro del automóvil, a fin que pueda intervenir en la misma asistido de abogado. Esta norma resulta de aplicación a la diligencia de registro de automóvil según las SSTC 303/1993 de 25 de octubre y 197/2009 de 28 de septiembre.

«Cabe recordar en primer lugar —como señala el Tribunal Supremo, razonamiento jurídico primero— que, *no teniendo el citado vehículo la condición de* domicilio, *no le son aplicables las garantías establecidas en el art. 18.2 CE, lo que no parece ponerse en cuestión en la demanda de amparo. Por otra parte, como señala el Ministerio Fiscal, el registro de la furgoneta en la que sospechaban que se hallaba la droga, practicado de forma inmediata a la detención de los sospechosos por parte de los agentes policiales actuantes, tiene cobertura legal, pues constituye una obligación de la policía judicial,* de conformidad con lo previsto en el art. 282 de la Ley de enjuiciamiento criminal (LECrim) y en el art. 11.1 de la Ley Orgánica 2/1986, de fuerzas y cuerpos de seguridad del Estado recoger todos los efectos, instrumentos o pruebas del delito, poniéndolos a disposición de la Autoridad judicial (STC 70/2002, de 3 de abril (LA LEY 3534/2002), FJ 10)». STC 197/2009 de 28 de septiembre.

La diligencia puede ser practicada en labores de prevención de la policía o actuando en la recogida de los efectos del delito cuando concurran razones de urgencia, sin que sea necesaria la presencia del interesado o la asistencia de abogado; y sin perjuicio del respeto al principio de proporcionalidad (véase STS 18 de mayo de 2001).

«La sentencia del Tribunal Constitucional 303/1993, de 25 de octubre (LA LEY 2390-TC/1993), admitió la posibilidad de que el acta policial de inspección ocular de un automóvil pudiese tener también el valor de prueba preconstituida, reproducible en el juicio a través del art. 730 de la LECrim. con valor probatorio sin necesidad de comparecencia de los agentes policiales en la vista oral. Pero para que tales actos de investigación posean esta última naturaleza (probatoria) se hace preciso que la policía judicial intervenga en ellos por estrictas razones de urgencia y necesidad, pues, no en vano, la policía judicial actúa en tales diligencias a prevención de la autoridad Judicial (art. 284 de la LECr (LA LEY 1/1882)). Esta sentencia del Tribunal Constitucional ha generado cierta equivocidad e incertidumbre en la práctica jurídica al ser interpretada en algunos ámbitos en el sentido de que el registro de vehículos requería la autorización judicial, a no ser que se tratara de supuestos en que la actuación policial fuera urgente y necesaria. Interpretación que debe rechazarse, pues la sentencia 303/1993 solo exige que se dé una situación de urgencia y la necesidad de la intervención inmediata policial en los casos en que se pretenda otorgar a la diligencia del registro del automóvil el carácter de prueba preconstituida, supuestos en los que no se precisa para preconstituir prueba ni la intervención judicial ni la garantía de la contradicción con la presencia de los imputados que utilizaron el vehículo. Este es realmente el parámetro específico que marca la referida sentencia». STS Sala Segunda, de lo Penal, Sentencia 747/2015 de 19 Nov. 2015, Rec. 686/2015. Ponente: Jorge Barreiro, Alberto Gumersindo. LA LEY 185990/2015. Sentencia Codice Calixtino.

Tampoco tienen consideración de domicilio, a efectos de protección constitucional, las embarcaciones salvo en aquellas partes destinadas específicamente a los camarotes, dormitorios de la tripulación u otros lugares reservados para una persona o grupo de personas.

«Y, como se ha reiterado jurisprudencialmente, tampoco cabe hablar de vulneración del derecho a la inviolabilidad del domicilio del art. 18.2 CE, simplemente porque las embarcaciones no constituyen domicilio a estos efectos constitucionales, salvo en aquellas partes destinadas específicamente a los camarotes, dormitorios de las tripulación o pasajeros, u otros lugares reservados para una persona o grupo de personas (Cfr. STS de 20-2-2006, n.º 151/2006). Consecuentemente, el abordaje estaba autorizado por lo dispuesto en el art. 553 del CP, pudiendo compartirse, por ello, la conclusión a que llega el Tribunal de instancia, sobre que: "la regularidad en la práctica de la inspección e interceptación de la sustancia ilícita ante la flagrancia del delito percibido con evidencia por la Policía Judicial, resultó correcta al no haber precisado mandado judicial previo para proceder a su abordaje e interceptación, excluyendo toda vulneración del artículo 11.2 de la Ley Orgánica del Poder Judicial (en el mismo sentido, sentencias del Tribunal Supremo de 9 de octubre de 1998 y 13 de marzo de 1999), y sí procederse al día siguiente, una vez llegada la nave a puerto, al registro con todas las formalidades legales, habilitado por auto de 17 de marzo de 2006 (a folio 426), como ahora se examinará». STS 16 junio 2009. Ponente: Monterde Ferrer, Francisco. N.º de Sentencia: 641/2009. N.º de Recurso: 10864/2008. LA LEY 125080/2009.

g)   Litera en departamento colectivo de ferrocarril

«Lo que comprende dos notas esenciales: la absoluta privacidad de la actividad desarrollada en su interior y la capacidad de excluir a terceros de la entrada en el ámbito domiciliario. Ninguna de aquellas dos notas esenciales se dan en la ocupación transitoria por una persona en una litera dentro de un departamento colectivo y compartida con otros viajeros, que incluso no tienen relación de trato o conocimiento entre sí, para ser transportado en forma más cómoda de un lugar a otro a través del medio ferroviario. Ni la transitoriedad de la ocupación ni la naturaleza de mero transporte con carácter pasivo y colectivo permite desarrollar en tal lugar una actividad íntima, ni el viajero posee la facultad de excluir a terceros del ámbito que ocupa, pues viene obligado a compartirlo con los compañeros de departamento, incluso cambiantes en el transcurso del trayecto en función del lugar de embarque y destino de cada uno, ni puede vetar la entrada de los funcionarios de la Compañía transportadora, ya para acomodación de otros viajeros, ya para control de billetes, ya para cualquier otra actividad que les sea propia, ni puede, en fin, impedir las visitas que a sus compañeros de departamento hagan quienes acuden a despedirlos u otros viajeros del tren». (STS 28 diciembre 1994; LA LEY, 1995, Ref. 14.283).

D) Presupuestos para la entrada y registro del domicilio protegido

La inviolabilidad del domicilio viene establecida en el art. 18.2.º CE, por lo que ninguna entrada o registro podrá realizarse, salvo que concurra alguno de estos presupuestos:

a) Consentimiento del titular;

b) Autorización judicial;

c) Caso de flagrante delito. Las dos excepciones constitucionales constituyen un *numerus clausus* de forma que no cabe una interpretación extensiva o analógica de las mismas[142].

«La protección constitucional del domicilio en el art. 18.2 CE (LA LEY 2500/1978) se concreta en dos reglas distintas. La primera se refiere a la protección de su "inviolabilidad" en cuanto garantía de que dicho ámbito espacial de privacidad de la persona elegido por ella misma resulte "exento de" o "inmune a" cualquier tipo de invasión o agresión exterior de otras personas o de la autoridad pública, incluidas las que puedan realizarse sin penetración física en el mismo, sino por medio de aparatos mecánicos, electrónicos u otros análogos. La segunda, en cuanto especificación de la primera, establece la interdicción de dos de las formas posibles de injerencia en el domicilio, esto es, su entrada y registro, disponiéndose que, fuera de los casos de flagrante delito, sólo son constitucionalmente legítimos la entrada o el registro efectuados con consentimiento de su titular o resolución judicial (STC 22/1984, de 17 de febrero (LA LEY 8565-JF/0000), FJ. 3 y 5); de modo que la mención de las excepciones a dicha interdicción, admitidas por la Constitución, tiene carácter taxativo (STC 136/2000, de 29 de mayo (LA LEY 8963/2000)). De lo expuesto se infiere que la noción de domicilio delimita el ámbito de protección del derecho reconocido en el art. 18.2 CE (LA LEY 2500/1978), tanto a los efectos de fijar el objeto de su "inviolabilidad" como para determinar si resulta constitucionalmente exigible una resolución judicial que autorice la entrada y registro cuando se carece del consentimiento de su titular y no se trate de un caso de flagrante delito (STC 10/2002 (LA LEY 1655/2002) de 17 de julio)». STS 912/2016 de 1 Dic. 2016, Rec. 355/2016. Ponente: Berdugo Gómez de la Torre, Juan Ramón. LA LEY 177402/2016.

---

(142)   «Como esta Sala ha recordado en numerosas ocasiones, (STS 530/2009, 13 de mayo (LA LEY 84780/2009) y 727/2003, 16 de mayo (LA LEY 10426/2004)), el derecho a la inviolabilidad del domicilio es un derecho fundamental del individuo que, según el artículo 18.2 de la Constitución (LA LEY 2500/1978) sólo cede en caso de consentimiento del titular; cuando se trate de un delito flagrante, o cuando medie resolución judicial. La Declaración Universal de los Derechos Humanos (LA LEY 22/1948) proscribe en su artículo 12 las injerencias arbitrarias en el domicilio de las personas, reconociendo el derecho de éstas a la protección de la ley contra las mismas. En la misma forma se manifiesta el Pacto Internacional de Derechos Civiles y Políticos en su artículo 17 (LA LEY 129/1966). Y el Convenio Europeo para la Protección de los Derechos Humanos y de las Libertades Fundamentales (LA LEY 16/1950), dispone en su artículo 8 que, "1. Toda persona tiene derecho al respeto de su vida privada y familiar, de su domicilio y de su correspondencia. 2. No podrá haber injerencia de la autoridad pública en el ejercicio de este derecho, sino en tanto en cuanto esta injerencia esté prevista por la ley y constituya una medida que, en una sociedad democrática, sea necesaria para la seguridad nacional, la seguridad pública, el bienestar económico del país, la defensa del orden y la prevención del delito, la protección de la salud o de la moral, o la protección de los derechos y las libertades de los demás" (STS de 24 de febrero de 2015)». ATS 1247/2016 de 30 Jun. 2016, Rec. 2176/2015; Ponente: Martínez Arrieta, Andrés. LA LEY 119469/2016.

a) Consentimiento del titular

El consentimiento del titular del domicilio justifica el acceso y, en su caso, el registro domiciliario. Así se establece en el art. 18.2 CE y 550 LECrim[143]. El consentimiento debe prestarse por persona capaz, de modo inequívoco y voluntario. Es decir, se requiere no tanto una actitud pasiva de consentir como una activa de prestar colaboración en la actividad de los funcionarios que efectúen los actos de registro (art. 551 LECrim).

> «Como dice el artículo 551 procedimental se entenderá que presta su consentimiento aquel que, requerido por quien hubiere de efectuar la entrada y registro, ejecuta por su parte los actos necesarios que de él dependan para que el mismo pueda tener efecto sin entonces poder invocar la inviolabilidad que la Constitución ampara.../... Es cierto que el problema de si hubo o no consentimiento ha de ser interpretado de manera restrictiva, de la forma más favorable para el titular domiciliario. También es cierto, sin embargo, que para llegar a conclusiones concretas han de analizarse, racionalmente, el comportamiento del propio interesado, "antes, durante y después", así como las manifestaciones de cuantos pudieran estar presentes cuando el registro se llevó a cabo». STS Sala Segunda, de lo Penal, Sentencia de 23 Ene. 1998, Rec. 129/1997; Ponente: Vega Ruiz, José Augusto de. LA LEY 1108/1998.

Considera el TS que ha de entenderse que presta su consentimiento aquél que, requerido por quien hubiere de efectuar el registro, ejecuta por su parte los actos que de él dependan para que pueda tener efecto el mismo. No cabe diferenciar entre el consentimiento para la entrada en el domicilio y los posteriores actos de registro que son propios y consecuentes con la autorización[144]. Ahora bien, no cabe realizar un registro por los agentes comparecientes en un domicilio a requerimiento de los moradores excepto en el caso que existiera flagrancia delictiva. Este es el caso de la STS 423/2016 de 18 de mayo en la que unos padres piden el auxilio de la policía ante la actitud agresiva de su hijo. Comparecida la policía y tras solucionar el conflicto proceden a registrar la habitación del hijo hallando sustancias estupefacientes. Ese registro se declaró ilícito.

> «En este caso no existe duda alguna de que el acceso de los agentes al domicilio de los acusados estuvo autorizado por los padres del aquel en su afán de recabar ayuda para que se calmara. Es decir, solicitaron de los agentes una actuación asistencial que en ningún caso comprendió la autorización de registrar el inmueble, decisión ésta que adoptaron aquellos por propia iniciativa y sin solicitar autorización a quienes les habían franqueado la entrada ni aun menos a quien habría de resultar afectado.

---

(143) Véase también el art. 12 de la Declaración Universal de Derechos Humanos, 8 del Convenio de Roma y 17 del Pacto Internacional de Nueva York.

(144) «Lo que la Constitución garantiza y protege en el precepto invocado en el motivo es el ámbito de privacidad constituido por el domicilio, marco físico donde la persona desarrolla las actividades más características de su intimidad y de su personalidad a salvo de injerencias extrañas no consentidas. De tal suerte que, autorizada por el titular del derecho la injerencia ajena en ese espacio privado, consintiendo la invasión del mismo por los funcionarios policiales, ninguna vulneración se ha producido, por más que, consentido el acceso y abdicando por voluntad propia de la protección constitucional, se lleve a cabo por los funcionarios las actividades propias de su cometido». STS Sala Segunda, de lo Penal, Sentencia 436/2001 de 19 Mar. 2001, Rec. 1667/1998-P/1998; Ponente: García-Calvo y Montiel, Roberto. LA LEY 60098/2001.

Sostiene el recurrente que la actuación de los agentes vino determinada por razones de seguridad, ante un delito flagrante. El relato de hechos probados de la sentencia recurrida no nos reconduce a un delito flagrante como habilitante del registro realizado, entendiendo como tal la situación fáctica en la que el delincuente es "sorprendido" (visto directamente o percibido de otro modo) en el momento de delinquir o en circunstancias inmediatas a la perpetración del ilícito (STS 341/1993 de 18 de noviembre (LA LEY 2272-TC/1993)). Tampoco según la definición legal de delito flagrante incorporada por el artículo 795.1.1ª LECrim (LA LEY 1/1882) .../..., pero ninguna necesidad imperiosa hubo de registrar el domicilio y los enseres que se encontraban en el mismo, entre ellos la mochila que alojaba la droga sin solicitar antes el consentimiento del interesado o, en su caso, autorización judicial. Una vez controlado el acusado y garantizada su seguridad y la de sus progenitores, de haber existido la flagrancia la misma cesó, por lo que partir de ese momento la actuación policial excedió del ámbito de injerencia autorizado por aquélla.». STS 423/2016 de 18 May. 2016, Rec. 1286/2015; Ponente: Ferrer García, Ana María. LA LEY 51976/2016.

Cuando se trate de domicilio compartido bastará que el consentimiento lo otorgue uno de los moradores, siempre que resulte ser igualmente interesado en el objeto de la investigación.

«Si la convivencia en un mismo domicilio no altera, en principio, ni la titularidad del derecho ni la posibilidad de su ejercicio, resulta que cada titular del mismo mantiene una facultad de exclusión de terceros del espacio domiciliario que se impone al ejercicio del libre desarrollo de la personalidad del comorador que desea la visita de un tercero que no mora en él. Ello no obsta para que la composición razonable de los intereses en juego de los comoradores haga que usualmente pacten explícita o implícitamente la tolerancia de las entradas ajenas consentidas por otro comorador y que los terceros que ingresen en el domicilio puedan así confiar a priori en que la autorización de uno de los titulares del domicilio comporta la de los demás. En este sentido hemos dicho que "cada uno de los cónyuges o miembros de una pareja de hecho está legitimado para prestar el consentimiento respecto de la entrada de un tercero en el domicilio, sin que sea necesario recabar el del otro, pues la convivencia implica la aceptación de entradas consentidas por otros convivientes" (STC 22/2003, de 10 de febrero, FJ 7)». STC 209/2007 de 24 de septiembre.

El consentimiento se debe prestar libremente lo que no acaece en el caso del detenido que para otorgarlo debe contar necesariamente con asistencia letrada.

«En cuanto a la ausencia de su Letrado, la jurisprudencia de esta Sala ha venido indicando que es preceptiva la presencia y asistencia de letrado para que una persona detenida dé su consentimiento para la entrada y registro en su domicilio, pero no para la práctica de la diligencia misma (STS 234/2016, de 17 de marzo (LA LEY 15968/2016), que cita las previas SSTS 678/2001 (LA LEY 5859/2001), de 17-4; 974/2003, de 1-7 (LA LEY 116046/2003); 1182/2004, de 26-10 (LA LEY 10145/2005); 1190/2004, de 28-10 (LA LEY 225430/2004); 309/2005, de 8-3 (LA LEY 11784/2005); 1257/2009, de 2-12 (LA LEY 24/535/2009); 11/2011 (LA LEY 1569/2011), de 1-2; 794/2012, de 11-10 (LA LEY 158108/2012); 420/2014, de 2-6; y 508/2015, de 27-7 (LA LEY 112873/2015), entre otras)...». ATS 1247/2016 de 30 Jun. 2016, Rec. 2176/2015; Ponente: Martínez Arrieta, Andrés. LA LEY 119469/2016.

Dentro del concepto o situación de detenido, y por tanto impedido de prestar válido consentimiento, debe incluirse no sólo la situación formal de detención, sino la sujeción material a la actividad y órdenes de la policía. Por ejemplo, no cabe conducir al sospechoso a Comisaría y sin explicaciones introducirle en un calabozo y solicitarle consentimiento, comunicándole, al mismo tiempo, que no está detenido. O detener a un familiar, por la misma u otra razón, y requerir al interesado por la entrada y registro. O en definitiva otras situaciones similares que dan cuenta de una falta de consentimiento del interesado sometido a una especial coacción. Tampoco será válido el consentimiento prestado cuando exista una cara contraposición de intereses. Éste es el supuesto de una cónyuge separada que autorizó el registro de la vivienda común en unas diligencias en las que se imputaba a su marido un delito contra ella.

> «El consentimiento del titular del domicilio, al que la Constitución se refiere, no puede prestarse válidamente por quien se halla, respecto al titular de la inviolabilidad domiciliaria, en determinadas situaciones de contraposición de intereses que enerven la garantía que dicha inviolabilidad representa (FJ 8)» STC 22/2003, de 10 de febrero.

b) Delito flagrante[145]

No será precisa autorización judicial o consentimiento del titular en el supuesto de delito flagrante. Esta es una excepción que se incluye en el art. 18 CE. También se recoge esta excepción en el art. 553 LECrim que habilita a la policía a entrar en un domicilio a efecto de detener una persona en el caso que hubiere mandamiento de prisión contra ella, cuando sean sorprendidas en flagrante delito o se trate de supuestos de excepcional o urgente necesidad en el ámbito de delitos de terrorismo y banda armada[146]. Se trata de un supuesto de exención del cumplimiento de la exigencia ordinaria de autorización judicial cuya delimitación, por esa razón, resulta de especial importancia.

El concepto de flagrancia ha sido objeto de una especial atención por la jurisprudencia por la necesidad de su interpretación tras la derogación del art. 21.2 de la LO 1/1992 (también derogada) que incluyó un supuesto legal de flagrancia que fue declarado inconstitucional por la STC 341/1993 de 18 de noviembre[147]. Eliminada

---

(145) Vid. LÓPEZ REQUENA, «La evidencia del delito flagrante en la jurisprudencia constitucional sobre la inviolabilidad de domicilio (STC 94/96, de 28 mayo)», *Act. Aranz.*, 255, 18 julio 1996; ALONSO PÉREZ F., «El concepto de delito flagrante y su relación con la diligencia de entrada y registro en lugar cerrado», *La Ley* 11 diciembre 1998.

(146) Art. 553 LECrim: «Los agentes de policía podrán, asimismo, proceder de propia autoridad a la inmediata detención de las personas cuando haya mandamiento de prisión contra ellas, cuando sean sorprendidas en flagrante delito, cuando un delincuente, inmediatamente perseguido por los Agentes de la autoridad, se oculte o refugie en alguna casa o, en casos de excepcional o urgente necesidad, cuando se trate de presuntos responsables de las acciones a que se refiere el artículo 384 bis, cualquiera que fuese el lugar o domicilio donde se ocultasen o refugiasen, así como al registro que, con ocasión de aquélla, se efectúe en dichos lugares y a la ocupación de los efectos e instrumentos que en ellos se hallasen y que pudieran guardar relación con el delito perseguido. Del registro efectuado, conforme a lo establecido en el párrafo anterior, se dará cuenta inmediata al Juez competente...».

(147) La STC 341/1993 de 18 de noviembre declaró la inconstitucionalidad del art. 21.2 de la Ley sobre Protección de la Seguridad Ciudadana 1/92 de 21 de febrero que establecía: «... A los efectos de lo dispuesto en el párrafo anterior, será causa legítima para la entrada y registro en domicilio por delito flagrante el conocimiento fundado por parte de las Fuerzas y Cuerpos de Seguridad que le lleve a la constancia de que se está cometiendo o se acaba de cometer alguno

la norma inconstitucional existe consenso al considerar que la flagrancia se refiere a una situación evidente que se está ejecutando o acaba de suceder, conforme al significado gramatical del término.

«Pues bien, dicho alcance también está presente en el lenguaje común, no necesariamente técnico, y, así, el Diccionario de la R.A.E. se refiere a lo flagrante como adjetivo que expresa "que se está ejecutando actualmente", "de tal evidencia que no necesita pruebas" y en flagrante como modo adverbial que quiere decir "en el mismo momento de estarse cometiendo un delito, sin que el autor haya podido huir". El Diccionario del Español Actual se refiere a estarse "ejecutando en el momento en que se habla" y a ser "cosa muy evidente e innegable". En síntesis, actualidad e inmediatez del hecho y percepción directa y sensorial del mismo, lo que excluye la sospecha, conjetura, intuición o deducciones basadas en ello .../... Concepto de flagrancia que aplicado a la entrada en el domicilio exige que el delincuente sea "sorprendido", esto es, visto directamente o percibido de otro modo, en el momento de la comisión del delito o cuando el delincuente inmediatamente sorprendido por los agentes de la autoridad se oculte o refugie en alguna casa. Situación fáctica no asimilable a la de autos en la que la policía no presencia los hechos ni conocía el domicilio de los autores, conocimiento al que llegan tras las conversaciones telefónicas mantenidas con el familiar de uno de los implicados». STS 71/2017 de 8 Feb. 2017, Rec. 1843/2016; Ponente: Berdugo Gómez de la Torre, Juan Ramón. LA LEY 3460/2017[148].

En su virtud, los requisitos exigidos por la jurisprudencia para la flagrancia son: a) Inmediatez de acción que exige que el delito se esté cometiendo o se haya cometido instantes antes; b) Inmediatez personal, por encontrarse en el domicilio el delin-

---

de los delitos que, en materia de drogas tóxicas estupefacientes o sustancias psicotrópicas, castiga el Código Penal, siempre que la urgente intervención de los agentes sea necesaria para impedir la consumación del delito, la huida del delincuente o la desaparición de los efectos o instrumentos del delito...». El TC consideró este precepto anticonstitucional porque fundaba la entrada y registro sin autorización judicial en conjeturas o sospechas, cuestiones éstas insuficientes para configurar una situación de flagrancia. Al no tratarse de un conocimiento o percepción evidente, entendió el TC que se sobrepasaba lo esencial en aquel tipo de situaciones: «... Se refiere la Ley, en efecto, al "conocimiento fundado por parte de las Fuerzas y Cuerpos de Seguridad que les lleve a la constancia de que se está cometiendo o se acaba de cometer" alguno de los delitos que menciona, pero estas expresiones legales —"conocimiento fundado" y "constancia"— en cuanto no integran necesariamente un conocimiento o percepción evidente van notoriamente más allá de aquello que es esencial o nuclear a la situación de flagrancia. Al utilizar tales términos el precepto permite entradas y registros domiciliarios basados en conjeturas o en sospechas que nunca, por sí mismas, bastarían para configurar una situación de flagrancia. Las expresiones ambiguas e indeterminadas que contiene el art. 21.2 confieren al precepto un alcance que la Constitución no admite...» (STC 341/93, de 18 noviembre).

(148) «... aunque este Tribunal no haya definido el concepto constitucional del «delito flagrante», sí ha podido fijar, al menos, los «contornos esenciales que en la Constitución muestra tal figura», labor para la cual hemos admitido que, si bien «no procede asumir o reconocer como definitiva ninguna de las varias formulaciones legales, doctrinales o jurisprudenciales que de la flagrancia se han dado en nuestro ordenamiento» sí resulta inexcusable «reconocer la arraigada imagen de la flagrancia como situación fáctica en la que el delincuente es sorprendido —visto directamente o percibido de otro modo— en el momento de delinquir o en circunstancias inmediatas a la perpetración del ilícito», declaración ésta de la que hemos inferido que tales «connotaciones de la flagrancia (evidencia del delito y urgencia de la intervención policial) están presentes en el concepto inscrito en el art. 18.2 CE» (STC 341/93, f. j. 8 B)». STC 94/1996 de 28 de mayo.

cuente del que existan sospechas de su participación en el delito; c) Urgencia de la actuación ante el riesgo de huida o de destrucción de pruebas.

La Jurisprudencia, por todas las STS 111/2010, de 24-2 (LA LEY 5310/2010), y 181/2007, de 7-3 (LA LEY 8974/2007), tiene declarado que aun faltando el consentimiento del titular válidamente prestado, la entrada y registro en su domicilio, puede hacerse sin necesidad de resolución policial en caso de flagrante delito, art. 18.2 CE (LA LEY 2500/1978) en relación con el art. 553 LECr (LA LEY 1/1882). En estos casos pese a faltar el consentimiento no habría ilegítima invasión del domicilio.

«Por delito de flagrante con base a la definición legal del art. 795.1.1ª LECrim (LA LEY 1/1882). Reforma Ley 38/2002 de 24.10 (LA LEY 1490/2002), que entró en vigor el 28.4.2003, se entiende el que reúne las siguientes notas: 1) Inmediatez de la acción (que se esté cometiendo o se haya cometido instantes antes). Esto es actualidad en la comisión del delito —en la terminología acuñada por la jurisprudencia sería inmediatez temporal—, es decir que el delincuente sea sorprendido en el momento de ejecutarlo, aunque también se considera cumplido este requisito cuando el delincuente sea sorprendido en el momento de ir a cometer el delito o en un momento inmediatamente posterior a su comisión. 2) Inmediatez personal (presencia del delincuente en relación con el objeto o instrumento del delito), esto es evidencia del delito y de que el sujeto sorprendido ha tenido participación en él; la evidencia puede resultar de la percepción directa del delincuente en el lugar del hecho "su situación o relación con aspectos del delito que proclamen su directa participación en la acción delictiva", también se admite la evidencia que resulta, no de la percepción directa o inmediata, sino a través de apreciaciones de otras personas (la policía es advertida por algún vecino de que el delito se está cometiendo, por ejemplo); en todo caso, la evidencia solo puede afirmarse cuando el juicio que permite relacionar las percepciones de los agentes con la comisión del delito y/o la participación en él de un sujeto determinado es prácticamente instantáneo; si fuera preciso interponer un proceso deductivo más o menos complejo para establecer la realidad del delito y la participación en él del delincuente, no puede considerarse que se trata de un supuesto de flagrancia. 3) Necesidad urgente de la intervención policial, de tal modo que por las circunstancias concurrentes se vea impelida a intervenir inmediatamente para evitar la progresión delictiva o la propagación del mal que la infracción acarrea, la detención del delincuente, y/o la obtención de pruebas que desaparecerían si se acudiera a solicitar la autorización judicial (SS. 29.3.90, 11.9.91, 9.7.94, 9.2.95, 12.12.96, 4.3 y 14.4.97). Como recuerda la STS 24.2.98, y la STC 341/93 de 18.11 (LA LEY 2272-TC/1993), considera la flagrancia una situación fáctica en la que la comisión del delito se percibe con evidencia y exige inexcusablemente una inmediata intervención, siendo visto el delincuente en el momento de delinquir o en circunstancias inmediatas a la perpetración del delito. Se incluyen los supuestos de persecución en los que el perseguido no se ponga fuera del inmediato alcance de sus perseguidores (SS. 31.1.94, 23.1.98, 133/2004 de 3.2 (LA LEY 863/2004))». STS 71/2017 de 8 Feb. 2017, Rec. 1843/2016; Ponente: Berdugo Gómez de la Torre, Juan Ramón. LA LEY 3460/2017.

Con base en la concurrencia de estos requisitos, el concepto de delito flagrante queda vinculado con aquellas situaciones fácticas en las que queda excusada la autorización judicial, precisamente, porque la comisión del delito se percibe con evidencia y exige de manera inexcusable una inmediata intervención para evitar:

la consumación del delito que se está cometiendo; el agotamiento del ya cometido; o la fuga o desaparición del delincuente o de los efectos del delito[149]. De ese modo, no existe flagrancia en el caso que la policía hubiera tenido que intervenir en un domicilio por razones de urgencia y prevención. Siendo así, y no existiendo ya urgencia cualquier registro que se haga debe estar precedido de la correspondiente orden judicial.

> «La flagrancia, basada en la inmediatez del hecho ocurrido y en la urgencia de la intervención, puede apreciarse en un primer momento, cuando los primeros agentes llegan al lugar y penetran en la vivienda con la finalidad de comprobar si había algún herido en su interior, luego de haber tenido noticia de un tiroteo que había finalizado muy poco antes, de haber comprobado que se habían causado heridas graves a algunas personas y de haber oído a alguno de los lesionados que existían otros heridos. Puede entenderse que, en esos primeros momentos, y a los efectos de comprobar si había alguna persona herida que pudiera necesitar ayuda, el delito acababa de cometerse. En todo caso, sería una actuación justificada por la necesidad, en atención a los bienes en conflicto. Pero finalizada esta inspección inicial con resultado negativo y una vez que se procedió al precintado de la vivienda, no existía ya inmediatez en la comisión del delito ni tampoco, especialmente, urgencia alguna en la actuación policial, pues la situación estaba controlada policialmente asegurando la vivienda e impidiendo el acceso de cualquier persona a la misma, de manera que nada impedía solicitar el correspondiente mandamiento judicial para proceder al registro». STS Sala Segunda, de lo Penal, Sentencia 749/2014 de 12 Nov. 2014, Rec. 10371/2014; Ponente: Colmenero Menéndez de Luarca, Miguel. LA LEY 173841/2014.

En definitiva, no se otorga un apoderamiento a las fuerzas de seguridad para que sustituyan la motivación judicial por la suya propia, sino que se establece una posibilidad de carácter excepcional, en virtud de la concurrencia de unas circunstancias determinadas, que deben valorarse en función del principio de proporcionalidad.

> «Ha señalado el TC que mediante la noción de flagrante delito, la Constitución no ha apoderado a las fuerzas y cuerpos de seguridad para que sustituyan con la suya propia la valoración judicial a fin de acordar la entrada en domicilio, sino que ha considerado una hipótesis excepcional en la cual, por las circunstancias en las que se muestra el delito, se justifica la inmediata intervención de las fuerzas y cuerpos de seguridad (STC 341/1993 de 18 de noviembre (LA LEY 2272-TC/1993), FJ 8) a los efectos de evi-

---

(149)   «... Aunque la jurisprudencia constitucional no haya definido, a los efectos de la protección del derecho fundamental reconocido en el art. 18.2 CE, el concepto constitucional de delito flagrante, sí ha podido fijar, al menos, los contornos esenciales que en la CE muestra tal figura, labor para la cual se ha admitido que, si bien no procede asumir o reconocer como definitiva ninguna de las varias formulaciones legales, doctrinales o jurisprudenciales que de la flagrancia se han dado en el ordenamiento, sí resulta inexcusable reconocer la arraigada imagen de la flagrancia como situación fáctica en la que el delincuente es sorprendido —visto directamente o percibido de otro modo— en el momento de delinquir o en circunstancias inmediatas a la perpetración del ilícito; y de ahí que dicha jurisprudencia hay declarado la inconstitucionalidad del art. 21.2 LO 1/92,... porque los términos en los que el precepto se manifestaba en torno al presupuesto de la evidencia —exigiendo de forma ambigua (un conocimiento fundado por parte de las Fuerza y Cuerpos de Seguridad que les lleve a la constancia de que se está cometiendo o se acaba de cometer el delito— no integraban necesariamente un conocimiento o percepción evidente, el cual, junto con la de la urgencia, se constituyen en las dos notas esenciales o nucleares a la situación constitucional de flagrancia delictiva...» (STC 94/96, de 28 mayo).

tar "que el seguimiento del trámite conducente a la obtención de aquella autorización judicial pueda ser susceptible de ocasionar la frustración de los fines que dichos funcionarios están legal y constitucionalmente llamados a desempeñar en la prevención del delito, el aseguramiento de las fuentes de prueba y la detención de las personas presuntamente responsables" (STC 94/1996 de 28 de mayo (LA LEY 6684/1996)). Y precisó esta última resolución los fines de los que puede predicarse la urgencia, que son impedir la consumación del delito, detener a la persona supuestamente responsable del mismo, proteger a la víctima o, por último, evitar la desaparición de los efectos o instrumentos del delito. Pero no debe olvidarse que "urgencia... no es por sí sola flagrancia" (STC 341/1993 de 18 de noviembre (LA LEY 2272-TC/1993)). En palabras de la STC 171/1999, de 27 de septiembre (LA LEY 12124/1999), "aunque la detención del recurrente se produjera de forma inmediata tras la percepción sensorial directa de los policías ... de un episodio que puede calificarse de flagrante delito, sin embargo, la flagrancia del mismo cesó"». STS 423/2016 de 18 May. 2016, Rec. 1286/2015; Ponente: Ferrer García, Ana María. LA LEY 51976/2016.

De las actuaciones efectuadas se dará cuenta inmediata al Juez competente, con indicación de las causas que motivaron la entrada y, en su caso, registro domiciliario y los resultados obtenidos (art. 553.2 LECrim).

Por último, hay que atender a dos cuestiones.

En primer lugar, la interpretación que deba darse al art. 553 LECrim, antes citado, que dispone que los agentes de la autoridad podrán proceder de propia autoridad a la inmediata detención de las personas cuando haya mandamiento de prisión contra ellas, cuando sean sorprendidas en flagrante delito, cuando un delincuente, inmediatamente perseguido por los Agentes de la autoridad, se oculte o refugie en alguna casa o, en casos de excepcional o urgente necesidad, cuando se trate de presuntos responsables de las acciones a que se refiere el artículo 384 bis LECrim (que se refiere a casos de terrorismo). Sobre este particular existe cierta corriente doctrinal que postula que el intento de captura del individuo sobre el que se ha acordado la prisión autoriza y legítima a los agentes de la Policía a entrar en el domicilio sin necesidad de solicitar una orden judicial. Sin embargo, no es éste el criterio de la Sala Segunda del Tribunal Supremo que considera que el art. 553 LECrim está afectado por el contenido del art. 18.2 CE, con la consecuencia de precisarse un mandato judicial expreso para la detención, salvo naturalmente que concurra flagrancia en el sentido expuesto con anterioridad.

«... existe una inconstitucionalidad sobrevenida y por lo tanto no es bastante para poder acceder al domicilio de una persona contra la cual se ha expedido mandamiento de prisión, sino que es necesario que conjuntamente con la misma se haya librado una orden de entrada y registro a tales efectos. Postura que esta Sala casacional considera más acertada, siendo la Constitución norma jurídica suprema de aplicación directa e inmediata —máxime en materia de derechos y garantías fundamentales— obliga a los distintos órganos de la jurisdicción ordinaria a reinterpretar, conforme al principio de constitucionalidad de las normas jurídicas los preceptos que afecten o puedan afectar a los derechos fundamentales, entre ellos el de inviolabilidad del domicilio, art. 18.2, de modo que aquellos preceptos resulten compatibles con aquella. Siendo así el artículo 18.2 CE (LA LEY 2500/1978) contiene una rigurosa protección de la inviolabilidad del domicilio, estableciendo tres supuestos taxativos en que procederá a entrar y registro: consentimiento del titular, supuesto de flagrante delito, y mediante resolución judicial. Nuestra Constitución, a diferencia de otras, agota en su propio texto, sin remitirse a Leyes de desarrollo, las excepciones a la vigencia del derecho. En este sentido la sentencia del pleno del Tribunal Constitucional 10/2002 de 17 enero (LA LEY 1655/2002), precisó que la protección constitucional del domicilio en el art. 18.2 CE (LA LEY 2500/1978) se concreta en dos reglas distintas. La primera se refiere a la protección de su "inviolabilidad" en cuanto garantía de que dicho ámbito espacial de privacidad de la persona elegido por ella misma resulte "exento de" o "inmune a" cualquier tipo de invasión o agresión exterior de otras personas o de la autoridad pública, incluidas las que puedan realizarse sin penetración física en el mismo, sino por medio de aparatos mecánicos, electrónicos u otros análogos (STC 22/1984 de 17 de febrero (LA LEY 8565-JF/0000), FJ 5). La segunda, en cuanto especificación de la primera, establece la interdicción de dos de las formas posibles de injerencia en el domicilio, esto es, su entrada y registro, disponiéndose que, fuera de los casos de flagrante delito, sólo son constitucionalmente legítimos la entrada o el registro efectuados con consentimiento de su titular o resolución judicial (STC 22/1984, de 17 de febrero (LA LEY 8565-JF/0000), FFJJ 3 y 5); de modo que la mención de las excepciones a dicha interdicción, admitidas por la Constitución, tiene carácter taxativo (SSTC 22/1984 de 17 de febrero (LA LEY 8565-JF/0000), FJ 3; 136/2000 de 29 de mayo (LA LEY 8963/2000), FJ 3)». STS 71/2017 de 8 Feb. 2017, Rec. 1843/2016; Ponente: Berdugo Gómez de la Torre, Juan Ramón. LA LEY 3460/2017.

En segundo lugar, un supuesto especial de flagrancia se produce en el caso de hallar, en el curso de una diligencia autorizada de entrada y registro, indicios de la comisión de un delito distinto al investigado y que sirvió de fundamento para la autorización judicial. A ese supuesto nos referimos en el § 3.1 D. f. de este Capítulo. También puede suceder que se produzca una situación de flagrancia doble. Es decir, que la policía entre en un domicilio particular con base en la existencia de una situación de flagrancia y que una vez dentro del mismo adviertan hechos que dan noticia de un delito distinto. En este caso, el hallazgo resulta lícito en tanto que la entrada en el domicilio queda amparado por la previa situación de flagrancia. Aunque, obviamente, resulta esencial que se acredite la realidad de la existencia de una situación de flagrancia en la persecución del delito que motivó la entrada en el domicilio.

c) Autorización Judicial. La motivación del auto

El Juez podrá acordar la autorización de una entrada y registro mediante auto debidamente motivado, cuando hubiere indicios de encontrarse allí el procesado o efectos o instrumentos del delito, o libros, papeles u otros objetos que puedan servir para su descubrimiento o comprobación (art. 546 LECrim). En el auto el Juez deberá ponderar los derechos e intereses constitucionales en juego, a cuyo efecto deberá valorar si debe prevalecer el derecho del art. 18.2 CE u otros valores igualmente protegidos[150]. (Véase M. 77).

_____

(150) «En sintonía con lo anterior, subraya la reciente STC 50/1995, la autorización judicial, "vista desde la perspectiva de quien ha de usarla, o ese mandamiento para quien ha de sufrir la intromisión, consiste en un acto de comprobación donde se ponderan las circunstancias concurrentes y los intereses en conflicto, público y privado, para decidir en definitiva si merece el sacrificio de éste, con la limitación consiguiente del derecho fundamental" (fundamento jurídico 5.º). De la

«En las SSTC 239/1999, de 20 de diciembre, y 136/2000, de 29 de mayo, hemos señalado los requisitos esenciales: esa motivación, para ser suficiente, debe aportar los elementos que permitan posteriormente realizar el juicio de proporcionalidad entre la limitación que se impone al derecho fundamental restringido y su límite, argumentando la idoneidad de la medida, su necesidad y el debido equilibrio entre el sacrificio sufrido por el derecho fundamental limitado y la ventaja que se obtendrá del mismo (SSTC 62/1982, de 15 de octubre; 13/1985, de 31 de enero; 151/1997, de 29 de septiembre; 175/1997, de 27 de octubre; 200/1997, de 24 de noviembre; 177/1998, de 14 de septiembre; 18/1999, de 22 de febrero. El órgano judicial deberá precisar con detalle las circunstancias espaciales (ubicación del domicilio) y temporales (momento y plazo) de entrada y registro, y de ser posible también las personales (titular u ocupantes del domicilio en cuestión) (SSTC 181/1995, de 11 de diciembre, F. 5; 290/1994, F. 3; ATC 30/1998, de 28 de enero)». STC 14/2001 de 29 de enero. Véase también STC 239/2000 de 20 de diciembre.

Es decir, debe efectuarse un juicio de proporcionalidad en el que se valore la adecuación de la medida y su necesidad respecto a la intromisión producida en la intimidad de las personas[151].

«La restricción de derechos fundamentales sólo puede entenderse constitucionalmente legítima si se autoriza judicialmente para alcanzar un fin constitucionalmente legítimo, como acontece cuando la medida restrictiva se adopta para la prevención y represión de delitos calificables de infracciones punibles graves (SSTC 49/1999, de 5 de abril, FJ 8; 166/1999, de 27 de septiembre, FFJJ 1 y 2; 171/1999, de 27 de septiembre, FJ 5; 126/2000, de 16 de mayo, FJ 2; 299/2000, de 11 de diciembre, FJ 2; 14/2001, de 29 de enero, FJ 2; y 202/2001, de 15 de octubre, FJ 2, entre las últimas)». Y que el juicio de proporcionalidad ha de efectuarse «teniendo en cuenta los elementos y datos disponibles en el momento en que se adopta la medida restrictiva del derecho fundamental (SSTC 126/2000, de 16 de mayo, FJ 8; y 299/2000, de 11 de diciembre, FJ 2), debiendo comprobarse, desde la perspectiva de análisis propia de este Tribunal, si en la resolución judicial de autorización aparecen los elementos necesarios para entender que se ha realizado la ponderación de la proporcionalidad de la medida (por todas, SSTC 171/1999, de 27 de septiembre, FJ 5; y 169/2001, de 16 de julio, FJ)». STC 239/2006 17 de julio.

---

doctrina expresada en el párrafo anterior se deduce con facilidad la necesidad de motivación de la resolución a la que se refiere el art. 18.2 CE (SSTC 290/94, fundamento jurídico 3.º; 50/95, fundamento jurídico 5.º), única vía de constatación de la ponderación judicial que constituye la esencial garantía de esta excepción a la inviolabilidad domiciliar». (STC 126/95, de 25 julio).

(151) «En términos de la jurisprudencia del Tribunal Constitucional las sospechas que han de emplearse en este juicio de proporcionalidad "no solo son circunstancias meramente anímicas sino que precisan para que puedan entenderse fundadas hallarse apoyadas en datos objetivos, en un doble sentido". En primer lugar, el de ser accesibles a terceros sin lo que no serían susceptibles de control, y en segundo lugar, han de proporcionar una base real de la que pueda inferirse que se ha cometido o se va a cometer un delito, sin que puedan consistir en valoraciones acerca de la persona. Pero igualmente —dicen las SSTS 1019/2003 de 10.7 (LA LEY 121699/2003) y 1393/2005 de 17.11— no debe olvidarse que el sustento de la resolución no ha de consistir en la aportación de pruebas acabadas de la comisión del ilícito, pues en tal caso no sería ya necesaria la práctica de más diligencias de investigación, sino, tan solo, la de fundadas sospechas del actuar delictivo que requieran la confirmación a través del resultado que pudiera arrojar precisamente el registro». STS de 23 Sep. 2010, Nº de Sentencia: 771/2010, LA LEY 157568/2010. Véanse también las SSTC 136/2000 de 29 de mayo y 8/2000 de 17 de enero.

A este respecto, el derecho a la intimidad e inviolabilidad del domicilio puede ceder ante la necesidad de investigar la comisión de hechos delictivos, siempre que la decisión se adopte por auto razonado y previa ponderación de la proporcionalidad, y necesidad de la medida. De este modo, el auto judicial debe estar debidamente motivado, sin que este requisito pueda considerarse como un mero trámite formal[152].

> «Cuando la entrada en el domicilio se basa en una resolución judicial, ésta tendrá que estar suficientemente motivada, tanto sobre los hechos como en derecho, teniendo en cuenta que se trata de la restricción de un derecho fundamental. Para que esa motivación sea bastante en el aspecto fáctico, es preciso que el Juez disponga de indicios acerca de la comisión de un delito y de la relación del domicilio con él, lo cual puede suceder en los casos en los que puedan encontrarse en el domicilio efectos o instrumentos del delito (artículo 546 de la LECrim (LA LEY 1/1882)). Se trata, por consiguiente, de que al solicitarse esta injerencia en un derecho constitucionalmente protegido se aporten cualquier tipo de datos fácticos o "buenas razones o fuertes presunciones de que las infracciones están se han cometido o están a punto de cometerse (Sentencias del Tribunal Europeo de Derechos Humanos de 6 de septiembre de 1978, caso Klass (LA LEY 75/1978), y de 5 de junio de 1992, caso Lüdi)"; en otros términos, algo más que meras sospechas, pero algo menos que los indicios racionales que se exigen por el art. 384 LECrim (LA LEY 1/1882) para el procesamiento (SSTC 49/1999 (LA LEY 4215/1999), de 4 de abril, 299/2000 (LA LEY 2099/2001), de 11 de diciembre, 138/2001 (LA LEY 6387/2001), de 17 de julio y 167/2002 (LA LEY 7757/2002), de 18 de septiembre; STS 16/2007 de 16 de enero). El sustento de la medida —dice STS 1019/2003 (LA LEY 121699/2003) de 10.7— que, "no ha de consistir en la aportación de pruebas acabadas de la comisión del ilícito, pues en tal caso no sería ya necesaria la práctica de más diligencias de investigación, sino, tan sólo, la de fundadas sospechas del actuar delictivo que requieran la confirmación a través del resultado que pudiera arrojar precisamente el registro" y "no es exigible a la autoridad judicial, SSTS 1231/2004 de 27.10, verificar la veracidad de los datos suministrados por la Policía como requisito previo al Auto habilitante, porque no existe una presunción de inveracidad de los informes policiales, y porque la práctica de diligencias judiciales para confirmar la realidad de los datos suministrados por los servicios policiales del Estado supondrán una notoria dilación incompatible con la urgencia que de ordinario requiere en esta clase de actuaciones" (ATS 25.1.2007). Se trata de una medida al inicio del procedimiento, por lo que basta para su adopción

---

(152) «... Ahora bien, la obligación de motivar o, lo que es lo mismo, lisa y llanamente, de explicar la decisión judicial, no conlleva una simétrica exigencia de extensión, elegancia retórica, rigor lógico o apoyos académicos, que están en función del autor y de las cuestiones controvertidas. La Ley de Enjuiciamiento Civil (art. 359) pide al respecto, nada menos pero nada más, que claridad y precisión (STC 159/1992). No existe norma alguna en nuestras leyes de enjuiciamiento que imponga a priori una determinada extensión o un cierto modo de razonar (STC 146/1995) o impida la motivación por remisión (STC 105/1997), que también se condice con las exigencias del derecho a la tutela judicial efectiva, siempre y cuando se produzca de forma expresa e inequívoca (STC 115/1996), aun cuando quepa la posibilidad de desestimaciones implícitas (STC 11/1995)». STC 36/1998 de 17 febrero.
«... La autorización judicial no es, por tanto, automática y exige un análisis de las circunstancias ya mencionadas, habiendo de ser motivado no sólo como carga inherente a su propia naturaleza formal, sino a su contenido, consistente en la limitación de un derecho fundamental. Lo dicho resume en lo esencial nuestra doctrina al respecto en más de una ocasión (SSTC 137/85 y 144/87, entre otras)...». (STC 50/95, de 23 febrero).

el que exista sospechas fundadas y expresadas en el auto, aunque sea de un modo genérico y no exhaustivo». STS 25 abril 2012. Ponente: Berdugo Gómez de la Torre, Juan Ramón. N.º de Sentencia: 347/2012. N.º de recurso: 11721/2011. LA LEY 64415/2012.

Pero podrá admitirse que el contenido razonado de la solicitud policial de entrada y registro sirva de fundamento y complemento a la motivación del auto judicial; es decir, una motivación por remisión[153].

«Es cierto, como recuerda la STS 53/2006 (LA LEY 11031/2006) de 30.1, que la doctrina jurisprudencial, tanto la de esta Sala como la del Tribunal Constitucional, ha admitido la motivación por remisión, de forma que es bastante que esos datos consten en el oficio policial, aunque no figuren recogidos literalmente en la resolución judicial. No obstante como señala la STS 1597/2005 de 21.12, del oficio policial deberá desprenderse de forma suficiente las razones que se invocan para solicitar la autorización judicial.; STS 148/2007 de 13.2. Así y como recuerda STC 167/2002 de 18.9, aunque lo deseable es que la expresión de los indicios objetivos que justifiquen la intervención en el derecho fundamental queden debidamente plasmados en la resolución judicial, ésta puede considerarse suficientemente motivada si, integrada incluso con la solicitud policial, a la que puede remitirse, contiene los elementos necesarios para considerar satisfechas las exigencias para poder llevar a cabo con posterioridad la ponderación de la restricción de los derechos fundamentales que la proporcionalidad de la medida impone. En los términos a la STS 177/2006 (LA LEY 11157/2006) de 26.1, existe conocida jurisprudencia del Tribunal Constitucional y de la Sala Segunda del Tribunal Supremo (por todas 189/2005 de 21.2) en el sentido de entender suficientemente justificado el ingreso en un domicilio con fines de investigación de conductas posiblemente delictivas, cuando el auto del juzgado se remite a la solicitud policial y ésta se encuentre bien fundada. Y es procedente, asimismo, recordar que el Tribunal Constitucional ha venido reconociendo cánones de suficiencia razonadora en autos con motivación "lacónica" e incluso cuando se extiende la resolución sobre impresos estereotipados mínimamente adecuados a las circunstancias del caso particular que permitan reconocer unos mínimos razonadores que den

---

(153) «Por ultimo tanto el Tribunal Constitucional (S. 123/97 de 1.7 (LA LEY 7874/1997)), como esta misma Sala (SS. 14.4.98, 19.5.2000, 11.5.2001 y 15.9.2005), han estimado suficiente que la motivación fáctica de este tipo de resoluciones se fundamente en la remisión a los correspondientes antecedentes obrantes en las actuaciones y concretamente a los elementos fácticos que consten en la correspondiente solicitud policial, que el Juzgador tomó en consideración como indicio racionalmente bastante para acordar la medida. Por ello, los autos de autorizantes pueden ser integrados con el contenido de los respectivos oficios policiales en los que se solicitan la entrada y registro en cada caso, de forma que es lícita la motivación por referencia a los mismos, ya que el órgano jurisdiccional por sí mismo carece de la información pertinente y no sería lógico que abriese una investigación paralela al objeto de comprobar los datos suministrados por la Policía Judicial. En este sentido la STS 1263/2004 de 2.11 (LA LEY 10265/2005), señala que, como se recuerda en la STC 167/2002 (LA LEY 7757/2002) de 18.9, de que aunque lo deseable es que la expresión de los indicios objetivos que justifiquen la intervención quede exteriorizada directamente en la resolución judicial, ésta puede considerarse suficientemente motivada, si integrada incluso en la solicitud policial a la que puede remitirse, contiene los elementos necesarios para considerar satisfechas las exigencias constitucionales y legales, de tal suerte que se pueda llevar a cabo con posterioridad la ponderación de la restricción de los derechos fundamentales que la proporcionalidad de la medida conlleva (SSTS 4 y 8.7.2000)». STS de 23 Sep. 2010, Nº de Sentencia: 771/2010, LA LEY 157568/2010.

satisfacción a la exigencia constitucional (ATC. 145/99 (LA LEY 194589/1999) y SSTC 238/99 (LA LEY 187254/1999), 8/2000 (LA LEY 3416/2000))"». STS 25 abril 2012. Ponente: Berdugo Gómez de la Torre, Juan Ramón. N.° de Sentencia: 347/2012. N.° de recurso: 11721/2011. LA LEY 64415/2012.

Aunque el Tribunal Supremo ha advertido que la falta de motivación puede producir la vulneración del derecho a la tutela efectiva. Así sucederá cuando ante la insuficiencia de la solicitud policial el auto judicial de entrada y registro quede inmotivado y vacío de contenido.

> «En el presente caso la insuficiencia de la motivación de la solicitud policial vicia de origen el contenido del Auto que autoriza la entrada y registro, al no hacerse ninguna referencia en él a las circunstancias concretas del caso, a los indicios delictivos que fundamentan su adopción, y menos aún a los valores e intereses en conflicto, impidiendo por consiguiente el más mínimo control de la licitud constitucional de la medida adoptada por el Juez. El Auto en realidad constituye un buen ejemplo de ese automatismo judicial a la hora de adoptar resoluciones limitativas de derechos fundamentales, que desconoce lisa y llanamente la posición preferente, que otorgó a los mismos nuestra Constitución». STC 139/1999 de 22 de julio.

Este será el caso de los autos de entrada y registro basados únicamente en una noticia confidencial.

> «Esta falta de motivación ocasiona la lesión del derecho a la inviolabilidad del domicilio debido a la ausencia de proporcionalidad del registro autorizado. La inexistencia de una previa investigación para cerciorarse de la verosimilitud de las imputaciones conocidas mediante las confidencias repercute en la falta de necesidad de la medida, dado que una previa investigación habría avalado la efectiva ponderación de la excepcionalidad de la medida restrictiva de derechos fundamentales y habría contribuido a sustentar, entonces, su carácter estrictamente necesario para alcanzar el fin pretendido». STC 8/2000 de 17 de enero.

La motivación de la medida deberá incluir con claridad y precisión la vivienda objeto de registro, la persona afectada, el día y hora, así como el objeto del registro[154]

> «La apreciación de conexión entre la causa justificativa de la medida —la investigación del delito— con las personas que pueden verse afectadas por la restricción del derecho fundamental constituye el presupuesto lógico de la proporcionalidad de la misma, resulta imprescindible que la resolución judicial haya dejado constancia también de las circunstancias que pueden sustentar la existencia de dicha conexión (SSTC 49/1999, de 5 de abril, F. 8; 166/1999, de 27 de septiembre, F. 8; 171/1999, de 27 de septiembre, F. 10, y 8/2000, de 17 de enero, F. 4)». STC de 14/2001 de 29 de enero.

---

(154) «En principio hay que aceptar la tesis del actor acerca de la necesidad de que el mandamiento judicial puntualice con claridad y precisión los datos que permitan identificar la vivienda en que el registro ha de practicarse, pues la autorización judicial, como presupuesto constitucionalmente exigido (art. 18.2 CE) para la entrada inconsentida en el domicilio, debe especificar cuál sea éste y los motivos que llevan a registrarlo, en garantía de ese básico elemento de intimidad personal y de la estricta necesidad de la práctica del registro». STC 290/94, de 27 octubre. V. también la STC 50/95, de 23 febrero.

En el auto también deberán constar los agentes policiales expresamente habilitados para efectuar el registro. Sin perjuicio de que también pueda participar en el registro algún otro agente policial, sin que esta circunstancia invalide en rigor la diligencia. Salvo que de la irregularidad se derive alguna consecuencia que produzca la vulneración de derechos del sometido a la medida.

> «Es verdad que la manera de actuar se separa de la literalidad de la norma, pero no puede decirse que con ello resulte infringida la *ratio* iuris de la misma. En efecto, ésta responde a la necesidad de identificar a los encargados de la ejecución de la medida, obviamente, por razón de control y para dilucidar eventuales responsabilidades, en el supuesto de que llegara a darse alguna irregularidad. Y en tal sentido, es claro que el imperativo legal resultó cumplido, pues fue respetado en su razón de ser última, aunque en la realización de la diligencia interviniera algún agente no identificado en el auto. Esto es algo que, en rigor, no contraría de manera esencial la previsión legal y, tampoco se entiende —ni se dice— de qué modo esa circunstancia podría haberse proyectado negativamente sobre el derecho del concernido a la inviolabilidad del domicilio. Cuando hay constancia de que la actuación se llevó a cabo con los funcionarios comisionados y con asistencia del secretario judicial, y nada indica que esa presencia denunciada como impropia no hubiera sido realmente funcional a la adecuada realización del registro. Algo muy distinto es que la actuación se hubiese llevado a cabo por quienes no estaban en absoluto autorizados para tal fin, y que de esta circunstancia pudiera derivarse algún motivo de duda razonable sobre la legalidad del concreto modo de operar; que no es ciertamente lo ocurrido». STS 25 de mayo de 2007, LA LEY 42149/2007.

Sin embargo, no será necesario acreditar la comisión de un delito, sino que bastará la sospecha objetiva. Ahora bien, ello no obsta para que en la resolución debe constar la motivación de la intromisión judicial en sentido propio, con la indicación de las razones por las que se acuerda semejante medida y el juicio sobre la gravedad de los hechos investigados[155].

> «Una cuestión diferente es la concerniente a la motivación del auto que ordena la entrada y registro. En diversos precedentes de esta Sala hemos señalado que la motivación del auto que dispone una medida de instrucción que la ley autoriza a tomar sin conocimiento del afectado y que, como tal, no puede ser recurrida, no necesita hacer constar especiales razonamientos que informen a dicho afectado de las razones que debería combatir ante el tribunal de alzada si tuviera a su disposición un recurso.

---

(155) «No es necesario cimentar la resolución judicial en un indicio racional de comisión de un delito, bastando una "notitia criminis" alentada por la sospecha fundada en circunstancias objetivas de que se pudo haber cometido, o se está cometiendo o se cometerá el delito o delitos en cuestión: se trata de la idoneidad de la medida respecto del fin perseguido; la sospecha fundada de que pudieran encontrarse pruebas o pudieran éstas ser destruidas, así como la inexistencia o la dificultad de obtener dichas pruebas acudiendo a otros medios alternativos menos onerosos: su necesidad para alcanzar el fin perseguido; y, por último, que haya un riesgo cierto y real de que se dañen bienes jurídicos de rango constitucional de no proceder a dicha entrada y registro, que es en lo que en último término fundamenta y resume la invocación del interés constitucional en la persecución de los delitos, pues los únicos límites que pueden imponerse al derecho fundamental a la inviolabilidad del domicilio son los que puedan derivar de su coexistencia con los restantes derechos fundamentales y bienes constitucionalmente protegidos sobre sus límites. Esto es, un juicio de proporcionalidad en sentido estricto (SSTC 239/1999, F. 5, y 136/2000, F. 4)». STC 14/2001 de 29 de enero

La legitimidad del auto en cuestión, por lo tanto, depende de si la medida adoptada por el Juez de Instrucción era o no necesaria, a la luz de la información con la que el Juez contaba en el momento de la decisión. En este sentido en lo que se refiere a la valoración de estos datos como indicios suficientes debe exigirse que consten los que el órgano judicial ha tenido en cuanto como apoyo para considerar razonable y fundada la sospecha acerca de la comisión de un delito y de la participación en él del sospechoso, pero no es necesario que se alcance el nivel de los indicios racionales de criminalidad, propios de la adopción del procesamiento. Es de tener en cuenta, que en el momento inicial del procedimiento en el que ordinariamente se acuerda la entrada y registro no resulta exigible una justificación fáctica exhaustiva, pues se trata de una medida adoptada, precisamente, para profundizar en una investigación no acabada, por lo que únicamente pueden conocerse unos iniciales elementos indiciarios. Pero sin duda han de ser superadas las meras hipótesis subjetivas o la simple plasmación de la suposición de la existencia de un delito o de la intervención en él de una determinada persona, pues en este caso la invasión de la esfera de intimidad protegida por un derecho fundamental dependería exclusivamente del deseo del investigador, sin exigencia de justificación objetiva de ninguna clase, lo que no es tolerable en un sistema de derechos y libertades efectivos». STS de 23 Sep. 2010, N.º de Sentencia: 771/2010, LA LEY 157568/2010.

Por la razón apuntada, si bien el auto motivado autorizando la entrada y registro se acordará, normalmente, en sede de unas diligencias previas o sumario; también podrá decretarse esta medida dentro de unas diligencias indeterminadas, cuando todavía no exista un proceso penal iniciado. Precisamente, dependerá del resultado de esta diligencia la apertura o no de un proceso penal (véase sobre esta cuestión § 3.B Cap. VI). En este caso, será Juez competente para acordar esta medida el que deba conocer del proceso que se incoe para el enjuiciamiento del hecho perseguido, cuya existencia se haya previamente averiguado mediante aquélla (art. 546 LECrim).

«No es necesario cimentar la resolución judicial en un indicio racional de comisión de un delito, bastando una "*notitia criminis*" alentada por la sospecha fundada en circunstancias objetivas de que se pudo haber cometido, o se está cometiendo o se cometerá el delito o delitos en cuestión...». STC 136/2000 de 29 de mayo.

La consecuencia de la infracción del derecho constitucional a la inviolabilidad del domicilio determina la nulidad de la diligencia. Sin embargo, el TC ha declarado reiteradamente que ello no supone que lo hallado deba considerarse inexistente, de modo que puede ser incorporado al proceso si puede acreditarse su existencia por otros medios: v.g. la declaración del acusado[156].

---

(156) «La ilicitud constitucional del acto de investigación ejecutado en fase de instrucción tiene pues una consecuencia jurídica añadida: la exclusión probatoria cuyo alcance se detalla en dichas resoluciones, que son expresión de la doctrina sentada en las SSTC 114/1984, 81/1998 y 49/1999. Pero el reconocimiento de la lesión del derecho fundamental a la inviolabilidad domiciliaria no tiene en sí mismo consecuencias fácticas, es decir, no permite afirmar que "no fue hallada la droga" o que la misma "no existe, porque no está en los autos". Los hechos conocidos no dejan de existir como consecuencia de que sea ilícita la forma de llegar a conocerlos. Cuestión distinta es que esos hechos no puedan darse judicialmente por acreditados para fundar una condena penal sino mediante pruebas de cargo obtenidas con todas las garantías. Dicho de otro modo, que el hallazgo de la droga fuera consecuencia de un acto ilícito no supone que la droga no fue hallada, ni que sobre el hallazgo no se pueda proponer prueba porque haya de operarse como si el mismo

«Afirmada la lesión del derecho a la inviolabilidad del domicilio en el proceso de entrada y registro realizados, la ilicitud constitucional del registro impide valorar como prueba de cargo, en primer lugar, el acta donde se recoge el resultado del mismo y las declaraciones de los agentes de la autoridad que lo llevan a cabo, pues tales pruebas "no son sino la materialización directa e inmediata de la vulneración del derecho fundamental"; en segundo lugar, tampoco las declaraciones de los demás testigos que hubieran asistido al registro pueden servir para incorporar al proceso lo hallado, pues "aunque no pudiera afirmarse que la actuación de éstos haya vulnerado, por sí, el derecho fundamental a la inviolabilidad del domicilio, tampoco constituye una prueba derivada que, siquiera, desde una perspectiva intrínseca, pueda estimarse constitucionalmente lícita" ya que, en realidad, tales declaraciones no aportan al juicio un nuevo medio probatorio, obtenido a partir del conocimiento adquirido al llevar a cabo la entrada y registro, sino simplemente el conocimiento adquirido al practicar la prueba constitucionalmente ilícita, de forma que, "al estar indisolublemente unido a ésta, ha de seguir su misma suerte" (STC 94/1999, F. 8, en sentido similar STC 139/1999, F. 4 y STC 161/1999, F. 2). Sin embargo, ello no significa que lo hallado en un registro verificado con vulneración del derecho a la inviolabilidad del domicilio haya de tenerse por inexistente en la realidad, ni tampoco que lo hallado no pueda ser incorporado de forma legítima al proceso por otros medios de prueba (STC 161/1999, F. 2). En particular, la declaración del acusado, en la medida en que ni es en sí misma contraria al derecho a la inviolabilidad domiciliaria o al derecho al proceso con todas las garantías, ni es el resultado directo del registro practicado, "es una prueba independiente del acto lesivo de la inviolabilidad domiciliaria" (STC 161/1999, F. 4)» STC 8/2000 de 17 de enero. En el mismo sentido STC 136/2000 de 29 de mayo.

E) Forma de practicar el registro domiciliario. Eficacia probatoria

La diligencia de entrada y registro en domicilio privado se realizará preferentemente de día, o de noche si la urgencia lo requiere (art. 550 LECrim). Si llegada la noche no hubiere finalizado se suspenderá la diligencia, a salvo del consentimiento del interesado o cuando el Juez así lo autorice (art. 570 LECrim). En su práctica se evitarán las inspecciones inútiles o el perjuicio innecesario al interesado (art. 552 LECrim), y se seguirá lo establecido en el auto judicial (art. 558 LECrim). Del resultado de la diligencia se levantará acta, que firmarán todos los presentes, en la que se expresarán los intervinientes, los incidentes ocurridos, la hora de inicio y de finalización, y los resultados obtenidos (art. 572 LECrim).

En su práctica se sujetará a las siguientes formalidades (art. 566 y ss. LECrim).

a) Notificación e intervención del interesado y/ o de testigos

El registro se realizará ante el Letrado de la administración de justicia a quien corresponde con exclusividad y plenitud, el ejercicio de la fe pública judicial (véase

---

no hubiera sucedido. La droga existe, fue hallada, decomisada y analizada. Por ello, la pretensión acusatoria puede fundarse en un relato fáctico que parta de su existencia. Precisamente, el juicio acerca de si la presunción de inocencia ha quedado o no desvirtuada consiste en determinar si dicho relato fáctico está o no acreditado con elementos de prueba constitucionalmente admisibles, mas dicha cuestión es objeto de la pretensión de amparo que será analizada en último lugar». STC 161/1999 de 27 de septiembre.

a continuación el apartado d) sobre la intervención del Letrado de la administración de justicia y la eficacia probatoria del registro) (art. 453.1 LOPJ). El auto se notificará al interesado en el momento de ir a practicar la diligencia, a los efectos de evitar su prevención (art. 566 LECrim.) y dentro de las veinticuatro horas siguientes de haberse dictado. Ahora bien, la notificación al interesado, así como su presencia en el registro, dependerá de que se halle presente, lo cual sucederá en el caso que se halle detenido.

> «Asimismo, examinadas las actuaciones, se advierte que el recurrente no pudo ser localizado y detenido al tiempo en que se realizó la diligencia de entrada y registro, pues fue, en efecto, detenido sobre las 16:30 horas en los alrededores del domicilio registrado (folio 40 de las actuaciones). Ello supone que su inasistencia al registro no puede ser considerada causa de nulidad de la diligencia antedicha, pues solo habría lugar a ello, como hemos dicho de forma reiterada, en el caso de que, estando detenido y a disposición policial, se hubiese practicado la entrada y registro sin su presencia». STS Sala Segunda, de lo Penal, Auto 688/2017 de 27 Abr. 2017, Rec. 2018/2016. Ponente: Palomo del Arco, Andrés. LA LEY 49159/2017.

La LECrim dispone que si no fuere hallado el titular se notificará el auto a cualquier persona, prefiriendo a los familiares del interesado, mayores de edad que se hallaren en el domicilio. En su defecto, establece la LECrim que se hará constar esta circunstancia en la diligencia que se extenderá con asistencia de dos vecinos, los cuales presenciarán la práctica del registro y firmarán el acta (arts. 566, 569 LECrim). Sin embargo, el art. 453.4 LOPJ, modificado por LO 19/2003, dispone que en el ejercicio por los Letrados de la administración de justicia de la función de ejercer la fe pública no se precisará la intervención adicional de testigos[157].

El registro se realizará en presencia del interesado, si estuviere presente y, en su defecto, la de sus familiares u otros moradores que se hallaren en el domicilio.

> «B) En relación con la diligencia de entrada y registro, como dice la STS de 27 de noviembre de 2012: "Aunque existan algunas resoluciones de sentido diferente, la jurisprudencia ha entendido en numerosas ocasiones que el interesado al que se refiere el artículo 569 de la LECrim (LA LEY 1/1882) es el titular del derecho a la intimidad afectado por la ejecución de la diligencia de entrada y registro. Y que, en caso de ser varios los moradores del mismo domicilio, es suficiente la presencia de uno de ellos siempre que no existan intereses contrapuestos con los de los demás moradores". Así se desprende de la STC 22/2003 (LA LEY 1312/2003), aunque se tratara en ese caso de la validez del consentimiento prestado por uno de ellos». STS Sala Segunda, de lo Penal, Sentencia 445/2015 de 2 Jul. 2015, Rec. 2153/2014. Ponente: Marchena Gómez, Manuel. LA LEY 99806/2015.

En el supuesto de ser varios los interesados moradores en el domicilio el TS ha declarado que no es preciso que acudan todos.

---

(157) «La presencia del Letrado de la administración de justicia en la diligencia le concede los efectos establecidos en el art. 281.2º de la LOPJ, esto es: "la plenitud de la fe pública en los actos en que la ejerza el Letrado de la administración de justicia no precisa la intervención adicional de testigos", lo que hace ociosa la presencia de testigos instrumentales». STS Sala Segunda, de lo Penal, Sentencia 1782/2001 de 9 Oct. 2001, Rec. 4086/1999; Ponente: Soriano Soriano, José Ramón. LA LEY 8763/2001.

«En el supuesto de que haya una pluralidad de moradores imputados, y ninguno se encuentre detenido, en principio es suficiente para la validez del registro la presencia del morador o moradores que se encuentren en la vivienda cuando se vaya a practicar el registro (STS 402/2011, de 12 de abril (LA LEY 52246/2011))». STS Sala Segunda, de lo Penal, Sentencia 420/2014 de 2 Jun. 2014, Rec. 1903/2013; Ponente: Conde-Pumpido Tourón, Cándido. LA LEY 64261/2014.

El interesado al que se refiere la Ley (art. 569 LECrim) es el titular del domicilio en el que se realiza la entrada y registro. Sujeto que, por lo general, suele coincidir con el imputado. Ahora bien, nada impide que sean personas distintas[158]. En ese caso, deberán estar presentes ambos sujetos.

«El interesado a que se refiere el art. 569 Lecrim (LA LEY 1/1882), para exigir su presencia en el acto del registro, no es necesariamente el titular, en el sentido de propietario o arrendatario de la vivienda. Lo determinante no es quien sea el propietario, que puede ser desconocido, no residir en el domicilio, o incluso ser una persona jurídica, sino quien es el residente en el domicilio, cuya intimidad es la que va a ser afectada (STS 680/2010, de 14 de julio (LA LEY 114056/2010)). Ordinariamente el interesado en el registro es el imputado, pues el resultado del registro va a afectar a su defensa, aunque no siempre tiene que ser necesariamente el imputado la persona presente en el registro judicialmente autorizado. El imputado o persona contra la que se dirige el procedimiento puede encontrarse en ignorado paradero, o simplemente fuera de la vivienda y no ser localizable en el momento del registro. La entrada y registro en un domicilio autorizado en el curso de un procedimiento judicial por delito constituye, por su propia naturaleza, una diligencia de carácter urgente que no se puede demorar a la espera de que el imputado regrese a su domicilio o sea localizado policialmente. Por ello la Ley autoriza a prescindir del interesado "cuando no fuere habido" (art. 569 Lecrim (LA LEY 1/1882)), lo que resulta claramente referido al imputado, pudiendo en estos casos realizarse el registro ante cualquiera de sus familiares mayores de edad, estimando la doctrina jurisprudencial, atendiendo a una realidad social en la que las agrupaciones domiciliarias ya no se realizan necesariamente por familias en sentido estricto, que esta norma es aplicable a todos los moradores de la vivienda, mayores de edad, aunque no sean familiares en sentido estricto (STS 111/2010, de 24 de febrero (LA LEY 5310/2010), refiriéndose a un supuesto en el

(158) «El interesado, cuya presencia exige el art. 569 LECrim. es el titular del domicilio registrado, cualidad que se ostente con independencia de que se tenga o no la condición de propietario o arrendatario. No es lo relevante la dimensión patrimonial de estos derechos sino el derecho personalismo o la intimidad, que corresponde a quien por cualquier título o sin él tiene en el domicilio que ocupa el ámbito material de su privacidad. El hecho de que la cualidad de imputado en el procedimiento y de titular del domicilio registrado normalmente coinciden no debe ocultar que es la segunda la que específicamente determina la condición de interesado "a que se refiere el art. 569 LECrim.". Así resulta claramente de las referencias al interesado contenidas en los arts. 550, 566 y 570 LECrim. Por lo que en definitiva, el interesado cuya presencia exige el art. 569 es el titular del domicilio registrado, que es el que, en su caso, puede consentir la entrada y el que debe recibir la notificación del auto judicial que lo autoriza, sin perjuicio del derecho que al imputado corresponda en su condición de tal de intervenir en la diligencia de registro. Son numerosas las sentencias de esta Sala en las que se mantiene la validez y eficacia de los registros efectuados ausente la persona investigada siempre que hubiesen estado presente el titular del domicilio, o en el caso de ser varios los moradores del domicilio registrado, es suficiente la presencia de cualquiera de ellos en la diligencia, incluso cuando no se corresponda con el investigado (SSTS 12.3.96, 19.1.99, 11.2.2000)». (STS 7 de marzo de 2007, LA LEY 8974/2007).

que el acusado no estuvo presente en el registro, pero si su compañera sentimental, residente en el domicilio)». STS Sala Segunda, de lo Penal, Sentencia 420/2014 de 2 Jun. 2014, Rec. 1903/2013; Ponente: Conde-Pumpido Tourón, Cándido. LA LEY 64261/2014.

El TS ha declarado que la ausencia en el registro del imputado, no titular de la vivienda, no constituye en cualquier caso una vulneración de derecho fundamental, sino que puede tener distinto efecto, desde el de simple irregularidad, que no impide la valoración de la diligencia, a la de la nulidad en el caso que se impidiera la asistencia del interesado sin existir ninguna razón o causa para ello. Así, se producirá irregularidad en caso de imposibilidad de su presencia, o la de los testigos.

«De otro lado, el Tribunal Constitucional ha señalado, STS n.º 219/2006 (LA LEY 21823/2006), que "aunque ciertas irregularidades procesales en la ejecución de un registro, como la preceptiva presencia del interesado, puedan determinar la falta de valor probatorio como prueba preconstituida o anticipada de las actas que documentan las diligencias policiales, al imposibilitarse la garantía de contradicción, ello no impide que el resultado de la diligencia pueda ser incorporado al proceso por vías distintas a la propia acta, especialmente a través de las declaraciones de los policías realizadas en el juicio oral con todas las garantías, incluida la de contradicción (SSTC 303/1993, de 25 de octubre (LA LEY 2390-TC/1993), FJ 5; 171/1999, de 27 de septiembre (LA LEY 12124/1999), FJ 12; 259/2005, de 24 de octubre (LA LEY 1969/2005), FJ 6)"». STS Sala Segunda, de lo Penal, Sentencia 445/2015 de 2 Jul. 2015, Rec. 2153/2014. Ponente: Marchena Gómez, Manuel. LA LEY 99806/2015.

De este modo, será admisible el registro practicado sin dicha presencia cuando el interesado no estuviere presente por propia voluntad, imposibilidad manifiesta o por fuerza mayor (art. 569 LECrim)[159].

«El interesado a que se refiere el art. 569 Lecrim (LA LEY 1/1882), para exigir su presencia en el acto del registro, no es necesariamente el titular, en el sentido de propietario o arrendatario de la vivienda. Lo determinante no es quien sea el propietario, que puede ser desconocido, no residir en el domicilio, o incluso ser una persona jurídica, sino quien es el residente en el domicilio, cuya intimidad es la que va a ser afectada (STS 680/2010, de 14 de julio (LA LEY 114056/2010)). Ordinariamente el interesado en el registro es el imputado, pues el resultado del registro va a afectar a su defensa, aunque no siempre tiene que ser necesariamente el imputado la persona presente en el registro judicialmente autorizado. El imputado o persona contra la que se dirige el procedimiento puede encontrarse en ignorado paradero, o simplemente

---

(159)   «Lo que sí que resulta exigible es la presencia del imputado en el registro cuando se encuentre detenido o a disposición policial o judicial, pues en estos casos no existe justificación alguna para perjudicar su derecho a la contradicción, que se garantiza mejor con la presencia efectiva del imputado en el registro, por lo que la ausencia del imputado en estos casos es causa de nulidad (STS 716/2010 (LA LEY 114094/2010), de 12 de julio). Esta regla no es aplicable en supuestos de fuerza mayor, en los que la ausencia de inculpado, pese a encontrarse a disposición policial, esté justificada. Por ejemplo en casos de hospitalización del imputado (STS 393/2010, de 22 de abril (LA LEY 49095/2010) o 968/2010, de 4 de noviembre (LA LEY 199012/2010)), de detención en lugar muy alejado del domicilio (STS 716/2010, de 12 de julio (LA LEY 114094/2010)) o bien en caso de registros practicados simultáneamente en varios domicilios (STS 199/ 2011, de 30 de marzo, 947/2006, de 26 de septiembre (LA LEY 112226/2006) y 402/2011, de 12 de abril)». STS 492/2016 de 8 Jun. 2016, Rec. 10545/2015. Ponente: Palomo del Arco, Andrés. LA LEY 59018/2016.

fuera de la vivienda y no ser localizable en el momento del registro. La entrada y registro en un domicilio autorizada en el curso de un procedimiento judicial por delito constituye, por su propia naturaleza, una diligencia de carácter urgente que no se puede demorar a la espera de que el imputado regrese a su domicilio o sea localizado policialmente. Por ello la Ley autoriza a prescindir del interesado "cuando no fuere habido" (art. 569 Lecrim (LA LEY 1/1882)), lo que resulta claramente referido al imputado, pudiendo en estos casos realizarse el registro ante cualquiera de sus familiares mayores de edad, estimando la doctrina jurisprudencial, atendiendo a una realidad social en la que las agrupaciones domiciliarias ya no se realizan necesariamente por familias en sentido estricto, que esta norma es aplicable a todos los moradores de la vivienda, mayores de edad, aunque no sean familiares en sentido estricto (STS 111/2010, de 24 de febrero (LA LEY 5310/2010), refiriéndose a un supuesto en el que el acusado no estuvo presente en el registro, pero si su compañera sentimental, residente en el domicilio)». STS 492/2016 de 8 Jun. 2016, Rec. 10545/2015. Ponente: Palomo del Arco, Andrés. LA LEY 59018/2016.

Ello sucederá en el caso de hallarse el interesado detenido en un lugar lejano, o bien ante la urgencia de proceder al registro o por razones de orden público cuando la presencia del interesado pudiera resultar contraproducente o generadora de riegos (véase «*infra*» sobre la intervención del detenido). En cualquier caso, la plena validez de la diligencia quedará asegurada con la asistencia «*in situ*» del Juez de instrucción autorizante. La doctrina en esta materia se resume perfectamente en la STS 420/2014 de 2 Jun. 2014:

> «En definitiva, la doctrina jurisprudencial sobre la asistencia del interesado al registro puede resumirse muy sintéticamente diciendo que en el supuesto de que el imputado se encuentre detenido, bien con anterioridad al registro o bien en el propio acto del mismo, es imprescindible como regla general su asistencia el registro, so pena de nulidad de la diligencia, salvo excepciones por causa justificada, encontrándose entre estas excepciones los supuestos de hospitalización, detención en lugar alejado o registros simultáneos. En el supuesto de que el imputado no se encuentre detenido, debe asistir asimismo a la diligencia si se encuentra presente en el domicilio cuando se vaya a practicar el registro, lo que constituye la alternativa preferente. Si no es habido en ese momento, puede ser sustituido por cualquier familiar u otro morador de la vivienda, mayor de edad. En el supuesto de que haya una pluralidad de moradores imputados, y ninguno se encuentre detenido, en principio es suficiente para la validez del registro la presencia del morador o moradores que se encuentren en la vivienda cuando se vaya a practicar el registro». STS Sala Segunda, de lo Penal, Sentencia 420/2014 de 2 Jun. 2014, Rec. 1903/2013; Ponente: Conde-Pumpido Tourón, Cándido. LA LEY 64261/2014.

b) Asistencia al registro del interesado detenido

Cuando el titular afectado se encuentre detenido deberá necesariamente asistir a la práctica de esta diligencia[160].

---

(160) «El interesado cuya presencia exige el art. 569 es el titular del domicilio registrado, que es el que, en su caso, puede consentir la entrada y el que debe recibir la notificación del auto judicial que lo autoriza, sin perjuicio del derecho que al imputado corresponda en su condición de tal de intervenir en la diligencia de registro. Son numerosas las sentencias de esta Sala en las que se mantiene la validez y eficacia de los registros efectuados ausente la persona investigada

«Lo que sí que resulta exigible es la presencia del imputado en el registro cuando se encuentre detenido o a disposición policial o judicial, pues en estos casos no existe justificación alguna para perjudicar su derecho a la contradicción, que se garantiza mejor con la presencia efectiva del imputado en el registro, por lo que la ausencia del imputado en estos casos es causa de nulidad (STS 716/2010, de 12 de julio)». STS Sala Segunda, de lo Penal, Sentencia 420/2014 de 2 Jun. 2014, Rec. 1903/2013; Ponente: Conde-Pumpido Tourón, Cándido. LA LEY 64261/2014.

La asistencia del detenido se limitará a su presencia, sin que tenga derecho a una contradicción en el mismo lugar. A ese respecto el art. 569 LECrim exige la presencia del interesado, no con la finalidad de practicar una diligencia contradictoria, con alegaciones u observaciones, sino a efectos de garantizar su derecho de contradicción que podrá hacerse efectivo en actos posteriores de la causa, pero no en el acto del registro. Por otra parte, la cercanía o lejanía del detenido de las concretas habitaciones o partes del domicilio donde se está realizando el registro o el mayor o menor interés mostrado por el interesado en la práctica de la diligencia no tiene ninguna relevancia procesal.

«Respecto de la queja referida a la falta de presencia del interesado en el momento del registro. Que Teófilo se mantuviera a cierta distancia del foco en el que se contenían los restos de la hoguera —actitud que según el agente NUM006 fue en todo momento voluntaria, pese a las indicaciones y consejos en sentido contrario que aquél le daba—, no afecta a la licitud de la prueba. Su eficacia probatoria no puede hacerse depender, claro es, del interés que el imputado tenga en seguir de cerca o mantenerse a distancia del desarrollo de la diligencia». STS 587/2014, de 18 de julio, Rec. 11124/2013, Ponente: Marchena Gómez, Manuel. LA LEY 91118/2014. Caso Bretón.

Se producirá la nulidad de la diligencia de registro en el supuesto que hallándose el detenido a disposición de la policía y sin que concurra ninguna causa de urgencia o fuerza mayor no se permita al interesado concurrir a la diligencia de registro.

«Nadie puede tener mayor interés que aquel que resulta perseguido en un proceso penal como consecuencia precisamente del resultado de esa actuación. Sólo se excusa su presencia en los casos que, de modo singularmente preciso, recoge el texto legal: cuando no esté o no quiera asistir ni nombrar quien lo haga en su nombre (lo que puede ser un letrado), para cuyos supuestos la propia ley dice lo que hay que hacer. Otra cosa es el efecto que haya derivarse de la no presencia del interesado en estas actuaciones procesales. A veces quizá puede considerarse una mera irregularidad procesal. Pero en estos casos, en que el afectado por la diligencia se encuentra detenido por la propia policía en el mismo lugar donde el registro se ha de efectuar, su ausencia, dejándolo en el calabozo de comisaría, ha de estimarse causa de nulidad de la

---

siempre que hubiesen estado presente el titular del domicilio, o en el caso de ser varios los moradores del domicilio registrado, es suficiente la presencia de cualquiera de ellos en la diligencia, incluso cuando no se corresponda con el investigado (SSTS 12.3.96, 19.1.99, 11.2.2000). Es cierto que es ya uniforme la jurisprudencia exigiendo en todo caso la presencia del interesado —persona investigada— en la realización del registro en aquellos casos en los que se halle detenido y aun en el supuesto en que sea distinta del titular del domicilio o éste se halle presente. Tal presencia, se dice, si es posible, viene reclamada por las exigencias contradictorias de que debe de rodearse toda diligencia de prueba». (STS 7 de marzo de 2007, LA LEY 8974/2007).

diligencia correspondiente con la consiguiente ineficacia como medio de prueba para condenar a esa persona. Y ello también cuando haya varios interesados de modo que el precepto procesal haya sido cumplido respecto de unos y no con algún otro, como aquí ocurrió .../... No se trata de una garantía objetiva de la actuación procesal a los efectos de adverar la realidad del contenido de la diligencia. Para esto está el secretario del juzgado que da fe de ello. Se trata de una exigencia del principio de contradicción procesal .../... Aplicando la doctrina al caso presente, no cabe duda de la ineficacia de tal diligencia de registro domiciliario respecto de Rochedine que quedó en los calabozos de comisaría cuando la policía se llevaba a Nicolás para ese registro donde se halló la droga. Como es una prueba esencial para la condena de Rochedine, éste ha de ser absuelto, por incumplimiento de una norma procesal que en las circunstancias del presente caso consideramos esencial, tal y como tan reiteradamente esta sala viene manteniendo. STS Sala Segunda, de lo Penal, Sentencia 1422/2001 de 10 Jul. 2001, Rec. 212/2000-P/2000, Ponente: Delgado García, Joaquín. LA LEY 7736/2001.

Sin embargo, será excusable la inasistencia del detenido en supuestos de fuerza mayor o urgencia que determine la necesidad de proceder a la práctica del registro, aún en el caso de no ser posible la comparecencia material del interesado. Por ejemplo, la detención del individuo en un lugar muy alejado del domicilio a registrar (siempre que exista urgencia para realizar el registro)[161], la hospitalización del detenido o la práctica simultánea de registros en varios domicilios.

«Esta regla no es aplicable en supuestos de fuerza mayor, en los que la ausencia de inculpado, pese a encontrarse a disposición policial, esté justificada. Por ejemplo en casos de hospitalización del imputado (STS 393/2010, de 22 de abril (LA LEY 49095/2010) o 968/2010, de 4 de noviembre), de detención en lugar muy alejado del domicilio (STS 716/2010, de 12 de julio (LA LEY 114094/2010)) o bien en caso de registros practicados simultáneamente en varios domicilios (STS 199/ 2011, de 30 de marzo, 947/2006, de 26 de septiembre (LA LEY 112226/2006) y 402/2011, de 12 de abril)». STS Sala Segunda, de lo Penal, Sentencia 420/2014 de 2 Jun. 2014, Rec. 1903/2013; Ponente: Conde-Pumpido Tourón, Cándido. LA LEY 64261/2014.

c) Intervención de abogado

No se exige la intervención de abogado en la práctica de esta diligencia por lo que su ausencia no la invalida[162].

_____

(161) «En orden a la alegación de que a la meritada diligencia no asistió el interesado que se encontraba detenido, cabe afirmar que este hecho es cierto, pero no lo es menos que la detención se produjo en Gijón, y, por lo tanto, es en este lugar donde el acusado estaba privado de libertad. Así las cosas, resulta que su traslado era, sí no imposible, si al menos terriblemente dificultoso, molesto y poco práctico, lo que no lo hacía aconsejable. En estos casos (SSTS 27-11-1998 y 22-11-2000 la propia jurisprudencia de esta Sala, viene a exceptuar la obligación legal de que el detenido asista al registro que se ordena porque —como señala la última de las sentencias citadas al resolver un supuesto semejante al ahora examinado—, esa circunstancia —la de estar el detenido a varios centenares de kilómetros de distancia— "permite entender su falta de presencia como razonable y adecuada ante el riesgo de que el retraso en efectuar el registro permitiera la ocultación o destrucción de las eventuales pruebas que con la diligencia se perseguían"». STS Sala Segunda, de lo Penal, Sentencia 436/2001 de 19 Mar. 2001, Rec. 1667/1998-P/1998; Ponente: García-Calvo y Montiel, Roberto. LA LEY 60098/2001.

(162) «La justificación última de la doctrina jurisprudencial que no exige la presencia del Letrado se encuentra en la urgencia de la medida, dado que la eficacia de una entrada y registro

«Está la objeción relativa a la supuesta necesidad legal de la asistencia de letrado durante la práctica de las diligencias de entrada y registro judicialmente autorizadas. No la exigen el texto constitucional ni los pactos internacionales suscritos por España, y tampoco ninguno de los preceptos legales relativos al desarrollo de aquellas y, además, el art. 520 LECRIM (LA LEY 1/1882), en la vigente redacción, tras la última reforma de 2015, solo impone la asistencia del abogado al detenido en el caso de las diligencias consistentes en la prestación de declaración, reconocimiento de que sea objeto y reconstrucción de hechos en la que debiera participar. Que serán las de rueda de reconocimiento, careos y reconstrucciones de hechos, en el art. 3 de la Directiva 2013/48/UE del Parlamento Europeo y del Consejo, de 22 de octubre de 2013 (LA LEY 17638/2013). Directiva, por cierto, cuyo plazo de transposición ha finalizado el 27 de noviembre de 2016 (art. 15); es decir, después, incluso, de la celebración del juicio en esta causa». STS Sala Segunda, de lo Penal, Sentencia 154/2017 de 10 Mar. 2017, Rec. 10484/2016; Ponente: Andrés Ibáñez, Perfecto Agustín. LA LEY 19091/2017.

Esta norma se justifica en razón de la urgencia de la medida en tanto que la eficacia de una entrada y registro se halla en el secreto de su adopción por parte de aquellos que van a ser objeto de la misma. De modo que la notificación previa al abogado del interesado podría frustrar su eficacia. Además, en muchos casos la diligencia de entrada y registro es la primera de las que se practican en una investigación criminal, por lo que el interesado no habrá sido imputado formalmente ni habrá tenido la oportunidad ni necesidad de designar abogado.

«La justificación última de esta doctrina jurisprudencial se encuentra en la urgencia de la medida, dado que la eficacia de una entrada y registro descansa en que el sujeto de la misma la ignore hasta el mismo momento de su práctica, y por ello el art. 566 LECrim (LA LEY 1/1882) previene la notificación del auto al interesado en dicho momento. La urgencia puede impedir la designación y comparecencia del letrado con tiempo suficiente para asistir a la diligencia, debiéndose evitar la posible desaparición de las pruebas, vestigios y efectos del delito por parte de personas afines al detenido, que es factible que se produzca desde que conozcan su detención. Por ello se estima que la autorización judicial tutela suficientemente el derecho a la inviolabilidad domiciliaria, el carácter judicial de la diligencia y la presencia del secretario judicial tutelan la legalidad de su práctica y garantizan la fiabilidad del contenido del

---

descansa en que el sujeto de la misma la ignore hasta el mismo momento de su práctica, y por ello el art. 566 Lecrim (LA LEY 1/1882) previene la notificación del auto al interesado en dicho momento. La urgencia puede impedir la designación y comparecencia del letrado con tiempo suficiente para asistir a la diligencia, debiéndose evitar la posible desaparición de las pruebas, vestigios y efectos del delito por parte de personas afines al detenido, que es factible que se produzca desde que conozcan su detención. Por ello se estima que la autorización judicial tutela suficientemente el derecho a la inviolabilidad domiciliaria, el carácter judicial de la diligencia y la presencia del secretario judicial tutelan la legalidad de su práctica y garantizan la fiabilidad del contenido del acta y la presencia del interesado asegura la contradicción, sin que resulte imprescindible la presencia letrada en la diligencia para garantizar los derechos fundamentales del detenido, y concretamente el derecho a un proceso con todas las garantías. Esta doctrina jurisprudencial se reitera, entre otras, en las SSTS 1116/98 de 30 de septiembre, 697/2003, de 16 de mayo (LA LEY 88499/2003), 1134/09, de 17 de noviembre, 590/2010, de 2 de junio, 953/2010, de 27 de octubre y STS 1078/2011, de 24 de octubre». STS Sala Segunda, de lo Penal, Sentencia 420/2014 de 2 Jun. 2014, Rec. 1903/2013; Ponente: Conde-Pumpido Tourón, Cándido. LA LEY 64261/2014.

acta y la presencia del interesado asegura la contradicción, sin que resulte imprescindible la presencia letrada en la diligencia para garantizar los derechos fundamentales del detenido, y concretamente el derecho a un proceso con todas las garantías (STS 187/2014, de 10 de marzo (LA LEY 41796/2014), entre otras y con mención de otras muchas)». STS Sala Segunda, de lo Penal, Auto 688/2017 de 27 Abr. 2017, Rec. 2018/2016. Ponente: Palomo del Arco, Andrés. LA LEY 49159/2017.

Ahora bien, sí que es necesaria la asistencia de abogado en la prestación del consentimiento que pudiera expresar el detenido en orden a la entrada en su domicilio[(163)]. También podrá el abogado, así como el interesado, intervenir en las diligencias de registro que se acuerden durante la instrucción de la causa.

> «En cuanto a la ausencia de su Letrado, la jurisprudencia de esta Sala ha venido indicando que es preceptiva la presencia y asistencia de letrado para que una persona detenida dé su consentimiento para la entrada y registro en su domicilio, pero no para la práctica de la diligencia misma (STS 234/2016, de 17 de marzo (LA LEY 15968/2016), que cita las previas SSTS 678/2001 (LA LEY 5859/2001), de 17-4; 974/2003, de 1-7 (LA LEY 116046/2003); 1182/2004, de 26-10 (LA LEY 10145/2005); 1190/2004, de 28-10 (LA LEY 225430/2004); 309/2005, de 8-3 (LA LEY 11784/2005); 1257/2009, de 2-12 (LA LEY 247535/2009); 11/2011 (LA LEY 1569/2011), de 1-2; 794/2012, de 11-10 (LA LEY 158108/2012); 420/2014, de 2-6; y 508/2015, de 27-7 (LA LEY 112873/2015), entre otras). Consta, en el presente supuesto, que el acusado, cuando prestó su consentimiento, para que se realizase la entrada y registro de la vivienda, estaba asistido de la letrada designada de oficio (folio 92 de las actuaciones). De todo cuanto se ha dicho, se deriva que la medida estuvo amparada por la propia autorización que concedió el recurrente. No se ha visto, por lo tanto, vulnerado ningún derecho fundamental». ATS 1247/2016 de 30 Jun. 2016, Rec. 2176/2015; Ponente: Martínez Arrieta, Andrés. LA LEY 119469/2016.

d) Intervención del Letrado de la administración de justicia. Valor y eficacia probatoria de la diligencia[(164)]

El registro domiciliario se practicará siempre en presencia del Letrado de la administración de justicia del Juzgado o Tribunal que lo hubiere autorizado, quien levantará acta del resultado de la diligencia y de sus incidencias, que será firmada por todos los asistentes (art. 453.1 LOPJ). El Letrado de la administración de justicia únicamente podrá ser sustituido, en los casos legalmente previstos, por otro Letrado

---

(163) «El art. 569 de la Ley procesal penal al referir las condiciones de realización de la diligencia no previene una especial intervención personal del titular de la vivienda, sino su presencia por la afectación del derecho a la inviolabilidad, por lo que la asistencia del Letrado no constituye un requisito de la diligencia. La jurisprudencia en la que apoya su pretensión, que exige la asistencia de un letrado en el acto de prestar consentimiento a la realización de una entrada en el domicilio de quien consiente cuando se encuentra detenido tiene su fundamento en la realización de un acto de naturaleza personal, la prestación de consentimiento en una diligencia, circunstancia que no concurre en el presente supuesto en el que la injerencia fue acordada judicialmente, realizada con presencia de la comisión judicial y asistencia del titular de la vivienda objeto de la injerencia». STS 14 de mayo de 2008, LA LEY 92706/2008.

(164) V. RODRÍGUEZ TIRADO, «El Secretario judicial en la diligencia de entrada y registro», *La Ley*, 12 septiembre 1995; GÓMEZ COLOMER, «Concreciones en torno al registro domiciliario en el proceso penal», *RDP*, 1993, p. 581.

de la administración de justicia o en un Letrado de la administración de justicia sustituto. No cabe, por tanto, la sustitución del Letrado de la administración de justicia por ningún otro funcionario, habiendo quedado suprimidas las habilitaciones concedidas al amparo del derogado art. 282.1 LOPJ (D.A. 6ª LO 19/2003). De ese modo, se resuelven los problemas que se planteaban respecto a la eficacia probatoria del registro en el que no hubiere intervenido el Letrado de la administración de justicia. La única excepción es la prevista en el art. 451.3 LOPJ que dispone que, excepcionalmente, cuando no hubiera suficiente número de Letrados de la administración de justicia, en los supuestos de entradas y registros en lugares cerrados acordados por un único órgano judicial de la Audiencia Nacional y que deban ser realizados de forma simultánea, podrán los funcionarios del Cuerpo de Gestión Procesal y Administrativa, en sustitución del Letrado de la administración de justicia, intervenir en calidad de fedatarios y levantar la correspondiente acta.

El acta levantada tendrá la fe pública que le atribuye la ley y la diligencia practicada tendrá el carácter de prueba preconstituida. No existe ningún inconveniente, al contrario suele ser lo habitual, que el Letrado de la Ad. de Justicia transcriba el acta levantada en el lugar del registro una vez que éste hubiere finalizado.

«El hecho de que el Secretario judicial trascribiera mecanográficamente el acta en la sede judicial, por las razones ya señaladas de espacio, incomodidad y circunstancias exteriores que rodeaban la práctica del registro, no constituye un defecto formal relevante que anule la validez de la diligencia ni vulnere en absoluto el derecho fundamental invocado. Es obvio que el Secretario tuvo que realizar primero un borrador manual de acta en el lugar del registro, teniendo en cuenta la extensión y detalle del Acta definitiva, que hace imposible que se confeccionara simplemente sobre datos memorizados, por lo que no se aprecia en que puede afectar esta formalización definitiva del Acta en los locales del Juzgado al derecho fundamental invocado como supuestamente vulnerado. Por otra parte, el Acta aparece autorizada por el Secretario Judicial, que ostenta la fe pública, y firmada por los funcionarios policiales actuantes, no constando la firma de la recurrente Elisabeth, simplemente porque se negó a ello». STS Sala Segunda, de lo Penal, Sentencia 420/2014 de 2 Jun. 2014, Rec. 1903/2013; Ponente: Conde-Pumpido Tourón, Cándido. LA LEY 64261/2014.

No obstante su necesaria comparecencia, el Letrado de la administración de justicia puede estar ausente en la práctica de la diligencia de registro por distintas razones: urgencia o situación excepcional de peligro que impide que el Letrado de la Administración esté presente. En ese caso, y con carácter general, ese vicio afectará exclusivamente al acto formal del registro, pero no se extiende a la validez y licitud del auto judicial autorizando el registro ni al resto de las actuaciones practicadas.

«La jurisprudencia de esta Sala ha proclamado de forma reiterada que el efecto de la ausencia del Secretario no se proyecta sobre la validez constitucional de la medida de injerencia. En efecto, la doctrina del Tribunal Constitucional —SSTC 290/1994 (LA LEY 13046/1994), 133/1995 (LA LEY 2597-TC/1995), 228/1997 (LA LEY 380/1998), 94/1999 (LA LEY 8094/1999) y 239/1999 (LA LEY 3414/2000)— viene manteniendo de forma constante que el único requisito necesario y suficiente por sí solo para dotar de licitud constitucional a la entrada y registro de un domicilio, fuera del consentimiento expreso de quien lo ocupa o la flagrancia delictiva, es la existencia de una resolución judicial que con antelación lo mande o autorice, de suerte que, una vez obtenido el mandamiento judicial, la forma en que la entrada y el registro se practiquen, las incidencias que en su curso se puedan producir y los defectos en que se incurra, se inscriben y generan efectos sólo en el plano de la legalidad ordinaria. [...] A este plano corresponde la asistencia del Secretario Judicial cuya ausencia por tanto —en toda la diligencia o en una parte de la misma— no afecta al derecho a la inviolabilidad del domicilio ni a la tutela judicial del mismo, aunque sí afecta a la eficacia de la prueba preconstituida por la diligencia. [...] En definitiva, tiene declarado el Tribunal Constitucional y ha sido reiteradamente recogido en sentencias de esta Sala que la ausencia de Secretario Judicial en la diligencia de entrada y registro no afecta al derecho fundamental a la inviolabilidad del domicilio cuando ha precedido la correspondiente resolución que lo autoriza (cfr. SSTS 378//2014, 7 de mayo y 381/2010, 27 de abril). Cuestión distinta es la trascendencia que en el orden procesal puede tener la ausencia del Secretario Judicial en tal diligencia. Y es asimismo reiterada la jurisprudencia de esta Sala que proclama que el registro efectuado sin intervención del Secretario Judicial es procesalmente nulo, careciendo de operatividad y total falta de virtualidad a efectos probatorios, si bien ello no empece a que merced a otros medios de prueba se evidencie la existencia real de los efectos que se dicen intervenidos y hallados en el domicilio registrado». STS 587/2014, de 18 de julio, Rec. 11124/2013, Ponente: Marchena Gómez, Manuel. LA LEY 91118/2014. Caso Breton.

En ese caso, la diligencia no será ilícita ni vulnerará el art. 18.2 CE, sin perjuicio de su eficacia procesal, por lo que no será alegable el art. 11.1 LOPJ[(165)]. Por tanto, el eventual incumplimiento de las normas procesales sobre esta materia no tendrá transcendencia constitucional, pues sus efectos se producen en el ámbito de la validez y eficacia de los medios de prueba y no en el del derecho a la inviolabilidad domiciliaria[(166)].

---

(165) «La entrada en el domicilio sin el permiso de quien lo ocupa, ni estado de necesidad sólo puede hacerse si lo autoriza o manda el Juez competente y en tal autorización descansa, a su vez, el registro domiciliario, según refleja el grupo de normas pertinentes (arts. 18.2 CE, 87.2 LOPJ y 546 LECrim). Este es el único requisito, necesario y suficiente por sí mismo, para dotar de legitimidad constitucional a la invasión del hogar. Una vez obtenido el mandamiento judicial la forma en que la entrada y registro se practiquen, las incidencias que en su curso puedan producirse y los excesos o defectos en que incurran quienes lo hacen, se mueven siempre en otra dimensión, el plano de la legalidad. En ésta, por medio de la LECrim. (art. 569) no en la CE, se exige la presencia del secretario judicial para tal diligencia probatoria. Por ello, su ausencia no afecta a la inviolabilidad del domicilio, para entrar en el cual basta la orden judicial, ni tampoco a la efectividad de la tutela judicial en sus diferentes facetas .../... En definitiva, el eventual incumplimiento de las normas procesales donde se imponen ese tipo de requisitos, no habría tampoco trascendido al plano de la constitucionalidad, pues sus efectos se produce en el ámbito de la validez y eficacia de los medios de prueba y no en el del derecho a la inviolabilidad domiciliaria». STC 94/1999 de 31 de mayo. Véase también STC 133/95 de 25 septiembre.

(166) «La ausencia del Secretario judicial en la práctica de la diligencia de investigación, al expresar únicamente un requisito legal que define cómo ha de llevarse a la práctica el registro, ha sido ya descartado en anteriores pronunciamientos de este Tribunal como supuesto con capacidad para lesionar el contenido constitucional del derecho a la inviolabilidad del domicilio... la entrada en el domicilio sin el permiso de quien lo ocupa, ni estado de necesidad, sólo puede hacerse si lo autoriza o manda el Juez competente y en tal autorización descansa, a su vez, el registro domiciliario, según refleja el grupo de normas pertinentes (arts. 18.2 CE, 87.2 LOPJ y 546 LECrim). Este es el único requisito, necesario y suficiente por sí mismo, para dotar de legitimidad constitucional a la invasión del hogar. Una vez obtenido el mandamiento judicial, la forma en que la entrada y

«... la jurisprudencia de esta Sala ha proclamado de forma reiterada que el efecto de la ausencia del Secretario no se proyecta sobre la validez constitucional de la medida de injerencia. En efecto, la doctrina del Tribunal Constitucional —SSTC 290/1994 (LA LEY 13046/1994), 133/1995 (LA LEY 2597-TC/1995), 228/1997 (LA LEY 380/1998), 94/1999 (LA LEY 8094/1999) y 239/1999 (LA LEY 3414/2000)— viene manteniendo de forma constante que el único requisito necesario y suficiente por sí solo para dotar de licitud constitucional a la entrada y registro de un domicilio, fuera del consentimiento expreso de quien lo ocupa o la flagrancia delictiva, es la existencia de una resolución judicial que con antelación lo mande o autorice, de suerte que, una vez obtenido el mandamiento judicial, la forma en que la entrada y el registro se practiquen, las incidencias que en su curso se puedan producir y los defectos en que se incurra, se inscriben y generan efectos sólo en el plano de la legalidad ordinaria. [...] A este plano corresponde la asistencia del Secretario Judicial cuya ausencia por tanto —en toda la diligencia o en una parte de la misma— no afecta al derecho a la inviolabilidad del domicilio ni a la tutela judicial del mismo, aunque sí afecta a la eficacia de la prueba preconstituida por la diligencia. [...] En definitiva, tiene declarado el Tribunal Constitucional y ha sido reiteradamente recogido en sentencias de esta Sala que la ausencia de Secretario Judicial en la diligencia de entrada y registro no afecta al derecho fundamental a la inviolabilidad del domicilio cuando ha precedido la correspondiente resolución que lo autoriza (cfr. SSTS 378//2014, 7 de mayo y 381/2010, 27 de abril). STS 587/2014, de 18 de julio, Rec. 11124/2013, Ponente: Marchena Gómez, Manuel. LA LEY 91118/2014.

Aunque la validez de lo actuado dependerá del proceder de los agentes policiales que debe ser lícito y estar determinado por las circunstancias de urgencia o necesidad. En este sentido, es frecuente que la inasistencia del Letrado de la administración de justicia a la diligencia venga determinada por la urgencia de la policía de proceder al registro para evitar la destrucción de las pruebas o que se produzca un desfase temporal entre la actuación de la policía que, v.g. entre por detrás de la vivienda ante la resistencia del interesado, y la entrada efectiva del Letrado de la administración de justicia en el domicilio[167]. En estos supuestos, el TS ha entendido que la diligencia

---

registro se practiquen, las incidencias que en su curso puedan producirse y los excesos o defectos en que incurran quienes lo hacen, se mueven siempre en otra dimensión, el plano de la legalidad. En esta, por medio de la Ley de Enjuiciamiento Criminal (art. 569), no en la Constitución, se exige la presencia del Secretario judicial para tal diligencia probatoria. Por ello, su ausencia no afecta a la inviolabilidad del domicilio, para entrar en el cual basta la orden judicial, ni tampoco a la efectividad de la tutela judicial en sus diferentes facetas (AATC 349/1988 y 184/1993) (STC 133/1995, fundamento jurídico 4º)». STC 94/1999 de 31 de mayo. Véanse también, entre otras, SSTC 309/1994 y 133/1995.

(167) «El propio Tribunal de instancia reconoce que la entrada de la Guardia Civil en el domicilio de este acusado se inició momentos antes de que se personara la Secretaria habilitada al efecto por el Juzgado que lo había autorizado. Tiene declarado el Tribunal Constitucional —cfr. SSTC 309/1994, 290/1994 y Autos de 11 y 16 de marzo de 1991— y ha sido reiteradamente recogido en sentencias de esta Sala (cfr. entre otras muchas, la sentencia 3 de abril y 23 de junio de 1992) que la falta de presencia del Secretario judicial en la diligencia de entrada y registro no afectaría en ningún caso al derecho fundamental a la inviolabilidad del domicilio. En este caso, no hubo ausencia del Secretario Judicial sino que la entrada de los Guardias Civiles se llevó a efecto momentos antes de que se personara la Secretaria habilitada en el domicilio e interviniera en el registro. Cuestión distinta es la trascendencia que en el orden procesal puede tener la ausencia del Secretario judicial en tal diligencia. Y es asimismo reiterada jurisprudencia de esta Sala que el regis-

puede introducirse en el plenario con la declaración de los agentes actuantes para ratificar aquellos extremos de la diligencia que no consten en el acta del Letrado de la administración de justicia, por no haber asistido directamente a tal momento del registro[168].

> «Ciertamente se desprende del acta una anómala actuación policial puesto que tres policías se introdujeron en la casa por la trasera de la misma antes de que la Secretaria del Juzgado hiciese al interesado la preceptiva notificación. Dicha actuación, sin embargo, de la que se da una sucinta explicación en el acta, pero que en todo caso debió ser autorizada por el Juez a tenor de lo dispuesto en el art. 567 LECrim, no pudo infringir el derecho fundamental a la inviolabilidad del domicilio porque la entrada estaba ya judicialmente autorizada, ni pudo tampoco privar de fuerza probatoria al resultado de la diligencia porque el registro y el hallazgo de la droga se produjo a continuación y en presencia de la Secretaria del Juzgado .../... Hemos de concluir, en consecuencia, que no existía razón alguna para que el resultado de la diligencia de entrada y registro, llevada a cabo sin violación del derecho fundamental que el recurrente invoca y ratificado en el juicio oral por los funcionarios que la practicaron a presencia del fedatario judicial, dejase de surtir efectos probatorios en el proceso en que se dictó la Sentencia recurrida, ello sin perjuicio de recordar la facultad —cuyo ejercicio en defensa de la legalidad procesal constituye un deber— de controlar las actuaciones policiales que otorga a los jueces y tribunales el art. 35 c) de la LO 2/1986, de Fuerzas y Cuerpos de Seguridad del Estado». STS Sala Segunda, de lo Penal, Sentencia 2003/2001 de 2 Ene. 2002, Rec. 591/2000. Ponente: Jiménez Villarejo, José. LA LEY 8176/2002.

Sin embargo, en otras sentencias el TS ha declarado que el registro así realizado es procesalmente nulo careciendo de efectos probatorios.

---

tro efectuado sin intervención del Secretario judicial deviene irregular, careciendo de operatividad y total falta de virtualidad a efectos probatorios, si bien ello no empece, como reconocen los Autos señalados del Tribunal Constitucional y la Jurisprudencia de esta Sala, a que merced a otros medios de prueba complementarios, se evidencie la existencia real de los efectos que se dicen intervenidos y hallados en el domicilio registrado. Y tal es el supuesto en que haya reconocimiento por parte de los imputados acerca de la existencia en el domicilio de los efectos o cuerpo del delito a que la diligencia pueda referirse». STS Sala Segunda, de lo Penal, Sentencia 2122/2001 de 5 Nov. 2001, Rec. 796/2000; Ponente: Granados Pérez, Carlos. LA LEY 198176/2001.

(168) «La alegación de que el registro fue llevado a cabo sin la intervención de Secretario judicial suscita el quebrantamiento de una garantía procesal establecida por la Ley, no la vulneración del derecho fundamental a la inviolabilidad del domicilio (SSTC 290/1994, fundamento jurídico 4.º, y 133/1995, fundamento jurídico 4.º), pues «no forma parte de su contenido la presencia del fedatario judicial, ni es ésta una de las garantías constitucionalizadas por el art. 24 de la Norma fundamental, sin perjuicio de su relevancia a efectos probatorios», como ha mantenido siempre nuestra jurisprudencia desde el ATC 349/1988, fundamento jurídico 1.º Relevancia en este caso inexistente dado que, a diferencia del supuesto enjuiciado en la STC 228/1997, el acta o diligencia del registro no fue aportada como única prueba de cargo; en el juicio oral fueron propuestas y admitidas como pruebas documentales varias páginas de las agendas personales del acusado, cuyo contenido fue conocido directamente por el Tribunal al margen del acta del registro en el que habían sido hallados los documentos, que ni siquiera fue aportada al acervo probatorio del juicio. Ello priva de toda trascendencia a las alegaciones de la demanda de amparo en este punto, que por lo demás fueron rechazadas por la Sentencia de la Audiencia Provincial impugnada al afirmar que bastaba con la intervención de un Oficial habilitado». STC 41/1998 de 24 de febrero.

«El registro efectuado sin intervención del Secretario Judicial es procesalmente nulo, careciendo de operatividad y total falta de virtualidad a efectos probatorios, si bien ello no empece a que merced a otros medios de prueba se evidencie la existencia real de los efectos que se dicen intervenidos y hallados en el domicilio registrado». STS 587/2014, de 18 de julio, Rec. 11124/2013, Ponente: Marchena Gómez, Manuel. LA LEY 91118/2014.

También ha declarado el Tribunal Supremo la nulidad radical de la prueba obtenida cuando la anticipación de la policía se había producido aún antes de la llegada al domicilio de la Comisión Judicial. Supuesto que el TS califica de proceder que debe ser erradicado por no superar: «ni los más mínimos controles de seguridad y garantía de protección de los derechos fundamentales».

«El segundo punto es más conflictivo en cuanto que la autorización judicial se produce, pero los agentes de la autoridad entran en el domicilio antes de la llegada de la Comisión judicial. La sentencia se basa en las manifestaciones de los agentes en el juicio oral según cuyo testimonio, cuando cuentan con la autorización judicial y la Comisión judicial está preparada, se procede a la entrada en la vivienda, en principio únicamente por parte de los agentes, para prevenir posibles riesgos para la integridad física de los componentes de la Comisión judicial. Una vez que el domicilio en cuestión está asegurado, se avisa para que entren el Secretario Judicial y sus acompañantes para la realización del registro .../... 3. Si se da carta de naturaleza a esta anormal forma de proceder, se está modificando la Ley de Enjuiciamiento Criminal, se propicia un modo de actuar absolutamente ilegal y contrario al mandato constitucional que exige no sólo la autorización judicial sino el protagonismo exclusivo de los delegados o Comisiones judiciales sin descartar la propia presencia del Juez autorizante. Llama la atención esta laxitud interpretativa sin que merezca ni el más mínimo reproche formal por parte de la Sala sentenciadora. Según su tesis, esta modalidad de entrada, de aseguramiento para controlar el domicilio como si se tratase de una operación de comandos en caso de terrorismo podría ser generalizada sustituyendo a la redacción actual de la Ley de Enjuiciamiento Criminal. Es un mal precedente que se debe atajar de formar clara e inequívoca señalando su absoluta incompatibilidad con las garantías constitucionales. La Ley, aún en los casos en que existe un peligro de fuga, sólo autoriza a realizar operaciones de cerco para controlar las salidas y entradas del domicilio en casos graves de urgencia e inevitable necesidad». STS 15 de noviembre de 2007, LA LEY 180055/2007.

En sentido general es aplicable a esta intervención la doctrina del TC que establece que: «la prohibición de valoración de las pruebas originales, en cuanto obtenidas con vulneración de un derecho fundamental de carácter sustantivo, no afecta a las derivadas si entre ambas no existe relación natural o si no se da entre ellas la que hemos denominado conexión de antijuridicidad que resulta del examen conjunto del acto lesivo del derecho y su resultado, tanto desde una perspectiva interna, es decir, en atención a la índole y características de la vulneración del derecho sustantivo, como desde una perspectiva externa, a saber, la de las necesidades esenciales de tutela exigidas por la realidad y efectividad de ese derecho» (STC 87/2001 de 2 de abril). De este modo, la nulidad de la diligencia de entrada y registro y la consiguiente prohibición de valorar su contenido no conduce, necesariamente, a la prohibición de valoración de toda prueba que se conecte en alguna forma con ella. En consecuencia, las declaraciones de los ocupantes, de los testigos, la ocupación de objetos

765

(drogas, dinero, utensilios, etc.) y demás datos obtenidos podrán ser objeto de prueba en el juicio oral, sin que les alcance los efectos de la nulidad del acto del registro.

e) Conexión del delito investigado y las pruebas descubiertas. Hallazgo de hechos sin relación con el delito que motivó la resolución habilitante de la entrada y registro

En el supuesto de que en el registro domiciliario debidamente autorizado se hallaren hechos u objetos distintos o no relacionados con los delitos que motivaron la intromisión, se plantea el problema de su validez como medio de prueba. Una primera jurisprudencia entendía que, conforme con el principio de especialidad, el registro no podía extenderse a dichos hechos, a menos que el Juez lo autorizara, previa suspensión, de la diligencia y adopción de las medidas adecuadas de protección del lugar y de las evidencias halladas[169]. En caso contrario, las pruebas así obtenidas —extralimitación del objeto— se consideraban ilícitas por violación de las garantías constitucionales[170]. Pero esta doctrina jurisprudencial ha sido matizada por el TS que ha declarado que en el supuesto que la aparición en un registro de hechos u objetos constitutivos de delito distinto al que motivo la adopción de la medida, debe tratarse según el concepto de la flagrancia.

> «Esta Sala, no sin ciertas oscilaciones, ha admitido la validez de la diligencia cuando, aunque el registro se dirigiera a la investigación de un delito específico, se encontraran efectos o instrumentos de otro que pudiera entenderse como delito flagrante. La teoría de la flagrancia ha sido, pues, una de las manejadas para dar cobertura a los hallazgos casuales, y también la de la regla de la conexidad de los arts. 17.5 (LA LEY 1/1882) y 300 LECrim (LA LEY 1/1882), teniendo en cuenta que no hay

_____

(169) Ningún problema se plantea si el Juez asiste a la diligencia ya que este resolverá en el acto la ampliación del registro, o la apertura de oficio de nuevas diligencias por otro delito. Véase, en este sentido, la STS Sala Segunda, de lo Penal, Sentencia de 28 Abr. 1995, Rec. 3157/1994. Ponente: Carrero Ramos, Justo. LA LEY 14476/1995, que se refiere a una diligencia de registro en la que se encontraba presente el Juez de Guardia, por lo que se entiende que no cabe la suspensión del acto ante la aparición de nuevos hechos: «Hay que observar que en este caso el delito no es presunto sino flagrante y que resultaría ingenuo pretender tal suspensión cuando la propia autoridad judicial, la Juez de Guardia, se halló presente en el registro asistida de la Secretaria judicial como figura en el acta con sus nombres y firmas y dación de fe (folios 3 y ss.); la policía, pues, no tenía que desplazarse para "poner los hechos en conocimiento de la autoridad judicial", como dice la sentencia (fundamento 2.º in fine) para que resuelva si amplía el objeto del registro. Ya estaba, con lo que al incautarse la droga hallada y hacerlo constar en el acta bajo fe pública judicial, está ya implícita la voluntad de dicha autoridad de extender el objeto del registro a esos efectos delictivos. Absurdo sería exigir que se trajera una máquina o se escribiera a mano allí mismo otro auto ampliando el objeto del registro y en otro caso se pretenda que la heroína "no existe" y que la causa está "huérfana" de prueba de cargo (fundamento 4.º)».

(170) «La diligencia de entrada y registro, en el que tiene arranque todo el apoyo probatorio de la acusación, no sólo fue procesalmente anómala, sino que vulneró un derecho fundamental del sujeto, cual fue la entrada en su domicilio para practicar una investigación —tráfico de drogas— no cubierta por el mandamiento judicial; en consecuencia, la prueba obtenida, que no es simplemente irregular sino que violenta los derechos y libertades fundamentales —dice el art. 11.1 de la Ley Orgánica del Poder Judicial—, no surtirá efecto, y, al no existir prueba inculpatoria válidamente obtenida…». (STS Sala Segunda, de lo Penal, Sentencia de 2 Jul. 1993. Ponente: Moyna Ménguez, José Hermenegildo. LA LEY 3969-5/1993).

novación del objeto de la investigación sino simplemente adición. La Constitución no exige en modo alguno que el funcionario que se encuentre investigando unos hechos de apariencia delictiva cierre los ojos ante los indicios de delito que se presentasen a su vista, aunque los hallados casualmente sean distintos a los hechos comprendidos en su investigación oficial, siempre que ésta no sea utilizada fraudulentamente para burlar las garantías de los derechos fundamentales (SSTC 41/1998 de 24 de febrero (LA LEY 3497/1998)). Del mismo modo, el que se estén investigando unos hechos delictivos no impide la persecución de cualesquiera otros distintos que sean descubiertos por casualidad al investigar aquéllos, pues los funcionarios de policía tienen el deber de poner en conocimiento de la autoridad penal competente los delitos de que tuviera conocimiento, practicando incluso las diligencias de prevención que fueran necesarias por razón de urgencia, tal y como disponen los artículos 259 (LA LEY 1/1882) y 284 LECrim (LA LEY 1/1882)». STS 423/2016 de 18 May. 2016, Rec. 1286/2015; Ponente: Ferrer García, Ana María. LA LEY 51976/2016.

Por lo tanto, en ese caso, los funcionarios deben proceder a suspender la diligencia y a solicitar una ampliación del auto habilitante, sin perjuicio de poder adoptar, mientras tanto, las medidas pertinentes para asegurar los objetos hallados.

«Podemos considerar plenamente regular el auto de entrada y registro adoptado en el proceso por delito fiscal, como puede observarse de su simple lectura .../... En efecto, la droga y el arma son hallados casualmente (hallazgo casual) al ejecutar el mandamiento de entrada y registro dentro del proceso por delito fiscal y, tan pronto se advirtió su existencia, se suspendió la diligencia que se practicaba para dar cuenta al juez instructor que dictó en el mismo día un auto ampliatorio del objeto de la investigación, debidamente fundado (17-5-05), en el que los indicios justificativos de la medida son aplastantes y las razones jurídicas que aconsejaban su adopción inobjetables. 6. Su regularidad formal también estaría reforzada, como apunta el Ministerio Fiscal, en caso de hallazgos casuales, por la flagancia del delito (art. 553) o también acudiendo a la regla de la conexidad a que se refieren los arts. 17.5 y 300 L.E.Cr., teniendo en cuenta que no estaríamos ante un cambio o novación del objetivo inicial del acto de entrada y registro, sino ante una ampliación o adición al mismo, consecuencia de la prueba casualmente descubierta en una investigación judicial legítima». STS 16 de febrero de 2007, LA LEY 9727/2007.

Nótese, que el problema que se plantea es el del control de la actuación policial que, especialmente en el caso de las intervenciones telefónicas puede llegar a constituir una suerte de inquisición o indagación general, lo que se puso de manifiesto en el llamado caso «Naseiro», que puede conducir al criterio de especialidad que determine la nulidad de todos aquellos hechos que excedan de los que son objeto de investigación[171]. Ahora bien, esta doctrina llevada a la radicalidad puede condicio-

---

(171) «La tesis de que cabe válidamente tomar como prueba de cargo la proporcionada por la aprehensión de objetos correspondientes a delito distinto a aquel para el que concedió la autorización habilitante de la entrada y registro domiciliario ha sido mantenida, sin argumentación justificativa, por la S. 1309/1993, de 7 junio. En cambio, la posición contraria, que podría, tomando en préstamo lingüístico de la extradición pasiva la expresión, denominarse como principio de especialidad, ha sido rotundamente mantenida en las también recientes, Sentencias de esta Sala 1706/1993, de 2 julio (F. único) y 91/1994, de 21 enero (F. 5.º). En ambas resoluciones se estima que la extensión de la investigación a objetos distintos a los correspondientes al delito a investigar según el mandamiento judicial produce, de no existir una ampliación habilitante, un

nar la efectividad de la persecución de los delitos y los derechos de los perjudicados por aquéllos. Por tanto, y según lo expuesto, ningún problema existe para tener por válidos los hechos y elementos de delito distinto al investigado, cuando éstos se hallan por casualidad, a no ser que se ofrezcan motivos o razones que permitan hacer pensar que los funcionarios policiales han perseguido «burlar» o eludir las garantías constitucionales[172].

«Que la instrucción en cuyo seno fue adoptado el Auto judicial de entrada y registro hubiera nacido de una *notitia criminis* procedente de un sumario distinto, y a raíz de una conversación telefónica interceptada al indagar otro delito, como era el de tráfico de drogas, no conlleva su invalidez. Que se estén investigando unos hechos delictivos no impide la persecución de cualesquiera otros hechos delictivos distintos, que sean descubiertos por casualidad al investigar aquéllos. Si, al analizar el contenido de los documentos y papeles intervenidos descubrieron indicios criminales distintos a los investigados, su deber era ponerlos en conocimiento de la autoridad competente (arts. 259 y 284 LECrim). Se da la circunstancia, además de que la información

---

defecto insubsanable al faltar la debida proporcionalidad, convirtiéndose la prueba así obtenido en nula de acuerdo con la norma contenida en el artículo 11.1 de la Ley Orgánica del Poder Judicial... La doctrina de estas dos resoluciones se basa (en el primer caso de manera explícita) en la doctrina contenida en el conocidísimo Auto de esta Sala de 18 junio 1992 (dictado en el llamado caso Naseiro), que como es notorio se dictó en un supuesto no de registro domiciliario, sino de intervenciones telefónicas. Esta acotación liminar permite establecer los matices diferenciales que existen entre uno y otro supuesto. Y así: a) La intervención telefónica incide de manera directa en la esfera de la intimidad y de ahí que tal resolución "matriz" indique correctamente que "no es correcto extender autorizaciones prácticamente en blanco". En ellas, la investigación toma al presunto imputado como fuente de prueba y por ello las garantías para su práctica tienen necesariamente que sobredimensionarse, pues la dignidad de la persona no autoriza una especie de "causa general". En cambio, la inviolabilidad del domicilio sólo se refiere a un objeto perteneciente a la esfera del investigado y por ello, una vez autorizada la entrada y registro la protección garantística ha de ser menor que en el otro caso. b) Como consecuencia, el propio tratamiento normativo es disímil radicalmente, ya que en tanto la intervención telefónica supone por propia naturaleza su prolongación temporal (hasta tres meses prorrogables: artículo 579.3 de la LECrim), la diligencia de registro se realiza en unidad de acto conforme dispone el artículo 570 de la misma Ley Procesal, con la única interrupción que prevé tal precepto respecto a la prolongación durante horas nocturnas. Es obvio así, que en la intervención telefónica sea preciso ampliar en su caso la autorización jurisdiccional habilitante». STC 41/1998 de 24 de febrero.

(172) «En primer lugar, que la instrucción en cuyo seno fue adoptado el Auto judicial de entrada y registro hubiera nacido de una notitia criminis procedente de un sumario distinto, y a raíz de una conversación telefónica interceptada al indagar otro delito, como era el de tráfico de drogas, no conlleva su invalidez. Que se estén investigando unos hechos delictivos no impide la persecución de cualesquiera otros hechos delictivos distintos, que sean descubiertos por casualidad al investigar aquéllos. Los funcionarios de policía tienen siempre el deber de poner en conocimiento de la autoridad penal competente los delitos de que tuvieren conocimiento, practicando incluso las diligencias de prevención que fueran necesarias por razón de urgencia, tal y como disponen los arts. 259 y 284 LECrim y ha declarado la jurisprudencia del Tribunal Supremo (Sentencias del T.S. de 7 de junio de 1993, 15 de julio de 1993, 28 de abril de 1995 y 4 de octubre de 1996). La demanda de amparo no ofrece razón o indicio alguno que pueda llevar a pensar que los funcionarios policiales hayan burlado las garantías constitucionales de los derechos fundamentales afectados por su actuación: no se aprecia ninguna divergencia entre las autorizaciones judiciales concedidas y las investigaciones practicadas por la policía, ni tampoco se sustrajeron al conocimiento del Juez que había autorizado la intervención los resultados de la misma (STC 49/1996, fundamento jurídico 4)». STC 431/1998 de 24 de febrero.

hallada como consecuencia del registro era de interés para procedimientos que se encontraban abiertos ya en el Juzgado, y con los que terminó siendo acumulado el seguido por delito fiscal por lo que no hay traza de vulneración de ningún derecho fundamental. Sólo si la obtención de esos documentos hubiera sido en fraude de las garantías constitucionales del derecho a la inviolabilidad del domicilio, hubiera cabido cuestionar su posterior utilización como medio de prueba en el proceso penal contra el actor. Pero la demanda de amparo no razona, ni menos ofrece un principio de prueba, tendente a mostrar algún abuso en ese sentido, a pesar de que es carga del recurrente razonar convincentemente su existencia». STC 41/1998 de 24 de febrero.

Este es el criterio seguido en el art. 579 bis LECrim, introducido por la Ley 13/2015, que con relación a la diligencia de *detención y apertura de la correspondencia escrita y telegráfica* dispone que: «*La continuación de esta medida para la investigación del delito casualmente descubierto requiere autorización del juez competente, para la cual, éste comprobará la diligencia de la actuación, evaluando el marco en el que se produjo el hallazgo casual y la imposibilidad de haber solicitado la medida que lo incluyera en su momento. Asimismo se informará si las diligencias continúan declaradas secretas, a los efectos de que tal declaración sea respetada en el otro proceso penal, comunicando el momento en el que dicho secreto se alce*». Este precepto también es de aplicación a la intervención de comunicaciones, por remisión del art. 588 bis i LECrim. No existe tal remisión a la diligencia de entrada y registro, que sin embargo debe tenerse por hecha, en tanto que recoge la doctrina jurisprudencial en esta materia. En cualquier caso, el hallazgo causal debe producirse de buena fe y a partir de una diligencia de registro válida.

«Esa doctrina de la validez del hallazgo casual presupone que el descubrimiento de los efectos que permiten afirmar la existencia de un segundo delito sumado al inicialmente perseguido, ha de producirse durante el desarrollo de una diligencia de registro no afectada de nulidad. Carecería de sentido que el hallazgo casual que aflora durante el desarrollo de un registro ilegal tuviera virtualidad para convertir una vía de hecho inicialmente nula en un registro domiciliario constitucionalmente válido. Es preciso que el registro esté debidamente autorizado, aun cuando lo fuera con la finalidad de descubrir un delito distinto, y que el hallazgo se produzca de buena fe (STS 1093/2003, de 24 de julio (LA LEY 130474/2003)). Sin embargo, la buena voluntad de los agentes y el deseo de excluir cualquier riesgo, no pueden invocarse como argumentos de justificación *ex post*, convirtiendo en acto probatorio válido un registro domiciliario que está estructuralmente viciado por la falta de habilitación (STS 103/2015 de 24 de febrero (LA LEY 14960/2015))». STS 423/2016 de 18 May. 2016, Rec. 1286/2015; Ponente: Ferrer García, Ana María. LA LEY 51976/2016.

f) Ejecución forzosa de actos administrativos[173]

En el supuesto de la ejecución forzosa de actos administrativos se precisará resolución judicial motivada para la entrada en el domicilio privado cuando se

---

(173) Vid. ÁLVAREZ LINERA, «La autorización judicial para la entrada en domicilios particulares, en ejecución de actos administrativos», en *La Ley*, 1989-1, p. 1037; NIETO, «Actos administrativos cuya ejecución precisa una entrada domiciliaria», *REDA*, n.º 11, 1987; LÓPEZ RAMÓN, «Inviolabilidad de domicilio y autotutela administrativa en la jurisprudencia del Tribunal Constitucional», en *De la jurisprudencia del Tribunal Constitucional* (obra colectiva), 1985, pp. 478 y ss.

oponga el particular[174]. Así lo establece el art. 91.2º LOPJ que otorga competencia para conocer de la petición al Juzgado de lo contencioso-administrativo. El Tribunal Constitucional tiene declarado que, en estos supuestos, el Juez actúa como garante del derecho fundamental a la inviolabilidad del domicilio. De este modo, su función consistirá en comprobar que el acto administrativo haya sido dictado por órgano competente en el ejercicio de sus facultades, y que su ejecución requiere la entrada en domicilio privado. Ahora bien, el control de la legalidad del acto administrativo, así como el de toda la actuación administrativa, deberá plantearse en vía Contencioso-Administrativa en el procedimiento que corresponda.

El registro domiciliario también puede ser pertinente para la instrucción de determinados expedientes administrativos. Así, en el caso de los expedientes tributarios. Para este supuesto también se exige auto judicial motivado en el que deberá especificarse, entre otros extremos, la duración, el tiempo de entrada, número de personas que van a practicarlo y el objeto de la diligencia.

> «Esto nos sitúa de nuevo ante los arts. 87.2 LOPJ y 130 LGT, vigente en la redacción ordinaria de 1963, una vez declarada inconstitucional su reforma por la Ley 33/1987 en nuestra STC 76/92, preceptos ambos donde se contempla tan sólo la ejecución forzosa de los actos administrativos, mientras que el presente caso se ha producido en el curso de la función investigadora de la inspección de la Hacienda pública. Para aquel procedimiento administrativo hemos considerado acorde con la Constitución que se atribuyera a los Jueces de Instrucción la competencia de expedir o negar el mandamiento correspondiente. Tanta o más razón existe para que se extienda el ámbito de la norma, por vía analógica ante el silencio de la Ley, al procedimiento de la inspección tributaria, con una semejanza tan notable a la instrucción sumarial en los aspectos que tocan al casi inevitable desencadenamiento de la potestad sancionadora o del tanto de culpa a la propia jurisdicción penal... En tal aspecto, desde los casos Chappell y Niemietz (SS del TEDH de 30 marzo 1989 y de 16 diciembre 1992) se viene exigiendo la imposición de garantías y cautelas que eviten comportamientos arbitrarios en la ejecución, ante la eventualidad de la falta de audiencia previa del afectado. Según esta jurisprudencia han de limitarse, entre otros extremos que no hacen al caso, el período de duración y el tiempo de la entrada, así como el número de personas que puedan acceder al domicilio, aun cuando no se identifiquen individualmente con carácter previo». (STC 50/95, de 23 febrero).

3.2. Registro de libros y documentos

El art. 575 LECrim establece la obligación de exhibir los objetos y papeles que puedan tener relación con una causa penal. Además, el Juez podrá autorizar el registro de libros, documentos y papeles de contabilidad del inculpado, cuando existieran indicios que del registro pudiera resultar el descubrimiento de algún hecho o circunstancia importante de la causa (art. 573 LECrim). La forma de llevar a cabo esta

---

(174) El Tribunal Constitucional, analizando la eficacia de la protección constitucional de la inviolabilidad del domicilio frente a la Administración, en STC 22/84, de 17 febrero, estableció, antes de la promulgación de la LOPJ, que la resolución judicial administrativa que ordene una ejecución que sólo pueda llevarse a cabo ingresando en un domicilio privado, «por sí sola no conlleva el mandato y autorización del ingreso, de suerte que cuando éste es negado por el titular debe obtenerse una nueva resolución judicial que autorice la entrada».

diligencia viene prevista en la LECrim. —art. 576—, que se remite a la forma de practicar la entrada y registro en lugar cerrado, incluyendo algunas normas específicas en los arts. 574, 575, 577 y 578.

El incumplimiento de la obligación expresada podrá llevar aparejada la consecuencia de incurrir en desobediencia (art. 575.2 LECrim). Ahora bien, únicamente cuando el requerido fuere un tercero. En el supuesto de requerirse al imputado se producirá una colisión del derecho a no declarar con la obligación de exhibir los libros y documentos, sin que pueda incurrir en un delito de desobediencia. Por ejemplo en el caso de los delitos tributarios en los que se requiera al imputado a aportar la documentación contable o fiscal. No obstante, el inculpado puede resultar perjudicado por su conducta omisiva de forma indirecta, en tanto que su inactividad puede valorarse como un indicio en su contra. Ahora bien, lo que no cabe es el apercibimiento ni la posibilidad de incurrir en desobediencia, ya que de ese modo se le estaría obligando a autoinculparse. A este respecto, tal y como se ha interpretado por el TEDH el acusado tiene derecho a no contribuir a su propia incriminación STEDH 25 de febrero de 1993 (Funke). Es decir, que tiene derecho a no confesar contra sí mismo y a no declararse culpable.

3.3. Detención y apertura de la correspondencia escrita y telegráfica

La Constitución garantiza el secreto de las comunicaciones y, en especial, de las postales, telegráficas y telefónicas, salvo resolución judicial (art. 18.3 CE). Este precepto recoge un principio consagrado en el art. 8.1.º Convenio de Roma de 4 de noviembre de 1950 para la protección de los Derechos Humanos y de las Libertades Fundamentales y en el art. 17 del Pacto Internacional de Derechos Civiles y Políticos de Nueva York de 16 de diciembre de 1966. La salvaguarda y protección del derecho al secreto de las comunicaciones encuentra su reflejo en el Código Penal que tipifica como conductas delictivas la interceptación de la correspondencia privada, comunicación telefónica, correo electrónico, o cualquier otra señal de comunicación (arts. 197, 198, 534, y ss., CP).

> «El derecho al secreto de las comunicaciones …/… es un derecho individual reconocido en la Constitución con rango de derecho fundamental, que solo debe ceder cuando se encuentre en colisión con otros intereses relevantes, y solamente además, en la medida en que, según el caso, resulte imprescindible para la satisfacción de aquéllos. La Declaración Universal de los Derechos Humanos, artículo 12 (LA LEY 22/1948), y el Pacto Internacional de Derechos Civiles y Políticos (LA LEY 129/1966), artículo 17, se refieren al derecho a no ser objeto de injerencias arbitrarias o ilegales en la vida privada y en la correspondencia, y el Convenio Europeo para la Protección de los Derechos Humanos y de las Libertades Fundamentales (LA LEY 16/1950), dispone en el artículo 8.1 que "toda persona tiene derecho al respeto de su vida privada y familiar, de su domicilio y de su correspondencia", nociones que incluyen el secreto de las comunicaciones telefónicas, según una reiterada doctrina jurisprudencial del TEDH. Añade el Convenio Europeo, en el artículo 8.2, que "no podrá haber injerencia de la autoridad pública en el ejercicio de este derecho (respeto a la vida privada y familiar, domicilio y correspondencia) sino en tanto en cuanto esta injerencia esté prevista por la ley y constituya una medida que, en una sociedad democrática, sea necesaria para la seguridad nacional, la seguridad pública,

el bienestar económico del país, la defensa del orden y la prevención del delito, la protección de la salud o de la moral, o la protección de los derechos y las libertades de los demás"». ATS Sala Segunda, de lo Penal, Auto 781/2017 de 27 Abr. 2017, Rec. 10559/2016. Ponente: Palomo del Arco, Andrés. LA LEY 64655/2017.

Por tanto, la intervención de las comunicaciones personales debe acordarse en resolución judicial. El modo y los procedimientos por los cuales se puede producir la comunicación personal es muy extenso e incluye los sistemas tradicionales como el correo, teléfono o telegrama y los modernos mediante dispositivos tecnológicos[175]. A estos últimos, incluyendo la comunicación telefónica, se refieren los arts. 588 Bis y ss. LECrim: Mientras que los arts. 579 LECrim a 588 LECrim regulan la detención y apertura de la correspondencia escrita y telegráfica. El citado art. 579 LECrim distingue entre dos clases de intervención que podrá acordar el Juez: 1ª La detención de la correspondencia privada, postal y telegráfica, incluidos faxes, burofaxes y giros, que el investigado remita o reciba, así como su apertura o examen, si hubiera indicios de obtener por estos medios el descubrimiento o la comprobación del algún hecho o circunstancia relevante para la causa. 2ª. El juez podrá acordar, en resolución motivada, por un plazo de hasta tres meses, prorrogable por iguales o inferiores períodos hasta un máximo de dieciocho meses, la observación de las comunicaciones postales y telegráficas del investigado, así como de las comunicaciones de las que se sirva para la realización de sus fines delictivos. La resolución deberá estar motivada atendiendo a las circunstancias del hecho investigado que deberá estar incluido entre los establecidos por la Ley para poder adoptar esta clase de medida (art. 579 LECrim): 1.º Delitos dolosos castigados con pena con límite máximo de, al menos, tres años de prisión. 2.º Delitos cometidos en el seno de un grupo u organización criminal. 3.º Delitos de terrorismo.

«El Tribunal Constitucional en sentencia 110/84 de 26.11 (LA LEY 353-TC/1985), ha recordado que "la inviolabilidad del domicilio y de la correspon-

---

(175) «El derecho al secreto de las comunicaciones (art. 18.3 CE) protege implícitamente la libertad de las comunicaciones y, además, de modo expreso, su secreto. De manera que la protección constitucional se proyecta sobre el proceso de comunicación mismo cualquiera que sea la técnica de transmisión utilizada (STC 70/2002) y con independencia de que el contenido del mensaje transmitido o intentado transmitir —conversaciones, informaciones, datos, imágenes, votos, etc...— pertenezca o no al ámbito de lo personal, lo íntimo o lo reservado (STC 114/1984). El derecho al secreto de las comunicaciones protege a los comunicantes frente a cualquier forma de interceptación o captación del proceso de comunicación por terceros ajenos, sean sujetos públicos o privados (STC 114/1984) .../... la vulneración del derecho al secreto de las comunicaciones telefónicas requiere la interferencia directa en el proceso de comunicación ("mutatis mutandi" respecto de las comunicaciones postales STC 70/2002) mediante el empleo de cualquier artificio técnico de captación, sintonización o desvío y recepción de la señal telefónica como forma de acceso a los datos confidenciales de la comunicación: su existencia, contenido y las circunstancias externas del proceso de comunicación antes mencionadas. De modo que la difusión sin consentimiento de los titulares del teléfono o sin autorización judicial de los datos de esta forma captados supone la vulneración del derecho al secreto de las comunicaciones. La aplicación de la doctrina expuesta conduce a concluir que la entrega de los listados por las compañías telefónicas a la policía sin consentimiento del titular del teléfono requiere resolución judicial, pues la forma de obtención de los datos que figuran en los citados listados supone una interferencia en el proceso de comunicación que está comprendida en el derecho al secreto de las comunicaciones telefónicas del art. 18.3 CE». STC 123/2002 de 20 de mayo.

dencia, que son algunas de esas libertades tradicionales, tienen como finalidad principal el respeto a un ámbito de vida privada personal y familiar, que debe quedar excluido del conocimiento ajeno y de las intromisiones de los demás, salvo autorización del interesado. Lo ocurrido es que el avance de la tecnología actual y el desarrollo de los medios de comunicación de masas ha obligado a extender esa protección más allá del aseguramiento del domicilio como espacio físico en que normalmente se desenvuelve la intimidad y del respeto a la correspondencia, que es o puede ser medio de conocimiento de aspectos de la vida privada. De aquí el reconocimiento global de un derecho a la intimidad o a la vida privada que abarque las intromisiones que por cualquier medio puedan realizarse en ese ámbito reservado de vida" (FJ 3). En el mismo sentido, en la STC 119/2001, de 24 de mayo (LA LEY 3644/2001), afirmábamos que "estos derechos han adquirido también una dimensión positiva en relación con el libre desarrollo de la personalidad, orientada a la plena efectividad de estos derechos fundamentales. En efecto, habida cuenta de que nuestro texto constitucional no consagra derechos meramente teóricos o ilusorios, sino reales y efectivos ..., se hace imprescindible asegurar su protección no sólo frente a las injerencias ya mencionadas, sino también frente a los riesgos que puedan surgir en una sociedad tecnológicamente avanzada. A esta nueva realidad ha sido sensible la jurisprudencia del Tribunal Europeo de Derechos Humanos, como se refleja en las Sentencias de 21 de febrero de 1990, caso Powell y Rayner contra Reino Unido; de 9 de diciembre de 1994, caso López Ostra contra Reino de España, y de 19 de febrero de 1998, caso Guerra y otros contra Italia" (FJ 5)». STS 426/2016 de 19 May. 2016, Rec. 2107/2015; Ponente: Berdugo Gómez de la Torre, Juan Ramón. LA LEY 51966/2016.

No obstante, el art. 579.3 LECrim, prevé que en supuestos de urgencia, cuando las investigaciones se realicen para la averiguación de delitos relacionados con la actuación de bandas armadas o elementos terroristas y existan razones fundadas que hagan imprescindible la medida de intervención, podrá ordenarla el Ministro del Interior o, en su defecto, el Secretario de Estado de Seguridad. Esta medida se comunicará inmediatamente al juez competente y, en todo caso, dentro del plazo máximo de veinticuatro horas, haciendo constar las razones que justificaron la adopción de la medida, la actuación realizada, la forma en que se ha efectuado y su resultado. El juez competente, también de forma motivada, revocará o confirmará tal actuación en un plazo máximo de setenta y dos horas desde que fue ordenada la medida.

A) Ámbito de protección constitucional de la comunicación postal

Tras algunas divergencias jurisprudenciales el acuerdo alcanzado en la Reunión General de la Sala 2.ª de fecha 4 de abril 1995, ratificado por otro adoptado en la Reunión Plenaria, de 17 de enero de 1996, unificó los criterios jurisprudencial en orden a cuál sea el concepto de envío postal amparado por el secreto de las comunicaciones[176]. Esta doctrina jurisprudencial ha adquirido rango legal en el art. 579.4

---

(176) Acuerdo del TS de 4 de abril de 1995: «... 1º) Bajo la protección del derecho a la intimidad se encuentra no solo las cartas —correspondencia epistolar— sino todo género de correspondencia postal, entre ellos los paquetes postales, al poder ser portadores de mensajes personales de índole confidencial. 2º) La detención y registro de la correspondencia queda bajo la salvaguarda de la Autoridad Judicial, por lo que la diligencia de apertura de correspondencia desprovista de las garantías que la legitiman, devine nula. 3º) El reconocimiento de los envíos

LECrim que ha regulado específicamente los supuestos en los cuales no se requerirá autorización judicial para inspeccionar determinados envíos postales, precisamente en razón de la ausencia de contenido constitucionalmente protegible. En su virtud nos e requerirá orden judicial para la intervención y detención de los siguientes envíos y/o efectos postales: «a) Envíos postales que, por sus propias características externas, no sean usualmente utilizados para contener correspondencia individual sino para servir al transporte y tráfico de mercancías o en cuyo exterior se haga constar su contenido. b) Aquellas otras formas de envío de la correspondencia bajo el formato legal de comunicación abierta, en las que resulte obligatoria una declaración externa de contenido o que incorporen la indicación expresa de que se autoriza su inspección. c) Cuando la inspección se lleve a cabo de acuerdo con la normativa aduanera o proceda con arreglo a las normas postales que regulan una determinada clase de envío» art. 579.4 LECrim.

Así, la vigente doctrina legal sobre esta materia puede resumirse en los siguientes puntos:

1º. El secreto postal afecta a todos los envíos que puedan facturarse por medio del servicio de correos y, por extensión, por medio de las entidades privadas que ofrezcan análogos servicios: cartas, telegramas, etc.

> «A los efectos de la protección del derecho al secreto de las comunicaciones postales es indiferente quién presta el servicio postal, de modo que el derecho al secreto de las comunicaciones postales alcanza el proceso de comunicación tanto si se presta mediante servicios públicos como privados, dado que la Ley 24/1998, de 13 de julio (LA LEY 2684/1998), del servicio postal universal y de liberalización de los servicios postales ha procedido a su liberalización». STS Sala Segunda, de lo Penal, Sentencia 339/2017 de 11 May. 2017, Rec. 10025/2017. Ponente: Moral García, Antonio del. LA LEY 48409/2017.

2º. La protección constitucional del secreto postal alcanza también a los paquetes postales (Véanse SSTC 281/2006 de 9 octubre y 137/2002 de 3 de junio[177]). Por medio de estos paquetes pueden enviarse objetos de mayor volumen que las simples cartas, pero con un posible contenido de carácter íntimo y personal (fotografías, cintas de vídeo, etc.), que merecen igualmente protección constitucional[178].

---

postales puede ejecutarse de oficio y sin formalidades especiales sobre objetos abiertos y cuantos ostentan etiqueta verde...».

(177) «Así respecto del objeto de protección del derecho genérico a las comunicaciones postales nos hemos pronunciado, de un lado, en la STC 137/2002, de 3 de junio (LA LEY 6260/2002), FJ 3, si bien obiter dicta. En esta resolución admitimos implícitamente que el paquete postal quedaba amparado bajo la cobertura del derecho al secreto de las comunicaciones del art. 18.3 CE (LA LEY 2500/1978)». STC Sala Primera, Sentencia 281/2006 de 9 Oct. 2006, Rec. 1829/2003; Ponente: Casas Baamonde, María Emilia. LA LEY 110153/2006.

(178) «En la medida en que los mensajes pueden expresarse no solo mediante palabras, sino a través de otro conjunto de signos o señales que componen otra clase de lenguajes, y dado que los mensajes pueden plasmarse no solo en papel escrito, sino también en otros soportes que los incorporan —cintas de cassette o de vídeo, CD's o DVD's, etc., ...— la noción de correspondencia no puede quedar circunscrita a la correspondencia escrita, entendida ésta en su sentido tradicional. Por ello, se ha de estar a la delimitación que la regulación legal sobre

«Varias precisiones son aún necesarias a los efectos de la delimitación de la noción constitucional de correspondencia del art. 18.3 CE. De un lado, en la medida en que los mensajes pueden expresarse no solo mediante palabras, sino a través de otro conjunto de signos o señales que componen otra clase de lenguajes, y dado que los mensajes pueden plasmarse no solo en papel escrito, sino también en otros soportes que los incorporan —cintas de casete o de vídeo, CD's o DVD's, etc.— la noción de correspondencia no puede quedar circunscrita a la correspondencia escrita, entendida ésta en su sentido tradicional. Por ello, se ha de estar a la delimitación que la regulación legal sobre el servicio postal universal establece, que al efecto atiende a ciertas características externas y físicas —tamaño— del objeto de envío —sobre, paquete—, en cuyo interior se introducen los soportes físicos de los mensajes —papeles, cintas, CD's ...». STS Sala Segunda, de lo Penal, Sentencia 339/2017 de 11 May. 2017, Rec. 10025/2017. Ponente: Moral García, Antonio del. LA LEY 48409/2017.

En consecuencia, en tanto que los paquetes postales pueden ser portadores de mensajes personales de índole confidencial están amparados por el secreto de las comunicaciones, de tal manera que, la diligencia de apertura, desprovista de las garantías que la legitiman será nula.

3º. No se pueden incluir en la consideración de paquete postal aquellos envíos que por su tamaño, forma de transporte, peso[179] o circunstancias similares tengan la consideración evidente de mercancías (art. 579.4.a LECrim). Por ejemplo unos

---

el servicio postal universal establece, que, al efecto atiende a ciertas características externas y físicas —tamaño— del objeto de envío —sobre, paquete—, en cuyo interior se introducen los soportes físicos de los mensajes —papeles, cintas, CD's ...—. Desde esta perspectiva, no gozan de la protección constitucional aquellos objetos —continentes— que por sus propias características no son usualmente utilizados para contener correspondencia individual sino para servir al transporte y tráfico de mercancías (ATC 395/2003, de 11 de diciembre (LA LEY 206658/2003), FJ 3), de modo que la introducción en ellos de mensajes no modificará su régimen de protección constitucional. Ni tampoco gozan de la protección constitucional del art. 18.3 CE (LA LEY 2500/1978) aquellos objetos que, pudiendo contener correspondencia, sin embargo, la regulación legal prohíbe su inclusión en ellos, pues la utilización del servicio comporta la aceptación de las condiciones del mismo. Además, si lo que se protege es el secreto de la comunicación postal quedan fuera de la protección constitucional aquellas formas de envío de la correspondencia que se configuran legalmente como comunicación abierta, esto es, no secreta. STC Sala Primera, Sentencia 281/2006 de 9 Oct. 2006, Rec. 1829/2003; Ponente: Casas Baamonde, María Emilia. LA LEY 110153/2006.

(179) «Recordemos el párrafo 2º del fundamento cuarto de la sentencia 281/2006: "El paquete postal en el que se halló la droga no es, de conformidad a lo razonado, el instrumento o soporte de una comunicación postal protegida en el art. 18.3 C.E., pues ni de sus características externas ni de sus signos externos se infiere su destino a la transmisión de mensajes: una caja de cartón con un peso aproximado de mil quinientos gramos, en la que no consta que contuviera correspondencia, ni signo alguno que lo evidencie". En nuestro caso la caja, fotografiada en las actuaciones, dentro del propio informe policial, y desmantelada en su contenido, también plasmado fotográficamente en dicho informe, evidencia que el paquete transportado pesaba 9 Kg. de los cuales, cerca de dos kilogramos eran cocaína. Por tanto el motivo debe estimarse declarando la nulidad de la sentencia, remitiendo los autos a su origen para que valorando por la Audiencia el contenido del paquete, sus análisis y las demás pruebas legítimas dicte nueva sentencia conforme a derecho». STS Sala Segunda, de lo Penal, Sentencia 733/2014 de 12 Nov. 2014, Rec. 855/2014. Ponente: Soriano Soriano, José Ramón. LA LEY 162342/2014.

bidones o paquetes que por su forma o apariencia externa sirven para el transporte de mercancías de pequeño o gran tamaño[180].

> «Para calificar el envío de correspondencia hay que atenerse a ciertas características externas y físicas —tamaño del objeto de envío-sobre, paquete— en cuyo interior se introducen los soportes físicos de los mensajes —papeles, cintas, CD's...—. Desde esta perspectiva, no gozan de la protección constitucional aquellos objetos —continentes— que por sus propias características no son usualmente utilizados para contener correspondencia individual sino para servir al transporte y tráfico de mercancías (ATC 395/2003, de 11 de diciembre (LA LEY 206658/2003), FJ 3), de modo que la introducción en ellos de mensajes no modificará su régimen de protección constitucional. Ni tampoco gozan de la protección constitucional del art. 18.3 CE (LA LEY 2500/1978). Aquellos objetos que, pudiendo contener correspondencia, sin embargo, la regulación legal prohíbe su inclusión en ellos, pues la utilización del servicio comporta la aceptación de las condiciones del mismo». STS 577/2015 de 6 Oct. 2015, Rec. 10312/2015; Ponente: Soriano Soriano, José Ramón. LA LEY 144824/2015.

En este sentido la STC 281/2006 que declara que no todo envío o intercambio de objetos o señales que pueda realizarse mediante los servicios postales es una comunicación postal, noción constitucional de significado restringido que no incluye todo intercambio realizado mediante los servicios postales[181].

---

(180)   «Hay que tener en cuenta que no era necesaria la autorización judicial al tratarse de un envío postal que por sus características externas no era de los destinados a contener correspondencia, sino para servir al transporte y tráfico de mercancía, especialmente por el peso del mismo superior a los 20 Kg. Con arreglo a reiterada doctrina de esta Sala (entre otras SSTS 103/2002 de 18 de enero; 404/2004 30 de marzo (LA LEY 12779/2004); 699/2004 de 24 de mayo (LA LEY 121091/2004); 185/2007 de 20 de febrero (LA LEY 8234/2007); 848/2008 de 9 de diciembre (LA LEY 198346/2008); 847/2012 de 23 de octubre (LA LEY 162470/2012); 723/2013 de 2 de octubre (LA LEY 154013/2013); 115/2015 de 5 de marzo (LA LEY 18404/2015), 577/2015 6 de octubre (LA LEY 144824/2015) o 340/2016, de 6 de abril (LA LEY 32918/2016)) respaldada por la del Tribunal Constitucional, y que en lo esencial ha sido positivada por el legislador en la nueva redacción del artículo 579 LECrim (LA LEY 1/1882) según redacción dada por la LO 13/2015 (LA LEY 15163/2015), de modificación de la misma, para el fortalecimiento de las garantías procesales y la regulación de las medidas de investigación tecnológica, no todo envío o intercambio de objetos o señales que pueda realizarse mediante los servicios postales es una comunicación postal. La comunicación es a efectos constitucionales el proceso de transmisión de expresiones de sentido a través de cualquier conjunto de sonidos, señales o signos, por lo que el derecho al secreto de las comunicaciones postales sólo protege el intercambio de objetos a través de los cuales se transmiten mensajes mediante signos lingüísticos, de modo que la comunicación postal solo desde esta perspectiva es equivalente a la correspondencia. Así, no gozan de la protección constitucional aquellos objetos —continentes— que por sus propias características no son usualmente utilizados para albergar correspondencia individual, sino para servir al transporte y tráfico de mercancías, de modo que la introducción en ellos de mensajes no modificará su régimen de protección constitucional». STS Sala Segunda, de lo Penal, Sentencia 310/2017 de 3 May. 2017, Rec. 10653/2016. Ponente: Monterde Ferrer, Francisco. LA LEY 47198/2017.

(181)   «Estamos en presencia no de correspondencia personal sino de envíos de paquetes que en su exterior ya señalan cual es su contenido, lo que permite a la autoridad aduanera revisar que efectivamente corresponda el producto declarado con el contenido del paquete. Debe recordarse a este respecto que efectivamente un envío postal tiene una naturaleza distinta de la correspondencia postal. El envío no está protegido en cuanto a su apertura por el control judicial, conforme se manifiesta entre otras en STS 699/2004 (LA LEY 121091/2004)».../... Las SSTC 137/2002, de 3 de

«En primer término, hemos de recordar que el art. 18.3 CE literalmente "garantiza el secreto de las comunicaciones y en especial, de las postales, telegráficas y telefónicas, salvo resolución judicial". Varias circunstancias derivan de dicho tenor literal: que el art. 18.3 CE (LA LEY 2500/1978) no alude al secreto postal sino al secreto de las comunicaciones postales y que identifica de forma individualizada las comunicaciones postales diferenciándolas de las telegráficas. Por consiguiente, no todo envío o intercambio de objetos o señales que pueda realizarse mediante los servicios postales es una comunicación postal, pues, de un lado, no se refiere al secreto postal y, de otro, también las comunicaciones telegráficas se mencionan expresamente en este precepto constitucional, siendo el servicio de telégrafos uno de los servicios prestados por los propios servicios postales. La noción constitucional de comunicación postal, es, en consecuencia, una noción restringida que no incluye todo intercambio realizado mediante los servicios postales. De otra parte, ha de tenerse en cuenta que el término "comunicaciones" al que se refiere el art. 18.3 CE (LA LEY 2500/1978), sirve para denotar el objeto de protección de este derecho constitucional sea cual sea el medio a través del cual la comunicación tiene lugar —postal, telegráfico, telefónico...—; de modo que la noción constitucional de comunicación ha de incorporar los elementos o características comunes a toda clase de comunicación .../... De todo ello deriva que la comunicación es un proceso de transmisión de mensajes entre personas determinadas. Por tanto, el derecho al secreto de las comunicaciones postales sólo protege el intercambio de objetos a través de los cuales se transmiten mensajes mediante signos lingüísticos, de modo que la comunicación postal es desde la perspectiva constitucional equivalente a la correspondencia». STC Sala Primera, Sentencia 281/2006 de 9 Oct. 2006, Rec. 1829/2003; Ponente: Casas Baamonde, María Emilia. LA LEY 110153/2006.

En estos casos, y respecto a esta clase de envíos, la autoridad podrá inspeccionar su contenido. En el caso que se comprobase que su contenido puede fundar una causa penal deberá procederse, en su caso a la detención del portador, y su puesta a disposición judicial para, salvo urgencia o necesidad, proceder a su apertura ante el Juez de instrucción con presencia del interesado.

4º. No se extiende la protección constitucional sobre los objetos que circulen legalmente como comunicación abierta, con etiqueta verde, cuando es legalmente obligatoria una declaración externa de contenido o cuando bien su franqueo o cualquier otro signo o etiquetado externo evidencia que no contiene correspondencia personal (art. 579.4.b LECrim)[182].

«Además, si lo que se protege es el secreto de la comunicación postal quedan fuera de la protección constitucional aquellas formas de envío de la corresponden-

---

junio (LA LEY 6260/2002) o 281/2006, de 9 de octubre (LA LEY 110153/2006) son dos claros precedentes al lado de los cuales cabría citar muchos otros de esta Sala Segunda (el Fiscal recoge una buena muestra de ellos en su dictamen). La doctrina es reiterada. Unos bidones no están protegidos por el derecho al secreto de la correspondencia. Tampoco cuando su remitente no hace constar una autorización expresa para su apertura a efectos de inspección fiscal.». STS Sala Segunda, de lo Penal, Sentencia 339/2017 de 11 May. 2017, Rec. 10025/2017. Ponente: Moral García, Antonio del. LA LEY 48409/2017.

(182) Véase el art, 117 del Reglamento del Convenio sobre paquetes postales de 14 de diciembre de 1989, ratificado por España el 1 de junio de 1992, que advierte que los paquetes que deban someterse a control aduanero llevarán etiqueta verde y en la declaración se detallará el contenido del envío, sin que se admitan indicaciones de carácter general.

cia que se configuran legalmente como comunicación abierta, esto es, no secreta. Así sucede cuando es legalmente obligatoria una declaración externa de contenido, o cuando bien su franqueo o cualquier otro signo o etiquetado externo evidencia que, como acabamos de señalar, no pueden contener correspondencia, pueden ser abiertos de oficio o sometidos a cualquier otro tipo de control para determinar su contenido». STS Sala Segunda, de lo Penal, Sentencia 339/2017 de 11 May. 2017, Rec. 10025/2017. Ponente: Moral García, Antonio del. LA LEY 48409/2017.

Nótese que la razón de excluir de protección constitucional estos envíos con etiqueta verde se halla en el interesado acepta toda las condiciones del envío y, entre ellas, la posibilidad de apertura para control del contenido. De este modo se produce una renuncia expresa al posible derecho de secreto del contenido del paquete. Con relación a estos envíos los funcionarios pueden realizar todas las operaciones que estimen pertinentes cuando consideren que su descripción no corresponde a su verdadero contenido.

«En definitiva hemos de concluir que con arreglo a reiterada doctrina de esta Sala (entre otras SSTS 103/2002 (LA LEY 22397/2002) de 18 de enero; 404/2004 30 de marzo (LA LEY 12779/2004); 699/2004 de 24 de mayo (LA LEY 121091/2004); 185/2007 de 20 de febrero (LA LEY 8234/2007); 848/2008 de 9 de diciembre (LA LEY 198346/2008); 847/2012 de 23 de octubre (LA LEY 162470/2012); 723/2013 de 2 de octubre (LA LEY 154013/2013); 115/2015 de 5 de marzo (LA LEY 18404/2015) o 577/2015 6 de octubre (LA LEY 144824/2015)) respaldada por la del Tribunal Constitucional, y que en lo esencial ha sido positivada por el legislador en la nueva redacción del artículo 579 LECrim (LA LEY 1/1882) según redacción dada por la LO 13/2015 (LA LEY 15163/2015), de modificación de la Ley de Enjuiciamiento Criminal (LA LEY 1/1882) para el fortalecimiento de las garantías procesales y la regulación de las medidas de investigación tecnológica, no todo envío o intercambio de objetos o señales que pueda realizarse mediante los servicios postales es una comunicación postal. La comunicación es a efectos constitucionales el proceso de transmisión de expresiones de sentido a través de cualquier conjunto de sonidos, señales o signos, por lo que el derecho al secreto de las comunicaciones postales sólo protege el intercambio de objetos a través de los cuales se transmiten mensajes mediante signos lingüísticos, de modo que la comunicación postal solo desde esta perspectiva es equivalente a la correspondencia. No gozan de la protección constitucional aquellos objetos —continentes— que por sus propias características no son usualmente utilizados para albergar correspondencia individual, sino para servir al transporte y tráfico de mercancías, de modo que la introducción en ellos de mensajes no modificará su régimen de protección constitucional. Tampoco gozan de protección aquellos objetos que pudiendo contener correspondencia, sin embargo, la regulación legal prohíbe su inclusión en ellos, pues la utilización del servicio comporta la aceptación de las condiciones del mismo. El envío de mercancías o el transporte de cualesquiera objetos, incluidos los que tienen como función el transporte de enseres personales —maletas, maletines, neceseres, bolsos de viaje, baúles, etc.— por las compañías que realizan el servicio postal no queda amparado por el derecho al secreto de las comunicaciones, pues su objeto no es la comunicación en el sentido constitucional del término». STS Sala Segunda, de lo Penal, Sentencia 340/2016 de 6 Abr. 2016, Rec. 1584/2015. Ponente: Ferrer García, Ana María. LA LEY 32918/2016.

5º. No se extiende la protección constitucional a equipaje o bolsas de viaje, pues su objeto no es la comunicación en el sentido constitucional del término.

«Tampoco tienen protección aquellos objetos que pudiendo contener correspondencia, sin embargo, la regulación legal prohíbe su inclusión en ellos, pues la utilización del servicio comporta la aceptación de las condiciones del mismo. El envío de mercancías o el transporte de cualesquiera objetos, incluidos los que tienen como función el transporte de enseres personales —maletas, maletines, neceseres, bolsos de viaje, baúles, etc.— por las compañías que realizan el servicio postal no queda amparado por el derecho al secreto de las comunicaciones, pues su objeto no es la comunicación en el sentido constitucional del término». STS Sala Segunda, de lo Penal, Sentencia 310/2017 de 3 May. 2017, Rec. 10653/2016. Ponente: Monterde Ferrer, Francisco. LA LEY 47198/2017.

Respecto a esta clase de efectos la Jurisprudencia ha declarado que el derecho a las comunicaciones no protege directamente el objeto físico, el continente o soporte del mensaje en sí, sino que éstos sólo se protegen de forma indirecta, esto es, tan sólo en la que medida en que son el instrumento a través del cual se efectúa la comunicación entre dos personas —destinatario y remitente—. En su virtud, la inspección de maletas, mochila, bolsas o similares no supone una vulneración del derecho a las comunicaciones, pero sí puede suponerlo del derecho a la intimidad que puede quedar sometido a las previsiones legales que podrán autorizar a la autoridad administrativa para su apertura o para proceder a inspeccionar y controlar su contenido por cualquier procedimiento, siendo requisito de la constitucionalidad de tal control o inspección su sujeción a las máximas derivadas del principio de proporcionalidad,

«El envío de mercancías o el transporte de cualesquiera objetos, incluidos los que tienen como función el transporte de enseres personales —maletas, maletines, neceseres, bolsas de viaje, baúles, etc.— por las compañías que realizan el servicio postal no queda amparado por el derecho al secreto de las comunicaciones, pues su objeto no es la comunicación en el sentido constitucional del término. Es la segunda que el art. 18.3 CE (LA LEY 2500/1978) no protege directamente el objeto físico, el continente o soporte del mensaje en sí, sino que éstos sólo se protegen de forma indirecta, esto es, tan sólo en la que medida en que son el instrumento a través del cual se efectúa la comunicación entre dos personas —destinatario y remitente. Por consiguiente, cualquier objeto —sobre, paquete, carta, cinta, etc.— que pueda servir de instrumento o soporte de la comunicación postal no será objeto de protección del derecho reconocido en el art. 18.3 CE (LA LEY 2500/1978) si en las circunstancias del caso no constituyen tal instrumento de la comunicación, o el proceso de comunicación no ha sido iniciado (STC 137/2002, de 3 de junio (LA LEY 6260/2002), FJ 3); así, no constituyen objeto de este derecho cuando se portan por su propietario o terceros ajenos a los servicios postales, o viaja con ellos, o los mantienen a su disposición durante el viaje. Estos objetos, máxime si de sus características externas se infiere su destino al transporte de enseres personales o se hace constar en su exterior su condición de objeto personal o íntimo, quedarán, no obstante, protegidos por el derecho a la intimidad personal (art. 18.1 CE (LA LEY 2500/1978)); y, por consiguiente, de conformidad con nuestra jurisprudencia constitucional, la ley podrá autorizar a la autoridad administrativa para su apertura o para proceder a inspeccionar y controlar su contenido por cualquier procedimiento, siendo requisito de la constitucionalidad de tal control o inspección su sujeción a las máximas derivadas del principio de proporcionalidad, esto es, ser necesaria para alcanzar un fin constitucionalmente legítimo, idónea para alcanzarlo y que la concreta forma de control o inspección reporte en el caso menos sacrificios en el derecho individual que beneficios en los intereses generales». STS Sala Segunda, de lo Penal, Sentencia 339/2017 de 11 May. 2017, Rec. 10025/2017. Ponente: Moral García, Antonio del. LA LEY 48409/2017.

B) *La inspección y apertura de paquetes y envíos postales no sujetos a protección constitucional*

Debe distinguirse, como hace la Jurisprudencia, entre envíos y correspondencia postal. Los primeros no están protegidos por la Constitución por tratarse de mercancías o similares que no contienen objetos o hechos referentes a la intimidad personal y el derecho a las comunicaciones. En esos casos, a los que nos hemos referido en el apartado anterior (contenedores, paquetes que contienen mercancías, bidones, maletas, equipaje, etc.) no será precisa orden judicial y la policía o los agentes de aduanas podrán revisar y comprobar su contenido, conforme está previsto en la Ley. Véanse a ese respecto el art. 16 LO 12/1995 de represión del contrabando, art. 68 del Reglamento 2913/92 del Consejo de la UE de fecha 12 de octubre de 1992 y el Reglamento de 14 de diciembre 1989, ratificado por España el 1 de junio de 1992, aprobado en el XX Congreso de la Unión Postal Universal de Washington[183].

«Baste ahora evocar unos pasajes de la STC 281/2006, de 9 de octubre (LA LEY 110153/2006): «... en el ATC 395/2003, de 11 de diciembre (LA LEY 206658/2003), FJ 3, consideramos carente de contenido constitucional la vulneración del derecho al secreto de las comunicaciones postales respecto de la apertura en Alemania de un paquete que consistía en un cilindro de madera en el que estaban enrollados de manera visible —con una envoltura transparente— varios metros de cable eléctrico en cuyo interior se encontraba la cocaína, con base en la razonabilidad de los argumentos aducidos por el Tribunal Supremo para desestimar la vulneración alegada como motivo de casación, siendo uno de ellos la inadecuación del soporte físico del envío postal para ser susceptible de protección por el derecho a la comunicación postal... ... la comunicación es un proceso de transmisión de mensajes entre personas determinadas. Por tanto, el derecho al secreto de las comunicaciones postales sólo protege el intercambio de objetos a través de los cuales se transmiten mensajes mediante signos lingüísticos, de modo que la comunicación postal es desde la perspectiva constitucional equivalente a la correspondencia». STS Sala Segunda, de lo Penal, Sentencia

---

(183) «d) La delimitación del ámbito de protección constitucional de las comunicaciones postales tiene en cuenta el diferente régimen jurídico de los envíos postales y de los envíos de correspondencia establecido tanto en la legislación internacional como interna. De un lado, en las normas internacionales de la Unión Postal Universal —Actas del Congreso de Beijing de 1999, cuya ratificación fue publicada en el BOE núm. 62, de 14 de marzo de 2005— se incluyen dos reglamentaciones diferentes, el Reglamento relativo a los envíos de correspondencia y el Reglamento relativo a encomiendas postales —anexo al BOE núm. 62, de 14 de marzo de 2005—. De otro, también reconoce dicha diferencia la normativa de la Unión Europea, cuya Directiva comunitaria 97/67/CE, relativa a las normas comunes para el desarrollo del marco interior de los servicios postales de la Comunidad, aprobada el 15 de diciembre de 1997, distingue entre el envío postal —art. 2.6— y el envío de correspondencia —art. 2.7—. Finalmente, regulan de forma separada ambas clases de envíos la Ley 24/1998, de 13 de julio (LA LEY 2684/1998), del servicio postal universal y de liberalización de los servicios postales —art. 15.2.B, a) y b)— y el Real Decreto 1829/1999, de 3 de diciembre (LA LEY 4926/1999), por el que se aprueba el Reglamento por el que se regula la prestación de los servicios postales, en desarrollo de la Ley 24/1998 (LA LEY 2684/1998) art. 13.2. 4...». STS Sala Segunda, de lo Penal, Sentencia 339/2017 de 11 May. 2017, Rec. 10025/2017. Ponente: Moral García, Antonio del. LA LEY 48409/2017.

339/2017 de 11 May. 2017, Rec. 10025/2017. Ponente: Moral García, Antonio del. LA LEY 48409/2017.

A los efectos de comprobación la autoridad podrá realizar una inspección mediante examen radiológico o simplemente una punción[184]. Aunque, como se ha expuesto con anterioridad, comprobada la existencia de indicios de delito, procede dar cuenta a la autoridad judicial para proceder a la apertura del paquete ante el Juez y el sospechoso, salvo la concurrencia de urgencia o necesidad.

> «En el presente caso, ya se ha verificado que los paquetes circulaban en régimen de carta verde existiendo una declaración del contenido de los mismos, y que por lo tanto, la autoridad correspondiente tenía por sí misma facultad para efectuar el control de su contenido, lo que se hizo al comprobar que existía un doble fondo y una sustancia oculta, que al efectuar una punción dio positivo a la cocaína, por lo que fue, ya posteriormente, ante la autoridad judicial cuando se procedió a la apertura total. Tal es la reiterada doctrina de esta Sala SSTS 103/2002 (LA LEY 22397/2002); 863/2003 (LA LEY 104036/2003) o 708/2003 (LA LEY 13093/2003). En concreto en relación a la punción del paquete para analizar el contenido, también esta Sala se ha pronunciado sobre su validez sin autorización judicial —SSTS 1484/1999; 1574/1999; 1085/2000; 695/2003 (LA LEY 88616/2003) o 103/2002 (LA LEY 22397/2002)—». STS Sala Segunda, de lo Penal, Sentencia 484/2016 de 3 Jun. 2016, Rec. 1981/2015. Ponente: Giménez García, Joaquín. LA LEY 62223/2016.

También cabe realizar la inspección mediante aparatos de radiología o perros adiestrados.

> «Si lo que se protege es la comunicación humana en cuanto expresión de sentido, sólo serán lesivas del derecho a la comunicación postal aquellas formas de acceso al contenido del soporte material del mensaje que supongan formas de tomar conocimiento del mensaje, por lo que no serán lesivos de este derecho aquellos procedimientos que, siendo aptos para identificar que el contenido del sobre o del soporte sea un objeto ilícito, no lo son, sin embargo, para conocer el mensaje mismo —inspecciones mediante perros adiestrados, escáneres...—. Por consiguiente, el procedimiento más habitual de vulneración del derecho al secreto de la correspondencia será su apertura, aunque no pueda descartarse la vulneración del derecho mediante otros procedimientos técnicos que permitan acceder al contenido del mensaje sin proceder a la apertura de la correspondencia». STS Sala Segunda, de lo Penal, Sentencia 339/2017 de 11 May. 2017, Rec. 10025/2017. Ponente: Moral García, Antonio del. LA LEY 48409/2017.

---

(184) «Previamente en el Aeropuerto de Barajas solo se realizó punción para determinar lo que contenían tales paquetes, ahora bien, para realizar tal punción era necesario proceder a la apertura de los mismos —el envoltorio externo— y así consta al folio 60 de la instancia. Más aún, en la diligencia inicial de la exposición de hechos —folios 4 y siguientes— se comunica el protocolo seguido a saber: - Los paquetes son inspeccionados por rayos X y por la forma y densidad que ofrecen pudiera tratarse de cocaína. - Se observa la existencia en los tres de un doble fondo conteniendo un polvo blanco que el narcotest —con la punción efectuada— da positivo a la cocaína. - En esta situación se procede a la apertura de la bolsa a presencia judicial —folio 60, ya citado—, y seguidamente se autoriza judicialmente la entrega vigilada». STS Sala Segunda, de lo Penal, Sentencia 484/2016 de 3 Jun. 2016, Rec. 1981/2015. Ponente: Giménez García, Joaquín. LA LEY 62223/2016.

Un supuesto concreto es el referente a la inspección de efectos personales, por ejemplo las maletas y bolsas de viaje, que no sirven obviamente al fin de la comunicación, pero que sí pueden contener objetos referentes a la intimidad personal. En ese caso, conforme a la Ley y la jurisprudencia constitucional, se podrá autorizar a la autoridad administrativa para su inspección, control o apertura con sujeción a las normas legales aplicables y siempre conformes con el principio de proporcionalidad[185].

> «No constituyen objeto de este derecho cuando se portan por su propietario o terceros ajenos a los servicios postales, o viaja con ellos, o los mantienen a su disposición durante el viaje. Estos objetos, máxime si de sus características externas se infiere su destino al transporte de enseres personales o se hace constar en su exterior su condición de objeto personal o íntimo, quedarán, no obstante, protegidos por el derecho a la intimidad personal (art. 18.1 CE (LA LEY 2500/1978)); y, por consiguiente, de conformidad con nuestra jurisprudencia constitucional, la ley podrá autorizar a la autoridad administrativa para su apertura o para proceder a inspeccionar y controlar su contenido por cualquier procedimiento, siendo requisito de la constitucionalidad de tal control o inspección su sujeción a las máximas derivadas del principio de proporcionalidad, esto es, ser necesaria para alcanzar un fin constitucionalmente legítimo, idónea para alcanzarlo y que la concreta forma de control o inspección reporte en el caso menos sacrificios en el derecho individual que beneficios en los intereses generales». STC Sala Primera, Sentencia 281/2006 de 9 Oct. 2006, Rec. 1829/2003; Ponente: Casas Baamonde, María Emilia. LA LEY 110153/2006.

En este caso, no se producirá nulidad alguna si la policía procede a la apertura del paquete o maleta, sin necesidad de hacerlo a presencia del Juez o del interesado. Este proceder está adaptado a las reglas jurisprudenciales sobre la inspección ocular que son aplicables en esta materia[186].

> «En este caso, la inspección del paquete y su apertura, al apreciarse la posibilidad de que contuviese droga en su interior, resultó, por lo tanto, plenamente ajustada

---

(185)   Respecto al control e inspección de equipajes resultan de aplicación Reglamento (CE) nº 300/2008 del Parlamento Europeo y del Consejo, de 11 de marzo de 2008, sobre normas comunes para la seguridad de la aviación civil; Reglamento (UE) nº 952/2013 del Parlamento Europeo y del Consejo, de 9 de octubre de 2013, por el que se establece el código aduanero de la Unión; Reglamento de Ejecución (UE) 2015/2447 de la Comisión, de 24 de noviembre de 2015, por el que se establecen normas de desarrollo de determinadas disposiciones del Reglamento (UE) nº 952/2013 del Parlamento Europeo y del Consejo por el que se establece el código aduanero de la Unión y la Resolución de 10 de febrero de 2017, de la Secretaría General de Transporte, por la que se aprueba la actualización de la parte pública del Programa Nacional de Seguridad para la Aviación Civil.

(186)   «Tampoco gozaría de cobijo constitucional el presunto derecho invocado, aunque se contemplaran los actos realizados por la policía y agentes de aduanas con posterior intervención de la comisión judicial (auto de 28-agosto-2003) desde la perspectiva del derecho a la intimidad personal (art. 18-1° C.E .), sobre todo cuando no consta en el paquete postal mención alguna sobre la posibilidad de contener objetos personales e íntimos y de sus características externas no se infiere que la finalidad del continente fuera ésta. Pero aunque pudiera afirmarse (de un objeto cualquiera) la condición de personal e íntimo, su inspección o control cumple las dos exigencias que la Constitución impone a la afección de este derecho fundamental: su previsión legal y su adecuación al principio de proporcionalidad». STS Sala Segunda, de lo Penal, Sentencia 115/2015 de 5 Mar. 2015, Rec. 1165/2014. Ponente: Berdugo Gómez de la Torre, Juan Ramón. LA LEY 18404/2015.

a derecho. El que no conste por escrito la autorización de la Administradora de Aduanas, a la que sí hizo referencia el atestado elaborado por la Guardia Civil, no pasa de ser una mera irregularidad administrativa que no implica su inexistencia. Por el contrario, según destacó la sentencia impugnada los agentes de la guardia civil con carnet profesional XXX y SSS señalaron en el acto de plenario que la apertura del paquete en las dependencias del Aeropuerto se realizó siguiendo lo establecido legalmente y con autorización de la Administradora de Aduanas. Además, cuando la parte ahora recurrente no ha denunciado su ausencia antes de llegado el acto de enjuiciamiento (ninguna mención se hizo respecto a este extremo en el escrito de conclusiones provisionales ni en el trámite de cuestiones previas) su pretensión introducida ahora en el recurso atenta contra el principio de igualdad de armas, pues desequilibra las posibilidades de que la acusación pública pudiera hacer posible su aportación efectiva a las actuaciones en momento idóneo. Recordemos, siguiendo entre otras las SSTS 723/2013 de 2 de octubre (LA LEY 154013/2013) y las que ella cita, o la 115/2015 de 5 de marzo, que para que una irregularidad procesal provoque una nulidad de actuaciones no basta con que se haya cometido, sino que necesita de una significación material, razón por la que deben valorarse las situaciones de indefensión desde los matices que presente cada caso concreto. Se precisa, igualmente, una quiebra en la obligación de respetar el derecho de defensa contradictoria, mediante la oportunidad dialéctica de alegar y justificar procesalmente el reconocimiento judicial de sus derechos e intereses. Es, asimismo, necesaria la producción de un perjuicio real y efectivo para la parte que la sufre, que se traduzca en un menoscabo real del derecho de defensa, es decir, en una indefensión material, y no en una mera expectativa potencial y abstracta que pueda verse frustrada. No existirá, por el contrario, indefensión cuando ésta tiene su origen en causas imputables a quien dice haberla sufrido, por su inactividad o desinterés. Tal es el caso». STS Sala Segunda, de lo Penal, Sentencia 340/2016 de 6 Abr. 2016, Rec. 1584/2015. Ponente: Ferrer García, Ana María. LA LEY 32918/2016.

Ahora bien, ello no empece para que mayor seguridad y garantía tanto de la validez de la prueba como para el interesado sea aconsejable que se abran las maletas y equipajes de viaje en presencia del interesado.

«Ahora bien, el hecho de que la práctica del registro efectuada en estos casos sin la intervención judicial y sin la presencia de los imputados no vulnere ningún derecho fundamental que determine la nulidad radical de la diligencia, no quiere decir que los funcionarios policiales que la lleven a cabo no procuren que estén presentes los imputados cuando estos se hallen en las dependencias policiales y no concurran obstáculos fundados para que asistan al registro (razones de urgencia o de otra índole). Pues resulta incuestionable que el derecho de defensa y el principio de contradicción han de cumplimentarse en la medida de lo posible incluso en la fase preprocesal de la instrucción. Así lo requiere una lectura garantista de la ley ordinaria (art. 333 de la LECr. (LA LEY 1/1882)).Y ello no solo porque se incrementan las garantías del imputado, que a fin de cuentas es lo más relevante, sino también porque otorga una mayor fehaciencia y fiabilidad a la intervención policial y facilita la legitimación del registro en el momento de ser sometido a contradicción en la vista oral del juicio, solventando y paliando posibles deficiencias y opacidades surgidas en el plenario con ocasión de las declaraciones de los testigos policiales que practicaron la diligencia». STS Sala Segunda, de lo Penal, Sentencia 747/2015 de 19 Nov. 2015, Rec. 686/2015. Ponente: Jorge Barreiro, Alberto Gumersindo. LA LEY 185990/2015. Caso Códice Calixtino.

C) La autorización judicial. Práctica de la intervención postal

Con las salvedades apuntadas, cualquier intervención sobre las comunicaciones postales o telegráficas expresadas se adoptará por auto motivado que debe atender al criterio de proporcionalidad, valorándose entre la gravedad o trascendencia social del hecho a investigar y la injerencia en los derechos al secreto e intimidad de la correspondencia postal reconocidos en la Constitución (*vid.* art. 579, 583 LECrim). (Véase M. 78).

> «... este Tribunal ha sostenido que la gravedad de la infracción punible a los efectos que ahora consideramos no deriva únicamente de la gravedad de la pena con la que se sanciona, sino que, aunque la pena no sea calificada de grave por el Código Penal, la infracción puede serlo en atención a la consideración de criterios como la importancia del bien jurídico protegido o la relevancia social de los hechos (SSTC 299/2001, de 11 de diciembre, F. 2; 14/2001, de 29 de enero, F. 3; y 202/2001, de 15 de octubre, F. 3). Ahora bien, ello no exige que la calificación de un delito como grave en los casos en los que la pena con la que se castiga el delito sea calificada de tal por el Código Penal precise atender a criterio suplementario alguno al de la propia pena. Pues la gravedad de la pena es expresión de la importancia social y jurídico-penal de los bienes jurídicos tutelados y de la modalidad de afectación a los mismos, valorada por el legislador». STC 123/2002 de 20 de mayo.

En la resolución se determinará la correspondencia que deba ser detenida o registrada, con expresión de las personas a cuyo nombre se hubieren expedido, o por otras circunstancias igualmente concretas (art. 583 LECrim). La diligencia se llevará a cabo, en la forma que señala el art. 580 LECrim, por medio de los funcionarios de la policía judicial, o el Administrador de Correos o Jefe de la Oficina en que la correspondencia se halle, que remitirá inmediatamente la correspondencia detenida al Juez instructor (art. 581 LECrim). La correspondencia postal se abrirá y registrará en presencia del Juez de instrucción, el Letrado de la administración de justicia, y el interesado, que podrá designar quien le represente en esta operación (art. 584 LECrim). Ahora bien, nada impide proceder a la apertura cuando el interesado no sea habido.

> «El motivo segundo centra su atención, también en la apertura del paquete, sin intervención y autorización judicial y sin la presencia del destinatario. Dadas las especiales circunstancias que concurren en el caso y a las que ya hemos hecho referencia, no era necesario una actuación judicial en forma para legalizar una apertura, que ya se había realizado con arreglo a las previsiones específicas de la normativa que rige el envío de determinados paquetes postales. Como pone de relieve el Ministerio Fiscal, resulta paradójico que el recurrente proteste por no haber sido citado a la apertura del envío postal, cuando se da la circunstancia de que el mismo reconoce que no estaba en España en aquellos momentos y hubo que dictar orden de busca y captura internacional teniendo que ser extraditado desde Alemania». STS Sala Segunda, de lo Penal, Sentencia 677/2000 de 19 Abr. 2000, Rec. 3567/1998 Ponente: Martín Pallín, José Antonio. LA LEY 6684/2000.

No se exige la presencia de letrado en la apertura del paquete postal al que no se cita en el art. 584 LECrim. (véase sobre los supuestos de limitación restricción de la asistencia letrada el § 4.2.B del Capítulo IV).

«Esta Sala tiene afirmado (SSTS 1620/2002 de 3.10, auto TS 3.7.2003), que una maleta, bolso o mochila no es equiparable al paquete postal en orden a la protección que el artículo 18 de la Constitución reconoce a la correspondencia y, en general, al derecho a la intimidad. En la STS n.º 661/2000, de 17 de abril, ya señalamos, con cita de la STS de 30 junio 1994, que ... el ámbito tutelador derivado de la intimidad y, en suma, de los derechos reconocidos en el artículo 18 de la Constitución, no alcanza a objetos o bienes distintos de los que en dicho precepto constitucional expresamente se citan (el domicilio y la correspondencia postal, telegráfica o telefónica), y los equipajes de los viajeros, tales como maletas, bolsos de viaje, mochilas o similares, no se pueden equiparar a los paquetes postales a efectos de su protección frente a las inferencias de los agentes de la autoridad y a su apertura y registro, en determinados lugares y ocasiones, pues se trata de diligencias policiales justificadas, siempre que no sean arbitrarias o caprichosas, por el deber que incumbe a los Cuerpos y Fuerzas de Seguridad del Estado, de prevenir e investigar los hechos presuntamente delictivos para descubrir y asegurar a los delincuentes, conforme el art. 11.1 f) y g) LO 2/86 de 13.3, de Cuerpos y Seguridad del Estado, y cumple las exigencias del principio de proporcionalidad, habida cuenta de la gravedad y trascendencia social del hecho a investigar —el tráfico de drogas— y las molestias e invasión de los derechos del sujeto sometido a investigación, que en modo alguno puede estimarse que invaden derechos fundamentales, y así lo autoriza de manera mas especifica el Real Decreto 769/87 de 19.6, sobre Regulación de Policía Judicial que se remite además a los arts. 282 y ss. LECrim. .../... En definitiva, el registrar un paquete por la policía entra dentro de sus atribuciones administrativas o funcionales y existiendo indicio de delito, la fuerza policial actuó correctamente a prevención, llevando a cabo las pesquisas para descubrir el delito y detener al delincuente, y como dice la STS 6.3.2003, no es necesaria para la apertura de paquete la presencia de Abogado, incluso después de practicada la detención, dada la limitación de la preceptiva intervención, contraída exclusivamente a las diligencias de declaración y reconocimiento (art. 520 LECrim.), y tampoco el requerimiento policial a un pasajero para que acompañe a la policía a fin de presenciar el registro de un paquete que formaba parte de su equipaje, constituye una privación de libertad, implicativa de una formal detención». STS de 25 de enero de 2007, LA LEY 2449/2007.

La diligencia se practicará leyendo el Juez por sí mismo la correspondencia y apartará la que haga referencia a los hechos de la causa, cuya conservación considere necesaria (art. 586 LECrim). La correspondencia que no se relacione con la causa será entregada en el acto al procesado o a su representante (art. 587 LECrim). Finalmente se levantará diligencia, en la que se hará constar lo ocurrido, que firmarán todos los presentes (art. 588 LECrim). Por último, téngase presente que la prueba obtenida sin las garantías legales previstas debe considerarse nula de pleno derecho por entenderse ilegalmente obtenida. Esta nulidad será extensible a las pruebas posteriormente practicadas, que traigan causa de aquélla.

«... La diligencia de apertura de la correspondencia desprovista de las garantías que la legitiman, deviene nula; la prescripción de los arts. 238.3 y 240.1 LOPJ así lo abona. Nos hallamos ante una prueba ilícitamente obtenida violentando derechos fundamentales, carente, por tanto, de efectos (art. 11.1 LOPJ), consecuencia extensible a las pruebas posteriormente practicadas que traen causa de la misma y que, por tanto, quedan contaminadas ante la colición que otra solución supondría con el derecho a un proceso con todas las garantías y al de igualdad de las partes (art. 24.2 y

14 CE)...». STS Sala Segunda, de lo Penal, Sentencia de 13 Mar. 1995, Rec. 241/1994. Ponente: Soto Nieto, Francisco. LA LEY 14390/1995.

3.4. Medidas de intervención telefónica e investigación de las comunicaciones y dispositivos electrónicos[187]

A) Introducción: El derecho al secreto en las comunicaciones

El secreto de las comunicaciones está reconocido y garantizado en el art. 18.3 CE[188]. También se encuentra protegido por la Declaración Universal de Derechos Humanos de 1948 y por los Convenios firmados por España, tales como el Pacto Internacional de Nueva York de Derechos Civiles y Políticos de 1966 y el art. 8.1 del Convenio Europeo de Roma para la Protección de los Derechos Humanos y de las Libertades Fundamentales de 1950. El derecho de las comunicaciones se garantiza también en la regulación legal de las comunicaciones electrónicas. Concretamente en la Ley 25/2007, de 18 de octubre —de conservación de datos relativos a las comunicaciones electrónicas y a las redes públicas de comunicaciones, que desarrolla la Directiva de la Unión Europea 2006-24-C.E. del Parlamento Europeo y del Consejo de 15 de marzo del mismo año[189]— que establece la obligación de las operadoras

---

(187) LÓPEZ FRAGOSO, *Las intervenciones telefónicas en el proceso penal*, Madrid, 1991; LÓPEZ BARJA, *Las escuchas telefónicas y la prueba ilegalmente obtenida*, Madrid, 1989; GIMENO SENDRA, «Las intervenciones telefónicas en la jurisprudencia del TC y del TS», *La Ley*, 26 abril 1996; MONTON REDONDO, «Las interceptaciones telefónicas constitucionalmente correctas», *La Ley*, 21 noviembre 1995; PASTOR BORGOÑON, «Eficacia en el proceso de las pruebas ilícitamente obtenidas», *Justicia*, 86, p. 360; ASENSIO MELLADO, *Prueba prohibida y prueba preconstituida*, Madrid, 1989; MARTÍNEZ-CALCERRADA GÓMEZ, L.M., «Tratamiento legal de grabación de conservaciones telefónicas», *La Ley* nº 4193, 1996; GÓMEZ COLOMER J.L, «La intervención judicial de las comunicaciones telefónicas a la luz de la jurisprudencia», *Revista Jurídica de Catalunya* nº I, 1998; GÓMEZ NAVAJAS, J., «Espionaje telefónico: conculcación de un derecho fundamental», *La Ley* nº 4557, 1998; LLERA SUÁREZ-BARCENA, «El régimen jurídico ordinario de las escuchas telefónicas en el proceso penal», *PJ*, 1986, n.º 3, p. 9; RODRÍGUEZ RAMOS, «Intervenciones Telefónicas», en *Cuadernos de Derecho Judicial*, CGPJ, Madrid, 1992; LÓPEZ BARJA DE QUIROGA, «Esquema General del régimen legal de las intervenciones telefónicas», *Actualidad Jurídica Aranzadi*, 11 febrero 1993, n.º 88.

(188) «... el derecho fundamental al secreto de las comunicaciones del art. 18.3 CE «consagra la libertad de las comunicaciones, implícitamente, y, de modo expreso, su secreto, estableciendo en este último sentido la interdicción de la interceptación o del conocimiento antijurídicos de las comunicaciones ajenas. El bien constitucionalmente protegido es así —a través de la imposición a todos del "secreto"— la libertad de las comunicaciones, siendo cierto que el derecho puede conculcarse tanto por la interceptación en sentido estricto (que suponga aprehensión física del soporte del mensaje —con conocimiento o no del mismo— o captación, de otra forma, del proceso de comunicación) como por el simple conocimiento antijurídico de lo comunicado (apertura de la correspondencia ajena guardada por su destinatario, por ejemplo) ... Y puede también decirse que el concepto de "secreto", que aparece en el artículo 18.3, no cubre sólo el contenido de la comunicación, sino también, en su caso, otros aspectos de la misma, como, por ejemplo, la identidad subjetiva de los interlocutores o de los corresponsales». STC 123/2002, de 20 de mayo.

(189) Directiva declarada, paradójicamente, nula por la STJUE (Gran Sala) de 8 de abril de 2014 asuntos acumulados C293/12 y C594/12. En la Sentencia el TJUE considera que la obligación general de conservación de determinados datos impuesta por dicha Directiva suponía una grave injerencia en los derechos fundamentales al respeto de la vida privada y a la protección de datos de carácter personal y, por otra parte, que el régimen establecido en ella no se limitaba a lo

de servicios de garantizar la protección de los datos personales en el ejercicio de su actividad, así como el secreto de las comunicaciones que operen estableciendo, con carácter general, la autorización judicial previa para cualquier tipo de cesión de datos o interceptación de las comunicaciones (art. 6 Ley 25/2007). Esta Ley se complementa con el Reglamento sobre las condiciones para la prestación de servicios de comunicaciones electrónicas, el servicio universal y la protección de usuarios, aprobado por RD 424/2005 de 15 de abril que establece que: «*Las únicas interceptaciones que estarán obligados a realizar los sujetos a los que se refiere el artículo 85 (operadores que presten o estén en condiciones de prestar servicios de comunicaciones electrónicas) son las dispuestas en el artículo 579 de la Ley de Enjuiciamiento Criminal, en la Ley Orgánica 2/2002, de 6 de mayo, reguladora del control judicial previo del Centro Nacional de Inteligencia, y en otras normas con rango de ley orgánica*» (art. 83). Además, el RD 424/005 prevé, en los arts. 89 y ss., el procedimiento y requisitos operacionales para realizar las interceptaciones que se realicen con la debida autorización judicial (Véase sobre este procedimiento el § C de este mismo apartado sobre el desarrollo y control de la intervención de las comunicaciones).

«B) Como hemos recordado entre otras, en la STS 545/2015 (LA LEY 138427/2015), de 10 de julio, el secreto de las comunicaciones telefónicas es un derecho fundamental que la Constitución garantiza en el artículo 18.3, la Declaración Universal de los Derechos Humanos (LA LEY 22/1948), artículo 12, y el Pacto Internacional de Derechos Civiles y Políticos (LA LEY 129/1966), artículo 17, se refieren al derecho a no ser objeto de injerencias arbitrarias o ilegales en la vida privada y en la correspondencia, y el Convenio Europeo para la Protección de los Derechos Humanos y de las Libertades Fundamentales (LA LEY 16/1950), dispone en el artículo 8.1 que "toda persona tiene derecho al respeto de su vida privada y familiar, de su domicilio y de su correspondencia", nociones que incluyen el secreto de las comunicaciones telefónicas, según una reiterada doctrina jurisprudencial del TEDH. Añade el Convenio Europeo, en el artículo 8.2, que "no podrá haber injerencia de la autoridad

---

estrictamente necesario para luchar contra los delitos graves. Los argumentos de la Sentencia se pueden resumir acogiendo el informe del Abogado General que en sus conclusiones consideró que los Estados pueden imponer a los proveedores de los servicios de comunicaciones una obligación general de conservación de datos relativos a esas comunicaciones electrónicas, pero supeditada al cumplimiento de estrictos requisitos, cuyo cumplimiento corresponde controlar a los órganos jurisdiccionales nacionales. Estos son los siguientes: 1. La obligación general de conservación y las garantías que la acompañan deben establecerse mediante medidas legislativas o reglamentarias en que concurran las cualidades de accesibilidad, previsibilidad y protección adecuada frente a la arbitrariedad. 2. La obligación debe respetar el contenido esencial del derecho a la vida privada y del derecho a la protección de datos de carácter personal previstos por la Carta. 3. La obligación únicamente procederá en la lucha contra los delitos graves, pues solo estos constituyen un objetivo de interés general susceptible de justificar una obligación general de conservar datos, a diferencia de la lucha contra delitos simples o el buen desarrollo de procedimientos no penales. 4. La obligación general de conservación de datos debe ser estrictamente necesaria para la lucha contra los delitos graves, lo que implica que ninguna otra medida o combinación de medidas pueda ser igual de eficaz y al mismo tiempo menos lesiva para los derechos fundamentales. 5. La obligación general de conservación de datos debe ser proporcionada, en una sociedad democrática, al objetivo de lucha contra los delitos graves, lo que implica que los graves riesgos originados por esta obligación en una sociedad democrática no deben ser desmesurados con respecto a las ventajas que de ella se deducen en la lucha contra los delitos graves.

pública en el ejercicio de este derecho" (respeto a la vida privada y familiar, domicilio y correspondencia), "sino en tanto en cuanto esta injerencia esté prevista por la ley y constituya una medida que, en una sociedad democrática, sea necesaria para la seguridad nacional, la seguridad pública, el bienestar económico del país, la defensa del orden y la prevención del delito, la protección de la salud o de la moral, o la protección de los derechos y las libertades de los demás"». ATS Sala Segunda, de lo Penal, Auto 353/2017 de 2 Feb. 2017, Rec. 1561/2016. Ponente: Marchena Gómez, Manuel. LA LEY 9328/2017

El derecho al secreto de las comunicaciones está directamente relacionado con el derecho a la intimidad personal, y extensivamente la dignidad y libre desarrollo de la persona y garantiza la libre comunicación y secreto de los comunicantes y del contenido de la comunicación, sin que pueda admitirse ninguna intromisión que no se halle legitimada de alguno de los modos previstos expresamente en la Constitución y la Ley, sea cual sea el medio de comunicación que se pueda emplear[190].

«El derecho al secreto de las comunicaciones puede considerarse una plasmación singular de la dignidad de la persona y del libre desarrollo de su personalidad, que constituyen el fundamento del orden político y de la paz social (STC núm. 281/2006, de 9 de octubre (LA LEY 110153/2006) y STS núm. 766/2008, de 27 de noviembre (LA LEY 189441/2008)), por lo que trasciende de mera garantía de la libertad individual, para constituirse en medio necesario para ejercer otros derechos fundamentales. Por ello la protección constitucional del secreto de las comunicaciones abarca todos los medios de comunicación conocidos en el momento de aprobarse la norma fundamental, y también los que han ido apareciendo o puedan aparecer en el futuro, no teniendo limitaciones derivadas de los diferentes sistemas técnicos que puedan emplearse (SSTS núm. 367/2001, de 22 de marzo (LA LEY 3268/2001) y núm. 1377/1999, de 8 de febrero)». STS 714/2016 de 26 Sep. 2016, Rec. 1951/2015; Ponente: Berdugo Gómez de la Torre, Juan Ramón. LA LEY 126702/2016.

Pero, esta garantía constitucional puede ceder cuando se trate de proteger otros valores sociales de carácter general.

«Este derecho no es absoluto, ya que en toda sociedad democrática existen determinados valores que pueden justificar, con las debidas garantías, su limitación (art. 8º del Convenio Europeo). Entre estos valores se encuentra la prevención del delito, que constituye un interés constitucionalmente legítimo y que incluye la investigación y el castigo de los hechos delictivos cometidos, orientándose su punición por fines de prevención general y especial. El propio art. 18.3 CE (LA LEY 2500/1978) prevé la limitación del derecho al secreto de las comunicaciones mediante resolución judicial (STS núm. 246/1995, de 20 de febrero, entre otras muchas). En nuestro ordenamiento la principal garantía para la validez constitucional de una intervención telefónica es,

___

(190)   «...—el derecho al secreto de las comunicaciones y el derecho a la intimidad personal— tienen la categoría de fundamentales y, por ello, gozan de una protección reforzada frente a todo género de intromisiones, incluidas las que pudieran deberse a una iniciativa oficial. Esto hace que cualquier invasión de ese espacio, personalísimo y sobreprotegido, tenga que estar constitucional y legalmente justificada, sin sombra de duda. De lo que se sigue que el deber de justificar la constitucionalidad y la legalidad de cualquier intervención, como las consecuencias de una eventual falta de justificación, corren a cargo de quien la hubiera realizado». STS 19 de febrero de 2007, LA LEY 4627/2007.

por disposición constitucional expresa, la exclusividad jurisdiccional de su autorización, lo que acentúa el papel del Juez Instructor como Juez de garantías, ya que lejos de actuar en esta materia con criterio inquisitivo impulsando de oficio la investigación contra un determinado imputado, la Constitución le sitúa en el reforzado y trascendental papel de máxima e imparcial garantía jurisdiccional de los derechos fundamentales de los ciudadanos. De esta manera en la investigación, impulsada por quienes tienen reconocida legal y constitucionalmente la facultad de ejercer la acusación, no se puede, en ningún caso ni con ningún pretexto, adoptar medidas que puedan afectar a dichos derechos constitucionales, sin la intervención imparcial del Juez, que en el ejercicio de esta función constitucional, que tiene atribuida con carácter exclusivo, alcanza su máxima significación de supremo garante de los derechos fundamentales (STS núm. 248/2012, de 12 de abril (LA LEY 42916/2012))». STS 714/2016 de 26 Sep. 2016, Rec. 1951/2015; Ponente: Berdugo Gómez de la Torre, Juan Ramón. LA LEY 126702/2016[191].

En estos casos excepcionales la injerencia deberá ser autorizada mediante resolución judicial motivada, que adoptará la forma de auto y que deberá sujetarse a unos determinados requisitos procesales que pueden sintetizarse del siguiente modo[192]:

---

(191)   «El derecho al secreto de las comunicaciones puede considerarse una plasmación singular de la dignidad de la persona y del libre desarrollo de su personalidad, que constituyen el fundamento del orden político y de la paz social (STC núm. 281/2006, de 9 de octubre (LA LEY 110153/2006) y STS núm. 766/2008, de 27 de noviembre (LA LEY 189441/2008)), por lo que trasciende de mera garantía de la libertad individual, para constituirse en medio necesario para ejercer otros derechos fundamentales. Por ello la protección constitucional del secreto de las comunicaciones abarca todos los medios de comunicación conocidos en el momento de aprobarse la norma fundamental, y también los que han ido apareciendo o puedan aparecer en el futuro, no teniendo limitaciones derivadas de los diferentes sistemas técnicos que puedan emplearse (SSTS núm. 367/2001, de 22 de marzo (LA LEY 3268/2001) y núm. 1377/1999, de 8 de febrero).El derecho al secreto es independiente del contenido de la comunicación, debiendo respetarse aunque lo comunicado no se integre en el ámbito de la privacidad (SSTC núm. 70/2002, de 3 de abril (LA LEY 3534/2002) y núm. 114/1984, de 29 de noviembre (LA LEY 9401-JF/0000)). Pero, sin embargo, este derecho no es absoluto, ya que en toda sociedad democrática existen determinados valores que pueden justificar, con las debidas garantías, su limitación (art. 8º del Convenio Europeo). Entre estos valores se encuentra la prevención del delito, que constituye un interés constitucionalmente legítimo y que incluye la investigación y el castigo de los hechos delictivos cometidos, orientándose su punición por fines de prevención general y especial. El propio art. 18.3 CE (LA LEY 2500/1978) prevé la limitación del derecho al secreto de las comunicaciones mediante resolución judicial (STS núm. 246/1995, de 20 de febrero, entre otras muchas)». STS 71/2017 de 8 Feb. 2017, Rec. 1843/2016; Ponente: Berdugo Gómez de la Torre, Juan Ramón. LA LEY 3460/2017.

(192)   «El principio de proporcionalidad "se refiere no sólo a la gravedad de la infracción punible, para justificar la naturaleza de la medida, sino también a las garantías exigibles de autorización judicial específica y razonada y de respeto en su realización de requisitos similares a los existentes en otro tipo de control de comunicaciones" (ATC 344/90). B) La motivación resulta necesaria porque sólo a través de ella se preserva el derecho de defensa y se puede hacer el necesario juicio de proporcionalidad entre el sacrificio del derecho fundamental y la causa a la que obedece (SSTC 160/94, 50/95 y 181/95). C) La legitimidad de la medida de intervención telefónica se condiciona, en suma, a la consideración por el Juez autorizante de su necesidad para la investigación de unos hechos determinados y con una específica tipificación penal, la resolución en que se acuerde debe mencionar expresamente las razones fácticas y jurídicas que apoyan la necesidad de la intervención, esto es, manifestar cuáles son los indicios que existen acerca de la presunta comisión de un hecho delictivo grave por una determinada persona y, en función de esos indicios, proceder a su encaje en alguno de los tipos delictivos justificantes de la medida. Es imprescindible que la reso-

a) la intervención debe estar prevista por la Ley; b) ser proporcional e ir dirigida a un fin legítimo y c) ser necesaria en una sociedad democrática para la consecución de dichos fines[193]. Otra garantía del derecho fundamental lo constituye la tipificación como delito de las escuchas telefónicas ilegales en los arts. 197, 198 y 536 del CP.

«2. En relación con el derecho al secreto de las comunicaciones telefónicas, nuestra doctrina ha venido reiterando que las exigencias de motivación de las resoluciones judiciales que autorizan la intervención o su prórroga forman parte del contenido esencial del art. 18.3 CE. Dicho sintéticamente, éstas deben explicitar, en el momento de la adopción de la medida, todos los elementos indispensables para realizar el juicio de proporcionalidad y para hacer posible su control posterior, en aras del respeto del derecho de defensa del sujeto pasivo de la medida. Por ello, el órgano judicial debe exteriorizar los datos o hechos objetivos que pueden considerarse indicios de la existencia del delito y de la conexión de la persona o personas investigadas con el mismo; indicios que han de ser algo más que simples sospechas (SSTC 167/2002, de 18 de septiembre, FJ 2; 184/2003, de 23 de octubre, FJ 11; y 197/2009, de 28 de septiembre, FJ 4). Tiene además que determinar con precisión el número o números de teléfono y personas cuyas conversaciones han de ser intervenidas, el tiempo de duración de la intervención, quiénes han de llevarla a cabo y cómo, y los periodos en los que deba darse cuenta al Juez (por todas, SSTC 261/2005, de 24 de octubre, FJ 2; y 219/2009, de 21 de diciembre, FJ 4). Tales exigencias de motivación se reproducen en las prórrogas y en las nuevas escuchas acordadas a partir de datos obtenidos en una primera intervención, debiendo el Juez conocer los resultados de ésta con carácter previo al acuerdo de prórroga, explicitando las razones que legitiman la continuidad de la restricción del derecho, aunque sea para poner de relieve que persisten las razones anteriores, sin que sea suficiente una remisión tácita o presunta a la inicial (en el mismo sentido, SSTC 202/2001, de 15 de octubre, FJ 6;

---

lución judicial determine el objeto de la intervención: número o números de teléfono y personas cuyas conversaciones han de ser intervenidas, que en principio deberán serlo las personas sobre las que recaigan los indicios referidos, el tiempo de duración de la intervención, quiénes hayan de llevarlas a cabo y cómo, y los períodos en que haya de darse cuenta al Juez para controlar su ejecución...». (STC 49/96, de 26 marzo). Véase también la STC 49/1999 de 5 de abril.

(193) «2. En materia de garantías ante injerencias en derechos fundamentales necesarias para proseguir la investigación de delitos graves, esta Sala ha venido estableciendo una serie de criterios o principios que pueden resumirse del siguiente modo: a) exclusividad jurisdiccional en la autorización de la medida y estricta sujeción de los funcionarios que la practiquen a los términos personales, temporales y fácticos de la habilitación judicial que otorga cobertura a su actuación. b) adopción de la misma en el marco de una investigación en curso y, por ende, existencia de indicios suficientes de criminalidad. c) respeto al principio de proporcionalidad en sentido amplio, lo que exige valorar la necesidad de la misma, así como realizar un juicio de ponderación entre la afectación que supone para el derecho fundamental implicado y la gravedad del ilícito que se trata de acreditar. d) excepcionalidad de la misma, y, por tanto, obligatoria limitación temporal a lo estrictamente imprescindible. e) extensión de la observación telefónica restringida a los teléfonos de las personas indiciariamente implicadas. f) expresión de las razones que la motivan en el auto habilitante y en los que eventualmente acuerden su prórroga, sin perjuicio de las legítimas remisiones a los escritos petitorios de la policía judicial. g) control judicial en la ordenación, desarrollo y cese de la medida de intervención acordada. 3. Respecto al primer aspecto de la protesta el órgano jurisdiccional instructor exterioriza por remisión a la solicitud policial los presupuestos materiales de la intervención integrados por hechos objetivos perfectamente comprobables indicativos de que se puede estar cometiendo un delito de tráfico de drogas». STS 30 de junio de 2008, LA LEY 92741/2008.

261/2005, de 24 de octubre, FJ 4; y 26/2010, de 27 de abril, FJ 2)» STC 145/2014, de 22 de septiembre (LA LEY 140049/2014).

Los presupuestos y requisitos para la injerencia en el derecho constitucional a la intimidad y al secreto de las comunicaciones han adolecido de una base legal suficiente en la LECrim (en los derogados arts. 579 2.º y 3.º) que fue puesta de manifiesto tanto por la doctrina como por los Tribunales de justicia. Ello conllevó la necesidad de suplir la ley con la jurisprudencia del TC, del TS y del Tribunal Europeo de Derechos Humanos (TEDH)[194].

> «5. En ocasiones anteriores ya hemos hecho notar, en consonancia con lo expresado por el Tribunal Europeo de Derechos Humanos (Sentencias de 30 de julio de 1998, caso Valenzuela c. España, § 59 y de 18 de febrero de 2003, caso Prado Bugallo c. España, § 30), que el art. 579 LECrim (en su redacción anterior y en la vigente, dada por la Ley Orgánica 4/1988, de 25 de mayo) «adolece de vaguedad e indeterminación en aspectos esenciales, por lo que no satisface los requisitos necesarios exigidos por el art. 18.3 CE para la protección del derecho al secreto de las comunicaciones, interpretado, como establece el art. 10.2 CE, de acuerdo con el art. 8.1 y 2 CEDH» (STC 184/2003, de 23 de octubre, FJ 5) .../... No puede afirmarse, en el momento actual, que el Derecho interno no respete las exigencias derivadas del art. 8 CEDH, sino que a este Tribunal le corresponde suplir las insuficiencias apreciadas en el precepto legal citado hasta que se produzca la necesaria intervención del legislador, como así viene haciendo "desde la unificación y consolidación de su doctrina por la STC 49/1999"». STC 26/2006 de 30 de enero.

A suplir la insuficiencia legal ha acudido la Ley Orgánica 13/2015 que regula la investigación de las comunicaciones y los dispositivos de computación, así como el empleo de las nuevas técnicas electrónicas para la grabación de imagen, sonido, el seguimiento y localización de cosas y personas. A ese fin la LO 13/2015 ha modificado la LECrim regulando las diligencias de intervención de las comunicaciones telefónicas y telemáticas, la captación y grabación de comunicaciones orales mediante la utilización de dispositivos electrónicos, la utilización de dispositivos técnicos de seguimiento, localización y captación de la imagen, el registro de dispositivos de almacenamiento masivo de información y, finalmente, los registros remotos sobre equipos informáticos. La necesidad de regular las diligencias descritas era apremiante en tanto que la regulación existente hasta la reforma se contenía en un escueto artículo, el 579 LECrim, que difícilmente podía servir para regular la enorme complejidad existente hoy día en el mundo de las comunicaciones. No es necesario incidir

---

(194) «Cabe concluir como lo hizo el TEDH en el caso V ante citado, que el ordenamiento jurídico español ni definía las categorías de personas susceptibles de ser sometidas a escucha, ni fijaba límite a la duración de la medida, ni determinaba las condiciones que hubieran de reunir las transcripciones de las conversaciones interceptadas, ni las relativas a la utilización de las mismas. En consecuencia, la situación del ordenamiento jurídico español, puesta de manifiesto en la concreta actuación que aquí se examina, y sufrida por los recurrentes, ha de estimarse contraria a lo dispuesto en el art. 18.3 CE. Sin embargo, .../... ha de precisarse que, obviamente, no nos corresponde ahora analizar si, en virtud de la reforma llevada a cabo por la L. 4/1988 de 25 de mayo, en el art. 579 LECrim, se han cumplimentado, desde la perspectiva de las exigencias de certeza dimanantes del principio de legalidad, las condiciones a que acaba de hacerse mención...». STC 49/1999 de 5 de abril.

demasiado en la evidencia del desarrollo geométrico de las nuevas tecnologías de la información y comunicación que se han implantado con enorme celeridad en las relaciones sociales. Además, debe tenerse en cuenta que las diligencias de investigación que afectan al derecho a la intimidad y a las comunicaciones exigen una regulación respetuosa con los derechos constitucionales reconocidos en el art. 18.3 CE que garantiza: «el secreto de las comunicaciones y, en especial, de las postales, telegráficas y telefónicas, salvo resolución judicial». También, secundariamente, resulta de aplicación el art. 18.4 CE, relacionado con el anterior, que establece que: «la ley limitará el uso de la informática para garantizar el honor y la intimidad personal y familiar de los ciudadanos y el pleno ejercicio de sus derechos». Ante ese reto no era posible una regulación legal de emergencia. Es por ello que, sin perjuicio de las dudas y críticas que puedan hacerse a la nueva regulación, debe reconocerse al legislador la intención y el logro de desarrollar una regulación en esta materia que atiende a las necesidades del proceso penal en el momento presente respecto de una materia de especial complejidad como es el de la intervención de comunicaciones, dispositivos electrónicos, grabación de imagen y sonido y alguna medida más, todas relacionadas entre sí por el uso de las nuevas tecnologías de la información y la comunicación. Por otra parte, con la reforma de la LECrim se otorgan rango legal a un buen número de posibles intervenciones de comunicaciones que hasta el momento adolecían de la base legal exigida por el Tribunal Constitucional.

«Es doctrina constante de este Tribunal (por todas, STC 49/1999, de 5 de abril, FJ 3) que aunque la literalidad de dicho precepto ("se garantiza el secreto de las comunicaciones y, en especial, las postales, telegráficas y telefónicas, salvo resolución judicial") puede inducir a pensar que la única garantía que establece inmediatamente la Constitución es la exigencia de autorización judicial, un análisis más detenido de la cuestión pone de manifiesto lo contrario, ya que, por mandato expreso de la Constitución, toda injerencia estatal en el ámbito de los derechos fundamentales y las libertades públicas, que incida directamente sobre su desarrollo (art. 81.1 CE), o limite o condicione su ejercicio (art. 53.1 CE), precisa, además, una habilitación legal. Esa misma jurisprudencia dispone que la reserva de ley constituye "el único modo efectivo de garantizar las exigencias de seguridad jurídica en el ámbito de los derechos fundamentales y las libertades públicas", lo que "implica exigencias respecto del contenido de la Ley que, naturalmente, son distintas según el ámbito material de que se trate", pero que en todo caso determinan que "el legislador ha de hacer el "máximo esfuerzo posible" para garantizar la seguridad jurídica", esto es, "la expectativa razonablemente fundada del ciudadano en cuál ha de ser la actuación del poder en aplicación del Derecho" (STC 49/1999, FJ 4). Profundizando en esa exigencia, en la STC 169/2001, 16 de julio, FJ 6, sostuvimos, con abundante cita de Sentencias del Tribunal Europeo de Derechos Humanos, en cuanto a las características exigidas por la seguridad jurídica respecto de la calidad de la ley habilitadora de las injerencias, que "la ley debe definir las modalidades y extensión del ejercicio del poder otorgado con la suficiente claridad para aportar al individuo una protección adecuada contra la arbitrariedad". Esa reserva de ley a la que, con carácter general, somete la Constitución la regulación de los derechos fundamentales y libertades públicas reconocidos en su título I, también el del art. 18.3 CE, desempeña una doble función; a saber: de una parte, asegura que los derechos que la Constitución atribuye a los ciudadanos no se vean afectados por ninguna injerencia estatal no autorizada por sus representantes; y, de otra, en un Ordenamiento jurídico como el nuestro en el que los Jueces y Magistrados se hallan sometidos "únicamente al imperio de la Ley" y no existe, en puridad, la vinculación al precedente, constituye, adicionalmente, el único modo efectivo de garantizar las exigencias de seguridad jurídica en el ámbito de los derechos fundamentales y las libertades públicas (STC 233/2005, de 26 de septiembre, FJ 6)». STC 145/2014, de 22 de septiembre (LA LEY 140049/2014).

La LO 13/2015 se refiere a las medidas de investigación que regula con el adjetivo *«tecnológicas»* que es realmente muy vistoso y que de forma inmediata nos sugiere la utilización de las nuevas tecnologías de la información y la comunicación. El problema consiste en la excesiva imprecisión del adjetivo tecnológico que, en realidad, no es privativo de las medidas reguladas en la LO 13/2015. Nótese que la tecnología está presente en muchas de las diligencias de investigación penal más comunes a las que no se les añade el adjetivo tecnológico y que tampoco se regulan de forma expresa en la LECrim (por ejemplo la pericia de identificación y cotejo genético a la que sólo se refiere la LECrim con relación a la obtención de muestras). Es por ello que preferimos calificar estas diligencias como de investigación electrónica por resultar más acorde con su naturaleza y su objeto. Efectivamente, el concepto «electrónico» ofrece una mejor descripción del contenido y características de las medidas objeto de regulación en la LO 13/2015 que la de investigación tecnológica que sirve de título a la citada Ley Orgánica 13/2015.

B) Principios que rigen la adopción de las diligencias de investigación electrónica

La adopción de las diligencias de investigación tecnológica se halla sometidas a los principios de: **«especialidad, idoneidad, excepcionalidad, necesidad y proporcionalidad de la medida»** (588 bis a LECrim). Ello significa que la medida debe estar dirigida a la investigación de un hecho delictivo concreto, sin que quepa su adopción con carácter prospectivo. En su virtud, tal y como prevé la ley: *«No podrán autorizarse medidas de investigación tecnológica que tengan por objeto prevenir o descubrir delitos o despejar sospechas sin base objetiva»* (588 bis a LECrim). La medida, además, debe ser idónea y útil para el fin pretendido lo que significa que en la petición policial y en la resolución debe hacerse expresa mención a su utilidad para el buen fin de la investigación. Complementarios del anterior, los principios de excepcionalidad y proporcionalidad determinan que la medida solo pueda acordarse cuando no existan otras medidas, igualmente útiles, menos gravosas para los derechos fundamentales del investigado o encausado. Se trata en este punto de realizar la debida ponderación entre la utilidad y el esperado resultado de la medida para el esclarecimiento de los hechos y el sacrificio que la intromisión, como la que producen las medidas previstas en la Ley, supone para los derechos fundamentales de los ciudadanos.

«En el momento de adoptar su decisión, el Juez ha de atender, necesariamente a varios aspectos. En primer lugar, a la proporcionalidad, en el sentido de que ha de tratarse de la investigación de un delito grave. Para valorar la gravedad no solo es preciso atender a la previsión legal de una pena privativa de libertad grave, sino además debe valorarse la trascendencia social del delito que se trata de investigar. En segundo lugar, a la especialidad, en tanto que la intervención debe estar relacionada con la investigación de un delito concreto, sin que sean lícitas las observaciones encaminadas a una prospección sobre la conducta de una persona en general. En este sentido, los hallazgos casuales son válidos, pero la continuidad en la investigación de un hecho delictivo nuevo requiere de una renovada autorización judicial. En este aspecto debe delimitarse objetivamente la medida mediante la precisión del hecho que se está investigando, y subjetivamente mediante la suficiente identificación del sospechoso, vinculando con él las líneas telefónicas que se pretende intervenir. Para ello es preciso que el Juez cuente con indicios suficientes de la comisión del delito y de la participación del investigado. Y, en tercer lugar, a la necesidad, excepcionalidad e idoneidad de la medida, ya que, partiendo de la existencia de indicios de delito y de la intervención del sospechoso, suficientemente consistentes, solo debe acordarse cuando, desde una perspectiva razonable, no estén a disposición de la investigación, en atención a sus características, otras medidas menos gravosas para los derechos fundamentales del investigado y, potencialmente, también útiles para la investigación». ATS Sala Segunda, de lo Penal, Auto 353/2017 de 2 Feb. 2017, Rec. 1561/2016. Ponente: Marchena Gómez, Manuel. LA LEY 9328/2017

a) Presupuestos de tipo delictivo o pena prevista para la adopción de las medidas de investigación electrónica. Proporcionalidad de la medida

La Ley no prevé con carácter general una tipicidad determinada o penalidad mínima para poder acordar una medida de investigación electrónica. La inexistencia de una penalidad mínima o determinada permite que, por ejemplo, se pueda acordar el registro remoto de un aparato informático para investigar delitos como los de amenazas, coacciones o estafas (cuando se realicen a través de dispositivos electrónicos) que no están castigados con penas elevadas pero que causan daños importantes tanto a la víctima como al conjunto de la sociedad. Delitos que merecen, por supuesto, ser investigados y juzgados los responsables. Ahora bien, otra opinión merece la inexistencia de criterio legal sobre un mínimo de penalidad para adoptar las medidas de seguimiento y localización (arts. 588 quinquies b y c) que tiene una gran capacidad invasiva de la intimidad.

«Como hemos recordado entre otras, en la STS 545/2015 (LA LEY 138427/2015), de 10 de julio, el secreto de las comunicaciones telefónicas es un derecho fundamental que la Constitución garantiza en el artículo 18.3, la Declaración Universal de los Derechos Humanos (LA LEY 22/1948), artículo 12. Este derecho, por lo tanto, no tiene carácter absoluto, pues puede estar sujeto a limitaciones y restricciones, que deben estar previstas por la ley en función de intereses que puedan ser considerados prevalentes según los criterios propios de un Estado democrático de derecho. Para que tales restricciones puedan hacerse efectivas, es preciso que, partiendo de la necesaria habilitación legal, existan datos que en cada caso concreto pongan de manifiesto que la medida restrictiva del derecho es proporcional al fin pretendido, que este fin es legítimo y que es necesaria en función de las circunstancias de la investigación y del hecho investigado. Ello implica una valoración sobre la gravedad del delito, sobre los indicios de su existencia y de la intervención del sospechoso, y sobre la necesidad de la medida. La decisión sobre la restricción de este derecho se deja en manos exclusivamente del poder judicial, concretamente, en el Juez de Instrucción, a quien corresponde la ponderación de los intereses en juego, mediante un juicio acerca de la proporcionalidad y necesidad de la medida, el cual deberá expresarse en una resolución judicial motivada, adoptada en el ámbito de un proceso penal. Bien entendido que las exigencias de motivación (artículos 24.1 (LA LEY 2500/1978) y 120.3 de la Constitución (LA LEY 2500/1978)), reforzada cuando se trata de restricción de derechos fundamentales, imponen que no sea suficiente la intervención de un Juez, sino que es exigible que tal intervención esté razonada y justificada de forma expresa y suficiente». ATS Sala Segunda, de lo Penal, Auto 353/2017 de 2 Feb. 2017, Rec. 1561/2016. Ponente: Marchena Gómez, Manuel. LA LEY 9328/2017

En la regulación concreta de algunas de las medidas sí que se prevén esta clase de presupuesto, referente a la clase de delito o cuantía de la pena, en orden a su adopción. Así, el art. 588.ter a) LECrim (con relación a la intervención telefónica y telemática y con remisión al art. 579 LECrim) y el art. 588 quater b. (respecto a la captación y grabación de comunicaciones orales o imagen mediante la utilización de dispositivos electrónicos) que prevén que sólo podrán autorizarse cuando los delitos investigados sean algunos de los siguientes: *«1.º Delitos dolosos castigados con pena con límite máximo de, al menos, tres años de prisión; 2.º Delitos cometidos en el seno de un grupo u organización criminal; 3.º Delitos de terrorismo».* El art. 588 septies a respecto al registro remoto de dispositivos electrónicos dispone que se podrá adoptar cuando se persigan alguno de estos delitos: *«a) Delitos cometidos en el seno de organizaciones criminales. b) Delitos de terrorismo. c) Delitos cometidos contra menores o personas con capacidad modificada judicialmente. d) Delitos contra la Constitución, de traición y relativos a la defensa nacional. e) Delitos cometidos a través de instrumentos informáticos o de cualquier otra tecnología de la información o la telecomunicación o servicio de comunicación».* Sin embargo, como decimos, no se establece norma en este sentido con referencia a la utilización de dispositivos técnicos de captación de la imagen, de seguimiento y de localización (art. 588.quinquies LECrim), el registro de dispositivos de almacenamiento masivo de información (art. 588.sexies LECrim) y los registros remotos sobre equipos informáticos (art. 588. septies LECrim).

En cualquier caso, aunque no exista una norma que establezca un tipo delictivo o cuantía mínima de la pena, la intervención sólo podrá autorizarse cuando exista una adecuada proporción entre el sacrificio que la injerencia provoca en la esfera de la intimidad privada y la finalidad perseguida. A este efecto, es necesario que el delito que se trata de investigar, sea de tal gravedad que justifique y ampare el sacrificio de bienes tan preciados, como la privacidad de las conversaciones y comunicaciones telefónicas[195].

> «3. De la nota de Proporcionalidad se deriva como consecuencia que este medio excepcional de investigación requiere, también, una gravedad acorde y proporcionada a los delitos a investigar. Ciertamente que el interés del Estado y de la Sociedad en la persecución y descubrimiento de los hechos delictivos es directamente proporcional a la gravedad de estos, por ello, solo en relación a la investigación de delitos graves, que son los que mayor interés despiertan su persecución y castigo, será adecuado el sacrificio de la vulneración de derechos fundamentales para faci-

---

(195) «Del principio de proporcionalidad; cuya vigencia hemos reafirmado en el ámbito de las intervenciones telefónicas (TC SS 85/1994, 181/1995, 49/1996, y 123/1997) se infiere inmediatamente que tanto la regulación legal como la práctica de las mismas ha de limitarse a las que se hallen dirigidas a un fin constitucionalmente legítimo que pueda justificarlas y que se hallan justificadas sólo en la medida en que supongan un sacrificio del derecho fundamental estrictamente necesario para conseguirlo y resulten proporcionadas a ese sacrificio». STC 49/99 de 5 de abril.

litar su descubrimiento, pues en otro caso, el juicio de ponderación de los intereses en conflicto desaparecería si por delitos menores, incluso faltas se generalizase este medio excepcional de investigación, que desembocaría en el generalizado quebranto de derechos fundamentales de la persona sin justificación posible. La L.O. 13/2015 de 5 de octubre (LA LEY 15163/2015) de modificación de la Ley de Enjuiciamiento Criminal (LA LEY 1/1882), ha establecido una completa y cuidada regulación de la intervención de las comunicaciones telefónicas y telemáticas —arts. 558 bis a) y siguientes del nuevo capítulo IV del Título VIII—, que ha puesto fin a la insuficiente regulación legal hasta entonces existente que exigió su complementación con la doctrina de esta Sala. La STEDH —caso Kopp vs. Suiza— de 25 de marzo de 1998, ya declaraba que constituyendo las intervenciones telefónicas una grave interferencia en la vida privada, la Ley que las permita debe ser particularmente precisa y por ello debe contener normas detalladas al respecto en evitación de generar abusos o excesos de poder». STS 993/2016 de 12 Ene. 2017, Rec. 10282/2016; Ponente: Giménez García, Joaquín. LA LEY 346/2017.

En su virtud, y en cumplimiento del principio de proporcionalidad corresponderá a los Tribunales valorar las circunstancias concurrentes y la trascendencia social de los derechos en juego[196].

«3. De la nota de Proporcionalidad se deriva como consecuencia que este medio excepcional de investigación requiere, también, una gravedad acorde y proporcionada a los delitos a investigar. Ciertamente que el interés del Estado y de la Sociedad en la persecución y descubrimiento de los hechos delictivos es directamente proporcional a la gravedad de estos, por ello, solo en relación a la investigación de delitos graves, que son los que mayor interés despiertan su persecución y castigo, será adecuado el sacrificio de la vulneración de derechos fundamentales para facilitar su descubrimiento, pues en otro caso, el juicio de ponderación de los intereses en conflicto desaparecería si por delitos menores, incluso faltas se generalizase este medio excepcional de investigación, que desembocaría en el generalizado quebranto de derechos fundamentales de la persona sin justificación posible. Frente a otras legislaciones que establecen un catálogo de delitos para cuya investigación está previsto este medio excepcional, la legislación española guarda un silencio que ha sido interpretado por la jurisprudencia en el sentido de exigir la investigación de hechos delictivos graves, y desde luego, entre ellos aquellos que revisten la forma de delincuencia organizada; de alguna manera, puede decirse que en un riguroso juicio de ponderación concretado a cada caso, el sacrificio del principio de intangibilidad de los derechos fundamentales, debe ser proporcionado a la legítima finalidad perseguida. En repetidas ocasiones esta Sala ha manifestado la conveniencia de que la Ley prevea con claridad la clase de delitos que pudieran justificar este medio excepcional de investigación, bien estableciendo un catálogo seriado de delitos, bien atendiendo a la pena a imponer a los delitos susceptibles de ser investigados con este medio. La

(196) «Por otra parte, la gravedad de los hechos no ha de determinarse únicamente por la calificación de la pena legalmente prevista, sino que también han de tenerse en cuenta el bien jurídico protegido y la relevancia social de la actividad. En la Exposición de Motivos de la Ley Orgánica 12/1995, de 12 de diciembre, de Represión del Contrabando, el legislador democrático ha plasmado esa relevancia social al proclamar que "El impacto social, económico y recaudatorio del comercio ilegítimo de labores de tabaco obliga a intensificar la reacción jurídica frente a este ilícito". En definitiva, no puede cabalmente decirse que, en este caso, no haya sido observado el requisito de la proporcionalidad». STC 14/2001 de 29 de enero.

L.O. 13/2015 de 5 de octubre (LA LEY 15163/2015) de modificación de la Ley de Enjuiciamiento Criminal (LA LEY 1/1882) ha dado una completa y detallada regulación de este medio de investigación, en los arts. 588 bis a) y siguientes —Capítulo IV del Título VIII del Libro II de dicha Ley— supliendo las carencias de la anterior regulación legal que tuvo que ser completada por la Jurisprudencia de esta Sala. La STEDH —caso Kopp vs. Suiza— de 25 de marzo de 1998, ya declaraba que constituyendo las intervenciones telefónicas una grave interferencia en la vida privada, la Ley que las permita debe ser particularmente precisa y por ello debe contener normas detalladas al respecto en evitación de generar abusos o excesos de poder, como ya recordaba también la STS 1130/2009 (LA LEY 247547/2009)». STS 982/2016 de 11 Ene. 2017, Rec. 511/2016; Ponente: Giménez García, Joaquín. LA LEY 89/2017.

b) Concreción y especialidad de la materia a investigar

En la solicitud de la medida deberá especificarse el tipo delictivo que se está investigando. No cabe la intervención para el descubrimiento de delitos en general[197].

«Ciertamente el principio de especialidad impone la prohibición de intervenciones prospectivas, mediante las que los poderes públicos se inmiscuyen en la intimidad del sospechoso con el exclusivo objeto de indagar qué es lo que encuentran. El principio de especialidad exige que la decisión jurisdiccional de intervención de las comunicaciones telefónicas éste siempre relacionada con la investigación de un delito concreto cuyos elementos ya se dibujan, al menos, en el plano indiciario que permite el estado incipiente del proceso. Ahora bien es necesario precisar que lo verdaderamente decisivo, desde la perspectiva de la solicitud policial, no es la calificación jurídica, sino los hechos. Son éstos y no un precipitado-por prematuro-juicio de tipicidad, los que han de servir al órgano jurisdiccional para ponderar la pertinencia de la diligencia propuesta y su encaje en los principios constitucionales que justifican el sacrificio. En cuanto a la posibilidad de investigación de nuevos hechos presuntamente delictivos aparecidos en el curso de más intervenciones telefónicas acordadas por delitos diferentes, debemos recordar, en relación al principio de especialidad, cuya vulneración se denuncia, que dicho principio rige en la investigación (SSTS 372/2010 de 29 abril (LA LEY 41083/2010), 457/2010 de 25 mayo, 426/2016 de 19 mayo (LA LEY 51966/2016)) por lo que en la resolución que determine la adopción de la medida deberá figurar la identificación del delito cuya investigación lo nace necesario, en orden a la evaluación de la concurrencia de la exigible proporcionalidad de la decisión y la evitación de "rastreos" indiscriminados de carácter meramente preventivo o aleatorio sin base fáctica previa de la comisión de delito, absolutamente proscritos en nuestro ordenamiento (STS 999/2004 de 19.9 (LA LEY 14043/2004))».

---

(197) «Es preciso, en esta medida, que el Tribunal exprese las razones que hagan legitima la injerencia, si existe conexión razonable entre el delito investigado, en este caso un delito grave como lo son los delitos contra la salud pública y la persona o personas contra las que se dirige la investigación. En términos de la jurisprudencia del Tribunal Constitucional, las sospechas que han de emplearse en este juicio de proporcionalidad no son solo circunstancias meramente anímicas, sino que precisan para que puedan entenderse fundadas hallarse apoyadas en datos objetivos, en un doble sentido. En primer lugar, el de ser accesibles a terceros sin lo que no serían susceptibles de control, y, en segundo lugar, han de proporcionar una base real de lo que pueda inferirse que se ha cometido o se va a cometer un delito sin que puedan consistir en valoraciones acerca de la persona (SSTC 49/99 y 171/99)». STS 15 de mayo de 2008, LA LEY 47647/2008.

STS 71/2017 de 8 Feb. 2017, Rec. 1843/2016; Ponente: Berdugo Gómez de la Torre, Juan Ramón. LA LEY 3460/2017.

Deberá considerarse infringido el derecho al secreto de las comunicaciones, cuando exista una divergencia entre la autorización judicial y el objeto de la investigación, si aquélla se oculta al Juez autorizante.

> «Por, tanto, al amparo de una autorización judicial para la investigación de un presunto delito contra la salud pública, mediante la intervención del teléfono de una determinada persona, se estuvo investigando durante un largo período de tiempo a otras personas, y mediante la intervención de sus conversaciones telefónicas, sin poner en conocimiento del Juez que autorizó la primera intervención telefónica los nuevos hechos descubiertos, presuntamente constitutivos de delito de cohecho, ocultando la policía igualmente, a los sucesivos Jueces que intervinieron, estos hechos y la fuente de conocimiento de los mismos, lo cual, además de vulneración del derecho al secreto de las comunicaciones de los imputados, constituyó asimismo violación del derecho da un proceso con todas las garantías ex art. 24.2 CE». (STC 49/96, de 26 marzo)[198].

Cuando se constate la existencia de esta disociación, se deberá poner en conocimiento del Juez para que decida sobre la aplicación y la posible prórroga de esta medida. Véase, más adelante, sobre el hallazgo casual el Apartado E) de este mismo epígrafe.

> «El Juez que la autorice debe, en primer término, conocer los resultados obtenidos con la intervención, y en el supuesto de que se produzca una divergencia entre el delito objeto de investigación y el que de hecho se investiga, debe adoptar la resolución que proceda, puesto que en otro caso (SS TEDH, caso Klass, de 6 septiembre 1978; caso Malone, de 2 agosto 1984, y caso Kruslin, de 24 abril 1990) las intervenciones constituirían una injerencia de la autoridad pública en el ejercicio del derecho del afectado al respecto de su correspondencia y de su vida privada». (STC 49/96, de 26 marzo).

No se considerará vulnerado el principio de especialidad, cuando la investigación se amplíe a otros aspectos del tipo penal denunciado, siempre que ello no suponga una novación de éste, y se dé cuenta a la autoridad judicial que autorice la ampliación de la investigación[199].

---

(198) V., en este sentido, el importante ATS 18 de junio 1992 ATS Sala Segunda, de lo Penal, Auto de 18 Jun. 1992, Rec. 610/1990. Ponente: Ruiz Vadillo, Enrique. LA LEY 12480/1992 —Caso Naseiro—: «... disociación entre autorización e investigación, como consecuencia de cuanto queda dicho en anteriores fundamentos jurídicos, hubo vulneración del derecho a la intimidad y, más sencillamente aún, al secreto de las comunicaciones, en general, y de las telefónicas, en particular, además de lo ya manifestado, es decir, una nueva vulneración cuando en el desarrollo de la interceptación, inicialmente acordada, aparece como posible un delito o unos posibles nuevos delitos, en cuyo momento, distanciada la investigación, en este supuesto, concreto respecto del tráfico de drogas, y aproximada, en cambio, en relación con otro de cohecho o, en general, de determinadas corrupciones, la Policía debió, de manera inmediata, sin solución continuidad, ponerlo en conocimiento del Juez de Instrucción autorizante/ordenador de la interceptación a los efectos consiguientes, entre ellos el de examinar su propia competencia y la exigencia de proporcionalidad...».

(199) «En este sentido la STS 792/2007 (LA LEY 154085/2007) de 30.5, recuerda que como señaló la sentencia 276/96 de 2.4, en estos supuestos en que se investiga un delito concreto y

«La solución jurídica relativa a estos descubrimientos ocasionales no es uniforme en la doctrina y así en la STS 25/2008 (LA LEY 12947/2008) de 29.8, distinguimos: 1) Si los hechos descubiertos tienen conexión (art. 17 LECrim (LA LEY 1/1882)) con los que son objeto del procedimiento instructorio, los hallazgos surtirán efectos tanto de investigación cuanto, posteriormente de prueba. 2) Si los hechos ocasionalmente conocidos no guardasen esa conexión con los causantes del acuerdo de la medida y aparentan una gravedad penal suficiente como para tolerar proporcionalmente su adopción, se estimarán como mera *"notitia criminis"* y se deducirá testimonio para que, siguiendo las normas de competencia territorial y en su caso las de reparto, se inicie el correspondiente proceso. Por tanto rige el principio de especialidad que justifica la intervención solo al delito investigado (STS 3.10.96) pero los hallazgos delictivos ocasionales son *"notitia criminis"*, sin perjuicio de que en el mismo o en otro procedimiento se amplío o no la medida a seguir investigando el nuevo delito (SSTS 31.10.96, 26.5.97, 19.1 y 23.11.98)». STS 71/2017 de 8 Feb. 2017, Rec. 1843/2016; Ponente: Berdugo Gómez de la Torre, Juan Ramón. LA LEY 3460/2017.

c)   Necesidad de la medida

La medida debe ser necesaria por imprescindible e insustituible, al no existir otro medio de investigación de menor incidencia constitucional[200].

«2. De la nota de Excepcionalidad se deriva que la intervención telefónica no supone un medio normal de investigación, sino excepcional en la medida que supone el sacrificio de un derecho fundamental de la persona, por lo que su uso debe efectuarse con carácter limitado, ello supone que ni es tolerable la petición sistemática en sede judicial de tal autorización, ni menos se debe conceder de forma rutinaria. Ciertamente en la mayoría de los supuestos de petición se estará en los umbrales de la investigación judicial —normalmente tal petición será la cabeza de las correspondientes diligencias previas—, pero en todo caso debe acreditarse una previa y suficiente investigación policial que para avanzar necesita, por las dificultades del caso,

---

se descubre otro distinto, no puede renunciarse a investigar la notitia criminis incidentalmente descubierta en una intervención dirigida a otro fin, aunque ello pueda hacer precisa una nueva o específica autorización judicial o una investigación diferente de la del punto de arranque. Otra cosa significaría por ejemplo, la impunidad de un grave asesinato que se descubriera en un domicilio registrado o en una intervención telefónica acordada para descubrir estupefacientes para el tráfico o acreditar productos de receptación. Así dice la referida resolución: Especialidad; principio que significa que "no cabe, obviamente, decretar una intervención telefónica para tratar de descubrir, en general, sin la adecuada precisión, actos delictivos" y que "no es correcto extender autorización prácticamente en blanco", exigiéndose concretar el fin del objeto de la intervención y que éste no sea rebasado. Lo que también ha sido matizado en el sentido de que no se vulnera la especialidad y ésta se da cuando no se produce una novación del tipo penal investigado, sino una adición o suma (SSTS 2 de julio de 1993 y 21 de enero de 1994)». STS 71/2017 de 8 Feb. 2017, Rec. 1843/2016; Ponente: Berdugo Gómez de la Torre, Juan Ramón. LA LEY 3460/2017.

(200) «... Tal motivación, genérica y lacónica del Auto analizado no cumple el canon de proporcionalidad constitucionalmente exigible, pues sus vagas referencias se limitan, como queda expuesto, a la determinación de los números objeto de la intervención, y a remitirse a la solicitud del Ministerio del Interior, a la que se accede en su integridad; no contiene, sin embargo, ninguna alusión a las personas investigadas, a la especial gravedad o significación social del delito objeto de investigación penal y tampoco se expone el razonamiento sobre la necesidad o imprescindibilidad de la adopción de tal medida para el desarrollo de la investigación, que hubiera justificado la intervención de las comunicaciones...». (STC 54/96, de 26 marzo).

de la intervención telefónica, por ello la nota de la excepcionalidad, se completa con las de idoneidad y necesidad y subsidiariedad formando un todo inseparable, que actúa como valladar ante el riesgo de expansión que suele tener todo lo excepcional, riesgo sobre el que esta Sala ha llamado la atención varias veces. SSTS 998/2002 (LA LEY 104856/2002); 498/2003 (LA LEY 12836/2003); 182/2004 (LA LEY 13066/2004) y 1130/2009 (LA LEY 247547/2009). Idoneidad porque este medio aparezca adecuado para los fines de la instrucción, necesidad porque no existe otro medio de investigación menos invasivo, y subsidiariedad porque ya se han agotado otros medios de investigación. Son garantías y cautelas para impedir que las intervenciones se conviertan en fuente de abusos de poder de la mano de estas modernas técnicas que si es claro que permiten avanzar investigatorias, también suponen nuevos riesgos para los derechos de las personas —STS 1130/2009 (LA LEY 247547/2009)—. Complemento de la excepcionalidad es el de especialidad en relación al concreto delito objeto de investigación, con la consiguiente necesidad de solicitar al Juez la ampliación a otro delito del inicialmente investigado si así apareciese de la intervención». STS 993/2016 de 12 Ene. 2017, Rec. 10282/2016; Ponente: Giménez García, Joaquín. LA LEY 346/2017.

A ese fin el Juez deberá valorar la petición y constatar que se persigue un fin legítimo a cuyo efecto la medida es necesaria para conseguir su fin[201].

«... no es suficiente con constatar que la petición y la autorización persiguieron un fin legítimo para afirmar su conformidad con la CE, sino que, además, ha de ser necesaria para la consecución de ese fin. Para que pueda apreciarse esta necesidad es preciso verificar, en primer lugar, que la decisión judicial dirigida a tal fin apreció razonadamente la conexión entre el sujeto o sujetos que iban a verse afectados por la medida y el delito investigado (existencia del presupuesto habilitante), para analizar después, si el Juez tuvo en cuenta tanto la gravedad de la intromisión como su idoneidad e imprescindibilidad para asegurar la defensa del interés público (juicio de proporcionalidad) .../... Será preciso, por tanto, examinar si efectivamente en el momento de pedirla y acordarla, se pusieron de manifiesto ante el Juez, a través de la solicitud policial, no meras suposiciones o conjeturas de que el delito pudiera estarse cometiendo o llegar a cometerse y de que las conversaciones que se mantuvieran a través de la línea telefónica indicada eran medio útil de averiguación del delito, sino datos objetivos que permitieran pensar que dicha línea era utilizada por las personas sospechosas de su comisión o por quienes con ellas se relacionaban, y que, por lo tanto, no se trataba de una investigación meramente prospectiva...». STC 49/1999 de 5 de abril.

No podrá acordarse esta medida con base en meras conjeturas, o bien para descubrir de manera general e indiscriminada actos delictivos (escuchas predelictuales

---

(201) «Son principios configuradores del canon de constitucionalidad: 1°. Que la medida se muestre como necesaria, al no haber otra menos gravosa, y funcionalmente idónea, porque de ella cabe esperar resultados útiles para aquella finalidad (SSTC 49/1999 de 5 de abril (LA LEY 4215/1999), F. 8; 82/2002 de 22 de abril F. 3; 167/2002 de 18 de septiembre F. 2184/2003 de 23 de octubre F. 9; 259/2005 de 24 de octubre F. 2). 2°. La inadmisibilidad de las intervenciones de finalidad meramente prospectiva. A este respecto se reitera que es insuficiente la mera afirmación de la existencia de una investigación previa, sin especificar en qué consiste, ni cuál ha sido su resultado por muy provisional que éste pueda ser». STS Sala Segunda, de lo Penal, Sentencia 116/2016 de 22 Feb. 2016, Rec. 1298/2015. Ponente: Varela Castro, Luciano. LA LEY 8149/2016.

o de prospección). En este sentido, el secreto de las comunicaciones no puede ser desvelado para satisfacer la necesidad genérica de prevenir o descubrir delitos o para despejar las sospechas sin base objetiva que surjan en los encargados de la investigación, ya que de otro modo se desvanecería la garantía constitucional (SSTC 14/2001 de 29 de enero; 49/1999; 166/1999; 171/1999).

> «Se trata, por consiguiente, de determinar si en el momento de pedir y adoptar la medida de intervención se pusieron de manifiesto ante el Juez, y se tomaron en consideración por éste elementos de convicción que constituyan algo más que meras suposiciones o conjeturas de la existencia del delito o de su posible comisión, y de que las conversaciones que se mantuvieran a través de la línea telefónica indicada eran medio útil de averiguación del delito .../... La aplicación de esa doctrina general al análisis del caso exige, por tanto, determinar si en el momento de solicitar y autorizar la medida de intervención telefónica se pusieron de manifiesto ante el Juez y se tomaron en consideración por éste elementos de convicción que constituyan algo más que meras suposiciones o conjeturas de la existencia del delito o de su posible comisión, así como datos objetivos que permitieran precisar que las líneas de teléfono cuya intervención se solicitó eran utilizadas por personas sospechosas de su comisión o por quienes con ella se relacionaban». STC 253/2006 de 11 de septiembre.

Así no son suficientes las meras sospechas, corazonadas o conjeturas de la policía. Pero, al mismo tiempo, tampoco es necesaria la aportación de verdaderas pruebas. Por ello es suficiente la presencia de indicios objetivos que tengan una mínima consistencia o razonabilidad[202].

> «Los datos que deben ser facilitados por la policía tienen que tener una objetividad suficiente que los diferencia de la mera intuición policial o conjetura. Tienen que ser objetivos en un doble sentido: En primer lugar de ser accesibles a terceros y, singularmente, al Juez que debe autorizarla o no, pues de lo contrario se estaría en una situación ajena a todo posible control judicial, y es obvio que el Juez, como director de la encuesta judicial no puede adoptar el pasivo papel de vicario de la actividad policial que se limita a aceptar, sin control alguno, lo que le diga la policía en el oficio, y obviamente, el control carece de ámbito si sólo se comunican intuiciones, opiniones, corazonadas o juicios de valor. Obviamente los datos a exponer por la policía se sitúan extramuros de esas valoraciones subjetivas, pero tampoco deben ser tan sólidos como los que se exigen para

---

(202)   «... Tal resolución debe: a) justificar el presupuesto legal habilitante de la intervención; b) hacer posible su control posterior en aras del respeto del derecho de defensa del sujeto pasivo de la medida, habida cuenta de que, por la propia finalidad de ésta, dicha defensa no puede tener lugar en el momento de la adopción de la medida. (S Tribunal Constitucional 299/2000, de 11 de diciembre, F. 4). En la resolución, se debe expresar o exteriorizar las razones fácticas y jurídicas que apoyan la necesidad de la intervención. El contenido de la resolución se constituirá por: a) expresión de los indicios que existen acerca de la presunta comisión de un hecho delictivo grave; b) los que vinculan a una determinada persona con tal hecho; c) determinar con precisión el número o números de teléfono y personas cuyas conversaciones han de ser intervenidas, que, en principio, deberán serlo las personas sobre las que recaigan los indicios referidos; d) el tiempo de duración de la intervención, quiénes han de llevarla a cabo; e) cómo, y f) los períodos en los que deba darse cuenta al Juez para controlar su ejecución. (SS Tribunal Constitucional 49/1996, de 26 de marzo, F. 3; 236/1999, de 20 de diciembre, F. 3; 14/2001, de 29 de enero, F. 5)». STS 6 de junio de 2007, LA LEY 51978/2007.

procesar ex art. 384 LECrim. (LA LEY 1/1882), ya que se estará en el inicio de una investigación en los casos en los que se solicite la intervención telefónica. STC 253/2006 de 11 de septiembre (LA LEY 109080/2006). Como se recuerda en las SSTC 171/1999 (LA LEY 12124/1999); 299/2000 (LA LEY 2099/2001) y 14/2001 (LA LEY 1645/2001) "... Los indicios son algo más que la simple sospecha, pero también algo menos que los indicios racionales que se exigen para procesar..."». STS 982/2016 de 11 Ene. 2017, Rec. 511/2016; Ponente: Giménez García, Joaquín. LA LEY 89/2017.

d) Adopción de la intervención en un proceso penal y por auto motivado (arts. 588 bis c y b). Derechos fundamentales afectados

Las diligencias de investigación electrónica deberán estar autorizadas por orden judicial al afectar derechos fundamentales. En concreto los derechos reconocidos en el art. 18 CE, cuales son: de la intimidad personal y familiar y el secreto de las comunicaciones. También puede resultar afectado el derecho a la libertad de residencia y circulación reconocido en el art. 19 CE en el supuesto de la medida de seguimiento y/o localización.

«No cabe la menor duda que en la lucha contra la criminalidad organizada puede ser de gran utilidad el empleo de técnicas de investigación que incluyen la adopción de medidas que restringen los derechos fundamentales del investigado, concretamente, la escucha de sus comunicaciones telefónicas. Las leyes de un Estado democrático de Derecho pueden prever en ocasiones limitaciones de los derechos ciudadanos orientadas a la persecución de las conductas que atentan contra sus valores esenciales, y así se reconoce en el artículo 8.2 del Convenio Europeo para la Protección de los derechos humanos (LA LEY 16/1950) y de las libertades fundamentales. Pero tampoco debe existir duda alguna respecto de la necesidad de rechazar la banalización de la restricción de los derechos fundamentales, acudiendo a ese medio de investigación desde que se constate cualquier sospecha. El Tribunal Europeo de Derechos Humanos, en la STEDH de 24 abril 1990, Caso Kruslin contra Francia, ya declaró que "(33). Las escuchas y los demás procedimientos para interceptar las conversaciones telefónicas son un grave ataque a la vida privada...". De manera que para acordar medidas que restringen esos derechos individuales es necesaria siempre una previsión legal suficiente y, en el caso, una previa y suficiente justificación». STS 106/2017 de 21 Feb. 2017, Rec. 1572/2016; Ponente: Moral García, Antonio del. LA LEY 5940/2017.

No obstante, no siempre las medidas de investigación electrónica, en sentido amplio, afectarán directamente derechos fundamentales y, por esa razón, no siempre será necesaria la obtención de una orden judicial. Piénsese en el examen de dispositivos electrónicos cedidos por particulares o empresas a la policía para que puedan realizar una investigación de los mismos en orden a esclarecer un delito. Aunque, bien es cierto que el art. 588.bis.a se refiere a la necesaria autorización judicial para: «... acordar alguna de las medidas de investigación reguladas en el presente capítulo». Norma que debe entenderse en el sentido de obligar a dictar auto judicial en el supuesto que se pueda producir una afectación de derecho fundamental, pero no cuando, como en los casos expuestos, la orden judicial no resulte necesaria. Así está previsto, por ejemplo, en el art. 588 quinquies a. que prevé que: «1. La Policía Judicial podrá obtener y grabar por cualquier medio técnico imágenes de la persona *investigada cuando se encuentre en un lugar o espacio público, si ello fuera necesario para facilitar su identificación, para localizar los instrumentos o efectos del delito u obtener datos relevantes para el esclarecimiento de los hechos».* Esta es una medida de investigación tecnológica para la que no resulta necesaria la obtención de una orden judicial en tanto que tiene por objeto la grabación de espacios públicos en los que en principio no se afecta derecho alguno a la intimidad o a las comunicaciones. Ahora bien, sí que será necesaria una orden judicial para utilizar o instalar dispositivos que permitan la grabación de las comunicaciones orales que se produzcan en un domicilio o en la vía pública. Así está previsto en el art. 588 quater a y ss. LECrim. Tampoco será necesaria una orden judicial para realizar investigaciones en Internet localizando direcciones IPs de acceso a la red, o números de teléfono o de identificación de aparatos telefónicos (códigos IMSI o IMEI). Ello sin perjuicio que la posterior averiguación de la titularidad de la conexión IP o del aparato telefónico exija orden judicial (Véase sobre esta cuestión más adelante el apartado C) a) de este mismo epígrafe).

La intervención de las comunicaciones deberá producirse bien en un proceso penal ya iniciado, o bien que se inicie como consecuencia de la misma. En ningún caso se podrá autorizar una intervención con carácter previo a la iniciación de un proceso penal. Es por ello que no resulta correcto acordar una intervención telefónica en el marco de unas diligencias indeterminadas, figura no reconocida legalmente. Ahora bien esta es una forma de iniciar las actuaciones que se viene admitiendo implícitamente en la práctica forense con la exigencia de, en ese caso, notificar la intervención al Ministerio Fiscal.

> «En lo referente a la notificación de tal medida el Ministerio Fiscal, tras un primer momento de duda ante la exigencia de tal requisito por parte del Tribunal Constitucional —STC 197/2009 (LA LEY 184032/2009), reiterada posteriormente en otras—, hoy día ya ha quedado claro que tal notificación solo sería exigible cuando tal medida no se adopte en el seno de unas diligencias judiciales, esto es unas Diligencias Previas, y se hiciese en unas "Diligencias Indeterminadas" que no tienen el carácter de proceso *strictu sensu* más aún, carecen de regulación legal y en rigor no son un proceso legalmente existente —STC 72/2010 (LA LEY 187987/2010) y las en ella citadas—». STS 982/2016 de 11 Ene. 2017, Rec. 511/2016; Ponente: Giménez García, Joaquín. LA LEY 89/2017.

En ese sentido, el TS ha entendido que el acuerdo de intervención al amparo de unas diligencias indeterminadas se tratará, en todo caso, de una incorrección procesal que carece de relevancia por no afectar al contenido del derecho fundamental al secreto en las comunicaciones (véase sobre esa cuestión § 3.B.a del Cap. VI sobre iniciación del proceso penal).

> «1. Evidentemente de la nota de la Judicialidad de la medida se derivan como consecuencias las siguientes: a) Que solo la autoridad judicial competente puede autorizar el sacrificio del derecho a la intimidad. b) Que dicho sacrificio lo es con la finalidad exclusiva de proceder a la investigación de un delito concreto y a la detención de los responsables, rechazándose las intervenciones predelictuales o de prospección. Esta materia se rige por el principio de especialidad en la investigación. c) Que por ello la intervención debe efectuarse en el marco de un proceso penal abierto, rechazándose la técnica de las Diligencias Indeterminadas, si bien

el alcance del quebrantamiento de esta prevención no tiene alcance invalidante para la intervención al tratarse de una cuestión meramente procedimental. d) Al ser medida de exclusiva concesión judicial, esta debe ser fundada, es decir, motivada y ello supone exponer sistemáticamente las razones que apoyan una decisión, en este caso la de permitir la injerencia en las conversaciones telefónicas, y ello en el doble sentido de adoptar la forma de auto y tener suficiente motivación o justificación de la medida, ello exige de la policía solicitante la expresión de la noticia racional del hecho delictivo a comprobar y la probabilidad de su existencia, así como de la implicación posible de la persona cuyo teléfono es el objeto de la intervención. Los datos que deben ser facilitados por la policía tienen que tener una objetividad suficiente que los diferencia de la mera intuición policial o conjetura». STS 993/2016 de 12 Ene. 2017, Rec. 10282/2016; Ponente: Giménez García, Joaquín. LA LEY 346/2017.

Ahora bien, tal y como hemos dicho en el caso de adoptarse una intervención telefónica en el marco de unas diligencias indeterminadas deberá notificarse al Fiscal para garantizar de ese modo la relevante función de control que le corresponde desempeñar, y a la que específicamente se refiere el Tribunal Constitucional que considera que en aquellos casos en los que las diligencias indeterminadas no se transforman de inmediato en diligencias previas o no se incorporan a un proceso legal ya incoado se está vulnerando el derecho constitucional.

«Tiene declarado esta Sala, como es exponente la Sentencia 83/2009, de 28 de enero, que las resoluciones judiciales que autorizan injerencias en derechos fundamentales deben adoptarse en el curso de unas diligencias previas o de un sumario ordinario, pero no en el seno de unas diligencias indeterminadas, si bien ello no pasa de ser una mera irregularidad procesal no afectante a derechos fundamentales. Y en sentencias posteriores, como se recoge en la Sentencia de esta Sala 301/2013, de 18 de abril, se recuerda que el Tribunal Constitucional estimó inicialmente que el hecho de que la decisión judicial se lleve a cabo en las denominadas diligencias indeterminadas no implica, per se, la vulneración del derecho al secreto de las comunicaciones, pues lo relevante a estos efectos es la posibilidad de control, tanto de un control inicial (ya que, aun cuando se practiquen en esta fase sin conocimiento del interesado, que no participa en ella, aquél ha de suplirse por la intervención del Ministerio Fiscal, garante de la legalidad y de los derechos de los ciudadanos por lo dispuesto en el art. 124.1 CE (LA LEY 2500/1978)), como de otro posterior (esto es, cuando se alza la medida, control por el propio interesado que ha de poder conocerla e impugnarla) (SSTC núm. 49/1999, de 5 de abril (LA LEY 4215/1999); 126/2000, de 16 de mayo (LA LEY 8955/2000)). Y se añade que ha de tenerse en cuenta que el problema de las diligencias indeterminadas es, precisamente, que su incoación no se notifica necesariamente al Ministerio Fiscal, a diferencia de las diligencias previas, lo que impide el ejercicio por éste de la relevante función de control que le corresponde desempeñar, y a la que específicamente se refiere el Tribunal Constitucional, por lo que en aquellos casos en que las diligencias indeterminadas no se transforman de inmediato en diligencias previas o no se incorporan a un proceso legal ya incoado se está vulnerando el derecho constitucional». STS 706/2014 de 22 Oct. 2014, Rec. 1411/2013; Ponente: Granados Pérez, Carlos. LA LEY 152538/2014.

Pero, como excepción, la Ley prevé que el Ministro del Interior o, en su defecto, el Secretario de Estado de Seguridad puedan ordenar la intervención de las comunicaciones: «En caso de urgencia, cuando las investigaciones se realicen para la averiguación de delitos relacionados con la actuación de bandas armadas o elementos terroristas y existan razones fundadas que hagan imprescindible la medida...». La intervención se comunicará inmediatamente al juez competente y, en todo caso, dentro del plazo máximo de veinticuatro horas, haciendo constar las razones que justificaron su adopción, la actuación realizada, la forma en que se ha efectuado y su resultado. Corresponderá al juez competente, de forma motivada, revocar o confirmar la intervención en un plazo máximo de setenta y dos horas desde que fue ordenada la medida (art. 588.ter.d.3 LECrim).

La resolución judicial en la que se acuerde la diligencia de investigación se podrá adoptar de oficio o a instancia de parte y se tramitará en una pieza separada y secreta, sin necesidad de que se acuerde expresamente el secreto de la causa (art. 588 bis d.)[203]. La petición formulada por la Fiscalía/Policía deberá contener: la descripción del hecho; todas las circunstancias y razones que justifican la necesidad de acordar la medida; la identificación de los investigados y posibles afectados por la diligencia; la clase y modo de ejecución de la medida con mención de la unidad o sujeto responsable y, finalmente, la duración de la medida[204]. En su resolución, mediante auto motivado dictado dentro de las 24 horas siguientes a la solicitud, el Juez de instrucción resolverá la autorización o denegación de la medida solicitada. (Véase M. 79).

> «Las exigencias de motivación de las resoluciones judiciales que autorizan la intervención o su prórrogas forman parte del contenido esencial del art. 18.3 CE (LA LEY 2500/1978), y que dichas exigencias deben explicitar, en el momento de la adopción de la medida, todos los elementos indispensables para realizar el juicio de proporcionalidad y para hacer posible su control posterior, en aras del

(203) «En cuanto a la exigencia de acordar simultáneamente el secreto de las Diligencias Previas en las que se acuerde tal medida, es obvio que la no adopción del secreto solo constituye una vulneración de la legalidad ordinaria que no genera ninguna indefensión ni permite solicitar la nulidad por falta de notificación de la medida. Tal notificación haría ilusoria tal intervención. SSTS de 7 de septiembre de 2000; 9/2004; 384/2004 o STC 100/2005 (LA LEY 1339/2005)». STS 993/2016 de 12 Ene. 2017, Rec. 10282/2016; Ponente: Giménez García, Joaquín. LA LEY 346/2017.

(204) «Puede deducirse que la resolución judicial debe contener, bien en su propio texto o en la solicitud policial a la que se remita (STS núm. 635/2012, de 17 de julio (LA LEY 112804/2012)): A) Con carácter genérico los elementos indispensables para realizar el juicio de proporcionalidad. B) Los datos objetivos que puedan considerarse indicios de la posible comisión de un hecho delictivo grave, que deben ser accesibles a terceros. C) Los datos objetivos que puedan considerarse indicios de la posible conexión de las personas afectadas por la intervención con los hechos investigados, que no pueden consistir exclusivamente en valoraciones acerca de la persona. D) Los datos concretos de la actuación delictiva que permitan descartar que se trata de una investigación meramente prospectiva. E) La fuente de conocimiento del presunto delito, siendo insuficiente la mera afirmación de que la propia policía solicitante ha realizado una investigación previa, sin especificar mínimamente cual ha sido su contenido, ni cuál ha sido su resultado. F) El número o números de teléfono que deben ser intervenidos, el tiempo de duración de la intervención, quién ha de llevarla a cabo y los períodos en los que deba darse cuenta al Juez de sus resultados a los efectos de que éste controle su ejecución (STS núm. 635/2012, de 17 de julio (LA LEY 112804/2012))». STS 71/2017 de 8 Feb. 2017, Rec. 1843/2016; Ponente: Berdugo Gómez de la Torre, Juan Ramón. LA LEY 3460/2017.

respeto del derecho de defensa del sujeto pasivo de la medida pues, por la propia finalidad de ésta, la defensa no puede tener lugar en el momento de su adopción. La resolución judicial que acuerda una intervención telefónica ha de justificar la existencia de los presupuestos materiales habilitantes de la intervención: 1º) Los datos objetivos que puedan considerarse indicios de la posible comisión de un hecho delictivo grave y 2º) los indicios de la conexión de las personas afectadas por la intervención con los hechos investigados. Indicios que son algo más que simples sospechas, pero también algo menos que los indicios racionales que se exigen para el procesamiento .../... Se trata, por consiguiente, de determinar si en el momento de pedir y adoptar la medida de intervención de una línea telefónica se pusieron de manifiesto ante el Juez, y se tomaron en consideración por éste datos objetivos que permitieran precisar que dicha línea era utilizada por las personas sospechosas de la comisión del delito o de quienes con ella se relacionaban, y que, por lo tanto, no se trataba de una investigación meramente prospectiva, pues el secreto de las comunicaciones no puede ser desvelado para satisfacer la necesidad genérica de prevenir o descubrir delitos o para despejar las sospechas sin base objetiva que surjan en los encargados de la investigación, ya que de otro modo se desvanecería la garantía constitucional. Sobre esa base, el Tribunal Constitucional ha considerado insuficiente la mera afirmación de la existencia de una investigación previa, sin especificar en qué consiste, ni cuál ha sido su resultado por muy provisional que éste pueda ser, afirmando también que la concreción del delito que se investiga, las personas a investigar, los teléfonos a intervenir y el plazo de intervención no pueden suplir la carencia fundamental de la expresión de los elementos objetivos indiciarios que pudieran servir de soporte a la investigación, ni la falta de esos indispensables datos pueda ser justificada *a posteriori* por el éxito de la investigación misma. También ha destacado el Tribunal que "la idea de dato objetivo indiciario tiene que ver con la fuente de conocimiento del presunto delito, cuya existencia puede ser conocida a través de ella. De ahí que el hecho en que el presunto delito puede consistir no pueda servir como fuente de conocimiento de su existencia. La fuente del conocimiento y el hecho conocido no pueden ser la misma cosa». Asimismo, debe determinarse con precisión el número o números de teléfono que deben ser intervenidos, el tiempo de duración de la intervención, quién ha de llevarla a cabo y los períodos en los que deba darse cuenta al Juez de sus resultados a los efectos de que éste controle su ejecución». STS 71/2017 de 8 Feb. 2017, Rec. 1843/2016; Ponente: Berdugo Gómez de la Torre, Juan Ramón. LA LEY 3460/2017.

El Juez también podrá requerir, con interrupción del plazo de 24 horas, al solicitante para que amplíe o aclare los términos de la solicitud (art. 588 bis.c.). En el auto se hará constar la motivación correlativa a cada una de las circunstancias contenidas en la petición, con expresa mención a la unidad de Policía o tercera persona obligada que se hará cargo de la intervención; la duración de la medida y: «f) La forma y la periodicidad con la que el solicitante informará al juez sobre los resultados de la medida» (art. 588 bis.c.); así como concretamente al: a) El hecho punible objeto de investigación y su calificación jurídica, con expresión de los indicios racionales en los que funde la medida .../... c) La extensión de la medida de injerencia, especificando su alcance así como la motivación relativa al cumplimiento de los principios rectores establecidos en el artículo 588 bis a .../... g) La finalidad perseguida con la medida (y) h) El sujeto obligado que llevará a cabo la *medida, en caso de conocerse, con expresa mención del deber de colaboración y de guardar secreto, cuando proceda, bajo apercibimiento de incurrir en un delito de desobediencia* (art. 588 bis.c.)[205].

> «La resolución judicial en la que se acuerda la medida de intervención telefónica o su prórroga debe expresar o exteriorizar las razones fácticas y jurídicas que apoyan la necesidad de la intervención, esto es, cuáles son los indicios que existen acerca de la presunta comisión de un hecho delictivo grave por una determinada persona, así como determinar con precisión el número o números de teléfono y personas cuyas conversaciones han de ser intervenidas, que, en principio, deberán serlo las personas sobre las que recaigan los indicios referidos, el tiempo de duración de la intervención, quiénes han de llevarla a cabo y cómo, y los períodos en los que deba darse cuenta al Juez para controlar su ejecución (SSTC 49/1996, de 26 de marzo (LA LEY 4234/1996), FJ 3; 236/1999, de 20 de diciembre (LA LEY 3412/2000), FJ 3; 14/2001, de 29 de enero (LA LEY 1645/2001), FJ 5). Así pues, también se deben exteriorizar en la resolución judicial, entre otras circunstancias, los datos o hechos objetivos que puedan considerarse indicios de la existencia del delito y la conexión de la persona o personas investigadas con el mismo, indicios que son algo más que simples sospechas, pero también algo menos que los indicios racionales que se exigen para el procesamiento. Esto es, sospechas fundadas en alguna clase de dato objetivo (SSTC 171/1999, de 27 de septiembre (LA LEY 12124/1999), FJ 8; 299/2000, de 11 de diciembre (LA LEY 2099/2001), FJ 4; 14/2001, de 29 de enero (LA LEY 1645/2001), FJ 5; 138/2001, de 18 de junio (LA LEY 6387/2001), FJ 3; y 202/2001, de 15 de octubre (LA LEY 8760/2001), FJ 4)». STC 253/2006 de 11 de septiembre.

No será necesaria la notificación del Auto a la Fiscalía, en el caso que no hubiese pedido la intervención la Fiscalía sino la policía como es habitual[206].

> «En lo referente a la notificación de tal medida el Ministerio Fiscal, tras un primer momento de duda ante la exigencia de tal requisito por parte del Tribunal Constitucional —STC 197/2009 (LA LEY 184032/2009), reiterada posteriormente en otras—, hoy día ya ha quedado claro que tal notificación solo sería exigible cuando tal medida no se adopte en el seno de unas diligencias judiciales, esto es unas Diligencias Previas, y se hiciese en unas "Diligencias Indeterminadas" que no tienen el carácter de proceso *strictu sensu* más aún, carecen de regulación legal y en rigor no son un proceso legalmente existente —STC 72/2010 (LA LEY 187987/2010) y las en ella citadas—». STS 993/2016 de 12 Ene. 2017, Rec. 10282/2016; Ponente: Giménez García, Joaquín. LA LEY 346/2017.

Debe tenerse presente que el Fiscal será puesto en conocimiento de las diligencias de investigación incoadas a partir de la intervención a partir de cuyo momento tendrá pleno conocimiento de lo actuado.

---

(205)   Véase también la STC 14/2001 de 29 de enero.

(206)   «En lo referente a la notificación de tal medida el Ministerio Fiscal, tras un primer momento de duda ante la exigencia de tal requisito por parte del Tribunal Constitucional —STC 197/2009 (LA LEY 184032/2009), reiterada posteriormente en otras—, hoy día ya ha quedado claro que tal notificación solo sería exigible cuando tal medida no se adopte en el seno de unas diligencias judiciales, esto es unas Diligencias Previas, y se hiciese en unas "Diligencias Indeterminadas" que no tienen el carácter de proceso strictu sensu más aún, carecen de regulación legal y en rigor no son un proceso legalmente existente —STC 72/2010 (LA LEY 187987/2010) y las en ella citadas—». STS 982/2016 de 11 Ene. 2017, Rec. 511/2016; Ponente: Giménez García, Joaquín. LA LEY 89/2017.

«...—como hemos dicho en STS 901/2009 de 24.9 (LA LEY 184111/2009)— siendo una medida secreta por su propia naturaleza, y por ello necesariamente temporal, no es desorbitado posponer su revisión o crítica a un momento posterior, sin causar por ello indefensión alguna al investigado, ejerciendo el Ministerio Fiscal de esta forma la defensa de la legalidad, subsanándose plenamente la posible omisión inicial. Por otra parte, el auto se dicta en el seno de las diligencias previas correspondientes, cuya incoación hay que entender puesta en conocimiento obligatoriamente del Ministerio Fiscal, que a partir de dicho momento está personado permanentemente en la causa». STS 912/2016 de 1 Dic. 2016, Rec. 355/2016. Ponente: Berdugo Gómez de la Torre, Juan Ramón. LA LEY 177402/2016.

Ahora bien, como hemos dicho anteriormente sí que será necesaria la notificación al Ministerio Fiscal de la intervención o de su prórroga en el caso que se hubiere dictado en el marco de unas diligencias indeterminadas. Aunque, en ese caso, lo que se persigue es subsanar, en la medida de lo posible, una actuación que no se adopta en el seno de un auténtico proceso que permite el control de su desarrollo y cese, evitando de ese modo un secreto constitucionalmente inaceptable.

«En ese contexto —y siempre en referencia a supuestos en los que los Autos de intervención y prórroga se dictan en el seno de unas diligencias indeterminadas, que no constituyen en rigor un proceso legalmente existente— posteriores resoluciones —han declarado contrario a las exigencias de control de la intervención la falta de notificación al Ministerio Fiscal de los Autos de intervención o prórroga, cuando no existe constancia de que efectivamente se produjera tal conocimiento, en la medida en que tal ausencia impidió el control inicial del desarrollo y cese de la medida, en sustitución del interesado, por el garante de los derechos de los ciudadanos (SSTC 205/2002, de 11 de noviembre (LA LEY 279/2003); 165/2005, de 20 de junio (LA LEY 13314/2005); 259/2005, de 24 de octubre (LA LEY 1969/2005); 146/2006, de 8 de mayo (LA LEY 48366/2006)). Por tanto "lo que nuestra doctrina ha considerado contrario a las exigencias del art. 18.3 CE (LA LEY 2500/1978) no es la mera inexistencia de un acto de notificación formal al Ministerio Fiscal de la intervención telefónica —tanto del Auto que inicialmente la autoriza como de sus prórrogas—, sino el hecho de que la misma, al no ser puesta en conocimiento del Fiscal, pueda acordarse y mantenerse en un secreto constitucionalmente inaceptable, en la medida en que no se adopta en el seno de un auténtico proceso que permite el control de su desarrollo y cese" (STC 197/2009 de 28.9). Lo que llevaba a concluir en aquel caso —en el que las intervenciones telefónicas se habían acordado en el seno de unas diligencias previas, de cuya existencia tuvo conocimiento el Ministerio Fiscal desde el primer momento— que la falta de constancia en las actuaciones de un acto formal de notificación al Fiscal de los autos que autorizaron y prorrogaron las intervenciones telefónicas no constituía un defecto constitucionalmente relevante en el control de la intervención, en la medida en que no impidió el control inicial de su desarrollo y cese y no consagró, por tanto, un secreto constitucionalmente inaceptable». STS 912/2016 de 1 Dic. 2016, Rec. 355/2016. Ponente: Berdugo Gómez de la Torre, Juan Ramón. LA LEY 177402/2016.

Especialmente exigible es que conste en el auto la existencia y valoración de indicios constatables que sean algo más que meras sospechas a fin que el Juez pueda realizar el proceso valorativo en orden a conceder la petición de intervención[207]. A este respecto, y tal como ha reiterado tanto el Tribunal Constitucional como el Tribunal Supremo: «no basta una intuición policial; ni una sospecha más o menos vaga; ni deducciones basadas únicamente en confidencias[208]. Es necesario algo más»[209].

(207) «Desde el punto de vista de la motivación del auto inicial acordando la intervención telefónica y ausencia de los datos necesarios para restringir el derecho al secreto de las comunicaciones es necesario tener en cuenta la doctrina del Tribunal Constitucional, SS. 26/2010 de 27.4, 197/2009 de 28.9, y de esta misma Sala, SS. 116/2013 de 21.2, 821/2012 de 31.10, 629/2011 de 23.6, 628/2010 de 1.7, que viene afirmando que forman parte del contenido esencial del art. 18.3 CE (LA LEY 2500/1978) las exigencias de motivación de las resoluciones judiciales que autorizan la intervención o su prórroga. Estas deben explicitar, en el momento de la adopción de la medida, todos los elementos indispensables para realizar el juicio de proporcionalidad y para hacer posible su control posterior, en aras del respeto del derecho de defensa del sujeto pasivo de la medida pues, por la propia finalidad de ésta, la defensa no puede tener lugar en el momento de su adopción (STC 299/2000, de 11 de diciembre (LA LEY 2099/2001); 167/2002, de 18 de septiembre (LA LEY 7757/2002)). En primer lugar, la resolución judicial que acuerda una intervención telefónica ha de justificar la existencia de los presupuestos materiales habilitantes de la intervención: los datos objetivos que puedan considerarse indicios de la posible comisión de un hecho delictivo grave y de la conexión de las personas afectadas por la intervención con los hechos investigados. Indicios que son algo más que simples sospechas, pero también algo menos que los indicios racionales que se exigen para el procesamiento. En este sentido, hemos reiterado que "la relación entre la persona investigada y el delito se manifiesta en las sospechas que, como tiene declarado este Tribunal Constitucional, no son tan sólo circunstancias meramente anímicas, sino que precisan para que puedan entenderse fundadas hallarse apoyadas en datos objetivos, que han de serlo en un doble sentido. En primer lugar, en el de ser accesibles a terceros, sin lo que no serían susceptibles de control y en segundo lugar, en el de que han de proporcionar una base real de la que pueda inferirse que se ha cometido o que se va a cometer el delito, sin que puedan consistir en valoraciones acerca de la persona. Esta mínima exigencia resulta indispensable desde la perspectiva del derecho fundamental, pues si el secreto pudiera alzarse sobre la base de meras hipótesis subjetivas, el derecho al secreto de las comunicaciones, tal y como la CE lo configura, quedaría materialmente vacío de contenido" (STC 5/2010, de 7 de abril (LA LEY 21052/2010))». ATS Sala Segunda, de lo Penal, Auto 353/2017 de 2 Feb. 2017, Rec. 1561/2016. Ponente: Marchena Gómez, Manuel. LA LEY 9328/2017.

(208) «No basta con excluir la utilización de la "confidencia" como prueba de cargo, para garantizar una adecuada tutela de los derechos fundamentales. Es necesario excluirla también como indicio directo y único para la adopción de medidas restrictivas de los derechos fundamentales. Ha de recordarse que la confidencia puede ocultar un ánimo de venganza, autoexculpación, beneficio personal, etc., así como el antiguo brocardo de que "quien oculta su rostro para acusar, también es capaz de ocultar la verdad en lo que acusa". Es por ello por lo que la mera referencia a informaciones "confidenciales" no puede servir de fundamento único a una solicitud de medidas limitadoras de derechos fundamentales (entradas y registros, intervenciones telefónicas, detenciones, etc.), y, en consecuencia, a decisiones judiciales que adoptan dichas medidas, salvo supuestos excepcionalísimos de estado de necesidad (peligro inminente y grave para la vida de una persona secuestrada, por ejemplo). La supuesta información debe dar lugar a gestiones policiales para comprobar su veracidad, y sólo si se confirma por otros medios menos dudosos, pueden entonces solicitarse las referidas medidas». STS Sala Segunda, de lo Penal, Sentencia de 1 Jun. 2009, rec. 531/2008. Ponente: Berdugo Gómez de la Torre, Juan Ramón. Nº de Sentencia: 534/2009. Nº de Recurso: 531/2008. LA LEY 84783/2009.

(209) «a) Desde la STC 49/1999, de 5 de abril (LA LEY 4215/1999), FJ 7, este Tribunal viene afirmando que forman parte del contenido esencial del art. 18.3 CE las exigencias de motivación de las resoluciones judiciales que autorizan la intervención o su prórroga. Estas deben explicitar, en el momento de la adopción de la medida, todos los elementos indispensables para realizar el juicio de proporcionalidad y para hacer posible su control posterior, en aras del respeto del derecho de defensa del sujeto pasivo de la medida pues, por la propia finalidad de ésta, la defensa no

«Para que sea constitucionalmente legítima una injerencia en el derecho al secreto de las comunicaciones, el Juez ha de verificar la presencia de unos indicios constatables por un tercero que rebasen el dintel de las meras sospechas y gocen de cierta potencialidad acreditativa, que sin llegar a constituir prueba represente mucho más que una conjetura más o menos fundada. No bastan meras afirmaciones apodícticas de sospecha. El órgano judicial ha de valorar no sólo la gravedad y naturaleza de los delitos que se pretende indagar; y la necesidad de la invasión de un derecho fundamental para esa investigación. Es imprescindible que efectúe un juicio ponderativo sobre el nivel cualificativo de los indicios que avalan las sospechas. La suficiencia de los indicios para llegar a afirmar la probabilidad de esas conclusiones justificativas de las escuchas es valoración que no puede hurtarse al Juez de Instrucción: no puede descansar exclusivamente en los agentes policiales. No basta con que éstos afirmen que tienen sospechas fundadas o que exterioricen sus deducciones para que el Juez las asuma acríticamente. Es necesario que aporten al instructor los elementos objetivos que apoyan ese juicio de probabilidad. La constatación de la solidez de esos indicios es parte esencial del proceso discursivo y valorativo que debe realizar el Juez antes de conceder la autorización. El Instructor ha de sopesar el nivel de probabilidad que se deriva de los indicios. Sólo cuando éste adquiera ciertas cotas que sobrepasen la mera posibilidad, estará justificada la injerencia. No basta una intuición policial; ni una sospecha más o menos vaga; ni deducciones basadas únicamente en confidencias. Es necesario algo más como han repetido hasta la saciedad tanto el Tribunal Constitucional como esta Sala de casación. Sobre este tema la STC 49/1999 (LA LEY 4215/1999) es un punto de referencia básico. Consideraciones similares pueden encontrarse en las SSTC 299/2000, de 11 de diciembre, o 136/2000, de 29 de mayo (LA LEY 8963/2000). La concreción del delito investigado, de la persona a investigar y del teléfono cuya intervención se reclama no suplen la

puede tener lugar en el momento de su adopción (SSTC 299/2000, de 11 de diciembre (LA LEY 2099/2001), FJ 4; 167/2002, de 18 de septiembre (LA LEY 7757/2002), FJ 2). En primer lugar, la resolución judicial que acuerda una intervención telefónica ha de justificar la existencia de los presupuestos materiales habilitantes de la intervención: los datos objetivos que puedan considerarse indicios de la posible comisión de un hecho delictivo grave y de la conexión de las personas afectadas por la intervención con los hechos investigados. Indicios que son algo más que simples sospechas, pero también algo menos que los indicios racionales que se exigen para el procesamiento. "La relación entre la persona investigada y el delito se manifiesta en las sospechas que, como tiene declarado este Tribunal, no son tan sólo circunstancias meramente anímicas, sino que precisan para que puedan entenderse fundadas hallarse apoyadas en datos objetivos, que han de serlo en un doble sentido. En primer lugar, en el de ser accesibles a terceros, sin lo que no serían susceptibles de control y en segundo lugar, en el de que han de proporcionar una base real de la que pueda inferirse que se ha cometido o que se va a cometer el delito, sin que puedan consistir en valoraciones acerca de la persona. Esta mínima exigencia resulta indispensable desde la perspectiva del derecho fundamental, pues si el secreto pudiera alzarse sobre la base de meras hipótesis subjetivas, el derecho al secreto de las comunicaciones, tal y como la CE lo configura, quedaría materialmente vacío de contenido" (STC 49/1999, de 5 de abril (LA LEY 4215/1999), FJ 8; en el mismo sentido, SSTC 166/1999, de 27 de septiembre (LA LEY 12056/1999), FJ 8; 171/1999, de 27 de septiembre (LA LEY 12124/1999), FJ 8; 299/2000, de 11 de diciembre (LA LEY 2099/2001), FJ 4; 14/2001, de 29 de enero (LA LEY 1645/2001), FJ 5; 138/2001, de 18 de junio (LA LEY 6387/2001), FJ 3; 202/2001, de 15 de octubre (LA LEY 8760/2001), FJ 4; 167/2002, de 18 de septiembre (LA LEY 7757/2002), FJ 2; 184/2003, de 23 de octubre (LA LEY 2955/2003), FJ 11; 261/2005, de 24 de octubre (LA LEY 10577/2006), FJ 2; 220/2006, de 3 de julio (LA LEY 88161/2006), FJ 3)». STC Sala Primera, Sentencia 197/2009 de 28 Sep. 2009, Rec. 891/2007; Ponente: Delgado Barrio, Francisco Javier. LA LEY 184032/2009.

carencia de elementos objetivos indiciarios que justifiquen la intervención (STC de 11 de septiembre de 2006). El éxito posterior de la investigación, tampoco puede convalidar lo que en sus raíces nacía podrido: se trata de un juicio *ex ante* (SS TC 165/2005, de 20 de junio (LA LEY 13314/2005) o 259/2005, de 24 de octubre (LA LEY 1969/2005))». STS 106/2017 de 21 Feb. 2017, Rec. 1572/2016; Ponente: Moral García, Antonio del. LA LEY 5940/2017.

Ese algo más al que se refiere la jurisprudencia debe entenderse como la aportación de elementos objetivos que vayan más allá de la simple intuición o sospecha policial, pudiendo descartar, de ese modo, que se trate de una mera investigación prospectiva fundada en la necesidad genérica de prevenir delitos[210]. Tampoco puede acordarse esta medida con base en la simple mención de fuentes confidenciales.

«2. Efectivamente, como indica la sentencia de esta Sala, 203/2015, de 23 de marzo, "la mera mención de fuentes confidenciales no es suficiente para justificar tal invasión en los derechos fundamentales y así se ha pronunciado esta Sala en numerosas ocasiones, como es exponente la Sentencia 1497/2005, 13 de diciembre, en la que se recordaba que las noticias o informaciones confidenciales, aunque se consideren fidedignas, no pueden ser fundamento, por sí solas, de una medida cautelar o investigadora que implique el sacrificio de los derechos fundamentales (cfr. STC 8/2000, 17 de enero (LA LEY 3416/2000)). Igualmente, no será suficiente por regla general, con la mención policial que se limita a justificar la petición en alusión a fuentes o noticias confidenciales". No obstante, añadíamos: "si la confidencialidad está en el origen de la noticia policial de la perpetración delictiva para justificar la medida, habrá de ir acompañada de una previa investigación encaminada a contrastar la verosimilitud de la imputación. Confidencia, investigación añadida y constatación que habrán de estar reseñadas en el oficio policial y que habrán de venir referidas tanto al indicio del delito como de su atribución a la persona a la que va a afectar la medida. En este mismo sentido se han expresado, entre otras muchas, las SSTS 1047/2007, 17 de diciembre (LA LEY 232462/2007) y 25/2008, 29 de enero (LA LEY 12947/2008); 141/2013, 15 de febrero (LA LEY 36408/2013) y 121/2010, 12 de febrero (LA LEY 5314/2010))"». STS 492/2016 de 8 Jun. 2016, Rec. 10545/2015. Ponente: Palomo del Arco, Andrés. LA LEY 59018/2016. Caso Casper.

O en la inexistencia de datos y elementos objetivos que den cuenta de la existencia de las exigencias constitucionales en orden al acogimiento de esta medida.

«La razón de la exigencia de cierta concreción en los datos de apoyo de una solicitud de escucha telefónica es presupuesto obligado de la exigencia constitucional dirigida al Juez, que le impone un juicio motivado, suficiente, tanto sobre la proporcionalidad e idoneidad de la medida a tenor del delito de que pudiera tratarse, como sobre la necesidad de su adopción, y acerca del fundamento indiciario de la atribu-

---

(210)   «Se trata, por consiguiente, de determinar si en el momento de pedir y adoptar la medida de intervención de una línea telefónica se pusieron de manifiesto ante el Juez, y se tomaron en consideración por éste datos objetivos que permitieran precisar que dicha línea era utilizada por las personas sospechosas de la comisión del delito o de quienes con ella se relacionaban, y que, por lo tanto, no se trataba de una investigación meramente prospectiva, pues el secreto de las comunicaciones no puede ser desvelado para satisfacer la necesidad genérica de prevenir o descubrir delitos o para despejar las sospechas sin base objetiva que surjan en los encargados de la investigación, ya que de otro modo se desvanecería la garantía constitucional». STS 912/2016 de 1 Dic. 2016, Rec. 355/2016. Ponente: Berdugo Gómez de la Torre, Juan Ramón. LA LEY 177402/2016.

ción de una implicación en aquél al titular de la línea. El Tribunal Constitucional ha señalado que la autorización judicial ha de ser "específica", es decir, debe "atender a las circunstancias concretas", y tiene que ser también "razonada". Pues bien, el examen de la resolución judicial de que se trata produce un efecto desolador, pues de tal solo tiene la forma, al tratarse de un modelo de ordenador, esquemático en extremo, en cuyo texto lo único relativo al caso es el nombre de Justino y el número de teléfono. Y, es cierto, por no contener, como bien dice el recurrente, no contiene siquiera un reenvío al oficio policial. Esa referencia si se halla, en cambio, en el auto del Tribunal de instancia, de 16 de diciembre de 2014, que sí se hace eco de las afirmaciones de la policía, que, dice, junto con el auto a examen y el que luego le siguió, permitirían conocer el fundamento de la decisión. Pero también esta es una afirmación sin sustento, pues no va precedida del menor análisis de la *información* inicial. Esto, cuando resulta que la resolución de que se trata es de una total inexpresividad y el oficio examinado peca de parecida falta de consistencia». STS 203/2016 de 10 Mar. 2016, Rec. 1244/2015. Ponente: Andrés Ibáñez, Perfecto Agustín. LA LEY 15988/2016.

Como bien se dice en la importante sentencia del Tribunal Constitucional en esta materia (STC 197/2009 de 28 Sep. 2009), no puede fundarse la petición de intervención de comunicaciones en la simple entidad del delito que se presume se está cometiendo: «*el hecho en que el presunto delito puede consistir no pueda servir como fuente de conocimiento de su existencia. La fuente del conocimiento y el hecho conocido no pueden ser la misma cosa*». Concretamente, en la citada sentencia /STC 197/2009) achacaba el Tribunal Constitucional al órgano autorizante de la medida que el auto se fundaba del siguiente modo: «*... se afirma la existencia de un delito de tráfico de drogas y de una organización dedicada al mismo, así como la participación en él de la persona investigada, sin expresar, ni siquiera de modo genérico, qué datos objetivos sirven de base a tales afirmaciones*».

«Se trata, por consiguiente, de determinar si en el momento de pedir y adoptar la medida de intervención se pusieron de manifiesto ante el Juez, y se tomaron en consideración por éste datos objetivos que permitieran precisar que dicha línea era utilizada por las personas sospechosas de la comisión del delito o de quienes con ella se relacionaban, y que, por lo tanto, no se trataba de una investigación meramente prospectiva, pues el secreto de las comunicaciones no puede ser desvelado para satisfacer la necesidad genérica de prevenir o descubrir delitos o para despejar las sospechas sin base objetiva que surjan en los encargados de la investigación, ya que de otro modo se desvanecería la garantía constitucional (por todas, SSTC 49/1999 (LA LEY 4215/1999), de 5 de abril, FJ 8; 166/1999, de 27 de septiembre (LA LEY 12056/1999), FJ 8; 171/1999, de 27 de septiembre (LA LEY 12124/1999), FJ 8; 167/2002, de 18 de septiembre (LA LEY 7757/2002), FJ 2; 259/2005, de 24 de octubre (LA LEY 1969/2005), FJ 2; 253/2006, de 11 de septiembre (LA LEY 109080/2006), FJ 2). Sobre esa base, el Tribunal ha considerado insuficiente la mera afirmación de la existencia de una investigación previa, sin especificar en qué consiste, ni cuál ha sido su resultado por muy provisional que éste pueda ser, afirmando también que la concreción del delito que se investiga, las personas a investigar, los teléfonos a intervenir y el plazo de intervención no pueden suplir la carencia fundamental de la expresión de los elementos objetivos indiciarios que pudieran servir de soporte a la investigación, ni la falta de esos indispensables datos pueda ser justificada *a posteriori* por el éxito de la investigación misma (SSTC 299/2000, de 11 de diciembre (LA LEY

2099/2001), FJ 5; 138/2001, de 18 de junio (LA LEY 6387/2001), FJ 4; 167/2002, de 18 de septiembre (LA LEY 7757/2002), FJ 3; 165/2005, de 20 de junio (LA LEY 13314/2005), FJ 5; 259/2005, de 24 de octubre (LA LEY 1969/2005), FJ 4; 253/2006, de 11 de septiembre (LA LEY 109080/2006), FJ 4). También ha destacado el Tribunal que "la idea de dato objetivo indiciario tiene que ver con la fuente de conocimiento del presunto delito, cuya existencia puede ser conocida a través de ella. De ahí que el hecho en que el presunto delito puede consistir no pueda servir como fuente de conocimiento de su existencia. La fuente del conocimiento y el hecho conocido no pueden ser la misma cosa" (STC 299/2000, de 11 de diciembre (LA LEY 2099/2001), FJ 5; citándola STC 138/2001, de 18 de junio (LA LEY 6387/2001), FJ 4)». STC Sala Primera, Sentencia 197/2009 de 28 Sep. 2009, Rec. 891/2007; Ponente: Delgado Barrio, Francisco Javier. LA LEY 184032/2009.

La falta de motivación suficiente no puede suplirse, *a posteriori*, con el hallazgo de evidencias de delito o como señala gráficamente el Tribunal Supremo con el éxito *a posteriori* de la investigación misma.

«El Tribunal Constitucional ha considerado insuficiente la mera afirmación de la existencia de una investigación previa, sin especificar en qué consiste, ni cuál ha sido su resultado por muy provisional que éste pueda ser, afirmando también que la concreción del delito que se investiga, las personas a investigar, los teléfonos a intervenir y el plazo de intervención no pueden suplir la carencia fundamental de la expresión de los elementos objetivos indiciarios que pudieran servir de soporte a la investigación, ni la falta de esos indispensables datos pueda ser justificada *a posteriori* por el éxito de la investigación misma. También ha destacado el Tribunal que "la idea de dato objetivo indiciario tiene que ver con la fuente de conocimiento del presunto delito, cuya existencia puede ser conocida a través de ella. De ahí que el hecho en que el presunto delito puede consistir no pueda servir como fuente de conocimiento de su existencia. La fuente del conocimiento y el hecho conocido no pueden ser la misma cosa». STS 912/2016 de 1 Dic. 2016, Rec. 355/2016. Ponente: Berdugo Gómez de la Torre, Juan Ramón. LA LEY 177402/2016.

Ahora bien, lo que no es exigible es una suerte de investigación exhaustiva basada en la desconfianza hacia los indicios aportados por la policía que, en tanto no se acredite lo contrario, son ciertas y responden a una investigación lícita de los hechos[211].

---

(211) «Es absurdo pensar que ha de comprobar todas y cada una de las afirmaciones que se le facilitan. Si la policía afirma que una persona tiene antecedentes policiales por un determinado delito, no es necesario que lo corrobore con un certificado; si afirma que ha realizado vigilancias y ha observado determinada secuencia, tampoco hay que dudar de la veracidad de esos datos objetivos; ni exigir su plasmación en un acta; si el oficio policial indica que han observado que varias personas se acercaban a otra breves momentos e intercambiaban algo, no es necesario antes de decidir sobre la autorización solicitada ni tomar declaración bajo juramento a los testigos, ni a los que contactaban, ni a los agentes que hicieron las vigilancias. El escenario en esta fase preliminar es muy diferente al del momento del juicio oral en que sí se impone una "duda metódica" sobre los elementos de cargo, usando la expresión cartesiana acuñada en un marco reflexivo (metafísica) muy diferente pero que es plástico. No es necesaria una a modo de "mini-instrucción" previa judicial que siga a la investigación policial y preceda a la injerencia. En absoluto. Ni es necesario reclamar a la policía un aporte de elementos probatorios documentados de sus informaciones». STS 106/2017 de 21 Feb. 2017, Rec. 1572/2016; Ponente: Moral García, Antonio del. LA LEY 5940/2017.

«La Audiencia en algunos de los pasajes de su razonamiento sugiere la necesidad de una constancia exhaustiva de la investigación, burocratizándola, o una aportación de datos y detalles (fechas de las vigilancias, su duración exacta ...), que no es razonable. No se trata de exigir una información exhaustiva de la policía, sino de comprobar si las informaciones que proporcionan representan "objetivamente" un sustrato que racionalmente hace pensar en la probable comisión de un delito, en la implicación en él de las personas cuyo derecho fundamental va a ser afectado y en la idoneidad de una intervención de las comunicaciones para esclarecerlo. Son exageradas esas exigencias que marca el Tribunal. Ahora bien, la resolución que ordena la injerencia en el derecho fundamental es judicial. Eso exige que la valoración sobre el nivel de los indicios haya de efectuarla el juez; que las deducciones o inferencias, que tienen que ir precedidas de una cierta reflexión y valoración pues no son autoevidentes, corresponden al juez de instrucción que no puede ni delegarlas ni asumir acríticamente las realizadas por otros. No desconfiar por sistema de la policía judicial —ninguna razón existe para ello— no significa abandonar en ella una tarea que es primordialmente judicial». STS 106/2017 de 21 Feb. 2017, Rec. 1572/2016; Ponente: Moral García, Antonio del. LA LEY 5940/2017.

Téngase presente, en este sentido, que no toda la actividad de la policía, que puede consistir en numerosas indagaciones, seguimientos y comprobaciones deben documentarse y aportarse con la petición de intervención, únicamente debe constar su resultado en el oficio policial, que el Juez tampoco tiene que comprobar a su vez. Lo contrario llevaría a una auténtica espiral de ineficacia contraria a los fines que se persiguen con el proceso penal.

«Conviene advertir como precisa la STS núm. 203/2015, de 23 de marzo (LA LEY 41887/2015) con cita de la STS núm. 339/2013, de 20 de marzo (LA LEY 36257/2013), que la veracidad y solidez del indicio no puede confundirse con su comprobación judicial. Cuando, siendo posible, no se refrenda por una investigación judicial previa —e improcedente en este momento— el indicio o noticia disponible, de ello se sigue que, de ser falso, el auto habilitante no se sustentará en indicios auténticos. Pero no que, de ser verdadero, el indicio razonable del delito deje de ser tal por el solo hecho de no haberse constatado mediante una actuación judicial redundante y casi burocrática. No hay razones para desconfiar por sistema de esos datos policiales. Las vigilancias no han de tener plasmación escrita necesariamente: otro entendimiento burocratizaría la investigación. Que no haya reflejo documental de tales vigilancias no implica que no estuviesen avalados sus frutos. El Instructor no tiene por qué dudar sistemáticamente de todos los datos objetivos proporcionados por la policía: basta con que tenga la capacidad de contrastarlos cuando lo considere necesario». STS 492/2016 de 8 Jun. 2016, Rec. 10545/2015. Ponente: Palomo del Arco, Andrés. LA LEY 59018/2016. Caso Casper.

En su virtud, la jurisprudencia ha admitido una motivación sucinta teniendo en cuenta el estado embrionario de la investigación en los momentos iniciales, en los que se suele solicitar la intervención de las comunicaciones[212].

_____

(212) «Cuando se trata de intervenciones telefónicas, la resolución judicial debe contener la expresión de las razones fácticas y jurídicas que apoyan la adopción de la medida, es decir, básica y principalmente, los indicios que existan acerca de la comisión de un delito grave y los que vinculen con dicho delito a la persona que se pretende investigar, así como los razonamientos en orden a la gravedad del delito investigado y a la necesidad de la intervención. Debe contener

«No se trata de satisfacer los intereses de una investigación meramente prospectiva, pues el secreto de las comunicaciones no puede ser desvelado para satisfacer la necesidad genérica de prevenir o descubrir delitos o para despejar las sospechas sin base objetiva que surjan de los encargados de la investigación, por más legítima que sea esta aspiración, pues de otro modo se desvanecería la garantía constitucional (SSTC 49/1999, de 5 de abril, FJ 8; 167/2002, de 18 de septiembre, FJ 2; 184/2003, de 23 de octubre, FJ 11). De otra parte, aunque lo deseable es que la expresión de los indicios objetivos que justifiquen la intervención se exteriorice directamente en la resolución judicial, ésta, según una consolidada doctrina de este Tribunal, puede considerarse suficientemente motivada si, integrada incluso con la solicitud policial a la que puede remitirse, contiene los elementos necesarios para considerar satisfechas las exigencias para poder llevar a cabo con posterioridad la ponderación de la restricción de los derechos fundamentales que la proporcionalidad de la medida conlleva (SSTC 299/2000, de 11 de diciembre, FJ 4; 167/2002, de 18 de septiembre, FJ 2; 184/2003, de 23 de octubre, FFJJ 9 y 11) (STC 261/2005, de 24 de octubre, FJ 2)». STC 26/2006 de 30 de enero.

Asimismo se ha admitido una motivación por referencia o remisión al contenido del oficio de la policía[213]. De este modo se conoce la razón y el porqué del acuerdo limitativo del derecho fundamental al secreto de las comunicaciones, que, al decir del Tribunal Supremo, es de lo que en definitiva se trata[214].

«La motivación por remisión no es una técnica jurisdiccional modélica, pues la autorización judicial debería ser autosuficiente (STS núm. 636/2012, de 13 de julio (LA LEY 131788/2012)). Pero la doctrina constitucional admite que la resolución judicial pueda considerarse suficientemente motivada sí, integrada con la solicitud policial, a la que se remite, o con el informe o dictamen del Ministerio

---

la decisión judicial el juicio de ponderación que exprese el razonamiento del juez acerca de la proporcionalidad y necesidad de la medida en función del fin que se pretende obtener con ella». STS 12 de junio de 2008, LA LEY 74080/2008.

(213) «Aunque es deseable que la resolución judicial contenga en sí misma todos los datos anteriores, nuestra jurisprudencia ha admitido la motivación por remisión, de modo que la resolución judicial puede considerarse suficientemente motivada si, integrada con la solicitud policial, a la que puede remitirse, contiene todos los elementos necesarios para llevar a cabo el juicio de proporcionalidad (por todas, SSTC 167/2002, de 18 de septiembre (LA LEY 7757/2002), FJ 2; 184/2003, de 23 de octubre (LA LEY 2955/2003), FJ 9; 259/2005, de 24 de octubre (LA LEY 1969/2005), FJ 2; 136/2006 (LA LEY 60256/2006), de 8 de mayo, FJ 4)». STC Sala Primera, Sentencia 197/2009 de 28 Sep. 2009, Rec. 891/2007; Ponente: Delgado Barrio, Francisco Javier. LA LEY 184032/2009.

(214) «La motivación por remisión no es una técnica jurisdiccional modélica, pues la autorización judicial debería ser autosuficiente (STS núm. 636/2012, de 13 de julio (LA LEY 131788/2012)). Pero la doctrina constitucional admite que la resolución judicial pueda considerarse suficientemente motivada sí, integrada con la solicitud policial, a la que se remite, o con el informe o dictamen del Ministerio Fiscal en el que solicita la intervención (STS núm. 248/2012, de 12 de abril (LA LEY 42916/2012)), contiene todos los elementos necesarios para llevar a cabo el juicio de proporcionalidad (doctrina jurisprudencial ya citada, por todas STC 72/2010, de 18 de octubre (LA LEY 187987/2010)). Resultando en ocasiones redundante que el Juzgado se dedique a copiar y reproducir literalmente la totalidad de lo narrado extensamente en el oficio o dictamen policial que obra unido a las mismas actuaciones, siendo más coherente que extraiga del mismo los indicios especialmente relevantes (STS núm. 722/2012, de 2 de octubre (LA LEY 154512/2012))». STS 71/2017 de 8 Feb. 2017, Rec. 1843/2016; Ponente: Berdugo Gómez de la Torre, Juan Ramón. LA LEY 3460/2017.

Fiscal en el que solicita la intervención (STS núm. 248/2012, de 12 de abril (LA LEY 42916/2012)), contiene todos los elementos necesarios para llevar a cabo el juicio de proporcionalidad (doctrina jurisprudencial ya citada, por todas STC 72/2010, de 18 de octubre (LA LEY 187987/2010)). Resultando en ocasiones redundante que el Juzgado se dedique a copiar y reproducir literalmente la totalidad de lo narrado extensamente en el oficio o dictamen policial que obra unido a las mismas actuaciones, siendo más coherente que extraiga del mismo los indicios especialmente relevantes (STS núm. 722/2012, de 2 de octubre (LA LEY 154512/2012))». STS 714/2016 de 26 Sep. 2016, Rec. 1951/2015; Ponente: Berdugo Gómez de la Torre, Juan Ramón. LA LEY 126702/2016.

Más allá de la motivación, que resulta un antecedente necesario, en el auto que acuerde la intervención constarán de forma expresa los destinatarios de la medida; los números de teléfono intervenidos, el delito investigado y los indicios existentes que motivan la intervención y que, determinan, en definitiva, la idoneidad de la medida limitativa del derecho fundamental[(215)].

«Cuando, como es lo más frecuente, esta medida de investigación se adopta como respuesta judicial a una solicitud policial, el juez que ha de adoptarla tendrá que verificar entre otras cosas que en esa petición hay datos (indicios) de los que pudiera inferirse: a) la realidad del delito grave de que se trate, en este caso el tráfico de drogas; b) que la persona a la que se está investigando, el usuario del teléfono que se pretende intervenir, tiene una participación en ese delito grave. Tales datos, con el necesario detalle han de expresarse en la resolución judicial. No obstante, venimos admitiendo en esta sala, y también en el Tribunal Constitucional, que la expresión de los mencionados indicios puede hacerse en la resolución judicial por remisión a los expuestos en esa comunicación policial anterior que le sirve de causa. En resumen, en un caso como el presente, en el que ha habido una resolución judicial autorizando la intervención de varios teléfonos para que la policía pudiera recabar datos que le permitieran conocer la realidad de ese delito grave (tráfico de drogas) y de la participación en el mismo de quien o quienes utilizan ese concreto medio de comunicación para las operaciones concretas de tal comercio ilícito, tiene que hacerse constar, en su texto o en el de la solicitud policial que lo precedió, qué datos existen para poder afirmar por vía indiciaria que tal delito se está cometiendo y que esas personas están implicadas en el mismo». STS 30 de junio de 2008, LA LEY 92719/2008[(216)].

(215) «Asimismo, debe determinarse con precisión el número o números de teléfono que deben ser intervenidos, el tiempo de duración de la intervención, quién ha de llevarla a cabo y los períodos en los que deba darse cuenta al Juez de sus resultados a los efectos de que éste controle su ejecución (por todas SSTC 49/1996, de 26 de marzo (LA LEY 4234/1996), FJ 3: 49/1999 (LA LEY 4215/1999), de 5 de abril, FJ 7 y siguientes; 167/2002, de 18 de septiembre (LA LEY 7757/2002), FJ 2; STC 184/2003, de 23 de octubre (LA LEY 2955/2003), FJ 9; 259/2005, de 24 de octubre (LA LEY 1969/2005), FJ 2; 136/2006 (LA LEY 60256/2006), de 8 de mayo, FJ 4)». STC Sala Primera, Sentencia 197/2009 de 28 Sep. 2009, Rec. 891/2007; Ponente: Delgado Barrio, Francisco Javier. LA LEY 184032/2009.

(216) «Debe determinarse con precisión el número o números de teléfonos que deben ser intervenidos, el tiempo de duración de la intervención, quien ha de llevarla a cabo y los periodos en los que deba darse al Juez de sus resultados a los efectos de que éste controle su ejecución (SSTC 49/1996, de 26 de marzo (LA LEY 4234/1996): 49/1999, de 5 de abril (LA LEY 4215/1999); 167/2002, de 18 de septiembre; STC 184/2003, de 23 de octubre (LA LEY 2955/2003); 259/2005,

e) Terceros afectados por la medida u obligados en la ejecución de la medida por el deber de colaboración

Las medidas de intervención electrónica pueden afectar a terceras personas, ya sea porque participen en las comunicaciones del investigado, ya sea porque resulten afectados por el deber de colaboración establecido por la Ley.

En primer lugar, las medidas de intervención pueden afectar también a terceros que se relacionan con el investigado. Esta circunstancia trae causa de la naturaleza extensiva de las medidas de investigación electrónica que tienen por objeto, básicamente, actividades de relación y comunicación social que se extienden, por su propia naturaleza, a un número indeterminado de personas. Es por ello que la Ley se refiere específicamente a la necesidad de precisar que personas, no siendo sospechosas, pueden verse afectadas por la medida y cuáles otras están obligadas a colaborar y a guardar secreto respecto a las medidas acordadas. A este respecto el art. 588 bis h. LECrim, prevé, con carácter general, la posibilidad de acordar medidas de intervención tecnológica que puedan afectar a terceras personas que no son objeto de investigación. Estos terceros serán todos aquellos con los que se comunica el investigado y que, en principio, no son sospechosos. Ello sin perjuicio que puedan adquirir la condición de investigado precisamente gracias a los resultados de la intervención electrónica. Los investigados, y objeto de la medida de intervención, podrán conocer el resultado de la intervención en tanto que parte en el proceso, una vez se levante el secreto de las actuaciones art. 588 ter.i.1 LECrim. También se notificará a los terceros la existencia de la intervención y se les dará traslado de las comunicaciones en las que hubieren intervenido conforme con lo previsto en el art. 588 ter.i.3 LECrim en sede intervención de comunicaciones telefónicas y telemáticas (véase § 2.2.1).

En segundo lugar, la Ley prevé la existencia de diversos sujetos obligados a ejecutar o colaborar de algún modo con la medida de investigación. Así sucederá en el supuesto de una interceptación telefónica en la que será precisa la colaboración de la empresa suministradora del servicio o en el supuesto de la intervención de computadoras en cuyo caso puede ser necesaria la colaboración de la empresa suministradora de acceso a Internet o bien de la empresa propietaria de la computadora que deba ser objeto de intervención (arts. 588.ter.e, j y k LECrim)[217]. En todos estos supuestos el sujeto obligado queda sujeto a un deber de colaboración específico así como al deber de guardar secreto bajo apercibimiento de incurrir en un delito de desobediencia (art. 588 bis c.). La Ley también exige la colaboración de terceros que de algún modo puedan facilitar el acceso a los dispositivos electrónicos. Como ya se explicó con anterioridad esta obligación puede resultar excesiva al no limitarse o

---

de 24 de octubre (LA LEY 1969/2005); 136/2006, de 8 de mayo (LA LEY 60256/2006))». ATS Sala Segunda, de lo Penal, Auto 353/2017 de 2 Feb. 2017, Rec. 1561/2016. Ponente: Marchena Gómez, Manuel. LA LEY 9328/2017.

(217) También resultan de aplicación los arts. 5 y 6 de la Ley 25/2007, de 18 de octubre, de conservación de datos relativos a las comunicaciones electrónicas y a las redes públicas de comunicaciones, que prevén la conservación de los datos y la obligatoria cesión a los agentes facultados por una orden judicial.

concretarse en determinadas personas o asociarse a una situación de urgencia. En cualquier caso, quien solicita la medida de investigación es la policía o la fiscalía y que son estos sujetos públicos sobre los que recae la carga de la investigación y persecución de los delitos, sin que pueda depositarse sobre el tercero colaborador una carga que legalmente no tiene.

C) *Clases de medidas de investigación electrónica de comunicaciones y dispositivos electrónicos*

La relación de medidas de investigación electrónica se contiene en la redacción del título del Cap. IV del Título VIII del Libro II de la LECrim que se refiere a las medidas de: «*interceptación de las comunicaciones telefónicas y telemáticas, la captación y grabación de comunicaciones orales mediante la utilización de dispositivos electrónicos, la utilización de dispositivos técnicos de seguimiento, localización y captación de la imagen, el registro de dispositivos de almacenamiento masivo de información y los registros remotos sobre equipos informáticos*». A esa relación se debe añadir la regulación del denominado agente encubierto informático que se ha introducido en el art. 282 bis LECrim y complementa la medida de interceptación de las comunicaciones telemáticas y de registro remoto de equipos informáticos, mediante el recurso al agente infiltrado. Estas medidas relacionadas en el título del Cap. IV, donde se regulan las disposiciones comunes a todas ellas, se regulan en los sucesivos capítulos del Título VIII.

La enumeración del legislador es minuciosa recogiendo los dispositivos y canales de comunicación que a día de hoy existen en nuestra sociedad y cuya intervención puede tener interés para la investigación de los delitos. A continuación vamos a analizar las distintas clases de medidas de investigación previstas en la Ley atendiendo también a las conductas y actividades humanas que resultan afectadas. Con ello podremos identificar los derechos fundamentales afectados y los límites y precauciones que se deben observar en la práctica de cada una de las diligencias de investigación electrónica reguladas en la Ley. Aunque, debemos hacer notar que la sistemática de la LECrim no es del todo perfecta, probablemente por la complejidad de la regulación, con la consecuencia de alguna medida de intervención desubicada, como por ejemplo la captación de imágenes en lugares públicos (art. 588 quinquies a LECrim) que se contienen en el Cap. VII (Título VIII) titulado: «*Utilización de dispositivos técnicos de captación de la imagen, de seguimiento y de localización*».

a) La intervención de las comunicaciones telefónicas y/o telemáticas (arts. 588 ter a-i LECrim)

El principal objeto de la intervención de las comunicaciones es todavía la que se realiza mediante dispositivos telefónicos que en el momento actual realizan la comunicación mediante la transmisión no sólo de voz, sino también de texto, fotografías, vídeos etc. Esta comunicación también se puede realizar mediante distintos dispositivos de comunicación electrónica como «tablets», computadoras o incluso cámaras de fotografías. Cualquiera de estos aparatos puede ser objeto de investigación mediante la diligencia de intervención de las comunicaciones telefónicas y telemáticas regulada en los arts. 588 ter a-i LECrim. Ésta es la diligencia clásica y conocida en materia de comunicaciones que se regulaba hasta ahora, en una regulación muy insuficiente, en el art. 579 LECrim y que ahora es objeto de especial detalle y precisión. Además, se atiende a la nueva realidad tecnológica distinguiendo entre las comunicaciones telefónicas y telemáticas. Distinción que no deja de ser relativa, ya que la telemática, entendida como la aplicación de las técnicas electrónicas a la transmisión de información, incluye la comunicación telefónica que el momento presente se sirve también de la electrónica. Podríamos no obstante distinguir, según un criterio de familiaridad conceptual, como telefónica la comunicación oral a distancia mediante dispositivos electrónicos que identificamos con un terminal telefónico y la telemática aquella que incluye comunicación oral, de imágenes o datos, que puede tener lugar por los mismos dispositivos u otros como son computadoras, «tablets» u otros variopintos dispositivos, como pueden ser las cámaras fotográficas, que pueden incluir sistemas de WIFI y que pueden por tanto transmitir datos susceptibles de intervención judicial. Precisamente la Ley acoge un concepto amplio de dispositivos de comunicación previendo la intervención de los: «terminales o medios de comunicación» (art. 588.ter.b LECrim). En cuanto a las comunicaciones que pueden ser objeto de intervención se hallan las de toda clase incluyendo naturalmente las orales, pero también las comunicaciones de documentos, fotografías, mensajes de texto o datos asociados a la comunicación como son a quien se llama, cuándo y por cuánto tiempo, o los datos referentes a la localización geográfica del terminal intervenido.

Resultan aplicables a estas medidas las normas y principios generales ya expuestos que se regulan en los arts. 588.bis a y ss. LECrim. También resultan de aplicación los arts. 39 y 40 de la Ley 9/2014 de 9 de mayo de telecomunicaciones que regula la provisión del acceso a las redes de comunicación por parte de las operadoras[218]; y los arts. 83 a 101 del RD 424/2005 de 15 de abril sobre las condiciones de realización de las interceptaciones de las comunicaciones. En su virtud, para acordar esta medida se precisa petición expresa de la policía o del Fiscal fundada en la idoneidad y necesidad de la medida para la investigación de hechos que deben revestir cierta gravedad. El art. 588.ter.a se remite a lo previsto en el art. 579.1 LECrim. De modo que podrá acordarse respecto a la investigación de: delitos dolosos castigados con pena con límite máximo de, al menos, tres años de prisión; delitos cometidos en el seno de un grupo u organización criminal y delitos de terrorismo.

---

(218) Art. 39 Ley 9/2014: «9. Con carácter previo a la ejecución de la orden de interceptación legal, los sujetos obligados deberán facilitar al agente facultado información sobre los servicios y características del sistema de telecomunicación que utilizan los sujetos objeto de la medida de la interceptación y, si obran en su poder, los correspondientes nombres de los abonados con sus números de documento nacional de identidad, tarjeta de identidad de extranjero o pasaporte, en el caso de personas físicas, o denominación y código de identificación fiscal en el caso de personas jurídicas. 10. Los sujetos obligados deberán tener en todo momento preparadas una o más interfaces a través de las cuales las comunicaciones electrónicas interceptadas y la información relativa a la interceptación se transmitirán a los centros de recepción de las interceptaciones. Las características de estas interfaces y el formato para la transmisión de las comunicaciones interceptadas a estos centros estarán sujetas a las especificaciones técnicas que se establezcan por el Ministerio de Industria, Energía y Turismo».

«Se está, ya desde el inicio de la investigación judicial, ante unos hechos que pudieran constituir un robo en casa habitada con armas/instrumentos peligrosos, con dos personas lesionadas y cuatro personas a las que se les ha privado de libertad. Nada semejante a lo que interesadamente se dice por el recurrente que banaliza los hechos limitándolos a un robo con fuerza y unas lesiones, lo que resulta inadmisible. Es obvio que el inevitable juicio de ponderación entre el sacrificio del derecho a la intimidad de las conversaciones telefónicas y la necesidad de investigar, descubrir y enjuiciar a los autores de tales hechos el conflicto debe ser resuelto en favor de la investigación de tales hechos por lo que la necesidad de adoptar tal medida es clara y patente, como lo es la idoneidad de la misma para avanzar en la investigación. El auto por lo demás en la parte dispositiva tiene todos los requisitos exigibles en decisiones de esta naturaleza». STS 993/2016 de 12 Ene. 2017, Rec. 10282/2016; Ponente: Giménez García, Joaquín. LA LEY 346/2017.

En la petición de la policía, o la Fiscalía solicitando la intervención, se deberán hacer constar los teléfonos que se pretenden intervenir y sus titulares que pueden ser o no el propio investigado. Tampoco es importante, en realidad, el dispositivo. Nótese que perfectamente puede pedirse la intervención de un teléfono, Tablet o computadora que usan determinadas personas, pero referida únicamente al uso por un concreto usuario. Lo importante, en definitiva, no es la titularidad del teléfono o dispositivo, sino su usuario que debe ser el sospechoso de cometer la conducta ilícita.

«Las alegaciones del recurrente —que lamenta la intervención de un teléfono del que el acusado no era titular— suscitan el tradicional debate acerca de los términos de la delimitación objetiva y subjetiva de la medida de injerencia, materia sobre la que ha recaído una abundante jurisprudencia, no siempre dotada de la deseable uniformidad. Lo cierto es que el art. 579 de la LECrim (LA LEY 1/1882), admite como objeto de interceptación las comunicaciones del procesado o "... de las personas sobre las que existan indicios de responsabilidad criminal, así como de las comunicaciones de las que se sirvan para la realización de sus fines delictivos". Y la normalidad de un acto jurisdiccional de injerencia respecto de un teléfono que no es titularidad del investigado, no puede ser cuestionada, más allá de la exigencia —no planteada por el recurrente— de un reforzamiento de la motivación en el momento de ponderar la concurrencia de los principios de proporcionalidad, necesidad y especialidad. El criterio favorable a la posibilidad de que la persona investigada no sea la titular del terminal objeto de injerencia ha sido expresado en numerosos precedentes de esta Sala y del Tribunal Constitucional (cfr. SSTC 49/1999 (LA LEY 4215/1999), 5 de abril; 299/2000, 11 de diciembre (LA LEY 2099/2001); 17/2001 (LA LEY 1648/2001), 19 de enero; 136/2006 (LA LEY 60256/2006), 8 de mayo; y SSTS 759/1995, 3 de junio; 1181/2000, 3 de julio; 934/2004, 15 de julio (LA LEY 167536/2004); 463/2005, 13 de abril (LA LEY 12203/2005); 918/2005, 12 de julio (LA LEY 155873/2005) y 1154/2005, 17 de octubre). Esa disociación entre el titular o abonado y el usuario de los servicios de telefonía encuentra también reflejo en la Ley 32/2003, 3 de noviembre (LA LEY 1670/2003), en cuyo art. 38.4 se reconoce un estatuto específico a los usuarios que no tengan la condición de abonados, admitiendo el hecho incuestionable de una utilización de las terminales telefónicas ajena a la titularidad del servicio». STS Sala Segunda, de lo Penal, Sentencia 474/2012 de 6 Jun. 2012, Rec. 2091/2011; Ponente: Marchena Gómez, Manuel. LA LEY 86835/2012.

Las personas sobre las que puede recaer la medida serán las que resulten indiciariamente implicadas, sean o no los titulares de los teléfonos o sus usuarios habituales, por lo que será posible la intervención de teléfonos públicos. Por ello, no es obstáculo para decidir la intervención telefónica el hecho de que el teléfono intervenido no esté a nombre del sospechoso, siempre que exista constancia de que, a través de ese aparato, se pudieran comunicar las personas que son objeto de la investigación.

> «En relación a la pretendida identidad entre el titular del terminal telefónico intervenido y su usuario, también hay que recordar con las SSTS de 29 de diciembre de 2009 y 393/2013 que lo importante es la identidad del titular de la línea telefónica a intervenir, siendo indiferente para la validez de las informaciones obtenidas la identidad de la persona que haga uso de dicho terminal». STS 993/2016 de 12 Ene. 2017, Rec. 10282/2016; Ponente: Giménez García, Joaquín. LA LEY 346/2017.

Tanto es así, que no se exigirá una motivación adicional para el supuesto que se pida una extensión de la intervención a un nuevo número de teléfono que hubiere comenzado a usar el investigado.

> «Lo que es necesario entonces justificar y lo que se exige en tal caso motivar en la nueva resolución decisoria no se extiende a lo que se justificó, ponderó y valoró en el Auto originario habilitante, sino la ampliación temporal de lo mismo más allá del período inicialmente concedido cuando lo que apoya la nueva intervención o prórroga no es propiamente un cúmulo de indicios nuevos o diferentes de los que fueron expresados y valorados en la intervención, sino estrictamente la subsistencia de aquéllos, es decir el mantenimiento, la mera vigencia en el tiempo de la misma necesidad. Si la una y otra en cuanto tales ya se sometieron al control judicial no es preciso ponderar de forma redundante lo ya ponderado antes, y será únicamente objeto del control la justificación de la prórroga en lo que supone de concesión de un nuevo período temporal para una intervención ya justificada STS 1008/2013 de 8.1.2014 (LA LEY 651/2014)). En definitiva, para intervenir un terminal que empieza a ser usado por uno de los investigados que cuenta ya con otros teléfonos intervenidos —o para acordar la prórroga de uno de estos— no hace falta ninguna motivación reforzada o especial. Si está ya justificada la intervención basta con constatar que ha empezado a usar otro terminal (SSTS 69/2013 de 31.1 (LA LEY 2657/2013), 1029/2013 de 18.12 (LA LEY 230059/2013)) STS 912/2016 de 1 Dic. 2016, Rec. 355/2016. Ponente: Berdugo Gómez de la Torre, Juan Ramón. LA LEY 177402/2016.

En la autorización el Juez recogerá con precisión la extensión y límites de la intervención, incluyendo el procedimiento de entrega de los resultados a efectos de control de la medida que tendrá una duración de tres meses prorrogables hasta 18 meses. Los resultados de la intervención serán secretos y constarán en pieza separada. Una vez finalizada la intervención y alzado el secreto se entregará a las partes copia de las grabaciones y transcripciones (art. 588 ter i. LECrim).

> «Para la validez constitucional de la medida de intervención telefónica se refiere exigiendo la concurrencia de los siguientes elementos: a) resolución judicial, b) suficientemente motivada, c) dictada por Juez competente, d) en el ámbito de un procedimiento jurisdiccional, e) con una finalidad específica que justifique su

excepcionalidad, temporalidad y proporcionalidad, y f) judicialmente controlada en su desarrollo y práctica. Elementos que constituyen los presupuestos legales y materiales de la resolución judicial habilitante de una injerencia en los derechos fundamentales, y que también se concretan en la doctrina jurisprudencial del Tribunal Europeo de Derechos Humanos (caso Klass y otros, sentencia de 6 de septiembre de 1978; caso Schenk, sentencia de 12 de julio de 1988; casos Kruslin y Huvig, sentencias ambas de 24 de abril de 1990; caso Ludwig, sentencia de 15 de junio de 1992; caso Halford, sentencia de 25 de junio de 1997; caso Kopp, sentencia de 25 de marzo de 1998; caso Valenzuela Contreras, sentencia de 30 de julio de 1998; caso Lambert, sentencia de 24 de agosto de 1998; caso Prado Bugallo, sentencia de 18 de febrero de 2003, etc.)». STS 714/2016 de 26 Sep. 2016, Rec. 1951/2015; Ponente: Berdugo Gómez de la Torre, Juan Ramón. LA LEY 126702/2016.

El auto que autoriza la intervención determinará su alcance conforme se ha expuesto pudiendo consistir en: «*a) El registro y la grabación del contenido de la comunicación, con indicación de la forma o tipo de comunicaciones a las que afecta. b) El conocimiento de su origen o destino, en el momento en el que la comunicación se realiza. c) La localización geográfica del origen o destino de la comunicación. d) El conocimiento de otros datos de tráfico asociados o no asociados pero de valor añadido a la comunicación. En este caso, la solicitud especificará los datos concretos que han de ser obtenidos*»[219]. Art. 588.ter.d LECrim. Nótese que la Ley regula distintos alcances de la medida que tienen que corresponderse con los indicios existentes en relación con el sacrificio solicitado del derecho fundamental.

«Como "se recuerda en la STC 123/2002, de 20 de mayo, FJ 4, este Tribunal, en la STC 114/1984, de 29 de noviembre, haciéndose eco de la STEDH de 2 de agosto de 1984, caso Malone, ha afirmado que el concepto de secreto de la comunicación cubre, no sólo el contenido de la comunicación, sino también la identidad subjetiva de los interlocutores" (STC 56/2003, de 24 de marzo, FJ 2), no puede negarse que el órgano judicial realiza una adecuada ponderación de los indicios existentes, por lo que ningún reproche constitucional merece su actuación .../... En efecto, el Auto examinado, sin negar la existencia de indicios, no los consideró suficientes para realizar una intervención efectiva de las comunicaciones, pero sí para conocer la identidad de los interlocutores. Tal juicio expresa una incuestionable ponderación de las circunstancias del caso por parte del órgano judicial, que se motiva adecuadamente a través de la mentada resolución judicial...». STC 26/2006 de 30 de enero.

Finalmente, una novedad destacable de la redacción legal es la comunicación a los terceros, afectados por la intervención, de la circunstancia de haberse producido la intromisión en sus comunicación y su derecho a solicitar una copia de la grabación en la que aparecieren, en la medida que no se afecte: «*al derecho a la intimidad de otras personas o resulte contrario a los fines del proceso en cuyo marco se hubiere adoptado la medida de injerencia*». Esta comunicación se producirá, salvo en el caso

_____

(219) Véase también el art. 88 del RD 424/2005 (Reglamento de servicios de comunicaciones comunicaciones) respecto a la información y datos que pueden ser facilitados por las operadoras con relación al uso del servicio.

que: «*sea imposible, exija un esfuerzo desproporcionado o puedan perjudicar futuras investigaciones*» (art. 588.ter.i LECrim). Esta decisión deberá estar motivada por la concurrencia de las circunstancias expresadas en la Ley que, en realidad, son muy restrictivas. En caso contrario deberá cumplirse con el mandato legal que está claro que conlleva un coste de tiempo y trabajo, pero creo que constituye una muy buena práctica que permitiría a los ciudadanos ser conocedores de una información que no cabe duda es de su interés.

b) La incorporación al proceso de datos electrónicos de tráfico o asociados (obtención de datos de identificación del titular, el terminal y/o las comunicaciones realizadas) (arts. 588 ter J-M LECrim). La identificación de terminales de comunicación mediante medios técnicos o no técnicos. Régimen legal sobre la averiguación de códigos IMSI, IMEI e IPs

Los arts. 588.ter J-M LECrim. regulan el modo en el que la policía puede acceder a los datos de titularidad de teléfonos y dispositivos electrónicos, ya sea a partir del conocimiento de un número o de la identidad de una persona. Se trata de una regulación que presenta ciertas dificultades de interpretación respecto a cuáles sean las potestades en este ámbito de la policía en el marco de la jurisprudencia que venía estableciendo resumidamente lo siguiente: 1º No se precisa orden judicial para la captación de las direcciones IPs o códigos de identificación IMEI o IMSI, mediante dispositivos técnicos u otros. A ese fin la policía podrá utilizar dispositivos técnicos de rastreo o bien mediante la investigación policial ordinaria (acceso a registros públicos, confidentes o testigos, etc.), en el marco de actuación de la policía que está legitimada a investigar y recopilar datos en su función y deber de investigar y perseguir delitos. 2º Una vez obtenido, por medios técnicos u otros, la obtención de datos del tráfico de las comunicaciones queda supeditado a la obtención de una orden judicial. Más dudoso resultaba si la policía puede dirigirse directamente a las operadoras de telefonía en solicitud del número de identificación del dispositivo o número de teléfono o, a la inversa, la titularidad de un determinado número. Sobre ese particular la STS Sala Segunda, de lo Penal, Sentencia 16/2014 de 30 Ene. 2014, estableció que la policía debía obtener una orden judicial para solicitar a la operadora que informara sobre su titularidad: *exige para la cesión de estos datos, con carácter general, la autorización judicial previa y entre los datos que deben conservarse figura la «identificación del usuario asignada» en el acceso a Internet, como expresamente establece el art. 3.a.2º.i), así como «el nombre y dirección del abonado o del usuario registrado al que se le ha asignado en el momento de la comunicación una dirección de protocolo de Internet (I.P.), una identificación del usuario o un número de teléfono». Por su parte, el art. 7 (procedimiento de cesión de datos) determina que los datos a los que se refiere el art. 3 necesitarán una resolución judicial para su cesión a los funcionarios policiales, con lo que, en principio, parece claro que la obtención del I.P. se encontraría sometida a esta exigencia*» (STS Sala Segunda, de lo Penal, Sentencia 16/2014 de 30 Ene. 2014, Rec. 824/2013. Ponente: Berdugo Gómez de la Torre, Juan Ramón. LA LEY 2495/2014;). Aunque, bien es cierto que en este punto, la jurisprudencia ha manifestado sus dudas sobre la citada exigencia de obtener una orden judicial (STS Sala Segunda, de lo Penal, Sentencia 236/2008 de 9 May. 2008, Rec. 1797/2007. Ponente: Soriano Soriano, José Ramón. LA LEY 47575/2008).

La vigente regulación legal, introducida por la Ley 13/2015, ha legalizado la regla jurisprudencial, referente a la identificación de dispositivos telefónicos mediante procedimientos técnicos de rastreo. A ese fin el art. 588 ter L LECrim dispone que: «....*los agentes de Policía Judicial podrán valerse de artificios técnicos que permitan acceder al conocimiento de los códigos de identificación o etiquetas técnicas del aparato de telecomunicación o de alguno de sus componentes, tales como la numeración IMSI o IMEI y, en general, de cualquier medio técnico que, de acuerdo con el estado de la tecnología, sea apto para identificar el equipo de comunicación utilizado o la tarjeta utilizada para acceder a la red de telecomunicaciones*». Este procedimiento será objeto de análisis más adelante. Lo que nos interesa en este punto es poner de manifiesto la dificultad de entendimiento que resulta de lo previsto en los arts. 588 ter.k y 588 ter.m LECrim. El problema consiste en la yuxtaposición de normas que pueden resultar contradictorias. Así, el art. 588 ter.k LECrim con relación a las direcciones IPs dispone que: «*Cuando en el ejercicio de las funciones de prevención y descubrimiento de los delitos cometidos en internet, los agentes de la Policía Judicial tuvieran acceso a una dirección IP que estuviera siendo utilizada para la comisión algún delito y no constara la identificación y localización del equipo o del dispositivo de conectividad correspondiente ni los datos de identificación personal del usuario, solicitarán del juez de instrucción que requiera de los agentes sujetos al deber de colaboración según el artículo 588 ter e, la cesión de los datos que permitan la identificación y localización del terminal o del dispositivo de conectividad y la identificación del sospechoso*»[220]. En este supuesto la Ley prevé que conocido el número de identificación de la conexión la posterior identificación del titular de la misma requiere la obtención de una orden judicial. El problema porque el art. 588 ter M LECrim dispone que: «*Cuando, en el ejercicio de sus funciones, el Ministerio Fiscal o la Policía Judicial necesiten conocer la titularidad de un número de teléfono o de cualquier otro medio de comunicación, o, en sentido inverso, precisen el número de teléfono o los datos identificativos de cualquier medio de comunicación, podrán dirigirse directamente a los prestadores de servicios de telecomunicaciones, de acceso a una red de telecomunicaciones o de servicios de la sociedad de la información, quienes estarán obligados a cumplir el requerimiento, bajo apercibimiento de incurrir en el delito de desobediencia*». En consecuencia, el art. 588 ter.m LECrim, de modo distinto a lo previsto en el art. 588 ter.k LECrim, no exige la obtención de una orden judicial para obtener la información referente el titular del mismo, sino que la policía podrá directamente pedir a las operadoras que faciliten la titularidad de un número de teléfono o de cualquier dispositivo ya conocido e identificado por la policía. Esa norma contradice la jurisprudencia en esta materia que se ha pronunciado declarando que los datos referidos son merecedores de protección constitucional y, por tanto, únicamente pueden obtenerse mediante un requerimiento judicial[221].

---

(220)   IP es el acrónimo de Internet Protocol e identifica la conexión del aparato de que se trate con el operador para el acceso a Internet. Esa numeración identifica, de manera lógica y jerárquica, a una Interfaz en red (elemento de comunicación/conexión) de un dispositivo (computadora, tableta, portátil, smartphone) que utilice el protocolo IP (Internet Protocol), que corresponde al nivel de red del modelo TCP/IP.

(221)   «Esta Ley exige para la cesión de estos datos, con carácter general, la autorización judicial previa y entre los datos que deben conservarse figura la "identificación del usuario asigna-

«4. Queda en pie la duda, de si para solicitar el número telefónico o identidad de una terminal telefónica (cabría extenderlo a una dirección o identificación de Internet: Internet protocols), es necesario acudir a la autorización judicial, si no han sido positivas las actuaciones policiales legítimas integradas por injerencias leves y proporcionadas, que puede respaldar la Ley Orgánica de Cuerpos y Fuerzas de Seguridad del Estado o Ley de Seguridad Ciudadana, en la misión de los agentes de descubrir delitos y perseguir a los delincuentes. A nuestro juicio, sin pretensiones ni mucho menos de sentar doctrina (*obiter dicta*), los datos identificativos de un titular o de una terminal deberían ser encuadrados, no dentro del derecho al secreto de las comunicaciones (art. 18.3 C.E.) sino en el marco del derecho a la intimidad personal (art. 18.1° C.E.) con la salvaguarda que puede dispensar la Ley de Protección de Datos de Carácter Personal, L.O. 15/1999 de 13 de diciembre: art. 11.2 (LA LEY 13934/2007) d. o su Reglamento, Real Decreto 1720/2007 de 21 de diciembre, que entró en vigor el 31 de marzo de 2008, sin despreciar la Ley 32 de 3 de noviembre de 2003, General de Telecomunicaciones y su Reglamento, R.D. 424 de 15 de abril de 2005, en los que parece desprenderse que sin el consentimiento del titular de unos datos reservados, contenidos en archivos informáticos, no pueden facilitarse a nadie, salvo los casos especiales que autorizan sus propias normas, entre las que se halla la autorización judicial, que lógicamente estaría justificada en un proceso de investigación penal». STS Sala Segunda, de lo Penal, Sentencia 236/2008 de 9 May. 2008, Rec. 1797/2007. Ponente: Soriano Soriano, José Ramón. LA LEY 47575/2008.

Nótese, además, que la titularidad de dispositivos personales de comunicación está protegida por el derecho a la intimidad. Precisamente, el art. 6 de la Ley 25/2007 de 18 de octubre, de conservación de datos relativos a las comunicaciones electrónicas (que comprende todo aquello que concierne a la actividad personal y social de las personas, incluyendo cuántos dispositivos de comunicación posee un individuo, de que servicios de comunicación es titular o el histórico de sus comunicaciones) y a las redes públicas de comunicaciones dispone que los datos conservados que dan cuenta de las comunicaciones de los ciudadanos sólo podrán ser cedidos de acuerdo con lo dispuesto en ella para los fines que se determinan y previa autorización judicial[222]. En el mismo sentido se pronuncia el art. 7 de la

---

da" en el acceso a Internet, como expresamente establece el art. 3.a.2°.i), así como "el nombre y dirección del abonado o del usuario registrado al que se le ha asignado en el momento de la comunicación una dirección de protocolo de Internet (I.P.), una identificación del usuario o un número de teléfono". Por su parte, el art. 7 (procedimiento de cesión de datos) determina que los datos a los que se refiere el art. 3 necesitarán una resolución judicial para su cesión a los funcionarios policiales, con lo que, en principio, parece claro que la obtención del I.P. se encontraría sometida a esta exigencia». STS Sala Segunda, de lo Penal, Sentencia 16/2014 de 30 Ene. 2014, Rec. 824/2013. Ponente: Berdugo Gómez de la Torre, Juan Ramón. LA LEY 2495/2014.

(222)   Conforme con la regulación legal, Ley 25/2007 de 18 de octubre de conservación de datos relativos a las comunicaciones electrónicas y a las redes públicas de comunicaciones, estos datos deben ser conservados por las compañías de comunicación electrónica que tienen la obligación de entregarlos a la autoridad cuando fueren requeridos para ello previa orden judicial (véanse los arts. 1, 2 y 3 Ley 25/2007). La obligación de las operadoras es del todo punto lógica en tanto que participan en el proceso de la comunicación que constituye la base de su negocio y son las que tienen a su disposición los datos de las comunicaciones de sus clientes. Ahora bien, resulta muy importante destacar que el art. 3.2 Ley 25/2007 dispone que no podrán conservarse el contenido de las comunicaciones realizadas entre los usuarios.

misma norma (aunque bien es cierto que el citado art. 7.1 Ley 25/2007 pudiera amparar, según como se interprete, la potestad de la policía para obtener de las operadoras datos referentes a la titularidad de teléfonos y conexiones[223]). Precisamente, y en ese sentido, el art. 588 ter J. LECrim establece expresamente la obligación de los operadores de comunicaciones electrónicas de hacer entrega de los datos referentes a los usuarios, terminales y las comunicaciones realizadas para su incorporación al proceso previa orden judicial.

«Esta Ley exige para la cesión de estos datos, con carácter general, la autorización judicial previa y entre los datos que deben conservar figura el que es objeto del proceso que nos ocupa, es decir "la identificación del usuario asignada" en el acceso a Internet, como expresamente establece el art. 3.a.2°.i), así como "el nombre y dirección del abonado o del usuario registrado al que se le ha asignado en el momento de la comunicación una dirección de protocolo de Internet (I.P.), una identificación de usuario o un número de teléfono". Por su parte, el art. 7 (procedimiento de cesión de datos) determina que los datos a los que se refiere el art. 3 necesitarán una resolución judicial para su cesión a los funcionarios policiales, con lo que, en principio, parece claro que la obtención del I.P. se encuentra sometida a esta exigencia, lo cual no resulta muy congruente con el hecho tantas veces repetido en esta resolución de que la obtención de ese dato por los servicios policiales se produjo lícitamente, con lo cual la incongruencia se convierte en absurdo cuando se requiere por la norma una autorización judicial para acceder a un dato que el propio interesado ha permitido ser de público conocimiento». STS Sala Segunda, de lo Penal, Sentencia 680/2010 de 14 Jul. 2010, Rec. 2476/2009. Ponente: Ramos Gancedo, Diego Antonio. LA LEY 114056/2010.

En definitiva, no resulta fácil de interpretar la norma contenida en el art. 588 ter.m LECrim y habrá que estar a los pronunciamientos de la jurisprudencia. Lo que sí podemos hacer es analizar la jurisprudencia del Tribunal Supremo en esta materia con la finalidad de conocer cuáles son los criterios en esta materia.

En primer lugar, debemos señalar que es jurisprudencia pacífica que la policía puede obtener los datos referentes a los números de teléfono usados por un sospechoso acudiendo para ello a distintos medios, tales como el examen de listines telefónicos, informaciones de otros sospechosos o testigos, registros o documentos públicos o privados etc. (Véase STS 9 de mayo de 2008; LA LEY 47575/2008). Ello

---

(223) También prevé la petición directa de información referente a la titularidad de dispositivos el art. 88.2 del RD 424/2015 sobre las condiciones para la prestación de servicios de comunicaciones electrónicas que concreta la información que debe suministrar la operadora de comunicaciones a requerimiento directo de la Fiscalía o la policía: «2. *Además de la información relativa a la interceptación prevista en el apartado anterior, los sujetos obligados deberán facilitar al agente facultado, salvo que por las características del servicio no estén a su disposición y sin perjuicio de otros datos que puedan ser establecidos mediante real decreto, de cualquiera de las partes que intervengan en la comunicación que sean clientes del sujeto obligado, los siguientes datos: a) Identificación de la persona física o jurídica. b) Domicilio en el que el proveedor realiza las notificaciones. Y, aunque no sea abonado, si el servicio de que se trata permite disponer de alguno de los siguientes: c) Número de titular de servicio (tanto el número de directorio como todas las identificaciones de comunicaciones electrónicas del abonado). d) Número de identificación del terminal. e) Número de cuenta asignada por el proveedor de servicios Internet. f) Dirección de correo electrónico».*

siempre que se trate de fuentes accesibles al público en cuyo caso dispone el art. 6.2 Ley 15/1999 de protección de datos que podrán obtenerse sin consentimiento del interesado (ni por extensión orden judicial)[224].

«No existe problema de intromisión, no ya en el derecho a la inviolabilidad de las comunicaciones (art. 18.3 CE (LA LEY 2500/1978)), sino en el derecho a la intimidad o a la autodeterminación informativa (art. 18.4 CE (LA LEY 2500/1978)), cuando los agentes de policía, a partir de fuentes accesibles al público, obtienen los datos que permiten instar del órgano judicial la interceptación de las comunicaciones. La LO 15/1999, 13 de diciembre (LA LEY 4633/1999), hace del principio del consentimiento la fuente de legitimación para cualquier tratamiento automatizado de datos. Sin embargo, excluye de esa exigencia cuando los datos se obtengan de fuentes accesibles al público (art. 6.2). El artículo 3 f) de la mencionada ley, define como fuente accesible al público: " aquellos ficheros cuya consulta puede ser realizada por cualquier persona, no impedida por una norma limitativa, o sin más exigencia que, en su caso, el abono de una contraprestación. *Tienen la consideración de fuentes de acceso público, exclusivamente, el censo promocional, los* repertorios telefónicos *en los términos previstos por su normativa específica y las listas de personas pertenecientes a grupos de profesionales que contengan únicamente los datos de nombre, título, profesión, actividad, grado académico, dirección e indicación de su pertenencia al grupo. Asimismo, tienen el carácter de fuentes de acceso público, los Diarios y Boletines oficiales y los medios de comunicación "*». STS Sala Segunda, de lo Penal, Sentencia 474/2012 de 6 Jun. 2012, Rec. 2091/2011; Ponente: Marchena Gómez, Manuel. LA LEY 86835/2012.

También puede la policía averiguar no ya los números de teléfono, sino la identificación de los aparatos de comunicación o el número de acceso utilizados por el sospechoso. A ese fin podrá utilizar el simple recurso de examinar teléfonos o dispositivos que hubieran sido intervenidos por la policía[225]. Ahora bien, también podrá la policía identificar el aparato o dispositivo mediante rastreos del espacio radioeléctrico o bien de Internet. En el primer caso, lo que se obtendrá serán los códigos IMSI o IMEI. En el segundo una dirección IP que identifica un dispositivo conectado a Internet. Precisamente, el art. 588 ter. L LECrim regula el supuesto específico de necesidad de identificar terminales de comunicación. Este será el caso en el que la policía sepa de la utilización de un teléfono por parte de un sospechoso, pero que no pueda proceder a solicitar su intervención porque no

---

(224) Por su parte el art. 3.j Ley 13/1999 señala que serán fuentes accesibles al público las siguientes: «aquellos ficheros cuya consulta puede ser realizada, por cualquier persona, no impedida por una norma limitativa o sin más exigencia que, en su caso, el abono de una contraprestación. Tienen la consideración de fuentes de acceso público, exclusivamente, el censo promocional, los repertorios telefónicos en los términos previstos por su normativa específica y las listas de personas pertenecientes a grupos de profesionales que contengan únicamente los datos de nombre, título, profesión, actividad, grado académico, dirección e indicación de su pertenencia al grupo. Asimismo, tienen el carácter de fuentes de acceso público los diarios y boletines oficiales y los medios de comunicación».

(225) El Código IMEI lo suministra el propio aparato sin mayor intervención sencillamente introduciendo la secuencia: asterisco, almohadilla, 06, almohadilla. De modo que lo podrá obtener la policía una vez hubiere ocupado el teléfono al sospechoso sin necesidad de afectar ningún contenido protegido ya sea del derecho a las comunicaciones o a la intimidad del propietario del teléfono.

le constara el número de identificación del aparato y/o el titular. En ese caso, la operadora no podrá informar de un dispositivo del que no se conoce el titular ni tampoco el número de identificación. El único modo de conocer la identificación del aparato será acceder al mismo material o virtualmente. A lo último se refiere la Ley que prevé la utilización por parte de la policía de: «*de artificios técnicos que permitan acceder al conocimiento de los códigos de identificación o etiquetas técnicas del aparato de telecomunicación o de alguno de sus componentes, tales como la numeración IMSI o IMEI y, en general, de cualquier medio técnico que, de acuerdo con el estado de la tecnología, sea apto para identificar el equipo de comunicación utilizado o la tarjeta utilizada para acceder a la red de telecomunicaciones*». En definitiva, y bajo esa jerga confusa se oculta el empleo de dispositivos de inteligencia de comunicaciones que permiten detectar los dispositivos activos en un área determinada, información que una vez cribada y analizada puede permitir identificar el número del dispositivo desde el que se comunica el sospechoso. Esta tecnología es muy útil, ya que sin la identificación del dispositivo a investigar no es posible realizar intervención alguna. Una vez identificado el dispositivo se deberá proceder a solicitar una orden judicial para solicitar a la operadora la titularidad de la línea de comunicación usada por el dispositivo y/o la intervención del mismo. El art. 588 ter L LECrim dispone, en ese sentido, que una vez obtenido el número del aparato la policía: «*podrán solicitar del juez competente la intervención de las comunicaciones en los términos establecidos en el artículo 588 ter d.*», que el Juez concederá o denegará conforme está previsto en la Ley[226].

Esta actividad indagatoria de la policía, ahora regulada en la Ley, había sido declarada lícita por la jurisprudencia que se ha pronunciado reiteradamente sobre la legitimidad del empleo por parte de la policía de dispositivos técnicos (escáner) que pueden captar los códigos de identificación del teléfono del sospechoso como actividad previa a la petición de una intervención telefónica puesto que en muchas ocasiones el sospechoso no es titular de teléfono alguno que poder intervenir[227].

---

(226) El problema que aquí se plantea se halla en el hecho que la Ley dispone que la policía: «*habrá de poner en conocimiento del órgano jurisdiccional la utilización de los artificios (a que se refiere la norma)*», pero está comunicación se producirá en el caso que la policía solicite la intervención telefónica, no en el caso contrario. Sin embargo, pudiera ser aconsejable que una actividad de esta naturaleza fuera puesta en conocimiento del Juez competente con independencia de si se solicita o no la intervención del aparato. Aunque en realidad no estamos muy seguro que esa comunicación en caso de no solicitar la intervención fuese útil en algún sentido.

(227) «El recurrente asocia la utilización de mecanismos de escaneo capaces de activar una señal que identifique el número IMSI, con el menoscabo del contenido del derecho constitucional reconocido por el art. 18.3 de la CE. Sin embargo, desde la STS 249/2008, 20 de mayo (LA LEY 68707/2008), la jurisprudencia de esta Sala es coincidente en proclamar que el uso de los llamados Imsi-catcher por las Fuerzas y Cuerpos de Seguridad del Estado, no conlleva, por sí solo, una infracción de alcance constitucional (cfr. SSTS 1078/2011, 24 de octubre (LA LEY 209860/2011); 940/2011, 27 de septiembre; 406/2010, 11 de mayo (LA LEY 55565/2010); 443/2010, 19 de mayo y 628/2010, 1 de julio, entre otras)». STS Sala Segunda, de lo Penal, Sentencia 474/2012 de 6 Jun. 2012, Rec. 2091/2011; Ponente: Marchena Gómez, Manuel. LA LEY 86835/2012.

«El recurrente asocia la utilización de mecanismos de escaneo capaces de activar una señal que identifique el número IMSI, con el menoscabo del contenido del derecho constitucional reconocido por el art. 18.3 (LA LEY 2500/1978) de la CE. Sin embargo, desde la STS 249/2008, 20 de mayo (LA LEY 68707/2008), la jurisprudencia de esta Sala es coincidente en proclamar que el uso de los llamados Imsi-catcher por las Fuerzas y Cuerpos de Seguridad del Estado, no conlleva, por sí solo, una infracción de alcance constitucional (cfr. SSTS 1078/2011, 24 de octubre (LA LEY 209860/2011); 940/2011, 27 de septiembre; 406/2010, 11 de mayo (LA LEY 55565/2010); 443/2010, 19 de mayo (LA LEY 60033/2010) y 628/2010, 1 de julio (LA LEY 110053/2010), entre otras)». STS 492/2016 de 8 Jun. 2016, Rec. 10545/2015. Ponente: Palomo del Arco, Andrés. LA LEY 59018/2016. Caso Casper.

En consecuencia, la actividad de rastreo para la obtención de los códigos IMEI e IMSI no precisa de la obtención de una orden judicial conforme la jurisprudencia reiterada del Tribunal Supremo que ha declarado que no se precisa autorización judicial en tanto que su averiguación no afecta al secreto de las comunicaciones porque no permite acceder a las comunicaciones realizadas, o realizándose, ni tampoco a la memoria interna del aparato[228]. Jurisprudencia ahora refrendada por el art. 588 ter L LECrim, que autoriza a la policía sin necesidad de orden judicial para averiguar el número de identificación del aparato.

«c) La doctrina especializada suele entender que el IMSI, desde el punto de vista pericial, equivale a una labor de vigilancia convencional, en la que se determina con quién se encuentra el vigilado, con quién habla, por dónde se desplaza o qué objetos toca; o bien cuál es el domicilio de una persona, para cuya entrada y registro, conocido tal dato, se solicitará en su momento el pertinente mandamiento judicial. Se señala, también, que el IMSI equivale al número de serie de la SIM, o la dirección MAC de un interfaz de red, por lo que difícilmente puede ser considerado incluso como un dato de carácter personal. Otro identificativo asociado al teléfono móvil es el IMEI o International Mobile Equipment Identy (Identidad Internacional del Equipo Móvil), que identifica con su número de serie

---

(228) «La Sala no puede aceptar que la captura del IMSI por los agentes de la Guardia Civil haya implicado, sin más, como pretende el recurrente, una vulneración del derecho al secreto de las comunicaciones. No es objeto del presente recurso discernir, entre todos los datos de tráfico generados en el transcurso de una comunicación telefónica, cuáles de aquéllos merecen la protección reforzada que se dispensa en el art. 18.3 de la CE (LA LEY 2500/1978). En principio, ese carácter habría de predicarse, actualizando la pauta interpretativa ofrecida por el TEDH, de los datos indicativos del origen y del destino de la comunicación, del momento y duración de la misma y, por último, los referentes al volumen de la información transmitida y el tipo de comunicación entablada. Y la información albergada en la serie IMSI, desde luego, no participa de ninguna de esas características. Varias razones avalan esta idea. En primer lugar, que en los supuestos de telefonía móvil con tarjeta prepago esa información, por sí sola, no permite obtener la identidad de los comunicantes, la titularidad del teléfono móvil o cualesquiera otras circunstancias que lleven a conocer aspectos susceptibles de protección por la vía del derecho al secreto de las comunicaciones. En segundo lugar, que esa numeración puede llegar a aprehenderse, incluso, sin necesidad de que el proceso de comunicación se halle en curso. Con ello quiebran también las ideas de funcionalidad y accesoriedad, de importancia decisiva a la hora de calificar jurídicamente el alcance de la tutela constitucional de esa información». STS de lo Penal, Sentencia 940/2008 de 18 Dic. 2008, Rec. 10542/2008. Ponente: Granados Pérez, Carlos. LA LEY 216123/2008.

al equipo. Se puede conocer tecleando "asterisco, almohadilla, 06, almohadilla", y pulsando la tecla verde "llamar". Tanto con el IMSI como con el IMEI se dispone de información suficiente como para poder solicitar la autorización judicial de identificación por el operador de los números de teléfono (o MSISDN) que corresponden a tales datos, y la correspondiente intervención de las conversaciones. d) Por ello se considera que las pruebas así obtenidas son perfectamente lícitas ya que no entran en el ámbito de la privacidad de las comunicaciones. Al no afectar a las comunicaciones, pues no es posible conocer el número llamado o el contenido de la conversación, queda protegido el derecho al secreto de las comunicaciones. Este derecho es el que hace imprescindible la autorización judicial para llevar a cabo las escuchas o "pinchazos" telefónicos …/… 2°. Y también hemos dicho — STS 460/2011 de 25.5 (LA LEY 71565/2011)— que el procedimiento utilizado por parte de la Policía para el descubrimiento del IMSI y el IMEI (claves alfanuméricas identificativas tanto del terminal telefónico como de la línea utilizada), no implica vulneración de derecho fundamental alguno, al no corresponderse el conocimiento de tales datos con el de los propios contenidos de las conversaciones, que son los que integran esencial y propiamente el derecho al secreto de las comunicaciones merecedor de estricta protección (Sentencia TS de 19 de julio del 2010)». STS 492/2016 de 8 Jun. 2016, Rec. 10545/2015. Ponente: Palomo del Arco, Andrés. LA LEY 59018/2016. Caso Casper.

También podrá la policía obtener IPs mediante el rastreo de Internet accediendo a foros o redes de intercambio públicas de archivos. En ese caso, considera el Tribunal Supremo que no se afecta ni al derecho a la comunicación, ni al derecho a la intimidad en tanto que los usuarios de Internet se identifican por sí mismos cada vez que acceden a la red[229].

«a) Los rastreos que realiza el equipo de delitos telemáticos de la Guardia Civil en Internet tienen por objeto desenmascarar la identidad críptica de los IPS (Internet protocols) que habían accedido a los "hash" que contenían pornografía infantil. El acceso a dicha información, calificada de ilegítima o irregular, puede efectuarla cualquier usuario. No se precisa de autorización judicial para conseguir

---

(229)   «Cuando la comunicación a través de la Red se establece mediante un programa P2P, como en el EMULE o EDONKEY, al que puede acceder cualquier usuario de aquélla, el operador asume que muchos de los datos que incorpora a la red pasen a ser de público conocimiento para cualquier usuario de Internet, como, por ejemplo el I.P., es decir, la huella de la entrada al programa, que queda registrada siempre. Y fue este dato, el I.P. del acusado, el que obtuvo la Guardia Civil en su rastreo de programas de contenido pedófilo, dato que —conviene repetir y subrayar— era público al haberlo introducido en la Red el propio usuario —el acusado— al utilizar el programa P2P. Por ello, no se precisa autorización judicial para conocer lo que es público, y esos datos legítimamente obtenidos por la Guardia Civil en cumplimiento de su obligación de persecución del delito y detención de los delincuentes, no se encuentran protegidos por el art. 18.3 C.E. Porque, debe recordarse, continúa la Sentencia citada, el I.P. del acusado que averiguó la Guardia Civil, no identifica la persona del usuario, lo que hace necesario para conocer el número del teléfono y titular del contrato la autorización judicial, que es lo que se hizo aquí. Y si, como ha quedado razonado, la obtención por la Guardia Civil del I.P. del acusado —única actuación policial en todo el procedimiento de investigación no controlada y dirigida por la Autoridad judicial—, no ha quebrantado el derecho constitucional al secreto de las comunicaciones proclamado en el art. 18.3 C.E». STS Sala Segunda, de lo Penal, Sentencia 739/2008 de 12 Nov. 2008, Rec. 10673/2008. Ponente: Sánchez Melgar, Julián. LA LEY 189429/2008.

lo que es público y el propio usuario de la red es quien lo ha introducido en la misma. La huella de la entrada — como puntualiza con razón el Mº Fiscal— queda registrada siempre y ello lo sabe el usuario. b) entender que conforme a la legalidad antes citada (unas normas vigentes en el momento de los hechos y otras posteriores) se hacía preciso acudir a la autorización del juez instructor para desvelar la identidad de la terminal, teléfono o titular del contrato de un determinado IP, en salvaguarda del derecho a la intimidad personal (habeas data). La policía judicial a través de un oficio de 6 de noviembre de 2005, completado por un informe de 24 de octubre del mismo año del Grupo de delitos telemáticos de la Guardia Civil interesa la preceptiva autorización que obtuvo con el libramiento de mandamiento judicial dirigido a los operadores de Internet para identificar ciertas direcciones IP del ordenador al objeto de proseguir la investigación. Consecuentemente quien utiliza un programa P2P, en nuestro caso EMULE, asume que muchos de los datos se convierten en públicos para los usuarios de Internet, circunstancia que conocen o deben conocer los internautas, y tales datos conocidos por la policía, datos públicos en internet, no se hallaban protegidos por el art. 18-1º ni por el 18-3 C.E. TERCERO. Por todo ello debe quedar patente que al verificar los rastreos la policía judicial estaba cumpliendo con su función de perseguir delitos y detener a los delincuentes que los cometen, siendo legítimos y regulares los rastreos efectuados, lo que trae como consecuencia la validez de los mismos y la de las diligencias policiales practicadas en ejecución del auto autorizando la identificación de los usuarios de IPs y el posterior de entrada y registro, determinando la nulidad de la sentencia que el Fiscal interesa». STS Sala Segunda, de lo Penal, Sentencia 236/2008 de 9 May. 2008, Rec. 1797/2007. Ponente: Soriano Soriano, José Ramón. LA LEY 47575/2008.

En ese sentido, al igual que sucede con los códigos IMEI o IMSI, los códigos IPs no se refieren a la intimidad de las personas, puesto que a quien en realidad identifican es al dispositivo de comunicación.

«El carácter de la dirección IP como dato personal ha sido reconocido por la jurisprudencia de esta Sala en numerosas sentencias (SSTS 249/2008, 20 de mayo (LA LEY 68707/2008); 236/2008, 9 de mayo (LA LEY 47575/2008); 680/2010, 14 de julio (LA LEY 114056/2010) y 292/2008, 28 de mayo (LA LEY 86395/2008)), bien entendido que las claves identificativas IPs no concretan a la persona del usuario, sino sólo el ordenador que se ha usado, lo que hace necesario para poder llegar al ulterior conocimiento del número de teléfono y titular del contrato la posterior autorización judicial». STS Sala Segunda, de lo Penal, Sentencia 16/2014 de 30 Ene. 2014, Rec. 824/2013. Ponente: Berdugo Gómez de la Torre, Juan Ramón. LA LEY 2495/2014.

Ahora bien, lo que no cabe es la averiguación del número o código del teléfono mediante procedimientos que afecten al secreto de las comunicaciones o que supongan el acceso a datos restringidos contenidos en bases de datos, ordenadores, teléfonos o dispositivos electrónicos similares, a los que acceda la policía sin la debida autorización judicial. No es ése el caso de la inspección del teléfono para obtener la agenda de contactos u otra clase de documentos. En ese caso no se producirá una afectación del derecho a las comunicaciones, sino en su caso del derecho a la intimidad que legalmente puede ceder ante las funciones de la policía para la investigación persecución de delitos[230].

«No estamos, por tanto, ante un supuesto de acceso policial a funciones de un teléfono móvil que pudiesen desvelar procesos comunicativos, lo que requeriría, para garantizar el derecho al secreto de las comunicaciones (art. 18.3 CE (LA LEY 2500/1978)), el consentimiento del afectado o la autorización judicial, conforme a la doctrina constitucional antes citada. El acceso policial al teléfono móvil del recurrente se limitó exclusivamente a los datos recogidos en la agenda de contactos telefónicos del terminal —entendiendo por agenda el archivo del teléfono móvil en el que consta un listado de números identificados habitualmente mediante un nombre—, por lo que debe concluirse que dichos datos "no forman parte de una comunicación actual o consumada, ni proporcionan información sobre actos concretos de comunicación pretéritos o futuros" (STC 142/2012, FJ 3), de suerte que no cabe considerar que en el presente caso la actuación de los agentes de la Policía Nacional en el ejercicio de sus funciones de investigación supusiera una injerencia en el ámbito de protección del art. 18.3 CE (LA LEY 2500/1978)». STC Sentencia 115/2013 de 9 May. 2013, rec. 1246/2011. Ponente: Aragón Reyes, Manuel. LA LEY 49565/2013.

Es por ello que la Jurisprudencia se ha pronunciado exigiendo que en tanto que afecta a la intimidad el registro del teléfono se produzca con pleno respeto a los principios aplicables en materia de afectación de derechos fundamentales como la urgencia, necesidad y proporcionalidad.

«Si bien nuestra doctrina admite el examen directo de la agenda de un teléfono móvil por los agentes de la policía judicial, por estimar que no afecta al derecho al secreto de las comunicaciones sino al derecho a la intimidad, esta doctrina no exime de la concurrencia de los requisitos constitucionales propios de la afectación a este derecho fundamental, como son la exigencia de que la injerencia "se encuentre justificada con arreglo a los criterios de urgencia y necesidad y que se cumpla el requisito de proporcionalidad al ponderar los intereses en juego en el caso concreto", criterio muy similar al establecido en el nuevo régimen legal para los supuestos de excepción previstos en el párrafo cuarto del nuevo art. 588 sexies c». STS Sala Segunda, de lo Penal, Sentencia 204/2016 de 10 Mar. 2016, Rec. 10633/2015. Ponente: Conde-Pumpido Tourón, Cándido. LA LEY 16520/2016.

Debemos tener en cuenta que la actividad de investigación de la policía está amparada por el principio básico de la legitimidad de sus actos que sólo puede ceder

---

(230) «… sobre el examen o la observación del listado de teléfonos de la agenda de un teléfono móvil tiene establecido la jurisprudencia de esta Sala que no se trata de una intromisión en el derecho al secreto de las comunicaciones sino en el derecho a la intimidad; por lo cual, se le aplica la doctrina que el Tribunal Constitucional tiene plasmada sobre la limitación de ese derecho fundamental con motivo de las investigaciones delictivas por los agentes policiales, principalmente las SSTC 114/1984, de 14 de febrero, 70/2002, de 3 de abril, y 120/2002, de 20 de mayo .../... Pues así como la injerencia en el primero de tales derechos requeriría, sin duda ni excepción, la previa autorización judicial, por venir así expresamente dispuesto en el artículo 18.3 de nuestra Constitución, la diligencia que afecta a la intimidad del investigado se encuentra, en cambio, legalmente autorizada a las fuerzas del orden, siempre por supuesto que la misma resulte justificada con arreglo a los criterios de urgencia y necesidad y que se cumpla el requisito de proporcionalidad al ponderar los intereses en juego en el caso concreto». STS, Sala Segunda, de lo Penal, Sentencia de 12 Dic. 2010, Nº de Sentencia: 1148/2010, Nº de Recurso: 1514/2010, LA LEY 236961/2010.

frente a la alegación de evidencias acreditadas en sentido contrario. De modo que la impugnación de la actividad de la policía en orden a la obtención de números de teléfono o direcciones o protocolos de Internet debe estar basada en razones y evidencias de la ilicitud de la actuación[231].

> «En línea de principio proclamar que la legitimidad de un acto jurisdiccional no puede presumirse no se concilia bien con los principios que informan el ejercicio de la función jurisdiccional (art. 117.1 CE (LA LEY 2500/1978)). Es cierto que la abstracta proclamación de esos principios no blinda a los actos jurisdiccionales de su condición de potencial fuente lesiva de los derechos fundamentales. También lo es —y la experiencia se encarga cada día de recordarlo— que la validez de los actos procesales no puede hacerse descansar en un voluntarioso acto de fe. Pero aceptar la petición de nulidad porque la legitimidad no puede presumirse, no resulta, en modo alguno, una exigencia de nuestro sistema de garantías. En esta dirección las SSTS 249/2008 de 20.5 (LA LEY 68707/2008), 940/2008 de 18.12 (LA LEY 216123/2008), señalan en casos en que se cuestionaba el modo a través del cual la Policía obtuvo los teléfonos y que ello supone injerencia en el derecho al secreto de las comunicaciones: "ninguna razón se expresa ni se infiere de las actuaciones que pueda sustentar esa alegada irregular obtención de los números de los teléfonos cuya observación se solicitó y fue judicialmente autorizada..." "no existe razón o elementos que permitan sostener que los números de teléfonos cuya observación se solicita se hubieran obtenido con vulneración del derecho al secreto de las comunicaciones, ya que no consta acreditado que para ese fin se hubiera accedido al contenido de las conversaciones sin autorización judicial, ni se hubiera sobrepasado los límites a los que se hace mención en la sentencia citada 249/2008, de 20 de mayo, para la recogida o captación técnica del IMSI sin necesidad de autorización judicial". Asimismo la STS 960/2008 de 26.12 (LA LEY 226064/2008) recordó: "Se alegan sospechas sobre el modo en los que se obtuvieron los primeros números de los teléfonos y del terminal móvil número ..., especialmente este número ya que su observación fue determinante para la intervención de la droga, sin que les convenzan las alegaciones realizadas por los funcionarios policiales de que los obtuvieron de los listados de telefónica, de las intervenciones judiciales previas, de observaciones físicas al marcarlos y de gestiones en oficinas públicas y bancos. No hay datos o elementos que permitan concluir que existieron gestiones ilícitas y vulneradoras de derechos fundamentales por parte de la policía. Los funcionarios policiales, en sus declaraciones en el acto del juicio oral, se refirieron a modalidades perfectamente legítimas para obtener esa información, sin que pueda presumirse lo contrario porque otros funcionarios no tuvieran información o no lo pudiesen precisar por el tiempo transcurrido"». STS 912/2016 de 1 Dic. 2016, Rec. 355/2016. Ponente: Berdugo Gómez de la Torre, Juan Ramón. LA LEY 177402/2016.

---

(231) «En lo referente a como haya podido la policía conocer el número telefónico cuya intervención se solicita, basta recordar que con la doctrina del Tribunal Constitucional y de esta Sala que no es preciso acreditar la obtención del número de teléfono sospechoso. No cabe admitir una presunción de culpabilidad/ilegitimidad en la actuación policial, la alegación de ilegitimidad, debe ir acompañada, por quien la alegue de datos o indicios serios y rigurosos que apoyen tal denuncia. SSTS 504/2009 (LA LEY 67209/2009); 309/2010 (LA LEY 27036/2010); 85/2011 (LA LEY 4448/2011); 1003/2011 (LA LEY 198709/2011); 1224/2011 (LA LEY 232378/2011) o 427/2013 (LA LEY 61573/2013), entre otras, y del Tribunal Constitucional se puede citar la STC 25/2011 (LA LEY 6063/2011)». STS 993/2016 de 12 Ene. 2017, Rec. 10282/2016; Ponente: Giménez García, Joaquín. LA LEY 346/2017.

Sí que se precisa autorización judicial para una vez identificado el dispositivo solicitar a la operadora el suministro de la titularidad y demás datos del tráfico de comunicaciones porque estos datos quedan amparados por los derechos constitucionales a las comunicaciones y a la intimidad[232].

> «El IMSI, por sí solo, no es susceptible de ser incluido en alguna de esas dos categorías. Ni es un dato integrable en el concepto de comunicación, ni puede ser encuadrado entre los datos especialmente protegidos. Como ya se razonó supra, ese número de identificación sólo expresa una serie alfanumérica incapaz de identificar, por su simple lectura, el número comercial del abonado u otros datos de interés para la identificación de la llamada. Para que la numeración IMSI brinde a los investigadores toda la información que alberga, es preciso que esa serie numérica se ponga en relación con otros datos que obran en poder del operador. Y es entonces cuando las garantías propias del derecho a la autodeterminación informativa o, lo que es lo mismo, del derecho a controlar la información que sobre cada uno de nosotros obra en poder de terceros, adquieren pleno significado. Los mismos agentes de Policía que hayan logrado la captación del IMSI en el marco de la investigación criminal, habrán de solicitar autorización judicial para que la operadora correspondiente ceda en su favor otros datos que, debidamente tratados, permitirán obtener información singularmente valiosa para la investigación. En definitiva, así como la recogida o captación técnica del IMSI no necesita autorización judicial, sin embargo, la obtención de su plena funcionalidad, mediante la cesión de los datos que obran en los ficheros de la operadora, sí impondrá el control jurisdiccional de su procedencia». STS de lo Penal, Sentencia 940/2008 de 18 Dic. 2008, Rec. 10542/2008. Ponente: Granados Pérez, Carlos. LA LEY 216123/2008.

También están protegidos por el derecho al secreto de las comunicaciones los datos referentes a los números a los que se hubiere llamado o el contenido de la conversación, puesto que esos datos están protegidos por el derecho al secreto de las comunicaciones. Así, el examen del registro de llamadas de un teléfono sólo podrá hacerse previa orden judicial autorizante.

> «4. Tampoco puede prosperar la pretendida vulneración del art. 18.3 CE constituida por el acceso policial al listado de números telefónicos marcados en el terminal de la víctima. Ciertamente, como recordara, entre otras, nuestra STC 230/2007, de 5 de noviembre, FJ 2, este Tribunal ha reiterado que el derecho al secreto de las comu-

---

(232) «V) Algo semejante a lo anterior acontece con el motivo Quinto del Recurso que, aunque ya a través de una denuncia de supuesta infracción de los derechos fundamentales al secreto de las comunicaciones, intimidad y proceso con garantías (arts. 5.4 (LA LEY 1694/1985), 11.1 (LA LEY 1694/1985), 238.3 (LA LEY 1694/1985) y 240.1 LOPJ (LA LEY 1694/1985) y 18.3 y 4 y 24 CE), vuelve a cuestionar el método de "monitorización" empleado por el Servicio de Vigilancia Aduanera, con unas sospechas de irregularidad que, en realidad, han quedado plenamente despejadas por la Audiencia cuando entra en el análisis de lo efectivamente realizado, para concluir en que ese procedimiento tan sólo sirve para identificar las claves alfanuméricas (IMSI e IMEI), ni tan siquiera el número de uso telefónico y, por supuesto, menos aún su titularidad, respecto de los terminales usados por determinadas personas, para, sólo ulteriormente, obtener a través de la propia autoridad judicial, los datos identificativos necesarios para solicitar la correspondiente autorización de intervención telefónica. Por lo que no cabe hablar de las referidas vulneraciones constitucionales, toda vez que la actividad investigadora, en este caso, no llega a afectar al núcleo protegido por los derechos fundamentales que se citan». STS Sala Segunda, de lo Penal, Sentencia 55/2007 de 23 Ene. 2007, Rec. 10048/2006.

nicaciones (art. 18.3 CE) consagra la libertad de las comunicaciones, implícitamente, y, de modo expreso, su secreto, estableciendo en este último sentido la interdicción de la interceptación o del conocimiento antijurídicos de las comunicaciones ajenas. El bien constitucionalmente protegido es así —a través de la imposición a todos del "secreto"— la libertad de las comunicaciones, por lo que dicho derecho puede resultar vulnerado tanto por la interceptación en sentido estricto —que suponga aprehensión física del soporte del mensaje, con conocimiento o no del mismo, o captación, de otra forma, del proceso de comunicación—, como por el simple conocimiento antijurídico de lo comunicado —apertura de la correspondencia ajena guardada por su destinatario, por ejemplo—. Hemos destacado igualmente que el concepto de secreto de la comunicación cubre no sólo su contenido, sino también la identidad subjetiva de los interlocutores, de ahí que se haya afirmado que la entrega de los listados de llamadas telefónicas por las compañías telefónicas a la policía, sin consentimiento del titular del teléfono, requiere resolución judicial, toda vez que el acceso y registro de los datos que figuran en dichos listados constituye una forma de afectación del objeto de protección del derecho al secreto de las comunicaciones (por todas, SSTC 123/2002, de 20 de mayo, FJ 4; 56/2003, de 24 de marzo, FJ 3; 115/2013, de 9 de mayo, FJ 3; y SSTEDH de 2 de agosto de 1984, caso *Malone contra Reino Unido*, § 84, y de 3 de abril de 2007, caso *Copland contra Reino Unido*, § 43). En el presente caso, como se ha expuesto en los antecedentes y ha quedado acreditado en las actuaciones, la policía solicitó autorización judicial para conocer el historial de llamadas del teléfono móvil de la víctima, accediendo a él sólo una vez obtenida dicha aquiescencia judicial. Por ello, no se ha vulnerado desde este prisma el derecho al secreto de las comunicaciones (art. 18.3 CE)». STC 145/2014, de 22 de septiembre (LA LEY 140049/2014).

c) El examen/inspección/reconocimiento/registro y copia de la información contenida en dispositivos de almacenamiento masivo de información (arts. 588 sexies a-c LECrim)

Los dispositivos electrónicos de comunicación y manejo de la información tienen una estructura técnica en la que destacan los dispositivos de almacenamiento masivo que contienen información en lenguaje digital y pueden contenerse en toda clase de dispositivos electrónicos. La información que se contiene en estos dispositivos puede tener distinto origen: datos técnicos del sistema respecto a su funcionamiento, dispositivos conectados, comunicaciones establecidas, documentos de texto, imágenes, sonido, etc. La intervención sobre esos aparatos tiene por objeto el examen y, en su caso, la copia de la información que pudiera ser relevante para una investigación procesal penal. La regulación de esta diligencia se contiene en los arts. 588 sexies a —c LECrim que prevé el examen de dispositivos de almacenamiento masivo de información que pueden hallarse en: «*ordenadores, instrumentos de comunicación telefónica o telemática o dispositivos de almacenamiento masivo de información digital o el acceso a repositorios telemáticos de datos*» art. 588 sexies a. LECrim. Nótese que el análisis y registro de esta clase de dispositivos puede afectar tanto al derecho a las comunicaciones, como al derecho a la intimidad personal. Este criterio modifica de algún modo el mantenido hasta el momento por la jurisprudencia que mantenía que el contenido de información que se halla en teléfonos móviles afecta al derecho a la intimidad y no a las comunicaciones. Sin embargo, lo cierto es que en los modernos dispositivos se contiene información de distinto origen y naturaleza, por ejemplo, registros de comunicaciones realizadas desde el dispositivo electrónico, que determinan que el Juez de instrucción prevea la posible afectación tanto del derecho a la intimidad como el derecho a las comunicaciones en orden a autorizar la intervención.

«La razón de ser de la necesidad de esta autorización con carácter generalizado es la consideración de estos instrumentos como lugar de almacenamiento de una serie compleja de datos que afectan de modo muy variado a la intimidad del investigado (comunicaciones a través de sistemas de mensajería, por ejemplo, tuteladas por el art. 18.3° CE (LA LEY 2500/1978), contactos o fotografías, por ejemplo, tuteladas por el art. 18.1° CE (LA LEY 2500/1978) que garantiza el derecho a la intimidad, datos personales y de geolocalización, que pueden estar tutelados por el derecho a la protección de datos, art. 18.4° CE (LA LEY 2500/1978)). La consideración de cada uno de estos datos de forma separada y con un régimen de protección diferenciado es insuficiente para garantizar una protección eficaz, pues resulta muy difícil asegurar que una vez permitido, por ejemplo, el acceso directo de los agentes policiales a estos instrumentos para investigar datos únicamente protegidos por el derecho a la intimidad (por ejemplo, los contactos incluidos en la agenda), no se pueda acceder o consultar también otros datos tutelados por el derecho a la inviolabilidad de las comunicaciones albergados en el mismo dispositivo. Es por ello por lo que el Legislador otorga un tratamiento unitario a los datos contenidos en los ordenadores y teléfonos móviles, reveladores del perfil personal del investigado, configurando un derecho constitucional de nueva generación que es el derecho a la protección del propio entorno virtual». STS Sala Segunda, de lo Penal, Sentencia 204/2016 de 10 Mar. 2016, Rec. 10633/2015. Ponente: Conde-Pumpido Tourón, Cándido. LA LEY 16520/2016.

Esta clase de investigación está sujeta a la preceptiva orden judicial autorizante (art. 588 sexies a y b LECrim).

«El acceso a los contenidos de cualquier ordenador por los agentes de policía, ha de contar con el presupuesto habilitante de una autorización judicial. Esta resolución ha de dispensar una protección al imputado frente al acto de injerencia de los poderes públicos. Son muchos los espacios de exclusión que han de ser garantizados. No todos ellos gozan del mismo nivel de salvaguarda desde la perspectiva constitucional. De ahí la importancia de que la garantía de aquellos derechos se haga efectiva siempre y en todo caso, con carácter anticipado, actuando como verdadero presupuesto habilitante de naturaleza formal. La ponderación judicial de las razones que justifican, en el marco de una investigación penal, el sacrificio de los derechos de los que es titular el usuario del ordenador, ha de hacerse sin perder de vista la multifuncionalidad de los datos que se almacenan en aquel dispositivo. Incluso su tratamiento jurídico puede llegar a ser más adecuado si los mensajes, las imágenes, los documentos y, en general, todos los datos reveladores del perfil personal, reservado o íntimo de cualquier encausado, se contemplan de forma unitaria. Y es que, más allá del tratamiento constitucional fragmentado de todos y cada uno de los derechos que convergen en el momento del sacrificio, existe un derecho al propio entorno virtual. En él se integraría, sin perder su genuina sustantividad como manifestación de derechos constitucionales de nomen iuris propio, toda la información en formato electrónico que, a través del uso de las nuevas tecnologías, ya sea de forma consciente o inconsciente, con voluntariedad o sin ella, va generando el usuario, hasta el punto de dejar un rastro susceptible de se-*

guimiento por los poderes públicos. Surge entonces la necesidad de dispensar una protección jurisdiccional frente a la necesidad del Estado de invadir, en las tareas de investigación y castigo de los delitos, ese entorno digital». STS 426/2016 de 19 May. 2016, Rec. 2107/2015; Ponente: Berdugo Gómez de la Torre, Juan Ramón. LA LEY 51966/2016.

La regulación legal prevé diversas posibilidades. Una de ellas que los aparatos se hallen en un domicilio, o en otro lugar, en cuyo caso la orden judicial que autoriza la entrada deberá prever también el acceso a los dispositivos de almacenamiento. En caso de no existir esa previsión la policía deberá solicitar autorización expresa al Juez para examinar los dispositivos electrónicos (arts. 588 sexies a. LECrim). Véase M. 80.

«Lo cierto es que tanto desde la perspectiva del derecho de exclusión del propio entorno virtual, como de las garantías constitucionales exigidas para el sacrificio de los derechos a la inviolabilidad de las comunicaciones y a la intimidad, la intervención de un ordenador para acceder a su contenido exige un acto jurisdiccional habilitante. Y esa autorización no está incluida en la resolución judicial previa para acceder al domicilio en el que aquellos dispositivos se encuentran instalados. De ahí que, ya sea en la misma resolución, ya en otra formalmente diferenciada, el órgano jurisdiccional ha de exteriorizar en su razonamiento que ha tomado en consideración la necesidad de sacrificar, además del domicilio como sede física en el que se ejercen los derechos individuales más elementales, aquellos otros derechos que convergen en el momento de la utilización de las nuevas tecnologías». STS 426/2016 de 19 May. 2016, Rec. 2107/2015; Ponente: Berdugo Gómez de la Torre, Juan Ramón. LA LEY 51966/2016.

No establece la Ley requisitos de delito o pena para acordar esta diligencia, lo cual no es objetable, ya que esta es una medida invasiva pero concretada en el tiempo y puede permitir esclarecer delitos, en principio, menos graves pero de gran trascendencia social. Piénsese por ejemplo en el supuesto de producirse amenazas, coacciones o conductas similares realizadas desde un dispositivo electrónico y que pueden esclarecerse mediante esta diligencia de investigación.

Sin embargo, sí que es discutible y llaman la atención dos cuestiones reguladas en la Ley.

En primer lugar, puede resultar un error la concesión a la policía de la posibilidad de proceder al examen de los datos contenidos en un dispositivo sin autorización previa (arts. 588 sexies c. 4 LECrim); o bien ampliar su investigación a otros sistemas informáticos no amparados por la autorización judicial (en el que caso que se hubiere autorizado respecto a determinados sistemas o dispositivos —arts. 588 sexies c. 3 LECrim—) dando cuenta de ello: «... *al juez inmediatamente, y en todo caso dentro del plazo máximo de veinticuatro horas, de la actuación realizada, la forma en que se ha efectuado y su resultado*». Posteriormente el Juez competente confirmará o revocará la actuación. En ambos casos la ley exige que exista urgencia. Que se califica de simple (si ya existiera una orden pero que no amparase el nuevo registro); o de una urgencia en la que se aprecie un interés constitucional legítimo que haga imprescindible el registro del dispositivo cuando no existiere una orden judicial previa insuficiente. En este supuesto, al igual que en otros previstos en la Ley atendiendo a la urgencia (en intervención telefónica o instalación de dispositivos de seguimiento), se plantea hasta qué punto esta posibilidad es necesaria y, en cualquier caso, cuales son los criterios que se deben seguir para revocar o confirmar la intromisión sin orden judicial. Porque si el esquema legal es que se convalidará la intromisión siempre que se halle algún hecho incriminatorio y se revocará en caso contrario habremos creado un modelo de proceder de la policía bastante sencillo si se halla un hecho incriminatorio la urgencia habrá quedado justificada y se convalidará la intromisión sin orden judicial, pero en caso contrario de no hallarse nada no se convalidará. Pero, siendo así ¿Qué más da que no se convalide una intromisión que no tuvo ningún resultado? Desde nuestro punto de vista este tratamiento *a posteriori* de la actividad policial es ingenuo e inútil. Y yendo más allá, ¿cómo podemos garantizar que todas las intromisiones *«urgentes»* que no hayan dado resultado sean objeto de petición *a posteriori*? En realidad, no tiene demasiado sentido que la policía solicite una autorización *a posteriori* en el caso que el registro haya sido infructuoso. El Tribunal Supremo ya se ha pronunciado sobre este precepto para exigir que únicamente se pueda proceder por razones urgencia cuando se aprecie un interés constitucional legítimo que haga imprescindible la medida.

> «Esta norma, evidentemente, no se encontraba vigente en la fecha de los hechos, y en consecuencia, no era de aplicación. Ahora bien, en la misma cabe distinguir un aspecto procedimental y otro sustancial. El primero (la regulación de la comunicación inmediata, o en todo caso dentro del plazo máximo de veinticuatro horas, por escrito motivado al juez competente, haciendo constar las razones que justificaron la adopción de la medida, la actuación realizada, la forma en que se ha efectuado y su resultado), evidentemente no puede ser tomado en absoluto en consideración para intervenciones realizadas con anterioridad a la entrada en vigor de la reforma. Y el segundo es un aspecto sustancial o de fondo (la exigencia de que el examen directo de los datos contenidos en el dispositivo incautado por la Policía Judicial solo puede realizarse en los casos de urgencia en que se aprecie un interés constitucional legítimo que haga imprescindible la medida). Este último, en la medida en que constituye la proclamación normativa de unos principios generales que el Tribunal Constitucional y esta misma Sala ya habían definido previamente como determinantes de la validez de los actos de injerencia en la privacidad de los investigados en un proceso penal, puede tomarse en consideración como criterio general de interpretación aun cuando se analicen supuestos anteriores a la entrada en vigor de la reforma». STS Sala Segunda, de lo Penal, Sentencia 204/2016 de 10 Mar. 2016, Rec. 10633/2015. Ponente: Conde-Pumpido Tourón, Cándido. LA LEY 16520/2016.

En segundo lugar cabe destacar la atribución a terceros de responsabilidad en el buen fin del examen de los dispositivos estableciendo que la policía podrá: **«ordenar a cualquier persona** *que conozca el funcionamiento del sistema informático o las medidas aplicadas para proteger los datos informáticos contenidos en el mismo que facilite la información que resulte necesaria, siempre que de ello no derive una carga desproporcionada para el afectado, bajo apercibimiento de incurrir en delito de desobediencia»* (arts. 588 sexies c. 5 LECrim). Esta disposición no se aplica al investigado o a aquellas personas que no tienen obligación de declarar por razón de parentesco o secreto profesional. En cualquier caso, resulta llamativa la adscripción de una suerte de compulsión personal por orden de la policía, sin que existan razones de urgencia o necesidad que lo pueda justificar, a cualquier persona que pudiera conocer del funcionamiento del sistema.

Esta obligación parece desproporcionada, ya que cuando no concurre urgencia, que si fuera así sería otro el caso, lo que debe hacer el juzgador es nombrar un perito informático forense que realice el dictamen requerido en orden a obtener la información precisa. No puedo en este momento decir mucho más pero en este punto resulta de interés el análisis de los procedimientos seguidos en los Estados Unidos entre las autoridades federales y la empresa Apple a propósito de la exigencia de entrega de las herramientas de desencriptación en poder de la empresa tecnológica. En otro artículo hablaré de ello.

d) La monitorización, registro y copia de la información contenida en dispositivos de almacenamiento masivo de información realizado de forma telemática (arts. 588 septies a-c LECrim)

La monitorización, registro y copia de la información contenida en dispositivos de almacenamiento tiene ciertas similitudes con la del apartado anterior, aunque muchas más diferencias. En primer lugar, la diligencia de reconocimiento de dispositivos electrónicos, analizada en el apartado anterior, tiene lugar de forma estática accediendo al dispositivo directamente para examinar su contenido. Se trata por tanto de un examen de un dispositivo que, en principio, no está funcionando y que se somete al análisis policial. La diligencia que se analiza aquí es mucho más invasiva ya que tiene lugar de forma remota y respecto a unos dispositivos que por lo general deben estar en funcionamiento, o como mínimo en línea, para poder acceder a su contenido. Es por ello que a la intromisión en el derecho a la intimidad del propietario de los datos examinados se suma la del derecho a las comunicaciones y, de algún modo aunque indirectamente, la del derecho a la intimidad del domicilio en tanto que se la intromisión puede tener por objeto una computadora instalada en una vivienda. Consecuencia, de estas características es que la orden judicial no se agota en sí misma con la actuación, como es el caso del registro domiciliario o de un dispositivo electrónico, sino que se puede prolongar en el tiempo, concretamente durante un mes prorrogable hasta un máximo de tres meses.

La intensidad y capacidad invasiva de esta medida es notable, equivalente a la de instalación de cámaras y micrófonos en un domicilio. Es por ello que la Ley limita la concesión de esta medida a determinados tipos delictivos. En su virtud, sólo se podrá autorizar esta clase de intromisión en los siguientes supuestos: *«a) Delitos cometidos en el seno de organizaciones criminales. b) Delitos de terrorismo. c) Delitos cometidos contra menores o personas con capacidad modificada judicialmente. d) Delitos contra la Constitución, de traición y relativos a la defensa nacional. e) Delitos cometidos a través de instrumentos informáticos o de cualquier otra tecnología de la información o la telecomunicación o servicio de comunicación»* (art. 588 septies a. LECrim). Esta exigencia es un plus de garantía para los ciudadanos que no podrán ser monitorizados remotamente por investigaciones de delitos distintos a los previstos en la Ley. La resolución judicial contendrá, además, los datos precisos sobre los dispositivos electrónicos objeto de la intervención, los agentes responsables y la gestión de la información obtenida.

Dos cuestiones finales de interés. La primera es la posibilidad de que esta medida se conceda asociada a la del agente encubierto informático que ha regulado «ex novo» la LO 13/2015. La regulación de esta figura se contiene en el apartado 6º del art. 282 bis LECrim que dispone que: «*El juez de instrucción podrá autorizar a funcionarios de la Policía Judicial para actuar bajo identidad supuesta en comunicaciones mantenidas en canales cerrados de comunicación ...*/*... El agente encubierto informático, con autorización específica para ello, podrá intercambiar o enviar por sí mismo archivos ilícitos por razón de su contenido y analizar los resultados de los algoritmos aplicados para la identificación de dichos archivos ilícitos*». Parece del todo punto lógico que la autorización de un agente encubierto que participa en las comunicaciones pueda estar respaldada o asociada a una medida de registro remoto previa, simultánea o posterior.

La segunda cuestión es, otra vez, la exigencia legal a: «*a cualquier persona que conozca el funcionamiento del sistema informático*» para facilite la información que resulte necesaria, bajo apercibimiento de incurrir en delito de desobediencia (art. 588 septies b.2º LECrim). Como ya se ha expuesto puede ser entendible, y por supuesto es legal porque la ley así lo prevé, pero no cabe duda de que resulta una compulsión discutible en tanto que no se dirige a aquéllos, no imputados, que pudieran conocer del sistema, sino a: «*cualquier persona*».

D) Desarrollo, prórroga y control de las medidas de investigación tecnológica

El desarrollo de la medida de investigación se producirá conforme se hubiere previsto en el auto judicial en el que se determinará el período de tiempo durante el que se prolongará la intervención y los momentos y la forma en que el Juez debe ser informado del estado y resultados de la investigación.

Resultan de especial interés en esta materia los arts. 83 a 101 del RD 424/2015 de 15 de abril sobre las condiciones para la prestación de servicios de comunicaciones electrónicas, el servicio universal y la protección de los usuarios, donde se regula con especial detalle todas las circunstancias atenientes a la interceptación de comunicaciones electrónicas. Especialmente, útil es la norma con relación al inicio de la ejecución de la intervención, respecto al cual el art. 99 dispone que: «*El plazo de ejecución de una orden de interceptación legal será el fijado en ella. Cuando no se establezca plazo, las órdenes se ejecutarán antes de las 12:00 horas del día laborable siguiente al que el sujeto obligado reciba la orden de intercepción legal*» (art. 99). De este modo se aclara la indefinición que se producía cuando el auto no establecía expresamente el momento en el que debía iniciarse la intervención. De modo que se planteaba si la intervención se iniciaba desde el auto que la autorizaba o bien cuando se producía efectivamente la intervención. Cuestión que el TC ha resuelto entendiendo que ante la falta en el auto de una fecha concreta el plazo se inicia desde el momento en el que se autoriza la intervención telefónica.

«Es evidente que en el caso que nos ocupa la lectura más garantista, desde la perspectiva del secreto de las comunicaciones, es la que entiende que el plazo de intervención posible en el derecho fundamental comienza a correr desde el momento en el que ha sido autorizada .../... debemos afirmar ahora que el entendimiento de que el plazo previsto en una autorización judicial, que autoriza la restricción del secreto de las comunicaciones, comienza a correr el día en que aquélla efectivamente se realiza compromete la seguridad jurídica y consagra una lesión en el derecho fundamental, que tiene su origen en que sobre el afectado pesa una eventual restricción que, en puridad, no tiene un alcance temporal limitado, ya que todo dependerá del momento inicial en que la intervención tenga lugar. Es así posible, por ejemplo, que la restricción del derecho se produzca meses después de que sea autorizada, o que la autorización quede conferida sin que la misma tenga lugar ni resulte formalmente cancelada por parte del órgano judicial. En definitiva, la Constitución solamente permite (con excepción de las previsiones del art. 55 CE) que el secreto de las comunicaciones pueda verse lícitamente restringido mediante una resolución judicial (art. 18.3 CE), sin que la intervención de terceros pueda alterar el *dies a quo* determinado por aquélla». STC 26/2006 de 30 de enero.

La Ley no prevé una duración determinada aplicable con carácter general a las medidas de investigación electrónica, sino que establece unos plazos y límites temporales según la clase de diligencia de que se trate, sin que puedan extenderse ilimitada y desproporcionadamente. La ley prevé que la diligencia de intervención telefónica (art. 588 ter. g) y la de seguimiento y localización (art. 588 quinquies c) se acordarán por un plazo de tres meses prorrogables hasta 18 meses. Mientras que la diligencia de registro remoto de equipos informáticos (art. 588 septies c) se acordará por plazo máximo de un mes, prorrogable por iguales períodos hasta un máximo de tres meses.

No todas las medidas de investigación electrónica están sometidas a un plazo determinado. Éste es el caso de la autorización para analizar dispositivos electrónicos (art. 588 sexies LECrim.) para la que no se fija un plazo por la propia naturaleza de la intervención consistente en el examen de una máquina o dispositivo electrónico con la finalidad de elaborar un dictamen pericial sobre el contenido del dispositivo. Más extrañamente, tampoco prevé la ley plazo alguno para la diligencia de captación y grabación de sonido y/o imagen en la vía pública o en otro espacio abierto, en su domicilio o en cualesquiera otros lugares cerrados (art. 588 quater a). Como se verá más adelante resulta curiosa la dicción del precepto al reunir en una misma diligencia actuaciones tan distintas como grabar a un investigado en la vía pública (lo que por otra parte no precisa de orden judicial conforme con el art. 588 quinquies a) LECrim; o en su domicilio u otro lugar cerrado supuestos en los que sí resulta necesaria orden judicial. En el caso de la grabación en domicilio o lugar cerrado resulta claro que se produce una intervención sobre una actividad humana con afectación de derechos fundamentales que debiera limitarse temporalmente. Pudiera entenderse que la ley pretende que la autorización en este supuesto se concederá únicamente para un momento y lugar concreto, lo que pudiera deducirse del art. 588 quater c. que con relación al contenido de la resolución judicial que autoriza esta medida dispone que: «... *deberá contener, además de las exigencias reguladas en el artículo 588 bis c, una mención concreta al lugar o dependencias, así como a los encuentros del investigado que van a ser sometidos a vigilancia*». Sin embargo, esto no es operativo, por lo que lo normal será que se autorice una vigilancia de un lugar durante un tiempo determinado. Así se deduce del contenido del art. 588 bis j., al que se refiere el art. 588 quater e., que regula el cese de la intervención que establece que la medida tiene un desarrollo temporal, lo cual resulta lógico: «*El juez acordará el cese de la medida cuando desaparezcan las circunstancias que justificaron su adopción o resulte evidente que a través de la misma no se están obteniendo los resultados pretendidos, y, en todo caso, **cuando haya transcurrido el plazo para el que hubiera sido autorizada***» (art. 588 bis j). En su virtud, aunque el art. 588 quater a LECrim no prevé expresamente a un plazo determinado para la ejecución de la medida de captación y grabación de sonido y/o imagen en domicilio o lugar cerrado el Juez lo deberá fijar en el auto que la autoriza de conformidad con el art. 588 bis j. citado y también con el art. 588 bis.c.3° LECrim, en sede de disposiciones comunes, que establece que el auto en el que se autorice se fijará la duración de la medida de investigación tecnológica. Esta duración no deberá ser superior, en ningún caso, a la prevista de un mes, prorrogable hasta un máximo de tres meses prevista para la diligencia de registro remoto de equipos informáticos (art. 588 septies c).

La intervención electrónica se desarrollará y controlará conforme se hubiese establecido en el auto habilitante. El control judicial de la intervención sirve para que el Juez pueda supervisar el desarrollo de la ejecución de modo que pueda decidir razonadamente sobre el mantenimiento o cese de la restricción del derecho fundamental. En este sentido el Tribunal Supremo ha declarado que el control judicial se integra en el contenido esencial del derecho al secreto de las comunicaciones.

> «El control judicial se integra en el contenido esencial del derecho al secreto de las comunicaciones. Pues la exigencia de la efectividad de este control implica que el Juez debe conocer y supervisar el desarrollo de la ejecución, y esto supone que al acordar su práctica debe establecer las condiciones precisas para que la información que reciba sea real y suficiente a su fin, de modo que pueda decidir razonadamente sobre su mantenimiento o su cese. En este sentido la doctrina del Tribunal Constitucional ha establecido que la falta de control se produce y puede dar lugar a la lesión del derecho "si no se fijan períodos para dar cuenta al Juez de los resultados de la intervención (STC 82/2002, de 22 de abril, F. 6) o si, por otras razones, el Juez no efectúa un seguimiento de las vicisitudes del desarrollo y del cese de la intervención o no conoce los resultados de la investigación (SSTC 166/1999, de 27 de septiembre, F. 3; 202/2001, de 15 de octubre, F. 7)" (STC n.º 205/2002, de 11 noviembre). En el mismo sentido se ha pronunciado el Tribunal Constitucional en otras sentencias como la STC n.º 167/2002 (Pleno), de 18 septiembre, o la STC núm. 184/2003 (Pleno), de 23 octubre. En esta última se dice que "... si bien el control judicial de la ejecución de la medida se integra en el contenido esencial del derecho al secreto de las comunicaciones (por todas SSTC 49/1996, de 26 de marzo, F. 3; 121/1998, de 15 de junio, F. 5), para considerar cumplido el requisito de que las intervenciones se ejecuten bajo control y supervisión judicial es suficiente con señalar que los Autos de autorización y prórroga fijaban términos y requerían de la fuerza policial ejecutante dar cuenta al Juzgado del resultado de las intervenciones, así como que el órgano judicial efectuó un seguimiento de las mismas". Pues, en definitiva es al Juez y no a la Policía a quien corresponde decidir la injerencia y los términos en que se realiza». STS 25 de abril de 2007, LA LEY 26735/2007.

El TC ha establecido, a este respecto, que se producirá la vulneración del derecho al secreto de las comunicaciones cuando no se establezcan normas para el control por el Juez del desarrollo de la intervención (STC 82/2002, de 22 de abril); o si fijado el procedimiento de control en el auto no se produce el seguimiento establecido (SSTC 205/2002, de 11 noviembre; 166/1999, de 27 de septiembre; 202/2001, de 15 de octubre).

«Hemos declarado que el control judicial de la ejecución de la medida se integra en el contenido esencial del derecho al secreto de las comunicaciones (art. 18.3 CE), para considerar cumplido este requisito es suficiente con que los Autos de autorización y prórroga fijen periodos para que la fuerza actuante dé cuenta al Juzgado del resultado de las intervenciones, y que el órgano judicial efectúe un seguimiento de las mismas y conozca los resultados de la investigación, que debe tener en cuenta para autorizar las prórrogas (SSTC 49/1999, de 5 de abril, FJ 5; 82/2002, de 22 de abril, FJ 5; 184/2003, de 23 de octubre, FJ 12; 165/2005, de 20 de junio, FJ 8). Y, como se ha destacado anteriormente, del examen de las actuaciones se desprende que tanto el Auto cuestionado como los que autorizan las prórrogas fijan periodos para dar cuenta del resultado de la intervención, dentro de los cuales la policía remitió al Juzgado las transcripciones de las conversaciones que consideró más significativas, de conformidad con lo ordenado por el Juez, y las cintas casete, solicitando las prórrogas sobre la base de los datos obtenidos en la intervención, explicitados con gran precisión y amplitud en los informes policiales. Por tanto, el Juez tuvo suficiente conocimiento de los resultados obtenidos en los anteriores periodos de intervención a través de las transcripciones remitidas y los informes efectuados por quienes la llevaban a cabo, sin que resulte necesario a tal fin —como pretenden los recurrentes— ni la aportación de las transcripciones literales íntegras, ni la audición directa por el Juez de las cintas originales (SSTC 82/2002, de 22 de abril, FJ 5; 184/2003, de 23 de octubre, FJ 12; 205/2005, de 18 de julio, FJ 4; 26/2006, de 30 de enero, FJ 8)». STC 239/2006 de 17 de julio.

En consecuencia el Juez deberá establecer las normas de control a las que quedará supeditada la medida de investigación y que deberá cumplimentar la policía judicial que informará al juez de instrucción del desarrollo y los resultados de la medida conforme a lo establecido en el auto habilitante. El control de la intervención no debe ser una mera práctica formal de una dación de cuenta, sino un trámite importante en el que el Tribunal debe evaluar, con base en los resultados, si la medida de intervención era idónea y necesaria. En su virtud, el Juez deberá llevar a cabo un control real y efectivo del desarrollo de la medida. A ese fin, en el auto habilitante deberá constar el plazo de duración inicial, los momentos y la forma en la que el Juez debe ser informado del estado y resultados de la investigación (art. 588.bis.g LECrim). En el caso de intervención telefónica y/o telemática, el art. 588. ter.f LECrim dispone que: «la Policía Judicial pondrá a disposición del juez, con la periodicidad que este determine y en soportes digitales distintos, la transcripción de los pasajes que considere de interés y las grabaciones íntegras realizadas. Se indicará el origen y destino de cada una de ellas y se asegurará, mediante un sistema de sellado o firma electrónica avanzado o sistema de adveración suficientemente fiable, la autenticidad e integridad de la información volcada desde el ordenador central a los soportes digitales en que las comunicaciones hubieran sido grabadas».

En su virtud la policía deberá entregar las grabaciones íntegras realizadas, además de una trascripción selectiva. Esta es una exigencia que hasta ahora no era necesaria, por no exigirla expresamente la Ley ni tampoco la jurisprudencia del TS[233] ni la doctrina del Tribunal Constitucional[234].

> «No se aprecia un deficiente control judicial en la ejecución de la medida, pues reiteradamente hemos afirmado que para dicho control no es necesario que la policía remita las transcripciones íntegras y las cintas originales y que el Juez proceda a la audición de las mismas antes de acordar prórrogas o nuevas intervenciones, sino que resulta suficiente el conocimiento de los resultados obtenidos a través de las trascripciones de las conversaciones más relevantes y de los informes policiales (SSTC 82/2002, de 22 de abril (LA LEY 4513/2002), FJ 5; 184/2003, de 23 de octubre (LA LEY 2955/2003), FJ 12; 205/2005, de 18 de julio (LA LEY 1772/2005), FJ 4; 239/2006, de 17 de julio (LA LEY 91194/2006), FJ 4), que es lo sucedido en el presente caso, pues consta la remisión periódica de las trascripciones de las conversaciones más relevantes y de exhaustivos informes policiales, por lo que puede afirmarse que el órgano judicial realizó un seguimiento de las vicisitudes del desarrollo de la medida y conoció puntualmente los resultados obtenidos, sirviendo éstos de base para la autorización de las prórrogas, el alzamiento de la medida o la autorización de nuevas intervenciones». STC Sala Primera, Sentencia 197/2009 de 28 Sep. 2009, Rec. 891/2007; Ponente: Delgado Barrio, Francisco Javier. LA LEY 184032/2009.

Aunque, bien es cierto que en algunas sentencias el TS, aunque de un modo no demasiado claro, ya se pronunciaba respecto a la necesidad de aportar las cintas originales cuando se informe del resultado de la intervención[235].

---

(233) «La exigencia de la efectividad de este control implica que el Juez debe conocer y supervisar el desarrollo de la ejecución, y esto supone que al acordar su práctica debe establecer las condiciones precisas para que la información que reciba sea real y suficiente a su fin, de modo que pueda decidir razonadamente sobre el mantenimiento o su cese. En este sentido la doctrina del Tribunal Constitucional ha establecido que la falta de control se produce y puede dar lugar a la lesión del derecho "si no se fijan períodos para dar cuenta al Juez de los resultados de la intervención (STC 82/2002, de 22 de abril) o si, por otras razones, el Juez no efectúa un seguimiento de las vicisitudes del desarrollo y del cese de la intervención o no conoce los resultados de la investigación (SSTC 166/1999, de 27 de septiembre; 202/2001, de 15 de octubre), (STC nº 205/2002, de 11 noviembre)"». STS 25 de abril de 2007, LA LEY 26735/2007. Véase en el mismo sentido la STS 6 de junio de 2007, LA LEY 51978/2007.

(234) «La argumentación que se desarrolla en la demanda, según la cual el órgano judicial solo podría acordar una prórroga de una intervención telefónica tras examinar, personalmente, los resultados de la diligencia en su día acordada, se separa manifiestamente de nuestra jurisprudencia en la materia. En efecto, "si bien es cierto que hemos declarado que la autorización de prórroga de la medida debe tener en cuenta los resultados obtenidos previamente (SSTC 49/1999, de 5 de abril, FJ 11; y 171/1999, de 27 de septiembre, FJ 8) a tal fin no resulta necesario, como pretenden los recurrentes, que se entreguen las cintas en ese momento por la autoridad que lleve a cabo la medida, pues el Juez puede tener puntual información de los resultados de la intervención telefónica a través de los informes de quien la lleva a cabo" (STC 82/2002, de 22 de abril, FJ 5, y ATC 225/2004, de 4 de junio, FJ 2)» (STC 205/2005, de 18 de julio, FJ 4)». STC 26/2006 de 30 de enero.

(235) «En orden al control de las prórrogas es cierto que en la resolución judicial debe precisarse el plazo de duración de la intervención y los momentos y formas en que el juez debe ser informado del estado y resultados de la investigación, que por supuesto debe incluir la aportación de las cintas originales». STS 30 de junio de 2008, LA LEY 92741/2008.

«El control efectivo judicial del contenido de la intervención, se puede efectuar, y así se hace de ordinario, bien a través de los propios informes policiales en los que se va dando cuenta de los datos relevantes de la investigación, complementados con las transcripciones más relevantes, con independencia de que, además se envíen las cintas íntegras para su introducción, si se solicitase en el Plenario, por lo que no es preciso la audición directa de las cintas por el Sr. Juez Instructor. En tal sentido, SSTC 82/2002 (LA LEY 4513/2002), 184/2003 (LA LEY 2955/2003), 205/2005 (LA LEY 1772/2005), 26/2006 (LA LEY 12090/2006), 239/2006 (LA LEY 91194/2006), 197/2009 (LA LEY 184032/2009) y en la reciente sentencia 26/2010 de 27 de abril, de la que retenemos el siguiente párrafo: "... Hemos afirmado que para dicho control no es necesario que la policía remita las transcripciones íntegras y las cintas originales y que el Juez proceda a su audición antes de acordar las prórrogas o nuevas intervenciones, sino que resulta suficiente el conocimiento de los resultados obtenidos a través de las transcripciones de las conversaciones más relevantes y de los informes policiales..."». STS 982/2016 de 11 Ene. 2017, Rec. 511/2016; Ponente: Giménez García, Joaquín. LA LEY 89/2017.

De todos modos, como se ha dicho, la jurisprudencia se ha venido pronunciando por no exigir la entrega de las grabaciones íntegras realizadas, en el entendimiento que de lo que se trata es que el Juez reciba información real y suficiente que permitan realizar un efectivo control judicial sobre la medida, lo cual se llevará a cabo, por lo general, mediante los informes policiales, complementados con las transcripciones más relevantes, con independencia de que, además se envíen las grabaciones íntegras.

«Ello no quiere decir que el Juez de Instrucción deba tener acceso directo al contenido de las intervenciones mediante la audiencia de las cintas o lectura íntegra de sus transcripciones. Ya en el fundamental auto de esta Sala de 18 de junio de 1992 —caso Naseiro—, en el que está el origen de la actual doctrina jurisprudencial que se comenta, se dice, expresamente: "... Y no cabe argumentar que al Juez no le resultará posible oír horas y horas la conversación porque ello supondría abandonar el resto de sus importantes tareas judiciales, y no lo es porque se trata de que el Juez, asesorado, si lo estima oportuno, de expertos y en presencia del Secretario Judicial, en cuanto dador en exclusiva de la fe pública en el ámbito judicial, seleccione, en la forma que estime oportuna, lo que interesa a la investigación por él ordenada..." "... otra cosa distinta, que nadie pretende, es que el Juez haya de estar en observación continua y permanente, lo que, con toda obviedad, no sería posible. Por ello, el control efectivo judicial del contenido de la intervención, se puede efectuar, y así se hace de ordinario, bien a través de los propios informes policiales en los que se va dando cuenta de los datos relevantes de la investigación, complementados con las transcripciones más relevantes, con independencia de que, además se envíen las cintas íntegras para su introducción, si se solicitase en el Plenario, por lo que no es preciso la audición directa de las cintas por el Sr. Juez Instructor". En tal sentido, SSTC 82/2002 (LA LEY 4513/2002), 184/2003 (LA LEY 2955/2003), 205/2005 (LA LEY 1772/2005), 26/2006 (LA LEY 12090/2006), 239/2006 (LA LEY 91194/2006), 197/2009 (LA LEY 184032/2009) y en la reciente sentencia 26/2010 de 27 de abril, de la que retenemos el siguiente párrafo: "... Hemos afirmado que para dicho control no es necesario que la policía remita las transcripciones íntegras y las cintas originales y que el Juez proceda a su audición antes de acordar las prórrogas o nuevas intervenciones, sino que resulta suficiente el conocimiento de los resultados obtenidos a través de las transcripciones de las conversaciones más relevantes y de los informes policiales..."». STS 993/2016 de 12 Ene. 2017, Rec. 10282/2016; Ponente: Giménez García, Joaquín. LA LEY 346/2017.

Sin que sea exigible o necesario que el Juez oiga por sí mismo las grabaciones originales.

> «En efecto como hemos recordado en STS 745/2008 de 25.11 (LA LEY 189408/2008) ningún precepto legal impone al Juez de Instrucción la obligación de oír las grabaciones de las conversaciones intervenidas para acordar la prórroga de las intervenciones ya autorizadas, siendo patente que el Juez puede formar criterio de tales efectos por medio de la información escrita o verbal de los funcionarios policiales que hayan interesado y practiquen la intervención (STS 1368/2004 de 15.12 (LA LEY 10710/2005)). Así se ha pronunciado esta Sala en SS. 28.1.2004, 2.2.2004, 18.4.2006 y 7.2.2007, precisando que: "Desde luego es cierta la necesidad de conocer el resultado de las conversaciones, pero ni la sentencia del Tribunal Constitucional dice, ni esta Sala ha exigido, que deba oír las conversaciones directamente el juez o leer su transcripción. Lo esencial es que aquel efectúe el juicio de ponderación y de proporcionalidad en base a los datos que la policía le facilite, si los estima suficientes. En nuestro caso, dadas las necesidades de la investigación, el juzgador estimó convincente y adecuado el informe policial petitorio, en el que se le instruía verazmente del resultado de la medida injerencial y de la necesidad de ampliarla, así como de la marcha de las investigaciones"». STS 912/2016 de 1 Dic. 2016, Rec. 355/2016. Ponente: Berdugo Gómez de la Torre, Juan Ramón. LA LEY 177402/2016.

En definitiva, basta con que el órgano jurisdiccional tenga a su disposición y valore los resultados obtenidos, lo que podrá realizar mediante la aportación y examen de transcripciones e informes en apoyo de las nuevas solicitudes de autorización.

> «De lo anterior se desprende que el Juzgado tuvo siempre conocimiento del desarrollo de las intervenciones telefónicas ya autorizadas y demás diligencias que venían siendo practicadas por la Comisaría de Policía de San Fernando, que la remisión de las transcripciones no fuesen integras y la relación se llevase a cabo por la propia policía, no empece a que el control judicial antes de los autos acordando las nuevas intervenciones o las prórrogas no fuese efectivo. En efecto ningún precepto legal impone al Juez de Instrucción la obligación de oír las grabaciones de las conversaciones intervenidas para acordar la prórroga de las intervenciones ya autorizadas, siendo patente que el Juez puede formar criterio de tales efectos por medio de la información escrita o verbal de los funcionarios policiales que hayan interesado y practiquen la intervención (STS 1368/2004 de 15.12). Así se ha pronunciado esta Sala en SS. 28.1.2004, 2.2.2004, 18.4.2006 y 7.2.2007, precisando que: "Desde luego es cierta la necesidad de conocer el resultado de las conversaciones, pero ni la sentencia del Tribunal Constitucional dice, ni esta Sala ha exigido, que deba oír las conversaciones directamente el juez o leer su transcripción. Lo esencial es que aquel efectúe el juicio de ponderación y de proporcionalidad en base a los datos que la policía le facilite, si los estima suficientes. En nuestro caso, dadas las necesidades de la investigación, el juzgador estimó convincente y adecuado el informe policial petitorio, en el que se le instruía verazmente del resultado de la medida ingerencial y de la necesidad de ampliarla, así como de la marcha de las investigaciones. La credibilidad que al Instructor le merecía la labor policial, en este cometido, no carece de apoyo racional si pensamos en la especial responsabilidad que recae sobre los miembros de la policía que actúan a las órdenes y bajo la dirección del juez en la investigación de las causas penales..."». STS 25 de abril de 2007, LA LEY 26735/2007.

Las medidas acordadas finalizan, a todos los efectos, transcurrido el tiempo para el que fueron acordadas, pero se pueden prorrogar a petición del solicitante, que puede ser el inicial u otra parte acusadora distinta. La petición deberá producirse con tiempo suficiente para acordar la prórroga, en caso contrario se deberá poner fin a la medida en tanto aquélla no se autorice. La solicitud de prórroga se dirigirá por el Ministerio Fiscal o la Policía Judicial al juez competente con la antelación suficiente a la expiración del plazo concedido y deberá incluir en todo caso: «a) Un informe detallado del resultado de la medida. b) Las razones que justifiquen la continuación de la misma» (art. 588 bis f LECrim). Además se podrá fundamentar la petición de prórroga con la aportación de la transcripción de aquellos pasajes de las conversaciones de las que se deduzcan informaciones relevantes para decidir sobre el mantenimiento de la medida (art. 588 ter h LECrim). El Juez de instrucción resolverá sobre la petición por auto motivado en el que se establecerá el nuevo período de intervención que se iniciará una vez concluido el plazo inicial. También podrá el Juez, antes de dictar la resolución, solicitar aclaraciones o mayor información, incluido el contenido íntegro de las conversaciones intervenidas (art. 588 ter h LECrim).

«e) La intervención telefónica es una medida temporal, el propio art. 579-3º fija el período de tres meses, sin perjuicio de prórroga, y en todo caso debe tenerse en cuenta que en relación al *dies a quo* o inicial del plazo a los efectos del cómputo, debe partirse de la fecha en que se dicta la resolución que le autoriza, independientemente de cuando comience la intervención efectivamente —SSTC 205/2005 (LA LEY 1772/2005); 26/2006 (LA LEY 12090/2006) y 68/2010 (LA LEY 187979/2010), entre otras—. f) El principio de fundamentación de la medida, abarca no solo al acto inicial de la intervención, sino también a las sucesivas prórrogas, ya que el control es un continuum que no admite rupturas, estando permitida en estos casos la fundamentación por remisión al oficio policial que solicita la prórroga». STS 993/2016 de 12 Ene. 2017, Rec. 10282/2016; Ponente: Giménez García, Joaquín. LA LEY 346/2017.

La prórroga de la intervención sólo podrá ser justificada cuando el resultado de la investigación ya realizada confirme los indicios iniciales[236]. A tal fin, el Juez deberá valorar el resultado obtenido y decidir sobre la conveniencia de la prórroga o, en su caso, su extensión a otros sujetos.

«b) Por lo que respecta a las prórrogas y a las nuevas intervenciones acordadas a partir de datos obtenidos en una primera intervención, las exigencias de motivación anteriormente expuestas han de observarse también en las resoluciones que las acuerdan, debiendo el Juez conocer los resultados de la intervención acordada con carácter previo a acordar su prórroga y explicitar las razones que legitiman la continuidad de la restricción del derecho, aunque sea para poner de relieve que persisten las

---

(236) «… los requisitos necesarios para la utilización de las intervenciones como prueba en el juicio, no coinciden con los necesarios para prorrogar la medida, en cuyo caso basta que conste que el Juez dispuso de los elementos mínimamente suficientes para valorar o constatar personalmente la efectividad de la intervención hasta la fecha (STS 1060/2003 de 21.7). En el caso presente, el grupo policial encargado de la investigación proporcionó al Juez la información que consta en los oficios antes señalados, con un resumen completo del resultado de las investigaciones, acompañando también las cintas originales, y las transcripciones relevantes por lo que el Instructor dispuso de la información suficiente para valorar la concurrencia de los requisitos para adoptar cada prórroga o nueva intervención». STS 25 de abril de 2007, LA LEY 26735/2007.

razones anteriores, sin que sea suficiente una remisión tácita o presunta a la inicialmente ofrecida (SSTC 49/1999 (LA LEY 4215/1999), de 5 de abril, FJ 11; 171/1999, de 27 de septiembre (LA LEY 12124/1999), FJ 8.c; 202/2001, de 15 de octubre (LA LEY 8760/2001), FJ 6; 261/2005, de 24 de octubre (LA LEY 10577/2006), FJ 4). Ha de tenerse en cuenta que la ilegitimidad constitucional de la primera intervención afecta a las prórrogas y a las posteriores intervenciones ordenadas sobre la base de los datos obtenidos en la primera. Ciertamente, el resultado de la intervención telefónica precedente puede proporcionar datos objetivos indiciarios de la existencia de un delito grave, pero la ilegitimidad constitucional de la primera intervención contamina irremediablemente las ulteriores de ella derivadas (por todas, SSTC 171/1999, de 27 de septiembre (LA LEY 12124/1999), FJ 8.c; 299/2000, de 11 de diciembre (LA LEY 2099/2001), FJ 6; 184/2003, de 23 de octubre (LA LEY 2955/2003), FJ 11; 165/2005, de 20 de junio (LA LEY 13314/2005), FJ 6; 253/2006, de 11 de septiembre (LA LEY 109080/2006), FJ 5)». STC Sala Primera, Sentencia 197/2009 de 28 Sep. 2009, Rec. 891/2007; Ponente: Delgado Barrio, Francisco Javier. LA LEY 184032/2009.

De considerar que procede la prórroga lo acordará por auto debidamente motivado, sin que sea admisible una remisión tácita o implícita al auto inicial y sin que pueda admitirse una prórroga indefinida[237].

> «... No puede aceptarse, pues, al estar en juego el ejercicio de un derecho fundamental, la validez de la decisión de prórroga en cuanto pudiera contener una remisión implícita a los motivos y fundamentos manejados para autorizar inicialmente la intervención telefónica, entre otras razones porque la motivación ha de atender a las circunstancias concretas concurrentes en cada momento que legitiman la restricción del derecho, aun cuando sólo sea para poner de manifiesto la persistencia de las mismas razones que, en su día, determinaron la decisión, pues sólo así pueden ser conocidas y supervisadas... La ausencia de toda justificación en modo alguno puede quedar subsanada por una supuesta remisión tácita, o por la presunta integración de la providencia con la motivación del Auto anterior, puesto que tales razones entonces expuestas, con independencia de que pudieran o no justificar la posterior restricción del derecho, no se tradujeron ni se reflejaron en la decisión que determina la continuación de la intervención telefónica, ni siquiera a través de una mínima referencia expresa...». (STC 181/95, de 11 diciembre).

Ahora bien, tampoco es necesario que el Juez redunde en las circunstancias que motivaron la inicial aprobación de la intervención de las comunicaciones.

> «A lo largo de todo el procedimiento el Juez de Instrucción estuvo puntualmente informado de los avances mediante los informes periódicos que la policía aportaba con las transcripciones más relevantes de las conversaciones y donde le daba cuenta del resultado de los seguimientos y vigilancias. Esta prórroga no se hallaba carente de justificación, en cuanto tenía apoyo en las escuchas ya efectuadas y en la necesidad de prorrogar la medida. Como se dice en la STS 513/2015, de 9 de septiembre (LA LEY 136321/2015), "no era necesario volver a

---

(237) «... Si después de un período razonable no se obtienen resultados positivos se debe suspender la medida por no cumplir los fines para los que se concedió. No es posible una prórroga automáticamente indefinida. Aplicando analógicamente a este supuesto las orientaciones marcadas por la jurisprudencia constitucional (S 4 octubre 1988) se puede llegar a la conclusión de que el período de prórroga tiene que ser por el tiempo estrictamente necesario...». (STS 25 junio 1993).

explicitar cada vez lo que el instructor ya conocía, ni exponer reiterativamente lo que ya constaba. Una cosa es que no pueda darse por supuesto que con la mera intervención inicial basta para tener por motivadas las sucesivas prórrogas indefinidamente, y otra es que esas específicas motivaciones hayan de contextualizarse; es decir, examinarse en conexión con los antecedentes y el material obrante en la causa: se apoya en los sucesivos y periódicos informes"». STS 492/2016 de 8 Jun. 2016, Rec. 10545/2015. Ponente: Palomo del Arco, Andrés. LA LEY 59018/2016. Caso Casper.

Debe tenerse presente, en este sentido, que son distintos los criterios exigibles para hacer valer la prueba en juicio, que los que debe emplear el Juez de instrucción para acordar la prórroga de la intervención[238].

> «La alegación de que el Juez no ha efectuado las oportunas comprobaciones para acordar las prórrogas constituye una mera afirmación de la parte. Lo relevante es que conste en las actuaciones que el servicio policial especializado que por delegación del Instructor realiza materialmente las escuchas, ya que es obvio que éstas no se pueden materializar por el propio Juez, entregó al Instructor los elementos probatorios necesarios para poder valorar la conveniencia de la prórroga. En este momento procesal, no se trata todavía de utilizar el resultado de las intervenciones como medio de prueba en el juicio, sino que el Juez controle el proceso de intervención y decida, conforme a su propio criterio profesional y en atención a los datos que se le proporcionan, la procedencia de la continuidad de la investigación. Consecuentemente no deben confundirse los requisitos necesarios para que el Instructor prorrogue o amplíe una intervención telefónica con los exigibles para su utilización posterior como prueba en el juicio». STS 912/2016 de 1 Dic. 2016, Rec. 355/2016. Ponente: Berdugo Gómez de la Torre, Juan Ramón. LA LEY 177402/2016.

El resultado obtenido por las sucesivas prórrogas de la intervención será válido, además por el cumplimiento de los requisitos expuestos, en tanto que la autorización inicial fuese lícita. En caso contrario, las resoluciones posteriores quedarán contaminadas por la ilegitimidad inicial de la primera autorización.

> «6. Por lo que respecta a la motivación de las prórrogas y de las nuevas intervenciones telefónicas solicitadas a raíz de los resultados obtenidos en las iniciales —y en concreto, la de los teléfonos del propio recurrente por Autos de 24 de abril, 30 de abril y 15 de mayo de 1998, y las prórrogas de las mismas acordadas por Autos de 21 de mayo, 20 de junio y 17 de julio de 1998— en la demanda no se cuestiona que las mismas contengan datos objetivos suficientes para acordarlas, si bien se les reprocha que los datos de cada nueva intervención o prórroga son conocidos directamente a través de los resultados de la primera, cuya ilegitimidad constitucional contamina las posteriores. Y —como se desprende del examen de las actuaciones a las que anteriormente se ha hecho referencia y pone de relieve el Ministerio Fiscal— la cadena de nuevas intervenciones y prórrogas se sustenta en los datos revelados por la primera y sucesivas, por lo que asiste la razón al recurrente cuando afirma que todas las resoluciones posteriores resultan contaminadas por la ilegitimidad constitucional de la

---

(238) «En este momento procesal, no se trata todavía de utilizar el resultado de las intervenciones como medio de prueba en el juicio, sino que el Juez controle el proceso de intervención y decida, conforme a su propio criterio, atendiendo a los datos que se le proporcionan, la procedencia de la continuidad de la investigación». STS 25 de abril de 2007, LA LEY 26735/2007.

primera y resultan igualmente vulneradores del derecho al secreto de las comunicaciones (art. 18.3 CE)». STC Sala Primera, Sentencia 197/2009 de 28 Sep. 2009, Rec. 891/2007; Ponente: Delgado Barrio, Francisco Javier. LA LEY 184032/2009.

E) *Tratamiento de la información obtenida mediante la diligencia de investigación. Tratamiento procesal del hallazgo casual. Uso de la prueba obtenida en un procedimiento judicial distinto*

Una vez recaída resolución firme el Tribunal ordenará la destrucción de toda la información obtenida, tenga relevancia penal o no, con excepción de una copia que conservará el Letrado de la administración de justicia. Esa copia también será eliminada: «*cuando hayan transcurrido cinco años desde que la pena se haya ejecutado o cuando el delito o la pena hayan prescrito o se haya decretado el sobreseimiento libre o haya recaído sentencia absolutoria firme respecto del investigado...*» (artículo 588 bis k.2). En consecuencia, la conservación de la información no se producirá en el caso de haberse dictado sobreseimiento libre o sentencia absolutoria firme, en cuyo caso deberá ordenarse la eliminación de cualquier copia que exista. Esta norma está excepcionada, sin embargo, por la previsión que el Tribunal podrá ordenar, aún en esos casos, la conservación de la información (Artículo 588 bis k. 2 *in fine*). Esta es una norma precautoria pero que, sin embargo, no tiene fundamento lógico. Veamos. Lo que parece estar diciendo la ley es que el Tribunal que decreta un sobreseimiento libre o una sentencia absolutoria puede decidir que las grabaciones que no han conducido a acreditar el delito sea por su falta de *"criminalidad"* o bien porque aun pudiendo tener valor han sido declaradas ilícitas deben conservarse «*por si acaso*». Esto suena a aquello tan conocido, por desgracia, de dictar sobreseimientos provisionales en lugar de libres respecto de causas que es evidente que no se van a reabrir por falta de indicios racionales de criminalidad.

El tratamiento procesal de los hallazgos casuales en materia de intervención de comunicaciones es una cuestión de vital importancia en esta clase de diligencias. Esto es así, porque suele ser habitual que a partir de la investigación concreta de un delito, que es el que fundamenta la intervención inicial, puedan hallarse, mediante la información obtenida, indicios de la comisión de otros delitos relacionados o no con el que fundamentó la autorización inicial. Ahora bien, la continuación de la investigación con relación a otros delitos «no amparados» por el auto de intervención debe realizarse con estricto cumplimiento de la doctrina jurisprudencial respecto a la necesidad de garantizar los derechos fundamentales de los ciudadanos. De otro modo, se estarían autorizando intervenciones prospectivas (expediciones de pesca) en búsqueda de indicios de cualquier clase de conducta o actividad delictiva a cuyo fin se podrían solicitar medidas de intervención con base en meras intuiciones o sospechas a la espera que el resultado de la medida pudiera fundamentar una causa penal de la que inicialmente no se tenían indicios o sospechas. Finalidad contraria al principio de especialidad aplicable como requisito y exigencia constitucional a la intervención de las comunicaciones.

«b) En cuanto a la posibilidad de investigación de los nuevos hechos presuntamente delictivos aparecidos en el curso de unas intervenciones telefónicas acordadas por delitos diferentes, debemos recordar respecto a la vulneración del principio de especialidad, que dicho principio rige en la investigación (STS 998/2002, de 3-6 (LA LEY 104856/2002); 372/2010, de 29-4 (LA LEY 41083/2010); 457/2010, de 25-5). Así en la resolución que determine la adopción de la medida deberá figurar la identificación del delito cuya investigación lo hace necesario, en orden a la evaluación de la concurrencia de la exigible proporcionalidad de la decisión y la evitación de "rastreos" indiscriminados de carácter meramente preventivo o aleatorio sin base fáctica previa de la comisión de delito, absolutamente proscritos en nuestro ordenamiento (STS 999/2004 de 19.9 (LA LEY 14043/2004)). Por ello el principio de especialidad justifica la intervención sólo al delito investigado, pero especial mención merecen ya en la fase de ejecución de la medida interventora de las comunicaciones telefónicas, los llamados en la doctrina "descubrimientos ocasionales" o "casuales", relativos a hechos nuevos (no buscados, por ser desconocidos en la investigación instructora en la que irrumpen), bien conexos, bien inconexos con los que son objeto de la causa y que pueden afectar al imputado y/o a terceras personas no imputadas en el procedimiento, titulares o no del teléfono intervenido». STS 426/2016 de 19 May. 2016, Rec. 2107/2015; Ponente: Berdugo Gómez de la Torre, Juan Ramón. LA LEY 51966/2016.

No obstante resulta claro, como indica en su parte final la STS de 19 de mayo 2016 arriba anotada, que en el curso de una intervención la policía puede hallar indicios de otros delitos que no eran buscados por desconocidos y que, naturalmente, deben ser objeto de investigación. De otro modo se produciría una actividad ilícita de la policía que tiene la obligación, al igual que la fiscalía y el Juez, de perseguir los delitos que conocieren. Delitos que quedarían impunes[239]. Para ese supuesto el art. 579 bis prevé que se debe solicitar al Juez de instrucción la autorización para continuar con la investigación de ese delito. Esta norma no hace más que reflejar legalmente la jurisprudencia del Tribunal Supremo en esa materia, incluyendo también la necesidad de que el Juez compruebe: *(evaluando) el marco en el que se produjo el hallazgo casual y la imposibilidad de haber solicitado la medida que lo incluyera en su momento»*.

«La solución jurídica relativa a estos descubrimientos ocasionales no es uniforme en la doctrina y así en la STS 25/2008 (LA LEY 12947/2008) de 29.8, distinguimos: 1) Si los hechos descubiertos tienen conexión (art. 17 LECrim (LA LEY 1/1882)) con los que son objeto del procedimiento instructorio, los hallazgos surtirán efectos tanto de investigación cuanto, posteriormente de prueba. 2) Si los hechos ocasionalmente

---

(239) «En este sentido la STS 792/2007 (LA LEY 154085/2007) de 30.5, recuerda que como señaló la sentencia 276/96 de 2.4, en estos supuestos en que se investiga un delito concreto y se descubre otro distinto, no puede renunciarse a investigar la notitia criminis incidentalmente descubierta en una intervención dirigida a otro fin, aunque ello pueda hacer precisa una nueva o específica autorización judicial o una investigación diferente de la del punto de arranque. Otra cosa significaría por ejemplo, la impunidad de un grave asesinato que se descubriera en un domicilio registrado o en una intervención telefónica acordada para descubrir estupefacientes para el tráfico o acreditar productos de receptación. Así dice la referida resolución: "Especialidad; principio que significa que "no cabe, obviamente, decretar una intervención telefónica para tratar de descubrir, en general, sin la adecuada precisión, actos delictivos" y que "no es correcto extender autorización prácticamente en blanco", exigiéndose concretar el fin del objeto de la intervención y que éste no sea rebasado. Lo que también ha sido matizado en el sentido de que no se vulnera la especialidad y ésta se da cuando no se produce una novación del tipo penal investigado, sino una adición o suma (SSTS 2 de julio de 1993 y 21 de enero de 1994)"». STS 71/2017 de 8 Feb. 2017, Rec. 1843/2016; Ponente: Berdugo Gómez de la Torre, Juan Ramón. LA LEY 3460/2017.

conocidos no guardasen esa conexión con los causantes del acuerdo de la medida y aparentan una gravedad penal suficiente como para tolerar proporcionalmente su adopción, se estimarán como mera *"notitia criminis"* y se deducirá testimonio para que, siguiendo las normas de competencia territorial y en su caso las de reparto, se inicie el correspondiente proceso. Por tanto rige el principio de especialidad que justifica la intervención solo al delito investigado (STS 3.10.96) pero los hallazgos delictivos ocasionales son *"notitia criminis"*, sin perjuicio de que en el mismo o en otro procedimiento se amplío o no la medida a seguir investigando el nuevo delito (SSTS 31.10.96, 26.5.97, 19.1 y 23.11.98)». STS 71/2017 de 8 Feb. 2017, Rec. 1843/2016; Ponente: Berdugo Gómez de la Torre, Juan Ramón. LA LEY 3460/2017.

Con la referida norma se pretenden evitar peticiones de medidas de intervención que persiguen una indagación general en la intimidad de una persona con base en un pretexto dirigido a obtener una orden judicial. Proceder que debe evitarse mediante el riguroso examen de la petición inicial. Ahora bien, ante la aparición de indicios de la comisión de delitos absolutamente distintos de los investigados hará bien el Juez de instrucción en analizar si la autorización inicial estaba debidamente fundamentada o bien encubría una investigación prospectiva que está proscrita en nuestro ordenamiento jurídico. Véase más sobre esta cuestión en el apartado sobre la prueba ilícita el § 2.3 y el § 1.6 del Capítulo IX.

Finalmente debemos atender a una norma que se ha establecido con carácter general en la Ley 13/2015 respecto al uso de las evidencias obtenidas en registros domiciliarios e intervenciones telefónicas en otro procedimiento judicial distinto a aquel en el que se acordó la medida. Esta norma se contiene en el art. 579 bis, que es al que se remite el art. 588 bis i que se encuentra en sede de registro domiciliario. En su virtud, conforme con la ley el resultado obtenido en la intervención de las comunicaciones podrá ser utilizado como medio de investigación o prueba en otro proceso penal. A ese fin, se deberá proceder a deducir un testimonio de los particulares necesarios para acreditar la legitimidad de la injerencia incluyendo todas las actuaciones referentes a la injerencia incluyendo el auto habilitante y las prórrogas que, en su caso, se hubieren acordado. Corresponderá al imputado acreditar la ilicitud y falta de validez de las evidencias obtenidas en el otro procedimiento, conforme resulta de la aplicación del Acuerdo del TS de 26 de mayo de 2009 que estableció que: «*En los procesos incoados a raíz de la deducción de testimonios de una causa principal, la simple alegación de que el acto jurisdiccional limitativo del derecho al secreto de las comunicaciones es nulo, porque no hay constancia legítima de las resoluciones antecedentes, no debe implicar sin más la nulidad. En tales casos, cuando la validez de un medio probatorio dependa de la legitimidad de la obtención de fuentes de prueba en otro procedimiento, si el interesado impugna en la instancia la legitimidad de aquel medio de prueba, la parte que lo propuso deberá justificar de forma contradictoria la legitimidad cuestionada. Pero, si, conocido el origen de un medio de prueba propuesto en un procedimiento, no se promueve dicho debate, no podrá suscitarse en ulteriores instancias la cuestión de la falta de constancia en ese procedimiento de las circunstancias concurrentes en otro relativas al modo de obtención de las fuentes de aquella prueba*». En consecuencia, no es suficiente la simple alegación por cualquier recurrente de la falta de documentos referidos a la legitimidad de las escuchas telefónicas adoptadas en un proceso penal precedente, sino que resulta necesario que se formule una impugnación a ese respecto con expresión de las razones de la misma[240].

«La lectura íntegra del acuerdo de 26 de mayo de 2009 conlleva, según explica la Sentencia de 26 de junio 2009 que desarrolla el Acuerdo, lo siguiente: a) que no existen nulidades presuntas; b) que la prueba de la legitimidad de los medios de prueba con los que pretenda avalarse la pretensión de condena, incumbe a la parte acusadora; c) pese a ello, la ley no ampara el silencio estratégico de la parte imputada, de suerte que si en la instancia no se promueve el debate sobre la legalidad de una determinada prueba, esa impugnación no podrá hacerse valer en ulteriores instancias. En la STS 272/2011 de 12.4 (LA LEY 52249/2011), se recuerda que: "Nos encontramos, por tanto, con un procedimiento diferente en el que todas las escuchas se han realizado mediante las oportunas resoluciones judiciales, constando que la primera noticia surge con ocasión de otra investigación, en la que las escuchas estaban amparadas por una resolución judicial y, como recuerda la STS n.º 187/2009 (LA LEY 7032/2009), no es procedente presumir que las actuaciones judiciales y policiales son ilegítimas e irregulares y por ende vulneradoras de derechos fundamentales, mientras no conste lo contrario. El presupuesto del razonamiento debe ser el opuesto al recurrente y, por tanto, debe partirse de que salvo prueba en contrario hay que suponer que los jueces, policías, autoridades y en general funcionarios públicos ha adecuado su actuación a lo dispuesto en las leyes y en la Constitución. Sería absurdo presumir que como no constan las actuaciones iniciales obrantes en una causa distinta hay que entender que no hubo autorización judicial de la intervención o la misma fue inmotivada o injustificada. Como bien apunta el Fiscal, ni el derecho a la presunción de inocencia ni el principio procesal *in dubio pro reo* llega hasta el punto de tener que presumir por mandato constitucional que, salvo que se acredite lo contrario, las actuaciones de las autoridades son ilegítimas e ilícitas"». STS 714/2016 de 26 Sep. 2016, Rec. 1951/2015; Ponente: Berdugo Gómez de la Torre, Juan Ramón. LA LEY 126702/2016.

No cabe realizar la impugnación de la legitimidad de la fuente de prueba *per saltum* en la alzada cuando no se solicitó en la instancia. Tampoco cabe hacerla en las conclusiones definitivas o en el informe oral. Lo procedente será manifestarlo en la instrucción, el escrito de calificación provisional o el trámite de cuestiones previas en el procedimiento abreviado.

«Desde el punto de vista procedimental esta Sala viene considerando que esa impugnación —específica y no puramente retórica— exigible como carga, ha de hacerse en los momentos habilitados a tal fin. Por supuesto que cabe durante toda la fase de instrucción; también, indudablemente, en el escrito de calificación. En los procedimientos en que existe la previsión de una audiencia preliminar es factible

---

(240) «… no basta una impugnación genérica como la que se realizó aquí en los escritos de conclusiones de dos defensas. No se ajusta a las exigencias de la buena fe procesal ese cuestionamiento puramente estratégico y no concretado. De la lectura del párrafo antes transcrito, no cabía inferir una queja por la no incorporación de los antecedentes de las escuchas. No se aducía y ni siquiera se insinuaba la posibilidad de que las conversaciones que fundaron las intervenciones no contasen con respaldo judicial y legal suficiente. Desarrollar (o, mejor "extender") y detallar luego esa queja al inicio del juicio oral en esos términos anulaba toda capacidad de reacción y atentaba a la lealtad procesal. No son incompatibles derecho de defensa y lealtad procesal: pueden combinarse e ir de la mano». STS 428/2014 de 20 May. 2014, Rec. 2163/2013. Ponente: Moral García, Antonio del. LA LEY 64259/2014.

aflorarla al inicio del juicio oral (procedimiento abreviado: art. 786.2 LECrim (LA LEY 1/1882)). Sobrepasado ese instante se cancela la posibilidad de esa alegación, lo que tiene toda lógica. Cerrada ya la fase probatoria, la acusación se vería imposibilitada de acreditar la legitimidad de la prueba tardíamente combatida. Sería ya extemporánea una impugnación que apareciese en el informe del juicio oral o en el recurso contra la sentencia …/… Es cierto que esta exigencia no es meramente formal, y no alcanza a los supuestos en los que los acusados, pudiendo hacerlo, no han impugnado en momento procesal hábil la fundamentación de las escuchas. En consecuencia, el motivo no puede prosperar si la alegación de nulidad de las resoluciones judiciales por falta de constancia de los oficios policiales que complementan su motivación, se realiza *"per saltum·* en esta alzada, aun cuando se trate de una cuestión que afecta a un derecho fundamental, y tampoco cuando se alega en la instancia cuando ya ha transcurrido el período de prueba, en la calificación definitiva o en el informe oral, pues en tal caso ya ha concluido el debate probatorio y su silencio anterior permite concluir que considera suficientes las resoluciones judiciales, sin necesidad de las demoras derivadas de la obligación de aportar adicionalmente la documentación policial, si no consta previamente en la causa. Pero *cuando, como consta expresamente en el caso actual, la parte acusada ha cuestionado expresamente al comienzo del juicio oral, como cuestión previa, la validez de las escuchas telefónicas, invocando precisamente como causa de nulidad la falta de fundamentación de las resoluciones judiciales al no constar en la causa los oficios policiales a los que se remiten, es claro que dicho cuestionamiento, expresado en tiempo hábil, impone a la acusación la carga de aportar la documentación pertinente al proceso, para acreditar que la injerencia en el derecho fundamental de los acusados se ha producido motivadamente»*. STS 428/2014 de 20 May. 2014, Rec. 2163/2013. Ponente: Moral García, Antonio del. LA LEY 64259/2014.

F) *Intervención de las comunicaciones de los condenados a prisión*

Los condenados a penas de prisión se hallan en posesión de todos los derechos fundamentales, salvo los limitados por la sentencia y por la Ley penitenciaria (art. 25 CE).

«El marco normativo constitucional del derecho a las comunicaciones de que puede gozar un condenado a pena de prisión recluido en un establecimiento penitenciario viene determinado no sólo por lo dispuesto en el art. 18.3 C.E. —que garantiza el derecho al secreto de las comunicaciones, salvo resolución judicial—, sino también y primordialmente por el art. 25.2 de la propia Constitución, pues es este precepto el que constituye la norma específica aplicable a los derechos fundamentales de los reclusos que, según hemos declarado en anteriores ocasiones, adquieren un *status* propio que se configura como una relación de sujeción especial. Esta relación origina un entramado de derechos y deberes recíprocos entre la Administración Penitenciaria y el recluso que, en todo caso, debe ser entendida en un sentido reductivo, compatible con el valor preferente de los derechos fundamentales (SSTC 74/1985, 2/1987, 120 y 137/1990, 11/1991, 57/1994 y 170/1996). El art. 25.2 C.E., expresivo de esa sujeción especial, dispone en su inciso segundo que "el condenado a pena de prisión que estuviere cumpliendo la misma gozará de los derechos fundamentales de este capítulo, a excepción de los que se vean expresamente limitados por el contenido del fallo condenatorio, el sentido de la pena y la Ley Penitenciaria". En principio el recluso goza, pues, del derecho al secreto de las comunicaciones, aunque pueda verse afectado por las limitaciones mencionadas». STC 175/1997 de 27 de octubre.

Concretamente, respecto al derecho a las comunicaciones, el art. 51 de la LGP distingue entre la comunicación en sentido genérico del interno con familiares, profesionales o sacerdotes, y con su abogado o procurador.

«El art. 51 L.O.G.P. reconoce el derecho de los reclusos a las comunicaciones. En cuanto al ejercicio de tal derecho, el precepto diferencia varias modalidades de comunicación, que son de muy distinta naturaleza y vienen, por ello, sometidas a regímenes legales claramente diferenciados (STC 183/1994). Por un lado, el art. 51.1 se refiere a las comunicaciones genéricas, en cuanto autoriza a los internos a "comunicar periódicamente, de forma oral y escrita, en su propia lengua, con sus familiares, amigos y representantes acreditados de organismos internacionales e instituciones de cooperación penitenciaria, salvo en los casos de incomunicación judicial". Por otro lado, el art. 51.2 de la misma Ley hace mención de las comunicaciones específicas del interno con su Abogado defensor y con el Procurador que le represente. Y, por fin, el art. 51.3 L.O.G.P. regula otro tipo de comunicaciones específicas, las mantenidas con profesionales acreditados, con asistentes sociales, y con Sacerdotes o Ministros de una religión. En lo que se refiere a las limitaciones que pueden experimentar las comunicaciones genéricas, el art. 51.1 L.O.G.P., además de mencionar los casos de incomunicación judicial, impone que tales comunicaciones se celebren de manera que se respete al máximo la intimidad, pero permite que sean restringidas "por razones de seguridad, de interés de tratamiento y del buen orden del establecimiento". Por su parte, el art. 51.5 de la misma norma permite que las comunicaciones genéricas sean "suspendidas o intervenidas motivadamente por el Director del establecimiento, dando cuenta a la autoridad judicial competente". Ahora bien, las comunicaciones específicas entre el interno y su Abogado o Procurador "no podrán ser suspendidas o intervenidas salvo por orden de la autoridad judicial y en los supuestos de terrorismo", según dispone el art. 51.2 L.O.G.P.». STC 175/1997 de 27 de octubre. V. también STC 128/1997 de 14 de julio.

Conforme a lo previsto en el art. 51 LGP las comunicaciones ordinarias o genéricas podrán ser restringidas *«por razones de seguridad, de interés de tratamiento y del buen orden del establecimiento»*. Es competente para adoptar la medida el Director del establecimiento mediante acuerdo administrativo que deberá observar los requisitos de motivación y proporcionalidad, dándose cuenta inmediatamente al Juez que deberá controlar la legalidad de la medida.

«Las Resoluciones administrativas de intervención de las comunicaciones no sólo han de cumplir los preceptos legales citados, y, por tanto, el de la motivación prevista en el art. 51.5 L.O.G.P., sino, en cuanto medida que supone el sacrificio de un derecho fundamental, los presupuestos y requisitos exigibles según nuestra reiterada doctrina y que hemos sistematizado de forma genérica en la STC 207/1996 y, con relación al tema que nos ocupa, recientemente en la STC 128/1997. Resumidamente, tales presupuestos son la persecución de un fin constitucionalmente legítimo y que esté previsto por la Ley; que la medida sea adoptada mediante resolución de la Dirección del centro especialmente motivada, y notificada al interesado, y que sea comunicada al Juez para que éste pueda ejercer el control sobre la misma. Asimismo, la intervención ha de ser idónea, necesaria y proporcionada en relación con el fin perseguido. Finalmente, otro requisito, aunque extrínseco al propio acto administrativo, es la necesidad legal de su comunicación a la autoridad judicial competente de forma inmediata (SSTC 183/1994 y 170/1996), porque en caso contrario sería inexistente el control judicial durante el período que se extiende desde la adopción de la intervención hasta la fecha en que el Juzgado recibiera la comunicación. Es igualmente preciso que la medida de intervención sea notificada al interno, según dispone la regla 4 del art. 98 del Reglamento Penitenciario vigente en el momento en que ocurrieron los hechos, como recuerdan las SSTC 127/1996 y 128/1997. Según hemos expresado anteriormente, la intervención jurisdiccional sobre la medida administrativa se ha de llevar a cabo *a posteriori*, aunque siempre de manera efectiva para el control ordinario de legalidad y constitucionalidad de la restricción del derecho fundamental, de modo que tal control no dependa del eventual ejercicio por el interno de los recursos procedentes (STC 170/1996)». STC 175/1997 de 27 de octubre.

Sin embargo, no cabe intervenir las conversaciones mantenidas entre los internos y sus Abogados, si no es por orden de la autoridad judicial y únicamente en casos de terrorismo (art. 51.2 LOGP)[241].

«El hondo detrimento que sufre el derecho de defensa a raíz de este tipo de intervenciones, se basa en la peculiar trascendencia instrumental que tiene el ejercicio de este derecho para quien se encuentra privado de libertad y pretende combatir jurídicamente dicha situación o las condiciones en las que se desarrolla. Que dicho detrimento se produce por la intervención de las comunicaciones del preso con su Abogado y por el hecho de que dicha intervención sea administrativa, es algo tan ostensible que no requiere especiales esfuerzos argumentativos, a la vista tanto de la importancia que el secreto de tales comunicaciones tiene para el adecuado diseño de la estrategia defensiva (como subraya el Tribunal Europeo de Derechos Humanos en sus Sentencias de 28 de junio de 1984 —como Campbell y Fell contra el Reino Unido—, parágrafos 111 y ss.; y de 25 de marzo de 1992 —caso Campbell contra el Reino Unido—, parágrafos 46 y ss.), lo que demanda las máximas garantías para su limitación, como del hecho de que su objeto puede ser la propia atribución de infracciones penales o administrativas a la Administración penitenciaria. No en vano, "la Ley ha conferido a la intervención de las comunicaciones un carácter excepcional" (STC 179/1996, fundamento jurídico 5). No en vano, también, es la trascendente incidencia del derecho fundamental a la defensa la que hace que el legislador penitenciario constriña toda intervención de las comunicaciones de los internos con sus Abogados o Procuradores a "los supuestos de terrorismo" y que exija además la garantía judicial (art. 51.2 L.O.G.P.) (STC 183/1994)». STC 58/1998 de 16 de marzo.

---

(241)   «... A cuanto aquí se expresa no se opone la doctrina del TC, pues la reciente S 183/94, de 20 junio, en recurso de amparo 587/1992 se refiere al art. 51.2 LOGP y que recoge, precisamente que no deben confundirse las dos clases de comunicaciones que son de distinta naturaleza y vienen, por ello, a suponer regímenes legales claramente diferenciados. Dice así el principal intérprete de nuestro texto fundamental: "Es evidente, en efecto que el art. 51 de la LOGP distingue entre las comunicaciones que podemos calificar de generales, entre el interno y determinada clase de personas —art. 51.1— y las comunicaciones específicas que aquél tenga con su abogado defensor o con el abogado expresamente llamado en relación con asuntos penales —art. 51.2—; la primera clase de comunicación viene sometida al régimen general del art. 51.5 que autoriza al Director del Centro a suspenderlas o intervenirlas" por razones de seguridad, de interés del tratamiento y del buen orden del establecimiento, según precisa el art. 51.1, mientras que las segundas son sometidas al régimen especial del art. 51.2 cuya justificación es necesario encontrar en las exigencias y necesidades de la instrucción penal, a las cuales es totalmente ajena la Administración Penitenciaria que no tiene posibilidad alguna de ponderar circunstancias procesales que se producen al margen del ámbito penitenciario...». (STS 6 marzo 1995; LA LEY, 1995, 14.356).

Y aun así la intervención sólo estará justificada cuando lo que se esté investigando sea un delito en el que, indiciariamente, participe el abogado y nunca como un medio de investigación por el que está imputado el interno.

«No investigándose delitos de terrorismo, estaba vedada toda intervención de las comunicaciones que mantuvieran con sus letrados los imputados en prisión provisional, pudiendo, por el contrario, intervenirse las comunicaciones con el resto de personas. La motivación utilizada por el Magistrado del Juzgado de Instrucción n.º 5 con apoyo en el artículo 51 de la LOGP fue correcta respecto de la intervención de las comunicaciones generales que ordenó, no así respecto de las mantenidas por los internos con los abogados, que en ningún caso podía restringir, ni siquiera con apoyo en el artículo 579 LECr que menciona el auto resolutorio del recurso de reforma, reproduciendo la tesis mantenida por el Ministerio Fiscal. Y, frente a esa limitación legal, ningún efecto puede tener en esta causa las intervenciones de comunicaciones que cita el Ministerio Fiscal como precedente. Además, la única de ellas validada tras la conclusión del procedimiento, respecto del Letrado Sr. Vioque, se acordó ponderando expresamente en el auto del Juzgado de Instrucción que "ambos interlocutores indiciariamente venían desarrollando una actuación relevante a título de participación directa" en el delito investigado, de la máxima gravedad, ajena a la condición de letrados. Es decir, la intervención de acordó expresamente, no sólo respecto del imputado preso, sino respecto de otra persona, individualizada, respecto de la que entonces se decía había indicios de su participación en el delito de proposición para el homicidio investigado, lo que no es equiparable a la intervención indiscriminada de comunicaciones con los letrados defensores en la misma causa en la que se acuerda la intervención, como es este caso». ATSJ Madrid Auto N.º 28/2010 de 25 de marzo, Rec. 15/2010, Ponente: Vieira Morante, Francisco Javier. LA LEY 8191/2010. Caso Gurtel.

Frente a esta doctrina jurisprudencial sólida se planteó por parte de la Fiscalía una diferenciación entre la situación del penado, sujeto al régimen penitenciario y la del investigado en prisión frente al cual, según la Fiscalía, operaría el procedimiento de intervención ordinario previsto en el vigente art. 588 ter LECrim[242]. Sin embargo,

---

[242] «TERCERO. El Ministerio Fiscal, en oposición a la argumentación de los recursos, diferencia el que, según su tesis, es el ámbito de aplicación respectivo de los artículos 51.2 de la LOGP y del artículo 579 LECr. Contrapone el Ministerio Fiscal en su informe aquellas medidas de intervención de las comunicaciones que se efectúen en el ámbito penitenciario y como elemento de régimen —a su juicio, las reguladas en el artículo 51 de la Ley Orgánica General Penitenciaria, bien se adopten por autoridades judiciales o administrativas— de las medidas que, en el marco de la averiguación e investigación de los delitos, puede adoptar el Juez de Instrucción competente, amparadas por el artículo 579 de la Ley de Enjuiciamiento Criminal. Estima así el ministerio público que no cabe confundir la intervención de las comunicaciones del interno como medida de régimen penitenciario con la intervención de esas comunicaciones como medida de investigación adoptada en un procedimiento penal: "cuando la intervención de las comunicaciones de un interno tenga por finalidad la investigación de un delito podrá acudirse a la norma del artículo 579 de la Ley de Enjuiciamiento Criminal, sin que proceda hacer distinción por razón del destinatario de la comunicación, —abogado o no—, ni de la naturaleza del delito —terrorismo o no— pues el artículo 51.2 de la Ley Orgánica General Penitenciaria contemplado desde la perspectiva limitada del régimen penitenciario, nada puede disponer, —y no lo hace—, contra la aplicación de la ley procesal penal". En apoyo de estos argumentos cita el Ministerio Fiscal dos casos: uno, el seguido contra un Letrado, Pablo Vioque Izquierdo, por proposición para el asesinato de un fiscal; y otro, por asesinato y violación de la joven Marta del Castillo, en los que se acordó la intervención de

esta tesis ha sido desestimada, reiteradamente por el Tribunal Supremo[243], así como por el Tribunal Constitucional[244] que consideran que en ambos casos el interno está sometido a las normas previstas en el art. 51 LOGP.

> «La claridad de estos argumentos no dejan lugar a dudas: la seguridad, el interés del tratamiento y el buen orden del establecimiento, razones que justifican por razones de régimen o tratamiento penitenciario la intervención administrativa, no son las que legitiman o pueden provocar la intervención por la autoridad judicial de las comunicaciones con los abogados de internos por delitos de terrorismo. El argumento expuesto por el Ministerio Fiscal, que trata de distinguir la intervención judicial de comunicaciones por razones de régimen penitenciario de las motivadas por una investigación judicial, resulta contradicho, pues, por estas resoluciones del Tribunal Constitucional y del Tribunal Supremo .../... Por tanto, en el caso presente, no investigándose delitos de terrorismo, estaba vedada toda intervención de las comunicaciones que mantuvieran con sus letrados los imputados en prisión provisional, pudiendo, por el contrario, intervenirse las comunicaciones con el resto de personas. La motivación utilizada por el Magistrado del Juzgado de Instrucción n.º 5 con apoyo en el artículo 51 de la LOGP fue correcta respecto de la intervención de las comunicaciones generales que ordenó, no así respecto de las mantenidas por los internos con los abogados, que en ningún caso podía restringir, ni siquiera con apoyo en el artículo 579 LECr que menciona el auto resolutorio del recurso de reforma, reproduciendo la tesis mantenida por el Ministerio Fiscal». ATSJ Madrid Auto N.º 28/2010 de 25 de marzo, Rec. 15/2010, Ponente: Vieira Morante, Francisco Javier. LA LEY 8191/2010. Caso Gurtel.

---

comunicaciones de internos con Letrados». ATSJ Madrid Auto Nº 28/2010 de 25 de marzo, Rec. 15/2010, Ponente: Vieira Morante, Francisco Javier. LA LEY 8191/2010.

(243) «Excepcionalmente y sin que dicha excepción pueda contagiarse al resto del sistema, en el ámbito personal exclusivo de los supuestos de terrorismo, y en todo caso con la especial garantía de la orden judicial previa, naturalmente ponderadora de la necesidad, proporcionalidad y razonabilidad de la medida en cada caso concreto, el art. 51.2 LOPJ faculta para la intervención de este tipo de comunicaciones singulares. Pero, como señala la Sentencia del Tribunal Constitucional núm. 183/1994, son condiciones habilitantes "acumulativas", el tratarse de supuestos de terrorismo y la orden judicial, motivada y proporcionada. Sin autorización judicial la intervención de dichas comunicaciones constituye una actuación vulneradora del derecho fundamental de defensa, cuyo resultado no puede surtir ningún efecto probatorio». STS Sala Segunda, de lo Penal, Sentencia de 23 Abr. 1997, Rec. 943/1996. Ponente: Conde-Pumpido Tourón, Cándido. LA LEY 5119/1997.

(244) «Esta diferenciación esencial que existe entre el art. 51.5 —régimen general cuya única remisión válida es al art. 51.1— y el art. 51.2, pone de manifiesto la imposibilidad constitucional de interpretar este último precepto en el sentido de considerar alternativas las dos condiciones de "orden de la autoridad judicial" y "supuestos de terrorismo", que en el mismo se contienen, así como derivar de ello la legitimidad constitucional de una intervención administrativa que es totalmente incompatible con el más intenso grado de protección que la norma legal confiere al derecho de defensa en los procesos penales. Dichas condiciones habilitantes deben, por el contrario, considerarse acumulativas y, en su consecuencia, llegarse a la conclusión que el art. 51.2 de la LOGP autoriza únicamente a la autoridad judicial para suspender o intervenir, de manera motivada y proporcionada, las comunicaciones del interno con su Abogado sin que autorice en ningún caso a la Administración Penitenciaria para interferir esas comunicaciones». STC Sala Segunda, Sentencia 183/1994 de 20 Jun. 1994, Rec. 587/1992. Ponente: Díaz Eimil, Eugenio. LA LEY 13517/1994.

Finalmente, cabe señalar que las normas citadas tienen aplicación en el ámbito penitenciario no en cualquier otro, por ejemplo el policial[245]. Como consecuencia de este criterio el Tribunal Constitucional ha declarado que no son válidas las escuchas realizadas a los detenidos en los calabozos policiales por hallarse esa posibilidad completamente ausente de cobertura legal.

«En el supuesto actual no nos enfrentamos con la cobertura potencial del art. 579.2 LECrim pese a su insuficiente adecuación a los requerimientos de certeza referidos, ni con la posibilidad de suplir sus déficits en los términos descritos, con ocasión del examen de una intervención telefónica judicialmente acordada —que es el supuesto regulado en ese precepto y enjuiciado en aquellos pronunciamientos—, sino que analizamos una intervención de las comunicaciones absolutamente extraña al ámbito de imputación de dicha regulación. En efecto, no es que la norma no resulte singularmente precisa al fin acordado (calidad de la ley); la objeción reside, antes que en ello, en que abierta e inequívocamente la norma invocada no regula una intervención secreta de las comunicaciones directas en dependencias policiales entre detenidos. Disposición jurídica que es imprescindible, pues sólo con su fundamento puede existir imposición judicial de la medida en el caso concreto (STC 169/2001, de 16 de julio, FJ 6). No estamos por lo tanto ante un defecto por insuficiencia de la ley, ante un juicio sobre la calidad de la ley, sino que se debate el efecto asociado a una ausencia total y completa de ley. Y es que el art. 579.2 LECrim se refiere de manera incontrovertible a intervenciones telefónicas, no a escuchas de otra naturaleza, ni particularmente a las que se desarrollan en calabozos policiales y entre personas sujetas a los poderes coercitivos del Estado por su detención, como las que aquí resultan controvertidas; ámbito que por su particularidad debe venir reforzado con las más plenas garantías y con la debida autonomía y singularidad normativa. En con-

(245) «b) Menor esfuerzo argumental requiere el pretendido fundamento en la normativa penitenciaria que también recogen los pronunciamientos impugnados (Ley Orgánica 1/1979, de 26 de septiembre, general penitenciaria, art. 51, y Reglamento penitenciario, Real Decreto 190/1996, de 9 de febrero, arts. 46 y 47). Esos preceptos disponen la posibilidad de que las comunicaciones orales y escritas sean intervenidas motivadamente por el director del establecimiento penitenciario, dando cuenta a la autoridad judicial competente. Según el Tribunal Supremo, el contraste con las facultades del director de un establecimiento penitenciario reforzaría la tesis de la capacidad de intervención del Juez de Instrucción en esta tipología de casos. A nuestro juicio, en cambio, es patente que los preceptos citados no rigen en un marco extrapenitenciario, ni están pensados para supuestos en los que no opera con toda su singularidad el régimen administrativo de especial sujeción propio del interno en un establecimiento de esa naturaleza. El segundo inciso del art. 25.2 CE ("El condenado a pena de prisión que estuviere cumpliendo la misma gozará de los derechos fundamentales de este Capítulo, a excepción de los que se vean expresamente limitados por el contenido del fallo condenatorio, el sentido de la pena y la ley penitenciaria") es muestra definitiva de lo que se afirma, pues incorpora una cláusula de garantía que si bien permite preservar, en el ámbito de la relación de sujeción especial que vincula al privado de libertad con la Administración penitenciaria a cuyo sometimiento se halla, el ejercicio de los derechos fundamentales que se reconocen a todas las personas en el capítulo segundo del título I CE, lo hace con unas modulaciones y matices que expresamente precisa el precepto constitucional [por todas, STC 128/2013, de 3 de junio, FJ 3]. Esa suerte de analogía que expresa la resolución judicial recurrida no puede ser, por tanto, compartida. Y es que, como señalara la STC 169/2001, FJ 8, no representan cobertura legal específica de una medida restrictiva de derechos fundamentales aquellas disposiciones que establecen habilitaciones para la autoridad administrativa y no judicial, o aquéllas que habilitan a los órganos judiciales a adoptar la medida en otros ámbitos jurídicos y conforme a presupuestos diferentes». STC 145/2014, de 22 de septiembre (LA LEY 140049/2014).

secuencia, como señala acertadamente el Fiscal ante el Tribunal Constitucional, la doctrina elaborada por el Tribunal Constitucional y por la Sala Segunda del Tribunal Supremo sobre la insuficiencia de la regulación legal (en materia de comunicaciones telefónicas) y la posibilidad de suplir los defectos de la ley, no puede ser trasladada a un escenario de injerencia en el secreto de las comunicaciones en el que no exista previsión legal alguna, o en el que, cuando menos, tal regulación no se corresponde con la que se identifica y cita en las resoluciones recurridas». STC 145/2014, de 22 de septiembre (LA LEY 140049/2014).

3.5. Instalación o utilización de dispositivos de seguimiento y localización (arts. 588 quinquies b-c LECrim)

Los españoles tienen derecho a la libertad de residencia y circulación (art. 19 CE). Concretamente el derecho de circulación por el territorio nacional impide que se pueda coartar la libertad deambulatoria excepto en los casos expresamente previstos en la Ley. Así sucede cuando existe una detención policial o judicial o cuando el ciudadano es sometido a la restricción de su libertad deambulatoria en los supuestos previstos en la LO 4/2015 de seguridad ciudadana (arts. 16, 17, 18, 21). En todos los casos citados la restricción de la libertad tiene un carácter material y es inmediatamente conocida por el ciudadano que puede interponer una petición de *habeas corpus*, conforme a los previsto en la Constitución y en la Ley que regula el ejercicio de este derecho (art. 17 CE y LO 6/1984), si considera que se trata de una detención ilegal. Con el término material estamos diciendo que la restricción de la libertad se produce de un modo físico impidiendo que la persona pueda «materialmente» desplazarse según su propia voluntad por la acción de la autoridad policial.

Frente al descrito panorama normativo la LO 13/2015 ha establecido una regulación contenida en los arts. 588 quinquies b y c LECrim que tiene por objeto controlar los movimientos, desplazamientos y estancias, en un lugar determinado, de los ciudadanos con la finalidad de hallar evidencias de la comisión de delitos que la ley ni siquiera especifica. En este sentido, la Ley solo supedita el seguimiento y localización de un ciudadano al supuesto que: «... *concurran acreditadas razones de necesidad y la medida resulte proporcionada...»* (art. 588 quinquies b LECrim). Más allá de la oportunidad de regular esta clase de intromisión, sorprende que la Ley no establezca unos presupuestos mínimos respecto a la clase de delito investigado, como sí sucede con otra clase de medidas de investigación electrónica. Téngase presente que en sede de disposiciones comunes no se establece tampoco ningún límite, respecto a la pena mínima atribuida a la delitos investigados, para acordar las medidas de investigación electrónica.

No hay límite mínimo de pena ni tampoco demasiados requisitos ni precauciones para acordar esta clase de medida que se puede practicar ya sea utilizando el teléfono móvil, ahora prácticamente todos están provistos de GPS, o bien instalando un dispositivo autónomo incluso antes de concederse la orden judicial. Esta posibilidad se prevé expresamente en la Ley que dispone que: «*Cuando concurran razones de urgencia que hagan razonablemente temer que de no colocarse inmediatamente el dispositivo o medio técnico de seguimiento y localización se frustrará la investigación, la Policía Judicial podrá proceder a su colocación, dando cuenta a la mayor brevedad posible, y en todo caso en el plazo máximo de veinticuatro horas, a la autoridad judicial, quien podrá ratificar la medida adoptada o acordar su inmediato cese en el mismo plazo. En este último supuesto, la información obtenida a partir del dispositivo colocado carecerá de efectos en el proceso»* (art. 588 quinquies b. 4º LECrim). Nótese que vuelve a aparecer el concepto de urgencia y la posibilidad de que la policía decida instalar el dispositivo dando cuenta de ello posteriormente. En este punto nos preguntamos donde se instalará el dispositivo. Debe ser en un objeto móvil que se desplace, ya que la finalidad de la medida es el seguimiento y localización. Pero, ¿puede instalarse directamente sobre la persona o sus ropas? O, ¿sólo sobre un vehículo u objeto que transporte la persona investigada? Y algo más inquietante que a estas alturas ya nos tenemos que haber planteado ¿quién controla estos poderes de intervención de la policía en casos de urgencia? El problema se halla en la consecuencia asociada a la no convalidación de la colocación por parte de la policía de un aparato de seguimiento que el Juez no autoriza una vez dada cuenta *a posteriori*, que será la de que lo obtenido no tendrá efectos en el proceso (art. 588 quinquies b. 4º LECrim). Esta norma carece de lógica y, al mismo tiempo, de eficacia. En primer lugar, porque esa norma es obvia y por tanto innecesaria, ya que si el Juez no convalida el seguimiento naturalmente que lo obtenido no puede tener valor. En segundo lugar, esta norma puede propiciar la regularidad de la instalación de dispositivos de seguimiento por razones de urgencia, teniendo en cuenta que sí se hallan elementos de delito se comunicará al Juez que convalidará la actuación y si no se hallan no se convalidará. Es por ello que probablemente los jueces deban poner el acento, especialmente, en la valoración de las razones de urgencia esgrimidas por la policía como un elemento decisivo para convalidad la medida llevada a cabo por las fuerza policiales.

Finalmente, la medida de seguimiento tendrá una duración máxima de tres meses, que se pueden prorrogar hasta 18 meses (art. 588 quinquies c LECrim) ¿En serio se puede autorizar la instalación de un dispositivo de seguimiento hasta 18 meses?, cuando ni siquiera se hace relación de un mínimo de delito o pena. En fin, considero que esta, al igual que otras medidas introducidas por la LO 13/2015 deben ser objeto de un exquisito control por parte de los tribunales para evitar que su utilización indebida.

3.6. Grabación y/o captación del sonido y/o la imagen

La grabación de imágenes y sonido puede producirse en lugares públicos, en el domicilio o lugares cerrados y privados donde existe expectativa de intimidad. La grabación de imágenes en lugares públicos no precisa, en principio, de autorización judicial. Mientras que la grabación que afecta al derecho a la intimidad precisará orden judicial, lo que sucederá siempre que se produzca en un domicilio. También será necesaria una orden judicial cuando la grabación se realiza en lugares en los que, por distintas razones, se pueda presumir que la persona pueda tener una expectativa razonable de intimidad (lavabos, despachos o, porque no, en el punto más aislado de una montaña).

«La jurisprudencia de esta Sala (cfr. Sentencia 188/1999, de 15 de febrero) ha estimado legítima y no vulneradora de derechos fundamentales la actividad de filmación de escenas presuntamente delictivas, que sucedían en vías o espacios públicos, y ha considerado que únicamente se necesita autorización judicial para la captación clandestina de imágenes o de sonidos en domicilios o lugares privados (así se ha reconocido por esta Sala, en las SS de 6-5-1993, 7-2, 6-4 y 21-5-1994, 18-12-1995, 27-2-1996, 5-51997 y 968/1998 de 17-7 entre otras). En relación con la filmación de ventanas de edificios desde los que sus moradores desarrollaban actividades delictivas, se ha estimado válida tal captación de imágenes en la Sentencia 913/1996 de 25-11, y en la 453/1997 de 15-4, en la que se expresa que en principio la autorización judicial siempre será necesaria cuando sea imprescindible vencer un obstáculo que haya sido predispuesto para salvaguardar la intimidad no siendo en cambio preciso el "placet" judicial para ver lo que el titular de la vivienda no quiere ocultar a los demás». STS Sala Segunda, de lo Penal, Sentencia de 23 Jul. 1999, Rec. 1166/1998; Ponente: Granados Pérez, Carlos. LA LEY 10637/1999.

También debe tenerse en cuenta la distinción entre la grabación por videocámaras instaladas en la vía pública o en espacios abiertos por razones preventivas y de seguridad que se rigen por la LO 4/1997 de 4 de agosto, y el RD 596/1999 y la grabación de imágenes realizada por la policía en su actividad de investigación de delitos. Finalmente, la grabación de imágenes y sonido por parte de particulares es un supuesto específico al que nos referimos en el § 3.7 de este capítulo.

A) *La grabación de imágenes por videocámaras fijas instaladas en la vía pública o en edificios públicos o privados como medida preventiva y de aseguramiento*

La LO 4/1997 autoriza la instalación de cámaras de seguridad en espacios públicos con la finalidad de asegurar la protección de los edificios e instalaciones públicas y de sus accesos, salvaguardar las instalaciones útiles para la defensa nacional, constatar infracciones a la seguridad ciudadana y prevenir la causación de daños a las personas y bienes (art. 4). La utilización de estas videocámaras se sujeta a un régimen de autorización, por el plazo de un año, que se otorgará, previo informe de un órgano colegiado presidido por un Magistrado y en cuya composición no serán mayoría los miembros dependientes de la Administración autorizante.

La resolución por la que se acuerde la autorización deberá ser motivada y referida en cada caso al lugar público concreto que ha de ser objeto de observación por las videocámaras y a las limitaciones o condiciones de uso necesarias (art. 3 LO 4/1997) En cualquier caso, la utilización de estos medios estará presidida por el principio de proporcionalidad, en su doble versión de idoneidad y de intervención mínima, y exigirá la existencia de un razonable riesgo para la seguridad ciudadana, en el caso de las videocámaras fijas, o de un peligro concreto, en el caso de las videocámaras móviles[246].

---

(246) Art. 7 LO 4/1997: «Realizada la filmación de acuerdo con los requisitos establecidos en la Ley, si la grabación captara la comisión de hechos que pudieran ser constitutivos de ilícitos penales, las Fuerzas y Cuerpos de Seguridad pondrán la cinta o soporte original de las imágenes y sonidos en su integridad a disposición judicial con la mayor inmediatez posible y, en todo caso, en el plazo máximo de setenta y dos horas desde su grabación. De no poder redactarse el atestado en tal plazo, se relatarán verbalmente los hechos a la autoridad judicial, o al Ministerio Fiscal, junto con la entrega de la grabación 2. Si la grabación captara hechos que pudieran ser constitutivos de infracciones administrativas relacionadas con la seguridad ciudadana, se remitirán al órgano competente, igualmente de inmediato, para el inicio del oportuno procedimiento sancionador».

Las videocámaras no podrán tomar imágenes ni sonidos del interior de las viviendas, ni de sus vestíbulos, salvo consentimiento del titular o autorización judicial, ni tampoco de lugares públicos cuando se afecte de forma directa y grave a la intimidad de las personas. Tampoco podrán grabar conversaciones de naturaleza estrictamente privada. Las imágenes y sonidos obtenidos accidentalmente en estos casos deberán ser destruidas inmediatamente, por quien tenga la responsabilidad de su custodia (art. 6.5 LO 4/1997).

También podrán instalarse cámaras al amparo de la Ley de seguridad privada 5/2014 que en su art. 42 autoriza la instalación cámaras o videocámaras, fijas o móviles, capaces de captar y grabar imágenes y sonidos, incluido cualquier medio técnico o sistema que permita los mismos tratamientos que éstas. A continuación diferencia entre los servicios de videovigilancia que tienen por finalidad prevenir infracciones y evitar daños a las personas o bienes objeto de protección o impedir accesos no autorizados; y las de comprobación del estado de instalaciones o bienes, el control de accesos a aparcamientos y garajes, o las actividades que se desarrollan desde los centros de control y otros puntos, zonas o áreas de las autopistas de peaje. Los servicios de videovigilancia serán prestados necesariamente por vigilantes de seguridad o, en su caso, por guardas rurales. Mientras que los segundos podrán realizarse por personal distinto del de seguridad privada. La instalación de las cámaras se rige por la normativa específica, previa autorización administrativa por el órgano competente en cada caso. Su utilización en el interior de los domicilios requerirá el consentimiento del titular. Pero, las cámaras de videovigilancia que formen parte de medidas de seguridad obligatorias o de sistemas de recepción, verificación y, en su caso, respuesta y transmisión de alarmas, no requerirán autorización administrativa para su instalación, empleo o utilización. Finalmente, las grabaciones realizadas por los sistemas de videovigilancia no podrán destinarse a un uso distinto del de su finalidad. Cuando las mismas se encuentren relacionadas con hechos delictivos o que afecten a la seguridad ciudadana, se aportarán, de propia iniciativa o a su requerimiento, a las Fuerzas y Cuerpos de Seguridad competentes, respetando los criterios de conservación y custodia de las mismas para su válida aportación como evidencia o prueba en investigaciones policiales o judiciales.

Las grabaciones videográficas obtenidas por las cámaras de seguridad pueden constituir prueba de cargo de los hechos de los que den cuenta.

«De igual modo, la STS de 1285/1999, 15 de septiembre, precisa: "Siendo relevantes los hechos indiciarios mencionados, es claro que el primero de los señalados adquiere especial significación a efectos de la inferencia deducida por el juzgador, y que su valor como elemento acreditativo de lo acaecido sitúa la grabación videográfica del suceso más cerca de la prueba directa que de la consideración de mero factor indiciario, en cuanto que, no cuestionada su autenticidad, la filmación se revela como una suerte de "testimonio mecánico y objetivo" de un suceso, con entidad probatoria similar —o incluso, superior, al quedar excluida la subjetividad, el error o la mendacidad del testimonio personal— a la del testigo humano. Resolución que a su vez destaca que cuando la cinta videográfica no haya sido filmada por una persona, sino por las cámaras de seguridad de las entidades que, por prescripción legal o por iniciativa propia, disponen de esos medios técnicos que graban de manera automática las incidencias que suceden en su campo de acción, en estos casos, la propia grabación videográfica ha sido considerada por esta Sala Segunda como prueba de cargo apta para desvirtuar la presunción de inocencia en cuanto medio técnico que recoge las imágenes de la participación del acusado en el hecho ilícito enjuiciado"». STS Sala Segunda, de lo Penal, Sentencia 315/2016 de 14 Abr. 2016, Rec. 1873/2015. Ponente: Palomo del Arco, Andrés. LA LEY 32909/2016.

En el ámbito laboral el art. 20 ET prevé que: «*el empresario podrá adoptar las medidas que estime más oportunas de vigilancia y control para verificar el cumplimiento por el trabajador de sus obligaciones y deberes laborales, guardando en su adopción y aplicación la consideración debida a su dignidad humana y teniendo en cuenta la capacidad real de los trabajadores disminuidos, en su caso*». En consecuencia podrán instalarse cámaras en el centro de trabajo con excepción de aquellos lugares en los que se desarrolla la intimidad personal de los trabajadores (vestuarios, baños). La instalación de estas cámaras no precisa del conocimiento de los trabajadores siempre que su finalidad sea controlar el cumplimiento del contrato por los trabajadores. Las grabaciones así obtenidas pueden fundar un despido disciplinario.

«4. Aplicando la doctrina expuesta al tratamiento de datos obtenidos por la instalación de cámaras de videovigilancia en el lugar de trabajo, que es el problema planteado en el presente recurso de amparo, debemos concluir que el empresario no necesita el consentimiento expreso del trabajador para el tratamiento de las imágenes que han sido obtenidas a través de las cámaras instaladas en la empresa con la finalidad de seguridad o control laboral, ya que se trata de una medida dirigida a controlar el cumplimiento de la relación laboral y es conforme con el art. 20.3 del Texto Refundido de la Ley del estatuto de los trabajadores, que establece que "el empresario podrá adoptar las medidas que estime más oportunas de vigilancia y control para verificar el cumplimiento por el trabajador de sus obligaciones y deberes laborales, guardando en su adopción y aplicación la consideración debida a su dignidad humana". Si la dispensa del consentimiento prevista en el art. 6 LOPD se refiere a los datos necesarios para el mantenimiento y el cumplimiento de la relación laboral, la excepción abarca sin duda el tratamiento de datos personales obtenidos por el empresario para velar por el cumplimiento de las obligaciones derivadas del contrato de trabajo. El consentimiento se entiende implícito en la propia aceptación del contrato que implica reconocimiento del poder de dirección del empresario». STC 39/2016, de 3 de marzo de 2016. Recurso de amparo 7222-2013.

Desde nuestro punto de vista la única restricción a la instalación de cámaras, al margen de comunicarlo a los trabajadores, se producirá respecto a los lugares donde se desarrolla la intimidad personal como baños o vestuarios. Sin embargo, en la STS Penal 239/2014 de 1 Abr. 2014 el Tribunal Supremo considera el despacho de un trabajador lugar protegido constitucionalmente. De modo que la grabación allí debería estar autorizada judicialmente.

«Otra cosa ocurre con las cámaras que se instalaran en el despacho del acusado. Del contenido de la fundamentación jurídica se desprende que se trata de una dependencia distinta y separada de la zona general (subía a su oficina, se dice). Aunque no se describe en la sentencia, en principio, un despacho individual es una dependencia atribuida a una determinada persona, de la que depende el consentimiento para facilitar el acceso visual o personal de terceros al mismo. Por ello, en líneas generales, puede afirmarse que el titular del mismo tiene una expectativa razonable de intimidad dentro de su despacho, que puede verse vulnerada si se instalan cámaras de grabación sin su conocimiento .../... En consecuencia, se declara que la colocación de cámaras en el despacho del acusado vulneró su derecho a la intimidad, de manera que las imágenes obtenidas de las mismas no podrán ser utilizadas como prueba de cargo». STS Penal 239/2014 de 1 Abr. 2014, Colmenero Menéndez de Luarca, Miguel. Rec. 1666/2013, LA LEY 51027/2014.

Finalmente, no es necesaria ninguna clase de autorización judicial para instalar cámaras en la propia vivienda o espacio acotado en el que se desarrolla la intimidad personal o el espacio cerrado donde se desarrolla cualquier clase de actividad.

«La Audiencia estimó que se cumplimentaron todos los requisitos de idoneidad, necesidad y proporcionalidad de la medida por haber sido instalada la cámara con el fin de detectar la autoría de posibles sustracciones de dinero de las que había indicios desde hacía bastante tiempo. En cualquier caso, es importante resaltar que la cámara de vídeo fue instalada en el interior del despacho del administrador por los propios responsables de la Catedral, sin que conste que el administrador, que era uno de los responsables del recinto, se opusiera a ello. Por lo que no era precisa una autorización judicial para la instalación de la cámara de vídeo, operación que fue realizada por iniciativa de las personas que dirigen el centro religioso con anterioridad al inicio del proceso. Otra cosa muy distinta son las formalidades y garantías que han de observarse en cuanto a la aportación del resultado de esa grabación privada a la causa procesal». STS Sala Segunda, de lo Penal, Sentencia 747/2015 de 19 Nov. 2015, Rec. 686/2015. Ponente: Jorge Barreiro, Alberto Gumersindo. LA LEY 185990/2015. Caso Códice Calixtino.

B) *La grabación, como medida de investigación procesal, de sonido e imágenes en la vía pública, en el domicilio o en alguno de los espacios destinados al ejercicio de la privacidad (arts. 588 quater a-e y quinquies a. LECrim)*

Las comunicaciones personales pueden ser objeto de intervención, ya se desarrollen en el domicilio personal, en otros lugares o en la vía pública. La Ley prevé a ese fin la posibilidad de instalar dispositivos de grabación de la imagen y/o el sonido tanto en la vía pública, como en lugares cerrados incluyendo el domicilio, con el fin de registrar la comunicación realizada personal y directamente por los sospechosos de la comisión de actos delictivos. Esta posibilidad viene admitiéndose por nuestros tribunales que han distinguido entre la grabación en la vía pública y en el domicilio. En el primer caso no es necesaria una orden judicial, pero sí en el segundo supuesto[247].

«La captación de imágenes se encuentra autorizada por la Ley en el curso de una investigación criminal siempre que se limiten a la grabación de lo que ocurre en espacios públicos fuera del recinto inviolable del domicilio donde tiene lugar el ejercicio de la intimidad. Por ello cuando el emplazamiento de aparatos de filmación o de escucha invada el espacio restringido reservado para la intimidad de las personas sólo puede ser acordada en virtud de mandamiento judicial que constituye

---

(247) «Como allí se afirma, la grabación tuvo lugar en una vía pública y sólo se filmó las operaciones realizadas por los acusados a través de una persona que se aproximaba a dicho lugar. Tal vigilancia fue ratificada en el plenario por los agentes de la Guardia Civil que la realizaron, que se visionó en el acto del juicio, donde se comprobó la realidad de dichas operaciones». STS Sala Segunda, de lo Penal, Sentencia 1300/2001 de 28 Jun. 2001, Rec. 767/2000; Ponente: Móner Muñoz, Eduardo. LA LEY 7879/2001.

un instrumento habilitante para la intromisión en un derecho fundamental. No estarían autorizados, sin el oportuno plácet judicial, aquellos medios de captación de la imagen o del sonido que filmaran escenas en el interior del domicilio prevaliéndose de los adelantos y posibilidades técnicas de estos aparatos grabadores, aun cuando la captación tuviera lugar desde emplazamientos alejados del recinto domiciliario. En material fotográfico y videográfico obtenido en las condiciones anteriormente mencionadas y sin intromisión indebida en la intimidad familiar tienen un innegable valor probatorio, siempre que sea reproducido en las sesiones del juicio oral». (STS 6 mayo 1993; LA LEY, 1993, Ref. 13.214).

La Ley distingue entre la grabación de sonido y de imagen y también entre la grabación en la vía pública o en un lugar en el que se ejercite la privacidad de las personas. Así caben las siguientes posibilidades:

1º La grabación de imágenes en lugares o espacios públicos no precisa la obtención de una orden judicial. Así se prevé en el art. 588 quinquies a. que dispone que: *«La Policía Judicial podrá obtener y grabar por cualquier medio técnico imágenes de la persona investigada cuando se encuentre en un lugar o espacio público, si ello fuera necesario para facilitar su identificación, para localizar los instrumentos o efectos del delito u obtener datos relevantes para el esclarecimiento de los hechos».* De la redacción legal se deduce que no se necesita orden judicial en este caso[248].

«De manera reiterada ha declarado esta Sala, con el respaldo de la jurisprudencia constitucional, que la filmación de escenas presuntamente delictivas que suceden en espacios públicos no vulnera derechos fundamentales si los aparatos de captación no invaden el espacio reservado para la intimidad de las personas. La STS 485/2013 que citan tanto el Tribunal de instancia como el recurrente, y a la que se remite la más reciente STS 124/2014, de 3 de febrero que condensa la doctrina jurisprudencial sobre el tema, afirma que «el material fotográfico y videográfico obtenido en el ámbito público y sin intromisión indebida en la intimidad personal o familiar tiene un valor probatorio innegable. La eficacia probatoria de la filmación videográfica está subordinada a la visualización en el acto del juicio oral, para que tengan realidad los principios procesales de contradicción, igualdad, inmediación y publicidad."». STS

---

(248) «Desde el plano de la valoración de las imágenes de las cámaras de seguridad, la STS 485/2013, de 5 de junio, considera que el material fotográfico y videográfico obtenido en el ámbito público y sin intromisión indebida en la intimidad personal o familiar tiene un valor probatorio innegable. La eficacia probatoria de la filmación videográfica está subordinada a la visualización en el acto del juicio oral, para que tengan realidad los principios procesales de contradicción, igualdad, inmediación y publicidad. La doctrina jurisprudencial de esta Sala (sentencias de 6 de mayo de 1993, 7 de febrero, 6 de abril y 21 de mayo de 1994, 18 de diciembre de 1995, 27 de febrero de 1996, 5 de mayo de 1997, 968/1998 de 17 de julio, 188/1999, de 15 de febrero, 1207/1999, de 23 de julio, 387/2001, de 13 de marzo (LA LEY 4376/2001), 27 de septiembre de 2002, y 180/2012 de 14 de marzo (LA LEY 29327/2012), entre otras muchas) ha considerado legítima y no vulneradora de derechos fundamentales la filmación de escenas presuntamente delictivas que suceden en espacios o vías públicas, estimando que la captación de imágenes de actividades que pueden ser constitutivas de acciones delictivas se encuentra autorizada por la ley en el curso de una investigación criminal, siempre que se limiten a la grabación de lo que ocurre en espacios públicos fuera del recinto inviolable del domicilio o de lugares específicos donde tiene lugar el ejercicio de la intimidad». STS 124/2014 de 3 Feb. 2014, Rec. 973/2013; Ponente: Sánchez Melgar, Julián. LA LEY 21261/2014.

1409/2014 de 21 May. 2014, Rec. 2353/2013; Ponente: Ferrer García, Ana María. LA LEY 64262/2014.

Ahora bien, el art. 5.2 LO 4/97 dispone que: «*podrán utilizarse en los restantes lugares públicos videocámaras móviles. La autorización de dicho uso corresponderá al máximo responsable provincial de las Fuerzas y Cuerpos de Seguridad …/… La resolución motivada que se dicte autorizando el uso de videocámaras móviles se pondrá en conocimiento de la Comisión prevista en el artículo 3 en el plazo máximo de setenta y dos horas, la cual podrá recabar el soporte físico de la grabación a efectos de emitir el correspondiente informe*». Cabe entender que esta norma tiene un ámbito distinto referido a lugares y supuestos generales de control de seguridad, sin que pueda aplicarse a las grabaciones que realiza la policía en el curso de una investigación concreta en cuyo caso su actuación está supeditada al criterio judicial.

«La filmación por parte de la policía en un espacio público de actividades relacionadas con la venta de sustancias estupefacientes, no supone vulneración del derecho constitucional a la intimidad de los vendedores, pues el citado derecho es compatible con la realización de actuaciones policiales destinadas a la prevención, investigación y prueba de actividades delictivas siempre que se cumpla el principio de proporcionalidad. Proporcionalidad que se respeta en el caso actual pues el objeto de la actuación policial es una actividad delictiva grave, el tráfico de drogas que causan grave daño a la salud, y la filmación constituye una actuación necesaria y razonable dadas las características del tráfico». STS Sala Segunda, de lo Penal, Sentencia 433/2012 de 1 Jun. 2012, Rec. 1348/2011. Ponente: Conde-Pumpido Tourón, Cándido. LA LEY 73165/2012.

2º La grabación de sonido sea en lugares públicos sea en un domicilio u otro lugar privado o reservado (susceptible de proveer de intimidad a la persona) precisa siempre de orden judicial. Así se prevé en el art. 588 quater.a.1º LECrim que dispone que: «*1. Podrá autorizarse la colocación y utilización de dispositivos electrónicos que permitan la captación y grabación de las comunicaciones orales directas que se mantengan por el investigado, en la vía pública o en otro espacio abierto, en su domicilio o en cualesquiera otros lugares cerrados. Los dispositivos de escucha y grabación podrán ser colocados tanto en el exterior como en el interior del domicilio o lugar cerrado*». La orden judicial deberá incluir, en su caso, la necesaria y suficiente motivación para la procedencia del acceso al domicilio o al espacio cerrado y/o reservado art. 588 quater.a.1º LECrim. La captación y grabación de sonido sólo se puede producir, previa orden judicial, en casos de terrorismo, organización criminal y delitos castigados con penas como mínimo de tres años (588 quater b LECrim).

«La Audiencia declara la nulidad de la diligencia de instalación de dispositivos electrónicos para la captación y grabación de las conversaciones en el domicilio de los acusados aplicando la doctrina de la sentencia 145/2014, de 22 de septiembre (LA LEY 140049/2014), en la que se decretó la nulidad de las escuchas practicadas mediante micrófonos instalados en unos calabozos policiales por falta de la habilitación legal para realizarlas. Consideró la Audiencia que en este caso también era imprescindible la reserva de ley, por constituir "el único modo efectivo de garantizar las exigencias de seguridad jurídica en el ámbito de los derechos fundamentales y las libertades públicas", lo que "implica exigencias respecto del

867

contenido de la Ley que, naturalmente, son distintas según el ámbito material de que se trate", pero que en todo caso determinan que "el legislador ha de hacer el máximo esfuerzo posible para garantizar la seguridad jurídica", esto es, "la expectativa razonablemente fundada del ciudadano en cuál ha de ser la actuación del poder en aplicación del Derecho" (STC 49/1999 (LA LEY 4215/1999)). Por tanto, de dichas citas jurisprudenciales se desprende que, bien se enfoque desde la perspectiva del derecho al secreto de las comunicaciones, bien del derecho a la vida privada, existe un denominador común que ha de concurrir para que la injerencia de dichos derechos sea legítima, y no es otro que la habilitación legal. El juez no ostenta un poder sin límites y sus potestades no son otras que aquéllas que le otorga la Ley a cuyo imperio está sometido. Es la ley la que debe definir el alcance de la discrecionalidad del juez y la forma de ejercerlo de modo que las personas se encuentren protegidas frente a cualquier injerencia injustificada». STS n.º 747/2015 de 19 Nov. 2015, Rec. 686/2015. Ponente: Jorge Barreiro, Alberto Gumersindo. LA LEY 185990/2015. Caso Codice Calixtino.

3º la grabación de imagen y/o sonido en un domicilio u otro lugar privado o reservado (susceptible de proveer de intimidad a la persona) precisa siempre de orden judicial. Así se prevé en el art. 588 quater.a.3º LECrim que dispone que: *«La escucha y grabación de las conversaciones privadas se podrá complementar con la obtención de imágenes cuando expresamente lo autorice la resolución judicial que la acuerde»*. Curiosamente esta norma se halla en el art. 588 quater a que se titula: «Grabación de las comunicaciones orales directas», norma que se contiene en el Cap. VI que se titula: *«Captación y grabación de comunicaciones orales mediante la utilización de dispositivos electrónicos»*.

«Cuando el emplazamiento de aparatos de filmación o de escucha invada el espacio restringido reservado para la intimidad de las personas (domicilio) sólo puede ser acordado en virtud de mandamiento judicial que constituye un instrumento habilitante para la intromisión en un derecho fundamental. No estarían autorizados, sin el oportuno plácet judicial, aquellos medios de captación de la imagen o del sonido que filmaran escenas en el interior del domicilio prevaliéndose de los adelantos y posibilidades técnicas de estos aparatos grabadores, aun cuando la captación tuviera lugar desde emplazamientos alejados del recinto domiciliario, ni tampoco puede autorizarse la instalación de cámaras en lugares destinados a actividades donde se requiere la intimidad como las zonas de aseo». STS 124/2014 de 3 Feb. 2014, Rec. 973/2013; Ponente: Sánchez Melgar, Julián. LA LEY 21261/2014.

Podría decirse que la posibilidad legal de grabar imagen y sonido en el domicilio se halla camuflada en la regulación legal, cuando se trata de un medida que produce una especial e intensa invasión de la privacidad que debe estar sometida a unas especiales medidas de control, sin que sea suficiente con prever, como hace la Ley, que la resolución judicial podrá complementar la orden judicial de grabación del sonido. Nótese que las implicaciones de la posibilidad de instalar aparatos de escucha en un domicilio ya plantea retos de entidad respecto a la garantía y supervivencia del derecho a la intimidad personal y familiar. Pero si a eso se añade la posibilidad de grabar lo que sucede en el domicilio los derechos fundamentales de los ciudadanos pueden quedar lastimosamente laminados. Máxime cuando no se prevé ninguna clase de motivación adicional, a la prevista para la grabación de sonido, en orden a justificar la grabación de imágenes.

C) *La vigilancia del domicilio o espacios donde se desarrolla el ámbito de intimidad personal*

Una especialidad de la investigación consiste en la simple observación del domicilio o de algún espacio o ámbito de intimidad personal por parte de la policía. Caben distintas posibilidades a este respecto. Por ejemplo, que la policía de oficio o advertida por algún ciudadano observe o vigile el domicilio o espacio protegido donde se desarrolla la actividad privada de los individuos. En ese caso, será precisa una orden judicial siempre que, con base en las circunstancias concurrentes, exista una expectativa razonable de intimidad del sujeto de esperar que no será observado en dicho lugar. Esta expectativa deviene sin discusión en el caso del domicilio respecto a que el TS ha declarado que no puede quedar condicionada por el hecho de que los moradores no hayan dispuesto cortinas u obstáculos que impidan ver el interior de la vivienda.

«La protección constitucional de la inviolabilidad del domicilio, cuando los agentes utilizan instrumentos ópticos que convierten la lejanía en proximidad, no puede ser neutralizada con el argumento de que el propio morador no ha colocado obstáculos que impidan la visión exterior. El domicilio como recinto constitucionalmente protegido no deja de ser domicilio cuando las cortinas no se hallan debidamente cerradas. La expectativa de intimidad, en fin, no desaparece por el hecho de que el titular o usuario de la vivienda no refuerce los elementos de exclusión asociados a cualquier inmueble. Interpretar que unas persianas no bajadas o unas cortinas no corridas por el morador transmiten una autorización implícita para la observación del interior del inmueble, encierra el riesgo de debilitar de forma irreparable el contenido material del derecho a la inviolabilidad domiciliaria». STS Sala Segunda, 329/2016 de 20 Abr. 2016, LA LEY 32932/2016.

O que la vivienda observada se halle en un lugar en principio ajeno al escrutinio ajeno. Éste es el caso de la STS 329/2016 de 20 Abr. 2016 que se pronuncia respecto a una investigación policial realizada por la policía con prismáticos desde un edificio contiguo que permitía la visión de lo que sucedía en una vivienda sita en una 10ª planta.

«La fijación del alcance de la protección constitucional que dispensa el art. 18.2 de la CE (LA LEY 2500/1978) sólo puede obtenerse adecuadamente a partir de la idea de que el acto de injerencia domiciliaria puede ser de naturaleza física o virtual. En efecto, la tutela constitucional del derecho proclamado en el apartado 2 del art. 18 de la CE (LA LEY 2500/1978) protege, tanto frente la irrupción inconsentida del intruso en el escenario doméstico, como respecto de la observación clandestina de lo que acontece en su interior, si para ello es preciso valerse de un artilugio técnico de grabación o aproximación de las imágenes. El Estado no puede adentrarse sin autorización judicial en el espacio de exclusión que cada ciudadano dibuja frente a terceros. Lo proscribe el art. 18.2 de la CE (LA LEY 2500/1978). Y se vulnera esa prohibición cuando sin autorización judicial y para sortear los obstáculos propios de la tarea de fiscalización, se recurre a un utensilio óptico que permite ampliar las imágenes y salvar la distancia entre el observante y lo observado». STS Sala Segunda, 329/2016 de 20 Abr. 2016, LA LEY 32932/2016.

3.7. Grabación de imagen o sonido por particulares

El art. 18 CE garantiza el derecho a la intimidad personal y familiar, a la propia imagen y al secreto en las comunicaciones. De este modo se garantiza un espacio libre de injerencias ajenas que supongan la captación o grabación de imágenes o sonido esencialmente por terceros ajenos a la comunicación —art. 18.3 CE[249]—. En su virtud, la obligación derivada de este secreto no alcanza a los comunicantes, quienes sólo están obligados a un deber de reserva, derivado del derecho a la intimidad —art. 18.1.º CE—.

«En la recurrida se examina detalladamente si la conducta de los acusados, que dio lugar a este procedimiento, constituye una vulneración del citado art. 18-1 y 3 de la CE a través de un análisis realizado a la luz de la doctrina emanada del Tribunal Constitucional, concluyendo que, tratándose de la conversación o entrevista mantenida por la propia acusada con el querellante y no una conversación ajena a la acusada, no cabe estimar vulneración del citado art. 18 .../... De ahí que, la circunstancia de no tratarse de una conversación ajena, en tanto que determinante de la no existencia de vulneración del art. 18-3, no se ve modificada por el dato, que no olvida, sino que recoge el Tribunal de instancia en la sentencia, de haber utilizado la acusada una identidad ficticia». STS Sala Segunda, de lo Penal, Sentencia 1100/2001 de 8 Jun. 2001, Rec. 2207/1999; Ponente: García-Calvo y Montiel, Roberto. LA LEY 6475/2001.

Por tanto, la grabación de una conservación por un tercero ajeno a la misma viola el art. 18.3 CE. Pero no sucede así cuando la conversación es grabada por uno de los interlocutores, con independencia de que se trate de una conversación telefónica o mantenida personalmente, sea de forma oculta o no[250].

«La garantía constitucional del secreto de las comunicaciones solo opera cuando la injerencia es realizada por una persona ajena al proceso de comunicación, ya que lo que persigue la norma es garantizar la impenetrabilidad de la comunicación por terceros ajenos a la misma. Así lo declaró ya la STC n.º 56/2003, de 24 de marzo (LA LEY 1686/2003) «la presencia de un elemento ajeno a aquéllos entre los que media el proceso de comunicación, es indispensable para configurar el ilícito constitucional aquí perfilado. Solo podrá vulnerarse el derecho fundamental reconocido en el art. 18.3 cuando se graba la conversación de otro, pero no cuando se graba una conversación con otro. Conforme a la STC no 114/1984, de 29 de noviembre

---

(249)   «... Sea cual sea el ámbito objetivo del concepto de "comunicación", la norma constitucional se dirige inequívocamente a garantizar su impenetrabilidad por terceros (públicos o privados, el derecho posee eficacia erga omnes) ajenos a la comunicación misma. La presencia de un elemento ajeno a aquellos entre los que media el proceso de comunicación es indispensable para configurar el ilícito constitucional aquí perfilado... Sobre los comunicantes no pesa tal deber, sino, en todo caso, y ya en virtud de norma distinta a la recogida en el art. 18.3 CE, un posible "deber de reserva" que —de existir— tendría un contenido estrictamente material, en razón del cual fuese el contenido mismo de lo comunicado (un deber que derivaría así del derecho a la intimidad reconocido en el art. 18.1 de la norma fundamental...». (STC 114/84, de 29 noviembre).

(250)   «... Quien graba una conversación de otros atenta, independientemente de otra consideración, al derecho reconocido en el art. 18.3 de la Constitución; por el contrario, quien graba una conservación con otro no incurre, por este solo hecho, en conducta contraria al precepto constitucional citado...». (STC 114/84, de 29 noviembre).

(LA LEY 9401-JF/0000) «no hay secreto para aquél a quien la comunicación se dirige, no implica contravención de los dispuesto en el art. 18.3 de la Constitución (LA LEY 2500/1978) la retención, por cualquier medio, del contenido del mensaje, pues sobre los comunicantes no pesa el deber del secreto». STS 793/2016 de 20 Oct. 2016, Rec. 918/2016; Ponente: Monterde Ferrer, Francisco. LA LEY 146032/2016.

En este sentido se ha pronunciado la jurisprudencia que distingue con nitidez entre: «la grabación de una conversación "de otros" y la grabación da una conversación "con otros"»[251]. Lo primero está proscrito, lo segundo no[252].

«Quien graba una conversación de otros, atenta independientemente de toda otra consideración, al derecho reconocido en el art. 18.3 CE (LA LEY 2500/1978); por el contrario, quien graba una conversación con otro no incurre, por este solo hecho, en conducta contraria al precepto constitucional citado, si se impusiera un genérico deber de secreto a cada uno de los interlocutores o de los corresponsables *ex art.* 18.3, se terminaría vaciando de sentido, en buena parte de su alcance normativo, a la protección de la esfera íntima personal *ex art.* 18.1, garantía ésta que,

---

(251) «No hay "secreto" para aquél a quien la comunicación se dirige, ni implica contravención de lo dispuesto en el art. 18.3 CE (LA LEY 2500/1978) la retención, por cualquier medio, del contenido del mensaje. Dicha retención (la grabación, en el presente caso) podrá ser, en muchos casos, el presupuesto fáctico para la comunicación a terceros, pero ni aun considerando el problema desde este punto de vista puede apreciarse la conducta del interlocutor como preparatoria del ilícito constitucional, que es el quebrantamiento del secreto de las comunicaciones. Ocurre, en efecto, que el concepto de "secreto" en el art. 18.3 tiene un carácter "formal", en el sentido de que se predica de lo comunicado, sea cual sea su contenido y pertenezca o no el objeto de la comunicación misma al ámbito de lo personal, lo íntimo o lo reservado. Esta condición formal del secreto de las comunicaciones (la presunción) iuris et de iure de que lo comunicado es "secreto" no puede valer, siempre y en todo caso, para los comunicantes, de modo que pudieran considerarse actos previos a su contravención (previos al quebrantamiento de dicho secreto) los encaminados a la retención del mensaje. Sobre los comunicantes no pesa tal deber, sino, en todo caso y ya en virtud de norma distinta a la recogida en el art. 18.3 CE (LA LEY 2500/1978), un posible "deber de reserva" que —de existir— tendría un contenido estrictamente material, en razón del cual fuese el contenido mismo de lo comunicado (un deber que derivaría, así del derecho a la intimidad reconocido en el art. 18.1 CE (LA LEY 2500/1978)). Quien entrega a otro la carta recibida o quien emplea durante su conversación telefónica un aparato amplificador de la voz que permite captar aquella conversación a otras personas presentes no está violando el secreto de las comunicaciones, sin perjuicio de que estas mismas conductas, en el caso de que lo así transmitido a otros entrase en la esfera "íntima" del interlocutor, pudiesen constituir atentados al derecho garantizado en el art. 18.1 CE (LA LEY 2500/1978). Otro tanto cabe decir en el presente caso, respecto de la grabación por uno de los interlocutores de la conversación telefónica. Este acto no conculca secreto alguno impuesto por el art. 18.3 y tan sólo, acaso, podría concebirse como conducta preparatoria para la ulterior difusión de lo grabado. Por lo que a esta última dimensión del comportamiento considerado se refiere, es también claro que la contravención constitucional sólo podría entenderse materializada por el hecho mismo de la difusión (art. 18.1 CE (LA LEY 2500/1978))». STC 114/1984 de 29 de noviembre (LA LEY 9401-JF/0000) (ponente Luis Díez-Picazo y Ponce de León).

(252) «Ya señalábamos que "no hay secreto para aquél a quien la comunicación se dirige, ni implica contravención de lo dispuesto en el articulo 18.3 CE (LA LEY 2500/1978) la retención, por cualquier medio, del contenido del mensaje. Dicha retención (la grabación, en el presente caco) podrá ser, en muchos casos, el presupuesto fáctico para la comunicación a terceros, pero ni aún considerando el problema desde este punto de vista puede apreciarse la conducta del interlocutor como preparatoria del ilícito constitucional, que es el quebrantamiento del secreto de las comunicaciones" (FJ 7)». STC Sala Segunda, Sentencia 56/2003 de 24 Mar. 2003, Rec. 3087/2000. Ponente: Pérez Vera, Elisa. LA LEY 1686/2003.

"a contrario", no universaliza el deber de secreto, permitiendo reconocerlo sólo al objeto de preservar dicha intimidad (dimensión material del secreto según se dijo). Los resultados prácticos a que podría llevar tal imposición indiscriminada de una obligación de silencio al interlocutor son, como se comprende, del todo irrazonables y contradictorios, en definitiva, con la misma posibilidad de los procesos de libre comunicación». STC 114/1984 de 29 de noviembre (LA LEY 9401-JF/0000) (ponente Luis Díez-Picazo y Ponce de León).

También será válida la grabación de la conversación y la identificación del aparato desde el que se realiza por la policía a instancia del propio interlocutor que acude a ellos denunciando el delito y poniendo a su disposición su teléfono.

«En el presente caso, no existe vulneración del derecho al secreto de las comunicaciones. Es, precisamente, uno de los interlocutores en la comunicación telefónica (el denunciante del chantaje al que se encontraba sometido) quien autorizó expresamente a la Guardia Civil a que registrara sus conversaciones para poder determinar así el número desde el que le llamaban, al no contar con aparato técnico para ello. Como señala el Ministerio Fiscal, no existe prohibición para conocer, por parte de uno de los interlocutores, el número de teléfono desde el que se establece comunicación con él; en otro caso todos los teléfonos que muestran el número desde el que están siendo llamados infringirían el secreto de las comunicaciones amparado por el art. 18.3 CE (LA LEY 2500/1978). A ello cabe agregar que, tal y como se señala en la STEDH de 25 Sep. 2001 (caso P.G. y J.H. contra Reino Unido), "la divulgación a la policía está permitida conforme a un marco legal cuando sea necesaria para la detección y prevención del delito y el material se utilizó en el proceso contra los demandantes por cargos penales para corroborar otras pruebas referidas al período de tiempo de las llamadas telefónicas" (§ 47)». STC Sala Segunda, Sentencia 56/2003 de 24 Mar. 2003, Rec. 3087/2000. Ponente: Pérez Vera, Elisa. LA LEY 1686/2003.

Pero, ello no impide que opere y sea efectivo el derecho a la intimidad que puede hacerse valer respecto a la pretensión de utilización de la conversación o imágenes que se hubieren obtenido. Ahora bien, el deber de secreto derivado del derecho a la intimidad no operará cuando se trate de acreditar la realidad de un delito[253].

«En igual sentido la STS n.º 239/2010, de 24 de marzo (LA LEY 27011/2010) la grabación por uno de los interlocutores de la conversación telefónica «no conculca secreto alguno impuesto por el art. 18.3 y tan solo, acaso, podría concebirse como conducta preparatoria para la ulterior difusión de lo grabado. Por lo que a esta última dimensión del comportamiento considerado se refiere, es también claro que la contravención constitucional solo podría entenderse materializada por el hecho mismo

(253) «... Pero tal secreto no puede referirse a hechos como el presente en que un ciudadano obtiene una fuente de prueba respecto de un delito grabando la conversación que mantiene con un funcionario que le está extorsionando mediante la exigencia de una retribución. Si hay obligación de denunciar los delitos de que un particular tiene conocimiento (arts. 259 y ss. LECrim.) ha de considerarse legítimo que el que va a denunciarlo se provea de algún medio de acreditar el objeto de su denuncia, incluso aunque ello sea ocultando el medio utilizado respecto del delincuente a quien se desea sorprender en su ilícito comportamiento (salvo el caso del llamado delito provocado), siempre que este medio sea constitucionalmente permitido y no integre a su vez, una infracción criminal (véase la reciente Sentencia de esta Sala de 11 mayo 1994 en sus fundamentos de Derecho 3.º y 5.º), que es lo que ocurrió en el caso...». STS Sala Segunda, de lo Penal, Sentencia 713/1995 de 30 May. 1995, Rec. 2778/1994. Ponente: Delgado García, Joaquín. LA LEY 2614/1995.

de la difusión... Los resultados prácticos a que podría llevar tal imposición indiscriminada de una obligación de silencio al interlocutor son, como se comprende, del todo irrazonables y contradictorios, en definitiva, con la misma posibilidad de los procesos de libre comunicación humana». Conforme a dicha doctrina la grabación de las palabras de los acusados realizadas por el denunciante con el propósito de su posterior revelación, no vulnera ningún derecho al secreto, ni a la discreción, ni a la intimidad, pues «no se alcanza a comprender el interés constitucional que podría existir en proteger el secreto de los propósitos delictivos» (SSTS n.º 386/2002, de 27 de febrero (LA LEY 4200/2002), 883/1994, de 11 de mayo, 977/1999, de 17 de junio)». STS 793/2016 de 20 Oct. 2016, Rec. 918/2016; Ponente: Monterde Ferrer, Francisco. LA LEY 146032/2016.

En ese caso, como declara el TS de forma ilustrativa, la grabación de video o audio por la víctima de las manifestaciones de su interlocutor referentes al delito no hacen otra cosa que constatar y acreditar su propia declaración[254].

«La STS de 1-3-96, ya entendió que no ataca el derecho a la intimidad, ni al secreto de las comunicaciones, la grabación subrepticia de una conversación entre cuatro personas, realizada por una de ellas. Y la STS 2/98 de 29 de julio, dictada en la causa especial 2530/95, consideró que tampoco vulneran tales derechos fundamentales las grabaciones magnetofónicas realizadas por particulares de conversaciones telefónicas mantenidas con terceras personas, ya que el secreto de las comunicaciones se refiere esencialmente a la protección de los ciudadanos frente al Estado. Finalmente, cabe traer a cuenta que la STS 9-11-2001, núm. 2081/2001, precisa que, de acuerdo con la doctrina sentada por esta Sala en sentencias como la de 30-5-1995 y 1-6-2001, el secreto de las comunicaciones se vulnera cuando un tercero no autorizado interfiere y llega a conocer el contenido de las que mantienen otras personas, no cuando uno de los comunicantes se limita a perpetuar, mediante grabación mecánica, el mensaje emitido por el otro. Aunque esta perpetuación se haya hecho de forma subrepticia y no autorizada por el emisor del mensaje y aunque éste haya sido producido en la creencia de que el receptor oculta su verdadera finalidad, no puede ser considerado el mensaje secreto e inconstitucionalmente interferido: no es secreto porque ha sido publicado por quien lo emite y no ha sido interferido, en contra da la garantía establecida en el artículo 18.3 CE, porque lo ha recibido la persona a la que materialmente ha sido dirigido y no por un tercero que se haya interpuesto. Cosa completamente distinta es que el mensaje sea luego utilizado por el receptor de una forma no prevista ni querida por el emisor, pero esto no convierte en secreto lo que en su origen no lo fue. Es por ello por lo que no puede decirse que, con la grabación subrepticia de la conversación de referencia se vulneró el derecho fundamental al secreto de las comunicaciones y que tal infracción deba determinar la imposibilidad de valorar las pruebas que de la grabación se deriven». SAN, Sala de lo Penal, Sección 4ª, Auto de 28 Jun. 2013, rec. 162/2013. Ponente: Martel Rivero, Juan Francisco. N.º de Auto: 172/2013. N.º de recurso: 162/2013. LA LEY 91389/2013. Caso Gurtel.

---

(254) «... Lo que grabó David fue lo que le exhibió y dijo el acusado, es decir lo que vio con sus ojos y los que oyó con sus oídos. Ninguna otra cosa aporta la grabación, y no existe inconveniente alguno para que pueda transferir esas percepciones a un instrumento mecánico de grabación de imágenes que complemente y tome constancia de lo que el acusado le dijo y exhibió ante su presencia, grabación que viene a corroborar las declaraciones que el menor depuso ante la policía y posteriormente en el proceso criminal». STS Sala Segunda, de lo Penal, Sentencia de 17 Jun. 1999, Rec. 2566/1998; Ponente: Granados Pérez, Carlos. LA LEY 10004/1999.

Ahora bien, debemos distinguir la grabación de un particular con el uso de la denominada cámara oculta. Sobre ese particular el Tribunal Constitucional se ha pronunciado valorando el derecho a la información y el derecho a la intimidad, declarando la prohibición constitucional de ese procedimiento de investigación periodística entendiendo que de ese modo se priva a la persona grabada a delimitar su intimidad personal en un contexto de falsa confianza propiciada por un engaño (SSTC 74/2012 de 16 de abril (LA LEY 52050/2012), 24/2012, 27 de febrero (LA LEY 27720/2012) y 12/2012 de 30 de enero[255]. Doctrina jurisprudencial que se pronuncia con relación al derecho a la información, razón por lo que no es aplicable en el ámbito de las grabaciones realizadas por particulares.

«No podemos compartir la tesis de los apelantes acerca dela aplicabilidad al supuesto analizado de la doctrina jurisprudencial constitucional sobre invalidez de la prueba obtenida mediante la técnica periodística de la "cámara oculta", puesto que ni desde la perspectiva objetiva ni desde el punto de vista subjetivo se trata de casos parangonables con el que es objeto de recurso. En estos recursos examinarnos la actuación de un particular que graba conversaciones que mantiene con otros particulares sobre hechos presuntamente constitutivos de delitos, sin que en ningún momento finja o esconda su identidad ni fuerce o dirija la conversación con su interlocutor al terreno que le pueda interesar. En cambio, en los casos de "cámara oculta", el comunicador, guiado por un interés noticiable, no se identifica como tal sino que adopta una personalidad ficticia, grabando una conversación con su interlocutor mantenida en condiciones da fingida confianza, de quien extrae datos que si se hubiese identificado como periodista no hubiera obtenido. En el primer caso, no ha mediado el

_____

(255) «El carácter oculto que caracteriza a la técnica de investigación periodística llamada «cámara oculta» impide que la persona que está siendo grabada pueda ejercer su legítimo poder de exclusión frente a dicha grabación, oponiéndose a su realización y posterior publicación, pues el contexto secreto y clandestino se mantiene hasta el mismo momento de la emisión y difusión televisiva de lo grabado, escenificándose con ello una situación o una conversación que, en su origen, responde a una previa provocación del periodista interviniente, verdadero motor de la noticia que luego pretende difundir. La ausencia de conocimiento y, por tanto, de consentimiento de la persona fotografiada respecto a la intromisión en su vida privada es un factor decisivo en la necesaria ponderación de los derechos en conflicto, como subraya el Tribunal Europeo de Derechos Humanos (SSTEDH de 24 de junio de 2004, Von Hannover c. Alemania, § 68, y de 10 de mayo de 2011, Mosley c. Reino Unido, § 11). Por otro lado, es evidente que la utilización de un dispositivo oculto de captación de la voz y la imagen se basa en un ardid o engaño que el periodista despliega simulando una identidad oportuna según el contexto, para poder acceder a un ámbito reservado de la persona afectada con la finalidad de grabar su comportamiento o actuación desinhibida, provocar sus comentarios y reacciones así como registrar subrepticiamente declaraciones sobre hechos o personas, que no es seguro que hubiera podido lograr si se hubiera presentado con su verdadera identidad y con sus auténticas intenciones. .../... la persona grabada subrepticiamente fue privada del derecho a decidir, para consentirla o para impedirla, sobre la reproducción de la representación de su aspecto físico y de su voz, determinantes de su plena identificación como persona. La Sentencia impugnada valora correctamente los datos que concurren en la presente situación, y concluye con la negación de la pretendida prevalencia de la libertad de información. Conclusión constitucionalmente adecuada, no solo porque el método utilizado para obtener la captación intrusiva —la llamada cámara oculta— en absoluto fuese necesario ni adecuado para el objetivo de la averiguación de la actividad desarrollada, para lo que hubiera bastado con realizar entrevistas a sus clientes, sino, sobre todo, y en todo caso, porque, tuviese o no relevancia pública lo investigado por el periodista, lo que está constitucionalmente prohibido es justamente la utilización del método mismo (cámara oculta)». STC 12/2012 de 30 de enero.

engaño ni la presión, y tampoco se han extraído datos que afectan a la zona más intrínseca de la personalidad; en el segundo, si se emplean artificios rebuscados para obtener la información que se pretende». SAN, Sala de lo Penal, Sección 4ª, Auto de 28 Jun. 2013, rec. 162/2013. Ponente: Martel Rivero, Juan Francisco. N.º de Auto: 172/2013. N.º de recurso: 162/2013. LA LEY 91389/2013.

Pero, como decimos la jurisprudencia citada se refiere al conflicto entre el derecho a la intimidad y el derecho a la información y no es aplicable al ámbito penal en el que rigen otros principios y consecuencias. Es por ello que el Tribunal Supremo ha declarado válidas las grabaciones de unos periodistas que acreditaban la comisión de un delito.

«… ese desenlace, favorable a la prevalencia del derecho a la intimidad cuando colisiona con el derecho a la libre difusión de información, no tiene por qué imponerse miméticamente cuando el conflicto entre los derechos concurrentes tiene una naturaleza diferente. En efecto, en el proceso penal convergen bienes y derechos de distinto rango axiológico. Y la jurisprudencia constitucional anotada supra sólo ofrece la regla de ponderación para un conflicto que, si bien se mira, no se presenta en esos mismos términos durante la investigación penal. La Audiencia Provincial de Barcelona no tenía que pronunciarse acerca de si la difusión en la televisión pública noruega de un reportaje grabado con cámara oculta en una clínica abortiva había implicado una lesión constitucional injustificada de los derechos a la intimidad y a la propia imagen de las personas entrevistadas. No era eso lo que se pedía de los Jueces de instancia. Lo que se instaba de ellos era que el juicio de pertinencia acerca de la prueba propuesta tomara como elementos de ponderación, no los que han venido siendo objeto de tratamiento en la jurisprudencia constitucional —intimidad versus derecho de información—, sino los que singularizan el proceso penal, cuya naturaleza, por definición, es indisociable de los propios fines que justifican la existencia de la jurisdicción penal». STS penal 793/2013 de 28 Oct. 2013. Marchena Gómez, Manuel. LA LEY 164133/2013.

El Tribunal Supremo ha declarado que la eficacia de las grabaciones obtenidas por particulares quedan supeditadas a la circunstancia de que la obtención de la prueba sea ocasional; es decir, que no esté preordenada a la prevención o investigación de hechos delictivos[256].

---

(256) «Que la grabación por uno de ellos de conversaciones entre particulares puede tener una inicial licitud si el encuentro es voluntario y libre. La cuestión varía cuando la persona grabada, de alguna manera, ha sido conducida al encuentro utilizando argucias con la premeditada pretensión de hacerle manifestar hechos que pudieran ser utilizados en su contra. 4.- Para su validez se debe tratar de un encuentro libremente concertado entre ambos y que se acuda a la cita espontáneamente y sin condicionamientos de ninguna clase. Así se desprende de las resoluciones dictadas por el Tribunal Constitucional y por esta Sala. La espontaneidad y la buena fe son requisitos condicionantes de su valoración. Cuando se fuerza y provoca una conversación ya no es posible situarse en el mismo plano. El interlocutor grabado no se despoja de manera voluntaria y libre de sus manifestaciones sino que, en cierto modo, se le arrancan o extraen de modo torticero. 5.- La propia parte recurrente admite espontáneamente que cuando la menor contó a su madre la versión de los hechos, ésta le aconsejó que procediera a grabar una conversación con él acusado, con el fin predeterminado de conseguir las pruebas necesarias, ya que, en caso contrario, sería su palabra contra la de él. La conversación tiene lugar en la calle, después de ser abordado el acusado por la denunciante. Sea cuales sean las circunstancias que llevaron a tener en la conversación en la vía

«Como dice la Audiencia, en el caso enjuiciado, tanto en su informe como en el acto del juicio, el cabo NUM035 explicó satisfactoriamente el proceso que siguieron para la obtención y conservación del material videográfico y fotográfico. Se documentaron las entregas, de manera que se conoce su autor, su contenido, desde qué lugar se captaron las imágenes y el funcionario receptor, siendo entregado el documento de custodia en el Juzgado de Instrucción, en un sobre aparte para preservar la identidad de las personas. En la selección del material citado, no existe el menor atisbo de tacha de parcialidad, sino un trabajo muy cuidoso de selección de tal acopio, que tanto procedía de fondos documentales públicos como particulares. En ningún momento se ha impugnado la autenticidad de las grabaciones ni de los fotogramas utilizados, quizá bajo el designio de que tal impugnación hubiera obligado a la prueba de sus afirmaciones a quien lo hubiera sostenido, pues la manipulación del material probatorio constituye un grave delito. La defensa se limita a sembrar dudas que el Tribunal «*a quo*" no tuvo en momento alguno, en tanto que lo sucedido fue multi-grabado por las cámaras de televisión y otras particulares que igualmente reflejaban lo que no era sino una verdad sin paliativo alguno .../... El reproche relativo a que no acudieron al plenario los autores de las grabaciones de origen particular, no puede prosperar. Nadie les citó, pero es que sus nombres constaban en el material recopilado, y nada podían aportar. En otras palabras, por su comparecencia en el juicio oral no se convierte en auténtico lo que, sin tal comparecencia, es espurio, y con respecto a su origen, constaba de sobra ya, como hemos dicho». STS 199/2015 de 30 Mar. 2015, Rec. 1087/2014, Ponente: Sánchez Melgar, Julián. LA LEY 50341/2015.

Y que de algún modo no se produzca engaño o similar fingiendo ser otra persona o incitando al contertulio a actuar de un modo determinado[257].

«En el supuesto sometido a examen no se produce conculcación alguna de derechos constitucionales, en el marco del *artículo 19.1 de la Constitución* (LA LEY 2500/1978) (derecho a la intimidad personal), por cuanto los sujetos afectados por

---

pública, lo cierto es que se trata de un ardid que vicia la prueba y el método empleado». STS Penal, 1066/2009 de 4 Nov. 2009. Martín Pallín, José Antonio. LA LEY 226669/2009.

(257) «Este Tribunal rebate contundentemente las tesis de los apelantes acerca de la pertinencia de la expulsión del procedimiento de las grabaciones efectuadas por el inicialmente denunciante (ahora imputado) Edmundo sobre las conversaciones que mantuvo durante el período que transcurre desde marzo de 2006 hasta octubre de 2007 con varios de los también imputados. Reiteramos que a tales grabaciones no les afecta la tacha de nulidad e ilicitud que les atribuyen los recurrentes, prevista en el artículo 11.1 inciso segundo de la Ley Orgánica del Poder Judicial (LA LEY 1694/1985), por cuanto no apreciamos la alegada violación, directa ni indirecta, de derechos fundamentales (especialmente los derechos a la intimidad personal y al secreto de las comunicaciones, consagrados en el artículo 18.1 y 3 de la Constitución), al no mediar incitación, presión o provocación en el proceso de manifestación de los contertulios, que voluntariamente renunciaron a su privacidad al exteriorizar sus opiniones y sus acciones con visos de delictivas, en un ámbito tan sensible como si de la presunta corrupción residenciada en los aledaños del poder político. También hemos observado que en ningún momento se aprecia que en esas conversaciones se haya adentrado en los contornos de la injerencia íntima, que sí hubiera, podido requerir de una especial preservación judicial, puesto que los interlocutores hablan de materias relacionadas con sus particulares negociaciones tendentes, indiciariamente, a la obtención de anómalas ventajas económicas a través del aprovechamiento de las relaciones personales con determinados dirigentes políticos, también beneficiarios muchas veces de las ilícitas ganancias generadas». SAN, Sala de lo Penal, Sección 4ª, Auto de 28 Jun. 2013, rec. 162/2013. Ponente: Martel Rivero, Juan Francisco. Nº de Auto: 172/2013. Nº de recurso: 162/2013. LA LEY 91389/2013. Caso Gurtel.

las grabaciones del denunciante Sr. Edmundo de forma espontánea y voluntaria se despojaron del ámbito de la propia privacidad y exteriorizaron sus puntos de vista, no siendo grabados por un tercero ajeno a la conversación sino por uno de los contertulios. *Como se explica en el auto apelado,* constante e incontrovertida doctrina jurisprudencial viene manteniendo la plena adecuación a la legalidad del modo de actuar del denunciante, precisamente porque no se observa que en las grabaciones de conversaciones que efectuó fingiera ser otra persona, o se incitara al contertulio a decir lo que no quería expresar, o que éste exteriorizara aspectos de su vida íntima sujetos a especial protección». SAN, Sala de lo Penal, Sección 4ª, Auto de 28 Jun. 2013, rec. 162/2013. Ponente: Martel Rivero, Juan Francisco. N.º de Auto: 172/2013. N.º de recurso: 162/2013. LA LEY 91389/2013. Caso Gurtel.

Hasta aquí, con algún reparo, podemos estar de acuerdo con la doctrina del Tribunal Supremo en tanto que, de algún modo, debe evitarse el uso de engaños o provocación para que una persona actúe de un modo determinado; o el fomento de la actividad de los particulares en la investigación y descubrimiento de delitos. Ahora bien, no podemos de ningún modo aceptar la doctrina que se contiene en la STS Sala Penal n.º 1066/2009 de 4 Nov. 2009, en la que el Tribunal Supremo declara nula la grabación obtenida por una persona en la que su interlocutor confiesa la comisión de graves delitos de agresión sexual cuando la víctima era menor de edad. En este asunto el Tribunal Supremo declara increíblemente nula la grabación por considerar que para ser válida la grabación de la declaración autoincriminatoria debe tratarse de un encuentro libre y voluntario. Circunstancia que no concurre cuando: *«se fuerza y provoca una conversación ya no es posible situarse en el mismo plano. El interlocutor grabado no se despoja de manera voluntaria y libre de sus manifestaciones sino que, en cierto modo, se le arrancan o extraen de modo torticero».*

«Que la grabación por uno de ellos de conversaciones entre particulares puede tener una inicial licitud si el encuentro es voluntario y libre. La cuestión varía cuando la persona grabada, de alguna manera, ha sido conducida al encuentro utilizando argucias con la premeditada pretensión de hacerle manifestar hechos que pudieran ser utilizados en su contra. 4. Para su validez se debe tratar de un encuentro libremente concertado entre ambos y que se acuda a la cita espontáneamente y sin condicionamientos de ninguna clase. Así se desprende de las resoluciones dictadas por el Tribunal Constitucional y por esta Sala. La espontaneidad y la buena fe son requisitos condicionantes de su valoración. Cuando se fuerza y provoca una conversación ya no es posible situarse en el mismo plano. El interlocutor grabado no se despoja de manera voluntaria y libre de sus manifestaciones sino que, en cierto modo, se le arrancan o extraen de modo torticero. 5. La propia parte recurrente admite espontáneamente que cuando la menor contó a su madre la versión de los hechos, ésta le aconsejó que procediera a grabar una conversación con él acusado, con el fin predeterminado de conseguir las pruebas necesarias, ya que, en caso contrario, sería su palabra contra la de él. La conversación tiene lugar en la calle, después de ser abordado el acusado por la denunciante. Sea cuales sean las circunstancias que llevaron a tener en la conversación en la vía pública, lo cierto es que se trata de un ardid que vicia la prueba y el método empleado». STS Penal, 1066/2009 de 4 Nov. 2009. Martín Pallín, José Antonio. LA LEY 226669/2009.

Desde nuestro punto de vista deben valorarse, en todos los casos, las circunstancias concurrentes, los derechos en juego y las posibilidades que tenía la víctima de obtener una confesión de su agresor. En el caso resuelto en la STS n.º 1066/2009 de 4 de noviembre de 2009, resulta claro que de los hechos resulta que la víctima no tenía otro medio que engañar e incitar a su agresor para que confesase sus delitos. Siendo así y teniendo en cuenta la necesidad de perseguir delitos y proteger a las víctimas debe tenerse en cuenta esa prueba en el juicio contra el agresor, con independencia de la pericia que proceda con relación a su autenticidad y la valoración de las declaraciones que no tienen que reflejar, necesariamente, la verdad. E incluso la responsabilidad en que pudiera haber incurrido la persona que efectúa la grabación. Pero, no parece lógico hacer recaer sobre la víctima las consecuencias de la doctrina sobre la prueba ilícita que tiene por destinatario al Estado y a sus agentes. Así, lo ha declarado reiteradamente el Tribunal Supremo que señala que lo proscribe el art. 11 de la LOPJ no es otra cosa que la obtención de pruebas por los agentes al servicio del Estado, como un modo lógico y coherente de respetar los principios constitucionales y legales en los que se fundamenta nuestro sistema de proceso penal, que parte de la premisa necesaria de que el proceso se asienta, como cualquier otra actividad jurídica de la Administración del Estado en el principio de legalidad y de propio respeto a las normas que el propio Estado promulga y aplica. Efectivamente, sería absolutamente contrario a los mismos principios del proceso penal que el Estado por medio de sus agentes pudiera soslayar las propias reglas de derecho constitucionales y legales para infringir los derechos del acusado y obtener pruebas, aunque estas acreditaran su responsabilidad en la comisión de un delito y de ese modo se obtuviera una eventual *«satisfacción»* de la justicia. Ahora bien, debe diferenciarse con nitidez entre la prueba obtenida por los agentes de la administración del estado y la obtenida por terceros o particulares. Sobre los primeros recae de forma ineludible la obligación de respetar los derechos fundamentales de los ciudadanos de forma que, en principio, cualquier prueba obtenida ilícitamente será nula e ineficaz. Ahora bien, cuando es un tercero el que obtiene prueba el Tribunal deberá realizar una valoración de las circunstancias concurrentes en la obtención de la prueba para resolver, según el caso, lo que proceda sobre la admisibilidad y validez de la prueba. Lo contrario puede ser formalmente impecable pero absolutamente devastador para los intereses del sistema de justicia que, más allá de la necesaria aplicación de un sistema de derechos para el acusado, se alza en defensa de los derechos e intereses de los ciudadanos especialmente las víctimas. Véase sobre esta perspectiva la STS Sala Segunda, de lo Penal, Sentencia 116/2017 de 23 Feb. 2017, Rec. 1281/2016. Ponente: Marchena Gómez, Manuel. LA LEY 4328/2017, Caso Falciani. Véase también, sobre esta sentencia y sobre la prueba ilícita el § 2 del Cap. IX.

Las grabaciones tomadas por particulares tendrán valor probatorio siempre que se aporten íntegras y se reproduzcan en el acto del juicio oral siendo necesario, por lo general, la comparecencia de la persona que obtuvo la grabación[258].

---

(258) «En cuarto lugar, la parte recurrente no ha solicitado ninguna prueba pericial que contraste y verifique las meras suspicacias, y no sospechas fundadas, que dice albergar con respecto a la autenticidad e indemnidad de las grabaciones que se les proporcionó a las partes». STS Sala Segunda, de lo Penal, Sentencia 747/2015 de 19 Nov. 2015, Rec. 686/2015. Ponente: Jorge Barreiro, Alberto Gumersindo. LA LEY 185990/2015. Caso Códice Calixtino.

«En segundo lugar, aunque la intervención de la Secretaria judicial en la entrega del disco duro hubiera dado una mayor fehaciencia a la diligencia de entrega, no puede estimarse que la falta de la intervención de la funcionaria judicial determine la nulidad de una prueba que, tal como se anticipó, no tiene su origen en una decisión judicial, y por tanto no fue controlada ni supervisada tal grabación por autoridad judicial alguna. Dado lo cual, se está ante una grabación de imagen mediante una videocámara realizada en un recinto privado y decidida y practicada por los titulares de tales dependencias. El problema se traslada así a la valoración del resultado probatorio de una diligencia practicada privadamente que es después aportada al procedimiento penal». STS Sala Segunda, de lo Penal, Sentencia 747/2015 de 19 Nov. 2015, Rec. 686/2015. Ponente: Jorge Barreiro, Alberto Gumersindo. LA LEY 185990/2015. Caso Códice Calixtino.

También será preciso que se produzca la entrega inmediata de la grabación a los agentes de la autoridad[259]. Aunque ello no impide que, en caso de no ser así, la grabación pueda tener valor probatorio[260].

---

(259) «3. En el caso que nos ocupa, se trata de la grabación que un Policía Local realiza con su teléfono, y de la que no tiene voluntad de entregar a la autoridad judicial ni se graba con ese propósito: de hecho quien grababa no podía conocer que el acusado iba a golpear al detenido. Una serie de vicisitudes, que la sentencia relata, son las que determinen que finalmente el vídeo acabe en el Juzgado y en la televisión (incluso en internet). De manera que de lo que se trata en el caso de que el Tribunal Supremo establezca que no ha habido vulneración alguna de la intimidad del acusado, es determinar si el vídeo ha sido manipulado o no. El Tribunal de instancia considera, con razones de peso, que el contenido del vídeo responde a la realidad de lo ocurrido, hasta el punto de confrontarse con las manifestaciones de los Policías presentes en aspectos esenciales de la acción delictiva. Las consideraciones sobre la verdadera intención del autor de la filtración del vídeo en nuestra opinión no son relevantes. Lo relevante es ver si el vídeo es o no fiable. Y estamos conformes con el Tribunal en su apreciación de que efectivamente, lo es; aunque en todo caso esa cuestión pertenece a un ámbito diferente, el de la valoración de la prueba. Así las cosas, no creemos que se haya vulnerado el derecho a un proceso con todas las garantías por el hecho de que el vídeo haya llegado a la Autoridad Judicial un año y medio después de su grabación, en las condiciones en que lo hizo .../... El agente de Policía Local 1369, que grabó las imágenes con su teléfono móvil, y que como un año después las volvió a ver en su mismo teléfono, afirma en el acto del juicio oral que efectivamente, el vídeo que se ha visionado en dicho acto, es una parte del que él grabó aunque mantiene que faltan cinco o seis segundos al principio, que comienza con la grabación de sus pies; y respecto a lo que se oye al final, lo que afirma es que ya no estaba grabando el incidente sino sus pies, tal como se aprecia en la imagen, y que no recuerda los sonidos de bofetones y las expresiones que se oyen en dicho vídeo. Y por ello los jueces a quibus, llegaron a la conclusión —plenamente compartible— de que "no puede entenderse por lo tanto que la grabación se realiza con vulneración ni del derecho a la intimidad del acusado ni de ningún derecho otro derecho fundamental del mismo, por lo que no procede como se interesa su expulsión del proceso de acuerdo con el art. 11.1 de la LOPJ (LA LEY 1694/1985), no estimándose tampoco que la grabación aportada haya sido sometida a ningún tipo de manipulación, pudiendo valorarse por ello su contenido como prueba junto con el resto de las pruebas practicadas de acuerdo con lo dispuesto en el art. 741 de la LECr (LA LEY 1/1882)"». STS Sala Segunda, de lo Penal, Sentencia 485/2013 de 5 Jun. 2013, Rec. 1467/2012. Ponente: Monterde Ferrer, Francisco. LA LEY 64793/2013.

(260) «En la sentencia de esta Sala de 12-1-2011, nº 1154/2010, se señala que, aunque es preferible que las grabaciones videográficas sean puestas cuanto antes a disposición de la autoridad judicial, el transcurso del tiempo no es un elemento que prive de valor de forma absoluta a tales grabaciones. La razón de la celeridad en la aportación se explica, cuando el autor de las grabaciones es la policía, por la obligación que le cumple de informar al juez, en los términos marcados por la Ley, de la integridad de los resultados de su investigación preliminar. De otro lado, y aunque

«Supuesta la legitimidad de la filmación, se hace rigurosamente necesario activar las medidas de control judicial oportunas para evitar alteraciones, trucajes o montajes fraudulentos o simples confusiones, es decir, para garantizar la autenticidad del material videográfico, lo que, a su vez, requiere la inmediata entrega a la autoridad judicial del original de la grabación …/… Se establecen, por tanto, una serie de exigencias, para evitar la manipulación y asegurar la autenticidad del material probatorio, de las que la entrega pronta a la autoridad judicial no es más que uno de los procedimientos recomendados al efecto, junto con los demás que se enumeran. Por ello no cabe sobrevalorar la referencia a la entrega inmediata al Juez». STS 124/2014 de 3 Feb. 2014, Rec. 973/2013; Ponente: Sánchez Melgar, Julián. LA LEY 21261/2014.

es claro que las grabaciones realizadas por terceros solo se aportarán tras conocer su existencia y reclamarlas, después de valorar su posible trascendencia respecto de los hechos investigados, la inmediata aportación se encamina a disminuir las posibilidades de manipulación del material, de manera que el retraso en la entrega pudiera conducir a hacer recomendable una mayor verificación de su autenticidad mediante su confrontación con otras pruebas y, en su caso, de ser así solicitado o de oficio en caso de que existan dudas razonables por parte del Juez instructor, mediante los exámenes técnicos que permitan garantizar la ausencia de alteraciones significativas». STS 124/2014 de 3 Feb. 2014, Rec. 973/2013; Ponente: Sánchez Melgar, Julián. LA LEY 21261/2014.

MODELOS

M. 67. Diligencia de levantamiento de cadáver e inspección ocular

En el caso que el cadáver se hallare en la vía férrea o en otro lugar de tránsito el art. 770.4 LECrim, en sede de procedimiento abreviado, permite que la Policía Judicial traslade el cadáver al lugar más próximo que resulte idóneo, restableciendo el servicio interrumpido. En este caso, deberán adoptarse medidas complementarias, como la reseña de la posición del cadáver, fotografías, señalamiento del sitio, etc.

En [.../...], a [.../...] de [.../...] de 201[.../...]

S.S.ª, con mi asistencia, auxiliados por el Médico forense D. [.../...] y por el Agente de Auxilio judicial D. [.../...] se constituyó en [.../...] (*indicar lugar y dirección*) en el que [.../...] (*describir con detalle la posición y lugar que ocupa el cadáver, así como el sitio en que se encuentra, haciéndose constar en el acta cualesquiera datos que el Juez pueda estimar de interés para la investigación*).

Por su S.S.ª se ordena al médico forense proceda al reconocimiento del cuerpo de aquel hombre, manifestando aquél que es cadáver y data su muerte de [.../...]

Acto seguido, S.S.ª ordena el levantamiento del cadáver y su traslado al depósito municipal, mandando que para el caso se expida la orden oportuna, que se entrega para su cumplimiento al Jefe de la Guardia Municipal; y leída la presente, firman todos los asistentes, de conformidad con S.S.ª y conmigo, el Letrado de la administración de justicia, de lo que doy fe.

Rúbrica del Juez

Firma de todos los concurrentes y del Letrado de la administración de justicia

M. 68. Diligencia de autopsia

Para hacer constar que en el día de hoy a presencia del Sr. Letrado de la administración de justicia y del Agente Judicial por delegación del Sr. Juez de Instrucción se ha practicado la autopsia del cadáver de D. [.../...] por los Médicos Forenses D. [.../...], doy fe.

INFORME DE AUTOPSIA

En [.../...], ante S.S.ª y de mí, el Letrado de la administración de justicia, comparecen los Médicos Forenses D. [.../...] y D [.../...], quienes previo juramento ofrecen decir verdad y manifiestan que:

Practicada la autopsia de D. [.../...] externamente presentaba [.../...]

881

Asimismo abierto el cadáver se apreciaba lo siguiente:

Cavidad craneal: [.../...]

Cavidades torácica y abdominal: [.../...]

Por lo cual, los informantes deducen que la causa de la muerte ha sido por [.../...] datando la misma de [.../...] y el arma empleada sería [.../...]

Apreciándose signos de lucha por [.../...]

Leída la presente, se afirman y ratifican, firmando con S.S. ª, doy fe.

M. 69. Modelo de declaración de las personas implicadas en el proceso

DECLARACIÓN DE [.../...] (nombre y apellidos).

En [.../...], a [.../...] de [.../...] de 201[.../...], ante el Juez de Instrucción de la misma comparece D. [.../...] de [.../...] años de edad, nacido el [.../...] de [.../...] de [.../...] de estado [.../...], de profesión [.../...], natural de [.../...] hijo de [.../...] y de [.../...] y vecino de [.../...] con domicilio en [.../...] Teléfono [.../...], titular del D.N.I. n.º [.../...] expedido en [.../...] que comparece en calidad de imputado en la causa anotada al margen.

Instruido de los derechos que le asisten, conforme a los arts. 118 y 520 de la LECrim., y concretamente de su derecho a no declarar y no confesarse culpable y a ser asistido de abogado así como el resto de derechos que le vienen atribuidos por el art. 24 CE y 1os citados de la Ley, manifiesta lo siguiente: [.../...]

(Rúbrica del Juez, Letrado de la administración de justicia, firma del declarante, así como el Letrado y Procurador asistente y, en su caso el Fiscal)

M. 70. Diligencia de careo entre el investigado y un testigo o entre dos testigos

En [.../...], a [.../...] de [.../...] de 201[.../...], ante S.S.ª y presente yo, el Letrado de la administración de justicia, siendo la hora fijada, comparecieron el acusado [.../...] y el testigo D [.../...], cuyas circunstancias respectivas constan anteriormente en estas Diligencias Previas, S.S.ª, recibió juramento al testigo, ratificando el que anteriormente tiene prestado, con advertencia de las penas señaladas al falso testimonio en causa criminal y al investigado de sus derechos constitucionales. Leídas las declaraciones del acusado y del testigo que obran en los folios [.../...] y [.../...] de estas Diligencias, cada uno de ellos se afirma y ratifica en el contenido de la suya respectiva.

S.S.ª les hizo notar las discrepancias que entre sus respectivas declaraciones resultan y les exhortó a ponerse de acuerdo, lo que no pudo conseguirse, por insistir ambos en sus anteriores declaraciones.

[Si se pusieran de acuerdo, o rectificare alguno de ellos, se hará constar esto]

Con ello se dio por terminada esta diligencia, que ha durado quince minutos, haciéndose constar que ambos careados han mantenido una actitud [.../...] (firme) durante el acto, y leída por me, la rúbrica el Sr. Juez, con los concurrentes, de lo cual doy fe.

M. 71. Diligencia de reconstrucción de los hechos

Constituida la Comisión Judicial integrada por el Sr. Juez y Letrado de la administración de justicia, con la intervención del Ministerio Fiscal y de [.../...] en el lugar de los hechos sito en [.../...] se observa que el precitado lugar se halla situado entre [.../...] *(descripción física)* [.../...] El investigado en la presente causa D. [.../...], manifiesta que [.../...] a lo cual el testigo presencial D. [.../...] añade que [.../...]

Por S.S.ª se ordena que se coloquen los vehículos intervinientes en el suceso del modo como aparecen en el croquis y [.../...]

Tras lo cual y no habiendo ningún detalle que añadir y no puntualizándose otros extremos por las partes intervinientes, se da por concluido el acto firmado los asistentes, doy fe.

Firma de los asistentes junto a la Comisión Judicial

M. 72. Diligencia de reconocimiento fotográfico

MINISTERIO DEL INTERIOR

DIRECCIÓN GENERAL DE LA POLICÍA

ACTA DE RECONOCIMIENTO FOTOGRÁFICO

Realizado por [.../...]

En [.../...], a [.../...] de [.../...]

Ante el Instructor n.º carnet [.../...], y el Letrado de la administración de justicia n.º [.../...] por los funcionarios actuantes se muestran al testigo D. [.../...] distintos álbumes de fotografías obrantes en el Grupo de Colecciones Fotográficas, con la finalidad de reconocer al individuo que dijo haber visto correr en la C/ [.../...] el día [.../...] Después de haber arrancado un bolso a la víctima D.ª [.../...]; y después de haber observado detenidamente las mismas, manifiesta que la correspondiente al clisé n.º [.../...] pertenece al individuo que actuó como [.../...] *(agresor)* *(el citado día [.../...])*, en los hechos sobre los que declaró y que constan en el Atestado n.º [.../...] (o en las Diligencias previas n.º [.../...]).

Terminada la diligencia es firmada en prueba de conformidad por el interesado y por el Sr. Instructor, una vez que la hubieron leído y hallada conforme, de lo que como Letrado de la administración de justicia, CERTIFICO.

(FIRMAS)

M. 73.   Diligencia de reconocimiento en rueda

Este reconocimiento deberá efectuarse con un mínimo de tres personas de características similares incluido el inculpado. La LECrim. señala en el art. 369 que el inculpado deberá comparecer «en unión con otras». En la praxis judicial el reconocimiento en rueda se suele practicar con cinco personas.

En [.../...], a [.../...] de [.../...] de 201[.../...]

Se extiende para hacer constar que en virtud de lo dispuesto en las presentes actuaciones se procedió a practicar diligencia de reconocimiento en la persona del investigado D. [.../...] A tal efecto comparece en la Comisaría n.º 4 de esta ciudad, el que previa exhibición del D.N.I. n.º [.../...] acredita ser y llamarse [.../...] de la filiación que ya consta.

Formada la rueda de reconocimiento queda compuesta de izquierda a derecha de la siguiente manera [.../...] . [.../...] . [.../...] y observada atentamente por el testigo compareciente, previo el juramento de decir verdad que presta en legal forma, dice que reconoce a [.../...].

Seguidamente fue variada la formación que queda compuesta de izquierda a derecha en el siguiente orden: [.../...] y observada atentamente por el testigo, dice que reconoce a [.../...]

Con lo cual se dio por concluida la presente, que una vez extendida es leída por el testigo que se afirma y ratifica en las afirmaciones expresadas y firma en unión de S.Sª; doy fe.

Rúbrica del Juez.

M. 74.   Informe pericial dactiloscópico

INFORME PERICIAL N.º [.../...]

PERITOS [.../...] Carnet n.º [.../...] y [.../...]

IDENTIFICADO [.../...]

[.../...]

INFORME PERICIAL

Emitido por la Brigada de Policía Científica de [.../...] en que se establece la identidad de una huella digital producida por:

El dedo índice de la mano izquierda perteneciente a [.../...], nacido en [.../...] el [.../...], hijo de [.../...] con domicilio [.../...]

El Tribunal Supremo ha puesto de relieve en diversas sentencia la singularidad y característica de la de prueba lofoscópica. La huella papilar es la que deja el contacto o el simple roce de las caras, palma o plantar de las extremidades distales de los miembros de una persona con una superficie cualquiera [.../...]

El Proceso Penal Práctico

LA IDENTIDAD LOFOSCOPICA. PUNTOS CARACTERÍSTICOS: SU VALOR Y NÚMERO SUFICIENTE PARA DETERMINAR LA IDENTIDAD DE DOS HUELLAS O IMPRESIONES

[.../...] Aunque no hay un criterio uniforme para la fijación del mínimo de puntos característicos necesarios exigibles para establecer la identidad, jurisprudencialmente se vienen exigiendo la existencia de OCHO A DIEZ PUNTOS y los especialistas de la mayoría de los países fijan este mínimo de OCHO A DOCE criterio seguido en España por los Servicios de Policía Científica, desde su creación [.../...]

EL HECHO

El motivo del presente Informe pericial es un robo con fuerza perpetrado en [.../...]

PROCESO IDENTIFICATIVO DONDE SE DETALLAN LAS OPERACIONES PRACTICADAS POR LOS PERITOS

[.../...] Se han acotado DOCE PARTICULARIDADES O PUNTOS CARACTERÍSTICOS COMUNES con idéntico emplazamiento morfológico y topográfico y sin ninguna desemejanza natural, [.../...]

Por lo tanto se establecen las siguientes

CONCLUSIONES

Una de las huellas digitales reveladas en la Inspección Ocular a que se hace referencia, ha sido producida por el dedo índice de la mano izquierda de [.../...] reseñada anteriormente [.../...]

En [.../...] *(Firmas).*

M. 75. Informe pericial (modelo general)

En [.../...], a [.../...] de [.../...] de 201[.../...]

Ante el Sr. Juez de Instrucción y ante mi presencia, el Letrado de la administración de justicia, comparece [.../...], perito [.../...], mayor de edad y de esta vecindad, [.../...] el cual

MANIFIESTA: Que enterado del cargo para el que ha sido designado, lo acepta y jura desempeñarlo bien y fielmente con arreglo a su leal saber y entender, y

RELACIONA: Que en cumplimiento de lo que se le ordena y teniendo en cuenta los datos que le han sido facilitados valora los objetos que figuran en el folio del atestado en las siguientes cantidade [.../...]

Leída, se afirma y ratifica y rubrica con S.S.ª, doy fe.

M. 76. Relación facultativa

En el procedimiento abreviado no será necesario esperar a la sanidad del lesionado para decretar el archivo o sobreseimiento de la causa —art. 778.2 LECrim—.

En [.../...], a [.../...] de [.../...] de 201[.../...]

Ante el Sr. Juez de Instrucción y ante mi presencia, el Letrado de la administración de justicia, comparece [.../...], médico [.../...] forense de este Juzgado D. [.../...] quien en virtud del juramento que tiene prestado de desempeñar bien y fielmente su cargo:

RELACIONA: Que en cumplimiento de lo ordenado por el Juzgado ha reconocido al lesionado [.../...], el cual se halla curado de las lesiones sufridas sin que le haya quedado deformidad, defecto ni impedimento, habiendo necesitado [.../...] .de asistencia y [.../...] de impedimento para su ocupación habitual.

Leída se ratifica y rubrica con S.S.ª, doy fe.

M. 77. Auto acordando la entrada y registro en lugar cerrado

AUTO

En [.../...], a [.../...] de [.../...] de 20[.../...]

Dada cuenta, y

HECHOS

1.º. Se ha recibido comunicación de la Policía (o, en su caso, de las actuaciones practicadas en las diligencias de que se trate) por la que aparecen fundadas sospechas de que en el piso [.../...] del inmueble n.º [.../...] de la calle [.../...] de esta ciudad pudieran hallarse varios paquetes de heroína dispuestos para su venta, pertenecientes a la inquilina del referido piso.

2.º. Las sospechas se fundamentan en el seguimiento que se realizó por los agentes de la policía [.../...] durante los días [.../...], de los que se desprendió la conducta de los sospechosos consistente en [.../...]

3.º. Asimismo en vigilancia realizada del portal del domicilio del que se solicita la entrada y registro se pudo observar por parte de la policía un trasiego de personas que pulsaban el timbre, subían y salían al cabo de pocos minutos.

4.º.

FUNDAMENTOS DE DERECHO

1.º. De los hechos descritos aparece fundada la petición de entrada y registro en tanto que se ponen de manifiesto unos hechos indiciarios de un delito contra la salud pública de los que serían responsables [.../...]

2.º. El único modo de proseguir con las investigaciones es accediendo al domicilio [.../...] de D. [.../...] al efecto de hallar sustancias estupefacientes y útiles y dinero procedentes de la actividad ilícita.

3.º. La medida de investigación resulta adecuada y proporcionada en tanto que con ella se pretende investigar un delito grave. También resulta ser una medida necesaria para el fin pretendido. Es por ello que este juzgado entiende que debe ceder el derecho a la inviolabilidad del domicilio y a la intimidad.

4.º. Con base en los indicios aportados por la policía resulta proporcionado acordar la entrada y registro del lugar, así como la ocupación, en su caso, de los efectos e instrumentos del delito, conforme a los arts. 546 y 550 de la LECrim., que llevará a cabo la Unidad [.../...] de la Policía Judicial, habilitándose horas nocturnas debido a la urgencia del caso por [.../...] (1).

VISTOS los preceptos legales citados y demás de pertinente aplicación.

PARTE DISPOSITIVA

SE DECRETA LA ENTRADA Y REGISTRO de la casa n.º [.../...], piso [.../...] de la calle [.../...] de esta ciudad, a cualquier hora del día (2) o de la noche en que pudiera practicarse, al objeto de proceder a la busca y ocupación, si se hallaren, de los paquetes de heroína que existan en el piso, llevándose ello a efecto por este Juzgado (3) y notificándose este auto, conforme al art. 566 LECrim., al interesado, o a las personas que dicho artículo señala en su defecto y procediendo conforme a lo prevenido en el L. II, T. VIII de la citada Ley.

Lo manda y firma el Sr. D. [.../...], Juez de Instrucción de [.../...], doy fe.

(1) El auto debe contener una motivación suficiente, conforme a lo señalado en § 3.1 C c. Cap. VII.

(2) Si se trata de domicilio particular y expira el día sin haber concluido el reconocimiento, salvo que excepcionalmente se habilitasen horas nocturnas, deberá suspenderse la diligencia, si no mediase consentimiento del titular del domicilio. Esta medida excepcional deberá razonarse en el auto —arts. 550 y 570 LECrim.—.

(3) El mandamiento no puede otorgarse genérica e indeterminadamente, sino que se precisará su objeto, conforme a los arts. 569 y ss. LECrim.

M. 78. Auto declarando la apertura de la correspondencia (para el supuesto de que fuese solicitada por la Policía)

AUTO

En [.../...], a [.../...] de [.../...] de 201[.../...]

Dada cuenta, la anterior comparecencia de la Policía, únase a las diligencias de su razón, y

HECHOS

1.º. En el anterior oficio de la Policía de fecha de hoy, número de registro de salida [.../...], se interesa mandamiento para la intervención de una carta certificada a nombre de [.../...] . [indicar el nombre del destinatario] en el bar denominado [.../...] ., sito en la calle [.../...], de la cual al parecer, al ser abierta por el dueño del bar ha podido comprobar que contenía una sustancia en polvo de color blanco por lo que no fue aceptada y fue devuelta de nuevo al funcionario de correos, y que la referida carta se encuentra en la Jefatura del Servicio Postal de [.../...]

FUNDAMENTOS DE DERECHO

1.º. En el presente caso y para el esclarecimiento de los hechos denunciados es procedente, de conformidad con el art. 579 LECrim., acordar la detención y apertura de la carta a que se hace referencia, librándose para su intervención y ocupación las oportunas comunicaciones a la Policía y Jefatura de Servicios Postales de [.../...]

VISTO el precepto citado y demás de pertinente aplicación.

PARTE DISPOSITIVA

SE ACUERDA LA DETENCIÓN, INTERVENCIÓN Y APERTURA DE LA CARTA existente en la Jefatura de Servicios Postales de [.../...] dirigida a [.../...] (indicar nombre y dirección del destinatario), así como las que se reciban de similares características. Líbrense las oportunas comunicaciones a la Policía solicitante y Jefatura de Servicios Postales de [.../...] para que se haga entrega de la mencionada carta y se presente en este Juzgado para su apertura y cuanto proceda.

Lo manda y firma el Sr. D. [.../...], Juez de Instrucción [.../...], doy fe.

M. 79. Auto acordando una intervención telefónica

AUTO

En [.../...], a [.../...] de [.../...] de 201[.../...]

Dada cuenta, y

HECHOS

1.º. Con fecha de [.../...] tuvo entrada en este Juzgado el escrito de fecha de [.../...] De la Unidad [.../...] de la Policía Nacional en la que se daba cuenta de la investigación policial desarrollada entre el día [.../...] y el día [.../...] del presente año respecto de las actividades presuntamente delictivas de D. [.../...] y D. [.../...]. En el oficio policial se informa que estas actividades se refieren a la posible comisión de un delito contra la salud pública respecto del cual los citados serían los jefes de la organización. Consta también que en la vigilancia y seguimiento se ha podido comprobar que los citados utilizan continuamente su aparato telefónico para comunicarse entre ellos y probablemente con otros miembros de la organización. Finalmente se aportan los números de teléfono de los sospechosos que la policía dice haber obtenido de los registros públicos. Finaliza el oficio solicitando de este juzgado que se dicte auto de intervención telefónica de los teléfonos n.º [.../...] y n.º [.../...] de los que son titulares respectivos D. [.../...] . y D . [.../...] por ser el único medio de averiguar el delito que presuntamente se está cometiendo. De la medida será responsable la unidad que solicita la intervención y se solicita que se prolongue durante el plazo de un mes susceptible de prórroga en caso de ser necesario.

FUNDAMENTOS DE DERECHO

1.º. En el presente caso se solicita la intervención telefónica con la finalidad de esclarecer la posible comisión de un delito contra la salud pública de los que serían autores, por el momento, D. [.../...] y D. [.../...]. Su posible participación resulta plausible según los datos indiciarios que se aportan en el oficio policial.

2.º. El delito que se investiga es grave y castigado con más de tres años de prisión, por lo que entra dentro del ámbito previsto en el art. 579.1 en relación con el art. 588 ter a) LECrim.

3.º. Conforme con lo expuesto este Juzgado ha valorado la proporcionalidad y necesidad de la medida considerando que el sacrificio del derecho al secreto de las comunicaciones reconocido en el art. 18.2 CE debe ceder temporalmente para permitir la investigación de unos hechos delictivos graves.

4.º. Es por todo ello que este juzgado considera que procede autorizar a la Unidad de la Policía Nacional solicitante para que proceda a la observación de las conversaciones del número de teléfono [.../...] por el tiempo de un mes, librándose al efecto los oportunos oficios al Servicio de Información de la Guardia Civil y la Compañía de Telefonía MOVISTAR, al efecto de ofrecer el debido soporte técnico para que se pueda llevar a cabo la intervención...

5.º. Este Juzgado acuerda que la policía actuante deberá informar del resultado de la diligencia cada semana con entrega del archivo original en el que se contengan las grabaciones realizadas.

VISTOS los preceptos legales citados y demás de pertinente aplicación.

PARTE DISPOSITIVA

SE DECRETA LA INTERVENCIÓN Y ESCUCHA DE LOS TELÉFONOS números [.../...] y [.../...], de los que son titulares D. [.../...] y D. [.../...], por el tiempo de un mes, librándose para ello los oportunos oficios a la Unidad de intervención telemática de la Policía Nacional y a la Compañía Telefónica MOVISTAR, debiendo semanalmente rendir cuenta de las investigaciones realizadas por dicha Autoridad.

Lo manda y firma el Sr. D. [.../...], Juez de Instrucción [.../...], doy fe.

M. 80. Auto acordando el registro y copia de la información contenida en dispositivos de almacenamiento masivo de información (arts. 588 sexies a-c LECrim)

AUTO

En [.../...], a [.../...] de [.../...] de 201[.../...]

Dada cuenta, y

HECHOS

1.º. Con fecha de [.../...] tuvo entrada en este Juzgado el escrito de fecha del Servicio de información de la Guardia Civil en el que se da cuenta de la intervención el mismo día del oficio policial del dispositivo informático marca [.../...] modelo [.../...], que le fue intervenido al investigado en las presentes diligencias previas n.º ..., en el registro rutinario de uno de sus vehículos en el que se hallaba el citado ordenador portátil. Según el oficio de la policía el dispositivo puede haber sido utilizado para realizar las actividades delictivas que se están investigando, es por ello que solicitan que se autorice al registro del dispositivo y a la copia de la información que pudiera contener en su disco duro con la finalidad de elaborar un informe referente a los hechos investigados en este juzgado por la presunta comisión de un delito de blanqueo de capitales que habría cometido el investigado.

FUNDAMENTOS DE DERECHO

1.º. En el presente caso se solicita el registro de un dispositivo electrónico al amparo de lo previsto en el art. 588 sexies b LECrim que prevé que los agentes pondrán en conocimiento del juez la incautación de tales efectos que de considerarse indispensable el acceso a la información albergada en su contenido, otorgará la correspondiente autorización.

2.º. La regulación de la LECrim no establece una clase o cuantía determinada del delito investigado para acordar esta clase de medida. En cualquier caso, el delito que se investiga es grave y de gran trascendencia social, es por ello que este juzgado considera que la intervención queda legitimada suficientemente. Además concurre la utilidad y necesidad del registro del dispositivo en tanto que parece acreditado que el investigado ocultó el ordenador a la policía guardándolo en su vehículo. Por otra parte esta clase de delitos se suelen cometer con auxilio o mediante la red informática, por lo que pueden haber en él dispositivos, archivos o datos que puedan servir para esclarecer los hechos.

3.º. Conforme con lo expuesto este Juzgado ha valorado la proporcionalidad y necesidad de la medida considerando que el sacrificio del derecho al secreto de las comunicaciones y a la intimidad reconocidos en el art. 18.2 y 3 CE debe ceder temporalmente para permitir la investigación de unos hechos delictivos graves.

4.º. Es por todo ello que este juzgado considera que procede autorizar al Servicio de información de la Guardia Civil para registrar el Dispositivo propiedad de D. [.../...] investigado en esta causa, modelo [.../...] y a realizar copias de toda la información relevante referida a la investigación en curso absteniéndose los agentes de policía de intervenir o afectar otra información personal que existiera en el dispositivo. No establece la Ley plazo alguno para la realización de esta diligencia. No obstante, teniendo en cuenta la necesidad de impulsar debidamente las actuaciones este juzgado concede a la policía un plazo de un mes para la diligencia acordada tas el cual deberá entregar tanto el informe y las copias de la información como el dispositivo que tiene la calidad de pieza de convicción.

VISTOS los preceptos legales citados y demás de pertinente aplicación.

PARTE DISPOSITIVA

SE ACUERDA EL REGISTRO Y COPIA DE LA INFORMACIÓN CONTENIDA en el dispositivo electrónico marca [.../...], modelo [.../...] propiedad de [.../...] . Relacionada con la investigación por un delito de blanqueo de capitales por el que está siendo investigado. El registro lo llevará a cabo el solicitante servicio de Información de la Guardia Civil que deberá entregar el informe, las copias y el dispositivo original en el plazo de un mes.

Lo manda y firma el Sr. D. [.../...], Juez de Instrucción [.../...], doy fe.

CAPÍTULO VIII
MEDIDAS CAUTELARES

SECCIÓN 1. NATURALEZA Y PRESUPUESTOS DE LAS MEDIDAS CAUTELARES[1]

Las medidas cautelares tienen por finalidad evitar el peligro que para una futura ejecución, representa la existencia y prolongación en el tiempo de un proceso. Es decir, tienden a garantizar la ejecución de la sentencia que en su día pueda dictarse. Con ellas se trata de evitar el daño marginal por el tiempo que tarda en sustanciarse un proceso[2].

Son medidas que, insertadas en la potestad jurisdiccional de juzgar y hacer ejecutar lo juzgado (a salvo de alguna excepción como sucede con la detención policial preventiva), van a garantizar que durante la fase de investigación y posteriormente enjuiciamiento se mantenga un *statu quo* tanto sobre las personas como en las co-

---

[1] Vid. Bibliografía general. Vid., asimismo GONZÁLEZ SÁNCHEZ JULIÁN ÁNGEL, *Medidas Cautelares en el Proceso Penal 355 preguntas y respuestas Formularios*, Madrid 2008. PUJADAS TORTOSA V., *Teoría general de medidas cautelares penales Peligrosidad del imputado y protección del proceso*, Madrid 2008. TEBAR VILCHES B., *El modelo de libertad condicional español*, Pamplona 2006. GIMENO SENDRA V., «La necesaria reforma de la prisión provisional», *La Ley* nº 5411, 2001; «La prisión provisional y el Derecho a la libertad», *La Ley* nº 4187, 1996. BALLESTEROS MARTÍN J., «Cuestiones relativas a prisión provisional en el Derecho Español», *La Ley* nº 5452, 2002. ASENSIO MELLADO, *La prisión provisional*, Madrid, 1987; Idem, «Hacia la reforma de la prisión provisional», *Justicia*, 1988, p. 67; BARONA VILAR S., *Prisión provisional y medidas alternativas*, Barcelona, 1988; Idem, *La detención*, 1990; Idem.; CALVO SÁNCHEZ, «De nuevo la prisión provisional. Análisis de la Ley Orgánica 10/1984, de 26 de diciembre», *La Ley*, 1985-1, pp. 1178-1185; FERNÁNDEZ ENTRALGO, «La prisión provisional», *RDG*, 1985, pp. 5 y ss.; GARCÍA DE ENTERRÍA, «Sobre la legitimidad de las medidas cautelares utilizadas por la Comisión y el TEDH», *PJ*, marzo 1992, p. 9; RODRÍGUEZ RAMOS L., «Inconstitucionalidad de la vigente regulación de la prisión preventiva», *Actualidad Jª Aranzadi* nº 451, 2000.

[2] Vid. CALAMANDREI, «Introducción al estudio sistemático de las medidas cautelares» (Trad. Sentís Melendo), EBA, Buenos Aires, 1945, p. 43, recogiendo una expresión de E. Finzi, en *Rev. Dir. Proc. Civil*, 1926, II, p. 50, afirma que debe distinguirse lo que es daño jurídico, al cual se puede, en ciertos casos, obviar con la tutela ordinaria, del daño marginal por retardo en la sentencia, inevitable a causa de la lentitud del procedimiento ordinario.

sas. Su adopción evitará que la ejecución de la sentencia se vea imposibilitada a causa de actitudes o maniobras de los procesados o imputados que traten de eludir su cumplimiento, perjudicar a la víctima o sus familiares, ocultar o destruir pruebas o la reiteración delictiva[3]. La tutela cautelar se caracteriza por la instrumentalidad (dependen siempre de un proceso penal) y la homogeneidad (deben acomodarse a la clase de condena que pudiera recaer en el procedimiento en el que se adoptan). La instrumentalidad de las cautelas viene dada por su necesaria conexión con un proceso dirigido contra persona determinada. Es decir, son decisiones provisionales y temporales que se adoptan en una relación de subordinación con conexión e interdependencia con un proceso incoado. La homogeneidad significa que las medidas a adoptar no pueden ser de distinta naturaleza que lo que sea objeto del proceso. Por tanto, no cabe adoptar una medida de prisión para garantizar una eventual sentencia que impondrá una inhabilitación o una pena de multa. Pero esto no significa que la medida cautelar sea idéntica a la futura medida de ejecución de la condena, ya que no deben considerarse como una anticipación de la futura condena. De esta característica se deriva tanto una interpretación restrictiva y excepcional, como un argumento de proporcionalidad[4]. En dicho sentido, ha declarado el TC que:

«... la legitimidad de la prisión provisional exige que su configuración y su aplicación tengan, como presupuesto, la existencia de indicios racionales de la comisión de una acción delictiva; como objetivo, la consecución de fines constitucionalmente legítimos y congruentes con la naturaleza de la medida; y como objeto, que se la conciba, tanto en su adopción como en su mantenimiento, como una medida de aplicación excepcional, subsidiaria, provisional y proporcionada a la consecución de los fines antedichos...» (STC 128/95, de 26 julio). *Vid.* también STC 33/99, de 14 abril que añade «... de todo ello deriva el carácter indispensable de la manifestación del presupuesto de la medida, del fin constitucionalmente perseguido y de la ponderación de las circunstancias concretas del caso ...».

Mientras que los presupuestos sobre los cuales se fundamenta la tutela cautelar son: a) La existencia de indicios racionales de la comisión de un hecho delictivo,

---

[3] «... de ese mismo derecho fundamental (el de tutela judicial recogido en el art. 24 CE) deriva la potestad jurisdiccional de adoptar medidas cautelares. La efectividad que se predica de la tutela judicial respecto de cualesquiera derechos o intereses legítimos reclama la posibilidad de acordar las adecuadas medidas cautelares que aseguren la eficacia real del pronunciamiento futuro que recaiga en el proceso». (STC 148/93, de 29 abril). «... la tutela judicial no es tal sin medidas cautelares adecuadas que aseguren el efectivo cumplimiento de la resolución definitiva que recaída en el proceso». (STC 14/92, de 10 febrero).

[4] Sobre la proporcionalidad de la medida cautelar, la STC 199/87, de 12 diciembre (FJ 12), declara la inconstitucionalidad del art. 21 LO 9/84, en relación con el cierre provisional de un medio de difusión en los supuestos delictivos de bandas armadas y elementos terroristas, y establece que «... (es) evidentemente desproporcionado (que) el mero hecho de la admisión de una querella criminal (comportase su cierre), que no puede encontrarse amparado en el límite genérico establecido en el art. 20.4 CE. En efecto, no permite una adecuada ponderación de los bienes constitucionales en juego, mantenimiento de la seguridad pública y libertad de expresión e información, pues una finalidad meramente preventiva o de aseguramiento no puede justificar constitucionalmente una restricción tan radical de estas libertades, las cuales además tienen efectos que trascienden el presunto implicado, existiendo medios adecuados en el ordenamiento para asegurar medidas cautelares que no supongan esa limitación de las libertades de expresión e información...».

frente a una persona concreta y b) Evitar el peligro que mediante maniobras fraudulentas de los acusados, se burle una hipotética ejecución de la sentencia. Es decir, los presupuestos del *fumus boni iuris* y el *periculum in mora*.

«... Dos son los presupuestos que tradicionalmente deben concurrir en la adopción de cualquier tipo de medida cautelar, esto es, la existencia del *fumus boni iuris* y del *periculum in mora*, presupuestos éstos cuya concurrencia debe ser examinada sin perder de vista que la adopción de tan singular medida cautelar como es la prisión provisional incondicionada supone una limitación particularmente gravosa del derecho fundamental a la libertad personal, y esta esencial circunstancia impone unos requisitos añadidos que determinan que tal prevención sea concebida como una medida de aplicación excepcional, subsidiaria, provisional y proporcionada a la consecución de fines constitucionalmente legítimos (Cfr. TC Pleno S 71/94, de 3 marzo; y TC 2.ª S 128/95, de 26 julio...» (STC 62/96, de 15 abril).

El *periculum in mora* se constituye como el fundamento jurídico de toda medida cautelar, pues se trata de lograr que durante la sustanciación del proceso se mantenga aquel *statu quo* necesario para procurar el cumplimiento de las sentencia. En ocasiones, aquél se objetiva, como en las cautelas patrimoniales (así, el art. 589 LECrim obliga a la adopción de fianza bastante para el aseguramiento tan pronto como existan indicios racionales de criminalidad contra una persona); y en otras se atiende a elementos subjetivos que se aplican sobre la persona del imputado (p. ej., art. 503.2 LECrim, cuando en la decisión de prisión provisional se valoran circunstancias como los antecedentes del inculpado o su peligro de fuga).

El *«fumus boni iuris»* o apariencia de buen derecho se acredita en el proceso penal con la constatación de la comisión de un hecho que presente los caracteres de delito y de los que el Juez tenga suficientes indicios para considerar al imputado presunto responsable. Indicios que deberán exponerse y razonarse en la resolución motivada que debe dictarse para acordar la medida en tanto que afecta a un derecho fundamental como es el derecho a la libertad. También es objeto de especial protección constitucional el cumplimiento de los plazos legales previstos en esta materia, cuya trasgresión afecta directamente al derecho a la libertad.

«Este Tribunal ha reiterado, por un lado, que los problemas de motivación en las resoluciones que acuerdan medidas limitativas de derechos fundamentales conciernen directamente al propio derecho fundamental sustantivo y no, autónomamente, al derecho a la tutela judicial efectiva (por todas, STC 122/2009, de 18 de mayo (LA LEY 76105/2009), FJ 2) y, por otro, que el transcurso del plazo previsto legalmente para el mantenimiento de una situación de privación de libertad determina, sin más, la lesión del derecho a la libertad personal (STC 99/2006, de 27 de marzo (LA LEY 23349/2006), FJ 4)». STC 180/2011 de 21 Nov. 2011, Rec. 9357/2006, Ponente: Pérez Tremps, Pablo. LA LEY 211656/2011.

Las medidas cautelares pueden ser de carácter o naturaleza personal (arts. 486 a 544 LECrim) o real (arts. 589 y ss. LECrim). En sede de procedimiento abreviado, el art. 763 LECrim prevé la adopción de medidas cautelares conforme a las reglas generales de la LECrim. También pueden adoptarse otra clase de medidas cautelares que tienen una naturaleza o características mixtas como son las previstas en el art. 544 bis LECrim relacionadas con la comisión de determinados delitos o la intervención de vehículos o autorizaciones administrativas prevista en el art. 764.4 LECrim.

SECCIÓN 2. MEDIDAS CAUTELARES PERSONALES

2.1. La detención

A) Concepto. Derechos del sometido a detención

El art. 17.1 CE establece que: «*Toda persona tiene derecho a la libertad y a la seguridad. Nadie puede ser privado de su libertad, sino con la observancia de lo establecido en este artículo y en los casos y en la forma prevista en la Ley*». La Constitución regula a continuación la detención preventiva estableciendo expresamente las garantías y derechos que asisten al sometido a la detención. Ahora bien, no toda «*compulsión personal*» constituye detención preventiva, ya que al margen de esta situación se encuentran otras situaciones jurídicas de sujeción o privación de libertad. Así sucede en el caso del sometimiento a medidas y situaciones administrativas que pueden limitar la libertad del individuo, y que deben tener lugar «en los casos y en la forma previstos en la ley» según dispone el art. 17.1 CE.

En estos supuestos el TC ha declarado que debe respetarse el principio de limitación temporal del art. 17.2 CE por lo que el legislador no puede prever supuestos de privaciones de libertad de duración indefinida, incierta o ilimitada; aunque el plazo establecido no tiene por qué ser el de setenta y dos horas que establece el mismo art. 17.2 CE (STC 174/99 de 27 septiembre). Éste es el caso, por ejemplo, de la detención preventiva en caso de extradición pasiva que se regula por la legislación que le es propia o la detención preventiva en el caso de extranjeros sometidos a la ley de extranjería[5]. Aunque, en alguna sentencia, el TC ha declarado que la situación

---

[5] «Ahora bien el hecho de que pueda considerarse que en tales casos existe una privación de libertad no significa que necesariamente le resulten de aplicación las garantías que establece el art. 17.2 y 3 CE. Como sostuvimos en la STC 341/1993, de 18 de noviembre, F. 6, "el detenido es, en principio, el afectado por una medida cautelar de privación de libertad de carácter penal". No obstante, como también se afirma en la Sentencia citada, "ello no significa que las garantías establecidas en los núms. 2 y 3 del art. 17 no deban ser tenidas en cuenta en otros casos de privación de libertad distintos a la detención preventiva". Por esta razón en la referida Sentencia mantuvimos que en estos otros casos de privación de libertad el control de constitucionalidad debe realizarse atendiendo a los criterios que inspiran las garantías dispuestas en los apartados 2 y 3 del art. 17 CE "y en función de la finalidad, naturaleza y duración de la privación de libertad de que se trate" (STC 341/1993, F. 6). En todo caso, debe señalarse que estas otras privaciones de libertad distintas de la específicamente prevista en el art. 17.2 CE, por imperativo de lo dispuesto en el art. 17.1 CE "sólo pueden tener lugar en los casos y en la forma previstos en la Ley y deben ser conformes al principio de limitación temporal que se induce del art. 17.2 CE" (STC 174/1999, F. 4), teniendo en cuenta además que, como afirmamos en la STC 341/1993 y recordamos en la STC 174/1999, esta remisión a la Ley no pueda entenderse como una habilitación al legislador para prever privaciones de libertad de duración indefinida, incierta o ilimitada, lo que no significa, como también se precisa en las Sentencias citadas, que a estas otras situaciones de privación de libertad les resulte de aplicación necesariamente el plazo de setenta y dos horas previsto en el art. 17.2 CE. 3. Uno de estos supuestos en los que puede existir una privación de libertad distinta de la detención preventiva a la que expresamente se refiere el art. 17.2 CE es aquél en que la ejecución de un acto administrativo conlleva adoptar medidas de compulsión personal que determinen una privación de libertad. En concreto hemos sostenido que la ejecución forzosa de una "orden de devolución"». STC 179/2000 de 26 de junio.

de «*compulsión personal*» de aquellos extranjeros que se hallan en una «sala de rechazados» de un aeropuerto puede ser en ocasiones calificable como detención preventiva y, por tanto, reconducible al ámbito de garantías del art. 17.2 CE[6]. Sin embargo, no puede olvidarse que en esa situación al extranjero siempre le cabe la posibilidad de salida voluntaria del país, por lo que, a nuestro entender, difícilmente se puede calificar la situación del sometido a la prohibición de entrar en nuestro país de prisión preventiva. Teniendo en cuenta que ese régimen supone que el tiempo máximo que puede durar esa situación es de 72 horas. (Véase sobre estos supuestos § 4.2 y 4.3 del Cap. XVIII).

La detención preventiva es una medida de privación de la libertad de movimientos que constituye una limitación del derecho fundamental a la libertad[7]. Su finalidad esencial es proceder al interrogatorio y poner al sujeto, en su caso, a disposición de la autoridad judicial[8]. Esta medida cautelar la suele realizar la policía en el ejercicio de sus funciones (véanse M. 58 y 59). Sin embargo, también puede tener lugar por orden del Juez y excepcionalmente por los ciudadanos en los casos expresamente previstos en la Ley. Todas estas formas de detención tienen como nota común la privación a un sujeto de su derecho a la libertad. Dada su naturaleza deberá aplicarse con criterios de proporcionalidad, excepcionalidad y restrictividad en los supuestos determinados expresamente en la ley. Caso contrario, se incurrirá en delito de detención ilegal.

Téngase presente que el correlato del «derecho» o facultad de detener que la LE-Crim atribuye a los sujetos mencionados es la de incurrir en un delito de coacciones, que sería el delito genérico, o de detención ilegal que sería específico; distinguiéndose básicamente en razón del tiempo de privación de libertad. Concretamente, la detención ilegal desplazará a las coacciones siempre que en su producción se afecte el derecho fundamental del art. 19 CE, con un mínimo apoyo temporal (Véase, entre

---

[6] «Es necesario analizar en cada caso concreto las circunstancias que rodean a la estancia forzosa de cada persona en la zona de tránsito, o "zona de rechazados", de un aeropuerto... Pero si a la situación de compulsión personal en la "zona de rechazados" no precede una orden actual de expulsión o devolución, entonces la situación sólo puede calificarse de detención preventiva, aplicándose en consecuencia el límite máximo de setenta y dos horas contadas desde el inicio de la situación de privación de libertad...». (STC 174/99 de 27 septiembre).

[7] «... la obligación que tienen los funcionarios de la policía judicial y de las fuerzas y cuerpos de seguridad del Estado para privar de libertad a un imputado, sobre el que pueda presumirse su eventual incomparecencia a la autoridad judicial, durante el tiempo indispensable para practicar las diligencias de reconocimiento e interrogatorio y dentro del plazo previsto en la Ley, poniéndolo en libertad o a disposición de la autoridad judicial. Al meditar sobre su naturaleza jurídica se la define como medida cautelar realizada en el curso de un procedimiento penal o en función de su incoación, preordenada a garantizar la aplicación del ius puniendi y, de modo inmediato, a proporcionar al Juez de Instrucción el primer sustrato fáctico para la incoación de las diligencias penales y la adopción, en su caso, de las medidas cautelares de carácter provisional...». (STS Sala Segunda, de lo Penal, Sentencia de 1 Feb. 1995, Rec. 1663/1994, Ponente: Soto Nieto, Francisco. LA LEY 2075/1995).

[8] Téngase presente que determinadas personas no podrán ser detenidos salvo el caso de flagrante delito en virtud de su condición de aforados. Véase al respecto el Capítulo XVIII, Secciones 3 a 5 y más concretamente afecta a Diputados y Senadores, Parlamentarios del Parlamento Europeo, Agentes Diplomáticos y otros afines, Parlamentarios y Miembros ejecutivos de Comunidades Autónomas, Jueces, Magistrados y miembros del Ministerio Fiscal.

otras, la STS Sala Segunda, de lo Penal, Sentencia 755/2002 de 19 Abr. 2002, Rec. 189/2001; Ponente: Móner Muñoz, Eduardo. LA LEY 7301/2002).

La detención se regula en los arts. 490 y ss. LECrim, además de la previsión constitucional del art. 17.2 CE, que regulan con detalle esta medida cautelar que, al igual que para las demás medidas cautelares, precisa que concurran los dos requisitos fundamentales: el *fumus boni iuris* y el *periculum in mora*. Es decir, una imputación penal (en este caso policial) y un peligro o riesgo de fuga u ocultamiento. Ahora bien, la detención resulta ser una medida directa e inmediata que adopta la policía de modo preventivo y que, por tanto, siempre queda sometida al posterior control judicial. Por esta razón, además de la necesaria ponderación y proporcionalidad con la que debe tener lugar, resulta esencial la limitación temporal a la que se somete la detención. Así, se exige en los art. 5.2 y 3 del Convenio Europeo de Derechos Humanos, y el art. 9.3 del Pacto Internacional de Derechos Civiles y Políticos, que exigen que el detenido sea conducido «sin dilación» o «sin demora» ante la Autoridad judicial. Más concretamente, el art. 17.2 CE dispone que: *«La detención preventiva no podrá durar más del tiempo estrictamente necesario para la realización de las averiguaciones tendentes al esclarecimiento de los hechos, y, en todo caso, en el plazo máximo de 72 horas, el detenido deberá ser puesto en libertad o a disposición de la autoridad judicial»*[9].

«Una reiterada doctrina de este Tribunal, que nuestra Constitución, habida cuenta del valor cardinal que la libertad personal tiene en el Estado de Derecho, somete la detención de cualquier ciudadano al criterio de la necesidad estricta y, además, al criterio del lapso temporal más breve posible, en consonancia con lo dispuesto en el Convenio europeo para la protección de los derechos humanos y de las libertades fundamentales (LA LEY 16/1950) (art. 5.2 (LA LEY 129/1966) y 3) y en el Pacto internacional de derechos civiles y políticos (art. 9.3), que exigen que el detenido sea conducido "sin dilación" o "sin demora" ante la autoridad judicial (en este sentido, STC 165/2007 (LA LEY 91927/2007), de 2 de julio, FJ 2, recogiendo pronunciamientos anteriores de este Tribunal, como los contenidos en las SSTC 199/1987, de 16 de diciembre (LA LEY 53413-JF/0000), FJ 8 y 224/1998 (LA LEY 26/1999), de 24 de noviembre, FJ 3)». STC Sala Segunda, Sentencia 88/2011 de 6 Jun. 2011, Rec. 6732/2009, Ponente: Ortega Álvarez, Luis Ignacio. LA LEY 83077/2011.

Sobre este particular, el TC ha declarado que la detención policial queda sometida a un doble plazo. El primero, relativo, se halla limitado por la circunstancia de que la detención no puede durar más del tiempo estrictamente necesario para realizar las averiguaciones para esclarecer los hechos. Este plazo no puede superarse si no es necesario y coincide con el general, u ordinario, de 24 horas previsto en los arts. 496

---

[9] «La detención preventiva está constitucionalmente caracterizada por ciertas notas, entre ellas, en lo que aquí especialmente interesa, por su limitación temporal... lo que implica que ha de estar inspirada por el criterio del lapso temporal más breve posible .../... Este principio de limitación temporal, que caracteriza a todas las privaciones de libertad, viene impuesto por la Constitución con mayor intensidad, si cabe, cuando se trata de las detenciones preventivas, porque el art. 17.2 CE no se remite a la ley para que ésta determine los plazos legales —como, sin embargo, ocurre en el art. 17.4 CE respecto a la prisión provisional— sino que se ocupa él mismo de establecerlos imperativamente. E incluso los que establece son más rigurosos que los que se contienen en aquellos instrumentos internacionales mencionados sobre protección de los derechos humanos...». STC 288/2000 de 27 de noviembre. Véanse también las SSTC 179/2000, de 26 de junio y 174/1999 de 27 de septiembre.

y 520. 2 LECrim. El segundo plazo fijado en 72 horas computadas desde la detención es absoluto y prevalece, en caso de necesidad, frente al indicado de 24 horas previsto en la LECrim[10].

> «En la citada STC 165/2007 (LA LEY 91927/2007), mismo fundamento jurídico, también recordábamos que «el art. 17.2 CE (LA LEY 2500/1978) ha establecido dos plazos, en lo que se refiere a los límites temporales de la detención preventiva, uno relativo y otro máximo absoluto. El primero consiste en el tiempo estrictamente necesario para la realización de las averiguaciones tendentes al esclarecimiento de los hechos que, como es lógico, puede tener una determinación temporal variable en atención a las circunstancias del caso. Sin embargo, el plazo máximo absoluto presenta una plena concreción temporal y está fijado en las setenta y dos horas computadas desde el inicio de la detención, que no tiene que coincidir necesariamente con el momento en el cual el afectado se encuentra en las dependencias policiales (STC 288/2000, de 27 de noviembre (LA LEY 94/2001), FJ 3)... Este sometimiento de la detención a plazos persigue la finalidad de ofrecer una mayor seguridad de los afectados por la medida, evitando así que existan privaciones de libertad de duración indefinida, incierta o ilimitada... En consecuencia, la vulneración del citado art. 17.2 CE (LA LEY 2500/1978) se puede producir, no sólo por rebasarse el plazo máximo absoluto, es decir, cuando el detenido sigue bajo el control de la autoridad gubernativa o sus agentes una vez cumplidas las setenta y dos horas de privación de libertad, sino también cuando, no habiendo transcurrido ese plazo máximo, se traspasa el relativo, al no ser la detención ya necesaria por haberse realizado las averiguaciones tendentes al esclarecimiento de los hechos y, sin embargo, no se procede a la liberación del detenido ni se le pone a disposición de la autoridad judicial (STC 23/2004, de 23 de febrero (LA LEY 11618/2004), FJ 2)». STC Sala Segunda, Sentencia 88/2011 de 6 Jun. 2011, Rec. 6732/2009, Ponente: Ortega Álvarez, Luis Ignacio. LA LEY 83077/2011.

Pero los plazos referidos son máximos siendo el criterio general que la detención sólo debe durar el tiempo estrictamente necesario e indispensable para realizar el fin al que sirve la privación cautelar de libertad. Por ello, cuando el plazo máximo de 72 horas pueda reducirse deberá hacerse, ya que en caso contrario se produciría una vulneración del derecho fundamental a la libertad[11].

---

[10] «Más concretamente, en cuanto límites temporales de la detención preventiva operan dos plazos, uno relativo y otro máximo absoluto. El primero consiste en el tiempo estrictamente necesario para la realización de las averiguaciones tendentes al esclarecimiento de los hechos, que, como es lógico, puede tener una determinación temporal variable en atención a las circunstancias del caso. Para la fijación de tal plazo habrán de tenerse en cuenta estas circunstancias y, en especial, el fin perseguido por la medida de privación de libertad, la actividad de las Autoridades implicadas y el comportamiento del afectado por la medida (SSTC 31/1996, de 27 de febrero, F. 8; 86/1996, de 21 de mayo, F. 8 y 224/1998, de 24 de noviembre, F. 3). Durante el período de detención preventiva, y en atención a lo dispuesto por el art. 17.3 CE, debe llevarse a cabo necesariamente la información de derechos al detenido y cabe la posibilidad de que se le tome declaración, si es que no ejercita su derecho a no prestarla. Sin embargo, el plazo máximo absoluto presenta una plena concreción temporal y está fijado en las 72 horas computadas desde el inicio de la detención, que no tiene que coincidir necesariamente con el momento en el que el afectado se encuentra en dependencias policiales (STC 86/1996, de 21 de mayo, F. 7)». STC 288/2000 de 27 de noviembre.

[11] «... la finalidad de la detención dirigida exclusivamente a conducir al recurrente a la presencia del Juez de Instrucción pudo seguramente haber sido satisfecha en un período de tiempo considerablemente inferior a las veinticuatro horas y treinta minutos que fueron empleadas efec-

«Nuestra Constitución, habida cuenta del valor cardinal que la libertad personal tiene en el Estado de Derecho, somete la detención de cualquier ciudadano al criterio de la necesidad estricta y, además, al criterio del lapso temporal más breve posible, en consonancia con lo dispuesto en el Convenio europeo para la protección de los derechos humanos y de las libertades fundamentales (LA LEY 16/1950) (art. 5.2 (LA LEY 129/1966) y 3) y en el Pacto internacional de derechos civiles y políticos (art. 9.3), que exige que el detenido sea conducido "sin dilación" o "sin demora" ante la autoridad judicial (en este sentido, STC 165/2007 (LA LEY 91927/2007), de 2 de julio, FJ 2, recogiendo pronunciamientos anteriores de este Tribunal, como los contenidos en las SSTC 199/1987, de 16 de diciembre (LA LEY 53413-JF/0000), FJ 8 y 224/1998 (LA LEY 26/1999), de 24 de noviembre, FJ 3). No hay que olvidar que la libertad de los ciudadanos es, en un régimen democrático donde rigen derechos fundamentales, la regla general y no la excepción (STC 209/2000, de 24 de julio (LA LEY 11297/2000), FJ 3), reconociendo nuestra Constitución su importancia cuando la configura, no sólo como un valor superior del ordenamiento jurídico (art. 1.1 CE (LA LEY 2500/1978)), sino además como un derecho fundamental (art. 17 CE (LA LEY 2500/1978)), vinculado directamente con la dignidad de la persona y cuya trascendencia estriba precisamente en ser el presupuesto de otras libertades y derechos fundamentales (STC 147/2000, de 29 de mayo (LA LEY 8830/2000), FJ 3)». STC Sala Segunda, Sentencia 95/2012 de 7 May. 2012, Rec. 6377/2010; Ponente: Pérez Vera, Elisa. LA LEY 66247/2012.

En consecuencia deberá ponerse en libertad al detenido cuando se hubieren realizado todas las averiguaciones necesarias al efecto del esclarecimiento de los hechos. Siendo así, y siempre que por el tipo de delito y las circunstancias concurrentes no deba ser de otro modo, debe procederse a la puesta a disposición judicial del detenido o, en caso de no poder realizarse el traslado en un tiempo próximo y razonable, a poner en libertad al detenido con la correspondiente citación para comparecer ante la autoridad judicial (siempre que en razón de las circunstancias no se presumiese la existencia de peligrosidad o riesgo de incomparecencia del detenido). Este es el caso, por ejemplo, de una detención realizada la mañana del día 1 cuya investigación se prolonga durante ese día y, por la razón que sea, el traslado a disposición judicial está previsto para uno o dos días más tarde. Siendo así, ningún sentido tiene mantener al detenido en custodia policial, máxime cuando se trate de delitos de escasa entidad y peligro para la sociedad.

«Desde el momento en que las averiguaciones tendentes al esclarecimiento de los hechos fueron finalizadas, y no constando la existencia de otras circunstancias, la detención policial del actor quedó privada de fundamento constitucional. En ese instante, que nunca puede producirse después de trascurso de setenta y dos horas,

---

tivamente en el caso, con la consiguiente probabilidad de que la detención haya sobrepasado el tiempo "estrictamente necesario" que marca el artículo 17 de la Constitución como plazo máximo para toda detención, quebrantando dicho precepto constitucional .../... Desde estos parámetros parece claro que la detención sufrida por el Sr. Sola se alargó excesivamente. El fin perseguido por la detención fundada en el art. 492.3 LECrim. pudo seguramente haber sido satisfecho mediante una comparecencia ante la autoridad judicial la misma tarde en que el interesado fue detenido. La conducta observada por éste durante el transcurso de la detención no justificaba ninguna demora en su duración. Y la detención se llevó a cabo en una localidad donde los tiempos de desplazamiento son reducidos...». (STC 31/96, de 27 febrero). Vid. también STC 37/96, de 11 marzo.

pero sí antes, la policía tenía que haberlo puesto en libertad, o bien haberse dirigido al Juez competente» (así, SSTC 224/2002, de 25 de noviembre (LA LEY 162/2003), FJ 4 y 23/2004 (LA LEY 11618/2004), de 23 de febrero, FJ 4, entre otras). En la demanda de amparo se afirma, como hemos visto, que la detenida tuvo conocimiento, después de su declaración policial, de que no iba a pasar a disposición judicial «porque las conducciones de detenidos al Juzgado de Guardia sólo se hacían una vez a primera hora de la mañana». Sobre este particular, este Tribunal Constitucional ya ha tenido oportunidad de pronunciarse en resoluciones anteriores. Así, en la STC 224/2002, de 25 de noviembre (LA LEY 162/2003), en un supuesto en que se había demorado la puesta a disposición judicial del recurrente (ante un Juzgado de detenidos de Barcelona), precisamente porque sólo estaba prevista «una única conducción a las 8 horas», afirmamos que tal circunstancia «no puede justificar en principio un alargamiento tan desproporcionado del período de detención, una vez declarada la conclusión de las investigaciones policiales, máxime cuando, como acontece en este caso (también en la presente demanda), se había presentado ante el Juzgado de guardia una solicitud de *habeas corpus* que permitió conocer, una vez remitidas, la conclusión de las diligencias policiales» (FJ 4). STC Sala Segunda, Sentencia 88/2011 de 6 Jun. 2011, Rec. 6732/2009, Ponente: Ortega Álvarez, Luis Ignacio. LA LEY 83077/2011.

En cualquier caso, el plazo constitucional de 72 horas es un límite temporal máximo y absoluto para la detención.

«El tiempo "estrictamente necesario" de toda detención gubernativa nunca puede sobrepasar el límite temporal de las setenta y dos horas. Pero este tiempo actúa como límite máximo absoluto y no impide que puedan calificarse como privaciones de libertad ilegales, en cuanto indebidamente prolongadas o mantenidas, aquellas que, aun sin rebasar el indicado límite máximo, sobrepasen el tiempo indispensable para realizar las oportunas pesquisas dirigidas al esclarecimiento del hecho delictivo que se imputa al detenido, pues en tal caso se opera una restricción del derecho fundamental a la libertad personal que la norma constitucional no consiente». STC 224/1998 de 24 de noviembre.

Aunque, se pueden producir supuestos singulares, como es el caso de la detención que se produce en alta mar, siendo imposible poner a disposición judicial al detenido. En este caso, bastará con que el Juez tenga conocimiento de la detención dentro del plazo de 72 horas, dictando el oportuno auto al efecto[12]. O el supuesto de los delitos cometidos por personas integradas o relacionadas con bandas armadas o individuos terroristas respecto a los que la Ley autoriza una ampliación de 48 horas sobre las 72 reseñadas. La prórroga deberá solicitarse mediante comunicación motivada —art. 520 bis.1 LECrim.— dentro de las primeras 48 horas de la detención y

---

[12] «El mandato de la Constitución es que, más allá de las setenta y dos horas, corresponde a un órgano judicial la decisión sobre el mantenimiento o no la limitación de la libertad» (STC 115/1987). Lo que es aplicable incluso respecto a un supuesto tan singular de detención como el presente, pues de esta decisión se desprende con claridad que el sentido y finalidad de esta exigencia constitucional no requiere incondicionalmente la presencia física del detenido ante el Juez —aunque ello debe constituir la forma normal, por implicar una mayor garantía del detenido—, sino que la persona privada de libertad, transcurrido el plazo de las setenta y dos horas, no continúe sujeta a las autoridades que practicaron la detención y quede bajo el control y la decisión del órgano judicial competente, garante de la libertad que el art. 17.1 reconoce». STC 21/1997 de 10 de febrero.

podrá ser autorizada por el Juez en las 24 horas siguientes, por resolución motivada que se documentará por auto.

Una cuestión importante es distinguir entre el plazo de detención policial y el judicial. Hasta el momento nos hemos referido a la primera (arts. 490, 492 LECrim). Cuando la detención policial finaliza, por ponerse el detenido a disposición judicial, se inicia el plazo de 72 horas con el que cuenta el Juez para decidir sobre la situación del detenido (art. 497 LECrim). Ahora bien, ese plazo comentará a contar desde el primer momento de la detención cuando esta, con independencia de que se hubiere realizado por la policía, lo hubiese sido por orden judicial. Cuestión que ha dejado meridianamente clara la STC 180/2011 de 21 noviembre[13].

> «Debe ponerse de manifiesto que *el objeto de análisis es una detención que ya desde el comienzo fue acordada por la autoridad judicial, por lo que la regulación de su plazo máximo absoluto son las setenta y dos horas previstas en el art. 497 LECrim y no las referidas en el art. 17.2 CE. En efecto, a pesar de que este precepto consti-* tucional aparece genéricamente la mención de detención preventiva, su ámbito de aplicación no alcanza a las detenciones acordadas por una autoridad judicial (así ya STC 37/1996, de 11 de marzo (LA LEY 3951/1996), FJ 4), como se deriva claramente de la circunstancia de que ese mismo precepto establece que antes del transcurso de dicho plazo el detenido debe ser puesto en libertad o a disposición de la autoridad judicial. La detención judicial, por tanto, cuenta con un plazo máximo de setenta y dos horas previsto legalmente en el art. 497 LECrim (LA LEY 1/1882) en aplicación de la remisión a la ley prevista en el art. 17.1 CE (LA LEY 2500/1978) y no el cons- titucionalizado en el art. 17.2 CE (LA LEY 2500/1978) .../... *el pretender desplazar el comienzo de ese cómputo desde el momento en que efectivamente se produjo materialmente la detención en ejecución de la decisión judicial hasta que el detenido sea materialmente puesto a disposición judicial, no sólo resulta contradictorio con la propia naturaleza de la detención judicial y su delimitación con la detención guber- nativa, sino que también es lesiva de la efectividad de la garantía constitucional del derecho a la libertad* (art. 17.1 CE), *en relación con la previsión del establecimiento de una limitación temporal precisa de esta concreta medida cautelar»*. STC 180/2011 de 21 Nov. 2011, Rec. 9357/2006, Ponente: Pérez Tremps, Pablo. LA LEY 211656/2011.

En su virtud, y conforme con la STC 180/2011, en caso de detención judicial el plazo de 72 horas no se añade al plazo previo policial de 72 horas, sino que empieza a contar desde el mismo momento de la detención, con independencia de si una vez

---

[13] «*Es doctrina reiterada de este Tribunal que el art. 17.1 CE, al establecer que «nadie puede ser privado de su libertad, sino con la observancia de lo establecido en esta artículo y en los casos y en la forma previstos en la ley», implica que la ley, por el hecho de fijar las condiciones de tal privación, es desarrollo del derecho a la libertad, teniendo un papel decisivo al conformar no sólo los presupuesto habilitante de la medida sino también el tiempo razonable en que puede ser admi- sible el mantenimiento de dicha situación. Por ello, este Tribunal ha concluido que el derecho a la libertad se vería conculcado cuando se actúa bajo la cobertura improcedente de una ley o cuando se opera contra lo dispuesto en la misma, destacando que los plazos de privación de libertad han de cumplirse estrictamente por los órganos judiciales y que en caso de incumplimiento se vería afectada la garantía constitucional de la libertad personal* (por todas, STC 99/2006, de 27 de marzo, FJ 4)». STC 180/2011 de 21 Nov. 2011, Rec. 9357/2006, Ponente: Pérez Tremps, Pablo. LA LEY 211656/2011.

detenida la persona hubiese quedado custodiado por la policía, y no desde la entrega «*material*» del detenido al Juez.

«*La pretensión de que el cómputo del plazo se inicie sólo con la entrega material del detenido a la propia autoridad judicial, implicaría la existencia de un período de situación de privación de libertad* —la que transcurre entre la ejecución material de la detención judicial por parte de la policía y la efectiva entrega a la autoridad que ordenó la detención— *en que a pesar de contarse con un presupuesto habilitante* —la orden judicial de detención— *sin embargo, no contaría ni con la limitación temporal propia de la detención gubernativa* —que no lo es por no haberse decidido la detención por dicha autoridad— *ni con la de la detención judicial, por pretenderse excluir de su cómputo. Esto supondría consagra por vía interpretativa un supuesto de privación de libertad de tiempo potencialmente ilimitado y, por ello, lesivo del art. 17.1 CE. Por tanto, desde la perspectiva del art. 17.1 CE, el plazo de setenta y dos horas a que, por remisión, se refiere el párrafo segundo del art. 497 LECrim (LA LEY 1/1882) en los supuestos de detención acordada por autoridad judicial, debe computarse desde que se verifica la ejecución material de la decisión de detención*». STC 180/2011 de 21 Nov. 2011, Rec. 9357/2006, Ponente: Pérez Tremps, Pablo. LA LEY 211656/2011.

Ahora bien, se dará ese nuevo plazo judicial de 72 horas previsto en el art. 497 LECrim, cuando la detención fuese policial y ello con independencia de que el Juez hubiere asistido al registro domiciliario de un detenido policial. Lo importante respecto a esta cuestión es que la orden de detención documentada hubiera sido dictada por el Juez.

«La tesis que sostiene la defensa carece de fundamento en el supuesto examinado, pues, tal como se explica en la sentencia recurrida, consta en las actuaciones que fue el funcionario policial instructor del atestado quien acordó la detención de los acusados el día 4 de julio de 2012, una vez practicados los registros, y así lo ha ratificado en el acto del juicio el referido funcionario (folios 978 y 979). El hecho de que el juez hubiera estado presente durante los registros no implica que la detención acordada, una vez finalizados, fuese judicial y no policial, ya que no figura en las actuaciones ninguna resolución del juez acordando la detención del imputado ni tampoco decidiendo que quedara a disposición del Juzgado después de practicarse los registros. Fue el día 6 de julio siguiente cuando el detenido fue puesto a disposición judicial, comenzando en ese momento a computarse las 72 horas que se contemplan en el texto constitucional». STS n.º 747/2015 de 19 Nov. 2015, Rec. 686/2015. Ponente: Jorge Barreiro, Alberto Gumersindo. LA LEY 185990/2015.

El detenido deberá ser informado de los derechos y garantías constitucionales que se contienen en el art. 17 CE y en el art. 520. 2 LECrim, como los derechos de guardar silencio y no declararse culpables, a la asistencia letrada, ser asistido por intérprete y reconocido por un médico forense (Véase § 3 Cap. IV). (Véase M. 61). Entre estas garantías destaca por su especificidad la prevista en el art. 17.4 CE que establece el procedimiento de *habeas corpus*, desarrollado por la Ley Orgánica 6/1984, que permite el acceso a la autoridad judicial como medio de defensa del derecho a la libertad. A este efecto cabe reclamar la puesta a disposición judicial de toda persona detenida ilegalmente, a fin que el Juez pueda verificar judicialmente la legalidad y condiciones de la detención (Véase sobre procedimiento de *Habeas corpus* el § 7 Cap. XVIII en sede de procedimientos especiales).

El procedimiento de *Habeas corpus* es procedente en cualquier supuesto de detención ilegal, ya sea por carencia de presupuesto habilitante, como por incumplimiento de los plazos constitucionalmente establecidos.

«La protección de este instituto alcanza no sólo a los supuestos de detención ilegal, por ausencia o insuficiencia del presupuesto material habilitante sino también "a las detenciones que, ajustándose originariamente a la legalidad, se mantienen o prolongan ilegalmente o tienen lugar en condiciones ilegales", y en concordancia con ello, el art. 1 c) de mencionada Ley incluye entre los supuestos de detención ilegal a la producida por plazo superior al señalado en las Leyes, sin poner al detenido transcurrido el mismo, en libertad o a disposición del Juez». STC 224/1998 de 24 de noviembre.

La detención, y en su caso la prisión provisional, se adoptarán conforme al régimen ordinario previsto en la Ley que supone la aplicación del catálogo de derechos reconocidos en el art. 118 y 520 LECrim. Estos derechos, sin embargo, pueden limitarse conforme está previsto en los arts. 509, 510, 520 bis, y 527 LECrim que establecen la posibilidad de restricción de derechos del detenido o preso en dos supuestos. En primer lugar cuando la persona detenida lo sea con relación a alguno de los delitos referidos en el art. 384 bis LECrim (delitos de terrorismo y cometidos por bandas armadas). En segundo lugar, cuando así lo acuerde motivadamente el juez de instrucción (o en su caso otro Tribunal) cuando concurra alguna de las siguientes circunstancias: a) necesidad urgente de evitar graves consecuencias que puedan poner en peligro la vida, la libertad o la integridad física de una persona, o b) necesidad urgente de una actuación inmediata de los jueces de instrucción para evitar comprometer de modo grave el proceso penal (art. 509 LECrim)[14]. En estos casos el Juez podrá limitar el derecho de asistencia letrada del sometido al proceso penal conforme establece el art. 527 LECrim. Además, la ley prevé la posibilidad de prolongar la detención por 48 horas más de las 72 inicialmente previstas en la Ley en el supuesto de que el detenido sea acusado por delitos de terrorismo (art. 520 bis. LECrim)[15]. Véase sobre el régimen de derechos del detenido y también sobre el de incomunicación y limitación de derechos del sometido al proceso penal el § 3 del Cap. IV.

«La detención puede adoptarse en régimen de incomunicación (art. 520 bis. 2 LECrim), que sólo podrá durar el tiempo absolutamente imprescindible. Esta forma de

---

[14] Art. 509 LECrim: «*1. El juez de instrucción o tribunal podrá acordar excepcionalmente, mediante resolución motivada, la detención o prisión incomunicadas cuando concurra alguna de las siguientes circunstancias: a) necesidad urgente de evitar graves consecuencias que puedan poner en peligro la vida, la libertad o la integridad física de una persona, o b) necesidad urgente de una actuación inmediata de los jueces de instrucción para evitar comprometer de modo grave el proceso penal*».

[15] Artículo 520 bis LECrim: «*1. Toda persona detenida como presunto partícipe de alguno de los delitos a que se refiere el artículo 384 bis será puesta a disposición del Juez competente dentro de las setenta y dos horas siguientes a la detención. No obstante, podrá prolongarse la detención el tiempo necesario para los fines investigadores, hasta un límite máximo de otras cuarenta y ocho horas, siempre que, solicitada tal prórroga mediante comunicación motivada dentro de las primeras cuarenta y ocho horas desde la detención, sea autorizada por el Juez en las veinticuatro horas siguientes. Tanto la autorización cuanto la denegación de la prórroga se adoptarán en resolución motivada*».

detención restringe derechos del detenido, más allá de la restricción de la libertad, y concretamente el derecho a la defensa letrada, en tanto que supone tanto la imposibilidad de nombrar letrado de la confianza del detenido, como la de entrevistarse de forma reservada con el letrado nombrado de oficio (véanse arts. 520, 527 LECrim; SSTC 127/2000 de 16 de mayo; 196/1987, de 16 de diciembre) (Véase también sobre la restricción del derecho de defensa en el caso de detenidos incomunicados el § 4.2 B. del Cap. IV). Por esa razón el TC ha declarado que: *"la incomunicación es algo más que un grado de intensidad de la pérdida de libertad, dadas las trascendentales consecuencias que se derivan de la situación de incomunicación para los derechos del ciudadano"*, por lo que no es aplicable la idea de que "negada la libertad, no pueden considerarse constitutivas de privación de libertad, medidas que son sólo modificaciones de una detención legal, puesto que la libertad personal admite variadas formas de restricción en atención a su diferente grado de intensidad"». (ATC 155/1999 de 14 de junio).

La decisión sobre la adopción de una detención con limitación de derechos debe adoptarse en resolución motivada en la que se ponderen los motivos que se tuvieron en cuenta para acordarla (art. 527 LECrim).

«Por consiguiente, las resoluciones que acuerdan la incomunicación de los detenidos deben contener los elementos necesarios para poder sostener que se ha realizado la necesaria ponderación de los bienes, valores y derechos en juego, que la proporcionalidad de toda medida restrictiva de derechos fundamentales exige (ATC 155/1999, F. 4). De manera que es ciertamente exigible la exteriorización de los extremos que permiten afirmar la ponderación judicial efectiva de la existencia de un fin constitucionalmente legítimo, la adecuación de la medida para alcanzarlo y el carácter imprescindible de la misma (por todas SSTC 55/1996, de 28 de marzo, 161/1997, de 2 de octubre, 61/1998, de 17 de marzo y 49/1999, de 5 de abril). Será necesario asimismo que consten como presupuesto de la medida los indicios de los que deducir la conexión de la persona sometida a incomunicación con el delito investigado, pues la conexión "entre la causa justificativa de la limitación pretendida —la averiguación del delito— y el sujeto afectado por ésta —aquel de quien se presume que pueda resultar autor o partícipe del delito investigado o pueda hallarse relacionado con él— es un "prius" lógico del juicio de proporcionalidad" (SSTC 49/1999, de 4 de abril, F. 8 y 166/1999, de 27 de septiembre, F. 8).» STC 127/2000 de 16 de mayo.

No obstante, el TC ha admitido una motivación sucinta, o por remisión (véanse entre otras SSTC 123/1997 de 1 de julio; 239/1999 de 20 de diciembre): «*no resulta constitucionalmente exigible un mayor razonamiento acerca de la necesidad de la incomunicación para alcanzar la finalidad que la legitima, ya que ésta puede afirmarse en estos delitos de forma genérica en términos de elevada probabilidad y con independencia de las circunstancias personales del sometido a incomunicación, dada la naturaleza del delito investigado y los conocimientos sobre la forma de actuación de las organizaciones terroristas*». STC 127/2000 de 16 de mayo.

B) Supuestos de detención

La detención puede tener lugar por personas particulares en el ejercicio de una facultad otorgada a las personas individuales por la ley. Esta posibilidad se encuentra relacionada con el deber de colaboración que todos tienen con la Administración de

Justicia y el de comunicar a la autoridad judicial la comisión de hechos delictivos, conforme dispone el art. 259 LECrim. El particular solamente podrá detener en los supuestos del art. 490 LECrim. y habrá de entregar inmediatamente el detenido a la autoridad policial o judicial. Téngase presente que la Ley únicamente permite esta posibilidad en supuestos básicamente relacionados con la flagrancia en un marco de urgencia y necesidad. De lo contrario la acción del particular podría constituir un delito de detención ilegal aunque entregase el detenido directamente a las autoridades (art. 163.4 CP)[16]. Ese será el caso del particular que creyendo saber quién es el autor de un delito y sin concurrir flagrancia procede a su detención y entrega a los agentes de la autoridad.

> «Un particular no está autorizado para la detención, sino tan solo para dar cuenta a la autoridad. Así se deriva de la normativa invocada atinadamente por el Fiscal. La conducta del recurrente no era conforme a derecho, ni estaba amparada en una causa de justificación. Ni siquiera en la hipótesis de que las dos personas detenidas hubiesen sido las autoras del delito de robo padecido. No era un caso de flagrancia por lo que carece de facultades para proceder a esa detención quien actuaba como un particular. Estaríamos así ante un error de prohibición indirecto: el acusado creería estar actuando cobijado por una causa de justificación huérfana de apoyo legal». STS 352/2014 de 4 Abr. 2014, Rec. 1094/2013; Ponente: Moral García, Antonio del. LA LEY 55092/2014.

La detención también puede tener lugar como medida de cooperación en el marco de los procedimientos en esta materia en la Unión Europea. Esta materia se regula, concretamente, en la Ley 23/2014 de 20 de noviembre que regula la orden europea de detención y entrega como: «… *una resolución judicial dictada en un Estado miembro de la Unión Europea con vistas a la detención y la entrega por otro Estado miembro de una persona a la que se reclama para el ejercicio de acciones penales o para la ejecución de una pena o una medida de seguridad privativas de libertad o medida de internamiento en centro de menores*» (art. 34 Ley 23/2014). También puede solicitarse la entrega y traslado temporal de la persona reclamada para: «… *el ejercicio de acciones penales contra él, sin que sea posible para que el reclamado cumpla en España una pena ya impuesta …/… para llevar a cabo la práctica de diligencias penales o la celebración de la vista oral*» (art. 43 Ley 23/2014). Pueden emitir una orden europea de detención y entrega el Juez o Tribunal que conozca de la causa en la que proceda tal tipo de órdenes. Por su parte, la autoridad judicial competente para ejecutar una orden europea de detención será el Juez Central de Instrucción de la Audiencia Nacional. Cuando la orden se refiera a un menor la competencia corresponderá al Juez Central de Menores (art. 35 Ley 23/2014).

La detención también puede practicarse como una medida de aseguramiento en el marco de una solicitud de extradición (Véase sobre esa cuestión § 3.3.B.d del Cap. XVIII).

Otro supuesto de detención será el que se produzca al amparo de la Ley de seguridad privada (Ley 5/2014) que en el art. 32 c y d. prevé como funciones de los

---

[16] Art. 163.4 CP: «4. El particular que, fuera de los casos permitidos por las leyes, aprehendiere a una persona para presentarla inmediatamente a la autoridad, será castigado con la pena de multa de tres a seis meses».

vigilantes de seguridad la detención de los sujetos que hubieren cometido delitos con relación al objeto de su protección con la obligación de ponerlos inmediatamente a disposición de las Fuerzas y Cuerpos de Seguridad competentes a los delincuentes junto con los instrumentos, efectos y pruebas de los delitos[17].

Las detenciones policiales son las más frecuentes. Se trata de obligaciones y no meramente facultades que se imponen a la policía relacionadas con su misión u objeto específico de investigar los delitos, realizar las averiguaciones y descubrir a los delincuentes —art. 282 LECrim.— La policía queda autorizada a practicar las detenciones que procedan según está previsto en los arts. 490 y 492 LECrim.

«Las Fuerzas y Cuerpos de Seguridad del Estado tienen atribuciones marcadas por sus normas reguladoras y sobre todo por la Constitución y las Leyes Procesales. El artículo 786 de la Ley de Enjuiciamiento Criminal establece que los miembros de la policía judicial, en investigación de los delitos, podrán identificar y tomar los datos personales e incluso intervenir vehículos en el caso de accidentes de circulación. Asimismo, en virtud de lo dispuesto en los artículos 490 y 492 de la Ley de Enjuiciamiento Criminal, pueden detener al que intentare cometer un delito en el momento de ir a cometerlo o al delincuente "in fraganti". En cualquiera de estos casos y en los demás comprendidos en los artículos citados, es innegable que nos encontramos ante una verdadera detención que conlleva el respeto a los derechos establecidos para todo detenido...». STS Sala Segunda, de lo Penal, Sentencia 1393/2000 de 19 Sep. 2000, Rec. 1584/1999; Ponente: Martín Pallín, José Antonio. LA LEY 10954/2000

Los arts. 5 y 11 de la LO 2/1986, de 13 de marzo, de Fuerzas y Cuerpos de Seguridad del Estado establecen que dichos Cuerpos darán cumplidamente y observarán con la debida diligencia los trámites, plazos y requisitos exigidos por el ordenamiento jurídico cuando se produzca la detención de una persona, siendo su misión no solamente la de esclarecer y realizar las averiguaciones pertinentes sino también la de protección de los derechos y libertades de todas las personas junto a la obligación de garantía de la seguridad ciudadana[18].

La detención judicial puede ser ordenada por incumplimiento del deber de comparecencia, que tiene todo imputado citado para ser oído —arts. 486 y 487 LECrim.—.

---

[17] «c) Evitar la comisión de actos delictivos o infracciones administrativas en relación con el objeto de su protección, realizando las comprobaciones necesarias para prevenirlos o impedir su consumación, debiendo oponerse a los mismos e intervenir cuando presenciaren la comisión de algún tipo de infracción o fuere precisa su ayuda por razones humanitarias o de urgencia. d) En relación con el objeto de su protección o de su actuación, detener y poner inmediatamente a disposición de las Fuerzas y Cuerpos de Seguridad competentes a los delincuentes y los instrumentos, efectos y pruebas de los delitos, así como denunciar a quienes cometan infracciones administrativas. No podrán proceder al interrogatorio de aquéllos, si bien no se considerará como tal la anotación de sus datos personales para su comunicación a las autoridades». Art. 32 c y d Ley 5/2014 de seguridad privada.

[18] Vid. las Leyes 19/83, de 14 julio, sobre policía autonómica de Cataluña; Ley Foral 1/1987, de 13 febrero, sobre Cuerpos de Policía de Navarra; Ley 4/1992, de 17 julio, sobre la policía del País Vasco.. Y el art. 173 del RDL. 781/1986, de 18 de abril, Ley Régimen Local, sobre coordinación de las policías locales.

2.2. Libertad provisional

A) Concepto

La libertad provisional es una de las decisiones que puede adoptar el Juez instructor, previa audiencia de las partes, que no debe confundirse con la situación de libertad incondicional, ya que implica una restricción de la libertad personal[19].

> «La libertad provisional con obligación de comparecencia es una medida cautelar que supone la intromisión en el ámbito de la libertad del imputado, de efectos más limitados que la prisión provisional. Así lo ha reconocido la jurisprudencia del Tribunal Constitucional, al señalar que "... la libertad provisional es una medida cautelar intermedia entre la prisión provisional y la completa libertad, que trata de evitar la ausencia del imputado, que queda así a disposición de la autoridad judicial y a las resultas del proceso, obligándose a comparecer periódicamente. Dicha medida está expresamente prevista en la Ley de Enjuiciamiento Criminal (LA LEY 1/1882) y viene determinada por la falta de presupuestos necesarios para la prisión provisional, que puede acordarse con o sin fianza (art. 529), debiendo el inculpado prestar obligación *apud acta* de comparecer en los días que le fueren señalados por la resolución correspondiente y, además, cuantas veces fuere llamado ante el Juez o Tribunal que conozca de la causa (art. 530)" (STC 85/1989 de 10 de mayo (LA LEY 121144-NS/0000)).../... El significado jurídico de esa obligación de comparecencia *apud acta* no puede ser analizado sin conexión con el estatuto procesal que determina su adopción. El deber de comparecer es el efecto inmediato de la restricción de la libertad ínsita en la medida cautelar de libertad provisional (STC 169/2001 de 16 de julio (LA LEY 5826/2001)). La comparecencia *apud acta* no puede imponerse a un imputado cuya libertad no es objeto de medida cautelar alguna, sino a todo aquel "... que hubiere de estar en libertad provisional» (art. 530 LECrim (LA LEY 1/1882))". STS Sala Segunda, de lo Penal, Sentencia 332/2015 de 3 Jun. 2015, Rec. 10117/2015, Ponente: Ferrer García, Ana María. LA LEY 69770/2015.

Se trata de una medida cautelar intermedia entre la prisión y la libertad incondicionada, que el Juez adoptará cuando no se hubiere acordado la prisión provisional (art. 529 LECrim). Con ella se intenta evitar la incomparecencia del imputado, que queda a disposición de la autoridad judicial y a las resultas del proceso. A estos fines el régimen de libertad provisional puede determinar la obligación de comparecer periódicamente o la prestación de una fianza[20]. La adopción de una u otra obligación vendrá determinada

---

[19] «Así, este Tribunal ha declarado que la libertad provisional con o sin fianza, en cuanto medida cautelar de naturaleza personal, implica una restricción de la libertad personal (SSTC 56/1997, de 17 de marzo, [F. 9]; 14/2000, de 17 de enero, F. 7), de modo que ello tiene como consecuencia que "las restricciones a la libertad personal en que puedan traducirse las diversas medidas cautelares deben, ciertamente, ser contrastadas con el criterio general que deriva del derecho fundamental a la libertad (art. 17.1 CE)" [STC 56/1997, de 17 de marzo (F. 9)]». STC 169/2001 de 16 de julio.

[20] Excepcionalmente, el art. 234 de la Ley Procesal Militar aprobada por LO 2/1989, de 13 abril, establece que en ningún caso se admitirá la libertad provisional con fianza en los procedimientos seguidos ante la Jurisdicción Militar. Esta disposición ha sido declarada constitucional por STC 14/96, de 8 febrero, pues entiende que se trata de una peculiaridad derivada de la propia naturaleza de la institución militar, sin que exista discriminación alguna. En especial si se tiene en cuenta que la legislación militar cuenta, como figura intermedia entre la libertad y prisión ordinaria, la prisión atenuada (arts. 225 a 229 LPM) que permite dar un tratamiento constitucionalmente

por la concurrencia de los requisitos que a continuación se exponen. El Juez también podrá acordar, motivadamente, la retención del pasaporte (arts. 529 y 530 LECrim).

«Ciertamente, prisión y libertad provisionales tienen rasgos comunes derivados de constituir medidas cautelares de carácter personal y de compartir la finalidad de asegurar la sujeción del encausado al proceso, los presupuestos y condiciones que legitiman su adopción y mantenimiento no son legalmente idénticos (STC 85/1989, de 10 de mayo, F. 2)». STC 169/2001 de 16 julio.

B) Requisitos para su adopción

La LECrim relaciona la adopción de la medida de libertad o prisión provisional con la pena que procede imponer por los ilícitos presuntamente cometidos, siempre con el presupuesto de que aparezcan en la causa motivos bastantes para creer responsable criminalmente del delito a la persona contra quien se haya de dictar el auto de prisión o acordar, en su defecto la libertad provisional. Con carácter general, se adoptará la libertad provisional cuando la pena solicitada sea inferior a los dos años de prisión y la prisión provisional cuando la pena solicitada sea igual o superior al citado límite de dos años de prisión y además concurran determinados requisitos que persiguen la salvaguarda de alguno de los siguientes fines: asegurar la presencia del imputado en el proceso, evitar la ocultación o destrucción de pruebas, evitar que el imputado pueda actuar contra la víctima (art. 503.1.3 LECrim) o evitar el riesgo de reiteración delictiva (art. 504.2 LECrim). En caso de no concurrir ninguna de estas circunstancias el Juez adoptará la libertad provisional, aunque la pena supere los dos años de prisión. También cabe adoptar la prisión provisional, aunque la pena que corresponda sea inferior al citado límite de dos años. Pero, en ese caso, se exige una mayor intensidad del riesgo concretado en los siguientes circunstancias: que el imputado tuviere antecedentes penales no cancelados por delito doloso (art. 503.1.1 LECrim); se trate de un delincuente habitual o bien actuase de forma organizada con otra personas para cometer delitos; o en el caso que se adoptara la prisión para evitar que el imputado actúe contra las víctimas a las que se refiere el art. 173.2 CP (art. 503.1.3.c LECrim). En cualquier caso, la adopción de la prisión provisional exige la petición de parte en la comparecencia prevista en el art. 505 LECrim, por lo que en caso contrario deberá acordar, necesariamente la libertad del imputado (art. 505.4 LECrim).

La libertad provisional puede condicionarse a la prestación de fianza o a la obligación de comparecer ante el órgano jurisdiccional los días que se establezcan, normalmente los días 1 y 15 de cada mes, además de todos los demás que fuera convocado. La obligación de presentación puede variar y ser mucho más frecuente hasta el extremo de fijarse en una presentación diaria lo que no vulnera el art. 19 CE si se impone dentro de los supuestos legales y de forma razonada (STC 85/89, de 10 mayo) (Véanse M. 84 y 85). También cabe, por el contrario, no someter la medida a obligación alguna de comparecencia estableciéndose la obligación genérica de comparecer cuando fuere llamado.

«La naturaleza de la medida cautelar no cambia en función de las circunstancias personales del encausado. La libertad provisional, por sí, es una medida de naturaleza

---

adecuado, desde la perspectiva de la proporcionalidad, a los supuestos en que, en la jurisdicción común, pudiera aplicarse la fianza.

restrictiva, con independencia de que sus efectos sean más o menos intensos atendiendo a las circunstancias personales del afectado. El art. 530 de la LECrim (LA LEY 1/1882) no predefine un módulo cronológico para el cumplimiento de la obligación de comparecer, dijo la STS 1045/2013 (LA LEY 9671/2014). Esta es exigible "… en los días que le fueren señalados en el auto respectivo". Nada impide que el Juez instructor acuerde una frecuencia semanal, quincenal, mensual, trimestral o diaria, todo ello en relación a los fines que persigue. Incluso, añadimos ahora, ningún impedimento existe para que, en el marco del artículo 530, no se fije la obligación de una comparecencia periódica, limitándose a exigir la obligación de comparecer del imputado cuando fuere llamado. Ya hemos dicho que la libertad provisional con obligación de comparecer es una medida cautelar, y como tal orientada al cumplimiento de los fines que le son propios. De ahí que si las comparecencias en días determinados no se consideran necesarias o útiles para el cumplimiento de aquellos, en particular para el que le es específico, garantizar la sujeción del imputado al proceso, carece de sentido su automática imposición. En todo caso es necesario un ejercicio de ponderación en orden a valorar la necesidad de la medida, y su extensión». STS Sala Segunda, de lo Penal, Sentencia 332/2015 de 3 Jun. 2015, Rec. 10117/2015, Ponente: Ferrer García, Ana María. LA LEY 69770/2015.

C) Garantías de la libertad provisional. Prestación y cancelación de la fianza

La fianza constituye la garantía que debe prestar el imputado o un tercero en su nombre, para responder de que comparecerá cuando fuere llamado por el Juez o Tribunal que conozca de la causa. Es decir, para conjurar un posible riesgo de fuga u ocultamiento a la acción de la Justicia. La fianza no es, por tanto, el instrumento de una medida cautelar real que suponga la sujeción de los bienes del imputado o tercero, sino una garantía de una cautela de carácter personal. Para determinar la calidad y cantidad de la fianza, se tendrán en cuenta la naturaleza del delito, el estado social y antecedentes del procesado y las demás circunstancias que pudieran influir en el mayor o menor interés de éste para ponerse fuera del alcance de la autoridad judicial (art. 531 LECrim)[21].

> «La legitimidad constitucional de las resoluciones judiciales que acuerdan la imposición de una fianza, cuando sustituye la prisión provisional o permite eludirla, no depende de su adecuación al derecho a la libre disposición de los bienes, sino a la libertad personal, dado que la no prestación de fianza habilita para el ingreso en prisión o para su mantenimiento». STC 169/2001 de 16 de julio.

La fianza responde por la falta de comparecencia del imputado. De modo que si tras el primer llamamiento judicial no compareciese, no justificándose su imposibilidad, el Estado se adjudicará la fianza si el fiador es el mismo imputado. Para el caso de que el fiador fuese un tercero el Tribunal le requerirá para que presente al imputado ante el Tribunal en el breve plazo que se le señale, de conformidad con lo dispuesto en los arts. 534 y ss. LECrim. Transcurridos los plazos reseñados, sin que se hubiese presentado el acusado, se dictará auto adjudicando la fianza al Estado,

---

[21] Respecto a las clases y suficiencia de las fianzas resulta aplicable lo dispuesto para las fianzas pecuniarias que se deban prestar para asegurar las responsabilidades civiles derivadas de delito (arts. 591 a 596 LECrim). Además, respecto a la consignación debe tenerse en cuenta la normativa desarrollada por el RD 467/2006, de 21 de abril, por el que se regulan los depósitos y consignaciones judiciales en metálico, de efectos o valores.

con deducción de las costas causadas en el ramo separado, según lo previsto en el art. 535, en relación con el 532 LECrim. La cancelación de la fianza también tendrá lugar, a petición del fiador, presentando a la vez al afianzado, cuando se decretase la prisión del acusado, por la muerte del mismo, o bien por dictarse auto firme de sobreseimiento o sentencia absolutoria —art. 541 LECrim.—. Si la sentencia fuese condenatoria, se cancelará aquélla cuando se presentase el reo para cumplir condena.

Se ha planteado el problema sobre si procede o no la cancelación de fianza, cuando se ha dictado sentencia absolutoria y ésta se encuentra pendiente de recurso de casación. A este respecto, y a falta de norma expresa en la LECrim, el TC, sobre la base de los arts. 861 bis a) 541 y 539 LECrim., ha declarado que la decisión del Juez o Tribunal en esta materia no tiene carácter reglado y, por tanto, de acuerdo con el derecho a la presunción de inocencia, la adopción de medidas cautelares que afecten a la libertad personal o supongan una restricción de la libre disposición de los bienes deberá fundamentarse en un juicio acerca de su razonabilidad para la consecución de la finalidad propuesta. Así pues, en estos casos la autoridad judicial podrá cancelar la fianza o no de acuerdo con un criterio razonado, pero en ningún caso podrá fundarse en si viene o no exigida por los preceptos de la Ley[22]. Aunque, la discrecionalidad judicial halla su límite en el respeto a los fines legítimos de las medidas cautelares que restringen los derechos fundamentales. En este sentido, el TC ha declarado que no cabe su imposición cuando no existe o ha desaparecido el riesgo de fuga o incomparecencia del inculpado.

> «Consignándose como única finalidad legítima perseguida con el mantenimiento de la situación de prisión provisional incondicional la de asegurar el normal desarrollo de la instrucción, la desaparición de este riesgo, apreciada por el órgano judicial, no puede conllevar la mutación de la medida cautelar mediante la exigencia de fianza, sino la puesta en libertad provisional del imputado. Y ello porque, en otro caso, si la fianza no llega a consignarse, la situación de privación de libertad que la prisión provisional comporta quedaría carente de la cobertura finalista que constitucionalmente la legitima». STC 14/2000 de 17 de enero.

La Libertad provisional también puede garantizarse con otras medidas de garantía, v.g. la prohibición de salida del territorio español a cuyo efecto el Tribunal podrá acordar, motivadamente, la retención del pasaporte (art. 530 LECrim).

> «La determinación del derecho que resulta afectado no puede realizarse sin tener en cuenta la vinculación de la prohibición de salida del territorio español y la retirada del pasaporte con la libertad provisional y con la prisión provisional, pues aquélla se impuso como garantía que integra la libertad provisional adoptada como medida

---

[22] «... Según ha quedado ya justificado sobre la base de los arts. 861 bis a), 541 y 539 LECrim., ni la cancelación es una consecuencia legal necesaria cuando la sentencia es absolutoria, ni el recurso de casación hace improcedente la cancelación de la fianza cuando ha sido constituida por el propio procesado. El Tribunal ordinario ha de hacer un juicio de razonabilidad para tomar su decisión, teniendo en cuenta, de una parte, la finalidad perseguida y, de otra, las circunstancias concurrentes, como la existencia de una sentencia absolutoria... y otras que puedan apreciarse en relación al imputado, como la profesión u oficio, recursos, lazos familiares, tiempo de prisión provisional, antecedentes y demás que puedan conducir a fundamentar el juicio de proporcionalidad...». (STC 108/84, de 26 noviembre).

cautelar de carácter personal sustitutiva de la prisión provisional .../... no estamos ante una medida impuesta como medida cautelar autónoma, sino ante una de las condiciones que integran la libertad provisional. De manera que la medida cautelar es la libertad provisional sin fianza y condicionada a específicas cautelas, consistentes en la obligación "*apud acta*" de presentarse semanalmente ante el Juzgado y siempre que fuere llamado, entrega del pasaporte y prohibición expresa de salida del territorio nacional sin autorización». STC 169/2001 de 16 de julio.

Esta medida de garantía se adoptará al amparo del art. 530 LECrim, modificado por la LO 15/2003, que incorporó al ordenamiento procesal penal la doctrina constitucional sentada en la STC citada 169/2001, en la que el TC otorgó el amparo en un supuesto de retención del pasaporte por falta de proporcionalidad, aunque admitió la constitucionalidad de la medida de garantía.

D)   Abono de la libertad provisional para el cumplimiento de la condena

El tiempo que hubiere transcurrido durante el que el sometido al proceso penal hubiese estado sometido al régimen de comparecencias periódicas es computable a efectos de restar del tiempo de cumplimiento de la condena. Esta posibilidad está prevista en el art. 58.4 y 59 CP. Además ha sido reconocida explícitamente por el Acuerdo del TS de fecha de 19 de diciembre de dos mil trece, que estableció que: «*La obligación de comparecencia periódica ante el órgano judicial es la consecuencia de una medida cautelar de libertad provisional. Como tal medida cautelar puede ser compensada conforme al artículo 59 del Código Penal atendiendo al grado de aflictividad que su efectivo y acreditado cumplimiento haya comportado*». Esta norma ha sido interpretada por el Tribunal Supremo en el sentido de existir un derecho a la compensación que deberá ser modulado según las circunstancias[23].

«En palabras de la STS 52/2015 (LA LEY 4789/2015), no puede pretenderse que la aplicación del artículo 59 del CP (LA LEY 3996/1995)tenga un carácter facultativo, ya que su literalidad no lo permite al afirmar categóricamente que "El Juez o Tribunal

---

[23]   «Una vez impuesta la obligación y constatado su cumplimiento, se consolida ya una limitación provisional de libertad de la que deriva un gravamen susceptible de ser compensado, con independencia de que las circunstancias personales del imputado incrementen o debiliten el grado de aflicción derivado de su cumplimiento. Pues, como recuerdan las SSTS 1045/2013 (LA LEY 9671/2014) y 888/2014 (LA LEY 197111/2014), "dado que la pena es, por sí misma una reducción del status del autor respecto de sus derechos fundamentales, es evidente que toda privación de derechos sufrida legítimamente durante el proceso constituye un adelanto de la pena que no puede operar contra el acusado. Si se negara esta compensación de la pérdida de derechos se vulneraría el principio de culpabilidad, pues se desconocería que el autor del delito ya ha extinguido una parte de su culpabilidad con dicha pérdida de derechos y que ello debe serle compensado en la pena impuesta" (SSTS 934/1999 de 8 de junio; 283/2003 de 24 de febrero (LA LEY 1454/2003) y 391/2011 de 20 de mayo (LA LEY 71544/2011), entre otras). Por ello no podemos acoger los argumentos tanto de la Sala de instancia como del Fiscal, quienes han rechazado la compensación al no haberse acreditado la existencia de un especial grado de aflicción a consecuencia del cumplimiento de la medida impuesta. La aflicción se produce por efecto directo de la limitación de libertad, es decir una vez constatado el cumplimiento de la medida acordada, sin perjuicio de que se concrete la intensidad de la misma en relación a las pautas de cumplimiento marcadas y las especiales circunstancias del afectado». STS Sala Segunda, de lo Penal, Sentencia 332/2015 de 3 Jun. 2015, Rec. 10117/2015, Ponente: Ferrer García, Ana María. LA LEY 69770/2015.

ordenará..." el abono de la medida respecto de la pena en aquello que se estime compensado. Con lo que la expresión contenida en el Acuerdo del Pleno de esta Sala acerca de que la medida de obligación de comparecencia periódica ante el órgano judicial "puede" ser compensada, no debe ser interpretada como una inaceptable degradación hacia lo facultativo de lo que la norma legal considera obligatorio, sino tan sólo como la expresión de que la compensación ha de hacerse no de manera rígida sino teniendo en cuenta el distinto grado de aflictividad de dicha medida impuesta. Otra interpretación, por contravenir los términos claros de la norma legal, resultaría inaceptable y, por supuesto, siempre subordinada al contenido del precepto interpretado». STS Sala Segunda, de lo Penal, Sentencia 332/2015 de 3 Jun. 2015, Rec. 10117/2015, Ponente: Ferrer García, Ana María. LA LEY 69770/2015.

Este criterio se fundamenta en el hecho innegable de la restricción del derecho a la libertad que recae sobre el condenado que debe ser compensado de tal circunstancia que el Tribunal Supremo califica de adelanto de pena que no puede operar en contra del acusado condenado[24].

«Dado que la pena es, por sí misma una reducción del *status* del autor respecto de sus derechos fundamentales, es evidente que toda privación de derechos sufrida legítimamente durante el proceso constituye un adelanto de la pena que no puede operar contra el acusado. Si se negara esta compensación de la pérdida de derechos se vulneraría el principio de culpabilidad, pues se desconocería que el autor del delito ya ha extinguido una parte de su culpabilidad con dicha pérdida de derechos y que ello debe serle compensado en la pena impuesta (SSTS 934/1999, 8 de junio —recaída en el recurso de casación núm. 1731/1998—,283/2003 (LA LEY 1454/2003), 24 de febrero, 391/2011, 20 de mayo, entre otras)». STS Sala Segunda, de lo Penal, Sentencia 888/2014 de 23 Dic. 2014, Rec. 10631/2014. Ponente: Varela Castro, Luciano. LA LEY 197111/2014[25].

2.3. La prisión provisional

A) Concepto

La prisión provisional es una medida cautelar de privación de libertad que puede adoptarse en el proceso penal y que está sometida al principio de legalidad y excepcionalidad, de aplicación subsidiaria, provisional y proporcionada a los fines que

---

[24] «El significado jurídico de esa obligación de comparecencia apud acta no puede ser analizado sin conexión con el estatuto procesal que determina su adopción. El deber de comparecer es el efecto inmediato de la restricción de la libertad ínsita en la medida cautelar de libertad provisional. La Sala no puede aceptar que una libertad calificada como *provisional* no implique una restricción del valor constitucional proclamado en el art. 1 de la CE. (LA LEY 2500/1978)La comparecencia apud acta no puede imponerse a un imputado cuya libertad no es objeto de medida cautelar alguna, sino a todo aquel "... que hubiere de estar en libertad provisional" (art. 530 LECrim (LA LEY 1/1882)). De acuerdo con esta idea, el grado de afectación que tal medida haya podido implicar respecto de otros derechos —por ejemplo, a la libertad de residencia— es cuestión que no altera la naturaleza ni el significado jurídico de la medida impuesta. La libertad está afectada porque a partir de la resolución judicial que impone las comparecencias periódicas del imputado, es sólo *provisional* —nota ésta que acentúa su carácter de medida cautelar—, condicionada al cumplimiento de ese deber y a la atención a todo llamamiento judicial». STS Sala Segunda, de lo Penal, Sentencia 1045/2013 de 7 Ene. 2014, Rec. 10184/2013. Ponente: Marchena Gómez, Manuel. LA LEY 9671/2014.

[25] En el mismo sentido las SSTS nº 758/2014 de 12 de noviembre (LA LEY 161487/2014) y 1045/2013 de 7 de enero de 2014 (LA LEY 9671/2014).

constitucionalmente la justifican y delimitan, que en esencia son asegurar la ejecución de la sentencia que se dicte.

> «Desde la STC 128/1995, de 26 de julio (LA LEY 2588-TC/1995), este Tribunal ha venido declarando que la prisión provisional constituye una medida cautelar sometida al principio de legalidad, excepcional, subsidiaria y proporcionada al logro de fines constitucionalmente legítimos (por todas, SSTC 305/2000, de 11 de diciembre (LA LEY 2103/2001), FJ 3; 95/2007 (LA LEY 23072/2007), de 7 de mayo, FJ 4 y 140/2012, de 2 de julio, FJ 2)». STC Sala Segunda, Sentencia 210/2013 de 16 Dic. 2013, Rec. 2501/2012. Ponente: González Rivas, Juan José. LA LEY 208391/2013.

No tiene finalidad de anticipación de la pena, ni es un medio impulsor de la investigación criminal, ya que ello se opondría a la naturaleza cautelar de la medida. En este sentido, el TC ha declarado que la situación ordinaria del imputado en espera de juicio no es la de hallarse sometido a una medida cautelar[26].

> «... La prisión provisional es una medida cautelar de naturaleza personal, que tiene como primordial finalidad la de asegurar la disponibilidad física del imputado con miras al cumplimiento de la sentencia condenatoria que eventualmente pueda ser dictada en su contra impidiendo de este modo que dicho sujeto pasivo de la imputación pueda sustraerse a la acción de la justicia. No es en modo alguno una especie de pena anticipada, ni por ello resulta correcto que, para resolver un problema de duración de la medida cautelar puedan utilizarse preceptos legales ajenos a la misma...». (STC 19/99, de 22 febrero).

Esta medida debe aplicarse cuando, atendida la gravedad del delito del que se acusa (siempre castigado con privación de libertad) y el estado de tramitación de la causa, se pretenda evitar que el imputado eluda la acción de la Justicia. El TC ha declarado que la prisión provisional se sitúa entre el deber estatal de perseguir el delito y el de asegurar el derecho a la libertad en tanto no exista una sentencia de condena[27]. A este efecto, deberán ponderarse las circunstancias del imputado,

---

[26] En este sentido, las directrices de la Recomendación 80-11 del Consejo de Europa, adoptada por el Comité de Ministros el 27 de junio de 1980, deben considerarse de un alto valor interpretativo: «... la disposición del art. 503 LECrim. no debe en su aplicación desvirtuar el contenido de la institución que, como precisa en su art. 9.3 el Pacto Internacional de Derechos Civiles y Políticos, "no debe ser la regla general" para las personas que hayan de ser juzgadas. Por otra parte, y en apoyo de esta tesis, la Resolución 11(65) del Consejo de Europa recomienda a los Gobiernos que actúen de modo que la prisión preventiva se inspire en los siguientes principios: a) no debe ser obligatoria y la autoridad judicial tomará su decisión teniendo en cuenta las circunstancias del caso; b) debe considerarse como medida excepcional, y c) debe ser mantenida cuando sea estrictamente necesaria y en ningún caso debe aplicarse con fines punitivos...». (STC 41/82, de 2 julio). Vid. también SSTC 108/84, de 26 noviembre; 178/85, de 19 diciembre; 66/89, de 17 abril; 85/89, de 10 mayo, 18/99, de 22 febrero.

[27] «... La institución de la prisión provisional, situada entre el deber estatal de perseguir eficazmente el delito, por un lado, y el de asegurar el ámbito de la libertad del ciudadano, por otro, no sólo viene delimitada por el art. 17 CE, sino también por el art. 1.1 CE, consagrando el Estado social y democrático de derecho que propugna como valores superiores la libertad, la justicia, la igualdad y el pluralismo político, y por el art. 24.2 CE, que dispone que todos tienen derecho a un proceso público sin dilaciones y a la presunción de inocencia. Este caudal normativo (ha de ser) acrecentado con los arts. 9 de la Declaración Universal de Derechos Humanos, art. 5 del Convenio de Roma... y el art. 9 del Pacto Internacional de Derechos Civiles y Políticos... (determinando) que

el peligro de fuga u ocultamiento, las circunstancias del hecho, la posibilidad que el imputado cause daños a la víctima o sus familiares, etc.; valorando el Tribunal la concurrencia de los requisitos generales del *fumus boni iuris* y el *periculum in mora*, teniendo en cuenta que se trata de una institución cuyo contenido material coincide con el de las penas privativas de libertad, pero que recae sobre ciudadanos que gozan de la presunción de inocencia[28]. Por esa razón: «*su configuración y aplicación como medida cautelar ha de partir de la existencia de indicios racionales de la comisión de una acción delictiva, ha de perseguir un fin constitucionalmente legítimo que responda a la necesidad de conjurar ciertos riesgos relevantes para el proceso que parten del imputado, y en su adopción y mantenimiento ha de ser concebida como una medida excepcional, subsidiaria, necesaria y proporcionada a la consecución de dichos fines*» (STC 47/2000 de 17 de febrero).

«Como consecuencia de esta característica de la excepcionalidad, rige el principio del "favor libertatis" (SSTC 32/1987 y 34/1987, ambas de 12 de marzo; 115/1987, de 7 de julio y 37/1996, de 11 de marzo) o del "*in dubio pro libertate*" (STC 117/1987, de 8 de julio), formulaciones que, en definitiva, vienen a significar que la interpretación y aplicación de las normas reguladoras de la prisión provisional "debe hacerse con carácter restrictivo y a favor del derecho fundamental a la libertad que tales normas restringen, dado, además, la situación excepcional de la prisión provisional. Todo ello ha de conducir a la elección y aplicación, en caso de duda, de la Ley más favorable, o sea, la menos restrictiva de la libertad" (STC 88/1988, F. 1)». STC 147/2000 de 29 de mayo.

La institución se regula en los arts. 502 y ss. LECrim, que han de ser interpretados a la luz de lo dispuesto en las normas constitucionales y los Tratados internacionales suscritos que sintéticamente establecen el sometimiento de esta medida a criterios de proporcionalidad, excepcionalidad, subsidiariedad y provisionalidad[29]. Véanse el art. 9.3 del Pacto internacional de derechos civiles y políticos de Nueva York de 1966, y el art. 5.3 del Convenio europeo para la protección de los derechos humanos y de las libertades fundamentales de Roma de 1950. Además la medida sólo puede ser adoptada en alguno de los supuestos y conforme con el procedimiento legalmente establecido.

«La exigencia general de habilitación legal supone "que la decisión judicial de decretar, mantener o prorrogar la prisión provisional" ha de estar "prevista en uno de los supuestos legales" (uno de los "casos" a que se refiere el art. 17.1 CE (LA LEY

---

tan ilegítima puede ser la prisión provisional decretada cuando se actúa bajo la cobertura improcedente de la ley como contra lo que la Ley dispone...». (SSTC 41/82, de 2 julio; 13/94, de 17 enero y 128/95, de 26 julio).

[28] «... La concurrencia del *fumus boni iuris* ha de consistir necesariamente en la existencia de razonables sospechas de la comisión de un delito por el eventual destinatario de la medida, mientras que el segundo presupuesto o finalidad de la medida cautelar, el *periculum in mora*, debe integrarse con la consecución de fines constitucionalmente legítimos y congruentes con la naturaleza de la medida, entre los que se destaca el de conjurar el riesgo de sustracción a la acción de la justicia...». (STC 62/96, de 15 abril).

[29] «... en la prisión provisional, ausente la posible virtualidad en cuanto tal del principio de culpabilidad, debe acentuarse que la constatación de razonables sospechas de responsabilidad operan como condicio *sine qua non* de la adopción y del mantenimiento de tan drástica medida cautelar... que, además... queda supeditada en su aplicación a una estricta necesidad y subsidiariedad...». (STC 128/95, de 26 julio).

2500/1978)) y que ha de adoptarse mediante el procedimiento legalmente regulado (en la "forma" mencionada en el mismo precepto constitucional). De ahí que hayamos dicho reiteradamente que el derecho a la libertad puede verse conculcado, tanto cuando se actúa bajo la cobertura improcedente de la ley, como contra lo que la ley dispone (SSTC 127/1984, de 26 de diciembre (LA LEY 9523-JF/0000), FJ 2; 128/1995, de 26 de julio (LA LEY 2588-TC/1995), FJ 3; 305/2000, de 11 de diciembre, FJ 3, y STC 210/2013, de 16 de diciembre (LA LEY 208391/2013), FJ 2). En suma, la exigencia de habilitación legal supone que la medida cautelar ha de estar prevista en el ordenamiento y se ha de aplicar únicamente a los supuestos expresamente contemplados por la ley». STC Pleno, Sentencia 217/2015 de 22 Oct. 2015, Rec. 5843/2014; Ponente: Narváez Rodríguez, Antonio. LA LEY 169363/2015.

En este sentido, el TC ha declarado que la prisión provisional tiene como presupuesto la existencia de indicios racionales de la comisión de una conducta delictiva y que su adopción debe perseguir la consecución de fines constitucionalmente legítimos y congruentes con la naturaleza de la limitación de la libertad. A saber, prevenir que el imputado o procesal se ponga fuera del alcance de la justicia, pueda obstruir la instrucción sumarial, o delinquir nuevamente[30].

«La legitimidad constitucional de la prisión provisional exige que su aplicación tenga como presupuesto la existencia de indicios racionales de la comisión de una acción delictiva; como objetivo la consecución de fines constitucionalmente legítimos y congruentes con la naturaleza de la medida; y como fundamento la ponderación de las circunstancias concretas que, de acuerdo con el presupuesto legal y la finalidad constitucionalmente legítima, permitan la adopción de la medida (SSTC 62/1996, de 16 de abril, FJ 5; 44/1997, de 10 de abril, FJ 5; 66/1997, de 7 de abril, FJ 4; 33/1999, de 8 de marzo, FJ 3, y 14/2000, de 17 de enero, FJ 4).En la STC 333/2006, de 20 de noviembre, FJ 3, se concretó como constitutiva de estos fines la conjura de ciertos riesgos relevantes para el desarrollo normal del proceso o para la ejecución del fallo que parten del imputado: su sustracción a la acción de la Justicia, la obstrucción de la instrucción penal y, en un plano distinto, aunque íntimamente relacionado, la reiteración delictiva, pero lo que en ningún caso puede perseguirse con la prisión provisional son fines punitivos o de anticipación de la pena, o fines de impulso de la instrucción sumarial, propiciando la obtención de pruebas de declaraciones de los imputados, etc. Y, con cita en la STC 128/1995, de 26 de julio, FJ 2, se concluyó que "todos estos criterios ilustrarían, en fin, la excepcionalidad de la prisión provisional que tantas veces ha subrayado este Tribunal"». STC 27/2008 de 11 de febrero.

Acreditados estos requisitos, la prisión provisional deberá basarse en un juicio de razonabilidad acerca de la finalidad perseguida y las circunstancias concurrentes, pues aun cuando el art. 17.1 CE no concibe la libertad como un derecho absoluto, la restricción de este derecho debe ser proporcionada al fin que la justifique.

«Dicha motivación ha de ser suficiente y razonada, lo que supone que el órgano judicial debe ponderar la concurrencia de todos los extremos que justifican la adopción de dicha medida y que esa apreciación no resulte arbitraria, debiendo entenderse por tal aquella que no resulte acorde con las pautas del normal razonamiento lógico y, muy especialmente, con los fines que justifican la institución de la prisión

---

[30] Véanse también las SSTC 217/2001 de 29 de octubre; 60/2001 de 26 de febrero; 207/2000, de 24 de julio.

provisional [SSTC 128/1995, F. 4 b); y 33/1999, F. 3]. En consecuencia, la suficiencia y razonabilidad de la motivación serán el resultado de la ponderación de los intereses en juego (la libertad de una persona cuya inocencia se presume, por un lado; la realización de la administración de la justicia penal y la evitación de hechos delictivos, por otro) a partir de toda la información disponible en el momento en que ha de adoptarse la decisión, de las reglas del razonamiento lógico y del entendimiento de la prisión provisional como una medida de aplicación excepcional, subsidiaria y proporcionada a la consecución de los fines que la legitiman (STC 128/1995, F. 3; y 33/1999, F. 3)». STC 8/2002 de 14 de enero.

El juicio de razonabilidad debe atender a las circunstancias y fines constitucionalmente legítimos del momento. De modo que no obsta que en un primer momento pueda estar motivada la adopción de esta medida, para que pueda modificarse esta decisión si cambian las circunstancias concurrentes.

«Si bien es cierto que, en un primer momento, la necesidad de preservar los fines constitucionalmente legítimos de la prisión provisional así como los datos de que en ese instante disponga el instructor pueden justificar que el decreto de la prisión se lleve a cabo atendiendo solamente al tipo de delito y a la gravedad de la pena, también es verdad que el paso del tiempo modifica estas circunstancias y obliga a ponderar los datos personales y los del caso concreto conocidos en momentos posteriores [entre otras, SSTC 128/1995, F. 4 b), 37/1996, de 11 de marzo, F. 6 a), 62/1996, de 16 de abril, F. 5, y 33/1999]. En suma, la medida de prisión provisional debe responder en todo momento a los fines constitucionalmente legítimos de la misma, y así debe poder deducirse de la motivación de la resolución que la acuerda, aunque en un primer momento estos fines pueden justificarse atendiendo a criterios objetivos como la gravedad de la pena o el tipo de delito [por todas, STC 44/1997, F. 5 b)]». STC 8/2002 de 14 de enero. Véase también (STC 47/2000 de 17 de febrero).

La prisión provisional podrá ser comunicada o incomunicada. Esta última modalidad sólo podrá subsistir el tiempo estrictamente necesario para evacuar los interrogatorios y las citas hechas en las indagatorias. En los arts. 509 y ss. LECrim., se regula el contenido y el tiempo máximo de duración de la incomunicación. Véase sobre esta cuestión el § 3.3 del Cap. IV.

B) Requisitos para su adopción. Motivación

La prisión provisional podrá ser acordada, con carácter general, cuando conste en la causa la existencia de hechos que lleven aparejada una pena cuyo máximo sea igual o superior a los dos años de prisión (art. 503.1.1 LECrim), cuya comisión pueda atribuirse provisionalmente a una persona determinada (*fumus boni iuris*) y siempre que se persiga alguno de los fines previstos en el art. 503.1.3 LECrim, que acreditan la concurrencia del riesgo durante la necesaria duración del proceso (*periculum in mora*). Es decir, deben concurrir los presupuestos para la adopción de toda medida cautelar: el «*fumus boni iuris*» y el «*periculum in mora*». Estos presupuestos se concretarán en la existencia de circunstancias objetivas (relativas a los hechos), y subjetivas (relativas a la persona afectada)[31].

---

[31] «Presupuesto la existencia de indicios racionales de la comisión de la acción delictiva y que su objetivo sea la consecución de fines constitucionalmente legítimos y congruentes con la

«Los fines constitucionalmente legítimos de la prisión provisional están vinculados con la necesidad de garantizar el normal desarrollo del proceso penal en el que se adopta la medida, especialmente el de asegurar la presencia del imputado en el juicio y el de evitar posibles obstrucciones a su normal desarrollo (por todas, STC 23/2002, de 28 de enero, F. 3.a). Este Tribunal han considerado que no es ajeno a la motivación de la consecución de estos fines, especialmente para el riesgo de fuga, datos objetivos como la gravedad del delito imputado y el estado de tramitación de la causa (por todas, STC 23/2002, de 28 de enero, F. 3.b)... si en un principio cabe admitir una motivación basado únicamente en datos objetivos como la gravedad del delito y posible pena, el transcurso del tiempo en la aplicación de la medida exige que se ponderen más individualizadamente circunstancias personales del preso preventivo y del caso concreto». STC 138/2002 de 3 de junio[32].

Esta materia ha sido regulada por la LO 13/2003 y 15/2003, que modificó los criterios para la adopción de la prisión provisional flexibilizando los requisitos para su adopción, de modo que el límite de tres años de prisión para acordar la prisión provisional se rebajó a dos. Por otra parte, se eliminaron las referencias a las antiguas clasificaciones de penas, que aún subsistían en la regulación de la prisión provisional. Finalmente, se sustituyeron los criterios de alarma social o comisión frecuente en el lugar de hechos delictivos, por otros de carácter más objetivo como los referidos a los antecedentes penales o la habitualidad en la comisión de hechos delictivos por el sujeto al que afecta la medida. De este modo la ley acogió los criterios jurisprudenciales sentados por la jurisprudencia sobre esta cuestión. Concretamente el TC se había pronunciado reiteradamente respecto a los criterios que permiten acordar esta cautela: la sustracción a la acción de la Administración de la Justicia, la obstrucción de la Justicia penal y la reiteración delictiva (SSTC 94/2001 de 2 de abril; 207/2000, de 24 de julio, F. 6)[33].

«Los requisitos exigibles, en el ámbito constitucional, respecto de la medida cautelar de prisión provisional. Esta doctrina se recoge en la citada STC 61/2000, F. 3, según la cual la constitucionalidad de la medida de prisión exige el cumplimiento de

---

naturaleza de la medida, mereciendo tal consideración únicamente aquellos que remiten a "la conjuración de ciertos riesgos relevantes que, teniendo su origen en el imputado se proyectan sobre el normal desarrollo del proceso o la ejecución del fallo, así como, en general, sobre la sociedad" (SSTC 128/1995, de 26 de julio, F. 3; y 14/2000, de 17 de enero, F. 4, por todas). En particular, esos riesgos a prevenir serían los de sustracción a la acción de la Administración de Justicia, la obstrucción de la justicia penal o la reiteración delictiva (entre otras, STC 33/1999, de 8 de marzo, F. 3)». STC 8/2002 de 14 de enero.

[32] «La comparación entre los requerimientos dimanantes del art. 17 de nuestra Constitución, tal y como los ha delimitado nuestra doctrina y las circunstancias bajo las que los preceptos transcritos permiten acordar la prisión, pone de manifiesto "prima facie", que la Ley ni exige la presencia de un fin constitucionalmente legítimo para acordar tal medida, ni determina cuáles son los fines constitucionalmente legítimos que permiten acordarla ni, por lo tanto, exige que éstos se expresen en la resolución que la acuerda». STC pleno 47/2000 de 17 de febrero.

[33] Por su parte, el TEDH estima que pueden tenerse en consideración para acordar o mantener la prisión el riesgo de presión sobre los testigos, riesgo de huida, preservación del orden público, insuficiencia del control judicial, peligro de repetición de las infracciones, las necesidades de la investigación y los riesgos de elusión de las mismas [SSTEDH 26 junio 1991 —caso Setellier— y 12 diciembre 1991 —caso Clooth—, BJC 179 (1996); 27 agosto 1992 —caso Tomari— y 30 junio 1993 —caso NMT JBB y LBB—, entre otras].

los requisitos que a continuación se indican. a) Su configuración y aplicación han de tener como presupuesto la existencia de indicios racionales de la comisión del delito y su objetivo ha de ser la consecución de fines constitucionalmente legítimos y congruentes con la naturaleza de la medida. Se ha señalado, al respecto, que los riesgos a prevenir son la sustracción a la acción de la Administración de Justicia, la obstrucción de la Justicia penal y la reiteración delictiva». STC 23/2002 de 28 de enero.

Precisamente, el TC había declarado que el criterio de «alarma social», contenido en el derogado art. 503 LECrim, no podía servir, de forma genérica, para fundamentar la prisión provisional, por suponer un juicio previo de antijuricidad y culpabilidad[34].

La apreciación del *fumus boni iuris*, requiere la existencia de motivos bastantes para estimar que una persona haya cometido el delito (art. 503.1.2 LECrim) y debe compatibilizarse, según el TC, con la presunción de inocencia, que también rige para ésta medida cautelar de privación de libertad[35].

> «La legitimidad constitucional de la prisión provisional, en tanto que medida cautelar limitativa del derecho a la libertad adoptada en el marco de un proceso penal, exige como presupuesto la existencia de indicios racionales de la comisión de un delito y como objetivo, la consecución de fines constitucionalmente legítimos y congruentes con la naturaleza de la medida. Por ello, toda resolución judicial que se pronuncie sobre la adopción de esta medida o su mantenimiento ha de tener como objeto de motivación la ponderación de las circunstancias concretas que, de acuerdo con su presupuesto legal y su finalidad constitucionalmente legítima, permitan tomar una decisión sobre la misma (por todas, STC 60/2001, de 26 de febrero, F. 3)». STC 138/2002 de 3 de junio.

---

[34] «El Auto ... añade solamente el argumento de "la indudable alarma social que produce la comisión de este tipo de delitos", aunque sin desarrollar esta afirmación. Mas la genérica alarma social, así invocada, no justifica adecuadamente la adopción o mantenimiento de la medida cautelar que se contempla. En efecto, como dijimos en la STC 66/1997, de 7 de abril, F. 6, y reiteramos en las SSTC 98/1997, de 20 de mayo, F. 9, y 47/2000, de 17 de febrero, F. 5, con independencia del correspondiente juicio que pueda merecer la finalidad de mitigación de otras alarmas sociales que posean otros contenidos —la alarma social que se concreta en disturbios sociales, por ejemplo— y otros orígenes —la fuga del imputado o su libertad provisional—, juicio en el que ahora no es pertinente entrar, lo cierto es que la genérica alarma social presuntamente ocasionada por un delito constituye el contenido de un fin exclusivo de la pena —la prevención general— y (so pena de que su apaciguamiento corra el riesgo de ser precisamente alarmante por la quiebra de principios y garantías jurídicas fundamentales), presupone un juicio previo de antijuricidad y de culpabilidad del correspondiente órgano judicial tras un procedimiento rodeado de plenas garantías de imparcialidad y defensa». STC 23/2002 de 28 de enero. En el mismo sentido la STC 8/2002 de 14 de enero. Y, especialmente, la STC el Pleno 47/2000 de 17 de febrero.

[35] «... La presunción de inocencia opera en el seno del proceso como una regla de juicio; constituye a la vez una regla de tratamiento, en virtud de la cual el imputado tiene el derecho a recibir la consideración y el trato de no autor o no partícipe en hechos de carácter delictivo. En cuanto regla de juicio, la presunción de inocencia exige que la prisión provisional no recaiga sino en supuestos donde la pretensión acusatoria tiene un fundamento razonable; esto es, allí donde existan indicios racionales de criminalidad, pues, de lo contrario, vendría a garantizarse, nada menos que a costa de la libertad, un proceso cuyo objeto pudiera desvanecerse...». (SSTC 108/84, de 26 noviembre, y 129/95, de 26 julio). Vid también SSTC 177/98 de 14 septiembre; 67/1997 de 7 de abril.

En cuanto al peligro de mora procesal, *periculum in mora,* se debe constatar en la concurrencia de alguno de los supuestos legales previstos en el art. 503 LECrim.

«a) Por lo que se refiere al principio de legalidad, hemos reiterado la exigencia constitucional de que la decisión judicial de decretar, mantener o prorrogar la prisión provisional esté prevista en uno de los supuestos legales (uno de los "casos" a que se refiere el art. 17.1 CE (LA LEY 2500/1978)) y que se adopte mediante el procedimiento legalmente regulado (en la "forma" mencionada en el mismo precepto constitucional). De ahí que hayamos dicho reiteradamente que el derecho a la libertad pueda verse conculcado tanto cuando se actúa bajo la cobertura improcedente de la ley, como contra lo que la ley dispone (SSTC 127/1984, de 26 de diciembre (LA LEY 9523-JF/0000), FJ 2; 128/1995, de 26 de julio (LA LEY 2588-TC/1995), FJ 3; y 305/2000 (LA LEY 2103/2001), de 11 de diciembre, FJ 3)». STC Sala Segunda, Sentencia 210/2013 de 16 Dic. 2013, Rec. 2501/2012. Ponente: González Rivas, Juan José. LA LEY 208391/2013.

Teniendo siempre presente que en la aplicación e interpretación de las normas legales sobre los supuestos en los que puede dictarse la prisión provisional debe procederse siempre con carácter restrictivo y en favor del derecho fundamental a la libertad.

«Junto a los principios de legalidad y previsibilidad, importa destacar también el carácter excepcional inherente a la prisión provisional, por oposición a la libertad como regla general (STC 147/2000, de 29 de mayo (LA LEY 8830/2000), FJ 5). Tal característica comporta la primacía del favor libertatis o *in dubio pro libertate*, formulaciones que, en definitiva, vienen a significar que la interpretación y la aplicación de las normas reguladoras de la prisión provisional deben hacerse con carácter restrictivo y a favor del derecho fundamental a la libertad que tales normas restringen, lo cual ha de conducir a la elección y aplicación, en caso de duda, de la norma menos restrictiva de la libertad (SSTC 88/1988 (LA LEY 858/1988), de 9 de mayo, FJ 1; 98/2002, de 29 de abril (LA LEY 4510/2002), FJ 3; 81/2004 (LA LEY 12396/2004), de 5 de mayo, FJ 5; y 95/2007 (LA LEY 23072/2007), de 7 de mayo, FJ 4)». STC Sala Segunda, Sentencia 210/2013 de 16 Dic. 2013, Rec. 2501/2012. Ponente: González Rivas, Juan José. LA LEY 208391/2013.

Los supuestos legales previstos en el art. 503 LECrim son los siguientes:

1º. Asegurar la presencia del imputado en el proceso cuando pueda inferirse racionalmente riesgo de fuga (art. 503.1.3.a LECrim).

Para valorar este peligro se atenderá conjuntamente a: la naturaleza del hecho, a la gravedad de la pena, a la situación familiar, laboral y económica, así como a la inminencia de la celebración del juicio oral, en particular cuando se siga el procedimiento de enjuiciamiento rápido de determinados delitos[36].

«Corresponde a este Tribunal debe circunscribirse a constatar que el peligro de fuga no es una hipótesis genérica o abstracta, sin entrar a dilucidar su efectiva

---

[36] «Si bien conjurar el riesgo de fuga es uno de los fines legítimos de la prisión provisional, su apreciación exige de los Tribunales la ponderación de las circunstancias personales del sometido a la misma, máxime si estos datos son conocidos por el órgano judicial y aportados como alegaciones por el recurrente [por todas SSTC 128/1995, de 26 de julio, (F. 4); 33/1999, de 8 de marzo, (F. 7); 14/2000, de 17 de enero, (F. 4)]». STC 169/2001 de 16 de julio.

realidad puesto que ese cometido no corresponde a este Tribunal que carece de la inmediación respecto de los hechos que sí han tenido los órganos judiciales y a partir de cuya ponderación han resuelto». STC 28/2001 de 29 de enero.

2º. Evitar la ocultación, alteración o destrucción de las fuentes de prueba (art. 503.1.3.b LECrim).

Este peligro se valorará atendiendo a la capacidad del imputado para acceder por sí o a través de terceros a las fuentes de prueba o para influir sobre otros imputados, testigos o peritos o quienes pudieran serlo. Pero, no cabe adoptar la prisión con base en este motivo cuando el peligro provenga del libre ejercicio del derecho de defensa o bien de la falta de colaboración del imputado.

3º. Evitar que el imputado pueda actuar contra bienes de la víctima (art. 503.1 LECrim).

Complementariamente, la ley establece que los autos relativos a la situación personal del imputado se pondrán en conocimiento de las personas ofendidas y perjudicadas por el delito cuya seguridad pudiera verse afectada por la resolución (art. 506.3 LECrim). Además, la Ley 4/2015 de Estatuto de la Víctima le ha otorgado un buen número de derechos en distintas materias. Véase sobre los derechos de la víctima el § 1.2 del Cap. IV.

4º. Evitar el riesgo de comisión de otros hechos delictivos para lo que se atenderá a las circunstancias del hecho, así como a la gravedad de los delitos que se pudieran cometer. Únicamente podrá acordarse la prisión en este caso cuando el hecho que se impute tenga carácter doloso (art. 503.2 LECrim).

La prisión provisional se podrá acordar, por tanto, cuando concurran los presupuestos expuestos siempre que el delito que se impute se sancione con una pena igual o superior a los dos años de prisión.

Ahora bien, la ley establece unas reglas especiales que permiten adoptar la medida de prisión provisional, sin atención al citado límite temporal. Es decir, que el Tribunal podrá adoptar la prisión provisional aunque la pena que lleve aparejado el delito que se imputa no supere los dos años de prisión, siempre que concurran algunas de las circunstancias que acreditan una mayor intensidad del riesgo procesal. Éstos son los siguientes supuestos:

5º. Cuando el imputado tuviere antecedentes penales no cancelados, ni susceptibles de cancelación, derivados de condena por delito doloso (art. 503.1.1 LECrim).

Este supuesto permite al Juez adoptar la prisión provisional, sin atención al límite temporal de dos años. Aunque, no le exime de constatar la existencia de riesgo procesal. No obstante, no es exigible la valoración del «periculum in mora». En este sentido, el precepto permite la adopción de la prisión provisional aunque la pena solicitada no supere los dos años en el caso de constatar la existencia de antecedentes penales no cancelados, sin referirse a más requisitos. Sin embargo, este hecho por sí solo no pone de manifiesto un riesgo, sino que viene a recoger el antiguo concepto de alarma social que se produciría ante la reiteración delictiva. Pero, siendo así ese criterio ya se ha incluido en el párrafo 2º del art. 503 LECrim con referencia a la habitualidad o reiteración de delitos. Por otra parte, el art. 506.1 LECrim dispone que el auto que acuerde la prisión provisional o su prolongación expresará los motivos y fines que la justifican. Por todo ello, cabe concluir que la existencia de antecedentes penales únicamente permite adoptar la prisión, según el procedimiento establecido, aunque la pena atribuida al delito sea inferior a dos años. Pero no exime al Juez de constatar y valorar la existencia de riesgo procesal.

6º. Cuando pueda inferirse racionalmente riesgo de fuga, y a la vista de los antecedentes hubieren sido dictadas al menos dos requisitorias para su llamamiento y busca por cualquier órgano judicial en los dos años anteriores (art. 503.1.3.a LECrim).

7º. Para evitar que el imputado actúe frente a los bienes de la víctima, cuando se trate de alguna de las personas a las que se refiere el art. 173.2 CP (art. 503.1.3.c LECrim).

8º. Cuando se pretenda evitar el riesgo de comisión de otros hechos delictivos y de los antecedentes del imputado y demás datos o circunstancias que aporte la policía judicial o resulten de las actuaciones, pueda racionalmente inferirse que el imputado viene actuando concertadamente con otras personas de forma organizada, o bien que realiza actividades delictivas con habitualidad (art. 503.2 *in fine* LECrim).

Del esquema legal expuesto se deduce que el límite temporal fijado para la adopción de la prisión provisional será, con carácter general, el de dos años establecido por la LO 15/2003, frente al anterior de tres años. De este modo se constata una mayor flexibilidad legal para adoptar esta medida cautelar, lo que implica un cierto «*endurecimiento*» de la legislación procesal en esta materia. Aunque, por otra parte, se ha suprimido el relativo automatismo de la regulación anterior, que permitía adoptar la prisión provisional en el supuesto de delitos con pena superior a tres años, ya que la ley no hacía referencia a las circunstancias de riesgo o peligro que constituyen el presupuesto del *periculum in mora*. Este criterio se justificaba en razón de la entidad e importancia de los delitos graves por entender que en esos casos el peligro ya se halla implícito[37]. Sin embargo, la jurisprudencia había declarado que el Tribunal no quedaba exento de valorar, en cualquier caso, la concurrencia de los presupuestos para la adopción de la medida cautelar de prisión, concretamente el peligro de mora procesal, que deben individualizarse con referencia expresa a la persona del sometido a la medida.

«Las decisiones relativas a la adopción y al mantenimiento de la prisión provisional deben expresarse en una resolución judicial motivada. Para que la motivación se considere suficiente y razonable es preciso que la misma sea el resultado de la ponderación de los intereses en juego (la libertad de la persona cuya inocencia se presume, por un lado; la realización de la Administración de justicia penal y la evi-

---

[37] «... El presupuesto material de la prisión provisional, que en el proceso penal es el juicio de imputación, así como el requisito procesal del peligro de fuga del imputado, aunque autónomos, aparecen íntimamente relacionados en el sentido de que, tratándose de imputación de un delito de mayor gravedad, se incrementa también el peligro de fuga del imputado, si bien dicho peligro no puede nunca llegar a subsumirse o identificarse absolutamente con el fumus boni iuris, pues el Juez siempre ha de ponderar otros estándares, tales como el arraigo, cargas familiares, etc. que puedan acreditar la ausencia del peligro de fuga del imputado...». (STC 62/1996, de 15 abril).

tación de hechos delictivos por otro) y que esta ponderación no sea arbitraria, en el sentido de que resulte acorde con las pautas del normal razonamiento lógico y especialmente con los fines que justifican la prisión provisional [SSTC 128/1995, de 26 de julio, F. 4 b), y 47/2000, de 17 de febrero, F. 2]. Entre los criterios que este Tribunal ha considerado relevantes para el enjuiciamiento de la suficiencia y razonabilidad de la motivación se encuentran, en primer lugar, las características y la gravedad del delito imputado y de la pena con que se amenaza y, en segundo lugar, "las circunstancias concretas y las personales del imputado", siendo relevante, a estos efectos, el momento procesal en que la medida se adopta (SSTC 37/1996, de 11 de marzo, F. 6, 62/1996, de 16 de abril, F. 5)». STC 146/2001 de 18 de junio.

Las resoluciones que se dicten sobre la situación de prisión provisional se documentarán en auto motivado (art. 506.1 LECrim) (Véase M. 82)[38], que se notificará a las partes y a las personas ofendidas y perjudicadas por el delito cuya seguridad pudiera verse afectada por la resolución (art. 506.3 LECrim). El TC ha admitido que la resolución se contenga en un formulario o impreso. Pero, sin que ello pueda eximir al Tribunal de motivar adecuadamente la resolución, a cuyo efecto es intrascendente que determinados párrafos de la resolución estén claramente pre-establecidos[39]. Incluso el TC ha admitido una motivación sucinta con referencia a los hechos que constan en la causa[40]. La exigencia de motivación se refuerza, y es especialmente exigible, cuando se acuerde o prolongue la prisión provisional que deberá expresar los motivos y fundamento legal de la cautela adoptada, así como su necesidad y proporcionalidad respecto de los fines que la justifican; siempre con referencia a las circunstancias personales del imputado o procesado y con independencia de la pena que el delito tenga atribuida.

«Según nuestra doctrina, el canon de la conformidad constitucional de la motivación de las decisiones judiciales que habilitan la restricción de derechos fundamentales es más estricto que el canon de motivación exigido como garantía inherente al derecho a la tutela judicial, ya que si la conformidad con éste exige únicamente la expresión de un razonamiento fundado en Derecho, la de aquél requiere además

---

[38] «La falta de una motivación suficiente y razonable de la decisión de adopción o mantenimiento de la prisión provisional no supondrá sólo un problema de falta de tutela, propio del ámbito del art. 24.1 CE, sino prioritariamente un problema de lesión del derecho a la libertad, en cuanto que la suficiencia o razonabilidad de la motivación judicial para privar de libertad es una garantía del propio derecho a la libertad, si bien rige un deber reforzado de motivación en atención a la relevancia del referido derecho a la libertad [SSTC 47/2000, F. 3 c); 231/2000, F. 2; 305/2000, F. 2; y 29/2001 F. 2, entre las más recientes]». ATC 177/2001 de 29 de junio. Vid. También SSTC 197/97, de 2 junio, 146/97, de 2 junio, 18 y 19/99, de 22 febrero y 33/99, de 8 mayo, entre otras.

[39] «... la utilización de formularios no es siempre ni necesariamente contraria a la tutela judicial efectiva pues no impide, de suyo, la consideración correcta o completa del caso propuesto, con una congruente respuesta al objeto del recurso (STC 74/1990, de 23 de abril, F. 3). En consecuencia, tal utilización es admisible siempre que la resolución en la que se haya utilizado el modelo impreso o formulario constituya una respuesta —incluida su motivación— que satisfaga las exigencias constitucionales...». STC 8/2002 de 14 de enero.

[40] «La exigencia de motivación no excluye una economía de razonamientos, ni que éstos sean escuetos, sucintos o incluso expuestos con referencia a los hechos que constan en el proceso, si bien es preciso tener en cuenta que tal exigencia cobra singular relevancia cuando el pronunciamiento judicial afecta de algún modo al derecho fundamental a la libertad personal garantizado en el art. 17 CE». ATC 32/2000 de 31 de enero.

que dicho razonamiento respete el contenido constitucionalmente garantizado del derecho fundamental afectado (SSTC 44/1997, de 10 de marzo, F. 4, y 14/2000, de 17 de enero, F. 3, por todas). En consecuencia, nuestro análisis versará sobre el cumplimiento de las exigencias de motivación impuestas en el presente caso por la salvaguarda del derecho a la libertad personal». STC 8/2002 de 14 enero.

Ciertamente la motivación debe reforzarse cuando el Tribunal está decidiendo sobre su mantenimiento por cuanto deberá justificarse la subsistencia de los motivos y razones que determinaron su adopción en un momento previo[41].

«a) La prórroga o ampliación del plazo máximo inicial de prisión provisional decretada requiere una decisión judicial específica que motive tan excepcional decisión y que ha de fundarse en alguno de los supuestos que legalmente habilitan para ello (imposibilidad del enjuiciamiento en el plazo inicial acordado, o que el acusado haya sido condenado por Sentencia que haya sido recurrida —art. 504. 2 de la Ley de Enjuiciamiento Criminal: LECrim—). Además ha de ser adoptada antes de que el plazo máximo inicial haya expirado, pues constituye una exigencia lógica para la efectividad del derecho a la libertad personal, por más que no venga expresamente exigida por el precepto. Finalmente la lesión producida por la ignorancia del plazo no se subsana por la adopción de un intempestivo acuerdo de prórroga tras la superación de aquél. b) No es constitucionalmente razonable la interpretación según la cual el dictado de una Sentencia condenatoria lleva consigo, implícitamente, la prolongación automática del plazo máximo de la prisión provisional hasta el límite de la mitad de la condena impuesta, pues el tenor literal del art. 504.2 LECrim y las generales exigencias de motivación de tan drástica medida cautelar exigen rechazar esta tesis (SSTC 98/1998, de 4 de mayo, FFJJ 2 y 4; 142/1998, de 29 de junio, FJ 3; 231/2000, de 2 de octubre, FJ 5; 272/2000, de 13 de noviembre, FJ 2; 98/2002, de 29 de abril, FJ 4; 144/2002, de 15 de julio, FJ 3; 121/2003, de 16 de julio, FJ 3; 22/2004, de 23 de febrero, FFJJ 2 y 4; 99/2005, de 18 de abril, FJ 4)». STC 27/2008 de 11 de febrero.

La motivación del auto en el que se acuerde la prisión provisional también es exigible cuando se hubiere adoptado el secreto de la causa. En ese supuesto, el Juez dictará auto de prisión con todos los requisitos de motivación necesarios, incluidos los particulares omitidos de la copia que haya de notificarse, que contendrá una sucinta descripción del hecho y de los fines previstos en el art. 503 LECrim (art. 506.2 LECrim). Alzado el secreto se notificará íntegramente el auto de prisión al imputado. En cualquier caso, deben constar los elementos esenciales que permitan al sometido a la medida conocer los fundamentos de la adopción de la medida y correlativamen-

---

[41] «Entre los criterios que este Tribunal ha considerado relevantes para el enjuiciamiento de la suficiencia y razonabilidad de la motivación se encuentran, en primer lugar, las características y la gravedad del delito imputado y de la pena con que se amenaza y, en segundo lugar, "las circunstancias concretas y las personales del imputado". Ahora bien, este último criterio puede no ser exigible en un primer momento, por no disponer el órgano judicial de tales datos. Por ello se ha afirmado que, si bien en ese primer momento la medida de la prisión provisional puede justificarse atendiendo a criterios objetivos, como la gravedad de la pena o el tipo de delito, en un momento posterior el paso del tiempo obliga a ponderar, no sólo si se han modificado estas circunstancias sino también las circunstancias personales conocidas en ese momento (SSTC 37/1996, de 11 de marzo, F. 6 y 62/1996, de 16 de abril, F. 5)...». STC 94/2001 de 2 de abril. En el mismo sentido SSTC 138/2002 de 3 de junio, y 142/2002 de 17 de junio.

te poder oponerse a los mismos mediante los recursos que procedan (véase sobre los recursos contra la adopción de la prisión provisional el § 1.5. A de este Capítulo).

«Es doctrina reiterada que las decisiones relativas a la adopción y al mantenimiento de la prisión provisional deben expresarse en una resolución judicial motivada (SSTC 41/1982, 56/1987, 3/1992, 128/1995 y 98/1997). Esta motivación ha de ser suficiente y razonable, entendiendo por tal que al adoptar y mantener esta medida se haya ponderado la concurrencia de todos los extremos que justifican su adopción y que esta ponderación o, si se quiere, que esta subsunción, no sea arbitraria, en el sentido de que sea acorde con las pautas del normal razonamiento lógico y, muy especialmente, con los fines que justifican la institución de la prisión provisional .../... el secreto del sumario autoriza para impedir la publicidad de la situación y resultados de la instrucción judicial y, por ello, permite al Juez no incluir información sobre esos aspectos en las resoluciones que dicte y que haya de notificar a las partes, pero no autoriza sin más a ocultarles todos los fundamentos fácticos y jurídicos de aquéllas». STC 18/1999 de 22 de febrero.

C) Prisión provisional incomunicada y atenuada

La prisión provisional podrá ser comunicada o incomunicada. Esta última sólo podrá adoptarse en los supuestos previstos en el art. 509 LECrim para evitar que los imputados puedan actuar contra bienes jurídicos de la víctima, ocultar, alterar o destruir pruebas relacionadas con su comisión o cometer nuevos delitos. La incomunicación durará el tiempo estrictamente necesario para practicar con urgencia diligencias tendentes a evitar los peligros reseñados y no podrá extenderse más de cinco días, excepto en los delitos de terrorismo y banda armada previstos en el art. 384 bis LECrim u otros de delincuencia organizada en cuyo caso podrá prorrogarse por otros cinco días[42]. Véase sobre esta modalidad el § 3.3 del Capítulo IV. En cualquier

---

[42] «A estos efectos, ha de tenerse en cuenta que, si bien con carácter general la limitación de los derechos constitucionales que la incomunicación conlleva encuentra justificación en la protección de los bienes reconocidos en los arts. 10.1 (LA LEY 2500/1978) y 104.1 de la Constitución (LA LEY 2500/1978), cuales son la paz social y la seguridad ciudadana, en cuya defensa constituyen pieza esencial la persecución y castigo de los delitos (STC 196/1987 (LA LEY 903-TC/1988), de 16 de diciembre, FJ 7º, ATC 155/1999, FJ 4º), la finalidad específica que legitima la medida de incomunicación reside en conjurar los peligros de que "el conocimiento del estado de la investigación por personas ajenas a ésta propicien que se sustraigan a la acción de la justicia culpables o implicados en el delito investigado o se destruyan u oculten pruebas de su comisión" (STC 196/1987 (LA LEY 903-TC/1988), de 16 de diciembre, FJ 7º, ATC 155/1999, FJ 4º). De otra parte, la necesidad de la incomunicación para alcanzar esta finalidad deriva de la especial naturaleza o gravedad de ciertos delitos, así como de las circunstancias subjetivas y objetivas que concurren en ellos, de manera que todo ello puede "hacer imprescindible que las diligencias policiales y judiciales dirigidas a su investigación sean practicadas con el mayor secreto" (STC 196/1987 (LA LEY 903-TC/1988), de 16 de diciembre, FJ 7º, ATC 155/1999, FJ 4º). Igualmente, en la mentada STC 16-5-2000, nº 127/2000 (LA LEY 8483/2000), se añade: "que pueden tenerse en cuenta, además de los datos explícitos, los que de forma clara y manifiesta estén en el contexto" (FJ 4º), la finalidad de conjurar los peligros para la investigación que puedan resultar del conocimiento del estado de la investigación por personas ajenas a ésta, no sólo resulta implícita a la incomunicación de detenidos por causa de delitos de terrorismo, dado que dichos riesgos son inherentes a toda investigación de las actividades delictivas cometidas por organizaciones criminales, máxime si están estructuradas de forma compleja, sino que han sido previamente ponderados por el legislador para admitir la incomunicación de detenidos cuando la detención se produce por la presunta conexión del sujeto con los

caso, resulta exigible una motivación de la decisión de incomunicación del preso que ponga de manifestó la necesidad y ponderación de la medida.

«Por consiguiente (Cfr. STC 16-5-2000, n.º 127/2000 (LA LEY 8483/2000)), las resoluciones que acuerdan la incomunicación de los detenidos deben contener los elementos necesarios para poder sostener que se ha realizado la necesaria ponderación de los bienes, valores y derechos en juego, que la proporcionalidad de toda medida restrictiva de derechos fundamentales exige (ATC 155/1999, FJ 4º). De manera que es ciertamente exigible la exteriorización de los extremos que permiten afirmar la ponderación judicial efectiva de la existencia de un fin constitucionalmente legítimo, la adecuación de la medida para alcanzarlo y el carácter imprescindible de la misma (por todas SSTC 55/1996, de 28 de marzo (LA LEY 4318/1996), 161/1997, de 2 de octubre (LA LEY 10013/1997), 61/1998, de 17 de marzo (LA LEY 4211/1998), 49/1999, de 5 de abril (LA LEY 4215/1999)). Será necesario asimismo que consten como presupuesto de la medida los indicios de los que deducir la conexión de la persona sometida a incomunicación con el delito investigado, pues la conexión "entre la causa justificativa de la limitación pretendida —la averiguación del delito— y el sujeto afectado por ésta —aquél de quien se presume que pueda resultar autor o partícipe del delito investigado o pueda hallarse relacionado con él— es un prius lógico del juicio de proporcionalidad" (SSTC 49/1999 (LA LEY 4215/1999), de 4 de abril, FJ 8º, 166/1999, de 27 de septiembre (LA LEY 12056/1999), FJ 8º)». STS Sala Segunda, de lo Penal, Sentencia 129/2014 de 26 Feb. 2014, Rec. 1487/2013. Ponente: Berdugo Gómez de la Torre, Juan Ramón. LA LEY 29176/2014.

El auto que acuerda la incomunicación se notificará al interesado, aunque se hubiere decretado el secreto de la causa, conforme prevé el art. 506 LECrim que dispone que: «*2. Si la causa hubiere sido declarado secreta, en el auto de prisión se expresarán los particulares del mismo que, para preservar la finalidad del secreto, hayan de ser omitidos de la copia que haya de notificarse. En ningún caso se omitirá en la notificación una sucinta descripción del hecho imputado y de cuál o cuáles de los fines previstos en el artículo 503 se pretende conseguir con la prisión. Cuando se alce el secreto del sumario, se notificará de inmediato el auto íntegro al investigado o encausado*».

«Como pone de manifiesto la STC 12/2007, FJ 2, el legislador ha tratado expresamente de conciliar "el derecho del imputado a conocer los motivos por los que se le priva de libertad y la necesidad del Estado de investigar eficazmente los hechos aparentemente delictivos", determinando en el art. 506.2 LECrim que "[e]n ningún caso se omitirá en la notificación [del Auto de prisión dictado en unas actuaciones declaradas secretas] una sucinta descripción del hecho imputado y de cuál o cuáles de los fines previstos en el artículo 503 se pretende conseguir con la prisión". 3. La aplicación de la citada doctrina al presente caso debe llevarnos a estimar el amparo

_____

delitos de terrorismo, puesto que nuestra legislación sólo admite expresamente la incomunicación de detenidos por delitos de terrorismo (art. 520 bis 2. LECr (LA LEY 1/1882) .). En consecuencia, tampoco resulta constitucionalmente exigible un mayor razonamiento acerca de la necesidad de la incomunicación para alcanzar la finalidad que la legitima, ya que ésta puede afirmarse en estos delitos de forma genérica en términos de elevada probabilidad y con independencia de las circunstancias personales del sometido a incomunicación, dada la naturaleza del delito investigado y los conocimientos sobre la forma de actuación de las organizaciones terroristas». STS Sala Segunda, de lo Penal, Sentencia 129/2014 de 26 Feb. 2014, Rec. 1487/2013. Ponente: Berdugo Gómez de la Torre, Juan Ramón. LA LEY 29176/2014.

solicitado, por vulneración del derecho fundamental a la tutela judicial efectiva sin indefensión (art. 24.1 CE) en relación con el derecho a la libertad (art. 17.1 CE), por cuanto en la notificación del Auto que acordó la prisión provisional tan sólo se incorporó la parte dispositiva, mencionándose únicamente que la medida cautelar se acordaba por "su participación en un delito de integración en organización terrorista (Segi)", sin concretar más datos sobre los concretos hechos por los que el recurrente era acusado y, en particular, sin aportar el más mínimo detalle sobre la argumentación esgrimida en el Auto en torno a los fines que, establecidos en el art. 503 LECrim, legitiman la imposición de la medida privativa de libertad». STC 143/2010, de 21 de diciembre de 2010 (BOE núm. 16, de 19 de enero de 2011).

La prisión atenuada podrá acordarse cuando por razón de enfermedad del inculpado el internamiento entrañe grave peligro para su salud. No son aplicables otros motivos señalados en las Leyes especiales, como el Código de Justicia Militar, que lo amplían, a otras circunstancias excepcionales (art. 508 LECrim).

No son aplicables otros motivos señalados en las Leyes especiales como el Código de Justicia Militar, que lo amplían, a otras circunstancias excepcionales como la salida para acudir al trabajo habitual o al ejercicio de las actividades profesionales, conforme dispone el art. 227.1.º del Código de Justicia Militar. La Ley de 10 de septiembre de 1931 incorporó a la LECrim los arts. 472 y 473 del Código de Justicia Militar entonces vigente, posibilitando que pudieran disfrutar de la misma no sólo las personas aforadas sujetas al referido Código, sino todos los sometidos a medida cautelar de prisión provisional, cuando, a juicio del instructor, deban atenuarse las condiciones de la prisión preventiva. Sin embargo, actualmente, los arts. 225 y ss. del Código de Justicia Militar vigente, que modifican los arts. 472 y 473 del derogado Código, prevén la posibilidad de atenuación por cualquier tipo de circunstancias excepcionales, sin restringirse a los de enfermedad, tal como los regula la LECrim, sin que por su naturaleza excepcional pueda aplicarse, actualmente, a otros supuestos no sometidos a la jurisdicción castrense.

La prisión atenuada puede cumplirse en el domicilio mediante arresto en el propio domicilio, con la vigilancia que estime pertinente por el instructor, que podrá autorizar las salidas necesarias del imputado para el tratamiento del imputado. Esta última posibilidad no permite autorizar la salida para acudir al trabajo habitual o al ejercicio de las actividades profesionales. También cabe el cumplimiento atenuado de la prisión provisional en el supuesto de que el imputado se hallare sometido a tratamiento de deshabituación de modo que el ingreso en prisión pudiera frustrar el tratamiento. En ese caso, podrá acordarse de que la medida de prisión se sustituya por el ingreso en un centro oficial u organización legalmente reconocida para la continuación del tratamiento (art. 508.2 LECrim).

2.4. Adopción y modificación de la prisión o libertad provisional

A) Procedimiento. Audiencia preliminar. Recursos

El procedimiento de adopción de las medidas cautelares personales de libertad provisional con fianza y prisión provisional se fundamenta en los principios generales de contradicción y rogación (Véanse M. 81 y ss.).

Especial relevancia adquiere el principio de contradicción, al requerirse una previa audiencia de las partes personadas según disponen los arts. 505 y 539 LECrim. De este modo, se instaura una necesaria contradicción en consonancia con reiterada doctrina constitucional, que establece que las garantías sustanciales del proceso penal incluidas en el art. 24 CE, son aplicables a todas las fases del mismo. Su vulneración comportará la nulidad de las actuaciones practicadas sobre la situación personal del inculpado. Consecuentemente, el órgano judicial, excepto en los casos en que sea procedente acordar la libertad provisional, sin fianza, habrá de convocar a las partes a una audiencia previa.

La audiencia se celebrará en las 72 horas siguientes a la detención, y dentro de ese lapso temporal se podrán proponer los medios de prueba que puedan practicarse dentro de las 24 horas siguientes, sin rebasar las 72 horas posteriores a la detención. Caso de no poderse practicar quedarán sin realizarse al ser un plazo de cumplimiento inexcusable. Solamente cuando alguna de las acusaciones lo solicitare, el Juez resolverá sobre la solicitud de libertad o prisión provisional. Caso contrario, acordará la cesación inmediata de la detención y la puesta en libertad. En el caso de presentarse el detenido ante Juez distinto del que conozca de la causa, y no fuere posible la puesta en disposición del Juez competente dentro de las 72 horas, éste decidirá sobre la situación personal del detenido. Una vez puesto a disposición del Juez competente se convocará a la partes a una audiencia para ratificar o revocar la medida adoptada (art. 505.6 LECrim).

Respecto a la comparecencia, la Circular 2/95, de la Fiscalía General del Estado, sobre el régimen procesal de la prisión preventiva establece que: a) El plazo de las 72 horas, es un plazo temporal improrrogable. Solamente para el caso de que la prisión se hubiera acordado sin celebración de la comparecencia, decretándose su busca y captura, siendo luego detenido por Juzgado radicado en otro partido, cabe la interpretación de que el *dies a quo* para su cómputo sea el del traslado a partir del que quede a disposición física del Juez o Tribunal competente. b) La suspensión de la comparecencia puede producirse por varios motivos, como la ausencia de letrado, sin perjuicio de su designación de oficio conforme los arts. 520.4.º y 788.5 LECrim (*arts. 771.2 y 775 LECrim en la regulación vigente*). La suspensión comporta obligatoriamente que se convoquen sucesivas comparecencias hasta que sea posible su celebración, sin perjuicio de que el Juez decida sobre su libertad o prisión. c) La comparecencia, caso de existir varios detenidos, puede celebrarse separadamente, precisando, en cualquier caso, una petición de parte que cuando es de libertad provisional por el Ministerio Fiscal, y no existen otras partes personales, tal solicitud resulta vinculante para el Juez.

La aplicación del principio de rogación, sin que técnicamente pueda hablarse propiamente del acusatorio, exige que exista, necesariamente, una previa petición de parte sea del Ministerio Fiscal o de la acusación particular o popular para acordar la libertad provisional con fianza o la prisión provisional[43]. Aunque, podrá acordarse

---

[43] «... Aunque es discutible ... que ésta comparecencia o audiencia suponga una manifestación del principio acusatorio, lo cierto es que abre un debate limitado a la cuestión de la situación personal del detenido o imputado, que culmina con un juicio o parecer sobre su libertad o prisión

de oficio la prisión o libertad provisional cuando, por cualquier razón, no pudiera celebrarse la comparecencia y concurran los presupuestos del art. 503 LECrim. En ese caso, se convocará la comparecencia dentro de las 72 horas siguientes para que se realicen las pertinentes alegaciones y peticiones, sin perjuicio de adoptar las medidas disciplinarias que hubiere lugar (art. 505.5 LECrim). La notificación del auto será siempre un requisito necesario e indispensable para que el acusado pueda tener conocimiento de la motivación y, en su caso, pueda impugnar la resolución que se dicte, incluso cuando se haya declarado el secreto del sumario.

> «... la restricción del principio de publicidad que supone la declaración del secreto de sumario no debe significar la atribución al instructor de la facultad de omitir la tutela de los derechos fundamentales. Conforme a este criterio, el secreto del sumario autoriza para impedir la publicidad de la situación y resultados de la instrucción judicial y, por ello, permite al Juez no incluir información sobre esos aspectos en las resoluciones que dicte y que haya de notificar a las partes, pero no autoriza sin más a ocultarles todos los fundamentos fácticos y jurídicos de aquéllas. Por ello el Instructor bien hubiera podido dictar un auto de prisión en el que se hiciera referencia de forma escueta a la concurrencia de los presupuestos fácticos (objetivos y subjetivos) y jurídicos que hacen necesaria la adopción de la medida cautelar: se fundamentará su decisión evitando consignar detalles o datos de hecho que pudieran perjudicar la marcha de las investigaciones; y se permitirá, en cambio, conocer al afectado las razones básicas que habían determinado su prisión a efectos de hacerle posible proceder, en su caso, a la impugnación del auto por la vía procesal adecuada...». (STC 18/98, de 22 febrero).

Contra las decisiones sobre la libertad o prisión provisional cabe recurso de apelación que se sustanciará conforme con las normas previstas en el art. 766 LECrim en sede de procedimiento abreviado (art. 507 LECrim). El recurso de apelación será admisible en un efecto (devolutivo, no suspensivo) (art. 518 LECrim). El detenido, salvo que se acuerde la prisión, será puesto en libertad con independencia de la interposición del recurso[44]. Téngase presente, que en la regulación de la apelación

---

... (y aunque) no se trata ... de una acusación provisional de carácter formal (es) una toma de postura sobre cuál debe ser la situación personal del sujeto que está siendo objeto de investigación, sin que ello suponga que inexcusablemente deben mantener la acusación. Ahora bien, nos encontramos ante una audiencia caracteriza primordialmente por la introducción del principio contradictorio ... que no sólo se desprende de la necesaria asistencia letrada sino del hecho de que el afectado tiene la posibilidad de presentar y proponer pruebas de descargo que avalen su petición de libertad...». STS Sala Segunda, de lo Penal, Sentencia de 12 Nov. 1998, Rec. 4147/1997, Ponente: Martín Pallín, José Antonio. LA LEY 987/1999.

[44] Esta norma tiene carácter absoluto sin que quepa decidir a contrario. En este sentido, el TC declaró inconstitucional el derogado art. 504 bis LECrim que preveía la admisión en ambos efectos del recurso de apelación interpuesto por el Ministerio Fiscal en casos de detenidos o presos que hubiera sido decretada su libertad provisional, en supuestos de delitos cometidos por grupos o bandas armadas y terroristas «... con independencia de que esta excepcional previsión legislativa esté, sin duda, animada por una finalidad cautelar, la de asegurar la efectividad de una eventual revocación de una resolución judicial de puesta en libertad que no es firme, es obligado entender que semejante designio legal, en sí mismo legislativo, no puede imponerse de cualquier modo, y, muy en concreto, con olvido de la virtualidad misma de una garantía judicial en la que la Constitución ha identificado la garantía última del derecho fundamental a la libertad personal, configurándose un espacio temporal en el que la determinación acerca de la libertad personal

citada el recurso se fundamenta por escrito, sin perjuicio de que pueda solicitarse la sustanciación de vista del recurso. En su virtud el recurso se presentará dentro de los cinco días siguientes a la notificación del auto exponiendo los motivos del recurso y señalando los particulares que hayan de testimoniarse, acompañando los documentos justificativos de las pretensiones formuladas. A continuación se dará traslado al resto de partes personadas que podrán alegar por escrito, y en el plazo de cinco días lo que estimen conveniente. A los dos días siguientes se remitirá el recurso a la Audiencia respectiva que resolverá sin más trámites. Ahora bien, en el supuesto concreto de acordarse medidas cautelares el recurrente podrá solicitar, en su escrito de recurso, la celebración de la vista. Si en el auto recurrido se hubiere acordado la prisión provisional la Audiencia deberá acordar necesariamente la celebración de la vista. En cualquier otro caso, la Audiencia resolverá según estime conveniente (art. 766.5 LECrim). La Ley no distingue, por tanto, el procedimiento de que se trate, de modo que la tramitación de la apelación, seguirá, en cualquier caso, la prevista en el art. 766 para el procedimiento abreviado. No es necesario interponer previamente recurso de reforma o de súplica, aunque nada impide que se interponga. (Véase sobre la sustanciación del recurso de apelación § 4 Cap. XI). (Véase M. 83 Bis).

Un problema que se plantea es el de la posible «contaminación» procesal del Tribunal que resuelva los recursos de apelación interpuestos frente a los autos del Juez de instrucción, teniendo en cuenta que las normas de competencia la atribuyen a la Sala de la Audiencia Provincial que conocerá del Juicio oral. Sin embargo, como exponemos en el § 7.5 del Cap. IV en sede de la causa de abstención y/o recusación 11ª del art. 219 LOPJ, esta intervención de la Sala no afecta a su imparcialidad. A este respecto, el TC ha declarado que no se exige a la Audiencia, al resolver estos recursos de apelación, que valore «ex ante» la culpabilidad del imputado, sino la existencia de los fines legítimos que fundamentan el mantenimiento de la prisión provisional.

«... El Auto de la Sección Segunda de la Audiencia Provincial de Santa Cruz de Tenerife, de fecha 11 de enero de 2001, carece también de la motivación constitucionalmente exigible. Se limita a hacer genéricas referencias a los tipos delictivos, participación del interesado, gravedad de la pena y alarma social, y a expresar que "los argumentos del recurso no desvirtúan el Auto impugnado, que de una forma detallada justifica, a resulta de las pruebas practicadas en las diligencias, las razones de la prisión provisional sin fianza acordada". Así pues, no contiene referencia alguna a las circunstancias personales del interesado, el entonces recurrente en queja, circunstancias expresadas antes en el recurso de reforma y reiteradas luego en el recurso de queja, ni contiene explicación alguna relativa a los fines legítimos que pudieran fundamentar el mantenimiento de la prisión provisional, pese a que en el recurso de queja se alegaba expresamente, con la finalidad de justificar tales extremos, la inexistencia tanto del riesgo de fuga como del peligro de ocultación de pruebas». STC 23/2002 de 28 de enero.

Por su parte el Tribunal Supremo ha declarado que sólo las actuaciones que suponen un contacto directo con la instrucción judicial por implicar funciones de averigua-

quede temporalmente sustraída a la garantía judicial. En estos términos, la formulación del art. 504 bis LECrim. adoptada en el art. 1 LO 4/88, no ha respetado el contenido esencial del derecho a la libertad personal reconocido en el art. 17 de la Constitución». (STC 71/94, de 3 marzo).

ción, calificación o juicio sobre los hechos pueden afectar al derecho al Juez imparcial. Funciones que no se dan en el caso del conocimiento del recurso de apelación sobre la libertad del imputado, máxime si el Tribunal que conoce del recurso se limita a dar respuesta cumplida a las denuncias efectuadas sin adelantar prejuicio alguno sobre el fondo de la causa. Debiendo, en cualquier caso, atenderse el caso concreto para valorar si el Tribunal ha podido quedar «*afectado*» por el conocimiento del recurso.

> «Como el propio Tribunal Europeo de Derechos Humanos, el Tribunal Constitucional y esta Sala hemos declarado, la pérdida de imparcialidad por haber dictado anteriores resoluciones en el mismo asunto debe ser trasladada a cada supuesto, para evaluar el posible grado de incidencia de la actuación en cuestión sobre la imparcialidad objetiva de los miembros del Tribunal. Se trata, en definitiva, de comprobar y evaluar la intensidad de su implicación en la actividad procesal anterior al juicio, desarrollada en la causa. En este caso el recurrente simplemente ha identificado los autos de los que arranca la implicación del Tribunal sentenciador por sus respectivas fechas, 14 de mayo y 10 de septiembre de 2015 y hace una alusión genérica a que los mismos denegaron la libertad provisional al recusante. El examen de las actuaciones no ha permitido localizar las resoluciones en cuestión, probablemente porque se encuentren en la pieza de situación personal que no ha sido remitida a esta Sala. En estas condiciones no es posible comprobar si el grado de implicación del Tribunal y si la valoración que el mismo hizo sobre el material que la instrucción había conseguido acumular fue de intensidad suficiente para poder deducir una toma de postura o predisposición de los miembros del Tribunal sobre la culpabilidad del recurrente». STS 460/2016 de 27 May. 2016, Rec. 10994/2015; Ponente: Ferrer García, Ana María. LA LEY 59390/2016.

Sin embargo, sería deseable una reforma de esta norma de competencia, ya que no cabe duda que el Tribunal de apelación puede resultar condicionado ante la posibilidad de prejuzgar, por lo que la revisión se limitará a la concurrencia de los requisitos y motivación exigidos legal y constitucionalmente. En cambio, lo lógico y razonable sería que pudiera valorar los indicios de criminalidad existentes en el proceso que determinan el peligro o riesgo objetivo de fuga, obstrucción, o reiteración delictiva.

La competencia para conocer de la situación personal del condenado cuando la sentencia se hubiere recurrido en casación corresponderá a la Audiencia provincial. A este efecto, cuando se interponga recurso de casación, no se elevará al TS la pieza separada en la que se acuerdan las diligencias de prisión provisional (como las demás medidas restrictivas de libertad atinentes a la situación personal) —art. 519 LECrim—.

> «... Conviene precisar que, aunque la LECrim., en su art. 519 ordena que todas las diligencias relativas a la prisión provisional se sustancien en pieza separada, ello sólo quiere decir que, si dicha prisión se acuerda en resolución independiente (ordinariamente así se viene haciendo en los autos de procesamiento), ha de llevarse el testimonio correspondiente a dicha pieza ... que quedan en la Audiencia cuando se prepara la casación, de modo tal que es la propia Audiencia la que, pese al efecto devolutivo que produce la puesta a trámite de un recurso de esta clase conserva su competencia respecto de todo lo concerniente a la prisión provisional y a las demás medidas cautelares...». STS Sala Segunda, de lo Penal, Sentencia de 25 Feb. 1997, Rec. 757/1995; Ponente: Delgado García, Joaquín. LA LEY 3340/1997.

Pero, no cabe recurso de casación directo contra el auto de la audiencia que desestima la apelación en esta materia, por no estar expresamente previsto en el art. 848 LECrim.

«El art. 848 LECrim establece que los autos sólo pueden ser recurribles en casación cuando así esté previsto en la ley. Por lo tanto, en la medida en la que este recurso no se autoriza expresamente contra los autos que decretan la prisión provisional, contra éstos sólo caben los recursos previstos en la ley, entre los que no está el recurso de casación. Por otra parte, el art. 5.4 LOPJ, no permite la creación de recursos, sino invocar en el recurso de casación una infracción constitucional, pero, claro está, cuando la ley prevea el recurso. Lamentablemente nuestro derecho no prevé un recurso de amparo de derechos fundamentales dentro del proceso penal similar al de la legislación austríaca para estos casos». STS Sala Segunda, de lo Penal, Sentencia 1085/2000 de 21 Jul. 2000, Rec. 3493/1998; Ponente: Bacigalupo Zapater, Enrique. LA LEY 815/2001.

Por su parte el TC ha declarado que el recurso no pierde su objeto por la circunstancia de que cuando se deba resolver haya variado la situación del recurrente. Es decir, aunque el recurrente ya hubiere sido puesto en libertad provisional, condenado e ingresado en prisión, o bien absuelto y en libertad.

«La puesta en libertad del demandante de amparo no priva de objeto a este recurso, pues si se hubiera cometido alguna de las vulneraciones de los derechos fundamentales que denuncia, a este Tribunal correspondería repararla, al menos en parte, otorgando el amparo en los términos procedentes .../... Así pues, como ya ocurría en el caso de la STC 61/2001, no cabe en este supuesto convenir en la pérdida sobrevenida de objeto... nuestro enjuiciamiento debe concretarse temporalmente en el momento en que se formula la demanda de amparo, de modo que son las circunstancias concurrentes en esa ocasión las que deben ser tenidas en cuenta a los efectos de determinar si se produce o no la vulneración del derecho fundamental invocado». STC 8/2002 de 14 de enero.

No corresponde al TC determinar la concurrencia en cada caso concreto de las circunstancias que legitiman la adopción o mantenimiento de la prisión provisional, sino verificar que la decisión ha sido adoptada de forma fundada, razonada, completa y acorde con los fines de la institución. (Véanse en este sentido, entre otras, las SSTC 8/2002 de 14 de enero; 33/1999 de 8 de marzo; 18/1999 de 22 de febrero)[45]. Tampoco cabe recurrir en acaparo ante el TC con base en la vulneración del derecho de presunción de inocencia del sometido a la medida cautelar.

---

[45] «El control que este Tribunal debe ejercer en los procesos de amparo ha de limitarse a verificar que la decisión judicial ha sido adoptada de forma fundada, razonada, completa y acorde con los fines de esta institución, ya que no corresponde a este Tribunal determinar en cada caso si concurren o no las circunstancias que permiten la adopción o el mantenimiento de la prisión provisional, sino únicamente el control externo de esa decisión (SSTC 88/1988, de 9 de mayo, F. 2; 56/1997, de 17 de marzo, F. 12; 142/1998, de 29 de junio, F. 4; 234/1998, de 1 de diciembre, F. 3; 19/1999, de 22 de febrero, F. 6; 71/2000, de 13 de marzo, F. 8, y 231/2000, de 2 de octubre, F. 7). La jurisdicción de amparo se ciñe, pues, a constatar si la fundamentación que las resoluciones judiciales exponen es suficiente (por referirse a todos los extremos que autorizan y justifican la medida), razonada (por expresar el proceso lógico que individualiza la aplicación de las exigencias constitucionales al caso concreto) y proporcionada (esto es, si ha ponderado los derechos e intereses en conflicto del modo menos gravoso para la libertad)». STC 146/2001 de 18 de junio.

«Carece de fundamento la denunciada vulneración del derecho a la presunción de inocencia (art. 24.2 CE) puesto que —como sostiene el Ministerio Fiscal— este derecho no puede resultar vulnerado por unas resoluciones judiciales que se limitan a imponer una medida cautelar en el seno de un proceso penal en el que el demandante de amparo no había sido aún juzgado, ni se había producido ninguna declaración de culpabilidad, por lo que falta el presupuesto para considerar conculcado el referido derecho (SSTC 128/1995, de 26 de julio, FJ 2; 127/1998, de 15 de junio, FJ 4; y 179/2005, de 4 de julio, FJ 2)». STC 65/2008, de 29 de mayo de 2008.

B) Alzamiento y modificación de la situación personal de prisión o libertad

Las medidas cautelares de prisión y libertad provisional y de fianza son modificables durante el curso del proceso y deben ser revisadas si cambian las circunstancias que dieron origen a su adopción —art. 539. 1 LECrim—. Especialmente la prisión provisional es una medida excepcional y temporal, por lo que los requisitos exigidos en el momento inicial de su adopción pueden no ser necesariamente los mismos que deben requerirse con posterioridad para decretar su mantenimiento.

«Si bien en ese primer momento la medida de prisión provisional puede justificarse atendiendo a criterios objetivos, como la gravedad de la pena o el tipo de delito, en un momento posterior el paso del tiempo obliga a ponderar no sólo si se han modificado estas circunstancias sino también las circunstancias personales conocidas en ese momento (SSTC 37/1996, de 11 de marzo, F. 6, 62/1996, de 16 de abril, F. 5)». STC 23/2002 de 28 de enero. Véase, en el mismo sentido, STC 94/2001 de 2 de abril.

A este respecto, la cautela no atiende, solamente, a la pena a imponer, sino también a otros elementos subjetivos y objetivos como el riesgo de fuga, desaparición de pruebas o el peligro de que actúe contra la víctima. Estas son circunstancias de naturaleza variable cuya persistencia deberá ser valorada para el mantenimiento o modificación de la cautela adoptada[46].

---

[46] Entre las circunstancias de naturaleza variable se halla la proximidad del juicio oral que el TC ha declarado que tiene un sentido ambivalente que puede fundar una modificación de la medida cautelar para agravar o mejorar la situación personal del inculpado: «este Tribunal ha sostenido que al tener este dato un sentido ambivalente o no concluyente, dado que el avance del proceso puede contribuir tanto a cimentar con mayor solidez la imputación, como a debilitar los indicios de culpabilidad del acusado, el órgano judicial debe concretar las circunstancias que avalan en el caso concreto una u otra hipótesis (por todas, SSTC 128/1995, de 26 de julio, FJ 3; 66/1997, de 7 de abril, FJ 6; 146/1997, de 15 de septiembre, FJ 5; 33/1999, 8 de marzo, FJ 6; y 35/2007, de 12 de febrero, FJ 2). En particular en la STC 66/1997, FJ 6, sostuvimos que el hecho de que la tramitación se halle avanzada y la vista próxima es en sí mismo considerado un dato ambivalente a los efectos de nuestro enjuiciamiento: es cierto que el paso del tiempo, con el avance de la instrucción y la perfilación de la imputación, puede ir dotando de solidez a ésta, lo que podría a su vez incrementar la probabilidad de una efectiva condena y, con ello, el riesgo de fuga. Sin embargo, no es menos cierto que en otras circunstancias el transcurso del tiempo puede producir efectos contrarios a los que acabamos de indicar, no sólo porque el devenir del procedimiento puede debilitar los indicios que apuntan a la culpabilidad del acusado, sino también porque, como se razonó en la STC 128/1995 con amplia cita de Sentencias del Tribunal Europeo de Derechos Humanos, el argumento del peligro de fuga se debilita por el propio paso del tiempo y la consiguiente disminución de las consecuencias punitivas que puede sufrir el preso (Sentencias del Tribunal Europeo de Derechos Humanos de 27 de junio de 1968, caso Wemhoff; de 27 de junio de 1968, caso Neumeister; de

«... La intensidad del juicio de ponderación, entre los requisitos de la prisión provisional, de un lado, y el derecho a la libertad del imputado, de otro, que ha de efectuar el Juez de Instrucción es diferente según el momento procesal en que deba disponer o ratificar la prisión provisional, ya que la ponderación de los elementos determinantes de la constatación del riesgo de fuga puede operar de forma distinta en el momento inicial de la adopción de la medida, que cuando se trata de decidir el mantenimiento de la misma al cabo de unos meses...». (STC 62/96, de 15 abril)

Por ello si varían dichos criterios ha de modificarse la situación cautelable de prisión o libertad provisional acordadas, siguiendo el oportuno procedimiento, al efecto de adoptar la cautela a las circunstancias objetivas y subjetivas presentes en cada momento[47].

«... c) Las decisiones relativas a la adopción y mantenimiento de la prisión provisional han de expresarse a través de una resolución judicial motivada, motivación que ha de ser "suficiente y razonable", entendiendo por tal no la que colma meramente las exigencias del derecho a la tutela judicial efectiva, sino aquélla que respeta el contenido constitucionalmente garantizado del derecho a la libertad afectado, ponderando adecuadamente los intereses en juego —la libertad de la persona cuya inocencia se presume, por un lado; la realización de la administración de la justicia penal, en atención a los fines que hemos reseñado, por otro— a partir de toda la información disponible en el momento de adoptar la decisión y del entendimiento de la prisión provisional como una medida excepcional, subsidiaria y provisional .../... deberán tomarse en consideración "además de las características y la gravedad del delito imputado y de la pena con que se le amenaza, las circunstancias concretas del caso y las personales del imputado", matizando que, si bien en un primer momento la necesidad de preservar los fines constitucionalmente legítimos de la prisión provisional pueden justificar que se adopte atendiendo sólo a circunstancias objetivas

---

10 de noviembre de 1969, caso Matznetter) [fundamento jurídico 4 b)]». STC 65/2008, de 29 de mayo de 2008.

[47] Al respecto, sería razonable la adopción de la prisión provisional tras sentencia condenatoria no firme atendidas las circunstancias del hecho y pena, sin que ello comporte una vulneración de la presunción de inocencia. «... Resulta obligado afirmar que la circunstancia concurrente en el caso, en que se ha dictado una inicial sentencia condenatoria por un delito grave —tráfico de sustancias estupefacientes que causan grave daño a la salud y en cantidad de notoria importancia— e impuesto una pena que merece igual calificativo —9 años de prisión mayor—, no es un dato irrelevante del que pueda prescindirse en la tares que al TC corresponde de supervisar la ponderación efectuada por la Audiencia al decretar la prisión provisional de la actora. Se trata de una sentencia condenatoria que, a pesar de no ser firme, ha sido dictada tras el correspondiente juicio oral, público y contradictorio, en el que se ha examinado, con la correspondiente inmediación, el fundamento de la acusación dirigida contra la demandante de amparo. Esta sentencia condenatoria no firme que aparece como elemento diferenciador y que, obviamente, no destruye la presunción de inocencia del inicialmente condenado, sí que puede, en casos como el planteado —en que la recurrente, precisamente por no haber estado en situación de prisión provisional cumpliría, de ser confirmada su condena, íntegramente la pena privativa de libertad—, erigirse, más que en "apariencia", en título suficiente, surgido de la evidencia probatoria, para acreditar la participación de la condenada en un hecho punible, al que la norma penal irroga una pena lo suficientemente grave como para inferir la conclusión de que, de ser confirmada la sentencia por el TS, podría sustraerse a la acción de la justicia, teniendo en cuenta el conjunto de circunstancias por lo general inherentes a este tipo de actividades delictivas, lo que legitima la adopción de la prisión provisional...». (STC 62/96, de 15 abril). Vid. también STC 37/96, de 11 marzo.

como el tipo de delito y la gravedad de la pena, el transcurso del tiempo modifica el valor de este dato y obliga a ponderar las circunstancias personales del sujeto privado de libertad y los datos del caso concreto (por todas, SSTC 128/1995, de 26 de julio, FJ 4; 66/1997, de 7 de abril, FJ 4; 47/2000, de 17 de febrero, FJ 3; 35/2007, de 12 de febrero, FJ 2)». STC 65/2008, de 29 de mayo.

A este fin, para agravar la situación personal del imputado —acordar la prisión o la libertad provisional con fianza de quien estuviere en libertad o agravar las condiciones de la libertad provisional ya acordada sustituyéndola por la de prisión o libertad provisional con fianza— se requerirá solicitud del Ministerio Fiscal o de alguna parte acusadora resolviéndose previa celebración de la comparecencia prevista en el art. 505 LECrim (art. 539.3 LECrim) —Véase sobre la comparecencia el apartado anterior y M. 81 y 94—. En cambio, no es necesaria la celebración de la comparecencia para aquellos supuestos en que se decida, bien de oficio o a instancia de parte, una situación personal más favorable a la precedente (Véase M. 95). —art. 539.5.º LECrim.—. De todos modos, puede resultar conveniente, a nuestro entender, la audiencia de todos los intervinientes en el proceso.

Excepcionalmente, cuando a juicio del Tribunal concurrieren los presupuestos previstos en el art. 503 LECrim podrá dictar auto de reforma de la medida cautelar, incluyendo la prisión provisional. Pero, se deberá convocar a las partes para la celebración de una comparecencia dentro de las 72 horas siguientes a la adopción de la medida, que se sustanciará conforme a lo previsto en el art. 505 LECrim —art. 539.4º LECrim.—.

En cualquier caso, tanto las acusaciones, el inculpado, acusado o preso como su representación pueden interesar la reforma de la situación, ya sea por haber transcurrido los plazos máximos señalados en el art. 504 LECrim o por cualquier otro motivo (Véase M. 96).

> «La particular característica de que los Autos referidos a la situación personal del imputado no alcancen en ningún caso la eficacia de cosa juzgada (ATC 668/1986, de 30 de julio, FJ 1) conlleva que las partes puedan reiterar sus peticiones en esta materia —por más que hubieran sido ya total o parcialmente denegadas— obligando al juzgador a realizar una nueva reflexión sobre la cuestión ya decidida. Esta facultad de las partes de reiterar su pretensión —aun después de haber agotado los posibles recursos— no está supeditada por la Ley al advenimiento de nuevos hechos en el curso del proceso, ni aun siquiera a la aportación de nuevos elementos de juicio o argumentaciones distintas de las que ya hubieran sido expuestas con anterioridad». STC 65/2008, de 29 de mayo.

La modificación en dicho supuesto de la cautela deberá adoptar la forma de auto y se ajustará a lo dispuesto en el párrafo 3º del art. 539 LECrim., si es de agravación de la medida, o en el párrafo 5º del mismo precepto, si es para acordarla en términos más favorables.

C) *Límites máximos y prórroga de la prisión provisional. Criterios para el cómputo temporal y abono de la prisión provisional en la condena*

La prisión provisional es una medida cautelar de carácter instrumental al proceso penal. Es decir, está supeditada a la existencia de un proceso penal, pero no puede tener una duración indefinida hasta tanto no se dicte sentencia firme. Los límites máximos se regulan en el art. 504 LECrim, atendiendo, especialmente, a la teórica pena a imponer y a la causa que hubiere fundamentado su adopción[48].

«b) Desde el citado principio nulla custodia sine lege, será la ley la que haya de fijar los plazos máximos de prisión provisional, tal como dispone el art. 17.4 CE (LA LEY 2500/1978), debiendo tales plazos ser escrupulosamente cumplidos por los órganos judiciales, resultando, en caso contrario, afectada la garantía constitucional de la libertad contenida en el art. 17 CE (LA LEY 2500/1978), por estar ante una limitación desproporcionada del derecho fundamental carente, por lo demás, de cobertura legal [SSTC 37/1996, de 11 de marzo (LA LEY 3951/1996), FJ 3; 147/2000, de 29 de mayo (LA LEY 8830/2000), FJ 4 b); 95/2007 (LA LEY 23072/2007), de 7 de mayo, FJ 5]. El preso preventivo goza, pues, de un derecho fundamental a no permanecer en prisión más allá de un plazo razonable (SSTC 8/1990, de 18 de enero (LA LEY 212/1990), FJ 4, y 206/1991 (LA LEY 1814-TC/1992), de 30 de octubre, FJ 4), y desde luego a ser puesto en libertad una vez que se ha cumplido el plazo máximo de duración de la medida cautelar impuesta por una misma causa [STC 147/2000 (LA LEY 8830/2000), de 29 de mayo, FJ 4 b)]. Como recuerda la citada STC 95/2007 (LA LEY 23072/2007), de 7 de mayo, FJ 5, la razón de tal exigencia "encuentra su último fundamento en la seguridad jurídica de los ciudadanos, que con la previsión legal tienen la posibilidad de conocer hasta qué momento puede durar la restricción de su derecho fundamental a la libertad en virtud de la medida cautelar. Las ideas de advertencia y previsibilidad del tope temporal máximo de la prisión provisional cobran así un significado central en el cumplimiento del mandato del segundo inciso del art. 17.4 CE (LA LEY 2500/1978)" (citando las SSTC 98/1998 (LA LEY 6682/1998), de 4 de mayo, FJ 2; 147/2000, de 29 de mayo (LA LEY 8830/2000), FJ 4; y 98/2002 (LA LEY 4510/2002), de 29 de abril, FJ 4)». STC Sala Segunda, Sentencia 210/2013 de 16 Dic. 2013, Rec. 2501/2012. Ponente: González Rivas, Juan José. LA LEY 208391/2013.

De este modo, se atiende a los Tratados Internaciones y a la jurisprudencia del TEDHJ que impone de manera expresa al legislador la obligación de fijar plazos, sin imponer un límite preciso para la duración máxima de prisión provisional, que sometan esta medida cautelar a un «plazo razonable» (véase art. 9.3 del PIDCP de 1966, y art. 5.3 del Convenio europeo para la protección de los derechos humanos y de las libertades fundamentales de 1950)[49].

---

[48] «Se lesiona el derecho a la libertad personal (art. 17.1 CE), por vulneración de la garantía establecida en el art. 17.4 CE, cuando se mantiene la prisión de una persona una vez expirado el plazo inicial legalmente previsto [SSTC 56/1997, de 17 de marzo, F. 4; 98/1998, de 4 de mayo, F. 2; 142/1998, de 29 de junio, F. 3; 234/1998, de 1 de diciembre, F. 2; y en fechas recientes en las SSTC 71/2000, de 13 de marzo, F. 5; 72/2000, de 13 de marzo, F. 6; y 231/2000, de 2 de octubre, F. 5 a)]. Doctrina que se expresa en la STC 234/1998, F. 2, en los siguientes términos: Como se ha afirmado y reiterado en jurisprudencia de este Tribunal relativa al significado constitucional de los plazos máximos, iniciales y de prórroga de la prisión provisional establecidos en el art. 504.4 LECrim, el respeto y cumplimiento de los plazos legales máximos de prisión provisional constituye una exigencia constitucional que integra la garantía consagrada en el art. 17.4 CE, de manera que la superación de dichos plazos supone una limitación desproporcionada del derecho a la libertad y, en consecuencia, su vulneración (entre otras, SSTC 127/1984, F. 3; 98/1998, F. 2; y 142/1998, F. 3)». STC 28/2001 de 29 de enero.

[49] Véanse sobre esta particular las SSTEDH 27 de junio de 1968, caso Neumeister v. Austria; 27 de junio de 1968, caso Wemhoff v. Alemania; 10 de noviembre de 1969, caso Stogmüller v.

«La ley habilitadora de la injerencia ha de hacer suficientemente previsible la extensión y el contenido de la privación de libertad, lo que "encuentra su último fundamento en la seguridad jurídica de los ciudadanos, que con la previsión legal tienen la posibilidad de conocer hasta qué momento puede durar la restricción de su derecho fundamental a la libertad en virtud de la medida cautelar. Las ideas de advertencia y previsibilidad del tope temporal máximo de la prisión provisional cobran así un significado central en el cumplimiento del mandato del segundo inciso del art. 17.4 CE" (SSTC 98/1998, de 4 de mayo (LA LEY 6682/1998), FJ 2; 147/2000, de 29 de mayo (LA LEY 8830/2000), FJ 4; 98/2002, de 29 de abril (LA LEY 4510/2002), FJ 4; 95/2007, de 7 de mayo (LA LEY 23072/2007), FJ 5, y 210/2013, de 16 de diciembre (LA LEY 208391/2013), FJ 2 b). De acuerdo con la doctrina transcrita, puede concluirse que la existencia de una cobertura legal expresa y clara de la injerencia del poder público en la libertad individual es un requisito previo e insoslayable, de modo que si existe sólo esa previsión legal y si la misma explicita suficientemente la extensión y el contenido de la privación de libertad impuesta puede, después, valorarse si su concreta aplicación resulta proporcionada, ponderando el sacrificio generado en la esfera del recurrente con los fines públicos que se pretenden alcanzar en la regulación aplicada, todo ello de acuerdo con el principio favor libertatis o *in dubio pro libertate*, que lleva a la "elección y aplicación, en caso de duda, de la norma menos restrictiva de la libertad" (por todas, STC 210/2013, de 16 de diciembre (LA LEY 208391/2013), FJ 2)». STC Pleno, Sentencia 217/2015 de 22 Oct. 2015, Rec. 5843/2014; Ponente: Narváez Rodríguez, Antonio. LA LEY 169363/2015.

Los límites son: 6 meses cuando se hubiera adoptado la prisión en virtud del supuesto previsto en el art. 503.1.3.b LECrim) —evitar la ocultación, alteración o destrucción de las fuentes de prueba—. En este caso, cuando se hubiere levantado la incomunicación o el secreto de las actuaciones será preciso que el Juez motive la necesidad de la subsistencia de la medida de prisión provisional. Un año cuando se trate de causa por delito al que corresponda pena de prisión igual o inferior a tres años. Dos años cuando la pena atribuida al delito sea igual o superior a tres años. Este tiempo se puede prorrogar por seis meses en el primer caso y de dos años en el segundo. También podrá prolongarse la prisión provisional hasta la mitad de la pena impuesta tras haberse dictado sentencia condenatoria no firme por hallarse recurrida (art. 504 LECrim)[50]. Ahora bien, en este último caso se exige que la sentencia hubiere condenado al acusado, lo cual no se dará en el caso que la sentencia recurrida imponga una medida de seguridad.

«En efecto, el art. 504.2 *in fine* LECrim (LA LEY 1/1882) permite que la prisión provisional se prorrogue hasta el límite máximo de la mitad "de la pena efectivamente impuesta en la sentencia", referencia legal que, con toda claridad, limita su aplicación de modo exclusivo al supuesto de hecho en que concurran dos requisitos, la condena del acusado y que la pena a imponer sea la de prisión, sin que se extienda

---

Austria; 2 de octubre de 1984, caso Skoogstrom v. Suecia; 25 de octubre de 1989, caso Bezicheri v. Italia; 26 de junio de 1991, caso Letellier v. Francia; 23 de septiembre de 1998, caso I.A. v. Francia; 31 de julio de 2000, caso Jecius v. Lituania; 16 de noviembre de 2000, caso Vaccaro v. Italia; 22 de febrero de 2001, caso Szeloch v. Polonia.).

[50] Los límites máximos se deben fijar sobre la mayor penalidad que pueda imponer el Tribunal; criterio que sustenta la Instrucción 2/83 y la Circular de 29 de febrero de 1984 de la Fiscalía General del Estado.

al supuesto de adopción de una medida de seguridad, aunque ésta sea la de internamiento. Es, así, evidente que la "sentencia condenatoria" aludida en el art. 504.2 *in fine* LECrim (LA LEY 1/1882) ha de ser una resolución judicial que, considerando al acusado "responsable criminal" del delito —y confirmando de ese modo el juicio pronóstico contemplado en el art. 503.1.2 LECrim (LA LEY 1/1882)— le imponga una pena privativa de libertad. Así resulta, además, de una lectura sistemática de la ley procesal penal (LA LEY 1/1882), que llega a establecer en párrafos separados del artículo 846 bis b) la legitimación para recurrir que corresponde al "condenado", distinguiéndola de la que alcanza a quien ha sido absuelto, aclarando la aludida norma que este último también puede presentar recurso "si se le impusiere una medida de seguridad o se declarase su responsabilidad civil conforme a lo dispuesto en el Código Penal"». STC Pleno, Sentencia 217/2015 de 22 Oct. 2015, Rec. 5843/2014; Ponente: Narváez Rodríguez, Antonio. LA LEY 169363/2015.

Cuando la prisión provisional se prolongue más allá de las dos terceras partes de su duración máxima el Fiscal y el Juez que conozca de la causa comunicarán respectivamente esta circunstancia al Presidente de la Sala de gobierno y al Fiscal Jefe del Tribunal correspondiente, con la finalidad de que se adopten las medidas precisas para imprimir a las actuaciones la máxima celeridad. A ese efecto la tramitación del procedimiento será preferente (art. 504.6 LECrim). Esta medida tiene por finalidad evitar que la instrucción de la causa se prolongue más allá del tiempo máximo de duración de la prisión provisional, en cuyo caso deberá ponerse libertad al imputado con la indeseable consecuencia de la posible fuga del imputado o acusado.

Los límites máximos deben ser cumplidos sin que puedan superarse, sin perjuicio de que la medida adoptada pueda modificarse de oficio o a instancia de parte cuando se hubiese producido una modificación de las circunstancias que determinaron su adopción[51]. En este sentido, el Tribunal Constitucional ha declarado que, aún sin rebasar las limitaciones temporales que establece el art. 504 LECrim., puede lesionarse el derecho fundamental a la libertad si el imputado permanece en situación de prisión provisional más tiempo del objetivamente razonable, atendidas las circunstancias del caso.

«… El segundo inciso del artículo 17.4 CE encierra un auténtico derecho fundamental que asiste a todo preso preventivo a no permanecer en prisión provisional más allá de un "plazo razonable", que cristaliza la línea jurisprudencial establecida por sentencias anteriores). Plazo que es integrado por el legislador, al fijar unos límites temporales máximos a la medida de prisión provisional en el art. 504 LECrim. que, sin embargo, no agotan la garantía constitucional. Pues, por aplicación directa de los preceptos constitucionales mencionados, interpretados de conformidad con el conve-

---

[51] «Del citado afán de garantizar la seguridad jurídica y la previsibilidad en la restricción cautelar de la libertad se deriva, a su vez, una exigencia de certeza en el cómputo del mismo que lleva a la exclusión tanto de los eventos ajenos a la propia medida cautelar (SSTC 19/1999, de 22 de febrero (LA LEY 2878/1999), FJ 5; 71/2000 (LA LEY 57255/2000) y 72/2000 (LA LEY 5410/2000), de 13 de marzo, FFJJ 5 y 6 respectivamente) como de los "elementos inciertos" que puedan conducir al "desbordamiento del plazo razonable", conectándose de este modo la exigencia de certeza con la del "plazo razonable" (por todas, STC 98/2002, de 29 de abril (LA LEY 4510/2002), FJ 5, y 95/2007 (LA LEY 23072/2007), de 7 de mayo, FJ 5)». STC Sala Segunda, Sentencia 210/2013 de 16 Dic. 2013, Rec. 2501/2012. Ponente: González Rivas, Juan José. LA LEY 208391/2013.

nio Europeo de Derechos Humanos y la Jurisprudencia de su Tribunal (art. 10.2 CE), el plazo razonable en una causa determinada puede ser sensiblemente menor al plazo máximo legal, atendiendo a la complejidad de la causa, la actividad desplegada por el órgano judicial y el comportamiento del recurrente (STC 206/91, fundamentos jurídicos 4.º y 5.º)...». (STC 41/96, de 12 marzo). *Vid.* también STC 19/99, de 22 febrero.

La prolongación de la situación de prisión provisional requerirá de auto motivado (art. 506 LECrim) (Véase M. 92) que deberá valorar los requisitos y circunstancias concurrentes que son distintos de los establecidos para acordar la medida de prisión provisional, aunque sólo fuere por el mero transcurso del tiempo[52].

«Como se afirmó en la STC 14/2000, F. 5, el paso del tiempo puede modificar las circunstancias objetivas que pudieron justificar que en un primer momento se acordara la prisión provisional y además obliga a ponderar los datos personales y los del caso concreto conocidos en momentos posteriores. Por esta razón, la solicitud de libertad provisional no puede denegarse alegando simplemente que subsisten los motivos que determinaron que se acordara esta medida cautelar, ya que dicha motivación no expresa si en el momento en que se solicita nuevamente la libertad provisional, la prisión provisional acordada sigue cumpliendo los fines constitucionales que la legitiman». STC 61/2001 de 26 de febrero.

A este efecto, para proceder a la prolongación de la prisión deberán tenerse en cuenta los datos personales y objetivos de la causa, como el examen de la complejidad del asunto, la actividad desplegada por el órgano jurisdiccional y el comportamiento del recurrente, que puede adoptar una conducta obstruccionista de la defensa dirigida a obtener el agotamiento de los plazos de la prisión provisional.

«... la prisión provisional esté sometida a un "plazo razonable" ... un concepto que, conforme a nuestra doctrina ... ha de ser integrado en cada caso concreto, atendiendo, por un lado, a la duración efectiva de la prisión provisional y, por otro, a la naturaleza y complejidad de la causa, la actividad desplegada por el órgano judicial (a quien el Tribunal Europeo de Derechos Humanos exige una "especial diligencia" en los mismos términos que el art. 504, párrafo tercero LECrim) y al comportamiento del recurrente, "de tal suerte que la necesidad de prolongar la prisión, a los efectos de asegurar la presencia del imputado en el juicio oral no obedezca ni a una conducta meramente inactiva del Juez de Instrucción, ni sea provocada por una actividad obstruccionista de la defensa, a través del planteamiento de recursos improcedentes o de incidentes dilatorios, dirigidos exclusivamente a obtener el agotamiento de los plazos de la prisión provisional" (STC 206/1991, de 30 de octubre, F. 5)». STC 98/2002 de 29 de abril.

En definitiva, la prórroga de la prisión debe estar fundada en subsistencia de los fines que justifican la adopción de la prisión preventiva, y esencialmente la necesidad de asegurar la presencia del imputado en el juicio oral; sin que la prórroga pueda acordarse automáticamente[53].

---

[52] «... si en un principio cabe admitir una motivación basado únicamente en datos objetivos como la gravedad del delito y posible pena, el transcurso del tiempo en la aplicación de la medida exige que se ponderen más individualizadamente circunstancias personales del preso preventivo y del caso concreto». STC 138/2002 de 3 de junio. Véase también la STC 37/96, de 11 marzo.

[53] «... a) El respeto a los plazos legales máximos de prisión, constituye una exigencia constitucional de forma que la superación de dichos plazos supone una limitación desproporcionada del

«... las razones que se esgrimen en el Auto por sí solas no constituyen motivación fundada, racional y completa que justifique la prórroga de la prisión provisional, ya que la naturaleza del delito y la gravedad de la pena, con el transcurso de dos años de cumplimiento de la medida cautelar, era necesario ponerlas en relación con la situación personal y el caso concreto de cada recurrente, para ponderar adecuadamente la persistencia de un fin constitucionalmente legítimo que justificara, en última instancia, la prórroga de las medidas. .../... Por todo ello, y desde la perspectiva del control externo que corresponde a este Tribunal, se ha de concluir que los Autos impugnados han vulnerado el derecho fundamental a la libertad que consagra el art. 17.1 CE, por falta de motivación suficiente y razonable (STC 29/2001, de 29 de enero, F. 4, entre otras)». (STC 138/2002 de 3 de junio).

La motivación expresa de la resolución que acuerda la prórroga de la prisión es necesaria incluso en el supuesto de que hubiera recaído sentencia condenatoria sometida a recurso. En este caso el art. 504.2.2 LECrim dispone que la prisión puede prolongarse hasta la mitad de la pena impuesta. Pero en cualquier caso se requiere auto expreso motivado en el que se acuerde la prolongación y subsistencia de la medida[54].

«No es constitucionalmente razonable la interpretación según la cual el dictado de una Sentencia condenatoria lleva consigo, implícitamente, la prolongación automática del plazo máximo de la prisión provisional hasta el límite de la mitad de la condena impuesta, pues el tenor literal del art. 504, párrafo 5, LECrim, y las generales exigencias de motivación de tan drástica medida cautelar —expuestas, entre otras en las ya citadas SSTC 128/1995, 98/1998 y 234/1998, de 1 de diciembre—, exigen rechazar dicha tesis». STC 231/2000 de 2 de octubre.

Será imprescindible que la prórroga se acuerde siempre acordada con anterioridad a la fecha de expiración de la duración límite.

«... De igual forma, aunque el art. 504.4 LECrim no requiere expresamente que la resolución de prórroga se acuerde antes de la expiración del plazo inicial, constituye ésta una exigencia lógica para la efectividad del derecho a la libertad personal (ATC 527/1988), pues la lesión en que consiste la ignorancia del plazo no se subsana por el intempestivo acuerdo de prórroga adoptado una vez superado éste (STC 142/1998, F. 3). Y la exigencia de que la resolución de prolongación de la prisión por encima del plazo inicial se dicte en fecha anterior a la expiración de este plazo se proclama, entre otras, en las SSTC 103/1992, 142/1998 y ATC 447/1989». STC 28/2001 de 29 de enero. Véanse en el mismo sentido SSTC 231/2000 de 2 de octubre; 40/1987 de 3 de abril; 103/1992, de 25 de junio.

Sin que la ignorancia del plazo pueda subsanarse con un intempestivo acuerdo de prórroga adoptado una vez superado aquél (Véanse SSTC 231/2000 de 2 de octubre;

---

derecho a la libertad ... b)La prórroga o ampliación del plazo, máximo inicial de la prisión requiere una decisión específica que motive tan excepcional decisión con base en alguno de los supuestos que la habilitan para ello (imposibilidad del enjuiciamiento en el plazo inicial acordado... o que el acusado haya sido condenado por sentencia que haya sido recurrida. La prórroga ... ha de ser adoptada antes de que el plazo máximo inicial haya expirado...» (STC 19/1999, de 22 febrero).

[54] «... No es constitucionalmente razonable la interpretación ... de la prolongación del plazo máximo de la prisión provisional hasta el límite de la mitad de la condena impuesta, pues el tenor literal del art. 504. 5 LECrim y las generales exigencias de motivación de tan drástica medida exigen rechazar dicha tesis...». (STC 142/98, de 30 julio).

144/2002 de 15 de julio; 19/1999 de 22 de febrero; 234/1998 de 1 de diciembre; 56/1997 de 17 de marzo). También la STC 234/98, de 1 diciembre se pronuncia por la nulidad del auto que acuerda la prórroga de la prisión provisional cuando se hubiere acordado con posterioridad (cuatro días) a su finalización aunque el expediente se hubiera iniciado con anterioridad.

Finalmente, con relación a la duración máxima de la prisión provisional debemos referirnos al curioso supuesto de la prisión diferida que ha acordado la Audiencia Nacional en algún procedimiento. Se trata de una modalidad de prisión preventiva que se adoptaría pero quedaría en suspenso, hasta que se decidiera sobre la situación personal del preso preventivo en otro procedimiento. Este supuesto, ciertamente algo complicado de entender, se da ante una petición de extradición o de entrega de un sujeto que estuviere en prisión preventiva por otra causa. En este supuesto la entrega o extradición del mismo sujeto puede quedar en suspenso en tanto no se resuelva el asunto por el que está en prisión preventiva (art. 19.2 Ley 4/1985 de Extradición pasiva y art. 56 Ley 23/2014 de reconocimiento mutuo de resoluciones penales en la UE). En ese caso, el *«peligro»* consiste en el hecho que si se adopta prisión preventiva en el momento de la solicitud comenzarán a contar los plazos máximos de prisión preventiva con su eventual agotamiento y consiguiente puesta en libertad del preso pendiente de extradición o entrega, para evitar esta consecuencia la Audiencia Nacional consideró que cabía dictar una prisión preventiva diferida que no se haría efectiva en el momento en que se acuerda, sino cuando se hubiera decidido la libertad del reclamado en el procedimiento penal en virtud del que se hubiera suspendido la ejecución de la entrega. Pero, este proceder ha sido considerado improcedente por el Tribunal Constitucional por atentar contra el derecho a la libertad.

> «a) En primer lugar, y de modo coincidente a la argumentación del Ministerio Fiscal, la medida consistente en acordar la prisión provisional y diferir su efectiva ejecución en función de lo que sobre la situación personal del demandante se decida en otro procedimiento, carece de cobertura legal, no existiendo precepto alguno, ni en la LOEDE (LA LEY 449/2003) ni en la Ley de enjuiciamiento criminal (LA LEY 1/1882), que contemple este supuesto de hecho …/… b) En segundo lugar, e íntimamente vinculado con lo acabado de afirmar, la aplicación que se realiza de la denominada "prisión provisional diferida" ha de reputarse contraria al principio de excepcionalidad, que "impone un criterio hermenéutico restrictivo, en el sentido más favorable a la libertad (favor libertatis), de las normas que la regulan" (SSTC 98/2002, de 29 de abril (LA LEY 4510/2002), FJ 2; y 95/2007 (LA LEY 23072/2007), de 7 de mayo, FJ 7)…/… c) En tercer lugar, la "prisión provisional diferida" atenta también contra el mandato de previsibilidad, al mantener en suspensión y de modo indefinido la efectiva privación de libertad, haciéndola depender de circunstancias no controladas por el órgano judicial que acuerda la medida cautelar y, en definitiva, imprevisibles en el momento en que es acordada». STC Sala Segunda, Sentencia 210/2013 de 16 Dic. 2013, Rec. 2501/2012. Ponente: González Rivas, Juan José. LA LEY 208391/2013.

El procedimiento aplicable para la prolongación del período de prisión provisional es el previsto para decretar la prisión provisional (art. 505 LECrim). Se requerirá, por tanto, la garantía de la previa audiencia del inculpado y del Ministerio Fiscal. Si se omitiese este trámite, podrá subsanarse, siempre que se realizara dentro del plazo legal (72 horas).

«... Para que una irregularidad procesal integre el concepto constitucional de indefensión es preciso que se alcance un efecto material de efectiva indefensión, que se vea realmente impedido, como efecto de la irregularidad procesal, el ejercicio del derecho de defensa. A este respecto se ha considerado carente de contenido constitucional la omisión del trámite de audiencia al inculpado que se vio subsanada por la comparecencia del mismo ante el órgano judicial 12 días después de haberse adoptado el auto de prolongación de la prisión provisional, siendo preciso distinguir, desde el punto de vista constitucional, entre la prolongación de la prisión provisional fuera de los casos previstos en la Ley —prohibida por el art. 17.1 y 4 CE— y la prolongación que es conforme con el art. 17 CE y con los supuestos previstos en la legislación procesal, pero en la que se omite inicialmente —y luego se subsana— un requisito legal como el de la previa audiencia del inculpado, supuesto en que no se vulnera el derecho de defensa ni tampoco el derecho a la libertad...». (STC 37/96, de 11 marzo). *Vid.* también STC 242/94, de 20 julio).

En cuanto al cómputo del tiempo transcurrido en prisión provisional deben tenerse en cuenta los siguientes criterios interpretativos:

1°. El tiempo máximo de prisión provisional no puede establecerse multiplicando los plazos legales por el número de delitos enjuiciados[55].

«No es posible computar el plazo máximo de prisión en función de cada uno de los delitos imputados en una misma causa, ya que este criterio haría depender dicho plazo de un elemento incierto (SSTC 127/1984, de 26 de diciembre, F. 4 y 28/1985, de 27 de marzo, F. 4)». STC 147/2000 de 29 de mayo.

«... pues el resultado de multiplicar la prisión provisional por el número de delitos imputados conduce por una simple operación aritmética a un resultado notoriamente superior a todo plazo razonable...». (STC 19/1999, de 22 febrero). Véanse, en el mismo sentido, SSTC 98/02 de 29 de abril, 127/1984, de 26 de diciembre; 28/1985, de 27 de marzo.

2°. No será computable el tiempo en que la causa sufra dilaciones no imputables a la Administración de Justicia (art. 504.5 LECrim).

«También hemos establecido que "los eventos ajenos a la propia medida cautelar de prisión provisional, no previstos en el art. 504 de la LECrim, que es el precepto rector de la prisión provisional, no pueden ser tenidos en consideración para el cómputo del plazo máximo de duración de la misma" (SSTC 19/1999, de 22 de febrero, F. 5; 71/2000 y 72/2000, de 13 de marzo, F. 5 y 6 respectivamente).

f) Por último, respecto a la suspensión del cómputo del plazo máximo de prisión

---

[55] Con relación a la interpretación del art. 504 LECrim., respecto del tiempo máximo de prisión preventiva, véanse las SSTC 127/84, de 26 diciembre, y 28/85, de 27 febrero, en las que se señala que dichos plazos máximos no se ciñen a los supuestos de unidad delictiva en un mismo proceso, sino que alcanza a los casos de multiplicidad, «pues si no se haría depender de un elemento incierto», como es el número de delitos. Por otra parte, el TC, sin invadir la jurisdicción penal, puede revisar si en un determinado caso la excepcional prolongación del límite de la prisión provisional se hizo cumpliendo o no los requisitos legales a la que se remite el art. 17.4 CE (STC 85/85, de 10 julio).

provisional cuando la causa sufriere dilaciones no imputables a la Administración de Justicia (art. 504, párrafo sexto LECrim), hemos afirmado que la exclusión de dichas dilaciones determina que el cómputo de los plazos máximos de la prisión provisional no tenga un carácter de plena automaticidad, pues sin dejar de ser efectivos y determinados, no se consumen por el transcurso natural del tiempo (ATC 527/1988, de 9 de mayo, F. 2) y que el período de tiempo que ha de excluirse del cómputo ha de corresponderse exactamente con la duración de la dilación (SSTC 127/1984, de 26 de diciembre, F. 3; 28/1985, de 27 de marzo, F. 3)». STC 98/2002 de 29 de abril.

3º. El plazo máximo de prisión preventiva comprende el de detención o sometimiento a prisión provisional por la misma causa (art. 504.5 LECrim)[56].

4º. Son computables a efectos de la prisión provisional: el tiempo transcurrido en arresto domiciliario puesto que se trata de una genuina prisión provisional (STS 20 julio 1992) y los sufridos como consecuencia de una situación de prisión atenuada (STC 56/97, de 17 marzo). También computa el tiempo de permanencia no continuada en prisión provisional (SSTC 207/2000 de 24 de julio y 147/2000 de 29 de mayo).

5º. También se computan los plazos transcurridos aunque coincidan situaciones de prisión provisional con otra de prisión ordinaria por causa a la que haya sido condenado el cometido a prisión preventiva[57].

> «Tampoco cabe descontar del tiempo de prisión provisional sufrido como consecuencia de un proceso el período de cumplimiento de condena de una pena de prisión impuesta en otra causa, porque ello ocasionaría también que el límite temporal de duración de la prisión provisional dependiera de un elemento incierto y podría conducir al "desbordamiento de todo plazo razonable" (STC 19/1999, de 22 de febrero), doctrina ésta que hemos extendido al ámbito en que coincide la situación de prisión provisional por extradición con la situación de condenado a pena privativa de libertad en otra causa (SSTC 71/2000 y 72/2000, de 13 de marzo)».

6º. El tiempo de prisión preventiva en el que hubiere estado el inculpado durante la tramitación de la causa será abonado en su totalidad para el cumplimiento de la pena que, finalmente, hubiere sido impuesta (art. 58.1 CP). También puede aplicarse ese tiempo a otras causas distintas. Ahora bien, en ese caso se prevén ciertas limitaciones. En primer lugar el art. 58.1 *in fine* CP dispone que el abono en causa distinta se producirá: «*salvo en cuanto haya coincidido con cualquier privación de libertad impuesta al penado en otra causa, que le haya sido abonada o le sea abonable en*

---

[56] Esta norma se introdujo por LO 15/2003 modificando, de este modo, la doctrina del TC que había declarado que el período de detención no computaba respecto al plazo máximo de prisión provisional —SSTC 145/2001 de 18 de junio, 37/96, de 11 marzo—.

[57] «... el cumplimiento en calidad de penado se ve directa y perjudicialmente afectado por el hecho de coincidir con una situación de prisión provisional decretada, pues el penado que se encuentra con causas pendientes en situación de prisión provisional decretada no puede acceder a ningún grado de semilibertad, ni puede obtener permisos, ni puede obtener la libertad condicional. Por ello no es acertado afirmar, como se hace en las resoluciones recurridas, que el preso preventivo, que cumple a la vez condena, no está "materialmente en situación de prisión provisional..."». (STC 19/1999, de 22 febrero).

ella. En ningún caso un mismo período de privación de libertad podrá ser abonado en más de una causa». En segundo lugar, el art. 58.3 CP prevé que: *«Sólo procederá el abono de prisión provisional sufrida en otra causa cuando dicha medida cautelar sea posterior a los hechos delictivos que motivaron la pena a la que se pretende abonar».* Con estas normas se pretende evitar el denominado doble cómputo de abono de la prisión provisional que se producía antes de la reforma del CP por la LO 5/2010 que permitía este suerte de beneficio extraordinario con base en la consideración que si bien el preso preventivo ya está cumpliendo condena, no por ello deja de ser cierto que sigue siendo un preso preventivo, aunque sea por distinta causa[58]. En la actualidad no procede ese doble cómputo quedando limitado el abono de la prisión provisional en otra causa a los supuestos previstos en la Ley. A ese fin, el art. 58.2 CP dispone que: *«El abono de prisión provisional en causa distinta de la que se decretó será acordado de oficio o a petición del penado y previa comprobación de que no ha sido abonada en otra causa, por el Juez de Vigilancia Penitenciaria de la jurisdicción de la que dependa el centro penitenciario en que se encuentre el penado, previa audiencia del ministerio fiscal»*[59]. No obstante, el Tribunal Constitucional ha declarado que el doble cómputo se mantiene para las situaciones de prisión provisional desde

---

[58] «El debate litigioso en este caso no estriba en el orden de cumplimiento de las penas impuestas al condenado por diversas infracciones cuando no puedan ser cumplidas simultáneamente, cuestión que aborda y resuelve, como se indica en el Auto, el art. 75 CP, sino la determinación del tiempo de abono de la privación de libertad sufrida provisionalmente en una causa para el cumplimiento de la pena o penas impuestas en la misma causa, tema que regula el art. 58.1 CP, en los términos ya indicados a los efectos que a este recurso de amparo interesa n. 7. Finalmente tampoco puede considerarse, como se hace implícitamente en los Autos recurridos y expresamente manifiesta el Ministerio Fiscal en su escrito de alegaciones, que en la situación de coincidencia temporal de las situaciones de prisión provisional por una causa y de ejecución de pena de prisión por otra la prisión provisional no afecte realmente a la libertad, pues es preciso tener en cuenta que, de conformidad con lo dispuesto en la normativa penitenciaria (arts. 23.3, 29.2, 104, 154, 159, 161 y 192 del Reglamento penitenciario), el cumplimiento en calidad de penado se ve directa y perjudicialmente afectado por el hecho de coincidir con una situación de prisión provisional decretada, pues el penado que se encuentra con causas pendientes en situación de prisión provisional no puede acceder a ningún régimen de semilibertad, no puede obtener permisos, ni puede obtener la libertad condicional. Por ello no puede sostenerse que el preso preventivo, que cumple a la vez condena, no está "materialmente" en situación de prisión preventiva, o, en otros términos, sólo padece una "privación de libertad meramente formal" (STC 19/1999, de 22 de enero, FJ 4)». STC 57/2008 de 28 de abril.

[59] «Se concluye, pues, a la luz de esta doctrina, que no vulnera el art. 17 CE (LA LEY 2500/1978) la no aplicación de la jurisprudencia del doble cómputo establecida en la STC 57/2008 (LA LEY 32623/2008) en los supuestos en que se haya establecido un límite máximo de cumplimiento; que no es constitucionalmente exigible, en tales casos, una interpretación conjunta del art. 58.1 CP (LA LEY 3996/1995) —en la redacción anterior a la Ley Orgánica 5/2010 (LA LEY 13038/2010)— y de los arts. 75 (LA LEY 3996/1995) y 76 CP (LA LEY 3996/1995), que imponga el doble cómputo de un mismo periodo de prisión como preventivo y como penado, o que lleve a considerar que el tiempo de prisión provisional simultáneo al de cumplimiento de pena, deba conceptuarse como tiempo de "cumplimiento efectivo"; y que la doctrina de la STC 57/2008 (LA LEY 32623/2008) en absoluto da sustento a que el descuento del periodo simultáneo de preventiva opere sobre el tope máximo fijado de "cumplimiento efectivo" que resulta de la acumulación jurídica de las condenas, no regulada en el art. 58.1 CP (LA LEY 3996/1995), sino en el art. 76 CP (LA LEY 3996/1995) Aplicando dicha doctrina a la resolución impugnada, no se aprecian las vulneraciones legales y constitucionales denunciadas en ambos motivos». ATS Sala Segunda, de

la fecha de inicio del doble cómputo, hasta la entrada en vigor del actual art. 58 CP (23 de diciembre de 2010).

«2. La problemática suscitada en el presente recurso de amparo ya ha sido dirimida en la STC 261/2015, de 14 de diciembre (LA LEY 204664/2015), cuya doctrina también recoge la reciente STC 48/2016, de 14 de marzo (LA LEY 28483/2016). En la referida STC 261/2015 (LA LEY 204664/2015), FJ 7, reconocimos la posibilidad de aplicar el doble cómputo en los términos expuestos en la STC 57/2008 (LA LEY 32623/2008), incluso cuando hubiera recaído Sentencia con posterioridad a la modificación del art. 58.1 del Código penal (LA LEY 3996/1995), operada por la Ley Orgánica 5/2010 (LA LEY 13038/2010), eso sí, con el límite de la fecha de entrada en vigor de esta última norma .../... Si bien la Sentencia que dio lugar a la ejecutoria núm. 14-2011 es de fecha posterior a la entrada en vigor del actual art. 58 CP (LA LEY 3996/1995), ello no empece que sea procedente abonar el tiempo que el demandante compaginó la situación de preso preventivo, por el procedimiento que dio lugar a la incoación de la ejecutoria núm. 14-2011, con la condición de penado por la ejecutoria núm. 19-2009. Ahora bien, la anterior consideración no implica que deba abonarse la totalidad del tiempo en que el demandante simultaneó esa situación, pues, de acuerdo con nuestra doctrina, sólo procede tal abono desde la fecha el inicio del cumplimiento de la pena que dio lugar a la ejecutoria núm. 19-2009, es decir desde la fecha de inicio del doble cómputo, hasta la entrada en vigor del actual art. 58 CP (LA LEY 3996/1995), según redacción dada por la Ley Orgánica 5/2010, de 22 junio (LA LEY 13038/2010), momento a partir del cual queda vedada la aplicación del referido doble cómputo». STC Sala Segunda, Sentencia 137/2016 de 18 Jul. 2016, Rec. 4120/2015. Ponente: González-Trevijano Sánchez, Pedro José. LA LEY 93854/2016[60].

7º. El tiempo transcurrido en prisión provisional no puede descontarse del establecido en la sentencia, de modo que se reduzca el tiempo de condena con la finalidad de que pueda aplicarse el beneficio de la suspensión condicional de la pena conforme a los arts. 80 y ss. CP.

«Esta Sala de lo Penal del Tribunal Supremo, cierto es que sin argumentación alguna por no haberse suscitado cuestión sobre el tema, en alguna resolución (sentencia de 22-4-1996) y en algunos informes emitidos en expedientes de indulto (al menos en dos, uno de 27-6-2000 —recurso de casación 3943/1998— y otro de 15-2-2001 —recurso de casación 2068/1997—), ha venido proponiendo o informando con relación a esta materia en sentido contrario al ahora defendido por el Ministerio Fiscal, de modo que, en algunas ocasiones, al proponer o informar sobre algún indulto parcial lo venimos haciendo con el criterio de que la pena fijada en la sentencia quede reducida a unos límites tales (ahora no superior a esos dos años de prisión), que permitan a la Audiencia Provincial aplicar esa suspensión de ejecución de la pena si lo estima oportuno. Es decir, venimos reconociendo a los tribunales de instancia la facultad de aplicar esta suspensión de ejecución de la

---

lo Penal, Auto 920/2015 de 11 Jun. 2015, Rec. 10044/2015. Ponente: Conde-Pumpido Tourón, Cándido. LA LEY 89487/2015.

[60] Véanse en el mismo sentido SSTC Sala Primera, Sentencia 48/2016 de 14 Mar. 2016, Rec. 415/2014; Ponente: Xiol Ríos, Juan Antonio. LA LEY 28483/2016; Sala Segunda, Sentencia 261/2015 de 14 Dic. 2015, Rec. 1786/2013; Ponente: González Rivas, Juan José. LA LEY 204664/2015.

pena de prisión cuando ésta, reducida por el indulto parcial, no resulta superior a esos dos años a que se refiere el mencionado art. 81.2ª CP. Consideramos que debemos mantener esta postura, a fin de que, en aquellos casos en que se estime equitativo acordar sólo el indulto parcial de una pena de privación de libertad superior al mencionado límite de dos años, sea posible evitar el ingreso en prisión del indultado, cuando la pena residual no supere este límite. Estimamos que hay que dejar la puerta abierta a esta posibilidad». ATS Sala Segunda, de lo Penal, Auto de 29 May. 2001, Rec. 2530/1995; Ponente: Delgado García, Joaquín. LA LEY 3943/2001.

8º. En los casos de prolongación de la prisión provisional hasta la mitad de la pena impuesta cuando la sentencia hubiese sido recurrida, se estará a la fijada en la resolución definitiva (no firme) y no la que hubiera sido objeto de acusación.

«... Esto es, el precepto legal no parte de una valoración apriorística de la pena que puede imponérsele al imputado, sino de la pena efectivamente impuesta, que requiere, obviamente, una sentencia para su imposición (art. 1 LECrim.). Con esta palabra se está haciendo referencia a una declaración de conocimiento y de voluntad proveniente del órgano judicial, fundada y razonada, en los términos previstos en el art. 248.3 LOPJ, a la que no pueden equipararse los estadios previos a la confección material de la resolución judicial, incluso si, como al parecer sucedía en este caso, el órgano jurisdiccional no albergaba dudas sobre la pena potencialmente imponible al hoy actor por los delitos que le habían sido imputados...». (STC 241/94, de 20 julio) (Véanse también STC 9/94 de 17 enero; ATC 346/95 de 18 diciembre).

SECCIÓN 3. MEDIDAS CAUTELARES REALES

3.1. Medidas cautelares referentes al objeto civil del proceso penal[61]

Junto a las medidas cautelares personales, ya examinadas, que tienen como objeto asegurar la presencia del inculpado en el juicio y el cumplimiento de las penas que llevan aparejada la privación de libertad, existen las denominadas medidas cautelares reales o patrimoniales. Estas tienden a asegurar los efectos económicos del proceso. Se pretende con tal aseguramiento conseguir que puedan ser efectivamente cubiertas las responsabilidades civiles que el Tribunal declare en la sentencia. Conforme a esta finalidad, el art. 116 CP dispone que: «toda persona responsable criminalmente de un delito o falta lo es también civilmente si del hecho se derivaren daños o perjuicios». Añade el art. 123 CP que: «las costas procesales se entienden

---

[61] Vid. ARANGÜENA, *Teoría general de las medidas cautelares reales en el proceso penal español*, Madrid, 1992; FONT SERRA, *La acción civil en el proceso penal. Su tratamiento procesal*, Ed. La Ley, Madrid, 1991; PEDRAZ PENALVA, *Las medidas cautelares reales en el proceso penal ordinario español*, Madrid, 1985; RUIZ VADILLO, «Responsabilidad civil», en *Comentarios a la legislación penal*, t. V, vol. I, Madrid, 1985, p. 364. MARCHENA GÓMEZ, M., «Algunos aspectos de las medidas cautelares reales en el proceso penal», *La Ley* nº 4618, 1998.

impuestas por la Ley a los criminalmente responsables de todo delito o falta». La LECrim enuncia las citadas medidas en el art. 589 al establecer que: *«cuando del sumario resulten indicios de criminalidad contra alguna persona, se mandará por el Juez que preste fianza bastante para asegurar las responsabilidades pecuniarias que en definitiva puedan declararse procedentes, decretándose en el mismo auto el embargo de bienes suficientes para cubrir dichas responsabilidades si no prestare la fianza»*. De este precepto se desprende que las medidas cautelares de aseguramiento civil en el proceso penal son la fianza y el embargo. En sede de procedimiento abreviado el art. 764.2 LECrim se remite para el aseguramiento de las responsabilidades pecuniarias, incluidas las costas, a la regulación de la LEC. Concretamente, se aplicarán las normas sobre contenido, presupuestos y caución sustitutoria. De este modo, en este procedimiento cabe adoptar la relación de medidas cautelares previstas en el art. 727 LEC. En cualquier caso las medidas cautelares deben reunir sus notas genéricas como son la instrumentalidad respecto al proceso principal del cual dependen, para asegurar el cumplimiento de la sentencia y la de homogeneidad, o sea, con un contenido similar al de las futuras ejecutivas.

Véase también sobre realización de efectos judiciales y procedimiento de decomiso el Cap. XIII. No se trata de medidas cautelares pero también tienen por finalidad atender a las consecuencias económicas y patrimoniales del proceso penal.

Para que el Juez adopte alguna de las medidas cautelares previstas en la LECrim. será preciso que concurran los requisitos previstos en el citado art. 589 LECrim, y el art. 728 LEC de aplicación a las que se adopten en procedimiento abreviado:

a) Existencia de indicios de criminalidad o *fumus boni iuris* sobre la existencia de hechos criminales imputables a una persona de las que se desprendan daños y perjuicios que puedan ser asegurados mediante una medida cautelar con la que poder reparar el daño, la restitución de cosas o la indemnización de daños y perjuicios y en el pago de las costas.

b) *Periculum in mora*, es decir la existencia de un riesgo de que durante el tiempo de sustanciación del proceso se produzcan hechos que alteren el patrimonio del inculpado o procesado y cambien su situación jurídica.

El Juez podrá ordenar, de oficio, estas medidas de aseguramiento en la fase de instrucción de un proceso penal, una vez entienda que concurren los requisitos del art. 589 LECrim. En el sumario ordinario se produce con el auto de procesamiento —art. 385 LECrim.— y en el procedimiento abreviado con el auto de inculpación —art. 764 LECrim.—, o el de apertura del juicio oral —art. 783.2 LECrim.—, si anteriormente no se hubiesen acordado. Corresponderá al Juez determinar su alcance y cuantía, con posibilidad por parte del perjudicado de enervar su aplicación mediante la prestación de fianza sustitutoria en caso de embargo. En el caso de procedimiento abreviado podrá ofrecerse caución sustitutoria conforme a lo previsto en los arts. 746 y 747 LEC.

Si bien la medida usual será la de la fianza, y en caso de no prestarse el embargo, también cabe adoptar otras medidas como de anotación preventiva de querella con los requisitos y presupuestos que fueron objeto de análisis en el § 2.D.d.1° del Capítulo VI.

Las cautelas habrán de ser, en todo caso, proporcionadas y basarse en un juicio de razonabilidad acerca de la finalidad perseguida.

«… La presunción de inocencia es compatible con la aplicación de medidas cautelares siempre que se adopten por resolución fundada en derecho, que cuando es reglada ha de basarse en un juicio de razonabilidad acerca de la finalidad perseguida y las circunstancias concurrentes, pues una medida desproporcionada o irrazonable no sería propiamente cautelar, sino tendría carácter punitivo en cuanto al exceso…». (STC 66/89, de 17 abril).

3.2. Clases de fianza

La fianza que aquí se examina es de carácter patrimonial y, por tanto, distinta de la fianza como garantía de libertad provisional. La finalidad de la primera es garantizar los efectos civiles del proceso penal, es decir, las responsabilidades civiles y las costas del proceso; mientras que la carcelaria tiene como fin asegurar la presencia del inculpado siempre que sea llamado por el Tribunal que conoce de la causa. En cuanto a la fijación de la fianza patrimonial, asegurativa de las responsabilidades en el proceso penal, su cuantía y determinación, el TC. ha señalado que no puede constituirse en un obstáculo para el ejercicio de los derechos de las partes en el proceso penal[62].

A tenor del art. 591 LECrim., la fianza puede ser personal, pignoraticia, hipotecaria o bancaria.

La fianza personal se presta por persona distinta del imputado y se admite a todo español de buena conducta y con bienes suficientes, a juicio del instructor, para acreditar su arraigo y su solvencia para el pago de las responsabilidades que eventualmente puedan exigirse (art. 592).

Es poco frecuente en la práctica y vista con cierta prevención por la LECrim., a no ser que tenga el fiador una solvencia notoria. Téngase presente que por su naturaleza personal no se practicará sobre bienes determinados para procurar la ejecución de la sentencia que en su día pudiera dictarse. En cualquier supuesto, es necesario, como para todas las fianzas la determinación de la cantidad por la cual el fiador ha de responder, de conformidad con el *párr. in fine* del art. 592 LECrim.

La fianza pignoraticia se constituye mediante depósito del responsable o de un tercero, de metálico, efectos públicos, acciones u otros bienes muebles (arts. 591, 595, 600 y 601). Las diversas clases de fianzas pignoraticias aparecen regladas en el

---

[62] «… sino de determinar si dicha medida cautelar, en la cuantía indicada puede lesionar autónomamente el art. 28.1 CE. … En este sentido, es claro que, aun cuando la naturaleza de la resolución que nos ocupa participe de la de las medidas cautelares aseguratorias de la responsabilidad civil, una fianza como la acordada en el presente caso, que supusiera la práctica paralización de la actividad sindical (Cooperativa relacionada con UGT., tras interposición de una querella criminal), podría constituir en sí misma, una lesión al derecho a la libertad sindical del art. 28.1 CE., siendo no susceptible de futuro restablecimiento por la sentencia penal de instancia … si bien en el caso examinado no se produce la violación denunciada…». (STC 27/97, de 11 febrero).

art. 591 LECrim., estableciéndose en el párr. 4.º de dicho precepto que a juicio del Juez o Tribunal serán admisibles las prendas en cualesquiera bienes muebles, previa tasación, y se depositarán conforme lo prescrito en los arts. 600 y 601 LECrim.

La fianza hipotecaria podrá otorgarse por escritura pública o comparecencia *apud acta*, librándose en este caso el correspondiente mandamiento para su inscripción en el Registro de la Propiedad. En dicho supuesto la inscripción es constitutiva para la efectividad de la traba, verificada la cual se une copia de la anotación efectuada a la pieza separada de responsabilidad civil. Su regulación la establecen los arts. 594 y 595 LECrim.

La fianza con garantía bancaria o de la entidad aseguradora deberá formalizarse por escrito o mediante comparecencia ante el Juez por el representante legal de aquellas entidades (art. 764.2 LECrim). Este tipo de fianza regulada en el procedimiento abreviado puede prestarse en cualquier tipo de proceso penal.

La adopción de la medida cautelar se documentará en auto motivado bien independientemente o como parte integrante del auto de procesamiento o del de apertura del juicio oral, según los casos. A tal fin se procederá a la apertura de la pieza separada de responsabilidad civil —art. 590 LECrim.—, que se formará con testimonio de la resolución en que se acuerden las citadas medidas.

Tras la notificación del auto en que se acuerde la medida cautelar al imputado, puede ocurrir que éste preste la fianza por sí mismo, o lo haga otra persona en su lugar, o que el procesado carezca de bienes y no presente fiador. En este último supuesto habrá de realizarse la oportuna investigación de los bienes, con carácter previo a dictar el auto de insolvencia definitiva. También puede prestar la fianza un tercero por cuenta del inculpado o procesado (Véase M. 99), y si fuera suficiente se dictará resolución decretando su solvencia (Véase M. 100).

Por otra parte, ha de señalarse que toda cantidad en metálico o cheques que debiera ser puesta a disposición del Juzgado, debe ingresarse en la «Cuenta de Depósitos y Consignaciones» que el órgano jurisdiccional tenga en la correspondiente Entidad de Crédito, según dispone el RD 34/88, de 21 de enero, regulador de los pagos, consignaciones y depósitos judiciales.

3.3. Embargo de bienes

Cuando ni el procesado, acusado o inculpado ni por un tercero se preste la fianza señalada, el art. 597 LECrim dispone que: «Si en el día siguiente al de la notificación del auto en el que el Juez ordena la prestación de la fianza, ésta no se presta, se procederá al embargo de bienes del procesado, requiriéndole para que señale los suficientes a cubrir la cantidad que se hubiese fijado para las responsabilidades pecuniarias».

Las normas aplicables para el embargo y subsiguiente afección y garantía de los bienes se desarrollan en el C. III del Tít. IV del L. III de la LEC. Concretamente, en los arts. 584 a 633 LEC que regulan la forma de proceder al embargo, los bienes inembargables, la prioridad de embargos, la garantía de las trabas y la administración judicial.

El embargo se producirá con arreglo a las siguientes fases, teniendo en cuenta que se puede evitar mediante consignación del metálico —art. 585 LEC—.

A) Búsqueda y selección de los bienes

De conformidad con el art. 597 LECrim, corresponde al acusado señalar bienes suficientes para cubrir su responsabilidad civil. Este requerimiento se efectuará a la persona del acusado, y si no fuere habido, a su cónyuge, familiares o empleados —art. 598—. Si no se encontrare a ninguno, se procederá a embargar los bienes del acusado según el orden establecido en el art. 592 LEC, con las prohibiciones absolutas y relativas establecidas en los arts. 605 y ss. LEC. Nótese que la legislación procesal civil sobre fianzas y embargos es supletoria de la LECrim. en todo aquello no previsto en la misma, según el art. 614 LECrim.

El inculpado o procesado tiene un necesario deber de colaboración para la averiguación de bienes. A este respecto, además de la comisión de ilícitos como la insolvencia punible que está tipificada en el art. 257 CP, el art. 589 LEC impone la obligada manifestación de bienes del ejecutado con sanción de multas coercitivas periódicas cuando no respondiere debidamente al requerimiento. También se prevé la posibilidad de incurrir en desobediencia grave si no se presenta la relación de sus bienes, si incluye bienes que no sean suyos, excluye bienes propios susceptibles de embargo o no desvela cargas y gravámenes que pesen sobre ellos.

En la práctica es frecuente una postura pasiva del deudor, por lo que resulta necesaria una investigación judicial de su patrimonio para evitar actitudes fraudulentas, de conformidad con los arts. 590 y 591 LEC, que además establecen el deber de colaboración por Entidades y organismos públicos y privados a fin de que se le faciliten la relación de bienes o derechos que tengan constancia.

B) Afección

Seleccionados los bienes del obligado, se procederá a su traba en la cantidad suficiente, según disponen los arts. 597 y ss. LECrim.

Rige en esta actividad el denominado *benefficium ordinis* conforme lo dispuesto en el art. 592 LEC, con la finalidad de que se respete un principio de proporcionalidad en la traba a fin de causar la menor agresión posible —en fase cautelar— en el patrimonio del inculpado. No obstante, los bienes trabados han de ser bastantes para cubrir las responsabilidades civiles exigidas —art. 599 LECrim.— siendo posible solicitar ampliación si los mismos fuesen insuficientes. Igual derecho tiene el inculpado o procesado para pedir una reducción o modificación del embargo, cuando por determinados motivos se acreditase el exceso del embargo —arts. 611 y ss. LECrim.—.

Para su práctica, el órgano judicial dictará la resolución acordando el embargo (M. 101) y expedirá al Agente el mandamiento judicial para su realización, efectuándose la diligencia de embargo por el Letrado de la administración de justicia con la asistencia del Agente judicial (M. 102 y ss.).

C) Garantía de la traba

Es la última fase de la actividad. Está destinada a asegurar que los bienes embargados continuarán en el patrimonio del inculpado. Se trata de conseguir que durante la pendencia del proceso no se burle la ejecución de las sentencia. Para llevar a cabo estas medidas de garantía rige como supletoria la LEC y el CC. Asimismo, en la LECrim. se reglamentan algunas medidas de garantía, sin perjuicio de acudir a los otros Cuerpos Legales citados, que sirven de pauta heterointegradora de las escasas normas recogidas en la LECrim.

La garantía de la traba de bienes muebles y derechos se regula en los arts. 621 a 628 LEC, y se distingue según se trate de: (a) De dinero, cuentas corrientes y sueldos. En el primer caso se ingresará en la Cuenta de Depósitos y Consignaciones; cuando fueren saldos favorables, se remitirá orden de retención, y si se tratara de sueldos u otras prestaciones se ordenará su transferencia a la Cuenta de Depósitos —art. 621 LEC— (b) Cuando lo embargado fueran intereses, rentas o frutos se remitirá orden de retención para su ingreso en la Cuenta de Depósitos o en casos especiales se podrá ordenar la administración judicial (c) Cuando fueran valores o instrumentos financieros se notificará a quien resulte obligado al pago o a la sociedad o administradores que corresponda, y (d) Cuando se trate de bienes muebles en que proceda el depósito se desarrollan sus reglas y el modo de proceder en los arts. 624 a 628. En dichos preceptos, se regula el modo y forma del nombramiento de depositario y sus responsabilidades, el pago de los gastos del depósito y la consideración de efectos o caudales públicos del dinero y demás bienes embargados desde que se depositen o se ordene su retención. Véanse también el art. 600 LECrim; y 1785, 1759, 1775 y 1785 a 1789 CC. e) Si los bienes embargados fueren semovientes, se requerirá al acusado para que opte porque se enajenen o se conserven en depósito y administración —art. 601 LECrim—.

Cuando se embarguen bienes inmuebles, el Juez expedirá mandamiento para su anotación en el Registro de la Propiedad —art. 604 LECrim, y 629 LEC—, y determinará si el embargo ha de ser extensivo o no a sus frutos y rentas —art. 603 LECrim—. La anotación preventiva de embargo es una garantía que no tiene naturaleza constitutiva ni modifica la naturaleza del crédito que ostenta. Su eficacia la establece en el art. 44 LH, en relación con los arts. 42.2.°, 3.° y 4.° de dicho Cuerpo Legal, es decir, constituye una preferencia para el cobro en el orden establecido por el art. 1923.4.° CC.

Si se embargaren salarios, se estará a lo normado en el art. 607 LEC —art. 610 LECrim, que aún se remite al derogado art. 1451 LEC de 1881—.

Junto a las prevenciones reseñadas también resultan posibles otros medios de garantía como pueden ser la administración judicial de frutos rentas, o la administración judicial, cuando el embargo fuera de empresas o grupo de empresas o la de acciones o participaciones sociales que representen la mayoría del capital social, del patrimonio común o de los bienes o derechos pertenecientes a las empresas, o adscritos a su explotación, se regula en los arts. 630 a 633 LEC en relación con los arts. 605 a 609 LECrim.

Igualmente ha de tenerse presente, conforme a lo ya manifestado, que la fianza o embargo podrá ser ampliada o reducida durante la tramitación del proceso, en función del aumento o disminución de las posibles responsabilidades pecuniarias del acusado y de una eventual variación del valor de los bienes trabados —arts. 611 y 612 LECrim.—

3.4. Insolvencia del acusado

Cuando el imputado carezca de bienes para embargar, una vez efectuadas las diversas diligencias de averiguación, se le declarará insolvente.

La pieza de insolvencia se inicia con la diligencia negativa de embargo (M. 104). A la vista del resultado de la diligencia anterior, se acredita la insolvencia del procesado o acusado por testigos después de efectuar las oportunas averiguaciones sobre el patrimonio del mismo.

Las informaciones testificales sobre insolvencia y el oficio dirigido al Delegado de Hacienda, sin perjuicio de aquellos que pueden dirigirse a otros organismos públicos se documentarán conforme M. 105 y 106.

Si de la información testifical practicada y de la certificación de bienes resulta que el procesado, acusado o inculpado no tuviera bienes para que se practiquen las oportunas trabas, se dictará resolución declarándolo insolvente (M. 107), sin perjuicio de que si viniere a mejor fortuna proceder al embargo y subsiguiente apremio de sus bienes.

A la vista de los trámites seguidos para obtener la declaración de insolvencia, se puede afirmar que se trata de un procedimiento superficial e inadecuado. Resulta extremadamente sencillo lograr tal situación, y más en personas que pretendan delinquir. El Juzgado, conforme a lo precedentemente manifestado debería de oficio, o a instancia de parte, proceder a una mayor y más profunda indagación del patrimonio del acusado, como así ha recogido la Instrucción 1/92, de 15 de enero, de la Fiscalía General del Estado[63].

Por otra parte, se constata en la práctica que las citadas piezas separadas de responsabilidad civil no se encuentran concluidas ni siquiera al tiempo de dictarse la

---

[63] La Instrucción 1/92, de 15 de enero, de la Fiscalía General del Estado, establece: «La protección a la víctima del delito no se agota con la sanción penal al delincuente, sino que debe lograr su satisfacción reparándose todos los efectos del delito... Se debe evitar por los Fiscales que, por simples declaraciones verbales de carecer de bienes, se produzcan declaraciones de insolvencia, por lo que deben vigilar e impulsar la tramitación de las piezas de responsabilidad civil, pidiendo una investigación más profunda de los bienes del inculpado, con informes de los equipos especializados de policía judicial y de los organismos que puedan proporcionar datos objetivos, así Ayuntamientos, Delegaciones de Hacienda, pidiendo los datos fiscales necesarios para acreditar la solvencia o insolvencia, incluso las declaraciones del Impuesto sobre la Renta y del Patrimonio de los últimos años... Asimismo deberán instar y vigilar su pronta conclusión, teniendo en cuenta los criterios del párrafo anterior y se abstendrán de informar favorablemente el archivo provisional de una ejecutoria, mientras no quede acreditado el pago de las indemnizaciones derivadas del delito, o la verdadera situación de insolvencia del condenado y, en este último caso, sólo se solicitará el archivo provisional, mientras no haya prescrito el plazo para exigir las indemnizaciones civiles concedidas, instando periódicamente la revisión de las ejecutorias archivadas provisionalmente, para averiguar si el condenado ha venido a mejor fortuna, ya que, aunque ello suponga un aumento de la carga de trabajo para los Fiscales, Juzgados y Tribunales, es la única forma de que se dé debido cumplimiento al Derecho Fundamental a la tutela judicial efectiva reconocido en el art. 24 de la Constitución Española y a que se dé un paso más en nuestro país en la protección a la víctima del delito».

sentencia firme, con las subsiguientes dificultades posteriores para lograr la persecución de bienes del condenado.

3.5. Responsabilidad civil subsidiaria[64]

La LECrim. regula en el Título X del Libro II, bajo el epígrafe «De la responsabilidad civil de terceras personas», el procedimiento para la declaración de responsabilidad civil cuando así aparezca en el sumario, con arreglo a los arts. 116 y ss. del CP, o por haber participado alguna persona por título lucrativo de los efectos del delito —art. 615 LECrim.— (M. 108) (Véase sobre el responsable civil subsidiario § 2.2.B Cap. IV; y § 3.3 del Cap. II, sobre el ejercicio de la acción civil «ex delicto».

En estos casos, según el propio precepto, el Juez, a instancia del actor civil, exigirá fianza a la persona contra la que resulte aquella responsabilidad o, en su defecto, procederá a realizar los embargos pertinentes de conformidad con los arts. 615 y ss. LECrim. Estos recaerán sobre los bienes que sean necesarios y suficientes para cubrir las responsabilidades pecuniarias exigidas.

A este fin se seguirán las diligencias documentadas en M. 97 y ss.

Igualmente, ha de tenerse presente que la condición de solvente del procesado (o del acusado) no excusa la llamada a los autos de quien fuera civilmente responsable, pues constituye un refuerzo ante la eventualidad de que la solvencia del procesado (o acusado) pudiese experimentar alguna carencia o deterioro.

Asimismo, el art. 616 LECrim. otorga la posibilidad a la persona a quien se exigiese la fianza, o cuyos bienes fuesen embargados, de manifestar por escrito durante la tramitación de la causa las razones que tenga para que no se la considere civilmente responsable.

Esta manifestación podrá hacerla mediante presentación de escrito en que así lo señale, del que el Juez dará traslado a la otra parte, y resolverá por auto tras la práctica de las pruebas que se hayan acordado, conforme establecen los arts. 616 y 617 LECrim., sin perjuicio de que las partes a quienes perjudiquen puedan reproducir sus pretensiones en el juicio oral —art. 621 LECrim.—.

Todas las diligencias y actuaciones que se acuerden para asegurar la responsabilidad civil de terceros, se practicarán, como sucede para las fianzas y embargos que prestan los imputados o procesados, en pieza separada, sin que proceda la suspensión del curso de la instrucción. Igual disposición resulta aplicable para la restitución a su dueño de alguno de los efectos o instrumentos ocupados, según disponen los arts. 844 y 620 LECrim.

---

[64] Vid. FONT SERRA, *La acción civil en el proceso penal. Su tratamiento procesal*, Ed. La Ley, Madrid, 1991; JORI, «Alcance del principio acusatorio», *Rev. Tribunal*, noviembre 1992, n.º 11, p. 13; LORCA NAVARRETE, «Aproximación al estudio del responsable civil como parte civil en el proceso penal», *RDProc.*, 1983, pp. 135-157; SANTOS BRIZ, *La responsabilidad civil*, 1977, pp. 389 y ss. Véase también sobre responsabilidad civil § 3 Capítulo II.

SECCIÓN 4. OTRAS MEDIDAS CAUTELARES

4.1. Distanciamiento de la víctima y agresor, relacionadas con los delitos de los artículos previstos en el art. 57 Código Penal

Con el objeto de proteger a las víctimas de determinados delitos el art. 544 bis LECrim regula medidas cautelares específicas con la finalidad de obtener el distanciamiento físico entre el agresor y la víctima. Estas medidas podrán acordarse inicialmente, sin esperar a la sentencia definitiva, de la que son tributarias e instrumentales. Más aún el art. 13 LECrim dispone que: «*Se consideran como primeras diligencias la de consignar las pruebas del delito que puedan desaparecer, la de recoger y poner en custodia cuanto conduzca a su comprobación y a la identificación del delincuente, la de detener, en su caso, a los presuntos responsables del delito, y la de proteger a los ofendidos o perjudicados por el mismo, a sus familiares o a otras personas, pudiendo acordarse a tal efecto las medidas cautelares a las que se refiere el artículo 544 bis o la orden de protección prevista en el artículo 544 ter de esta ley*». Atiende la Ley de este modo a la importancia que tiene la adopción de esta clase de medidas en el contexto de los delitos a los que se refieren los citados arts. 544 bis y ter LECrim. Véase § 4 Cap. II, sobre ayudas y asistencia a las víctimas de delitos violentos y contra la libertad sexual, y § 2 Cap. XIV sobre las especialidades en materia de violencia de género.

Las concretas medidas cautelares que prevé el art. 544 bis que puedan adoptarse son las siguientes: a) La prohibición de residir en un determinado lugar, barrio, municipio, provincia u otra entidad local, o Comunidad Autónoma. b) La prohibición de acudir a determinados lugares, barrios, municipios, provincias u otras entidades locales, o Comunidades Autónomas. c) La prohibición de aproximarse o comunicarse, con la graduación que sea precisa, a determinadas personas (víctimas, familiares o terceras personas directamente relacionadas con los delitos cometidos).

> «La naturaleza de la prohibición de comunicación y acercamiento como medida cautelar resulta, por otra parte, de la dicción del artículo 544 bis de la Ley de Enjuiciamiento Criminal (LA LEY 1/1882), precepto introducido por la Ley Orgánica 14/1999, de 9 de junio (LA LEY 2471/1999), que, en su último párrafo define la prohibición como medida precautoria, estableciendo que su incumplimiento podrá dar lugar a la adopción de nuevas medidas cautelares que impliquen una mayor limitación de su libertad personal, sin perjuicio de las responsabilidades que del incumplimiento pudieran resultar. Dicha naturaleza resulta también de la función que en nuestro ordenamiento jurídico desempeña la prohibición descrita, destinada a proteger cautelarmente y en tanto no se haya enjuiciado el hecho, a determinadas personas potencialmente víctimas de infracciones semejantes a la denunciada (véase en este sentido la SAP. de Baleares, Secc. 1.ª, de 28-11-2000; la SAP de Lugo, Secc. 2.ª, de 15-6-2001, la SAP de La Coruña, Secc. 4.ª, de 16-6-2001 y la SAP. de Barcelona, Secc. 8.ª, de 28-6-2002)» SAP de Madrid, Sección 16ª, Sentencia 45/2016 de 28 Ene. 2016, Rec. 58/2016. Ponente: Teijeiro Dacal, Francisco Javier. LA LEY 12079/2016.

Estas medidas se podrán adoptar en las causas en las que se investigue un delito de los mencionados en el artículo 57 del Código Penal: «*los delitos de homicidio, aborto, lesiones, contra la libertad, de torturas y contra la integridad moral, trata de seres humanos, contra la libertad e indemnidad sexuales, la intimidad, el derecho a la propia imagen y la inviolabilidad del domicilio, el honor, el patrimonio y el orden socioeconómico».* Se trata de una relación de delitos un tanto dispar que recoge unos que presentan una evidente peligrosidad personal (homicidio, lesiones, torturas, integridad moral, trata de seres humanos, contra la libertad e indemnidad sexuales), con otros que probablemente tienen distinta naturaleza. Además los delitos de carácter personal adquieren una mayor peligrosidad cuando se cometen en el ámbito familiar o de violencia de género. Circunstancia que también se tiene en cuenta en el art. 57.2 CP a efectos de penalidad. Ahora bien, hay que señalar una dificultad inicial que plantea la interpretación de las normas legales, ya que el art. 57.2 CP se refiere a delitos, mientras que lo que es objeto de la investigación procesal son hechos. Hechos indiciarios de unos delitos que son en los que se tiene que basar el Juez para acordar la medida.

«Lo primero que hay que señalar es que no se imputan delitos sino hechos (artículo 118 (LA LEY 1/1882), 771.2 ª y 775 de la LECr (LA LEY 1/1882)). El Ministerio Fiscal en su escrito de impugnación del recurso afirma que la remisión que el artículo 13 de la LECr (LA LEY 1/1882) hace al artículo 544 bis del mismo cuerpo legal, y éste a su vez al artículo 57 del Código Penal (LA LEY 3996/1995), lo es a los efectos del catálogo de medidas previstas en el artículo 544 bis y no de los tipos delictivos contemplados en el artículo 57 del Código Penal (LA LEY 3996/1995). De otra forma, afirma, se llegaría al absurdo de no poder adoptar una medida de alejamiento o prohibición de comunicación con la víctima en un presunto delito de cohecho. Al margen de tal consideración, lo cierto es que la sustracción del dinero puede ser constitutiva de un delito de hurto, que es uno de los delitos a los que se refiere el artículo 57 del Código Penal (LA LEY 3996/1995)». SAP de Sevilla, Sección 1ª, Auto 58/2016 de 21 Ene. 2016, Rec. 146/2016; Ponente: Calle Peña, Juan Antonio. LA LEY 81247/2016.

Las medidas cautelares indicadas de alejamiento o prohibición de residencia o de comunicación se adoptarán por el Juez de oficio o a instancia de parte. La posibilidad de que el Juez pueda actuar de oficio se fundamenta en la propia dicción legal del art. 544.bis.1º LECrim, que establece que el Juez: *«podrá»* imponer cautelarmente estas medidas. Además, esta facultad es concordante con la prevista en los arts. 61 LO 1/04 de protección de las víctimas de la violencia de género y el art. 544 Ter LECrim con relación a las medidas de protección y seguridad y la orden de protección de las víctimas de delitos de violencia doméstica respecto a los que se prevé que el Juez pueda adoptar de oficio las medidas que en aquella norma se prevén. Finalmente cabe aducir un último fundamento cual es el de la necesidad de que la medida tenga plenos efectos para lo que resulta preciso otorgar al Juez plenas facultades para adoptar, motivadamente, aquellas medidas que tiendan a la protección de las víctimas de los delitos previstos en el art. 57 CP.

El Juez adoptará las medidas estrictamente necesarias para la protección de la víctima atendiendo al principio de proporcionalidad y a la concurrencia de los presupuestos de las medidas cautelares de apariencia de buen derecho y la existencia de una situación de riesgo para la víctima o sus familiares. A estos efectos se tendrá en cuenta la entidad delictiva del hecho ilícito (gravedad del delito cometido matizado por otras circunstancias: la situación económica del inculpado y los requerimientos de su salud, situación familiar y actividad laboral —art. 544 bis. 3 LECrim—) y el peligro que represente el presunto agresor. Por tanto, en la contraposición de intereses habrá de valorarse la intensidad de la protección que la víctima o familiares hayan de merecer para garantizarles su íntegra protección, sin menoscabo de los derechos del investigado o acusado, que en tanto no sea condenado goza de la presunción de inocencia. A modo de ejemplo no constituye base suficiente para acordar una medida de este tipo un procedimiento por amenazas leves no apreciando el Juez la concurrencia de un delito grava y una situación de peligrosidad.

> «Tampoco ha lugar a adoptar medida de alejamiento alguna en base a lo ya señalado por el Ministerio Fiscal en el siguiente sentido: aunque existe la posibilidad contemplada en el art. 57 (LA LEY 3996/1995) —1 y 3 del C. Penal (LA LEY 3996/1995)— en relación con el 544 bis de la LE Criminal de adoptar la medida cautelar de alejamiento y prohibición de comunicación, es preciso tener en cuenta a este respecto la concurrencia de los requisitos legales que permiten su establecimiento. De una parte ha de tratarse hechos que revistan cierta gravedad y de otra la apreciación de cierta peligrosidad en el presunto autor, pues solo bajo estos dos criterios es posible colmar el presupuesto legal de la necesidad de dar protección a la víctima. En el caso que nos ocupa la afirmación verbal del denunciado: "Este día no estuve yo, que si llego a estar pasa más, y que pasará", no posee significación suficiente para integrar los presupuestos legales y en consecuencia no puede dar lugar a una medida que supondría una notoria restricción de la libertad del denunciado dadas las circunstancias geográficas de la localidad en la que residen ambas partes». AAP de Ávila, Auto 46/2015 de 25 Feb. 2015, Rec. 9/2015. Ponente: Callejo Sánchez, Miguel Angel. LA LEY 246420/2015.

La Ley no establece ningún trámite de audiencia que solo está prevista para el caso que el imputado incumpliese la medida adoptada en cuyo caso de conformidad con el 544 bis *in fine* LECrim que dispone que en ese caso se convocará una audiencia conforme está previsto en el art. 505 LECrim para decidir sobre la medida a imponer.

> «Es decir, tratándose de los delitos a que se refiere el artículo 57 del Código Penal (LA LEY 3996/1995), como es el caso, la audiencia o comparecencia previa para todos los interesados y partes parece estar prevista solamente, como obligatoria e inexcusable, en los supuestos en que haya que establecer aquellas medidas más graves para el sujeto activo pero no cuando concurran posibles situaciones menos intensas para éste …/… Aceptar la interpretación contraria sería tanto como admitir que no pudieran adoptarse medidas cautelares urgentes o urgentísimas, de no mediar esa audiencia previa, en muchas situaciones que realmente lo requieren en atención, por ejemplo, al peligro inminente que pueda correr la víctima. En estos casos, tales posibles medidas podrían quedar desvirtuadas desde el principio si previamente fuese conocida la posibilidad de su adopción por el futuro afectado u obligado por aquéllas, que podría entorpecerlas, incluso impedirlas, por sí o por medio de terceros. El carácter preventivo y preferente de la necesaria protección de las personas atacadas por el delito, directa o indirectamente, no puede supeditarse a otros intereses procesales subsidiarios del posible sujeto activo que, aunque legítimos, no prevalecen en el tiempo ni en jerarquía sobre los de dicha víctima o sus familiares o allegados, en general en todas aquellas situaciones en que los intereses —también dignos de protección— de la propia víctima o sus familiares pudieran estar en peligro

con afectación de bienes jurídicos muy importantes o concurriendo circunstancias de verdadera necesidad o que aconsejen simplemente una especial agilidad procesal». AAP de Cantabria, Sección 3ª, Auto 601/2014 de 9 Dic. 2014, Rec. 999/2014; LA LEY 257259/2014.

Tampoco fija la Ley un plazo máximo para las medidas acordadas que no podrán tener, en ningún caso, una duración superior a la pena señalada para el delito. Por otra parte, las medidas son modificables en cuanto a la clase y su contenido (por ejemplo aumentando la distancia de alejamiento) y también pueden ser dejadas sin efecto cuando desaparezca el riesgo que motivo su adopción.

«Resulta patente la prevalencia que ha de darse a la protección de las víctimas contra un riesgo objetivo, frente a una limitada afectación de los derechos de los imputados, cuya libertad deambulatoria se ha limitado a tan sólo 300 metros de distancia con las víctimas o su domicilio, lo que no parece que vaya a afectar de forma significativa la vida cotidiana de los imputados. Así pues, la resolución adoptada se ajusta a lo que establece el arts. 544 bis de la Ley de Enjuiciamiento Criminal (LA LEY 1/1882), el cual no establece que se haya de fijar un plazo de duración o vigencia de dicha medida cautelar, lo cual parece razonable teniendo en consideración que por el contrario de lo que sí se regula en cuanto a la duración máxima de la prisión provisional, ésta medida de alejamiento por su menor carácter aflictivo y por ser provisional puede en cualquier momento ser dejada sin efecto, ello tan pronto se constate que han desaparecido las causas y circunstancias en que se fundamentaba su establecimiento y vigencia, y en todo caso, no durará más allá de la subsistencia o mantenimiento del proceso penal, esto es hasta que dicho procedimiento finalice, bien porque se dicte una resolución de archivo o sobreseimiento, bien por la celebración del juicio oral y el consiguiente dictado de la sentencia, resolución ésta en la que procederá establecer eventualmente, en su caso, las medidas privativas de derechos, como la presente, que se estimase pertinente imponer por el Juzgador». SAP de Sevilla, Sección 1ª, Auto 58/2016 de 21 Ene. 2016, Rec. 146/2016. Ponente: Calle Peña, Juan Antonio. LA LEY 81247/2016.

La eficacia de estas medidas se refuerza con la previsión legal para el caso de incumplimiento por parte del inculpado de la medida acordada. En ese caso, el Juez convocará a las partes a la comparecencia regulada en el art. 505 LECrim, prevista para la adopción de la medida de prisión provisional, que el Juez podrá adoptar en los términos en que allí se regula. También podrá acordar la orden de protección prevista en el art. 544.ter LECrim —véase el epígrafe siguiente— o adoptar cualquier otra medida cautelar que implique una mayor limitación de la libertad personal del imputado. A este efecto el Juez tendrá en cuenta la incidencia del incumplimiento, sus motivos, gravedad y demás circunstancias concurrentes. Todo ello sin perjuicio de la responsabilidad penal en la que pudiera incurrir el imputado. Sobre la cuestión del quebrantamiento de las medidas cautelares del 544.bis LECrim se pronunció el Acuerdo del Tribunal Supremo de 25 de noviembre de 2008 en el que se atendía al caso frecuente de existir consentimiento de la víctima respecto a la infracción de la orden de alejamiento. Este es un caso muy habitual teniendo en cuenta la relación que existe muchas veces entre agresor y víctima, especialmente en materia de violencia de género. Es por ello que no es infrecuente que la propia víctima consienta la cercanía del agresor vulnerando así la orden judicial de alejamiento o de prohibición de residir. La decisión del TS fue la de considerar que: «El consentimiento de la mujer no excluye la punibilidad a efectos del art. 468 del CP». Con ese Acuerdo se modificaba la doctrina jurisprudencial contenida en la Sentencia de la Sala Segunda, de lo Penal, Sentencia n.º 1156/2005 de 26 Sep. 2005 en la que se optaba por entender que el consentimiento de la víctima a la reanudación de la convivencia extinguía la medida cautelar[65]. En consecuencia, existe ahora un criterio seguido por las Audiencias Provinciales según el cual el consentimiento de la víctima no excluye la punibilidad a efectos del 468 CP que prevé una pena de multa para quienes quebrante una medida cautelar como es la de alejamiento o aproximación[66].

«En este caso, y constante ya sentencia definitiva, aunque no firme, en que se relacionada al acusado con la muerte alevosa y con ensañamiento de la madre de quienes aquí reclaman que se le impida a aquel comunicarse con ellos, además de con la comisión de otros tantos delitos de maltrato habitual, es patente que el presupuesto fáctico para la adopción de la medida cautelar se nos presenta reforzado por la evidencia de que se soporta ya en pruebas que fueron desplegadas ante el Tribunal de conocimiento y valoradas por éste como bastantes para llegar al veredicto de culpabilidad cuya firmeza pende todavía del examen casacional; como también tenemos un marco legal procesal y sustantivo que vendrían a dar cobertura a la medida solicitada y acordada en el auto recurrido, como son los artículos 544 bis de la LECrim (LA LEY 1/1882), por un lado, y el artículo 57 del Código Penal (LA LEY 3996/1995), que impone para estos ilícitos, como accesoria las prohibiciones entre las que se encuentra la impuesta aquí, de tal forma que, al disponerse también en este último precepto su eficacia coincidente con la pena privativa de libertad. Es patente que no estamos en escenario de anticipo punitivo, pero si de advertencia de que se trata, la medida cautelar aquí impuesta, de unas consecuencias que ya el legislador ha querido adicionar a la privación de libertad, incluso cuando sea decidida como medida cautelar, y siempre que, como ocurre en el caso actual, se justifique un riesgo real y efectivo para intereses relacionados con las víctimas del delito, como ha ocurrido en el caso de autos en que los hermanos que instan la medida cautelar de prohibición de comunicación, justifican el envío, antes y después del juicio oral, de

[65] «En esta materia parece decisión más prudente, compatibilizando la naturaleza pública de la medida dando seguridad jurídica a la persona, en cuya protección se expide, y al mismo tiempo, el respeto al marco inviolable de su decisión libremente autodeterminada, estimar que, en todo caso, la reanudación de la convivencia acredita la desaparición de las circunstancias que justificaron la medida de alejamiento, por lo que ésta debe desaparecer y queda extinguida, sin perjuicio que ante una nueva secuencia de violencia se pueda solicitar y obtener —en su caso— otra medida de alejamiento. Podemos concluir diciendo que en cuanto la pena o medida de prohibición de aproximación está directamente enderezada a proteger a la víctima de la violencia que pudiera provenir de su anterior conviviente, la decisión de la mujer de recibirle y reanudar la vida con él, acredita de forma fehaciente la innecesariedad de protección, y por tanto supone de facto el decaimiento de la medida de forma definitiva, por lo que el plazo de duración de la medida fijado por la autoridad judicial, quedaría condicionado a la voluntad de aquélla, sin perjuicio de que ante un nuevo episodio de ruptura violenta pueda solicitarse del Juzgado, si es preciso para la protección de su persona, otra resolución semejante». STS Sala Segunda, de lo Penal, Sentencia 1156/2005 de 26 Sep. 2005, Rec. 781/2004; Ponente: Giménez García, Joaquín. LA LEY 2006/2005.

[66] Art. 468.1 CP: «Los que quebrantaren su condena, medida de seguridad, prisión, medida cautelar, conducción o custodia serán castigados con la pena de prisión de seis meses a un año si estuvieran privados de libertad, y con la pena de multa de doce a veinticuatro meses en los demás casos».

misivas admitidas algunas de forma expresa por el propio acusado, incluida la que remite en diciembre de 2015, a su nieto Lázaro, de 9 años de edad, hijo de Juan Alberto, a su vez hija de la fallecida a raíz de los hechos atribuidos al acusado recurrente. Es, por tanto, un interés preferente la protección las víctimas de los delitos en los casos, como el presente, en que se identifiquen riesgos de lesión para los bienes jurídicos cuya integridad reclamen, en este caso y de forma legítima, la tranquilidad y el sosiego personal y familiar, frente a cualquier forma de perturbación que pueda proceder, como ocurre en este caso, de la persona a la que se le atribuye la muerte alevosa de la madre y conductas de maltrato por las que consta ya condenado en sentencia no firme». ATSJ de Cataluña, Sala de lo Civil y Penal, Auto 158/2016 de 15 Abr. 2016, Rec. 6/2016. Ponente: Barrientos Pacho, Jesús María. LA LEY 81172/2016.

Sobre los requisitos que concurren en el delito de quebrantamiento de condena se han pronunciado distintas Audiencias Provinciales que consideran que son los siguientes[67]:

«Los elementos del delito de quebrantamiento de medida cautelar, previsto y penado en el artículo 468 del vigente Código Penal (LA LEY 3996/1995), son: a) el normativo consistente en la previa existencia de una medida cautelar acordada judicialmente; b) el objetivo o material, consiste en la acción natural descrita por el verbo quebrantar, en el sentido de incumplir, infringir, desobedecer o desatender la precitada medida cautelar; y, c) un tercero, subjetivo, consistente en el dolo típico, entendido éste como conocimiento de la vigencia de la medida que pesa sobre el sujeto y consciencia de su vulneración, sin que para el quebrantamiento punible sea necesario que el sujeto actúe movido por la persecución de ningún objetivo en particular o manifestando una especial actitud interna». SAP de Madrid, Sección 16ª, Sentencia 45/2016 de 28 Ene. 2016, Rec. 58/2016. Ponente: Teijeiro Dacal, Francisco Javier. LA LEY 12079/2016.

El quebrantamiento de la medida también puede implicar un incremento en el riesgo para la víctima o sus familiares pudiendo determinar la adopción de una medida de prisión provisional que sólo podrá acordarse previa valoración de la

---

[67] «La acción típica descrita en el artículo 468 representa la vulneración del deber de respeto y acatamiento de la resolución judicial que incorpora cualquiera de los mandatos reflejados en el citado precepto. Cuando de penas o medidas se trata, como acontece en el supuesto examinado, la acción típica consiste en incumplir la ejecución de la pena o medida impuesta, haciendo ineficaz la misma. Premisa necesaria, por tanto, para que pueda formularse un juicio de antijuridicidad de la acción es que no sólo el interesado tenga conocimiento, mediante su notificación fehaciente, de la sentencia o resolución firme en cuya virtud se le impone una pena o medida, sino también que exista constancia en las actuaciones de que dicho destinatario conoce el tiempo y modo en que debe cumplir tales penas o medidas, y únicamente a partir de la previa comprobación de que se cumplen tales exigencias legales el quebrantamiento es posible, pues sólo así puede considerarse que el interesado ha podido representarse los elementos objetivos del tipo, de modo tal que, adquirido dicho conocimiento fehaciente, la consumación de la conducta típica se produciría cuando se realice la actividad prohibida por la sentencia o resolución judicial. Para ello ha de constar el expreso requerimiento al obligado a respetar la orden de alejamiento derivada de la medida cautelar o pena para que cumpla con ellas a partir de una fecha determinada, por el plazo señalado en aquélla y hasta el cumplimiento o extinción de la condena o alzamiento de la medida, intimándole, incluso, a que se abstenga de desobedecerlas bajo los apercibimientos legales oportunos». SAP de Madrid, Sección 16ª, Sentencia 45/2016 de 28 Ene. 2016, Rec. 58/2016. Ponente: Teijeiro Dacal, Francisco Javier. LA LEY 12079/2016.

existencia de un peligro cierto para los bienes jurídicos amenazados por el que-brantamiento de la medida cautelar[68]. Riesgo que no cabe presuponer que existe de manera automática cada vez que se produzca el incumplimiento de una orden de alejamiento.

«... la idoneidad de la medida que se cuestiona en el caso concreto resulta dudosa, ya que las resoluciones recurridas no ofrecen dato alguno acerca de la verdadera entidad de los malos tratos que inicialmente dieron lugar al dictado de la orden de alejamiento, ni se informa en ellas en ningún momento acerca de si fueron calificados de delito o de falta. Tampoco es posible determinar, con la sola ayuda del contenido de las resoluciones en cuestión, si realmente la medida de ingreso del recurrente en prisión provisional respondía a la existencia de un peligro cierto para los mencionados bienes jurídicos; peligro que no cabe presuponer que existe de manera automática cada vez que se produzca el quebrantamiento de una orden de alejamiento. En suma, los grados de peligro objetivo y de peligrosidad subjetiva de-berían haber sido medidos por los órganos judiciales *ex ante* y, de constar ante ellos, explicitados los datos fácticos que evidenciaban la existencia real del riesgo que se quería evitar con el dictado de la medida cautelar en cuestión». STC 62/2005, de 14 de marzo de 2005.

4.2. La orden de protección para las víctimas de la violencia de género

La orden de protección a las víctimas constituye un procedimiento judicial su-mario, que se sustancia ante el juzgado de instrucción en funciones de guardia y que tiene por finalidad otorgar un especial estatuto de protección a las víctimas de los delitos contra la vida, integridad física o moral, libertad sexual o la seguridad de alguna de las personas mencionadas en el artículo 173.2 del Código Penal (arts. 13 y 544 ter LECrim).

La singularidad de este procedimiento es notable. A saber: 1º Se trata de un inci-dente cautelar, inserto en un procedimiento penal, en el que se pueden adoptar me-didas de naturaleza penal o civil cuando resulte una situación objetiva de riesgo para las víctimas de determinados delitos, especialmente los referidos a la denominada violencia doméstica. Entre las medidas que pueden adoptarse se hallan las restrictivas de la libertad de movimientos del agresor para impedir su nueva aproximación a la víctima, así como las orientadas a proporcionar seguridad, estabilidad y protección jurídica a la persona agredida y a su familia, sin necesidad de esperar la finalización del proceso penal o la formalización del correspondiente proceso matrimonial ci-vil. 2º La orden judicial de protección se notificará a las distintas Administraciones

---

[68] «Que la medida que se establece en virtud del art. 544 bis, en los casos en que se inves-tigue un delito de los mencionados en el art. 57 CP (LA LEY 3996/1995), se establece que el Juez podrá de forma motivada y cuando resulte estrictamente necesario al fin de protección de la víctima imponer cautelarmente al inculpado la prohibición de aproximarse o comunicarse con la gradua-ción que sea precisa a determinadas personas. Así mismo establece el art. 544 bis que en caso de incumplimiento por parte del inculpado podrá sustituirse por otra más gravosa. Es una medida de seguridad, que tiene por objeto, en razón a la previsibilidad de una posible conducta peligrosa en el futuro, proteger a la víctima del posible ataque. La medida durante su vigencia resulta obligato-ria». STS de Madrid, Sección 15ª, Sentencia 437/2014 de 10 Jun. 2014, Rec. 812/2014. Ponente: García-Galán San Miguel, María José. LA LEY 122182/2014.

públicas, estatal, para que activen inmediatamente los instrumentos de protección social establecidos en sus respectivos sistemas jurídicos y se inscribirá en el Registro Central para la protección de las víctimas de la violencia doméstica. 3º Finalmente el procedimiento se fundamenta, como principios generales, en la celeridad y el antiformalismo.

La orden de protección se introdujo en la LECrim por la Ley 27/2003, y resulta en la actualidad reforzada con las medidas de protección y de seguridad previstas en la LO 1/2004 de protección integral de las víctimas de la violencia de género, que son entre sí compatibles (art. 61 LO 1/04). La competencia para adoptar la orden de protección se atribuye al Juez de violencia sobre la mujer previstos en la LO 1/2004, sin perjuicio de las competencias del Juez de guardia (arts. 87.1.c LOPJ y 14.5.c LECrim.). A este respecto, la LO 1/04 atribuye a los Jueces de Violencia sobre la mujer la competencia para conocer de los delitos de violencia de género, aunque sin perjuicio de que el Juez de guardia pueda adoptar medidas en prevención. Por otra parte, donde no exista un Juzgado de violencia sobre la mujer conocerá de estas materias el Juez de instrucción en funciones de guardia (véase sobre estas cuestiones Cap. XIV especialidades en materia de violencia de género). Véase M. 108 Bis.

La orden de protección puede adoptarla el Juez de oficio o a instancia de las víctimas de la violencia doméstica, sus representantes legales, las personas de su entorno familiar más inmediato y el Ministerio Fiscal[69]. Sin perjuicio del deber general de denuncia de las entidades u organismos asistenciales, públicos o privados que tuvieran conocimiento de los hechos objeto de este procedimiento, que deberán ponerlos inmediatamente en conocimiento del juez de guardia o del Ministerio Fiscal con el fin de que se pueda incoar o instar el procedimiento para la adopción de la orden de protección. También puede adoptarse durante la tramitación de un procedimiento penal cuando surja una situación de riesgo para alguna de las personas vinculadas con el imputado por los delitos de violencia doméstica.

La solicitud puede efectuarse directamente ante la autoridad judicial, el Ministerio Fiscal, las Fuerzas y Cuerpos de Seguridad, o las oficinas de atención a la víctima o los servicios sociales o instituciones asistenciales dependientes de las Administraciones públicas[70]. En cualquier caso, se remitirá de forma inmediata al Juzgado de violencia sobre la mujer o de Guardia que deberá resolver sobre la orden de protección y las medidas necesarias para que cumpla su finalidad, sin perjuicio de que Juez pudiera resultar territorialmente competente.

---

[69] La Ley dispone expresamente que la orden de protección podrá acordarse de oficio por el Juez —art. 544.ter.2º LECrim—. Ahora bien, esa facultad se refiere únicamente a las medidas de carácter penal y no todas. Efectivamente, las medidas de naturaleza civil únicamente pueden adoptarse a instancia de parte —art. 544.ter.7º—. Tampoco puede adoptarse de oficio la prisión provisional del imputado conforme al art. 505 LECrim.

[70] A este fin el art. 544 Ter LECrim dispone que los servicios sociales y las instituciones referidas facilitarán a las víctimas de la violencia doméstica a las que hubieran de prestar asistencia la solicitud de la orden de protección, poniendo a su disposición con esta finalidad información, formularios y, en su caso, canales de comunicación telemáticos con la Administración de Justicia y el Ministerio Fiscal.

Recibida la solicitud de orden de protección, el Juez de violencia sobre la mujer o de Guardia convocará a una audiencia urgente a la víctima o su representante legal, al solicitante y al agresor, asistido, en su caso, de abogado. Asimismo será convocado el Ministerio Fiscal. Cuando excepcionalmente no fuese posible celebrar la audiencia durante el servicio de guardia, el juez ante el que hubiera sido formulada la solicitud la convocará en el plazo más breve posible, sin que pueda exceder de 72 horas desde la petición.

La audiencia coincidirá, según el caso, con la prevista: 1° en el artículo 504 bis 2 de la Ley de Enjuiciamiento Criminal, cuando ésta fuere procedente por la gravedad de los hechos o las circunstancias concurrentes; 2° en el artículo 798 si se tratase causas tramitadas con arreglo al procedimiento de enjuiciamiento rápido; 3° en el acto del juicio del procedimiento por delitos leves. La audiencia tendrá por objeto distintos y complejos asuntos. Así, por una parte los estrictamente de carácter penal. Pero, también pueden acordarse medidas de carácter civil con relación a los hijos, vivienda familiar, etc. Estas últimas cuestiones deberán acordarse conforme a las normas de la LEC y, concretamente, puede ser preciso oír a la víctima o a los hijos. En ese caso, la ley establece que el Juez de guardia deberá adoptar las medidas oportunas para evitar la confrontación entre el agresor y la víctima, sus hijos y los restantes miembros de la familia. A estos efectos dispondrá que su declaración se realice por separado.

«La cuestión no es baladí. Porque el artículo 544 ter de la Ley de Enjuiciamiento Criminal (LA LEY 1/1882), en su apartado 4, exige que se convoque a la audiencia urgente prevista en dicho precepto no sólo a la víctima o a su representante legal y al solicitante de la Orden de Protección, sino también "al presunto agresor, asistido, en su caso, de Abogado", y obviamente al Ministerio Fiscal. En el presente caso no se ha oído al denunciado, ni se ha celebrado la audiencia urgente prevista en el precepto citado, por lo que no estamos ante la resolución prevista en el artículo 544 ter de la Ley de Enjuiciamiento Criminal (LA LEY 1/1882), sino, en todo caso, a una resolución basada en el artículo 544 bis de la Ley de Enjuiciamiento Criminal (LA LEY 1/1882), como se dice en el Razonamiento Jurídico Segundo del Auto». AAP de Cantabria, Sección 3ª, Auto 601/2014 de 9 Dic. 2014, Rec. 999/2014; LA LEY 257259/2014.

El juez de guardia resolverá mediante auto lo que proceda sobre la solicitud de la orden de protección, así como sobre el contenido y vigencia de las medidas que incorpore, que pueden consistir en cualquiera de las cautelas previstas en la legislación penal y civil, así como cualquier otra de carácter asistencial o de protección social que establezca el ordenamiento jurídico. En el ámbito, del proceso penal el Juez podrá acordar: el alejamiento, prohibición de residir, de acudir a determinados lugares o de comunicarse con determinadas personas; la libertad o la prisión provisional. Para su adopción y mantenimiento se aplicarán requisitos establecidos con carácter general en la LECrim.

Las medidas de naturaleza civil se adoptarán a instancia de parte (la víctima o su representante legal o el Ministerio Fiscal, cuando existan hijos menores o incapaces), siempre que no hubieran sido previamente acordadas por un órgano del orden jurisdiccional civil y sin perjuicio de las medidas previstas en el artículo 158 del Código Civil. Pueden consistir en la atribución del uso y disfrute de la vivienda familiar, el régimen de custodia, visitas, comunicación y estancia con los hijos, el régimen de prestación de alimentos, así como cualquier disposición oportuna para la protección de los menores. Estas medidas tienen vigencia temporal limitada a 30 días. Si en ese plazo se iniciase un proceso de familia ante la jurisdicción civil las medidas adoptadas permanecerán en vigor durante los treinta días siguientes a la presentación de la demanda término en el que el Juez de violencia sobre la mujer las deberá ratificar, modificar o dejarlas sin efecto. En cualquier caso, la competencia para conocer de estas medidas corresponde al Juez de violencia sobre la mujer, siempre que se hubieren iniciado actuaciones por violencia de género (art. 87 Ter LOPJ), aunque ya estuviere conociendo un Juez de civil de un procedimiento de familia (art. 49 bis LEC). Además delas medidas expuestas el Juez también podrá adoptar, simultáneamente, las referidas en el art. 64 LO 1/2004 que incluye la de la salida obligatoria de del domicilio familiar y la prohibición de volver al mismo (véase sobre las medidas cautelares en los procesos en materia de violencia de género § 2, Cap. XI).

La orden de protección se inscribirá en el Registro Central para la Protección de las Víctimas de la Violencia Doméstica; se notificará a las partes y a las Administraciones públicas competentes para la adopción de medidas de protección, sean éstas de seguridad o de asistencia social, jurídica, sanitaria, psicológica o de cualquier otra índole; y podrá hacerse valer ante cualquier autoridad y Administración pública. El Tribunal que estuviere conociendo de la causa deberá informar permanentemente a la víctima sobre la situación procesal del imputado así como sobre el alcance y vigencia de las medidas cautelares adoptadas. En particular, la víctima será informada en todo momento de la situación penitenciaria del agresor, a cuyo efecto se dará cuenta de la orden de protección a la Administración penitenciaria

4.3. Intervención inmediata del vehículo, retención del permiso de circulación o de conducción; y prohibición de conducir vehículos

De conformidad con el art. 764.4 LECrim se podrá acordar la intervención inmediata del vehículo y la retención del permiso de circulación del mismo, por el tiempo indispensable, cuando fuere necesario practicar alguna investigación en aquél o para asegurar las responsabilidades pecuniarias, en tanto no conste acreditada la solvencia del imputado o del tercero responsable civil. También podrá acordarse la intervención del permiso de conducción requiriendo al imputado para que se abstenga de conducir vehículos de motor, en tanto subsista la medida, con la prevención de lo dispuesto en el artículo 556 del Código Penal. Las medidas anteriores, una vez adoptadas, llevarán consigo la retirada de los documentos respectivos y su comunicación a los organismos administrativos correspondientes.

MODELOS

M. 81. Audiencia preliminar para resolver sobre la situación personal

La convocatoria a la audiencia se efectúa por providencia, que se notificará a todas las partes, desarrollándose seguidamente la comparecencia.

PROVIDENCIA JUEZ

En [.../...], a [.../...] de [.../...] de [.../...]

Dada cuenta. De conformidad con lo establecido en el art. 505 LECrim se cita al Ministerio Fiscal, demás partes personadas y al imputado, asistido por Letrado, para el día [.../...] hora [.../...], a fin de que puedan realizar alegaciones, pedir pruebas y solicitar la libertad o prisión provisional de [.../...]

Lo manda y firma el Sr. D. [.../...], Juez de Instrucción de [.../...] Doy fe.

(Firma Juez) (Firma Letrado de la administración de justicia)

DILIGENCIA. Seguidamente se cumple lo acordado, doy fe.

(NOTIFICACIÓN Y CITACIÓN. Al Ministerio Fiscal, imputado y partes personadas).

COMPARECENCIA. En [.../...] a [.../...] de [.../...] de [.../...]

Ante S.S.ª y de mí el infrascrito Letrado de la administración de justicia comparece el Ministerio Fiscal y [.../...], así como el imputado con el Letrado D. [.../...]

Abierto el acto, se concede la palabra al Ministerio Fiscal quien solicita [.../...], y [.../...] (si se encuentran personadas otras partes).

El Letrado D [.../...] que asiste al imputado [.../...] pide (la práctica de pruebas, en su caso), y la libertad provisional de su defendido por [.../...]

Por S.S.ª se acuerda (*o se rechazan*) las pruebas solicitadas de [.../...] (*que se practicarán en el presente acto, y dando comienzo a [.../...]*).

Con lo cual se da por concluido el presente acto que firma S.S.ª y todos los presentes, doy fe.

(Firma Juez, Letrado de la administración de justicia y demás asistentes)

La decisión relativa a la adopción de una medida cautelar deberá documentarse en auto motivado, conforme al modelo siguiente, susceptible de recurso de apelación conforme a lo previsto en el art. 766 LECrim (art. 507 LECrim). Aunque nada impide que se interponga previo recurso de reforma. Véanse modelos 83 y 83 Bis.

M. 82. Auto para la adopción de la medida cautelar de prisión o libertad provisional

AUTO

En [.../...], a [.../...] de [.../...] de [.../...]

Dada cuenta, y

HECHOS

1.º. Las presentes actuaciones han sido incoadas por [.../...] ., siguiéndose diligencias previas con el núm. [.../...] en virtud de [.../...]

2.º. Convocadas las partes a una comparecencia se celebró (o no) el día [.../...] solicitando el Ministerio Fiscal que [.../...] (y las demás partes [.../...]). La defensa del imputado pidió la libertad provisional de [.../...]

FUNDAMENTOS DE DERECHO

Único. Los arts. 502, 503, 505 y 763 LECrim. facultan al Juez, tras oír a las partes, para acordar la detención, prisión de los responsables presuntos, o su libertad provisional, con fianza o sin ella, en los casos en que proceda conforme a las reglas generales de la Ley y en el caso presente [.../...] [*reseña de los motivos por los que se acuerda esta resolución*].

VISTOS los preceptos citados y demás de pertinente aplicación,

PARTE DISPOSITIVA

Se decreta la [.../...] de [.../...], cuyas circunstancias personales son [.../...]

Fórmese con esta particular pieza separada y notifíquese al Ministerio Fiscal y al interesado, instruyéndoles de sus derechos.

Contra esta resolución podrá interponerse recurso de apelación dentro del plazo de cinco días siguientes a la última notificación.

Así lo manda y firma el Sr. D. [.../...] Juez de [.../...], doy fe.

(Firma Juez) (Firma Letrado de la administración de justicia)

DILIGENCIA. Seguidamente se cumple lo acordado, doy fe.

(NOTIFICACIÓN. Al Ministerio Fiscal y al interesado.)

M. 83. **Recurso de reforma contra el auto que acuerda una medida cautelar**

Diligencias [.../...]

Juzgado de Instrucción de [.../...]

AL JUZGADO

[.../...] Procurador de los Tribunales en representación de [.../...] según acredito mediante [.../...], DIGO:

Que me ha sido notificada la resolución dictada por el Juzgado de [.../...] con fecha de [.../...] y estimando la misma gravosa para mi representado interpongo RECURSO DE REFORMA dentro del plazo legal y baso el mismo en las siguientes ALEGACIONES:

1.º. El día [.../...] se decretó la [.../...] provisional por auto, motivando la decisión en [.../...], sin que concurran los requisitos legales puesto que:

a) No existen los indicios suficientes para que se prive de libertad a mi representado. Téngase presente que el proceso penal viene informado por el principio de presunción de inocencia que, en igual medida, informa la medida cautelar, por lo que si no existen los citados indicios tampoco puede afirmarse concurre el *fumus boni iuris* puesto que [.../...]

2.º. Tampoco concurre el *periculum in mora* ya que mi representado tiene domicilio conocido, y el delito que se le imputa lleva aparejada una pena inferior a los dos años. Tampoco existe peligro de fuga, ya que [.../...]

Por todo ello,

SUPLICO:

Tenga por presentado recurso de reforma contra el auto de [.../...], y se admita el mismo para su unión a los autos, acordando la libertad provisional incondicionada, o en todo caso se señale una fianza ajustada a la capacidad económica de mi representado para garantizar esta libertad provisional durante la tramitación de la causa, fijándose la misma en atención a los escasos recursos económicos y a [.../...]

Es justicia que pido, en [.../...], a [.../...] de [.../...] de [.../...]

(Firma Letrado)   (Firma Procurador)

Conforme con el art. 766 LECrim, al que se remite el art. 507 LECrim, el recurso de reforma podrá interponerse subsidiariamente con el de reforma o por separado, que es el supuesto expuesto.

M. 83.Bis   Recurso de apelación contra el auto que acuerda la prisión provisional

AL JUZGADO

D. [.../...], Procurador de los Tribunales y obrando en nombre de [.../...], cuya representación acredito mediante [.../...], DIGO:

Que me ha sido notificada la resolución dictada en la presente causa por la cual se acuerda la prisión provisional de mi representado con base en el motivo previsto en el art. 503.3.b LECrim que prevé que se pueda adoptar esta medida cautelar: «Evitar la ocultación, alteración o destrucción de las fuentes de prueba relevantes para el enjuiciamiento en los casos en que exista un peligro fundado y concreto», y estimando la misma gravosa a los intereses de mi representado, por medio del presente escrito formulo RECURSO DE APELACIÓN con base en lo previsto en los arts. 507 y 766 LECrim, que baso en los siguientes

MOTIVOS

PRIMERO. La prisión provisional es una medida cautelar que sólo se podrá adoptar cuando se persiga alguno de los fines previstos en el art. 503.1.3 LECrim, que acreditan la concurrencia del riesgo durante la necesaria duración del proceso (*periculum in mora*). Es decir, deben concurrir los presupuestos para la adopción de toda medida cautelar: el «*fumus boni iuris*» y el «*periculum in mora*». Estos presupuestos se deben concretar en la existencia de circunstancias objetivas (relativas a los hechos), y subjetivas (relativas a la persona afectada).

SEGUNDO. En el presente caso la medida se ha adoptado para evitar la ocultación, alteración o destrucción de las fuentes de prueba (art. 503.1.3.b LECrim). Sin embargo, ninguna prueba puede ocultar o alterar mi mandante en tanto que la policía incautó todas las herramientas con las que presuntamente llevaba a cabo las actividades imputadas. Más bien parece que lo que sucede es que se pretende que mi representado colabore con la policía para denunciar a determinadas personas que estarían detrás de las actividades investigadas. Siendo así, no cabe adoptar la prisión con base en este motivo cuando el peligro provenga del libre ejercicio del derecho de defensa o bien de la falta de colaboración del imputado.

Por tanto, al Juzgado como mejor proceda

AL JUZGADO SUPLICO:

Que admita este escrito de recurso y, una vez admitido en [.../...] *(un efecto)*, se acuerde su remisión con los testimonios señalados a la Audiencia para su resolución.

En [.../...], a [.../...] de [.../...] de 201[.../...]

Firmado por Abogado y Procurador

OTROSÍ PRIMERO DIGO: Que señaló los siguientes particulares de los autos que solicito se testimonien y se remitan a la Audiencia provincial por considerarlos de interés para la resolución del recurso. Folios n.º ..,

OTROSÍ SEGUNDO DIGO: Que se admitan los documentos que se aportan y presentan con este escrito de recurso numerados [.../...] que justifican esta impugnación.

OTROSÍ TERCERO DIGO. Esta parte solicita expresamente la celebración de vista del recurso al amparo del art. (art. 766.5 LECrim).

(DILIGENCIA DE PRESENTACIÓN)

M. 84. Prestación de la correspondiente obligación *apud acta* de comparecer ante el Juzgado

NOTIFICACIÓN Y OBLIGACIÓN *APUD ACTA*

En [.../...], a [.../...] de [.../...] de [.../...]

Teniendo ante mí a D. [.../...], le notifiqué en forma legal el contenido de anterior particular y manifiesta: Que otorga obligación *apud acta* de comparecer ante el Juzgado los días 1 y 15 de cada mes y siempre que fuere llamado, para lo cual fija su domicilio en [.../...]

Así lo manifiesta, firmando conmigo, doy fe.

(*Firma Letrado de la administración de justicia e imputado*).

Cuando se señala fianza para eludir la prisión o para proceder a la excarcelación, prestándola un fiador diferente de la persona sobre la que se ha adoptado la medida cautelar, las actuaciones que se practicarán en la pieza separada de situación son:...

M. 85. Prestación de fianza (prisión provisional)

COMPARECENCIA. En [.../...], a [.../...] de [.../...] de [.../...]

Ante S.S.ª, y de mí, el Letrado de la administración de justicia, comparece el que dice llamarse D. [.../...], de [.../...] años de edad, estado [.../...] de profesión [.../...], domiciliado en [.../...] calle [.../...] núm. [.../...], piso [.../...], que exhibe y retira su DNI núm. [.../...], el cual juramentado en forma, DICE:

Que enterado de que al procesado [.../...] en causa por [.../...] se ha señalado fianza en cantidad de [.../...] Euros para poder gozar de libertad provisional, desea constituirse en fiador, obligándose a hacer comparecer a su garantizado tantas cuantas veces se le requiera para ello, o en otro caso perder la fianza que sería adjudicada a favor del Estado.

Leída y hallada conforme, firma con S.S.ª, doy fe.

(*Firma Juez, Letrado de la administración de justicia y fiador*)

M. 86. Providencia aceptando fiador y entrega de impreso para la constitución de la fianza

PROVIDENCIA JUEZ

En [.../...], a [.../...] de [.../...] de 201[.../...]

Dada cuenta, en vista de la anterior comparecencia, se acepta con las obligaciones contraídas como fiador de [.../...] a D. [.../...]; hágasele saber y entréguesele el impreso oficial solicitado para la constitución de la fianza en la «Cuenta de Depósitos y Consignaciones» de este Juzgado en la entidad de Crédito [.../...] . para garantizar la libertad del fiado autorizándole para las presentaciones en [.../...]

Lo manda y ordena el Sr. D. [.../...], Juez de Instrucción de [.../...], doy fe.

(Firma Juez) (Firma Letrado de la administración de justicia)

NOTIFICACIÓN. El mismo día notifiqué el anterior proveído a

D. [.../...] y se le entrega el impreso interesado, firma, doy fe.

DILIGENCIA. En [.../...], a [.../...] de [.../...] de [.../...], ha comparecido el fiador D. [.../...] y ha entregado el talón resguardo núm. [.../...] justificante del ingreso realizado en la «Cuenta de Depósitos y Consignaciones» de este Juzgado para la constitución de la fianza y paso a dar cuenta, doy fe.

Para la cancelación de la fianza por falta de comparecencia se dictará auto motivado, y si se hubiera entregado por tercero, se precisa un previo requerimiento, tras lo cual se adjudica al Estado. Todas estas actuaciones se llevarán a cabo en la pieza separada de situación.

M. 87. Actuaciones para la cancelación de fianza entrega por tercero

DILIGENCIA. En [.../...], a [.../...] de [.../...] de [.../...]

Para hacer constar que [.../...] no ha comparecido ante este Juzgado en el día [.../...] que fue llamado, doy fe.

EL LETRADO DE LA ADMINISTRACIÓN DE JUSTICIA D. [.../...] formula la siguiente

PROVIDENCIA JUEZ

En [.../...], a [.../...] de [.../...] de 20[.../...]

Requiérase al fiador D. [.../...] a fin de que presente ante este Juzgado al acusado D. [.../...] . en el plazo de diez días, con los apercibimientos legales oportunos.

Lo manda y firma el Sr. Juez de [.../...], doy fe.

(Firma Juez) (Firma Letrado de la administración de justicia)

DILIGENCIA. Seguidamente se cumple lo acordado, doy fe.

NOTIFICACIÓN Y REQUERIMIENTO. Seguidamente y teniendo a mi presencia al fiador D. [.../...], se le notifica por lectura íntegra y entrega de copia literal de la anterior resolución, requiriéndole a los fines previstos en la misma y en prueba de ello firma conmigo, doy fe.

(NOTIFICACIÓN. Al Ministerio Fiscal)

M. 88. Auto adjudicando la fianza al Estado

DILIGENCIA. En [.../...], a [.../...] de [.../...] de [.../...]

Para hacer constar que ha transcurrido el plazo de diez días sin haber comparecido el acusado D. [.../...] ., doy fe.

EL LETRADO DE LA ADMINISTRACIÓN DE JUSTICIA D. [.../...] lo comunica al Sr. Juez a los efectos oportunos.

JUZGADO DE INSTRUCCIÓN N.º [.../...]

Diligencias previas n.º [.../...]

AUTO

En [.../...], a [.../...] de [.../...] de [.../...]

HECHOS

1.º. Por auto de [.../...] se fijó a D. [.../...] una fianza de [.../...] para eludir la prisión provisional, prestándose a continuación por D. [.../...], la pertinente fianza y la obligación *apud acta* correspondiente.

FUNDAMENTOS DE DERECHO

1.º. No habiendo comparecido el acusado D. [.../...] al llamamiento realizado, ni aun tras el requerimiento verificado a su fiador a fin de que lo presentase, procede de conformidad con los arts. 534 y 535 LECrim., adjudicar la fianza al Estado[71].

VISTOS los preceptos citados y demás de pertinente aplicación.

PARTE DISPOSITIVA

Se adjudica la fianza metálica de [.../...] Euros al Estado, tras la deducción de las costas causadas en este ramo separado, verificado lo cual y firme esta resolución líbrese testimonio de la misma que se acompañará con atento oficio al Director de la Entidad de Crédito [.../...] previo registro, solicitando acuse y remisión de la cantidad.

Lo manda y firma el Sr. D. [.../...] Juez de (Instrucción o de lo Penal) de [.../...], doy fe.

(*Firma Juez*) (*Firma Letrado de la administración de justicia*)

DILIGENCIA. Seguidamente se cumple lo acordado, doy fe.

(NOTIFICACIÓN. Al Ministerio Fiscal)

---

[71] Una vez adjudicada la fianza, el fiador sólo podrá reclamar la indemnización pertinente contra el encausado o sus causahabientes —art. 543 LECrim.—.

M. 89. Auto de cancelación de fianza y devolución al fiador tras sentencia absolutoria

AUTO

En [.../...], a [.../...] de [.../...] de [.../...]

HECHOS

1.º. D. [.../...], ingresó en la cuenta de Depósitos y Consignaciones de este Juzgado en la entidad de Crédito [.../...] la suma de [.../...] Euros, para garantizar [.../...] según talón resguardo número [.../...] de fecha [.../...]

2.º. En fecha de [.../...] recayó sentencia absolviendo a [.../...] del delito que era acusado.

FUNDAMENTOS DE DERECHO

1.º. Recaída sentencia absolutoria, procede de conformidad con el art. 541.3.º LECrim., decretar su cancelación.

VISTOS los preceptos de pertinente aplicación,

PARTE DISPOSITIVA

Se decreta la cancelación y devolución al fiador D. [.../...] de la fianza metálica por cuantía de [.../...] Euros, a cuyo fin, firme que sea, líbrese testimonio del mismo que se entregará al indicado fiador, y expídase el oportuno mandamiento de devolución con entrega del impreso de reintegro debidamente formalizado[72] al mismo, previo registro en los libros de este Juzgado y firmando recibo de todo ello. Comuníquese la presente resolución al Ministerio Fiscal y [.../...]

Lo que manda y firma D [.../...] Juez de instrucción de [.../...], doy fe.

(Firma Juez) (Firma Letrado de la administración de justicia)

DILIGENCIA. Seguidamente se cumple lo ordenado, doy fe.

(NOTIFICACIÓN. Al Ministerio Fiscal y al interesado con entrega de los documentos precitados)

La resolución decretando la prisión provisional habrá de documentarse en forma de auto motivado y seguidamente se expedirán los mandamientos correspondientes de conformidad con el art. 505 LECrim., para llevarse a cabo su ejecución.

---

[72] El impreso de reintegro, firmado por el Secretario y el Juez del órgano jurisdiccional, contendrá: la identificación de la oficina pagadora, lugar, fecha y cantidad de la operación, persona que recibe la entrega y su domicilio, concepto bajo el que se realiza el reintegro, número de orden o clave identificadora del depósito asignado por la Entidad y número de clave de procedimiento.

M. 90. Auto decretando la prisión provisional

JUZGADO DE INSTRUCCIÓN N.º [.../...]

Diligencias pres [.../...]

AUTO

En [.../...], a [.../...] de [.../...] de [.../...]

HECHOS

1.º. En este Juzgado se sigue [.../...], núm. [.../...], por el supuesto delito de [.../...], en virtud de [.../...], atribuido a [.../...]

2.º. Convocadas las partes a una comparecencia se celebró (o no) el día [.../...] solicitando el Ministerio Fiscal que [.../...] (y las demás partes [.../...]). La defensa del imputado pidió la libertad provisional de [.../...]

FUNDAMENTOS DE DERECHO

Único. Este Tribunal estima acreditada la existencia de los presupuestos que permiten adoptar medidas cautelares. Concretamente, el «*fumus boni iuris*» resulta de la concurrencia en la causa de motivos bastantes para creer responsable criminalmente al imputado de un delito contra la salud pública castigado con pena de tres a nueve años de prisión. También se acredita la existencia del riesgo procesal previsto en el art. 503.1.3.b LECrim, ya que de la causa se desprende que el imputado tenía acceso a otros lugares en los que se llevaban a cabo actos delictivos. Estos lugares aún no han sido localizados por lo que el imputado podría actuar para ocultar o destruir las fuentes de prueba [.../...] Por todo ello, [.../...] se estima procedente, de decretar la prisión provisional de [.../...]

VISTOS los preceptos citados y demás de general aplicación,

PARTE DISPOSITIVA

Se decreta la Prisión Provisional de [.../...] Fórmese con esta particular pieza separada y notifíquese al Ministerio Fiscal y al interesado, instruyéndoles de sus derechos.

Contra esta resolución podrá interponerse recurso de apelación dentro del plazo de cinco días siguientes a la última notificación.

Lo manda y firma el Sr. D. [.../...] Juez de [.../...], doy fe.

(Firma Juez) (Firma Letrado de la administración de justicia)

DILIGENCIA. Seguidamente se cumple lo ordenado, doy fe.

(NOTIFICACIÓN. Al Ministerio Fiscal y al interesado.)

M. 91. Mandamiento del art. 511 LECrim.

Conforme con el art. 511 LECrim el Juez dictará dos mandamientos. Uno al Director del establecimiento que deba recibir al preso, que es el que se inserta a continuación. Otro dirigido a la policía judicial o Agente Judicial.

D. [.../...]

JUEZ DE INSTRUCCIÓN/O PENAL DE [.../...]

El Sr. Director del Centro Penitenciario de Detención de [.../...], por el presente mandamiento se servirá poner en prisión comunicada (*o incomunicada*) a [.../...] cuyas circunstancias personales son [.../...] en virtud de resolución dictada en el día de la fecha recaída en las diligencias [.../...][73] seguidas por el delito de [.../...] rogándole acuse de recibo.

En [.../...], a [.../...] de [.../...] de [.../...]

(*El Juez de Instrucción/o Penal*)   (*El Letrado de la administración de justicia*)

Cuando deba prolongarse la situación de prisión provisional fuera de los plazos ordinarios señalados en el art. 504 LECrim. deberá dictarse auto motivado expresando los motivos y circunstancias que lo fundamenten:

M. 92. Auto prolongando la duración de la prisión provisional fuera de los límites temporales hasta el máximo autorizado de forma excepcional

JUZGADO DE INSTRUCCIÓN N.º [.../...]

Diligencias Previas n.º [.../...]

AUTO

En [.../...], a [.../...] de [.../...] de [.../...]

HECHOS

1.º. D. [.../...] se encuentra en situación de prisión provisional desde [.../...] por resolución recaída en el día [.../...] en méritos de los presentes autos núm [.../...] seguidos por el delito de [.../...]

2.º. Oído el Ministerio Fiscal y el imputado, alegaron que [.../...]

FUNDAMENTOS DE DERECHO

1.º. De conformidad con el art. 504 LECrim., el Juez o Tribunal podrá ordenar excepcionalmente la prolongación de la prisión provisional hasta el límite de [.../...] cuando se prevea que la causa no podrá ser juzgada dentro del plazo máximo previsto en el art. 504.2 LECrim. En este caso, concurren especiales circunstancias de complejidad de la causa que [.../...] (*para motivar la decisión de prolongación de la prisión provisional*).

---

[73] Es conveniente cuando haya habido cambio de procedimiento, que se hagan constar las sucesivas actuaciones, especialmente si su ingreso se ha debido a otro anterior, al igual que se comuniquen al establecimiento penitenciario o depósito, estas modificaciones para evitar posibles duplicidades.

VISTOS el precepto citado, el art. 503 LECrim. y demás de pertinente aplicación.

PARTE DISPOSITIVA

Que debía acordar la prolongación de la prisión provisional de D. [.../...] hasta el límite máximo de [.../...] por las razones aludidas.

Notifíquese al interesado y al Ministerio Fiscal y [.../...]

Contra la presente resolución cabe recurso de apelación dentro de los cinco días siguientes a su notificación.

Así lo manda y firma el Sr. D. [.../...] Juez de Instrucción de [.../...], doy fe.

(Firma Juez) (Firma Letrado de la administración de justicia)

DILIGENCIA. Seguidamente se cumple lo acordado, doy fe.

(NOTIFICACIÓN. Al Ministerio Fiscal y al interesado)

M. 93. Auto acordando la prisión atenuada

La resolución acordando una prisión atenuada conforme lo dispuesto en el art. 508 LECrim puede ser la siguiente:

AUTO

En [.../...], a [.../...] de [.../...] de [.../...]

HECHOS

1.º. En las diligencias núm. [.../...], seguidas por el delito de [.../...], se decretó la prisión provisional con fecha de [.../...] [.../...] y (*motivar los hechos que determinen la atenuación*) [.../...]

2.º. Convocadas las partes a una comparecencia se celebró (o no) el día [.../...] solicitando el Ministerio Fiscal que [.../...] (y las demás partes [.../...]). La defensa del imputado pidió la libertad provisional de [.../...]

FUNDAMENTOS DE DERECHO

Único. De conformidad con el artículo 508 LECrim., concurriendo en [.../...] unas condiciones especiales motivadas por motivos de salud debida a [.../...] debe acordarse la prisión preventiva que cumplirá mediante arresto en su propio domicilio sito en [.../...] con la adecuada vigilancia (si se estima necesaria).

VISTOS el precepto citado y demás de pertinente aplicación.

PARTE DISPOSITIVA

Se acuerda la prisión preventiva atenuada de [.../...], que cumplirá mediante arresto en su propio domicilio sito en [.../...], con la vigilancia adecuada (en su caso, a cuyo fin se expedirá el correspondiente despacho a las autoridades gubernativas para que se provea la medida).

Contra la presente resolución cabe recurso de apelación dentro del plazo de cinco días siguientes a la última notificación.

Así lo manda y firma el Sr. D. [.../...], Juez de Instrucción de [.../...], doy fe.

(Firma Juez) (Firma Letrado de la administración de justicia)

DILIGENCIA. Seguidamente se cumple lo ordenado, doy fe.

(NOTIFICACIÓN. Al Ministerio Fiscal y al interesado)

M. 94. Auto reformando la situación personal decretando la prisión provisional por agravación de las circunstancias concurrentes

La resolución modificando la situación personal del inculpado por agravación de circunstancias:

AUTO

En [.../...], a [.../...] de [.../...] de [.../...]

Dada cuenta,

HECHOS

1.º. Con fecha de [.../...] se decretó en las presentes diligencias la [.../...] (medida cautelar), de [.../...]

FUNDAMENTOS DE DERECHO

1.º. Atendido el presunto delito cometido, tipificado en el artículo [.../...], así como la pena que pudiera corresponderle de [.../...], teniendo asimismo presente la naturaleza del mismo, las circunstancias del hecho y antecedentes del imputado, procede acordar [.../...] (*para motivar el cambio de la situación personal*).

2.º. Convocadas las partes a una comparecencia se celebró el día [.../...] solicitando el Ministerio Fiscal que se acordará la prisión provisional del imputado [.../...] (*y las demás partes [.../...]*). La defensa del imputado pidió la libertad provisional de [.../...]

3.º. De conformidad con el art. 539 LECrim., que dispone la modificación de los autos de prisión y libertad cuantas veces sea procedente, y en el presente caso [.../...] (*para justificar la variación de las circunstancias*).

VISTOS los arts. 503, 504, 505, 528 y 529 LECrim. y demás de pertinente aplicación.

PARTE DISPOSITIVA

Se reforma el auto de fecha [.../...] por el que se decretaba la [.../...] de [.../...] y en su lugar se decreta la [.../...] incorporándose testimonio de la resolución a las diligencias sumariales[74].

---

[74] Cuando se trate de segunda o posteriores resoluciones, al hallarse formada la pieza separada, se dictarán siempre en ésta, llevándose testimonios a los autos principales.

975

Notifíquese esta resolución al Ministerio Fiscal y al interesado.

Contra esta resolución podrá interponerse recurso de apelación dentro del plazo de cinco días siguientes a la última notificación.

Así lo manda y firma el Sr. D. [.../...] Juez de Instrucción de [.../...], doy fe.

(Firma Juez) (Firma Letrado de la administración de justicia)

DILIGENCIA. Seguidamente se cumple lo ordenado, doy fe.

(NOTIFICACIÓN. Al Ministerio Fiscal y al interesado.)

M. 95. Auto reformando de oficio una medida cautelar previamente adoptada en sentido más favorable al imputado

AUTO

En [.../...], a [.../...] de [.../...] de [.../...]

HECHOS

1.º. Con fecha de [.../...] se decretó en las presentes diligencias, la [.../...] de [.../...]

RAZONAMIENTOS JURÍDICOS

1.º. De conformidad con los arts. 539 y 763 LECrim., la adopción de la medida provisional de [.../...] puede reformarse en cualquier momento de la tramitación de la causa, y en el presente caso [.../...] (para razonar el motivo).

VISTOS los preceptos citados y demás de pertinente aplicación.

PARTE DISPOSITIVA

Se reforma el auto de fecha [.../...] por el que se decretaba la [.../...] de [.../...] y en su lugar se decreta la [.../...] incorporándose testimonio de la resolución a las diligencias sumariales[75].

Notifíquese esta resolución al Ministerio Fiscal y al interesado.

Contra esta resolución podrá interponerse recurso de reforma dentro del plazo de cinco días siguientes a la última notificación.

Así lo manda y firma el Sr. D. [.../...] Juez de Instrucción de [.../...], doy fe.

(Firma Juez) (Firma Letrado de la administración de justicia)

DILIGENCIA. Seguidamente se cumple lo ordenado, doy fe.

(NOTIFICACIÓN. Al Ministerio Fiscal y al interesado)

---

[75] Cuando se trate de segunda o posteriores resoluciones, al hallarse formada la pieza separada, se dictarán siempre en ésta, llevándose testimonios a los autos principales.

En cualquier caso el interesado, o bien su representación pueden solicitar por escrito una modificación de su situación personal que podrá redactarse en los términos del siguiente Modelo. Seguidamente se convoca a las partes a la celebración de una comparecencia y se dicta la resolución procedente.

M. 96.   Escrito interesando la reforma de una medida cautelar adoptada

Diligencias [.../...]

Juzgado de Instrucción de [.../...]

AL JUZGADO

D. [.../...], Procurador de los Tribunales, obrando en nombre de [.../...], cuya representación me fue conferida por [.../...], comparezco y, DIGO:

Que mediante el presente escrito solicito la libertad provisional de mi representado [.../...], en base a las siguientes

EXPONE

1.º. El día [.../...] se decretó la prisión provisional de mi representado por auto motivando la decisión en la circunstancia de existir riesgo de fuga y de reiteración de la actividad delictiva por entender el Juzgado que existía una suerte de organización criminal en la que mi mandante se hallaría integrado y, por tanto, concurrirían motivos bastantes para acordar la prisión provisional.

2.º. El momento presente ya han transcurrido 5 meses desde que se acordó la medida y en este punto esta representación considera que no existen los riesgos que el Juzgador tuvo en cuenta al momento de acordar la medida. Además, debe señalarse que mi representado tiene domicilio conocido y una familia estructurada que está plenamente dispuesta a acogerle. Familia que depende económicamente de su trabajo que podría desempeñar en la empresa [.../...] que ha hecho una oferta de trabajo que se adjunta con este escrito.

Por todo ello,

SUPLICO:

Tenga por presentado este escrito, y se admita el mismo para su unión a los autos, acordando la libertad provisional incondicionada de mi representado D. [.../...], o en todo caso se señale una fianza ajustada a la escasa capacidad económica de mi mandante, para garantizar esta libertad provisional durante la tramitación de la causa.

Es justicia que pido, en [.../...], a [.../...] de [.../...] de [.../...]

En el supuesto que tenga abogado designado por él, estando el Procurador en trámite de nombramiento de oficio, por haberlo así solicitado, o bien cuando se encuentre representado por Procurador, podrán éstos solicitar la libertad provisional, en cualquier momento de la causa, escrito que sólo varía el encabezamiento, según los casos, del siguiente modo:

(Firma Abogado)   *(Firma de Procurador)*

DILIGENCIA DE PRESENTACIÓN

La pieza de responsabilidad civil para asegurar las obligaciones pecuniarias del inculpado o procesado, se encabezará con un testimonio de la resolución que la decrete, conforme al Modelo siguiente. Seguidamente se tiene por formada la citada pieza por diligencia de ordenación.

M. 97. Certificación para encabezamiento de la pieza separada de responsabilidad civil

D. [.../...], Letrado de la administración de justicia del Juzgado de Instrucción [.../...] de esta Ciudad.

CERTIFICO: Que en las Diligencias Previas núm. [.../...] de [.../...] sobre [.../...] contra [.../...] se ha dictado en este día el auto que comprende el siguiente particular: Requiérase al indicado imputado para que a las resultas de la causa preste fianza en cantidad de [.../...] y no verificándolo dentro de una audiencia, embárguensele bienes bastantes para cubrir dicha suma acreditando su insolvencia legalmente caso de no poseerlos, y formándose al efecto pieza separada.

Lo manda y rubrica S.S.ª (Siguen firmas Juez y Letrado de la administración de justicia).

Concuerda con su original al que me remito. Y para formar la pieza separada de responsabilidad civil, expido el presente en

[.../...], a [.../...] de [.../...] de [.../...].

M. 98. Diligencia de ordenación para formación de la pieza de responsabilidad civil

DILIGENCIA DE ORDENACIÓN

LETRADO DE LA ADMINISTRACIÓN DE JUSTICIA SR. [.../...] En [.../...], a [.../...] de [.../...] de [.../...]

Se tiene por formada esta pieza de responsabilidad civil y llévese a efecto lo mandado en el particular que comprende el precedente testimonio.

Lo acuerda y firma el Sr. Letrado de la administración de justicia, dando cuenta de ello a S.S.ª

(Firma Sr. Letrado de la administración de justicia)

En el caso muy frecuente de que la fianza para garantizar las responsabilidades civiles se prestase por un tercero, el acta a redactar para su constitución sería del siguiente tenor literal.

M. 99. Acta de constitución de fianza por tercero

En [.../...], a [.../...] de [.../...] de [.../...]

COMPARECE, ante mí el Letrado de la administración de justicia, D. [.../...] (*nombre y señas personales*) y después de manifestar que se halla en la libre administración de sus bienes y gozando de la necesaria capacidad para obligarse como fiador, DIJO:

Que tiene constancia de que contra [.../...] se sigue causa criminal en este Juzgado por el delito de [.../...] en el cual ha recaído auto acordando la prestación de fianza por la cantidad de [.../...] Euros para asegurar las responsabilidades pecuniarias, y con el fin de evitar el embargo de bienes del mismo, se constituye en fiador, a cuyo efecto ha consignado en la «Cuenta de Depósitos y Consignaciones» de este Juzgado en la Entidad de Crédito [.../...] la mencionada suma (también resulta válida mediante aval bancario), según justifica con el resguardo que presenta, para que su importe se destine al pago de las responsabilidades pecuniarias que pudieran imponerse al procesado; así lo manifestó y firma de conformidad, doy fe.

(*Firma del fiador y del Letrado de la administración de justicia*)

Si el procesado o inculpado ha garantizado suficientemente, a juicio del órgano jurisdiccional, sus responsabilidades pecuniarias, se dictará la correspondiente resolución decretando la solvencia:

M. 100. Auto declarando la solvencia del procesado o acusado

JUZGADO DE INSTRUCCIÓN [.../...]

Diligencias previas [.../...]

AUTO[76]

En [.../...], a [.../...] de [.../...] de [.../...]

HECHOS

1.º. En auto de este Juzgado de fecha [.../...] se señaló la suma de [.../...] Euros para garantizar las responsabilidades civiles que en su día pudieran dictarse contra [.../...] en su calidad de [.../...], suma que ha sido garantizada mediante [.../...]

---

[76] El mismo modelo puede utilizarse para el caso de que la fianza no haya cubierto totalmente el importe de lo señalado en el Auto, en cuyo caso se dictará Auto de solvencia parcial, consignando en el FUNDAMENTO DE DERECHO «parcialmente», y en la parte dispositiva de la resolución deberá añadirse «parcial», tras la palabra «solvente». Asimismo, en los HECHOS debe hacerse constar que la suma ha sido garantizada «parcialmente».

FUNDAMENTOS DE DERECHO

Único. De conformidad con lo dispuesto en el art. 596 LECrim., tras ser garantizada la suma de [.../...] Euros señalada para responsabilidades civiles, es procedente declarar solvente al procesado.

VISTOS los preceptos legales citados y demás de pertinente aplicación

PARTE DISPOSITIVA

Se declara solvente a [.../...] para garantizar las responsabilidades pecuniarias que en su día pueden dictarse contra el mismo en las diligencias de las que dimana esta pieza separada.

Contra la presente resolución cabe recurso de reforma dentro del plazo de tres días siguientes a la última notificación .

Lo manda y firma el Sr. Juez de Instrucción D. [.../...] ., doy fe.

(Firma Juez) (Firma Letrado de la administración de justicia)

DILIGENCIA. Seguidamente se cumple lo acordado, doy fe.

(NOTIFICACIÓN. A las partes personadas)

M. 101. Providencia ordenando efectuar el embargo de bienes del procesado o acusado

En [.../...], a [.../...] de [.../...] de [.../...]

No habiéndose prestado la fianza señalada, llévese a efecto el embargo acordado en bienes del procesado (o acusado) [.../...] . a cuyo efecto se expedirá el oportuno mandamiento; y caso de no poseerlos, acredítese su insolvencia en legal forma, expidiendo para ellos los oportunos despachos.

Lo que manda y firma el Sr. Juez de Instrucción D. [.../...]

(Firma Juez) (Firma Letrado de la administración de justicia)

PROVIDENCIA JUEZ

M. 102. Mandamiento de embargo y diligencia de embargo

El Sr. D. [.../...] Juez de Instrucción de [.../...]

Por el presente mandamiento, el Agente Judicial con la asistencia del Letrado de la administración de justicia, procederá al embargo de bienes de D. [.../...] a fin de cubrir la cantidad de [.../...], observándose el orden legal previsto en el art. 592 LEC, según lo establecido en la resolución de [.../...] dictada en [.../...]

En [.../...], a [.../...] de [.../...] de [.../...]

(Firma Juez)

M. 103.   Diligencia de embargo

En [.../...], a [.../...] de [.../...] de [.../...], constituido el Letrado de la administración de justicia con el Agente judicial comisionado en el domicilio de [.../...], procesado (o acusado) en esta causa, y teniéndole a mi presencia (o a su mujer, hijos, apoderados, etc.) le requerí en legal forma para que señalase los bienes de su pertenencia en cantidad de [.../...] Euros, a fin de asegurar las responsabilidades pecuniarias que puedan imponérsele en la citada causa, y dándose por requerido, designó los siguientes (o por no encontrarle en su domicilio, ni a otra persona, o por negarse a hacer dicha designación) se procedió al embargo de los siguientes que se reputan de la propiedad del procesado: [.../...]

(Se describirán, con numeración separada, los bienes embargados.)

En dicho acto, el Agente judicial comisionado nombra depositario de los bienes muebles embargados a [.../...], vecino de esta ciudad, quien hallándose presente aceptó dicho nombramiento y se hizo cargo de los bienes sujetos a inventario, obligándose a conservarlos a disposición del Juez o Tribunal que conozca de la causa, o a responder en otro caso con todos sus bienes del valor de los mismos, sin perjuicio de la responsabilidad criminal que procediera. Y para que así conste, extiendo la presente, que firman conmigo el Agente judicial, comisionado, el procesado (o la persona con quien se ha entendido el embargo) y el depositario.

(*Firmas de todos los concurrentes*)

M. 104.   Diligencia de embargo sin efecto

En [.../...], a [.../...] de [.../...] de [.../...]

Se ha constituido el Letrado de la administración de justicia con el Agente judicial comisionado en el domicilio de [.../...], procesado (o acusado) en esta causa, y no ha podido trabar embargo de bienes, al no haber hallado otros que los exceptuados por la Ley, y para que así conste extiendo la presente, que firma conmigo el Agente judicial.

(*Firmas del Agente judicial y del Letrado de la administración de justicia*)

M. 105.   Información testifical

(*Se encabezará la declaración con las circunstancias personales de cada testigo*) y [.../...] preguntados convenientemente y por separado manifiestan: que por su trato y relación con el procesado (o acusado) D. [.../...], saben y les consta que éste carece de bienes y rentas, acreditando en este sentido su insolvencia.

Leída se ratifican y firman con S.S.ª, doy fe.

(*Firma Juez, Letrado de la administración de justicia y testigos*)

981

M. 106. Oficio solicitando certificación de los bienes del procesado (o acusado)

Asunto [.../...]

JUZGADO DE INSTRUCCIÓN [.../...]

Por tenerlo acordado así en las Diligencias referenciadas al margen, le solicito que a la mayor brevedad posible me informe sobre si el procesado (o acusado) en dicha causa (indicar nombre, domicilio) contribuye por algún concepto al Tesoro público y en qué cantidades.

En [.../...], a [.../...] de [.../...] de [.../...]

El Juez de Instrucción

ILMO. SR. DELEGADO DE HACIENDA DE ESTA PROVINCIA.

M. 107. Auto de declaración de insolvencia del procesado o acusado

AUTO

En [.../...], a [.../...] de [.../...] de [.../...]

HECHOS

1.º. En auto de este Juzgado de fecha [.../...] se señaló la suma de [.../...] Euros para garantizar las responsabilidades civiles que en su día pudieran dictarse contra [.../...], en calidad de [.../...], requiriéndole para que prestase la correspondiente fianza, y de no verificarlo dentro del siguiente día que se le embargaran bienes por igual suma.

2.º. Formada la pertinente pieza separada y requerido el procesado (o acusado), no prestó la fianza prevenida ni fue posible embargarle bienes por no haberse hallado, acreditándose por declaraciones de testigos y por el informe correspondiente que no los posee de clase alguna.

FUNDAMENTOS DE DERECHO

Único. No poseyendo bienes el procesado (o acusado), se está en el caso de declararlo insolvente, de conformidad con lo previsto en los arts. 596 y 597 LECrim.

VISTOS los preceptos legales de general aplicación,

PARTE DISPOSITIVA

Se declara insolvente en sentido legal y para las resultas de esta causa, a [.../...], sin perjuicio de que se hagan efectivas las responsabilidades pecuniarias que en definitiva pueden serle impuestas, si en lo sucesivo mejora de fortuna.

Contra la presente resolución cabe recurso de reforma en el plazo de tres días siguientes a la última notificación.

Lo que propongo al Sr. Juez de Instrucción de [.../...] D. [.../...]

Conforme

(Firma Juez) *(Firma Letrado de la administración de justicia)*

La resolución decretando la responsabilidad civil subsidiaria de tercero se documenta en el modo siguiente:

M. 108. Auto declarando la responsabilidad civil subsidiaria o directa de tercero

AUTO

En [.../...], a [.../...] de [.../...] de [.../...]

Dada cuenta, y

HECHOS

1.º. En la presente causa, y por auto de fecha [.../...], se decretó el procesamiento de (*o bien «se incoaron Diligencias Previas contra»*) [.../...] a quien se señaló la fianza de [.../...] Euros, para asegurar las responsabilidades civiles que en definitiva pudieran declararse procedentes, ordenándose asimismo el embargo de bienes suficientes para cubrir dicha suma en el caso de que no se prestase la fianza, y fue declarada su insolvencia por auto de fecha [.../...]

2.º. *[Expresar, para el caso de que se trate, el vínculo que une al procesado (o acusado) y al tercero y del que nace la responsabilidad civil de este último].*

FUNDAMENTOS DE DERECHO

1.º. Cuando en la instrucción del sumario (o de las Diligencias Previas) aparezca racionalmente indicada la responsabilidad civil de un tercero, deberá exigírsele fianza a resultas de dicha responsabilidad, embargándole en su caso los bienes que sean necesarios, a tenor de lo dispuesto en el art. 615 LECrim.

2.º. Acreditada la existencia de un nexo previo entre el procesado (*o acusado*) como responsable civil directo y [.../...] (*indicar el nombre del tercero*) como [.../...], por concurrir una relación de [.../...] (*tutela, dependencia, consentimiento, etc.*) es procedente, conforme al art. 117 CP, declarar la responsabilidad civil directa de [.../...] en la presente causa y adoptar las oportunas medidas cautelares.

VISTOS los preceptos legales citados y demás de pertinente aplicación,

PARTE DISPOSITIVA

Se declara la presunta responsabilidad civil de [.../...] en calidad de [.../...] (*directa o subsidiaria*), y requiérasele para que en el término de una audiencia preste fianza en la cantidad de [.../...] Euros; y de no verificarlo, embárguensele bienes suficientes para cubrir la indicada suma. Líbrese testimonio de este auto, con el que se encabezará la correspondiente pieza separada de responsabilidad civil subsidiaria, notifíquese a las partes y al Ministerio Fiscal.

Contra la presente resolución cabe recurso de reforma dentro del plazo de tres días siguientes a la última notificación.

Así lo manda y rubrica D. [.../...], Juez de Instrucción de [.../...], doy fe.

(Firma Juez) *(Firma Letrado de la administración de justicia)*

DILIGENCIA: Seguidamente se cumple lo acordado, doy fe.

(NOTIFICACIÓN. A las partes interesadas.)

M. 108.Bis   Modelo de solicitud de orden de protección

Se puede descargar de la página oficial del Poder Judicial:

http://www.poderjudicial.es/cgpj/es/Temas/Violencia-domestica-y-de-ge-nero/La-orden-de-proteccion/

CAPÍTULO IX
LA PRUEBA

SECCIÓN 1.   EL DERECHO A LA PRUEBA. PRÁCTICA Y MEDIOS DE PRUEBA[(1)]

1.1.   Derecho a la prueba: su protección constitucional[(2)]

El derecho a la prueba es el soporte esencial del derecho de defensa, y comprende el derecho a la utilización de los medios pertinentes para la defensa de las respectivas pretensiones de las partes en el proceso. Así se reconoce en el art. 24 CE; el art. 6 del Convenio Europeo para la Protección de los Derechos Humanos y Libertades Funda-

---

(1) Vid. Capítulo V, referente a actos de investigación y comprobación judicial; y Capítulo VIII, Sección 3.5. Vid. Bibliografía general. Vid. también ALCAIDE GONZÁLEZ, J.M., *Guía práctica de la prueba penal*, Madrid 2005. CLIMENT DURÁN C., *La prueba penal*, Valencia 2005. DE URBANO CASTRILLO E., *La Prueba Ilícita Penal Estudio Jurisprudencial*, Cizur Menor 2007. FERNÁNDEZ LÓPEZ M., *Prueba y presunción de inocencia*, Madrid 2005. GÓMEZ COLOMER (coordinador) J.L., *Prueba y Proceso Penal*, Valencia 2008. MARCHENA GÓMEZ M., *La Prueba en el Proceso Penal Doctrina de la Sala Segunda del Tribunal Supremo*, Cizur Menor 2008. MARTÍNEZ GARCÍA E., *Eficacia de la prueba ilícita en el proceso penal*, Valencia 2003. PARDO IRANZO V., *La prueba documental en el proceso penal*, Valencia 2008. RIVES SEVA A., *La prueba de testigos en la jurisprudencia penal*, Madrid 2003. RODRÍGUEZ LAINZ, J.L., *La confesión del imputado derivada de pruebas ilícitamente obtenidas*, Barcelona 2005. ROMERO COLOMA A., *Problemática jurídica de los testimonios y declaraciones de los menores de edad*, Madrid 2003. ALMAGRO NOSETE, J., «Teoría general de la prueba en el proceso penal», *CGPJ, Cuadernos de Derecho Judicial*, n.º 1; 1992; ALVIZ Y CONRADI, «La valoración de la prueba penal», en los *Volúmenes en honor de Prieto-Castro*, cit.; GONZALEZ-CUELLAR, *La prueba en el proceso penal*, Madrid, 1993; PAZ RUBIO, J. M.ª, «La prueba en el proceso penal», *CGPJ, Cuadernos de Derecho Judicial*, n.º 1, 1992; PUYOL MONTERO, GENEROSO HERMOSO y ZARZOSA HERNÁNDEZ, *Manual práctico de doctrina constitucional en materia de prueba y del derecho fundamental a la presunción de inocencia*, Madrid, 1992; RUIZ VADILLO, F., «La actividad probatoria en el proceso penal español y las consecuencias de violarse en ella algún principio constitucional de producirse algunas determinadas irregularidades procesales», *CGPJ, Cuadernos de Derecho Judicial*, n.º 1, 1992.

(2) Vid. PICO JUNOY, «La protección del derecho a la prueba en el proceso penal», *RJC*, 1993, IV, p. 147; RODRÍGUEZ RUIZ DE VILLA, «La relevancia constitucional de la falta de práctica de los medios de prueba declarados pertinentes», *AJ*, n.º 174, 24 nov. 1994; VEGAS TORRES, Presunción de inocencia y prueba en el proceso penal, Madrid, 1993; DÍAZ CABIALE, «La admisión y práctica de la prueba en el proceso penal», *Cuaderno del CGPJ*, Madrid, 1991.

mentales de 1950; y art. 14 del Pacto Internacional de Derechos Civiles y Políticos de 19 de diciembre de 1966. Los Jueces no podrán supeditar su admisión y práctica a otros intereses que, aun estando también protegidos por el ordenamiento jurídico, son de rango inferior al derecho a la prueba, como sucede con el principio de economía procesal, el de celeridad o el de eficacia de la administración de justicia. Pero, este derecho no tiene carácter absoluto o incondicionado[3].

«La doctrina del Tribunal Constitucional sobre el derecho a utilizar los medios de prueba pertinentes para la defensa (artículo 24.2 CE (LA LEY 2500/1978)) puede ser resumida en los siguientes términos (STC 86/2008 de 21 de julio (LA LEY 103543/2008) y STC 80/2011 de 6 de junio (LA LEY 82817/2011)): a) Constituye un derecho fundamental de configuración legal, en la delimitación de cuyo contenido constitucionalmente protegido coadyuva de manera activa el Legislador, en particular al establecer las normas reguladoras de cada concreto orden jurisdiccional, a cuyas determinaciones habrá de acomodarse el ejercicio de este derecho, de tal modo que para entenderlo lesionado será preciso que la prueba no admitida o no practicada se haya solicitado en la forma y momento legalmente establecidos, y sin que en ningún caso pueda considerarse menoscabado este derecho cuando la inadmisión de una prueba se haya producido debidamente en aplicación estricta de normas legales cuya legitimidad constitucional no pueda ponerse en duda (por todas, SSTC 133/2003 de 30 de junio (LA LEY 12614/2003)) .../... Por su parte, esta Sala Segunda del Tribunal Supremo ha recordado reiteradamente la relevancia que adquiere el derecho a la prueba contemplado desde la perspectiva del derecho a un juicio sin indefensión, que garantiza nuestra Constitución (Sentencias, por ejemplo, de 14 de julio y 16 de octubre de 1.995), y también ha señalado, siguiendo la doctrina del Tribunal Constitucional, que el derecho a la prueba no es absoluto, ni se configura como un derecho ilimitado a que se admitan y practiquen todas las pruebas propuestas por las partes con independencia de su pertinencia, necesidad y posibilidad». STS 460/2016 de 27 May. 2016, Rec. 10994/2015; Ponente: Ferrer García, Ana María. LA LEY 59390/2016.

La prueba que pretenda practicar la parte debe solicitarse en tiempo y forma y ser pertinente a los hechos que se pretenden acreditar. Corresponde a los Tribunales ordi-

---

(3) «1. El derecho a defenderse de una acusación en el ámbito penal mediante el empleo de los medios de prueba pertinentes debe entenderse comprendido en el marco del derecho a un proceso equitativo al que se refiere el artículo 6.1 del Convenio para la Protección de los Derechos Humanos y de las Libertades Fundamentales (LA LEY 16/1950) y en el derecho a un proceso con las debidas garantías del artículo 14.1 del Pacto Internacional de Derechos Civiles y Políticos (LA LEY 129/1966). En nuestro ordenamiento, aunque podría considerarse incluido en el derecho a un proceso con todas las garantías, su rango constitucional deriva de su reconocimiento expreso y singularizado en el artículo 24 de la Constitución (LA LEY 2500/1978). La alegación de su vulneración es posible a través del artículo 852 o por la vía del artículo 850.1º, ambos de la LECrim (LA LEY 1/1882), aunque la invocación del primero no permite orillar las exigencias contenidas en el segundo precepto. Consiguientemente, es un derecho fundamental. Sin embargo, no es un derecho absoluto. Ya la Constitución se refiere a los medios de prueba "pertinentes", de manera que tal derecho de las partes no desapodera al Tribunal de su facultad de admitir las pruebas pertinentes rechazando todas las demás (artículos 659 (LA LEY 1/1882) y 785.1 de la LECrim (LA LEY 1/1882)). El Tribunal Constitucional ha señalado reiteradamente que el artículo 24.2 CE (LA LEY 2500/1978) no atribuye un ilimitado derecho de las partes a que se admitan y se practiquen todos los medios de prueba propuestos, sino sólo aquellos que, propuestos en tiempo y forma, sean lícitos y pertinentes (STC nº 70/2002, de 3 de abril (LA LEY 3534/2002))». STS 44/2015 de 29 Ene. 2015, Rec. 1553/2014. Ponente: Colmenero Menéndez de Luarca, Miguel. LA LEY 4620/2015.

narios declarar su pertinencia, o bien justificar razonablemente su inadmisión[4] (Véase sobre pertinencia el epígrafe siguiente). De este modo, no se producirá la vulneración del derecho de defensa cuando se inadmita la prueba en aplicación de las adecuadas normas legales[5].

«2. La denegación de la prueba ha sido correcta a juicio de esta Sala. En el caso concurrían razones de tipo formal o procesal y otra de carácter sustantivo o material. Entre las primeras hemos de citar la ausencia de petición probatoria en el escrito de conclusiones provisionales. Si el interesado ahora recurrente, no solicita en la petición de prueba que se practique la que pretende, jamás puede pronunciarse sobre ella la Audiencia y por ende no nos hallamos ante la «denegación de una prueba propuesta en tiempo y forma», como reza el artículo 850.1º L.E.Cr (LA LEY 1/1882). A pesar de los distintos rechazos, el recurrente debía solicitarla en la relación de las nuevas propuestas para el juicio oral, y en caso de nueva denegación efectuar la correspondiente protesta, aduciendo las razones de la necesidad de la prueba y la indefensión que se le producía (artículo 884.5 L.E.Cr (LA LEY 1/1882) .). Era necesario que el recurrente argumentara

---

(4)   «La doctrina del Tribunal Constitucional sobre el derecho a utilizar los medios de prueba pertinentes para la defensa (artículo 24.2 CE (LA LEY 2500/1978)) puede ser resumida en los siguientes términos (STC 86/2008 de 21 de julio (LA LEY 103543/2008) y STC 80/2011 de 6 de junio (LA LEY 82817/2011)): a) Constituye un derecho fundamental de configuración legal, en la delimitación de cuyo contenido constitucionalmente protegido coadyuva de manera activa el Legislador, en particular al establecer las normas reguladoras de cada concreto orden jurisdiccional, a cuyas determinaciones habrá de acomodarse el ejercicio de este derecho, de tal modo que para entenderlo lesionado será preciso que la prueba no admitida o no practicada se haya solicitado en la forma y momento legalmente establecidos, y sin que en ningún caso pueda considerarse menoscabado este derecho cuando la inadmisión de una prueba se haya producido debidamente en aplicación estricta de normas legales cuya legitimidad constitucional no pueda ponerse en duda (por todas, SSTC 133/2003 de 30 de junio (LA LEY 12614/2003)). b) Este derecho no tiene carácter absoluto; es decir, no faculta para exigir la admisión de todas las pruebas que puedan proponer las partes en el proceso, sino que atribuye únicamente el derecho a la recepción y práctica de aquellas que sean pertinentes, correspondiendo a los órganos judiciales el examen sobre la legalidad y pertinencia de las pruebas solicitadas». STS Sala Segunda, de lo Penal, Sentencia 1004/2016 de 23 Ene. 2017, Rec. 10262/2016; Ponente: Llarena Conde, Pablo. LA LEY 1612/2017.

(5)   «d) No toda irregularidad u omisión procesal en materia de prueba puede causar por sí misma una indefensión constitucionalmente relevante, pues la garantía constitucional contenida en el artículo 24.2 CE (LA LEY 2500/1978) únicamente cubre aquellos supuestos en los que la prueba es decisiva en términos de defensa. En concreto, para que se produzca violación de este derecho fundamental este Tribunal ha exigido reiteradamente que concurran dos circunstancias: por un lado, la denegación o la inejecución de las pruebas han de ser imputables al órgano judicial (SSTC 1/1996 de 15 de enero (LA LEY 1853/1996) y 70/2002 de 3 de abril (LA LEY 3534/2002)); y, por otro, la prueba denegada o no practicada ha de resultar decisiva en términos de defensa, debiendo justificar el recurrente en su demanda la indefensión sufrida (SSTC 217/1998 de 16 de noviembre (LA LEY 10638/1998) y 219/1998 de 16 de noviembre (LA LEY 10640/1998)). e) Esta última exigencia se proyecta en un doble plano: por una parte, el recurrente ha de demostrar la relación entre los hechos que se quisieron y no se pudieron probar y las pruebas inadmitidas o no practicadas; y, por otra parte, ha de argumentar el modo en que la admisión y la práctica de la prueba objeto de la controversia habrían podido tener una incidencia favorable a la estimación de sus pretensiones; sólo en tal caso podrá apreciarse también el menoscabo efectivo del derecho de quien por este motivo solicita amparo constitucional (SSTC 133/2003 de 30 de junio (LA LEY 12614/2003), 359/2006 de 18 de diciembre (LA LEY 160447/2006) y 77/2007 de 16 de abril (LA LEY 14411/2007))». STS Sala Segunda, de lo Penal, Sentencia 1004/2016 de 23 Ene. 2017, Rec. 10262/2016; Ponente: Llarena Conde, Pablo. LA LEY 1612/2017.

sobre la trascendencia de la inadmisión, ya que sólo si se comprueba que el fallo pudo ser otro, mediante la práctica de la prueba omitida, cabría hablar de indefensión». STS Sala Segunda, de lo Penal, Sentencia 1008/2016 de 1 Feb. 2017, Rec. 10435/2016; Ponente: Monterde Ferrer, Francisco. LA LEY 2766/2017.

A este efecto, el Tribunal deberá valorar la pertinencia de la prueba y su funcionalidad, ponderando los intereses en conflicto: el derecho de defensa de las partes, la pertinencia de la prueba propuesta y, en su caso, la necesidad de realizar el enjuiciamiento sin dilaciones indebidas. Para que la denegación de la prueba adquiera relevancia constitucional se requiere: a) la impugnación expresa de la resolución[6]; b) que la actividad no practicada y solicitada en tiempo y forma sea potencialmente trascendente para la resolución del conflicto y que, sin embargo, no haya obtenido una respuesta judicial razonable acerca de su omisión[7].

«Es doctrina del Tribunal Constitucional —entre otras SSTC 43/2003 de 3 de marzo (LA LEY 44103/2003) y 1/2004 de 14 de enero— que el derecho a la prueba está delimitado por cuatro consideraciones: a) Que la prueba sea pertinente, pues sólo a ella se refiere el art. 24-2 de la Constitución (LA LEY 2500/1978), lo que equivale a afirmar que el derecho a la prueba no es un derecho absoluto que exija la admisión por el Tribunal de todas las propuestas como se indica expresamente en el art. 659 LECrim. (LA LEY 1/1882), el Tribunal "dictará auto admitiendo las que considera pertinentes y rechazando las demás. b) Que dada su configuración legal, es preciso que la parte concernida la haya propuesto de acuerdo con las previsiones de la Ley procesal, es decir en tiempo oportuno y de forma legal, sin olvidar la propuesta constitucional que tal denegación

(6) «1º) La prueba denegada tendrá que haber sido pedida en tiempo y forma, en el escrito de conclusiones provisionales y también en el momento de la iniciación del juicio en el procedimiento abreviado (art. 793; ap. 2 de la citada Ley actual art. 786.2). 2º) La prueba tendrá que ser pertinente, es decir relacionada con el objeto del proceso y útil, esto es con virtualidad probatoria relevante respecto a extremos fácticos objeto del mismo; exigiéndose, para que proceda la suspensión del juicio, que sea necesaria; oscilando el criterio jurisprudencial entre la máxima facilidad probatoria y el rigor selectivo para evitar dilaciones innecesarias; habiendo de ponderarse la prueba de cargo ya producida en el juicio, para decidir la improcedencia o procedencia de aquella cuya admisión se cuestiona. 3º) Que se deniegue la prueba propuesta por las partes, ya en el trámite de admisión en la fase de preparación del juicio, ya durante el desarrollo del mismo, cuando se pide en tal momento la correlativa suspensión del juicio. 4º) Que la práctica de la prueba sea posible por no haberse agotado su potencia acreditativa. Y 5º) Que se formule protesta por la parte proponente contra la denegación (SSTS 1661/2000 de 27-11 (LA LEY 1316/2001); 869/2004, de 2-7 (LA LEY 13731/2004); 705/2006, de 28-6 (LA LEY 77142/2006); y 849/2013, de 12-11 (LA LEY 184998/2013))». STS 881/2016 de 23 Nov. 2016, Rec. 2301/2015; Ponente: Saavedra Ruiz, Juan. LA LEY 171424/2016.

(7) «Requisitos y criterios que ha ido conformando este Tribunal para la consideración de la vulneración del derecho a la utilización de los medios de prueba pertinentes para la defensa puede configurarse del siguiente modo: a) la actividad probatoria ha de ser solicitada en la forma y momento legalmente establecidos (SSTC 149/1987 y 1/1996); b) la actividad ha de ser pertinente, lo que, a partir de la competencia de los órganos judiciales para la evaluación de pertinencia (SSTC 44/1984, 147/1987 y 233/1992), supone que el recurrente ha de argumentar convincentemente en torno a la pertinencia de la prueba denegada sin que, por contra, el órgano judicial haya fundamentado el rechazo de un modo no irrazonable (SSTC 233/1992, 131/1995 y 1/1996), o de un modo tardío tal que genere indefensión o riesgo de prejuicio o condicionamiento de su solución sobre la prueba o de la decisión de fondo (SSTC 89/1995 y 131/1995); y c) la prueba ha de ser relevante para la decisión del litigio (SSTC 30/1986 y 149/1987), "decisiva en términos de defensa" (STC 1/1996)». STC 218/1997 de 4 de diciembre.

puede tener en caso de provocar indefensión al afectar al derecho a utilizar los medios de prueba pertinentes para la defensa de la persona concernida. c) Desde la perspectiva del Tribunal sentenciador, que éste la haya desestimado, debiéndose verificar las razones aducidas para ello y su razonabilidad, lo que supone comprobar las razones expresadas por el Tribunal de instancia para su rechazo. d) Al tratarse el derecho a la prueba de un derecho medial/procedimental es preciso acreditar que tal denegación ha podido tener una influencia en el fallo, porque podría haberse variado el resultado final, y es esta aptitud de la prueba denegada en relación al fondo del asunto, lo que da lugar a la indefensión que proscribe la Constitución —como ya se ha dicho--, indefensión que debe ser material y no simplemente formal. Por ello, no toda denegación en materia de prueba, causa *sic et simpliciter* una indefensión constitucionalmente relevante». STS Sala Segunda, de lo Penal, Sentencia 620/2016 de 12 Jul. 2016, Rec. 186/2016 Ponente: Giménez García, Joaquín. LA LEY 76837/2016.

Además, la parte que invoque la vulneración del derecho a la utilización de los medios de prueba pertinentes a su derecho de defensa deberá acreditar: a) La relación entre los hechos que se quisieron y no se pudieron probar y las pruebas inadmitidas. Es decir, que la prueba era pertinente, de posible realización[8] y necesaria[9]. Y b) que la resolución final del proceso podría haberle sido favorable de haberse aceptado y practicado la prueba objeto de la controversia. (Véase la STC 1/96, de 15 enero)[10]. En definitiva, la denegación de la prueba solicitada tiene

---

(8) «Debe acreditarse el cumplimiento del protocolo de proposición y protesta por parte de la parte a la que se le haya denegado la prueba y que quiere hacer valer su derecho en esta sede casacional y por último que la prueba en concreto sea de posible realización, ya que si es imposible o de muy difícil realización, lo que debería acreditarse, no habría quiebra de derechos de alcance constitucional, precisamente por la imposibilidad de su práctica». STS Sala Segunda, de lo Penal, Sentencia 620/2016 de 12 Jul. 2016, Rec. 186/2016 Ponente: Giménez García, Joaquín. LA LEY 76837/2016.

(9) «Esta Sala de casación, al examinar el requisito de la necesidad de la prueba denegada, establece, en la sentencia 545/2014, de 26 de junio (LA LEY 89599/2014), que para que pueda prosperar un motivo por denegación de prueba hay que valorar no sólo su pertinencia sino también y singularmente su necesidad; más aún, su indispensabilidad en el sentido de eventual potencialidad para alterar el fallo. La prueba debe aparecer como indispensable para formarse un juicio correcto sobre los hechos justiciables. La necesidad es requisito inmanente del motivo de casación previsto en el art. 850.1 LECrim (LA LEY 1/1882). Si la prueba rechazada carece de utilidad o no es "necesaria" a la vista del desarrollo del juicio oral y de la resolución recaída, el motivo no podrá prosperar. El canon de "pertinencia" que rige en el momento de admitir la prueba se muta por un estándar de "relevancia" o "necesidad" en el momento de resolver sobre un recurso por tal razón». STS 883/2016 de 23 Nov. 2016, Rec. 446/2016; Ponente: Jorge Barreiro, Alberto Gumersindo. LA LEY 171423/2016.

(10) «Obviamente, de verificarse la circunstancia de que la prueba inadmitida no era decisiva en términos de defensa, resultará *ab initio*, sin necesidad de ulterior análisis, que no habría existido la lesión denunciada, ya que el derecho fundamental a utilizar los medios de prueba pertinentes no abarca a meras infracciones de legalidad que no hayan generado una real y efectiva indefensión. En tal sentido, SSTS 1092/94 de 27 de mayo, 336/95 de 10 de marzo, 48/96 de 29 de enero, 276/96 de 2 de abril, 649/2000 de 19 de abril (LA LEY 8296/2000), 1213/2003 (LA LEY 11508/2004), 474/2004 (LA LEY 1522/2004), 1545/2004 de 23 de diciembre (LA LEY 270959/2004), 1031/2006, 1107/2006; 281/2009; 1373/2009 o 154/2012, entre otras. Del Tribunal Constitucional, además de las más arriba citadas, se pueden añadir las SSTC 51/85 de 10 de abril (LA LEY 9895-JF/0000), 212/90 de 20 de diciembre (LA LEY 1604-TC/1991), 8/92 de 11 de junio; 187/96 (LA LEY 507/1997) de 25 de diciembre; 258/2007; 152/2007; 174/2008; 121/2009 o 80/2011 y del TEDH casos Bricmont, Kotovski, Windisch y Delta, entre otros». STS Sala Segunda, de lo Penal, Sentencia 620/2016 de 12 Jul. 2016, Rec. 186/2016 Ponente: Giménez García, Joaquín. LA LEY 76837/2016.

que producir indefensión a la parte, al no poder aportarla para su valoración en el proceso[11].

> «No toda denegación en materia de prueba, causa *sic et simpliciter* una indefensión constitucionalmente relevante. Antes bien para que se produzca la misma han de concurrir dos requisitos: 1º) Que la denegación de la prueba concernida, debe ser imputable al órgano judicial y 2º) Que la prueba denegada ha de resultar decisiva en términos de defensa, debiendo en consecuencia, la parte concernida argumentar en un doble sentido: a) deberá acreditarse la relación entre los hechos que se quisieron probar y no se pudo hacerlo por la denegación de la prueba, y asimismo b) deberá argumentar que la decisión final del caso podría haber sido diferente de haberse admitido la prueba, lo que acreditaría no solo la pertinencia de la prueba sino su necesidad, necesidad que acarrearía la indefensión que prohíbe la Constitución — SSTC 1/1996 (LA LEY 1853/1996); 219/1998 (LA LEY 10640/1998); 237/1999 (LA LEY 3413/2000); 70/2002 (LA LEY 3534/2002); 359/2006 (LA LEY 160447/2006); 77/2007 (LA LEY 14411/2007); 1373/2009 y 246/2012—». STS Sala Segunda, de lo Penal, Sentencia 620/2016 de 12 Jul. 2016, Rec. 186/2016 Ponente: Giménez García, Joaquín. LA LEY 76837/2016.

La infracción del derecho a la prueba comprende tanto la inadmisión decretada de forma improcedente como la no ejecución de la misma, después de admitida, cuando se ha denegado la suspensión del juicio oral siendo la práctica de aquélla necesaria[12]. Tampoco es admisible fundar la sentencia en la falta de prueba de los hechos cuya acreditación se pretendía con prueba que fue denegada por el Tribunal.

> «f) Finalmente, ha venido señalando también el Tribunal Constitucional que el artículo 24 CE (LA LEY 2500/1978) impide a los órganos judiciales denegar una prueba oportunamente propuesta y fundar posteriormente su decisión en la falta de acreditación de los hechos cuya demostración se intentaba obtener mediante la actividad probatoria que no se pudo practicar. En tales supuestos lo relevante no es que

---

(11) «... la respuesta del órgano judicial, aunque fundada en Derecho y formalmente motivada, puede resultar viciada de raíz cuando es arbitraria (por todas, STC 160/1997, de 2 de octubre). .../... Hemos dicho concretamente sobre este particular en la STC 10/2000, de 17 de enero, F. 2, que «así puede suceder en el caso de que ese derecho fundamental previamente vulnerado haya sido el derecho a utilizar los medios de prueba pertinentes para su defensa, causando el órgano judicial indefensión a la parte al desestimar sus pretensiones por no haberlas demostrado, cuando no se pudieron acreditar, precisamente porque ese mismo órgano judicial truncó irremediablemente la correcta práctica de su prueba (SSTC 217/1998, de 16 de noviembre; 221/1998, de 24 de noviembre, y 183/1999, de 11 de octubre). Con ello, el órgano judicial limita los derechos de defensa del demandante al frustrar los medios de prueba de los que se pretendía servir para fundar sus alegaciones por causas que sólo al propio órgano judicial son imputables, resolviendo desestimarlas, justamente, por no haberlas acreditado (SSTC 48/1984, de 4 de abril; 90/1987, de 3 de junio; 29/1990, de 26 de febrero, y 138/1999, de 22 de julio, entre otras muchas)». STC 81/2002 de 22 de abril.

(12) «En segundo lugar, ante la resolución del Tribunal, que debe ser fundada, rechazando las que no considere pertinentes, o denegando la suspensión del juicio ante la imposibilidad de practicar en ese momento las previamente admitidas, quien ha propuesto la prueba debe hacer constar la oportuna protesta, tras la reproducción de su petición en las condiciones exigidas por el artículo 785 LECrim (LA LEY 1/1882) cuando se trate de Procedimiento Abreviado», ATS Sala Segunda, de lo Penal, Auto 367/2016 de 11 Feb. 2016, Rec. 1787/2015. Ponente: Monterde Ferrer, Francisco. LA LEY 15163/2016.

las pretensiones de la parte se hayan desestimado, sino que la desestimación sea la consecuencia de la previa conculcación por el propio órgano judicial de un derecho fundamental del perjudicado, encubriéndose tras una aparente resolución judicial fundada en Derecho una efectiva denegación de justicia (SSTC 37/2000 de 14 de febrero (LA LEY 5197/2000), 19/2001 de 29 de enero (LA LEY 2903/2001), 73/2001 de 26 de marzo (LA LEY 5119/2001), 4/2005 de 17 de enero (LA LEY 10837/2005), 308/2005 de 12 de diciembre (LA LEY 10363/2006), 42/2007 de 26 de febrero (LA LEY 6553/2007) y 174/2008 de 22 de diciembre (LA LEY 216406/2008))». STS Sala Segunda, de lo Penal, Sentencia 1004/2016 de 23 Ene. 2017, Rec. 10262/2016; Ponente: Llarena Conde, Pablo. LA LEY 1612/2017.

1.2. Criterios para la admisión de la prueba: Pertinencia y necesidad

El derecho a la prueba no comporta que deban admitirse todos los medios de prueba propuestos por las partes. Solamente deberán admitirse aquellos medios de prueba en los que concurran los requisitos de pertinencia y de necesidad o relevancia[13]. Se trata de dos conceptos que, como declara el TS, implican una graduación de exigencia lógica. Así, si «pertinente» es lo oportuno y adecuado, «necesario» quiere decir tanto como obligado y forzoso.

«La jurisprudencia ha proporcionado dos criterios, el de la pertinencia y el de la relevancia. Por la primera se exige una relación entre las pruebas y el objeto del proceso. La relevancia presenta un doble aspecto, el funcional, relativo a los requisitos formales necesarios para la práctica y desarrollo de la prueba y de la impugnación; y el material, relativo a la potencialidad de la prueba denegada con relación a una alteración del fallo de la sentencia (STS 136/2000 de 31.1). Así pues, para que tenga éxito un recurso de casación basado en este motivo, es preciso que el órgano judicial haya denegado la diligencia de prueba no obstante merecer la calificación de "pertinentes", porque no está obligado el Juez a admitir todos los medios de prueba que cada parte estime pertinentes a su defensa "sino los que el Juzgador valore libre y razonablemente como tales". Y dos son los elementos a valorar al respecto: la pertinencia, propiamente dicha, y la relevancia de la prueba propuesta: "pertinencia" es la relación entre las pruebas propuestas con lo que es objeto del juicio y constituye *thema decidendi*; "relevancia" existe cuando la no realización de tal prueba, por su relación con los hechos a que se anuda la condena o la absolución u otra consecuencia penal relevante, pudo alterar la Sentencia en favor del proponente, pero no cuando dicha omisión no haya influido en el contenido de ésta, a cuyo tenor el Tribunal puede tener en cuenta el resto de las pruebas de que dispone, por ello ha de ser necesaria, es decir que tenga utilidad para los intereses de defensa de quien la propone, de modo que su omisión le cause indefensión, y ha de ser posible, en atención a las circunstancias que rodean su práctica (STS 21.5.2004)». STS 7 de marzo de 2007, LA LEY 8974/2007.

---

(13) «b) Este derecho no tiene carácter absoluto; es decir, no faculta para exigir la admisión de todas las pruebas que puedan proponer las partes en el proceso, sino que atribuye únicamente el derecho a la recepción y práctica de aquellas que sean pertinentes, correspondiendo a los órganos judiciales el examen sobre la legalidad y pertinencia de las pruebas solicitadas». STS Sala Segunda, de lo Penal, Sentencia 1004/2016 de 23 Ene. 2017, Rec. 10262/2016; Ponente: Llarena Conde, Pablo. LA LEY 1612/2017.

La pertinencia de la prueba se concreta en la admisión de la misma por su relación con el «*thema decidendi*». Así, prueba pertinente será aquélla oportuna y adecuada en orden a la aportación de un resultado útil al proceso. Este criterio de pertinencia rige para su admisión por el órgano judicial en el momento de proceder a la apertura del juicio oral.

> «La prueba tendrá que ser pertinente, es decir relacionada con el objeto del proceso y útil, esto es con virtualidad probatoria relevante respecto a extremos fácticos objeto del mismo». STS 883/2016 de 23 Nov. 2016, Rec. 446/2016; Ponente: Jorge Barreiro, Alberto Gumersindo. LA LEY 171423/2016.

El Tribunal deberá aplicar este criterio con proporcionalidad y pleno respeto al derecho de defensa de las partes. No es admisible un examen sumario de pertinencia asumiendo de inicio la imposibilidad de practicar una prueba sin haber realizado una mínima actividad en orden a favorecer la práctica de la prueba. En consecuencia, el Tribunal deberá motivar razonablemente la denegación, en su caso, de las pruebas propuestas con base en los criterios legales y jurisprudenciales de aplicación.

> «c) El órgano judicial ha de motivar razonablemente la denegación de las pruebas propuestas, de modo que puede resultar vulnerado este derecho cuando se inadmitan o no se ejecuten pruebas relevantes para la resolución final del asunto litigioso sin motivación alguna, o la que se ofrezca resulte insuficiente, o supongan una interpretación de la legalidad manifiestamente arbitraria o irrazonable». STS Sala Segunda, de lo Penal, Sentencia 1004/2016 de 23 Ene. 2017, Rec. 10262/2016; Ponente: Llarena Conde, Pablo. LA LEY 1612/2017.

La prueba será necesaria cuando su práctica resulte indispensable y forzosa para la defensa del acusado, a fin de evitar su indefensión. El concepto de necesidad o relevancia está directamente relacionado con la posibilidad de practicar la prueba pertinente admitida.

> «Como requisitos materiales, la prueba ha de ser pertinente, esto es, relacionada con el objeto del juicio y con las cuestiones sometidas a debate en el mismo; ha de ser relevante, de forma que tenga potencialidad para modificar de alguna forma importante el sentido del fallo, a cuyo efecto el Tribunal puede tener en cuenta el resto de las pruebas de que dispone (STS n.º 1591/2001, de 10 de diciembre (LA LEY 3081/2002) y STS n.º 976/2002, de 24 de mayo (LA LEY 10104/2003)); ha de ser necesaria, es decir, que tenga utilidad para los intereses de defensa de quien la propone, de modo que su omisión le cause indefensión (STS n.º 1289/1999, de 5 de marzo); y ha de ser posible, en atención a las circunstancias que rodean su práctica. (STS 344/2004 de 12 de marzo (LA LEY 12492/2004))». ATS Sala Segunda, de lo Penal, Auto 367/2016 de 11 Feb. 2016, Rec. 1787/2015. Ponente: Monterde Ferrer, Francisco. LA LEY 15163/2016.

En este sentido, la imposibilidad de practicar la prueba admitida, v.g. por la incomparecencia de testigos, puede determinar la suspensión de la vista según el criterio de necesidad de la prueba (art. 746.3 LECrim, a «*contrario sensu*») (Véase § 4.6 Cap. XIII sobre suspensión del juicio oral)[14]. De modo que cuando se considere

---

(14) Vid. BARONA VILAR, «La incomparecencia de testigos como causa de suspensión de la vista en el proceso penal», *Justicia*, 1984, IV, p. 907.

que la prueba no es necesaria, se acordará la continuación del juicio, sin la práctica de dicha prueba. Pero, deberá acordarse la suspensión en el caso que la prueba se considere relevante, con la consecuencia que la práctica de las pruebas omitidas pudiera haber alterado los presupuestos de la convicción del juzgador sobre los hechos que se hayan declarado probados con potencial trascendencia en el fallo.

«La prueba fue admitida por la Sala por auto de 27 de junio de 2013, pero es lo cierto que se puso en conocimiento del Tribunal que no constaba la contestación de la aerolínea solicitando la suspensión de la Vista por tal causa, petición que no fue aceptada por el Tribunal. Al respecto se alega por el recurrente que a pesar de las gestiones efectuadas no se obtuvo respuesta solicitada y que incluso con ocasión de la conclusión del Sumario ya se solicitó la misma, interesando la revocación del mismo, lo que tampoco se aceptó, alegándose que podría solicitarse como prueba anticipada. Consta en los autos que el Tribunal intentó la práctica de la prueba pero no fue posible por falta de datos para su ejecución, ya que la compañía aérea no carecía de tales datos remitiéndose a la policía holandesa quien en todo caso podría tener tal dato. Lo cierto es que tal prueba no fue practicada, pero sí intentada y, se dice por el recurrente, que ello le causó indefensión. No existió tal indefensión, porque sin perjuicio de que la prueba documental fuera solicitada y admitida, es lo cierto que para que tal privación de prueba pueda tener una proyección constitucional al lesionar el derecho a la utilización de los medios de prueba pertinentes, la prueba de la que se vio privada la parte concernida, debe ser prueba necesaria, es decir, tiene aptitud para poder variar el resultado final, o, lo que es lo mismo, tener incidencia directa en la responsabilidad penal de la persona que la propuso, de suerte que el resultado pudo haber sido otro de habérsele permitido a la parte concernida la posibilidad de acreditar aquélla que le fue impedida al Tribunal, y a tal efecto no basta con que alegue la indefensión, sino que debe argumentar eficazmente porqué tal prueba era necesaria en el sentido expuesto, y al respecto, nada ha argumentado el recurrente. En definitiva, se está ante una prueba intentada, que no pudo llevarse a cabo, en todo caso no era necesaria, no habiendo argumentado eficazmente el recurrente nada al respecto, y por tanto que no incidió para nada en el derecho de defensa. SSTS 1545/2005 (LA LEY 249410/2005); 1373/2009 (LA LEY 289739/2009); 38/2010 (LA LEY 1564/2010); 679/2010 (LA LEY 114114/2010); 541/2010 (LA LEY 93463/2010) o 246/2012 (LA LEY 39716/2012), entre otras». STS Sala Segunda, de lo Penal, Sentencia 168/2015 de 25 Mar. 2015, Rec. 1342/2014. Ponente: Giménez García, Joaquín. LA LEY 55095/2015.

1.3. Solicitud y práctica de la prueba

La prueba en el proceso penal tiene por función la de averiguar la verdad material de los hechos, con el fin de formar la convicción del Tribunal sobre la responsabilidad penal del acusado (*vid.* arts. 701.6 y 726 LECrim). Con este fin, La prueba se dirige a acreditar los hechos que fundamentan las pretensiones de las partes: de acusación o absolución; y ya sea para probar la propia alegación como para enervar o desvirtuar la pretensión de la adversa. Las pruebas de que intenten valerse las partes deberán haber sido solicitadas en sus respectivos escritos de calificación —de acusación y de defensa—; y no en momento posterior (Véase sobre estos escritos § 4.4 Cap. XI para el procedimiento ordinario; § 4.1, 4.2 Cap. IX para el procedimiento abreviado; y § 5.2 Cap. XII para el procedimiento de Tribunal de Jurado).

993

«Es cierto que del juego de los artículos 656 y 728 LECrim. se desprende, en relación con el procedimiento ordinario, que es el momento de la calificación cuando el Ministerio Fiscal y las partes deben manifestar en sus respectivos escritos "las pruebas de que intenten valerse, presentando listas de peritos y testigos que hayan de declarar a su instancia", precluyendo, por ello, con dicho trámite la posibilidad de solicitar nuevas pruebas, mientras en el procedimiento abreviado el artículo 785.1.2 autoriza que hasta el "inicio de las sesiones del juicio oral ... podrán incorporarse a la causa los informes, certificaciones y demás documentos que el Ministerio Fiscal y las partes estimen oportuno y el Juez o Tribunal admitan", estableciendo igualmente que las pruebas ya propuestas en los escritos de calificación y denegadas pueden ser objeto de nueva petición, lo que quiere decir que sólo la prueba documental y documentada es susceptible de introducirse *ex novo* en el momento de iniciarse el juicio oral. En cualquier caso, en el procedimiento abreviado el legislador suaviza la rigidez que se deriva del ordinario del artículo 728 LECrim (LA LEY 1/1882) en relación con el momento de la proposición de las pruebas». STS 881/2016 de 23 Nov. 2016, Rec. 2301/2015; Ponente: Saavedra Ruiz, Juan. LA LEY 171424/2016.

Sin perjuicio de que en el procedimiento abreviado se puede proponer, en el trámite de cuestiones previas, la práctica de prueba para el acto del juicio oral, supeditada al cumplimiento de la condición esencial de no impedir la continuación del juicio (art. 786.2 LECrim, Véase § 5.4 Cap. IX). Trámite excepcional de proposición de prueba que en algunos casos también se ha admitido en el juicio ordinario, en el que no existe una previsión expresa en ese sentido, siempre que la petición no suponga un fraude procesal o constituya un obstáculo al principio de contradicción e igualdad de partes[15].

«Como recuerda la STS 1060/2006 de 11.10 (LA LEY 138568/2006), una no ya reciente línea jurisprudencial abrió la posibilidad de proponer y admitir prueba con posterioridad al de calificación provisional y anterioridad al comienzo del Juicio oral, cuando existan razones justificadas para ello y siempre que concurran los requisitos —obvios— de que esta nueva proposición de pruebas no suponga un fraude procesal y no constituya un obstáculo al principio de contradicción e igualdad de partes (STS 13.12.96), posibilidad admisible, por ejemplo, en los supuestos de que la parte concernida estime necesario proponer alguna prueba adicional no conocida o no accesible en el momento de la calificación. En conclusión hay que declarar expresamente la posibilidad de presentar petición adicional de prueba con posterioridad al

---

(15) «En el artículo 728 de la LECrim (LA LEY 1/1882) se precisa que en el plenario «no podrán practicarse otras diligencias de prueba que las propuestas por las partes, ni ser examinados otros testigos que los comprendidos en las listas presentadas», dejando a salvo los supuestos previstos en el artículo 729. No obstante, como el propio recurrente reconoce, en la STS nº 872/2008 (LA LEY 193668/2008), se reconocía la posibilidad de "admitir en el proceso Sumario la Audiencia Preliminar del art. 786 LECrim. (LA LEY 1/1882)prevista inicialmente para el Procedimiento Abreviado, y, en consecuencia la posibilidad de proponer nuevas pruebas en dicho incidente con la única limitación de que deban practicarse en el acto, es decir, que la prueba nueva no suponga una suspensión de la vista ...", citando como precedente, entre otros, la STS nº 1060/2006 (LA LEY 138568/2006), en la que se admitía la proposición y admisión de pruebas después del escrito de conclusiones provisionales y antes del juicio oral, si bien el Tribunal deberá verificar que existen razones justificadas para ello, que no supone un fraude procesal y que se respeten los principios de contradicción e igualdad de armas entre las partes». STS 44/2015 de 29 Ene. 2015, Rec. 1553/2014. Ponente: Colmenero Menéndez de Luarca, Miguel. LA LEY 4620/2015.

escrito de calificación provisional siempre que: a) Esté justificada de forma razonada. b) No suponga un fraude procesal y c) No constituya un obstáculo a los principios de contradicción e igualdad en garantía de la interdicción de toda indefensión. Se trata, se insiste, en la STS 1060/2006 de 11.10 (LA LEY 138568/2006) ya citada, de una línea jurisprudencial ya consolidada, y que de alguna manera quedó reforzada con la posibilidad legalmente admitida para el Procedimiento Abreviado tanto competencia del Juzgado de lo Penal como de la Audiencia Provincial de presentar prueba hasta el mismo momento del acto del Juicio Oral como expresamente permite el art. 793-2º de la LECrim. (LA LEY 1/1882), actual artículo 786 tras la reforma dada por la Ley 38/2002 de 24 de octubre (LA LEY 1490/2002), en el marco de la Audiencia Preliminar que precede al debate del Plenario». STS 912/2016 de 1 Dic. 2016», Rec. 355/2016. Ponente: Berdugo Gómez de la Torre, Juan Ramón. LA LEY 177402/2016.

Además debe tenerse en cuenta el art. 729 LECrim que de modo excepcional permite al Tribunal acordar de oficio: «*2.º Las diligencias de prueba no propuestas por ninguna de las partes, que el Tribunal considere necesarias para la comprobación de cualquiera de los hechos que hayan sido objeto de los escritos de calificación*»[(16)].

En los escritos de calificación se propondrán las pruebas de que se quieran valer las partes reclamando, en su caso, los documentos que se pretendan utilizar como prueba; así como presentando las listas de peritos y testigos que hayan de declarar a su instancia, manifestando el interesado si deben ser citados o no judicialmente —arts. 656 y 781.1 párr. 2.º—. El Tribunal mandará expedir los exhortos o mandamientos necesarios para la citación de los peritos y testigos que la parte hubiese designado, debiendo incluirse indudablemente los despachos pertinentes cuando

---

(16) «El artículo 729 constituye una excepción a la regla general y por ello de siempre se ha estimado que no puede ser objeto de interpretación extensiva por los Tribunales hablándose de pruebas complementarias que se justifican por la propia naturaleza de los valores presentes en el proceso penal que no se compatibilizan con verdades formales. Pero es preciso subrayar que la mayoría de la doctrina y la jurisprudencia, desde nuestra Constitución de 1978 (LA LEY 2500/1978), se ha esforzado principalmente por establecer y desarrollar el sistema de garantías procesales-penales desde la perspectiva del acusado. Por ello no puede desconocerse la enorme relevancia de la búsqueda de la verdad material en el proceso penal que desde luego es compatible con la asunción plena del sistema de garantías. Las excepciones a la regla general del artículo 728 comprendidas en el 729 LECrim (LA LEY 1/1882) constituyen en principio supuestos excepcionales que además no son homogéneos. En el presente supuesto debemos fijarnos en su número tercero que autoriza "las diligencias de prueba de cualquier clase que en el acto ofrezcan las partes para acreditar alguna circunstancia que pueda influir en el valor probatorio de la declaración de un testigo, si el Tribunal las considera admisibles". Esta autorización está estrechamente conectada con el artículo 741 LECrim (LA LEY 1/1882) ... En efecto, si el tribunal, "apreciando según su conciencia las pruebas practicadas en el juicio, las razones expuestas por la acusación y la defensa y lo manifestado por los mismos procesados, dictará sentencia...", ello implícitamente excluye en el proceso penal el incidente de tacha de testigos, pues es el propio tribunal, directamente mediando la inmediación, quien percibe por sí mismo la solvencia del testigo. Sin embargo, ello no puede ser suficiente si concurren hechos obstativos de la veracidad de un testimonio, estando la excepción concebida para preservar el derecho de defensa de las partes. La justificación de su producción en el juicio oral es la necesidad de oír previamente la declaración, pues en el escrito de calificación no puede preverse el contenido de aquélla sustentador de la tacha, ya que ésta se dirige al contenido de lo declarado y no a la persona del testigo propiamente dicho (el sistema es de dispensa de declarar como testigos en los supuestos de los artículos 416 y siguientes LECrim (LA LEY 1/1882) .)». STS 881/2016 de 23 Nov. 2016, Rec. 2301/2015; Ponente: Saavedra Ruiz, Juan. LA LEY 171424/2016.

se trate de la prueba documental, huérfana, por otra parte, de regulación legal en LECrim (art. 660 LECrim). También le cabe solicitar a la parte la presencia en el acto del juicio de las piezas de convicción (art. 688 LECrim).

La prueba deberá practicarse durante las sesiones del juicio oral, siendo estos debates públicos —arts. 680 y 688 LECrim—; y se realizará concentradamente, en las sesiones consecutivas que sean necesarias —art. 788.1.º LECrim—. En el procedimiento abreviado sólo se contemplan puntuales especialidades —art. 788.2º LECrim—, por lo que deberá acudirse a las normas reguladoras de la prueba en el procedimiento ordinario, en virtud de la remisión genérica que efectúa el art. 758 LECrim.

1.4. Medios de prueba

Los medios de prueba aptos para desvirtuar la presunción de inocencia son los que se practican durante la fase de juicio oral, bajo los principios de inmediación, contradicción, oralidad y publicidad. Esta regla general admite unos matices, cuando se trata de prueba anticipada y determinadas diligencias sumariales, realizadas con las debidas garantías procesales. Ver sobre esa cuestión el § 1.6 de este Capítulo. Los medios de prueba se corresponden con los actos de investigación judicial que preparan las pruebas que se practicarán en el acto del juicio oral. Estos actos se analizan en el Cap. VII, donde se analizan cada uno de ellos con referencia al modo de introducirlos en el proceso y a su valor probatorio. Es por ello que sólo se expondrán aquí sucintamente las notas esenciales que caracterizan los distintos medios de prueba, en cuanto a su práctica en el acto del juicio oral. En cualquier caso, si bien la prueba tiene por lo general como referente las diligencias de instrucción no resulta necesario que sea así. Por esa razón, ninguna preclusión para solicitar la práctica de prueba resulta de la conformidad del acusado con la conclusión sumarial[17].

A) Piezas de Convicción

Las piezas de convicción son los objetos (arma, instrumento o cosas de cualquier clase) relacionadas con el delito, que se aseguran durante la instrucción con la finalidad de poder practicar prueba sobre ellas en el plenario.

«Por pieza de convicción puede entenderse cualquier arma, instrumento u objeto relacionado con el delito de suerte que su presencia para el acto del plenario

---

(17) «La preclusión que resulta de la firmeza del Auto de conclusión del sumario atañe a la actividad sumarial y por consiguiente a la práctica de nuevas diligencias de esa naturaleza, que no pueden confundirse con la actividad probatoria propiamente dicha a desarrollar en el Juicio Oral, y cuya proposición tiene lugar, concluido ya el sumario, en las conclusiones provisionales, dando lugar a un pronunciamiento de admisión, favorable o no, que depende de la relación existente entre el objeto del proceso y las pruebas propuestas por la parte. Es obvio que en conclusiones provisionales el hoy recurrente no propuso continuar la investigación sumarial, ni interesó actuaciones propias de esa fase procesal, sino que propuso las pruebas a practicar en el Juicio Oral. Por otra parte ninguna norma exige que las pruebas del Juicio Oral hayan de tener algún antecedente en las diligencias practicadas en fase de instrucción». STS Sala Segunda, de lo Penal, Sentencia 1341/2000 de 20 Nov. 2000, Rec. 2058/1998. Ponente: Prego de Oliver Tolivar, Adolfo. LA LEY 1198/2001.

se garantizará durante la fase de instrucción. La muestra de las piezas de convicción en el acto del juicio no tienen otro efecto, al igual que el de la práctica del resto de las pruebas, que el Tribunal pueda formar de la manera más correcta su convicción, pudiendo pedir a los acusados o testigos que depongan que las reconozcan o describan». STS Sala Segunda, de lo Penal, Sentencia 910/2005 de 8 Jul. 2005, Rec. 735/2004. Ponente: Berdugo Gómez de la Torre, Juan Ramón. LA LEY 13000/2005.

La presencia de las piezas de convicción al inicio de las sesiones del juicio oral —art. 688 LECrim.— es preceptivo, aun cuando las partes no lo soliciten como medio de prueba. Igual sucede en el caso del procedimiento del Tribunal de Jurado, para el que el art. 46 de la LJ dispone que los jurados examinarán los libros, documentos y demás piezas de convicción. Ahora bien, excepto en el supuesto del Jurado que por sus características exige la presencia de las piezas de convicción en el plenario, la ausencia de éstas en el resto de procedimientos constituye únicamente una irregularidad sin mayor trascendencia procesal[18].

«a) La presencia de las piezas de convicción al inicio del juicio oral es preceptiva aunque las partes no lo soliciten como medio de prueba. No obstante, en este caso, la no colocación de las piezas de convicción en el local del Tribunal no constituye motivo de casación, según reiterada jurisprudencia (SSTS 2.6.86, 6.6.87), como excepción, la omisión de lo dispuesto en el art. 688 LECrim (LA LEY 1/1882) sí puede motivar el recurso de casación si concurren los siguientes condicionamientos: 1º Cuando las piezas de convicción están incorporadas a la causa. 2º La existencia de petición de parte en el escrito de conclusiones provisionales para completar otras pruebas personales (testifical o pericial). 3º Denuncia en el acto del juicio, haciendo constar la protesta correspondiente, y exponiendo los argumentos que —según la parte— darían significación o valor probatorio a la exhibición, o especificando para qué objetivo concreto se quería que estuvieran presentes. 4º Necesariedad de la prueba que debe apreciar este Tribunal al revisar la decisión denegatoria de la Audiencia Provincial, es decir, juzgar nuevamente sobre la pertinencia de la presencia y examen de las piezas de convicción en la doble vertiente material y funcional, pues sin un juicio positivo sobre este punto no puede hablarse de indefensión (STS 6.4.1987)». STS Sala Segunda, de lo Penal, Sentencia 910/2005 de 8 Jul. 2005, Rec. 735/2004. Ponente: Berdugo Gómez de la Torre, Juan Ramón. LA LEY 13000/2005.

---

(18) «a) La presencia de las piezas de convicción al inicio del juicio oral es preceptiva aunque las partes no lo soliciten como medio de prueba. No obstante, en este caso, lo no colocación de las piezas de convicción en el local del Tribunal no constituye motivo de casación, según reiterada jurisprudencia (vid., entre otras, TS 2ª ss. 13 feb. 1897, 2 jun. 1986 y 6 jun. 1987). Como excepción, la omisión de lo dispuesto en el art. 688 sí puede motivar el recurso de casación si concurren los siguientes condicionamientos: 1º Cuando las piezas de convicción están incorporadas a la causa; 2º La existencia de petición de parte en el escrito de conclusiones provisionales para completar otras pruebas personales (testifical o pericial); 3º Denuncia en el acto del juicio, haciendo constar la protesta correspondiente, y exponiendo los argumentos que —según la parte— darían significación o valor probatorio a la exhibición, o especificando para qué objetivo concreto se quería que estuvieran presentes; 4º Necesariedad de la prueba que debe apreciar este Tribunal al revisar la decisión denegatoria de la Audiencia Provincial, es decir, juzgar nuevamente sobre la pertinencia de la presencia y examen de las piezas de convicción en la doble vertiente material y funcional, pues sin un juicio positivo sobre este punto no puede hablarse de indefensión (TS 2ª S 6 abr. 1987)» ATS Sala Segunda, de lo Penal, Auto 27/2000 de 14 Ene. 2000, Rec. 4444/1998, Ponente: García Ancos, Gregorio. LA LEY 248299/2000.

Ahora bien, esta irregularidad podrá comportar una nulidad de actuaciones en el caso que se hubiere producido indefensión, lo que sucederá en el supuesto que la parte hubiera solicitado la presencia de las evidencias en el juicio con la finalidad de servir de apoyo o complemento de su actividad probatoria.

> «Igualmente debe rechazarse la denuncia de que en el Juicio se hicieron declaraciones sobre piezas de convicción —escopetas— que no se hallaban presentes, pues según ha declarado esta Sala, de acuerdo con los principios constitucionales (art. 24 CE), goza de relevancia la no presencia de las piezas de convicción en el acto del Juicio Oral "cuando se produzca con ello indefensión", lo que sólo sucederá "cuando por el recurrente se argumente seria y razonablemente que el fallo pudiera haber sido distinto si la prueba omitida se hubiera practicado" (Sentencias de 25 de junio de 1990; 24 de noviembre de 1992,; 21 de mayo de 1993; 21 de marzo de 1994; y 27 de mayo de 1998 entre otras)». STS Sala Segunda, de lo Penal, Sentencia 1989/2000 de 3 May. 2001, Rec. 1726/1997-P/1997. Ponente: Prego de Oliver Tolivar, Adolfo. LA LEY 88810/2001[19].

B) *Declaración e interrogatorio del acusado. Valor de la coartada. Supuesto especial de la declaración inculpatoria de coimputados*[20]

En el juicio oral las partes podrán interrogar, de modo directo, al acusado sobre los hechos delictivos que se le imputan. Primero, el Presidente del Tribunal y, seguidamente, las partes acusadoras preguntarán al acusado si se confiesa culpable y sobre su participación en los hechos que se juzgan (art. 688 a 700 LECrim). Estos preceptos deben interpretarse de acuerdo con los derechos constitucionales, ya que el acusado podrá ampararse en su derecho a no declarar contra sí mismo ni a declararse culpable (art. 24 CE).

> «El acusado, a diferencia del testigo, no sólo no tiene obligación legal de decir la verdad, sino que puede callar en virtud del derecho a no declarar contra sí mismo y a no confesarse culpable, reconocido expresamente en el art. 24.2 CE, que es una garantía instrumental del más amplio derecho a la defensa en cuanto reconoce a todo ciudadano el derecho a no contribuir a su propia incriminación (SSTC 29/1995, de 6 de febrero; 197/1995, de 21 de diciembre; 153/1997, de 29 de septiembre; 49/1998 y 115/1998, de 2 de marzo y 1 de junio; en el mismo sentido, las SSTEDH de 25 de febrero de 1993, caso Funke c. Francia, § 44; de 17 de diciembre de 1996 [TEDH 1996\67], caso Saunders contra Reino Unido, § 68, y la ya citada de 27 de febrero de 2001, caso Luca c. Italia, § 33, han señalado que, pese a no venir expresamente recogido en el art. 6 CEDH, el derecho a no contribuir a la propia incriminación for-

---

(19)   «Así las cosas aunque se admitiera que las botas de pescador que según la Policía, llevaba el acusado en el momento de los hechos pudieran tener relación con el delito dado que fue uno de los datos por los que los agentes que presenciaron los hechos identificaron al recurrente, su presencia como pieza de convicción en el acto del plenario sería absolutamente intranscendente, puesto que de su contemplación no puede deducirse efecto favorable o desfavorable para el reo, pues pese a su ausencia material no impidió a la defensa interrogar a los agentes de la Policía sobre los extremos que consideró conveniente en relación a las mismas». STS Sala Segunda, de lo Penal, Sentencia 910/2005 de 8 Jul. 2005, Rec. 735/2004. Ponente: Berdugo Gómez de la Torre, Juan Ramón. LA LEY 13000/2005.

(20)   Vid. MARTÍN PALLÍN, «El interrogatorio de imputados y testigos. La víctima», *Cuadernos de Derecho Judicial*, CGPJ, Madrid, 1992.

ma parte de la noción misma de proceso justo consagrada en dicho precepto». STC 2/2002 de 14 de enero.

El derecho a no declarar contra sí mismo se extiende más allá del procedimiento judicial que afecte al acusado. De modo que seguirá teniendo ese derecho en un eventual juicio posterior en el que se pregunte al sujeto sobre los hechos ya enjuiciados. Así sucede, por ejemplo, en el caso del partícipe en unos hechos delictivos juzgado y condenado, que declara en un posterior juicio frente a un copartícipe en esos mismos hechos.

> «El mantenimiento del derecho a no declarar y a no prestar juramento o promesa por quien ya ha sido condenado se justifica en virtud del principio de no exigibilidad de otra conducta. Resultaría cuando menos chocante que a una persona, después de haber sido condenada en sentencia, pueda exigírsele bajo la amenaza del delito de falso testimonio que se ajuste a la verdad en la declaración que haya de prestar en el juicio para otro copartícipe, obligándola así tal vez a reconocer lo que en el juicio propio tuvo derecho a negar. Esta especie de reconocimiento de culpa ulterior del ya condenado no sólo es inexigible humanamente sino que, desde el punto de vista jurídico, podría acarrearle consecuencias contrarias a su derecho de defensa en fase de ejecución». STS de 23 de noviembre de 2007, LA LEY 216859/2007.

El Tribunal informará al acusado de su derecho constitucional a no declarar. El acusado puede negarse a declarar, o bien contestar únicamente algunas de las preguntas que se le planteen. El Tribunal, si lo considera conveniente, podrá realizar al acusado las preguntas que considere oportunas en orden al esclarecimiento de los hechos y la responsabilidad del acusado. Respecto al modo de formular las preguntas, el art. 693 LECrim, establece que se harán con toda claridad y precisión. Además, deben tenerse en cuenta las normas sobre la declaración de los procesados o imputados en fase de sumario, según las cuales no se podrán formular al acusado cargos ni reconvenciones, coacciones o amenazas, o hacerse de modo capcioso o sugestivo (arts. 396, 389, 391 LECrim).

En el caso que el imputado no conociere el castellano ni, en su caso, la lengua oficial propia de la comunidad autónoma hubiese de ser interrogada o prestar alguna declaración, o cuando fuere preciso darle a conocer personalmente alguna resolución, el Tribunal, por medio de providencia se procederá conforme está previsto en los arts. 123 a 127 LECrim que regulan el derecho al intérprete del sometido al proceso penal. Concretamente el art. 123.1.a) reconoce el derecho del imputado a disponer de un intérprete en los interrogatorios policiales, ante el Fiscal o ante el Juez. A ese fin, se procederá a la designación del intérprete de entre los que se hallen incluidos en los listados elaborados por la Administración competente. Excepcionalmente, en aquellos supuestos que requieran la presencia urgente de un traductor o de un intérprete, y no sea posible la intervención de un traductor o intérprete judicial inscrito en las listas elaboradas por la Administración, se podrá habilitar como intérprete o traductor judicial eventual a otra persona conocedora del idioma empleado que se estime capacitado para el desempeño de dicha tarea (art. 124.1 LECrim. Las mismas reglas se aplicarán a las personas sordas y/o a las personas con discapacidad sensorial, que podrán contar con medios de apoyo a la comunicación oral (art. 127 LECrim). Véase sobre el derecho del sometido al proceso penal a la traducción el § A 3.2 c) del Capítulo IV.

El art. 700 LECrim prevé que si el acusado se negare a contestar a las preguntas se le apercibirá con declararle confeso si persistiese en su negativa. Este precepto debe considerarse derogado por colisionar con el derecho a no declarar contra sí mismo ni a declararse culpable establecidos en el art. 24 CE. Nótese que por esta razón la LO 13/2015 derogó los arts. 387 y 395 LECrim que establecían obligaciones similares de declarar el acusado. Ahora bien, cuestión distinta es el tratamiento que deba darse al silencio del acusado, que puede tener un efecto perjudicial en tanto no pueda ofrecer un relato alternativo al Tribunal que pueda contradecir las pruebas objetivas que existan contra el acusado. Pero, el silencio no puede servir como elemento negativo para fundamentar o reforzar la prueba de cargo que corresponde enteramente a la acusación. Véase un análisis sobre ese particular en el § 2.7 del Cap. VII en sede de declaración en la fase de investigación del imputado.

El acusado puede, aunque no esté obligado, declarar para ofrecer una coartada o versión de los hechos alternativa a la planteada por la acusación del acusado. Respecto a la coartada se pueden establecer los siguientes principios «construidos» por la jurisprudencia:

— Debe ser valorada por el Tribunal.

— No debe considerarse prueba de cargo, pero pueden confirmar la convicción de culpabilidad cuando la coartada fuera inverosímil o se acreditase falsa.

— La coartada no tiene porque se desvirtuada por la acusación que tiene la carga de la prueba;

— Las explicaciones del acusado no incrementa el valor de la prueba de cargo, cuya capacidad como tal depende exclusivamente de su propio valor y eficacia. No hay más prueba de cargo porque sea menor el crédito de la de descargo.

«En este extremo en SSTS 573/2010 (LA LEY 110047/2010) de 2.10, 615/2016 de 8.7 (LA LEY 79241/2016), hemos recordado que con respecto a la cuestión de los contraindicios el TC n.º 24/97 de 11-12, ha precisado que la versión que de los hechos ofrece el acusado constituye un dato que el Juzgado ha de tener en cuenta, pero ni aquél tiene que demostrar su inocencia, ni el hecho de que su versión de lo ocurrido no resulta convincente o resulta contradicha por la prueba, debe servir para considerarlo culpable, pero su versión constituye un dato que el Juzgador deberá aceptar o rechazar razonadamente (STC 221/88 (LA LEY 2387/1988) y 174/85 (LA LEY 520-TC/1986)). Y en la STC 136/1999, de 20 de julio (LA LEY 9614/1999), se argumenta que "en lo concierne a las alegaciones, excusas o coartadas afirmadas por los acusados, importa recordar los siguientes extremos: a) la versión que de los hechos ofrezca el acusado deberá ser aceptada o rechazada por el juzgador de modo razonado (SSTC 174/1985 (LA LEY 520-TC/1986), 24/1997 (LA LEY 2846/1997) y 45/1997 (LA LEY 4745/1997)). b) Los denominados contraindicios —como, vgr., las coartadas poco convincentes-, no deben servir para considerar al acusado culpable (SSTC 229/1998 (LA LEY 10986/1998) y 24/19997), aunque si pueden ser idóneos para corroborar la convicción de culpabilidad alcanzada con apoyo en prueba directa o indiciaria, que se sumen a la falsedad o falta de credibilidad de las explicaciones dadas por el acusado (v.dr. SSTC 76/1990 (LA LEY 58461-JF/0000) y 220/1998 (LA LEY 10641/1998)). c) La coartada o excusa ofrecida por el acusado no tiene que ser forzosamente desvirtuada por la acusación, ya que la presunción de inocencia exige partir de la inocencia del acusado respecto de los hechos delictivos que se le imputan, pero en absoluto obliga a dar por sentada la veracidad de sus afirmaciones (v.gr. SSTC 197/1995 (LA LEY 741/1996), 36/1996 (LA LEY 3947/1996) y 49/19998, y ATC 110/19990). En otras palabras: la carga de la prueba de los hechos exculpatorios recae sobre la defensa". Por su parte, esta Sala tiene establecido que "las declaraciones del acusado tenidas por el Tribunal como carentes de crédito, y como excusas de escasa consistencia, es verdad que no tienen ciertamente valor como prueba de cargo, porque no es al acusado a quien compete probar su inocencia sino a la acusación desvirtuar la presunción de ella. Por lo tanto el escaso crédito de las explicaciones del acusado no incrementa el valor de la prueba de cargo, cuya capacidad como tal depende exclusivamente de su propio valor y eficacia. No hay más prueba de cargo porque sea menor el crédito de la de descargo. Pero esta última cuando no es creíble mantiene íntegra la eficacia demostrativa de aquélla en cuanto que su valor probatorio como prueba de cargo no se ve contradicha eficazmente, en tal caso, por otra prueba de signo y resultado opuesto". (SSTS 97/2009, de 9-2 (LA LEY 3349/2009); 309/20009, de 17-3; y 1140/2009, de 23-10 (LA LEY 233138/2009))». STS Sala Segunda, de lo Penal, Sentencia 719/2016 de 27 Sep. 2016, Rec. 10063/2016; Ponente: Berdugo Gómez de la Torre, Juan Ramón. LA LEY 129022/2016.

Otra cuestión de especial interés es el valor que deba darse a la declaración del coimputado. Es decir, la eficacia probatoria que deba tener la declaración incriminatoria de uno de los acusados en contra de otro de los acusados, principalmente cuando ésta sea la única prueba acusatoria obrante en la causa. Se trata de una especialidad que no constituye un medio ordinario de prueba, ya que ni puede encuadrarse dentro de la confesión contra uno mismo, ni tampoco se trata de una declaración testifical por no efectuarse con la obligación de veracidad que afecta a los testigos.

Un supuesto especial de coimputado es el del delincuente que voluntariamente cesa en su actividad y colabora con la justicia en la investigación y enjuiciamiento de los responsables de los delitos. Así está previsto en los arts. 376 y 579.bis CP respecto a los delitos de tráfico de sustancias estupefacientes y de terrorismo. Esta figura responde a la necesidad de perseguir eficazmente ciertos delitos de especial peligrosidad en la sociedad de nuestro tiempo; sin perjuicio que en su valoración los tribunales deban observar las debidas precauciones, según se expone a continuación.

Por sus características digamos de entrada que se trata de una prueba intrínsecamente sospechosa (STC 68/2001, de 17 de marzo) y de difícil práctica y valoración. A este respecto, debe tenerse en cuenta lo siguiente: 1º se trata de una declaración que por sus características sólo de forma muy limitada puede someterse a contradicción. 2º debe tenerse siempre en cuenta que el acusado no está obligado a decir la verdad lo cual no significa que lo haga pero debe esperarse que pueda mentir[21]; 3º en ese sentido, resulta muy probable que en la declaración del coimputado concurran móviles

---

(21) Así lo ha declarado reiteradamente el TC. Véase la STC 102/2008, de 28 de julio: «Este Tribunal viene considerando que la declaración de un coimputado es una prueba "sospechosa" en la medida en que el acusado, a diferencia del testigo, no tiene la obligación de decir la verdad, de modo que no puede convertirse en el único fundamento de una condena penal (STC 17/2004, de 23 de febrero, FJ 3)».

espurios con la finalidad de autoexculpación o reducción de su responsabilidad[22]. Es por ello que, en estos casos, deben tenerse en cuenta las distintas motivaciones interesadas que pueden mover al coimputado a declarar contra los otros acusados.

«Hemos llamado la atención acerca de la especial cautela que debe presidir la valoración de tales declaraciones a causa de la posición que el coimputado ocupa en el proceso, en el que no comparece como testigo, obligado como tal a decir la verdad y conminado con la pena correspondiente al delito de falso testimonio, sino como acusado y por ello asistido de los derechos a no declarar en su contra y a no reconocerse como culpable, por lo cual no está obligado legalmente a declarar, pudiendo callar total o parcialmente. Precisamente en atención a esas reticencias se ha afirmado que la declaración incriminatoria del coimputado carece de consistencia plena como prueba de cargo cuando, siendo única, no resulta mínimamente corroborada. Es la existencia de alguna corroboración lo que permite proceder a la valoración de esa declaración como prueba de cargo. En definitiva nos encontramos ante una prueba peculiar que exige un plus: unas condiciones externas, verificables desde fuera, más allá de que el proceso racional por el que un Tribunal llega a conferirles credibilidad esté fuertemente asentado y sea convincente». STS Sala Segunda, de lo Penal, Sentencia 213/2016 de 15 Mar. 2016, Rec. 1094/2015; Ponente: Martínez Arrieta, Andrés. LA LEY 15979/2016.

No obstante, y en los términos y límites que exponemos a continuación, la jurisprudencia ha aceptado que en determinadas circunstancias la declaración inculpatorio del coimputado pueda reputarse como prueba de cargo capaz de desvirtuar la presunción de inocencia[23]. A ese fin, la jurisprudencia viene considerando que la valoración de esta prueba constituye un problema de credibilidad, no de legalidad[24]. A este efecto, los jueces no deben fundar su resolución en la mera acusación del coimputado, «sic et simpliciter», pero tampoco se puede desdeñar su versión, que debe ser considerada en función de los factores particularmente concurrentes, singularmente la personalidad

---

(22) «El acusado, a diferencia del testigo, no sólo no tiene obligación de decir la verdad sino que puede callar total o parcialmente o incluso mentir (STC 129/1996; en sentido similar STC 197/1995), en virtud de los derechos a no declarar contra sí mismo y a no confesarse culpable, reconocidos en el art. 24.2 de la CE, y que son garantías instrumentales del más amplio derecho a la defensa (SSTC 29/1995 y 197/1995; véase además S. del TEDH de 25 de febrero de 1993, asunto Funke, A. 256-A). Es por ello por lo que la declaración incriminatoria del coimputado carece de consistencia plena como prueba de cargo cuando siendo única, como aquí ocurre» STC 153/1997 de 29 de septiembre.

(23) «Las declaraciones de los coimputados, que no están prohibidas por la ley procesal, pueden valorarse como pruebas aptas para destruir la presunción de inocencia, dado su carácter testimonial (AATC 479/1986, de 4 de junio; 293/1987, de 11 de marzo)». STC 2/2002 de 14 de enero.

(24) «Las declaraciones de los coencausados por su participación en los mismos hechos no está prohibida por la Ley procesal, y no cabe dudar tampoco del carácter testimonial de sus manifestaciones, basadas en un conocimiento extraprocesal de tales hechos. En concreto, este Tribunal ha declarado en reiteradas ocasiones que la valoración de dichas declaraciones efectuadas en sentido acusatorio no vulnera el derecho a la presunción de inocencia (AATC 479/1986, de 4 de junio; 293/1987, de 11 de marzo; 343/1987, de 18 de marzo, entre otros). La circunstancia de la coparticipación en el declarante es simplemente un dato a tener en cuenta por el Tribunal penal al ponderar la credibilidad que le merezca, que es, en todo caso, función exclusiva de los órganos de dicha jurisdicción en los términos que derivan del propio art. 117.3 de la Constitución». STC 137/1988 de 7 de julio.

de los implicados en el hecho y las relaciones habidas entre los distintos coacusados. Más concretamente, la jurisprudencia ha establecido los requisitos debe observar la declaración del coimputado, que de conformidad con la STC 68/2001 de 17 de marzo, constituyen un presupuesto necesario para la consideración del testimonio del coimputado como prueba de cargo. A saber:

1º La declaración incriminatoria del coimputado debe estar corroborada con otras pruebas, no sirviendo como prueba de cargo única la inculpación de otro coimputado[25].

«Este Tribunal ha reiterado que las declaraciones de los coimputados carecen de consistencia plena como prueba de cargo cuando, siendo únicas, no resultan mínimamente corroboradas por otros datos externos. La exigencia de corroboración se concreta, por una parte, en que no ha de ser plena, sino mínima y, por otra, en que no cabe establecer qué ha de entenderse por corroboración en términos generales, más allá de que la veracidad objetiva de la declaración del coimputado ha de estar avalada por algún hecho, dato o circunstancia externa, debiendo dejarse al análisis caso por caso la determinación de si dicha mínima corroboración se ha producido o no. Igualmente, este Tribunal ha afirmado que los diferentes elementos de credibilidad objetiva de la declaración —como pueden ser la inexistencia de animadversión, el mantenimiento o no de la declaración, o su coherencia interna— carecen de relevancia como factores de corroboración, siendo necesario que existan datos externos a la versión del coimputado que la corroboren, no en cualquier punto, sino en relación con la participación del recurrente en los hechos punibles que el órgano judicial considera probados. Por último, también se ha destacado que la declaración de un coimputado no puede entenderse corroborada, a estos efectos, por la declaración de

(25) Veáse la STS Sala Segunda, de lo Penal, Sentencia 213/2016 de 15 Mar. 2016, Rec. 1094/2015; Ponente: Martínez Arrieta, Andrés. LA LEY 15979/2016: «En reiterada jurisprudencia hemos declarado, por todas la STS 871/2015, de 28 de diciembre (LA LEY 221749/2015), la habilidad de las declaraciones de coimputados dependiendo su eficacia como prueba de cargo, de la existencia de corroboraciones en esa declaración que la dote de fiabilidad. Conforme en la jurisprudencia del Tribunal Constitucional las declaraciones de los coimputados carecen de consistencia plena como prueba de cargo cuando, siendo únicas, no resultan mínimamente corroboradas por otros datos externos. La exigencia de corroboración se concreta, por una parte, en que no ha de ser plena, sino mínima y, por otra, en que no cabe establecer qué ha de entenderse por corroboración en términos generales, más allá de que la veracidad objetiva de la declaración del coimputado ha de estar avalada por algún hecho, dato o circunstancia externa, debiendo dejarse al análisis caso por caso la determinación de si dicha mínima corroboración se ha producido o no. Igualmente ha afirmado el Tribunal Constitucional que los diferentes elementos de credibilidad objetiva de la declaración —como pueden ser la inexistencia de animadversión, el mantenimiento o no de la declaración, o su coherencia interna— carecen de relevancia como factores de corroboración, siendo necesario que existan datos externos a la versión del coimputado que la corroboren, no en cualquier punto, sino en relación con la participación del recurrente en los hechos punibles que el órgano judicial considera probados. Por último, también ha destacado que la declaración de un coimputado no puede entenderse corroborada, a estos efectos, por la declaración de otro coimputado y que los elementos cuyo carácter corroborador ha de ser valorado por este Tribunal son exclusivamente los que aparezcan expresados en las resoluciones judiciales impugnadas como fundamentos probatorios de la condena (SSTC 34/2006 de 13 de febrero (LA LEY 16773/2006); 230/2007 de 5 de noviembre (LA LEY 179917/2007); 102/2008 de 28 de julio (LA LEY 102300/2008); 56/2009 (LA LEY 6903/2009) y 57/2009 de 9 de marzo (LA LEY 6905/2009); 125/2009 de 18 de mayo (LA LEY 76107/2009) y 134/2009 de 1 de junio (LA LEY 92010/2009))».

otro coimputado y que los elementos cuyo carácter corroborador ha de ser valorado por este Tribunal son exclusivamente los que aparezcan expresados en las resoluciones judiciales impugnadas como fundamentos probatorios de la condena (por todas, STC 230/2007, de 5 de noviembre, FJ 3)». STC 91/2008, de 21 de julio de 2008.

Por tanto, debe haberse practicado otra prueba que pueda servir de contraste y corroboración del testimonio del coimputado; de modo que aquel testimonio quede externamente, y mínimamente corroborado por datos objetivos acreditados en la causa.

«La exigencia de corroboración se concreta, por una parte, en que no ha de ser plena, sino mínima y, por otra, en que no cabe establecer qué ha de entenderse por corroboración en términos generales, más allá de que la veracidad objetiva de la declaración del coimputado ha de estar avalada por algún hecho, dato o circunstancia externa, debiendo dejarse al análisis caso por caso la determinación de si dicha mínima corroboración se ha producido o no». STC 102/2008, de 28 de julio[26].

En caso contrario, la declaración incriminatoria del coimputado, cuando es prueba única, carecerá de entidad suficiente para entender desvirtuada la presunción de inocencia[27].

«Precisamente dicho déficit de contradicción, que es consustancial a la declaración de cualquier coimputado en nuestro ordenamiento jurídico, unido a su posición en el proceso, es lo que justifica que sus manifestaciones, cuando son prueba única, no adquieran entidad suficiente para desvirtuar la presunción constitucional de inocencia, por lo que su veracidad ha de verse avalada por algún hecho, dato o circunstancia externa (STC 68/2001, antes citada)». (STC 2/2002 de 14 de enero).

Sin que pueda servir, a efecto de corroboración, la declaración inculpatoria de otro coimputado[28].

---

(26) Véase también el ATC 214/1998 de 13 de octubre.

(27) «El acusado, a diferencia del testigo, no sólo no tiene obligación legal de decir la verdad, sino que puede callar total o parcialmente en virtud del derecho a no declarar contra sí mismo y a no confesarse culpable, reconocido expresamente en el art. 24.2 CE, que es una garantía instrumental del más amplio derecho a la defensa en cuanto reconoce a todo ciudadano el derecho a no contribuir a su propia incriminación (SSTC 29/1995, de 6 de febrero; 197/1995, de 21 de diciembre, 153/1997, de 29 de septiembre; 49 y 115/1998, de 2 de marzo y 1 de junio; en el mismo sentido, las SSTEDH de 25 de febrero de 1993 [TEDH 1993\7], caso Funke c. Francia, § 44; de 17 de diciembre de 1996 [TEDH 1996\67], caso Saunders contra Reino Unido, § 68; y la ya citada de 27 de febrero de 2001, caso Luca c. Italia, §33, han señalado que, pese a no venir expresamente recogido en el art. 6 CEDH, el derecho a no contribuir a la propia incriminación forma parte de la noción misma de proceso justo consagrada en dicho precepto). Precisamente dicho déficit de contradicción, que es consustancial a la declaración de cualquier coimputado en nuestro Ordenamiento jurídico, es el que justifica que sus manifestaciones, cuando son prueba única, no adquieran entidad suficiente para desvirtuar la presunción constitucional de inocencia, por lo que su veracidad ha de verse avalada por algún hecho, dato o circunstancia externa (STC 68/2001, antes citada)». STC 57/2002 de 11 de marzo.

(28) «No sirve como elemento corroborador las declaraciones de otro coimputado. El que tenga una manifestación de varios acusados coincidentes en su contenido de imputación contra un tercero no excusa de que tenga que existir la mencionada corroboración procedente de un dato externo». STS de 25 de enero de 2007, LA LEY 2449/2007.

«Este Tribunal también ha declarado que la declaración de un coimputado no puede entenderse corroborada, a estos efectos, por la declaración de otro coimputado y que los elementos cuyo carácter corroborador ha de ser valorada por este son exclusivamente los que aparezcan expresados en las resoluciones judiciales impugnadas como Fundamentos probatorios de la condena (por todas, SSTC 230/2007 (LA LEY 179917/2007) de 5.10 FJ. 3 ° y 34/2006 de 13.2 (LA LEY 16773/2006)),), teniendo en cuenta en primer lugar, que la exigencia de que la declaración incriminatoria del computado cuente con un elemento externo de corroboración mínima no implica la existencia de una prueba directa o indiciaria sobre la participación del condenado en los hechos que se le imputan sino, más limitadamente, una prueba sobre la veracidad objetiva de la declaración del coimputado respecto de la concreta participación del condenado (STC 57/2009 de 9.3 (LA LEY 6905/2009)); y en segundo lugar, que son los órganos de instancia los que gozan de la inmediación y de un contacto directo con los medios de prueba, en el presente caso, y desde la posición que ocupa este Tribunal, debe concluirse que los concretos elementos de corroboración referidos en la sentencia impugnada cumplen con las exigencias constitucionales para superar los mínimos necesarios que doten de suficiencia a la declaración del coimputado para enervar la presunción de inocencia del recurrente». STS 413/2015 de 30 Jun. 2015, Rec. 10829/2014; Ponente: Berdugo Gómez de la torre, Juan Ramón. LA LEY 98975/2015.

2°. El Tribunal deber ponderar razonadamente la ausencia de móviles, fines o intereses espurios.

«... ambos Tribunales hemos llamado la atención acerca de la especial cautela que debe presidir la valoración de tales declaraciones a causa de la posición que el coimputado ocupa en el proceso, en el que no comparece como testigo, obligado como tal a decir la verdad y conminado con la pena correspondiente al delito de falso testimonio, sino como acusado y por ello asistido de los derechos a no declarar en su contra y a no reconocerse como culpable, por lo cual no está obligado legalmente a declarar, pudiendo callar total o parcialmente. Precisamente en atención a esas reticencias se ha afirmado que la declaración incriminatoria del coimputado carece de consistencia plena como prueba de cargo cuando, siendo única, no resulta mínimamente corroborada. Es la existencia de alguna corroboración lo que permite proceder a la valoración de esa declaración como prueba de cargo. En definitiva nos encontramos ante una prueba peculiar que exige un plus: unas condiciones externas, verificables desde fuera, más allá de que el proceso racional por el que un Tribunal llega a conferirles credibilidad esté fuertemente asentado y sea convincente». STS Sala Segunda, de lo Penal, Sentencia 213/2016 de 15 Mar. 2016, Rec. 1094/2015; Ponente: Martínez Arrieta, Andrés. LA LEY 15979/2016.

También debe tenerse en cuenta la circunstancia de que el coimputado pueda recibir alguna clase de beneficio penológico. Por ejemplo, en los supuestos de colaboración con la justicia en la investigación y enjuiciamiento de los responsables de los delitos de tráfico de sustancias estupefacientes y de terrorismo (arts. 376 y 579. bis CP).

«Sobre las declaraciones de los coimputados es necesario recordar, STS 233/2014 de 25.3 (LA LEY 37720/2014), que el hecho de que se deriven beneficios penológicos por la delación de un coimputado, ha de ser tomado en consideración, pero no necesariamente puede llevar a negar valor probatorio a su declaración. Este dato puede

1005

empañar su fiabilidad, pero si no basta para explicarlas y pese a ello, se revelan como convincente y capaz de generar certeza, puede servir para dictar una sentencia condenatoria. La posibilidad de beneficios penológicos no es suficiente por sí sola para negar virtualidad probatoria a las declaraciones del coimputado. Solo será así cuando de ahí quepa inferir racionalmente una falta de credibilidad. El Tribunal Constitucional ha afirmado que el testimonio obtenido mediante promesa de reducción de pena no comporta una desnaturalización del testimonio que suponga en sí misma una lesión de derecho fundamental alguno (AATC 1/89 (LA LEY 46/1989) de 13.1, 899/13 de 13.12 (LA LEY 218618/2013)). Igualmente esta Sala Segunda del Tribunal Supremo ha expresado que la búsqueda de un trato de favor no excluye el valor de la declaración del coimputado, aunque en estos casos exista una mayor obligación de graduar la credibilidad (SSTS 29.10, 90, 28.5.91, 14.2.95, 23.6.98, 3.3.2000). La Decisión de inadmisión del TEDH de 25 de mayo de 2004 (LA LEY 122558/2004), caso CORNEILS v. Holanda abunda en esas ideas: se rechaza la demanda del condenado por pertenecer a una organización dedicada al tráfico de drogas, condena que se basaba en las declaraciones de otro integrante de la organización que había llegado a un pacto de inmunidad con el Fiscal. En la medida en que el demandante pudo contradecir esas pruebas y cuestionar su fiabilidad y credibilidad, aunque no llegase a tener acceso a todas las conversaciones entre el procurador y el testigo inmune, no habría afectación de ninguno de los preceptos del Convenio». STS 413/2015 de 30 Jun. 2015, Rec. 10829/2014; Ponente: Berdugo Gómez de la torre, Juan Ramón. LA LEY 98975/2015.

3º. La declaración del coimputado debe someterse a contradicción en el acto del juicio oral. Este resulta ser un requisito de mayor entidad que los anteriores, ya que si bien aquéllos son susceptibles de valoración resulta claro que el derecho de defensa no puede quedar restringido debiendo permitirse al acusado contradecir las declaraciones inculpatorias de los coimputados[29].

---

(29) Véase en este sentido la STS Sala Segunda, de lo Penal, Sentencia 279/2000 de 3 Mar. 2000, Rec. 258/1999; Ponente: Jiménez Villarejo, José. LA LEY 6369/2000, en la que no se valora la declaración inculpatoria del coimputado por negarse a contestar a las defensas de los coimputados a los que estaba acusando en el juicio: «Existía contra ellos, ciertamente, una aparente prueba de cargo constituida por la declaración del coimputado Daniel B. C. aunque las acusaciones de éste, no estando corroboradas por ninguna otra prueba, obligaban a quienes habían de valorarla a extremar el rigor en la crítica racional de aquella declaración. Sobre ésta pesaba además la posibilidad que no fuese digna de crédito en tanto el declarante manifestó, al término del juicio oral, la animosidad que sentía hacia los otros acusados, al decir que no había contestado a sus Abogados porque lo eran de los asesinos de su padre. Pero lo realmente decisivo para negar la existencia de una prueba de cargo constitucionalmente válida es que la citada declaración no pudo ser contradicha por los acusados ni por sus Letrados porque, como sabemos, el declarante se negó a someter sus acusaciones a la "cross examination" propia de la contradicción, con lo cual la única prueba de cargo perdió su idoneidad para ser valorada por haberse celebrado con vulneración de un derecho fundamental. El Tribunal de instancia considera que la postura de Daniel B., no queriendo responder al resto de las Defensas, ha de valorarse desde la perspectiva de su derecho constitucional a no declarar contra sí mismo y a no confesarse culpable. A tal consideración cabe objetar, sin embargo, que cuando Daniel B. imputó a los recurrentes la participación en los hechos que luego se declaró probada, no estaba ejerciendo aquel derecho constitucional —ya había declarado contra sí mismo y había confesado paladinamente su culpabilidad— sino exponiendo un testimonio de cargo que, siendo impropio como tal testimonio por no estar obligado su autor a decir verdad, podía surtir los mismos efectos que la declaración de un verdadero testigo. E importa subrayar que si rehusó contestar a las Defensas de los otros acusados no fue porque temiese que sus preguntas

«En SSTS 1238/2009, de 11-12 (LA LEY 247565/2009) y 1080/2006, de 2-11 (LA LEY 145050/2006), 125/2012 de 29.2 (LA LEY 29319/2012), 383/2010 de 5.5 (LA LEY 41089/2010), hemos dicho que la vigencia efectiva del principio de contradicción tiene directa relación con el derecho a un proceso equitativo, o a un proceso con todas las garantías en términos del art. 24.2 CE (LA LEY 2500/1978). El debate contradictorio sobre las pruebas permite a las partes intervenir activamente en la práctica, y en lo que se refiere concretamente a la defensa le facilita la oportunidad de actuar poniendo de relieve los aspectos que a un juicio anulan, alteran o debilitan su valor probatorio, lo que contribuye a su valoración por parte del Tribunal. Cuando se trata de pruebas personales, tal principio se manifiesta en el derecho a interrogar o ha de interrogar a quienes declaran en contra del acusado, derecho expresamente reconocido en el Convenio Europeo para la Protección de los Derechos Fundamentales y de las Libertades Públicas. Por lo tanto como regla, la privación del ejercicio de este derecho tiene que estar especialmente justificada». STS Sala Segunda, de lo Penal, Sentencia 16/2014 de 30 Ene. 2014, Rec. 824/2013. Ponente: Berdugo Gómez de la Torre, Juan Ramón. LA LEY 2495/2014.

Máxime en el supuesto en el que existan declaraciones contradictorias del coimputado en las distintas fases del proceso. Así, cuando el coimputado se retracte en el acto del juicio oral de sus anteriores declaraciones. En ese caso corresponde al Tribunal valorar la credibilidad de las declaraciones, y las razones que se expongan para justificar el cambio de versión; teniendo una especial fuerza la declaración prestada en el acto del juicio oral con plena inmediación[30].

«Por último, afirma el Tribunal Constitucional «que, con arreglo a la doctrina expuesta anteriormente, las declaraciones prestadas ante la policía, al formar parte del atestado y de conformidad con lo dispuesto en el art. 297 LECrim (LA LEY 1/1882), tienen únicamente valor de denuncia, de tal modo que no basta para que se conviertan en prueba con que se reproduzcan en el juicio oral, siendo preciso que la declaración sea reiterada y ratificada ante el órgano judicial (SSTC 51/1995 (LA LEY 13051/1995), FJ 2;206/2003 (LA LEY 10954/2004), FJ 2 d)". Esta resolución del Tribu-

---

pudiesen agravar su situación de imputado —realmente no podía decir ya en su contra cosa alguna que empeorase dicha situación— sino por la razón explicitada de su aversión a los coimputados. En teoría, la actitud de un imputado que, después de acusar a sus correos, se niega a contestar a las preguntas de las Defensas de los así acusados, refleja una colisión de derechos constitucionales de la misma naturaleza y rango: el del primero a no declarar contra sí mismo y el de los otros a preguntar a quién le acusa. El problema, de no desdeñable envergadura, habrá de resolverse caso por caso, pero en el presente la solución era bastante sencilla: debió primar el derecho de los procesados que hoy recurren porque quien les acusaba no estaba motivado, en su negativa a seguir declarando, por el legítimo interés en defenderse».

(30) «6. De lo anterior podemos concluir, entonces, que la declaración prestada ante la policía por la persona coimputada no podía incorporarse válidamente al acervo probatorio mediante su lectura en el acto del juicio como erróneamente entendieron los órganos judiciales. Procede, en consecuencia, declarar vulnerado el derecho a un proceso con todas las garantías (art. 24.2 CE (LA LEY 2500/1978)), al haberse tomado en cuenta para fundar la condena un testimonio prestado ante la policía que no reunía en este caso los requisitos de validez exigibles constitucionalmente. Esa conclusión nos exime, por lo demás, de analizar si dicho testimonio de la persona coimputada ha sido o no debidamente corroborado por otros datos objetivos y, en concreto, si a tales efectos podía ser válido el testimonio de referencia de los agentes policiales» STC 68/2010, de 18 de octubre de 2010 (BOE núm. 279, de 18 de noviembre de 2010). Rec. 379/2007; Ponente: Pérez Vera, Elisa. LA LEY 187979/2010.

nal Constitucional ha sido ratificada en su línea argumental en la sentencia 53/2013, de 28 de febrero, del propio Tribunal, en la que se han reiterado los mismos criterios sobre las declaraciones prestadas en comisaría que después no han sido ratificadas en sede judicial. En la sentencia se argumentó incluso que no puede basarse en esa clase de diligencias una condena aunque sean sometidas a contradicción en el plenario y el imputado reconozca que sí las manifestó pero que lo hizo coaccionado por la policía. Y se volvió a insistir en que el atestado "se erige en objeto de prueba y no en medio de prueba". Por su parte, esta Sala de casación ya recogió en las sentencias 1117/2010, de 7 de diciembre, 546/2013, de 17 de junio (LA LEY 99584/2013), y 715/2013, de 27 de septiembre (LA LEY 155856/2013), la referida doctrina de la sentencia 68/2010 del Tribunal Constitucional. En estas resoluciones se dijo que la declaración policial de un coimputado o de un testigo no ratificada después en la fase judicial de instrucción ni tampoco en la vista oral del juicio no puede operar como prueba de cargo, pues no cumplimenta los cuatro requisitos que exige la jurisprudencia del Tribunal Constitucional para poder valorar las diligencias sumariales en la sentencia como prueba incriminatoria». STS 848/2014 de 9 Dic. 2014, Rec. 1295/2014; Ponente: Jorge Barreiro, Alberto Gumersindo. LA LEY 176230/2014.

Ahora bien, nada impide que el Tribunal pueda acoger como prueba la declaración prestada en la fase de instrucción, motivando adecuadamente la decisión.

«En relación al supuesto de diversidad de declaraciones... prestadas durante las distintas fases procesales deben someterse a contradicción y contraste en el juicio, siendo competencia del Tribunal de instancia en cuya presencia se hayan dictado, la valoración razonada y razonable de la credibilidad de las distintas versiones, conforme al principio de inmediación ... pudiendo el Tribunal confrontar unas y otras versiones y formar un juicio de conciencia, en función de las máximas ordinarias de experiencia, sobre su respectiva veracidad, atendiendo a su coherencia o incoherencia interna, razones expresadas para justificar la retractación, etc. .../... Asimismo recuerda la STC 115/1998, de 1 de junio, que la posibilidad de que, en caso de contradicción entre los resultados de ambos medios de prueba, el órgano judicial funde su convicción en las pruebas sumariales en detrimento de lo manifestado en el juicio oral». STS Sala Segunda, de lo Penal, Sentencia 1179/2001 de 20 Jul. 2001, Rec. 491/2000, Ponente: Giménez García, Joaquín. LA LEY 5828/2001.

Siempre y cuando, claro está, se respeten las reglas establecidas por el Tribunal Constitucional para poder otorgar valor probatorio al resultado de las diligencias sumariales de investigación, que se expresan en la STC 68/2010, de 18 de octubre de 2010.

«En concreto, hemos condicionado la validez como prueba de cargo preconstituida de las declaraciones prestadas en fase sumarial al cumplimiento de una serie de presupuestos y requisitos que hemos clasificado como: a) materiales —que exista una causa legítima que impida reproducir la declaración en el juicio oral—; b) subjetivos —la necesaria intervención del Juez de Instrucción—; c) objetivos —que se garantice la posibilidad de contradicción, para lo cual ha de haber sido convocado el Abogado del imputado, a fin de que pueda participar en el interrogatorio sumarial del testigo—; y d) formales —la introducción del contenido de la declaración sumarial a través de la lectura del acta en que se documenta, conforme a lo ordenado por el art. 730 LECrim (LA LEY 1/1882), o a través de los interrogatorios, lo que posibilita que su contenido acceda al debate procesal público y se someta a confrontación con las demás declaraciones de quienes sí intervinieron en el juicio oral— [SSTC 303/1993, de 25 de octubre, FJ 3; 153/1997, de 29 de septiembre (LA LEY 9938/1997), FJ 5; 12/2002, de 28 de enero (LA LEY 3032/2002), FJ 4; 195/2002, de 28 de octubre (LA LEY 277/2003), FJ 2; 187/2003, de 27 de octubre (LA LEY 10387/2004), FJ 3; y 1/2006, de 16 de enero, FFJJ 3 y 4; 344/2006, de 11 de diciembre (LA LEY 168786/2006), FJ 4 c)]. Como recuerda la citada STC 345/2006 (LA LEY 168780/2006), FJ 3, en aplicación de esta doctrina hemos admitido expresamente en anteriores pronunciamientos "la legitimidad constitucional de las previsiones legales recogidas en los artículos 714 (LA LEY 1/1882) y 730 LECrim (LA LEY 1/1882), siempre que "el contenido de la diligencia practicada en el sumario se reproduzca en el acto del juicio oral mediante la lectura pública del acta en la que se documentó, o introduciendo su contenido a través de los interrogatorios (STC 2/2002, de 14 de enero (LA LEY 2641/2002), FJ 7), pues de esta manera, ante la rectificación o retractación del testimonio operada en el acto del juicio oral (art. 714 LECrim (LA LEY 1/1882)), o ante la imposibilidad material de su reproducción (art. 730 LECrim (LA LEY 1/1882)), el resultado de la diligencia accede al debate procesal público ante el Tribunal, cumpliendo así la triple exigencia constitucional de toda actividad probatoria: publicidad, inmediación y contradicción" (SSTC 155/2002, de 22 de julio (LA LEY 6428/2002), FJ 10, y 187/2003 (LA LEY 10387/2004), de 27 de septiembre, FJ 4)". De esta forma se posibilita que el contenido de la diligencia se someta a confrontación con las demás declaraciones de los intervinientes en el juicio oral». STC 68/2010, de 18 de octubre de 2010. Rec. 379/2007; Ponente: Pérez Vera, Elisa. LA LEY 187979/2010.

C) Examen de testigos[31]

a) Practica de la prueba de testigos

El examen de los testigos se realizará por el orden de las listas ofrecidas por el Ministerio Fiscal, las acusaciones personadas, y por el acusado (art. 701 LECrim). Los testigos tendrán la obligación de comparecer y de declarar durante la celebración del juicio oral lo que supieren sobre lo que les fuese preguntado (arts. 702 y 707 LECrim). El deber de declarar como testigo, concurriendo ante el Tribunal, alcanza a todas las personas que residan en territorio español y no se hallen impedidas (art. 410, 707 LECrim) (A salvo de las excepciones previstas en la LECrim, véase a ese respecto § 2.6.A Cap. VII y especialmente la doctrina sobre las consecuencias de la falta de comunicación al testigo de su derecho a no declarar). Este deber se ha reforzado notablemente en la ley 38/2002 al establecer unas multas de importante cuantía: de 200 a 5000 Euros, con el apercibimiento de ser perseguido en el caso de no comparecer como reo del delito de obstrucción a la justicia (véanse arts. 175, 420, y 446 LECrim; § 3.2.B Cap. V sobre la citación del testigo, y § 2.6.A Cap. VII sobre la declaración del testigo en instrucción). Los deberes de comparecer y declarar

---

(31) Vid. ROMERO COLOMA, «Consideraciones sobre la valoración de la prueba testifical por la jurisprudencia española», *AP*, 1989, p. 197; BERNAL VALLS, «Deber de declarar y derecho al silencio en la prueba testifical del proceso penal: sumarias consideraciones sobre su problemática actual», *PJ*, 1987, n.º 5, p. 9; MORENO CATENA, *El secreto en la prueba de testigos en el proceso penal*, Madrid, 1980; LÓPEZ ORTEGA, «La prueba de testigos en la Jurisprudencia del TEDH», *Cuadernos de Derecho Judicial*, Madrid, 1992; GARCÍA QUESADA, «El miedo de los testigos», *Cuadernos...*, cit.

del testigo también se aplican en el acto del juicio oral. En su virtud, el testigo que se niegue a declarar incurrirá en multa de 200 a 5000 euros que se impondrán en el acto (art. 716.1 LECrim).

El testigo es un tercero ajeno a los hechos. Por esa razón no puede ser citado en esta calidad el Juez o Fiscal que hubiere intervenido en los hechos que hubieren conocido en razón de su cargo, o sobre los que hubieren dictado resoluciones, a salvo de supuestos excepcionales (V.g. que se tratase de un proceso penal en el que se acuse por delito cometido en el ejercicio de la función judicial)[32]. Tampoco tiene obligación ni sentido que declare el abogado en el procedimiento penal en el que participa como letrado de una de las partes. Precisamente el art. 412 LECrim excepciona al abogado del deber de declarar. Ahora bien, puede darse el caso, bastante insólito de que un abogado pueda declarar como testigo cuando conozca de hechos relacionados con el asunto (se supone que ajenos al secreto profesional). En ese caso, nada impedirá que declare. En ese caso, las preguntas que se le dirijan deberán ser formuladas por un abogado que le sustituya[33]. Pero, el abogado que ha asistido a un acusado no puede posteriormente comparecer como testigo de cargo contra su ex cliente, ya que vulneraría su secreto profesional y las normas sobre deontología profesional. En todo caso esta prueba debería ser inadmitida por el Tribunal dada su nulidad radical[34].

---

(32) «Esta Sala ya dijo en su Sentencia de 24 de marzo de 1997, reiterando la doctrina de la Sentencia de 8 de julio de 1994, que el testigo es la persona que siendo ajena al proceso, es citada por el órgano jurisdiccional para la averiguación y constancia de la perpetración de los delitos objeto de investigación, por lo que, como es obvio, como tales pueden comparecer las personas pertenecientes a la Carrera Judicial y Fiscal, siempre que se trate de hechos de los que hayan conocido como particulares, pero no sobre hechos que hubieran conocido por razón de su cargo o sobre los que hubiesen dictado resoluciones, ya que para acreditar lo que resulte de determinadas actuaciones jurisdiccionales ha de acudirse a otros medios de prueba como v. gr., la expedición de los testimonios correspondientes, por lo que resultaba manifiestamente improcedente, la pretensión de la parte recurrente de que fuesen citados como testigos el Juez Instructor y el Fiscal para deponer sobre hechos que hubiese conocido por su actuación profesional». STS Sala Segunda, de lo Penal, Sentencia 1989/2000 de 3 May. 2001, Rec. 1726/1997-P/1997; Ponente: Prego de Oliver Tolivar, Adolfo. LA LEY 88810/2001.

(33) «Se rechazó por ser "incompatible la obligación legal de decir la verdad de un testigo, con la función hasta ahora que lleva el letrado, salvo que este último diese la venia a otro". El letrado citado vive en el grupo de casas donde se encuentra la vivienda robada y quería declarar sobre los elementos del inmueble a fin de aportar datos sobre cómo pudo producirse el hecho, y, sobre todo, porque podía servir para ratificar la coartada de su patrocinado, pues el día del robo, afirma, estuvo con él en coincidencia con el tiempo en que se decía cometido el delito. Tiene razón el recurrente en cuanto que no hay norma alguna que prohíba al letrado de una parte actuar como testigo. El art. 416.2º LECrim sólo dice que el Abogado del procesado está dispensado de la obligación de declarar respecto a los hechos que éste le hubiese confiado en su calidad de defensor, y lo que aquí quería manifestar el letrado nada tenía que ver con su secreto profesional, protegido también en otras normas que ahora no es necesario citar. Puede haber un inconveniente práctico en la realización de tal prueba testifical, que puede ser solucionado siendo sustituido en el interrogatorio por algún compañero que se prestara a actuar como codefensor». STS Sala Segunda, de lo Penal, Sentencia 1114/2001 de 11 Jun. 2001, Rec. 308/2000; Ponente: Delgado García, Joaquín. LA LEY 7853/2001.

(34) «... En efecto, la nulidad de la declaración del Abogado señor ..., designado de oficio, que asistió a ..., como detenido, el 21 de agosto de 1990, en su declaración en la Comisaría de ..., se pretende alegando que un Abogado que asiste a un acusado no puede testimoniar después como testigo de cargo contra su cliente. Tesis incontestable si fuera cierto el hecho; naturalmente

Cuando alguno o todos los testigos, tanto de la defensa como de la acusación, no comparezcan, el Tribunal podrá acordar la suspensión del juicio oral de conformidad con el criterio de necesidad de la prueba (Véase a ese respecto § 4.6. Cap. XI). Pero, cuando no existan posibilidades de que el testigo comparezca, cabe introducir la prueba testifical sumarial en el juicio oral mediante el procedimiento previsto en el art. 730 LECrim que prevé que: «podrán también leerse o reproducirse a instancia de cualquiera de las partes las diligencias practicadas en el sumario, que, por causas independientes de la voluntad de aquéllas, no puedan ser reproducidas en el juicio oral». A ese fin deben concurrir los requisitos exigidos por la jurisprudencia constitucional. A saber: intervención judicial, contradicción e imposibilidad de comparecencia del testigo en el juicio oral (véase sobre esa cuestión el epígrafe 1.7 de este Capítulo).

«2. Al respecto conviene recordar la doctrina que hemos venido estableciendo en nuestra Jurisprudencia. La STS n.º 1031/2013 de 12 de diciembre (LA LEY 231050/2013) decía: La compatibilidad del mecanismo del art. 730 LECrim (LA LEY 1/1882) con las exigencias derivadas del derecho a un proceso con todas las garantías y en particular, con el derecho del acusado a interrogar por sí o por representante a los testigos de cargo está también fuera de dudas en la jurisprudencia constitucional. Será necesario que concurran unos requisitos adicionales; (SSTC 148/2005 (LA LEY 13274/2005),12/2002 (LA LEY 3032/2002),209/2001 (LA LEY 8781/2001)), a saber, i) que la diligencia sea intervenida por la autoridad judicial (SSTC 12/2002 (LA LEY 3032/2002),187/2003 (LA LEY 10387/2004),1/2006 (LA LEY 161/2006)); lo que aquí no supone problema alguno; ii)cuando sea factible, que se haya dado oportunidad efectiva a la defensa del inculpado a participar activamente en la práctica de la diligencia sumarial; y iii) que se hayan realizado los esfuerzos razonables conducentes a conseguir la presencia en el plenario del testigo». STS Sala Segunda, de lo Penal, Sentencia 313/2016 de 14 Abr. 2016, Rec. 1707/2015, Ponente: Varela Castro, Luciano. LA LEY 28121/2016.

Los testigos declararán en la sede del Tribunal, y permanecerán, hasta que sean llamados a declarar, aislados de los demás testigos que ya hubiesen declarado, y de cualquier otra persona (art. 704 LECrim). Cuando se infrinja este precepto —vg. siempre que se suspende el juicio oral, o cuando un testigo penetra en la Sala por no haber sido previamente advertido— deberá ponerse en conocimiento de las partes y, posteriormente, valorado por el Tribunal. Pero, la infracción de esta norma no comporta una nulidad radical de la prueba. Por tanto, se debe interpretar que el citado precepto no establece una norma prohibitiva, sino que constituye una norma legal de contenido cautelar, cuya infracción no produce otra carga o perjuicio que una posible disminución de la credibilidad del testimonio[35].

---

que esa prueba sería nula y, a priori, inadmisible por el Tribunal... Por otra parte, el testimonio de dicho abogado se limitó a afirmar que en su presencia nadie maltrató ni coaccionó a su asistido..., que éste declaró con espontaneidad en su presencia y que en la consulta a solas le dijo que no había sido presionado. Lo cual no es testimonio contra..., sino dar fe de cómo transcurrió el acto al que tuvo el deber de asistir, entre otras cosas para garantía contra irregularidad, sobre ello al cuestionarse, puede y debe atestiguar...». (STS Sala Segunda, de lo Penal, Sentencia de 3 Abr. 1995, Rec. 385/1994; Ponente: Carrero Ramos, Justo. LA LEY 2379/1995).

(35) «En cuanto al art. 704 LECrim (LA LEY 1/1882): a) Su inobservancia no es motivo de nulidad sino de elemento a considerar para valorar los testimonios. b) Es imposible establecer medidas que garanticen esa incomunicación en un juicio oral que duró varios meses. c) La Sala

«La reciente sentencia 912/2016 de 1 de diciembre (LA LEY 177402/2016), sintetiza la jurisprudencia de esta Sala al respecto, y explica que la razón de la incomunicación se centra en evitar que un testigo preste su declaración condicionado o influido por lo que ha oído declarar a otro, o, en su caso, a los acusados. En consecuencia, la forma correcta de proceder es la que señala la ley, es decir, que los testigos permanezcan incomunicados y que declaren de uno en uno, evitando riesgos innecesarios que, de concretarse, pudieran restar valor a las pruebas disponibles. La incomunicación no es condición de validez de la prueba testifical y sí sólo de su credibilidad (entre otras STS 153/2005 de 10 de febrero (LA LEY 32963/2005)). En palabras de la STS 814/2011 de 15 de julio (LA LEY 120067/2011) citada por la Sala sentenciadora, que seguía el criterio de otras anteriores como la de 5 de abril de 1989 (Roj 11492/1989), "el artículo 704 LECrim (LA LEY 1/1882) contiene una norma dirigida a los órganos jurisdiccionales orientada a garantizar en lo posible la veracidad de los testimonios que se viertan ante éstos evitando que resulten condicionados por otras manifestaciones previas, pero no contiene un mandato imperativo o una norma prohibitiva en el sentido de que su inobservancia provoque la imposibilidad de practicar la prueba o, en su caso, su valoración. No obstante, en caso de que la previsión legal no sea observada, el Tribunal deberá tenerlo en cuenta al proceder a la valoración de la declaración testifical, pues es claro que *la indebida presencia del testigo en la sala de audiencia podría haber afectado de alguna forma al sentido de su testimonio*"». STS 18/2017 de 20 Ene. 2017, Rec. 10261/2016; Ponente: Ferrer García, Ana María. LA LEY 1296/2017.

Iguales consecuencias cabe extraer de la circunstancia de que el testigo estuviera presente en el acto del juicio oral durante el interrogatorio de los acusados. Es decir, no se predica una nulidad o invalidez necesaria, sino que corresponde a la parte acreditar el modo en el que esa irregularidad hubiera podido condicional la declaración del testigo.

«Tampoco se ve afectado este requisito por el hecho de que el testigo estuviera presente en la sala del juicio durante el interrogatorio de los acusados. Sobre este extremo nos remitimos a lo expuesto al resolver el anterior recurso. Por más que se hubiera producido una contravención de lo dispuesto en el artículo 704 LECrim (LA LEY 1/1882), ello no invalida el testimonio. Por otra parte, el Tribunal sentenciador abordó la cuestión y rechazó cualquier posibilidad de contaminación o influencia que pudiera mermar la credibilidad del testigo, en cuanto que los acusados negaron su intervención en los hechos, sin que el recurso aporte razones que permitan cuestionar esa conclusión, pues no se especifica ningún extremo concreto de la declaración de aquellos que hubiera podido producir el efecto pretendido». STS 18/2017 de 20 Ene. 2017, Rec. 10261/2016; Ponente: Ferrer García, Ana María. LA LEY 1296/2017.

El testigo mayor de 14 años prestará juramento o promesa de decir verdad (art. 706 LECrim). El interrogatorio se iniciará manifestando el testigo las circunstancias acerca de su nombre, edad, estado y profesión, y su relación de parentesco, amistad o cualquier otra con el procesado o las partes (art. 436 LECrim). A continuación la parte que lo hubiere presentado le realizará las preguntas que considere oportunas, respecto a

aclaró —lo que omite el recurrente— que los testigos una vez declaraban permanecían en una sala separada a la ocupada por los que declararían a continuación». STS 290/2014 de 21 Mar. 2014, Rec. 10598/2013, Ponente: Moral García, Antonio del. LA LEY 38974/2014.

los hechos objeto del juicio. Cuando el testigo no conozca el castellano ni, en su caso, la lengua oficial propia de la comunidad autónoma el Tribunal podrá habilitar como intérprete a cualquier persona conocedora de la lengua de que se trate, exigiéndosele juramento o promesa de fiel traducción. En el acta constarán los textos en el idioma original y su traducción al idioma oficial, que será firmada también por el intérprete. En los mismos casos del apartado anterior, si la persona fuere sorda, se nombrará al intérprete de lengua de signos adecuado por cuyo conducto se harán las preguntas y se recibirán las contestaciones. De las actuaciones que se practiquen en relación con las personas sordas se levantará la oportuna acta (arts. 143 LEC, 442 y 711 LECrim).

Se podrá pedir al testigo que reconozca los instrumentos o efectos del delito o cualquier otra pieza de convicción (art. 712 LECrim); que se someta a un careo con los procesados (art. 713 LECrim); o que reconozca al acusado en el acto del juicio oral, a los efectos de identificarlo perfectamente. Las demás partes personadas, a la vista de las contestaciones, formularán al testigo las preguntas que consideren oportunas y fueren pertinentes.

«El derecho a interrogar o hacer interrogar a los testigos de la acusación, como manifestación del principio de contradicción, se satisface dando al acusado una ocasión adecuada y suficiente para discutir un testimonio en su contra e interrogar a su autor en el momento en que declare o en un momento posterior del proceso (SSTEDH de 24 de noviembre de 1986 [TEDH 1986\14], caso Unterpertinger c. Austria, § 31; de 20 de noviembre de 1989 [TEDH 1989\21], caso Kostovsky c. Holanda, § 41; de 27 de septiembre de 1990 [TEDH 1990\21], caso Windisch c. Austria, § 26; de 19 de febrero de 1991 [TEDH 1991\23], caso Isgro c. Italia, § 34; de 20 de septiembre de 1993 [TEDH 1993\38], caso Saïdi c. Francia, § 43; y la más reciente, de 27 de febrero de 2001 [TEDH 2001\96], caso Luca c. Italia, § 40). Si no pudo interrogarle en fase sumarial fue por hallarse huido de la acción de la Justicia, como el recurrente ha reconocido en sus manifestaciones en el juicio oral; sin embargo, en el acto del juicio oral la posibilidad de contradicción fue plena, pues el señor E. declaró en el mismo como testigo. Por tanto, en este caso, desde la perspectiva cuestionada, ha de afirmarse que, por su forma de incorporarse al juicio oral, con plena posibilidad de interrogar a su autor y de poner de manifiesto sus posibles contradicciones, las manifestaciones sumariales del señor E. fueron prestadas en condiciones que permitieron al recurrente oponerse a su contenido, poniendo de relieve su credibilidad ante el Tribunal sentenciador. Por lo expuesto, la declaración sumarial incriminatoria, pese a ser obtenida en fase sumarial sin contradicción, se incorporó al juicio oral con plena posibilidad de contradicción (a diferencia del supuesto analizado en la STEDH de 6 de diciembre de 1988 [TEDH 1988\1], caso Barberá, Messegué y Jabardo c. España, § 84 a 86)». STC 57/2002 de 11 de marzo.

En el supuesto que la declaración del testigo en el juicio oral no sea conforme, en lo sustancial, con la prestada en la fase de investigación cualquiera de las partes podrá pedir que se proceda a la lectura de la declaración sumarial requiriendo el Tribunal al testigo para que dé razón de las diferencias o contradicciones entre las declaraciones, conforme con lo previsto en el art. 714 LEC[36] (Véase el § 1.7 de esta

---

(36)   El art. 46.5 LOTJ prevé que las acusaciones y defensas puedan preguntar al testigo por las contradicciones entre su declaración y la prestada en la investigación de la causa. Pero no se podrá proceder a la lectura de la declaración sumarial, en atención a la especial conformación del

misma Sección sobre lectura de diligencias sumariales en el plenario). El Tribunal podrá dirigir a los testigos las preguntas que considere pertinentes en orden al esclarecimiento de los hechos (art. 708 LECrim). El Presidente del Tribunal no permitirá que el testigo responda las preguntas formuladas de modo capcioso, sugestivo o impertinente; o aquellas innecesarias relativas a la vida privada que no tengan relevancia para el hecho delictivo enjuiciado (salvo que el Tribunal decida lo contrario a fin de valorar adecuadamente los hechos o la credibilidad de la declaración de la víctima). Contra la resolución del Tribunal inadmitiendo una pregunta, podrá interponerse recurso de casación, si se hiciere constar en el acto la oportuna protesta. A este efecto el Letrado de la administración de justicia consignará en el acta las preguntas que se hubiere prohibido contestar (arts. 709, 721 LECrim).

b) Testimonio de la víctima y de menores de edad. Identificación del acusado en el plenario

La declaración de los testigos menores de edad o con discapacidad se realizará utilizando cualquier medio o procedimiento que evite los perjuicios emocionales o de cualquier tipo que pudiera sufrir el declarante derivados de su comparecencia en el juicio y la confrontación con el acusado. Relacionado con esta cuestión se hallan las normas relativas a la limitación o restricción de la publicidad de los actos procesales (Véase el § 2.3.C del Cap. V). También deben tenerse presentes las normas de protección de testigos (Véase el § 2.9.C del Cap. VII) y también las normas sobre la declaración de menores de edad en el proceso penal (Véase el § 2.9.D del Cap. VII).

La declaración de la víctima y/o menores de edad en el plenario podrá realizarse utilizando medios materiales de cualquier tipo (biombos o similares) que permitan evitar la confrontación visual con el acusado. La declaración también podrá tener lugar por medios telemáticos utilizando la imagen y/o el sonido del declarante que se halle en otro lugar (art. 731 bis LECrim). Estas medidas podrán ser aplicables a las declaraciones de las víctimas cuando de su evaluación inicial o posterior derive la necesidad de su adopción (art. 707 LECrim).

«La protección del interés del menor de edad que afirma haber sido objeto de un delito justifica y legitima que, en su favor, se adopten medidas de protección que pueden limitar o modular la forma ordinaria de practicar su interrogatorio. El mismo puede llevarse a efecto a través de un experto (ajeno o no a los órganos del Estado encargados de la investigación) que deberá encauzar su exploración conforme a las pautas que se le hayan indicado; puede llevarse a cabo evitando la confrontación visual con el acusado (mediante dispositivos físicos de separación o la utilización de videoconferencia o cualquier otro medio técnico de comunicación a distancia); si la presencia en juicio del menor quiere ser evitada, la exploración previa habrá de ser grabada, a fin de que el Tribunal del juicio pueda observar su desarrollo, y en todo caso, habrá de darse a la defensa la posibilidad de presenciar dicha exploración y dirigir directa o indirectamente, a través del experto, las preguntas o aclaraciones que entienda precisas para su defensa, bien en el momento de realizarse la exploración, bien en un momento posterior. De esta manera, es posible evitar reiteraciones y con-

---

Tribunal de Jurado. No obstante se unirá al acta el testimonio de la declaración sumaria que aporte la parte que pusiere de manifiesto la contradicción.

frontaciones innecesarias y, al mismo tiempo, es posible someter las manifestaciones del menor que incriminan al acusado a una contradicción suficiente, que equilibra su posición en el proceso». STC Sala Segunda, Sentencia 174/2011 de 7 Nov. 2011, Rec. 10202/2009; Ponente: Pérez de los Cobos Orihuel, Francisco. LA LEY 211655/2011.

En cualquier caso se deben garantizar los derechos del acusado A ese respecto las medidas que se adopten en orden a la protección del testigo nunca pueden coartar el derecho de defensa y contradicción del acusado que debe poder, directa o indirectamente, interrogar al testigo y cuestionar su declaración[37].

«El centro de atención del debate jurídico recae naturalmente sobre las garantías que han de rodear la exploración del menor y la forma en la que la misma puede introducirse en el debate del juicio oral. En la delimitación precisa de cuáles hayan de ser esas precauciones mínimas que han de establecerse en favor de la defensa para, al mismo tiempo, dar protección a la víctima y garantizar al acusado un juicio con todas las garantías, hemos asumido en la citada STC 174/2011 (LA LEY 211655/2011)el canon a que se refiere la STEDH de 28 de septiembre de 2010, caso A.S. contra Finlandia, § 56, conforme a la cual "quien sea sospechoso de haber cometido el delito debe ser informado de que se va a oír al menor, y debe tener una oportunidad de observar dicha exploración, bien en el momento en que se produce o después, a través de su grabación audiovisual; asimismo debe tener la posibilidad de dirigir preguntas al menor, de forma directa o indirecta, bien durante el desarrollo de la primera exploración o en una ocasión posterior". Conocer la existencia de la exploración, acceder a su contenido mediante su grabación audiovisual y tener la posibilidad procesal de cuestionarla, durante su realización o en un momento posterior (ya sea en fase de investigación o en el juicio oral), indicando aquellos aspectos adicionales sobre los que la defensa considera deben ser interrogados, son las tres claves de la contradicción debida en estos casos, pues no cabe olvidar que la contradicción que es posible ejercer en cada caso "se articula atendiendo a las peculiaridades de la prueba de que se trate" (STC 155/2002, de 22 de julio (LA LEY 6428/2002), FJ 10), es decir, varía en función de la naturaleza de la prueba que se pretende contradecir». STS Sala Segunda, de lo Penal, Sentencia 1008/2016 de 1 Feb. 2017, Rec. 10435/2016. Ponente: Monterde Ferrer, Francisco. LA LEY 2766/2017.

La declaración incriminatoria de la víctima, practicada en juicio oral, tiene la consideración de prueba testifical y puede resultar suficiente para desvirtuar la presunción de inocencia. Esta suele ser la única prueba que se acredita en el acto del juicio oral en los delitos contra la libertad sexual, atendiendo al marco de clandestinidad en el que se producen esa clase de delitos, lo que impide al Tribunal disponer de otras prueba y le sitúa ante dos declaraciones contradictorias: la de la víctima y la del acusado. En esta situación, el TS ha admitido la declaración de la víctima siempre

---

(37) «... en estos supuestos, cuando la víctima es menor de edad, resulta legítimo adoptar medidas de protección en su favor, incluso rechazar su presencia en juicio para ser personalmente interrogada; mas tales cautelas han de ser compatibles con la posibilidad que ha de otorgarse al acusado de ejercer adecuadamente su derecho de defensa, a cuyo fin los órganos judiciales están obligados, simultáneamente, a tomar otras precauciones que contrapesen o reequilibren los déficits de defensa que derivan de la imposibilidad de interrogar personalmente al testigo de cargo en el juicio oral». STC Sala Segunda, Sentencia 174/2011 de 7 Nov. 2011, Rec. 10202/2009; Ponente: Pérez de los Cobos Orihuel, Francisco. LA LEY 211655/2011.

que la condena se fundamente en la valoración racional y en conciencia de la prueba practicada motivándose debidamente en la sentencia.

«Ante versiones de hechos completamente distintas e incompatibles entre sí, determinar la mayor o menor credibilidad de aquéllas corresponde al Tribunal de instancia y sólo una conclusión arbitraria o irracional podría generar la censura casacional de la prueba de cargo. Lo que no sucede en el presente caso pues ha existido prueba de cargo suficiente contra el recurrente, al margen de que éste no comparta la valoración que de las pruebas personales y periciales ha realizado el Tribunal Sentenciador. La declaración de la víctima, que resulta corroborada por la testifical de la prima y de la tía, y las periciales expuestas, según una reiterada doctrina de esta Sala, es prueba suficiente y hábil para destruir la presunción de inocencia, habiendo explicado la Sala de Instancia de manera suficiente y motivada por qué otorga tal condición a las citadas declaraciones, y qué elementos corroboradores de las mismas ha considerado». ATS Sala Segunda, de lo Penal, Auto 1143/2016 de 30 Jun. 2016, Rec. 534/2016. Ponente: Martínez Arrieta, Andrés. LA LEY 88819/2016.

A este efecto el Tribunal deberá realizar un pormenorizado, riguroso y profundo análisis de la valoración que ha efectuado de la declaración de la víctima ponderando: a) la posibilidad que la imputación obedezca a odios, enemistades o resentimientos respecto del acusado; b) la persistencia y coherencia en la incriminación en las ocasiones en las que hubiere declarado sobre lo sucedido; c) la verosimilitud del relato de los hechos; d) la credibilidad que ofrezca al Tribunal la víctima resultante de la directa inmediación con la que el órgano judicial sentenciador ha practicado las pruebas, viendo y oyendo directamente a uno y otro protagonistas; e) la valoración de la pluralidad de elementos periféricos que permiten valorar la credibilidad de los partícipes del hecho[38].

«El primer parámetro de valoración es la ausencia de incredibilidad subjetiva, extraído desde una evaluación de si existe aptitud física para haber podido percibir lo

_____

[38] «De forma muy reiterada la jurisprudencia de este Tribunal Supremo, SSTS, 625/2010 de 6.7 (LA LEY 113878/2010), 187/2012 de 20.3 (LA LEY 35404/2012), 688/2012 de 27.9 (LA LEY 152356/2012), 724/2012 de 2.10 (LA LEY 152363/2012), 610/2013 de 15.7 (LA LEY 110911/2013), 23/2015 de 4.2 (LA LEY 30888/2015), tiene declarado, que: La declaración de la víctima es una actividad probatoria hábil en principio, para enervar el derecho fundamental a la presunción de inocencia. Encuadrable en la prueba testifical, su valoración corresponde al Tribunal de instancia que con vigencia de los principios que rigen la realización del juicio y la práctica de la prueba oye lo que los testigos deponen sobre hechos percibidos sensorialmente. Elemento esencial para esa valoración es la inmediación a través de la cual el tribunal de instancia forma su convicción, no sólo por lo que el testigo ha dicho, sino también su disposición, las reacciones que sus afirmaciones provocan en otras personas, la seguridad que transmite, en definitiva, todo lo que rodea una declaración y que la hace creíble, o no, para formar una convicción judicial. La credibilidad de la víctima es una apartado difícil de valorar por la Sala de casación, pues no ha presenciado esa prueba pero en su función revisora de la valoración de la prueba puede valorar la suficiencia de la misma y el sentido de cargo que tiene, así como sobre la racionalidad de la convicción manifestada por el tribunal sentenciador de instancia. Por ello el testimonio de la víctima cuando se erige en prueba de cargo, como normalmente sucede en hechos como el enjuiciado, está sujeto a la hora de su valoración a unos criterios que no exigencias (STS 15.4.2004), como son los de ausencia de incredibilidad, verosimilitud del testimonio y persistencia en la incriminación». STS Sala Segunda, de lo Penal, Sentencia 568/2016 de 28 Jun. 2016, Rec. 2193/2015; Ponente: Berdugo Gómez de la Torre, Juan Ramón. LA LEY 74783/2016.

que se relata y —en el plano psíquico— a través de la ausencia de móviles espurios que debiliten la credibilidad del testimonio .../... El segundo parámetro de valoración de la declaración de la víctima consiste en el análisis de su credibilidad objetiva o de la verosimilitud de su testimonio, que según las pautas jurisprudenciales debe estar basada en la lógica de la declaración (coherencia interna) y en el suplementario apoyo de datos objetivos de corroboración de carácter periférico (coherencia externa) .../... Por último, el tercer parámetro de valoración de la declaración de la víctima consiste en el análisis de la persistencia de su incriminación, lo que conforme a las referidas pautas jurisprudenciales supone (STS 355/2015, de 28-5 (LA LEY 79695/2015)): a) Ausencia de modificaciones esenciales en las sucesivas declaraciones prestadas por la víctima. Se trata de una persistencia material en la incriminación, valorable *"no en un aspecto meramente formal de repetición de un disco o lección aprendida, sino en la constancia sustancial de las diversas declaraciones"* (Sentencia de esta Sala de 18 de junio de 1.998, entre otras). b) Concreción en la declaración. La declaración ha de hacerse sin ambigüedades, generalidades o vaguedades. Es valorable que la víctima especifique y concrete con precisión los hechos narrándolos con las particularidades y detalles que cualquier persona en sus mismas circunstancias sería capaz de relatar. c) Ausencia de contradicciones entre las sucesivas versiones que se ofrecen a lo largo del procedimiento, manteniendo el relato la necesaria conexión lógica entre las diversas versiones narradas en momentos diferentes». STS Sala Segunda, de lo Penal, Sentencia 1004/2016 de 23 Ene. 2017, Rec. 10262/2016; Ponente: Llarena Conde, Pablo. LA LEY 1612/2017.

Así, se valorará, la conducta anterior y posterior de la víctima y acusado, el relato de los hechos que la víctima hubiere referido a personas de confianza, o a personal médico; las pruebas periciales u de otra clase que corroboren la declaración, etc.[39]

«El propio Tribunal Constitucional, reiterando su doctrina sobre la declaración de la víctima ha afirmado que "practicada con las debidas garantías, tiene consideración de prueba testifical y, como tal, puede constituir prueba de cargo suficiente, en la que puede basarse la convicción del juez para la determinación de los hechos del caso". Ello no supone que la declaración de la víctima, cuando es la única prueba de cargo, no deba ser valorada con especial cautela, exigencia predicable, en realidad, respecto a todo testimonio, como consecuencia de la necesidad de valorar la prueba, no en forma tasada, sino de acuerdo con las reglas del criterio racional

---

(39) «i. No se otorga credibilidad a las alegaciones exculpatorias del acusado, considerando como indicio relevante que su propia defensa, en fase de informe, no las tuvo en cuenta y sostuvo la posible existencia de una relación sexual consentida entre denunciante y denunciado ii. Califica el testimonio de la víctima como "perfectamente creíble, verosímil y coherente", resultando persistente respecto al hecho nuclear de la agresión sexual, es decir, que el autor del hecho obligó, mediante la utilización de su fuerza física, a la víctima a mantener una relación sexual, consistente en una penetración vaginal, en contra de su voluntad. A mayor abundamiento, no concurre motivación espuria alguna que pudiese viciar su contenido y viene corroborado por las periciales antedichas; careciendo por otra parte de sentido que hubiese podido mentir respecto a la sustracción de sus objetos de bisutería a tenor, amén de los anteriores razones, de su escaso valor. Partiendo de dichas premisas no cabe sino ratificar la conclusión del Tribunal de instancia ya que se basó en prueba suficiente, válidamente obtenida y practicada, ajustándose el juicio de inferencia realizado a las reglas de la lógica y a los principios de la experiencia, sin que en modo alguno quepa ser calificada como irracional, ilógica o arbitraria, por lo que no se ha producido la vulneración del derecho a la presunción de inocencia denunciada». STS Sala Segunda, de lo Penal, Auto 45/2015 de 15 Ene. 2015, Rec. 10552/2014, Ponente: Marchena Gómez, Manuel. LA LEY 3494/2015.

.../... Se dispuso de la pericial que confirma las lesiones sufridas .../... Indicaron en la vista que lo manifestado por Rocío es lógico y coherente, y apreciaron que tenía como mecanismo de defensa no recordar los hechos .../... Para el Tribunal la víctima ofreció total credibilidad, habiendo sido persistente, verosímil y ausente de incredibilidad subjetiva. Precisó que los matices con respecto al número de participantes en el ataque, cuando habló inicialmente de tres, no resta credibilidad a su relato, pues ello podría explicare por la importante intensidad de su intoxicación etílica, y en cualquier caso, siempre concretó que fueron dos personas las que la penetraron vaginal y analmente y a quienes les practicó las felaciones». STS Sala Segunda, de lo Penal, Auto 1562/2016 de 20 Oct. 2016, Rec. 10427/2016, Ponente: Ferrer García, Ana María. LA LEY 167245/2016.

Por otra parte, es frecuente que la víctima reconozca, al acusado en el mismo acto del plenario. El Tribunal Supremo ha admitido esta identificación, sin perjuicio de la valoración que debe realizar el Tribunal aplicando semejantes criterios a los expuestos *supra*. Véase sobre el reconocimiento del acusado por testigos en el plenario el § 2.6.A.c del Capítulo VII.

«El Tribunal Constitucional ha considerado prueba suficiente para enervar la presunción de inocencia el reconocimiento efectuado en el juicio oral, sin ningún género de dudas, por parte del testigo, a pesar de las irregularidades de los reconocimientos fotográficos, o incluso de reconocimientos en rueda anteriores (STC 323/1993 (LA LEY 2319-TC/1993) y STC 172/1997 (LA LEY 10518/1997)). Y esta Sala ha señalado que el reconocimiento fotográfico o en rueda alcanza el nivel de prueba cuando es ratificado por el testigo en el plenario, o en éste reconoce al autor de los hechos, pudiendo ser sometido a interrogatorio cruzado de las partes sobre los hechos que dice haber presenciado y sobre el reconocimiento realizado (entre otras STS 337/2015 de 24 de mayo (LA LEY 79685/2015) y las que ella cita)». STS 18/2017 de 20 Ene. 2017, Rec. 10261/2016; Ponente: Ferrer García, Ana María. LA LEY 1296/2017.

c) Declaración de testigos protegidos y de agentes encubiertos

El derecho de defensa del acusado incluye el de interrogar o hacer interrogar a los testigos que declaren en su contra. Así se reconoce en el art. 24 CE, 6.3 d) del Convenio de Roma para la Protección de los Derechos Humanos y de las Libertades Fundamentales de 1950, 14.3 e) del Pacto Internacional de Nueva York de Derechos Civiles y Políticos. También la LECrim protege a estos efectos el derecho del acusado a la prueba de testigos que declararán en el acto del juicio y se someterán a las preguntas de las partes (arts. 705 y 708 LECrim).

La declaración del testigo se producirá en el acto del plenario con presencia física de aquél, de modo que el acusado y su defensa puedan comprobar su identidad, y orientar el interrogatorio según el modo en el que declare y su estado físico aparente (gestos, alteración, sudor, enrojecimiento, titubeo, movimientos incontrolados). En definitiva, la regla general será la de la confrontación del testigo de cargo con la persona acusada, como consecuencia del derecho de defensa del acusado, a conocer en el acto del juicio público quién y por qué le acusa. Este derecho a un juicio público tiene también trascendencia objetiva, ya que no supone una garantía para todos los ciudadanos.

Pero la publicidad del proceso puede limitarse, según se expuso en § 2.3.C Cap. V, en determinados supuestos en los que prevalece la necesidad de proteger a la víctima o a los testigos en razón de su especial vulnerabilidad; así como favorecer su colaboración con la justicia. Concretamente, el Tribunal puede adoptar medidas de restricción de la publicidad en el caso de la declaración de testigos protegidos (arts. 2, 3, 4 LO 19/1994), menores (arts. 4 y 9 LO 1/1996 de protección jurídica del menor), o víctimas de delitos de agresión sexual (art. 15.5 Ley 35/1995). En estos supuestos el Tribunal puede acordar medidas que impidan o dificulten la identificación visual del testigo, o la confrontación con el acusado, para lo cual son válidas distintas soluciones. Por ejemplo el empleo de biombos o similares.

Las medidas de protección para la declaración del testigo se adoptarán de forma motivada, de conformidad con el Pleno no Jurisdiccional de la Sala 2ª de 6 octubre de 2000 que se pronunció con referencia a la medida de impedir la visualización del testimonio de un testigo en el acto del juicio oral por parte del acusado del art. 2.b de la LO 19/1994 de Protección de Testigos y Peritos en Causas Criminales. Pero, si la medida se acordara en el acto del juicio oral, tal motivación es bastante con que se refleje en el propio acta del juicio oral, con la amplitud que requiera la situación de peligro (Véase sobre esta cuestión el § 2.3.C Cap. V). El auto en el que se adopten las medidas podrá ser objeto de recurso de reforma o de súplica (art. 4.2.º). Además, las partes podrán solicitar, de forma motivada, al órgano que deba entender la causa que se dé a conocer la identidad de los testigos o peritos protegidos (art. 4 LO 19/1994). Establece la ley que cumplidos esos requisitos: solicitud motivada el Juez o Tribunal en el escrito de calificación: *«deberá facilitar el nombre y los apellidos de los testigos y peritos, respetando las restantes garantías reconocidas a los mismos en esta Ley»* (art. 4.3 LO 19/1994). Ahora bien, la jurisprudencia se ha pronunciado sobre este precepto considerando que de lo que se trata es de que la defensa conozca las circunstancias concurrentes en los testigos al efecto de poder realizar un efectivo interrogatorio, sin que sea necesario que se conozca su identidad. Y sin que sea válida una simple petición de revelación de identidad sin motivar debidamente la razón de la petición.

«Ello no obstante, el acta de la Vista (fº 587 vtº y ss.) revela que en el inicio de las declaraciones se comprobó previamente la identidad de cada testigo, y que la defensa del acusado procedió a interrogar a todos los testigos protegidos comparecidos, sin observación ni queja alguna. Y al respecto, con objeto de alejar cualquier sospecha o vestigio de indefensión, debe considerarse que de los referidos testigos, desde las primeras manifestaciones y también en las vertidas en juicio oral, si su identidad quedó reservada, proporcionaron, sin embargo, todo tipo de datos sobre su respectiva ubicación y causa de su permanencia en lugar (peatón, trabajador de fábrica, empleado de gasolinera, conductor, ocupante de automóvil, conductor de autobús o de camión), con respecto a los hechos que presenciaron, facilitando la orientación del interrogatorio a que fueron sometidos. La STS de 28-1-02, n.º 867/00, se refiere a un supuesto, que guarda gran similitud con el nuestro, donde se desestimó el recurso formulado por causas similares porque "los acusados no recurrieron la resolución de la Sala *a quo* y en el acto del juicio oral nada objetaron, ni formularon protesta alguna, limitándose en la solicitud que les fue denegada a pedir que se les comunicara la identidad de los testigos protegidos, alegando genérica indefensión sin precisar en qué se había perjudicado su derecho de defensa"». STS 6 de marzo de 2009. Ponente: Monterde Ferrer, Francisco. N.º de Sentencia: 221/2009. N.º de Recurso: 11237/2008. LA LEY 6925/2009.

Las medidas de protección indicadas pueden adaptarse a las circunstancias concretas del asunto de que se trate sin que por ello se produzca ninguna clase de ilicitud[40]. Por ejemplo, en el asunto del que conoce la STS 290/2014 de 21 Mar. 2014 el Tribunal acordó utilizar un dispositivo distorsionador de la voz con la finalidad de evitar, en caso de una eventual grabación por parte de alguien del público de la sala de la declaración, que se pudiera identificar al declarante en un supuesto en el que resultaba necesario proteger su identidad. Medida que el Tribunal Supremo convalida por adecuada y lícita al fin propuesto.

«Las víctimas han de ser protegidas y el derecho de defensa no padeció ni por la no confrontación visual con los acusados (no se intuye bien qué poder revelador habrían de tener las gesticulaciones de los testigos, cuando además, de declarar sin biombo, tampoco hubiesen estado viendo directamente a acusados); ni por la distorsión de la voz (que no impedía ni el interrogatorio, ni la escucha, ni la comprensión). Eran medidas elementales para no ahondar en la victimización secundaria. Ya habían pasado años: es evidente el interés que podrían tener muchos que habían rehecho su vida en no verse estigmatizados por unos sucesos de su adolescencia que quizás habían logrado mantener al margen de su trayectoria y vida sexual recompuesta. Normativa internacional y nacional sirve de solvente apoyo a las medidas adoptadas que no cabe si no aplaudir. Se combinaron armónicamente derechos de la defensa (ningún menoscabo) con derechos de las víctimas (que soportaron las molestias estrictamente inevitables). La distorsión de la voz, como apunta el Fiscal, era elemental para neutralizar una eventual grabación en Sala que se puede efectuar con un móvil, y salvar a las víctimas de una indeseada e indeseable exposición pública aireando episodios de su vida pasada, cuando eran menores, que quizás habían logrado mantener reservados. Lógicamente no desearían en un asunto tan mediático ver arrojados tales sucesos a una morbosa curiosidad pública. El derecho de la Sociedad a ser informada queda satisfecho sin necesidad de descender a esos detalles o de proporcionar la identidad de las víctimas. Los escritos dirigidos por algunos testigos al Tribunal (vid. v.gr. folios 2811 y ss. del rollo) son expresivos: no necesitan comentario adicional». STS 290/2014 de 21 Mar. 2014, Rec. 10598/2013, Ponente: Moral García, Antonio del. LA LEY 38974/2014.

La protección u ocultación del testigo no impide que su testimonio se someta al principio de contradicción por la defensa del acusado. En consecuencia, no es ad-

---

(40) «El Tribunal utilizó correctamente las facultades otorgadas por la LO 19/1994, de 23 de diciembre, sobre protección de testigos, cuyo artículo 4.1 confiere atribuciones al órgano judicial competente para el enjuiciamiento, no sólo para resolver sobre las medidas acordadas en esta materia por el Juez de Instrucción, sino también respecto de la adopción de otras nuevas, previa ponderación de los bienes jurídicos constitucionalmente protegidos, de los derechos fundamentales en conflicto y de las circunstancias concurrentes (Sentencia de 24 de junio de 1997 en un caso análogo). En este caso el recurrente nada concreta sobre en qué medida o extremo concreto pudo perjudicar a sus posibilidades de defensa el hecho de que los testigos declararan en tal forma». STS Sala Segunda, de lo Penal, Sentencia 1989/2000 de 3 May. 2001, Rec. 1726/1997-P/1997. Ponente: Prego de Oliver Tolivar, Adolfo. LA LEY 88810/2001.

misible la declaración testifical prestada por testigos anónimos, o con imposibilidad de contradicción.

«... La referencia a la anterior doctrina del TEDH permite, pues, concluir que es la imposibilidad de contradicción y el total anonimato de los testigos de cargo lo que el citado Tribunal considera contrario a las exigencias derivadas del artículo 6 del Convenio; por lo que, por el contrario, en aquellos casos, como el presente, en el que el testimonio no pueda calificarse de anónimo sino, en todo caso, de "oculto" (entendiendo por tal aquel que se presta sin ser visto por el acusado), pero en los que la posibilidad de contradicción y el conocimiento de la identidad de los testigos —tanto para la defensa como para el Juez o Tribunal llamado a decidir sobre la culpabilidad o inocencia del acusado— resulten respetados, han de entenderse cumplidas las exigencias derivadas del art. 6.3.d) del Convenio y, en consecuencia, también las garantías que consagra el artículo 24.2 de nuestra Constitución...». (STC 64/94, de 28 febrero)

d) Admisión excepcional y subsidiaria del testigo de referencia

El testigo responderá a las preguntas formuladas expresando la razón de su conocimiento de los hechos que, como regla general, deberá ser directo. Ahora bien, la jurisprudencia también admite, con carácter excepcional y subsidiario, el testigo de referencia que será únicamente admisible en defecto de testigos directos[41].

«Nuestra jurisprudencia (últimamente SSTS 144/2014 (LA LEY 21259/2014) o 157/2015 (LA LEY 35314/2015)) «aun reconociendo efectos probatorios al testimonio de referencia, viene señalándole unos límites, entre los cuales se encuentra la imposibilidad de suplir un testimonio directo por el de mera referencia cuando ambos comparecen en juicio y declaran de forma discrepante ante el Tribunal. Sólo faltando el testimonio presencial o directo por causas debidamente acreditadas podrá someterse su declaración sumarial a contradicción, al menos parcial, mediante el testimonio de referencia (STS núm. 1031/2013, de 12 de diciembre (LA LEY 231050/2013)). Aunque no existe una regla de prueba tasada por la que en esos casos haya de otorgarse necesariamente mayor valor a la declaración del testigo directo, sí venimos sosteniendo que, si bien la declaración del testigo de referencia puede resultar útil para establecer el grado de credibilidad del testigo directo, un testigo de referencia no puede aportar sobre el hecho sucedido mayor demostración que la que se obtendría del propio testimonio referenciado, porque lo que conoce solamente son las afirmaciones oídas de éste (STS núm. 854/2013, de 30 de octubre (LA LEY 179545/2013), por remisión a la STC núm. 155/2002, de 22 de julio (LA LEY 6428/2002))». STS Sala Segunda, de lo Penal, Sentencia 229/2016 de 17 Mar. 2016, Rec. 1504/2015. Ponente: Saavedra Ruiz, Juan. LA LEY 15965/2016.

---

(41) Se trata de supuestos en los que el testigo directo ha fallecido, se encuentra en paradero desconocido, o reside en el extranjero «... Como hemos dicho, "la necesidad de favorecer la inmediación, como principio rector del proceso en la obtención de las pruebas, impone inexcusablemente que el recurso al testimonio referencial quede limitado a aquellas situaciones excepcionales de imposibilidad real y efectiva de obtener la declaración del testigo directo o principal" (STC 79/1994, FJ 4.°)...». (STC 261/94, de 3 octubre). Téngase presente que el art. 813 LECrim, excluye los testigos de referencia respecto de las causas por injurias o calumnias vertidas verbalmente.

Ahora bien, se trata de una prueba complementaria y, en esencia, sospechosa, ya que en realidad el testigo de referencia es una prueba que no versa sobre el hecho controvertido, que el testigo no presenció, sino sobre lo que un tercero le transmitió sobre el hecho[42].

«Este Tribunal —entre otras, en STS 703/2012, de 28 de septiembre (LA LEY 150494/2012)— ha puesto de relieve que la testifical de referencia es un medio de prueba sumamente cuestionado, porque puede presentar serios problemas de fiabilidad; tanto que históricamente ha estado siempre proscrita en el proceso anglosajón. En esencia porque, por definición, testigo es solo el que, al haber presenciado o conocido por sí mismo un acontecimiento, está en condiciones de aportar datos de él, como fuente primaria. Por tanto, actúa como directo conocedor de algo, sobre lo que depone en primera persona. El testigo de referencia es, en cambio, una fuente mediata de posible conocimiento, que declara, no sobre el hecho procesalmente relevante, sino sobre la —una— versión del mismo que alguien podría haberle suministrado. Así, en rigor, su testimonio no versará de manera directa sobre el hecho principal (el de la imputación) y ni siquiera sobre un hecho secundario de esta, sino sobre otro ajeno a los de la causa, que, además, es un hecho declarativo». STS Sala Segunda, de lo Penal, Sentencia 1/2017 de 12 Ene. 2017, Rec. 10417/2016; Ponente: Andrés Ibáñez, Perfecto Agustín. LA LEY 74/2017.

Es por ello que, con base en ese valor de prueba complementaria, se ha admitido que el testigo de referencia pueda servir para valorar la credibilidad y fiabilidad de otro testigo.

«En definitiva las manifestaciones que realizó en su día la víctima o testigo directo de los hechos objeto de acusación debe ser necesariamente objeto de contradicción por el acusado o por su Letrado en el interrogatorio del juicio oral, y por ello no se puede inferir que el principio de inmediación permite sustituir un testigo directo por otro de referencia, pero no obstante la testifical de referencia si puede formar parte del acervo probatorio en contra del reo, siempre que no sea la única prueba de cargo sobre el hecho enjuiciado y siempre con independencia de la posibilidad o no de que el testigo directo puede deponer o no en el juicio oral. El testigo de referencia podrá ser valorado como prueba de cargo —en sentido amplio— cuando sirva para valorar la credibilidad y fiabilidad de otro testigo —por ejemplo testigo de referencia que sostiene sobre la base de lo que le fue manifestado por un testigo presencial, lo mismo o lo contrario, o lo que sostiene otro testigo presencial que si declara en el plenario—,

---

(42) «Quiere ello decir que la certeza de que el testigo directo hizo ciertas afirmaciones ante el testigo de referencia es lo que, a lo sumo, puede tenerse por completamente veraz de lo declarado por éste. Subsiste, sin embargo, la necesidad de ponderar y valorar el testimonio directo para determinar aquel hecho que se pretende averiguar. Los testimonios de referencia, aun admitidos en el art. 710 LECrim (LA LEY 1/1882), tienen así una limitada eficacia demostrativa respecto al hecho delictivo en sí, pues pasar directamente de lo declarado por el testigo de oídas a tener por probado sin más lo afirmado por aquél a quien se oyó equivaldría a atribuir a aquél todo crédito probatorio privilegiando una narración extraprocesal sustraída a la inmediación y a la contradicción. Por tal motivo se dice que el valor del testimonio de referencia es el de prueba "complementaria", que refuerza lo acreditado por otros elementos probatorios, o bien el de prueba "subsidiaria", a considerar solamente cuando es imposible acudir al testigo directo por desconocerse su identidad, haber fallecido o cualquier otra circunstancia análoga que haga imposible su declaración testifical (STS núm. 129/2009, de 10 de febrero (LA LEY 3350/2009))». STS Sala Segunda, de lo Penal, Sentencia 229/2016 de 17 Mar. 2016, Rec. 1504/2015. Ponente: Saavedra Ruiz, Juan. LA LEY 15965/2016.

o para probar la existencia o no de corroboraciones periféricas —por ejemplo, para coadyuvar a lo sostiene el testigo único—». STS Sala Segunda, de lo Penal, Sentencia 95/2014 de 20 Feb. 2014, Rec. 1507/2013. Ponente: Berdugo Gómez de la Torre, Juan Ramón. LA LEY 10178/2014.

La doctrina del TC ha convalidado la validez de esta clase de testimonio, aceptándolo como fundamento de una condena penal, aun calificándolo de poco recomendable y no sustitutivo de otros medios de prueba directos.

«... El testimonio de referencia, como prueba admisible en Derecho (art. 710 LE-Crim.), ha sido, a su vez, reconocido explícitamente por este Tribunal, como medio apto para desvirtuar la presunción de inocencia, si bien con reservas en la medida en que "la regulación de la Ley responde, como tendencia, al principio de inmediación de la prueba, entendiéndose por tal la utilización del medio de prueba más directo y no los simples relatos sobre éste" (STC 217/89), fundamento jurídico 5.º). De ello deriva que, "en la generalidad de los casos", este Tribunal haya calificado dicho medio de prueba como "poco recomendable", pues "en muchos casos supone eludir el oportuno debate sobre la realidad misma de los hechos y el dar valor a los dichos de personas que no han comparecido en el proceso"; concluyendo que "la prueba testifical indirecta nunca puede llegar a desplazar o a sustituir totalmente la prueba testifical directa, salvo en los casos de prueba sumarial anticipada o de imposibilidad material de comparecencia del testigo presencial a la llamada al juicio oral" (STC 303/93), FJ 7.º)...». (STC 35/95, de 6 febrero). *Vid.* también SSTC 79/94, de 14 marzo; 303/93, de 25 octubre; 217/89, de 21 diciembre.

En su virtud, como regla general, no se admitirá el testigo de referencia cuando, siendo posible, no hayan comparecido los testigos directos.

«La certeza de que el testigo directo hizo ciertas afirmaciones ante el testigo de referencia es lo que, a lo sumo, puede tenerse por completamente veraz de lo declarado por éste. Subsiste, sin embargo, la necesidad de ponderar y valorar el testimonio directo para determinar aquel hecho que se pretende averiguar. Los testimonios de referencia, aun admitidos en el art. 710 LECrim (LA LEY 1/1882), tienen así una limitada eficacia demostrativa respecto al hecho delictivo en sí, pues pasar directamente de lo declarado por el testigo de oídas a tener por probado sin más lo afirmado por aquél a quien se oyó equivaldría a atribuir a aquél todo crédito probatorio privilegiando una narración extraprocesal sustraída a la inmediación y a la contradicción. Por tal motivo se dice que el valor del testimonio de referencia es el de prueba "complementaria", que refuerza lo acreditado por otros elementos probatorios, o bien el de prueba "subsidiaria", a considerar solamente cuando es imposible acudir al testigo directo por desconocerse su identidad, haber fallecido o cualquier otra circunstancia análoga que haga imposible su declaración testifical (STS núm. 129/2009, de 10 de febrero (LA LEY 3350/2009)). Incluso en este caso resulta evidente la debilidad demostrativa del testigo de referencia para sustentar por sí solo un pronunciamiento de condena, por la misma naturaleza indirecta o mediata de la fuente de su conocimiento respecto al hecho delictivo, y siempre condicionada en cuanto su credibilidad a la que hubiera de merecer el testigo directo que no puede ser interrogado y oído a presencia del Tribunal. Esa imposibilidad de acudir al testigo directo ha de ser material, algo que no concurre en este caso, pues quien habría de ostentar tal conocimiento directo o presencial se encuentra amparado por el particular estatus de coacusado que le reconoce la Constitución, en el ejercicio del cual compareció pero se negó a declarar ante el Tribunal». STS Sala Segunda, de lo Penal, Sentencia 144/2014 de 12 Feb. 2014, Rec. 1299/2013. Ponente: Saavedra Ruiz, Juan. LA LEY 21259/2014.

El testigo de referencia deberá dar cumplida cuenta de la fuente de su ilustración, a efecto de permitir a la parte su contradicción y al Tribunal su valoración[43]. A ese fin, el testigo de referencia deberá precisar el origen de la noticia, designando con nombre y apellidos o con las señas con que fuere conocida, la persona que le hubiere comunicado los hechos (art. 710 LECrim).

«Que la testifical de referencia no puede sustituir a la del testigo directo; y también la de que se trata de una prueba que carece por sí sola de aptitud para destruir la presunción de inocencia; por lo que su empleo tendrá que reservarse para aquellos supuestos en los que no fuera posible contar con la testifical genuina. Y, no solo, pues, en tales casos, su valoración y la extracción de conclusiones fiables, serán operaciones de un riesgo que habrá de ser sopesado muy cuidadosamente. A ello se debe que en la STS 455/2014, de 10 de junio (LA LEY 72643/2014), se advierta que la declaración del testigos de referencia por sí sola únicamente puede aportar algún tipo de conocimiento en cuanto a lo que él hubiera observado personalmente, pero carece de aptitud para acreditar que lo que dijera haber oído al que pudo ser testigo directo, sea realmente veraz. Que es por lo que con el solo testimonio referencial no podría reconstruirse válidamente el hecho apto para fundar una imputación, si es que fuera la única prueba de cargo de la conducta criminal». STS Sala Segunda, de lo Penal, Sentencia 1/2017 de 12 Ene. 2017, Rec. 10417/2016.

D) Diligencia de Careo

No se trata, estrictamente, de un medio de prueba, sino de un instrumento de contraste de la fiabilidad de otras pruebas, concretamente de la declaración del acusado y de los testigos (art. 713 LECrim). Esta naturaleza especial determina que su práctica resulte una facultad discrecional del Tribunal, que no es recurrible en casación[44]. Véase también sobre esta diligencia el § 2.10 del Cap. VII en sede de diligencias de investigación.

«En lo que se refiere al careo, como bien pone de relieve el Ministerio Fiscal, es una diligencia que se adopta a juicio del juez o Tribunal competente en caso de que la considere necesaria, pero su denegación no es susceptible de recurso de casación. Además, tal como se dice en la sentencia, el Tribunal pudo presenciar las declaraciones del acusado y de los testigos bajo los principios de inmediación, oralidad y

---

(43) Vid. SSTC 79/94, de 14 marzo; 35/95, de 6 febrero; STS 30 mayo 1995; 11 marzo 1994; 17 de febrero 1996; 20 de octubre 1999; SSTEDH, casos Delta, Iseyor, Asch, Windsch, Kostowski y Ludi.

(44) «La representación del recurrente no ha acreditado que tal prueba fuera decisiva en términos de defensa, relevante para la decisión final, ni que su denegación se hubiera efectuado sin motivación alguna o mediante una interpretación y aplicación de la legalidad carente de razón (SSTC 1/1996, 164/1996, 189/1996 y 89/1997).../... En definitiva, no consta que se haya impedido el ejercicio del derecho a interrogar o hacer interrogar a los testigos que declaran en contra y, en consecuencia, no cabe concluir que la prueba del careo fuera decisiva en términos de defensa, de modo que la ausencia de su práctica no supone la vulneración del derecho a la utilización de los medios de prueba pertinentes para la defensa. Tampoco se aprecia la vulneración de este derecho por parte del Tribunal Supremo, ya que el motivo de casación se articuló como un quebrantamiento de forma al amparo del art. 850, 1.º de la LECrim». ATC 214/1998 de 13 de octubre.

contradicción, lo que le ha permitido formarse criterio acerca de la credibilidad de unos y otros sin necesidad de acudir a una diligencia de careo». STS Sala Segunda, de lo Penal, Sentencia 294/2014 de 9 Abr. 2014, Rec. 10981/2013. Ponente: Colmenero Menéndez de Luarca, Miguel. LA LEY 40137/2014.

E)   *Informes periciales. Valor de los dictámenes o pericias emitidos por organismos Oficiales*

La Ley sólo dedica tres artículos (arts. 723 a 725 LECrim) a la regulación de la prueba pericial en fase de juicio oral, por lo que serán de aplicación las normas establecidas en los arts. 456 a 485 LECrim, referentes al informe pericial como diligencia sumarial (*vid.* § 2.13 Cap. VII). La práctica de esta prueba se solicitará, como el resto de pruebas, en el escrito de calificación, presentando la lista de peritos. Estos podrán ser recusados en los tres días siguientes a la entrega de la lista, o posteriormente si incurriera en causa de recusación (arts. 662, 663 LECrim). También habrá lugar a la recusación de los peritos en fase de instrucción, cuando el informe pericial no pudiere reproducirse en el juicio oral (art. 467 LECrim). (Véanse M. 109 y 110).

La vinculación del perito con organismos oficiales no supone por sí una causa de recusación. Este es el caso de los peritos balísticos de la policía, o de los Inspectores Fiscales de la Agencia Tributaria. Sin perjuicio que la parte pueda recusar al perito, si hay motivo, o bien solicitar una pericia contradictoria.

«Se cuestiona la imparcialidad del perito por haber ejercitado tal función un Inspector financiero tributario, que por su condición de funcionario depende de la Agencia Tributaria. Ya es reiterada la doctrina de esta Sala que defiende la imparcialidad de los Inspectores fiscales que actúan como peritos judiciales, señalando que la vinculación funcionarial con el Estado que ejercita el "*ius puniendi*" o con la Hacienda Pública perjudicada por el delito no constituye interés directo ni indirecto en la causa, con independencia de la posibilidad de impugnar el resultado de su informe mediante peritos contradictorios (sentencia 20/2001, de 28 de marzo, entre las más recientes, núm. 1688/2000, de 6 de noviembre o núm. 643/1999, de 30 de abril). En el caso actual la parte recurrente ni recusó al Perito en el momento procesal oportuno ni interesó una peritación contradictoria, por lo que su alegación actual de indefensión es puramente formularia». STS Sala Segunda, de lo Penal, Sentencia 776/2001 de 8 May. 2001, Rec. 1822/1999. Ponente: Conde-Pumpido Tourón, Cándido. LA LEY 5283/2001.

Todo informe pericial se realizará por dos peritos que deberán prestar juramento de proceder bien y fielmente (art. 474 LECrim). El informe pericial se realizará por un solo perito cuando no hubiere más que uno en el lugar (art. 459 LECrim) o se sustancie un procedimiento abreviado (art. 778.1º LECrim). También en el supuesto que el dictamen lo realice un laboratorio oficial o equipo técnico. Sin embargo, la jurisprudencia de la Sala II del Tribunal Supremo ha relativizado el alcance de la exigencia de practicarse la pericia en juicio ordinario por dos peritos en numerosas resoluciones. Especialmente explicativa es la STS 5 Mar. 2010, n.º de sentencia: 160/2010, n.º de recurso: 2209/2009, LA LEY 4009/2010, que declara que la duplicidad de peritos no es esencial y que, en cualquier caso, la infracción de esta disposición no determina la prohibición de valoración de la prueba pericial realizada por un solo perito. Y que, en todo caso, la intervención de un solo perito no afecta a la tutela judicial efectiva si no produce indefensión, de manera que habrá de ser el recurrente quien argumente y razone que la irregularidad que aduce ha quebrantado el derecho de defensa y ocasionado un menoscabo real y efectivo de ese derecho en que consiste la indefensión (SSTS n.º 1313/2005 de 9 de noviembre de 2005 y n.º 31/2008 de 8 de enero de 2008). Véase sobre esta cuestión el § 2.13 del Capítulo VII.

Deberán comparecer en el juicio los peritos que hicieron el informe, pero cuando se trate de informes de equipos técnicos, será admisible la ratificación por peritos del citado equipo aunque no fueran los que realizaron la pericia.

> «Al acto del juicio compareció el perito correspondiente que explicó los protocolos de actuación seguidos y las técnicas empleadas en el análisis, sometiendo estos extremos y el contenido del informe a la contradicción de las partes. De manera que el Tribunal *a quo* pudo otorgar validez y eficacia probatoria a tal pericia, sin que ello vulnere el derecho de presunción de inocencia del recurrente. A ello no empece, como el recurso indica, que no se determinara quién fue el perito concreto que elaboró el informe y que el mismo no acudiera a juicio, ya que esta Sala ha declarado reiteradamente que cuando se trata de la intervención de laboratorios oficiales y la prueba pericial se realiza legítimamente por los mismos conforme a los protocolos existentes en relación con cada pericia (en el presente caso además a nivel internacional), es suficiente que sea el responsable del centro oficial el que firme y asuma el informe en cuestión y acuda al acto del juicio, respondiendo a las preguntas de las partes, como también ha sucedido en el presente caso. Y ello porque en los laboratorios oficiales no es un sólo perito el que elabora y emite el informe, sino un equipo de expertos especialistas, con especial cualificación profesional, de manera que el hecho de que quien lo ratifique no sea quien formalmente lo firmó, no restringe o limita la garantía de la pericia, ya que todos los integrantes del equipo asumen su contenido». STS de 8 Oct. 2010, n.º de Sentencia: 870/2010, LA LEY 175905/2010.

Los peritos serán examinados juntos, cuando deban declarar sobre unos mismos hechos, y contestarán a las preguntas y repreguntas que las partes les dirijan (art. 724 LECrim). Si éstas pretenden reexaminar el material sometido a informe pericial, deberán solicitar, en sus escritos de acusación o calificación, que se incorpore, cuando ello sea posible —caso de documentos—, al juicio oral. Del mismo modo, el art. 725 LECrim dispone que cuando fuere necesaria la práctica de cualquier reconocimiento éste se realizará en el mismo acto, o previa suspensión del juicio oral si no fuera posible.

De acuerdo con el art. 741 LECrim, el Tribunal apreciará la prueba pericial según su conciencia, en función de su resultado. Sólo será impugnable esta valoración cuando el Tribunal se separe arbitraria e irracionalmente del resultado del informe pericial, cuando éste sea único, o existan varios coincidentes.

> «1º Como con reiteración ha declarado la jurisprudencia, por todas STS 607/2010 de 30-6 (LA LEY 104045/2010), el ámbito de aplicación del motivo de casación previsto en el art. 849.2 LECrim (LA LEY 1/1882) se circunscribe al error cometido por el Tribunal sentenciador al establecer los datos fácticos que se recogen en la declaración de hechos probados, incluyendo en la narración histórica elementos fácticos no acaecidos, omitiendo otros de la misma naturaleza por si hubieran tenido lugar o describiendo sucesos de manera diferente a como realmente se produjeron. En todo caso, el error a que atiende este motivo de casación se predica sobre aspectos

o extremos de naturaleza fáctica, nunca respecto a los pronunciamientos de orden jurídico que son la materia propia del motivo que por *"error iuris"* se contempla en el primer apartado del precepto procesal, motivo éste, art. 849.1 LECrim (LA LEY 1/1882) que, a su vez, obliga a respetar el relato de hechos probados de la sentencia recurrida, pues en estos casos solo se discuten problemas de aplicación de la norma jurídica y tales problemas han de plantearse y resolverse sobre unos hechos predeterminados que han de ser los fijados al efecto por el Tribunal de instancia salvo que hayan sido previamente corregidos por estimación de algún motivo fundado en el art. 849.2 LECrim (LA LEY 1/1882) o en la vulneración del derecho a la presunción de inocencia .../... b) Por la doctrina de esta sala —a que nos referiremos más adelante con más profundidad— que en los últimos años viene considerando como prueba documental, a los efectos de este art. 849.2° LECrim (LA LEY 1/1882), a la pericial, para corregir apreciaciones arbitrarias hechas en la instancia cuando hay unos informes o dictámenes que no pueden dejar lugar a dudas sobre determinados extremos». STS 912/2016 de 1 Dic. 2016, Rec. 355/2016. Ponente: Berdugo Gómez de la Torre, Juan Ramón. LA LEY 177402/2016.

Los dictámenes periciales deberán ser ratificados y sometidos a contradicción en el juicio oral para poder ser valorados como prueba. Sin embargo, en criterio adoptado por acuerdo de Sala General del Tribunal Supremo de 21 de mayo de 1999, el TS acordó que los informes emitidos por organismos oficiales, practicados en fase de instrucción, podrán ser valorados como prueba, si las partes no los impugnan expresamente. Precisamente, acogiendo este criterio la Ley 9/2002 de 10 de diciembre modificó el art. 788.2 de la LECrim para establecer que en el ámbito del procedimiento abreviado, tendrán carácter de prueba documental: «*los informes emitidos por laboratorios oficiales sobre la naturaleza, cantidad y pureza de sustancias estupefacientes cuando en ellos conste que se han realizado siguiendo los protocolos científicos aprobados por las correspondientes normas*». En su virtud, los informes técnicos periciales de laboratorios oficiales se introducirán en el juicio oral y podrán ser valorados como prueba documental, sin presencia de los peritos en el plenario, si la acusada no los impugna y solicita la comparecencia de los peritos en el juicio oral. De modo que, de acuerdo con reiterada jurisprudencia del Tribunal Supremo, corresponde a la acusación únicamente solicitar que se valore la pericia de laboratorios oficiales señalando a efectos probatorios los folios donde consta la pericia de modo que si la acusada se aquieta se entiende que su resultado es tácitamente aceptado y podrá ser valorada como prueba documental en la sentencia sin necesidad de su ratificación en el juicio oral por los peritos que la realizaron (véase también sobre prueba preconstituida y valor probatorio de las diligencias policiales el § 1.6 de este Capítulo).[45]

---

(45) Conviene recordar, por ser de aplicación específica al supuesto enjuiciado, la doctrina de esta Sala expuesta, entre otras, en la STS 81/2014, de 3 de febrero: «De todo lo expuesto no puede deducirse que el informe pericial practicado por el organismo oficial no pueda ser valorado como prueba pese a la impugnación realizada y la denegación de la prueba pericial. Las razones son de peso y abundantes. Reseñamos las siguientes: a) Respecto a dictámenes o pericias emitidas por Organismos o Entidades oficiales, tiene dicho esta Sala que, dada la imparcialidad, objetividad y competencia técnica de sus miembros integrantes, que ofrecen toda clase de garantías, debe atribuírseles, prima facie, pleno valor probatorio. b) Tratándose del Procedimiento Abreviado el ap. 2 del art. 788 L.E.Cr (LA LEY 1/1882), modificado por L.O. 38/2002 establece: "En el ámbito de este

«La jurisprudencia de esta Sala ha recordado en numerosas ocasiones la innecesariedad de que el informe pericial se ratifique en el acto de la vista oral, cuando haya sido propuesta como prueba de cargo y no se impugne formalmente por ninguna de las partes. Así, por vía de ejemplo, señala la sentencia de esta Sala 670/2011, de 5 de julio (LA LEY 111597/2011), que como se expresa en sentencia de esta Sala 1642/2000 de 23 de octubre (LA LEY 387/2001), son numerosos, reiterados y concordes los precedentes jurisprudenciales de este Tribunal de casación que declaran la validez y eficacia de los informes científicos realizados por los especialistas de los Laboratorios Oficiales del Estado, que, caracterizados por las condiciones de funcionarios públicos, sin interés en el caso concreto, con altos niveles de especialización técnica y adscritos a organismos dotados de los costosos y sofisticados medios propios en las modernas técnicas de análisis, viene concediéndoseles unas notas de objetividad, imparcialidad e independencia que les otorga "prima facie" eficacia probatoria sin contradicción procesal, a no ser que las partes hubiesen manifestado su disconformidad con el resultado de la pericia o la competencia o imparcialidad de los peritos, es decir, que el Informe Pericial haya sido impugnado de uno u otro modo, en cuyo caso será preciso la comparecencia de los peritos al juicio oral para ratificar, aclarar o complementar su dictamen sometiéndose así la prueba a la contradicción de las partes, para que sólo entonces, el Tribunal pueda otorgar validez y eficacia a la misma y servirse de ella para formar su convicción». STS Sala Segunda, de lo Penal, Sentencia 492/2016 de 8 Jun. 2016, Rec. 10545/2015; Ponente: Palomo del Arco, Andrés. LA LEY 59018/2016. Caso Casper.

La razón de este tratamiento procesal preferente o especial se halla en las características que concurren en esta clase de dictámenes policiales que se presumen imparciales y objetivos, además de basados en criterios técnicos. Todo ello permite otorgarles «prima facie» validez plena.

«Los dictámenes y pericias emitidas por Organismos o Entidades oficiales, dada la imparcialidad, objetividad y competencia técnica de los miembros integrantes, ofrecen toda clase de garantías técnicas y de imparcialidad para atribuirles, "prima facie", validez plena». STS 285/2012, de 18 de abril (LA LEY 56775/2012).

Respecto al alcance de la impugnación de la parte del informe pericial policial el TS dictó el Acuerdo de 25 de mayo de 2005, en el que se acordó que: «la manifestación de la defensa consistente en la mera impugnación de los análisis sobre drogas elaborados por centros oficiales, no impide la valoración del resultado de aquellos como prueba de cargo, cuando haya sido introducido en el juicio oral como prueba documental, siempre que se cumplan las condiciones previstas en el art. 788.2 Lecri. la proposición de pruebas periciales se sujetará a las reglas generales sobre pertinencia y necesidad. Las previsiones del art. 788.2 de la Lecri. son aplicables exclusivamente a los casos expresamente contemplados en el mismo. La aplicación de este

procedimiento, tendrán carácter de prueba documental los informes emitidos por laboratorios oficiales sobre la naturaleza, cantidad y pureza de sustancias estupefacientes cuando en ellos conste que se han realizado siguiendo los protocolos científicos aprobados por las correspondientes normas". c) La razón del precepto enunciado se explica —como ha puntualizado esta Sala— en que se han aplicado procedimientos químicos o protocolos estandarizados, lo que unido a las garantías que ofrecen los organismos oficiales que los realizan, aporta las necesarias dosis de seguridad acerca de los resultados». STS Sala Segunda, de lo Penal, Auto 1373/2016 de 29 Sep. 2016, Rec. 1057/2016; Ponente: Ferrer García, Ana María. LA LEY 145988/2016.

art. no es extensible a otros procesos o pruebas, por lo que sus previsiones son aplicables exclusivamente a los casos expresamente contemplados en el mismo». De ese modo, se exige que la acusada formule impugnación del informe pericial. Sobre ese particular el Tribunal Supremo se ha pronunciado en el sentido que no se requiere ninguna forma especial de impugnación bastando con la impugnación del dictamen y proposición de comparecencia de los mismos u otros peritos[46].

> «La impugnación de la defensa debe producirse en momento procesal adecuado, no siendo conforme a la buena fe procesal la negación del valor probatorio de la pericial documentada si fue previamente aceptado, expresa o tácitamente. Aunque no se requiere ninguna forma especial de impugnación, debe considerarse que es una vía adecuada la proposición de pericial de los mismos peritos o de otros distintos mediante su comparecencia en el juicio oral, pues nada impide hacerlo así a la defensa cuando opta por no aceptar las conclusiones de un informe oficial de las características ya antes expuestas. Esta prueba, en principio cuando sea propuesta en tiempo y forma, debería ser considerada pertinente». STS Sala Segunda, de lo Penal, Auto 1181/2015 de 16 Jul. 2015, Rec. 907/2015; Ponente: Varela Castro, Luciano. LA LEY 126558/2015.

Sin embargo en otras sentencias el Tribunal Supremo se ha mostrado más exigente considerando que corresponde a la parte manifestar, en su escrito de calificación provisional, su oposición o discrepancia con el dictamen pericial practicado con relación a contenidos concretos, a sus conclusiones, solicitando ampliación o aclaración de algún extremo del mismo. En caso de no hacerlo así, el informe oficial adquiere el carácter de prueba preconstituida, aceptada y consentida como tal de forma implícita[47]. Véase sobre prueba preconstituida el § 1.5 de este mismo capítulo.

> «Pues bien, desde esta doctrina, en relación al caso de autos hay que declarar que la decisión del Tribunal de instancia de rechazar esa prueba es correcta y resulta ajustada a derecho. En efecto la Audiencia por Auto repele la prueba de cuya inadmi-

---

(46) «2. En el caso, la defensa de los recurrentes se limitó a expresar que impugnaba el informe, sin precisar las razones de la impugnación, y lo que resulta más trascendente, sin proponer como prueba al perito que lo suscribió. Por esa razón, no es posible establecer la relevancia o los efectos de una causa de impugnación que se desconoce, y, de otro lado, no puede aceptarse ahora la queja de los recurrentes respecto a la imposibilidad de interrogar al perito. Si lo que pretendían era una mera ratificación, el carácter oficial del órgano que emitió el informe la hacía innecesaria. Y si lo que deseaba era interrogar al perito sobre algunos aspectos de la pericial que pudieran considerar de importancia, debieron haber propuesto como prueba su interrogatorio en el plenario». STS de 19 Nov. 2013, rec. 10457/2013, Ponente: Colmenero Menéndez de Luarca, M. Nº de Sentencia: 861/2013, Nº de Recurso: 10457/2013, LA LEY 180635/2013.

(47) «Finalmente, en cualquier caso, el contenido de la impugnación de la pericial en cuestión efectuada en el escrito de defensa se limita a cuestionar el contenido y las conclusiones que refleja, procediendo recordar al respecto que el Pleno no jurisdiccional de esta Sala de 25 de mayo de 2005 acordó que la manifestación de la defensa consistente en la mera impugnación de los análisis sobre drogas elaborados por Centros Oficiales, no impide la valoración del resultado de aquéllos como prueba de cargo, cuando haya sido introducido en el juicio oral como prueba documental, como indica la Audiencia que acaeció, siempre que se cumplan las condiciones previstas en el artículo 788.2 de la Ley de Enjuiciamiento Criminal (LA LEY 1/1882)». STS Sala Segunda, de lo Penal, Auto 755/2014 de 24 Abr. 2014, Rec. 109/2014. Ponente: Colmenero Menéndez de Luarca, Miguel. LA LEY 57259/2014.

sión se queja el recurrente precisamente porque el análisis de la sustancia no fue expresa y debidamente impugnado por la defensa y acogiendo en ese punto la doctrina de esta Sala que en tales casos y en Procedimientos Abreviados otorga plena validez y virtualidad a los dictámenes elaborados por Organismo Oficial sin necesidad de ser ratificado en juicio. La prueba no era, pues, pertinente y menos aún necesaria. En la impugnación no se explicaban las causas concretas o específicas de la misma, del mismo modo tampoco se reiteró la pretensión en el plenario, donde no se suscitó ninguna cuestión previa por las partes. Nos hallamos, pues, ante una impugnación formal que haría innecesaria la práctica de la prueba pericial solicitada, que no era de contraste, pues no se trataba de contraponer dos pericias, ya que tampoco interesó la intervención de otros peritos. A ello debe añadirse que la ausencia de las preguntas que se pretendían efectuar a la perito impide verificar la necesidad de tal prueba». STS Sala Segunda, de lo Penal, Auto 1373/2016 de 29 Sep. 2016, Rec. 1057/2016; Ponente: Ferrer García, Ana María. LA LEY 145988/2016.

F) Inspección ocular y reconstrucción de hechos

La inspección ocular es un medio de prueba supletorio. Cuando no se hubiera realizado antes de la apertura de las sesiones del juicio oral, se practicará en la forma prevista en el art. 727 LECrim. El carácter supletorio de la inspección ocular se pone de manifiesto por la inutilidad de su práctica cuando ya han desaparecido las huellas y vestigios del delito. Por consiguiente, su práctica dependerá de que el Tribunal disponga o no de elementos suficientes para formar un juicio y, conforme a ello, que resulte necesaria y útil. Respecto al criterio de utilidad, el TS declara que, en general, resulta inútil la práctica de esta prueba, una vez conclusa la fase de instrucción y transcurrido un determinado período. Véase sobre la inspección ocular en la fase de investigación en el Cap. VII. En ese caso, no cabe ya recoger huellas o vestigios que puedan poner de relieve la forma de comisión, siquiera por vía de hipótesis, de los hechos objeto de acusación. Por otra parte, su realización en el plenario colisiona con los principios de concentración y publicidad que informan de manera decisiva el proceso penal, lo que acentúa su carácter supletorio.

En este sentido, la jurisprudencia ha declarado que la prueba de inspección ocular no es de práctica ordinaria en el juicio oral, al colisionar con los principios de publicidad y concentración que inspiran el plenario, por lo que sólo se debe practicar en tal fase cuando las partes no dispongan de ninguna otra posibilidad de llevar al conocimiento del Tribunal los hechos relevantes que sean objeto del proceso

«Aunque el art. 727 LECrim (LA LEY 1/1882), para el Procedimiento Abreviado, prevé la posibilidad de que la inspección ocular se practique durante las sesiones de la vista, siempre debe tenerse en cuenta que la práctica de una inspección ocular, que ha de hacerse fuera de la sala donde se celebra el juicio, lleva consigo una ruptura de la concentración y publicidad de las sesiones y unos trastornos por la necesaria constitución de todos en un lugar diferente. Es conocida la doctrina de esta sala que habla del carácter excepcional de esta prueba de inspección ocular en el juicio oral, pues choca con los mencionados principios (concentración y publicidad), de modo tal que sólo debe practicarse cuando las partes no dispongan de ninguna otra prueba para llevar al juicio los datos que se pretendan. En el caso, además, y a los efectos pretendidos mediante la prueba de reconstrucción del hecho, se contaba con los testimonios de los intervinientes, y entre ellos del testigo policial cuyo contenido cuestiona el recurrente. En el caso la diligencia no era necesaria y por ello no estaba justificada teniendo en cuenta la contundencia y firmeza del testimonio del agente, por lo que la práctica de esa compleja diligencia, más bien prevista para otros supuestos más acordes con su naturaleza, no habría supuesto un mayor y mejor esclarecimiento de los hechos y de sus circunstancias. No existía dato alguno para sospechar siquiera que alguien distinto al acusado colocara la caja con la sustancia en el lugar donde la encontró el agente». ATS Sala Segunda, de lo Penal, Auto 209/2014 de 6 Feb. 2014, Rec. 2122/2013; Ponente: Saavedra Ruiz, Juan. LA LEY 14287/2014.

Aunque, naturalmente, se trata de una prueba apta para practicarse en el juicio oral siempre que se estime necesaria cuyo fin la parte proponente deberá señalar con precisión cuál es el dato concreto que tiene que ser apreciado por el Tribunal, para que pueda resolverse sobre su necesidad.

«No cabe decir que esta prueba debe practicarse durante la instrucción. Lo normal es que se lleve a cabo en el sumario o en las diligencias previas como prueba preconstituida con validez para el juicio oral por haberse practicado con intervención de las partes, precisamente porque de ordinario lo que se pretende es precisar datos que el tiempo puede borrar. Pero esto no impide que pueda ser necesario para el juicio examinar el lugar de los hechos por existir alguna circunstancia relevante que no haya desaparecido. Pero en estos casos la parte que propone esta prueba debe decir con precisión cuál es el dato concreto que tiene que ser apreciado por el Tribunal, para que pueda resolverse sobre su necesidad. Aunque siempre debe tenerse en cuenta que la práctica de una inspección ocular, que ha de hacerse fuera de la sala donde se celebra el juicio, lleva consigo una ruptura de la concentración y publicidad de las sesiones y unos trastornos por la necesaria constitución de todos (Tribunal, partes, incluso testigos pidieron el recurrente en este caso) en un lugar diferente. Es conocida la doctrina de esta sala que habla del carácter excepcional de esta prueba de inspección ocular en el juicio oral, pues choca con los mencionados principios (concentración y publicidad), de modo tal que sólo debe practicarse cuando las partes no dispongan de ninguna otra prueba para llevar al juicio los datos que se pretendan (Sentencias 26-3-1991, 24-6-1992 y 6-7-1992, entre otras muchas)». STS Sala Segunda, de lo Penal, Sentencia 1244/2001 de 25 Jun. 2001, Rec. 977/2000. Ponente: Delgado García, Joaquín. LA LEY 6482/2001.

G) Prueba documental

Los documentos, libros y papeles se incluyen, con otros objetos, entre las piezas de convicción, que el Tribunal examinará por sí mismo, con el fin de contribuir al esclarecimiento de los hechos y averiguación de la verdad (art. 726 LECrim). El citado artículo 726 LECrim es el único referido a este medio de prueba. Esta parquedad normativa puede explicarse atendiendo al carácter oral del proceso penal, sin perjuicio de supuestos, por ejemplo, como los de falsedad en los que al constituir los documentos el «corpus delicti», la prueba documental adquirirá especial relieve. En cualquier caso, debe tenerse en cuenta que el TEDH, en la sentencia del citado caso «Barberá, Messeguer y Fajardo» (STEDH 6 diciembre 1980), estableció que las garantías del artículo 6 TEDH requieren que la acusación identifique antes del juicio los documentos que quiere aportar, ya que de otro modo resultaría afectado el derecho de defensa del acusado. Documentos aportados como prueba que, en principio, deben someterse a contradicción en el juicio oral, sin perjuicio de que como establece el art. 726 LECrim los documentos en razón de su naturaleza son directamente apreciables por el Tribunal.

«El artículo 726 LECrim cuando determina que "el Tribunal examinará por sí mismo los libros, documentos, papeles y demás piezas de convicción que puedan contribuir al esclarecimiento de los hechos o a la más segura investigación de la verdad", de forma que con independencia de que se proceda a su lectura en el juicio oral, inexcusable cuando se trata de diligencias o declaraciones sumariales documentadas, lo cierto es que el Tribunal tiene la obligación de su examen directo como señala el artículo mencionado más arriba, y sin perjuicio de la facultad que asiste a las partes "ex" artículo 730 LECrim (STS de 18-9-1986); b) es cierto que en el acta del juicio oral, "in fine", consta literalmente que "se tiene la documental por reproducida", lo que equivale a remitir al Tribunal al examen por sí mismo de los documentos unidos a la causa, luego si los testimonios solicitados y apreciados como pertinentes por aquél hubiesen sido incorporados, la Sala estaba obligada directamente a su percepción y valoración consiguiente; c) ello conlleva el debilitamiento del requisito de la protesta exigible en casos como el presente (artículo 659.4 LECrim), puesto que, por una parte, no existe resolución judicial alguna susceptible de ello, y, por otra, la premura del señalamiento, la falta de imputación a la acusación particular de la ausencia de los documentos y la preservación de la tutela judicial efectiva de la misma, la prueba documental había sido ya considerada pertinente, deben ser razones que se antepongan a la supuesta falta de previsión de la misma a la hora de comprobar la unión de los documentos interesados en el acto del juicio oral». STS Sala Segunda, de lo Penal, Sentencia 914/2000 de 30 May. 2000, Rec. 1/1999, Ponente: Saavedra Ruiz, Juan. LA LEY 9640/2000.

Téngase presente que la prueba documental es una prueba preconstituida, producida fuera del proceso, que puede acreditar por sí aquello que se quiere demostrar, por estar incorporado a un objeto material, que es el documento. Así, el Tribunal puede obtener de su simple examen la convicción sobre sus efectos probatorios. Por tanto, no puede atribuirse naturaleza de prueba documental a aquellos objetos que requieran especiales métodos de interpretación o de diagnóstico los cuales deben someterse al reconocimiento pericial de personas expertas. Tampoco se puede considerar prueba documental aquellos medios de prueba que se introducen en el proceso penal con soporte documental como es la prueba pericial o la de intervención de comunicaciones o grabaciones de imagen y/o sonido. Ahora bien, al amparo del art. 726 LECrim también puede el Tribunal valorar diligencias sumariales no reproducidas en el juicio oral, atribuyéndoles naturaleza de prueba documental. Así: informes periciales obrantes en el sumario y no reproducidos en la fase de plenario; la diligencia de reconocimiento en rueda, y fotografías incorporadas, que pueden introducirse en el plenario por la vía del artículo 726 LECrim; o la diligencia de inspección ocular respecto de los hechos que hayan sido percibidos y reseñados por el Juez Instructor. Ahora bien, debemos tener en cuenta que el hecho que una prueba esté documentada no la convierte en prueba documental. De ser así todas las actuaciones sumariales lo serían. De modo que hay que atender a cada medio de prueba y al modo de introducirlo en el proceso De modo que como regla general la parte debe proponer en el escrito de acusación los oportunos medios de prueba, a través de los cuales pueda darse entrada en el juicio oral a hechos que fundamenten su pretensión de tal suerte que el Tribunal pueda someter a confrontación la documentación de la diligencia con el resultado probatorio obtenido en el plenario.

«Con la sola excepción de aquellos supuestos en los que, bien sea por la fugacidad de las fuentes de prueba o por su imposibilidad de reproducción en el juicio oral a través del correspondiente medio probatorio sea necesario dotar al acto de investigación sumarial del valor de la prueba anticipada y preconstituida (siempre y cuando naturalmente se observen las garantías que han de adornar la prueba), la acusación no puede limitarse a tener "por reproducidas" en el juicio oral, como prueba documental, los actos instructorios, sino, antes al contrario, ha de proponer en el escrito de acusación los oportunos medios de prueba, a través de los cuales pueda darse entrada en el juicio oral a hechos que fundamenten su pretensión de tal suerte que el Tribunal pueda someter a confrontación mediante la lectura de documentos, el resultado probatorio y el del acto de investigación sumarial y, en definitiva, formar libremente su convicción sobre dicho resultado probatorio, obtenido bajo la vigencia de los principios de contradicción, oralidad, inmediación y publicidad (STC n.º 140/1991 de 20 de junio (LA LEY 1770-TC/1991), FJ 2º)». STS Sala Quinta, de lo Militar, Sentencia de 16 Mar. 2007, Rec. 1/93/2006; Ponente: Juanes Peces, Ángel. LA LEY 20821/2007.

En este sentido puede resultar útil la Jurisprudencia del Tribunal Supremo que se ha pronunciado reiteradamente sobre cuáles son los documentos literosuficientes con capacidad de servir de motivo casacional al amparo del art. 849.2 LECrim.

«... carecen de naturaleza documental a estos efectos casacionales: — Las diligencias policiales, ni la declaración judicial del (por todas, cfr. STS 480/2003, 4 de abril (LA LEY 65951/2003)). — La diligencia de inspección ocular (STS 16 de noviembre de 2011). — Las sentencias judiciales, sean o no del orden penal (STS 18 de febrero de 2009). — Las pruebas personales, como las testificales, por mucho que estén documentadas (STS 11 de abril de 2011). — Los informes periciales; pues en cuanto que pruebas personales, no integran naturaleza de documento literosuficiente a estos efectos; aunque la jurisprudencia de forma excepcional ha admitido como tal el informe pericial como fundamentación de la pretensión de modificación del apartado fáctico de una sentencia impugnada en casación cuando el Tribunal haya estimado el dictamen o dictámenes coincidentes como base única de los hechos declarados probados, pero incorporándolos a dicha declaración de un modo incompleto, fragmentario, mutilado o contradictorio, de modo que se altere relevantemente su sentido originario o bien cuando haya llegado a conclusiones divergentes con las de los citados informes, sin expresar razones que lo justifiquen (STS 259/2016, de 1 de abril (LA LEY 22111/2016)). o Esa excepcional reconducción del informe pericial a la categoría asimilada a prueba documental, no autoriza a una nueva valoración de la prueba pericial documentada, sino que el Tribunal de casación ha de partir del enunciado reflejado en el informe. o Además, cuando como es habitual, los peritos comparecen en el juicio oral, el Tribunal dispone de las ventajas de la inmediación para completar el contenido básico del dictamen con las precisiones que hagan los peritos ante las preguntas y repreguntas que las partes les dirijan (artículo 724 LECr (LA LEY 1/1882)). Y es doctrina reiterada que lo que depende de la inmediación no puede ser revisado en el recurso de casación. — Las fotografías; no tienen carácter documental a efectos casacionales, pues su contenido se halla matizado por el lugar desde donde se toman, de la iluminación, el color, lo que obviamente, sólo puede ser valorado por el Tribunal de Instancia (STS 134/2016, de 24 de febrero (LA LEY 6895/2016), con cita de 766/2008, 27 de noviembre (LA LEY 189441/2008) y 335/2001, 6 de marzo (LA LEY 5281/2001)). — El soporte auditivo o audiovisual en el que se ha grabado el juicio (cfr. SSTS 78/2016, de 10 de febrero (LA LEY 3286/2016); 196/2006, de 14 de febrero (LA LEY 431/2006) y 284/2003, de 24 de febrero (LA LEY 12084/2003)). — El acta del juicio, pues aunque acredita la realidad procesal que en ella se refleja y por tanto el de las pruebas practicadas y el modo en que se desenvolvieron, ello difiere de la eficacia y alcance demostrativo de esas pruebas respecto de los hechos que constituyen su objeto (STS 15 de febrero de 2010)». STS 492/2016 de 8 Jun. 2016, Rec. 10545/2015. Ponente: Palomo del Arco, Andrés. LA LEY 59018/2016.

Tienen plena naturaleza documental los denominados documentos electrónicos a los que el art. 230 LOPJ otorga esa naturaleza: «*los documentos emitidos por los medios técnicos, electrónicos, informáticos y telemáticos, cualquiera que sea su soporte, gozaran de la validez y eficacia de un documento original, cualquiera que sea su soporte*». Ello al margen de la prueba que se pueda practicar sobre su autenticidad en caso de impugnación.

«10. El soporte papel ha sido superado por las nuevas tecnología de la documentación e información. Cualquier sistema que permita incorporar ideas, declaraciones, informes o datos susceptibles de ser reproducidos en su momento, suple con ventajas al tradicional documento escrito, siempre que existan instrumentos técnicos que permitan acreditar la fiabilidad y seguridad de los impresos en el soporte magnético. Se trata de una realidad social que el derecho no puede desconocer. El documento electrónico imprime en las "neuronas tecnológicas", de forma indeleble, aquello que se ha querido transmitir por el que maneja los hilos que transmiten las ideas, pensamientos o realidades de los que se quiere que quede constancia. Su autenticidad es tan firme que supera la realidad que puede visualizarse en un documento escrito. El documento electrónico adquiere, según sus formas de materializarse, la posibilidad de adquirir las categorías tradicionales de documentos privados, oficiales o públicos, según los elementos técnicos que se incorporen para su uso y materialización. La Ley 34/2002, de 11 de julio (LA LEY 1100/2002), de servicios de la sociedad de la información consagra la validez del contacto electrónico lo que dota a los resortes informáticos de la misma validez que los soportes tradicionales». STS Sala Penal n.º 1066/2009 de 4 Nov. 2009. Martín Pallín, José Antonio. LA LEY 226669/2009.

Cada uno de los documentos señalados como prueba en el escrito de calificación provisional debería ser leído en el acto del juicio. Sin embargo, en la práctica forense es práctica usual que el Tribunal pregunte a las partes y estas tengan: «la documental por reproducida», lo que supone que el Tribunal deberá valorar los documentos señalados previo examen de los mismos. Este proceder es lícito, contrariamente a lo que sucede en el caso del art. 730 LECrim, con relación a la prueba preconstituida para cuya validez es precisa la lectura del documento. No obstante, habrá que proceder a la lectura del documento cuando así lo solicite la parte debidamente en razón de las necesidades de su estrategia probatoria[48]. Ahora bien, sin que ello suponga que el Tribunal tenga que leer los documentos, o examinar las actuaciones a presencia de todas las partes y antes de concluir el juicio.

---

(48) «Si se trata en efecto de prueba documental y ha sido expresamente propuesta por una de las partes con conocimiento de las demás, al darse por reproducida sin que se reclame la lectura o audición y sin protesta de ninguna de las partes nadie podrá quejarse de que el Tribunal en cumplimiento de la obligación —que no facultad— que le impone el art. 726 LECrim (LA LEY 1/1882) examine directamente ese documento, o esa prueba "monumental"». STS Sala Segunda, de lo Penal, Sentencia 1029/2013 de 18 Dic. 2013, Rec. 10357/2013; Ponente: Moral García, Antonio del. LA LEY 230059/2013.

«El art. 726 LECrim (LA LEY 1/1882) obliga al examen de las grabaciones propuestas como prueba y admitidas. Esa prescripción no rompe la esencialidad del principio de práctica de la prueba en el juicio oral. Tal postulado no implica que el Tribunal tenga que leer los documentos, o examinar las actuaciones a presencia de todas las partes y antes de concluir el juicio. La falta de lectura o audición en el acto del juicio oral carece de trascendencia. Fueron propuestas como prueba documental. Es claro y lo es especialmente a partir de la sentencia del Tribunal Europeo de Derechos Humanos de 6 de diciembre de 1988 (Caso Barberá y otros) que la fórmula, rituaria y clásica en nuestro foro —"por reproducida"—, no convierte en prueba documental todas las actuaciones sumariales; ni transmuta en prueba documental lo que no son más que pruebas personales documentadas. La feliz recuperación de la importancia del acto del plenario como escenario idóneo para desplegar la actividad probatoria no puede llevar a instalarse en tesis radicales que, amén de insultar el sentido común, no suponen objetivamente ningún refuerzo de garantías procesales. La fórmula de "dar por reproducida" la prueba documental durante muchos años constituyó la coartada para obviar la esencialidad de la práctica de la prueba en el acto del juicio oral, con la consiguiente merma de los principios de publicidad, inmediación y contradicción. Ahora bien, la justa proscripción de esa corruptela contraria a los pilares básicos de la arquitectura del proceso penal que levantó el legislador del siglo XIX, no supone descalificar de manera absoluta ese mecanismo abreviado de práctica de la prueba documental. Que la prueba haya de practicarse en el acto del juicio oral, no significa que todos, absolutamente todos los documentos aportados o unidos a las actuaciones hayan de ser leídos en ese momento, so pena de quedar invalidados como posible medio de convicción. Eso es absurdo y llevaría a la inmanejabilidad de determinados procesos penales en que la prueba es básicamente documental y además de un volumen ingente». STS Sala Segunda, de lo Penal, Sentencia 1029/2013 de 18 Dic. 2013, Rec. 10357/2013; Ponente: Moral García, Antonio del. LA LEY 230059/2013.

1.5. Práctica de la prueba de los hechos obtenidos mediante las diligencias de investigación electrónicas y de grabación de imagen o sonido

A) *Prueba de los hechos obtenidos en las diligencias de investigación electrónica: grabaciones de conversaciones, mensajes y datos electrónicos*

En orden a la eficacia probatoria del material obtenido en las diligencias de investigación electrónica debemos distinguir entre su valor como fuente de investigación y de prueba y su valor como prueba en sí misma en tanto que elemento jurídico y valorativo susceptible de fundar una condena. Es decir, que una cosa es la validez de los hechos obtenidos mediante la intervención para lo cual se han de cumplir las exigencias de legalidad constitucional y otra distinta es el modo en el que esos hechos se convierten en prueba válida y eficaz en el proceso. En cuanto a la primera exigencia, como medio de investigación y fuente de prueba, debe cumplir las exigencias de legalidad constitucional:

1. Judicialidad de la medida.

2. Excepcionalidad de la medida.

3. Proporcionalidad de la medida (exigencias que hemos analizado en el Cap. VII).

1035

«Recordaremos con las SSTS 88/2013 de 17 de enero (LA LEY 5555/2013) y 514/2013 de 12 de junio (LA LEY 102355/2013), entre las últimas, la doctrina de esta Sala en relación a este medio excepcional de investigación —fuente de prueba— que, además, puede operar como prueba de cargo en sí. Es obvio que la naturaleza y entidad de los requisitos para la validez de las mismas como medio de investigación y como medio de prueba son distintos, si bien en su aspecto de medio de prueba, tal naturaleza descansa sobre la previa validez desde las exigencias constitucionales de las mismas como medio de investigación. En efecto, como fuente de prueba y medio de investigación, deben respetar unas claras exigencias de legalidad constitucional, cuya observancia es del todo punto necesaria para la validez de la intromisión en la esfera de la privacidad de las personas, en este sentido los requisitos son tres: 1) Judicialidad de la medida. 2) Excepcionalidad de la medida. 3) Proporcionalidad de la medida …/… Solo de este modo será posible ejercer el control judicial efectivo mientras dure este medio de investigación, ello no quiere decir que el Juez de Instrucción deba tener acceso directo al contenido de las intervenciones mediante la audiencia de las cintas o lectura íntegra de sus transcripciones». STS 993/2016 de 12 Ene. 2017, Rec. 10282/2016; Ponente: Giménez García, Joaquín. LA LEY 346/2017.

De modo que cumplidos aquéllos requisitos los hechos obtenidos tendrán acceso al proceso. Ahora bien, para que puedan valorarse como prueba de cargo deben cumplirse además todos los requisitos procesales exigibles, sin los cuales no podrá tener ese valor. Estos requisitos son los referentes a la entrega de las grabaciones y su reproducción en el juicio oral con declaración, en su caso, de los policías que realizaron la intervención[49]. También podemos añadir el control de las intervención requisito que se halla a medio camino entre una exigencia del medio de investigación y de su valor como prueba. Concretamente son requisitos para la valoración de la prueba obtenida en la intervención electrónica en el juicio oral los siguientes: 1) La aportación de las grabaciones. 2) La transcripción de las mismas, bien integral o bien de los aspectos relevantes para la investigación, cuando la prueba se realice sobre

---

(49) «Esta Sala considera que el quebrantamiento de los requisitos de legalidad ordinaria sólo tiene como alcance el efecto impeditivo de la adjudicación de la condición de prueba de cargo a las cintas grabadas, pero por ello mismo nada obsta a que sigan manteniendo el valor de medio de investigación y por tanto de fuente de prueba, que puede completarse con otros medios como la obtención de efectos y útiles relacionados con el delito investigado, pruebas testificales o de otra índole (STS 676/2015, de 10-11 (LA LEY 162904/2015))». «La transcripción de las conversaciones y la verificación de su contenido con el original o cotejo no dejan de ser funciones instrumentales, ordenadas a un mejor "confort" y economía procesal. Sólo si se prescinde de la audición de las cintas originales en la vista oral y se sustituye por el contenido escrito de las transcripciones, debe preconstituirse la prueba con absoluta regularidad procesal, con intervención del Secretario y de las partes, aunque la contradicción siempre puede salvarse en el plenario, siendo una cuestión atinente a las normas que rigen la práctica de la prueba. Otra vía de introducción de la prueba en el plenario es la testifical prestada en el mismo por los funcionarios que hayan percibido directamente el objeto de la prueba: las conversaciones» (SSTS 515/2006, de 4-4 (LA LEY 43950/2006); 456/2013, de 9-6 (LA LEY 64788/2013); y 413/2015, de 30-6 (LA LEY 98975/2015)). Como dice la STS 1112/2002, de 17 de junio (LA LEY 7382/2002), «su introducción regular en el plenario lo será primordialmente mediante la audición directa del contenido de las cintas por el Tribunal, fuente original de la prueba. Ahora bien, también es admisible mediante la lectura en el juicio de las transcripciones, diligencia sumarial documentada, previamente cotejadas por el Secretario con sus originales, e incluso por testimonio directo de los agentes encargados de las escuchas». STS 07/2016 de 13 Abr. 2016, Rec. 10412/2015; Ponente: Jorge Barreiro, Alberto Gumersindo. LA LEY 40316/2016.

la base de las transcripciones. 3) El cotejo bajo la fe del letrado de la Administración de Justicia de tales párrafos con las grabaciones o contenidos originales obtenidos en la intervención. 4) La disponibilidad de este material para las partes. 5) Y finalmente la audición de las grabaciones (conversaciones) o lectura de los mensajes SMS en el juicio oral. Actuación que da cumplimiento a los principios de oralidad y contradicción, que se producirá previa petición de las partes, pues si estas no lo solicitan, dando por bueno su contenido no será necesaria. Pero sí que deberá producirse si lo solicita alguna de las partes. Estas son normas de legalidad ordinaria que deben ser observadas para poder otorgar a la prueba obtenida la calidad de prueba de cargo. Pero su incumplimiento eventual no impide que los hechos obtenidos en la investigación puedan servir como prueba «complementados» con otros válidamente introducidos en el plenario. (Véase sobre diligencias de investigación electrónica § 3.4 y 3.5 del Capítulo VII).

«En principio los requisitos para que los resultados de una intervención telefónica puede ser utilizada como prueba en el juicio se refieren al protocolo de incorporación del resultado probatorio al proceso, que es lo que convertirá el resultado de la intervención en prueba de cargo susceptible de ser valorada, son los siguientes: 1) La aportación de las cintas o CDs 2) La transcripción mecanográfica de las mismas, bien integral o bien de los aspectos relevantes para la investigación, cuando la prueba se realice sobre la base de las transcripciones. 3) El cotejo bajo la fe del letrado de la Administración de Justicia de tales párrafos con las cintas originales (conversaciones) o CDs (mensajes SMS), para el caso de que dichas transcripciones mecanográficas se encargue —como es usual— a los funcionarios policiales. 4) La disponibilidad de este material para las partes. 5) Y finalmente la audición de las cintas (conversaciones) o lectura de los mensajes SMS en el juicio oral, que da cumplimiento a los principios de oralidad y contradicción, previa petición de las partes, pues si estas no lo solicitan, dando por bueno su contenido, la buena fe procesal impediría invocar tal falta de audición o lectura, en esta sede casacional. Bien entendido como tiene declarado la STS 628/2010 de 1.7 (LA LEY 110053/2010), que en lo referente a las transcripciones de las cintas, o CDs, solo constituyen un medio contingente —y por tanto prescindible— que facilita la consulta y constatación de las cintas, por lo que sólo están las imprescindibles. No existe ningún precepto que exija la transcripción ni completa ni los pasajes más relevantes, ahora bien si se utilizan las transcripciones su autenticidad solo valdrá si están debidamente cotejadas bajo la fe del Secretario judicial (SSTS 538/2001 de 21.3, 650/2000 de 14.9). Pero es necesario dejar claro que el material probatorio son en realidad las cintas o CDs grabados y no su transcripción, que solo tiene como misión permitir su más fácil manejo de su contenido. Lo decisivo es que aquellos estén a disposición de las partes para que estas puedan solicitar, previo conocimiento de su contenido, su audición o lectura, total o parcial. De lo expuesto se deriva que el quebrantamiento de estos requisitos de legalidad ordinaria solo tiene como alcance el efecto impeditivo de alcanzar las cintas o CDs la condición de prueba de cargo, pero por ello mismo nada obsta que sigan manteniendo el valor del medio de investigación y por tanto de fuente de prueba, que puede completarse con otros medios como la obtención de efectos y útiles relacionados con el delito investigado, pruebas testificales o de otra índole». STS 912/2016 de 1 Dic. 2016, Rec. 355/2016. Ponente: Berdugo Gómez de la Torre, Juan Ramón. LA LEY 177402/2016.

Conforme con lo expuesto y, en primer lugar, la diligencia de investigación electrónica sólo será constitucionalmente lícita como tal medio de investigación cuando se cumplan los requisitos expuestos de legalidad y cobertura judicial de la intervención. Cumplidos estos requisitos no se producirá vulneración de los derechos constitucionales afectados a las comunicaciones y/o a la intimidad[50]. En segundo lugar, para que pueda tener valor de prueba plena en el juicio deberá ser introducido en el mismo de conformidad con los requisitos expuestos referentes, básicamente, referentes al control judicial de la intervención, la entrega de las grabaciones y su reproducción en el juicio oral[51].

> «Una vez superados estos controles de legalidad constitucional, y sólo entonces, deben concurrir otros de estricta legalidad ordinaria, solo exigibles cuando las intervenciones telefónicas deban ser valoradas por sí mismas, y en consecuencia poder ser estimadas como medio de prueba, lo que supone su introducción en el Plenario y el sometimiento a los principios que lo definen. Tales requisitos, son los propios que permiten la valoración directa por el Tribunal sentenciador de todo el caudal probatorio, y

---

(50) «Recordaremos con las SSTS 88/2013 de 17 de enero (LA LEY 5555/2013),514/2013 de 12 de junio (LA LEY 102355/2013) y 168/2015 de 25 de marzo (LA LEY 55095/2015), entre las últimas, la doctrina de esta Sala en relación a este medio excepcional de investigación —fuente de prueba— que, además, puede operar como prueba de cargo en sí. Es obvio que la naturaleza y entidad de los requisitos para la validez de las mismas como medio de investigación y como medio de prueba son distintos, si bien en su aspecto de medio de prueba, tal naturaleza descansa sobre la previa validez desde las exigencias constitucionales de las mismas como medio de investigación. En efecto, como fuente de prueba y medio de investigación, deben respetar unas claras exigencias de legalidad constitucional, cuya observancia es del todo punto necesaria para la validez de la intromisión en la esfera de la privacidad de las personas, en este sentido los requisitos son tres: 1) Judicialidad de la medida. 2) Excepcionalidad de la medida». STS 982/2016 de 11 Ene. 2017, Rec. 511/2016; Ponente: Giménez García, Joaquín. LA LEY 89/2017.

(51) «Una vez superados estos controles de legalidad constitucional, y sólo entonces, deben concurrir otros de estricta legalidad ordinaria, solo exigibles cuando las intervenciones telefónicas deban ser valoradas por sí mismas, y en consecuencia poder ser estimadas como medio de prueba, lo que supone su introducción en el Plenario y el sometimiento a los principios que lo definen. Tales requisitos, son los propios que permiten la valoración directa por el Tribunal sentenciador de todo el caudal probatorio, y que por ello se refieren al protocolo de incorporación al proceso, siendo tales requisitos la aportación de las cintas íntegras al proceso y la efectiva disponibilidad de este material para las partes junto con la audición o lectura, en lo necesario, de las mismas en el juicio oral, lo que le dota de los principios de oralidad o contradicción, salvo que, dado lo complejo o extenso que pueda ser su audición se renuncie a la misma, bien entendido que dicha renuncia no puede ser instrumentalizada por las defensas para tras interesarla, alegar posteriormente vulneración por no estar correctamente introducidas en el Plenario. Tal estrategia, es evidente que podría constituir un supuesto de fraude contemplado en el artículo 11-2º de la LOPJ (LA LEY 1694/1985), de vigencia también, como el párrafo primero, a todas las partes del proceso, incluidas la defensa, y al respecto hay que recordar con las SSTC 72/2010 (LA LEY 187987/2010), ya citada, así como con la 26/2010, que en caso de renuncia a la audición de las cintas o a la lectura de las transcripciones, o caso de oposición a dicha diligencia es obvio que no se vulnera el derecho a un proceso con todas las garantías porque la parte concernida tuvo oportunidad de someter a contradicción tales cintas o transcripciones. En el mismo sentido hay que recordar que ya la STC 128/1988 (LA LEY 1047-TC/1988) declaró que "no habiéndose impugnado en todo o en parte la transcripción de las cintas, y habiéndolas dado por reproducidas, no se puede negar valor probatorio a tales transcripciones...". En cuanto a las formas de introducción en el Plenario de las conversaciones intervenidas, debe tenerse en cuenta la doctrina del Tribunal Constitucional STC 26/2010 de 27 de abril (LA LEY 40976/2010) y de esta Sala SSTS 1150/2010 (LA LEY 236970/2010) y 506/2013 (LA LEY 83520/2013)». STS 982/2016 de 11 Ene. 2017, Rec. 511/2016; Ponente: Giménez García, Joaquín. LA LEY 89/2017.

que por ello se refieren al protocolo de incorporación al proceso, siendo tales requisitos la aportación de las cintas íntegras al proceso y la efectiva disponibilidad de este material para las partes junto con la audición o lectura, en lo necesario, de las mismas en el juicio oral, lo que le dota de los principios de oralidad o contradicción, salvo que, dado lo complejo o extenso que pueda ser su audición se renuncie a la misma, bien entendido que dicha renuncia no puede ser instrumentalizada por las defensas para tras interesarla, alegar posteriormente vulneración por no estar correctamente introducidas en el Plenario. Tal estrategia, es evidente que podría constituir un supuesto de fraude contemplado en el artículo 11-2º de la LOPJ (LA LEY 1694/1985), de vigencia también, como el párrafo primero, a todas las partes del proceso, incluidas la defensa, y al respecto hay que recordar con las SSTC 72/2010 (LA LEY 187987/2010), ya citada, así como con la 26/2010, que en caso de renuncia a la audición de las cintas o a la lectura de las transcripciones, o caso de oposición a dicha diligencia es obvio que no se vulnera el derecho a un proceso con todas las garantías porque la parte concernida tuvo oportunidad de someter a contradicción tales cintas o transcripciones. En el mismo sentido hay que recordar que ya la STC 128/1988 (LA LEY 1047-TC/1988) declaró que... no habiéndose impugnado en todo o en parte la transcripción de las cintas, y habiéndolas dado por reproducidas, no se puede negar valor probatorio a tales transcripciones...". En cuanto a las formas de introducción en el Plenario de las conversaciones intervenidas, debe tenerse en cuenta la doctrina del Tribunal Constitucional STC 26/2010 de 27 de abril (LA LEY 40976/2010) y de esta Sala SSTS 1150/2010 (LA LEY 236970/2010) y 506/2013 (LA LEY 83520/2013)». STS 993/2016 de 12 Ene. 2017, Rec. 10282/2016; Ponente: Giménez García, Joaquín. LA LEY 346/2017.

En consecuencia, deberán ponerse a disposición del Tribunal que enjuicie la causa todas las grabaciones originales, pero no se exige la transcripción de las mismas[52].

«g) Consecuencia de la exclusividad judicial, es la exigencia de control judicial en el desarrollo, prórroga y cese de la medida, lo que se traduce en la remisión de las cintas íntegras al Juzgado, sin perjuicio de la transcripción mecanográfica efectuada ya por la policía., ya por el Secretario Judicial, ya sea esta íntegra o de los pasajes más relevantes, y ya esta selección se efectúe directamente por el Juez o por la Policía por delegación de aquél, pues en todo caso, esta transcripción es una medida facilitadora del manejo de las cintas, y su validez descansa en la existencia de la totalidad de las cintas en la sede judicial y a disposición de las partes en el Plenario, pero ya desde ahora se declara que las transcripciones escritas no constituyen un requisito legal». STS 993/2016 de 12 Ene. 2017, Rec. 10282/2016; Ponente: Giménez García, Joaquín. LA LEY 346/2017.

Debemos destacar que la prueba obtenida en la intervención son las grabaciones y no su transcripción, que sólo tiene como misión permitir el más fácil manejo de su contenido[53]. Lo decisivo, por tanto, es que las grabaciones originales estén a disposición de las partes que podrán solicitar su audición o visualización total o parcial.

---

(52) «No existe ningún precepto que exija la transcripción ni completa ni de los pasajes más relevantes, ahora bien, si se utilizan las transcripciones, su autenticidad, solo vendrá si están debidamente cotejadas bajo la fe del Secretario Judicial —en igual sentido, entre otras muchas, STS 538/2001 de 21 de marzo y STS 650/2000 (LA LEY 8288/2000) de 14 de septiembre—». STS 993/2016 de 12 Ene. 2017, Rec. 10282/2016; Ponente: Giménez García, Joaquín. LA LEY 346/2017.
(53) «La auténtica prueba es la que se practica en la vista oral del juicio y, según se ha advertido en numerosas sentencias, las escuchas directas en el plenario solventan las insuficiencias de

«No deben confundirse los requisitos necesarios para que el Instructor prorrogue o amplíe una intervención telefónica con los exigibles para su utilización posterior como prueba en el juicio. Estos últimos son requisitos que se refieren al protocolo de la incorporación del resultado probatorio al proceso, que es lo que convertirá el resultado de la intervención en prueba de cargo susceptible de ser valorada. Tales requisitos son: 1) La aportación de las cintas. 2) La transcripción mecanográfica de las mismas, bien integra o bien de los aspectos relevantes para la investigación, cuando la prueba se realice sobre la base de las transcripciones y no directamente mediante la audición de las cintas. 3) El cotejo bajo la fe del Letrado de la administración de justicia de tales párrafos con las cintas originales, para el caso de que dicha transcripción mecanográfica se encargue —como es usual— a los funcionarios policiales. 4) La disponibilidad de este material para las partes. 5) Y finalmente la audición o lectura de las mismas en el juicio oral, que da cumplimiento a los principios de oralidad y contradicción, previa petición de las partes, pues si estas no lo solicitan, dando por bueno su contenido, la buena fe procesal impediría invocar tal falta de audición o lectura en esta sede casacional». STS 25 de abril de 2007, LA LEY 26735/2007.

Pero, eso no implica que deba procederse, en todo caso, a la reproducción de las grabaciones, que corresponde solicitar a la parte a la que interese. Igual sucede con la identificación de las voces con los acusados cuya impugnación corresponde a la parte que podrá solicitar pericia sobre reconocimiento de voz[54].

«… por lo que se refiere a la identidad de voces entre la escuchada en las grabaciones y su autenticidad a la vista de la voz escuchada, la sentencia de instancia recuerda la doctrina de esta Sala que tiene declarado que se puede pedir la prueba de reconocimiento de voces si se cuestiona tal identidad por la parte concernida, pero si no se pide tal prueba, implícitamente se está reconociendo la autenticidad por lo que pierde fuerza el posterior cuestionamiento de la autenticidad de las voces, cuestión que puede resolver válida y eficazmente el propio Tribunal sentenciador que oyó las grabaciones y oyó la voz de la persona concernida, resolviendo en consecuencia —SSTS 362/2011 (LA LEY 52254/2011); 406/2010 (LA LEY 55565/2010); 924/2009 (LA LEY 191993/2009); 492/2012 (LA LEY 78433/2012); 440/2011 (LA LEY 71584/2011) o 901/2009—. Alega el Tribunal al respecto que si bien es cierto que al utilizarse una lengua distinta del castellano, ello puede dificultar el reconocimiento,

---

formalización y transcripción que pudieran apreciarse en la fase de instrucción». STS 07/2016 de 13 Abr. 2016, Rec. 10412/2015; Ponente: Jorge Barreiro, Alberto Gumersindo. LA LEY 40316/2016.

(54) «5) Y finalmente la audición de las cintas (conversaciones) o lectura de los mensajes SMS en el juicio oral, que da cumplimiento a los principios de oralidad y contradicción, previa petición de las partes, pues si estas no lo solicitan, dando por bueno su contenido, la buena fe procesal impediría invocar tal falta de audición o lectura, en esta sede casacional. Bien entendido como tiene declarado la STS 628/2010 de 1.7 (LA LEY 110053/2010), que en lo referente a las transcripciones de las cintas, o CDs, solo constituyen un medio contingente —y por tanto prescindible— que facilita la consulta y constatación de las cintas, por lo que sólo están las imprescindibles. No existe ningún precepto que exija la transcripción ni completa ni los pasajes más relevantes, ahora bien si se utilizan las transcripciones su autenticidad solo valdrá si están debidamente cotejadas bajo la fe del Secretario judicial (SSTS 538/2001 de 21.3, 650/2000 de 14.9). Pero es necesario dejar claro que el material probatorio son en realidad las cintas o CDs grabados y no su transcripción, que solo tiene como misión permitir su más fácil manejo de su contenido. Lo decisivo es que aquellos estén a disposición de las partes para que estas puedan solicitar, previo conocimiento de su contenido, su audición o lectura, total o parcial». STS 912/2016 de 1 Dic. 2016, Rec. 355/2016. Ponente: Berdugo Gómez de la Torre, Juan Ramón. LA LEY 177402/2016.

la audición repetida de las conversaciones ha llevado al Tribunal a verificar la identidad con la escuchada del recurrente concernido». STS 993/2016 de 12 Ene. 2017, Rec. 10282/2016; Ponente: Giménez García, Joaquín. LA LEY 346/2017.

De modo que en el supuesto que no reproduzcan las grabaciones en el juicio oral servirán de prueba de cargo las transcripciones, siempre que estén debidamente cotejadas bajo la fe pública del Secretario Judicial e, insistimos, siempre que las grabaciones originales estén a disposición de las partes que podrán contradecir las afirmaciones y argumentaciones que sobre su contenido se presenten como pruebas de cargo con solicitud, en su caso de audición en juicio[55].

> «En la sentencia 423/2015, de 26 de junio (LA LEY 99804/2015), se argumenta que en lo que afecta a su incorporación al procedimiento hay que destacar que el material probatorio lo integran en realidad las cintas grabadas y no su transcripción, que sólo tiene como misión permitir el más fácil manejo de su contenido. Lo decisivo, por tanto, es que las cintas originales estén a disposición de las partes para que puedan solicitar, previo conocimiento de su contenido, su audición total o parcial. Las transcripciones, siempre que estén debidamente cotejadas bajo la fe pública del Secretario Judicial, una vez incorporadas al acervo probatorio como prueba documental, pueden ser utilizadas y valoradas como prueba de cargo, siempre que las grabaciones originales estén a disposición de las partes a los fines antes dichos, de manera que puedan contradecir las afirmaciones y argumentaciones que sobre su contenido se presenten como pruebas de cargo. La jurisprudencia ha establecido en numerosas ocasiones que la introducción regular en el plenario lo será primordialmente mediante la audición directa del contenido de las cintas por el Tribunal, fuente original de la prueba. Ahora bien, también es admisible mediante la lectura en el juicio de las transcripciones, diligencia sumarial documental, previamente cotejadas por el Secretario con sus originales, e incluso por testimonio directo de los agentes encargados de las escuchas (SSTS 1112/2.002, de 17-6 (LA LEY 7382/2002); 1070/2003, de 22-7 (LA LEY 2921/2003); 413/2015, de 30-6 (LA LEY 98975/2015); y 423/2015 (LA LEY 99804/2015), de 23-6)». STS 07/2016 de 13 Abr. 2016, Rec. 10412/2015; Ponente: Jorge Barreiro, Alberto Gumersindo. LA LEY 40316/2016.

En ese caso, esta prueba se introducirá en el juicio oral como documental y podrá ser valorada por el Juez a efectos de fundar una sentencia de condena[56].

---

(55) «No existe ningún precepto que exija la transcripción ni completa ni de los pasajes más relevantes, ahora bien, si se utilizan las transcripciones, su autenticidad, solo vendrá si están debidamente cotejadas bajo la fe del Secretario Judicial.—en igual sentido, entre otras muchas, STS 538/2001 de 21 de marzo y STS 650/2000 (LA LEY 8288/2000) de 14 de septiembre —». STS 982/2016 de 11 Ene. 2017, Rec. 511/2016; Ponente: Giménez García, Joaquín. LA LEY 89/2017.

(56) «En efecto es necesario dejar claro que el material probatorio son en realidad las cintas grabadas y no su transcripción, que solo tiene como misión permitir su más fácil manejo de su contenido. Lo decisivo por lo tanto, es que las cintas originales están a disposición de las partes para que puedan solicitar, previo conocimiento de su contenido, su audición total o parcial. Las transcripciones, siempre que estén debidamente cotejadas bajo la fe pública del Secretario Judicial, una vez incorporadas al acervo probatorio como prueba documental, puedan ser utilizadas y valoradas como prueba de cargo siempre que las cintas originales estén a disposición de las partes a los fines antes dichos, de manera que puedan contradecir las afirmaciones y argumentaciones que sobre su contenido se presenten como pruebas de cargo. Así lo ha entendido esta Sala en SSTS 960/99 de 15.6, 893/2001 de 14.5, 1352/2002 de 18.7, 515/2006 de 4.4 que expresamente dice: «La transcripción de las conversaciones y la verificación de su contenido con el original o cotejo

«En efecto la STC 26/2001 (LA LEY 3899/2001) de 27-4, afirma que la audición de las cintas no es requisito imprescindible para su validez como prueba, sino que el contenido de las conversaciones puede ser incorporado al proceso bien a través de las declaraciones testificales de los funcionarios policiales que escucharon las conversiones intervenidas, bien a través de su trascripción mecanográfica —como documentación de un acto sumarial previo— (STC 166/99 (LA LEY 12056/1999), de 27-9, FJ 4; 122/2000 de 16-5; FJ 4, 138/2001, de 18-6, FJ 8) y también hemos concluido que para dicha incorporación por vía documental no es requisito imprescindible la lectura de las transcripciones en el auto del juicio, siendo admisible que se dé por reproducida, siempre que dicha prueba se haya conformado con las demás garantías y se haya podido someter a contradicción y que tal proceder, en suma, no conlleve una merma del derecho de defensa». STS 23/2015 de 4 Feb. 2015, Rec. 10144/2014; Ponente: Berdugo Gómez de la Torre, Juan Ramón. LA LEY 30888/2015.

Sobre este particular, el TS entiende que, sin perjuicio que el soporte material de la prueba se contenga en los soportes informáticos, las grabaciones en las que se contienen las conversaciones constituyen un documento y, en consecuencia, pueden acceder en ese concepto y practicar prueba con base en las transcripciones aportadas a los autos. También cabe acreditar los hechos mediante el testimonio directo de los funcionarios de policía encargados de las escuchas[57].

«Sólo si se prescinde de la audición de las cintas originales en la vista oral y se sustituye por el contenido escrito de las transcripciones, debe preconstituirse la prueba con absoluta regularidad procesal, con intervención del Secretario y de las partes, aunque la contradicción siempre puede salvarse en el plenario, siendo una cuestión atinente a las normas que rigen la práctica de la prueba. Otra vía de introducción de la prueba en el plenario es la testifical prestada en el mismo por los funcionarios que hayan percibido directamente el objeto de la prueba (las conversaciones). Como dice la STS 1.112/2.002, "su introducción regular en el plenario lo será primordialmente mediante la audición directa del contenido de las cintas por el Tribunal, fuente original de la prueba. Ahora bien, también es admisible mediante la lectura en el juicio de las transcripciones, diligencia sumarial documentada, previamente cotejadas por el Secretario con sus originales, e incluso por testimonio directo de los agentes encargados de las escuchas"». STS 25 de abril de 2007, LA LEY 26735/2007.

La diferencia esencial entre un modo u otro de practicar la prueba estriba en que solicitada y practicada la audición de las grabaciones en el acto del juicio oral no cabrá impugnar los vicios de que pudiera adolecer la transcripción cuyo contenido será irrelevante[58].

---

no dejan de ser funciones instrumentales, ordenadas a un mejor "confort" y economía procesal». STS 25 de abril de 2007, LA LEY 26735/2007.

(57) «Su introducción regular en el Plenario lo será primordialmente mediante la audición directa del contenido de las cintas por el Tribunal, fuente original de la prueba. Ahora bien, también es admisible mediante la lectura en el juicio de las transcripciones, diligencia sumarial documentada, previamente cotejadas por el Secretario con sus originales, que deben ser entregados en el Juzgado, e incluso por testimonio directo de los agentes encargados de las escuchas». STS 8 de noviembre de 2001.

(58) «En relación a las transcripciones de acuerdo con la reiterada doctrina de esta Sala —entre las últimas STS núm. 1954/2000 de 1 de marzo de 2001—, debe recordarse que dichas transcripciones no son requisito para la validez de la intervención sino que tienen un mero valor instrumental —

«Las transcripciones y cotejos sólo constituyen unas medidas facilitadoras del manejo de las cintas y su validez descansa, como más de una vez ha tenido oportunidad de declarar esta Sala (Cfr. STS de 27-11-2007, n.º 982/2007), en la existencia de la totalidad de las grabaciones originales en sede judicial y a disposición de las partes para que puedan solicitar la audición, pruebas sobre voz y demás que estimen oportuno respecto a las mismas, porque el material probatorio son las cintas grabadas y no sus transcripciones. Las transcripciones puede hacerlas la Policía judicial o el Secretario, según ordene el juez». STS 8 de mayo de 2008. LA LEY 68709/2008.

En definitiva y como último argumento resulta interesante la STS n.º 23/2015 de 4 febrero de 2015 que resume ilustrativamente los requisitos legales para la incorporación al proceso, con la finalidad de que puedan servir como prueba de cargo susceptible de ser valorada, del contenido de las grabaciones resultado de la intervención.

«Como hemos dicho en reciente STS 877/2014 de 22.12 (LA LEY 179217/2014), en cuanto al valor de las conversaciones telefónicas, debemos recordar los requisitos de la incorporación del contenido de las cintas al proceso que es lo que convertirá el resultado de la intervención en prueba de cargo susceptible de ser valorada. Tales requisitos son: 1) La aportación de las cintas. 2) La trascripción mecanográfica de las mismas, bien integra o bien de los aspectos relevantes para la investigación, cuando la prueba se realice sobre la base de las transcripciones y no directamente mediante la audición de las cintas. 3) El cotejo bajo la fe del Secretario judicial de tales párrafos con las cintas originales, para el caso de que dicha trascripción mecanográfica se encargue —como es usual— a los funcionarios policiales. 4) La disponibilidad de éste material para las partes. 5) Y finalmente la audición o lectura de las mismas en el juicio oral, que da cumplimiento a los principios de oralidad y contradicción, previa petición de las partes, pues si estas no lo solicitan, dando por bueno su contenido, la buena fe procesal impediría invocar tal falta de audición o lectura en esta sede casacional». STS 23/2015 de 4 Feb. 2015, Rec. 10144/2014; Ponente: Berdugo Gómez de la Torre, Juan Ramón. LA LEY 30888/2015. En el mismo sentido la STS 07/2016 de 13 Abr. 2016, Rec. 10412/2015; Ponente: Jorge Barreiro, Alberto Gumersindo. LA LEY 40316/2016.

En el caso de grabaciones en lengua extranjera deberá constar la traducción de las conversaciones. Ahora bien, corresponde a la parte impugnar cualquier queja que se tuviere respecto a la traducción solicitando, en su caso, la declaración en juicio del perito intérprete.

«3. En lo que respecta a la traducción de las grabaciones que aparecen formuladas en lenguas o idiomas extranjeros, se señala en la STS 424/2014, de 28 de mayo (LA LEY 68755/2014), en un supuesto en que constan en idioma bereber, que no puede hacerse reproche alguno a la traducción y transcripción de las conversaciones telefónicas al obrar la traducción en la causa mediante un intérprete de esa lengua, advirtiendo esta Sala de forma específica que ni las grabaciones ni los resúmenes habrían precisado la adveración del Secretario judicial puesto que se escucharon directamente en el juicio sin reparo de ninguna de las partes. La STS 594/2006, de 16 de mayo (LA LEY 112244/2006), en un supuesto en que las cintas originales cons-

por ello poco importa la identidad del que las efectuase—, ya que lo relevante es el envío de las cintas originales si se quiere utilizar dichas cintas, además, como medio de prueba mediante la audición de los extremos correspondientes en el Plenario». STS 27 de diciembre de 2001.

taban en idioma rumano y se hallaban a disposición del Tribunal, argumentó que, al haberse procedido a la audición en el juicio oral de los pasajes interesados por el Ministerio Fiscal y haber tenido las defensas de los recurrentes la oportunidad de solicitar la audición de todos aquellos aspectos de las conversaciones intervenidas que pudieran considerar de interés a su derecho, sin que lo realizaran efectivamente, no puede hablarse de una posible indefensión, que sólo puede ser debida a la inactividad, pasividad o negligencia de la misma parte que la sufre. Y precisó al respecto esta Sala que el hecho de que la traducción de las conversaciones se hiciera por el intérprete de rumano de forma simultánea a su audición no afecta a ningún derecho de los recurrentes, pues de ello no se desprende que faltara a las obligaciones propias del desempeño de la función de intérprete o que el resultado de la traducción no fuera suficientemente inteligible. Además, nada ha impedido que se le requirieran las aclaraciones necesarias durante la práctica de la prueba. Y en la sentencia 250/2014, de 14 de marzo, con motivo de las quejas de la valoración de unas conversaciones telefónicas prestadas en idioma ghanés, y ante la queja de la parte recurrente por el hecho de que no había traducción literal en la causa de las manifestaciones, este Tribunal articuló, entre otros argumentos, para sostener la validez de la prueba, que las partes pudieron interrogar al perito intérprete y lo hicieron con la extensión y exhaustividad que exigen el principio de contradicción y el irrenunciable derecho de defensa, y matizó que las carencias de la fase de instrucción con respecto a las traducciones inicialmente incorporadas "no son obstáculo para la valoración de esa fuente de prueba cuando las conversaciones fueron posteriormente oídas en el plenario con la ayuda del intérprete de idioma ghanés"». STS 07/2016 de 13 Abr. 2016, Rec. 10412/2015; Ponente: Jorge Barreiro, Alberto Gumersindo. LA LEY 40316/2016.

La autenticidad del soporte en el que se incluyen las grabaciones efectuadas queda garantizado con la entrega del soporte original del que se podrán hacer las copias que soliciten las partes. Ahora bien, en el caso de utilización del sistema SITEL no se entrega la grabación original que queda guardada en el sistema a disposición judicial, siendo posible su cotejo o verificación en cualquier momento, siempre a petición de la parte a quien interese[59].

«En todo caso, aunque en los autos de intervención telefónica se establece que el disco magnético óptico original se pondrá a disposición judicial una vez finalizada la intervención o cuando se complete su capacidad, ello no significa que el disco duro deba entregarse materialmente al Juzgado, sino que como medio de investiga-

---

(59) «D) Las transcripciones de parte de las conversaciones no implican más que una herramienta de facilitación del trabajo al Juez. El contenido de las conversaciones y datos asociados queda íntegramente grabado en el Servidor Central del SITEL, y no es posible su borrado sin autorización judicial específica, sin que sea posible su alteración porque queda registrado en el sistema cualquier intento de manipulación y ello de forma indeleble. La aportación de los soportes CD/DVD en los que se ha volcado la información, se efectúa por los responsables de las unidades de investigación y amparadas por la intervención que realiza el funcionario policial que actúa como secretario de las mismas. E) El cualquier momento del proceso es posible la verificación de la integridad de los contenidos volcados a los soportes CD/DVD entregados en el juzgado, mediante su contraste con los que quedan registrados en el Servidor Central del SITEL a disposición de la autoridad judicial. Este contraste puede realizarse por el juzgado en los terminales correspondientes para acreditar su identidad con la "matriz" del servidor central. Y esta verificación no fue solicitada en momento alguno por el recurrente». STC 358/2016 de 26 Abr. 2016, Rec. 1322/2015. Ponente: Granados Pérez, Carlos. LA LEY 35737/2016.

ción judicial que ejecuta la policía, tales grabaciones permanecen en el disco duro hasta que la autoridad judicial ordene su borrado, pues en cualquier momento del proceso es posible la verificación de la integridad de los contenidos volcados a los soportes CD/DVD entregados en el juzgado, mediante su contraste con los que quedan registrados en el Servidor Central del SITEL a disposición de la autoridad judicial. Contraste que puede realizar el juzgado en los correspondientes terminales para acreditar su identidad con la "matriz" del servidor central, como reitera la transcripción jurisprudencial». STS 492/2016 de 8 Jun. 2016, Rec. 10545/2015. Ponente: Palomo del Arco, Andrés. LA LEY 59018/2016. Caso Casper.

Finalmente debemos tener presente que el contenido material de mensajes o conversaciones (queremos decir las palabras que se utilizan en las conversaciones) no suele tener un valor probatorio pleno, precisamente porque por lo general los delincuentes ya emplean un lenguaje críptico o en clave para encubrir sus actividades. Es cierto que tanto la policía como los Jueces pueden deducir del contenido de las conversaciones determinadas la realización de determinadas conductas. Ahora bien, ello no impide que la prueba de los hechos típicos deba corroborarse por lo general con otra clase de prueba, sirviendo las conversaciones, por lo general, como un modo de iniciar la investigación del delito. Es decir, será realmente muy extraño que los interlocutores hablen abiertamente sobre el envío de un cargamento de drogas o que en una red de pedófilos se titulen los videos con referencias explícitas. De modo que, al final, habrá que obtener la evidencia que aquello a lo que se refieren los sospechosos no son flores tropicales, sino drogas y no son documentales de naturaleza, sino videos pedófilos.

«Esta idea late en nuestra STS 485/2010 de 3 de marzo (LA LEY 76148/2010), en la que recordábamos, en relación con las escuchas telefónicas, que la licitud y validez de su práctica no equivale a la suficiencia como prueba de cargo, puesto que ésta además depende de su contenido relevante. Esta Sala ha declarado en STS 1140/2009 de 23 de octubre (LA LEY 233138/2009), que con carácter general las conversaciones telefónicas escuchadas y grabadas con autorización judicial tienen normalmente una mera función delimitadora de la investigación policial permitiendo concentrar y dirigir las pesquisas criminales a la luz de los datos y revelaciones escuchadas en las conversaciones intervenidas. Sólo muy excepcionalmente, la conversación intervenida prueba por sí sola, es decir sin otros elementos de prueba disponible, la comisión del delito de que se acusa, y la participación en él de aquél que es acusado como responsable. Para ello es necesario que, además de la licitud y de su validez procesal, tenga suficiente contenido incriminador, lo cual pasa necesariamente —cuando es la única prueba de cargo verdaderamente significativa y relevante— porque quien converse telefónicamente narre con claridad el hecho, relatando la comisión del delito y la participación en él, en términos que no ofrezcan duda sobre el sentido de lo que dice y el alcance de lo que cuenta; no menos que como se exige en cualquier narración epistolar, documento escrito o conversación directa escuchada por quien está presente». STS 714/2016 de 26 Sep. 2016, Rec. 1951/2015; Ponente: Berdugo Gómez de la Torre, Juan Ramón. LA LEY 126702/2016[60].

_____

(60) «En similar sentido la STS 6.5.2011 razona que: "... en el caso presente es cierto, como señala el recurrente que la interpretación de las conversaciones telefónicas cuando no arrojan datos inequívocos, desde el punto de vista semántica, derivados de la racional y directa comprensión e interpretación de las palabras conforme a los usos convencionales que están al

B) Fotografías y grabaciones de video

Las grabaciones de video también pueden tener la consideración de prueba de cargo apta para desvirtuar la presunción de inocencia en tanto que las imágenes sirvan para acreditar la participación del acusado en el hecho ilícito enjuiciado[61]. A ese fin deberán visualizarse en el acto del juicio con sometimiento pleno a la contradicción de las partes[62].

> «Desde el plano de la valoración de las imágenes de las cámaras de seguridad, la STS 485/2013, de 5 de junio, considera que el material fotográfico y videográfico obtenido en el ámbito público y sin intromisión indebida en la intimidad personal o familiar tiene un valor probatorio innegable. La eficacia probatoria de la filmación videográfica está subordinada a la visualización en el acto del juicio oral, para que tengan realidad los principios procesales de contradicción, igualdad, inmediación y publicidad». STS 124/2014 de 3 Feb. 2014, Rec. 973/2013; Ponente: Sánchez Melgar, Julián. LA LEY 21261/2014.

---

alcance de la expresión del lenguaje, sino que son una traducción libre dado su sentido críptico y posiblemente su clave, no pueden ir más allá de una simple y razonable sospecha para el inicio de las correspondientes investigaciones, pero no pueden servir por sí solas, para una sentencia condenatoria y precisan de la corroboración, refuerzo o cumplimento por otras pruebas objetivas (STS 1480/2005 de 12.12 (LA LEY 238396/2005)), pero también lo es, a contrario sensu, que cuando su contenido no deja lugar a dudas sobre su relación con tráfico de drogas, las conversaciones, oídas en el plenario, o las transcripciones, siempre que estén cotejadas bajo la fe pública del secretario judicial, una vez incorporadas al acervo probatorio como prueba documental, pueden ser utilizadas y valoradas como prueba de cargo, siempre que las cintas originales estén a disposición de las partes a los fines antes dichos, de manera que pueden contradecir las afirmaciones y argumentaciones que sobre su contenido se presenten como pruebas de cargo (SSTS 893/2001 (LA LEY 8276/2001) de 14.5, 1352/2002 de 18.7 (LA LEY 135393/2002), 515/2006 de 4.4 (LA LEY 43950/2006), 628/2010 de 1.7 (LA LEY 110053/2010)), o bien incluso por la testifical en el plenario de los funcionarios que hayan percibido directamente el objeto de la prueba, esto es por testimonio directo de los agentes encargados de las escuchas (STS 1112/2002 (LA LEY 7382/2002))"». STS 714/2016 de 26 Sep. 2016, Rec. 1951/2015; Ponente: Berdugo Gómez de la Torre, Juan Ramón. LA LEY 126702/2016.

(61) «La doctrina del TC .../... ha admitido las grabaciones videográficas como prueba de cargo .../... Esa validez, no obstante, está subordinada imprescindiblemente a la necesidad de que la filmación no suponga una invasión de los derechos fundamentales a la intimidad de la persona, razón por la cual será precisa autorización judicial cuando la grabación se lleva a cabo en domicilios o lugares protegidos por el art. 18 CE. Por otra parte, y supuesta la legitimidad de la filmación, se hace rigurosamente necesario activar las medidas de control judicial oportunas para evitar alteraciones trucajes o montajes fraudulentos o simples confusiones, es decir, garantizar la autenticidad del material videográfico, lo que, a su vez requiere la inmediata entrega a la autoridad judicial del original de la grabación». STS Sala Segunda, de lo Penal, Sentencia de 19 May. 1999, Rec. 1941/1998; Ponente: Ramos Gancedo, Diego Antonio. LA LEY 7184/1999.

(62) «Una vez que la cinta fue reproducida en el acto del juicio oral, nos encontramos ante uno de los supuestos en los que, con arreglo al criterio de esta Sala, las grabaciones videográficas constituyen prueba válida sin necesidad de ser completadas. El Tribunal de instancia que las vio, pudo y debió valorarlas, con libertad de criterio, junto con el resto de la prueba practicada, de conformidad con lo dispuesto en el art. 741 de LECrim (LA LEY 1/1882). Como sostiene el recurrente, el Tribunal de instancia exige a la prueba practicada un plus que ni la Constitución, ni la Ley, ni la Jurisprudencia requieren, y con ello vulnera el derecho a la tutela judicial efectiva». STS 1409/2014 de 21 May. 2014, Rec. 2353/2013; Ponente: Ferrer García, Ana María. LA LEY 64262/2014.

En el caso de tratarse de imágenes captadas por particulares se debe extremar la cautela debiendo prestarse especial atención a dos cuestiones: 1º que la entrega de la grabación a la autoridad se hubiere producido en el plazo más corto posible a efectos de minimizar los riesgos de una manipulación de la grabación. 2º Que se produzca la declaración en el juicio oral del autor de la grabación.

«Supuesta la legitimidad de la filmación, se hace rigurosamente necesario activar las medidas de control judicial oportunas para evitar alteraciones, trucajes o montajes fraudulentos o simples confusiones, es decir, para garantizar la autenticidad del material videográfico, lo que, a su vez, requiere la inmediata entrega a la autoridad judicial del original de la grabación. Por último, cuando la película haya sido filmada por una persona, será precisa la comparecencia en el juicio oral del operador que obtuvo las imágenes en tanto que el cámara tuvo una percepción directa de los hechos en el mismo momento en que ocurrían, y sus manifestaciones en el plenario deben ser sometidas a la exigible contradicción procesal. Este último requisito no será exigible, naturalmente, en el caso de que la cinta videográfica no haya sido filmada por una persona, sino por las cámaras de seguridad de las entidades que, por prescripción legal, o por iniciativa propia, disponen de esos medios técnicos que graban de manera automática las incidencias que suceden en su campo de acción. En tal caso es necesario extremar el rigor de las medidas de control de la filmación así obtenida, en tanto que en este supuesto, la prueba vendrá constituida exclusivamente por las imágenes que contenga la película, sin posibilidad de ser complementadas y confirmadas por la declaración personal del inexistente operador. Por esta misma razón "la eficacia probatoria de la filmación videográfica está subordinada a la visualización en el acto del juicio oral, para que tengan realidad los principios procesales de contradicción, igualdad, inmediación y publicidad" (STS de 17 de julio de 1998), exigiendo la doctrina jurisprudencial que el material videográfico haya sido visionado en el plenario con todas las garantías procesales. Se establecen, por tanto, una serie de exigencias, para evitar la manipulación y asegurar la autenticidad del material probatorio, de las que la entrega pronta a la autoridad judicial no es más que uno de los procedimientos recomendados al efecto, junto con los demás que se enumeran. Por ello no cabe sobrevalorar la referencia a la entrega inmediata al Juez». STS 124/2014 de 3 Feb. 2014, Rec. 973/2013; Ponente: Sánchez Melgar, Julián. LA LEY 21261/2014.

En el caso de las imágenes tomadas por cámaras fijas sitas en Bancos o similares bastará con la reproducción de la grabación en el acto del juicio oral. La razón se halla en la circunstancia de que se trata de cámaras automáticas que graban sin ninguna clase de intervención humana. Es por ello que, por lo general, nada añade al valor probatorio la testifical de quien instaló la cámara o recuperó su contenido.

«Ahora bien, aun partiendo de la legitimidad de la grabación, es necesario activar los controles pertinentes para enervar cualquier riesgo de alteración o trucaje del material videográfico obtenido, o lo que es lo mismo, garantizar su autenticidad. A estos fines, más allá de los posibles exámenes técnicos, es imprescindible, cuando ello es posible, la confrontación de la grabación con el testimonio en el acto del juicio oral del operador que la obtuvo y fue testigo directo de la misma escena que filmó (STS 1154/2010, de 12 de enero de 2011 (LA LEY 431/2011)). Sin embargo "... Este último requisito no será exigible, naturalmente, en el caso de que la cinta videográfica no haya sido filmada por una persona, sino por las cámaras de seguridad de las entidades que, por prescripción legal, o por iniciativa propia, disponen de esos medios técnicos que graban de manera automática las incidencias que suceden en su campo de acción" (STS 485/2013, STS 67/2014, de 28 de enero (LA LEY 10183/2014) o STS 124/2014 de 3 de febrero). Y éste es el supuesto que nos ocupa. Las cámaras que obtuvieron las imágenes a las que se niega validez como medio de prueba estaban instaladas en un establecimiento de carácter público, el Centro Penitenciario de Melilla, y su campo de acción no alcanzaba espacios reservados al uso íntimo de persona alguna. Son cámaras colocadas como medida de seguridad que abarcan el perímetro de la cárcel; que funcionan automáticamente y que no exigen de la acción constante de una persona para obtener la grabación. En tales casos "... es necesario extremar el rigor de las medidas de control de la filmación así obtenida, en tanto que en este supuesto, la prueba vendrá constituida exclusivamente por las imágenes que contenga la película, sin posibilidad de ser complementadas y confirmadas por la declaración personal del inexistente operador" (STS 485/2013, STS 67/2014, de 28 de enero (LA LEY 10183/2014) o STS 124/2014 de 3 de febrero). Ahora bien, ello no supone que sea necesaria la declaración de las personas encargadas del control de esas cámaras, que son simplemente testigos de lo que ellas reproducen, y no directos del suceso grabado. En tales casos, *"la eficacia probatoria de la filmación videográfica está subordinada a la visualización en el acto del juicio oral, para que tengan realidad los principios procesales de contradicción, igualdad, inmediación y publicidad" (STS de 17 de julio de 1998)*, exigiendo la doctrina jurisprudencial que el material videográfico haya sido visionado en el plenario con todas las garantías procesales (STS 485/2013, STS 67/2014, de 28 de enero (LA LEY 10183/2014) o STS 124/2014 de 3 de febrero)». STS 1409/2014 de 21 May. 2014, Rec. 2353/2013; Ponente: Ferrer García, Ana María. LA LEY 64262/2014.

La grabación videográfica o la fotografía tienen capacidad se servir de prueba de cargo para fundamentar una condena sin necesidad de practicar pericia antropomórfica cuando la imagen es nítida y el Tribunal puede adquirir pleno conocimiento de la identidad de las personas que aparecen en la grabación[63].

«La STS 1154/2010, de 12 de enero de 2011 (LA LEY 431/2011), destaca el valor de las grabaciones filmadas de los hechos para poder identificar a sus participantes; la STS 433/2012, de 1 de junio (LA LEY 73165/2012) por su parte, destaca que el material fotográfico y vídeo gráfico obtenido en el ámbito público y sin intromisión indebida en la intimidad personal o familiar tiene un valor probatorio innegable, lo que es reiterado por la STS 67/2014, de 28 de enero (LA LEY 10183/2014). En autos,

---

(63) «De igual modo, la STS de 1285/1999, 15 de septiembre, precisa: Siendo relevantes los hechos indiciarios mencionados, es claro que el primero de los señalados adquiere especial significación a efectos de la inferencia deducida por el juzgador, y que su valor como elemento acreditativo de lo acaecido sitúa la grabación videográfica del suceso más cerca de la prueba directa que de la consideración de mero factor indiciario, en cuanto que, no cuestionada su autenticidad, la filmación se revela como una suerte de "testimonio mecánico y objetivo" de un suceso, con entidad probatoria similar —o incluso, superior, al quedar excluida la subjetividad, el error o la mendacidad del testimonio personal— a la del testigo humano. Resolución que a su vez destaca que cuando la cinta videográfica no haya sido filmada por una persona, sino por las cámaras de seguridad de las entidades que, por prescripción legal o por iniciativa propia, disponen de esos medios técnicos que graban de manera automática las incidencias que suceden en su campo de acción, en estos casos, la propia grabación videográfica ha sido considerada por esta Sala Segunda como prueba de cargo apta para desvirtuar la presunción de inocencia en cuanto medio técnico que recoge las imágenes de la participación del acusado en el hecho ilícito enjuiciado». STS Sala Segunda, de lo Penal, Sentencia 315/2016 de 14 Abr. 2016, Rec. 1873/2015. Ponente: Palomo del Arco, Andrés. LA LEY 32909/2016.

las grabaciones, permiten observar nítidamente lo sucedido; y también la fisonomía de quien realiza los disparos; es cierto que dificultada porque portaba peluca, así como barba negra recortada perfilando el arco de la mandíbula y bigote postizos, pero que a su vez, dejaba al descubierto la mayoría y gran parte de sus rasgos faciales, de modo que en directa observación de este documento, las grabaciones videográficas, cualquier observador desinteresado puede concluir conforme a máximas de experiencia ordinarias, que la identificación de esta persona, resulta viable a partir de esta grabación, de forma que aún sin pericial de ninguna clase, no resultaría arbitraria, un motivado reconocimiento identificativo del inculpado y recurrente en las imágenes grabadas». STS Sala Segunda, de lo Penal, Sentencia 315/2016 de 14 Abr. 2016, Rec. 1873/2015. Ponente: Palomo del Arco, Andrés. LA LEY 32909/2016.

Ahora bien, nada impide practicar una prueba pericial o bien, sencillamente, complementar la prueba directa de la grabación con la testifical de los policías que pueden dar cuenta de los detalles sobre la apariencia del acusado y los cambios que pudiera haber tenido a lo largo del tiempo.

«Las identificaciones realizadas por especialistas de la policía que no han intervenido en las diligencias que dan lugar al atestado, podrían ser consideradas como una especial forma de pericia que se debe reproducir, como se ha hecho en el caso presente, en el acto del juicio oral, por lo que, en principio, no hay obstáculos para su validez». STS Sala Segunda, de lo Penal, Sentencia 315/2016 de 14 Abr. 2016, Rec. 1873/2015. Ponente: Palomo del Arco, Andrés. LA LEY 32909/2016.

Nada impide, naturalmente, al acusado impugnar la grabación tanto por realización como por su contenido que puede alegar ha sido falseado o manipulado. Pero, esa alegación debe estar fundada en prueba pericial que así lo acredite sin que sea admisible una mera alegación sin acreditación alguna.

«La sentencia impugnada cita la doctrina contenida en las sentencias 485/2013, de 5 de junio y la 433/2012, de 1 de junio de este Tribunal, sin embargo va más allá, y exige para reconocer validez a las grabaciones obtenidas que sean completadas con la declaración de los policías encargados de visualizar las imágenes captadas. Explica que su declaración es necesaria para "garantizar la autenticidad de la grabación". Esa autenticidad no se cuestionó expresamente. La defensa en el trámite de cuestiones previas impugnó las grabaciones en tanto las mismas no fueran objeto de ratificación y reproducción; alegación que no constituye una impugnación formal. No se apunta dato alguno que pueda servir de indicio de una supuesta alteración de la cinta incorporada a autos. Esta Sala ha rechazado la nulidad del material videográfico, consistente en grabación efectuada por las cámaras de los accesos a una entidad bancaria, que se postulaba por el recurrente en aquel caso basándose en la mera posibilidad de su alteración sin que existiera dato alguno que lo avalara (STS 1336/1999, de 20 septiembre), al existir motivos para pensar que lo grabado se correspondía con lo ocurrido el día de los hechos. Y esta es la situación en la que nos encontramos: los funcionarios de prisiones que comparecieron al acto del juicio como testigos explicaron que fue arrojado desde el exterior de la prisión un paquete con sustancias que, una vez analizadas, resultaron ser estupefacientes. Hasta tal punto es así, que la sentencia recurrida lo recoge expresamente en su relato de hechos probados. Pero aun en el caso de que entendiera el Tribunal de instancia que la autenticidad o integridad de la cinta estaban en entredicho, la validez de esa prueba no puede quedar supeditada al testimonio de los policías que controlan visualmente el material que las cámaras de seguridad grababan, quienes ni fueron testigos directos del suceso ni son técnicos en medios audiovisuales». STS 1409/2014 de 21 May. 2014, Rec. 2353/2013; Ponente: Ferrer García, Ana María. LA LEY 64262/2014.

Finalmente, téngase presente la posibilidad y/o necesidad de la aportación de un informe pericial que permita la introducción de las evidencias obtenidas en el proceso. Así sucederá en el caso de información técnica o informática que resultará necesario se contenga e interprete en un informe pericial También puede practicarse prueba pericial técnica para constatar la autenticidad e integridad de los datos o grabaciones obtenidas; o aspectos complementarios de los hechos obtenidos en la intervención. O, finalmente, también puede utilizarse una pericia a fin de acreditar la identidad de las voces o imágenes que se hallan en las grabaciones. Aunque, se trata de pruebas que no son necesarias y procederán conforme estimen las partes que sean útiles para defender su posición en el proceso.

«En definitiva, en relación al reconocimiento de voces, el Tribunal puede resolver la cuestión mediante el propio reconocimiento que se deriva de la percepción inmediata de dichas voces y su comparación con las emitidas por los acusados en su presencia, o mediante prueba corroboradora o periférica mediante la comprobación por otros medios probatorios de la realidad del contenido de las conversaciones. En síntesis, a falta de reconocimiento, la prueba pericial no se revela necesaria o imprescindible, otra cosa es que sea conveniente, si el Tribunal ha dispuesto de los términos de comparación necesarios o de otras pruebas legítimas que corroboren el contenido de lo grabado (SSTS 163/2003 de 7.2, 595/2008 de 29.9, que recuerda "en cuanto a la identificación de la voz, baste decir que no constituye una diligencia obligada en el desarrollo del proceso, por cuanto —con independencia de que cuando las cintas son oídas en el juicio oral, como es el caso, el Tribunal puede llevar a cabo su particular valoración sobre dicha cuestión—, la identificación de las personas que intervienen en las conversaciones intervenidas puede llevarse a cabo por otros medios distintos de las pruebas fonográficas"». STS 23/2015 de 4 Feb. 2015, Rec. 10144/2014; Ponente: Berdugo Gómez de la Torre, Juan Ramón. LA LEY 30888/2015.

C) Nulidad de las pruebas obtenidas con violación de derechos fundamentales

Serán nulas de pleno derecho las pruebas obtenidas mediante intervenciones realizadas con infracción del derecho fundamental a la intimidad y/o al secreto de las comunicaciones (véase la STC 151/1998 de 13 de julio, importante en esta materia). Véase sobre la prueba ilícita la Sección 2 del presente Capítulo IX.

«La STS 828/1999, de 19 de mayo, recuerda que la doctrina del Tribunal Constitucional (véase STC de 16 de noviembre de 1992) y de esta Sala Segunda (SS de 21 de mayo de 1994, 18 de diciembre de 1995, 27 de febrero de 1996, 5 de mayo de 1997 y 17 de julio de 1998, entre otras) ha admitido las grabaciones videográficas como prueba de cargo apta para desvirtuar la presunción de inocencia en cuanto medio técnico que recogen las imágenes de la participación del acusado en el hecho ilícito enjuiciado. Esa validez, no obstante, está subordinada imprescindiblemente a la necesidad de que la filmación no suponga una invasión de los derechos fundamentales a la intimidad de la persona, razón por la cual será precisa autorización judicial cuando la grabación se lleva a cabo en domicilios o lugares protegidos por el art. 18 C.E. Pero si se trata de la grabación de imágenes en lugares públicos, aun de acceso restringido, no se requiere autorización judicial. En este sentido, la reciente

STS 67/2014, de 28 de enero (LA LEY 10183/2014)». STS 124/2014 de 3 Feb. 2014, Rec. 973/2013; Ponente: Sánchez Melgar, Julián. LA LEY 21261/2014.

Estas pruebas carecerán de valor probatorio pudiendo solo valorarse las pruebas que no tengan ninguna relación de causalidad con aquélla (fruto del árbol envenenado)[64].

«Constituye doctrina reiterada de este Tribunal que la estimación de la denunciada vulneración del derecho fundamental al secreto de las comunicaciones (art. 18.3 CE) determina la prohibición, derivada de la Constitución, de tomar en consideración las pruebas obtenidas con las intervenciones telefónicas así viciadas, puesto que desde la STC 114/1984, de 29 de noviembre (LA LEY 9401-JF/0000), hemos sostenido que, aunque la prohibición de valorar en juicio pruebas obtenidas con vulneración de derechos fundamentales sustantivos no se halla proclamada en un precepto constitucional, tal valoración implica una ignorancia de las garantías propias del proceso (art. 24.2 CE) y una inaceptable confirmación institucional de la desigualdad entre las partes en el juicio, y en virtud de su contradicción con ese derecho fundamental y, en definitiva, con la idea de "proceso justo", debe considerarse prohibida por la Constitución…». STC 253/2006 de 11 de septiembre.

En el supuesto de la falta de garantía de autenticidad del resultado, vg. por la falta de control judicial, la nulidad únicamente afectará a los elementos de prueba obtenidos directamente con la intervención.

«De lo expuesto, se deriva, que el quebrantamiento de estos requisitos de legalidad ordinaria, solo tiene como alcance el efecto impeditivo de alcanzar las cintas la condición de prueba de cargo, pero por ello mismo, nada obsta que sigan manteniendo el valor de medio de investigación y por tanto de fuente de prueba, que puede completarse con otros medios como la obtención de efectos y útiles relacionados con el delito investigado, pruebas testificales o de otra índole. Sin ningún ánimo exhaustivo, en acreditación de la doctrina jurisprudencial expuesta se pueden citar las SSTC 22/84 de 17 de febrero (LA LEY 8565-JF/0000), 114/84 de 29 de noviembre (LA

---

[64] «Constituye doctrina reiterada de este Tribunal que la estimación de la denunciada vulneración del derecho fundamental al secreto de las comunicaciones (art. 18.3 CE) determina la prohibición, derivada de la Constitución, de valorar todas las pruebas obtenidas directamente a partir de las referidas intervenciones telefónicas, puesto que desde la STC 114/1984, de 29 de noviembre, hemos sostenido que, aunque la prohibición de valorar en juicio pruebas obtenidas con vulneración de derechos fundamentales sustantivos no se halla proclamada en un precepto constitucional, tal valoración implica una ignorancia de las garantías propias del proceso (art. 24.2 CE) y una inaceptable confirmación institucional de la desigualdad entre las partes en el juicio, y en virtud de su contradicción con ese derecho fundamental y, en definitiva, con la idea de "proceso justo", debe considerarse prohibida por la Constitución (STC 114/1984, de 29 de noviembre, FJ 5 y, entre las más recientes, SSTC 81/1998, de 2 de abril, FJ 2; 69/2001, de 17 de marzo, FJ 26; 28/2002, de 11 de febrero, FJ 4). Dicha prohibición afecta, en primer término, a las cintas en que se grabaron las conversaciones y sus transcripciones. Igualmente, de la declaración de la vulneración del mencionado derecho fundamental deriva la prohibición de incorporar al proceso el contenido de las conversaciones grabadas mediante las declaraciones de los policías que llevaron a cabo las escuchas, pues con tales declaraciones lo que accede al proceso es, pura y simplemente, el conocimiento adquirido al practicar la prueba constitucionalmente ilícita (por todas, SSTC 94/1999, de 31 de mayo, FJ 8; 184/2003, de 23 de octubre, FJ 13; 165/2005, de 20 de junio, FJ 9) (STC 259/2005, de 24 de octubre, FJ 7)». STC 26/2006 de 30 de enero. Véanse también SSTC 114/84 de 29 de noviembre; 54/96, de 26 marzo; 28/2002 de 11 de febrero; 259/2005 de 24 de octubre.

LEY 9401-JF/0000), 199/87 de 16 de diciembre (LA LEY 53413-JF/0000), 128/88 de 27 de junio (LA LEY 1047-TC/1988), 111/90 de 18 de junio (LA LEY 1529-TC/1990), 199/92 de 16 de noviembre, y entre las últimas, 49/99 de 9 de abril y 234/99 de 20 de diciembre. De esta Sala se pueden citar SSTS de 12 de septiembre de 1994, 1 de junio, 28 de marzo, 6 de octubre de 1995, 22 de julio de 1996, 10 de octubre de 1996, 11 de abril de 1997, 3 de abril de 1998, 23 de noviembre de 1998, y entre las más recientes, SS n.º 623/99 de 27 de abril, 1830/99 de 16 de febrero de 2000, 1184/2000 de 26 de junio de 2000 (LA LEY 11108/2000), n.º 123/2002 de 6 de febrero, 998/2002 de 3 de junio (LA LEY 104856/2002), 27/2004 de 13 de enero, 182/2004 de 23 de abril y 297/2006 de 6 de marzo (LA LEY 23444/2006), 1260/2006 de 1 de diciembre (LA LEY 181080/2006), 296/2007 de 15 de febrero, 610/2007 de 28 de mayo (LA LEY 72204/2007) y 296/07 de 15 de marzo (LA LEY 12542/2007), 777/2008 de 18 de noviembre (LA LEY 189425/2008), 737/2009 de 6 de julio (LA LEY 125367/2009), 933/2009 de 1 de octubre, 395/2010; 895/2010; 1057/2010; 956/2011; 1396/2011; 156/2012; 278/2012; 410/2012 de 17 de mayo; 521/2012 de 21 de junio; 33/2013 de 24 de enero y 88/2013 de 17 de enero, entre otras». STS 993/2016 de 12 Ene. 2017, Rec. 10282/2016; Ponente: Giménez García, Joaquín. LA LEY 346/2017.

Aunque, en algunas sentencias, el TS se han mostrado más inflexibles considerando que la inicial autorización judicial no puede evitar la nulidad radical de todo lo actuado cuando se prescindió de las garantías que la Ley establece respecto a este acto de investigación[65]. En cualquier caso, ninguna vulneración se producirá del derecho a un proceso con todas las garantías, si declarada la nulidad de la prueba por violación de derechos fundamentales se condena finalmente con fundamento en otras pruebas[66].

---

(65) «No se salva la constitucionalidad de la medida, por el hecho de la simple intervención inicial del Juez, sino que, se debe exigir que la decisión judicial sea en todo momento motivada, y que se responsabilice el Juez que adopta la medida, de recabar la información del seguimiento cada cierto tiempo, concediendo o denegando la prórroga en virtud de resolución motivada. Pero no terminan ahí las garantías constitucionales, ya que el Juez tiene la obligación de asegurar que el contenido de las conversaciones grabadas corresponde fielmente a lo que consta en las cintas soportes de las conversaciones, encomendando esta misión al Secretario Judicial, que es la única persona que puede autentificar la fidelidad de la transcripción .../... La lectura de las actuaciones, desde el atestado inicial hasta su terminación, evidencia de un modo palmario que todo el proceso de la investigación y todas las actuaciones que culminaron con la detención de algunos de los implicados tienen su origen en las escuchas, certeramente desvalorizadas por el órgano juzgador, de tal manera que no sólo de forma indirecta, sino también de manera directa, todo el material acopiado durante la investigación judicial está afectado por el vicio mencionado. No puede desconectarse la intervención policial derivada de las escuchas telefónicas de la comparecencia en el acto del juicio oral a prestar testimonio ya que todo el conocimiento de los hechos que manifestaron a la Sala sentenciadora, venía y tenía su origen en una prueba constitucionalmente inválida, por lo que el efecto reflejo de su nulidad es inexorable y no puede ser obviado». STS Sala Segunda, de lo Penal, Sentencia de 19 Ene. 1998, Rec. 2581/1996; Ponente: Martín Pallín, José Antonio. LA LEY 1390/1998.

(66) «En relación con las declaraciones de los acusados la Sentencia del Juzgado de lo Penal examina su posible conexión con las pruebas viciadas, pero, teniendo en cuenta la doctrina de la STC 86/1995, de 6 de junio, llega a la conclusión de la validez de las pruebas. En este sentido se puede traer también a este caso el criterio sentado en la STC 81/1998, de 2 de abril. En esta resolución se afirma que no corresponde al Tribunal Constitucional valorar la existencia de conexión entre pruebas realizadas por el órgano jurisdiccional, por cuanto es a este al que, en principio, le

SECCIÓN 2. ESPECIALIDADES Y EXCEPCIONES AL PRINCIPIO DE INMEDIACIÓN[(67)]

Sólo cabe entender como prueba en el proceso penal la practicada en el juicio oral con las debidas garantías procesales[(68)]. Los medios de prueba practicados en el plenario no tienen una función correctora y complementaria de la investigación sumarial, sino que su función es propia y autónoma sirviendo para formar la convicción judicial. En consecuencia, el órgano judicial deberá fundar su sentencia en las pruebas practicadas en dicha fase procesal (art. 741.1. LECrim); sin que, en principio, ningún acto de investigación del sumario pueda ser valorado en la sentencia[(69)].

---

corresponde valorar en general el material probatorio. En aquella ocasión el Tribunal sentenciador llegó a la conclusión de que no existía conexión entre la prueba viciada y la derivada porque existían otros indicios y pruebas que hubieran permitido llegar a averiguar los hechos enjuiciados del mismo modo y este Tribunal Constitucional consideró que tal modo de resolver la cuestión no fue irrazonable o arbitrario. Esta doctrina es plenamente aplicable al presente caso, pues, desde el inicial informe del Servicio de Vigilancia Aduanera, anterior a todas las escuchas, hasta el juicio oral, se acumularon un gran número de datos, consecuencia de pruebas cuya eficacia no está en duda (actuaciones de los Agentes del Servicio de Vigilancia Aduanera, primeras escuchas, etc.) de modo que, prescindiendo de las intervenciones telefónicas declaradas nulas e incluso de las pruebas de ellas directamente derivadas, se podría haber llegado también a probar los hechos enjuiciados, desvirtuando constitucionalmente la presunción de inocencia». STC 14/2001 de 29 de enero.

(67)   GUZMÁN FLUJA V.C., Anticipación y preconstitución de la prueba en el proceso penal, Valencia 2006.

(68)   «Ha declarado el Tribunal Constitucional en múltiples ocasiones (STC 31/1981, 161/1990, 284/1994, 328/1994, etc.) y reiterado esta Sala (Sentencias Sala 2ª Tribunal Supremo de 14 de julio y 1 de octubre de 1986, entre otras) que únicamente pueden considerarse auténticas pruebas que vinculan a los Tribunales en el momento de dictar Sentencia las practicadas en el acto del juicio oral, que constituye la fase estelar y fundamental del proceso penal donde culminan las garantías de oralidad, publicidad, concentración, inmediación, igualdad y dualidad de partes, de forma que la convicción del Juez o Tribunal que ha de dictar Sentencia se logre en contacto directo con los medios probatorios aportados a tal fin por las partes». STS de 25 de enero de 2007, LA LEY 2449/2007.

(69)   «Las diligencias practicadas en la instrucción no constituyen, en sí mismas, pruebas de cargo SSTC 101/1985, 137/1988, 161/1990, o SS Sala Segunda Tribunal Supremo de 31 de enero, 2 de marzo o 15 de junio de 1992), sino únicamente actos de investigación cuya finalidad específica no es propiamente la fijación definitiva de los hechos, sino la de preparar el juicio (art. 299 L.E.Criminal) proporcionando a tal efecto los elementos necesarios para la acusación y para la defensa. c) Sin embargo, esta doctrina no debe entenderse en un sentido tan radical que conduzca a negar toda eficacia probatoria a las diligencias instructoras, constituyendo también doctrina consolidada SSTC 80/1986, 82/1988, 201/1989, 217/1989, 161/1990, 80/1991, 282 y 328/1994 y de esta Sala Segunda del Tribunal Supremo de 23 de junio y 6 de noviembre de 1992, o 3 de marzo de 1993), que puede otorgarse valor probatorio a dichas diligencias sumariales siempre que se hayan practicado con todas las formalidades que la Constitución y el ordenamiento procesal establecen y que sean efectivamente reproducidas en el juicio oral en condiciones que permitan a la defensa del acusado someterlas a contradicción. Como señala la sentencia nº 269/96, de 20 de marzo, una reiterada doctrina jurisprudencial, tanto del Tribunal Constitucional como de esta Sala, ha declarado que el Tribunal de Instancia puede otorgar prevalencia para fundar su convicción a la prueba practicada en la fase de instrucción sobre la practicada en el plenario, caso de discordancia entre ambas, siempre que aquélla se halla practicado judicialmente con las debidas garantías y se halla sometido a efectiva contradicción en el acto del juicio oral». STS de 25 de enero de 2007, LA LEY 2449/2007.

«B) Por más flexibilidad que quiera atribuirse al heterodoxo modelo que rige en nuestro sistema, el acto procesal, por definición, es de naturaleza jurisdiccional. Los actos de prueba susceptibles de integrar la apreciación probatoria a que se refiere el art. 741 de la LECrim (LA LEY 1/1882) sólo pueden emanar de un órgano jurisdiccional. Esta idea forma parte de los pilares de la lectura constitucional del proceso penal y así ha sido proclamado en numerosos precedentes por la propia jurisprudencia. De hecho, en los modelos sujetos a una investigación dirigida por el Fiscal es habitual la preocupación legislativa encaminada a diferenciar, incluso en el plano estrictamente formal, la documentación de aquéllas. Reciben así distinto tratamiento, en bloques sistemáticos singularizados, las diligencias practicadas por el Fiscal, inidóneas para integrar la apreciación probatoria, y las referidas al debate propio del juicio oral …/… Conforme a esta concepción, parece evidente que atribuir, sin más, eficacia probatoria a un acto de investigación practicado en el marco de unas diligencias tramitadas por el Fiscal, al amparo de los arts. 5 del EOMF y 773 de la LECrim (LA LEY 1/1882), supondría subvertir la genuina naturaleza y la funcionalidad predicable de aquél. Como venimos insistiendo sólo los actos de naturaleza jurisdiccional son susceptibles de integrar la apreciación probatoria por el órgano decisorio». STS Sala Segunda, de lo Penal, Sentencia 980/2016 de 11 Ene. 2017, Rec. 1498/2016. Ponente: Marchena Gómez, Manuel. LA LEY 35/2017.

Ahora bien, con carácter excepcional, el Tribunal podrá también valorar como prueba ciertos actos cuya prueba no se haya practicado completa o estrictamente en el acto del juicio oral. Esto se producirá en los siguientes supuestos: 1º Aquellos actos de prueba que se hubieren practicado ante la presencia del Tribunal que conoce del juicio oral y que se practicaron anticipadamente en razón de la imposibilidad de practicar el acto de prueba en el plenario (prueba anticipada en sentido propio). 2º Aquellos actos de prueba que no tienen lugar ante el Tribunal Juzgador sino ante el Juez de Instrucción en razón, igualmente, de la previsión de la imposibilidad de practicar prueba en el acto del juicio oral (prueba anticipada en sentido impropio). 3º Diligencias sumariales de imposible repetición en el Juicio Oral por razón de su intrínseca naturaleza y cuya práctica es forzosamente única e irrepetible (como la inspección ocular o la autopsia). 4º Supuestos en los que no es posible que se preste declaración testifical en el juicio oral por razones de imposibilidad sobrevenida e imprevisible (art. 730 LECrim). 5º Lectura de declaraciones testificales realizadas en la fase sumarial que se introducen en juicio oral mediante su lectura cuando exista una contradicción con la prestada en el juicio oral (art. 714 LECrim).

«El criterio enunciado, sin embargo, "no puede entenderse de manera tan radical que conduzca a negar toda eficacia probatoria a las diligencias judiciales y sumariales practicadas con las formalidades que la Constitución y el ordenamiento procesal establecen, siempre que puedan constatarse en el acto de la vista y en condiciones que permitan a la defensa del acusado someterlas a contradicción (por todas, SSTC 10/1992, de 16 de enero, FJ 2; y 187/2003, de 27 de octubre, FJ 3). Lo anterior resulta claro en los supuestos en que, bien sea por la fugacidad de las fuentes de prueba, bien por su imposible o muy difícil reproducción en el juicio oral mediante el correspondiente medio probatorio, sea necesario dotar al acto de investigación sumarial practicado con las debidas garantías del valor de la llamada prueba anticipada y la preconstituida, supuestos en los cuales el juzgador podrá fundar en tales actos la formación de su convicción, sin necesidad de que sean reproducidos en el juicio oral (STC 148/2005, de 6 de junio, FJ 2)" (STC 1/2006, FJ 4). Como afirmaba la STC 41/1991, de 25 de febrero, "no admitir la prueba preconstituida con las debidas garantías supondría hacer depender el ejercicio del *ius puniendi* del Estado del azar o de la malquerencia de las partes (por ejemplo, mediante la amenaza a los testigos; STC 154/1990, FJ 2); pudiendo dejarse sin efecto lo actuado sumarialmente. Un sistema que pondere adecuadamente tanto la necesidad social de protección de bienes jurídicos esenciales, como el haz de garantías frente a posibles abusos de los ciudadanos, con independencia de su posición, ha de estar en condiciones de hacer valer la seriedad de lo actuado por los órganos encargados de la represión penal; siempre que lo actuado lo haya sido con pleno respeto a aquellas garantías" (FJ 2)». STC 56/2010, de 4 de octubre de 2010.

Se trata de supuestos distintos tanto en legalidad aplicable como en su fundamento. No obstante, se suele hablar de forma genérica de todos ellos como prueba pericial y/o preconstituida. Lo importante es que se conozcan las diferencias y particularidades de cada uno de estos supuestos.

2.1. La prueba anticipada en sentido propio

La prueba anticipada en sentido propio es la realizada en la fase intermedia ante el Tribunal que va a conocer del asunto en juicio oral cuando se prevea razonablemente que no se podrá practicar en el juicio oral. En procedimiento ordinario el art. 657 LECrim dispone que las partes podrán solicitar, en el escrito de calificación, que se practiquen aquellas diligencias de prueba que por cualquier causa no se puedan practicar en el juicio oral. Por tanto no cabe su admisión o práctica cuando lo que se solicita es una diligencia de instrucción una vez concluido el sumario con el que la parte estuvo conforme.

> «Tampoco deben ser despreciadas las razones que subrayan, de modo singular en el marco del procedimiento ordinario, la necesidad de que en la fase intermedia no se solicite la práctica de diligencias de naturaleza claramente instructora. La aceptación de esas pruebas, si han de ser practicadas por el Juez instructor, conllevarían la revocación del auto de conclusión del sumario que, sin embargo, ya ha sido confirmado en el trámite previsto en el art. 627 de la LECrim (LA LEY 1/1882). Si, por el contrario, fuera la propia Audiencia la que aceptara su práctica se daría la circunstancia de que un órgano jurisdiccional asume el desarrollo de actos procesales para los que carece de competencia funcional. Por otra parte, tiene razón el Fiscal cuando llama la atención acerca de que, en puridad, no estamos en presencia de una prueba anticipada. Por tal no debe entenderse la que se anticipa a la celebración del juicio oral, sino aquella que por algunas de las razones a que se refiere el art. 448 de la LECrim (LA LEY 1/1882), es más que previsible que no pueda practicarse en el plenario. Está fuera de dudas que el derecho a la prueba goza del rango constitucional que le confiere el art. 24.2 de la CE (LA LEY 2500/1978), sin que su vigencia pueda condicionarse al acatamiento de meras exigencias formales. Pero es también exigible que su ejercicio se acomode a las secuencias procesales que definen cada uno de los procedimientos regulados por la LECrim. (LA LEY 1/1882)». STS Sala Segunda, de lo Penal, Sentencia 195/2014 de 3 Mar. 2014, Rec. 10575/2013. Ponente: Marchena Gómez, Manuel. LA LEY 37723/2014.

Se trata en definitiva, y tal y como dice la palabra, de un acto de prueba anticipado practicado con todas las garantías y plena contradicción en la fase intermedia en razón de la imposibilidad de su práctica en la fase de plenario. En el mismo sentido, en el procedimiento abreviado, los arts. 781.1 y 784.2 LECrim permiten a la acusación y a la defensa, respectivamente, solicitar la práctica anticipada de aquellas pruebas que no pueden llevarse a cabo durante las sesiones del Juicio Oral.

«A) Así sucede, salvándose plenamente la inmediación, con la llamada "prueba anticipada en sentido propio". Se admite en el Procedimiento Ordinario por el art. 657 apartado tercero, que al regular los escritos de conclusiones provisionales faculta a las partes para pedir que se practiquen "desde luego aquellas diligencias de prueba que por cualquier causa fuere de temer que no se puedan practicar en el Juicio Oral, o que pudieran motivar su suspensión". Norma que tiene en el Procedimiento Abreviado su correspondencia en los arts. 781-1 apartado tercero y 784-2, que permiten a la acusación y a la defensa, respectivamente, solicitar "la práctica anticipada de aquellas pruebas que no pueden llevarse a cabo durante las sesiones del Juicio Oral". En uno y otro procedimiento la excepcionalidad se limita a la anticipación de la práctica probatoria que se desarrolla en un momento anterior al comienzo del juicio oral. En lo demás, se han de observar las reglas propias de la prueba, con sometimiento a los mismos principios de publicidad, contradicción e inmediación ante el Tribunal juzgador que prevendrá lo necesario para la práctica de la prueba anticipada (art. 785 (LA LEY 1/1882)-1º de la LECr)». STS Sala Segunda, de lo Penal, Sentencia 1375/2009 de 28 Dic. 2009, Rec. 10446/2009; Ponente: Sánchez Melgar, Julián. LA LEY 268264/2009.

Nótese que en este caso el único *«sacrificio»* procesal que se produce será que la prueba anticipada no se práctica en unidad de acto con el resto de pruebas a practicar en el proceso. Sin embargo, se salva el principio de inmediación en tanto que será el Tribunal que conoce del juicio oral el que conocerá de esta prueba.

2.2. Prueba anticipada en sentido impropio y prueba preconstituida. Valor probatorio de las diligencias policiales

A) Prueba anticipada en sentido impropio

La prueba anticipada en sentido impropio será la realizada en la fase sumarial ante el Juez instructor cuando se prevea razonablemente que no se podrá practicar en el juicio oral. En este caso se suprime la directa inmediación del Juez que se sustituye con la documentación de la práctica de la declaración en la fase de investigación con intervención del Juez, el Letrado de la Administración de Justicia, y las partes que estuvieren personadas en ese momento.

«B) Un segundo supuesto muy diferente, porque ya supone un sacrificio de la inmediación, es el denominado por algunos como "prueba preconstituida". Su diferencia con la anticipada está en que en la preconstituida la práctica de la prueba no tiene lugar ante el Tribunal Juzgador sino ante el Juez de Instrucción, con lo cual la inmediación desaparece al menos como inmediación espacio-temporal, y queda reducida a la percepción del soporte en que la prueba preconstituida se documente y refleje. A veces, se le denomina prueba "anticipada en sentido impropio"». STS Sala Segunda, de lo Penal, Sentencia 1375/2009 de 28 Dic. 2009, Rec. 10446/2009; Ponente: Sánchez Melgar, Julián. LA LEY 268264/2009.

Un supuesto específico de prueba anticipada en sentido impropio se contienen en el art. 448 LECrim referido a la circunstancia que el testigo manifestare la imposibilidad de concurrir al juicio oral por tener que ausentarse del país o se temiere por su muerte o incapacidad. En ese caso el Juez instructor tomará declaración al testigo en presencia del imputado, de su abogado, del Fiscal y del querellante. Los intervinientes podrán realizar las repreguntas, estimadas pertinentes, que tengan por conveniente. En la diligencia se consignarán las preguntas y contestaciones del testigo. En el supuesto de inminente muerte del testigo, se procederá a tomarle declaración con urgencia, aunque el procesado no pudiese ser asistido de letrado (art. 447 LECrim). En el procedimiento abreviado regula esta clase de diligencia de prueba en el art. 777 LECrim que dispone que: «*cuando por razón de lugar de residencia de un testigo o víctima o por otro motivo fuere de temer razonablemente que una prueba no podrá practicarse en el Juicio Oral o pudiera motivar su suspensión, el Juez de instrucción practicará inmediatamente la misma, asegurando en todo caso la posibilidad de contradicción de las partes*». La diligencia se practicará como se ha dicho con intervención del Juez, el Letrado de la Ad. de Justicia y las partes personadas (incluyendo si se pudiere al imputado). Además el art. 777 prevé que la: «*diligencia deberá documentarse en soporte apto para la grabación y reproducción del sonido y de la imagen o por medio de acta autorizada por el Secretario judicial, con expresión de los intervinientes. A efectos de su valoración como prueba en sentencia, la parte a quien interese deberá instar en el juicio oral la reproducción de la grabación o la lectura literal de la diligencia, en los términos del artículo 730*».

«Ciertamente, la referida víctima no acudió al plenario, pero ello fue debido a causas completamente ajenas a la petición de la acusación, que insistentemente solicitó su presencia en dicho acto. Incluso fue suspendido el juicio oral para lograr tal asistencia, sin que finalmente pudiera llevarse a cabo, en tanto se encontraba en paradero desconocido, como certificaron los agentes policiales encargados de su búsqueda. En consecuencia, y por la vía del art. 730 de la Ley de Enjuiciamiento Criminal (LA LEY 1/1882), fue introducido su testimonio, que fue leído en el acto del plenario, y que había sido practicado con total corrección jurídico-procesal, en concepto de prueba anticipada en sentido impropio. Así es de ver, a los folios 70 al 72, que se toma tal declaración a Esperanza en previsión de que no acudiese al juicio oral, "al tratarse de una persona de nacionalidad extranjera cuya localización para la celebración de la vista oral podría ser difícil, de acuerdo con la información facilitada por la policía", según reza textualmente tal documento. Tal declaración se realiza a presencia judicial, bajo la fe del secretario, y con la asistencia del representante del Ministerio Fiscal y de la defensa del detenido (la letrada cuyo nombre figura en los autos), e incluso con la propia presencia del ahora recurrente, el procesado Calixto, quien personalmente asiste a dicho acto, con la ayuda de intérprete. En tal declaración, la víctima narra los aspectos fácticos de la agresión sexual sufrida por ambas personas, con todo lujo de detalles, posibilitándose el interrogatorio cruzado de todos los intervinientes». STS Sala Segunda, de lo Penal, Sentencia 1375/2009 de 28 Dic. 2009, Rec. 10446/2009; Ponente: Sánchez Melgar, Julián. LA LEY 268264/2009.

Estas diligencias también se suelen denominar preconstituidas y tendrán valor probatorio siempre que observen cuatro requisitos: 1º Material, que se trate de pruebas de imposible reproducción en el juicio oral. De modo que en el caso de un testigo que vive en el extranjero habrá que solicitar su declaración en el juicio y citarlo a ese fin aunque se presuma que no va a comparecer. Sólo una vez citado y no comparecido se estará habilitado para proceder a la lectura de su declaración preconstituida en la instrucción de la causa. 2º Objetivo, con cumplimiento de todas las garantías legalmente previstas tanto a efectos de su declaración sumarial como respecto a la citación a juicio. 3º Formal, que la declaración sumarial se incorpore al juicio oral, mediante su lectura —art. 730 LECrim.—, a los efectos de permitir su contradicción por los abogados de las partes personadas, sin que pueda admitirse la fórmula de estilo consistente en «darlas por reproducidas». 4º Subjetivo, con intervención del Juez de instrucción y de las partes en la declaración sumarial —arts. 333.1.º, 448.1.º, 449, 476 LECrim.—[70].

> «Es doctrina ya asentada en lo que respecta al mismo tema de la prueba pre-constituida (SSTS 1269/2003, de 3-10 (LA LEY 155253/2003); 183/2005, de 18-2 (LA LEY 12238/2005); 1145/2005, de 11-10 (LA LEY 13903/2005); 1219/2005, de 17-10 (LA LEY 14098/2005); 1190/2009, de 3-12 (LA LEY 247525/2009); 545/2011, de 27-5 (LA LEY 90888/2011); y 143/2013, de 28 de febrero (LA LEY 10190/2013), entre otras) que las diligencias sumariales son actos de investigación encaminados a la averiguación del delito e identificación del delincuente (art. 299 de la LECr (LA LEY 1/1882) .) que no constituyen en sí mismas pruebas de cargo, pues su finalidad específica no es la fijación definitiva de los hechos para que estos trasciendan a la resolución judicial, sino la de preparar el juicio oral. Sin embargo, algunas diligen-cias sumariales pueden tener el valor de prueba preconstituida si se practican con todas las garantías, respetando el principio de contradicción mediante la asistencia del imputado y su letrado, si ello fuera posible. Ello es así conforme a una reiterada doctrina del Tribunal Constitucional referida a las pruebas de imposible reproducción en el juicio oral (requisito material), practicadas ante el Juez de Instrucción (requisito subjetivo), con cumplimiento de todas las garantías legalmente previstas (requisito objetivo) y reproducidas en el juicio oral a través del art. 730 LECrim. (requisito formal) (SSTC 60/1988 (LA LEY 103343-NS/0000), 51/1990 (LA LEY 1465-TC/1990), 140/1991 (LA LEY 1770-TC/1991), 200/1996 (LA LEY 316/1997) y 40/1997 (LA LEY 4357/1997))». STS Sala Segunda, de lo Penal, Sentencia 747/2015 de 19 Nov. 2015, Rec. 686/2015. Ponente: Jorge Barreiro, Alberto Gumersindo. LA LEY 185990/2015. Caso Códice Calixtino.

B) Prueba preconstituida

La prueba preconstituida viene referida a tres circunstancias o supuestos que pue-den darse en la instrucción sumarial:

1º. Tienen naturaleza y valor de prueba preconstituida aquellas diligencias prac-ticadas en la fase de instrucción con intervención del Juez, el Letrado de la Ad. De

---

(70) «La excepción anterior a la regla inicial de que sólo pueden catalogarse como pruebas de cargo en el proceso penal las practicadas en el juicio oral es aplicable a la "prueba testifical instruc-tora anticipada" (STC 200/1996, de 3 de diciembre, FJ 3), si bien la validez como prueba de cargo preconstituida de las declaraciones prestadas en fase sumarial se condiciona al cumplimiento de una serie de requisitos que hemos clasificado en materiales (su imposibilidad de reproducción en el acto del juicio oral), subjetivos (la necesaria intervención del Juez de instrucción), objetivos (que se garan-tice la posibilidad de contradicción y la asistencia letrada al imputado, a fin de que pueda interrogar al testigo) y formales (la introducción del contenido de la declaración sumarial a través de la lectura del acta en que se documenta, conforme al art. 730 LECrim, o a través de los interrogatorios), lo que posibilita que su contenido acceda al debate procesal público y se someta a contradicción en el juicio oral ante el Juez o Tribunal sentenciador». STC 56/2010, de 4 de octubre de 2010.

Justicia y contradicción con las partes personadas. Esta clase de diligencias tendrán lugar por razones distintas y, especialmente, en aquellos supuestos en los que la Ley exige que practique un acto sumarial contradictorio, autorizado o con presencia judicial. Son supuestos de esta clase la apertura de un paquete postal que la ley exige que se realice en presencia judicial; la entrada y registro que se realiza con autorización judicial y asistencia necesaria del Letrado Ad. Justicia o, finalmente, una inspección ocular o una reconstrucción de hechos que lleve a cabo el Juez de instrucción con presencia de todas las partes personadas[71]. Estas diligencias judiciales tendrán el valor de prueba preconstituida al haberse practicado con todas las garantías y contradicción y, por tanto, podrán valorarse como prueba sin más requisito que su lectura, en su caso, en el plenario.

«Algunas diligencias sumariales pueden tener el valor de prueba preconstituida si se practican con todas las garantías, respetando el principio de contradicción mediante la asistencia del imputado y su letrado, si ello fuera posible. Ello es así conforme a una reiterada doctrina del Tribunal Constitucional referida a las pruebas de imposible reproducción en el juicio oral (requisito material), practicadas ante el Juez de Instrucción (requisito subjetivo), con cumplimiento de todas las garantías legalmente previstas (requisito objetivo) y reproducidas en el juicio oral a través del art. 730 LECrim. (requisito formal) (SSTC 60/1988 (LA LEY 103343-NS/0000), 51/1990 (LA LEY 1465-TC/1990), 140/1991 (LA LEY 1770-TC/1991), 200/1996 (LA LEY 316/1997) y 40/1997 (LA LEY 4357/1997))». STS Sala Segunda, de lo Penal, Sentencia 747/2015 de 19 Nov. 2015, Rec. 686/2015. Ponente: Jorge Barreiro, Alberto Gumersindo. LA LEY 185990/2015. Caso Códice Calixtino.

2º. Los supuestos de imposibilidad de reproducir en el juicio oral cierta clase de diligencias (autopsias, análisis químicos, pruebas de balística, informes dactiloscópicos, partes médicos, inspecciones oculares, reconstrucciones de hechos, etc.). Ahora bien, la preconstitución de la prueba se refiere a los aspectos fácticos o materiales de la diligencia sumarial. Así está claro que no puede realizarse una inspección ocular en el acto del juicio oral porque es una diligencia única e irrepetible. Tampoco una autopsia u otra clase de diligencias o pericias de carácter técnico. Ahora bien, la preconstitución de la prueba no exime que se aporte su resultado documentado al acto del juicio oral para su debate y contradicción y que comparezcan los policías o peritos que llevaron a cabo la diligencia sumarial[72].

---

(71) «Por consiguiente, cuando no nos hallemos ante inspecciones oculares y retirada de efectos practicadas en domicilios o viviendas, según reiterada jurisprudencia de esta Sala (SSTS 87/2005 (LA LEY 27901/2005), de 21-12; 856/2007, de 25-10 (LA LEY 170376/2007); 861/2011, de 30-6 (LA LEY 172763/2011); y 143/2013, de 28-2 (LA LEY 10190/2013), entre otras), es claro que no se precisa autorización judicial para realizar la diligencia de inspección ocular ni tampoco la presencia del Juez o del Secretario Judicial para la práctica de la misma. Como ya se ha reiterado, la intervención del juzgado y también la de los imputados solo sería necesaria para preconstituir la diligencia como prueba sin necesidad ya de ser imperativamente sometida a contradicción en el plenario cuando las circunstancias lo impidan». STS Sala Segunda, de lo Penal, Sentencia 747/2015 de 19 Nov. 2015, Rec. 686/2015. Ponente: Jorge Barreiro, Alberto Gumersindo. LA LEY 185990/2015. Caso Códice Calixtino.

(72) «Cuando no se trata de prueba preconstituida sino de meras actuaciones policiales, para que se les otorgue a estas eficacia probatoria, según se dice en la jurisprudencia de esta Sala y del Tribunal Constitucional que se acaba de citar, es preciso que comparezcan en el plenario quienes

Pero, en este punto hay que tener en cuenta dos situaciones o circunstancias. A) No es necesario que comparezcan los policías que actuaron en una inspección ocular cuando esta se realizó en presencia judicial e, igualmente importante, del Letrado de la Ad. de Justicia que levantó acta y dio fe de la diligencia. Ello no impide, naturalmente, que para mayor garantía y mejor prueba de la diligencia puedan comparecer los policías a declarar sobre extremos que tal vez no consten en el acta del Letrado[73]. B) Respecto a los informes de la policía o laboratorios oficiales (respecto a análisis de drogas, de ADN, dactiloscópico, etc.) se admite su valoración como prueba documental (preconstituida) sin necesidad de la declaración en juicio oral de quienes los realizaron en tanto que corresponde al acusado impugnar en tiempo y forma su contenido en cuyo caso será necesaria la comparecencia de los policías o técnicos que hicieron los informes.

3º. Diligencias sumariales que traen y se reproducen por distintas causas en el juicio oral. Sea por rectificación o retractación del testigo o bien por una imposibilidad material de su reproducción. En este caso, se procederá a su lectura mediante los procedimientos previstos en los arts. 714 y 730 LECrim (Ver el epígrafe siguiente) y podrán tener valor probatorio siempre que se hubieren realizado ante el Juez de instrucción.

Las diligencias de prueba preconstituida pueden fundar, en su caso, la convicción del Tribunal. Por esa razón se debe permitir que todas las partes intervengan en la fase de instrucción con igualdad de medios, debiéndose practicar tanto las diligencias encaminadas a la inculpación, como las destinadas a la exculpación en salvaguarda

---

las hubieren practicado, de forma que exista la posibilidad de contradicción mediante el interrogatorio de las partes y el contraste con los demás elementos probatorios de que se disponga en el proceso. Esta Sala ha considerado —según subraya la STS 444/2013 (LA LEY 56114/2013), de 20 de mayo— que concurre un supuesto de prueba preconstituida en aquellas diligencias sumariales de imposible repetición en el juicio oral por razón de su intrínseca naturaleza y cuya práctica —como sucede con una inspección ocular y con otras diligencias— es forzosamente única e irrepetible (SSTS 96/2009, de 10-3 (LA LEY 30375/2009); 850/2009, de 28-7 (LA LEY 177114/2009); y 1375/2009, de 28-12 (LA LEY 268264/2009))». STS Sala Segunda, de lo Penal, Sentencia 747/2015 de 19 Nov. 2015, Rec. 686/2015. Ponente: Jorge Barreiro, Alberto Gumersindo. LA LEY 185990/2015. Caso Códice Calixtino.

(73) «3. Descendiendo ya al caso concreto, lo primero que procede subrayar es que en la diligencia de inspección ocular y retirada de efectos estuvieron presentes dos testigos ajenos a la causa, y además compareció en el lugar el propio Juez de Instrucción en el curso de la diligencia, con anterioridad al hallazgo del Códice Calixtino. E incluso fue el propio juez el que indicó el lugar concreto donde podía hallarse el preciado libro, indicación que finalmente arrojó un resultado positivo. A estos datos debe sumarse que la inspección del garaje era una diligencia que presentaba las condiciones de urgente, puesto que el hijo del recurrente había señalado en comisaría la existencia de ese garaje/almacén y la posibilidad de que allí se encontrara el Códice, por lo que procedía trasladarse a ese lugar cuanto antes y practicar con urgencia el registro. De otra parte, la diligencia fue ratificada en la vista oral del juicio y sometida a contradicción mediante las declaraciones de los funcionarios policiales y también de los testigos ajenos a los cuerpos oficiales de investigación. En virtud de todo lo expuesto, no cabe pues declarar la nulidad de la diligencia de inspección del garaje/almacén, sino que, por el contrario, debe atribuírsele plena eficacia probatoria tras haber sido sometida a examen, ratificación y contradicción en la vista oral del juicio». STS Sala Segunda, de lo Penal, Sentencia 747/2015 de 19 Nov. 2015, Rec. 686/2015. Ponente: Jorge Barreiro, Alberto Gumersindo. LA LEY 185990/2015. Caso Códice Calixtino.

del principio acusatorio. El Juez debe velar por ello, en virtud del principio de tutela efectiva del art. 24 CE, y por lo dispuesto en el art. 2 LECrim. Sin embargo, se plantea el problema que el presunto culpable, en la mayoría de los casos, es aún desconocido al tiempo de practicar las diligencias instructorias. Por esa razón, una vez dirigida la acusación contra una persona determinada, no sólo no existe ningún impedimento legal, sino que existe un claro mandato constitucional para que las partes personadas puedan solicitar ante el Juez instructor la práctica de aquellas diligencias instructoras que estimen adecuadas a sus intereses. Caso de que el Juez deniegue la práctica de tales diligencias, contra el auto denegatorio cabrá recurso de reforma y posterior de apelación ante la Audiencia.

De la aplicación de los requisitos expresados se deduce la exclusión como prueba preconstituida de las diligencias policiales, ya que se realizan sin la intervención judicial[74]. De modo que, como regla general, las diligencias policiales carecen en sí mismas de valor probatorio Ello sin perjuicio de que los elementos probatorios que de estas diligencias pudiesen derivarse (ocupación de armas o efectos de un delito, o recogida de muestras o vestigios, por ejemplo) puedan incorporarse al juicio oral mediante uno de los medios de prueba admitidos en nuestro derecho: principalmente la declaración testifical de los intervinientes debidamente practicada en el juicio con las garantías de la contradicción y la inmediación. Es así como la diligencia policial adquirirá virtualidad de medio de prueba incriminatorio[75]. Tampoco tienen valor de prueba preconstituida las diligencias preliminares realizadas ante el Fiscal. Sin perjuicio del valor de prueba que puedan tener una vez introducida debidamente en el juicio oral con comparecencia de quienes declararon en aquéllas diligencias. (Véase sobre los atestados como modo de inicio del proceso § 2.B Cap. VI). (Véase sobre las diligencias preliminares del Fiscal § 2.3 Cap. XII).

«Conforme a esta concepción, parece evidente que atribuir, sin más, eficacia probatoria a un acto de investigación practicado en el marco de unas diligencias tramitadas por el Fiscal, al amparo de los arts. 5 del EOMF y 773 de la LECrim (LA LEY 1/1882), supondría subvertir la genuina naturaleza y la funcionalidad predicable de aquél. Como venimos insistiendo sólo los actos de naturaleza jurisdiccional son susceptibles de integrar la apreciación probatoria por el órgano decisorio. Esta afirmación sugiere un importante matiz en supuestos como el que nos ocupa, en el que

(74)   Véase sobre esta cuestión ROCA MARTÍNEZ J.Mª, «Eficacia probatoria del atestado policial en el proceso penal», *RGD* nº 590-599, 1994.

(75)   «En consecuencia la ausencia del Juez en la diligencia de ocupación e identificación de la droga no vulnera en absoluto el derecho fundamental a un proceso con todas las garantías. Únicamente determina que dicha diligencia, al ser policial y no judicial, carece del valor de prueba preconstituida, siendo necesaria su incorporación al juicio oral por la vía legalmente prevenida para que pueda alcanzar valor probatorio. En el caso actual consta la declaración en el juicio oral, con todas las garantías de contradicción, inmediación y publicidad, de los policías que practicaron la intervención de la droga, por lo que no cabe apreciar vulneración constitucional alguna por el hecho de que dicha ocupación se realizase policialmente. Consta asimismo en el atestado ratificado en el juicio oral, que la identificación de las pastillas de hachís se realizó en diligencia debidamente suscrita por el acusado y su letrado, obrando incluso fotografías en las actuaciones de las pastillas de droga, por lo que no cabe apreciar irregularidad alguna». STS Sala Segunda, de lo Penal, Sentencia 873/2001 de 18 May. 2001, Rec. 1572/1999. Ponente: Conde-Pumpido Tourón, Cándido. LA LEY 100650/2001. Véase también la STC 303/1993.

uno de los dos peritos que elaboró el dictamen grafológico, a partir del cuerpo de escritura confeccionado por el acusado en presencia del Ministerio Fiscal, compareció en juicio y respondió a las preguntas de las partes, según enseña el vídeo en el que se recogió el desarrollo del plenario. En tales caso, nada impide que el informe pericial grafológico elaborado a instancias del Ministerio Fiscal con el fin de resolver acerca de la procedencia, en su caso, de entablar una querella, pueda convertirse con posterioridad en una fuente de prueba, pero no en virtud de una idoneidad originaria, sino como consecuencia de su fuerza probatoria sobrevenida». STS Sala Segunda, de lo Penal, Sentencia 980/2016 de 11 Ene. 2017, Rec. 1498/2016. Ponente: Marchena Gómez, Manuel. LA LEY 35/2017.

El Tribunal Supremo, de forma unánime y reiterada, ha ido complementando este criterio, distinguiendo en la actualidad en los atestados (a los que deben equipararse las Diligencias preliminares del Fiscal en el procedimiento abreviado) tres clases de actuaciones: a) declaraciones de los procesados o testigos, e identificaciones en rueda: gozarán del mero valor de denuncia (véanse § 2.4 a 2.6 del Capítulo VII); b) dictámenes o informes emitidos por gabinetes policiales: tendrán el de prueba pericial si se ratifican en el juicio oral (véanse § 2.8 a 2.11 del Capítulo VII); y c) diligencias objetivas, no reproducibles en el juicio oral, como la ocupación o recuperación de los instrumentos del delito o los que se hallaran en el transcurso de diligencias de entrada y registro domiciliario practicados con las formalidades legales: tendrán la condición de pruebas, cuando menos a los efectos de constatar la existencia de una actividad probatoria de cargo e incriminatoria apta para enervar la presunción de inocencia (véase § 3 del Capítulo XIV sobre la presunción de inocencia)[76].

«La primera declaración prestada por don Javier... ante funcionarios de la Guardia Civil no constituye ni prueba preconstituida ni prueba anticipada, en cuanto que forma parte del atestado, cuyo valor es únicamente el de denuncia (SSTC 303/1993 y 51/1995). No obstante, puede admitirse, aunque de forma excepcional, un cierto valor de prueba a tales actuaciones policiales en las que concurran, entre otros, los siguientes requisitos: en primer lugar, tener por objeto la mera constatación de datos

---

(76) «La recogida previa de las muestras o vestigios del delito constituye una diligencia policial, que no tiene la naturaleza de prueba constituida, y que, en la medida que constituye un antecedente necesario del dictamen pericial practicado en el juicio, necesita ser incorporada al mismo mediante la comparecencia y declaración de los agentes que la practicaron, como así se ha hecho, sin que le sean aplicables a estas actuaciones policiales las exigencias propias de la prueba preconstituida, pues no tienen dicha naturaleza, sin perjuicio de someterse a los principios de legalidad, proporcionalidad e interdicción de la indefensión .../... Como regla general las diligencias policiales carecen en sí mismas de valor probatorio alguno, tanto las que se practican en el ámbito de un proceso judicial penal como las que se realizan con anterioridad a su apertura, para la prevención, investigación y constatación de los hechos delictivos .../... Esta ausencia de valor probatorio se deriva de su propia naturaleza, al no constituir pruebas sino meras diligencias de investigación o prevención, aun cuando se reflejen documentalmente en un atestado policial o en un acta de infracción o de ocupación de efectos o toma de muestras. Para que puedan ser valorados los elementos probatorios que de estas diligencias pudiesen derivarse (ocupación de armas o efectos de un delito, o recogida de muestras o vestigios, por ejemplo) deben incorporarse al juicio oral mediante un medio probatorio aceptable en derecho: por ejemplo la declaración testifical de los agentes intervinientes debidamente practicada en el juicio con las garantías de la contradicción y la inmediación...». STS Sala Segunda, de lo Penal, Sentencia 2184/2001 de 23 Nov. 2001, Rec. 702/2000. Ponente: Conde-Pumpido Tourón, Cándido. LA LEY 1743/2002.

objetivos, como fotografías, croquis, resultados de pruebas alcoholométricas, etc.; en segundo término, ser irrepetibles en el juicio oral; y, por último, que sean ratificadas en el juicio oral, no bastando con su mera reproducción, o bien que sean complementadas en el mismo juicio oral con la declaración del policía, como testigo de referencia, que intervino en el atestado (SSTC 303/1993 y 51/1995)». STC 153/1997 de 29 de septiembre.

Así sucederá en el caso de las diligencias encaminadas a dejar constancia de una serie de actos que acreditan la preexistencia de los elementos del delito, tales como: croquis, fotografías, instrumentos del delito, resultados de la prueba de alcoholemia, etc.[77]. Esta eficacia «*probatoria*» se les reconoce en virtud de su carácter objetivo y a que se limitan a reflejar una realidad fáctica[78]. También tiene este carácter la intervención de sustancias estupefacientes respecto a la que la Jurisprudencia de la Sala II del Tribunal Supremo ha declarado que basta con que la policía judicial las deposite en el organismo oficial establecido a tal efecto. V.g. los servicios farmacéuticos de la Dirección General de Farmacia o Direcciones Provinciales de Sanidad y Consumo de cada Comunidad Autónoma (véase sobre esta cuestión § 2.10 del Capítulo VII)[79].

---

(77) «Frente a la argumentación recurrente —esencialmente basada en que dicha constatación probatoria no fue ratificada en el Plenario por los agentes policiales que intervinieron en su confección— podemos afirmar la procedencia de valorar las estimaciones que se contienen en tales actas que, como prueba documental, han sido introducidas en el acto del juicio oral, en cuanto contienen datos objetivos, como es, en concreto, la altura de la valla que circunda el perímetro de las fincas, ya que es doctrina jurisprudencial consolidada la que explica que las diligencias que se contienen en el atestado y reflejen datos objetivos y objetivables y que se hayan practicado con las formalidades legales pueden ser material probatorio valorable a efectos de constatar la existencia en la causa de una actividad probatoria de cargo apta para enervar la presunción de inocencia. Así, el Tribunal Constitucional, al enfrentarse al tema del posible valor probatorio de los datos que se contienen en el atestado policial, también ha declarado que el atestado tiene virtualidad probatoria propia cuando contiene datos objetivos y verificables, "pues hay partes del atestado como pueden ser croquis, planos huellas, fotografías que, sin estar dentro del perímetro de la prueba preconstituida o anticipada, pueden ser utilizados como elementos de juicio coadyuvantes, siempre que sean introducidos en el juicio como prueba documental a fin de posibilitar su efectiva contradicción por las partes". (Sentencia 173/1997, de 14 de octubre)». STS Sala Segunda, de lo Penal, Sentencia 1723/2000 de 10 Nov. 2000, Rec. 3794/1998; Ponente: García-Calvo y Montiel, Roberto. LA LEY 2245/2001.

(78) «... Ahora bien, junto a esta facultad investigadora también le habilita nuestro ordenamiento, sin que contradiga lo dispuesto en la Constitución, a asumir una función aseguratoria del cuerpo del delito (arts. 282 y 292 LECrim. y 4 y 28 del RD 769/1987 sobre regulación de la Policía Judicial), así como a acreditar su preexistencia mediante los pertinentes actos de constancia. En concreto, y en lo que a tales actos de constancia se refiere, este Tribunal ha otorgado el valor de prueba preconstituida a todas aquellas diligencias que, como las fotografías, croquis, resultados de las pruebas alcoholímetras, etc., se limiten a reflejar fielmente determinados datos o elementos fácticos de la realidad externa (SSTC 107/83, 201/89, 138/92, ATC 636/87)». (STC 303/1993, de 25 octubre).

(79) La Instrucción 9/91, de 26 de diciembre, de la Fiscalía General del Estado, que se refiere a algunas cuestiones procesales en los delitos de tráfico de drogas y estupefacientes insta a los fiscales a promover la posibilidad procesal que existe, desde una perspectiva constitucional, de someter los análisis en fase de instrucción a ratificación contradictoria y configurarla como prueba preconstituida y de realización anticipada, que despliega toda su validez si no es impugnada por ninguna de las partes y se trata de una prueba documentada que puede ser examinada por el Tribunal conforme al art. 726 LECrim., siempre que se practique con las garantías necesarias.

«El artículo 282 LECrim, que obliga a poner los efectos, instrumentos o pruebas del delito «a disposición judicial», no se quebranta por el hecho de remitirse la droga directamente al Organismo Oficial competente para su análisis y custodia, porque ello no implica que la droga no esté a disposición judicial (Sentencia de 16 de mayo de 1995); y que es admisible que las sustancias se remitan por los propios servicios policiales al Organismo Oficial encargado de su análisis, custodia y destrucción en su caso (Sentencia de 3 de mayo de 1996). Por lo tanto la directa remisión en este caso de la sustancia aprehendida a la Unidad Administrativa del Ministerio de Sanidad y Consumo de Málaga por parte de la Policía de la misma ciudad no supuso irregularidad procesal alguna, habiéndose remitido los informes y análisis pertinentes elaborados por el organismo oficial competente al Juzgado de Instrucción, sin que se hubiese hecho por la defensa objeción alguna...». STS Sala Segunda, de lo Penal, Sentencia 1087/2000 de 19 Jun. 2000, Rec. 3606/1998. Ponente: Granados Pérez, Carlos. LA LEY 10324/2000.

En todo caso, estas diligencias policiales —o actos de constancia— deben ser introducidas en el juicio oral mediante su lectura, como prueba documental a los efectos de su posible contradicción por las partes (Véase sobre este procedimiento el epígrafe siguiente).

«... Cuando al dato de la objetividad de las actuaciones contenidas en el atestado se añade su irrepetibilidad, las actas policiales se convierten en prueba preconstituida, la cual ha de introducirse en el juicio oral como prueba documental que precisa ser leída en el acto del juicio a fin de posibilitar su efectiva contradicción por las partes...». (STC 303/93, de 25 octubre).

2.3. Lectura y valoración de las diligencias practicadas en la fase de instrucción (arts. 714 y 730 LECrim)[80]

La lectura de los folios donde se documentan las diligencias sumariales tiene dos finalidades: a) poner de manifiesto la contradicción en la que hubiere incurrido el testigo o el acusado en sus declaraciones prestadas en instrucción y en el juicio oral (art. 714 LECrim); b) es el modo de introducir en el plenario, y hacer valer como prueba, aquéllas diligencias que por causas independientes a la voluntad de las partes no pudieran ser reproducidas en el acto del juicio oral (art. 730 LECrim), siempre que en su práctica se hayan observado las prescripciones legales y garantías constitucionales, ya que en caso contrario no tendrían valor como prueba. De este modo, los actos de instrucción se someten a contradicción, publicidad e inmediación material y se garantizan los principios que rigen el proceso para que puedan tener valor de prueba de cargo[81].

_____

(80) Véase la doctrina de las SSTC 229/88, de 1 diciembre, y 150/87, de 1 octubre, y de la STS de 3 febrero 1988. Vid. PAZ RUBIO, «Lectura de las actas de investigación sumariales o del atestado», en *Cuadernos de Derecho Judicial*, CGPJ, Madrid, 1992; CLIMENT, «Sobre la valoración de las declaraciones sumariales no reproducidas durante el juicio oral», *RGD*, 1991, p. 129. ORTELLS RAMOS, «Eficacia probatoria del acto de investigación sumarial. Estudio de los arts. 730 y 714 LECrim.», *RDProc.*, 1982, p. 366; JAÉN VALLEJO, «Incidencia sobre la presunción de inocencia en las declaraciones sumariales dadas por reproducidas en juicio», *RGD*, 1986, p. 3791 y ss.

(81) Esta doctrina se fundamenta en el principio acusatorio que determina que corresponde a los acusadores aportar las pruebas de cargo, y al acusado la posibilidad de defenderse. La imposibi-

«... En segundo término, según una línea jurisprudencial iniciada ya en la STC 31/81, únicamente pueden considerarse como auténticas pruebas de cargo que desvirtúan la presunción de inocencia las practicadas en el acto del juicio oral, pues sólo así cabe garantizar un debate contradictorio y permitir que el juzgador alcance su convicción sobre los hechos enjuiciados, en directo contacto con los medios de prueba que se aportan por la acusación y la defensa (SSTC 80/86, 201/89, 118/91, 10/92 y 82/92, por todas). Si bien se ha estimado que esta regla no es absoluta, pues no cabe negar toda eficacia probatoria a las diligencias judiciales practicadas en la fase de instrucción con el debido respeto a las garantías procesales y constitucionales, siempre que puedan traerse al acto de la vista oral y ser sometidas a la contradicción de las partes, lo que ocurre en el caso de las llamadas pruebas preconstituidas (SSTC 137/88, 51/90, 10/92 y 323/92, entre otras). A cuyo fin es aplicable lo previsto en el art. 730 de la LECrim...». (STC 283/94, de 24 octubre).

Este será el modo de introducir como prueba la declaración del testigo, v.g. porque haya fallecido, o no sea posible su localización: se procederá a la lectura de su testimonio sumarial en el juicio oral, de acuerdo con el art. 730 LECrim y será valorado como prueba, sin que ello suponga vulneración o infracción del principio de contradicción que se habrá producido en el acto del juicio oral con relación a la lectura de sus testimonio[82].

«Como hemos ya declarado en STS 1059/2007, de 20 de diciembre, y en STS 96/2008, de 29 de enero, el art. 777.2 de la Ley de Enjuiciamiento Criminal (LA LEY 1/1882), determina que cuando, por razón del lugar de residencia de un testigo o víctima, o por otro motivo, fuere de temer razonablemente que una prueba no podrá practicarse en el juicio oral, o pudiera motivar su suspensión, el Juez de Instrucción practicará inmediatamente la misma, asegurando en todo caso la posibilidad de contradicción de las partes. Dicha diligencia —de ser posible— deberá documentarse en soporte apto para la grabación y reproducción del sonido y de la imagen o, en todo caso, por medio de acta autorizada por el Secretario judicial, con expresión de los intervinientes. Y que a los «efectos de su valoración como prueba en sentencia, la parte a quien interese deberá instar en el juicio oral la reproducción de la grabación o la lectura literal de la diligencia, en los términos del art. 730. El temor de que

lidad por la defensa de contradecirlas, al igual que la ausencia de los mismos, conducen a la plena efectividad de la presunción de inocencia. Así, lo ha mantenido el Tribunal Europeo de Derechos Humanos de Estrasburgo, en su sentencia de 6 diciembre 1988, referente al caso Barberá, Messegué y Jabardo (asesinato de Bultó). En síntesis, la referida sentencia afirma la infracción del art. 6.1.º del Convenio sobre Derechos Humanos de 1950 (referente al derecho a un proceso justo), ya que en el juicio oral se dieron por reproducidas la totalidad de diligencias sumariales, por lo que no fueron presentadas y discutidas de manera adecuada durante la vista y pruebas muy importantes, en presencia de los acusados y bajo control público.

(82) «... En el presente caso la Audiencia Provincial ha entendido razonadamente que la ausencia de la principal testigo, de nacionalidad extranjera, en paradero desconocido, y que ya en fase sumarial había sufrido amenazas tendentes a evitar su testimonio, podía permitir considerar de reproducción imposible su testimonio sumarial, que se había realizado con todo tipo de garantías, y por ello, como prueba válida de cargo frente a la que tanto en el juicio oral como en el propio recurso de casación, el acusado hoy recurrente pudo formular cuantos reparos tuvo por conveniente. La consideración como prueba preconstituida realizada con las debidas garantías y traída al juicio oral que ha hecho el órgano judicial de la identificación indubitada del recurrente como quien intervino en el hecho criminoso no ha violado así su derecho a la presunción de inocencia...». (STC 154/90, de 15 octubre).

la diligencia no pudiera practicarse en el juicio oral, era más que razonable, como es obvio. Los letrados pudieron dirigir a las testigos cuantas preguntas consideraron procedentes, y el Ministerio Fiscal asistió a la diligencia judicial, sin que se expresara entonces ninguna queja». STS Sala Segunda, de lo Penal, Sentencia 1375/2009 de 28 Dic. 2009, Rec. 10446/2009; Ponente: Sánchez Melgar, Julián. LA LEY 268264/2009.

En la práctica forense suele ser frecuente la divergencia entre las declaraciones efectuadas por el acusado o los testigos en la fase de instrucción y en el acto del juicio oral. En ese caso las partes podrán solicitar que se proceda a la lectura de la declaración previa a efectos que el declarante aclare la diferencia o contradicción (art. 714 LECrim). Y el Tribunal podrá acoger la declaración efectuada en la fase de sumario. Para ello deberán cumplirse, según la jurisprudencia, dos requisitos: 1) La declaración sumarial del acusado debe haberse practicado con observancia de las correspondientes normas procesales aplicables a la misma; 2) La declaración sumarial, genéricamente considerada, debe haberse incorporado al debate del plenario, de modo que las partes hayan tenido oportunidad de interrogar sobre esos extremos[83].

«En el caso de testimonios contradictorios previstos en el artículo 714 de la LE-Crim., la doctrina constitucional y de esta Sala (STC 137/88, STS 14-4-89, 22-1-90, 14-2-91 o 1 de diciembre de 1995, sentencia n.º 1207/95), admite que el Tribunal pondere la mayor o menor verosimilitud de las versiones contrapuestas, contrastándolas con los datos deducidos de otras pruebas practicadas y con la credibilidad de las razones expuestas para justificar las contradicciones, correspondiendo al Tribunal de Instancia dicha valoración, conforme a lo dispuesto en el artículo 741 de la LECrim.. Esta Sala igualmente ha declarado (ver S. 113/2003 de 30.1) que las declaraciones de los testigos aun cuando se retracten en el juicio oral, pueden ser tenidas como actividad probatoria suficiente para enervar el derecho fundamental a la presunción de inocencia sobre la base de la mayor fiabilidad que pudiera tener la versión sumarial. Pero esta afirmación aparece sujeta a determinados requisitos que inciden sobre la apreciación de la credibilidad de la rectificación con confron-

---

(83)   «B) Respecto a la posibilidad de valorar las declaraciones sumariales, dice la sentencia de esta Sala 142/2015, de 27 de febrero, resumiendo la doctrina sobre este particular. Las diligencias sumariales, también las personales, siempre que hayan sido debatidas en el juicio oral son prueba utilizable. El acceso al acto del juicio oral en alguna forma (como puede ser su lectura o aportación de testimonios) permite valorar como material probatorio las declaraciones en fases previas y legitima desde el punto de vista de la presunción de inocencia, una condena que busque apoyo probatorio en esa prueba, inicialmente sumarial pero que se convierte en prueba del plenario. Son innumerables las sentencias del Tribunal Constitucional que apuntan en esta dirección. Muestra representativa de este postulado es la STC 284/2006, de 9 de octubre (LA LEY 115047/2006): por otro lado, respecto de las declaraciones efectuadas durante la fase de instrucción cuyo resultado se pretenda integrar en la valoración probatoria, este Tribunal ha exigido en los supuestos previstos en los artículos 714 (LA LEY 1/1882) y 730 LECrim (LA LEY 1/1882) que el contenido de la diligencia practicada en la instrucción con los testigos o imputados se reproduzca en el acto del juicio oral mediante la lectura pública del acta en la que se documentó, o introduciendo su contenido a través de los interrogatorios, pues de esta manera, ante la rectificación o retractación de la declaración operada en el acto del juicio oral, o ante la imposibilidad material de su reproducción, el resultado de la diligencia accede al debate procesal público ante el Tribunal, cumpliendo así la triple exigencia constitucional de toda actividad probatoria: publicidad, inmediación y contradicción». ATS 531/2017 de 16 Feb. 2017, Rec. 1589/2016; Ponente: Palomo del Arco, Andrés. LA LEY 28074/2017.

tación de las distintas manifestaciones, extremo que depende substancialmente de la percepción directa que sólo tiene el Tribunal de instancia por la inmediación de la prueba (Sentencias de 7 de noviembre de 1997; 14 de mayo de 1999). En otros términos, la posibilidad de valorar una u otra declaración no significa un omnímodo poder de los tribunales para optar por una u otra declaración, a modo de alternativa siempre disponible por el solo hecho de existir en los autos una declaración distinta de la prestada por el testigo, o en su caso coimputado, en el Juicio Oral». STS de 25 de enero de 2007, LA LEY 2449/2007.

De modo que la parte podrá solicitar la lectura de la declaración prestada en la instrucción de la causa e interrogar al acusado sobre las contradicciones observadas. Incorporada la declaración sumaria al plenario, el Tribunal podrá acoger la declaración que considere se ajusta a la verdad de los hechos. También se entiende introducida la declaración sumarial en el proceso mediante las preguntas referidas a ella formuladas por las partes al declarante solicitando que aclare la contradicción. Como dice el Tribunal Supremo lo exigible no es que se lea la declaración sumarial, sino que se ponga de relieve en el plenario posibilitando así la contradicción.

«C) En el supuesto que es objeto de enjuiciamiento, se aprecia que, aunque la primera declaración sumarial del acusado no fue leída en el acto de la vista oral, su contenido se puso de manifiesto a través de las preguntas que se le formularon en el acto de la vista oral, particularmente, por las acusaciones, y que ponían de manifiesto las contradicciones existentes con sus declaraciones posteriores. Esto implica que, aunque no se hubiese procedido a la lectura directa e inmediata del documento, esas incongruencias se habían introducido en el debate procesal y se habían sometido a la debida contradicción, constituyéndose, por lo tanto, en prueba válida ilícita. De todo ello, se desprende que las manifestaciones hechas por el acusado en su primera declaración judicial se aportaron al debate procesal. Como se ha puesto de relieve, conforme a lo que ha estimado, en numerosas ocasiones, esta Sala, en consonancia con la doctrina del Tribunal Constitucional, lo decisivo en la toma en consideración de las declaraciones judiciales prestadas en la fase de instrucción, no es en sí, que se lean, sino que el punto en cuestión, sobre el que el testigo o imputado se retractó o contradijo, se ponga de relieve en plenario, de modo que sea objeto de percepción por el Tribunal de instancia y que posibilite su contradicción». ATS 531/2017 de 16 Feb. 2017, Rec. 1589/2016; Ponente: Palomo del Arco, Andrés. LA LEY 28074/2017.

Finalmente, corresponde al Tribunal apreciar el valor de las declaraciones, tanto la sumarial como la practicada en el juicio oral, en los términos expuestos (art. 741 LECrim). En caso de contradicción, corresponderá al Tribunal que conoce del asunto elegir la declaración que ofrezca mayor credibilidad; sin que la divergencia en las manifestaciones suponga, sin más, inexistencia de prueba de cargo.

«Es doctrina del Tribunal Constitucional, la de que el Tribunal puede valorar libremente unas y otras declaraciones (fase sumarial y plenario), ponderando proximidad a los hechos, espontaneidad y sinceridad comparativas, y optar por la que en su convicción considere más fiable (SSTC 4 de octubre de 1985; 16 de diciembre de 1985; 17 de junio de 1986; 28 de abril de 1988; 30 de noviembre de 1989 y 19 de octubre de 1990), lo que, en el caso de autos, lleva a atribuir mayor verosimilitud a lo manifestado en fase de instrucción, no contradicho en la vista oral». STC 14/2001 de 29 de enero.

A ese fin también será de especial utilidad contrastar las declaraciones realizadas en el plenario con el resultado objetivo del resto de pruebas practicadas que pueden servir para corroborar una u otra declaración.

«El acusado en su segunda declaración, efectuada el 1 de octubre de 2013, así como en la prestada en el acto de la vista oral, se retractó de sus anteriores manifestaciones efectuadas en su primera declaración judicial. Sin embargo, la Sala de instancia las tomó en consideración, partiendo de que las contradicciones existentes entre ésta y las sucesivas, habían sido puestas de manifiesto e introducidas en el debate oral, garantizando, por lo tanto, la contradicción. El acusado intentó justificar esta primera declaración, afirmando que se expresó mal y que, por ello, la rectificó posteriormente. Se refería, con ello, a su segunda declaración en instrucción (de fecha 1 de octubre de 2013), cuyas manifestaciones se aproximaban a las que prestó en el acto de la vista oral. La Sala de instancia consideró que estas primeras manifestaciones contaban con corroboraciones objetivas. En concreto, y en primer lugar, como se ha indicado anteriormente, las declaraciones de las personas presentes, en lo que se refería a la forma en la que se confeccionó el documento de reconocimiento de deuda y a las condiciones en que el acusado lo firmó …/… ii) En segundo término, habían declarado, en el acto de la vista oral, varios testigos que afirmaban que las facturas que les había reclamado la empresa, las había pagado anteriormente al acusado …/… iii) en tercer lugar, los testigos Jesús Luis y Arcadio, quienes habían desempeñado funciones similares a las de Herminio en la empresa, manifestaron que con posterioridad al despido, algunos clientes les manifestaron que las facturas, cuyo pago se le reclamaba, ya las habían pagado con anterioridad». ATS 531/2017 de 16 Feb. 2017, Rec. 1589/2016; Ponente: Palomo del Arco, Andrés. LA LEY 28074/2017.

Una cuestión de especial dificultad es la referida al valor que deba darse a la declaración realizada ante la policía que posteriormente o bien no es ratificada o bien no se presta en el juicio oral por cualquier razón. Desde casi su inicio el Tribunal Constitucional ha venido negando valor a las declaraciones efectuadas ante la policía de las que luego el acusado se retracta o sencillamente no las ratifica negando que se pudieran introducir en el juicio oral mediante su lectura a través del procedimiento previsto en los arts. 714 y 730 LECrim[84]. Ahora bien, se admitía excepcionalmente la

_____

(84) «A) En cuanto a la validez probatoria de las diligencias policiales, la STC 36/1995 (LA LEY 13036/1995), recogiendo numerosa jurisprudencia anterior, dejó establecido con claridad que tales diligencias sólo podrán considerarse como auténtica prueba de cargo, válida para destruir la presunción de inocencia, cuando por concurrir "circunstancias excepcionales que hagan imposible la práctica de prueba en la fase instructora o en el juicio oral con todas las garantías, sea admisible la introducción en el juicio de los resultados de esas diligencias a través de auténticos medios de prueba, practicados, éstos sí, con arreglo a las exigencias mencionadas con anterioridad" (fundamento jurídico 2.º, con cita de las SSTC 303/1993 (LA LEY 2390-TC/1993), 283/1994 (LA LEY 13039/1994) y 328/1994 (LA LEY 13084/1994), entre otras). De otro modo, dichas diligencias no pasarán de constituir un mero medio de investigación que permite iniciar las averiguaciones del hecho perseguido, pero no constituirán por sí mismas prueba válida acreditativa de la comisión y autoría del hecho delictivo. B) Asimismo, en cuanto a la validez probatoria del testimonio de referencia de los funcionarios policiales que presenciaron la identificación fotográfica del hoy recurrente tiene igualmente establecido este Tribunal que sólo será admisible en supuestos de "situaciones excepcionales de imposibilidad real y efectiva de obtener la declaración del testigo directo y principal" (STC 79/1994 (LA LEY 2454-TC/1994), fundamento jurídico 4.º), siendo medio de prueba "poco recomendable, pues en muchos casos supone eludir el oportuno debate sobre

posibilidad de acreditar la prueba de esa declaración mediante la declaración de los policías en el plenario[85]. Por su parte la jurisprudencia del Tribunal Supremo venía concediendo valor a esas declaraciones cuando se corroboraban en el plenario mediante el testimonio, por ejemplo, de los policías ante los que prestó declaración. Es por ello que ante las dudas que se planteaban el Tribunal Supremo dictó el Acuerdo de Sala de 28 de noviembre de 2006 en el que estableció que: *«Las declaraciones válidamente prestadas ante la policía pueden ser objeto de valoración por el Tribunal, previa su incorporación al juicio oral en alguna de las formas admitidas por la jurisprudencia».* Con base en este acuerdo se dictaron distintas sentencias del TS en las que se admitía, conforme con el Acuerdo, como prueba la declaración del acusado en dependencias policiales que constaba en el atestado policial.

> «El atestado llevado a cabo por los funcionarios policiales y, por tanto, su contenido, ostenta el valor de mera denuncia y carece, por consiguiente, de cualquier eficacia probatoria directa en Juicio, excepto en aquellos extremos excepcionales en los que se consigne la mera constatación de datos objetivos o aspectos irreproducibles por cualquier otro medio de prueba en el Juicio oral (SsTC 153/1997 o 7/1999, entre otras) …/… Ahora bien, cosa distinta es que lo que el declarante manifestó ante la Policía, al igual que otros contenidos del atestado como, por ejemplo, las conversaciones telefónicas oídas por los funcionarios en unas intervenciones legítimas en las que se hubiera perdido el soporte de las grabaciones, sí que pueda ser introducido en el acervo probatorio, mediante la declaración testifical de quiénes escucharon la declaración por encontrarse presentes cuando ésta se produjo …/… Con lo que vino a reconocerse esta posibilidad probatoria que, como ya hemos dicho y repetimos aquí, no ha de suponer, de ninguna forma, que se otorgue valor al atestado policial en sí mismo, que podríamos considerar "de facto" como si se hubiera destruido o eliminado de las actuaciones y que, en modo alguno, puede introducirse mediante su lectura al amparo del artículo 730 de la Ley de Enjuiciamiento Criminal, pues lo que realmente se valora es la existencia de la declaración de la que nos dan cuenta quienes la escucharon directamente y comparecen ante el Tribunal para prestar su testimonio al respecto, del mismo modo que se valoraría también la referencia al contenido de unas manifestaciones que cualquier ciudadano pudiera hacer, en relación con un concreto hecho criminal, ante otras personas que, posteriormente, relatan esos dichos

---

la realidad misma de los hechos y el dar valor a los dichos de personas que no han comparecido en el proceso"». STC Sala Segunda, Sentencia 7/1999, de 8 Feb. 1999, Rec. 3890/1995; Ponente: González Campos, Julio Diego. LA LEY 1727/1999.

(85) «Las declaraciones obrantes en los atestados policiales carecen de valor probatorio de cargo. Ya en la STC 31/1981 (LA LEY 224/1981), pudimos advertir que las declaraciones prestadas ante la policía, al formar parte del atestado y de conformidad con lo dispuesto en el art. 297 L.E.Crim. (LA LEY 1/1882) tienen únicamente valor de denuncia, no bastando para que se conviertan en prueba con que se reproduzcan en el juicio oral; "es preciso que la declaración sea reiterada y ratificada ante el órgano judicial" (fundamento jurídico 4.º). También en la STC 9/1 984 tuvimos de nuevo ocasión de señalar que los atestados policiales tienen el valor de simples denuncias en tanto no sean reiteradas y ratificadas en presencia judicial, de modo que si no hubiese más prueba de cargo, habría de concluirse en la vulneración de la presunción de inocencia (fundamento jurídico 2.º). En consecuencia, las declaraciones vertidas en el atestado policial carecen de valor probatorio si no son posteriormente ratificadas en presencia judicial por los particulares declarantes, o bien en ausencia de lo anterior, confirmadas por los funcionarios de policía mediante su testimonio en el acto del juicio oral». STC Sala Primera, Sentencia 51/1995 de 23 Feb. 1995, Rec. 2397/1992; Ponente: Cruz Villalón, Pedro. LA LEY 13051/1995.

en un Tribunal». STS Sala Segunda, de lo Penal, Sentencia 224/2009 de 2 Mar. 2009, Rec. 10072/2008; Ponente: Maza Martín, José Manuel. LA LEY 8794/2009.

Este criterio se mantuvo con otras sentencias que consideraban que el Tribunal puede «*corroborar*» la declaración inculpatoria ante la policía, de la que luego se retracta, mediante la declaración de los policías que la presenciaron en el plenario considerando, entre otras razones, que carecería de sentido que una diligencia de declaración en sede policial con todas las garantías, a presencia de letrado, con lectura de derechos y ofreciendo al detenido la posibilidad de no hacerlo y declarar exclusivamente ante la autoridad judicial, no tenga valor alguno[86]. Sin embargo, esa jurisprudencia ha venido a caer en lo que el propio Tribunal Supremo ha venido en llamar el fracaso unificador del citado Acuerdo del Pleno de 2006 resolviendo esta cuestión conforme con la jurisprudencia del Tribunal Constitucional que en sus últimas sentencias había venido manteniendo una postura absolutamente contraria a valorar las declaraciones inculpatorias ante la policía de las que luego el acusado se retracta o no confirma.

«Sentencias del Tribunal Supremo, bien recientes, sintonizan atinadamente con la doctrina del Tribunal Constitucional. Lo recordábamos en nuestra STS n.º 478/2012 de 29 de mayo (LA LEY 122884/2012). Así la STS 603/2010, de 8 de julio (LA LEY 114112/2010)en la que ya se da cuenta del fracaso homogeneizador del acuerdo del Pleno no jurisdiccional de la Sala Segunda de 28 de noviembre de 2006. Y la STS 1055/2011, de 18 de octubre (LA LEY 224302/2011)en la que se

---

(86)   «Es decir, el Tribunal sentenciador puede valorar este tipo de declaraciones. Y ello por varios motivos: 1º) Primeramente, porque carecería de sentido que una diligencia de declaración en sede policial con todas las garantías, a presencia de letrado, con lectura de derechos y ofreciendo al detenido la posibilidad de no hacerlo y declarar exclusivamente ante la autoridad judicial, no tenga valor alguno, y lo tenga en cambio, como ya hemos dicho, la declaración espontánea extrajudicial. De ser así, es obvio que la ley debería prescindir de la misma, si no ha de tener absolutamente ningún efecto. 2ª) Tampoco puede mantenerse que los funcionarios policiales están obligados a mantenerla ante el juez, por las consecuencias derivadas de la falsedad en que incurrirían en caso contrario. De ser ello así, lo mismo sucedería en toda clase de ratificaciones o adveraciones de documentos, privados, públicos o notariales, pues podría mantenerse que tal ratificación es super-flua en tanto que condicionan necesariamente el contenido del documento en sí mismo conside-rado. Otro tanto ocurriría con la ratificación de denuncias o prestación de testificales en el juicio oral, cuando el deponente ya haya sido objeto de actividad sumarial previa. 3º) Como ya hemos apuntado, la declaración de los funcionarios policiales ante los que se produjo la declaración, no es propiamente un testimonio de referencia (pues, se objeta, estando el testigo directo, sobra el de referencia), pero es que tales funcionarios no dan cuenta de hechos ajenos, sino propios, y lo único que atestiguan es que el detenido dijo lo que expresa el acta, cuando tal persona lo niega ante el Tribunal, exponiendo las condiciones de regularidad procesal de la diligencia, de la que también podría dar cuenta si se le llamase, el propio abogado presente en la misma. 4º) Porque es muy habitual, y también lo es en este proceso, que no existan elementos objetivos de presiones o malos tratos policiales, lo que se puede acreditar (como aquí consta) por los informes médico forenses que asistieron a los detenidos, desvirtuando las razones aducidas por éstos ordinariamente para negar las afirmaciones que hicieron. 5º) Finalmente, porque los hechos que se afirman y que entran en el acervo del proceso como material inculpatorio, serán corroborados por medio de otras pruebas que les presten credibilidad, como ocurre con declaraciones de funcionarios policiales encargados de la investigación policial, vestigios, datos o elementos de todo orden que produzcan la convic-ción judicial». STS Tribunal Supremo, Sala Segunda, de lo Penal, Sentencia de 30 Dic. 2009, Nº de Sentencia: 1239/2009. rec. 11595/2008. LA LEY 283765/2009.

advierte como, al fin, la doctrina del Tribunal Constitucional y Tribunal Supremo han venido a converger en este punto, citando como muestra de ello las Sentencias 68/2010 del Tribunal Constitucional y 726/2011 del Tribunal Supremo, al tiempo que llama la atención sobre la necesidad, en cuanto a aquel acuerdo plenario de 2006, de "ajustar su sentido" a las posteriores inequívocas sentencias del Tribunal Constitucional .../... Y ahí ya se invoca por el Tribunal Constitucional una anterior consolidada doctrina: tratándose de las declaraciones efectuadas ante la policía no hay excepción posible. Este Tribunal ha establecido muy claramente que "las manifestaciones que constan en el atestado no constituyen verdaderos actos de prueba susceptibles de ser apreciados por los órganos judiciales" (STC 217/1989 (LA LEY 3758/1989)) (STC 79/1994 (LA LEY 2454-TC/1994)). La citada doctrina ha sido afirmada por las SSTC 51/1995 (LA LEY 13051/1995), de 23 de febrero y 206/2003 (LA LEY 10954/2004) de 1 de diciembre». STS Sala Segunda, de lo Penal, Sentencia 157/2015 de 9 Mar. 2015, Rec. 10666/2014; Ponente: Varela Castro, Luciano. LA LEY 35314/2015.

Declarando el Tribunal Constitucional que esto es así porque la declaración ante la policía no es una declaración sumarial lo cual impide que pueda otorgársele el tratamiento de prueba anticipada o preconstituida[87].

«c) Por el contrario, la posibilidad de otorgar la condición de prueba a declaraciones prestadas extramuros del juicio oral no alcanza a las practicadas ante la policía. Se confirma con ello la doctrina de la STC 31/1981, de 28 de julio (LA LEY 224/1981), FJ 4, según la cual "dicha declaración, al formar parte del atestado, tiene, en principio, únicamente valor de denuncia, como señala el artículo 297 de la LECrim", por lo que, considerado en sí mismo, y como hemos dicho en la STC 68/2010 (LA LEY 187979/2010), FJ 5 b), "el atestado se erige en objeto de prueba y no en medio de prueba, y los hechos que en él se afirman por funcionarios, testigos o imputados han de ser introducidos en el juicio oral a través de auténticos medios probatorios" .../... e) Por tanto, las declaraciones obrantes en los atestados policiales no tienen valor probatorio de cargo. Singularmente, ni las declaraciones autoincriminatorias ni las heteroinculpatorias prestadas ante la policía pueden ser consideradas exponentes de prueba anticipada o de prueba preconstituida. Y no sólo porque su reproducción en el juicio oral no se revele en la mayor parte de los casos imposible o difícil sino, fundamentalmente, porque no se efectuaron en presencia de la autoridad judicial, que es la autoridad que, por estar institucionalmente dotada de independencia e imparcialidad, asegura la fidelidad del testimonio y su eventual eficacia probatoria». STC Sala Segunda, Sentencia 33/2015 de 2 Mar. 2015, Rec. 686/2012. Ponente: Valdés Dal-Ré, Fernando. LA LEY 26676/2015.

---

[87] «Es cierto que la Sentencia del Juzgado de Instrucción de Vitigudino recoge un material probatorio periférico que le lleva a afirmar la verosimilitud de la denuncia inicial, pero ocurre que el núcleo probatorio de la citada resolución lo constituye dicha denuncia: su carácter esencial llega hasta el punto de que la argumentación sobre la culpabilidad concluye literalmente que "la declaración de don Avelino Egido Vicente y el resto de las pruebas que se han mencionado, permiten declarar probados los hechos que se han dicho, permiten considerar enervada la presunción de inocencia que asiste a don Anastasio Egido Lorenzo y conducen a su condena como autor de una falta ...". De ese modo, resulta evidente que la resolución judicial señalada, al tomar en consideración declaraciones que no fueron ratificadas personalmente en el acto del juicio oral ni se sometieron en ningún momento a la contradicción directa del acusado, vulneró el derecho a un proceso con todas las garantías (art. 24.2 CE) del demandante de amparo». STC 56/2010, de 4 de octubre de 2010.

Sin que la declaración de los policías en el plenario pueda servir por sí misma como prueba de cargo apta para destruir la presunción de inocencia del acusado[88].

> «En tales circunstancias, las iniciales declaraciones incriminatorias prestadas ante la policía no podían erigirse en prueba suficiente para desvirtuar la presunción de inocencia, ni mediante su lectura en el acto del juicio, ni aunque su resultado se hubiera introducido en dicho acto a través del testimonio de referencia de los funcionarios policiales. Estas dos resoluciones, no hacen, como vemos, sino desautorizar precisamente la conclusión que no pocas veces el Tribunal Supremo ha auspiciado. En efecto la tesis que las mismas ratifican es inequívoca: "a los efectos del derecho a la presunción de inocencia las declaraciones obrantes en los atestados policiales carecen de valor probatorio de cargo" no sólo porque su reproducción en el juicio oral no se revela imposible o difícil sino fundamentalmente porque no se efectúan en presencia de la autoridad judicial …/… debemos concluir con el Tribunal Constitucional que: En la medida en que dicho testimonio (el de agentes policiales que acudieron como testigos al juicio oral) es utilizado en el razonamiento explicitado por los órganos judiciales como elemento de corroboración del testimonio de la coimputada cuya invalidez acaba de declararse, la suficiencia o insuficiencia de tal corroboración resulta ya irrelevante en este proceso, una vez se ha declarado la falta de validez como prueba de cargo de la declaración a corroborar». STS Sala Segunda, de lo Penal, Sentencia 157/2015 de 9 Mar. 2015, Rec. 10666/2014; Ponente: Varela Castro, Luciano. LA LEY 35314/2015.

Ahora bien, la falta de valor probatorio de cargo de las declaraciones de los policías respecto de la confesión policial no impide que pueda dictarse una condena fundada en otras pruebas y datos objetivos que pueden al mismo tiempo estar contenidos en la declaración inculpatoria. Lo cual nos vuelve al punto de partida según el cual si el acusado acaba condenado no será por su confesión ante la policía de la que luego se retractó, sino por la existencia de pruebas objetivas en la causa que acreditan, ciertamente, que el acusado fue responsable de los hechos según su propia declaración ante la policía.

> «… aunque la declaración autoinculpatoria en el curso de las diligencias policiales no es una prueba de confesión, ni tiene valor de prueba de cargo para sustentar la

---

(88) «Sólo cuando se produzca una rectificación o retractación de su contenido en el acto del juicio oral [art. 714 de la Ley de enjuiciamiento criminal (LECrim (LA LEY 1/1882))] o bien una imposibilidad material de su reproducción (art. 730 LECrim (LA LEY 1/1882)), las declaraciones prestadas con anterioridad podrán alcanzar el valor de prueba de cargo, siempre y cuando se reproduzcan en el acto del juicio oral mediante la lectura pública del acta en la que se documentaron o la introducción de su contenido a través de los interrogatorios, pero bajo la condición de que se trate de declaraciones prestadas ante el Juez de Instrucción. Por ello, desde la STC 31/2001 (LA LEY 1652/2001), de 28 de julio, FJ 4, venimos diciendo que, para que la confesión ante la policía se convierta en prueba, no basta con que se tenga por reproducida en el juicio oral, sino que es preciso que sea reiterada y ratificada ante el órgano judicial; o, como añadimos en la STC 53/2013, de 28 de febrero (LA LEY 9200/2013), FJ 4, no puede confundirse la acreditación de la existencia de un acto (declaración ante la policía) con una veracidad y refrendo de sus contenidos que alcance carácter o condición de prueba por sí sola. Nuestra jurisprudencia ha repetido de modo constante, en conclusión, que "las declaraciones obrantes en los atestados policiales carecen de valor probatorio de cargo" (por todas, SSTC 51/1995 (LA LEY 13051/1995), de 23 de febrero, FJ 2, y 68/2010 (LA LEY 187979/2010), de 18 de octubre, FJ 5)». STC Sala Segunda, Sentencia 33/2015 de 2 Mar. 2015, Rec. 686/2012. Ponente: Valdés Dal-Ré, Fernando. LA LEY 26676/2015.

condena según se ha razonado, sí es una manifestación voluntaria y libre documentada que cuando se realiza con observancia de requisitos legales adquiere existencia jurídica. La STC 165/2014 (LA LEY 145190/2014), del Pleno de este Tribunal, tantas veces citada, ha señalado y se ha ocupado del juicio de constitucionalidad que corresponde cuando esas declaraciones autoinculpatorias documentadas en el atestado policial, además de existir, "ponen de manifiesto unos hechos que son acreditados por otros medios de prueba". En esa última hipótesis, según la doctrina ya tantas veces recordadas, tres son los planos del análisis constitucional. El primero de ellos, comprobar que la declaración autoinculpatoria del demandante que documenta el atestado policial fue regularmente obtenida. Superado afirmativamente ese primer nivel, el siguiente escalón pide examinar si hubo pruebas de cargo válidamente practicadas que vengan a avalar los datos objetivos que de aquella declaración policial pudieren extraerse, convirtiendo el "objeto de prueba" en un "hecho acreditado", pues aquella declaración, como tal, aislada y en sí misma considerada, ya se dijo, no tiene valor probatorio alguno. De constatarse su existencia, el último peldaño consiste en constatar si, a partir de la convicción judicial así expuesta, es posible concluir que la presunción de inocencia del demandante resultó rectamente enervada». STC Sala Segunda, Sentencia 33/2015 de 2 Mar. 2015, Rec. 686/2012. Ponente: Valdés Dal-Ré, Fernando. LA LEY 26676/2015.

No es admisible la práctica de tener: «*por reproducida la documental*», «que se tengan en cuenta sus declaraciones». Esta advertencia se debe a que el verdadero sentido de esta prueba reside en que al no poderse practicar las pruebas en el juicio oral, o siendo discordantes las declaraciones realizadas durante el sumario y juicio oral, la lectura de los folios sumariales se convierte en la forma de ser incorporados los actos de instrucción a la valoración por el Tribunal —arts. 657, 714, 723, 727 y 730 LECrim.—, pues el art. 741 LECrim., además de consagrar el principio de libre apreciación de la prueba, limita el material valorable «a las pruebas practicadas en el juicio oral»[89].

«No se dio cumplimiento a lo dispuesto en el art. 730 de la LECrim ya que la documental se dio "por reproducida", ni tampoco a lo prevenido en el art. 714 de la misma Ley, que determina que cuando la declaración de un testigo en el juicio oral no sea conforme en lo sustancial con la prestada en el sumario (o diligencias previas), podrá pedirse la lectura de ésta por cualquiera de las partes. Es doctrina reiterada de este Tribunal la de que la lectura de las declaraciones, que no es prueba documental sino —lo que es distinto—documentada o con "reflejo documental" (STC 303/1993), "debe hacerse no como una simple fórmula retórica y de estilo, sino en condiciones que permitan a las partes someterlas a contradicción, evitando formalismos de frecuente uso forense"; y la de que no basta con que se dé por reproducida en el juicio oral. Por su parte, el TEDH interpreta que la lectura puede tener valor proba-

---

(89) GOLDSHMIDT, *Problemas jurídicos y políticos del proceso*, Barcelona, 1935, pp. 84-93, distingue la inmediación formal (relación directa con los medios de prueba) de la material (utilización de los medios que se conectan con el hecho enjuiciado). Es esta inmediación material la que cumple la lectura de los actos de instrucción sumarial, que en muchas ocasiones, actualmente, habrán sido realizados contradictoriamente con la presencia de las representaciones técnicas de la defensa y Ministerio Fiscal. Vid. STS de 10 octubre 1986. V. CLIMENT, «Sobre valoración de las declaraciones sumariales no reproducidas durante el juicio oral (comentario a dos STS)», *RGD*, n.º 556, p. 115.

torio si se garantizan los derechos de la defensa, especialmente la contradicción (S. de 24 de noviembre de 1986, asunto Unterpertinger, A. 110, pg. 15, párr. 31), pero reprueba el empleo de la fórmula "por reproducida", por cuanto, aun habiendo sido admitida ésta por la defensa del recurrente, ello no significa la renuncia a contradecir los elementos del sumario, en la medida en que la acusación se apoye sobre tales elementos y en particular sobre la declaración de un testigo (S. de 6 de diciembre de 1988, asunto Barberá, Messegué y Jabardo, A. 146, pg. 35, párr. 82)». STC 153/1997 de 29 de septiembre.

SECCIÓN 3.   CARGA Y VALORACIÓN DE LA PRUEBA. LA PRUEBA ILÍCITA

3.1.   Carga de la prueba. Prueba sobre prueba a instancia del tribunal

Las normas de la carga de la prueba en proceso penal no son distintas de las tradicionales aplicables a cualquier clase de proceso, a pesar de la especialísima clase de Derecho que se aplica en el proceso penal[90]. Así, en el proceso penal, como en cualquier clase de proceso, cada parte debe probar lo que alegue, que será[91]: a) las partes acusadoras deben acreditar la existencia de prueba de cargo, y b) las partes acusadas deberán acreditar aquella prueba de descargo que aleguen en el procedimiento judicial. Ahora bien, la diferencia esencial en el proceso penal resulta de la aplicación del derecho a la presunción de inocencia y su carácter *«iuris tantum»*, que determina que, en cualquier caso, corresponda a los acusadores la carga de la actividad probatoria. Mientras, y correlativamente, sobre el acusado no recae ninguna exigencia en orden a justificar o enervar la prueba de la acusación que debe tener por sí misma *«peso»* suficiente para poder fundar una sentencia de condena.

El TC ha expresado las exigencias que la presunción de inocencia comporta en el orden penal. Así: 1º la carga de la prueba sobre los hechos constitutivos de la pretensión penal corresponde exclusivamente a la acusación, sin que sea exigible a la defensa una *probatio diabólica* de los hechos negativos; 2º sólo puede entenderse como prueba la practicada en el juicio oral bajo la inmediación del órgano

---

(90)   CHIOVENDA, *Principios de Derecho Procesal Civil*, 1977, T. II, pp. 262 y ss., señala que al regirse el proceso penal por el principio de investigación de oficio, carece de sentido hablar de reparto de la carga de la prueba en este tipo de procesos. A nuestro entender, esta afirmación de CHIOVENDA si bien es válida respecto de la fase sumarial, debe matizarse con respecto a la de juicio oral. En ésta, aunque la carga recae sobre los acusadores, pudiendo la defensa limitarse a una postura simplemente negativa, no siempre ello resulta aconsejable. Normalmente, junto a la petición de absolución de su patrocinado, la defensa trata de acreditar de forma alternativa (en otras ocasiones, de forma única, cuando la culpabilidad es reconocida), la existencia de circunstancias eximentes, atenuantes o cuantas le favorezcan. Vid. FERNÁNDEZ ENTRALGO, «Presunción de inocencia, libre apreciación de la prueba y motivación de las sentencias», *RGD*, 1987, (I) p. 433, y (II) p. 385.

(91)   Vid. FENECH, *El Proceso Penal*, Madrid, 1982, pp. 117, 118; GÓMEZ ORBANEJA, *Derecho Procesal Penal*, Madrid, 1981, pp. 275 y ss.

judicial decisor y con observancia de los principios de contradicción y publicidad; 3º de dicha regla general sólo pueden exceptuarse los supuestos de prueba preconstituida y anticipada, cuya reproducción en el juicio oral sea o se prevea imposible y siempre que se garantice el ejercicio del derecho de defensa o la posibilidad de contradicción, y 4º la valoración conjunta de la prueba practicada es una potestad exclusiva del juzgador, que éste ejerce libremente con la sola obligación de razonar el resultado de dicha valoración. (Véase STC 34/96 de 11 de marzo). El TC ha precisado que la apreciación en conciencia de la prueba ha de hacerse sobre la base de una actividad probatoria que pueda estimarse de cargo, practicada con las debidas garantías procesales. En este sentido, se considerará prueba de cargo aquélla en que los hechos probados acrediten racionalmente la culpabilidad del acusado. Sólo la existencia de esta prueba de cargo, practicada en el juicio oral, servirá para desvirtuar la presunción de inocencia. Véase sobre presunción de inocencia como principio del proceso el Cap. I.

En consecuencia, bastaría que el acusado se limitara a la negación de los hechos delictivos que se le imputan para que fuera declarado inocente, recayendo por lo tanto toda la carga de la prueba en la acusación que deberá acreditar en el proceso prueba de cargo suficiente y válida para fundar una sentencia de condena[92]. Pero, no es aconsejable esta actitud pasiva del acusado, ya que, posteriormente, no podrá alegar indefensión por la no utilización voluntaria de pruebas de descargo[93].

«El primer motivo del recurso denuncia la violación del derecho a la presunción de inocencia del art. 24.2 CE por habérsele aplicado al recurrente el art. 483 CP como delito de sospecha... se han probado los datos y circunstancias que sirven de base

---

(92) «... En pocas palabras, se presume que toda persona acusada de una infracción sancionable es inocente mientras no se demuestre lo contrario, presunción que —por tanto— sólo se destruye cuando un Tribunal independiente, imparcial y establecido por la Ley, declara su culpabilidad en un proceso celebrado con todas las garantías (art. 6.1 y 2 de aquel Convenio). Entre las múltiples facetas de este concepto poliédrico hay una, procesal, que consiste en desplazar el opus probando, la carga de la prueba sobre los hechos constitutivos de la acusación penal, sin que sea exigible a la defensa una probatio diabólica de los hechos negativos (SSTC 138/92 y 102/94)...». (STC 133/95, de 25 septiembre).

(93) Vid. en este sentido la STC 64/86, de 21 mayo, en cuyos FJ 3.º y 4.º se establece: «... El solicitante de amparo puede decir, sin duda, como con énfasis señala en su demanda de amparo, que no tenía necesidad alguna de llevar su defensa más allá de la estricta negación de los hechos que se le imputaban y de la impugnación de la validez de las pruebas que los acusadores proponían, sin utilizar pruebas de descargo. Esta afirmación en el terreno de la presunción de inocencia es rigurosamente indiscutible. Sin embargo, el modo de organizar la defensa y las omisiones que en ella se hubieran podido cometer adquieren indudable trascendencia cuando el agravio es de indefensión. Por eso, en el terreno de la defensión o indefensión puede reprochársele al acusado la actitud que adoptara en el sumario y la que adoptara en el juicio oral, y en el caso presente debe señalarse que si alguna limitación de los medios de defensa se ha producido, a él le sería imputable. Cuarto. Alguna reflexión habrá que hacer sobre el problema de la presunción de inocencia, que nuestra Constitución erige en derecho fundamental en el último inciso del apartado 2 del art. 24. Como es lógico, tal presunción significa que la carga de la actividad probatoria pesa exclusivamente sobre quien acusa, de manera que es el acusador quien tiene que probar los hechos y la culpabilidad del acusado, y no éste quien tenga que probar su inocencia. Mas la presunción, en el campo del proceso, es una presunción iuris tantum, que se destruye mediante prueba en contrario». Vid., asimismo, SSTC 80/86, de 17 junio, 150/87, de 1 octubre.

a la condena, que una persona ha sido detenida, que su detención puede calificarse de ilegal, que al detenido no se le puso en libertad y que ha desaparecido. No ha habido, pues, ni un juicio de sospecha ni se ha invertido carga alguna de la prueba, puesto que la acusación ha probado la no puesta en libertad y la desaparición de la persona, demostrando que el detenido no ha sido vuelto a ver en sus lugares habituales y que ha puesto en marcha un infructuoso mecanismo de búsqueda, prueba que ha de estimarse suficiente teniendo en cuenta la dificultad probatoria consiguiente a la probanza de hechos negativos, que permite pruebas indiciarias relativas a la no presencia del detenido en sus lugares habituales o en aquellos en que los imputados dicen que podía hallarse el sujeto pasivo. Una cosa es que no se imponga al acusado realizar prueba alguna del destino del desaparecido y otra bien distinta es que constatada y probada la desaparición hayan de admitirse como válidas las explicaciones formuladas sobre la presunta huida del detenido y desaparecido». ATC 421/1990 de 28 de noviembre.

La jurisprudencia ha distinguido entre carga de la prueba e impulso probatorio. La carga de la prueba recae sobre las partes en el proceso penal, en los términos expuestos, y supone una necesidad de actuar para acreditar en el proceso los hechos que sirven al fin de sus peticiones en el proceso: obtener una condena o una absolución. El impulso probatorio se deriva de la facultad que tiene el Tribunal para la comprobación de los hechos, sin que pueda convertirse en acusador o defensor. El principio general establece que no podrán practicarse otras diligencias de prueba que las propuestas por las partes. Así lo establece taxativamente el art. 728 LECrim. Sin embargo, el art. 729 LECrim se constituye en excepción al otorgar al Tribunal la facultad de comprobación de los hechos, a cuyo efecto podrá dirigir a los testigos, o peritos, las preguntas que se estimen conducentes para depurar los hechos sobre los que declaren (art. 708.2 LECrim); El Tribunal también puede practicar de oficio aquella prueba que considere necesaria para verificar o contrastar las aportadas por las partes, sobre los hechos objeto de calificación, al amparo de la facultad prevista en el art. 729.2.° LECrim[94].

---

(94)   «1. Como regla general el art. 728 de la LECrim. prohíbe que se practiquen otras diligencias de prueba que no sean las propuestas por las partes ni que se examinen otros testigos que los comprendidos en las listas presentadas. Pero esta regla general tiene las tres excepciones que recoge el art. 729: la segunda de ellas se refiere a las diligencias de prueba no propuestas por ninguna de las partes que el Tribunal considere necesarias para la comprobación de cualquiera de los hechos que hayan sido objeto de los escritos de calificación. Frente a la antigua jurisprudencia (STS 18 de noviembre de 1992; 13 de abril de 1993; 8 de febrero de 1995, entre otras) muy restrictiva al delimitar el ámbito de la excepción, y especialmente rigurosa al aplicar el principio de que las pruebas que han de practicarse son las propuestas en el momento procesal oportuno que es el escrito de conclusiones provisionales y de proposición de prueba (art. 656 LECrim. (LA LEY 1/1882)), la doctrina reciente de esta Sala se muestra más flexible al posibilitar la proposición y admisión de prueba después de la calificación y antes del Juicio Oral, cuando existan razones que lo justifiquen y además se den dos condiciones inexcusables: que ello no suponga un fraude procesal, y que no constituya un obstáculo al principio de contradicción (S. 14 de diciembre de 1996). Por otra parte al perfilar el alcance y control casacional del ejercicio de las facultades atribuidas al Tribunal por el art. 729 de la LECrim. (LA LEY 1/1882), esta Sala tiene dicho que tal ejercicio no es arbitrario, por lo que puede ser objeto de revisión casacional cuando puede ocasionar indefensión por limitar de modo no razonable el derecho a la prueba aplicando un criterio excesivamente formalista o

«No tratándose de incorporar nuevos presupuestos fácticos, sino de abundar en el esclarecimiento y precisión de los hechos nucleares objeto del debate, el Presidente, en afán de depurar los mismos, podrá efectuar preguntas, complementarias en cierto modo de las formuladas por las partes, al objeto de una mejor y más real configuración del acaecer histórico, sin que ello pueda interpretarse como una vulneración de la imparcialidad que ha de presidir al Tribunal ni atentado alguno al principio acusatorio que gobierna el proceso penal. El derecho a un proceso con todas las garantías permanece incólume. La fidelidad al principio acusatorio no puede exasperarse de tal modo que reduzca al Juzgador a un papel absolutamente pasivo, incapaz, en momentos en que tiene ante sí a cualificados —por conocedores directos— relatores de los hechos, de efectuar alguna pregunta clarificativa y dilucidante. El Tribunal Constitucional, por su parte, puede decirse que se ha manifestado favorable a la iniciativa probatoria del Juez penal, siempre que ello no suponga una actividad inquisitiva encubierta. Así, en la STC 188/2000, de 10 de julio (LA LEY 142054/2000), se admitió como legítimo acordar el interrogatorio de un testigo de los hechos enjuiciados cuya identidad surgió en el propio acto del juicio oral». STS Sala Segunda, de lo Penal, Sentencia 567/2013 de 8 May. 2013, Rec. 10001/2013. Ponente: Moral García, Antonio del. LA LEY 110910/2013.

A) *Preguntas del Tribunal dirigidas a los comparecientes en el juicio (acusado, testigos y peritos) (art. 708 LECrim)*

Respecto a la facultad incluida en el art. 708 LECrim aunque se refiere únicamente a testigos la práctica forense, referendada por el Tribunal Supremo, la ha extendido a todos los que declaren ante el Tribunal incluídos los peritos. Con base en el precepto indicado el Tribunal podrá solicitar aclaraciones o ampliación de la declaración en el sentido iniciado por los abogados (prueba sobre prueba). Ahora bien, se trata de una facultad que el Tribunal debe usar con moderación, sin que pueda implicar una reconducción del interrogatorio hacia un «escenario» y objeto distinto al introducido por las partes y sin que pueda suplir con su actuación las deficiencias de la acusación. Téngase presente que la función del Tribunal sentenciador es la de *recibir* la prueba y la del Presidente del Tribunal dirigir los debates sin sustituir las funciones de acusación y defensa. Sobre este particular resulta especialmente relevante la doctrina contenida en la STS Sala Segunda, de lo Penal, Sentencia 674/2013 de 23 Jul. 2013 de la que se trascribe un fragmento esencial[95].

restrictivo (S. 6 de julio de 2000)». STS Sala Segunda, de lo Penal, Sentencia 443/2009 de 8 Abr. 2009, Rec. 1855/2008. Ponente: Prego de Oliver Tolivar, Adolfo. LA LEY 67176/2009.

(95) «En este punto como ya dijimos en SSTS 31/2011 de 2.2 y 79/2014 de 18.2, la LECrim. (LA LEY 1/1882) en una interpretación ajustada a los principios constitucionales, contempla una relativa pasividad del Tribunal encargado del enjuiciamiento. Ello no impide la dirección del plenario, ni que solicite al acusado o a algún testigo alguna aclaración sobre el contenido de sus declaraciones, como se desprende de lo dispuesto en el artículo 708 de la LECrim (I A I FY 1/1882), que aunque solo se refiere al testigo, se ha extendido en la práctica común a los acusados. No obstante, la jurisprudencia ha entendido que el Tribunal, para preservar su posición imparcial, debe hacer un uso moderado de esta facultad (STS nº 538/2008, de 1 de setiembre; STS nº 1333/2009, de 1 de diciembre) que precisa que la jurisprudencia no entiende que el art. 708 LECrim (LA LEY 1/1882), quebrante en sí la imparcialidad del juzgador, sino que para salvaguardar ese deber fundamental exige el uso moderado del art. 708, de modo que no exceda del debate procesa tal y como ha sido planteado por las partes, y que la utilización de la facultad judicial se limita a la función de

«Esta Sala entiende que el estatuto constitucional del órgano jurisdiccional llamado a dirimir un conflicto social con relevancia penal no queda preservado cuando entre los tres Magistrados que integran el órgano decisorio se formula toda una batería de preguntas que se alarga hasta los 20 minutos de duración. No estamos en presencia de la petición de aclaraciones o de lo que, algunos de los precedentes expresados *supra* denomina *"prueba sobre la prueba"*. Un interrogatorio dirigido al médico que ha certificado la aparición de una secuela psiquiátrica originada por los hechos denunciados, no puede convertirse en un extravagante e insólito acto procesal en el que los tres miembros de la Audiencia Provincial encadenan todo un cuestionario encaminado a reprochar al perito psiquiatra su escaso conocimiento del entorno personal de Jose María. Ese estatuto constitucional, en fin, es incompatible con la exteriorización de insinuaciones acerca de hechos de conocimiento propio de los Jueces de instancia y que habrían determinado la elaboración de un informe médico de distinto contenido. Incluso algunas de las reflexiones manifestadas in voce sobre la supuesta secuela física que habría afectado al párpado izquierdo del recurrente, no son sino una inadmisible anticipación del proceso de valoración probatoria que, una vez concluido el esfuerzo probatorio que incumbe al Fiscal y al resto de las partes, debería haber sido formulado en los estrictos términos que exige el art. 741 de la LECrim. (LA LEY 1/1882)». STS Sala Segunda, de lo Penal, Sentencia 674/2013 de 23 Jul. 2013, Rec. 654/2013. Ponente: Marchena Gómez, Manuel. LA LEY 120437/2013.

También debemos tener en cuenta que no es un criterio definitivo el hecho que el Tribunal dirija muchas preguntas al acusado o que emplee mucho tiempo en el interrogatorio. Lo importante será que la función del Tribunal se mantenga en la dirección del debate procesal y el esclarecimiento de los hechos objeto de cuestionamiento por las partes en el proceso. Es por ello que ninguna infracción se produce cuando ante un caso complejo el Tribunal dirige muchas preguntas con la finalidad de delimitar el debate procesal.

«La jurisprudencia de esta Sala (véase, por todas STS 1320/2011 de 9 de diciembre), ha confirmado, en un caso idéntico al que nos ocupa, que aunque resultase aparentemente excesivo el número de preguntas formuladas por el Presidente, el art. 708 L.E.Cr (LA LEY 1/1882), acorde a los principios de oficialidad y depuración de la verdad material, autoriza al Tribunal a efectuar cuantas preguntas estime conducentes al mayor esclarecimiento de los hechos objeto de enjuiciamiento, lo que no supone en modo alguno perder la imparcialidad o neutralidad. Por último, aunque fue abundante el número de preguntas realizadas por el Presidente al procesado y testigos, no es menos cierto que el caso concernido era de una inusitada complejidad, ya que se estaba enjuiciando dos muertes violentas producidas por un grupo indeterminado de personas, algunas conocidas y otras de ignorada identidad, con la confluencia de testimonios y versiones contradictorias, incluidas rectificaciones en el propio acto del

aclarar el contenido del interrogatorio provocado por los letrados, lo cual excluye la formulación de preguntas de contenido incriminatorio que pudieran complementar la actuación de la acusación. El Tribunal Constitucional, en la STC nº 229/2003 y en la STC 334/2005, entendió que el límite a esta actuación del Presidente del Tribunal venía establecido por la exigencia de que la formulación de preguntas no fuera una manifestación de una actividad inquisitiva encubierta, sustituyendo a la acusación, o una toma de partido a favor de las tesis de ésta». STS Sala Segunda, de lo Penal, Sentencia 766/2014 de 27 Nov. 2014, Rec. 862/2014, Ponente: Berdugo Gómez de la Torre, Juan Ramón. LA LEY 161480/2014.

juicio oral que requerían de las necesarias aclaraciones para trasladar al jurado, no olvidemos compuesto por personas no expertas en derecho, la verdad material de lo acontecido, para abordar en las mejores condiciones posibles el difícil y complejo enjuiciamiento de los hechos. En esta tarea de depuración de la verdad material el Tribunal acuerda librar testimonio para proceder contra un testigo por falso testimonio, circunstancia que confirma lo intrincado del asunto». STS Sala Segunda, de lo Penal, Sentencia 889/2012 de 15 Nov. 2012, Rec. 10346/2012. Ponente: Soriano Soriano, José Ramón. LA LEY 185406/2012.

El incumplimiento del necesario deber de equilibrio en la dirección de los debates en el acto del juicio oral con un uso excesivo de la prerrogativa del art. 708 LECrim puede fundar una impugnación por falta de la debida imparcialidad del Tribunal.

«En el caso que nos ocupa en el que el Presidente del Tribunal dirigió hasta un total de 78 preguntas a quien secundaban una postura contraria a la de la acusación, revela que la Sala asumió tal tesis acusatoria como cierta, tal como explicito la STS 780/2006 de 3.7 la Sala exteriorizó con claridad de posición del Tribunal tendente a cooperar al éxito de la pretensión condenatoria de la parte acusadora, y consiguientemente, se perdió esa imparcialidad, no porque el Tribunal tuviese un interés particular en el asunto, que no lo tenía, sino que en el aspecto objetivo, la conducta del Tribunal —pues obviamente la acción del Presidente se extiende a todo el Tribunal— exteriorizó y dio cuerpo a un temor en los acusados de que el Tribunal, ya desde el principio del Plenario tenía un prejuicio adelantado y exteriorizado en contra de aquéllos por lo que, razonablemente pensaban que no iban a ser juzgados con imparcialidad. Y en estas circunstancias en el caso actual las dudas del recurrente sobre la imparcialidad del Presidente del Tribunal deben considerarse justificados objetivamente y por ello procede la estimación del motivo». STS Sala Segunda, de lo Penal, Sentencia 766/2014 de 27 Nov. 2014, Rec. 862/2014, Ponente: Berdugo Gómez de la Torre, Juan Ramón. LA LEY 161480/2014.

Como bien dice el TS se impone un equilibrio entre la búsqueda de la verdad material y el deber de impartición de justicia con el debido respeto a los principios y reglas del derecho que regulan el proceso penal.

«Se impone, pues, la búsqueda de un equilibrio entre la actitud del Juez que con su actuación busca suplir las deficiencias de la acusación —lo que implicaría una visible quiebra de su estatuto de imparcialidad— y la de aquel que sólo persigue aclarar algunos de los aspectos sobre los que ha versado la prueba pericial y que las preguntas de las partes no han logrado esclarecer suficientemente. Así, mientras que la primera de las actitudes descritas implicaría una inaceptable vulneración del principio acusatorio, en lo que tiene de inderogable escisión funcional entre las tareas de acusación y las labores decisorias, la segunda de ellas no tendría por qué merecer censura constitucional alguna». STS Sala Segunda, de lo Penal, Sentencia 674/2013 de 23 Jul. 2013, Rec. 654/2013. Ponente: Marchena Gómez, Manuel. LA LEY 120437/2013.

Sin que la actuación del Tribunal respecto a la prueba y el uso de la facultad del art. 708 acabe convirtiéndose en una actividad inquisitiva encubierta por parte de los Magistrados integrante del Tribunal que como descriptivamente señala la STS Sala Segunda, de lo Penal, Sentencia 567/2013 de 8 May. 2013: «*deben permanecer durante la discusión, pasivos, retraídos, neutrales, a semejanza de los jueces de los antiguos torneos, limitándose a dirigir con ánimo sereno los debates».*

«En todo caso, es doctrina consolidada tanto en sede científica como jurisprudencial que debe efectuarse un uso moderado de esta posibilidad, y sólo para solicitar aclaraciones. Estas prevenciones son tanto más claras cuando las preguntas se dirigen a un imputado. En este aspecto es de total aplicación las prevenciones con que deben ejecutarse la iniciativa a que se refieren los arts. 728 a 731 LECrim. (LA LEY 1/1882) que exigen una reinterpretación constitucional respetuosa en el deber de imparcialidad que debe guardar el Tribunal sentenciador —SSTS 1450/99 de 18 de noviembre, 328/2001 o 2030/2002 de 4 de diciembre—, a tal respecto, no será ocioso recordar las prevenciones contenidas en la STS 188/2000 de 10 de julio (LA LEY 142054/2000). Advierte el Tribunal Constitucional que esta iniciativa probatoria de oficio debe respetar la garantía de imparcialidad probatoria, que exige que en todo caso con su iniciativa, el juzgador no emprenda una actividad inquisitiva encubierta …/… En efecto, el Presidente del Tribunal con el interrogatorio claramente inquisitivo que efectuó, totalmente desbordado de las precisiones legales, tomó el partido de la acusación en cuya ayuda corrió, descendiendo a la arena del combate contradictorio y situándose en las antípodas del modelo ya descrito en la Exposición de Motivos de nuestra venerable Ley de Enjuiciamiento Criminal: "... Los Magistrados deben permanecer durante la discusión, pasivos, retraídos, neutrales, a semejanza de los jueces de los antiguos torneos, limitándose a dirigir con ánimo sereno los debates...". Con ello, se exteriorizó con claridad de posición del Tribunal tendente a cooperar al éxito de la pretensión condenatoria de la parte acusadora, y consiguientemente, se perdió esa imparcialidad, no porque el Tribunal tuviese un interés particular en el asunto, que no lo tenía, sino que en el aspecto objetivo, la conducta del Tribunal —pues obviamente la acción del Presidente se extiende a todo el Tribunal— exteriorizó y dio cuerpo a un temor en los acusados de que el Tribunal, ya desde el principio del Plenario tenía un pre-juicio adelantado y exteriorizado en contra de aquéllos por lo que, razonablemente pensaban que no iban a ser juzgados con imparcialidad». STS Sala Segunda, de lo Penal, Sentencia 567/2013 de 8 May. 2013, Rec. 10001/2013. Ponente: Moral García, Antonio del. LA LEY 110910/2013.

B) *Prueba de oficio por el Tribunal (careos y comprobación de hechos) (art. 7291 y 2 LECrim)*

El Tribunal también puede practicar de oficio aquella prueba que considere necesaria para verificar o contrastar las aportadas por las partes, sobre los hechos objeto de calificación, al amparo de la facultad prevista en el art. 729.2.° LECrim[96].

---

(96) «El reto al que se enfrenta el órgano juzgador es el de conseguir la justicia material, si bien este objetivo debe ajustarse a las disposiciones legales que regulan el proceso penal establecidas como garantía del respeto a los derechos del justiciable. Pues bien, desde esta perspectiva no puede olvidarse que la Ley Procesal otorga al Tribunal juzgador la facultad de disponer la práctica de las pruebas que considere necesarias para la comprobación de cualquiera de los hechos que hayan sido objeto de imputación (art. 729.2° LECrim), ... en todo caso, el Tribunal tiene la obligación que le impone el art. 726 LECrim de "examinar por sí mismo" los documentos y demás piezas de convicción que puedan contribuir al esclarecimiento de los hechos o a la más segura investigación de la verdad (art. 726 LECrim), es obvio que la decisión de la Sala de reproducir las grabaciones en el acto del Juicio Oral no sólo se encuentra amparada por la Ley, sino que al efectuar ese examen en la vista oral, a presencia de todas las partes, potencia las posibilidades de su contradicción y, por ende, del derecho de defensa». STS Sala Segunda, de lo Penal, Sentencia

«La STS 1100/2002, de 13 de junio (LA LEY 112426/2002), declara que el art. 729, en sus apartados 2º y 3º, de la Ley de Enjuiciamiento Criminal (LA LEY 1/1882), como ha destacado la doctrina, es cauce para decidir la práctica de determinadas pruebas cuya necesidad nace del curso de los debates. El Tribunal ejercita una facultad ordinaria de resolución que la Ley le concede expresamente en función de su criterio acerca de la necesidad de la prueba extemporáneamente propuesta por alguna de las partes. Aunque los primeros comentaristas de la LECrim (LA LEY 1/1882), vieron con algún recelo esta facultad del órgano jurisdiccional, la consideraron fundada por exigencias de Justicia. Para la doctrina actual, es inobjetable siempre que se respeten los principios de igualdad y contradicción y no se confunda el papel del órgano jurisdiccional con el de la acusación». STS Sala Segunda, de lo Penal, Sentencia 276/2012 de 2 Abr. 2012, Rec. 11632/2011. Ponente: Sánchez Melgar, Julián. LA LEY 44124/2012.

No se trata de comprobar la existencia de los hechos, sino la prueba practicada sobre los mismos. De modo que lo que no cabe es que el Tribunal aporte nuevas pruebas, suplantando la actividad que en este sentido corresponde a las partes intervinientes en el proceso. Esta actividad probatoria debe dirigirse, especialmente, a comprobar (contraste-verificación) si la prueba sobre los hechos es o no fiable, partiendo del principio de libre valoración de la prueba, previsto en el artículo 741 LECrim, sin afectar al principio de imparcialidad del Tribunal.

«La iniciativa probatoria de oficio, la garantía de la imparcialidad objetiva exige, en todo caso, que con su iniciativa el juzgador no emprenda una actividad inquisitiva encubierta. Sin embargo, esto no significa que el Juez tenga constitucionalmente vedada toda actividad procesal de impulso probatorio, por ejemplo, respecto de los hechos objeto de los escritos de calificación o como complemento para contrastar o verificar la fiabilidad de las pruebas de los hechos propuestos por las partes. En efecto, la excepcional facultad judicial de proponer la práctica de pruebas, prevista legalmente en el art. 729.2 LECrim (LA LEY 1/1882), no puede considerarse *per se* lesiva de los derechos constitucionales alegados, pues esta disposición sirve al designio de comprobar la certeza de elementos de hecho que permitan al juzgador llegar a formar, con las debidas garantías, el criterio preciso para dictar sentencia (art. 741 LECrim (LA LEY 1/1882)), en el ejercicio de la función jurisdiccional que le es propia (art. 117.3 CE (LA LEY 2500/1978)). Y ello sin perjuicio, claro está, de que no quepa descartar la posibilidad de utilización indebida de la facultad probatoria *ex officio judicis* prevista en el art. 729.2 LECrim (LA LEY 1/1882), que pudiera llevar a desconocer las exigencias ínsitas en el principio acusatorio. De cualquier manera, para determinar si en el ejercicio de la antedicha facultad de propuesta probatoria el Juez ha ultrapasado los límites del principio acusatorio, con quiebra de la imparcialidad judicial y, eventualmente, del derecho de defensa, es preciso analizar las circunstancias particulares de cada caso concreto». STC Sala Segunda, Sentencia 188/2000 de 10 Jul. 2000, Rec. 4067/1997; Ponente: Viver Pi-Sunyer, Carles. LA LEY 142054/2000.

Se trata, en definitiva, del impulso probatorio de practicar prueba sobre prueba, que no tiene por finalidad probar hechos favorables o desfavorables a una u otra par-

361/2001 de 26 Mar. 2001, Rec. 1311/1999-P/1999. Ponente: Ramos Gancedo, Diego Antonio. LA LEY 64776/2001.

te, sino verificar su existencia en el proceso. Es por ello que este proceder, previsto legalmente, puede considerarse neutral y respetuoso con el principio acusatorio, que impone la carga de la prueba a la acusación[97]. Esta facultad del Tribunal ha sido reconocida por el TS que ha declarado que la fidelidad al principio acusatorio no puede exasperarse de tal modo que reduzca al juzgador a un papel absolutamente pasivo, incapaz, en momentos en que tiene ante sí a cualificados —por conocedores directos— relatores de los hechos, de efectuar alguna pregunta clarificadora de los hechos, o de acordar prueba de contraste o verificación.

> «En efecto, la excepcional facultad judicial de proponer la práctica de pruebas, prevista legalmente en el art. 729.2 LECrim, no puede considerarse *"per se"* lesiva de los derechos constitucionales alegados, pues esta disposición sirve al designio de comprobar la certeza de elementos de hecho que permitan al juzgador llegar a formar, con las debidas garantías, el criterio preciso para dictar Sentencia (art. 741 LECrim), en el ejercicio de la función jurisdiccional que le es propia (art. 117.3 CE). Y ello sin perjuicio, claro está, de que no quepa descartar la posibilidad de utilización indebida de la facultad probatoria *"ex officio judicis"* prevista en el art. 729.2 LECrim, que pudiera llevar a desconocer las exigencias ínsitas en el principio acusatorio. De cualquier manera, para determinar si en el ejercicio de la antedicha facultad de propuesta probatoria el Juez ha ultrapasado los límites del principio acusatorio, con quiebra de la imparcialidad judicial y, eventualmente, del derecho de defensa, es preciso analizar las circunstancias particulares de cada caso concreto». STC 188/2000 de 10 de julio.

Ahora bien, esta iniciativa, no puede adoptarse de forma inopinada o sorpresiva, sino como fuente adicional de prueba, a fin de aclarar los hechos controvertidos objeto del proceso con la finalidad de alcanzar el grado preciso de convicción para adoptar una decisión resolutoria del conflicto. A este respecto resulta ilustrativa la STS n.º 328/2001 de 6 Mar. 2001 que declara: «*el 729 constituye una excepción a la regla general y por ello de siempre se ha estimado que no puede ser objeto de interpretación extensiva por los Tribunales, hablándose de pruebas complementarias que se justifican por la propia naturaleza de los valores presentes en el proceso penal que no se compatibilizan con verdades formales*»[98]. Finalmente, las decisiones adoptadas

---

(97) «El artículo 729, como excepción a este principio le concede al Tribunal la posibilidad, por su propia autoridad de integrar el caudal probatorio con otros elementos de prueba no propuestos por las partes siempre que sea sobre los hechos objeto de acusación o defensa, o respecto de pruebas que en el acto ofrezcan las partes –además de proceder a la práctica de careos–, en todo caso, el común denominador del art. 729 está constituido por tratarse de pruebas practicadas a instancia del propio Tribunal, por ello, y por el carácter de excepción al principio acusatorio —singularmente en relación al núm. 2— se ha impuesto una lectura constitucional del mismo, de la que son exponente, entre otras la SSTS de 1 de diciembre de 1993, 4 de noviembre de 1996 y 23 de septiembre de 1995. En concreto, en relación al párrafo 3º que cita el recurrente en apoyo del motivo, tal posibilidad supone una quiebra del principio de preclusión de los arts. 656 y 728 LECrim, y en todo caso más que abrir un nuevo período de prueba a través del cual podría proponerse prueba autónoma, esta Sala ha estimado que debe de tratarse de "prueba sobre la prueba", es decir prueba tendente a acreditar alguna circunstancia que pueda influir en la declaración de un testigo y que además, como requisito esencial, el Tribunal la estima pertinente». STS Sala Segunda, de lo Penal, Sentencia 2389/2001 de 14 Dic. 2001, Rec. 736/2000. Ponente: Aparicio Calvo-Rubio, José. LA LEY 225614/2001.

(98) «De acuerdo con el sistema acusatorio, hay una acotación previa del objeto de la prueba autorizada en el número 2º del artículo 729 LECrim, la de referirse a "cualquiera de los hechos

por el Tribunal de conformidad con los párrafos 1° y 2° del art. 729 LECrim no son revisables en casación.

«Puede discutirse si la denegación de una petición canalizada a través del art. 729.3° LECrim (LA LEY 1/1882) es susceptible de casación. La dicción del art. 850.1° concuerda con los términos del art. 659 LECrim (LA LEY 1/1882), que habla de la necesidad de admitir todas las pruebas que sean pertinentes, y arbitra la posibilidad de recurso cuando se denieguen. Previsiones semejantes no se encuentran en el art. 729.3°. En éste, además, ya no se habla de "pertinencia", sino que parece abrir paso a una mayor discrecionalidad del Tribunal: "si las considera admisibles". Es bastante pacífico entender que las decisiones adoptadas al amparo de los números 1 y 2 del art. 729 LECrim (LA LEY 1/1882) no son revisables en casación». STS Sala Segunda, de lo Penal, Sentencia 439/2013 de 22 May. 2013, Rec. 10895/2012. Ponente: Moral García, Antonio del. LA LEY 64775/2013.

Ningún obstáculo existe para que sean las partes intervinientes las que soliciten al Tribunal la práctica de estas pruebas de contraste o verificación. Ahora bien, debe tratarse justamente de una prueba destinada a acreditar alguna circunstancia que pueda influir en el valor probatorio de la declaración de un testigo (art. 729.3 LECrim)[99].

«La posibilidad prevista en el art. 729.3 LECr (LA LEY 1/1882), en cuanto "prueba sobre prueba", por su propia naturaleza, no es directamente atinente al objeto del proceso; procura desvirtuar afirmaciones expuestas por algunos de los testigos; mientras que en autos, la interesada no procuraba dejar en descubierto la falta de fidedignidad de un testimonio previo, sino investigar un evento, que no tenía por qué ser contradictorio con manifestación testifical alguna.../... En definitiva, es cierto que concorde el tenor del art. 729 su proposición en el acto del juicio no sería extemporánea, pero ni se acomodaba lo interesado al objeto de la norma, ni sería probable su tempestiva

---

que hayan sido objeto de los escritos de calificación". Esta delimitación objetiva es sumamente trascendente por cuanto presupone una manifestación correctísima del alcance y contenido del principio acusatorio, es decir, se refiere a los hechos y su imputación a una persona, delimitándose así el objeto del proceso, sin que el Tribunal tenga potestad alguna en materia de aportación fáctica. Una segunda acotación, también objetiva, se refiere a los medios probatorios empleados, "las diligencias de prueba no propuestas por ninguna de las partes". Si hubieren sido propuestas en tiempo y forma el Tribunal tendría que haber proveído sobre su admisión o denegación antes de la celebración del juicio oral. Pero el supuesto verdaderamente relevante para la inteligencia de este inciso, es el relativo a haberse denegado previamente y una vez practicadas en el juicio oral las admitidas aquella que se negó "a priori" resulta necesaria para complementar las realizadas, hipótesis que no encaja en la literalidad del precepto y cuya respuesta estará en función de la posición que se adopte frente al fondo del problema que suscita el precepto que comentamos, y en última instancia no se trata tanto de preservar el principio acusatorio propiamente dicho como garantizar la imparcialidad del Tribunal. Por último, el Tribunal debe considerar necesaria la práctica de la diligencia en cuestión». STS Sala Segunda, de lo Penal, Sentencia 328/2001 de 6 Mar. 2001, Rec. 587/2000-P/2000; Ponente: Saavedra Ruiz, Juan. LA LEY 4255/2001.

(99) «De otro lado, la posibilidad de hacer uso del art. 729 (LA LEY 1/1882),3° Lecrim está circunscrita al supuesto de que se trate de acreditar alguna precisa circunstancia que pueda influir —concretamente, por tanto— en el valor probatorio de las declaraciones de un testigo. Así las cosas, no puede decirse en modo alguno que la decisión del tribunal hubiera sido arbitraria, en vista de la masiva aportación de documentos plenamente disponibles ya durante el desarrollo de la causa, de los que, además, muchos ya estarían incorporados a esta». STS Sala Segunda, de lo Penal, Sentencia 417/2016 de 18 May. 2016, Rec. 2048/2015. Ponente: Andrés Ibáñez, Perfecto Agustín. LA LEY 48369/2016.

práctica en el juicio; y además, especialmente, como hemos explicitado devenía estéril. De ahí, la adecuación de su desestimación, especialmente, por cuanto aunque a diferencia de la jurisprudencia de fines del siglo XIX, no se entienda su admisión como una facultad discrecional del Tribunal, sí que existe un reforzado deber de analizar el interés real y la necesidad de prueba sobre las condiciones de veracidad e imparcialidad de los testigos, al condicionar el inciso final de la norma, expresamente su práctica, a que el Tribunal la considere admissible». STS 492/2016 de 8 Jun. 2016, Rec. 10545/2015. Ponente: Palomo del Arco, Andrés. LA LEY 59018/2016.

Denegada la prueba solicitada por la parte mediante el cauce del art. 729.3 LECrim se plantea la posibilidad de recurrir en casación por ese motivo. Algunas sentencias más antiguas consideraban que la denegación de la petición no podía recurrirse al tratarse de una facultad del Tribunal cuyo contenido no suponía vulneración alguna de los derechos del solicitante[100]. Sin embargo, jurisprudencia posterior, y más reciente, ha considerado que sí cabe la revisión casacional[101]. A este fin la STS Sala Segunda, de lo Penal, Sentencia 439/2013 de 22 May. 2013 señala ilustrativamente que: «*se ha abierto paso una solución más favorable a la posibilidad de supervisar esa decisión por este Tribunal, aunque sin perder de vista ese mayor nivel de «discrecionalidad» que concede la Ley a la Sala de instancia*».

«La doctrina sobre esta cuestión y en relación en exclusiva del art. 729.3 puede articularse en tres puntos: a) La denegación de una diligencia de prueba propuesta al amparo del art. 729.3 puede revisarse en casación vía art. 850.1 LECrim (LA LEY 1/1882) siempre que se haya verificado la oportuna protesta in actu. b) Esa revisión solo será posible si la prueba se ajustaba estrictamente al presupuesto previsto en el art. 729: ha de ser "prueba sobre la prueba" (que tienda a corroborar o desacreditar el valor de las declaraciones de un testigo y no a introducir hechos distintos: ha de estar vinculada a otra prueba), y que se ofrezca en ese momento por alguna de las partes. Por "ofrecer" ha de entenderse no solo la proposición, sino también la posibilidad de practicarla en el acto (un documento que se entrega en ese momento; o un testigo no

---

(100) «La jurisprudencia de esta Sala ha distinguido entre carga de la prueba e impulso probatorio. La prueba se produce para justificar la pretensión (prueba de cargo), o para desvirtuarla (prueba de descargo) que corresponden al Ministerio Fiscal y a las partes. Como precisara la S. 1186/2000, de 28 de junio, la iniciativa que al Tribunal atribuye el art. 729.2° de la LECrim puede ser considerada como "prueba sobre la prueba", que no tiene la finalidad de probar hechos favorables o desfavorables sino de verificar su existencia en el proceso, desde la perspectiva del art. 641 de la LECrim, por lo que puede considerarse neutral y respetuosa con el principio acusatorio, que impone la carga de la prueba a la acusación. Su compatibilidad con la imparcialidad del Tribunal ha sido reconocida por la STC 187/2000, de 10 de julio. Lo que no puede admitirse, como pretende el recurrente, es que esa iniciativa del Tribunal, excepcional y de su exclusiva competencia, se convierta en una obligación-imposición como se dice en el motivo, tanto más si la solicitud se hizo después de haber concluido su informe oral, incurriendo en evidente extemporaneidad». STS Sala Segunda, de lo Penal, Sentencia 2389/2001 de 14 Dic. 2001, Rec. 736/2000. Ponente: Aparicio Calvo-Rubio, José. LA LEY 225614/2001.

(101) «El ejercicio por el Tribunal de las facultades que le otorga el art. 729 de la Ley de Enjuiciamiento Criminal (LA LEY 1/1882), puede, en efecto, ser objeto de control casacional, como hemos dicho en nuestra Sentencia de 6 de julio de 2000, y reiterado en la STS 306/2003, de 4 de abril (LA LEY 10446/2004). Ahora bien, las razones que expresa la Audiencia, en el sentido de que no existe motivo alguno para dudar de la veracidad de los testigos funcionarios policiales de aduanas, es suficiente para su denegación». STS Sala Segunda, de lo Penal, Sentencia 276/2012 de 2 Abr. 2012, Rec. 11632/2011. Ponente: Sánchez Melgar, Julián. LA LEY 44124/2012.

propuesto que está en estrados, v.gr). "Ofrecer" implica la aportación en ese momento. No es factible la suspensión del juicio oral que solo procedería, en su caso, ante "revelaciones o retractaciones inesperadas" (art. 746.6 LECrim (LA LEY 1/1882)). c) Que concurran los demás requisitos que condicionan la prosperabilidad de un motivo por el cauce del art. 850.1 LECrim (LA LEY 1/1882), en el bien entendido de que deberá ser muy superior el rigor al enjuiciar la necesidad de esa prueba, en la medida en que la ley deposita un mayor margen de discrecionalidad, como se ha razonado, en el Tribunal de instancia». STS Sala Segunda, de lo Penal, Sentencia 439/2013 de 22 May. 2013, Rec. 10895/2012. Ponente: Moral García, Antonio del. LA LEY 64775/2013.

3.2. Valoración de la prueba[(102)]

A) Principio de libre valoración

El Tribunal apreciará en conciencia las pruebas practicadas y las razones expuestas por las partes y dictará sentencia en los términos fijados en la Ley (arts. 741, 973 LECrim). En el proceso penal rige, por tanto, el criterio de la libre valoración de la prueba, refrendado de forma genérica en el art. 117 CE. El criterio de libre valoración de la prueba también se expresa en el art. 717 LECrim, al disponer que las declaraciones de las autoridades y funcionarios de la Policía, así como de los testigos, se apreciarán según las reglas del criterio racional. Así, el juzgador de instancia deberá valorar las pruebas libremente según su conciencia, adecuando ésta a los dictados de la razón y la lógica, con base en su inmediación material[(103)].

---

(102) Vid. Bibliografía general. También GUTIÉRREZ ALVIZ Y CONRADI, «La valoración de la prueba penal», *RDProc.*, 1975, p. 805; GUTIÉRREZ DE CABIEDES, «El principio in dubio pro reo en el Derecho y en el proceso penal», *RDProc.*, 1966, p. 77; VÁZQUEZ SOTELO, *La presunción de inocencia e íntima convicción del Tribunal*, Barcelona, 1984; CÓRDOBA RODA, «El derecho a la presunción de inocencia y la apreciación judicial de la prueba», *RJC*, 1982, p. 817; SENTIS MELENDO, «In dubio pro reo», *RDProc.*, 1971, p. 503; SACRISTÁN REPRESA, «Notas sobre la presunción de inocencia y la LO 10/80 de 11 noviembre», *Der. Jud.*, 1982, p. 61; DÍAZ PALOS, *Constitución y LECrim. Indefensión y presunción de inocencia*, 1983; ALAMILLO CANILLAS, «La presunción de inocencia y el recurso de casación penal», *La Ley*, 1983-I, p. 1146; ALBÁCAR, «El principio de la libre apreciación de la prueba en la doctrina del Tribunal Constitucional», *La Ley*, 1981-4, p. 1986; ALMAGRO NOSETE, «Artículo 24», en *Comentarios a las Leyes políticas. Constitución Española de 1978*, Madrid, 1983, p. 19; GARCÍA CARRERO, «La apreciación de la prueba en conciencia en el proceso penal y la protección constitucional de la presunción de inocencia», *PJ*, diciembre 1982, p. 67; GIMENO SENDRA, «Artículo 24», en *Comentarios a la legislación penal. Código Penal y Constitución*, Madrid, 1982, p. 187; GUERRA SAN MARTÍN y otros, «El derecho a la presunción de inocencia», *La Ley*, 1982-4, p. 1183; OLIVA SANTOS, *La persona ante la Administración de Justicia: Derechos básicos*, Barcelona, 1980; RICO FERNÁNDEZ, «Aplicación del principio de presunción de inocencia en la vía casacional», *La Ley*, 1983-4, p. 628; RODRÍGUEZ RAMOS, «Presunción de inocencia no minimizada», *La Ley*, 1983-4, p. 1249. SÁNCHEZ AGESTA, «El artículo 24 de la Constitución y el recurso de amparo», en *El Tribunal Constitucional*, Madrid, 1981, p. 2483; SERRANO ALBERCA, «Artículo 24», en *Comentarios a la Constitución*, Madrid, 1980, p. 306; VEGA RUIZ, «Consideraciones sobre la presunción de inocencia», *BIMJ*, octubre 1983, p. 3; Idem, «La valoración penal de la prueba y la presunción de inocencia», *BIMJ*, n.º 1326, septiembre 1983, p. 3; Idem, «La presunción de inocencia hoy», *Justicia*, 1984, n.º 1, p. 95; GUERRA-BELLOCH-TORRES, «El derecho a la presunción de inocencia», *Primeras Jornadas de Derecho Judicial*, 1983, pp. 623 y ss.

(103) «Convicción de la Sala lógica y racional y conforme a las máximas de experiencia común, y que conlleva la desestimación del motivo, por cuanto el hecho de que la Sala de instancia

«Desde la perspectiva constitucional, el principio de libre valoración de la prueba, recogido en el art. 741 LECr., implica que los distintos medios de prueba han de ser apreciados básicamente por los órganos judiciales, a quienes compete la misión exclusiva de valorar su significado y trascendencia en orden a la fundamentación de los fallos contenidos en sus Sentencias». STS 121/2017 de 23 Feb. 2017, Rec. 1916/2016. Ponente: Monterde Ferrer, Francisco. LA LEY 6225/2017.

El Tribunal valorará la prueba practicada según el principio de inmediación, y conforme con su leal saber y entender valorando la prueba en conciencia y en función del resultado; sin que deba aplicar criterios o prejuicios previos a la práctica de cada medio de prueba. Como bien dice el Tribunal Supremo a este respecto: «las pruebas se pesan, no se cuentan». En definitiva, todo enjuiciamiento es esencialmente valorativo, y por ello que la admisión de una u otra versión de las expuestas en juicio no debe resolverse por el número de testimonios o pericias existentes a favor o en contra, sino por el peso, fuerza y credibilidad que le otorgue el Tribunal.

«Concluye su argumentación el recurrente en relación a la credibilidad de este testigo en una clave matemática estimando que son más los testimonios que contradicen lo afirmado por el Sr. L. C. con olvido que todo enjuiciamiento es esencialmente valorativo, y por ello que la admisión de una u otra versión no debe resolverse por el número de testimonios existentes a favor o en contra, porque los testimonios se pesan, no se cuentan, por ello, las "cuentas" que presenta respecto a diversos extremos, algunos de escasísima relevancia como el tipo y clase de vigilancia que tuviese La Cumbre en octubre de 1983, en los que confronta el testimonio de L. C. con varios en sentido adverso —once, once, siete, siete, diez— no debe conducir ni conduce *sic et simpliciter* a la automática estimación de la tesis sustentada por la mayoría, ni por tanto puede tacharse de arbitraria sin más, la decisión judicial que aparezca justificada por menores testimonios. El brocardo "testes unus, testes nullus" hace tiempo que dejó de tener vigencia, aunque reiteramos que siempre la jurisprudencia ha exigido que existan, además, otras corroboraciones que robustezcan o confirmen la versión testifical. Desde luego, por lo que se refiere al caso objeto del presente control casacional, junto con el testimonio que se comenta, existen otras probanzas». Sala Segunda, de lo Penal, Sentencia 1179/2001 de 20 Jul. 2001, Rec. 491/2000, Ponente: Giménez García, Joaquín. LA LEY 5828/2001.

Los elementos o criterios seguidos por el Tribunal para valorar la prueba practicada son variados y responden a cada clase de prueba. Podemos señalar, siguiendo la doctrina del Tribunal Supremo con relación a las declaraciones testificales los siguientes:

— credibilidad del declarante, descartando que exista resentimiento, enemistad o similares;

— coherencia del relato;

---

dé valor preferente a aquellas pruebas incriminatorias frente a la versión que pretende sostener el recurrente, no implica, en modo alguno, vulneración del derecho a la presunción de inocencia, antes al contrario, es fiel expresión del significado de la valoración probatoria que integra el ejercicio de la función jurisdiccional, y se olvida que el respeto al derecho constitucional que se dice violado no se mide, desde luego, por el grado de aceptación por el órgano decisorio de las manifestaciones de descargo del acusado». STS 426/2016 de 19 May. 2016, Rec. 2107/2015; Ponente: Berdugo Gómez de la Torre, Juan Ramón. LA LEY 51966/2016.

— coherencia externa del relato lo que significa que se acrediten elementos de prueba ajenos a la declaración que corroboren o confirmen la realidad del testimonio.

«En el orden expuesto, el Tribunal de instancia en el fundamento de derecho primero de su sentencia, valorando una prueba de carácter personal, como es la declaración de la denunciante, proclama que se cumplen en el caso todos los parámetros jurisprudenciales exigidos para entender de cargo tal declaración, y explica por qué se dan esos requisitos. Y así dice, respecto del primero, que: «En el caso de autos no encontramos ningún elemento de resentimiento, enemistad, venganza, enfrentamiento, interés o de cualquier índole de la víctima con respecto a su padre que prive a su declaración de la aptitud necesaria para general certidumbre. .../... Con respecto a la coherencia interna nos encontramos con un relato fluido, preciso, coherente y creíble a juicio de esta Sala, no apreciándose ningún titubeo o contradicción en la exposición del mismo. .../... Y con respecto a la coherencia externa, indica que nos encontramos con datos objetivos de carácter periférico que confirman de modo contundente la realidad del testimonio; en este sentido podemos destacar el informe del IML que señala, con las lógicas matizaciones apreciadas por la perito al tratarse de una persona mayor de edad, que el relato es «posiblemente creíble» existiendo además un cuadro ansioso depresivo y deterioro en el área social, personal y familiar compatible con dicho relato fáctico». STS 155/2016 de 29 Feb. 2016, Rec. 1506/2015. Ponente: Monterde Ferrer, Francisco. LA LEY 10059/2016.

Cuando sobre un punto controvertido se hubieren practicado diversas pruebas con resultado distinto, el Tribunal podrá fundar su fallo en la denominada apreciación conjunta de la prueba, sin quedar vinculado por ninguna de aquéllas en especial. Ahora bien, en ese caso, el Tribunal deberá razonar el resultado de la valoración conjunta de la prueba realizada valorar, ya que en caso contrario se producirá un vacío probatorio que vulnerará el derecho fundamental a la presunción de inocencia.

«... Este razonamiento de imputación pertenece, pues, a la garantía de la presunción de inocencia, a fin de que ésta no se destruya de modo arbitrario o irrazonable» (STC 41/1991, de 25 de febrero, F. 1 y 2). En otras palabras, es a los Jueces y Tribunales integrantes del Poder Judicial (art. 117.3 CE) «a quienes corresponde ponderar los distintos elementos de prueba válidamente obtenidos y debidamente aportados en el proceso, así como valorar su significado y trascendencia en orden a la fundamentación del fallo de sus Sentencias..., a cuyo fin, y por imperativo del citado derecho fundamental, han de exteriorizar razonadamente y de forma lógica los motivos que fundamentaron su convicción inculpatoria, más allá de toda duda razonable» (STC 129/1998, de 16 de junio, F. 4). STC 141/2001 de 18 de junio.

En definitiva, la libre apreciación de la prueba significa la libertad del Juzgador de instancia para valorarla, si bien no le permite prescindir de la misma ni de su necesaria motivación. Esta apreciación deberá recaer sobre una mínima actividad probatoria considerada de cargo, apoyada en la inmediación material del juzgador[104]. Cuando el hecho probado permita diversas interpretaciones es preciso fundamentar expresamente las razones por las que se condena por un delito con preferencia a otro posible, máxime cuando se elige el que comporta pena más gravosa para el acusado.

---

(104) Vid. SSTC 256/88, de 21 diciembre, 169/86, de 22 diciembre, 31/1981, de 28 julio, 229/88, de 1 diciembre.

«Una vez acreditada la existencia de tal probanza, su valoración es ya competencia del Tribunal sentenciador (STS 21-6-98), conforme al art. 741 de la LECr (LA LEY 1/1882), no correspondiendo al Tribunal de Casación revisar la valoración efectuada en la instancia en conciencia (STC 126/86 de 22 de octubre y 25/03, de 10 de febrero). Por tanto, desde la perspectiva constitucional, el principio de libre valoración de la prueba, recogido en el art. 741 LECr (LA LEY 1/1882), implica que los distintos medios de prueba han de ser apreciados básicamente por los órganos judiciales, a quienes compete la misión exclusiva de valorar su significado y trascendencia en orden a la fundamentación de los fallos contenidos en sus Sentencias». STS Sala Segunda, de lo Penal, Sentencia 485/2013 de 5 Jun. 2013, Rec. 1467/2012; Ponente: Monterde Ferrer, Francisco. LA LEY 64793/2013.

B) Prueba de cargo, indiciaria y de contraindicios o coartada[105]

La apreciación en conciencia de la prueba tiene lugar sobre la base de una actividad probatoria que pueda estimarse de cargo. Sólo la existencia de esta prueba de cargo servirá para desvirtuar la presunción de inocencia. Se considerará prueba directa o de cargo aquella en que los hechos probados acrediten racionalmente la culpabilidad del acusado[106].

«Las pruebas podrán ser directas cuando reflejan o acreditan los hechos en que se sustentan las pretensiones condenatorias o absolutorias .../... La valoración de las pruebas directas es potestad exclusiva del Juzgador, que éste ejerce libremente, según preceptúa el art. 741 de la LECrim, con la sola obligación de razonar el resultado de dicha valoración, conforme enseñan las STC 76/1990, 138/1992 y 102/1999». STS 21 de enero de 2002[107].

Ahora bien, no siempre es posible en los procesos penales disponer de prueba de cargo que relacione directamente al acusado con los hechos. Por ello, cuando la prueba no recae directamente sobre los hechos relevantes y decisivos para la condena del acusado, deberá acudirse a la prueba indirecta, indiciaria o circunstancial. Este tipo de prueba se dirige a mostrar la certeza de unos hechos (indicios) que no son los constitutivos del delito perseguido, pero de los que se puede inferir éstos,

---

(105) Vid. RODRÍGUEZ RAMOS, «La prueba de indicios. Comentarios a tres sentencias del Tribunal Constitucional», *La Ley*, 1986-2, pp. 1236-1239. Vid. RUIZ VADILLO, «Algunas breves consideraciones sobre los indicios, las presunciones y la motivación de las sentencias», *PJ*, 1986, n.° 3, pp. 75 y ss.; RODRÍGUEZ RAMOS, «La prueba de indicios. Comentarios a tres sentencias del TC», *La Ley*, 1986-2, pp. 1236 y ss.; SERRA DOMÍNGUEZ, «Indicios», en *Estudios de Derecho Procesal*, Barcelona, 1969, p. 722.

(106) «Sólo tienen la consideración de pruebas de cargo aquellas que son practicadas en el acto del juicio oral con las garantías de publicidad, oralidad, contradicción e inmediación, según una consolidada doctrina de este Tribunal que se inicia con la temprana STC 31/1981. La misma regla rige, por tanto, en materia de prueba testifical, donde —como hemos advertido en las SSTC 137/1988, 10/1992, 303/1993 y 64/1994— ... de contradicción viene expresamente requerida por el art. 6.3, d) del Convenio para la Protección de los Derechos Humanos y de las Libertades Fundamentales y por el art. 14.3, e) del Pacto Internacional de Derechos Civiles y Políticos. Ahora bien, dicha regla no tiene un alcance absoluto y permite ciertas excepciones, algunas de las cuales corresponde examinar en el presente caso STC 153/1997 de 29 de septiembre.

(107) Vid. SSTC 229/88, de 1 diciembre, 175/85, de 17 diciembre, 174/85, de 17 diciembre; 256/88, de 21 diciembre; 244/94, de 15 septiembre; 78/94, de 14 marzo; 206/94, de 11 julio; 133/95, de 25 septiembre.

así como la participación del acusado. Tal certeza se obtiene por medio de un razonamiento basado en el nexo causal y lógico, existente entre los hechos probados (indicios) y los que se pretende probar (constitutivos)[108].

«A falta de prueba directa, hemos dicho en SSTS 209/2014 de 20.3 (LA LEY 31562/2014) que, también la prueba indiciaria puede sustentar un pronunciamiento de condena sin menoscabo del derecho a la presunción de inocencia, siempre que: 1) El hecho o los hechos bases (o indicios) han de estar plenamente probados. 2) Los hechos constitutivos del delito o la participación del acusado en el mismo, deben deducirse precisamente de estos hechos bases completamente probados. 3) Para que se pueda comprobar la razonabilidad de la inferencia es preciso, en primer lugar, que el órgano judicial exteriorice los hechos que están acreditados, o indicios, y sobre todo que explique el razonamiento o engarce lógico entre los hechos base y los hechos consecuencia. 4) Y, finalmente, que este razonamiento esté asentado en las reglas del criterio humano o en las reglas de la experiencia común o, en palabras de la Sentencia del Tribunal Constitucional 169/1989, de 16 de octubre (LA LEY 2944/1989) (FJ. 2) "en una comprensión razonable de la realidad normalmente vivida y apreciada conforme a criterios colectivos vigentes" (SSTC 220/1998 (LA LEY 10641/1998), 124/2001 (LA LEY 6089/2001), 300/2005 (LA LEY 10538/2006), y 111/2008 (LA LEY 132322/2008)). El control de constitucionalidad de la racionalidad y solidez de la inferencia en que se sustenta la prueba indiciaria puede efectuarse tanto desde el canon de su lógica o coherencia (de modo que será irrazonable si los indicios acreditados descartan el hecho que se hace desprender de ellos o no llevan naturalmente a él), como desde su suficiencia o calidad concluyente (no siendo, pues, razonable la inferencia cuando sea excesivamente abierta, débil o imprecisa), si bien en este último caso se debe ser especialmente prudente, puesto que son los órganos judiciales quienes, en virtud del principio de inmediación, tienen un conocimiento cabal, completo y obtenido con todas las garantías del acervo probatorio. Por ello se afirma que sólo se considera vulnerado el derecho a la presunción de inocencia en este ámbito de enjuiciamiento cuando la inferencia sea ilógica o tan abierta que en su seno quepa tal pluralidad de conclusiones alternativas que ninguna de ellas pueda darse por probada». (STC 229/2003 de 18.12 (LA LEY 296/2004), FJ. 24)». STS 714/2016 de 26 Sep. 2016, Rec. 1951/2015; Ponente: Berdugo Gómez de la Torre, Juan Ramón. LA LEY 126702/2016.

---

(108) «Que la prueba indiciaria o circunstancial es susceptible de enervar la presunción de inocencia es un principio, definitivamente consolidado por la doctrina del Tribunal Constitucional que en multitud de precedentes se ha pronunciado al respecto, declarando desde las sentencias 174 y 175 ambas de 17.12.85 la aptitud de la prueba de indicios para contrarrestar la mencionada presunción, a la vista de la necesidad de evitar la impunidad de múltiples delitos, particularmente los cometidos con especial astucia, y la advertencia de que habría de observarse singular cuidado a fin de evitar que cualquier simple sospecha pudiera ser considerada como verdadera prueba de cargo. A partir de tal fecha con frecuencia se ha venido aplicando y estudiando por los Tribunales de Justicia esta clase de prueba que ha adquirido singular importancia en nuestro Derecho Procesal, porque, como es obvio, son muchos los casos en que no hay prueba directa sobre un determinado hecho, y ello obliga a acudir a la indirecta, circunstancial, o de inferencias, para a través de los hechos plenamente acreditados (indicios), llegar al conocimiento de la realidad de aquél necesitado de justificación, por medio de un juicio de inducción lógica conforme a las reglas que ofrece la experiencia sobre la base de la forma en que ordinariamente se desarrollan los acontecimientos SSTC 229/88 (LA LEY 2455/1988), 107/89 (LA LEY 122549-NS/0000), 384/93 (LA LEY 2463-TC/1994), 206/94, 45/97 (LA LEY 17192/1994))». STS Sala Segunda, de lo Penal, Sentencia 719/2016 de 27 Sep. 2016, Rec. 10063/2016; Ponente: Berdugo Gómez de la Torre, Juan Ramón. LA LEY 129022/2016.

En cuanto a los indicios el Tribunal Supremo los ha calificado según su eficacia probatoria distinguiendo entre: a) Indicios equiparables; b) Indicios orientativos; c) Indicios cualificados; e d) Indicios necesarios (STS Sala Segunda, de lo Penal, Sentencia 719/2016 de 27 Sep. 2016).

«a) Indicios equiparables, serían aquellos que además de a la hipótesis acusatoria pueden ser reconducibles a otra hipótesis con el mismo o parecido grado de probabilidad. Por ejemplo, en la pistola de la que partió el tiro que mató a una persona, aparecen huellas de dos individuos. El indicio de las huellas apunta indistintamente a estas dos personas como autor de la muerte. b) Indicios orientativos (o de la probabilidad prevalente). Son aquellos que conectan, además de con la hipótesis acusatoria, con otra hipótesis alternativa pero con un grado de probabilidad superior a favor de la primera. Por ejemplo, en el lugar del homicidio aparecen casquillos de bala de dos calibres distintos, lo que implica el uso de dos armas diferentes. Este indicio permite sustentar dos hipótesis: que participaron dos individuos en los disparos o que un único individuo utilizó sucesiva o al mismo tiempo dos armas. Si tomamos como máxima de experiencia el principio de economía del comportamiento humano («simplicidad» en la explicación y «adecuación» de medio a fin) no hay duda de que el empleo de dos armas a cargo de dos personas parece de más simple ejecución que lo supuesto en la hipótesis alternativa, aunque ésta no puede ser excluida de forma absoluta (pues bien pudo suceder que el atacante quisiera incrementar la eficacia de su acción empuñando dos armas). c) Indicios cualificados (o de alta probabilidad). Son aquellos que acrecientas sobremanera la probabilidad de la hipótesis acusatoria, no tanto por el indicio en si (por ejemplo una huella dactilar) sino fundamentalmente porque no se vislumbra ninguna hipótesis alternativa, y si los hechos hubieran ocurrido de otro modo, sólo el acusado estaría en condición de formular la contra hipótesis correspondiente. Por ejemplo, en un atraco a un Banco aparecen huellas del acusado en el interior de la caja fuerte, y éste nunca ha mantenido relación alguna con la entidad bancaria. No se ve qué hipótesis se puede manejar que no sea su participación en el hecho —salvo que el acusado ofrezca alguna explicación que confiera alguna verosimilitud—. d) Indicios necesarios son aquellos que en aplicación de leyes científicas o de constataciones sin excepción, excluyen la posibilidad de cualquier alternativa a la hipótesis acusatoria. No son los índicos más frecuentes, pero si los más seguros. Los ejemplos que suelen citarse son los relacionados con la comparación del ADN o con las huellas dactiloscópicas del acusado». STS Sala Segunda, de lo Penal, Sentencia 719/2016 de 27 Sep. 2016, Rec. 10063/2016; Ponente: Berdugo Gómez de la Torre, Juan Ramón. LA LEY 129022/2016.

La jurisprudencia del Tribunal Constitucional así como la del Tribunal Supremo han admitido la validez de la prueba indiciaria en el ámbito del proceso penal, precisando que el derecho a la presunción de inocencia no se opone a que la convicción judicial en un proceso penal pueda formarse sobre la base de una prueba indiciaria, si bien esta actividad probatoria debe reunir una serie de exigencias para ser considerada como prueba de cargo suficiente para desvirtuar tal presunción constitucional[109].

_____

(109) «A falta de prueba directa de cargo, también la prueba indiciaria puede sustentar un pronunciamiento condenatorio, sin menoscabo del derecho a la presunción de inocencia, siempre que: 1) el hecho o los hechos bases (o indicios) han de estar plenamente probados; 2) los hechos constitutivos del delito deben deducirse precisamente de estos hechos bases completamente pro-

«Tanto el TC. (Sª 174/85, 175/85, 160/88, 229/88, 111/90, 348/93, 62/94, 78/94, 244/94, 182/95) como esta misma Sala, han precisado que el derecho a la presunción de inocencia no se opone a que la convicción judicial en un proceso penal pueda formarse sobre la base de una prueba indiciaria, si bien esta actividad probatoria debe reunir una serie de exigencias para ser considerada como prueba de cargo suficiente para desvirtuar tal presunción constitucional. Se coincide en resaltar como requisitos que debe satisfacer la prueba indiciaria los siguientes: que los indicios, que han de ser plurales y de naturaleza inequívocamente acusatoria, estén absolutamente acreditados, que de ellos fluya de manera natural, conforme a la lógica de las reglas de la experiencia humana, las consecuencias de la participación del recurrente en el hecho delictivo del que fue acusado y que el órgano judicial ha de explicitar el razonamiento en virtud del cual, partiendo de esos indicios probados, ha llegado a la convicción de que el acusado realizó la conducta tipificada como delito. También ha declarado esta Sala en numerosas ocasiones (Cfr. STS 22-2-2012, n.º 90/2012 (LA LEY 16083/2012)), que la prueba indiciaria o de indicios tiene la misma eficacia incriminatoria que la prueba de cargo directa a efectos de enervar el derecho a la presunción de inocencia, si bien, cuando de la prueba circunstancial se trata, el Tribunal debe explicitar en la sentencia el proceso intelectual de su convicción, razonando cómo a partir de los datos indiciarios se llega al hecho consecuencia o juicio de inferencia que, en todo caso, debe excluir toda duda racional de una conclusión diferente que favorezca al acusado. Y que la prueba de cargo indiciaria y la ausencia de otras alternativas racionales a la conclusión obtenida por el juzgador, enervan la presunción de inocencia». STS 987/2016 de 11 Ene. 2017, Rec. 10359/2016. Ponente: Monterde Ferrer, Francisco. LA LEY 82/2017.

Estas exigencias son resumidas en la jurisprudencia constitucional constante en esta materia: 1) el hecho o los hechos bases (o indicios) han de estar plenamente probados; 2) los hechos constitutivos del delito deben deducirse precisamente de estos hechos bases completamente probados; 3) para que se pueda controlar la razonabilidad de la inferencia es preciso, en primer lugar, que el órgano judicial exteriorice los hechos que están acreditados, o indicios, y sobre todo que explique el razonamiento o engarce lógico entre los hechos base y los hechos consecuencia; 4) y, finalmente, que este razonamiento esté asentado en las reglas del criterio humano o en las reglas de la experiencia común o, en palabras de las STC 169/1989, de 16 de octubre (FJ 2), «en una comprensión razonable de la realidad normalmente vivida y apreciada conforme a los criterios colectivos vigentes[110].

---

bados; 3) se pueda controlar la razonabilidad de la inferencia, para lo que es preciso, en primer lugar, que el órgano judicial exteriorice los hechos que están acreditados, o indicios, y, sobre todo que explique el razonamiento o engarce lógico entre los hechos base y los hechos consecuencia; y, finalmente, que este razonamiento esté asentado en las reglas del criterio humano o en las reglas de la experiencia común o, en una comprensión razonable de la realidad normalmente vivida y apreciada conforme a los criterios colectivos vigentes». STC 128/2011, de 18 de julio (LA LEY 138164/2011).

(110) «Según venimos sosteniendo desde la STC 174/1985, de 17 de diciembre, a falta de prueba directa de cargo también la prueba indiciaria puede sustentar un pronunciamiento condenatorio, sin menoscabo del derecho a la presunción de inocencia, siempre que se cumplan los siguientes requisitos: 1) el hecho o los hechos bases (o indicios) han de estar plenamente probados; 2) los hechos constitutivos del delito deben deducirse precisamente de estos hechos bases completamente probados; 3) para que se pueda controlar la razonabilidad de la inferencia es preciso,

En virtud de esta doctrina jurisprudencial la fundamentación de una sentencia con base en prueba indiciaria deberá tener el siguiente contenido:

1º) En la sentencia se deben expresar los hechos base que sirven de fundamento a la inferencia y los indiciarios que se consideran acreditados. No puede tratarse de meras sospechas derivadas de prueba directa, ya que no cabe deducir un indicio a partir de otro.

«Este Tribunal tiene establecido que los criterios para distinguir entre pruebas indiciarias capaces de desvirtuar la presunción de inocencia y las simples sospechas se apoyan en que: a) la prueba indiciaria ha de partir de hechos plenamente probados; b) los hechos constitutivos de delito deben deducirse de esos indicios (hechos completamente probados) a través de un proceso mental razonado y acorde con las reglas del criterio humano, explicitado en la sentencia condenatoria. En realidad, estos requisitos son los mismos del concepto genérico de prueba de cargo pero consecuentes con las especificidades de la prueba indiciaria». ATC 214/1998 de 13 de octubre.

2º) Necesidad de conexión directa de los indicios con los hechos constitutivos del delito; y que la deducción que se efectúe sea lógica. A este efecto, en la sentencia se debe dar cuenta del razonamiento a través del cual, partiendo de los indicios, se ha llegado a la convicción sobre el acaecimiento del hecho punible y la participación en el mismo del acusado. Este razonamiento puede ser sucinto o escueto, pero resulta necesario para posibilitar el control casacional de la racionalidad de la inferencia[111].

«Tanto la jurisprudencia Constitucional como la del Tribunal Supremo ha fijado y actualizado los criterios a seguir en el proceso penal, más exigentes en general que en el civil, para aceptar las mismas a la hora de desvirtuar la presunción de inocencia,

---

en primer lugar, que el órgano judicial exteriorice los hechos que están acreditados, o indicios, y sobre todo que explique el razonamiento o engarce lógico entre los hechos base y los hechos consecuencia; 4) y, finalmente, que este razonamiento esté asentado en las reglas del criterio humano o en las reglas de la experiencia común o, en palabras de las STC 169/1989, de 16 de octubre (FJ 2), "en una comprensión razonable de la realidad normalmente vivida y apreciada conforme a los criterios colectivos vigentes" (SSTC 220/1998, de 16 de noviembre, FJ 4; 124/2001, de 4 de junio, FJ 12; 300/2005, de 21 de noviembre, FJ 3)». STC 111/2008, de 22 de septiembre.

(111) «... El engarce entre el hecho base y el hecho consecuencia ha de ser "coherente, lógico y racional, entendida la racionalidad, por supuesto, no como mero mecanismo o automatismo, sino como comprensión razonable de la realidad normalmente vivida y apreciada conforme a los criterios colectivos vigentes" ... los hechos constitutivos de delito deben deducirse de esos indicios (hechos completamente probados) a través de un proceso mental razonado y acorde con las reglas del criterio humano, explicitado en la sentencia condenatoria .../... el control de la solidez de la inferencia, sobre todo cuando se lleva a cabo no desde el canon de su lógica o coherencia sino desde la suficiencia o grado de debilidad o apertura, debe ser extraordinariamente cauteloso en esta sede, pues, son los órganos judiciales los únicos que tienen un conocimiento preciso y completo, y adquirido con suficientes garantías, del devenir y del contenido de la actividad probatoria; contenido que incluye factores derivados de la inmediación que son difícilmente explicitables y, por ello, difícilmente accesibles a este Tribunal. El "mayor subjetivismo" de la prueba indiciaria (STC 256/1988) hace así tanto que este Tribunal deba ser particularmente riguroso en cuanto a la exigencia de una motivación suficiente, como que deba ser especialmente prudente en cuanto al enjuiciamiento de la suficiencia del resultado de la valoración. (STC 24/1997, fundamento jurídico 2.º)». STC 220/1998 de 16 de noviembre.

estableciendo las tres condiciones básicas para ello: la afirmación del hecho básico o cierto mediante los medios de prueba admisibles, no admitiéndose mayoritariamente las presunciones, aunque no hay norma que lo impida, en el proceso penal, que pueden ser plurales o único, según el caso concreto, es decir, el hecho demostrado; el que se trate de deducir o hecho presunto, que debe ser distinto de los primeros; y el enlace preciso y directo según las reglas del criterio humano entre ambos que debe plasmar el Tribunal mediante el adecuado razonamiento en la sentencia, explicando su conexión o congruencia, pues los hechos en la realidad extraprocesal no se presentan aislados sino relacionados entre sí, conforme a las reglas de la lógica o de la sana crítica, las máximas de experiencia común, pues la técnica debe ser aportada por el medio pericial, y los conocimientos científicos notorios, estando todo ello sujeto desde luego al control casacional cuando se denuncia la vulneración del derecho fundamental a la presunción de inocencia». STS 881/2016 de 23 Nov. 2016, Rec. 2301/2015; Ponente: Saavedra Ruiz, Juan. LA LEY 171424/2016.

A ese fin resulta necesaria la racionalidad y solidez de la inferencia en que se sustenta la prueba indiciaria. Tanto desde el punto de vista de su lógica como de su suficiencia determinada por la valoración de los indicios. En este punto el TC considera que debe ser especialmente prudente ya que:

«Son los órganos judiciales quienes, en virtud del principio de inmediación, tienen un conocimiento cabal, completo y obtenido con todas las garantías del acervo probatorio. Por ello se afirma que sólo se considera vulnerado el derecho a la presunción de inocencia en este ámbito de enjuiciamiento "cuando la inferencia sea ilógica o tan abierta que en su seno quepa tal pluralidad de conclusiones alternativas que ninguna de ellas pueda darse por probada" (STC 229/2003, de 18 de diciembre, FJ 24)». STC 111/2008, de 22 de septiembre.

3º) Necesidad de que no se trate de un hecho indiciario aislado sino de una pluralidad de estos hechos o sucesos de carácter periférico, que: a) estén plenamente acreditados; b) sean plurales, o excepcionalmente único pero de una singular potencia acreditativa; c) sean concomitantes al hecho que se trata de probar; d) estén interrelacionados, cuando sean varios, de modo que se refuercen entre sí.

«Esta Sala casacional ha generado una amplia jurisprudencia al respecto —por todas STS 286/2016 de 7.4 (LA LEY 24088/2016) y 615/2016 de 8.7 (LA LEY 79241/2016)— según la cual la realidad del hecho y la participación en el mismo del acusado, puede ser establecida por la fórmula de indicios, siempre que concurran una serie de requisitos: a) Pluralidad de los hechos-base o indicios. Como se ha señalado la propia naturaleza periférica del hecho-base hace carecer de perseidad para fundar la convicción judicial, conforme a la norma contenida en el art. 741 LECrim (LA LEY 1/1882) la existencia de un hecho único o aislado de tal carácter, admitir lo contrario sería un inadmisible retroceso dentro del estado de Derecho e incidiría en el área vedada por el art. 9.3 CE (LA LEY 2500/1978), salvo cuando por su especial significación así proceda (STS 20.1.97). En este sentido se resalta por la doctrina que conforme al criterio clasificatorio expuesto anteriormente en el caso de indicio necesario, este contará con eficacia probatoria autonomía y suficiente, es decir bastará por sí solo, y en muchos casos también el indicio "cualificado". b) Precisión de que tales hechos-base estén acreditados por prueba de carácter directo y ello para evitar los riesgos inherentes que resultarían de admitirse una concatenación de indicios, con la suma de deducciones resultantes que aumentaría los riesgos en la valoración.

c) Necesidad de que sean periféricos respecto al dato fáctico a probar. No todo hecho puede ser relevante, así resulta preciso que sea periférico o concomitante con el dato fáctico a probar. No en balde, por ello, esta prueba indirecta ha sido tradicionalmente denominada como circunstancial, pues el propio sentido semántico, como derivado de "circum" y "stare" implica "estar alrededor" y esto supone no ser la cosa misma, pero si estar relacionado con proximidad a ella. d) Interrelación. Derivadamente, esta misma naturaleza periférica exige que los datos estén no solo relacionados con el hecho nuclear precisado de prueba, sino también interrelacionados; es decir, como notas de un mismo sistema en el que cada una de ellas represente sobre las restantes en tanto en cuanto formen parte de él. La fuerza de convicción de esta prueba dimana no sólo de la adición o suma, sino también de esta imbricación». STS Sala Segunda, de lo Penal, Sentencia 719/2016 de 27 Sep. 2016, Rec. 10063/2016; Ponente: Berdugo Gómez de la Torre, Juan Ramón. LA LEY 129022/2016.

4°) Necesidad de que con estos hechos indiciarios probados se llegue, por el Tribunal, por medio de un proceso mental razonado y acorde con las reglas del criterio racional humano, a considerar probados los hechos constitutivos del delito. En consecuencia, se precisa que inducción o inferencia sea razonable[112]. Es decir, que no solamente no sea arbitraria, absurda o infundada, sino que responda plenamente a las reglas de la lógica y de la experiencia, de manera que de los hechos base acreditados fluya, como conclusión natural, el dato precisado de acreditar, existiendo entre ambos un «enlace preciso y directo según las reglas del criterio humano» (art. 1253 del CC)[113].

«El Tribunal ha escoger, entre todas las hipótesis ofrecidas, aquella que es más aceptable, que puede presentarse como descripción verdadera de los hechos acaecidos. En definitiva, esta selección de una entre las distintas hipótesis ofrecidas a la consideración del Tribunal implica como presupuesto el desarrollo de toda una actividad probatoria que habrá ofrecido respecto de cada una de esas alternativas hipotéticas, elementos de verificación o elementos de exclusión. Dicho esto, conforme a un modelo racional de valoración probatoria, la lógica de la selección o, lo que es

---

(112) «Conviene insistir en que la validez de unos indicios y la prevalencia de la inferencia obtenida de ellos, no puede hacerse depender de que no existan indicios que actúen en dirección contraria. En términos generales, la suficiencia de unos indicios no exige como presupuesto la exclusión total y absoluta de la hipótesis contraria. La concordancia de las inferencias puede no ser necesaria. Incluso si uno o varios juicios de inferencia son suficientes por sí solos para justificar las hipótesis sobre el hecho, mientras que otras presunciones se refieren a hipótesis distintas pero les atribuyen grados débiles o insuficientes de confirmación, es siempre posible una elección racional a favor de la hipótesis que goza de una probabilidad lógica prevalente, aunque exista la posibilidad de otras inferencias presuntivas, incapaces por sí solas de cuestionar la validez probatoria de aquella que permite, más allá de cualquier duda razonable, respaldar la que se impone como dominante». STS 714/2016 de 26 Sep. 2016, Rec. 1951/2015; Ponente: Berdugo Gómez de la Torre, Juan Ramón. LA LEY 126702/2016.
(113) «e) Racionalidad de la inferencia. Esta mal llamada prueba de presunciones no es un medio de prueba, sino una forma de valoración de los hechos indirectos plenamente acreditados. Por ello, entre éstos y el dato precisado de acreditar ha de existir, conforme a lo requerido por el art. 1253 Cc (LA LEY 1/1889) "un enlace preciso y directo según las reglas del criterio humano", enlace que consiste en que los hechos-base o indicios no permitan otras inferencias contrarias igualmente válidas epistemológicamente». STS Sala Segunda, de lo Penal, Sentencia 719/2016 de 27 Sep. 2016, Rec. 10063/2016; Ponente: Berdugo Gómez de la Torre, Juan Ramón. LA LEY 129022/2016.

lo mismo, la determinación racional de la hipótesis más aceptable, forma parte de las exigencias de un sistema valorativo acomodado a las exigencias del canon constitucional impuesto por el art. 24.1 de la CE (LA LEY 2500/1978)». STS 987/2016 de 11 Ene. 2017, Rec. 10359/2016. Ponente: Monterde Ferrer, Francisco. LA LEY 82/2017.

En el supuesto de que conduzcan, en hipótesis, a distintas conclusiones, deberá el Tribunal razonar la elección de la que estime pertinente.

«Las inferencias deben ser descartadas cuando sean dudosas, vagas, contradictorias o tan débiles que no permitan la proclamación del hecho a probar. Sin embargo, es perfectamente posible que la prueba se obtenga cuando las inferencias formuladas sean lo suficientemente seguras e intensas como para reducir el margen de error y de inaceptabilidad del razonamiento presuntivo. Y la seguridad de una inferencia, su precisión, se produce cuando aquélla genera la conclusión más probable sobre el hecho a probar. En el fondo, esta idea no es ajena a una probabilidad estadística que se presenta como la probabilidad prevaleciente. En suma, resultará probada la hipótesis sobre el hecho que se fundamente sobre diversas inferencias presuntivas convergentes cuando esa hipótesis éste dotada de un grado de confirmación prevaleciente respecto de otras hipótesis a las que se refieren otras inferencias presuntivas, mucho más débiles y por tanto incapaces de alterar la firmeza de aquella que se proclama como predominante». STS Sala Segunda, de lo Penal, Sentencia 719/2016 de 27 Sep. 2016, Rec. 10063/2016; Ponente: Berdugo Gómez de la Torre, Juan Ramón. LA LEY 129022/2016.

En todo caso, el razonamiento jurídico del Tribunal deberá constar en la motivación de la sentencia[114].

«f) Expresión en la motivación del cómo se llegó a la inferencia en la instancia. Pues solo cuando se contienen en la motivación de la sentencia exigida por el art. 120.3 CE (LA LEY 2500/1978) los grandes hitos del razonamiento cabe el control extraordinario representado por el recurso de casación ante este Tribunal Supremo o en su caso, por el de amparo ante el Tribunal Constitucional y determinar si la inferencia ha sido de manera patente irracional, ilógica o arbitraria; pues de no mostrarse tal ilogicidad no cabe alterar la convicción del Tribunal de instancia formada con arreglo a la normativa contenida en los citados artículos 117.3 CE (LA LEY 2500/1978) y 741 LECrim (LA LEY 1/1882). (SSTS 24.5 y 23.9.96 y 16.2.99) En relación con estas exigencias debe destacarse la importancia de los dos últimos requisitos señalados, que la doctrina de esta Sala ha insistido en resaltar y, en particular el de la explícita motivación jurídica de la inferencia deducida, especialmente exigible cuando se trata de esa clase de pruebas indirectas, a diferencia de los supuestos en los que el fundamento de convicción del Tribunal se sustenta en pruebas directas, en las que es suficiente la indicación de éstas sin que sea preciso, en principio, un especial razonamiento, como por el contrario, es necesario cuando las pruebas indiciarias se trata (STS 25.4.96). En este sentido, debe recordarse que el ejercicio de la potestad jurisdiccional está subordinado al cumplimiento y observancia de las formalidades legales, entre las que destaca, incluso con rango constitucional (art. 120.3 CE (LA LEY

---

(114) Este criterio racional nunca puede confundirse con un subjetivismo indiscriminado, sino que consistirá en la aplicación a lo actuado de las reglas de la lógica y la experiencia, no hallándose tan lejos de la valoración que el juez de cualquier orden jurisdiccional debe hacer. Véase, GÓMEZ ORBANEJA-HERCE QUEMADA, *Derecho Procesal Penal*, Madrid, 1981, pp. 274 y ss.; PERELMAN, *La lógica jurídica y la nueva retórica*, Madrid, 1979, pp. 179 y ss.

2500/1978)), la obligación de motivar las resoluciones judiciales, de tal suerte que el juicio valorativo de los hechos indiciarios a partir de los cuales se llega al hecho-consecuencia, cabe según un proceso lógico y explicitado en la sentencia que permita al acusado conocer el razonamiento del Juzgador y al Órgano jurisdiccional superior verificar la racionalidad del juicio de inferencia, es decir, que la conclusión inferida de los indicios probados responde a las reglas de la lógica y de la razón y no permite otra inferencia igualmente razonable deducida de los mismos datos indiciarios». STS Sala Segunda, de lo Penal, Sentencia 719/2016 de 27 Sep. 2016, Rec. 10063/2016; Ponente: Berdugo Gómez de la Torre, Juan Ramón. LA LEY 129022/2016.

Teniendo en cuenta que la validez y acogimiento de unos indicios para fundar una condena no dependen de que no existan indicios en sentido contrario, sino de la propia validez y eficacia de los indicios que permiten más allá de cualquier duda razonable dictar una sentencia condenatoria.

«La validez de unos indicios y la prevalencia de la inferencia obtenida con ellos, no puede hacerse depender de que no existan indicios que actúen en dirección contraria. En términos generales, la suficiencia de unos indicios no exige como presupuesto la exclusión total y absoluta de la hipótesis contraria. La concordancia de las inferencias puede no ser necesaria. Incluso si uno o varios juicios de inferencia son suficientes por sí solos para justificar las hipótesis sobre el hecho, mientras que otras presunciones se refieren a hipótesis distintas pero les atribuyen grados débiles o insuficientes de confirmación, es siempre posible una elección racional a favor de la hipótesis que goza de una probabilidad lógica prevalente, aunque exista la posibilidad de otras inferencias presuntivas, incapaces por sí solas de cuestionar la validez probatoria de aquella que permite, más allá de cualquier duda razonable, respaldar la que se impone como dominante (cfr. SSTS 28/2011, 26 de enero (LA LEY 1573/2011); 151/2010, 22 de febrero (LA LEY 4026/2010); 314/2010, 7 de abril (LA LEY 34225/2010) y 548/2009, 1 de junio (LA LEY 92522/2009))». STS 987/2016 de 11 Ene. 2017, Rec. 10359/2016. Ponente: Monterde Ferrer, Francisco. LA LEY 82/2017.

El control casacional de prueba indiciaria persigue la garantía de la efectividad de la interdicción de arbitrariedad, y se integra por la verificación de que se expresen los indicios o hechos-base acreditados, y a constatar la existencia de un razonamiento que partiendo de los indicios, llegue a la conclusión o hecho-consecuencia que se quiere acreditar[115]. Teniendo en cuenta que lo que debe examinar el TS es que la conclusión

___

(115) «Las sentencias del Tribunal Constitucional 189/1998 (LA LEY 9333/1998) y 204/2007 (LA LEY 154001/2007), partiendo en que además de los supuestos de inferencias ilógicas o inconsecuentes, deben considerarse asimismo insuficientes las inferencias no concluyentes, incapaces también de convencer objetivamente de la razonabilidad de la plena convicción judicial, ha señalado que un mayor riesgo de una debilidad de este tipo en el razonamiento judicial se produce en el ámbito de la denominada prueba de indicios que es la caracterizada por el hecho de que su objeto no es directamente el objeto final de la prueba, sino otro intermedio que permite llegar a éste a través de una regla de experiencia fundada en que usualmente la realización del hecho base comporta la de la consecuencia. En el análisis de la razonabilidad de esa regla que relaciona los indicios y el hecho probados hemos de precisar ahora que solo podemos considerarla insuficiente desde las exigencias del derecho a la presunción de inocencia, si a la vista de la motivación judicial de la valoración del conjunto de la prueba, cabe apreciar de un modo indubitado o desde una perspectiva externa y objetiva que la versión judicial de los hechos es más improbable que probable. En tales casos... no cabrá estimar como razonable bien que el órgano judicial actuó con una convicción suficiente ("más allá de toda duda razonable"), bien la convicción en sí (SSTC 145/2003

sea lógica, aunque quepan otras, ya que en otro caso se entraría en la valoración de la prueba, convirtiendo el control constitucional, en una tercera instancia (véanse en este sentido SSTC 124/2001 de 4 de junio de 2001; 68/2001 de 17 de marzo).

«El control de constitucionalidad de la racionalidad y solidez de la inferencia en que se sustenta la prueba indiciaria puede efectuarse tanto desde el canon de su lógica o cohesión (de modo que será irrazonable si los indicios acreditados descartan el hecho que se hace desprender de ellos o no llevan naturalmente a él), como desde su suficiencia o calidad concluyente (no siendo, pues, razonable la inferencia cuando sea excesivamente abierta, débil o imprecisa), siendo los órganos judiciales quienes, en virtud del principio de inmediación, tienen un conocimiento cabal, completo y obtenido con todas las garantías del acervo probatorio. Por ello se afirma que sólo se considera vulnerado el derecho a la presunción de inocencia en este ámbito de enjuiciamiento "cuando la inferencia sea ilógica o tan abierta que en su seno quepa tal pluralidad de conclusiones alternativas que ninguna de ellas pueda darse por probada" (STC 229/2003, de 18 de diciembre (LA LEY 296/2004), F. 24)». STS 987/2016 de 11 Ene. 2017, Rec. 10359/2016. Ponente: Monterde Ferrer, Francisco. LA LEY 82/2017

Por último, conviene señalar que la jurisprudencia ha aceptado también como elemento de prueba indirecta la denominada prueba de contraindicios (coartada); que permitirá la exculpación del acusado siempre que los hechos acreditados en que se fundamenta la coartada sean incompatibles con los hechos que fundamentan la acusación. Ahora bien, de ningún modo cabe entender que el acusado deba contrarrestar necesariamente la prueba de la acusación. Como bien dice el Tribunal Supremo: «*No hay más prueba de cargo porque sea menor el crédito de la de descargo. Pero esta última cuando no es creíble mantiene íntegra la eficacia demostrativa de aquélla en cuanto que su valor probatorio como prueba de cargo no se ve contradicha eficazmente, en tal caso, por otra prueba de signo y resultado opuesto*». (SSTS 719/2016 de 27 Sep. 2016, LA LEY 129022/2016; 97/2009 de 9 febrero, LA LEY 3349/2009; 309/20009 de 17 marzo; y 1140/2009 de 23 de octubre, LA LEY 233138/2009)[(116)].

«En SSTS 573/2010 (LA LEY 110047/2010) de 2.10, 615/2016 de 8.7 (LA LEY 79241/2016), hemos recordado que con respecto a la cuestión de los contraindicios

---

(LA LEY 12822/2003) de 6.6, 70/2007 de 16.4 (LA LEY 14412/2007))». STS Sala Segunda, de lo Penal, Sentencia 719/2016 de 27 Sep. 2016, Rec. 10063/2016; Ponente: Berdugo Gómez de la Torre, Juan Ramón. LA LEY 129022/2016.

(116) «En efecto se debe insistir en que la valoración de la manifiesta inverosimilitud de las manifestaciones exculpatorias del acusado, no implica invertir la carga de la prueba, cuando existen otros indicios relevantes de cargos. Se trata únicamente de constatar que existiendo prueba directa de los elementos objetivos del tipo delictivo y una prueba indiciaria constitucionalmente válida, suficiente y convincente, acerca de la participación en el hecho del acusado, a dicha prueba no se le contrapone una explicación racional y mínimamente verosímil, sino por el contrario las manifestaciones del acusado, que en total ausencia de explicación alternativa plausible, refuerzan la convicción, ya racionalmente deducida de la prueba practicada (STS 29.10.2001). Convicción que en el caso concreto el tribunal considera reforzada por las propias manifestaciones, pretendidamente exculpatorias, del acusado en el trámite de la última palabra que son recogidas de forma extensa en la sentencia recurrida». STS Sala Segunda, de lo Penal, Sentencia 719/2016 de 27 Sep. 2016, Rec. 10063/2016; Ponente: Berdugo Gómez de la Torre, Juan Ramón. LA LEY 129022/2016.

el TC n.º 24/97 de 11-12, ha precisado que la versión que de los hechos ofrece el acusado constituye un dato que el Juzgado ha de tener en cuenta, pero ni aquél tiene que demostrar su inocencia, ni el hecho de que su versión de lo ocurrido no resulta convincente o resulta contradicha por la prueba, debe servir para considerarlo culpable, pero su versión constituye un dato que el Juzgador deberá aceptar o rechazar razonadamente (STC 221/88 (LA LEY 2387/1988) y 174/85 (LA LEY 520-TC/1986))». STS Sala Segunda, de lo Penal, Sentencia 719/2016 de 27 Sep. 2016, Rec. 10063/2016; Ponente: Berdugo Gómez de la Torre, Juan Ramón. LA LEY 129022/2016.

Por otra parte, ninguna repercusión jurídica formal tiene la coartada poco convincente o incluso falsa, ya que como se decía en el párrafo anterior la carga de la prueba recae en la acusación. Ahora bien, no cabe duda que esta será una circunstancia negativa de la práctica de la prueba que podrá ser valorada por el Tribunal en contra del acusado. Sin que ello suponga, naturalmente, una presunción determinante contra el reo, ya que sería anticonstitucional.

«b) Los denominados contraindicios —como, vgr., las coartadas poco convincentes—, no deben servir para considerar al acusado culpable (SSTC 229/1998 (LA LEY 10986/1998) y 24/19997), aunque si pueden ser idóneos para corroborar la convicción de culpabilidad alcanzada con apoyo en prueba directa o indiciaria, que se sumen a la falsedad o falta de credibilidad de las explicaciones dadas por el acusado (v.dr. SSTC 76/1990 (LA LEY 58461-JF/0000) y 220/1998 (LA LEY 10641/1998)). c) La coartada o excusa ofrecida por el acusado no tiene que ser forzosamente desvirtuada por la acusación, ya que la presunción de inocencia exige partir de la inocencia del acusado respecto de los hechos delictivos que se le imputan, pero en absoluto obliga a dar por sentada la veracidad de sus afirmaciones (v.gr. SSTC 197/1995 (LA LEY 741/1996), 36/1996 (LA LEY 3947/1996) y 49/19998, y ATC 110/19990). En otras palabras: la carga de la prueba de los hechos exculpatorios recae sobre la defensa». STS Sala Segunda, de lo Penal, Sentencia 719/2016 de 27 Sep. 2016, Rec. 10063/2016; Ponente: Berdugo Gómez de la Torre, Juan Ramón. LA LEY 129022/2016.

3.3. La prueba ilícitamente obtenida[(117)]

El tratamiento judicial de la prueba obtenida ilegítimamente se relaciona con la concepción que en cada sistema jurídico se tenga de la relación existente entre el

---

(117) Vid. MIRANDA ESTRAMPES M., *El concepto de prueba ilícita y su tratamiento en el proceso penal*, Barcelona, 1999; TORRES MORATO M.A., DE URBANO CASTRILLO E., *La prueba ilícita penal*, Pamplona 1997; ARMENTA DEU M.T., *La prueba ilícita: un estudio comparado*, Madrid 2011 (2 ed.); RODRÍGUEZ LAINZ J.L., *La confesión del imputado derivada de prueba ilícitamente obtenida: Perspectiva jurisprudencial*, Barcelona 2005; PLANCHADELL GARGALLO A.; GÓMEZ COLOMER J.L., *La prueba prohibida: evolución jurisprudencial (comentario a las sentencias que marcan el camino)*, Pamplona 2014; DÍAZ CABIALE J.A., MARTÍN MORALES R., *La garantía constitucional de la inadmisión de la prueba ilícitamente obtenida*, Madrid 2001; MARTÍNEZ GARCÍA E., *Eficacia de la prueba ilícita en el proceso penal: (a la luz de la STC 81/98, de 2 de abril)* Valencia, 2003; MARTÍN PALLÍN, «Valor de las pruebas irregularmente obtenidas en el proceso penal», *PJ*, n.º especial VI, 1986, p. 119; FERNÁNDEZ ENTRALGO, «Prueba ilegítimamente obtenida», *La Ley*, 1990-1, p. 1180; GIMÉNEZ PERICAS, «Sobre la prueba ilícitamente obtenida», *Cuadernos de Derecho Judicial*, CGPJ, Madrid, 1992; PAZ RUBIO, «Prueba ilícita», en *Cuadernos*, cit.; CLIMENT, «Sobre la prueba prohibida: invalidez de la prueba lícitamente realizada sobre una anterior ilícitamente obtenida», *RGD*, 1991, p. 2547.

fin último del proceso penal que es el de la defensa del sistema jurídico-social y la defensa y protección que se establezca respecto de los derechos fundamentales de la persona. Así cabría establecer un sistema procesal en el que la admisibilidad y posterior valoración de la prueba en juicio quedaría determinada por su relevancia para la resolución del asunto sometido a juicio. Siendo así la prueba sería admisible sin importar cómo se pudiera haber obtenido siempre que otorgase certeza para resolver el asunto objeto de enjuiciamiento. Sin embargo, los sistemas procesales de garantías se fundamentan en la necesidad de observar determinados límites en orden a la obtención de la prueba con el fin de evitar que se vulneren los derechos y garantías del acusado en la actividad de investigación y adquisición de las pruebas. Según este último criterio, proveniente del ámbito de los países del *«common law»*, deben prevalecer los derechos fundamentales sobre la obtención de la verdad y, en consecuencia, deben inadmitirse aquellas pruebas obtenidas con violación de los derechos fundamentales. De otro modo se afectaría el completo sistema de garantías y, concretamente, el derecho del presunto inocente a no ser condenado sino es en virtud de prueba válidamente obtenida. Véase también el § 1.5 C de este mismo Capítulo con relación a la nulidad de las pruebas obtenidas mediante diligencias de investigación electrónica y el § 3.1.E.d. del Cap. VII respecto a los supuestos de nulidad de la entrada y registro.

En la actualidad, en nuestro entorno jurídico, se asume que la actividad dirigida al esclarecimiento de la verdad no puede desarrollarse sin sujeción a límite alguno, porque ello sería tanto como legitimar actividades de investigación que puedan atentar contra derechos y garantías reconocidos en las Constituciones y leyes vigentes en los países democráticos. Por ello, tanto los medios de investigación como la práctica de las pruebas están sujetos a limitaciones. Esto es así porque se parte de la base de que la búsqueda de la verdad material no tiene un valor tan absoluto que deba sobreponerse, incluso, a la efectividad de los derechos y libertades fundamentales[118].

> «... *no hay principio alguno en nuestro ordenamiento procesal penal que imponga la investigación de la verdad a cualquier precio. De ahí la literalidad del art. 11 LOPJ (LA LEY 1694/1985) ("no surtirán efecto") que supone que la infracción del citado precepto comporta la ineficacia jurídica por nulidad absoluta, de las actua-*

---

(118)   Las últimas tesis en esta materia, particularmente las provenientes del Derecho alemán, son muy garantistas. En este sentido consideran que el objetivo del proceso penal propio de un Estado de Derecho es proceder contra el inculpado sólo de forma respetuosa con su dignidad humana por lo que la Ley tiene que establecer normas que limiten la extensión de la obligación de investigar lo realmente ocurrido. A este fin se establecen dos niveles de protección. En el primero, de protección de los derechos individuales, su vulneración comporta la total imposibilidad de aprovechar el material probatorio obtenido (declaraciones obtenidas mediante malos tratos, administración de fármacos, hipnosis, etc.). En el segundo, según la teoría del «entorno jurídico», hay que considerar si la violación de la prohibición probatoria afecta esencialmente al entorno jurídico del inculpado o si esa violación ha sido para él algo secundario o sin importancia. El Tribunal Federal alemán ha tenido ocasión de pronunciarse en este punto, declarando que las grabaciones magnetofónicas que afecten a la esfera íntima, y las anotaciones en diarios íntimos no pueden utilizarse como medios de prueba en el proceso penal, ni directa ni indirectamente por medio de testigos que puedan haber llegado a tener conocimiento de su contenido. Vid. las sentencias del BGH de 14 junio 1960 (BGHST., t. 14, pp. 358 y ss.) y de 21 febrero 1964 (BGHST., t. 19, pp. 325 y ss.), citadas por GÓMEZ COLOMER en *Introducción al proceso penal alemán*, pp. 137 y ss.

ciones procesales, resoluciones judiciales incluidas que tengan su fundamento en la prueba ilícita. Precepto que indudablemente entre en juego cuando la ilicitud se haya cometido en el momento de obtención de la fuente probatoria…». STS 553/2015 de 6 Oct. 2015, Rec. 456/2015; Ponente: Berdugo Gómez de la Torre, Juan Ramón. LA LEY 136682/2015.

En España la doctrina de prohibición de la prueba ilícita apareció tratada por primera vez en la STC 114/84, de 29 noviembre. Posteriormente, el art. 11.1 LOPJ reguló esta cuestión estableciendo que: *«No surtirán efecto las pruebas obtenidas, directa o indirectamente, violentando los derechos o libertades fundamentales»*. Con base en este precepto son inadmisibles y no deben ser valoradas las pruebas obtenidas ilícitamente. Ahora bien, a pesar de la taxatividad de la norma no hay ninguna duda de que en la práctica forense se dan múltiples supuestos en los que la infracción de la norma o bien no es de entidad o bien existe alguna clase de justificación o de excusa que, como mínimo, requiere que el juzgador valore la afectación de la ilicitud mediante un juicio de relevancia. Además, debe distinguirse según la prueba que se cuestiona esté conectada directamente, o no, con la prueba obtenida ilícitamente. En su virtud, podemos distinguir entre tres supuestos: En primer lugar, la prueba irregular. En segundo lugar, la prueba ilícita y, finalmente, debemos tratar el alcance de la prueba ilícita y sus efectos sobre otras pruebas relacionadas con aquélla.

La prueba irregular es aquella en cuya obtención o práctica se han infringido preceptos de legalidad ordinaria procesal. En ese caso corresponde al tribunal que conozca del asunto la determinación del alcance de la ilicitud. En este ámbito entran numerosos supuestos en los que existiendo una autorización válida para proceder (una orden judicial) se infrinja una norma de carácter procesal o una regla jurisprudencial. En este caso, la prueba puede tener valor probatorio limitado a aquello no afectado de por la irregularidad.

> «… En ésta (entrada y registro), por medio de la LECrim. (art. 569) no en la Constitución, se exige la presencia del Secretario Judicial para tal diligencia probatoria. Por ello, su ausencia no afecta a la inviolabilidad del domicilio, para entrar en el cual basta la orden judicial (SSTC 290/94 y 309/94; AATC 349/88, 184/93 y 223/93), ni tampoco a la efectividad de la tutela judicial en sus diferentes facetas (SSTC 349/88 y 184/93). En definitiva, el incumplimiento de la norma procesal donde se impone ese requisito no trasciende al plano de la validez y eficacia de los medios de prueba. No se trata, en este caso, de pruebas obtenidas con violación de derechos fundamentales y, por ello, rechazables de plano (STC 114/84), sino de una prueba irregular, cuya validez ha de ser enjuiciada en su sede propia, la judicial…». (STC 133/95, de 25 septiembre).

La prueba ilícita será aquélla obtenida con infracción de derechos fundamentales. Las pruebas así obtenidas no podrán ser admitidas ni valoradas en el proceso jurisdiccional porque en ese caso, además de la lesión del derecho fundamental específico (comunicaciones, intimidad, etc.), se producirá una vulneración del derecho a un proceso con todas las garantías.

> «La interdicción de la admisión de la prueba prohibida por vulneración de derechos fundamentales deriva directamente de la Constitución, por la colisión que ello entrañaría con el derecho a un proceso con todas las garantías y a la igualdad de las

partes (arts. 24.2 y 14 CE), y se basa, asimismo, en la posición preferente de los derechos fundamentales en el ordenamiento y de su afirmada condición de inviolables (art. 10.1 CE)». STC 50/2000 de 28 de febrero.

La casuística en esta materia es amplia, aunque los supuestos más frecuentes de prueba ilícita se relacionan con la práctica incorrecta de determinados medios de investigación como son los registros domiciliarios y/o intervenciones telefónicas[119] sin autorización judicial o declaraciones o confesiones obtenidas bajo coacción. En estos casos resultarán afectados el derecho a la intimidad personal y/o domiciliaria, el derecho a las comunicaciones o el derecho a no declarar y no confesarse culpable (véase sobre la práctica y requisitos de estos medios de investigación § 3 Cap. VII)[120]. También puede determinar la ilicitud de una prueba su obtención infringiendo el derecho a la intimidad incluyendo aquí la protección del espacio relativo al trabajo o la profesión, en el que se desarrollan relaciones interpersonales, vínculos o actuaciones que pueden constituir manifestación de la vida privada[121]. El ámbito de intimidad que debe ser respetado será aquél el que el ciudadano tiene una expectativa razonable de hallarse a resguardo de la observación ajena: su domicilio, su vehículo, parajes aislados. Lugares en los que el individuo expresa libremente su propia intimidad personal en la seguridad de que nadie puede tener acceder a la misma.

«Un criterio a tener en cuenta para determinar cuándo nos encontramos ante manifestaciones de la vida privada protegible frente a intromisiones ilegítimas es el de las expectativas razonables que la propia persona, o cualquier otra en su lugar en esa circunstancia, podría tener de encontrarse al resguardo de la observación o del escrutinio ajeno. Así por ejemplo cuando se encuentra en un paraje inaccesible o en un lugar solitario debido a la hora del día, puede conducirse con plena esponta-

---

(119) «... En el presente caso, del razonamiento de los órganos judiciales, tanto en la Sentencia condenatoria impugnada, como en la que la confirma en apelación, se desprende con claridad meridiana que el fundamento de la condena del ahora demandante de amparo reside en el contenido de las escuchas, ratificado en el acto del juicio por los funcionarios del Servicio de Vigilancia Aduanera (única testifical practicada en el acto del juicio), unido a la pericial de voz que permite identificar al Sr. M., que son las que permiten establecer el nexo de conexión entre el ahora demandante de amparo y los otros acusados. Y que, por tanto, las únicas pruebas de cargo tenidas en cuenta por los órganos judiciales para considerar acreditada la participación del recurrente en el delito de contrabando son aquéllas que hemos declarado viciadas por la vulneración del derecho fundamental». STC 253/2006 de 11 de septiembre.

(120) «Como resulta debido por imperativo del art. 11,1° LOPJ, se debe negar efectos a "las prueba obtenidas, directa o indirectamente, violentando los derechos fundamentales". Lo que supone que los datos de esa procedencia deben ser desterrados del discurso probatorio». STS Sala Segunda, de lo Penal, Sentencia 1699/2001 de 1 Oct. 2001, Rec. 122/2000; Ponente: Andrés Ibáñez, Perfecto Agustín. LA LEY 172605/2001.

(121) Sobre ese particular se ha pronunciado el Tribunal Europeo de Derechos Humanos que ha determinado que el derecho a la intimidad protegido por el art. 8.1 CEDH no sólo se limita a un «círculo íntimo» en el que el individuo, sino que también debe ampliarse a otros ámbitos de interacción social y, en particular, en el relacionado con el trabajo o la profesión en los que se desarrollan relaciones interpersonales, vínculos o actuaciones que pueden constituir manifestación de la vida privada (SSTEDH de 16 de diciembre de 1992, Niemietz c. Alemania, § 29; 4 de mayo de 2000, Rotaru c. Rumania, § 43; 27 de julio de 2004, Sidabras y Diautas c. Lituania, § 44; 22 de febrero de 1994, Burghartz c. Suiza, § 24; y 24 de junio de 2004, Von Hannover c. Alemania, § 69).

neidad en la confianza fundada de la ausencia de observadores. Por el contrario, no pueden abrigarse expectativas razonables al respecto cuando de forma intencional, o al menos de forma consciente, se participa en actividades que por las circunstancias que las rodean, claramente pueden ser objeto de registro o de información pública (SSTEDH de 25 de septiembre de 2001, P.G. y J.H. c. Reino Unido, § 57; y de 28 de enero de 2003, Peck c. Reino Unido, § 58). Conforme al criterio de expectativa razonable de no ser escuchado u observado por terceras personas, resulta patente que una conversación mantenida en un lugar específicamente ordenado a asegurar la discreción de lo hablado, como ocurre por ejemplo en el despacho donde se realizan las consultas profesionales, pertenece al ámbito de la intimidad». STC 12/2012 de 30 de enero.

Ahora bien, debe distinguirse entre la ponderación de los valores e intereses en juego en función de la clase de proceso en el que el Tribunal deba resolver sobre la ilicitud. En este sentido es conocida la jurisprudencia del Tribunal Constitucional con relación a la limitaciones al uso de la cámara oculta como medio de obtención inconsentida de imágenes y sonidos que luego son objeto de difusión en algún medio de comunicación (Véase la citada STC 12/2012 de 30 de enero). Ahora bien, esta doctrina constitucional no es directamente aplicable al proceso penal, sencillamente, porque son distintos los derechos e intereses en juego. Así, el Tribunal Supremo ha declarado la validez de la prueba obtenida de forma oculta por unos periodistas en una consulta médica cuando esas declaraciones obtenidas se hicieron valer en un proceso penal[122]. Prueba que en otro orden jurisdiccional probablemente pudiera haberse declarado prueba ilícita. En realidad así es, como puede comprobarse en la SSTC 74/2012 (LA LEY 52050/2012); 16 de abril; 24/2012, 27 de febrero, LA LEY 27720/2012; y 12/2012 de 30 de enero. Sentencias en las que el TC se pronuncia con absoluta claridad en defensa del derecho a la intimidad frente al derecho a la información[123].

---

(122) «… en el proceso penal convergen bienes y derechos de distinto rango axiológico …/… La Audiencia Provincial de Barcelona no tenía que pronunciarse acerca de si la difusión en la televisión pública noruega de un reportaje grabado con cámara oculta en una clínica abortiva había implicado una lesión constitucionalmente injustificada de los derechos a la intimidad y a la propia imagen de las personas entrevistadas. No era eso lo que se pedía de los Jueces de instancia. Lo que se instaba de ellos era que el juicio de pertinencia acerca de la prueba propuesta tomara como elementos de ponderación, no los que han venido siendo objeto de tratamiento en la jurisprudencia constitucional —intimidad versus derecho de información—, sino los que singularizan el proceso penal, cuya naturaleza, por definición, es indisociable de los propios fines que justifican la existencia de la jurisdicción penal». STS penal 793/2013 de 28 Oct. 2013. Marchena Gómez, Manuel. LA LEY 164133/2013.

(123) «La persona grabada subrepticiamente fue privada del derecho a decidir, para consentirla o para impedirla, sobre la reproducción de la representación de su aspecto físico y de su voz, determinantes de su plena identificación como persona. La Sentencia impugnada valora correctamente los datos que concurren en la presente situación, y concluye con la negación de la pretendida prevalencia de la libertad de información. Conclusión constitucionalmente adecuada, no solo porque el método utilizado para obtener la captación intrusiva —la llamada cámara oculta— en absoluto fuese necesario ni adecuado para el objetivo de la averiguación de la actividad desarrollada, para lo que hubiera bastado con realizar entrevistas a sus clientes, sino, sobre todo, y en todo caso, porque, tuviese o no relevancia pública lo investigado por el periodista, lo que está constitucionalmente prohibido es justamente la utilización del método mismo (cámara oculta)». STC 12/2012 de 30 de enero.

Probablemente ante la evidencia que no todo es negro o blanco, es decir que cabe distinguir entre la ilicitud y la irregularidad, la rígida aplicación de la exclusión de la prueba ilícita ha venido matizándose desde la STC 81/1998 de 2 de abril. Ello con la finalidad de impedir que una aplicación rígida del efecto reflejo de la prueba ilícita (doctrina de los frutos del árbol envenenado) pueda producir situaciones de impunidad de delitos y delincuentes que afecte al sentido último de la justicia que es proveer a la paz social[124].

> «La valoración procesal de las pruebas obtenidas con vulneración de derechos fundamentales "implica una ignorancia de las "garantías" propias del proceso (art. 24.2 de la Constitución)" (SSTC 114/1984, fundamento jurídico 5.º y 107/1985, fundamento jurídico 2.º) y en virtud de su contradicción con ese derecho fundamental y, en definitiva, con la idea de "proceso justo" (TEDH, Caso Schenk contra Suiza, Sentencia de 12 julio 1988, fundamento de derecho 1, A) (TEDH 1988\4) debe considerarse prohibida por la Constitución. Ahora bien, para determinar si la valoración de una prueba que tiene su origen en una inconstitucional intervención de las comunicaciones telefónicas vulnera el derecho a un proceso con todas las garantías es preciso considerar conjuntamente el derecho fundamental sustantivo y sus límites constitucionales... ha de afirmarse que, al valorar pruebas obtenidas con vulneración de derechos fundamentales u otras que sean consecuencia de dicha vulneración, puede resultar lesionado, no sólo el derecho a un proceso con todas las garantías, sino también la presunción de inocencia. Ello sucederá si la condena se ha fundado exclusivamente en tales pruebas; pero, si existen otras de cargo válidas e independientes, podrá suceder que, habiéndose vulnerado el derecho a un proceso con todas las garantías, la presunción de inocencia no resulte, finalmente, infringida». STC 81/1998 de 2 de abril, LA LEY 9401-JF/0000.

A partir de la citada sentencia la jurisprudencia ha elaborado la teoría de la conexión de antijuridicidad en virtud de la cual no serán ilícitas aquellas pruebas de las que pueda desprenderse una desconexión causal respecto de las pruebas ilícitamente obtenidas[125]. Dicho de otro modo para que una prueba refleja no pueda valorarse

---

(124)   Así se venía decidiendo en la jurisprudencia de los Tribunales de los Estados Unidos de América. Un ejemplo de esta doctrina flexible se contiene en la sentencia Stone v. Powell, 428 U.S. 465 (1976) en la que se declara que: *«La aplicación de la regla (de la prueba ilícita) desvía así el proceso de verificación de la verdad y, a menudo, libera al culpable. La disparidad en casos particulares entre el error cometido por el agente de policía y la ganancia inesperada proporcionada a un acusado culpable por aplicación de la norma es contraria a la idea de proporcionalidad que es esencial para el concepto de justicia. Por lo tanto, aunque se piensa que la regla disuade la actividad policial ilegal en parte a través del fomento del respeto a los valores de la Cuarta Enmienda, si se aplica indiscriminadamente, puede tener el efecto contrario de generar irrespeto por la ley y la administración de justicia».*

(125)   «La interdicción procesal de las pruebas ilícitamente adquiridas se integra en el derecho a un proceso con todas las garantías (artículo 24.2 de la Constitución Española), pues la recepción procesal de las mismas implica una "ignorancia" de aquéllas (Sentencia del Tribunal Constitucional 49/1999 de 5 de abril y puede vulnerar, en su caso, la presunción de inocencia si la condena se funda exclusivamente en dichas pruebas ilícitas, como precisó la Sentencia del Tribunal Constitucional 81/1998, de 2 de abril que estableció, además, como criterio básico para determinar la invalidez de otras pruebas derivadas de las ilícitas, la conexión de antijuridicidad en cuanto a ellas. El canon de constitucionalidad para determinar esa conexión, más que un hecho es un juicio de experiencia que corresponde a los Jueces y Tribunales (Sentencia del Tribunal Constitucional 139/1999, de 22 de julio». STS Sala Segunda, de lo Penal, Sentencia 916/2000 de 29 May. 2000, Rec. 817/1999. Ponente: Aparicio Calvo-Rubio, José. LA LEY 8992/2000.

1103

deberá estar directamente relacionada con la prueba ilícita de modo que la ilicitud de una afecta a otras que se pudieran haber obtenido en el proceso.

«La conexión de antijuridicidad, también denominada prohibición de valoración, supone el establecimiento o determinación de un enlace jurídico entre una prueba y otra, de tal manera que, declarada la nulidad de la primera, se produce en la segunda una conexión que impide que pueda ser tomada en consideración por el Tribunal sentenciador a los efectos de enervar la presunción de inocencia del acusado .../... sólo si la prueba refleja resulta jurídicamente ajena a la vulneración del derecho y la prohibición de valorarla no viene exigida por las necesidades esenciales de tutela del mismo, cabrá entender que su efectiva apreciación es constitucionalmente legítima, al no incidir negativamente sobre ninguno de los dos aspectos que configuran el contenido del derecho fundamental sustantivo (SSTS de esta Sala núm. 320/2011, de 22 de abril (LA LEY 52228/2011), y núm. 988/2011, de 30 de septiembre (LA LEY 192595/2011), en síntesis, que resumen el estado actual de la cuestión en esta Sala, conforme a la doctrina constitucional)». STS 650/2016 de 15 Jul. 2016, Rec. 391/2016, Ponente: Berdugo Gómez de la Torre, Juan Ramón. LA LEY 85743/2016.

En su virtud, no se considerarán ilícitas y, por tanto, podrán admitirse y fundar, en su caso una condena, las pruebas que se hallen completamente desconectadas de las pruebas declaradas nulas de pleno derecho[126]. También puede atribuirse efectos en el proceso a las pruebas obtenidas con infracción de derecho fundamental en determinados supuestos. Por ejemplo, tendrá eficacia probatoria la que sirve para acreditar la inocencia del acusado[127]. O en el supuesto de concurrir un propósito legítimo; o existencia de error y/o ausencia de mala fe en el ámbito de actuación de

---

(126) «Al valorar pruebas obtenidas con vulneración de derechos fundamentales u otras que sean consecuencia de dicha vulneración, puede resultar lesionado, no sólo el derecho a un proceso con todas las garantías, sino también la presunción de inocencia», lo que «sucederá si la condena se ha fundado exclusivamente en tales pruebas; pero, si existen otras de cargo válidas e independientes, podrá suceder que, habiéndose vulnerado el derecho a un proceso con todas las garantías, la presunción de inocencia no resulte, finalmente, infringida»... STC 253/2006 de 11 de septiembre.

(127) Resulta especialmente ilustrativo el voto particular emitido por el magistrado DEL MORAL GARCÍA a la STS 569/2013 de 26 Jun. 2013, Ponente: Andrés Ibáñez, Perfecto (LA LEY 111820/2013), en el que admite excepciones a la regla de exclusión considerando que si bien la prueba obtenida ilícitamente no puede ser utilizada para sancionar al responsable de un delito si podrá servir: «... *para poner fin a la situación existente de vulneración de otro derecho fundamental (ejemplo de la persona secuestrada) o para prevenir la comisión de nuevos delitos (intervención de la droga o desactivación de un artefacto explosivo). No tiene lógica hacer oídos sordos a la noticia sobre el lugar donde se oculta al secuestrado, con el argumento de que se ha llegado a tal dato a través de un medio no legítimo. No albergo ninguna duda sobre la procedencia de una inmediata actuación para poner fin a esa situación, con independencia de la licitud o no de la fuente de conocimiento. Cosa diferente es que frente a los responsables penales no podrá hacerse valer esa prueba. Otra modulación, aunque tampoco pacifica: cuando la prueba ilícita acredita la inocencia —se trata de prueba exculpatoria— debe ceder la prohibición de su utilización. Renunciar al castigo del delincuente para preservar los derechos fundamentales de manera más eficaz es asumible. Pero que en aras de ese mecanismo, meramente preventivo, de protección se condene al inocente no es aceptable. En este conflicto ha de prevalecer sin duda el derecho del inocente a no ser injustamente sancionado. Si en un registro ilegal se ocupa el arma asesina con las huellas del auténtico autor, esa prueba no podrá ser utilizada para inculpar a éste, pero sí para acreditar la inocencia quien estaba siendo injustamente acusado. Una interpretación que basada en la literalidad del art. 11.1 LOPJ llevase a sustraer al jurado la prueba obtenida ilícitamente que corrobora la coartada del acusado*

la policía[128]. Este es el supuesto resuelto en la STC 81/1998 de 2 de abril en la que el TC valora que si bien la intervención telefónica fue declarada ilícita se declaró lícita la prueba testifical de los agentes respecto a la incautación por no existir una conexión directa entre las conversaciones telefónicas y el hecho de la incautación,

«... el Tribunal Supremo entiende que dadas las circunstancias del caso y, especialmente, la observación y seguimiento de que el recurrente era objeto, las sospechas que recalan sobre él y la irrelevancia de los datos obtenidos a través de la intervención telefónica, el conocimiento derivado de la injerencia en el derecho fundamental contraria a la Constitución no fue indispensable ni determinante por sí sólo de la ocupación de la droga o, lo que es lo mismo, que esa ocupación se hubiera obtenido, también, razonablemente, sin la vulneración del derecho .../... ha de valorarse en primer término que en ningún momento consta en los hechos probados ni puede inferirse de ellos que la actuación de los órganos encargados de la investigación penal se hallase encaminada a vulnerar el derecho al secreto de las comunicaciones. La inconstitucionalidad sobreviene por la falta de expresión de datos objetivos que, más allá de las simples sospechas a las que hace referencia la solicitud policial, y pese a su calificación como indicios en el Auto del Juez, se estimaron necesarios por el Tribunal Supremo para que la medida pudiera adoptarse respetando las exigencias constitucionales. Pero, lo cierto es que esa doctrina, sin duda respetuosa del derecho fundamental, no es acogida de modo unánime por los Jueces y Tribunales. Ese dato excluye tanto la intencionalidad como la negligencia grave y nos sitúa en el ámbito del error, frente al que las necesidades de disuasión no pueden reputarse indispensables desde la perspectiva de la tutela del derecho fundamental al secreto de las comunicaciones». STC 81/1998 de 2 de abril, LA LEY 9401-JF/0000.

Un supuesto complejo es aquel en el que se produce la confesión del acusado precedida de prueba ilícita. En este caso, el Tribunal Supremo distingue según las circunstancias concurrentes exigiendo, para que la confesión pueda ser valorada, que la declaración del acusado deba ser informada, siendo conocedor de sus derechos y estando asistido por abogado[129].

---

y acredita su inocencia, en entredicho por otro material incriminatorio, no es compatible con los valores constitucionales (STEDH de 12 de julio de 1998 asunto Scheichelbaner v. Austria)».

(128)   En esos casos, tal y como señala el Tribunal Constitucional: «el origen de la vulneración se halla en la insuficiente definición de la interpretación del Ordenamiento, en que se actúa por los órganos investigadores en la creencia sólidamente fundada de estar respetando la Constitución y en que, además, la actuación respetuosa del derecho fundamental hubiera conducido sin lugar a dudas al mismo resultado, la exclusión de la prueba se revela como un remedio impertinente y excesivo que, por lo tanto, es preciso rechazar ... no cabe hablar de que se haya vulnerado el derecho a un proceso con todas las garantías pues, en este caso, la vulneración del derecho a la inviolabilidad del domicilio es, por decirlo de algún modo, un mero accidente. El estatuto del imputado no hubiera podido impedir que la prueba se hubiera obtenido actuando conforme a la Constitución y, así las cosas, no cabe decir que haya sufrido desconocimiento alguno del principio de igualdad de armas. Igualmente, reconocer la validez de la prueba en virtud de la que fue condenado implica desestimar la alegada vulneración de la presunción de inocencia». STC 22/2003, de 10 de febrero (LA LEY 1312/2003).

(129)   «Cuando la confesión se eleva a la categoría de prueba independiente de las pruebas ilícitas de las que proviene, y en esa condición se constituye en la única prueba de cargo, es indispensable que esa declaración judicial autoinculpatoria sea absolutamente libre y voluntaria, sin que exista ningún factor que permita racionalmente sugerir fundadamente que la confesión ha sido consecuencia de elementos perturbadores de la libérrima decisión del confesante. Además, la con-

«Únicamente cuando el acusado confiesa consciente y voluntariamente estando debidamente informado de la —al menos— posible ilicitud de la prueba, esta confesión puede ser valorada como prueba de cargo, y, aún en este caso, los efectos probatorios de esta confesión no podrán extenderse al resto de coimputados que no hayan confesado su participación en los hechos imputados». STS 529/2010, de 24 de mayo Rec. 1471/2009, Ponente: Maza Martín, José Manuel. LA LEY 104056/2010.

Otro supuesto en el que la infracción de algún derecho fundamental será el de la prueba obtenida por particulares. En este punto conviene aclarar que la exclusión de la prueba ilícita afecta tanto la obtenida por las fuerzas de orden público como por particulares. Ahora bien, también es cierto que son distintas las situaciones de modo que, salvo los casos expuestos anteriormente, la proscripción de pruebas ilícitas opera de modo, *«quasi»* absoluto respecto de las obtenidas por agentes del estado. Mientras que las obtenidas por particulares podrán ser valoradas siempre que hubieren obrado de forma espontánea sin ánimo de preconstituir una prueba de cargo frente a la persona posteriormente acusada. Éste es el criterio del Tribunal Supremo en el supuesto resuelto en la STS 116/2017 de 23 de febrero sobre la validez de las pruebas obtenidas por medio de la Lista Falciani. Sentencia en la que el Tribunal Supremo reflexiona sobre la aplicación y el alcance de la prueba ilícita y señala que: *«la doctrina sobre la prueba obtenida con vulneración de derechos fundamentales no responde a una fotografía estática, antes al contrario, ha experimentado una más que apreciable evolución desde su formulación inicial por la jurisprudencia del Tribunal Constitucional español»*, de modo que: *«la regla de exclusión sólo adquiere sentido como elemento de prevención frente a los excesos del Estado en la investigación del delito. Esta idea late en cuantas doctrinas han sido formuladas en las últimas décadas con el fin de restringir el automatismo de la regla de exclusión. Ya sea acudiendo a las excepciones de buena fe, de la fuente independiente o de la conexión atenuada, de lo que se trata es de huir de un entendimiento que, por su rigidez, aparte la regla de exclusión de su verdadero fundamento. La prohibición de valorar pruebas obtenidas con vulneración de derechos fundamentales cobra su genuino sentido como mecanismo de contención de los excesos policiales en la búsqueda de la verdad oculta en la comisión de cualquier delito»*. STS 116/2017 de 23 de febrero, LA LEY 4328/2017. En su virtud en la Sentencia se declara la validez de la prueba obtenida por el empleado del Banco (Sr. Falciani) a partir de los datos que obraban en los archivos del Banco HSBC de Ginebra, entendiendo que resulta necesario otorgar un: *«tratamiento singularizado de la prueba obtenida por un particular cometiendo un delito o vulnerando derechos fundamentales»:*

---

fesión debe ser informada de manera que el declarante tenga previo conocimiento de la razonable probabilidad de que se declaren ilícitas las pruebas a las que está conectada y que, en tal caso, el único elemento probatorio de cargo sería la propia confesión para fundamentar la declaración de culpabilidad y la condena correspondiente../... es necesario asegurarse de que el acto voluntario del imputado de declarar con sinceridad no constituya efecto de una compulsión de un modo u otro condicionada por la prueba ilícitamente obtenida .../... por ello será preciso un especial análisis de las condiciones concretas y en cada caso en las que se produjo la confesión incriminatoria, en orden a verificar que ella fue exponente de su libre voluntad autodeterminada y no viciada por la realidad del hallazgo de la droga». STS 132/2011 de 7 Mar. 2011, Rec. 1053/2010, Ponente: Ramos Gancedo, Diego Antonio. LA LEY 29161/2011.

«La regla prohibitiva no excluye entre sus destinatarios, siempre y en todo caso, al particular que despliega una actividad recopiladora de fuentes de prueba que van a ser utilizadas con posterioridad en un proceso penal .../... La vulneración de la intimidad de las personas —si éste es el derecho afectado por el particular— no puede provocar como obligada reacción, en todo caso, la declaración de ilicitud .../... Decisivos resultan, por tanto, el alcance y la intensidad de la afectación del derecho fundamental menoscabado. Pero también lo es atender al significado de esa actividad del particular que, a raíz de su actuación, hace aflorar unos documentos o un archivo informático de singular valor probatorio .../... Las reglas de exclusión probatoria se distancian de su verdadero sentido cuando no tienen relación con la finalidad que está en el origen mismo de su formulación .../... Lo determinante es que nunca, de forma directa o indirecta, haya actuado (el Sr. FALCIANI) como una pieza camuflada del Estado al servicio de la investigación penal. La prohibición de valorar esos documentos en un proceso penal se apoyaría en las mismas razones que ya hemos señalado para la prueba ilícita obtenida por agentes de policía .../... No existe, pues, dato indiciario alguno que explique la obtención de esos ficheros como el resultado de una colaboración —*ad hoc* o sobrevenida— de Herver Falciani con servicios policiales, españoles o extranjeros .../... En consecuencia, los ficheros bancarios que se correspondían con personas y entidades que disponían de fondos, activos y valores en la entidad suiza HSBC, fueron correctamente incluidos en el material probatorio valorable por el Tribunal de instancia. No estaban afectados por la regla de exclusión. Se trataba de información contenida en unos archivos de los que se apoderó ilícitamente un particular que, cuando ejecutó la acción, no lo hizo como agente al servicio de los poderes públicos españoles interesados en el castigo de los evasores fiscales. Tampoco se trataba de ficheros informáticos cuya entrega hubiera sido negociada entre el transgresor y los agentes españoles. La finalidad disuasoria que está en el origen de la exclusión de la prueba ilícita no alcanzaba a Herve Falciani, que sólo veía en esa información una lucrativa fuente de negociación. En definitiva, no se trataba de *pruebas obtenidas* con el objetivo, directo o indirecto, de hacerlas valer en un proceso». STS 116/2017 de 23 de febrero, LA LEY 4328/2017 (F.J° 6°, 7° y 8°).

Finalmente, la declaración de ilicitud de una prueba no determina, necesariamente, la de otras pruebas obtenidas o relacionadas con la prueba afectada de ilicitud. Es decir, no se producirá, necesariamente, una contaminación o afectación del resto de los medios de prueba que puedan derivarse de aquélla. Véase también el § 1.5 C de este mismo Capítulo con relación a la nulidad de las pruebas obtenidas mediante diligencias de investigación electrónica y el § 3.1.E.d. del Cap. VII respecto a los supuestos de nulidad de la entrada y registro.

«Es preciso distinguir como lo hace nuestra doctrina jurisprudencial, dentro de la conexión causal, entre conexión natural y conexión jurídica o de antijuricidad, de tal suerte que la declaración del acusado puede ser prueba válida de cargo, aun estando conectada naturalmente con una prueba antecedente en que se vulneró directamente un derecho fundamental. La declaración de los acusados en la medida en que ni es en sí misma contraria al derecho a la inviolabilidad domiciliaria o al derecho a un proceso con todas las garantías, ni es el resultado directo del registro practicado, es una prueba independiente del acto lesivo (véase sentencias del Pleno del T.C. de 18-septiembre-2002 y 23 de octubre de 2003)». STS 16 de junio de 2008, LA LEY 79055/2008.

Ahora bien debemos poner de manifestó la existencia de una Jurisprudencia del Tribunal Supremo en esta materia que viene aplicando de una forma bastante taxativa la dicción literal del art. 11.1 LOPJ entendiendo que el precepto no distingue ni efectúa ninguna clase de excepción con la consecuencia de que la ilicitud de la prueba se debe extender a todas aquellas que: «directa o indirectamente» se hubieren obtenido con violación de derechos fundamentales. Un ejemplo es la STS 569/2013 de 26 Jun. 2013 que se pronuncia respecto de las pruebas que había obtenido la esposa en el automóvil de su marido que acreditaban un delito de agresión sexual, frente a una tercera persona menor de edad. En este caso el Tribunal Supremo no aplica los criterios expuestos anteriormente (prueba obtenida por un particular) y resuelve que:

> «... la consagración normativa de este instituto (de la prueba ilícita), ciertamente relevante en la vigente disciplina constitucional del proceso, es el fruto de una ponderación entre bienes jurídicos que ya ha sido hecha por el legislador, sin duda, asumiendo ese riesgo; cuya incidencia estadística, por otra parte, no tiene nada de alarmante. Mientras parece incuestionable que si el ordenamiento prevé la vigencia de determinadas reglas para la regular aplicación del *ius puniendi,* estas deberán ser rigurosamente respetadas, aunque solo fuera por un imperativo de elemental coherencia, del que se deriva la necesidad de que el orden jurídico se tome a sí mismo en serio». Lo que nos viene a decir la sentencia es que nada hay que decidir ni discutir en esta materia porque como se dice más adelante: «Abona esta afirmación lo previsto en el art. 11.1 LOPJ en términos de un rigor que, en la lectura más obvia del precepto, excluye cualquier otra alternativa que no implique una reescritura del mismo». STS 569/2013 de 26 Jun. 2013, Ponente: Andrés Ibáñez, Perfecto (LA LEY 111820/2013)[(130)].

La existencia de una prueba ilícita se ha de poner de manifiesto cuando cualquier interviniente en el proceso penal conozca de su existencia. Incluyendo aquí al Juez de instrucción o el Tribunal de juicio oral que deberán pronunciarse sobre la eventual ilicitud de las pruebas o diligencias de investigación tan pronto conozcan de que puede concurrir esta clase de vicio procesal en la adquisición de la prueba. En este punto podemos asimilar el régimen procesal de la prueba ilícita con el de la nulidad de actos procesales que se deberá poner de manifestó tan pronto como se conozca de su existencia (arts. 240 LOPJ, 790.2 y 855 LECrim). Ciertamente, el art. 786.2 LECrim, en sede de procedimiento abreviado prevé que las partes puedan plantear la: «vulneración de algún derecho fundamental .../... (o la)... nulidad de actuaciones». Pero ello no es óbice para haber planteado esa cuestión con anterioridad desde el momento en el que la parte tuvo conocimiento de la circunstancia de la ilicitud de la prueba y reproducirla posteriormente en los trámites procesales posteriores. El pronunciamiento del Tribunal sobre la validez de la prueba deberá valorar las circunstancias concurrentes y decidir sobre su admisión o rechazo conforme con lo previsto en el art. 11.1 de la LOPJ y la jurisprudencia dictada sobre la materia. En cualquier caso, la sentencia podrá declarar motivadamente, la nulidad radical de las pruebas obtenidas, directa o indirectamente, con violación de derechos fundamentales.

---

(130) Otros ejemplos de esta posición se hallan en las siguientes resoluciones: STS Penal 239/2014 de 1 Abr. 2014, Ponente Colmenero Menéndez de Luarca, Miguel, LA LEY 51027/2014, que declara ilícita la grabación de imágenes en el despacho de un trabajador que sustraía dinero de la empresa en la que trabajaba. O también en la STS Penal, 1066/2009 de 4 Nov. 2009. Ponente Martín Pallín, José Antonio. LA LEY 226669/2009, en la que se declara la ilicitud de una grabación entre particulares.

SECCIÓN 4. LA PRESUNCIÓN DE INOCENCIA

4.1. El derecho constitucional a la presunción de inocencia[131]

El derecho a la presunción de inocencia es, probablemente, el más importante de todos los que resultan de aplicación en el proceso penal. Al mismo tiempo es un

---

(131) FERNÁNDEZ ENTRALGO, «Presunción de inocencia, libre apreciación de la prueba y motivación de las sentencias», *RGD*, 1987 (I), p. 433 y (II) p. 385; Idem, en *RGD*, 1986, p. 5; Idem, en *RGD*, 1985, n.º 493, p. 3107; MASCARELL NAVARRO, «La carga de la prueba y la presunción de inocencia», *Justicia*, 1987, p. 603; VEGA RUIZ, «La presunción de inocencia hoy», Justicia, 1984, p. 95; MUERZA ESPARZA, «El mínimo probatorio en la jurisprudencia constitucional», *RGLJ*, n.º 6, 1988, pp. 845-868; BACIGALUPO, «Presunción de inocencia, in dubio pro reo y recurso de casación», *ADP*, mayo-agosto, 1988, pp. 365-386; JAÉN VALLEJO, «Incidencia sobre la presunción de inocencia en las declaraciones sumariales dadas por reproducidas en juicio (comentario a la STC 64/86 y precedentes)», *RGD*, 1986, p. 3791; Idem, «Consecuencias procesales de la vulneración de la presunción de inocencia por valoración de la prueba no sometida a contradicción (STS de 30 de mayo 1988)», *RGD*, 1989, p. 5401; ALAMILLO CANILLAS, «La presunción de inocencia y el recurso de casación», *La Ley*, 1983-1, p. 1146; CÓRDOBA RODA, «El derecho a la presunción de inocencia y la apreciación judicial de la prueba», *RJC*, 1982, p. 817; VÁZQUEZ SOTELO, Presunción de inocencia del imputado e íntima convicción del Tribunal, Barcelona, 1984; VIVES ANTON, «Acerca de los efectos de la estimación del recurso de amparo por vulneración de la presunción de inocencia», *PJ*, 1986, n.º 3, p. 97; LUZÓN CUESTA, «La presunción de inocencia ante la casación», *PJ*, 1988, n.º 12, p. 25; DE JUANES PECES, «El principio de presunción de inocencia en la doctrina del TC, con especial referencia a si los indicios pueden destruir tal presunción», *PJ*, n.º especial 6, 1986, p. 143; Idem, «Hacia un nuevo enfoque de la presunción de inocencia. La imparcialidad del Juez como núcleo básico del derecho a la presunción de inocencia», *La Ley*, n.º 3977, 1996; MESTRE DELGADO, «Desarrollo jurisprudencial del derecho constitucional a la presunción de inocencia», *ADP*, 1985, pp. 721 y ss.; vid. nota 41; ANDRÉS IBÁÑEZ, P., «La función de las garantías en la actividad probatoria», *CGPJ, Cuadernos de Derecho Judicial*, n.º 29, 1993; ASENCIO MELLADO, J. M., «Presunción de inocencia y prueba indiciaria», *CGPJ, Cuadernos de Derecho Judicial*, n.º 5, 1992; SOLEDAD DEL MOLINO, «La presunción de inocencia como derecho constitucional», en *RDP*, n.º 3, 1993; SACRISTÁN REPRESA, «Notas sobre la presunción de inocencia y la LO 10/80, de 11 de noviembre», *RDJud.*, 1982, p. 61; RODRÍGUEZ RAMOS, «Presunción de inocencia no minimizada», *La Ley*, 1983, p. 1949; RICO FERNÁNDEZ, «Aplicación del principio de presunción de inocencia», *La Ley*, 1983, p. 628; PASTOR ALCOY, *Prueba indiciaria y presunción de inocencia. Requisitos y casuística*, Valencia, 1995; MANZANARES SAMANIEGO, «Sobre la presunción de inocencia (I)», *AP*, n.º 12 1992; GUERRA SAN MARTÍN y otros, «El derecho a la presunción de inocencia», *Primeras Jornadas de Derecho Judicial*, Madrid, 1983, pp. 623 y ss.; GARCÍA CARRERO, «La apreciación de la prueba en conciencia en el proceso penal y la protección constitucional de la presunción de inocencia», *PJ*, diciembre 1982, pág. 67; DÍAZ PALOS, *Constitución y LECrim. Indefensión y presunción de inocencia*, 1983; DE VEGA RUIZ, J. A., «La presunción de inocencia hoy», *Justicia*, 84, n.º 1, Barcelona, 1984, pp. 95 a 105; Idem, «Consideraciones sobre la presunción de inocencia», *BIMJ*, octubre 1983, p. 3; Idem, «Valoración penal de la prueba y la presunción de inocencia», *BIMJ*, septiembre 1983, p. 3; BAJO FERNÁNDEZ, «Presunción de inocencia, presunción legal y presunción judicial o prueba de indicios», *La Ley*, 1991-1, 970; LLOBET RODRÍGUEZ, J., «La presunción de inocencia y la prisión preventiva (según la doctrina alemana)», *RDProc.*, n.º 2, 1995; ROMERO ARIAS, *La presunción de inocencia*, Pamplona, 1985; VÁZQUEZ SOTELO, *Presunción de inocencia del imputado e íntima convicción del Tribunal (Estudio sobre la utilización del imputado como fuente de prueba en el proceso penal español)*, Barcelona, 1984; TOMÁS Y VALIENTE, «In dubio pro reo, libre apreciación de la prueba y premonición de inocencia», *RED Const.*, 1987, n.º 20; VEGAS TORRES, *Presunción de inocencia y prueba en el proceso penal*, Madrid, 1993; Idem, «Presunción de inocencia en el proceso penal», *La Ley*, 1993; VIVES ANTÓN, «Acerca de los efectos de la estimación del recurso de amparo por vulneración de la presunción de inocencia», *PJ*, n.º 3, septiembre 1986.

principio que se proyecta sobre todo el sistema de enjuiciamiento penal pero que se manifiesta plenamente al momento de citar sentencia cuando el Tribunal debe partir de la presunción de inocencia del acusado sometido a juicio. En su virtud sólo podrá dictar una sentencia de condena cuando la acusación haya acreditado en el proceso prueba de cargo suficiente y eficaz, en un proceso justo, contradictorio y con todas las garantías, que enerve ese derecho que ostentan todos los sometidos al proceso penal. Este principio, que ya se contenía en la LECrim, como fundamento del enjuiciamiento penal, está reconocido en el art. 24.2.º CE pasando de ser un principio general del Derecho que informaba la actividad judicial, para convertirse en un derecho fundamental de aplicación inmediata que vincula a todos los poderes públicos[132].

> «El derecho a la presunción de inocencia reconocido en el artículo 24 de la Constitución (LA LEY 2500/1978) implica que toda persona acusada de un delito debe ser considerada inocente hasta que se demuestre su culpabilidad con arreglo a la Ley, y, por lo tanto, después de un proceso justo (artículo 11 de la Declaración Universal de los Derechos Humanos (LA LEY 22/1948); artículo 6.2 del Convenio para la Protección de los Derechos Humanos y de las Libertades Fundamentales (LA LEY 16/1950), y artículo 14.2 del Pacto Internacional de Derechos Civiles y Políticos (LA LEY 129/1966)), lo cual supone que se haya desarrollado una actividad probatoria de cargo con arreglo a las previsiones constitucionales y legales, y por lo tanto válida, cuyo contenido incriminatorio, racionalmente valorado de acuerdo con las reglas de la lógica, las máximas de experiencia y los conocimientos científicos, sea suficiente para desvirtuar aquella presunción inicial, en cuanto que permita al Tribunal alcanzar una certeza objetiva, en tanto que asumible por la generalidad, sobre la realidad de los hechos ocurridos y la participación del acusado, de manera que con base en la misma pueda declararlos probados, excluyendo sobre los mismos la existencia de dudas que puedan calificarse como razonables». ATS 531/2017 de 16 Feb. 2017, Rec. 1589/2016; Ponente: Palomo del Arco, Andrés. LA LEY 28074/2017.

La presunción de inocencia, en un sentido lato, puede englobarse dentro del principio por el cual toda persona es inocente mientras no se demuestre su culpabilidad. Este principio general tiene dos manifestaciones concretas: a) la presunción de inocencia, en sentido estricto, y b) el «*in dubio pro reo*». Aunque ambas manifestaciones tienen una finalidad semejante, no pueden ni deben ser asimiladas. La presunción de inocencia va ligada a la prueba como medio y opera cuando se constata una total inexistencia de tales medios de prueba. Por el contrario, el principio de «*in dubio pro reo*» está relacionado con la prueba como resultado y opera como una norma complementaria de interpretación o valoración de los medios de prueba practicados.

---

(132) «... Se invoca también la presunción de inocencia que guarda relación con el elemento más importante del tipo penal, la culpabilidad, configurada también como principio por esa importancia, elemento subjetivo que marca la frontera de la vindicta, aunque sea colectiva, con la justicia que comporta el Derecho Penal como tal derecho. Pues bien, un paso más en esa evolución, configurado —éste sí— como uno de los principios cardinales del ius puniendi contemporáneo, en sus facetas sustantiva y formal, es aquel que proclama la presunción de que toda persona acusada de una infracción es inocente mientras no se demuestre lo contrario. Aun cuando no sea una creación ex nihilo, ya que inspiraba la entera estructura de nuestra LECrim. desde 1881, ha recibido un vigor inusitado por obra y gracia de su inclusión en el art. 24 de la Constitución, cuya interpretación... ha de hacerse a la luz de la Declaración Universal de los Derechos Humanos y de los demás tratados ratificados por España...». (STC 34/96, de 11 marzo).

«... La presunción de inocencia no ampara el principio *in dubio pro reo*. Se trata de instituciones independientes que operan en supuestos distintos. La STC 44/89, FJ 2.º, viene a aclarar esto: la presunción constitucional indicada desenvuelve su eficacia cuando existe una absoluta falta de pruebas o cuando las practicadas no se han efectuado con las debidas garantías; en cambio el principio *in dubio pro reo* pertenece al momento de la valoración probatoria y a la duda racional sobre los elementos objetivos y subjetivos que integran el tipo; desde la perspectiva constitucional, la presunción de inocencia es un derecho fundamental del imputado protegible en amparo, lo que no ocurre con la otra regla...». (STC 63/93, de 1 marzo).

La presunción de inocencia y el principio *in dubio pro reo* tienen una entidad y significado distinto aunque, en algunos casos, puedan existir líneas de confluencia que permitan llegar a razonamientos semejantes al analizar la concurrencia de uno y otro. La presunción de inocencia entra en juego con toda su plenitud en los casos en que no existe o no se ha practicado una actividad probatoria de cargo en legal forma y con entidad suficiente para sustentar la tesis acusatoria. El principio *in dubio pro reo* es un principio general de derecho que refleja el espíritu liberal que informa la redacción originaria de nuestra Ley de Enjuiciamiento Criminal y se convierte en una regla interpretativa de obligada observancia que debe estar presente en todos los razonamientos que sirven para formar la convicción de la Sala a la vista del resultado de las pruebas practicadas. En cualquier caso, la estimación de cualquiera de ambos principios conduce directamente a la absolución de los acusados.

4.2. El derecho a la presunción de inocencia

La doctrina jurisprudencial del Tribunal Constitucional y Tribunal Supremo han ido perfilando el alcance y ámbito de la presunción de inocencia con relación a cuáles son los criterios y exigencias respecto a la clase y calidad de la prueba que permite su enervación.

«El derecho a la presunción de inocencia, proclamado en el artículo 24.2° de la Constitución (LA LEY 2500/1978), gira sobre las siguientes ideas esenciales: 1°) El principio de libre valoración de la prueba en el proceso penal, que corresponde efectuar a los jueces y Tribunales por imperativo del artículo 117.3° de la Constitución (LA LEY 2500/1978); 2°) que la sentencia condenatoria se fundamente en auténticos actos de prueba, suficientes para desvirtuar tal derecho presuntivo, que han ser relacionados y valorados por el Tribunal de instancia, en términos de racionalidad, indicando sus componentes incriminatorios por cada uno de los acusados; 3°) que tales pruebas se han de practicar en el acto del juicio oral, salvo los limitados casos de admisión de pruebas anticipadas y preconstituidas, conforme a sus formalidades especiales; 4°) dichas pruebas incriminatorias han de estar a cargo de las acusaciones personadas (públicas o privadas); 5°) que solamente la ausencia o vacío probatorio puede originar la infracción de tal derecho fundamental, pues la función de este Tribunal Supremo, al dar respuesta casacional a un motivo como el invocado, no puede consistir en llevar a cabo una nueva valoración probatoria, imposible dada la estructura y fines de este extraordinario recurso de casación, y lo dispuesto en el artículo 741 de la Ley de Enjuiciamiento Criminal (LA LEY 1/1882), debiendo este Tribunal verificar y comprobar la correcta función jurisdiccional. (STS de 18 de febrero de 2014)». ATS 1247/2016 de 30 Jun. 2016, Rec. 2176/2015; Ponente: Martínez Arrieta, Andrés. LA LEY 119469/2016.

1°. Ante la falta de actividad probatoria de cargo, deberá absolverse al acusado. Por tanto, en sentido estricto, la presunción de inocencia presupone la ausencia de medios de prueba (carencia de una mínima actividad probatoria)[133].

«Las alegaciones de la defensa sobre la presunción de inocencia nos obligan a verificar si se han practicado en la instancia, con contradicción de partes, pruebas de cargo válidas y con un significado incriminatorio suficiente (más allá de toda duda razonable) para estimar acreditados los hechos integrantes del delito y la intervención del acusado en su ejecución; pruebas que, además, tienen que haber sido valoradas con arreglo a las máximas de la experiencia y a las reglas de la lógica, constando siempre en la resolución debidamente motivado el resultado de esa valoración; todo ello conforme a las exigencias que viene imponiendo de forma reiterada la jurisprudencia del Tribunal Constitucional (SSTC 137/2005 (LA LEY 12056/2005), 300/2005 (LA LEY 10538/2006), 328/2006 (LA LEY 181062/2006), 117/2007 (LA LEY 26695/2007), 111/2008 (LA LEY 132322/2008) y 25/2011 (LA LEY 6063/2011), entre otras)». STS 883/2016 de 23 Nov. 2016, Rec. 446/2016; Ponente: Jorge Barreiro, Alberto Gumersindo. LA LEY 171423/2016.

La prueba capaz de enervar la presunción de inocencia debe acreditar la existencia real del ilícito penal y la culpabilidad del acusado. La culpabilidad debe entenderse desde la perspectiva de intervención o participación en el hecho y no en el sentido normativo de reprochabilidad jurídico-penal. Ambas cuestiones o elementos de enjuiciamiento deben quedar acreditados con base en prueba de cargo suficiente directa o indiciaria, en caso contrario el acusado debe ser absuelto[134].

---

(133) «1. El principio constitucional de inocencia, proclamado en el art. 24.2 de nuestra Carta Magna, gira sobre las siguientes ideas esenciales: 1°) El principio de libre valoración de la prueba en el proceso penal, que corresponde efectuar a los jueces y tribunales por imperativo del art. 117.3 de la Constitución española; 2°) que la sentencia condenatoria se fundamente en auténticos actos de prueba, suficientes para desvirtuar tal derecho presuntivo, que han ser relacionados y valorados por el Tribunal de instancia, en términos de racionalidad, indicando sus componentes incriminatorios por cada uno de los acusados; 3°) que tales pruebas se han de practicar en el acto del juicio oral, salvo los limitados casos de admisión de pruebas anticipadas y preconstituidas, conforme a sus formalidades especiales; 4°) dichas pruebas incriminatorias han de estar a cargo de las acusaciones personadas (públicas o privadas); 5°) que solamente la ausencia o vacío probatorio puede originar la infracción de tal derecho fundamental, pues la función de este Tribunal Supremo, al dar respuesta casacional a un motivo como el invocado, no puede consistir en llevar a cabo una nueva valoración probatoria, imposible dada la estructura y fines de este extraordinario recurso de casación, y lo dispuesto en el art. 741 de la Ley de Enjuiciamiento Criminal, pues únicamente al Tribunal sentenciador pertenece tal soberanía probatoria, limitándose este Tribunal a verificar la siguiente triple comprobación: 1ª. Comprobación de que hay prueba de cargo practicada en la instancia (prueba existente). 2ª. Comprobación de que esa prueba de cargo ha sido obtenida y aportada al proceso con las garantías exigidas por la Constitución y las leyes procesales (prueba lícita). 3ª. Comprobación de que esa prueba de cargo, realmente existente y lícita, ha de considerarase razonablemente bastante para justificar la condena (prueba suficiente)». STS 11 de febrero de 2008, LA LEY 17738/2008

(134) «En numerosas ocasiones hemos declarado que "sólo cabrá constatar la vulneración del derecho a la presunción de inocencia cuando no haya pruebas de cargo válidas, es decir, cuando los órganos judiciales hayan valorado una actividad probatoria lesiva de otros derechos fundamentales o carente de garantías, o cuando no se motive el resultado de dicha valoración, o, finalmente, cuando por ilógico o insuficiente no sea razonable el iter discursivo que conduce de la prueba al hecho probado (STC 189/1998, de 28 de septiembre, FJ 2 y, citándola, entre otras

«2. Como indica la STS núm. 670/2015, de 30 de octubre (LA LEY 167463/2015), tales alegaciones obligan a verificar si se han practicado en la instancia, con contradicción de partes, pruebas de cargo válidas y con un significado incriminatorio suficiente (más allá de toda duda razonable) para estimar acreditados los hechos integrantes del delito y la intervención del acusado en su ejecución; pruebas que, además, tienen que haber sido valoradas con arreglo a las máximas de la experiencia y a las reglas de la lógica, constando siempre en la resolución debidamente motivado el resultado de esa valoración; todo ello conforme a las exigencias que viene imponiendo de forma reiterada la jurisprudencia del Tribunal Constitucional (SSTC 137/2005 (LA LEY 12056/2005), 300/2005 (LA LEY 10538/2006), 328/2006 (LA LEY 181062/2006), 117/2007 (LA LEY 26695/2007), 111/2008 (LA LEY 132322/2008), 25/2011 (LA LEY 6063/2011), 142/2012 (LA LEY 106689/2012) y 105/2016 (LA LEY 78697/2016), entre otras)». STS 19 Oct. 2016, Rec. 10332/2016; Ponente: Palomo del Arco, Andrés. LA LEY 146028/2016.

Las circunstancias que conforman las eximentes o justificaciones, no quedan incluidas dentro de los criterios referentes a la presunción de inocencia, por pertenecer a la legalidad ordinaria no revisable en vía de amparo. Este criterio explica que la presunción de inocencia en materia de delitos culposos sea de excepcional aplicación. En este tipo de delitos la imputación objetiva de los hechos no suele estar en entredicho, sino que es la imputación subjetiva lo que se cuestiona. Materia ésta que, al entrar dentro del ámbito de la valoración de la prueba, escapa del ámbito de la presunción constitucional. Sin embargo, el principio de la presunción de inocencia es aplicable al responsable civil subsidiario, al estar éste legitimado como acusado en el proceso penal y por ello amparado por los principios constitucionales que de modo primordial y directo se refieren a tal proceso.

2º. La carga de la prueba sobre los hechos constitutivos de la pretensión penal corresponde exclusivamente a la acusación. A contrario, no es exigible a la defensa una «probatio diabólica» de los hechos negativos[135].

«El derecho a la presunción de inocencia como regla de juicio —que es la única que interesa en el presente caso— impone exigencias tanto respecto a quién debe aportar las pruebas, en qué momento y lugar deben practicarse los medios de prueba, que debe entenderse por prueba legal y constitucionalmente válida, como respecto a la necesidad de que la valoración probatoria se someta a las reglas de la lógica y

---

muchas, SSTC 120/1999, de 28 de junio, FJ 2; 249/2000, de 30 de octubre, FJ 3; 155/2002, de 22 de julio, FJ 7; 209/2002, de 11 de noviembre, FJ 3)" (STC 163/2004, de 4 de octubre, FJ 9)». STC 26/2006 de 30 de enero.

(135) «... la presunción de inocencia comporta en el orden penal, al menos, las cuatro siguientes exigencias: 1. La carga de la prueba sobre los hechos constitutivos de la pretensión penal corresponde a la acusación, sin que sea exigible a la defensa una probatio diabólica de los hechos negativos; 2. Sólo puede entenderse como prueba la practicada en el juicio oral bajo la inmediación del órgano judicial decisor y con observancia de los principios de contradicción y publicidad; 3. De dicha regla general sólo pueden exceptuarse los supuestos de prueba preconstituida y anticipada, cuya reproducción en el juicio oral sea o se prevea imposible y siempre que se garantice el ejercicio del derecho de defensa o la posibilidad de contradicción, y 4. La valoración conjunta de la prueba practicada es una potestad exclusiva del juzgador, que éste ejerce libremente con la sola obligación de razonar el resultado de dicha valoración...». (STC 34/96, de 11 marzo).

de la experiencia, así como a la obligación de motivar o razonar el resultado de la valoración probatoria». ATC 214/1998 de 13 de octubre.

3°. Sólo cabe atribuir el carácter de prueba a la practicada en el juicio oral bajo la inmediación del Tribunal, con observancia de los principios de contradicción y publicidad. Ello sin perjuicio de los supuestos de prueba preconstituida y anticipada que analizamos en § 2 de este Capítulo. En este sentido, el TC ha declarado que no puede tomarse como prueba lo que legalmente no tenga carácter de tal. Esta cuestión se vincula al derecho de defensa del acusado y a un proceso público con todas las garantías, reconocidos en el art. 24.2 CE. Estos derechos se traducen, en la legalidad vigente, en los principios de oralidad, inmediación y contradicción, que rigen en el proceso penal, reflejados, entre otros, en el art. 741 LECrim.

«Así pues, al Tribunal de casación debe comprobar que el Tribunal ha dispuesto de la precisa actividad probatoria para la afirmación fáctica contenida en la sentencia, lo que supone constatar que existió porque se realiza con observancia de la legalidad en su obtención y se practica en el juicio oral bajo la vigencia de los principios de inmediación, oralidad, contradicción efectiva y publicidad, y que el razonamiento de la convicción obedece a criterios lógicos y razonables que permitan su consideración de prueba de cargo». STS Sala Segunda, de lo Penal, Sentencia 719/2016 de 27 Sep. 2016, Rec. 10063/2016; Ponente: Berdugo Gómez de la Torre, Juan Ramón. LA LEY 129022/2016.

4°. En principio, la única prueba apta para enervar la presunción es la de cargo, normalmente realizada en el acto de juicio oral. Pero, en defecto de la anterior se admite que la prueba indiciaria pueda desvirtuar la presunción de inocencia (véase el apartado anterior).

5°. El derecho a la presunción de inocencia no puede ser invocado con éxito respecto de hechos o elementos aislados alegados en el proceso. Su aplicación sólo podrá tener lugar cuando se refiera al conjunto de toda la actividad probatoria y jurisdiccional (SSTC 105/83, de 23 noviembre, 4/86, de 30 enero)[136].

«La STS 412/2016 de 13.5 (LA LEY 46088/2016), rechazó las conclusiones que se obtengan a partir de un análisis fraccionado y desagregado de los diversos hechos base y de la fuerza de convicción que proporciona su análisis conjunto y relacional, advirtiendo el Tribunal Constitucional (por todas, STC 126/2011, de 18 de julio (LA LEY 146261/2011), FJ 22) que, "cuando se aduce la vulneración del derecho a la presunción de inocencia nuestro análisis debe realizarse respecto del conjunto de estos elementos sin que quepa la posibilidad de fragmentar o disgregar esta apreciación probatoria, ni de considerar cada una de las afirmaciones de hecho acreditadas de

---

(136) «El derecho a la presunción de inocencia "no puede ser invocado con éxito para cubrir cada episodio, vicisitud, hecho o elemento debatido en el proceso penal, o parcialmente integrante de la resolución final que le ponga término" (STC 105/1983 fundamento jurídico 10). Este Tribunal no puede fragmentar el resultado probatorio ni averiguar qué prueba practicada es el soporte de cada hecho declarado probado por el Juez penal. Tal operación, que tendría mucho de taumatúrgica, ni es posible psíquicamente, porque el órgano judicial valora en conjunto la prueba practicada con independencia del valor que cada Magistrado otorgue a cada prueba, ni estaría autorizada por nuestra Ley Orgánica [art. 44.1, b)], ni sería compatible con la naturaleza de esta jurisdicción constitucional». (STC 20/1987, fundamento jurídico 3.º). STC 41/1998 de 24 de febrero.

modo aislado ..." la fragmentación del resultado probatorio para analizar seguidamente cada uno de los indicios es estrategia defensiva legítima, pero no es forma racional de valorar el cuadro probatorio (SSTS 631/2013 de 7.6 (LA LEY 118686/2013), 136/2016 de 24.2 (LA LEY 7119/2016))». STS Sala Segunda, de lo Penal, Sentencia 719/2016 de 27 Sep. 2016, Rec. 10063/2016; Ponente: Berdugo Gómez de la Torre, Juan Ramón. LA LEY 129022/2016.

6°. La presunción de inocencia es compatible con la aplicación de medidas cautelares siempre que se adopten por resolución fundada en derecho. Si no estuviera reglada deberá basarse su adopción en juicio de razonabilidad acerca de la finalidad perseguida y las circunstancias concurrentes (SSTC 108/84, de 26 noviembre, 64/89, de 6 abril).

> «Las medidas cautelares en el proceso penal y, en particular la prisión preventiva, no pueden ser impuestas ni con finalidad retributiva ni como un castigo prematuro, dado que el afectado sigue gozando de la consideración de inocente en tanto en cuanto no se ha producido una declaración definitiva de culpabilidad —en el sentido de responsabilidad jurídico-penal— con efecto de cosa juzgada (SSTC 128/1995, 37/1996, 67/1997 y 156/1997 [). No es que existan dos derechos a la presunción de inocencia, sino uno solo con trascendencia temporal dilatada, siendo sus efectos distintos en función del momento del proceso que se tenga en cuenta». ATC 214/1998 de 13 de octubre.

7°. Se admite la extensión de la presunción de inocencia fuera del ámbito penal. Este derecho fundamental no puede entenderse reducido el estricto campo del proceso penal, sino que debe entenderse aplicable a cualquier resolución, tanto administrativa como jurisdiccional, que se base en la conducta de las personas, de cuya apreciación se derive un resultado sancionador o limitativo de derechos (SSTC 13/82, de 1 abril, 36/85, de 8 marzo, 81/88, de 28 abril).

8°. El control casacional se orientará a verificar la validez y suficiencia de la prueba y la racionalidad en su valoración, sin que ello autorice a una nueva valoración del material probatorio (STS 761/2016, de 13 de octubre, LA LEY 141692/2016; y ATS 531/2017 de 16 Feb. 2017, Rec. 1589/2016; Ponente: Palomo del Arco, Andrés. LA LEY 28074/2017. Véase más adelante sobre esta cuestión el § 4.4.

9°. En definitiva, cuando se denuncia la vulneración del derecho a la presunción de inocencia ha de verificarse si la prueba de cargo en base a la cual el tribunal sentenciador dictó sentencia condenatoria fue obtenida con respeto a las garantías inherentes del proceso debido. Considerándose vulnerado el derecho a la presunción de inocencia cuando no sea posible encontrar una conclusión y valoración de la prueba válida y eficaz con relación al conjunto de elementos de prueba que se han tenido en cuenta para dictar sentencia. A ese fin procede analizar:

> «... el «juicio sobre la prueba», es decir, si existió prueba de cargo, entendiendo por tal aquélla que haya sido obtenida, con respeto al canon de legalidad constitucional exigible, y que además, haya sido introducida en el plenario de acuerdo con el canon de legalidad ordinaria y sometida a los principios que rigen de contradicción, inmediación, publicidad e igualdad. En segundo lugar, se ha de verificar «el juicio sobre la suficiencia», es decir, si constatada la existencia de prueba de cargo, ésta es de tal consistencia que tiene virtualidad de provocar el decaimiento de la presunción

de inocencia. En tercer lugar, debemos verificar «el juicio sobre la motivación y su razonabilidad», es decir, si el Tribunal cumplió con el deber de motivación, o sea, si explicitó los razonamientos para justificar el efectivo decaimiento de la presunción de inocencia. Bien entendido, como establece la STS 1507/2005 de 9.12 (LA LEY 10669/2006). "El único límite a esa función revisora lo constituye la inmediación en la percepción de la actividad probatoria, es decir, la percepción sensorial de la prueba practicada en el juicio oral. Lo que el testigo dice y que es oído por el tribunal, y cómo lo dice, esto es, las circunstancias que rodean a la expresión de unos hechos. Esa limitación es común a todos los órganos de revisión de la prueba, salvo que se reitere ante ellos la prueba de carácter personal, y a ella se refieren los arts. 741 (LA LEY 1/1882) y 717 de la Ley de Enjuiciamiento Criminal (LA LEY 1/1882). El primero cuando exige que la actividad probatoria a valorar sea la practicada "en el juicio". El segundo cuando exige una valoración racional de la prueba testifical. Ambos artículos delimitan claramente el ámbito de la valoración de la prueba diferenciando lo que es percepción sensorial, que sólo puede efectuar el órgano jurisdiccional presente en el juicio, de la valoración racional, que puede ser realizada tanto por el tribunal enjuiciador como el que desarrolla funciones de control"». STS Sala Segunda, de lo Penal, Sentencia 719/2016 de 27 Sep. 2016, Rec. 10063/2016; Ponente: Berdugo Gómez de la Torre, Juan Ramón. LA LEY 129022/2016.

4.3. Principio «*in dubio pro reo*»

El principio de «*in dubio pro reo*» opera como una norma de interpretación o de apreciación de prueba, en caso de que ésta resultase insuficiente para la condena de los acusados en el proceso. De este modo, cuando el resultado de la prueba dejara dudas en el ánimo o conciencia del Tribunal deberá absolverse a los acusados, en virtud del principio de «*in dubio pro reo*». Este es el supuesto en el que el órgano juzgador no ha adquirido una certeza plena sobre la existencia o inexistencia de los hechos enjuiciados y, en consecuencia, sobre la responsabilidad penal del acusado. En tales casos, la duda debe beneficiar siempre al imputado como consecuencia de la aplicación del principio «*in dubio pro reo*», haciendo constar en la sentencia, además de los hechos que resulten probados (*vid.* arts. 142.2., 851.2.º LECrim.; 248.3.º LOPJ), aquellos inciertos sobre los que se funde la sentencia absolutoria. Ahora bien, para que la duda se resuelva (se deba resolver) en favor del reo esta duda debe existir. Es decir, que este principio no opera cuando el órgano juzgador ha adquirido una certeza plena sobre la existencia o inexistencia de los hechos enjuiciados y sobre la responsabilidad penal del acusado.

«Desde la perspectiva constitucional la diferencia entre presunción de inocencia y la regla *in dubio pro reo* resulta necesaria en la medida que la presunción de inocencia ha sido configurada por el art. 24.2 como garantía procesal del imputado y derecho fundamental del ciudadano protegido por la vía de amparo, lo que no ocurre con la regla *in dubio pro reo*, condición o exigencia "subjetiva" del convencimiento del órgano judicial en la valoración de la prueba inculpatoria existente aportada al proceso. Este principio sólo entra en juego, cuando efectivamente, practicada la prueba, ésta no ha desvirtuado la presunción de inocencia, pertenece a las facultades valorativas del juzgador de instancia, no constituye precepto constitucional y su excepcional invocación casacional solo es admisible cuando resulta vulnerado su aspecto normativo, es decir "en la medida en la que esté acreditado que el Tribunal ha condenado a pesar de la duda" (SSTS 70/98 de 26.1, 699/2000 de 12.4 (LA LEY

6985/2000)). Aunque durante algún tiempo esta Sala ha mantenido que el principio *in dubio pro reo* no era un derecho alegable al considerar que no tenía engarce con ningún derecho fundamental y que en realidad, se trataba de un principio interpretativo y que por tanto no tenía acceso a la casación, sin embargo, en la actualidad tal posición se encuentra abandonada. Hoy en día la jurisprudencia reconoce que el principio *in dubio pro reo* forma parte del derecho a la presunción de inocencia y es atendible en casación. Ahora bien, solo se justifica en aquellos casos en los que el Tribunal haya planteado o reconocido la existencia de dudas en la valoración de la prueba sobre los hechos y las haya resuelto en contra del acusado (SSTS 999/2007 (LA LEY 216868/2007) de 12.7, 677/2006 de 22.6 (LA LEY 70362/2006), 1125/2001 de 12.7 (LA LEY 8929/2001), 2295/2001 de 4.12 (LA LEY 236163/2001), 479/2003, 836/2004 de 5.7 (LA LEY 13639/2004), 1051/2004 de 28.9). Es verdad que en ocasiones el Tribunal de instancia no plantea la cuestión así, por ello es preciso un examen más pormenorizado para averiguar si, en efecto, se ha infringido dicho principio. Por ejemplo, si toda la prueba la constituye un solo testigo y éste ha dudado sobre la autoría del acusado, se infringiría dicho principio si el Tribunal, a pesar de ello, esto es, de las dudas del testigo hubiera condenado, pues es claro que de las diversas posibilidades optó por la más perjudicial para el acusado». STS 714/2016 de 26 Sep. 2016, Rec. 1951/2015; Ponente: Berdugo Gómez de la Torre, Juan Ramón. LA LEY 126702/2016.

A diferencia de la presunción de inocencia, que supone ausencia de una mínima actividad probatoria de cargo, el principio «*in dubio pro reo*» se dirige al juzgador como norma de interpretación, para establecer que en aquellos casos en que la prueba practicada le ofreciera duda, proceda a dictar una sentencia absolutoria. El TC ha señalado también la diferencia entre este principio y la presunción de inocencia, declarando que el principio de «*in dubio pro reo*» queda fuera del marco constitucional de la presunción de inocencia y pertenece a la facultad soberana de enjuiciamiento de los órganos jurisdiccionales[137].

«El principio *"in dubio pro reo"* sólo entra en juego cuando existe una duda racional sobre la real concurrencia de los elementos del tipo penal, aunque se haya

---

(137) Vid. SSTC 6/87, de 28 enero, y 44/89, de 20 febrero, que en su FJ 2.º establece: «La presunción de inocencia supone que, como se parte de la inocencia, quien afirma la culpabilidad ha de demostrarla y es a la acusación a quien corresponde suministrar la prueba de la culpa del ciudadano presumido inocente; no demostrándose la culpa, procede la absolución aunque tampoco se haya demostrado claramente la inocencia, pues es el acusador quien tiene que probar los hechos y la culpabilidad del acusado y no es éste quien tiene que probar su inocencia (STC 64/86, de 21 mayo). Nuestra doctrina y jurisprudencia penal han venido sosteniendo que, aunque ambos puedan considerarse como manifestaciones de un genérico favor rei, existe una diferencia sustancial entre el derecho a la presunción de inocencia, que desenvuelve su eficacia cuando existe una falta absoluta de pruebas o cuando las practicadas no reúnen las garantías procesales, y el principio jurisprudencial in dubio pro reo, que pertenece al momento de la valoración o apreciación probatoria y que ha de jugar cuando, concurrente aquella actividad probatoria indispensable, exista una duda racional sobre la real concurrencia de los elementos objetivos y subjetivos que integran el tipo penal de que se trate. Desde la perspectiva constitucional, la diferenciación entre la presunción de inocencia y la regla in dubio pro reo resulta necesaria en la medida que la presunción de inocencia ha sido configurada por el art. 24.2 CE como garantía procesal del imputado y derecho fundamental del ciudadano protegible en la vía de amparo, lo que no ocurre propiamente con la regla in dubio pro reo, condición o exigencia subjetiva del convencimiento del órgano judicial en la valoración de la prueba inculpatoria existente aportada al proceso».

practicado una prueba válida con cumplimiento de las correspondientes garantías procesales. Desde la perspectiva constitucional, mientras que el principio de presunción de inocencia está protegido en la vía de amparo, el principio *"in dubio pro reo"*, como perteneciente al convencimiento —que hemos denominado subjetivo— del órgano judicial, además de no estar dotado de la misma protección, no puede en ningún momento ser objeto de valoración por nuestra parte cuando el órgano judicial no ha tenido duda alguna sobre el carácter incriminatorio de las pruebas practicadas (STC 25/1988, de 23 de febrero, F. 2; 44/1989, de 20 de febrero, F. 2, y 63/1993, de 1 de marzo, F.4), como ocurre en este caso». STC 16/2000 de 31 de enero.

En igual sentido se ha pronunciado el Tribunal Supremo señalando que el principio de *in dubio pro reo* se desenvuelve en el ámbito de la estricta valoración de las pruebas, es decir de la apreciación de la eficacia demostrativa por el Tribunal de instancia a quien compete su valoración la conciencia para formar su convicción sobre la verdad de los hechos.

«La infracción del principio *"in dubio pro reo"*, éste presuponiendo la previa existencia de la presunción de inocencia, se desenvuelve en el campo de la estricta valoración de las pruebas, es decir de la apreciación de la eficacia demostrativa por el Tribunal de instancia a quien compete su valoración la conciencia para formar su convicción sobre la verdad de los hechos (art. 741 LECrim (LA LEY 1/1882) .). Reitera la jurisprudencia que el principio informador del sistema probatorio que se acuña bajo la fórmula del *"in dubio pro reo"* es una máxima dirigida al órgano decisor para que atempere la valoración de la prueba a criterios favorables al acusado cuando su contenido arroje alguna duda sobre su virtualidad inculpatoria; presupone, por tanto, la existencia de actividad probatoria válida con signo incriminador, pero cuya consistencia ofrece resquicios que pueden ser decididos de forma favorable a la persona del acusado. El principio *in dubio pro reo*, se diferencia de la presunción de inocencia en que se dirige al Juzgador como norma de interpretación para establecer que en aquellos casos en los que a pesar de haberse realizado una actividad probatoria normal, tales pruebas dejasen duda en el ánimo del Juzgador, se incline a favor de la tesis que beneficie al acusado (STS 45/97 de 16.1)». STS 714/2016 de 26 Sep. 2016, Rec. 1951/2015; Ponente: Berdugo Gómez de la Torre, Juan Ramón. LA LEY 126702/2016.

Pero, no obstante la diferencia entre este principio y el de presunción de inocencia, no determina ninguna diferencia cualitativa con una absolución por aplicación de la presunción de inocencia. Por ejemplo en el ámbito de la responsabilidad del Estado.

«40. El TEDH apunta que, en aplicación del principio *in dubio pro reo*, ninguna diferencia cualitativa debe existir entre una absolución fundada en una inexistencia de pruebas y una absolución resultante de una constatación de la inocencia de manera incontestable. En efecto, las sentencias absolutorias no se diferencian en función de los motivos aducidos por el Juez de lo penal. Muy al contrario, en el ámbito del artículo 6 § 2 del Convenio, la parte resolutiva de una sentencia absolutoria debe ser respetada por toda Autoridad que se pronuncie de manera directa o incidente sobre la responsabilidad penal del interesado (Allen, anteriormente citada, § 102, Vassilios Stavropoulos c. Grecia, no 35522/04, § 39, 27 de septiembre de 2007). Exigirle a una persona que aporte la prueba de su inocencia en el marco de un procedimiento indemnizatorio por detención provisional se presenta como irrazonable y revela un atentado contra la presunción de inocencia. (Capeau c. Bélgica, no 42914/98, § 25,

CEDH 2005-I). En suma, con arreglo a esta doctrina, la decisión judicial recurrida en este amparo constitucional refleja la sensación de que sí hubo *conducta delicti*va cometida por el recurrente». STC Pleno, Sentencia 8/2017 de 19 Ene. 2017, Rec. 2341/2012. Ponente: González Rivas, Juan José. LA LEY 183/2017.

El TS había declarado de forma reiterada que no procedía revisar en casación la aplicación del principio «*in dubio pro reo*», ya que se trata de una cuestión referente a la valoración de la prueba, de la exclusiva competencia del Tribunal de instancia[138]. Sin embargo, sí que tendrá acceso a casación cuando se infrinja su aspecto normativo. Es decir, cuando se imponga la condena a pesar de la duda del Tribunal.

«En este sentido la STS 999/2007, de 26-11 (LA LEY 216868/2007), con cita en la STS 939/98 de 13-7, que recordaba que "el principio *in dubio pro reo* no tiene acceso a la casación por suponer una valoración de la prueba que está vedada a las partes con arreglo a lo establecido en el art. 741 LECrim (LA LEY 1/1882), pero esta doctrina quiebra cuando es la propia Sala sentenciadora la que en sus razonamientos nos muestra unas dudas evidentes. En estos casos sí es posible examinar en casación la existencia y aplicación de tal principio favorable al reo. Por tanto, el principio *in dubio pro reo* sí puede ser invocado para fundamentar la casación, cuando resulte vulnerado su aspecto normativo, es decir, en la medida en la que esté acreditado que el tribunal ha condenado a pesar de su duda. Por el contrario, no cabe invocarlo para exigir al tribunal que dude, ni pueda pedir a los jueces que no duden. La duda del tribunal, como tal, no es revisable en casación, dado que el principio *in dubio pro reo* no establece en qué supuestos los jueces tienen el deber de dudar, sino cómo se debe proceder en el caso de duda (STS 1186/95, de 1-12; 1037/95, de 27-12)"». STS 714/2016 de 26 Sep. 2016, Rec. 1951/2015; Ponente: Berdugo Gómez de la Torre, Juan Ramón. LA LEY 126702/2016.

4.4. Cauce procesal para alegar la presunción de inocencia ante el Tribunal Supremo y el Tribunal Constitucional

La presunción de inocencia es una presunción «*iuris tantum*» que puede desvirtuarse mediante una actividad probatoria de cargo producida con todas las garantías procesales de la que se pueda deducir la culpabilidad del acusado. Siendo así es claro que su protección corresponde primordialmente a los Jueces y Tribunales del orden penal que deben garantizar este derecho en cada uno de los procesos en los que intervengan. La vulneración de este derecho, como la de cualquier otro de carácter fundamental, puede denunciarse ante el Tribunal Constitucional en vía de amparo, una vez agotados infructuosamente todos los recursos utilizables ante la vía jurisdiccional (art. 53.2.º CE).

---

(138) «No puede prosperar tampoco el principio "in dubio pro reo", como sustentador de la falta de prueba de las imputaciones incriminatorias contra... La jurisprudencia de esta Sala... ha considerado que el mencionado principio no constituye ningún precepto penal de carácter substantivo, ni norma jurídica del mismo carácter, que deba ser observada en la aplicación de la Ley Penal, por lo que no puede ser invocado por el cauce del art. 849.1º de la LECrim, salvo supuestos excepcionales, cuando el Juzgador haya condenado pese a poner de relieve en la sentencia sus dudas respecto a la autoría del hecho». STS Sala Segunda, de lo Penal, Sentencia 2444/2001 de 4 Abr. 2002, Rec. 425/2000; Ponente: Marañón Chávarri, José Antonio. LA LEY 5910/2002.

La vía jurisdiccional previa incluye en primer lugar el recurso de apelación que podrán fundarse en cualquiera de los motivos previstos en el art. 790.2 LECrim, ya sea con base en el error en la apreciación de la prueba o por infracción de precepto constitucional (infracción de ley y quebrantamiento de forma *vid*. § 4, Cap. XI). En vía casacional cabe alegar la vulneración de la presunción de inocencia con base en el art. 5.4.º LOPJ, según autoriza el art. 852 LECrim, según nueva redacción dada por la Disposición Final 12ª LEC, que establece que: *«En todo caso, el recurso de casación podrá interponerse fundándose en infracción de precepto constitucional»*. La doctrina jurisprudencial del TS ha entendido que, por medio de la alegación en casación de la infracción de un precepto constitucional, por la vía del art. 5.4.º LOPJ, se ha abierto un nuevo cauce casacional, independiente de los previstos en los arts. 849 a 851 LECrim que permiten fundar la infracción de la presunción de inocencia en alguno de los motivos de recurso de casación. Entre estos se halla el previsto en el art. 849.2 LECrim que permite recurrir en casación por error en la valoración de la prueba por el juzgador basado en documentos que obren en autos y que demuestren la equivocación del juzgador sin resultar contradichos por otros elementos probatorios. Resultando con la ausencia de prueba de cargo imputable a dicho acusado. En estos casos, la vía casacional utilizable es ambivalente —art. 849.2.º LECrim. o art. 5.4.º LOPJ— por confluir ambas en el mismo objetivo: demostrar la falta de prueba para declarar una responsabilidad, lo que a su vez comporta un error de hecho en la apreciación de la prueba utilizada[139]. (*Vid.* sobre los motivos casacionales § 7, Cap. XI).

«Siendo así en relación a la presunción de inocencia, esta Sala tiene declarado (SSTS 615/2016 (LA LEY 79241/2016) de 7.4, 129/2014 de 26.2 (LA LEY 29176/2014), 428/2013 de 29.5 (LA LEY 56117/2013), 1278/2011 de 29.11 (LA LEY 236554/2011), entre otras muchas que nuestro sistema casacional no queda limitado al análisis de cuestiones jurídicas y formales y a la revisión de las pruebas por el restringido cauce que ofrece el art. 849.2 LECrim (LA LEY 1/1882) pues como señala la STC 136/2006 de 8.5 (LA LEY 60256/2006); en virtud del art. 852 LECrim, el recurso de casación puede interponerse, en todo caso, fundándose en la infracción de un precepto constitucional, de modo que a través de la invocación del 24.2 CE (fundamentalmente, en cuanto se refiere al derecho a la presunción de inocencia), es posible que el Tribunal Supremo controle tanto la licitud de la prueba practicada en la que se fundamenta el fallo, como su suficiencia para desvirtuar la presunción de inocencia y la razonabilidad de las inferencias realizadas (por todas STC 60/2008 de 26.5 (LA LEY 61662/2008)). Por ello a través de un motivo de casación basado en la infracción del derecho a la presunción de inocencia, se puede cuestionar no solo el cumplimiento de las garantías legales y constitucionales de la prueba practicada, sino la declaración de culpabilidad que el Juzgador de instancia haya deducido de su contenido. Por tanto el acusado tiene abierta una vía que permite a este Tribunal Supremo "la revisión integra" entendida en el sentido de posibilidad de acceder no solo a las cuestiones jurídicas, sino también a las fácticas en que se fundamenta la

---

(139) «... Por lo que se refiere a la falta de expresa invocación del art. 5.4 LOPJ, se señala que no se advierte razón por la que la vía del art. 849.1.º y 2.º de la LECrim. devenga incompatible por el hecho de que el citado art. 5.4 LOPJ consigne expresamente la infracción del precepto constitucional como fundamento del recurso de casación en todos los casos en que, según la Ley, proceda...». (STC 71/92, de 13 mayo).

declaración de culpabilidad, a través del control de la aplicación de las reglas procesales y de valoración de la prueba (SSTC 70/2002 de 3.4 (LA LEY 3534/2002) y 116/2006 de 29.4)». STS Sala Segunda, de lo Penal, Sentencia 719/2016 de 27 Sep. 2016, Rec. 10063/2016; Ponente: Berdugo Gómez de la Torre, Juan Ramón. LA LEY 129022/2016.

No se admitirá el recurso de casación que invoque la vulneración de la presunción de inocencia cuando: a) No se haya anunciado aquella vulneración en la fase de preparación del recurso, ya que supone la infracción del art. 855.1.º LECrim., dando lugar a la causa de inadmisión prevista en el art. 884.4.º. b) No se alegue, al desarrollar el motivo en el escrito de interposición, un vacío o ausencia de prueba de cargo, sino una disconformidad en la valoración de la prueba obrante en autos, ya que se incurrirá en la causa de inadmisión prevista en el art. 884.3.º LECrim. c) No cabe impugnar denunciando infracción del principio de presunción de inocencia respecto de la inferencia llevada a cabo por el Tribunal de instancia. Es decir, la estructura lógica o hilo conductor del razonamiento (inferencia), ya que tiene que ver con el elemento subjetivo del tipo penal. Esta cuestión será revisable en casación por la vía de un motivo por infracción de ley del artículo 849.1 LECrim (Ver § 7.4.1 Cap. XI). Tampoco cabe alegar la infracción de la presunción de inocencia respecto de las sentencias dictadas previa conformidad[140].

Al conocer de este recurso el TS deberá realizar un juicio sobre la prueba practicada al efecto de comprobar: 1º la existencia del hecho que fundamenta la condena (juicio sobre prueba), es decir si la condena se ha basado en prueba de cargo apta para enervar la presunción de inocencia y practicada con todas las garantías. 2º Si la prueba considerada de cargo lo es realmente. Es decir si es suficiente y apta para enervar la presunción de inocencia[141]. 3º Si constatada la

---

(140) La alegación del recurrente carece de todo fundamento, pues la presunción de inocencia ha quedado desvirtuada al admitir el acusado los hechos en el acto del juicio oral, con el oportuno asesoramiento de su letrado. Como ha recogido una reiterada doctrina de esta Sala (Sentencias 11 marzo de 1993, 8 de marzo de 1995 núm. 859/1995, 19 de julio de 1996, núm. 549/1996 y 122/1997, de 4 de febrero), la expresión de «estricta conformidad» consignada en el art. 793 de la Ley de Enjuiciamiento Criminal «obliga tan sólo a tener en cuenta la literalidad de los hechos imputados, permitiendo al juzgador valorar o determinar su adecuada tipicidad o la mera concurrencia de circunstancias modificativas de la responsabilidad criminal» (Sentencia 549/1996), pero en cualquier caso la admisión de los hechos por el acusado impiden a éste invocar en un recurso posterior la vulneración de la presunción de inocencia, pues como señala la sentencia núm. 859/1995 de 8 de marzo, la conformidad del acusado implica que el hecho es aceptado como existente y supone una declaración de voluntad que, en primer y decisivo término, impide la posibilidad de que la acusación produzca prueba de signo incriminatorio o de cargo, y por ello produce en la instancia una preclusión para el acusado de poder alegar en otro grado jurisdiccional la ausencia de aquélla —que no ha podido producirse por imperativo legal, dada la conformidad— que es en definitiva el substrato esencial sobre el que descansa el derecho fundamental a la presunción de inocencia. En definitiva no cabe alegar en casación la vulneración del derecho a la presunción constitucional de inocencia cuando fue el acusado quien impidió, al conformarse con los hechos objeto de acusación, la práctica de prueba de cargo en el juicio oral». STS Sala Segunda, de lo Penal, Sentencia 1652/2001 de 17 Sep. 2001, Rec. 3997/1999; Ponente: Granados Pérez, Carlos. LA LEY 4544/2002.

(141) «El Tribunal de casación debe comprobar que el de instancia ha dispuesto de la precisa actividad probatoria para la afirmación fáctica contenida en la sentencia, lo que supone constatar

existencia de prueba de cargo ésta es de tal consistencia que tiene la virtualidad de provocar el decaimiento de la presunción de inocencia (el juicio sobre la suficiencia). 4º Si el Tribunal motivó debidamente su sentencia. Es decir si explicitó los razonamientos para justificar el efectivo decaimiento de la presunción de inocencia[142]. En este sentido, debe tenerse en cuenta que la actividad de enjuiciamiento es una actuación individualizada con relación a un caso concreto sobre el que se tiene que operar razonablemente dando cuenta del proceso intelectual seguido para obtener una conclusión que es la sentencia (juicio sobre la motivación y su razonabilidad)[143].

que existió porque se realiza con observancia de la legalidad en su obtención y se practica en el juicio oral bajo la vigencia de los principios de inmediación, oralidad, contradicción efectiva y publicidad, y que el razonamiento de la convicción obedece a criterios lógicos y razonables que permitan su consideración de prueba de cargo». STS 155/2016 de 29 Feb. 2016, Rec. 1506/2015. Ponente: Monterde Ferrer, Francisco. LA LEY 10059/2016.

(142) «Es doctrina constitucional consolidada que, en la medida en que toda condena ha de asentarse en pruebas de cargo válidas, suficientes y concluyentes, tal suficiencia incriminatoria ha de ser racionalmente apreciada por el Juez y explicada en la Sentencia, de forma que el déficit de motivación o los errores en la motivación o su incoherencia interna, puestos en relación con la valoración de la prueba y, por tanto, con la existencia de prueba de cargo, supondrían, de ser estimados, la quiebra del derecho a la presunción de inocencia». STC 111/2008, de 22 de septiembre.

(143) «En definitiva, como esta Sala ha repetido de forma constante, en el ámbito del control casacional, cuando se denuncia la vulneración del derecho a la presunción de inocencia, se concreta, en la verificación de si la prueba de cargo en base a la cual el Tribunal sentenciador dictó sentencia condenatoria fue obtenida con respeto a las garantías inherentes del proceso debido, y por tanto: en primer lugar, debe analizar el "juicio sobre la prueba", es decir, si existió prueba de cargo, entendiendo por tal aquella que haya sido obtenida con respeto al canon de legalidad constitucional exigible, y que además, haya sido introducida en el Plenario de acuerdo con el canon de legalidad ordinaria y sometida a los principios que rigen dicho acto. Contradicción, inmediación, publicidad e igualdad. En segundo lugar, se ha de verificar "el juicio sobre la suficiencia", es decir, si constatada la existencia de prueba de cargo, ésta es de tal consistencia que tiene virtualidad de provocar el decaimiento de la presunción de inocencia. En tercer lugar, debemos verificar "el juicio sobre la motivación y su razonabilidad", es decir si el Tribunal cumplió con el deber de motivación, es decir si explicitó los razonamientos para justificar el efectivo decaimiento de la presunción de inocencia, ya que la actividad de enjuiciamiento es por un lado una actuación individualizadora no seriada, y por otra parte es una actividad razonable, por lo tanto, la exigencia de que sean conocidos los procesos intelectuales del Tribunal sentenciador que le han llevado a un juicio de certeza de naturaleza incriminatoria para el condenado, es, no sólo un presupuesto de la razonabilidad de la decisión, sino asimismo una necesidad para verificar la misma cuando la decisión sea objeto de recurso, e incluso la motivación fáctica actúa como mecanismo de aceptación social de la actividad judicial. En definitiva, el ámbito del control casacional en relación a la presunción de inocencia se concreta en verificar si la motivación fáctica alcanza el estándar exigible y si, en consecuencia, la decisión alcanzada por el Tribunal sentenciador, en sí misma considerada, es lógico, coherente y razonable, de acuerdo con las máximas de experiencia, reglas de la lógica y principios científicos, aunque puedan existir otras conclusiones porque no se trata de comparar conclusiones sino más limitadamente, si la decisión escogida por el Tribunal sentenciador soporta y mantiene la condena, —SSTC 68/98, 85/99 (LA LEY 4897/1998), 117/2000 (LA LEY 8948/2000), 4 de junio de 2001 o 28 de enero de 1002, o de esta Sala 1171/2001, 6/2003, 220/2004, 711/2005, 866/2005, 476/2006, 528/2007 entre otras—. Por ello, queda fuera, extramuros del ámbito casacional verificado el canon de cumplimiento de la motivación fáctica y la razonabilidad de sus conclusiones alcanzadas en la instancia, la posibilidad de que esta Sala pueda sustituir la valoración que hizo el Tribunal de instancia, ya que esa misión le corresponde a ese Tribunal en virtud del art. 741 LECriminal (LA LEY 1/1882) y de la inmediación de que dispuso, inmediación que no puede servir de

«Esta Sala de Casación debe efectuar una triple verificación al respecto: a) En primer lugar, debe analizar el "juicio sobre la prueba", es decir, si existió prueba de cargo, estimando por tal aquella que haya sido obtenida con respeto al canon de legalidad constitucional exigible, y que, además, haya sido introducida en el Plenario de acuerdo con el canon de legalidad ordinaria y sometido al cedazo de la contradicción, inmediación e igualdad que definen la actividad del Plenario. b) En segundo lugar, se ha de verificar "el juicio sobre la suficiencia", es decir si constatada la existencia de prueba de cargo, ésta es de tal consistencia que tiene la virtualidad de provocar el decaimiento de la presunción de inocencia y c) En tercer lugar, debemos verificar "el juicio sobre la motivación y su razonabilidad", es decir si el Tribunal cumplió por el deber de motivación, es decir si explicitó los razonamientos para justificar el efectivo decaimiento de la presunción de inocencia, ya que la actividad de enjuiciamiento es por un lado una actuación individualizadora, no seriada, y por otra parte es una actividad razonable, por lo tanto la exigencia de que sean conocidos los procesos intelectuales del Tribunal sentenciador que le han llevado a un juicio de certeza de naturaleza incriminatoria para el condenado es no sólo un presupuesto de la razonabilidad de la decisión intra processum, porque es una necesidad para verificar la misma cuando la decisión sea objeto de recurso, sino también, *extra* processum, ya que la motivación fáctica actúa como mecanismo de aceptación social de la actividad judicial». STS Sala Segunda, de lo Penal, Sentencia 993/2016 de 12 Ene. 2017, Rec. 10282/2016; Ponente: Giménez García, Joaquín. LA LEY 346/2017.

En su virtud, en la casación corresponde al Tribunal Supremo analizar la prueba practicada en juicio oral solo en lo que concierne a su estructura racional. Es decir, con relación a la observancia por el Tribunal «a quo» de las reglas de la lógica, los principios de la experiencia y los conocimientos científicos. Por el contrario, son ajenos al objeto de la casación aquellos aspectos del juicio que dependen sustancialmente de la inmediación. No se trata, por tanto, de comparar la valoración probatoria efectuada por el Tribunal y la que sostiene la parte que recurre o cualquier otra posible, sino, más limitadamente, de comprobar la regularidad de la prueba utilizada y la racionalidad del proceso argumentativo (véase en este sentido la STS 761/2016, de 13 de octubre, LA LEY 141692/2016)[144].

---

coartada para eximir de la obligación de motivar». STS 714/2016 de 26 Sep. 2016, Rec. 1951/2015; Ponente: Berdugo Gómez de la Torre, Juan Ramón. LA LEY 126702/2016.

(144) «En el momento actual, con independencia de la introducción de la segunda instancia, es lo cierto que reiterada jurisprudencia de esta Sala y del Tribunal Constitucional han declarado la naturaleza efectiva del recurso de casación penal en el doble aspecto del reexamen de la culpabilidad y pena impuesta por el Tribunal de instancia al condenado por la flexibilización y amplitud con que se está interpretando el recurso de casación desposeído de toda rigidez formalista y por la ampliación de su ámbito a través del cauce de la vulneración de derechos constitucionales, singularmente por vulneración del derecho a la presunción de inocencia que exige un reexamen de la prueba de cargo tenida en cuenta por el Tribunal sentenciador desde el triple aspecto de verificar la existencia de prueba válida, prueba suficiente y prueba debidamente razonada y motivada, todo ello en garantía de la efectividad de la interdicción de toda decisión arbitraria —art. 9-3°—, de la que esta Sala debe ser especialmente garante, lo que exige verificar la razonabilidad de la argumentación del Tribunal sentenciador a fin de que las conclusiones sean acordes a las máximas de experiencia, reglas de la lógica y principios científicos. En definitiva sobre esta cuestión del control casacional de la valoración probatoria hemos dicho en SSTS 458/2009 de 13-4 (LA LEY 75437/2009) y 131/2010 de 18-1 (LA LEY 4035/2010); reiterando la doctrina anterior que ni el objeto del control es directamente el resultado probatorio, ni se trata en casación de formar otra convicción valorativa

«Cuando se trata de pruebas personales, su valoración depende en gran medida de la percepción directa, de forma que la determinación de la credibilidad que merecen quienes declaran ante el Tribunal corresponde al órgano jurisdiccional de instancia, en virtud de la inmediación, sin que su criterio pueda ser sustituido en casación, salvo los casos excepcionales en los que se aporten datos o elementos de hecho no tenidos en cuenta en su momento que puedan poner de relieve una valoración arbitraria. Tiene dicho esta Sala en la STS núm. 951/99, de 14 de junio de 1999 (LA LEY 7005/1999), que «... el juicio sobre la prueba producida en el juicio oral es sólo revisable en casación en lo que concierne a su estructura racional, es decir, en lo que respecta a la observación por parte del Tribunal de los hechos de las reglas de la lógica, los principios de la experiencia y los conocimientos científicos. Por el contrario, son ajenos al objeto de la casación aquellos aspectos del juicio que dependen sustancialmente de la inmediación, o sea de la percepción directa de las declaraciones prestadas en presencia del Tribunal de instancia. En este sentido se ha señalado repetidamente que la cuestión de la credibilidad de los testigos, en principio, queda fuera de las posibilidades de revisión en el marco del recurso de casación (Cfr. SSTS 22-91992 y 30-3-1993; 2-10-2003, n.º 1266/2003 (LA LEY 10328/2004))». STS 987/2016 de 11 Ene. 2017, Rec. 10359/2016. Ponente: Monterde Ferrer, Francisco. LA LEY 82/2017.

Esto es así, porque es competencia exclusiva de los tribunales ordinarios la ponderación libre de los distintos elementos de prueba y la valoración de su significación y trascendencia en orden a la fundamentación del fallo. De modo que el control o juicio externo, mediante los recursos, debe limitarse a examinar la razonabilidad del discurso que une la actividad probatoria y el relato fáctico resultante (véase STC 157/1998 de 28 de septiembre).

«Cuando se aduce la vulneración del derecho a la presunción de inocencia nuestro análisis debe realizarse respecto del conjunto de estos elementos sin que quepa la posibilidad de fragmentar o disgregar esta apreciación probatoria, ni de considerar cada una de las afirmaciones de hecho acreditadas de modo aislado, pues como ya hemos afirmado en no pocas ocasiones no puede realizarse una operación de análisis aislado de los hechos acreditados por el Tribunal sentenciador, ni de desagregación de los distintos elementos de prueba, ni de disgregación de la línea argumental llevada a cabo por el Tribunal Supremo. Es doctrina del Tribunal absolutamente asentada que el derecho fundamental a la presunción de inocencia no puede ser invocado con éxito para cubrir cada episodio, vicisitud, hecho o elemento debatido en el proceso penal, o parcialmente integrante de la resolución final que le ponga término. Los límites de nuestro control no permiten desmenuzar o dilucidar cada elemento probatorio, sino que debe realizarse un examen general y contextualizado de la valoración probatoria para puntualizar en cada caso si ese derecho fue o no respetado, concretamente en la decisión judicial condenatoria, pero tomando en cuenta el conjunto de la actividad probatoria (SSTC 105/1983, de 23 de noviembre (LA LEY 8308-

ni dispone de la imprescindible inmediación que sólo tuvo el tribunal de instancia. El objeto de control es la racionalidad misma de la valoración elaborada por éste a partir del resultado de las pruebas que presenció. No procede ahora por tanto que el recurrente sugiera o proponga otra valoración distinta que desde un punto de vista se acomode mejor a su personal interés, sino que habrá de argumentar que es irracional o carente de lógica el juicio valorativo expresado por el tribunal de instancia». STS Sala Segunda, de lo Penal, Sentencia 719/2016 de 27 Sep. 2016, Rec. 10063/2016; Ponente: Berdugo Gómez de la Torre, Juan Ramón. LA LEY 129022/2016.

JF/0000), FJ 10;4/1986, de 20 de enero (LA LEY 69141-NS/0000), FJ 3;44/1989, de 20 de febrero (LA LEY 553/1989), FJ2; 41/1998 (LA LEY 3497/1998), de 31 de marzo, FJ 4;124/2001, de 4 de junio (LA LEY 6089/2001), FJ 14; y ATC 247/1993, de 15 de julio, FJ 1)». STC 126/2011, de 18 de julio (LA LEY 146261/2011).

Los efectos de la estimación del recurso de casación fundado en la vulneración de algún precepto constitucional, interpuesto al amparo del art. 5.4.º LOPJ, serán distintos según se trate de la infracción de la presunción de inocencia, entendida en sentido estricto, es decir, cuando existe ausencia total de prueba de cargo en el proceso; o bien se trate de la infracción de algún otro precepto constitucional que impida una correcta valoración de la prueba que implique indefensión en el acusado (falta de práctica de prueba). En el primer supuesto, de presunción de inocencia por falta total de prueba, el Tribunal Supremo deberá casar la sentencia recurrida y dictar una nueva decretando la absolución del condenado. En el segundo supuesto dictará sentencia anulando la de instancia y mandará retrotraer el proceso al momento en el que se cometió la infracción, para que el Tribunal de instancia vuelva a sustanciarlo, practicando prueba y dictando una nueva sentencia con arreglo a derecho. Se justifica esta doctrina para evitar, en el primer supuesto, una duplicidad procesal de pronunciamientos jurisdiccionales contraria a una justicia sin dilaciones indebidas.

> «Al alegarse la vulneración de la presunción de inocencia, la Sala del Supremo deberá ponderar: a) las pruebas que tuvo en cuenta el Tribunal de instancia para atribuir unos hechos delictivos a una persona; b) si las pruebas fueron practicadas en el juicio con sujeción a los principios de oralidad, inmediación, contradicción y publicidad; c) si de haber sido practicadas en el sumario, fueron introducidas en el debate del plenario por la vía de los arts. 714 y 730 de la LECrim; d) si las pruebas se practicaron con observancia de las normas procesales y respeto a los derechos fundamentales; e) si las conclusiones probatorias del Tribunal sentenciador no contravienen las leyes de la lógica, de la experiencia o de las ciencias». STS 31 de diciembre de 2001.

En consecuencia, sólo en aquellos casos en que la infracción de la presunción de inocencia sea consecuencia de una indefensión, basada en la falta de práctica de prueba esencial para la inocencia o culpabilidad del acusado, podrá acudirse, por analogía, a lo previsto en el art. 850.1.º LECrim., y por ello, al mismo tratamiento procesal regulado para el quebrantamiento de forma en el art. 901 bis LECrim. (anulación de la sentencia y retroacción del procedimiento), reforzado en este caso el recurso por la vulneración de los principios constitucionales de presunción de inocencia e indefensión. Duplicidad de fallos, que como decimos, se evitará cuando se trate de la apreciación de la presunción de inocencia por carencia de prueba acordando directamente el Tribunal de casación la absolución del acusado.

Corresponderá al TC estimar la existencia de indefensión cuando se utilice la vía del recurso de amparo. Esta estimación deberá hacerse sin entrar en el examen de los hechos que dieron lugar al proceso y respetando el principio de libre apreciación de la prueba por parte del Tribunal de instancia (de acuerdo con el art. 741 LECrim)[145].

_____

(145) «... sólo cabrá constatar una vulneración del derecho a la presunción de inocencia cuando no haya pruebas de cargo válidas, es decir, cuando los órganos judiciales hayan valorado

«Constituye también doctrina consolidada de este Tribunal que no le corresponde revisar la valoración de las pruebas a través de las cuales el órgano judicial alcanza su íntima convicción, sustituyendo de tal forma a los Jueces y Tribunales ordinarios en la función exclusiva que les atribuye el art. 117.3 CE, sino únicamente controlar la razonabilidad del discurso que une la actividad probatoria y el relato fáctico que de ella resulta, porque el recurso de amparo no es un recurso de apelación, ni este Tribunal una tercera instancia. De este modo hemos declarado con especial contundencia que el examen de la vulneración del derecho a la presunción de inocencia ha de partir "de la radical falta de competencia de esta jurisdicción de amparo para la valoración de la actividad probatoria practicada en un proceso penal y para la evaluación de dicha valoración conforme a criterios de calidad o de oportunidad" (STC 137/2005, de 23 de mayo, FJ 2)». STC 111/2008, de 22 de septiembre.

___

una actividad probatoria lesiva de otros derechos fundamentales o carente de garantías, o cuando no se motive el resultado de dicha valoración, o, finalmente, cuando por ilógico o insuficiente no sea razonable el iter discursivo que conduce de la prueba al hecho probado... el juicio de amparo constitucional versa acerca de la razonabilidad del nexo establecido por la jurisdicción ordinaria, sin que podamos entrar a examinar otras posibles inferencias propuestas por quien solicita el amparo». STC 220/1998 de 16 de noviembre.

MODELOS

M. 109. Escrito de recusación de perito

AL JUZGADO

D. [.../...], Procurador de los Tribunales y obrando en nombre de la entidad [.../...], cuya representación ya tengo acreditada, en calidad de responsable civil subsidiario en el sumario núm. [.../...] de este Juzgado, DIGO:

Que por medio de este escrito me veo precisado a solicitar la recusación del perito D. [.../...], propuesto por la representación de la acusación en su escrito de fecha [.../...]

Baso esta recusación en los siguientes:

RAZONAMIENTOS

PRIMERO. Proposición y nombramiento. Mediante escrito del querellante de fecha [.../...] fue propuesto como perito contable D. [.../...] Este Juzgado dictó el siguiente día [.../...] providencia por la que señalaba para el día de mañana la diligencia de aceptación del perito.

SEGUNDO. Causa de recusación. Concurre la causa de recusación señalada con el n.° [.../...] del art. 468 de la LECrim., por cuanto dicho perito es [.../...]

TERCERO. Prueba de la causa de recusación.

Con el fin de probar la existencia de la causa de recusación que he dejado expuesta propongo a tenor de lo dispuesto en el art. 469 LECrim. el siguiente medio de prueba: [.../...]

Por ello,

AL JUZGADO SUPLICO admita este escrito y tenga por propuesto, antes de iniciarse la práctica de la prueba, la recusación del perito, y siendo una prueba que por su laboriosidad no podrá practicarse en el plenario, tras sus trámites acuerde efectuar el nombramiento de nuevo perito para la práctica de dicha prueba.

En [.../...], a [.../...] de [.../...] de 201[.../...]

DILIGENCIA DE PRESENTACIÓN

El Juez examinará los documentos y oirá a los testigos que el recusante presente en el acto, resolviendo posteriormente; no suspendiendo el acto pericial, salvo el tiempo estrictamente necesario para nombrar un nuevo perito. Si se designase el archivo o lugar en que se encuentren los documentos no se produce tampoco la suspensión del acto pericial, si bien resultando justificada la petición anulará el informe pericial dado, mandando se practique de nuevo esta diligencia —art. 470 LECrim.—.

M. 110. Auto resolviendo la recusación de perito

AUTO

En [.../...], a [.../...] de [.../...] de 20[.../...]

Dada cuenta, y

HECHOS

1.º. Presentado escrito por [.../...] en el cual se hace constar como causa de recusación del perito [.../...], la de [.../...] y practicada la prueba solicitada.

FUNDAMENTOS DE DERECHO

1.º. [.../...] *(razonamiento acerca de las causas propuestas, incluidas en el art. 468 LECrim.)*.

VISTOS los arts. 468 a 470 y demás de pertinente aplicación.

PARTE DISPOSITIVA

Que se desestima la causa de recusación propuesta por [.../...] contra [.../...], continuándose la práctica de la prueba pericial acordada.

Contra la presente resolución no cabe recurso.

Lo manda y rubrica el Sr. D. [.../...], Juez de Instrucción de [.../...], doy fe.

DILIGENCIA. Seguidamente se cumple lo acordado, doy fe.

(NOTIFICACIÓN. Al interesado o su Procurador y Ministerio Fiscal)

CAPÍTULO X

SENTENCIA, COSA JUZGADA Y COSTAS PROCESALES

SECCIÓN 1. LA SENTENCIA[1]

1.1. Forma y contenido de la sentencia

La sentencia se constituye en la resolución judicial que resuelve de forma definitiva sobre la acción penal ejercitada condenando o absolviendo a los procesados y decidiendo, en su caso, sobre la responsabilidad civil (arts. 218 LEC, 245.1.c LOPJ y 141, 742 LECrim). En su virtud, la sentencia puede definirse como: «El acto procesal del órgano jurisdiccional consistente en la emisión de un juicio sobre las peticiones punitivas y de resarcimiento solicitadas por las partes de conformidad con el Derecho material aplicado y las normas de procedimiento previstas a ese fin». Véase M. 111. Véanse otros Modelos de sentencia dictadas en distintos procedimientos en el Cap. XII en sede de procedimiento Abreviado; Cap. XV procedimiento por delitos graves; Cap. XVI procedimiento de Jurado, etc.

Las sentencias se formularán expresando, tras un encabezamiento, en párrafos separados y numerados, los antecedentes de hecho, los hechos probados, los fundamentos de derecho y, por último, el fallo (art. 142 LECrim, 209 LEC). Serán firmadas por el Juez, Magistrado o Magistrados que las dicten —art. 204 LEC, 248.3.º LOPJ—. En este último caso, si disintiera de la mayoría, el Magistrado podrá formular voto particular (art. 205 LEC, art. 260 LOPJ) (véase § 1.2.D de este Capítulo). También

<hr/>

(1) Vid. Bibliografía general. También véase RUIZ VADILLO, E., «La determinación de la pena en el procedimiento abreviado», *La Ley*, n.º 3397, 1993; MUÑOZ ROJAS, *La sentencia penal*, 1959; GIMENO GÓMEZ, «Notificación de la sentencia penal», *RDProc.*, 1971, p. 945; FENECH, *Enjuiciamiento y sentencia penal*, Barcelona, 1971; GÓMEZ ORBANEJA, «Eficacia de la sentencia penal en el proceso civil», *RDProc.*, 1946, p. 207; VIADA, «Eficacia de la sentencia penal en el proceso civil», *RDProc.*, 1961, p. 589; DEVIS ECHANDIA, «De la prejudicialidad. Influencia del proceso penal en el civil y viceversa», *RDProc.*, 1963, p. 675; ORTELLS RAMOS, «Origen histórico de motivar las sentencias», *RDProc.*, 1977, pp. 926 y ss.; GIL CREMADES, «La motivación de las resoluciones judiciales», *Constitución, Derecho y Proceso*, Zaragoza, 1983, pp. 161-183; CLIMENT, «La estructura lógica del razonamiento de los escritos de alegaciones y de las sentencias. La estructura interna de la sentencia», *RGD*, 1991, n.º 560, p. 3613.

podrán dictarse «in voce», según establece el art. 245.2 LOPJ, y 210 LEC a «*sensu contrario*». Esta posibilidad está prevista en el art. 799.2 LECrim que dispone que, en sede de procedimiento abreviado, el Juez de lo Penal podrá dictar sentencia oralmente en el acto del juicio, sin perjuicio de la ulterior redacción de aquélla. Del mismo modo, se prevé esta posibilidad en el juicio del procedimiento por delitos leves (art. 973 LECrim). En el resto de supuestos, la sentencia se formulará, dentro del plazo establecido por la Ley, por escrito que contendrá los elementos citados.

En el encabezamiento se hará constar el lugar y la fecha en que se dictare, los hechos que hubieren dado lugar a la formación de la causa, la identificación de las partes con expresión de nombre, edad, estado civil, domicilio etc.; y, finalmente, el nombre y apellidos del Magistrado ponente. Tras el encabezamiento, se formularán, en párrafos separados y numerados, los antecedentes de hecho numerados y separados (art. 209.2 LEC, y 248.3 LOPJ). En éstos se expresarán las calificaciones de las partes y sus peticiones, así como si el Tribunal ha hecho, en su caso, uso de la facultad prevista en el art. 788.3 en relación con el art. 789.3 LECrim (o en el art. 733 LECrim, si se trata de un proceso por delitos graves) (véanse sobre la sentencia en el procedimiento abreviado § 5.13 Cap. XII, y § 4.9 Cap. XV sobre planteamiento de la tesis en el procedimiento por delitos graves).

A)   Hechos probados

La obligatoriedad de motivación de la sentencia, recogida en el art. 120.3 CE, incluye la necesaria motivación fáctica respecto al relato de hechos probados. En este sentido, y conforme a lo establecido en el art. 142.2 LECrim, en la sentencia se consignarán los hechos que estuvieran enlazados con las cuestiones que hayan de resolverse en el fallo, haciendo declaración expresa y terminante de los que se estimen probados. No puede considerarse motivada aquella sentencia que carece de una expresa declaración de hechos probados. A estos efectos, no basta con consignar cuáles son los hechos no probados, ni siquiera en el supuesto de sentencias absolutorias, sino que la sentencia debe contener la expresión clara y terminante de los hechos que resulten acreditados, excluyéndose los que sean contradictorios entre sí[2]. Véanse también sobre el relato de hechos probados los arts. 209.2º LEC

(2)   «La finalidad del legislador que introdujo este motivo por ley de 28-6-33 fue evitar que en las sentencias sólo se transcribieran los hechos alegados por las acusaciones y a continuación se añadiera "hechos que no han resultado probados". Por ello, el precepto exige una declaración positiva, que se establezcan los hechos que se declaran probados, sin perjuicio de que en tal caso, pueda añadirse una declaración negativa indicando cuáles no han sido probados. Y la antes citada STS 643/2009 (LA LEY 167216/2009) reitera que limitarse a copiar la narración acusatoria añadiendo "sin que haya sido suficientemente probada" es práctica irregular y censurable: "consecuentemente como señala en STS 772/2001, de 8-5 (LA LEY 6453/2001)... el vicio casacional denunciado aparece en este caso de forma tan clara que, incluso la argumentación complementaria puede parecer superflua, una vez que es evidente que la sentencia recurrida ha eludido toda consignación de hechos probados. Sin embargo no hemos de renunciar —dado el aspecto pedagógico que la casación conlleva— a reseñar que esta Sala viene manteniendo la exigencia del relato de hechos probados para toda clase de sentencias, incluidas las absolutorias, al considerar como inadmisible corruptela las resoluciones de tal índole carentes de resultancia probatoria, sin que pueda suplirse esa omisión a través de datos fácticos contenidos en los fundamentos jurídicos"». STS 802/2015 de 30 Nov. 2015, Rec. 238/2015. Ponente: Moral García, Antonio del. LA LEY 191130/2015.

y 248.3.º LOPJ de cuya aplicación se deduce que no sea preciso, tal como dispone el art. 142.2 LECrim, que la narración de hechos probados comience con la palabra Resultando, al no hallarse expresamente prescrita su utilización.

> «Es exigible y está en la esencia del derecho a la tutela efectiva, el deber del órgano judicial de exponer en términos positivos, con claridad y coherencia los hechos que se consideran probados. Constituyen la materia prima de una adecuada calificación jurídica, y en definitiva del pronunciamiento condenatorio o absolutorio. Dice la STS 607/2010, de 30 de junio (LA LEY 104045/2010): "... el relato de hechos probados es la exteriorización del juicio de certeza alcanzado por la Sala sentenciadora. Evidentemente deben formar parte del mismo, los datos relativos a los hechos relevantes penalmente con inclusión muy especialmente de aquellos que pueden modificar o hacer desaparecer alguno de los elementos del delito, comenzando por los supuestos de exclusión de la acción, continuando por las causas de justificación y las de exclusión de la imputabilidad, para terminar por los supuestos de exclusión de la punibilidad dentro de los que podemos incluir las excusas absolutorias, las conclusiones objetivas de punibilidad y la prescripción, todas estos elementos deben formar parte del *factum* porque todos ellos forman la verdad judicial" obtenida por el Tribunal». STS 802/2015 de 30 Nov. 2015, Rec. 238/2015. Ponente: Moral García, Antonio del. LA LEY 191130/2015.

Los hechos probados se podrán consignar en uno o varios párrafos, estableciendo con claridad y precisión los antecedentes del caso, de su ejecución, partícipes, móvil y circunstancias, así como cuantos datos puedan servir para valorar jurídicamente los hechos narrados. Por otra parte, no debe incluirse en el relato fáctico expresiones técnicas que se refieran a la calificación jurídica y, por tanto, de alguna manera predeterminantes del fallo. Justamente, la asepsia del relato de hechos probados debe ser completado con las valoraciones jurídicas pertinentes en los fundamentos de derecho, con expresión de las deducciones e inferencias necesarias respecto de los hechos para subsumirlos en unas concretas normas jurídico-penales, que es lo propio de la función de juzgar[3]. El Tribunal Supremo se ha pronunciado sobre el contenido y la clase de expresiones que no tienen cabida en el relato de hechos probados resolviendo recursos de casación por el motivo de predeterminación del fallo previsto en art. 851.1 LECrim[4]. Así no pueden utilizarse expresiones técnico-jurídicas que

---

(3) «Las sentencias penales... en las que se omita la declaración de hechos probados, no pueden considerarse como una resolución motivada, dado que faltaría en ellas uno de los presupuestos necesarios para la génesis lógica de la misma: los hechos declarados probados. Ahora bien, la exigencia de que las sentencias penales contengan una expresa declaración de hechos probados no impide que el Juez o Tribunal pueda realizar en los fundamentos de derecho las deducciones e inferencias necesarias respecto de los hechos para subsumirlos en unas concretas normas jurídico-penales, pues ello es propio de la función de juzgar y únicamente podría llevarse a cabo el control de su constitucionalidad cuando las deducciones o inferencias sean injustificadas por su irracionalidad o cuando introdujeran nuevos hechos relevantes para la calificación jurídica y éstos no hayan sido consignados entre los declarados probados. En este sentido, es necesario distinguir entre la deducción de hechos distintos a partir de los hechos declarados probados, a la que ningún reproche cabe hacer desde la perspectiva constitucional, y la introducción o modificación de nuevos hechos en contradicción con la declaración de hechos, supuesto este último que infringe el derecho a obtener la tutela judicial efectiva...». (STC 174/92, de 2 noviembre).

(4) «La jurisprudencia (SSTS 24/2010 de 1 de febrero (LA LEY 874/2010), 643/2009, de 18 de junio (LA LEY 167216/2009) o 1028/2013, de 1 de diciembre (LA LEY 220708/2013) entre otras)

definan o den nombre a la esencia del tipo aplicado y que sean propias del lenguaje técnico-jurídico. A contrario deben utilizase expresiones de uso del lenguaje común o coloquial, que pueden referirse a hechos concretos consumados o bien a hechos referidos a la intención acreditada del acusado que se pueden expresar del siguiente modo: «... intención de acabar con la vida de...», «... ánimo de lucro...» u otras semejantes[5].

«Que la predeterminación del fallo que se contempla y proscribe en el art. 851.1º de la LECr (LA LEY 1/1882) es aquella que se produce exclusivamente por conceptos jurídicos que definen y dan nombre a la esencia del tipo penal aplicado, exigiéndose para su apreciación: a) que se trate de expresiones técnico-jurídicas que definan o den nombre a la esencia del tipo aplicado; b) que tales expresiones sean por lo general asequibles tan solo para los juristas o técnicos y no compartidas en el uso del lenguaje común o coloquial; c) que tengan un valor causal apreciable respecto del fallo; y d) que, suprimidos tales conceptos jurídicos, quede el hecho histórico sin base alguna y carente de significado penal (SSTS núm. 667/2000, de 12-4 (LA LEY 7182/2000); 1121/2003, de 10-9 (LA LEY 138487/2003); 401/2006, de 10-4 (LA LEY 36279/2006); 755/2008, de 26-11 (LA LEY 176107/2008); 131/2009, de 12-2 (LA LEY 8797/2009); 381/2009, de 14-4 (LA LEY 40426/2009); y 449/2012, de 30-5 (LA LEY 73171/2012), entre otras muchas) .../... dentro del espacio de los hechos probados deben integrarse tanto los hechos externos atribuibles a la actuación de sus protagonistas como la intención que animara a los mismos, es decir, el conocimiento y voluntad que concurrieron en sus autores; esta conciencia y voluntad son hechos

---

ha elaborado algunos parámetros interpretativos sobre tal motivo casacional (art. 851.2 LECrim (LA LEY 1/1882)): a) En las resoluciones judiciales han de constar los hechos que se estimen enlazados con las cuestiones que hayan de resolverse en el fallo, con declaración expresa y terminante de los que se consideren acreditados. b) La Sala es libre para redactar del modo que estime más acertado los acontecimientos que repute acreditados. Pero nada le exime de esa tarea esencial. c) El juzgador no tiene obligación de transcribir en sus fallos la totalidad de los hechos aducidos por las partes o consignados en las respectivas conclusiones; solo los acreditados. d) El vicio procesal existe no sólo cuando la carencia de hechos sea absoluta sino también cuando la sentencia se limita a declarar genéricamente que no están probados los hechos base de la acusación. Es necesario un relato en positivo. No basta una genérica negativa». STS 802/2015 de 30 Nov. 2015, Rec. 238/2015. Ponente: Moral García, Antonio del. LA LEY 191130/2015.

(5)   «Lo que se prohíbe es el uso de conceptos estrictamente jurídicos, con un significado técnico no homologable al vulgar, que permitirían soslayar la argumentación jurídica sostén de la subsunción penal y, al mismo tiempo, burlaría las posibilidades de control casacional. Si en los hechos probados se proclama que "se produjo un apoderamiento con fuerza en las cosas", y la Sala de casación ha de respetar el factum, devendría imposible testar la corrección jurídica de esa calificación penal que no hecho. En los hechos probados han de recogerse sucesos, acciones, y no conceptos penales. Si por conveniencia literaria o narrativa se consignan nociones penales técnicas, el defecto no será tal si en el contexto o en otros apartados del "factum" se aclara a qué acción ya descrita se está refiriendo concretamente el Tribunal con esa expresión. No es predeterminación del fallo hablar de "actos contra la propiedad" en la medida en que cualquiera —sea un experto jurista o carezca del más elemental conocimiento jurídico— sabe interpretar tal locución. Como tampoco lo es consignar la intención de obtener un beneficio económico, v.gr. Ni expresar que hubo tocamientos en los órganos sexuales. Interpretar de otra forma este vicio casacional supondría secuestrar el lenguaje e imposibilitar una redacción factual que por definición nunca puede ser aséptica. El sentido vulgar de esas expresiones coincide con el que se les confiere en un texto jurídico». STS 464/2015 de 7 Jul. 2015, Rec. 1729/2014. Ponente: Moral García, Antonio del. LA LEY 99811/2015.

psíquicos, pero esta naturaleza subjetiva o psíquica no les priva de su condición de hechos que deben estar incluidos en el *"factum"*. Por lo tanto, las expresiones tales como "... intención de acabar con la vida...", "... ánimo de lucro...", u otras semejantes, deben estar situadas en los propios hechos probados como se ha dicho con reiteración por la Sala (SSTS 1245/2006, de 17-11 (LA LEY 154750/2006); 547/2006, de 18-5 (LA LEY 60525/2006); 528/2007, de 28-5 (LA LEY 51970/2007); 253/2007 de 26-3 (LA LEY 11203/2007); 755/2008, de 26-11 (LA LEY 176107/2008); 89/2009, de 5-2 (LA LEY 1929/2009); y 436/2011, de 13-5 (LA LEY 71582/2011), entre otras)». STS Sala Segunda, de lo Penal, Sentencia 440/2015 de 29 Jun. 2015, Rec. 17/2015. Ponente: Jorge Barreiro, Alberto Gumersindo. LA LEY 99814/2015.

La importancia del relato de hechos probados radica, precisamente, en que constituye fundamento fáctico necesario para la génesis lógica de la sentencia lo que resulta necesario en vía de recurso de casación por cuanto la comprobación de la correcta o incorrecta aplicación de las normas penales a los hechos declarados probados no puede realizarse cuando no existe el relato de hechos probados.

«En idéntico sentido puede traerse a colación la STS 331/2002 (LA LEY 119142/2002), de 5 de junio: "Por otra parte esta inexistencia de verdadero relato fáctico impide el examen de la calificación jurídica que se efectúa en la sentencia sometida al posible control casacional, y del resto de los motivos articulados por la acusación particular, en especial el de infracción Ley, art. 849.1 LECrim (LA LEY 1/1882)., toda vez que el objeto de un recurso de casación por tal motivo, consiste en comprobar la correcta o incorrecta aplicación de las normas penales a los hechos declarados probados, misión imposible de cumplir, cuando, como sucede aquí, tal resultancia fáctica no existe"». STS 802/2015 de 30 Nov. 2015, Rec. 238/2015. Ponente: Moral García, Antonio del. LA LEY 191130/2015.

En vía casacional, el TS ha declarado que la alteración del relato de hechos probados, si bien no imposible es una cuestión compleja dada la naturaleza extraordinaria del recurso de casación. Sin embargo, podrá combatirse la motivación fáctica de la sentencia mediante el motivo por quebrantamiento de forma en los supuestos previstos en los arts. 849.2 y 851 LECrim. En cualquier caso, el Tribunal Supremo podrá examinar en vía casacional si existen o no las pruebas de donde se han deducido los hechos declarados como probados, pero no la valoración realizada por el Tribunal, siempre que el error se base en documentos y no existan otros elementos probatorios que hayan formado la convicción del Tribunal (*vid.* § 7.5 Cap. XI, sobre los vicios de forma en la sentencia que podrán fundar un recurso de casación).

B) Fundamentos de Derecho

Los fundamentos de Derecho se consignarán en párrafos numerados y separados, y en ellos se recogerán todos los fundamentos doctrinales y legales sobre la calificación de los hechos, la participación de sus autores, circunstancias modificativas y responsabilidad civil, así como costas. No será necesario que las sentencias se redacten en los cuatro apartados a que se refiere el art. 142 LECrim, sino que bastará que se siga la prelación establecida en el citado precepto. Véase también art. 209.3 LEC.

En este apartado, y concretamente con relación a la autoría, resulta oportuno que se haga un análisis del resultado de la prueba practicada por la cual el Tribunal ha llegado al convencimiento íntimo de la responsabilidad del acusado o de su inocencia. No obstante, no será preciso constatar el «*iter* mental» de los juzgadores. Dicha prevención, no impuesta legalmente, deviene necesaria si buscamos en la sentencia un mandato «racionalmente impuesto». No se trataría de combatir los hechos probados, sino de facilitar la transparencia de la resolución judicial, erradicar su impenetrabilidad y posibilitar la revisión en casos de error manifiesto, aplicando principios constitucionales —art. 120 CE—, de tal forma que esta garantía formal posibilitaría verificar si el juzgador ha formado su convicción sobre una verdadera prueba de cargo.

El Tribunal debe calificar los hechos declarados probados aplicando el derecho al supuesto concreto debatido en el juicio penal. Sin embargo, en los fundamentos de derecho puede introducirse, para una mayor inteligencia de los hechos, algún elemento descriptivo, que no se fijó en los hechos probados, con el límite que se trate de hechos relevantes para la calificación jurídica que no hayan sido consignados entre los declarados probados.

Por otra parte, con base en el mandato constitucional de motivación de la sentencia (art. 120 CE), el Tribunal debe realizar un análisis del resultado de la prueba practicada expresando el razonamiento que conduce al convencimiento íntimo de la responsabilidad del acusado o de su inocencia, sin que sea preciso constatar el «*iter* mental» de los juzgadores. Esta prevención, deviene necesaria si se entiende la sentencia como un mandato «racionalmente impuesto», y permite verificar si el juzgador ha formado su convicción sobre una verdadera prueba de cargo.

C) Deliberación y Fallo

Finalmente, en el fallo, como parte esencial de la sentencia, se expresará la declaración de voluntad consistente en condenar o absolver por los delitos que se hubiesen acreditado y las responsabilidades civiles que fuesen objeto del juicio. Este fallo deberá ajustarse a las peticiones deducidas y, concretamente, será necesario que exista congruencia, o sea, una correlación entre las acusaciones y el fallo pronunciado en la sentencia (*vid.* § 1.4 de este Capítulo).

En los Tribunales colegiados será precisa la deliberación y votación de la sentencia, según se regula en los arts. 149 y ss. LECrim (también se regula esta cuestión en los arts. 249 y ss. LOPJ, 196 y ss. LEC). La deliberación será dirigida por el presidente y se realizará a puerta cerrada. La deliberación tiene carácter secreto, lo que representa una garantía para el propio Tribunal, que permite evitar que sus miembros se vean presionados externamente en el momento de tomar su decisión, que les posibilita expresar libremente sus opiniones o valoraciones sobre los hechos y que impide consecuencias o juicios externos sobre lo manifestado individualmente por cada Magistrado durante los debates (STC 66/2001 de 17 de marzo)[6]. La sentencia se citará por mayoría absoluta de votos, y la redactará el Magistrado Ponente.

---

(6) «El secreto en las deliberaciones y en el voto de los Magistrados llamados a pronunciar un fallo de absolución o de condena representa también una garantía para el propio Tribunal, que permite evitar que sus miembros se vean presionados externamente en el momento de

Las sentencias de los Tribunales colegiados se resolverán por la mayoría de los tres magistrados que componen la Sala. Con excepción del TS para el que el art. 145 LECrim dispone que sus sentencias se dictarán por una Sala de siete magistrados (tres magistrados para los autos) Esta norma introducida en la reforma de 2009 coexiste con la contenida en el art. 898 LECrim que dispone que las sentencias del TS se dictarán por tres o cinco magistrados según la cuantía de la pena. En el caso que no se obtuviere la mayoría de votos sobre cualquiera de los pronunciamientos de la sentencia se volverá a discutir y votar y si no se obtuviere acuerdo por mayoría se celebrará nueva vista ante una Sala de discordia constituida por los magistrados que asistieron a la primera vista, aumentado su número en dos magistrados si hubiere sido impar el número de los discordantes y tres en el caso de haber sido par, según el orden y las normas establecidas en el art. 202 LEC.

D) *Voto particular de un Magistrado, con relación a una resolución o sentencia de Tribunal colegiado*

El voto particular se puede formular respecto de sentencia o autos definitivos o resolutorios de incidentes y constituye un efecto del sistema de deliberación de la sentencia en los Tribunales colegiados que se forman por número impar de miembros de modo que se impide el empate, pero se permite la discrepancia que no bloquee la resolución. En su virtud, establecida la mayoría para dictar sentencia alguno de sus miembros puede discrepar de la decisión adoptada por mayoría que se refleja en la sentencia. En este sentido, el voto particular refleja un problema jurídico planteado en la deliberación, y constituye un signo del debate suscitado en la búsqueda de la mejor solución jurídica al caso planteado. (Véase M. 112). De este modo, y cuando se disienta de la mayoría, se formulará voto particular que se puede anunciar en el momento de la votación o en la firma. Este voto adquirirá la forma de la sentencia, debiéndose formular dentro de las veinticuatro horas siguientes (art. 156.2 LECrim). Se incorporará al Libro de sentencias y su régimen de publicación será el que tenga la sentencia, pero carecerá del valor y eficacia de aquélla (art. 205 LEC, y 260 LOPJ).

---

tomar su decisión, que les posibilita expresar libremente sus opiniones o valoraciones sobre los hechos y que impide consecuencias o juicios externos sobre lo manifestado individualmente por cada Magistrado durante los debates. Sólo en la medida en que se acreditase que la opinión de alguno o de algunos de los integrantes del Tribunal haya podido verse condicionada por hechos o circunstancias externas a la propia deliberación, o que la citada "filtración" iba encaminada a obtener una modificación interesada de lo previamente decidido, la garantía de imparcialidad, reconocida por el art. 24.2 CE, podría haberse visto afectada en su vertiente subjetiva. Y, en este sentido, pese a que, como principio general, la exigencia superior de la justicia y la naturaleza de la función judicial obligue a las autoridades judiciales llamadas a juzgar a observar la mayor discreción, con el fin de garantizar su imagen de jueces imparciales (STEDH de 16 de septiembre de 1999 [TEDH 1999\35], en el caso Buscerni), en el caso presente, el tenor de la información aparecida en los medios de comunicación (tendente a informar sobre cuál había sido el contenido de parte de las deliberaciones y del sentido del fallo antes de que el mismo fuese notificado a las partes), no implica, ni que el fallo se hubiese visto modificado a partir de tal información, ni que se haya producido un "juicio paralelo" capaz de menoscabar la imparcialidad o apariencia de imparcialidad de la Sala sentenciadora, puesto que ya había concluido el juicio oral, se había desarrollado toda la prueba e, incluso, había finalizado la deliberación sobre el contenido del fallo condenatorio». STC 66/2001 de 17 de marzo.

El art. 205.2 LEC prevé la notificación del voto particular junto con la sentencia, suprimiendo su carácter reservado. En igual sentido el art. 260 LOPJ. De este modo, se ha variado sustancialmente su régimen, ya que, anteriormente, la LECrim —arts. 156.2.º y 157— lo reputaba reservado, dándose a conocer a las partes, cuando se interponía el correspondiente recurso de casación —art. 876 LECrim—.

El voto particular tiene una eficacia limitada por lo que no puede prevalecer contra la declaración formulada por la Sala sentenciadora, que es a quien corresponde por unanimidad o mayoría, la facultad de apreciación de las pruebas que le reconoce y confiere el art. 741 de la LECrim. En este sentido, las declaraciones de hecho y de derecho que contenga no enervan, desvirtúan ni contradicen los que, a su vez, contiene la sentencia. Por esa razón, la valoración de los hechos probados no puede ser alterada con base en la valoración hecha por el vocal disidente, sino con base en un documento auténtico a efectos casacionales, valor que no se atribuye al voto particular.

1.2. Motivación de la sentencia[7]

La motivación de las resoluciones judiciales viene determinada por la vigencia de los principios del Estado de Derecho que determinan que las decisiones tomadas por los Jueces sean razonadas de tal manera que se excluya la arbitrariedad en su adopción explicándose mediante los razonamientos precisos en qué forma se aplican las normas vigentes al caso concreto[8]. En este sentido, el art. 120.3 de la Constitución establece la obligatoriedad de motivar las sentencias lo que se constituye en un derecho que forma parte del de tutela judicial efectiva del art. 24 CE[9]. En el mismo

(7) Vid. SOTO NIETO, «Motivación de la sentencia penal», *Doctrina Judicial*, n.º 23, 1991, comentario n.º 116; SAIZ DE ROBLES, F., «Nuevo asedio a la arbitrariedad», *Tapia*, n.º 12, 1995.

(8) «1º La STS 24/2010 de 1.2 (LA LEY 874/2010) y 689/2014 de 21.10 (LA LEY 164627/2014), se refieren a la doctrina expuesta por la sentencia Tribunal Supremo 24/2010 de 1.2 (LA LEY 874/2010), la doctrina expuesta por el Tribunal Constitucional en SS. 160/2009 de 29.6 (LA LEY 119834/2009), 94/2007 de 7.5, 314/2005 de 12.12 subrayando que el requisito de la motivación de las resoluciones judiciales halla su fundamento en la necesidad de conocer el proceso lógico-jurídico que conduce al fallo y de controlar la aplicación del Derecho realizada por los órganos judiciales a través de los oportunos recursos, a la vez que permite contrastar la razonabilidad de las resoluciones judiciales. Actúa, en definitiva, para permitir el más completo ejercicio del derecho de defensa por parte de los justiciables, quienes pueden conocer así los criterios jurídicos en los que se fundamenta la decisión judicial, y actúa también como elemento preventivo de la arbitrariedad en el ejercicio de la jurisdicción». STS 714/2016 de 26 Sep. 2016, Rec. 1951/2015; Ponente: Berdugo Gómez de la Torre, Juan Ramón. LA LEY 126702/2016.

(9) La motivación, tanto fáctica como jurídica, de las sentencias penales no siempre ha constituido una exigencia en nuestro Derecho. Más al contrario, la prohibición de motivar las sentencias constituía una costumbre con cierto arraigo en los Tribunales castellanos. Concretamente, en la Real Cédula de Carlos III de 23 de junio de 1778 se establecía tal prohibición, lo que era expresión de la arbitrariedad total con que podían actuar los Tribunales de Justicia. No es sino, hasta la promulgación del Código penal de 1848 cuando se establece la obligatoriedad de motivar las sentencias como consecuencia de las nuevas ideas liberales, cuya finalidad, en cierto modo, era la de rendir cuenta, por parte del Poder Judicial y los Jueces, de sus actuaciones no sólo ante los litigantes, sino también ante la sociedad. Se trataba de buscar con la obligatoriedad de la motivación no un puro mandato, sino un mandato racionalmente justificado, que constituyese un testimonio público de la aplicación del Derecho.

sentido se pronuncia el art. 218 LEC e, indirectamente, el art. 142 LECrim. Este deber de motivar las sentencias se refuerza en el caso de las sentencias penales condenatorias por afectar al derecho a libertad personal (SSTC 116/1998 de 2 de junio; 5/2000 de 17 de enero; y 139/2000 de 30 de junio)[10].

«1) La exigencia de motivación de las resoluciones judiciales forma parte del contenido del derecho fundamental a la tutela judicial efectiva proclamado en el art. 24.1 CE (LA LEY 2500/1978). La STS 24/2010 de 1.2 (LA LEY 874/2010), recoge la doctrina expuesta por el Tribunal Constitucional en SS. 160/2009 de 29.6 (LA LEY 119834/2009), 94/2007 de 7.5, 314/2005 de 12.12 subrayando que el requisito de la motivación de las resoluciones judiciales halla su fundamento en la necesidad de conocer el proceso lógico-jurídico que conduce al fallo y de controlar la aplicación del Derecho realizada por los órganos judiciales a través de los oportunos recursos, a la vez que permite contrastar la razonabilidad de las resoluciones judiciales. Actúa, en definitiva, para permitir el más completo ejercicio del derecho de defensa por parte de los justiciables, quienes pueden conocer así los criterios jurídicos en los que se fundamenta la decisión judicial, y actúa también como elemento preventivo de la arbitrariedad en el ejercicio de la jurisdicción; pero el deber de motivación de las resoluciones judiciales no autoriza a exigir un razonamiento exhaustivo y pormenorizado en todos los aspectos y perspectivas que las partes puedan tener en la cuestión que se decide o, lo que es lo mismo, no existe un derecho del justiciable a una determinada extensión de la motivación judicial (SSTC 14/91 (LA LEY 1638-TC/1991), 175/92 (LA LEY 2028-TC/1992), 105/97 (LA LEY 6985/1997), 224/97 (LA LEY 217/1998)), sino que deben considerarse suficientemente motivadas aquellas resoluciones judiciales que contengan, en primer lugar, los elementos y razones de juicio que permitan conocer cuáles han sido los criterios jurídicos esenciales fundamentadores de la decisión, es decir, la *ratio decidendi* que ha determinado aquella (STC 165/79 de 27.9) y en segundo lugar, una fundamentación en Derecho (SSTC 147/99 de 4.8 (LA LEY 11790/1999) y 173/2003 de 19.9), bien entendido que la suficiencia de la motivación no puede ser apreciada apriorísticamente con criterios generales, sino que es necesario examinar el caso concreto para ver si, a la vista de las circunstancias concurrentes, se ha cumplido o no este requisito de las resoluciones judiciales (por todas, SSTC 2/97 (LA LEY 1220/1997) de 13.1, 139/2000 de 29.5 (LA LEY 8966/2000), 169/2009 de 29.6)». STS 71/2017 de 8 Feb. 2017, Rec. 1843/2016; Ponente: Berdugo Gómez de la Torre, Juan Ramón. LA LEY 3460/2017.

La exigencia de motivación cumple una doble finalidad. 1) potenciar la seguridad jurídica poniendo de manifiesto que el juzgador no actúa de modo arbitrario y permitir comprobar cómo se ha dado cumplimiento a la efectiva tutela judicial a la persona a quien la resolución afecte. 2) Una adecuada motivación de la sentencia permite que las partes puedan argumentar sus recursos y proporciona al órgano juris-

---

(10) «Este Tribunal ha exigido un canon más riguroso en la motivación cuando el derecho a la tutela judicial efectiva se encuentra conectado con otro derecho fundamental. En particular, este deber reforzado de motivación se impone en el caso de las Sentencias penales condenatorias cuando el derecho a la tutela judicial efectiva se conecta, directa o indirectamente, con el derecho a la libertad personal... En una Sentencia penal, el deber de motivación incluye la obligación de fundamentar los hechos y la calificación jurídica, así como la pena finalmente impuesta. En relación a este último extremo, sin embargo, nuestro control se ciñe a examinar si la extensión de la pena impuesta resulta o no manifiestamente irrazonable o arbitraria». STC 108/2001 de 23 de abril.

diccional, que deba pronunciarse en vía de recurso, elementos que permitan valorar la legalidad y justicia de la sentencia sometida a recurso (STC 187/2000 de 10 de julio). En cuanto a los requisitos que debe cumplir la sentencia respecto a su motivación, ésta se satisface cuando la resolución judicial de manera explícita o implícita, contiene razones o elementos de juicio que permitan conocer cuáles han sido los criterios jurídicos que fundamentan la decisión. Ello incluye los hechos probados y los fundamentos de derecho. En este sentido, debe atenderse con especial atención a las cuestiones que han conformado el debate procesal; es decir, aquéllas que singularizan el caso concreto, tanto las que estén presentes, expresa o implícitamente en las propias resoluciones recurridas, como las que, no estándolo, constan en el proceso. En este sentido, deben expresarse los elementos básicos a través de los que se pueda observar el «*iter*» lógico seguido, con explicación razonada del valor que se otorga a la prueba practicada[11].

«La resolución judicial impugnada vulnera el derecho constitucional a la tutela judicial efectiva, cuando no sea fundada en derecho, lo cual ocurre en estos casos: a) Cuando la resolución carezca absolutamente de motivación, es decir, no contenga los elementos y razones de juicio que permitan conocer cuáles han sido los criterios jurídicos que fundamentan la decisión …/… b) Cuando la motivación es solo aparen-

---

(11) «Del mismo modo el derecho a la tutela judicial efectiva comprende el derecho de alcanzar una respuesta razonada y fundada en Derecho dentro de un plazo prudente, el cual se satisface si la resolución contiene la fundamentación suficiente para que en ella se reconozca la aplicación razonable del Derecho a un supuesto específico, permitiendo saber cuáles son los argumentos que sirven de apoyatura a la decisión adoptada y quedando así de manifiesto que no se ha actuado con arbitrariedad, pero no comprende el derecho a obtener una resolución favorable a sus pretensiones. En definitiva, como precisa la STS 628/2010 de 1.7 (LA LEY 110053/2010), podrá considerarse que la resolución judicial vulnera el derecho constitucional a la tutela judicial efectiva cuando no sea fundada en derecho, lo cual ocurrirá en estos casos: a) Cuando la resolución carezca absolutamente de motivación, es decir, no contenga los elementos y razones de juicio que permitan conocer cuáles han sido los criterios jurídicos que fundamentan la decisión. Al respecto, debe traerse a colación la doctrina constitucional sobre el requisito de la motivación, que debe entenderse cumplido, si la sentencia permite conocer el motivo decisorio excluyente de un mero voluntarismo selectivo o de la pura arbitrariedad de la decisión adoptada (SSTC 25/90 (LA LEY 636/1990) de 19.2, 101/92 de 25.6 (LA LEY 1966-TC/1992)), con independencia de la parquedad del razonamiento empleado: una motivación escueta e incluso una fundamentación por remisión pueden ser suficientes porque "La CE no garantiza un derecho fundamental del justiciable a una determinada extensión de la motivación judicial", ni corresponde a este Tribunal censurar cuantitativamente la interpretación y aplicación del derecho a revisar la forma y estructura de la resolución judicial, sino sólo "comprobar si existe fundamentación jurídica y, en su caso, si el razonamiento que contiene constituye lógica y jurídicamente suficiente motivación de la decisión adoptada" (STC 175/92 de 2.11 (LA LEY 2028-TC/1992)). b) Cuando la motivación es solo aparente, es decir, el razonamiento que la funda es arbitrario, irrazonable e incurre en error patente. Es cierto como ha dicho el ATC. 284/2002 de 15.9 que "en puridad lógica no es lo mismo ausencia de motivación y razonamiento que por su grado de arbitrariedad e irrazonabilidad debe tenerse por inexistente, pero también es cierto que este Tribunal incurriría en exceso de formalismo si admitiese como decisiones motivadas y razonadas aquellas que, a primera vista y sin necesidad de mayor esfuerzo intelectual y argumental, se comprueba que parten de premisas inexistente o patentemente erróneas o siguen un desarrollo argumental que incurre en quiebras lógicas de tal magnitud que las conclusiones alcanzadas no pueden considerarse basadas en ninguna de las razones aducidas". (STS 770/2006 de 13.7 (LA LEY 114898/2006))». STS 71/2017 de 8 Feb. 2017, Rec. 1843/2016; Ponente: Berdugo Gómez de la Torre, Juan Ramón. LA LEY 3460/2017.

te, es decir, el razonamiento que la funda es arbitrario, irrazonable e incurre en error patente. Es cierto como ha dicho el ATC. 284/2002 de 15.9 que "en puridad lógica no es lo mismo ausencia de motivación y razonamiento que por su grado de arbitrariedad e irrazonabilidad debe tenerse por inexistente, pero también es cierto que este Tribunal incurriría en exceso de formalismo si admitiese como decisiones motivadas y razonadas aquellas que, a primera vista y sin necesidad de mayor esfuerzo intelectual y argumental, se comprueba que parten de premisas inexistente o patentemente erróneas o siguen sin desarrollo argumental que incurre en quiebras lógicas de tal magnitud que las conclusiones alcanzadas no pueden considerarse basadas en ninguna de las razones aducidas". (STS 770/2006 de 13.7 (LA LEY 114898/2006))». STS Sala Segunda, de lo Penal, Sentencia 719/2016 de 27 Sep. 2016, Rec. 10063/2016; Ponente: Berdugo Gómez de la Torre, Juan Ramón. LA LEY 129022/2016.

La motivación debe incluir las razones para imponer una pena determinada y tener la extensión e intensidad suficiente para cubrir la esencial finalidad de la misma: que el Tribunal explique suficientemente el proceso intelectivo que le condujo a decidir de una manera determinada[12]. Así como el pronunciamiento sobre la responsabilidad civil «*ex delicto*»[13]. Exigencia de motivación que se justifica, no por razones formales, sino para permitir al justiciable y a la sociedad en general conocer las razones de las decisiones de los órganos jurisdiccionales y facilitar el control de la racionalidad y corrección técnica de la resolución dictada merced a la revisión por vía de recurso[14].

---

(12) «Reiteradamente ha señalado esta Sala —por todas STS 809/2008 de 26.11 (LA LEY 189424/2008)— que la obligación constitucional de motivar las sentencias expresadas en el artículo 120.3 de la Constitución (LA LEY 2500/1978) comprende la extensión de la pena. El Código Penal en el artículo 66 (LA LEY 3996/1995) establece las reglas generales de individualización, y en el artículo 72 concluye disponiendo que los Jueces y Tribunales razonaran en la sentencia el grado y la extensión de la pena concretamente impuesta. La individualización realizada por el tribunal de instancia es revisable en casación no solo en cuanto se refiere a la determinación de los grados o mitades a la que se refiere especialmente el citado artículo 66, sino también en cuanto afecta al empleo de criterios inadmisibles jurídico-constitucionalmente en la precisa determinación de la pena dentro de cada grado o de la mitad superior o inferior que proceda». STS Sala Segunda, de lo Penal, Sentencia 719/2016 de 27 Sep. 2016, Rec. 10063/2016; Ponente: Berdugo Gómez de la Torre, Juan Ramón. LA LEY 129022/2016.

(13) «La necesidad de motivar las resoluciones judiciales (art. 120.3 CE), puesta de relieve por el Tribunal Constitucional, respecto de la responsabilidad civil "ex delicto" (v. SSTC 78/1986, de 13 de junio y la de 11 de febrero de 1987), y por esta Sala (v. SS. de 22 de julio de 1992, 19 de diciembre de 1993 y 28 de abril de 1995, entre otras), impone a los Jueces y Tribunales la exigencia de razonar la fijación de las cuantías indemnizatorias que reconozcan en sus sentencias, precisando —cuando ello sea posible— las bases en que se fundamenten (extremo revisable en casación)». STS Sala Segunda, de lo Penal, Sentencia 88/2002 de 28 Ene. 2002, Rec. 1677/2000. Ponente: Ramos Gancedo, Diego Antonio. LA LEY 22436/2002.

(14) «En relación con el deber de motivación hemos dicho que la motivación de las sentencias, en particular en el aspecto fáctico-valorativo, obliga al Tribunal sentenciador a reseñar detalladamente las pruebas que ha tenido en cuenta para dictar la resolución, debiendo desprenderse con claridad las razones que le asisten para declarar probados unos hechos, muy especialmente cuando han sido controvertidos. La exigencia de motivación no pretende, como tiene dicho el Tribunal Constitucional y esta Sala, satisfacer necesidades de orden puramente formal, sino permitir al justiciable y a la sociedad en general conocer las razones de las decisiones de los órganos jurisdiccionales y facilitar el control de la racionalidad y corrección técnica de la resolución dictada merced a la revisión por vía de recurso. El Tribunal Constitucional ha tenido ocasión de fijar la

«La motivación de las sentencias constituye una consecuencia necesaria de la función judicial y de su vinculación a la Ley, permita conocer las pruebas en virtud de las cuales se le condena (motivación fáctica), y las razones legales que fundamentan la subsunción (motivación jurídica), al objeto de poder ejercitar los recursos previstos en el ordenamiento, y finalmente constituye un elemento disuasorio de la arbitrariedad judicial». STS Sala Segunda, de lo Penal, Sentencia 719/2016 de 27 Sep. 2016, Rec. 10063/2016; Ponente: Berdugo Gómez de la Torre, Juan Ramón. LA LEY 129022/2016.

Pero, no es exigible una determinada extensión de la motivación jurídica ni un razonamiento explícito, exhaustivo y pormenorizado de todos los aspectos y perspectivas que las partes pudieran tener de la cuestión sobre la que se pronuncia la resolución judicial[15].

«El Tribunal Constitucional, SS. 165/93, 158/95, 46/96, 54/97 y 231/97 y esta Sala SS. 626/96 de 23.9, 1009/96 de 30.12, 621/97 de 5.5 y 553/2003 de 16.4, han fijado la finalidad y el alcance y límites de la motivación. La finalidad de la motivación será hacer conocer las razones que sirvieron de apoyatura a la decisión adoptada, quedando así de manifiesto que no se ha actuado con arbitrariedad. La motivación tendrá que tener la extensión e intensidad suficiente para cubrir la esencial finalidad de la misma, que el Juez explique suficientemente el proceso intelectivo que le condujo a decidir de una manera determinada. En este sentido la STC 256/2000 de 30.10 (LA LEY 11795/2000) dice que el derecho a obtener la tutela judicial efectiva "no incluye un pretendido derecho al acierto judicial en el selección, interpretación y aplicación de las disposiciones legales, salvo que con ellas se afecte el contenido de otros derechos fundamentales distintos al de tutela judicial efectiva (SSTC 14/95 (LA LEY 13014/1995) de 24.1, 199/96 de 4.6, 20/97 de 10.2 (LA LEY 3108/1997))». STS 71/2017 de 8 Feb. 2017, Rec. 1843/2016; Ponente: Berdugo Gómez de la Torre, Juan Ramón. LA LEY 3460/2017.

Así, respecto a la prueba practicada es preciso que la sentencia extienda su razonamiento deductivo a la valoración de cada prueba y su reflejo en los hechos probados, sin que sea admisible una remisión a la valoración conjunta de la prueba. La exigencia de motivación es especialmente requerida respecto de la prueba indirecta o circunstancial debiendo el Tribunal describir su práctica y valoración recogiendo pormenorizadamente la prueba de los indicios incriminatorios[16].

---

finalidad, alcance y límites de la motivación, afirmando en tal sentido que deberá tener la extensión e intensidad suficiente para cubrir la esencial finalidad de la misma, esto es, que el juez explique suficientemente el proceso intelectivo que le condujo a decidir de una determinada manera, sin asomo de arbitrariedad, sin que sea necesario explicitar lo que resulta obvio (STS 265/2016 de 4 de abril (LA LEY 41223/2016), con mención de otras y entre otras)». STS Sala Segunda, de lo Penal, Auto 1397/2016 de 6 Oct. 2016, Rec. 603/2016. Ponente: Marchena Gómez, Manuel. LA LEY 146991/2016.

(15) «La motivación de las resoluciones judiciales se configura como exigencia constitucional que se integra en el contenido del derecho que el art. 24.1 CE reconoce y garantiza. Y si hemos apreciado la legitimidad constitucional de una fundamentación concisa, incluso que fundamentaban la resolución judicial, aun por remisión a la Sentencia de instancia que enjuiciaba un Tribunal superior». STC 185/1998 de 28 de septiembre.

(16) la motivación ha de alcanzar los extremos fácticos... que la lectura de la sentencia permita percibir por qué razones se han considerado probados los hechos determinantes de la

«En definitiva, el deber constitucional de motivar las sentencias penales abarca los tres extremos, anteriormente indicados, pero con respecto al primero, el deber de motivar los elementos fácticos de las resoluciones, tiene —entre otras— las siguientes conclusiones: 1º) No es posible una simple valoración conjunta de la prueba, sin dar cuenta el Tribunal de las fuentes probatorias concretas de las que se ha servido para obtener su convicción judicial. 2º) Que tal deber no se satisface con la mera indicación de las fuentes y los medios de prueba llevados a cabo al juicio, "sin aportar la menor información acerca del contenido de las mismas" (Sentencia 123/2004, entre otras). 3º) Que, en el caso de tratarse de diversos acusados, deben individualizarse los mecanismos de apreciación probatoria, uno por uno, y no en forma globalizada. 4º) Que, en caso de tratarse de prueba indirecta, han de recogerse pormenorizadamente los indicios resultantes de la prueba directa, de donde deducir, después, motivadamente la incriminación de los acusados. 5º) Que en el supuesto de que tales pruebas se refieran a observaciones telefónicas, no basta con una referencia genérica a la documental de la causa, o a sus transcripciones, sino que debe indicarse cuáles son las frases concretas de donde se deduce, por prueba directa o indirecta, la participación de cada acusado en cuestión». STS 376/2015 de 9 Jun. 2015, Rec. 1273/2014. Ponente: Moral García, Antonio del. LA LEY 89380/2015.

Pero sin que la exigencia de motivación suponga algo así como tener un derecho al acierto y perfección judicial en la selección, interpretación y aplicación de las normas legales y el uso de los mejores y más excelentes argumentos para dar cuenta de su labor enjuiciadora.

«En este sentido la STC 256/2000 de 30.10 (LA LEY 11795/2000) dice que el derecho a obtener la tutela judicial efectiva "no incluye un pretendido derecho al acierto judicial en el selección, interpretación y aplicación de las disposiciones legales, salvo que con ellas se afecte el contenido de otros derechos fundamentales distintos al de tutela judicial efectiva (SSTC 14/95 de 24.1 (LA LEY 13014/1995), 199/96 de 4.6, 20/97 de 10.2 (LA LEY 3108/1997)). Según la STC 82/2001 (LA LEY 3739/2001) "solo podrá considerarse que la resolución judicial impugnada vulnera el derecho a la tutela judicial efectiva, cuando el razonamiento que la funda incurra en tal grado de arbitrariedad, irrazonabilidad o error que, por su evidencia y contenido, sean tan manifiestas y graves que para cualquier observador resulte patente que la resolución, de hecho, carece de toda motivación o razonamiento"». STS Sala Segunda, de lo Penal, Sentencia 719/2016 de 27 Sep. 2016, Rec. 10063/2016; Ponente: Berdugo Gómez de la Torre, Juan Ramón. LA LEY 129022/2016.

Lo que si es exigible es la individualización del caso enjuiciado adecuando la motivación judicial a sus concretas circunstancias y evitando el uso de modelos y expresiones estereotipados que son frecuentes con relación a tipos delictivos determinados en las sentencias de un mismo Tribunal.

«En particular respecto a supuestos similares al que aquí enjuiciamos, este Tribunal ha declarado en las SSTC 177/1994, fundamento jurídico 2.º, y 26/1997,

condena, que ha motivado que se otorgue fiabilidad o credibilidad a un testigo de cargo; el porqué del rechazo de las posibles pruebas de descargo... en definitiva, el iter del proceso mental en virtud del cual se ha extraído esa certeza de la actividad probatoria desplegada alcanzando la convicción judicial, STS Sala Segunda, de lo Penal, Sentencia 719/2016 de 27 Sep. 2016, Rec. 10063/2016; Ponente: Berdugo Gómez de la Torre, Juan Ramón. LA LEY 129022/2016.

fundamento jurídico 3.º, que la Constitución veda el empleo de "cláusulas de estilo, vacías de contenido preciso, tan abstractas y genéricas que pueden ser extrapoladas a cualquier otro caso" en la resolución de recursos frente a una Sentencia penal condenatoria. De suerte que el derecho a la motivación de las resoluciones judiciales se vulnera cuando éstas carecen de "razonamiento concreto alguno en torno al supuesto de autos que permita, no sólo conocer cuáles han sido los criterios esenciales fundamentadores de la desestimación, sino afirmar que la resolución recaída en la instancia ha sido realmente revisada por el Tribunal de apelación"». STC 185/1998 de 28 de septiembre.

Ahora bien, ello no impide la utilización de argumentaciones comunes o incluso la desestimación de determinadas alegaciones con una respuesta genérica. A este efecto lo esencial es distinguir entre las pretensiones debidamente esenciales deducidas, ya sea en primera instancia o en vía de recurso, y las alegaciones que las fundamentan. Las primeras exigen respuesta motivada, mientras que las alegaciones pueden ser contestadas mediante una respuesta genérica (véase STC 185/1998 de 28 de septiembre). Debemos destacar en este punto la relación indudable entre la presunción de inocencia y la motivación de la sentencia que es una de sus exigencias. Uno de los modos de vulneración de la presunción de inocencia lo constituye, precisamente, la falta de motivación del *iter* que ha conducido de las pruebas al relato de hechos probados de signo incriminatorio[17]. Como dice el Tribunal Constitucional: *«La culpabilidad ha de motivarse y se sustenta en dicha* motivación, de modo que sin la motivación se produce ya una vulneración del derecho a la presunción de inocencia». (STC 145/2005 de 6 de junio, LA LEY 13298/2005).

«El control casacional en relación a la presunción de inocencia se concreta en verificar si la motivación fáctica alcanza el estándar exigible y si, por ello, la decisión alcanzada por el tribunal sentenciador es, en sí misma considerada, lógica, coherente y razonable, de acuerdo con las máximas de experiencia, reglas de la lógica y principios científicos, aunque puedan exigir otras conclusiones, porque no se trata

---

(17) «Resulta relevante destacar —como hemos dicho en STS 577/2014 de 12.7 (LA LEY 92907/2014)— que la cuestión de si la valoración de la prueba está suficientemente motivada en las sentencias no es una cuestión que atañe solo al derecho a la tutela judicial efectiva (art. 24.1 CE (LA LEY 2500/1978)), afecta principalmente al derecho a la presunción de inocencia (art. 24.2 CE (LA LEY 2500/1978)). El Tribunal Constitucional ha entendido que uno de los modos de vulneración de este derecho lo constituye precisamente la falta de motivación del iter que ha conducido de las pruebas al relato de hechos probados de signo incriminatorio, como se afirma en la STC 145/2005 de 6.6 (LA LEY 13298/2005), existe una íntima relación que une la motivación y el derecho a la presunción de inocencia, que no en vano consiste en que la culpabilidad ha de quedar plenamente probada, lo que es tanto como decir expuesta o motivada. La culpabilidad ha de motivarse y se sustenta en dicha motivación, de modo que sin la motivación se produce ya una vulneración del derecho a la presunción de inocencia. Así lo hemos afirmado en numerosas ocasiones, señalando que no sólo se vulnera el derecho a la presunción de inocencia cuando no haya pruebas de cargo validas o cuando por ilógico o insuficiente, no sea razonable el iter decisivo que conduce de la prueba al hecho probado, sino también, con carácter previo a estos supuestos, en los casos de falta de motivación del resultado de la valoración de las pruebas (SSTC 189/98 de 28.9 (LA LEY 9333/1998), FJ.2, 120/99 de 28.6, 249/2000 de 30.10 FJ.3, 155/2002 de 22.7 (LA LEY 6428/2002) FJ. 7, 209/2002 de 11.11 (LA LEY 278/2003) FJ. 3, 163/2004 de 4.10 (LA LEY 2368/2004) FJ.9)». STS Sala Segunda, de lo Penal, Sentencia 719/2016 de 27 Sep. 2016, Rec. 10063/2016; Ponente: Berdugo Gómez de la Torre, Juan Ramón. LA LEY 129022/2016.

de comparar conclusiones sino más limitadamente si la decisión escogida por el Tribunal sentenciador soporta y mantiene la condena (SSTC 68/98, 117/2000 (LA LEY 8948/2000), SSTS 1171/2001 (LA LEY 8280/2001), 220/2004 (LA LEY 12432/2004), 711/2005 (LA LEY 129655/2005), 866/2005 (LA LEY 13279/2005), 476/2006, 548/2007 (LA LEY 72215/2007), 1333/2009 (LA LEY 268252/2009), 104/2010 (LA LEY 4008/2010), 1071/2010 (LA LEY 236993/2010), 365/2011 (LA LEY 52231/2011), 1105/2011 (LA LEY 218060/2011))». STS Sala Segunda, de lo Penal, Sentencia 719/2016 de 27 Sep. 2016, Rec. 10063/2016; Ponente: Berdugo Gómez de la Torre, Juan Ramón. LA LEY 129022/2016.

Pero no deben igualarse las exigencias del derecho a la tutela judicial efectiva y el derecho a la presunción de inocencia. Sobre ese particular debe tenerse presente la especial protección que el Derecho ofrece al acusado en el proceso penal. En este sentido, es muy superior el grado de motivación exigido a la sentencia condenatoria que a la absolutoria: La primera deberá cumplir el grado de exigencia reforzado de la presunción de inocencia, la segunda simplemente el del derecho a la tutela judicial efectiva. Es por ello que, en general, debe exigirse una especial motivación cuando se trata de sentencias de condena o cuando el Tribunal se aparta de sus precedentes anteriores[18].

«La cuestión de si la valoración de la prueba está suficientemente motivada en las sentencias no es una cuestión que atañe sólo al derecho a la tutela judicial efectiva (arts. 24.1 CE (LA LEY 2500/1978)), afecta principalmente al derecho a la presunción de inocencia (art. 34.2 CE (LA LEY 2500/1978)). El Tribunal Constitucional ha reiterado que uno de los modos de vulneración de este derecho lo constituye precisamente la falta de motivación del *iter* que ha conducido de las pruebas al relato de hechos probados de signo incriminatorio. Como se afirma en la STC 145/2005 de 6.6 (LA LEY 13298/2005), existe una "íntima" relación que une la motivación y el derecho a la presunción de inocencia, que no en vano consiste en que la culpabilidad ha de quedar plenamente probado, lo que es tanto como decir expuesta o mostrada. La culpabilidad ha de motivarse y se sustenta en dicha motivación de modo que sin motivación se produce ya un vulneración del derecho a la presunción de inocencia, así lo hemos afirmado en numerosas ocasiones, señalando que no sólo se vulnerara el derecho a la presunción de inocencia cuando no haya pruebas de cargo válidas o cuando por ilógico o insuficiente no sea razonable el *iter* decisivo que conduce de la prueba al hecho probado, sino también, con carácter previo a este supuesto, en los supuestos de falta de motivación del resultado de la valoración de las pruebas (SSTC

---

(18)   «Por ello este deber de razonar en la sentencia sobre la pena concreta que se impone adquiere especial relieve cuando el órgano judicial se aparta de modo notable del mínimo legalmente previsto, de modo que cuando tal se hace sin argumentación jurídica alguna al respecto o cuando la existente viola las reglas de la razonabilidad, o no existe explicación o justificación alguna sobre las razones que ha tenido en cuenta el Tribunal para imponer esa pena que supera la mínima que legalmente puede ser impuesta, y no hay datos en la sentencia recurrida de los que pudiera deducirse esa elevación de penas, esto y cuando el Tribunal de casación no puede inferir de los hechos probados, en relación con la normativa y jurisprudencia aplicable a ellos, que las penas impuestas no vulnera el principio de proporcionalidad, este Tribunal es quien tiene el deber de suplir este precepto procesal con sus propios razonamientos y ante aquella ausencia de datos la pena no deberá ser otra que la mínima dentro del mínimo legal. (SSTS 2.6.2004, 15.4.2004, 16.4.2001, 25.1.2001, 19.4.99)». STS 714/2016 de 26 Sep. 2016, Rec. 1951/2015; Ponente: Berdugo Gómez de la Torre, Juan Ramón. LA LEY 126702/2016.

189/98, de 28.9 (LA LEY 9333/1998), FJ 2, 120/99, de 28.6 (LA LEY 10495/1999), FJ 249/2000, de 30.10, FJ 3, 155/2002, de 22.7 (LA LEY 6428/2002), FJ. 7, 209/2002 de 11.11 (LA LEY 278/2003). FJ3, 163/2004, de 4.10 (LA LEY 2368/2004). FJ 9)». STS 71/2017 de 8 Feb. 2017, Rec. 1843/2016; Ponente: Berdugo Gómez de la Torre, Juan Ramón. LA LEY 3460/2017.

Mientras que el grado de exigencia en cuanto a la motivación es, en general, menor en las sentencias absolutorias al no estar en juego los mismos derechos fundamentales que en las sentencias condenatorias[19].

«Y en lo que respecta a las sentencias absolutorias, en la STC 169/2004 (LA LEY 2120/2004), de 6 de octubre, se argumenta lo siguiente: "Ciertamente la motivación de las Sentencias es ex igible ex art. 120.3 CE (LA LEY 2500/1978) "siempre", esto es, con independencia de su signo, condenatorio o absolutorio. No obstante ha de señalarse que en las Sentencias condenatorias el canon de motivación es más riguroso que en las absolutorias pues, de acuerdo con una reiterada doctrina constitucional, cuando están en juego otros derechos fundamentales —y, entre ellos, cuando están en juego el derecho a la libertad y el de presunción de inocencia, como sucede en el proceso penal— la exigencia de motivación cobra particular intensidad y por ello hemos reforzado el canon exigible (SSTC 62/1996 (LA LEY 5177/1996), de 15 de abril; 34/1997 (LA LEY 4351/1997), de 25 de febrero; 157/1997 (LA LEY 9940/1997), de 13 de julio; 200/1997 (LA LEY 149/1998), de 24 de noviembre; 116/1998 (LA LEY 7339/1998), de 2 de junio; 2/1999 (LA LEY 1724/1999), de 25 de enero; 147/1997 (LA LEY 9917/1997), de 4 de agosto; 109/2000 (LA LEY 8946/2000), de 5 de mayo). Por el contrario las Sentencias absolutorias, al no estar en juego los mismos derechos fundamentales que las condenatorias, se mueven en cuanto a la motivación en el plano general de cualesquiera otras Sentencias, lo que no supone que en ellas pueda excluirse la exigencia general de motivación, pues ésta, como dice el art. 120.3 CE (LA LEY 2500/1978), es requerida "siempre". No cabe por ello entender que una Sentencia absolutoria pueda limitarse al puro decisionismo de la absolución sin dar cuenta del porqué de ella, lo que aun cuando no afectara a otros derechos fundamentales, como ocurriría en el caso paralelo de las Sentencias condenatorias, sería en todo caso contrario al principio general de interdicción de la arbitrariedad". Y en el mismo sentido se pronuncia la STC 115/2006, de 24 de abril (LA LEY 57613/2006)». STS 170/2015 de 20 Mar. 2015, Rec. 1631/2014. Ponente: Jorge Barreiro, Alberto Gumersindo. LA LEY 35302/2015.

Ahora bien, ello no supone que pueda excluirse en las sentencias absolutorias la exigencia general de motivación pues ésta es requerida siempre (art. 120.3 CE). En su virtud, no cabe entender que la motivación de una sentencia absolutoria pueda

---

(19) «El nivel de motivación de las sentencias absolutorias es menos intenso que el de las condenatorias. Las sentencias absolutorias, en relación con la constatación de la inexistencia de arbitrariedad o error patente, precisan de una motivación distinta de la que exige un pronunciamiento condenatorio, pues en estas últimas es imprescindible que el razonamiento sobre la prueba conduzca como conclusión a la superación de la presunción de inocencia .../... las sentencias absolutorias no necesitan motivar la valoración de pruebas que enerven una presunción existente a favor del acusado, contraria a su culpabilidad. Antes al contrario, cuentan con dicha presunción, de modo que en principio, para considerar suficientemente justificada una absolución debería bastar con la expresión de la duda acerca de si los hechos ocurrieron como sostiene la acusación». STS 237/2014 de 25 Mar. 2014, Rec. 1294/2013; Ponente: Monterde Ferrer, Francisco. LA LEY 31561/2014.

limitarse al puro decisionismo de la absolución sin dar cuenta del porqué de ella, lo que aun cuando no afectara a otros derechos fundamentales, como ocurriría en el caso paralelo de las sentencias condenatorias, sería en todo caso contrario al principio general de interdicción de la arbitrariedad. Menos aún en el caso que la sentencia absolutoria se dicté en vía de recurso revocando un pronunciamiento condenatorio, especialmente en el procedimiento de Jurado (teniendo en cuenta que la valoración de la prueba se realiza por el Jurado en una función que el Tribunal superior no debe pretender sustituir).

«Las sentencias absolutorias también precisan de una motivación razonable (STS 1547/2005 (LA LEY 301/2006), de 7 de diciembre). De un lado porque la obligación constitucional de motivar las sentencias contenida en los artículos 24.2 (LA LEY 2500/1978) y 120.3 de la Constitución (LA LEY 2500/1978), así como en las Leyes que los desarrollan, no excluyen las sentencias absolutorias. De otro, porque la tutela judicial efectiva también corresponde a las acusaciones en cuanto al derecho a una resolución fundada. Y de otro, porque la interdicción de la arbitrariedad afecta a todas las decisiones del poder judicial, tanto a las condenatorias como a las absolutorias, y la inexistencia de tal arbitrariedad puede ponerse de manifiesto a través de una suficiente fundamentación de la decisión …/… Esa necesidad de motivación se intensifica cuando no se trata de una sentencia de primera instancia, sino de la sentencia de apelación que revoca un pronunciamiento condenatorio, como en este caso, dictado por un Tribunal del Jurado en ejercicio de las atribuciones que le concede la Ley. El Tribunal Superior de Justicia entonces ha de razonar no sólo por qué no ha alcanzado la convicción de culpabilidad, sino especialmente por qué considera que la convicción de culpabilidad asumida por el Tribunal del Jurado no se ajusta a las exigencias de la presunción de inocencia. No basta con que exprese sus dudas (lo que sí es suficiente en un Tribunal de instancia), es además necesario que motive por qué entiende que la sentencia de instancia no se ajusta a las exigencias de la presunción de inocencia. La absolución se justifica con la duda, con la falta de razones para condenar. Pero la revocación de una condena dictada por un Tribunal de Jurado exige algo más que esa duda: requiere que el Tribunal de apelación razone fundadamente que ese veredicto colisiona con la presunción de inocencia. No basta con que exteriorice sus propias dudas. El principio *in dubio* va dirigido al Tribunal de instancia no al de apelación». STS 237/2014 de 25 Mar. 2014, Rec. 1294/2013; Ponente: Monterde Ferrer, Francisco. LA LEY 31561/2014.

La falta de motivación de la sentencia puede ser causa de indefensión que se puede reclamar por medio de los recursos ordinarios y, en su caso, por el recurso de amparo ante el TC. En este supuesto cuando el Tribunal que conozca en vía de recurso acoja el motivo, se plantea el problema de cuál debe ser la consecuencia jurídica de tal apreciación. Sobre este particular, cabe la posibilidad de declarar la nulidad de la sentencia, con un nuevo pronunciamiento del Tribunal superior; todo ello en aras del principio de economía procesal y para evitar dilaciones indebidas. Otra posibilidad consiste en declarar la nulidad de la sentencia con retroacción de las actuaciones al momento anterior al de dictar sentencia a fin de que se emita otra conforme al derecho. En este caso, cabe que el Tribunal declare la necesidad de que del nuevo juicio conozca un Tribunal distinto en el caso que por las circunstancias del asunto se entienda que el Tribunal que dictó la sentencia anulada ha perdido la necesaria imparcialidad.

«En efecto, no es que el Tribunal sentenciador haya dictado sucesivamente dos sentencias con un contenido incoherente e irrazonable en su argumentación; sino que también ha pasado de una primera sentencia en la que ha redactado unos hechos claramente incriminatorios para ambos acusados e idóneos para dictar un fallo condenatorio, a recoger en esta segunda sentencia, partiendo de unas mismas pruebas, unos hechos casi inexistentes a través de cuya lectura no resulta factible siquiera conocer qué es lo que sucedió en el escenario de los hechos. Todo lo que rodea, pues, a ambas resoluciones, tanto en su contenido intrínseco como en su examen comparativo, viene a constatar que el Tribunal está tan contaminado por el caso y tan predeterminado por las circunstancias que lo rodean, que, como alega el Ministerio Fiscal, no cumple con las condiciones de imparcialidad ni cuenta con el distanciamiento de los hechos probatorios necesario para dictar una tercera sentencia con arreglo a los cánones de razonabilidad que impone el art. 24.1 CE (LA LEY 2500/1978). Siendo así, procede declarar la nulidad de la sentencia dictada y retrotraer las actuaciones al momento anterior a la celebración del juicio para que se celebre una nueva vista oral con un Tribunal distinto al que ha intervenido hasta hora, Tribunal que habrá de ser el que dilucide finalmente el proceso». STS 170/2015 de 20 Mar. 2015, Rec. 1631/2014. Ponente: Jorge Barreiro, Alberto Gumersindo. LA LEY 35302/2015.

En último término, atendiendo a un criterio más matizado, otra línea jurisprudencial considera que cabe la subsanación únicamente en los supuestos en los cuales no se aprecie una ausencia absoluta de motivación. El supuesto contrario, de falta absoluta, convierte el problema de motivación, reparable con una nueva sentencia, en un problema de presunción de inocencia, sólo reparable con su anulación definitiva[20].

«Una de las consecuencias de esta perspectiva constitucional de la falta de motivación suficiente del relato fáctico incriminatorio es la de que la plena reparación del derecho vulnerado pasará normalmente por la anulación del derecho vulnerado pasará normalmente por la anulación sin retroacción de la Sentencia condenatoria. En términos análogos a los utilizados por la STC 151/97 (LA LEY 10209/1997), de 18.6, FJ 5, para el derecho a la legalidad sancionadora, la falta de un fundamento fáctico concreto y cognoscible priva a la pena del sustento probatorio que le exige el art. 24.2 CE (LA LEY 2500/1978) y convierte el problema de motivación, reparable con una nueva, en un problema de presunción de inocencia, sólo reparable con su anulación definitiva». STS 71/2017 de 8 Feb. 2017, Rec. 1843/2016; Ponente: Berdugo Gómez de la Torre, Juan Ramón. LA LEY 3460/2017.

---

(20) «Ante los déficits de motivación fáctica la absolución será la salida sólo cuando pueda hablarse de inmotivabilidad en el sentido antes indicado (STS 457/2013 (LA LEY 118133/2013), de 13 de abril). En otros supuestos en que percibiéndose que puede existir prueba de cargo lo que se comprueba es que la Sala de instancia ha andado remisa al verter sus argumentos, y esa pereza discursiva impide testar si estamos o no ante una convicción sólida y racional que satisfaga los parámetros de la presunción de inocencia, o si, por el contrario, la convicción se apoya en un soporte frágil, inconsistente y débil, inapto para llegar a la certeza, se impondrá el reenvío al tribunal de instancia. Solo contando con esa explicación del Tribunal suficientemente expresiva se estará en condiciones de verificar si la decisión vulnera o no el derecho a la presunción de inocencia». STS 376/2015 de 9 Jun. 2015, Rec. 1273/2014. Ponente: Moral García, Antonio del. LA LEY 89380/2015.

1.3. Aclaración y complemento de las sentencias

Las sentencias una vez firmadas no podrán ser variadas por el Tribunal que la hubiere dictado y únicamente podrán ser modificadas por medio de la interposición de recursos previstos en la Ley. Pero, este principio no tiene carácter absoluto, ya que por medio del incidente de aclaración de sentencias se podrá: «aclarar *algún concepto oscuro y rectificar cualquier error material de que adolezcan*» (arts. 267 LOPJ y 161 LECrim). (Véase M. 113).

> «La rectificación de un error material no permite modificar los elementos esenciales de la Sentencia ni, en consecuencia, ser utilizada como remedio de la falta de fundamentación de la resolución judicial firme (SSTC 138/1985, de 18 de octubre; 16/1991, de 28 de enero; 23/1994, de 27 de enero) o para anular y sustituir ésta por otra de signo diverso (SSTC 82/1995, de 5 de junio; 170/1995, de 20 de noviembre; 122/1996, de 8 de julio; 164/1997, de 3 de octubre; 180/1997, de 27 de octubre; 103/1998, de 18 de mayo). Excepcionalmente hemos admitido, sin embargo, que la rectificación implique alteración del sentido del fallo, sustituyéndolo por otro, cuando el error material manifiesto a rectificar consista en un mero desajuste o contradicción patente e independiente de cualquier juicio valorativo o apreciación jurídica entre la doctrina establecida en los fundamentos jurídicos y el fallo de la resolución judicial: esto es, cuando sea evidente que el órgano judicial simplemente se equivocó al trasladar el resultado de su juicio al fallo (SSTC 19/1995, de 24 de enero; 111/2000, de 5 de mayo)». STC 262/2000 de 30 de octubre.

Pueden ser objeto de aclaración las sentencias y los autos definitivos. Están legitimados para solicitar la aclaración las partes o el Ministerio Fiscal. También puede acordarse de oficio. En cualquier caso, la aclaración deberá solicitarse, o acordarse, dentro de los dos días hábiles siguientes al de la publicación de la resolución. Cuando se solicite a instancia de parte el órgano jurisdiccional resolverá dentro de los tres días siguientes al de la presentación del escrito en que se solicite la aclaración (Véase M. 114). Como excepción los errores materiales manifiestos o aritméticos podrán ser corregidos en cualquier momento —art. 267 LOPJ—.

El incidente de aclaración de sentencia no puede identificarse con un recurso, ya que no se impugna ninguna resolución limitándose a una función simplemente correctora de la propia resolución. Por esa razón, no puede utilizarse la aclaración de sentencia para alterar su contenido introduciendo alteraciones sustanciales[21]. Así, no se pueden realizar alteraciones de fondo, la rectificación de errores de derecho o el pronunciamiento sobre costas[22]. Sí admite corregir los errores materiales y manifies-

---

(21) «... Por medio del mencionado auto de aclaración, no se limitó a aclarar punto oscuro alguno o a reparar un error meramente material, sino que rectificó lo que consideró que había sido una incorrecta aplicación u olvido de una norma jurídica —el art. 56.2 ET—, esto es, un error iuris. El Tribunal no salvó, pues, ningún error material, sino que aplicó una norma jurídica, antes omitida, y cuyo uso tenía por consecuencia modificar de manera sustancial el contenido del fallo. En suma, hizo una revisión del fondo de su resolución firme no amparándose en un recurso legalmente previsto a tal fin, sino por un particular incidente —el de aclaración de la sentencia— que no puede considerarse hábil, según se ha razonado, para revisar sentencias firmes, salvo ese sucinto margen aclaratorio que las leyes procesales le confieren...». (STC 380/93, de 20 de diciembre).

(22) «... La Jurisprudencia constitucional ha declarado que la vía de aclaración no puede utilizarse como remedio de la falta de fundamentación de la que adolece la resolución judicial

tos que pueden rectificarse en cualquier momento. Entran dentro del objeto de este incidente la rectificación de las equivocaciones tipográficas, o el error consistente en haber omitido el lugar o la fecha en que los hechos ocurrieron o, en general, aquellas omisiones en la redacción o transcripción del fallo que puedan deducirse del texto de la propia sentencia.

El límite de la aclaración de sentencias debe situarse, en términos del buen sentido, en el supuesto que por esta vía se realicen alteraciones fundamentales o de fondo como las que suponen la fundamentación y calificación jurídica, el resultado de la prueba o el sentido del fallo. De este modo, se garantiza la seguridad jurídica mediante la invariabilidad de las sentencias, pero se imposibilita la corrección de errores manifiestos en los que hubiere incurrido el Tribunal cuando aquéllos excedan de los límites señalados. Por ejemplo ante la omisión de un pronunciamiento expresamente solicitado y omitido por error. En estos casos no es posible obtener tutela mediante el incidente de corrección de sentencia. Sin embargo, para estos supuestos los arts. 267.4 a 8 LOPJ y art. 161.5 LECrim prevén una importante novedad en orden a la subsanación y complemento de sentencias y autos defectuosos o incompletos.

El incidente de complemento de sentencias y autos tiene por finalidad completar las omisiones de las que adolezcan las resoluciones siempre que aquéllas sean manifiestas y se trate de pronunciamientos relativos a pretensiones oportunamente deducidas y sustanciadas en el proceso (art. 161.5 LECrim). El procedimiento se iniciará de oficio, o a instancia de parte, en el plazo de cinco días a contar desde la notificación de la resolución. Si se iniciara de oficio, el Tribunal o Letrado Ad. Justicia, dictará, sin más trámite auto o decreto de complemento de su resolución, pero sin modificar ni rectificar lo que hubiere acordado. Cuando se inicie a instancia de parte, el Tribunal dará traslado de la solicitud a las demás partes para alegaciones escritas por otros cinco días, tras lo cual resolverá por auto sobre la procedencia o no del complemento de la resolución con el pronunciamiento omitido.

Durante ese período la resolución no es firme, sino sencillamente definitiva y, por tanto, habilitado el incidente para su complemento no existe ningún obstáculo para proceder a resolver los errores claros y manifiestos de los que adolezca las resoluciones. En el supuesto de que la resolución ya hubiere adquirido firmeza lo que cabría no sería incidente de complemento, sino el incidente de nulidad de resolución firme, previsto en el art. 240 LOPJ y 228 LEC. No cabe recurso alguno contra el auto que resuelve el incidente, sin perjuicio de los recursos que procedan, en su caso, contra la sentencia o auto a que se refiriera la solicitud o la actuación de oficio del Tribunal. Los plazos para estos recursos, si fueren procedentes, quedarán en suspenso desde

---

aclarada, ni tampoco para corregir errores judiciales de calificación jurídica o subvertir las conclusiones probatorias previamente mantenidas, siendo esta vía aclaratoria igualmente inadecuada para anular y sustituir una resolución judicial por otra de fallo contrario, salvo que excepcionalmente el error material consista en un mero desajuste o contradicción, patente e independiente de cualquier juicio valorativo o apreciación jurídica, entre la doctrina establecida en los fundamentos jurídicos y el fallo de la resolución judicial, es decir, cuando es evidente que el órgano judicial simplemente se equivocó al trasladar el resultado de su juicio al fallo (cfr. TC 2.ª S 352/93, de 29 noviembre)». (STC 122/96, de 8 julio).

la solicitud de subsanación o complemento y volverán a computarse desde el día siguiente a la notificación del auto que reconociera o negara la omisión de pronunciamiento y acordara o denegara remediarla. Sin embargo, surge la duda de la comparación del art. 161.5 LECrim con el art. 267.9 LOPJ sobre si debe entenderse que se interrumpe el plazo y continúa el cómputo desde el día siguiente de la notificación de la resolución de este incidente o vuelve a reiniciarse el plazo desde dicha fecha. La jurisprudencia y el TC ha optado por la aplicación de la LOPJ y ha avalado esta última tesis del reinicio del plazo.

«La cuestión que debe ser objeto de examen es si pedida una aclaración, rectificación o complemento de sentencia o auto, el plazo para interponer recurso contra la misma que haya transcurrido hasta la petición se ha de entender definitivamente perdido o se computa nuevamente todo el plazo desde la notificación del auto o decreto que recaiga. Pues bien, en el presente caso la cuestión ha de resolverse a favor de entender que el plazo debe empezar a computar de nuevo desde la notificación del auto o decreto que acuerde o deniegue la aclaración o rectificación, de conformidad con la doctrina mantenida por el Tribunal Constitucional, recogida en la STC 90/2010, de 15 de noviembre, al tenerse en cuenta que las resoluciones aclarada y aclaratoria se integran formando una unidad lógico-jurídica que no puede ser impugnada sino en su conjunto a través de los recursos que pudieran interponerse contra la resolución aclarada, por lo que "se ha entendido tradicionalmente que en la determinación del *dies a quo* para el cómputo del plazo de un recurso contra una resolución que ha sido objeto de aclaración se debe tomar necesariamente en consideración la fecha de la notificación aclaratoria", lo que se compadece con el tenor literal de los arts. 448.2 de la LEC y el art. 267.9 de la LOPJ, habiendo sido éste último objeto de reforma mediante Ley Orgánica 1/2009, de 3 de noviembre, en la que se mantiene el criterio de iniciar el cómputo del plazo para el recurso desde la notificación del auto o decreto que acuerde o deniegue la aclaración, rectificación o complemento» ATS de 4 Oct. 2011, Rec. N.º 121/2011.

Finalmente debemos tener presente que el Tribunal Supremo ha declarado que el incidente de complemento de sentencias es el cauce procesal necesario y previo para solicitar que se tengan por puestas en la sentencias cuestiones omitidas en la sentencia. Lo cual se constituye en un motivo de inadmisión cuando se recurra por el motivo del art. 851.3 LECrim. Véanse sobre esa cuestión la STS 352/2014 de 4 Abr. 2014, Rec. 1094/2013; Ponente: Moral García, Antonio del. LA LEY 55092/2014 y el ATS 1247/2016 de 30 Jun. 2016, Rec. 2176/2015; Ponente: Martínez Arrieta, Andrés. LA LEY 119469/2016, citados en el § siguiente en el apartado referente a las clases de incongruencia.

1.4. La congruencia o correlación de la sentencia penal con la acusación

A) Principios que rigen la congruencia de la sentencia penal

La congruencia de la sentencia penal vendrá determinada por la correlación entre la acusación formulada por las partes y el contenido de la sentencia que ponga fin al proceso. Por tanto, la sentencia debe ponerse en relación con el objeto del proceso penal (*vid*. Cap. II sobre el ejercicio de acciones penales y civiles en el proceso penal) delimitado por la acusación que, a su vez, determina el límite y facultades del

Tribunal en orden a la determinación de la correspondiente responsabilidad criminal. La necesaria correlación entre acusación y sentencia está directamente relacionada con el derecho a ser informado de la acusación y el derecho de defensa (*vid.* sobre estas cuestiones § 2.2.A.a del Cap. I sobre el principio acusatorio y el derecho a ser informado de la acusación y a la congruencia entre acusación y sentencia). Por esta razón el principio de congruencia en el proceso penal adquiere una especial relevancia, quedando determinada por una parte por la sentencia y, por otra, por la acusación conformada respecto a al inculpado —identidad subjetiva— y el hecho punible —identidad objetiva—.

El primer término de comparación, a efectos de congruencia procesal, son las calificaciones definitivas de las partes que se formulan y concretan al final del juicio oral, pero que no pueden significar una modificación esencial de los términos del debate procesal delimitado por los escritos de acusación y defensa (calificaciones provisionales), de otro modo se estaría acusando y el Tribunal decidiría sobre aquello de lo que no se pudo defender el acusado (véase sobre las conclusiones finales § 5.10 Cap. XII en procedimiento abreviado; § 4.8 Cap. XV en procedimiento por delitos graves; § 6.7.F Cap. XVI en Tribunal del Jurado).

El segundo término de comparación, es la sentencia que deberá ser congruente con las peticiones de las partes debidamente formuladas, de modo que el Tribunal ha de limitar su cognición a los términos de las peticiones de las partes en el marco del debate procesal tal y como han sido formulados por la acusación y la defensa. En el supuesto de exceder de tales límites la incongruencia de la sentencia podría producir, en su caso, indefensión al acusado que no habría tenido oportunidad para alegar y probar en contra de aquello de lo que no ha sido acusado.

> «Fijada la pretensión, el Juzgador está vinculado a los términos de la acusación con un doble condicionamiento, fáctico y jurídico (STC 228/2002, de 9 de diciembre, FJ 5). Desde la primera de las perspectivas la congruencia exige que ningún hecho o aconte- cimiento que no haya sido delimitado por la acusación como objeto para el ejercicio de la pretensión punitiva, sea utilizado para ser subsumido como elemento constitutivo de la responsabilidad penal, siempre y cuando se trate de una variación sustancial, pues el Juzgador conserva un relativo margen de autonomía para fijar los hechos probados de conformidad con el resultado de los medios de prueba incluyendo aspectos circuns- tanciales siempre que no muten la esencia de lo que fue objeto de controversia en el debate procesal (SSTC 10/1988, de 1 de febrero, FJ 2; 225/1997, de 15 de diciembre, FJ 3; 302/2000, de 11 de diciembre, FJ 2; y la ya citada 228/2002, FJ 5). Por lo que se refiere a la calificación jurídica, el Juzgador está vinculado también a la sustentada por la o las acusaciones». STC 347/2006 de 11 de diciembre.

B) La congruencia respecto a los hechos y la calificación jurídica[23]

Como se ha expuesto el término de comparación, a efectos de congruencia pro- cesal, se establece entre el escrito de conclusiones definitivas, que es el verdadero

---

(23) Véanse CUCARELLA GALIANA L. A., *La Correlación de la Sentencia con la Acusación y la Defensa*, Cizur menor 2003.

VILLAGÓMEZ CEBRIÁN A.J., «El agravamiento judicial de la acusación», *La Ley* n° 4744, 1999.

instrumento procesal de la acusación, y la sentencia que contendrá los hechos que se declaren probados y la calificación jurídica e impondrá la pena que corresponda. Por su parte, la necesaria correlación entre acusación y sentencia está directamente relacionada con el derecho a ser informado de la acusación y el derecho de defensa. A estos efectos, deberá tenerse en cuenta la identidad del inculpado —identidad subjetiva— y el hecho punible —identidad objetiva— que figuren en la acusación y los que resulten en la sentencia[(24)].

a) Identidad del hecho punible

La sentencia solamente podrá tener en cuenta y valorar los hechos que hayan sido objeto de acusación en las peticiones de conclusiones definitivas. Ahora bien, en conclusiones definitivas no pueden imputarse hechos punibles que no hubieran sido objeto de acusación y sobre los cuales el acusado no ha tenido ocasión de defenderse[(25)].

> «Es el escrito de conclusiones definitivas el instrumento procesal que ha de considerarse esencial a los efectos de la fijación de la acusación en el proceso», y son las conclusiones definitivas las que determinan los límites de la congruencia penal. Por consiguiente, la modificación de las calificaciones provisionales al pasar a definitivas no determina en sí misma ninguna lesión del principio acusatorio, como, por cierto, tampoco toda desviación de las calificaciones definitivas realizada por el órgano judicial en el fallo, pues, de un lado, la congruencia entre la acusación y el fallo sólo exige la identidad de hecho punible y la homogeneidad de las calificaciones jurídicas, y, de otro, más allá de dicha congruencia, lo decisivo a efectos de la lesión del art. 24.2 CE es «la efectiva constancia de que hubo elementos esenciales de la calificación final que de hecho no fueron ni pudieron ser plena y frontalmente debatidos» STC 87/2001 de 2 de abril.

No cabe, por tanto, acusar por hechos nuevos, sin perjuicio de la posibilidad de solicitar la práctica de instrucción suplementaria, con suspensión del juicio, según lo previsto en el art. 746.6 LECrim (véase § 4.7 Cap. XI).

---

(24) «... La acusación ha de ser precisa y clara respecto del hecho y del delito por el que se formula y la sentencia ha de ser congruente con tal acusación sin introducir ningún elemento nuevo del que no hubiera existido antes posibilidad de defenderse... De tales elementos sólo dos tienen eficacia delimitadora del objeto del proceso, y, en consecuencia, capacidad para vincular al juzgador en aras de la necesaria congruencia... Estos dos componentes de la acusación, el conjunto de elementos fácticos y su calificación jurídica, conforman el hecho punible que constituye el objeto del proceso penal, el cual sirve para delimitar las facultades del Tribunal en orden a la determinación de la correspondiente responsabilidad criminal, porque si se excediera de los límites así marcados, ocasionaría indefensión al imputado que no habría tenido oportunidad para alegar y probar en contra de aquello por lo que antes no había sido acusado...». (STS 23 octubre 1995; La Ley, 14.775).

(25) «En la doctrina de este Tribunal ya se ha tenido ocasión de afirmar que el proceso penal se instaura, por lo que aquí interesa, un "sistema complejo de garantías" vinculadas entre sí, que impone la necesidad de que la "condena recaiga sobre los hechos que se imputan al causado... puesto que el debate procesal vincula al juzgador, impidiéndole excederse de los términos en que viene formulada la acusación o apreciar hechos o circunstancia que no han sido objeto de consideración en la misma, ni sobre los cuales, por tanto, el acusado ha tenido ocasión de defenderse" (STC 205/89, fundamento jurídico 2.°)». (STC 161/94, de 23 mayo).

«... hemos afirmado que el Juez puede condenar por un delito distinto que el sostenido por la acusación o acusaciones siempre y cuando se trate de un delito homogéneo con el que fue objeto de acusación y siempre y cuando no implique una pena de superior gravedad. Pero, en todo caso, como límite infranqueable en el momento de dictar Sentencia, al Juez le está vedado calificar los hechos de manera que integren un delito penado más gravemente si este agravamiento no fue sostenido en juicio por la acusación, ni imponer una pena mayor que la que corresponda a la pretensión acusatoria fijada en las conclusiones definitivas, dado que se trata de una pretensión de la que no pudo defenderse el acusado». STC 347/2006 de 11 de diciembre.

La sentencia se pronunciará sobre los hechos objeto de acusación, según resulten probados o no, que hagan posible la subsunción del hecho en la norma jurídica. En este sentido, la vinculación exigida por el principio acusatorio se extiende a los hechos y a la calificación jurídica. Aunque, el elemento menos flexible son los hechos objeto de la acusación que constituyen el elemento nuclear del juicio y que no pueden ser alterados. Así, no se puede contener en la sentencia un relato de hechos que configure un delito distinto o agraven la responsabilidad del acusado. Pero, no se exige una exacta correlación entre los hechos imputados y los declarados probados que fundamentan la condena. A este respecto, la Sala de instancia puede ampliar detalles o datos para hacer más completo y comprensivo el relato, de conformidad con las pruebas practicadas en el juicio, siempre que no impliquen cambio de calificación o agravación penológica. De este modo, no es exigible que la exposición fáctica sea exhaustiva, ni tampoco una identidad matemática entre la acusación y la sentencia. De este modo, las posibles divergencias entre extremos fácticos no sustanciales no vulneran el principio acusatorio y de congruencia, siempre que exista una coincidencia básica entre la acusación y los hechos acreditados en la sentencia.

«2. Esta Sala ha destacado en reiterada jurisprudencia la correlación que impone el principio acusatorio entre algunos aspectos de la calificación acusatoria y la sentencia que dicta el Tribunal (SSTS 775/2014, de 20-11 (LA LEY 162341/2014); 259/2015, de 30-4 (LA LEY 50342/2015); 329/2015, de 2-6 (LA LEY 73942/2015), entre otras muchas). Correlación que se concreta en la identidad de la persona contra la que se dirige la acusación, que no puede ser modificada en ningún caso; a los hechos que constituyen su objeto, que deben permanecer inalterables en su aspecto sustancial, aunque es posible que el Tribunal prescinda de elementos fácticos que no considere suficientemente probados o añada elementos circunstanciales o de detalle que permitan una mejor comprensión de lo sucedido según la valoración de la prueba practicada; y a la calificación jurídica, de forma que no puede condenar por un delito más grave o que, no siéndolo, no sea homogéneo con el contenido en la acusación. Y en lo que se refiere a la cuestión de la vinculación a la pena interesada por las acusaciones, ha sido tratada por esta Sala en el Pleno no jurisdiccional de fecha 20 de diciembre de 2006, en el que acordó que "el Tribunal sentenciador no puede imponer pena superior a la más grave de las pedidas en concreto por las acusaciones, cualquiera que sea el tipo de procedimiento por el que se sustancie la causa"». STS Sala Segunda, de lo Penal, Sentencia 440/2015 de 29 Jun. 2015, Rec. 17/2015. Ponente: Jorge Barreiro, Alberto Gumersindo. LA LEY 99814/2015.

b) Posible modificación de las calificaciones jurídicas

Respecto a la calificación jurídica el principio acusatorio determina que también debe existir la debida correlación entre la acusación y la condena. En su virtud, el Tribunal sentenciador no pueden calificar los hechos de forma distinta como lo hicieron las partes en su calificación definitiva. De esta premisa se deduce que el Tribunal no puede penar por infracciones por las que no se ha acusado, ni por un delito distinto o más grave que el que hubiere sido objeto de acusación. Tampoco le es posible apreciar circunstancias agravantes que no hubieran sido alegada por las partes. Ahora bien, no se exige una exacta correlación entre la imputación y la condena, sino que el Tribunal podrá dictar sentencia apartándose de los exactos términos de la acusación siempre que:

1) Haga uso de la facultad del art. 733 LECrim o 789.3 LECrim y la acusación asuma el planteamiento expuesto. A estas facultades nos referimos en sede de procedimiento abreviado (Cap. XII) y procedimiento por delitos graves (Cap. XV) a los que nos remitimos. Se trata de unos procedimientos difíciles de justificar en el marco del principio acusatorio tal y como se expone a continuación por introducir una posibilidad que introduce confusión entre los respectivos papeles que juegan las partes y el Tribunal en el proceso, desequilibrando el desarrollo del contradictorio y determinando una evidente pérdida de la necesaria equidistancia con la que el Tribunal debe afrontar su función jurisdiccional. Es por ello que la jurisprudencia se ha pronunciado respecto a este procedimiento como una excepción a la vinculación del Tribunal al principio acusatorio.

> «Los Tribunales penales pueden calificar los hechos que juzgan apartándose de los términos propuestos por la acusación, siempre que se den diversos requisitos de identidad del hecho y de homogeneidad delictiva (expuestos con detalle en las SSTC 105/1983, 134/1986, y 225/1997), o que formule la tesis que regula el art. 733 LECrim y sea asumida por alguna de las partes acusadoras (SSTC 12/1981, y 17/1988)». STC 70/1999 de 26 de abril.

Asumida por las partes la tesis planteada por el Tribunal y formulada en su correspondiente escrito de conclusiones definitivas el Tribunal puede condenar con base en la petición de las partes, sin que pueda apreciarse vulneración alguna de la congruencia o del principio acusatorio, en sentido estricto. Cuestión distinta es que con independencia que el Tribunal plantee la tesis o el procedimiento del art. 789.3 LECrim pueda vulnerarse el derecho de defensa del acusado cuando la tesis y la acusación finalmente formuladas sean sorpresivos y no hayan podido haber sido objeto del debate y defensa necesarios.

2) El delito calificado por la acusación y el delito calificado por la sentencia sean homogéneos en el sentido de que todos los elementos del segundo estén contenidos en el tipo de delictivo objeto de la acusación. Es decir, que en la condena no exista elemento nuevo alguno del que el condenado no haya podido defenderse[26].

---

(26) Véanse SSTC 12/1981 de 10 abril; 105/ 1983 de 23 noviembre; 104/1986 de 17 julio 1986; 17/1988 de 16 febrero; 186/1990 de 15 diciembre 1990; 95/1995 de 19 junio 1995; 225/1997 de 15 diciembre.

«La sujeción de la condena a la acusación no puede ir tan lejos como para impedir que el órgano judicial modifique la calificación de los hechos enjuiciados en el ámbito de los elementos que han sido o han podido ser objeto de debate contradictorio. No existe infracción constitucional si el Juez valora los hechos "y los calibra de modo distinto a como venían siéndolo (STC 204/1986, recogiendo doctrina anterior), siempre, claro, que no se introduzca un elemento o dato nuevo al que la parte o partes, por su lógico desconocimiento, no hubieran podido referirse para contradecirlo en su caso" (STC 10/1988, fundamento jurídico 2). En este sentido, "el órgano judicial, si así lo considera, no está vinculado por la tipificación o la imputación" que en la acusación se verifique (STC 11/1992, fundamento jurídico 3). A esto es a lo que se refieren los conceptos de identidad fáctica y de homogeneidad en la calificación jurídica: a la existencia de una analogía tal entre los elementos esenciales de los tipos delictivos que la acusación por un determinado delito posibilita también *"per se"* la defensa en relación con los homogéneos respecto a él». STC 225/1997 de 15 de diciembre. En el mismo sentido y recogiendo esta doctrina la STC 4/2002 de 14 de enero.

De este modo, no se vulnerará el principio acusatorio cuando el juzgador condene por un delito distinto del que ha sido objeto de acusación, siempre que aquél sea homogéneo. Sobre este particular el TS ha establecido de forma casuística los supuestos de homogeneidad y heterogeneidad delictual que pueden utilizar los Tribunales, sin necesidad de utilizar la tesis del art. 733 LECrim. Con base en esta jurisprudencia es posible la modificación de las calificaciones jurídicas en los supuestos siguientes: a) Cuando el delito sea de igual o menor gravedad que el referido por las acusaciones. b) Cuando exista identidad del hecho punible, de forma que el hecho debatido en juicio, señalado por la acusación y declarado probado, constituya el supuesto fáctico de la calificación de la sentencia. c) El delito objeto de la acusación y el delito objeto de la sentencia sean de la misma naturaleza, o bien homogéneos por tratarse de tipos penales cuyo supuesto fáctico sea sustancialmente el mismo.

De este modo cabe condenar por el mismo delito objeto de acusación (falsificación de documento oficial) pero por una modalidad de falsedad distinta.

«Lo que prohíbe el principio acusatorio es que se condene por delito más grave o por delito distinto cuando éste conlleve una diversidad de bien jurídico protegido o mutación esencial del hecho enjuiciado (art. 794.3 LECrim). En el supuesto actual la condena se ha realizado por el mismo delito objeto de acusación (falsedad en documento oficial) sin modificación alguna del bien jurídico tutelado al tratarse de delito no solamente homogéneo sino idéntico, y sin la menor alteración de los hechos objeto de imputación, pues la conducta falsaria imputada por las acusaciones y la declarada probada por la sentencia son fácticamente idénticas. No existe, en consecuencia, vulneración alguna del principio acusatorio por el hecho de que el Tribunal sentenciador estime técnicamente procedente subsumir dicha conducta en una u otra modalidad falsaria, pues todas ellas integran la misma figura delictiva». STS Sala Segunda, de lo Penal, Sentencia 439/2001 de 20 Mar. 2001, Rec. 394/1999; Ponente: Conde-Pumpido Tourón, Cándido. LA LEY 3330/2001.

O delitos de idéntica tipología respecto a los elementos componentes de la acción primaria: robo-hurto; asesinato-homicidio; agresión sexual-abuso sexual. Pero, no existe homogeneidad, v.g. entre el delito de robo con fuerza y robo con intimidación cuando en la acusación no se ha incluido la violencia o intimidación que es propia en esa clase de delito (STS 19 de junio de 2001, La Ley n.º 6063); o entre el delito de estafa objeto de acusación y el delito de apropiación indebida apreciado por el Juzgador (SSTS de 15 de febrero de 2002, La Ley 4150). En conclusión, lo relevante no es tanto la afinidad sistemática y penológica entre las distintas infracciones, sino las diferencias sustantivas en lo que afecta a los elementos objetivos de la acción delictiva. Es decir, lo importante son los hechos, tal y como se expone a continuación. Así, en el supuesto apuntado, mientras que el elemento definitorio de la apropiación indebida es el abuso de confianza del que se vale el sujeto para apropiarse de una cosa cuya posesión legítima ya ostenta; en la estafa lo es el engaño bastante que induce a otro a realizar un acto de disposición patrimonial.

En cualquier caso, debe siempre respetarse el principio acusatorio y el derecho de defensa del acusado que puede quedar comprometido cuando no haya tenido oportunidad de defenderse, sin perjuicio de que exista homogeneidad delictiva.

«No nos compete determinar si ambos preceptos pueden ser, en abstracto, considerados homogéneos, porque esta tarea corresponde a la jurisdicción ordinaria por tratarse de una cuestión de legalidad ordinaria (cfr., en sentido positivo, la Sentencia del Tribunal Supremo de 28 de enero de 1997, recaída en el recurso de casación 125/97), sino si tal homogeneidad se ha producido en el presente caso, desde la exclusiva perspectiva constitucional que nos compete, ya que si así no hubiera ocurrido se habría visto menoscabado el derecho a conocer la acusación, lo que habría incidido, a su vez, en el derecho de defensa del recurrente …/… Lo relevante, sin embargo, no es valorar aquí el comportamiento judicial, sino determinar si el acusado pudo ejercer plenamente su derecho de defensa por conocer la acusación que contra él pesaba. Y, en el caso que nos ocupa, es evidente que no porque el art. 410 CP, por el que fue finalmente condenado, prevé en su apartado segundo que "no incurrirán en responsabilidad criminal las autoridades o funcionarios por no dar cumplimiento a un mandato que constituya una infracción manifiesta, clara y terminante de un precepto de Ley o de cualquier otra disposición general"». STC 71/2005 de 4 de abril.

d) Todos los elementos fácticos del segundo tipo aplicado por el juzgador deberán estar contenidos en el tipo delictivo objeto de la acusación y deben haber sido objeto del debate procesal. En definitiva, este es el requisito esencial para que el Tribunal pueda condenar por un delito distinto. Así lo ha entendido el TC que declara que lo esencial es que el acusado haya podido contradecir todos los elementos que integran la valoración jurídica de los hechos.

«La falta de homogeneidad indicada no determina, por sí sola, la existencia de indefensión. Dicho de otro modo, lo decisivo no es si los tipos son homogéneos, sino si, en las circunstancias concretas del caso, el demandante de amparo pudo contradecir, en lo que ahora interesa, la totalidad de los elementos que integran la valoración jurídica o tipificación de los hechos efectuados en la resolución judicial. Para ello habremos de partir del razonamiento de la Sentencia del Juzgado de lo Penal, según la cual no concurría el ánimo de lucro preciso para apreciar la existencia de un delito de apropiación indebida, pero los hechos sí eran constitutivos de una falta de coacciones porque los demandantes de amparo, llevados por su celo excesivo de salvaguardar el cobro de una deuda bancaria, bloquearon la cuenta corriente antes de que se hubiera acordado judicialmente su embargo. Desde una óptica externa, que es la que corresponde a este Tribunal, ha de concluirse que, en este caso concreto, no todos los elementos que configuran la falta de coacciones por la que los demandantes de amparo fueron condenados se deducen de los hechos por los que se formuló acusación y que después se declararon probados, por lo que no se respetó la necesaria correlación entre el debate procesal y los términos de la condena». STC 4/2002 de 14 de enero.

c) Apreciación de circunstancias modificativas de la responsabilidad criminal

Las circunstancias modificativas de la responsabilidad criminal deben haber sido solicitadas por las partes, de modo que el Tribunal no puede estimarlas en caso contrario, sin perjuicio de plantear la tesis (art. 733 LECrim) o el procedimiento de interpelación del art. 788.3 LECrim en el procedimiento abreviado. Sin embargo, se ha admitido que el Tribunal pueda apreciar circunstancias, derivada de los hechos probados, en beneficio del acusado, aunque no la hubiere alegado el propio interesado.

> «El principio acusatorio está limitado por la protección del acusado, pero no se vulnera cuando se aprecia atenuación legal en su conducta, derivada de los hechos probados, independientemente de que se haya aducido o no por la defensa. Otra cosa conduciría a una injusticia manifiesta, contraria a la dignidad humana y el respeto a la persona en el ámbito procesal, porque obligaría al Juez a condenar al inocente que no alegó tal dato o a condenar más gravemente a una persona, como en este caso, colocada en una real situación de legítima defensa, aunque sea incompleta, tan sólo porque no fue aducida por su Abogado defensor .../... El recurrente pretende invertir el principio acusatorio y llevarlo a la defensa, lo que no existe en ningún ordenamiento moderno, social y democrático. Sí tiene el imputado derecho a saber de qué se le acusa, pues la acusación es una carga procesal, pero no la defensa, por ello nunca se vulnera el principio acusatorio si se le castiga con menos de lo pedido o se le absuelve, pese a no haberse solicitado o incluso haberse conformado con la pena solicitada». STS Sala Segunda, de lo Penal, Sentencia de 12 Jul. 1997, Rec. 333/1996; Ponente: Martínez-Pereda Rodríguez, José Manuel. LA LEY 8838/1997.

C) *La individualización de la pena y correlación entre acusación y sentencia*

En último término el Tribunal se halla limitado por la pena concreta solicitada por las partes acusadoras en sus conclusiones definitivas. Así está previsto en el art. 789.3 LECrim que dispone que la sentencia no podrá imponer pena más grave que la solicitada por las acusaciones. Este precepto sito en sede de procedimiento abreviado establece una limitación que se opone, aparentemente y en principio, a la aplicación estricta del principio de legalidad previsto en el art. 66 CP y 741 LECrim que atribuyen al Tribunal penal la individualización concreta de la pena. El fundamento del art. 789.3 LECrim se halla en la necesidad de conjugar el principio de legalidad con las exigencias derivadas del principio acusatorio que determinan que el acusado conozca y pueda defenderse de la acusación formulada y evaluar la expectativa de la condena que se le puede imponer. Sin que sean admisible acusaciones sorpresivas, de las que el acusado no haya podido defenderse.

> «En relación con las garantías que incluye el principio acusatorio, este Tribunal ya ha tenido ocasión de señalar en otras ocasiones que entre ellas se encuentra la de que "nadie puede ser condenado por cosa distinta de la que se le ha acusado y de la que,

por lo tanto, haya podido defenderse", habiendo precisado a este respecto que por "cosa" no puede entenderse únicamente un concreto devenir de acontecimientos, un *factum*, sino también la perspectiva jurídica que delimita de un cierto modo ese devenir y selecciona algunos de sus rasgos, pues el debate contradictorio recae "no sólo sobre los hechos, sino también sobre su calificación jurídica", tal como hemos sostenido en las SSTC 12/1981, de 10 de abril, 95/1995, de 19 de junio, y 225/1997, de 15 de diciembre (STC 4/2002, de 14 de enero, FJ 3; en el mismo sentido, STC 228/2002, de 9 de diciembre, FJ 5)». STC 71/2005 de 4 de abril.

El problema se plantea con relación al entendimiento del concepto *pena más grave*, que puede interpretarse como la estricta y cuantitativamente solicitada por las partes o bien como la inmediatamente superior. De modo que según la primera interpretación el Tribunal no podría imponer, por ejemplo, una pena de 9 años de prisión cuando el Fiscal pidiera 6 años. Mientras que según la segunda interpretación el Tribunal podría imponer una pena de nueve años siempre que la pena legalmente prevista para el delito cometido alcanzase hasta ese límite de nueve años. La cuestión no resultó pacífica. En un principio la jurisprudencia mayoritaria considero que la vigencia del principio acusatorio no es obstáculo para que el Tribunal pueda imponer la pena en medida distinta a la solicitada por el Ministerio Fiscal siempre que lo haga dentro de los límites fijados en la Ley para el delito objeto de acusación, al estar reservada al Tribunal sentenciador la función individualizadora de las penas, y que el Tribunal sentenciador motive especialmente la imposición de una pena más elevada[27]. Esta doctrina jurisprudencial resultaba rechazable, ya que si bien es cierto que el Tribunal puede individualizar la pena, también lo es que el principio acusatorio tiene plena vigencia en el juicio oral y determina que el acusado conozca y pueda defenderse de las peticiones de la acusación fijada en unos hechos, un delito y una pena concreta. De modo que la posibilidad de que el acusado pueda finalmente resultar condenado a una pena mayor a la solicitada por el Ministerio Fiscal atenta a la seguridad jurídica y al derecho de defensa del acusado que se habrá defendido de una petición concreta de pena, realizando una previsión del resultado final que excluye la posibilidad de ser condenado a mayor pena que la que solicita la acusación. Así, por ejemplo el acusado habrá valorado la posibilidad de llegar a una conformidad con la acusación teniendo en cuenta la pena que efectivamente le solicita la acusación[28].

(27) Véanse en este sentido numerosas sentencias que se pronuncian en ese sentido. Así la STS 14 de mayo 1999, (La Ley 6856, 1999), que declara que: «El Tribunal impuso, finalmente, la de 6 años que es pena procedente en aplicación del principio de legalidad que rige el ordenamiento penal y vincula al órgano judicial, sin que ello tenga porqué implicar la violación del principio acusatorio. La imposición de una pena superior a la concretamente pedida no infringe dicho principio si se mantiene dentro de los límites legales previstos respecto al tipo imputado, en este caso de acuerdo con el art. 66.1 CP, en cuanto corresponde al órgano judicial la aplicación individualizada de la pena, con el único límite del principio de legalidad aludido .../... Se trata por tanto de una legítima discreccionalidad de los jueces que no ha vulnerado el principio acusatorio...».

(28) Es por esta razón que la jurisprudencia del TS exigía una especial motivación de las sentencias que impusieran pena mayor a la solicitada por la acusación (véase STS 15 de junio de 2000, reseñada supra). Incluso, en alguna sentencia del TC como la 59/2000 de 2 de marzo, se entiende vulnerado el derecho a la tutela judicial efectiva al imponerse pena mayor a la solicitada por la acusación, aunque por causa de falta de motivación suficiente: «La obligación de motivar cobra

Estas y otras razones motivaron una modificación de la doctrina del TS que se concretó en el Acuerdo no jurisdiccional de la Sala Penal de 20 de diciembre de 2006 en el que se acordó que el art. 789.3 LECrim debía interpretarse en el sentido de que: «*El Tribunal sentenciador no puede imponer pena superior a la más grave de las pedidas en concreto por las acusaciones, cualquiera que sea el tipo de procedimiento por el que se sustancie la causa*»[29]. Con base en el citado Acuerdo se modificó la jurisprudencia del TS para acoger un criterio más respetuoso con el principio acusatorio que ha sido acogido por la Jurisprudencia tanto del Tribunal Constitucional como del Tribunal Supremo por el cual el Tribunal no puede condenar por un delito distinto ni por una pena en concreto superior a la solicitada por las partes en sus conclusiones definitivas. De modo que si un delito está castigado con una pena de 3 a 6 años de prisión y la acusación solicita 4 no puede el Tribunal condenar a una pena superior a la solicitada porque estaría infringiendo el principio acusatorio y el principio correlativo de congruencia y el derecho de defensa del acusado. Este es el criterio acogido en primer lugar por la doctrina del Tribunal Constitucional.

«Con la perspectiva constitucional que nos es propia resulta preciso replantear la cuestión y avanzar un paso más en la protección de los derechos de defensa del imputado y en la preservación de la garantía de la imparcialidad judicial en el seno del proceso penal, en el sentido de estimar que, solicitada por las acusaciones la imposición de una pena dentro del marco legalmente previsto para el delito formalmente imputado, el órgano judicial, por exigencia de los referidos derechos y garantía constitucionales, en los que encuentra fundamento, entre otros, el deber de congruencia entre acusación y fallo como manifestación del principio acusatorio, no puede imponer pena que exceda, por su gravedad, naturaleza o cuantía, de la pedida por las acusaciones, cualquiera que sea el tipo de procedimiento por el que se sustancia la causa, aunque la pena en cuestión no transgreda los márgenes de la legalmente prevista para el tipo penal que resulte de la calificación de los hechos formulada en la acusación y debatida en el proceso. De este modo, por una parte, se refuerzan y garantizan en su debida dimensión constitucional los derechos de defensa del acusado. En efecto, la pena concreta solicitada por la acusación para el delito formalmente imputado constituye, al igual, por lo menos, que el relato fáctico y la calificación jurídica en la que aquélla se sustenta, un elemento sin duda esencial y nuclear de la pretensión punitiva, determinante, en cuanto tal, de la actitud procesal y de la posible línea de defensa del imputado». STC Pleno, Sentencia 155/2009

sin duda un especial relieve en supuestos, como el presente, en el que la condena fue superior a la solicitada por las acusaciones en el proceso. Ciertamente la STC 193/1996, de 26 de noviembre, que reafirma esa exigencia constitucional de justificar la pena concreta, admitió que ésta quedase satisfecha sin necesidad de especificar las razones justificativas de la decisión siempre que, como era el caso, éstas pudieran desprenderse con claridad del conjunto de la decisión (F. 6). Sin embargo, en el presente caso la simple lectura de la Sentencia pone de manifiesto que la justificación de la concreta pena impuesta, por encima de la pedida por el Fiscal, no se infiere en modo alguno de su texto, pues sus razonamientos atañen, exclusivamente, al cambio de calificación efectuada y a la participación en los hechos incriminados. En consecuencia ha de estimarse vulnerado el derecho a la tutela judicial». STC 59/2000, de 2 de marzo.

(29)   Debe tenerse en cuenta que la redacción vigente del citado precepto se introdujo en la LECrim en la profunda reforma del procedimiento abreviado que tuvo lugar por la Ley 38/2002, que modificó el contenido del derogado art. 794 LECrim que regulaba esta cuestión.

de 25 Jun. 2009, Rec. 7329/2008. Ponente: Conde Martín de Hijas, Vicente. LA LEY 99408/2009.

Y más tarde también por el Tribunal Supremo[30].

«Tal criterio ha sido ya aplicado por esta misma Sala en numerosas resoluciones. La STS 393/2007, 27 de abril (LA LEY 23143/2007), se refiere de modo expreso al ya mencionado acuerdo del Pleno, fechado el día 20 de diciembre de 2006, justificando el cambio de doctrina en la necesidad de un entendimiento más estricto de las exigencias inherentes al principio acusatorio. Con cita de la STS 1319/2006 (LA LEY 160497/2006), de 12 de enero de 2007, se recuerda que, respecto a la posibilidad de imponer pena superior a la más grave de las solicitadas por las acusaciones, la razón que justifica un cambio en el punto de vista seguido hasta ahora y que produzca la vinculación del juzgador a la pena en concreto solicitada, como ámbito delimitador de las facultades del Tribunal sentenciador, deriva de la esencia misma del principio acusatorio, y en suma, de la estructura del proceso penal, denominado acusatorio, en donde quedan perfectamente escindidas las funciones de acusar y de juzgar, de modo que no puede nunca un mismo órgano arrogarse ambas, bajo pretexto alguno. Del mismo modo que el Tribunal sentenciador no puede condenar por un delito que no haya sido imputado por la acusación, tampoco puede imponer una pena que no le haya sido solicitada por acusación alguna, pues ambos mecanismos se basan en el respeto al principio acusatorio, y sus correlativas derivaciones de congruencia y defensa». STS Sala Segunda, de lo Penal, Sentencia 440/2015 de 29 Jun. 2015, Rec. 17/2015. Ponente: Jorge Barreiro, Alberto Gumersindo. LA LEY 99814/2015.

Esta doctrina jurisprudencial ha sido parcialmente modificada por el Acuerdo del pleno de la sala segunda, adoptado en su reunión del día 27.11.07 en el que interpreta el Acuerdo de 20 de diciembre de 2006 en el sentido de que: «*el Tribunal no puede imponer pena superior a la más grave de las pedidas por las acusaciones, siempre que la pena solicitada se corresponda con las previsiones legales al respecto, de modo que cuando la pena se omite o no alcanza el mínimo previsto en la ley, la sentencia debe imponer, en todo caso, la pena mínima establecida para el delito objeto de condena*». La finalidad del Tribunal Supremo no es otra que la de ofrecer una solución a los problemas de omisión o error en la petición de pena por las acusaciones. En ese caso, el Tribunal deberá imponer la pena mínima que corresponda al delito conforme con la Ley. Se trata de una norma que si bien no significan la vuelta a la situación anterior a la del Acuerdo de 2006 si es cierto que suponen un menoscabo del principio acusatorio frente a una mayor prevalencia del principio de legalidad.

«Se viene así a permitir que el juzgador corrija al alza —si bien sólo hasta el límite punitivo mínimo del tipo penal objeto de acusación y condena— la petición errónea de pena efectuada por las acusaciones ya fuere por la solicitud de la pena en

---

(30) «En efecto el Ministerio Público solicitó por el delito de falsedad de documento oficial la pena de 20 meses de prisión y multa, mientras que el Tribunal sentenciador impuso la de Dos años de prisión y multa. El motivo debe ser estimado en lo que se refiere a esta alegación .../... Pues bien, la sentencia recurrida condena a Dolores como autora de un delito de falsificación de documento oficial, a la pena de dos años de prisión, sobrepasando el límite de lo pedido por el Fiscal —20 meses de prisión— en sus conclusiones definitivas. De ahí que proceda la estimación del motivo y consiguiente rebaja de ese exceso». STS Sala Segunda, de lo Penal, Sentencia 330/2014 de 23 Abr. 2014, Rec. 1772/2013. Ponente: Conde-Pumpido Tourón, Cándido. LA LEY 46734/2014.

una extensión menor de la legal o inclusive por la omisión de petición de una de las procedentes. Este acuerdo ha sido aplicado, entre otras, en las SSTS 11/2008, 11 de enero (LA LEY 57/2008) y 89/2008, 11 de febrero, ambas en supuestos de omisión por la acusación de la petición de la pena de multa aparejada al delito del art. 368, lo que se corrigió en sentencia». STS Sala Segunda, de lo Penal, Sentencia 731/2013 de 7 Oct. 2013, Rec. 11142/2012. Ponente: Marchena Gómez, Manuel. LA LEY 165434/2013.

En conclusión, el Tribunal penal estará vinculado por la pena concretamente pedida, incluso en la cuantía, por las acusaciones, sin perjuicio de que deba imponer la pena legal mínima en el caso de omisión o error en la petición de la pena solicitada. Facultad que, probablemente, permitirá a los tribunales dar solución a determinados errores que se puedan plantear, pero que no se compadece con la plena vigencia del principio acusatorio en nuestro sistema de derecho procesal. Véase también sobre la correlación entre acusación y sentencia el § 4.9 Cap. XV sobre planteamiento de la tesis en sede de procedimiento por delitos graves; y § 5.13 Cap. XII en el procedimiento abreviado. También en § 2.2.A.a.2º Cap. I.

«La STS 393/2007, 27 de abril (LA LEY 23143/2007), se refiere de modo expreso al ya mencionado acuerdo del Pleno, fechado el día 20 de diciembre de 2006, justificando el cambio de doctrina en la necesidad de un entendimiento más estricto de las exigencias inherentes al principio acusatorio. Con cita de la STS 1319/2006, de 12 de enero de 2007, se recuerda que, respecto a la posibilidad de imponer pena superior a la más grave de las solicitadas por las acusaciones, la razón que justifica un cambio en el punto de vista seguido hasta ahora y que produzca la vinculación del juzgador a la pena en concreto solicitada, como ámbito delimitador de las facultades del Tribunal sentenciador, deriva de la esencia misma del principio acusatorio, y en suma, de la estructura del proceso penal, denominado acusatorio, en donde quedan perfectamente escindidas las funciones de acusar y de juzgar, de modo que no puede nunca un mismo órgano arrogarse ambas, bajo pretexto alguno. Del mismo modo que el Tribunal sentenciador no puede condenar por un delito que no haya sido imputado por la acusación, tampoco puede imponer una pena que no le haya sido solicitada por acusación alguna, pues ambos mecanismos se basan en el respeto al principio acusatorio, y sus correlativas derivaciones de congruencia y defensa». STS Sala Segunda, de lo Penal, Sentencia 731/2013 de 7 Oct. 2013, Rec. 11142/2012. Ponente: Marchena Gómez, Manuel. LA LEY 165434/2013.

Finalmente, con relación a la conformidad en el acto del juicio oral prevista en el art. 787 LECrim se había planteado el problema de si el juzgador está o no vinculado por la conformidad aceptada. En este punto se ha admitido que el Tribunal puede imponer pena inferior, aunque no superior, a la conformada[31]. Aunque en algunas

---

(31) «... La imposición de una pena inferior en tales casos, siempre que se halle dentro de los límites que la Ley señala, no contradice ninguno de los principios procesales, ni tampoco la postura de la acusación pública en el proceso cuya tarea como defensor del principio de legalidad queda salvaguardada por el respeto que necesariamente ha de existir a los márgenes impuestos por el Código Penal. Tal posibilidad de imponer sanción inferior a la acordada por las partes aparece fundamentada en la necesidad de individualizar la pena para adaptarla a las circunstancias del caso concreto, no como concesión a una posible arbitrariedad del Tribunal prohibida por nuestra Constitución, sino como necesidad, a veces, de adaptarse al propio modo de actuar del órgano judicial, concretamente a la forma en que en casos anteriores hubiera resuelto supuestos semejantes». STS

sentencias el TS ha admitido que el Tribunal pueda condenar a pena superior a la conformada[32]. Pero lo más correcto, en el caso que el Tribunal no considere correcta la conformidad, será que utilice el incidente previsto en el art. 787.3 LECrim que prevé que de considerar incorrecta la calificación el Tribunal requerirá a la acusación a modificar las conclusiones, y, de no hacerlo así, ordenará la continuación del juicio. En cualquier caso, si no se obrase así puede admitirse que se condene al acusado a pena inferior pero no a pena superior a la conformada, lo que a nuestro juicio atenta contra el derecho de tutela judicial efectiva del sometido al proceso penal y le produce indefensión. Véase sobre la conformidad en el juicio oral del procedimiento abreviado § 5.5 Cap. XII.

D) Clases de incongruencia

La sentencia puede ser incongruente por «*extra petita*», «*ultra petita*» o por omisión de pronunciamiento. En los dos primeros supuestos la sentencia se pronuncia por exceso, más allá del objeto procesal delimitado por las partes en los escritos de acusación definitivos. En el tercer supuesto, se produce la abstención y silencio del órgano judicial, que deja de considerar y pronunciarse sobre las pretensiones que se hayan traído al proceso oportuna y temporáneamente no dando respuesta positiva o negativa a las mismas. La sentencia afectada por vicio de incongruencia es susceptible de ser impugnada en casación por el cauce previsto en los párrafos 4º y 3º del art. 851 LECrim respectivamente.

Sala Segunda, de lo Penal, Sentencia de 11 Mar. 1993, Rec. 654/1990; Ponente: Granados Pérez, Carlos. LA LEY 1259/1993.

(32)   «Estima que se ha vulnerado el principio acusatorio al serle impuesta una pena mayor que la solicitada por el Ministerio Fiscal, en su escrito de conclusiones definitivas, a las que se adhirió plenamente mostrando su conformidad con las mismas y renunciando consiguientemente al informe oral por considerarlo innecesario. La pena solicitada por el Ministerio Fiscal era de dos años de privación de libertad, mientras que la Sala sentenciadora impone una pena de tres años a pesar de que la causa se había tramitado por el Procedimiento Abreviado y el artículo 793.3 de la Ley de Enjuiciamiento Criminal impone, en estos casos, dictar sentencia de estricta conformidad con la aceptada por las partes. Se ha dicho reiteradamente por la doctrina de esta Sala que la expresión "estricta conformidad" obliga solamente a tener en cuenta la literalidad de los hechos imputados, permitiendo al juzgador valorar o determinar su adecuada tipicidad o la concurrencia de circunstancias modificativas de la responsabilidad criminal, llevándole a imponer la pena con libertad de criterio, dentro de los límites marcados por las reglas contenidas en el Código Penal. La conformidad implica un reconocimiento íntegro de los hechos, renunciando a la celebración del juicio o, en su caso, a la posibilidad de defenderse en el alegato final cuando la aceptación se ha producido en el momento de elevar a definitivas las conclusiones provisionales. Sus efectos son análogos a los de una confesión, por lo que los hechos no pueden ser atacados en posteriores recursos. Ahora bien, no por ello el órgano juzgador pierde las facultades que le proporciona fundamentalmente el artículo 66 del Código Penal y que le permite ajustar la pena en función, no sólo de las circunstancias modificativas de la responsabilidad criminal, sino también valorando las condiciones personales del delincuente y la mayor o menor gravedad del hecho. En todo caso, se debe respetar el principio de proporcionalidad de la pena, lo que se ha realizado en el caso presente, atendiendo a la especial configuración del hecho y de los medios empleados para la comisión del delito, así como el número de personas perjudicadas». STS Sala Segunda, de lo Penal, Sentencia 2376/2001 de 17 Dic. 2001, Rec. 445/2000; Ponente: Martín Pallín, José Antonio. LA LEY 227818/2001.

«Hemos distinguido dos tipos de incongruencia: De una parte, la llamada incongruencia omisiva o "*ex silentio*", que se producirá cuando el órgano judicial deje sin contestar alguna de las pretensiones sometidas a su consideración por las partes, siempre que no quepa interpretar razonablemente el silencio judicial como una desestimación tácita cuya motivación pueda inducirse del conjunto de los razonamientos contenidos en la resolución y sin que sea necesaria, para la satisfacción del derecho a la tutela judicial efectiva, una contestación explícita y pormenorizada a todas y cada una de las alegaciones que se aducen como fundamento a su pretensión, pudiendo bastar, en atención a las circunstancias particulares concurrentes, con una respuesta global o genérica, aunque se omita respecto de alegaciones concretas no sustanciales. Y, de otra parte, la denominada incongruencia "*extra petitum*", que se da cuando el pronunciamiento judicial recaiga sobre un tema no incluido en las pretensiones deducidas en el proceso, de tal modo que se haya impedido a las partes la posibilidad de efectuar las alegaciones pertinentes en defensa de sus intereses relacionados con lo decidido, provocando su indefensión al defraudar el principio de contradicción. En algunas ocasiones ambos tipos de incongruencia pueden presentarse unidos, concurriendo la que, en ocasiones, se ha llamado incongruencia por error, denominación adoptada en la STC 28/1987, de 13 de febrero, y seguida por las SSTC 369/1993, de 13 de diciembre, 111/1997, de 3 de junio, 136/1998, de 29 de junio, que define un supuesto en el que, por el error de cualquier género sufrido por el órgano judicial, no se resuelve sobre la pretensión formulada en la demanda o sobre el motivo del recurso, sino que erróneamente se razona sobre otra pretensión absolutamente ajena al debate procesal planteado, dejando al mismo tiempo aquélla sin respuesta». STC 135/2002 de 3 de junio.

La incongruencia «*ultra petita*» se determina por la concurrencia de los siguientes requisitos: 1° Que la sentencia del órgano jurisdiccional sancione por un delito más grave que el que haya sido objeto de acusación a salvo de la facultad individualizadora de los Tribunales. 2° Que el órgano juzgador no hubiere planteado la tesis, conforme a lo establecido en el art. 733 LECrim o bien haga uso de la facultad prevista en el art. 789.3° LECrim a fin de que se salvaguarden los principios de contradicción e igualdad de armas y demás garantías procesales. 3° Que entre los delitos objeto de acusación y de sanción no exista homogeneidad.

La incongruencia omisiva o «fallo corto» constituye un «*vicio in iudicando*» que tiene como esencia la vulneración por parte del Tribunal del deber de examen y resolución de aquellas pretensiones que se hayan traído al proceso oportuna y temporalmente, frustrando con ello el derecho de la parte a obtener una respuesta fundada en derecho sobre la cuestión formalmente planteada. Se trata por tanto de un vicio que afecta o lesiona el derecho a la tutela judicial efectiva.

«El vicio de incongruencia omisiva se produce cuando se omite, en la motivación requerida por los artículos 120.3 de la Constitución (LA LEY 2500/1978) y 142 de la LECr (LA LEY 1/1882) y 248.3 de la LOPJ (LA LEY 1694/1985), la respuesta a alguna de las cuestiones de carácter jurídico planteadas por las partes en sus escritos de calificación o en tiempo procesal oportuno, lo cual tampoco corresponde a las cuestiones fácticas que plantea el recurrente». STS 237/2014 de 25 Mar. 2014, Rec. 1294/2013; Ponente: Monterde Ferrer, Francisco. LA LEY 31561/2014.

Para que pueda apreciarse incongruencia por omisión de pronunciamiento, será necesario que concurran los siguientes requisitos: 1° Que la omisión o falta de resolución se refiera a pretensiones jurídicas, y no a supuestos de hecho. 2º Que dichas pretensiones se hayan ejercitado en el período oportuno en forma correcta (escritos de conclusiones provisionales elevadas posteriormente a definitivas, o de conclusiones definitivas). 3º Que en la resolución no se resuelva sobre alguna pretensión, bien de modo directo por medio de un pronunciamiento expreso, bien de forma indirecta mediante un pronunciamiento implícito. Este último se da cuando la desestimación de una pretensión implica la denegación de otra incompatible[33].

«Ha señalado la STS 495/2015 de 29 de junio (LA LEY 102975/2015), con cita de la sentencia de esta Sala 1100/2011 de 27 de octubre, que este vicio denominado por la jurisprudencia "incongruencia omisiva" o también "fallo corto" aparece en aquellos casos en los que el Tribunal de instancia vulnera el deber de atendimiento y resolución de aquellas pretensiones que se hayan traído al proceso oportuna y temporalmente, frustrando con ello el derecho de la parte, integrado en el de tutela judicial efectiva, a obtener una respuesta fundada en derecho sobre la cuestión formalmente planteada. Aparece, por consiguiente, cuando la falta o ausencia de respuesta del Juzgador se refiere a cuestiones de derecho planteadas por las partes. No se comprenden en el mismo las cuestiones fácticas, que tendrán su cauce adecuado a través de otros hechos impugnativos, por lo que no puede prosperar una impugnación basada en este motivo en el caso de que la cuestión se centre en la omisión de una argumentación, pues el Tribunal no viene obligado a dar una respuesta explícita a todas y cada una de las alegaciones o argumentaciones, bastando con la respuesta a la pretensión realizada, en la medida en que implique también una desestimación de las argumentaciones efectuadas en sentido contrario a su decisión. C) Los puntos que la parte recurrente señala como incontestadas no son pretensiones jurídicas, sino cuestiones de hecho, que fueron tratadas y valoradas conforme a la prueba practicada en el acto de la vista oral». ATS 531/2017 de 16 Feb. 2017, Rec. 1589/2016; Ponente: Palomo del Arco, Andrés. LA LEY 28074/2017.

En virtud de lo dicho no cabe denunciar por incongruencia la ausencia de cuestiones fácticas, que tendrán su cauce adecuado a través del incidente de comple-

---

(33) «La llamada "incongruencia omisiva" o "fallo corto" constituye un "vicio in iudicando" que tiene como esencia la vulneración por parte del Tribunal del deber de atendimiento y resolución de aquellas pretensiones que se hayan traído al proceso oportuna y temporalmente, frustrando con ello el derecho de la parte —integrado en el de tutela judicial efectiva— a obtener una respuesta fundada en derecho sobre la cuestión formalmente planteada (Sentencias del Tribunal Constitucional 192/87 (LA LEY 97652-NS/0000), de 23 de junio, 8/1998, de 22 de enero y 108/1990, de 7 de junio (LA LEY 1494-TC/1990), entre otras, y de esta Sala Segunda de 2 de noviembre de 1990, 19 de octubre de 1992 y 3 de octubre de 1997, entre otras muchas). La doctrina jurisprudencial estima que son condiciones necesarias para la casación de una sentencia por la apreciación de este "vicio in iudicando", las siguientes: 1) que la omisión o silencio verse sobre cuestiones jurídicas y no sobre extremos de hecho; 2) que las pretensiones ignoradas se hayan formulado claramente y en el momento procesal oportuno; 3) que se traten de pretensiones en sentido propio y no de meras alegaciones que apoyan una pretensión; 4) que no consten resueltas en la sentencia, ya de modo directo o expreso, ya de modo indirecto o implícito, siendo admisible este último únicamente cuando la decisión se deduzca manifiestamente de la resolución adoptada respecto de una pretensión incompatible, siempre que el conjunto de la resolución permita conocer sin dificultad la motivación de la decisión implícita, pues en todo caso ha de mantenerse el imperativo de la razonabilidad de la resolución (STS 771/1996, de 5 de febrero, 263/96, de 25 de marzo o 893/97, de 20 de junio)». STS 594/2015 de 30 Sep. 2015, Rec. 356/2015 Ponente: Conde-Pumpido Tourón, Cándido. LA LEY 143553/2015.

mento de sentencia, que la jurisprudencia ha declarado que es un procedimiento adecuado para subsanar las omisiones de que pudieran adolecer las sentencias en relación a pretensiones oportunamente deducidas. Con ello, se evita la interposición de un recurso y se consigue la subsanación de la omisión producida logrando una economía procesal y evitando dilaciones indebidas[34].

«Es doctrina ya relativamente consolidada de esta Sala afirmar que el expediente del art. 161. 5º LECrim. (LA LEY 1/1882), introducido en 2009 en armonía con el art. 267.5 LOPJ (LA LEY 1694/1985)se ha convertido en presupuesto necesario de un motivo por incongruencia omisiva. Lo recuerda la parte recurrida en su impugnación al recurso. Esa reforma ensanchó las posibilidades de variación de las resoluciones judiciales cuando se trata de suplir omisiones. Es factible integrar y complementar la sentencia si guarda silencio sobre pronunciamientos exigidos por las pretensiones ejercitadas. Se deposita en manos de las partes una herramienta específica a utilizar en el plazo de cinco días. Con tan feliz previsión se quiere evitar que el Tribunal *ad quem* haya de reponer las actuaciones al momento de dictar sentencia, con las consiguientes dilaciones, para obtener el pronunciamiento omitido iniciándose de nuevo eventualmente el itinerario impugnativo (lo que plásticamente se ha llamado "efecto ascensor"). Ese remedio está al servicio de la agilidad procesal (STS 686/2012, de 18 de septiembre (LA LEY 141329/2012), que cita otras anteriores). Desde esa perspectiva ha merecido por parte de esta Sala la consideración de presupuesto insoslayable para intentar un recurso de casación por incongruencia omisiva. Este nuevo remedio para subsanar omisiones de la sentencia ha superado ya su inicial período de rodaje, que aconsejaba una cierta indulgencia en la tesitura de erigir su omisión en causa de inadmisión. Pero se contabiliza ya una jurisprudencia que sobrepasa lo esporádico (SSTS 1300/2011 de 23 de noviembre, 1073/2010 de 25 de noviembre (LA LEY 231773/2010), la ya citada 686/2012, de 18 de septiembre (LA LEY 141329/2012),289/2013, de 28 de febrero (LA LEY 26519/2013) o 33/2013, de 24 de enero (LA LEY 8004/2013)) y que viene proclamando esa catalogación como

---

(34) «C) Con carácter previo, conviene señalar que la parte recurrente ha omitido hacer uso de la vía recogida en el artículo 267 de la Ley Orgánica del Poder Judicial (LA LEY 1694/1985). La jurisprudencia reiterada de este Tribunal viene diciendo que el planteamiento del vicio formal de incongruencia omisiva, exige, para su éxito, que previamente, la parte que le interesa haya promovido la vía de complementación de las sentencias consagrado en el artículo 267 de la Ley Orgánica del Poder Judicial (LA LEY 1694/1985). Así, lo ha entendido en numerosas ocasiones esta Sala que, por vía de ejemplo, en la sentencia 671/2012, de 25 de julio (LA LEY 138284/2012), decía: "... Más aún, existe una objeción procesal que se opone a la mera consideración de la denuncia en este control casacional. De acuerdo con el art. 267-5º de la Ley Orgánica del Poder Judicial (LA LEY 1694/1985), los Tribunales podrían aclarar algún concepto oscuro o rectificar cualquier error material, y entre ellos, se cita en el párrafo indicado la de subsanar las omisiones de que pudieran adolecer las sentencias en relación a pretensiones oportunamente deducidas utilizando el recurso de aclaración dándole el trámite previsto en dicho párrafo, con ello, se evita la interposición de recurso, se consigue la subsanación de la omisión producida, y todo ello con evidente economía procesal que, además, potencia el derecho a un proceso sin dilaciones indebidas. Tras la reforma de la Ley Orgánica 19/2003 (LA LEY 1959/2003) se ha ampliado las posibilidades de variación de la resolución (art. 267.4 y 5 Ley de Orgánica del Poder Judicial) cuando se trata de suplir omisiones, siguiendo el criterio ya establecido en el artículo 215 Ley de Enjuiciamiento Civil (LA LEY 58/2000), ahora generalizado a toda clase de procesos, es posible integrar y complementar la sentencia en cuanto se halla omitido pronunciamientos cuyo estudio sea necesario, evitando con ello el acudir a recurso o, en su caso, al incidente de nulidad de actuaciones"». ATS 1247/2016 de 30 Jun. 2016, Rec. 2176/2015; Ponente: Martínez Arrieta, Andrés. LA LEY 119469/2016.

requisito previo para un recurso amparado en elart. 851.3° LECrim (LA LEY 1/1882)». STS 352/2014 de 4 Abr. 2014, Rec. 1094/2013; Ponente: Moral García, Antonio del. LA LEY 55092/2014.

SECCIÓN 2.   LA COSA JUZGADA PENAL

La institución de la cosa juzgada tiene dos vertientes una formal y otra material. La primera produce el efecto de la inimpugnabilidad de las resoluciones judiciales transcurridas los plazos legales para recurrir. La cosa juzgada material produce un efecto vinculatorio de la resolución de fondo (sentencia o auto de sobreseimiento libre) dictada en un proceso respecto de otro.

«Una de la proyecciones del derecho a la tutela judicial efectiva reconocido en el art. 24.1 CE consiste en el derecho a que las resoluciones judiciales alcancen la eficacia querida por el ordenamiento, lo que significa tanto el derecho a que las resoluciones judiciales se ejecuten en sus propios términos como el respecto a su firmeza y a la intangibilidad de las situaciones jurídicas en ellas declaradas, sin perjuicio, naturalmente, de su revisión o modificación a través de los cauces extraordinarios legalmente reconocidos. En otro caso, es decir, si se desconociera el efecto de la cosa juzgada material se privaría de eficacia a lo que se decidió con firmeza en el proceso, lesionándose así la paz y seguridad jurídica de quien se vio protegido judicialmente por una sentencia dictada en un proceso anterior entre las mismas partes (entre otras, SSTC 159/1987, de 26 de octubre, FJ 2; 135/1994, de 9 de mayo, FJ 2; 198/1994, de 4 de julio, FJ 3; 59/1996, de 15 de abril, FJ 2; 43/1998, de 24 de febrero, FJ 3; 53/2000, de 28 de febrero, FJ 6; 55/2000, de 28 de febrero, FJ 4; 207/2000, de 24 de julio, FJ 2; 309/2000, de 18 de diciembre, FJ 3; y 151/2001, de 2 de julio, FJ 3)». STC 17/2008 de 31 de enero.

La cosa juzgada formal se refiere al efecto preclusivo que produce el principio de invariabilidad y firmeza de las resoluciones judiciales respecto al proceso en que éstas se dictan. La finalidad no es otra que garantizar la seguridad y certeza, de modo que transcurridos los plazos legales no se puedan impugnar las resoluciones judiciales referidas, quedando las partes y el Tribunal vinculados por su resultado. Ello sin perjuicio de poder instar el recurso de revisión que es un medio de impugnación extraordinario que ataca la cosa juzgada y representa una medida excepcional admisible únicamente en aquellos supuestos legalmente tasados en que se ponga en evidencia la injusticia de una sentencia firme de condena (Véase la STS 233/2016, de 17 de marzo, LA LEY 16503/2016. Véase sobre el Recurso de Revisión el § 8 Cap. XI).

«El recurso de revisión es, en definitiva, de naturaleza extraordinaria y características especiales, en cuanto afecta al principio fundamental de la cosa juzgada, constituye la última garantía que ofrece el ordenamiento jurídico penal a quien con palmario y ostensible error, ha sido considerado responsable de una infracción penal. Representa el triunfo de la verdad material frente a la verdad formal amparada por los efectos de la cosa juzgada». STS Sala Segunda, de lo Penal, Sentencia 299/2017 de 27 Abr. 2017, Rec. 20857/2015. Ponente: Marchena Gómez, Manuel. LA LEY 31356/2017.

La cosa juzgada en su sentido material se relaciona con el principio «*non bis in idem*» que, según tiene sentado el Tribunal Constitucional, se fundamenta en los principios de legalidad y tipicidad recogidos en el art. 25.1º CE, así como con los contenidos en la Declaración Universal de Derechos Humanos. En su formulación práctica la aplicación de este principio proscribe la sanción repetida de una misma conducta en procedimientos distintos, ya que ello entrañaría una inadmisible reiteración en el ejercicio del *ius puniendi* del Estado[35].

> «Este Tribunal ha reiterado que el principio *non bis in idem* se configura como un derecho fundamental, integrado en el art. 25.1 CE, con una doble dimensión material y procesal. La material o sustantiva impide que un mismo sujeto sea sancionado en más de una ocasión con el mismo fundamento y por los mismo hechos, toda vez que ello supondría una reacción punitiva desproporcionada que haría quebrar, además, la garantía del ciudadano de previsibilidad de las sanciones. La procesal o formal proscribe, en su sentido originario, la duplicidad de procedimientos penales en caso de que exista la triple identidad de sujeto, hecho y fundamento. Ello implica la imposibilidad de proceder a un nuevo enjuiciamiento penal si el primer proceso ha concluido con una resolución de fondo con efecto de cosa juzgada, ya que, en el ámbito de lo definitivamente resuelto por un órgano judicial, no cabe iniciar un nuevo procedimiento, pues se menoscabaría la tutela judicial dispensada por la anterior decisión firme y se arroja sobre el reo la carga y la gravosidad de un nuevo enjuiciamiento. Por tanto, la falta de reconocimiento del efecto de cosa juzgada puede ser el vehículo a través del cual se ocasiona dicha lesión». STC 91/2008, de 21 de julio[36].

En el caso de concurrencia de la administración sancionadora y el sistema penal es preferente la jurisdicción penal, de modo que la primera debe cesar en su investigación hasta que acabe el proceso penal (art. 44 LOPJ y 114 LECrim). Pero, una sanción administrativa no impide que se siga un proceso penal posterior, debiendo el Tribunal penal tener en cuenta la sanción administrativa para evitar una sanción al hecho que supere la medida de culpabilidad. Debe evitarse, por tanto, un doble reproche punitivo (*vid.* sobre esta cuestión la STC 177/99 de 11 de octubre). Véase también § 2.2.A.b.7 Cap. I). Esta doctrina aparece en la STC

---

(35) «En su vertiente material —continúa—, el citado principio constitucional impide que un mismo sujeto sea sancionado en más de una ocasión con el mismo fundamento y por los mismos hechos, toda vez que ello supondría una reacción punitiva desproporcionada que haría quebrar, además, la garantía del ciudadano de previsibilidad de las sanciones, pues la suma de la pluralidad de las sanciones crea una respuesta punitiva ajena al juicio de proporcionalidad realizado por el legislador y materializa la imposición de una sanción no prevista legalmente [SSTC 2/2003, de 16 de enero (LA LEY 962/2003), F. 3; 48/2007, de 12 de marzo, F. 3; 91/2009, de 20 de abril, F. 6.b)]». STS Sala Segunda, de lo Penal, Sentencia 102/2017 de 20 Feb. 2017, Rec. 1165/2016, Ponente: Llarena Conde, Pablo. LA LEY 5921/2017.

(36) Véase también la STC 15/2002 de 28 de enero. Y la STC 150/1991, de 4 julio que declara que: «... Aunque el principio non bis in idem no aparece constitucionalmente consagrado de manera expresa, ha de entenderse integrado en los principios de legalidad y tipicidad de las infracciones recogidos en el art. 25.1 CE. Dicho principio supone, a efectos de su posible vulneración por la agravante de reincidencia, la prohibición de que, por autoridades de un mismo orden y a través de procedimientos distintos, se sancione repetidamente una misma conducta, por entrañar esta posibilidad una inadmisible reiteración en el ejercicio del ius puniendi del Estado...».

2/2003 de 16 de enero, La Ley 962/2003, al efecto de resolver previas sentencias contradictorias del TC[37].

> «La contradicción existente entre ambas doctrinas contenidas en sendas Sentencias fue abordada por el Pleno del Tribunal Constitucional en la Sentencia 2/2003, de 16 de enero (LA LEY 962/2003), en la que se plantea nuevamente un supuesto de doble sanción, administrativa y penal del mismo hecho, otra conducción bajo efectos de bebidas alcohólicas. En esta Sentencia, que constituye la doctrina del Tribunal en esta materia, se declara la precedencia y preferencia de la jurisdicción penal sobre la potestad sancionadora de la administración, afirmación que realiza con apoyo en una jurisprudencia consolidada del Tribunal Constitucional y con apoyo en la legislación procesal al regular las cuestiones prejudiciales. (STC 77/1983 (LA LEY 205-TC/1984)). El Tribunal en la Sentencia 2/2003 mantiene la precedencia de la jurisdicción penal en la investigación de ilícitos penales y administrativos, con una excepción que establece cuando por la sanción o la complejidad del proceso administrativo, éste sea equiparable al proceso penal. Fuera de este supuesto, el principio de *"non bis in idem"*, fundamentado en el principio de culpabilidad, proclama que en caso de concurrencia de la administración sancionadora y el sistema penal en la depuración de una conducta, la primera debe cesar en su investigación y depuración hasta que acabe el proceso penal. En caso de que al tiempo del enjuiciamiento penal ya se hubiera dictado la sanción administrativa, el órgano penal deberá tener en cuenta la sanción penal para evitar una sanción al hecho que supere la medida de culpabilidad (principio de preferencia de la jurisdicción penal y principio de culpabilidad)». STS 507/2016 de 9 Jun. 2016, Rec. 1056/2015. Ponente: Martínez Arrieta, Andrés. LA LEY 60399/2016.

Desde un punto de vista procesal, y conforme con la doctrina constitucional, el principio *non bis in idem* opera internamente dentro del sistema de derecho procesal proscribiendo, cuando exista una triple identidad de sujeto, hechos y fundamento, la duplicidad de penas y de procesos penales y la pluralidad de sanciones administra-

---

(37) «Mayores problemas plantea su entendimiento cuando concurren en la sanción de una conducta típica la potestad sancionadora de la administración y el orden penal de la jurisdicción sobre sus respectivas tipicidades. En esto supuestos es preciso delimitar el ámbito del principio "non bis in idem", bien para no imponer una sanción superior a la prevista por el ordenamiento en su mayor intensidad y gravedad, bien para impedir la doble sanción, penal y administrativa e, incluso, para determinar el orden precedente …/… El Tribunal Constitucional ha mantenido las dos fundamentaciones. En la STC 177/1999, de 11 de octubre (LA LEY 11876/1999), en un supuesto en el que la administración había sancionado a un empresario por un vertido contaminante y posteriormente fue condenado por la jurisdicción penal por delito ecológico, anula la sentencia penal por vulnerar el principio y arguye el principio de seguridad jurídica como fundamento de su resolución desde una vertiente material: la previa sanción administrativa impide un segundo pronunciamiento condenatorio, en este caso doble enjuiciamiento sancionador, por la jurisdicción penal. También se apoya en un criterio procesal por el que se trata de evitar pronunciamientos contradictorios que podría producirse de mantener los dos procedimientos de sanción. Otra Sentencia, la 152/2001, de 2 de julio (LA LEY 6634/2001), en un hecho de la circulación en el que un conductor había sido sancionado administrativamente y penalmente por el mismo hecho, una conducción bajo efectos de bebidas alcohólicas, inadmite la demanda de amparo arguyendo que la prohibición de interdicción del doble enjuiciamiento no fue planteada en la jurisdicción penal, por lo que la condena penal era procedente». STS 507/2016 de 9 Jun. 2016, Rec. 1056/2015. Ponente: Martínez Arrieta, Andrés. LA LEY 60399/2016.

tivas y de procedimientos sancionadores, respectivamente (Veáse la STC 188/2005 de 4 de julio).

«Es preciso recordar brevemente la doctrina que el Tribunal Constitucional ha desarrollado acerca del principio "non bis in ídem". Siguiendo su propia Sentencia 77/2010, de 19 de octubre (LA LEY 187976/2010), el Tribunal recordaba que ya en su STC 2/1981, de 30 de enero (LA LEY 7092-NS/0000), se situó el principio *non bis in idem* bajo la órbita del artículo 25.1 CE (LA LEY 2500/1978), a pesar de su falta de mención expresa, dada su conexión con las garantías de tipicidad y legalidad de las infracciones, y se delimitó su contenido como la prohibición de duplicidad de sanciones en los casos en que quepa apreciar una triple identidad del sujeto, hecho y fundamento (F. 4; así como, entre muchas otras, SSTC 2/2003, de 16 de enero (LA LEY 962/2003), F. 3; 236/2007, de 7 de noviembre (LA LEY 165999/2007), F. 14). La garantía de no ser sometido a *bis in idem* se configura, así, como un derecho fundamental (STC 2/2003 (LA LEY 962/2003), F. 3, citando la STC 154/1990, de 15 de octubre (LA LEY 55905-JF/0000), F. 3; 188/2005, de 4 de julio, F. 2), cuyo alcance en nuestra doctrina se perfila en concordancia con el expreso reconocimiento que del mismo han hecho los convenios internacionales sobre derechos humanos, tales como el Pacto Internacional de Derechos Civiles y Políticos (LA LEY 129/1966) de la ONU del 19 de diciembre de 1966, ratificado por España mediante Instrumento publicado en el "BOE" núm. 103, de 30 de abril de 1977, en su artículo 14.7, el Protocolo 7 del Convenio Europeo de Derechos Humanos (LA LEY 16/1950), ratificado por España mediante Instrumento publicado en el "BOE" núm. 249, de 15 de octubre de 2009, en su artículo 4, o la Carta de los Derechos Fundamentales de la Unión Europea (LA LEY 12415/2007), que recoge la prohibición de doble sanción en su artículo 50. Continúa la sentencia indicando que la triple identidad de sujeto, hecho y fundamento "constituye el presupuesto de aplicación de la interdicción constitucional de incurrir en *bis in idem*, sea éste sustantivo o procesal, y delimita el contenido de los derechos fundamentales reconocidos en el artículo 25.1 CE (LA LEY 2500/1978), ya que éstos no impiden la concurrencia de cualesquiera sanciones y procedimientos sancionadores, ni siquiera si éstos tienen por objeto los mismos hechos, sino que estos derechos fundamentales consisten precisamente en no padecer una doble sanción y en no ser sometido a un doble procedimiento punitivo, por los mismos hechos y con el mismo fundamento" [SSTC 2/2003, de 16 de enero (LA LEY 962/2003), F. 5; y 229/2003, de 18 de diciembre, F. 3; 188/2005, de 4 de julio, F. 2.c)]». STS Sala Segunda, de lo Penal, Sentencia 102/2017 de 20 Feb. 2017, Rec. 1165/2016, Ponente: Llarena Conde, Pablo. LA LEY 5921/2017.

La Constitución y la Ley penal no se refieren expresamente a la cosa juzgada a pesar de su importancia. Sin embargo, la doctrina jurisprudencial ha mantenido su vigencia y aplicación y establecido sus requisitos en el proceso penal atendiendo a la diferenciación del concepto de cosa juzgada en el proceso civil y el penal. Así, en el proceso civil la cosa juzgada material produce un efecto positivo (o prejudicial) y negativo (o preclusivo) respecto de otro proceso posterior idéntico. Mientras que en el proceso penal la cosa juzgada sólo produce el efecto preclusivo o negativo[38].

---

(38) «Pese a su trascendencia, la atención de la dogmática procesal —con la excepción de importantes e imprescindibles aportaciones bibliográficas— se ha centrado de modo preferente en el proceso civil. Debe por ello evitarse el riesgo de importar al proceso penal una excepción que no presenta una identidad sustancial cuando sus efectos se proyectan sobre uno u otro orden jurisdic-

«2. Según recuerda la sentencia 230/2013, de 27 de febrero, esta Sala tiene reiteradamente establecido al tratar de la cosa juzgada en el marco del proceso penal (SSTS 608/2012, de 20-6 (LA LEY 105661/2012); 630/2012 (LA LEY 149968/2012), de 16-4; 846/2012, de 5-11 (LA LEY 181130/2012); 974/2012, de 5-12 (LA LEY 206499/2012); y 62/2013, de 29-1 (LA LEY 3253/2013), entre otras muchas) que, a diferencia de otras ramas del Derecho en las que puede existir una eficacia de cosa juzgada material de carácter positivo o prejudicialidad que se produce cuando para resolver lo planteado en un determinado proceso haya de partirse de lo ya antes sentenciado con resolución de fondo en otro proceso anterior, esta eficacia no tiene aplicación en el ámbito del proceso penal, pues cada causa criminal tiene su propio objeto y su propia prueba, y conforme a este contenido ha de resolverse, sin ninguna posible vinculación prejudicial procedente de otro proceso distinto; todo ello sin perjuicio de que la prueba practicada en el primero pueda ser traída de segundo proceso para ser valorada en unión de las demás existentes. La única eficacia que la cosa juzgada material produce en el proceso penal —señalan las referidas sentencias— es la preclusiva o negativa consistente simplemente en que, una vez resuelto por sentencia firme o resolución asimilada una causa criminal, no cabe seguir después otro procedimiento del mismo orden penal sobre el mismo hecho y respecto a la misma persona, pues una de las garantías del acusado es su derecho a no ser enjuiciado penalmente más de una vez por unos mismo hechos, derecho que es una manifestación del principio "non bis in ídem" y una de las formas en que se concreta el derecho a un proceso con todas las garantías reconocido en el artículo 24.2 de la Constitución (LA LEY 2500/1978)». STS Sala Segunda, de lo Penal, Sentencia 93/2017 de 16 Feb. 2017, Rec. 617/2016. Ponente: Jorge Barreiro, Alberto Gumersindo. LA LEY 3774/2017.

Véase que la aplicación del efecto positivo en el proceso penal supondría que lo decidido en un proceso penal produciría la vinculación del Tribunal que conociera de un proceso penal posterior; solución que, en virtud del principio acusatorio, no cabe en el proceso penal. Téngase en cuenta, que cada causa criminal atiende a un objeto propio y específico que debe resolverse conforme a su propio contenido y a la prueba practicada en el juicio oral. Sin que pueda existir ninguna posible vinculación prejudicial procedente de otro proceso distinto. Todo ello sin perjuicio de que la prueba practicada en el primero pueda ser traída al segundo proceso para ser valorada en unión de las demás existentes. O, también, que en los supuestos de reincidencia se tengan en cuenta los hechos anteriores, que no vuelven a enjuiciarse, sino que sólo son tenidos en cuenta fundamentalmente a los efectos de determinar la pena[39].

___

cional. A diferencia de lo que acontece en el proceso civil, en el orden jurisdiccional penal resulta indiferente la identidad de las partes y la *causa petendi*. La prohibición del *bis in ídem* adquiere pleno significado, con independencia de que no exista una identidad de partes entre quienes promovieron la acusación y condena en el primer proceso y quienes lo hagan en el segundo. Igual de irrelevante es la *causa petendi*, de forma que no se legitima un nuevo proceso por hechos ya enjuiciados cuando la acusación —ya sea pública o privada— se limita a rectificar o matizar los conceptos que, en el primero de los casos, habría justificado el ejercicio del *ius puniendi*». STS Sala Segunda, de lo Penal, Sentencia 910/2016 de 30 Nov. 2016, Rec. 646/2016; Ponente: Marchena Gómez, Manuel., LA LEY 176285/2016.

(39)   «... En este sentido, es una opción legítima y no arbitraria del legislador el ordenar que, en los supuestos de reincidencia, la pena a imponer por el delito cometido lo sea en una extensión

Sí cabe, y produce plenos efectos, el efecto negativo de la cosa juzgada, por el cual no puede iniciarse un procedimiento penal sobre el mismo hecho y respecto de la misma persona cuando la causa criminal fue resuelta con anterioridad por sentencia firme o resolución asimilada (auto de sobreseimiento libre). Se trata, en definitiva, de una garantía, con rango constitucional, que se proyecta y manifiesta en el derecho a un proceso con todas las garantías que en el art. 24.2 CE.

> «La prohibición de incurrir en *bis in idem* procesal o doble enjuiciamiento penal queda encuadrada en el derecho a la tutela judicial efectiva (art. 24.1 CE), concretándose en la imposibilidad de proceder a un nuevo enjuiciamiento penal si el primer proceso ha concluido con una resolución de fondo firme con efecto de cosa juzgada y que, por tanto, en rigor, no cabe entender concurrente un doble proceso cuando el que pudiera ser considerado como primero ha sido anulado en virtud del régimen de recursos legalmente previsto (por todas, SSTC 2/2003, de 16 de enero, FJ 3, o 218/2007, de 8 de octubre, FJ 4)». STC 23/2008 de 11 de febrero.

La cosa juzgada constituye una verdadera causa de impunibilidad semejante a la prescripción, a la amnistía o el indulto que aunque no está incluida en el art. 130 CP se podrá plantear como cuestión de previo pronunciamiento al amparo del art. 666.2 LECrim en el procedimiento por delitos graves y en el trámite de cuestiones previas en el procedimiento abreviado (véase sobre esta cuestión § 4.3 Cap. XV en sede de procedimiento por delitos graves, y § 5.4 Cap. XII en procedimiento abreviado) y, en su caso, podrá alegarse en casación por vía del art. 849.1.º LECrim (véase § 7.4.1 Cap. XI). Para su estimación deben concurrir los siguientes requisitos: a) Existencia de una sentencia o resolución anterior firme. Así, además de la sentencia, los autos firmes de sobreseimiento libre[40]. b) Que haya sido dictada por Tribunal competente por razón de la materia, o sea, que posea jurisdicción y competencia objetiva su-

---

diferente que para los supuestos de no reincidencia, y si bien es indudable que la repetición de delitos propia de la reincidencia presupone, por necesidad lógica, una referencia al delito o delitos repetidos, ello no significa, desde luego, que los hechos anteriores vuelvan a castigarse, sino tan sólo que han sido tenidos en cuenta por el legislador penal para el segundo o posteriores delitos, según los casos, bien según la perspectiva que se adopte para valorar el contenido del injusto y su consiguiente castigo, bien para fijar y determinar la extensión de la pena a imponer. La agravante de reincidencia, por tanto, queda fuera del círculo propio del principio non bis in idem y no es inconstitucional...». (STC 150/94, de 4 julio).

(40) «El auto de sobreseimiento libre recaído goza de fuerza de cosa juzgada y por tanto impide replantearse el carácter delictivo de los hechos de que había conocido el Instructor. El archivo queda ya blindado incluso frente a la aparición de nuevas pruebas: así lo reclama la seguridad jurídica que está en la raíz de la institución de la cosa juzgada. No era posible volver ya sobre esos hechos denunciados y judicialmente resueltos. La sentencia al condenar a la recurrente estaría socavando la "santidad" de la cosa juzgada. Eso resaltaría especialmente con la inclusión en la sentencia como hechos probados de las dos incautaciones de droga relatadas en la solicitud de entrada y registro efectuadas los días 13 y 18 de abril anteriores a Cecilio y Agapito supuestamente adquiridas a la recurrente (aunque la sentencia no llega a afirmarlo así claramente en el factum). Esas hipotéticas transmisiones habían merecido un auto de sobreseimiento libre: estaba totalmente vedado volver sobre ellas. Eran hechos ya ventilados judicialmente. Su nuevo enjuiciamiento significaría un bis in idem en su vertiente procesal (prohibición de doble juicio); o, vista la cuestión desde un prisma predominantemente procesal, la quiebra de la eficacia de cosa juzgada de aquella resolución». STS Sala Segunda, de lo Penal, Sentencia 601/2015 de 23 Oct. 2015, Rec. 532/2015; Ponente: Moral García, Antonio del. LA LEY 162893/2015.

ficiente para actuar y decidir. c) Identidad subjetiva —*eadem personae*— entre las personas acusadas en ambos procesos, ya que los acusadores son contingentes. En este sentido, a diferencia del proceso civil, una segunda sentencia penal dirigida contra distintas personas no queda impedida por una primera dictada sobre los mismos hechos y otras personas.

«Este triple argumento, en todo caso, no zanja la cuestión. Lo que plantean los recurrentes va más lejos: los mismos hechos habrían sido ya objeto de enjuiciamiento y por tanto habría cosa juzgada material con su efecto negativo: impedir un mero enjuiciamiento. La Audiencia se remite a la doctrina de esta Sala sobre el enjuiciamiento fragmentado del delito continuado. Ahí reside la clave para considerar acertada la solución ofrecida por la sentencia de instancia. Los hechos ventilados en aquellos procedimientos no son los mismos pues se refieren a operaciones diferentes, diferenciables e individualizables. [...] La variedad de sujetos pasivos no es dato determinante. Penalmente el enjuiciamiento v.gr. de un atentado mediante un explosivo es un único "hecho" a estos efectos. No podría procederse a un nuevo enjuiciamiento porque apareciese un lesionado que no fue contemplado en el primer juicio. Cuando se habla de identidad subjetiva se está pensando en el sujeto activo, no en el sujeto pasivo. La diversidad de sujetos pasivos solo sirve como indicio de que quizás no exista identidad de hecho». STS Sala Segunda, de lo Penal, Sentencia 910/2016 de 30 Nov. 2016, Rec. 646/2016; Ponente: Marchena Gómez, Manuel. LA LEY 176285/2016.

d) La identidad objetiva —*eadem rei*— en cuanto al hecho enjuiciado, independientemente de su calificación jurídica

«Lo relevante para evaluar su concurrencia, es la identidad de los hechos, objetiva y subjetiva (SSTS 980/2013, 14-11 (LA LEY 220705/2013), 21 de marzo de 2002 o 23 de diciembre de 1992). Sintetizando la doctrina jurisprudencial de esta Sala, la STS 846/2012, 5-11 (LA LEY 181130/2012), que "... para que opere la cosa juzgada, siempre habrán de tenerse en cuenta cuáles son los elementos identificadores de la misma en el ámbito del proceso penal, y frente a la identidad subjetiva, objetiva y de causa de pedir, exigida en el ámbito civil, se han restringido los requisitos para apreciar la cosa juzgada en el orden penal, bastando los dos primeros, careciendo de significación, al efecto, tanto la calificación jurídica como el título por el que se acusó, cuando la misma se base en unos mismos hechos (STS de 16 de febrero y 30 de noviembre de 1995, 17 octubre y 12 de diciembre 1994, 20 junio y 17 noviembre 1997, y 3 de febrero y 8 de abril de 1998)". Es cierto que la Sala ha proclamado que la imputación de los mismos hechos a la misma persona, debe contemplarse entendiendo los hechos en un sentido no puramente naturalista, sino matizado por la óptica jurídico-penal desde la que los hechos deben ser contemplados, lo que puede generar una ampliación del perímetro de eficacia de la cosa juzgada. Existiría cosa juzgada porque a efectos penales estaríamos ante un "mismo hecho", aunque pudieran distinguirse en el comportamiento delictivo (en este caso un abuso sexual), diversos tocamientos y cada uno de ellos derive de una acción naturalísticamente diferente (SSTS 980/2013, de 14-11 (LA LEY 220705/2013) o 910/16, de 30-11 (LA LEY 176285/2016))». STS Sala Segunda, de lo Penal, Sentencia 102/2017 de 20 Feb. 2017, Rec. 1165/2016, Ponente: Llarena Conde, Pablo. LA LEY 5921/2017.

Nótese, sobre la identidad objetiva, que esta existirá con independencia de la calificación jurídica que se otorgue a los hechos. De modo que existirá cosa juzgada cuando el hecho sea el mismo. Téngase presente, en este sentido, que el objeto del proceso penal no es un crimen sino un *factum*[(41)]. De no entenderse así, bastaría modificar la calificación jurídica para excluir la litispendencia y la cosa juzgada.

> «Según la misma doctrina jurisprudencial, para que opere la cosa juzgada siempre habrán de tenerse en cuenta cuáles son sus elementos identificadores en el proceso penal; y frente a la identidad subjetiva, objetiva y de causa de pedir exigida en el ámbito civil, se han restringido los requisitos para apreciar la cosa juzgada en el orden penal, bastando los dos primeros. Carece así de significación, al efecto, tanto la calificación jurídica como el título por el que se acusó, cuando la misma se base en unos mismos hechos. Por tanto, los elementos identificadores de la cosa juzgada material son, en el orden penal: i) identidad sustancial de los hechos objeto de la sentencia firme y del segundo proceso. ii) identidad de sujetos activos del delito en ambos procesos, esto es, de las personas sentenciadas y de las acusadas. El hecho viene fijado por el relato histórico por el que se acusó y condenó o absolvió en el proceso anterior, comparándolo con el hecho por el que se acusa o se va a acusar en el proceso siguiente. Por persona inculpada ha de considerarse la persona física contra la que dirigió la acusación en la primera causa y que ya quedó definitivamente condenada (o absuelta) que ha de coincidir con el imputado del segundo proceso». STS Sala Segunda, de lo Penal, Sentencia 93/2017 de 16 Feb. 2017, Rec. 617/2016. Ponente: Jorge Barreiro, Alberto Gumersindo. LA LEY 3774/2017.

Sin que pueda volverse a acusar por hechos secundarios que deriven del mismo hecho principal objeto de enjuiciamiento y que por cualquier causa no fueron objeto de acusación. Por otra parte, la cosa juzgada penal no impide que se pueda iniciar un proceso civil con base en los mismos hechos[(42)].

> «Quien ha sustraído dos frutas simultáneamente y ha sido condenado en una sentencia en cuyos hechos solo se contempla una de las dos (por los motivos que

---

(41) «Esta singularidad de la cosa juzgada se explica por el hecho de que el objeto del proceso penal es un factum, no un crimen. Y ese objeto se identifica por la persona del acusado y por el hecho delictivo que se le imputa. De ahí que si el hecho y la persona que lo ha ejecutado permanecen invariables, el efecto de cosa juzgada desplegará toda su eficacia, por más que la exacta delimitación de esa identidad objetiva no esté exenta de dificultades. Resulta esencial que en el esfuerzo ponderativo de esa pretendida identidad, de cuyo desenlace va a depender la viabilidad o inviabilidad constitucional de un segundo proceso, se tome en consideración el hecho, no en su dimensión puramente histórica, naturalista, entendida como una sucesión encadenada de acontecimientos, sino en su genuina dimensión jurídica, esto es, como hecho susceptible de ser subsumido en un determinado tipo penal. El hecho que integra el proceso no es otra cosa que una hipótesis fáctica con algún tipo de significado jurídico. Y su adecuado entendimiento no permite transmutar ese objeto, así explicado, en una suerte de *objeto normativo*, en el que un cambio de calificación jurídica autorizaría un nuevo proceso». STS Sala Segunda, de lo Penal, Sentencia 910/2016 de 30 Nov. 2016, Rec. 646/2016; Ponente: Marchena Gómez, Manuel. LA LEY 176285/2016.

(42) La sentencia penal que decide, definitivamente, la cuestión criminal tampoco tiene efecto alguno sobre otra posterior civil, ni determina prejudicialmente una segunda sentencia sobre estos mismos hechos contra autores distintos, salvo que la petición de las acusaciones se hubiere desestimado por una causa objetiva. Así, la sentencia absolutoria penal firme no produce efectos ulteriores sobre otra civil, ya que la extinción de la acción penal no conlleva la civil, salvo en el supuesto que en la sentencia penal absolutoria se declarase que no existió el hecho ilícito —art. 116 LECrim.—, en cuyo caso la cosa juzgada proyecta su función negativa sobre el proceso civil. Véase el Cap. II sobre la acción civil en el proceso penal.

sean: no se descubrió a tiempo, un olvido de la acusación...), no podrá volver a ser condenado por la sustracción de ninguna de ellas. Tampoco podrá ser enjuiciado por el apoderamiento de la fruta a la que no alcanzaba la condena. Existe cosa juzgada porque a efectos penales estamos ante un "mismo hecho", aunque desde el punto de vista naturalístico pueda distinguirse entre el apoderamiento de una de las frutas y la toma, sin solución de continuidad, de la otra mediante una acción (en sentido naturalístico) diferente. El hecho en su sentido más naturalista ha de ser reformateado por su significación jurídica a los efectos de establecer el perímetro en el que irradiará su eficacia excluyente la cosa juzgada. En el bien entendido de que estamos ante la fuerza de cosa juzgada de la sentencia condenatoria penal, que no se extiende a las consecuencias civiles no analizadas. El propietario de esas dos frutas tras la sentencia penal podrá entablar una acción civil reclamando el importe de aquella que quedó excluida del enjuiciamiento. Esa acción civil no ha sido objeto de decisión y por tanto, permanece imprejuzgada sin que pueda hablarse respecto de ella de cosa juzgada civil. La sentencia penal condenatoria tendrá un cierto efecto prejudicial positivo en ese proceso civil pero solo relativo tal y como ha aclarado una jurisprudencia reiterada. Sintetizando la doctrina jurisprudencial de esta Sala, la STS 846/2012, 5 de noviembre (LA LEY 181130/2012), recuerda que " ... para que opere la cosa juzgada, siempre habrán de tenerse en cuenta cuáles son los elementos identificadores de la misma en el ámbito del proceso penal, y frente a la identidad subjetiva, objetiva y de causa de pedir, exigida en el ámbito civil, se han restringido los requisitos para apreciar la cosa juzgada en el orden penal, bastando los dos primeros, careciendo de significación, al efecto, tanto la calificación jurídica como el título por el que se acusó, cuando la misma se base en unos mismos hechos (STS de 16 de febrero y 30 de noviembre de 1995, 17 octubre y 12 de diciembre 1994, 20 junio y 17 noviembre 1997, y 3 de febrero y 8 de abril de 1998)"». STS Sala Segunda, de lo Penal, Sentencia 910/2016 de 30 Nov. 2016, Rec. 646/2016; Ponente: Marchena Gómez, Manuel., LA LEY 176285/2016.

Ahora bien, la última afirmación debe ser matizada, o como mínimo aclarada, en supuestos de delitos continuados o permanentes y también cuando el delito afecta a una multiplicidad de personas. En el primer caso, como bien dice el Tribunal Supremo el sobreseimiento o absolución en ese tipo de infracciones no proyecta su fuerza hacia el futuro. Si la infracción continua perpetrándose podrán enjuiciarse los hechos de la actividad que sigue desarrollándose, ya que el sobreseimiento libre o la absolución solo abarcan los hechos juzgados pero no impide el enjuiciamiento ni de otros hechos distintos no enjuiciados ni de los futuros que pudieran haber sido enlazados con aquellos.

«Resulta pertinente puntualizar que la cosa juzgada en materia de delitos permanentes o de tracto continuado o continuados presenta singularidades y aristas. Un sobreseimiento libre o sentencia absolutoria por una o varias de las acciones comprendidas en un delito continuado o de hábito o en un delito de tracto continuado como es el tráfico de drogas o en cualquier otra actividad prolongada o persistente (delitos de hábito, delitos en varios actos...) no causa efectos de cosa juzgada en el sentido de bloquear el enjuiciamiento de las restantes no contempladas. Otras consideraciones serían procedentes en el supuesto de una sentencia condenatoria (que sí puede producir ese efecto sobre hechos que no eran objeto de procedimiento con ciertos matices y modulaciones en las que ahora no debemos entrar).Igualmente el auto de sobreseimiento o absolución en ese tipo de infracciones no proyecta su fuerza hacia el futuro. Si la infracción continua perpetrándose se abrirán las puertas del enjuiciamiento de la no cesada actividad. La sentencia absolutoria o el auto de sobreseimiento libre que solo contempla algunos de los hechos que serían constitutivos de delito no impide el enjuiciamiento ni de otros hechos distintos no enjuiciados ni de los futuros que pudieran haber sido enlazados con aquellos». STS Sala Segunda, de lo Penal, Sentencia 601/2015 de 23 Oct. 2015, Rec. 532/2015; Ponente: Moral García, Antonio del. LA LEY 162893/2015.

Tampoco afecta la cosa juzgada a los delitos que afectan a una multiplicidad de personas que litigan separadamente en tanto que falta identidad de los hechos que no serán los mismos.

«Valgámonos de un ejemplo no insólito: un delito continuado de estafa con múltiples perjudicados derivado de los conocidos como negocios jurídicos criminalizados. Alguno de los perjudicados denuncia por su cuenta. La causa llega a un pronunciamiento absolutorio, bien en sentencia bien incidentalmente (sobreseimiento), pero en todo caso con el carácter de libre. Otra causa incoada por denuncias de otros perjudicados continúa adelante. No puede alegarse con éxito en este segundo proceso la excepción de cosa juzgada. Falta la identidad de los hechos: la primera resolución sólo enjuicia un contrato individual y no la totalidad de la actuación. La cosa juzgada se ciñe a ese contrato que no podrá incluirse en el delito continuado. Por eso, si se trataba de dos exclusivas operaciones, la segunda no podrá catalogarse como delito continuado pues ya sobre la primera ha recaído solución inmodificable que excluye la relevancia penal del hecho (de ese hecho y no de otros conectados). Pero el órgano que enjuicia esos segundos contratos no queda vinculado por las consideraciones o valoraciones fácticas jurídicas que se contengan en el auto de sobreseimiento libre firme que afecta a los primeros contratos. La sentencia absolutoria o el auto de sobreseimiento recaído sobre unos hechos no impide —y esto es opinión pacífica y compartida— el enjuiciamiento de otros hechos diferentes desde el punto de vista naturalístico pero que pudieran estar ligados con aquellos que fueron objeto de la sentencia absolutoria (o el sobreseimiento libre)». STS Sala Segunda, de lo Penal, Sentencia 601/2015 de 23 Oct. 2015, Rec. 532/2015; Ponente: Moral García, Antonio del. LA LEY 162893/2015.

SECCIÓN 3. IMPOSICIÓN Y TASACIÓN DE LAS COSTAS PROCESALES

3.1. Contenido e imposición de las costas procesales

Las costas constituyen la porción de gastos procesales, que recae sobre las partes intervinientes en un proceso y tienen su causa en el mismo[43]. Se exceptúan aquellos gastos del proceso que satisface la Administración de Justicia sin repercutir sobre las

---

(43) Vid. GUASP, *Derecho Procesal Civil*, Madrid, 1956, pp. 606 y ss.; VIADA, *Curso de Derecho Procesal Penal*, Madrid, 1962, t. II, pp. 379 y ss. En contra, con un criterio excesivamente amplio, ALCALÁ ZAMORA, *La condena en costas*, Madrid, 1930; DE LAMO RUBIO, J., «El art. 111 CP y su incidencia en el contenido de las costas procesales penales», *AJ*, n.º 154, 1994; Idem, «El contenido de las costas procesales penales», *RDP*, n.º 2, 1995; MONTERO AROCA, «Las costas de la acusación particular en los procesos de urgencia», *Estudios de Derecho Procesal*, 1981, pp. 571 y ss.

partes (actos de investigación policial, gastos por traslado de presos y, en definitiva, el conjunto de medios económicos necesarios para llevar a cabo la función jurisdiccional). Las costas incluyen los derechos e indemnizaciones ocasionados por las actuaciones judiciales e integrados en el art. 241 LECrim, que consistirán en: 1.º El pago de los honorarios devengados por los abogados, procuradores, y peritos. Se incluirán siempre los honorarios de la acusación particular en los delitos solo perseguibles a instancia de parte. 2.º El pago de las indemnizaciones correspondientes a los testigos, que las hubiesen reclamado y el pago de los demás gastos que se hubiesen ocasionado en la instrucción de la causa[44].

Los arts. 142.4 y 239 LECrim exigen, expresamente, que las resoluciones judiciales contengan pronunciamiento en costas, que puede tener el siguiente contenido:

1) Declarándolas de oficio, cuando no existan motivos para condenar en costas ni a los procesados, ni al querellante particular ni, en su caso, al actor civil (art. 240.1.º LECrim.). En este supuesto es el Estado quien asume el pago de todos los gastos que se incluyan en la tasación, a excepción de los honorarios de Abogados y derechos de Procuradores, que serán satisfechos por las partes que hayan obtenido sus servicios profesionales.

2) Condenando al procesado al pago de las costas siempre que sea criminalmente responsable del delito (art. 123 CP) o a los terceros civilmente responsables, sin que puedan imponerse las costas a los procesados absueltos (art. 240.2.º LECrim). Si hubiere varios condenados se procederá a distribuir las costas entre aquéllos y se señalará a cada uno la parte proporcional de que deba responder. La proporción deberá guardar relación con los delitos por los que la persona ha resultado condenada, respecto de los que era acusada, y dividiendo el importe por el número de responsables. Esta condena también deberá solicitarse expresamente para que pueda ser, en su caso, otorgada[45]. La condena al condenado a pagar las costas de las acusación particular constituye una regla general habiendo prescindido la doctrina del Tribunal Supremo del criterio de la relevancia para acoger el de la homogeneidad con las peticiones del Fiscal y negando su procedencia, únicamente cuando las peticiones de la acusación particular se evidencien como inviables, inútiles o perturbadoras[46].

---

(44) La inclusión de las indemnizaciones de los testigos dependerá de que las hubiesen reclamado conforme al art. 722 LECrim., y comprenderán los gastos de viaje y el importe de los jornales perdidos por el trabajador con motivo de su comparecencia a declarar.

(45) «... la acusación particular en contra de lo que afirma el recurrente sí que solicitó la condena en costas. Que no hiciese una mención específica a las ocasionadas por la acusación particular no tiene ninguna trascendencia: ni se la dio la Audiencia, ni había que dársela. La petición de una condena en costas en boca de una acusación particular no puede significar otra cosa: que solicita que se impongan todas las costas y entre ellas las causadas por esa acusación. Es absurdo pensar que quedaban excluidas las propias; como lo es imaginar que si el acusado no se opuso a ello fue por no deducirlo de la fórmula genérica del escrito de conclusiones; y como lo sería exigir para articular esa petición una fórmula ritual ("incluidas las causadas por esta acusación particular") como si fuesen unas palabras sacramentales sin las cuales no podría considerar hecha una petición que, con naturalidad, si no se retuercen las cosas, está implícita naturalmente en la petición global e inespecífica de la condena en costas» STS nº 757/2013, de 9 de octubre (LA LEY 155861/2013).

(46) «La doctrina de esta Sala, en orden a la imposición de las costas de la acusación particular, ha prescindido del carácter relevante o no de su actuación para justificar la imposición al

«La regla general supone imponer las costas de la acusación particular, salvo cuando la intervención de esta haya sido notoriamente superflua, inútil o gravemente perturbadora, también cuando las peticiones fueren absolutamente heterogéneas con las del Ministerio Fiscal. Partiendo de este planteamiento, y con cita de una sentencia del TS de 16 de julio de 1998, se indica que sólo cuando las costas de la acusación particular deban ser excluidas procede realizar el razonamiento explicativo correspondiente, en tanto que en el supuesto contrario, el Tribunal no tiene que pronunciarse sobre la relevancia de la acusación; indicando que el pronunciamiento relativo a la imposición de costas sólo es preceptivo en los casos de exclusión expresa .../... Efectivamente, respecto a las costas resulta adecuada la condena a los recurrentes, puesto que la acusación mantenida tanto por la acusación particular como por el Ministerio Fiscal, es homogénea y congruente con la asumida finalmente por el Tribunal de instancia. Conforme a la jurisprudencia de esta Sala, las costas del acusador particular han de incluirse entre las impuestas al condenado, salvo que las pretensiones del mismo sean manifiestamente desproporcionadas, erróneas o heterogéneas en relación a las deducidas por el Ministerio Fiscal, o a las recogidas en la sentencia, habiéndose abandonado el antiguo criterio de la relevancia. Según esa misma doctrina jurisprudencial la regla general es la imposición de las costas de la acusación particular, salvo los supuestos antes citados, exigiéndose el razonamiento explicativo sólo en los casos en los que se deniegue su imposición (STS núm. 175/2001, de 12 de febrero (LA LEY 3224/2001))». ATS 1796/2014 de 30 Oct. 2014, Rec. 1204/2014, LA LEY 191603/2014.

Ahora bien, como se ha indicado, el Tribunal podrá no imponerlas cuando se aprecie que la acusación particular mantuvo acusaciones absolutamente heterogéneas de las mantenidas por el Ministerio Fiscal, cualitativamente separadas y que se evidencien como inviables, inútiles o perturbadoras.

«Basta ahora reseñar que hubiera sido exigible mayor exquisitez y rigidez en la separación entre los letrados encuadrados en la Abogacía de la Generalitat encargados de asumir y dirigir la acusación y aquellos que habían intervenido inicialmente asistiendo a alguno de los acusados en sus declaraciones como imputados en los albores del procedimiento, aunque solo fuese para disipar hasta la más remota apariencia de doble posición de un mismo letrado. Esas razones son un elemento de fondo que, combinado con la no relevancia de su actuación —sus posiciones fueron las asumidas por el Ministerio Fiscal— convierten en razonable la exclusión de las costas aunque sea por razones no coincidentes con las aducidas en el auto de aclaración. No ya exclusivamente porque su actuación no fuese trascendente —la Jurisprudencia abandonó hace muchos años ese canon—, sino porque en cierta medida algunas de sus posiciones han enturbiado la ordenada y cristalina marcha procesal, propiciando

condenado de las costas por ellas causadas y, conforme a los artículos 123 Código Penal (LA LEY 3996/1995) y 240 de la Ley de Enjuiciamiento Criminal (LA LEY 1/1882), entiende que rige la "procedencia intrínseca" de la inclusión en las costas de la acusación particular, salvo cuando ésta haya formulado peticiones absolutamente heterogéneas de las mantenidas por el Ministerio Fiscal, de las que se separe cualitativamente y que se evidencien como inviables, inútiles o perturbadoras (STS 65/2011, de 2 de febrero), así como que, para tal imposición, "tampoco es exigible la íntegra acogida de sus peticiones". (STS 395/2007). C) Aplicando dicho criterio al presente caso, se deduce la falta de viabilidad de la pretensión de la parte recurrente ante la homogeneidad en la acusación formulada por el Ministerio Fiscal y la acusación particular». ATS nº 1718/2014 de 16 Oct. 2014, Rec. 964/2014; LA LEY 190079/2014.

incidencias, distorsiones y quejas que son legítimas —lo que no significa que sean acogibles— aunque inhábiles para acarrear ni una nulidad ni siquiera una real irregularidad como se razonará más adelante. La petición de la Generalitat sobre sus costas ha de rechazarse». STS 277/2015 de 3 Jun. 2015, Rec. 10546/2014. Ponente: Moral García, Antonio del. LA LEY 78499/2015.

3) Imponiendo las costas al querellante particular o al actor civil cuando en la sentencia se estime que la interposición de la querella fue debida a temeridad o a mala fe o cuando dicha conducta se observa a lo largo del proceso (art. 240 LECrim). Nótese, por tanto, que el criterio para imponer las costas a la acusación particular o popular no será la absolución, sino la apreciación de temeridad o mala fe en la conducta de la acusación. Por otra parte no existe ninguna norma que asocie la falta de acusación del Fiscal con la existencia de temeridad o mala fe[(47)]. De modo que las costas se podrán imponer o no con independencia de que el Ministerio Fiscal haya formulado acusación. Ahora bien, parece evidente que la petición de condena por el Fiscal hará más costoso apreciar temeridad.

«No puede hablarse en ningún caso de mala fe (es decir, conocimiento real de la inveracidad de la acusación o de la manifiesta insuficiencia de las pruebas). Ambas acusaciones contaban con idénticos referentes probatorios, sin que pueda deducirse que la Acusación Particular tenía datos no manifiestos para el Fiscal, órgano que se rige por principios de imparcialidad y neutralidad y en el que se puede presumir una ponderada templanza acusatoria. Formulada acusación por el Fiscal la apertura del juicio oral no dependía en exclusiva de la acusación particular. La fijación de una posición parcialmente discordante con la del Fiscal podría servir para no incluir, en caso de condena, las costas de la acusación particular, pero no para motivar su condena en costas en el caso de absolución. En otro orden de cosas, en absoluto puede reputarse temeraria la deducción realizada por la acusación de que esa conducta defraudatoria habría podido desarrollarse anteriormente. Había indicios que fundaban esa acusación, y que se ponen de relieve en el recurso. Es difícil justificar la condena en costas basándose en una acusación que iba más allá de la sostenida por el Fiscal, pero que no solo contaba con un fundamento no despreciable, sino que además por sí no alteraba los términos del juicio que solo con la acusación del Fiscal podría abrirse ante el mismo órgano. Ciertamente hay un aspecto diferencial: las medidas cautelares reales adoptadas se basaban en ese tramo de acusación solo respaldado por la entidad querellante. Pero la absoluta orfandad probatoria es la única situación que permitiría tachar de temeraria tal acusación». STS 682/2016 de 26 Jul. 2016, Rec. 2065/2015; Ponente: Moral García, Antonio del. LA LEY 91586/2016.

---

(47) «Como regla general, hemos dicho que el simple dato de la disparidad de criterio entre el Fiscal y la acusación particular es insuficiente para fundamentar la condena en costas por temeridad (STS 754/2005, 22 de junio (LA LEY 12765/2005)). Y es que cuando el Ministerio Fiscal ha solicitado la libre absolución, ello no significa que toda pretensión acusatoria de la acusación particular sea inconsistente (STS 94/2006 (LA LEY 292205/2006), 30 de enero), pues la disparidad de criterios entre el Fiscal y la acusación particular en relación al resultado valorativo de la prueba practicada, en modo alguno puede considerarse suficiente para imputar a esta parte procesal una actitud maliciosa, temeraria o absolutamente injustificada en el ejercicio de la acción penal (STS 753/2005, 22 de junio (LA LEY 13094/2005))». STS 99/2016 de 18 Feb. 2016, Rec. 1121/2015; Ponente: Marchena Gómez, Manuel. LA LEY 8144/2016.

De modo que para condenar en costas a la acusación particular debe acreditarse la existencia de temeridad (que se puede definir como la conducta que no está amparada en el conocimiento y racionalidad de unos hechos indiciariamente criminales) y/o mala fe (conocimiento real de la inveracidad de la acusación o de la manifiesta insuficiencia de las pruebas).

«No es tarea fácil la fijación de un criterio seguro para discernir cuándo puede estimarse la existencia de temeridad o mala fe. La doctrina de esta Sala ha declarado reiteradamente que no existe un concepto o definición de la temeridad o la mala fe, por lo que ha de reconocerse un cierto margen de valoración subjetiva en cada supuesto concreto. No obstante lo cual debe entenderse que tales circunstancias han concurrido cuando carezca de consistencia la pretensión de la acusación particular en tal medida que puede deducirse que quien ejerció la acción penal no podía dejar de tener conocimiento de la injusticia y sinrazón de su acción. Del mismo modo que se considera temeridad cuando se ejerce la acción penal, mediante querella, a sabiendas de que el querellado no ha cometido el delito que se le imputa (cfr. SSTS 46/2007 (LA LEY 1530/2007), 30 de mayo, 899/2007, 31 de octubre (LA LEY 193608/2007) y 37/2006, 25 de enero (LA LEY 268/2006))». STS 99/2016 de 18 Feb. 2016, Rec. 1121/2015; Ponente: Marchena Gómez, Manuel. LA LEY 8144/2016.

Finalmente, para poder acordar la condena en costas de la acusación particular deben tenerse en cuenta las siguientes circunstancias perfectamente descritas en la STS Sala Segunda, de lo Penal, Sentencia 410/2016 de 12 May. 2016, Rec. 2136/2015, Ponente: Varela Castro, Luciano. LA LEY 50001/2016: a) Que la acusación particular perturbe con su pretensión el normal desarrollo del proceso penal con peticiones al servicio de fines distintos a aquellos que justifican su existencia. b) No es determinante que la acusación particular haya mantenido posiciones en el proceso diversas, incluso contrapuestas, a la de la acusación pública. c) Tampoco es determinante que haya solicitado la admisión a trámite de la querella, la formalización de la imputación o la apertura del juicio oral, ya que se tratan de decisiones que no dependen sólo de la acusación particular[48]. d) Son factores reveladores de temeridad o mala fe más que la objetiva falta de fundamento o inconsistencia de la acusación,

---

(48) «La apertura del juicio oral y el sometimiento a proceso penal del que luego dice haber sido injustamente acusado, no es fruto de una libérrima decisión de la acusación particular. Para ello se hace preciso una resolución jurisdiccional habilitante del Juez de Instrucción —en el procedimiento abreviado así lo impone el art. 783.1 LECrim (LA LEY 1/1882)— en la que aquél ha de valorar la procedencia del juicio de acusación y atribuir al imputado la condición de acusado en la fase de juicio oral. Con carácter previo, se hace indispensable una resolución de admisión a trámite de la querella que, por más que se mueva en el terreno del razonamiento meramente hipotético, supone un primer filtro frente a imputaciones manifiestamente infundadas (art. 312 LECrim (LA LEY 1/1882)). A lo largo de la instrucción se practican diligencias de investigación encaminadas a determinar la naturaleza de los hechos y la participación que en ellos haya tenido el imputado (art. 299 (LA LEY 1/1882) y 777 de la LECrim). Y si, pese a ello, el órgano jurisdiccional con competencia para resolver la fase intermedia y decidir sobre la fundabilidad de la acusación, decide que ésta reúne los presupuestos precisos para abrir el juicio oral, la sentencia absolutoria no puede convertirse en la prueba ex post para respaldar una temeridad que, sin embargo, ha pasado todos los filtros jurisdiccionales. Es cierto también que la temeridad puede ser sobrevenida y que la actuación procesal de la acusación particular en el plenario se haga merecedora de la condena en costas. Sin embargo, si así acontece, el Tribunal a quo ha de expresar las razones por las que aprecia la concurrencia de un comportamiento procesal irreflexivo y, por tanto, merecedor

la consciencia de ello por parte de quien, no obstante, acusa. Desde luego se considera temeridad cuando se ejerce la acción penal, mediante querella, a sabiendas de que el querellado no ha cometido el delito que se le imputa. Por ejemplo, el hecho que el acusador tuviera conocimiento de datos que demostrarían la inexistencia de delito y los oculta o no los aporta, dotando así de una apariencia de consistencia a la acusación que sostiene. e) Corresponde acreditar la mala fe y/o temeridad al acusado que solicita la imposición de las costas a la acusación particular[49].

---

de la sanción económica implícita en la condena en costas». STS 99/2016 de 18 Feb. 2016, Rec. 1121/2015; Ponente: Marchena Gómez, Manuel. LA LEY 8144/2016.

(49) «a) Que el concepto de mala fe, por su carácter subjetivo es fácil de definir pero difícil de acreditar, no así el de temeridad. La temeridad y mala fe han de ser notorias y evidentes, STS nº 682/2006, de 25 de junio (LA LEY 70363/2006)Sentencia núm. 419/2014 de 16 abril (LA LEY 64299/2014)y se afirma la procedencia de mantener una interpretación restrictiva de estos términos legales (STS nº 842/2009 de 7 de julio (LA LEY 125373/2009)), de modo que la regla general será su no imposición (STS 19.9.2001, 8.5.2003 y 18.2, 17.5 y 5.7, todas de 2004, entre otras muchas). b) Es necesario que la acusación particular perturbe con su pretensión el normal desarrollo del proceso penal, que sus peticiones sean reflejo de una actuación procesal precipitada, inspirada en el deseo de poner el proceso penal al servicio de fines distintos a aquellos que justifican su existencia. c) Corresponde su prueba a quien solicita la imposición (Sentencia Tribunal Supremo núm. 419/2014 de 16 abril (LA LEY 64299/2014)). d) No es determinante al efecto que la acusación no oficial haya mantenido posiciones en el proceso diversas, incluso contrapuestas, a la de la acusación oficial (STS 91/2006 de 30 de enero (LA LEY 11036/2006)). e) Más cuestionable es la trascendencia de las decisiones jurisdiccionales que, a lo largo del procedimiento, controlan la admisibilidad de la pretensión. Desde la admisión a trámite de la querella, la formalización de la imputación o la apertura del juicio oral. Y es que la apertura del juicio oral y el sometimiento a proceso penal del que luego dice haber sido injustamente acusado, no es fruto de una libérrima decisión de la acusación particular (STS 91/2006, 30 de enero (LA LEY 11036/2006)). Se ha dicho que, si tales decisiones fueran necesariamente excluyentes del parámetro de la temeridad o mala fe, el artículo 240.3 de la Ley de Enjuiciamiento Criminal (LA LEY 1/1882), resultaría de aplicación apenas limitada al solo caso de desviación respecto de la acusación pública, ya que la sentencia presupone el juicio oral y éste la admisión de la acusación. Si el órgano jurisdiccional con competencia para resolver la fase intermedia y decidir sobre la fundabilidad de la acusación, decide que ésta reúne los presupuestos precisos para abrir el juicio oral, la sentencia absolutoria no puede convertirse en la prueba ex post para respaldar una temeridad que, sin embargo, ha pasado todos los filtros jurisdiccionales (STS nº 508/2014 de 9 junio (LA LEY 84991/2014)). No obstante la expresión de las razones de aquellas decisiones interlocutorias pueden dar una adecuada perspectiva para la decisión sobre la imposición de las costas (STS 384/2008, de 19 junio (LA LEY 92724/2008)). f) Como factores reveladores de aquella temeridad o mala fe suele indicarse más que la objetiva falta de fundamento o inconsistencia de la acusación, la consciencia de ello por parte de quien, no obstante, acusa. Lo que no empece que sea la evidencia de esa falta de consistencia la que autorice a inferir aquella consciencia. Así se impone la condena cuando se estime que existen "razones para suponer que no le asistía el derecho" o cuando las circunstancias permiten considerar que "no podía dejar de tener conocimiento de la injusticia y sinrazón de su acción". Desde luego se considera temeridad cuando se ejerce la acción penal, mediante querella, a sabiendas de que el querellado no ha cometido el delito que se le imputa (STS nº 508/2014 de 9 junio (LA LEY 84991/2014)). g) Recientemente hemos indicado como determinante que el acusador tuviera conocimiento de datos que demostrarían la inexistencia de delito y los oculta o no los aporta, dotando así de una apariencia de consistencia a la acusación que sostiene (STS nº 144/2016 (LA LEY 8601/2016) de 22 de febrero). h) Cabe que aparezca a lo largo de tramitación aunque no en momento inicial (SSTS de 18 de febrero y 17 de mayo de 2004). i) El Tribunal a quo ha de expresar las razones por las que aprecia la concurrencia de un comportamiento procesal irreflexivo y, por tanto, merecedor de la sanción económica implícita en la condena en costas (STS nº 508/2014 de 9 junio (LA LEY 84991/2014) y núm. 720/2015

La condena en costas a la acusación particular en favor del acusado sólo podrá otorgarse, en su caso, cuando exista petición concreta del acusado absuelto. A ese fin, el trámite de conclusiones definitivas es apto para ello, pero no así el informe final ni siquiera adhiriéndose a la petición de condena en costas de la representación de otros acusados[50].

> «b) La petición en el trámite de conclusiones finales en el acto del juicio oral no puede reputarse extemporánea como argumenta el recurso basándose en una asimilación a las normas del proceso civil (art. 400 LEC (LA LEY 58/2000)) improcedente en este punto. El trámite de conclusiones definitivas es apto para introducir esa petición, aunque no se hubiese anunciado antes». STS 682/2016 de 26 Jul. 2016, Rec. 2065/2015; Ponente: Moral García, Antonio del. LA LEY 91586/2016[51].

La fundamentación de esta exigencia es compleja y poco intuitiva. En ocasiones se emplea la comparación con el proceso civil en el que las costas se imponen de oficio. Sin embargo, como bien se razona en la STS 682/2016 de 26 Jul. 2016, Rec. 2065/2015; Ponente: Moral García, Antonio del. LA LEY 91586/2016, no son las mismas las normas ni los principios de aplicación en uno y otro proceso señalando que en materia de costas las normas en la materia se invierten.

> «En el proceso civil la regla general es la condena al pago de las costas; lo excepcional es lo contrario. En el proceso penal es otro el régimen: la regla general en caso de absolución es la declaración de oficio de las costas. La excepción viene marcada por la apreciación de temeridad o mala fe. La práctica en el proceso civil, aunque tampoco exista uniformidad absoluta, es que procede siempre el pronunciamiento sobre costas pudiendo condenarse a una parte conforme a las disposiciones legales, aunque la otra no haya realizado esa petición expresa (SSTS Sala 1ª de 2 de diciembre de 2003, 15 de diciembre de 1988, 2 de julio de 1991, o 21 de diciembre de 1992). Ese criterio civilista, pese a la similitud de naturaleza de fondo de las costas en uno y otro tipo de proceso, no es importable al proceso penal. No lo consiente el art. 4 LEC (LA LEY 58/2000) por existir una regulación específica en la LECrim (LA LEY 1/1882) y el CP que no es simétrica a la del proceso civil, donde, con algún matiz, está entronizado el principio del vencimiento. La regla que inspira la regulación del proceso penal no es el vencimiento en caso de absolución. No es éste lugar apto para elucubrar sobre la bondad de ese sistema cuya modificación se propugnaba en algún texto prelegislativo (Borrador de Código Procesal Penal de 2013). Algunos de

---

de 16 noviembre (LA LEY 172070/2015))». STS Sala Segunda, de lo Penal, Sentencia 410/2016 de 12 May. 2016, Rec. 2136/2015, Ponente: Varela Castro, Luciano. LA LEY 50001/2016.

(50) «... como hemos venido estableciendo reiteradamente la petición del titular de las costas es un presupuesto ineludible para la imposición de éstas cuando se trata de las causadas a la defensa por el comportamiento procesal de la acusación particular .../... Por lo tanto, para condenar en costas a la acusación particular, es preciso que se acredite que actuó con temeridad o mala fe. Y para ello, es necesario que alguien afirme que así ha sido, dando oportunidad de defenderse a quien se imputa tal forma de proceder». STS Sala Segunda, de lo Penal, Sentencia 410/2016 de 12 May. 2016, Rec. 2136/2015, Ponente: Varela Castro, Luciano. LA LEY 50001/2016.

(51) En el mismo sentido las SSTS nº 114/2016 (LA LEY 8150/2016); nº 863/2014, de 11 de diciembre (LA LEY 195439/2014); y nº 1409/2013, de 11 de febrero de 2014 en la que se afirma que «al no haberse solicitado por ninguna de las partes la imposición de las costas a la acusación particular, se incurre en incongruencia al imponérselas, pues en esta materia, no siendo de aplicación la imposición de las costas por ministerio de la ley, ha de atenderse al principio de rogación».

los argumentos de oposición de los recurridos y de la sentencia (no es justo que el absuelto tenga que acarrear con los gastos que ha supuesto su defensa) se adentran en esa esfera más *de lege ferenda* que de lege lata. El ATS de 20 de mayo de 2010 ciertamente vierte algún argumento de esa naturaleza, pero sin renunciar —no podía ser de otra forma—, a fundar su respuesta en la ordenación legal concreta con la que contamos en la actualidad que viene representada por el art. 240.3 LECrim (LA LEY 1/1882)». STS 682/2016 de 26 Jul. 2016, Rec. 2065/2015; Ponente: Moral García, Antonio del. LA LEY 91586/2016[52].

En su virtud, y siguiendo literalmente, el contenido de la Sentencia del Tribunal Supremo citada (STS 682/2016 de 26 Jul. 2016): «No sería preciso interesar la condena en costas para que el Tribunal las concediera, en supuestos del condenado (costas causadas en juicio) porque las impone la Ley (art. 123 CP (LA LEY 3996/1995)), ni tampoco las de la acusación particular en los delitos sólo perseguibles a instancia de parte, por igual razón (art. 124 CP (LA LEY 3996/1995)). Sin embargo, si debería imperativamente mediar previa petición cuando se trate de incluir dentro de las costas del acusado o acusados las de la acusación particular en los demás delitos y también las que pudieran imponerse a los querellados por haber sostenido pretensiones temerarias frente al acusado, pues de lo contrario el Tribunal incurriría en un exceso sobre lo solicitado o *extra petita* (SSTS 1784/2000 (LA LEY 1676/2001) de 20.1,1845/2000 de 5.12 (LA LEY 222876/2000), 560/2002 de 28.3, entre otras)».

3.2. La tasación de costas

Corresponderá al Letrado de la administración de justicia del Tribunal o Juzgado competente en la ejecución de la sentencia practicar la tasación de costas procesales, una vez se le haya dado traslado por medio del correspondiente proveído (Véase M.

---

(52) «Esta solución —solo puede condenarse en costas a la acusación particular cuando exista una petición expresa en tal sentido— es, como se ha dicho, la que predomina en la doctrina de esta Sala. Un breve recorrido jurisprudencial lo demuestra. Las SSTS 160/2006 (LA LEY 19380/2006), de 25 de enero, 1571/2003 de 25 de noviembre (LA LEY 12096/2004) y 410/2016, de 12 de mayo (LA LEY 50001/2016) y el ATS de 30 de junio de 2011 (7469/2011, recurso 482/2011) constituyen una buena representación de esa línea. Leemos en el Auto 968/2011 de 30 de junio: «En reiteradas ocasiones, esta Sala ha subrayado la necesidad de que la condena en costas a imponer a la acusación particular, sea debidamente solicitada en el proceso de forma que esa parte tenga la ocasión de replicar y defenderse. Así, señala la sentencia 1.571/2003, de 25 de noviembre (LA LEY 12096/2004) que no sería preciso interesar la condena en costas para que el Tribunal las concediera, en supuestos del condenado (costas causadas en juicio), porque las impone la ley (art. 123 CP (LA LEY 3996/1995)), ni tampoco los de la acusación particular en los delitos sólo perseguibles a instancia de parte, por igual razón (art. 124 CP (LA LEY 3996/1995)). Sin embargo, sí debería imperativamente mediar previa petición cuando se trate de incluir dentro de las costas del acusado o acusados las de la acusación particular en los demás delitos y también las que pudieran imponerse a los querellantes por haber sostenido pretensiones temerarias frente al acusado, pues de lo contrario el Tribunal incurría en un exceso sobre lo solicitado o extra petita (véanse SSTS nº 1784 de 20 de diciembre 2000, nº 1845 de 5 de diciembre de 2000 y 560 de 28 de marzo de 2002, entre otras). Téngase presente que las costas se hallan reguladas dentro del título que reza: "De la responsabilidad civil derivada de los delitos y faltas y de las costas procesales", poniendo al mismo nivel normativo conceptos que justifica la similar naturaleza resarcitoria o compensatoria. Las costas ya no tienen el carácter de sanción o penalización, sino de compensación indemnizatoria por los gastos que se ha visto obligada a soportar una parte, a quien el derecho ampara"». STS 682/2016 de 26 Jul. 2016, Rec. 2065/2015; Ponente: Moral García, Antonio del. LA LEY 91586/2016.

118 y ss.). Practicada la tasación de costas, se dará traslado de la misma al Ministerio Fiscal y a las partes personadas para que formulen las alegaciones que estimen pertinentes. A la vista de los informes y escritos de las partes, si se presentaren, se aprobará o reformará la tasación. Si alguna partida de honorarios fuera tachada de ilegítima o excesiva deberán pedirse, previamente, los informes pertinentes a dos personas de la misma profesión o a la Junta del Colegio Profesional respectivo (art. 244 LECrim).

A continuación se aprobará por auto la tasación de costas (Véase M. 119) y, una vez firme, se procederá a hacerlas efectivas, por la vía de apremio establecida en la LEC, con los bienes de los que hubiesen sido condenados a su pago (art. 245 LECrim.). Los diversos honorarios se satisfarán a las personas individuales correspondientes, mediante entrega normalmente de talón de la cuenta provisional de Consignaciones, que se hará constar además de en los autos, en dicho libro, que cada mes deberá firmar el Juez de Instrucción[53].

_____

(53)   Conforme al art. 576 LEC, aplicable a las sentencias dictadas en cualquier orden jurisdiccional, las cantidades líquidas determinadas en la resolución dictada devengarán los intereses legales correspondientes desde el momento de haberse dictado la referida resolución hasta su completo pago.

MODELOS

M. 111. Sentencia dictada por la Audiencia Provincial

Insertamos a continuación un Modelo de sentencia dictada por la Audiencia Provincial. Véanse otros Modelos de sentencia dictadas en distintos procedimientos en el Cap. XII en sede de procedimiento Abreviado; Cap. XV procedimiento por delitos graves; Cap. XVI procedimiento de Jurado, etc.

AUDIENCIA PROVINCIAL [.../...]

SECCIÓN [.../...]

Rollo

Sumario n.º [.../...]

Juzgado de Instrucción n.º [.../...]

Sentencia Núm.

ILMOS. Srs.

[.../...]

[.../...]

[.../...]

En [.../...], a [.../...] de [.../...] de 201[.../...]

VISTA en Juicio Oral y público ante la Sección [.../...] de esta Audiencia Provincial la causa número [.../...], Rollo número [.../...], procedente del Juzgado de Instrucción de [.../...], contra [.../...], de [.../...] años de edad, hijo de [.../...] y de [.../...], natural de [.../...], provincia de [.../...], vecino de [.../...], provincia de [.../...], de estado [.../...], con antecedentes penales no computables, solvente y en [.../...] provisional por esta causa [.../...] y representado por el Procurador D. [.../...], siendo parte acusadora el Ministerio Fiscal, querellante particular D. [.../...] representado por el Procurador D. [.../...]; responsable civil subsidiario D. [.../...] y Ponente el Magistrado D. [.../...]

ANTECEDENTES DE HECHO

1.º. El Ministerio Fiscal en sus conclusiones definitivas, calificó los hechos de autos como constitutivos de [.../...] delito de [.../...] previsto y penado en el artículo [.../...] del Código Penal, estimando como responsable del mismo, en concepto de [.../...], al acusado, con la concurrencia de circunstancia modificativa de la responsabilidad criminal [.../...]; pidió se le impusiera la pena de [.../...], accesorias correspondientes y pago de costas, y a que en concepto de indemnización satisfaga al perjudicado la suma de [.../...] Euros, solicitando igualmente se le abone el tiempo de prisión [.../...] provisional sufrida.

2.º. La acusación particular en igual trámite alegó [.../...]

3.º. La defensa del acusado en igual trámite alegó que [.../...]

4.º. La defensa del responsable civil subsidiario igualmente alegó en conclusiones definitivas [.../...]

HECHOS PROBADOS

[.../...]

FUNDAMENTOS DE DERECHO

PRIMERO. Los hechos declarados probados son legalmente constitutivos de [.../...] .

SEGUNDO. De dicho delito es responsable criminalmente, en concepto de [.../...], el acusado [.../...] . por haber realizado material y directamente los hechos que integran.

TERCERO. En la realización del expresado delito ha concurrido circunstancia modificativa de la responsabilidad criminal [.../...] .

CUARTO. Los responsables criminalmente lo son también civilmente y las costas se entienden impuestas por Ministerio de la Ley a los culpables de delito

VISTOS, además de los citados, los arts. 1, 3, 6, 12, 14, 19, 23, 27, 29, 35, 47, 49, 58, 61, 63, 67, 72, 78, 82 y su tabla 103, 106, 109 y 110 CP; los arts. 142, 239 al 242, 741 y 742 LECrim.

FALLAMOS

Que debemos condenar y condenamos a (o debemos absolver o absolvemos) [.../...] como autor responsable del delito de [.../...], la concurrencia de circunstancia. [.../...], a la pena de [.../...], a las accesorias de [.../...] y al pago de las costas procesales [.../...], así como a que abone a [.../...] . la cantidad de [.../...] Euros como indemnización de perjuicios. Declaramos la insolvencia de dicho procesado aprobando el auto que a este fin dictó el Juzgado Instructor en el ramo correspondiente.

Por insolvencia del procesado debemos condenar y condenamos al responsable civil subsidiario D. [.../...] . a que abone al perjudicado referido la cantidad de [.../...] . Euros en concepto de indemnización.

Hágase entrega definitiva de los efectos recuperados al perjudicado [.../...], que los conserva en depósito provisional.

Y para el cumplimiento de la pena principal y responsabilidad subsidiaria que se impone le abonamos el tiempo que ha estado privado de libertad por esta causa [.../...]

Así por esta nuestra sentencia, de la que se unirá certificación al Rollo, lo pronunciamos, mandamos y firmamos.

PUBLICACIÓN. La anterior sentencia ha sido leída y publicada por el Il-mo. Sr. Magistrado Ponente que en la misma se expresa, estando celebrando Audiencia Pública en el día de su fecha, de todo lo cual, como Letrado de la administración de justicia, doy fe.

(NOTIFICACIÓN, añadiendo que contra la citada resolución cabe recurso de casación dentro del plazo de cinco días desde la última notificación, presentándose el escrito de preparación ante este mismo órgano jurisdiccional.)

Si hubiese voto particular, se notificará a las partes junto con la sentencia, publicándose de igual forma que ésta, según el Modelo siguiente:

M. 112. Voto particular

VOTO PARTICULAR que formula el Magistrado [.../...] . sobre la Sentencia recaída en la causa [.../...]

con fecha de [.../...], Rollo [.../...], procedente del Juzgado de Instrucción [.../...], seguida por el delito de [.../...], al discrepar de la respetable opinión de los otros miembros del Tribunal. El voto particular se formula así:

1) Conforme con el encabezamiento de la sentencia.

2) Conforme con los [.../...] ANTECEDENTES DE HECHO de esta sentencia.

3) Conforme en los [.../...] HECHOS PROBADOS de esa misma resolución.

4) Conforme en los [.../...] FUNDAMENTOS DE DERECHO de esta resolución.

5) Disconforme con el FUNDAMENTO DE DERECHO número [.../...] de la Sentencia sobre la que se formula el voto, que deberá quedar redactado así: «[.../...] FUNDAMENTO DE DERECHO: [.../...]».

6) Disconforme con el FALLO de la Sentencia, que deberá quedar redactado así:

«FALLO: [.../...]

[.../...]».

Así lo pronunció y rubrica el Magistrado [.../...], doy fe.

M. 113. Escrito solicitando aclaración de una sentencia a instancia de parte

A LA SALA

D [.../...], Procurador de los Tribunales y obrando en nombre de [.../...] según tengo acreditado en autos, como mejor proceda en derecho,

EXPONGO:

1.º. Que en el día [.../...] recayó sentencia en las presentes actuaciones, cuya parte dispositiva dice: «FALLAMOS [.../...]».

2.º. Como se puede advertir a mi mandante se le concede una cantidad como indemnización en números de mil Euros, cuando anteriormente y en letras figura diez mil euros.

Por ello, a la Sala,

PIDO:

Aclare la sentencia en lo relativo a la indemnización a mi mandante.

Lo que pido en [.../...], a [.../...] de [.../...] de 20[.../...]

DILIGENCIA DE PRESENTACIÓN

M. 114. Auto resolutorio de la aclaración de sentencia

AUTO

ILMOS SRES.

[.../...]

A [.../...] de [.../...] de 20[.../...]

Dada cuenta, y

HECHOS

1.º. Por el Procurador D. [.../...] se presentó escrito solicitando aclaración de la sentencia recaída en las presentes actuaciones, ya que [.../...] *(breve resumen de lo narrado en el escrito presentado)*.

FUNDAMENTOS DE DERECHO

1.º. Los arts. 267 LOPJ y 161 LECrim. establecen que se podrán corregir, ya instancia de parte o incluso de oficio, los conceptos oscuros, rectificar errores o suplir omisiones y en el caso examinado se advierte que [.../...] *(para razonar la aclaración)*.

PARTE DISPOSITIVA

Que procede la aclaración de la resolución recaída en las presentes actuaciones, rectificando la indemnización en favor de [.../...] que será de diez mil euros (10.000).

DILIGENCIA. Seguidamente se cumple lo acordado, doy fe.

(NOTIFICACIÓN. A las partes personadas, haciendo constar que los recursos que proceden son los mismos que se pueden interponer contra las sentencias definitivas.)

(1) Este modelo puede servir para los casos de corrección realizada de oficio, variando únicamente los hechos.

M. 115.   Escrito solicitando rectificación y complemento de sentencia

Asunto [.../...]

Juicio [.../...]

AL JUZGADO DE LO PENAL DE [.../...]

D. [.../...] Procurador de los Tribunales en representación de [.../...], según tengo acreditado en los presentes autos, como mejor proceda en Derecho, DIGO:

Que al amparo de lo previsto en el art. 161.5 LECrim y 267 LOPJ, solicito, dentro de tiempo hábil, la rectificación y complemento de la sentencia dictada por éste Juzgado de lo Penal, en los autos referenciados al margen, con base en las siguientes CONSIDERACIONES.

1. Que en el día [.../...] recayó sentencia en las presentes actuaciones cuya parte dispositiva dice: «FALLO: [.../...].». En ese fallo se contiene el pronunciamiento correspondiente al pedimento principal de mi mandante relativo a la condena del acusado por un delito de robo con fuerza producido en la vivienda de mi representado. Sin embargo no se contiene pronunciamiento alguno referente a la indemnización por los daños y perjuicios sufridos por en los bienes de mi representado.

2. Ello no obstante, en el fundamento jurídico [.../...], se declara probado que la actitud de la demandada produjo unos daños obvios y evidentes al actor [.../...], que resultan acreditados en la cantidad solicitada por mi representado, valorándose al efecto la prueba practicada.

De lo expuesto se deduce una omisión respecto a una pretensión formulada expresamente por esta parte y sustanciada en el proceso que no se resuelve en el fallo, lo cual evidencia una contradicción que procede subsanar.

Por lo expuesto,

SUPLICO AL JUZGADO: Tenga por presentado el presente escrito lo una a autos y acuerde completar la resolución con el pronunciamiento omitido condenando al acusado al resarcimiento de mi mandante con la indemnización de [.../...] *(euros)* según se solicitó y se acreditó en el juicio.

En [.../...] a [.../...] de [.../...] de [.../...]

(Firma Abogado)   (Firma Procurador).

DILIGENCIA DE PRESENTACIÓN

M. 116. Alegaciones del acusado a la solicitud de rectificación de sentencia

Asunto [.../...]

Juicio [.../...]

AL JUZGADO DE LO PENAL DE [.../...]

D [.../...] Procurador de los Tribunales en representación de [.../...], según tengo acreditado en los presentes autos, como mejor proceda en Derecho, DIGO:

Que con fecha [.../...] a esta parte se dio traslado de la petición de la acusación particular solicitando complemento de la sentencia por entender que se había omitido el pronunciamiento relativo a la indemnización por daños y perjuicios ocasionado por mi representado y que presuntamente habrían quedado acreditados en el juicio. Sin embargo, a criterio de esta parte, si bien es cierto que no se contiene pronunciamiento sobre esa cuestión esta parte entiende que esta es una cuestión que debe plantearse por medio del recurso de apelación por cuanto de procederse al complemento de la sentencia esta parte quedará en franca indefensión al resultar perjudicada con relación a la sentencia dictada contra la que ya se ha preparado el recurso de apelación sin incluir el pronunciamiento referente a la condena por daños y perjuicios.

Por lo expuesto,

SUPLICO AL JUZGADO: Tenga por presentado el presente escrito lo una a autos y declare no haber lugar a completar la sentencia.

En [.../...] a [.../...] de [.../...] de [.../...]

(Firma Abogado)   (Firma Procurador)

DILIGENCIA DE PRESENTACIÓN

M. 117. Auto rectificando sentencia

AUTO

En [.../...] a [.../...] de [.../...] de [.../...]

Dada cuenta, y

HECHOS

ÚNICO. El Procurador [.../...] presentó escrito solicitando rectificación y complemento de la sentencia recaída en las presentes actuaciones ya que [.../...] *(breve resumen de los solicitado en el escrito)*, petición a la que se opuso el demandado por medio de su Procurador.

FUNDAMENTOS DE DERECHO

ÚNICO. Los arts. 161.5 LECrim y art. 267 LOPJ establecen que cuando se trate de sentencia o autos que hubieren omitido manifiestamente pronunciamientos relativos a pretensiones oportunamente deducidas y sustanciadas en el proceso podrá procederse a su complemento y rectificación con el límite de no poder modificar ni rectificar lo acordado. En el presente asunto se trata de un error material que ha conducido a que no se contenga en el fallo el debido pronunciamiento sobre los daños y perjuicios que resultaron acreditados según lo solicitado por la actora. Ahora bien no en la cantidad que pedía en su escrito de conclusiones provisionales elevado a definitivas, sino tal y como se refleja perfectamente en el Fundamento de Derecho [.../...] por una cuantía de [.../...] euros. Por lo tanto procede la rectificación solicitada, sin que se produzca ninguna indefensión a la parte por cuanto si bien ya interpuso escrito de recurso de apelación, nada le impide presentar escrito de preparación de la apelación con relación al pronunciamiento que completa la sentencia, de conformidad con el art. 267.8 LOPJ.

PARTE DISPOSITIVA

Ha lugar a la rectificación y complemento de la Sentencia recaída en las presentes actuaciones, para incluir el siguiente pronunciamiento: que con parcial estimación de la petición de indemnización de daños y perjuicios interpuesta por [.../...] debo condenar y condenó al acusado D. [.../...] a que abone a la víctima D. [.../...] la cantidad de [.../...] Euros, en concepto de indemnización por los daños y perjuicios ocasionados como consecuencia de los hechos constitutivos de un delito de robo con fuerza del que resultó condenado.

Contra la presente resolución no cabe recurso alguno sin perjuicio de los recursos que procedan contra la sentencia que se rectifica cuyo plazo para recurrir se computará desde el día siguiente a la notificación de este auto.

(Firma Juez) (Firma Letrado de la administración de justicia)

NOTIFICACIÓN. A las partes personadas.

M. 118. Tasación de costas y diligencias subsiguientes

JUZGADO DE LO PENAL N.° [.../...]

LETRADO DE LA ADMINISTRACIÓN DE JUSTICIA SR. [.../...]

Ejecutoria n.° [.../...]

TASACIÓN DE COSTAS

El Letrado de la administración de justicia de este Juzgado practica la siguiente tasación de costas a cargo de [.../...]

Costas Judiciales

Concepto:

Honorarios de Perito Sr. [.../...] . (*cantidad*).

[.../...]

[.../...]

Importa la presente Tasación de costas la suma total de [.../...] *(cantidad)*.

En [.../...], a [.../...] de [.../...] de 20[.../...]

El Letrado de la administración de justicia

NOTIFICACIÓN AL MINISTERIO FISCAL

En [.../...], a [.../...] de [.../...] de 201[.../...] teniendo a mi presencia al Sr. Fiscal le notifiqué en legal forma la anterior resolución por lectura íntegra y entrega de copia literal, quedando enterado y notificado, firma conmigo; doy fe.

Practicada la tasación de costas, se dará traslado de la misma al Ministerio Fiscal y a las partes personadas para que formulen las alegaciones que estimen pertinentes practicándose la siguiente diligencia de ordenación.

DILIGENCIA DE ORDENACIÓN

LETRADO DE LA ADMINISTRACIÓN DE JUSTICIA SR. [.../...]

En [.../...], a [.../...] de [.../...] de 201[.../...]

Dese vista por tres días a las partes de la anterior tasación, comenzando por la condenada al pago, Ministerio Fiscal y [.../...], a fin de que formulen cuantas alegaciones estimen pertinentes.

Lo acuerda y firma el Sr. Letrado de la administración de justicia, dando cuenta de ello a S.S.ª

DILIGENCIA. Seguidamente se cumple lo ordenado, doy fe.

(NOTIFICACIÓN. Al condenado o su representante)

INFORME FISCAL

El Fiscal se halla conforme con la anterior tasación de costas y otras responsabilidades civiles.

En [.../...], a [.../...] de [.../...] de 201[.../...]

A la vista de los informes y escritos de las partes, si se presentaren, se aprobará o reformará la tasación; en caso de ser tachada de ilegítima o excesiva alguna partida de honorarios, deberán pedirse previamente los informes pertinentes a dos personas de la misma profesión o a la Junta del Colegio Profesional respectivo —art. 244 LECrim.—.

A continuación se aprobará la tasación, dictándose el siguiente auto:

M. 119. Auto aprobando la tasación y regulación de costas

AUTO

En [.../...], a [.../...] de [.../...] de 20[.../...]

Dada cuenta, y

HECHOS

1.º. Dada vista a las partes y al Ministerio Fiscal de la tasación de costas practicada en las presentes Diligencias núm. [.../...], Ejecutoria núm. [.../...], seguidas contra [.../...], no se han opuesto a la misma.

FUNDAMENTOS DE DERECHO

1.º. La anterior tasación de costas se ha practicado de conformidad con las disposiciones legales, por lo que procede acordar como se hará, teniendo en cuenta el dictamen Fiscal.

VISTOS los arts. 239, 242, 245 y ss. y 802.2.º LECrim. y demás de pertinente aplicación.

PARTE DISPOSITIVA

Se aprueba la tasación de costa practicada en esta causa, cuyo importe de [.../...] euros, deberá hacerse efectivo en el plazo de quince días. Notifíquese esta resolución al Ministerio Fiscal, al interesado y [.../...]

Lo que manda y firma su S.S.ª el Juez de lo Penal para que manifieste su conformidad.

DILIGENCIA. Seguidamente se cumple lo acordado, doy fe.

(NOTIFICACIÓN. Al condenado, Ministerio Fiscal y parte personada)

Una vez firme la anterior resolución, se procederá a hacer efectivas las costas por la vía de apremio establecida en la LEC, con los bienes de los que hubiesen sido condenados a su pago (art. 245 LECrim.).

El pago de las indemnizaciones y de los intereses se realizará por comparecencia.

M. 120. Comparecencia del condenado ante el Juzgado para satisfacer el importe de las costas

COMPARECENCIA

En [.../...], a [.../...] de [.../...] de 20[.../...]

Ante S.S.ª y de mí el Letrado de la administración de justicia, comparece [.../...], quien acredita su personalidad mediante exhibición de [.../...], haciendo entrega de la cantidad de [.../...] euros y en prueba de ello firma conmigo, doy fe.

CAPÍTULO XI

LOS RECURSOS. LA NULIDAD DE ACTUACIONES. EL RECURSO DE AMPARO

SECCIÓN 1. ASPECTOS PROCESALES Y CLASIFICACIÓN DE LOS RECURSOS[(1)]

1.1. El derecho de acceso a los recursos

El recurso constituye una prosecución del proceso y, al tiempo, una revisión del mismo, ya sea por el mismo órgano que dictó la resolución impugnada o por un órgano superior que ha de decidir conforme lo solicitado y alegado críticamente por las partes oídas contradictoriamente (STC 112/87, de 2 julio). De la definición expuesta se deducen dos aspectos básicos del concepto amplio de recurso. Por una parte, se entiende por recurso el acto procesal tendente a provocar del órgano jurisdiccional una nueva resolución, menos gravosa para la parte que provoca la revisión. Por otra, desde un punto de vista procedimental, también se conoce como recurso la totalidad de actos procesales que integran la tramitación de la impugnación.

El Tribunal Constitucional se ha pronunciado en el sentido de que el derecho a recurrir forma parte del contenido del derecho a la tutela judicial efectiva del art. 24 CE, por lo que las causas de inadmisión deben interpretarse restrictivamente —SSTC 60/85, de 20 mayo; 162/86, de 17 diciembre; 57/88, de 5 abril, y 6/89, de 19 enero, entre otras—, y cuando se impida el acceso al recurso por causas no razonables o arbitrarias se viola este derecho —STC 69/87, de 22 mayo—. En consecuencia, las

---

[(1)] Vid. Bibliografía general. Véanse también FABIÁ MIR P., BENITO LÓPEZ A. (Coord.), *Los recursos de casación y apelación en el orden penal*, Madrid 2007. PÉREZ MARTELL ROSA, *Recursos contra las resoluciones del Juez instructor*, Madrid 2001. RODRÍGUEZ RUBIO C., *Los recursos en el proceso penal*, Madrid 2008. DEL MORAL GARCÍA A., ESCOBAR JIMÉNEZ R., MORENO VERDEJO J., *Los recursos en el proceso penal abreviado*, Granada 1999, MEDINA GUTIÉRREZ V., POZO VILLEGAS J.L., *Guía básica de los recursos en el proceso penal*, Madrid 2002; CALDERÓN CUADRADO Mª.P. *La prueba en el recurso de apelación penal*, Valencia 1999; MUÑOZ ROJAS, «Notas sobre los recursos jurisdiccionales penales», *RDProc.*, 1977, p. 851; FONT SERRA, «En torno a la reformatio in peius en el proceso penal», *La Ley*, 1989-4, 1214, A.A.V.V. *Recursos en el orden jurisdiccional penal, Cuadernos del CGPJ*, Madrid 1995.

causas de inadmisión deben interpretarse restrictivamente, infringiéndose el derecho de acceso al recurso cuando se impida el acceso al mismo por causas no razonables o arbitrarias (*vid.* SSTC 37/95 de 7 febrero; 127/907 de 14 de julio; 168/98 de 21 de julio).

Ahora bien, el derecho de acceso al recurso es de configuración legal por lo que se halla condicionado por los recursos efectivamente disponibles según estén previstos en el ordenamiento jurídico[2].

«Desde la STC 37/1995, de 7 de febrero este Tribunal viene haciendo reiteradamente hincapié en la distinta operatividad que el derecho fundamental a la tutela judicial, despliega según se trate de acceso a la jurisdicción o de acceso a los recursos. Así, en tanto el derecho a la obtención de una resolución judicial razonada y fundada en Derecho goza de una protección constitucional inmediata en el art. 24.1 CE, el derecho a la revisión de esa resolución es, en principio y a salvo la materia penal, un derecho de configuración legal al que no resulta de aplicación el criterio hermenéutico "*pro actione*" (resume la doctrina constitucional en la materia la reciente STC 295/2000, de 11 de diciembre. Por ello, en lo que ahora estrictamente interesa, nuestro enjuiciamiento de las resoluciones judiciales que cierran el acceso al recurso frente a una primera decisión ha de ceñirse estrictamente a los cánones de la arbitrariedad, la manifiesta irrazonabilidad y el error patente (por todas, STC 260/2000, de 30 de octubre. Tales cánones serían aplicables al presente caso, según la tesis defendida por el Ministerio Fiscal porque, aun tratándose de un Auto dictado en el seno de una causa penal, no existe un derecho constitucional a la condena penal de un tercero» (al respecto, STC 21/2000, de 31 de enero, ATC 79/2001 de 3 de abril).

Presupuesto del derecho al recurso es el cumplimiento de la normativa respecto a la motivación y notificación de las resoluciones judiciales (Véase § 3, Cap. V sobre actos procesales).

«Que la notificación de las resoluciones judiciales tiene por objeto el conocimiento por los interesados del mandato judicial que aquéllas comportan, lo que puede obtenerse mediante la comunicación de su parte dispositiva, pero tiene igualmente otras finalidades, entre ellas la de que las partes puedan conocer las razones o fundamentos de la decisión para, en su caso, impugnarlos, oponiendo frente a unas y otros los argumentos que estimen procedentes y ejercitando su derecho de defensa. Por ello, si los hechos en los que se funda la resolución o los fundamentos jurídicos que le sirven de apoyo no son conocidos por las partes, las posibilidades de impug-

---

[2] «No puede alegar privación del derecho a un recurso quien ni siquiera intenta interponerlo. Si el justiciable no ha recibido tutela judicial, ello se debe a su propia inactividad, no a ningún acto achacable a los Tribunales (SSTC 19/1981, fundamento jurídico 5.º; 80/1983, fundamentos jurídicos 1.º y 2º, y ATC 745/1985). Si quien toma parte en un proceso cree que le asiste el derecho a recurrir la sentencia, debe intentarlo, interponiéndolo o anunciándolo en tiempo y forma oportunos. Sólo la negativa judicial a admitirlo es susceptible de vulnerar el derecho fundamental a la tutela judicial sin indefensión, que proclama el art. 24.1 CE. Negativa que, por lo demás, normalmente puede ser impugnada ante los propios órganos judiciales, lo que depara una oportunidad de invocar el derecho constitucional y ofrece a los Tribunales del orden jurisdiccional competente una oportunidad para resolver la cuestión constitucional, y para reparar cualquier vulneración que se hubiera podido producir; por lo que sólo cuando la negativa a admitir el recurso intentado deviene firme es posible que este Tribunal de amparo entre a conocer de la alegada lesión constitucional (STC 90/1987, fundamento jurídico 2º; AATC 154/1984 y 394/1990)». STC 41/1998 de 24 de febrero.

nación de éstas quedan reducidas a un ámbito puramente formal o han de basarse en meras conjeturas o suposiciones, en detrimento de una eficaz tutela judicial». STC 18/1999 de 22 de febrero.

1.2. Clasificación de los recursos

Existen distintos criterios para clasificar los recursos. Normalmente, se emplean dos clasificaciones. La primera, parte del tipo de órgano decisor y distingue entre recursos devolutivos y no devolutivos. Los recursos devolutivos son aquellos cuya decisión corresponde a un órgano distinto y superior («órgano *ad quem*») al que dictó la resolución impugnada («órgano *a quo*»). Tienen esta naturaleza los recursos de apelación, queja y casación. Los recursos no devolutivos son aquellos cuya decisión se atribuye al mismo órgano que dictó la resolución impugnada. Estos recursos son los de reforma y súplica.

Un segundo criterio distingue entre: A) Recursos ordinarios; B) Recursos extraordinarios. Los recursos ordinarios son aquellos cuya interposición no exige la acreditación de unos motivos tasados en la Ley, sino que existe libertad amplia para su interposición. En consecuencia, el órgano decisor o «*ad quem*», puede conocer de los autos con la misma extensión que lo hizo el que dictó la resolución impugnada. Dentro de este grupo pueden incluirse los siguientes recursos: reforma, súplica, apelación y queja. Los recursos extraordinarios, sin embargo, únicamente pueden ser utilizados frente a un determinado tipo de resoluciones y pueden fundarse en unos motivos de impugnación enumerados taxativamente en la Ley. De modo que el recurrente debe observar para su utilización determinados requisitos. Dentro de este grupo se incluyen: el recurso de casación y el de revisión (éste con las debidas reservas en cuanto a su verdadera naturaleza jurídica, que lo aproxima más a un medio excepcional de impugnación o un nuevo proceso que, propiamente, a la de un recurso. Además de las propias características de cada recurso deben tenerse en cuenta las especialidades en materia de recursos existentes en cada procedimiento. Por ejemplo, las diferencias respecto a los motivos por los que se puede acceder a casación según que la sentencia dictada en apelación lo haya sido por el Tribunal Superior de Justicia o por la Audiencia Provincial o la diferente sustanciación, básicamente respecto a los motivos de interposición, entre el recurso de apelación ordinario y el del procedimiento del Tribunal del Jurado.

Una última precisión es la que se refiere a los otros medios extraordinarios o excepcionales de impugnación que no se pueden ubicar estrictamente en el ámbito de los recursos, pero que participan de su finalidad en tanto que sirven para impugnar o recurrir resoluciones judiciales. En primer lugar, tenemos el recurso de revisión que es una suerte de recurso o medio de impugnación que sirve de cierre del sistema al permitir someter a revisión las sentencias dictadas en el ámbito penal una vez que estas han adquirido firmeza. El motivo básico de este recurso radica en la posibilidad de haberse dictado una sentencia injusta. En segundo lugar, la nulidad de actuaciones. Este es un mecanismo procesal que no funciona de sistema de cierre, sino de remedio procesal complejo que puede hacerse servir como petición concreta dentro de un recurso ordinario o extraordinario o como incidente de impugnación autónomo según el caso. En tercer, y último lugar, el recurso de amparo no es un recurso en sentido estricto, sino una suerte de incidente excepcional que permite a los ciudadanos dirigirse directamente al Tribunal Constitucional solicitando tutela ante la infracción de un derecho fundamental que no ha sido amparada por los tribunales ordinarios.

En este Capítulo atendemos a todas estas «*especies*» de recursos y medios de impugnación que, a pesar de las diferencias, tienen en común la principal característica que los une a todos que es la de servir de cauce de alegación de las pretensiones impugnatorias de las partes en el proceso para solicitar personal una tutela procesal específica en el marco de las características de cada medio de impugnación o recurso. Visto así no parece que en realidad llamar recurso al recurso de amparo o de revisión sea incorrecto, en tanto que su finalidad primera y principal es la de servir de cauce de la pretensión del ciudadano que pretende una modificación de la situación jurídica creada por la resolución que impugna. Esa es la característica principal de los recursos y es cumplida por la revisión o el amparo, más allá de las otras notas que los caracterizan

1.3. Nociones generales sobre recursos

A) Interposición

El recurso se interpondrá por escrito suscrito por Procurador de los Tribunales y autorizado por Abogado. Se debe acompañar al escrito una copia para cada una de las partes comparecidas. No hace falta decir que en el momento actual la expresión por escrito hay que entenderla incluyendo dentro del concepto el formato de documento informático redactado en uno de los programas de tratamiento de textos que permite transmitir el documento por el sistema de comunicación electrónica instalado en los Juzgados o bien imprimirlo y entregarlo «*in situ*» en el Juzgado. Véase sobre presentación de escritos el § 2.2.B) del Cap. V.

El escrito de interposición del recurso debe contener, en general, los siguientes extremos: 1) Juez o Tribunal al que se dirige; 2) Nombre del Procurador de los Tribunales y/o abogado del interesado; 3) datos de identificación del proceso; 4) datos de identificación de la resolución impugnada, señalando al menos la fecha de la misma y la de la notificación; 5) preceptos legales en los que se ampara la pretensión; 6) motivación del recurso y expresión de que la sentencia recurrida es gravosa. En los de apelación, contra sentencias dictadas en primera instancia por Jueces de lo Penal, se detallarán las alegaciones sobre quebrantamiento de las normas y garantías procesales, error en la apreciación de las pruebas o infracción del precepto constitucional o legal en las que se base la impugnación (véase § 4.3.B de este Cap.). En el de casación por error de hecho en la apreciación de prueba, los contenidos íntegros de los particulares de los documentos que demuestren el error (Véase § 7.4.2 de este Capítulo); 7) petición de que se admita, se tramite y se resuelva, concretando el contenido de la nueva resolución que se solicita; 8) fecha de presentación y firmas.

B) Cómputo de plazos

En la LECrim no se contiene precepto expreso sobre el cómputo de los plazos. Por tanto, salvo norma expresa en contrario, éstos se computan con arreglo a lo dispuesto en el Código Civil (art. 5.1 CC), por remisión del art. 185.1 LOPJ. Así, el cómputo del plazo para interponer el recurso se inicia el día siguiente al que se ha dictado la resolución. En el mismo sentido el art. 133 LEC. Eso sí el art. 202 LECrim se encarga de advertir que los plazos son improrrogables.

Debe distinguirse según se trate de recursos interpuestos contra decisiones adoptadas en la fase de instrucción o una vez abierto el juicio oral. En el primer caso, durante la instrucción del sumario, son hábiles todos los días y horas del año, sin necesidad de habilitación especial (arts. 184 LOPJ y 201 LECrim). En consecuencia, se computan todos los días, hábiles o inhábiles. Sin embargo, en la fase decisoria, o de juicio oral, sólo se computarán los días hábiles. Por tanto, se excluyen los días festivos y los del mes de agosto, excepto para las actuaciones que se declaren urgentes en las leyes procesales (art. 183 LOPJ). Este criterio ha sido refrendado por el TC que ha interpretado que en los plazos establecidos por días para interponer recursos durante la fase de instrucción de un proceso penal deben computarse también los días inhábiles (STC 1/89 de 16 enero). A nuestro parecer, como ya se expuso (véase § 2.2.B Cap. V), no se justifica la aplicación de un doble régimen de cómputo de plazos con relación a los recursos. La inclusión de los días inhábiles en el cómputo de los plazos para la interposición de recurso puede suponer una situación de indefensión para la parte, al no disponer la parte de tiempo suficiente para su preparación.

Los plazos para la interposición varían según el tipo de recurso. Así, los de reforma y súplica se interponen dentro de los tres días, contados desde el siguiente al de la notificación de la resolución o de la última de las notificaciones cuando existan diversos acusados (art. 211 LECrim). El de apelación por delitos enjuiciados por el procedimiento de sumario y el de casación dentro de los cinco días siguientes a su notificación (art. 212 LECrim). En procedimiento abreviado la apelación contra los autos del Juez de instrucción y de lo Penal, cinco días (art. 766.3 LECrim). Las apelaciones contra la sentencia dictada en procedimiento abreviado por el Juez de lo Penal o la Audiencia Provincial diez días (art. 790 LECrim). También diez días para la apelación de las sentencias dictadas por el Tribunal de Jurado (art. 846 bis b. LECrim). El recurso de casación se preparará en cinco días ante el Tribunal que dictó la sentencia definitiva (art. 855 LECrim) y se interpone dentro del plazo de comparecencia ante el Tribunal Supremo que será de 15, 20 o 30 días según si la sentencia se hubiere dictado por Tribunales de la península, Baleares o Canarias, Ceuta y Melilla (arts. 859 en relación con el 873 LECrim). Por último en el recurso de queja son de aplicación distintos plazos (vid. § 5 de este Capítulo).

En los recursos no devolutivos —reforma y súplica— será órgano competente para conocer el mismo que hubiera dictado la resolución que se impugne. De los recursos devolutivos —apelación y queja— corresponderá conocer al órgano superior. Respecto de los recursos extraordinarios de casación y revisión será órgano competente la Sala 2.ª de lo Penal del Tribunal Supremo.

C) Desistimiento del recurso

El recurrente puede desistir del recurso. Ahora bien, el desistimiento no adquiere eficacia procesal hasta que no es admitido por el Tribunal, que no está vinculado por la petición. Ahora bien, si quien desiste del recurso es el condenado el Tribunal no pude continuar con la sustanciación del recurso, en tanto que no cabe coartar la decisión del condenado a decidir sobre el ejercicio de su derecho a recurrir, o no, la sentencia de condena.

«Como declaramos en la STC 228/1991, fundamento jurídico 2º, que un Tribunal de Justicia no acepte el desistimiento formulado por la parte que promueve un juicio o un recurso no es, por sí mismo, lesivo del derecho a la tutela judicial efectiva. El "desistimiento no adquiere eficacia procesal en cuanto acto de la parte, sino en cuanto acto judicial. El escrito de desistimiento presentado por la parte no pone fin al proceso, habiéndose de aguardar hasta la emisión de la correspondiente resolución judicial que, aceptándolo, ponga fin a la tramitación. Es más, el órgano judicial ni siquiera se encuentra vinculado por la pretensión de desistimiento pudiendo rechazarla y continuar el procedimiento". La conclusión, alcanzada entonces en un proceso social, se impone con más fuerza en un proceso penal. Este planteamiento llevaría a examinar si se produjo o no una desestimación tácita del desistimiento formulado por los apelantes, tal y como admite nuestra jurisprudencia (SSTC 91/1995, fundamento jurídico 4º y 181/1998, fundamento jurídico 4º). Sin embargo, la cuestión pierde todo su sentido desde el momento en que quienes desistieron del recurso eran las personas que habían sido condenadas, y que por ende se encontraban ejerciendo su derecho a recurrir la condena impuesta, derecho conferido directamente por el art. 24 CE. Esta circunstancia obligaba a la Sala de apelación a resolver expresamente sobre los desistimientos presentados; y a ofrecer muy sólidas razones que pudieran justificar la continuación y resolución del recurso, a pesar de que el titular del derecho fundamental a la revisión de la condena había manifestado su voluntad de apartarse del proceso (STC 21/1989, fundamento jurídico 3º)». STC 70/1999 de 26 de abril.

En el caso de inasistencia a la vista de apelación o casación cabe aplicar la misma doctrina. Es decir, que la incomparecencia del recurrente no produce el efecto de tenerlo por desistido del recurso, ya que, en cualquier caso, el desistimiento debe ser expreso y ser admitido por el Tribunal. Cuestión distinta es el caso de recursos que se fundamentan en el acto de la vista (apelación en el procedimiento ordinario por delitos graves) en los cuales el Tribunal desconocerá los motivos de la impugnación ante la ausencia del recurrente. Pero, aún en ese caso y a pesar de la ausencia, el Tribunal deberá proceder al examen y resolución del recurso.

«El hecho de que tanto el Abogado como la Procuradora no hayan asistido a la vista, incluso por causa sólo a ellos imputable, no determina *per se* el desistimiento del recurso, precisándose por el contrario alguno de los dos requisitos ya indicados para atribuir tales efectos jurídicos: que una norma así lo establezca, o que conste la voluntad inequívoca del interesado. Servirá aquel dato, en fin, para descartar la responsabilidad del órgano judicial en el hecho de la incomparecencia, como antes explicamos, pero no para deducir por ello el fin de proceso». STC 194/2015 de 21 Sep. 2015, Rec. 4229/2014; Ponente: Enríquez Sancho, Ricardo. LA LEY 148210/2015.

D) Resolución del recurso. La instrucción de recursos

La resolución dictada en vía de recurso puede mantener la que ha sido impugnada, confirmando la anterior o bien puede dictarse una distinta revocando aquélla. En este último caso, deberán tenerse en cuenta los siguientes límites: 1)

Sólo podrán revocarse los pronunciamientos recurridos. Es decir, si el recurso no se dirigía contra todos los pronunciamientos de la resolución, sino contra parte de los mismos, la nueva resolución sólo puede modificar aquellos que hayan sido objeto del recurso. Esto es así en virtud del principio de congruencia procesal que también tiene aplicación y eficacia en segunda instancia. 2) Precisamente, relacionado con el principio de congruencia procesal en segunda instancia, aparece el principio prohibitivo de la *«reformatio in peius»* que determina que la sentencia de segunda instancia no podrá ser más gravosa que la recurrida cuando sólo existiera un recurrente (*vid.* § 4.3.G de este Cap. IX y § 2.2.A.a.2 Cap. I sobre el principio acusatorio).

La resolución se notificará a todas las partes comparecidas en el recurso haciéndose constar el recurso que resulte procedente contra la misma en virtud del art. 248.4.° LOPJ (en el mismo sentido se pronuncia el art. 208.4 LEC). La ausencia de esta indicación, denominada instrucción de recursos, producirá la nulidad de la notificación en la medida en la que haya podido inducir a error lo que dependerá de la actitud de la parte y su cualificación profesional[3].

De modo que la omisión de la instrucción de recursos no produce, necesariamente, la nulidad de la resolución, puesto que este defecto puede ser suplido por el Letrado de la parte interesada que habrá de conocer los recursos que caben según lo establecido en la Ley (STC 36/1989, de 14 Feb.). Cuestión distinta es que el Juez o el Tribunal indique, equivocadamente, que frente a la resolución judicial caben unos recursos y no otros. En este caso: *a) la* parte no queda vinculada por la errónea indicación del Juez o Tribunal y tendrá derecho a que se sustancien los recursos que corresponden según Ley; b) la resolución podrá ser anulada si induce a la parte litigante a un error que no sea fácilmente detectable por ella misma o por su Letrado (STC 169/1992, 26 Oct.).

> «Conforme se señala en la STC 107/1987, de 25 de junio, FJ 1, a la instrucción o información errónea acerca de los recursos ·ha de darse mayor alcance que a la simple omisión, en cuanto que es susceptible de inducir a un error a la parte litigante, error que hay que considerar como excusable, dada la autoridad que necesariamente ha de merecer la decisión judicial". .../... No se puede, por tanto, en todo caso, imputar a negligencia de la parte su pasividad cuando la misma es resultado de un error del órgano judicial pues, como declarábamos en la STC 5/2001, de 15 de enero, FJ 2, "si la oficina judicial hubiera ofrecido indicaciones equivocadas sobre los recursos utilizables o hubiera declarado firme, expresamente, la resolución y, por tanto, inimpugnable, en tal caso, el interesado, aun estando asistido por expertos en la materia, podría entender por la autoridad inherente a la decisión judicial, que tales indicaciones fueren ciertas y obrar en consecuencia, inducido así a error que, por tanto, sería excusable (STC 102/1987) y no podría serle imputado porque "los

---

[3] «Serán las circunstancias concretas que concurren en el supuesto planteado las que deberán analizarse para determinar si, partiendo de aquella indicación errónea judicial, la parte pudo razonablemente salvar la equivocación y actuar correctamente desde la perspectiva procesal o, por el contrario, aquel error era insalvable y a él no contribuyó su propia negligencia, de forma que merezca el amparo que a través de este proceso constitucional solicita (fundamento jurídico 2)» STC 43/1995.

errores de los órganos judiciales no deben producir efectos negativos en la esfera del ciudadano" (SSTC 93/1983 y 172/1985) (STC 67/1994, de 28 de febrero, FJ 3)». STC 256/2006, de 11 de septiembre[4].

También se ha pronunciado el TC amparando a un recurrente al que no se le motiva suficientemente la razón de la inadmisión de un recurso, en este caso un incidente de nulidad.

«4. El fundamento de la inadmisión del remedio procesal en el presente caso quedó ceñido a la pretendida existencia de otros cauces de reacción procesal que serían preferentes, como se sigue del tenor literal de la providencia impugnada. Esto así, el órgano judicial vulneró el derecho a la tutela judicial efectiva del demandante de amparo (art. 24.1 CE (LA LEY 2500/1978)), privándole de la tutela de los derechos fundamentales que proclama el art. 53.2 CE. (LA LEY 2500/1978) En efecto, el órgano judicial tendría que haber ofrecido una motivación suficiente que justificase la no admisión a trámite del incidente de nulidad de actuaciones por esa causa, precisando el tipo de recurso que creía posible interponer frente a la Sentencia de la Audiencia Provincial de 18 de febrero de 2014. .../....Es particularmente de ese modo si consideramos que: i) la posibilidad de la articulación de un recurso de casación, a tenor del art. 847 de la Ley de enjuiciamiento criminal (LA LEY 1/1882), queda limitada, en lo que ahora nos concierne, a sentencias dictadas por las Audiencias Provinciales cuando lo sean en única instancia, lo que no era el caso; ii) tampoco parece posible situar el supuesto enjuiciado en el marco del recurso de revisión de los arts. 954 y ss. de esa norma, como señala el Ministerio Fiscal, ya que el recurso de revisión tiene para su admisión unos motivos tasados basados en circunstancias excepcionales que el promotor del incidente de nulidad no alegaba. Bajo esas circunstancias, como dijéramos en la STC 204/2014 (LA LEY 181892/2014), FJ 4, el órgano judicial debió haber motivado suficientemente su decisión de inadmisión, desvelando la auténtica *ratio decidendi*. Y no lo hizo, por lo que, en atención a lo expuesto, debe otorgarse el amparo interesado, con anulación de la providencia de 10 de abril de 2014 y retroacción de las actuaciones al momento inmediatamente anterior a su dictado, para que se dicte una nueva resolución judicial que resulte respetuosa con el derecho fundamental reconocido (derecho de acceso al recurso, art. 24.1 CE (LA LEY 2500/1978))».

---

[4] «La instrucción de recursos mediante la que se indica a las partes si la resolución que se les notifica es firme o no y los que, en su caso, procedan (art. 248.4 LOPJ) no forma parte del "decisum" de la resolución judicial (SSTC 177/1985, 155/1991; 70/1996). Por ello, para determinar si los errores u omisiones que la misma pueda contener implican la denegación del recurso debe estarse a la posibilidad de que una actitud diligente del interesado le permita salvar tales defectos y acudir a la vía impugnatoria legalmente prevista (SSTC 70/1984, 107/1987, 376/1993 o 70/1996), ya que, si bien los errores de los órganos judiciales no deben producir efectos negativos en la esfera jurídica del ciudadano, tales errores carecerán de relevancia constitucional cuando sean también imputables a la negligencia de la parte. Ello implica tanto que a la indicación errónea haya de darse "mayor alcance que a la simple omisión, en cuanto que es susceptible de inducir a un error a la parte litigante, error que hay que considerar como excusable, dada la autoridad que necesariamente ha de merecer la decisión judicial" (STC 107/1987), como que deba distinguirse, como esta última Sentencia señala, "la muy diferente situación en la que se encuentra quien interviene en un proceso sin especiales conocimientos jurídicos y sin asistencia letrada y quien, por el contrario, acude a él a través de peritos en Derecho capaces, por ello, de percibir el error en que se ha incurrido al formular la instrucción de recursos"». STC 65/2002 de 11 de marzo.

STC Sala Segunda, Sentencia 142/2015 de 22 Jun. 2015, Rec. 2949/2014, Ponente: Valdés Dal-Ré, Fernando. LA LEY 104913/2015.

E) *Recursos frente a las resoluciones del Letrado de la Administración de Justicia*

En la reforma de la LECrim por la Ley 13/2009 se introdujo en la legislación procesal penal el sistema de recursos frente a las resoluciones dictadas por los Secretarios Judiciales, ahora Letrados de la Administración de Justicia. La Ley prevé los siguientes recursos:

1º Recurso de reposición (art. 238 bis LECrim). Cabe frente a todas las diligencias de ordenación dictadas por los Letrados Ad de Justicia. También puede interponerse recurso de reposición contra los decretos de los Letrados Ad de Justicia, excepto en aquellos supuestos en que proceda la interposición directa de recurso de revisión por así preverlo expresamente la Ley.

El recurso de reposición, que no tendrá efectos suspensivos, se interpondrá por escrito autorizado con firma de Letrado y acompañado de tantas copias cuantas sean las demás partes personadas y expresará la infracción en que la resolución hubiere incurrido a juicio del recurrente. Admitido a trámite el recurso de reposición, por el Letrado de la Ad. de Justicia, se concederá a las partes un plazo común de dos días para presentar por escrito sus alegaciones, transcurrido el cual el Letrado de la Ad. de Justicia resolverá sin más trámite. Contra el decreto del Letrado A. Justicia que resuelva el recurso de reposición no cabrá interponer recurso alguno.

2º Recurso de revisión (artículo 238 ter). Cabe frente a los Decretos dictados por el Letrado Ad de Justicia. Este recurso se interpondrá ante el Juez o Tribunal con competencia funcional en la fase del proceso en la que haya recaído el decreto del Letrado A. Justicia judicial que se impugna.

El recurso se interpondrá por escrito en el que deberá citarse la infracción en que ésta hubiere incurrido, autorizado con firma de Letrado y del que deberán presentarse tantas copias cuantas sean las demás partes personadas. Admitido a trámite el recurso de revisión, por el Letrado Ad de Justicia, se concederá a las partes un plazo común de dos días para que presenten sus alegaciones por escrito, transcurrido el cual el Juez o Tribunal resolverá sin más trámite. Contra el auto resolutorio del recurso de revisión no cabrá interponer recurso alguno. Conforme con el Acuerdo del TS de 20 de julio de 2010: *«Las resoluciones que dicte la Sala resolviendo los recursos contra los decretos del Letrado A. Justicia serán resueltas mediante auto firmado por tres magistrados. En el supuesto de que, de forma extraordinaria o anómala, se interpusiera un recurso contra una diligencia de ordenación se resolverá por un solo magistrado».*

3º El régimen de recursos frente a las resoluciones de los Letrado A. Justicia dictadas para la ejecución de los pronunciamientos civiles de la sentencia y para la realización de la medida cautelar real de embargo prevista en los arts. 589 y 615 LECrim, será el previsto en la Ley de Enjuiciamiento Civil (artículo 238.3 ter LECrim).

SECCIÓN 2. EL RECURSO DE REFORMA

2.1. Regulación

El recurso de reforma es un medio de impugnación ordinario que procede contra las resoluciones del Juez de instrucción o Juez de lo Penal. Por ser un recurso ordinario el único presupuesto exigible para su interposición es el gravamen o perjuicio que la resolución impugnada causa al recurrente, y el objeto del recurso no es otro que la modificación de la resolución impugnada. (Véase M. 121). El recurso de reforma se regula en los arts. 211 (plazo de interposición), 216 y 217 (sustanciación) LECrim. También se refiere a este recurso el art. 766 LECrim en sede de procedimiento abreviado.

El recurso de reforma ya se regulaba en el Libro 2.°, Título 1.°, Ley 28 del Fuero Juzgo, recibiendo la denominación de «recurso de mejora» o de «enmienda». Por otra parte, el hecho de que en el art. 141 LECrim se indique que adoptará la forma de Auto: «la reposición de alguna providencia y la denegación de la reposición», hace inclinar a algún autor a identificarlo con el nombre de recurso de reposición. Sin embargo, a nuestro parecer esa denominación no es más que un mimetismo del proceso civil. En igual confusión incurrió la Circular de la Fiscalía del Tribunal Supremo de 31 de marzo de 1889, en la que se denominó este recurso de reforma como de reposición.

2.2. Resoluciones contra las que procede

Cabe este recurso contra: todos los autos del Juez de Instrucción (arts. 217 y 766 LECrim); los autos del Juez de lo Penal que no estén expresamente exceptuados de recurso (art. 766 LECrim); y las diligencias de ordenación dictadas por el Letrado de la administración de justicia (art. 224 LEC)[5]. También contra aquellas resoluciones que, debiendo ser dictadas por auto, fueran resueltas por providencia (art. 141.1.° y 2.° LECrim. y 245.1 a) y b) LOPJ).

La posibilidad de interponer recurso de reforma contra providencias fue tratada en la Memoria que el Tribunal Supremo elevó al Gobierno el 15 de septiembre de 1902 en la que se afirmó que: «los recursos se dan contra las resoluciones de Jueces y Tribunales por razón de la materia y no por razón de la forma y a la materia se ha de atender para juzgar la procedencia del que se interpone». De otro modo bastaría que una resolución del Juez adoptara por error la forma de providencia, en lugar de auto, para convertirla en inimpugnable. En el mismo sentido se ha manifestado la doctrina del Tribunal Constitucional (STC 349/93, de 22 de noviembre).

En la práctica forense, se ha admitido que se puedan plantear los recursos de reforma contra todas las resoluciones del instructor. Esta posibilidad se basa en la doctrina general referida al derecho de acceso a los recursos, así como en una in-

---

[5] Las clases de resoluciones vienen enunciadas en el art. 206 LEC, que ha derogado tácitamente las propuestas de providencias y autos, es decir, los arts. 290 y 291 LOPJ.

terpretación del art. 217 LECrim, que permite que el recurso de reforma se entable contra cualquier resolución del Juez de Instrucción. Sin olvidar que todas las resoluciones sumariales son reformables, en principio, de oficio.

También ha sido objeto de polémica doctrinal la procedencia o no del recurso de reforma contra el auto de conclusión del sumario. La práctica es la de no admitir recurso alguno contra este auto, ya que, según establece el art. 622 LECrim, es inmediatamente ejecutivo, trasladándose todos los autos al Tribunal competente. Además, las partes podrán plantear ante la Audiencia, conforme al art. 627 LECrim, la necesidad de practicar nuevas diligencias y, en consecuencia, la revocación del citado auto.

2.3. Interposición y sustanciación

El recurso de reforma deberá interponerse, preceptivamente, con carácter previo al recurso de apelación contra aquellos autos en que la Ley permite expresamente dicho recurso[6]. No obstante, podrán interponerse ambos en un mismo escrito, en cuyo caso el de apelación se propondrá subsidiariamente por si fuere desestimado el de reforma (art. 222.1 LECrim). En el ámbito del procedimiento abreviado para determinados delitos, regulado en el Título III del Libro IV, el recurso de reforma no es necesario como trámite previo a la apelación, sino que es optativo (art. 766.2 LECrim).

El recurso de reforma se interpondrá en el plazo de tres días desde el siguiente al de la última notificación de la resolución a los que sean parte en el juicio (art. 211 LECrim). El recurso se deducirá mediante escrito suscrito por Procurador de los Tribunales y autorizado por Abogado (arts. 221 LECrim), ante el mismo órgano jurisdiccional que dictó la resolución impugnada, que también será competente para su conocimiento, ya que se trata de un recurso no devolutivo (arts. 219 y 220 LECrim). En el escrito de interposición se incluirá, en su caso, la fundamentación del recurso. (Véase M. 121). La LECrim no establece cuáles sean los efectos que deban derivarse de la interposición de este recurso. Pero, en la práctica forense el recurso de reforma no suspende la ejecución de lo acordado en la resolución impugnada.

Una vez recibido el escrito con sus correspondientes copias, el Juez dictará providencia, teniendo el recurso por interpuesto en tiempo y forma, y dando traslado del mismo a las demás partes personadas (Véase M. 122), que podrán presentar escritos oponiéndose o apoyando el recurso planteado. El Juez deberá resolver por medio de auto en el plazo de dos días a contar de la última entrega de las copias del recurso hubieren o no presentado escrito las demás partes (art. 222.3.°). (Véase M. 123).

---

[6] Cuando se trate de autos de procesamiento dictados por las Audiencias en los casos que legalmente proceda, sólo cabrá en estos casos el recurso de súplica ante el mismo órgano colegiado. Tampoco cabe recurso de reforma contra las sentencias dictadas en primera instancia por los Jueces de lo Penal, ya que en estos casos procederá interponer directamente el recurso de apelación.

SECCIÓN 3. EL RECURSO DE SÚPLICA

3.1. Regulación. Resoluciones contra las que procede

El recurso de súplica es un recurso no devolutivo que procede contra los autos dictados por los Tribunales colegiados del orden Penal correspondiendo resolverlo al propio órgano que lo hubiese dictado[7]. Así, cabe el recurso de súplica contra los autos dictados por las Audiencias Provinciales, Tribunales Superiores de Justicia, Audiencia Nacional y Tribunal Supremo, cuando no quepa contra los mismos otro recurso autorizado expresamente en la Ley (arts. 236, 237 LECrim). (Véase M. 124). También son susceptibles de recurso de súplica las providencias que tengan el contenido propio de un auto, en los mismos términos y con base en los mismos razonamientos aducidos con relación al recurso de reforma. Sin embargo, no procede recurso de súplica contra las sentencias o autos definitivos de las Audiencias, ya que respecto de estas últimas resoluciones cabrá únicamente recurso de apelación o de casación, según el caso. Tampoco puede interponerse recurso de súplica contra los autos que resuelven, a su vez, otros recursos en segunda instancia[8].

El recurso de súplica es incompatible con el recurso de queja, ya que una vez resuelto el recurso de súplica contra la resolución denegatoria del mismo no cabrá, en ningún caso, recurso de queja. Tampoco procederá el recurso de súplica cuando proceda interponer recurso de queja contra determinados autos de las Audiencias. En este sentido, la doctrina legal ha entendido que la interposición de un recurso de súplica implica el abandono tácito de la casación por ser recíprocamente incompatibles entre sí.

3.2. Interposición y sustanciación

El recurso de súplica deberá interponerse ante el mismo órgano colegiado que hubiese dictado el auto que se impugna correspondiendo también a este mismo órgano la resolución del recurso. Los plazos y el procedimiento a seguir en la tramitación de este recurso son comunes con los seguidos para el recurso de reforma (art. 238 LECrim). En consecuencia, el recurso se interpondrá en tres días (art. 211 LECrim), según el procedimiento expuesto respecto del recurso de reforma (art. 222.2 y 3 LECrim), ante el órgano colegiado que dictó la resolución (Véase M. 124). Los autos se pasarán al Magistrado ponente, el cual informará a la Sala sobre la conveniencia

---

[7] «De acuerdo con la consolidada doctrina constitucional sobre el derecho a los recursos, cuya reiteración excusa aquí su reproducción (STC 122/2007, de 21 de mayo, FJ 4, por todas), ha de descartarse en este caso cualquier atisbo de vulneración del derecho a la tutela judicial efectiva, en su vertiente de derecho a los recursos (art. 24.1 CE), como consecuencia de que por la providencia de 14 de enero de 2005 se declarase no haber lugar al recurso de súplica que los demandantes interpusieron contra la providencia de 17 de diciembre de 2004, pues, de conformidad con el art. 236 LECrim, el recurso de súplica únicamente procede contra los Autos, no contra las providencias, de los Tribunales de lo criminal. Por lo tanto la inadmisión del recurso de súplica se ha fundado en este caso en una aplicación de la legislación procesal vigente que en modo alguno cabe calificar de inmotivada, manifiestamente irrazonable, arbitraria o incursa en error patente». STC 227/2007 de 22 de octubre.

[8] Vid. SSTC 212/91, de 11 noviembre; 3/92 de 13 enero.

o no de la estimación del mismo, que resolverá en el plazo de dos días (art. 222.3 LECrim). Contra el auto que resuelve el recurso de súplica, contrariamente que en el recurso de reforma, no cabe recurso alguno, salvo que proceda recurrir en casación.

SECCIÓN 4. EL RECURSO DE APELACIÓN

4.1. Resoluciones impugnables y función de la apelación

La apelación es un recurso ordinario y devolutivo que se puede interponer frente a distintas resoluciones cumpliendo funciones también distintas. En su virtud podemos distinguir los siguientes supuestos de procedencia del recurso de apelación:

1º Frente a resoluciones interlocutorias de los Jueces instructores o de lo Penal. En estos casos, el recurso de apelación cumple una función depuradora de aquéllas resoluciones, al permitir la denuncia de las infracciones legales, cuya subsanación contribuye a garantizar la tutela judicial efectiva.

2º Frente a determinada sentencias. Concretamente interponer recurso de apelación contra:

— las sentencias dictadas por el Juez de lo Penal (o Juez Central de lo Penal) del que conocerá la Audiencia Provincial (o la Audiencia Nacional) en el ámbito del procedimiento abreviado (art. 790 LECrim);

— las sentencias dictadas en primera instancia por la Audiencia Provincial del que conocerá el Tribunal Superior de Justicia de la Comunidad Autónoma. En estos supuestos el recurso de apelación abre una segunda instancia, en la que el Tribunal «*ad quem*» conocerá del proceso sustanciado en la primera con plenitud de facultades (arts. 790 y ss. y 846 bis LECrim)[9].

3º Frente a las sentencias dictadas en el ámbito de la audiencia provincial y en primera instancia por el Magistrado-Presidente del Tribunal del Jurado (art.

---

[9] La atribución a los TSJ de las CCAA del conocimiento de los recursos de apelación interpuestos frente a las sentencias dictadas por las Audiencias Provinciales en primera instancia se introdujo en el art. 73.3 LOPJ por la LO 19/2003. Del mismo modo el art. 64 bis LOPJ, introducido también por la LO 19/2003, atribuye a la Sala de Apelación de la Audiencia Nacional la competencia para conocer del recurso de apelación frente a las resoluciones dictadas en primera instancia por la Sala de lo Penal de la Audiencia Nacional. Sin embargo, estas normas no tenían correlato en la LECrim que no regulaba este recurso de apelación. Por esa razón no se admitía la apelación en esos casos, tal y como habían declarado numerosas sentencias: resulta obvio que, para que las Salas de lo Penal de los Tribunales Superiores de Justicia puedan conocer «de los recursos de apelación contra las resoluciones dictadas en primera instancia por las Audiencias Provinciales» [(art. 73.3.c) LOPJ], será preciso adecuar las normas procesales. Véanse también en ese sentido las siguientes resoluciones: AATSJ Cataluña (Sala Civil y Penal) 28 de junio de 2007, LA LEY 118909/2007; de Madrid 23 de marzo de 2004 (LA LEY 71188/2004); Valencia 1 de junio de 2004 (LA LEY 128915/2004); Murcia, 12 de mayo (Rec. Queja núm. 4/2004) (LA LEY 111992/2004), y núm. 11/2004, de 28 de junio (Rec. Queja núm. 5/2004) (LA LEY 152446/2004).

846 ter LECrim) del que conocerá el Tribunal Superior de Justicia de la Comunidad Autónoma. Este recurso no es una apelación ordinaria con plenas facultades revisoras por el Tribunal «*ad quem*» y la posibilidad de admisión y práctica de nuevas pruebas, «*nova reperta*», etc.; sino una apelación restringida —o híbrida como la califica alguna doctrina—, que sólo puede fundarse en alguno de los cinco motivos tasados y enumerados en la Ley —art. 846 bis c) LECrim—. Se trata en definitiva de un recurso extraordinario, de naturaleza casi idéntica, en ciertos aspectos, al recurso de casación. Es por esa razón que este concreto recurso de apelación lo analizaremos al estudiar el procedimiento del Tribunal de Jurado en el Cap. XVI.

No cabe recurso de apelación contra los autos del Tribunal Supremo ante la Sala del art. 61 LOPJ de dicho Tribunal o ante la Sala en Pleno.

4.2. El recurso de apelación frente a resoluciones interlocutorias. Procedibilidad y procedimiento

El recurso de apelación puede interponerse contra resoluciones interlocutorias tanto en el procedimiento ordinario por delitos graves como en el procedimiento abreviado. La diferencia estriba en que en el procedimiento abreviado el recurso de apelación cabe frente a todos los autos, siempre que la ley no lo excluya expresamente (art. 766 LECrim). Por ejemplo, no cabe recurso de apelación frente al auto de apertura de juicio oral. (783.3 LECrim). Mientras que en el procedimiento ordinario únicamente se admitirá en los casos expresamente señalados en la Ley (art. 217 LECrim).

A) El recurso de apelación frente a resoluciones interlocutorias en el procedimiento ordinario por delitos graves

El art. 217 LECrim establece que el recurso de apelación únicamente podrá interponerse en los casos determinados en la Ley. Entre otros supuestos, la LECrim permite el recurso de apelación en los siguientes preceptos: 25, 32, 78, 128, 311.2.°, 313.2.°, 384.5.°, 517, 529, 596, 830, 975, 976, etc. Sin embargo, esa enumeración no es exhaustiva, ya que la apelación es el medio de impugnación ordinario de las resoluciones del Juez instructor en el sumario y, por tanto, cabe en general contra los autos resolutorios de los recursos de reforma. Esta amplitud y generalidad de la apelación se pone de manifiesto en la propia LECrim, que en su art. 223 establece la necesaria admisión del recurso por el Juez, sin más trámite: «Interpuesto el recurso de apelación, el Juez lo admitirá en uno o en ambos efectos, según sea procedente». Y en el art. 225, refiriéndose al testimonio a enviar al Tribunal superior en el supuesto de admisión en un solo efecto, señala claramente que se «... *mandará sacar testimonio del auto primeramente recurrido de los escritos referentes al recurso de reforma*...».

a) Interposición

El recurso se interpone ante el propio órgano que ha dictado la resolución que se impugna —«órgano *a quo*— (arts. 219 LECrim) y lo resuelve el órgano superior —«órgano *ad quem*»— que será aquel al que corresponda conocer del juicio oral (art. 220.2 LECrim)[10]. Este órgano superior es la Audiencia Provincial, aunque también cabe que conozca el TS, en los supuestos de causas contra personas aforadas (arts. 224 LECrim y 57 LOPJ).

El recurso de apelación se interpondrá dentro del plazo de cinco días. Este plazo se contará desde el siguiente al de la última notificación, a los que sean parte en el juicio, de la resolución judicial objeto de recurso (art. 212 LECrim). El recurso de apelación no podrá interponerse, sino después de haberse ejercitado el de reforma. Pero, también se pueden interponer ambos en un mismo escrito. En ese supuesto, el recurso de apelación se propondrá subsidiariamente, por si fuere desestimado el de reforma (art. 222.1 LECrim). (Véase M. 125)[11]. El recurso deberá interponerse por escrito, autorizado con firma de Letrado (art. 221 LECrim), sin necesidad de fundamentación alguna[12].

b) Admisión del recurso

El Juez ante el que hubiere interpuesto el recurso lo admitirá en uno o ambos efectos según sea procedente (art. 223 LECrim)[13]. (Véase M. 128 y M. 1292). La regla general es la admisión en un solo efecto, admitiéndose en ambos efectos únicamente en los supuestos previstos expresamente en la Ley (art. 217 LECrim)[14]. Igual sucede en el procedimiento abreviado, en el que el art. 766.1 LECrim dispone que salvo norma en contrario el recurso no suspenderá el curso del procedimiento. Es decir, la regla general es que el recurso de apelación sólo se admitirá en un sólo efecto: el devolutivo, pero no en el suspensivo, de modo que el recurso no suspende el efecto de la resolución impugnada.

Admitido el recurso en un solo efecto, se remitirán al órgano superior, que deba conocer del mismo, los testimonios de particulares procedentes para la sustanciación del recurso, permaneciendo los autos en el Juzgado y prosiguiendo el proceso principal (art. 225 LECrim). El Juez incluirá, además del testimonio del auto primeramente recurrido y de los escritos referentes al recurso de reforma y del auto apelado, cuantos otros particulares considere necesario incluir. Las partes, dentro de los días siguientes a serle notificada la providencia fijando la expedición del testimonio, pueden solicitar al Juez que se incluyan los particu-

---

[10] Aunque, cabe la posibilidad que acabe conociendo una Audiencia Provincial distinta. Esto sucederá por ejemplo en el supuesto que de estimarse una declinatoria en cuyo caso acabará conociendo del juicio oral una Audiencia distinta, aunque la primera habrá actuado con competencia para ello.

[11] Como se expone más adelante en el procedimiento abreviado no es necesario interponer previamente el recurso de reforma, siendo este último meramente optativo —art. 766.2 LECrim.—. Caso de interponerse el de reforma, el de apelación podrá interponerse subsidiariamente o por separado. (Véase M. 126).

[12] En el procedimiento abreviado, sin embargo, se interpondrá en escrito motivado. Ya sea apelación frente a resolución interlocutoria (art. 766.3 LECrim); o frente a sentencia (art. 790.2 LECrim). (Véase M. 126).

[13] Supuestos de admisión del recurso en un solo efecto son, entre otros, los de los arts. 12.4.°, 311.2.°, 384.3.°, 518 LECrim.

[14] Supuestos de admisión del recurso en ambos efectos: arts. 27.2.°; 32.2.°, 313.2.° LECrim.

lares que crean procedentes (art. 225.2 LECrim.). El Juez decidirá, sin ulterior recurso, dentro del siguiente día, teniendo siempre presente el carácter reservado del sumario.

La sustanciación del recurso de apelación contra una resolución interlocutoria no impedirá la terminación del sumario. El Juez de instrucción, una vez completado el sumario, dictará auto de conclusión y lo remitirá a la Audiencia competente. En ese supuesto, quedarán en suspenso los trámites del período intermedio, previstos en el art. 627 LECrim, hasta que se resuelvan los recursos de apelación pendientes (art. 622.3.° y 4.° LECrim). Cuando la admisión del recurso sea en ambos efectos, se mandará remitir los autos originales al Tribunal que hubiere de conocer de la apelación y se emplazará a las partes para que se personen ante dicho órgano (art. 224 LECrim).

c) Sustanciación y resolución

El procedimiento de sustanciación del recurso se contiene en los arts. 212 y 220 y ss. LECrim. En su virtud, interpuesto y admitido el recurso, en uno o en ambos efectos, se remitirán los autos al Tribunal Superior («*ad quem*»), y se emplazará a las partes a comparecer ante el Tribunal superior en diez días (15 si es ante el TS o TSJ en el caso que fueren competentes) (art. 224 LECrim). Si el apelante no se personase en el plazo concedido a tal efecto se declarará, de oficio, desierto el recurso (art. 228 LECrim). Si el apelante se hubiese personado el Tribunal, después de dar vista de los autos a él y a las demás partes personadas (por tres días, empezando por el apelante y acabando por el Fiscal (art. 229 LECrim) señalará día para la vista la cual se celebrará asistan o no las partes (Véase M. 373). La asistencia del Ministerio Fiscal será obligatoria en todas las causas en que éste interviniere. En ningún caso procederá acordar la suspensión de la vista, rechazándose de plano, sin ulterior recurso, cuantas pretensiones de suspensión se formulen (art. 230 LECrim). A este efecto, el art. 230.3 LECrim dispone que el Presidente del Tribunal deberá cuidar de que el recurso sea sustanciado en el plazo más breve posible, estableciendo un plazo máximo de dos meses para la celebración de la vista.

Las partes podrán presentar, antes del día de la vista, los documentos que consideren oportunos para justificar sus pretensiones, no siendo admisible otro medio de prueba (art. 231 LECrim). El auto resolutorio de la apelación será comunicado al Juez instructor para que proceda a darle cumplimiento, debiendo el Presidente del Tribunal que hubiera conocido, bajo su responsabilidad, velar por la devolución de los autos al Juez inferior y la comunicación del citado auto resolutorio. (Véase M. 374)[15].

---

[15] En el procedimiento abreviado la principal característica es que la sustanciación del recurso se lleva a cabo por escrito y, por tanto, no existe emplazamiento de las partes ante el Tribunal «ad quem», ni tampoco la sustanciación de vista de apelación. Excepto en el caso de que en el auto recurrido se acordara la prisión provisional del imputado, en el que la apelante podrá solicitar la celebración de vista que la Audiencia acordará. Si el auto se pronuncia sobre otra clase de medidas cautelares la Audiencia podrá acordar la vista si lo considera conveniente (art. 766.5 LECrim).

B) El recurso de apelación frente a resoluciones interlocutorias en el procedimiento abreviado

El art. 766 LECrim regula los recursos que caben frente a los autos interlocutorios dictados por el Juez de instrucción y de lo penal. Los recursos y el procedimiento que se establecen en dicho precepto no se apartan en lo esencial de la regulación general prevista en los artículos 216 y ss. LECrim, con algunas especialidades que se exponen a continuación.

En el procedimiento abreviado frente a los autos dictados por el Juez de Instrucción y de lo Penal, que no estén exceptuados de recurso, podrá ejercitarse recurso de reforma y si no fuere estimado de apelación que, salvo norma en contrario, no suspenderán el curso del procedimiento. El recurso de reforma se interpondrá en el término de los tres días siguientes a la notificación de la resolución de que se trate (art. 211 LECrim) ante el Tribunal que hubiere dictado la resolución que se impugna (art. 219 LECrim) y resolverá el mismo Tribunal ante el que se hubiere interpuesto (art. 220.1 LECrim) (Véase M. 364 a 366). Téngase en cuenta que tratándose de diligencias de instrucción los días señalados son naturales, por lo que no se excluyen los inhábiles. Véase sobre el cómputo de plazos § 2.2.B Cap. V. La regulación vigente introducida por Ley 38/2002 mejora notablemente el sistema establecido en el derogado art. 787 LECrim que regulaba un sistema innecesariamente complejo fundamentado en el recurso de Queja como medio ordinario para impugnar las resoluciones interlocutorias en el procedimiento abreviado. Pero también cabía recurso de apelación en los supuestos especialmente previstos en la ley. Este recurso, por otra parte, se interponía en plazo distinto que la apelación en el procedimiento por delitos graves. En definitiva, el sistema podía calificarse de confuso y defectuoso técnicamente. En el sistema vigente, sin embargo, no cabe el recurso de queja en el procedimiento abreviado. Ello se deduce de la regulación legal expuesta que prevé dos posibilidades: 1ª Autos frente a los que no cabe recurso alguno, y cabe entender que tampoco el de Queja; 2ª El resto de Autos pueden ser impugnados en apelación, como recurso general en este procedimiento. A diferencia del procedimiento por delitos graves, en el que el recurso de apelación se limita a los casos previstos en la Ley.

La competencia para conocer del recurso de apelación se atribuye al Tribunal que deba conocer de la causa en juicio oral (art. 220.2 LECrim). Esta norma plantea el problema de que la competencia para el fallo de los delitos tramitados por procedimiento abreviado puede corresponder a los Jueces de lo Penal o a la Audiencia Provincial. Este problema no se planteaba en la regulación anterior, ya que el derogado art. 787.1 LECrim atribuía expresamente la competencia para conocer de la apelación a la Audiencia Provincial o Sala de lo Penal de la Audiencia Nacional. En la regulación vigente debemos acudir a la regulación específica en sede de procedimiento abreviado (art. 766.3 LECrim) que se refiere, concretamente, a la Audiencia Provincial. Por otra parte, el art. 89 bis.2 LOPJ no atribuye a los Juzgados de lo Penal más competencia que para enjuiciar las causas por delito que la ley determine.

El recurso de apelación podrá interponerse subsidiariamente con el de reforma o de modo independiente (art. 766.2 LECrim) (véase M. 126). Si se interpusiere subsidiariamente la ley prevé un incidente de alegaciones especialmente útil para el supuesto en que se desestime total o parcialmente el recurso de reforma. Este incidente consiste en el traslado, en ese caso, al recurrente de la resolución desestimatoria para que pueda formular alegaciones y presentar, en su caso, los documentos justificativos de sus peticiones (art. 766.4 LECrim). La importancia de este trámite de alegaciones es evidente por cuanto permite a la parte que opte por interponer la apelación de modo subsidiario no «perder» un trámite de alegaciones del que sí se dispone en el caso de interponer separadamente el recurso de reforma y el de apelación.

Así sucede en el procedimiento ordinario por delitos graves en el que la interposición de la apelación de modo subsidiario determina que una vez denegada la reforma se eleven los autos a la audiencia sin dar trámite al recurrente al efecto de poder formular alegaciones respecto al auto denegatorio de la reforma.

En el caso que se interponga separadamente, el recurso de apelación se interpondrá en el plazo de cinco días naturales siguientes a la notificación del auto recurrido o del resolutorio del de reforma. El escrito de apelación deberá contener los motivos de recurso, aportándose los documentos justificativos de las peticiones formuladas, y se señalarán los particulares que hayan de testimoniarse. Admitido el recurso se dará traslado a las demás partes personadas por un plazo común de cinco días para alegar y aportar los documentos que consideren oportuno, así como señalar otros particulares que deban ser testimoniados. En los dos días siguientes se remitirán testimonio de los particulares señalados a la Audiencia respectiva que resolverá dentro de los cinco días siguientes. (Véase M. 127). Nótese que no se remiten las actuaciones sino el testimonio de aquellos particulares señalados por las partes y que resulten de interés para la resolución del recurso. Aunque, excepcionalmente, la Audiencia podrá reclamar las actuaciones para su consulta siempre que con ello no se obstaculice la tramitación de la causa. En ese caso, la Audiencia deberá devolver las actuaciones al Juez en el plazo máximo de tres días.

El recurso de apelación frente a resoluciones interlocutorias se tramita, al igual que lo hacía el derogado art. 787 LECrim, por escrito motivado sin la sustanciación de vista oral, como sí sucede en el procedimiento ordinario por delitos graves (art. 230 LECrim). A nuestro juicio la tramitación por escrito resulta justificada por la mayor rapidez en la sustanciación del recurso. Ahora bien, en el caso de resoluciones que acuerdan medidas cautelares, especialmente el auto que acuerda la prisión provisional, puede ser conveniente la sustanciación de vista oral ante la audiencia provincial. Precisamente, el art. 766.5 LECrim contempla esa necesidad, de modo que en el caso de interponerse recurso de apelación frente al auto que acuerda la prisión provisional de un imputado se podrá solicitar la celebración de vista que, solicitada por la parte, el Tribunal debe acordar necesariamente. También se podrá solicitar la celebración de vista en el caso que el auto recurrido se pronuncie sobre medidas cautelares con carácter general, pero en ese caso la audiencia provincial no está obligada a acordar la celebración de vista, que sólo señalará si lo estima conveniente. En cualquiera de esos casos la vista deberá celebrarse dentro de los diez días siguientes a la recepción de la causa en la Audiencia Provincial.

4.3. El recurso de apelación contra sentencias definitivas. Segunda instancia

En el esquema original de la LECrim se distinguía entre las sentencias dictadas en juicio de faltas y las dictadas en procesos por delitos. Las primeras eran susceptibles de apelación. Las segundas de recurso de casación. Sin embargo este esquema fue modificado por sucesivas reformas de 1967, 1980, 1988 y 2015, de modo que en el actual sistema de recursos previsto en la LECrim cabe recurso de apelación frente a las sentencias dictadas en primera instancia en el procedimiento ordinario por delitos graves (art. 846 ter LECrim); en procedimiento abreviado (art. 790 LECrim), de enjuiciamiento rápido (art. 803 LECrim), procedimiento por delitos leves (art. 976 LECrim) y procedimiento de Jurado (art. 846 bis a) LECrim).

La competencia se atribuye a: la Audiencia Provincial en el caso de que hubiere conocido de la primera instancia el Juez de lo Penal (arts. 790, 803, 976 LECrim). También se atribuye competencia a la Audiencia Provincial para el conocimiento de la apelación frente a sentencias dictadas por el Juez de Instrucción en el procedimiento por delitos leves. Pero, en ese caso, la Audiencia se constituirá con un solo Magistrado, mediante un turno de reparto (art. 82.2 LOPJ). En el caso que hubiere conocido el Tribunal de jurado o la Audiencia Provincial conocerá de la apelación el Tribunal Superior de Justicia (arts. 846 bis a) y 846 ter LECrim). En el caso que hubiere conocido en primera instancia la Sala de lo Penal de la Audiencia Nacional conocerá del recurso de apelación la Sala de Apelación de la Audiencia Nacional (art. 846 ter LECrim). A ese fin la Sala de lo Civil y Penal de los Tribunales Superiores de Justicia y la Sala de Apelación de la Audiencia Nacional se constituirán con tres magistrados (art. 846 ter LECrim). (Véase M. 133, 134, 135).

El recurso de apelación frente a sentencia definitiva abre la segunda instancia a diferencia del interpuesto frente a los autos interlocutorios dictados durante la sustanciación del proceso que no abre la segunda instancia, ya que, entre otras razones, la primera instancia aún no habrá finalizado. El recurso de apelación es un recurso devolutivo y ordinario que se puede interponer fundamentado en cualquier infracción procesal o de ley y, lo esencial, también en el error en la apreciación de la prueba. Por esas características el recurso de apelación garantiza el derecho a la segunda instancia y a una revisión de la sentencia dictada en la primera instancia, en tanto que no está limitada la impugnación ni tampoco el ámbito de conocimiento del Tribunal de segunda instancia. Especialmente, porque el Tribunal de apelación puede valorar nuevamente la prueba practicada situándose en la misma posición que tenía el Tribunal de instancia. Ello sin perjuicio, como veremos más adelante, de las limitaciones que se plantea la revisión en apelación de la prueba personal cuya valoración depende de la directa inmediación del Tribunal que dictó la sentencia apelada. En definitiva, lo que resulta esencial a la segunda instancia es que no se limite la impugnación ni tampoco el ámbito de conocimiento del Tribunal de segunda instancia.

«... La doble instancia en la jurisdicción penal, configurada precisamente como garantía... y como tal y por ello mismo integrada en el ámbito de la tutela judicial, conlleva la posibilidad de impugnar las decisiones judiciales ante un Juez superior, generalmente colegiado... y conlleva, con el llamado efecto devolutivo, que el juzgador *ad quem* asuma la plena jurisdicción sobre el caso, en idéntica situación que el Juez *a quo*, no sólo por lo que respecta a la subsunción de los hechos en la norma, sino también para la determinación de tales hechos a través de la valoración de la prueba... «el recurso de apelación otorga plenas facultades al Juez o Tribunal *ad quem* para resolver cuantas cuestiones se planteen, sean de hecho o de Derecho, por tratarse de un recurso ordinario que permite un novium iuditium (SSTC 124/83, 54/85, 145/87, 194/90 y 21/93)... en consecuencia, es tan posible como frecuente la disparidad de criterio entre los Jueces y Tribunales de primera y segunda instancia...». STC 102/94, de 11 abril.

Ahora bien, lo expresado no es óbice, como hemos dicho, para reconocer la existencia de cierta vinculación del Tribunal «*ad quem*», respecto a la valoración probatoria efectuada bajo el principio de inmediación por el Tribunal «*a quo*».

A) Órgano competente

Hay que distinguir entre la interposición y la competencia para conocer del recurso. El recurso se interpone ante el órgano judicial que dictó la resolución impugnada —art. 790.2 LECrim.—, que en este caso será el Juez de lo Penal o en su caso el Juez Central de lo Penal. La competencia para conocer del recurso se atribuye a la Audiencia Provincial o bien la Audiencia Nacional, respectivamente.

B) Interposición y fundamentación de la apelación

El recurso de apelación se interpondrá ante el mismo órgano que dictó la sentencia que se impugna. Así resulta del art. 790.2 LECrim al que se remite también el art. 846 ter LECrim[16]. En su virtud, se interpondrá ante el Juez de instrucción, Juez de lo Penal o la Audiencia Provincial según el caso. (Véase M. 133, 134, 135). El apelante dispondrá de un plazo de diez días desde la notificación de la sentencia a la última de las partes personadas para la interposición del recurso —art. 790.1 LECrim—. Durante ese período las actuaciones se hallarán las actuaciones en Secretaría a disposición de las partes, teniendo en cuenta que no existe trámite de instrucción de las partes ante el órgano «*ad quem*». En el recurso deberán contenerse los siguientes extremos: 1º) La petición de revocación o modificación de la sentencia con base en la existencia de un perjuicio o gravamen; 2º) Los fundamentos de la apelación; 3º La petición de la práctica de prueba y/o la de celebración de vista oral; 4º La fijación de un domicilio para notificaciones.

1º En el recurso debe constar la manifestación inequívoca del justiciable de recurrir la sentencia por causarle un perjuicio. Este requisito que no aparece expresamente establecido en la regulación legal se deduce de la naturaleza y presupuestos de los recursos que exigen, en primer lugar, que exista un gravamen para el recurrente. De este modo no le cabe recurrir a la parte a la que ningún perjuicio causa la sentencia.

Este perjuicio debe ser directo. Es decir, no puede recurrir la sentencia el coacusado absuelto para solicitar la absolución del otro coacusado. En sentido contrario ningún perjuicio le produce al condenado la absolución del coacusado. Un proble-

---

[16]   846 ter LECrim: «Los recursos de apelación contra las resoluciones previstas en el apartado 1 de este artículo se regirán por lo dispuesto en los artículos 790, 791 y 792 de esta ley, si bien las referencias efectuadas a los Juzgados de lo Penal se entenderán realizadas al órgano que haya dictado la resolución recurrida y las referencias a las Audiencias al que sea competente para el conocimiento del recurso».

ma de especial calado se produce con relación a la legitimación que pueda tener el responsable civil subsidiario para recurrir en apelación respecto a la responsabilidad penal de la que deriva la civil por la que se le condena. A este respecto ha declarado el TC que debe adoptarse un criterio favorable a la admisión del recurso (Véase la STC 48/2001 de 26 de febrero; y § 2.2 Cap. IV, en sede de partes sobre esta cuestión).

Más compleja es la cuestión del gravamen procesal que recae sobre la parte acusada absuelta o la de la acusación que obtiene la condena solicitada. En estos casos, la sentencia ningún perjuicio causa por lo que, en principio, no concurre el presupuesto esencial del gravamen e interés para recurrir. Ahora bien, en el caso de apelación de contrario se produce una situación de pendencia procesal que puede finalizar con una sentencia que cause, finalmente, un perjuicio a la parte no recurrente. Ante esta situación en el proceso civil cabe la impugnación de la sentencia que se puede formular en el traslado del recurso de apelación (art. 461 LEC). En el proceso penal, sin embargo, no cabe formular la apelación transcurrido el plazo de diez días, sin perjuicio de que la parte apelada pueda formular alegaciones y solicitar prueba que acredite los extremos y fundamentos alegados en su escrito de oposición al recurso, sin que sea preciso ni posible en ese trámite formular apelación de clase alguna (véase sobre la derogación del art. 795.4 LECrim y el nuevo régimen de traslado y oposición al recurso de apelación en el § 6.3.D de este capítulo).

En definitiva, la existencia del gravamen se deducirá del contenido del fallo con relación a lo solicitado en conclusiones definitivas; y el recurso deberá finalizar con la petición expresa de revocación o modificación de la sentencia según lo interesado y con base en los fundamentos expuestos, según se expone a continuación.

2° Los fundamentos de la impugnación que se expondrán de forma ordenada según los motivos de recurso previstos en la Ley que son: quebrantamiento de las normas y garantías procesales; error en la apreciación de las pruebas; infracción de normas del ordenamiento jurídico en las que se base el recurso.

Nótese la importancia de la exposición razonada de las alegaciones. En primer lugar porque, no obstante el carácter de recurso ordinario de la apelación, el recurso interpuesto debe reunir los requisitos exigidos en la Ley y en caso contrario no se admitirá (art. 790.4 LECrim) (véase el epígrafe siguiente de este Capítulo). En segundo lugar, porque, salvo que se acuerde la celebración de vista oral, el recurrente no dispondrá de ocasión posterior para formular o completar las alegaciones en las que fundamenta la apelación.

— Infracción de normas y garantías procesales. Este motivo de impugnación incluye la infracción de normas constitucionales y tiene por fundamento la impugnación de la sentencia por haberse infringido normas y garantías procesales que hubieren producido una situación de indefensión en el recurrente. La impugnación de la sentencia por este motivo exige el cumplimiento de los siguientes requisitos, conforme con lo previsto en el art. 790.2.2° LECrim: 1) Que se citen las normas legales o constitucionales infringidas y los motivos de indefensión; 2) Se acredite haber pedido la subsanación de la falta o infracción en la primera instancia, salvo que se hubiere producido en un momento procesal en que fuere imposible la reclamación (v.g. en la sentencia o en la notificación de aquélla); 3)

Que se expresen la razones de la indefensión que determinen que la infracción no pueda ser subsanada en la segunda instancia. Nótese, que si existiere tal posibilidad de subsanación en la segunda instancia, el órgano «ad quem» la efectuará y entrará a conocer de los demás motivos del recurso, en el supuesto de que se hubieran formulado eventualmente.

— Error en la apreciación de la prueba. Este motivo de recurso se dirige a combatir tanto el resultado de la prueba, como las inferencias lógicas y argumentativas del Juez en la sentencia que ofrecen como resultado la condena o absolución del acusado. El motivo debe fundarse en un discurso racional y lógico con base en el análisis de la prueba obrante en autos del que se deduzca un resultado distinto al obtenido por el Juez y plasmado en la sentencia. En este sentido, debe evitarse la impugnación basada en la que únicamente se realiza una libre interpretación de la prueba sin ningún fundamento o base en los autos en los que consta la prueba practicada. Es decir, tal y como se reitera en la jurisprudencia: deben explicarse las razones del recurso y sus fundamentos de forma clara y precisa, sin pretender sustituir sin más la valoración de la sentencia por otra parcial, subjetiva e interesada.

En este punto debemos hacer referencia a la singularidad de este motivo que se fundamenta en el error del tribunal de instancia en la valoración libre y en conciencia de la prueba practicada en el acto del juicio oral de conformidad con el principio de inmediación. Precisamente, el amplio ámbito de discrecionalidad que se atribuye al Juez de primera instancia para valorar la prueba libremente determina la dificultad de someter a revisión de un tribunal superior una sentencia con base en el error en la apreciación de la prueba teniendo en cuenta que la valoración de la prueba no se halla determinada por criterios formales y predefinidos. Ciertamente, los medios modernos de grabación del juicio pueden facilitar la revisión de la prueba practicada en segunda instancia. Ahora bien, no cabe ninguna duda de la gran diferencia que existe entre la directa apreciación de la prueba y la visualización de lo acaecido mediante una grabación que no suele tener demasiada calidad de imagen y sonido. En cualquier caso, siempre se tratará de la contraposición entre una primera valoración de la prueba realizada en primera instancia en un juicio oral sometido a los principios de inmediación, concentración e unidad de acto y una segunda valoración producida en segunda instancia mediante un juicio revisorio que conforme con la LECrim tiene lugar, por lo general, sin la celebración de vista oral.

Por otra parte, debemos tener en cuenta la diferente situación que se plantea según la sentencia impugnada sea condenatoria o absolutoria.

En el supuesto de sentencia condenatoria el acusado condenado en primera instancia tiene derecho a la revisión de su sentencia condenatoria por un Tribunal superior. Así resulta del art. 14.5.º del Pacto Internacional de Derechos Civiles y Políticos de 1966. Revisión que debe tener amplio alcance permitiendo al Tribunal de apelación conocer de todo lo referente a la práctica de la prueba y su valoración por el tribunal de instancia[17].

---

[17]   No obstante, el derecho español no preveía en todos los casos un recurso de apelación frente a todas las sentencia condenatorias, puesto que en los casos de los que conocía la Audiencia

En el supuesto de las sentencia absolutorias el problema que se plantea es el del alcance que deba tener el motivo del error en la apreciación de la prueba, teniendo en cuenta que la revisión de la prueba por el Tribunal de apelación que no la presenció puede determinar que una sentencia absolutoria pase a ser condenatoria. En ese caso aparece la paradoja de que el condenado en segunda instancia tendría derecho a un recurso de apelación ordinario frente a la primera sentencia condenatoria que sería la de apelación. Se trata de un problema que puede resolverse de distintas maneras: 1° Considerando que las sentencias absolutorias no son susceptibles de recurso, estableciendo el principio que una sentencia absolutoria excluye cualquier juicio posterior. 2° Estableciendo límites o requisitos para la revisión de la prueba en segunda instancia. Esto es lo que se pretendió en la jurisprudencia iniciada por la STC 167/2002 en la que el Tribunal Constitucional establecía unos requisitos, imposibles de cumplir y además insuficientes e inadecuados, para la revisión en segunda instancia de la prueba en el supuesto de sentencias absolutorias en primera instancia. Conforme con la doctrina impuesta en la citada STC 167/2002, reiterada en numerosas resoluciones posteriores, se estableció la doctrina de la proscripción de la revisión por el Tribunal de segunda instancia de los hechos probados que hubieran sido directamente inmediados por el Tribunal «a quo». Esta jurisprudencia tenía como finalidad garantizar el derecho a un juicio justo del acusado absuelto en el proceso penal. Derecho que se cumpliría mediante la celebración de una vista contradictoria con una eventual repetición de la prueba practicada en primera instancia cuya valoración es impugnada en el recurso de apelación. También se añadió posteriormente (STC 184/2009) la necesidad de oír en la alzada al acusado absuelto como forma de garantizar su derecho de audiencia, contradicción y a un juicio justo. Esta doctrina resultaba absolutamente inapropiada básicamente porque ni la ley lo permite (los supuestos de prueba en segunda instancia son tasados) ni puede repetirse la prueba y mucho menos en segunda instancia. Véase sobre esa jurisprudencia más adelante el § G).

En este punto, la reforma de la LECrim por la Ley 41/2015 ha pretendido solucionar la cuestión aportando una tercera solución que si bien puede no ser perfecta puede servir de remedio al problema planteado. La solución legal se halla en dos normas. En primer lugar en el art. 790.2.3 LECrim que establece que: «*cuando la acusación alegue error en la valoración de la prueba para pedir la anulación de la sentencia absolutoria o el agravamiento de la condenatoria, será preciso que se justifique la insuficiencia o la falta de racionalidad en la motivación fáctica, el apartamiento manifiesto de las máximas de experiencia o la omisión de todo razonamiento sobre alguna o algunas de las pruebas practicadas que pudieran tener relevancia o cuya nulidad haya sido improcedentemente declarada*». De modo que no cabe la simple alegación de un error de interpretación o juicio, sino que debe motivarse el recurso con relación a un defecto

---

Provincial el recurso que cabía frente a esa sentencia era el de casación que está limitado en cuanto a la impugnación y revisión de la valoración de la prueba. No ha sido hasta la reforma de la LECrim operada por la Ley 41/2015 de 5 de octubre cuando se ha modificado el art. 846 ter LECrim que dispone que son recurribles en apelación: «*las sentencias dictadas por las Audiencias Provinciales o la Sala de lo Penal de la Audiencia Nacional en primera instancia son recurribles en apelación ante las Salas de lo Civil y Penal de los Tribunales Superiores de Justicia de su territorio y ante la Sala de Apelación de la Audiencia Nacional, respectivamente, que resolverán las apelaciones en sentencia*».

en la valoración de la prueba de la entidad y relevancia descritas en el precepto. En segundo lugar, la Ley 41/2015 modifica el art. 792.2 LECrim, al que luego nos referimos, para proscribir, en su primer párrafo, que el Tribunal de apelación pueda condenar al absuelto en primera instancia o agravar la sentencia condenatoria[18]; y en el siguiente párrafo facultar al Tribunal de apelación para anular en ese caso la sentencia impugnada con devolución al Tribunal de primera instancia que deberá volver a conocer con una nueva composición del órgano de primera instancia[19]. En realidad la Ley establece esta última norma como una posibilidad, aunque resulta evidente que en el caso que analizamos de nulidad de una sentencia absolutoria por error en la apreciación de la prueba esta debe ser la norma aplicable. De ese modo, como veremos, se pone fin a una situación kafkiana en la que ni abogados ni Tribunales estaban seguros de como conducirse ante la apelación de una sentencia absolutoria.

> «De conformidad con el párrafo segundo del artículo 792 de la LECrim. actual "La sentencia de apelación no podrá condenar al encausado que resultó absuelto en primera instancia ni agravar la sentencia condenatoria que le hubiera sido impuesta por error en la apreciación de las pruebas en los términos previstos en el tercer párrafo del artículo 790.2.", y este último precepto hace referencia a que "cuando la acusación alegue error en la valoración de la prueba para pedir la anulación de la sentencia absolutoria o el agravamiento de la condenatoria, será preciso que se justifique la insuficiencia o la falta de racionalidad en la motivación fáctica, el apartamiento manifiesto de las máximas de experiencia o la omisión de todo razonamiento sobre alguna o algunas de las pruebas practicadas que pudieran tener relevancia o cuya nulidad haya sido improcedentemente declarada". En nuestro caso el recurrente no ha solicitado en forma alguna la anulación de la sentencia, ni ha justificado suficientemente la insuficiencia o la falta de racionalidad en la motivación fáctica». SAP de Zaragoza, Sección 3ª, Sentencia 228/2017 de 9 Jun. 2017, Rec. 590/2017; Ponente: Gil Corredera, María Josefa Angeles. LA LEY 89042/2017.

3º Petición de diligencias de prueba (*vid. infra* § E de esta Sección 4ª).

4º El recurrente deberá fijar un domicilio para notificaciones en el lugar donde tenga su sede la audiencia (art. 790.2 LECrim *in fine*). La razón de esta exigencia es la falta de personación de las partes ante el órgano «ad quem», aunque la presencia obligada de Procurador hace innecesaria aquélla.

C) Admisión del recurso

Presentado el escrito de formalización del recurso el Juez lo admitirá si reúne los requisitos exigidos. En caso contrario, lo inadmitirá (Véase M. 136). Pero, si el

---

[18] Art. 792.2.1 LECrim: «La sentencia de apelación no podrá condenar al encausado que resultó absuelto en primera instancia ni agravar la sentencia condenatoria que le hubiera sido impuesta por error en la apreciación de las pruebas en los términos previstos en el tercer párrafo del artículo 790.2».

[19] Art. 792.2.2 LECrim: «No obstante, la sentencia, absolutoria o condenatoria, podrá ser anulada y, en tal caso, se devolverán las actuaciones al órgano que dictó la resolución recurrida. La sentencia de apelación concretará si la nulidad ha de extenderse al juicio oral y si el principio de imparcialidad exige una nueva composición del órgano de primera instancia en orden al nuevo enjuiciamiento de la causa».

recurso adoleciera de algún defecto subsanable concederá al recurrente un plazo no superior a tres días para la subsanación. En caso de no hacerlo así, el Juez inadmitirá definitivamente el recurso (art. 790.4 LECrim). Frente a la inadmisión del recurso de apelación cabe recurso de queja (art. 218 LECrim). Véase sobre el recurso de queja el § 6 de este Capítulo. (Véanse M. 144 a 151).

La Ley no establece los defectos que pueden ser objeto de subsanación, pero, por regla general, estos deben referirse a cuestiones de índole formal. Así, la falta de designación de domicilio para notificaciones o la ausencia de algún requisito procesal (firma de letrado y procurador, etc.). En cuanto a la fundamentación del recurso, su absoluta ausencia puede determinar su inadmisión por el órgano «a quo». Téngase en cuenta que este requisito no es meramente formal, sino del fondo del recurso, ya que las partes serán informadas y conocerán de los motivos de impugnación mediante el escrito de recurso. Cuestión distinta es si procede la subsanación, cuestión que a nuestro entender debe hallar una respuesta negativa. En cualquier caso, resulta claro que aún admitido el recurso una absoluta falta de fundamentación determinará necesariamente la desestimación del recurso al carecer el Tribunal de motivos válidos para revisar la sentencia impugnada. En último término, debe tenerse presente la reiterada doctrina antiformalista del Tribunal Constitucional para la admisión de los recursos, máxime cuando se trata de ejercer el derecho a una segunda instancia en el proceso penal frente a una sentencia condenatoria, de modo que no puede inadmitirse el recurso por incumplimiento de requisitos formales y, en su caso, se requiere que la inadmisión se fundamente en una causa legal debidamente razonada[20].

«La conformidad con el derecho a la tutela judicial de la decisión que niegue el acceso al recurso requiere la aplicación razonada y razonable de una causa legal de inadmisión, esto es que no sea fruto de un error patente, arbitraria, manifiestamente irrazonable o patentemente desproporcionada "entre la causa de inadmisión advertida y las consecuencias que se han generado para la efectividad del derecho fundamental a la tutela judicial efectiva" (entre otras, SSTC 101/1997, de 20 de mayo, F. 2; 62/1998, de 17 de marzo; 168/1998, de 21 de julio; 121/1999, de 28 de junio, F. 2 y 3; 43/2000, de 14 de febrero, F. 3), cuando se trata de casos como el analizado de aplicación de una causa de creación jurisprudencial, hemos de partir también de este canon. Ahora bien, se ha de advertir que el canon de enjuiciamiento de las exigencias derivadas del deber de razonar o fundamentar la aplicación de la causa de inadmisión, es decir, la fundamentación de la decisión de no entrar a conocer de los motivos del recurso y negar, en consecuencia, una decisión sobre su fondo, no puede ser el mismo en los casos en que la causa de inadmisión ha sido creada por el legislador o por la jurisprudencia, como se acaba de exponer. De manera que sobre los Tribunales recae un específico y riguroso deber de fundamentación de la creación de una causa de inadmisión y de su aplicación al caso concreto, lo que constituye

---

[20] Vid. SSTC 175/88, de 3 octubre; 117/86, de 13 octubre. La STC 97/86, de 10 julio, establece que «si el recurso formalizado por el hoy recurrente en amparo era susceptible, tanto por el juzgador como por la parte contraria, de una lectura clara sin inducir a confusión, resulta desproporcionado el que, por parte del Tribunal Supremo, se rechace de plano el recurso sin haberlo examinado para comprobar si, al margen de la incorrección de la normativa procesal utilizada, el mismo y a la luz de la normativa procesal correcta, podría ser fundado o inteligible, y en función de ello admitirlo o no».

una garantía de la seguridad jurídica y del derecho a la igualdad en la aplicación de la ley». STC 48/2001 de 26 de febrero.

D) Traslado de la apelación a las demás partes para formular alegaciones. Adhesión a la apelación

Una vez interpuesto y admitido el recurso de apelación por el órgano *a quo* el Tribunal dará traslado a las demás partes personadas por un plazo común de diez días para que puedan presentar sus escritos de alegaciones. Presentados los escritos o precluido el plazo para hacerlo el Juez, en los dos días siguientes, dará traslado de cada uno de ellos a las demás partes y elevará a la Audiencia los autos originales con todos los escritos presentados —art. 790.6 LECrim—. (Véase M. 137 a 140). Las partes personadas podrán (en el plazo de diez días): 1º) Presentar escrito de alegaciones en calidad de parte recurrida. 2º) Presentar escrito de impugnación mediante la adhesión a la apelación: «*ejercitando las pretensiones y alegando los motivos que a su derecho convengan. En todo caso, este recurso quedará supeditado a que el apelante mantenga el suyo*» (art. 790.1 LECrim). Nada impide que el apelado presente un escrito, o dos, en los que por una parte se oponga y por otra formule recurso de apelación adhesivo, en los términos que se exponen en el siguiente apartado.

a) La posición procesal y facultades del apelado

La posición de apelado no permite formular petición alguna de modificación de la sentencia, sino la solicitud de su confirmación en todos sus extremos. No obstante, el párrafo 5º del art. 790 LECrim dispone que las partes apeladas podrán solicitar la práctica de prueba en los términos establecidos en el apartado 3 (del art. 790 LECrim). Además el apelado fijará un domicilio para notificaciones. No resulta muy entendible la función que deba tener la petición de prueba del apelado, ya que en esa posición de apelado ninguna petición ha formulado y por tanto su posición se limita a solicitar la confirmación de la sentencia impugnada. En cualquier caso, con base en esta posibilidad prevista en la ley podrá el apelado solicitar diligencias de prueba que no pudo proponer en la primera instancia, las propuestas indebidamente denegadas cuando hubiere formulado protesta y las admitidas que no fueron practicadas por causas que no le sean imputables. Más sentido tiene la petición por parte del apelado de la reproducción de la grabación del juicio a efectos de fundamentar sus alegaciones. En este caso, esta reproducción puede coadyuvar a la defensa del apelado al trasladar a la Sala el contenido de determinadas pruebas en las que pretenda basar sus alegaciones. En cualquier caso, cabe entender que la petición de práctica de estas pruebas en segunda instancia tendrá la finalidad de servir de fundamento al Tribunal de segunda instancia para la confirmación de la sentencia, no para obtener su modificación. También puede el apelado solicitar la sustanciación de vista del recurso (art. 791 LECrim).

La oposición a la apelación da por terminada la sustanciación del trámite de admisión del recurso y se elevarán a la Audiencia los autos originales con todos los escritos presentados (art. 790.6 LECrim). Pero, en el caso de que el inicialmente apelado formule adhesión a la apelación se dará traslado al resto de partes personadas para que puedan impugnar la adhesión en el plazo de dos días. Éste es un trámite de oposición necesario en tanto que la adhesión a la apelación supone en realidad un recurso de apelación con los mismos efectos que una apelación principal. Siendo así resulta obligado que el resto de partes personadas puedan oponerse a las pretensiones impugnatorias contenidas en el escrito de apelación adhesiva.

b) La adhesión a la apelación

El apelado puede optar, además de por oponerse al recurso de apelación, por una postura distinta y presentar escrito de adhesión a la apelación dentro del término de diez días concedido por el tribunal. Se trata de una posición procesal singular que convierte al inicialmente apelado en apelante, aunque supeditado al mantenimiento del recurso de apelación originario. En su virtud, la adhesión a la apelación es un mecanismo procesal de impugnación que permite al inicialmente apelado constituirse en apelante mediante la impugnación de la sentencia de primera instancia en el trámite de traslado del recurso de apelación interpuesto inicialmente por alguna de las partes en el proceso. De este modo, la apelación adhesiva supone una posibilidad legal a favor del apelado para que, interpuesto recurso de apelación, pueda recurrir la sentencia en aquello que le perjudica y que, de otro modo, quedaría firme por consentido.

El apelante adhesivo no coadyuva a los resultados que pretende obtener el apelante principal; al contrario, se opone a sus pretensiones con la diferencia de hacerlo no tomando la iniciativa de la segunda instancia, sino aprovechando el procedimiento de apelación abierto por la adversa. De modo que la apelación adhesiva tiene pleno carácter impugnatorio con la particularidad de interponerse con posterioridad a la apelación principal. Ahora bien, sí que es cierto que la apelación adhesiva puede entenderse como accesoria de la principal teniendo que cuenta que se trata de un recurso supeditado que no puede mantenerse si el apelante no mantiene el suyo. Así lo establece el art. 790.1 LECrim: «*La parte que no hubiera apelado en el plazo señalado podrá adherirse a la apelación en el trámite de alegaciones .../... este recurso quedará supeditado a que el apelante mantenga el suyo*». De modo que la adhesión a la apelación decaerá y quedará sin objeto en el caso que el apelante originario desistiese de su recurso.

La apelación adhesiva supone una posibilidad legal que la Ley brinda al apelado para que después de conocer la impugnación de su oponente, pueda recurrir la sentencia en aquellos extremos que le son perjudiciales. Se trata, en definitiva, de un cauce impugnatorio equilibrador de las posiciones de las partes en la segunda instancia del proceso que permite que la parte apelada pueda, una vez conocida la impugnación del contrario, recurrir a su vez los extremos de la sentencia que le son perjudiciales. Interpuesta la apelación adhesiva, el adherido adquiere plena condición de recurrente, puesto que el apelante adhesivo, a diferencia del apelado simple, reclama pedimentos propios que han sido desestimados en la instancia. Se produce así un cambio de posición procesal, por la que el apelado simple se convierte en recurrente por *mor* de su adhesión.

La adhesión a la apelación encuentra su sentido lógico en el supuesto de estimación parcial de las peticiones de la acusación e imposición de una condena. En ese caso, la apelación única de una de las partes genera una expectativa de modificación parcial o total de la resolución impugnada, pero con el límite de su propio recurso. Esto es así, por cuanto el apelante únicamente impugna aquellos pronunciamientos que le causan perjuicio, no aquéllos otros que le benefician y que por inatacados no devienen objeto del recurso. De esta forma, la posición procesal del apelante único es carente de riesgo procesal, ya que operando en su favor la prohibición de la reformatio «*in peius*» el Tribunal de alzada no podrá en ningún caso aumentar el «*quantum*» de gravamen que le impuso la sentencia impugnada. Este límite desaparece mediante la apelación adhesiva que enerva la prohibición de la «*reformatio in peius*» al producir la conversión del apelado en apelante y, en su virtud, atribuir competencia al Tribunal «*ad quem*» para pronunciarse sobre aquellos extremos de la sentencia de instancia que, beneficiando al apelante, no eran objeto, en un inicio, del recurso de apelación. Resulta claro que el principio prohibitivo de la reformatio «*in peius*» también cede cuando todas las partes a las que la sentencia les cause algún gravamen apelen también la resolución mediante la interposición del correspondiente recurso en el tiempo establecido en la Ley para ese fin. Sin embargo, lo característico del apelante adhesivo es que, a pesar de causarle la sentencia de instancia un cierto gravamen, condiciona su recurso a que la otra parte recurra la sentencia. Es decir, el vencedor o perdedor parcial en la instancia, según se mire, se aquieta a su suerte siempre y cuando la impugnación de contrario no amenace, en virtud de su recurso, su situación procesal. La razón del aquietamiento del apelado se justifica, por lo general, porque el perjuicio que le causa la sentencia de primera instancia es asumible siempre y cuando no se incremente en la segunda instancia por efecto del recurso de apelación interpuesto. Piénsese en una condena de dos años de privación de libertad frente a una petición, por ejemplo, de cuatro años. En ese caso el condenado puede aceptar la condena considerando que podrá solicitar su suspensión. Ahora bien, esa previsión de conformidad con la condena puede variar en el caso de recurso de la acusación solicitando el total de las peticiones formuladas en la calificación definitiva. En ese supuesto la adhesión a la apelación permite al inicialmente conforme con la sentencia defender en apelación sus intereses, interponiendo su propio recurso de apelación una vez que la otra parte lo haya hecho, sin necesidad de tener que recurrir inicialmente la sentencia en previsión de que la otra parte lo pueda hacer. A ese fin se permite al apelado que, una vez conocido el recurso de la adversa, pueda optar por oponerse al recurso o bien por introducir sus propios motivos de apelación de modo que el Tribunal de segunda instancia pueda pronunciarse sobre ellos, lo que no podría hacer, a falta de impugnación adhesiva. Así es por el principio de congruencia procesal que limita el ámbito de conocimiento y resolución del Tribunal de apelación a las peticiones de las partes contenidas en sus recursos de apelación. Ello, sin perjuicio de poder apreciar, de oficio, cuestiones de orden público como las referidas a la jurisdicción y la competencia (art. 240.2.2 LOPJ)[21]. Véase que, de algún modo, la adhesión a la apelación constituye un mecanismo contrapuesto al principio prohi-

---

[21]   El art. 240.2.2 LOPJ dispone que: «*En ningún caso En ningún caso podrá el juzgado o tribunal, con ocasión de un recurso, decretar de oficio una nulidad de las actuaciones que no haya sido solicitada en dicho recurso, salvo que apreciare falta de jurisdicción o de competencia objetiva o funcional o se hubiese producido violencia o intimidación que afectare a ese tribunal*».

bitivo de la «*reformatio in peius*» y equilibrador de las posiciones de las partes en el proceso en tanto que permite al apelado «*neutralizar*» el principio de la «*reformatio in peius*» que favorece los intereses del recurrente.

Téngase presente que la configuración legal de la adhesión a la apelación en el proceso penal se introduce en la reforma de la LECrim por la Ley 13/2009, aunque ya antes se venía admitiendo esta posibilidad[22]. En este sentido el TC reconocía que la adhesión a la apelación en el proceso penal puede tener carácter de recurso autónomo con contenido propio[23].

---

[22] La introducción de la adhesión a la apelación en el procedimiento abreviado es relativamente reciente, ya que se incluyó en la reforma de la LECrim que tuvo lugar por la Ley 13/2009 de modificación de distintas normas procesales para introducir la nueva oficina judicial. Aunque, habría que decir que es reciente la reintroducción de la adhesión a la apelación, puesto que ya estaba prevista en la LECrim desde la introducción del procedimiento abreviado en la regulación originaria de 1988, aunque se suprimió en virtud de la Ley 38/2002 de reforma de la LECrim. La regulación de la adhesión a la apelación en la LECrim antes de la reforma de la Ley 38/2002 se contenía en el derogado art. 795.4 LECrim que establecía que el apelado podía, cuando se le diera traslado al apelado de la apelación, presentar escritos de impugnación o de adhesión. También le cabía, naturalmente, presentar un escrito, o dos, en los que al mismo tiempo se opusiera y se adhiriera a la apelación. Esa distinción legal permitía al apelado presentar alegaciones con un distinto contenido: a) de oposición al recurso o b) de adhesión a la apelación, que sin ninguna duda debía entenderse, tal y como se ha expuesto, como una apelación ordinaria con la única consecuencia de formularse en un momento posterior. En su virtud servía para permitir al apelado la impugnación diferida de las sentencias cuando no hubiere podido recurrir directamente por carecer de gravamen directo o cuando tuviere un gravamen directo pero que el apelado entendiera asumible en tanto que la adversa no apelase, pues en ese caso el objeto del recurso de apelación queda delimitado por las peticiones del apelante único que no podrá resultar perjudicado por su propio recurso en virtud del principio prohibitivo de la «*reformatio in peius*». Sin embargo, en algunas sentencias del orden penal la adhesión a la apelación se consideraba, erróneamente, como un recurso adhesivo y coadyuvante con la apelación interpuesta, y no un recurso de apelación con motivos autónomos y divergentes de los contenidos en el recurso de apelación.

[23] «En lo que se refiere a la posibilidad de que en la adhesión a la apelación deducida por otra parte puedan introducirse pretensiones autónomas y aun contrarias a la del apelante principal, este Tribunal ya dijo en su STC 162/1997, de 3 de octubre, que "tal configuración del contenido y alcance de la adhesión a la apelación, en la redacción actual y aplicable al caso del mencionado art. 795.4 de la Ley Procesal Penal, es cuestión que pertenece al ámbito de la interpretación de la legalidad ordinaria, que incumbe de modo exclusivo a los Jueces y Tribunales y en la que, a salvo de derivarse de la misma una lesión de derechos fundamentales, este Tribunal no debe interferir". Añadiendo seguidamente que este Tribunal "no ha rechazado la posibilidad procesal de configurar la adhesión a la apelación como medio impugnatorio propiamente tal, en el sentido de ser susceptible de albergar pretensiones diversas a las de la apelación principal, que abre así al Tribunal de apelación la posibilidad de ampliar su cognición "más allá del objeto de la pretensión de quien formula apelación principal" (STC 53/1987 con cita de la STC 15/1987), si bien lo ha hecho con referencia al art. 792, regla 4ª, de la Ley de Enjuiciamiento Criminal, en la redacción anterior a la actualmente vigente, así como también en relación al juicio de faltas (SSTC 91/1987, 116/1988 y 242/1988". Esta doctrina se reiteró después en las STC 56/1999, de 12 de abril (F. 3), y se ha consolidado en la STC 16/2000, de 31 de enero, en la cual se afirma que "la adhesión a la apelación es un vehículo apto para insertar pretensiones autónomas y eventualmente divergentes de la apelación principal" (F. 6). Las tres Sentencias a que hemos aludido se refieren a supuestos en los cuales la pretensión introducida por el apelante adhesivo afectaba a la responsabilidad civil dimanante de la infracción penal, pero, a la vista de que el art. 795.4 LECrim no circunscribe su aplicación a la acción civil ni a la penal, ninguna dificultad hay en aplicar los anteriores criterios a las pretensiones autónomas

«Este Tribunal ha admitido la posibilidad de que, con motivo de la adhesión a la apelación, el órgano judicial *"ad quem"* amplíe su cognición a extremos no contenidos en la apelación principal, pero en tales casos ha supeditado la regularidad de tal situación procesal, desde la perspectiva constitucional, a que haya existido la posibilidad de debate contradictorio sobre las pretensiones autónomas (extremos o cuestiones diversas y aun opuestas a la apelación principal) contenidas en la impugnación adhesiva, de manera tal que el apelante principal haya tenido la posibilidad de defenderse frente a las alegaciones formuladas de contrario (SSTC 53/1987, de 7 de mayo, F. 3; 91/1987, de 3 de junio, F. 6; 242/1988, de 19 de diciembre, F. 2; 79/2000, de 27 de marzo)». STC 232/2001 de 11 de diciembre.

Pero, el problema que se planteaba, y origen de la atribución a la adhesión a la apelación de una naturaleza de recurso adhesivo, era el de la ausencia de un trámite efectivo de contradicción mediante el cual el recurrente originario pudiera defenderse de la apelación de contrario, salvo que se señalará vista oral (véase el derogado art. 795.4 LECrim). Por esa razón el Tribunal Constitucional había declarado que la lesión del derecho a la tutela judicial efectiva no se ocasiona por haber admitido la adhesión a la apelación, ni por haberse dictado Sentencia acogiendo las pretensiones de dicha adhesión, ni siquiera porque con ello se empeore la situación, en este caso, del apelado, sino sólo en la medida en que dicho empeoramiento se haya producido sin que aquel que ve su situación jurídica modificada negativamente respecto del pronunciamiento judicial apelado haya tenido oportunidad de defenderse frente a las pretensiones impugnativas contenidas en el escrito de adhesión a la apelación[24].

«La regularidad de la adhesión a la apelación está condicionada a que hubiera existido posibilidad de debatir y contradecir tales pretensiones, de modo que las partes tengan oportunidad de defenderse con posibilidad de poder rebatir los argumentos de los adherentes (SSTC 162/1997, de 30 de octubre, 56/1999, de 12 de abril y 16/2000, de 16 de enero, entre otras). En este sentido, como recuerda la STC 56/1999, no es óbice para ello la circunstancia de que la Ley de Enjuiciamiento Criminal, y concretamente su art. 795.4, no prevea que se dé traslado del escrito de adhesión del recurso, pues la necesidad de tal trámite resulta de una interpretación

---

introducidas en la apelación adhesiva del Ministerio Público que se refieren a la acción penal y a la civil simultáneamente, pues junto con la condena del demandante, como autor de dos delitos de falsedad en documentos mercantiles, se solicitaba la indemnización de determinada cantidad en concepto de responsabilidad civil derivada del delito, a la que tampoco había condenado la Sentencia apelada». STC 79/2000 de 27 de marzo. En el mismo sentido la STC 56/1999 de 12 de abril.

[24] «... ha de estimarse el amparo solicitado. En efecto, en el escrito de adhesión de la apelación formulado por ... además de impugnarse el recurso de apelación interpuesto por la acusación particular, la citada aseguradora introdujo una pretensión autónoma, consistente en que .../... De otra parte, se verifica también que no se notificó al demandante de amparo dicho escrito de adhesión a la apelación, por lo que no tuvo conocimiento del mismo en dicho momento. Se comprueba igualmente que la apelación se sustanció sin vista oral. Y, por último, de la lectura de la Sentencia deriva que el condenado en primera instancia como responsable civil vio agravada su condena al resultar único condenado al pago de los daños en el vehículo accidentado, propiedad de la acusación particular. De todo ello se concluye que la situación jurídica del demandante de amparo ha resultado empeorada como consecuencia de la apelación adhesiva de la compañía aseguradora..., sin haber tenido oportunidad de contradecirla y ejercer su derecho de defensa frente a dicha apelación adhesiva en ningún momento del procedimiento. Por consiguiente, hemos de apreciar la lesión de su derecho a la tutela judicial efectiva sin indefensión». STC 101/2001 de 23 de abril.

de la norma a la luz de los preceptos y principios constitucionales, al ser obligado, en todo caso, preservar el principio de defensa en el proceso según lo dispuesto en el art. 24.1 CE». STC 93/2000 de 10 de abril. En el mismo sentido la STC 79/2000 de 10 de abril. Véanse también SSTC 101/2001 de 23 de abril; y 16/2000 de 31 de enero.

c) La adhesión a la apelación «ad cautelam»

La «adhesión ad cautelam» es una especial forma de adhesión a la apelación que se caracteriza por fundarse no en un perjuicio o gravamen directo, sino en uno probable o previsible. La situación se plantea en aquellos supuestos en los que durante la sustanciación del procedimiento se hubieren desestimado, por ejemplos, peticiones de nulidad procesal, alguna petición de prueba o no declarado probado algún hecho favorable a la parte y, al mismo tiempo, se conceda a la misma parte completa tutela jurídica conforme a lo solicitado en sus escritos de calificación. Así sucederá, en el supuesto del acusado que resulta absuelto a pesar de haberse denegado las peticiones formuladas con relación al procedimiento o la prueba. Por ejemplo, cuando en primera instancia se hubiere desestimado la alegación de prescripción del delito formulada por el acusado finalmente absuelto o una petición de prueba que se rechaza por el Tribunal que, finalmente, concede todo lo pedido a la parte perjudicada por la resolución de inadmisión. También es el caso del acusador que obtiene una condena conforme con lo solicitado en su escrito de calificación definitiva con desestimación de peticiones de nulidad o prueba.

En estos casos no recae sobre el apelante adhesivo un perjuicio o gravamen directo que le legitime para la interposición de un recurso de apelación ordinario, ya que la sentencia le es completamente favorable. Gravamen que resulta necesario que exista como primer presupuesto de cualquier recurso. En su virtud, en todo recurso debe constar la manifestación inequívoca del justiciable de recurrir la sentencia por causarle un perjuicio. Este requisito no aparece expresamente establecido en la regulación legal. Pero se deduce de la naturaleza y presupuestos de los recursos que exigen, en primer lugar, que exista un gravamen directo para el recurrente. Gravamen que existe siempre que la resolución impugnada contenga un pronunciamiento contrario a lo solicitado por la parte en el procedimiento de que se trate.

La consecuencia directa de esta exigencia se halla en la circunstancia de que, en principio, no le cabe recurrir en apelación a la parte a la que ningún perjuicio causa la sentencia. Ahora bien, la falta de gravamen directo no implica que no pueda resultar un perjuicio futuro en el caso de que la sentencia de segunda instancia revoque la de primera instancia. En ese caso la falta de impugnación de la desestimación de las peticiones sobre nulidad procesal o prueba perjudicará al acusado absuelto, puesto que el Tribunal «ad quem» no podrá conocer de aquel pronunciamiento desestimatorio por consentido. Efectivamente, aunque la sentencia no produzca un gravamen directo puede existir un gravamen de carácter procesal respecto a aquellas peticiones debidamente formuladas y denegadas en la primera instancia que hubieran quedado subsumidas en el acogimiento completo de las peticiones principales de las partes.

En esos casos, la ausencia de recurso de la perjudicada por la sentencia tendrá por efecto la firmeza de la sentencia y la definitiva irrelevancia del perjuicio o gravamen procesal de la parte contraria. Pero, el recurso de la parte perjudicada principal abrirá una segunda instancia del proceso en la que la impugnación de las cuestiones procesales desestimadas en primera instancia pueden resultar decisivas en segunda instancia para el supuesto en el que el Tribunal de apelación acuerde estimar el recurso principal. Piénsese, por ejemplo, en la petición de prescripción desestimada por el Juez «*a quo*» que absuelve al acusado. En ese supuesto resulta del interés del acusado recurrir en apelación la desestimación de esa petición que puede conducir a una sentencia absolutoria para el supuesto de que el Tribunal de apelación acordara revocar la sentencia de primera instancia. Igual sucede con el supuesto de las peticiones de prueba desestimadas en primera instancia.

Para esos supuestos de gravamen procesal puede utilizarse la adhesión a la apelación prevista en el art. 790.1 LECrim, lo que podrá hacerse una vez se le dé traslado al apelado del recurso del apelante principal[25]. De ese modo el acusado absuelto se asegurará la revisión de todas aquellas cuestiones que o bien fueron denegadas o bien ni siquiera fueron objeto de valoración por el Juez «*a quo*» (por ejemplo prueba de descargo). La admisión de la adhesión «*ad cautelam*» requiere de un correcto entendimiento del sistema de recursos en el trámite de admisión del recurso para admitir el recurso adhesivo respecto de todas aquellas resoluciones denegatorias con relación a peticiones debidamente formuladas durante la primera instancia del proceso.

d)   La adhesión a la apelación en el recurso de apelación del Tribunal de Jurado

También se regula la adhesión a la apelación en el procedimiento del Tribunal de Jurado. En este sentido, los arts. 846 bis b) y ss. de la LECrim establecen lo que se denomina recurso supeditado de apelación que tiene naturaleza impugnativa; pero que depende directamente de que se mantenga el recurso principal. A este efecto, el art. 846 bis d) 3º LECrim dispone que: «*si el apelante principal no se personare o manifestare su renuncia al recurso, se devolverán los autos a la Audiencia Provincial, declarándose firme la sentencia y procediendo a su ejecución*». Esta regulación es plenamente coherente con la naturaleza y finalidad de la adhesión a la apelación. Es decir, se otorga a este recurso supeditado naturaleza de impugnación a fin de defender la posición procesal del que se aquietó inicialmente a la sentencia impugnada[26]. Pero, a fin de observar la doctrina constitucional respecto a la posibilidad de que el recurrente originario pueda conocer del recurso de la adversa se establece el tras-

---

[25]   El art. 790.1 LECrim dispone: «*La parte que no hubiera apelado en el plazo señalado podrá adherirse a la apelación en el trámite de alegaciones previsto en el apartado 5, ejercitando las pretensiones y alegando los motivos que a su derecho convengan. En todo caso, este recurso quedará supeditado a que el apelante mantenga el suyo*».

(26)   Como se ha expuesto, al referirnos al gravamen como presupuesto del recurso de apelación, el necesario perjuicio que debe concurrir en la parte impugnante puede ser asumido o aceptado por la parte en tanto que su posición procesal no se vea perjudicada por mor del recurso de contrario. Ante esta situación tradicionalmente se ha permitido la impugnación diferida en el tiempo y condicionada al recurso previo de la adversa. En el proceso civil se ha denominado adhesión a la apelación entendida como recurso de apelación diferido en el tiempo, aunque en la nueva LEC, y a fin de evitar confusiones terminológicas se denomina impugnación de la sentencia diferenciándola de la oposición a la apelación.

lado del recurso supeditado a las demás partes (art. 846 bis d) 1º LECrim); También se prevé la debida contradicción en la vista oral según lo previsto en el art. 846 bis e). Además, resulta muy adecuado que el recurso supeditado dependa, en cuanto a su sustanciación, que se mantenga la apelación originaria. Nótese, que el recurrente originario no puede evitar, ni impedir, que la adversa también recurra enervando, de ese modo, la prohibición de la *reformatio in peius* que «protege» al recurrente único de una agravación de la condena. Véase sobre el recurso de apelación contra las resoluciones dictadas en el procedimiento de Jurado el § 9 del Cap. XVI.

e) Traslado de los escritos y elevación de los autos al Tribunal «ad quem»

El art. 790.6 LECrim prevé que se dé traslado de los escritos de alegaciones al resto de partes antes de elevar los autos a la Audiencia. Este trámite, que no estaba previsto en la anterior regulación, podría dar a entender que cabe formular adhesión a la apelación. Sin embargo, no es esa nuestra opinión. Nótese, que a pesar del traslado de las alegaciones no se permite al apelante originario formular alegaciones, como sí puede hacer en la apelación frente a sentencias del Tribunal del jurado al no estar prevista con carácter general la celebración de vista oral. En definitiva, y a nuestro parecer, la reforma legal ha eliminado la posibilidad de impugnar la sentencia, en cualquier sentido que se quiera entender, una vez transcurrido el plazo de diez días, de modo que sólo le cabe al apelado defender la sentencia impugnada frente a la que se aquietó y oponerse al recurso interpuesto[27]. De este modo, la parte a la que perjudique la sentencia debe valorar la circunstancia de interponer recurso de apelación con independencia de la actuación del resto de partes, ya que si no recurre en el plazo establecido para ello, no podrá posteriormente realizar impugnación adhesiva. No obstante, podrá solicitar la práctica de prueba a fin de acreditar aquellos extremos de su interés.

E) Solicitud de prueba

En los escritos de formalización del recurrente y de alegaciones de las demás partes podrá solicitarse la práctica de prueba, en los términos previstos en el art. 790.3 LECrim. La prueba puede solicitarla, por tanto, el recurrente o el resto de partes, lo que resulta coherente con la doctrina constitucional (art. 790.3 y 5º LECrim).

Téngase en cuenta, a este respecto, que el derogado art. 795.4 LECrim no establecía expresamente la posibilidad que los apelados puedan solicitar la práctica de prueba. Sin embargo, el TC había declarado que el precepto citado admitía una interpretación amplia que permitiera la petición y admisión de prueba a instancia del apelado.

«No obsta a la conclusión expresada el hecho de que pudiera en principio entenderse que el art. 795 LECrim se refiere únicamente al recurrente al tratar de

---

(27) El criterio que mantenemos que no cabe adhesión a la apelación se confirma, a nuestro entender una vez analizada la tramitación parlamentaria, en la que una de las enmiendas, la 149, proponía que se permitiera a la parte apelada interponer recurso de apelación supeditativo (sic) (debe entenderse «supeditado») para resolver sobre esta cuestión en coherencia con lo dispuesto en el art. 846 bis LECrim. sin embargo, esta enmienda no se admitió.

la proposición de prueba en la segunda instancia (pues habla del "recurso" y del "escrito de formalización" en sus apartados 3 y 4, bien que la expresión "escritos de recurso" del apartado 7 admite una interpretación más amplia). Ciertamente los ahora demandantes de amparo no eran entonces recurrentes, sino parte recurrida. Pues bien, sin perjuicio de señalar que no nos corresponde la interpretación de la legalidad ordinaria, salvo en los aspectos que pudieran afectar a los derechos fundamentales, entre ellos el de no sufrir indefensión, es lo cierto, en todo caso, que la formulación de una concreta y explícita petición (la de recibimiento del recurso a prueba) exigía una explícita decisión del órgano judicial, aunque fuera denegatoria, decisión inexistente en este caso, con lo que se impidió a la parte defender sus intereses respecto de tal circunstancia». STC 81/2002 de 22 de abril.

El interés del apelado para la práctica de prueba no puede obviarse. En principio pudiera pensarse que el apelado en tanto que defensor del mantenimiento de la sentencia ninguna prueba debe solicitar. Sin embargo, como sucede en la Sentencia del Tribunal Constitucional citada, en ocasiones puede ser que interese al apelado la práctica de alguna prueba. Así en el supuesto que se hubiere condenado o absuelto con base en determinadas pruebas, habiendo desestimado la práctica de otras que pueden ser innecesarias en la instancia, pero trascendentes en la alzada si se procede a valorar de forma distinta o anular la prueba en la que se fundamentó la condena o la absolución.

Se pueden proponer todo tipo de diligencias de prueba, siempre que se hallen en uno de los siguientes supuestos: 1) Aquellas que no pudo proponer en primera instancia, se refiere la ley a aquellas pruebas que se deducen de la aparición de nuevos hechos (nova reperta), no conocidos por el recurrente, y que por tanto no pudieron ser objeto de solicitud y práctica de prueba en primera instancia. 2) Aquellas que propuso y le fueron indebidamente denegadas, siempre que hubiera formulado en su momento la oportuna protesta. 3) Las pruebas admitidas que no pudieron practicarse por causas no imputables al interesado. Fuera de los supuestos enunciados no cabe proponer la práctica de prueba en apelación —art. 790.3.º LECrim—.

En todos los supuestos el solicitante tendrá que exponer los motivos por los que resulta pertinente y necesaria la práctica de la prueba. La Audiencia resolverá en tres días sobre la admisión de la prueba propuesta, una vez recibidos los autos, y señalará cuando la práctica de la prueba lo precise día para la vista del recurso —art. 791.1 LECrim.—.

Nótese que la regulación de la apelación por la Ley 41/2015, con relación a la retroacción de la estimación de la apelación de las sentencias absolutorias, ha permitido obviar los problemas que se planteaban anteriormente con la tesitura ante la que se situaban los abogados que apelaban una sentencia absolutoria o bien pedían la agravación de la condena impuesta en primera instancia. En ese caso, conforme con la doctrina jurisprudencial que se expone en el epígrafe siguiente, debía practicarse necesariamente la audiencia del acusado además de la prueba personal que pretendiese revisar, ya que de otro modo el Tribunal de apelación no podría revisar esa clase de sentencias. El problema es que las normas sobre prueba en segunda instancia son las que son y no permiten la práctica de esa clase de prueba en segunda instancia. Tampoco el sistema de apelación soportaba una jurisprudencia poco meditada que mantenía el sistema de apelación en un caos y confusión permanente. En cualquier caso, como decimos la reforma de los arts. 790.2.3 y 792.2 LECrim debe poner fin a esa situación.

F) Práctica de la prueba y celebración de vista del recurso

La celebración de vista en el recurso de apelación tendrá carácter excepcional, puesto que rige el principio de escritura y se restringe la celebración de aquélla. Con base en la regulación legal solamente podrá acordarse la vista en dos supuestos:

1.º) Cuando se haya solicitado en el escrito del recurso la práctica de prueba y ésta haya sido admitida por la Audiencia —art. 791.1º—.

2.º) Cuando la Sala de oficio o a instancia de parte, estime que es necesario para la correcta formación de una convicción fundada, para lo que citará a las partes —art. 791.1 y 2º LECrim—.

«... Más concretamente, en el procedimiento penal abreviado la audiencia podrá acordar la celebración de la vista del recurso de apelación cuando lo estime necesario para la correcta formación de una convicción fundada, "citando a las partes" (art. 795.6 LECrim.)... De suerte que la adopción de una resolución judicial *inaudita parte* sólo está constitucionalmente justificada cuando existe incomparecencia voluntaria o simple negligencia imputable a la parte, como reiteradamente ha declarado este Tribunal (SSTC 151/87, 251/87, 114/88, 37/90 y 195/93, entre otras muchas). Y esto último es lo que ha acontecido en el presente caso, pues es un hecho no controvertido que en el proceso *a quo* la parte apelante y hoy demandante de amparo ni por sí misma ni representada por su procurador compareció al acto de la vista del recurso de apelación... y en consecuencia, la decisión de la Audiencia Provincial contra la que se dirige esta queja, por lo expuesto en el fundamento procedente, no puede considerarse que sea ni manifiestamente irrazonable ni arbitraria...». (STC 11/1995, de 16 enero). *Vid.* también ATC 318/1995, de 22 noviembre.

3º Cuando el Tribunal de apelación ha de conocer de cuestiones de hecho y de Derecho, estudiando en general la cuestión de la culpabilidad o la inocencia, no puede, por motivos de equidad en el proceso, resolver sin la apreciación directa del testimonio del acusado que sostiene que no ha cometido el hecho delictivo que se le imputa, por lo que será indispensable contar con una audiencia pública cuando el Tribunal de apelación no se ha limitado a efectuar una interpretación diferente en derecho a la del juez *a quo* en cuanto a un conjunto de elementos objetivos, sino que ha efectuado una nueva apreciación de los hechos estimados probados en primera instancia y los ha reconsiderado, cuestión que se extiende más allá de las consideraciones estrictamente jurídicas

«Cabe destacar que la STC 201/2012, de 12 de noviembre (LA LEY 172768/2012), FJ 5, ha vinculado esta ampliación de las garantías del acusado en la segunda instancia con la más reciente jurisprudencia del Tribunal Europeo de Derechos Humanos, en la que se pone de relieve la necesidad de esta ampliación, insistiendo en que cuando el Tribunal de segunda instancia ha de conocer de cuestiones de hecho y de Derecho, estudiando en general la cuestión de la culpabilidad o la inocencia, no puede, por motivos de equidad en el proceso, resolver sin la apreciación directa del testimonio del acusado que sostiene que no ha cometido el hecho delictivo que se le imputa, por lo que será indispensable contar con una audiencia pública cuando el Tribunal de apelación no se ha limitado a efectuar una interpretación diferente en derecho a la del juez *a quo* en cuanto a un conjunto de elementos objetivos, sino que ha efectuado una nueva apreciación de los hechos estimados probados en primera instancia y los ha reconsiderado, cuestión que se extiende más allá de las consideraciones estrictamente jurídicas (así, SSTEDH de 10 de marzo de 2009, caso Igual Coll c. España, § 27; 21 de septiembre de 2010, caso Marcos Barrios c. España, § 32; 16 de noviembre de 2010, caso García Hernández c. España, § 25; 25 de octubre de 2011, caso Almenara Álvarez c. España, §39; 22 de noviembre de 2011, caso Lacadena Calero c. España, § 38; 13 de diciembre de 2011, caso Valbuena Redondo c. España, § 29; 20 de marzo de 2012, caso Serrano Contreras c. España, § 31; y, con posterioridad, STEDH de 27 de noviembre de 2012, caso Vilanova Goterris y Llop García c. España) (LA LEY 212260/2012)». STC 88/2013, de 11 de abril de 2013, Rec. 10713/2009, Ponente: Pérez Tremps, Pablo. LA LEY 35009/2013.

La admisión de la prueba solicitada conlleva necesariamente la celebración de vista. Ahora bien, la petición de prueba debe fundarse en los motivos previstos en el art. 790.3 LECrim, tal como hemos expuesto en el epígrafe anterior. Es decir, que la parte no puede solicitar la práctica de prueba que suponga una reiteración de la ya practicada en la primera instancia. En cuando al segundo supuesto, que permite celebrar vista del recurso de oficio o a instancia de parte, no supone la práctica de prueba alguna, sino únicamente la sustanciación de una vista en la que las partes pueden defender oralmente ante el Tribunal el recurso interpuesto. Con base en esta regulación, la celebración de la vista en la práctica forense se ha limitado a aquellos supuestos en los que se admite la práctica de prueba o a determinados asuntos en los que por su complejidad la vista resulta útil para la mejor ilustración del Tribunal de apelación.

> «La recurrente, interesa la celebración de un nuevo juicio, o la práctica en segunda instancia de nueva prueba, para que sean oídos como testigos diversas personas no identificados nominalmente sino de forma genérica como las personas que llamaron a los servicios sanitarios el día de los hechos y de aquellos que interpusieron denuncia tras presenciar el altercado, así como la nulidad de la grabación aportada en el acto del juicio. Dicha pretensión no puede ser acogida en esta alzada, y ello porque la práctica de la prueba debe realizarse en primera instancia, y únicamente podrán practicarse prueba en la segunda instancia en los exactos términos recogidos en el artículo 790.3 de la LEcrim (LA LEY 1/1882) y las solicitadas no se encuentran en ninguno de dichos supuestos». SAP de Murcia, Sección 3ª, Sentencia 214/2017 de 19 May. 2017, Rec. 48/2017; Ponente: Martínez Noguera, María Antonia. LA LEY 80201/2017.

Por su parte el Tribunal Constitucional ha declarado que para que la denegación de la vista en el recurso de apelación pueda constituir una infracción del derecho fundamental a la tutela judicial efectiva y a un juicio justo es preciso que se produzca un menoscabo real y efectivo del derecho de defensa.

> «Entre las garantías del proceso a las que genéricamente se refiere la Constitución, indudablemente se encuentra la del recurso ante un Tribunal superior en materia penal (STC 190/1994 y las decisiones allí citadas), como ha sostenido la representación procesal de la recurrente de amparo. Pero también es indudable que la Audiencia

Provincial de Málaga no le privó del derecho al recurso, sino que sólo hizo uso de la facultad que le atribuye el art. 795.5 LECrim, por considerarse suficientemente instruida a través del extenso escrito de interposición del recurso de apelación, sobre el que se volverá más adelante. Por lo que únicamente procede examinar si la privación de la vista en la segunda instancia procesal llegó a producir a la recurrente de amparo un efectivo y real menoscabo de su derecho de defensa con el consiguiente perjuicio para sus intereses (SSTC 149/1987, 155/1988, 145/1990 y 363/1993). Y en la demanda de amparo no se indican cuáles eran las concretas cuestiones o alegaciones de las que la ahora recurrente de amparo se vio privada de exponer por no procederse a la vista oral, ni tampoco que su falta le impidió oponerse a argumentos utilizados por la acusación en favor de la confirmación de la Sentencia apelada (STC 363/1993). De lo que resulta, en definitiva que no ha existido un menoscabo real y efectivo de su derecho de defensa, lo que necesariamente ha de conducir al rechazo de esta queja». STC 185/1998 de 28 de septiembre.

Este regulación resulta conforme con la jurisprudencia del TEDH que en diversas sentencias ha declarado que un proceso justo implica, en principio, la facultad del acusado de estar presente y ser oído personalmente en la primera instancia y que la exigencia de esta garantía en fase de apelación depende de las peculiaridades del procedimiento considerado (Véanse STEDH de 26 de mayo de 1988 —caso *Ekbatani contra Suecia*—; de 8 de febrero de 2000 —caso *Cooke contra Austria* y caso *Stefanelli contra San Marino*—; 27 de junio de 2000 —caso *Constantinescu contra Rumania*—; y 25 de julio de 2000 —caso *Tierce y otros contra San Marino*—). En las sentencias citadas se ha venido entendiendo que para poder establecer si un recurso observa o no los derechos reconocidos en el Convenio de Roma, y concretamente el derecho a un juicio justo, debe examinarse el sistema en su conjunto de acuerdo con el orden jurídico interno, con la finalidad de comprobar de qué forma se garantizan los intereses y derechos de las partes. Y se concluye declarando que: «*pudiendo justificarse la falta de una vista o debate público en la segunda o tercera instancia por las características del procedimiento de que se trate, con tal de que se hayan celebrado en la primera instancia ... no se puede concluir, por lo tanto, que, como consecuencia de que un Tribunal de apelación esté investido de plenitud de jurisdicción, tal circunstancia ha de implicar siempre, en aplicación del art. 6 del Convenio, el derecho a una audiencia pública en segunda instancia, independientemente de la naturaleza de las cuestiones a juzgar*». (STEDH de 26 mayo 1988, caso Ekbatani).

El sistema legalmente establecido en nuestro sistema de derecho procesal penal es concordante con la naturaleza y finalidad de la apelación, que abre una segunda instancia en la que el Tribunal *ad quem* se sitúa en la misma posición procesal que tenía el Juez «*a quo*» para revisar todos los extremos que constan en los autos, siempre que hayan sido objeto de efectiva impugnación. De este modo el Tribunal de alzada puede revisar el elemento objetivo y subjetivo del injusto, incluyendo los hechos probados, la subsunción de estos en la norma y el juicio de culpabilidad. Así se había declarado en numerosas sentencias del TC que decían que el recurso de apelación en el procedimiento penal abreviado, tal y como aparece configurado en nuestro Ordenamiento, tiene carácter de *novum iudicium* con el llamado efecto devolutivo que conlleva que el juzgador *ad quem* asuma la plena jurisdicción sobre el caso en idéntica situación que el Juez *a quo*[28]. No sólo por lo que respecta a la subsunción de los hechos en la norma, sino también para la determinación de tales hechos a través de la valoración de la prueba. A ese fin podrá revisar y corregir la ponderación llevada a cabo por el Juez *a quo*. La apelación así configurada otorga plenas facultades o plena jurisdicción al Tribunal *ad quem* para resolver cuantas cuestiones se planteen, sean de hecho o de Derecho.

Nada se puede objetar a esta doctrina, salvo que, en realidad, nuestra apelación no tiene carácter pleno (*novum iudicium*), sino de apelación limitada y de revisión de lo actuado en primera instancia. Se trata de una equivocación, muy común por otra parte, puesto que atribuir al juicio de apelación naturaleza de *novum iudicium* supone precisamente lo que indica el concepto: volver a practicar nuevamente todo lo actuado y además toda aquella prueba y alegaciones que las partes quisieran utilizar y que no hubiesen alegado en la primera instancia. Así lo ven algunas Sentencias del TC.

> «Se completa la argumentación admitiendo la posibilidad de incorporar a la segunda instancia el contenido de la grabación audiovisual, en el marco de la vista o audiencia pública contradictoria, cuando la declaración prestada en el juicio oral se reproduce, en presencia de quien la realizó, y éste es interrogado sobre el contenido de aquella declaración. Se fundamenta esta facultad del órgano judicial en que nuestro modelo actual de apelación es de naturaleza limitada o *revisio prioris instantiae*, esto es, de control sobre lo resuelto en la primera instancia y no de un *novum iuditium*, con repetición íntegra del juicio oral, por lo que la ausencia de inmediación respecto de las pruebas personales practicadas en la primera instancia no resulta obstativa de su valoración si, como dijimos en la STC 16/2009, de 26 de enero (LA LEY 1737/2009), FJ 5 b)…». STC Sala Segunda, Sentencia 105/2014 de 23 Jun. 2014, Rec. 6632/2012 FFJJ 2 a 4. Ponente: Valdés Dal-Ré, Fernando. LA LEY 86505/2014.

De lo expuesto se deduce que la función del Tribunal de alzada consiste en la revisión del proceso seguido en primera instancia, con plenos poderes para revocar la sentencia impugnada. Incluyendo, obviamente la nueva valoración de la prueba con base en lo que se halla acreditado en autos y sea efectivamente impugnado con expresión y acreditación suficiente del error. Naturalmente cualquier decisión del Tribunal de apelación, máxime cuando revisa y formula, en su caso, nuevo relato de hechos probados precisa de la necesaria motivación. Esta regulación de la apelación es acertada, a salvo de la restricción de la oralidad y publicidad que se produce en el caso de que no se celebre vista oral. A este respecto consideramos que debe favorecerse la celebración de vista en apelación, ya que la oralidad no debe quedar mermada, en la segunda instancia, por una errónea prevalencia de la celeridad mal entendida o de un criterio de oportunidad, que no pueden prevalecer frente a la necesidad de un proceso justo, celebrado en audiencia pública y rodeado de las garantías legales, igualmente observable, en el recurso de apelación. Precisamente la jurisprudencia del TEDH se ha referido, principalmente, a la publicidad de los debates y la audiencia del acusado en todas las fases del proceso, también en la segunda

---

(28) Véanse SSTC 167/2002 de 18 de septiembre; 230/2002 de 9 de diciembre; 172/1997 de 14 de octubre; 120/1999 de 28 de junio; ATC 220/1999, de 20 de septiembre.

instancia. Posibilidad que no está expresamente prevista en nuestra Ley procesal y que, sinceramente, entendemos que nada añade al proceso, como se explica a continuación[29].

> «En este sentido, el Tribunal Europeo de Derechos Humanos, desde la sentencia del caso Ekbatani contra Suecia de 28 de mayo 1988, ha venido argumentando que en aquellos casos en los que el Tribunal que conoce del recurso haya de resolver sobre cuestiones de hecho y de derecho, planteándose en general la cuestión de la culpabilidad o inocencia, no puede, por motivos de equidad del proceso, adoptar una decisión sin la apreciación directa del testimonio del acusado que ha negado la comisión del hecho delictivo que se le imputa, entre otras, SSTEDH de 27 de junio de 2000, caso Constantinescu contra Rumania, ap. 55; 6 de julio de 2004, Dondarini contra San Marino, ap. 27; 1 de diciembre de 2005, caso Ilisescu y Chiforec contra Rumania, ap. 39; 18 de octubre de 2006, caso Hermi contra Italia, ap. 64; 10 de marzo de 2009, caso Coll contra España, ap. 27; y la sentencia ya citada, caso Ekbatani contra Suecia. En idéntico sentido, entre las más recientes las SSTEDH caso Marcos Barrios contra España, de 21 de septiembre de 2010 y García Hernández contra España, de 16 de noviembre de 2010; STEDH de 25 de octubre de 2011 caso Almenara Alvarez contra España; STEDH de 22 de noviembre de 2011, caso Lacadena Calero contra España; STEDH, 13 de diciembre de 2011 caso Valbuena Redondo contra España o STEDH de 20 de marzo de 2012, caso Serrano Contreras contra España. En algunas ocasiones, entre otras en las tres últimas sentencias citadas, el TEDH ha extendido la necesidad del examen incluso a los testigos cuando sus testimonios deban ser valorados para resolver los hechos cuestionados». STS 993/2016 de 12 Ene. 2017, Rec. 10282/2016; Ponente: Giménez García, Joaquín. LA LEY 346/2017.

Establecer la necesidad de oír en la alzada al acusado nada añade y obligaría a acordar vista en segunda instancia, lo cual es una previsión que ni es obligada ni es necesaria. Lo cual no lo exige el correcto entendimiento de nuestro sistema procesal.

> «Si bien en casos excepcionales y en aras a la máxima irradiación de las garantías constitucionales, podría resultar procedente, a partir de una interpretación conforme a la Constitución de la regulación legal del recurso de apelación, celebrar vista oral en segunda instancia con asistencia del acusado o, eventualmente, de otros testigos cuyo testimonio resulte imprescindible para asegurar la debida práctica contradictoria de pruebas admitidas con arreglo al artículo 790.3 LECrim (LA LEY 1/1882), la doctrina constitucional no exige o alienta la repetición del juicio ante el órgano *ad quem* cuando se pretenda revisar una absolución, pudiendo este, en el ejercicio de la potestad que le otorga el art. 117.3 CE (LA LEY 2500/1978) y a partir de una inter-

---

(29) «Asimismo hemos tenido ocasión de definir negativamente las condiciones de cumplimiento de las exigencias de inmediación y contradicción y de audiencia al acusado cuando se ventilen cuestiones fácticas en segunda instancia. Esas garantías no se ven colmadas con la sola reproducción y visionado de la grabación del juicio oral por parte del órgano revisor, pues para ello es preciso que se convoque una vista en la que poder oír personal y directamente a quienes habían declarado en el juicio oral de primera instancia y, ante todo, al acusado (SSTC 120/2009, de 18 de mayo, FJ 6; 2/2010, de 11 de enero, FJ 3; 30/2010, de 17 de mayo, FJ 4; STEDH caso *Gómez Olmeda c. España*, 29 de marzo de 2016, §§ 37-39). Esa exigencia de vista no es formal, sino que debe servir de efectivo instrumento a la garantía constitucional de un proceso debido respecto a los principios de inmediación y contradicción y la garantía de audiencia personal del acusado (SSTC 105/2014, FJ 4; 191/2014, FJ 5)». STC 105/2016, de 6 de junio, Rec. 2569/2014, Ponente: Valdés Dal-Ré, Fernando. LA LEY 78697/2016.

pretación no arbitraria de la regulación legal del recurso de apelación, confirmar la absolución sin citar a quienes hubieran declarado en primera instancia. En definitiva, lo único que la Constitución proscribe es la revocación de una absolución —o, en general, una revisión *in peius* de la decisión de primera instancia— sin respeto a las garantías de inmediación y defensa contradictoria. Aplicando tales presupuestos al caso de hecho que ahora nos ocupa, debe tomarse en consideración que, de igual modo a como acontecía en el supuesto resuelto por la STC 48/2008, de 11 de marzo (LA LEY 3780/2008), y a diferencia del planteado en la STC 285/2005 (LA LEY 10529/2006), de 7 de noviembre, en el presente caso no se solicitó la práctica de pruebas admisibles con arreglo al art. 790.3 LECrim (LA LEY 1/1882) a las que, en aras al ejercicio de la contradicción, hubiera de vincularse la repetición de otras ya practicadas ante el órgano *a quo*, por lo que la celebración de vista no habría de servir al fin de asegurar las garantías de la correcta valoración de esas nuevas pruebas». STC Sala Segunda, Sentencia 201/2012 de 12 Nov. 2012, rec. 3976/2010. Ponente: Ortega Álvarez, Luis Ignacio. LA LEY 172768/2012.

La Sala en su caso acordará el señalamiento de vista oral en auto recurrible sólo en súplica conforme a lo previsto en el art. 236 LECrim., señalará, en su caso, día para la vista dentro de los quince días siguientes —art. 791.2º LECrim— (Véase M. 140). En ese caso se citará a las partes, y a la víctima que deberá ser informada, aunque no sea parte, ni se requiera su intervención o concurso (art. 791.2 LECrim). La vista se celebrará empezando por la práctica de la prueba. Acto seguido las partes resumirán oralmente el resultado de aquélla y el fundamento de sus pretensiones. Aun cuando no se establece el turno de intervenciones, siempre deberá iniciarlo el recurrente que pretende la revocación de la sentencia. (Véase M. 141). La incomparecencia del apelante al acto de la vista no producirá el desistimiento del recurso, dado que aquélla sólo persigue una correcta formación de la convicción del Tribunal juzgador. Aunque, obviamente, el apelante deberá estar y pasar aquél por la carga procesal de su falta de comparecencia, pero en ningún caso puede la Sala dejar de conocer y resolver los motivos de recurso que constan en el escrito de apelación[30].

> «El hecho de que tanto el Abogado como la Procuradora no hayan asistido a la vista, incluso por causa sólo a ellos imputable, no determina *per se* el desistimiento del recurso, precisándose por el contrario alguno de los dos requisitos ya indicados para atribuir tales efectos jurídicos: que una norma así lo establezca, o que conste la voluntad inequívoca del interesado. Servirá aquel dato, en fin, para descartar la

---

(30) «La Audiencia Provincial rechazó resolver el recurso de apelación interpuesto por los hoy demandantes porque su incomparecencia a la vista le impedía conocer el mantenimiento de la pretensión impugnatoria. .../... La Sala se limitó pues a confirmar la Sentencia de instancia sin proceder al examen de los motivos de apelación expuestos en los recursos, a pesar de que éstos no contenían proposición de prueba y, en consecuencia, la intervención de las partes en la vista de apelación debía consistir en un resumen oral del fundamento de sus pretensiones (art. 795.8 LECrim). Al interpretar el órgano judicial que la incomparecencia de los apelantes a la vista le impedía saber si aquéllos mantenían sus pretensiones, y concluir de ello la desestimación del recurso sin entrar a examinar los motivos de apelación, la Audiencia Provincial negó a los hoy demandantes de amparo un pronunciamiento de fondo sin ninguna causa legal, vulnerando su derecho a la tutela judicial efectiva (art. 24.1 CE). Así lo hemos apreciado en supuestos similares, que tuvieron lugar en procesos civiles (STC 3/1996, de 15 de enero; ATC 315/1995, de 21 de noviembre), y con mayor razón debe declararse en el presente caso, al tratarse de una apelación penal». STC 11/2001 de 29 de enero.

responsabilidad del órgano judicial en el hecho de la incomparecencia, como antes explicamos, pero no para deducir por ello el fin de proceso…/… que el condenado apelante no pueda aducir indefensión para exigir la celebración de la vista con presencia de los profesionales por él designados, que de modo no justificado no hicieron acto de presencia en la misma, no permite inferir que dicho apelante haya manifestado con ello la voluntad de desistir de su recurso. Ha de recordarse, ante todo, que el apelante fue relevado de la carga de asistir a la vista atendiendo a su situación personal, interno en un centro penitenciario, por lo que tanto fue ignorante en tiempo real de lo que estaba sucediendo, como que en ningún momento ha prestado su consentimiento a tal finalización unilateral del procedimiento. Muy al contrario, si hay una voluntad expresa en las actuaciones es la de seguir adelante con el recurso, debiendo tomarse como dato indicador de tal voluntad, según ha señalado nuestra doctrina, el propio hecho de la interposición (a través de su representante procesal y su defensor) del escrito de apelación [STC 179/2014, de 3 de noviembre (LA LEY 160980/2014), FJ 4]». STC 194/2015 de 21 Sep. 2015, Rec. 4229/2014; Ponente: Enríquez Sancho, Ricardo. LA LEY 148210/2015.

G) Recordatorio de la esperamos superada doctrina constitucional sobre la revisión fáctica de las Sentencias absolutorias por el Tribunal de apelación[31]

Hacíamos referencia anteriormente a la importancia de la reforma de los arts. 790.2.3 y 792.2 LECrim que establecen un sistema admisible para el supuesto de revocación en apelación de las sentencias absolutorias o de agravación de las condenatorias cuando ello devenga de la revisión de la prueba por el Tribunal de apelación. La solución ofrecida por la Ley es sencilla. En el caso que el Tribunal considere que no procedía la absolución o la condena en menor grado así lo declarará devolviendo las actuaciones a la instancia para que se proceda a otro enjuiciamiento por otro Tribunal. Desde nuestro punto de vista hay muchísimos argumentos para defender que ni siquiera eso hacía falta porque, salvo supuestos muy concretos, el Tribunal de apelación puede y debe revisar el juicio valorativo del Juez de primera instancia. Es que la apelación es para eso. Para revisar. Y el Tribunal de apelación lo puede hacer atendiendo a la grabación de la prueba que puede revisar con toda la atención que quiera. Decir que eso no es suficiente es no entender cómo funciona el sistema procesal de apelación y mantener una postura ingenua de sobrevaloración de la inmediación que para algunos sería algo así como una fuente de conocimiento irrefutable e insustituible. También es ingenuo y poco respetuoso con el sistema de garantías procesales exigir que el acusado comparezca no se sabe muy bien en calidad de que a la vista de apelación a: contradecir, alegar, hacer efectivo su derecho a un juicio justo… Decir eso es tratar al acusado como un objeto de prueba y hacer depender su suerte de lo que pudiera decir en una vista de recurso de apelación que tiene por finalidad revisar la prueba desde la posición y enfoque técnico del Tribunal Superior con más experiencia. En fin, estas cuestiones que comentamos son las que en forma de exigencia y a fecha de la reforma de la LECrim por la Ley 41/2015 se imponían

_____

(31) Véase MAGRO SERVET V., «¿Pueden las audiencias Provinciales revocar las sentencias absolutorias de los Juzgados de lo penal sin oír a acusado? Las sentencias del TC 167/2002 y 170/2002», *La Ley* nº 5677, 2002. VIERA, «Contradicción e inmediación en la práctica de la prueba y su valoración en segunda instancia», *Actualidad Jª Aranzadi* nº 563, 2003.

1233

por vía jurisprudencial impidiendo el normal funcionamiento del sistema de apelación penal. A ellas nos vamos a referir someramente a continuación. Exigencias que con la reforma citada deben dejar de aplicarse porque ahora el Tribunal de apelación no se verá en la tesitura de tener que hacer juegos malabares para poder revisar la prueba en segunda instancia. Función que es, precisamente, la esencial del sistema de apelación. Esto es así porque, como hemos dicho, la consecuencia de estimar un error en la valoración de la prueba que suponga la condena o su agravación frente a la sentencia absolutoria en la instancia, será la de la anulación de la sentencia y su devolución a primera instancia. De ese modo nos alejamos del sinsentido de la jurisprudencia iniciada por la STC 167/2002, pero no por ello dejamos de tener problemas, ya que no parece muy adecuado celebrar un nuevo juicio con absolutamente todos los abogados, testigos y acusados precavidos sobre los que deben decir teniendo en cuenta su experiencia previa.

La puesta en cuestión del sistema de apelación se inicia con la STC 167/2002 de 18 de septiembre (La Ley 7757/2002) en la que TC estimó el amparo por vulneración de un proceso con todas las garantías que habría producido la nueva valoración de la prueba realizada por Tribunal de alzada, sin inmediación directa, con la consecuencia de resolver la revocación de la sentencia absolutoria dictada en primera instancia. Las consecuencias de la doctrina sentada por el TC en esta sentencia se sintetizan en la siguiente afirmación: «*en casos de apelación de sentencias absolutorias, cuando aquélla se funda en la apreciación de la prueba, si en la apelación no se practican nuevas pruebas, no puede el Tribunal ad quem revisar la valoración de las practicadas en la primera instancia, cuando por la índole de las mismas es exigible la inmediación y la contradicción*». Así, en el caso de dictarse una sentencia absolutoria en primera instancia, cuando el recurso de fundamente en el error en la apreciación de la prueba testifical o de interrogatorio de parte, el recurrente deberá solicitar su práctica en segunda instancia. Se refiere esta jurisprudencia a pruebas cuya correcta apreciación requiere la inmediación judicial para su correcta valoración. De modo que si no se solicita su práctica y, por tanto, no las valora por sí mismo, el Tribunal *ad quem* no podrá modificar la valoración de la prueba realizada por el Tribunal de instancia que fue el que inmedió la prueba para sustituirla por una valoración distinta que pueda conducir a la condena del inicialmente absuelto. Esta jurisprudencia del TC se ha reiterado y consolidado en otras muchas posteriores[32].

---

(32) «El órgano de apelación no puede operar una modificación de los hechos probados que conduzca a la condena del acusado después de realizar una diferente valoración de la credibilidad de los testimonios de los acusados o testigos, en la que se fundamenta la modificación del relato de hechos probados y la conclusión condenatoria, si tal modificación no viene precedida del examen directo y personal de los acusados o testigos en un debate público en el que se respete la posibilidad de contradicción». STC 60/2008, de 26 de mayo de 2008. También en el mismo sentido las SSTC 328/2006, de 20 de noviembre; 170/2005, de 20 de junio; 170/2002 de 30 de septiembre; STC 232/2002 de 9 de diciembre; STC 8/2006, de 16 de enero; 24/2006, de 30 de enero; 74/2006, de 13 de marzo; 75/2006, de 13 de marzo; 80/2006, de 13 de marzo; 91/2006, de 27 de marzo; 95/2006, de 27 de marzo; 114/2006, de 5 de abril; 142/2006, de 8 de mayo; 217/2006, de 3 de julio. 196/2007, de 11 de septiembre; 142/2007, de 18 de junio; 164/2007, de 2 de julio; 182/2007, de 10 de septiembre; 207/2007, de 24 de septiembre; 213/2007, de 8 de octubre; 28/2008, de 11 de febrero; 36/2008, de 25 de febrero.

En consecuencia, con base en la primera doctrina del TC contenida en la STC 167/2002 cabía revocar la sentencia absolutoria con base no en la rectificación de las inferencias realizadas por el Juez *a quo* a partir de los hechos declarados probados para considerar concurrentes los elementos objetivos y subjetivos del delito. Sobre este particular, desde la doctrina de la STC 167/2002 se entendía que el elemento determinante para apreciar una vulneración del derecho a un proceso con todas las garantías recae sobre si el razonamiento judicial se fundamenta en elementos de prueba que exijan inmediación (véanse las SSTC 127/2010 de 29 de noviembre, La Ley 213852/2010; 126/2012 de 18 de junio, La Ley 90651/2012;); o bien se vinculaba con pruebas que no tuvieran carácter personal (STC 137/2007 de 4 de junio, LA LEY 28013/2007); o sobre la base de un control de la razonabilidad de la inferencia llevada a cabo en instancia, a partir de unos hechos base que se dan por acreditados, tratándose en este último caso de una cuestión de estricta valoración jurídica que no exige la reproducción del debate público y la inmediación (SSTC 328/2006 de 20 de noviembre, LA LEY 181062/2006, 184/2009 de 7 de septiembre, LA LEY 167173/2009).

«No cabrá efectuar ese reproche constitucional cuando la condena pronunciada en apelación o la agravación de la situación, a pesar de no haberse celebrado vista pública, tenga origen en una alteración fáctica que no resulta del análisis de medios probatorios que exijan presenciar su práctica para su valoración —como es el caso de pruebas documentales (así, STC 272/2005, de 24 de octubre (LA LEY 10579/2006), FJ 5 o 153/2011, de 17 de octubre (LA LEY 207817/2011), FJ 4), pruebas periciales documentadas (así, SSTC 143/2005 (LA LEY 13264/2005), de 6 de junio, FJ 6; o 142/2011, de 26 de septiembre (LA LEY 191026/2011), FJ 3)—; o, también, cuando dicha alteración fáctica se derive de discrepancias con la valoración de pruebas indiciarias, de modo que el órgano judicial revisor se limite a rectificar la inferencia realizada por el de instancia, a partir de unos hechos que resultan acreditados en ésta, argumentando que este proceso deductivo, en la medida en que se basa en reglas de experiencia no dependientes de la inmediación, es plenamente fiscalizable por los órganos que conocen del recurso sin merma de garantías constitucionales (así, SSTC 43/2007, de 26 de febrero (LA LEY 6558/2007), FJ 6; o 91/2009, de 20 de abril (LA LEY 40338/2009), FJ 4). Por último, también se descarta una vulneración del derecho a un proceso con todas las garantías cuando la condena o agravación en vía de recurso, aun no habiéndose celebrado vista pública, no derive de una alteración del sustrato fáctico sobre el que se asienta la Sentencia de instancia sino sobre cuestiones estrictamente jurídicas (así, SSTC 143/2005 (LA LEY 13264/2005), de 6 de junio, FJ 6 o 2/2013, de 14 de enero (LA LEY 1623/2013), FJ 6)». STC 88/2013, de 11 de abril de 2013, Rcc. 10713/2009, Ponente: Pérez Tremps, Pablo. LA LEY 35009/2013.

De modo que no se vulneraría el principio de inmediación y a un proceso con todas las garantías cuando la revisión de la prueba realizada por el Tribunal *ad quem* se refiere a aquéllas pruebas que no requieren una directa inmediación para su apreciación. Estas son básicamente las de carácter documental. O cuando la modificación de la sentencia absolutoria dictada en primera instancia se fundamenta en la revisión del proceso deductivo utilizado por el Juez *quo*, sin alterar los hechos base tenidos por acreditados en la Sentencia de instancia

«Contrariamente no cabrá entender vulnerado el principio de inmediación cuando, por utilizar una proposición comprensiva de toda una idea, el órgano de apelación no pronuncie su Sentencia condenatoria a base de sustituir al órgano de instancia en aspectos de la valoración de la prueba en los que éste se encuentra en mejor posición para el correcto enjuiciamiento de los hechos sobre los que se funda la condena debido a que la práctica de tales pruebas se realizó en su presencia. Por ello no cabrá efectuar reproche constitucional alguno cuando la condena pronunciada en apelación (tanto si el apelado hubiese sido absuelto en la instancia como si la Sentencia de apelación empeora su situación) no altera el sustrato fáctico sobre el que se asienta la Sentencia del órgano a *quo*, o cuando, a pesar de darse tal alteración, ésta no resulta del análisis de medios probatorios que exijan presenciar su práctica para su valoración o, finalmente, cuando el órgano de apelación se separe del pronunciamiento fáctico del Juez de instancia por no compartir el proceso deductivo empleado a partir de hechos base tenidos por acreditados en la Sentencia de instancia y no alterados en la de apelación, pero a partir de los cuales el órgano *ad quem* deduce otras conclusiones distintas a las alcanzadas por el órgano de instancia, pues este proceso deductivo, en la medida en que se basa en reglas de experiencia no dependientes de la inmediación, es plenamente fiscalizable por los órganos que conocen en vía de recurso sin merma de garantías constitucionales». STC 64/2008, de 26 de mayo.

En definitiva, con base en esa jurisprudencia cabía reformar la situación del acusado absuelto en primera instancia siempre que se respetase el relato de hechos probados o se modificase mediante una revisión de prueba documental u objetiva que no dependiese de la directa inmediación del Tribunal ante el que se practicó. Sin embargo, esa primera jurisprudencia se reforzó con la STC 184/2009 de 7 de septiembre en la que partiendo de los postulados de la primera se incide en la necesidad de respetar también en la segunda instancia la exigencia, derivada del principio de contradicción, lo que implica que, en todo caso, se dé al acusado absuelto la oportunidad de ofrecer su testimonio personal sobre los hechos enjuiciados en los supuestos en los que sostiene que no ha cometido el hecho delictivo que se le imputa o que no cabe interpretar su conducta con la intención o ánimo de cometer el hecho delictivo. Véase la argumentación de la citada Sentencia en la que el TC declara que:

«Así las cosas, no le asiste la razón al recurrente en amparo cuando afirma que se vulneró su derecho a un proceso con todas las garantías (art. 24.2 CE) al incumplirse el principio de inmediación, pues la Audiencia no varió la apreciación probatoria de las declaraciones, sino que se limitó a dictaminar la culpabilidad de aquél con base en los hechos considerados probados en la primera instancia. Por lo demás, y en lo que concierne particularmente a la declaración del demandante, ha de advertirse que, comoquiera que éste no compareció al acto del juicio oral, el Juez a *quo* valoró la declaración vertida ante el Juez de Instrucción, sin que ello haya sido cuestionado». STC 184/2009 de 7 de septiembre.

Y a continuación crea una nueva exigencia basada en la necesaria presencia del acusado en una vista de apelación que ni está prevista legalmente ni tampoco nadie sabía, ni sabe todavía en el momento presente, como llevar a cabo y que finalidad tiene. Máxime si tenemos en cuenta que el acusado precisamente en garantía de sus derechos tiene un abogado que le defiende en el proceso.

«Partiendo de la doctrina reseñada, y aun tomando en consideración el dato de que, como se ha concluido en el fundamento jurídico anterior, la Audiencia Provincial resolvió en rigurosos términos de calificación jurídica sobre los hechos declarados probados por la Sentencia apelada, ello no implica necesariamente que aquel órgano judicial pudiera prescindir de otorgar al demandante de amparo la oportunidad de ser oído en la fase de recurso, audiencia que, como se señala en la precitada STEDH de 27 de junio de 2000, caso Constantinescu c. Rumanía, § 58, no ha de confundirse con el derecho del acusado a hablar el último que, aunque pueda revestir una cierta importancia, debe distinguirse del derecho a ser escuchado, durante los debates, por un Tribunal. Así, debió darse al apelado la ocasión de ser escuchado por el Tribunal que, originaria y definitivamente, le condenó, con independencia de las circunstancias del caso (concretamente, que el actor no compareció en el juicio oral y que el contenido de la Sentencia, al haber sido dictada en una separación de mutuo acuerdo, tenía que serle conocido)». STC 184/2009 de 7 de septiembre.

Doctrina mantenida en el Tribunal Constitucional en numerosas sentencias que se han pronunciado sobre esta materia[33].

«Este Tribunal ya puso de relieve esta visión conjunta en la STC 135/2011, de 12 de septiembre (LA LEY 184291/2011), al afirmar que "[e]n definitiva, la presencia del acusado en el juicio de apelación, cuando en el mismo se debaten cuestiones de hecho que afectan a su declaración de inocencia o culpabilidad, es una concreción del derecho a un proceso con todas las garantías y del derecho de defensa que tiene por objeto posibilitar que quien ha sido absuelto en primera instancia pueda exponer, ante el Tribunal llamado a revisar la decisión impugnada, su versión personal sobre su participación en los hechos que se le imputan. Es precisamente el carácter personalísimo de dicha manifestación lo que impone su citación para ser oído" (FJ 2), llevando al fallo únicamente la vulneración del derecho a un proceso con todas las garantías y no la del derecho de defensa. En conclusión, de conformidad con la doctrina constitucional establecida en las SSTC 167/2002 (LA LEY 7757/2002) y 184/2009 (LA LEY 167173/2009) vulnera el derecho a un proceso con todas las garantías (art. 24.2 CE (LA LEY 2500/1978)) que un órgano judicial, conociendo en vía de recurso, condene a quien había sido absuelto en la instancia o empeore su situación a partir de una nueva valoración de pruebas personales o de una reconsideración de los hechos estimados probados para establecer su culpabilidad, siempre que no haya celebrado una audiencia pública en que se desarrolle la necesaria actividad probatoria, con las garantías de publicidad, inmediación y contradicción que le son propias, y se dé al acusado la posibilidad de defenderse exponiendo su testimonio personal». STC 88/2013, de 11 de abril de 2013, Rec. 10713/2009, Ponente: Pérez Tremps, Pablo. LA LEY 35009/2013.

---

(33) «En efecto, tal como ya se ha señalado, los criterios jurisprudenciales sentados en las SSTC 167/2002 (LA LEY 7757/2002) y 184/2009 (LA LEY 167173/2009) tienen su origen común en la doctrina establecida por el Tribunal Europeo de Derechos Humanos sobre el respeto de las reglas de un procedimiento justo y equitativo (art. 6.1 del Convenio europeo para la protección de los derechos humanos y de las libertades fundamentales (LA LEY 16/1950)) en la segunda instancia. De ese modo, la doctrina jurisprudencial establecida en la STC 184/2009 (LA LEY 167173/2009) lo que viene es a complementar la recepción de la doctrina del Tribunal Europeo de Derechos Humanos sobre el particular —que se había concentrado en las exigencias de inmediación y contradicción en la valoración de pruebas personales a partir de la STC 167/2002 (LA LEY 7757/2002)—, incidiendo en la necesidad de respetar también en la segunda instancia la exigencia, derivada del principio de contradicción, de que se diera al acusado absuelto la oportunidad de ofrecer su testimonio personal sobre los hechos enjuiciados en los supuestos en los que sostiene que no ha cometido el hecho delictivo que se le imputa o que no cabe interpretar su conducta con la intención o ánimo de cometer el hecho delictivo STC 88/2013, de 11 de abril de 2013, Rec. 10713/2009, Ponente: Pérez Tremps, Pablo. LA LEY 35009/2013.

Esta extraña doctrina jurisprudencial no tuvo más remedio que ser seguida por las Audiencias provinciales (absolutamente desconcertadas) y también por el Tribunal Supremo que con más o menos entusiasmo ha participado en la reinterpretación creativa de nuestro sistema de apelación.

«Así, indica la sentencia de esta Sala número 374/2015, de 28 de mayo, que la doctrina del Tribunal Constitucional ha ido evolucionando desde la STC 167/2002 (LA LEY 7757/2002), así como la de esta Sala y siguiendo ambas en este aspecto al Tribunal Europeo de Derechos Humanos, han establecido severas restricciones a la posibilidad de rectificar en vía de recurso los aspectos fácticos de sentencias absolutorias para consignar un nuevo relato de hechos probados al que unir un pronunciamiento condenatorio contra quien había resultado absuelto en la instancia. Esta jurisprudencia exige desde el derecho a un proceso con todas las garantías, que, cuando las cuestiones a resolver afecten a los hechos, tanto objetivos como subjetivos, y sea necesaria para su resolución la valoración de pruebas personales, se practiquen éstas ante el Tribunal que resuelve el recurso; en consecuencia desde la perspectiva del derecho de defensa, es preciso dar al acusado absuelto en la instancia la posibilidad de ser oído directamente por dicho Tribunal, en tanto que es el primero que en vía penal dicta una sentencia condenatoria contra aquél». STS 993/2016 de 12 Ene. 2017, Rec. 10282/2016; Ponente: Giménez García, Joaquín. LA LEY 346/2017.

De modo que a la espera de constatar que el nuevo sistema legal de apelación haya resuelto definitivamente el problema (al impedir que el Tribunal de apelación deba pronunciarse en la alzada), en la actual doctrina jurisprudencial se exige la necesaria sustanciación de una vista con la comparecencia de los declarantes en el caso que el elemento subjetivo del injusto se acredite no sólo con base en la prueba documental, sino que también se refuerce con aspectos tomados de las declaraciones realizadas en primera instancia.

«a) Conforme a la doctrina constitucional y del Tribunal Europeo de Derechos Humanos ya expuesta, al pronunciarse el Tribunal *ad quem* sobre una cuestión de hecho —la existencia de un ánimo de perjudicar a la acreedora vaciando la sociedad—, modificando los hechos probados y las inferencias a partir de ellos para dotar de un significado defraudatorio concertado al conjunto de operaciones realizadas por los acusados, el órgano judicial de segunda instancia toma posición sobre elementos fácticos decisivos para decidir sobre la culpabilidad de los acusados, lo que exige una vista pública en la que puedan hacer valer sus razones para negar ese ánimo (por todos, últimamente, STEDH caso *Gómez Olmeda c. España*, 29 de mayo de 2016, § 35). Al respecto hemos concretado la exigencia de citación personal que dé oportunidad a los acusados de comparecer (entre otras muchas, SSTC 135/2011, de 12 de septiembre, FJ 2; 154/2011, de 17 de octubre, FJ 5; 126/2012, de 18 de junio, FJ 5; 88/2013, de 11 de abril, FJ 9)». STC 105/2016, de 6 de junio, Rec. 2569/2014, Ponente: Valdés Dal-Ré, Fernando. LA LEY 78697/2016.

Finalmente lo que resulta es que en el caso de impugnación de sentencias absolutorias o en las que se pretenda la agravación de la condena siempre habrá que solicitar la celebración de vista y la audiencia del acusado en la misma, amén de la comparecencia de cualquier declarante cuya declaración se considere incorrectamente valorada por el Juez *a quo*.

«La audiencia del acusado se configura con un doble propósito: de un lado, atender al carácter de prueba personal del testimonio del acusado, que exige de inmediación para ser valorada, y, de otro, garantizar el derecho a dirigirse y ser oído personalmente por el órgano judicial que va a decidir sobre su culpabilidad. Esta evolución de la doctrina constitucional reduce la posibilidad de condenar o agravar la condena sin vista a los supuestos en que el debate planteado en segunda instancia versa sobre estrictas cuestiones jurídicas, pues dicha audiencia ninguna incidencia podría tener en la decisión que pudiera adoptarse y la posición de la parte puede entenderse debidamente garantizada por la presencia de su abogado (STC 88/2013, FJ 8)». STC 172/2016, de 17 de octubre, Rec. 299/2013, Ponente: Xiol Ríos, Juan Antonio. LA LEY 145324/2016.

Incluso en el caso que no se modifique el relato de hechos probados porque aun así la falta de asistencia del acusado a una vista en apelación puede producir una vulneración de un proceso con todas las garantías[34]. O también una infracción de la presunción de inocencia al no practicarse prueba en segunda instancia que pueda enervar la apreciación revisora del Tribunal de apelación[35].

«La lesión del derecho a la presunción de inocencia, conforme a la doctrina de este Tribunal aquí sucintamente expuesta, se sigue de la vulneración del derecho a un proceso con todas las garantías, «si al eliminar las pruebas valoradas sin la debida inmediación, el relato de hechos probados no tiene contenido suficiente que permita sustentar la declaración de culpabilidad del acusado, bien cuando la prueba personal eliminada sea la única tenida en cuenta por la resolución impugnada, o cuando dicha prueba fue esencial para llegar a la conclusión fáctica incriminatoria, de modo que con su exclusión la inferencia en dicha conclusión devenga ilógica o no concluyente a partir de los presupuestos de la propia Sentencia» (entre muchas, recientemente, SSTC 126/2012, de 18 de junio (LA LEY 90651/2012), FJ 5, y 195/2013 (LA LEY 201147/2013), de 2

---

(34) «En atención a lo expuesto, y tal como también ha solicitado el Ministerio Fiscal, debe concluirse que se ha vulnerado el derecho de los recurrentes a un proceso con todas las garantías (art. 24.2 CE (LA LEY 2500/1978)), toda vez que han sido condenado en segunda instancia sin que se les hubiera dado la posibilidad efectiva de dirigirse personalmente ante el órgano judicial de apelación para exponer su versión personal sobre su participación en los hechos que se les imputaban y en virtud de una actividad probatoria en cuyo acervo concurrían pruebas personales —las propias testificales de los recurrentes y la del acusador particular— que no han sido practicadas ante el órgano judicial de apelación con respeto a las garantías de publicidad, inmediación y contradicción. E n efecto, la condena en la segunda instancia, a pesar de que se mantuvo inmodificado el relato de hechos probados de la Sentencia revocada, se fundamenta en una reconsideración de esos hechos probados para derivar de ello tanto el elemento normativo de delito, referido al carácter abusivo de los acuerdos adoptados, como el elemento subjetivo, referido al ánimo de perjudicar al querellante. Esto es, la divergencia se produce no por una controversia jurídica respecto de la amplitud que pudiera darse a la interpretación de determinados elementos del delito, sino en relación con una controversia fáctica respecto de las inferencias recaídas sobre los hechos declarados probados para entender acreditados dichos elementos». STC 88/2013, de 11 de abril de 2013, Rec. 10713/2009, Ponente: Pérez Tremps, Pablo. LA LEY 35009/2013.

(35) «13. Pues bien, en este caso, una vez argumentado que se ha producido una vulneración del derecho de los recurrentes a un proceso con todas las garantías (art. 24.2 CE (LA LEY 2500/1978)), también debe concluirse que se ha vulnerado su derecho a la presunción de inocencia (art. 24.2 CE (LA LEY 2500/1978)), toda vez que, al igual que sucedía en la citada STC 126/2012 (LA LEY 90651/2012), la parte esencial de la actividad probatoria en que se ha fundamentado la condena, al entender acreditada la concurrencia del elemento subjetivo del delito del ánimo de perjudicar al socio minoritario, aparecía referida a testimonios personales exculpatorios que no se han desarrollado con respeto a las necesarias garantías de publicidad, inmediación y contradicción en la segunda instancia». STC 88/2013, de 11 de abril de 2013, Rec. 10713/2009, Ponente: Pérez Tremps, Pablo. LA LEY 35009/2013.

de diciembre, FJ 6)». STC Sala Segunda, Sentencia 105/2014 de 23 Jun. 2014, Rec. 6632/2012 FFJJ 2 a 4. Ponente: Valdés Dal-Ré, Fernando. LA LEY 86505/2014.

De modo que siempre sería necesario citar al acusado a la vista de apelación con la finalidad de que pueda exponer ante el Tribunal su versión personal de los hechos, con la sola excepción que sólo se debatan cuestiones jurídicas en cuyo caso no sería necesaria su presencia en la vista de apelación[36]. La finalidad de esta comparecencia del acusado sería, a criterio del Tribunal Constitucional, que pueda ser oído y contradecir (¿?). Sólo así el Tribunal de apelación habrá cumplido con las exigencias a un juicio justo y con todas las garantías y podrá, en su caso, revocar la sentencia absolutoria y condenar.

> «Resulta evidente, frente a lo alegado por los demandantes, que ese desarrollo procesal, aun cuando no existiera un interrogatorio *stricto sensu*, no supuso sólo un uso del derecho del acusado a la última palabra insuficiente para garantizar el derecho a una defensa contradictoria que colme el derecho a un proceso equitativo (SSTEDH caso *Constantinescu c. Rumanía*, 27 de junio de 2000, § 58; caso *Spinu c. Rumanía*, de 29 de abril de 2008, § 58; caso *Stanca c. Rumania*, 24 de julio de 2012, § 74; STC 184/2009, de 7 de septiembre, FJ 3). Si bien la intervención de los recurrentes se produjo al final de la vista, a la manera prevista en el art. 739 de la Ley de enjuiciamiento criminal para el ejercicio del derecho a la última palabra en la celebración del juicio oral, ello obedeció a una ordenación de la misma por el Presidente de la Sala orientada al fin de posibilitar a los acusados ser oídos personalmente, dado que la audiencia debía situarse en la vista de apelación a pesar de no estar prevista su intervención por la norma procesal, sin que, por lo demás, se propusiera su declaración como prueba en los escritos de apelación. Esta solución, adoptada por el Tribunal *ad quem* (ante la ausencia de previsión legal) para pronunciarse sobre los motivos de apelación de forma respetuosa con las garantías procesales de rango constitucional, alumbró una dinámica procesal —cabe añadir— que resulta especialmente respetuosa con el derecho de defensa, pues los recurrentes estuvieron presentes en el debate entre las partes (articulado por las intervenciones de sus Letrados), donde se repasó el material probatorio y la causa en general; y con tal información completa pudieron declarar en defensa de su causa, siendo interpelados expresamente en relación

---

(36) «De conformidad con la misma doctrina del Tribunal Europeo de Derechos Humanos recogida en la STC 167/2002 (LA LEY 7757/2002), en aquellos casos en los que se condena en segunda instancia, revocando una previa absolución, o se agravan sus consecuencias, debe igualmente atenderse a la eventual exigencia de la audiencia personal del acusado como garantía específica vinculada al derecho de defensa (art. 24.2 CE (LA LEY 2500/1978)). A partir de ello, este Tribunal ha concretado que la exigencia de presencia del acusado en el juicio de segunda instancia se produce en los supuestos en que se debaten cuestiones de hecho que afectan a su declaración de inocencia o culpabilidad, habida cuenta de que su objeto es posibilitar que quien ha sido absuelto en primera instancia pueda exponer, ante el Tribunal llamado a revisar la decisión impugnada, su versión personal sobre su participación en los hechos que se le imputan. Por tanto, sólo si el debate planteado en segunda instancia versa exclusivamente sobre estrictas cuestiones jurídicas no resulta necesario oír personalmente al acusado en un juicio público, pues dicha audiencia ninguna incidencia podría tener en la decisión que pudiera adoptarse, y en la medida en que el debate sea estrictamente jurídico, la posición de la parte puede entenderse debidamente garantizada por la presencia de su abogado, que haría efectivo el derecho de defensa frente a los argumentos esgrimidos por la otra parte (así, SSTC 45/2011, de 11 de abril (LA LEY 20525/2011), FJ 3; o 153/2011, de 17 de octubre (LA LEY 207817/2011), FJ 6)». STC 88/2013, de 11 de abril de 2013, Rec. 10713/2009, Ponente: Pérez Tremps, Pablo. LA LEY 35009/2013.

con su ánimo como elemento nuclear de ese debate cuya concurrencia tuvieron la posibilidad efectiva de contradecir». STC 105/2016, de 6 de junio, Rec. 2569/2014, Ponente: Valdés Dal-Ré, Fernando. LA LEY 78697/2016[37].

En este punto la doctrina Constitucional del TC se ha completado, a modo de una pinza, y atiende a dos cuestiones distintas[38]: 1° las garantías en cuanto a la revisión de la prueba inmediada; 2ª La necesidad de oír personalmente al acusado cuando se revise el elemento subjetivo del tipo (dolo). Una exige repetir la prueba personal en segunda instancia[39]. La otra la presencia del acusado en la vista de apelación[40].

---

(37) «Esa dimensión de oportunidad del acusado de contradecir o someter a contraste todo el proceso probatorio, añadiendo todo aquello que estime pertinente para su mejor defensa, característica del derecho a la última palabra, sirve al derecho a ser oído personalmente y al derecho de defensa contradictoria (SSTC 181/1994, de 20 de junio, FJ 3; 13/2006, de 16 de enero, FJ 4; 258/2007, de 18 de diciembre, FJ 2), que es precisamente la exigencia garantista material implicada en las revisiones globales en sede de apelación atinentes a cuestiones de hecho y de Derecho. Dicho de otro modo, con independencia del *nomen iuris* que quiera darse a la intervención de los acusados, tuvo lugar la audiencia precisa para asegurar el derecho a un proceso con todas las garantías, desde la perspectiva del derecho del acusado a ser oído personalmente en su defensa cuando se ventila su culpabilidad o inocencia en una revisión no sólo jurídica, sino también fáctica, de lo acontecido en primera instancia, pudiendo exponer ante el Tribunal encargado de revisar la decisión impugnada su personal versión acerca de su participación en los hechos que se le imputan (por todas, SSTC 120/2009, de 18 de mayo, FJ 3, 184/2009, de 7 de septiembre, FJ 3 y 45/2011, de 11 de abril, FJ 3)». STC 105/2016, de 6 de junio, Rec. 2569/2014, Ponente: Valdés Dal-Ré, Fernando. LA LEY 78697/2016.

(38) «9. La duplicidad de derechos fundamentales que se consideran concernidos en proyección de las doctrinas establecidas en las SSTC 167/2002 (LA LEY 7757/2002) y 184/2009 (LA LEY 167173/2009) ha llevado a que este Tribunal haya realizado un análisis independiente de ambas cuestiones en algunos pronunciamientos (así, SSTC 184/2009 (LA LEY 167173/2009); 142/2011, de 26 de septiembre (LA LEY 191026/2011); o 153/2011, de 17 de octubre (LA LEY 207817/2011)). Ahora bien, atendiendo al desarrollo, fundamentación y evolución de las doctrinas jurisprudenciales derivadas de las SSTC 167/2002 (LA LEY 7757/2002) y 184/2009 (LA LEY 167173/2009), se pone de manifiesto no sólo la íntima interconexión de los criterios sentados con dichos pronunciamiento, sino también que tienen un fundamento común, al englobarse de manera inescindible la exigencia de inmediación probatoria y el derecho del acusado absuelto a ser oído, que no es sino una concreta manifestación del principio de contradicción, en el más genérico derecho a un proceso con todas las garantías (art. 24.2 CE (LA LEY 2500/1978)). De ahí que este Tribunal también haya optado en otros pronunciamientos por hacer un análisis integrado y conjunto de ambos aspectos (así, SSTC 135/2011, de 12 de septiembre (LA LEY 184291/2011), FJ 3; y 126/2012 (LA LEY 90651/2012), de 18 de junio, FJ 4)».

(39) «El repaso de la jurisprudencia del Tribunal Europeo de Derechos Humanos pone de manifiesto que, cuando el Tribunal de apelación ha de conocer tanto de cuestiones de hecho como de Derecho, y en especial cuando ha de estudiar en su conjunto la culpabilidad o inocencia del acusado, "resulta preciso que el Tribunal de apelación lleve a cabo un examen "directo y personal" del acusado y de los testimonios presentados por él en persona, en el seno de una "nueva audiencia" en presencia de los demás interesados o partes adversas (SSTEDH de 26 de mayo de 1988, caso Ekbatani c. Suecia (LA LEY 983/1988), § 32; de 29 de octubre de 1991, caso Helmers c. Suecia, §§ 36, 37 y 39; de 29 de octubre de 1991, caso Jan-Äke Andersson c. Suecia, § 28; de 29 de octubre de 1991, caso Fejde c. Suecia, § 32; de 9 de julio de 2002, caso P.K. c. Finlandia; de 9 de marzo de 2004, caso Pitkänen c. Finlandia, § 58; de 6 de julio de 2004, caso Dondarini c. San Marino, § 27; de 5 de octubre de 2006, caso Viola c. Italia, § 50; y de 18 de octubre de 2006, caso Hermi c. Italia, § 64)"» STC Sala Segunda, Sentencia 105/2014 de 23 Jun. 2014, Rec. 6632/2012 FFJJ 2 a 4. Ponente: Valdés Dal-Ré, Fernando. LA LEY 86505/2014.

(40) «Con ello se optó por incardinar la audiencia del acusado como una exigencia derivada del derecho fundamental a un proceso con todas las garantías (art. 24.2 CE) y no ya, como fijaba

«El enjuiciamiento sobre la concurrencia de los elementos subjetivos del delito forma parte, a estos efectos, de la vertiente fáctica del juicio que corresponde efectuar a los órganos judiciales, debiendo distinguirse del mismo el relativo a la estricta calificación jurídica que deba asignarse a los hechos una vez acreditada su existencia. De este modo, si bien la revisión de la razonabilidad de las inferencias a partir de la cual el órgano *a quo* llega a su conclusión sobre la inexistencia de dolo —u otro elemento subjetivo del tipo— no precisará de la garantía de inmediación si tal enjuiciamiento no se produce a partir de la valoración de declaraciones testificales, sí deberá venir presidido, en todo caso, por la previa audiencia al acusado (FJ 8 citando la STC 126/2012, de 18 de junio, FJ 4). Este segundo criterio, reiterado en las SSTC 157/2013, de 23 de septiembre, FJ 7; y 205/2013, de 5 de diciembre, FJ 5; traduce la consideración del Tribunal Europeo de Derechos Humanos de que, con carácter general, la revisión de los elementos subjetivos del delito es una cuestión de hecho y no una cuestión de calificación jurídica y, por ello, precisa la audiencia del acusado (SSTEDH de 10 de marzo de 2009, caso *Igual Coll c. España*; 22 de noviembre de 2011, caso *Lacadena Calero c. España*; 13 de diciembre de 2011, caso *Valbuena Redondo c. España*; 20 marzo 2012, caso *Serrano Contreras c. España*; 27 de noviembre de 2012, caso *Vilanova Goterris c. España*; 8 de octubre de 2013, caso *Nieto Macero c. España*; 8 de octubre de 2013, caso *Román Zurdo c. España*; 12 de noviembre de 2013, caso *Sainz Casla c. España*; 8 de marzo de 2016, caso *Porcel Terribas y otros c España*; o 29 de marzo de 2016, caso *Gómez Olmeda c. España*)». STC 172/2016, de 17 de octubre, Rec. 299/2013, Ponente: Xiol Ríos, Juan Antonio. LA LEY 145324/2016.

Ante esa jurisprudencia las Audiencias Provinciales esforzadas encargadas de aplicar una Ley y un sistema de segunda instancia incompatible con la doctrina del TC intentó buscar soluciones. La más simple reproducir la grabación del juicio en la vista de apelación. Proceder que el TC declaró inmediatamente insuficiente y no sustitutivo de la repetición de la prueba[41].

«Asimismo hemos tenido ocasión de definir negativamente las condiciones de cumplimiento de las exigencias de inmediación y contradicción y de audiencia al

aquella STC 184/2009, de 7 de septiembre, FJ 3, como manifestación del derecho a la defensa (art. 24.2 CE). La consecuencia de ello, como destaca la citada STC 88/2013, FJ 9, es que la audiencia del acusado se configura con un doble propósito: de un lado, atender al carácter de prueba personal del testimonio del acusado, que exige de inmediación para ser valorada, y, de otro, garantizar el derecho a dirigirse y ser oído personalmente por el órgano judicial que va a decidir sobre su culpabilidad. Esta evolución de la doctrina constitucional reduce la posibilidad de condenar o agravar la condena sin vista a los supuestos en que el debate planteado en segunda instancia versa sobre estrictas cuestiones jurídicas, pues dicha audiencia ninguna incidencia podría tener en la decisión que pudiera adoptarse y la posición de la parte puede entenderse debidamente garantizada por la presencia de su abogado (STC 88/2013, FJ 8)». STC 105/2016, de 6 de junio, Rec. 2569/2014, Ponente: Valdés Dal-Ré, Fernando. LA LEY 78697/2016.

(41) «Esa doctrina impone, por referencia a los principios de inmediación y contradicción, que la prueba personal se practique ante el órgano judicial al que corresponde su valoración, posibilitando su examen directo y personal en un debate público (por todas, STC 167/2002, FFJJ 11 y 12), sin que la sola reproducción de la grabación del juicio oral faculte para realizar una valoración de las pruebas de carácter personal practicadas en dicho juicio, pues para ello es preciso que se convoque una vista en la que poder oír personal y directamente a quienes habían declarado en el juicio oral de primera instancia (por todas, STC 120/2009, de 18 de mayo (LA LEY 49468/2009), FJ 6, y 2/2010 (LA LEY 362/2010), de 11 de enero, FJ 3)». STC Sala Segunda, Sentencia 105/2014 de 23 Jun. 2014, Rec. 6632/2012 FFJJ 2 a 4. Ponente: Valdés Dal-Ré, Fernando. LA LEY 86505/2014.

acusado cuando se ventilen cuestiones fácticas en segunda instancia. Esas garantías no se ven colmadas con la sola reproducción y visionado de la grabación del juicio oral por parte del órgano revisor, pues para ello es preciso que se convoque una vista en la que poder oír personal y directamente a quienes habían declarado en el juicio oral de primera instancia y, ante todo, al acusado (SSTC 120/2009, de 18 de mayo, FJ 6; 2/2010, de 11 de enero, FJ 3; 30/2010, de 17 de mayo, FJ 4; STEDH caso *Gómez Olmeda c. España*, 29 de marzo de 2016, §§ 37-39). Esa exigencia de vista no es formal, sino que debe servir de efectivo instrumento a la garantía constitucional de un proceso debido respecto a los principios de inmediación y contradicción y la garantía de audiencia personal del acusado (SSTC 105/2014, FJ 4; 191/2014, FJ 5)». STC 105/2016, de 6 de junio, Rec. 2569/2014, Ponente: Valdés Dal-Ré, Fernando. LA LEY 78697/2016.

Ningún obstáculo existe para que se reproduzca el video de la vista cuando el declarante comparezca en la vista de apelación.

«Se completa la argumentación admitiendo la posibilidad de incorporar a la segunda instancia el contenido de la grabación audiovisual, en el marco de la vista o audiencia pública contradictoria, "cuando la declaración prestada en el juicio oral se reproduce, en presencia de quien la realizó, y éste es interrogado sobre el contenido de aquella declaración. Se fundamenta esta facultad del órgano judicial en que nuestro modelo actual de apelación es de naturaleza limitada o *revisio prioris instantiae*, esto es, de control sobre lo resuelto en la primera instancia y no de un *novum iuditium*, con repetición íntegra del juicio oral, por lo que la ausencia de inmediación respecto de las pruebas personales practicadas en la primera instancia no resulta obstativa de su valoración si, como dijimos en la STC 16/2009, de 26 de enero (LA LEY 1737/2009), FJ 5 b), tal déficit de inmediación viene compensado por la reproducción esencial de las mismas ante el nuevo órgano judicial que se dispone a su valoración, a través del contenido de los interrogatorios propios de la prueba testifical en apelación, o a través de la lectura del acta correspondiente, o por otro medio suficiente [como lo es, sin duda, la grabación audiovisual] que permita su introducción en la nueva vista ante dicho órgano, que podrá apreciarlas en el marco de la nueva actividad probatoria y del debate al respecto, intervenir en relación con las mismas, y percibir la reacción del declarante acerca de su declaración previa, sea a través de una nueva declaración, sea negándose a la misma"». STC Sala Segunda, Sentencia 105/2014 de 23 Jun. 2014, Rec. 6632/2012 FFJJ 2 a 4. Ponente: Valdés Dal-Ré, Fernando. LA LEY 86505/2014.

Para finalizar, esta doctrina, en gran medida disparatada, se ha pretendido trasladar al ámbito de la casación con la consecuencia de prohibirse valorar la prueba en casación si no se practica una vista en la cual se pueda practicar prueba. Es decir que en los pocos supuestos en los cuales el Tribunal Supremo puede revisar el criterio valorativo del Tribunal que inmedió la prueba sería necesario que se practicase esa prueba ante la Sala de lo Penal del Tribunal Supremo. Lo que resulta disparatado, improcedente y completamente al margen de cualquier noción mínima del entendimiento de cómo funciona el sistema procesal de enjuiciamiento criminal. Véase sobre esta cuestión el § 7.3, 7.4 y 7.6 de este mismo Capítulo.

«Ciertamente la Sala de lo Penal del Tribunal Supremo venía proclamando que la revisión del elemento subjetivo del tipo puede hacerse a través del art. 849.1 LECrim, incluso cuando supone valorar prueba, al tratarse de una cuestión jurídica que puede resolverse sin celebración de vista pública para practicar la prueba a revalorar, estableciendo que la fijación de un hecho probado a partir de una inferencia sobre datos circunstanciales no es un juicio fáctico sino jurídico. Sin embargo, modificar los hechos de la instancia mediante la revalorización de pruebas personales no puede equivaler a un juicio normativo porque deba acudirse a una deducción presuntiva, y supone la lesión del derecho a un proceso con todas las garantías (art. 24.2 CE) y del derecho a un proceso equitativo del art. 6.1 del Convenio europeo para la protección de los derechos humanos y de las libertades fundamentales (CEDH), conforme a la jurisprudencia del Tribunal Europeo de Derechos Humanos». STC 172/2016, de 17 de octubre, Rec. 299/2013, Ponente: Xiol Ríos, Juan Antonio. LA LEY 145324/2016.

Esta jurisprudencia del TC, que esperamos superada, plantea un buen número de problemas, algunos de difícil solución.

En primer lugar, de carácter técnico dada la limitación legal para practicar prueba en segunda instancia, que sólo procederá en los siguientes supuestos: las que no se pudieron proponer en la primera instancia (por causa no imputable al que la proponga), las propuestas que fueron indebidamente denegadas y las admitidas que no fueron practicadas por causas que no le sean imputables al recurrente (art. 790.3 LECrim). Problema que, según el TC, puede soslayarse mediante una interpretación conforme al contenido de los derechos constitucionales. Declara a ese respecto el TC que: «no basta sólo con que en la apelación el órgano ad quem haya respetado la literalidad del art. 795 LECrim, en el que se regula el recurso de apelación en el procedimiento abreviado, sino que es necesario en todo caso partir de una interpretación de dicho precepto conforme con la Constitución, hasta donde su sentido literal lo permita (y dejando aparte en caso contrario la posibilidad de planteamiento de la cuestión de inconstitucionalidad) para dar entrada en él a las exigencias del derecho fundamental a un proceso con todas las garantías»(STC 167/2002 de 18 de septiembre). De modo que con base en la propia jurisprudencia del TC debe tenerse por puesto un nuevo motivo que consistiría en la posibilidad de solicitar la práctica de la prueba en la alzada cuando el recurso de apelación se interponga frente a sentencias absolutorias con base en el error en la apreciación de la prueba. En ese caso será obligado para que el recurso pueda prosperar que se solicite la práctica en segunda instancia de la prueba en la que se produjo el error, exponiendo las razones y el fundamento de la petición.

En segundo lugar, respecto a la indefinición de cuál es el ámbito de conocimiento del Tribunal de alzada que con la jurisprudencia expuesta no resulta fácil de determinar. Lo que acaba produciendo inseguridad jurídica y vulneración de la tutela judicial efectiva. Así sucede, por ejemplo, en el supuesto de la STC 64/2008 de 26 de mayo, en el que el Tribunal de alzada revisó la sentencia de instancia no con una nueva interpretación de la prueba, sino otorgando mayor relieve a la prueba documental. Proceder que también proscribe el TC otorgando el amparo por entender que implícita e indirectamente se estaba valorando la prueba testifical, al darle menos valor que el que les concedió el Tribunal de instancia[42].

---

(42) «El razonamiento empleado por el órgano judicial de apelación para declarar probada la autoría del demandante de amparo (esto es, que fue él quien causó las lesiones a la denuncian-

No podemos estar de acuerdo con la expuesta doctrina jurisprudencial, ya que la necesaria inmediación de la prueba por el Tribunal de apelación resulta un proceder que subvierte el sistema legal de apelación penal implantado en nuestro derecho procesal. Efectivamente, el TC postula una interpretación de la legalidad que no resulta conforme con los principios que rigen en nuestro derecho procesal, entre los cuales se halla la naturaleza revisora de la apelación. Función de revisión que no es posible según lo postulado por el TC, puesto que no tiene sentido que el Tribunal de alzada inmedie aquello que va a revisar, ya que entonces no está revisando, sino juzgando. Nótese que si se repite la prueba, en realidad el Tribunal de alzada no está revisando sino juzgando. Es decir, que en la práctica se habrá suprimido la segunda instancia, ya que ésta se habrá convertido en un segundo juicio en el que se vuelve a repetir todo lo actuado y el Tribunal se pronuncia de nuevo con base en una prueba practicada en directa inmediación. De este modo el Tribunal de alzada se pronuncia sobre una prueba que, versando sobre los mismos hechos, será distinta a la practicada en el juicio en primera instancia. En este punto deben traerse a colación las razones en las que tradicionalmente se ha fundado el rechazo a un sistema de apelación plena. A saber, que la existencia de una segunda instancia con nueva práctica de prueba desvaloriza la primera, con la consecuencia que las partes concentran sus esfuerzos en obtener una sentencia favorable del Tribunal de apelación, que realizará en la práctica un nuevo juicio en la alzada.

Aun aceptando que se limite la facultad del Tribunal de alzada para revisar la valoración de la prueba realizada por el Juez «*a quo*» no resulta claro si de lo que se trata es de que el Tribunal deba practicar nueva prueba o bien que deba repetirse la ya practicada; o bien si sencillamente es necesario que el Tribunal de alzada deba oír en todo caso al acusado para poder condenarle. No resulta fácil resolver estas cuestiones, ni saber qué pruebas se deben practicar de nuevo, ya que en ocasiones el recurso se fundará en una crítica general a la valoración conjunta de la prueba de la se deduciría la culpabilidad del acusado. Por otra parte, si la parte acusadora solicita que se vuelva a practicar la prueba que considera que se valoró erróneamente, se supone que le cabe a la parte acusada y absuelta pedir la práctica de la prueba que pueda enervar la interpretación que mantiene la acusación. Finalmente, resulta claro que la prueba practicada en segunda instancia no puede tener el mismo valor que la

te) descansa, aun sin decirlo expresamente, en la valoración de la declaración de la denunciante como más verosímil dada la contundencia de la prueba documental acreditativa de las lesiones. Si, como ha quedado expuesto, la Audiencia consideró de menor peso las circunstancias expuestas por el Juez para restar credibilidad a la versión de los hechos ofrecida por la denunciante que la documental incorporada a las actuaciones a la que nos acabamos de referir, forzoso es concluir que implícitamente afirma con ello que tal documental dota de verosimilitud superior a la versión de la denunciante. Consecuentemente, por más que la decisión de considerar al demandante de amparo causante de las lesiones de la denunciante descanse en la contundencia de la prueba documental acreditativa de las mismas, lo cierto es que tal prueba se considera de entidad suficiente para inclinar al órgano judicial por la verosimilitud de la declaración testifical de la víctima, declaración que se practicó ante el Juez de Instrucción pero no ante la Audiencia. De ahí que, al basarse la condena en la nueva valoración de declaraciones testificales que no se practicaron a presencia del órgano que pronuncia la condena, deba concluirse, de conformidad con la doctrina constitucional expuesta, que se vulneró el derecho del demandante a un proceso con todas las garantías reconocido en el art. 24.2 CE». STC 64/2008 de 26 de mayo.

practicada en primera instancia, por ser una repetición, lo que permite la prevención de los que deba intervenir en apelación. Es decir, si la acusación fundamenta su petición de condena en apelación por entender que el testigo exculpatorio es mendaz, y con base en la jurisprudencia citada solicita su declaración en la alzada, no cabe duda de que la declaración de ese testigo en la alzada estará condicionada por la finalidad de su declaración. Finalmente, carece de ningún sentido la constante referencia a la presencia del acusado en la vista de apelación. No se acaba de entender para qué. El acusado no es objeto de prueba. Si lo que se pretende decir es que la revocación o no de la condena depende de lo que pueda decir el acusado ante la sala de apelación entonces tenemos un problema serio de entendimiento de como funcional el proceso penal.

En cualquier caso, esperemos que todo el sistema de recurso quede pacificado con la reforma operada por la Ley 41/2015 que determina que rechazada por el Tribunal de apelación la valoración de la prueba por el Tribunal de instancia la anulará y devolverá a primera instancia para que se dicte nueva sentencia por distinto Tribunal[43]. Norma que se refuerza y completa con la extensión de la segunda instancia a todos los procedimientos en proceso penal y reserva la casación para realizar su auténtico trabajo que es el de la unificación de la interpretación legal.

H) Prohibición de la reformatio in peius en la apelación[44]

La prohibición de la «*reformatio in peius*» es un principio procesal ratificado por la doctrina del TC según el cual el Tribunal de alzada no puede de oficio agravar o empeorar «*ultra o extra petita*» la condición procesal del recurrente por efecto de su propio recurso. Es decir, el Tribunal no puede imponer o agravar una condena en perjuicio del recurrente cuando esta petición no ha sido mantenida por alguna otra parte en el recurso de apelación. Si hubiere sido así el Tribunal de apelación puede conceder o negar tutela a cualquiera de los recurrentes con el efecto de «*mejorar*» o «*agravar*» la condición procesal del acusado recurrente. Pero no puede hacerlo así cuando el único que recurre es el acusado condenado en cuyo caso el Tribunal de apelación debe limitar su ámbito de conocimiento a su recurso mantenido en la alzada y, por tanto, podrá desde absolver hasta dictar una sentencia condenatoria más favorable para el recurrente o, como máximo, confirmar la sentencia. Pero lo que no podrá hacer (insistimos si el condenado es recurrente único) es empeorar la condena porque esa consecuencia no ha sido pedida por nadie en la alzada. En consecuencia, el órgano «*ad quem*» deberá

---

(43)   Art. 792.2 LECrim: «*La sentencia de apelación no podrá condenar al encausado que resultó absuelto en primera instancia ni agravar la sentencia condenatoria que le hubiera sido impuesta por error en la apreciación de las pruebas en los términos previstos en el tercer párrafo del artículo 790.2.*

No obstante, la sentencia, absolutoria o condenatoria, podrá ser anulada y, en tal caso, se devolverán las actuaciones al órgano que dictó la resolución recurrida. La sentencia de apelación concretará si la nulidad ha de extenderse al juicio oral y si el principio de imparcialidad exige una nueva composición del órgano de primera instancia en orden al nuevo enjuiciamiento de la causa».

(44)   Vid. APARICIO CALVO-RUBIO, «Dimensión constitucional de la reformatio in peius en el proceso penal», *AP*, 1988 (I), p. 713 y (II), p. 753; vid. también FONT SERRA, «En torno a la reformatio in peius en el proceso penal», *La Ley*, 1989-4, p. 1214.

resolver el recurso limitándose a las peticiones formuladas por el apelante, sin que, en ningún caso, pueda agravar la condena[45].

«La doctrina de este Tribunal Constitucional ha identificado la *reformatio in peius* con el empeoramiento o agravación de la situación jurídica del recurrente declarada en la resolución impugnada en virtud de su propio recurso, de modo que la decisión judicial que lo resuelve conduce a un efecto contrario al perseguido por el recurrente, cual es anular o suavizar la sanción aplicada en la resolución objeto de impugnación (entre muchas, SSTC 9/1998, de 13 de enero, FJ 2; 196/1999, de 25 de octubre, FJ 3; 203/2007, de 24 de septiembre, FJ 2, o 126/2010, de 20 de noviembre, FJ 3). Desde las primeras resoluciones de este Tribunal se afirmó que la prohibición de la reforma peyorativa ostenta dimensión constitucional aunque no se encuentre expresamente enunciada en el art. 24 CE. De un lado, se pone el acento en que representa un principio procesal que forma parte del derecho a la tutela judicial efectiva a través del régimen de garantías legales de los recursos, que deriva en todo caso de la prohibición constitucional de indefensión (entre otras, SSTC 54/1985, de 18 de abril, FJ 7; 141/2008, de 30 de octubre, FJ 5, y 126/2010, de 29 de noviembre, FJ 3) y que, en ocasiones, se ha vinculado al principio dispositivo (STC 28/2003, de 10 de febrero, FJ 2) y al principio de rogación (STC 54/1985, FJ 7). De otro lado, se identifica la prohibición de empeoramiento como "una proyección de la congruencia en el segundo o posterior grado jurisdiccional, que impide al órgano judicial *ad quem* exceder los límites en que esté planteado el recurso, acordando una agravación de la sentencia impugnada que tenga origen exclusivo en la propia interposición de éste (STC 17/2000, de 31 de enero, FJ 4), pues, de admitirse que los órganos judiciales pueden modificar de oficio en perjuicio del recurrente la resolución por él impugnada, se introduciría un elemento disuasorio para el ejercicio del derecho a los recursos legalmente establecidos en la ley incompatible con la tutela judicial efectiva que vienen obligados a prestar los órganos judiciales (SSTC 114/2001, de 7 de mayo, FJ 4; 28/2003, de 10 de febrero, FJ 3)" (STC 310/2005, de 12 de diciembre, FJ 2, por todas)». STC 223/2015, de 2 de noviembre, Recurso de amparo 1167-2013.

Esta prohibición de agravamiento peyorativo de la situación del apelante encuentra un reflejo legal en el art. 902 LECrim, referido al recurso de casación[46]. No obs-

---

(45) «La doctrina del Tribunal Constitucional ha identificado la reformatio in peius con el empeoramiento o la agravación de la situación jurídica del recurrente declarada en la resolución impugnada, con ocasión de la resolución de su propio recurso, de modo que la decisión judicial desemboque en el efecto contrario al perseguido por el recurrente, esto es, su voluntad de anular o suavizar la sanción aplicada en la resolución objeto de impugnación (entre muchas, SSTC 9/1998, de 13 de enero (LA LEY 1395/1998) FJ 2; 196/1999, de 25 de octubre (LA LEY 649/2000) FJ 3; 203/2007, de 24 de septiembre (LA LEY 153999/2007) FJ 2, o 126/2010, de 20 de noviembre FJ 3)». STS Sala Segunda, de lo Penal, Sentencia 152/2017 de 10 Mar. 2017, Rec. 1678/2016; Ponente: Llarena Conde, Pablo. LA LEY 8548/2017. Ponente: Llarena Conde, Pablo. LA LEY 8548/2017.

(46) «Por lo que atañe al orden penal, ese anclaje constitucional al derecho a la tutela judicial efectiva se completa en algunas resoluciones con el respaldo del principio acusatorio, de modo que la exclusión de la *reformatio in peius* entronca con el destierro de toda actuación inquisitiva por parte del Tribunal de segunda instancia. Conforme a esa jurisprudencia, es trasladable al recurso de apelación contra sentencias penales lo dispuesto en el art. 902 de la Ley de Enjuiciamiento Criminal para el recurso de casación, a fin de preservar el principio acusatorio y evitar el agravamiento de la situación del condenado apelante por su solo recurso cuando ejercita el derecho a la segunda instancia en el orden penal, que es producto de la conexión de los arts. 24.1 y 10.2 CE (SSTC 54/1985, FJ 7; 16/2000, de 31 de enero, FJ 5; 200/2000, de 24 de julio, FJ 2; 310/2005, de

tante, tanto la jurisprudencia como la doctrina admiten la plena vigencia de esta prohibición de «*reformatio in peius*» en todas las apelaciones por tratarse de un principio general del Derecho procesal. En consecuencia, la decisión de órgano «*ad quem*» deberá limitarse a las peticiones formuladas por el apelante en su escrito de recurso (art. 790.2 LECrim), sin que en ningún caso pueda agravar la situación de aquél[(47)].

> «El Tribunal que conoce del recurso interpuesto por la persona condenada en el juicio oral nunca puede incrementar la pena impuesta por el Tribunal sentenciador; a lo sumo, puede confirmarla con fundamentos jurídicos distintos que la hagan justificada (SSTC 12/1981, fundamento jurídico 4º, y 43/1997, fundamento jurídico 3º)». STC 70/1999 de 26 de abril.

El fundamento de este principio se recoge de forma precisa en el axioma: «*tantum apellatum, quantum devolutum*», que determina que el Tribunal no pueda pronunciarse respecto de aquellos extremos que no hubieren sido efectivamente impugnados. Teniendo en cuenta que el apelante únicamente recurre aquello que le perjudica, resulta claro que la sentencia de apelación halla su límite en la condena efectivamente impuesta que podrá confirmar, pero no incrementar. Este principio resulta por otra parte coherente con la vigencia del principio acusatorio e impide que el órgano juzgador actúe como acusador, debiendo siempre sujetarse a las peticiones de las partes. De este modo el juicio revisorio que constituye el fundamento del recurso de apelación se debe limitar a las pretensiones ejercitadas por el apelante, sin que sea admisible una reforma peyorativa de la condición jurídica del recurrente[(48)].

> «La prohibición de la reforma peyorativa, aunque no esté expresamente enunciada en el art. 24 CE, tiene una dimensión constitucional, ya que, "por un lado, repre-

---

12 de diciembre, FJ 2, y 141/2008, de 30 de octubre, FJ 5)». STC 223/2015, de 2 de noviembre, Recurso de amparo 1167-2013.

(47) «Aunque la prohibición de reforma peyorativa no esté expresamente enunciada en el artículo 24 CE, representa un principio procesal que forma parte del derecho a la tutela judicial efectiva a través del régimen de garantías legales de los recursos y, en todo caso, de la prohibición constitucional de la indefensión. También hemos sostenido que es trasladable al recurso de apelación lo dispuesto en el art. 902 LECrim para el recurso de casación, a fin de preservar el principio acusatorio y evitar el agravamiento de la situación del condenado apelante por su solo recurso, cuando ejercita el derecho a la segunda instancia en el orden penal, que es producto de la conexión de los artículos 24.1 y 10.2 CE (SSTC 54/1985, de 18 de abril; F. 7, 84/1995, de 5 de junio; F. 2, 115/1986, de 6 de octubre; F. 2, 6/1987, de 28 de enero; F. 2, 116/1988, de 20 de junio; F. 2, y 19/1992, de 14 de febrero; F. 2, además de la ya citada)». STC 16/2000 de 31 de enero. En el mismo sentido la STC 56/1999 de 12 de abril.

(48) «De lo expuesto, se deriva con claridad que la sentencia objeto del recurso de casación es, precisamente, la dictada en apelación por el Tribunal Superior de Justicia de la Comunidad correspondiente, y por ello, no pueden ser objeto de denuncia cuestiones ajenas a lo debatido en el recurso de apelación, o dicho de otro modo, el marco de la disidencia en el recurso de casación, queda limitado por lo que fue objeto del recurso de apelación, y por tanto, lo que quedó fuera del ámbito de la apelación, no puede ser objeto del recurso de casación, en la medida que ello supondría obviar la existencia del previo control efectuado en la apelación, por tanto el control casacional se construye, precisamente, sobre lo que fue objeto del recurso de apelación. En tal sentido STS 255/2007 (LA LEY 12537/2007) o 717/2009 (LA LEY 125098/2009) de 17 de mayo y 1249/2009 de 9 de diciembre (LA LEY 247526/2009)». STS Sala Segunda, de lo Penal, Sentencia 240/2017 de 5 Abr. 2017, Rec. 10657/2016; Ponente: Berdugo Gómez de la Torre, Juan Ramón. LA LEY 23676/2017.

senta un principio procesal que forma parte del derecho a la tutela judicial efectiva a través del régimen de garantías legales de los recursos, que deriva, en todo caso, de la prohibición constitucional de indefensión, y, por otro, es una proyección de la congruencia en el segundo o posterior grado jurisdiccional, que impide al órgano judicial *ad quem* exceder los límites en que esté planteado el recurso, acordando una agravación de la Sentencia impugnada que tenga origen exclusivo en la propia interposición de éste" pues, "de admitirse que los órganos judiciales pueden modificar de oficio en perjuicio del recurrente la resolución por él impugnada, se introduciría un elemento disuasorio para el ejercicio del derecho a los recursos legalmente establecidos en la ley, incompatible con la tutela judicial efectiva que vienen obligados a prestar los órganos judiciales"». STC Sala Segunda, Sentencia 126/2010 de 29 Nov. 2010, Rec. 3977/2007; Ponente: Rodríguez Arribas, Ramón. LA LEY 213853/2010.

La doctrina del Tribunal Constitucional ha ratificado la vigencia de la prohibición de la *reformatio in peius* por vía de la interdicción de la indefensión, prevista en el art. 24 CE, y de la exigencia de las garantías inherentes a todo proceso. Entiende que el objeto del proceso está definido por las pretensiones de las partes, que deben ser resueltas en una sentencia congruente con aquéllas. Por ello, el Tribunal de alzada, de oficio, no puede agravar o empeorar la condena del recurrente apoyándose en una pretensión de signo contrario no formulada por aquél[49]. De ese modo, se garantiza también el principio de seguridad jurídica, el principio acusatorio y el derecho de acceso a los recursos[50].

«Con ello, se destaca también en nuestra doctrina, se agrega a la prohibición general de reforma peyorativa el nuevo matiz, constitucionalmente relevante, de la seguridad jurídica del condenado sobre la inmutabilidad de la Sentencia en su perjuicio si no media recurso de parte contraria, estando vedada la agravación de oficio aunque fuera absolutamente evidente su procedencia legal, pues las garantías constitucionales deben prevalecer sobre el principio de estricta sumisión del Juez a la ley, incluso para corregir de oficio en la alzada errores evidentes en la aplicación

---

(49) «...la denominada reforma peyorativa tiene lugar cuando la parte recurrente, en virtud de su propio recurso, ve empeorada o agravada la situación jurídica creada o declarada en la resolución impugnada, de modo que lo obtenido con la decisión judicial que resuelve el recurso es un efecto contrario al perseguido por el recurrente, que era, precisamente, eliminar o aminorar el gravamen sufrido con la resolución objeto de impugnación (Sentencias del Tribunal Constitucional 9/1998, de 13 de enero (LA LEY 1395/1998), FJ 2;232/2001, de 10 de diciembre (LA LEY 1110/2002), FJ 5)». STS Sala Segunda, de lo Penal, Sentencia 604/2016 de 7 Jul. 2016, Rec. 10084/2016. Ponente: Granados Pérez, Carlos. LA LEY 80134/2016.

(50) «Ese anclaje constitucional al derecho a la tutela judicial efectiva se completa en algunas resoluciones con el respaldo del principio acusatorio, de modo que la exclusión de la reformatio in peius entronca con el destierro de toda actuación inquisitiva por parte del tribunal de segunda instancia. Conforme a esa jurisprudencia, es trasladable al recurso de apelación contra sentencias penales lo dispuesto en el art. 902 de la Ley de Enjuiciamiento Criminal (LA LEY 1/1882) para el recurso de casación, a fin de preservar el principio acusatorio y evitar el agravamiento de la situación del condenado apelante por su solo recurso cuando ejercita el derecho a la segunda instancia en el orden penal, que es producto de la conexión de los arts. 24.1 (LA LEY 2500/1978) y 10.2 CE (SSTC 54/1985 (LA LEY 415-TC/1985) FJ 7; 16/2000, de 31 de enero (LA LEY 4144/2000) FJ 5; 200/2000, de 24 de julio (LA LEY 11291/2000) FJ 2; 310/2005 (LA LEY 10522/2006), de 12 de diciembre FJ 2, y 141/2008, de 30 de octubre (LA LEY 158304/2008) FJ 5)». STS Sala Segunda, de lo Penal, Sentencia 152/2017 de 10 Mar. 2017, Rec. 1678/2016; Ponente: Llarena Conde, Pablo. LA LEY 8548/2017. Ponente: Llarena Conde, Pablo. LA LEY 8548/2017.

de la misma en la instancia (SSTC 153/1990, de 15 de octubre, FJ 5; 70/1999, de 26 de abril, FJ 8; 28/2003, de 10 de febrero, FJ 5; y 310/2005, de 12 de diciembre, FJ 2; 141/2008, de 30 de octubre, FJ 5; 124/2010, de 29 de noviembre, FJ 2, y 246/2010, de 10 de octubre, FJ 5). En otras palabras, "lo que juega, con relevancia constitucional, es la agravación del resultado que tal decisión de oficio determina, aunque fuere absolutamente evidente su procedencia legal, de suerte que queda así constitucionalizado el principio de la no reforma peyorativa y fundado no sólo en el juego del principio acusatorio sino en el de la garantía procesal derivada de una Sentencia penal no impugnada de contrario" (SSTC 153/1990, de 15 de octubre, FJ 5; 17/2000, de 31 de enero, FJ 5; 124/2010, de 29 de noviembre, FJ 2, y 246/2010, de 10 de octubre, FJ 5)» STC 223/2015, de 2 de noviembre, Recurso de amparo 1167-2013.

La prohibición de empeoramiento impide imponer pena que exceda, por su gravedad, naturaleza o cuantía, de la pedida por las acusaciones, cualquiera que sea el tipo de procedimiento por el que se sustancia la causa, aunque la pena en cuestión no transgreda los márgenes de la legalmente prevista para el tipo penal que resulte de la calificación de los hechos formulada en la acusación y debatida en el proceso[51]. También se impide agravar las indemnizaciones derivadas ex *delicto*[52].

> «Finalmente, hemos mantenido que respecto de la acción civil derivada del ilícito penal (ámbito al que se contrae la presente demanda) rige también la imposibilidad de alterar en perjuicio del único apelante las indemnizaciones concedidas en la instancia, por aplicación del principio "*tantum devolutum quantum appellatum*", salvo que existan otros recursos de apelación autónomos o adherentes al recurso del apelante, pues en este caso se incrementa el alcance devolutivo del recurso y, por ello, los poderes del órgano de apelación (SSTC 53/1987, de 7 de mayo; F. 3, 91/1987, de 3 de junio; F. 3, 116/1988, F. 2, 202/1988, F. 3, 242/1988, de 19 de diciembre; F. 2, 40/1990, de 12 de marzo; F. 1, 279/1994, de 17 de octubre; F. 3, 144/1996, de 16 de septiembre; F. 4, 59/1997, de 18 de marzo; F. 2, y 56/1999, F. 2). En definitiva, desde el punto de vista de la acción civil anudada a la acción penal, se producirá la "*reformatio in peius*" cuando la modificación operada en fase de apelación no sea consecuencia de una petición deducida ante el Tribunal, bien a través de la formu-

---

(51)   «En el ámbito del derecho al proceso con todas las garantías (art. 24.2 CE) en relación con el principio acusatorio, en la STC 155/2009, de 25 de junio (FJ 6), hemos aceptado un límite más restrictivo a la imposición de penas en relación con las pedidas por las acusaciones, diciendo: "la protección de los derechos de defensa del imputado y en la preservación de la garantía de la imparcialidad judicial en el seno del proceso penal, (implica) que, solicitada por las acusaciones la imposición de una pena dentro del marco legalmente previsto para el delito formalmente imputado, el órgano judicial, por exigencia del deber de congruencia entre acusación y fallo como manifestación del principio acusatorio, no puede imponer pena que exceda, por su gravedad, naturaleza o cuantía, de la pedida por las acusaciones, cualquiera que sea el tipo de procedimiento por el que se sustancia la causa, aunque la pena en cuestión no transgreda los márgenes de la legalmente prevista para el tipo penal que resulte de la calificación de los hechos formulada en la acusación y debatida en el proceso ... Ciertamente aquella garantía (del principio acusatorio) resulta mejor protegida si el órgano judicial no asume la iniciativa de imponer ex officio una pena que exceda en su gravedad, naturaleza o cuantía de la solicitada por la acusación, asumiendo un protagonismo no muy propio de un sistema configurado de acuerdo con el principio acusatorio, como el que informa la fase de plenario en el proceso penal"». STC Sala Segunda, Sentencia 126/2010 de 29 Nov. 2010, Rec. 3977/2007; Ponente: Rodríguez Arribas, Ramón. LA LEY 213853/2010.

(52)   Vid. SSTC 54/85, de 18 abril; 202/88, de 31 octubre; 84/85, de 8 julio; 17/88, de 30 enero; 53/87, de 7 mayo; 91/87, de 3 junio; 15/87, de 11 febrero.

lación de un recurso de apelación, bien por medio de la adhesión a cualquiera de los recursos admitidos por el órgano judicial». STC 16/2000 de 31 de enero. Véanse también SSTC 232/2001 de 11 de diciembre; 200/2000, de 24 de julio; 153/90, de 15 octubre.

Nótese que lo que se proscribe, y es relevante, no es si ha existido una modificación de la sentencia impugnada, sino si la «reformatio» lo es en perjuicio del apelante único. Es decir si es una *reformatio in peius* y no en beneficio del condenado apelante[53].

> «Este Tribunal ha defendido que lo relevante no es si existe una *reformatio*, sino si es *in peius*, y ha especificado que "los términos de comparación para ponderar si la reforma ha sido peyorativa han de ser, en el caso, las respectivas condenas: es decir, si la recaída en segunda instancia empeora la situación que establece el fallo condenatorio de la dictada por el juzgador *a quo*, y no la relación existente entre la pretensión absolutoria del actor recurrente y el sentido del fallo condenatorio derivado del recurso" (STC 183/2005, FJ 3; 203/2007, FJ 2)». STC 223/2015, de 2 de noviembre, Recurso de amparo 1167-2013.

Ahora bien, de conformidad con lo expuesto, la prohibición de reforma peyorativa en contra del recurrente desaparece cuando también formulen apelación las otras partes personadas. En este caso el órgano «*ad quem*» no quedará ya vinculado, únicamente, por las pretensiones del apelante, sino que el enjuiciamiento incluirá todas las peticiones de las partes[54].

---

(53) «Segundo.- A) Alega el recurrente en el segundo motivo de su recurso infracción de precepto constitucional al amparo del artículo 852 de la LECrim (LA LEY 1/1882), en relación al art 5.4 de la LOPJ (LA LEY 1694/1985), por infracción del principio de prohibición de "reformatio in peius", constitucionalmente proscrita por el artículo 24.1 de la CE (LA LEY 2500/1978) como causante de indefensión, derivada del derecho fundamental a obtener tutela judicial efectiva a través de las garantías implícitas en el régimen recursos, en relación al artículo 120 de la CE (LA LEY 2500/1978), en cuanto a la individualización de la pena, artículo 66.1.6 (LA LEY 3996/1995) y 72 del CP . (LA LEY 3996/1995), en relación a la pena de prisión de 15 años. B) Reiterando la doctrina y los argumentos expuestos en el motivo anterior, y constatado que tras eliminar la circunstancia agravante de alevosía la pena impuesta experimenta una rebaja de dos años, no cabe apreciar la "reformatio in peius" denunciada». ATS Sala Segunda, de lo Penal, Auto 604/2016 de 3 Mar. 2016, Rec. 10902/2015; Ponente: Marchena Gómez, Manuel. LA LEY 35739/2016.

(54) «Ya la STC 84/1985, de 8 de julio (LA LEY 10167-JF/0000), FJ 1, concluyó que la proscripción de reforma peyorativa impedía al Juez penal de segunda instancia (el Tribunal Supremo, en aquel caso) modificar de oficio la Sentencia agravando la pena si sólo fue apelante el condenado y tanto la víctima del delito como el Fiscal se aquietaron, señalando que esa exigencia queda reflejada en el art. 902 de la Ley de enjuiciamiento criminal (LECrim (LA LEY 1/1882)), según el cual la nueva Sentencia de casación que se dicte no impondrá pena superior a la señalada en la Sentencia impugnada o a la que correspondería conforme a las peticiones del recurrente si se solicitó pena mayor. Del mismo modo, y por idénticas razones, se otorgó el amparo en la STC 28/2003, de 10 de febrero (LA LEY 10963/2003), al haber obtenido el apelante una condena que, en aras de la corrección de oficio de un error de la Sentencia apelada, agravaba la situación que resultaba de ésta. Por su parte, en la STC 183/2005, de 4 de julio (LA LEY 13315/2005), FJ 3, se rechazó la existencia de violación de la prohibición de reforma peyorativa porque la condena recaída en segunda instancia, por un delito de negociación prohibida a funcionario del art. 441 del Código penal (LA LEY 3996/1995) (CP), fue considerablemente más benigna para el demandante que la que se le impuso por la Audiencia Provincial por el delito de prevaricación del art. 404 CP (LA LEY 3996/1995) y de

«La denominada reforma peyorativa tiene lugar cuando la parte recurrente, en virtud de su propio recurso, ve empeorada o agravada la situación jurídica creada o declarada en la resolución impugnada, de modo que lo obtenido con la decisión judicial que resuelve el recurso es un efecto contrario al perseguido por el recurrente, que era, precisamente, eliminar o aminorar el gravamen sufrido con la resolución objeto de impugnación (STC 9/1998, de 13 de enero, F. 2). Sin embargo, también hemos precisado que no cualquier empeoramiento de la situación inicial del recurrente es contrario al art. 24.1 CE, sino sólo aquel que resulte del propio recurso del recurrente, sin mediación de pretensión impugnatoria propia ejercitada por la otra parte, y con excepción del daño o perjuicio que derive de la aplicación de normas de orden público, cuya recta aplicación es siempre deber del juez, con independencia de que sea o no instada por las partes...». STC 232/2001 de 11 de diciembre.

De este modo, cuando recurran todas las partes el ámbito de decisión del Tribunal de apelación quedará determinado por las peticiones formuladas en los escritos de conclusiones definitivas, de modo que se situará en la misma posición que tenía el tribunal de primera instancia. Pero, el recurso de apelación deberá interponerse, como hemos expuesto, en el plazo de diez días siguientes a su notificación sin que sea posible recurrir mediante lo que se venía denominando escrito de adhesión a la apelación. Por tanto, el principio prohibitivo de la *reformatio in peius*, únicamente quedará enervado en el supuesto de que alguna de las partes en el proceso impugne, a su vez, la sentencia introduciendo, de ese modo, en el ámbito de conocimiento del Tribunal el ámbito de interés de cada uno de los impugnantes. La consecuencia de ello será que el apelante podrá quedar perjudicado no por *mor* de su recurso, sino en tanto que el Tribunal puede acoger la petición de la adversa.

Pero, el principio de la *reformatio in peius* no prevalece ante la aplicación de normas de orden público procesal[55].

«Hemos advertido, no obstante, que no cualquier empeoramiento de la situación inicial del recurrente es contrario al derecho a la tutela judicial efectiva del artículo 24.1 CE (LA LEY 2500/1978), sino sólo aquél que resulte del propio recurso del recurrente, sin mediación de pretensión impugnatoria de la otra parte, y con excepción del daño que derive de la aplicación de normas de orden público, cuya recta aplicación es siempre deber del Juez, con independencia de que sea o no pedida por las partes (Sentencias del Tribunal Constitucional 15/1987, de 11 de febrero (LA LEY 85965-NS/0000), FJ; 4071990, de 12 de marzo, FJ 1; 153/1990, de 15 de octubre (LA LEY 55903-JF/0000), FJ 4; y 241/2000, de 16 de octubre, FJ 2)». STS Sala Segunda, de lo Penal, Sentencia 604/2016 de 7 Jul. 2016, Rec. 10084/2016. Ponente: Granados Pérez, Carlos. LA LEY 80134/2016.

---

la que resultó absuelto en casación». STC Sala Primera, Sentencia 203/2007 de 24 Sep. 2007, Rec. 7832/2004; Ponente: García-Calvo y Montiel, Roberto. LA LEY 153999/2007.

(55) «Para que pueda apreciarse la existencia de reforma peyorativa, constitucionalmente prohibida, el empeoramiento de la situación del recurrente ha de resultar de su propio recurso, sin mediación de pretensión impugnatoria de otra parte, y con excepción del daño que derive de la aplicación de normas de orden público procesal (por todas, SSTC 15/1987, de 11 de febrero, FJ 4; 17/1989, de 30 de enero, FJ 7, y 70/1999, de 26 de abril, FJ 5), "cuya recta aplicación es siempre deber del Juez, con independencia de que sea o no pedida por las partes" (SSTC 214/2000, de 16 de octubre, FJ 3; 28/2003, de 10 de febrero, FJ 3; y 249/2005, de 15 de noviembre, FJ 5, y 126/2010, FJ 3)». STC 223/2015, de 2 de noviembre, Recurso de amparo 1167-2013.

Sin que ello deba entenderse como una posibilidad del Tribunal de alzada de corregir errores de hecho o de derecho por muy evidentes que fueren.

«Se agrega a la prohibición general de reforma peyorativa el nuevo matiz, constitucionalmente relevante, de la seguridad jurídica del condenado sobre la inmutabilidad de la sentencia en su perjuicio si no media recurso de parte contraria, estando vedada la agravación de oficio aunque fuera absolutamente evidente su procedencia legal, pues las garantías constitucionales deben prevalecer sobre el principio de estricta sumisión del juez a la ley, incluso para corregir de oficio en la alzada errores evidentes en la aplicación de la misma en la instancia (SSTC 153/1990, de 15 de octubre (LA LEY 55903-JF/0000) FJ 5; 70/1999, de 26 de abril (LA LEY 6182/1999) FJ 8; 28/2003, de 10 de febrero (LA LEY 10963/2003) FJ 5; y 310/2005, de 12 de diciembre (LA LEY 10522/2006) FJ 2; 141/2008, de 30 de octubre (LA LEY 158304/2008) FJ 5; 124/2010, de 29 de noviembre (LA LEY 217181/2010) FJ 2, y 246/2010, de 10 de octubre FJ 5). En otras palabras, "lo que juega, con relevancia constitucional, es la agravación del resultado que tal decisión de oficio determina, aunque fuere absolutamente evidente su procedencia legal, de suerte que queda así constitucionalizado el principio de la no reforma peyorativa y fundado no sólo en el juego del principio acusatorio sino en el de la garantía procesal derivada de una sentencia penal no impugnada de contrario" (SSTC 153/1990, de 15 de octubre (LA LEY 55903-JF/0000) FJ 5; 17/2000, de 31 de enero (LA LEY 4283/2000) FJ 5; 124/2010, de 29 de noviembre (LA LEY 217181/2010) FJ 2, y 246/2010, de 10 de octubre FJ 5)». STS Sala Segunda, de lo Penal, Sentencia 152/2017 de 10 Mar. 2017, Rec. 1678/2016; Ponente: Llarena Conde, Pablo. LA LEY 8548/2017. Ponente: Llarena Conde, Pablo. LA LEY 8548/2017.

I) Sentencia. Supuestos de retroacción y nulidad de la sentencia impugnada

El recurso de apelación se resolverá en sentencia que se dictará dentro de los cinco días siguientes al de la celebración de la vista oral, o dentro de los diez días siguientes a la recepción de las actuaciones por la Audiencia Provincial, cuando no se hubiere celebrado (art. 792.1 LECrim). La sentencia se notificará a las partes, así como a los perjudicados por el delito, aunque no se hubieren constituido como parte (art. 792.4 LECrim). (Véase M. 142).

La función del Tribunal de alzada consiste en la revisión del proceso seguido en primera instancia, con plenos poderes para revocar la sentencia impugnada. Incluyendo, la revisión de la prueba con base en lo que se halla acreditado en autos y sea efectivamente impugnado con expresión y acreditación suficiente del error. A ese efecto es preciso tener presente la delimitación que, respecto a este motivo de recurso, se contiene en el art. 790.2 LECrim conforme a la nueva regulación dada por la Ley 41/2015 al que nos hemos referido con relación a los motivos del recurso[56]. Naturalmente cualquier decisión del Tribunal de apelación, máxime cuando revisa y formula, en su caso, nuevo relato de hechos probados precisa de la necesaria motivación.

---

(56) El art. 790.2 LECrim dispone que: «*Cuando la acusación alegue error en la valoración de la prueba para pedir la anulación de la sentencia absolutoria o el agravamiento de la condenatoria, será preciso que se justifique la insuficiencia o la falta de racionalidad en la motivación fáctica, el apartamiento manifiesto de las máximas de experiencia o la omisión de todo razonamiento sobre alguna o algunas de las pruebas practicadas que pudieran tener relevancia o cuya nulidad haya sido improcedentemente declarada*».

La sentencia que se dicte en apelación deberá observar los requisitos propios de la sentencia, con excepción del relato de hechos probados que la sentencia aceptará o bien rechazará en cuyo caso deberá incluir las modificaciones que procedan. En cuanto a los fundamentos de derecho se deberá dar cumplida cuenta de los motivos de recurso. En este sentido, el Tribunal Constitucional ha declarado que las exigencias derivadas del principio acusatorio deben mantenerse en cada una de las instancias del proceso penal, y, en particular, son también aplicables en el recurso de apelación (véanse SSTC 302/2000 de 11 de diciembre; 95/1995, de 19 de junio; 54/1985 de 18 de abril). Aunque, el Tribunal Constitucional ha distinguido entre las respuestas a las pretensiones del recurso, que deben ser resueltas sin omitir ninguna, y las alegaciones deducidas por las partes para fundamentar sus motivos de recurso que pueden resolverse mediante una respuesta genérica. También se ha admitido una motivación por remisión a la sentencia de instancia, siempre que ésta se halle debidamente motivada

> «Es preciso distinguir entre las alegaciones y argumentos aducidos por las partes para fundamentar sus pretensiones y las pretensiones en sí mismas consideradas. Pues si las primeras no requieren una respuesta explícita y detallada de cada una de ellas, pudiendo bastar una respuesta genérica, mientras que, respecto de las pretensiones esa respuesta concreta es en todo caso exigible. Y, por tanto, en este caso los razonamientos del Juzgador han de permitir apreciar sin esfuerzo que una determinada pretensión ha sido valorada. Por último, si las pretensiones se hacen valer ante un órgano superior frente a una resolución anterior, como ocurre en el caso de la apelación en el proceso penal, es claro que en este supuesto las pretensiones se configuran en los distintos motivos del recurso, constituyendo cada uno de ellos, en la medida en que posean su propia autonomía, una concreta *"causa petendi"* para la revocación de la resolución impugnada. De suerte que el Tribunal incurriría en incongruencia omisiva si no diera respuesta a uno de los motivos del recurso aunque tal respuesta conduzca a su rechazo, pues en otro caso ello genera una denegación parcial de justicia, contraria a la tutela judicial efectiva que nuestra Constitución ha consagrado». STC 31/2001 de 12 de febrero.

En cuanto a los efectos y eficacia de la sentencia debe distinguirse según confirme o revoque la sentencia y, en ese último caso, si se acoge un motivo u otro de los de recurso:

— En el caso que la sentencia desestime todos los motivos de recurso se confirmará en su integridad la sentencia impugnada, con imposición de las costas según lo dispuesto en los arts. 239 y ss. LECrim.

— En el caso que se estime un quebrantamiento de una forma esencial del procedimiento, el Tribunal anulará la sentencia impugnada y ordenará reponer el procedimiento al estado en que se encontraba al momento de cometerse la falta, con devolución de los autos al Juez inferior. Pero, conservarán su validez todos aquellos actos cuyo contenido sería idéntico a pesar de aquella infracción, lo que plantea el problema de tener que decidir qué actos subsistirán y cuáles no[57].

---

(57) Véase el art. 242, en relación con el art. 240 LOPJ; y el art. 230 LEC, referentes a la conservación de los actos procesales.

— En el supuesto de estimar la infracción de ley la Audiencia revocará la sentencia impugnada y dictará una nueva que sustituye a la anterior con la aplicación correcta de la ley.

Finalmente, el supuesto de error en la apreciación de la prueba tiene unas especiales características en tanto que, como se ha dicho anteriormente, supone someter la valoración libre y en conciencia del Tribunal de primera instancia a la revisión de un Tribunal superior, lo cual supone el problema de cual sea el ámbito de actuación del Tribunal de apelación y las consecuencias de tal recurso (véase sobre esta cuestión lo dicho anteriormente sobre interposición y fundamentación del recurso de apelación). Además, la cuestión adquiere mayor dificultad si se atiende al hecho que la sentencia impugnada hubiere sido absolutoria e impugnada por alguna de las acusaciones. En ese caso, no cabe ninguna duda que el Tribunal de apelación podrá revocar la sentencia y dictar otra condenatoria con base en la apreciación de infracción de Ley o bien error en la apreciación de la prueba documental u otra que no requiera de la inmediación como elemento esencial de su valoración. Ahora bien, cuestión distinta será que el Tribunal de apelación pudiera revocar la sentencia absolutoria con base en una distinta apreciación de la prueba directamente inmediada por el Tribunal "a quo" (Véase sobre estas cuestión arriba el apartado F) de este mismo epígrafe 4). La Ley 41/2015 de reforma de la LECrim ha intentado dar solución a estas cuestiones estableciendo dos reglas en el art. 792.2 LECrim: 1ª La sentencia de apelación no podrá condenar al encausado que resultó absuelto en primera instancia ni agravar la sentencia condenatoria que le hubiera sido impuesta por error en la apreciación de la prueba. 2º La sentencia dictada en apelación, ya sea absolutoria o condenatoria, podrá ser anulada en el supuesto de apreciarse el error en la valoración de la prueba, en cuyo caso se devolverán las actuaciones al órgano que dictó la resolución recurrida[58]. La sentencia de apelación concretará si la nulidad ha de extenderse al juicio oral y si el principio de imparcialidad exige una nueva composición del órgano de primera instancia en orden al nuevo enjuiciamiento de la causa.

«Incluso en la nueva regulación del recurso de apelación tras la reforma de los arts. 790 y siguientes de la LECrim (LA LEY 1/1882) que entró en vigor el 5 de di-

---

[58] «Se razona que el órgano de apelación no puede operar una modificación de los hechos probados de la Sentencia de instancia que conduzca a la condena del acusado si tal modificación no viene precedida del examen directo y personal de los acusados y testigos en un debate público en el que se respete la posibilidad de contradicción (SSTC 60/2008, de 26 de mayo, FJ 5, y 188/2009, de 7 de septiembre, FJ 2)..../.... de conformidad con el párrafo segundo del artículo 792 de la L.E.Crim actual "La sentencia de apelación no podrá condenar al encausado que resultó absuelto en primera instancia ni agravar la sentencia condenatoria que le hubiera sido impuesta por error en la apreciación de las pruebas en los términos previstos en el tercer párrafo del artículo 790.2.", y este último precepto hace referencia a que "cuando la acusación alegue error en la valoración de la prueba para pedir la anulación de la sentencia absolutoria o el agravamiento de la condenatoria, será preciso que se justifique la insuficiencia o la falta de racionalidad en la motivación fáctica, el apartamiento manifiesto de las máximas de experiencia o la omisión de todo razonamiento sobre alguna o algunas de las pruebas practicadas que pudieran tener relevancia o cuya nulidad haya sido improcedentemente declarada". En nuestro caso el recurrente no ha solicitado en forma alguna la anulación de la sentencia, ni ha justificado suficientemente la insuficiencia o la falta de racionalidad en la motivación fáctica». SAP de Zaragoza, Sección 3ª, Sentencia 228/2017 de 9 Jun. 2017, Rec. 590/2017; Ponente: Gil Corredera, María Josefa Angeles. LA LEY 89042/2017.

ciembre de 2015 y que, por tanto no sería de aplicación al supuesto que se examina, puesto que de acuerdo con la disposición transitoria única de dicha Ley, en su apartado 1 sólo se aplicará a los procedimientos penales incoados con posterioridad a su entrada en vigor, expresamente dispone su art. 792.2 que "La sentencia de apelación no podrá condenar al encausado que resultó absuelto en primera instancia ni agravar la sentencia condenatoria que le hubiera sido impuesta por error en la apreciación de las pruebas en los términos previstos en el tercer párrafo del artículo 790.2 conforme al cual lo que procedería seria la anulación de la sentencia y, en su caso, del juicio, siempre que se justificara" la insuficiencia o la falta de racionalidad en la motivación fáctica, el apartamiento manifiesto de las máximas de experiencia o la omisión de todo razonamiento sobre alguna o algunas de las pruebas practicadas que pudieran tener relevancia o cuya nulidad haya sido improcedentemente declarada». SAP de Madrid, Sección 7ª, Sentencia 503/2017 de 12 Jun. 2017, Rec. 493/2017, Ponente: Aparicio Carril, María Luisa. LA LEY 89580/2017.

Con esta regulación el legislador ofrece una solución a los problemas planteados en esta materia. En su virtud, la estimación de un error en la valoración permitirá al Tribunal de apelación declarar la nulidad de la sentencia impugnada sin necesidad de realizar una nueva valoración de la prueba que pudiera significar la condena del acusado absuelto en primera instancia. En ese caso, resulta más adecuado que el Tribunal de apelación, tal y como está previsto en la ley, declare la nulidad de la sentencia para que se celebre un nuevo juicio de primera instancia, que deberá celebrarse ante un nuevo Tribunal. Aunque, la ley prevé que esa última posibilidad sea adoptada discrecionalmente por el Tribunal de apelación. Esta posibilidad ya había sido admitida por el Tribunal Constitucional.

«4. Este Tribunal Constitucional ha destacado la singularidad que plantea, a los efectos de la interdicción del *bis in idem*, la anulación de una Sentencia penal absolutoria con orden de retroacción de actuaciones, dada la diferencia que existe entre la acusación y los acusados desde la perspectiva de los derechos fundamentales en juego dentro del proceso penal. Así, en línea de principio, no cabe retroacción de actuaciones ante la vulneración de algún derecho fundamental de carácter sustancial que asista a las acusaciones, ya que ello impone al acusado absuelto la carga de un nuevo enjuiciamiento no destinado a corregir una vulneración en su contra de normas procesales con relevancia constitucional. Pero también ha expresado este Tribunal que el reconocimiento de esa limitación no puede comportar la negación a las acusaciones de la protección constitucional dispensada por el art. 24 CE (LA LEY 2500/1978), que asimismo les incumbe. Por tal motivo, en un decidido equilibrio entre el estatuto constitucional reforzado del acusado y la necesidad de no excluir a las acusaciones de las garantías del art. 24 CE (LA LEY 2500/1978), se admite constitucionalmente la posibilidad de anular una resolución judicial penal materialmente absolutoria, con orden de retroacción de actuaciones, en aquellos casos en los que se constate la quiebra de una regla esencial del proceso en perjuicio de la acusación, ya que en ese escenario la ausencia de garantías no permite hablar de "proceso" en sentido propio, ni puede permitir tampoco que la Sentencia absolutoria adquiera el carácter de inatacable (SSTC 23/2008, de 11 de febrero (LA LEY 1500/2008), FJ 3, 220/2007, de 8 de octubre (LA LEY 165777/2007), FJ 4, 189/2004, de 2 de noviembre (LA LEY 2367/2004), FJ 5, o 4/2004, de 16 de enero, FJ 4). En suma, la excepción afecta a aquellas resoluciones absolutorias dictadas en el seno de un proceso penal sustanciado sobre un proceder lesivo de las más elementales garantías procesales de las partes (SSTC 215/1999, de 29 de noviembre (LA LEY 1809/2000), FJ 1, 168/2001, de 16 de julio (LA LEY 7474/2001), FJ 7, o 12/2006, de 16 de enero (LA LEY 10986/2006), FJ 2)». STC 112/2015 de 8 Jun. 2015, Rec. 1281/2013; Ponente: Enríquez Sancho, Ricardo. LA LEY 70763/2015.

Pero, TC ha declarado que no cabe la retroacción de actuaciones cuando se estimen vulnerados derechos fundamentales de carácter sustantivo de la acusación, ya que ello impone al acusado absuelto la carga de un nuevo enjuiciamiento que no está destinado a corregir una vulneración en su contra de normas procesales con relevancia constitucional. Ahora bien, sí que se ha admitido la posibilidad de anular una resolución judicial penal absolutoria con orden de retroacción de actuaciones en aquellos casos en que se haya producido la quiebra de una regla esencial del proceso en perjuicio de la acusación, ya que, en tal caso, propiamente no se puede hablar de proceso ni permitir que la sentencia absolutoria adquiera el carácter de inatacable.

«En aplicación de esta doctrina, hemos estimado en la práctica de la jurisdicción de amparo que se deben anular pronunciamientos absolutorios con retroacción de actuaciones en los siguientes supuestos citados en la STC 4/2004, de 16 de enero, FJ 4: "por haberse inadmitido una prueba de la acusación relevante y decisiva cerrándose la causa sin practicarla (STC 116/1997, de 23 de junio), por haberse negado el acceso a los recursos contra el archivo de la causa, habiendo mostrado el recurrente su voluntad inequívoca de personarse en el proceso penal (STC 16/2001, de 29 de enero), porque se sustanció el recurso de queja dando lugar al Auto de sobreseimiento libre sin contradicción del querellante (STC 178/2001, de 17 de septiembre), por haberse sustanciado el recurso de apelación sin unir el escrito de impugnación de la acusación particular y, por tanto, sin que el órgano judicial lo tomara en consideración (STC 138/1999, de 22 de julio), por haberse producido una incongruencia *extra petitum* al introducirse en la Sentencia un elemento que no había sido objeto de debate contradictorio (STC 215/1999, de 29 de noviembre), o por haber admitido el órgano de apelación la pretensión de legitimación del actor y entrar en el fondo sin juicio oral en el que las partes hubieran podido ejercer su derecho de defensa sobre la cuestión de fondo (STC 168/2001, de 16 de julio)". A estos supuestos cabe añadir el de la STC 218/2007, de 8 de octubre, en la que también este Tribunal anuló una sentencia absolutoria, acordando retroacción de actuaciones para un nuevo enjuiciamiento, en un supuesto en el que en vía judicial, a pesar de haberse reconocido que se había vulnerado el derecho a la tutela judicial efectiva de la acusación, sin embargo, el órgano judicial de casación no anuló la sentencia absolutoria para que la acusación fuera restablecida en su derecho a través de la retroacción de actuaciones. Igualmente, pueden destacarse, en esta misma línea, las SSTC 169/2004, de 6 de octubre, 246/2004, de 20 de diciembre, 192/2005, de 18 de julio, y 115/2006, de 24 de abril, en las que se confirmó la constitucionalidad de las decisiones judiciales de anular sentencias absolutorias por defectuosa motivación en las actas de votación de los Tribunales de Jurado con orden de celebración de nuevo juicio». STC 23/2008 de 11 de febrero.

La sentencia que resuelva la apelación será recurrible en casación conforme con los supuestos previstos en el artículo 847 LECrim, que disponen que procede recurso de casación por infracción de ley y por quebrantamiento de forma contra las sentencias dictadas en apelación por la Sala de lo Civil y Penal de los Tribunales Superiores de Justicia y por la Sala de Apelación de la Audiencia Nacional. Pero, en el caso que hubiere sido competente para conocer de la apelación la Audiencia Provincial o la Sala de lo

Penal de la Audiencia Nacional, cabe recurso de casación pero únicamente por infracción del Ley con base en el motivo previsto en el art. 849.1 LECrim. No cabe recurso de casación frente a las sentencias dictadas en apelación que se limiten a declarar la nulidad de las sentencias recaídas en primera instancia (art. 847.2 LECrim).

En el caso de que no se interponga recurso contra la sentencia dictada en apelación los autos se devolverán al juzgado a los efectos de la ejecución del fallo (art. 792.4 LECrim). La sentencia se notificará a las partes, así como a los perjudicados por el delito, aunque no se hubieren constituido como parte (art. 792.5 LECrim).

SECCIÓN 5.   EL RECURSO DE ANULACIÓN

5.1.   Regulación legal

Ante la posibilidad de celebrar el juicio oral, en el procedimiento abreviado, en ausencia del imputado el art. 793 LECrim establece la posibilidad de recurrir frente a la sentencia condenatoria dictada en ausencia (véase sobre la celebración del juicio en ausencia del acusado el § 5.3 Cap. XII). Se trata de un mecanismo de defensa para que el condenado tenga oportunidad de intervenir y pueda acreditar que la sentencia condenatoria no es ajustada a derecho, lo que puede hacer mediante el denominado recurso de anulación.

La regulación de un recurso de estas características se fundamenta en las orientaciones de la Resolución n.° 75 y de la Recomendación n.° 87 adoptadas por el Comité de Ministros del Consejo de Europa. En virtud de dicha Resolución, la persona juzgada en ausencia debe poder impugnar la sentencia a través de todos los recursos procedentes de haber estado presente, y en tanto no haya sido citada regularmente, debe disponer de un recurso para hacer constar la nulidad de la sentencia. La persona juzgada en ausencia —por causas ajenas a su voluntad— y regularmente citada tiene derecho a ser juzgada de nuevo de forma ordinaria. Además, el art. 8 de la Declaración Universal de Derechos Humanos dispone que toda persona tiene derecho a un recurso efectivo que la ampare contra actos que violen los derechos fundamentales que se encuentran reconocidos en la Constitución y por la Ley; y el artículo 14.5 del Pacto Internacional de Derechos Civiles y Políticos establece que toda persona declarada culpable de un delito tendrá derecho a que el fallo condenatorio y la pena que se le haya impuesto, sean sometidos a un Tribunal Superior, conforme lo prescrito por la ley. Ello no obsta para que El Tribunal Supremo haya declarado que deben evitarse en la medida de lo posible los juicios en ausencia por los problemas que se plantean.

> «A pesar de la permisividad del legislador se debe adoptar una posición estrictamente reduccionista de las posibilidades del juicio en ausencia del acusado, ya que no se puede olvidar que afecta sustancialmente a su derecho de defensa y a la posibilidad de hacer uso de la última palabra». STS Sala Segunda, de lo Penal, Sentencia 1703/2000 de 8 Mar. 2000, Rec. 2698/1998; Ponente: Martín Pallín, José Antonio. LA LEY 54958/2000.

En definitiva, se trata de un recurso extraordinario ordenado a procurar la revisión de una sentencia firme (juicio rescindente) y la nueva celebración del juicio (juicio rescisorio) cuando se ha procedido a la celebración en ausencia del acusado sin la concurrencia de los requisitos legalmente previstos en el artículo 786 LECrim o cuando, aun concurriendo tales requisitos, el acusado puede justificar que su falta de asistencia se debió a un motivo ajeno a su voluntad. El recurso de anulación sólo podrá interponerse contra sentencias condenatorias dictadas en ausencia en primera instancia, con independencia de que hayan sido o no apeladas por otras partes intervinientes; ya que en caso de ser absolutorias no vulnerarían el derecho a no ser condenado sin ser oído en juicio (Véase la STS Sala Segunda, de lo Penal, Sentencia 922/2000 de 12 May. 2000, Rec. 3736/1999; Ponente: Móner Muñoz, Eduardo. LA LEY 98950/2000.

> «Las sentencias dictadas en ausencia, en los términos que prevé el artículo 786.1 de la Ley de Enjuiciamiento Criminal (LA LEY 1/1882), son susceptibles del recurso de anulación que se contempla en el art. 793.2 de la Ley, y para que prospere el citado recurso es preciso que, como consecuencia de haberse celebrado el Juicio en su ausencia, se le haya causado algún tipo de indefensión, no provocada por la propia parte que lo alega. El recurso de anulación es en gran medida desconocido y muy poco aplicado, pero esta Sala entiende que a los mismos efectos ha de llegarse a través del presente recurso de apelación, declarándose la nulidad del juicio oral por lo que se refiere al acusado Isidoro, dado que una vez comprobados los datos, se observa que la no comparecencia del acusado al juicio se debió a una imposibilidad física, ya que estaba ingresado en prisión, lo que le ha producido indefensión, y es oportuno que se vuelva a celebrar el juicio respecto a él, a fin de darle la oportunidad de acudir al juicio». SAP de Valladolid, Sección 4ª, Sentencia 330/2012 de 11 Jul. 2012, Rec. 608/2012; Ponente: Martínez García, Angel Santiago. LA LEY 125452/2012.

El recurso de anulación se regula en el art. 793 LECrim de un modo ambiguo. Este precepto declara de aplicación los plazos, requisitos y efectos establecidos para el recurso de apelación, con la diferencia de que el plazo de interposición del recurso se computará desde el momento en que pueda acreditarse que el condenado tuvo conocimiento de la sentencia. Sin embargo, este recurso dista de ser un recurso de apelación especial, sino que es más bien un medio de rescisión de sentencias firmes similar a la audiencia al condenado rebelde, el recurso de revisión o el incidente de nulidad de actuaciones. Se trata, por tanto, de un recurso de naturaleza excepcional, que no puede convertirse en una tercera instancia y que exigirá para su estimación el carácter involuntario de la ausencia.

> «La doctrina no ha contribuido mucho a la determinación de su verdadera naturaleza, pues mientras unos opinan que tiene similitud con el Recurso de Apelación, otros sostienen que se trata de un recurso extraordinario, mientras que algunos más dicen, que no es ni un recurso extraordinario, ni ordinario ni es acertado el término de recurso de anulación. En definitiva y sin profundizar en su verdadera y cierta naturaleza, nos inclinaremos por considerar que es una manera o forma de anular una sentencia firme, por lo que se asemeja al recurso extraordinario de revisión. Por ello en los casos en que se produjese la anómala situación de que un órgano colegiado dictase una sentencia en ausencia, el recurso de anulación correspondería a la Sala Segunda del Tribunal Supremo, de conformidad con lo dispuesto en el artículo 57.1º de la Ley Orgánica del Poder Judicial satisfaciendo así la necesidad de que una sentencia condenatoria sea sometida a revisión de un Tribunal Superior». STS Sala Se-

gunda, de lo Penal, Sentencia 922/2000 de 12 May. 2000, Rec. 3736/1999; Ponente: Móner Muñoz, Eduardo. LA LEY 98950/2000.

5.2. Órgano competente

La Ley no regula a que órgano jurisdiccional corresponda la competencia para conocer del recurso de anulación. Sin embargo, del art. 793.2 LECrim se desprende que, de modo ordinario, conocerá la Audiencia provincial. En este sentido, el art. 793 LECrim dispone que la sentencia dictada en ausencia: «*es susceptible de ser recurrida en anulación por el condenado en el mismo plazo y con iguales requisitos y efectos que los establecidos en el recurso de apelación*». En consecuencia, cabe que conozca del recurso de anulación la Audiencia provincial o, en su caso, también el Tribunal Supremo contra sentencias que, excepcionalmente, hayan dictado en ausencia las Audiencias Provinciales (o, en su caso, la Audiencia Nacional o los Tribunales Superiores de Justicia).

«Este Tribunal ya ha tenido ocasión de pronunciarse sobre el carácter riguroso con el que deben ser cumplidos y controlados los requisitos del juicio en ausencia que excepcionalmente permite el art. 793.1 de la LECrim (LA LEY 1/1882). Así en el Acuerdo adoptado para unificación de criterios por el Pleno de la Sala el 25 Feb. 2000, se recordó que corresponde a la Sala Segunda del TS la competencia para el conocimiento de los recursos de anulación prevenidos en el art. 797.2 de la LECrim (LA LEY 1/1882), cuando se interpongan contra sentencias que, excepcionalmente, hayan dictado en ausencia las Audiencias Provinciales (o, en su caso, la Audiencia Nacional o los Tribunales Superiores de Justicia), en los supuestos legalmente prevenidos en el art. 793.1.2 de la citada Ley, recurso de anulación que faculta para el control del efectivo cumplimiento de las exigencias del art. 793 cuando el condenado en ausencia no haya tenido conocimiento de la condena dentro del plazo prevenido para interponer el recurso de casación». STS Sala Segunda, de lo Penal, Sentencia 310/2002 de 25 Feb. 2002, Rec. 766/2000; Ponente: Conde-Pumpido Tourón, Cándido. LA LEY 3410/2002.

5.3. Interposición, sustanciación y efectos del recurso de anulación

La Ley establece que una vez comparezca o sea habido el condenado en ausencia, se le notificará la sentencia, haciéndosele saber su derecho a interponer el recurso de anulación, con indicación del plazo para ello y del órgano competente —art. 793.1.º LECrim.—. El plazo será el de diez días que se establece en el art. 790.1 LECrim., para la apelación de las sentencias definitivas, dictadas por el Juez de lo Penal. (Véase M. 143).

No cabe entender que el plazo sea el de cinco días que determina la aplicación analógica del art. 212 LECrim referido al recurso de apelación ordinario. No obstante creemos que por sistemática legal y teniendo en cuenta la aplicación de la norma más favorable para el acceso a los recursos el plazo ha de ser el de diez días establecido en el art. 790.1 LECrim.

El plazo se contará desde el momento en que se acredite que el condenado tuvo conocimiento de la sentencia. Del tenor literal de la Ley se infiere que ese momento puede ser tanto el referente a la notificación personal de la sentencia como el que se refiere al momento en que el ausente tuvo conocimiento personal y directo de la misma antes de aquella notificación formal. En caso de que hubiere transcurrido el plazo legal cabrá alegar por los acusadores la caducidad del recurso. Ahora bien, se trataría de una cuestión de prueba, discernir si el condenado sabía de la existencia de la sentencia. En todo caso no parece que se pueda decir que incurre en obligación alguna el condenado conocedor de la sentencia, en tanto no le sea notificada en la forma que establece el art. 793.1 LECrim.

Téngase presente que las sentencias dictadas en ausencia del acusado adquieren firmeza en la forma establecida en la Ley para las sentencias (agotamiento del recurso de apelación, o transcurso de los plazos para recurrir). Por su parte la estimación del recurso (de anulación) implicará la anulación de la sentencia firme y de sus efectos. Al no especificar un plazo para la interposición del recurso, a diferencia de lo previsto en el art. 502 LEC para el recurso de audiencia al condenado rebelde en el proceso civil, quedará siempre abierta esta posibilidad hasta que comparezca voluntariamente o bien sea hallado el ausente y no hubiera prescrito la pena. En consecuencia, las sentencias dictadas en ausencia del acusado quedarán en una situación de pendencia, a pesar de haber adquirido firmeza, no sólo respecto al cumplimiento de las consecuencia penales, sino también en cuanto a los pronunciamientos referentes a la acción civil *ex delicto*, tales como los referentes a indemnizaciones, piezas de convicción, bienes subastados, efectos del delito decomisados, etc. No obstante, existirán unas determinadas situaciones jurídicas protegidas por el Ordenamiento, que harán imposible cualquier restitución en caso de revocarse la sentencia condenatoria. Así, están el art. 34 Ley Hipotecaria, que protege a los terceros de buena fe; arts. 1955 y 1957 del Código Civil, sobre prescripción; art. 464 del Código Civil, sobre bienes muebles adquiridos en pública subasta, etc. En todo caso, podría acudirse a solicitar la responsabilidad patrimonial del Estado, con base en los arts. 292 y ss. LOPJ.

El recurso se debe interponer y formalizar ante el órgano que dictó la sentencia (Juez de lo penal o Audiencia Provincial) mediante escrito autorizado con firma de Letrado y con intervención de Procurador. De conformidad con el art. 793.2 LECrim el recurso deberá observar los requisitos y tendrá los efectos de la apelación de lo que se deduce que en el escrito de recurso se expondrán ordenadamente las alegaciones que considere oportunas respecto a los motivos de la apelación. A saber: quebrantamiento de normas y garantías procesales, error en la apreciación de la prueba o infracción legal. Pero, no es esa la interpretación que el Tribunal Supremo ha dado a ese precepto en el Acuerdo no jurisdiccional del Pleno de la Sala 2ª de 25 de febrero de 2000 donde estableció que el recurso de anulación tiene naturaleza rescindente y su contenido se limitará a controlar si el Tribunal sentenciador ha respetado escrupulosamente los requisitos legales que exige el juicio en ausencia. Y, en caso de incumplimiento de dichos requisitos se declarará la nulidad del juicio respecto del ausente, que deberá repetirse ante el Tribunal competente[59]. Cualquier otra cuestión

---

(59) «2º) El recurso tiene naturaleza rescindente y su contenido se limitará a controlar si el Tribunal sentenciador ha respetado escrupulosamente los requisitos legales que exige el juicio en ausencia, dado que cualquier otra cuestión ha podido plantearse por la representación legal del condenado a través del recurso de casación dentro del plazo ordinario prevenido para recurrir contra la Sentencia. En caso de incumplimiento de dichos requisitos se declarará la nulidad del juicio

deberá plantearse por la representación legal del condenado a través del recurso de apelación o casación dentro del plazo ordinario prevenido para recurrir contra la Sentencia dictada en ausencia[60].

> «Asimismo en dicho acuerdo se señaló que en estos casos el recurso tiene naturaleza rescindente y su contenido se limitará a controlar si el Tribunal sentenciador ha respetado escrupulosamente los requisitos legales que exige el juicio en ausencia, dado que cualquier otra cuestión ha podido plantearse por la representación legal del condenado a través del recurso de casación dentro del plazo ordinario prevenido para recurrir contra la sentencia. En caso de incumplimiento de dichos requisitos se declarará la nulidad del juicio respecto del ausente, que deberá repetirse ante el Tribunal competente. Y asimismo, para evitar fraudes y destacar el carácter extraordinario y taxativo de los supuestos legales del juicio en ausencia, se añadió que el límite punitivo legalmente prevenido para el juicio en ausencia (pena que no exceda de un año de privación de libertad o de seis años, si fuese de otra naturaleza), se refiere a la pena solicitada en la calificación provisional acusatoria, que es aquélla de la que ha sido informado el acusado, estimándose que constituye un fraude de ley eludir dicha limitación legal mediante la modificación inmediatamente anterior al juicio de la calificación acusatoria, sin conocimiento del ausente. Este criterio se reafirma, entre otras, en las sentencias de 2 Oct. 1998, núm. 1093/1998, y 11 Oct. 2000, núm. 1545/2000 (LA LEY 379/2001)». STS Sala Segunda, de lo Penal, Sentencia 310/2002 de 25 Feb. 2002, Rec. 766/2000; Ponente: Conde-Pumpido Tourón, Cándido. LA LEY 3410/2002.

En el mismo sentido las SSTS Sala Segunda, de lo Penal, Sentencia 922/2000 de 12 May. 2000, Rec. 3736/1999; Ponente: Móner Muñoz, Eduardo. LA LEY 98950/2000; Sala Segunda, de lo Penal, Sentencia 1703/2000 de 8 Mar. 2000, Rec. 2698/1998; Ponente: Martín Pallín, José Antonio. LA LEY 54958/2000). En consecuencia, las alegaciones del condenado deben dirigirse a poner de manifiesto la concurrencia de circunstancias que puedan determinar la nulidad de la sentencia al haberse vulnerado el derecho de defensa y audiencia del condenado. Pero no cabe plantear cuestiones de fondo. Por las mismas razones, la prueba solicitada por el recurrente deberá referirse a específicamente a la concurrencia o no de los requisitos legalmente prevenidos para la celebración del juicio en ausencia. Por último el recurso debe contener la

---

respecto del ausente, que deberá repetirse ante el tribunal competente». Acuerdo no jurisdiccional del Pleno de la Sala 2ª de 3 de marzo del 2000.

(60) «Las diferentes dudas que, respecto de su naturaleza, requisitos, competencia para su conocimiento y efectos, ha suscitado en la doctrina y en la Jurisprudencia el denominado Recurso de Anulación, previsto en el artículo 797.2º de la Ley de Enjuiciamiento Criminal (LA LEY 1/1882) contra Sentencias que, excepcionalmente, hayan dictado en ausencia las Audiencias Provinciales (o, en su caso, la Audiencia Nacional o los Tribunales Superiores de Justicia), en los supuestos legalmente prevenidos en el artículo 793.1º 2 de la citada Ley, fueron resueltas, en lo que a nosotros concierne, por el Acuerdo del Pleno no jurisdiccional de esta Sala, de fecha 25 Feb. 2000, en el que quedó sentado que ese Recurso, del que corresponde conocer a la Sala Segunda del Tribunal Supremo, tiene un carácter rescindente, cuyo contenido ha de limitarse exclusivamente a controlar si el Tribunal sentenciador ha respetado escrupulosamente los requisitos legales que exige el juicio en ausencia, a fin de declarar la nulidad del Juicio, respecto del ausente, si tales requisitos no se cumplieron, por lo que la única prueba posible, a practicar en este Recurso, es la tendente a la acreditación de la concurrencia o no de esos requisitos, que podrá practicarse, por auxilio jurisdiccional, en la sede del órgano de instancia». STS Sala Segunda, de lo Penal, Sentencia 1371/2002 de 19 Jul. 2002, Rec. 1094/2002; Ponente: Maza Martín, José Manuel. LA LEY 10173/2003.

pretensión de rescisión de la sentencia impugnada y formulación de una nueva que contemple las alegaciones del recurrente. La nulidad de la sentencia únicamente se decretará en el caso que se acredite que la incomparecencia fue involuntaria.

«El Tribunal Constitucional en su sentencia 99/1997 (LA LEY 7406/1997) de 20 de mayo entiende que no existe indefensión "cuando el afectado no ha puesto la debida diligencia de sus derechos —diligencia que ha de graduarse ponderando las circunstancias que concurren en los respectivos sujetos y supuestos de derecho— bien colocándose al margen del proceso mediante una actitud pasiva con el fin de obtener una ventaja con esa marginación, bien cuando pueda deducirse que poseía un conocimiento extraprocesal de la existencia del litigio en el que no fue personalmente emplazado (SSTC 56/1985 (LA LEY 491/1985), 150/1986 (LA LEY 82147-NS/0000), 141/1987 (LA LEY 833-TC/1987),182/1.987 (LA LEY 96872-NS/0000), 34/1988 (LA LEY 101479-NS/0000), 163/1988 (LA LEY 109819-NS/0000), 8/1991, 118/1993 y 153/1993 (LA LEY 2249-TC/1993), entre otras)". También la sentencia de 108/1.995 de 4 de julio, indica: —"corresponde a las partes intervinientes en un proceso mostrar la debida diligencia, sin que pueda alegar indefensión quien se coloca a sí mismo en tal situación o quien no hubiera quedado indefenso de actuar con la diligencia razonablemente exigible" (STC 217/1993 (LA LEY 2357-TC/1993), fundamento jurídico 3º). En el supuesto de autos, la denunciada no acudió al acto de la vista por causas exclusivamente a ella imputables, ya que, como ya ha sido examinado, fue citada debidamente en el domicilio señalado por ella a tal efecto, por lo que debe concluirse estimando que si D.ª Purificacion no ha sido oída en la presente causa, ello ha sido debido exclusivamente a su propia inactividad. En consecuencia, no apreciándose indefensión, requisito esencial que para la declaración de nulidad exige el art. 238 (LA LEY 1694/1985) 3º de la Ley Orgánica del Poder Judicial, no procede efectuar declaración de nulidad alguna derivada de la incomparecencia de D.ª Purificacion al acto del juicio oral». SAP de Madrid, Sección 17ª, Sentencia 1027/2013 de 29 Jul. 2013, Rec. 287/2013; Ponente: Lamela Díaz, Carmen. LA LEY 222279/2013.

Al igual que en el recurso de apelación, el Juez dará traslado a las demás partes, para que en el plazo común de diez días puedan formular alegaciones o adherirse al recurso. Tras ello el Juez elevará los autos a la Audiencia Provincial o al Tribunal Supremo, con todos los escritos presentados para que resuelva el recurso.

SECCIÓN 6.   EL RECURSO DE QUEJA

6.1. Regulación. Resoluciones contra las que procede

El recurso de queja tiene una doble acepción según se prevé en el art. 218 LECrim que establece que el recurso de queja: «*podrá interponerse contra todos los autos no apelables del Juez y contra las resoluciones en que se denegare la admisión de un recurso de apelación*». Por tanto, el recurso de queja puede ser utilizado para dos fines distintos: a) como un medio independiente de impugnación, para evitar que el Juez de Instrucción se convierta en único árbitro y decisor del curso de la instrucción de la causa (Véase M. 144.B) y b) como un medio de soslayar la negativa del órgano «*a quo*» a admitir un recurso de apelación evitando así que prevalezca irrevisable la voluntad del instructor[61] (Véase M. 144.A).

La Ley expresamente establece que son recurribles en queja: los autos resolutorios del Juez de Instrucción denegando la petición del procesado de pronta terminación del sumario (art. 384 LECrim) y los autos denegatorios de práctica de diligencias sumariales, propuestas por el Fiscal, cuando éste no estuviese en la misma localidad que el Juez de Instrucción (art. 311 LECrim). En cualquier caso, el recurso de queja, en el ámbito del procedimiento por delitos graves, no deja de tener un ámbito restringido. También procede este recurso contra el auto estimatorio del de reforma, cuando produzca gravamen a alguna de las partes del proceso. Sin embargo, no cabe recurso de Queja en el procedimiento abreviado, salvo frente al auto de inadmisión de la apelación frente a sentencia dictada en primera instancia por el Juez de lo penal. Esta regulación introducida por Ley 38/2002 modifica completamente el sistema anterior en el que el recurso de queja era el recurso ordinario para la denuncia de las infracciones procesales en este tipo de procedimientos (véase sobre esa cuestión § 6.1 y 6.2 Cap. XII).

La doctrina ha criticado que se utilice un mismo recurso para fines tan dispares, ya que, además de inducir a confusión, modifica el esquema lógico de funcionamiento de este recurso. En especial, si se tiene en cuenta la importante función que cumple el recurso de queja, particularmente en el ámbito de la casación, en el que compete al Tribunal que dictó la resolución la preparación del recurso de casación (art. 858 LECrim), por lo que corresponderá a éste examinar la concurrencia de los requisitos de admisibilidad. Caso de faltar alguno denegará la tramitación del recurso. En este supuesto, el recurso de queja será el único instrumento procesal que le cabe utilizar al que pretende la casación de la sentencia.

No procederá recurso de queja contra la resolución denegatoria de un recurso de súplica, ya que ello no está previsto en la LECrim, resultando, en consecuencia, totalmente atípico. Tampoco cabe contra los autos dictados en trámite de ejecución de sentencias, o contra la denegación de apertura de juicio oral decretada por el Juez instructor y confirmada por la Audiencia Provincial.

6.2. Procedimiento

A) Interposición. Órgano competente

El recurso de queja se interpondrá directamente ante el Tribunal superior competente (art. 219.2 LECrim). Este mismo órgano jurisdiccional será el competente para su resolución (art. 220.3 LECrim). No obstante, cuando se trate de recurso de queja contra la inadmisión del recurso de casación se interpondrá ante la Audiencia (arts. 862 y ss. LECrim). El Tribunal dispondrá que se remita copia certificada del auto denegatorio al TS, y mandará emplazar a las partes para que comparezcan ante el Alto Tribunal (art. 863 LECrim).

---

(61) También se recogen en la LECrim. bajo la denominación de queja otros instrumentos procesales destinados a fines distintos. Véanse, en este sentido, los arts. 99, 200, 311 LECrim.

Respecto al plazo de interposición, debe distinguirse entre los recursos de queja contra autos no apelables (Véase M. 144.B), y contra las resoluciones que deniegan la admisión de un recurso de apelación o casación (Véase M. 144.A). Respecto a los primeros, la Ley no señala ningún plazo especial para la interposición del recurso. Así, según establece el art. 213 LECrim, en los casos en que la Ley no señale plazo podrá interponerse en cualquier momento mientras estuviere pendiente la causa; es decir, hasta que se abra el juicio oral. No obstante, los efectos de la resolución de este recurso varían según se interponga o no dentro del plazo fijado para la interposición del recurso de apelación, que establece el art. 212 LECrim (cinco días desde la notificación de la resolución) de conformidad con el art. 235.2 LECrim. Dichos efectos serán objeto de examen seguidamente. (Véase M. 144.B). Con relación al segundo grupo no se establece tampoco el plazo para interponer el recurso de queja contra las resoluciones que deniegan la admisión de un recurso de apelación, por lo que se aplicará el art. 213 LECrim, según lo expuesto en el apartado anterior. Por el contrario, el art. 862 LECrim. dispone un plazo de dos días para recurrir en queja contra el auto denegatorio del recurso de casación. (Véase M. 144.A).

La ley no exige la fundamentación del recurso de queja. Esta posibilidad no supone ningún obstáculo para la resolución del recurso, ya que la queja es un medio de impugnación que persigue un nuevo conocimiento de la resolución gravosa por parte del órgano judicial superior. Por otra parte, nada impide que se pueda fundamentar el recurso en la infracción legal, producida por la actividad del órgano instructor.

B) Sustanciación

El recurso de queja contra resoluciones dictadas por los Jueces de Instrucción o de lo Penal, se sustanciará de acuerdo a lo dispuesto en los arts. 233 a 235 LECrim. Así, según las normas citadas, una vez se ha interpuesto el recurso de queja, el Tribunal ordenará al Juez que informe en «el corto término que al efecto le señale» sobre la resolución recurrida (art. 233 LECrim) (Véase M. 145 a M. 151). Seguidamente, se dará traslado al Ministerio Fiscal a fin que emita dictamen por escrito en el término de tres días, resolviendo el Tribunal lo que estime justo (Véase M. 150).

Los recursos de queja contra la denegación de la admisión del recurso de apelación o casación se sustanciarán según lo previsto en los arts. 862 y ss. LECrim. En su virtud, el Tribunal remitirá copia certificada del auto denegatorio a la Sala Segunda del TS, mandando emplazar a las partes para que comparezcan ante el alto Tribunal. El auto que resuelve el recurso de queja no es susceptible de impugnación (Véase M. 151). En este sentido, el art. 871 LECrim dispone que contra la decisión de la Sala Segunda del Tribunal Supremo, resolviendo la queja, no se dará recurso alguno. Tampoco cabe recurso de casación frente al auto que deniega la admisión de un recurso de apelación.

«La denegación es ajustada a lo dispuesto en el art. 848 LECrim (LA LEY 1/1882) pues solo cabe recurso de casación frente a los autos expresamente previsto por la ley, entre los que no se encuentran los autos resolviendo un recurso de queja contra la inadmisión a trámite de un recurso de apelación y menos los que resuelven un incidente de nulidad, por ello los autos de la Sección Sexta de la Audiencia Provincial de Madrid de fecha 11/3/16, de 22/4/16 y 13/5/16 son ajustados a derecho». ATS Sala Segunda, de lo Penal, Auto de 30 Ene. 2017, Rec. 20532/2016. Ponente: Berdugo Gómez de la Torre, Juan Ramón. LA LEY 3128/2017.

C) Efectos del recurso

El recurso de queja no tiene, en ningún caso, efecto suspensivo. Sin embargo, es preciso distinguir:

1º) Cuando se hayan recurrido en queja autos no apelables. Deberá distinguirse, a su vez, según el recurso se haya interpuesto dentro del plazo de cinco días, a que alude el art. 212 o bien cuando se haya interpuesto fuera de dicho plazo. En el primer supuesto, la estimación del recurso producirá plenos efectos sobre la resolución impugnada, dictando el órgano «ad quem» una nueva resolución. En este caso, los efectos del recurso se equiparan a los producidos por la interposición de la apelación (art. 235.2 LECrim). En el segundo supuesto, de acuerdo con el mismo precepto, no podrá afectar al estado de la causa, sin perjuicio de que el Tribunal competente acuerde lo que estime procedente en su día cuando conozca de aquélla (art. 235.2 LECrim).

2º) Cuando se haya interpuesto por haber denegado la admisión de un recurso de apelación o de casación. En el primer caso, si el Tribunal Superior estima no ajustada a derecho la citada resolución, revocará aquélla y ordenará al órgano «a quo» la admisión del recurso de apelación, conforme al art. 235.1 LECrim. En el segundo supuesto, establece el art. 870 LECrim que en los casos en que la Sala Segunda de lo Penal del Tribunal Supremo estime fundada la queja, revocará el auto denegatorio y mandará al órgano «a quo» que expida la certificación de la resolución impugnada. Cuando el recurso de queja no prospere se impondrán las costas al recurrente, estableciéndolo así el art. 870.3.° respecto al recurso de casación.

SECCIÓN 7. EL RECURSO DE CASACIÓN[(62)]

7.1. Naturaleza, finalidad y alcance del recurso de casación

La casación es un recurso devolutivo y extraordinario, que procede, únicamente, contra las resoluciones alas que se refieren los arts. 847 y 848 LECrim y por los motivos previstos en la Ley. A diferencia de la apelación, que tiene por objeto dictar un nuevo fallo a la vista del material aportado en primera instancia y, en su caso,

---

(62) Vid. Bibliografía general. FABIÁ MIR P., BENITO LÓPEZ A. (Coord.), *Los recursos de casación y apelación en el orden penal*, Madrid 2007. LÓPEZ CASTILLO, M., *El recurso de casación penal por infracción de Ley*, 2007. GIMENO SENDRA, «La casación y el derecho a los recursos (Notas para una nueva ordenación del sistema penal de recursos)», *Justicia*, 88, pp. 547 y ss.; Idem, «El derecho a los recursos y la reforma de casación penal», en *Constitución y Proceso*, Madrid, 1988. DÍAZ PALOS, «Constitución y casación penal», LA LEY, 1983, Tomo 2. JIMÉNEZ CONDE, «Precedentes del error de derecho en la apreciación de las pruebas como motivo del recurso de casación», *RDProc.*, 1977, pp. 787 y ss., y RDProc., 1978, pp. 45 y ss.; FERNÁNDEZ RODRÍGUEZ, «La nueva ordenación de los recursos: especial estudio del recurso de casación», en *Jornadas sobre la reforma de la LECrim. del Consejo General del Poder Judicial*, febrero de 1985; GUTIÉRREZ DE CABIEDES, «Caracteres principales de la casación civil en la reforma urgente de la Ley de enjuiciamiento», *RDProc.*, 1985, n.° 1, pp. 65 a 120.

las nuevas pruebas practicadas en la alzada, el fundamento de la casación es el de velar por una adecuada aplicación de la Ley sin pretender resolver el caso sometido a enjuiciamiento.

«En SSTS 1126/2003 (LA LEY 138453/2003) de 19.12, 41/2009 de 29.1, 168/2009 de 12.2 (LA LEY 3353/2009), 717/2009 de 17.6 (LA LEY 125098/2009), 438/2012 de 16.5 (LA LEY 74450/2012), 838/2014 de 12.12 (LA LEY 175709/2014), 40/2015 de 12.2 (LA LEY 4791/2015), 467/2015 de 20.7 (LA LEY 102302/2015), 547/2015 de 6.10 (LA LEY 141247/2015), hemos declarado que debemos recordar que en sus orígenes históricos, la casación no era sino un control de legalidad referido a la interpretación y aplicación de la ley por los Tribunales, a efectuar por el Tribunal de Casación que en funciones de verdadera "policía jurídica" depuraba y eliminaba aquellas resoluciones judiciales que se apartaban de la interpretación correcta fijada, precisamente, por la Sala de Casación, que de este modo se convertía en garante y custodio del principio de seguridad jurídica, esencial en todo sistema jurídico y al que se refiere el art. 9 apartado 3 de la Constitución (LA LEY 2500/1978) en términos de existencia y de efectividad ".... la Constitución garantiza... la seguridad jurídica..." de ahí su naturaleza de recurso extraordinario. Con ello se garantizaba, igualmente el principio de igualdad ante la Ley, pues quedaba garantizada una idéntica interpretación y aplicación de la misma en todos los procesos». STS Sala Segunda, de lo Penal, Sentencia 497/2016 de 9 Jun. 2016, Rec. 10982/2015; Ponente: Berdugo Gómez de la Torre, Juan Ramón. LA LEY 68065/2016.

El recurso de casación, según el sentido con que fue implantado en España durante el segundo tercio del siglo XIX, estaba destinado a controlar la correcta aplicación de la Ley, siguiendo el modelo de establecido en el Derecho francés. Pero, las sucesivas reformas de la casación penal en 1933, 1949, así como la operada por Ley 6/85, de 27 de marzo, han ido aumentando progresivamente su ámbito. Además, se produjo una corriente doctrinal y jurisprudencial tendente a la supresión de su formalismo, así como a la desaparición de las causas de inadmisión que configuraran barreras, que se decían inútiles para el logro de una justicia adecuada a la realidad social, de conformidad con el principio de tutela efectiva proclamado en el art. 24 CE y art. 11.3.° LOPJ. En definitiva la regulación del recurso de casación se ha ido apartando notablemente de sus orígenes históricos, para adoptar una función más amplia que en gran parte ha adquirido a partir de la posibilidad de interponer el recurso de casación, en todo caso, fundándose en la infracción de precepto constitucional conforme establece el art. 852 LECrim (precepto redactado por el número 6 de la Disposición Final 12.ª de la Ley 1/2000, 7 enero, de Enjuiciamiento Civil)[63]. A ello debe añadirse su función como el

___

(63) «Actualmente, en virtud del art. 852 LECrim, en todo caso el recurso de casación podrá interponerse fundándose en la infracción de un precepto constitucional. Y a través de la invocación del 24.2 CE (tanto del proceso con todas las garantías como, fundamentalmente, de la presunción de inocencia), es posible que el Tribunal Supremo controle tanto la licitud de la prueba practicada en la que se fundamenta el fallo, como su suficiencia para desvirtuar la presunción de inocencia y la razonabilidad de las inferencias realizadas. En definitiva, mediante la alegación como motivo de casación de la infracción del derecho a la presunción de inocencia, el recurrente puede cuestionar no sólo el cumplimiento de las garantías legales y constitucionales de la prueba practicada, sino la declaración de culpabilidad que el Juzgador de instancia dedujo de su contenido (STC 2/2002, de 14 de enero, F. 2). Por tanto, tiene abierta una vía que permite al Tribunal Supremo la "revisión íntegra", entendida en el sentido de posibilidad de acceder no sólo a las cuestiones jurídicas, sino

recurso previsto para conocer de las sentencia dictadas por las Audiencia Provincial cuando conociera en primera instancia. Es obvio que de esa situación derivaba un doble perjuicio para el sistema de justicia. En primer lugar, el problema de las garantías del justiciable que no disponía de una auténtica segunda instancia para recurrir las sentencias dictadas en segunda instancia. En segundo lugar, derivado del anterior, el hecho que el recurso de casación sirviera de primer y único cauce impugnatorio para las sentencias dictadas por las Audiencias provinciales determinó que el recurso de casación se flexibilizara todavía más para servir como una suerte de «apelación». De hecho este es el argumento que utilizó el Tribunal Supremo en muchas ocasiones antes las resoluciones del Comité de Derechos Humanos de Naciones Unidad que condenó a España por la inexistencia de un recurso de apelación de ámbito general. Sobre ese particular, y como respuesta al Dictamen emitido en la Comunicación 701/1996 por el Comité de Derechos Humanos de las Naciones Unidas, el Tribunal Supremo se pronunció en el Pleno de la Sala 2ª, en reunión no jurisdiccional celebrada el 13 de septiembre de 2000, considerando que la necesidad de que el fallo condenatorio sea sometido a un Tribunal superior puede ser interpretado con distinto alcance. De modo que no se imponía necesariamente la doble instancia sino simplemente la necesidad de que el fallo condenatorio y la pena sean revisados por otro Tribunal. Doctrina que se contiene en la STC 70/2002[64] y que se fue confirmando por distintas sentencias

---

también a las fácticas en que se fundamenta la declaración de culpabilidad, a través del control de la aplicación de las reglas procesales y de valoración de la prueba. Todo ello —como ha puesto de relieve también el propio Tribunal Supremo, Auto de la Sala de lo Penal de 14 de diciembre de 2001, F. 7— sin perjuicio de que la aparición de nuevas pruebas que el acusado no pudo ofrecer en el proceso, puede, en su caso, dar lugar a un recurso de revisión (art. 954 LECrim), posibilidad que completa el conjunto de garantías del debido proceso». STC 70/2002 de 3 de abril.

(64) «Nuestra jurisprudencia respecto de la cuestión del doble grado de jurisdicción se inicia con la STC 42/1982, de 5 de julio, y puede concretarse en los siguientes puntos: 1) El mandato del art. 14.5 PIDCP, aun cuando no tiene un reconocimiento constitucional expreso, "obliga a considerar que entre las garantías del proceso penal a las que genéricamente se refiere la Constitución en su art. 24.2 se encuentra la del recurso ante un Tribunal Superior y que, en consecuencia, deben ser interpretadas en el sentido más favorable a un recurso de ese género todas las normas del Derecho procesal penal de nuestro ordenamiento" (STC 42/1982, de 5 de julio, F. 3; en el mismo sentido, integrándolo en el derecho a un proceso con todas las garantías, SSTC 76/1982, de 14 de diciembre, F. 5; 30/1986, de 20 de febrero, F. 2; 133/2000, de 16 de mayo, F. 3; 64/2001, de 17 de marzo, F. 5, entre otras muchas). 2) De la lectura del art. 14.5 PIDCP "se desprende claramente que no se establece propiamente una doble instancia, sino una sumisión del fallo condenatorio y de la pena a un "Tribunal Superior", sumisión que habrá de ser conforme "a lo prescrito por la Ley", por lo que ésta en cada país fijará sus modalidades" (STC 76/1982, de 14 de diciembre, F. 5). 3) El mandato del art. 14.5 PIDCP se ha incorporado a nuestro Derecho interno y aunque no es bastante para crear por sí mismo recursos inexistentes (SSTC 42/1982, de 5 de julio, F. 3; 51/1985, de 10 de abril, F. 3; 30/1986, de 20 de febrero, F. 2), el recurso de casación en materia penal puede cumplir con sus exigencias, siempre y cuando se realice una interpretación amplia del mismo ("requiere del intérprete el entendimiento más favorable a un recurso de este género de las normas procesales", STC 60/1985, de 6 de mayo, F. 2), que permita "apurar las posibilidades del recurso de casación" (STC 140/1985, de 21 de octubre, F. 2). Por tanto hemos de recordar la doctrina general según la cual la casación penal "cumple en nuestro Ordenamiento el papel de "Tribunal superior" que revisa las Sentencias de instancia en la vía criminal a que se refiere el art. 14.5 del Pacto internacional de derechos civiles y políticos", y que la regulación de la casación ha de ser interpretada en función de aquel derecho fundamental y "en el sentido más favorable para su eficacia" (STC 123/1986, de 22 de octubre, F. 2) .../... En definitiva, conforme a nuestra doctrina, existe una asimilación funcional

tanto del Tribunal Supremo como del Tribunal Constitucional[65]. Naturalmente que esos argumentos no eran más que una excusa para justificar lo injustificable. Cuestión que en el momento presente ha quedado superada desde la reforma de la LECrim por la Ley 41/2015 se ha regulado un sistema de doble instancia con un posterior recurso de casación extraordinario instó en las SSTC 296/2005, de 21 de noviembre y 60/2008, de 26 de mayo. Finalmente cabe señalar que la progresiva ampliación de la casación condujo hacia una reforma de este recurso que limitara su utilización. Esta reforma se operó por la Ley 21/88, de 19 de julio y tuvo como finalidad básica la reducción del volumen de trabajo de la Sala 2.ª del Tribunal Supremo. Para ello introdujo dos nuevos motivos de inadmisión del recurso: a) cuando manifiestamente el recurso carezca de fundamento; b) cuando el Tribunal ya se hubiera pronunciado negativamente de manera previa sobre recursos iguales. Además, se estableció la exigencia de expresa solicitud de vista para que ésta se celebrase.

Tras la reforma de la Ley 41/2015 cabe recurso de casación frente a todas las sentencias dictadas en primera instancia, con la excepción de las sentencias dictadas en apelación en el procedimiento por delitos leves (art. 977 LECrim, Acuerdo TS 9 junio 2016). También frente a las dictadas en primera instancia por la Audiencia Provincial del que conocerá el Tribunal Superior de Justicia de la Comunidad Autónoma. En todos los casos el recurso de apelación abre una segunda instancia, en la que el Tribunal «*ad quem*» conocerá del proceso sustanciado en la primera con plenitud de facultades (arts. 790 y ss. y 846 bis LECrim). De ese modo el recurso de casación puede volver a funcionar como un procedimiento extraordinario de unificación de la doctrina respecto de casi todos los procedimientos penales.

---

entre el recurso de casación y el derecho a la revisión de la declaración de culpabilidad y la pena declarado en el art. 14.5 PIDCP, siempre que se realice una interpretación amplia de las posibilidades de revisión en sede casacional y que el derecho reconocido en el Pacto se interprete no como el derecho a una segunda instancia con repetición íntegra del juicio, sino como el derecho a que un Tribunal Superior controle la corrección del juicio realizado en primera instancia, revisando la correcta aplicación de las reglas que han permitido la declaración de culpabilidad y la imposición de la pena, en el caso concreto. Reglas entre las que se encuentran, desde luego, todas las que rigen el proceso penal y lo configuran como un proceso justo, con todas las garantías; las que inspiran el principio de presunción de inocencia, y las reglas de la lógica y la experiencia conforme a las cuales han de realizarse las inferencias que permiten considerar un hecho como probado. Esta interpretación es perfectamente posible a la vista del tenor literal del Pacto y conforme a la de efectuada por el Tribunal Europeo de Derechos Humanos, en relación con los arts. 6.1 CEDH y 2 del Protocolo núm. 7 del citado Convenio (STEDH de 13 de febrero de 2001 [TEDH 2001\88], caso K. c. Francia, que declara conforme al art. 2 del Protocolo 7 el modelo de casación francés, en el que se revisa sólo la aplicación del Derecho)». STC 70/2002 de 3 de abril.

(65) «La ausencia de un instrumento de revisión de la Sentencia condenatoria en apelación [ahora, en casación], no supone la ausencia de una garantía procesal de rango constitucional. No forma parte esencial de la que incorpora el art. 14.5 PIDCP como instrumento de interpretación del derecho a un proceso con todas las garantías (art. 24.2 CE) la constituida por la existencia en todo caso tras una condena penal de la posibilidad de un pronunciamiento posterior de un Tribunal superior, pronunciamiento que podría ser el tercero en caso de que la resolución inicial fuera absolutoria o incluso en caso de que la revisión aumentase la pena inicialmente impuesta. Lo que en este contexto exige el contenido de la garantía, que se ordena tanto al ejercicio de la defensa como a la ausencia de error en la decisión judicial, es que en el enjuiciamiento de los asuntos penales se disponga de dos instancias» STC 60/2008, de 26 de mayo de 2008.

El recurso de casación ya está funcionando de ese modo. Especialmente con relación a los asuntos de escasa cuantía respecto a los cuales no existía jurisprudencia unificadora del Tribunal Supremo y respecto a los cuales, sin embargo, existía una evidente necesidad de disponer de una interpretación unificadora. Un caso paradigmático era la cuestión sobre si el valor de los objetos apropiados debían cuantificarse con o sin IVA a efectos de determinar si la acción era un hurto o un robo (teniendo en cuenta el límite de 400 Euros que determina que el hurto (delito leve) pase a ser considerado robo (delito menos grave) (art. 234 CP). Pues bien, no ha sido hasta la STS Sala Segunda, de lo Penal, Sentencia 327/2017 de 9 May. 2017, LA LEY 44144/2017 que el Tribunal Supremo por fin ha dicho la suya: se computa el IVA. Bien no es criterio que hubiésemos adoptado, pero es un criterio que sólo ha sido posible por la modificación legal que ha permitido al Tribunal Supremo cumplir con la función principal que tiene encomendada. A la vía de acceso a la casación de las sentencias dictadas por las Audiencias provinciales en apelación nos referimos en el siguiente apartado § 7.2 y 7.5 con relación a los motivos de casación. Por el momento lo importante es remarcar la importancia del impulso de la función nomifilática que se ha producido por efecto de la modificación legal.

> «Nos enfrentamos otra vez al recién estrenado recurso de casación por infracción de ley del art. 849.1º LECrim (LA LEY 1/1882)contra sentencias dictadas en asuntos enjuiciados en primera instancia por un Jugado de lo Penal. Como explica la STS 210/2017 de 28 de marzo (LA LEY 15364/2017) esta nueva modalidad de casación, en la que brilla de modo singular su tradicional función nomofiláctica, persigue homogeneizar la interpretación en todos los órganos de la jurisdicción penal de las normas penales que antes ordinariamente no aparecían en la agenda de este Tribunal por razón de la penalidad, provocando una indeseable dispersión interpretativa. Con pretensiones más propedéuticas que afán academicista, la citada STS afirma que estamos ante una modalidad impugnativa anclada no tanto en el art. 24.1 CE (LA LEY 2500/1978) (derecho a la tutela judicial efectiva) cuanto en los arts. 9.3 CE (LA LEY 2500/1978) (seguridad jurídica) y 14 CE (igualdad)». STS Sala Segunda, de lo Penal, Sentencia 327/2017 de 9 May. 2017, Rec. 2188/2016; Ponente: Berdugo Gómez de la Torre, Juan Ramón. LA LEY 44144/2017.

Durante el año 2017 el Tribunal Supremo ha comenzado a dictar jurisprudencia unificadora que debe servir para dotar de seguridad jurídica el sistema de justicia penal. Lo hace mediante la técnica de convocar el Pleno de la Sala conforme está previsto en el art. 197 CP que dispone que «podrán ser llamados, para formar Sala, todos los Magistrados que la componen, aunque la ley no lo exija, cuando el Presidente, o la mayoría de aquéllos, lo estime necesario para la administración de justicia». Se han convocado Plenos, por ejemplo, para unificar doctrina en materia de seguridad vial y concretamente sobre un problema recurrente como es el de la negativa del conductor a someterse a una segunda prueba de alcoholemia tras ser requerido para ello por el agente de la autoridad y después de haber dado positivo en el primer *test*. Cuestión que resuelve el Tribunal Supremo considerando que esa conducta constituye un delito del artículo 383 CP (STS 210/2017 de 28 Mar. 2017, Ponente: Moral García, Antonio del, LA LEY 15364/2017) (tampoco en este caso sería la decisión que hubiéramos adoptado). Esta sentencia 210/2017 es la primera de, podríamos decir una nueva era en la jurisprudencia del Tribunal Supremo, razón por la que en ella se contiene una sabia e interesante argumentación tanto sobre la oportunidad y necesidad de una casación unificadora de la legislación aplicable, como sobre los perfiles de esta modalidad de casación.

«De una parte, el papel estelar de los derechos fundamentales procesales, felizmente recuperado y reforzado en el régimen constitucional, reclamaba un más pulimentado sistema de tutela en el ámbito de la jurisdicción ordinaria (art. 53 CE (LA LEY 2500/1978)). El ensanchamiento de los espacios y materias a debatir en casación, producido inicialmente a impulsos de la jurisprudencia constitucional, se erigió en fórmula apta para satisfacer esas exigencias. Mediante sucesivas reformas legislativas (basta evocar ahora la aparición del art. 852 LECrim (LA LEY 1/1882) y su precedente, art. 5.4 LOPJ (LA LEY 1694/1985)) cristalizó esa mutación parcial de los perfiles de la casación. Por otra parte, la ausencia de una real doble instancia en los delitos más graves reclamaba un paliativo en tanto el legislador no subsanase la laguna. El remiendo provisional vino de la mano de un estiramiento de las posibilidades de revisión probatoria en casación tan restringidas (casi ausentes) en el diseño tradicional de tal recurso extraordinario. En otro orden de cosas, la exclusión del ámbito de la casación de los delitos menos graves ha venido suponiendo un muy serio obstáculo para la creación de doctrina legal sobre un buen número de tipos penales, lo que acarreaba unas disfunciones que crecieron a medida que se sucedían las reformas del derecho penal sustantivo tan frecuentes como sobredimensionadas. Una buena parte del Código Penal de 1995 (LA LEY 3996/1995) y sus nada esporádicas modificaciones han permanecido al margen de la doctrina jurisprudencial propiciando una dispersión interpretativa que exigía con urgencia la adopción de medidas legislativas correctoras». STS 210/2017 de 28 Mar. 2017, Rec. 1859/2016; Ponente: Moral García, Antonio del. LA LEY 15364/2017.

También se ha pronunciado el Tribunal Supremo sobre el delito de acoso (stalking) previsto en el art. 172.ter.2 CP respecto al cual el TS declara que para que el hostigamiento previsto en el artículo 172.ter.2 CP sea tal será necesaria una cierta reiteración de las conductas, que dejen patente la voluntad de perseverar en las acciones intrusivas y una cierta prolongación en el tiempo. A ese fin será necesario poder acreditar que la víctima se ha visto obligada a cambiar su forma de vida, como consecuencia de un acoso (STS Sala Segunda, de lo Penal, Sentencia 324/2017 de 8 May. 2017, Rec. 1775/2016; Ponente: Moral García, Antonio del. LA LEY 31504/2017).

Finalmente, y en la línea apuntada de recuperación de la auténtica finalidad del recurso de casación se advierte en la última jurisprudencia una suerte de reafirmación de los principios y límites que determinan el funcionamiento, alcance y ámbito de aplicación del recurso de casación.

«De lo expuesto, se deriva con claridad que la sentencia objeto del recurso de casación es, precisamente, la dictada en apelación por el Tribunal Superior de Justicia de la Comunidad correspondiente, y por ello, no pueden ser objeto de denuncia cuestiones ajenas a lo debatido en el recurso de apelación, o dicho de otro modo, el marco de la disidencia en el recurso de casación, queda limitado por lo que fue objeto del recurso de apelación, y por tanto, lo que quedó fuera del ámbito de la apelación, no puede ser objeto del recurso de casación, en la medida que ello supondría obviar la existencia del previo control efectuado en la apelación, por tanto el control casacional se construye, precisamente, sobre lo que fue objeto del recurso de apelación. En tal sentido STS 255/2007 (LA LEY 12537/2007) o

717/2009 (LA LEY 125098/2009) de 17 de mayo y 1249/2009 de 9 de diciembre (LA LEY 247526/2009)». STS Sala Segunda, de lo Penal, Sentencia 240/2017 de 5 Abr. 2017, Rec. 10657/2016; Ponente: Berdugo Gómez de la Torre, Juan Ramón. LA LEY 23676/2017. En el mismo sentido, STS Sala Segunda, de lo Penal, Sentencia 547/2015 de 6 Oct. 2015, Rec. 10266/2015, Ponente: Berdugo Gómez de la Torre, Juan Ramón. LA LEY 141247/2015.

7.2. Resoluciones contra las que procede

El recurso de casación, por infracción de ley y por quebrantamiento de forma, puede ser interpuesto frente a sentencias y determinados autos.

Frente a sentencias procede en los siguientes supuestos: 1.º Las sentencias dictadas en única instancia o en apelación por la Sala de lo Civil y Penal de los Tribunales Superiores de Justicia. 2.º Las sentencias dictadas por la Sala de Apelación de la Audiencia Nacional (art. 847.1 LECrim). Estas sentencias podrán recurrirse por los dos motivos previstos en la Ley: infracción de Ley y/o quebrantamiento de forma[66]. 3º Las sentencias dictadas en apelación por las Audiencias Provinciales y la Sala de lo Penal de la Audiencia Nacional. Pero, en este caso, el recurso únicamente podrá fundarse en la infracción de Ley, no en quebrantamiento de forma (art. 847.1.b en relación con el art. 849.1 LECrim). No serán recurribles en casación las sentencias dictadas en los supuestos expuestos que se limiten a declarar la nulidad de las sentencias recaídas en primera instancia (art. 847.2 LECrim). Tampoco serán recurribles en casación las sentencias dictadas en apelación en el procedimiento por delitos leves (art. 977 LECrim, Acuerdo TS 9 junio 2016).

Quedan excluidas del recurso de casación: las sentencias dictadas por el Tribunal Supremo cuando haya actuado como órgano de instancia o de casación (arts. 847 y 904 LECrim)[67]; las resoluciones dictadas por el TS que deciden cuestiones de competencia (art. 21.4 LECrim) y la sentencia dictada de conformidad con el procesado y con asentimiento de su Abogado.

Con relación a los autos cabe recurso de casación, únicamente por infracción de ley, frente a aquéllos para los que la ley autorice dicho recurso de modo expreso[68]; y los autos definitivos dictados en primera instancia y en apelación por las Audiencias

---

(66) El recurso de casación interpuesto frente a las sentencias dictadas por las Salas dictadas por los TSJ resolviendo las apelaciones en procedimiento de tribunal de Jurado procederá por los motivos previstos en los número 1 y 2 del art. 849 de la LECrim (Acuerdo del pleno de la sala segunda del Tribunal Supremo, adoptado en su reunión del día 22/07/2008).

(67) Contra las resoluciones dictadas por el Tribunal Supremo, en única instancia, ya sea por la Sala II o bien por la Sala Especial —art. 61.4 LOPJ— sólo cabe acudir en amparo ante el Tribunal Constitucional. Se trata de supuestos recogidos en la Ley —art. 57.2.º.3.º LOPJ—, que afectan a personas aforadas, como el Presidente y demás miembros del Gobierno. Esta limitación de acceso al recurso se cuestionó por entender que suponía una vulneración del derecho a la tutela judicial efectiva y a un proceso con todas las garantías. Sin embargo, el Tribunal Constitucional, en distintas sentencias —SSTC 51/85, de 10 abril; 60/85, de 6 mayo; 7/86, de 21 enero, y 30/86, de 20 febrero— ha considerado que es precisamente la especial protección de la que gozan determinadas personas, en razón de su cargo, la que contrarresta la imposibilidad de acudir a una instancia superior.

(68) Éste es el supuesto previsto en los arts. 25, 31, 32, 35, 37, 40, 69, 625, 636, 659, 664, 676, 709, 721 LECrim.

Provinciales o por la Sala de lo Penal de la Audiencia Nacional cuando supongan la finalización del proceso por falta de jurisdicción o sobreseimiento libre y la causa se haya dirigido contra el encausado mediante una resolución judicial que suponga una imputación fundada (art. 848 LEcrim).

En su virtud, cabe recurso de casación por infracción de ley contra autos en los siguientes supuestos: 1) Contra los autos de sobreseimiento libre fundados en el entendimiento que los hechos sumariales no son constitutivos de delito y alguien se hallare procesado por los mismos. 2) Los autos dictados en apelación por los Tribunales Superiores de Justicia. Se refiere este precepto a los autos que resuelven las cuestiones a que se refieren los arts. 36 LOTJ y 676 LECrim. —art. 846 bis a)—. 3) También cabe recurso de casación frente al auto de la Audiencia Provincial que rechaza la asunción de la competencia sugerida mediante exposición por el Juzgado de lo Penal (art. 52 LOPJ)[69]. Sobre esta materia se han dictado numerosas resoluciones en el sentido de no admitir el recurso de casación (básicamente por la dicción literal de la ley: «sin ulterior recurso»; y también en el sentido de admitir, por distintas razones, la casación de este auto. Es ésta la doctrina jurisprudencial actualmente vigente[70]. Véase sobre esta cuestión la extensa y fundada STS 282/2016 de 6 Abr. 2016, Rec. 929/2015; Ponente: Moral García, Antonio del. LA LEY 24094/2016. Que admite la procedencia del recurso.

«... declarando la pertinencia del recurso, a tenor también de jurisprudencia de esta sala, que ha consagrado el criterio de que la previsión del art. 52 LOPJ (LA LEY 1694/1985)se refiere a los recursos ordinarios, y en aplicación del art. 25 *in fine* Lecrim (LA LEY 1/1882) (por todas, STS 1192/2011 (LA LEY 224296/2011), de 19 de diciembre). En segundo término, porque, ciertamente, el auto de la Audiencia trasciende el ámbito de la determinación de la competencia, para entrar a decidir de manera anticipada sobre un aspecto del fondo del asunto, con el resultado de disponer una suerte de sobreseimiento parcial, en cuanto relativo a un segmento de la imputación; eliminando, con ello, el derecho del acusador público a someterla a examen contradictorio en el juicio en su integridad. En igual sentido SSTS 272/2013, de 15 de marzo (LA LEY 36255/2013), 473/2014, de 9 de junio (LA LEY 68753/2014), 502/2015, de 28 de julio (LA LEY 102968/2015))». STS 282/2016 de 6 Abr. 2016, Rec. 929/2015; Ponente: Moral García, Antonio del. LA LEY 24094/2016.

---

(69) Art. 52 LOPJ: «No podrán suscitarse cuestiones de competencia entre Jueces y Tribunales subordinados entre sí. El Juez o Tribunal superior fijará, en todo caso, y sin ulterior recurso, su propia competencia, oídas las partes y el Ministerio Fiscal por plazo común de diez días. Acordado lo precedente, recabarán las actuaciones del Juez o Tribunal inferior o le remitirán las que se hallare conociendo».

(70) «Ciertamente, el art. 52 de la LOPJ (LA LEY 1694/1985) establece que no podrán suscitarse cuestiones de competencia entre Jueces y Tribunales subordinados entre sí, de suerte que el Tribunal Superior fijará su competencia sin ulterior recurso, pero esta Sala tiene una consolidada jurisprudencia —ya citada—, en la que se afirma que la exclusión del recurso a que se refiere el art. 52 LOPJ (LA LEY 1694/1985), se refiere a los recursos ordinarios en tanto que el recurso de casación es por su propia naturaleza, un recurso extraordinario que el propio art. 25 in fine de la LECriminal (LA LEY 1/1882) lo autoriza expresamente contra los autos de las Audiencias Provinciales en materia de inhibición o rechazo de su competencia». STS 235/2016 de 17 Mar. 2016, Rec. 1946/2015; Ponente: Giménez García, Joaquín. LA LEY 15974/2016.

Respecto a los autos definitivos se refiere la Ley a los autos que ponen fin al procedimiento por falta de jurisdicción o acuerdan el sobreseimiento libre siempre y cuando la causa se haya dirigido contra el encausado mediante una resolución judicial que suponga una imputación fundada. La Ley no distingue el acceso a casación según el tipo de procedimiento de modo que esta norma resulta aplicable, en principio, a cualquiera de los previstos en la LECrim. Ahora bien, conforme el Acuerdo del TS de 9 de febrero de 2005 sobre la impugnación en casación de los autos dictados en procedimiento abreviado se estableció que: «*Los autos de sobreseimiento dictados en apelación en un procedimiento abreviado sólo son recurribles en casación cuando concurran estas tres condiciones: 1) Se trata de un auto de sobreseimiento libre. 2) Haya recaído imputación judicial equivalente a procesamiento, entendiéndose por tal resolución judicial en la que se describa el hecho, se consigne el derecho aplicable y se indiquen las personas responsables. 3) El auto haya sido dictado en procedimiento cuya sentencia sea recurrible en casación*». Este Acuerdo se completó con el Acuerdo del TS de 4 de marzo de 2015 en el que el TS se planteaba la viabilidad del recurso de casación frente a determinados autos de sobreseimiento dictados por Tribunales Superiores de Justicia. A este respecto decidió: 1°— «*En interpretación del Acuerdo del Pleno de 9 de febrero de 2005, contra la decisión en apelación que revoca el Auto del Instructor transformando las Diligencias Previas en Procedimiento Abreviado y ordena el Sobreseimiento Libre, cabe casación*» y 2°— «*Los autos de sobreseimiento dictados en apelación en un procedimiento abreviado sólo son recurribles en casación cuando concurran estas tres condiciones:*

1) Se trata de un auto de sobreseimiento libre. 2) Haya decaído imputación judicial equivalente a procesamiento, entendiéndose por tal resolución judicial en la que se describa el hecho, se consigne el derecho aplicable y se indiquen las personas responsables. 3) El auto haya sido dictado en procedimiento cuya sentencia sea recurrible en casación». Como podemos ver la actual redacción del art. 848 LECrim prevé el contenido de los acuerdos con la única salvedad de que será requisito para acceder a casación que la sentencia que se dicte en el procedimiento en el que se dictara el auto sea recurrible en casación. Actualmente esto es así para todos los procedimientos excepto el de delitos leves.

«La impugnabilidad en casación de los autos de sobreseimiento es una cuestión sobre la que la Jurisprudencia no se ha mostrado pacífica, llegándose finalmente a una solución integradora, ofrecida mediante el Acuerdo no Jurisdiccional de 9 de febrero de 2005, según el cual "Los autos de sobreseimiento dictados en apelación en un procedimiento abreviado sólo son recurribles en casación cuando concurran estas tres condiciones: 1) Se trate de un auto de sobreseimiento libre. 2) Haya recaído imputación judicial equivalente a procesamiento, entendiéndose por tal resolución judicial en la que se describa el hecho, se consigne el derecho aplicable y se indiquen las personas responsables. 3) El auto haya sido dictado en procedimiento cuya sentencia sea recurrible en casación" (ver AATS de 18.01.07; 23.11.09; 20.01.10; 14.05.10; 08.02.10; 12.04.10; 27.04.10; 14.05.10; 17.10.12; 08.05.13; 11.06.13; 02.07.13; 03.10.13; 12.11.14; 05.12.14; 29.06.15 y 08.09.15, entre otros). Este criterio se ha visto acogido en la nueva redacción del art. 848 LECrim (LA LEY 1/1882), introducida por la LO 41/15, de 5 de octubre, precepto que sólo autoriza el recurso de casación, y "únicamente por infracción de ley, contra los autos para los que la ley autorice dicho recurso de modo expreso y los autos definitivos dictados en primera instancia y en apelación por las Audiencias Provinciales o por la Sala de lo Penal de la Audiencia Nacional cuando supongan la finalización del proceso por falta de jurisdicción o sobreseimiento libre y la causa se haya dirigido contra el encausado mediante una resolución judicial que suponga una imputación fundada". Que no es aplicable al supuesto que nos ocupa en tanto en cuanto la Disposición Transitoria única de la Ley señala que sólo es aplicable a los procedimientos penales incoados con posterioridad a su entrada en vigor, lo que no ocurre en este caso. Aquí no estamos ante un auto recurrible en casación, al tratarse de un auto de sobreseimiento provisional y no libre, por no hallarse debidamente justificada la perpetración del delito objeto de querella, y al no haberse siquiera dictado auto de incoación de Procedimiento Abreviado imputando al querellado». STS Sala Segunda, de lo Penal, Auto de 10 Mar. 2016, Rec. 20747/2015; Ponente: Varela Castro, Luciano. LA LEY 23666/2016.

Con base en la regulación expuesta no cabe recurso de casación frente al auto dictado por el Tribunal Superior de Justicia o la Audiencia Provincial que inadmite la querella en razón que en ese momento procesal la causa no se ha dirigido contra el encausado mediante una resolución judicial que suponga una imputación fundada, tal y como exige el art. 848 LEcrim[71].

> «El auto de inadmisión a *límine* de la querella, dictado por la Sala de lo Civil y Penal del Tribunal Superior de Canarias, en un procedimiento atribuido a su competencia, por no ser los hechos constitutivos de delito, según previene el artículo 313 de la Ley de Enjuiciamiento Criminal (LA LEY 1/1882) no es resolución recurrible en casación conforme al citado artículo 848 de la Ley de Enjuiciamiento Criminal (LA LEY 1/1882), lo era en súplica justamente el recurso interpuesto por la recurrente. Es nítido que no es una resolución dictada en apelación, y tampoco una decisión, equiparable al sobreseimiento libre y no se ha dirigido causa alguna contra el encausado pues ninguna resolución judicial se ha dictado que suponga imputación fundada que reúna las exigencias para ser recurrible en casación. Debemos recordar que la cuestión ha sido resuelta en varios precedentes. Entre otros, el Auto de 25 de septiembre de 2.007, dictado en el recurso de queja 20326/2007 y más cercano en el tiempo auto de 10/02/2017 Queja 21021/16 y de 15/2/17 Queja 20948/16. Como ejemplo por semejanza con el supuesto de este recurso, "en que se desestimó un recurso queja

---

(71) «El auto de inadmisión a límine de la querella, dictado por la Sala de lo Civil y Penal del Tribunal Superior de Castilla-La Mancha, en un procedimiento atribuido a su competencia, por no ser los hechos constitutivos de delito, según previene el artículo 313 de la Ley de Enjuiciamiento Criminal (LA LEY 1/1882) no es resolución recurrible en casación conforme al citado artículo 848 de la Ley de Enjuiciamiento Criminal (LA LEY 1/1882), lo era en súplica justamente el recurso interpuesto por el recurrente. Es nítido que no es una resolución dictada en apelación, y tampoco una decisión, equiparable al sobreseimiento libre y no se ha dirigido causa alguna contra el encausado pues ninguna resolución judicial se ha dictado que suponga imputación fundada que reúna las exigencias para ser recurrible en casación. Debemos recordar que la cuestión ha sido resuelta en varios precedentes. Entre otros, el Auto de 25 de septiembre de 2.007, dictado en el recurso de queja *20326/2007. Como ejemplo por semejanza con el supuesto de este recurso, el Auto de 25 de enero de 2.011, dictado en el* recurso de queja *20744/2010, con cita de otros en que se desestimó un* recurso queja *en supuestos similares (también por delito de prevaricación y ante la denegación de preparación de casación por Tribunales Superiores de Justicia)». ATS Sala Segunda, de lo Penal, Auto de 10 Feb. 2017, Rec. 21021/2016; Ponente: Sánchez Melgar, Julián. LA LEY 4856/2017. En el mismo sentido, entre otras muchas, ATS Sala Segunda, de lo Penal, Auto de 15 Feb. 2017, Rec. 20948/2016; Ponente: Giménez García, Joaquín. LA LEY 5683/2017.*

en supuestos similares"». STS Sala Segunda, de lo Penal, Auto de 27 Feb. 2017, Rec. 21012/2016; Ponente: Berdugo Gómez de la Torre, Juan Ramón. LA LEY 6453/2017.

Respecto a los autos dictados en ejecución de sentencia cabe recurso de casación frente al auto de acumulación de condenas previsto en el art. 988 LECrim respecto a hechos que pudieran haber sido objeto de un único proceso. Ámbito del recurso que el TS ha extendido a los autos en los que se establece el «máximo del cumplimiento» en cuyo contenido entra el cómputo de las penas acumuladas.

> «El art. 988 de la Ley procesal penal, establece el recurso para las resoluciones dictadas en acumulación de condenas y los que "determinan el máximo de cumplimiento de las mismas", expresión que comprende tanto las condenas que se acumulan como la determinación de máximo de cumplimiento, es decir, el cuánto y el cómo del cómputo de las condenas, lo que supone que en materia de ejecución al estar sujeta a múltiples incidencias, debe residenciarse en el Auto de licenciamiento definitivo la posibilidad de recurso de casación para unificar los criterios de aplicación de la norma. El tenor literal del art. 988 de la Ley procesal refiere dos aspectos, íntimamente relacionados, susceptible de recurso de casación. En primer lugar, la acumulación, es decir, la unificación de las distintas condenas por hechos que pudiera haber sido objetos de un único proceso. En segundo término, la determinación del máximo de cumplimiento que, como se ha señalado, es fijada en la misma resolución de acumulación de manera apriorística que se concreta, antes del término de la ejecución, en el Auto de licenciamiento definitivo. Por lo tanto, este Auto, que concreta una resolución de acumulación, forma parte del contenido del Auto previsto en el art. 988 de la Ley procesal, y es susceptible de recurso de casación en aquellos extremos que suponga una modificación entre lo establecido en el Auto que procedió a la acumulación de condenas, fijando en principio el máximo de cumplimiento, y el auto de licenciamiento, que concreta y fija definitivamente el máximo de cumplimiento respecto a las penas que se acumulan, sin abarcar las incidencias en la ejecución que sean susceptibles de control jurisdiccional por los órganos especializados y, en última instancia a través del recurso extraordinario para unificación de doctrina en materia de vigilancia penitenciaria». ATS de 7 Abr. 2008, LA LEY 3812/2008.

No cabe recurso de casación frente al auto en el que se deniega la suspensión de la pena impuesta[72].

> «Lo pretendido por el recurrente es abrir la casación contra los autos dictados por la Audiencia en grado de apelación contra los del Juzgado de lo Penal que denieguen la suspensión de la condena. Partiendo de que el recurso de casación como es notorio, es un recurso extraordinario que únicamente puede interponerse contra las resoluciones y por los motivos previstos en la Ley (art. 884 (LA LEY 1/1882) 1° y 2° LECrim. (LA LEY 1/1882)). La decisión sobre la concesión, denegación o revocación de la suspensión de la pena privativa de libertad (art. 80 y ss., C.P.) es una facultad motivadamente discrecional del Tribunal sentenciador, frente al cual el ordenamiento no concede la posibilidad de recurrir en casación, solo procede el recurso que ya utilizó en apelación, en el caso que nos ocupa (ver en igual sentido auto de 6/3/13 queja 20023/13 entre otros muchos). Por otro lado, la inadmisión del recurso de casación en esos supuestos no vulnera el derecho a recurrir comprendido en el derecho a la

---

(72) También en este sentido: ATS Sala Segunda, de lo Penal, Auto de 9 May. 2017, Rec. 20028/2017, Ponente: Colmenero Menéndez de Luarca, Miguel. LA LEY 44151/2017.

tutela judicial efectiva del artículo 24 CE (LA LEY 2500/1978), ya que ese derecho no significa que para todas las cuestiones esté abierto necesariamente un recurso (STC 23/1992, de 14 de febrero (LA LEY 58101-JF/0000)); debe de tratarse de recursos previstos por la ley contra determinadas resoluciones, sin que se puedan habilitar medios de impugnación al margen de lo regulado en las leyes procesales (ver autos de 22-01-2010, 12-03-2010, 12-04-2010, 13-09-2010)». ATS Sala Segunda, de lo Penal, Auto de 12 May. 2017, Rec. 20150/2017; Ponente: Saavedra Ruiz, Juan. LA LEY 44142/2017.

Finalmente, no cabe recurso de casación frente al auto que desestima un recurso de queja contra la providencia del Instructor acordando la inadmisión del recurso de Apelación pretendido

«La denegación es ajustada a lo dispuesto en el art. 848 LECrim (LA LEY 1/1882) pues solo cabe recurso de casación frente a los autos expresamente previsto por la ley, entre los que no se encuentran los autos resolviendo un recurso de queja contra la inadmisión a trámite de un recurso de apelación y menos los que resuelven un incidente de nulidad, por ello los autos de la Sección Sexta de la Audiencia Provincial de Madrid de fecha 11/3/16, de 22/4/16 y 13/5/16 son ajustados a derecho». ATS Sala Segunda, de lo Penal, Auto de 30 Ene. 2017, Rec. 20532/2016. Ponente: Berdugo Gómez de la Torre, Juan Ramón. LA LEY 3128/2017.

7.3. El problema de las sentencias absolutorias o que agravan la condena, en sede casacional

El problema que planteaba en apelación la impugnación de sentencias absolutorias, o en las que se solicitaba una agravación de la condena, fue expuesto en el § 4.3 G) de este Capítulo. Allí decíamos que esa cuestión debería entenderse superada con la nueva regulación de la apelación que determina que en caso de revisión de la prueba por el Tribunal de apelación anulará la sentencia con devolución a la primera instancia donde otro Tribunal procederá a dictar nueva sentencia. De ese modo se evita el problema que se planteaba en el caso que el Tribunal de apelación revocará la sentencia absolutoria para dictar otra condenatoria con base en la revisión de la prueba personal directamente inmediada por el Juez «a quo». También parece haberse superado la exigencia complementaria de citar al acusado a una vista del recurso de apelación para garantizar su derecho de contradicción y a un juicio justo. Esta cuestión también se ha planteado en casación concretamente con relación a la posibilidad de modificar el relato de hechos probados por medio del motivo previsto en el art. 849.1 LECrim y más concretamente a través de la revisión de las inferencias realizadas por el Tribunal inferior con relación al elemento subjetivo del injusto. Como sucede con la apelación esperamos que esta materia deje de plantearse como un problema. En este caso, no porque la Ley haya modificado la sustanciación del recurso de casación, sino porque con el nuevo sistema de apelación el Tribunal Supremo no va a conocer en «segunda instancia» de ningún procedimiento, por lo que se supone que la cuestión deje de plantearse. En cualquier caso, hemos querido exponer brevemente cual ha sido la doctrina jurisprudencial al respecto.

1º Se ha descartado la posibilidad de condenar «ex novo» en casación a un acusado que haya resultado absuelto en el juicio de instancia ni tampoco la agravación de su condena cuando ello requiere modificar los hechos probados acreditados mediante pruebas personales practicadas bajo los principios de inmediación, contradicción y oralidad[73].

«La doctrina del TEDH, seguida por el Tribunal Constitucional y por esta Sala de lo Penal del Tribunal Supremo, ha establecido serios límites a la posibilidad de rectificar sentencias absolutorias para llegar a una sentencia de condena, que son igualmente aplicables a los casos en los que por vía de recurso se pretenda una agravación de la respuesta penal contenida en la sentencia que se impugna..../...En las resoluciones dictadas sobre esta cuestión se pone de relieve la dificultad de revisar una inferencia sobre un elemento del tipo subjetivo sin presenciar, bajo el principio de inmediación, la declaración del propio autor del hecho a quien tal elemento se refiere, o la de los testigos presenciales que describen su actitud y otros aspectos de su comportamiento el tiempo de la ejecución de la acción. De ahí que el propio Tribunal Constitucional señale (STC 126/2012, que se acaba de citar) la conveniencia de no adelantar soluciones rígidas y estereotipadas y proceder a examinar el caso y las resoluciones jurisdiccionales dictadas en el mismo por los órganos judiciales de instancia y apelación o casación». STS 8 de noviembre de 2012. N.º de Recurso:

(73) «De manera que la rectificación de hechos subjetivos requiere una consideración del proceso valorativo, e, incluso, de las pruebas practicadas. Desde la perspectiva de la presunción de inocencia, la verificación de la falta de racionalidad de la inferencia según la cual se acredita un hecho subjetivo requerido para la condena, conducirá a la absolución por falta de prueba sobre el mismo. Por el contrario, la falta de racionalidad de la inferencia que niega la concurrencia de ese hecho subjetivo no conduce necesariamente a su afirmación y, correlativamente, a la condena, pues ese segundo paso requeriría una valoración de la prueba que, cuando se trata de pruebas personales, no ha presenciado el tribunal que resuelve el recurso. 3. Ello conduce al segundo aspecto en el que ha sido alterada la doctrina referida a las rectificaciones de las inferencias sobre hechos subjetivos cuando se trata de sentencias absolutorias o cuando, siendo condenatorias, se pretende el empeoramiento de la situación de la parte condenada.../.... 4. En cualquier caso, la cuestión relativa a la necesidad de presenciar las pruebas personales de las que se extraen elementos que luego se emplean en el juicio inferencial respecto de un hecho subjetivo, debe ser completada con otro aspecto introducido por toda esta doctrina jurisprudencial, relativo a la necesidad de dar audiencia al acusado antes de condenarlo por primera vez en apelación o casación o, también, antes agravar la condena de instancia.../.... Por lo demás, el Tribunal recuerda que se celebró juicio oral y público ante el Tribunal Supremo en el curso del cual, si bien el letrado del acusado pudo exponer sus medios de defensa, entre ellos el relativo a la calificación jurídica de los hechos de la causa, el acusado no fue oído personalmente sobre una cuestión de hecho determinante para la valoración de su culpabilidad. La aplicación de esta doctrina conduce a la desestimación del recurso del Ministerio Fiscal. Con independencia de la corrección del razonamiento del Tribunal de instancia sobre la concurrencia del elemento subjetivo del delito de homicidio, de un lado resultaría extremadamente dificultoso rectificar la inferencia realizada en la sentencia sobre el ánimo de la autora de los hechos sin haber presenciado, personal y directamente, tanto su declaración como la de la víctima, al menos respecto a la forma en que se produjeron los hechos. Y de otro lado, y en consonancia con la naturaleza del recurso de casación y de las funciones que le corresponden a este Tribunal Supremo, la ley procesal no prevé la práctica de pruebas en la sustanciación de este recurso, por lo que no ha sido posible, de un lado, proceder a la práctica de pruebas personales, y, de otro, dar a la acusada la posibilidad de ser oída por esta Sala antes de resolver acerca de la concurrencia del elemento subjetivo cuestionado, lo que vendría exigido por la efectividad de su derecho de defensa en la forma en que ha sido entendido por el TEDH y por el Tribunal Constitucional en relación a este tipo de casos». STS Sala Segunda, de lo Penal, Sentencia 840/2012 de 31 Oct. 2012, Rec. 542/2012; Ponente: Colmenero Menéndez de Luarca, Miguel. LA LEY 162471/2012.

489/2012. N.º de Resolución: 841/2012. ROJ 7077/2012. Ponente: Miguel Colmenero Menéndez de Luarca.

Esto es así, porque se opone al principio de no modificación de los hechos probados en casación y además exigiría la celebración previa de una comparecencia del acusado para ser oído, eventualidad que no está prevista actualmente en la sustanciación procesal del recurso de casación[74].

> «Tampoco cabe aceptar que la mera presencia del recurrente en estrados en la vista de casación resulte suficiente para colmar las garantías del proceso debido en la segunda instancia. Ante todo y como ya se ha indicado, porque la vista regulada en los arts. 893 y siguientes de la Ley de enjuiciamiento criminal no permite articular la celebración de práctica de pruebas, tal y como la propia Sala de lo Penal del Tribunal Supremo, máximo intérprete de la legalidad procesal, ha reconocido en el acuerdo antes citado del 19 de diciembre de 2012. Además, a mayor abundamiento, porque (i) el acto de la vista y la presencia del recurrente no pretendía la celebración de un verdadero acto de práctica de pruebas personales, tal como exige la jurisprudencia

---

[74] «En efecto, la pretensión incriminatoria de la parte querellante nos sitúa en el ámbito de la cuestión procesal relativa a la posibilidad de condenar ex novo o agravar en segunda instancia la condena de un acusado modificando los hechos en contra del reo sin celebrar una vista oral para oírle o incluso para practicar prueba. Esa posibilidad ha sido jurisprudencialmente descartada por vulnerar el derecho a un proceso con todas las garantías (principios de inmediación y contradicción) y el derecho de defensa. Así lo tiene establecido reiterada jurisprudencia del Tribunal Constitucional ..../....jurisprudencia que a su vez acoge la doctrina del Tribunal Europeo de Derechos Humanos plasmada en diferentes sentencias. Entre las que destacan: la sentencia de 22 de noviembre de 2011, caso Lacadena Calero contra España; de 20 de marzo de 2012, caso Serrano Contreras contra España; y la de 27 de noviembre de 2012, caso Vilanova Goterris y Llop García contra España. Y también la jurisprudencia de esta Sala de Casación ha acogido los criterios interpretativos del TEDH y del Tribunal Constitucional y los ha trasladado al recurso de casación. Y así se comprueba que en las SSTS 998/2011, de 29 de septiembre (LA LEY 189973/2011), 1052/2011, de 5 de octubre (LA LEY 198717/2011), 1106/2011, de 20 de octubre, 1215/2011, de 15 de noviembre (LA LEY 236073/2011), 1223/2011, de 18 de noviembre (LA LEY 236074/2011), 698/2011, de 22 de junio (LA LEY 119774/2011), 1423/2011, de 29 de diciembre (LA LEY 277378/2011), 164/2012, de 3 de marzo (LA LEY 24615/2012), 325/2012, de 3 de mayo (LA LEY 64413/2012), y 757/2012, de 11 de octubre (LA LEY 158735/2012), entre otras, se ha considerado que no procede la condena ex novo en casación de un acusado que haya resultado absuelto en el juicio de instancia ni tampoco la agravación de la condena cuando ello requiere entrar a examinar y modificar la convicción sobre los hechos, dado que ello exigiría la celebración previa de una comparecencia del acusado para ser oído, eventualidad que no está prevista actualmente en la sustanciación procesal del recurso de casación, por lo que habría que establecer un trámite específico para ello, alterándose en cualquier caso la naturaleza y el alcance del recurso. No cabe, pues, que esta Sala de casación entre ahora a examinar la verificación probatoria de los hechos relativos a la autoría de los acusados Bibiana y Avelino que les atribuye la acusación particular, ya que concurren varias pruebas personales relevantes que han sido practicadas bajo los principios de inmediación, contradicción y oralidad, pruebas que no pueden revisarse en casación para agravar la conducta del acusado, dado que tal pretensión precisaría de una nueva práctica probatoria en esta sede conforme a los principios anteriormente referidos. Y ello no resulta factible en esta instancia, visto lo acordado en el Pleno no jurisdiccional celebrado el pasado 19 de diciembre. En él se decidió que "La citación del acusado recurrido a una vista oral para ser oído personalmente antes de la decisión del recurso ni es compatible con la naturaleza de la casación, ni está prevista en la ley"». STS Sala Segunda, de lo Penal, Sentencia 688/2016 de 27 Jul. 2016, Rec. 1536/2015. Ponente: Jorge Barreiro, Alberto Gumersindo. LA LEY 91579/2016.

constitucional; y (ii) no queda concretada en el acta de la vista en que consistió la autodefensa del acusado, por lo que no resulta posible controlar si se salvaguardó una mínima calidad exigible desde la óptica del derecho de audiencia». STC 172/2016, de 17 de octubre, Rec. 299/2013, Ponente: Xiol Ríos, Juan Antonio. LA LEY 145324/2016.

2º Partiendo de la doctrina jurisprudencial citada el Tribunal Supremo ha declarado que el motivo previsto en el art. 849.1 LECrim es improcedente para la revisión de las pruebas indirectas (método típico de acreditación del elemento volitivo) (Véanse las SSTS 1024/2012, de 19 de diciembre, y 245/2013, de 13 de marzo).

«Ciertamente la Sala de lo Penal del Tribunal Supremo venía proclamando que la revisión del elemento subjetivo del tipo puede hacerse a través del art. 849.1 LECrim, incluso cuando supone valorar prueba, al tratarse de una cuestión jurídica que puede resolverse sin celebración de vista pública para practicar la prueba a revalorar, estableciendo que la fijación de un hecho probado a partir de una inferencia sobre datos circunstanciales no es un juicio fáctico sino jurídico. Sin embargo, modificar los hechos de la instancia mediante la revalorización de pruebas personales no puede equivaler a un juicio normativo porque deba acudirse a una deducción presuntiva, y supone la lesión del derecho a un proceso con todas las garantías (art. 24.2 CE) y del derecho a un proceso equitativo del art. 6.1 del Convenio europeo para la protección de los derechos humanos y de las libertades fundamentales (CEDH), conforme a la jurisprudencia del Tribunal Europeo de Derechos Humanos». STC 172/2016, de 17 de octubre, Rec. 299/2013, Ponente: Xiol Ríos, Juan Antonio. LA LEY 145324/2016.

3º Por otra parte, con relación a la citación del acusado a una vista en casación el Pleno de la Sala Segunda del Alto Tribunal dictó un acuerdo no jurisdiccional en fecha de 19 de diciembre de 2012, en virtud del cual se estableció que: «la citación del acusado recurrido a una vista para ser oído personalmente antes de la decisión del recurso no es compatible con la naturaleza de la casación, ni está prevista en la ley»[75].

«La propia Sala Segunda procedió a revisar este criterio, poco tiempo después de haberse dictado justamente la Sentencia aquí impugnada. Ya en la STS 840/2012, de

---

(75) «3. En el caso, el Tribunal de instancia ha considerado no probado el ánimo de engañar, y ha llegado a esa conclusión sobre la base de valorar la declaración de los acusados y de los testigos que coinciden con ellos en el sentido de que no se aseguró a los alumnos al tiempo de la matriculación que existiera la titulación de la Universidad de Gales, sino que la estaban tramitando, aunque luego no llegara a buen fin, añadiendo uno de los testigos que así lo manifestó a los propios alumnos..../... 6 La afirmación de hechos contrarios a los contenidos en el relato fáctico de la sentencia impugnada requeriría, pues, la valoración de esas pruebas personales, cuya práctica esta Sala no ha presenciado, careciendo por lo tanto de la necesaria inmediación. También por esta razón el motivo debe ser desestimado. TERCERO.- Y finalmente, una tercera razón impide la estimación de la queja. 1. Toda la doctrina jurisprudencial mencionada ha establecido la necesidad de dar audiencia al acusado antes de condenarlo por primera vez en apelación o casación o, también, antes agravar la condena de instancia, siempre que sea necesaria para ello reconsiderar los hechos probados e ir más allá de consideraciones de tipo jurídico..../..... En el caso, la estimación de las pretensiones de los recurrentes supondría la alteración parcial de los hechos probados, lo cual haría necesaria una audiencia pública del acusado que no está prevista en el recurso de casación, en coherencia con las finalidades propias de éste y con las funciones que le corresponden al Tribunal Supremo. En consecuencia, igualmente por esta razón el motivo debe ser desestimado». STS 8 de noviembre de 2012. Nº de Recurso: 489/2012. Nº de Resolución: 841/2012. ROJ 7077/2012. Ponente: Miguel Colmenero Menéndez de Luarca.

31 de octubre, declaró que no es posible revisar la declaración de hechos probados, en concreto el elemento subjetivo del tipo, sino es mediante la celebración de una vista que cumpla con los requisitos del Tribunal Europeo de Derechos Humanos y la STC 167/2002, lo que no es posible en sede de casación: "de otro lado, y en consonancia con la naturaleza del recurso de casación y de las funciones que le corresponden a este Tribunal Supremo, la ley procesal no prevé la práctica de prueba en la sustanciación de este recurso, por lo que no ha sido posible, de un lado, proceder a la práctica de pruebas personales, y, de otro, dar a la acusada la posibilidad de ser oída por esta Sala antes de resolver acerca de la concurrencia del elemento subjetivo cuestionado, lo que vendría exigido por la efectividad de su derecho de defensa en la forma en que ha sido entendido por el Tribunal Europeo de Derechos Humanos y por el Tribunal Constitucional en este tipo de casos". Este cambio de criterio aparece también, entre otras, en las SSTS 916/2012, de 28 de noviembre; 1058/2012, de 18 de diciembre; y 218/2014, de 13 de marzo, todos ellos desestimando los motivos de la acusación o del Ministerio Fiscal que pedían tal revalorización. Otras Sentencias de la Sala, en la misma línea de rechazar la solicitud de revalorización de pruebas indirectas (método típico de acreditación del elemento volitivo), han precisado que el cauce del art. 849.1 LECrim, aceptado por ella durante años, es improcedente a estos efectos. Así por ejemplo, SSTS 1024/2012, de 19 de diciembre, y 245/2013, de 13 de marzo. Inclusive, el Pleno de la Sala Segunda del Alto Tribunal dictó un acuerdo no jurisdiccional en fecha de 19 de diciembre de 2012, en virtud del cual estima que: "la citación del acusado recurrido a una vista para ser oído personalmente antes de la decisión del recurso no es compatible con la naturaleza de la casación, ni está prevista en la ley"». STC 172/2016, de 17 de octubre, Rec. 299/2013, Ponente: Xiol Ríos, Juan Antonio. LA LEY 145324/2016.

7.4. Motivos de casación. Infracción de principios constitucionales (852 LECrim)

El recurso de casación puede interponerse con base en dos motivos: a) por infracción de Ley y b) por quebrantamiento de forma. En el primer supuesto el Tribunal se limita a examinar la correcta aplicación de las normas materiales sin que proceda valorar de nuevo los hechos enjuiciados salvo cuando se trate de un error de hecho en la apreciación de la prueba derivada de un documento. En el segundo caso, casación por quebrantamiento de forma, el Tribunal Supremo vela por el cumplimiento de las normas procesales. Con base en este motivo, son denunciables en casación los vicios «*in procedendo*» que se hubiesen cometido durante la tramitación del proceso, previa reclamación de la subsanación de la falta mediante la oportuna protesta (art. 884.5 LECrim).

A estos dos motivos debe añadirse la violación de derechos fundamentales que podrá servir de fundamento a la casación. A este respecto el art. 852 LECrim, según la redacción dada por la Disposición Final 12ª LEC, establece que: «*En todo caso, el recurso de casación podrá interponerse fundándose en infracción de precepto constitucional*». Se trata de una norma especial, frente a la general del 5.4 LOPJ, que, en consonancia con la necesaria flexibilidad en la aplicación e interpretación de los preceptos procesales, permite sin necesidad de realizar interpretaciones integradoras, la posibilidad de denunciar, en cualquier caso, la infracción de norma constitucional, en sede casacional, como motivo especial y con independencia del cauce alegado[76].

---

(76) «...nuestro sistema casacional no queda limitado al análisis de cuestiones jurídicas y formales y que sólo permita revisar las pruebas en el restringido cauce que ofrece el art. 849.2

«En virtud del art. 852 LECrim, el recurso de casación puede interponerse, en todo caso, fundándose en la infracción de un precepto constitucional, de modo que a través de la invocación del 24.2 CE (fundamentalmente, en cuanto se refiere al derecho a la presunción de inocencia), es posible que el Tribunal Supremo controle tanto la licitud de la prueba practicada en la que se fundamenta el fallo, como su suficiencia para desvirtuar la presunción de inocencia y la razonabilidad de las inferencias realizadas (por todas STC 60/2008 de 26.5 (LA LEY 61662/2008)) Por ello a través de un motivo de casación basado en la infracción del derecho a la presunción de inocencia, se puede cuestionar no solo el cumplimiento de las garantías legales y constitucionales de la prueba practicada, sino la declaración de culpabilidad que el Juzgador de instancia haya deducido de su contenido. Por tanto el acusado tiene abierta una vía que permite a este Tribunal Supremo "la revisión integra" entendida en el sentido de posibilidad de acceder no solo a las cuestiones jurídicas, sino también a las fácticas en que se fundamenta la declaración de culpabilidad, a través del control de la aplicación de las reglas procesales y de valoración de la prueba (SSTC 70/2002 de 3.4 (LA LEY 3534/2002) y 116/2006 de 29.4)». STS Sala Segunda, de lo Penal, Sentencia 16/2014 de 30 Ene. 2014, Rec. 824/2013. Ponente: Berdugo Gómez de la Torre, Juan Ramón. LA LEY 2495/2014.

La reforma del art. 852 LECrim ha solucionado los problemas que planteaba la utilización adecuada de la vía casacional. Aunque el propio Tribunal Supremo había declarado, antes de la reforma, que el examen de la violación de derechos fundamentales en vía casacional deberá llevarse a término, independientemente de si las partes han elegido o no correctamente la vía formal adecuada, siendo suficiente para su interposición la infracción de un precepto constitucional (art. 5.4. LOPJ) (STC 71/92, de 13 mayo).

«Por lo que se refiere a la falta de expresa invocación del art. 5.4 de la LOPJ, se señala que no se advierte razón por la que la vía del art. 849.1.° y 2.° de la LECrim. devenga incompatible por el hecho de que el citado art. 5.4 LOPJ consigne expresamente la infracción del precepto constitucional como fundamento del recurso de casación en todos los casos en que, según la Ley, proceda. Con relación a la segunda causa de inadmisión, necesidad de invocar en el proceso la eventual vulneración de los derechos fundamentales y claridad necesaria para el planteamiento de la pretensión casacional, se cumple suficientemente con la exposición razonada de su argumentación en el escrito de formalización del recurso...». (STC 71/92, de 13 mayo).

El TS con base en la alegación de la infracción de precepto constitucional ha tenido ocasión de pronunciarse sobre todos los derechos fundamentales de carácter procesal incluidos en el art. 24.2 CE (derecho al Juez ordinario predeterminado por la Ley, derecho de asistencia de Letrado al detenido y a ser informado de la acusación, a un proceso con todas las garantías incluyendo el derecho a ser asistido de intérpre-

---

LECrim, tal como se afirma en la demanda, ya que, como recordábamos en la también reciente STC 136/2006, de 8 de mayo, FJ 3, en virtud del art. 852 LECrim, el recurso de casación podía interponerse, en todo caso, fundándose en la infracción de un precepto constitucional, de modo que, a través de la invocación del art. 24.2 CE (fundamentalmente en cuanto se refiere al derecho a la presunción de inocencia), es posible que el Tribunal Supremo controle, tanto la licitud de la prueba practicada en la que se fundamenta el fallo, como su suficiencia para desvirtuar la presunción de inocencia y la razonabilidad de las inferencias realizadas». STC 60/2008, de 26 de mayo de 2008.

te para quienes no entiendan el idioma castellano, derecho a utilizar los medios de prueba pertinentes para su defensa; derecho a la presunción de inocencia), el principio de igualdad ante la Ley (art. 14 CE) y el de tutela efectiva de los Tribunales (art. 24.1.° CE)[77]. Este es el cauce casacional, por ejemplo, para impugnar las sentencias en las que se considere que se ha producido una infracción del derecho al secreto de las comunicaciones[78]. De este modo, se ha propiciado una instancia previa a la del recurso de amparo constitucional, para garantizar la supremacía de la Constitución. Consecuentemente, y en lo referente a sus consecuencias, la casación por este motivo no debe tratarse según las reglas del recurso de casación por infracción de Ley, sino de una manera análoga al recurso de amparo constitucional, ya que de esta forma no se producirá discrepancia alguna entre lo resuelto por el Tribunal de Casación y lo que en su caso estime corresponder al Tribunal Constitucional.

Sin embargo, esta nueva orientación casacional no significa la supresión del carácter extraordinario de este recurso y su rigor formal. En este sentido, el TS ha precisado que no procede alegar la vulneración «*in genere*» de algún artículo de la Constitución, en especial cuando este precepto conste de varios apartados (vg. el art. 24 CE)[79]. Por ello será necesario especificar el principio constitucional que se considere conculcado. En este sentido, la jurisprudencia del TS ha declarado que procederá la inadmisión casacional cuando no se haya reclamado oportunamente la infracción constitucional alegada.

«Recordábamos en la reciente Sentencia n.° 144/2013 de 29 de enero (LA LEY 10189/2013) anteriores precisiones como la expuesta en la Sentencia TS n.° 183/2010 de 3 de marzo, señalando que este cauce procesal no admite cualquier tipo de invocación de normas constitucionales. Y, recordábamos lo dicho en la STS

---

(77) «El derecho a la tutela judicial efectiva no puede identificarse con el derecho a tener razón y a que esa pretendida razón sea reconocida por todos. Como en múltiples ocasiones ha declarado este Tribunal, el primer contenido de este derecho es el acceso a la jurisdicción, que se concreta en el derecho a promover la actividad jurisdiccional, siendo un derecho digno de protección el que el ofendido tiene a solicitar la actuación del ius puniendi del Estado, dentro del sistema penal instaurado en nuestro Derecho, en el que junto a la oficialidad de la acción encomendada al Ministerio Fiscal se establecen otras titularidades privadas, entre ellas la del perjudicado por el delito. Además de ese contenido, entendido como derecho de acceso a la jurisdicción, el derecho a la tutela judicial efectiva, en su significado proteico, implica el derecho a una resolución de fondo debidamente motivada (STS 3-10-07).C) El recurrente, en este motivo, no precisa por qué considera vulnerados estos dos derechos. Únicamente dice que entiende que se le han vulnerado. De todo lo expuesto en los razonamientos anteriores, se comprueba que el recurrente tuvo acceso a la jurisdicción y a una sentencia motivada y fundada en Derecho. El órgano de instancia valoró las pruebas admitidas y practicadas y resolvió conforme a las normas de la lógica y la razón. El derecho a una resolución motivada no implica que la resolución tenga que coincidir con la pretensión del justiciable, sino que sea una decisión argumentada y justificada, cosa que ha ocurrido en el presente caso. En consecuencia, procede la inadmisión del motivo con base en el artículo 855.1 LECrim (LA LEY 1/1882)». STS Sala Segunda, de lo Penal, Auto 369/2017 de 16 Feb. 2017, Rec. 1591/2016; Ponente: Marchena Gómez, Manuel. LA LEY 9349/2017.

(78) Véase entre muchas otras la STS Sala Segunda, de lo Penal, Sentencia 497/2016 de 9 Jun. 2016, Rec. 10982/2015; Ponente: Berdugo Gómez de la Torre, Juan Ramón. LA LEY 68065/2016.

(79) Conforme con la doctrina del TC la no admisión a trámite del recurso de casación no contradice ni vulnera el derecho de tutela judicial efectiva siempre que la resolución de inadmisión esté debidamente fundada (STC 99/85, de 30 septiembre).

n.º 113/2010 de 23 de febrero (LA LEY 3112/2010), donde establecimos: El cauce del artículo 852 de la Ley de Enjuiciamiento Criminal (LA LEY 1/1882) permite pretender la casación de una sentencia si se reprocha a la misma la infracción de un precepto constitucional. La estimación de tal motivo exige sin embargo la constatación de la incompatibilidad inequívoca entre lo dispuesto en dicho precepto de la Constitución Española y lo decidido en la sentencia o entre aquel precepto y alguna actuación del procedimiento, si la infracción de las normas reguladoras de éste tiene contenido constitucional. La mera alusión a valores o principios genéricos, que no resulten directa y concretamente incompatibles con lo dispuesto en la sentencia o con lo actuado en el procedimiento, no puede dar lugar al recurso de casación sin desnaturalizar éste. Se requiere pues que la invocación del precepto lo sea de aquéllos que instauran una verdadera regla más que un principio. Por otro lado mal podrá fundarse la casación en esa infracción si la resolución recurrida resulta acorde a normas legales y éstas no pueden ser cuestionadas en cuanto a su compatibilidad con la Constitución. Reiteramos ahora que: El estrecho cauce de acceso a la casación que el legislador ha decidido en nuestro sistema procesal no puede ser burlado mediante la estratagema de dar realce constitucional a cualquier supuesta vulneración de preceptos, que no tienen el rango de norma penal sustantiva, que exige el artículo 849.1 de la Ley de Enjuiciamiento Criminal (LA LEY 1/1882), o de acudir a la invocación de cualquier irregularidad, incluso franca vulneración legal en el procedimiento, que, sin embargo, carezca de contenido constitucional». STS Sala Segunda, de lo Penal, Sentencia 245/2013 de 13 Mar. 2013, Rec. 10865/2012; Ponente: Varela Castro, Luciano. LA LEY 36238/2013.

O con relación a la vulneración de la presunción de inocencia cuando: a) No se haya anunciado aquella vulneración en la fase de preparación del recurso, ya que supone la infracción del art. 855.1.º LECrim., dando lugar a la causa de inadmisión prevista en el art. 884.4.º. b) No se alegue, al desarrollar el motivo en el escrito de interposición, un vacío o ausencia de prueba de cargo, sino una disconformidad en la valoración de la prueba obrante en autos, ya que se incurrirá en la causa de inadmisión prevista en el art. 884.3.º LECrim[80]. Véase sobre presunción de inocencia § 4 del Cap. IX.

---

(80) «... como recuerda la reciente Sentencia de 25 de octubre de 2000, al Tribunal de Casación en su función de control sobre la observancia del derecho a la presunción de inocencia, corresponde comprobar la existencia de prueba de cargo que sea objetivamente lícita, practicada con observancia de los requisitos legales condicionantes de su validez procesal y bajo los principios de contradicción e inmediación, y de contenido incriminador como prueba de cargo. No alcanza en cambio a la posibilidad de hacer una nueva valoración de la prueba, que es facultad exclusiva y excluyente del Tribunal de instancia conforme al artículo 741 de la Ley de Enjuiciamiento Criminal. En consecuencia la vulneración del derecho a la presunción de inocencia debe desestimarse cuando se constata la existencia en el proceso de esa prueba de cargo, susceptible de proporcionar la base probatoria necesaria para un pronunciamiento de condena, es decir, cuando se da el presupuesto necesario para que la Sala de instancia pueda formar su convicción sobre lo acaecido. La ponderación del resultado probatorio obtenido, valorándolo y sopesando la credibilidad de las distintas pruebas contradictorias corresponde únicamente al Tribunal que presenció la prueba de cargo, a través del correspondiente juicio valorativo, del que en casación sólo cabe revisar su estructura racional, es decir, lo que atañe a la observancia en él, por parte del Tribunal de instancia, de las reglas de la lógica, principios de experiencia o los conocimientos científicos. Fuera de esta racionalidad del juicio valorativo son ajenos al objeto de la casación los aspectos del mismo que dependen sustancialmente de la inmediación, o sea de la percepción directa de las declaracio-

«2. Conforme a una reiterada doctrina de esta Sala la invocación del derecho fundamental a la presunción de inocencia permite a este Tribunal constatar si la sentencia de instancia se fundamenta en: a) una prueba de cargo suficiente, referida a todos los elementos esenciales del delito; b) una prueba constitucionalmente obtenida, es decir que no sea lesiva de otros derechos fundamentales, requisito que nos permite analizar aquellas impugnaciones que cuestionan la validez de las pruebas obtenidas directa o indirectamente mediante vulneraciones constitucionales y la cuestión de la conexión de antijuridicidad entre ellas, c) una prueba legalmente practicada, lo que implica analizar si se ha respetado el derecho al proceso con todas las garantías en la práctica de la prueba y d) una prueba racionalmente valorada, lo que implica que de la prueba practicada debe inferirse racionalmente la comisión del hecho y la participación del acusado, sin que pueda calificarse de ilógico, irrazonable o insuficiente el *iter* discursivo que conduce desde la prueba al hecho probado. Estos parámetros, analizados en profundidad, permiten una revisión integral de la sentencia de instancia, garantizando al condenado el ejercicio de su derecho internacionalmente reconocido a la revisión de la sentencia condenatoria por un Tribunal Superior (art 14 5º del Pacto Internacional de Derechos Civiles y Políticos (LA LEY 129/1966))». STS Sala Segunda, de lo Penal, Sentencia 315/2016 de 14 Abr. 2016, Rec. 1873/2015.

La alegación de su vulneración en el recurso de casación puede ir orientada a negar la existencia de prueba, a negar la validez de la existente, a negar el poder probatorio o demostrativo de la prueba existente y valida, o a cuestionar la racionalidad del proceso valorativo efectuado por el Tribunal sobre pruebas disponibles (STS Sala Segunda, de lo Penal, Sentencia 535/2014 de 24 Jun. 2014, Rec. 1413/2013. Ponente: Monterde Ferrer, Francisco. LA LEY 84995/2014). En cuanto al alcance del examen del motivo por parte del Tribunal Supremo éste se limitará a la comprobación de tres cuestiones: 1ª que existió prueba valorable; 2ª que la prueba valorada era lícita; 3ª que el razonamiento valorativo se justifica desde el punto de vista racional y lógico.

«B) La función casacional encomendada a esta Sala, respecto de las posibles vulneraciones del derecho a la presunción de inocencia, consagrado en el artículo 24.2 de nuestra Constitución (LA LEY 2500/1978), ha de limitarse a la comprobación de tres únicos aspectos, a saber: i) que el Tribunal juzgador dispuso, en realidad, de material probatorio susceptible de ser sometido a valoración; ii) que ese material probatorio, además de existente, era lícito en su producción y válido, por tanto, a efectos de acreditación de los hechos; y iii) que los razonamientos a través de los cuales alcanza el Juez de instancia su convicción, debidamente expuestos en la sentencia, son bastantes para ello, desde el punto de vista racional y lógico, y justifican, por tanto, la suficiencia de dichos elementos de prueba (SSTS 276/2014 (LA LEY 35961/2014) y 383/2014 (LA LEY 59767/2014))». STS Sala Segunda, de lo Penal, Auto 369/2017 de 16 Feb. 2017, Rec. 1591/2016; Ponente: Marchena Gómez, Manuel. LA LEY 9349/2017.

No puede el Tribunal Supremo por tanto valorar nuevamente la prueba, sino limitarse a verificar, conforme se ha expuesto, que no se dé un vacío probatorio

---

nes prestadas en presencia del Tribunal...». STS Sala Segunda, de lo Penal, Sentencia 1319/2001 de 31 Jul. 2001, Rec. 2995/1999; Ponente: Prego de Oliver Tolivar, Adolfo. LA LEY 8896/2001.

o una falta de racionalidad en el proceso valorativo. A ese fin, deberá proceder a realizar un examen desde el canon de la lógica o de la coherencia de la conclusión para verificar que esta no sea irrazonable y desde el canon de su suficiencia o carácter excluyente eliminando las conclusiones débiles o imprecisas en las que quepan otras muchas hipótesis[81]. En ese caso, y haciéndolo así, podrá anular las decisiones judiciales basadas en criterios no racionales, apartados de toda lógica o ajenas a cualquier parámetro de interpretación sostenible en derecho; pero no se permite corregir cualquier supuesta deficiencia en la aplicación del derecho o en la valoración de la prueba[82].

> «Se ha señalado reiteradamente (STS de 28-12-2006, núm. 1262/2006 (LA LEY 175854/2006)), que el recurso de casación no es un remedio valorativo de la prueba practicada en el juicio oral, conforme a los principios que rigen el acto procesal (oralidad, publicidad, inmediación, contradicción e igualdad de armas) sino que cuando se alega, como es el caso, la vulneración de la presunción de inocencia, el Tribunal casacional únicamente debe verificar los controles anteriores, pero no puede efectuar una nueva valoración de la prueba al faltarle el fundamental requisito de la inmediación procesal, pieza clave del sistema valorativo, que supone la apreciación de la prueba de carácter personal que se desarrolla en el plenario. Únicamente el vacío probatorio, o la falta de racionalidad en dicho proceso valorativo, pueden tanto que la cuestión de la credibilidad de los testigos y la aplicación del contenido detallado de su testimonio queda fuera, salvo supuestos excepcionales, de las posibilidades de revisión en el marco del recurso de casación, dada la naturaleza de este recurso y la imposibilidad de que el Tribunal que lo resuelve disponga de las ventajas y garantías que proporcionan en la valoración probatoria la inmediación y la contradicción (STS de 28-1-2001)». STS Sala Segunda, de lo Penal, Sentencia 535/2014 de 24 Jun. 2014, Rec. 1413/2013. Ponente: Monterde Ferrer, Francisco. LA LEY 84995/2014.

Sobre este particular ha declarado el Tribunal Supremo que: «*No es misión ni cometido de la casación ni decidir ni elegir, sino controlar el razonamiento con el que otro Tribunal justifica su decisión. Por ello, queda fuera, extramuros del ámbito casacional verificado el canon de cumplimiento de la motivación fáctica y la razona-*

---

(81) «Al respecto, basta recordar la doctrina del Tribunal Constitucional que incluye dentro del ámbito del Recurso de Amparo la verificación de la consistencia y razonabilidad de los juicios de inferencia alcanzados en la instancia que se refieren, de ordinario, a la existencia de hechos subjetivos conectados con el dolo en el doble aspecto de prueba del conocimiento y prueba de la voluntad y todo ello en el marco de una actividad probatoria de naturaleza indiciaria. Declara el Tribunal Constitucional —SSTC 135/2003 (LA LEY 12609/2003) o 263/2005 (LA LEY 10067/2006) entre otras— que dicho examen debe efectuarse: a) Desde el canon de la lógica o de la coherencia de la conclusión para verificar que esta no sea irrazonable, y b) Desde el canon de su suficiencia o carácter excluyente eliminando las conclusiones débiles o imprecisas en las que quepan otras muchas hipótesis». STS Sala Segunda, de lo Penal, Sentencia 497/2016 de 9 Jun. 2016, Rec. 10982/2015; Ponente: Berdugo Gómez de la Torre, Juan Ramón. LA LEY 68065/2016.

(82) «El derecho a la tutela judicial efectiva, tal y como viene siendo perfilado en la jurisprudencia constitucional, permite anular aquellas decisiones judiciales basadas en criterios no racionales, o apartados de toda lógica o ajenas a cualquier parámetro de interpretación sostenible en derecho; pero no permite corregir cualquier supuesta deficiencia en la aplicación del derecho o en la valoración de la prueba». STS Sala Segunda, de lo Penal, Auto 369/2017 de 16 Feb. 2017, Rec. 1591/2016; Ponente: Marchena Gómez, Manuel. LA LEY 9349/2017.

bilidad de sus conclusiones alcanzadas en la instancia, la posibilidad de que esta Sala pueda sustituir la valoración que hizo el Tribunal de instancia, ya que esa misión le corresponde a ese Tribunal en virtud del y de la inmediación de que dispuso (inmediación que no puede servir de coartada para eximirse de la obligación de motivar)». STS Sala Segunda, de lo Penal, Sentencia 497/2016 de 9 Jun. 2016.

«El ámbito del control casacional cuando se denuncia la vulneración del derecho a la presunción de inocencia, exige de la Sala Casacional una triple verificación. a) En primer lugar, debe analizar el "juicio sobre la prueba", es decir, si existió prueba de cargo, estimando por tal aquella que haya sido obtenida con respeto al canon de legalidad constitucional exigible, y que, además, haya sido introducida en el Plenario de acuerdo con el canon de legalidad ordinaria y sometido al cedazo de la contradicción, inmediación e igualdad que definen la actividad del Plenario. b) En segundo lugar, se ha de verificar "el juicio sobre la suficiencia", es decir si constatada la existencia de prueba de cargo, ésta es de tal consistencia que tiene la virtualidad de provocar el decaimiento de la presunción de inocencia y c) En tercer lugar, debemos verificar "el juicio sobre la motivación y su razonabilidad", es decir si el Tribunal cumplió por el deber de motivación, es decir si explicitó los razonamientos para justificar el efectivo decaimiento de la presunción de inocencia, ya que la actividad de enjuiciamiento es por un lado una actuación individualizadora, no seriada, y por otra parte es una actividad razonable, por lo tanto la exigencia de que sean conocidos los procesos intelectuales del Tribunal sentenciador que le han llevado a un juicio de certeza de naturaleza incriminatoria para el condenado es no sólo un presupuesto de la razonabilidad de la decisión intra processum, porque es una necesidad para verificar la misma cuando la decisión sea objeto de recurso, e incluso, *extra* processum, ya que la motivación fáctica actúa como mecanismo de aceptación social de la actividad judicial. En definitiva, el ámbito del control casacional en relación a la presunción de inocencia se concreta en verificar si la motivación fáctica alcanza el estándar exigible y si, en consecuencia, la decisión alcanzada por el Tribunal sentenciador, en sí misma considerada, es lógico, coherente y razonable, de acuerdo con las máximas de experiencia, reglas de la lógica y principios científicos, aunque puedan existir otras conclusiones porque no se trata de comparar conclusiones sino más limitadamente, si la decisión escogida por el Tribunal sentenciador soporta y mantiene la condena, —SSTC 68/98 (LA LEY 4897/1998), 85/99 (LA LEY 6196/1999), 117/2000 (LA LEY 8948/2000), 4 de junio de 2001 o 28 de enero de 1002, o de esta Sala 1171/2001, 6/2003, 220/2004, 711/2005, 866/2005, 476/2006, 548/2007, 1065/2009, 1333/2009, 104/2010, 259/2010 de 18 de marzo, 557/2010 de 8 de Junio (LA LEY 104049/2010), 854/2010 de 29 de septiembre, 1071/2010 de 3 de noviembre (LA LEY 236993/2010), 365/2011 de 20 de abril y 1105/2011 de 27 de octubre, entre otras—». STS Sala Segunda, de lo Penal, Sentencia 497/2016 de 9 Jun. 2016, Rec. 10982/2015; Ponente: Berdugo Gómez de la Torre, Juan Ramón. LA LEY 68065/2016.

7.5. Casación por infracción de ley (art. 849 LECrim.)

Este motivo es procedente en dos supuestos: 1° Por infracción de precepto sustantivo que deba ser observado en la aplicación de la Ley Penal; 2° Error en la apreciación de la prueba. En ambos casos deben observarse los requisitos exigidos por la ley y por el TS que se exponen a continuación.

A) Infracción de precepto legal (art. 849.1° LECrim)[83]

Se entenderá producida infracción de ley cuando, dados los hechos que se declaran probados en las resoluciones numeradas en los arts. 847 y 848, se hubiere infringido un precepto penal de carácter sustantivo u otra norma jurídica del mismo carácter que deba ser observada en la aplicación de la ley penal (art. 849.1° LECrim).

El motivo incluye la infracción de normas sustantivas, sean o no de carácter penal[84]. Entre las normas no penales cabe distinguir: a) aquéllas que son necesarias para la aplicación de las leyes penales sustantivas[85], y b) aquéllas que deben ser observadas por el órgano jurisdiccional en la aplicación de la ley penal.

> «4) La infracción ha de ser de un precepto penal sustantivo, u otra norma del mismo carácter que debe ser observada en la aplicación de la ley penal Por precepto penal sustantivo ha de entenderse las normas que configuran el hecho delictivo, es decir, acción, tipicidad, antijuricidad, culpabilidad y punibilidad y que deben ser subsumidos en los tipos penales; en las circunstancias modificativas o extintivas de la responsabilidad criminal; en la determinación de la pena, ejecución del delito, grados de participación y penalidad que se encuentra recogidas, fundamentalmente, en las normas del Código penal». STS Sala Segunda, de lo Penal, Sentencia 497/2016 de 9 Jun. 2016, Rec. 10982/2015; Ponente: Berdugo Gómez de la Torre, Juan Ramón. LA LEY 68065/2016.

No cabe alegar por esta vía las infracciones formales de un precepto adjetivo o procesal, la infracción de doctrina legal o de la doctrina jurisprudencial. No tienen carácter de norma jurídica sustantiva los criterios de interpretación de la ley del art. 3 C. Civil[86]. Tampoco es admisible alegar por medio de esta vía casacional

---

(83) Vid. FENECH, *El proceso penal*, Madrid, 1982, pp. 361 y ss.; GÓMEZ ORBANEJA, *Derecho procesal penal*, Madrid, 1981, pp. 305 y ss.; CALVO SÁNCHEZ, «Estudio de la Ley 6/85, de 27 marzo, sobre modificación del art. 849.2.° LECrim.», *La Ley*, 1986-1, p. 1108.

(84) «4) La infracción ha de ser de un precepto penal sustantivo, u otra norma del mismo carácter que debe ser observada en la aplicación de la ley penal Por precepto penal sustantivo ha de entenderse las normas que configuran el hecho delictivo, es decir, acción, tipicidad, antijuricidad, culpabilidad y punibilidad y que deben ser subsumidos en los tipos penales; en las circunstancias modificativas o extintivas de la responsabilidad criminal; en la determinación de la pena, ejecución del delito, grados de participación y penalidad que se encuentra recogidas, fundamentalmente, en las normas del Código penal». STS 413/2015 de 30 Jun. 2015, Rec. 10829/2014; Ponente: Berdugo Gómez de la torre, Juan Ramón. LA LEY 98975/2015.

(85) Ejemplos de estas normas sustantivas son: el Código Civil, que define la cosa mueble, la propiedad, etc., a los efectos del delito de robo o hurto; las leyes administrativas, que regulan la condición de funcionario, etc.; las normas no penales, que debe aplicar el Tribunal penal al resolver las cuestiones prejudiciales: ley de amnistía, etc.

(86) «2) La denuncia debe ir referida a la infracción de unas normas jurídicas. Así se ha declarado (STS 2-4-92) que «no existen posibilidades de fundar recurso de casación en materia penal, por infracción de doctrina legal ni la vulneración de doctrina jurisprudencial». (STS 18-12-92). Tampoco integra ese carácter de norma jurídica los criterios de interpretación de la ley del art. 3 del Código Civil (LA LEY 1/1889)"El art. 3 del Código Civil (LA LEY 1/1889), cuya infracción se denuncia, no constituye ninguna norma jurídica sustantiva de aplicación directa. Se trata de una norma interpretativa un principio inspirador de la interpretación y aplicación de las normas jurídicas, de difícil concreción e impropio, en cualquier caso, del cauce procesal examinado «(STS 3-2-92). Lo

un error «*in procedendo*», ya que el recurso por infracción de ley se interpone contra la parte dispositiva de la sentencia, por lo que por esta vía casacional no pueden atacarse nunca infracciones formales de un precepto procesal. Es, por tanto, una vía casacional apta únicamente para denunciar y corregir los errores «*in iudicando*»[87].

En el supuesto de modificación de la ley penal sustantiva, después de dictada la sentencia de instancia, se plantea el problema, respecto a que ley puede ser alegada en vía del recurso de casación. En el Código Penal LO 10/95 se resolvió el problema mediante la regulación contenida en la disposición transitoria 9.ª, que distingue entre el recurso de casación aún no formalizado, y el que ya estuviere sustanciándose. En el primer caso, el recurrente podrá señalar las infracciones legales basándose en los preceptos del nuevo código. En el segundo, la Ley establece que «se pasará de nuevo al recurrente, de oficio o a instancia de parte, por el término de ocho días, para que adapte, si lo estima procedente, los motivos de casación alegados a los preceptos del nuevo Código...». En el supuesto que la reforma de normas sustantivas no incluya precepto alguno destinado a regular esta cuestión, la jurisprudencia del Tribunal Supremo ha declarado, que: «... El ámbito del recurso de casación se concreta en revisar la sentencia de instancia, teniendo en cuenta la legalidad vigente en el momento de la comisión de los hechos. Las rectificaciones que se pretenden con motivo de variaciones en la legislación aplicable, si fuese más favorable al reo, a tenor del art. 24 CP, deben reservarse al Tribunal de instancia, para que previa petición del acusado resuelva lo procedente, contra cuya decisión cabrán los oportunos recursos, pues en otro caso, se vedaría tal posibilidad, limitando el ámbito competencial de cada uno de los órganos jurisdiccionales a quienes afecte...». (STS Sala Segunda, de lo Penal, Sentencia de 25 Ene. 1995, Rec. 2245/1994; Ponente: Móner Muñoz, Eduardo. LA LEY 16676-R/1995). Sin embargo, a nuestro parecer, de acuerdo con el art. 3 del CP, que establece la retroactividad de las leyes penales favorables, y la propia aplicación analógica de la normativa transitoria de la LO 10/95 expuesta, cabe basar el recurso en la infracción de la nueva normativa.

Este motivo casacional, como el resto de los contemplados en la Ley, está supeditado a ciertos límites y requisitos, que deben ser cumplidos por los recurrentes, ya que, en caso contrario, el recurso será inadmitido. Entre aquéllos están:

---

anterior ha de ser entendido desde la óptica más estricta del error de derecho». STS Sala Segunda, de lo Penal, Sentencia 286/2016 de 7 Abr. 2016, Rec. 1572/2015; Ponente: Berdugo Gómez de la Torre, Juan Ramón.LA LEY 24088/2016.

(87) «Debemos recordar la doctrina jurisprudencial contenida entre otras en SSTS 807/2011 de 19.7 (LA LEY 120084/2011), 353/2014 de 8.4, 384/2014 de 14.5, 23/2015 de 4.2 (LA LEY 30888/2015), 114/2015 de 12.3 (LA I FY 18406/2015) que establece los requisitos de este motivo casacional basado en el art. 849.1 LECrim (LA LEY 1/1882). 1). Respeto a los hechos probados. La casación por este motivo es un recurso extraordinario de fijación de la ley, no es una segunda instancia con posibilidades revisoras del hecho probado. Su función es comprobar la aplicación del derecho realizada por el tribunal de instancia a unos hechos que deban permanecer inalterados». STS Sala Segunda, de lo Penal, Sentencia 286/2016 de 7 Abr. 2016, Rec. 1572/2015; Ponente: Berdugo Gómez de la Torre, Juan Ramón.LA LEY 24088/2016.

1º) El respeto a los hechos probados[88]. No será admisible la contradicción de éstos, ni posible adicionarlos, modificarlos o tergiversarlos, ni aducir alegaciones jurídicas en notoria contradicción o incongruencia con aquéllos[89].

«Como se dice en la STS 121/2008 de 26.2 (LA LEY 20910/2008) el recurso de casación cuando se articula por la vía del art. 849.1 LECrim (LA LEY 1/1882) ha de partir de las precisiones fácticas que haya establecido el Tribunal de instancia, por no constituir una apelación ni una revisión de la prueba. Se trata de un recurso de carácter sustantivo penal cuyo objeto exclusivo es el enfoque jurídico que a unos hechos dados, ya inalterables, se pretende aplicar, en discordancia con el Tribunal sentenciador. La técnica de la casación penal exige que en los recursos de esta naturaleza se guarde el más absoluto respeto a los hechos que se declaren probados en la sentencia recurrida, ya que el ámbito propio de este recurso queda limitado al control de la juridicidad, o sea, que lo único que en él se puede discutir es si la subsunción que de los hechos hubiese hecho el Tribunal de instancia en el precepto penal de derecho sustantivo aplicado es o no correcta jurídicamente, de modo que la tesis del recurrente no puede salirse del contenido del hecho probado. Así, debe tener en cuenta el recurrente la naturaleza y ámbito de la vía casacional en que se encuentra. Conforme a ella no es dado formular alegaciones que rebase como soporte fáctico los hechos que se declaran probados en la sentencia. No puede sustentar su pretensión en apreciaciones sobre la prueba y los extremos que considera o no acreditados. Se trata, por el contrario, de atender a la correcta calificación de los hechos, examinar si en los términos que se consignan en la sentencia colman la previsión de un concreto precepto sustantivo, penal o de otra naturaleza. Esta exigencia de sometimiento al relato de hechos probados, fijada por el legislador y respaldada en numerosísimas sentencias de esta Sala casacional, dispone para su aseguramiento de una específica previsión de inadmisión, el art. 884.3º LECrim (LA LEY 1/1882). Con mayor razón se habrá de rechazar el motivo que rebasa esos límites, cuando, como es el caso, se

---

(88) «El ámbito propio de este recurso queda limitado al control de la juridicidad, o sea, que lo único que en él se puede discutir es si la subsunción que de los hechos hubiese hecho el Tribunal de instancia en el precepto penal de derecho sustantivo aplicado es o no correcta jurídicamente, de modo que la tesis del recurrente no puede salirse del contenido del hecho probado. En definitiva no puede darse una versión de los hechos en abierta discordancia e incongruencia con lo afirmado en los mismos, olvidando que los motivos acogidos al art. 849.1 LECrim (LA LEY 1/1882). Ha de respetar fiel e inexcusablemente los hechos que como probados se consignan en la sentencia recurrida». STS 413/2015 de 30 Jun. 2015, Rec. 10829/2014; Ponente: Berdugo Gómez de la torre, Juan Ramón. LA LEY 98975/2015.

(89) «Esta Sala viene en tal sentido declarando que el objeto de este recurso, en esta sede casacional, se reduce exclusivamente a comprobar si, dados los hechos que se declaran probados en la Sentencia que se recurre, que han de ser respetados en su integridad, orden y significación, se aplicaron correctamente a los mismos, por los juzgadores de instancia, los preceptos penales sustantivos en que los subsumieron, se dejaron de aplicar los que correspondían, o fueron los aplicados o dejados de aplicar erróneamente interpretados en su aplicación o falta de aplicación (Sentencias de 29 de mayo de 1992 y 6 de mayo de 2002). Esta vía casacional del artículo 849.1º de la Ley de Enjuiciamiento Criminal exige, como pone de relieve la Sentencia de 17 de diciembre de 1996 (seguida por la de 30 de noviembre de 1998), "un respeto reverencial y absoluto al hecho probado", cualquiera que sea la parte de la Sentencia en que consten (Sentencia de 31 de enero de 2000), pues cualquier modificación, alteración, supresión o cuestionamiento desencadena inexcusablemente la inadmisión del motivo (artículo 884.3º LECrim) y en trámite de Sentencia su desestimación (Sentencias 148/2003, de 6 de febrero y de 24 de febrero de 2005)». STS 9 de febrero de 2007, LA LEY 10722/2007.

han formalizado otros, esencialmente el interpuesto por infracción del principio de presunción de inocencia, que permiten controlar la validez, idoneidad y suficiencia de la prueba practicada». STS 793/2016 de 20 Oct. 2016, Rec. 918/2016; Ponente: Monterde Ferrer, Francisco. LA LEY 146032/2016.

Se ha admitido la posibilidad de revisar por esta vía los juicios de valor o la falta de racionalidad del relato de hechos probados mediante: «*la invocación de derechos fundamentales, desde la tutela judicial efectiva, la infracción de la interdicción de la arbitrariedad en la interpretación de los preceptos penales desde su comparación con los precedentes jurisprudenciales, la infracción de las normas de interpretación sujetas a la lógica y racionalidad*».

«2) La denuncia debe ir referida a la infracción de unas normas jurídicas. Así se ha declarado (STS 2-4-92) que "no existen posibilidades de fundar recurso de casación en materia penal, por infracción de doctrina legal ni la vulneración de doctrina jurisprudencial". (STS 18-12-92). Tampoco integra ese carácter de norma jurídica los criterios de interpretación de la ley del art. 3 del Código Civil (LA LEY 1/1889) "El art. 3 del Código Civil (LA LEY 1/1889), cuya infracción se denuncia, no constituye ninguna norma jurídica sustantiva de aplicación directa. Se trata de una norma interpretativa un principio inspirador de la interpretación y aplicación de las normas jurídicas, de difícil concreción e impropio, en cualquier caso, del cauce procesal examinado" (STS 3-2-92). Lo anterior ha de ser entendido desde la óptica más estricta del error de derecho. La actual jurisprudencia del Tribunal Supremo admite en su inteligencia una ampliación de las posibilidades del error de derecho con la invocación de derechos fundamentales, desde la tutela judicial efectiva, la infracción de la interdicción de la arbitrariedad en la interpretación de los preceptos penales desde su comparación con los precedentes jurisprudenciales, la infracción de las normas de interpretación sujetas a la lógica y racionalidad». STS 413/2015 de 30 Jun. 2015, Rec. 10829/2014; Ponente: Berdugo Gómez de la torre, Juan Ramón. LA LEY 98975/2015.

A este fin el recurrente deberá suministrar los elementos que tiendan a destruir la deducción realizada en la instancia o demuestren que dicha deducción no se corresponde con los actos de naturaleza objetiva insertos en la narración histórica de la sentencia.

«La decisión de condena acordada en casación no se sustenta en una alteración de los hechos declarados probados en la instancia, sino que se fundamenta exclusivamente en una distinta consideración jurídica sobre los extremos antes referenciados, a partir de unos datos objetivos que ambos órganos judiciales dan por acreditados. Este proceso deductivo, en la medida en que se basa en reglas de lógica y experiencia no dependientes de la inmediación, es perfectamente fiscalizable por los órganos que conocen en vía de recurso sin merma de las garantías constitucionales (STC 170/2005, de 20 de junio, FJ 3), procediendo así el órgano de casación a una revisión del juicio de inferencia realizado por la Sala que puede ser corregido lícitamente a través del cauce establecido en el art. 849.1 LECrim. Se trata, en definitiva, de una cuestión de estricta valoración jurídica, que fue sometida a contradicción en el recurso de casación y que podía resolverse adecuadamente sobre la base de lo actuado, sin que para garantizar un juicio justo fuera necesario, como se propone en la demanda, la reproducción del debate público y la inmediación (SSTC 119/2005, de 9 de mayo, FJ 3; 75/2006, de 13 de marzo, FJ 6; 328/2006, de 20 de noviembre, FJ 3)». STC 60/2008, de 26 de mayo de 2008.

Ahora bien, el Tribunal Supremo ha negado reiteradamente la posibilidad que por el cauce casacional del art. 849.1 LECrim pueda procederse a la revisión del elemento subjetivo del tipo, ya que no es un elemento normativo, sino fáctico que no puede modificarse sin celebración de vista pública para practicar la prueba a revalorar[90].

«Ciertamente la Sala de lo Penal del Tribunal Supremo venía proclamando que la revisión del elemento subjetivo del tipo puede hacerse a través del art. 849.1 LECrim, incluso cuando supone valorar prueba, al tratarse de una cuestión jurídica que puede resolverse sin celebración de vista pública para practicar la prueba a revalorar, estableciendo que la fijación de un hecho probado a partir de una inferencia sobre datos circunstanciales no es un juicio fáctico sino jurídico. Sin embargo, modificar los hechos de la instancia mediante la revalorización de pruebas personales no puede equivaler a un juicio normativo porque deba acudirse a una deducción presuntiva, y supone la lesión del derecho a un proceso con todas las garantías (art. 24.2 CE) y del derecho a un proceso equitativo del art. 6.1 del Convenio europeo para la protección de los derechos humanos y de las libertades fundamentales (CEDH), conforme a la jurisprudencia del Tribunal Europeo de Derechos Humanos». STC 172/2016, de 17 de octubre, Rec. 299/2013, Ponente: Xiol Ríos, Juan Antonio. LA LEY 145324/2016.

En consecuencia tratándose de elementos fácticos su impugnación y control casacional deberá sustanciarse como una infracción de la presunción de inocencia (art. 852 LECrim).

«En la Sentencia de este Tribunal Supremo de 25 de enero del 2012, resolviendo el recurso: 932/2011, se invoca la STEDH de 22 de noviembre de 2011 (caso Lacadena Calero contra España (LA LEY 256411/2011)) en la sobresale que el Tribunal considere de forma reiterada que la verificación de la voluntad defraudatoria del acusado es un tema de naturaleza sustancialmente factual, arrinconando así en el curso de la argumentación las tesis relativas a la concepción de los hechos psíquicos como juicios de valor que han de excluirse de la premisa fáctica de la sentencia para insertarlos como criterios normativos en la fundamentación jurídica; tesis que eran sostenidas por la Sentencia del Tribunal Constitucional y por la de esta Sala, pero que el TEDH rechaza por generar efectos en el ámbito probatorio contrarios al art. 6 del CEDH (LA LEY 16/1950). Esta tesis ha venido a recogerse en Sentencias más recientes del Tribunal Supremo como la n.º 840/2012 de 31 de octubre, que levanta acta de que en nuestra Jurisprudencia, al día de hoy, se entiende, de una forma mayoritaria, que los elementos del tipo subjetivo, entre ellos la intención del sujeto, son también hechos. De naturaleza subjetiva, pero hechos al fin y al cabo. Y por ello, quedan comprendidos en el ámbito de la presunción de inocencia, aunque el sistema segui-

---

(90) «Esta tesis ha venido a recogerse en Sentencias más recientes del Tribunal Supremo como la nº 840/2012 de 31 de octubre, que levanta acta de que en nuestra Jurisprudencia, al día de hoy, se entiende, de una forma mayoritaria, que los elementos del tipo subjetivo, entre ellos la intención del sujeto, son también hechos. De naturaleza subjetiva, pero hechos al fin y al cabo. Y por ello, quedan comprendidos en el ámbito de la presunción de inocencia, aunque el sistema seguido para su acreditación presente ordinariamente aspectos inferenciales más fuertemente de lo que ocurre cuando se trata de hechos objetivos, que, en general, son más susceptibles de acreditación mediante lo que generalmente se conoce como prueba directa, aunque en sí misma también implique una inferencia. Pero el recurso a este medio de acreditación no los convierte en elementos de tipo jurídico, sino que conservan su naturaleza fáctica». STS Sala Segunda, de lo Penal, Sentencia 1024/2012 de 19 Dic. 2012, Rec. 199/2012; Ponente: Varela Castro, Luciano. LA LEY 209137/2012.

do para su acreditación presente ordinariamente aspectos inferenciales más fuertemente de lo que ocurre cuando se trata de hechos objetivos, que, en general, son más susceptibles de acreditación mediante lo que generalmente se conoce como prueba directa, aunque en sí misma también implique una inferencia. Pero el recurso a este medio de acreditación no los convierte en elementos de tipo jurídico, sino que conservan su naturaleza fáctica. O, en fin, más recientemente aún la STS n.º 916/2012 de 28 de noviembre (LA LEY 203471/2012). Por ello el cauce casacional que aquí elige el recurrente es erróneo». STS Sala Segunda, de lo Penal, Sentencia 245/2013 de 13 Mar. 2013, Rec. 10865/2012; Ponente: Varela Castro, Luciano. LA LEY 36238/2013.

2º) No son susceptibles de ser recurridos en casación los simples errores materiales, que deben ser remediados mediante la aclaración de la sentencia (*vid.* arts. 161 LECrim. y 267 LOPJ). En su virtud, el recurso es inadmitido cuando se ha fundado en algún «*lapsus calami*» cometido en la exposición de los hechos probados, siempre que de los hechos probados recogidos en las resoluciones recurridas se desprendieran los requisitos necesarios para la aplicación de la ley penal correspondiente[91].

3º) Se requiere la cita del precepto penal infringido, o de otra norma jurídica de carácter sustantivo que deba observarse en la aplicación de la Ley penal (no tienen este carácter los principios generales del Derecho y, entre ellos, el de *in dubio pro reo*, ni la doctrina jurisprudencial, ni la equidad, ni las normas mercantiles o civiles, las recogidas en la Ley penitenciaria, etc.)[92]. El TS ha declarado que es necesario que exista una adecuada correlación entre el precepto procesal que se alegue para amparar este recurso, el precepto sustantivo infringido y el fundamento que se exponga para defender la tesis que se argumenta. Todo ello implica además la necesariedad de explicitar y fundamentar suficientemente la mencionada correlación.

«Así lo expresa la STS 121/2008, de 26 de febrero (LA LEY 20910/2008), "En el caso presente hemos de partir de que cuando se articula por la vía del art 849.1 LECrim (LA LEY 1/1882). El recurso de casación ha de partir de las precisiones fácticas que haya establecido el Tribunal de instancia. El no constituir una apelación ni una revisión de la prueba, se trata de un recurso de carácter sustantivo penal cuyo objeto exclusivo es el enfoque jurídico que a unos hechos dados, ya inalterables, se

---

(91) «... El error material no puede servir de base al recurso de casación, porque éste no se constituye en vehículo adecuado para la corrección de puros errores aritméticos, matemáticos, mecanográficos, de transcripción o incluso de redacción. Los arts. 161 de la Ley Procesal y 267.2 de la LOPJ se configuran como vías preferentes para subsanar tales errores (SS 22 octubre 1990; 14 marzo y 18 abril 1991, y especialmente la 4 abril 1990) por la analogía aritmética que presenta...». STS Sala Segunda, de lo Penal, Sentencia de 15 Abr. 1992; Ponente: Vega Ruiz, José Augusto de. LA LEY 2732-JF/0000.

(92) «La denuncia debe ir referida a la infracción de unas normas jurídicas. Así se ha declarado (STS 2-4-92) que "no existen posibilidades de fundar recurso de casación en materia penal, por infracción de doctrina legal ni la vulneración de doctrina jurisprudencial". (STS 18-12-92). Tampoco integra ese carácter de norma jurídica los criterios de interpretación de la ley del art. 3 del Código Civil (LA LEY 1/1889) "El art. 3 del Código Civil (LA LEY 1/1889), cuya infracción se denuncia, no constituye ninguna norma jurídica sustantiva de aplicación directa. Se trata de una norma interpretativa un principio inspirador de la interpretación y aplicación de las normas jurídicas, de difícil concreción e impropio, en cualquier caso, del cauce procesal examinado" (STS 3-2-92)». STS Sala Segunda, de lo Penal, Sentencia 497/2016 de 9 Jun. 2016, Rec. 10982/2015; Ponente: Berdugo Gómez de la Torre, Juan Ramón. LA LEY 68065/2016.

pretende aplicar, en discordancia con el Tribunal sentenciador. La técnica de la casación penal exige que en los recursos de esta naturaleza se guarde el más absoluto respeto a los hechos que se declaren probados en la sentencia recurrida, ya que el ámbito propio de este recurso queda limitado al control de la juridicidad, o sea, que lo único que en él se puede discutir es si la subsunción que de los hechos hubiese hecho el Tribunal de instancia en el precepto penal de derecho sustantivo aplicado es o no correcta jurídicamente, de modo que la tesis del recurrente no puede salirse del contenido del hecho probado. En definitiva no puede darse una versión de los hechos en abierta discordancia e incongruencia con lo afirmado en los mismos, olvidando que los motivos acogidos al art. 849.1 LECrim (LA LEY 1/1882). Ha de respetar fiel e inexcusablemente los hechos que como probados se consignan en la sentencia recurrida"». STS Sala Segunda, de lo Penal, Sentencia 497/2016 de 9 Jun. 2016, Rec. 10982/2015; Ponente: Berdugo Gómez de la Torre, Juan Ramón. LA LEY 68065/2016.

4º) Son aplicables, además, los siguientes criterios: a) el recurso debe dirigirse contra el fallo, y no contra los fundamentos de derecho. b) No debe entremezclarse la aplicación indebida de un precepto sustantivo con la interpretación errónea, pues son cuestiones diversas que precisan de formulación separada. c) No cabe plantear cuestiones nuevas no alegadas en la instancia, ya que, de lo contrario, se quebrantarían los principios de igualdad, contradicción, lealtad y buena fe procesal[93]. Ello sin perjuicio de que en los hechos probados, aún sin proposición, se contuviesen todos los requisitos exigidos para la apreciación de la cuestión alegada.

B) Error en la apreciación de la prueba (art. 849.2º LECrim)

Se entenderá infringida la ley, según el art. 849.2º LECrim, cuando en la apreciación de las pruebas haya existido error de hecho basado en documentos que obren en autos que demuestren la equivocación evidente del juzgador, sin resultar contradichos por otros elementos probatorios[94].

---

(93) «... Lo cierto y lo real es que los recurrentes traen ahora a la censura casacional una cuestión nueva, lo que implica un claro menosprecio del principio de bilateralidad, contradicción y buena fe que caracterizan la fase plenaria del juicio oral, pues es consustancial a la naturaleza del recurso de casación que sólo tengan acceso al mismo las cuestiones planteadas en la instancia..., salvo en los supuestos que, incluso sin proposición de parte, la narración fáctica contenga los datos que sirven de soporte a una circunstancia atenuante y el Tribunal de instancia vendría obligado, aun de oficio, a su aplicación...». STS Sala Segunda, de lo Penal, Sentencia de 23 Dic. 1994; Ponente: Martínez-Pereda Rodríguez, José Manuel. LA LEY 1982/1995.

(94) «1.- Que se hayan incluido en el relato histórico hechos no acontecidos o inexactos. 2.- Que la acreditación de tal inexactitud tiene que estar evidenciada en documentos en el preciso sentido que tal término tiene en sede casacional. En tal sentido podemos recordar la STS de 10 de noviembre de 1995 en la que se precisa por tal "... aquellas representaciones gráficas del pensamiento, generalmente por escrito, creadas con fines de preconstitución probatoria y destinadas a surtir efectos en el tráfico jurídico, originados o producidos fuera de la causa e incorporados a la misma...", quedan fuera de este concepto las pruebas de naturaleza personal aunque estén documentadas por escrito generalmente, tales como declaraciones de imputados o testigos, el atestado policial y acta del Plenario, entre otras STS 220/2000 de 17 de febrero, 1553/2000 de 10 de octubre, y las en ella citadas. De manera excepcional se ha admitido como tal el informe pericial según la doctrina de esta Sala —SSTS nº 1643/98 de 23 de diciembre, nº 372/99 de 23 de febrero, sentencia de 30 de enero de 2004 y nº 1046/2004 de 5 de octubre—. La justificación de alterar el factum en virtud de prueba documental —y sólo esa— estriba en que respecto de dicha prueba

«En cuanto al error en la apreciación de la prueba, los requisitos que ha exigido la reiterada jurisprudencia de esta Sala para que este motivo de casación pueda prosperar son los siguientes: 1) ha de fundarse, en una verdadera prueba documental, y no de otra clase, como las pruebas personales aunque estén documentadas en la causa; 2) ha de evidenciar el error de algún dato o elemento fáctico o material de la Sentencia de instancia, por su propio poder demostrativo directo, es decir, sin precisar de la adición de ninguna otra prueba ni tener que recurrir a conjeturas o complejas argumentaciones; 3) que el dato que el documento acredite no se encuentre en contradicción con otros elementos de prueba, pues en esos casos no se trata de un problema de error sino de valoración, la cual corresponde al Tribunal; y 4) que el dato contradictorio así acreditado documentalmente sea importante en cuanto tenga virtualidad para modificar alguno de los pronunciamientos del fallo, pues si afecta a elementos fácticos carentes de tal virtualidad el motivo no puede prosperar ya que, como reiteradamente tiene dicho esta Sala, el recurso se da contra el fallo y no contra los argumentos de hecho o de derecho que no tienen aptitud para modificarlo». STS 8 de noviembre de 2012. N.º de Recurso: 489/2012. N.º de Resolución: 841/2012. ROJ 7077/2012. Ponente: Miguel Colmenero Menéndez de Luarca.

La redacción del apartado segundo del art. 849 LECrim se modificó en la reforma de la LECrim por Ley 6/85, de 27 de marzo. Entre la distintas razones que motivaron la nueva regulación, cabe destacar las siguientes: 1ª) La adaptación de este motivo casacional a la normativa de la Ley de Enjuiciamiento Civil, tal como se exponía en la Exposición de Motivos de la Ley. 2ª) La búsqueda de un cauce adecuado para la revisión del principio de presunción de inocencia en casación; independientemente de que su revisión pueda, incluso, realizarse de oficio, o de que se lleve a efecto aún en el supuesto de que sea erróneo el cauce escogido. 3ª) El logro de una justicia real frente al formalismo de la casación. La reforma, no obstante sus loables propósitos, ha tenido por efecto producir una progresiva desviación del alcance y origen histórico de la casación penal. Así, en principio el recurso de casación perseguía un examen del derecho vigente para lograr una interpretación uniforme de la Ley, quedando fuera de su ámbito los hechos declarados probados. Sin embargo, actualmente la revisión de tales hechos es posible y su examen vez más amplio[95]. Pero, la censura

---

el Tribunal de Casación se encuentra en iguales posibilidades de valoración que el de instancia, en la medida que el documento permite un examen directo e inmediato como lo tuvo el Tribunal sentenciador, al margen de los principios de inmediación y contradicción. 3.- Que el documento por sí mismo sea demostrativo del error que se denuncia cometido por el Tribunal sentenciador al valorar las pruebas, error que debe aparecer de forma clara y patente del examen del documento en cuestión, sin necesidad de acudir a otras pruebas ni razonamientos, conjeturas o hipótesis. Es lo que la doctrina de esta Sala define como literosuficiencia. 4.- Que el supuesto error patentizado por el documento, no esté a su vez, desvirtuado por otras pruebas de igual consistencia y fiabilidad. Al respecto debe recordarse que la Ley no concede ninguna preferencia a la prueba documental sobre cualquier otra, antes bien, todas ellas quedan sometidas al cedazo de la crítica y de la valoración —razonada— en conciencia de conformidad con el art. 741 LECriminal. 5.- Que los documentos en cuestión han de obrar en la causa, ya en el Sumario o en el Rollo de la Audiencia, sin que puedan cumplir esa función impugnativa los incorporados con posterioridad a la sentencia. 6.- Finalmente, el error denunciado ha de ser trascendente y con valor causal en relación al resultado o fallo del tema,...». STS 7 de marzo de 2007, LA LEY 8974/2007.

(95) «A través de un motivo de casación basado en la infracción del derecho a la presunción de inocencia, se puede cuestionar, no sólo el cumplimiento de las garantías legales y constituciona-

de los hechos probados no puede conducir a la apreciación y valoración ordinaria de la prueba por el TS, ya que ésta, en todo caso, corresponde al Tribunal de instancia[96]. De todos modos, aunque, el reformado art. 849.2.° LECrim se constituía en un cauce procesal técnicamente adecuado para salvaguardar en casación el principio de presunción de inocencia, posterior jurisprudencia del TC ha declarado la contradicción que supone la alegación conjunta de la vulneración de la presunción de inocencia y el motivo contenido en el punto 2.° del art. 849 LECrim. Por ello entendemos que la vía más idónea y pertinente de alegar la presunción de inocencia es mediante el motivo de infracción de precepto constitucional (art. 852 LECrim), para evitar una elección errónea que pueda conllevar la inadmisión del recurso (*vid.* STC 185/88, de 14 octubre).

El cauce casacional previsto en el art. 849.2 LECrim viene referido al error cometido por el Tribunal sentenciador al establecer los datos fácticos que se recogen en la declaración de hechos probados, incluyendo en la narración histórica elementos fácticos no acaecidos, omitiendo otros de la misma naturaleza por si hubieran tenido lugar o describiendo sucesos de manera diferente a como realmente se produjeron. En todo caso, el error a que atiende este motivo de casación se predica sobre aspectos o extremos de naturaleza fáctica, nunca respecto a los pronunciamientos de orden jurídico que son la materia propia del motivo previsto en el art. 849.1 LECrim[97].

«La vía del art. 849.2 LECrim (LA LEY 1/1882) se circunscribe al error cometido por el Tribunal sentenciador al establecer los datos fácticos que se recogen en la

---

les de la prueba practicada, sino la declaración de culpabilidad que el Juzgador de instancia haya deducido de su contenido (STC 2/2002, de 14 de enero, FJ 2). Por tanto, el recurrente "tiene abierta una vía que permite al Tribunal Supremo "la revisión íntegra", entendida en el sentido de posibilidad de acceder no sólo a las cuestiones jurídicas, sino también a las fácticas en que se fundamenta la declaración de culpabilidad, a través del control de la aplicación de las reglas procesales y de valoración de la prueba" (SSTC 70/2002, de 3 de abril, FJ 7; 116/2006, de 24 de abril, FJ 5)». STC 60/2008, de 26 de mayo de 2008.

(96) «Consecuentemente, este motivo de casación no permite una nueva valoración de la prueba documental en su conjunto ni hace acogible otra argumentación sobre la misma que pudiera conducir a conclusiones distintas de las reflejadas en el relato fáctico de la sentencia, sino que exclusivamente autoriza la rectificación del relato de hechos probados para incluir en él un hecho que el Tribunal omitió erróneamente declarar probado, cuando su existencia resulte incuestionablemente del particular del documento designado, o bien para excluir de dicho relato un hecho que el Tribunal declaró probado erróneamente, ya que su inexistencia resulta de la misma forma incuestionable del particular del documento que el recurrente designa». STS 8 de noviembre de 2012. Nº de Recurso: 489/2012. Nº de Resolución: 841/2012. ROJ 7077/2012. Ponente: Miguel Colmenero Menéndez de Luarca.

(97) «El error a que atiende este motivo de casación se predica sobre aspectos o extremos de naturaleza fáctica, nunca respecto a los pronunciamientos de orden jurídico que son la materia propia del motivo que por "error iuris" se contempla en el primer apartado del precepto procesal, motivo éste, art. 849.1 LECr (LA LEY 1/1882) que a su vez, obliga a respetar el relato de hechos probados de la sentencia recurrida, pues en estos casos solo se discuten problemas de aplicación de la norma jurídica y tales problemas han de plantearse y resolverse sobre unos hechos predeterminados que han de ser los fijados al efecto por el Tribunal de instancia, salvo que hayan sido corregidos previamente por estimación de algún motivo fundado en el art. 849.2 LECr (LA LEY 1/1882), o en la vulneración del derecho a la presunción de inocencia». STS 492/2016 de 8 Jun. 2016, Rec. 10545/2015. Ponente: Palomo del Arco, Andrés. LA LEY 59018/2016.

declaración de hechos probados, incluyendo en la narración histórica elementos fácticos no acaecidos, omitiendo otros de la misma naturaleza por si hubieran tenido lugar o describiendo sucesos de manera diferente a como realmente se produjeron. En todo caso, el error a que atiende este motivo de casación se predica sobre aspectos o extremos de naturaleza fáctica, nunca respecto a los pronunciamientos de orden jurídico que son la materia propia del motivo que por *"error iuris"* se contempla en el primer apartado del precepto procesal, motivo éste, art. 849.1 LECrim (LA LEY 1/1882). Que, a su vez, obliga a respetar el relato de hechos probados de la sentencia recurrida, pues en estos casos solo se discuten problemas de aplicación de la norma jurídica y tales problemas han de plantearse y resolverse sobre unos hechos predeterminados que han de ser los fijados al efecto por el Tribunal de instancia salvo que hayan sido previamente corregidos por estimación de algún motivo fundado en el art. 849.2 LECrim (LA LEY 1/1882) o en la vulneración del derecho a la presunción de inocencia». STS Sala Segunda, de lo Penal, Sentencia 497/2016 de 9 Jun. 2016, Rec. 10982/2015; Ponente: Berdugo Gómez de la Torre, Juan Ramón. LA LEY 68065/2016.

La estimación del recurso de casación por este motivo exige que concurran los siguientes requisitos[98]:

1°) Que el error resulte de documentos obrantes en el proceso o producidos en el mismo.

La reforma de la Ley suprimió la expresión «documentos auténticos»[99]. Sin embargo, a pesar de algunas resoluciones puntuales que recogen un concepto amplio de documento, no por ello se ha producido una apreciable extensión del concepto. En este sentido el TS reserva el carácter de documento, a efectos casacionales, a aquellas representaciones gráficas del pensamiento, generalmente por escrito, destinadas a surtir efectos en el tráfico jurídico, y creadas con fines de preconstitución probatoria para ser incorporadas al proceso[100].

---

(98) «Hay que recordar que la invocación del motivo expresado, queda supeditado a la concurrencia de ciertos requisitos --entre las últimas STS 762/2004 de 14 de junio, 67/2005 de 26 de enero y 1491/2005 de 1 de diciembre, 192/2006 (LA LEY 13359/2006) de 1 de febrero, 225/2006 (LA LEY 20909/2006) de 2 de marzo y 313/2006 de 17 de marzo, 835/2006 de 17 de julio, 530/2008 de 15 de julio, 342/2009 de 2 de abril y 914/2010 de 26 de octubre, entre otras». STS Sala Segunda, de lo Penal, 16 Oct. 2012, rec. 2143/2011. Ponente: Giménez García, Joaquín. N° de Sentencia: 771/2012. N° de recurso: 2143/2011. La LEY 153996/2012.

(99) Por documentos auténticos deben entenderse aquellos que, aparte de reunir los requisitos extrínsecos de solemnidad formal y procedencia del funcionario legitimado para expedirlos dentro del orden de sus atribuciones, constituyen en cuanto al fondo —aspecto intrínseco o material— demostración erga omnes de una verdad absoluta, presente e irrebatible, que por sí sola, sin complemento de otros datos y sin necesidad de acudir a deducciones, razonamientos e interpretaciones o subjetivas hipótesis, cualquiera que sea su fuerza lógica, son bastantes para imponerse, como contrarios e incompatibles a los hechos del relato judicial. Se trata de documentos auténticos en los que «sus verdades son imponibles y vinculantes a terceros, incluso a los juzgadores, por no depender de apreciación». Con carácter casuístico, la Jurisprudencia ha señalado que deben considerarse documentos auténticos a estos efectos: — «los documentos privados que sean reconocidos por las partes»; — «las escrituras notariales, en cuanto hagan referencia a la fecha e identidad de los que intervinieron, pero no a la verdad intrínseca de sus manifestaciones»; — «las certificaciones del Registro Mercantil, de la Propiedad, de un Colegio Médico, de una Junta electoral de Zona.

(100) «La previsión del art. 849,2° Lecrim tiene por objeto hacer posible la impugnación de sentencias en las que un extremo relevante del relato de hechos se halle en manifiesta contradic-

«2. Que la acreditación de tal inexactitud tiene que estar evidenciada en documentos en el preciso sentido que tal término tiene en sede casacional. En tal sentido podemos recordar la STS de 10 de noviembre de 1995 en la que se precisa por tal *"... aquellas representaciones gráficas del pensamiento, generalmente por escrito, creadas con fines de preconstitución probatoria y destinadas a surtir efectos en el tráfico jurídico, originados o producidos fuera de la causa e incorporados a la misma...",* quedan fuera de este concepto las pruebas de naturaleza personas aunque estén documentadas por escrito generalmente, tales como declaraciones de imputados o testigos, el atestado policial y acta del Plenario, entre otras STS 220/2000 de 17 de febrero, 1553/2000 de 10 de octubre, y las en ella citadas. De manera excepcional se ha admitido como tal el informe pericial según la doctrina de esta Sala —SSTS n.º 1643/98 de 23 de diciembre, n.º 372/99 de 23 de febrero, sentencia de 30 de enero de 2004 y n.º 1046/2004 de 5 de octubre—. La justificación de alterar el *factum* en virtud de prueba documental —y sólo ésa— estriba en que respecto de dicha prueba el Tribunal de Casación se encuentra en iguales posibilidades de valoración que el de instancia, en la medida que el documento o en su caso, la pericial permite un examen directo e inmediato como lo tuvo el Tribunal sentenciador, al margen de los principios de inmediación y contradicción». STS Sala Segunda, de lo Penal, 16 Oct. 2012, rec. 2143/2011. Ponente: Giménez García, Joaquín. N.º de Sentencia: 771/2012. N.º de recurso: 2143/2011. LA LEY 153996/2012.

No debe otorgarse la condición de documentos a las pruebas de otra naturaleza, aunque se hallen «documentadas» en la causa en ejercicio de la fe pública judicial, ya que documento es sólo lo que tenga naturaleza de tal, y que, producido y originado fuera de la causa, se incorpore a ésta.

«3. La afirmación de existencia de error relacionada con las declaraciones testificales debe ser rechazada de plano, pues no se trata de pruebas documentales, aunque estén documentadas en la causa». STS 8 de noviembre de 2012. N.º de Recurso: 489/2012. N.º de Resolución: 841/2012. ROJ 7077/2012. Ponente: Miguel Colmenero Menéndez de Luarca.

Así, no tienen carácter de documento, a los efectos casacionales, las pruebas de otra naturaleza como: declaraciones del procesado, inculpados, coacusados y testigos en general[(101)], actas de entrada y registro, de ruedas de reconocimiento, fo-

---

ción con el contenido informativo de algún documento, que no hubiera sido desmentido por otro medio probatorio. Donde "documento" es, en general, una representación gráfica del pensamiento formada fuera de la causa y aportada a ésta a fin de acreditar algún dato relevante. Así pues, para que un motivo de esta clase pueda prosperar será necesario acreditar la existencia de una patente contradicción entre unos y otros enunciados, tan clara, que hiciera evidente la arbitrariedad de la decisión del tribunal al haberse separado sin fundamento del resultado de la prueba». STS 25 de mayo de 2007, LA LEY 42149/2007.

(101) «No tienen la consideración de documentos las pruebas personales —como las declaraciones del acusado, ni de los testigos—, por más que su contenido se documente procesalmente bajo la fe pública del letrado de la Administración de Justicia (STS 1323/2009, de 30-12 (LA LEY 247569/2009)), pues tal documentación no garantiza, ni la certeza, ni la veracidad de lo dicho por los declarantes, siendo meras pruebas personales documentadas y sometidas —como el resto de pruebas— a la libre valoración del Juzgador. Como decíamos en nuestra STS 55/2005, de 15-2, "ni las declaraciones de testigos efectuadas en la instrucción, ni las que tienen lugar en el juicio oral, transcritas en el correspondiente acta, tiene la virtualidad documental a los efectos de la casación prevista en el artículo 849.2 LECRIM (LA LEY 1/1882)"; lo que es extensible a aquellos supuestos

tografías, diligencias policiales como inspecciones oculares, etc.[(102)]. Tampoco tiene carácter de documento a este efecto el soporte audiovisual donde consta el acta, el atestado de la policía, la sentencia o los escritos de conclusiones[(103)].

«C) De las diligencias citadas por la parte recurrente, deben excluirse de inicio las declaraciones de los testigos y el acta oral. La jurisprudencia reiterada y consolidada de esta Sala ha negado la condición de documento a las manifestaciones y declaraciones de testigos, imputados y peritos, por su naturaleza personal y la importancia crucial que tiene en su valoración la percepción directa e inmediata del Tribunal ante el que se practica (STS de 30 de septiembre de 2015, por todas). También al acta de la vista oral, porque simplemente documenta declaraciones de índole personal (STS 995/2007, de 26 de noviembre (LA LEY 202438/2007)). Obviamente, tampoco puede acreditar un error en la valoración de la prueba por el Tribunal de instancia, una discordancia respecto a uno de los escritos de conclusiones de las partes. Estos,

---

en los que el contenido de las declaraciones prestadas en el plenario, son recogidas en soporte auditivo o audiovisual (SSTS 196/2006, de 14-2 (LA LEY 431/2006); 894/2007, de 31-10 (LA LEY 180052/2007) o 728/2008, de 18-11 (LA LEY 184754/2008))». STS Sala Segunda, de lo Penal, Sentencia 104/2017 de 21 Feb. 2017, Rec. 10274/2016. Ponente: Llarena Conde, Pablo. LA LEY 5924/2017.

(102) «En cuya consecuencia carecen de naturaleza documental a estos efectos casacionales: — Las diligencias policiales, ni la declaración judicial del (por todas, cfr. STS 480/2003, 4 de abril (LA LEY 65951/2003)). — La diligencia de inspección ocular (STS 16 de noviembre de 2011). — Las sentencias judiciales, sean o no del orden penal (STS 18 de febrero de 2009). — Las pruebas personales, como las testificales, por mucho que estén documentadas (STS 11 de abril de 2011). — Los informes periciales; pues en cuanto que pruebas personales, no integran naturaleza de documento literosuficiente a estos efectos; aunque la jurisprudencia de forma excepcional ha admitido como tal el informe pericial …/…..— Las fotografías; no tienen carácter documental a efectos casacionales, pues su contenido se halla matizado por el lugar desde donde se toman, de la iluminación, el color, lo que obviamente, sólo puede ser valorado por el Tribunal de Instancia (STS 134/2016, de 24 de febrero (LA LEY 6895/2016), con cita de 766/2008, 27 de noviembre (LA LEY 189441/2008) y 335/2001, 6 de marzo (LA LEY 5281/2001)). — El soporte auditivo o audiovisual en el que se ha grabado el juicio (cfr. SSTS 78/2016, de 10 de febrero (LA LEY 3286/2016); 196/2006, de 14 de febrero (LA LEY 431/2006) y 284/2003, de 24 de febrero (LA LEY 12084/2003)). — El acta del juicio, pues aunque acredita la realidad procesal que en ella se refleja y por tanto el de las pruebas practicadas y el modo en que se desenvolvieron, ello difiere de la eficacia y alcance demostrativo de esas pruebas respecto de los hechos que constituyen su objeto (STS 15 de febrero de 2010)». STS 492/2016 de 8 Jun. 2016, Rec. 10545/2015. Ponente: Palomo del Arco, Andrés. LA LEY 59018/2016.

(103) «Quedan fuera de este concepto las pruebas de naturaleza personas aunque estén documentadas por escrito generalmente, tales como declaraciones de imputados o testigos, el atestado policial y acta del Plenario, tampoco tiene carácter documental a los efectos de este cauce casacional el soporte audiovisual en el que se haya podido grabar el acta del juicio o cualesquiera declaraciones testificales o de imputados, ni tampoco las fotografías, pues su contenido depende del lugar desde donde se toman, la luz del día, la calidad de la foto o el color, circunstancias que solo pueden ser valoradas por el Tribunal de instancia, que están en relación a ello es situación distinta por la inmediación de que dispuso y de la que carece esta Sala Casacional. Tampoco tienen naturaleza de documento casacional las diligencias de reconocimiento en rueda porque solo recogen las manifestaciones de quien las efectúa, que como tales son declaraciones personales —STS 574/2004— ni el acta de los registros domiciliarios ni las comparecencias de agentes policiales que intervinieron en las mismas, unas y otras son manifestaciones de las personas concernidas —STS 950/2006 (LA LEY 110289/2006)—». STS 993/2016 de 12 Ene. 2017, Rec. 10282/2016; Ponente: Giménez García, Joaquín. LA LEY 346/2017.

igualmente, pueden condicionar al Tribunal en la delimitación fáctica del debate procesal y en la calificación que de los hechos se haga, por imperativo del principio acusatorio, pero son alegaciones de parte, que, en tal sentido, no pueden demostrar un error en la valoración de la prueba. Se trata de alegaciones parciales, que definen la postura de cada una de las partes en el debate oral, pero que no puede interpretarse como documento en sentido estricto, que reflejen datos que condicionen la valoración del Tribunal de instancia». ATS 531/2017 de 16 Feb. 2017, Rec. 1589/2016; Ponente: Palomo del Arco, Andrés. LA LEY 28074/2017.

Ahora bien, excepcionalmente el Tribunal Supremo ha atribuido naturaleza documental a aquellas partes del atestado referidas a inspecciones oculares o informes técnicos realizados por la policía con relación a los datos y elementos de naturaleza objetiva que contienen como pueden ser las diligencias relativas a la ocupación y aprehensión del cuerpo del delito.

«Sobre el primer punto, aun partiendo de la regla general de que los atestados no constituyen documentos, la jurisprudencia de esta Sala ha dado este carácter excepcionalmente a las inspecciones oculares o informes técnicos realizados por la policía (SSTC de 3 de abril y 5 de mayo de 1992), distinguiendo las manifestaciones personales de los policías (prueba pericial sometida a valoración judicial) de otros elementos de naturaleza objetiva que se incorporan en el atestado, dada su naturaleza, como pueden ser las diligencias relativas a la ocupación y aprehensión del cuerpo del delito (STC 24/1991). La Sala Segunda del T. Supremo en esta misma línea ha atribuido carácter documental a aquellas partes del atestado que incorporan datos que constituyen presupuestos de la actuación policial (STS 415/2005). Más concretamente la STS 847/2007, considera documento casacional la inspección ocular de la Policía científica y la STS 721/2001 el acta de aprehensión de la droga». STS Sala Segunda, de lo Penal, Sentencia 161/2014 de 5 Mar. 2014, Rec. 1486/2013; Ponente: Soriano Soriano, José Ramón. LA LEY 23015/2014.

El TS declara que los citados documentos no garantizan ni la certeza ni la veracidad de lo dicho por el manifestante, aunque se hallen documentados en la causa bajo fe pública judicial[104]. En consecuencia, están sometidas con el resto de pruebas a la libre valoración y apreciación del juzgador de instancia a quien, en exclusiva, compete dicha función (vid. arts. 741 LECrim. y 117.3 CE)[105].

---

(104)   «Las denominadas actas, no son sino diligencias donde se documenta lo observado por los funcionarios que lo autorizan, diligencia de inspección ocular o igualmente la diligencia de levantamiento de cadáver, que por tanto no integran naturaleza de documento casacional, en el sentido requerido en el motivo (vid. STS 79/2016, de 10 de febrero (LA LEY 3297/2016) o STS 838/2015, de 23 de diciembre (LA LEY 205591/2015)); y otro tanto cabe predicar del informe técnico ocular, del que se invoca no sus conclusiones, sino el dato previo fáctico de la abolladura en la prolongación de la ventanilla de seguridad de la sucursal bancaria; pues obviamente sin explicación y adición argumentativa ulterior carecen absolutamente de literosuficiencia para acreditar un hecho subjetivo como es la intencionalidad del autor con el disparo. Como tampoco el vídeo proveniente de la grabación de las cámaras de seguridad, que aunque prueba documental, incluso en el caso de prescindir del requisito de su literosuficiencia, el visionado del mismo lo que reseña es la directa intencionalidad del autor en disparar contra el cuerpo de la víctima». STS Sala Segunda, de lo Penal, Sentencia 315/2016 de 14 Abr. 2016, Rec. 1873/2015. Ponente: Palomo del Arco, Andrés. LA LEY 32909/2016.

(105)   «Se formalizan dos quejas por error facti (art. 849-2 L.E.Cr.) que no pueden prosperar. El requisito sine qua non que debe presidir su articulación en casación es la designación de un documento literosuficiente, en base al cual pueda demostrarse el error del juzgador deslizado

«Es también doctrina reiterada la que niega el concepto de documento a efectos casacionales a las declaraciones de testigos y acusados, en cuanto aun documentadas son pruebas personales valoradas como tal por el Tribunal de instancia conforme las previsiones del art. 741 LECrim (LA LEY 1/1882)». STS Sala Segunda, de lo Penal, Sentencia 497/2016 de 9 Jun. 2016, Rec. 10982/2015; Ponente: Berdugo Gómez de la Torre, Juan Ramón. LA LEY 68065/2016.

Los dictámenes periciales, que constituyen un apartado especial por la gran importancia que poseen en esta materia, tampoco tienen, según el TS, carácter de documentos integrables en el art. 849.2 LECrim. Sin embargo, excepcionalmente, se les atribuye este rango cuando: se trate de un solo dictamen o de varios coincidentes, y la Audiencia no disponga de otras pruebas sobre el mismo punto fáctico; hayan servido como base única de los hechos declarados probados y se hayan incorporado a la sentencia sólo de modo incompleto; o bien se haya llegado a conclusiones divergentes, o contrarias a las mantenidas por los peritos, discrepando de un dictamen que se ofrece como el único apoyo probatorio para sustentar una conclusión razonable y fundada sobre determinado extremo de hecho, máxime si viene referido a datos de signo o carácter objetivo[106].

«Si bien el dictamen pericial no es sino la docta expresión del parecer de quien tiene conocimientos especializados sobre una materia y, en cuanto tal, es una prueba de natu-raleza personal, la jurisprudencia le ha reconocido la condición de documento cuando concurran determinadas circunstancias, concretamente: a) Que exista un solo dictamen o, siendo varios, que sean absolutamente coincidentes, sin que el Tribunal de instancia haya dispuesto de otras pruebas sobre los mismos elementos fácticos, de suerte que se haya estimado el parecer pericial como base de los hechos declarados probados, pero haciéndolo de modo incompleto, fragmentario o contradictorio, de manera que se haya

_____

en el factum. Sin embargo, la alegación se hace para sostener interpretaciones diferentes de los hechos y los documentos invocados no lo son a efectos casacionales: acta del juicio, declaraciones testificales o del mismo recurrente. Tampoco tiene carácter documental la cinta de vídeo, sobre la cual tuvieron oportunidad de declarar los agentes que la grabaron, existiendo en este caso otras pruebas que inciden en el mismo aspecto sometido a acreditamiento, incumpliéndose así uno de los condicionamientos que impone el art. 849-2 L.E.Cr . para la prosperabilidad de la pretensión impugnativa». STS 14 de noviembre de 2007, LA LEY 185172/2007.

(106) «Los informes periciales; pues en cuanto que pruebas personales, no integran naturale-za de documento literosuficiente a estos efectos; aunque la jurisprudencia de forma excepcional ha admitido como tal el informe pericial como fundamentación de la pretensión de modificación del apartado fáctico de una sentencia impugnada en casación cuando el Tribunal haya estimado el dictamen o dictámenes coincidentes como base única de los hechos declarados probados, pero incorporándolos a dicha declaración de un modo incompleto, fragmentario, mutilado o contradic-torio, de modo que se altere relevantemente su sentido originario o bien cuando haya llegado a conclusiones divergentes con las de los citados informes, sin expresar razones que lo justifiquen (STS 259/2016, de 1 de abril (LA LEY 22111/2016)). Esa excepcional reconducción del informe pericial a la categoría asimilada a prueba documental, no autoriza a una nueva valoración de la prueba pericial documentada, sino que el Tribunal de casación ha de partir del enunciado reflejado en el informe. Además, cuando como es habitual, los peritos comparecen en el juicio oral, el Tri-bunal dispone de las ventajas de la inmediación para completar el contenido básico del dictamen con las precisiones que hagan los peritos ante las preguntas y repreguntas que las partes les dirijan (artículo 724 LECr (LA LEY 1/1882)). Y es doctrina reiterada que lo que depende de la inmediación no puede ser revisado en el recurso de casación». STS 492/2016 de 8 Jun. 2016, Rec. 10545/2015. Ponente: Palomo del Arco, Andrés. LA LEY 59018/2016. Caso Casper.

alterado el sentido originario o global de la pericia y b) Cuando contando solamente con dicho dictamen o dictámenes coincidentes y no concurriendo otras pruebas sobre el mismo extremo fáctico, el Tribunal haya llegado a conclusiones divergentes con las de los informes, sin expresar razones que los justifiquen o sin una explicación razonable (Sentencias 182/2000, de 8-2; 1729/2003, de 24-12 (LA LEY 218293/2003); 534/2003, de 9-4; 363/2004, de 17-3 (LA LEY 1558/2004); 417/2004, 29-3; 1015/2007, de 30-11; 6/2008, de 10-1 o 884/2016 de 24-11 (LA LEY 170474/2016), entre muchas otras)». STS Sala Segunda, de lo Penal, Sentencia 104/2017 de 21 Feb. 2017, Rec. 10274/2016. Ponente: Llarena Conde, Pablo. LA LEY 5924/2017.

2°) Que los documentos demuestren la equivocación del juzgador y el error no se encuentre desvirtuado por otros elementos probatorios[107].

«Por último, en lo que se refiere a los documentos en los que la parte recurrente instrumentaliza su alegación de error en la apreciación de la prueba, conviene destacar que, como señala la sentencia citada más arriba, de 28 de mayo de 2015, la posibilidad de rectificar el hecho probado con adiciones o supresiones que tengan por fundamento algunos de los documentos que obren en la causa y que "... demuestren la equivocación del juzgador", ha sido consustancial al significado del recurso de casación. Sin embargo, conviene tener presente que la valoración de documentos por esa vía impugnativa no puede entenderse sin el inciso final del mencionado artículo 849.2 de la LECrim (LA LEY 1/1882). En él se exige que esos documentos no resulten "... contradichos por otros elementos probatorios". Quiere ello decir que la aproximación del Tribunal de casación a la valoración del documento en el que se pretende fundar el error sufrido en la instancia, no puede realizarse sin el contraste con otros elementos probatorios, entre los que se incluye, como no podía ser de otro modo, el resultado arrojado por las pruebas personales practicadas en el plenario. Se entra así de lleno en el terreno de la prohibición ya consolidada en la jurisprudencia constitucional, del Tribunal Europeo de Derechos Humanos y de esta Sala de valorar pruebas personales, aunque sean de simple contraste para concluir acerca de la suficiencia probatoria del documento invocado, que no han sido presenciadas por el órgano jurisdiccional que va a dejar sin efecto un pronunciamiento absolutorio (entre otras, SSTS de 30 de diciembre de 2013 y de 14 de febrero de 2014)». STS 993/2016 de 12 Ene. 2017, Rec. 10282/2016; Ponente: Giménez García, Joaquín. LA LEY 346/2017.

Con base en este requisito, los referidos documentos fundamento de la censura casacional deben ser literosuficientes o autosuficientes[108]. Es decir, debe tener virtualidad

---

(107) «4. Que el supuesto error patentizado por el documento, no esté a su vez, desvirtuado por otras pruebas de igual consistencia y fiabilidad. Al respecto debe recordarse que la Ley no concede ninguna preferencia a la prueba documental sobre cualquier otra, antes bien, todas ellas quedan sometidas al cedazo de la crítica y de la valoración —razonada— en conciencia de conformidad con el art. 741 LECriminal (LA LEY 1/1882). Tratándose de varios informes de la misma naturaleza, se exige que todos sean coincidentes o que siendo uno sólo el Tribunal sentenciador, de forma inmotivada o arbitraria se haya separado de las conclusiones de aquellos no estando fundada su decisión en otros medios de prueba o haya alterado de forma relevante su sentido originario o llegando a conclusiones divergentes con las de los citados informes sin explicación alguna. —SSTS 158/2000 y 1860/2002 (LA LEY 1880/2003) de 11 de noviembre—». STS Sala Segunda, de lo Penal, 16 Oct. 2012, rec. 2143/2011. Ponente: Giménez García, Joaquín. N° de Sentencia: 771/2012. N° de Recurso: 2143/2011. La LEY 153996/2012.

(108) «Se requiere que el documento evidencie el error de algún dato o elemento fáctico o material de la sentencia de instancia, evidencia que ha de basarse en el propio y literosuficiente

bastante para probar por sí solos, sin necesidad de argumentación o contraste con otras pruebas y de forma indubitada y palpable la equivocación judicial[109]. Teniendo en cuenta que no se concede a la prueba documental un valor superior a otras pruebas.

«Que el supuesto error patentizado por el documento, no esté a su vez, desvirtuado por otras pruebas de igual consistencia y fiabilidad. Al respecto debe recordarse que la Ley no concede ninguna preferencia a la prueba documental sobre cualquier otra, antes bien, todas ellas quedan sometidas al cedazo de la crítica y de la valoración —razonada— en conciencia de conformidad con el art. 741 LECriminal (LA LEY 1/1882). Tratándose de varios informes de la misma naturaleza, se exige que todos sean coincidentes o que siendo uno sólo el Tribunal sentenciador, de forma inmotivada o arbitraria se haya separado de las conclusiones de aquellos no estando fundada su decisión en otros medios de prueba o haya alterado de forma relevante su sentido originario o llegando a conclusiones divergentes con las de los citados informes sin explicación alguna.—SSTS 158/2000 (LA LEY 4162/2000) y 1860/2002 de 11 de noviembre (LA LEY 1880/2003)—». STS 993/2016 de 12 Ene. 2017, Rec. 10282/2016; Ponente: Giménez García, Joaquín. LA LEY 346/2017.

De acuerdo con lo expuesto, del examen de estos «documentos» se deducirá una doble función probatoria: 1º) En sentido negativo, la inexistencia de medios de prueba contenidos en dichos documentos producirá un vacío probatorio, por lo que no podrá, en consecuencia, deducirse la participación del acusado en los hechos que se puedan declarar probados. 2ª) En sentido positivo, determinados documentos, que la doctrina legal ha ido perfilando, seguirán teniendo una especial fuerza probatoria. Por otra parte, independientemente de su carácter auténtico o no, cabrá alegar el error del juzgador basado en tales documentos, cuando no resulten desvirtuados por otros elementos probatorios[110].

---

o autosuficiente poder demostrativo directo del documento, es decir, sin precisar de la adición de ninguna otra prueba ni tener que recurrir a conjeturas o complejas argumentaciones. A lo que ha de sumarse que no se halle en contradicción con lo acreditado por otras pruebas y que los datos que proporciona el documento tengan relevancia para la causa por su capacidad modificativa de alguno de los pronunciamientos del fallo de la sentencia recurrida (SSTS de 1653/2002 (LA LEY 1738/2003), de 14- 10; 892/2008, de 26-12 (LA LEY 198357/2008); 89/2009, de 5-2; 109/2011, de 22-9; y 207/2012, de 12-3, entre otras)». STS 883/2016 de 23 Nov. 2016, Rec. 446/2016; Ponente: Jorge Barreiro, Alberto Gumersindo. LA LEY 171423/2016.

(109) «La naturaleza extraordinaria del recurso de casación y la distancia de esta Sala respecto de las fuentes de prueba sobre las que se ha basado la respuesta jurisdiccional en la instancia, cierran la puerta a una revisión de la valoración probatoria suscrita por el Tribunal de instancia. Precisamente por ello, los estrechos límites que ofrece la vía casacional del art. 849.2 LECr (LA LEY 1/1882), sólo autorizan una alegación impugnativa basada en documentos que, por sí solos, sin necesidad de complementos ni añadidos probatorios que refuercen su virtualidad, permitan ofrecer a la consideración de la Sala una nueva redacción del hecho probado». STS 19 Oct. 2016, Rec. 10332/2016; Ponente: Palomo del Arco, Andrés.LA LEY 146028/2016.

(110) «Este motivo no autoriza una revisión genérica de la valoración de la prueba, como pretenden las recurrentes, sino que exige la existencia de documento literosuficiente, cuyos particulares deben ser debidamente identificados, del que resulte sin necesidad de explicación o prueba adicional, la modificación interesada del fallo. Ninguno de los documentos invocados goza de esta naturaleza, pues de ninguno es predicable las notas de autarquía y literosuficiencia para acreditar por sí solo el error que se invoca». STS Sala Segunda, de lo Penal, Sentencia 315/2016 de 14 Abr. 2016, Rec. 1873/2015. Ponente: Palomo del Arco, Andrés. LA LEY 32909/2016.

«Debe tomarse en consideración que el éxito de la vía del error en la apreciación de la prueba exige que el dato que se deriva de la lectura literal y sin ulteriores elucubraciones del documento en cuestión, no resulte contradicho por otras pruebas, practicadas debidamente en el acto de la vista oral, que es lo que ocurre en el presente caso. Debe recordarse que, en tal sentido, que el Tribunal de instancia tomó en consideración para dictar sentencia condenatoria las declaraciones de numerosos testigos, así como el contenido, meridianamente claro, del reconocimiento de deuda firmado por Herminio, que se correspondía, a su vez, con sus primeras manifestaciones judiciales. Si era cierto que se había retractado de ellas, posteriormente, no había sabido aportar una explicación o justificación suficiente de ese cambio en la versión de los hechos. En definitiva, los documentos señalados por el recurrente no demuestran por sí el error que se denuncia. Este pretende, en realidad, una nueva valoración de la totalidad de la prueba practicada que excede de los márgenes del cauce casacional empleado». ATS 531/2017 de 16 Feb. 2017, Rec. 1589/2016; Ponente: Palomo del Arco, Andrés. LA LEY 28074/2017.

No existe equivocación del juzgador cuando se trate documentos o medios de prueba que ya hayan sido valorados por el juzgador de instancia, o cuando confluyan con otras pruebas en la apreciación en conciencia de la prueba de un determinado hecho probado al que ambos se refieren de modo distinto. Si aisladamente el documento es el único medio de prueba de un hecho declarado probado, el TS podrá casar la sentencia si se ha cometido error en su valoración —así se ha ampliado, de forma excepcional, el carácter de documento a los informes periciales—. Por el contrario, si concurre con otros documentos, la equivocación del juzgador sólo podrá existir si la valoración, primero individual y luego conjunta, del «documento» en relación con los demás medios de prueba, acredita el error de hecho en la apreciación de la prueba si no existe la precitada confluencia con otros medios de prueba. Se exige, por tanto, que el documento existente en los autos haya sido tomado en consideración por el juzgador. De otro modo la naturaleza de este motivo casacional quedaría desvirtuada. Por ello, será muy conveniente que los juzgadores de instancia analicen en la sentencia las pruebas practicadas, con expresa consignación de su resultado[(111)]. Su implantación imperativa en el proceso debería generalizarse, pero, salvo en la regla 6.ª del art. 10 LO 10/80, de 11 de noviembre, ya derogada, no existe precepto alguno que así lo establezca. Sin embargo, el Tribunal Constitucional obliga a los Tribunales a razonar la suficiencia de la prueba —indiciaria en este caso— en la STC 229/88, de 23 diciembre.

3º) Que el error padecido influya en el contenido del fallo.

«Finalmente, el error denunciado ha de ser trascendente y con valor causal en relación al resultado o fallo del tema, por lo que no cabe la estimación del motivo si éste sólo tiene incidencia en aspectos accesorios o irrelevantes. Hay que recordar que

---

(111)   La Instrucción 1/85, de 28 de octubre, sobre preparación de los recursos de casación en materia penal, de la Fiscalía General del Estado (que impartía, para mejorar la actuación del Ministerio Fiscal ante la Sala 2.ª del TS, una normas al respecto), estableció una norma en este sentido. Se indicaba que: «Cuando se prepare un recurso de Casación por infracción de Ley, amparado en el n.º 2.º del art.º 849 LECrim., dado que las consecuencias del error deben repercutir en la calificación jurídica, que de los hechos ha efectuado el Juzgador, no deberán omitir los señores Fiscales el prepararlo también, por infracción de Ley, basado en el n.º 1 del mencionado art. 849 LECrim.».

el recurso se da contra el fallo, no contra los argumentos que de hecho o derecho no tengan capacidad de modificar el fallo, SSTS 496/99, 765/04 de 11 de junio. A los anteriores, debemos añadir desde una perspectiva estrictamente procesal la obligación, que le compete al recurrente de citar expresamente el documento de manera clara, cita que si bien debe efectuarse en el escrito de anuncio del motivo —art. 855 LECriminal— esta Sala ha flexibilizado el formalismo permitiendo que tal designación se efectúe en el escrito de formalización del recurso (STS 3-4-02), pero en todo caso, y como ya recuerda, la sentencia de esta Sala 332/04 de 11 de marzo, es obligación del recurrente además de individualizar el documento acreditativo del error, precisar los concretos extremos del documento que acrediten claramente el error en el que se dice cayó el Tribunal, no siendo competencia de esta Sala de Casación "adivinar" tales extremos». STS 7 de marzo de 2007, LA LEY 8974/2007.

4°) Que se designen los documentos y sus particulares que evidencien dicho error, según establecen los arts. 855.2 y 884.6 LECrim[(112)].

«Debemos añadir desde una perspectiva estrictamente procesal la obligación, que le compete al recurrente de citar expresamente el documento de manera clara, cita que si bien debe efectuarse en el escrito de anuncio del motivo —art. 855 LE-Criminal (LA LEY 1/1882)— esta Sala ha flexibilizado el formalismo permitiendo que tal designación se efectúe en el escrito de formalización del recurso (STS 3-4-02), pero en todo caso, y como ya recuerda, entre otras la reciente sentencia de esta Sala 332/04 de 11 de marzo (LA LEY 62567/2004), es obligación del recurrente además de individualizar el documento acreditativo del error, precisar los concretos extremos del documento que acrediten claramente el error en el que se dice cayó el Tribunal, no siendo competencia de esta Sala de Casación "adivinar" o buscar tales extremos, como un zahorí». STS 993/2016 de 12 Ene. 2017, Rec. 10282/2016; Ponente: Giménez García, Joaquín. LA LEY 346/2017.

Es causa de inadmisión del recurso de casación no citar expresamente el documento de manera clara en el escrito de anuncio del motivo (art. 855 LECrim), aunque el TS permite que la designación se efectúe en el escrito de formalización del recurso. También es causa de inadmisión no consignar los particulares del documento que evidencian el error del juzgador —si se tratase de la aludida aplicación del documento en sentido positivo; o cuando el documento o documentos no hubiesen figurado en el proceso— (art. 884.6 LECrim).

«A los anteriores, debemos añadir desde una perspectiva estrictamente procesal la obligación, que le compete al recurrente de citar expresamente el documento de manera clara, cita que si bien debe efectuarse en el escrito de anuncio del motivo —art. 855 LECriminal (LA LEY 1/1882)— esta Sala ha flexibilizado el formalismo

---

(112) «El art. 849-2 L.E.Cr. se halla previsto para provocar en casación modificaciones en el factum (añadir, suprimir o de otro modo alterar) algún pasaje, afirmación o manifestación allí contenidos que se estiman erróneos en base a una prueba (documental o asimilada) respecto a la que el órgano jurisdiccional de casación se halla en la misma situación procesal de inmediación para valorarla que el de instancia y de la que se desprende sin ningún género de dudas (ausencia de pruebas contradictorias) unas circunstancias o datos distintos a los consignados en la narración histórica. El recurrente no expresa qué aspecto quiere modificar, ni cita documento alguno de carácter casacional en que basar la modificación. Al contrario, entiende que error facti se corresponde con una valoración equivocada de las pruebas existentes o la obtención de una inferencia sin suficiente apoyo probatorio directo». STS 16 de junio de 2008, LA LEY 79055/2008.

permitiendo que tal designación se efectúe en el escrito de formalización del recurso (STS 3-4-02), pero en todo caso, y como ya recuerda, entre otras la reciente sentencia de esta Sala 332/04 de 11 de marzo, es obligación del recurrente además de individualizar el documento acreditativo del error, precisar los concretos extremos del documento que acrediten claramente el error en el que se dice cayó el Tribunal, no siendo competencia de esta Sala de Casación "adivinar" o buscar tales extremos, como un zahorí —SSTS 465/2004 (LA LEY 83863/2004) de 6 de abril, 1345/2005 de 14 de octubre, 733/2006 de 30 de junio, 685/2009 de 3 de junio, 1121/2009, 1236/2009 de 2 de diciembre, 92/2010 de 11 de febrero, 259/2010 de 18 de marzo, 86/2011 de 8 de febrero, 149/2011, 769/2011 de 24 de junio, 1175/2011 de 10 de noviembre, 325/2012 de 3 de mayo, 364/2012 de 3 de mayo o 691/2012 de 25 de septiembre—». STS Sala Segunda, de lo Penal, 16 Oct. 2012, rec. 2143/2011. Ponente: Giménez García, Joaquín. N.º de Sentencia: 771/2012. N.º de recurso: 2143/2011. La LEY 153996/2012.

Finalmente, no cabe por medio de este cauce casacional realizar un nuevo análisis crítico de la prueba practicada para sustituir la valoración del Tribunal sentenciador por la del recurrente o por la de esta Sala, siempre que el Tribunal de instancia haya dispuesto de prueba de cargo suficiente y válida y la haya valorado razonablemente.

«B) Esta Sala en STS 2393/2016 (LA LEY 161374/2016), de 31 de mayo ha dicho: "Es reiterada la doctrina de que, salvo supuestos en que se constate irracionalidad o arbitrariedad, este cauce casacional no está destinado a suplantar la valoración por parte del Tribunal sentenciador de las pruebas apreciadas de manera directa, como las declaraciones testificales o las manifestaciones de los imputados o coimputados, así como los dictámenes periciales, ni realizar un nuevo análisis crítico del conjunto de la prueba practicada para sustituir la valoración del Tribunal sentenciador por la del recurrente o por la de esta Sala, siempre que el Tribunal de instancia haya dispuesto de prueba de cargo suficiente y válida, y la haya valorado razonablemente. Es decir, que a esta Sala no le corresponde formar su personal convicción tras el examen de unas pruebas que no presenció, para a partir de ellas confirmar la valoración del Tribunal de instancia en la medida en que ambas sean coincidentes. Lo que ha de examinar es, en primer lugar, si la valoración del Tribunal sentenciador se ha producido a partir de unas pruebas de cargo constitucionalmente obtenidas y legalmente practicadas, y, en segundo lugar, si dicha valoración es homologable por su propia lógica y razonabilidad". C) De acuerdo con la doctrina jurisprudencial citada, no es posible, en sede casacional, una nueva valoración de la prueba, salvo que se constate "irracionalidad o arbitrariedad" en la actuación del órgano de instancia». STS Sala Segunda, de lo Penal, Auto 369/2017 de 16 Feb. 2017, Rec. 1591/2016; Ponente: Marchena Gómez, Manuel. LA LEY 9349/2017.

C)   *La casación frente a sentencias dictadas por la Audiencia Provincial en Apelación (art. 847.1.b LECrim.)*

Conforme con el art. 847.1.b LECrim, norma introducida por la Ley 41/2015, las sentencias dictadas en apelación por las Audiencias Provinciales y la Sala de lo Penal de la Audiencia Nacional son recurribles en casación, pero únicamente por infracción de Ley por el motivo previsto en el art. 849.1 LECrim. Como esta norma, como se expuso en el apartado anterior, se introduce una nueva modalidad de casación en la que según el Tribunal Supremo: «brilla de modo singular su tradicional función nomofiláctica, persigue homogeneizar la interpretación en todos los órganos de la jurisdicción penal de las normas penales que antes ordinariamente no aparecían en la agenda de este Tribunal por razón de la penalidad, provocando una indeseable dispersión interpretativa» (STS 327/2017 de 9 May. 2017, Rec. 2188/2016; Ponente: Berdugo Gómez de la Torre, Juan Ramón. LA LEY 44144/2017). De ese modo se provee a una elemental y necesaria seguridad jurídica, principio muchas veces preterido pero que resulta ser de los más importantes en el enjuiciamiento penal.

«Estamos ante una modalidad de recurso que enlaza más con el art. 9.3 CE (LA LEY 2500/1978) (seguridad jurídica) que con el art. 24.1 (tutela judicial efectiva). Salvando las gotas de simplificación que anidan en esa disyuntiva, esa premisa —es un recurso al servicio de la seguridad jurídica más que de la tutela judicial efectiva— ayuda a diseñar este novedoso formato impugnativo. Esta casación no está reclamada por el derecho a la tutela judicial efectiva, aunque también lo sirva; sino por el principio de seguridad jurídica. También en esta vía casacional se acaba poniendo punto final en la jurisdicción ordinaria a un asunto concreto con personas singulares afectadas, dispensando en definitiva tutela judicial efectiva. Pero esta función es satisfecha primordialmente a través de la respuesta en la instancia y luego en una apelación con amplitud de cognición. Colmadas ya las exigencias de la tutela judicial efectiva con esa doble instancia, se abren las puertas de la casación pero con una muy limitada capacidad revisora: enmendar o refrendar la corrección de la subsunción jurídica. El horizonte esencial de esta modalidad de casación es, por tanto, homogeneizar la interpretación de la ley penal, buscando la generalización. La respuesta a un concreto asunto también se proporciona pero en un segundo plano, como consecuencia y derivación de esa finalidad nuclear. Es un recurso de los arts. 9.3 (LA LEY 2500/1978) y 14 CE (LA LEY 2500/1978); más que de su art. 24». STS 210/2017 de 28 Mar. 2017, Rec. 1859/2016; Ponente: Moral García, Antonio del. LA LEY 15364/2017.

El Tribunal Supremo se ha pronunciado sobre los requisitos de este motivo de recurso en el Acuerdo de 9 de junio de 2016 en el que dice lo siguiente:

«El art. 847 1° letra b) de la LECrim (LA LEY 1/1882) debe ser interpretado en sus propios términos. Las sentencias dictadas en apelación por las Audiencias Provinciales y la Sala de lo Penal de la Audiencia Nacional solo podrán ser recurridas en casación por el motivo de infracción de ley previsto en el número primero del art. 849 de la Lecrim (LA LEY 1/1882), debiendo ser inadmitidos los recursos de casación que se formulen por los arts. 849 2°, 850, 851 y 852. — 1° Los recursos articulados por el art. 849 1° deberán fundarse necesariamente en la infracción de un precepto penal de carácter sustantivo u otra norma jurídica del mismo carácter (sustantivo) que deba ser observada en la aplicación de la Ley Penal (normas determinantes de subsunción), debiendo ser inadmitidos los recursos de casación que aleguen infracciones procesales o constitucionales. Sin perjuicio de ello, podrán invocarse normas constitucionales para reforzar la alegación de infracción de una norma penal sustantiva. — 2° Los recursos deberán respetar los hechos probados, debiendo ser inadmitidos los que no los respeten, o efectúen alegaciones en notoria contradicción con ellos pretendiendo reproducir el debate probatorio (art. 884 Lecrim (LA LEY 1/1882). — 3° Los recursos deben tener interés casacional. Deberán ser inadmitidos los que carezcan de dicho interés (art. 889 2°), entendiéndose que el recurso tiene interés casacional, conforme a la exposición de motivos: a) si la sentencia recurrida se opone abiertamente a la doctrina jurisprudencial emanada del Tribunal Supremo, b) si resuelve cuestiones sobre las que exista jurisprudencia contradictoria de las Audiencias Provinciales, c) si aplica normas que no lleven más de cinco años en vigor, siempre que, en este último caso, no existiese una doctrina jurisprudencial del Tribunal Supremo ya consolidada relativa a normas anteriores de igual o similar contenido. — 4º La providencia de inadmisión es irrecurrible (art. 892 Lecrim (LA LEY 1/1882))».

Se trata como se ve de una auténtica regulación complementaria con la que el Tribunal Supremo quiere despejar desde el primer momento cualquier duda que pudiera existir sobre la procedencia de este motivo de recurso con la finalidad que pueda cumplir su propósito de unificación de la doctrina legal y no una suerte de tercera instancia que es el peligro que siempre acecha al recurso de casación. El texto es suficientemente descriptivo para necesitar comentarios, únicamente queremos reseñar las siguientes cuestiones: 1º: Se trata de un recurso por infracción de Ley. Ello implica que no cabe formular otras alegaciones que las referidas a la infracción de una norma penal de carácter sustantivo, sin que sea posible alegar infracción procesal o constitucional. 2º Ello implica que el relato de hechos probados debe permanecer indemne y aceptado por el recurrente y, por supuesto, por el Tribunal Supremo. 3º El recurso deberá tener interés casacional al modo que se prevé en el proceso civil. Ese interés se entiende implícito en los supuestos referidos en el Acuerdo: jurisprudencia contradictoria de las audiencias entre sí o con la del TS; normas que no lleven más de cinco años en vigor y no existiese doctrina sobre la materia. Finalmente se prevé la irrecurribilidad de la providencia de inadmisión.

En virtud de las normas citadas de procedencia y de admisión no cabe, por tanto en el caso de las sentencias dictadas en apelación por la Audiencia recurrir por motivo distinto al de infracción de Ley.

«El ahora recurrente en queja anunció el recurso de casación exclusivamente por infracción de precepto constitucional y por lo tanto fuera de los márgenes establecidos en la ley procesal, por lo que la resolución de la Audiencia Provincial denegando tener por preparado el recurso, es correcta. Por otro lado, en la sentencia de apelación se informaba al recurrente de forma adecuada acerca de los recursos posibles, al señalar que contra la citada sentencia cabía recurso de casación por infracción de ley, estando al alcance del recurrente el conocimiento de las resoluciones de esta Sala sobre el particular, por lo que no puede estimarse la existencia de indefensión». ATS Sala Segunda, de lo Penal, Auto de 10 May. 2017, Rec. 20084/2017; Ponente: Colmenero Menéndez de Luarca, Miguel. LA LEY 44149/2017.

Y tampoco cabe por infracción constitucional, a pesar de la dicción literal del art. 852 LECrim que dispone que: «En todo caso, el recurso de casación podrá interponerse fundándose en la infracción de precepto constitucional»[113].

---

(113) «Segundo.- El ahora recurrente en queja anunció el recurso de casación exclusivamente por infracción de precepto constitucional y por lo tanto fuera de los márgenes establecidos en la ley procesal, por lo que la resolución de la Audiencia Provincial denegando tener por preparado el recurso, es correcta. Por otro lado, en la sentencia de apelación se informaba al recurrente de forma adecuada acerca de los recursos posibles, al señalar que contra la citada sentencia cabía recurso de casación por infracción de ley, estando al alcance del recurrente el conocimiento de las resoluciones de esta Sala sobre el particular, por lo que no puede estimarse la existencia de indefensión». ATS Sala Segunda, de lo Penal, Auto de 10 May. 2017, Rec. 20084/2017; Ponente: Colmenero Menéndez de Luarca, Miguel. LA LEY 44149/2017.

«En primer lugar, el artículo 852 de la LECrim (LA LEY 1/1882), al igual que los artículos 849 a 851, se refiere al motivo por el que puede interponerse recurso de casación, y no a las resoluciones contra las que es posible su interposición, reguladas en los artículos 847 y 848. En este mismo sentido, auto de 30 de septiembre de 2016, Queja n° 20549/2016 y auto de 3 de octubre de 2016, Queja n° 20542/2016. En la actualidad, efectivamente, el artículo 847.1.b) prevé el recurso de casación contra las sentencias dictadas en apelación por las Audiencias Provinciales, pero solo por infracción de ley del artículo 849.1° de la misma Ley procesal, lo que, a juicio de esta Sala, excluye la posibilidad de interponer el recurso con base en infracciones constitucionales o procesales. Así lo ha entendido en acuerdo de Pleno no jurisdiccional de 9 de junio de 2016,.../.... Así la Audiencia admitió el recurso por el único cauce previsto como susceptible de ser recurrida la sentencia dictada en Apelación, en casación, art. 849.1° LECrim (LA LEY 1/1882) (vulneración de precepto penal de carácter sustantivo u otra norma jurídica del mismo carácter), el recurrente alega vulneración de su derecho a la presunción de inocencia y vulneración de principios y derechos constitucionales. Estas alegaciones según lo dicho, quedan al margen del cauce casacional elegido y además la parte no ha acreditado que el recurso reúne interés casacional en los términos descritos en el Acuerdo del Pleno de 09/06/16». ATS Sala Segunda, de lo Penal, Auto de 25 Abr. 2017, Rec. 20125/2017; Ponente: Llarena Conde, Pablo. LA LEY 31340/2017.

Finalmente, tampoco cabe recurso de casación frente a sentencias dictadas ante de la entrada en vigor de la Ley[(114)].

---

(114) «El recurso de casación solo cabe en los casos en que la legislación procesal lo prevé expresamente. El artículo 847.b) de la LECrim (LA LEY 1/1882), disponía en la redacción anterior a la mencionada reforma que procede el recurso de casación. contra las sentencias dictadas por las Audiencias Provinciales en juicio oral y única instancia, sin que estuviera contemplada la posibilidad de interponer esta clase de recurso contra las dictadas por dichos órganos jurisdiccionales al resolver recursos de apelación contra las sentencias dictadas por los Juzgados de lo Penal. La misma conclusión se desprendía con claridad del artículo 792.3 de la LECrim (LA LEY 1/1882), que disponía que contra las sentencias dictadas en apelación por las Audiencias Provinciales en el ámbito del procedimiento abreviado no cabrá recurso alguno, salvo en su caso el recurso de revisión, así como el de anulación que se regula en el artículo 793.2 de la misma LECrim (LA LEY 1/1882). En la actualidad, el artículo 847.1.b) prevé el recurso de casación contra las sentencias dictadas en apelación por las Audiencias Provinciales, aunque solo por infracción de ley del artículo 849.1° de la misma Ley procesal. Sin embargo, la Ley 41/2015 (LA LEY 15162/2015) establece en su Disposición transitoria única que únicamente será aplicable la normativa de la doble instancia y en su caso el recurso de Casación para los procedimientos iniciados una vez que haya entrado en vigor la modificación legislativa que lo fue en fecha 6 de diciembre de 2015. SEGUNDO.- El recurso de queja tiene como finalidad resolver si la denegación de la pretensión de tener por preparado el recurso de casación anunciado por la recurrente se ha ajustado a Derecho. No sustituye al recurso de casación. La recurrente en queja nada dice acerca de esta cuestión, limitándose a desarrollar lo que podría ser un recurso de casación, en el que, además, ninguno de los motivos se ampara en el artículo 849.1° de la LECrim (LA LEY 1/1882). De todos modos, tal como se dice en el Auto impugnado, el procedimiento se inició por hechos ocurridos el día 10 de junio de 2014, con anterioridad al 6 de diciembre de 2015, en que entró en vigor la reforma procesal que contempla la posibilidad de recurrir en casación, con amparo en el artículo 849.1° de la LECrim (LA LEY 1/1882), las sentencias dictadas en apelación por las Audiencias Provinciales. Previsión que, por lo tanto, no es aplicable al presenta caso. Por ello procede la desestimación de este recurso de queja, con imposición de las costas a la recurrente (art. 870 LECrim (LA LEY 1/1882))». ATS Sala Segunda, de lo Penal, Auto de 31 May. 2017, Rec. 20231/2017; Ponente: Varela Castro, Luciano. LA LEY 64628/2017.

7.6. Casación por quebrantamiento de forma (arts. 850 a 851 LECrim.)

El fundamento de los supuestos casacionales por quebrantamiento de forma es evitar la indefensión de las partes implicadas en el debate judicial. Este principio ya se hallaba, de forma implícita, en la regulación procesal, si bien ha sido declarado formalmente en el art. 24.1 y 24.2 CE. En este precepto se establece el derecho fundamental a obtener la tutela efectiva de los derechos e intereses de la persona en un proceso público sin dilaciones indebidas, con todas las garantías y a utilizar los medios de prueba pertinentes para la defensa sin que, en ningún caso, pueda producirse indefensión.

Son denunciables por este cauce casacional los vicios «*in procedendo*» que se hubiesen cometido durante la tramitación del proceso. Sin embargo, será necesario para que proceda este recurso en los casos del art. 850 LECrim, que se haya reclamado la subsanación de la falta mediante la oportuna protesta —art. 884.5.° LECrim.—. En este sentido, no puede plantearse «*per saltum*» en casación lo que no se ha alegado ante el Tribunal sentenciador.

«a) La prohibición de suscitar en casación cuestiones que antes no hayan sido planteadas en la instancia, obedece a la necesidad de salvaguardar el principio de contradicción y enlaza con la exigencia de buena fe procesal (art. 11 LOPJ (LA LEY 1694/1985)). Esa afianzada doctrina se vertebra en dos puntos (STS 657/2012, de 19 de julio (LA LEY 110541/2012)): — El ámbito de la casación, y en general de cualquier recurso, ha de ceñirse al examen de los temas o pretensiones que fueron planteados formalmente en la instancia. No pueden introducirse *per saltum* cuestiones diferentes, hurtándolas al necesario debate contradictorio en la instancia y a una primera respuesta que podría haber sido objeto de impugnación por las otras partes. Es consustancial al recurso de casación circunscribirse al examen de los errores legales que pudo cometer el Tribunal de instancia al enjuiciar los temas que las partes le plantearon y no otros (SSTS 545/2003 de 15 de abril (LA LEY 72160/2003), 1256/2002 (LA LEY 126614/2002) de 4 de julio, 344/2005 de 18 de marzo o 157/2012 de 7 de marzo). — Ese principio general admite algunas excepciones. De una parte, la alegación de infracciones de rango constitucional que puedan acarrear indefensión (la letra a) del art. 846 bis c) de la LECrim (LA LEY 1/1882) proporciona cierta base legal, aunque en un ámbito muy específico, para esa excepción). De otra, la vulneración de preceptos penales sustantivos favorables al reo cuya procedencia fluya de los hechos probados. El ejemplo paradigmático es la apreciación de una atenuante, como sucede en este caso. Si no se abriese esa puerta se llegaría, "a una injusticia manifiesta, contraria a la dignidad humana y al respeto a la persona en el ámbito procesal, porque obligaría al Juez a condenar a un inocente que no alegó dato o a condenar a una persona más gravemente, estando en una situación de atenuación de su responsabilidad, tan sólo porque su alegación no costa en el acto del juicio, expresa o formalmente aducida por su Abogado defensor" (SSTS 157/2012, de 7 de marzo y 707/2012, de 26 de abril)». STS Sala Segunda, de lo Penal, Sentencia 276/2013 de 18 Feb. 2013, Rec. 755/2012; Ponente: Moral García, Antonio del. LA LEY 26518/2013.

Los distintos supuestos de quebrantamiento de forma se hallan en los arts. 850 y 851 LECrim, que distinguen entre: a) los vicios de forma cometidos con anterioridad a la sentencia durante la fase de juicio oral, previstos en el art. 850 LECrim (ya que los cometidos en la fase sumarial no son denunciables en casación); b) los vicios de forma que se hayan producido en la sentencia misma, previstos en el art. 851 LECrim.

A) Vicios de forma durante el proceso

Conforme al art. 850 se podrá interponer el recurso de casación por quebrantamiento de forma:

a) Cuando se haya denegado alguna diligencia de prueba que, propuesta en tiempo y forma por las partes, se considere pertinente (art. 850.1 LECrim)

Esta clase de infracción procesal se produce cuando se deniega la práctica de los medios de prueba solicitados por las partes, por afectar al derecho a un juicio justo y con todas las garantías y, en definitiva, causar una situación de indefensión. Con base en la naturaleza de este motivo, la jurisprudencia distingue la posibilidad de solicitar la subsanación de dos infracciones distintas: la reclamación de la inadmisión improcedente de medios de prueba y la denegación de la suspensión del juicio oral en los supuestos de imposibilidad de practicar la prueba admitida.

> «La casación por motivo de negación de prueba establecida en el art. 850.1 LE-Crim., según se deduce de los términos de tal precepto, de lo dispuesto en los arts. 659, 746.3, 792 y 793.2 LECrim. (actuales 785.1 y 786.2), y de la doctrina de esta Sala y del Tribunal Constitucional, requiere las condiciones que a continuación se indican: 1.º La prueba denegada tendrá que haber sido pedida en tiempo y forma, en el escrito de conclusiones provisionales y también en el momento de la iniciación del juicio en el procedimiento abreviado (art. 793; ap. 2 de la citada Ley actual art. 786.2). 2 .º La prueba tendrá que ser pertinente, es decir relacionada con el objeto del proceso y útil, esto es con virtualidad probatoria relevante respecto a extremos fácticos objeto del mismo; exigiéndose, para que proceda la suspensión del juicio, que sea necesaria; oscilando el criterio jurisprudencial entre la máxima facilidad probatoria y el rigor selectivo para evitar dilaciones innecesarias; habiendo de ponderarse la prueba de cargo ya producida en el juicio, para decidir la improcedencia o procedencia de aquella cuya admisión se cuestiona. 3.º Que se deniegue la prueba propuesta por las partes, ya en el trámite de admisión en la fase de preparación del juicio, ya durante el desarrollo del mismo, cuando se pide en tal momento la correlativa suspensión del juicio. 4.º Que la práctica de la prueba sea posible por no haberse agotado su potencia acreditativa, y 5.º Que se formule protesta por la parte proponente contra la denegación (SSTS 1661/2000 de 27.11, 869/2004 de 2.7)». STS / de marzo de 2007, LA LEY 8974/2007.

La diferenciación expuesta trae causa de la diferencia entre la pertinencia y necesidad de la prueba. Ambos conceptos, como se expuso (*vid.* § 1.2 Cap. IX), se diferencian en que la pertinencia se refiere a la admisibilidad, como facultad del Tribunal para determinar inicialmente la prueba que genéricamente es pertinente por admisible. La necesidad de su ejecución se refiere a su práctica. De modo que medios probatorios inicialmente admitidos como pertinentes pueden lícitamente no realizarse, por razones de distinta naturaleza. Así, la prueba pertinente es aquella que tiene relación directa con el objeto del proceso, mientras que la necesaria es aquella prueba imprescindible para la formación de la convicción del juzgador.

La estimación de este motivo exige, según el TS, el cumplimiento de unos requisitos formales y otros de fondo[115]:

«Para la prosperabilidad del recurso ha de comprobarse que la prueba que se inadmite lo haya sido con carencia de motivación alguna, lo que nos aproxima al campo del derecho a la tutela judicial efectiva en relación con el principio de interdicción de la arbitrariedad, o que esa motivación haya de considerarse incorrecta, pues el medio probatorio era en realidad: a) pertinente, en el sentido de concerniente o atinente a lo que en el procedimiento en concreto se trata, es decir, que "venga a propósito" del objeto del enjuiciamiento, que guarde auténtica relación con él; b) necesario, pues de su práctica el Juzgador puede extraer información de la que es menester disponer para la decisión sobre algún aspecto esencial, debiendo ser, por tanto, no sólo pertinente sino también influyente en la decisión última del Tribunal, puesto que si el extremo objeto de acreditación se encuentra ya debidamente probado por otros medios o se observa anticipadamente, con absoluta seguridad, que la eficacia acreditativa de la prueba no es bastante para alterar el resultado ya obtenido, ésta deviene obviamente innecesaria; y c) posible, toda vez que no es de recibo que, de su admisión, se derive un bloqueo absoluto del trámite o, en el mejor de los casos, se incurra en la violación del derecho, también constitucional, a un juicio sin dilaciones indebidas, en tanto que al Juez tampoco le puede ser exigible una diligencia que vaya más allá del razonable agotamiento de las posibilidades para la realización de la prueba que, en ocasiones, desde un principio se revela ya como en modo alguno factible. (SSTS de 22 de marzo de 1994, 21 de marzo de 1995, 18 de septiembre de 1996, 3 de octubre de 1997 y un largo etcétera; así como las SSTC de 5 de octubre de 1989 o 1 de marzo de 1991, por citar sólo dos; además de otras numerosas SSTEDH, como las de 7 de julio y 20 de noviembre de 1989 y 27 de septiembre y 19 de diciembre de 1990)». STS Sala Segunda, de lo Penal, Sentencia 9/2015 de 21 Ene. 2015, Rec. 1192/2014; Ponente: Monterde Ferrer, Francisco. LA LEY 1339/2015.

1. Requisitos de fondo:

a) Que el medio de prueba propuesto sea pertinente en su doble vertiente material y funcional, ya que es preciso que esté en conexión con el objeto y fin del proceso, debiendo estar encaminado al esclarecimiento de los supuestos fácticos sometidos a enjuiciamiento[116].

---

(115) «B) Conforme a la jurisprudencia de esta Sala (por todas, STS de 29 de enero de 2014), para que la vía del quebrantamiento de forma por denegación de diligencia de prueba prospere, debe concurrir una serie de requisitos, formales y materiales. Entre los requisitos materiales, se exige que la prueba ha de ser pertinente, esto es, relacionada con el objeto del juicio y con las cuestiones sometidas a debate en el mismo; ha de ser relevante, de forma que tenga potencialidad para modificar de alguna forma importante el sentido del fallo, a cuyo efecto el Tribunal puede tener en cuenta el resto de las pruebas de que dispone (STS nº 1591/2001, de 10 de diciembre (LA LEY 3081/2002) y STS nº 976/2002, de 24 de mayo (LA LEY 10104/2003)); ha de ser necesaria, es decir, que tenga utilidad para los intereses de defensa de quien la propone, de modo que su omisión le cause indefensión, (STS nº 1289/1999, de 5 de marzo); y ha de ser posible, en atención a las circunstancias que rodean su práctica». ATS 1247/2016 de 30 Jun. 2016, Rec. 2176/2015; Ponente: Martínez Arrieta, Andrés. LA LEY 119469/2016.

(116) Véase STS Sala Segunda, de lo Penal, Sentencia 643/2016 de 14 Jul. 2016, Rec. 328/2016; Ponente: Jorge Barreiro, Alberto Gumersindo. LA LEY 85750/2016.

«Esta Sala de casación, al examinar el requisito de la necesidad de la prueba denegada, establece, en la sentencia 545/2014, de 26 de junio (LA LEY 89599/2014), que para que pueda prosperar un motivo por denegación de prueba hay que valorar no sólo su pertinencia sino también y singularmente su necesidad; más aún, su indispensabilidad en el sentido de eventual potencialidad para alterar el fallo. La prueba debe aparecer como indispensable para formarse un juicio correcto sobre los hechos justiciables. La necesidad es requisito inmanente del motivo de casación previsto en el art. 850.1 LECrim (LA LEY 1/1882). Si la prueba rechazada carece de utilidad o no es "necesaria" a la vista del desarrollo del juicio oral y de la resolución recaída, el motivo no podrá prosperar. El canon de "pertinencia" que rige en el momento de admitir la prueba se muta por un estándar de "relevancia" o «necesidad" en el momento de resolver sobre un recurso por tal razón. Y en la misma resolución citada se precisa que en casación la revisión de esa decisión ha de hacerse a la luz de la sentencia dictada, es decir, en un juicio *ex post*. No se trata tanto de analizar si en el momento en que se denegaron las pruebas eran pertinentes y podían haberse admitido, como de constatar *a posteriori* y con conocimiento de la sentencia (ahí radica una de las razones por las que el legislador ha querido acumular el recurso sobre denegación de pruebas al interpuesto contra la sentencia, sin prever un recurso previo autónomo), si esa denegación ha causado indefensión. Para resolver en casación sobre una denegación de prueba no basta con valorar su pertinencia. Ha de afirmarse su indispensabilidad. La superfluidad de la prueba, constatable *a posteriori* convierte en improcedente por *mor* del derecho a un proceso sin dilaciones indebidas una anulación de la sentencia por causas que materialmente no van a influir en su parte dispositiva». STS Sala Segunda, de lo Penal, Sentencia 881/2016 de 23 Nov. 2016, Rec. 2301/2015; Ponente: Saavedra Ruiz, Juan. LA LEY 171424/2016.

b) Que sea posible en el sentido que haberse agotado razonablemente las posibilidades de practicar la prueba no realizada.

c) Que la falta de realización de la prueba propuesta ocasione indefensión a la parte recurrente. En este sentido, el recurrente debe argumentar sobre la trascendencia que la omisión de prueba pudo tener sobre la sentencia de condena, ya que sólo si se comprobase que el fallo pudo ser otro, mediante la práctica de la prueba denegada, cabría hablar de indefensión. Es decir, el hipotético resultado probatorio debe ser trascendente para el resultado final[117].

---

(117) La STC 142/2012, de 2 de julio (LA LEY 106689/2012), al analizar el derecho a la prueba en el ámbito del art. 24.2 de la CE (LA LEY 2500/1978), argumenta que «... este Tribunal ha reiterado que la vulneración del derecho a utilizar los medios de prueba pertinentes para la defensa exige, en primer lugar, que el recurrente haya instado a los órganos judiciales la práctica de una actividad probatoria, respetando las previsiones legales al respecto. En segundo lugar, que los órganos judiciales hayan rechazado su práctica sin motivación, con una motivación incongruente, arbitraria o irrazonable, de una manera tardía o que habiendo admitido la prueba, finalmente no hubiera podido practicarse por causas imputables al propio órgano judicial. En tercer lugar, que la actividad probatoria que no fue admitida o practicada hubiera podido tener una influencia decisiva en la resolución del pleito, generando indefensión al actor. Y, por último, que el recurrente en la demanda de amparo alegue y fundamente los anteriores extremos (por todas, STC 14/2001 (LA LEY 1645/2001), de 28 de febrero)». Y también tiene dicho que cuando el medio de prueba rechazado en ningún modo podría alterar el fallo no procederá la anulación de la resolución (STC 45/2000, de 14 de febrero (LA LEY 5203/2000)) STS Sala Segunda, de lo Penal, Sentencia 544/2015 de 25 Sep. 2015, Rec. 10305/2015, Ponente: Jorge Barreiro, Alberto Gumersindo. LA LEY 138964/2015.

«La STC 142/2012, de 2 de julio (LA LEY 106689/2012), al analizar el derecho a la prueba en el ámbito del art. 24.2 de la CE (LA LEY 2500/1978), argumenta que "... este Tribunal ha reiterado que la vulneración del derecho a utilizar los medios de prueba pertinentes para la defensa exige, en primer lugar, que el recurrente haya instado a los órganos judiciales la práctica de una actividad probatoria, respetando las previsiones legales al respecto. En segundo lugar, que los órganos judiciales hayan rechazado su práctica sin motivación, con una motivación incongruente, arbitraria o irrazonable, de una manera tardía o que habiendo admitido la prueba, finalmente no hubiera podido practicarse por causas imputables al propio órgano judicial. En tercer lugar, que la actividad probatoria que no fue admitida o practicada hubiera podido tener una influencia decisiva en la resolución del pleito, generando indefensión al actor. Y, por último, que el recurrente en la demanda de amparo alegue y fundamente los anteriores extremos (por todas, STC 14/2001 (LA LEY 1645/2001), de 28 de febrero)". Y también tiene dicho que cuando el medio de prueba rechazado en ningún modo podría alterar el fallo no procederá la anulación de la resolución (STC 45/2000, de 14 de febrero (LA LEY 5203/2000))». STS Sala Segunda, de lo Penal, Sentencia 643/2016 de 14 Jul. 2016, Rec. 328/2016; Ponente: Jorge Barreiro, Alberto Gumersindo. LA LEY 85750/2016.

A «*sensu contrario*» se inadmitirá el recurso cuando el Tribunal de instancia decidió correctamente que la prueba no era necesaria por redundante, superflua o innecesaria, ya que no aportaba nuevos datos sustanciales para formar la convicción de la Sala[118].

«Las preguntas denegadas por la Presidencia son irrelevantes, y han sido razonablemente inadmitidas, pues no debe causarse aún más daño a la menor, provocando su victimización secundaria. El número de veces que la víctima hubiese salido con el acusado, con anterioridad a su chantaje, es impertinente pues fuesen pocas o muchas en ningún caso podrían aminorar la responsabilidad del recurrente ante un comportamiento como el enjuiciado. Si la víctima había perdido su virginidad, y a qué edad, es un dato que forma parte de su intimidad, y que no es relevante para el enjuiciamiento de una agresión forzada ni puede ser obligada la menor a manifestarlo en público como pretendía la defensa del recurrente, por lo que la pregunta es impropia de la naturaleza de la prueba testifical. Y si la menor había estado previamente en la caseta donde fue citada y agredida por el recurrente y los demás condenados carece también de relevancia, pues no tiene ninguna influencia para el enjuiciamiento de los hechos ya que no se trata aquí de desvelar las relaciones que voluntariamente pudo mantener la víctima con otros jóvenes, en uso de su libertad, sino si en el caso actual fue forzada mantenerlas, lo que tanto el acusado como los menores ya enjuiciados han reconocido». STS Sala Segunda, de lo Penal, Sentencia 660/2015 de 6 Nov. 2015, Rec. 952/2015; Ponente: Conde-Pumpido Tourón, Cándido. LA LEY 162901/2015.

---

(118) «Cuando el examen de la cuestión se efectúa en vía de recurso, el carácter necesario y relevante de la prueba debe valorarse teniendo en cuenta no solo sus propias características, sino también las demás pruebas ya practicadas y la decisión del Tribunal respecto de los aspectos relacionados con la prueba cuya práctica fue denegada. Dicho de otra forma, la queja solo podrá ser estimada cuando en función de las características del caso concreto según resultan de todo lo ya actuado, su práctica pudiera suponer la adopción de un fallo de contenido diferente. En otro caso, la anulación del juicio para la celebración de uno nuevo no estaría justificada». STS Sala Segunda, de lo Penal, Sentencia 58/2015 de 10 Feb. 2015, Rec. 10578/2014; Ponente: Colmenero Menéndez de Luarca, Miguel. LA LEY 4795/2015.

2. Requisitos de forma: a) Que la prueba denegada se ajuste a la normativa procesal. Ello implica, por una parte, que los medios probatorios han de ser propuestos en tiempo y forma. Por otra, que la diligencia de prueba denegada tenga, en efecto, tal naturaleza. A este efecto, el precepto según tiene declarado el Tribunal Supremo se refiere a las pruebas solicitadas en el escrito de conclusiones provisionales para el juicio oral.

«1°) La prueba denegada tendrá que haber sido pedida en tiempo y forma, en el escrito de conclusiones provisionales y también en el momento de la iniciación del juicio en el procedimiento abreviado (art. 793; ap. 2 de la citada Ley actual art. 786.2)». STS Sala Segunda, de lo Penal, Sentencia 643/2016 de 14 Jul. 2016, Rec. 328/2016; Ponente: Jorge Barreiro, Alberto Gumersindo. LA LEY 85750/2016.

b) Que se ponga de manifiesto el contenido de los medios de prueba para que se pueda apreciar su pertinencia y necesidad.

«No se trata tanto de analizar si en el momento en que se denegaron las pruebas eran pertinentes y podían haberse admitido, como de constatar *a posteriori* y con conocimiento de la sentencia (ahí radica una de las razones por las que el legislador ha querido acumular el recurso sobre denegación de pruebas al interpuesto contra la sentencia, sin prever un recurso previo autónomo), si esa denegación ha causado indefensión. Para resolver en casación sobre una denegación de prueba no basta con valorar su pertinencia. Ha de afirmarse su indispensabilidad. La superfluidad de la prueba, constatable *a posteriori* convierte en improcedente por *mor* del derecho a un proceso sin dilaciones indebidas una anulación de la sentencia por causas que materialmente no van a influir en su parte dispositiva». STS Sala Segunda, de lo Penal, Sentencia 544/2015 de 25 Sep. 2015, Rec. 10305/2015, Ponente: Jorge Barreiro, Alberto Gumersindo. LA LEY 138964/2015.

c) Que se haya formulado la correspondiente protesta y detallado, en su caso, las preguntas a formular cuando se trata de un testigo ausente, debiendo acreditarse éstas a los efectos de servir como justificante de la petición de subsanación del vicio procesal. Téngase en cuenta que en contrapartida a esta obligación de realizar protesta debe el Tribunal motivar su resolución de denegación de la prueba.

«2°) La prueba tendrá que ser pertinente, es decir relacionada con el objeto del proceso y útil, esto es con virtualidad probatoria relevante respecto a extremos fácticos objeto del mismo; exigiéndose, para que proceda la suspensión del juicio, que sea necesaria; oscilando el criterio jurisprudencial entre la máxima facilidad probatoria y el rigor selectivo para evitar dilaciones innecesarias; habiendo de ponderarse la prueba de cargo ya producida en el juicio, para decidir la improcedencia o procedencia de aquella cuya admisión se cuestiona. 3°) Que se deniegue la prueba propuesta por las partes, ya en el trámite de admisión en la fase de preparación del juicio, ya durante el desarrollo del mismo, cuando se pide en tal momento la correlativa suspensión del juicio. 4°) Que la práctica de la prueba sea posible por no haberse agotado su potencia acreditativa. Y 5°) Que se formule protesta por la parte proponente contra la denegación (SSTS 1661/2000 de 27-11 (LA LEY 1316/2001); 869/2004, de 2-7 (LA LEY 13731/2004); 705/2006, de 28-6 (LA LEY 77142/2006); y 849/2013, de 12-11 (LA LEY 184998/2013))». STS Sala Segunda, de lo Penal, Sentencia 643/2016 de 14 Jul. 2016, Rec. 328/2016; Ponente: Jorge Barreiro, Alberto Gumersindo. LA LEY 85750/2016.

Con base en los requisitos enunciados, la resolución de este recurso deberá ser desestimatoria cuando la prueba no tenga conexión con los hechos o bien su contenido no vaya encaminado al esclarecimiento de los mismos. También se desestimará cuando las pruebas no sean propuestas en los términos y formas prescritas en la Ley Procesal —designación genérica de testigos, prueba adhesiva, dilación innecesaria del proceso—. También, respecto a la denegación de la suspensión del juicio oral, en el supuesto que el Tribunal de instancia no pueda hallar al testigo, y la representación del recurrente no haya proporcionado las señas que hubiesen permitido su localización[119].

Por el contrario, se estimará el recurso de casación por este motivo si las piezas de convicción, en determinadas circunstancias, no obrasen a disposición del Tribunal al inicio de las sesiones del juicio oral, y pudiera derivarse de ello indefensión. Sin embargo, dicha ausencia no causará tal efecto si su importancia es nula. También deberá estimarse el recurso cuando se hubiese rechazado «*a limine*» un testigo no sumarial propuesto en el escrito de calificación provisional. Igual suerte se producirá cuando la prueba denegada fuese importante para el esclarecimiento de los hechos —cuando incida en el *thema decidendi*—, máxime si se tratase de un testigo que sólo hubiese declarado en el atestado policial y no durante el sumario, o de la prueba pericial practicada en el acto del juicio oral por un único perito. Véase sobre los criterios para la admisión de la prueba el § 1.2 Cap. IX.

b)   Omisión de la citación a las partes para el acto del juicio oral (art. 850.2 LECrim)

Podrá denunciarse por este cauce casacional el supuesto en el que se haya omitido la citación del procesado, la del responsable civil subsidiario, de la parte acusadora o la del actor civil para su comparecencia en el acto del juicio oral a no ser que estas partes hubiesen comparecido en tiempo dándose por citadas (art. 850.2 LECrim). El fundamento de este motivo reside en la vulneración del principio de contradicción, inherente a la tutela judicial efectiva, por la omisión de la citación a juicio de parte legitimada. Esta infracción puede causar indefensión, respecto de las personas afectadas por el proceso, al no estar presentes en el acto del juicio oral y privárseles, por tanto, de formular las alegaciones que estimen ordenadas a su derecho. Este motivo casacional no incluye la falta de citación para otros actos distintos al del juicio oral: p. ej., falta de notificación del auto de conclusión del sumario, de emplazamiento ante la Audiencia, de traslado para instrucción, etc.

En el proceso debemos distinguir entre: a) Partes cuya intervención es necesaria, por lo que deben ser citadas, produciendo su incomparecencia en el juicio oral la suspensión del mismo (el acusado y el Ministerio Fiscal); y b) Otras partes cuya intervención tiene carácter contingente o voluntario, que deben ser citadas para el juicio oral, aunque si han intervenido anteriormente no es precisa la citación personal[120]. Respecto a estas últimas, su incomparecencia injustificada no suspende

---

(119)   STS Sala Segunda, de lo Penal, Sentencia 544/2015 de 25 Sep. 2015, Rec. 10305/2015, Ponente: Jorge Barreiro, Alberto Gumersindo. LA LEY 138964/2015.

(120)   «... Cuando se trata de citaciones al juicio oral se impone, quiérase que no, la debida distinción entre partes voluntarias al proceso cuya presencia no es imprescindible, de aquellas otras

el juicio. Entre éstas el acusador popular, acusador particular —privado— y actor civil. Respecto del responsable civil subsidiario, debe conocer de la acusación y ser citado al juicio oral, para poder ser condenado, ya que de lo contrario se produciría indefensión (véase sobre el responsable civil § 2.2 Cap. IV).

> «... es cierto que el recurrente, en su condición de responsable civil subsidiario, a diferencia del acusado y de la Compañía aseguradora, no fue requerido por la Audiencia Provincial para que nombrase Procurador ni Letrado que le defendiese en tal concepto, siendo únicamente citado al acto del juicio como testigo y sin que en dicho acto estuviese defendido por Letrado... se ha producido en el presente caso ya que, como se acaba de dejar expresado, el recurrente, en su condición de responsable civil subsidiario, no ha podido ejercer su derecho de defensa». STS Sala Segunda, de lo Penal, Sentencia 2319/2001 de 3 Dic. 2001, Rec. 1279/2000; Ponente: Granados Pérez, Carlos. LA LEY 218107/2001.

También se produce quebrantamiento de forma cuando se deniega la llamada al proceso y, por tanto, no se cita al responsable civil subsidiario, en perjuicio del acusado. Obsérvese que este proceder puede suponer un prejuzgamiento por el Tribunal de la relación jurídica procesal relativa a la responsabilidad civil. En este sentido, la denegación de la llamada al proceso de la compañía que tenía concertado el seguro de responsabilidad civil, puede evidenciar la formación de un juicio preconcebido por parte de la Sala sentenciadora anterior al plenario, que es el acto a partir del cual se tiene que formar la convicción para dictar sentencia una vez oídas las partes y practicadas las pruebas.

Respecto a las partes necesarias, la jurisprudencia establece que la presencia de una acusación y del acusado o acusados, también si lo son en concepto de responsables civiles, constituye la base del proceso, puesto que sin esos supuestos fácticos el juicio carece de razón y sentido. En consecuencia, siguiendo la doctrina del TS, el recurso deberá estimarse: a) cuando no sean citados para juicio oral los acusadores privados (sin que pueda quedar subsanado el vicio, si hubiesen sido citados como testigos); b) cuando habiendo sido citado el procesado, no comparece, y el Tribunal no acuerda la suspensión y nuevo señalamiento, si la incomparecencia hubiese sido justificada (véase sobre la suspensión del juicio oral § 4.6 Cap. XV).

El recurso se desestimará en los siguientes supuestos:

a) Cuando no hubiesen sido citadas para el juicio las Compañías aseguradoras, que no sean las suscriptoras del seguro obligatorio, ya que este motivo está pensado sólo para las partes legitimadas en el proceso;

b) Cuando no habiendo sido citada la representación del acusado, conste en el rollo que ante la incomparecencia de ésta se procedió a su nombramiento de oficio;

---

que inexcusablemente han de concurrir al mismo, tales son el Fiscal y los acusados... si en el proceso intervienen partes "contingentes" o voluntarias cuya presencia no es imprescindible, es necesaria también su citación aunque no lo sea personalmente...». STS Sala Segunda, de lo Penal, Sentencia de 22 Mar. 1995, Rec. 2701/1992; Ponente: Vega Ruiz, José Augusto de. LA LEY 2367/1995.

c) Cuando las personas que debían ser citadas no lo fueron, pero comparecieron en tiempo, dándose por citadas. En cualquier caso, téngase en cuenta que el motivo únicamente hace referencia a las partes legítimas, no a aquellos otros sujetos cuya presunta responsabilidad se alegue extemporáneamente.

c) Cuando el Presidente del Tribunal se niegue a que un testigo conteste, ya en audiencia pública, ya en alguna diligencia que se practique fuera de ella, a la pregunta o preguntas que se le dirijan siendo pertinentes y de manifiesta influencia en la causa (art. 850.3 LECrim.)

El motivo se refiere estrictamente a la denegación de preguntas pertinentes, formuladas a un testigo. Por ello hay que distinguir este motivo del supuesto en que el Tribunal hubiese declarado impertinente alguna pregunta, cuestión ésta anterior a la celebración del juicio oral. También debe diferenciarse del ámbito del punto 4.º del art. 850, por ser más amplio, pues, como veremos, se incluyen en él todo tipo de intervinientes en el proceso, en relación a preguntas capciosas, sugestivas o impertinentes.

El TS requiere para que prospere este motivo los siguientes requisitos:

— Que cualquiera de las partes haya dirigido preguntas a un testigo;

— que el Presidente haya denegado alguna pregunta y

— que la misma sea pertinente, es decir, relacionada con los puntos controvertidos. Que tal pregunta fuera de manifiesta inferencia en la causa, se transcriba literalmente en el acta del juicio oral, y se haga constar en el acta la oportuna protesta[121].

«Tiene declarado esta Sala, como es exponente la Sentencia 829/2011, de 21 de julio (LA LEY 120101/2011), que para que el motivo basado en el art. 850.3º de la LECr (LA LEY 1/1882) pueda prosperar, se requiere la concurrencia de los siguientes requisitos: a) Que cualquiera de las partes haya dirigido preguntas a un testigo; b) Que el presidente del Tribunal, no haya autorizado que el testigo conteste a alguna pregunta; c) Que la misma sea pertinente, es decir, relacionada con los puntos controvertidos; d) Que tal pregunta fuera de manifiesta influencia en la causa; e) Que se transcriba literalmente en el acto del juicio; y f) Que se haga constar en el acta la oportuna protesta. Como la propia ley procesal exige, la pregunta debe ser pertinente y, además, de manifiesta influencia en la causa, y quien alega el quebrantamiento de forma debió haber solicitado que constase la pregunta en el acta con la finalidad de trasladar a esta Sala, en el recurso de casación, la relación

---

(121) «Su estructura exige que el Presidente del Tribunal se niegue a que un testigo conteste determinada pregunta o preguntas, que dicha negativa ocurra en el juicio oral o en diligencia practicada fuera de la, que las preguntas sean pertinentes y de manifiesta influencia en la causa, que sean dirigidas al testigo por cualquiera de las partes, y finalmente que se formule protesta por la pregunta denegada, haciéndose contar en la propia acta la pregunta que se impidió efectuar, como presupuesto indispensable para que esta Sala de Casación pueda conocerla y valorar su pertinencia, relevancia e importancia cara al fallo pronunciado —SSTS de 26 de febrero de 1994 y 14 de marzo de 1994 entre otras muchas—». STS Sala Segunda, de lo Penal, Sentencia 1451/2001 de 12 Jul. 2001, Rec. 3662/1999; Ponente: Giménez García, Joaquín. LA LEY 8918/2001.

entre las cuestiones debatidas y resueltas y el contenido de la pregunta, así como su eventual trascendencia para el sentido del fallo. En el supuesto que examinamos, aunque no constan las preguntas que la Presidenta impidió que fueran contestadas ni tampoco se precisan en el motivo, lo cierto, por lo que se puede escuchar de la grabación, es que se referían a la posible drogodependencia del hijo de la víctima y si había sido investigado, por lo que es perfectamente correcta la observación que hizo la Presidenta de la Sala de que el testigo, Guardia Civil, estaba declarando sobre todo aquello en lo que había intervenido y que no se le podía preguntar sobre otras líneas de investigación que no se habían realizado, investigación que, por otra parte, carecía de todo sustento o razón que pudiera justificarla. Por todo ello, esas hipotéticas preguntas no eran pertinentes y en modo alguno podían ser consideradas de manifiesta influencia en la causa». STS Sala Segunda, de lo Penal, Sentencia 689/2015 de 6 Nov. 2015, Rec. 10252/2015; Ponente: Granados Pérez, Carlos. LA LEY 169511/2015[122].

La pregunta denegada debe tener la virtualidad de poder influir en el fallo definitivo. Por ello, el recurrente deberá argumentar en su recurso la trascendencia que dicha inadmisión pudo tener en la sentencia, ya que la indefensión sólo se produce cuando la inadmisión de la pregunta pueda tener tal trascendencia que el fallo hubiera podido ser otro si se hubiera admitido y probado lo que con ella se pretendía.

«Conforme se expone en la sentencia 1281/1999 de 13-9, de esta Sala, con cita de la de 11-4-1969, 27-10-1989, 28-9-1992 y 28-2-1995, existirá quebrantamiento determinante de casación cuando las preguntas denegadas sean congruentes con puntos debatidos en el juicio y con entidad suficiente para poder influir en el fallo de la causa». STS Sala Segunda, de lo Penal, Sentencia 1849/2001 de 31 Dic. 2001, Rec. 4732/1999; Ponente: Marañón Chávarri, José Antonio. LA LEY 236033/2001.

No es obstáculo que el testigo ya haya declarado en la fase de instrucción, puesto que el valor probatorio de esas declaraciones es meramente provisional. Ahora bien, ciertos aspectos de su declaración pueden ser considerados innecesarios y, por tanto, estimados no pertinentes. El recurso se desestimará cuando la pregunta fuese incongruente; o no guardase la menor relación con los hechos objeto de enjuiciamiento; o bien resultase innecesaria; o fuese impertinente, es decir, no adecuada por inoportuna.

d) Cuando se desestime cualquier pregunta por capciosa, sugestiva o impertinente, no siéndolo en realidad, siempre que tuviese verdadera importancia para el resultado del juicio. Este motivo guarda una estrecha relación con el anterior, por lo que es de aplicación aquí lo expuesto con relación a aquél. No obstante, debe tenerse en cuenta la más amplia formulación de este motivo, que amplía su ámbito de operatividad

---

(122) «a) Que cualquiera de las partes haya dirigido preguntas a un testigo. b) Que el presidente del Tribunal, no haya autorizado que el testigo conteste a alguna pregunta. c) Que la misma sea pertinente, es decir, relacionada con los puntos controvertidos. d) Que tal pregunta fuera de manifiesta influencia en la causa. e) Que se transcriba literalmente en el acto del juicio; y f) Que se haga constar en el acta la oportuna protesta». STS Sala Segunda, de lo Penal, Sentencia 1849/2001 de 31 Dic. 2001, Rec. 4732/1999; Ponente: Marañón Chávarri, José Antonio. LA LEY 236033/2001.

Este motivo que guarda una estrecha relación con el anterior. En este sentido, ambos vicios procesales deben ser examinados desde la perspectiva del derecho a un proceso con todas las garantías tal y como exige el art. 24 de la CE. Por ello, es aquí aplicable cuanto en él se expuso. Además, hay que tener en cuenta la formulación más amplia de este motivo, que ensancha su ámbito de operatividad.

> «En relación al núm. 4 del art. 850 se produce una ampliación del ámbito subjetivo de la falta denunciada, pues la pregunta puede estar hecha a testigo, perito o al propio procesado, también en el Plenario y por cualquier parte, debiendo ser, al igual que en el caso anterior pertinente y relevante en la causa para el resultado del juicio, y por tanto no basta con efectuar la protesta, sino que es preciso consignar la pregunta —SSTS de 7 de julio de 1995 y 23 de junio de 1997—». STS Sala Segunda, de lo Penal, Sentencia 1451/2001 de 12 Jul. 2001, Rec. 3662/1999; Ponente: Giménez García, Joaquín. LA LEY 8918/2001.

Nótese que el art. 709 LECrim establece que el Presidente del Tribunal no permitirá que el testigo conteste preguntas o repreguntas capciosas, sugestivas o impertinentes. Por tanto, la admisión de este motivo se excluye en los casos en los que las preguntas se declarasen por el Tribunal improcedentes por no aportar nada importante a la Sala, o por su generalidad o fuesen realmente capciosas sugestivas o sugerentes.

e) Cuando el Tribunal haya decidido no suspender el juicio para los procesados comparecidos, en el caso de no haber concurrido algún acusado, siempre que hubiese causa fundada que se oponga a juzgarles con independencia y no haya recaído declaración de rebeldía

El Tribunal puede decidir no suspender el juicio por la enfermedad o incomparecencia de alguno de los procesados citados personalmente, siempre que estimare, con audiencia de las partes y haciendo constar en el acta del juicio las razones de la decisión, que existen elementos suficientes para juzgarles con independencia (art. 746.6 LECrim). Si se cumplen estos requisitos, podrá el Tribunal de instancia decidir la continuación del juicio oral. No obstante, la decisión de la Audiencia, con base en los presupuestos enunciados, será revisable si se acordase arbitrariamente o con lesión del derecho de defensa. Para que prospere este motivo, si alguna de las partes legitimadas solicitase la suspensión del juicio, será necesario que el recurrente haga constar su protesta. Véase sobre las causas y criterios para la suspensión del juicio oral § 4.6 Cap. XV.

> «La decisión de no suspender el juicio para los procesados comparecidos, por no haber concurrido algún otro, sólo es motivo de casación, a tenor de lo dispuesto en el núm. 5º del citado art. 850 LECrim, cuando "hubiere causa fundada que se oponga a juzgarles con independencia y no haya recaído declaración de rebeldía". Han de concurrir, pues, las dos mencionadas circunstancias para que se tome la decisión de suspender el juicio oral: que haya causa fundada para no juzgar con independencia a los comparecidos y al ausente y que éste no haya sido declarado en rebeldía. Como este último requisito faltaba en el caso a que se refiere este motivo, ya que la situación de rebeldía del procesado no comparecido subsistía y no se podía pretender que el Tribunal de instancia la considerase extinguida por la noticia oficiosa que le era transmitida por una de las partes, es claro que el acto del juicio oral no podría ser suspendido porque tampoco mediaba ninguna de las causas previstas en el art. 746

LECrim.». STS Sala Segunda, de lo Penal, Sentencia 279/2000 de 3 Mar. 2000, Rec. 258/1999; Ponente: Jiménez Villarejo, José. LA LEY 6369/2000.

No procederá el recurso si el Tribunal, teniendo elementos de juicio suficientes para juzgar, no suspendió el juicio, con independencia que el procesado incomparecíente se hallase en situación de rebeldía, si constase que se encontraba en ignorado paradero.

B) Vicios de forma en la sentencia (art. 851 LECrim)

Conforme al art. 851 LECrim. se podrá interponer el recurso de casación por quebrantamiento de forma:

a) Cuando en la sentencia no se exprese clara y terminantemente cuáles son los hechos que se consideren probados o resulte manifiesta contradicción entre ellos, o se consignen como hechos probados conceptos que, por su carácter jurídico, impliquen la predeterminación del fallo (art. 851.1 LECrim.)

> «La única contradicción que constituye quebrantamiento de forma es, según una constante doctrina jurisprudencial, la que reúne las siguientes características: a) tiene que ser interna, es decir, producida dentro de la propia declaración de hechos probados, no pudiendo ser denunciada como contradicción la que se advierta o crea advertirse entre el *"factum"* y la fundamentación jurídica de la resolución; b) ha de ser gramatical o semántica, no conceptual, de suerte que no hay contradicción a estos efectos si la misma es resultado de los razonamientos, acertados o desacertados, de quien lee la declaración probada; c) la contradicción debe ser absoluta, esto es, debe enfrentar a términos o frases que sean antitéticos, incompatibles entre sí, e insubsanable, de forma que no pueda ser remediada acudiendo a otras expresiones contenidas en el mismo relato; d) como consecuencia de la contradicción, que equivale a la afirmación simultánea de contrarios con la consiguiente destrucción de ambos, debe sobrevenir un vacío que afecte a aspectos esenciales del sustrato fáctico en relación con la calificación jurídica en que consiste el *"iudicium"*, lo que se suele significar diciendo que la contradicción sólo es motivo de casación cuando es causal y determinante de una clara incongruencia entre lo que se declara probado y sus consecuencias jurídicas». STS 11 de febrero de 2008, LA LEY 17738/2008.

Este motivo agrupa tres submotivos distintos: a) la no expresión clara y terminante en la sentencia de cuáles son los hechos que se consideran probados; b) la manifiesta contradicción entre los hechos probados y c) la consignación como hechos probados de conceptos jurídicos que impliquen predeterminación del fallo. En cualquier caso, la Ley establece, claramente (arts. 855 y 874 LECrim), que se deben designar las infracciones cometidas y los fundamentos aducidos como motivos de casación. En consecuencia, fundamentado el recurso en los vicios de forma incluidos en el art. 851.1 LECrim, se debe proceder a su concreción y fundamentación por separado.

1. Falta de claridad de los hechos probados.

Este vicio de la sentencia se produce por el incumplimiento del art. 142.2 LECrim, que requiere que en las sentencias se consignen: «... *Los hechos que estuvieren enlazados con las cuestiones que hayan de resolverse en el fallo, haciendo declaración expresa y terminante de los que se estimen probados...*».

La jurisprudencia constante de la Sala 2.ª del TS exige, a su vez, para poder apreciar este vicio los siguientes requisitos:

1) Falta de comprensión de lo manifestado en los hechos probados de la sentencia, ya contenga frases o palabras ininteligibles, omisiones importantes, carencia de narración de hechos probados, omisión de afirmaciones del juzgador respecto de lo realmente acontecido, empleo de juicios dubitativos, etc. En definitiva, que la narración de los hechos sea oscura e incomprensible[123].

> «La falta de claridad o contradicción en los hechos probados se proyecta en el ámbito interno de los mismos, prevaleciendo su exposición gramatical y la lógica de su entendimiento en este sentido, de forma que de su lectura se deduzca la secuencia de unos hechos directamente asequibles a un lector medio sin contradicciones y ambigüedades, lo que sucede en el presente caso, bastando su mera lectura para alcanzar la realidad de lo sucedido según el juicio fáctico del Tribunal de instancia. Y en relación con la incongruencia omisiva también denunciada debemos señalar que los argumentos empleados en el motivo tienen que ver con el juicio de los hechos, relaciones sexuales consentidas versus inconsentidas, pero no con verdaderas pretensiones jurídicas, como esta Sala ha señalado en multitud de ocasiones, por lo que igualmente la cuestión debe ser reconducida al motivo segundo especialmente en relación con la vulneración del derecho a la tutela judicial en su manifestación de motivación de la cuestión de hecho». STS Sala Segunda, de lo Penal, Sentencia 881/2016 de 23 Nov. 2016, Rec. 2301/2015; Ponente: Saavedra Ruiz, Juan. LA LEY 171424/2016.

2) Que la incomprensión esté en conexión con los condicionamientos que determinan la calificación jurídica de los hechos probados, ya que el hecho constituye en el silogismo judicial la premisa menor que debe subsumirse en la norma[124].

3) Que esta falta de claridad origine un vacío que no pueda sustituirse por el razonamiento lógico de otros supuestos, dando lugar a la incomprensibilidad del relato

---

(123) «Reiterada doctrina jurisprudencial ha entendido que la sentencia debe anularse cuando se aprecie en el relato fáctico una insuficiencia descriptiva que lo haga incomprensible o difícilmente inteligible, bien por una omisión total de versión fáctica, bien por omisiones parciales que impidan su comprensión; bien por el empleo de frases ininteligibles o dubitativas que impiden saber lo que el tribunal declare probado efectivamente, o bien por contener la sentencia un relativo de hechos constando de tal forma que conduzcan a la duda acerca de si el tribunal los está declarando probado o no. Siendo necesario además que los apuntados defectos supongan la imposibilidad de calificar jurídicamente los hechos (STS 1610/2001, de 17-9 (LA LEY 161628/2001); 559/2002 (LA LEY 5823/2002), de 27-3)». STS 714/2016 de 26 Sep. 2016, Rec. 1951/2015; Ponente: Berdugo Gómez de la Torre, Juan Ramón. LA LEY 126702/2016.

(124) «a) Que en el contexto del hecho probado se produzca la existencia de imprecisión bien por el empleo de términos o frases ininteligibles, bien por omisiones que hagan incomprensibles el relato, o por el empleo de juicios dubitativos, por la absoluta carencia de supuesto fáctico o por la mera descripción de la resultante probatorio sin expresión por el juzgador de lo que considerar probado. Este requisito compuesta, a su vez, la exigencia de que el vicio provisional de la fallo de claridad debe ubicarse en el hecho probado, debe ser interna y no podría oponerse frente a otros apartados de la sentencia, y sobre ser gramatical, sin que para su alegación frente a una falta de comprensión lógica a argumental, cuya impugnación debiera articularse por otras vías, como el error de derecho». STS 714/2016 de 26 Sep. 2016, Rec. 1951/2015; Ponente: Berdugo Gómez de la Torre, Juan Ramón. LA LEY 126702/2016.

y, en consecuencia, a la incongruencia del fallo. 4) La cita concreta de las frases o párrafos a los que se tache de falta de claridad y la especificación de que tal incomprensión provoque un vacío en la narración histórica de los hechos y trascienda a la calificación jurídica[125].

«Supuestos distintos del vicio *in iudicando* denunciado inciso primero del art. 851.1 LECrim (LA LEY 1/1882), oscuridad o falta de claridad en los hechos. En efecto como hemos dicho: La jurisprudencia, por ejemplo STS 945/2004, de 23-7 (LA LEY 13813/2004); 94/2007, de 14-2 (LA LEY 3298/2007); tiene declarado que es un requisito imprescindible de las sentencias penales la existencia de un relato de hechos probados que permita en comprensión no sólo por el justiciable al que afectan directamente, sino también por el Tribunal que conoce la sentencia en vía de recurso y, además, pro la sociedad en su conjunto, en cuando pueda tener interés en acceder a una resolución pública dictada por los tribunales. Con los hechos declarados probados en la sentencia haría relacionarse los fundamentos jurídicos de la misma, lo que exige que la descripción de lo que la sentencia considera probado sea lo suficientemente contundente y desprovista de dudas, al menos en los aspectos a los que se aplica el derecho, como para permitir la adecuada subsunción de la conducta en el correspondiente precepto sustantivo, de forma que la relación de hechos, su calificación jurídica y el fallo formen en todo congruente». STS 714/2016 de 26 Sep. 2016, Rec. 1951/2015; Ponente: Berdugo Gómez de la Torre, Juan Ramón. LA LEY 126702/2016.

El recurso será rechazado cuando en la fundamentación del motivo se reseñen párrafos de la sentencia mutilados o parciales y, en definitiva, no se correspondan con el relato histórico de los hechos probados. No se considerará que existe falta de claridad en las manifestaciones de la sentencia: cuando el Tribunal abrigase dudas sobre la prueba y así lo hiciese constar; o cuando, por desconocimiento o por falta de pruebas sobre determinados extremos, sea imposible su incorporación a los hechos probados, ya que las sentencias pueden ser claras aunque incompletas. Tampoco cabe apreciar falta de claridad cuando en la fundamentación jurídica de la sentencia se aclaran los extremos que se dicen oscuros. En definitiva, si lo que la sentencia expresa es comprensible por sí mismo no cabe apreciar la falta de claridad. Así, no

---

(125) «b) la incomprensión, la ambigüedad, etc...del relato fáctico debe estar causalmente relacionado con la calificación jurídica de la sentencia. La falta de claridad impide la comprensión del hecho probado e impide una correcta subsunción. c) además la falta de claridad debe producir una laguna o vacío en la descripción histórica del hecho que se declare probado. d) Las imprecisiones en cuanto a fechas o intervención de personas podrían dar lugar a la falta de claridad en función de la prueba practicada pues, si bien es exigible la mayor precisión en cuantos datos fácticos sean necesarios para la calificación, su incomprensión por falta de acreditaciones, no dará lugar al vicio procesal, pues el hecho probado debe recoger aquellos que efectivamente resulta acreditado. En STS 24/2010 (LA LEY 874/2010), de 1º-2, se insiste en que "La falta de claridad no se integra por las meras omisiones de datos fácticos en el relato de hechos probados, ya que como la contradicción, es vicio puramente interno del mismo que sólo surge por omisiones sintácticas o vacíos de comprensibilidad que impiden conocer que es lo que el Tribunal consideró o no probado, siempre que la incomprensión del relato esté directamente relacionada con la calificación jurídica y que la falta de entendimiento o incomprensión provoque una laguna o vacío en la descripción histórica de los hechos (SSTS 24.3.2001, 23.7.2001, 1.10.2004, 2.11.2004, 28.12.2005)"». STS 714/2016 de 26 Sep. 2016, Rec. 1951/2015; Ponente: Berdugo Gómez de la Torre, Juan Ramón. LA LEY 126702/2016.

se puede tachar a una sentencia de oscura cuando, siendo prolija y minuciosa, no recoge aquellas declaraciones fácticas que las partes desearían se tuvieran como probadas. Por otra parte, no puede el recurrente sustituir el criterio valorativo de la prueba realizado por el Tribunal de instancia.

> «La esencia de la contradicción fáctica consiste en el empleo en el hecho probado de términos o frases que, por ser antitéticos, resulten incompatibles entre sí, de tal modo que una afirmación reste eficacia a la otra, al excluirse entre sí, produciéndose con ello una laguna en la fijación de los hechos (STS núm. 117/2007, de 13 de febrero (LA LEY 9734/2007)). Ello supone que la contradicción ha de ser interna al hechos probado y de tal entidad que desemboque necesariamente en conclusiones insostenibles, de forma que los extremos fácticos a los que se atribuya el defecto se encuentren enfrentados, en oposición manifiesta, afectando además a hechos o circunstancias esenciales que influyan causalmente en el fallo (STS núm. 16/2007, de 16 de enero (LA LEY 254/2007)). En realidad lo que el recurso denuncia no es una contradicción gramatical, sino una contradicción conceptual, surgiendo la disparidad no entre lo que se dice en las distintas partes de los hechos declarados probados de la resolución recurrida, sino en lo que ésta afirma y los razonamientos que realiza el Tribunal al valorar la prueba, lo que no es objeto de la vía casacional utilizada y ha de ser analizado con más detalle en el motivo basado en la vulneración del derecho a la tutela judicial efectiva.». STS 237/2014 de 25 Mar. 2014, Rec. 1294/2013; Ponente: Monterde Ferrer, Francisco. LA LEY 31561/2014.

En el caso que el recurrente entendiera que el Tribunal ha abusado de la fórmula «no se ha probado» o de otra semejante, el recurso de casación debería intentarse no por este cauce, sino por el del art. 851.2.°. Finalmente, no concurre el quebrantamiento de forma en las meras omisiones de datos fácticos que el Tribunal puede no considerar probados o simplemente irrelevantes, cuando con dicha omisión no se origina incomprensión del sentido del texto,

> «Que no concurre el quebrantamiento de forma en las meras omisiones de datos fácticos que el Tribunal puede no considerar probados o simplemente irrelevantes, cuando con dicha omisión no se origina incomprensión del sentido del texto (SSTS 31.1.2003, 28.3.2003, 12.2.2004). La solución a las omisiones en los hechos probados —decíamos en STS 30.9.2005— no viene por el cauce utilizado por el recurrente —falta de claridad del art. 851.1 LECrim (LA LEY 1/1882)— sino por la vía del art. 849.2 LECrim. En este sentido la STS 4.5.99 precisa que la omisión de datos que debieron ser incluidos en el relato, según el recurrente, en modo alguno constituye el defecto procesal contemplado en el precepto invocado, sino a lo más que podría dar lugar es que se procediera a completar la sentencia mediante el procedimiento legalmente establecido al efecto, que desde luego no es la vía utilizada por el recurrente, y la S. 6.4.92, recuerda que las omisiones tan solo caben como motivo de casación por quebrantamiento de forma por falta de claridad en los hechos probados cuando ocasionan la imposibilidad de su comprensión por hacer ininteligible el relato de lo ocurrido, pero no como aquí que no producen oscuridad alguna para la comprensión de lo narrado en la sentencia — SS. 18 y 28.5.92 — o como dicen las SS. 375/2004 de 23.3 y 1265/2004 de 2.11 (LA LEY 250/2005), cosa distinta es que el recurrente pretenda ensanchar el "factum" con complementos descriptivos o narrativos, que considere esenciales, por repercutir en el fallo y que resultaron probados, a medio de documentos, que no fueron debidamente valorados por el Tribunal, lo que situaría el motivo en el campo del "error facti" que contempla el art. 849.2 LECrim (LA LEY

1/1882)». STS 714/2016 de 26 Sep. 2016, Rec. 1951/2015; Ponente: Berdugo Gómez de la Torre, Juan Ramón. LA LEY 126702/2016.

2. Contradicción en los hechos probados.

La estimación de este motivo exige la concurrencia de los siguientes requisitos, según la jurisprudencia constante del TS:

1) Existencia de significados incompatibles entre sí, de forma que la aceptación del conocimiento de uno de ellos imposibilite el del otro;

2) Incompatibilidad conceptual derivada de las palabras empleadas en el contexto de los hechos probados;

3) Que la eliminación de los supuestos contradictorios produzca un vacío originador de la incongruencia del fallo;

4) Contradicción sea manifiesta e insubsanable y causal respecto del fallo.

«Constante y reiterada jurisprudencia de esta Sala (STS 253/2007, de 26-3 (LA LEY 11203/2007), 121/2008, de 26-2 (LA LEY 20910/2008)) tiene afirmado que la esencia de la contradicción consiste en el empleo en el hecho probado de términos o frases que por ser antiestético resultan incompatibles entre sí, de tal suerte que la afirmación de una resta eficacia a la otra al excluirse uno al otro produciendo una laguna en la fijación de los hechos (STS 299/2004 de 4.3 (LA LEY 12267/2004)). Así doctrina jurisprudencial reiterada (SSTS 1661/2000 (LA LEY 1316/2001) de 23.11, 776/2001 de 8.5 (LA LEY 5283/2001), 2349/2001 de 12.12 (LA LEY 224746/2001), 717/2003 de 21.5 (LA LEY 10436/2004), y 299/2004 de 4.3 (LA LEY 12267/2004)), señala que para que pueda prosperar este motivo de casación son necesarios los siguientes requisitos: a) que la contradicción sea manifiesta y absoluta en el sentido gramatical de la palabra. Por ello, la contradicción debe ser ostensible y debe producir una incompatibilidad entre los términos cuya contradicción se denuncia; en otras palabras, que la afirmación de un hecho implique necesariamente la negación del otro, de modo irreconciliable y antitético, y no de una mera contradicción ideológica o conceptual; b) debe ser insubsanable, pues aún a pesar de la contradicción gramatical, la misma puede subsumirse en el contexto de la sentencia; es decir, que no exista posibilidad de superar la contradicción armonizando los términos antagónicos a través de otros pasajes del relato; c) que sea interna en el hecho probado, pues no cabe esa contradicción entre el hecho y la fundamentación jurídica. A su vez, de este requisito se excepcionan aquellos apartados del fundamento jurídico que tengan un indudable contenido fáctico; esto es, la contradicción ha de darse entre fundamentos fácticos, tanto si se han incluido correctamente entre los hechos probados como si se trata de complementos fácticos integrados en los fundamentos jurídicos; d) que sea completa, es decir que afecta a los hechos y a sus circunstancias; e) la contradicción ha de producirse con respecto a algún apartado del fallo, siendo relevante para la calificación jurídica, de tal forma que si la contradicción no es esencial ni imprescindible a la resolución no existirá el quebrantamiento de forma; f) que sea esencial en el sentido de que afecte a pasajes fácticos necesarios para la subsunción jurídica, de modo que la mutua exclusión de los elementos contradictorios origine un vacío fáctico que determine la falta de idoneidad del relato para servir de soporte a la calificación jurídica debatida». STS 714/2016 de 26 Sep. 2016, Rec. 1951/2015; Ponente: Berdugo Gómez de la Torre, Juan Ramón. LA LEY 126702/2016.

Más concretamente, respecto a la incompatibilidad o antinomia entre diferentes términos, frases o párrafos de una misma narración, la jurisprudencia del TS ha precisado que debe revestir las siguientes características para que pueda ser apreciada:

a) que se trate de una contradicción interna de los hechos declarados probados;

b) que dicha antítesis sea puramente gramatical, no pudiendo ser conceptual u obtenida siguiendo las reglas de la lógica o de la racionalidad de lo manifestado;

c) que no sea posible armonizar lo denunciado como antitético o antinómico;

d) que la contradicción recaiga sobre puntos esenciales, generando, por mutua exclusión, un vacío fáctico que origine la inservibilidad de lo relatado.

«En STS 1250/2005, de 28-10 (LA LEY 14219/2005) hemos dicho: "...como consecuencia de la contradicción, que equivale a la afirmación simultánea de hechos contrarios con la consiguiente destrucción de ambos, debe sobrevenir un vacío que afecte a aspectos esenciales del sustrato fáctico en relación a la calificación jurídica en que consiste el *"iudicium"*, lo que se debe significar diciente que la contradicción sólo es motivo de casación cuando es causas y determinantes de una clara incongruencia entre lo que se declare probado y sus consecuencias jurídicas"». STS 714/2016 de 26 Sep. 2016, Rec. 1951/2015; Ponente: Berdugo Gómez de la Torre, Juan Ramón. LA LEY 126702/2016.

La contradicción no puede fundamentarse por la apreciada entre el relato de la sentencia y el del voto particular. La discrepancia del Magistrado autor del voto particular puede expresarse a través de un relato fáctico alternativo, pero ello no implica vicio formal alguno en la sentencia de la mayoría, que es la impugnada casacionalmente.

«En relación a la existencia de términos contradictorios, para que su invocación pueda constituir un medio eficaz de impugnación de sentencias, es preciso que reúna las siguientes características: a) Que la misma sea interna, esto es, tiene que darse entre los hechos comprendidos en el relato fáctico. b) Ha de ser gramatical y no conceptual, ya que para corregir tal contradicción existen otros medios impugnativos, es decir, no se trata de contradicciones lógicas, sino puramente léxicas y de carácter gramatical, en el que la afirmación de uno de aquellos hechos implique la negación del otro y a la inversa. c) Que sea manifiesta e insubsanable, no siendo posible, aún con la mejor voluntad, coordinar o armonizar las frases, pasajes, incisos o términos incompatibles, contradictorios o enfrentados entre sí. d) Que sea esencial y causal respecto al fallo, es decir, que se refiera a extremos relevantes, primordiales o trascendentes, y no a puntos nimios o inanes, debiendo afectar al recurrente, y no recaiga sobre frases o vocablos que atañen exclusivamente a otros acusados, no implicando perjuicio o gravamen, la supuesta contradicción para el impugnante. Consecuentemente este vicio formal no es apto para impugnar conclusiones de valoración probatoria o defectos de subsunción; pues solamente se refiere a contradicciones existentes dentro del propio relato de hechos probados, no como ahora se pretende entre los declarados probados y el contenido valorativo de cualquier prueba ya sea testifical o de cualquier otra índole». STS 660/2016 de 19 Jul. 2016, Rec. 10107/2016; Ponente: Palomo del Arco, Andrés. LA LEY 88293/2016.

3. Predeterminación de los hechos probados.

El quebrantamiento de forma por la predeterminación del fallo, último submotivo del punto primero del art. 851 LECrim, consiste en la sustitución, en el relato de hechos probados, de éstos por conceptos jurídicos. Es decir, cuando la descripción de un hecho se reemplaza por su significación. Con este proceder se anticipa la subsunción de los hechos en las normas jurídicas que, lógicamente, se ha de realizar con posterioridad, en los fundamentos de derecho. Se produce así una irrazonable anticipación conceptual de la subsunción jurídica, que de alguna forma supone un prejuicio, que ha de realizarse lógica y cronológicamente después del relato de hechos probados, con el resultado de vulnerarse las garantías procesales derivadas de la controversia del proceso. De este modo, se predetermina el fallo y con ello queda afectado el derecho de defensa de la parte y la efectiva imparcialidad del Tribunal[126].

> «Respecto de la denuncia de predeterminación del fallo hemos dicho que la misma se contempla y proscribe en el art. 851.1º de la LECrim (LA LEY 1/1882) es aquella que se produce exclusivamente por conceptos jurídicos que definen y dan nombre a la esencia del tipo penal aplicado, exigiéndose para su apreciación: a) que se trate de expresiones técnico-jurídicas que definan o den nombre a la esencia del tipo aplicado; b) que tales expresiones sean por lo general asequibles tan solo para los juristas o técnicos y no compartidas en el uso del lenguaje común o coloquial; c) que tengan un valor causal apreciable respecto del fallo; y d) que, suprimidos tales conceptos jurídicos, quede el hecho histórico sin base alguna y carente de significado penal (SSTS núm. 667/2000, de 12 de abril (LA LEY 7182/2000); 381/2009, de 14 abril (LA LEY 40426/2009); y 449/2012, de 30 de mayo (LA LEY 73171/2012), entre otras muchas)». ATS Sala Segunda, de lo Penal, Auto 1397/2016 de 6 Oct. 2016, Rec. 603/2016. Ponente: Marchena Gómez, Manuel. LA LEY 146991/2016.

En consecuencia, se deben rechazar las sentencias penales que sustituyan los relatos de hechos tal y como acontecieron en la realidad por expresiones jurídicas que suponen, ya de antemano, la valoración penal del comportamiento. Ahora bien, como precisa la STS de 2 de febrero de 2005, n.º 140/2005 (LA LEY 11185/2005), la concurrencia de un elemento subjetivo del tipo delictivo, puede utilizarse legítimamente dentro del relato fáctico para dar mayor expresividad al relato, siempre que luego se explique como ha quedado acreditado dicho elemento.

> «Es frecuente como recuerdan las SSTS 253/2007 de 26.3 (LA LEY 11203/2007), 702/2006 de 3.7 (LA LEY 77149/2006) y 1328/2001 de 5.7 (LA LEY 1188/2002), que se alegue en casación este vicio procesal cuando en los hechos probados se afirma la existencia de un determinado propósito o intención de la conducta del acusado, de modo que con tal afirmación se hace posible la incardinación de lo ocurrido en una

---

(126) «La predeterminación del fallo que se contempla y proscribe en el art 851.1º de la LECrim (LA LEY 1/1882), es aquélla que se produce exclusivamente por conceptos jurídicos que definen y dan nombre a la esencia del tipo penal aplicado, sustituyendo la necesaria narración fáctica por una afirmación jurídica que califica lo ocurrido, y que según una reiteradísima jurisprudencia (Sentencias de 7 de mayo de 1996, 11 de mayo de 1996, 23 de mayo de 1996, 13 de mayo de 1996, 5 de julio de 1996, 22 de diciembre de 1997, 30 de diciembre de 1997, 13 de abril de 1998, 20 de abril de 1998, 22 de abril de 1998, 28 de abril de 1998, 30 de enero de 1999, 13 de febrero de 1999 y 27 de febrero de 1999) exige para su estimación: A) Que se trate de expresiones técnico-jurídicas que definan o den nombre a la esencia del tipo aplicado. B) Que tales expresiones sean por lo general asequibles tan sólo para los juristas o técnicos y no compartidas en el uso del lenguaje común. C) Que tengan un valor causal apreciable respecto del fallo, y D) Que, suprimidos tales conceptos jurídicos dejen el hecho histórico sin base alguna y carente de significado penal (STS nº 667/2000, de 12 de abril (LA LEY 7182/2000), entre otras muchas) (STS de 3 de febrero de 2015)». ATS 1247/2016 de 30 Jun. 2016, Rec. 2176/2015; Ponente: Martínez Arrieta, Andrés. LA LEY 119469/2016.

determinada norma penal que exige el dolo como elemento constitutivo de todo tipo penal doloso o un determinado elemento subjetivo del injusto (por ejemplo, cuando se habla de que se obró con propósito de causar la muerte o con ánimo de lucro). Se dice que estas afirmaciones han de hacerse en los fundamentos de derecho tras exponer las razones por las cuales se entiende que existió esa concreta intención o propósito. Pero no existe ningún vicio procesal cuando su concurrencia se afirma entre los hechos probados. En estos casos, cuando la presencia del dolo o del elemento subjetivo del injusto ha sido objeto de debate, lo que no está permitido es realizar la afirmación de su concurrencia en los hechos probados de modo gratuito, es decir, sin explicar por qué se realiza tal afirmación que ha sido cuestionada por la parte. Esta explicación forma parte de la motivación que toda sentencia debe contener (art. 120.3 CE (LA LEY 2500/1978)) y ordinariamente esa intención o propósito ha de inferirse de los datos objetivos o circunstancias que rodearon el hecho por la vía de la prueba de indicios. Podrá ser suficiente que la inferencia citada, aun no explicada, aparezca como una evidencia a partir de tales datos objetivos y en tal caso no es necesario un razonamiento al respecto cuyo lugar adecuado es el de los fundamentos de derecho. Pero esta cuestión nada tiene que ver con el vicio procesal de la predeterminación del fallo, sino con el tema de la prueba: el problema es si en verdad puede afirmarse como probada la realidad o intención que la resolución judicial dice que concurre». STS 714/2016 de 26 Sep. 2016, Rec. 1951/2015; Ponente: Berdugo Gómez de la Torre, Juan Ramón. LA LEY 126702/2016.

Para la estimación de este motivo la jurisprudencia exige el cumplimiento de los siguientes requisitos:

1) Que se trate de expresiones técnico-jurídicas que definan o den nombre a la esencia del tipo aplicado, no teniendo este alcance las que solamente sean descriptivas de conductas o actividades humanas;

2) Que tales expresiones sean por lo general asequibles tan sólo para los juristas y no sean compartidas en el uso del lenguaje común[127].

---

[127] «El vicio sentencial denunciado no es viable —dice la STS 401/2006 de 10.4 (LA LEY 36279/2006)—, cuando el juzgador emplea expresiones en el relato fáctico que están en el lenguaje común, que no son sino meramente descriptivas, pero no técnicas en sentido jurídico, de modo que es válido que se utilicen en la redacción de las sentencias, al conformar su relato histórico, y que desde luego, aunque las emplee el legislador también al describir los tipos penales, no por ello puede decirse que predeterminan el resultado correspondiente a la subsunción judicial, pues en ocasiones se convierten en imprescindibles, arrojando más claridad semántica que, si por un purismo mal entendido, se quisieran construir a base de sinónimos o locuciones equivalentes, muchas veces con aportaciones de frases retorcidas, fruto de un incorrecto léxico, en todo caso, poco comprensible para la ciudadanía. Como dice la Sentencia 1519/2004, de 27 de diciembre (LA LEY 773/2005), lo que la Ley de Enjuiciamiento Criminal (LA LEY 1/1882) prohíbe por este motivo es la utilización de expresiones estrictamente técnicas que describen los tipos penales, como sería decir que el acusado dictó una resolución injusta o arbitraria (sin más descripciones) en el delito de prevaricación, o llevó a cabo un vertido contaminante (sin describir el mismo) en el delito medioambiental, por solo poner dos ejemplos. No lo será, cuando se diga que A mató a B, en el delito de homicidio, aunque tal verbo (matar) sea precisamente el utilizado en el art. 138 del Código penal (LA LEY 3996/1995). O en palabras de la Sentencia 152/2006, de 1 de febrero, la predeterminación del fallo, como vicio impugnable de cualquier sentencia penal, tiende a evitar que la estructura lógica del razonamiento decisorio, sustituya lo descriptivo por lo valorativo. Con su articulación se impone al órgano judicial la necesidad de una nítida separación entre el juicio histórico y el juicio

«No es dable la queja del recurrente ya que en la frase referida no se constatan los requisitos cumulativos que venimos exigiendo para la apreciación del motivo (STS 449/2012, de 30 de mayo (LA LEY 73171/2012), entre otras muchas). En efecto, en el caso concreto, la frase antedicha no supone una expresión técnico-jurídica solo cognoscible por profesionales del Derecho, sino que es entendible e interpretable por cualquiera sin necesidad de conocimientos específicos y, asimismo, si se suprimiese la referida frase del relato de hechos probados los mismos no perderían su significación penal pues la descripción de la *conducta delictiva* realizada por el recurrente quedaría incólume. Asimismo, la expresión en cuestión no describe el tipo subjetivo del delito por el que el recurrente ha sido condenado, sin perjuicio de que, aun cuando lo hiciera, ello tampoco constituiría el defecto formal denunciado». ATS Sala Segunda, de lo Penal, Auto 1397/2016 de 6 Oct. 2016, Rec. 603/2016. Ponente: Marchena Gómez, Manuel. LA LEY 146991/2016.

3) Que las frases predeterminantes deben ir insertas en los hechos probados y no en los fundamentos jurídicos;

4) que tengan valor causal respecto al fallo;

5) que suprimidos tales conceptos jurídicos dejen el hecho histórico sin base alguna.

«No obstante, también tiene reiterado esta Sala que en cierto sentido los hechos probados tienen necesariamente que predeterminar el fallo, pues el *"factum"* en cuanto integra la base de la calificación jurídica de los hechos enjuiciados es lógico que la predetermine, salvo manifiesta incongruencia, de ahí que deba relativizarse la vigencia de este vicio formal. Y es que si no se describieran en la sentencia unos hechos subsumibles en la norma penal no sería factible la condena por no poder activarse el precepto sin la constatación de una conducta objeto del reproche que prevé el texto legal (STS 183/2016 de 4 de marzo, entre otras y con mención de otras muchas)». ATS Sala Segunda, de lo Penal, Auto 1397/2016 de 6 Oct. 2016, Rec. 603/2016. Ponente: Marchena Gómez, Manuel. LA LEY 146991/2016.

Sin embargo, es indudable que toda premisa fáctica de la sentencia lleva consigo cierto carácter predeterminante de su parte dispositiva, ya que no es más que la conclusión de un silogismo. Es decir, que de alguna forma los hechos probados tienen que predeterminar el fallo, puesto que describiéndose una conducta subsumible en un tipo penal, la consecuencia lógica se infiere aunque se describa en la parte dispositiva de la sentencia[128].

jurídico, pero no hay, en el sentido propio de esta expresión, consignación de conceptos jurídicos predeterminantes, cuando se relatan unos hechos susceptibles de ser calificados como delito, pues ésta es previamente la finalidad de la premisa menor del silogismo sentencial cuando la conclusión de la sentencia es un fallo condenatorio (STS 28.5.2002). Por ello, en un cierto sentido los hechos probados tienen que predeterminar el fallo, pues el "factum" en cuanto es la base de la calificación jurídica de los hechos enjuiciados es lógicamente predeterminante de ésta, salvo manifiesta incongruencia, por ello debe relativizarse la vigencia de este vicio formal (SSTS 429/2003 de 21.3 (LA LEY 55848/2003), 249/204 de 26.2, 280/2004 de 8.3 (LA LEY 12320/2004), 409/2004 de 24.3 (LA LEY 12329/2004), 893/2005 de 6.7 (LA LEY 152206/2005))». STS 714/2016 de 26 Sep. 2016, Rec. 1951/2015; Ponente: Berdugo Gómez de la Torre, Juan Ramón. LA LEY 126702/2016.

(128) «Como dice la Sentencia 1519/2004, de 27 de diciembre (LA LEY 773/2005), lo que la Ley de Enjuiciamiento Criminal (LA LEY 1/1882) prohíbe por este motivo es la utilización de

«"En realidad el relato fáctico debe, en todo caso, predeterminar el fallo, pues si no fuese así, la absolución o condena carecería de imprescindible sustrato fáctico. Lo que pretende este motivo casacional no es evitar dicha predeterminación fáctica —imprescindible— sino que se suplante el relato fáctico por su significación jurídica, es decir, que se determine la subsunción no mediante un relato histórico sino mediante una valoración jurídica que se lleve indebidamente al apartado de hechos probados". En este sentido la jurisprudencia no ha considerado expresiones predeterminantes del fallo «lo repartió, sustrayéndolo ambos de un legítimo propietario... acordó proceder a la venta... para repartirse el precio sin integrar cantidad alguna del propietario (STS 16-7-2009), "hizo suyo el dinero percibido" (STS 3-7-2007); "mutuo acuerdo", o "beneficio económico" (STS 9-5-2002), "abrumado por la idea de obtener un beneficio ilícito" (STS 17-11-2001): "incremento patrimonial no justificado" (STS 30-10-2001) "valiéndose de esta situación y de la confianza que habían depositado los clientes a su persona" (STS 23-9-2009); "grupo organizado y dirigente" (STS 1-7-2010); "utilizando un tono verbal atemorizante", 4-7-2011) "imitando la firma del perjudicado" (S 4-5-2011), asumo de matarlos) (STS 23-10-200); "con conocimiento del origen ilícito e irregularidad vehículos") (STS 17-7-2000)». STS 714/2016 de 26 Sep. 2016, Rec. 1951/2015; Ponente: Berdugo Gómez de la Torre, Juan Ramón. LA LEY 126702/2016.

Por otra parte, no cabe duda que los tipos penales contienen elementos jurídicos y la descripción de una realidad. De este modo, el TS ha declarado que no son impugnables por este motivo los hechos descritos en el relato fáctico, aunque reflejen o contengan algún elemento del tipo penal, cuando al mismo tiempo sean apropiados para describir la conducta delictiva punible.

«En esta dirección la STS 7.11.2001, nos dice: "En realidad el relato fáctico debe, en todo caso, predeterminar el fallo, pues si no fuese así, la absolución o condena carecería de imprescindible sustrato fáctico. Lo que pretende este motivo casacional no es evitar dicha predeterminación fáctica —imprescindible— sino que se suplante el relato fáctico por su significación jurídica, es decir, que se determine la subsunción no mediante un relato histórico sino mediante una valoración jurídica que se lleve

---

expresiones estrictamente técnicas que describen los tipos penales, como sería decir que el acusado dictó una resolución injusta o arbitraria (sin más descripciones) en el delito de prevaricación, o llevó a cabo un vertido contaminante (sin describir el mismo) en el delito medioambiental, por solo poner dos ejemplos. No lo será, cuando se diga que A mató a B, en el delito de homicidio, aunque tal verbo (matar) sea precisamente el utilizado en el art. 138 del Código penal (LA LEY 3996/1995). O en palabras de la Sentencia 152/2006, de 1 de febrero, la predeterminación del fallo, como vicio impugnable de cualquier sentencia penal, tiende a evitar que la estructura lógica del razonamiento decisorio, sustituya lo descriptivo por lo valorativo. Con su articulación se impone al órgano judicial la necesidad de una nítida separación entre el juicio histórico y el juicio jurídico, pero no hay, en el sentido propio de esta expresión, consignación de conceptos jurídicos predeterminantes, cuando se relatan unos hechos susceptibles de ser calificados como delito, pues ésta es previamente la finalidad de la premisa menor del silogismo sentencial cuando la conclusión de la sentencia es un fallo condenatorio (STS 28.5.2002). Por ello, en un cierto sentido los hechos probados tienen que predeterminar el fallo, pues el "factum" en cuanto es la base de la calificación jurídica de los hechos enjuiciados es lógicamente predeterminante de ésta, salvo manifiesta incongruencia, por ello debe relativizarse la vigencia de este vicio formal (SSTS 429/2003 de 21.3 (LA LEY 55848/2003), 249/204 de 26.2, 280/2004 de 8.3 (LA LEY 12320/2004), 409/2004 de 24.3 (LA LEY 12329/2004), 893/2005 de 6.7 (LA LEY 152206/2005))». STS Sala Segunda, de lo Penal, Sentencia 497/2016 de 9 Jun. 2016, Rec. 10982/2015; Ponente: Berdugo Gómez de la Torre, Juan Ramón. LA LEY 68065/2016.

indebidamente al apartado de hechos probados". En este sentido la jurisprudencia no ha considerado expresiones predeterminantes del fallo "lo repartió, sustrayéndolo ambos de un legítimo propietario... acordó proceder a la venta... para repartirse el precio sin integrar cantidad alguna del propietario (STS 16- 7-2009), "hizo suyo el dinero percibido" (STS 3-7-2007); "mutuo acuerdo", o "beneficio económico" (STS 9-5-2002), "abrumado por la idea de obtener un beneficio ilícito" (STS 17-11-2001): "incremento patrimonial no justificado" (STS 30-10-2001) "valiéndose de esta situación y de la confianza que habían depositado los clientes a su persona" (STS 23-9-2009); "grupo organizado y dirigente" (STS 1-7-2010); "utilizando un tono verbal atemorizante", 4-7-2011) "imitando la firma del perjudicado" (S 4-5-2011), asumo de matarlos) (STS 23-10-200); "con conocimiento del origen ilícito e irregularidad vehículos") (STS 17-7-2000). Así en STS 900/2009, de 23-9 (LA LEY 184108/2009) igualmente es frecuente como recuerdan las SSTS 253/2007 de 26.3 (LA LEY 11203/2007), 702/2006 de 3.7 (LA LEY 77149/2006) y 1328/2001 de 5.7 (LA LEY 1188/2002), que se alegue en casación este vicio procesal cuando en los hechos probados se afirma la existencia de un determinado propósito o intención de la conducta del acusado, de modo que con tal afirmación se hace posible la incardinación de lo ocurrido en una determinada norma penal que exige el dolo como elemento constitutivo de todo tipo penal doloso o un determinado elemento subjetivo del injusto (por ejemplo, cuando se habla de que se obró con propósito de causar la muerte o con ánimo de lucro). Se dice que estas afirmaciones han de hacerse en los fundamentos de derecho tras exponer las razones por las cuales se entiende que existió esa concreta intención o propósito». STS 714/2016 de 26 Sep. 2016, Rec. 1951/2015; Ponente: Berdugo Gómez de la Torre, Juan Ramón. LA LEY 126702/2016.

Con base en lo expuesto no pueden considerarse predeterminantes del fallo los juicios de valor, que permiten ser revisados en casación por la vía del art. 849.1.° LECrim., sin acudir al cauce formal de su n.° 2.°, ni, consiguientemente, las frases: «con intención de darle muerte» y otras similares, utilizadas en la descripción de hechos probados, ya que se trata de un juicio de valor y no totaliza la idea representativa del delito de homicidio.

«No existe ningún vicio procesal cuando su concurrencia se afirma entre los hechos probados. En estos casos, cuando la presencia del dolo o del elemento subjetivo del injusto ha sido objeto de debate, lo que no está permitido es realizar la afirmación de su concurrencia en los hechos probados de modo gratuito, es decir, sin explicar por qué se realiza tal afirmación que ha sido cuestionada por la parte. Esta explicación forma parte de la motivación que toda sentencia debe contener (art. 120.3 CE (LA LEY 2500/1978)) y ordinariamente esa intención o propósito ha de inferirse de los datos objetivos o circunstancias que rodearon el hecho por la vía de la prueba de indicios. Podrá ser suficiente que la inferencia citada, aun no explicada, aparezca como una evidencia a partir de tales datos objetivos y en tal caso no es necesario un razonamiento al respecto cuyo lugar adecuado es el de los fundamentos de derecho. Pero esta cuestión nada tiene que ver con el vicio procesal de la predeterminación del fallo, sino con el tema de la prueba: el problema es si en verdad puede afirmarse como probada la realidad o intención que la resolución judicial dice que concurre. En definitiva, como precisa la STS 140/2005 (LA LEY 11185/2005) de 2.2, la concurrencia de un elemento subjetivo del tipo delictivo, puede utilizarse legítimamente dentro del relato fáctico para dar mayor expresividad al relato, siempre que luego se explique cómo ha quedado acreditado dicho elemento. En el caso presente la mención a si "aumentó de forma deliberada e innecesaria el sufrimiento de la víctima", resulta superflua al excluir la sentencia de apelación la agravante especifica de ensañamiento. Y en cuanto a la inclusión de que la víctima "se encontraba en circunstancias que le imposibilitaban en defenderse", aunque guarde similitud con las articuladas por el legislador para definir la alevosía, no contiene termino jurídico alguno, y son expresiones de uso corriente, habitual y de fácil comprensión para la generalidad de las personas, y no producen confusión entre el juicio histórico y el jurídico». STS Sala Segunda, de lo Penal, Sentencia 497/2016 de 9 Jun. 2016, Rec. 10982/2015; Ponente: Berdugo Gómez de la Torre, Juan Ramón. LA LEY 68065/2016.

Tampoco la frases que no constituyen un concepto jurídico, sino de naturaleza coloquial y utilizadas por la generalidad de las personas no juristas. En este sentido, sin ánimo de exhaustividad, frases ejemplificativas, como a) respecto de un delito contra la salud pública, la frase relativa a que el estupefaciente lo tenía «con propósito de venderlo» o «con la finalidad de destinarlas a la venta»; b) con relación a un robo con intimidación, las frases «amenazando con una navaja» y «obligando a que le entregara»; c) las frases «puestos de acuerdo», o «con ánimo de beneficio patrimonial»; d) las frases «empleo de fuerza» o «coger con deseo de beneficio»; respecto a delitos de agresión sexual: la inclusión de la expresión «ánimo libidinoso»: «*no supone este defecto, porque es expresión descriptiva de una intención humana, perteneciente al lenguaje común, asequible para cualquiera y de uso generalizado y compartido, por lo que no hay en ella sustitución de la descripción fáctica por su significación técnico-jurídica*». O en general expresiones que sean de uso tanto en ámbitos jurídicos como comunes, que no denoten un matiz o carácter jurídico.

En definitiva, deberá considerarse concepto predeterminante del fallo la utilización de aquella palabra o frase de la ley sustantiva que por sí misma, y dada su significación legal, constituya una fórmula sintética que totalice la idea representativa de algún hecho delictivo. Es decir, cuando la descripción del hecho se reemplaza por su significación. No obstante, aunque se haya utilizado un concepto predeterminante, no operará este motivo si excluido éste, puede sustituirse por otro del mismo contexto fáctico sin que se origine ningún vacío.

En el procedimiento de jurado debe tenerse presente la importancia del objeto del veredicto que predetermina el contenido del relato de hechos probados. Es por ello que la parte que considere que algún extremo puede ser predeterminante del fallo deberá ponerlo así de manifiesto mediante el procedimiento previsto en el art. 53.1 LOTJ solicitando su exclusión y formulando, en su caso, protesta. En caso contrario se inadmitirá el recurso de casación por este motivo por falta de indefensión al aceptar la proposición que luego impugna.

> «El primer motivo al amparo del art. 851.1 LECrim (LA LEY 1/1882), por quebrantamiento de forma por consignar como hechos probados conceptos jurídicos que implican predeterminación del fallo al recogerse en los hechos probados de la sentencia de instancia —hecho probado 6º— que ...../..... El motivo, se adelanta, deberá ser desestimado. 1º En primer lugar si la parte entendía que tales expresiones, que se incluían en las proposiciones 1 y 2 del apartado II del objeto del veredicto, predeterminaban el fallo, pudo, en el trámite del art. 53.1 LOTS, pedir su exclusión y formular protesta en su caso. En efecto no podemos olvidar, se dice en las SSTS 487/2008 de 17.7 (LA LEY 96522/2008), 454/2014 de 10.6

(LA LEY 74595/2014) que dada la trascendencia del trámite que señala el objeto del veredicto, el Legislador no ha excluido a las partes, muy al contrario, les ha otorgado una importante intervención, haciéndoles igualmente responsables de su contenido, en cuanto tiene conferido el derecho a participar en su redacción definitiva mediante la oportuna audiencia. Así se plasma en el art. 53.1 LOTJ (LA LEY 1942/1995) pudiendo las partes solicitar las inclusiones y exclusiones que estimen pertinentes y pudiendo formular protesta respecto a las peticiones que les fueran rechazadas..../... La exigencia de protesta previa no es un mero requisito de forma del que pueda decirse que cabe incurrir en formalismo, si se exige su aplicación con rigor técnico, es un requisito que hace al correcto desarrollo del proceso, pretendiendo evitar declaraciones de nulidad que hacen desmerecer en el concepto público la sentencia. Por tanto —dice la STS 14.10.2002— no habiéndose rechazado petición alguna de modificación del objeto del veredicto ninguna indefensión pudo ocasionársele a una redacción del objeto del veredicto a la que por la extemporánea vía del recurso de apelación pretende. Por tanto de conformidad con la doctrina precedente no es admisible que quien no ha efectuado tacha alguna a la redacción propuesta de un hecho concreto del objeto del veredicto, luego conocida la sentencia, la tacha de causante de nulidad por la indefensión que la produce (STS 196/2007 de 9.3 (LA LEY 8975/2007))». STS Sala Segunda, de lo Penal, Sentencia 497/2016 de 9 Jun. 2016, Rec. 10982/2015; Ponente: Berdugo Gómez de la Torre, Juan Ramón. LA LEY 68065/2016.

b) Cuando en la sentencia sólo se exprese que los hechos alegados por las acusaciones no se han probado, sin hacer expresa relación de los que resultasen probados (art. 851.2 LECrim.)

Este motivo sanciona como quebrantamiento de forma, no que la sentencia contenga un relato de hechos distinto al formulado por las partes, sino la falta absoluta de hechos probados. La infracción de este precepto supone, sin ninguna duda, la vulneración del principio fundamental de tutela judicial efectiva consagrado en nuestra Constitución, por falta de motivación de la sentencia.

«La jurisprudencia (SSTS 24/2010 de 1 de febrero (LA LEY 874/2010), 643/2009, de 18 de junio (LA LEY 167216/2009) o 1028/2013, de 1 de diciembre (LA LEY 220708/2013) entre otras) ha elaborado algunos parámetros interpretativos sobre tal motivo casacional (art. 851.2 LECrim (LA LEY 1/1882)): a) En las resoluciones judiciales han de constar los hechos que se estimen enlazados con las cuestiones que hayan de resolverse en el fallo, con declaración expresa y terminante de los que se consideren acreditados. b) La Sala es libre para redactar del modo que estime más acertado los acontecimientos que repute acreditados. Pero nada le exime de esa tarea esencial. c) El juzgador no tiene obligación de transcribir en sus fallos la totalidad de los hechos aducidos por las partes o consignados en las respectivas conclusiones; solo los acreditados. d) El vicio procesal existe no sólo cuando la carencia de hechos sea absoluta sino también cuando la sentencia se limita a declarar genéricamente que no están probados los hechos base de la acusación. Es necesario un relato en positivo. No basta una genérica negativa». STS 802/2015 de 30 Nov. 2015, Rec. 238/2015. Ponente: Moral García, Antonio del. LA LEY 191130/2015.

La finalidad estriba en evitar la redacción de sentencias mutiladas y carentes de una verdadera premisa fáctica. En este sentido, no cabe que los Tribunales se limiten a declarar no probados determinados hechos, prescindiendo de relacionar circunstanciadamente los que estimen probados[129].

«El mentado motivo de casación tiene un sentido instrumental: está al servicio de la impugnabilidad sin restricciones de la valoración jurídica realizada por la Sala de instancia sobre la base de un relato. No es un fin en sí que la sentencia cuente con unos hechos probados con enunciados no puramente negativos. Esa exigencia obedece a la necesidad de que pueda ser correctamente fiscalizado el juicio jurídico. Por eso en aquéllos casos, como éste, en que en una primera aproximación se aprecia un supuesto que encajaría en el vicio del art. 851.2 (que tuvo un concreto origen histórico: salir al paso de lo que se había convertido en una extendida corruptela que podía esconder absoluciones voluntariosas o inmotivadas) pero aparezca con evidencia del resto de la sentencia una motivación inequívoca que permite concluir por qué el Tribunal no ha considerado probado ninguno de los hechos que dotaban de alcance penal a la conducta y que además permite seleccionar algunos hechos que implícitamente en la fundamentación jurídica sí se dan por acreditados (a esta idea se acoge el dictamen del Fiscal para impugnar el recurso) siendo patente su intrascendencia penal la solución no puede ser la drástica medida de la anulación de la sentencia para que se consigne un aséptico relato de hechos que ya podríamos obtener de la sentencia y provocar un nuevo recurso de casación esencialmente igual al ya formulado con la consiguiente dilapidación de esfuerzos procesales y causación de dilaciones indebidas. La anulación de la sentencia no puede responder a una función pura y exclusivamente propedéutica, al margen de los intereses concretos de las partes interesadas, prolongando artificialmente el cierre definitivo de la controversia procesal con sus inherentes incertidumbres y desgaste personal y también de costes económicos». STS 802/2015 de 30 Nov. 2015, Rec. 238/2015. Ponente: Moral García, Antonio del. LA LEY 191130/2015.

Por el contrario, el recurso será inadmitido, o en su caso rechazado, cuando la sentencia contenga una expresa relación de los hechos, que hayan resultado probados, y pretenda el recurrente una modificación en su configuración, o bien que se recojan alegaciones propias[130]. En este sentido, este motivo no permite discrepar entre el «*factum*» y la valoración de la prueba, ni debatir cuestiones de fondo.

---

(129) «La finalidad del legislador que introdujo este motivo por ley de 28-6-33 (LA LEY 8/1933) fue evitar que en las sentencias sólo se transcribieran los hechos alegados por las acusaciones y a continuación se añadiera "hechos que no han resultado probados". Por ello, el precepto exige una declaración positiva, que se establezcan los hechos que se declaran probados, sin perjuicio de que en tal caso, pueda añadirse una declaración negativa indicando cuáles no han sido probados. Y la antes citada STS 643/2009 (LA LEY 167216/2009) reitera que limitarse a copiar la narración acusatoria añadiendo «sin que haya sido suficientemente probada» es práctica irregular y censurable: «... consecuentemente como señala en STS 772/2001, de 8-5 (LA LEY 6453/2001) ... el vicio casacional denunciado aparece en este caso de forma tan clara que, incluso la argumentación complementaria puede parecer superflua, una vez que es evidente que la sentencia recurrida ha eludido toda consignación de hechos probados. Sin embargo no hemos de renunciar —dado el aspecto pedagógico que la casación conlleva— a reseñar que esta Sala viene manteniendo la exigencia del relato de hechos probados para toda clase de sentencias, *incluidas las absolutorias*, al considerar como inadmisible corruptela las resoluciones de tal índole carentes de resultancia probatoria, sin que pueda suplirse esa omisión a través de datos fácticos contenidos en los fundamentos jurídicos"». STS 237/2015 de 23 Abr. 2015, Rec. 1811/2014; Ponente: Monterde Ferrer, Francisco. LA LEY 55080/2015.

(130) «En ninguna de estas perspectivas, el principio acusatorio impide que el Tribunal configure los detalles del relato fáctico de la sentencia según las pruebas practicadas en el juicio oral. Es

«En la sentencia analizada aparecen —y parte de esas cuestiones podrían haber integrado esos hechos probados que se echan de menos— las relaciones entre acusado y denunciantes, motivadas por los lazos de aquél con la madre de estás, durante un período aproximado de ocho años; las respectivas edades de unos y otros; y en su caso las alteraciones psíquicas apreciadas en una de las menores. En la fundamentación fáctica de forma razonada se niega credibilidad suficiente a las declaraciones de las menores que constituían la única base probatoria de los episodios de abusos sobre los que se construía la pretensión penal. Es así obvio el sustento de la solución absolutoria y la evidencia de la irrelevancia penal de las únicas secuencias fácticas que la Sala pudo considerar acreditadas —así lo hace implícitamente en su fundamentación jurídica—. Cuarto. Puede ser pertinente una consideración adicional: ante defectos de este tipo aun no siendo quizás exigible (al modo en que venimos haciendo en relación a la incongruencia omisiva del art. 851.3 LECrim (LA LEY 1/1882)) puede ser aconsejable y más fecundo desde el punto de vista de la eficacia y el buen orden procesal, que la parte acuda antes a los remedios que pone a su alcance el art. 161 LECrim (LA LEY 1/1882) e invite al Tribunal a través de esa vía a subsanar el defecto para lo que esos expedientes proporcionan una herramienta idónea, antes de acudir a la casación». STS 802/2015 de 30 Nov. 2015, Rec. 238/2015. Ponente: Moral García, Antonio del. LA LEY 191130/2015.

c) Cuando no se resuelva en ella sobre todos los puntos que hayan sido objeto de la acusación y defensa

El motivo 3º del art. 851 LECrim incide en la denominada incongruencia omisiva, cuya esencia estriba en la abstención y silencio del órgano judicial, respecto a cuantas pretensiones se hayan traído al proceso oportuna y temporáneamente, no resolviendo positiva o negativamente los extremos planteados en el juicio. No supone otorgar más o menos de lo pedido ni cosa distinta, sino que implica la falta de estimación o desestimación, explícita o implícita, de los pedimentos de las partes. La incongruencia omisiva infringe el derecho del acusado de obtener la tutela efectiva de los Jueces y Tribunales en el ejercicio de sus derechos e intereses legítimos, así como una resolución motivada, es decir, fundada en derecho. (Véase sobre la congruencia de la sentencia 1.4 Cap. X). Pero, no es exigible un tratamiento pormenorizado de todos los aspectos y alegaciones formuladas por el recurrente.

«La jurisprudencia, por todas STS 1290/2009, de 23-12 (LA LEY 278259/2009), tiene dicho que este vacío denominado "incongruencia omisiva", SS 721/2010 de 15-10, 1029/2010, de 1-12 (LA LEY 208834/2010), 1100/2011 de 27-10, o también "fallo corto" aparece en aquellos casos en los que el Tribunal de instancia vulnera el

al Tribunal y no a las partes a quien corresponde valorar la prueba practicada, y en su consecuencia puede introducir en el relato otros elementos, siempre que sean de carácter accesorio respecto del hecho imputado, que incrementen la claridad de lo que se relata y permitan una mejor comprensión de lo que el Tribunal entiende que ha sucedido. Igualmente es posible que el órgano jurisdiccional entienda que la prueba practicada solamente acredita una parte de los hechos imputados, aplicando a éstos las normas penales procedentes, siempre que se trate de delitos homogéneos y no más graves. Todo ello tiene un límite infranqueable, pues ha de verificarse siempre con respeto al hecho nuclear de la acusación, que no puede ser variado de oficio por el Tribunal en perjuicio del reo». STS Sala Segunda, de lo Penal, Sentencia 58/2015 de 10 Feb. 2015, Rec. 10578/2014; Ponente: Colmenero Menéndez de Luarca, Miguel. LA LEY 4795/2015.

deber de atendimiento y resolución de aquellas pretensiones que se hayan traído al proceso oportuna y temporalmente, frustrando con ello el derecho de la parte, integrado en el de tutela judicial efectiva, a obtener una respuesta fundada en derecho sobre la cuestión formalmente planteada (STS 170/2000 de 14.2 (LA LEY 36519/2000)). Aparece, por consiguiente, cuando la falta o ausencia de respuesta del Juzgador se refiere a cuestiones de derecho planteadas por las partes, no comprendiéndose en el mismo las cuestiones fácticas, que tendrán su cauce adecuado a través de otros hechos impugnativos, cual es el ya mencionado previsto en el art. 849.2 LECrim (LA LEY 1/1882) error en la apreciación de la prueba, o a través del cauce del derecho fundamental a la presunción de inocencia (STS 182/2000 de 8.2 (LA LEY 5010/2000)). Por ello, no puede prosperar una impugnación basada en este motivo en el caso de que la cuestión se centre en la omisión de una argumentación, pues el Tribunal no viene obligado a dar una respuesta explícita a todas y cada una de las alegaciones o argumentaciones, bastando con la respuesta a la pretensión realizada, en la medida en que implique también una desestimación de las argumentaciones efectuadas en sentido contrario a su decisión (STS 636/2004 de 14.5 (LA LEY 12857/2004)) y desde luego, como ya hemos dicho, tampoco prosperará el motivo del recurso se base en omisiones fácticas, pues el defecto procesal de incongruencia omisiva en ningún caso se refiere a cuestiones de hecho (STS 161/2004 de 9.2 (LA LEY 864/2004))». STS 714/2016 de 26 Sep. 2016, Rec. 1951/2015; Ponente: Berdugo Gómez de la Torre, Juan Ramón. LA LEY 126702/2016.

Los requisitos necesarios para la viabilidad del motivo son los siguientes:

«La jurisprudencia (SSTS 23.3.96, 18.12.96, 29.9.99, 14.2.2000, 27.11.2000, 22.3.2001, 27.6.2003, 12.5.2004, 22.2.2006, 11.12.2006), viene exigiendo las siguientes condiciones para que pueda apreciarse este motivo: 1) que la omisión padecida venga referida a temas de carácter jurídico suscitadas por las partes oportunamente en sus escritos de conclusiones definitivas y no a meras cuestiones fácticas, extremos de hecho o simples argumentos. 2) que la resolución dictada haya dejado de pronunciarse sobre concretos problemas de Derecho debatidos legal y oportunamente, lo que a su vez, debe matizarse en un doble sentido: a) que la omisión se refiera a pedimentos, peticiones o pretensiones jurídicas y no a cada una de las distintas alegaciones individuales o razonamientos concretos en que aquellas se sustenten, porque sobre cada uno de éstos no se exige una contestación judicial explícita y pormenorizada, siendo suficiente una respuesta global genérica (STC 15.4.96). b) que dicha vulneración no es apreciable cuando el silencio judicial puede razonablemente interpretarse como desestimación implícita o tácita constitucionalmente admitida (SSTC 169/94, 91/95 (LA LEY 17173/1994), 143/95 (LA LEY 11310/1995)), lo que sucede cuando la resolución dictada en la instancia sea incompatible con la cuestión propuesta por la parte, es decir, cuando del conjunto de los razonamientos contenidos en la resolución judicial puede razonablemente deducirse no sólo que el órgano judicial ha valorado la pretensión deducida, sino además los motivos fundamentadores de la respuesta tácita (STC 263/93 (LA LEY 2290-TC/1993); TS. 96 y 1.7.97). 3) que aún, existiendo el vicio, éste no pueda ser subsanado por la casación a través de otros planteamientos de fondo aducidos en el recurso (SSTS 24.11.2000, 18.2.2004)». STS 714/2016 de 26 Sep. 2016, Rec. 1951/2015; Ponente: Berdugo Gómez de la Torre, Juan Ramón. LA LEY 126702/2016.

1) Que la omisión o falta resolutiva se refiera a una cuestión jurídica, y no a supuestos de hecho. Se requiere, en consecuencia, el respeto a los hechos probados.

En cualquier caso, las alegaciones referidas a dichas cuestiones han de conducirse por el motivo casacional del art. 849.2 LECrim.

2) Que estas pretensiones se hayan formulado, claramente, y en el momento procesal oportuno. Esto es, en las conclusiones definitivas, ratificando o modificando las provisionales. A este efecto, no basta con que la cuestión hubiese sido debatida en el juicio oral, o formulada en el informe de conclusiones.

> «Se queja en este motivo la parte recurrente de que nada se diga en la Sentencia recurrida sobre la drogodependencia del acusado a pesar de haber sido debatida tal cuestión en el acto del juicio oral, pero olvida que la real o supuesta drogodependencia de aquél —y, sobre todo, la eventual consecuencia jurídica de la drogodependencia que será la aplicación de una circunstancia modificativa de la responsabilidad criminal— no fue alegada ni en el escrito de defensa, en que sólo se negó fuese el acusado autor de los hechos que se le imputaban, ni en las conclusiones definitivas puesto que, en este trámite, la Defensa se limitó a elevar a definitivas las provisionales, esto es, las contenidas en el escrito de defensa. Aunque se debatiese el tema de la drogodependencia del acusado en el juicio oral y aunque su Defensor se refiriese a ella en su informe —lo que habría sido improcedente por no constar pretensión alguna al respecto en sus conclusiones definitivas— el Tribunal de instancia no tenía que pronunciarse sobre la eventual concurrencia de una circunstancia modificativa de la responsabilidad criminal no solicitada por la parte en tiempo y forma debidos». STS Sala Segunda, de lo Penal, Sentencia 92/2002 de 1 Feb. 2002, Rec. 756/2000; Ponente: Jiménez Villarejo, José. LA LEY 26668/2002.

3) Que la sentencia recurrida tanto en sus antecedentes de hecho, fundamentos de derecho, como en el fallo, no se refiera a dicha pretensión para afirmarla o rechazarla. Es decir, que no se resuelva ni de forma explícita ni implícita.

No se estimará la pretensión en casación cuando el recurrente no hubiere utilizado el incidente de complemento de resoluciones judiciales previsto en el art. 267 LOPJ y el 161.5 LECrim. A este respecto en la STS n.º 922/2010 (La Ley 188053/2010) se dice que el incidente encuentra su razón de ser en la necesidad de evitar que el Tribunal Supremo se pronuncie sobre eventuales vulneraciones cuya estimación provoque la nulidad de la sentencia cuando ello puede hacerse aún por el propio Tribunal *a quo* a través de esa vía procesal. Exigencia de agotamiento de la vía judicial en la instancia que tiende a impedir que se acceda directamente a casación cuando el órgano judicial «a quo» tenía todavía la ocasión de pronunciarse y en su caso, reparar la infracción denunciada como fundamento del recurso de casación, evitando así posibles nulidades ulteriores en esta sede casacional[131].

---

(131) «Acierta el Fiscal al impugnar el motivo denunciando la ausencia de un presupuesto necesario para la prosperabilidad de una pretensión casacional basada en el art. 851.3º: haber intentado previamente la integración de la sentencia con la base que proporciona el art. 161.5 LECrim (LA LEY 1/1882) (que hace innecesaria la referencia al art. 215 LECivil que efectúa el recurrido en su escrito de impugnación). Rememora el Fiscal una jurisprudencia de esta Sala ya consolidada de la que proporciona una reciente muestra la STS 290 /2014, de 21 de marzo:.../... La parte debería haber intentado ese remedio solicitando de la Audiencia completar su pronunciamiento a través de las facultades concedidas por el párrafo 5º del art. 161 LECrim (LA LEY 1/1882). En consecuencia, un motivo por incongruencia omisiva necesita venir precedido del expediente de integración de sentencias del nuevo art. 161.5º LECrim (LA LEY 1/1882). Esta Sala ha venido a con-

«Por tanto de acuerdo con esta oportuna previsión legal no cabe en sede casacional denunciar incongruencia omisiva cuando se ha dejado transcurrir por la parte concernida el trámite de la aclaración de sentencia sin instar un pronunciamiento expreso sobre la pretensión articulada, siendo constante la jurisprudencia de esta Sala en el sentido expuesto, ya que un motivo de esta clase en cuanto tiene por consecuencia la devolución de la causa al tribunal de origen para que de la respuesta a la cuestión interesada, tiene un efecto negativo en el derecho a un proceso en un plazo razonable reconocido en el art. 6.1 del Convenio Europeo, y cuando el legislador ha previsto soluciones para evitar el retraso en la decisión jurisdiccional utilizando medios para suplir los indebidos silencios, vía recurso de aclaración, en el apartado 5 citado, resulta obligado utilizar esta vía y no la denuncia para dar lugar a un recurso de casación: En tal sentido SSTS 1300/2011 (LA LEY 247076/2011); 272/2012 (LA LEY 42908/2012); 417/2012 (LA LEY 74452/2012) y 321/2012 (LA LEY 59363/2012), de 4-06 . Es cierto que algunas sentencias de esta Sala limitan la vía del art. 267.5 a infracciones que se reduzcan a completar la resolución ya dictada y no a sustituirla o a modificar su contenido esencial (STS 841/2010, de 6-10 (LA LEY 175919/2010)), por lo que esta vía casacional no es susceptible de aplicación en todos los supuestos de incongruencia omisiva. Pensemos —dice la STS 922/2010 de 28-10 (LA LEY 188053/2010)— en aquellos en que la omisión sea denunciada por el acusado y se refiera a pronunciamientos sobre pretensiones principales relacionadas con la concurrencia de algún elemento del tipo penal o circunstancias eximentes o atenuatorias a la responsabilidad criminal, o, desde el prisma de la acusación, cuando la sentencia no se pronuncie sobre la existencia de un delito cuya imputación conste en el escrito de calificación, supuestos en los que los derechos a la tutela judicial efectiva y acceso a los recursos prevalecerían sobre el derecho del acusado a un proceso sin dilaciones y a que en causa se resuelva en un plazo razonable, pero, en todo caso al haberse formulado un motivo de fondo sobre la cuestión controvertida, el décimo primero, esta Sala Segunda puede resolver, con su propia argumentación el hecho de la ruptura de la cadena de custodia sobre la que no se pronunció la audiencia». STS 714/2016 de 26 Sep. 2016, Rec. 1951/2015; Ponente: Berdugo Gómez de la Torre, Juan Ramón. LA LEY 126702/2016.

Tampoco se estimará el recurso en aquellos supuestos en los cuales la decisión que se adopte por el Tribunal sentenciador sea incompatible con la cuestión propuesta por la parte, ya que en ese caso habrá una desestimación implícita y no existirá el defecto procesal; o cuando se diese respuesta cumplida a todas las pretensiones, pero existiera un error material en la confección del fallo; o se tratase de la resolución de una cuestión previa alegada y resuelta durante el juicio oral que constase en el Acta del juicio; o, si existiendo el vicio, la omisión puede ser subsanada por el Tribunal Supremo, por existir un motivo de fondo que postula la aplicación de la cuestión omitida, el recurso por quebrantamiento de forma ha de ser desestimado.

Por último, el recurso de casación, como cualquier otro medio de impugnación, precisa del cumplimiento de unos requisitos, entre ellos el de gravamen. Ello supone que la resolución impugnada lo es por el perjuicio que causa al recurrente. Por lo

figurar ese incidente con presupuesto imprescindible de tal modalidad casacional». STS 352/2014 de 4 Abr. 2014, Rec. 1094/2013; Ponente: Moral García, Antonio del. LA LEY 55092/2014.

tanto, carece de fundamento el recurso alegando una incongruencia omisiva que en nada perjudica al recurrente.

d) Cuando se pene un delito más grave que el que haya sido objeto de la acusación, si el Tribunal no hubiese procedido previamente como determina el art. 733 LECrim.

Este motivo casacional tiene por finalidad proteger, por exigencia de los derechos fundamentales contenidos en el art. 24 CE, el principio acusatorio formal, que se infringe cuando se condena por delitos que no han sido objeto de acusación. Así, declara el TC que se vulnera el derecho fundamental a que no se produzca indefensión cuando se condena a una persona por un delito del que no se le acusaba. Tampoco puede establecerse distinto grado de perfeccionamiento, ni de participación, o establecer circunstancias agravatorias no invocadas por la acusación. En definitiva, de lo que se trata es que el acusado tenga ocasión de defenderse de todos y cada uno de los elementos que componen el tipo de delito señalado en la sentencia.

Sin embargo, se puede condenar por un delito distinto si es de igual o mayor gravedad, cuando sin variar el objeto de la acusación, los delitos sean homogéneos. El art. 851.4° tampoco obsta para que, dentro de las facultades discrecionales de la sala sentenciadora, se imponga la pena asignada al delito imputado con extensión distinta a la solicitada por la acusación.

Véase más ampliamente sobre esta cuestión: § 2.2.A.a.2° Cap. I con relación al principio acusatorio; § 5.13 Cap. XII sentencia en el procedimiento abreviado; § 349 Cap. XV planteamiento de la Tesis en el procedimiento por delitos graves; § 1.4 Cap. X sobre la correlación entre acusación y sentencia en sede de sentencia).

Los requisitos para la estimación de este motivo casacional son los siguientes:

1) En primer lugar, cabe hacer referencia al planteamiento de la «tesis», prevista en el art. 733 LECrim. Su planteamiento es indispensable cuando el Tribunal entienda: que procede calificar los hechos de manera más grave; que es aplicable una eximente no invocada; o que el delito objeto de acusación, no ha sido certeramente calificado. En este último caso, procederá a calificarlo, a su juicio, como constitutivo de otro delito distinto, aunque se halle igual o más benignamente sancionado que la infracción que fue objeto de acusación. Se exceptúa el supuesto en el que entre el delito primitivamente incriminado y el propuesto por el Tribunal, exista una homogeneidad patente, por lo cual, incluso sea previsible que pueda variarse la calificación.

2) De no hacerse uso del art. 733 LECrim no es posible estimar la concurrencia de una o más circunstancias agravantes no invocadas por cualquiera de las acusaciones; o elevar el grado de participación de los enjuiciados.

3) En cualquier caso, se precisa que la «tesis» sea asumida por alguna de las partes acusadoras para que el Tribunal pueda utilizarla en la sentencia. Así, si el Ministerio Fiscal, o cualquiera de las partes acusadoras, no asumen o patrocinan la nueva tesis, el Tribunal no podrá variar la calificación realizada por la acusación.

e) Cuando la sentencia haya sido dictada por menor número de Magistrados que el señalado en la Ley o sin la concurrencia de votos conformes que por la misma se exigen

La exigencia de que el Tribunal se componga de cinco Magistrados (art. 145.2 LECrim) quedó tácitamente derogada, primero por el art. 196 LOPJ, y posteriormente por el art. 201 LEC, siendo suficiente que la Sala quede integrada por tres Magistrados, independientemente de que exista o no algún voto particular, ya que las sentencias se votan por mayoría absoluta (arts. 153 LECrim, 201 LEC). Véase sobre la formación de la sentencia § 1.2, Cap. XVI.

Esta materia se regula en los arts. 255 y ss. LOPJ que deben entenderse derogados tácitamente por los arts. 194 y ss. LEC que regulan la votación y fallo de los asuntos. En cualquier caso la regulación de ambas normas no difiere en lo sustancial.

f) Cuando haya concurrido a dictar sentencia algún Magistrado cuya recusación, intentada en tiempo y forma, y fundada en causa legal, se hubiese rechazado

La redacción de este precepto ha sido censurada por la doctrina legal, ya que una aplicación literal de su letra conduciría a la absurda conclusión de que bastaría haber recusado en tiempo y forma, a uno o varios miembros del Tribunal sentenciador para que, a pesar de haberse desestimado dicha recusación, pudiera la sentencia ser casada y anulada. Sin embargo, no es esta la interpretación del precepto que persigue, mediante el control del instituto de la recusación, la finalidad de asegurar la imparcialidad del Tribunal. En este sentido, el TS ha establecido que únicamente se incurre en quebrantamiento de forma por este motivo cuando hubiere quedado afectada la imparcialidad del Tribunal, sea en su aspecto objetivo o subjetivo.

«La doctrina de esta Sala (Cfr., SSTS de 5 de abril de 1898, 15 de marzo de 1927, 8 de marzo de 1956, 22 de abril de 1983 y 20 de enero de 1984, 21-2-2003, n.º 246/2003, entre otras), ha esclarecido la significación, un tanto hermética, del número 6º del artículo 851, aclarando que dicho motivo de casación por quebrantamiento de forma podrá prosperar en los siguientes supuestos: Primero.— Cuando concurran, a dictar sentencia, uno o más Magistrados cuya recusación, intentada en tiempo y forma, hubiese sido estimada; cuando concurran, a dictar sentencia, uno o más Magistrados cuya recusación, intentada en tiempo y forma, hubiera sido desestimada a pesar de ser procedente, y Tercero.— Cuando no se hubiera tramitado la pieza separada de recusación pese a haberse intentado ésta en tiempo y forma aduciendo una causa legal, o se hubiere sustanciado dicha pieza por quien no fuese competente o bien sin respetar los trámites legales. Como recuerda la doctrina constitucional (STC Pleno, S 22-07-2002, entre otras), para garantizar las apariencias de imparcialidad exigidas y reparar de forma preventiva las sospechas de parcialidad las partes gozan del derecho a recusar a aquellos Jueces en quienes estimen que concurren las causas legalmente tipificadas como circunstancias de privación de la idoneidad subjetiva o de las condiciones de imparcialidad y neutralidad. Este derecho a formular recusaciones comprende, "en línea de principio, la necesidad de que la pretensión formulada se sustancie a través del proceso prevenido por la Ley con este fin y a que la cuestión así propuesta no sea enjuiciada por los mismos Jueces objeto de recusación, sino por aquellos otros a que la Ley defiera el examen de la cuestión" (STC 47/1982, de 12 de julio (LA LEY 13849-JF-0000)). La regla general es, así pues, la de que el órgano recusado ha de dar curso a la recusación para que sea examinada por un órgano distinto a aquél de quien se sospecha la parcialidad». STS 237/2014 de 25 Mar. 2014, Rec. 1294/2013; Ponente: Monterde Ferrer, Francisco. LA LEY 31561/2014.

También se incurrirá en esta infracción:

a) cuando hubiesen concurrido a dictar Sentencia, uno o más Magistrados, cuya recusación hubiera sido desestimada a pesar de ser procedente. Así, mediante este motivo procede denunciar la desestimada recusación de algún Magistrado, por entender que aquél había sido instructor de la causa —arts. 219 LOPJ y 54.12 LECrim.—.

b) Cuando no se hubiera tramitado la pieza separada de recusación, siendo procesalmente procedente, o bien se hubiera sustanciado por órgano incompetente o sin ajustarse al procedimiento legalmente establecido. Véase en general sobre abstención y recusación § 7 del Cap. III.

7.7. Personas legitimadas para interponer un recurso de casación

La legitimación para interponer recurso de casación se otorga a las personas que hubieran sido parte en el proceso penal correspondiente, entendiéndose como tales aquellas intervinientes en el acto del juicio oral. También están legitimadas las que, sin haber sido parte, resulten condenadas en la sentencia y los herederos de unos y otros. Los actores civiles no podrán interponer el recurso, sino en cuanto pueda afectar a las pretensiones que hubieren ejercitado en el proceso (art. 854.2 LECrim).

En el estudio de la legitimación para recurrir debe tenerse en cuenta la aplicación del principio de tutela judicial efectiva y, en general, la doctrina constitucional sobre el derecho y presupuestos de acceso a los recursos. Así, se requiere: a) la existencia de un gravamen o perjuicio que la sentencia cause al recurrente, sin cuya existencia el recurso carece de finalidad jurídica; b) la congruencia de la posición del recurrente —acusadora o acusada, de actor civil o de responsable civil subsidiario— con la mantenida en el proceso de instancia. No se admite por el TS que se efectúen en el recurso peticiones o se persigan decisiones totalmente incompatibles con la posición procesal en la instancia. Por otra parte, el TS no puede resolver más cuestiones que las suscitadas en los recursos interpuestos.

El Ministerio Fiscal en el ejercicio de sus funciones puede y debe ejercitar acciones y recursos, entre estos se encuentra legitimado para interponer recurso de casación (art. 854 LECrim). Respecto a su legitimación para invocar vulneración del principio de tutela efectiva e indefensión, en un primer momento se le negaba. Sin embargo, la jurisprudencia ha considerado que el Fiscal en el ejercicio de sus funciones puede recurrir alegando la vulneración del derecho a la tutela judicial efectiva. Pero, deberá considerarse en cada caso la posición procesal que ostenta en relación con el derecho fundamental cuya infracción denuncie. Por otra parte, el apoyo del Ministerio Fiscal al recurso de casación del acusado no determina, necesariamente, su admisión.

«Como dijimos en la STS 653/2014, de 7 de octubre (LA LEY 149414/2014): "Lo primero que hemos de tratar en esta Sentencia es la legitimación del Ministerio público para articular una impugnación amparada en la vulneración de un derecho fundamental. Es realmente cuestionable que el Estado, o sus instituciones, pueda ser víctima de una lesión a un derecho fundamental por un órgano del Estado. También es discutible que pueda argüirse el amparo constitucional en situación en la que se ejercita la acción penal contra un ciudadano. Ello porque no es admisible, en términos de derechos fundamentales, que la naturaleza protectora que de los mismos resulta sirva de palanca para actuar en perjuicio del derecho del ciudadano a la presunción de inocencia. Es preciso, por lo tanto, acotar el ámbito de la impugnación del Ministerio fiscal. Esta cuestión ha sido resuelta por la jurisprudencia de esta Sala y del Tribunal Constitucional afirmando, y nos apoyamos en la STC, del Pleno, 175/2001 de 26 de julio, que aunque referida a un supuesto propio de la jurisdicción contencioso administrativa, su doctrina es plenamente aplicable al supuesto de nuestra casación. En la referida Sentencia el Tribunal Constitucional declara que, como regla general, los institutos públicos no son titulares del derecho fundamental a la tutela judicial efectiva. Solo excepcionalmente, y en ámbitos procesales delimitados, cabe admitir la atribución a las personas públicas del derecho fundamental a la tutela judicial efectiva y señala como tales supuestos los siguientes: a) litigios en los que la persona pública se encuentra en una situación análoga a la de los particulares; b) cuando las personas públicas sean titulares del derecho al acceso al proceso, lo que implica tanto el respeto al principio *"pro actione"* acceso a la jurisdicción, y el principio de interdicción de la arbitrariedad, de la irrazonabilidad y subsanación de errores patentes; y c) también en los supuestos de interdicción de indefensión de la persona pública, de acuerdo al proceso debido. Lo anterior no es sino colorario de lo que el Tribunal Constitucional dijo en su Sentencia 86/1985, de 10 de julio (LA LEY 456-TC/1985)"El Ministerio fiscal defiende, ciertamente, derechos fundamentales pero lo hace, y en eso reside la peculiar naturaleza de su actuación, no porque ostente su titularidad, sino como portador del interés público en la integridad y efectividad de tales derechos..."». STS Sala Segunda, de lo Penal, Sentencia 111/2017 de 22 Feb. 2017, Rec. 1432/2016; Ponente: Martínez Arrieta, Andrés. LA LEY 4620/2017.

La legitimación del responsable civil subsidiario queda limitada a impugnar la existencia de daños y perjuicios y a su calidad de sujeto pasivo de los mismos (art. 854.2 LECrim)[132]. Carece de legitimación para impugnar la responsabilidad penal del condenado, ya que asumiría la defensa de derechos ajenos que le está vedada[133]. Tampoco podrá reconocerse, en lo que atañe a las consecuencias estrictamente penales de la conducta enjuiciada, legitimación al responsable civil que no hubiese

---

(132) Vid. STC 128/91, de 6 junio (LA LEY, 1991-2, p. 108, ref. 1735).

(133) Vid. sobre esta materia la importante STS 19 abril 1989 Sala Segunda, de lo Penal, Sentencia de 19 Abr. 1989, Ponente: García Ancos, Gregorio. LA LEY 1435-2/1989, que establece, entre otros interesantes extremos, que: «De una manera aún más clara, si cabe, la STC 13 mayo 1988, nos indica que como se advierte, tanto en la jurisprudencia del Tribunal Supremo, como en la propia doctrina de este Tribunal —SSTC 4/82, de 8 febrero, y 48/84, de abril—, los intereses de la aseguradora son ajenos al enjuiciamiento y calificación jurídico-penal de la conducta del autor del delito, limitándose su intervención, o bien a discutir la obligación de pago en relación con la vigencia del contrato, o bien, en otros casos, a la fijación del quantum indemnizatorio, añadiéndose (y esto es esencial) que la indefensión vedada por el art. 24 CE, exige conceptualmente que la privación o limitación del derecho de defensa que se produzca lo sea con algún interés propio del sujeto que invoca ese derecho fundamental, siendo evidente que esta condición no puede reconocerse, en lo que atañe a las consecuencias estrictamente penales de la conducta enjuiciada, a quien, como la actora, no ejercitaba pretensión punitiva alguna frente al acusado».

ejercitado pretensión punitiva alguna frente al acusado. Sin embargo, la cuestión no aparece tan clara en el caso que el acusado se conforme expresamente con la calificación, o cuando el mismo se aquiete frente a la condena. A este respecto el TC ha declarado, con relación al recurso de apelación, que se vulnera el derecho de defensa de esta parte si no se permite al responsable civil el acceso al recurso: «no puede afirmarse, en principio, la irrelevancia constitucional de la negativa a contestar las pretensiones relativas a la prueba y existencia de los elementos de los cuales la ley hace depender la responsabilidad civil subsidiaria, esto es, la existencia de una infracción penal». STC 48/2001 de 26 de febrero.

7.8. Procedimiento del recurso de casación

En el procedimiento del recurso de casación, pueden distinguirse cuatro fases bien diferenciadas: La preparación del recurso; la formalización del recurso; la sustanciación o, en su caso, la inadmisión del recurso; y la decisión del recurso.

A) Preparación del recurso. La adhesión a la casación

El que se proponga interponer recurso de casación, pedirá al Tribunal sentenciador testimonio de la resolución definitiva, y manifestará en el mismo escrito, que deberá estar suscrito por Abogado y Procurador, la clase o clases de recurso que se pretenda utilizar (arts. 855, 856 LECrim).

El Tribunal Supremo había venido señalando la necesidad de manifestar, junto con la clase o clases de recursos a utilizar, los motivos o vías en que va a fundarse aquél, considerando improcedente que posteriormente a este momento se añadiesen o se intentase recurrir por causas distintas a las reseñadas en dicho escrito de preparación. Esta exigencia se basa en el principio de unidad de alegaciones, que se orienta exclusivamente a que no puedan introducirse nuevos motivos con posterioridad a aquel trámite. No obstante, este requisito debe interpretarse de forma flexible cuando se trata de alegar motivos de infracción de preceptos constitucionales y la vía elegida en la preparación resulte diferente a la de la formalización. Así, cuando el recurso se prepare con fundamento en el motivo del art. 849.2° LECrim y se formalice por medio del art. 5.4.° LOPJ[134]. A este respecto el art. 852 LECrim establece que el recurso de casación podrá fundarse en la infracción de precepto constitucional. En cualquier caso, el TS conforme con la doctrina constitucional, ha declarado que la omisión de los motivos del recurso en el escrito de interposición debe ser calificada de vicio subsanable, resultando desproporcionada la pérdida del derecho a recurrir.

El escrito de preparación se interpondrá en el plazo de cinco días siguientes al de la última notificación de la resolución que se impugne, ante el Tribunal «a quo» que dictó la resolución impugnada. En dicho escrito, si el recurrente es parte acusadora, consignará la promesa solemne de constituir el depósito que establece el art. 875 LECrim (arts. 856 y 857 LECrim) (únicamente deberá hacer el depósito la acusación popular. Disp. Adicional 15ª de la LOPJ introducida por la LO 1/2009). La falta de este requisito es subsanable en el escrito de personación o interposición del recurso.

---

(134) Vid. SSTC 185/88, de 14 octubre; 139/91, de 20 junio.

(Véase M. 152). El Tribunal dentro de los tres días siguientes y sin oír a las partes dictará auto bien teniendo por preparado el recurso o bien denegándolo por auto motivado cuando estime que no se han cumplido los requisitos exigidos en la Ley (*vid.* 858 LECrim). En este último supuesto, el recurrente podrá acudir en queja ante la Sala 2.ª del Tribunal Supremo haciéndolo presente al Tribunal sentenciador (art. 862 LECrim), dentro de los dos días desde la notificación del auto denegatorio. (Véase M. 153). En ese supuesto, conforme a lo dispuesto en el art. 863 LECrim, el Tribunal remitirá copia del auto denegatorio a la Sala Segunda del TS y mandará emplazar a las partes para que comparezcan ante aquélla en los plazos prevenidos en el art. 859 LECrim.

Si la resolución impugnada es recurrible en casación y se han cumplido todos los requisitos legales, el Tribunal librará testimonio de la resolución recurrida y emplazará a las partes para que comparezcan ante la Sala 2.ª del Tribunal Supremo en el plazo improrrogable de 15, 20, 30 o 60 días, según la ubicación de la Audiencia Provincial (art. 859 LECrim). También remitirá certificación, expedida por el Letrado de la administración de justicia, en la que se exprese sucintamente la causa, las partes, el delito, la fecha de entrega del testimonio al recurrente, así como la del emplazamiento de las partes (art. 861.2 LECrim). (Véase M. 155).

El último apartado del citado art. 861 permite que la parte que no haya preparado el recurso pueda adherirse al mismo. El momento procesal oportuno para adherirse a un recurso de casación, conforme a los arts. 861.4° y 873.2°, será durante el plazo fijado por la Audiencia para: el emplazamiento, para formalizar el recurso o bien en el de la instrucción del mismo. Se trata de una adhesión al recurso ya interpuesto, entendida en el sentido común del término. En su virtud el adherido al recurso coadyuva a la casación interpuesta haciendo suyos los motivos y peticiones del recurrente. De modo que el adherido no tiene la consideración de apelante. No es tampoco un mecanismo que otorgue, a la parte que inicialmente no recurrió, la posibilidad de interponer un recurso de casación diferido para enervar el principio prohibitivo de la «*reformatio in peius*», sino de un recurso adhesivo sin pretensiones propias y autónomas respecto a las del recurso principal. La jurisprudencia que ha interpretado el art. 861.4 LECrim ha establecido que adhesión significa suma, adición, cooperación, o ayuda a la posición jurídica adoptada anteriormente por otro, reforzándola con razonamientos nuevos, aportando otros elementos de juicio o añadiendo nuevos argumentos que la fortalezcan, de tal modo que contribuyan a la estimación de la pretensión compartida. En consecuencia, la postura de quien se adhiere debe ser coincidente, en lo esencial, con la del recurrente primitivo, sin que pueda aquél, de modo tardío y subrepticio, atacar una resolución que no se impugnó, tratando de combatirla de diferente modo al intentado por el recurrente.

Ahora bien, el Tribunal Supremo dictó Acuerdo de fecha 27 de abril de 2005 en el que declaró: «*admitir la adhesión en casación, supeditada en los términos previstos por la ley jurado, arts. 846 bis b), bis d) y bis e) LECrim*». Conforme con el citado Acuerdo y el contenido del art. 846 bis b) LECrim (que dispone que: «*La parte que no haya apelado en el plazo indicado podrá formular apelación en el trámite de impugnación, pero este recurso quedará supeditado a que el apelante principal mantenga el suyo*»). Con ello se ha atribuido a la adhesión a la casación los mismos efectos que la adhesión a la apelación supeditada regulada en el procedimiento de Tribunal de Jurado. Esto significa que el que se adhiere a la casación puede hacerlo o bien para apoyar la impugnación de otra parte o bien para plantear su propio recurso con la única diferencia de que está supeditado a que el recurso principal se mantenga. Es decir que el Tribunal Supremo ha modificado radicalmente la naturaleza de la adhesión a la casación para atribuirle una función de recurso pleno con la única diferencia con el recurso de casación inicial de interponerse en el trámite de contestación al recurso y no poder subsistir en el caso de desistimiento del recurso de casación principal[135].

«La dicción del art. 861 de la LECrim (LA LEY 1/1882) —permite adherirse al recurso a la parte que no ha preparado el recurso alegando los motivos que le convengan— favorece esa interpretación amplia de la adhesión que ya estaba implantada en el procedimiento de la Ley Orgánica del Tribunal del Jurado (LA LEY 1942/1995) con el nombre de recurso supeditado y que después fue trasladada en la reforma de 2009 al recurso de apelación en el procedimiento abreviado. En la jurisprudencia de esta Sala se ha abierto ya paso a raíz del acuerdo antes citado esa concepción más amplia de la adhesión particularmente en supuestos como el aquí analizado en que se presenta como el único mecanismo que salvaguarda con plenitud el derecho de defensa». STS Sala Segunda, de lo Penal, Sentencia 148/2016 de 25 Feb. 2016, Rec. 856/2015; Ponente: Moral García, Antonio del. LA LEY 10058/2016[136].

La razón que fundamentó tal mutación no era otra que ofrecer una solución a la paradoja que se planteaba en el supuesto de las sentencias absolutorias dictadas por la Audiencia Provincial en primera instancia. En ese caso, se suscitaba el problema de la imposibilidad inicial que tenía el acusado absuelto de recurrir en casación la sentencia, al carecer de gravamen. Ahora bien, con el recurso de casación interpuesto por la acusación se abría la posibilidad de que la sentencia acogiera el recurso y acabara, finalmente, condenando al acusado inicialmente absuelto. En ese caso el acusado no habrá podido recurrir la sentencia condenatoria. Este problema es el que intenta evitar la apelación adhesiva que está prevista en el art. 790.1 LECrim en sede de procedimiento abreviado. La cuestión estriba en las limitaciones intrínsecas de que adolece la casación que impiden que pueda revisarse la sentencia de primera instancia. Véase sobre esta cuestión el § 7.3 de este Capítulo.

(135) Véase sobre la naturaleza de la adhesión a la casación, antes del Acuerdo del TS 2005, la STS Sala Segunda, de lo Penal, Auto de 6 Jun. 2001, Rec. 191/2000, Ponente: Puerta Luis, Luis Roman. LA LEY 113217/2001: «Esta Sala tiene declarado (cfr. SS de 23 Jun. 1999 y 393/2.000 de 10-3 (LA LEY 5540/2000)) que la adhesión al recurso de casación no puede consistir en un nuevo recurso sin relación con el preparado, sino que debe referirse a éste, aun cuando se apoye en motivos diferentes, pues adherirse significa asociarse y unirse al recurso complementando los esfuerzos en pos de un común objetivo, dando nuevas razones que apoyen la tesis mantenida, dentro de los mismos fundamentos, pues de no ser así y ejercitar contradictorias pretensiones no se produciría adhesión, sino que se habría formalizado un nuevo recurso cuando el derecho para ejercitarlo había caducado. En resumen, la adhesión ha sido configurada por la jurisprudencia como inseparable del recurso principal y sin autonomía propia; de modo que por medio de ella únicamente cabe apoyar las peticiones del recurso principal (v. arts. 861 (LA LEY 1/1882) y 882 de la LECr (LA LEY 1/1882))».

(136) Véase, en el mismo sentido de admitir plenamente la adhesión a la casación como recurso autónomo, la STS Sala Segunda, de lo Penal, Sentencia 555/2014 de 10 Jul. 2014, Rec. 11105/2013; Ponente: Marchena Gómez, Manuel. LA LEY 94348/2014.

En definitiva, el Acuerdo del Tribunal Supremo de 2005 es un parche en nuestro vetusto e inadecuado sistema de recursos que intenta acomodar el procedimiento de casación a las exigencias que se derivan del derecho a una segunda instancia en el proceso penal. Así se recoge, entre otras, en la STC 16/2011, de 28 de febrero en la que el Tribunal Constitucional se pronuncia sobre la queja del recurrente en amparo en un supuesto en el que la Audiencia provincial dictó sentencia absolutoria en primera instancia. Sentencia que posteriormente revocó el Tribunal Supremo y frente a la que interpuso recurso de amparo el acusado condenado en casación. En su resolución el Tribunal Constitucional acoge el Acuerdo del Tribunal Supremo declarando que: «*el art. 861 LECrim, en su último inciso, faculta a la parte que no haya preparado el recurso a adherirse al formulado por la otra «alegando los motivos que le convengan». Además, y como pone de manifiesto el Ministerio Fiscal en su escrito de alegaciones (citando las SSTS núm. 577/2005, de 4 de mayo, o 147/2009, de 26 de febrero), merece destacarse que el Tribunal Supremo ha dado un importante giro a su tradicional y restrictiva comprensión de la casación adhesiva, acogiendo, desde el acuerdo no jurisdiccional del Pleno de la Sala Segunda de 27 de abril de 2005 —tres años antes a que se dictara la Sentencia del Tribunal Supremo recurrida, por tanto-, una interpretación extensiva sobre el alcance aplicativo de la misma, con la que se admite la interposición de un nuevo recurso de casación adhesivo aprovechando el trámite dado al formulado por la parte recurrente, pero sin quedar constreñido a los motivos de casación formulados por la otra parte*». En el caso juzgado en la citada STC 16/2011 la queja formulada en amparo por el recurrente consistía en la imposibilidad de haber dispuesto de un medio de impugnación de la sentencia dictada en primera instancia por la Audiencia Provincial en la que resultó absuelto. Sentencia que fue impugnada por la acusación y que revocó el Tribunal Supremo para condenar al acusado (inicialmente absuelto). La sentencia del Tribunal Supremo fue recurrida en amparo por el condenado considerando que no dispuso de la posibilidad de formular una serie de cuestiones denegadas en primera instancia para que el Tribunal Supremo las pudiera conocer en el caso de revocar la sentencia, lo que, finalmente, sucedió. La petición de amparo fue desestimada por el TC al considerar que el recurso de casación cumplía suficientemente la función revisora exigida por el Derecho Fundamental a la segunda instancia penal[137]. En cuanto a la queja del recurrente en amparo respecto a la imposibilidad de haber recurrido en casación la

---

(137) «*Como ha venido reiterando este Tribunal, lo que el citado derecho fundamental establece es la posibilidad de revisión de una condena por un Tribunal superior, garantizada, en supuestos como el presente, a través del recurso de casación "siempre que se realice una interpretación amplia de las posibilidades de revisión en sede casacional y que el derecho reconocido en el Pacto se interprete no como el derecho a una segunda instancia con repetición íntegra del juicio, sino como el derecho a que un Tribunal superior controle la corrección del juicio realizado en primera instancia, revisando la correcta aplicación de las reglas que han permitido la declaración de culpabilidad y la imposición de la pena en el caso concreto. Reglas entre las que se encuentran, desde luego, todas las que rigen el proceso penal y lo configuran como un proceso justo, con todas las garantías; las que inspiran el principio de presunción de inocencia, y las reglas de la lógica y la experiencia conforme a las cuales han de realizarse las inferencias que permiten considerar un hecho como probado" (en el mismo sentido, SSTC 80/2003, de 28 de abril, FJ 2, 105/2003, de 2 de junio, FJ 2, y 116/2006, de 24 de abril, FJ 5). (STC 60/2008, de 26 de mayo, FJ 4)*». STC 16/2011, de 28 de febrero.

sentencia absolutoria de la Audiencia Provincial, el Tribunal Constitucional deniega el amparo al recurrente al considerar que podía haber interpuesto un recurso de casación autónomo mediante el procedimiento de adhesión en el recurso de casación regulado en el art. 861 LECrim. Con ello el Tribunal Constitucional le otorga a dicha norma la naturaleza que le otorga el citado Acuerdo del Tribunal Supremo. En realidad el Tribunal Constitucional no podía decir otra cosa para salvar la apariencia dada a la casación como una segunda instancia. Por eso se aplica el Acuerdo del Tribunal Supremo en el que se «*inventa*» un trámite de casación adhesiva que no existe en el recurso de casación, sencillamente porque para acceder a la casación se tiene o no se tiene motivo de recurso. Y desde luego lo que no cabe en casación es una adhesión «*ad cautelam*», que es lo que sugiere el Tribunal Constitucional para el supuesto de que el Tribunal Supremo resuelva modificar la sentencia para condenar al acusado absuelto en primera instancia. En cualquier caso, resulta bastante claro que esa es una interpretación absolutamente forzada por la necesidad de tener que justificar la suficiencia de la casación como una segunda instancia que garantiza los derechos de las partes, especialmente del acusado, en el proceso penal. Función que, como hemos visto, no cumple ni puede cumplir el recurso de casación.

Por último, preparado el recurso de casación, el art. 861 bis a) establece las medidas que deberá acordar la Audiencia durante la tramitación de aquél recurso. La de mayor trascendencia es la referente al efecto suspensivo del recurso. Respecto a esta cuestión, la Ley dispone que el Tribunal acordará que continúe o se modifique la situación del reo; lo que considere pertinente en cuanto a las responsabilidades pecuniarias; y las medidas procedentes durante la tramitación del recurso para asegurar la ejecución de la sentencia que recayere. En cualquier caso, si la sentencia recurrida fuere absolutoria y el reo estuviere preso, será puesto en libertad.

B) Formalización del recurso

El recurso se formalizará dentro de los plazos determinados en el art. 859 LECrim, en la forma y con los requisitos previstos en el art. 874 LECrim. Transcurridos los plazos sin interposición del recurso, la resolución impugnada quedará firme y consentida. En ese supuesto, la Sala 2.ª del TS dictará, sin más trámites, auto declarando desierto el recurso con imposición de costas.

El recurso se interpondrá en escrito firmado por Abogado y Procurador, sin necesidad de estar colegiados en Madrid. Tampoco será preciso obtener habilitación alguna, sin perjuicio de comunicarlo al colegio correspondiente (art. 17 Estatuto de la Abogacía). La falta de firma de Letrado o Procurador era causa de inadmisión del recurso. Sin embargo, el Tribunal Constitucional ha declarado que la falta de habilitación del Letrado, por concesión tardía, o la falta de firma del mismo cuando su asistencia técnica se deduce de los mismos antecedentes son defectos subsanables, ya que el derecho a la tutela judicial efectiva debe facilitar su subsanación[138].

En el escrito de interposición se consignarán, en párrafos numerados: 1) El fundamento doctrinal y legal aducido como motivo de casación por quebrantamiento

---

(138)   SSTC 132 y 139/87, de 21 y 22 julio; 177/89, de 30 octubre; 11/90 y 12/90, de 29 enero.

de forma, por infracción de ley, o por ambas causas, con un breve extracto de su contenido; 2) El artículo de la Ley que autorice cada motivo de casación; 3) La reclamación o protesta practicada para subsanar el quebrantamiento de forma y su fecha. Además, se adjuntará el testimonio de la resolución impugnada, a que se refiere el art. 859 LECrim, y las correspondientes copias para las demás partes emplazadas. El escrito de adhesión al recurso se interpondrá con los mismos requisitos (art. 874 LECrim). (Véanse M. 158, M. 159, M. 160). Cada infracción legal sustantiva o de forma alegada debe ser objeto de motivo diferente, argumentando que ello no es por razones formales, sino en orden a la claridad e independencia de la argumentación y por imperativo legal. Sin embargo, en concordancia con el derecho a la tutela efectiva, esta obligación no constituye fundamento suficiente para la inadmisión del recurso si a pesar de su formalización en los mismos motivos existe la suficiente claridad o puede ser objeto de fácil subsanación. En cualquier caso las cuestiones referentes a los criterios de inadmisión del recurso de casación se exponen en el siguiente epígrafe.

La Ley establece el requisito de constituir el depósito a que se refiere el art. 875 LECrim. Este requisito está únicamente vigente para las partes acusadoras, ya que la Ley 10/92 suprimió el cuarto párrafo del artículo 875, que obligaba al procesado y responsable civil recurrente a efectuar el citado depósito. El incumplimiento de esta obligación conlleva la inadmisión del recurso. (Véase M. 154). Sin embargo, debe aquí tenerse en cuenta la doctrina del TC respecto a la diferencia entre la consignación y la falta de acreditación de aquélla o la consignación defectuosa (*vid.* SSTC 100/1995 de 20 junio; 26 /1996 de 23 febrero; 119/1994 de 25 abril). Por último, en el escrito de interposición, si fuere de su interés, el recurrente podrá solicitar la celebración de vista (art. 882 bis LECrim).

C) Sustanciación del recurso. Inadmisión del recurso

Una vez interpuesto el recurso, y transcurrido el plazo del emplazamiento, la Sala designará al Magistrado Ponente y dispondrá que el Letrado de la administración de justicia forme nota autorizada del recurso en el plazo de diez días (art. 880 LECrim). La Sala también mandará entregar las copias del recurso a las partes que se instruirán y podrán impugnar la admisión del recurso, o bien adherirse al mismo dentro del plazo señalado para formar la nota (arts. 880, 882 LECrim). Dentro de ese plazo las partes no recurrentes podrán solicitar la celebración de vista —art. 882 bis LECrim.—

El trámite de instrucción del recurso es de esencial importancia por permitir la posibilidad de oponerse a la pretensión del recurrente. Su incumplimiento supone una violación de los principios de contradicción e igualdad de armas que debe presidir nuestro procedimiento penal en todo momento.

> «... El no haber permitido a la parte la instrucción sobre el recurso y habérsele privado de la posibilidad de oponerse a la pretensión de incremento de la condena solicitada por la acusación particular, supone una violación de los principios de contradicción e igualdad de armas que debe presidir nuestro procedimiento penal en todo momento (SSTC 246/88, fundamento jurídico 1.º; 16/89, fundamento jurídico 2.º; 142/89, fundamento jurídico 2.º)...». STC 99/92 de 22 junio.

Previo el informe del Ponente, la Sala dictará la resolución que proceda sobre la admisión o inadmisión del recurso (art. 883 LECrim). Las reglas de inadmisión del recurso vienen establecidas por los arts. 884 y 885 LECrim, que establecen unos supuestos que implican el incumplimiento de los requisitos generales del recurso (referidos a las resoluciones recurribles o las causas de impugnación), o bien la falta de requisitos específicos de cada uno de los motivos. (Véase M. 164).

La jurisprudencia ha establecido la necesidad de observar las formalidades en la tramitación del recurso de casación, tanto por el carácter procesal de la misma, como por velar por las garantías que ello implica. No obstante, según ha declarado el TS la admisión o inadmisión de un recurso, en general, no debe estar regida por formalismos enervantes que imposibiliten o dificulten el ejercicio del derecho fundamental a la tutela judicial efectiva. El criterio del Tribunal Constitucional es que la exigencia legal de presupuestos y requisitos procesales no puede considerarse contraria al art. 24.1 CE, sino más bien una garantía para preservar el mismo recurso que se quiere interponer. Sin embargo, estas causas de inadmisión deben interpretarse restrictivamente, no pueden operar de forma automática, y deben guardar la debida proporción con la finalidad que pretenden conseguir —rechazando todo exceso de formalismos—. El mismo Tribunal está obligado —según criterio del Tribunal Constitucional— a colaborar mínimamente con las partes para hacer efectivos sus derechos, advirtiéndoles oportunamente de los defectos apreciados sin esperar a la decisión final para ponerlos de manifiesto, siempre que estos defectos no tengan su origen en una actitud contumaz o negligente del interesado y no dañen la regularidad del procedimiento ni los intereses de la parte contraria. Ello no significa que se cree un trámite de subsanación, sino que el derecho a la tutela judicial efectiva impide clausurar un procedimiento por defectos que puedan subsanarse sin perjuicio para otros derechos o intereses igualmente legítimos. En definitiva, sólo el incumplimiento de formalidades no subsanables puede fundar la inadmisión del recurso. Pero ello no significa la viabilidad de alegaciones infundadas, desprovistas de una mínima cobertura legal, ya que la impetración indiscriminada del amparo constitucional puede llevar a la más absoluta impunidad cuando, maliciosamente, se ocultan infracciones trascendentes del procedimiento.

«Tampoco puede la Sala hacer suyo el argumento deslizado en la vista por la defensa, relacionado con una falta de correlación entre los términos en los que el recurso de la acusación particular fue anunciado y su formalización. En efecto, el art. 885.2 de la LECrim (LA LEY 1/1882), dio lugar a lo que la jurisprudencia denominó "principio de unidad de alegaciones", conforme al cual debía existir una correlación entre la preparación y la interposición del recurso, de manera que la interposición debía ajustarse al recurso preparado, de no ser así, sería inadmitido. No obstante, en la actualidad, el indicado principio ha sido abandonado (cfr. STS 322/2006, 22 de marzo (LA LEY 43925/2006)). Es doctrina constitucional que el derecho al recurso —el de casación también— está integrado en el derecho a la tutela judicial efectiva (art. 24.1 CE (LA LEY 2500/1978)) y como derecho de prestación exige para su viabilidad el cumplimiento de todos los requisitos legalmente establecidos, pero sin interpretaciones excesivamente formalistas que puedan constituirse en un obstáculo adicional e innecesario, como el del viejo principio de unidad de alegaciones en las dos fases de preparación e interpretación, doctrina constitucional consolidada a partir de la STC 13/1983, 14 de marzo, reiterada entre otras por las SSTC 98/1991 (LA LEY 1096-JF/0000), 9 de mayo y 181/1993 (LA LEY 2226-TC/1993), 31 de mayo (cfr. STS 564/2000, 24 de marzo (LA LEY 7465/2000))». STS Sala Segunda, de lo Penal, Sentencia 555/2014 de 10 Jul. 2014, Rec. 11105/2013; Ponente: Marchena Gómez, Manuel. LA LEY 94348/2014.

Con base en estas normas, y teniendo en cuenta el carácter extraordinario de la casación, el recurso se inadmitirá:

1.º Cuando se interponga por causas distintas de las expresadas en los arts. 849 a 851 LECrim.

Esta causa de inadmisión se refiere a la inobservancia de los requisitos establecidos respecto a los distintos motivos casacionales que condicionan de forma efectiva la admisión y acogimiento, en su caso, del recurso. Sobre esta cuestión, véanse los distintos motivos y los requisitos de los mismos expuestos en esta lección. Con carácter general, téngase en cuenta que basta la referencia a cualquier derecho fundamental expuesta de forma razonada para que, de acuerdo con el art. 852 LECrim, sea procedente la admisión del recurso. Sin embargo, se estimará esta causa de inadmisión, cuando se afirme que el relato es oscuro y falto de detalles; o bien se fundamente el recurso en doctrina legal. El Tribunal Constitucional se ha pronunciado sobre esta materia (infracción del principio de legalidad), estimando que no se vulnera este principio cuando el Juzgador aplica un criterio jurisprudencial[139].

2.º Cuando se interponga contra resoluciones distintas de las comprendidas en los arts. 847 y 848 LECrim (entre las que no son susceptibles de recurso de casación están los autos de sobreseimiento provisional, o los autos de ejecución de sentencia).

3.º Cuando no se respeten los hechos que la sentencia declare probados o se hagan alegaciones jurídicas en notoria contradicción o incongruencia con aquéllos, salvo lo dispuesto en el art. 849.2.º LECrim.

«Esta petición se estrella contra la prohibición plasmada en el art. 884.3º LECrim (LA LEY 1/1882) que no es más que consecuencia de la literalidad del art. 849.1º: hay que estar a los hechos que se han dado como probados. Habiendo fracasado el intento de matizarlos o modularlos que se ensayaba en el motivo anterior, no cabe si no repeler todos los razonamientos que se apartan de la secuencia que el Jurado consideró acreditada .../... No cabe abrir paso a conjeturas alternativas o versiones distintas en este marco casacional. Y es indiscutible y en esto basta remitirse a los razonamientos de las sentencias de la Magistrado Presidente y del TSJ, que esa resultancia acoge todos los componentes fácticos de la modalidad alevosa denominada sorpresiva». STS Sala Segunda, de lo Penal, Sentencia 231/2014 de 10 Mar. 2014, Rec. 11007/2013; Ponente: Moral García, Antonio del. LA LEY 31202/2014.

4.º Cuando no se hayan observado los requisitos que la Ley exige para su preparación o interposición, siempre que no fuera posible su subsanación o intentada no se hubiera realizado por la parte recurrente[140].

---

(139) Vid. STC 89/83, de 2 noviembre, y STS 13 abril 1984.

(140) «Entre los criterios a atender para decidir sobre esa admisibilidad cabe enumerar con esa decisión constitucional: a) la trascendencia de la sentencia en su totalidad en relación al derecho al

«La causa de inadmisión del artículo 884.4ª de la Ley de Enjuiciamiento Criminal (LA LEY 1/1882) ha sido declarada ya en la temprana Sentencia del Tribunal Constitucional n.º 79/1987 de 27 de mayo (LA LEY 809-TC/1987), constitucionalmente irreprochable. Recuerda que el derecho al recurso del artículo 14.5 del Pacto Internacional de Derechos Civiles y Políticos (LA LEY 129/1966) sólo reconoce el derecho a la revisión del pronunciamiento de instancia a "toda persona declarada culpable de un delito", y además el derecho que se reconoce es precisamente el de que "el fallo condenatorio y la pena que se le haya impuesto sean sometidos a un Tribunal Superior". Así pues debería ser inadmitido el recurso interpuesto por el acusado absuelto si pretendiera meramente una revisión de los fundamentos de la resolución, y no instar una alteración de la parte dispositiva de la Sentencia de la que no derive perjuicio alguno para él. Lo que no empece que, sin embargo, en algún caso, deba ser admitido el recurso, como cuando es declarada la existencia de unos hechos, calificados éstos como punibles e imputados a una persona, que, pese a ello, es absuelta por otras razones. En tal caso cabe reconocer el interés en el recurso ya que aquella declaración puede acarrearle perjuicios que le legitiman para instar la exclusión de la imputación de los hechos, incluso habiendo sido absuelto. Como recuerda el TC en la citada Sentencia: Con independencia de la forma expositiva de los pronunciamientos judiciales, éstos son conclusiones no aislables, sino íntimamente ligadas con las premisas que las determinan. Ello significa que, como sostiene el Ministerio Fiscal, no es lo mismo ser absuelto por no haber cometido un delito que ser absuelto por la aplicación de un indulto, pues, de admitirse esta absolución, no con ello quedan satisfechos todos los intereses que se conectan con el valor constitucional de la inocencia; afecta no sólo a la condena penal misma, sino también a la no consideración de reo de un delito y, por ello, al juicio mismo sobre la inocencia o la no existencia de la imputación del delito. para justificar la existencia del interés en recurrir». STS Sala Segunda, de lo Penal, Sentencia 825/2014 de 19 Nov. 2014, Rec. 952/2014; Ponente: Varela Castro, Luciano. LA LEY 176227/2014.

Entre otras causas pueden enumerarse:

a) Cuando se reúnan en un mismo motivo diversos incisos del art. 851.1.º, o cuando no se respete la necesidad de motivos distintos para cada motivo infringido, si bien se han de tener en cuenta las matizaciones reseñadas.

b) Cuando no se consigne el breve extracto requerido, ni se cite el precepto infringido de la LECrim.

c) Cuando no se consigne la falta cometida o la fecha. No obstante, se permite agrupar en un mismo motivo dos preceptos legales distintos, si se alega la no aplicación de uno y la indebida aplicación del otro. Expresamente ha señalado el Tribunal Constitucional que la falta de un breve extracto y la acumulación de dos

_____

honor, presente en un precepto como el artículo 638 de la Ley de Enjuiciamiento Criminal (LA LEY 1/1882); b) cuando pese a la absolución contuviera una declaración de culpabilidad de un delito; c) la discusión en fase de recurso de la tesis de los acusadores particulares sobre la premisa de la existencia y punibilidad del delito, sin poder combatir ésta, como en el caso de admitir el debate limitado a la penalidad correspondiente a un delito y rechazar a limine la discusión sobre la existencia de éste y d) atendiendo a la influencia de la acción penal sobre la civil por razón de las reglas sobre cosa juzgada penal aún cuando se quisiera negar vinculación con ella, pese a que el proceso penal concluya con pronunciamiento absolutorio de fondo». STS Sala Segunda, de lo Penal, Sentencia 825/2014 de 19 Nov. 2014, Rec. 952/2014; Ponente: Varela Castro, Luciano. LA LEY 176227/2014.

causas diferentes para combatir la sentencia son insuficientes para una inadmisión del recurso, salvo que se incida en una falta de claridad[141].

d) Cuando el motivo no se hizo constar en el escrito de interposición del recurso.

e) Cuando no se cite el precepto penal infringido de carácter sustantivo. En cualquier caso, el Tribunal Supremo ha reiterado la necesidad de huir de rígidos formalismos procesales que impidan la defensa, alegación y enjuiciamiento de los derechos de que las partes se crean asistidos, especialmente de los derechos fundamentales. En consecuencia, ante un defecto formal se requerirá a la parte para su subsanación, cuando no se trate de verdaderos incumplimientos *ex lege* y sólo sean meras irregularidades formales.

5.º En los casos del art. 850, cuando la parte que intente interponerlo no hubiese reclamado la subsanación de la falta mediante los recursos procedentes o la oportuna protesta.

6.º En el caso del art. 849.2.º, cuando el documento o documentos no hubieran figurado en el proceso o no se designen concretamente las declaraciones de aquellos que se opongan a las de la resolución recurrida . O se pretenda por esta vía revisar el juicio sobre la prueba producida en juicio oral.

A las causas de inadmisión expuestas, contenidas en el art. 884 LECrim, deben añadirse las establecidas en el art. 885 LECrim redactado por Ley 21/88, que prevé que podrá igualmente inadmitirse *a limine* el recurso:

7.º Cuando carezca manifiestamente de fundamento. Este supuesto puede reconducirse, de forma genérica, a lo establecido con relación a los motivos de inadmisión del art. 884 LECrim.

> «Abordamos, conjuntamente, los motivos primero, segundo, tercero y cuarto, que encauzados por la vía de la vulneración de derechos constitucionales denuncian un amplio abanico de vulneraciones que prácticamente abarcan la totalidad de los derechos que vertebran el proceso y las garantías del imputado contenidas en el art. 24 de la Constitución (LA LEY 2500/1978), y así se citan los derechos a la presunción de inocencia, proceso con garantías, tutela judicial efectiva, libertad personal e interdicción de la arbitrariedad, derecho de defensa, a utilizar los medios de defensa pertinentes y al deber de motivar las sentencias. Tan formidable panoplia defensiva no se acompasa con la necesaria argumentación que acredite tales vulneraciones. En efecto, basta la lectura del argumentario que sustenta los cuatro motivos para comprobar que las denuncias se agotan en su mera expresión, no existiendo en los folios de los cuatro motivos más que reflexiones jurídicas genéricas sobre los derechos que se citan sin datos ni consideraciones que intenten acreditar la efectividad de las vulneraciones que se declaran. En tal situación, de acuerdo con el art. 885 (LA LEY 1/1882)-1º LECriminal, se incurre en causa de inadmisión al carecer, manifiestamente, de fundamento los cuatro motivos». STS Sala Segunda, de lo Penal, Sentencia 786/2013 de 23 Oct. 2013, Rec. 135/2013; Ponente: Giménez García, Joaquín. LA LEY 165433/2013.

---

(141) Vid. STC 123/86, de 22 octubre. Asimismo, la STC 8 octubre 1985 indica que lo «esencial resulta no de la argumentación genérica inicial ni el signo que los ordene, sino que haya claridad y concisión, por ser el fin de la exigencia formal».

8.º Cuando el Tribunal Supremo hubiese ya desestimado en el fondo otros recursos sustancialmente iguales. Este segundo supuesto trae causa del elevado número de recursos de casación que el reconocimiento constitucional de la tutela judicial efectiva y de la presunción de inocencia ha generado ante la Sala 2.ª de lo Penal del TS.

Estas nuevas causas de inadmisión evitan al Alto Tribunal conocer de recursos que carezcan de fundamento o que incidan en materias que hayan sido ya solventadas en un sentido uniforme. Respecto a la inclusión de estas causas, el TS ha declarado que agilizan su labor, sin que ello suponga una disminución de las garantías del justiciable, pues basta que un Magistrado considere que el recurso no esté en ninguno de los casos citados para que sea admitido. La jurisprudencia ha declarado que este motivo es aplicable a todos los supuestos en los que de manera inequívoca e indubitada se descubra la carencia de toda fundamentación. Ya sea por la falta de un mínimo de presupuestos fácticos, o de lógica jurídica en su desarrollo, o porque el tema esté resuelto con anticipación, en tanto la Sala estime procedente no variar el criterio interpretativo. Así, se desestimará «a limine» el recurso cuando se aleguen pruebas «documentadas» y no documentales para fundar el recurso vía art. 849.2 LECrim; o cuando se falte al respeto debido a los hechos probados sin combatirlos por este cauce del art. 849.2; o si constan pruebas que desvirtúen el principio de presunción de inocencia de forma palmaria.

Analizadas estas causas, la Sala dictará resolución admitiendo o denegando la admisión del recurso. La primera no deberá ser fundada ni publicarse. La segunda será fundada y se publicará en la Colección Legislativa, expresando el nombre del Ponente (arts. 887, 888, 889 y 890). Contra la resolución de la Sala, admitiendo o denegando el recurso y la adhesión, no se dará recurso alguno (arts. 892 y 893).

D) Decisión del recurso. La sentencia de casación

La fase de decisión se iniciará una vez admitido el recurso. La Sala puede decidir sobre el fondo sin necesidad de celebrar la vista, salvo cuando las partes lo soliciten y la duración de la pena impuesta, o que pueda imponerse sea superior a seis años. También se sustanciará la vista cuando el Tribunal, de oficio o a instancia de parte, la estime necesaria y, en todo caso, cuando las circunstancias concurrentes o la trascendencia del asunto hagan aconsejable la publicidad de los debates, o cuando, cualquiera que sea la pena, se trate de delitos comprendidos en los Títulos XIX, XX, XXI, XXII y XXIII del Código Penal (de acuerdo con la sistemática del Código Penal de 1995).

En el supuesto que se haya solicitado la celebración de vista, o el Tribunal la estime necesaria, ésta se llevará a efecto, conforme a los trámites establecidos en los arts. 894 y ss. LECrim, en audiencia pública con asistencia del Ministerio Fiscal y los defensores de las partes. La Sala se constituirá con tres Magistrados, excepto cuando se soliciten penas superiores a 12 años, en cuyo caso se formará por cinco (art. 898 LECrim).

«La falta de celebración de vista en el recurso de casación sólo es constitucionalmente relevante si hubiera acarreado al recurrente en amparo una indefensión constitucional real y efectiva (STC 136/2003, de 30 de junio, FJ 2; AATC 352/1991, de 25 de noviembre, FJ 2; 195/2003, de 14 de junio, FJ 2; 295/1993, de 4 de octubre, FJ 2; 68/1996, de 25 de marzo, FJ 7; 153/2001, de 15 de junio, FJ 4). En este caso los demandantes de amparo en modo alguno acreditan que la no celebración de vista les haya colocado en una situación material de indefensión, de modo que como consecuencia de su falta de celebración se hubieran visto privados de la posibilidad de alegar y fundamentar cuanto estimaron oportuno en defensa de sus pretensiones, como efectivamente hicieron en el escrito de formalización del recurso de casación, ni en momento alguno relatan ni ofrecen ninguna argumentación respecto de qué posibles alegaciones no han podido efectuar por la no celebración de la vista del recurso de casación que hubieran podido alterar en sentido de la resolución judicial que han obtenido si se hubiera celebrado aquélla». STC 227/2007 de 22 de octubre.

La naturaleza excepcional de la vista se mantiene a pesar del problema que se plantea en el caso de las sentencias absolutorias impugnadas en casación por aplicación de la doctrina del Tribunal Constitucional en esta materia. Véase sobre esta cuestión el § 7.3 de este Capítulo.

«Consecuente con esta doctrina, esta Sala ha estimado, de manera unánime, que el carácter extraordinario del recurso de casación descarta arbitrar un trámite de audiencia del acusado absuelto, que carece de cobertura legal y que se concilia mal con el significado procesal de la impugnación ante el Tribunal Supremo. De ahí que la posibilidad de revocar pronunciamientos absolutorios en casación se reduce a un doble supuesto y con distinto alcance: en primer lugar, a través del motivo de infracción del Ley al amparo del artículo 849.1º de la Ley de Enjuiciamiento Criminal (LA LEY 1/1882), con intervención de la defensa técnica pero sin audiencia personal del reo. La revisión en este caso se concreta en la corrección de errores de subsunción a partir de los elementos fácticos reflejados en el relato de hechos probados, sin verificar ninguna nueva valoración de la prueba practicada en la instancia. Y en esa posibilidad de corrección de errores de subsunción se incluye la de los errores que afecten a la interpretación de la naturaleza y concurrencia de los elementos subjetivos exigidos por el tipo penal aplicado, cuando la revisión se efectúe desde una perspectiva jurídica sin modificar la valoración de sus presupuestos fácticos. (En el mismo sentido STS de 12 de diciembre de 2013; de 24 de febrero de 2014; de 25 de marzo de 2014; y de 19 de diciembre de 2014, entre otras). En segundo lugar, la otra posibilidad de revisión de pronunciamientos absolutorios en casación es posible cuando la pretensión punitiva de la parte recurrente no ha obtenido respuesta alguna del Tribunal de instancia o bien la misma ha sido arbitraria, irrazonable o absurda, de manera que de esta forma ha vulnerado lo recogido en los artículos 24.1 º, 9.3 º y 120.3º, todos ellos de la Constitución, en su vertiente de derecho a obtener una respuesta razonable con proscripción de toda arbitrariedad de los poderes públicos (SSTS de 23 de febrero de 2011 o de 29 de septiembre de 2014)». STS 993/2016 de 12 Ene. 2017, Rec. 10282/2016; Ponente: Giménez García, Joaquín. LA LEY 346/2017.

Acordada su celebración se llevará a cabo sin que la incomparecencia injustificada de las partes pueda motivar su suspensión. Pero, en sentido contrario, la alegación justificada de imposibilidad de comparecer debe conducir a la suspensión de la vista, ya que de lo contrario se producirá la vulneración del derecho de defensa del recurrente. Ello se producirá por cuanto no cabe concebir el acto de la vista como un mero trámite de repetición de los argumentos contenidos en el recurso de casación interpuesto por escrito, sino un acto de defensa y, en su caso, de aclaración y rectificación de los motivos de recurso.

«... en la vista oral de un recurso de casación les está vedado a las partes introducir nuevos motivos distintos de los ya invocados en el escrito de formalización del recurso. Pero (...) nada les impide, al informar sobre dichos motivos, argumentar con mayor precisión o profundidad en torno a los mismos, e incluso, rectificar algún punto en concreto (art. 897.1 LECrim) (...). Todo ello indica que el legislador no ha concebido el referido momento procesal como un mero trámite de exposición repetitiva del escrito de interposición del recurso de casación, sino como acto de defensa oral de las alegaciones expuestas en dicho escrito frente a las contenidas, en su caso, en el recurso de casación interpuesto por el Ministerio Fiscal, con posibilidad de debate contradictorio y de aclaración y rectificación de las diferentes posiciones». STC 66/1999 de 26 de abril.

Concluida la vista, o bien si ésta no se hubiese celebrado, la Sala resolverá el recurso dentro de los diez días siguientes (art. 899). (Véase M. 165). Antes de dictar sentencia, si la Sala lo estimare necesario para la mejor comprensión de los hechos relatados en la resolución recurrida, podrá reclamar los autos al Tribunal inferior con suspensión del plazo de diez días (art. 899.2 LECrim). La sentencia se redactará en la forma y con el contenido previsto en los arts. 900 y ss. LECrim. A este respecto, conviene señalar que si el recurso hubiera sido interpuesto, simultáneamente, por infracción de la Ley y quebrantamiento de forma, la Sala examinará primero los motivos de quebrantamiento de forma por imperativos de lógica procesal. Así, sólo entrará a conocer de los motivos de casación por infracción de Ley si entiende que no procede estimar el quebrantamiento de forma (*vid.* art. 901 bis b LECrim).

Cuando se haya estimado el recurso de casación por infracción de Ley la nueva resolución extenderá sus efectos a los demás procesados no recurrentes, siempre y cuando les fuere favorable, se hallen en la misma situación que el recurrente y les sean aplicables los motivos que determinaron la casación de la sentencia recurrida. Por tanto, la nueva sentencia nunca les perjudicará en lo que les fuera adverso (art. 903 LECrim). Sin embargo, no se producirá esta extensión de la nueva sentencia a los casos de codelincuencia, desistimiento o de arrepentimiento activo eficaz, ya que estas conductas sólo afectan o favorecen a aquellos procesados que realicen los actos integrantes de una u otra figura.

En el supuesto de estimarse un recurso de casación fundado en la vulneración de algún precepto constitucional, interpuesto al amparo del art. 852 LECrim, o 5.4.º LOPJ, los efectos de la sentencia serán distintos en estos dos supuestos: cuando se trate de la infracción de la presunción de inocencia, entendida en sentido estricto, es decir, cuando exista ausencia total de prueba de cargo en el proceso; o bien cuando se trate de algún otro precepto constitucional, que impida una correcta valoración de la prueba que implique indefensión en el acusado (falta de práctica de prueba). En el primer supuesto, de aplicación de la presunción de inocencia por falta total de prueba, el TS deberá casar la sentencia recurrida y dictar una nueva decretando la absolución del condenado. En el segundo supuesto dictará sentencia anulando la de instancia y mandará retrotraer el proceso al momento en el que se cometió la infracción, para que el Tribunal de instancia vuelva a sustanciarlo, practicando prueba, y dicte nueva sentencia con arreglo a derecho. También cabe, y es conveniente, que el Tribunal Supremo declaré que la nueva sentencia de instancia se dicté por otro Tribunal distinto.

«Declaramos asimismo la necesidad de que sea otra Sección de la Audiencia, con distinta composición, la que celebre el nuevo juicio. Lo impone así la necesidad de preservar la imparcialidad de los Magistrados que han dictado sentencia y valorado las pruebas, hecho que condicionaría de forma irreparable una nueva aproximación valorativa al objeto del proceso. Así lo hemos acordado en anteriores precedentes y así lo exige la doctrina constitucional sobre imparcialidad objetiva (cfr. SSTS 710/2000, 6 de julio; 548/2009, 1 de junio y 287/2013, 3 de abril; 135/2013, 15 de febrero y 212/2010, 29 de enero, entre otras muchas). La Sala es consciente de las consecuencias, de muy distinto orden, asociadas a la anulación del juicio. No ignora la lacerante vivencia de las mujeres que pueden verse ahora obligadas a la indeseable evocación de un recuerdo que, en algunos casos, habrá llegado a marcar sus vidas. Sin embargo, el abandono por parte de la Sección Sexta de la Audiencia Provincial de Barcelona de elementales exigencias técnico-jurídicas en el análisis de la prueba propuesta y en la valoración de su pertinencia, ha conducido a un escenario procesal que esta Sala no puede convalidar. Ello no es obstáculo para que exhortemos al órgano judicial que haya de asumir el enjuiciamiento a que la declaración de las mujeres afectadas —cuando su testimonio se considere indispensable— se desarrolle de forma que humanice su práctica, evitando así una victimización añadida a la que ya han experimentado». STS 793/2013 de 28 Oct. 2013. Marchena Gómez, Manuel. LA LEY 164133/2013.

No es necesaria la notificación personal de la sentencia dictada en casación siendo suficiente la notificación a los Procuradores de las partes[142]. Contra las sentencias de casación y las que se dicten en virtud de las mismas no se dará recurso alguno (art. 904 LECrim). Todas estas sentencias, ya declaren haber lugar o no a la casación, se publicarán en la Colección Legislativa (arts. 905, 906 LECrim).

Por último, téngase en cuenta que la Ley ha recogido en el art. 902.2.° la posibilidad de que la Sala proponga el indulto al Gobierno cuando lo estime conveniente. En este caso, deberá razonar tal petición valorando la edad, ausencia de antecedentes, grado de malicia, daño causado, etc., consignando que estima excesiva la pena impuesta, al tener que sujetarse al principio de legalidad que informa el proceso penal.

SECCIÓN 8. EL RECURSO DE REVISIÓN

8.1. Introducción. Regulación[143]

La revisión es un medio de impugnación de naturaleza jurídica controvertida. La doctrina mayoritaria entiende que la revisión no es un recurso en sentido estricto, sino un nuevo proceso en el que se pretende la rescisión de la sentencia condenatoria

---

(142) Aunque el art. 7 Ley 4/2015 de Estatuto de la víctima dispone que se notificarán a la víctima «… *La sentencia que ponga fin al procedimiento*…». A ese fin La víctima, al efecto de ser notificada, deberá efectuar una solicitud, conforme está previsto en el art. 5.1.m Ley 4/2014, en la que deberá designar una dirección de correo electrónico y, en su defecto, una dirección postal o domicilio, al que serán remitidas las comunicaciones y notificaciones por la autoridad.

(143) Vid. FENECH, *El proceso penal*, Madrid, 1982, pp. 414 y ss.; PRIETO CASTRO, *Derecho Procesal Penal*, Madrid, 1976, pp. 392 y ss.; BARONA VILAR, *La revisión penal*, 1987, p. 849; COBOS GAVALA, «La necesidad de establecer legalmente un quinto motivo de revisión penal», *Justicia*, 90, IV, p. 987.

firme y, por tanto, devenida en autoridad de cosa juzgada[144]. En cualquier caso, la revisión debe considerarse un recurso de naturaleza extraordinaria y especial, que constituye la última garantía ofrecida a la justificada inocencia o inculpabilidad de quien ha sido considerado responsable de infracción criminal. Por ello, su fin esencial está encaminado a hacer prevalecer, frente a los efectos de una resolución firme basada en un palmario y ostensible error, aunque sustentada en una verdad formal y legal, la auténtica y plena verdad material, real y extraprocesal[145]. (Véase M. 166). Precisamente por la finalidad de este recurso extraordinario, la revisión de las sentencias penales firmes sólo podrá intentarse cuando éstas tengan carácter condenatorio, pero no frente a las absolutorias (art. 954 LECrim). Por su especial naturaleza, su admisión queda restringida a los supuestos excepcionales contemplados en el art. 954 LECrim. No debe olvidarse, como señala acertadamente la jurisprudencia, que aunque sin duda las razones de justicia son superiores a las de certeza y seguridad jurídica, tampoco deben soslayarse estos últimos principios[146].

> «El recurso de revisión constituye un procedimiento extraordinario para rescindir sentencias firmes, que en la misma medida en que ataca la cosa juzgada representa una medida excepcional admisible únicamente en aquellos supuestos legalmente tasados en que se ponga en evidencia la injusticia de una sentencia firme de condena.

---

(144)   El recurso de revisión no es el cauce procesal idóneo o necesario para la declaración del error judicial en los supuestos en que no sea necesario probar previamente dicho error surgiendo el derecho de indemnización ope legis (art. 294 LOPJ). En ese caso la Sala Penal del Tribunal Supremo no será compente debiendo dirigirse el interesado ante el órgano administrativo correspondiente.

(145)   «En las sentencias de esta Sala 1/2009, de 14 de enero, y 652/2011, de 17 de junio (LA LEY 105369/2011), afirmamos que el recurso de revisión constituye un medio excepcional que permite subsanar situaciones acreditadamente injustas, rescindiendo una sentencia firme a través de un nuevo proceso. El recurso de revisión es un proceso extraordinario con el que se pretende, fundamentalmente, encontrar el necesario equilibrio entre la seguridad jurídica que reclama el respeto a la cosa juzgada y la exigencia de la justicia en que sean anuladas aquellas sentencias condenatorias de quienes resulte posteriormente acreditado que fueron indebidamente condenados (STS 232/2010, de 9-3 (LA LEY 16983/2010)). Representa, pues, el triunfo de la verdad material frente a la verdad formal amparada por los efectos de la cosa juzgada». STS 113/2017 de 22 Feb. 2017, Rec. 20853/2015; Ponente: Martínez Arrieta, Andrés. LA LEY 8561/2017.

(146)   «Asimismo hemos afirmado en STS 852/2008 de 27 de noviembre (LA LEY 286733/2008), con cita del auto de 12 de noviembre de 1999, que "el recurso de revisión, como última instancia procesal ordinaria de garantía de los valores esenciales del ordenamiento jurídico con plasmación constitucional, debe reservarse a aquéllos supuestos de excepcionalidad para los que este auténtico proceso está diseñado. Se configura así la revisión como un cauce procesal de estrictas formalidades en el que se equilibran exigencias de seguridad jurídica con las de tutela judicial efectiva e impone probanzas de inocencia o acreditaciones falsarias por resolución judicial". Hay que destacar que, como señala la jurisprudencia, el recurso de revisión no es el lugar idóneo para una nueva valoración de la prueba. Como reitera esta Sala en su auto de 5 de mayo de 2005, "... En el seno del recurso de revisión no cabe volver a valorar la prueba, tarea que correspondió a quienes ya juzgaron el caso en primera y en segunda instancia... El recurso de revisión no constituye una tercera instancia...". El recurso de revisión es, en definitiva, de naturaleza extraordinaria y características especiales, en cuanto afecta al principio fundamental de la cosa juzgada, constituye la última garantía que ofrece el ordenamiento jurídico penal a quien con palmario y ostensible error, ha sido considerado responsable de una infracción penal. Representa el triunfo de la verdad material frente a la verdad formal amparada por los efectos de la cosa juzgada». STS Sala Segunda, de lo Penal, Sentencia 299/2017 de 27 Abr. 2017, Rec. 20857/2015. Ponente: Marchena Gómez, Manuel. LA LEY 31356/2017.

Como dice el Auto de 8 de febrero de 2000, en un Estado Social y Democrático de Derecho el valor seguridad jurídica no puede prevalecer sobre el valor justicia determinando la inmodificabilidad de una sentencia penal de condena que se evidencia "*a posteriori*" como injusta, pero esta convicción no puede tampoco determinar un permanente cuestionamiento de las sentencias firmes, utilizando el cauce de la revisión para obtener una tercera instancia que valore de nuevo, como ya hemos dicho, la prueba practicada en el juicio o la contraste con otra prueba que aporte con posterioridad el interesado, a no ser que ésta —como expresamente exige el número 4 del art. 954 de la LECrim (LA LEY 1/1882)— sea "de tal naturaleza que evidencie la inocencia del condenado". En definitiva, el recurso de revisión es un recurso excepcional (SS. de 25 de junio de 1984, 18 de octubre de 1985 y de 30 de mayo de 1987), al tener por objeto la revocación de sentencias firmes y atentar por ello al principio de cosa juzgada, e implica la inculpabilidad de aquellas personas que han sido condenadas con notoria equivocación objetiva (SS. de 30 de noviembre de 1981 y de 11 de junio de 1987, entre otras). Supone, pues, una derogación para el caso concreto del principio preclusivo de la cosa juzgada y persigue fundamentalmente mantener, en la medida de lo posible, el necesario equilibrio entre las exigencias de la justicia y las de la seguridad jurídica (v. STC de 18 de diciembre de 1984)». STS Sala Segunda, de lo Penal, Sentencia 299/2017 de 27 Abr. 2017, Rec. 20857/2015. Ponente: Marchena Gómez, Manuel. LA LEY 31356/2017.

Sin embargo, a pesar de su carácter excepcional, el TS admite cierta flexibilidad en el tratamiento de la interposición, sustanciación o resolución de este recurso. Así, admitiéndolo en supuestos no fijados expresamente en la Ley; llevándose a cabo práctica probatoria (en principio no prevista, dado que se sustanciará a través de los trámites establecidos para el recurso de casación art. 959 LECrim) o, por último, procediendo a la anulación parcial de la sentencia, tampoco prevista en la Ley[147]. Todo ello queda amparado en los principios constitucionales contenidos en nuestra Constitución (tutela judicial efectiva, derecho a la resolución del proceso sin dilaciones indebidas, etc.). Principios que se hallan recogidos en los arts. 25 y 24.1 CE[148].

---

(147) «Por todo ello, evidenciada, a través de lo dicho, la inocencia del condenado —artículo 954.4 LECRIM (LA LEY 1/1882), en su redacción anterior a la Ley 41/2015 (LA LEY 15162/2015) de modificación de la Ley de Enjuiciamiento Criminal (LA LEY 1/1882) para la agilización de la justicia penal y el fortalecimiento de las garantías procesales— resulta la procedencia de la estimación del presente recurso, que ha de conducir a la anulación parcial de la sentencia recurrida, con absolución del mismo por el citado delito». STS Sala Segunda, de lo Penal, Sentencia 299/2017 de 27 Abr. 2017, Rec. 20857/2015. Ponente: Marchena Gómez, Manuel. LA LEY 31356/2017.

(148) «... A tal fin, debemos partir de la idea inicial de que el recurso de revisión penal, según declara la STC 124/84, constituye un esencial imperativo de la justicia, contemplada en el art. 1.1 de la Constitución como uno de los valores superiores del Estado social y democrático de Derecho, al cual se vincula estrechamente la dignidad humana y la presunción de inocencia y, desde esta vinculación, no cabe dudar que la presunción de inocencia sufre vulneración no sólo cuando se condena sin pruebas idóneas que permitan tenerla por desvirtuada, sino también cuando nuevos hechos o nuevos elementos de juicio evidencian la inocencia del que ha sido condenado con base en pruebas que, en virtud de ellos, resultan posteriormente ser fundamento erróneo o falso de la declaración de culpabilidad. En consecuencia, es obligado entender que, interpuesto recurso de revisión, se vulneraría el derecho a la presunción de inocencia si el Tribunal lo desestimara de manera irrazonable, a pesar de que en él se acredita, de manera indubitada, la inocencia del condenado...». (STC 94/89, de 22 mayo). Vid. también las SSTC 50/82, de 15 julio y 124/84, de 18 diciembre.

8.2. Motivos del recurso de revisión (art. 954 LECrim.)

Los motivos o causas que permiten el recurso de revisión de las sentencias firmes se contienen en el art. 954 LECrim modificado de una forma muy importante por la Ley 41/2015 de modificación de la LECrim, en la forma que se expone a continuación. El Tribunal Supremo ha declarado que la enumeración del art. 954 LECrim no es taxativa, debiendo prevalecer una interpretación flexible de los citados motivos en aras del principio de justicia[149]. Los distintos supuestos que se incluyen en el art. 954 LECrim tienen en común dos requisitos esenciales: la novedad, en tanto que debe haber acaecido un hecho con trascendencia jurídica; y la eficacia que el hecho debe tener para tener la virtualidad de acreditar la inocencia del condenado[150].

«A la vista de los requisitos que deberían concurrir y sí concurren en el presente recurso, hemos de recordar, como se dice en el ATS de 3 de diciembre de 2004, que: «... *para una posible anulación de una sentencia penal de carácter firme, se exigen dos requisitos: 1. El requisito de la novedad: Es necesario que después de la sentencia condenatoria sobrevenga el conocimiento de nuevos hechos o de nuevos elementos de prueba. 2. El requisito de la evidencia: Estos nuevos hechos o nuevos elementos de prueba han de tener tal eficacia, con relación a la condena impuesta, que acrediten de modo indubitado la inocencia del condenado...*». STS Sala Segunda, de lo Penal, Sentencia 299/2017 de 27 Abr. 2017, Rec. 20857/2015. Ponente: Marchena Gómez, Manuel. LA LEY 31356/2017.

---

(149) «Como se dice en la STS 1/2009, de 14 de enero (LA LEY 108/2009),"el denominado recurso de revisión constituye un medio excepcional que permite subsanar situaciones acreditadamente injustas, rescindiendo una sentencia firme a través de un nuevo proceso. Entre estas situaciones se encuentran aquellas que en nuevas pruebas o nuevos elementos de hecho conocidos después de la condena evidencien la inocencia del condenado (art. 954.4º LECrm.). Un supuesto paradigmático se produce cuando el autor de los hechos delictivos asume ficticiamente la identidad de un tercero, y es éste el que resulta formalmente condenado". También se ha estimado el recurso de revisión por error en la identificación del condenado en las SSTS 453/2009, de 28 de abril (LA LEY 67212/2009), y 349/2010, de 17 de marzo (LA LEY 27032/2010). SEGUNDO.- Aunque las causas previstas en el art. 954 son tasadas, la jurisprudencia ha ido ampliando las posibilidades interpretativas del art. 954.4 de la Ley de Enjuiciamiento Criminal (LA LEY 1/1882), incluyendo como nuevo hecho o elemento de prueba los supuestos en que se acredita que ha existido un error sobre la identidad de la persona a la que se condena como autora de un hecho delictivo». STS Sala Segunda, de lo Penal, Sentencia 652/2011 de 17 Jun. 2011, Rec. 20447/2010, Ponente: Giménez García, Joaquín. LA LEY 105369/2011.

(150) «Esta convicción no puede tampoco determinar un permanente cuestionamiento de las sentencias firmes, utilizando el cauce de la revisión para obtener una tercera instancia que valore de nuevo, como ya hemos dicho, la prueba practicada en el juicio o la contraste con otra prueba que aporte con posterioridad el interesado, a no ser que ésta —como expresamente exige el número 4 del art. 954 de la LECrim (LA LEY 1/1882)— sea "de tal naturaleza que evidencie la inocencia del condenado". En definitiva, el recurso de revisión es un recurso excepcional (SS. de 25 de junio de 1984, 18 de octubre de 1985 y de 30 de mayo de 1987), al tener por objeto la revocación de sentencias firmes y atentar por ello al principio de cosa juzgada, e implica la inculpabilidad de aquellas personas que han sido condenadas con notoria equivocación objetiva (SS. de 30 de noviembre de 1981 y de 11 de junio de 1987, entre otras). Supone, pues, una derogación para el caso concreto del principio preclusivo de la cosa juzgada y persigue fundamentalmente mantener, en la medida de lo posible, el necesario equilibrio entre las exigencias de la justicia y las de la seguridad jurídica (v. STC de 18 de diciembre de 1984)». STS Sala Segunda, de lo Penal, Sentencia 233/2016 de 17 Mar. 2016, Rec. 20695/2015. Ponente: Marchena Gómez, Manuel. LA LEY 16503/2016.

Dichos motivos son:

1.º Cuando haya sido condenada una persona en sentencia penal firme que haya valorado como prueba un documento o testimonio declarados después falsos, la confesión del encausado arrancada por violencia o coacción o cualquier otro hecho punible ejecutado por un tercero, siempre que tales extremos resulten declarados por sentencia firme en procedimiento penal seguido al efecto. No será exigible la sentencia condenatoria cuando el proceso penal iniciado a tal fin sea archivado por prescripción, rebeldía, fallecimiento del encausado u otra causa que no suponga una valoración de fondo.

2.º Cuando haya recaído sentencia penal firme condenando por el delito de prevaricación a alguno de los magistrados o jueces intervinientes en virtud de alguna resolución recaída en el proceso en el que recayera la sentencia cuya revisión se pretende, sin la que el fallo hubiera sido distinto.

3.º Cuando sobre el mismo hecho y encausado hayan recaído dos sentencias firmes.

«La doctrina jurisprudencial de esta Sala ha apreciado este supuesto como una manifestación del principio *non bis in idem* y en consecuencia ha extendido su aplicación a aquellos casos de duplicidad de sentencias sobre un mismo hecho contra un mismo acusado, tanto si son contradictorias en sentido estricto (una condenatoria y otra absolutoria) como si no lo son y el acusado ha resultado doblemente condenado por un mismo hecho (sentencias, de 14 de noviembre de 1966, 4 de febrero de 1977, 7 de mayo de 1981, 23 de enero de 1993, 26 de julio de 1994, 28 de febrero de 1998, 26 de noviembre de 1999 y 26 de abril de 2000, entre otras). Y ello porque en la expresión "sentencias contradictorias" ha de incluirse tanto aquellas que expresan una oposición literal de términos como aquellas que se repelen por enjuiciar los mismos hechos violando el principio *non bis in idem* . Aunque seguidamente reconoce que en ocasiones se ha vinculado a las previsiones del artículo 954.4º. En la actualidad, tras la reforma de la LECrim (LA LEY 1/1882) operada por la Ley 41/2015, de 5 de octubre (LA LEY 15162/2015), aunque aún no sea aplicable al caso, los supuestos de doble condena por los mismos hechos se contemplan expresamente en el artículo 954.1.c), de manera que procederá el recurso de revisión cuando sobre el mismo hecho y encausado hayan recaído dos sentencias firmes». STS 959/2016 de 21 Dic. 2016, Rec. 20887/2015; Ponente: Colmenero Menéndez de Luarca, Miguel. LA LEY 190616/2016.

La finalidad del motivo es eliminar el quebranto del principio de la cosa juzgada, de la intangibilidad de las resoluciones firmes y de la imperiosa necesidad de seguridad jurídica. En todo caso, si se hubiese juzgado a una persona dos veces por los mismos hechos, deberá prevalecer la primera sentencia declarando la nulidad de la segunda, ya que en el momento del enjuiciamiento el acusado ya había sido condenado por esos mismos hechos[151].

---

(151) «En cuanto a los efectos de la estimación, ordinariamente esta Sala ha entendido que en los casos de doble condena debe anularse la segunda sentencia, ya que en el momento del enjuiciamiento el acusado ya había sido condenado por esos mismos hechos. Sin embargo, cuando se trata de supuestos en los que la doble condena solo afecta a parte de los hechos y estos se incluyen en el relato fáctico valorado como un delito continuado debe atenderse al relato fáctico más

«En tales casos, es unánime el criterio de que deberá anularse la sentencia dictada en segundo lugar, y deberá prevalecer la primera que se pronuncie». STS, Sala 2ª, 341/2017 de 12 May. 2017, Rec. 20739/2016, LA LEY 44189/2017.

Ahora bien, la decisión será la anulación parcial en el supuesto en los que la doble condena solo afecta a parte de los hechos y estos se incluyen en el relato fáctico valorado como un delito continuado.

«En cuanto a los efectos de la estimación, ordinariamente esta Sala ha entendido que en los casos de doble condena debe anularse la segunda sentencia, ya que en el momento del enjuiciamiento el acusado ya había sido condenado por esos mismos hechos. Sin embargo, cuando se trata de supuestos en los que la doble condena solo afecta a parte de los hechos y estos se incluyen en el relato fáctico valorado como un delito continuado debe atenderse al relato fáctico más amplio, con el objeto de no hacer ilusoria una revisión que materialmente resulta procedente. En el caso, la parte recurrente solicita la nulidad de la condena por el delito de apropiación indebida acordada en la sentencia dictada en primer lugar y el Ministerio Fiscal, por las razones que recoge en su dictamen, apoya esa pretensión. Efectivamente, en la primera sentencia condenatoria se condenó al acusado, ahora demandante de la revisión, como autor de un delito de apropiación indebida a pena de seis meses de prisión, declarando como probados solamente hechos relativos a la apropiación de la cantidad de 3.361,58 euros entregados en el Juzgado en nombre de Juan Pedro, en relación con el juicio monitorio n.º 536/2011 del Juzgado de 1ª Instancia n.º 9 de Córdoba. Mientras que en la sentencia dictada con posterioridad se le condenó como autor de un delito de malversación de caudales públicos a pena de tres años y un día de prisión declarando probados numerosos hechos, y entre ellos el antes referido. Por todo ello, resulta procedente, en el caso, estimando el recurso de revisión, acordar la nulidad parcial de la sentencia». STS 959/2016 de 21 Dic. 2016, Rec. 20887/2015; Ponente: Colmenero Menéndez de Luarca, Miguel. LA LEY 190616/2016. Motivo 954.1 LECrim.

4.º Cuando después de la sentencia sobrevenga el conocimiento de hechos o elementos de prueba, que, de haber sido aportados, hubieran determinado la absolución o una condena menos grave.

Conforme con la doctrina del Tribunal Supremo deben concurrir dos requisitos para la estimación de este motivo: que el hecho nuevo fuese ignorado y que evidencie la inocencia del condenado o la necesidad de rectificar la sentencia de condena.

«Dos son por tanto los requisitos que exige el precepto procesal en que se ampara el motivo para la prosperabilidad de la revisión. Primero, que se trate de circunstancias o datos que hasta ese momento hubieran sido ignorados y, por tanto, no tenidos en cuenta al dictarse sentencia, aunque fueran anteriores a ella; y, segundo, que evidencien, sin asomo de duda alguna, el error padecido al juzgar. Lo trascendente por tanto no es que el hecho sea nuevo, sino que fuera desconocido y que por él se justifique el error, evidencie la inocencia o la necesidad de rectificar la condena y sustituirla por otra más beneficiosa para el reo». STS 27/2017 de 25 Ene. 2017, Rec. 20907/2015; Ponente: Soriano Soriano, José Ramón. LA LEY 1278/2017.

---

amplio, con el objeto de no hacer ilusoria una revisión que materialmente resulta procedente.». STS, Sala 2ª, 959/2016 de 21 Dic. 2016, Rec. 20887/2015,

Los hechos nuevos o elementos de prueba deben tener virtualidad en el ámbito del proceso. Es decir, al margen de su novedad deben ser de tal naturaleza que evidencien la inocencia del condenado, revelando y resaltando tanto el error cometido como la notoria inculpabilidad del mismo. Figuran entre estos hechos la retractación de testigos, la invalidación de sus testimonios por otros más fiables, la confesión de culpabilidad de otra persona distinta al condenado, pruebas periciales que a través de nuevas técnicas invaliden los resultados anteriormente obtenidos. También la obtención de sentencias que enerven el supuesto de hecho que fundó la sentencia de condena[152]. A diferencia de la revisión civil, no es necesario que la conducta productora del error sea ilícita. Los nuevos hechos o pruebas, como en el resto de motivos, deben referirse a la inocencia del condenado. En consecuencia, no operará este motivo cuando estos nuevos elementos sólo acrediten la aplicación de una norma penal más favorable al reo, o bien se refieran a una «quaestio iuris» que constituya un elemento de la norma y que, por tanto, cuyo sentido y alcance correspondía determinar al Tribunal juzgador, con independencia que se base el recurso en nuevos elementos de prueba.

5.º Cuando, resuelta una cuestión prejudicial por un Tribunal penal, se dicte con posterioridad sentencia firme por el tribunal no penal competente para la resolución de la cuestión que resulte contradictoria con la sentencia penal.

Además de los motivos anteriores incluidos en el 954.1, se añaden en el 954.2 y 3 LECrim como motivos los siguientes:

6.º Será motivo de revisión de la sentencia firme de decomiso autónomo la contradicción entre los hechos declarados probados en la misma y los declarados probados en la sentencia firme penal que, en su caso, se dicte.

---

(152) «El recurrente se apoya en el art. 954 LEcrm (LA LEY 1/1882). y a tal fin alega que, con posterioridad a la condena penal, el Juzgado de lo Contencioso Administrativo nº 1 de Albacete, en el Procedimiento Abreviado 104/13 ha dictado sentencia, de fecha 1-1-2014 en la que declara la nulidad de todos los expedientes administrativos que sustentaron la retirada del carnet de conducir por carecer de puntos, teniendo como consecuencia el 10 de octubre de 2013 los puntos que le habilitaban para conducir…./… Pues bien, aunque la sentencia del Juzgado de lo contencioso-administrativo dictada el 21 de enero de 2014, que dejó sin efecto la resolución de la Dirección General de Tráfico (de fecha 11-10-2012) que acordó la pérdida de vigencia por agotamiento de los puntos asignados al solicitante para poder conducir vehículos de motor, despliega sus efectos en el ámbito del derecho administrativo sancionador, ello no quiere decir que carezca de toda repercusión en el ámbito penal. Pues si la privación del permiso de conducir del interesado se fundamentó en una sanción administrativa y esta a su vez era la base para que concurriera uno de los elementos objetivos del tipo del art. 384 del C. Penal (LA LEY 3996/1995), resulta obvio que la validez y eficacia de la resolución administrativa era condición imprescindible para que se aplicara la norma penal y se dictara en el proceso seguido contra el acusado una sentencia condenatoria. Así las cosas, ha de entenderse que la nulidad de la sanción administrativa privativa del carnet de conducir sí tiene relevancia a los efectos de una posible revisión de la condena penal, dado que determinó la desaparición de uno de los pilares del tipo penal en que se sustentó la condena. Una vez que falta ese elemento por haber declarado la nulidad de la privación de carnet la sentencia dictada por el Juzgado Contencioso-Administrativo, es claro que el tipo delictivo aplicado se ha quedado sin el soporte fáctico-normativo que permitía subsumir la conducta del automovilista en la norma penal y dictar la correspondiente condena. Y es que ya no hay base para estimar que hubiera sido menoscabado el bien jurídico penal que legitimaba la activación del ordenamiento punitivo». STS 27/2017 de 25 Ene. 2017, Rec. 20907/2015; Ponente: Soriano Soriano, José Ramón. LA LEY 1278/2017.

7.º Se podrá solicitar la revisión de una resolución judicial firme cuando el Tribunal Europeo de Derechos Humanos haya declarado que dicha resolución fue dictada en violación de alguno de los derechos reconocidos en el Convenio Europeo para la Protección de los Derechos Humanos y Libertades Fundamentales y sus Protocolos, siempre que la violación, por su naturaleza y gravedad, entrañe efectos que persistan y no puedan cesar de ningún otro modo que no sea mediante esta revisión. En este supuesto, la revisión sólo podrá ser solicitada por quien, estando legitimado para interponer este recurso, hubiera sido demandante ante el Tribunal Europeo de Derechos Humanos. La solicitud deberá formularse en el plazo de un año desde que adquiera firmeza la sentencia del referido Tribunal.

El motivo sirve como medio para dar cumplimiento a las sentencias dictadas por el TEDH en nuestro sistema de proceso penal. Era tan apremiante esta necesidad que con fecha de 21 de octubre de 2014 el Tribunal Supremo acordó que: «*En tanto no exista en el ordenamiento Jurídico una expresa previsión legal para la efectividad de las sentencias dictadas por el TEDH que aprecien la violación de un derecho fundamental del condenado por los Tribunales españoles, el recurso de revisión del art. 954 LECri. cumple este cometido*». Se trataba de anticipar lo que finalmente se reguló en el art. 954 en la Ley 41/2015 de reforma de la LECrim.

> «En relación a la eficacia que han de tener en nuestro derecho las Sentencias del TEDH desde los Autos de 29 de abril de 2004 y 21 de octubre de 2004, esta Sala ha entendido que para determinar los efectos que han de producir en cada caso las Sentencias del TEDH, la vía para utilizar es el recurso de revisión, dentro de la regulación procesal actual y así lo permite una interpretación amplia del 954.4 de la LECrim. (LA LEY 1/1882) lo que facilita, por otro lado, la unificación de doctrina en materia seguridad jurídica. El Tribunal Constitucional en STC de 10 de octubre de 2.005, afirmó la idoneidad del Recurso de Revisión como medio específico para lograr la efectividad de los pronunciamientos del TEDH cuando aprecie vulneración del Convenio Europeo. Además esta Sala en su reunión de 21 de octubre de 2014 del Pleno no Jurisdiccional para abordar esta cuestión». STS 113/2017 de 22 Feb. 2017, Rec. 20853/2015; Ponente: Martínez Arrieta, Andrés. LA LEY 8561/2017.

8.3. Órgano competente

Es competente para conocer, del recurso de revisión el Tribunal Supremo, según establece el art. 57.1.1.º LOPJ.

8.4. Legitimación e interposición

Con anterioridad a la reforma de la LECrim por Ley 10/92, la legitimación para interponer recurso de revisión se atribuía con exclusividad al Ministerio Fiscal. Tras la citada reforma, el art. 955 LECrim otorga legitimación activa para promover y formalizar, si procede, el recurso de revisión al propio condenado y, cuando éste hubiere fallecido, a su cónyuge, o quien haya mantenido convivencia como tal, ascendientes y descendientes. (Véase M. 166).

La legitimación para promover y formalizar el recurso de revisión se atribuye al propio condenado y, cuando éste hubiere fallecido, a su cónyuge, o quien haya mantenido convivencia como tal, ascendientes y descendientes (art. 955 LECrim).

Tiene legitimación directa para interponer el recurso de forma directa el Ministerio de Justicia que, previa formación de expediente, podrá ordenar al Fiscal del Tribunal Supremo que lo interponga, cuando a su juicio hubiere fundamento bastante para ello (art. 956 LECrim.). También corresponde esta legitimación al Fiscal General del Estado, que podrá interponer el recurso siempre que tenga conocimiento de algún caso en el que proceda y a su juicio haya fundamento bastante para ello (art. 961 LECrim.). Ahora bien, en el caso de solicitar la revisión con base en una sentencia del TEDH que hubiere declarado la violación de derechos del recurrente únicamente estará legitimado por quien hubiera sido demandante ante el Tribunal Europeo de Derechos Humanos. La solicitud deberá formularse en el plazo de un año desde que adquiera firmeza la sentencia del referido Tribunal (art. 954.3 LECrim).

8.5. Sustanciación del recurso

En el procedimiento de sustanciación del recurso de revisión cabe distinguir dos fases:

A) Fase previa de admisión

Esta fase tendrá lugar cuando promuevan el recurso los legitimados, según el art. 955 LECrim; es decir, el penado, cónyuge o afín, ascendientes o descendientes. Supone una previa autorización de la Sala competente del Tribunal Supremo, a efectos de la interposición del recurso, que tiene por objeto la constatación y comprobación de la seriedad de la pretensión. De este modo, la Sala Segunda del Tribunal Supremo, con audiencia del Ministerio Fiscal, efectúa una valoración previa del recurso. Con esta finalidad, el TS ordenará, en su caso, la práctica de diligencias que puedan aclarar las dudas razonables que suscite el caso. El TS resolverá por auto, no susceptible de recurso, autorizar o denegar la interposición del recurso. En el primer supuesto, el recurrente tiene un plazo para interponer el recurso de quince días desde la notificación del auto autorizando su interposición (art. 957 LECrim).

No se llevará a cabo la fase de admisión cuando el recurso sea interpuesto por el Ministerio Fiscal, en cumplimiento de las funciones que le encomienda la propia Constitución en su art. 24, de defensa de la legalidad, los derechos de los ciudadanos y el interés público. En este supuesto, el Tribunal Supremo deberá admitirlo sin más trámite, sin perjuicio de su resolución sobre el fondo del asunto (arts. 956 y 961 LECrim.).

B) Fase de audiencia

El recurso de revisión se sustanciará citando al Fiscal y los penados para que realicen, por una sola vez, alegaciones por escrito. Después seguirá los trámites establecidos para el recurso de casación por infracción de Ley. La Sala decidirá, en vista de las circunstancias del caso, la celebración de una vista con informe oral de las partes (art. 959 LECrim).

8.6. La sentencia dictada en recurso de revisión

La sentencia dictada en recurso de revisión tiene carácter irrevocable. Estimado el recurso, la sentencia dimanante del proceso tiene como principal efecto la anulación, en su caso, de la sentencia impugnada. Así, el recurso de revisión se constituye en un «*iudicium* rescindens», al final del cual se determina la confirmación o anulación de la Sentencia sometida a revisión. Ahora bien, en virtud de los distintos motivos de revisión contemplados en la LECrim. (art. 954 LECrim), el art. 958 de la misma norma legal determina distintas formas de proceder que se incluirán en la sentencia del recurso. De esta forma, junto al «*iudicium* rescindens», de anulación, se puede incluir el mandato de proceder a realizar el denominado «*iudicium* rescissorium». Éste consistirá en dictar una nueva sentencia, instruyéndose para ello de nuevo la causa por el órgano jurisdiccional a quien corresponda (supuestos del art. 954.1 y 3 LECrim).

En el supuesto de las sentencias dictadas por el TEDH el Tribunal Supremo deberá analizar el hecho nuevo que supone la sentencia dictada y el modo adecuado de darle el mejor cumplimiento, que será la anulación de la sentencia cuando el TEDH declare la vulneración de derechos fundamentales como el derecho de defensa o a un juicio justo

> «El objeto del recurso de revisión es simple y congruente con su naturaleza de recurso extraordinario: constatar si un hecho nuevo —en el caso de la Sentencia del TEDH— supone una evidencia de que el recurrente no debió ser condenado. A ese cuestionamiento la respuesta es obvia, no debió ser condenado, porque se vulneró su derecho de defensa. No es factible la solución que propone el Abogado del Estado que insta se proceda a anular la sentencia condenatoria retrotrayendo las actuaciones al momento de la vista para ordenar una nueva suprimiendo la causa de nulidad, pues esa posibilidad no aparece prevista en el ordenamiento procesal y, además, supondría una lesión al derecho a no ser enjuiciado dos veces por el mismo hecho. Lo constatado y evidenciado por el hecho nuevo es que el acusado en la instancia fue enjuiciado y condenado lesionando su derecho de defensa. Por lo tanto, el hecho nuevo, la Sentencia del TEDH debe relacionarse con el objeto del recurso de revisión, la anulación de la condena, condenatoria que se ha producido con lesión de un derecho fundamental».
> STS 113/2017 de 22 Feb. 2017, Rec. 20853/2015; Ponente: Martínez Arrieta, Andrés. LA LEY 8561/2017. Revisión como medio para hacer valer las ss. del TEDH.

SECCIÓN 9. EL RECURSO DE AMPARO CONSTITUCIONAL[153]

El Tribunal Constitucional es el órgano garante de la Constitución. Como ha señalado el propio Tribunal, no forma parte del Poder Judicial, ya que está al margen de

---

(153) Vid. BACHMAIER WINTER, L., «La reforma del recurso de amparo en la Ley Orgánica 6/2007, de 24 de mayo», *La Ley*, núm. 6775, 10 sept. 2007. DOIG DÍAZ YOLANDA, El nuevo incidente de nulidad en la LO 6/2007, La Ley, nº 6889, 22 Feb. 2008. GARCIMARTÍN MONTERO REGINA, *El incidente de nulidad de actuaciones en el proceso civil*, Civitas, 2002. LOURIDO RICO, A.Mª, *La nulidad de actuaciones una perspectiva procesal*, Comares, 2004. CORDÓN MORENO, *El proceso de amparo constitucional*, Madrid, 1992; QUADRA SALCEDO, *El recurso de amparo y los derechos fundamentales en las relaciones entre particulares*, Madrid, 1981; CASCAJO Y GIMENO, *El recurso de amparo*, Madrid, 1984; DÍAZ DELGADO, «Plazo para interposición del recurso de amparo. Cómputo», *RGD*, 1991, n.° 565, p. 8823; MOYA, *El recurso de amparo según la doctrina constitucional*, Barcelona, 1983.

la organización de los Tribunales de Justicia. Sin embargo, actúa como órgano jurisdiccional en los procesos de amparo, de acuerdo con el procedimiento previsto en su LO 2/79, de 3 de octubre. Aunque el proceso de amparo no se trata de un recurso «*stricto sensu*», sino un medio para denunciar y obtener, en su caso tutela, ante las vulneraciones de los derechos fundamentales producidas en el proceso penal.

El objeto del proceso de amparo viene regulado en el art. 41 Ley Orgánica 2/79, que establece que serán susceptibles de amparo constitucional los derechos y libertades reconocidos en los arts. 14 a 29 CE, cuya tutela queda encomendada, en general, a los Tribunales de Justicia. La violación de estos derechos puede producirse por disposiciones, actos jurídicos o simple vía de hecho del Gobierno Central o de sus autoridades o funcionarios, o de las Comunidades Autónomas, y por violación del derecho a la objeción de conciencia, según establecen los arts. 43 y 45 LOTC[154]. Asimismo, su vulneración puede provenir directamente de un acto u omisión de un órgano jurisdiccional (*vid.* art. 44 LOTC[155]).

9.1. Requisitos para la admisión del recurso de amparo

En el supuesto citado que la vulneración del derecho provenga de un acto u omisión de un órgano jurisdiccional, el supuesto habitual en el proceso penal, procederá solicitar el amparo ante el TC siempre que concurran los siguientes requisitos:

1º) Haber agotado todos los recursos en la vía judicial, entre los que el TC incluye el incidente de nulidad de actuaciones, con las salvedades que se expondrán[156].

---

(154)   SÁNCHEZ GARRIDO, J.A., «Resoluciones recurribles en vía de amparo», *Diario La Ley*, Nº 7838, 16 Abr. 2012.

(155)   Art. 44 LOTC: «1. Las violaciones de los derechos y libertades susceptibles de amparo constitucional, que tuvieran su origen inmediato y directo en un acto u omisión de un órgano judicial, podrán dar lugar a este recurso siempre que se cumplan los requisitos siguientes: a) Que se hayan agotado todos los medios de impugnación previstos por las normas procesales para el caso concreto dentro de la vía judicial. b) Que la violación del derecho o libertad sea imputable de modo inmediato y directo a una acción u omisión del órgano judicial con independencia de los hechos que dieron lugar al proceso en que aquellas se produjeron, acerca de los que, en ningún caso, entrará a conocer el Tribunal Constitucional. c) Que se haya denunciado formalmente en el proceso, si hubo oportunidad, la vulneración del derecho constitucional tan pronto como, una vez conocida, hubiera lugar para ello. 2. El plazo para interponer el recurso de amparo será de 30 días, a partir de la notificación de la resolución recaída en el proceso judicial».

(156)   «En efecto, aun cuando el incidente de nulidad de actuaciones frente a resoluciones judiciales firmes constituía un recurso manifiestamente improcedente antes de la reforma del art. 240 LOPJ operada por la Ley Orgánica 5/1997, de 4 de diciembre (por todas, SSTC 185/1990, de 15 de noviembre, F. 4; 245/2000, de 16 de octubre, F. 2; 12/2001, de 29 de enero, F. 2; y 15/2001, de 29 de enero, F. 3), tras la citada reforma legal constituye un recurso de ineludible interposición para cumplir el requisito previsto en el art. 44.1 a) LOTC, relativo al agotamiento de todos los recursos utilizables dentro de la vía judicial y respetar así el carácter subsidiario del recurso de amparo, ya que la tutela general de los derechos y libertades corresponde (conforme al art. 53.2 CE) primeramente, a los órganos del Poder Judicial, y, por tanto, cuando existe un recurso susceptible de ser utilizado, y adecuado por su carácter y naturaleza para tutelar la libertad o derecho que se entiende vulnerado, tal recurso ha de agotarse antes de acudir a este Tribunal». STC 74/2002 de 8 de abril.

«En efecto, tiene declarado este Tribunal, de acuerdo con las previsiones normativas, que la utilización del incidente de nulidad de actuaciones para agotar la vía previa resulta idónea cuando la queja se encuentre fundada en la vulneración de derechos consagrados en el art. 24 CE que tengan su origen en un defecto de forma causante de indefensión o en el vicio de incongruencia». STC 162/2006, de 22 de mayo de 2006.

Este requisito se fundamenta en la naturaleza subsidiaria del recurso de amparo constitucional que requiere el agotamiento de todos los recursos existentes en la vía judicial ordinaria. La circunstancia de hallarse pendiente algún procedimiento judicial que tenga por objeto la resolución impugnada en amparo determinará la inadmisión del recurso. Por tanto, no podrá simultanearse el recurso de amparo con otros recursos jurisdiccionales. Igual ocurre si se ha interpuesto un incidente de nulidad.

«Se ha destacado que es opuesto al carácter subsidiario de esta jurisdicción constitucional simultanear un recurso de amparo con otro recurso seguido en la vía judicial ordinaria, como ocurre cuando se inicia el proceso de amparo antes de que estén resueltos los recursos interpuestos contra la resolución judicial impugnada en aquella otra vía o cuando, una vez presentada la demanda de amparo, se reabre la vía judicial durante la pendencia del proceso de amparo, aunque la resolución final de la jurisdicción ordinaria sea finalmente desestimatoria (por todas, STC 99/2009, de 27 de abril (LA LEY 40339/2009), FJ 2)». Por otro lado, en la STC 85/2006, de 27 de marzo (LA LEY 36242/2006), FJ 2, sostuvimos que «[t]ambién hemos señalado en reiteradas ocasiones que, cuando, por su propia decisión el ciudadano ha intentado un remedio procesal o recurso contra una resolución judicial, el proceso constitucional no puede iniciarse hasta que la vía judicial, continuada a través de ese remedio o recurso, no se haya extinguido, dado que contradice el carácter subsidiario del recurso de amparo su coexistencia temporal con otro recurso seguido en la vía judicial ordinaria (entre muchas otras, SSTC 189/2002, de 14 de octubre (LA LEY 8025/2002), FJ 6; 15/2003, de 28 de enero (LA LEY 10961/2003), FJ 3; 82/2004, de 10 de mayo (LA LEY 12454/2004), FJ 3; 97/2004, de 24 de mayo (LA LEY 12599/2004), FJ 3; y 13/2005 (LA LEY 10846/2005), de 31 de enero, FJ 3)» y que cuando «respecto de la Sentencia se haya planteado un incidente de nulidad, dicha resolución judicial sólo puede ser recurrida en amparo ante este Tribunal cuando aquél haya sido resuelto, debiendo ser declarado prematuro, por tanto, cualquier recurso de amparo interpuesto contra una resolución judicial frente a la que se ha instado al mismo tiempo incidente de nulidad pendiente aún de resolver, pues, de otro modo, si el incidente se estimara, y como consecuencia de ello se anulara la Sentencia impugnada y se dictara una nueva Sentencia, podría obtenerse en la vía judicial lo solicitado en amparo ante este Tribunal». STC 139/2014 de 8 Sep. 2014, Rec. 5632/2013[157].

----

(157) «Se ha destacado que es opuesto al carácter subsidiario de esta jurisdicción constitucional simultanear un recurso de amparo con otro recurso seguido en la vía judicial ordinaria, como ocurre cuando se inicia el proceso de amparo antes de que estén resueltos los recursos interpuestos contra la resolución judicial impugnada en aquella otra vía o cuando, una vez presentada la demanda de amparo, se reabre la vía judicial durante la pendencia del proceso de amparo, aunque la resolución final de la jurisdicción ordinaria sea finalmente desestimatoria (por todas, SSTC 32/2010, de 8 de julio, FJ 2 y 105/2011, de 20 de junio, FJ 2)». STC 199/2012 de 12 Nov. 2012, Rec. 5391/2009. Véanse en el mismo sentido las SSTC 70/2007 de 16 de abril; 350/2006, de 11 de diciembre; 72/2004 (Sala Primera) de 19 abril; 192/2001 de 1 de octubre; ATC 65/1985, de 30 de enero.

Así pues, entiende el TC que es opuesto al carácter subsidiario de la jurisdicción constitucional simultanear un recurso de amparo con otro recurso seguido en la vía judicial ordinaria, como ocurre cuando se inicia el proceso de amparo antes de que estén resueltos los recursos interpuestos contra la resolución judicial impugnada en aquella otra vía. O cuando, una vez presentada la demanda de amparo, se reabre la vía judicial durante la pendencia del proceso de amparo, aunque la resolución final de la jurisdicción ordinaria sea finalmente desestimatoria[158].

Conforme con este primer requisito, será necesario interponer los recursos ordinarios y extraordinarios o los remedios excepcionales de rescisión de sentencias firme, según proceda, sin que pueda acudirse directamente al recurso de amparo, ya que en ese caso se accedería al amparo constitucional «*per saltum*», lo que ha rechazado reiteradamente el TC[159]. Ahora bien, esta obligación no determina que se deban utilizar en cada caso todos los medios de impugnación posibles, sino tan sólo aquellos cuya procedencia aparece como lógica y normal en el caso de que se trate. Así lo ha entendido el TC que ha declarado que la subsidiariedad no puede conducir a una sucesión ilimitada de recursos judiciales, incompatible con el principio de seguridad jurídica —art. 9.3 CE—, incluso los de dudosa viabilidad[160].

O de un modo más claro en la STC 248/2006 de 24 de julio que declara que: «... *a efectos del agotamiento de la vía judicial sólo son exigibles los cauces procesales cuya viabilidad no ofrezca dudas interpretativas*». Por tanto es exigible, únicamente, la

---

(158)   «Este Tribunal ha puesto de manifiesto también que la causa de inadmisión de falta de agotamiento de la vía judicial previa art. 50.1 a), en relación con el art. 44.1 a) LOTC (LA LEY 2383/1979), tiene su fundamento en la salvaguarda de la naturaleza subsidiaria del amparo, con el fin de evitar que este Tribunal se pronuncie sobre eventuales vulneraciones de derechos fundamentales cuando los órganos judiciales tienen todavía la ocasión de restablecerlos. En relación con ello, es opuesto al carácter subsidiario de esta jurisdicción constitucional simultanear un recurso de amparo con otro recurso seguido en la vía judicial ordinaria, como ocurre cuando se inicia el proceso de amparo antes de que estén resueltos los recursos interpuestos contra la resolución judicial impugnada en aquella otra vía o cuando, una vez presentada la demanda de amparo, se reabre la vía judicial durante la pendencia del proceso de amparo, aunque la resolución final de la jurisdicción ordinaria sea finalmente desestimatoria (por todas, STC 32/2010 (LA LEY 124751/2010), de 8 de julio, FJ 2)». STC 178/2013 de 21 Oct. 2013, Rec. 6214/2012.

(159)   Véase la STC núm. 290/2005 (Sala Primera), de 7 noviembre: «*Lo importante en definitiva es preservar el carácter subsidiario del recurso de amparo, evitando que el acceso a esta jurisdicción constitucional se produzca per saltum, esto es, sin dar oportunidad a los órganos judiciales de pronunciarse y, en definitiva, remediar la lesión que luego se invoca (SSTC 8/1993, de 18 de enero, F. 2; 85/1999, de 10 de mayo, F. 5; 71/2000, de 13 de marzo, F. 3), pues son ellos quienes tienen encomendada en nuestro sistema constitucional la tutela general de los derechos y libertades (STC 61/1983, de 11 de julio, F. 2). En el presente caso debe considerarse que se agotó correctamente la vía judicial previa, ya se dio la posibilidad al órgano judicial de rectificar, cumpliéndose así el principio de subsidiariedad del recurso de amparo*».

(160)   «Como hemos advertido en nuestra STC 11/2011, de 28 de febrero, FJ 4, el presupuesto procesal del agotamiento no puede configurarse como la exigencia de interponer cuantos recursos fueren imaginables, incluso aquellos de dudosa viabilidad. El agotamiento queda cumplido con la utilización de aquéllos que razonablemente puedan ser considerados como pertinentes sin necesidad de complejos análisis jurídicos». STC Pleno, Sentencia 216/2013 de 19 Dic. 2013, Rec. 10846/2009. Ver también STC 176/2013 de 21 Oct. 2013, Rec. 1783/2010. Vid también STC 185/1990 de 15 de noviembre.

utilización de los recursos o instrumentos de impugnación cuya procedencia se desprenda claramente de las previsiones legales, sin dudas que hayan de resolverse con criterios interpretativos de alguna dificultad[161]. De lo contrario se obligaría a la parte a realizar ejercicios de interpretación, que pueden resultar en extremo complejos, tal y como ha reconocido el TC, que ha declarado que no resulta exigible: «*efectuar complejos análisis jurídicos, puesto que no es exigible al ciudadano que supere dificultades de interpretación que excedan de lo razonable y, además, se requiere que su falta de utilización tenga origen en la conducta voluntaria o negligente de la parte o de los profesionales que le prestan su asistencia técnica*» (STC 158/2006, de 22 de mayo de 2006). Véase también en el mismo sentido la STC 215/2006, de 3 de julio de 2006[162].

«Dicha causa de inadmisión debe ser rechazada, pues, con arreglo a la doctrina de este Tribunal, al analizar el requisito del agotamiento de la vía judicial previa nuestro control se debe limitar a examinar si el mencionado recurso era razonablemente exigible, lo que se traduce en que el presupuesto procesal de agotar la vía previa no puede configurarse como la necesidad de interponer cuantos recursos fueren imaginables, bastando para dar por cumplido este requisito con la utilización de los que "razonablemente puedan ser considerados como pertinentes sin necesidad de complejos análisis jurídicos" (entre otras, SSTC 114/1992, de 14 de septiembre (LA

---

(161)   Véanse también la SSTC 18/2002, de 28 de enero; 106/2005, de 9 de mayo.

(162)   No es preciso, por ejemplo, acudir a otro orden jurisdiccional como el proceso penal. Así lo ha declarado el TC en la STC 38/2006, de 13 de febrero de 2006: «*la exigencia de agotar todos los recursos utilizables dentro de la vía judicial requiere agotar todos los medios de impugnación ordinarios o extraordinarios antes de acudir al amparo constitucional. Pero ello no obliga a utilizar todos los remedios imaginables, sino tan sólo aquellos normales que de manera clara se manifiesten como ejercitables, esto es, aquéllos sobre los que no quepa duda respecto de su procedencia y de la posibilidad real y efectiva de interponerlo, así como de su adecuación para reparar la lesión de los derechos fundamentales invocados en la demanda de amparo, sin necesidad de efectuar complejos análisis jurídicos (STC 240/2001, de 18 de diciembre, FJ 2, entre otras muchas resoluciones). Es claro que la vía impugnatoria que según el Fiscal tenía abierta la entidad demandante en el momento de formular la demanda no forma parte de la que en la STC 177/2001, de 17 de septiembre (FJ 2), denominamos la "senda procesal" dentro de la que han de darse todos los pasos aptos para la tutela del derecho correspondiente, pues supone acudir a un orden jurisdiccional —el penal— diferente de aquél en el que se causó la supuesta lesión del derecho fundamental —el civil—, para regresar nuevamente a éste con la interposición de un recurso extraordinario de revisión, en el caso de que prospere la acción penal; es patente, pues, que la vía impugnatoria que el Fiscal sugiere no está exenta de complejidad. Dicha vía depende, además, de que prospere una acción penal, sin que la hipótesis contraria implique, sin embargo, negar que se haya producido la indefensión vulneradora del art. 24.1 CE que se denuncia en la demanda de amparo. En definitiva se puede haber producido la indefensión de la entidad demandante sin la concurrencia de conducta alguna penalmente relevante. En fin, no puede olvidarse que el ejercicio de la acción penal por la víctima de un delito —la cual no tiene un derecho fundamental constitucionalmente protegido a la condena penal de otra persona (STC 45/2005, de 28 de febrero, FJ 2)— supone una específica y peculiar manifestación del derecho de acceso a la jurisdicción, características que derivan de las también específicas y peculiares notas del proceso penal, en el que "las garantías constitucionales de una de las partes —el imputado— adquieren un especial relieve en sede de amparo constitucional, mientras que, como tal, la potestad pública de imponer penas que se ventila en él no es susceptible de ser amparada" (STC 285/2005, de 7 de noviembre, FJ 4), de forma tal que sería posible una resolución de inadmisión de la querella que, pese a ser plenamente respetuosa del ius ut procedatur de la víctima, sin embargo le cerrara el paso al recurso extraordinario de revisión en el orden civil y con él a la reparación de la vulneración de su derecho a la tutela judicial sin indefensión supuestamente producida en ese orden*».

LEY 1975-TC/1993), FJ 2, 51/2000, de 28 de febrero (LA LEY 5205/2000), FJ 2, y 137/2004, de 13 de septiembre (LA LEY 13724/2004), FJ 2). En otras palabras, "todos los recursos utilizables" *ex art.* 44.1.a LOTC no son la totalidad de los posibles o imaginables, sino únicamente aquéllos que puedan ser conocidos y ejercitables por los litigantes sin necesidad de superar unas dificultades interpretativas mayores de lo exigible razonablemente, esto es, sólo han de ser utilizados aquellos cuya procedencia se desprenda de modo claro y terminante del tenor de las previsiones legales, y además que, dada su naturaleza y finalidad, sean adecuados para reparar la lesión presuntamente sufrida (SSTC 169/1999, de 27 de septiembre (LA LEY 278/2000), FJ 3; 178/2000, de 26 de junio (LA LEY 10066/2000), FJ 3; 101/2001, de 7 de mayo (*SIC*) (LA LEY 3900/2001), FJ 1; y 57/2003, de 24 de marzo (LA LEY 57602/2003), FJ 2)». STC 76/2007 de 16 Abr. 2007, Rec. 4984/2004

Dentro de este agotamiento previo se encuentra también el incidente de nulidad de actuaciones. Deberá acudirse a este mecanismo cuando la vulneración del derecho fundamental se hubiera producido en la sentencia contra la que no quepa recurso alguno, sin que la aclaración de sentencia (art. 214 y 215 LEC y 267 LOPJ) cumpla con este requisito[163]. Se considerará necesario el incidente de nulidad cuando resulte ser el único medio para poner en conocimiento de la jurisdicción ordinaria las pretendidas lesiones y posibilitar, en su caso, su reparación.

«Dado que la resolución impugnada en amparo no era susceptible de recurso alguno, los demandantes deberían haber interpuesto frente a la misma un incidente de nulidad de actuaciones para agotar debidamente la vía judicial previa antes de acudir en amparo ante este Tribunal. El incidente de nulidad era claramente ejercitable *ex art.* 241.1 LOPJ "sin necesidad de superar unas dificultades interpretativas mayores de lo exigible razonablemente" (por todas, recientemente, STC 131/2016, de 18 de julio (LA LEY 93848/2016), FJ 2), por lo que debió formalizarse como único medio para poner en conocimiento de la jurisdicción ordinaria las pretendidas lesiones y posibilitar, en su caso, su reparación. De prosperar la denuncia con la interposición de ese remedio procesal, las vulneraciones hubiesen resultado paliadas, eventualmente además con la confirmación de la inicial Sentencia de 11 de abril de 2014 de la Sección Quinta de la Audiencia Provincial de Madrid, en causa rollo de Sala núm.16-2012, obteniendo la absolución que los recurrentes procuraban en el proceso penal». STC 189/2016 de 14 Nov. 2016, Rec. 2443/2015[164]

---

(163) «Por tanto, la aclaración regulada en el art. 267 LOPJ no constituye un auténtico medio de impugnación que pueda servir como instrumento para agotar la vía judicial previa cuando, como es el caso, se denuncia la irrazonabilidad en los argumentos de la Sentencia, supuesto en el que, manifestando la actora su desacuerdo con la fundamentación de la misma, que entendía vulneradora de su derecho a la tutela judicial efectiva, debería haber acudido al incidente de nulidad de actuaciones del art. 241.1 LOPJ para agotar en debida forma la vía judicial previa, puesto que era el remedio procesal adecuado para reparar la lesión del derecho fundamental invocado en la demanda de amparo. Al no haberlo hecho así, la actora no ha dado debido cumplimiento al requisito del agotamiento de los recursos utilizables establecido en el art. 44.1 a) LOTC, ni, por consiguiente, brindó a la Sala la posibilidad de reparar el vicio denunciado, salvaguardando, de este modo, el carácter subsidiario del recurso de amparo al que, como hemos señalado, responde dicho requisito». STC 86/2014 de 17 Nov. 2014, Rec. 2996/2011. Vid. también STC 11/2011 de 28 Feb. 2011, Rec. 9543/2006.

(164) «Así mismo, es doctrina reiterada que el incidente de nulidad de actuaciones previsto en el art. 241 LOPJ ofrece un cauce para remediar los defectos procesales que causen indefensión

Queda dentro del ámbito del incidente de nulidad todas las infracciones que se produzcan en la sentencia, que afecten al art. 24 CE, en concreto las que afecten a la tutela judicial efectiva (incongruencia, falta de motivación,...), sin que la reforma del art. 241 LOPJ, efectuada por LO 6/2007 de 24 mayo, las excluyera.

«En definitiva, la nueva regulación del incidente de nulidad de actuaciones, llevada a cabo por Ley Orgánica 6/2007, de 24 de mayo, no excluyó de su ámbito de aplicación el vicio de incongruencia omisiva, como manifestación de lesión del derecho a la tutela judicial efectiva (art. 24.1 CE). Este vicio puede seguir siendo denunciado por esta vía, en su conexión con el citado derecho a la tutela judicial efectiva, tal como así hizo el recurrente en su escrito de planteamiento de nulidad, por lo que la providencia de 11 de octubre de 2012, al inadmitir el incidente de nulidad de actuaciones, con el argumento de que la incongruencia no estaba ya incluida entre las causas de nulidad susceptibles de ser invocadas en el incidente regulado en el art. 241 LOPJ, dictó una resolución sin apoyo legal, basada en una interpretación de la legalidad manifiestamente irrazonable desde el plano constitucional. 5. De lo anteriormente expuesto resulta que se ha vulnerado el derecho de acceso al recurso de la entidad recurrente (art. 24.1 CE). Al respecto debe recordarse que, conforme a la doctrina de este Tribunal, si bien el incidente de nulidad de actuaciones no constituye un recurso en sentido estricto, sin embargo es un cauce procesal que al tener por objeto la revisión de resoluciones o actuaciones procesales, debe ser enjuiciado por este Tribunal desde el canon propio del derecho de acceso al recurso legalmente establecido (SSTC 57/2006, de 27 de febrero (LA LEY 21767/2006); y 157/2009 (LA LEY 119832/2009), de 25 de junio, FJ 2)». STC 9/2014 de 27 Ene. 2014, Rec. 6709/2012.

La necesidad de acudir previamente al incidente de nulidad responde, también, al criterio de preservar el carácter subsidiario del recurso de amparo, evitando que el acceso a esta jurisdicción constitucional se produzca *per saltum (antes ya expuesto)*, es decir, sin brindar a los órganos judiciales la oportunidad de pronunciarse y, en su caso, remediar la lesión invocada como fundamento del recurso de amparo constitucional[165]. Ahora bien, no será necesario acudir al incidente de nulidad de actuaciones cuando ya se haya denunciado la vulneración del derecho fundamental en las instancias anteriores y en los recursos planteados.

---

o las resoluciones que resulten incongruentes, en los términos y condiciones previstos legalmente, que como remedio último debe ser intentado antes de acudir al amparo y sin cuyo requisito la demanda deviene inadmisible, conforme a los arts. 44.1 a) y 50.1 a) LOTC, por falta de agotamiento de todos los recursos utilizables dentro de la vía judicial (SSTC 219/2004, de 29 de noviembre (LA LEY 292/2005), FJ 4; 47/2006, de 13 de febrero (LA LEY 21759/2006), FJ 2, y 269/2006, de 11 de septiembre (LA LEY 109031/2006), FJ 2). Y dado que en este caso no se planteó el mencionado incidente, habrá que inadmitir la queja de incongruencia que formula el demandante». STC 76/2007 de 16 Abr. 2007, Rec. 4984/2004.

Vid. también STC 131/2016 de 18 Jul. 2016, Rec. 5646/2014.

(165) «Este requisito del art. 44.1 a) LOTC responde, según ha sostenido de forma unánime y constante la doctrina de este Tribunal, "a la finalidad de preservar el carácter subsidiario del recurso de amparo, evitando que el acceso a esta jurisdicción constitucional se produzca per saltum, es decir, sin brindar a los órganos judiciales la oportunidad de pronunciarse y, en su caso, remediar la lesión invocada como fundamento del recurso de amparo constitucional" (por todas, últimamente, SSTC 42/2010, de 26 de julio, 91/2010, de 15 de noviembre, y 12/2011, de 28 de febrero)». STC, Pleno, 216/2013 de 19 Dic. 2013, Rec. 10846/2009

«El incidente es inadmitido por la Sala porque plantea una cuestión ajena al ámbito del mismo, en el que no cabe volver a enjuiciar la cuestión que constituyó el tema de debate en el proceso, en este caso el conflicto entre el derecho al honor y la libertad de información. 4. Y concluíamos en la STC 17/2012 (LA LEY 17254/2012) citada (FJ 4) que: "Es indudable que, en las circunstancias concurrentes en el presente caso, la formulación del incidente de nulidad frente a la Sentencia de casación era manifiestamente improcedente, dado que en el incidente se denunció por la recurrente la lesión de un derecho fundamental, el derecho a la libertad de información garantizado por el art. 20.1 d) CE (LA LEY 2500/1978), que no derivaba originariamente de dicha Sentencia, sino de las Sentencias anteriores de primera instancia y apelación, pues en las dos instancias ya se había planteado la posible vulneración del citado derecho. No se trata, así, de una supuesta lesión de un derecho fundamental "que no haya podido denunciarse antes de recaer resolución que ponga fin al proceso", como exige el art. 241.1 LOPJ".

Siendo, por tanto, manifiestamente improcedente el incidente de nulidad de actuaciones interpuesto por la demandante de amparo es de concluir que, como quiera que la Sentencia de la Sala de lo Civil del Tribunal Supremo de 7 de julio de 2009 (LA LEY 119084/2009) le fue notificada el día 13 de ese mismo mes y año y el recurso de amparo no se interpuso hasta el 2 de diciembre de 2009, se habría excedido con creces el plazo de treinta días previsto en el art. 44.2 de la Ley Orgánica del Tribunal Constitucional (LA LEY 2383/1979) para la interposición del presente recurso de amparo, que resulta, así, extemporáneo.». STC 23/2012 de 27 Feb. 2012, Rec. 10143/2009. Ver también STC 17/2012 de 13 Feb. 2012, Rec. 9894/2009

Por otra parte, es doctrina reiterada del TC que la determinación de qué remedios procesales son pertinentes en cada caso concreto es una cuestión de legalidad ordinaria, que corresponde decidir a los órganos de la jurisdicción ordinaria. El papel del TC se limita, en los casos de la evaluación sobre el cumplimiento o no del requisito del agotamiento de la vía judicial, a decidir si era razonablemente exigible o no la interposición de un determinado recurso.

«Como hemos advertido en nuestra STC 11/2011, de 28 de febrero, FJ 4, "el presupuesto procesal del agotamiento no puede configurarse como la exigencia de interponer cuantos recursos fueren imaginables, incluso aquellos de dudosa viabilidad. El agotamiento queda cumplido con la utilización de aquéllos que razonablemente puedan ser considerados como pertinentes sin necesidad de complejos análisis jurídicos". Es asimismo doctrina reiterada de este Tribunal, que la determinación de qué remedios procesales son pertinentes en cada caso concreto es una cuestión de legalidad ordinaria que corresponde decidir a los órganos de la jurisdicción ordinaria, de modo que la fiscalización por la jurisdicción constitucional del agotamiento de la vía judicial, en cuanto requisito previo a la interposición del recurso de amparo, no habilita a este Tribunal para suplantar a los órganos de la jurisdicción ordinaria en la interpretación de la legalidad procesal. Por ello hemos afirmado también que, en la evaluación del cumplimiento del requisito del agotamiento de la vía judicial, "no se trata de establecer con total precisión si un recurso es o no procedente, sino de decidir si era razonablemente exigible su interposición" (STC 11/2011, de 28 de febrero, FJ 3)». STC, Pleno, 216/2013 de 19 Dic. 2013, Rec. 10846/2009.

Esta doctrina fue la que reformuló la STC —Pleno—, 216/2013 de 19 Dic. En esta sentencia el TC insistió en que no debe plantearse un incidente de nulidad, aun cuando procesalmente fuese posible, en aquellos casos en que resultaba materialmente inútil porque suponía que el órgano judicial debía retractarse de lo que ya se había resuelto en varias resoluciones previas en las distintas instancias[166]. Por tanto, solo será obligatorio acudir al incidente de nulidad cuando la violación de algún derecho fundamental del art. 24 CE se produzca en la sentencia contra la que no quepa recurso alguno, sin que sobre el mismo hubiera tenido de ocasión de pronunciarse los tribunales de las sucesivas instancias.

«En tales condiciones, no puede reprocharse al demandante que no plantease ante el propio Tribunal Supremo incidente de nulidad de actuaciones, con la pretensión de que éste reconsiderase el fondo de su resolución con argumentos semejantes a los ya empleados en la vía judicial. Así lo hemos entendido en otras ocasiones en las cuales, aun cuando el incidente de nulidad pudiera ser formalmente procedente, resultaba materialmente inútil porque comportaba pedirle al órgano judicial que se retractase sobre lo que ya había resuelto en varias resoluciones previas (STC 182/2011, de 21 de noviembre (LA LEY 239500/2011), FJ 2)». STC, Pleno, 216/2013 de 19 Dic. 2013, Rec. 10846/2009.

Además, de no entenderse así, se obligaría a las partes a formular todos los recursos posibles e imaginables, incluido el incidente de nulidad, con el riesgo de que si se declararse improcedente el elegido, habría transcurrido el plazo para interponer el recurso de amparo, quedando esta vía cerrada[167].

(166) «Por el contrario, en el presente caso la viabilidad legal de dicho incidente resultaba cuando menos dudosa. En este sentido este Tribunal ha declarado que el incidente de nulidad de actuaciones de actuaciones previsto en el art. 241 LOPJ ofrece un cauce para remediar los defectos procesales que causen indefensión o las resoluciones que resulten incongruentes, "en defecto de recurso válido, en los términos y condiciones previstos legalmente" (STC 269/2006, de 11 de septiembre (LA LEY 109031/2006), FJ 2, entre otras). Dichos términos legales se refieren a la viabilidad de este medio de impugnación para denunciar "los defectos de forma que hayan causado indefensión", siempre que "no hayan podido denunciarse antes de recaer la resolución que ponga fin al proceso". Por el contrario, en el presente caso dichos defectos formales acaecieron durante la primera instancia, por lo que pudieron denunciarse, y de hecho se denunciaron, antes de que recayera la resolución que puso fin al proceso, concretamente se invocaron en el recurso de apelación formulado contra la Sentencia del Juzgado de lo Penal. Por lo que, en dichas circunstancias, la viabilidad del incidente era dudosa, no siendo por tanto exigible su interposición para entender cumplido el requisito de agotamiento de la vía judicial previa». STC 76/2007 de 16 Abr. 2007, Rec. 4984/2004.

(167) «La interposición del incidente, en definitiva, situaba a la actora "ante una encrucijada difícil de resolver, toda vez que si no utiliza todos los recursos disponibles dentro de la vía judicial ordinaria su recurso de amparo podrá ser inadmitido por falta de agotamiento de la vía judicial previa, y si decide, en cambio, apurar la vía judicial, interponiendo todos los recursos posibles o imaginables, corre el riesgo de incurrir en extemporaneidad al formular alguno que no fuera en rigor procedente (últimamente, por todas, STC 192/2005, de 18 de julio (LA LEY 1776/2005), FJ 2)" (STC 255/2007 (LA LEY 216807/2007), FJ 2). Encrucijada agravada por la consecuencia de mantener abierta una vía judicial que estaba abocada, como consecuencia de la adjudicación recurrida, a la pérdida en la posesión de la vivienda familiar que venía ocupando, con el perjuicio económico en términos de descapitalización de su patrimonio que llevaba aparejada para la recurrente tal decisión judicial. Teniendo todo esto en cuenta, la exigencia de interposición del incidente de nulidad resultaba un gravamen desproporcionado en este caso, de allí que acordemos la desestimación también de este último óbice, con el carácter excepcional ya señalado». STC 182/2011 de 21 Nov. 2011, Rec. 1463/2010.

«Además, la ya citada STC 182/2011 (LA LEY 239500/2011) también pone de relieve, de manera elocuente, la tesitura a que puede verse abocado el recurrente "ante una encrucijada difícil de resolver, toda vez que si no utiliza todos los recursos disponibles dentro de la vía judicial ordinaria su recurso de amparo podrá ser inadmitido por falta de agotamiento de la vía judicial previa, y si decide, en cambio, apurar la vía judicial, interponiendo todos los recursos posibles o imaginables, corre el riesgo de incurrir en extemporaneidad al formular alguno que no fuera en rigor procedente (últimamente, por todas, STC 192/2005, de 18 de julio (LA LEY 1776/2005), FJ)" (STC 255/2007 (LA LEY 216807/2007), FJ 2)». STC, Pleno, 216/2013 de 19 Dic. 2013, Rec. 10846/2009.

Por esto insiste la STC 216/13 en que en los casos en que se haya denunciado la vulneración de derechos fundamentales a lo largo de las sucesivas instancias, no cabe el planteamiento del incidente de nulidad ante el último tribunal posible con la pretensión de que éste reconsiderase el fondo de su resolución con argumentos semejantes a los ya empleados en el último posible recurso planteado. En estos casos podrá acudirse directamente al amparo[168]. En realidad esta sentencia viene a perfeccionar y ratificar la doctrina ya consolidada del TC sobre el agotamiento de los mecanismos procesales procedentes[169]. Al mantener esta interpretación de este requisito, el TC matizó la reforma operada por la LO 6/2007, que, *prima facie,* pretendía que siempre fuese preceptiva la formulación del incidente de nulidad[170].

«Consecuentemente, ningún reproche cabe efectuar al demandante de amparo por acudir directamente ante este Tribunal sin interponer previamente un incidente de nulidad de actuaciones, habida cuenta que la pertinencia de ese remedio procesal es al menos dudosa. Como se ha adelantado, recientemente en la STC 176/2013, de 21 de octubre (LA LEY 156350/2013), FJ 3, se dijo que: «Pues bien, en el proceso judicial del que este recurso de amparo trae causa, el objeto central de controversia

---

(168) Este criterio ya se reiteró con anterioridad: «Dicha causa de inadmisión debe ser rechazada, pues, con arreglo a la doctrina de este Tribunal, al analizar el requisito del agotamiento de la vía judicial previa nuestro control se debe limitar a examinar si el mencionado recurso era razonablemente exigible, lo que se traduce en que el presupuesto procesal de agotar la vía previa no puede configurarse como la necesidad de interponer cuantos recursos fueren imaginables, bastando para dar por cumplido este requisito con la utilización de los que "razonablemente puedan ser considerados como pertinentes sin necesidad de complejos análisis jurídicos" (entre otras, SSTC 114/1992, de 14 de septiembre (LA LEY 1975-TC/1993), FJ 2, 51/2000, de 28 de febrero (LA LEY 5205/2000), FJ 2, y 137/2004, de 13 de septiembre (LA LEY 13724/2004), FJ 2). En otras palabras, "todos los recursos utilizables" ex art. 44.1.a LOTC (LA LEY 2383/1979) no son la totalidad de los posibles o imaginables, sino únicamente aquéllos que puedan ser conocidos y ejercitables por los litigantes sin necesidad de superar unas dificultades interpretativas mayores de lo exigible razonablemente, esto es, sólo han de ser utilizados aquellos cuya procedencia se desprenda de modo claro y terminante del tenor de las previsiones legales, y además que, dada su naturaleza y finalidad, sean adecuados para reparar la lesión presuntamente sufrida (SSTC 169/1999, de 27 de septiembre (LA LEY 278/2000), FJ 3; 178/2000, de 26 de junio (LA LEY 10066/2000), FJ 3; 101/2001, de 7 de mayo (SIC) (LA LEY 3900/2001), FJ 1; y 57/2003, de 24 de marzo (LA LEY 57602/2003), FJ 2)». STC 76/2007 de 16 Abr. 2007, Rec. 4984/2004

(169) GÓRRIZ GÓMEZ, B., «Modificación de la doctrina constitucional sobre la necesidad de interponer el incidente de nulidad de actuaciones con carácter previo al recurso de amparo (STC 216/2013, de 19 diciembre)»; *Diario La Ley,* Nº 8275, Sección Tribuna, 20 Mar. 2014

(170) Vid. LOZANO y CORDÓN, «Overruling de la jurisprudencia constitucional sobre el requisito de interponer el incidente de nulidad de actuaciones con carácter previo al recurso de amparo (STC 216/2013)», *Diario La Ley,* Nº 8249, Sección Tribuna, 12 de febrero de 2014.

a lo largo de sus tres instancias consistió en si se habían vulnerado los derechos del demandante a la propia imagen y a la intimidad o si, por el contrario, la conducta del demandando se encontraba amparada por el ejercicio del derecho a la información, obteniéndose una respuesta judicial no uniforme en las sentencias de instancia y apelación, por una parte, y casación, por otra. De haber planteado el incidente de nulidad de actuaciones, los recurrentes habrían denunciado la conculcación, por parte de la sentencia dictada al resolver el recurso de casación, de los mismos derechos fundamentales que, tanto la sentencia dictada en la instancia como la recaída al resolver el recurso de apelación, reconocieron como efectivamente vulnerados por los demandados en el proceso civil. Ello habría supuesto que la interposición del referido incidente habría tenido por objeto el replanteamiento integral de la estimación del recurso interpuesto por aquéllos, es decir su desestimación, con la consiguiente modificación radical del fallo y de la fundamentación jurídica utilizada para reconocer la prevalencia *ad casum* del derecho a difundir información. En tales condiciones, no puede reprocharse al demandante que no plantease ante el propio Tribunal Supremo incidente de nulidad de actuaciones, con la pretensión de que éste reconsiderase el fondo de su resolución con argumentos semejantes a los ya empleados en la vía judicial"». STC, Pleno, 216/2013 de 19 Dic. 2013, Rec. 10846/2009.

No es exigible que el proceso del que trae causa el amparo haya finalizado, sino que la resolución de que se trate sea la que decida definitivamente la cuestión. Por tanto cabe acudir al recurso de amparo con relación a la situación de prisión provisional o cuando se declara la nulidad del juicio y se retrotraen los autos para celebrar nuevo juicio oral[171].

«... la regla general consistente en la consideración del carácter prematuro del recurso de amparo cuando éste se dirige contra resoluciones dictadas en el curso de un proceso penal en tramitación, ha sido exceptuada por este Tribunal en relación con aquellas resoluciones que, por referirse a la situación personal del encausado, pueden afectar de manera irreparable a la libertad personal del mismo (STC 247/1994, de 19 de septiembre).../... En las SSTC 161/1995, de 7 de noviembre, y 27/1997, de 11 de febrero, se exceptuaron tales casos de la aplicación de la doctrina general que examinamos, por cuanto se trataba de una infracción actual, entendida la "actualidad" como aquélla que "hace sentir sus efectos de inmediato —en todos y cada uno de los actos que lleve a cabo el juez— y por ello ha de ser denunciada cuando se produce y no cuando recae resolución que pone fin al proceso..."; y ello, por cuanto, "obligar al particular a agotar la vía judicial ordinaria produciría una injustificada perpetuación en el tiempo de la lesión de su derecho fundamental o se consumaría definitivamente la violación, haciéndose imposible o dificultándose gravemente el restablecimiento "in integrum" por el Tribunal Constitucional del derecho fundamental vulnerado". Así ocurre también en este supuesto, en el que esperar al desarrollo total del proceso en sus correspondientes y eventuales etapas o instancias, perpetuaría una situación que despliega sus efectos de inmediato, pues no va referida al fondo de la decisión del proceso, sino a las medidas cautelares y de situación personal adoptadas en su curso». STC 236/2001, de 18 de diciembre.

Así sucede en el caso de sentencias absolutorias con retroacción de actuaciones. Supuesto en el que se puede impugnar en amparo directamente dicha decisión, sin incurrir

---

(171) Véase también la STC 70/1999 de 26 de abril.

en falta de agotamiento, o bien esperar a que se dicte la nueva decisión por si la misma fuera absolutoria, sin incurrir en extemporaneidad al interponer el recurso de amparo.

«Debe descartarse que concurra la extemporaneidad de la demanda. Asiste la razón al Ministerio Fiscal cuando afirma que, en su caso, la lesión constitucional denunciada se habría consumado con la Sentencia de la Sala Segunda del Tribunal Supremo de 23 de noviembre de 2000, que es la resolución que acordó la anulación y celebración de nuevo juicio oral, ya que, como ha señalado este Tribunal, la revocación de una sentencia penal absolutoria habilitando la posibilidad de un nuevo enjuiciamiento constituye en sí misma gravamen suficiente para interponer el recurso de amparo, pues el contenido propio de este derecho es la prohibición del doble enjuiciamiento con independencia del resultado favorable o desfavorable del mismo (por todas, STC 4/2004, de 16 de enero, FJ 2). Ahora bien, con independencia de ello, este Tribunal también ha destacado que en casos de anulación de sentencias absolutorias con retroacción de actuaciones se puede o bien impugnar en amparo directamente dicha decisión, sin incurrir en falta de agotamiento, o bien esperar a que se dicte la nueva decisión por si la misma fuera absolutoria, sin incurrir en extemporaneidad (STC 149/2001, de 27 de julio). De ese modo, en casos como el presente, este Tribunal no ha objetado la tempestividad de la interposición del recurso de amparo tras la celebración de la nueva vista y el dictado de las posteriores resoluciones que ponían fin definitivamente al procedimiento judicial (así, STC 249/2005, de 10 de octubre)». STC 23/2008 de 11 de febrero.

Y, en general, cabe solicitar el amparo constitucional frente a resoluciones dictadas en el curso del proceso en determinados supuestos excepcionales en los que la continuación del procedimiento judicial pueda implicar la agravación o consolidación de la infracción del derecho fundamental. Así lo ha admitido el TC en los supuestos de: infracción del derecho al Juez legal (art. 24.2), al Juez ordinario frente a la jurisdicción militar (STC 161/1995, FJ 4), frente a las peticiones de *habeas corpus* (SSTC 153/1988, 106/1992, 1/1995 y 154/1995), la adopción de la prisión provisional y, en general, cuando pudiera infringirse el derecho a la libertad del art. 17 CE y en ciertos supuestos en que se alegue que las resoluciones interlocutorias infrinjan derechos fundamentales de carácter material, distintos a los contenidos en el art. 24 CE (Véase a este respecto la STC 235/2006, de 17 de julio de 2006)[172].

2º) Que la violación sea imputable de modo directo inmediato a una acción y omisión de un órgano judicial.

(172) Véase a este respecto la STC 235/2006, de 17 de julio de 2006: «*el art. 44.1 a) LOTC impide impetrar directamente el amparo constitucional contra resoluciones incidentales recaídas en un proceso penal aún no concluido; es en el marco del propio proceso donde deben invocarse y, en su caso, repararse las vulneraciones de derechos fundamentales que hubieran podido originarse, salvo que no quepa otra vía para remediarlas que el recurso de amparo (SSTC 32/1994, 147/1994, 174/1994, 196/1995 y 63/1996 y AATC 168/1995 y 173/1995). "El rigor de esta regla general —precisa la STC 247/1994 y reiteran las SSTC 318/1994 y 31/1995— admite, sin embargo, alguna excepción y en concreto que el seguimiento exhaustivo del itinerario procesal previo, con todas sus fases y etapas o instancias, implique un gravamen adicional, una extensión o una mayor intensidad de la lesión del derecho por su mantenimiento en el tiempo, hipótesis que puede darse cuando de la libertad personal se trata" (STC 27/1997, de 11 de febrero, FJ 2) .../... (STC 27/1997, de 11 de febrero, FJ 2; doctrina reiterada en SSTC 136/1997, de 21 de julio, 236/2001, de 18 de diciembre, y 100/2002, de 6 de mayo)».*

3º) Que se haya producido una efectiva violación de derechos fundamentales, por lo que no puede utilizarse como un mecanismo *ad cautelam*.

«Pues bien, resulta suficientemente conocido que no cabe considerar el recurso de amparo como un mecanismo *ad cautelam* para la tutela de los derechos fundamentales, pues "constituye reiterada doctrina constitucional que el recurso de amparo no tiene carácter cautelar, ni alcanza a proteger eventuales lesiones no producidas (por todas, STC 165/1999, de 27 de septiembre, FJ 8), exigiendo el inexcusable presupuesto de la violación de los derechos o libertades públicas mencionadas en el art. 41.1 LOTC. Este Tribunal, desde su más temprana jurisprudencia (ATC 98/1981, de 30 de septiembre (LA LEY 242/1981), FJ 4; y STC 77/1982, de 20 de diciembre (LA LEY 169-TC/1983), FJ 1), ha requerido como presupuesto inexcusable de la petición de amparo que ésta se formule en razón de la existencia de una lesión efectiva, real y concreta a un derecho fundamental, lo que no sucede cuando lo que se contiene en la demanda es la mera invocación de un hipotético daño potencial". (STC 177/2005, de 4 de julio, FJ único)». STC, Pleno, 28/2014 de 24 Feb. 2014, Rec. 9192/2009.

No procede la admisión del recurso para prevenir posibles vulneraciones de derechos fundamentales. La lesión se debe haber producido ya cuando se acuda al recurso de amparo.

«Tercero: Ahora bien, la demanda de amparo no puede superar otra objeción, derivada del momento en que se ha formulado la queja ante este Tribunal, a saber: que la lesión de los derechos fundamentales denunciada por el recurrente no pasa de ser posible o hipotética, pero en ningún caso ha sido materialmente efectiva. Por lo que nos encontramos ante una reacción de carácter preventivo frente a la lesión de derechos fundamentales y, al no haberse producido aún dicha lesión, la demanda es a todas luces prematura, incurriendo así en la causa de inadmisión del art. 51.1 a), en relación con el art. 41.2 LOTC». STC 216/1999 de 29 Nov. 1999, Rec. 2279/1996.

4º) Que se haya invocado formalmente en el proceso el derecho constitucional violado en el momento de producirse[173].

El principio de invocación previa del derecho fundamental vulnerado se relaciona directamente con el principio de subsidiariedad, ya que el derecho constitucional debe haberse denunciado, precisamente, por medio de los recursos y medios de im-

---

(173) «Es en el marco del proceso donde deben invocarse y, en su caso, repararse las vulneraciones de derechos fundamentales que hayan podido producirse salvo que no quepa otra vía para remediarlas que el recurso de amparo. La invocación en tiempo del derecho fundamental que se considera vulnerado constituye, pues, un requisito insubsanable, garantía de la subsidiariedad del recurso de amparo y de que el órgano judicial pueda tanto conocer la existencia de una posible vulneración de un derecho fundamental, como ofrecer las razones para su rechazo o proceder a su subsanación. Específicamente, por lo que se refiere a esta alegación de los recurrentes sobre vulneración del derecho fundamental al Juez predeterminado por la Ley, ya mantuvimos en la STC 100/1996, de 11 de junio, F. 1, la absoluta necesidad de hacerla valer en el proceso so pena de incumplir este insubsanable requisito. Y, por más que en numerosas ocasiones hayamos interpretado este requisito de modo flexible..., en el caso que nos ocupa ello no es posible, ya que los recurrentes tuvieron conocimiento de la composición de la Sala el 19 de noviembre de 1996 sin que formularan protesta alguna, interpusieran recurso o, simplemente, cuestionaran dicha decisión». STC 278/2000 de 27 de noviembre.

pugnación ordinarios previstos en la Ley[174]. La finalidad de este principio se halla en la pretensión de que sean los tribunales ordinarios los que, con carácter preferente, conozcan de la denuncia de la violación de los derechos fundamentales y puedan, si es el caso, proceder a su reparación[175].

«En segundo lugar, para que pueden examinarse los motivos que integran la demanda de amparo es requisito indispensable, conforme al art. 44.1 c) LOTC, que las vulneraciones de los derechos fundamentales se hayan invocado, por lo que al caso examinado se refiere, en el recurso de casación interpuesto contra aquella primera sentencia, dando así ocasión al Tribunal Supremo para pronunciarse sobre ellas. Sólo de este modo quedaría preservado el carácter subsidiario del recurso de amparo, "evitando que el acceso a esta jurisdicción constitucional se produzca *per saltum*, es decir, sin brindar a los órganos judiciales la oportunidad de pronunciarse y, en su caso, remediar la lesión invocada como fundamento del recurso de amparo constitucional" (por todas, SSTC 42/2010, de 26 de julio (LA LEY 120576/2010), FJ 2; 91/2010, de 15 de noviembre (LA LEY 208787/2010), FJ 3; y 12/2011, de 28 de febrero (LA LEY 3662/2011), FJ 2)». STC 8/2017 de 19 Ene. 2017, Rec. 2341/2012.

El cumplimiento de este requisito exige que se denuncie la infracción en el proceso en el que se hubiere producido y que exista correspondencia entre la denuncia procesal en la vía judicial y la que fundamenta la demanda de amparo. Así lo exige el TC que establece la necesaria denuncia de la nulidad procesal: «*tan pronto como, una vez conocida la violación, hubiere lugar para ello*» *y si se pone en conocimiento del órgano judicial el hecho fundamentador de la vulneración, de modo que la pretensión deducida en amparo no tenga un contenido distinto al que se hizo valer ante los órganos judiciales (SSTC 201/2000, de 24 de julio, FJ 3; 130/2006, de 24 de abril, FJ 4; 132/2006, de 27 de abril, FJ 3, por todas)*» (STC 211/2007 de 8 de octubre). La

---

(174) Véase respecto a la relación entre el principio de subsidiariedad y de invocación previa la STC 313/2005, de 12 de diciembre de 2005, que declara: «*si el órgano judicial autor de la resolución impugnada, debido a la actitud pasiva o, en su caso, negligente de la parte afectada a la hora de invocar su derecho al juez imparcial, no se ha pronunciado al respecto, sin que tampoco le fuera exigible hacerlo de oficio al no existir causa legal de abstención, ha de entenderse incumplido, no sólo el presupuesto procesal consistente en el previo agotamiento de la vía judicial —art. 44.1 a) LOTC—, sino, también, el relativo a la invocación formal del derecho fundamental en el proceso al haber tenido ocasión para ello —art. 44.1 c LOTC—*».

(175) Véase a este respecto la STC 93/2007, de 7 de mayo de 2007, que declara la trascendencia del estricto cumplimiento del requisito procesal de invocación del derecho fundamental vulnerado tan pronto como hubiere lugar para ello. Esta exigencia a criterio del TC tiene por finalidad: «*... que los órganos judiciales tengan oportunidad de pronunciarse sobre la violación constitucional, haciendo posible el respeto y restablecimiento del derecho constitucional en sede jurisdiccional ordinaria y, de otro, preservar el carácter subsidiario de la jurisdicción constitucional de amparo, que resultaría desvirtuado si ante ella se plantearan cuestiones sobre las que previamente, a través de las vías procesales oportunas, no se hubiera dado ocasión de pronunciarse a los órganos de la jurisdicción ordinaria correspondiente (entre otras, STC 29/1996, de 26 de febrero, FJ 2)*».

«... En efecto, siendo el fundamento fáctico de esta vulneración el eventual trato desigual dispensado al recurrente en cuanto a la determinación de la pena respecto de la coimputada, que tuvo lugar en la Sentencia de instancia, el recurrente no hizo objeto de controversia dicha circunstancia en el recurso de apelación, que era un medio impugnatorio apto para haber obtenido un pronunciamiento judicial y, en su caso, el restablecimiento del derecho que ahora aduce en este recurso de amparo, desconociendo su carácter subsidiario». STC 91/2008, de 21 de julio.

consecuencia de la falta denuncia previa de la lesión del derecho en la vía judicial supone la inadmisión del recurso sobre ese particular, sin perjuicio de que el proceso de amparo pueda continuar respecto a los motivos de recurso que sí se hayan denunciado previamente ante el tribunal ordinario. Véase a este respecto la STC 27/2008 de 11 de febrero en la que el TC limita el proceso de amparo en el sentido indicado por falta de denuncia previa:

«... debemos comenzar por soslayar de nuestro análisis de fondo el motivo de amparo fundado en la vulneración del derecho a la tutela judicial efectiva (art. 24.1 CE) y del derecho a un proceso con todas las garantías (art. 24.2 CE) por infracción del principio acusatorio, por hallarse incurso en la causa de inadmisión recogida en el art. 44.1 c) en relación con el art. 50.1 a) LOTC, relativa a la falta de invocación previa del derecho fundamental cuya vulneración se denuncia. Tal como queda reflejado en los antecedentes, en el recurso de súplica interpuesto contra el Auto de 10 de octubre el recurrente limitó su impugnación a la ausencia de motivación, sin hacer mención alguna al motivo de queja que ahora plantea, *ex novo*, en la demanda de amparo. Por tanto, conforme con lo que es doctrina reiterada de este Tribunal (por todas, STC 132/2006, de 27 de abril, FJ 4), al no haberse posibilitado al órgano judicial pronunciarse sobre esta eventual vulneración desde esas concretas perspectivas, no pueden ser tomadas en consideración en el presente amparo por imperativo del carácter subsidiario de esta jurisdicción». STC 27/2008 de 11 de febrero[176].

No resulta necesaria una exacta precisión respecto al derecho fundamental que se considere vulnerado.

«Ha de recordarse que hemos flexibilizado la exigencia formal de invocación, precisando que dicho requisito no exige la cita concreta de los preceptos constitucionales presuntamente vulnerados, sino tan sólo que el tema quede acotado en términos que permitan a los órganos judiciales pronunciarse sobre el mismo (SSTC 176/1991, de 19 de septiembre, FJ 2; 62/1999, de 26 de abril, FJ 3; y 158/2002, de 16 de septiembre, FJ 4), oportunidad que sin duda tuvo el órgano judicial en el presente caso». STC 65/2008, de 29 de mayo.

Aunque sí una descripción, o delimitación, de las circunstancias concurrentes en la violación del derecho fundamental que permitan el conocimiento del supuesto por los tribunales ordinarios y, en su caso, su reparación.

«La invocación formal exigida por el art. 44.1 c) LOTC no supone necesaria e inexcusablemente la cita concreta y numérica del precepto de la Constitución en el que se proclama el derecho o los derechos supuestamente vulnerados, ni siquiera la mención de su *nomen iuris*. Ahora bien, la invocación ha de efectuarse de manera que se cumpla la finalidad perseguida con dicho requisito, asegurar la naturaleza subsidiaria del recurso de amparo, lo que implica que se ha de ofrecer base suficiente para que en la vía judicial previa pueda entrarse a conocer de las concretas vulneraciones después aducidas en el recurso de amparo, y ello requiere, al menos, una delimitación del contenido del derecho que se dice vulnerado; es decir, el acotamiento del tema en términos que permitan a los órganos judiciales pronunciarse sobre él. Así lo que resulta decisivo es que, a través de las alegaciones que se formulen en la

---

(176)   Véase también la STC 77/2005, de 4 de abril.

vía judicial, de los términos en que se ha planteado el debate en la vía procesal o de la descripción fáctica o histórica o de los datos o circunstancias de hecho de la violación del derecho fundamental o del agravio del mismo, se permita a los órganos judiciales su conocimiento en orden a que, de un lado, puedan argumentar y pronunciarse sobre la cuestión y, de otro, reparen, en su caso, la vulneración aducida (SSTC 211/2007, de 8 de octubre, FJ 2, y 62/2008, de 26 de mayo, FJ 2, entre otras)». STC 109/2008, de 22 de septiembre.

5º) Que se interponga en el plazo de treinta días desde la notificación de la resolución judicial (art. 44.2 LOTC).

El recurso de amparo se interpondrá en el plazo de treinta días siguientes a la notificación de la resolución recaída en el previo proceso judicial (art. 44.2 LOTC). El cómputo del plazo se iniciará en la fecha en la que el demandante de amparo fue notificado o bien desde que tuvo conocimiento fehaciente de la resolución que puso fin a la vía judicial previa. En este último caso, admitido por el recurrente un momento concreto en que tuvo conocimiento del recurso, corresponde a las partes personadas en el recurso desvirtuar la realidad de la fecha alegada. Se trata de un plazo de caducidad y, por tanto, no susceptible de suspensión o de prórroga.

> «Por consiguiente, como dijera en su fundamento jurídico único la STC 159/1998, de 13 de julio (LA LEY 8142/1998), o más tarde y literalmente la STC 174/2007, de 23 de julio (LA LEY 91949/2007), también en su único fundamento, "las importantes razones de seguridad jurídica y de igualdad en la aplicación de la Ley que impone la exigencia del requisito de tempestividad (SSTC 159/1998, de 13 de julio (LA LEY 8142/1998); 204/2005, de 18 de julio (LA LEY 13341/2005), FJ 2), y que hacen que el plazo para acudir a esta jurisdicción de amparo sea de caducidad, improrrogable y no susceptible de suspensión, y, por consiguiente, de inexorable cumplimiento (por todas, STC 85/2004, de 10 de mayo (LA LEY 12363/2004), FJ 2)", determinan que proceda acordar la inadmisión del presente recurso de amparo». STC 24/2016 de 15 Feb. 2016, Rec. 5859/2014.

Al ser el plazo de treinta días improrrogable, no puede: «alargarse mediante una prolongación artificial de la vía judicial previa a través de la interposición de recursos manifiestamente improcedentes» (STC 241/2006, de 20 de julio de 2006). No cabe, por tanto, prolongar o dejar en suspenso el plazo establecido mediante el uso de recursos inexistentes o manifiestamente improcedentes[177]. En este sentido, tendrán la consideración de improcedentes, a efectos de plazo, los recursos notoriamente inexistentes o inviables, que se interpongan con posterioridad a la notificación de la citada resolución.

---

(177) Véase la STC 103/2006, de 3 de abril de 2006: «El cumplimiento del plazo previsto en el art. 44.2 LOTC no constituye una exigencia formal sin justificación, sino que representa una garantía sustancial de seguridad jurídica que actúa como plazo de caducidad, improrrogable y de imposible suspensión. En razón de ello, la fecha en que ha de iniciarse el cómputo del referido plazo es aquélla en la que al demandante de amparo se le notifica o tiene conocimiento suficiente o fehaciente de la resolución que pone fin a la vía judicial previa, sin que puedan tomarse en consideración los recursos notoriamente inexistentes o inviables que se interpongan con posterioridad a dicha fecha (por ejemplo, STC 245/2000, de 16 de octubre, FJ 2, y las numerosas allí citadas)». Véase en el mismo sentido STC 230/2006, de 17 de julio de 2006.

Pero sí suspenderá el inicio del plazo de interposición del recurso la formulación de un incidente de aclaración o subsanación de la sentencia, ya que la resolución que la resuelva será la que ponga fin a la vía judicial previa, siempre que la solicitud de aclaración no se declarase manifiestamente improcedente para el cumplimiento de una posible aclaración o subsanación (arts. 267 LOPJ y 214 y 215 LEC).

> «Esa solicitud de aclaración ningún efecto reparador podría tener respecto de las diferente invocaciones realizadas en el amparo, pero la exigencia de interposición en el plazo de 30 días "a partir de la notificación de la resolución recaída en el proceso judicial", que se establece en el art. 44.2 LOTC, no se refiere a la última resolución judicial que otorgue la posibilidad de reparar el eventual derecho fundamental que se considere vulnerado, sino que lo es respecto de la resolución que pone fin a la vía judicial previa, que en el presente caso es el Auto que efectivamente rectifica dicho error material y que viene a formar parte de la resolución misma. Por tanto, conforme a jurisprudencia constitucional reiterada (así, STC 161/2007, de 2 de julio (LA LEY 91890/2007), FJ 3), en la medida en que la solicitud de aclaración no era un recurso manifiestamente improcedente para el cumplimiento en el caso concreto de la finalidad que tiene encomendada, no cabe apreciar la extemporaneidad de la demanda alegada por la parte comparecida». STC 172/2016 de 17 Oct. 2016, Rec. 299/2013.

Ha entendido el TC que es manifiestamente improcedente la utilización fraudulenta del recurso de aclaración de la sentencia para un fin distinto del que le es propio, de modo que su utilización resulte absolutamente injustificada produciendo una prolongación artificial del plazo de interposición del amparo. Por ejemplo cuando se utilice con la pretensión de alterar la fundamentación jurídica de la resolución o el sentido del fallo[178].

> «En concreto, por lo que se refiere a la formulación de la solicitud de aclaración, reconocida en el art. 267 LOPJ, este Tribunal ha afirmado que "su interposición hace extemporáneo el recurso de amparo interpuesto una vez transcurrido el plazo de veinte días previsto en el art. 44.2 LOTC, cuando resulte injustificada produciendo una prolongación artificial del plazo de interposición del amparo o pueda calificarse como un remedio manifiestamente improcedente contra la resolución judicial" (SSTC 131/2004, de 19 de julio (LA LEY 1784/2004), FJ 2; y 77/2005 (LA LEY 11615/2005), de 4 de abril, FJ 2), lo que, por ejemplo, sucede cuando se utiliza para volver a

---

(178) STC 94/2006 de 27 de marzo de 2006: «Como alega el Fiscal, la entidad demandante solicitaba en el suplico de su escrito un contenido imposible como objeto de la aclaración. Como el propio órgano jurisdiccional puso de manifiesto al rechazarla, la entidad demandante no denunciaba en su solicitud la existencia de conceptos oscuros ni errores materiales o aritméticos, sino que estaba formulando una pretensión de modificación de la fundamentación y del sentido del fallo de la resolución recurrida, sobre la base de su contradicción con la doctrina sentada por otros Tribunales. Por tanto, con la interposición del recurso o solicitud de aclaración contra la Sentencia de 16 de junio de 2003, que ponía fin a la vía judicial ordinaria, la entidad demandante prolongó artificialmente la misma. Tal prolongación artificial no puede interrumpir el plazo de veinte días que el art. 44.2 LOTC concede para promover el recurso de amparo constitucional. En el cómputo del plazo ha de tenerse en cuenta, pues, como fecha inicial, la de la notificación de la Sentencia, esto es, el día 19 de junio de 2003. La presentación de la demanda de amparo el día 28 de julio de 2003 tuvo lugar cuando ya había expirado aquel plazo, por lo que, de acuerdo con el art. 50.1 a) LOTC, debemos declarar la inadmisibilidad del recurso de amparo». Vid. también, STC 94/2006 de 27 de marzo de 2006.

analizar el objeto del recurso o para pretender alterar la fundamentación jurídica de la resolución o el sentido del fallo. No concurriendo tales circunstancias, el tiempo que transcurra entre la petición de aclaración y el Auto correspondiente (aclare o no) ha de ser excluido en el cómputo del plazo de cualquier recurso en sentido propio, cuyo *dies a quo* o hito inicial ha de situarse en el de la notificación de aquel Auto (ATC 45/1995, de 13 de febrero (LA LEY 2981/1995), FJ 1); en cambio la utilización del instrumento de la aclaración para un fin distinto del que le es propio provoca una ampliación artificial del plazo para interponer el amparo, lo que determina la inadmisibilidad de la demanda de éste por extemporánea (por todas, SSTC 233/2005 (LA LEY 10079/2006), de 23 de septiembre, FJ 2; y 94/2006 (LA LEY 36229/2006), de 27 de marzo, FJ 3)». STC 186/2014 de 17 Nov. 2014, Rec. 2996/201.

También cuando se ha interpuesto un incidente de nulidad que resulte manifiestamente improcedente no suspenderá el plazo de caducidad del recurso de amparo, por lo que cuando se interponga éste habrá transcurrido ya, probablemente, el plazo de caducidad.

«Siendo, por tanto, manifiestamente improcedente el incidente de nulidad de actuaciones interpuesto por la demandante de amparo es de concluir que, como quiera que la Sentencia de la Sala de lo Civil del Tribunal Supremo de 7 de julio de 2009 (LA LEY 119084/2009) le fue notificada el día 13 de ese mismo mes y año y el recurso de amparo no se interpuso hasta el 2 de diciembre de 2009, se habría excedido con creces el plazo de treinta días previsto en el art. 44.2 de la Ley Orgánica del Tribunal Constitucional (LA LEY 2383/1979) para la interposición del presente recurso de amparo, que resulta, así, extemporáneo». STC 23/2012 de 27 Feb. 2012, Rec. 10143/2009. Ver también STC 17/2012 de 13 Feb. 2012, Rec. 9894/2009.

El concepto de «manifiestamente improcedente» ha sido interpretado por el TC en el sentido de que debe armonizarse la exigencia del principio de seguridad jurídica (art. 9.3 CE) y el derecho a la tutela judicial efectiva (art. 24.1 CE), lo que conducen a una aplicación restrictiva del concepto de recurso manifiestamente improcedente, limitándolo a los casos en que tal improcedencia derive de manera terminante, clara e inequívoca del propio texto legal, sin dudas que hayan de resolverse con criterios interpretativos de alguna dificultad.

«a) En primer lugar, se ha alegado que el recurso de amparo sería extemporáneo, pues la petición de aclaración que realizó la recurrente habría sido manifiestamente improcedente. Como tiene afirmado reiteradamente este Tribunal, la utilización de un recurso manifiestamente improcedente determina la extemporaneidad de la demanda, de modo que la cuestión a resolver en el caso es, simplemente, la de si la solicitud de rectificación presentada ante el Tribunal Supremo por la actora era o no manifiestamente improcedente. De acuerdo con una consolidada doctrina de este Tribunal, recordada, entre otras, por la STC 204/2009, de 23 de noviembre (LA LEY 233096/2009), FJ 2, la armonización de las exigencias del principio de seguridad jurídica (art. 9.3 CE) y el derecho a la tutela judicial efectiva (art. 24.1 CE) conducen a una aplicación restrictiva del concepto de recurso manifiestamente improcedente, limitándolo a los casos en que tal improcedencia derive de manera terminante, clara e inequívoca del propio texto legal, sin dudas que hayan de resolverse con criterios interpretativos de alguna dificultad (por todas, STC 6/2007, de 15 de enero (LA LEY 213/2007), FJ 2). Y por ello ha declarado este Tribunal que los recursos, aun cuando sean improcedentes, suspenden el plazo de veinte días para recurrir en amparo cuando de las circunstancias del caso se colija que el recurrente obra en la creencia de que hace lo correcto y, por consiguiente, actúa sin ánimo dilatorio». STC 186/2014 de 17 Nov. 2014, Rec. 2996/201.

Sin embargo, no se iniciará el plazo de caducidad cuando, según las circunstancias concurrentes, pueda entenderse que el recurrente utilizó aquéllos en la creencia de obrar conforme a derecho y sin que pueda apreciarse ánimo dilatorio en su conducta. Incluida la aclaración de la sentencia (STC 186/2014 de 17 Nov. 2014; STC 233/2005, de 26 de septiembre de 2005). O cuando el recurrente, por ejemplo, obró equivocadamente inducido por el mismo tribunal que en la instrucción de recursos informó de un recurso inexistente o improcedente (STC 23/2005, de 14 de febrero de 2005). Ciertamente, la instrucción de recursos constituye una simple información que no es obligado que siga el litigante, máxime cuando está asistido de abogado. De modo que cuando la parte considere que aquélla es errónea podrá promover, en su caso, el recurso de amparo ante el TC, sin necesidad de interponer el recurso o remedio procesal indicado por el órgano judicial en aquella instrucción. Ahora bien, en el caso en que se proceda tal como se indica en el recurso no cabe apreciar «a posteriori» caducado el plazo para la interposición del recurso de amparo, dada la autoridad que emana de la resolución judicial, aunque sea de una parte de su contenido no dispositivo (es decir la propia instrucción de recursos)[179]. Finalmente, debe tenerse presente que la doctrina citada no es aplicable al supuesto en el que no se contenga instrucción de recursos, ya que, en ese caso, ha declarado el TC que no cabe ampararse en la omisión: «*la simple omisión de la instrucción, a diferencia de la instrucción errónea, al ser fácilmente detectable debe producir normalmente la puesta en marcha de los mecanismos ordinarios para que sea suplida por la propia diligencia procesal de la parte, especialmente si tiene asistencia letrada*». (STC 241/2006, de 20 de julio de 2006).

6°) Intervención preceptiva de abogado y procurador.

La mera solicitud del derecho de asistencia jurídica gratuita presentada por la parte sin postulación evitará que se inicie el plazo de interposición del recurso.

«En el asunto que ahora nos ocupa, pues, al no revestir el escrito formulado por el recurrente los caracteres y requisitos de una auténtica demanda en el sentido de los arts. 49 y ss. LOTC, es evidente que el procedimiento de amparo aún no ha sido iniciado. Dicho escrito, a lo sumo, podría equivaler a un mero "anuncio" del recurso, cuya única virtualidad, tal y como se ha declarado en constante jurisprudencia respecto de los escritos dirigidos por los propios interesados a este Tribunal y que se limitan a solicitar el nombramiento de Abogado y Procurador (vgr. TC S 270/1993 y TC A 633/1987, entre otras muchas), es la de interrumpir el plazo de caducidad legalmente previsto para el ejercicio de la acción de amparo, pero no conllevar su ejercicio mismo». ATC 138/1997 de 7 May. 1997, Rec. 3033/1996.

Pero, podrán comparecer por sí mismas, para defender derechos o intereses propios, las personas que tengan título de Licenciado en Derecho, aunque no ejerzan la profesión de Procurador o de Abogado (art. 81 LOTC).

---

(179)   Véanse a este respecto las SSTC STC 20/2004 (Sala Primera), de 23 febrero, 26/1991, de 11 de febrero; 79/2004, de 5 de mayo y 244/2005, de 10 de octubre.

9.2. Procedimiento del Recurso de amparo

A) Interposición y admisión de la demanda de amparo

El recurso se presentará en la sede del Tribunal Constitucional dentro del plazo de treinta días legalmente establecido. Los recursos de amparo podrán también presentarse hasta las 15 horas del día hábil siguiente al del vencimiento del plazo de interposición, en el registro del Tribunal Constitucional, o en la oficina o servicio de registro central de los tribunales civiles de cualquier localidad, de conformidad con lo establecido en el artículo 85.2 LOTC, que remite al art. 135.1 de la Ley 1/2000[180]. Esta amplia posibilidad de presentación del recurso de amparo, introducida en la LO 6/2007, permitió la equiparación del proceso constitucional, a efectos de presentación de escritos, con el resto de procesos judiciales y concretamente los civiles, a los que se aplica la norma prevista en el art. 135 LEC.[181] De ese modo se amplió la norma de presentación de los escritos de vencimiento dirigidos al Tribunal Constitucional[182].

La demanda de amparo se presentará por escrito, con tantas copias como partes hubo en el proceso antecedente más una para el Ministerio Fiscal. A la demanda se acompañarán el documento que acredite la representación del solicitante del amparo[183] y la copia, traslado o certificación de la resolución recaída en el procedimiento judicial o administrativo (art. 49 LOTC). La presentación de un escrito firmado por la parte en la que se manifieste la solicitud del derecho a la asistencia gratuita suspenderá el plazo de interponían del recurso.

---

(180) Art. 85.2 LOTC: «Los escritos de iniciación del proceso se presentarán en la sede del Tribunal Constitucional dentro del plazo legalmente establecido. Los recursos de amparo podrán también presentarse hasta las 15 horas del día hábil siguiente al del vencimiento del plazo de interposición, en el registro del Tribunal Constitucional, o en la oficina o servicio de registro central de los tribunales civiles de cualquier localidad, de conformidad con lo establecido en el artículo 135.1 de la Ley 1/2000, de 7 de enero (LA LEY 58/2000), de Enjuiciamiento Civil».

(181) Véase a este respecto el Acuerdo reglamentario 3/2001, de 21 de marzo, del Consejo General de Poder Judicial, que modifica el art. 41 del Reglamento 5/1995. Véanse también la STC 230/2006, de 17 de julio de 2006 y AATC 138/2001 de 1 de junio; 212/2001, de 16 de julio; 243/2001, de 26 de julio.

(182) Hasta la reforma de la LO 6/2007 la jurisprudencia reiterada del TC se había pronunciado reiteradamente declarando no aplicable al recurso de amparo la norma prevista en el art. 135.1 LEC respecto a la entrega de escritos hasta el día siguiente hábil al del vencimiento en la secretaría del tribunal o, de existir, en la oficina o servicio de registro central que se haya establecido. Consideraba el TC que de ese modo el plazo previsto en el art. 44.2 LOTC se ampliaría un día más. Véanse AATC 138/2001, de 1 de junio; 212/2001, de 16 de julio; 243/2001, de 26 de julio. También las SSTC 64/2005, de 14 de marzo y 230/2006, de 17 de julio de 2006.

(183) «En el asunto que ahora nos ocupa, pues, al no revestir el escrito formulado por el recurrente los caracteres y requisitos de una auténtica demanda en el sentido de los arts. 49 y cc. LOTC, es evidente que el procedimiento de amparo aún no ha sido iniciado. Dicho escrito, a lo sumo, podría equivaler a un mero "anuncio" del recurso, cuya única virtualidad, tal y como se ha declarado en constante jurisprudencia respecto de los escritos dirigidos por los propios interesados a este Tribunal y que se limitan a solicitar el nombramiento de Abogado y Procurador (vgr. TC S 270/1993 y TC A 633/1987, entre otras muchas), es la de interrumpir el plazo de caducidad legalmente previsto para el ejercicio de la acción de amparo, pero no conllevar su ejercicio mismo». ATC 138/1997 de 7 May. 1997, Rec. 3033/1996

Ningún requisito más exige la ley. En cuando al contenido, en la demanda se expondrán con claridad y concisión los hechos que la fundamenten, se citarán los preceptos constitucionales que se estimen infringidos y se fijará con precisión el amparo que se solicita para preservar o restablecer el derecho o libertad que se considere vulnerado (arts. 49.1 y 85.1 LOTC).

Podrán solicitar el amparo constitucional los sujetos que se hallen en las condiciones expresadas en el art. 44 LOTC y que, en consecuencia, aleguen la violación de un derecho fundamental imputable de modo directo al órgano judicial. Dentro de esa condición se incluye al Ministerio Fiscal. Y también a las administraciones públicas, que también están amparadas por el derecho a no sufrir indefensión en el proceso, aunque únicamente en los términos delimitados por la doctrina del Tribunal constitucional a este respecto[184]. El fundamento para atribuir este derecho de amparo a las Administraciones públicas lo halla el TC en la protección del interés objetivo de: «*el proceso sirva de forma idónea a la función jurisdiccional atribuida por la Constitución a Jueces y Tribunales (art. 117.1 CE). Y también al interés de las otras partes de que el proceso en el que actúan esté desprovisto de toda indefensión*». STC 11/2008 de 21 de enero[185].

El objeto del recurso de amparo quedará delimitado por la vulneración denunciada por el recurrente, sin que sean admisibles posteriores modificaciones o alteraciones del contenido sustancial del recurso[186]. En el amparo constitucional no pueden hacerse valer otras pretensiones que las dirigidas a restablecer o preservar los derechos o libertades por razón de los cuales se formuló el recurso (art. 41.3 LOTC). Tampoco cabe admitir nuevas peticiones formuladas por los que fueron parte en el proceso antecedente y se personaran posteriormente en el proceso de amparo conforme con lo previsto en el art. 51.2 LOTC. Estos intervinientes comparecen en calidad de partes interesadas en el proceso de amparo y en esa calidad pueden realizar alegaciones, pero no formular peticiones propias de amparo.

«Lo contrario implicaría la admisión de recursos de amparo formulados de manera extemporánea o sin cumplir los presupuestos procesales de admisibilidad, y la consiguiente irregular formulación de pretensiones propias, independientes del recurso de amparo ya admitido y al socaire de éste. En suma, quienes no interpusieron recurso de amparo dentro del plazo legal, o lo hicieron en términos inadmisibles, no pueden luego deducir pretensiones propias, independientes del recurso de amparo

---

(184)   Así se estableció en la STC 175/2001, de 26 de julio del Pleno.

(185)   Véase la STC 11/2008 de 21 de enero: «*la prohibición de indefensión procesal a las personas públicas protege inmediatamente a éstas, pero mediatamente también a otros intereses: al interés objetivo en que el proceso sirva de forma idónea a la función jurisdiccional atribuida por la Constitución a Jueces y Tribunales (art. 117.1 CE). Y también al interés de las otras partes de que el proceso en el que actúan esté desprovisto de toda indefensión; de esta forma queda reforzada la confianza de las demás partes en la estabilidad de las resoluciones que pongan fin al proceso. Correlato lógico del derecho a no sufrir indefensión es el disfrute, por las personas públicas, de las singulares garantías procesales que se enuncian en el art. 24.2 CE, y cuya esencial vinculación con la prohibición de indefensión viene siendo destacada por este Tribunal en numerosas Sentencias, desde la STC 46/1982, de 12 de julio, FJ 2*».

(186)   Véanse a este respecto las SSTC 220/2004 (Sala Segunda), de 29 noviembre; 109/1997, de 2 de junio; 124/1999, de 28 de junio; 85/1999, de 10 de mayo.

admitido, que es el que acota el objeto del proceso. El papel de los restantes comparecientes queda reducido, pues, a formular alegaciones y a que se les notifiquen las resoluciones que recaigan en el proceso, que tiene por objeto, exclusivamente, las pretensiones deducidas por quien lo interpuso en tiempo y forma (SSTC 241/1994, de 20 de julio, F. 3; y 113/1998, de 1 de junio, F. 1)». STC 220/2004 (Sala Segunda), de 29 noviembre.

a)   Necesidad de acreditar la trascendencia constitucional del recurso

Además, de la exposición y descripción de los hechos que fundamentan la infracción procesal denunciada y la efectiva indefensión padecida, la reforma de la LO 6/2007 introdujo un nueva exigencia, concretada en la necesidad de que en la demanda se justifique la especial trascendencia constitucional del recurso (art. 49.1 LOTC). El problema que plantea esta norma es el de solicitar al recurrente una exigencia de difícil precisión y cumplimiento. No parece lógico que el afectado por la lesión del derecho constitucional deba justificar la especial trascendencia constitucional del recurso porque, obviamente, esa trascendencia para el recurrente es siempre personal y concreta y se refiere a la lesión padecida en el proceso. Que a partir de ahí se pueda elaborar una interpretación constitucional que pueda ser aplicada a otros supuestos similares es una cuestión distinta a la planteada en el amparo y a la que el recurrente es ajeno. Entre otras razones porque no es de su competencia, o interés, plantearse esa clase de cuestiones.

No puede exigirse un mecanismo uniforme para la justificación de este requisito, ya que cada vulneración de un derecho fundamental tiene sus propias peculiaridades y matices distintos[187]. El TC ha insistido en determinar que la carga de justificar la especial trascendencia constitucional del recurso «es algo distinto a razonar la existencia de la vulneración de un derecho fundamental». Con base a esta distinción la doctrina constitucional exige que la demanda de amparo debe ofrecer dos líneas argumentales nítidamente diferenciadas: a) la relativa a la lesión del derecho fundamental cuyo amparo se pretende, y b) la atinente a la trascendencia constitucional del recurso tendente a su preservación y restablecimiento. Por tanto, la argumentación de fondo sobre la denunciada vulneración del derecho fundamental no puede suplir la carencia de un razonamiento explícito sobre la trascendencia constitucional del recurso de amparo.

a) Ya desde el ATC 188/2008, de 21 de julio (LA LEY 152032/2008), FJ 2, se ha subrayado que, si bien la argumentación sobre la concurrencia de la infracción de un derecho fundamental por la resolución impugnada es un presupuesto ineludible en cualquier demanda de amparo, la satisfacción de la carga de justificar la especial trascendencia constitucional del recurso «es algo distinto a razonar la existencia de la vulneración de un derecho fundamental» (vid. entre otros muchos, los AATC

---

(187)   «4. Por lo que se refiere al modo en que se ha de dar cumplimiento al requisito objeto de examen, si bien no hay un modelo rígido y preestablecido a tal efecto —lo que, por otra parte, y habida cuenta de las peculiaridades propias de cada recurso de amparo, resultaría sumamente difícil—, han de tenerse presentes las determinaciones que sobre aquel extremo ha realizado este Tribunal en varias resoluciones, y que contribuyen a clarificar la manera en que esta carga procesal puede materializarse». STC 140/2013 de 8 Jul. 2013, Rec. 2034/2011

284/2009, de 17 de diciembre, FJ 2 y 186/2010, de 29 de noviembre, FJ único, así como las SSTC 89/2011 (LA LEY 82825/2011), de 6 de junio, FJ 2; 107/2012, de 21 de mayo (LA LEY 78853/2012), FJ 2 y 178/2012, de 15 de octubre, FJ 3). Por consiguiente, la demanda de amparo, en lo que aquí interesa, ha de contener dos líneas argumentales nítidamente diferenciadas: la relativa a la lesión del derecho fundamental cuyo amparo se pretende, y la atinente a la trascendencia constitucional del recurso tendente a su preservación y restablecimiento. Ambas son indispensables, de tal forma que la exposición acerca de la apariencia de la vulneración del derecho fundamental no puede suplir la carencia de un razonamiento explícito sobre la trascendencia constitucional del recurso de amparo (ATC 252/2009, de 19 de octubre, FJ 1 y SSTC 69/2011, de 16 de mayo (LA LEY 62774/2011), FJ 3; 178/2012 (LA LEY 162184/2012), de octubre, FJ 3 y 2/2013, de 14 de enero, FJ 3)». STC 178/2012 de 15 Oct. 2012, Rec. 7963/2010

Para que se entienda cumplido este requisito, que debe entenderse como un instrumento de colaboración con la justicia constitucional, el demandante de amparo no deberá limitarse a una mera mención de las infracciones cometidas sino que deberá justificar que el contenido del recurso de amparo justifica una decisión sobre el fondo en atención a su importancia para la interpretación, aplicación o general eficacia de la Constitución o para la determinación del contenido y alcance de los derechos fundamentales» que se aleguen en la demanda.

«c) Así pues, al demandante le es reclamable un razonable esfuerzo argumental que enlace las infracciones constitucionales denunciadas con alguno de los elementos que expresa el art. 50.1 b) LOTC, sin que, obvio es, sea suficiente con la sola mención —desprovista de los imprescindibles fundamentos— de que el recurso posee especial trascendencia constitucional. Por el contrario, es necesario que de lo expuesto se desprenda "por qué el contenido del recurso de amparo justifica una decisión sobre el fondo en atención a su importancia para la interpretación, aplicación o general eficacia de la Constitución o para la determinación del contenido y alcance de los derechos fundamentales" que se aleguen en la demanda (por todas, SSTC 69/2011, de 16 de mayo (LA LEY 62774/2011), FJ 3; 143/2011, de 26 de septiembre (LA LEY 191024/2011), FJ 2; 191/2011, de 12 de diciembre (LA LEY 252088/2011), FJ 3; 176/2012, de 15 de octubre (LA LEY 162181/2012), FJ 3 y 2/2013, de 14 de enero, FJ 3)». STC 140/2013 de 8 Jul. 2013, Rec. 2034/2011. STC 178/2012 de 15 Oct. 2012, Rec. 7963/2010[188].

(188) «b) En segundo lugar, procede enfatizar que, como recuerda la citada STC 69/2011, FJ 3, la carga de justificar la especial trascendencia constitucional del recurso de amparo es algo distinto a razonar la existencia de la vulneración de un derecho fundamental (AATC 188/2008, de 21 de julio (LA LEY 152032/2008), FJ 2; 289/2008, de 22 de septiembre, FJ 2; 290/2008, de 22 de septiembre, FJ 2; 80/2009, de 9 de marzo, FJ 2; y 186/2010, de 29 de noviembre, FJ único) y que, por consiguiente, es necesario que "en la demanda se disocie adecuadamente la argumentación tendente a evidenciar la existencia de la lesión de un derecho fundamental —que sigue siendo, obviamente, un presupuesto inexcusable en cualquier demanda de amparo— y los razonamientos específicamente dirigidos a justificar que el recurso presenta especial trascendencia constitucional" (STC 17/2011, de 28 de febrero, FJ 2). En otras palabras, "por situarse en planos diferentes el razonamiento sobre la existencia de la lesión del derecho fundamental y la argumentación relativa a la trascendencia constitucional del recurso de amparo tendente a su restablecimiento y preservación, uno y otra son necesarios, de modo que la exposición sobre la verosimilitud de la lesión del dere-

Si bien la carga de justificar en la demanda la especial trascendencia constitucional del recurso corresponde al demandante de amparo, es el TC quien debe resolver en cada caso la existencia o inexistencia de esa «especial trascendencia constitucional» con base a los criterios establecidos en el art. 50.1.b LOTC. Al tratarse aquél de un concepto amplio y genérico (concepto jurídico indeterminado) el TC dispone de un margen de discrecionalidad para su apreciación o no, sin que pueda incurrir en arbitrariedad.

«Aunque el recurrente ha de satisfacer necesariamente, de acuerdo con lo dispuesto en el art. 49.1 *in fine* LOTC, la carga de justificar en la demanda la especial trascendencia constitucional del recurso (AATC 188/2008, de 21 de julio; 289 y 290/2008, de 22 de septiembre), es a este Tribunal a quien corresponde apreciar en cada caso la existencia o inexistencia de esa "especial trascendencia constitucional"; esto es, cuándo, según el tenor del art. 50.1.b) LOTC, "el contenido del recurso justifique una decisión de fondo por parte del Tribunal Constitucional en razón de su especial trascendencia constitucional", atendiendo para ello a los tres criterios que en el precepto se enuncian: "a su importancia para la interpretación de la Constitución, para su aplicación o para su general eficacia y para la determinación del contenido y alcance de los derechos fundamentales". El carácter notablemente abierto e indeterminado, tanto de la noción de "especial trascendencia constitucional", como de los criterios legalmente establecidos para su apreciación, confieren a este Tribunal un amplio margen decisorio para estimar cuándo el contenido de un recurso de amparo "justifica una decisión sobre el fondo [...] en razón de su especial trascendencia constitucional". Como es obvio, la decisión liminar de admisión a trámite del recurso al apreciar el cumplimiento del citado requisito no limita las facultades del Tribunal sobre la decisión final en relación con el fondo del asunto». STC, Pleno, 155/2009 de 25 Jun. 2009, Rec. 7329/2008.

EL TC ha entendido que, a los efectos de clarificar el alcance y contenido del concepto de una «especial trascendencia constitucional» a la que se refiere el art. 50.1.b) LOTC, debía ofrecer unas pautas para ayudar a interpretar dicho concepto. A tal fin enumera una serie de supuestos, sin que dicha relación pueda ser entendida como un *numerus clausus*, pues no debe olvidarse el carácter dinámico del ejercicio de la jurisdicción. Estas pautas las recoge la STC —Pleno—, 155/2009 de 25 Jun. 2009, Rec. 7329/2008:

«Tales casos serán los siguientes: a) el de un recurso que plantee un problema o una faceta de un derecho fundamental susceptible de amparo sobre el que no haya doctrina del Tribunal Constitucional, supuesto ya enunciado en la STC 70/2009, de 23 de marzo; b) o que dé ocasión al Tribunal Constitucional para aclarar o cambiar su doctrina, como consecuencia de un proceso de reflexión interna, como acontece en el caso que ahora nos ocupa, o por el surgimiento de nuevas realidades sociales o de cambios normativos relevantes para la configuración del contenido del derecho fundamental, o de un cambio en la doctrina de los órganos de garantía encargados de la interpretación de los tratados y acuerdos internacionales a los que se refiere el art. 10.2 CE; c) o cuando la vulneración del derecho fundamental que se denuncia provenga

cho fundamental no puede suplir la omisión de una argumentación expresa sobre la trascendencia constitucional del recurso de amparo" (ATC 252/2009, de 19 de octubre, FJ 1)». STC 178/2012 de 15 Oct. 2012, Rec. 7963/2010

de la ley o de otra disposición de carácter general; d) o si la vulneración del derecho fundamental traiga causa de una reiterada interpretación jurisprudencial de la ley que el Tribunal Constitucional considere lesiva del derecho fundamental y crea necesario proclamar otra interpretación conforme a la Constitución; e) o bien cuando la doctrina del Tribunal Constitucional sobre el derecho fundamental que se alega en el recurso esté siendo incumplida de modo general y reiterado por la Jurisdicción ordinaria, o existan resoluciones judiciales contradictorias sobre el derecho fundamental, ya sea interpretando de manera distinta la doctrina constitucional, ya sea aplicándola en unos casos y desconociéndola en otros; f) o en el caso de que un órgano judicial incurra en una negativa manifiesta del deber de acatamiento de la doctrina del Tribunal Constitucional (art. 5 LOPJ); g) o, en fin, cuando el asunto suscitado, sin estar incluido en ninguno de los supuestos anteriores, trascienda del caso concreto porque plantee una cuestión jurídica de relevante y general repercusión social o económica o tenga unas consecuencias políticas generales, consecuencias que podrían concurrir, sobre todo, aunque no exclusivamente, en determinados amparos electorales o parlamentarios». STC, Pleno, 155/2009 de 25 Jun. 2009, Rec. 7329/2008.

Es reiterada la doctrina constitucional sobre este punto. Insiste en que en la demanda debe disociarse, adecuadamente, la argumentación tendente a evidenciar la existencia de la lesión de un derecho fundamental —que es un presupuesto inexcusable en cualquier demanda de amparo— y los razonamientos específicamente dirigidos a justificar que el recurso presenta especial trascendencia constitucional[189]. También insiste en que no se satisface este requisito cuando se pretenda cumplimentar la carga justificativa con una «simple o abstracta mención» de la especial trascendencia constitucional, «huérfana de la más mínima argumentación», que no permita advertir «por qué el contenido del recurso de amparo justifica una decisión sobre el fondo en atención a su importancia para la interpretación, aplicación o general eficacia de la Constitución o para la determinación del contenido y alcance de los derechos fundamentales» que se aleguen en la demanda (art. 50.1.b) LOTC)

«Por esta razón, no basta razonar la existencia de la vulneración de un derecho fundamental (SSTC 69/2011, FJ 3; 143/2011 (LA LEY 191024/2011), FJ 2; 176/2012 (LA LEY 162181/2012), FJ 3; 178/2012 (LA LEY 162184/2012), FJ 3, y 140/2013 (LA LEY 111426/2013), FJ 3; también, por todos, AATC 188/2008, de 21 de julio (LA LEY 152032/2008), FJ 2; 289/2008, de 22 de septiembre, FJ 2, y 290/2008, de 22 de septiembre, FJ 2), sino que es preciso que "en la demanda se disocie adecuadamente la argumentación tendente a evidenciar la existencia de la lesión de un derecho fundamental —que sigue siendo, obviamente, un presupuesto inexcusable en cualquier

(189)   «En particular, la STC 155/2009 (LA LEY 99408/2009), FJ 2, avanzó en la interpretación del art. 50.1 b) LOTC identificando una serie no exhaustiva de casos en que cabe apreciar que el contenido del recurso de amparo justifica una decisión sobre el fondo por parte de este Tribunal en razón de su especial trascendencia constitucional, "que se apreciará atendiendo a su importancia para la interpretación de la Constitución, para su aplicación o para su general eficacia, y para la determinación del contenido y alcance de los derechos fundamentales". Hemos precisado también que la carga de justificar esta especial trascendencia consiste en un "esfuerzo argumental" (ATC 154/2010, de 15 de noviembre, FJ 4) que ponga en conexión las vulneraciones constitucionales alegadas con los criterios del art. 50.1 b) LOTC, explicitando la "proyección objetiva del amparo solicitado" y traduciendo en el plano formal (art. 49.1 LOTC) la exigencia material de la especial trascendencia constitucional del asunto (ATC 264/2009, de 16 de noviembre, FJ único)». STC 146/2016 de 19 Sep. 2016, Rec. 4160/2014.

demanda de amparo— y los razonamientos específicamente dirigidos a justificar que el recurso presenta especial trascendencia constitucional" (STC 17/2011, de 28 de febrero (LA LEY 4953/2011), FJ 2). Consecuentemente, "la exposición sobre la verosimilitud de la lesión del derecho fundamental no puede suplir la omisión de una argumentación expresa sobre la trascendencia constitucional del recurso de amparo" (ATC 252/2009, de 19 de octubre, FJ 1). Por lo mismo, tampoco satisface este requisito la demanda que pretende cumplimentar la carga justificativa con una "simple o abstracta mención" de la especial trascendencia constitucional, "huérfana de la más mínima argumentación", que no permita advertir "por qué el contenido del recurso de amparo justifica una decisión sobre el fondo en atención a su importancia para la interpretación, aplicación o general eficacia de la Constitución o para la determinación del contenido y alcance de los derechos fundamentales" que se aleguen en la demanda (por todas, SSTC 69/2011, FJ 3, y 176/2012 (LA LEY 162181/2012), FJ 3, y ATC 187/2010, de 29 de noviembre, FJ único)». STC 146/2016 de 19 Sep. 2016, Rec. 4160/2014[(190)].

La razón de la norma, probablemente, se halle en el propósito de justificar la inadmisión de los recursos de amparo para aliviar la enorme carga del trabajo del Tribunal Constitucional. Así se admite con total claridad en el art. 50.1.b LOTC, que dispone la inadmisión de los recursos de amparo en los que, por su contenido, no se justifique una decisión sobre el fondo. Esta inadmisión se producirá cuando carezcan de trascendencia constitucional que: «se apreciará atendiendo a su importancia para la interpretación de la Constitución, para su aplicación o para su general eficacia, y para la determinación del contenido y alcance de los derechos fundamentales» art. 50.1.b LOTC. Es decir, que cuando la Ley exige que el recurrente justifique: «la especial trascendencia constitucional del recurso» (art. 49.4 LOTC), en realidad está exigiendo que se acrediten todas las circunstancias referidas en el citado art. 50.1.b LOTC, que como se puede ver no tienen un carácter concreto, sino general y difuso. Refiriéndose además a consideraciones de carácter general que son ajenas a los intereses del recurrente. De modo que, a mi juicio, es en gran parte irrelevante lo que el recurrente argumente con relación a la trascendencia constitucional del recurso, ya que finalmente la admisión del recurso dependerá de la apreciación de unos intereses en juego que son ajenos a lo que pueda alegar el recurrente. Tanto es así que puede suceder justamente que el recurrente no justifique ninguna trascendencia constitucional, más allá de una mera afirmación formal, y que, sin embargo, el Tribunal Constitucional considere que sí concurre esa especial trascendencia. En ese caso es obvio que el Tribunal admitirá el recurso con independencia de lo que pueda haber alegado el demandante de amparo. Incluso, puede el Tribunal Constitucional: «comunicar a los comparecidos en el proceso constitucional la eventual existencia de otros motivos distintos de los alegados, con relevancia para acordar lo procedente sobre la admisión o inadmisión y, en su caso, sobre la estimación o desestimación de la pretensión constitucional...» art. 84 LOTC.

b) Admisión de la demanda a trámite

La competencia para conocer del proceso de amparo corresponde a la Sala que, una vez admitida la demanda, requerirá con carácter urgente al órgano judicial que

---

(190)   Vid. también STC 131/2016 de 18 Jul. 2016, Rec. 5646/2014.

conoció del procedimiento precedente para que remita las actuaciones o testimonio de ellas. Corresponderá a aquel tribunal remitir las actuaciones y emplazar a quienes fueron parte en el procedimiento judicial antecedente para que puedan comparecer en el proceso constitucional en el plazo de diez días (art. 51 LOTC).

El recurso de amparo constitucional se iniciará mediante demanda en la que se expondrán con claridad concisión los hechos que la fundamenten, se citarán los preceptos constitucionales que se estimen infringidos y se fijará con precisión el amparo que se solicita para preservar o restablecer el derecho o libertad que se considere vulnerado. En todo caso, la demanda justificará la especial trascendencia constitucional del recurso. Se acompañarán los documentos previstos en art. 49 LOTC.

La demanda de amparo se admitirá cuando se cumplan todos los requisitos expuestos que se contienen en los arts. 41 a 46 y 49 y 50 LOTC. El TC no exige un especial rigor formal en el la formulación del escrito de demanda, siempre de la misma se deduzca con claridad el *petitum* y la causa de pedir del recurso de amparo.

> «No cabe, pues, en el presente caso, tomando en consideración nuestra doctrina relativa al cumplimiento de los requisitos de formalización de la demanda de amparo exigidos en el art. 49.1 LOTC (LA LEY 2383/1979), estimar que la demanda de amparo resulte inviable por su defectuosa formulación, pues de la misma se deduce con claridad el *petitum* y la causa de pedir del recurso de amparo». STC 214/2005 de 12 Sep. 2005, Rec. 221/2000.

El recurso de amparo debe ser objeto de una decisión de admisión a trámite. La Sección, por unanimidad de sus miembros, acordará mediante providencia la admisión, en todo o en parte, del recurso solamente cuando concurran todos los siguientes requisitos: a) Que la demanda cumpla con lo dispuesto en los artículos 41 a 46 y 49. b) Que el contenido del recurso justifique una decisión sobre el fondo por parte del Tribunal Constitucional en razón de su especial trascendencia constitucional, que se apreciará atendiendo a su importancia para la interpretación de la Constitución, para su aplicación o para su general eficacia, y para la determinación del contenido y alcance de los derechos fundamentales. Las providencias de inadmisión, adoptadas por las Secciones o las Salas, especificarán el requisito incumplido y se notificarán al demandante y al Ministerio Fiscal (art. 50 LOTC).

La inadmisión de la demanda de amparo también puede producirse ya iniciado el proceso de amparo (ver también al final en sentencia). Así ocurre en el caso que se acredite que se esté sustanciando un proceso judicial donde esté pendiente una decisión sobre el asunto sometido al Tribunal Constitucional. Esta posibilidad está excluida en razón de la naturaleza subsidiaria del recurso de amparo que impide su interposición hasta que no se hayan agotado todos los recursos previstos en la vía jurisdiccional (véase lo argumentado «supra» al inicio de este epígrafe)[191]. Aunque, en algunos supuestos, puede darse esa circunstancia que puede pasar desapercibida si lo oculta el recurrente. En estos supuestos el TC ha procedido a la inadmisión inmediata del recurso de amparo en cualquier momento de la sustanciación del pro-

---

(191)   Véanse sobre este particular SSTC 97/2004 (Sala Primera), de 24 mayo y 84/2004 (Sala Primera), de 10 mayo.

cedimiento de amparo[192]. Aunque, al tiempo de resolver el recurso de amparo ya se hubiese denegado la petición de tutela que se hallaba pendiente ante la jurisdicción ordinaria[193].

La resolución de inadmisión se adoptará por providencia dictada por una Sección de la Sala que especificará el requisito incumplido y se notificarán al demandante y al Ministerio Fiscal[194]. Podrán ser recurridas en súplica, únicamente, por el Ministerio Fiscal en el plazo de tres días. El recurso se resolverá mediante auto, que no será susceptible de impugnación alguna (art. 50.3 LOTC).

En el caso que concurran, en la demanda de amparo uno o varios defectos de naturaleza subsanable, se lo pondrán de manifiesto al interesado en el plazo de 10 días, con el apercibimiento de que, de no subsanarse el defecto, se acordará la inadmisión del recurso. En caso de no subsanarse se procederá a inadmitir el recurso por providencia, contra la cual no cabrá recurso alguno (art. 50.4 LOTC). También cabe la posibilidad de que la Sala (o la Sección) comunique a los comparecidos en el proceso constitucional la eventual existencia de otros motivos distintos de los alegados, con relevancia para acordar lo procedente sobre la admisión o inadmisión y, en su caso, sobre la estimación o desestimación de la pretensión constitucional. A ese fin se acordará un trámite de audiencia común, por plazo no superior al de diez días con suspensión del término para dictar la resolución que procediere. Esta decisión la puede adoptar el Tribunal en cualquier tiempo anterior a la decisión[195] (art. 84 LOTC).

La interposición del recurso de amparo no suspenderá los efectos del acto o sentencia impugnados (art. 56.1 LOTC). No obstante, el TC podrá acordar la suspensión de la eficacia de la resolución impugnada de oficio o a instancia de parte cuando su ejecución pudiera producir un perjuicio que haría perder al amparo su finalidad (art. 56.2 LOTC).

> «Segundo: El mencionado precepto de nuestra Ley Orgánica (art. 56.1) responde, pues, a criterios racionales de equilibrio entre los intereses del recurrente, los gene-

---

(192) STC 128/2006, de 24 de abril de 2006: «... *importantes razones de seguridad jurídica y de igualdad en la aplicación de la Ley que subyacen a la exigencia del cumplimiento del presupuesto procesal de la subsidiariedad del recurso de amparo, que exige el agotamiento de todos los recursos y remedios útiles con carácter previo a la interposición de la demanda de amparo y que, en lógica coherencia, impide la coexistencia temporal de un proceso de amparo con la vía judicial (por todas, SSTC 97/2004, de 24 de mayo, FJ 3, y 13/2005, de 31 de enero, FJ 3), hace que debamos convenir, en este caso, sobre el carácter prematuro del recurso, lo que conduce necesariamente a su inadmisión*».

(193) Véase la STC 13/2005, de 31 de enero de 2005.

(194) La resolución de admisión se producirá por unanimidad de la Sección de la Sala. Cuando se obtenga la mayoría, pero no la unanimidad, la Sección trasladará la decisión a la Sala respectiva para su resolución (art. 50.2 LOTC).

(195) «Así resulta en tanto que los defectos insubsanables que puedan afectar a la demanda de amparo no resultan subsanados porque haya sido inicialmente admitida a trámite. De modo que el Tribunal Constitucional podrá apreciar estas circunstancias en un momento posterior e incluso inadmitir la demanda en la fase de Sentencia. Así lo ha declarado el TC que considera que con ello se pretende: "salvaguardar el carácter subsidiario del recurso de amparo y con ello evitar una injustificada alteración de las funciones que respectivamente corresponden a los Tribunales ordinarios y a este Tribunal en materia de derechos y libertades fundamentales con merma de la encomendada por la Constitución a los primeros"». (STC 211/2007 de 8 de octubre).

rales de la sociedad y los derechos de terceros. En el bien entendido de que al ser la regla general la no suspensión y la irreparabilidad de los perjuicios la excepción, la existencia de un evidente interés general en la ejecución de los fallos judiciales firmes (art. 118 CE), no puede ser entendida de modo tan rígido que haga inviable en todo caso la suspensión de la ejecución de las resoluciones judiciales. De suerte que la posible afectación del interés general sólo será relevante si, en atención a las concretas circunstancias del caso y al contenido del fallo, reviste la suficiente gravedad para excluir de raíz la concesión de la suspensión (TC A 169/1995, por todos)». ATC 47/1998 de 24 Feb. 1998, Rec. 4705/1997. *Vid.* también, ATC 49/1998 de 24 Feb. 1998, Rec. 4805/1997.

El recurrente podrá solicitar la suspensión en la demanda, o en cualquier momento posterior antes de haberse pronunciado sentencia o decidirse el amparo de otro modo. Por otra parte, el art. 56.3 LOTC permite al TC adoptar tanto la medida de suspensión de la resolución impugnada como cualquier otra medida cautelar antes incluso de la admisión a trámite del recurso de amparo, cuando concurran perentorias razones de urgencia excepcional que así lo exijan, a fin de evitar que el recurso pierda su finalidad, lo que podría acontecer si se esperase para acordar la medida cautelar a la decisión sobre la admisión a trámite del amparo y ésta se demorase[196]. Se trata de una medida provisional de carácter excepcional y de aplicación restrictiva[197], que únicamente podrá acordarse previa ponderación de los perjuicios que pueda causar la ejecución y los que pueda causar en los intereses generales o los derechos de tercero la suspensión de la eficacia de la resolución impugnada, que en vía judicial ya habrá adquirido firmeza.

Corresponde al recurrente la carga de la prueba o, por lo menos, justificar —ofreciendo un principio razonable de prueba— la irreparabilidad o dificultad de la reparación de los perjuicios que se pudieran producir con la inmediata ejecución del acto impugnado.

«Consecuentemente, la suspensión se configura como una medida de carácter excepcional y de aplicación restrictiva (por todos, ATC 117/2015, de 6 de julio, FJ 1). A lo cual se añade que la acreditación del perjuicio es carga del recurrente, quien, además de alegar, debe probar o, por lo menos, justificar —ofreciendo un

---

(196) «En este sentido el art. 56.3 LOTC permite al Tribunal Constitucional adoptar tanto la medida de suspensión de la resolución impugnada como cualquier otra medida cautelar antes incluso de la admisión a trámite del recurso de amparo, cuando concurran perentorias razones de urgencia excepcional que así lo exijan, a fin de evitar que el recurso pierda su finalidad, lo que podría acontecer si se esperase para acordar la medida cautelar a la decisión sobre la admisión a trámite del amparo y ésta se demorase inevitablemente como consecuencia de la carga de trabajo que pesa sobre este Tribunal (al margen de otras circunstancias coyunturales como la apuntada por la representación procesal de la entidad BBVA en sus alegaciones en relación con el proceso de renovación de los Magistrados de este Tribunal en el mes de enero de 2011) y del obligado y riguroso examen sobre la admisibilidad del recurso de amparo que resulta de la nueva regulación llevada a cabo por la Ley Orgánica 6/2007, de 24 de mayo, del trámite de admisión del recurso de amparo (con el fin de dotar a éste de una nueva configuración que resulte más eficaz y eficiente para cumplir con los objetivos constitucionalmente previstos para esta institución)». ATC 16/2011 de 25 Feb. 2011, Rec. 8640/2010

(197) Véanse AATC 2/2001, de 15 de enero; 45/2001, de 26 de febrero; 64/2001, de 26 de marzo; 78/2001, de 2 de abril; 83/2001, de 23 de abril; 294/2004 (Sala Segunda), de 19 julio.

principio razonable de prueba— la irreparabilidad o dificultad de la reparación de los perjuicios de seguirse la ejecución del acto impugnado (ATC 90/2014, de 27 de marzo, FJ 1, entre otros muchos). Por lo mismo, no procede la suspensión de actos o resoluciones ya ejecutados, por haberse producido en tal caso una pérdida de objeto de tal solicitud (ATC 288/2007, de 18 de junio, FJ único y resoluciones allí citadas)». ATC 190/2015 de 5 Nov. 2015, Rec. 6207/2015. *Vid.* también, ATC 13 octubre 2003, Rec. 4032/2002.

La doctrina del TC entiende que debe tratarse de un perjuicio irreparable o de difícil reparación[198]. Que debe ser real, sin que sea posible alegar un perjuicio futuro o hipotético o un simple temor. La pérdida de la finalidad del amparo no puede equipararse a la mayor o menor dificultad, molestia o incomodidad para el ciudadano[199].

El incidente de suspensión se sustanciará con audiencia de las partes, del Ministerio Fiscal y con informe de las autoridades responsables de la ejecución de la resolución de que se trate si la Sala lo considerase necesario. La suspensión de la ejecución no se somete, necesariamente, a la prestación de caución, pero la Sala o la Sección la podrá acordar condicionando la suspensión a la prestación de caución en el caso de que pudiera seguirse perturbación grave de los derechos de un tercero (art. 56.4 LOTC)[200] o una irreparabilidad o difícil reparación del perjuicio que pudiera producir la ejecución[201]. La caución deberá ser suficiente para responder de

---

(198)   «Aquel que provoque que el restablecimiento del recurrente en los derechos fundamentales cuya vulneración denuncia sea tardío e impida definitivamente que la restauración sea efectiva (AATC 243/2000, de 16 de octubre; 251/2000, de 30 de octubre; 63/2001, de 26 de marzo, y 170/2001, de 22 de junio)». ATC 294/2004 (Sala Segunda), de 19 julio.

(199)   «Como hemos afirmado desde las primeras resoluciones en materia de suspensión, la acreditación del perjuicio es carga del recurrente, quien debe precisar los concretos perjuicios que de la ejecución se deriven, así como justificar o argumentar razonadamente la irreparabilidad de los mismos (AATC 107/1981 (LA LEY 269/1981); 226/1982 (LA LEY 209/1982); 385/1983; y 193/1984). En todo caso, el perjuicio irreparable debe ser real, sin que sea posible alegar un perjuicio futuro o hipotético o un simple temor (AATC 490/1984; 399/1985; y 51/1989 (LA LEY 290/1989), entre otros muchos), y la pérdida de la finalidad del amparo no puede equipararse a la mayor o menor dificultad, molestia o incomodidad para el ciudadano, pues debe entenderse como perjuicio irreparable "aquel que provoque que el restablecimiento del recurrente en el derecho constitucional vulnerado sea tardío e impida definitivamente que tal restauración sea efectiva" (ATC 20/1992) y haga "devenir inútil el proceso constitucional de amparo" (AATC 51/1989 y 255/1996 (LA LEY 9308/1996))». ATC 13 octubre 2003, Rec. 4032/2002.

(200)   «Hay que recordar que, en relación con las liquidaciones tributarias, dados sus efectos meramente patrimoniales, la regla general es, como queda dicho, la no suspensión, salvo que, por razón de la importancia cuantitativa de dichos efectos u otras circunstancias que concurran en el caso, su cumplimiento pudiera ocasionar daños irreparables. Pero, en relación con esta excepción, es necesario recordar que este Tribunal viene exigiendo de manera constante la necesidad de acreditar los perjuicios que para el recurrente podrían derivarse de la ejecución de la resolución impugnada o, al menos, ofrecer un principio razonable de prueba al respecto (ATC 459/2006, de 18 de diciembre, FJ 1)». ATC 145/2010 de 18 Oct. 2010, Rec. 9167/2008.

(201)   «En cualquier caso, incluso si consideráramos que a través de sus planteamientos la demandante está acogiéndose al criterio del fumus boni iuris como sustento de su petición de la medida cautelar de suspensión, al no darse el requisito esencial para la adopción de ésta, que según doctrina reiterada de este Tribunal Constitucional es la irreparabilidad o difícil reparación del perjuicio que la ejecutividad pudiera causar, el criterio del fumus boni iuris resulta inoperante

los daños o perjuicios que pudieran originarse y podrá otorgarse en cualquiera de las formas previstas en el art. 529.3 LEC[202].

La suspensión de la ejecución o su denegación puede ser modificada durante el curso del juicio de amparo constitucional, de oficio o a instancia de parte, en virtud de circunstancias sobrevenidas o que no pudieron ser conocidas al tiempo de sustanciarse el incidente de suspensión en virtud de lo previsto en el art. 57 y 94 LOTC.

> «En efecto, el art. 94 LOTC permite a este Tribunal, incluso de oficio, la subsanación de cualquier defecto observado en el procedimiento. Más específicamente, y en lo relativo a los incidentes de suspensión, las resoluciones recaídas en el mismo pueden ser modificadas, también incluso de oficio, "en virtud de circunstancias sobrevenidas o que no pudieron ser conocidas al tiempo de sustanciarse el incidente" (art. 57 LOTC). Siendo claro, como se nos observa en la solicitud de nulidad, que las alegaciones del recurrente sobre la suspensión fueron tenidas por inexistentes en el anterior auto de 22 de diciembre, nada impide a esta Sala tomar ahora conocimiento de las mismas y renovar su examen de la originaria pretensión de suspensión. A ello viene a sumarse el nuevo escrito del recurrente —antecedente quinto— por el que se nos solicita la "revisión" del TC A 419/1997, aportando lo que califica de nuevos hechos o circunstancias, y que conforme al mencionado art. 57 LOTC se nos presentan como justificativos de una modificación de la resolución anteriormente recaída en la presente pieza separada». ATC 46/1998 de 24 Feb. 1998, Rec. 4645/1997.

B) Traslado y trámite de alegaciones

Transcurrido el emplazamiento, la Sala dará vista a las partes personadas de las actuaciones, por un plazo común que no podrá exceder de veinte días, que podrán presentar las alegaciones que estimen convenientes. Una vez transcurrido el plazo otorgado la Sala podrá: 1° deferir la resolución del recurso a una de sus Secciones, cuando para su resolución sea aplicable doctrina consolidada del Tribunal Constitucional (arts. 8.3 y 52.2 LOTC); 2° Señalar día para la deliberación y votación; 3° Señalar la sustanciación de vista oral, que se podrá acordar de oficio o a instancia de parte (arts. 52 y 85.3 LOTC)[203].

(por todos AATC 47/1992, de 12 de febrero, FJ 2; y 187/2003, de 2 de junio, FJ 4)».ATC 145/2010 de 18 Oct. 2010, Rec. 9167/2008.

(202)   La suspensión o la denegación podrán ser modificadas durante el curso del proceso de amparo constitucional, de oficio o a instancia de parte, en virtud de circunstancias sobrevenidas o que no pudieron ser conocidas al tiempo de sustanciarse el incidente de suspensión (art. 57 LOTC).

El Tribunal Constitucional también podrá adoptar acordar la suspensión de oficio, así como cualesquiera medidas cautelares y resoluciones provisionales previstas en el ordenamiento, que, por su naturaleza, puedan aplicarse en el proceso de amparo y tiendan a evitar que el recurso pierda su finalidad. Estas medidas provisionales podrán adoptarse, cuando concurra una urgencia excepcional, en la resolución de admisión a trámite del recurso de amparo. En ese caso, el acuerdo sobre la adopción de las medidas podrá impugnarse en el plazo de cinco días desde su notificación, por el Ministerio Fiscal y demás partes personadas. La Sala o la Sección resolverá el incidente mediante auto no susceptible de recurso alguno (art. 56.6 LOTC).

(203)   El procedimiento de recurso de amparo no se regula exhaustivamente, de modo que en todas aquellas cuestiones no previstas expresamente deberá acudirse supletoriamente a la LOPJ y la LEC, concretamente en materia de: «*competencia en juicio, recusación y abstención, publicidad y forma de los actos, comunicaciones y actos de auxilio jurisdiccional, día y horas hábiles, cómputo*

En el trámite de alegaciones las partes podrán fundamentar su petición de tutela, pedir que se practique prueba y también solicitar la práctica de vista. Cumplido el trámite de alegaciones, se practicará, en su caso, la prueba que se hubiere acordado de oficio, cuando la Sala lo estime necesario, o a instancia de parte. En ese caso la Sala resolverá sobre la forma y el tiempo de su realización, sin que en ningún caso pueda exceder de treinta días (art. 89 LOTC).

Practicada la prueba, en su caso, la vista la Sala dictará sentencia otorgando o denegando el amparo solicitado (art. 53 y 86.1 LOTC)[204]. A ese fin, en el caso que sean varias las quejas contenidas en la demanda, el TC iniciará su enjuiciamiento por aquéllas de las que pueda derivarse una retroacción de actuaciones al momento más temprano del procedimiento judicial. En caso de acogimiento será innecesario que el TC se pronuncie sobre las restantes peticiones (SSTC 43/2007, de 26 de febrero; 329/2006, de 20 de noviembre). Ahora bien, en el caso que la Sala considere que la Ley aplicada lesiona derechos fundamentales elevará la cuestión al pleno, con suspensión del plazo para dictar sentencia (art. 55 LOTC).

C) Sentencia. Irrecurribilidad de la misma

Frente a la sentencia dictada por el Tribunal Constitucional no cabe recurso alguno, pero las partes podrán solicitar su aclaración en el plazo de dos días a contar desde su notificación (art. 93 LOTC). La regla general es la no imposición de costas, salvo que el Tribunal Constitucional aprecie que alguna de las partes hubiere mantenido posiciones infundadas o apreciare temeridad o mala fe. También podrá imponer multas de 600 a 3000 Euros a quien formulase recursos de amparo con temeridad o abuso de derecho (art. 95 LOTC).

También podrá acordarse en la sentencia la inadmisión del recurso por apreciar la existencia de una causa de inadmisión de la demanda de amparo, ya se aprecie de oficio o bien a instancia de parte: «... *el análisis de los presupuestos procesales para la viabilidad de la acción de amparo —que puede tener lugar de oficio o a instancia de parte— también puede llevarse a cabo en la Sentencia que ponga fin al proceso constitucional (por todas, STC 175/2005, de 4 de julio, FJ 2)...*». STC 137/2006, de 8 de mayo de 2006. Así resulta en tanto que los defectos insubsanables que puedan afectar a la demanda de amparo no resultan subsanados porque haya sido inicialmente admitida a trámite. De modo que el Tribunal Constitucional podrá apreciar estas circunstancias en un momento posterior e incluso inadmitir la demanda en la fase de Sentencia. Así lo ha declarado el TC que considera que con ello se pretende: «*salvaguardar el carácter subsidiario del recurso de amparo y con ello evitar una injustificada alteración de las funciones que respectivamente corresponden a los Tribu-*

---

de plazos, deliberación y votación, caducidad, renuncia y desistimiento, lengua oficial y policía de estrados». Art. 80 LOTC.

(204)   La sentencia se adoptará por la mayoría de los miembros del Pleno, Sala o Sección que participen en la deliberación. En caso de empate, decidirá el voto del Presidente. Los Magistrados del Tribunal podrán reflejar en voto particular su opinión discrepante, siempre que haya sido defendida en la deliberación, tanto por lo que se refiere a la decisión como a la fundamentación (art. 90 LOTC).

nales ordinarios y a este Tribunal en materia de derechos y libertades fundamentales con merma de la encomendada por la Constitución a los primeros...» (STC 211/2007 de 8 de octubre)[205] (Ver en admisibilidad de la demanda).

> «Y a este respecto debemos precisar que no representa impedimento alguno para el análisis de tal objeción el hecho de que la demanda de amparo fuese admitida a trámite en su día, ya que los defectos insubsanables de que pueda estar afectada no resultan sanados porque haya sido inicialmente admitida a trámite, pudiendo abordarse por este Tribunal de oficio el examen de sus presupuestos de viabilidad en fase de Sentencia y llegar, en su caso, a la declaración de inadmisión del recurso o del motivo del recurso afectado por dichos defectos (por todas, SSTC 174/2007, de 23 de julio (LA LEY 91949/2007), FJ único; y 1/2008, de 14 de enero (LA LEY 233/2008), FJ 2), de forma que la comprobación de los presupuestos procesales para la viabilidad de la acción puede reabordarse o reconsiderarse en la Sentencia, de oficio o a instancia de parte, dando lugar a un pronunciamiento de inadmisión por la falta de tales presupuestos, sin que para ello constituya obstáculo el carácter tasado de los pronunciamientos previstos en el art. 53 LOTC (por todas, SSTC 56/2006, de 27 de febrero (LA LEY 21766/2006), FJ único; y 174/2007, de 23 de julio (LA LEY 91949/2007), FJ único)». STC 63/2009 de 9 Mar. 2009, Rec. 4757/2006.

El enjuiciamiento del Tribunal Constitucional se concretará, obviamente, a las alegaciones y estado de la causa al momento en que se formuló la demanda de amparo. (SSTC 167/2005, de 20 de junio de 200561/2001; 8/2002). Ahora bien, en cualquier momento de la sustanciación del proceso de amparo puede producirse la pérdida de objeto del recurso, que acaecerá en el caso que admitida a trámite la demanda de amparo se hubiere producido, al margen del proceso constitucional, la reparación de la lesión del derecho fundamental vulnerado. En ese caso el TC ha declarado que la demanda de amparo deja de tener objeto y, por tanto, procede poner fin a la sustanciación del recurso por carecer ya de sentido un pronunciamiento del TC habiendo desaparecido la vulneración denunciada. Así sucederá cuando en el procedimiento que dio origen al recurso de amparo los propios órganos judiciales han reparado las lesiones del derecho invocado en sede constitucional o bien cuando la reparación se ha producido por desaparición de la causa o acto que inició el procedimiento[206]. Ahora bien, no se pondrá fin al proceso de amparo cuando, a pesar de haber

---

(205) Véanse también, en el mismo sentido STC 230/2006, de 17 de julio de 2006; 132/2006, de 27 de abril, FJ 2; 56/2005, de 14 de marzo; 11/2005, de 31 de enero de 2005; 201/2000, de 24 de julio, FJ 2.

(206) Véase a este respecto la STC 133/2007 de 4 de junio que declara que: «... la desaparición sobrevenida del objeto del proceso, aun cuando no contemplada expresamente en el art. 86.1 LOTC, ha sido admitida por este Tribunal como forma de terminación de los distintos procesos constitucionales. En particular y en lo que ahora importa, es lo que sucede en los casos en los que, en el procedimiento que dio origen al recurso de amparo, los propios órganos judiciales han reparado las lesiones del derecho invocado en sede constitucional, (SSTC 305/2000, de 11 de diciembre, FJ 9; 13/2005, de 31 de enero, FJ 2; y ATC 30/2004, de 9 de febrero, FJ 3). De modo que, en estos supuestos, la demanda de amparo deja de tener objeto, toda vez que la reparación de la lesión del derecho fundamental por los propios órganos judiciales, antes de que este Tribunal dicte su decisión, priva de sentido al pronunciamiento sobre una vulneración ya inexistente, salvo que, como también hemos afirmado, a pesar de haber desaparecido formalmente el acto lesivo, debieran tenerse en cuenta otros elementos de juicio que continuaran haciendo precisa nuestra

desaparecido formalmente el acto lesivo, existen otras circunstancias que siguieran haciendo necesario un pronunciamiento del TC para obtener la plena tutela de los derechos fundamentales vulnerados.

La sentencia que otorgue el amparo concretará el derecho fundamental lesionado y procederá: «... *a preservar o restablecer estos derechos o libertades...*» (art. 54 LOTC). A ese fin la sentencia estimatoria de la demanda de amparo podrá contener algún o algunos de los pronunciamientos siguientes:

1º Declaración de nulidad de la decisión, acto o resolución que hayan impedido el pleno ejercicio de los derechos o libertades protegidos, con determinación, en su caso, de la extensión de sus efectos.

2º Reconocimiento del derecho o libertad pública, de conformidad con su contenido constitucional declarado.

3º Restablecimiento del recurrente en la integridad de su derecho o libertad con la adopción de las medidas apropiadas, en su caso, para su conservación (art. 55 LOTC).

Estos pronunciamientos vinculan a todos los poderes públicos que están obligados al cumplimiento de lo que el Tribunal Constitucional resuelva (art. 87.1 LOTC)[207]. De igual manera se pronuncia el art. 5.1 LOPJ[208]. La negativa al acatamiento de la doctrina del TC supone una quiebra del mandato recogido en el citado art. 5.1 LOPJ,

---

respuesta...». Véanse también las SSTC 118/2007, de 21 de mayo, FJ 2; 84/2006, de 27 de mayo, FJ 2; 128/2006, de 24 de abril; 13/2005, de 31 de enero; 10/2001, de 29 de enero; 257/2000, de 30 de octubre; 57/1993, de 15 de febrero; 139/1992, de 13 de octubre; 151/1990, de 4 de octubre y AATC 282/2003, de 15 de septiembre y 30/2004, de 9 de febrero.

(207) STC 37/2007 de 12 de febrero: «los órganos judiciales están obligados al cumplimiento de lo que el Tribunal Constitucional resuelva, no pudiendo, en consecuencia, desatender lo declarado y decidido por el mismo. Ciertamente en algunas ocasiones el cumplimiento por el órgano judicial de una Sentencia de este Tribunal puede requerir una interpretación del alcance de ésta a fin de dar un cabal cumplimiento a lo resuelto y adoptar, en consecuencia, las medidas pertinentes para hacer efectivo el derecho fundamental reconocido. Pero tal consideración y aplicación por el órgano judicial no puede llevar, sin embargo, como es claro, ni a contrariar lo establecido en la Sentencia del Tribunal Constitucional, ni a dictar resoluciones que menoscaben la eficacia de la situación jurídica subjetiva en ella declarada... la especial vinculación que todos los poderes públicos tienen a las Sentencias de este Tribunal no se limita al contenido del fallo, sino que se extiende a la fundamentación jurídica que lo sustenta, en especial a la que contiene los criterios que configuran su ratio decidendi (SSTC 302/2005, de 21 de noviembre, FJ 6; 300/2006, de 23 de octubre, FJ 3)».

(208) «En efecto, debemos recordar que, de conformidad con lo ordenado en los arts. 87.1 LOTC y 5.1 LOPJ, los órganos judiciales están obligados al cumplimiento de lo que el Tribunal Constitucional resuelva, no pudiendo, en consecuencia, desatender a lo declarado y decidido por el mismo. En algunas ocasiones el cumplimiento por el órgano judicial de una Sentencia de este Tribunal puede requerir una interpretación del alcance de la misma, a fin de dar un cabal cumplimiento a lo resuelto en ella y adoptar, en consecuencia, las medidas pertinentes para hacer efectivo el derecho fundamental reconocido frente a la violación de la que fue objeto. Pero semejante consideración y aplicación por el órgano judicial no puede llevar, sin embargo, como es claro, ni a contrariar lo establecido en ella ni a dictar resoluciones que menoscaben la eficacia de la situación jurídica subjetiva allí declarada (SSTC 159/1987, de 26 de octubre (LA LEY 53527-JF/0000), FJ 3; 227/2001, de 26 de noviembre (LA LEY 1125/2002), FJ 6; 153/2004, de 20 de septiembre (LA LEY

de la que deriva la consiguiente lesión del derecho a la tutela judicial efectiva consagrada en el art. 24.1 CE[209].

«La Sentencia y el Auto de la Audiencia Provincial de Almería aquí impugnados, al considerar no prescrita la responsabilidad criminal, sobre la base de la idoneidad de la querella como acto interruptor del cómputo del plazo de prescripción de la acción penal, con base en la jurisprudencia de la Sala Segunda del Tribunal Supremo dictada a raíz de nuestra STC 63/2005 (LA LEY 1020/2005), se oponen a la interpretación realizada por este Tribunal del alcance del art. 132.2 CP, en su redacción anterior a la Ley Orgánica 5/2010 En este caso, como resulta de los razonamientos expresos de las resoluciones impugnadas, reproducidos anteriormente en los antecedentes, el precepto aplicado ha sido justamente el anterior a la mencionada reforma legal (Ley Orgánica 5/2010, de 22 de junio) por lo que tal negativa al acatamiento de nuestra doctrina supone una quiebra del mandato recogido en el citado art. 5.1 LOPJ, de la que deriva la consiguiente lesión del derecho del demandantes a la tutela judicial efectiva consagrada en el art. 24.1 CE, en coherencia con la doctrina de este Tribunal (por todas, las SSTC 29/2008, de 20 de febrero (LA LEY 1123/2008), FJ 10; 147/2009, de 15 de junio (LA LEY 104340/2009), FJ 2; 195/2009, de 28 de septiembre (LA LEY 172032/2009), FJ 6; 206/2009, de 23 de noviembre (LA LEY 233101/2009), FJ 3; 37/2010 de 19 de julio (LA LEY 124753/2010), FJ 2; 133/2011, de 18 de julio (LA LEY 146264/2011), FJ 3; 2/2013, de 14 de enero (LA LEY 1623/2013), FJ 7, y 51/2016, de 14 de marzo (LA LEY 28486/2016), FJ 1)». STC 22/2017 de 13 Feb. 2017, Rec. 5046/2015, LA LEY 11837/2017.

Esta vinculación se extiende no solo a lo que el fallo de la sentencia del TC disponga, sino a los fundamentos jurídicos que sirvan de base para *ratio decidendi* del fallo.

«Por lo demás, la especial vinculación que para todos los poderes públicos tienen las Sentencias de este Tribunal no se limita al contenido del fallo, sino que se extiende a la correspondiente fundamentación jurídica, en especial a la que contiene los

14058/2004), FJ 3; y AATC 134/1992, de 25 de mayo, FJ 2; 220/2000, de 2 de octubre (LA LEY 175630/2000), FJ 1; 19/2001, de 30 de enero, FJ 2)». 300/2006 de 23 Oct. 2006, Rec. 7154/2002.

(209) «No cabe duda, pues, de que ambas resoluciones judiciales al considerar no prescrita la responsabilidad criminal respecto al ejercicio 1998, con base en la idoneidad de la denuncia como acto interruptivo del cómputo del plazo de prescripción de la acción penal, se oponen frontalmente a la interpretación realizada por este Tribunal del alcance del art. 132.2 CP. Lo cual supone una clara quiebra del mandato recogido en el citado art. 5.1 LOPJ de la que deriva la consiguiente lesión de los derechos de los demandantes a la tutela judicial efectiva consagrada en el art. 24.1 CE (SSTC 29/2008, de 20 de febrero, FJ 10; 147/2009, de 15 de junio, FJ 2; 195/2009, de 28 de septiembre, FJ 6; y 206/2009, de 23 de noviembre, FJ 3). En conclusión, lo determinante en este caso para considerar vulnerado el derecho a la tutela judicial efectiva (art. 24.1 CE) no es que la interpretación realizada por los órganos judiciales sobre el cómputo de prescripción resulte contraria al art. 24.1 CE, en relación con el art. 17.1 CE, como se mantuvo en la ya citada STC 63/2005. Lo realmente relevante es que, sin perjuicio de que pueda o no compartirse la doctrina sentada en la STC 63/2005, sobre lo que no es preciso pronunciarse ahora, los órganos judiciales eran conocedores de la existencia de una decisión clara del Tribunal Constitucional sobre el particular en la que se había considerado contraria a la Constitución española la interpretación finalmente asumida y, a pesar de ello, deciden conscientemente no aplicar dicha doctrina constitucional. Ello implica una contravención del mandato tajante del art. 5.1 LOPJ cuyo incumplimiento determina que las resoluciones judiciales impugnadas deban reputarse vulneradoras del art. 24.1 CE». STC 133/2011 de 18 Jul. 2011, Rec. 3794/2009. STC 133/2011 de 18 Jul. 2011, Rec. 3794/2009.

criterios que conducen a la *ratio decidendi* (STC 302/2005, de 21 de noviembre (LA LEY 2018/2005), FJ 6)». STC 300/2006 de 23 Oct. 2006, Rec. 7154/2002.

Los pronunciamientos se acordarán, sin perjuicio de la afectación de situaciones jurídicas y de los derechos de terceras personas, que no pueden suponer un obstáculo para el pleno reconocimiento y reparación del derecho constitucional vulnerado[(210)].

A los fines descritos el Tribunal Constitucional puede adoptar distintas soluciones en sus sentencias estimatorias. En las demandas de amparo interpuestas por el condenado en el proceso penal, el otorgamiento del amparo suele comportar la anulación de la sentencia recurrida sin retroacción de las actuaciones (STC 23/2008 de 11 de febrero). Esto es así, ya que de otro modo se impondría al acusado absuelto la carga de un nuevo enjuiciamiento que no está destinado a corregir una vulneración en su contra de normas procesales con relevancia constitucional. Por ejemplo, cuando se aprecia la vulneración del derecho de tutela judicial efectiva del condenado en apelación por un Tribunal que valoró la prueba que no había inmediato.

«Hemos de declarar la vulneración del derecho del recurrente a la presunción de inocencia (art. 24.2 CE) y anular la resolución recurrida sin retroacción de actuaciones, puesto que la valoración de las pruebas personales que le estaba vedada al órgano de apelación resulta esencial para llegar a la conclusión condenatoria». STC 28/2008 de 11 de febrero. Véase en el mismo sentido STC 36/2008 de 25 de febrero.

Pero no siempre sucederá así, sino que, en determinados supuestos, la anulación de la sentencia producirá la retroacción de las actuaciones[(211)].

«Se deben anular pronunciamientos absolutorios con retroacción de actuaciones en los siguientes supuestos citados en la STC 4/2004, de 16 de enero, FJ 4: "por haberse inadmitido una prueba de la acusación relevante y decisiva cerrándose la causa sin practicarla (STC 116/1997, de 23 de junio), por haberse negado el acceso a los recursos contra el archivo de la causa, habiendo mostrado el recurrente su voluntad inequívoca de personarse en el proceso penal (STC 16/2001, de 29 de enero), porque

---

(210) Véase la STC 76/2006, de 13 de marzo de 2006: «como ya dijimos en la STC 191/2003, de 27 de octubre, FJ 2, ha de descartarse la alegación realizada por las partes comparecidas en amparo de que el principio de seguridad jurídica se erige en un obstáculo que impide el examen de la pretensión de la demandante de amparo, y la alteración, en su caso, como consecuencia de la posible vulneración del derecho fundamental invocado, de situaciones jurídicas consolidadas. Ha de recordarse al respecto que el art. 55.1 LOTC determina el alcance de los pronunciamientos que puede contener una eventual Sentencia que otorgue el amparo solicitado. Así pues, el valor preponderante y la primacía del derecho fundamental supuestamente lesionado en modo alguno puede resultar mermado por derechos e intereses de terceras personas que, en su caso, habrán de ventilarse al margen de este proceso de amparo y a través de la vía judicial procedente».

(211) «Hemos efectuado pronunciamientos de anulación y retroacción por haberse sustanciado el recurso de apelación sin unir el escrito de impugnación de la acusación particular y, por tanto, sin que el órgano judicial lo tomara en consideración (STC 138/1999, de 22 de julio), por haberse producido una incongruencia extra petitum al introducirse en la Sentencia de apelación un elemento que no había sido objeto de debate contradictorio (STC 215/1999, de 29 de noviembre) o por haberse dictado Sentencia absolutoria en apelación sin haber tenido lugar el juicio oral en el que las partes hubieran podido ejercer su derecho de defensa sobre la cuestión de fondo y versando exclusivamente la apelación sobre si el apelante era o no titular de acción penal contra su cónyuge (STC 168/2001, de 16 de julio)"». STC 218/2007 de 8 de octubre.

se sustanció el recurso de queja dando lugar al Auto de sobreseimiento libre sin contradicción del querellante (STC 178/2001, de 17 de septiembre)... Igualmente, pueden destacarse, en esta misma línea, las SSTC 169/2004, de 6 de octubre, 246/2004, de 20 de diciembre, 192/2005, de 18 de julio, y 115/2006, de 24 de abril, en las que se confirmó la constitucionalidad de las decisiones judiciales de anular sentencias absolutorias por defectuosa motivación en las actas de votación de los Tribunales de Jurado con orden de celebración de nuevo juicio"». STC 23/2008 de 11 de febrero.

El TC también ha declarado que debe producirse la retroacción de actuaciones en el caso en que se haya producido una violación del derecho de comparecer en el proceso de la acusación particular. Supuesto en el que estamos en franco desacuerdo por afectar al derecho de presunción de inocencia y de tutela judicial efectiva del acusado, que fue absuelto, y que por efecto de la resolución se verá sometido a un nuevo enjuiciamiento (véase un comentario sobre esta cuestión en § 1.2.C.a del Cap. IV)[212].

«La decisión contraria del Tribunal Supremo, otorgando un "peso" relativo superior a la presunción de inocencia de los acusados por el "grave perjuicio que representa [para los acusados] hacer frente nuevo frente al riesgo de una condena por delito" y, correlativamente, un "peso" inferior al derecho a la tutela judicial efectiva de las acusadoras, que tendría en este caso una dimensión "más bien formal", porque "no cabe racionalmente prever que la reiteración de la vista fuera a aportar nada esencial, más allá de lo que pudiese representar la comprensible gratificación personal de las interesadas", implicó desconocer que toda resolución judicial ha de dictarse en el seno de un proceso respetando en él las garantías que le son consustanciales y, por tanto, de acuerdo con nuestra doctrina, supuso una nueva violación del derecho a la tutela judicial efectiva de las demandantes (art. 24.1 CE), que se sumó a la que ya había sido reconocida por los propios órganos jurisdiccionales. Todo ello, en consecuencia, conduce a la estimación de la pretensión de amparo. 6. Puesto que en el presente caso la estimación del amparo se fundamenta, en última instancia, en el quebrantamiento de garantías procesales esenciales de una de las partes, ello ha de conducir, en aplicación de la doctrina expuesta —al igual que en los casos de las Sentencias 138/1999, de 22 de julio, 215/1999, de 29 de noviembre, y 81/2002, de 22 de abril—, a la anulación de la Sentencia recurrida y a la retroacción de las actuaciones judiciales al momento del juicio oral, éste incluido, para que, con respeto del derecho a la defensa, se celebre nueva vista, de modo que pueda dictarse por el Tribunal del Jurado otra sentencia tras la celebración de vista oral celebrada con respeto a la citada garantía. Para ello será suficiente con anular la Sentencia de fecha 15 de febrero de 2005, dictada en el recurso de casación por la Sala Segunda del Tribunal Supremo». STC 218/2007 de 8 de octubre.

_____

(212) O en el supuesto contemplado en la STC 218/2007 de 8 de octubre, en la que el TC, en decisión muy discutible, aprecia la infracción procesal de una falta de designación de abogado de oficio a la acusación particular en un proceso de jurado finalizado con la absolución ordena la retroacción de las actuaciones para sustanciar un nuevo juicio: «*Puesto que en el presente caso la estimación del amparo se fundamenta, en última instancia, en el quebrantamiento de garantías procesales esenciales de una de las partes, ello ha de conducir, en aplicación de la doctrina expuesta —al igual que en los casos de las Sentencias 138/1999, de 22 de julio, 215/1999, de 29 de noviembre, y 81/2002, de 22 de abril—, a la anulación de la Sentencia recurrida y a la retroacción de las actuaciones judiciales al momento del juicio oral...*».

En otros casos la sentencia estimatoria del amparo no tendrá, prácticamente, ningún efecto. Por ejemplo, en el caso de apreciar la infracción del derecho constitucional de «*Habeas corpus*»[213]. O en el supuesto de estimarse dilaciones indebidas[214].

Un supuesto especial es el que se produce cuando quién recurre en amparo lo hace alegando infracción de derecho fundamental de carácter sustantivo con la consecuencia que el Tribunal no haya dictado Sentencia condenatoria (sentencias absolutorias o resoluciones judiciales que materialmente producen este efecto, como los Autos de sobreseimiento o en los que se ordena el archivo de las diligencias por considerar que los hechos imputados no son constitutivos de delito). En ese caso, el juicio que puede efectuarse en sede de amparo constitucional no puede extenderse a analizar si concurren o no los elementos del tipo delictivo, salvo en los supuestos en los que la interpretación efectuada por los órganos judiciales de estos elementos sea irrazonable de tal forma que la misma pueda conllevar una vulneración del principio de legalidad penal. De modo que el recurrente podrá obtener la protección del derecho fundamental que estima lesionado mediante un pronunciamiento declarativo en el que se le reconozca el derecho, que es potencialmente generador de una futura indemnización (Véase STC 218/1997 de 4 de diciembre).

> «Éste debe ser, por tanto, el alcance de un eventual fallo estimatorio en estos casos en los que se imputa al órgano judicial penal lesión de derechos fundamentales sustantivos y la resolución penal impugnada no sea una sentencia condenatoria. En estos supuestos la estimación del amparo no puede conllevar la anulación de una resolución judicial materialmente absolutoria —ya sea una sentencia o un auto del que se derive este efecto— por ser contraria tal consecuencia al principio de seguridad jurídica en relación con el art. 24 CE, pues tal pronunciamiento podría arrojar sobre quien ha sido absuelto o ha visto archivada una querella la carga y gravosidad de un nuevo enjuiciamiento, que sería incompatible con la Constitución al no estar destinado a corregir una vulneración en su contra de normas procesales con relevancia constitucional y no venir exigido tampoco por la necesidad de tutelar los derechos fundamentales del recurrente en amparo —como ya se ha indicado—, dicha tutela la dispensa el pronunciamiento declarativo de este Tribunal sin que la misma requiera la nulidad de la Sentencia al no formar parte de los derechos fundamentales sustantivos el derecho de acción penal». ATC 230/1998 de 26 de octubre.

El límite de la potestad del Tribunal Constitucional se halla en el cumplimiento de las funciones expresadas de preservación y restablecimiento del derecho fundamental lesionado debiendo abstenerse: «... *de cualquier otra consideración sobre la*

---

(213) Véanse a este respecto las SSTC 35/2008 de 25 de febrero, que declara que: «... no cabe retrotraer las actuaciones al momento en que se produjo la vulneración del derecho a la libertad para subsanarla, toda vez que, como acertadamente advierte el Ministerio Fiscal, en la propia demanda de amparo se indica que el recurrente pasó a disposición judicial al día siguiente de dictarse el Auto impugnado en amparo, dejando así de concurrir el presupuesto de la privación de libertad no acordada judicialmente». Véase en el mismo sentido la STC 37/2008 de 25 de febrero.

(214) STC 38/2008 de 25 de febrero: «4. El otorgamiento del amparo debe limitarse en el presente caso a la declaración de violación del derecho fundamental, ya que en el momento de dictarse la presente Sentencia, según se ha puesto de manifiesto en los antecedentes, la inactividad jurisdiccional lesiva del mencionado derecho fundamental ha cesado, al haberse concluido, para desestimarlo, la instrucción del incidente de recusación».

actuación de los órganos jurisdiccionales» (art. 54 LOTC). Así, no podrá ordenar, por ejemplo, la admisión de un recurso y mucho menos entrar en el fondo del asunto y resolver el asunto o cuestión planteada conforme a derecho[215].

> «Asimismo recordamos con cita de la STC 106/2013, de 6 de mayo (LA LEY 49556/2013), FJ 4 (dictada también en un caso de aplicación indebida de la litispendencia), cuál es el canon de control a emplear en estos casos (arbitrariedad, irrazonabilidad, error patente o falta de proporcionalidad), advirtiendo que nos encontramos ante un control externo que no comporta formular un juicio de interpretación de la legalidad ordinaria aplicable, tarea propia de la jurisdicción ordinaria, sino analizar si la interpretación que en este caso concreto han realizado los órganos judiciales a través de las resoluciones impugnadas es contraria al derecho fundamental a la tutela judicial efectiva, en su vertiente de acceso a la justicia». STC 223/2016 de 19 Dic. 2016, Rec. 4094/2015, LA LEY 199339/2016.

Sin embargo, el TC sí entra a examinar el cumplimiento del derecho a la tutela judicial efectiva, que incluye el derecho a obtener una resolución judicial de fondo cuando no existen obstáculos legales para ello.

> «Sobre el contenido esencial del derecho de acceso a la jurisdicción, hemos recordado recientemente, con cita de otras resoluciones anteriores, que "este Tribunal Constitucional ha mantenido de forma constante que el derecho a la tutela judicial efectiva, que incluye el derecho a obtener una resolución judicial de fondo cuando no existen obstáculos legales para ello" (STC 107/1993, de 22 de marzo (LA LEY 2209-TC/1993), FJ 2), puede satisfacerse igualmente con "una decisión de inadmisión, siempre y cuando esta respuesta sea consecuencia de la aplicación razonada y proporcionada de una causa legal en la que se prevea tal consecuencia" (STC 49/2016, de 14 de marzo (LA LEY 28484/2016), FJ 3). Para ponderar su posible vulneración judicial, nuestro canon de control aplicable, como precisa la STC 106/2013, de 6 de mayo (LA LEY 49556/2013), FJ 4, no se limita a verificar si la resolución impugnada "incurre en arbitrariedad, irrazonabilidad o error patente, sino que también comprende el análisis de si resulta o no desproporcionada por su rigorismo o formalismo excesivos, debiendo ponderarse en ese juicio de proporcionalidad, de una parte, los fines que ha de preservar la resolución cuestionada, y, de otra, los intereses que con ella se sacrifican"». STC 148/2016 de 19 Sep. 2016, Rec. 7120/2014, LA LEY 146364/2016.

---

(215) «De cualquier modo, también dejamos ahí advertido que "no es función de este Tribunal determinar qué interpretación de la legislación procesal debe llevarse a cabo por los órganos judiciales, puesto que implicaría una invasión del ámbito propio de su jurisdicción en la aplicación de la legalidad ordinaria. Lo que nos compete es analizar si la interpretación que en este caso concreto han realizado los órganos judiciales a través de las resoluciones impugnadas es contraria al derecho fundamental a la tutela judicial efectiva, en su vertiente de acceso a la justicia". STC 148/2016 de 19 Sep. 2016, Rec. 7120/2014. Véase, también, la STC 119/94 de 25 abril que con relación a la falta de consignación de los intereses devengados por la indemnización principal, en un supuesto de juicio del automóvil, considera que resulta la voluntad real de los recurrentes de cumplir con el requisito exigido por la LO 3/89 para recurrir en apelación y, por tanto, declara el TC la anulación de las actuaciones y su retroacción a fin de conceder al apelante un plazo razonable para subsanar el depósito. Obsérvese, que la decisión más razonable sería ordenar al órgano judicial la admisión directa del recurso, lo que le está vedado por el art. 54 LOTC. Por tanto, opta el TC por conceder: "un plazo razonable", sin especificarse en la sentencia cuál deba ser aquél, lo que deja sumido el asunto en la más absoluta inseguridad jurídica, especialmente respecto al apelado, triunfante en la primera instancia».

SECCIÓN 10. LA NULIDAD DE ACTUACIONES[216]

10.1. Introducción. Clases y motivos de nulidad procesal

Los actos procesales pueden estar viciados de nulidad absoluta o de pleno derecho, nulidad relativa (anulabilidad) o irregularidad. Los actos nulos de pleno derecho son los relacionados en el art. 238 LOPJ. La anulabilidad es una categoría que se constituye por defecto e incluye los actos afectos de vicios de nulidad que no se hallen incluidos en la relación del art. 238 LOPJ. Estos vicios de nulidad son aquellos defectos de forma que impliquen ausencia de los requisitos indispensables para que los actos procesales alcancen su fin o bien que determinen efectiva indefensión (art. 240.1 LOPJ). Finalmente, los actos procesales son irregulares cuando se infringe un requisito formal de escasa entidad susceptible de corrección.

La regulación vigente en esta materia es la contenida en los arts. 238 a 243 LOPJ modificada por la LO 19/2003 de modificación de la LOPJ y la LO 6/2007 de 24 de mayo que ha modificado el párrafo 1º del art. 241 LOPJ para establecer que el incidente excepcional podrá interponerse fundado en: «... *cualquier vulneración de un derecho fundamental de los referidos en el art. 53.2 de la Constitución...*». También la LEC 1/2000 contiene una regulación de la nulidad de los actos procesales que coincide, en lo básico, con la prevista en la LOPJ. En el momento presente únicamente existe divergencia en tres puntos. El primero respecto al motivo de nulidad de pleno derecho referido a las vistas celebradas sin la presencia del Letrado de la administración de justicia, que se regula en la LOPJ (art. 238.1.5º LOPJ) y no en la LEC. El segundo referente a la falta de designación de los medios de impugnación puestos a disposición de la parte, junto con los recursos, para la denuncia de la nulidad procesal, que se regula en la LOPJ, pero no en la LEC (art. 240.1 *in fine* LOPJ). Y el

---

(216) Vid. RICHARD GONZÁLEZ M. *Tratamiento procesal de la Nulidad de actuaciones*, Aranzadi, 2008. BONET NAVARRO, A., «Subsanación de defectos procesales y conservación de actos en el proceso civil», *CGPJ*, 1993, T. XXX, pp. 345 a 389; «El nuevo régimen de la declaración de la nulidad de las actuaciones», *Economist & Iurist*, 1997. GARCIMARTÍN MONTERO REGINA, *El incidente de nulidad de actuaciones en el proceso civil*, Civitas, 2002. ANDRÉS CIURANA B., *La invalidez de actuaciones en el proceso civil*, Tirant lo Blanch, Valencia 2005. LOURIDO RICO, A.Mª, *La nulidad de actuaciones una perspectiva procesal*, Comares, 2004. MARTÍNEZ FAGÚNDEZ, C., *Nulidad de actuaciones en el proceso civil y penal*, Civitas 2008. VERGE GRAU, *La nulidad de actuaciones*, Barcelona, 1987. MARTÍN DE LA LEONA, J. M.ª, «Nulidad de actuaciones. Principios informadores y clasificación», *CGPJ*, 1993, T. XXX, pp. 9 y ss.; *La nulidad de actuaciones en el proceso civil*; Colex; Madrid; 1996. A.A.V.V. «La nulidad en el proceso penal. Tratamiento procesal», *CGPJ*, 1995, T. XXI de Cuadernos de Derecho Judicial. BACHMAIER, LORENA, «Nulidad de actuaciones y agotamiento de la vía judicial previa al recurso de amparo», *La Ley* nº 3968, 1996. GARCÍA GIL F.J.; *La nulidad de actuaciones procesales civiles y penales*; Dykinson; Madrid; 1996. GARNICA MARTÍN J.F., «Nulidad procesal sin recurso: Nuevas reflexiones sobre un problema crítico de nuestro proceso», *La Ley* 3395, 1993; «Nulidad de actuaciones después de sentencia firme». Justicia 1990-IV, 897. HERNÁNDEZ GALILEA J.M, *La nueva regulación de la nulidad procesal*, Forum, Oviedo, 1995. MORENILLA ALLARD P., «De nuevo sobre el incidente de nulidad de actuaciones: la LO 13/99», *La Ley* nº 4840, 1999; «El incidente de nulidad de actuaciones según el nuevo art. 240 LOPJ: consideraciones críticas», *La Ley* nº 4498, 1998. PÉREZ-CRUZ MARTÍN, «La nulidad de la sentencia firme», en *Justicia* 92, nº 2. ROBLES GARZÓN y GIMÉNEZ SÁNCHEZ, «La constitucionalidad del artículo 240 de la Ley Orgánica del Poder Judicial», en *La Ley* nº 2914 1992.

tercero con relación a los motivos del incidente excepcional de nulidad que han sido modificados por la LO 6/2007 como se ha expuesto. En cualquier caso, parece claro que en el proceso penal será de aplicación la regulación de la LOPJ y no la de la LEC.

La caracterización de un acto procesal como nulo se determina a partir de un doble examen. Son actos nulos los que la ley designa como tales. Entre estos los que se contienen en la relación del art. 238 LOPJ y en determinados preceptos que asocian la nulidad simple a la infracción concreta de un determinado acto procesal (por ej. el art. 166 LEC respecto a la práctica de actos de comunicación). Además serán nulos los actos: «*Cuando se prescinda de normas esenciales del procedimiento, siempre que, por esa causa, haya podido producirse indefensión*» (art. 238.3 LOPJ) y aquéllos que adolezcan: «*de los requisitos indispensables para alcanzar su fin o determinen efectiva indefensión*» (art. 240.1 LOPJ). Pero, sin que de esta diferenciación, entre actos nulos de pleno derecho, actos afectados de nulidad simple y actos declarados nulos cuando se infrinja un concreto requisito o forma procesal, deban extraerse mayores consecuencias. Así es por cuanto la sanción de ineficacia respecto al acto procesal será la misma cuando se aprecie nulidad de pleno derecho o nulidad simple.

La ley regula el tratamiento procesal de la nulidad sin distinguir entre una y otra clase de vicios, con la única salvedad de que en el caso de la nulidad de pleno derecho ésta quedará acreditada por la simple comparación entre la norma infringida y la norma que establece la consecuencia de la nulidad para ese concreto vicio. Mientras que la nulidad simple deberá apreciarse en el caso concreto, evitando de ese modo una excesiva rigidez del sistema procesal. La razón del sistema se halla en la voluntad del legislador de destacar la importancia que se atribuye a la infracción de ciertas normas que se consideran esenciales para el ordenamiento procesal y la correcta sustanciación de los procesos judiciales. Y a ese fin la Ley refuerza la consecuencia de la sanción de ineficacia para los actos procesales nulos de pleno derecho. Y lo hace de un modo directo, sin haber lugar a grado alguno de discrecionalidad judicial que permita adoptar otra decisión. La especial característica de las infracciones de nulidad de pleno derecho también se pone de manifiesto respecto a los motivos de falta de jurisdicción o de competencia objetiva o funcional (art. 238.1 LOPJ) y violencia o intimidación que afectare al Tribunal (art. 238.2 LOPJ), que podrán apreciarse de oficio en vía de recurso aunque no hubieren sido motivos del recurso interpuesto. Aunque, es preciso destacar que, paradójicamente, el motivo principal de nulidad de actuaciones, que es el referido a la infracción procesal con efectiva indefensión, no puede determinarse de forma automática por comparación entre el acto y la norma; sino que será preciso que se denuncie oportunamente por la parte afectada y que el Tribunal aprecie la existencia de efectiva indefensión. Este ejemplo muestra la dificultad de partir de conceptos apriorísticos en esta materia de especial dificultad. Por eso consideramos que la nulidad procesal debe analizarse desde el punto de vista del modo de denunciarla en el proceso y de los efectos que produce.

En consecuencia, no puede hablarse en materia de nulidad procesal de una distinción evidente entre los actos procesales nulos de pleno derecho y simplemente nulos. Sino, más bien en una identidad sustancial que se pone de manifiesto cuando se advierte que todos los actos procesales, cualquiera que sea el vicio de que adolezcan, son convalidables por el mero transcurso del tiempo[217]. De modo que transcurridos cinco años desde la notificación de la resolución no existe medio procesal alguno para poner de manifiesto un vicio de nulidad y obtener su declaración en una resolución judicial. La semejanza de los supuestos de nulidad también se muestra en la propia caracterización de los supuestos de nulidad de pleno derecho que se contienen en el art. 238 LOPJ y los de nulidad que se definen por exclusión en el art. 240.1 LOPJ que establece los actos que serán simplemente nulos por contraposición con los actos nulos de pleno derecho: «*La nulidad de pleno derecho, en todo caso,* **y los defectos de forma que impliquen ausencia de los requisitos indispensables para que los actos procesales alcancen su fin o bien que determinen efectiva indefensión**» (art. 240.1 LOPJ). Es decir, que están por un lado los actos nulos de pleno derecho y, por otro, los actos procesales que carezcan de los requisitos indispensables para alcanzar su fin y los que determinen efectiva indefensión a las partes en el proceso. Como se ve no existe una diferencia en la gravedad del vicio que afecta a los actos de nulidad de pleno derecho frente a los que se califican de simplemente nulos. Más aún el motivo más recurrente de nulidad el que se fundamenta en la infracción procesal con efectiva indefensión, se refiere en el art. 240.1 LOPJ como un motivo de nulidad y en el art. 238.3 LOPJ como motivo de nulidad de pleno derecho.

Como se ha apuntado, la singularidad de la nulidad procesal se pone también de manifiesto en la aplicación de la regla general de la conservación y subsanación de los vicios procesales dentro del mismo proceso. Principios que determinan que los actos procesales serán válidos en tanto no se declare su nulidad, y que únicamente tendrá lugar la retroacción de las actuaciones en determinados supuestos de vicios procesales de tal entidad que conviene hacer desaparecer el acto procesal viciado junto con el resultado que de ellos hubiere emanado[218]. Estos supuestos de nulidad radical se identifican con los supuestos de nulidad de pleno derecho previstos en el art. 238 LOPJ, sin perjuicio de que, al menos en principio, puedan ser subsanados y que la nulidad radical con retroacción también pueda producirse con base en un vicio de nulidad simple.

De forma que únicamente se declarará la nulidad de un acto procesal cuando se trate de un defecto insubsanable. En cambio, cuando los presupuestos fuesen subsanables bastará corregir su falta continuando el proceso —art. 243 LOPJ—. Al mismo tiempo la nulidad de un acto no implicará la de los sucesivos que fueren independientes de aquél, ni la de aquéllos cuyo contenido hubiese permanecido invariable, aun sin haberse cometido la infracción que dio lugar a la nulidad. Tampoco la nulidad de parte de un acto implicará la de las restantes partes que sean independientes

---

(217)   La identidad sustancial del concepto de nulidad procesal en la aplicación, con carácter general, de un mismo tratamiento procesal de apreciación e ineficacia de cualquier clase de nulidad procesal; así como la aplicación de los principios de conservación y subsanabilidad de los actos procesales (art. 240.2 LOPJ).

(218)   «... como ha dicho la STC 117/86, de 13 octubre, "es en la posibilidad de subsanar los defectos y omisiones padecidos donde ha de centrarse la cuestión debatida en amparo, para determinar si hay proporcionalidad entre la sanción que supone la inadmisión y el defecto apreciado". Además, el requisito formal ha de analizarse teniendo presente la finalidad que pretende lograrse con él, y si esa finalidad puede lograrse sin detrimento de ningún derecho constitucional digno de tutela debe procederse a la subsanación de su defecto...». (STC 175/88, de 3 octubre).

de aquélla. De modo que en el caso frecuente de ilicitud de la prueba, la declaración de nulidad de una prueba determinada no producirá necesariamente la del resto de pruebas obtenidas. Véase sobre ilicitud de la prueba § 2.3 Cap. IX.

Por su parte el TC ha declarado, con relación al principio de subsanación de los defectos procesales, que será posible su aplicación cuando la finalidad que se perseguía con la exigencia formal infringida, pueda ser lograda con aquella subsanación, sin detrimento de otros derechos o bienes constitucionalmente dignos de tutela, por lo cual habrá de realizarse una interpretación finalista, y conjugar la proporcionalidad entre el defecto o falta y su sanción jurídica, de forma que ésta no resulte excesiva. Para ello, habrá de acudirse a una interpretación de la legalidad ordinaria en el sentido más favorable a la efectividad del derecho fundamental. En consecuencia, deberá analizarse la finalidad de los trámites y de los requisitos de forma incumplidos, a los efectos de posibilitar la subsanación del defecto.

«...la denuncia del retraso se formuló en el escrito de formalización del recurso de apelación y el objeto de tal denuncia no era ni hacer cesar las dilaciones indebidas supuestamente padecidas, pues ya había recaído Sentencia; ni tampoco obtener un pronunciamiento del órgano judicial sobre la existencia de las referidas dilaciones, ya que tal pretensión no fue formulada por los recurrentes en sus respectivos escritos por los que interpusieron recurso de apelación. A tenor de lo expuesto en dichos escritos, lo que el recurrente pretendía al poner de manifiesto la excesiva duración que había tenido el procedimiento en el que recayó la Sentencia impugnada era obtener una Sentencia en apelación que revocara la Sentencia condenatoria recaída en primera instancia por entender que al haber sido dictada diez años más tarde de que se cometieran los hechos imputados alteraba el contenido de la justicia penal, dado además que en ese caso existía ya una sentencia civil que satisfacía los intereses del acreedor. Por ello en este caso, como la alegación en la que se ponía de manifiesto la excesiva duración del proceso penal, no tenía por objeto permitir al órgano judicial que reparase la vulneración del derecho a no padecer dilaciones indebidas, sino que la Sala accediera a sus pretensiones de fondo, no puede considerarse que el recurrente haya cumplido el requisito de haber invocado en el proceso la vulneración del derecho constitucional alegado que establece el art. 44.1 c) LOTC. Todo ello con independencia de los efectos que, en el caso de que realmente la duración del procedimiento penal hubiera sido excesiva, pudieran producirse en otros ámbitos (por ejemplo, en el supuesto previsto en el art. 4.4 CP; cuestión sobre la que no le corresponde pronunciarse a este Tribunal». STC 51/2002 de 25 de febrero.

Es éste un análisis que deberá efectuarse siempre con carácter previo, antes de proceder a la nulidad de los actos defectuosos, para evitar que se eliminen los derechos o facultades a ellos vinculados; en especial, cuando con ello se cierre la vía de algún recurso. A este respecto, se establece dicha subsanación aun cuando excedan del mero contenido formal por aplicación extensiva del art. 11.3.º LOPJ.

Los actos nulos de pleno derecho son a los que se refiere el art. 238 LOPJ que atribuye la consecuencia de la nulidad radical para los siguientes: los actos realizados con falta de jurisdicción o de competencia funcional; los realizados bajo violencia o intimidación; cuando se prescinda de normas esenciales del procedimiento, siempre que, por esa causa, haya podido producirse indefensión; cuando se realicen sin intervención de abogado, en los casos en que la ley establezca como preceptiva; cuando se celebren vistas sin la preceptiva intervención del Letrado de la administración de justicia y en los demás casos en los que las leyes procesales así lo establezcan[219].

A) Falta de Jurisdicción o competencia objetiva o funcional

El art. 238.1º LOPJ dispone que son nulos de pleno derecho los actos judiciales: «*Cuando se produzcan por o ante tribunal con falta de jurisdicción o de competencia objetiva o funcional*». Los actos producidos por un órgano jurisdiccional que carezca de jurisdicción, o competencia objetiva o funcional carecerán de eficacia alguna, al producirse la ausencia de un presupuesto del proceso que determinará su nulidad. Se trata de presupuestos del proceso que deben concurrir en el tribunal que este conociendo de la causa y sin los cuales lo actuado será nulo de pleno derecho[220]. Otros actos atenientes al órgano jurisdiccional que pudieran producirse con infracción de las normas legales —competencia territorial, tribunal ordinario predeterminado, normas de reparto, abstención y recusación— serán nulos en función de que atenten o infrinjan algún derecho fundamental lo que incluye esos supuestos en el apartado art. 238.3 LOPJ.

En el proceso penal la pena debe imponerse necesariamente en virtud de sentencia dictada por Juez competente (art. 1 LECrim). A este efecto, la función jurisdiccional penal se realiza por los órganos jurisdiccionales penales, previstos en el Título IV de la Ley Orgánica del Poder Judicial; y corresponderá a los criterios de competencia determinar el órgano jurisdiccional que debe instruir y el que debe fallar una causa penal con preferencia y exclusividad sobre todos los demás (véase el Cap. III sobre la Jurisdicción y Competencia en el proceso penal).

Nótese la modificación de esta norma que tuvo lugar por la LO 19/2003 que eliminó la expresión: «*manifiesta*» que se contenía en el derogado art. 238.1 LOPJ, recogiendo de ese modo la regulación del art. 225.1 LEC. Ahora bien, el problema consiste en que en el ámbito del proceso penal el TC ha declarado que: «... *Una de las reglas cardinales establecida por el nuevo marco legal, ajustado al art. 24 CE, es que solamente se puede decretar la nulidad de pleno derecho cuando la incompetencia del órgano judicial es "manifiesta"; y sólo, tras ponderar si la anulación respeta los derechos fundamentales de los justiciables, pues las nulidades procesales deben estar al servicio de los derechos y garantías constitucionales de los ciudadanos, nunca para quebrantarlos (STC 70/1999 de 26 de abril)*». Es decir, que el TC ha venido exigiendo que la falta de competencia objetiva debe ser manifiesta para que su infracción produzca la nulidad de pleno derecho de las actuaciones. Y ese criterio lo funda en la necesidad de ponderar los efectos de la nulidad con el derecho de tutela judicial efectiva. Por tanto, a pesar de la supresión de la expresión referida a que la falta de

---

(219) El art. 225 LEC reproduce en lo básico estos motivos de nulidad absoluta con la única modificación de establecer como motivo de nulidad la falta de intervención del Secretario Judicial.

(220) Conviene diferenciar, «prima facie», la jurisdicción de la competencia. La primera hace referencia a la potestad general de juzgar y hacer ejecutar lo juzgado —art. 117.3.º CE— que ostenta todo Juzgado o Tribunal. La competencia supone atribuir a un órgano jurisdiccional el conocimiento de un asunto en particular, conforme a las normas procesales. Ahora bien, aun cuando la jurisdicción es única, el ejercicio de la jurisdicción penal, al igual que los demás tipos de jurisdicción (civil, laboral, contencioso-administrativa), debe ser desempeñada por unos determinados órganos judiciales jerárquicamente constituidos.

competencia sea: «*manifiesta*», en el proceso penal deberá ponderarse el vicio procesal con los derechos de las partes en el proceso.

B) Los actos judiciales realizados bajo violencia o intimidación

El art. 238.2º LOPJ establece la nulidad de pleno derecho de los actos judiciales realizados bajo violencia o intimidación. La modificación introducida por LO 19/2003 ha suprimido, acertadamente, el requisito de que la violencia o intimidación fuere: «*racional y fundada en un mal inminente y grave*». De este modo, se reproduce el motivo previsto en el art. 225.2º LEC. Parece palmario que producida violencia o intimidación lo nuclear resulta ser su misma presencia no tanto la sensación subjetiva del que la padezca, ya sea respecto a la amenaza misma, o con relación a la clase y entidad del mal que funda la amenaza.

La nulidad se declarará una vez que el Juez o Tribunal afectado por la intimidación o violencia se vean libres de ella, y se promoverá la formación de causa contra los culpables, poniendo los hechos en conocimiento del Ministerio Fiscal. También se declararán nulos los actos de las partes o de personas que intervengan en el proceso si se acredita que se produjeron bajo intimidación o violencia, así como los actos relacionados o que pudieren haberse visto condicionados o influidos sustancialmente por el acto nulo —art. 239 LOPJ—.

La regulación expuesta, concretamente la contenida en el art. 239 LOPJ, prevé el supuesto de que la violencia se ejerza sobre las partes. En ese caso, los actos realizados serán nulos sin que sea preciso acudir a un recurso de revisión que acoge como motivo el de haberse ganado injustamente la sentencia en virtud de cohecho, violencia o maquinación fraudulenta (art. 954.3 LECrim, véase sobre el recurso de revisión § 8 de este Capítulo). Así lo establecía la jurisprudencia, ya que el derogado art. 239 LOPJ se refería únicamente a la violencia ejercida frente los Jueces y Tribunales y no frente a las partes.

C) La infracción de las normas esenciales del procedimiento. El concepto de indefensión

No cabe duda de que se trata del supuesto de nulidad de más incidencia en el proceso y en el que se incluye la esencia de la nulidad procesal y de los derechos y garantías de las partes en el proceso. La anterior regulación de esta norma distinguía entre infracción de las normas esenciales del procedimiento y la infracción de los principios de audiencia, asistencia y defensa; exigiendo, en cualquier caso, que se hubiere producido efectiva indefensión. Sin embargo, la redacción vigente de la LOPJ no diferencia en este motivo el origen de la infracción, sino que siguiendo la redacción del art. 225 LEC la LOPJ se refiere a la infracción de las normas esenciales del procedimiento, exigiendo que, por esa causa «*haya podido producirse indefensión*». La modificación no es intrascendente, ya que es bien distinto que la Ley exija que se haya producido efectiva indefensión en la parte, que, por el contrario, la infracción de la norma haya producido una mera situación o posibilidad de producir indefensión a las partes. Por otra parte, no se distingue entre infracción de las normas esenciales del procedimiento, y la de los principios del proceso. De modo que la infracción de las normas esenciales incluye, obviamente, la de todas aquellas normas o principios del proceso que se hubieren vulnerado con la producción de indefensión. A este respecto, salvo el supuesto que se contiene en el párrafo 4º del art. 238 LOPJ referente a la infracción de las normas sobre intervención obligada de abogado, no se contiene ninguna referencia expresa a la vulneración de principios procesales concretos. Sin embargo, ello no significa que la LOPJ no atienda a la infracción procesal por vulneración, v.g. del principio de audiencia, ya que este principio complejo se vulnerará cuando se impida de algún modo que la parte o el interesado puedan alegar en juicio lo que corresponda a su derecho, con la infracción correspondiente de la norma. Debe tenerse en cuenta que, en cualquier caso, resulta de aplicación el art. 24 CE que establece el principio de tutela judicial efectiva sin que en ningún caso pueda producirse indefensión que debe ser real y efectiva. Debe tratarse, por tanto, de indefensión material que no formal o producida en abstracto.

> «Indefensión material. La doctrina constitucional (SSTC 25/2011, de 14 de marzo (LA LEY 6063/2011) y 62/2009 de 9 de marzo (LA LEY 7046/2009), entre otras muchas) recuerda que la indefensión constituye una noción material que se caracteriza por suponer una privación o minoración sustancial del derecho de defensa; un menoscabo sensible de los principios de contradicción y de igualdad de las partes que impide o dificulta gravemente a una de ellas la posibilidad de alegar y acreditar en el proceso su propio derecho, o de replicar dialécticamente la posición contraria en igualdad de condiciones con las demás partes procesales. Es decir que "para que pueda estimarse una indefensión con relevancia constitucional, que sitúe al interesado al margen de toda posibilidad de alegar y defender en el proceso sus derechos, no basta con una vulneración meramente formal, sino que es necesario que de esa infracción formal se derive un efecto material de indefensión, con real menoscabo del derecho de defensa y con el consiguiente perjuicio real y efectivo para los intereses del afectado" (STC 185/2003, de 27 de octubre (LA LEY 10385/2004); y STC 164/2005 de 20 de junio (LA LEY 1681/2005))». STS 821/2016 de 2 Nov. 2016, Rec. 733/2016. Ponente: Conde-Pumpido Tourón, Cándido. LA LEY 156110/2016.

La exigencia de efectiva indefensión supone el acogimiento de un concepto de nulidad procesal de carácter subjetivo que garantiza la tutela judicial efectiva de los intervinientes en el proceso y es que preferente es nuestro sistema procesal[221]. Aunque,

---

(221) «... tal doctrina no puede conducir a un vaciamiento de los derechos públicos fundamentales que pueda justificar que el Tribunal Superior que conoce de un recurso decrete la nulidad de actuaciones si aprecia una "falta manifiesta" de competencia (art. 238.1 LOPJ). Pues, es preciso no olvidar que "la doctrina jurisprudencial sobre el carácter de orden público de todos los preceptos procesales y de la nulidad de todos los actos procesales no acomodados a la Ley, que nunca tuvo otro rango que el de una doctrina jurisprudencial, no encuentra hoy acomodo —y está necesitada de urgente revisión— a partir de la regla de la vinculación de los órganos jurisdiccionales del Estado a los derechos fundamentales de los ciudadanos y a las libertades públicas y sobre todo ante la limitación de las causas de nulidad de los actos judiciales", en los términos fijados en el Derecho vigente por la Ley Orgánica del Poder Judicial de 1985 (especialmente los arts. 11, 238 y 243) tal y como detallamos en la STC 39/1988 (fundamento jurídico 1º). Una de las reglas cardinales establecida por el nuevo marco legal, ajustado al art. 24 CE, es que solamente se puede decretar la nulidad de pleno derecho cuando la incompetencia del órgano judicial es "manifiesta"; y sólo, tras ponderar si la anulación respeta los derechos fundamentales de los justiciables, pues las nulidades procesales deben estar al servicio de los derechos y garantías constitucionales de los ciudadanos, nunca para quebrantarlos». STC 70/1999 de 26 de abril.

también cabe acoger un concepto de nulidad de actos procesales de carácter objetivo, dirigido a la protección de la norma procesal. En este último caso, no es necesario que se produzca efectiva indefensión, ya que lo que se pretende con la norma es dotar de contenido a la infracción de normas esenciales del procedimiento que debe ser sancionada sin que ello pueda depender del efectivo resultado negativo que produzca el comportamiento antijurídico contrario a la norma[222]. Éste es el fundamento que permite, por ejemplo, anular en vía de amparo sentencias absolutorias dictadas en el proceso penal. A este respecto, la doctrina general establece que no cabe esa posibilidad. Sin embargo, cabe la declaración de nulidad cuando no se respetaron las formas esenciales del juicio, aunque no se haya producido efectiva indefensión.

El concepto de indefensión se determina con relación a los distintos supuestos y derechos compendiados en el derecho a la tutela judicial efectiva; teniendo en cuenta que debe referirse a una infracción legal y producir un perjuicio efectivo a la parte que la alega[223]; debe ser total y absoluta, definitiva y no imputable al recurrente, en el sentido de que no haya sido ni provocada ni consentida por recurrente[224].

---

(222) Véanse, en este sentido, comentando el art. 225 LEC DE LA OLIVA (con DÍEZ PICAZO I., VEGAS TORRES, BANACLOCHE PALAO); *Comentarios a la LEC*; Civitas; Madrid; 2001, pág. 425; y TAPIA I., A.A.V.V. Coordinadores: CORDÓN MORENO, ARMENTA DEU, MUERZA ESPARZA, TAPIA FERNÁNDEZ; *Comentarios a la Ley de Enjuiciamiento Civil*, Aranzadi, Pamplona 2001; pág. 833. En sentido opuesto, Cfr. BARONA VILAR (CON MONTERO AROCA, GÓMEZ COLOMER, MONTON REDONDO); *El nuevo proceso civil*; Tirant; Valencia; 2001; pág. 174.

(223) «Tiene reiteradamente establecido el Tribunal Constitucional en relación con el derecho fundamental a no padecer indefensión (art. 24.1 CE (LA LEY 2500/1978)), por un lado, que la indefensión es una noción material que se caracteriza por suponer una privación o minoración sustancial del derecho de defensa, de los principios de contradicción y de igualdad de las partes que impide o dificulta gravemente a una de ellas la posibilidad de alegar y acreditar en el proceso su propio derecho, o de replicar dialécticamente la posición contraria en igualdad de condiciones con las demás partes procesales; y, por otro, que para que la indefensión alcance la dimensión constitucional que le atribuye el art. 24.1 CE (LA LEY 2500/1978), se requiere que los órganos judiciales hayan impedido u obstaculizado en el proceso el derecho de las partes a ejercitar su facultad de alegar y justificar sus pretensiones, esto es, que la indefensión sea causada por la incorrecta actuación del órgano jurisdiccional (SSTC 12/2011, de 28-2 (LA LEY 3662/2011); y 127/2011, de 18-7 (LA LEY 143538/2011)). Por lo cual, está excluida del ámbito protector del art. 24 CE (LA LEY 2500/1978) la indefensión debida a la pasividad, desinterés, negligencia, error técnico o impericia de la parte o de los profesionales que la representen o defiendan (entre otras muchas, SSTC 109/2002 (LA LEY 4898/2002); 87/2003 (LA LEY 12222/2003); 5/2004 (LA LEY 412/2004); 141/2005 (LA I FY 13265/2005), 160/2009 (LA LEY 119834/2009), 12/2011 (LA LEY 3662/2011) y 57/2012 (LA LEY 40147/2012)). Y también formula el Tribunal Constitucional como doctrina consolidada que sólo cabe hablar de indefensión cuando la actuación judicial produzca un efectivo y real menoscabo del derecho de defensa con el consiguiente perjuicio para los intereses del afectado (SSTC 48/1984 (LA LEY 47281-NS/0000), 155/1988 (LA LEY 3611-JF/0000), 145/1990 (LA LEY 1560-TC/1991), 188/1993 (LA LEY 2302-TC/1993), 185/1994 (LA LEY 13519/1994), 1/1996 (LA LEY 1853/1996), 89/1997 (LA I FY 6640/1997), 186/1998 (LA LEY 9330/1998), 2/2002 (LA LEY 2641/2002), 32/2004 (LA LEY 11892/2004), 15/2005 (LA LEY 11012/2005), 185/2007 (LA LEY 132587/2007), 60/2008 (LA LEY 61662/2008), 77/2008 (LA LEY 86604/2008), 121/2009 (LA LEY 76104/2009), 160/2009 (LA LEY 119834/2009) y 57/2012 (LA LEY 40147/2012))». STS 07/2016 de 13 Abr. 2016, Rec. 10412/2015; Ponente: Jorge Barreiro, Alberto Gumersindo. LA LEY 40316/2016.

(224) Véase sobre esta materia PICO JUNOY J.; *Las garantías constitucionales del proceso*; Bosch; Barcelona; 1997, págs. 95 y ss. Véanse SSTC 52/1997; 78/1992, etc.

«Para que sea posible apreciar indefensión vulneradora del art. 24.1 CE es en todo caso necesario que la situación en que ésta haya podido producirse no se haya generado por una actitud voluntariamente consentida por el supuestamente afectado o atribuible a su propio desinterés, pasividad, malicia o falta de la necesaria diligencia (SSTC 91/2000, de 30 de marzo, FJ 2; 104/2001, de 23 de abril, FJ 4; y 198/2003, de 10 de noviembre, FJ 4), de manera que los posibles efectos dañosos resultantes de una actuación incorrecta de los órganos judiciales carecen de relevancia desde la perspectiva del amparo constitucional cuando el error sea asimismo achacable a la negligencia de la parte, bien porque haberse situado al margen del litigio por razón de una actitud pasiva con el objetivo de obtener una ventaja de esa marginación, o por tener un conocimiento extraprocesal de la existencia del proceso (por todas, STC 295/2005, de 21 de noviembre, FJ 5, con cita de otras muchas)». STC 106/2006, de 3 de abril de 2006[225].

A este respecto, el concepto de indefensión con relevancia constitucional no coincide necesariamente con un concepto de indefensión meramente procesal; por lo que en ningún caso puede equipararse la idea de indefensión en su sentido jurídico-constitucional con cualquier infracción o vulneración de normas procesales que los órganos jurisdiccionales —Véase la STC 59/1998 de 16 de marzo—. Sobre este particular la jurisprudencia ha declarado que la infracción de un precepto procesal cualquiera no tiene por qué ocasionar siempre y en todo caso una lesión automática del derecho a la tutela judicial efectiva. Pero, por el contrario, sólo dicho quebrantamiento puede producir la indefensión a la que se refiere el art. 24-1º de la CE. Véase sobre el derecho a la tutela judicial efectiva y los derechos que comprende el § 2.2.A.b Cap. I.

La indefensión se produce cuando el interesado, de modo injustificado, ve cerrada la posibilidad de impetrar la protección judicial de sus derechos o intereses legítimos —STC 70/1984—; o cuando la vulneración de las normas procesales lleva consigo la privación del derecho a la defensa, con el consiguiente perjuicio real y efectivo para los intereses del afectado[226]. A «sensu contrario» las meras irregularidades no producen el efecto de condicionar la validez de un acto, máxime cuando no produzcan indefensión.

En el ámbito del proceso penal son actos nulos de pleno derecho los que vulneren el derecho a ser informado de la acusación (STC 136/1992). El derecho de acceso a los recursos penales (SSTC 33/1989 y 112/1989). A la asistencia letrada (SSTC 37/1988, 162/1993, y 217/1994). Derecho de defensa (SSTC 30/1989 y 19/1993). A realizar las alegaciones[227] y a pedir y a practicar la prueba pertinente para su defensa

(225) Véanse también sobre este particular a SSTC 91/2000, de 30 de marzo; 268/2000, de 13 de noviembre; 104/2001, de 23 de abril; 113/2001, de 7 de mayo; 1/2002, de 14 de enero; 191/2003, de 27 de octubre; 198/2003, de 10 de noviembre; 225/2004, de 29 de noviembre.

(226) SSTC 194/1987, 155/1988, 43/1989, 123/1989, 145/1990, 196/1990, 154/1991, 366/1993, 18/1995, 9/1997, 59/1998.

(227) «No cabe sino concluir que se ha producido una vulneración del derecho fundamental a la tutela judicial efectiva sin indefensión (art. 24.1 CE). A los recurrentes de amparo no se les dio traslado de la apelación adhesiva formulada por el Ministerio Fiscal, con lo que no tuvieron oportunidad de contradecir ni oponerse al recurso. Y aunque el escrito de adhesión en principio no contenía pretensiones autónomas de las formuladas en la apelación principal, los recurrentes se

(STC 199/1996) (Véase M. 169). La falta de motivación de las resoluciones judiciales, o la ausencia en la sentencia de relato de hechos probados. Infracción de las normas sobre la forma de realizar los actos de comunicación con la consecuencia de que la parte no tenga conocimiento de la sustanciación del proceso; ya que de ese modo se impide un juicio contradictorio y el derecho de defensa (véase sobre la práctica de los actos de comunicación § 3, Cap. V) (Véase M. 170).

«La estimación de un recurso de amparo por la existencia de infracciones de las normas procesales "no resulta simplemente de la apreciación de la eventual vulneración del derecho por la existencia de un defecto procesal más o menos grave, sino que es necesario acreditar la efectiva concurrencia de un estado de indefensión material o real" (STC 126/1991, fundamento jurídico 5.°; reiterado STC 290/1993, fundamento jurídico 4.°). Para que pueda estimarse una indefensión con relevancia constitucional, que sitúa al interesado al margen de toda posibilidad de alegar y defender en el proceso sus derechos, no basta con una vulneración meramente formal siendo necesario que de esa infracción formal se derive un efecto material de indefensión, un efectivo y real menoscabo del derecho de defensa (STC 149/1998, fundamento jurídico 3.°), con el consiguiente perjuicio real y efectivo para los intereses afectados (SSTC 155/1988, fundamento jurídico 4.°; 112/1989, fundamento jurídico 2.°). En definitiva, frente a la alegación de un vicio consistente, precisamente, en la ausencia de notificación del auto que acuerde la prosecución de las actuaciones por los trámites del procedimiento abreviado, lo que se ha de valorar es si "esa falta de notificación le haya ocasionado un perjuicio efectivo y real que de otro modo se hubiera evitado si se le hubiera notificado la incoación del procedimiento abreviado" (STC 290/1993, fundamento jurídico 4.°), o, dicho con otras palabras, si de tal omisión, en el caso presente y atendiendo a sus específicas circunstancias, se ha derivado una situación para los que la padecen en la que se les "impide ejercitar los derechos procesales de los que son titulares"» (STC 121/1995, fundamento jurídico 3.°). STC 62/1998 de 26 de abril.

Concretamente es jurisprudencia pacífica y constante que es exigible el emplazamiento personal, pues el edictal, al igual que la citación en estrados, poseen un carácter supletorio y excepcional y, por tanto, sólo deben ser utilizados cuando no sea posible recurrir a otros medios más efectivos[228]. Igual sucede respecto a la comunicación con personas distintas del interesado. Por todas véase la STC 70/1999 de

---

vieron imposibilitados de alegar sobre una cuestión que luego resultó capital para la resolución del recurso, cual es la relativa a la procedencia o improcedencia de la adhesión al recurso formulado por la acusación particular, a la cual le había sido negada la legitimación para actuar en el proceso, tanto en la Sentencia de instancia como luego en la de apelación». STC 93/2000 de 10 de abril.

(228) STC 143/1999 de 22 de julio: «... Lo que de inmediato nos sitúa ante la especial relevancia que adquieren los actos de comunicación del órgano judicial con quienes han de ser partes en el proceso y han de ser emplazados, posibilitando así un juicio contradictorio entre las partes y el ejercicio del derecho de defensa (SSTC 188/1990, 26/1993 y 10/1995, entre otras muchas). Y en atención a este encuadramiento del debate ha de recordarse que, como ha declarado este Tribunal, tal emplazamiento ha de ser realizado por el órgano jurisdiccional con todo cuidado y cumpliendo las normas procesales que regulan dicha actuación, para asegurar así que la comunicación sea real y efectiva. Siendo exigible, en particular, el emplazamiento personal del demandado, pues el edictal, al igual que la citación en estrados, poseen un carácter supletorio y excepcional y, por tanto, sólo deben ser utilizados cuando no sea posible recurrir a otros medios más efectivos (STC 97/1992). Véase también STC 97/1992.

26 de abril que compendia los derechos fundamentales del acusado en el proceso penal cuya vulneración conllevará la nulidad de pleno derecho en tanto que garantía esenciales. Véanse también las SSTC 205/1989 y 277/1994.

En todos estos supuestos prefijados por el Tribunal Constitucional se produce efectiva indefensión ante la violación de la norma esencial. En el resto de supuestos que no se hallen claramente predeterminados por jurisprudencia anterior, se deberá constatar la producción de efectiva indefensión, concepto que contribuye a determinar la efectiva concurrencia de una infracción procesal que produce la nulidad de pleno derecho.

«El Tribunal Constitucional tiene reiteradamente establecido en relación con el derecho fundamental a no padecer indefensión (art. 24.1 CE (LA LEY 2500/1978)), por un lado, que la indefensión es una noción material que se caracteriza por suponer una privación o minoración sustancial del derecho de defensa, de los principios de contradicción y de igualdad de las partes que impide o dificulta gravemente a una de ellas la posibilidad de alegar y acreditar en el proceso su propio derecho, o de replicar dialécticamente la posición contraria en igualdad de condiciones con las demás partes procesales; y, por otro, que para que la indefensión alcance la dimensión constitucional que le atribuye el art. 24.1 CE (LA LEY 2500/1978), se requiere que los órganos judiciales hayan impedido u obstaculizado en el proceso el derecho de las partes a ejercitar su facultad de alegar y justificar sus pretensiones, esto es, que la indefensión sea causada por la incorrecta actuación del órgano jurisdiccional (por todas, SSTC 12/2011, de 28-2 (LA LEY 3662/2011); y 127/2011, de 18-7 (LA LEY 143538/2011)). Por lo cual, está excluida del ámbito protector del art. 24 CE (LA LEY 2500/1978) la indefensión debida a la pasividad, desinterés, negligencia, error técnico o impericia de la parte o de los profesionales que la representen o defiendan (entre otras muchas, SSTC 109/2002 (LA LEY 4898/2002); 87/2003 (LA LEY 12222/2003); 5/2004 (LA LEY 412/2004); 141/2005 (LA LEY 13265/2005), 160/2009 (LA LEY 119834/2009), 12/2011 (LA LEY 3662/2011) y 57/2012 (LA LEY 40147/2012)). Y también tiene reiteradamente afirmado el Tribunal Constitucional sobre el mismo tema que solo cabe hablar de indefensión cuando la actuación judicial produzca un efectivo y real menoscabo del derecho de defensa con el consiguiente perjuicio para los intereses del afectado (SSTC 48/1984 (LA LEY 47281-NS/0000), 155/1988 (LA LEY 3611-JF/0000), 145/1990 (LA LEY 1560-TC/1991), 188/1993 (LA LEY 2302-TC/1993), 185/1994 (LA LEY 13519/1994), 1/1996 (LA LEY 1853/1996), 89/1997 (LA LEY 6640/1997), 186/1998 (LA LEY 9330/1998), 2/2002 (LA LEY 2641/2002), 32/2004 (LA LEY 11892/2004), 15/2005 (LA LEY 11012/2005), 185/2007 (LA LEY 132587/2007), 60/2008 (LA LEY 61662/2008), 77/2008 (LA LEY 86604/2008), 121/2009 (LA LEY 76104/2009), 160/2009 (LA LEY 119834/2009) y 57/2012 (LA LEY 40147/2012))». STS Sala Segunda, de lo Penal, Sentencia 838/2015 de 23 Dic. 2015, Rec. 10548/2015; Ponente: Jorge Barreiro, Alberto Gumersindo. LA LEY 205591/2015.

D) *Los actos procesales realizados sin intervención de abogado cuando fuere preceptivo*

Este motivo supone una concreción necesaria de la vulneración del derecho de defensa que se contiene en el apartado 3º del art. 238 LOPJ. Ciertamente, cuando no interviene abogado, siendo preceptivo que lo haga, se vulnerará el derecho de defensa. Ahora bien, el principio de defensa es mucho más amplio y puede resultar vulnerado en otros muchos supuestos y, obviamente, aun con la intervención del abogado. Véase sobre el derecho de defensa y asistencia letrada el § 3.2.C Cap. IV.

En cualquier caso, el principio de defensa queda comprometido cuando se realizan actos sin intervención de abogado cuando la asistencia sea preceptiva y, en consecuencia, el acto será nulo de pleno derecho. Nótese que la norma no se refiere a la intervención del procurador. La razón se halla en la diferente calidad con la que abogado y procurador intervienen en el proceso. En este sentido, la función del Procurador es la de representar nominalmente al cliente, y auxiliar en la notificación y sustanciación del juicio. Sin embargo, la intervención del abogado se fundamenta y relaciona con el derecho de defensa del litigante, que sin la defensa técnica del abogado quedaría indefenso en el proceso. Por esa razón la LOPJ no se refiere a la intervención del procurador. Debe entenderse pues que en el caso de que no se haya producido la correspondiente representación mediante procurador el acto será meramente anulable.

E) *Cuando se celebren las vistas sin la preceptiva intervención del Letrado de la administración de justicia y en el resto de casos previstos en la Ley procesal*

Se trata de dos causas de nulidad introducida por la LO 19/2003 que se refieren a causas de nulidad objetiva. La primera concretada en la ausencia del Letrado de la administración de justicia en las vistas y comparecencias. La segunda referida a aquellas normas que prevén esta consecuencia de la nulidad de pleno derecho.

La consecuencia de la nulidad de pleno derecho de los actos en los que no intervenga el Letrado de la administración de justicia trae causa de la obligatoriedad de su intervención, en tanto que les corresponde ejercer la fe pública con exclusividad y plenitud (art. 453.1 LOPJ), sin que sea posible su sustitución por otros funcionarios. De modo que únicamente cabe la sustitución por otros Letrados de la administración de justicia de carrera o sustitutos (art. 451 LOPJ).

También serán nulos de pleno derecho los actos procesales en los casos en los que la ley procesal así lo establezca. Así sucederá con la infracción del art. 137 LEC, que exige la presencia judicial en declaraciones, pruebas y vistas, cuyo incumplimiento producirá la nulidad de pleno derecho y que concreta las normas de los arts. 186 y 229 LECrim; el art. 224 LEC en relación con el art. 456 LOPJ, sobre la nulidad de las diligencias de ordenación que decidan cuestiones que, conforme a la ley, hayan de ser resueltas por medio de providencia, auto o sentencia; o el art. 609 LEC sobre el embargo realizado sobre bienes inembargables; art. 194 LEC sobre la obligatoriedad de que los Jueces y Magistrados que hubieren asistido a la vista o juicio dicten la sentencia aunque hubieren dejado de ejercer sus funciones en el tribunal que conozca del asunto. En estos supuestos la LEC especifica la consecuencia de la nulidad de pleno derecho cuando se dé el supuesto de falta de presencia e inmediación judicial —art. 137 LEC—; 224 LEC respecto a las diligencias de ordenación que excedan de su ámbito de aplicación; y 609 LEC sobre el embargo de bienes inembargables. En el supuesto previsto en el art. 194 LEC no se produce esa concreción. Es decir, que la ley no establece expresamente la consecuencia de la nulidad de pleno derecho para los actos que vulneren la norma. Sin embargo, en razón de la naturaleza del supuesto no cabe duda que se producirá el efecto de la nulidad radical de lo actuado. En este sentido, el art. 194 LEC concreta la norma prevista en del art. 137 LEC, por cuanto la obligatoriedad de que el Juez presencie e inmedie la prueba determina que la sentencia deba dictarse por ese Juez con independencia de que ya no ejerza sus funciones en el tribunal donde se sustanció el asunto. En consecuencia, la sentencia dictada por Juez distinto al previsto en la Ley es nula de pleno derecho.

En estos supuestos, no se exigirá indefensión, sino que el acto procesal que se halla incluido en el supuesto de hecho de la norma se entenderá nulo y sin efecto, sin que sea preciso que se hubiere causado efectiva indefensión a la parte. Por otra parte, los vicios procesales para los que no se prevé la consecuencia de la nulidad de pleno derecho tendrán como consecuencia la nulidad simple o anulabilidad. En esos casos, la nulidad será subsanable con aplicación del principio de conservación de los actos procesales de conformidad con lo previsto en el art. 242 LOPJ.

10.2. Tratamiento procesal de la nulidad de los actos procesales

A) Consideraciones generales

La nulidad de los actos procesales se denunciará y declarará conforme con lo previsto en los arts. 240 y 241 LOPJ, que disponen que los medios para alegar la nulidad de actuaciones no son sólo de los recursos, sino cualesquiera otros que establezcan las leyes procesales e incluso de oficio, previa audiencia de las partes. En la LECrim no se regula esta cuestión, aunque existen referencias concretas a la nulidad de actuaciones en el articulado de la LECrim. Así, en el art. 677.2.º LECrim se dispone que si se denegare la autorización para procesar, solicitada como consecuencia de haberla alegado como artículo de previo pronunciamiento, quedará nulo todo lo actuado y se sobreseerá libremente la causa; o, también, respecto a la alegación de las causas de nulidad por la vía del recurso de apelación, anulación, o casación.

B) Cauces procesales para alegar la nulidad de actuaciones durante la instrucción de la causa

La nulidad de actuaciones puede ser apreciada de oficio por el Juez o bien alegarse por las partes por medio de los recursos establecidos en la Ley, por el incidente de nulidad de actuaciones o por los demás medios que establezcan las leyes procesales (240 LOPJ). Como se ha expuesto, la LECrim. no establece una tramitación concreta para la alegación de la nulidad de actuaciones. Por tanto, debe aceptarse cualquiera que se utilice, siempre que tenga un fundamento legal de lógica jurídica, siempre teniendo en cuenta el carácter restrictivo de la nulidad y la aplicación del principio de conservación de los actos procesales, que determinan la posibilidad de rechazar las peticiones de nulidad en trámite anterior al de sentencia, cuando las mismas entrañen un manifiesto abuso de derecho y menosprecio de las reglas de la buena fe procesal con base en el art. 11.2.º LOPJ. Debe tenerse en cuenta que la nulidad de actuaciones debe ponerse de manifiesto tan pronto como la parte advierta de su existencia. En primer lugar, porque de ese modo se «depurará» el proceso eliminando las actuaciones inválidas que no pueden tener valor en la causa por su nulidad. En segundo lugar, porque la parte puede quedar sometida a la actuación en tanto que en vía de recurso rige el principio de denuncia del vicio de nulidad que determina que la parte deberá acreditar haber pedido la subsanación de la falta o infracción en la primera instancia, salvo en el caso de que se hubieren cometido en momento en el que fuere ya imposible la reclamación. Sobre esta cuestión se pronuncia la Fiscalía General del Estado que en su Circular 1/1999, indica: «*el Fiscal hará todo lo posible para que por el órgano jurisdiccional se declare la nulidad de esa actuación, y para que tal declaración de nulidad tenga lugar lo antes posible, recobrando así su plena vigencia el derecho fundamental injustamente conculcado. Para ello cuenta, desde la misma fase de instrucción y en caso de que no pueda prosperar ya el recurso (por preclusión del plazo, por ejemplo), con el expediente previsto en el artículo 240.2 LOPJ. El hecho de que el incidente lo promueva de oficio el Juez no obsta para que el Fiscal pueda instar del órgano judicial el planteamiento del incidente, lo que podrá hacer bien sirviéndose del cauce de los trámites de alegaciones expresamente previstos en la ley procesal, o bien por escrito dirigido al Juez en cualquier momento de la tramitación. Este incidente de nulidad "ex officio", por otra parte, puede plantearse no sólo en la fase de instrucción, sino en cualquier momento del proceso "antes de que hubiere recaído sentencia definitiva o resolución que ponga fin al proceso"*».

«De seguirse la postura que se propugna, cualquier vulneración de un derecho fundamental no podría ser alegada hasta el juicio oral, dejando mientras tanto sin decidir la posible nulidad de actuaciones que, de declararse, podría hacer desaparecer los indicios racionales de criminalidad en los que se basa el procesamiento o la continuación del procedimiento, o, lo que es más importante, los indicios en los que basar medidas cautelares tan importantes y limitativas de derechos como la prisión. Y no debe olvidarse que en esta causa hay tres personas privadas de libertad». ATSJ Madrid Auto n.º 28/2010 de 25 de marzo, Rec. 15/2010, Ponente: Vieira Morante, Francisco Javier. LA LEY 8191/2010.

a) De oficio

El tribunal podrá de oficio, previa audiencia de las partes, declarar la nulidad de todas las actuaciones, de un acto procesal concreto o de parte del mismo, con tres límites: 1º) No puede procederse a la declaración de nulidad una vez que se hubiere dictado resolución que ponga fin al proceso (art. 240.2 LOPJ); 2º) No procederá la declaración de nulidad si el acto fuese susceptible de subsanación. 3º) No podrá el tribunal decretar de oficio la nulidad de un acto cuando conozca de un recurso, salvo que el vicio afecte a la falta de jurisdicción o competencia objetiva o funcional o hubiere existido violencia o intimidación que afectare al tribunal (art. 240.2.2 LOPJ). El incidente para la declaración de oficio de la nulidad también puede iniciarse a instancia de las partes que pueden dirigirse al tribunal para que proceda en este sentido y declare, si lo considera oportuno, la nulidad de actuaciones. Sin perjuicio del derecho de las partes para instar la nulidad mediante los recursos ordinarios o extraordinarios establecidos en la Ley (art. 240.2 LOPJ y 227.2 LEC).

La apreciación de oficio de la nulidad exige la previa audiencia a las partes. Al no especificarse legalmente la vía a seguir para esta audiencia, la práctica forense se ha inclinado por que el órgano judicial notifique, mediante providencia, a las partes las posibles causas de nulidad. Estas evacuarán las alegaciones que estimen convenientes dentro del plazo previsto en aquel proveído (normalmente de 5 a 10 días). En alguna ocasión se ha optado por notificar a las partes aquellas posibles causas de nulidad y citarlas a una comparecencia, para que pudiesen alegar en la misma lo que a su derecho convenga. Seguidamente se resolverá mediante auto —art. 245.1 b) LOPJ—, contra el que cabrá interponer recurso de apelación[229].

b) A instancia de parte por medio de los recursos ordinarios frente a resoluciones interlocutorias

El principio general para la alegación y denuncia de la nulidad de actos procesales es la utilización de los recursos establecidos contra las resoluciones judiciales en el proceso penal los recursos de reforma, suplica, apelación y queja. Así, cuando las partes entiendan que se ha producido una infracción de las normas procesales de carácter imperativo deberán ponerlo inmediatamente en conocimiento del órgano jurisdiccional para que se proceda por éste a su subsanación. Es decir, la parte viene obligada a la denuncia del vicio mediante el recurso o medio de impugnación a su disposición a efectos de su subsanación, sin que la naturaleza de derecho constitucional permita prescindir de esa carga procesal. En el caso que la infracción provenga de un acto material la parte deberá provocar, por medio de escrito dirigido al órgano jurisdiccional, una resolución de éste contra la que podrán interponerse los recursos ordinarios antes señalados. (Véanse M. 169 y M. 170). Véase sobre los recursos en el proceso penal este mismo Cap. XI; § 9 Cap. XVI en el procedimiento del Tribunal del Jurado; y § 2 Cap. XVII para el procedimiento por delitos leves.

C) La denuncia de la nulidad de actuaciones en la fase intermedia y al inicio del juicio oral

Como se ha expuesto la nulidad de actuaciones, como cualquier otro vicio procesal, debe alegarse tan pronto se conozca su existencia. Es por ello que conocido el vicio o infracción procesal durante la instrucción de la causa debe ponerse de manifiesto inmediatamente so pena de quedar la parte vinculada por su silencio o conformidad, determinando que salvo los supuestos de nulidad procesal de pleno derecho el vicio constituya, en su caso, una irregularidad y no produzca la nulidad de la diligencia o del acto impugnado. En cualquier caso es bastante frecuente que la parte no tenga todos los datos sobre las diligencias y actuaciones practicadas en instrucción hasta la fase intermedia y aún hasta el inicio del juicio oral. Esto es así en primer lugar porque hasta que las partes no soliciten la práctica de prueba no sabrán que actuaciones se pretenden hacer valer como prueba en el juicio oral. Por otra par-

---

(229) «Que la Sala resolviera sobre la nulidad de actuaciones con independencia de la suerte corrida por el recurso, cuya interposición le había investido con competencia sobre la causa penal, es coherente con la configuración que la jurisprudencia viene dando a los vicios de orden público procesal que deben ser detectados y reparados de oficio, incluso sin atenerse a las normas reguladoras del proceso en que se corrigen. Este Tribunal ha reconocido que la aplicación de normas de orden público procesal puede justificar el empeoramiento de la situación del recurrente, que no se encontraría en tales casos protegido por la interdicción de la "reformatio in peius" que integra el art. 24 CE en los derechos a la tutela judicial, a no padecer indefensión y a un proceso con todas las garantías». STC 70/1999 de 26 de abril.

te, es frecuente que los jueces rechacen las peticiones de nulidad de las actuaciones desarrolladas en la fase de investigación hasta la fase intermedia, precisamente para dar oportunidad al Tribunal de juicio oral a pronunciarse sobre su validez, a salvo claro está de nulidades absolutamente palmarias.

a) Mediante el incidente previo y de especial pronunciamiento en procedimiento ordinario (art. 666 LECrim), trámite de cuestiones previas en procedimiento abreviado (art. 786.2 LECrim) y en el procedimiento de Jurado (art. 36 LOTJ)

La nulidad de actuaciones se podrá denunciar en los escritos de conclusiones provisionales. También se podrá denunciar o reiterar la denuncia de nulidad procesal al inicio del juicio oral. Esta posibilidad está regulada en el procedimiento abreviado en el art. 786.2 LECrim que prevé que las partes, entre otras cuestiones, podrán plantear en ese momento procesal alegaciones sobre: «... *vulneración de algún derecho fundamental, existencia de artículos de previo pronunciamiento, causas de la suspensión de juicio oral, nulidad de actuaciones, así como sobre el contenido y finalidad de la pruebas propuestas o que se propongan para practicarse en el acto».* En su virtud, no cabe ninguna duda de la viabilidad de este cauce de denuncia de la nulidad de una diligencia o actuaciones sumariales que pretendan hacerse valer como prueba en el juicio oral.

También podrá denunciarse la nulidad de actuaciones al inicio del juicio oral en el procedimiento ordinario[230]. Esta es una posibilidad expresamente admitida por la doctrina del Tribunal Supremo que ha declarado este medio de denuncia preferente al incidente previsto en el art. 666 LECrim.

«Esta Sala, es cierto, ha proclamado en distintas ocasiones la diferencia entre el significado procesal predicable del turno de intervenciones y el que es propio de los artículos de previo pronunciamiento (cfr. SSTS 694/2011, 24 de junio (LA LEY 111642/2011) y 1383/2003 (LA LEY 10480/2004), 27 de octubre). Sin embargo, también ha admitido la posibilidad de invocar vulneración de derechos fundamentales por el cauce que ofrecen los arts. 666 (LA LEY 1/1882) y ss. de la LECrim, en la medida en que no existe un catálogo cerrado de artículos —cuestiones— de previo pronunciamiento. Así, por ejemplo, la STS 1061/1999, 29 de junio, se mostró partidaria de acoger en el ámbito de los artículos de previo pronunciamiento, el debate sobre nulidad probatoria fundada en la infracción de derechos fundamentales. Pero esta doctrina no puede considerarse plenamente consolidada. De hecho, hemos declarado recientemente que cuando lo que se pretende es obtener la nulidad de determinadas actuaciones por entender que se han producido con violación de derechos fundamentales no cabe hacer uso de la vía de los artículos de previo pro-

---

(230) «Diciendo incluso una de las sentencias, la 247/1994 de Tribunal Constitucional, que es al comienzo del juicio oral donde las partes tienen que exponer, entre otras cuestiones, las relativas a la vulneración de algún derecho fundamental, y que es "allí y entonces, no antes ni después", donde deben proponerse tales cuestiones. Esta frase entrecomillada, en la que se pone énfasis para argumentar que ha de esperarse a ese momento procesal para suscitar la posible nulidad de actuaciones propugnada por los recurrentes, se refiere con claridad a que, una vez abierto el juicio oral, debe ser al comienzo de sus sesiones, no antes ni después, cuando de susciten estas cuestiones» ATSJ Madrid Auto Nº 28/2010 de 25 de marzo, Rec. 15/2010, Ponente: Vieira Morante, Francisco Javier. LA LEY 8191/2010.

nunciamiento, sino que las objeciones correspondientes deberán reservarse para el juicio oral (cfr. SSTS 10/2010, 21 de enero, 1481/2002, 18 de septiembre (LA LEY 7786/2002) y STS 640/2000, de 15 de abril (LA LEY 7958/2000)). Y esto, no sólo por el carácter extraordinario del recurso de casación, sino también porque dado que lo que se trata de valorar es la posible concurrencia de una efectiva indefensión material derivada de la irregularidad del trámite, tal apreciación no puede disociarse de la del propio contenido y resultado de la actividad probatoria en su conjunto. En definitiva, rechazada cualquier duda acerca de la posibilidad de promover como cuestión previa —ya en el juicio oral— la vulneración de derechos fundamentales, la controversia que suscita el motivo se centra en determinar si la decisión de la Audiencia de aplazar la resolución final de esta cuestión al momento de dictar sentencia, cuenta o no con apoyatura legal». STS Sala Segunda, de lo Penal, Sentencia 195/2014 de 3 Mar. 2014, Rec. 10575/2013. Ponente: Marchena Gómez, Manuel. LA LEY 37723/2014.

También se ha admitido la denuncia de la nulidad de actuaciones por la vía del incidente de artículos de previo pronunciamiento (arts. 666 y ss. LECrim) atribuyendo a la enumeración de supuestos contenida en el art. 666 LECrim un valor ejemplificativo o de *numerus apertus* (Véase § 4.3 Cap. XV sobre este incidente). Aunque ciertamente algunas sentencias del TS acogen un carácter cerrado de la relación de excepciones contenidas en el art. 666 LECrim[231]. En cualquier caso, debe tenerse en cuenta que los artículos de previo y especial pronunciamiento tienen por finalidad la resolución de excepciones muy concretas y puntuales que, de ser aceptadas, deben impedir al Tribunal entrar a conocer del fondo del asunto. Por lo tanto, cabría solicitar por este incidente la nulidad de una prueba o actuación muy concreta; pero no cuando la nulidad que se plantea afecta al resto de las pruebas, trascendiendo de la limitada cognición que es posible en el artículo de previo pronunciamiento[232]. Es por ello

---

(231) «La desestimación del motivo, con independencia de su confusión, es evidente. Cuando lo que se pretende es declarar sin efecto o la nulidad de determinadas pruebas por entender que se han obtenido con violación de derechos fundamentales (artículo 11.1 LOPJ), y ello consiste en una cuestión de mero hecho, atinente a la valoración de las pruebas en presencia, no cabe el planteamiento previo de la cuestión, ni siquiera en el procedimiento abreviado a través del cauce establecido por el artículo 793.2 LECrim, mucho menos en el procedimiento ordinario visto el elenco cerrado de los artículos de previo pronunciamiento que contiene el 666 del mismo Texto, pues ello pugnaría con el principio de libre valoración de la prueba "ex" artículo 741 LECrim que exige evidentemente el desarrollo de la misma ante el Tribunal en el Plenario». STS Sala Segunda, de lo Penal, Sentencia 640/2000 de 15 Abr. 2000, Rec. 51/1999; Ponente: Saavedra Ruiz, Juan. LA LEY 7958/2000.

(232) «Es cierto que una constante jurisprudencia de esta Sala viene admitiendo que las pretensiones de nulidad de actuaciones pueden articularse, de ordinario, por la vía de los artículos de previo y especial pronunciamiento pese a la taxatividad con que se enuncian en el art. 666 de la LECrim las cuestiones o excepciones susceptibles de ser planteadas y resueltas por dicha vía. Ello no obstante, también hemos dicho en alguna ocasión —así, en la S. 7 diciembre 1984— que la citada pretensión puede formalizarse en un momento posterior e incluso acordarse de oficio, lo que debe ser entendido no sólo como una posibilidad sino como una necesidad cuando la respuesta a la declaración de nulidad que se pretenda sea inseparable del enjuiciamiento global del objeto del proceso... Es por ello por lo que la Sala considera que no debe tramitar en este caso, como artículos de previo y especial pronunciamiento, las peticiones de nulidad deducidas por los señores V. F.-H. y B. Una y otra están orientadas a cuestionar la validez probatoria de un conjunto de actuaciones sumariales, bien porque han sido practicadas por Instructor recusable por su falta de imparcialidad, bien porque el mismo no tenía, al tiempo de practicarlas, la condición de Juez

que resulta preferible plantear la denuncia de nulidad de actuaciones en el escrito de calificación con reiteración, en caso de admitirse la prueba, al inicio del juicio oral.

En el procedimiento del Tribunal de Jurado el art. 36 LOTJ prevé que al tiempo de personarse ante el Tribunal de Jurado que va a conocer del juicio oral las partes podrán: «a) Plantear alguna de las cuestiones o excepciones previstas en el artículo 666 de la Ley de Enjuiciamiento Criminal o alegar lo que estimen oportuno sobre la competencia o inadecuación del procedimiento. b) Alegar la vulneración de algún derecho fundamental. c) Interesar la ampliación del juicio a algún hecho respecto del cual hubiese inadmitido la apertura el Juez de Instrucción. d) Pedir la exclusión de algún hecho sobre el que se hubiera abierto el juicio oral, si se denuncia que no estaba incluido en los escritos de acusación. e) Impugnar los medios de prueba propuestos por las demás partes y proponer nuevos medios de prueba. En este caso, se dará traslado a las demás partes para que en el término de tres días puedan instar por escrito su inadmisión».

En cualquier caso, lo que resulta relevante es determinar respecto al momento en el que el Tribunal debe resolver sobre la nulidad denunciada, cuestión a la que atendemos en el siguiente epígrafe.

b) Resolución de la denuncia de la nulidad de la prueba por el Tribunal: al inicio del juicio o en la sentencia

La cuestión sobre el momento en el que el Tribunal que va a conocer del juicio oral debe pronunciarse sobre la denuncia de la nulidad de una prueba no es fácil de resolver. Sobre esta cuestión confluyen distintas consideraciones e intereses procesales que no permiten ofrecer una solución unívoca. Así, por una parte parece claro que si existe una nulidad que afecta a una actuación de investigación que se quiere hacer valer como prueba debería resolverse esta cuestión de modo previo al inicio del juicio no permitiendo que el Tribunal se «contamine» con el resultado de una prueba nula. Ahora bien, no siempre será fácil determinar «ex ante» esa nulidad porque en ocasiones para apreciar esa circunstancia será necesario, precisamente, «hacer funcionar o practicar» la prueba dando oportunidad al Tribunal de valorar las concurrencia de motivos de nulidad. Como decimos no hay una solución definitiva al problema, pero lo que sí podemos hacer es analizar la cuestión y ofrecer las soluciones posibles. Las dudas que podamos tener nosotros son compartidas por los Tribunales de justicia. A este respecto es ilustrativa la pregunta que se formula el Tribunal Supremo en la STS 106/2017 de 21 Feb. 2017 (Rec. 1572/2016; Ponente: Moral García, Antonio del. LA LEY 5940/2017) respecto a esta cuestión: «¿Fue co-

ordinario predeterminado por la ley. Pero es éste un problema —el de la nulidad o validez de las pruebas sumariales— que, sobre rebasar ampliamente la concreta determinación que debe caracterizar a las cuestiones que pueden ser resueltas en esta vía previa e incidental, no cabe separar del resto de los problemas, evidentemente muy complejos e interrelacionados, que constituyen el objeto del presente proceso, eventual separación que, además, podría significar un menoscabo para la defensa de quienes la pretenden, a causa de la limitada cognición que es posible en el artículo de previo pronunciamiento». STS Sala Segunda, de lo Penal, Sentencia de 19 Feb. 1998, Rec. 1149/1997, Ponente: García Ancos, Gregorio. LA LEY 3409/1998.

rrecto resolver anticipadamente, dejando así lastradas las posibilidades probatorias del plenario? O, dicho de otra forma, ¿era más lógico esperar a presenciar toda la prueba para resolver sobre la nulidad alegada pues de esa forma se podría contar con una visión más completa?». Con estas preguntas el Tribunal Supremo deja planteada correctamente la cuestión, ya que efectivamente el problema se haya en la dificultad de pronunciarse sobre la nulidad de una prueba que aún no se ha practicado y de la que por tanto el Tribunal no posee toda la información y los datos concretos sobre su obtención y tratamiento procesal en la investigación. Al mismo tiempo dejar que la prueba sospechosa de nulidad se practique en el acto del juicio puede suponer la «contaminación» relativa del Tribunal que puede ser más proclive a minimizar la nulidad, en su caso, de la diligencia impugnada en el marco de la práctica de toda la prueba. O dicho de otro modo el riesgo de una valoración probatoria en la que se mezclen pruebas nulas y otras pruebas afectadas por una hipotética conexión de antijuridicidad. Ante esta disyuntiva el criterio mayoritario en la Jurisprudencia del Tribunal Supremo no es otro que resolver caso por caso según las circunstancias.

«Es un tema a resolver caso por caso y no es lo mismo si se va a proclamar la expulsión de la prueba, que si se va a refrendar su legalidad (en cuyo caso hay muchas razones que invitan a diferir la argumentación y decisión a la sentencia). Hay que sopesar igualmente que en la declaración de nulidad de un medio probatorio están implicadas con frecuencia cuestiones fácticas que pueden estar precisadas de prueba específica .../... Muchas veces solo tras el desarrollo de la actividad probatoria existirán elementos de juicio suficientes para concluir si un medio de prueba era lícito o no y declarar su ilegalidad. Con la normativa vigente las soluciones quedan en manos del Juzgador que ha de tomar su decisión atendiendo a las concretas circunstancias del supuesto». STS 106/2017 de 21 Feb. 2017 (Rec. 1572/2016; Ponente: Moral García, Antonio del. LA LEY 5940/2017.

Ahora bien, nada impide que se resuelva sobre la nulidad al inicio del juicio oral, aunque, como decimos, no es este el criterio mayoritario adoptado por el Tribunal Supremo.

«Pues bien esta Sala tiene declarado —STS 1290/2009 de 23.12 (LA LEY 278259/2009)— que aunque la decisión sobre la posible vulneración de derechos fundamentales o la licitud de una prueba puede adoptarse en la iniciación de la vista oral, conforme al art. 786.2, también es correcto aplazar tal decisión hasta el momento de dictar la sentencia siempre que existan razones objetivas suficientes para ello (SSTS 286/96 de 3.4, 160/97 de 6.2, 330/2006 de 10.3 (LA LEY 23445/2006), 25/2008 de 29.1 (LA LEY 12947/2008)). En efecto, al expresar el texto legal que el Tribunal resolverá "lo procedente" ello no implica necesariamente una resolución sobre el fondo de la cuestión planteada, posibilitando una demora de la misma, aplazando la solución de aquella cuestión, para el momento procesal de dictar sentencia, en donde efectivamente el Tribunal sentenciador de una manera prolija y detallada, explícita las razones de la desestimación del fondo de lo debatido, lo que sería más difícil de llevar a cabo en un acto previo al definitivo de la sentencia, dada la perentoriedad y precariedad del trámite». STS Sala Segunda, de lo Penal, Sentencia 818/2011 de 21 Jul. 2011, Rec. 2369/2010; Ponente: Berdugo Gómez de la Torre, Juan Ramón. LA LEY 119772/2011.

En cualquier caso, hay supuestos en los que sí puede ser conveniente declarar la nulidad al inicio del juicio. Sobre ese particular el Tribunal Supremo ofrece algunos criterios que pueden determinar que la nulidad de una prueba pueda o deba resolverse antes del inicio del juicio y de su práctica. Así deberá declararse la nulidad de la prueba al inicio del juicio oral apartándola del proceso cuando de un examen de la diligencia o actuación se observe la ausencia de los datos relevantes que acreditan su constitucionalidad. Por ejemplo, en una intervención telefónica la ausencia de auto motivado o de control alguno de la medida. En ese caso no debe permitirse la práctica de prueba alguna sobre una actuación claramente nula de pleno derecho. Como dice el Tribunal Supremo todo lo relevante para la intervención debe quedar plasmado en la causa, sin que proceda pretender completar ex post la base constitucional y legal de la intervención mediante su práctica en el juicio oral.

«En este caso, como en todos, ciertamente era legalmente posible haber pospuesto esa decisión sobre esa concreta cuestión previa al momento de la sentencia. Pero había razones que hacían muy conveniente, como explica la Audiencia, esa anticipación. Y, desde luego, no es argumento en contra asumible el aducido por el Ministerio Fiscal (indagación respecto a posibles entrevistas de los agentes con el Instructor). Los datos relevantes para la decisión sobre una intervención telefónica han de exteriorizarse y documentarse. No pueden completarse con otros que no pasan de conversaciones o comunicaciones, legítimas pero no formales, entre el Instructor y los agentes investigadores. Todo lo relevante para la intervención debe quedar plasmado en el oficio, en la causa (a través de una comparecencia en su caso en que consten las aclaraciones o datos complementarios alegados ante el Instructor) y en su caso en el auto (con las matizaciones derivadas de la posibilidad de heterointegración). Pero no cabe completar ex post la base indiciaria aduciendo que existían otros elementos que permanecieron ocultos frente a terceros, derivados de entrevistas entre los agentes y el instructor». STS 106/2017 de 21 Feb. 2017 (Rec. 1572/2016; Ponente: Moral García, Antonio del. LA LEY 5940/2017.

Ahora bien conforme con ese mismo criterio procederá que el Tribunal se pronuncie en la sentencia habiéndose practicado la prueba en el juicio oral en el caso que las alegaciones de denuncia de la nulidad se basen en cuestiones de hecho, atinentes a la valoración de las pruebas que el Tribunal deberá presenciar para poder tomar una decisión[233].

«En la sentencia objeto de recurso, la Audiencia Provincial de Barcelona explica el porqué de ese aplazamiento. Razona que buena parte de las alegaciones referidas a la nulidad encierran cuestiones de hecho, atinentes a la valoración de las pruebas que habían de practicarse en su presencia. No cuestiona la legitimidad del planteamiento de las cuestiones previas, pero justifica su criterio, además de con el apoyo de la jurisprudencia de esta Sala y del acuerdo no jurisdiccional de las Secciones

---

(233) «Cuando la Sentencia del Tribunal Supremo de 7 de junio de 1997 indica que estas cuestiones deben abordarse en la sentencia definitiva no hace más que recordar que, ante el planteamiento de causas de nulidad de actuaciones en ese momento procesal, debe continuarse el juicio hasta su conclusión, y resolverse en sentencia las alegaciones de nulidad, lo que permite que, caso de revocarse la declaración de nulidad de actuaciones en vía de recurso, pueda seguidamente el Tribunal valorar la prueba practicada, sin necesidad de convocar nuevamente a juicio oral a todas las partes. La cita del artículo 744 de la LECr en esa sentencia clarifica la cuestión, de lo que extrae que el juicio debe continuarse hasta su conclusión, sin limitarse a realizar el pronunciamiento sobre nulidad de actuaciones». ATSJ Madrid Auto Nº 28/2010 de 25 de marzo, Rec. 15/2010, Ponente: Vieira Morante, Francisco Javier. LA LEY 8191/2010.

Penales, en el hecho de que «... *pudo comprobar que, en principio, el auto inicial que acuerda la intervenciones telefónicas —según las defensas originario de la plena nulidad de toda la instrucción practicada—, aparecía suficientemente motivado en relación con el oficio policial precedente, y sin observar una flagrante violación de derechos fundamentales».* No hubo, por tanto, arbitrariedad ni falta de justificación. Es cierto que el proceso penal, en el momento en el que se adentra en la fase de plenario y de valoración probatoria por el órgano jurisdiccional, debería hallarse ya depurado de las posibles nulidades probatorias. No faltan autores que han aunado la funcionalidad de esa audiencia preliminar con el *principio de saneamiento,* de suerte que, entre otros fines, tendría como objetivo la *higienización* del proceso. En otro caso, la nulidad probatoria puede generar un indeseado efecto de *metástasis procesal* que termine por distorsionar lo que el recurrente denomina la *aséptica* valoración probatoria. Esta idea debería servir de inspiración para la solución de aquellos supuestos en que este debate se suscite. Sin embargo, la Sala es consciente de que no siempre será posible. En no pocos casos, la cuestión referida a la nulidad probatoria está tan íntimamente ligada a cuestiones fácticas que el intento de disección artificial entre unos y otros contenidos puede resultar más perjudicial que el efecto que se pretende evitar». STS Sala Segunda, de lo Penal, Sentencia 195/2014 de 3 Mar. 2014, Rec. 10575/2013. Ponente: Marchena Gómez, Manuel. LA LEY 37723/2014.

La necesidad de sustanciar la prueba denunciada como nula es evidente en determinados supuestos como cuando se impugna una prueba pericial por deficiencias en la cadena de custodia, para lo cual habrá que oír a los agentes de policía encargados de la recogida, traslado y conservación.

«En el presente caso, por ejemplo, mal puede razonarse la impugnación de la validez de los dictámenes periciales sobre composición cuantitativa y cualitativa de la droga, a partir de una alegada ruptura de la cadena de custodia, sin recibir declaración a los agentes de policía que se encargaron de suscribir el acta de intervención y remisión de las sustancias estupefacientes. Y mal puede cuestionarse la nulidad del registro practicado en un automóvil sin escuchar las versiones ofrecidas por los agentes que lo practicaron. Todo ello sin olvidar que la nulidad que pudiera considerarse en el origen de la reivindicada conexión de antijuridicidad —la que afectaba a las escuchas telefónicas acordadas durante la instrucción— fue descartada *a priori* por la Audiencia a partir de un examen del auto habilitante, contrastado con el oficio policial que le sirvió de presupuesto». STS Sala Segunda, de lo Penal, Sentencia 195/2014 de 3 Mar. 2014, Rec. 10575/2013. Ponente: Marchena Gómez, Manuel. LA LEY 37723/2014.

Probablemente la cuestión podría quedar mejor resuelta si, como se cita en la jurisprudencia del Tribunal Supremo, en el proceso penal se regulase un incidente previo con práctica de prueba, en su caso, a semejanza de lo previsto en el art. 287 LEC o en las regulaciones procesales de otros países.

«En el debate preliminar del procedimiento abreviado no hay posibilidad de práctica de prueba, sino tan solo de efectuar alegaciones: por eso cuando la decisión ante la impugnación por ilegal de un medio de prueba no dependa exclusivamente de consideraciones jurídicas, tan solo se podrá contestar difiriendo la solución a la sentencia. Y tanto en el incidente del art. 36 LOTJ (LA LEY 1942/1995), como en los artículos de previo pronunciamiento del procedimiento ordinario, la práctica de prueba se ciñe a la documental, que puede resultar insuficiente para solventar estas cuestiones. Precisamente por ello se ha propuesto desde la doctrina importar del derecho anglosajón el llamado voire dire o trial into the trial (juicio dentro del juicio). Cuando se suscita una cuestión de validez probatoria el órgano judicial la resuelve con la práctica de la prueba que sea necesaria y con carácter previo al inicio del juicio propiamente dicho. Si se trata de un proceso con Jurado, en ese incidente previo no intervendrían los miembros del Colegio. Y la prueba se practicaría a los únicos efectos de resolver sobre la licitud de la prueba. Es lo que venía a propiciar el Borrador de Código Procesal Penal de 2013 arbitrando un trámite (art. 443.4) con posibilidad de desarrollar actividad aprobatoria *ad hoc* antes de resolver las cuestiones previas, entre las que puede encontrarse la ilicitud de un medio probatorio. Incluso alguna vez se ha llegado a postular la aplicación supletoria (art. 4 LEC (LA LEY 58/2000)) del art. 287 LEC (LA LEY 58/2000) que contiene una previsión singular para canalizar procesalmente la impugnación por ilícita de una prueba. Con un mecanismo procesal de ese tipo quedarían solventadas muchas de las disfunciones que antes se han puesto de manifiesto (se evitaría el influjo psicológico de la prueba ilícita; en el caso del juicio con jurado, existiría una base legal para excluir a éste del debate pleno sobre la licitud o ilicitud de la prueba; se podría decidir previamente sobre esa cuestión de manera plena, sin límites de medios de prueba...)». STS 106/2017 de 21 Feb. 2017 (Rec. 1572/2016; Ponente: Moral García, Antonio del. LA LEY 5940/2017.

D) *Cauces procesales para denunciar la nulidad frente a resoluciones definitivas (recurso de apelación, casación por quebrantamiento de forma o infracción de ley)*

La nulidad procesal puede denunciarse mediante los recursos ordinarios o extraordinarios que procedan frente a las resoluciones definitivas que ponen fin al procedimiento penal.

En primer lugar, el art. 790.2 LECrim, que regula los motivos de recurso de apelación contra las sentencias dictadas en procedimiento abreviado, permite que se solicite en el recurso la declaración de nulidad del juicio por infracción de normas o garantías procesales que causaren la indefensión del recurrente, siempre que no pudiese ser subsanada en la segunda instancia. Este precepto establece que cuando se pidiera en el recurso la declaración de nulidad del juicio por la infracción de normas o garantías procesales, además de otros requisitos ya expuestos, deberá acreditarse haberse pedido la subsanación de la falta o infracción en la primera instancia, salvo en el caso de que se hubieren cometido en momento en el que fuere ya imposible la reclamación. Añade el art. 792.2 LECrim que si la sentencia decreta la nulidad por quebrantamiento de la forma esencial del procedimiento, el Tribunal ordenará que se reponga el procedimiento al estado en que se encontraba en el momento de cometerse la falta, sin perjuicio de que conserven su validez todos aquellos actos cuyo contenido sería idéntico no obstante la falta cometida. La resolución de la cuestión de nulidad planteada también puede producirse «in voce» en el curso del juicio oral, dejando debida constancia en el acta del juicio.

El recurso de apelación en el procedimiento del Tribunal de Jurado podrá interponerse por diversos motivos previstos en el art. 846 bis c LECrim: — quebrantamiento de las normas y garantías procesales, que causare indefensión; — la disolución del Jurado cuando no procediese hacerlo; — vulneración del derecho a la presunción de inocencia porque, atendida la prueba practicada en el juicio, carece de toda base razonable la condena impuesta. En todos estos supuestos será necesario haber realizado la reclamación de subsanación, que no será necesaria cuando la infracción denunciada implicase la vulneración de un derecho fundamental constitucionalmente garantizado.

En el recurso de casación, en los casos que proceda, la nulidad procesal puede denunciarse al amparo de cualquiera de los motivos por quebrantamiento de forma previstos en los arts. 850 y 851 LECrim. Según el supuesto también podría caber la denuncia de la nulidad de actuaciones por la vía de la infracción de derecho constitucional prevista en el art. 852 LECrim. En este sentido, la jurisprudencia del Tribunal Supremo siguiendo una interpretación estricta de la regulación legal desestimaba todos los recursos que pretendían la nulidad de actuaciones si no venían incardinadas dentro de un recurso de casación por quebrantamiento de forma o de revisión. Sin embargo, al no indicarse por la Ley una específica tramitación, el TS entiende que debe aceptarse «cualquier creación legal» supletoria, y encontrarse en cada caso el medio necesario para salvar la laguna legal. Por tanto, la infracción de preceptos procesales que fuesen de estricta observancia y de naturaleza pública e imperativa, puede denunciarse por cualquier cauce procesal que se utilice, siempre que tenga un fundamento legal de lógica jurídica y la petición de nulidad no entrañe un manifiesto abuso de derecho y menosprecio de las reglas de la buena fe procesal en base al art. 11.2.º LOPJ. Véase sobre el recurso de casación § 7 de este Capítulo.

La consecuencia de acoger una nulidad procesal tanto en apelación como en casación será la de la devolución de la causa al Tribunal que proceda para que, reponiéndola al estado que tenía cuando se cometió la falta la sustancia y termine con arreglo a derecho (arts. 792.3 y 901 bis a) LECrim. Y, en su caso, procederá la anulación y la celebración de nuevo juicio con un Tribunal distinto, a fin de garantizar la imparcialidad objetiva del Tribunal.

«La nulidad de la sentencia ha de acarrear la repetición del acto del juicio oral. No es posible ni declarar únicamente la nulidad parcial manteniendo los pronunciamientos condenatorios recaídos; ni reponer las actuaciones al momento de dictar sentencia. Dado que se resolvió con antelación en un trámite de cuestiones previas, implementado en el proceso ordinario desde el abreviado, la nulidad tanto de las intervenciones telefónicas como de todas las pruebas derivadas de las mismas, el juicio oral quedó lastrado y condicionado por esa previa decisión. En congruencia con ella, el Fiscal vio repelidas buen número de las preguntas que trató de formular y se impidió la realización de algunas de las pruebas que había propuesto. A ello se refiere el Fiscal en su escrito de recurso, interesando como corolario que el juicio se lleve a cabo ante un Tribunal integrado por otros magistrados. Es fundada la petición. El Tribunal que ya ha enjuiciado, y que incluso ha condenado por determinados hechos a uno de los acusados, ha percibido parte de la prueba, ha formado criterio, y ha perdido la apariencia de imparcialidad. En casos como el presente en abstracto no hay una solución única posible acerca de si puede ser el mismo Tribunal quien asuma la celebración de la nueva vista. Hay que estar a las circunstancias concretas. Las señaladas, abonan la solución que propugna el Ministerio Público». STS 385/2013 de 18 Abr. 2013, Rec. 965/2012; Ponente: Moral García, Antonio del. LA LEY 64777/2013.

Finalmente, también debe hacerse referencia al recurso de revisión que hasta la reforma de la LOPJ, que introdujo el incidente de nulidad de actuaciones contra resoluciones que hubieren adquirido firmeza, era el único cauce procesal existente para la denuncia de un vicio de nulidad contra sentencia firme. Por esa razón, la jurisprudencia había interpretado con cierta amplitud los motivos previstos en el art. 954 LECrim. Sin embargo, tras la introducción del citado incidente no cabe tal interpretación extensiva y, únicamente, podrá acudirse al recurso de revisión en el supuesto de que la nulidad alegada pueda incardinarse en los motivos previstos en la Ley para acceder a este recurso. Véase § 8 de este Capítulo.

10.3. El incidente de nulidad de actuaciones contra resoluciones que hubieren adquirido firmeza[(234)]

A) Antecedentes, motivos y presupuestos del incidente de nulidad

El incidente excepcional de nulidad de actuaciones es un remedio procesal extraordinario para la defensa del derecho de tutela judicial efectiva frente a resoluciones que hubieren adquirido firmeza. A ese fin podrán denunciarse los vicios de nulidad en aquellas situaciones en las que recaída sentencia o resolución que ponga fin al proceso no hubiera sido posible impugnarla, de tal modo que hubiera adquirido firmeza (Véase M. 172 y M. 173).

«1) El incidente de nulidad de actuaciones tiene un elemento esencial que constituye su principal innovación, como es la posibilidad de atacar sentencias o resoluciones que han adquirido firmeza, al margen del recurso de revisión; 2) La principal característica de la nulidad, y que es prácticamente la razón de su existencia, es que pretende reparar situaciones de vulneración de derechos fundamentales e indefensión que no han podido ser denunciadas con anterioridad a la resolución que pone fin al proceso, ni existen recursos en los que puedan ser invocadas. "La única cuestión a considerar el actual recurso, es si existió vulneración de los derechos fundamentales del art. 53.2 de la CE (LA LEY 2500/1978), que se remite a los de la Sección I del Capítulo II, y más en concreto aquel conjunto de derechos que vertebran el proceso penal en una sociedad democrática y que se articula por un haz de garantías procesales y sustantivas" (ATS de 18 de julio de 2007). 3) La excepcionalidad de este incidente es que constituye un remedio extraordinario que de prosperar supone un quebranto del principio de respeto a la cosa juzgada y a la imperiosa necesidad de certeza o seguridad en el campo del derecho. De ahí que este incidente sólo pueda ser viable cuando se trate de sanar situaciones acreditadas de vulneración

---

(234) Véanse BENITO ALONSO, «Nulidad de actuaciones: una importante carencia legislativa», *La Ley*, 1991-4, p. 1113; GABALDÓN LÓPEZ, J., «Nulidad de actuaciones procesales y recurso de amparo», *CGPJ*, 1993, T. XXX, p. 277; GARNICA J., «Nulidad de actuaciones después de la sentencia firme», *Justicia*, 90, p. 897; GÓMEZ DE LIAÑO, «Nulidad de sentencias sin necesidad de recurso. Comentario a la STC 110/88», *La Ley*, 1989-1, p. 905; GUI MORI, «Nulidad de actuaciones tras sentencia definitiva. La anunciada inconstitucionalidad del art. 240 LOPJ. Comentario a la STC 211/89, de 19 diciembre», *La Ley*, 1990-1, p. 118; MARTÍNEZ VAL, «¿Es inconstitucional el art. 240 LOPJ?», *RGD*, 1990, pp. 2245 y ss.; ROBLES GARZÓN y GIMÉNEZ SÁNCHEZ, «La constitucionalidad del art. 240 LOPJ», *La Ley*, 1992-1, p. 883; VALLS GOMBAU, «Nulidad de actuaciones tras haberse dictado sentencia definitiva por vicios de procedimiento y su relación con los principios de seguridad jurídica y tutela efectiva», *DJ*, 1990, pp. 4 y ss.; VERGE GRAU, «La nulidad procesal después de la sentencia», *CGPJ*, 1993, T. XXX, pp. 207 a 222; Idem, «¿Un nuevo incidente de nulidad?», *AJ*, 1996, n.º 259.

de derechos fundamentales que no han podido ser denunciados con anterioridad. No tendrán en él cabida, las discrepancias que posea el recurrente con la fundamentación jurídica de la Sentencia o con el desarrollo de alguno de sus argumentos». STS Sala Segunda, de lo Penal, Auto de 10 Feb. 2015, Rec. 1205/2014; Ponente: Sánchez Melgar, Julián. LA LEY 90372/2015.

Esta definición no es la única que puede darse de este complejo instrumento procesal, pero tiene la virtud de poner el acento en lo importante y esencial que tiene, que es servir para la defensa del derecho de tutela judicial efectiva y la circunstancia de que la resolución ya es firme y no cabe, por tanto, ningún recurso. Así lo ha caracterizado el TC que ha declarado que: «... *el incidente de nulidad de actuaciones .../... constituye «el remedio procesal idóneo para obtener la reparación de los «defectos de forma que hubieran causado indefensión o de la incongruencia del fallo...»* STC 237/2006, de 17 de julio de 2006. Con base en su naturaleza de remedio procesal frente a resoluciones firmes el incidente de nulidad debe incluirse entre los medios de rescisión de sentencias firmes como es el recurso de revisión (arts. 954 y ss. y ss. LECrim) y, en parte, el recurso de anulación (art. 793 LECrim). Estos medios de rescisión comparten: una naturaleza análoga —aunque distinto fundamento—. También es similar el procedimiento seguido que tiene por finalidad resolver sobre la rescisión de la resolución impugnada por causa de la nulidad denunciada. Finalmente su naturaleza de medio excepcional impide que pueda utilizarse el incidente de nulidad de forma indiscriminada o convertirlo en una última instancia que permita un análisis de los hechos y de las pruebas practicadas o para combatir la interpretación de la norma que, acertada o equivocadamente, obedezca a un proceso lógico y que haya servido de base a la convicción psicológica en que conste la resolución.

El incidente de nulidad se introdujo en nuestro ordenamiento procesal por la LO 5/1997, de reforma del art. 240 LOPJ, que modificó los apartados 3 y 4 del citado art. 240, que fueron a su vez objeto de nuevas reforma por la LO 13/99 y la LO 19/2003. Finalmente ha modificado el incidente la LO 6/2007. La razón de regular este incidente radica en la insuficiencia de la Ley respecto a las situaciones expuestas. Así, en aquellos supuestos en los que se hubiere producido un vicio de nulidad causante de indefensión y que no se hubiere podido impugnar por medio de los recursos ordinarios, sólo cabía acudir a una revisión de la sentencia firme por vías indirectas. Así, por el recurso de revisión mediante una interpretación amplia del art. 954 LECrim o, incluso, admitiendo un atípico recurso de nulidad por el cual la parte perjudicada por una resolución firme podría denunciar ante el propio Tribunal las infracciones o vulneraciones causantes de indefensión. Como es sabido, tal mecanismo procesal no fue adoptado pacíficamente, dando lugar a diversos criterios judiciales respecto a la admisión de los recursos de nulidad, lo que provocaba inseguridad jurídica. De este modo, el incidente excepcional de nulidad de actuaciones viene a incidir en el problema planteado estableciendo un cauce procesal que permite denunciar los defectos de procedimiento y las posibles nulidades, que no pueden quedar «sanadas» por la sentencia firme, ya que las vulneraciones de los principios de audiencia, asistencia o defensa cometidas durante el proceso y que produzcan efectiva indefensión, no pueden quedar convalidadas, precisamente, por producir una nulidad de pleno derecho.

Las principales notas características del incidente de nulidad son las siguientes[235]:

1ª) Es excepcional. Es un remedio procesal que cabe frente a resoluciones que ya han adquirido firmeza. De modo que se excepciona el principio fundamental de la intangibilidad de las resoluciones judiciales reforzado con la institución de la cosa juzgada que tiene por finalidad garantizar la paz y la seguridad jurídicas como fines esenciales del proceso.

2ª) Es extraordinario. Puesto que queda sometido al cumplimiento de requisitos de esta naturaleza. Concretamente respecto a los motivos por lo que cabe su interposición, que tienen carácter extraordinario y no general. Efectivamente, el incidente únicamente podrá fundarse en «*cualquier vulneración de un derecho fundamental de los referidos en el artículo 53.2 de la Constitución*».

Nótese la ampliación que, en el ámbito del incidente, se ha producido en la reforma de la LO 6/2007, puesto que hasta ese momento los motivos por los que cabía interponer el incidente eran: los vicios de forma o de incongruencia. Las razones de la modificación legal deben hallarse en la voluntad del legislador de favorecer el uso del incidente excepcional de nulidad como último medio del amparo judicial ordinario, previo al amparo constitucional. Precisamente, la LO 6/2007 tenía por principal objeto la reforma de la LO 2/1979, de 3 de octubre, del Tribunal Constitucional, para introducir una nueva regulación, más restrictiva, del procedimiento de admisión del recurso de amparo. Al mismo tiempo la Ley otorga: «*a los tribunales ordinarios más posibilidades para revisar las violaciones de derechos fundamentales a través de una nueva regulación de la nulidad de los actos procesales ex artículo 241.1 de la Ley Orgánica 6/1985, de 1 de julio, del Poder Judicial*». (Exposición de Motivos de la LO 6/2007). De este modo se atribuye, definitivamente, a los tribunales, mediante el incidente excepcional de nulidad de actuaciones, la función de protección y garantía de los derechos fundamentales en la jurisdicción ordinaria, aumentando para ello las facultades en orden a la interposición del incidente de nulidad.

---

(235) «El art. 241 de la LOPJ (LA LEY 1694/1985), en su redacción dada por la LO 6/2007, de 24 de mayo (LA LEY 5526/2007), establece el contenido y los límites del incidente de nulidad promovido. Su alcance ha sido interpretado por la doctrina de esta Sala en numerosas ocasiones, de las que es fiel exponente el ATS 1 de marzo de 2012, recaído en el recurso núm. 11442/2011. En él se razona que: Es difícil no estar de acuerdo con la filosofía del nuevo incidente de nulidad de actuaciones: al permitir que la propia jurisdicción ordinaria pueda subsanar cualquier violación de los derechos fundamentales del art. 53-2 de la Constitución (LA LEY 2500/1978), se evita, en su caso, el acceso a la jurisdicción constitucional cuando la ordinaria, como primer garante de tales derechos fundamentales, puede evitar y subsanar cualquier denuncia al respecto. Al mismo tiempo, ha de delimitarse el ámbito de este nuevo recurso de nulidad que exige tres requisitos, uno de fondo, otro de naturaleza temporal y un tercero de naturaleza procesal. 1) Como requisito de fondo debe tratarse de nulidades referidas a la vulneración de derechos del art. 53-2º de la Constitución (LA LEY 2500/1978). 2) Como requisito temporal que no hayan podido denunciarse antes de recaer la resolución que ponga fin al proceso y 3) Como requisito procesal que dicha resolución no sea susceptible de recurso ni ordinario ni extraordinario. Es obvio que la finalidad de la reforma quedaría desbordada si se intentase convertir este recurso en un nuevo medio para reconsiderar decisiones ya adoptadas en la resolución que se tacha de vulneradora de los derechos fundamentales (ATS de 11- 01-12, entre otros)». ATS Sala Segunda, de lo Penal, Auto de 21 Oct. 2015, Rec. 252/2015; Ponente: Palomo del Arco, Andrés. LA LEY 164782/2015.

Las consecuencias prácticas de esta modificación del ámbito del incidente no son sin embargo demasiadas, ya que en realidad, lo que se pretende y ya permitía el incidente son la misma cosa. A saber atender a la denuncia de la tutela judicial efectiva con indefensión. Motivo que ya existía en la regulación anterior. En cualquier caso, sí que es cierto que la nueva redacción resulta, puede decirse más «visual» y con un mayor efecto si se quiere «estético». De algún modo puede decirse que la reforma ha dado un primer paso, podemos decir que fácil, pues se ha limitado a introducir una cláusula de estilo en una norma legal.

3ª) Es subsidiario. Esta característica se manifiesta de dos modos.

En primer lugar, se exige que no haya sido posible denunciar la infracción antes de que hubiera recaído la resolución que puso fin al proceso y que la resolución de la que se pide la nulidad no pueda ser impugnada mediante recurso ordinario o extraordinario, para reparar el vicio de nulidad[236].

La cuestión a determinar es cuáles sean esos recursos ordinarios y extraordinarios a los que se refiera la Ley y, concretamente, si dentro de estos se incluyen los otros medios de rescisión de la sentencia firme. Concretamente el recurso de anulación y el recurso de revisión. Una primera interpretación, atendiendo a la literalidad de la ley, induce a pensar que la ley se refiere a recursos. De modo que tratándose la revisión y la anulación de medios de impugnación extraordinarios dirigidos contra resoluciones firmes nada impediría que se interpusiesen. De modo que el interesado podría optar entre interponer un medio específico excepcional de rescisión o interponer, como medio genérico de impugnación de la nulidad procesal, el incidente excepcional de nulidad de actuaciones. La otra interpretación que cabría sería entender que no podrá acudirse al incidente de nulidad cuando exista algún medio de rescisión de la sentencia firme a disposición de la parte, entendiendo que en el término recursos se incluyen también los medios de rescisión.

La cuestión no resulta clara, puesto que la relación entre los distintos medios de impugnación de las sentencias firmes es confusa y compleja. Probablemente sea lo segundo, compleja, porque la regulación es confusa. En cualquier caso, los distintos medios de rescisión de la sentencia firme tienen ámbitos distintos no pudiendo establecerse normas absolutas sobre la preferencia de uno u otro medio de impugnación. Más aún, a nuestro juicio cuando su ámbito pueda coincidir, y ante la duda, debe ser preferente el incidente de nulidad frente a cualquiera de los otros medios de impugnación de la sentencia firme. Siempre que entendamos, claro está, que el art. art. 241.1 LOPJ únicamente establece la regla de subsidiariedad frente a los recursos y no con relación a los medios de rescisión de resoluciones firmes.

---

(236) Naturalmente, tampoco cabría el incidente en el caso que la infracción se hubiere denunciado oportunamente y, no obstante, el tribunal no la hubiere apreciado. Pues bien tampoco en ese caso cabría la admisión del incidente, sin perjuicio de impugnar la sentencia que se hubiere dictado mediante los recursos establecidos a tal efecto. Así debe ser con base en la redacción legal de la norma que establece claramente como requisito para la admisión del incidente que: «no haya podido denunciarse antes de recaer resolución que ponga fin al proceso» (art. 241.1 LOPJ).

De todos modos, debe destacarse la inutilidad de la norma de subsidiariedad, ya que frente a una resolución firme es obvio que no cabe ningún recurso ordinario o extraordinario. Lo único que cabría interponer frente a una resolución firme sería un medio de impugnación extraordinario frente a las resoluciones que hubieren adquirido firmeza. La razón de esta redundancia podría deberse a una simple cuestión de fortalecimiento de la norma mediante la técnica, por otra parte pobre, de la repetición. Sin embargo, atendiendo al estudio de las modificaciones legales que se han producido respecto a esta norma, no creo que sea así. La actual redacción de la norma comentada tiene su origen en el art. 228 LEC y se introdujo en la reforma de la LO 19/2003 que modificó la regulación anterior que establecía, como límite para interponer el incidente de nulidad de actuaciones, que la nulidad denunciada en el incidente no fuera: «*susceptible de recurso en que quepa reparar la indefensión sufrida*». Esta norma que funcionaba como una cláusula redundante (si la resolución es firme no hay recurso alguno que pueda interponerse) se modificó para precisar que la resolución no sea susceptible de recurso: «*ordinario ni extraordinario*». Pues bien probablemente la modificación legal tuviera su razón de ser en una reminiscencia del antiguo problema suscitado en nuestra jurisprudencia constitucional en la que no se distinguían correctamente los conceptos de definitividad, invariabilidad y firmeza. Jurisprudencia que produjo la errónea y superada doctrina de las sentencias: «*definitivamente ejecutadas*». Lo que no es tan entendible es que el legislador procediera en el año 2003 ha realizar la modificación legal señalada cuando, afortunadamente ya se ha superado esa incorrecta doctrina jurisprudencial. La solución correcta para la norma consiste, sencillamente, en eliminar la regla de subsidiariedad, ya que si la resolución es firme no cabe ningún recurso ordinario o extraordinario y no hace falta ninguna regla que subraye esta circunstancia. Al contrario señalar que no cabe recurso frente a una resolución firme despierta la duda sobre que habrá querido indicar el legislador. Y si se quiere establecer una regla para el uso de los medios excepcionales de rescisión de las sentencias firmes, dígase así. Pero, no puede ser esta la intención del legislador cuando en la redacción del motivo para interponer el incidente y en la propia exposición de motivos de la LO 6/2007 se otorga al incidente excepcional de nulidad el carácter de medio preferente para poner fin a la vía judicial previa al amparo. Función difícil de cumplir si ante hubiera que pasar por la revisión o el recurso de audiencia al condenado rebelde.

En segundo lugar, el incidente de nulidad es subsidiario respecto al recurso de amparo ante el TC. Sobre este particular el TC ha declarado que el incidente de nulidad constituye un remedio idóneo y previo a la petición de amparo constitucional[237]. Es-

---

(237) Véase, en este sentido, la STC 237/2006, de 17 de julio de 2006, que así lo declara: «*antes de acudir en amparo debe solicitarse en la vía ordinaria "el incidente de nulidad previsto en el art. 240.3 LOPJ, sin cuyo requisito la demanda de amparo devendrá inadmisible, conforme a los arts. 44.1 a) y 50.1 a) LOTC, por falta de agotamiento de todos los recursos utilizables dentro de la vía judicial" (SSTC 228/2001, de 26 de noviembre, FJ 3, y 74/2003, de 23 de abril, FJ 2, entre otras muchas). Fuera de estos supuestos, por el contrario, la interposición de un remedio excepcional como es el incidente de nulidad de actuaciones deviene en general un recurso manifiestamente improcedente, en especial, cuando se inadmite a limine por incumplimiento de los requisitos de procedibilidad exigidos por el art. 241 LOPJ (anterior art. 240.3 LOPJ)*». Véase también, en el mismo sentido, la STC 288/2005 (Sala Segunda), de 7 noviembre.

ta subsidiariedad se reforzó con la reforma de la LO 6/2007 que modificó los motivos del incidente que procederá frente a «*cualquier vulneración de un derecho fundamental de los referidos en el artículo 53.2 de la Constitución*» (art. 241.1 LOPJ). Modificación del incidente de nulidad de actuaciones que la exposición de motivos de la LO 6/2007 afirma que responde a la intención de ampliar su ámbito a «*cualquier vulneración de alguno de los derechos fundamentales referidos en el artículo 53.2 de la Constitución en lugar de la alegación de indefensión o incongruencia prevista hasta el momento. Esta ampliación del incidente de nulidad de actuaciones previo al amparo busca otorgar a los tribunales ordinarios el papel de primeros garantes de los derechos fundamentales en nuestro ordenamiento jurídico*».

«Es doctrina reiterada del Tribunal Constitucional que el incidente excepcional de nulidad de actuaciones constituye «el remedio procesal idóneo» para obtener la reparación de la vulneración de derechos fundamentales. En tales casos, antes de acudir en amparo, debe solicitarse en la vía ordinaria el referido incidente de nulidad «sin cuyo requisito la demanda de amparo devendrá inadmisible, conforme a los arts. 44.1 (LA LEY 2383/1979) a) y 50.1 a) LOTC (LA LEY 2383/1979), por falta de agotamiento de todos los recursos utilizables dentro de la vía judicial" (SSTC 228/2001, de 26 de noviembre (LA LEY 1109/2002); 74/2003, de 23 de abril (LA LEY 12120/2003); 237/2006, de 17 de julio (LA LEY 91192/2006); y 126/2011, de 18 de julio (LA LEY 146261/2011)). También ha destacado el Tribunal Constitucional el protagonismo otorgado por la Ley Orgánica 6/2007, de 24 de mayo (LA LEY 5526/2007), a los Tribunales ordinarios acentuando su función como guardianes naturales y primeros garantes de los derechos fundamentales en el ordenamiento jurídico, con el fin de lograr que la tutela y defensa de esos derechos por parte del Tribunal Constitucional sea realmente subsidiaria (STC 120/2011 (LA LEY 119666/2011), de 20 de junio)». ATS de 15 Jun. 2016, Rec. 1569/2015; Ponente: Jorge Barreiro, Alberto Gumersindo. LA LEY 68038/2016.

Esta doctrina constitucional condujo a establecer la exigencia de interponer el incidente de nulidad de actuaciones como el modo de agotar la vía jurisdiccional previa, requisito para acceder al recurso de amparo[238]. Doctrina que ha sido matizada por la conocida STC, Pleno, Sentencia 216/2013 de 19 Dic. 2013, Rec. 10846/2009; Ponente: López López, Enrique. LA LEY 194848/2013, que ha declarado que sólo será necesario interponer el incidente de nulidad de actuaciones en el supuesto que

---

(238) «La aplicación de los razonamientos que anteceden lleva a estimar cometido el defecto de falta de agotamiento de la vía judicial [art. 44.1 a) LOTC], determinante de la inadmisión del recurso interpuesto [art. 50.1 a) LOTC]. Como ya se ha indicado y se asume en el propio escrito de demanda de amparo, el juicio de ponderación constitucional desfavorable a la posición de la aquí recurrente no se produce sino con la Sentencia casacional que, revocando las dos de instancia que habían desestimado la demanda presentada en su contra, aprecia ex novo como prevalente el derecho al honor (art. 18.1 CE) del actor en detrimento de lo que al propio tiempo, la entonces demandada y ahora recurrente en amparo justifica como un comentario cubierto por el ejercicio de su derecho a la libertad de expresión [art. 20.1 a) CE], esto es, el atribuir a aquél la presunta autoría del anónimo crítico. Con tal perspectiva resulta evidente que la lesión que se trae a conocimiento de este Tribunal se engendra judicialmente, de modo directo e inmediato, por la referida Sentencia de casación, frente a la cual por tanto debió la aquí recurrente intentar la reparación de la falta a través del incidente de nulidad antes de acudir en amparo, lo que no hizo». ATC 200/2010, de 21 de diciembre, Recurso de amparo 5572-2009.

la violación del derecho fundamental se hubiere producido en el último recurso o actuación jurisdiccional como modo de permitir al órgano judicial reparar la infracción presuntamente cometida. Véase sobre la utilización del incidente de nulidad de actuaciones como medio de agotar la vía jurisdiccional el § 9 de este Capítulo en sede de recurso de Amparo.

> «En este caso el carácter subsidiario del amparo ha quedado sobradamente garantizado —el asunto pasó por tres instancias judiciales, en cada una de las cuales hubo ocasión de examinar las alegadas lesiones de derechos fundamentales y se decidió en consecuencia— no cabe sino concluir que el recurrente no estaba obligado a promover, además, el incidente de nulidad de actuaciones del art. 241.1 LOPJ (LA LEY 1694/1985) frente a la Sentencia de casación impugnada. Dicho en otros términos, la interposición del incidente de nulidad no puede considerarse razonablemente exigible en casos como éste». STC, Pleno, Sentencia 216/2013 de 19 Dic. 2013, Rec. 10846/2009; Ponente: López López, Enrique. LA LEY 194848/2013.

El problema que plantea la atribución de esa función al incidente de nulidad de actuaciones se halla en la falta de encaje con la que cumple como remedio excepcional para la denuncia de la nulidad de actuaciones. Puesto que la subsidiariedad como impugnación previa al amparo judicial quiere significar que es la vía procesal ordinaria que debe utilizarse antes de acudir al amparo constitucional. Función para la que el incidente no está diseñado y que si se generaliza puede presentar algunos problemas.

Efectivamente, el incidente excepcional de nulidad no puede servir al fin de: «*otorgar a los tribunales ordinarios el papel de primeros garantes de los derechos fundamentales en nuestro ordenamiento jurídico*», por impedirlo los límites que emanan de su propia regulación. Así resulta de su regulación que exige que el vicio no se haya podido denunciar antes de recaer resolución que ponga fin al proceso y que no quepa otro recurso ordinario ni extraordinario. Esto significa que el incidente de nulidad, al menos tal y como está regulado, no puede utilizarse como el recurso que agote la vía jurisdiccional antes del recurso de amparo ante el Tribunal Constitucional, justamente porque la vía jurisdiccional ya se habrá agotado. Cuestión distinta es que se modifique la regulación del incidente para disponer, por ejemplo, que previamente a la interposición del recurso de amparo debe interponerse recurso de amparo jurisdiccional ante el mismo tribunal que dictó la resolución a la que se tacha la vulneración de derechos fundamentales. Pero fíjese que, en ese caso, el presupuesto de ese recurso de amparo en vía jurisdiccional, previo al constitucional, es absolutamente contrario al que se exige en el incidente excepcional de nulidad. Así si en el incidente de nulidad se exige que el vicio de nulidad no se haya podido denunciar durante la sustanciación del proceso; para el amparo constitucional se debe haber agotado la vía judicial en solicitud de amparo respecto del vicio que produjo la vulneración del derecho constitucional. Y específicamente respecto a la violación de los derechos fundamentales que: «… *tuvieran su origen inmediato y directo en un acto u omisión de un órgano judicial…*», se exige que se cumplan los siguientes requisitos: «*a) Que se hayan agotado todos los medios de impugnación previstos por las normas procesales para el caso concreto dentro de la vía judicial. b) Que la violación del derecho o libertad sea imputable de modo inmediato y directo a una acción u omisión del órgano judicial con independencia de los hechos que dieron lugar al proceso en que aquellas se produjeron, acerca de los que, en ningún caso, entrará a conocer el Tribunal Constitucional. c) Que se haya denunciado formalmente en el proceso, si hubo oportunidad, la vulneración del derecho constitucional tan pronto como, una vez conocida, hubiera lugar para ello»* art. 44 LOTC. Como se ve con claridad lo que exige el art. 44 LOTC es que se produzca la denuncia de la infracción determinante de infracción procesal **en el proceso y no cuando éste ya ha finalizado**, que es lo que sucede en los supuestos en los que cabe interponer el incidente de nulidad.

En realidad las invocaciones que se hacen en la LO 6/2007 identificando tutela judicial ordinaria del 53.2 CE con el incidente excepcional de nulidad son absolutamente gratuitas y no tienen más finalidad que servir de complemento a la reforma que se contiene en la citada Ley del recurso de amparo constitucional. Reforma que endurece el trámite de admisión del recurso de amparo y que, de algún modo, se pretende compensar con una presunta apertura del incidente excepcional de nulidad de actuaciones, que se pretende sea el cauce ordinario que agote la vía judicial antes del recurso de amparo constitucional[239].

El motivo único establecido para fundar la interposición del incidente excepcional de nulidad de actuaciones consiste en: *«cualquier vulneración de un derecho fundamental de los referidos en el artículo 53.2 de la Constitución»* (art. 241.1. LOPJ)[240]. El vigente motivo de nulidad se introdujo en la LO 6/2007, rompiendo la dinámica legal de ir ajustando la regulación de la nulidad procesal en la LOPJ a lo establecido en la LEC que dispone en su art. 228 que la petición de nulidad de actuaciones contra sentencia firme podrá fundarse en: *«... defectos de forma que hayan causado indefensión...»*. Como se ve, la diferencia entre el motivo de la LEC y el vigente de la LOPJ es la concreción de la LEC que limita el incidente a una concreta clase de nulidad procesal. Aunque, al final la diferencia no es tal, ya que en la práctica el único derecho fundamental susceptible de fundar el incidente de nulidad es, precisamente, el referido a la infracción del derecho de tutela judicial efectiva, que se puede identificar con los defectos de forma causantes de indefensión a los que se refiere la LEC.

El motivo para la interposición del incidente es excepcional y está tasado, no pudiendo fundar la petición de nulidad en otros motivos distintos a los expresamente previstos en la Ley, con independencia de la gravedad o trascendencia del vicio (STC

---

(239)   Así se pone de manifiesto en la propia exposición de motivos, donde tras una alegación al manido art. 53.2 CE, declara el legislador que la Ley: *«procede a establecer una nueva regulación de la admisión del recurso de amparo, al tiempo que otorga a los tribunales ordinarios más posibilidades para revisar las violaciones de derechos fundamentales a través de una nueva regulación de la nulidad de los actos procesales ex artículo 241.1 de la Ley Orgánica 6/1985, de 1 de julio, del Poder Judicial. Se trata de medidas encaminadas a lograr que la tutela y defensa de los derechos fundamentales por parte del Tribunal Constitucional sea realmente subsidiaria de una adecuada protección prestada por los órganos de la jurisdicción ordinaria»*.

(240)   En su anterior redacción establecida en la LO 19/2003 el art. 2421.1 LOPJ disponía como motivos del incidente los: *«... defectos de forma que hubieran causado indefensión o la incongruencia del fallo, siempre que los primeros no hayan podido denunciarse antes de recaer resolución que ponga fin al proceso y que, en uno u otro caso, ésta no sea susceptible de recurso ordinario o extraordinario»*.

237/2006, de 17 de julio de 2006)[241]. De modo que los vicios de nulidad, calificados de pleno derecho en el art. 238 LOPJ, únicamente podrán fundar la interposición de un incidente de nulidad cuando se puedan incluir en los motivos previstos en el art. 241 LOPJ. En este punto, el problema se reduce a concretar cuáles sean los derechos fundamentales referidos en el artículo 53.2 de la Constitución. Pues bien conforme a esa norma los derechos susceptibles de una especial protección los que se contienen en los artículos 14 al 29 de la Constitución. Entre estos el derecho a la igualdad, al honor, a la libertad religiosa, a la tutela judicial efectiva, a la huelga, a la reunión, a la libertad de expresión, etc. De los que conforme con la redacción del art. 241 LOPJ: «*cualquier vulneración*» podrá fundar el incidente de nulidad.

Obviamente, la norma comete un exceso fruto, posiblemente, de la falta de reflexión del legislador que ante el problema planteado de la enorme carga de trabajo entendió que podía utilizar el incidente excepcional de nulidad de actuaciones, que venía siendo considerado por el TC como el recurso previo que agotaba la vía jurisdiccional, de cauce procesal para garantizar la tutela de cualquier derecho fundamental de los previstos en los arts. 14 al 29 CE a los que se refiere el art. 53.2 CE. Así se deduce, por si hubiera alguna duda de la exposición de motivos de la LO 6/2007: «... *Esta ampliación del incidente de nulidad de actuaciones previo al amparo busca otorgar a los tribunales ordinarios el papel de primeros garantes de los derechos fundamentales en nuestro ordenamiento jurídico*».

El problema consiste en la imposibilidad de convertir, por mero deseo del legislador, un procedimiento en aquello que no es. A ese fin el legislador ha ampliado el ámbito del incidente de nulidad y lo ha designado como el cauce procesal que debe utilizarse para que los tribunales ordinarios sean garantes de los derechos fundamentales en nuestro ordenamiento jurídico. Sin embargo, estas normas por sí solas no pueden modificar la configuración legal del incidente de nulidad, que está configurado para solicitar la nulidad por infracción procesal que produzca una vulneración del derecho de tutela judicial efectiva con indefensión (art. 24 CE). Incluyendo dentro de ese amplio concepto de la tutela judicial efectiva todo el compendio de derechos que el TC ha venido definiendo en su jurisprudencia. Pero, para lo que no es aplicable el incidente de nulidad es para servir como procedimiento de garantía de los derechos fundamentales del 14 al 29 CE y mucho menos para denunciar: «*cualquier vulneración*». Más aún en la propia regulación del incidente, art. 241.1.2 LOPJ, se exige la concurrencia de efectiva indefensión a propósito del plazo para interponer el incidente: «*El plazo para pedir la nulidad será de 20 días, desde la notificación de la resolución o, en todo caso, desde que se tuvo conocimiento del **defecto causante de indefensión**»*.

Efectivamente, nótese que el incidente de nulidad se dirige a solicitar la nulidad de una sentencia firme (o también, en su caso, un auto) que habrá recaído en un pro-

---

(241) STC 237/2006, de 17 de julio de 2006: «... Fuera de estos supuestos, por el contrario, la interposición de un remedio excepcional como es el incidente de nulidad de actuaciones deviene en general un recurso manifiestamente improcedente, en especial, cuando se inadmite a *limine* por incumplimiento de los requisitos de procedibilidad exigidos por el art. 241 LOPJ (anterior art. 240.3 LOPJ)».

cedimiento previo. De modo que lo que puede plantearse en el incidente de nulidad tiene por objeto el proceso ya sustanciado, se trate de lo que se trate. De modo que el ampliar el catálogo de infracciones por las que procede interponer el incidente de nulidad de nada sirve, puesto que los vicios que pueden fundarlo van a ser los que son, de infracción procesal, incluyendo la incongruencia absoluta, en cualquier caso con efectiva indefensión. Vicios determinantes de nulidad que no habrán podido denunciar durante el proceso, ya que en ese caso no procedería interponer el incidente en razón de su carácter excepcional y subsidiario. Claro que teóricamente podría plantearse una vez finalizado el proceso la vulneración de cualquier derecho fundamental distinto del de tutela judicial efectiva del art. 24 CE. Pero en la práctica no es posible, tanto es así que resulta muy difícil hallar un solo ejemplo en el que pueda suceder así.

En consecuencia el ámbito propio del incidente excepcional de nulidad de actuaciones es el de la infracción procesal que haya producido efectiva indefensión. Así se prevé en el art. 241.1.2 LOPJ que con relación al plazo para interponer el incidente exige que se hubiere producido efectiva indefensión: «*El plazo para pedir la nulidad será de 20 días, desde la notificación de la resolución o, en todo caso, desde que se tuvo conocimiento del* **defecto causante de indefensión**». En su virtud se incluirán en este motivo todos aquellos defectos que, más allá de su entidad objetiva, produzcan el efecto concreto de producir indefensión al recurrente. De modo que no se exige que la infracción procesal deba tener una entidad determinada. Aunque, la circunstancia de producir indefensión ya determina una graduación de la nulidad que nos conduce a la consecuencia de que el litigante no haya podido articular una protección adecuada de sus derechos e intereses legítimos en el proceso, con un menoscabo real y efectivo de su derecho de defensa (Véanse entre otras la STC 262/2005 de 24 de octubre). Téngase presente que conforme con doctrina reiterada del TC: «... *la única indefensión que tiene relevancia constitucional es la material, y no la mera indefensión formal, de suerte que es exigible la existencia de un perjuicio efectivo en las posibilidades de defensa del recurrente de amparo*». ATC 232/2005 (Sala Segunda, Sección 3ª), de 6 junio.

La amplitud del motivo permite fundar el incidente en un amplio catálogo de infracciones procesales. Entre estas las relativas al cumplimiento de las normas sobre citaciones y emplazamientos, en la práctica de la prueba, etc. (Véase M. 172). Siempre teniendo presente que la utilización del incidente queda limitada por la exigencia de que no haya podido denunciarse la nulidad procesal antes de que hubiere recaído resolución que hubiese puesto fin al procedimiento[242].

«Ahora bien, la referida reforma no debe derivar en una instrumentalización perversa del incidente de nulidad de actuaciones utilizándolo como un nuevo recurso para replantear las cuestiones ya dirimidas en la sentencia con el pretexto de que hay

---

(242) «Hemos dicho muy reiteradamente que el recurso extraordinario de nulidad de actuaciones es inadmisible, entre otros casos, cuando se alegue la vulneración de derechos fundamentales que pudieron ser denunciados con anterioridad a la sentencia cuya nulidad se pretende». STS Sala Segunda, de lo Penal, Auto de 10 Feb. 2015, Rec. 1205/2014; Ponente: Sánchez Melgar, Julián. LA LEY 90372/2015.

en juego derechos fundamentales. Pues ahora se trata de resolver la vulneración de derechos fundamentales que no hayan podido denunciarse antes de dictarse la resolución que pone fin al proceso, quedando así excluidas las cuestiones de legalidad ordinaria y aquellas otras de entidad constitucional que pudieron ser suscitadas en su momento y no lo fueron. Tan es así, que el párrafo tercero del apartado 1º del artículo 241 que comentamos termina disponiendo que el juzgado o tribunal inadmitirá a trámite cualquier incidente en el que se pretenda suscitar otras cuestiones». ATS Sala Segunda, de lo Penal, Auto de 10 Jun. 2016, Rec. 1322/2015; Ponente: Granados Pérez, Carlos. LA LEY 68870/2016.

Por esa razón, una de las principales utilidades del incidente de nulidad por este motivo de infracción procesal será la de servir de medio de impugnación para la parte legítima (que no fue citada al procedimiento en tal calidad) que se viera afectada por una resolución dictada sin haber sido oída ni haber participado en el procedimiento. También servirá para las partes en el supuesto de que las circunstancias de la nulidad hubieren sido conocidas después de dictada la resolución final del procedimiento. La infracción de estas normas procesales conducirá a la nulidad de la sentencia, teniendo en cuenta que la admisión de la nulidad de actuaciones debe ser cautelosa y restringida, para que no se convierta en un recurso paralelo de la casación por quebrantamiento de forma. De este modo se exigirá que la infracción sea grave e implique indefensión y desigualdad de trato para alguna de las partes.

La incongruencia del fallo también puede motivar la interposición de un motivo de nulidad de actuaciones, aunque ya no se halle expresamente citado como motivo en el art. 241.1 LOPJ, desde la reforma de la LO 6/2007. Tampoco se contempla este motivo en la regulación de la nulidad de la LEC, que en su art. 228 se limita a establecer como motivos del incidente de nulidad: «*defectos de forma que hayan causado indefensión*».

En cualquier caso, la incongruencia sigue siendo uno de los motivos más probables que podrá fundar un incidente de nulidad. Así se deduce de la nueva redacción legal del art. 241.1 LOPJ que dispone que el incidente de nulidad podrá fundarse en la vulneración de cualquier derecho fundamental, es decir la tutela judicial efectiva que se violará cuando exista un desajuste entre el fallo judicial y los términos en que las partes formularon sus pretensiones. Es decir, incongruencia, que constituye una exigencia de las resoluciones judiciales que deben pronunciarse conforme con las pretensiones de las partes y que se fundamenta en los principios rectores del proceso, ya se considere un principio procesal autónomo o bien manifestación de los principios que informan el proceso. Concretamente, el principio de correlación entre acusación y sentencia que en el proceso penal adquiere una especial relevancia, en tanto que la congruencia queda determinada por la adecuada correlación entre el contenido de la sentencia que ponga fin al proceso y la acusación conformada respecto a al inculpado —identidad subjetiva— y el hecho punible —identidad objetiva—.

En el caso de la incongruencia omisiva, que acostumbra a ser la más frecuente, el vicio se produce, conforme con la jurisprudencia del TC, cuando: «... *el órgano judicial deja sin respuesta alguna de las cuestiones planteadas por las partes, siempre que no quepa interpretar razonablemente el silencio judicial como una desestimación tá-*

cita, cuya motivación pueda inducirse del conjunto de los razonamientos contenidos en la resolución» (Véanse, entre otras, las SSTC 91/2003, de 19 de mayo; 83/2004, de 10 de mayo; 52/2005, de 14 de marzo; y 95/2005, de 18 de abril). Pero, para que el silencio judicial pueda interpretarse razonablemente como una desestimación tácita de la misma es preciso que la motivación de la desestimación pueda deducirse del conjunto de los razonamientos contenidos en la resolución judicial (STC 288/2005 (Sala Segunda), de 7 noviembre)[243].

La incongruencia procesal afecta necesariamente a las partes en el proceso que deberán hacer valer este motivo de impugnación mediante los recursos ordinarios previstos a tal fin. Además, las partes, y el tribunal de oficio, podrán utilizar el incidente de complemento de resoluciones judiciales como un medio procesal a disposición de la parte para completar las resoluciones judiciales en las que se hubieren omitido manifiestamente pronunciamientos relativos pretensiones oportunamente deducidas en el proceso (art. 267.5 LOPJ). De este modo, por una parte la incongruencia sigue siendo un motivo de nulidad de sentencia firme; ahora bien la propia LOPJ prevé un medio de denuncia de la incongruencia omisiva que debe ser utilizado ya que en caso contrario podría inadmitirse la petición de nulidad, precisamente por falta del requisito de no existir medio para la denuncia del vicio (Véase M. 173).

B) Legitimación y competencia

Podrán interponer el incidente de nulidad de actuaciones: *«quienes sean parte legítima o hubieran debido serlo»*. Esta amplia legitimación permite en el proceso civil que el tercero a quien pueda afectar la sentencia pueda alegar la nulidad en defensa de sus intereses legítimos. Sin embargo, en el proceso penal, en el que son de aplicación reglas estrictas de legitimación procesal, la importancia de esta amplitud de la norma será menor.

La competencia para conocer de este incidente se atribuye al mismo Juzgado o Tribunal que dictó la sentencia o resolución que hubiere adquirido firmeza (art. 241.1.2 LOPJ). Esta opción legal puede ser criticable por la circunstancia de que el tribunal que dictó la sentencia firme deba revisar su propia actuación[244]. Por esa

---

(243)   Véase la STC 288/2005 (Sala Segunda), de 7 noviembre que declara que: *«es necesario que del conjunto de los razonamientos contenidos en la resolución judicial pueda deducirse razonablemente no sólo que el órgano judicial ha valorado la pretensión deducida, sino además los motivos fundamentadores de la respuesta tácita (STC 187/2000, de 10 de julio, F. 4). Lo que no acontece en la Sentencia de apelación impugnada en el presente amparo, cuyos fundamentos no expresan razonamiento alguno del que se pueda inferir una posible justificación de la desestimación de la pretensión impugnatoria formulada respecto del régimen de imposición de las costas de la primera instancia».* Véanse también las SSTC 218/2003, de 15 de diciembre; 21/2005, de 1 de febrero; 52/2005, de 14 de marzo y 95/2005, de 18 de abril.

(244)   Aunque, es cierto que el TC se ha pronunciado al respecto considerando que no cabe recusar al tribunal por este motivo: *«... En cuanto a la posibilidad de que los tres Magistrados de cuya imparcialidad ahora, per saltum, duda el recurrente tuvieran la obligación de abstenerse por haber formado parte de la Sala que dictó la Sentencia firme que desestimó el recurso de casación núm. 75/97 (tesis del demandante de amparo), este Tribunal no la comparte por los siguientes motivos. En primer lugar, porque el párrafo segundo del apartado tercero del art. 240 LOPJ (al igual que el actualmente vigente art. 241.1.2) atribuye la competencia para conocer del incidente "[a]l*

razón se ha postulado porque conozca del incidente un Tribunal superior considerando que un tribunal superior, y distinto al que conoció del proceso en el que dio la infracción procesal determinante de nulidad, se halla en mejor posición para apreciar un vicio de nulidad sobrevenida. Este argumento gana fuerza si se piensa, no en la denuncia de la infracción procesal sobrevenida, sino en la utilización del incidente de nulidad como medio de impugnación último del amparo judicial ordinario y previo al amparo constitucional. En ese caso, tratándose de denuncia de las infracciones procesales producidas y denunciadas durante el proceso parece conveniente que sea un Tribunal Superior el que conozca del incidente.

C) Interposición y Sustanciación del incidente

El incidente se iniciará por medio de una petición por escrito ante el mismo Tribunal que dictó la resolución impugnada dentro del plazo de veinte días desde la notificación de la resolución que ponga fin al proceso o, en todo caso, desde que se tuvo conocimiento del defecto causante de indefensión sin que, en este último caso, pueda solicitarse la nulidad de actuaciones después de transcurridos cinco años desde la notificación de la resolución (art. 241.1.2 LOPJ). La resolución que se impugna es la que pone fin al proceso, pero, obviamente, la infracción procesal determinante de la vulneración de la tutela judicial efectiva puede haberse producido en cualquier trámite anterior de veinte días establecido en la Ley.

El plazo de veinte días se computará desde la notificación o desde que se tuvo conocimiento del defecto procesal, hasta que hubieran transcurrido cinco años desde la notificación de la sentencia, sin que la Ley distinga, a este efecto, entre los que fueron parte y los que no lo fueron, pero a los que afecta la sentencia viciada de nulidad. Es precisamente a aquellos que no fueron parte a los que se dirige, principalmente, la ampliación del plazo de impugnación hasta transcurridos cinco años desde la notificación de la sentencia. Sin embargo la ley no distingue entre los que fueron parte y los que no, de modo que los que fueron parte también podrán interponer el incidente hasta transcurridos cinco años siempre que justifiquen desconocimiento del vicio de nulidad[245]. Por otra parte, si bien el plazo de cinco años es suficientemente amplio, tal

---

mismo Juzgado o Tribunal que dictó la sentencia o resolución que hubiere adquirido firmeza". En segundo lugar, porque el motivo invocado ante esta sede por el recurrente no estaba expresamente previsto en la Ley Orgánica del Poder Judicial al regular las entonces vigentes doce causas de abstención en su art. 219 (tampoco lo está en la actual versión del art. 219, que contiene 16 causas de abstención). La causa más próxima a la ahora planteada se encontraría prevista en el núm. 10 del citado artículo [haber "sido instructor de la causa cuando el conocimiento del juicio esté atribuido a otro Tribunal o haber fallado el pleito o causa en anterior instancia"]; pero, como veremos a continuación, ni con una interpretación maximalista de la mencionada causa de abstención a la luz del art. 24.2 CE, de nuestra jurisprudencia y de la del Tribunal Europeo de Derechos Humanos, sería posible defender la tesis del demandante de amparo. Y, finalmente, porque los Magistrados integrantes de la Sala que dictó el Auto impugnado también podrían haber tenido en consideración la propia actuación del recurrente, quien, lejos de exponer sus sospechas o dudas respecto de la imparcialidad objetiva, insistió en que su pretensión fuera resuelta por "esa" Sala...». (STC 313/2005, de 12 de diciembre de 2005).

(245) Para VERGÉ GRAU, La posibilidad de plantear el incidente hasta un plazo de cinco años, abre la puerta a una situación permanente de inseguridad jurídica (VERGÉ GRAU, «¿Un nuevo inci-

vez no lo sea tanto el de veinte días que comienza a computar dice la ley: «*desde que se tuvo conocimiento del defecto causante de indefensión*». Piénsese, en el supuesto del ejecutado que permaneció ajeno al procedimiento y que conoce de la ejecución de un bien de su propiedad en el momento de procederse a la diligencia de embargo. En este caso, la norma le perjudica por cuanto tendrá veinte días para recurrir en nulidad de actuaciones desde el mismo momento en que tiene conocimiento de la actuación que considera nula por infracción procesal. En cambio si se entendiera que los veinte días computan desde que se le notifique la resolución y tenga acceso a las actuaciones tendrá más posibilidades de preparar el recurso y su defensa.

El cómputo del plazo no plantea ningún problema en el supuesto de notificación efectiva de la resolución. En ese caso, el «*dies a quo*» se inicia desde el siguiente a aquel en que tuvo lugar la notificación de la resolución al procurador cuando este intervenga y se prolonga durante el plazo de veinte días hábiles. Así sucede con el cómputo del plazo para el recurso de amparo, en el que el «*dies a quo*» queda fijado desde que se realizó la notificación de la resolución a la representación procesal de la parte. Más complejo puede resultar acreditar el «*dies a quo*» en el supuesto de que no haya existido comunicación efectiva. El problema se ha planteado muy frecuentemente en vía de amparo constitucional cuyo plazo de interposición coincidía, hasta la reforma de la LO 6/2007, con el previsto para el incidente de nulidad[246]. En esos casos, el TC ha declarado que debe computarse el plazo desde que la parte recurrente tuvo conocimiento suficiente y fehaciente de la resolución dándose por informada de su alcance material, puesto que esa noticia es equivalente por su contenido a la proveniente de la notificación procesal (STC 248/2006, de 24 de julio de 2006)[247]. El cómputo del plazo queda suspendido en tanto se sustancia la aclaración de la

---

dente de nulidad?», *Actualidad Jurídica Aranzadi*, nº 259, 1996). Sin embargo, DE LAMO RUBIO, considera que el plazo temporal absoluto de cinco años supone una prevención suficiente para ofrecer seguridad jurídica y evitar posibles situaciones indeseadas de «debilitamiento» de la firmeza de determinadas sentencias (Vid. DE LAMO RUBIO, *El nuevo incidente II...* ob. cit. Pág. 2).

(246)   El plazo en ambos casos era de veinte días, hasta que la reforma de la LO 6/2007 modificó el plazo para la interposición del recurso de amparo que fijó en treinta días (art. 44.2 LOPJ).

(247)   Véase la STC 248/2006, de 24 de julio de 2006, que declara que: «*La singularidad de este tipo de demandas de amparo suscita una dificultad, como ya apuntamos en la STC 72/1990, de 23 de abril, FJ 2, consistente en la necesidad de precisar el plazo en el que la solicitud de amparo debe ser formulada ante este Tribunal Constitucional, por cuanto quien no es parte en el proceso judicial previo y no tiene, por tanto, intervención en el mismo, no es objeto de notificación alguna que le proporcione noticia de la Sentencia dictada, con lo que, en principio, no puede ser de directa aplicación, dada su propia literalidad, la regla fijada en el art. 44.2 LOTC, en virtud de la cual el plazo de veinte días para interponer el recurso de amparo se contará "a partir de la notificación de la resolución recaída en el proceso judicial" .../... para suplir el vacío legal debe ser aplicado analógicamente lo dispuesto en el referido art. 44.2 LOTC, si bien "computando el plazo desde que la parte recurrente en amparo tuvo conocimiento suficiente y fehaciente de la Sentencia dictada por el órgano judicial, dándose por informada de su alcance material, puesto que esta noticia es equivalente por su contenido a la proveniente de la notificación procesal, debiendo por ello entablar recurso de amparo dentro del plazo de veinte días, y sin poder extender sus límites temporales más allá de su alcance, dejando a su arbitrio la extensión, con ilimitado ejercicio del derecho a iniciar el proceso constitucional" (ATC 642/1984, FJ 2). De este modo, habrá que determinar si los solicitantes de amparo tuvieron conocimiento material de la Sentencia dictada en el proceso al que no fueron emplazados en un momento anterior al que formalmente reconocieron como tal, porque, si*

resolución[248]. De este modo, corresponderá al solicitante acreditar el momento en el que tuvo conocimiento de la resolución que se impugna y a la adversa oponerse a tal fijación del «*dies a quo*». El Tribunal deberá resolver la cuestión atendiendo a las alegaciones presentadas motivando, en su caso, la inadmisión del incidente de nulidad cuando considere que se interpuso fuera de plazo.

El escrito de interposición del incidente deberá observar los requisitos ordinarios de los recursos y, además, el contenido específico exigido para su admisión en el art. 241 LOPJ, con relación a la imposibilidad de la denuncia previa de la infracción procesal y el cumplimiento del plazo de interposición. También se contendrán las alegaciones que procedan sobre la vulneración del derecho fundamental que fundamente el incidente de nulidad. A este requisito se refiere la Ley que establece que se dará traslado a las demás partes del escrito y los documentos que se acompañasen, en su caso, para acreditar el vicio o defecto en que se base la impugnación (Véase M. 172 y M. 173). La Ley no se refiere a los requisitos de postulación. Pero, será necesario comparecer con procurador y estar asistido de abogado, en tanto que la ley no excluye su intervención —arts. 23 y 31 LEC—, por lo que el escrito deberá presentarse con la asistencia de ambos profesionales.

La pretensión del incidente debe ser la de la petición de nulidad del acto procesal viciado con base en la afectación del derecho de tutela judicial efectiva causante de indefensión. Y, en tanto que se trata de una nulidad de pleno derecho que ha impedido al solicitante actuar sus derechos en el procedimiento, se debe solicitar la nulidad de todos los actos realizados desde que se produjo la infracción con retroacción de las actuaciones a ese momento procesal. Sin perjuicio de que el Tribunal pueda declarar la subsanación o conservación de los actos procesales que no estuvieren afectados por la nulidad. Lo que no cabe, en ningún caso, es pretender mediante el incidente de nulidad la rectificación de la sentencia respecto de errores de apreciación o enjuiciamiento sobre el fondo del asunto que ya fueron objeto de enjuiciamiento y resolución. Véase a este respecto la STC 23/2005, de 14 de febrero de 2005 que declara a este respecto inadmisible la resolución del incidente de nulidad para permitir: «*un nuevo examen de las actuaciones*", esto es, en una nueva *reflexión sobre el problema planteado desde el inicio por el apelante*»[249].

---

así fuese, la demanda de amparo necesariamente incurriría en extemporaneidad y, por tanto, habría de ser rechazada».

(248) Véase la STC 105/2006, de 3 de abril de 2006: «*Esta misma tesis ha sido seguida por nuestra jurisprudencia al proceder al cómputo del plazo de veinte días para la interposición del recurso de amparo previsto en el art. 44.2 LOTC, habiendo señalado este Tribunal que la aclaración instada contra la resolución judicial que agota la vía judicial previa "debe tener el efecto de desplazar el dies a quo" para la presentación de este recurso constitucional desde el día siguiente al de la notificación de la resolución aclarada hasta el día siguiente al de la notificación de la resolución aclaratoria, cuando la presentación del recurso de aclaración no constituya ni un abuso de derecho ni una maniobra dilatoria (SSTC 26/1989, de 3 de febrero, FJ 2; 53/1991, de 11 de marzo, FJ 1; o 132/1999, de 15 de julio, FFJJ 2 y 3)».*

(249) El razonamiento de la STC 23/2005, de 14 de febrero de 2005 es el siguiente: «*la alteración realizada por la Audiencia Provincial de Badajoz no tiene acogida en el cauce excepcional del incidente de nulidad de actuaciones, por más que la decisión se haya adoptado formalmente en el seno de un incidente de esta naturaleza. Ciertamente el entonces art. 240.3 LOPJ, como ahora el*

«Resulta bien evidente que lo que se alega para sustentar la solicitud de nulidad de actuaciones al referirse el escrito a cuestiones ajenas a las legalmente previstas, no cumple las exigencias establecidas en el artículo 241 de la Ley Orgánica del Poder Judicial (LA LEY 1694/1985); reiterando que la nulidad que insta no se asienta sobre vicio invalidante en la sentencia que desestima el recurso de casación, sino que las cuestiones tratadas ya fueron objeto de respuesta en la resolución cuya nulidad se pretende, fueron estudiadas, analizadas y decididas, por lo que no se han vulnerado las normas esenciales del procedimiento ni se ha producido indefensión a la parte recurrente, requisitos estos exigibles conforme el art. 238 de la L.O.P.J. (LA LEY 1694/1985) para poder ser apreciada la nulidad de actuaciones». ATS Sala Segunda, de lo Penal, Auto de 8 Sep. 2016, Rec. 1768/2015; Ponente: Maza Martín, José Manuel. LA LEY 119482/2016.

El solicitante puede solicitar la suspensión de la ejecución de la sentencia o resolución de que se trate, para impedir que se consumen los efectos de la resolución nula. De modo que si conoce de la ejecución el mismo tribunal que dictó la sentencia que se impugna se podrá solicitar la suspensión en el mismo escrito de interposición del incidente. En caso contrario se interpondrá el incidente y una vez admitido se presentará escrito ante el tribunal que estuviere conociendo de la ejecución. A ese fin el art. 241.2 LOPJ se refiere expresamente a la posibilidad de suspensión al prever que se pueda adoptar esta decisión, que deberá solicitar el interesado de forma expresa.

La admisión del incidente queda sometida al cumplimiento de los requisitos ordinarios de acceso a los recursos y además los específicos previstos en el art. 241.1 LOPJ. Efectivamente, la circunstancia de que el incidente de nulidad tenga carácter excepcional no impide que su admisión deba producirse conforme con las normas de legalidad ordinaria de derecho de acceso a los recursos[250]. En consecuencia, corresponde a los tribunales comprobar que concurren los requisitos legalmente establecidos en la ley para la admisión del incidente motivando la admisión o denegación del mismo. Además, el tribunal deberá comprobar que la petición de nulidad observa los requisitos de tiempo para la interposición del recurso y los específicos establecidos para la procedencia del incidente. No se admitirá ningún incidente en el que se planteen otras cuestiones distintas a la petición de nulidad.

«El incidente de nulidad de actuaciones trata igualmente de proteger los derechos fundamentales que han podido ser vulnerados por la sentencia recurrida, pero esto no permite la reiteración de las cuestiones ya abordadas y resueltas por la senten-

---

art. 241 de la misma Ley, permitía al órgano judicial declarar la nulidad de actuaciones fundada en defectos de forma que hubieran causado indefensión o en la incongruencia del fallo. Sin embargo la Sentencia recurrida en amparo no identifica en cuál de estas dos causas se apoya la decisión de anular parcialmente su primera Sentencia, ni el examen de las actuaciones permite advertir la existencia de un defecto de forma causante de indefensión ni la concurrencia de incongruencia en el fallo, únicos supuestos que hubieran permitido al órgano judicial anular su primera Sentencia. Por el contrario, el órgano judicial justifica su decisión anulatoria en "un nuevo examen de las actuaciones", esto es, en una nueva reflexión sobre el problema planteado desde el inicio por el apelante, es decir, si la consignación realizada por la compañía aseguradora en el procedimiento penal debía trasladar sus efectos al posterior procedimiento civil en orden a la aplicación de los intereses moratorios previstos en la disposición adicional octava de la Ley 30/1995, de 8 de noviembre, de ordenación y supervisión de los seguros privados en relación con el art. 20 de la Ley 50/1980, de 8 de octubre, de contrato de seguro».
(250)   Véanse entre otras las SSTC 71/2002, de 8 de abril; 258/2000, de 30 de octubre.

cia, que esto daría lugar a reproducir el mismo debate, y éste ya concluyó con la sentencia y en el fallo que puso fin a la misma. Por tanto siguiendo este criterio, no puede admitirse a trámite, o en caso contrario de admitirse debería ser desestimado, cuando: 1) Se aleguen vulneración de derechos fundamentales que pudieron ser denunciadas con anterioridad a la sentencia cuya nulidad se pretende. 2) Cuando se pretenda que el tribunal rectifique el criterio expresado en su resolución sobre las cuestiones propuestas, basándose para ello en argumentos coincidentes con los ya utilizados en el recurso. 3) Cuando se aleguen vulneraciones de derechos fundamentales ya invocadas en el recurso, y que ya han encontrado respuesta en la sentencia». STS Sala Segunda, de lo Penal, Auto de 10 Feb. 2015, Rec. 1205/2014; Ponente: Sánchez Melgar, Julián. LA LEY 90372/2015.

Cuando se cumplan todos los requisitos el Tribunal competente dictará auto admitiendo el incidente excepcional de nulidad[251]. También puede acordar la suspensión de la ejecución cuando se hubiere solicitado en el escrito de interposición con base en lo previsto en el art. 241.2 LOPJ. El Tribunal resolverá sobre la petición de suspensión a la vista de las circunstancias y, especialmente, atendiendo al criterio de la producción de un perjuicio irreparable que no pueda subsanarse o repararse en el caso de que, finalmente, el Tribunal acordara la nulidad de la resolución. La decisión de suspensión, en cualquier caso, no puede ser arbitraria, sino que debe fundarse en el criterio razonado del Juez, a petición expresa de la parte, valorando los derechos que resulten afectados en el caso concreto.

La inadmisión del incidente se resolverá, por lo general, por auto motivado en el que el Tribunal deberá razonar las circunstancias que conducen a adoptar esa decisión. Aunque, la Ley dispone que deberá dictarse providencia motivada (lo que supone una contradicción en los términos de la expresión) (art. 241.1. *in fine* LOPJ)[252]. Frente a esta resolución no cabe recurso alguno. En cualquier caso, será necesario que la resolución de inadmisión se motive suficientemente, a fin de que pueda apreciarse la racionalidad de la decisión adoptada permitiendo el conocimiento de la parte y, en su caso, el control posterior del TC en el amparo constitucional. Así lo ha declarado con rotundidad el TC con relación a la falta de motivación de la resolución de inadmisión[253]:

---

(251) La Ley no refiere que forma adoptará la resolución de admisión, que pudiera ser una providencia, máxime cuando para inadmitir la petición la ley dispone que se dice «*providencia sucintamente motivada*». Sin perjuicio de que en razón de la petición y de las circunstancias concurrentes entienda el Juez que procede dictar un auto.

(252) La razón de la norma no puede buscarse en el error inicial de la LEC 1/2000 donde se introdujo, a nuestro juicio con flagrante error una suerte de norma general que «*sembró*» de providencias aquellas normas donde el legislador no había establecido que resolución debía dictarse. Así, por ejemplo, el art. 465.3 LEC prevé de forma absurda que la apreciación de la nulidad radical en apelación con retroacción de las actuaciones se acordará por providencia. Así se estableció también en el art. art. 228 LEC que regula el incidente excepcional de nulidad en la LEC y prevé que la inadmisión se resuelva por providencia. Pero, como digo, en este caso el error no puede atribuirse al vicio originario de la LEC, ya que la redacción actual del art. 241.1 LOPJ se introdujo por reforma de la LO 19/2003 que fue la que introdujo la referencia a que la inadmisión del incidente se produjera por providencia sucintamente motivada.

(253) «Dejando al margen el asunto de si la resolución impugnada debió adoptar la forma de Auto y no de providencia —como sostiene la demandante—, lo cual —como señala el Fiscal— no

«El órgano judicial vulneró el derecho a la tutela judicial efectiva del demandante de amparo (art. 24.1 CE (LA LEY 2500/1978)), privándole de la tutela de los derechos fundamentales que proclama el art. 53.2 CE. (LA LEY 2500/1978). En efecto, el órgano judicial tendría que haber ofrecido una motivación suficiente que justificase la no admisión a trámite del incidente de nulidad de actuaciones por esa causa, precisando el tipo de recurso que creía posible interponer frente a la Sentencia de la Audiencia Provincial de 18 de febrero de 2014. Es particularmente de ese modo si consideramos que: i) la posibilidad de la articulación de un recurso de casación, a tenor del art. 847 de la Ley de enjuiciamiento criminal (LA LEY 1/1882), queda limitada, en lo que ahora nos concierne, a sentencias dictadas por las Audiencias Provinciales cuando lo sean en única instancia, lo que no era el caso; ii) tampoco parece posible situar el supuesto enjuiciado en el marco del recurso de revisión de los arts. 954 y ss. de esa norma, como señala el Ministerio Fiscal, ya que el recurso de revisión tiene para su admisión unos motivos tasados basados en circunstancias excepcionales que el promotor del incidente de nulidad no alegaba. Bajo esas circunstancias, como dijéramos en la STC 204/2014 (LA LEY 181892/2014), FJ 4, *el órgano judicial debió haber motivado suficientemente su decisión de inadmisión, desvelando la auténtica ratio decidendi. Y no lo hizo, por lo que, en atención a lo expuesto, debe otorgarse el amparo interesado, con anulación de la providencia de 10 de abril de 2014 y retroacción de las actuaciones al momento inmediatamente anterior a su dictado, para que se dicte una nueva resolución judicial que resulte respetuosa con el derecho fundamental reconocido (derecho de acceso al recurso,* art. 24.1 CE (LA LEY 2500/1978)*»*. STC Sala Segunda, Sentencia 142/2015 de 22 Jun. 2015, Rec. 2949/2014, Ponente: Valdés Dal-Ré, Fernando. LA LEY 104913/2015.

O a la inadmisión del incidente por extemporáneo (STC 105/2006, de 3 de abril de 2006)[(254)]. A este respecto el TC ha declarado que no cabe la inadmisión del recur-

---

constituiría por sí mismo un defecto con relevancia constitucional (así desde la STC 113/1988, de 9 de junio), la respuesta a la cuestión planteada no puede ser más inmediata y palmaria en el presente caso, en el sentido de apreciar la insuficiencia constitucional de la resolución impugnada, ya que, fuera del propio enunciado dispositivo, formalizado en la expresión "no ha lugar a incoar", la resolución carece en absoluto de cualquier otro contenido y de la fundamentación o motivación que sustenta la decisión denegatoria adoptada por el órgano judicial…». STC 92/2007 de 7 de mayo.

(254) Véase a este respecto la STC 105/2006, de 3 de abril de 2006: *«el propio Auto cuestionado en amparo ../.. inadmite el incidente de nulidad de actuaciones al considerarlo extemporáneo, pero sin explicar en su fundamentación jurídica las razones por las que no toma en consideración el Auto de aclaración de la Sentencia de apelación para determinar el dies a quo para el cómputo del plazo de interposición del referido incidente de nulidad de actuaciones. Esta falta de justificación de la extemporaneidad del recurso, en definitiva, cuando hay un dato esencial —como es la existencia de un Auto de aclaración de la resolución frente a la que se promueve el incidente del art. 240.3 LOPJ— que debería ser considerado por el órgano judicial para determinar la efectiva concurrencia de dicha causa de inadmisibilidad, nos conduciría ya, como sostiene el Fiscal, a considerar vulnerado el derecho a la tutela judicial efectiva, en la medida en que el Auto de inadmisión del incidente constituye una resolución carente de motivación, entendiendo por tal la "exteriorización del razonamiento que conduce desde los hechos probados y las correspondientes consideraciones jurídicas al fallo, en los términos adecuados a la naturaleza y circunstancias concurrentes" (STC 123/1997, de 1 de julio, FJ 3). Y es que la existencia de una motivación adecuada y suficiente en función de las cuestiones que se susciten en cada caso concreto resulta una garantía esencial para el justiciable, ya que la exteriorización de los rasgos más esenciales del razonamiento que ha llevado a los órganos judiciales a adoptar su decisión permite apreciar su racionalidad, además de facilitar el control de la actividad jurisdiccional por los Tribunales superiores y de, consecuentemente, mejorar las posibi-*

so, por presentación fuera de plazo, cuando el recurrente había intentado antes una vía procesal inadecuada de la que fue informado en la Instrucción de recursos. En ese caso, el cómputo se iniciará desde que se notifica la inadmisión del recurso. Este es el supuesto de la STC 57/2006, de 27 de febrero de 2006 en la que el TC ampara al recurrente de nulidad que intentó un recurso de casación improcedente sugerido erróneamente sugerido por el Tribunal, y al que posteriormente se le inadmitió el incidente por hallarse fuera de plazo[255].

En estos supuestos, y en general en cualquier resolución de inadmisión, el TC ha exigido motivación suficiente, pues la denegación de la admisión inmotivada, irrazonable o arbitraria puede en sí misma producir indefensión. A este respecto distingue el TC entre la aplicación de las normas sobre la admisión de los recursos y la necesaria motivación de las resoluciones en las que se aplican. Las primeras resultan de la aplicación de la legalidad ordinaria, que corresponde exclusivamente a los Jueces y Tribunales y que no puede ser objeto de control en el amparo constitucional. Sin embargo, sí puede ser objeto de control constitucional la inexistencia de motivación, el error patente o la arbitrariedad, que pueden vulnerar el derecho a la tutela judicial efectiva[256].

La resolución que se dicte inadmitiendo el recurso es irrecurrible, sin perjuicio de que pueda recurrirse en amparo, una vez agotada la vía jurisdiccional mediante el incidente de nulidad, según exige el art. 44.1.a) LOTC.

---

lidades de defensa por parte de los ciudadanos de sus derechos mediante el empleo de los recursos que en cada supuesto litigioso procedan (SSTC 209/1993, de 28 de junio, FJ 1; o 35/2002, de 11 de febrero, FJ 3) y, por otro lado, y trascendiendo desde la esfera individual a la colectiva, "la exigencia de motivación de las sentencias está directamente relacionada con los principios de un Estado de Derecho (art. 1.1 CE) y con el carácter vinculante que para Jueces y Magistrados tiene la Ley, a cuyo imperio están sometidos en el ejercicio de su potestad jurisdiccional (art. 117 CE, párrafos 1 y 3)" (SSTC 24/1990, de 15 de febrero, FJ 4; 35/2002, de 11 de febrero, FJ 3; y 119/2003, de 16 de junio, FJ 3) STC 105/2006, de 3 de abril de 2006».

(255) *Véase la STC 57/2006, de 27 de febrero de 2006: «... la Sala no ha tenido en consideración el hecho de que contra la Sentencia recaída fue intentado un recurso de casación, que erróneamente fue sugerido a los demandantes por la propia Sala en el pie de recurso de la Sentencia, y que en este recurso podría haber sido alegado y resuelto el defecto de incongruencia, lo que hubiera hecho innecesario el procedimiento de complemento de resoluciones. De este modo, hasta que no se notificara la resolución teniendo o no por preparado el recurso de casación, no era posible conocer si debía interponerse o no el incidente de nulidad. Y, una vez notificado dicho Auto teniendo por no preparado el recurso, lo que tuvo lugar el día 14 de octubre de 2002, el incidente fue interpuesto el 6 de noviembre, esto es, dentro del plazo de veinte días a partir de la notificación del Auto que cerraba la vía indicada del recurso de casación, contra la Sentencia de 6 de mayo de 2002».*

(256) *Véase a este respecto la STC 314/2005 de 12 diciembre, que declara que: «el Tribunal Constitucional no puede entrar a enjuiciar la corrección jurídica de las resoluciones judiciales que interpretan y aplican las reglas procesales que regulan el acceso a los recursos, ya que ni es una última instancia judicial ni nuestra jurisdicción se extiende al control del acierto de las decisiones adoptadas por los jueces en ejercicio de su competencia exclusiva sobre selección, interpretación y aplicación de las normas procesales ex art. 117 CE en lo que respecta al acceso a los recursos previstos en las leyes. Por ello, cuando se alega el derecho de acceso a los recursos, el control constitucional de esas resoluciones judiciales es meramente externo y debe limitarse a comprobar si tienen motivación y si han incurrido en error material patente, en arbitrariedad o en manifiesta irrazonabilidad lógica, evitando toda ponderación acerca de la corrección jurídica de las mismas».*

Admitido a trámite el incidente se dará traslado del escrito de interposición, con los documentos que se hubieren aportado, al resto de los que hubieren sido parte en las actuaciones, que en cinco días podrán formular por escrito sus alegaciones acompañando los documentos que estimen pertinentes. En el escrito de contestación se deberán contener las alegaciones de oposición, o en su caso de conformidad, con la pretensión de nulidad (Véase M. 174). En principio no cabría formular nuevas alegaciones de nulidad por no estar expresamente previsto. Sin embargo, nada impide solicitar la nulidad por distintos motivos siempre que se cumplan los requisitos previstos en la Ley. De modo, que probablemente lo correcto sería abrir un nuevo incidente de nulidad que se acumularía al que se estuviere sustanciando resolviéndose los dos al mismo tiempo. Nada prevé la ley sobre la práctica de prueba. Más al contrario de la lectura de la ley parece deducirse la querencia por una tramitación escrita. Sin embargo, nada impide que se adopte respecto a la prueba un criterio amplio que permita la práctica de aquellos medios probatorios previstos en la Ley de conformidad con los criterios de pertinencia y utilidad[257]. Así, el solicitante de la nulidad podrá solicitar que se practique prueba testifical o de cualquier otra clase. También podrá, por ejemplo, solicitar que el Tribunal solicite documentos a los que no tiene acceso la parte o incluso solicitar al Juez que los reclame a los que deben comparecer en calidad de partes en el incidente.

También cabe la posibilidad de que el Tribunal proceda a la inadmisión del incidente excepcional de nulidad una vez admitido inicialmente y dado traslado a las partes. Incluso cabe acordar la inadmisión en la fase de deliberación y fallo del procedimiento ya sustanciado si el órgano judicial advierte en ese momento el incumplimiento de algún requisito legal necesario para dar curso al trámite procesal. Así lo ha declarado el TC que sin embargo exige que en ese caso: «...*el juzgador deberá dar cuenta de la causa y razón que justifica tal decisión para satisfacer así la exigencia de motivación de las resoluciones judiciales que deriva del derecho fundamental a la tutela judicial efectiva (art. 24.1 CE)*». STC 92/2007 de 7 de mayo

El incidente finaliza por resolución que decidirá, exclusivamente, sobre la nulidad de la sentencia o resolución impugnada. Esta resolución será un auto o una sentencia según la clase de la resolución que hubiere sido impugnada por este especial cauce. Aunque algún autor considera que debe resolverse por auto[258]. Ciertamente, el incidente podría finalizar por auto según establece el art. 245.1.b. LOPJ, pero debe tenerse en cuenta que la resolución que ponga fin al incidente va a resolver, en su caso, la nulidad de actuaciones o de una sentencia firme. Por esa razón, consideramos que el Tribunal debe pronunciarse en forma de sentencia cuando se pronuncie para declarar la nulidad de unas actuaciones en las que ha recaído sentencia firme. Pero, en el caso de que se solicite la nulidad de un auto, o bien que se acuerde desestimar la nulidad el Juez se pronunciará en auto (Véase M. 175).

---

(257)   En su redacción inicial el proyecto de LO 5/1997 que entró en el Congreso de los Diputados preveía que se admitiese prueba sin ninguna restricción. Esta regulación se modificó a consecuencia de la enmienda nº 39 fundada en el informe del CGPJ que consideraba que la amplitud de la prueba en este incidente podía dilatar la tramitación y convertirlo en un cauce declarativo más.

(258)   En este sentido véase DE LAMO RUBIO, *El incidente de nulidad*. Ob. cit. Pág. 3.

En el supuesto de acogimiento de vicios de forma, el Tribunal una vez apreciados, debiera reponer las actuaciones al estado y momento en que se cometió la falta. Pero, obsérvese que en este caso el fallo puede ser el mismo, ya que repuesto el derecho fundamental violado la resolución puede tener el mismo contenido. En ese supuesto consideramos de pura lógica que el Tribunal dicte nueva resolución sin retrotraer el proceso. Sin embargo, cuando el Tribunal hubiera conocido de una nulidad producida en primera instancia, parece oportuno que se remitan los autos al Tribunal inferior a fin de garantizar a las partes las vías ordinarias de recurso. Respecto a la denuncia de incongruencia, que resulta un motivo incluido en el art. 241.1 LOPJ, téngase presente que, en cualquier caso, cuando el Tribunal acoja este vicio va a emitir un fallo distinto, ya que la incongruencia procesal supone una divergencia entre las peticiones de las partes y el fallo.

Si la resolución fuese desestimatoria del incidente se condenará al solicitante a pagar todas las costas. Además, en el caso de que el Tribunal entienda que la nulidad se promovió con temeridad le impondrá además una multa de 90 a 600 euros (art. 241.2 LOPJ). La temeridad la deberá apreciar el Tribunal que conozca del incidente con base en distintos criterios: así la interposición extemporánea cuando se acredite que conocía del procedimiento y las resoluciones que solicite se anulen; la falta absoluta de fundamento, etc.

Contra la resolución recaída en este incidente no cabe recurso alguno, según establece expresamente el art. 240.2 *in fine* LOPJ. Antes de la reforma algunos autores postulaban por la posibilidad de recurrir esa resolución. Sin embargo, no cabe duda de la redacción legal que determina la irrecurribilidad de la resolución[259]. A salvo, claro está del recurso de amparo ante el Tribunal constitucional.

---

(259)   No obstante, algunos autores consideran que contra el auto o sentencia que ponga fin al incidente se pueden interponer los recursos ordinarios establecidos en la Ley (DE LAMO RUBIO, *El incidente de nulidad... II*, ob. cit. Pág. 3).

MODELOS

M. 121. Escrito interponiendo recurso de reforma

AL JUZGADO

D. [.../...], Procurador de los Tribunales y obrando en nombre de [.../...], cuya representación acredito mediante escrito de designa (o por escrito de apoderamiento) a mi favor, comparezco y DIGO:

Que me ha sido notificada la resolución dictada por este Juzgado en [.../...] con fecha de [.../...]

Y estimando la misma gravosa a los intereses de mi representado, por medio del presente escrito formulo RECURSO DE REFORMA (1) que baso en las siguientes

ALEGACIONES

PRIMERA [.../...]

SEGUNDA [.../...]

En su virtud con base en todo lo expuesto,

AL JUZGADO SUPLICO:

Que dé por admitido este escrito de RECURSO DE REFORMA y tras los trámites pertinentes se acuerde haber lugar al mismo y [.../...] (2)

En [.../...], a [.../...] de [.../...] de 200 [.../...]

Firmado por Abogado y Procurador

(DILIGENCIA DE PRESENTACIÓN)

(1) En el caso de interponerse apelación de forma subsidiaria se hace constar «y subsidiariamente recurso de apelación».

(2) Si se ha interpuesto subsidiariamente apelación se solicitará que caso de desestimarse la reforma se tenga por interpuesto el de apelación.

M. 122. Diligencia de ordenación teniendo por interpuesto recurso de reforma

DILIGENCIA DE ORDENACIÓN

LETRADO DE LA ADMINISTRACIÓN DE JUSTICIA SR. [.../...]

En [.../...], a [.../...] de [.../...] de 201 [.../...]

Se tiene por interpuesto recurso de reforma (1) por [.../...] contra la resolución dictada por este Juzgado con fecha de [.../...], y de conformidad con el art. 222.3 LECrim., dese traslado a las demás partes por el plazo de dos días, transcurrido el cual, dese cuenta a los efectos de su resolución.

Lo acuerda y firma el Sr. Letrado de la administración de justicia, dando cuenta de ello a S.S.ª

DILIGENCIA. Seguidamente se cumple lo acordado, doy fe.

(NOTIFICACIÓN. A las partes personadas)

(1) Caso de haberse interpuesto subsidiariamente recurso de apelación, se tendrá igualmente por interpuesto haciéndolo constar así de forma expresa.

M. 123. Auto resolviendo el recurso de reforma interpuesto

DILIGENCIA. En [.../...], a [.../...] de [.../...]de 201 [.../...]

Para hacer constar que han transcurrido dos días desde que se entregaran las copias del recurso de las partes personadas y paso a dar cuenta a S.S.ª

AUTO

En [.../...], a [.../...] de [.../...] de 201[.../...]

Dada cuenta,

HECHOS

1.º Por [.../...] se interpuso recurso de reforma contra [.../...] y dado traslado a las demás partes personadas [.../...]

FUNDAMENTOS DE DERECHO

1.º *(Para hacer constar la motivación de la estimación o desestimación del recurso, y la fundamentación pertinente a la decisión).*

VISTOS los preceptos legales citados y demás de pertinente y general aplicación.

PARTE DISPOSITIVA

Que debía estimar y estimaba (o desestimar y desestimo) el recurso de reforma interpuesto por [.../...] y en su consecuencia procede [.../...][(1)].

Lo manda y firma el Sr. [.../...], Juez de Instrucción de [.../...], doy fe.

DILIGENCIA. Seguidamente se cumple lo ordenado, doy fe.

(NOTIFICACIÓN. A las partes personadas)

(1) En el caso de haberse interpuesto subsidiariamente recurso de apelación debe distinguirse entre el procedimiento por delitos graves y abreviado. En el primer caso, tras desestimar la reforma, y si fuese procedente la admisión de la apelación, se hará constar:

«Se tiene por interpuesto en tiempo y forma recurso de apelación en ambos efectos (o en uno, en su caso), emplazando a las partes para que se personen ante la Audiencia en el plazo de...».

En el supuesto de tratarse del procedimiento abreviado, el recurso de apelación se sustancia por escrito por lo que antes de emplazar a las partes debe darse traslado al recurrente por un plazo de cinco días, y a continuación a las demás partes personadas a efecto que formulen alegaciones. Por lo tanto se hará constar:

«Que se desestima el recurso de reforma interpuesto por la representación de D. [.../...] contra el auto en el que se acordaba la prisión provisional de [.../...] Se tiene por interpuesto en tiempo y forma el recurso de apelación, dese traslado al recurrente por el plazo de cinco días previsto en el art. 766.4 LECrim durante el cual podrá formular alegaciones y presentar los documentos justificativos de sus peticiones. Transcurrido el plazo señala dese traslado a las partes personadas a fin que en el plazo común de cinco días puedan realizar alegaciones y señalar particulares de conformidad con lo previsto en el art. 766.3 LECrim».

M. 124. Escrito interponiendo recurso de súplica

A LA SALA

D. [.../...], Procurador de los Tribunales y obrando en nombre de [.../...] cuya representación acredito mediante [.../...], DIGO:

Que me ha sido notificada la resolución dictada en [.../...] con fecha [.../...] y por la cual [.../...] Y estimando la misma gravosa a los intereses de mi representado, por medio del presente escrito formulo RECURSO DE SÚPLICA, que baso en los siguientes:

ALEGACIONES

PRIMERA [.../...]

SEGUNDA [.../...]

Por todo ello,

A LA SALA SUPLICO

Que admita este escrito de recurso y tras sus trámites se acuerde haber lugar al mismo y [.../...]

En [.../...], a [.../...] de [.../...] de 201 [.../...]

Firmado por Abogado y Procurador

En relación a su tramitación se ajustará a los modelos ya reseñados para el recurso de reforma por aplicación de lo dispuesto en el art. 238 LECrim., cambiando únicamente en éstos el órgano que los dicta. En efecto, mientras en el de reforma es un órgano unipersonal, en la súplica es la correspondiente Sala.

M. 125. Escrito interponiendo recurso de apelación contra resolución interlocutoria en procedimiento ordinario por delitos graves[1]

Distinguimos entre el recurso de apelación en el procedimiento ordinario por delitos graves (y también en el procedimiento del Tribunal de Jurado), y en abreviado. La diferencia principal radica en la circunstancia de que la apelación en abreviado se sustancia por escrito, como se expresa en el M. 360 que sigue al presente. Sin embargo, cuando se trate de apelación en el procedimiento por delitos graves se sustanciará con vista oral, de modo que el recurso no precisa fundamentación, ya que ésta se producirá en el acto de la vista.

AL JUZGADO

D. [.../...], Procurador de los Tribunales y obrando en nombre de [.../...], cuya representación acredito mediante [.../...], DIGO:

Que me ha sido notificada la resolución dictada en la presente causa por la cual se rechaza el recurso de reforma que en su día fue interpuesto. Y estimando la misma gravosa a los intereses de mi representado, por medio del presente escrito formulo RECURSO DE APELACIÓN, que baso en los extremos que en su día fueron alegados en el previo de reforma interpuesto y [.../...]

(O que baso en las siguientes alegaciones o motivos ....)

(La diferencia entre alegaciones o motivos en el recurso de apelación frente a resoluciones interlocutorias no es relevante. Pero sí lo es cuando se trata de un recurso de apelación frente a sentencias definitivas en cuyo caso se deben expresar en el orden correcto los motivos de apelación conforme está previsto en el art. 790 LECrim)

Por tanto, al Juzgado como mejor proceda

AL JUZGADO SUPLICO:

Que admita este escrito de recurso y, una vez admitido en [.../...] *(uno o ambos efectos)*, se acuerde el emplazamiento de las partes para que puedan comparecer ante el Tribunal.

En [.../...], a [.../...] de [.../...] de 201 [.../...]

Firmado por Abogado y Procurador

(DILIGENCIA DE PRESENTACIÓN)

(1) Normalmente, las apelaciones subsiguientes a la reforma se interpondrán en forma subsidiaria, y su admisión se deberá producir en la misma resolución que desestime esta reforma. En los demás casos de apelación interpuesta independientemente de la reforma, tras su desestimación y dentro de los plazos legales, se sigue el modelo transcrito.

M. 126. Recurso de apelación contra resolución interlocutoria dictada en procedimiento abreviado

AL JUZGADO

D. [.../...], Procurador de los Tribunales y obrando en nombre de [.../...], cuya representación acredito mediante [.../...], DIGO:

Que me ha sido notificada la resolución dictada en la presente causa por la cual se rechaza la solicitud realizada al Juez de Instrucción a fin que se oficie a [.../...] al efecto de obtener [.../...] Y estimando la misma gravosa a los intereses de mi representado, por medio del presente escrito formulo RECURSO DE APELACIÓN, que baso en los siguientes

MOTIVOS

[.../...] (Deben consignarse los motivos del recurso y los particulares que hayan de testimoniarse, teniendo en cuenta que no se celebrará vista oral en la que las partes puedan fundamentar el recurso, excepto que se trate de la impugnación de la prisión provisional, o si se tratase de otra medida cautelar que se solicite y la Audiencia lo considere oportuno).

Por tanto, al Juzgado como mejor proceda

AL JUZGADO SUPLICO:

Que admita este escrito de recurso y, una vez admitido en [.../...] (uno o ambos efectos), se acuerde su remisión con los testimonios señalados a la Audiencia para su resolución.

En [.../...], a [.../...] de [.../...] de 201 [.../...]

Firmado por Abogado y Procurador

OTROSÍ PRIMERO DIGO: Que señaló los siguientes particulares de los autos que solicito se testimonien y se remitan a la Audiencia provincial por considerarlos de interés para la resolución del recurso. Folios n.º ...

OTROSÍ SEGUNDO DIGO: Que se admitan los documentos que se aportan y presentan con este escrito de recurso numerados [.../...] que justifican esta impugnación.

(DILIGENCIA DE PRESENTACIÓN)

M. 127. Diligencia de ordenación remitiendo particulares a la Audiencia respectiva

(Véase el auto que resuelve el recurso en M. 131)

DILIGENCIA DE ORDENACIÓN

LETRADO DE LA ADMINISTRACIÓN DE JUSTICIA SR. [.../...]

En [.../...], a [.../...] de [.../...] de 201 [.../...]

Finalizado el plazo de cinco días a las partes personadas en el PA n.º [.../...] para que formulen escrito de alegaciones al recurso de apelación interpuesto y admitido en un sólo efecto contra [.../...], y presentados los escritos, de conformidad con el art. 766.3 LECrim. Se remiten los escritos presentados con los testimonios de particulares señalados a la Audiencia Provincial de [.../...]

Lo acuerda y firma el Sr. Letrado de la administración de justicia, dando cuenta de ello a S.S.ª

DILIGENCIA. Seguidamente se cumple lo acordado, doy fe.

(NOTIFICACIÓN Y EMPLAZAMIENTO)

M. 128. Diligencia de ordenación teniendo por interpuesto el recurso de apelación en ambos efectos (procedimiento por delitos graves)

(Lo ordinario, sin embargo, será que el recurso de apelación se admita en un solo efecto. Es decir, sin suspender lo ordenado en la resolución que se impugna).

DILIGENCIA DE ORDENACIÓN

LETRADO DE LA ADMINISTRACIÓN DE JUSTICIA SR. [.../...]

En [.../...], a [.../...] de [.../...] de 201 [.../...]

Se tiene por interpuesto recurso de apelación en ambos efectos contra [.../...] y de conformidad con el art. 224 LECrim. Emplácese a las partes para que se personen ante la Audiencia Provincial en el plazo de diez días, remitiéndose a continuación los autos al Tribunal.

Lo acuerda y firma el Sr. Letrado de la administración de justicia, dando cuenta de ello a S.S.ª

DILIGENCIA. Seguidamente se cumple lo acordado, doy fe.

(NOTIFICACIÓN Y EMPLAZAMIENTO)

M. 129. Diligencia de ordenación teniendo por interpuesto el recurso de apelación en un efecto y su tramitación (procedimiento por delitos graves)

DILIGENCIA DE ORDENACIÓN

LETRADO DE LA ADMINISTRACIÓN DE JUSTICIA SR. [.../...]

En [.../...], a [.../...] de [.../...]de 201 [.../...]

Se tiene por interpuesto recurso de apelación en un efecto contra [.../...] y dedúzcase testimonio del auto recurrido, escrito de reforma y [.../...] dentro del plazo de [.../...]

Lo acuerda y firma el Sr. Letrado de la administración de justicia, dando cuenta de ello a S. S.ª

DILIGENCIA. Seguidamente se cumple lo acordado, doy fe.

(NOTIFICACIÓN. A las partes personadas)

Seguidamente, expedido el testimonio dentro del plazo señalado, si se solicitase ampliación del testimonio —art. 225.2 LECrim.— se acordará al respecto, señalándose nuevo plazo. Y transcurrido el primero de los plazos señalados o, en su caso, el segundo, se dictará el siguiente proveído, que vendrá precedido por la correspondiente diligencia:

DILIGENCIA. (Para hacer constar que se han expedido los testimonios.)

DILIGENCIA DE ORDENACIÓN

LETRADO DE LA ADMINISTRACIÓN DE JUSTICIA SR. [.../...]

En [.../...], a [.../...] de [.../...] de 200 [.../...]

Emplácese a las partes para que se personen ante la Audiencia Provincial en el plazo de diez días, verificado lo cual, elévense los testimonios expedidos junto con la presente resolución, dejando constancia en autos.

Lo acuerda y firma el Sr. Letrado de la administración de justicia, dando cuenta de ello a S.S.ª

DILIGENCIA. Seguidamente se cumple lo acordado, doy fe.

(NOTIFICACIÓN Y EMPLAZAMIENTO)

M. 130. Diligencia de ordenación teniendo por personada a la parte apelante en el Rollo y dando traslado de las actuaciones para instrucción. Providencia de señalamiento de vista (procedimiento por delitos graves)

DILIGENCIA DE ORDENACIÓN

LETRADO DE LA ADMINISTRACIÓN DE JUSTICIA SR. [.../...]

En [.../...], a [.../...] de [.../...] de 201 [.../...]

Por recibidos los anteriores (autos o testimonios) únase al Rollo [.../...] (o fórmese el correspondiente Rollo y regístrese). Se tiene por comparecido y parte al Procurador [.../...]en nombre y representación de [.../...] y al Ministerio Fiscal, con quienes se entenderán las sucesivas diligencias en el modo y forma previstos en la Ley. Comuníquense las actuaciones para instrucción a [.../...] por el plazo de tres días y luego pasen las mismas a [.../...] a los mismos términos y efectos.

Lo acuerda y firma el Sr. Letrado de la administración de justicia, dando cuenta de ello al Ponente.

DILIGENCIA. Seguidamente se cumple lo acordado (quedando registrado, en el caso de que no estuviese formado el Rollo, con el núm. [.../...]), doy fe.

(NOTIFICACIÓN. A las partes personadas.)

Realizada la instrucción se señalará día para la vista, pudiendo las partes presentar los documentos que tuvieran por conveniente en justificación de sus pretensiones —arts. 230 y 231 LECrim.—.

PROVIDENCIA ILMOS. SRES.

[.../...]

[.../...]

[.../...]

En [.../...], a [.../...] de [.../...] de 201[.../...]

Se señala para la vista del recurso de apelación el día [.../...], haciéndolo saber a las partes comparecidas, con la prevención de que se celebrará con su asistencia o sin ella.

Así lo acordó la Sala y firma el Sr. Presidente, doy fe.

DILIGENCIA. Seguidamente se cumple lo acordado, doy fe.

(NOTIFICACIÓN Y CITACIÓN. A las partes personadas)

Celebrada la vista, se extenderá la oportuna acta, tras lo cual se dictará la pertinente resolución, que una vez firme se comunicará al Juez de Instrucción para su cumplimiento —art. 232 LECrim.—.

M. 131. Auto resolviendo apelación contra resolución interlocutoria

AUDIENCIA PROVINCIAL DE [.../...]

ROLLO N.º [.../...]

CAUSA: Diligencias Previas N.º [.../...]

JUZGADO DE INSTRUCCIÓN N.º [.../...]

AUTO

Ilmos. Sres.

[.../...]

En la ciudad de [.../...], a [.../...] de [.../...]

HECHOS

PRIMERO. En la causa anotada al margen se dictó Auto de fecha [.../...] en el que se acordaba estimar la excepción de cosa juzgada y archivo de la causa, contra el que se interpuso recurso de reforma, que se resolvió en auto de [.../...], contra el que se interpuso recurso de apelación que fue admitido y, previa la tramitación correspondiente, fueron elevados los autos a esta Sección [.../...] de la Audiencia Provincial, para su resolución.

SEGUNDO. Recibida la causa en esta sección, se formó el correspondiente Rollo de Apelación que se registró entre los de su clase, y en el que se tuvo por parte recurrente al Sr. [.../...], representado por el Procurador de los Tribunales [.../...], y seguido por sus trámites quedó el mismo sobre la mesa para resolución, habiendo sido ponente el Iltmo. Sr. D. [.../...]

FUNDAMENTOS DE DERECHO

PRIMERO: El recurso de apelación se interpone contra la resolución del de reforma que desestima la oposición del recurrente al archivo de la causa. Al decir del recurrente los hechos denunciados se incardinarían en el tipo penal de la apropiación indebida y, en consecuencia, deben proseguir las actuaciones hasta la apertura del juicio oral. Sin embargo, tal y como perfecta, y exhaustivamente se razona en el auto impugnado, de los hechos denunciados se desprende que existe excepción de cosa juzgada por cuanto los citados hechos ya han sido objeto de un juicio penal finalizado por pronunciamiento absolutorio. Este extremo queda perfectamente acreditado en los autos y perfectamente expuesto y razonado en los autos que se impugnan por el apelante. A pesar de ello el recurrente insiste en sus argumentos que a todas luces son insostenibles y por los cuales la existencia del delito de apropiación indebida, no acreditado en un primer juicio finalizado por sentencia absolutoria, dependería de la voluntad del apelante al efectuar un pago al que viene obligado en virtud de una obligación civil.

SEGUNDO: Lo absurdo del planteamiento obvia cualquier otra argumentación, aun así, cabe recordar al apelante que el delito de apropiación indebida requiere que, precisamente, el autor del mismo haga suya con ánimo de lucro una cantidad entregada para un fin distinto al inicialmente previsto. Por tanto, carece de ningún fundamento que se pretenda que el delito se comete al hacer suya el denunciado una cantidad que le es entregada por el apelante en virtud de su propia responsabilidad civil.

TERCERO: Debe ponerse de manifiesto que el derecho de acción en el proceso penal no se corresponde con su correlativo en el proceso civil. Así, si bien no se excluye la acción penal ejercitada por los particulares, es necesario destacar que el «ius puniendi» o derecho de penar corresponde al Estado en virtud de la naturaleza pública de la acción [.../...] En este sentido, el apelante no puede ostentar y hacer valer en el proceso penal un derecho de acción que en el ámbito penal tienen todos los ciudadanos pero que se agota con su ejercicio y, en consecuencia, no puede extenderse al derecho de obtener la prosecución, incondicional, del proceso penal ni tampoco, obviamente, a obtener una sentencia favorable, cuando, como es este supuesto concurre una excepción de cosa juzgada con relación a los hechos denunciados, que a mayor abundamiento además estarían prescritos.

Con base en todo lo expuesto debe desestimarse el recurso interpuesto contra el auto de archivo de la causa por estar plenamente ajustado a derecho.

VISTOS los artículos citados y demás de general aplicación

La Sala RESUELVE

DESESTIMAR EL RECURSO DE APELACIÓN Interpuesto por la representación del Sr. [.../...] contra el auto de fecha [.../...], dictado por el Ilmº Magistrado Juez del Juzgado de instrucción n.º [.../...], que desestimaba el recurso de reforma interpuesto contra el de [.../...] que se resolvía el archivo de las diligencias previas n.º [.../...] de dicho Juzgado y, en consecuencia, CONFIRMAR DICHA RESOLUCIÓN.

Notifíquese la presente resolución a las partes con expresión que contra la misma no cabe recurso ordinario alguno y dedúzcase testimonio de la misma, que se remitirá al Juzgado de Instrucción de procedencia, para su conocimiento y demás efectos que procedan.

Así, lo resuelven los Iltmos. Sres. De la Sala, de lo que doy fe.

M. 132. Escrito formulando protesta, para el caso de denegación de prueba, preparando oportunamente el recurso de casación —art. 679 LECrim.—

A LA SALA

D. [.../...], Procurador de los Tribunales en la representación de [.../...], ante la Sala y como mejor proceda en derecho, DIGO:

Que en fecha de [.../...] me fue notificado el auto dictado por la Sala con fecha de [.../...], en el que me fue denegada la siguiente prueba propuesta en tiempo y forma: « [.../...]»

De conformidad con los arts. 659.4, 850.1 y 855.3 LECrim, en relación con los fines que en estos preceptos se expresan respecto al recurso de casación por quebrantamiento de forma.

En su virtud, a la Sala,

SUPLICO:

Se tenga por formulada protesta para la preparación del recurso de casación que en su día se pudiera interponer.

En [.../...], a [.../...] de [.../...] de 201 [.../...]

(Firma Abogado y Procurador)

A continuación se dictará proveído teniendo por formulada la oportuna protesta y uniendo el escrito presentado.

M. 133. **Recurso de apelación contra la sentencia, interpuesto por el Fiscal**

AL JUZGADO DE LO PENAL

(o a la AUDIENCIA PROVINCIAL según el caso)

El Fiscal, en las diligencias de Juicio Oral número [.../...]contra [.../...] dice:

Que le ha sido notificada la sentencia recaída en las expresadas diligencias de Juicio Oral, y por medio del presente escrito formaliza recurso de apelación al amparo de lo dispuesto en el art. 790 LECrim., y cumpliendo con el punto 2 del citado artículo, expresa a continuación los fundamentos de la impugnación, que son:

(El orden de los motivos de apelación es el que consta en este escrito. Hay dos razones para ello. La más importante porque es el modo en el que el Tribunal de apelación debe conocer del recurso. Es decir, primero deberá analizar las cuestiones de forma que pueden determinar la nulidad del juicio y a continuación las que supondrán, en caso de acogimiento, dictar una nueva sentencia. La segunda que es el modo en el que están enumerados en el art. 790.2 LECrim).

QUEBRANTAMIENTO DE FORMA

Este motivo se fundamenta en la falta de prueba, al no haberse tomado declaración a [.../...] se ha visto esta parte falta de una prueba importantísima, ya que por la situación física en que se encontraba este testigo podría haber explicado el modo en que ocurrió el accidente, que evidentemente haría variar el resultado fáctico de la sentencia. En el acta de juicio oral consta la oportuna protesta solicitada por el recurrente a los efectos que ahora se pretenden, y comoquiera que el defecto atribuible a la resolución judicial que se impugna es subsanable, se propone y reitera en esta alzada la práctica de la prueba testifical consistente en el examen del testigo Sr. [.../...]

ERROR EN LA APRECIACIÓN DE LA PRUEBA

1.º La sentencia declara probado que [.../...] y todo ello está en contradicción con las siguientes pruebas:

a) Declaración de [.../...] que consta en el acta del juicio en el minuto 34 donde a preguntas del Fiscal el Testigo dijo que [.../...]

b) Declaración de [.../...] prestada en el acto del juicio oral que consta en el minuto 24 del Acta en la que se aprecia que .... .

c) Dictamen pericial obrante al folio [.../...] y ratificación y explicación del Dictamen en minuto 21....

2.º La realidad es que los hechos que esta parte considera que han sido plenamente probados, son los que figuran en el primer extremo del escrito de acusación de esta parte, cuyas conclusiones se elevaron a definitivas en el acto del juicio, y tales hechos sí son constitutivos del delito que fue acusado el imputado.

INFRACCIÓN DE LA CONSTITUCIÓN Y LAS NORMAS DEL ORDENA-MIENTO JURÍDICO

Fundado en la infracción del principio constitucional de presunción de inocencia. La valoración de la prueba efectuada por el Juez de lo Penal no es respetuosa con la presunción de inocencia que ampara y protege a todo ciudadano en el enjuiciamiento del proceso penal, conforme al art. 24.2 CE, ya que ni documental ni testificalmente ha podido acreditarse que mi representado colmara las exigencias típicas del delito de [.../...] por el que ha sido condenado.

Por ello, al Juzgado de lo Penal PIDO

Que tenga por formalizado recurso de apelación, dando al mismo el trámite oportuno, para que en su día se dicte sentencia por la que se revoque la resolución recurrida en el sentido anteriormente indicado.

En [.../...], a [.../...] de [.../...] de 201[.../...]

M. 134. Recurso de apelación contra la sentencia, interpuesto por la acusación particular, por quebrantamiento de forma que haya causado indefensión

AL JUZGADO DE LO PENAL

(o a la AUDIENCIA PROVINCIAL según el caso)

D. [.../...], Procurador de los Tribunales y obrando en nombre de [.../...], cuya representación ya tengo acreditada en mi calidad de acusador particular en las diligencias de Juicio Oral número [.../...], digo:

Que me ha sido notificada la sentencia recaída en las expresadas Diligencias, y en el plazo de diez días a que se refiere el art. 790.1 LECrim., me veo precisado a formalizar recurso de apelación, pidiendo que se declare nulo el juicio, y basando la impugnación en los siguientes

MOTIVOS

ÚNICA: POR QUEBRANTAMIENTO DE FORMA. La falta de solicitud al Banco [.../...] del extracto de la cuenta bancaria del acusado, ha creado total indefensión a esta parte, ya que no se ha podido acreditar que la razón del impago del cheque era la falta de cobertura en la cuenta corriente. Dado que dicho Banco pasó al Fondo de Garantía de Depósitos de establecimientos bancarios, quien se hizo cargo de su activo y pasivo, y posteriormente fue subastado y pasadas las cuentas vigentes al Banco [.../...], que lo adquirió, es procedente solicitar a cada una de dichas entidades una certificación para localizar primero los archivos donde se encuentran las cuentas que en la fecha de hace cuatro años llevaban del acusado, para en su momento obtener el extracto del período a que se contrae el cheque objeto de estas actuaciones.

Tal denegación de prueba causa la indefensión a que se refiere el art. 24.2 de la Constitución y es una prueba que por su complejidad no debe practicarse en la Audiencia durante la tramitación del recurso, por lo que debe decretarse la nulidad de las actuaciones desde el auto en que se señaló la fecha del juicio oral y se denegó la práctica de esta prueba, todo ello conforme a los preceptos citados y a los arts. 238.3.º y 240.1.ª LOPJ.

Igualmente, en el acta del juicio oral esta parte solicitó la subsanación de la infracción del principio constitucional que se denuncia, y así consta en el acta del juicio.

Por lo expuesto, al Juzgado de lo Penal SOLICITO:

Tenga por formalizado, en tiempo y forma, recurso de apelación contra la sentencia dictada en este Juicio Oral, y dando al recurso el trámite oportuno, en su día se dicte sentencia decretando la nulidad de las actuaciones a que se refiere el cuerpo de este escrito.

OTROSÍ DIGO: Que cumpliendo lo dispuesto en el art. 790.2 *in fine*, designa como domicilio para las notificaciones el situado en la calle [.../...] de esta ciudad.

Lo que pido en [.../...], a [.../...] de [.../...] de 201[.../...]

(Firma de Abogado y Procurador)

M. 135.   Recurso de apelación contra la sentencia, interpuesto por el acusado

AL JUZGADO DE LO PENAL

(o a la AUDIENCIA PROVINCIAL según el caso)

D. [.../...], Procurador de los Tribunales y obrando en nombre de [.../...] cuya representación ya tengo acreditada en el Juicio Oral número [.../...], DIGO:

Que me ha sido notificada la sentencia recaída en la expresada causa, y estimando la misma no ajustada a derecho así como gravosa a los intereses de mi representado, por medio de este escrito interpongo recurso de apelación, en base a los fundamentos siguientes:

MOTIVOS

1.º POR QUEBRANTAMIENTO DE FORMA. Este motivo se fundamenta en la falta de prueba, al no haberse tomado declaración a [.../...] se ha visto esta parte falta de una prueba importantísima, ya que por la situación física en que se encontraba este testigo podría haber explicado el modo en que ocurrió el accidente, que evidentemente haría variar el resultado fáctico de la sentencia. En el acta de juicio oral consta la oportuna protesta solicitada por el recurrente a los efectos que ahora se pretenden, y comoquiera que el defecto atribuible a la resolución judicial que se impugna es subsanable, se propone y reitera en esta alzada la práctica de la prueba testifical consistente en el examen del testigo Sr. [.../...]

2.º INFRACCIÓN DE LAS NORMAS DEL ORDENAMIENTO JURÍDICO: Fundado en la infracción del principio constitucional de presunción de inocencia. La valoración de la prueba efectuada por el Juez de lo Penal no es respetuosa con la presunción de inocencia que ampara y protege a todo ciudadano en el enjuiciamiento del proceso penal, conforme al art. 24.2 CE, ya que ni documental ni testificalmente ha podido acreditarse que mi representado colmara las exigencias típicas del delito de [.../...] por el que ha sido condenado.

Por ello, al Juzgado PIDO:

Admita este escrito y tenga por formulado recurso de apelación contra la sentencia dictada en este juicio, y que le dé el trámite oportuno.

OTROSÍ DIGO: Que al amparo de lo previsto en el art. 790.3 LECrim., y por las razones que se expresan en el apartado primero del presente recurso, se solicita la práctica de la prueba testifical consistente en el examen del testigo Sr. [.../...] con domicilio en [.../...]

SEGUNDO OTROSÍ DIGO: Que cumpliendo lo dispuesto en el art. 790.2 *in fine*, designa como domicilio para las notificaciones el situado en la calle [.../...] de esta ciudad.

En [.../...], a [.../...] de [.../...] de 201[.../...]

(Firma de Abogado y Procurador)

M. 136. Auto inadmitiendo el recurso por falta de fundamentación o por caducidad

AUTO

Dada cuenta, y

HECHOS

El Procurador Sr. [.../...], presentó el día [.../...], en nombre y representación de [.../...], recurso de apelación contra la sentencia recaída en autos por [.../...]

FUNDAMENTOS DE DERECHO

De conformidad con lo dispuesto en el art. 790.1 LECrim., el recurso de apelación se interpondrá en el plazo de diez días desde la notificación de la sentencia lo que se acredita sucedió el día [.../...] En consecuencia, no cabe la admisión del recurso por extemporáneo, y ser la sentencia impugnada firme a la fecha de la interposición del recurso. (*En su caso podría inadmitirse, el recurso por no venir fundamentado el recurso, aunque nuestro criterio, y el de la práctica forense, es favorable a la admisión, por lo que cabe entender suficiente la simple impugnación por no hallar la sentencia conforme a derecho*).

VISTOS los preceptos legales de general aplicación,

PARTE DISPOSITIVA

No ha lugar a admitir a trámite el recurso de apelación interpuesto por [.../...]en nombre y representación de [.../...]

Notifíquese esta resolución a la parte que presentó el escrito haciéndole saber que contra la misma puede ejercitar recurso de reforma en el plazo de tres días ante este Juzgado. (*Frente a la desestimación de la reforma cabe recurso de Queja conforme al art. 218 LECrim*).

Lo que manda y firma el Ilmo. Sr. D. [.../...], Juez de lo Penal de [.../...], doy fe.

(*Firma Juez y Letrado de la administración de justicia*)

DILIGENCIA. Seguidamente se cumple lo acordado, doy fe.

M. 137. Providencia teniendo por formalizado el recurso de apelación contra la sentencia y dando traslado a las demás partes

PROVIDENCIA JUEZ (*O RESOLUCIÓN AUDIENCIA PROVINCIAL*)

[.../...]

En [.../...], a [.../...] de [.../...] de 201 [.../...]

Se ha recibido, en el día de hoy, escrito presentado por [.../...]formalizando recurso de apelación contra la sentencia. Se tiene por formalizado éste en tiempo y forma, y en virtud de lo que dispone el art. 790.5 LECrim., dese traslado del mismo a las demás partes por el plazo común de diez días durante el que podrán presentar escritos de alegaciones, y transcurrido dicho plazo elévense los presentes autos, en los dos días siguientes, a la Audiencia Provincial, juntamente con los escritos presentados.

(*La Ley no distingue entre escritos de impugnación y adhesión al recurso. En cualquier caso, a la parte apelada únicamente le cabe alegar en defensa de la sentencia impugnada, ya que no puede plantear extemporáneamente ninguna petición de impugnación de la sentencia*).

Así lo manda y firma el Ilmo. Sr. [.../...], Juez de lo Penal de [.../...], doy fe.

(*El Juez, El Letrado de la administración de justicia*).

DILIGENCIA. Seguidamente se cumple lo acordado, doy fe.

M. 138. Providencia de la Audiencia formando rollo de apelación

PROVIDENCIA ILMOS SRS.

Ilmo Srs [.../...]

En [.../...], a [.../...] de [.../...] de 201 [.../...]

Por recibidos los anteriores autos y escritos a nombre de [.../...], fórmese el correspondiente rollo de apelación y regístrese. Se designa como Magistrado Ponente para el examen de los autos a [.../...]

Lo que manda y firma el Ilmo. Presidente del Tribunal, doy fe.

(Firma Presidente, Firma Letrado de la administración de justicia)

DILIGENCIA. Seguidamente se cumple lo acordado, quedando registrados los autos con el número de rollo [.../...], doy fe.

M. 139. Providencia de la Audiencia acordando la celebración de vista

PROVIDENCIA ILMOS SRES.

[.../...]

En [.../...], a [.../...] de [.../...] de 201 [.../...]

Examinados los presentes autos, se estima que para la correcta formación de una convicción fundada, es necesaria la celebración de vista. Por ello, conforme a lo dispuesto en el art. 791 LECrim., se acuerda la celebración de la vista, que tendrá lugar el [.../...] día [.../...] a las [.../...] horas. Cítese al Ministerio Fiscal y a las partes comparecidas.

Así lo manda la Sala y rubrica el Sr. Presidente, doy fe.

DILIGENCIA. Seguidamente se cumple lo acordado, doy fe.

M. 140. Providencia de la Audiencia resolviendo sobre la admisión de la prueba propuesta para la apelación y señalando día para la vista

PROVIDENCIA ILMOS SRES.

[.../...]

En [.../...], a [.../...] de [.../...] de 201 [.../...]

Examinados los autos de juicio oral que han dado lugar a la formación del presente Rollo y visto que los escritos de recurso presentados por [.../...] y por [.../...] contienen proposición de prueba, se admite la prueba propuesta y se señala para la celebración de vista el día [.../...] a las [.../...] citando para ello al Ministerio Fiscal y a las partes. Llévense a cabo las comunicaciones pertinentes para la práctica de la prueba solicitada por las partes.

Así lo manda la Sala y rubrica el Sr. Presidente, doy fe.

DILIGENCIA. A continuación se cumple lo acordado, doy fe.

M. 141. Diligencia de vista sin práctica de prueba

Rollo [.../...]

Juzgado [.../...]

ILMOS. SRES.

[.../...]

En el día de hoy, [.../...] de [.../...] de [.../...] y siendo las [.../...] horas, constituido el Tribunal de la Sección [.../...] de esta Audiencia Provincial integrado por los Sres. que al margen se expresan y con mi asistencia, para dar vista en audiencia pública al recurso de apelación interpuesto por el Procurador [.../...] en nombre y representación de [.../...], contra la sentencia dictada por el Juzgado de lo Penal [.../...], compareciendo las personas que se indican.

Informa el Letrado apelante, manifestando [.../...] Seguidamente el Ministerio Fiscal, manifestando [.../...]

(Si se hubiera solicitado práctica de prueba, la vista se celebraría empezando por la práctica de la prueba admitida y posteriormente tendrían lugar los informes de las partes, firmando todas ellas el acta.)

El Sr. Presidente da por finalizado el acto, levantando la sesión y quedando los autos vistos para sentencia. Certifico.

(Firma del Letrado de la administración de justicia)

M. 142. Sentencia de la Audiencia resolviendo el recurso de apelación

AUDIENCIA PROVINCIAL DE [.../...]

SECCIÓN [.../...]

ROLLO N.º [.../...]

PROCEDIMIENTO ABREVIADO N.º [.../...]

JUZGADO DE LO PENAL N.º [.../...]

SENTENCIA N.º [.../...]

ILMOS. SRES.

[.../...]

[.../...]

[.../...]

En [.../...], a [.../...] de [.../...] de 201 [.../...]

En el recurso de apelación que pende ante la Sección [.../...] de esta Audiencia Provincial, interpuesto por el Procurador [.../...] en nombre y representación de [.../...] contra la sentencia dictada por el Juez de lo Penal [.../...] en fecha [.../...], en Diligencias de Juicio Oral número [.../...] seguidas por [.../...], habiendo comparecido la parte apelante y el Ministerio Fiscal.

VISTO siendo Ponente el Ilmo. Sr. [.../...]

ANTECEDENTES DE HECHO

1.º El fallo de la sentencia apelada dice: «FALLO: [.../...]».

2.º Interpuesto recurso de apelación por el Procurador [.../...](*o por el Ministerio Fiscal o cualquiera otra parte*) alegó como motivos [.../...]

3.º Tramitado el presente recurso de apelación con arreglo a Derecho se celebró vista el día [.../...] con asistencia del Letrado y del Procurador de la parte apelante, que solicitó la revocación de la sentencia, y del Ministerio Fiscal, que seguidamente interesó [.../...]

HECHOS PROBADOS

Se aceptan (*o se rechazan*) los hechos probados declarados en la sentencia recurrida (*caso de rechazarse deberán expresarse los hechos que se estimen probados*).FUNDAMENTOS JURÍDICOS

PRIMERO. [.../...]

(En uno o varios fundamentos de Derecho se motivará la resolución del recurso interpuesto.)

SEGUNDO. Procede (*o no*) la imposición de costas a la parte apelante por su temeridad o mala fe.

VISTOS los preceptos legales citados y demás de pertinente aplicación

FALLAMOS

Que [.../...] *(los casos que se pueden dar, además del de nulidad de actuaciones previsto en el art. 792.2 LECrim., pueden ser*[1]*: 1) Estimación del recurso: «Debemos revocar y revocamos».*

2) Desestimación del recurso: «Debemos confirmar y confirmamos».

3) Estimación parcial del recurso: «Debemos revocar y revocamos parcialmente» o «Debemos confirmar y confirmamos la resolución recurrida, salvo [.../...]»).

La presente sentencia es firme. Devuélvanse las diligencias originales al Juzgado de su procedencia con certificación de esta resolución solicitando acuse de recibo y previa notificación a las partes.

Así por nuestra sentencia, de la que se unirá certificación al rollo, lo pronunciamos, mandamos y firmamos.

(1) Nótese que cabe incluir, dentro de los supuestos de quebrantamiento de forma, la estimación de la presunción de inocencia cuando se trata de infracción del art. 24.2 CE, unido a una defectuosa valoración de la prueba con indefensión en el acusado (denegación de prueba pertinente).Vid. § 3, Capítulo XIV).

M. 143. Recurso de anulación contra sentencia dictada en ausencia

JUZGADO DE LO PENAL

D. [.../...], Procurador de los Tribunales, y obrando en nombre y representación de [.../...], cuyas circunstancias personales constan en las diligencias de juicio oral/procedimiento abreviado número [.../...], al amparo de lo prevenido en el arts. 793 LECrim., interpongo recurso de nulidad contra la sentencia condenatoria de mi representado, dictada en su ausencia por el órgano decisorio ante el que comparezco, a resolver por la Audiencia Provincial. Baso la impugnación en las siguientes:

ALEGACIONES

Mi representado, condenado en ausencia, ha visto quebrantado su derecho constitucional a utilizar los medios pertinentes para su defensa y a un proceso con todas las garantías (art. 24.2 CE), sufriendo la más absoluta indefensión, prohibida por los principios informadores de nuestro ordenamiento constitucional. La privación de sus posibilidades defensivas ha derivado del hecho de que, en la comparecencia ante el Juez de Instrucción a que se refiere el art. 775 LECrim., mi representado designó como domicilio para habilitar notificaciones el que era, entonces, el domicilio conyugal. Acontecimientos posteriores determinaron la separación de hecho de los cónyuges y la ruptura de todo tipo de comunicación personal entre ellos, lo que ha provocado que la citación a juicio de mi representado no llegara en ningún momento a su conocimiento.

El desconocimiento de mi representado sobre el comienzo de las sesiones del juicio oral le ha imposibilitado el presentar las pruebas que, ponderadas por el órgano sentenciador tras el juicio, pudieran ser de extrema importancia para el resultado del mismo. Tales medios de prueba se concretan:

a) En la declaración de testigos presenciales de los hechos, que pueden asegurar que [.../...].

b) En el informe médico del que no ha tenido conocimiento el Juzgador y en el que [.../...].

Por lo expuesto, al Juzgado de lo Penal SOLICITO:

Tenga por interpuesto, en tiempo y forma, recurso de nulidad contra la sentencia condenatoria recaída en ausencia de mi representado y, previo traslado a las restantes partes personadas para que puedan adherirse o impugnarlo, eleve las actuaciones a la Audiencia Provincial para su definitiva sustanciación.

OTROSÍ DIGO: Que propone como medios de prueba a desarrollar en el juicio oral los siguientes:

1. Interrogatorio del acusado.

2. Testifical, consistente en el examen de los siguientes testigos, cuya lista y domicilio se indican [.../...]

3. Documental, consistente en la aportación de los siguientes documentos [.../...]

SEGUNDO OTROSÍ DIGO: Que a efectos de lo prevenido en el art. 790.2, LECrim designa como domicilio para notificaciones el situado en la Calle [.../...] de esta ciudad.

En [.../...], a [.../...] de [.../...] de 201 [.../...]

(Firma Abogado y Procurador).

M. 144. Escritos interponiendo un recurso de queja

A) Por denegación de la admisión de un recurso de apelación (1)

A LA SALA

D. [.../...], Procurador de los Tribunales, en nombre de [.../...], cuya representación acredito con el poder que en debida forma acompaño, ante la Sala comparezco y como mejor en Derecho proceda, DIGO:

Que el Juzgado de Instrucción [.../...], en el que se sigue causa contra [.../...], por el delito de [.../...], se acordó [.../...] Pedida la reforma de dicho Auto, fue denegada por auto de fecha [.../...], que se fundó para ello en [.../...]

Es evidente el error en que ha incurrido el citado auto contra el que recurro, dado que [.../...] (motivo y alegaciones que demuestren la improcedencia de la denegación).

Por ello, en virtud de lo previsto en los arts. 216 y 218 LECrim., interpongo el correspondiente recurso de queja, y a la Sala,

SUPLICO:

Que teniendo por presentado este escrito y por comparecido en la representación que ostento, según poder que se acompaña, se sirva estimar, previa la correspondiente tramitación, el recurso de queja interpuesto contra el Auto denegatorio de la admisión del recurso de apelación de fecha [.../...], y declarar que se debió admitir por el Juzgado de Instrucción [.../...] la apelación aludida, ordenándose a la vez su admisión.

Firma Abogado   Firma Procurador

(DILIGENCIA DE PRESENTACIÓN)

B) Por tratarse de un auto no apelable. (No cabe queja por este motivo en procedimiento abreviado).

A LA SALA

(Igual encabezamiento y apartado expositivo de las resoluciones que en el supuesto anterior.) (El tercer párrafo tendrá el contenido siguiente):

Al no ser impugnable el auto recurrido, procede recurrir en queja contra tal resolución, conforme a lo establecido en los arts. 216 y 218 LECrim., a los efectos de que este Tribunal pueda subsanar el error en que ha incurrido el aludido auto, declarando que [.../...] *(aquí se expondrá lo que se pretenda de la Sala).*

Los fundamentos en que se basa mi petición son [.../...] *(se expondrán las alegaciones jurídicas que sirvan de fundamento).*

En su virtud, a la Sala

SUPLICO:

Que teniendo por presentado este escrito y por comparecido en la representación que ostento, según poder que se acompaña, se sirva estimar, previa la correspondiente tramitación, el recurso de queja interpuesto contra el auto [.../...], y declarar en su día [.../...]

Firma del Abogado   Firma del Procurador

(DILIGENCIA DE PRESENTACIÓN)

M. 145. Providencia ordenando el Tribunal que informe el Instructor el recurso de queja interpuesto

PROVIDENCIA ILMOS Srs.

[.../...]

[.../...]

[.../...],

En [.../...], a [.../...] de [.../...] de 201[.../...]

Dada cuenta, únase al Rollo [.../...] (o fórmese el correspondiente Rollo y regístrese). Se tiene por comparecido y parte a [.../...] en nombre y representación de [.../...] y al Ministerio Fiscal, con quienes se entenderán las sucesivas diligencias, y por formulado recurso de queja, y de conformidad con el art. 233 LECrim. se ordena al Juez instructor de la causa que informe el precitado recurso en el plazo de [.../...] (1).

Lo manda la Sala y rubrica el Sr. Presidente, doy fe.

El Presidente Tribunal . El Letrado de la administración de justicia.

DILIGENCIA. Seguidamente se cumple lo ordenado, expidiéndose la correspondiente comunicación, doy fe.

(NOTIFICACIÓN. A las partes personadas.)

M. 146. Comunicación al Juez de Instrucción

AUDIENCIA PROVINCIAL DE [.../...]

CAUSA [.../...]

SECRETARÍA DE LA SALA [.../...]

En [.../...], a [.../...] de [.../...] de 201 [.../...]

Por acuerdo de este Tribunal, y conforme a lo ordenado por el mismo, en cumplimiento del trámite previsto en el art. 233 de la LECrim., remito a V.S. certificación del escrito presentado ante esta Sala interponiendo Recurso de Queja, por el Procurador [.../...], y de la providencia dictada con fecha [.../...] respecto del citado escrito, a fin de que en el más corto plazo posible, cumpla lo ordenado en la citada providencia, emitiendo el correspondiente informe y remitiéndolo de inmediato a esta Sala.

En [.../...], a [.../...] de [.../...] de 201 [.../...]

El Letrado de la administración de justicia

SR. JUEZ DE INSTRUCCIÓN DE [.../...]

M. 147. Providencia dando cumplimiento a lo ordenado y emitiendo informe

PROVIDENCIA JUEZ

En [.../...], a [.../...] de [.../...] de 201 [.../...]

Cúmplase lo mandado por la Sala en la Comunicación precedente, y únase a las actuaciones correspondientes; y remítase el informe ordenado.

Lo que manda y firma el Sr. D. [.../...], Juez de Instrucción de [.../...], doy fe.

El Juez. El Letrado de la administración de justicia.

(NOTIFICACIÓN. A las partes personadas)

M. 148. Informe del Juez de Instrucción en el recurso de queja

A LA SALA

D. [.../...], Juez de Instrucción de [.../...], cumpliendo el informe ordenado por ese Tribunal en providencia de [.../...], en méritos del recurso de queja interpuesto por el Procurador [.../...], en la causa [.../...], seguida ante este Juzgado, tiene el honor de informar: [.../...]

(Se efectuarán aquí las consideraciones jurídicas, jurisprudenciales y doctrinales que se consideren adecuadas.)

ILMO. SR. PRESIDENTE DE LA AUDIENCIA DE [.../...]

M. 149. Diligencia de ordenación dando traslado a las partes del informe remitido por el Instructor

Una vez efectuado el anterior informe, se remitirá a la Audiencia requirente, por medio de un oficio de remisión, emitido por el Juzgado de Instrucción. Recibido éste por la Audiencia, se dictará la siguiente diligencia de Ordenación.

DILIGENCIA DE ORDENACIÓN

LETRADO DE LA ADMINISTRACIÓN DE JUSTICIA SR. [.../...]

En [.../...], a [.../...] de [.../...] de 201 [.../...]

Por recibido el precedente informe, únase a sus antecedentes, y de acuerdo con lo previsto en el art. 234 LECrim. pasen los autos al Fiscal para que emita dictamen en el plazo de tres días.

Lo acuerda y firma el Sr. Letrado de la administración de justicia, dando cuenta de ello al Ponente.

(NOTIFICACIÓN. A las partes personadas)

M. 150. Dictamen del Fiscal

El Fiscal, en relación con el recurso de queja promovido por el Procurador [.../...], contra el auto de fecha [.../...], dictado por el Juzgado de Instrucción [.../...], en la causa [.../...], dice:

(Se manifiestan aquí las consideraciones favorables o contrarias a lo solicitado en el recurso de queja.)

Por todo ello, el Fiscal entiende que es *(o no)* procedente lo solicitado por el recurrente en el escrito del recurso de queja citado.

En estos recursos no se da vista al interesado, por lo que, si fuera el Ministerio Fiscal quien interpusiera el recurso —sobre todo en el procedimiento abreviado— podría provocar una situación de indefensión.

M. 151. Auto resolutorio del recurso de queja

AUTO

IILMOS. Srs.

[.../...]

[.../...]

[.../...]

En [.../...], a [.../...] de [.../...] de 201 [.../...]

HECHOS

1.º En causa [.../...], seguida en el Juzgado de Instrucción de [.../...], se interpuso recurso de queja contra el Auto de [.../...]

2.° Admitido el recurso de queja interpuesto por el Procurador [.../...], por escrito de fecha [.../...], efectuando el preceptivo informe del expresado Juez de Instrucción, y emitido el dictamen del Ministerio Fiscal, ambos en los términos que constan en el presente rollo.

FUNDAMENTOS DE DERECHO

1.° [.../...]

VISTO el art. 235 LECrim. y demás de pertinente y legal aplicación.

PARTE DISPOSITIVA

Se declara haber (o no haber) lugar al recurso de queja interpuesto por el Procurador [.../...] en nombre y representación de [.../...] contra el Auto de fecha [.../...] dictado en la causa [.../...], con (sin) expresa imposición de las costas en esta alzada.

Esta resolución es firme.

Así lo mandan y rubrican los Sres. del Tribunal, doy fe.

(NOTIFICACIÓN. A las partes personadas)

M. 152. Escrito de preparación del recurso de casación

A LA SALA

D. [.../...], Procurador de los Tribunales, en nombre y representación de [.../...] (procesado, querellante, etc.), que ya tengo acreditada en el rollo n.° [.../...] del sumario n.° [.../...] instruido por el Juzgado de Instrucción de [.../...], por [.../...], ante la Sala.

DIGO: Que con fecha [.../...] me ha sido notificada la sentencia (condenatoria o absolutoria) recaída en la expresada causa. Siendo ésta gravosa y proponiéndose mi representado interponer contra dicha sentencia recurso de casación por [.../...] [.../...][1], ante el Tribunal Supremo, solicito, para prepararlo conforme a lo establecido en los arts. 855 y ss. LECrim., que se le expida certificación literal de la citada resolución, formulando, en nombre de mi representado, promesa solemne de constituir en su día el depósito previsto en el art. 875 de la citada Ley[2].

Por todo ello, a la Sala

SUPLICO:

Que teniendo por presentado este escrito y por hecha la promesa mencionada, se sirva tener por preparado en tiempo y forma el indicado recurso de casación por [.../...], ordenando, en consecuencia, que se expida certificación literal de la sentencia señalada, y que se remita a la Sala 2.ª del Tribunal Supremo la certificación expresada en el art. 861.2.° de la Ley Procesal y se efectúe el correspondiente emplazamiento de las partes.

En [.../...], a [.../...] de [.../...] de 201 [.../...]

Firma de Abogado   Firma de Procurador

(DILIGENCIA DE PRESENTACIÓN)

(1) Debe tenerse en cuenta que si el recurso se prepara por infracción de ley deberá indicarse el o los preceptos infringidos. Si lo fuese por la vía del núm. 2 del art. 849 LECrim., los pertinentes documentos. Y cuando lo sea por quebrantamiento de forma la falta o infracciones cometidas, fechas de protesta para su subsanación y los incisos y números de los arts. 850 y 851 que lo amparen. Igualmente, tener presente que las fases de interposición y de preparación se hallan integradas bajo el principio de unidad de alegaciones y para el caso de que se infrinja puede incurrirse en causa de inadmisión.

(2) Vid. art. 857.2.º LECrim.

M. 153. Auto admitiendo o denegando la preparación del recurso de casación

AUTO

IIMOS. Srs.

[.../...]

[.../...]

[.../...]

En [.../...], a [.../...] de [.../...] de 201 [.../...]

HECHOS

1.º En fecha [.../...] se dictó sentencia en esta causa, en la que se [.../...] (condenaba o absolvía) a Don [.../...], la cual fue notificada a las partes con fecha [.../...]

2.º Por [.../...], Procurador de los Tribunales, en nombre y representación de [.../...], se presentó con fecha [.../...] escrito solicitando la expedición de certificación literal de la expresada sentencia, para poder interponer el oportuno recurso de casación por [.../...], contra la misma.

FUNDAMENTOS DE DERECHO

1.º La petición precedente ha sido deducida en tiempo y forma, y es (o no es) procedente, conforme a lo establecido en los arts. 855, 856 y 857 LECrim.

VISTOS los preceptos legales de aplicación.

PARTE DISPOSITIVA

HA LUGAR *(o no)* a expedir la certificación solicitada, haciéndolo constar en autos, remitiendo a la Sala 2.ª del Tribunal Supremo la certificación prevista en el art. 861.2.º de la Ley Procesal, emplazando a las partes para que puedan comparecer en el plazo de [.../...] ante dicho Tribunal para hacer uso de su derecho.

Contra la presente resolución no cabe recurso alguno[1].

Lo que mandan y firman los Sres. del Tribunal, doy fe.

Ilmos. Magistrados.   El Letrado de la administración de justicia.

(NOTIFICACIÓN Y EMPLAZAMIENTO. A las partes personadas)

(1) Si la resolución fuese denegatoria, cabe recurso de queja ante el Tribunal Supremo dentro de los dos días siguientes a la notificación de este auto.

M. 154. Auto teniendo por interpuesto recurso de casación por persona declarada insolvente

AUTO

ILMOS. Srs.

[.../...]

[.../...]

[.../...]

En [.../...], a [.../...] de [.../...] de 201 [.../...]

HECHOS

1.° La Sala dictó sentencia con fecha de [.../...], en la que [.../...]; y contra dicha resolución se interpuso por [.../...] recurso de casación por infracción de Ley al amparo de los núms. 1 y 2 del art. 849 LECrim. y por quebrantamiento de forma al amparo de los núms. 1 y 3 del art. 851 LECrim., haciendo formal promesa de si llegase a mejor fortuna, responder del importe del depósito que, según los casos, deba constituir al haber sido declarado insolvente en dicha resolución.

FUNDAMENTOS DE DERECHO

1.° [.../...] *(idéntico al anterior formulario, adecuándolos a las circunstancias del caso).*

VISTOS los arts. 855 y ss. de la LECrim. y demás preceptos de pertinente y general aplicación.

PARTE DISPOSITIVA

LA SALA, ante mí el Letrado de la administración de justicia,
ACUERDA:

Se tiene por interpuesto y PREPARADO, por [.../...] en nombre de [.../...], recurso de casación por [.../...] (los motivos que se soliciten y no le sean expresamente denegados) contra la sentencia de [.../...]; expídase la correspondiente certificación[1] y elévese la causa al Tribunal Supremo[2], cumpliéndose todo lo demás que prevé la Ley en el art. 861 LECrim. emplácese a las partes para que en el plazo de quince días comparezcan ante dicho Alto Tribunal para usar de su derecho.

Contra la presente resolución no cabe recurso alguno.

Lo que mandan y firman los Sres. del Tribunal, doy fe.

DILIGENCIA. Seguidamente se cumple lo acordado, doy fe.

(NOTIFICACIÓN Y EMPLAZAMIENTO)[3].

(1) Si solicitare la parte la entrega de los testimonios —art. 859 LECrim.— se hará constar expresamente: «entregándose asimismo a las partes, testimonio de la sentencia, del escrito de interposición y de la presente resolución».

(2) Salvo en el supuesto del art. 849.1 LECrim., en los demás casos se remitirá la causa al Supremo o la parte que corresponda si es quebrantamiento de forma, quedándose la Sala, las piezas, en su caso, para resolver algún incidente que se pueda producir (por ej., transcurso con exceso de los plazos de prisión provisional).

(3) El plazo para comparecer ante la Sala 2.ª del Tribunal Supremo lo fija el art. 859 LECrim.

M. 155. Expedición de la certificación prevista en el art. 861 LECrim.

D. [.../...], Letrado de la administración de justicia de la [.../...]

CERTIFICO: Que en la Secretaría de mi cargo se ha tramitado la causa señalada con el número [.../...] de Rollo, dimanante del Sumario núm. [.../...] instruido por el delito de [.../...], por [.../...], contra [.../...], figurando como acusadores el Ministerio Fiscal y [.../...] En la misma, la Audiencia Provincial de [.../...] dictó sentencia el día [.../...], contra la que han preparado recurso de casación por [.../...] en la representación de [.../...]

De la pieza de situación resulta [.../...]

De la pieza de responsabilidad civil resulta que el procesado es insolvente (o es solvente, o no pudiendo acreditarse el estado de fortuna de éste al hallarse el ramo separado tramitándose en el Juzgado de Instrucción).

Asimismo, las partes han sido emplazadas para su comparecencia ante la Sala 2.ª del Tribunal Supremo y entregados los testimonios (en su caso) a las representaciones de los recurrentes en [.../...]

Y a los efectos del art. 861 LECrim., libro la presente en [.../...], a [.../...] de [.../...] de 201 [.../...][1].

(1) Esta certificación se remitirá en todos los casos juntamente con los testimonios que se libren o los autos.

M. 156. Certificación acreditativa de haber actuado en la causa a efectos de habilitación de Letrado

D. [.../...], Letrado de la administración de justicia de la [.../...]

CERTIFICO: Que seguida causa n.° [.../...], Rollo [.../...], en esta Audiencia por [.../...] en la que se dictó sentencia con fecha [.../...] contra [.../...], actuó en el juicio oral como letrado defensor de [.../...], D. [.../...]

Expido la presente en [.../...] a [.../...] de [.../...] de 201 [.../...]

M. 157. Providencia teniendo por iniciado el correspondiente rollo y señalando plazo para formalizar el recurso anunciado

ILMOS. Srs.

[.../...]

En Madrid, a [.../...] de [.../...] de 201 [.../...]

Dada cuenta; con los anteriores antecedentes, quede iniciado el correspondiente Rollo de Sala para sustanciar el recurso de casación a que los mismos se refieren, y en el que se tiene por comparecido y parte al Procurador [.../...] en nombre del recurrente [.../...], con quien se entenderán las sucesivas diligencias, devolviéndole la copia del poder presentada, previa certificación en autos. Entréguese al Procurador[1] [.../...] las presentes actuaciones, con la causa elevada, para que en el término de [.../...] días, resto del emplazamiento, formalice el recurso anunciado por su representado; debiendo retirarlas de la Secretaría del que refrenda, dentro de los tres días siguientes al de la notificación de este proveído.

(NOTIFICACIÓN. A las partes personadas)

(1) Sólo debe entregarse al Procurador para formalizarlo si el Letrado es distinto del que anunció el recurso. Caso contrario, al comparecer formalizará el recurso con la excepción de que se concediese nuevo plazo.

M. 158. Escrito de interposición del recurso de casación por infracción de ley (art. 849.1.° LECrim.)

A LA SALA SEGUNDA DEL TRIBUNAL SUPREMO

D. [.../...], Procurador de los Tribunales y obrando en nombre de [.../...], cuya representación acredito mediante [.../...], en el recurso de casación preparado contra la sentencia dictada por la Audiencia Provincial de [.../...] (*en el supuesto de que en la Audiencia Provincial existiera más de una Sección se indicara cuál de ellas es la que ha dictado la sentencia que se recurre*), de fecha [.../...], en el Sumario número [.../...], Rollo n.° [.../...]procedente del Juzgado de Instrucción de [.../...], comparezco y

DIGO:

Que por medio del presente escrito y del modo ordenado en el art. 874 LECrim., formulo dentro del plazo para ello conferido, el recurso de casación anunciado por infracción de Ley al amparo del n.° 1.° del art. 849 LECrim.

Dicho recurso tiene por base los siguientes:

ALEGACIONES:

PRIMERA. La sentencia objeto del presente recurso establece la siguiente declaración de hechos probados, que es la siguiente:

(Se copia literalmente el hecho probado de la sentencia recurrida.)

SEGUNDA. Sigue diciendo la sentencia objeto del presente recurso:

(Se copian literalmente los extremos que se refieren a las peticiones de las partes.)

TERCERA. Establece la sentencia que recurrimos en los fundamentos de Derecho:

(Se copia literalmente el primer fundamento de Derecho y así sucesivamente todos los que existieran en la sentencia recurrida.)

CUARTA. El fallo de la sentencia dictada es el siguiente:

(Se copia el Fallo de la sentencia recurrida.)

MOTIVOS DE PROCEDENCIA:

A) El art. 847 LECrim. establece la procedencia del recurso de casación por infracción de Ley, contra las sentencias dictadas por las Audiencias en juicio oral.

B) El art. 849 de la misma Ley faculta para interponer recurso de casación por infracción de Ley.

C) El art. 854 de la expresada Ley procesal autoriza a interponer recurso de casación a los que hayan sido parte en el juicio criminal.

D) Los arts. 873 y 874 de la propia Ley establecen la forma en que se interpondrá el recurso de casación.

E) El art. 857 LECrim. establece lo relativo a la constitución del depósito.

MOTIVACIÓN DEL RECURSO

Primer motivo de casación por infracción de Ley al amparo del art. 849.1.°, por indebida aplicación del art. [.../...]

(Aquí se indicará el precepto penal de carácter sustantivo, que a juicio del recurrente haya sido indebidamente aplicado en la sentencia que se recurre. En el supuesto de que no se tratara de una indebida aplicación, sino de una falta de aplicación, el texto acabado de reseñar rezará, en vez de «por indebida aplicación», «por falta de aplicación», expresando a continuación el precepto penal de carácter sustantivo que debió de aplicarse y no se aplicó por el Tribunal de instancia. En este caso deberá tenerse en cuenta la calificación que se elevó a definitiva por la parte que ahora recurre.)

BREVE EXTRACTO DE SU CONTENIDO:

(El núm. 1.° del art. 874 LECrim. dispone que cada motivo de casación estará encabezado por un breve extracto de su contenido. En este punto deberá consignarse, a modo de resumen, el motivo, cuya argumentación y desarrollo se deja para el apartado siguiente.)

ALEGACIONES LEGALES Y DOCTRINALES:

(Deberá, en este punto, desarrollarse la argumentación del motivo. Es de suma importancia el tener presente, en la redacción, el no incurrir en la causa de inadmisión 3.ª del art. 884, que establece la inadmisibilidad del recurso «cuando no se respeten los hechos que la sentencia declare probados o se hagan alegaciones jurídicas en notoria contradicción o incongruencia con aquéllos, salvo lo dispuesto en el n.° 2.° del art. 849».)

(Seguirán tantos motivos como preceptos penales de carácter sustantivo se hubiesen infringido, sin que puedan mezclarse en un mismo motivo, cuestiones que afectan a la aplicación o inaplicación de preceptos diversos.)

Por todo ello, a la Sala 2.ª del Tribunal Supremo

PIDO:

Tenga por formalizado en tiempo y forma recurso de casación por infracción de Ley al amparo del n.° 1.° del art. 849 LECrim., a fin de que, tras sus trámites, dicte sentencia por la que estimando el primer motivo de casación, dé lugar al mismo y dicte nueva sentencia por la que (aquí deberá indicarse «se absuelva al procesado», «no se aplique el precepto» —que se hubiese impugnado en el motivo— en el supuesto de que se tratara de una circunstancia agravante o atenuante o de una cualificación, que no afecte al precepto base, o en su caso se aplique, o asimismo se aplique el precepto básico que no fue aplicado por el Tribunal de instancia) casando la anterior que recurro en este extremo.

(En cada uno de los puntos del Suplico se consignará la petición correlativa con el motivo que anteceda en el escrito.)

OTROSÍ DIGO:

(En el supuesto de que el recurrente sea solvente deberá aportar certificación acreditativa de haber efectuado el depósito a que se refiere el art. 875 LECrim. Caso de que litigase con el beneficio de justicia gratuita deberá consignar la promesa de efectuar el depósito a que se refiere el art. 875, en el caso de que llegase a mejor fortuna.)

(En el primer supuesto este OTROSÍ deberá decir:

«Que con el presente escrito acompaño certificación acreditativa de haber efectuado el depósito a que se refiere el art. 875 LECrim. A la Sala

PIDO:

Tenga por efectuado el depósito legal. Madrid a [.../...]».)

(En el segundo supuesto este OTROSÍ deberá decir:

«Que formulo la promesa solemne de constituir el depósito a que se refiere el art. 875 LECrim. en el supuesto de que mi mandante llegare a mejor fortuna. A la Sala

PIDO:

Tenga por efectuada la anterior promesa de constituir el depósito legal en el supuesto de que mi mandante llegase a mejor fortuna».)

SEGUNDO OTROSÍ DIGO:[1], esta parte manifiesta que conceptúa necesaria la celebración de vista del presente recurso. En su virtud, como facultan los arts. 882 bis) y 893 bis a) LECrim., solicito que se acuerde dicha celebración. A la Sala

PIDO:

Se sirva tener por hecha la anterior manifestación acordando la celebración de la vista en el presente recurso.

Madrid [.../...], a [.../...] de [.../...] de 201 [.../...]

El Letrado   El Procurador

(Firma y número de colegiado en Madrid.)

(1) En el supuesto de que al recurrente le interese la celebración de la vista.

M. 159. Escrito de interposición de recurso de casación por quebrantamiento de forma (art. 851.1.° LECrim.)

A LA SALA SEGUNDA DEL TRIBUNAL SUPREMO

D. [.../...], Procurador de los Tribunales y obrando en nombre de [.../...], cuya representación acredito mediante [.../...], en el recurso de casación preparado contra la sentencia dictada por la Audiencia Provincial de [.../...] *(en el supuesto de que en la Audiencia Provincial existiera más de una Sección se indicará cuál de ellas es la que ha dictado la sentencia que se recurre)*, de fecha [.../...], en el Sumario número [.../...], rollo n.° [.../...] procedente del Juzgado de Instrucción de [.../...], comparezco y

DIGO:

Que por medio del presente escrito y del modo ordenado en el art. 874 LECrim. formulo, dentro del plazo para ello conferido, el recurso de casación anunciado por quebrantamiento de forma, al amparo del n.° 1.°, inciso 3.°, del art. 851 LECrim..

Dicho recurso tiene por base los siguientes:

ALEGACIONES

Primero. La sentencia objeto del presente recurso establece la siguiente declaración de hechos probados:

(Se copian literalmente los hechos probados de la sentencia recurrida.)

Segundo. Sigue diciendo la sentencia objeto del presente recurso:

(Se copian literalmente los extremos que se refieren a las peticiones de las partes.)

Tercero. Establece la sentencia que recurrimos en los fundamentos de derecho:

(Se copia literalmente el primer fundamento de derecho y sucesivamente todos los que existieron en la sentencia recurrida.)

Cuarto. El fallo de la sentencia dictada es el siguiente:

(Se copia el Fallo de la sentencia recurrida.)

MOTIVOS DE PROCEDENCIA:

A) El art. 847 LECrim. establece la procedencia del recurso de casación por infracción de Ley contra las sentencias dictadas por las Audiencias en juicio oral.

B) El art. 851 de la misma Ley faculta para interponer recurso de casación por quebrantamiento de forma.

C) El art. 854 de la expresada Ley Procesal autoriza a interponer recurso de casación a los que hayan sido parte en el juicio criminal.

D) Los arts. 873 y 874 de la propia Ley establecen la forma en que se interpondrá el recurso de casación.

E) El art. 857 LECrim. establece lo relativo a la constitución del depósito.

MOTIVACIÓN DEL RECURSO

Primer motivo de casación por quebrantamiento de forma al amparo del n.° 1, inciso 3.°, del art. 851 LECrim., por existir predeterminación del Fallo en los hechos que se declaran probados.

Breve extracto de su contenido:

(El n.° 1.° del art. 874 LECrim. dispone que cada motivo de casación estará encabezado por un breve extracto de su contenido. En este punto deberá consignarse a modo de resumen el motivo cuya argumentación y desarrollo se deja para el apartado siguiente.)

Alegaciones legales y doctrinales:

(Deberá, en este punto, desarrollarse la argumentación del motivo.)

Por todo ello, a la Sala Segunda del Tribunal Supremo

PIDO:

Tenga por formalizado en tiempo y forma recurso de casación por quebrantamiento de forma al amparo del n.° 1, inciso 3.°, del art. 851 LECrim., a fin de que, tras sus trámites, dicte sentencia por la que:

Estimando el primer motivo de casación *(o único si se tratara de uno sólo)*, dé lugar al mismo y mande reponer las actuaciones al momento anterior a dictar sentencia, para que por la Audiencia se proceda a dictar otra, en la que se subsanen los defectos padecidos.

OTROSÍ DIGO:

(En el supuesto de que el recurrente sea solvente deberá aportar certificaciones acreditativas de haber efectuado el depósito a que se refiere el art. 875 LECrim. Caso de que litigare con el beneficio de justicia gratuita deberá consignar la promesa de efectuar el depósito a que se refiere el art. 875, en el caso de que llegase a mejor fortuna.)

(En el primer supuesto este otrosí deberá decir:

«Que con el presente escrito acompaño certificación acreditativa de haber efectuado el depósito a que se refiere el art. 875 LECrim. A la Sala

PIDO:

Tenga por efectuado el depósito legal. Madrid, a [.../...]».)

(En el segundo supuesto este otrosí deberá decir:

Que formulo la promesa solemne de constituir el depósito a que se refiere el art. 875 LECrim. en el supuesto de que mi mandante llegare a mejor fortuna. A la Sala

PIDO:

Tenga por efectuada la anterior promesa de constituir el depósito legal en el supuesto de que mi mandante llegase a mejor fortuna».)

SEGUNDO OTROSÍ DIGO[1], esta parte manifiesta que conceptúa necesaria la celebración de vista del presente recurso. En su virtud, como facultan los arts. 882 bis y 893 bis a) LECrim., solicito que se acuerde dicha celebración. A la Sala

PIDO:

Se sirva tener por hecha la anterior manifestación acordando la celebración de la vista en el presente recurso.

Madrid [.../...], a [.../...] de [.../...] de 201 [.../...]

El Letrado   El Procurador

(Firma y número de colegiado en Madrid.)

(1) En el supuesto de que al recurrente le interese la celebración de la vista.

M. 160. **Escrito de interposición de recurso de casación por infracción de precepto constitucional (art. 24.2 CE), al amparo del art. 852 LECrim y 5.4 LOPJ**

A LA SALA SEGUNDA DEL TRIBUNAL SUPREMO

D. [.../...], Procurador de los Tribunales y obrando en nombre de [.../...], cuya representación acredito mediante [.../...], en el recurso de casación preparado contra la sentencia dictada por la Audiencia Provincial de [.../...] (en el supuesto de que en la Audiencia Provincial existiera más de una Sección, se indicará cuál de ellas es la que ha dictado la sentencia que se recurre), de fecha [.../...], en el Sumario [.../...], rollo n.° [.../...], procedente del Juzgado de Instrucción de [.../...], comparezco y

DIGO:

Que por medio del presente escrito y del modo ordenado en el art. 874 LECrim. formulo dentro del plazo para ello conferido, el recurso de casación anunciado por infracción de precepto constitucional al amparo del n.° 4 del art. 5 LOPJ.

Dicho recurso tiene por base los siguientes

ALEGACIONES:

PRIMERA. La sentencia objeto del presente recurso establece la siguiente declaración de Hechos Probados:

(Se copia literalmente el hecho probado de la sentencia recurrida.)

SEGUNDA. Sigue diciendo la sentencia objeto del presente recurso:

(Se copian literalmente los extremos que se refieren a las peticiones de las partes.)

TERCERA. Establece la sentencia que recurrimos en los fundamentos de derecho:

(Se copia literalmente el primer fundamento de derecho y así sucesivamente todos los que existieron en la sentencia recurrida.)

CUARTA. El fallo de la sentencia dictada es el siguiente:

(Se copia el fallo de la sentencia recurrida)

MOTIVOS DE PROCEDENCIA:

A) Los arts. 852 LECrim y 5.4.° LOPJ facultan para interponer recurso de casación por infracción de precepto constitucional.

B) El art. 854 LECrim. faculta a interponer recurso de casación a los que hayan sido parte en el juicio criminal.

C) Los arts. 873 y 874 de la propia Ley establecen la forma en que se interpondrá el recurso de casación.

D) El art. 857 LECrim. establece lo relativo a la constitución del depósito.

MOTIVACIÓN DEL RECURSO:

Primer motivo de casación por infracción de precepto constitucional al amparo del art. 852 LECrim y n.° 4 del art. 5 LOPJ, en relación *(a título de ejemplo)* con el art. 24.2 CE, por entender vulnerado el derecho constitucional a la presunción de inocencia. *(Aquí se indicará el precepto constitucional, que a juicio del recurrente, haya sido infringido en la sentencia que se recurre).*

Breve extracto de su contenido:

(El n.° 1 del art. 874 LECrim. dispone que cada motivo de casación estará encabezado por un breve extracto de su contenido. En este punto deberá consignarse, a modo de resumen, el motivo cuya argumentación y desarrollo se deja para el apartado siguiente.)

Alegaciones legales y doctrinales:

(Deberá en este punto desarrollarse la argumentación del motivo.)

(Siguiendo con el ejemplo ilustrativo del art. 24.2 CE, podrían argumentarse: las pruebas en que se basa la sentencia, las pruebas indiciarias de inocencia, la relación entre los indicios y sospechas y la presunción de inocencia, la motivación de la sentencia y la presunción de inocencia, así como la carga de la prueba).

(Si se hubieran anunciado otros motivos de casación se expondrá a continuación).

Por todo ello, a la Sala Segunda del Tribunal Supremo

PIDO:

Tenga por formalizado en tiempo y forma recurso de casación por infracción de precepto constitucional, al amparo del art. 5.4.° LOPJ, en relación con el n.° 2 del art. 24 CE, a fin de que, tras sus trámites, dicte sentencia por la que, estimando el motivo alegado, dé lugar al mismo y dicte nueva sentencia por la que absuelva al recurrente de los delitos por los que fue condenado, por falta de pruebas que desvirtúen la presunción de inocencia o, alternativamente, devuelva la causa al Tribunal sentenciador para que dicte una nueva sentencia motivada y fundada en derecho, casando la anterior que recurro en este extremo.

(En cada uno de los puntos del Suplico se consignará la petición correlativa con el motivo que antecede en el escrito.)

OTROSÍ DIGO:

(En el supuesto de que el recurrente sea solvente deberá aportar certificación acreditativa de haber efectuado el depósito a que se refiere el art. 875 LECrim. Caso de que litigare con el beneficio de justicia gratuita deberá consignar la promesa de efectuar el depósito a que se refiere el art. 875, en el caso de que llegase a mejor fortuna.)

(En el primer supuesto este OTROSÍ deberá decir:

«Que con el presente escrito acompaño certificación acreditativa de haber efectuado el depósito a que se refiere el art. 875 LECrim. A la Sala.

PIDO:

Tenga por efectuado el depósito legal»).

(En el segundo supuesto este OTROSÍ deberá decir:

«Que formulo la promesa solemne de constituir el depósito a que se refiere el art. 875 LECrim. en el supuesto de que mi mandante llegare a mejor fortuna. A la Sala

PIDO:

Tenga por efectuada la anterior promesa de constituir el depósito legal en el supuesto de que mi mandante llegase a mejor fortuna»).

SEGUNDO OTROSÍ DIGO[1], esta parte manifiesta que conceptúa necesaria la celebración de vista del presente recurso. En su virtud, como facultan los arts. 882 bis y 893 bis a) LECrim., solicito que se acuerde dicha celebración. A la Sala

PIDO:

Se sirva tener por hecha la anterior manifestación acordando la celebración de la vista en el presente recurso.

Madrid [.../...], a [.../...] de [.../...] de 201 [.../...]

El Letrado   El Procurador

(Firma y número de colegiado en Madrid.)

(1) En el supuesto de que al recurrente le interese la celebración de la vista.

M. 161. Escrito del Letrado nombrado de oficio (sea el primero o el segundo) manifestando no estimar procedente el recurso de casación

A LA SALA SEGUNDA DEL TRIBUNAL SUPREMO

D. [.../...], Procurador nombrado de oficio de [.../...] en las actuaciones sobre recurso de casación preparado contra la sentencia dictada por la Audiencia Provincial de [.../...] *(en su caso se indicará la Sección)*, de fecha [.../...], en el Sumario número [.../...], Rollo n.° [.../...], procedente del Juzgado de Instrucción de [.../...], comparezco y

DIGO:

Que por el suscrito Letrado, a quien se le encomendó de oficio la defensa del recurrente [.../...], se ha estudiado con todo detalle la resolución recurrida, sin que haya encontrado ningún motivo de casación que alegar contra la misma.

Estima este Letrado [.../...] *(argumentará su opinión contraria a la formalización del recurso).*

En su virtud, y conforme a lo expuesto en el párr. 2.º del art. 876 LECrim., a la Sala

SUPLICO:

Que habiendo por presentado este escrito con sus copias, se sirva admitirlo uniéndolo al Rollo de su razón y conforme a lo expuesto se tenga por manifestada su opinión contraria a la formalización del recurso de casación por no estimarla procedente ni haber encontrado motivos para ello.

Madrid [.../...], a [.../...] de [.../...] de 201 [.../...]

M. 162. Providencia pasando las actuaciones al Fiscal ante la negativa del segundo Letrado designado de oficio

PROVIDENCIA EXCMOS. SRES.

[.../...]

Madrid, a [.../...] de [.../...] de 201 [.../...]

Por presentado el anterior escrito con sus copias se tienen por hechas las manifestaciones del Letrado [.../...], segundo designado de oficio, contrarias a la formalización del recurso de casación contra la sentencia de referencia por no estimarlo procedente ni haber encontrado motivos para ello. Pásense los antecedentes al Ministerio Fiscal a fin de que funde el recurso en beneficio del recurrente, si lo creyere procedente, o de lo contrario, devuélvalos en unión de escrito sucintamente razonado.

(NOTIFICACIÓN. Al Ministerio Fiscal y al recurrente)

DILIGENCIA. Seguidamente se cumple lo acordado, pasando los antecedentes al M.º Fiscal firmando su recibo.

El Ministerio Fiscal podrá interponer el recurso de casación según los formularios anteriores. Si informara de forma negativa y razonada a su formalización, la Sala dictará la siguiente resolución:

M. 163. Providencia dando opción al recurrente a designar abogado

PROVIDENCIA EXCMOS. SRES.

[.../...]

Madrid, a [.../...] de [.../...] de 201 [.../...]

Por presentado el anterior informe del Ministerio Fiscal razonando la negativa a formalizar el recurso de casación contra la sentencia de referencia en favor de [.../...]; y vistas las anteriores negativas de los Letrados [.../...] y

1484

[.../...] designados de oficio, comuníquese la negativa del Ministerio Fiscal al recurrente a fin de que, si lo estima oportuno, designe Abogado e interponga el recurso dentro del plazo de 15 días, y en caso de no hacerlo se le tendrá por desistido en este recurso.

M. 164. Providencia teniendo por interpuesto el recurso de casación

PROVIDENCIA EXCMOS. SRES.

[.../...]

Madrid, a [.../...] de [.../...] de 201 [.../...]

Por interpuesto el recurso de casación preparado por [.../...], se designa Ponente al Excmo. Sr. D. [.../...]; fórmese por el Sr. Letrado de la administración de justicia que refrenda la Nota prevista por la Ley, y entréguese las copias de aquél, así como las del testimonio de sentencia al Ministerio Fiscal para instrucción por término de diez días.

M. 165. Providencias teniendo por concluso el recurso y señalando para la vista

PROVIDENCIA EXCMOS. SRES.

[.../...]

Madrid, a [.../...] de [.../...] de 201 [.../...]

De conformidad con lo informado «*in voce*» a la Sala por el Excmo. Sr. Magistrado Ponente se declara admitido y concluso para la vista de este recurso, y señálese día para la celebración de dicho acto cuando por turno corresponda.

PROVIDENCIA EXCMOS. SRES.

[.../...]

Madrid, a [.../...] de [.../...] de 201 [.../...]

Para la VISTA del presente recurso se señala la audiencia del día [.../...] que comenzará a las [.../...] de su mañana, con citación de las partes para sentencia celebrándose en el salón de Plenos.

NOTIFICACIÓN. Al Fiscal y a las partes personadas.

M. 166. Escrito del penado solicitando recurso de revisión

A LA SALA SEGUNDA DEL TRIBUNAL SUPREMO (1)

D. [.../...], mayor de edad, vecino de [.../...], con domicilio en [.../...] y con DNI n.° [.../...], comparezco y DIGO:

Que por medio de este escrito me veo precisado a solicitar la autorización que dispone el art. 957 de la Ley de Enjuiciamiento Criminal a fin de interponer Recurso de Revisión. Esta solicitud se basa en los siguientes

HECHOS

PRIMERO. El compareciente se encuentra cumpliendo condena en el Centro Penitenciario de [.../...], Apartado de Correos n.° [.../...], Código Postal [.../...]

SEGUNDO. La condena que estoy cumpliendo fue dictada por el Juzgado de lo Penal n.° [.../...] de [.../...] con fecha [.../...] y en proceso abreviado n.° [.../...]

TERCERO. En dicha sentencia fui condenado como autor de un delito de estafa aparentando solvencia mediante la entrega de cheque sin fondos.

CUARTO. Que según consta en la sentencia de condena, de la que se aporta testimonio, el Tribunal valoró especialmente la declaración de D..... y D.... que declararon en el juicio que ..... siendo estas declaraciones determinantes para destruir mi presunción de inocencia.

QUINTO. Que con fecha de ... se ha dictado sentencia por el Juzgado de lo Penal de ... por la que se condena a los citados anteriormente por un delito de falso testimonio en causa Penal (se aporta testimonio de la sentencia).

SEXTO. Que teniendo en cuenta lo anterior esta parte considera que procede la aplicación del motivo previsto en el art. 954.1.a LECrim que dispone que: «Se podrá solicitar la revisión de las sentencias firmes en los casos siguientes: a) Cuando haya sido condenada una persona en sentencia penal firme que haya valorado como prueba un documento o testimonio declarados después falsos ...».

Por todo ello,

A la Sala Segunda del Tribunal Supremo PIDO: tenga por formulada solicitud de autorización para interponer recurso de revisión contra la sentencia dictada y tras la solicitud de las diligencias que de forma previa estime oportunas dictar Auto autorizando la interposición de dicho recurso conforme está previsto en el art. 957 LECrim.

(Autorizado el recurso el Tribunal Supremo concederá el plazo de 15 días para su interposición conforme con el art. 957 LECrim)

(1) El art. 53 LOPJ y el art. 165 LECrim. indican que éste es el Tribunal competente.

M. 167.   Escrito de interposición del recurso de amparo

A LA SALA DEL TRIBUNAL CONSTITUCIONAL

D. [.../...], Procurador de los Tribunales, en nombre y representación de [.../...], según acredito con el Poder que acompaño, comparezco ante este Tribunal, bajo la dirección técnica del Letrado D. [.../...] y como mejor proceda en Derecho, DIGO:

Que de conformidad con el art. 44 (o bien 42, 43) LOTC 2/79, de 3 de octubre, por el presente escrito, dentro del plazo legalmente previsto, interpongo en nombre de mi mandante RECURSO DE AMPARO contra [.../...] (*se especificará la resolución, fecha, órgano del que procede, notificación, demandados, afectados, etc.*), en la que se vulnera el derecho [.../...] (*presunción de inocencia, tutela efectiva, indefensión, etc.*), regulado en el art. [.../...] de la Constitución.

El presente recurso se fundamenta en los siguientes

ANTECEDENTES

1.º El recurrente en amparo fue condenado por el Juzgado de lo Penal [.../...], en sentencia dictada el día [.../...], por un delito de [.../...], con la circunstancia agravante de [.../...], a la pena de [.../...], penas accesorias, al pago de las costas procesales y a una indemnización a los perjudicados. El Juez estimaba probado que el recurrente penetró en el domicilio particular de D. [.../...], ubicado en [.../...], utilizando unas ganzúas y [.../...], para apoderarse de determinados objetos causando diversos desperfectos. La autoría de tales hechos resultaba para el Juez probada debido a que la Policía vio al acusado salir del domicilio donde se cometieron los hechos y porque ante las informaciones realizadas por la misma, tales como estacionamiento del vehículo, instrumentos y objeto del delito, los acusados ofrecieron unas explicaciones y justificaciones de escasa consistencia e indubitada inverosimilitud.

2.º Frente a la anterior sentencia el aquí recurrente formuló recurso de apelación ante la Sección [.../...] de la Audiencia Provincial de [.../...], alegando entre otros argumentos la vulneración de la presunción de inocencia. Aquel Tribunal desestimó el recurso en sentencia de fecha [.../...], confirmando íntegramente la resolución apelada. La Sala en el Fundamento de Derecho Segundo de su Sentencia argumentaba su fallo en los siguientes términos: « [.../...]».

3.º Tanto la sentencia de instancia como la dictada en apelación vulneran el derecho a la presunción de inocencia, previsto en el art. 24.2.º de nuestra Constitución, ya que no existió prueba de cargo alguna en el juicio oral, en la que los órganos juzgadores pudieran fundar su fallo condenatorio. Por el contrario, el fallo de ambas sentencias se fundamenta en las manifestaciones de la Policía, recogida en el correspondiente atestado. Como es sabido, constituye doctrina constitucional, constantemente reiterada, que el atestado sólo posee un valor de mera denuncia, debiendo su contenido ser ratificado posteriormente en presencia del Juez instructor, y, en especial, debe ser debatido en el juicio oral con la presencia de los firmantes del atestado, que comparezcan en calidad de testigos.

En el presente caso, no puede considerarse que haya existido prueba de cargo que desvirtúe la presunción de inocencia, ya que las manifestaciones de la Policía efectuadas en el atestado, ni fueron ratificadas ante el Juez instructor, ni tampoco comparecieron los policías firmantes del atestado en el juicio oral. Con ello se vulneraron también los principios constitucionales de oralidad y contradicción, que permiten al acusado un adecuado ejercicio del derecho de defensa con las debidas garantías procesales.

3.º La especial trascendencia constitucional del presente recurso de amparo resulta evidente según lo expuesto. Efectivamente, el presente recurso se fundamenta en la existencia de una vulneración constitucional de especial importancia, ya que afecta al derecho a la presunción de inocencia garantizado en la Constitución, que supone un elemento esencial para la garantía de los derechos fundamentales en el proceso penal. De otro modo, de nada servirían el resto de garantías y derechos constitucionales si, finalmente, la condena penal pudiera fundarse en una prueba que carece de la debida verosimilitud. Vulneración constitucional que, esta parte ha denunciado debidamente en el proceso, sin que los tribunales ordinarios hayan procedido a otorgar el debido amparo judicial.

FUNDAMENTOS DE DERECHO

I. El derecho constitucional que se entiende vulnerado es el art. 24.2.º de la Constitución. De acuerdo con lo previsto en el art. 53.2.º de la Carta Magna, así como en el art. 41.1.º LOTC, aquel derecho es susceptible de ser protegido en amparo constitucional.

II. El recurrente en amparo goza de legitimación activa en esta causa, por haber sido parte en el proceso anterior donde se ha producido la vulneración, de acuerdo con lo previsto en el art. 46.1.º LOTC.

III. Han sido agotados todos los recursos judiciales, de acuerdo con lo requerido en el art. 44.1.º LOTC, ya que no cabía ulterior recurso contra la sentencia de la Audiencia Provincial.

IV. El recurso se ha presentado dentro del plazo fijado en el art. 44.2.º LOTC y en la forma prevista en el mismo Texto legal.

V. La abundante y reiterada jurisprudencia constitucional recogida sobre esta cuestión puede concretarse en las siguientes sentencias de este Alto Tribunal, a saber [.../...] Asimismo, el Tribunal Supremo se ha pronunciado sobre este tema en las sentencias de [.../...]

Por todo lo cual

SUPLICO A LA SALA:

Que tenga por presentado en tiempo y forma este escrito, con sus copias y documentos; se sirva admitirlo; se me tenga por comparecido y como parte, según la acreditada representación que ostento; se dé traslado del mismo a las demás partes; y, en su virtud, previos los oportunos trámites legales, se dicte sentencia por la que se otorgue a mi principal el amparo solicitado, decretando la nulidad de la sentencia de [.../...]; y reconociendo al recurrente el derecho a la presunción de inocencia, se reestablezca al recurrente en la integridad de su derecho retrotrayendo el proceso penal al momento inmediato anterior al de dictar la sentencia anulada donde se vulneró aquel derecho.

Madrid, a [.../...] de [.../...] de 201 [.../...]

OTROSÍ DIGO:

Que de acuerdo con lo previsto en el art. 56.1.º LOTC procede decretar la suspensión de la sentencia de fecha [.../...] dictada por la Audiencia Provincial de [.../...], ya que su ejecución podría ocasionar al recurrente un perjuicio que haría perder al amparo su finalidad, como ocurriría con el ingreso en prisión de aquél.

SUPLICO:

Se suspenda la ejecución de la Sentencia de fecha [.../...] dictada por la Audiencia Provincial de [.../...], hasta que se resuelva el presente recurso de amparo.

Madrid, a [.../...] de [.../...] de 201 [.../...]

M. 168. Escrito de comparecencia de interesados, demandados o coadyuvantes

A LA SALA [.../...] DEL TRIBUNAL CONSTITUCIONAL

D. [.../...], Procurador de los Tribunales, en nombre y representación de [.../...], según acredito con el Poder que acompaño, comparezco ante este Tribunal, bajo la dirección técnica del Letrado D. [.../...], en autos n.º [.../...], y como mejor proceda en Derecho, DIGO:

Que de conformidad con lo previsto en el art. [.../...] (46.2.º, o 47.1.º) LOTC, por el presente escrito, dentro del plazo legalmente previsto (art. 43.2.º, debiendo en este último supuesto especificar BOE de publicación del edicto), comparezco en los citados autos en mi condición de [.../...], debido a que la resolución impugnada me afecta en cuanto que [.../...]

Por todo lo que SUPLICO A LA SALA:

Que tenga por presentado en tiempo y forma este escrito; se sirva admitirlo; tenga por hechas las manifestaciones que en el mismo se contienen; se me tenga por comparecido en mi condición de [.../...], según la acreditada representación que ostento, en las sucesivas actuaciones, dándoseme traslado y vista de las mismas, a los efectos de poder formular en su momento procesal oportuno las pertinentes alegaciones, según lo previsto en el art. 52.1.º LOTC.

Madrid, a [.../...] de [.../...] de 201 [.../...]

a) Nulidad de actuaciones solicitada «Intra processum»

M. 169. Escrito solicitando nulidad de actuaciones de una Diligencia de investigación

Asunto [.../...]

Diligencia previas [.../...]

AL JUZGADO DE INSTRUCCIÓN [.../...]

D. [.../...] Procurador de los Tribunales y de [.../...], según acredito mediante apoderamiento *apud acta*, comparezco y DIGO:

Que esta defensa ha tenido conocimiento de la existencia de determinados vicios en la práctica de la Diligencia de Entrada y Registro practicada con fecha de [.../...] en el domicilio de mi representado imputado en las presentes diligencias, por lo que solicita la nulidad de actuaciones practicadas hasta la fecha, con base en las siguientes

ALEGACIONES

PRIMERA. Mi representado ha tenido conocimiento por medio de vecinos colindantes con su vivienda que en la fecha de la Entrada y Registro practicada con fecha [.../...], que con anterioridad a la efectiva entrada de la Comisión Judicial en su domicilio miembros de la policía ya se hallaban en su interior habiendo accedido por la parte de atrás de la vivienda unos minutos antes del inicio de la Diligencia. De esta circunstancia no tuvo conocimiento mi mandante por hallarse en el rellano inferior a la vivienda custodiado por la policía, por lo que no pudo alegarlo al practicarse la diligencia judicial, lo que se hace en este escrito. Los Testigos de tales hechos son [.../...], los cuales se solicita que sean oídos en audiencia por el Juez, a efectos de acreditar los hechos expresados.

SEGUNDA. Estos hechos afectan a la validez de la diligencia al haberse infringido preceptos procesales con la consecuencia de producir una efectiva indefensión al no poder conocerse la realidad de todos los objetos y sustancias que fueron hallados en el domicilio, algunos de los cuales siempre han sido negados por mi mandante. De todo ello se deduce la existencia de un vicio de nulidad de las actuaciones causante de indefensión, que debe conducir, de conformidad con lo dispuesto en el art. 24 CE en relación con el 241 LOPJ, a decretar la nulidad de actuaciones y concretamente de la diligencia de entrada y registro y de todas las pruebas que de ella se deduzcan.

Por todo lo expuesto,

AL JUZGADO SUPLICO: Tenga por presentado este escrito, con sus copias, lo admita y una a autos dando traslado de las copias a las demás partes, y por formulada en tiempo y forma, petición de NULIDAD de ACTUACIONES, dejando sin efecto la Diligencia de Entrada y Registro de fecha de [.../...]

PRIMER OTROSÍ DIGO: *(Para el supuesto de que proceda la apertura de un período de prueba)* Que interesa al Derecho de esta parte, al amparo de lo dispuesto en el art. 241.2 LOPJ, solicitar el recibimiento a prueba del presente incidente a fin de acreditar las alegaciones fácticas expresadas.

SUPLICO AL JUZGADO: Se sirva recibir a prueba el incidente promovido.

En [.../...] a [.../...] de [.../...] de [.../...]

(Firma Abogado)   (Firma Procurador)

M. 170. Escrito solicitando la nulidad de actuaciones por defecto de la citación al imputado

Asunto [.../...]

Diligencia previas [.../...]

AL JUZGADO DE INSTRUCCIÓN [.../...]

D. [.../...]Procurador de los Tribunales y de [.../...], según acredito mediante apoderamiento *apud acta*, comparezco y DIGO:

Que esta defensa ha tenido conocimiento de la apertura del juicio oral en la causa anotada al margen y la declaración de rebeldía por hallarse mi representado en ignorado paradero; solicitándose la nulidad de actuaciones practicadas hasta la fecha, con base en las siguientes

ALEGACIONES

PRIMERA. Mi representado compareció ante el Juzgado de Instrucción con fecha de [.../...], para declarar con relación a una denuncia interpuesta por [.../...], en la que se le imputaba la comisión de un robo con fuerza. Mi representado negó los hechos y quedó en situación de libertad provisional, designando domicilio en los términos del art. 775 LECrim, que es el que tiene todavía a día de hoy y en él que ha habitado de forma continuada. Con fecha de [.../...] transcurridos dos años desde esa declaración mi representado tuvo conocimiento casual de la requisitoria y busca, y de la apertura del juicio oral tras la práctica de distintas diligencias de investigación Según ha podido comprobar esta defensa las citaciones practicadas lo fueron en un domicilio distinto al designado por mi representado que corresponden a otra persona con el mismo nombre y apellidos.

SEGUNDA. Este hecho afectan a la validez de lo actuado que ha tenido lugar sin el debido conocimiento de mi representado que no ha podido intervenir en la instrucción de la causa y a alegar y solicitar lo que a su derecho conviniere De todo ello se deduce la existencia de un vicio de nulidad de las actuaciones causante de indefensión, que debe conducir, de conformidad con lo dispuesto en el art. 24 CE en relación con el 241 LOPJ, a decretar la nulidad de actuaciones.

Por todo lo expuesto,

AL JUZGADO SUPLICO: Tenga por presentado este escrito, con sus copias, lo admita y una a autos dando traslado de las copias a las demás partes, y por formulada en tiempo y forma, petición de NULIDAD de ACTUACIONES, [.../...]

PRIMER OTROSÍ DIGO: *(Para el supuesto de que proceda la apertura de un período de prueba)* Que interesa al Derecho de esta parte, al amparo de lo dispuesto en el art. 241.2 LOPJ, solicitar el recibimiento a prueba del presente incidente a fin de acreditar las alegaciones fácticas expresadas.

SUPLICO AL JUZGADO: Se sirva recibir a prueba el incidente promovido.

En [.../...] a [.../...] de [.../...] de [.../...]

(Firma Abogado)   (Firma Procurador)

M. 171. Auto resolutorio de la nulidad de actuaciones

AUTO

En [.../...] a [.../...] de [.../...] de [.../...]

Dada cuenta, únase el escrito presentado por [.../...], y

HECHOS

PRIMERO. El Procurador [.../...] en representación de [.../...] solicitó la nulidad de actuaciones por [.../...]

SEGUNDO. Dado traslado a las demás partes el Ministerio Fiscal se opuso a la petición con base en [.../...]

FUNDAMENTOS DE DERECHO

PRIMERO. Es reiterada la doctrina del TC en el sentido de que los órganos judiciales han de velar por la formación del proceso en igualdad de armas, por lo cual, la falta de agotamiento de la diligencia requerida para la averiguación del paradero del demandado D. [.../...], sin que tampoco se haya verificado el emplazamiento edictal como último remedio —SSTC 156/1985, 198/1994, 160/1995, de 6 de noviembre y 126/1996, de 9 julio, entre otros—, comporta la nulidad de actuaciones desde la providencia de [.../...] decretando la rebeldía de [.../...], de conformidad con lo dispuesto en el art. 241.2 LOPJ.

Vistos el precepto citado y los demás de pertinente aplicación

PARTE DISPOSITIVA

Se decreta la NULIDAD DE ACTUACIONES desde la providencia de [.../...] por la que se acordaba la rebeldía del demandado [.../...] y las sucesivas actuaciones, otorgándose el plazo de [.../...] días a fin que el imputado pueda tomar conocimiento de lo actuado y solicite lo que convenga a su derecho, y verificado lo cual prosígase la sustanciación del proceso, sin especial pronunciamiento de las costas.

Contra la presente resolución cabe recurso de apelación en un efecto dentro del plazo de cinco días ante el Sr. Juez de este Juzgado.

Lo manda y firma el Sr. D. [.../...] Juez de Primera Instancia, doy fe

(Firma Juez) (Firma Letrado de la administración de justicia)

DILIGENCIA. Seguidamente se cumple lo acordado, doy fe.

NOTIFICACIÓN. A las partes personadas.

b) Nulidad de sentencia o resolución que hubiere adquirido firmeza

M. 172. Escrito solicitando nulidad de sentencia firme por defectos de forma causante de efectiva indefensión

La incongruencia del fallo no se contiene como motivo de nulidad en el art. 241.1 LOPJ, que tras la reforma operada por la LO 6/2007 únicamente prevé como motivo del incidente excepcional de nulidad de actuaciones la vulneración de un derecho fundamental de los referidos en el art. 53.2. CE. Esta modificación supone una ampliación del ámbito del motivo, que no obstante va a seguir utilizándose con base en la existencia de los motivos ya conocidos de infracción procesal con vulneración de los derechos fundamentales del orden procesal contenidos en el art. 24 CE.

Rollo núm. [.../...]

A LA SALA (o la SECCIÓN [.../...] DE LA AUDIENCIA PROVINCIAL)

D. [.../...]Procurador de los Tribunales y de [.../...], según escritura de poder que acompaño en forma, ante el Juzgado comparezco y DIGO:

Que en nombre de mi representado solicito la NULIDAD DE LA SENTENCIA FIRME de fecha [.../...] y de todas las actuaciones realizadas en el Rollo referenciado al margen, con base en las siguientes

ALEGACIONES

PRIMERO. Con fecha de [.../...] se dictó sentencia de procedimiento abreviado [.../...] en la que resultó absuelto D. [.../...]sin imposición de cantidad alguna en concepto de responsabilidad civil de [.../...] Esta sentencia fue apelada por la acusación particular, sin que se diera traslado a esta representación del escrito de recurso, ni pudiera intervenir en la sustanciación de la apelación, por no haberse citado debidamente por causas desconocidas. Ello motivó que no se notificara a esta parte el auto de admisión de prueba y celebración de vista que se sustanció con fecha de [.../...], dictándose sentencia en [.../...]que ha sido notificada el día [.../...], es decir, hace quince días según copia que se adjunta como doc. núm. 2. Esta resolución revoca parcialmente la sentencia dictada en la instancia y su fallo dice literalmente « [.../...]», con la consecuencia de condenar al acusado y a mi representada como responsable civil subsidiaria al pago de [.../...] Euros.

SEGUNDO. La falta de notificación y citación para la vista ha producido a mi mandante una efectiva indefensión por haberse celebrado la misma sin que por mi principal ni su representación, que ignoraba la sustanciación del Rollo, se haya podido realizar alegación o manifestación alguna, concretamente con relación a la prueba practicada en segunda instancia, con clara vulneración de los principios de tutela efectiva y la debida contradicción, causándose una efectiva indefensión con violación del art. 24 CE.

CUARTO. Como consecuencia de las precedentes alegaciones procede decretar la nulidad de la sentencia firme de fecha [.../...] con retroacción del procedimiento al momento de la comparecencia ante la Audiencia, incumpliéndose los requisitos de tiempo y forma establecidos en el art. 241 LOPJ, es decir:

a) Nulidad fundada en defectos de forma causante de indefensión como motivo generador de la misma —art. 241.1.1 LOPJ, con relación al art. 24 y 53.2 CE.— sin que los mismos hayan podido ser denunciados con anterioridad, y

b) Se presenta el escrito dentro del plazo de veinte días desde la notificación de la sentencia —art. 241.1.2 LOPJ.— y en todo caso dentro de los cinco años.

Por todo lo expuesto,

A LA SALA SUPLICO: Tenga por presentado este escrito, con el poder, copias y documentos, lo una a autos con traslado de las copias a las demás partes y con devolución de la escritura de poder que previo su testimonio se devolverá a mi principal; por comparecido en el Rollo referenciado [.../...] a [.../...] en nombre y representación de [.../...] y por formulado en tiempo y forma la NULIDAD DE SENTENCIA FIRME dictada con fecha de [.../...] y de las actuaciones seguidas en el Rollo desde que mi representado compareció ante la Audiencia; dictándose seguidamente resolución, previa audiencia de las partes, por la que se decrete la NULIDAD postulada, incluida la sentencia firme y retroacción del procedimiento a la fecha de [.../...], sustanciándose posteriormente el Rollo con la intervención de mi mandante, e imposición de las costas a las demás partes si se opusieran a la presente solicitud.

PRIMER OTROSÍ DIGO: (*Para el supuesto de que proceda la apertura de prueba*) Que interesa al Derecho de esta parte, al amparo de lo dispuesto en el art. 241.2 LOPJ, solicitar el recibimiento a prueba del presente incidente, a fin de acreditar cuantas alegaciones fácticas no sean admitidas o reconocidas por la parte contraria, por lo que:

SUPLICO A LA SALA: Se sirva recibir a prueba el incidente promovido.

SEGUNDO OTROSÍ DIGO: (*Para el caso de que se precise instar la suspensión de la ejecución*) Que interesa la suspensión de la ejecución de la sentencia firme acordada por el Juez de lo Penal de [.../...] al causarse perjuicios irreparables y para evitar que el incidente pueda perder su finalidad por [.../...]

A LA SALA SUPLICO: Se acuerde la suspensión de la ejecución de la sentencia firme de fecha [.../...] expidiéndose los oportunos derechos para su cumplimiento

En [.../...] a [.../...] de [.../...] de [.../...]

(Firma Abogado)   (Firma Procurador)

M. 173. Escrito solicitando nulidad de sentencia firme por incongruencia del fallo

Rollo núm. [.../...]

A LA SALA (o la SECCIÓN [.../...] de la AUDIENCIA PROVINCIAL)

D. [.../...] Procurador de los Tribunales y de [.../...] según tengo acreditado en el Rollo referenciado al margen, ante el Juzgado comparezco y DIGO:

Que en nombre de mi representado solicito la NULIDAD de la SENTENCIA FIRME de fecha [.../...] en el pronunciamiento relativo a [.../...] y con base en las siguientes

ALEGACIONES

PRIMERO. Con fecha de [.../...] se ha dictado sentencia en el presente Rollo notificada a mi principal en [.../...] según doc. núm. 1 y 2 que acompaño al presente escrito

SEGUNDO. Consecuencia de la necesaria congruencia entre las peticiones de la acusación y la defensa es la prohibición de la «reformatio in peius», que el TC ha declarado que «representa un principio procesal que forma parte del derecho a la tutela judicial efectiva a través del régimen de garantías legales de los recursos y, en todo caso de la prohibición constitucional de la indefensión (SSTC 54/1985, 84/1985 y 115/1986, y 56/1999 de 12 de abril).

TERCERO. El fallo de la resolución dictada agrava la posición de mi principal y que como apelante única recurrió la sentencia del Juez «a quo» en el extremo relativo a la imposición de una pena de tres meses multa con cuota diaria de 10 Euros, cuando la condena recurrida lo era a una cuota diaria de 4 Euros.

Por lo expuesto el apartado de la sentencia firme que conlleva a mi mandante a [.../...] ha vulnerado la regla de la congruencia y de la reformatio in peius, debiéndose decretar su nulidad y dejar sin efecto el citado pronunciamiento, cumpliéndose los requisitos de tiempo y forma establecidos en el art. 241.1º y 2º LOPJ, es decir:

a) Nulidad fundada en incongruencia del fallo por reformatio in peius relativa al pronunciamiento de [.../...] art. 241.1º LOPJ con relación al art. 24 y 53.2 CE.. y

b) Se presenta el escrito dentro del plazo de veinte días desde la notificación de la sentencia —art. 240.1°.2 LOPJ.—, y en todo caso dentro de los cinco años.

SUPLICO A LA SALA: Tenga por presentado este escrito, con sus copias y documentos, lo una a autos con traslado de las copias a las demás partes; y por formulado en tiempo y forma la NULIDAD de la SENTENCIA FIRME dictada con fecha de [.../...] en el pronunciamiento relativo a [.../...]; dictándose seguidamente resolución, previa audiencia de las partes, por la que se decrete la NULIDAD postulada en el extremo pretensionado, con imposición de las costas a las demás partes si se opusieran a la solicitud.

OTROSÍ DIGO: (*Para el caso de que se precise instar la suspensión de la ejecución*) [.../...] (*Vid.* segundo otrosí en M. 431).

En [.../...] a [.../...] de [.../...] de [.../...]

(Firma Abogado)   (Firma Procurador)

M. 174.   Escrito contestando a la nulidad de la sentencia firme instada

Rollo [.../...]

A LA SALA (o Sección núm. [.../...] de la AUDIENCIA PROVINCIAL)

D. [.../...] Procurador de los Tribunales y de [.../...], según tengo acreditado en el Rollo referenciado al margen, comparezco y DIGO:

Que habiéndose dado traslado a mi principal del escrito de [.../...] solicitando la nulidad de la sentencia firme de [.../...] en el extremo relativo a [.../...], me opongo a que se decrete la misma en base a las siguientes:

ALEGACIONES

PRIMERO. De acuerdo con los correlativos primero y segundo de los reseñados en el escrito deduciendo la nulidad de actuaciones de la sentencia firme

SEGUNDO. No se incurre en *reformatio in peius* que es una modalidad de incongruencia procesal puesto que la sentencia de instancia contenía el pronunciamiento de [.../...] sin que la alzada se hubiese agravado su posición como parte apelante ya que la concreta determinación de la pena corresponde al Tribunal tal y como establece el art. 66 CP. En consecuencia, el Tribunal podía modificar la cuota diaria de multa, dentro de la prevista en la ley, sin que por ello incurriera en incongruencia alguna.

Por lo expuesto, de conformidad con el art. 240.3° LOPJ.

SUPLICO A LA SALA: Tenga por presentado este escrito con sus copias lo admita y una a autos, dando traslado de las copias a las demás partes, y por formulada oposición a la nulidad de sentencia firme solicitada por [.../...] se rechace la misma, con imposición de costas al instante.

En [.../...] a [.../...] de [.../...] de [.../...]

(Firma Abogado)   (Firma Procurador)

M. 175. Auto acordando la nulidad de actuaciones de resolución firme

AUTO

Ilmos. Sres.

Presidente.

[.../...]

Magistrados

En [.../...]a [.../...]de [.../...]de [.../...]

HECHOS

PRIMERO. El Procurador [.../...] en representación de [.../...] solicitó la nulidad de actuaciones por [.../...]

SEGUNDO. Dado traslado a las demás partes la representación del actor [.../...] se opuso a la petición con base en [.../...]

FUNDAMENTOS DE DERECHO

ÚNICO. Es reiterada la doctrina del TC en el sentido de que los órganos judiciales han de velar por la formación del proceso en igualdad de armas, por lo cual, la falta de notificación del auto admitiendo la prueba y la citación para la correspondiente vista del recurso, ha tenido el indudable efecto de producir la indefensión de la parte apelada, máxime cuando la sentencia que dictó esta Sala se fundamentó en parte en la práctica de la prueba admitida en segunda instancia que se sustanció sin la debida contradicción de las partes. En consecuencia, debe apreciarse la vulneración de los principios de tutela efectiva y la debida contradicción, causándose una efectiva indefensión con violación del art. 24 CE.

PARTE DISPOSITIVA

Se decreta la NULIDAD DE ACTUACIONES desde la notificación del auto de admisión de la prueba en segunda instancia que se deberá notificar al apelado teniéndole por personado en la alzada, y citándole al acto de la vista que se señalará en el mismo auto, con expresa declaración de nulidad de todas las actuaciones subsiguientes incluida la sentencia dictada en la alzada por este Tribunal, sin especial pronunciamiento en costas.

Contra la presente resolución no cabe recurso alguno.

Así lo acuerdan y firman los Sres. Magistrados de [.../...], doy fe.

(Firma Magistrados)   (Firma Letrado de la administración de justicia)

DILIGENCIA. Seguidamente se cumple lo acordado, doy fe.

NOTIFICACIÓN. A las partes personadas.

CAPÍTULO XII

EL PROCEDIMIENTO ABREVIADO

SECCIÓN 1. ANTECEDENTES Y ÁMBITO DEL PROCEDIMIENTO ABREVIADO[(1)]

1.1. Antecedentes legislativos

Resulta conveniente, a efectos de un mejor conocimiento y aplicación de las normas del procedimiento abreviado, analizar, siquiera de forma breve, los ante-

---

(1) Vid. CALVO SÁNCHEZ M.C., «Primera aproximación a la proposición de Ley de Reforma parcial de la LECrim: Consideraciones sobre el procedimiento abreviado», *La Ley* nº 5552, 2002. «Estudio del procedimiento abreviado en la reforma operada por la proposición de Ley 122/000199»..., *La Ley* nº 5639, 2002. ORTELLS, «El nuevo proceso penal abreviado. Aspectos fundamentales», *Justicia*, 1989, pp. 545 y ss.; «Las partes no oficiales en el proceso penal abreviado», *La Ley* n.º 3983, 1996; PORTERO, REIG, MARCHENA, *Comentarios a la reforma procesal penal de la LO 7/88*, Bilbao, 1989; DE LA OLIVA y otros, *Nuevos Tribunales y nuevo proceso penal*, Madrid, 1989; ALMAGRO, CORTÉS, GIMENO y MORENO, *El nuevo proceso penal*, Valencia, 1989; MORA, *El procedimiento abreviado y otros procedimientos penales*, Valencia, 1989; ESCUSOL, *El proceso penal por delitos: Estudio sistemático del procedimiento abreviado*, Madrid, 1992; GÓMEZ COLOMER, «El nuevo proceso penal», *PJ*, n.º 26, 1992, p. 8; FAIRÉN, *Estudios de Derecho Procesal. La reforma del proceso penal*, Madrid, 1992; DEL MORAL GARCÍA, A., «Procedimiento abreviado: ámbito de aplicación y transformación a otros tipos procedimentales», *Poder Judicial*, n.º 37, 1995; PÉREZ-CRUZ MARTÍN, A., «Primeras reflexiones sobre la Ley de medidas urgentes de reforma procesal», *La Ley* n.º 3181, 1993; VARGAS CABRERA, B., «Comentarios y sugerencias en torno a las reformas del proceso penal operadas por la Ley 10/92, de 30 abril (Capítulo 2.º art. 6.º), en especial los llamados juicios rápidos», *La Ley* n.º 3023, 1993; BOTE SAAVEDRA, J. F., «El proceso penal abreviado rápido. Su aplicación conforme a la Constitución y doctrina del Tribunal Constitucional», *La Ley* n.º 3768, 1995; MONTAÑÉS PARDO, M. A., «Algunos aspectos constitucionales del Procedimiento abreviado», *CGPJ, Cuadernos de Derecho Judicial*, n.º 9, 1992; CABRERA MERCADO, R., «Alcance de las modificaciones introducidas en el Procedimiento Abreviado por la Ley 10/91: Los juicios rápidos», *Rev. Vasca de D.º procesal y arbitraje*, n.º 1, 1995; MORA ALARCÓN, «El procedimiento abreviado y los otros procedimientos penales (Doctrina, jurisprudencia y formularios), Valencia, 1990; MUÑOZ ROJAS, T., «Una síntesis del proceso penal abreviado», *Actualidad Penal*, 1989, n.º 39; SERRANO GÓMEZ, «El procedimiento abreviado (Crisis de la jurisprudencia e indefensión)», Marginal 85, *Actualidad Penal*, 1990-1; Idem, «El procedimiento abreviado y su dudosa constitucionalidad», *Actualidad Penal*, 1990, n.º 10, p. 95.

cedentes del procedimiento abreviado en el que se han concentrado las reformas esenciales que se han producido en el proceso penal desde la promulgación de la LECrim de 1882.

La Ley de Enjuiciamiento Criminal de 1882 tuvo en cuenta la división que el Código Penal hacía respecto de las infracciones penales: delitos y faltas. Al primer tipo de infracciones le correspondió el proceso ordinario por delitos, de carácter complejo y dotado de las máximas garantías procesales. Para el segundo tipo de infracciones se reservó el proceso llamado juicio de faltas, más sencillo y rápido que el anterior por la escasa gravedad de las infracciones. Complementariamente, el Libro IV de la LECrim reguló los procedimientos especiales para resolver determinadas infracciones penales, a las que no cabía aplicar ninguno de aquellos dos tipos básicos de procedimientos. Especial atención mereció el denominado «procedimiento en los casos de flagrante delito» incluido en el Título III del referido Libro. Este procedimiento especial obedecía a una finalidad muy concreta: castigar de forma rápida aquellos delitos cuya pena no superase los límites de la esfera correccional (prisión menor) y el culpable fuera sorprendido «in fraganti», ya que no se requería en estos casos una averiguación tan minuciosa del hecho delictivo como en otros supuestos.

La necesidad permanente de asegurar la rapidez en la administración de la justicia penal determinó que la Ley de 8 de abril de 1967 modificará el Título III de la LECrim para introducir un nuevo tipo de procedimiento de urgencia para enjuiciar determinados delitos. Este procedimiento incluía, a su vez, dos modalidades procedimentales: a) Diligencias preparatorias: para delitos cuyo fallo compete a los Juzgados de Instrucción (posteriormente limitado a delitos culposos por LO 10/80, de 11 de noviembre); y b) Sumario de urgencia, para delitos de competencia de las Audiencias. En el primer tipo de procedimiento el Juez instructor actuaba con una doble función: instructora y decisoria (era parcialmente semejante al que se recogió en la Ley del Automóvil); y en el segundo, la fase de instrucción correspondía al Juez instructor, y la fase decisoria a la Audiencia Provincial. En cualquier caso, el Juez instructor debía iniciar el proceso mediante diligencias previas para determinar la naturaleza y circunstancias del hecho, las personas que en él hubiesen participado y el procedimiento aplicable. La doctrina mayoritaria criticó severamente la introducción de este doble procedimiento en el articulado de la Ley de Enjuiciamiento Criminal por la defectuosa técnica legislativa utilizada; y concretamente por el retroceso que significaba que el Juez instructor fuese al mismo tiempo órgano decisor, como ocurría en el primer tipo de procedimiento de urgencia mencionado.[2].

_____

(2)   No obstante, y a pesar de las severas críticas doctrinales que recibió el referido modelo procedimental, el legislador incidió en el sistema expuesto regulando el denominado *proceso monitorio* o *proceso oral 10/80*, creado por Ley Orgánica 10/80, el 11 de noviembre. Este procedimiento surgió para combatir la excesiva prolongación temporal de los procesos penales, e instaurar un proceso breve y racional para aquellos ilícitos que, por su incidencia en la comunidad, provocaban una importante alarma social. De nuevo se alzaron unánimes críticas contra este nuevo procedimiento, que no cumplió ninguno de los fines que perseguía. Vid. GIMENO SENDRA, «Los procedimientos penales simplificados», *Justicia*, 1987, p. 355; Idem, «Los procedimientos penales simplificados (principio de oportunidad y proceso penal monitorio)», *PJ*, n.° especial II, 1987, p. 31; FAIRÉN GUILLÉN, «Algunas bases para la reforma procesal penal en España y países iberoame-

A este respecto, resulta claro que el derecho a un Juez imparcial no prevenido constituye uno de los principios inspiradores del proceso penal; y su garantía precisa de la separación entre el Juez instructor y el Juez decisor, a los efectos de prevenir posibles prejuicios en este último. Este elemental principio fue ya consagrado en la Ley de Enjuiciamiento Criminal, resultando sacrificado en el procedimiento de «diligencias preparatorias» en aras de una pretendida celeridad del proceso. Con fundamento en este principio la STC 145/88 de 12 julio estableció que la actividad instructora, en cuanto pone al que la lleva a cabo en contacto directo con el acusado y con los hechos y datos que deben servir para averiguar el delito y sus posibles responsables, puede provocar en el ánimo del instructor, incluso a pesar de sus mejores deseos, prejuicios e impresiones a favor o en contra del acusado que influyan a la hora de sentenciar. Incluso aunque ello no suceda, añade el Alto Tribunal, es difícil evitar la impresión de que el Juez acomete la función de juzgar sin la plena imparcialidad que le es exigible[3]. Esta sentencia se fundaba en la doctrina reiterada del Tribunal Europeo de Derechos Humanos (caso Cubber, de 26 octubre 1984, y caso Piersack, de 1 octubre 1982), que afirma que debe abstenerse todo Juez del que pueda temerse legítimamente una falta de imparcialidad, pues va en ello la confianza que los Tribunales de una sociedad democrática han de inspirar a los justiciables. En definitiva, no cabe en ningún caso la acumulación de las funciones instructora y juzgadora en el mismo órgano jurisdiccional[4].

La STC 145/1988 determinó la necesidad de regular un nuevo procedimiento en el que se respetara el principio de imparcialidad del Tribunal juzgador; dando lugar a la promulgación de la LO 7/88, de 28 de diciembre, por la que se creó el denominado por la doctrina procedimiento abreviado[5]. Este procedimiento se reformó por Ley 10/92 de 30 de abril, con la finalidad de introducir en el procedimiento abreviado las reformas necesarias para permitir el enjuiciamiento en aquellos casos en que el imputado ha sido sorprendido in fraganti y en los que exista prueba suficiente para el enjuiciamiento inmediato. En este sentido, y según la Exposición de Motivos de

---

ricanos», *La Ley* 1984-4, p. 1058; VIVES ANTÓN, «Doctrina constitucional y reforma del proceso penal», *PJ*, n.° especial II, 1987, p. 93; RUIZ VADILLO, «El futuro inmediato del Derecho Penal, las tendencias descriminalizadoras y las fórmulas de sustitución de las penas privativas de libertad de corta duración», *PJ*, 1987, n.° 7, p. 25.

(3)   Vid. también STC 164/88, de 26 septiembre.

(4)   El ámbito de delimitación de las funciones instructora y decisora se ha ido perfilando con posterioridad a la STC 145/88 con relación a determinadas intervenciones del Instructor en la causa. En este sentido, el TC ha declarado que no toda intervención del Juez antes de la vista tiene carácter de instrucción, por lo que deberá examinarse en cada caso si la intervención previa del Juez como órgano de instrucción ha podido o no comprometer su imparcialidad. En este sentido, se ha afirmado que mientras la toma de declaración del imputado para ser oído, conforme a lo previsto en los arts. 486 y 488 LECrim, no implica pérdida de imparcialidad, sí compromete a ésta el interrogatorio judicial del detenido, previsto en el art. 386 LECrim., al tratarse de una declaración indagatoria destinada a la averiguación de los hechos. Véase sobre esta cuestión el § 7.5 Cap. III, en sede de abstención y recusación.

(5)   La creación de este nuevo procedimiento trajo consigo la derogación expresa del proceso oral 10/80 y la de los dos procedimientos de urgencia. Con ello los tres procedimientos existentes por delitos menos graves quedado unificados en el nuevo procedimiento, si bien se mantiene en éste una dualidad de órganos decisores, en función de la pena establecida a los hechos enjuiciados.

la Ley, la reforma se dirigía: «*en la dirección de ir consiguiendo una regulación que permita introducir en nuestro ordenamiento modalidades de enjuiciamiento inmediato en materia penal, carentes de instrucción propiamente dicha*». Esta regulación se modificó por LO 2/1998 de 15 de junio que perseguía impulsar el desarrollo de los juicios rápidos en el procedimiento abreviado, con finalidad de potenciar mecanismos de agilización de los juicios penales[6]. La Ley 38/2002 de reforma parcial de la Ley de enjuiciamiento criminal introdujo reformas importantes en el procedimiento abreviado y, además, un nuevo procedimiento para el enjuiciamiento rápido e inmediato de determinados delitos y faltas. Finalmente la LO 1/2015, de 30 de marzo, por la que se modifica la LO 10/1995, de 23 de noviembre, del Código Penal reguló el denominado procedimiento por delitos leves, en los arts. 962 y ss. LECrim, que se fundamenta en el anterior juicio de faltas.

El procedimiento abreviado se regirá por las normas comunes de la LECrim, salvo en lo específicamente regulado en el indicado Libro IV, según se dispone en los arts. 758 y, específicamente, los arts. 769, y 774 LECrim con relación a la actuación de la policía judicial y las diligencias previas.

Cabe citar como especialidades más destacables del procedimiento abreviado la más acentuada intervención del Ministerio Fiscal y, especialmente, de la policía judicial (arts. 769 a 773 LECrim); la mayor atención a los derechos de la víctima al establecer la notificación de los actos relevantes, aunque no estuviere personada en la causa (arts. 776, 785.3, 789.4, 792.4 LECrim); mayor atención para el derecho de defensa del imputado, al establecer la ley que no podrá cerrarse la instrucción de la causa sin haber tomado declaración al imputado (art. 779.1.4ª LECrim); la ampliación de los supuestos en los que es posible celebrar el juicio en ausencia del acusado, permitiéndose cuando la pena solicitada no exceda de dos años de privación de libertad (art. 786.1 LECrim); la modificación del sistema de recursos, tanto los que caben frente a resoluciones interlocutorias (art. 766 LECrim), como frente a la sentencia (art. 790 LECrim); finalmente también se produce una modificación importante respecto a las normas sobre la congruencia y correlación de la sentencia penal

---

(6)   Véase sobre la reforma de la LECrim de 1988 que estableció el procedimiento abreviado: Vid. ORTELLS, «El nuevo proceso penal abreviado. Aspectos fundamentales», *Justicia*, 1989, pp. 545 y ss.; «Las partes no oficiales en el proceso penal abreviado», *La Ley* n.º 3983, 1996; PORTERO, REIG, MARCHENA, *Comentarios a la reforma procesal penal de la LO 7/88*, Bilbao, 1989; DE LA OLIVA y otros, *Nuevos Tribunales y nuevo proceso penal*, Madrid, 1989; ALMAGRO, CORTÉS, GIMENO y MORENO, *El nuevo proceso penal*, Valencia, 1989; MORA, *El procedimiento abreviado y otros procedimientos penales*, Valencia, 1989; ESCUSOL, *El proceso penal por delitos: Estudio sistemático del procedimiento abreviado*, Madrid, 1992; GÓMEZ COLOMER, «El nuevo proceso penal», *PJ*, n.º 26, 1992, p. 8; FAIRÉN, *Estudios de Derecho Procesal. La reforma del proceso penal*, Madrid, 1992; DEL MORAL GARCÍA, A., «Procedimiento abreviado: ámbito de aplicación y transformación a otros tipos procedimentales», *Poder Judicial*, n.º 37, 1995; PÉREZ-CRUZ MARTÍN, A., «Primeras reflexiones sobre la Ley de medidas urgentes de reforma procesal», *La Ley* n.º 3181, 1993. CABRERA MERCADO, R., «Alcance de las modificaciones introducidas en el Procedimiento Abreviado por la Ley 10/91: Los juicios rápidos», *Rev. Vasca de D.º procesal y arbitraje*, n.º 1, 1995; MORA ALARCÓN, *El procedimiento abreviado y los otros procedimientos penales (Doctrina, jurisprudencia y formularios)*, Valencia, 1990; MUÑOZ ROJAS, T., «Una síntesis del proceso penal abreviado», *Actualidad Penal*, 1989, n.º 39.

con las pretensiones de las partes (art. 788.4 y 789 LECrim); y de las condiciones y sustanciación de la conformidad (art. 787 LECrim).

1.2. Ámbito del procedimiento abreviado

Las reglas de competencia fueron objeto de explicación en § 2.2.B. del Capítulo III, al que nos remitimos. Por lo tanto, en este punto únicamente conviene exponer una síntesis de aquella exposición.

Así, se sustanciarán por los trámites del procedimiento abreviado el enjuiciamiento de los siguientes asuntos:

a) Delitos castigados con penas de privación de libertad no superior a nueve años, o bien con cualesquiera otras penas de distinta naturaleza bien sean únicas, conjuntas o alternativas, cualquiera que sea su cuantía o duración (art. 757 LECrim).

b) Delitos leves. Se sustanciarán por el procedimiento abreviado los delitos leves, incidentales o no, imputables a los acusados de delitos que se sustancien por este procedimiento siempre que la comisión del delito leve o su prueba estuviese relacionada con aquéllos delitos. Los delitos leves que no cumplan estas circunstancias se sustanciarán por el juicio de procedimiento por delitos leves previsto en los arts. 962 y ss. LECrim.

Nótese que la gran mayoría de delitos se sustanciarán por el procedimiento abreviado, ya que en su ámbito se incluyen los delitos que se cometen con mayor frecuencia y de mayor incidencia social por su reiteración. Por esa razón puede decirse que el procedimiento abreviado ha quedado convertido en la actualidad en el proceso tipo de la jurisdicción penal, a pesar de que esté incardinado dentro de la LECrim. en el Libro IV, destinado a los procedimientos especiales.

SECCIÓN 2. EL INICIO DEL PROCEDIMIENTO ABREVIADO. ACTUACIONES PREPROCESALES DE LA POLICÍA JUDICIAL Y EL MINISTERIO FISCAL

2.1. El inicio del procedimiento abreviado. Actuaciones preprocesales

El procedimiento abreviado puede iniciarse conforme a los modos ya expuestos con carácter general. A saber: por denuncia, querella o atestado. La querella, en razón de su naturaleza, se interpondrá directamente ante el Juzgado. Sin embargo, la denuncia puede formularse ante el Juzgado o bien ante cualquier agente de la autoridad, ya sea la policía o bien el Fiscal. En cuanto al atestado se forma a partir de la denuncia o bien como consecuencia de la actividad de la policía en la prevención y represión del delito. (Véase M. 57 a 66 con los distintos modos de inicio del proceso penal. Véase también M. 64, 109, 176 con distintos escritos de querella).

Todos estos modos de iniciar el procedimiento abreviado tienen como destino hacer llegar la «*notitia criminis*» al Juez de Instrucción que es el competente para la instrucción de los delitos. En ese momento, y abiertas las diligencias previas, será el Juez de instrucción el competente para determinar la naturaleza y circunstancias del hecho, las personas que en él hayan participado y el órgano competente para el enjuiciamiento. Para ello practicará por sí u ordenará a la Policía Judicial que se practiquen las diligencias necesarias a ese fin. Por su parte, el Fiscal actuará como parte en la instrucción defendiendo el interés público y ejerciendo, en su caso, la acusación pública y solicitando la apertura del Juicio oral.

Antes de iniciarse el procedimiento penal y con carácter pre-procesal, podrán realizarse diligencias de gran importancia, que se revelan esenciales por constituir en muchos casos el núcleo esencial del fundamento fáctico, que constituirá el objeto del debate procesal que se desarrollará en el eventual y futuro juicio oral. Por esa razón en los arts. 769 a 773 LECrim se regula con cierto detalle la actuación de la policía judicial y del Ministerio Fiscal. Esta actividad pre-procesal no puede considerarse una actividad instructora propiamente dicha y, por tanto, sustitutoria de la instrucción judicial. A diferencia de ésta, que tiene como finalidad averiguar si existe un delito y una persona responsable, en esta fase se persigue investigar si existe suficiente base para sostener una acusación por la existencia de un presunto hecho delictivo.

La dirección y coordinación de la investigación pre-procesal corresponde al Ministerio Fiscal, que dirigirá la investigación policial y podrá acordar por propia iniciativa las diligencias preliminares de investigación del hecho punible que estime adecuadas[7]. A este efecto, compete al Fiscal dar a la policía las instrucciones, tanto generales como particulares, para el más eficaz cumplimiento de sus funciones

---

(7)   El art. 20 RD 769/87, de 19 de junio, regulador de la Policía Judicial, atribuye al Ministerio Fiscal la dirección de la investigación policial en esta fase preliminar a la apertura de un proceso judicial. Vid. Instrucción de la Fiscalía General del Estado 2/88, de 4 de mayo, sobre el Ministerio Fiscal y la Policía Judicial. Vid. ORTELLS, «El nuevo proceso penal», *Justicia*, 1989, pp. 548 y ss.; GIMENO SENDRA, «Algunas sugerencias sobre la atribución al MF de la investigación oficial», *Justicia*, 1988, p. 829; Idem, «Nuevos poderes para el Ministerio Fiscal en el proceso penal: límites constitucionales y valoración jurídico-política», *Rev. de Dcho. Procesal*, 1990, n.° 2; QUERALT, «La reforma policial española», *Justicia*, 1986, p. 633; MARCHENA GÓMEZ, «Significación procesal de las diligencias tramitadas por el fiscal en la LO 7/88», *La Ley* 1989-2, p. 1109; DOMÍNGUEZ VIGUERA, «Policía Judicial y Ley Orgánica del Poder Judicial», *La Ley* 1987-1, p. 1001; LORCA NAVARRETE, «La instrucción preliminar en el proceso penal: la actividad de la policía judicial», *La Ley* 1984-3, p. 970; FISCALÍA GENERAL DEL ESTADO, «El Ministerio Fiscal y la Policía Judicial», *ADP*, mayo-agosto, 1988, p. 559; RUIZ VADILLO, «La actuación del Ministerio Fiscal en el proceso penal», *PJ*, n.° especial II, 1987, p. 53; JIMÉNEZ VILLAREJO, «La policía judicial; una necesidad, no un problema», *PJ*, n.° especial II, 1987, p. 175; MORENO CATENA, «Dependencia orgánica y funcional de la policía judicial», *PJ*, n.° especial VIII, p. 139; CALVO SÁNCHEZ, «La fase de investigación en el proceso penal abreviado», *La Ley* 1990-2, p. 1085; BAÑO Y ARACIL, «El Ministerio Fiscal en la instrucción de los delitos», *Revista General de Derecho*, n.° 594, 1994; GARCÍA GARCÍA, J., «La fase de instrucción en diligencias de carácter criminal», *La Ley* n.° 3521, 1994; DE LA OLIVA SANTOS, A., *Jueces imparciales, Fiscales investigadores y nueva reforma para la vieja crisis de la Justicia Penal*, Barcelona, 1988; GARBERÍ LLOBREGAT, «El procedimiento abreviado, ámbito de apelación y principios informadores de la fase instructora», *Rev. J.ª Castilla-La Mancha*, n.° 17, 1993; GÓMEZ-ESCOLAR MAZUELA, «El Fiscal instructor: la experiencia portuguesa», *Poder Judicial*, marzo 94; LÓPEZ LÓPEZ, «Las diligencias del Fiscal investigador», *Actualidad Penal*, n.° 15,

(art. 773.1 y 2 LECrim). Para una perfecta ejecución de esta competencia el Fiscal deberá establecer los criterios generales a seguir en toda investigación, marcando las pautas relativas a modos de actuación, preferencias de investigación o coordinación de investigaciones, a través de las Comisiones Provinciales de Coordinación de la Policía Judicial, o en su caso, de las Juntas Locales de Seguridad. Además deberá, también, dar las instrucciones particulares y concretas en cada caso determinado, que se impartirán a través de los Jefes de las distintas Unidades[8]. A este fin, como una de las novedades más importantes de la LO 7/1988 al introducir el procedimiento abreviado fue la atribución explícita de la investigación preliminar —y, por tanto, extraprocesal— al Ministerio Fiscal, el cual conforme al art. 773.2 LECrim, cuando tenga noticia de un hecho aparentemente delictivo, practicará él mismo u ordenará a la Policía Judicial que practique las diligencias que estime pertinentes para la comprobación del hecho o de la responsabilidad de los participantes en el mismo.

Sin embargo, no se ha producido un desarrollo sustancial de la regulación de las diligencias preliminares y de la actuación del Fiscal como director de la investigación policial, teniendo en cuenta la oportunidad que se presentaba para ello con la reforma del procedimiento abreviado por Ley 38/02.

Sobre este particular, nótese que la modificación legal ha desarrollado notablemente las facultades de actuación de la Policía Judicial, concretamente en lo que podemos denominar diligencias de prevención[9]. Estas diligencias a las que nos referimos en el apartado siguiente tienen por finalidad, básicamente, asegurar los efectos y personas que tengan relación con el delito e informar a los perjudicados y detenidos de los derechos que le asisten. Sin embargo, esta ampliación de facultades y competencias de la policía no se ha desarrollado teniendo en cuenta la función de dirección del Ministerio Fiscal. A este respecto, véase que se mantiene la contradicción entre el contenido del apartado 2º del art. 773 LECrim y el art. 772.2 LECrim. En el primero se prevé la posibilidad de que los atestados de la Policía se entreguen al Fiscal, mientras en el segundo se establece que la Policía hará entrega de los atestados al Juez competente. Del conjunto de normas legales aplicables —art. 4 EMF, art. 4 RD 769/87 y art. 785 bis 1 LECrim.— se desprende que existe la posibilidad de que la Policía entregue los atestados al Juez de Instrucción o al Fiscal. En cualquier caso, la Policía deberá comunicar al Fiscal el resultado de las actuaciones practicadas cumplimentando sus instrucciones.

2.2. Diligencias de prevención e investigación de la policía

Las diligencias de prevención de la policía tendrán lugar en el marco de las funciones que le son propias a la Policía Judicial en relación con la investigación criminal

---

1993; SANCHÍS CRESPO, *El Ministerio fiscal y su actuación en el proceso penal abreviado*, Esp. ref. al proc. prelim. fiscal, Granada, 1995.

(8) Ver art. 20 RD 769/87, de 19 de junio.

(9) Esta ampliación de las funciones y competencias de la policía judicial adquiere mayor relieve en sede del nuevo procedimiento de enjuiciamiento rápido. Concretamente el art. 796 LECrim prevé que la policía judicial cite al denunciado, testigos, y facultativos ante el Juzgado de Guardia; así como pueda practicar análisis de las sustancias estupefacientes aprehendidas (véase el Cap. XIII).

(Véase el § 2.B del Cap. VI sobre el atestado policial; y § 2 del Cap. VII respecto a la actuación de la policía en la práctica de las diligencias de prevención e investigación).

Para el cumplimiento de las finalidades indicadas de investigación y persecución de los delitos, los miembros de la Policía Judicial, tan pronto como tengan conocimiento de un hecho que revista caracteres de delito, actuarán de conformidad con lo previsto en los arts. 282 y ss. de la LECrim; así como con las normas contenidas en la LO 2/1986 de Fuerzas y Cuerpos de Seguridad, y RD 769/87 sobre regulación de la policía judicial. En el procedimiento abreviado, sin perjuicio de las normas generales expuestas, la policía judicial realizará las siguientes diligencias:

1º Requerirá la presencia de cualquier facultativo que pueda hallarse para prestar, si fuere necesario, los oportunos auxilios al ofendido. La negativa sin justa causa se sancionará, sin perjuicio de la responsabilidad criminal en la que pudiera incurrir, con una multa de 500 a 5000 Euros. Nótese el incremento importante de la cuantía de la multa, que el derogado art. 786.1 LECrim establecía en una cuantía máxima de 10.000 pesetas (art. 770.1º LECrim).

2º Asegurarán el cuerpo del delito. A cuyo efecto recogerán y custodiarán los efectos, instrumentos o pruebas de cuya desaparición hubiera peligro para ponerlos a disposición judicial (art. 770.3º LECrim); tomarán los datos personales, dirección, o cualquier otro dato que permita identificar y localizar, a las personas que se encuentren en el lugar en que se cometió el hecho (art. 770.5º LECrim); intervendrán, en su caso, el vehículo y retendrán el permiso de circulación del mismo y el permiso de conducir de la persona a la que se impute el hecho (art. 770.6º LECrim). En el caso de haberse producido la muerte de alguna persona, y el cadáver se hallará en la vía pública, férrea o en otro lugar de tránsito, lo trasladarán al lugar próximo que resulte más idóneo, en cuyo caso reseñarán la posición exacta del interfecto mediante fotografías o cualquier otro medio apto para este fin (art. 770.4º LECrim).

3º Realizarán una inspección ocular del lugar, y cuando fuere pertinente para el esclarecimiento del hecho punible, levantará acta a tal efecto a la que añadirán fotografías o grabación de imágenes (art. 770.2 LECrim).

4º Respecto a la víctimas y perjudicados el art. 771.1ª LECrim prevé que se les informe de los derechos que le asisten de conformidad con los arts. 109 y 110 LECrim y, concretamente, el derecho a ser parte en la causa sin necesidad de formular querella; y a que se les nombre abogado de oficio; y también que, de no personarse en la causa y no hacer renuncia ni reserva de acciones el Fiscal las ejercitará si correspondiere[10].

5º Informar, en la forma más comprensible, al investigado no detenido de cuáles son los hechos que se le atribuyen y de los derechos que le asisten. En

---

(10) En el caso de delitos contra la propiedad intelectual o industrial la información de derechos al ofendido, así como la citación y emplazamiento pertinentes se realizará con el ofendido, con las personas y entidades que ostenten la representación legal de los titulares de dichos derechos —art. 771.1.2 LECrim—.

particular, le instruirá de los derechos reconocidos en los apartados a), b), c) y e) del artículo 520.2.

Para el supuesto de juicio rápido de determinados delitos, además de las expresadas la policía judicial podrá practicar las actuaciones previstas en el art. 796 LECrim (véase el Cap. XIII). A saber: la citación de los testigos, facultativos, perjudicados y denunciados para que comparezcan en el Juzgado de guardia, y en la práctica de diligencias que pueden calificarse sumariales o de instrucción: la tasación de objetos por un perito; o el análisis de sustancias estupefacientes. Estas atribuciones se fundamentan en la regulación específica de los juicios rápidos. Ahora bien, en un primer momento será la policía judicial la que determine su actuación con relación a un delito determinado, con independencia que el Juez de guardia resuelva, finalmente, que procede o no seguir el procedimiento como juicio rápido. En ese caso, consideramos que las diligencias practicadas por la policía serán válidas, a pesar de que el proceso acabe sustanciándose como un procedimiento abreviado.

Para el desempeño de estas y otras funciones que por la ley se le encomiendan los miembros de la policía judicial requerirán, cuando fuere necesario, el auxilio de otros miembros de las Fuerzas y Cuerpos de Seguridad. La Ley no establece requisito alguno para solicitar y obtener esta colaboración, sin que las actuaciones que desempeñen otros Cuerpos de Seguridad, especialmente, la Policía Local adolezcan de defecto o vicio que las invalide[11].

---

(11)   «La jurisprudencia de esta Sala -conforme recuerda la STS 615/2006, 29 de mayo (LA LEY 62774/2006) - ha entendido que las Policías Locales pueden realizar este tipo de intervenciones en averiguación de los delitos y persecución de los delincuentes, como colaboradores de la función de Policía Judicial, carácter que les atribuye la Ley Orgánica 2/1986 (LA LEY 619/1986). En este sentido, en la STS núm. 533/2005, de 28 de abril (LA LEY 95512/2005), se dice que "la argumentación relativa a la falta de atribuciones de la Policía Local para la persecución de delitos como el enjuiciado, carece de fundamento alguno, como tantas veces hemos tenido ya oportunidad de afirmar, con cita del artículo 29.2 de la LO 2/1986 (LA LEY 619/1986), de Fuerzas y Cuerpos de Seguridad del Estado, dado el carácter auxiliar y colaborador de los miembros de tales fuerzas, en concreto para la persecución y represión de infracciones penales, de acuerdo con Resoluciones como la STS de 7 de junio de 2000 ...". En la STS núm. 1334/2004, de 15 de noviembre (LA LEY 239469/2004), se puede leer que "respecto a la validez de la intervención de la Policía Local, nada se opone a su intervención en funciones de Policía judicial, por lo que no es procedente declarar la nulidad de lo actuado. En este sentido, el artículo 547 de la LOPJ (LA LEY 1694/1985), en su redacción actual, establece que la función de policía judicial competerá, cuando fueren requeridos para prestarla, a todos los miembros de las Fuerzas y Cuerpos de Seguridad, tanto si dependen del Gobierno central como de las comunidades autónomas o de los entes locales, dentro del ámbito de sus respectivas competencias. En congruencia con ello, el artículo 29.2 de la LO de Fuerzas y Cuerpos de Seguridad, considera a las Policías Locales como colaboradores de las Fuerzas y Cuerpos de Seguridad del Estado para el cumplimiento de la función de policía judicial. Y finalmente, el artículo 283 de la LECrim (LA LEY 1/1882), que no ha de considerarse derogado aunque requiera una interpretación conforme con los principios constitucionales, permite considerar incluidos en su amplio contenido a los funcionarios de las Policías Locales. Siempre, y en todo caso, bajo la dirección del Ministerio Fiscal o de la autoridad judicial. Así lo ha entendido esta Sala en las STS núm. 51/2004, de 23 de enero (LA LEY 20743/2004); STS núm. 270/2001, de 12 de noviembre (LA LEY 202967/2001); STS núm. 1225/2001, de 22 de junio (LA LEY 6477/2001), y STS núm. 1039/1999, de 22 de junio, entre otras". Y en el mismo sentido se pronunció esta Sala en la STS núm. 51/2004, de 23 de enero (LA LEY 20743/2004)». ATS Sala Segunda, de lo Penal, Auto 299/2017 de 26 Ene. 2017, Rec. 1764/2016; Ponente: Soriano Soriano, José Ramón. LA LEY 6530/2017.

2.3. Diligencias Preliminares del Ministerio Fiscal

A) Supuestos de iniciación de las actuaciones preliminares por el Fiscal

El art. 773 LECrim prevé que el Fiscal inicie la práctica de estas diligencias preliminares, auxiliado en su caso por la Policía Judicial, cuando: a) tenga directamente noticia de un hecho aparentemente delictivo; b) se le presente una denuncia; o c) reciba un atestado. En estos supuestos podrá acordar, mediante Decreto, la práctica de diligencias preliminares mediante para averiguar el hecho y la responsabilidad de los partícipes con el fin de preparar la acusación.

«A) La indefinición de nuestro sistema procesal de investigación está en el origen de la controversia que late en el presente recurso. El modelo histórico proclamado en el art. 306 de la LECrim (LA LEY 1/1882), según el cual «los Jueces de instrucción formarán los sumarios de los delitos públicos bajo la inspección directa del Fiscal del Tribunal competente», ha dado paso a un modelo proteico en el que el Fiscal puede practicar por sí u ordenar a la Policía Judicial que practique «... las diligencias que estime pertinentes para la comprobación del hecho o de la responsabilidad de los partícipes en el mismo» (art. 773.2, primer párrafo); un modelo, en fin, en el que el Ministerio Público «... podrá hacer comparecer ante sí a cualquier persona en los términos establecidos en la ley para la citación judicial, a fin de recibirle declaración, en la cual se observarán las mismas garantías señaladas en esta Ley para la prestada ante el Juez o Tribunal» (art. 773.2, segundo párrafo)». STS Sala Segunda, de lo Penal, Sentencia 980/2016 de 11 Ene. 2017, Rec. 1498/2016. Ponente: Marchena Gómez, Manuel. LA LEY 35/2017.

a) La iniciación de diligencias de investigación por el Fiscal se enmarca en su misión genérica de promover la acción de la Justicia en defensa de la legalidad (art. 1 EMF) y en la función concreta del ejercicio de las acciones penales (art. 3 EMF). Corresponderá al Fiscal, cuando tenga noticia de algún hecho presuntamente delictivo, iniciar las investigaciones preliminares correspondientes para determinar si procede incoar un procedimiento. En cualquier caso la duración máxima de estas diligencias será de seis meses, salvo prórroga acordada, motivadamente, por el Fiscal General del Estado. Transcurrido ese plazo, sea cual fuere el estado de las actuaciones, el Fiscal deberá formular denuncia o querella instando el Juez de Instrucción la incoación de las correspondientes diligencias previas con remisión de lo actuado y poniendo a su disposición al detenido, si lo hubiere, y los efectos del delito. Cuando estime que el hecho no reviste caracteres de delito, decretará el archivo de las actuaciones (art. 5 EMF). No podemos dejar de advertir de la singularidad de este sistema de investigación criminal que es una especie de medio camino entre el tradicional de nuestro país de instrucción judicial y otro de inspiración anglosajona en el que la investigación judicial recae exclusivamente en el Fiscal dirigiendo a la policía. Esta situación parece que se mantendrá en tanto no se proceda a la aprobación de una nueva Ley de Enjuiciamiento criminal que probablemente adoptará un sistema de mayor atribución de competencia al Fiscal[12].

(12) «La coexistencia de una doble autoridad investigadora —judicial y fiscal—, sujeta a unos principios constitucionales propios y diferenciados, no es fácilmente homologable a la luz de los modelos comparados. Son muchas las cuestiones que suscita su originalidad. Algunas de

Precisamente en esa línea crítica resulta muy recomendable la lectura de la STS 980/2016 de 11 Ene. 2017, Rec. 1498/2016; Ponente: Marchena Gómez, Manuel. LA LEY 35/2017, en la que se pone de manifestó la extraña conformación del sistema de investigación de delitos establecido en nuestro país en el que resulta que el ciudadano al que se imputa un delito pueda ser sometido a: «*una investigación inicial de naturaleza preparatoria (arts. 5 del EOMF y 773.2 LECrim) de una segunda etapa, también de naturaleza preparatoria (arts. 299 y 771.1 LECrim). Cuando lo preparatorio precede a lo preparatorio, no resulta fácil encontrar justificada esa doble secuencia sobre la que se construye la fase de investigación del hecho imputado*».

«De lo que se trata es de responder al interrogante acerca de si el estándar constitucional de garantías para el investigado penal ha de modularse, admitiendo incluso su relajación, en función del modelo de investigación en el que se desarrolle la práctica de aquellas diligencias. Y ya anticipamos que ni la LECrim, ni la Ley 50/1981, 30 de diciembre, por la que se aprueba el EOMF, ni, en fin, las circulares e instrucciones dictadas para lograr la uniformidad en la actuación de los Fiscales, avalan esa convencional e interesada división entre las garantías del *preinvestigado* cuando comparece ante el Fiscal y las garantías del investigado cuando es llamado ante la autoridad judicial. La Sala no puede identificarse con el criterio que late en el recurso del Ministerio Público, según el cual, cuando la investigación se dirige por el Fiscal las garantías constitucionales se difuminan y devienen renunciables. Ya encierra una extravagancia legislativa que nuestro sistema admita la posibilidad de que el ciudadano al que se impute un delito sea sometido a una investigación inicial de naturaleza preparatoria (arts. 5 del EOMF y 773.2 LECrim) de una segunda etapa, también de naturaleza preparatoria (arts. 299 y 771.1 LECrim). Cuando lo preparatorio precede a lo preparatorio, no resulta fácil encontrar justificada esa doble secuencia sobre la que se construye la fase de investigación del hecho imputado. Está claro, sin embargo, que las dudas para explicar nuestra singularidad no pueden resolverse degradando funcionalmente el primer escalón de la actuación del Estado —eso es, no otra cosa, lo que define la *prefase de investigación* desarrollada por el Fiscal-, de suerte que el ciudadano pueda ser despojado del irrenunciable cuadro de garantías que le asisten cuando es llamado para responder de algún hecho de significación

ellas no son ajenas a fricciones institucionales ocasionadas por su difícil encaje. Su análisis integral desbordaría, el objeto del presente recurso. Sin embargo, sí resulta necesario extraer de la distinta configuración constitucional del Fiscal frente al Juez de instrucción, algunos de los presupuestos que resultan indispensables para la solución del recurso de casación promovido por el Ministerio Fiscal. B) Por más flexibilidad que quiera atribuirse al heterodoxo modelo que rige en nuestro sistema, el acto procesal, por definición, es de naturaleza jurisdiccional. Los actos de prueba susceptibles de integrar la apreciación probatoria a que se refiere el art. 741 de la LECrim (LA LEY 1/1882) sólo pueden emanar de un órgano jurisdiccional. Esta idea forma parte de los pilares de la lectura constitucional del proceso penal y así ha sido proclamado en numerosos precedentes por la propia jurisprudencia. De hecho, en los modelos sujetos a una investigación dirigida por el Fiscal es habitual la preocupación legislativa encaminada a diferenciar, incluso en el plano estrictamente formal, la documentación de aquéllas. Reciben así distinto tratamiento, en bloques sistemáticos singularizados, las diligencias practicadas por el Fiscal, inidóneas para integrar la apreciación probatoria, y las referidas al debate propio del juicio oral. Esta forma de concebir el tratamiento de los actos de investigación ha llegado a tener encaje en los trabajos prelegislativos de reforma de la Ley de Enjuiciamiento Criminal (LA LEY 1/1882) (cfr. arts. 430 y 431 del proyecto de Código Procesal Penal de 2013)». STS 980/2016 de 11 Ene. 2017, Rec. 1498/2016; Ponente: Marchena Gómez, Manuel. LA LEY 35/2017.

penal y que le es indiciariamente atribuido». STS 980/2016 de 11 Ene. 2017, Rec. 1498/2016; Ponente: Marchena Gómez, Manuel. LA LEY 35/2017.

b) Cuando se le presente alguna denuncia deberá citar al denunciante para su ratificación, de acuerdo con lo previsto en los arts. 266, 267 y 773.3 LECrim, e iniciar diligencias de investigación en el supuesto que considere que existen indicios de actividad criminal. A ese fin, el Fiscal solicitará al denunciante que aporte cuantos elementos y datos posea sobre el hecho denunciado.

c) Cuando reciba un atestado policial deberá acordar, como en los casos anteriores, las diligencias que considere necesarias para averiguar los hechos presuntamente delictivos descritos en el atestado.

B) Fiscal competente para actuar

Será Fiscal competente para acordar la práctica de diligencias preliminares, el que lo sea para actuar ante el órgano jurisdiccional que deba conocer del hecho delictivo. Si se tratara de un delito complejo, en el que no fuera posible determinar el órgano competente con carácter inmediato, podrá acordar la práctica de diligencias preliminares el Fiscal que primero tuviera noticia por cualquier medio de la existencia del hecho punible. Todo ello, sin perjuicio de que lo comunique, de acuerdo con el Estatuto del Ministerio Fiscal, al Fiscal General del Estado, a los efectos de que éste determine el Fiscal que deba continuar la investigación.

C) Diligencias practicables por el Fiscal

Las diligencias de carácter preliminar que podrá practicar el Fiscal, según el art. 5 EMF, serán todas aquéllas para las que esté legitimado por la LECrim. Concretamente, la ley prevé que pueda practicar por sí mismo u ordenar a la policía judicial las diligencias que estime pertinentes para la comprobación del hecho o la responsabilidad de los partícipes en el mismo. También podrá hacer comparecer ante sí a cualquier persona en los términos previstos en la ley para la citación judicial, a fin de recibirle declaración, en la que se observarán las mismas garantías señaladas en esta ley para la prestada ante la autoridad judicial (art. 773.2 LECrim). Concretamente, el art. 5 EMF dispone que el Fiscal recibirá declaración al sospechoso asistido éste de abogado. Además, se prevé que pueda tomar conocimiento de todo lo actuado. También en el mismo sentido la Circular núm. 1/1989 de la Fiscalía General del Estado. La consecuencia de no observar las garantías procesales será la de la nulidad de la diligencia obtenida y su expulsión del acervo probatorio[13].

_____

(13) «En definitiva, sean cuales fueren las dificultades para la correcta catalogación de esas diligencias de investigación del Fiscal -preliminares, preprocesales, preparatorias-, lo cierto es que esa etiqueta nunca puede concebirse como una excusa para despojar al ciudadano de las garantías y límites que nuestro sistema constitucional impone a la actividad investigadora de los poderes públicos, tanto si se trata de un sospechoso llamado por el Fiscal u otro ciudadano que, sin haber sido llamado, llega a tener conocimiento de que está siendo investigado por el Ministerio Público. Una práctica que se distancia de esa elemental idea contribuye a la degradación de nuestro sistema procesal». STS 980/2016 de 11 Ene. 2017, Rec. 1498/2016; Ponente: Marchena Gómez, Manuel. LA LEY 35/2017.

«La sentencia ahora recurrida ha basado la declaración de nulidad de la prueba propuesta en el incumplimiento de las normas que regulan el interrogatorio practicado por el Ministerio Fiscal, al amparo del art. 773.2 de la LECrim (LA LEY 1/1882). Estima que esa vulneración, consistente en la no lectura de los derechos que asistían al agente de policía local que fue interrogado en dependencias de la Fiscalía de Mataró, asociada a la elaboración de un cuerpo de escritura sin asistencia jurídica, ha generado una indefensión material que debe conducir necesariamente a la expulsión de esa prueba del acervo probatorio ofrecido por el Ministerio Público a la consideración del Tribunal sentenciador». STS 980/2016 de 11 Ene. 2017, Rec. 1498/2016; Ponente: Marchena Gómez, Manuel. LA LEY 35/2017.

Ahora bien, debe tenerse en cuenta que como la actuación del Fiscal, en esta fase, no va dirigida a obtener pruebas, sino a preparar la acusación, la actividad a desplegar en este período tendrá por objeto la localización y aseguramiento de las fuentes de la prueba. De modo que no corresponde al Fiscal realizar en sede de diligencias preliminares actos de prueba anticipada ni preconstituida, sino actos de investigación que posteriormente deberán ser objeto de diligencias auténticamente sumariales (con intervención del Juez) o actos de prueba en el juicio oral.

«Las diligencias del Fiscal no son potencialmente idóneas para generar actos de prueba preconstituida o anticipada. Con cita de las Circulares de la Fiscalía General del Estado 4/2013 y 1/1989, concluye la "... declaración de nulidad del cuerpo de escritura confeccionado, por no haberse respetado las normas esenciales del procedimiento y haberse causado efectiva indefensión, arts. 238.3 y 4 LOPJ"». STS 980/2016 de 11 Ene. 2017, Rec. 1498/2016; Ponente: Marchena Gómez, Manuel. LA LEY 35/2017.

El Fiscal no podrá practicar determinados actos que la Ley reserva al Juez como son la adopción de medidas cautelares personales, entre ellas la prisión provisional (aunque sí la detención preventiva), la retirada del permiso de conducción, o medidas cautelares de carácter real como decretar embargos, secuestro de vehículos —sin perjuicio de ordenar a la policía judicial las actuaciones preventivas del art. 770 LECrim)—. Tampoco podrá dictar resoluciones limitativas de derechos fundamentales, como registros domiciliarios, intervenciones telefónicas o de correspondencia (art. 5 EMF) (art. 773.1 LECrim).

D) Conclusión de las diligencias preliminares

Las diligencias preliminares practicadas por el Fiscal podrán concluir, conforme dispone el art. 773.2 LECrim., de la siguiente forma:

a) Por archivo de las actuaciones por decisión del propio Fiscal, cuando estime que el hecho que las motivó no reviste caracteres de delito. En este caso deberá comunicar la decisión a quien hubiere alegado ser perjudicado u ofendido, a fin de que pueda reiterar su denuncia ante el Juez de Instrucción.

La duración máxima ordinaria de las diligencias preliminares del Fiscal será de seis meses que podrán prorrogarse mediante decreto motivado del Fiscal General del Estado. Pero, la duración máxima será de doce meses en el supuesto de investigarse delitos relativos al tráfico de drogas, estupefacientes y sustancias psicotrópicas, o blanqueo de capitales relacionado con dicho tráfico y de Corrupción y la Criminalidad Organizada, que son investigados por las Fiscalías especializadas (art. 19 EOMF). También en este último caso podrá prorrogarse la duración de las diligencias mediante Decreto motivado del Fiscal General del Estado (art. 5 EMF).

b) Por instar al Juez de Instrucción la incoación de las correspondientes Diligencias previas, si estima, por el contrario, que el hecho reviste caracteres de delito. En este caso, remitirá todo lo actuado al Juez de Instrucción competente poniendo a su disposición al detenido, si lo hubiere, y los efectos del delito.

c) Por tener conocimiento el Fiscal de la existencia de un procedimiento judicial sobre los mismos hechos. El número 3 del precepto que se analiza, impone en este caso el cese automático de la actuación del Fiscal, al decir que se producirá «*tan pronto como tenga conocimiento*»[14]. De su tenor literal no se deduce la exigencia de una notificación oficial del órgano jurisdiccional correspondiente, sino que bastará que se acredite, de forma indubitada, ante el Fiscal, la existencia de aquel procedimiento sobre los mismos hechos para que el Fiscal venga obligado al cese en su actividad.

La norma que establece la cesación de las diligencias practicadas por el Fiscal incluye, obviamente, la de la dirección de las investigaciones que corresponderá al Juez de Instrucción. Sin perjuicio, claro está, de que el Fiscal pueda solicitar en calidad de parte la práctica de diligencias de investigación. La norma prohibitiva determina, consecuentemente, que el Fiscal no pueda dirigir a la policía judicial a efecto de practicar ninguna diligencia. Sin embargo, sorprendentemente la Instrucción 1/2008 de 1 de julio de 2008, sobre la dirección por el Ministerio Fiscal de las actuaciones de la Policía Judicial, dispone en su conclusión octava que: «*Los Sres. Fiscales están facultados legalmente para continuar en sus funciones de dirección de la Policía Judicial aunque exista un procedimiento judicial en curso, por lo que aún en estos supuestos podrán ordenar a la Policía Judicial la práctica de diligencias concretas referidas a aspectos puntuales de la investigación, con el objeto y con la obligación de aportarlas a la causa cualquiera que fuera su resultado, en virtud de principio de imparcialidad que preside su actuación*». Facultad de continuar en la dirección de la investigación para la que, contrariamente a lo que dispone la Instrucción, no creemos que exista facultad legal alguna.

Asimismo, deberá abstenerse de efectuar averiguaciones cuando en un proceso penal abreviado hubiera recaído auto de sobreseimiento provisional. En tales casos, competerá al Juez de Instrucción acordar las posibles diligencias a practicar dentro del proceso ya iniciado, bien de oficio, o a instancia de las partes personadas.

De la regulación legal se deduce la falta de naturaleza jurisdiccional de la actividad del Ministerio Fiscal, que deberá quedar supeditado siempre a la función jurisdiccional del Juez.

---

(14) Aunque el art. 773.3 LECrim. se refiera exclusivamente a la «existencia de un procedimiento judicial sobre los mismos hechos» sin especificar la naturaleza del procedimiento que debe paralizar la actividad preliminar del Fiscal, debe entenderse que esta referencia va dirigida exclusivamente a un procedimiento de carácter penal. Ello deriva tanto de la naturaleza pública del Derecho penal como de la propia misión del Ministerio Fiscal y del proceso penal.

E) *Valor probatorio de las diligencias preliminares practicadas por el Ministerio Fiscal*

La cuestión relativa al valor probatorio de las diligencias practicadas en la fase preprocesal por el Ministerio Fiscal o bajo su dirección arranca de la aparente contradicción existente entre el art. 5 EMF, en cuanto atribuye a tales diligencias la presunción de autenticidad y el art. 773.2 LECrim que no contiene mención alguna al respecto. A mayor abundamiento, el art. 773.2 LECrim atribuye al Fiscal la facultad de iniciar el procedimiento por la mera noticia de un hecho delictivo, mientras que el art. 5 EMF exige la previa denuncia o atestado[15]. Se requiere que tales actuaciones se practiquen, cuando se trate de declaraciones, no sólo personalmente por el Fiscal, sino que se lleven a cabo observando las mismas garantías que señala la LECrim. para las declaraciones prestadas ante el Juez o Tribunal, y entre ellas, la presencia del Letrado defensor del posible imputado.

Debe destacarse que el legislador no ha otorgado ningún tratamiento especial, al regular la apertura de las diligencias previas —art. 774 LECrim.—, a los supuestos en que éstas se incoen en virtud de las diligencias preliminares realizadas por el Fiscal. Por ello, deberán ser equiparadas, en su tratamiento procesal, a las que se practiquen a solicitud de las partes personadas en la fase instructora. En cualquier caso, resulta necesario que las diligencias preliminares practicadas por el Fiscal observen, como se explicó antes, los requisitos y garantías que deben ser observados conforme la LECrim con relación especialmente al sometido a la medida que tendrá derecho de asistencia letrada, a no declarar, etc.

En cualquier caso, de conformidad con reiterada doctrina constitucional, la presunción de autenticidad de las diligencias preliminares del Fiscal alcanza solamente al aspecto formal; es decir, a la fecha de su realización, al hecho de su realización y a que su contenido es el que consta documentado en el acta correspondiente, mas no alcanza a su aspecto material, es decir, a la certeza de su contenido, ya que ello quedará sometido a la apreciación judicial tras la correspondiente actividad probatoria. Así lo exige la vigencia del principio acusatorio, del principio contradictorio y del de igualdad de partes en el proceso, pues lo contrario sería tanto como admitir la existencia de una prueba tasada, desterrada de nuestro sistema procesal penal desde 1882, y derivar la carga de la prueba hacia el acusado, lo que supondría una vulneración de la presunción de inocencia del art. 24 CE. En consecuencia, la actividad investigadora del Fiscal debe ir dirigida a fundar una acusación por las partes acusadoras, sin perjuicio de la actividad probatoria posterior. De modo que los hechos investigados por el Fiscal podrán introducirse en el proceso y ser valorados como prueba mediante su práctica en esa calidad en el juicio oral. Como bien dice el Tribunal Supremo la fuerza probatoria de la diligencia preliminar procede no del acto en sí realizado en la Fiscalía, sino con el desarrollo de la prueba propiamente

---

(15)   La presunción de autenticidad deriva del hecho de que el Ministerio Fiscal se halla sujeto, en su actuación, a los principios de legalidad e imparcialidad. Ver arts. 2, 6 y 7 del Estatuto Orgánico del Ministerio Fiscal, aprobado por Ley 50/81, de 30 de diciembre. Vid. MARCHENA GÓMEZ, «Significación procesal de las diligencias tramitadas por el fiscal en la LO 7/88», *La Ley* 1989-2, p. 1109.

dicha practicada con plena inmediación y contradicción durante las sesiones del juicio oral.

«Atribuir, sin más, eficacia probatoria a un acto de investigación practicado en el marco de unas diligencias tramitadas por el Fiscal, al amparo de los arts. 5 del EOMF y 773 de la LECrim (LA LEY 1/1882), supondría subvertir la genuina naturaleza y la funcionalidad predicable de aquél. Como venimos insistiendo sólo los actos de naturaleza jurisdiccional son susceptibles de integrar la apreciación probatoria por el órgano decisorio. Esta afirmación sugiere un importante matiz en supuestos como el que nos ocupa, en el que uno de los dos peritos que elaboró el dictamen grafológico, a partir del cuerpo de escritura confeccionado por el acusado en presencia del Ministerio Fiscal, compareció en juicio y respondió a las preguntas de las partes, según enseña el vídeo en el que se recogió el desarrollo del plenario. En tales caso, nada impide que el informe pericial grafológico elaborado a instancias del Ministerio Fiscal con el fin de resolver acerca de la procedencia, en su caso, de entablar una querella, pueda convertirse con posterioridad en una fuente de prueba, pero no en virtud de una idoneidad originaria, sino como consecuencia de su fuerza probatoria sobrevenida. El filtro —ya en el juicio oral- que proporcionan los principios de contradicción y defensa, así como la inmediación judicial en el desarrollo de la actividad probatoria, hacen generar un elemento de prueba sometido a los principios que legitiman el ejercicio de la función jurisdiccional y, en consecuencia, perfectamente apto para su valoración probatoria. La fuerza probatoria del acto pericial ha de enlazarse, pues, no con el cuerpo de escritura y el dictamen provisional suscrito por los peritos durante las diligencias tramitadas por el Fiscal, sino con el desarrollo de la prueba pericial propiamente dicha durante las sesiones del juicio oral». STS 980/2016 de 11 Ene. 2017, Rec. 1498/2016; Ponente: Marchena Gómez, Manuel. LA LEY 35/2017.

SECCIÓN 3.   LAS DILIGENCIAS PREVIAS[16]

3.1.   Naturaleza. Inicio. Cambio de procedimiento

Las diligencias previas designan la fase de instrucción del procedimiento abreviado, en el que además puede distinguirse: a) una fase intermedia; y b) el juicio oral. Esta fase de instrucción se incoará para la comprobación de hechos subsumibles en el ámbito de aplicación del procedimiento abreviado (art. 774); y tiene por finalidad la práctica de las diligencias esenciales encaminadas a determinar la naturaleza y circunstancias del hecho, las personas que en él hayan participado y el órgano competente para el enjuiciamiento (art. 777 LECrim).

La fase de diligencias previas tiene carácter preparatorio, sin que sea necesaria la obtención y recopilación exhaustiva de material probatorio, sino que deben complementar a las practicadas en el atestado (y debe también entenderse en la denuncia

---

(16)   CHIRENO VIETO, «Diligencias previas. El novísimo art. 789 de la LECrim.», *Bol. Infor. M. Justicia*, 1988, nº 767 y 768.

presentada en su caso por el Fiscal), cuando éstas no permitan una perfecta determinación de los hechos indiciariamente punibles y los partícipes, al efecto de permitir formular acusación o bien fundar un sobreseimiento (Véase M. 178). Por tanto, debe otorgarse un necesario contenido a esta fase de investigación judicial, sin que pueda prescindirse de su efectiva práctica. En este sentido, no cabe duda que, como mínimo, debe procederse a realizar una diligencia de instrucción cual es la declaración indagatoria del imputado.

A estas cuestiones atiende la regulación vigente. En primer lugar, eliminando del art. 779.1 LECrim, que reproduce el contenido del derogado art. 789.5 LECrim, la referencia a que no fuere necesario practicar ninguna diligencia previa. Y, en segundo, lugar, el art. 775 LECrim establece la necesaria práctica de la diligencia previa de declaración del imputado. Esta exigencia se refuerza en el art. 779.4 LECrim que dispone que no podrá cerrarse la instrucción e iniciar la fase intermedia sin haber tomado declaración al imputado según lo dispuesto en el art. 775 LECrim.

Téngase presente que la regulación del procedimiento abreviado antes de la reforma favorecía la sumariedad de las diligencias previas, y al mismo tiempo privilegiaban la práctica de diligencias de la acusación. A este respecto, el derogado art. 789.3 LECrim establecía el principio de que solo se debían practicar en el caso que no fueran suficientes para formular la acusación; y el párrafo 5º del mismo artículo establecía con relación al fin de las diligencias previas que: «*practicadas sin demora tales diligencias, o cuando no sean necesarias, el juez adoptará...*».

Corresponde al Juez de instrucción ordenar, de oficio o a instancia de parte, la práctica de las diligencias de investigación que sean necesarias, dando cuenta al Ministerio Fiscal de su incoación, que se practicarán según las normas generales de la LECrim, con las especificidades establecidas en la regulación del procedimiento abreviado (art. 777.1 LECrim). (Véase M. 179).

Las diligencias previas se iniciarán por querella o denuncia del particular; o bien por el atestado de la policía o querella del Fiscal resultado de la práctica de diligencias pre-procesales. En cualquier caso, todas las actuaciones judiciales relativas a delitos de los que se sustancian por el procedimiento abreviado se registrarán como Diligencias previas. Ello sin perjuicio que de la instrucción del proceso pueda determinarse que procede otro tipo de procedimiento penal, en cuyo caso se dictará auto adecuándose el procedimiento al que corresponda legalmente.

Téngase en cuenta que en nuestro ordenamiento procesal existen cinco tipos de proceso para la instrucción, enjuiciamiento y fallo de las causas por delito, y los Jueces de Instrucción, al recibir la denuncia, atestado o querella, deberán incoar uno de estos procedimientos: Sumario (procedimiento ordinario). Diligencias previas (abreviado). Diligencias urgentes (procedimiento de enjuiciamiento rápido). Procedimiento por delitos leves. P-procedimiento para el juicio ante el Tribunal del jurado, conforme a lo establecido en los arts. 14 y 757 LECrim; y 24 LOTJ.

Las Diligencias previas se registrarán (además de en el Libro Registro General de Asuntos Penales) en el libro de Diligencias Previas/Procedimiento Abreviado, dándoles el número correlativo que les corresponda. Si iniciado el procedimiento apareciere que el hecho no se halla comprendido entre los referidos en el art. 757 LECrim, la instrucción continuará de conformidad con lo previsto en las disposiciones generales de la LECrim, sin retroceder en el procedimiento, más que en el caso que resulte necesario practicar diligencias o realizar actuaciones con arreglo a dichos preceptos legales. Igual sucederá en el caso contrario que resulte que iniciado un sumario resultare que los hechos son indiciarios de un delito que se deber resolver por el procedimiento abreviado. En ningún caso el cambio de procedimiento implicará el de instructor (art. 760.1 LECrim). En el caso que se deduzca que el hecho podría constituir un delito cuyo enjuiciamiento fuere competencia del Tribunal de Jurado se procederá de conformidad con el art. 309.bis LECrim, a cuyo efecto se resolverá incoar aquel procedimiento (art. 760 LECrim). Además el art. 309.bis prevé la posibilidad que las partes lo insten al Juez que deberá resolver en auto que puede recurrirse en queja ante la Audiencia Provincial.

3.2. Intervención de las partes[17]

Al igual que sucede con el resto de procedimientos penales puede distinguirse entre partes acusadoras y acusadas (véase sobre cada una de estas partes y sus especificidades el Cap. IV).

A) Ministerio Fiscal

El Fiscal se constituirá en las actuaciones judiciales para el ejercicio de las acciones penal y civil conforme a la Ley (arts. 105, 773.1 LECrim)[18]. (Véase § 1.2.A Cap. IV)

En la fase de diligencias previas el Fiscal actuará de conformidad con el art. 773.1 LECrim, que le atribuye la función de impulsar y simplificar el procedimiento sin merma del derecho de defensa de las partes y del carácter contradictorio del mismo; velando por el respeto de las garantías procesales del imputado y por la protección de los derechos de la víctima y de los perjudicados por el delito.

Concretamente, el Fiscal podrá solicitar al Juez de Instrucción: la práctica de diligencias, la adopción de medidas cautelares o su levantamiento. Intervendrá en la práctica de las diligencias de investigación, y solicitará la conclusión de las diligencias previas tan pronto como estime que se han practicado las actuaciones necesarias para resolver sobre el ejercicio de la acción penal.

B) Intervención y defensa del imputado

En la fase de diligencias previas del procedimiento abreviado son plenamente vigentes el principio acusatorio, de defensa y de contradicción, entre otros; lo que se pone de manifiesto en la plena vigencia del derecho de defensa desde la detención

---

(17) Vid. ORTELLS RAMOS, «El nuevo proceso penal abreviado. Aspectos fundamentales», *Justicia*, 1989, pp. 545 y ss.; Idem, «Las partes no oficiales en el proceso penal abreviado», *La Ley* n.° 3983, 1996.

(18) Además de esta personación obligatoria en la causa, también está prevista su actuación en la fase preprocesal del procedimiento abreviado practicando diligencias preliminares (art. 773 LECrim).

(art. 767 LECrim)[19]. Véase sobre el derecho de defensa del detenido e inculpado en el proceso penal § 4, Cap. IV.

El Tribunal Constitucional ha declarado que el reconocimiento del derecho al proceso con todas las garantías implica evitar un desequilibrio entre las partes, ya que deben disponer todas ellas de igualdad de armas. A este efecto resulta necesario garantizar la plena vigencia de los derechos de defensa y contradicción para lo cual resulta necesaria la asistencia de abogado al detenido o imputado durante todo el proceso penal. Esta exigencia adquiere toda su importancia en la fase de juicio oral, sin que por ello deba limitarse en la fase de instrucción o en la denominada fase intermedia[20].

> «Según constante y reiterada doctrina de este Tribunal —entre otras muchas, SSTC 76/82, 118/84, 27/85, 109/85, 47/87, 155/88 y 66/89—, el art. 24 de la Constitución, en cuanto reconoce los derechos a la tutela judicial efectiva con interdicción de la indefensión, a un proceso con todas las garantías y a la defensa, ha consagrado, entre otros, los citados principios de contradicción e igualdad, garantizando el libre acceso de las partes al proceso en defensa de derechos e intereses legítimos. Ello impone la necesidad, en primer término, de que se garantice el acceso al proceso de toda persona a quien se le atribuya, más o menos, fundamentalmente un acto punible y que dicho acceso lo sea en condición de imputada, para garantizar la plena efectividad del derecho a la defensa y evitar que puedan producirse contra ella, aun en la fase de instrucción judicial, situaciones de indefensión (SSTC 44/85 y 135/89)"(STC 186/90, de 15 noviembre).

El imputado puede intervenir en la práctica de las diligencias de investigación. Para ello deberá estar asistido de abogado, lo que garantiza el art. 767 LECrim desde el momento en que una persona adquiere tal «*status*», precisando que en estos casos: «*será necesaria la asistencia letrada*» que recabará de inmediato la policía judicial, el Fiscal o la autoridad judicial[21]. La declaración genérica citada se reitera con

---

(19)   Es ilustrativa en este sentido la STC 64/86, de 21 mayo, en la que se establece que la Ley reconoce la posibilidad de que el imputado se persone en el sumario desde el mismo momento de su apertura (art. 118 LECrim.) de manera que en la actualidad la fase instructora ha perdido gran parte del carácter inquisitivo que tenía y se ha convertido en una preparación del juicio, de la que no están ausentes la contradicción y las garantías procesales. Vid. DE LLERA SUÁREZ-BÁRCENA, E., «La inculpación en el proceso penal. Especial referencia al procedimiento abreviado», *Rev. del M.º Fiscal*, n.º 2, 1995; GIMENO SENDRA, «Algunas sugerencias de reforma para una nueva ordenación de la defensa en la instrucción», *Separata de la RGD*, Valencia, 1980; MORENO CATENA, *La defensa en el proceso penal*, Madrid, 1982; MARTÍN DE LA LEONA, «El derecho de defensa en la fase de preparación del juicio oral en el procedimiento abreviado (A propósito de la sentencia del Tribunal Constitucional 186/1990, de 15 de noviembre, y posteriores)», *Poder Judicial*, 1991, n.º 22.

(20)   «El Instructor deberá evitar que alguien a su entender sospechoso declare en situación desventajosa; por el contrario, deberá considerarlo imputado con advertencia expresa de la imputación para permitir su autodefensa y deberá proveer a la asistencia técnica de Letrado, tan pronto como se otorgue credibilidad a la imputación de un hecho punible a persona cierta, evitando así, como una recta interpretación del art. 24.2 de la Constitución ("todos tienen derecho a la defensa y a la asistencia de Letrado") integrado en el art. 118 LECrim., situaciones lesivas del derecho fundamental citado y, de modo especial, autoincriminaciones del declarante que verosímilmente no se habrían producido si éste hubiera estado oportunamente advertido de una imputación de la que, una vez conocida, podría autodefenderse de modo expreso o guardando silencio, o beneficiándose del consejo técnico de su Abogado». (STC 135/89, de 19 julio). Vid. también SSTC 37/89, de 15 febrero; 128/93, de 19 abril.

(21)   El derogado art. 788 LECrim establecía que se procedería a nombrar abogado de oficio, si no lo hubiere nombrado el interesado, si: «*fuera necesaria la asistencia letrada*». Obviamente, la

relación a las actuaciones que se producirán con relación al detenido o imputado. Así, el art. 771.2 LECrim dispone que la policía judicial informará: *"... al investigado no detenido de los hechos que se le atribuyen y de los derechos que se asisten..."* y concretamente, le instruirá de los derechos constitucionales reconocidos en el art. 520.2 LECrim. El art. 775 dispone que en la primera comparecencia el Juez informará al investigado de sus derechos y de los hechos que se le imputan, y le permitirá entrevistarse reservadamente con su abogado antes y después de prestar declaración[22]; y se le requerirá para que designe un domicilio en España para notificaciones.

Esta comparecencia es de práctica necesaria sin que el Juez pueda dar por terminadas las diligencias previas sin que haber tomado declaración al imputado (art. 779.4ª LECrim). De este modo se garantiza que el imputado pueda hacer efectivo el derecho de defensa y contradicción en la instrucción del proceso solicitando las diligencias que sean oportunas y convenientes a su derecho (*Vid.* § 4, Cap. IV sobre el derecho de defensa del sometido al proceso penal) equilibrándose, de ese modo, la actuación de las partes en el proceso[23].

---

precisión sobre si fuera necesaria la asistencia letrada carecía de sentido, puesto que siempre que se impute un delito a una persona concreta en unas actuaciones judiciales será necesaria aquella asistencia, por mandato constitucional —art. 24 CE— y legislativo —arts. 118 y 520 LECrim.—. Y, el también derogado art. 791.1 preveía la posibilidad de que se hubiere abierto el juicio oral sin que los acusados dispusieran de abogado; precepto que ha sido ampliamente discutido por la doctrina, jurisprudencia, e incluso por Circular n.º 1/89 de la Fiscalía General del Estado. Por otra parte, el Informe del CGPJ a la proposición de Ley planteó que el art. 767 LECrim al imponer para todo imputado la asistencia letrada colisionaba con los arts. 520.4 y 5 LECrim que establecen que: «realizada la comunicación al Colegio de Abogados para la designación de abogado de oficio y no personado en las ocho horas siguientes podrá la policía tomarle declaración». En el momento presente, como se explicó en el Cap. IV con relación a los derechos del sometido al proceso penal y en el Cap. VIII con relación a los derechos del detenido, se impone el derecho a la asistencia letrada en unos términos más exigentes. A este particular el art. 520.5 in fine LECrim dispone que: «El abogado designado acudirá al centro de detención con la máxima premura, siempre dentro del plazo máximo de tres horas desde la recepción del encargo. Si en dicho plazo no compareciera, el Colegio de Abogados designará un nuevo abogado del turno de oficio que deberá comparecer a la mayor brevedad y siempre dentro del plazo indicado, sin perjuicio de la exigencia de la responsabilidad disciplinaria en que haya podido incurrir el incompareciente».

(22) El abogado designado para la defensa tendrá también habilitación legal para la representación de su defendido, no siendo necesaria la intervención del procurador hasta el trámite de apertura del juicio oral. Hasta ese momento el abogado será el encargado de recibir las notificaciones y traslados de documentos (art. 768 LECrim).

(23) Si bien el Juez de Instrucción, en las diligencias que pueda llevar a cabo, deberá tener en cuenta el mandato del art. 2 LECrim., que le obliga a consignar y apreciar las circunstancias tanto adversas como favorables al presunto reo, obligación que se extiende tanto al Fiscal como a la Policía Judicial. También hay que tener en cuenta, la doctrina constitucional ya expresada referente a la ineludible observancia de los principios de contradicción e igualdad de armas procesales: «... Los citados principios de contradicción e igualdad, garantizando el libre acceso de las partes al proceso en defensa de sus derechos e intereses legítimos. Ello impone la necesidad, en primer término, de que se garantice el acceso al proceso de toda persona .../... a quien se le atribuya, más o menos fundadamente, un acto punible y que dicho acceso lo sea en condición de imputada, para garantizar la plena efectividad del derecho a la defensa y evitar que puedan producirse contra ella, aun en la fase de instrucción judicial, situaciones materiales de indefensión (SSTC 44/85 y 135/89)...». (STC 273/93, de 20 septiembre).

No obstante, debe ponerse de manifiesto la ausencia de un precepto específico en el que se prevea el derecho de la parte imputada a solicitar diligencias de investigación. En este sentido, en el art. 775 LECrim no se prevé norma alguna a este respecto. Sin embargo, el art. 776 LECrim establece, con relación al perjudicado, que podrá instar la práctica de diligencias y todo lo que a su derecho convenga. En realidad, la posibilidad de solicitar diligencias de investigación por parte del imputado se desprende de los principios de aplicación en el proceso penal, sin que sea preciso que se haya reflejado de forma expresa en la ley; aunque hubiera sido más adecuado establecer una norma expresa en ese sentido[24]. Véase § 1.3 Cap. VII sobre la petición de diligencias de investigación del proceso penal.

C) Perjudicados y ofendidos por el delito

Los ofendidos y perjudicados por el delito deben ser informados de los derechos que les asisten, según dispone el art. 761 LECrim, que se remite a los arts. 109 y 110 LECrim. Esta información se practicará por la Policía Judicial (art. 771.1.ª LECrim), por el Fiscal (art. 773 LECrim), o por el Letrado de la administración de justicia en sede judicial, cuando previamente no lo hubiere hecho la policía judicial (art. 776.1 LECrim). La imposibilidad de practicar esta información, ya sea por la policía o el Letrado de la administración de justicia, no impedirá la continuación del procedimiento, sin perjuicio de su efectiva práctica por el medio más rápido.

Entre los derechos que asisten a los perjudicados se halla el de poder ejercer la acción penal o la civil derivada de delito pudiendo mostrarse parte en la causa sin necesidad de formular querella. Sin embargo, la acusación popular ejercida por los que no hubieren sido directamente ofendidos por el delito deberán comparecer mediante la formulación de querella, según disponen los arts. 270 LECrim. En calidad de parte acusadora el perjudicado podrá tomar conocimiento de lo actuado e instar la práctica de diligencias de instrucción (art. 776.3 LECrim); o de prueba anticipada cuando no pudieran practicarse en el juicio oral (art. 777.2 LECrim).

Al margen de la posibilidad de personarse como parte en el procedimiento la Ley atiende a las víctimas, en cuanto tales. A este efecto prevé que se las informe de las medidas de asistencia a las víctimas (arts. 771 y art. 776.1 LECrim). Además, la ley prevé que se notifiquen al perjudicado, aún no personado en la causa, las resoluciones esenciales del procedimiento penal a cuyo fin la víctima deberá haber realizado la solicitud de ser notificada conforme a lo previsto en el art. 5.1.m Ley 4/2015. En su virtud se notificarán a la víctima: el auto en el que se acuerda archivar las actuaciones

---

(24) «Según constante y reiterada doctrina de este Tribunal —entre otras muchas, SSTC 76/82, 118/84, 27/85, 109/85, 47/87, 155/88 y 66/89—, el art. 24 de la Constitución, en cuanto reconoce los derechos a la tutela judicial efectiva con interdicción de la indefensión, a un proceso con todas las garantías y a la defensa, ha consagrado, entre otros, los citados principios de contradicción e igualdad, garantizando el libre acceso de las partes al proceso en defensa de derechos e intereses legítimos. Ello impone la necesidad, en primer término, de que se garantice el acceso al proceso de toda persona a quien se le atribuya, más o menos, fundamentalmente un acto punible y que dicho acceso lo sea en condición de imputada, para garantizar la plena efectividad del derecho a la defensa y evitar que puedan producirse contra ella, aun en la fase de instrucción judicial, situaciones de indefensión (SSTC 44/85 y 135/89)». (STC 186/90, de 15 noviembre).

(art. 779.1 LECrim); la fecha y lugar de la celebración del juicio (art. 785.3 LECrim), la sentencia (art. 789.4 LECrim), la vista de apelación (art. 791.2 LECrim) y la sentencia dictada en apelación (art. 792.5 LECrim)[25]. Esta regulación ha sido reforzada por las disposición contenidas en la Ley 4/2015 de Estatuto jurídico de la víctima, que prevén no sólo medidas de información, sino un amplio catálogo de derechos que se resumen en el art. 3 Ley 4/2015 que establece que: «*Toda víctima tiene derecho a la protección, información, apoyo, asistencia y atención, así como a la participación activa en el proceso penal y a recibir un trato respetuoso, profesional, individualizado y no discriminatorio desde su primer contacto con las autoridades o funcionarios, durante la actuación de los servicios de asistencia y apoyo a las víctimas y de justicia restaurativa, a lo largo de todo el proceso penal y por un período de tiempo adecuado después de su conclusión, con independencia de que se conozca o no la identidad del infractor y del resultado del proceso*». Se trata de satisfacer una necesidad moral de la víctima a la que debe otorgarse la importancia debida. En su virtud, además de las medidas de notificación se prevé el derecho a impugnar determinadas resoluciones y a la participación en la ejecución de la sentencia de condena: — el auto de sobreseimiento de la investigación, aunque no estuviere personada en la causa (arts. 636, 779.1 LECrim y 12 Ley 4/2015); — determinadas resoluciones dictadas en ejecución como, por ejemplo, el auto que autoriza la posible clasificación del penado en tercer grado antes de que se extinga la mitad de la condena; el auto en el que el Juez acuerde que los beneficios penitenciarios, permisos de salida, la clasificación en tercer grado y el cómputo de tiempo para la libertad condicional se refieran al límite de cumplimiento de condena, y no a la suma de las penas impuestas; el auto por el que se conceda al penado la libertad condicional, siempre que se hubiera impuesto una pena de más de cinco años de prisión[26]. Finalmente, la víctima también podrá: «*interesar que se impongan al liberado condicional las medidas o reglas de conducta previstas por la ley que considere necesarias para garantizar su seguridad, cuando aquél hubiera sido condenado por hechos de los que pueda derivarse razonablemente una situación de peligro para la víctima*» (art. 13 Ley 4/2015). A los fines descritos el Juez de Vigilancia Penitenciaria dará traslado a la víctima de cuestión para que en el plazo de cinco días pueda formular sus alegaciones. Véase sobre los derechos de la víctima en el proceso penal el § 1 del Cap. IV.

D) Responsables civiles

El responsable civil interviene en el proceso penal únicamente con relación a la responsabilidad civil derivada del delito, ya sea como responsable civil directo, o subsidiario (véase § 2.2 Cap. IV). El responsable civil directo es el acusado que res-

---

(25) La notificación a la víctima de los trámites y resoluciones señaladas resulta una adecuada medida que permite que el ofendido por el delito pueda conocer de las vicisitudes del enjuiciamiento de los hechos de los que fue víctima, lo que puede redundar en un acercamiento de los ciudadanos a la administración de justicia. Por otra parte, puede servir de alternativa a los perjudicados por el delito que no quieran ser parte en la causa pero, al mismo tiempo, deseen estar informados, adecuadamente, de lo actuado en el proceso.

(26) Siempre que la condena lo sea por alguno de los siguientes delitos: homicidio, aborto, lesiones, contra la libertad, tortura, agresión sexual, robo con intimidación, terrorismo y trata de seres humanos (art. 13 Ley 4/2014).

ponderá de la petición de pena y de la indemnización que se solicite por los daños causados. Pero, cabe la posibilidad que el responsable civil directo o subsidiario sea sujeto distinto al acusado[27].

El responsable civil actuará en el proceso con las mismas facultades que el resto de partes y, concretamente, que el acusado pero referidas exclusivamente al contenido civil que se les reclama. El interés procesal del responsable civil se concreta en la condena que se solicita en ese concepto, que tiene un carácter distintivo con relación a la petición punitiva. Téngase en cuenta que la responsabilidad civil derivada del delito puede resolverse independientemente de la penal, debido a la naturaleza dispositiva de la acción civil derivada del delito. Por esa razón, la actuación procesal del responsable civil se limita a aquellas cuestiones relacionadas con la indemnización solicitada. En ese concepto el responsable civil será parte en el proceso y podrán presentar escrito de defensa con relación a su interés procesal (art. 784.1 LECrim).

Por último, debemos hacer mención a la responsabilidad de las entidades aseguradoras o el Consorcio de compensación de seguros, a los que se refiere expresamente la ley en razón de la importante incidencia que tienen en el proceso penal en calidad de responsables civiles.

En cuanto a las aseguradoras responderán como responsables civiles directos hasta el límite de la indemnización legalmente establecida o convencionalmente pactada (art. 764 LECrim). En ese concepto se le requerirá a prestar fianza según establece la LEC en sede de medidas cautelares, y tendrá la consideración de parte a todos los efectos indicados. Sin embargo, en el supuesto de estar cubiertas las responsabilidades por un seguro obligatorio la aseguradora o el consorcio tendrán la consideración de responsable civil con efectos limitados al límite del seguro obligatorio a cuyo efecto deberán prestar fianza. En este caso, la ley acota las posibilidades de intervención en el proceso. En este sentido, el art. 764.3.2 LECrim dispone que: «La entidad aseguradora o el Consorcio no tendrán la consideración de parte en el proceso penal, sin perjuicio de su derecho de defensa en relación con la obligación de afianzar que podrá ejercer en la pieza correspondiente».

3.3. Sustanciación de la fase de diligencias previas

La fase de diligencias previas tiene por finalidad determinar la naturaleza y circunstancias del hecho. Con esa finalidad el Juez deberá ordenar de oficio o a instancia de parte la práctica de las diligencias necesarias que se practicarán sin demora. Estas se diligencias formarán una causa de procedimiento abreviado. Pero, en el caso que se trate de delitos conexos, con varios imputados, el Juez podrá formar varias piezas separadas para simplificar y activar el procedimiento (art. 762.6º LECrim). Esta

---

(27) La responsabilidad civil se sustanciará en pieza separada y se asegurará en la instrucción. A este efecto, el art. 764.1º LECrim. establece que el Juez de Instrucción podrá acordar, mediante auto, el aseguramiento de las responsabilidades pecuniarias de los que pudieran resultar responsables directos o subsidiarios, formándose a tal efecto pieza separada. Por su parte el art. 783.4 prevé que, si no lo hubiere hecho ya, el Juez de instrucción al acordar la apertura del juicio oral exigirá fianza si no la prestare el acusado.

técnica aporta ventajas[28] e inconvenientes[29] en una valoración que procede realizar al Tribunal según las circunstancias del caso, conforme ha declarado el Tribunal Supremo.

El art. 762.6° LECrim (LA LEY 1/1882) proporciona al aplicador del Derecho dos criterios de decisión: que se simplifique y agilice el procedimiento —como factor positivo—; y que se cuente con elementos suficientes para un razonable enjuiciamiento autónomo —factor negativo: no romper continencia—. Ambos han sido respetados. La subsistencia de riesgos deberá ponerse de manifiesto al enjuiciarse las restantes piezas. Pero una sentencia no puede ser anulada solo porque hay riesgo de que influya en otros juicios pendientes. Esto es elemental. La ponderación de todos esos factores —ventajas e inconvenientes— la efectúa el legislador. Opta por un sistema general y luego confía al arbitrio judicial la decisión en el caso concreto. El régimen actual tal y como ha sido interpretado por la jurisprudencia, consiste en el enjuiciamiento conjunto como regla general (art. 300 LECrim (LA LEY 1/1882)), salvo que razones de complejidad o de agilidad aconsejen la parcelación y ello sea posible. Es esto lo que debe decidir el juzgador, pero sin necesidad de un razonamiento tan complejo, enrevesado y complicado como el que propone el recurrente. Es la ley la llamada a implantar un sistema adecuado. De hecho, como se ha referido ya, el prelegislador invierte ahora la norma: la regla general será el enjuiciamiento separado salvo que se haga imposible por las circunstancias y/o el procedimiento no se vea entorpecido por la acumulación de objetos. El enjuiciamiento separado cuenta con

---

(28)   «Frente a ellas militan otras que tampoco son desdeñables y que también debe ponderar ese legislador ideal: el derecho a un proceso sin dilaciones indebidas, la necesidad de celeridad de la justicia; la inmanejabilidad de algunas "macrocausas" en las que el principio de concentración puede padecer mucho (una vista oral que se prolonga durante meses, a veces más de un año, obligando al Tribunal a rememorar qué dijeron unos testigos que dispusieron diez o doce meses atrás...) son otros factores, entre muchos, que han de ser tomados en consideración. Lo hizo el legislador en la reforma de 1967 (procedimientos de urgencia) en técnica que luego se ha ido traspasando a otros procesos y que ahora según la modificación en trámite parlamentario de la LECrim (LA LEY 1/1882) tiende a generalizarse acogiendo unas ideas que están presentes en la jurisprudencia y que la Sala de lo Civil y Penal del Tribunal Superior de Justicia de Valencia recoge en la sentencia. A esas referencias jurisprudenciales que se vierten (fundamento de derecho tercero) nos remitimos sin reiterarlas para no engordar más esta ya abultada contestación». STS Sala Segunda, de lo Penal, Sentencia 277/2015 de 3 Jun. 2015, Rec. 10546/2014; Ponente: Moral García, Antonio del. LA LEY 78499/2015.

(29)   «Someter a un mismo imputado a diversos procedimientos para el enjuiciamiento de delitos conexos, si no se produce el sobreseimiento o archivo, no sólo le obliga a la duplicidad de trámites procesales tanto testificales como periciales, a mayores dilaciones, a la pena del banquillo en más de una ocasión, a un mayor coste económico, al riesgo de que una primera sentencia condenatoria pueda influir en la primera, a un más dilatado y gravoso juicio mediático, a un mayor recorrido temporal para la cancelación de antecedentes penales, sino, fundamentalmente, a un grave afectación de su derecho de defensa por cuanto incluso queda afectado su derecho a ser juzgado por el juez predeterminado por la ley, así como el derecho a la prueba, una vez que testigos y peritos quedan condicionados y necesariamente influenciados tanto en su memoria como en su disposición por la anterior sentencia dictada. Y tal indefensión material, como ya hemos puesto de manifiesto, se consagra definitivamente en el procedimiento con el Auto que se impugna y así se mantendrá hasta que se ordene su revocación y nulidad». STS Sala Segunda, de lo Penal, Sentencia 277/2015 de 3 Jun. 2015, Rec. 10546/2014; Ponente: Moral García, Antonio del. LA LEY 78499/2015.

paliativos y correctivos en fase de ejecución: art. 988 LECrim (LA LEY 1/1882), así como las limitaciones penológicas que este Tribunal ha previsto cuando distintas figuras susceptibles de ser incardinadas en un único delito continuado se han juzgado separadamente. Un borrador de reforma integral del proceso penal extendía el mecanismo equivalente al actual art. 988 LECrim (LA LEY 1/1882) a los casos de posibles delitos continuados o concursos mediales o ideales enjuiciados separadamente para unificar la penalidad en esa fase de ejecución si se había procedido al enjuiciamiento disgregado, en fórmula que ya algún viejo precedente jurisprudencial acogió. La decisión de la Instructora ratificada por el Tribunal fue correcta, racional y razonable; contó con la motivación que es exigible a la vista de la regulación vigente, valorando la agilidad que se imprimiría al proceso y evitando así unas dilaciones que podrían pronosticarse desmesuradas si se acometía un difícilmente abarcable enjuiciamiento global. La norma invita al Instructor a tener en cuenta primordialmente esas ideas de aceleración procesal y consecución más segura del derecho de rango constitucional y convencional a ser enjuiciado en un plazo raonable». STS Sala Segunda, de lo Penal, Sentencia 277/2015 de 3 Jun. 2015, Rec. 10546/2014; Ponente: Moral García, Antonio del. LA LEY 78499/2015.

Las diligencias de instrucción las acordará el Juez, que las practicará por sí u ordenará a la Policía judicial su realización, dando cuenta al Ministerio Fiscal y a las partes personadas (art. 777 LECrim). Para ello el Juez se entenderá directamente con el órgano o autoridad que deba proceder a la diligencia acordada, aunque no esté directamente subordinado. La comunicación se producirá del modo más rápido, acreditándose por diligencia las peticiones de auxilio que no se hubieren cursado por escrito (art. 762.1º y 2º LECrim). Véase el Cap. VII sobre las diligencias de investigación que pueden practicarse en el proceso penal.

Las partes personadas pueden solicitar ante el Juez instructor la práctica de aquellas diligencias que estimen adecuadas a sus intereses; e intervenir en su realización con igualdad de medios, debiéndose practicar tanto las diligencias encaminadas a la inculpación como las destinadas a la exculpación, y es deber del Juez velar por ello, en virtud del principio de tutela efectiva del art. 24 CE, y por lo dispuesto en el art. 2 LECrim[30]. Caso de que el Juez deniegue la práctica de tales diligencias, contra el auto denegatorio cabrá recurso de reforma, y posterior de apelación ante la Audiencia Provincial (art. 766.1 LECrim).

---

(30) En este sentido, el Tribunal Constitucional, en STC 1/85, de 9 enero, señala que: «Si bien es verdad que la investigación y persecución de los delitos no se abandonan a la iniciativa de los particulares, y que en la instrucción tiene el Juez una indeclinable función en los términos que dicen los preceptos que organizan el sumario, y en el caso del art. 789 LECrim., en cuanto a la instrucción abreviada que son las diligencias previas, también lo es que las partes tienen una participación en la actividad instructora y la ley les confiere una posición activa en orden a aportar los medios tendentes a la inculpación o a la exculpación. La falta de toda instrucción priva a la perjudicada de una garantía procesal constitucional —art. 24 CE—, pues su derecho no ha obtenido la tutela jurisdiccional, ya que ninguna instrucción se ha realizado para depurar la verdad quebrantando lo que previenen los artículos antes citados de la LECrim. Si la garantía procesal penal comprende, en todo caso, el derecho a promover, y el de participar en la causa, también comprende que el Juez de Instrucción realice la investigación que el caso requiera». Vid., en sentido análogo, SSTC 44/85, de 22 marzo, y 150/88, de 15 julio.

Las diligencias de instrucción que pueden practicarse son todas aquellas previstas en las disposiciones generales de la LECrim (art. 326 a 485 LECrim), con las especialidades previstas en la regulación del procedimiento abreviado (arts. 762 y 778 LECrim). A saber: 1º El informe pericial lo podrá prestar un solo perito (art. 778.1 LECrim). 2º El Juez podrá acordar que el Médico forense u otro perito procedan a la obtención de muestras o vestigios cuyo análisis pudiera facilitar la mejor calificación del hecho, acreditándose en las diligencias su remisión al laboratorio correspondiente, que enviará el resultado en el plazo que se le señale (art. 778.3 LECrim). 3º El Juez podrá autorizar al médico forense para que asista en su lugar al levantamiento del cadáver. El forense realizará informe, que se adjuntará a las actuaciones, con la descripción detallada de su estado, identidad y circunstancias que tuvieren relación con el hecho punible. Igualmente podrá acordar que no se practique la autopsia cuando pueda dictaminarse cumplidamente la causa y las circunstancias relevantes de la muerte, sin necesidad de su práctica — art. 778.4 y 6 LECrim—. 4º En las declaraciones de imputados y testigos se reseñará el número del documento nacional de identidad, salvo que se tratase de agentes de la autoridad en cuyo caso bastará la reseña del número de carnet profesional. 5º Si no se ofreciesen dudas sobre la edad del imputado se prescindirá de traer a la causa el certificado de nacimiento, en caso contrario se unirá aquél y la ficha dactiloscópica. 6º No se exigirá título oficial al interprete que asista al imputado o testigo que no entendiere el idioma español (art. 762.7ª a 11ª).

Las partes podrán solicitar la práctica de aquellas diligencias de prueba que por cualquier causa fuere de temer que no puedan practicarse en el juicio oral o que pudieran motivar su suspensión (art. 777.2, 784.2 LECrim). Se trata de la práctica de prueba anticipada en los casos en los que no se pueda realizar en el acto del juicio. Así, principalmente en el caso de declaración de testigos, que por distintas razones deban ausentarse durante la celebración del juicio[31]. Véase sobre la práctica de prueba anticipada el § 2.2 del Cap. IX.

3.4. Reconocimiento de los hechos y sentencia de conformidad

El legislador ha previsto, en el procedimiento abreviado, la posibilidad de que las partes acusadoras y acusadas lleguen a un consenso o acuerdo. Dicha posibilidad se manifiesta en tres momentos procesales distintos: a) Durante la sustanciación de las Diligencias previas, por medio del reconocimiento de los hechos — art. 779.5º LECrim—; b) En el trámite de calificación, una vez abierto el juicio oral —art. 784.3º LECrim— (véase § 4.6 de este Capítulo); c) Iniciado el juicio oral y antes de practicarse la prueba, el acusado podrá conformarse con el escrito de acusación que contenga pena de mayor gravedad (art. 787 LECrim) (véase § 5.5 de este Capítulo).

Los tres supuestos previstos en la ley se refieren a tres momentos distintos que incluyen desde la fase de diligencias previas, hasta el juicio oral. De este modo se pone de manifiesto la voluntad del legislador para ofrecer una oportunidad repetida

---

(31) Por ejemplo en el caso que los perjudicados por el delito no residan en el lugar del juicio, como es el caso de turistas que visitan nuestro país en períodos de vacaciones. Esta es precisamente la justificación que ofrece la enmienda nº 185 que añadió esa norma al art. 777 LECrim.

para que las partes negocien sobre la acusación y la pena, en especial respecto de aquellos delitos de entidad menor y de poca trascendencia social[32].

En cuanto al primer supuesto, que es al que debemos atender en este apartado, se caracteriza porque el imputado reconoce los hechos que se le imputan. Es decir, asume y admite como ciertos los elementos objetivos que integran al tipo penal. No se trata, por tanto, de una conformidad con la calificación jurídica o con la pena, sino que mediante la conformidad así expresada se tiende no a evitar el juicio sino a anticiparlo y facilitarlo al máximo.

«El instituto de la conformidad, con más de cien años de vigencia en nuestro derecho procesal penal, es una concesión al principio de oportunidad, consistente en un acto unilateral de disposición de la defensa que encierra una especie de allanamiento a la pretensión más grave ejercitada por las acusaciones, y que vincula al Juzgador siempre que concurran los requisitos legalmente previstos. El Tribunal Supremo ha interpretado la conformidad como una forma de terminación anormal del proceso, reconociendo un cierto carácter de disponibilidad del objeto del proceso que se ha visto ampliado al admitirse en el proceso penal la posibilidad de negociación entre acusación y defensa, evitando la celebración del juicio oral. En el ámbito del procedimiento abreviado, la conformidad manifestada durante la instrucción del procedimiento se contempla en el artículo 779.5 LECRIM, y la que tiene lugar en el acto del juicio oral viene regulada en el artículo 787 LECRIM, precepto que permite que, antes de iniciarse la práctica de la prueba, la defensa, con la conformidad del acusado presente, solicite al Juez o Tribunal el dictado de sentencia de conformidad con el escrito de acusación que contenga pena de mayor gravedad, o con el que se presente en el acto, que no podrá referirse a hecho distinto, ni contener calificación más grave que la del escrito de acusación anterior, quedando el Juzgador vinculado, en el sentido de venir obligado a dictar sentencia de conformidad con la manifestada por la defensa, siempre que la pena no exceda de seis años de prisión, el acusado preste su conformidad libremente y con conocimiento de sus consecuencias, y concurran los requisitos de corrección de la calificación que de los hechos se efectúa, y de procedencia de la pena según dicha calificación». SAP de Vizcaya, Sección 6ª,

---

(32) Vid. ALMAGRO NOSETE, *El nuevo proceso penal*, Valencia, 1989, pp. 150 y ss.; ÁLVAREZ ALARCÓN, «El reconocimiento del imputado en la reforma del Proceso Penal», *Rev. Vasca Der. Pro. y Arb*. n.º 4, 1989; BARONA VILAR, «El consenso en el proceso penal americano: plea bargaining», *Revista General de Derecho*, n.º 591, 1993; CABAÑAS GARCÍA, «El proceso penal español ante una perspectiva de justicia penal negociada», *Rev. de Dcho. Procesal*, 1991, n.º 2; GONZÁLEZ VIZCAYA, «Breve comentario al principio del consenso en el procedimiento abreviado; en especial el consenso sobre los hechos del art. 789.5 de la LECrim.», *Actualidad y Derecho*, n.º 39, 1992; DE LA OLIVA SANTOS, A., «Sobre la conformidad del imputado y la "negociación" de la sentencia en el proceso penal español», *Bol. de I. Col. de Abg. de Madrid*, 1992, n.º 2. Vid. también FAIRÉN, «La conformidad del sujeto pasivo en el procedimiento de la Ley 7/88», *Justicia*, 1989, pp. 9 y ss., quien señala respecto a la norma del art. 789.5.5.ª que no sabe si constituye solamente una exhibición de «logorrea», o si se trata de un nuevo procedimiento que se introduce en el Ordenamiento español de una manera solapada e irrecognoscible. También se pregunta este autor si se tratará de un plea guilty desdibujado con un bargaining (negociación) —se trata de un sistema inglés por el que, al declararse el supuesto autor plenamente culpable de un delito, evita que se continúe el proceso con su fase de trial y fase de prueba—; o de un plea bargaining (cuando existe negociación entre el Fiscal y el acusado para lograr la imposición de la menor pena posible, basándose en el principio de oportunidad de persecución de unos determinados delitos).

Sentencia 116/2008 de 12 Nov. 2008, Rec. 97/2008; Ponente: Da Silva Ochoa, Juan Carlos. LA LEY 311825/2008.

En efecto, el reconocimiento de los hechos, dentro de los límites legales que se exponen a continuación, determinará que el procedimiento penal se sustancie por los trámites del juicio rápido, de conformidad previsto en el art. 801 LECrim; lo que producirá el efecto de que sea el Juez de guardia el que dicte sentencia de conformidad con lo solicitado con las partes, pero reducida la pena en un tercio (art. 801.1.4º LECrim). (Véanse M. 187 y 154). Al estar en directa relación este reconocimiento de hechos, con el juicio rápido, del art. 779.5ª LECrim la ley establece un límite para la conformidad que abrirá dicho juicio. En este sentido, el reconocimiento de los hechos con efecto de conformidad se producirá cuando aquéllos sean constitutivos de delito castigado con pena de hasta tres años de prisión u otra de distinta naturaleza cualquiera que sea su cuantía o duración. Así se entiende en la doctrina de las Audiencias Provinciales que además advierten que este reconocimiento de hechos debe ser previo al auto de transformación de diligencias previas previsto en el art. 779.4 LECrim[33].

«El art. 779 n.º 5 permite el trasvase del procedimiento abreviado al procedimiento de juicio rápido de determinados delitos. Este precepto dispone que si, en cualquier momento anterior, el imputado asistido de su abogado hubiere reconocido los hechos a presencia judicial, y estos fueran constitutivos de delito castigado con pena incluida dentro de los límites previstos en el artículo 801, mandará convocar inmediatamente al Ministerio Fiscal y a las partes personadas a fin de que manifiesten si formulan escrito de acusación con la conformidad del acusado. En caso afirmativo, incoará diligencias urgentes y ordenará la continuación de las actuaciones por los trámites previstos en los artículos 800 y 801. En consecuencia el reconocimiento del imputado tiene que ser anterior al auto de transformación del art. 779.1.4 que ya ha sido dictado e impugnado por este recurso». SAP de Jaén, Sección 2ª, Auto 14/2015 de 13 Ene. 2015, Rec. 592/2015; Ponente: Aguirre Zamorano, Pío José. LA LEY 247598/2015.

Ahora bien, eso no significa que no pueda el imputado reconocer los hechos cuando éstos sean constitutivos de un delito castigado con pena superior a los tres años de prisión, pero en ese caso no se procederá según los trámites del procedimiento de enjuiciamiento rápido.

---

(33) «Plantea el recurrente que, al conformarse con el escrito de acusación presentado en la comparecencia celebrada en el Juzgado de Instrucción, debe aplicársele la conformidad privilegiada del art. 801 LECrim (LA LEY 1/1882), y por tanto la resolución en un tercio de la pena solicitada. Pues bien, dicha posibilidad privilegiada instaurada por el legislador para los juicios rápidos siempre que concurran todos los requisitos del art. 795 LECrim (LA LEY 1/1882), tiene como límite preclusivo, el dictado del Auto de Transformación en Procedimiento Abreviado, y así se desprende del contenido del art. 779 (LA LEY 1/1882): 5º LECrim., en su redacción tras la ley 38/2002 (LA LEY 1490/2002), motivo por el cual, es inviable acceder a dicha pretensión, tras la celebración al juicio oral, tal y como resolvió el juez a quo, pues no en vano, es precisamente lo que el legislador trata de evitar, siendo la recompensa vía pena privilegiada, a la evitación de la tramitación de la fase intermedia y convocatoria y celebración del plenario». SAP de Cádiz, Sección 4ª, Sentencia 76/2008 de 7 Mar. 2008, Rec. 20/2008; Ponente: Estrella Ruiz, Manuel María. LA LEY 339389/2008.

Manifestado el reconocimiento de los hechos imputados, que se hallen dentro del límite previsto en el art. 801 LECrim, el Juez convocará inmediatamente al Fiscal y a las partes personadas a fin que se pronuncien sobre la conformidad del imputado y, en su caso, formulen escrito de acusación de acuerdo con aquélla. Si se admitiera el reconocimiento del imputado, el Juez de instrucción incoará diligencias urgentes y ordenará la continuación de las actuaciones por los trámites previstos para el juicio rápido de los arts. 800 y 801 LECrim procediéndose a dictar sentencia de conformidad con una reducción de la pena de un tercio de la solicitada (que no podrá exceder de tres años si fuere de prisión). Véase sobre la sustanciación del Juicio rápido el Cap. XIII y M. 154).

A nuestro juicio el reconocimiento del imputado, de conformidad y en los términos del art. 779.5ª LECrim, excluye la aplicación del art. 406.1 LECrim con relación a la confesión del procesado. En este sentido, el art. 779.5 LECrim regula este incidente de conformidad en términos imperativos, de modo que debe concluirse que producido el reconocimiento el Juez lo debe admitir y proceder según prevé el art. 800 y 801 LECrim.

En caso que el Fiscal o la acusación particular personada en la causa no manifiesten su conformidad no podrá seguirse el juicio rápido de conformidad. Aunque lo habitual será que ambas declaraciones se produzcan ante el Juez en unidad de acto. De tal modo que reconocimiento y conformidad con los hechos y la pena solicitada se produzca en el acto y se asuma por todas las partes. En caso contrario, se planteará el problema del efecto que deba tener el reconocimiento de los hechos cuando el Fiscal o la acusación particular no acepten la calificación de los hechos que se debe producir al mismo tiempo que el reconocimiento. A nuestro juicio, en ese caso, se seguirá la sustanciación ordinaria de las diligencias previas sin otorgar al reconocimiento ningún efecto, ya que no puede separarse el reconocimiento de hechos de su calificación jurídica. En consecuencia, la conformidad lo es con la pena más grave incluyendo, por supuesto, todas las acusaciones. Así lo expresa con rotundidad la STS Sala Segunda, de lo Penal, de 25 Sep. 2013, Rec. 10426/2013. Ponente: Marchena Gómez, Manuel. N.º de Sentencia: 767/2013. La Ley 155862/2013, que aunque se refiere al procedimiento por delitos graves es aquí perfectamente aplicable.

Conforme al art. 689 de la LECrim (LA LEY 1/1882), si además del Fiscal existieran otras acusaciones personadas en la causa, «... se preguntará al procesado si se confiesa reo del delito, según la calificación más grave». De ahí que la supuesta obtención de una respuesta favorable del procesado, tras la entrevista con su Letrado, habría resultado en todo caso precipitada, pues la viabilidad de la conformidad —en aquellos supuestos en los que la ley lo autoriza— está subordinada a que se acepte la pena más grave de las solicitadas por las acusaciones (cfr. arts. 689 (LA LEY 1/1882), 787.1 (LA LEY 1/1882), 784.3 LECrim (LA LEY 1/1882)). La acusación particular, en definitiva, no es en nuestro sistema una parte activa ajena al expediente de la conformidad. La no rebaja por la defensa de la víctima del tope cuantitativo de la pena solicitada, no es un acto procesal de insolidaria intransigencia. Antes al contrario, forma parte del legítimo ejercicio de las facultades que su estatuto procesal le confiere». STS Sala Segunda, de lo Penal, de 25 Sep. 2013, Rec. 10426/2013. Ponente: Marchena Gómez, Manuel. N.º de Sentencia: 767/2013. La Ley 155862/2013.

Como sucede en todos los casos de conformidad, ésta presupone una negociación y acuerdo sobre la acusación y la pena. Igual sucede en el caso previsto en el art. 779.5ª LECrim en el que el reconocimiento de los hechos no puede separarse de la calificación de los mismos. Es decir, el imputado reconocerá los hechos incardinándolos en un tipo determinado, es decir calificándolos. Por su parte, el Fiscal podrá asumir esa calificación, o no. Esta actividad de calificación es necesaria, por cuanto la posibilidad de dictarse sentencia, de conformidad de acuerdo con el art. 801 LECrim, está limitada a delitos cuya pena, cuando sea de prisión, no supere tres años. Pues bien, cuando el imputado reconoce los hechos, lo hace otorgándoles una calificación determinada, de modo que la conformidad se concreta al conjunto de hechos y derecho. La consecuencia, de la falta de asunción por el Fiscal de la calificación propuesta por el imputado será que se deba seguir el juicio para que el Fiscal califique los hechos según su criterio. Por su parte, el acusado podrá, a nuestro entender, admitir o negar los hechos y calificarlos del modo que crea conveniente, sin que el reconocimiento (o mejor dicho la conformidad) fallida pueda constituir un indicio en contra del acusado.

3.5. Conclusión de las diligencias previas

El Juez de Instrucción deberá dar por terminada la instrucción cuando entienda que han quedado determinados los hechos punibles e identificados a efectos de la imputación los presuntos responsables, ya sea por haber practicado diligencias de instrucción o por entender que son suficientes las diligencias que consten en el atestado o denuncia del Fiscal[34]. Aunque siempre deberá haberse tomado declaración al imputado (art. 779.4ª LECrim)[35].

«Es en efecto doctrina del Tribunal Constitucional que la acusación en el procedimiento abreviado venga precedida de una previa imputación para evitar así acusa-

---

(34) «... La fase de preparación del juicio oral presupone, siempre, la conclusión de la fase de instrucción o diligencias previas, pues aunque no existe en el procedimiento abreviado —a diferencia de la previsión del art. 622 de la LECrim., para el procedimiento común— una declaración expresa de conclusión, la misma está implícita en cualquiera de las resoluciones que establece el art. 789.5 de la LECrim. Es indudable, al respecto, que la resolución prevista en la regla cuarta del art. 789.5 de la LECrim., en virtud de la cual se ordena seguir el procedimiento previsto en el capítulo segundo —esto es, la fase de preparación del juicio del procedimiento abreviado—, contiene un doble pronunciamiento: de una parte, la conclusión de la instrucción, y, de otra, la prosecución del proceso abreviado en otra fase por no concurrir ninguno de los supuestos que hacen imposible su continuación (los previstos en las reglas primera, segunda y tercera del mismo art. 789.5)». (STC 186/90, de 15 noviembre).

(35) «... En relación con el proceso penal abreviado hemos destacado que no puede clausurarse una instrucción sin haber puesto el Juez en conocimiento del imputado el hecho punible de que tratan las diligencias previas, haberle ilustrado de sus derechos, de modo especial del de designar abogado defensor, y haberle permitido alegar una exculpación frente a la imputación, sin que ésta se pueda retrasar más allá de lo estrictamente necesario, y sin que, por ello, pueda someterse el imputado al régimen de declaraciones testificales (SSTC 135/89, 186/90, 128/93, 129/93, 152/93 y 273/93)... De lo expuesto se deriva que en el presente caso la conclusión de las diligencias previas y la consecuente incoación del procedimiento abreviado se realizó mediante una providencia y no mediante un Auto motivado, sin que conste además su notificación al recurrente en amparo...». (STC 290/93, de 4 octubre).

ciones sorpresivas sin que se le haya dado oportunidad al así acusado de intervenir en la fase instructora del proceso penal. ...Por ello, una vez establecida la verosimilitud de la imputación e incoado un proceso contra persona determinada, no es constitucionalmente admisible ... dar por concluida la instrucción sin haberle oído en la condición de imputado (SSTC 128/1993 (LA LEY 2196-TC/1993), F. 4, 149/1997, F. 2, 41/1998, F. 27; 220/1998, F. 2; 19/2000, F. 5; 68/2001, F. 3; 87/2001, F. 3; 118/2001, F. 2)». STS 762/2016 de 13 Oct. 2016, Rec. 1838/2015; Ponente: Varela Castro, Luciano. LA LEY 141700/2016.

Debe tenerse en cuenta la preferencia de la ley por la celeridad en la tramitación de la instrucción en el procedimiento abreviado, que se manifiesta en el art. 779 LECrim que dispone que en el supuesto de tenerse que practicar diligencias por el Juez de Instrucción, éstas sean practicadas sin demora (art. 779.1 LECrim)[36].

Concluida la fase de diligencias previas el Juez adoptará por auto alguna de las siguientes resoluciones (art. 779 LECrim):

1º. Si estimase que el hecho no es constitutivo de infracción penal o que no aparece suficientemente justificada su perpetración, acordará el sobreseimiento que corresponda, notificando dicha resolución a quienes pudiera causar perjuicio, aunque no se hubiesen mostrado parte en la causa (art. 779.1ª LECrim)[37]. Debe resaltarse que será en este momento procesal en el que el Juez de instrucción debe valorar la instrucción practicada y resolver sobre la existencia de indicios de criminalidad que puedan conducir a cualquiera de las resoluciones siguiente que suponen la continuación del proceso penal. (Véase M. 180 y 181).

El auto en el que el Juez declara la inexistencia de infracción penal deberá motivarse suficientemente, sin que ello suponga la obligación de realizar una exhaustiva descripción del razonamiento que condujo a tal decisión:

> «... Ciertamente hemos señalado en otra ocasión (STC 191/89), que cuando se trata de motivar una resolución judicial de archivo de unas diligencias penales, no resulta obligado un pormenorizado análisis de los elementos integrantes del tipo o de los tipos por los que la querella fue formulada, sino que basta con que la motivación cumpla la doble finalidad de exteriorizar la decisión adoptada, haciendo explícito que ésta responde a una determinada interpretación del Derecho, y de permitir su eventual control jurisdiccional mediante el efectivo ejercicio de los derechos, aunque dicho objetivo se cumpla por remisión a anteriores resoluciones...». (STC 191/92, de 16 noviembre).

---

(36)   El TC ha recordado el carácter esencial de las diligencias que deben practicarse durante la fase de instrucción de las Diligencias previas y la necesidad de una duración razonable y no excesiva, indicando que, por definición, tales diligencias son, según la ley, sólo las «esenciales», y no pueden utilizarse para otros fines que los señalados en el precepto ni por más tiempo del que se precise para ello («sin demora»), so pena de convertirse en una inaceptable corruptela, en un nuevo procedimiento, desvirtuando su naturaleza (STC 133/88, de 4 julio). Asimismo, STC 191/89, de 16 noviembre.

(37)   Vid. SALAS CARCELLER, «Sobre la eficacia del auto de archivo de las Diligencias Previas penales (STS de 10 de diciembre de 1991)», *Poder Judicial*, septiembre 93; ORAA GONZÁLEZ, «La notificación al perjudicado del archivo de diligencias penales, efectos de su omisión sobre el cómputo del plazo descriptivo», *La Ley* n.º 3446, 1994.

Por lo tanto es exigible que el Juez de instrucción valore en este momento los hechos y resuelva sobre si indiciariamente son constitutivos de una infracción penal, sin esperar al trámite procesal de apertura del juicio oral en el que, al amparo del art. 783.1 LECrim, podrá denegar la apertura del juicio oral solicitada por las partes cuando entendiera que procede el sobreseimiento libre o provisional (véase § 4.6 de este Capítulo).

> «El auto de archivo y el auto de sobreseimiento tienen una única naturaleza jurídica. Ambos constituyen decisiones judiciales que ponen fin a la causa. La distinta terminología que se emplea en la ley (p. ej. art. 789.5°.1 y art. 790.3° LECrim.) no tiene en este sentido ninguna trascendencia sobre el carácter es estas resoluciones. Tampoco la tiene la posibilidad de que, según el art. 641 LECrim., el sobreseimiento pueda ser provisional. En todo caso, el archivo y el sobreseimiento definitivo coinciden plenamente en sus efectos. La mala terminología legal no puede ocultar que el archivo es, en todo caso, la consecuencia de un sobreseimiento, toda vez que el trámite de una causa criminal no se puede interrumpir sin una decisión relativa al carácter no delictivo del hecho o a la insuficiencia de las pruebas para demostrarlo». STS Sala Segunda, de lo Penal, Sentencia de 18 Jun. 1993; Ponente: Bacigalupo Zapater, Enrique. LA LEY 3876-5/1993.

Si el Juez estimara que el hecho puede ser constitutivo de delito, pero no hubiere autor conocido, acordará el sobreseimiento provisional y ordenará el archivo (Véase M. 181). En este caso, el archivo será provisional, ya que cuando se presenten en el Juzgado, ya sea por la Policía o por los acusadores particulares, nuevos elementos y pruebas por las que se pueda acusar a una determinada persona, o justificar la comisión del delito ya denunciado, el Juez deberá decretar la reapertura de las Diligencias previas (Véase sobre el sobreseimiento § 3.2 del Cap. XV). Naturalmente que si el Juez considera que se dan los presupuestos para ello (Cuando no existan indicios racionales de haberse perpetrado el hecho que hubiere dado motivo a la formación de la causa o cuando el hecho no sea constitutivo de delito), conforme con lo previsto en el art. 637 LECrim, deberá dictar un auto de sobreseimiento libre que ponga fin al procedimiento penal.

> «Hoy no puede discutirse a la vista de la ley que en un procedimiento abreviado el instructor puede dictar autos de sobreseimiento libre tanto en el momento de decidir sobre el destino de las diligencias previas, como cuando ha de resolver sobre la apertura del juicio oral que le reclaman las partes acusadoras. Más aún. Incluso antes de esa reforma de 2002 había base para sostener que un auto de archivo "por no ser los hechos constitutivos de delito" dictado al amparo del anterior art. 789.5.1ª LECrim (LA LEY 1/1882) podía ser manifestación de un sobreseimiento libre. Son conocidas las dudas a que dio lugar la ambigua fórmula del legislador y la polémica despertada a tal respecto. La equivocidad de la fórmula fue corregida en la reforma de 2002 que ya habla de acordar "el sobreseimiento que corresponda" (por tanto, también el libre). No tenía sentido confundir la consecuencia de una resolución (el archivo) con su contenido (sobreseimiento). El juez acuerda el sobreseimiento. Corolario de tal resolución es el archivo (art. 634.3° LECrim (LA LEY 1/1882))». STS Sala Segunda, de lo Penal, Sentencia 601/2015 de 23 Oct. 2015, Rec. 532/2015; Ponente: Moral García, Antonio del. LA LEY 162893/2015.

Nótese que el art. 779.1 LECrim establece claramente que: «*Si estimare que el hecho no es constitutivo de infracción penal o que no aparece suficientemente justifi-*

cada su perpetración, acordará el sobreseimiento que corresponda. Si, aun estimando que el hecho puede ser constitutivo de delito, no hubiere autor conocido, acordará el sobreseimiento provisional y ordenará el archivo». De modo que se utiliza la palabra archivo en su concepción material sin atribuirle sentido jurídico alguno. Esto lo decimos porque hasta la reforma de la LECrim por la Ley 38/2002 el anterior art. 789.5 disponía que si el Juez *«estimare que el hecho no es constitutivo de infracción penal, mandará archivar las actuaciones»* y más adelante que: *«Si, aun estimando que el hecho puede ser constitutivo de delito, no hubiere autor conocido, acordará el sobreseimiento provisional, ordenando el archivo».* Esta expresión legal había sido interpretada de diferente manera tendiendo a considerar que el archivo en procedimiento abreviado se identificaba con el sobreseimiento provisional[38]. Cuestión que ha quedado definitivamente superada con la actual redacción legal que se ha transcrito «supra».

2º. Si reputare delito leve (la Ley sigue refiriéndose a falta) el hecho que hubiere dado lugar a la formación de las diligencias, mandará remitir lo actuado al Juez competente, cuando le corresponda su enjuiciamiento (art. 779.2ª LECrim). (Véase M. 184). Pero, en este caso se plantea el problema de que el Juez de Instrucción, al haber practicado diligencias de instrucción, incurrirá en la causa de recusación 10.ª del art. 219 LOPJ (haber sido instructor de la causa cuando el conocimiento del juicio esté atribuido a otro Tribunal), por lo que deberá abstenerse del conocimiento de la causa y remitir las actuaciones al Juez que deba reemplazarle[39]. Sólo podría fallar sobre el delito leve si no hubiese practicado ninguna diligencia por no haberlas considerado necesarias[40]. O si aun, interviniendo, se hubiese limitado a la práctica de actos de mero trámite:

---

(38) «La doctrina de esa Sala había optado en términos generales, aunque no totalmente pacíficos y unánimes (vid en sentido contrario STS 730/2000, de 26 de abril (LA LEY 6999/2000)), por catalogar esa resolución como de sobreseimiento provisional sin efecto de cosa juzgada y salvando la reapertura de la causa ante la aparición de nuevos elementos de prueba (por todas, SSTS 111/1998, de 3 de febrero, 1226/1998, de 15 de octubre 488/2000, de 20 de marzo (LA LEY 62995/2000) y 1612/2002, de 1 de abril de 2003 (LA LEY 1599/2003)». STS Sala Segunda, de lo Penal, Sentencia 601/2015 de 23 Oct. 2015, Rec. 532/2015; Ponente: Moral García, Antonio del. LA LEY 162893/2015.

(39) Téngase en cuenta la conocida STC 145/88, de 12 julio, que exige separación entre el órgano instructor y el órgano decisor.

(40) «El Juez de Instrucción había incoado diligencias previas y dictado, con fecha 29 de enero de 1996, Auto de sobreseimiento provisional y declaración de que continuase el procedimiento por el trámite de juicio verbal de faltas, por los hechos relatados en el atestado policial atinentes a las imputaciones de hurto y malos tratos .../... En estas circunstancias, en las que claramente se puede comprobar que el Juez instructor no ha desplegado, en puridad, actividad instructora alguna tendente al esclarecimiento de los hechos, ni ha adoptado medidas cautelares de ningún tipo, limitándose a recibir las denuncias contenidas en el atestado policial y precisar cuál es el trámite procesal que aquéllas merecen, al declarar que los hechos denunciados no son constitutivos de delito, hemos de concluir que ello en nada prejuzga la decisión futura del juzgador, que sólo depende del examen y valoración de lo que resulte acreditado en el juicio de faltas que se celebre. No puede apreciarse, en consecuencia, que el juzgador, al calificar los hechos denunciados como constitutivos, en su caso, de simples faltas, asumiese, en este caso, una actividad procesal que pudiera comprometer su imparcialidad objetiva, por lo que procede desestimar la alegada vulneración del derecho al juez imparcial». STC 52/2001 de 26 de febrero.

«... La STS 1525/2005, 16 de diciembre (LA LEY 10496/2006), proclamó que sólo las actuaciones que suponen un contacto directo con la instrucción judicial por implicar funciones de averiguación, calificación o juicio sobre los hechos pueden afectar al derecho al Juez imparcial .../... C) En definitiva, la solución a la queja que anima el presente motivo, referida a la pérdida de imparcialidad del órgano decisorio, no puede obtenerse sino atendiendo a las circunstancias del caso concreto, huyendo de apriorismos inducidos por la interesada identificación de supuestos que, si bien se mira, no son coincidentes. La propia jurisprudencia constitucional viene proclamando la necesidad de evitar criterios apriorísticos: "... el concepto de un Tribunal imparcial —recuerda la STC 60/1995, 17 de marzo— (LA LEY 13061/1995)no se debe interpretar en abstracto. No toda intervención del Juez antes de la vista o juicio oral tiene carácter de instrucción". "Es necesario llevar a cabo una interpretación más material que formal, y analizarse pues las circunstancias concretas de cada caso para poder asegurar si un determinado asunto ha sido juzgado por un Tribunal imparcial"». STS Sala Segunda, de lo Penal, Sentencia 195/2014 de 3 Mar. 2014, Rec. 10575/2013. Ponente: Marchena Gómez, Manuel. LA LEY 37723/2014.

3º. Si el hecho estuviere atribuido a la jurisdicción militar, se inhibirá a favor del órgano competente (Véase sobre proceso militar § 6, Cap. XV). Cuando todos los imputados fueren menores de edad penal (dieciocho años), se dará traslado de lo actuado al Fiscal de Menores para que inicie los trámites de la Ley de responsabilidad del menor 5/2000 (art. 779.3ª LECrim). (Véase M. 185).

4º. Si el hecho constituyera delito comprendido en el ámbito del procedimiento abreviado (art. 757 LECrim), seguirá el procedimiento por sus trámites (arts. 780 y ss. que regulan la preparación del juicio oral). (art. 779.4ª LECrim). (Véase M. 186 y 189). En este caso el Juez deberá dictar auto que contendrá la determinación de los hechos punibles y la identificación de la persona a la que se imputan (art. 779.4ª LECrim). Extremos que resultan vinculantes en lo esencial para las eventuales posteriores acusaciones.

«La doctrina de este Tribunal Supremo ha quedado afectada por la exigencia, tras la reforma de la Ley 38/2002 (LA LEY 1490/2002), de la determinación del hecho punible y la indicación de quien resulta imputado por su razón. Esos dos datos configuran el objeto del proceso. Y éste debe permanecer inmutable. Aunque ello no empece variaciones en la calificación jurídica. Y tampoco mutaciones del relato histórico, siempre que éste no implique una variación sustancial. Es decir de tal trascendencia que el hecho pasa a constituir el presupuesto típico de otro delito diferente del que implicaba la versión previa a la mutación». STS 762/2016 de 13 Oct. 2016, Rec. 1838/2015; Ponente: Varela Castro, Luciano. LA LEY 141700/2016.

Este necesario contenido del auto supone una novedad introducida por la Ley 38/2002 que consideramos de especial interés, ya que la posterior calificación de las partes estará delimitada por el contenido del auto, sin perjuicio que puedan solicitar la práctica de nuevas diligencias de instrucción (art. 780, y 784 LECrim).

«La nueva redacción de la LO. 38/2002 establece los extremos que, al menos, debe contener dicho auto: determinación de los hechos punibles e identificación de personas imputadas; además establece que no podrá dictarse el auto de transformación contra persona a la que no se le haya tomado declaración como imputada. El auto de transformación vincula a las partes en cuanto a los hechos imputados y en las personas responsables, pero no en las calificaciones jurídicas que el Juez formule, por cuanto el auto de transformación de las diligencias previas en procedimiento abreviado no tiene por finalidad y naturaleza suplantar la función acusatoria del Ministerio Fiscal y del resto de las acusaciones, de modo que el hecho de que inicialmente se calificasen los hechos como apropiación indebida y finalmente se formulase la acusación por estafa, no puede considerarse que ocasione indefensión al acusado». STS Sala Segunda, de lo Penal, Sentencia 905/2014 de 29 Dic. 2014, Rec. 465/2014. Ponente: Conde-Pumpido Tourón, Cándido. LA LEY 191557/2014.

De ese modo, se refuerza la importancia de las diligencias previas a realizar por el Juez de instrucción o la asunción por éste del contenido de las diligencias pre-procesales de la policía Judicial o el Ministerio Fiscal. Además, la identificación de la persona a la que se imputan los hechos «calificados indiciariamente» por el Juez de instrucción como punibles debe constituir la ratificación de la calidad del imputado, que se adquirió en la primera comparecencia necesaria ante el Juez de instrucción. Aunque, tras la reforma de la LECrim la calidad jurídica que debe otorgarse al investigado, hasta ese momento, será la de encausado conforme a la LO 13/2015 (así se denomina, entre otros, en los arts. 78° y 784 LECrim). En cualquier caso, lo importante es destacar que en el auto de transformación se debe contener un juicio provisional en el que sigue operando la presunción de inocencia, pero no el «in dubio pro reo», ya que se parte de la sospecha, por acreditar, de la responsabilidad del encausado en los hechos objeto del proceso penal. O dicho de otro modo el auto de transformación del procedimiento abreviado se sustenta sobre una probabilidad de acusación[41].

---

(41) «Hacemos nuestros los argumentos desarrollados por la Audiencia Provincial de Baleares en Auto de fecha 2/06/2015 en el cual se estudia la función del Auto transformador de la causa en procedimiento abreviado, y afirma que "Por lo expuesto, al estar sustentado el auto transformador sobre una probabilidad de acusación, en el contexto de situaciones de dudosa imputación no rige el principio in dubio pro reo, pues este se halla reservado al ámbito propio y específico del plenario, una vez se haya practicada la prueba propuesta, sino que la duda que pueda existir, siempre que la acusación esté dotada de un mínimo fundamento, de base o sustento, a fin de evitar que la presunción de inocencia pueda resultar frontalmente vulnerada, debe resolverse decidiendo a favor de continuar el procedimiento y de ordenar la celebración del juicio oral, rigiendo ya entonces una vez éste haya tenido lugar, si las dudas acusatorias se mantienen y persisten, el indicado principio por acusado haciendo que la balanza probatoria se incline a su favor". En la misma línea, el Auto 3766/2010 del TS Sala 2ª de fecha 7 de abril de 2010 recuerda que "el denominado juicio de acusación no le incumbe establecer con certeza las afirmaciones fácticas que fundan la imputación. Le corresponde únicamente la determinación de una veracidad probable de las afirmaciones sobre los datos históricos, únicos verificables, y respecto de los cuales una valoración jurídica pueda concluir que son constitutivas de delito. Es decir, que procede dictar esta resolución cuando no concurren los supuestos de sobreseimiento previstos, por un lado, en los artículos 637.1.° y 641.1° y, por otro lado, en el artículo 637.2°, todos de la Ley de Enjuiciamiento Criminal (LA LEY 1/1882). En definitiva, cuando existe en la acusación un mínimo de seriedad y fundamento, el criterio ha de ser siempre depurar las eventuales responsabilidades penales en sede de juicio oral y el sobreseimiento tiene carácter residual, siendo por tanto en esos casos la excepción frente a la regla general: el juicio oral en donde se garantiza que el enjuiciamiento de los hechos se verificará bajo los principios de publicidad, oralidad, inmediación y contradicción"» SAN Sala de lo Penal, Sección 2ª, Auto 316/2016 de 6 Jul. 2016, Rec. 176/2016; Ponente: López López, Enrique. LA LEY 75041/2016.

«El alcance del juicio de acusación que ha de contener el auto transformador —a cuyo examen ha de ceñirse la actividad revisora de las salas de audiencia—, es una convicción judicial provisoria o hipotética referida a la posibilidad o probabilidad de que se hayan podido cometer unos hechos provisionalmente subsumibles en unos tipos penales, cuyo cauce de enjuiciamiento esté previsto en el proceso abreviado y que en dicho delito o delitos hayan podido participar de alguna manera, directa o indirecta, los sujetos imputados. Lo dicho hasta ahora está refiriéndose a la mayoría de los casos, en los que el Juez ordena la transformación del proceso realizando el juicio de acusación, entendido en términos de mera probabilidad, pero no de certeza, de tal modo que lo que hay que excluir ante un recurso del investigado, es que en la resolución se plasmen un juicio patentemente erróneo, ilógico o equivocado o cuando las imputaciones que el auto vierte contra el o los apelantes sean absolutamente infundadas, voluntaristas, arbitrarias, o carentes de toda base o fundamento; en su consecuencia el juicio de probable acusación no precisa detenerse en la calidad y entidad de los indicios de criminalidad, ni tampoco en la determinación de una plena subsunción en el tipo penal con un examen detallado de todos los elementos del tipo, subjetivos, objetivos, positivos, negativos, etc. Lo que la Sala debe estudiar no es si las imputaciones que contempla el auto transformador alcanzan o no el canon de suficiencia constitucional requerido para obtener, más allá de toda duda razonable, un pronunciamiento de condena y desvirtuar la presunción de inocencia que ampara a toda persona imputada, pues dicha presunción solo puede enervarse o destruirse a partir del actividad probatoria que se evacue en el acto del plenario con las debidas garantías procesales y pleno respecto a los principios». SAN Sala de lo Penal, Sección 2ª, Auto 316/2016 de 6 Jul. 2016, Rec. 176/2016; Ponente: López López, Enrique. LA LEY 75041/2016.

En cualquiera de los casos se notificará el auto a las partes[42]. Además, cuando se trate de los tres primeros supuestos contenidos en el art. 779 LECrim y no se hubiere interpuesto recurso por las partes personadas, ni hubiere miembro del Ministerio Fiscal constituido en el Juzgado, se remitirán las diligencias al fiscal de la audiencia que dentro de los tres días siguientes las devolverá al Juzgado, con la interposición de recurso o con la fórmula de visto, procediéndose, en ese caso, a la ejecución de lo resuelto (art. 779.2 LECrim)[43]. La posibilidad de recurrir frente a cualquiera de estas resoluciones se deduce de la norma general prevista en el art. 766 que establece que cabe recurso de reforma y apelación frente a todos los autos que no estén excluidos

---

(42) Téngase en cuenta que el Tribunal Constitucional ha declarado que la falta de notificación del auto que acuerda la prosecución de las actuaciones por los trámites del procedimiento abreviado no produce, necesariamente la nulidad de las actuaciones. Lo que debe valorarse es si: «esa falta de notificación le haya ocasionado un perjuicio efectivo y real que de otro modo se hubiera evitado si se le hubiera notificado la incoación del procedimiento abreviado» (STC 290/1993), o, dicho con otras palabras, si de tal omisión, en el caso presente y atendiendo a sus específicas circunstancias, se ha derivado una situación para los que la padecen en la que se les «impide ejercitar los derechos procesales de los que son titulares» (STC 121/1995)». STC 62/1998 de 17 de marzo.

(43) Esta fórmula que estaba prevista en la regulación anterior, había desaparecido de la ley en la redacción aprobada por el Congreso. Sin embargo, se introdujo en el Senado como consecuencia de la aceptación de la Enmienda nº 17 que la justificaba para permitir a la Fiscalía atender al cumplimiento de sus funciones, teniendo en cuenta el déficit de personal y de medios para atender a todos los Juzgados de Instrucción.

de recurso[44]-[45]. En cuanto a la casación no cabe recurso de casación directo frente a este auto, a pesar de que, en razón del delito, le corresponda conocer del juicio oral a la Audiencia Provincial. Este era el criterio seguido antes de la reforma de la LECrim[46] por la Ley 41/2015 que ha modificado el art. 848 LECrim que prevé que:

---

(44) La redacción aprobada en el Congreso excluía expresamente el recurso frente al auto en el que el Juez acordaba la continuación de los trámites del procedimiento abreviado. Sin embargo, en el Senado se plantearon varias enmiendas que aducían la indefensión que podría producirse por la inexistencia de recurso frente a esa resolución. Ciertamente, en el sistema de procedimiento abreviado anterior a la ley 38/2002 cabía formular recurso de reforma y queja frente al auto en él se decidía seguir el procedimiento abreviado. Este recurso se fundamentaba en la imposibilidad de que el imputado pudiera solicitar que se acordará el sobreseimiento o se practicase nuevas diligencias antes de haberse dictado auto de apertura del juicio oral. Así lo había declarado el TC: «Dicho de otro modo, cuando el Juez adopta la decisión de continuar el proceso —art. 789.5, regla 4.ª—, también rechaza (implícitamente) la procedencia de las otras resoluciones del art. 789.5 de la LECrim. y, de modo especial, el archivo o sobreseimiento de las actuaciones (fundamento jurídico 9.º). Por ello, el hoy recurrente tuvo la posibilidad, mediante la interposición de los recursos legalmente previstos (art. 787 de la LECrim.), de oponerse ante el propio Juez instructor —órgano competente, a diferencia de lo que ocurre en el procedimiento común, para tramitar la instrucción de la causa y la denominación fase intermedia o de preparación del juicio oral— a la continuación del proceso y de alegar en él lo pertinente en orden a la procedencia del sobreseimiento o, en su caso, acerca de la necesidad de completar la instrucción» (STC 22/91, de 31 enero). Véanse también SSTC 21/91, de 31 enero; 124/91, de 3 junio. Sin embargo, en el sistema que se proponía originalmente, aprobado en el Congreso, se preveía que el imputado pudiera pronunciarse sobre la petición de sobreseimiento o petición de diligencias complementarias en el traslado previsto al imputado en el art. 783.1 LECrim, para el caso que las acusaciones hubieren solicitado la apertura del juicio oral o la práctica de diligencias complementarias. Con esa regulación la falta de recurso frente al auto de conclusión de las diligencias previas y continuación del procedimiento abreviado no planteaba ningún problema. Ahora bien, en la redacción definitiva aprobada en el Congreso se produjeron dos cambios: se permitió el recurso frente al auto de conclusión del sumario; y desapareció el trámite de alegaciones del imputado del art. 783.1 LECrim. De este modo, la cuestión quedaba planteada, nuevamente, en el modo previsto en la regulación anterior, con las siguientes consecuencias que se exponen en la justificación de la enmienda nº 150 que suprime el párrafo 1º del art. 783.1 LECrim: 1º Autorizado el recurso frente al auto de conclusión del sumario, es redundante permitir un nuevo trámite de contradicción del imputado en la fase intermedia. 2º Que el imputado deberá solicitar el sobreseimiento de la causa, o la petición de diligencias complementarias en el recurso frente al auto de conclusión de las diligencias previas.

(45) El recurso de apelación podrá interponerse directamente, sin necesidad de ejercitar previamente el de reforma, conforme al art. 766.2 LECrim, aunque se podrán utilizar ambos recursos: reforma y subsidiariamente apelación.

(46) «Dos son, por consiguiente, los requisitos precisos para que sea admisible el recurso de casación contra estos autos: a) que la resolución judicial declare que los hechos de que se trate no son constitutivos de delito, y b) que alguna persona estuviera procesada como culpable de ellos; exigencia esta que se entiende cumplida en el procedimiento abreviado cuando el Instructor haya acordado la continuación del procedimiento por los trámites correspondientes del Procedimiento Abreviado (art. 789.5.4ª LECrim), como sucede en el presente caso. La resolución aquí recurrida, al margen de otras consideraciones, entre ellas la relativa a su denominación —dado que lo fundamental a estos efectos no es el «nomen iuris» sino su verdadera naturaleza jurídica—, constituye en esencia un sobreseimiento libre, por haber considerado la Audiencia Provincial que los hechos objeto de la causa, en cuanto se refieren al señor A., no son constitutivos de delito; concurriendo, por lo demás, la circunstancia de haber dictado el Juez de Instrucción la resolución prevista en el art. 789.5.4ª de la Ley de Enjuiciamiento Criminal, e incluso la formulación de escrito de acusación contra el mismo». STS Sala Segunda, de lo Penal, Sentencia 146/2002 de 5 Feb. 2002, Rec. 2139/2001; Ponente: Puerta Luis, Luis Roman. LA LEY 27706/2002.

«Podrán ser recurridos en casación, únicamente por infracción de ley, los autos para los que la ley autorice dicho recurso de modo expreso y los autos definitivos dictados en primera instancia y en apelación por las Audiencias Provinciales o por la Sala de lo Penal de la Audiencia Nacional cuando supongan la finalización del proceso por falta de jurisdicción o sobreseimiento libre y la causa se haya dirigido contra el encausado mediante una resolución judicial que suponga una imputación fundada». De modo que no cabe casación para los autos dictados por el Juez de Instrucción que serán recurribles en apelación y frente al auto de la Audiencia resolviendo el recurso cabría recurso de casación, únicamente por infracción de ley, en el supuesto que el auto supusiera la finalización del proceso por las razones previstas en el art. 848 LECrim[47]. Véase sobre esta cuestión el § 7.1 del Cap. XI.

La posibilidad de recurrir interesará especialmente al investigado, que podrá impugnar la continuación del procedimiento solicitando el sobreseimiento, y además podrá pedir la práctica de diligencias complementarias (Véase M. 190).

Nótese que no existe ninguna referencia a una posible transformación de las Diligencias previas en sumario, y ello es así porque iniciado un proceso de acuerdo con las normas del procedimiento abreviado, y por imperativo del art. 760.1 LECrim, en cuanto aparezca que el hecho no se halla comprendido en alguno de los supuestos del art. 757, se continuará conforme a las disposiciones generales de la LECrim. En consecuencia, no habrá que esperar a concluir las Diligencias previas para acordar la transformación del procedimiento sino que la continuación de la tramitación por las normas generales se hará en el momento en que se aprecie aquella circunstancia, sin retroceder en el procedimiento más que en el caso de que resulte necesario practicar diligencias o realizar actuaciones con arreglo a los preceptos generales de la LECrim (véase § 3.1 de este Capítulo). (Véase M. 188).

SECCIÓN 4. FASE INTERMEDIA

La fase intermedia se desarrolla entre las dos fases esenciales del proceso penal —instructora y de juicio oral—, y tiene por objeto determinar si concurren o no los

---

(47) Esta es nuestra interpretación que se fundamenta en la Ley y en el propio fundamento de la doctrina legal del Tribunal Supremo sobre la cuestión dictada antes de la reforma de la Ley 41/2015 en la que el argumento que se utilizaba era que: «Únicamente es posible casación contra los autos de sobreseimiento libre cuando estos autos se dictan en procedimientos en los que la Ley permite casación contra la sentencia con la que habrían de terminar si el trámite llegara a su fin. No cabe admitir recurso de casación contra autos de sobreseimiento libre dictados en asuntos que son competencia del Juzgado de lo Penal, pues éstos tienen una doble instancia, terminando con apelación en la Audiencia y sin posible casación: si en un determinado asunto no cabe casación contra la sentencia, tampoco cabe contra el auto de sobreseimiento libre» (STS Sala Segunda, de lo Penal, Sentencia de 5 May. 1997, Rec. 2242/1996, Ponente: Delgado García, Joaquín. LA LEY 6139/1997). Situación que ha cambiado en tanto que salvo en el procedimiento por delitos leves (art. 977 LECrim y Acuerdo TS 9 junio 2016) las sentencias dictadas en apelación por la Audiencia Provincial o el TS de Justicia tienen acceso a casación (art. 847 LECrim).

presupuestos necesarios para la apertura del juicio oral procediendo en caso negativo a decretar el sobreseimiento de la causa. La competencia para conocer de la tramitación de la fase intermedia en el procedimiento abreviado se atribuye al Juez de instrucción que asume funciones en esta fase por cuenta del órgano que realmente debe decidir, sea el Juez de lo Penal o la Audiencia Provincial[48].

En el procedimiento por delitos graves es el propio Tribunal competente para el enjuiciamiento de los hechos el que decidirá la confirmación o revocación del auto del Juez instructor en que acuerde la conclusión del sumario. También le corresponderá decidir, en caso de confirmación, si decreta la apertura del juicio oral o el sobreseimiento. En consecuencia, será el órgano decisorio el que habrá de valorar jurídicamente el material instructorio y adoptar alguna de las decisiones indicadas. Se trata, sin ninguna duda de una regulación más adecuada, ya que no resulta lógico que el Juez de instrucción sea el que deba decidir si existen causa para abrir el juicio oral, ya que se trata de una función decisora, más que instructora[49]. Sin embargo, cabe señalar que la regulación de esta fase en el procedimiento abreviado fue mejorada por la Ley 38/2002. En este sentido, se eliminaron decisiones que pudieran afectar a la competencia del Tribunal sentenciador; v.g. se suprimió la norma del derogado art. 789.4 *in fine* LECrim que establecía que el Juez instructor pudiera acordar que las pruebas pedidas en la fase instructora se practicasen en el juicio oral. Respecto a la intervención del imputado en la fase intermedia no está prevista, al igual que sucedía en la regulación anterior[50][51]. Por tanto, las alegaciones que le caben hacer al impu-

---

(48)   Vid. MARCHENA, «Notas acerca de la necesaria reforma de la fase intermedia del proceso penal abreviado (art. 790.6 LECrim.)», *Actualidad Jurídica Aranzadi*, 31-12-92; FLORS MATIES, «La fase intermedia y la prueba anticipada en el procedimiento abreviado: cuatro observaciones sobre algunas cuestiones que suscita la práctica diaria», *RGD*, 1992, n.° 574/575; GONZÁLEZ MONTES, «El inculpado en la fase intermedia», *RDP*, n.° 3, 1994; Idem, *La intervención del imputado en la denominada fase intermedia del proceso penal*, 1992; GARCÍA DE CECA y GUERRERO SÁNCHEZ, «La igualdad procesal de las partes en la fase intermedia del procedimiento abreviado», *La Ley* 1991-1, 90; MARTÍN DE LA LEONA, «El derecho de defensa en la fase de preparación del juicio oral en el procedimiento abreviado (A propósito de la sentencia del Tribunal Constitucional 186/1990, de 15 de noviembre y posteriores)», *Poder Judicial*, 1991, n.° 22.

(49)   Véase que con la regulación prevista en el procedimiento abreviado no queda deslindada suficientemente la separación entre la función instructora y la decisoria, que se deduce de los arts. 87, 88 y 219.10.ª LOPJ y emana de la interpretación dada por el TC al art. 24 CE. Ver SSTC 145/88, de 12 julio, y 164/88, de 26 septiembre.

(50)   Aunque como se ha expuesto en § 3.5 de este Capítulo la regulación aprobada en el Congreso preveía el traslado de las diligencias previas al imputado, para permitirle oponerse a la solicitud e apertura del juicio oral formulada por la acusación, y poder solicitar la práctica de diligencias complementarias.

(51)   El TC ha declarado inconstitucional, respecto del procedimiento por delitos graves, la falta de intervención del procesado en la fase intermedia (véanse SSTC 66/89, de 17 abril, y 44/85, de 22 marzo). Sin embargo, con relación al Procedimiento abreviado el TC ha declarado constitucional esta limitación: «De otra parte, es preciso resaltar que la fase de preparación del juicio oral en este proceso no tiende, a diferencia también de lo que ocurre en la fase intermedia del procedimiento común, a dar oportunidad a las partes que completen el material instructorio que permita la adecuada preparación y depuración de la pretensión punitiva —lo que sí justificaría la aplicación de la doctrina sentada por este Tribunal en la STC 66/89, en relación con el artículo 627 de la LECrim.—, dado que el inicio de la fase de preparación del juicio oral presupone, necesariamente, la conclusión de la instrucción jurisdiccional sin posibilidad de revisión posterior» (STC

tado deberá efectuarlas en el recurso frente al auto de conclusión de las diligencias previas (art. 779.4 LECrim); o, en su caso, en el escrito de defensa (art. 784 LECrim).

4.1. Traslado y alegaciones de las partes acusadoras

Acordada la continuación del procedimiento abreviado, el Juez de instrucción dará traslado de las diligencias previas, originales, o mediante fotocopia, al Ministerio Fiscal y a las acusaciones personadas para que en el plazo común de diez días soliciten: 1º la apertura del juicio oral, formulando al mismo tiempo escrito de acusación; 2º el sobreseimiento de la causa; 3º excepcionalmente la práctica de diligencias complementarias (art. 780 LECrim).

En primer lugar, el Juez de instrucción deberá resolver sobre la solicitud de práctica de diligencias complementarias. En segundo lugar, deberá resolver sobre la petición de apertura del juicio oral que acordará cuando lo haya solicitado la acusación, salvo que estimare que procede el sobreseimiento libre o provisional (art. 783.2º y 3º LECrim). En el supuesto que acuerde abrir juicio oral dará traslado al imputado para que presente escrito de defensa, tras lo cual el Juez de instrucción remitirá lo actuado al órgano competente para el enjuiciamiento (art. 784 LECrim). Tanto el Fiscal, previa información a su superior jerárquico, como las acusaciones personadas podrán solicitar justificadamente la prórroga del plazo establecido en el art. 780 de diez días, por otros diez que el Juez de instrucción podrá acordar atendidas las circunstancias (art. 781.2 LECrim).

Si no se presenta escrito alguno en el plazo de diez días, o en el tiempo concedido de prórroga, cabe entender que la acusación no pide la apertura del juicio oral y que considera procedente el sobreseimiento. Así sucede con las acusaciones personadas con excepción del Ministerio Fiscal para el que se prevé que el Juez de instrucción requiera al superior jerárquico del Fiscal actuante para que en el plazo de diez días presente el escrito que proceda, dando razón de los motivos de su falta de presentación en plazo (art. 781 LECrim). De lo que se deduce que el Fiscal podrá presentar escrito de acusación o solicitar diligencias complementarias. Nada más añade la ley lo que plantea el problema de determinar cuál debe ser la consecuencia de la falta de presentación de del escrito, una vez requerido el superior jerárquico. A nuestro

---

186/90, de 15 noviembre). En el mismo sentido se pronunció la STC 22/91 de 31 enero (y las SSTC 21/91, de 31 enero; 124/91, de 3 junio): «En primer lugar, de conformidad con lo afirmado por este Tribunal Constitucional en la tantas veces citada STC 186/90, el hecho de que la intervención del imputado en la fase de preparación del juicio oral tenga lugar en un momento posterior a la de las acusaciones es constitucionalmente válida, toda vez que la contradicción en esta fase del proceso, una vez iniciada, se limita necesariamente a la formulación de la acusación y de la defensa, y no sobre otras cuestiones respecto de las cuales el momento procesal idóneo para dicha contradicción es el de la instrucción previa. En este sentido, el traslado de las diligencias al imputado en el trámite previsto en el artículo 790.1 de la LECrim., en orden a poder solicitar y razonar la procedencia del sobreseimiento o la práctica de diligencias, sería, no sólo contrario a la finalidad de la norma, sino que podría, en la práctica, relevarse como dilatorio y redundante dado que dichas pretensiones pueden y deben hacerse valer en la fase de instrucción inmediatamente anterior y antes de que el Juez instructor acuerde la clausura de la instrucción mediante la adopción de alguna de las resoluciones previstas en el artículo 789.5 de la LECrim. (fundamento jurídico 9.º)».

juicio, la consecuencia no puede ser otra que la que establecía la proposición de ley, finalmente enmendada en el Congreso: «*Si el superior jerárquico tampoco presentare dicho escrito en plazo, se entenderá que no pide la apertura del juicio oral y que considera procedente el sobreseimiento libre*»[52]. En este sentido lo ha entendido el TSJ de Cataluña en su sentencia de 7 de junio de 2000 (Procedimiento Abreviado 1/2000, Penal n.º 13/2000, F.Jª 4) que dispone que: «*en definitiva, al no interponerse el recurso dentro de plazo la interlocutoria de... devino firme y al decidir aquella el sobreseimiento libre de los Srs. ..., ese pronunciamiento procesal equivalente al de una sentencia absolutoria creó un "status" procesal para los referidos acusados que no podría desconocer la interlocutoria de la Audiencia provincial de... dictada meses después de tal situación...*».

En definitiva, sin perjuicio de la especial consideración que debe otorgarse al Ministerio Fiscal como defensor de la legalidad debe distinguirse su actuación en la fase preliminar o en la instrucción, con la que debe adoptar en la fase intermedia y de juicio oral. En estas últimas debe actuar como una parte procesal más, por lo que no creemos adecuado que se le otorgue diferente trato, más allá de la posibilidad de prórroga del plazo, o el requerimiento al Superior jerárquico[53]. Ya incluso esa última norma podría vulnerar el principio de igualdad de armas. Véase que no se trata del supuesto del art. 779.2 LECrim, referido a la conclusión de las diligencias previas, en cuyo caso de no existir Fiscal constituido en el Juzgado se remitirán las actuaciones al fiscal de la Audiencia. En ese caso, se justifica la norma ante la falta de conocimiento efectivo del Fiscal de una resolución de interés e importancia procesal. Pero, en el supuesto del art. 781.3 LECrim, se habrá dado traslado efectivo al Fiscal que tendrá copia de las actuaciones y que, sin embargo, no presenta escrito alguno para formular acusación o pedir prórroga. En esa situación no se acaba de entender que el Juez deba dirigirse al Superior para que presente el escrito que proceda.

Aunque, ciertamente, el TS ha venido manteniendo que el incumplimiento de los plazos por el Ministerio Fiscal, y concretamente, el previsto para la calificación del delito constituye una mera irregularidad subsanable.

---

(52)   Ciertamente, esa norma se eliminó de la ley como consecuencia de la admisión de varias enmiendas que solicitaban su supresión con base en el argumento que de ese modo se produciría una situación de impunidad de ciertos delitos ante la deficiencia de medios y de plantilla de la Fiscalía y las dificultades de instrucción de ciertos delitos. También se adujo que el carácter público de la acción penal no permite introducir, indirectamente, un plazo de caducidad de la acción penal. En este sentido, véanse las Enmiendas nº 10, 38, y 114. Sin embargo, a nuestro juicio, estas razones carecen de fundamento y responden a una cuestión más amplia que, en realidad, no se plantea en el art. 781 LECrim. Es decir, nótese que el art. 781.3 LECrim se refiere a la situación en la que el Juez ha dado por concluidas las diligencias previas, decisión a la que el Fiscal se pudo oponer (art. 779.2 LECrim). Por tanto si se da traslado a las acusaciones es porque o bien no se opuso el Fiscal, o bien lo hizo y el Juez desestimó el recurso. En este punto, el Fiscal puede solicitar la práctica de otras diligencias o bien acusar, e incluso pedir prórroga. Si el Fiscal no hace ni una cosa ni otra, se debe requerir al Superior para que presente el escrito que proceda. Si tampoco lo presenta se puede concluir que la consecuencia de esa conducta es la de entender que el Fiscal considera que procede el sobreseimiento libre al no haber formulado acusación.

(53)   La falta de justificación de la discriminación positiva del Fiscal fue la razón aducida en la enmienda nº 82 presentada en el Congreso que permitió que la posibilidad de solicitar prórroga del plazo para formular escrito de acusación también corresponda a la acusación particular.

«En el supuesto objeto de la casación, se trata de una mera irregularidad derivada de la inobservancia de los plazos previstos en la ley para que el Ministerio fiscal formule el escrito de acusación o solicite el sobreseimiento de las actuaciones. Lo preceptivo es la existencia de acusación formulada con carácter previo al enjuiciamiento y debidamente comunicada para el ejercicio de la defensa del acusado. El incumplimiento del plazo en nada afecta a la sustancia del derecho de defensa. Otro tanto cabe señalar con relación a la falta de notificación del Auto de incoación del procedimiento abreviado que en nada ha afectado a su defensa sin que pueda tenerse por lesión la hipotética posibilidad de recurrir una resolución que no tiene expresamente previsto su recurribilidad». STS 501/2002 de 14 Mar. 2002, Rec. 1633/2000; Ponente: Martínez Arrieta, Andrés. LA LEY 4974/2002.

Criterio también mantenido por las Audiencias provinciales, como en la SAP de Madrid 52/2016 de 10 Feb. 2016, donde se analiza extensamente la cuestión.

«El Tribunal casacional consideró que "... las razones expresadas por el Tribunal de instancia para rechazar la invocada vulneración constitucional por haber presentado el Ministerio Fiscal su escrito de conclusiones fuera de plazo es acorde con reiterada jurisprudencia de esta Sala. Así en la Sentencia 723/2003, de 22 de septiembre, con cita de la Sentencia de 30 de marzo de 1999, se declara que el mero incumplimiento de un plazo es susceptible de ser corregido en el propio procedimiento a través de recordatorios, no constituyendo tal demora ninguna lesión de los derechos fundamentales del art. 24 de la CE (LA LEY 2500/1978), ni suponiendo perjuicio a los derechos de la defensa. Se recuerda que existe una regulación de los términos judiciales en el Título IX del Libro I de la Ley de Enjuiciamiento Criminal y que concretamente, en el art. 215 de la LECrim (LA LEY 1/1882) se establece que en el supuesto de falta de formulación de una pretensión o un dictamen en el plazo señalado por la Ley, el Juez o Tribunal fijara un segundo plazo. Y que en Procedimiento Abreviado se regula, en el ap. 3 del art. 781 de la Ley de Enjuiciamiento Criminal (LA LEY 1/1882), las consecuencias de la no presentación por el Fiscal del escrito de acusación en el plazo establecido, que no consisten en la preclusión del trámite, sino en el requerimiento al superior jerárquico del Fiscal para que la formule en el plazo de diez días. Y en la Sentencia de esta Sala 664/2008, de 13 de octubre (LA LEY 169568/2008), se señala que es preciso recordar que la falta de respeto de los plazos concedidos tanto al Ministerio Fiscal como a la defensa del acusado para formular sus escritos de acusación y de defensa no produce el efecto pretendido por la parte recurrente, pues no se trata de plazos de caducidad"». SAP de Madrid, Sección 17ª, Sentencia 52/2016 de 10 Feb. 2016, Rec. 520/2015; Ponente: Fernández Entralgo, Jesús. LA LEY 117599/2016.

O la SAP de Granada, Sección 1ª, Sentencia 328/2015 de 19 May. 2015 en la que distingue entre el plazo para presentar escrito de acusación, que considera que debe interpretarse con flexibilidad y el establecido para interponer un recurso que no la admite.

«Esta Sala ha declarado en numerosas ocasiones que, aun siendo cierto que debe regir el principio de la flexibilidad a la hora de computar los plazos en relación con la actuación del Ministerio Fiscal, es preciso distinguir dos tipos de demora: de una parte, la que se produce en supuestos en que la mera infracción de los plazos establecidos en la Ley no produce efecto preclusivo, como ocurre con la infracción del plazo de diez días que establece el art. 780.1 LECr (LA LEY 1/1882) para formular escrito de acusación solicitando la apertura del juicio oral —casos contemplados en las SSTS de 23 de febrero de 2005 y 878/2002, de 17.5—, posible prórroga de aquellos plazos que encuentra su amparo legal en los arts. 202 (LA LEY 1/1882) y 215 de la LECr (LA LEY 1/1882), y en el art. 242 LOPJ (LA LEY 1694/1985) y, de otra, aquellos en que nos encontramos cuando, como aquí ocurre, la infracción impide la realización posterior del acto (art. 136 LEC (LA LEY 58/2000)), como sucede en materia de interposición de recursos, tal y como nos indica la segunda de las sentencias citadas». SAP de Granada, Sección 1ª, Sentencia 328/2015 de 19 May. 2015, Rec. 8/2015; Ponente: Barrales León, María de las Maravillas. LA LEY 235013/2015.

A) Solicitud y práctica de diligencias complementarias

Las diligencias complementarias son diligencias de instrucción que, con carácter excepcional, pueden solicitar que se practiquen en la fase intermedia, únicamente las partes acusadoras, cuando manifestaran la imposibilidad de formular escrito de acusación por falta de elementos esenciales para la tipificación de los hechos (art. 780.1 en relación con el art. 780.2 LECrim). Al igual que el derogado art. 790.2 LECrim el art. 780 LECrim únicamente prevé que pueda formular esta petición el Ministerio Fiscal y las partes acusadoras, pero no el imputado, sin perjuicio que las puede solicitar recurriendo el auto de conclusión de las diligencias previas.

Esta petición la efectuarán las partes acusadoras en el escrito de alegaciones previsto en el art. 780 LECrim. (Véase M. 191 y 192). Pero, la ley distingue entre la petición de diligencias complementarias por el Ministerio Fiscal, o la acusación particular.

En el primer caso, cuando sea el Fiscal el que solicite su práctica, por las razones expuestas, el Juez de instrucción deberá acordar, necesariamente, su práctica (art. 780.2.1 LECrim). Sin embargo, no existirá esa vinculación cuando la petición se efectúe por las demás partes acusadoras personadas, dado que en este caso el Juez acordará lo que estime procedente, conforme al art. 780.2.2 LECrim.

A nuestro juicio, no puede justificarse la diferencia de trato entre el Fiscal y el resto de partes en el proceso penal. A este respecto, precisamente el Fiscal es a la parte a la que debe exigírsele la máxima diligencia en la fase de instrucción solicitando las diligencias que tenga por conveniente en la fase de investigación, que puede haberse iniciado, precisamente, como consecuencia de una investigación preliminar del Fiscal. Sin que se justifique que el Juez esté vinculado necesariamente por esta petición, teniendo en cuenta que es el Juez el que dirige la instrucción criminal.

En cualquier caso, se trata de una petición de carácter excepcional que sólo podrá fundarse en la ausencia de hechos que permitan estructurar los elementos objetivos del tipo, ya que los subjetivos y los normativos, en cuanto tienen de intencionalidad o de valoración, son más propios de debate en el plenario. Tampoco se podrá basar la petición en la insuficiencia de elementos de prueba, pues la actividad probatoria habrá de realizarse, como se ha dicho, en el juicio oral. En consecuencia, con base en el criterio de excepcionalidad el Tribunal deberá rechazar la práctica de diligencias solicitadas extemporáneamente o que tengan por finalidad servir para completar las practicadas en la fase de instrucción.

> «... En segundo término, la admisibilidad de las diligencias complementarias es excepcional (art. 790.1) y queda limitada, exclusivamente, a los supuestos de imposibilidad de formular la acusación "por falta de elementos esenciales para la tipificación de los hechos" (art. 790.2). Es evidente, por tanto, que dichas diligencias complementarias sólo serán admisibles si dentro de la acusación resulta imposible concretar los elementos de tipo penal. Y aunque las mismas tengan naturaleza instructora, ello no quiere decir que, por esa vía excepcional, la Ley autorice a las acusaciones a completar o ampliar la totalidad de la instrucción previa sin intervención del imputado, toda vez que la revisión del material instructorio se vincula sólo a la tipificación de los hechos y la Ley ordena expresamente —art. 790.2, párrafo tercero— que para la práctica de estas diligencias excepcionales se citará al Ministerio Fiscal, a las partes personadas y siempre al imputado, dándose luego nuevo traslado de las actuaciones». (STC 186/90, de 15 noviembre).

O cuando se produce una petición encadenada de diligencias por el Fiscal cuya práctica se prolonga durante un tiempo considerable distorsionando la continuidad de la causa.

> «Se trata, por tanto, de una oportunidad concedida por el legislador al Ministerio Fiscal para incorporar a la causa aquellos elementos esenciales cuya necesidad ya se dibuja en lo investigado pero que, por una u otra razón, todavía no han sido incorporados a la causa. Este precepto no puede ver alterada su funcionalidad, encaminada a la preparación del juicio oral, y pasar a convertirse en un expediente que permita al Fiscal instar una petición encadenada de diligencias cuya práctica se prolongue durante más de un lustro. Conforme al art. 306 de la LECrim (LA LEY 1/1882), los Jueces de instrucción formarán los sumarios "... bajo la inspección directa del Fiscal". Es cierto que la literalidad de este precepto y el empleo del vocablo "inspección" han alimentado más de un debate doctrinal acerca del alcance y significado de esa labor inspectora. Sea como fuere, lo verdaderamente importante es que la posición del Fiscal en el proceso penal, de modo singular en la fase de investigación, no se asemeje a la de un órgano distante, que sigue las vicisitudes del sumario por una suerte de *control remoto*, que le habilita para, durante más de cinco años y después de 6 traslados distintos, ir instando diligencias hasta completar una investigación que habría podido culminar con una mayor proximidad a la causa. De haberse producido ésta, habría evitado, a buen seguro, la necesidad de abrir paréntesis temporales tan contrarios a un elemental principio de celeridad». STS Sala Segunda, de lo Penal, Sentencia 159/2015 de 18 Mar. 2015, Rec. 1857/2014; Ponente: Marchena Gómez, Manuel. LA LEY 24963/2015.

Cuando el Juez acuerde la práctica de tales diligencias complementarias, citará para practicarlas al Ministerio Fiscal, a las partes personadas, y siempre al imputado (arts. 780.2 *in fine* LECrim). (Véase M. 193). Practicadas las diligencias solicitadas por la acusación se dará un nuevo traslado de las actuaciones a las partes acusadoras para el trámite previsto en el art. 780 LECrim, considerando que únicamente podrán solicitar la apertura del juicio oral, formulando escrito de acusación; o el sobreseimiento. (Véase M. 194).

B)   Solicitud y acuerdo de sobreseimiento de las actuaciones[54]

El sobreseimiento de la causa de procedimiento abreviado puede ser solicitado por las acusaciones; conjuntamente, o no (art. 780.1 LECrim) (Véase M. 195); o acordado de oficio por el Juez de instrucción al pronunciarse sobre la procedencia de dictar auto de apertura del juicio oral (art. 783.1 LECrim) (Véase M. 196). En cuanto al imputado, deberá solicitarlo al recurrir frente el auto de conclusión de las diligencias previas (art. 779.4 LECrim) (Véase M. 190); sin perjuicio de poder solicitarlo antes durante la fase de diligencias previas en el momento que considere oportuno.

Pueden darse los siguientes supuestos:

a) Si se solicitara conjuntamente por la acusación pública y la particular y la solicitud se basara en cualquiera de los motivos que previenen los arts. 637 y 641 LECrim, el Juez lo acordará necesariamente dejando sin efecto las medidas cautelares que hubiere adoptado (art. 782.1 LECrim). En este caso, no se llegará a dar traslado al imputado, procediéndose al archivo de la causa. En el caso que también estuviere comparecida la acusación popular que solicitará la apertura del juicio oral habría que analizar el supuesto y, especialmente, la clase de delito que es objeto de la causa penal (véase sobre esta cuestión el § 4.2 de este mismo capítulo).

No obstante, si concurrieran los supuestos de los números 1.º (enajenación), 2º (intoxicación plena), 3.º (alteraciones de la percepción), 5.º (estado de necesidad) o 6.º (miedo insuperable) del art. 20 CP, el Juez no acordará el sobreseimiento sino que devolverá las actuaciones a las acusaciones para calificación, continuando el juicio hasta sentencia, a los efectos de la imposición de medidas de seguridad y del enjuiciamiento de la acción civil, de conformidad con lo previsto en el Código Penal (arts. 20, 118 y 119 CP)[55].

b) Si el sobreseimiento se solicita por el Fiscal —en cualquiera de sus formas— y aún no se hubiera personado en la causa acusación particular dispuesta a sostener la acusación (art. 782.2 LECrim), el Juez podrá acordar que se haga saber la pretensión de sobreseimiento a los directamente ofendidos o perjudicados conocidos, no personados, para que dentro del plazo máximo de quince días puedan comparecer a defender su acción si lo consideran oportuno. Se trata de una vía del control externo del ejercicio de la acción penal a través de la llamada a la causa del acusador particular, introducido por la Ley 38/2002, de igual modo que se prevé en el art. 642 LECrim para el procedimiento por delitos graves.

---

(54)   Véase § 2.2 Cap. XI, referente al concepto, clases y efectos del sobreseimiento. Vid. también DAMIÁN MORENO, J., «La inquisitio generalis como alternativa al sobreseimiento provisional», *La Ley* n.º 3724, 1995; GIL MEANA, «El sobreseimiento y su problemática», *Actualidad Penal*, 1988-II, pág. 2073; MASCARELL NAVARRO, *El sobreseimiento provisional en el proceso penal español*, Valencia, 1993; SÁNCHEZ BARRIOS, «Sobreseimiento e imparcialidad», *Justicia*, 1990-IV, 873.

(55)   La sentencia será, por supuesto, absolutoria, por apreciación de una causa de exención de la responsabilidad criminal, pero el fallo habrá de contener los pronunciamientos sobre las medidas de seguridad que puedan imponerse al exento de responsabilidad criminal o el pronunciamiento relativo a la responsabilidad civil directa o subsidiaria que pueda corresponder a tenor de los arts. 118 y 119 CP.

Si no lo hicieren así, el Juez puede actuar según su criterio del siguiente modo: 1º Si no comparte el criterio del Fiscal, antes de decidir sobre el sobreseimiento, podrá remitir la causa al superior jerárquico del Fiscal para que dicho superior resuelva si procede o no sostener la acusación y comunique su decisión al Juez de Instrucción en el plazo de diez días[56]. 2º Si comparte el criterio del Fiscal acordará el sobreseimiento solicitado poniendo fin a la causa.

c) Que sólo solicite el sobreseimiento el Fiscal o la acusación particular, y la otra solicite la apertura del juicio oral. En este caso, el Juez resolverá lo que considere oportuno decretando la apertura del juicio oral, siempre que no estime que procede el sobreseimiento por entender que los hechos no son constitutivos de delito, o no existen indicios racionales de criminalidad contra el acusado. En ese caso acordará el sobreseimiento que corresponda según los arts. 637 y 641, es decir libre o provisional según el caso (art. 783.1 LECrim).

En el caso que el Juez opte por decretar la apertura del juicio oral, sólo a instancia de una de las partes acusadoras, se dará nuevo traslado a quien hubiere solicitado el sobreseimiento por plazo de tres días para que formule escrito de acusación, salvo que hubiere renunciado a ello (art. 783.1.2 LECrim).

En este punto podría criticarse la concesión de esta facultad al Juez instructor, que le permite apartarse de los escritos de acusación y de petición de apertura de juicio oral en ellos contenida, en un momento procesal en el que, en pura ortodoxia, debería haber perdido ya su competencia en favor del órgano decisor. Nótese que el sobreseimiento, en definitiva, contiene una resolución sobre el fondo, acordada sin debate contradictorio planteado ante el órgano llamado a decidir. De este modo se desnaturaliza el escrito de acusación, que pierde su naturaleza de cauce para el ejercicio de la pretensión punitiva delimitadora del objeto del proceso, convirtiéndose en una mera propuesta o petición fundada de apertura del juicio. A este respecto no debe olvidarse que la verdadera naturaleza del escrito de acusación es la de fijar el objeto del proceso por las partes acusadoras, mediante el ejercicio de la acción penal, pero el verdadero debate contradictorio se produce en el juicio oral.

Por otra parte, el Juez de Instrucción habrá tenido, con anterioridad, oportunidad de manifestar su criterio al decidir la conclusión de las diligencias previas, conforme al art. 779 LECrim, pudiendo acordar el archivo de las mismas si estimase que el hecho no es constitutivo de infracción penal. Esta decisión se refuerza en la regulación vigente en tanto que el auto en el que da por concluidas las diligencias previas y decide continuar con la preparación del juicio oral deberá contener la determinación de los hechos punibles y la identificación de la persona a la que se imputan, lo que implica, en definitiva, que el Juez deba ratificar, necesariamente, el juicio provisional de imputación.

Sin embargo, es cierto que la posibilidad de realizar diligencias complementarias, o la petición de sobreseimiento de alguna de las partes acusadoras personadas o la

_____

(56) En el caso que el superior jerárquico del Fiscal mantuviese la misma tesis que el Fiscal que tuviere atribuido el asunto el Juez deberá acordar el sobreseimiento solicitado, salvo que concurra alguno de los supuestos del art. 20 CP y citados en el art. 782 LECrim.

escasa consistencia del escrito de acusación pueden justificar la adopción del sobreseimiento. Y, en cualquier caso, cabe admitir esta posibilidad como mecanismo de control para evitar que acusaciones infundadas condujeran a presuntos inocentes a soportar la carga de un juicio oral. Aunque, por las razones apuntadas, consideramos que el Juez deberá hacer uso de esta facultad de modo restrictivo.

C) Solicitud de apertura del juicio oral y escrito de acusación

La solicitud de apertura del juicio oral excluirá cualquiera de las alegaciones expuestas de sobreseimiento o práctica de diligencias complementarias y requerirá la formulación simultánea del escrito de acusación (art. 780 LECrim). A este respecto el derogado art. 790.5 LECrim se refería, directamente, al escrito de acusación que debía comprender, además, la solicitud de apertura del juicio oral. La regulación vigente, sin embargo, separa las dos alegaciones: petición de apertura del juicio y escrito de acusación y las pone en el orden adecuado. En este sentido, lo que corresponde a la acusación es solicitar y obtener el auto de apertura del juicio oral y, en ese caso, formular acusación, que no tiene sentido si finalmente no se accede a la primera petición. Ciertamente ambas alegaciones se formulan al mismo tiempo, pero ello no impide que se pueda distinguir el orden de una y otra, tal y como hace adecuadamente el art. 780 LECrim. Por lo tanto, y sin perjuicio que finalmente se acceda a la apertura del juicio solicitada, el Ministerio Fiscal y/o las partes acusadora deberán formular escrito de acusación, que comprenderá (art. 781 LECrim) (Véase M. 130 y 131):

a) La solicitud de apertura del juicio oral ante el órgano que se estime competente.

No debe entenderse que sean las partes acusadoras las que, *a priori*, deciden la competencia, sino que será el Juez de instrucción el que en el auto de apertura del juicio oral determinará el órgano competente para el conocimiento y fallo del proceso (art. 783.2 *in fine* LECrim). En caso de discrepancia con la determinación de la competencia no cabe recurso alguno frente al auto de apertura de juicio oral. Por tanto, se planteará esta cuestión en la audiencia preliminar potestativa que tiene lugar al inicio de la sesión del juicio oral, momento en que las partes podrán exponer, entre otras cuestiones, lo que estimen oportuno acerca de la competencia del órgano judicial (art. 786.2 LECrim.).

b) La identificación de la persona o personas contra las que se dirige la acusación.

El escrito de acusación deberá identificar a la persona o personas contra las que se dirija la acusación, que se deberá dirigir, necesariamente, contra quien antes hubiera sido imputado en la causa, con el objeto de evitar acusaciones sorpresivas contra quienes no tengan, en la causa, tal condición.

> «... La acusación no puede dirigirse contra persona que no haya adquirido previamente la condición judicial de imputado, puesto que de otro modo podrían producirse acusaciones sorpresivas de ciudadanos que no hubieren tenido la más mínima posibilidad de ejercer su derecho de defensa a lo largo de la instrucción penal. El art. 790.1 LECrim. es conforme con las exigencias que el art. 24 CE establece para todo proceso penal, en cuanto la intervención ulterior del acusado al momento de la apertura del juicio oral es congruente con el principio acusatorio y garantiza la

contradicción entre partes, siempre, claro está, que el imputado hubiere sido oído y hubiere tenido oportunidad de defenderse en la fase instructora...». STS Sala Segunda, de lo Penal, Sentencia de 9 Feb. 1995, Rec. 1922/1994, Ponente: Conde-Pumpido Ferreiro, José Luis. LA LEY 16705-R/1995.

No existe en el procedimiento abreviado un acto formal en que se declare tal condición de imputado. Aunque, debe entenderse que una persona adquiere la calidad de imputado en el procedimiento abreviado cuando en la primera comparecencia ante la autoridad judicial ésta le informa de sus derechos constitucionales; y se mantiene esta condición en tanto que en el auto de conclusión de las diligencias previas se identifica a la persona a la que se imputan los hechos (véase § 3.5 de este Capítulo sobre conclusión de las diligencias previas).

c) Los extremos a que se refiere el art. 650 LECrim, que regula el escrito de calificación provisional en el procedimiento por delitos graves. En consecuencia, por aplicación del art. 650 LECrim, el escrito de acusación deberá contener: 1.º) los hechos punibles que resulten de las diligencias previas practicadas; 2.º) la calificación legal de los hechos, determinando el delito que constituyan; 3.º) la participación que en ellos hubiere tenido el imputado o imputados, si fueren varios; 4.º) los hechos que resulten de las diligencias previas y que constituyan circunstancias atenuantes o agravantes del delito o eximentes de responsabilidad criminal, y 5.º) las penas en que hayan incurrido el imputado o imputados, si fueren varios, por razón de su respectiva participación en el delito. Todos estos extremos pueden formularse con carácter principal y subsidiario.

La acusación se extenderá a los delitos leves imputables al acusado del delito o a otras personas, cuando la comisión del delito leve o su prueba estuviera relacionada con el delito principal; de conformidad a lo que, con carácter general, establece el art. 14.3.º LECrim, tanto si se trata de delitos leves incidentales como si no. Cuando el hecho deba ser enjuiciado por la Audiencia, el conocimiento de la causa se extenderá a los delitos leves incidentales conexos, pero cuando se trate de delitos leves no incidentales deberá remitirse testimonio al Juez de Instrucción competente.

También se expresarán la cuantía de las indemnizaciones o se fijarán las bases para su determinación y las personas civilmente responsables, así como los demás pronunciamientos sobre entrega y destino de cosas y efectos e imposición de costas procesales (art. 781.1 LECrim). Esta norma es consecuencia de la celeridad que se pretende imprimir al proceso abreviado, dejando para la fase de ejecución de sentencia cuestiones de índole civil.

d) La solicitud de la práctica de las pruebas de que intenten valerse en el juicio oral, expresando, en su caso, las personas que deban ser citadas o las actuaciones necesarias que se soliciten al tribunal para la práctica de la prueba. En el caso de pruebas que no puedan llevarse a cabo durante las sesiones del juicio oral podrá solicitarse la práctica de prueba anticipada (art. 781.1.3 LECrim). Véase sobre prueba anticipada el § 2 del Cap. IX.

La prueba anticipada deberá practicarse por el órgano a quien corresponda el enjuiciamiento, ya que el art. 785.1 LECrim establece que tras examinar las pruebas propuestas, prevendrá lo necesario para la práctica de la prueba anticipada. La solución contraria supondría privar a dicha prueba anticipada del principio de inmediación, al tener que valorarse por el órgano decisor, precisamente, lo constatado en el acta levantada por el órgano que hubiese practicado la prueba con carácter anticipado.

Por otra parte, téngase en cuenta que la Ley permite que se propongan nuevas pruebas en el acto del juicio, al iniciarse éste, y será también en este momento cuando podrá discutirse sobre el contenido y finalidad de las pruebas propuestas. Será, también, éste el momento de volver a solicitar la admisión de aquellas pruebas que hubieren sido denegadas por el propio órgano decisor (art. 786.2 LECrim).

e) La solicitud de adopción, modificación o suspensión de las medidas provisionales a que se refieren los arts. 763, 764, 765 (detención, prisión provisional, medidas cautelares reales de embargo, o el adelanto de cantidades en concepto de pensiones), o cualesquiera otras que resulten procedentes o se hubieran adoptado, y la cancelación de las tomadas en contra de personas contra las que, finalmente, no se dirija acusación.

El Juez de instrucción resolverá las peticiones en materia de medidas cautelares en el auto de apertura del juicio oral según se expone a continuación.

4.2. Apertura del juicio oral, escrito de defensa y posibilidad del acusado de conformarse[57]. Apertura del juicio oral a petición única de la acusación popular

La apertura del juicio oral se decretará por auto que contendrá los hechos, calificación, y personas frente a las que se abre el citado juicio oral, sin que sea exigible una motivación exhaustiva[58]. (Véase M. 132). El problema en ocasiones consiste en su redacción absolutamente formal con remisión a las peticiones de las partes. En ese caso, el Tribunal Supremo ha declarado que no cabe entender fuera del objeto del proceso los delitos que no se hallen expresamente citados en el auto de apertura del juicio oral. Para que fuere así debía haberse pronunciando expresamente el Juez declarándolos sobreseídos.

«La jurisprudencia de esta Sala no ha entendido que el auto de apertura del juicio oral pueda contener una limitación implícita del objeto del enjuiciamiento (STS n.º 513/2007, ya citada, que menciona en ese sentido la STC 62/1998). Por el contrario, cuando el Juez lo considere procedente, expresamente y, debiendo hacerlo de forma

---

(57) DÍAZ PITA Mª. P., *Conformidad, reconocimiento de hechos y pluralidad de imputados en el procedimiento abreviado*. Valencia 2006.

(58) «... El auto de apertura del juicio oral acontece a la vista de la existencia de una acusación —art. 790.6 LECrim.—, pues es una manifestación del principio acusatorio que modula el de oficialidad, que es el que preside, en cambio, la adopción del auto de procesamiento; y así, en el procedimiento abreviado, al Juez de Instrucción le es necesaria, para proceder a la apertura del juicio oral, la existencia de una acusación previa, ajena a él mismo, y de este modo, como concurre en el caso, al no efectuarse una imputación judicial, sino limitarse el Juez a dar traslado de una acusación plausible de parte, no se requiere mayor motivación que el recordatorio de las previsiones legales oportunas y, por tanto, ninguna quiebra del derecho a la tutela judicial efectiva o al proceso con las debidas garantías puede haberse producido». (STC 54/91, de 11 marzo).

razonada, podrá acordar un sobreseimiento parcial, decisión que pudiera ser objeto del correspondiente recurso. Por lo tanto, una vez que alguna de las acusaciones recogió en su escrito de conclusiones provisionales una conducta que calificaba como constitutiva de un delito de falsedad en documento mercantil y el Juez de instrucción no acordó expresamente el sobreseimiento respecto de la misma, el Tribunal debió pronunciarse sobre los aspectos fácticos y jurídicos relativos a dicho delito». STS PENAL 239/2014 de 1 Abr. 2014, Rec. 1666/2013, LA LEY 51027/2014.

Se trata de una resolución que deberá dictar el Juez, necesariamente, en el supuesto que lo solicite alguna de las partes personadas. A ese respecto el art. 783.1 LECrim dispone que: «*Solicitada la apertura del juicio oral por el Ministerio Fiscal o la acusación particular, el Juez de Instrucción la acordará, salvo que estimare que concurre el supuesto del número 2 del artículo 637 o que no existen indicios racionales de criminalidad contra el acusado, en cuyo caso acordará el sobreseimiento que corresponda conforme a los artículos 637 y 641*». De modo que la única posibilidad que se le ofrece al Juez de denegar la apertura de juicio oral será con base en la consideración que los hechos no son delito o que no existen indicios racionales de criminalidad frente al acusado, en cuyo caso deberá sobreseer el procedimiento. Véase sobre esta cuestión «supra» el § 4.1.B de este capítulo. Véase también sobre el sobreseimiento de la causa el § 3 del Cap. XI.

«Tras los escritos de acusación, el auto de apertura del juicio oral determinará con carácter definitivo el objeto del debate. En dicho auto se limita el Instructor a realizar un juicio de razonabilidad de la acusación y de la procedencia de celebrar juicio oral o en su caso decretar el sobreseimiento (art. 783.1)"». STS 914/2016 de 2 Dic. 2016, Rec. 1103/2016; Ponente: Monterde Ferrer, Francisco. LA LEY 179318/2016.

Una cuestión que se ha planteado ha sido la de la posibilidad de abrir el juicio oral cuando únicamente lo solicita la acusación popular personada en la causa. Sobre este particular se ha pronunciado el Tribunal Supremo en dos sentencias básicas sobre la materia. En primer lugar la STS de 17 de diciembre de 2007, LA LEY 185357/2007 (Caso Botín) que declara que no concurriendo acusación del Fiscal y/o de la acusación particular no cabe abrir juicio oral y el Juez debe sobreseer el proceso.

«La Sala tampoco comparte el criterio de los recurrentes en cuanto estos entienden que el art. 782.1 LECrim. no puede ser interpretado como una limitación del derecho de la acción popular a solicitar por sí la apertura del juicio. Es cierto que en la STS 168/2006 se ha sostenido que "entre los encauzamientos legales a que aluden los arts. 125 CE, 19 LOPJ y 101 LECrim. no se encuentra aquella restricción" por la que se excluya la legitimación de la acción popular para solicitar la apertura del juicio cuando el Ministerio Fiscal y la acusación particular hayan solicitado el sobreseimiento de la causa. Sin embargo, no es menos cierto que la limitación no tiene por qué estar contemplada en las normas generales que habilitan la regulación legal, pues al tratarse de un derecho de configuración legal es un acto del Legislador el que tiene que decidir la forma del ejercicio del derecho en cada especie de procedimiento. En consecuencia, la limitación, en este caso, surge directamente del propio art. 782.1 LECrim. de la misma manera que otras limitaciones legales de la acción pública o de la acción popular, como las contenidas en los citados arts. 191 y 296 CP..../.... Por lo tanto: esa exclusión de la acción popular en el art. 782.1 LECrim. es una decisión consciente del Legislador, no es meramente arbitraria, tiene una justificación plausible desde el punto de vista constitucional, es razonable en lo concerniente a la organización del proceso y al principio de celeridad y equilibra la relación entre derecho de defensa y la multiplicidad de acusaciones. Es correcto, en consecuencia, concluir que la enumeración es cerrada y que no existen razones interpretativas que justifiquen una ampliación del texto legal». STS de 17 de diciembre de 2007, LA LEY 185357/2007 (Caso Botín).

Esta doctrina jurisprudencial se fundamenta en una interpretación literal del art. 782.1 LECrim que dispone que Juez acordará el sobreseimiento cuando lo hayan solicitado el Ministerio Fiscal y el acusador particular. Pero, esta doctrina se matizó en la posterior STS 8 de abril de 2008, LA LEY 6547/2008 (Caso Atutxa) en la que el TS sí que admite la apertura del juicio oral a petición de la acusación popular. Decisión que fundamenta en la diferencia existente entre los dos supuestos expuestos. Así, en el caso de la STS de 17 de diciembre de 2007 la causa penal tenía por objeto un delito perseguible a instancia de parte con perjudicados directos que una vez indemnizados desisten del proceso no formulando acusación, como tampoco lo hace el Ministerio Fiscal. En esa situación entiende el Tribunal Supremo que la interpretación del art. 782.1 LECrim debe ser literal y que no procede abrir el juicio oral sólo a instancia de la acusación popular. Sin embargo, en el supuesto de la STS de 8 de abril de 2008 la situación de hecho es distinta en razón de la naturaleza del delito y la inexistencia de perjudicados directos. En ese caso es cuando más se justifica la institución jurídica de la acusación popular en defensa de intereses sociales que no tienen un perjudicado directo que los pueda defender.

«Por tanto, nuestro criterio de la legitimidad de la restricción fijada por el art. 782.1 de la LECrim., no puede extenderse ahora, como pretenden la defensa de los recurridos y el Ministerio Fiscal, a supuestos distintos de aquellos que explican y justifican nuestra doctrina. El delito de desobediencia por el que se formuló acusación carece, por definición, de un perjudicado concreto susceptible de ejercer la acusación particular. Traducción obligada de la naturaleza del bien jurídico tutelado por el art. 401 del CP es que el Fiscal no puede monopolizar el ejercicio de la acción pública que nace de la comisión de aquel delito. De ahí la importancia de que, en relación con esa clase de delitos, la acción popular no conozca, en el juicio de acusación, restricciones que no encuentran respaldo en ningún precepto legal. Como ya expresábamos en nuestra STS 1045/2007, 17 de diciembre, esta Sala no se identifica con una visión de la acción popular como expresión de una singular forma de control democrático en el proceso. La acción popular no debe ser entendida como un exclusivo mecanismo jurídico de fiscalización de la acusación pública. Más allá de sus orígenes históricos, su presencia puede explicarse por la necesidad de abrir el proceso penal a una percepción de la defensa de los intereses sociales emanada, no de un poder público, sino de cualquier ciudadano que propugne una visión alternativa a la que, con toda legitimidad, suscribe el Ministerio Fiscal». STS 8 de abril de 2008, LA LEY 6547/2008 (Caso Atutxa).

En definitiva, tal y como se expresa con claridad en las sentencias citadas la doctrina sentada por el TS se fundamenta en un correcto, a nuestro parecer, entendimiento y ponderación de los fines y límites de la acusación popular en nuestro derecho procesal en el marco de los derechos del sometido a proceso penal. Desde ese punto de vista resulta excesivo que un ciudadano pueda ser acusado por una persona física o jurídica ajena a los hechos, frente a la explícita ausencia de esa voluntad de persecución del Ministerio Fiscal y el acusador particular que, no se olvide, es el directamente perjudicado. Ahora bien, en el caso de intereses colectivos o difusos debe admitirse la posibilidad de abrir juicio oral con base, únicamente, en la petición de la acusación popular[59]. Este ha sido también el criterio mantenido por el Tribunal Constitucional.

> «4. En el presente caso, como ha sido detallado en los antecedentes, la Sentencia impugnada ha dedicado una especial atención en el fundamento de derecho primero a exponer las razones en virtud de las cuales se justificaba una conclusión diferente a la doctrina sentada en la Sentencia de la Sala de lo Penal del Tribunal Supremo, de 17 de diciembre de 2007, sobre la interpretación del art. 782 LECrim (LA LEY 1/1882) respecto de la improcedencia de la apertura del juicio oral con la sola solicitud de la acusación popular. A esos efectos, se destaca que la doctrina que inspira dicha Sentencia centra su *thema decidendi* en la legitimidad constitucional de una interpretación con arreglo a la cual el sometimiento de cualquier ciudadano a juicio, en el marco de un proceso penal, sólo se justifica en defensa de un interés público, expresado por el Ministerio Fiscal, o un interés privado, hecho valer por el perjudicado, de modo que fuera de estos casos, la explícita ausencia de esa voluntad de persecución convierte el juicio penal en un escenario ajeno a los principios que justifican y legitiman la pretensión punitiva. En ese sentido, se destaca que este efecto no se produce en aquellos casos en los que, bien por la naturaleza del delito, bien por la falta de personación de la acusación particular, el Ministerio Fiscal concurre tan solo con una acción popular que insta la apertura del juicio oral, ya que, en tales supuestos, el Ministerio Fiscal no agota el interés público que late en la reparación de la ofensa del bien jurídico. De ese modo se señala que esta conclusión se obtiene no ya del tenor literal del art. 782.1 LECrim (LA LEY 1/1882), sino del significado mismo del proceso penal, ya que éste se aparta de los fines constitucionales que lo legitiman cuando la pretensión penal ejercida por la acusación popular se superpone a la explícita voluntad del Ministerio Fiscal y del perjudicado. Pero esa misma pretensión instada por la acción popular recupera todo su valor cuando la tesis abstencionista es asumida, sólo y de forma exclusiva, por el Ministerio Fiscal». STC Pleno, Sentencia 205/2013 de 5 Dic. 2013, Rec. 5421/2008; Ponente: López López, Enrique. LA LEY 195762/2013.

También se mantiene este criterio en el Auto de la AP de Palma de Mallorca dictado en el caso Noos, en el que entre otros delitos se imputaba algunos contra la Hacienda Pública respecto de los que únicamente solicitaba penas la acusación po-

---

(59) «La solicitud de aplicación de la doctrina fijada en nuestra anterior sentencia, exige tomar como punto de partida la diferencia entre el supuesto que allí fue objeto de examen y el que ahora motiva nuestro análisis. Y es que sólo la confluencia entre la ausencia de un interés social y de un interés particular en la persecución del hecho inicialmente investigado, avala el efecto excluyente de la acción popular. Pero ese efecto no se produce en aquellos casos en los que los que, bien por la naturaleza del delito, bien por la falta de personación formal de la acusación particular, el Ministerio Fiscal concurre tan solo con una acción popular que insta la apertura del juicio oral. En tales casos, el Ministerio Fiscal, cuando interviene como exclusiva parte acusadora en el ejercicio de la acción penal, no agota el interés público que late en la reparación de la ofensa del bien jurídico». STS 8 de abril de 2008, LA LEY 6547/2008 (Caso Atutxa).

pular frente a un acusado concreto. En ese caso, la AP de Palma consideró que cabía abrir juicio oral sólo con la petición de la acusación popular en una resolución que conviene estudiar por realizar un estudio exhaustivo sobre la cuestión.

«En definitiva, esta doctrina jurisprudencial que no halla sustento en la norma procesal penal vigente ni puede ampararse en la voluntad del legislador que, de haber querido, hubiera contemplado tales limitaciones al ejercicio de la acción popular, no puede dejar de cohonestarse con la jurisprudencia del Tribunal Constitucional a la que hacíamos referencia al inicio del presente fundamento de la que se extrae que, la existencia de la acusación popular en el proceso penal —a partir de la previsión legal contenida en los artículos 101 y 270 de la Ley de Enjuiciamiento Criminal—, se integra "en el contenido del derecho a la tutela judicial efectiva y disfruta de la protección que le otorgan los medios constitucionales de garantía (amparo)", como expresa la STC 64/1999, de 26 de abril. Todo ello, permitiría considerar legitimada a la acusación popular para accionar en solitario no ya y, únicamente, respecto del delito fiscal que se erige en el fundamento de la pretensión acusatoria postulada frente a D.ª Cristina Federica de Borbón y Grecia, sino también respecto de los delitos que constituyen la pretensión acusatoria postulada frente a las restantes partes que sostienen idéntica cuestión previa en los términos que más adelante expondremos». SAP Palma de Mallorca, Sección 1ª, Auto de 29 Ene. 2016, Rec. 58/2015, Ponente: Romero Adan, Samantha. LA LEY 182/2016. Caso Noos.

En el mismo auto, el Juez resolverá sobre la adopción, modificación, suspensión o revocación de las medidas cautelares interesadas por el Ministerio Fiscal o la acusación particular, tanto en relación con el acusado como respecto a los responsables civiles exigiéndoles, en su caso, fianza, si no la prestare el acusado en el plazo que se le señale. Y se alzarán las que se hubieren adoptado respecto a quienes no hubieren sido acusados. Asimismo señalará el Juez de instrucción el órgano competente para el conocimiento y fallo de la causa (art. 783 LECrim).

«El magistrado-instructor, a los efectos del artículo 783 de la ley de enjuiciamiento criminal (la ley 1/1882), según reiterada jurisprudencia del Tribunal constitucional y del supremo, ha de efectuar un juicio de racionalidad, de naturaleza indiciaria, que es también un juicio anticipado y provisional sobre los hechos, valoradas a dicho efecto la consistencia de las acusaciones del Ministerio Fiscal y de las acusaciones particulares. Y juicio de relevancia, con finalidad de garantía jurisdiccional, para la apertura del juicio oral, excluidos los sobreseimientos a que se refiere el n° 1 del artículo 783 de la Ley de Enjuiciamiento Criminal (LA LEY 1/1882). Con ello se abre el paso para que los acusados presenten sus escritos de defensa frente a las acusaciones formuladas y se produzca el esencial debate ante el Tribunal colegiado con inmediatez. De ninguna manera este Magistrado puede rebasar lo que son funciones propias de la instrucción y adentrarse en cuestiones y valoraciones que son las propias del Juicio oral». STSJ del Principado de Asturias, Sala de lo Civil y Penal, Auto de 15 Feb. 2016, Rec. 7/2015; Ponente: Aznárez Rubio, Ángel. LA LEY 82406/2016.

Contra el auto de apertura o denegación del juicio oral no cabe recurso alguno, excepto en materia de situación personal del acusado, pudiendo reproducir el acusado ante el órgano de enjuiciamiento las peticiones no atendidas (art. 783.3 LECrim).

Abierto el juicio oral se emplazará al imputado con entrega de copia de los escritos de acusación, para que en el plazo de tres días comparezca en la causa con

Abogado que le defienda y Procurador que le represente. Si no ejercitase su derecho a designar Procurador o a solicitar uno de oficio, se le nombrará en todo caso Procurador de oficio.

En este momento procesal se pretende que se proceda al nombramiento del procurador, ya que hasta ese momento no habrá sido necesario su concurso (art. 768 LECrim). Pero con relación al abogado no cabe entender que se proceda a nombrar en ese momento procesal, pues ello supondría que el imputado no habría estado asistido de abogado en la fase de diligencias previas. En este sentido, la aplicación de las normas expuestas garantizará la asistencia letrada al imputado tanto en la detención como en la declaración ante el Juez y en las diligencias previas. Sin embargo, lo que no se garantiza es que designado abogado para la declaración ante el Juzgado de guardia este sea el que asuma la defensa en todo el procedimiento que sería lo más adecuado. Nótese, en este sentido, que el art. 784.1 LECrim se refiere al emplazamiento del imputado, no del abogado, lo cual puede plantear el problema de hallarle a ese efecto. Sin embargo, teniendo en cuenta que el abogado designado para la defensa tendrá también habilitación legal para la representación de su defendido, cumpliendo el abogado el deber de señalamiento de domicilio a efectos de notificaciones y traslado de documentos. Por lo tanto, consideramos que el emplazamiento debe hacerse también al abogado. Si es de oficio debe ser el mismo que asistió al imputado ante el juzgado de guardia. En el caso que hubiere sido designado por el imputado a éste se le emplazará, sin perjuicio que hubiere renunciado en cuyo caso deberá nombrar nuevo abogado, y si no lo hiciere se le designará de oficio.

Cumplido ese trámite, se dará traslado de las actuaciones originales, o mediante fotocopia, y se emplazará al acusado y terceros responsables civiles para que en el plazo común de diez días presenten escrito de defensa frente a las acusaciones formuladas (art. 784.1.1 LECrim). Si la defensa no presentare su escrito en el plazo señalado, se entenderá que se opone a las acusaciones y el procedimiento seguirá su curso (art. 784.1.2 LECrim) sin que se produzca nulidad alguna[60].

> «La reclamación es insostenible porque lo acaecido se ajustó a la más estricta legalidad. La representación del acusado, en la línea de lo expuesto en el artículo 791.1, segundo párrafo, de la Ley Procedimental, no presentó escrito de defensa frente a las acusaciones formuladas, por lo que se entendió que no se oponía a aquéllas, siguiendo su curso el procedimiento». STS Sala Segunda, de lo Penal, Sentencia de 5 Nov. 1998, Rec. 4021/1997; Ponente: Vega Ruiz, José Augusto de. LA LEY 137/1999.

Aunque la ley no lo prevea expresamente, el escrito de defensa deberá contraerse correlativamente a los extremos contenidos en los escritos de acusación (véase el art. 652 LECrim, relativo a los escritos de calificación provisional de la defensa en la fase de juicio oral del proceso ordinario), de modo que sirvan de defensa frente a las acusaciones formuladas. Con este fin, deberá manifestarse la conformidad o disconformidad con los hechos y las peticiones de la acusación, formulando al mismo tiempo sus propias peticiones de condena o absolución. En este sentido, el acusado no

---

(60)   Sin perjuicio de la responsabilidad en la que haya podido incurrir el abogado y el Procurador, de conformidad con los arts. 448 y ss. LOPJ (art. 784.1.2 LECrim).

debe limitarse a negar las acusaciones, sino que, en virtud del principio acusatorio, deberá formular sus propias pretensiones, a los efectos de que puedan ser estimadas por el órgano decisor. Estas calificaciones pueden formularse con carácter principal o subsidiario. (Véase M. 200 y 203).

Así, por ejemplo, le cabe a la defensa negar los hechos y solicitar la absolución; y subsidiariamente admitirlos total o parcialmente y calificar los hechos como un delito determinado con la circunstancia modificativa que fuere. Pero, en ese caso, tal vez sea útil formular un relato alternativo de hechos en el que se pueda fundar la atenuante. En cualquier caso, las partes pueden modificar las conclusiones provisionales al concluir el juicio oral, teniendo en cuenta que para poder fundar una eximente o atenuante determinada deberán haberse introducido y probado hechos en el plenario que permitan su estimación. (Véase M. 201).

En el escrito de defensa deberá proponerse la prueba que haya de practicarse en el juicio oral, así como la que deba practicarse anticipadamente (art. 784.2 LECrim). También podrá solicitarse del órgano judicial, conforme al art. 784.1.3 LECrim, que recabe la remisión de documentos o cite a peritos o testigos para su utilización como prueba en las sesiones del juicio oral.

La prueba la admitirá el Tribunal sentenciador, y en caso de denegación las partes podrán reproducir esa petición al inicio del juicio oral (art. 784.1.3 y 786.2 LECrim). Por otra parte, de conformidad con el art. 785.1.2 LECrim hasta el inicio de las sesiones del juicio oral pueden incorporarse a las causa los informes, certificaciones y demás documentos que las partes consideren oportunos, previa admisión por el tribunal. Además podrá proponerse la prueba que se aporte en el acto del juicio oral para su práctica en el mismo.

El acusado puede manifestar en su escrito de defensa su conformidad con la acusación en los términos previstos para la conformidad en el acto del juicio oral (art. 784.3, 787.1 LECrim). También cabe la posibilidad de que las partes acusadoras y acusadas presenten nuevo escrito de calificación conjunto que firmarán todos ellos, así como el abogado del acusado. Este escrito lo podrán presentar en cualquier momento anterior a la celebración de las sesiones del juicio oral y deberá observar los requisitos previstos en el art. 787.1 LECrim. Por lo tanto: no podrá referirse a hecho distinto, ni contener calificación más grave que la del escrito de acusación anterior. (Véase M. 202).

En ambos casos se procederá según dispone el art. 787.2 LECrim. Es decir, si el tribunal entendiere que la calificación es correcta y la pena es procedente dictará sentencia de conformidad; oyendo en todo caso al acusado acerca de su conocimiento sobre las consecuencias de la conformidad prestada. En caso contrario, ordenará la continuación del juicio (Véase sobre la conformidad en el acto del juicio oral el § 6.5 de este Capítulo).

4.3. Rebeldía del acusado

Conforme al art. 784.4 LECrim el Juez de Instrucción declarará al acusado en rebeldía: cuando éste se halle en ignorado paradero y: a) No hubiera designado domicilio en España en el que puedan hacérsele las notificaciones, o una persona que las reciba en su nombre, según el art. 775 LECrim; b) Con independencia de si hubiere designado domicilio o no, se le solicite una pena que no exceda de dos años de privación de libertad, o de seis si fuera de distinta naturaleza (art. 786.2 LECrim). (Véase M. 204).

Cuando el acusado se encontrase en la citada situación, se mandará expedir requisitoria para su llamamiento y busca, fijándosele un plazo para su comparecencia ante el Juzgado, y si transcurrido el plazo de la requisitoria no comparece, se le declarará en rebeldía, con los efectos previstos en los arts. 786.1 y 842 y ss. LECrim.

4.4. Puesta de las actuaciones a disposición del órgano jurisdiccional competente para el juicio oral

Una vez que el acusado haya formulado escrito de defensa, o transcurrido el plazo para ello, el Letrado de la administración de justicia acordará remitir lo actuado al órgano competente para el enjuiciamiento, notificándoselo a las partes, salvo cuando el enjuiciamiento corresponda al Juez de lo Penal y éste se desplazara periódicamente a la sede del Juzgado instructor para la celebración de los juicios procedentes del mismo, en cuyo caso permanecerán las actuaciones en el Juzgado a disposición del Juez de lo Penal (art. 784.5 LECrim). (Véase M. 205).

SECCIÓN 5. JUICIO ORAL

5.1. Fase de juicio oral

La fase de juicio se inicia con la recepción de las actuaciones por el órgano que va a enjuiciar el fondo del asunto, según las reglas de competencia del art. 14 LECrim. (Véase M. 206). Esta competencia corresponderá al Juez de lo Penal o a la Audiencia Provincial, según la pena solicitada. Será competente el Juez de lo Penal para el conocimiento y fallo de las causas por delito a los que la ley señale pena privativa de libertad no superior a cinco años, pena de multa cualquiera que sea su cuantía, o cualesquiera otras penas de distinta naturaleza, siempre que no excedan de diez años. En el resto de casos conocerá la Audiencia Provincial por procedimiento abreviado siempre que la pena privativa de libertad no supere los nueve años, en cuyo caso será de aplicación el procedimiento por delitos graves (Véase sobre jurisdicción y competencia el Cap. III). (Véase M. 207).

5.2. Inicio de la fase de juicio oral y admisión de pruebas. Pruebas pertinentes

Una vez recibidos los autos por el órgano competente para el enjuiciamiento, el Juez o Tribunal examinará las pruebas propuestas e inmediatamente dictará auto admitiendo las que considere pertinentes y rechazando las demás; prevendrá lo necesario para la práctica de la prueba anticipada y señalará el día en que deban comenzar las sesiones del juicio oral. En el mismo auto se ordenará el libramiento de las comunicaciones necesarias para asegurar la práctica de las pruebas que sean propuestas y admitidas, cuando así lo hubieran solicitado las partes (art. 785.1 LECrim) (Ver M. 208 y 209)[61]. Contra la resolución sobre prueba no procederá recurso alguno, sin perjuicio de que la parte a la que le fue denegada pueda reproducir su petición al inicio de las sesiones del juicio oral. Hasta ese momento podrán incorporarse a la causa los informes, certificaciones y demás documentos que el Ministerio Fiscal y las partes estimen oportuno y admita el Tribunal (art. 785.1 LECrim).

La admisión de la prueba se producirá en los términos conocidos y con base en los criterios de necesidad y pertinencia. La utilización de los medios de prueba pertinentes se ha convertido en un derecho fundamental amparado reiteradamente por el Tribunal Constitucional, calificándolo como inseparable del derecho mismo a la defensa, consistente en que las pruebas pertinentes propuestas sean admitidas y practicadas por el Juez o Tribunal. Asimismo, exige una interpretación flexible de las normas procesales y se precisa que es preferible en esta materia incurrir en un posible exceso en la admisión de pruebas, que en su denegación[62]. Así lo ha declarado el Tribunal Supremo en el supuesto que la parte incurra en alguna incorrección formal en la petición de la prueba[63]. (Véase sobre el derecho y admisión de la prueba el § 1.1 a 1.3 del Cap. IX)

---

(61) «... La tercera y última fase del procedimiento abreviado, llamada por la Ley "del juicio oral", se desarrolla ante el Juez o Tribunal competente para el enjuiciamiento y en la misma se lleva a cabo la actividad probatoria y el juicio en virtud del cual se dicta sentencia. En esta fase de enjuiciamiento... en cuanto las actuaciones se encontraren a disposición del órgano competente, el Juez o Tribunal examinará las pruebas propuestas, decretará la admisión o rechazo, prevendrá lo necesario, en su caso, para la práctica de la prueba anticipada, y señalará el día en que deban comenzar las sesiones del juicio oral. De otra parte, el art. 793.2 de la LECrim. ha previsto el desarrollo de un debate o audiencia preliminar en el momento inicial del juicio oral, acentuando los principios de oralidad y concentración del proceso. En efecto, el citado artículo, luego de señalar que el juicio oral comenzará mediante la lectura por el Secretario de los escritos de acusación y de defensa, señala que "seguidamente" a instancia de parte, el Juez o Tribunal abrirá un turno de intervenciones para que puedan las partes exponer lo que estimen oportuno acerca de la competencia del órgano judicial, vulneración de algún derecho fundamental, existencia de artículos de previo pronunciamiento, causas de suspensión del juicio oral, así como sobre el contenido y finalidad de las pruebas propuestas o que se propongan para practicarse en el acto. El Juez o Tribunal resolverá en el mismo acto lo procedente sobre las cuestiones planteadas. Entre las garantías que incluye el artículo 24 de la Constitución para todo proceso penal destacan, por ser principios consustanciales al proceso, los principios de contradicción y de igualdad». (STC 186/90, de 15 noviembre).

(62) Ver SSTC 30/86, de 20 febrero, y 51/85, de 10 abril.

(63) «En el caso presente la defensa diseñó, en tiempo hábil, su estrategia exculpatoria, solicitando una serie de documentos que estaban encaminados a demostrar la drogadicción del acusado, si bien no requirió la comparecencia de peritos médicos para que valorasen el contenido de los informes clínicos interesados. Este defecto no autoriza al órgano juzgador a rechazar de plano la propuesta, con el argumento de que se debió articular por la vía de la prueba pericial. Los Jueces y Tribunales están comprometidos no sólo con la legalidad, sino también con los principios informadores del sistema y no pueden ampararse en criterios exclusivamente formalistas, para rechazar una prueba de descargo que ya aparecía suficientemente desarrollada en el escrito de solicitud. El Tribunal tenía ante sí una doble posibilidad, admitir la prueba documental, sin perjuicio del valor que posteriormente pudiera tener en orden a su alegación, como posible base y fundamento de un motivo de casación por error de hecho en la apreciación de la prueba, o advertir a la defensa que, si quería una prueba pericial complementaria lo interesase ya, con objeto de evitar posibles demo-

El señalamiento de fecha para la celebración del juicio oral se hará teniendo en cuenta la eventual situación de prisión provisional del acusado y el aseguramiento de su presencia a disposición judicial, la complejidad de la prueba propuesta o cualquier otra circunstancia significativa (art. 785.2 LECrim.). A pesar de todas estas prevenciones, la Ley no fija un plazo para el señalamiento de fecha para el juicio, lo que en la práctica puede conllevar importantes dilaciones.

5.3. Celebración del juicio oral en ausencia del acusado

La celebración del juicio oral requiere preceptivamente la asistencia del acusado y del Abogado defensor, en virtud de los principios de defensa, de asistencia letrada y de contradicción. No obstante, la Ley permite —art. 786 LECrim— la celebración del juicio oral a pesar de la incomparecencia del acusado en determinados supuestos, a saber:

a) Cuando existan varios acusados y alguno de ellos dejara de comparecer sin motivo legítimo, el órgano decisor, apreciada esta circunstancia, podrá acordar, oídas las partes, la continuación del juicio para los restantes acusados. El legislador ha querido reforzar la garantía del ausente exigiendo que el órgano judicial examine si la incomparecencia se debe a motivo legítimo o no, ya que en el primer caso deberá suspender el juicio.

«Esta necesidad de la presencia física del acusado viene establecida en la LE-Crim (LA LEY 1/1882), concretamente en el artículo 786 respecto del procedimiento abreviado, seguido en la presente causa, de forma correlativa a los artículos 688, 746 y concordantes en relación al procedimiento ordinario. Las excepciones a esta previsión, que como tales han de ser tratadas con carácter restrictivo y con mayor razón en atención al rango fundamental de los derechos a los que afectan, se basan en la exigencia de varios requisitos, que parten del carácter voluntario de la ausencia, al exigir que sea injustificada, de manera que el origen de la falta de ejercicio de los derechos afectados se sitúe en una decisión libre de su titular o, al menos, imputable a una negligencia inexcusable del mismo. En definitiva, como el derecho a participar en la vista oral y a defenderse por sí mismo forma parte del núcleo del derecho de defensa que ha de considerarse esencial desde la perspectiva del art. 24 de la Constitución (LA LEY 2500/1978), procede declarar la nulidad del juicio celebrado el día 14 de junio de 2011 y de la sentencia dictada al día siguiente, devolviéndose las actuaciones al Juzgado de procedencia para que, por un magistrado-juez distinto al que presidió el juicio y pronunció la sentencia declarados nulos, se celebre un juicio que respete el derecho de las partes a un proceso con todas las garantías y se dicte nueva sentencia». SAP de Barcelona, Sección 20ª, Sentencia 560/2013 de 9 May. 2013, Rec. 453/2011; Ponente: Iturmendi Ortega, María Elena. LA LEY 119325/2013.

A este efecto resulta esencial que el imputado esté citado correctamente y que la ausencia se hubiere producido por su voluntad y no por desconocimiento de la celebración del juicio.

---

ras si después, como sucedió en realidad, lo pide en el momento de comenzar las sesiones del juicio oral. En definitiva se ha privado a la defensa y sobre todo al acusado, de una posibilidad de acreditar un extremo que tendría una influencia relevante en la calificación jurídica de los hechos y en la pena resultante». STS Sala Segunda, de lo Penal, Sentencia de 25 Sep. 1999, Rec. 762/1998, Ponente: Martín Pallín, José Antonio. LA LEY 11667/1999.

«El Tribunal Supremo (S 9-5-1991) recuerda que la celebración del juicio oral en ausencia del acusado exige que éste hubiera sido citado personalmente, que hubiera —a juicio del juez— elementos suficientes para juzgarle y que la ausencia del acusado fuera injustificada. La ausencia injustificada del acusado debe venir complementada para poder celebrar el juicio oral, con la necesidad de que haya mediado una citación personal, debidamente acreditada, sustituible en el marco del procedimiento abreviado por la citación en la persona o domicilio a que se refiere el art. 775 LECr (LA LEY 1/1882), y que concurran los demás requisitos establecidos en este art. 786 (STS 514/2006 (LA LEY 48790/2006), 5-5 (LA LEY 48790/2006)). Pues bien, en este caso resulta evidente que la ausencia del recurrente D. Apolonio estuvo plenamente justificada pues se encontraba en prisión cumpliendo condena, es por ello que es de aplicación el art. 793.2 LECr. (LA LEY 1/1882)». SAP de Jaén, Sección 2ª, Sentencia 103/2015 de 28 Abr. 2015, Rec. 358/2015; Ponente: Aguirre Zamorano, Pío José. LA LEY 59330/2015.

b) Cuando se trate de la ausencia injustificada del acusado, se podrá celebrar el juicio siempre que se den los siguientes requisitos (art. 786.1 LECrim):

1.º) Que haya sido citado personalmente en el domicilio que haya designado al efecto, o en el domicilio de la persona que hubiese designado en las diligencias previas para recibir notificaciones (art. 775 LECrim)[64].

Téngase en cuenta que, a estos efectos, se exige que en la citación se hagan las prevenciones oportunas y concretamente el apercibimiento de poder celebrarse el juicio en su ausencia.

2.º) Que lo solicite el Ministerio Fiscal o la parte acusadora.

3.º) Que la pena más grave solicitada no exceda de dos años de privación de libertad o de seis años si es de naturaleza distinta (Véase también el Pleno no jurisdiccional de la Sala 2ª de 25 de febrero de 2000 sobre el recurso de anulación[65]).

---

(64) «Se exige la citación personal cuando se pretenda juzgar "en ausencia" al incompareciente, lo que no ha sucedido en este caso. Cuando el enjuiciamiento vaya a limitarse a los acusados comparecidos no es necesario que el no compareciente haya sido citado personalmente: sólo que el acusado haya dejado de comparecer sin motivo legítimo y que sean oídas las partes, apreciando el Juez o Tribunal que puede continuar el juicio para los restantes. En tercer lugar alega el recurrente que el enjuiciamiento conjunto era necesario dado que se trataba de imputaciones delictivas en hechos conexos e íntimamente vinculados apoyados en la connivencia y acuerdo de voluntades entre todos los acusados. Ahora bien que los hechos sean conexos es precisamente lo que ha ocasionado que el procedimiento sea el mismo, por lo que dicha conexidad no puede calificarse como una circunstancia que merezca consideración especial, ya que constituye un presupuesto que concurre habitualmente en estos supuestos. Lo relevante sería que por la naturaleza de los hechos o de las pruebas, el enjuiciamiento separado pudiese determinar perjuicio para el derecho de defensa o imposibilidad probatoria. Y ello no sucede en el caso actual en el que la intervención del no comparecido se limitó exclusivamente a uno de los hechos enjuiciados, dentro de una acusación por delito continuado de estafa que comprende una pluralidad delictiva, y en los que la intervención del recurrente puede perfectamente definirse y acreditarse, sin necesidad de tomar en consideración al incomparecido». STS Sala Segunda, de lo Penal, Sentencia 2067/2001 de 12 Nov. 2001, Rec. 3313/1999; Ponente: Conde-Pumpido Tourón, Cándido. LA LEY 2668/2002.

(65) «4º) El límite punitivo legalmente prevenido para el juicio en ausencia (pena que no exceda de un año de privación de libertad o de seis años, si fuese de otra naturaleza), se refiere a la pena solicitada en la calificación provisional acusatoria, que es aquella de la que ha sido informado

«Siempre que la pena solicitada supere el año no habrá posibilidad de juicio en ausencia, ya que el acusado sólo ha sido advertido de que el juicio en ausencia se celebrará si la pena no supera esa cota, por lo que conocidos los términos de la acusación, el afectado puede no comparecer en la confianza legítima de que no se le condenará en ausencia y de que no perderá la oportunidad de defenderse y de disponer de una prueba de descargo, como puede ser su propia declaración exculpatoria y asimismo de poder contradecir los testimonios inculpatorios o de cargo, e incluso de utilizar el derecho a la última palabra. En estos casos, será obligación del órgano judicial disponer su presencia, empleando los medios coactivos que le facilita la Ley, pero no se puede, mediante acuerdo previo con el Ministerio Fiscal o cualquier otra parte acusadora, defraudar las expectativas legales, reduciendo la pena, eliminando la posibilidad de haber escuchado las razones de la defensa personal que pudiera hacer el acusado y prescindiendo, por tanto, de un medio probatorio crucial para garantizar el derecho de audiencia y defensa». STS Sala Segunda, de lo Penal, Sentencia 1703/2000 de 8 Mar. 2000, Rec. 2698/1998; Ponente: Martín Pallín, José Antonio. LA LEY 54958/2000.

A este efecto la pena solicitada es la que consta en el escrito de acusación (o calificación provisional), sin que sea admisible modificar la calificación al iniciarse el juicio al efecto de poder celebrarse el juicio en ausencia.

«La pena solicitada es la que consta en el escrito de calificación provisional acusatoria que es aquélla de la que ha sido informado el acusado. Constituye un fraude de ley eludir el límite establecido en la Ley para juzgar en ausencia (pena que no exceda de un año de privación de libertad o de seis años, si fuese de otra naturaleza) mediante la modificación inmediatamente anterior al juicio de la calificación acusatoria, sin conocimiento del ausente». STS Sala Segunda, de lo Penal, Sentencia 922/2000 de 12 May. 2000, Rec. 3736/1999; Ponente: Móner Muñoz, Eduardo. LA LEY 98950/2000.

4.°) Que esté presente o intervenga el Abogado defensor, como lógica consecuencia del principio de defensa.

5.°) Que el juzgador aprecie la existencia de elementos suficientes para el enjuiciamiento.

Resulta necesaria la concurrencia de todos estos requisitos, teniendo en cuenta que la celebración en ausencia debe producirse en régimen de excepcionalidad, debiendo favorecerse la posibilidad de subsanar cualquier defecto formal al efecto de celebrar el juicio según establece la Ley. Véase a este respecto la STS que se reseña a continuación en la que el TS declara que no cabe impedir el acceso al juicio del imputado que se identifica de forma defectuosa.

«Consta en las actuaciones que el acusado, o al menos el joven que acudió al juicio en respuesta a la citación recibida y afirmaba ser el acusado, presentó para identificarse un documento sanitario y otro militar, ambos a su nombre pero sin fotografía. El Tribunal estimó insuficiente dicha documentación y decidió celebrar el juicio en ausencia, sin permitir la intervención en el mismo del acusado, pese a la protesta del

el acusado, estimándose que constituye un fraude de ley eludir dicha limitación legal mediante la modificación inmediatamente anterior al juicio de la calificación acusatoria, sin conocimiento del ausente».

Letrado y a su solicitud de una suspensión temporal para subsanar la insuficiencia de la identificación. El Tribunal pareció entender que la previsión legal implica que, en estos supuestos en los que la pena solicitada no es superior a un año de privación de libertad, la asistencia del acusado es irrelevante, dado que la Ley permite celebrar el juicio en ausencia. Pero en realidad no es así, pues la presencia del acusado constituye un derecho al que solamente el mismo puede renunciar, negándose a comparecer en estos supuestos. La prevención del art. 793 1° no significa, en ningún caso, que el juicio en ausencia pueda celebrarse contra la voluntad del acusado, sino que en estos supuestos se le libera de la carga de comparecer ante el Tribunal, decidiendo voluntariamente si comparece o no. Es por ello por lo que la Ley exige la citación personal y el carácter no justificado de la ausencia. La comparecencia con documentación insuficiente no equivale a una incomparecencia injustificada, por lo que la celebración del juicio en ausencia sin ofrecer la oportunidad de subsanar la deficiencia, constituye una interpretación formalista que vulnera el derecho a un juicio con las debidas garantías al impedir que el acusado haya podido defenderse personalmente (art. 14.d, del Pacto Internacional de Derechos Civiles y Políticos de 1966)». STS Sala Segunda, de lo Penal, Sentencia 310/2002 de 25 Feb. 2002, Rec. 766/2000; Ponente: Conde-Pumpido Tourón, Cándido. LA LEY 3410/2002.

Con relación a la limitación de la pena, se plantea la cuestión de si solamente podrán celebrarse juicios en ausencia del acusado en aquellas causas cuyo fallo compete a los Jueces de lo penal, o también en aquellas causas que competen a la Audiencia Provincial. Existen dos fundamentos para entender facultados a ambos órganos para la celebración del juicio en rebeldía del acusado. En primer lugar, en el propio precepto —art. 786.1.2° LECrim— se hace referencia al «Juez o Tribunal»; y en segundo lugar, se alude en el mismo precepto, en relación con la limitación de la pena, no a la señalada para el tipo delictivo con carácter genérico, sino a la pena concreta que solicita la acusación[66]. En caso de existir varias acusaciones, deberá estarse a la pena más grave solicitada, con el objeto de comprobar si excede o no de la limitación impuesta en aquel precepto. Igual podrá suceder si una vez iniciado el juicio en rebeldía, el Fiscal o alguno de los acusadores modifica en sus conclusiones definitivas su petición de pena inicial, de forma que rebase aquel límite. En este supuesto, deberá suspenderse el juicio oral hasta que puede celebrarse con la presencia del acusado. A los efectos de mantener todas las garantías procesales del ausente, se ha previsto en el art. 793 un recurso de anulación para que aquél pueda ejercitarlo, en caso de ser habido o de comparecer en el proceso, en la forma que más adelante se expondrá[67] (Véase § 5 del Capítulo XI).

---

(66)   Puede suceder que, si bien el delito enjuiciado tuviese asignada pena de prisión superior a cinco años y, por tanto, fuese competencia de la Audiencia, la pena concreta solicitada no rebasara el límite de dos años, debido a la concurrencia de determinadas circunstancias —atenuantes cualificadas, eximentes incompletas, etc.—.

(67)   CLIMENT, «Sobre la presencia física del acusado en el juicio (comentario a STS)», *RGD*, 1991, n.° 561, p. 4737; GARBERÍ LLOBREGAT, *La ausencia del acusado en el proceso penal, especial referencia al proceso penal abreviado LO 7/88, de 28 de diciembre*, Madrid, 1992; Idem, «Concepto y régimen jurídico de la rebeldía en el proceso penal», *Rev. J.ª Castilla-la Mancha*, n.° 14, 1992; MONTERO AROCA, «La ausencia del imputado en el proceso penal», *RDP*, 1977, pp. 581 y ss.; también en Estudios de Derecho Procesal; ORTELLS RAMOS, «La ausencia del imputado en el proceso penal», *RDP*, 1978, p. 433.

La ausencia injustificada del tercero responsable civil, citado en debida forma, no será, por sí misma, causa de suspensión del juicio. Nótese que, a diferencia de lo previsto en el art. 746.6 *in fine*, no se exige una citación personal, sino en debida forma, lo que permite que el responsable civil sea citado en cualquiera de las formas previstas en el art. 166 y ss. LECrim., aunque tal medida pueda suponer una minoración de las garantías procesales del responsable civil.

5.4. Fase preliminar en el acto del juicio oral

El juicio oral se iniciará con la lectura, por el Letrado de la administración de justicia, de los escritos de acusación y defensa. Éste es un trámite necesario cuya ausencia podrá determinar la nulidad del juicio[68]. Será a partir de este momento cuando el Juez o Tribunal, a instancia de parte, deberá abrir un turno de intervenciones para que todas las partes puedan exponer lo que estimen oportuno sobre las cuestiones previstas en el artículo (art. 786.2). El legislador ha decidido potenciar los principios de oralidad y concentración, acumulando en este debate previo todas aquellas cuestiones que en el proceso por delitos graves pueden dar lugar a incidentes dilatorios.

A) Cuestiones que pueden plantearse

Debe distinguirse entre dos grupos de cuestiones, con relación a la alegación y resolución de las mismas.

En primer lugar deben alegarse las cuestiones de competencia, suspensión de juicio oral, contenido y finalidad de las pruebas propuestas o que se propongan para practicarse en el acto. Todas estas cuestiones se resolverán en la fase preliminar, precluyendo la posibilidad de alegarlas *a posteriori*, ya que se trata de cuestiones que afectan al desarrollo posterior del plenario. En caso de denegación de la pretensión de una parte sobre cualquiera de tales temas, sólo cabe la formulación de «protesta»[69].

---

(68) «Se ha procedido igualmente al visionado del acto del juicio celebrado en el Juzgado de lo Pena en el que se puede observar que no se procedió a la lectura de los escritos de acusación de las partes que sí constan, así como tampoco del correspondiente al Ministerio Fiscal inexistente en el procedimiento, entrándose directamente al interrogatorio de la ahora recurrente (0:41), de manera que no se ha dado cumplimiento a lo dispuesto en el art. 802.1 (LA LEY 1/1882) y 786.2 LECrim (LA LEY 1/1882). Establece el art. 786.2 LECrim que "El juicio oral comenzará con la lectura de los escritos de acusación y de defensa. Seguidamente, a instancia de la parte, el Juez o Tribunal abrirá un turno de intervenciones...". Sobre la base de todo lo anterior no queda constancia formal de la realización de los trámites preceptivos que permitan garantizar el perfecto conocimiento de la existencia de calificación penal contra Asunción, produciéndose con ello una evidente situación de indefensión, que se extiende sobre el acto del juicio desarrollado en el Juzgado de lo Penal así como en el Juzgado de Violencia Sobre la Mujer y que determina la nulidad de la sentencia recurrida así lo actuado procediendo la devolución del procedimiento al Juzgado de Violencia Sobre la Mujer para que en el mismo se realicen las actuaciones que se consideren oportunas para garantizar el conocimiento de la acusación que se sostiene contra Asunción por parte del Ministerio Fiscal y seguir el cauce procesal correspondiente». SAP de La Rioja, Sentencia 50/2017 de 19 May. 2017, Rec. 170/2017; Ponente: Moreno García, Ricardo. LA LEY 80086/2017.

(69) «—Como recuerda la STS 286/96 de 3.4—, conviene detenerse sobre el sentido de esta atípica audiencia preliminar y para ello es necesario señalar una primera nota en esta aproximación: los temas a suscitar en la misma son, como generalmente ocurre en los casos de pluralidad, de

En segundo lugar, aparecen otras cuestiones que por su propia naturaleza, son alegables en cualquier momento posterior de desarrollo del juicio oral. Especialmente las relativas a la vulneración de algún derecho fundamental. O los artículos de previo pronunciamiento que pueden reproducirse como medios de defensa en el juicio, conforme a lo expresamente establecido en el art. 678 de la LECrim.

«Cuando se alega la vulneración de derechos fundamentales, al iniciarse la vista oral, la cuestión no ha sido resuelta de manera reiterada y uniforme. De un lado el Auto de 18 de junio de 1992 (Caso Naseiro) venía a decir que la audiencia preliminar del proceso abreviado, establecida en el repetido artículo 793.2 procedimental (actual art. 786.2), trataba de evitar las incidencias sucesivas que pudieran después plantearse durante el juicio evidentemente dilatorias del proceso, pues la celeridad y la concentración se constituían en ejes esenciales del mismo, por lo que debería propiciar la resolución inmediata y previa, sobre esas pretendidas infracciones. Sin embargo el Auto de 3 de febrero de 1993, sea cual fuere el contenido del mismo, claramente señala que el trámite del artículo antes referido no es preclusivo (también la Sentencia del Tribunal Constitucional de 13 de diciembre de 1993). Es decir, conforme a esta última postura, aunque la decisión sobre la posible vulneración de derechos fundamentales pueda adoptarse, cuando de procedimiento abreviado se trata, en la iniciación de la vista oral conforme al tan repetido artículo 793.2, también es correcto, desde el punto de vista de la legalidad ordinaria y constitucional, aplazar la decisión hasta el momento de dictarse la sentencia siempre que existan razones objetivas suficientes para ello o adelantar tal decisión en la audiencia preliminar de forma sucinta, sin perjuicio de la ulterior motivación y complementación en la sentencia definitiva. Este criterio —dice la STS 545/95 de 7.4— viene impuesto por el análisis racional del precepto procesal en interpretación gramatical y auténtica, de acuerdo además con los artículos 11.1 (LA LEY 1694/1985), 238.3 (LA LEY 1694/1985) y 242 de la Ley Orgánica del Poder Judicial (LA LEY 1694/1985), pues "la vulneración del derecho fundamental es, entre otras materias, una de las finalidades de ese incidente previo, sin que el precepto legal obligue a pronunciarse sobre el fondo de la cuestión en ese momento concreto, pues lo que se exige por el mismo es la necesidad de resolver en el acto lo procedente, y lo procedente es también acordar ese aplazamiento para la sentencia final, en base a las razones justificativas que se dan para ello, sobre todo si durante la vista oral se aportan o se reproducen pruebas esclarecedoras al respecto"». STS Sala Segunda, de lo Penal, Sentencia 818/2011 de 21 Jul. 2011, Rec. 2369/2010; Ponente: Berdugo Gómez de la Torre, Juan Ramón. LA LEY 119772/2011.

En la práctica forense lo usual es que el Juez, o el Magistrado Presidente se dirija a las partes a fin que puedan plantear, en su caso, las cuestiones previas previstas en la Ley. Ahora bien, el art. 786.2 LECrim dispone que el turno de intervenciones a este fin se abrirá: «a instancia de parte». Ello determina que sea la parte la que deba, en

---

distinta naturaleza y efectos en su inflexión en la indefensión. Así, la competencia del órgano judicial, las causas de suspensión del juicio oral y el contenido y finalidad de las pruebas propuestas o que se propongan para practicarse en el acto son temas que evidentemente han de resolverse en el mismo acto, conforme requiere "in fine" tal precepto procesal, en cuanto irrepetibles y afectantes al desarrollo posterior del plenario. La denegación de la pretensión de una parte sobre cualquiera de tales temas sólo puede hacerse valer mediante la "protesta"». STS Sala Segunda, de lo Penal, Sentencia 818/2011 de 21 Jul. 2011, Rec. 2369/2010; Ponente: Berdugo Gómez de la Torre, Juan Ramón. LA LEY 119772/2011.

caso que no se abra de oficio el turno de intervenciones, solicitar el uso de la palabra a fin de alegar las cuestiones previas que considere oportunas. En caso contrario, el Tribunal Supremo ha declarado que no cabe alegar indefensión.

«El motivo debe ser desestimado toda vez que la previsión normativa reguladora de la audiencia preliminar del art. 793.2 la audiencia preliminar se abre "a instancias de parte" una vez que el Secretario haya delimitado, mediante la lectura de los escritos de calificación, el objeto del proceso. No se trata de un momento procesal previsto en la ley en todo caso sino sólo en aquellos supuestos en los que a la parte le interesa que se abra un debate sobre las incidencias que la ley previene. De no realizarlo así, la apertura de la audiencia preliminar no procede y se entra en la práctica de la prueba. No lo hizo así el recurrente y la denegación de la apertura, una vez iniciado el juicio oral con el interrogatorio del acusado, fue acordado conforme a las exigencias de la Ley Procesal». STS Sala Segunda, de lo Penal, Sentencia 1325/2000 de 18 Jul. 2000, Rec. 4474/1998; Ponente: Martínez Arrieta, Andrés. LA LEY 9274/2000.

Las cuestiones sobre los que pueden versar las distintas intervenciones que prevé la Ley son:

a) Competencia del órgano judicial

El hecho de que en este estadio procedimental existan todavía posibilidades de discutir sobre cuál sea el órgano judicial competente para el enjuiciamiento resulta poco comprensible, y más cuando en la fase de preparación del juicio oral, el art. 781.1 establece que en el escrito de acusación contendrá la solicitud de apertura del juicio oral ante el órgano que se estime competente, y el art. 783.2 *in fine* dispone que establece que el Juez de Instrucción, en el auto de apertura del juicio oral, señalará el órgano competente para el conocimiento y fallo de la causa. Por todo ello entendemos que las cuestiones de competencia que puedan plantearse en este acto deberán ceñirse exclusivamente a cuestiones de competencia objetiva, pero no a las de competencia territorial.

b) Vulneración de algún derecho fundamental

Esta alegación puede contemplarse bajo dos aspectos:

1º) En primer lugar, es el trámite específico para solicitar la subsanación de algún vicio procesal que haya supuesto la vulneración de un derecho constitucional (indefensión por falta de emplazamiento, falta de traslado de las actuaciones, falta de Letrado, denegación de pruebas, etc.). Sin embargo, no podrá alegarse, con carácter previo, la vulneración de la presunción de inocencia o de la tutela efectiva, ya que el resultado de tales posibles vulneraciones sólo se podrá apreciar en la sentencia definitiva.

2º) En segundo lugar, es el trámite procesal oportuno para efectuar la denuncia formal de las vulneraciones de algún derecho fundamental con alegación de los derechos y preceptos constitucionales infringidos. Téngase en cuenta que tanto el recurso de apelación contra la sentencia dictada por el Juez de lo Penal o la Audiencia Provincial (arts. 790.2 y 846 ter LECrim), como el recurso de casación frente a la sentencias dictadas por el Tribunal Superior de Justicia o la Audiencia Provincial (art. 847 LECrim), como el recurso de amparo constitucional [art. 44.b) y c) LO 2/79, de 3 de octubre, del Tribunal Constitucional], exigen la constancia en las actuaciones, de la protesta o reclamación hecha para subsanar lo que se repute contrario a las garantías fundamentales, o se estime que contiene violación de algún derecho constitucional. El Tribunal Supremo ha declarado que este trámite debe considerarse de especial importancia cuando lo que se denuncia es la violación de derechos fundamentales con relación a la obtención de la prueba, pues en ese caso resulta conveniente una decisión previa a la sustanciación del juicio oral.

«El artículo 786.2 de la LECrim (LA LEY 1/1882), dentro de los dedicados a la regulación del procedimiento abreviado, dispone la apertura, a instancia de parte, de un turno de intervenciones para examinar determinadas cuestiones, de distinta naturaleza, entre las que se encuentra la relativa a la vulneración de derechos fundamentales. Aunque en la ley aparezca como un paso previo al inicio del enjuiciamiento propiamente dicho, no es una cuestión menor ni de mero trámite, sino que reviste singular importancia, al menos cuando, entre las distintas cuestiones planteables, lo que se debe decidir es si en algún momento se ha producido una vulneración de derechos fundamentales en la obtención de alguna de las pruebas, de forma relevante para el proceso. Esta Sala ya señaló en la STS n.º 769/2003 (LA LEY 2634/2003), que "...cuando se alega la vulneración de derechos fundamentales en la obtención de las pruebas de cargo o descargo, la decisión del órgano juzgador, debe ser previa, para que dicho elemento probatorio sea expulsado del procedimiento y no puede manejarse, ni directa ni indirectamente, en el curso del debate contradictorio del juicio oral, ya que el sistema no puede soportar el efecto contaminante de una prueba que vulnera derechos fundamentales". Son numerosas las sentencias de esta Sala que admiten la posibilidad de que la cuestión se resuelva en la sentencia, pero siempre que existan razones suficientes para ello, pues la lógica aconseja resolver acerca de las pruebas utilizables antes de proceder a su práctica». STS Sala Segunda, de lo Penal, Sentencia 1003/2011 de 4 Oct. 2011, Rec. 1921/2010; Ponente: Colmenero Menéndez de Luarca, Miguel. LA LEY 198709/2011.

Son muchas y variadas las alegaciones que pueden formularse por esta vía. Por ejemplo, se ha admitido la denuncia de la infracción a un Juez imparcial, alegación que el Tribunal no puede denegar por extemporánea aunque no se hubiese hecho uso de la recusación en el momento legal oportuno.

«El artículo 786.2 de la LECrim (LA LEY 1/1882)prevé la apertura de un turno de intervenciones al inicio del juicio oral en el ámbito del procedimiento abreviado, con la finalidad de permitir el tratamiento previo de algunas cuestiones, entre las cuales se refiere expresamente a la posible vulneración de algún derecho fundamental. Una vez constituido el Tribunal responsable del enjuiciamiento, e incluso ya iniciado el juicio oral, aunque no se haya hecho uso del mecanismo de la recusación en la forma prevenida por la Ley, nada debe impedir que la parte que lo considere oportuno ponga de manifiesto su criterio acerca de la vulneración del derecho al juez imparcial, poniendo de relieve la existencia de una causa de abstención, utilizando para ello el referido trámite previsto en el citado artículo 786.2 de la LECrim (LA LEY 1/1882). Es cierto que si no ha hecho uso de la recusación en el momento procesal pertinente, el Tribunal no está legalmente obligado a dar cumplimiento a las previsiones legales relativas a su tramitación. Pero ello no es óbice para que el Tribunal examine la pertinencia de la abstención, en atención a los argumentos desarrollados por la parte, dando a la cuestión propuesta una respuesta motivada. En definitiva, aun cuando la cuestión no haya sido planteada a través del mecanismo de la recusación, y, por lo tanto, no se hayan seguido los trámites legales específicamente previstos para la tramitación de aquella, si la parte hace uso de las posibilidades que el citado artículo 786.2 de la Ley procesal le concede en orden a denunciar la vulneración de algún derecho fundamental, debemos entender que la cuestión ha sido propuesta en la instancia en condiciones de ser resuelta adecuadamente por el Tribunal, y que, por lo tanto, es posible plantearla nuevamente en el recurso que se interponga contra la sentencia». STS Sala Segunda, de lo Penal, Sentencia 523/2013 de 18 Jun. 2013, Rec. 2334/2012; Ponente: Colmenero Menéndez de Luarca, Miguel. LA LEY 92151/2013.

La importancia de este incidente ha conducido al Tribunal Constitucional a declarar en alguna sentencia que este era un trámite preclusivo para la denuncia de la vulneración de derechos fundamentales en la fase de instrucción.

«El significado especial del trámite del art. 793.2 LECrim desde la perspectiva constitucional del art. 44.1 c) LOTC se destaca con especial énfasis en la STC 247/1994, cuyo fundamento jurídico 2º dice al respecto: "... cuando se establece un trámite en una cierta fase del procedimiento no cabe practicarlo en otro momento y así ocurre en el abreviado, donde al comienzo del juicio oral aparece configurada una audiencia preliminar en la que cualquiera de las partes tendrá la oportunidad de exponer cuanto estime oportuno acerca de una serie de cuestiones y, entre ellas, la eventual vulneración de un derecho fundamental. (art. 793.2 LECrim). Allí y entonces, no antes ni después, pueden y deben proponerse tales cuestiones y la decisión del Juez que recaiga sobre ellas sí puede ser objeto de un proceso de amparo, una vez agotado el recurso de apelación, uno de cuyos motivos puede ser la sedicente indefensión"». STC 153/1999 de 14 de septiembre.

Con base en esta doctrina la consecuencia de no denunciar la violación del derecho fundamental en este trámite procesal impedirá el otorgamiento de la tutela en vía de recurso por faltar el presupuesto de la denuncia o protesta de la infracción del derecho fundamental[70]. Ahora bien, en otras sentencias con un criterio más flexible el TC ha admitido el amparo en un supuesto en el que no se denunció la vulneración

---

(70) «No puede estimarse cumplido el requisito del agotamiento de la vía judicial previa que establece el art. 44.1 a) LOTC cuando la queja se deduce frente a resoluciones judiciales dictadas en el seno de un proceso penal que aún no ha finalizado, pues es necesario, en el respeto a la naturaleza subsidiaria propia del recurso de amparo, plantear dicha cuestión y dar posibilidad a los órganos judiciales de pronunciarse sobre tales vulneraciones antes de acudir en petición de amparo ante este Tribunal». (SSTC 32/1994, 147/1994, 196/1995 y 63/1996; y ATC 168/1995, entre otros muchos) .../... A tenor de esta doctrina resulta evidente el carácter prematuro y la consiguiente inadmisibilidad del presente recurso de amparo, pues al tiempo de interponerse todavía estaba pendiente de celebración el juicio oral, en el que el ahora demandante pudo alegar lo que a su derecho conviniese, así como, en su caso, hacer uso de los recursos que procediesen contra la sentencia en su día dictada. En particular, cabe señalar (como se hizo entre otras en la STC 174/1994 que, al existir acusación y haberse decretado la apertura del juicio oral, en el procedimiento penal abreviado está previsto, al inicio del mismo, un trámite de audiencia preliminar en el que las partes pueden exponer lo que consideren oportuno acerca de la vulneración de algún derecho fundamental a lo largo del procedimiento (art. 793.2 LECrim)». STC 73/1999 de 26 de abril.

de derecho fundamental en el trámite de cuestiones previas, constando la misma en el escrito de defensa.

«Aunque el demandante de amparo, ciertamente, no llegó a hacer uso en el juicio oral del turno específicamente previsto para la alegación de la vulneración de derechos fundamentales (art. 793.2 LECrim), no obstante, cabe entender que, en el presente supuesto, ha cumplido con el requisito establecido en el art. 44.1, c) LOTC, pues, al haber invocado expresamente los derechos fundamentales que estimaba lesionados como consecuencia de dicha falta de notificación en el escrito de defensa (STC 143/1996, fundamento jurídico 1.º), al que ha de darse lectura junto con los escritos de acusación al inicio de las sesiones del juicio oral (art. 793.2 LECrim), reiterándola posteriormente en el recurso de apelación, ha dado oportunidad a los órganos judiciales en una y otra instancia de pronunciarse sobre la violación constitucional denunciada». STC 62/1998 de 17 de marzo.

Finalmente conviene destacar que si bien la ley no lo prevé expresamente nada impide que las partes puedan aportar documentos y practicar prueba sobre la cuestión debatida, lo cual ha admitido expresamente el Tribunal Supremo.

«Es evidente que se trata de un trámite contradictorio, de manera que cada parte tenga ocasión de defender lo que considere oportuno a su derecho. Es claro, también que, más allá de la regulación puramente formal, las cuestiones planteadas pudieran requerir o hacer aconsejable para una mejor resolución, y de forma análoga a lo previsto para los artículos de previo pronunciamiento en los artículos 668 y siguientes de la LECrim (LA LEY 1/1882), la práctica de alguna actuación que permita a la parte concernida por la alegación de otra parte aportar elementos que le permitan defender adecuadamente su posición. Elementos que hasta entonces no estaba obligada a aportar, ya que hasta ese momento no eran necesarios al no haberse suscitado controversia sobre el particular. La ley no lo contempla expresamente, pero tampoco lo prohíbe, y resulta razonable a la vista de la posible trascendencia de las cuestiones planteadas. A ello parece referirse la STS n.º 545/1995, cuando admite que durante la vista oral se aporten pruebas esclarecedoras respecto de la alegada vulneración de derechos fundamentales. En cualquier caso, no se ajusta a las exigencias del proceso debido, con todas las garantías, situar al Tribunal ante la situación de tener que resolver sobre la validez de determinadas pruebas sin disponer de los datos necesarios para ello, cuando habría sido posible aportarlos sin grave quebranto para la causa». STS Sala Segunda, de lo Penal, Sentencia 1003/2011 de 4 Oct. 2011, Rec. 1921/2010; Ponente: Colmenero Menéndez de Luarca, Miguel. LA LEY 198709/2011.

c) Nulidad de actuaciones

La nulidad de actuaciones es una alegación consecuente, aunque no obligada, con la denuncia de vulneración de un derecho fundamental, ya que se producirá en los supuestos previstos en el art. 238 LOPJ entre los cuales destaca la infracción de normas procesales con la consecuencia de producirse indefensión a la parte. Por esta vía se puede solicitar la nulidad de actuaciones, precisamente, alegando la vulneración de derecho fundamental y concretamente cualquiera de los que se incluyen en el genérico de tutela judicial efectiva (véase § 2.2.A.b del Capítulo I).

La alegación de nulidad podrá resolverse en el acto, o bien posteriormente, ya sea en auto aparte, o bien en la sentencia teniendo en cuenta que en muchas ocasiones es en el plenario cuando el tribunal con plena inmediación puede valorar la nulidad solicitada y su alcance en el conjunto del juicio sobre la culpabilidad del acusado, es decir, sobre la subsistencia o desvirtuación de la presunción de inocencia que inicialmente le ampara.

> «Pues bien esta Sala tiene declarado —STS 1290/2009 de 23.12 (LA LEY 278259/2009) — que aunque la decisión sobre la posible vulneración de derechos fundamentales o la licitud de una prueba puede adoptarse en la iniciación de la vista oral, conforme al art. 786.2, también es correcto aplazar tal decisión hasta el momento de dictar la sentencia siempre que existan razones objetivas suficientes para ello (SSTS 286/96 de 3.4, 160/97 de 6.2, 330/2006 de 10.3 (LA LEY 23445/2006), 25/2008 de 29.1 (LA LEY 12947/2008)). En efecto, al expresar el texto legal que el Tribunal resolverá "lo procedente" ello no implica necesariamente una resolución sobre el fondo de la cuestión planteada, posibilitando una demora de la misma, aplazando la solución de aquella cuestión, para el momento procesal de dictar sentencia, en donde efectivamente el Tribunal sentenciador de una manera prolija y detallada, explícita las razones de la desestimación del fondo de lo debatido, lo que sería más difícil de llevar a cabo en un acto previo al definitivo de la sentencia, dada la perentoriedad y precariedad del trámite». STS Sala Segunda, de lo Penal, Sentencia 818/2011 de 21 Jul. 2011, Rec. 2369/2010; Ponente: Berdugo Gómez de la Torre, Juan Ramón. LA LEY 119772/2011.

d) Artículos de previo pronunciamiento: cosa juzgada, prescripción, indulto…

Al margen de la competencia prevista, cuestión a la que se refiere expresamente la ley, podrán alegarse como tales artículos los previstos en el art. 666 LECrim: la cosa juzgada, la prescripción, la amnistía o indulto y la falta de autorización administrativa previa para procesar en los casos en que sea necesaria. Debe indicarse, *«prima facie»*, que tales cuestiones pueden también plantearse ante el Juez de Instrucción, que está facultado para, en caso de estimarlas, dictar el auto que considere procedente, incluido el sobreseimiento libre. Planteadas estas peticiones en el trámite de cuestiones previas pueden resolverse tanto en auto que ponga fin al proceso como en sentencia. Este es especialmente el supuesto de la prescripción que como es sabido es una institución jurídica de naturaleza material cuya apreciación determina la extinción de la responsabilidad criminal y, por consiguiente, la imposibilidad de que el Estado pueda ejercitar su derecho a la persecución del delito y, en su caso, a la imposición de una pena (véase sobre esta cuestión el § 1.1.E. del Cap. II). Este óbice procesal puede alegarse en cualquier momento de la instrucción y, en su caso, al inicio del juicio oral en el trámite de cuestiones previas del procedimiento abreviado. El Tribunal puede resolver en el acto sobre la cuestión o diferirla hasta la sentencia cuando entienda necesario que cada parte defienda su postura sobre el asunto[71].

---

(71) «Sobre el tema de la prescripción esta Sala tiene declarado en numerosos precedentes que presenta naturaleza sustantiva, de legalidad ordinaria y próxima al instituto de la caducidad, añadiendo que por responder a principios de orden público y de interés general puede ser proclamada de oficio en cualquier estado del procedimiento en que se manifieste con claridad la concurrencia de los requisitos que la definen y condicionan (SSTS 839/2002, de 6-5 (LA LEY 6194/2002); 1224/2006, de 7-12 (LA LEY 154744/2006); 25/2007, de 26-1 (LA LEY 255/2007); y 793/2011, de 8- 7, entre otras muchas). Y en lo que se refiere específicamente al procedimiento abreviado, esta

«Esta Sala solo admite la apreciación del instituto de la prescripción en el trámite de resolución de las cuestiones previas, al inicio de la vista oral y sin celebración del juicio, cuando concurren de forma diáfana los presupuestos fácticos y jurídicos de la prescripción delictiva (SSTS 678/2013, de 19 de diciembre, 583/2013, de 10 de junio, 1077/2010, de 9 de diciembre y 793/2011, de 8 de julio, entre otras muchas), es decir cuando de forma clara y manifiesta no existe justificación para celebrar el juicio oral porque desde el punto de vista fáctico no resulte necesaria la práctica de prueba alguna para adoptar una decisión sobre la cuestión previa planteada (STS 19 de septiembre de 2013) y desde el punto de vista jurídico no resulte necesario realizar una argumentación o motivación específica para rechazar en el Auto previo la calificación jurídica sostenida por las partes acusadoras que impide la prescripción (STS 583/2013, de 10 de junio), pues en caso de ser necesario este análisis jurídico previo las partes deben tener la oportunidad de defender su calificación de forma contradictoria en el acto del juicio oral». STS 112/2017 de 22 Feb. 2017, Rec. 1548/2016; Ponente: Conde-Pumpido Tourón, Cándido. LA LEY 5933/2017.

e) Contenido y finalidad de las pruebas propuestas, o de la que se proponga para practicarla en el acto

Esta cuestión previa se refiere a dos alegaciones distintas.

En primer lugar, las partes pueden exponer lo que estimen oportuno respecto al contenido y finalidad de las pruebas propuestas. Esta posibilidad carece de virtualidad práctica, ya que el tribunal ya habrá resuelto la admisión o denegación de la prueba solicitada por las partes en los escritos de acusación y defensa —art. 785 LECrim—. En segundo lugar, este será el momento procesal oportuno para proponer prueba para practicarse en el acto, incluida la reiteración de la que hubiera sido rechazada por el órgano judicial. A esta posibilidad se refiere el art. 784.1 respecto al escrito de defensa que prevé que la defensa podrá proponer la prueba que aporte en el acto del juicio oral para su práctica en el mismo. De este modo se ofrece a las partes un nuevo trámite de petición de prueba que se somete, especialmente, al requisito de que pueda practicarse en el acto del juicio oral que se inicia con este trámite de cuestiones previas. Es decir, que las pruebas propuestas deberán estar preparadas y encontrarse a disposición del Tribunal.

En su virtud, podrá solicitarse cualquier clase de prueba que pueda practicarse en el acto, lo cual implica que, por ejemplo, los testigos, peritos se hallen a disposición del tribunal para intervenir en el acto del juicio oral. En el caso de los documentos podrán incorporarse los informes, certificaciones y demás documentos que las partes estimen oportunos —art. 785.2.º LECrim— entregando original y copias para las partes personadas. En cuanto a sus límites la prueba solicitada deberá tener una relación directa e inmediata con la calificación jurídica de los hechos, ser pertinente y necesaria, de modo que no se admitirá la prueba reiterativa o inútil. Pero tampoco

---

Sala admite la aplicación del instituto de la prescripción en el trámite de resolución de las cuestiones previas, al inicio de la vista oral del juicio, cuando concurren de forma diáfana los presupuestos fácticos y jurídicos de la prescripción delictiva (SSTS 1077/2010, de 9-12 (LA LEY 217672/2010); y 793/2011, de 8-7 (LA LEY 119771/2011)). STS Sala Segunda, de lo Penal, Sentencia 1048/2013 de 19 Sep. 2013, Rec. 345/2013; Ponente: Jorge Barreiro, Alberto Gumersindo. LA LEY 148697/2013».

se admitirá la prueba que perturbe o entorpezca el correcto desarrollo de la causa. Por ejemplo, el Tribunal Supremo consideró correctamente denegada la solicitud de inclusión en la causa de numerosos documentos de fecha anterior a su inicio que consideró debió aportar durante la investigación y no en el trámite del 786.2 LECrim.

> «La acusación particular se ha opuesto al motivo señalando que una parte de los documentos ya estaban en la causa, mediante copias; y que el presidente de la sala resolvió como consta en vista de que los documentos no eran posteriores a la entrada de la causa en el tribunal; y que, por su gran volumen, no podrían haber sido examinados en ese momento procesal. Esta objeción, esencial en la justificación de la decisión que se cuestiona, goza de razonable fundamento, puesto que en el curso del procedimiento, aparte la posibilidad de hacerlo a lo largo del curso de la instrucción, hay un trámite específico de proposición de prueba, que busca poner a disposición de las partes, temporáneamente, toda la que deba ser objeto de consideración. Por eso, la oportunidad abierta por el art. 786 (LA LEY 1/1882),2º Lecrim, en rigor, no forma parte de ese momento, sino que responde a la finalidad de hacer posible la integración de la prueba propuesta cuando regularmente debió hacerse, con otra que eventualmente no habría estado entonces disponible. Así, la STS 710/1997, de 20 de mayo se refiere a las pruebas que por motivos ajenos a la voluntad de las partes no pudieron proponerse en el escrito de calificación. Y la STS 1060/2006, de 11 de octubre (LA LEY 138568/2006) demanda razones justificadas para acogerse a la previsión de que se trata». STS Sala Segunda, de lo Penal, Sentencia 417/2016 de 18 May. 2016, Rec. 2048/2015; Ponente: Andrés Ibáñez, Perfecto Agustín. LA LEY 48369/2016.

En consecuencia, se denegará la práctica de la prueba impertinente y también, por lo general, la solicitada que no pueda practicarse en el acto que se hubiere solicitado en ese momento procesal con claro ánimo dilatorio, teniendo en cuenta que las partes dispusieron del escrito de calificación provisional para solicitar la práctica de prueba.

> «3. Al centrarnos ya en el supuesto del caso concreto enjuiciado, se comprueba que la Audiencia motivó minuciosamente, según se analizará, la denegación de la prueba. De modo que, siendo cierto que, en efecto, el art. 786.2 de la LECr. le concede a las partes el derecho de solicitar nuevas pruebas al inicio de la vista oral, ello ha de contemplarse siempre desde la perspectiva de los principios generales del proceso, en concreto de la evitación de las dilaciones indebidas y de la exclusión de los abusos procesales. El Tribunal de instancia razona sobre su negativa argumentando que, en primer lugar, la parte recurrente nunca tuvo interés procesal en realizar ninguna prueba pericial, o cuando menos no lo manifestó durante el curso de todo el proceso hasta el acto del plenario..../....Por consiguiente, la parte recurrente tuvo un año y medio de tiempo para conocer la práctica de la pericia y también su incorporación al proceso. Visto lo cual, se estima totalmente razonable que el Tribunal a quo se negara a dilatar la celebración del plenario por la petición de una prueba que en el caso concreto debe ser catalogada de extemporánea y perturbadora. Por lo demás, se trata de una prueba irrelevante a tenor del resultado del proceso y del acervo probatorio que consta en la causa». STS Sala Segunda, de lo Penal, Sentencia de 29 Oct. 2009, N.º de Sentencia: 1091/2009, rec. 783/2009. Ponente: Jorge Barreiro, Alberto Gumersindo. LA LEY 217948/2009.

Con base en este criterio procede denegar la pericial que no puede practicarse en el acto por no estar el perito a disposición del Tribunal o la testifical de testigo identificado en las actuaciones y cuya citación pudo solicitar la parte en el momento procesal oportuno.

«Se alega denegación de prueba en relación a la declaración de un testigo que pudo y debió ser propuesto en el escrito de calificación provisional y fue rechazado porque se le quiso proponer en el turno preliminar de intervenciones previsto para el procedimiento abreviado en el art. 793.2 LECrim. Pretendía la parte recurrente, en dicho momento procesal del inicio del juicio oral, que éste se suspendiera para que se citara a un determinado testigo cuya identidad decía haber podido conocer como consecuencia de un oficio policial recibido en la Audiencia en fecha próxima a la señalada para el juicio en contestación a una prueba documental propuesta y admitida por la Sala .../... Como no estaba en estrados el día señalado para tal inicio y podía haber sido propuesto como tal en el trámite que la Ley Procesal prevé como ordinario para la proposición de las pruebas a celebrar en el acto del juicio, la Audiencia de acuerdo con el Ministerio Fiscal, denegó la suspensión del plenario para que pudiera citarse a dicho testigo, continuando el procedimiento. A la vista de lo expuesto, estimamos que estuvo justificada la denegación de esa prueba testifical que pudo y debió proponerse en el trámite de las conclusiones provisionales». STS Sala Segunda, de lo Penal, Sentencia de 13 May. 1999, Rec. 893/1998; Ponente: Delgado García, Joaquín. LA LEY 5819/1999.

También se denegará la prueba, cuando no pueda practicarse en el acto, aunque la petición se hiciera antes del juicio, y tras presentar el escrito de conclusiones provisionales. Este es un proceder muy habitual en la práctica forense que consiste en solicitar la práctica de prueba días antes del señalamiento del juicio oral, reiterada en el trámite de cuestiones previas[72]. La restricción de la admisión de la prueba que no pueda practicarse en el acto se fundamenta en la circunstancia de que conducirá a la suspensión del juicio oral y a una dilación del proceso. Teniendo en cuenta este indeseado efecto únicamente podrá admitirse prueba que no pueda practicarse en el acto en supuestos excepcionales y siempre que no sea imputable a la parte la extemporaneidad de la petición de prueba: porque se refiera, por ejemplo, a hechos o personas de los que no tenía conocimiento y esenciales para acreditar los hechos. La admisión de la prueba también puede determinar la suspensión del juicio, aunque pueda practicarse en el acto, cuando por su cantidad o contenido sea aconsejable

---

(72) «En el caso actual la defensa se refiere a la inadmisión de una serie de documentos propuestos, al parecer, en el acto del juicio oral, así como a la prueba formulada en un escrito presentado el día anterior al juicio oral consistente en que se enviase carta-orden a un Juzgado para que remitiese testimonio de unas determinadas diligencias previas. Esta última prueba se propuso de manera manifiestamente extemporánea, pues planteada el día anterior al juicio, sin que conste razón alguna que justifique no haberla solicitado con anterioridad, no era susceptible de practicarse "en el acto" como exige el art. 793.2º de la LECrim, por lo que la solicitud encubría en realidad, la provocación de una injustificada suspensión... la decisión del Tribunal sentenciador adoptada para evitar injustificadas dilaciones provocadas por una solicitud probatoria formulada extemporáneamente, debe calificarse de plenamente razonable, máxime cuando las diligencias cuyo testimonio se solicitaba no tenían relación directa con los hechos objeto de enjuiciamiento, refiriéndose a una denuncia formulada casi diez años después de ocurridos dichos hechos. Como ya se ha expresado el derecho a la prueba no es absoluto e ilimitado, estando sometido a unos condicionamientos de tiempo, forma, pertinencia y relevancia, que no se cumplían en el presente caso». STS Sala Segunda, de lo Penal, Sentencia de 18 May. 1999, Rec. 1288/1998; Ponente: Conde-Pumpido Tourón, Cándido. LA LEY 5769/1999.

que la parte pueda estudiar su contenido. La suspensión procederá de conformidad con el art. 788.4 LECrim (véase sobre la suspensión del juicio oral el siguiente epígrafe y el § 4.6, Cap. XV).

f) Causas de suspensión del juicio oral[73]

Las partes podrán solicitar en el trámite de cuestiones previas, y el Tribunal podrá acordar, la suspensión del juicio oral conforme a las causas reguladas en el art. 746 LECrim para el procedimiento por delitos graves, al que se remite el art. 788 LECrim. Se trata de una alegación que cabe exponer en este trámite y que se prevé con carácter excepcional teniendo en cuenta la dilación que se producirá en el proceso (véase sobre la suspensión del juicio oral § 3.6 Cap. XI). (Véanse M. 208 a 210). Estas causas se refieren a supuestos de imposibilidad de continuar con el juicio oral ante la ausencia de los requisitos mínimos y necesarios que establece la ley para su correcta sustanciación: que el Tribunal deba resolver durante el debate alguna cuestión incidental o deba practicarse prueba fuera de la sede del Tribunal; que algún miembro del Tribunal, los abogados o el acusado enfermare repentinamente de modo que no pueda seguir el juicio; que se aprecien alteraciones sustanciales de los hechos objeto de juicio que requieran de instrucción suplementaria.

No será causa de suspensión del juicio la falta de acreditación de la sanidad, la falta de tasación de daños, o la falta de alguna otra circunstancia análoga a las anteriores. En ese caso la determinación cuantitativa de la responsabilidad civil quedará diferida al trámite de ejecución de sentencia fijándose en la sentencia las bases de la misma. No obstante, sí podrían ocasionar la suspensión si tales causas constituyesen requisitos imprescindibles para la calificación de los hechos (art. 788.1.2º LECrim); lo que difícil que tenga lugar teniendo en cuenta que la calificación provisional habrá sido ya formulada. Además, después de la reforma penal operada por LO 3/89, de 21 de junio, ha quedado ya derogada la vinculación entre tipificación penal de las lesiones y duración de la sanidad[74].

El supuesto más usual de solicitud de suspensión se produce con relación a la incomparecencia de los testigos de cargo y de descargo ofrecidos por las partes situación que podrá determinar la suspensión del juicio siempre que el Tribunal considere necesaria su declaración. Sucede que en muchas ocasiones la importancia del testigo únicamente puede valorarse una vez practicada el resto de la prueba. Por ello puede diferirse la decisión sobre la suspensión del juicio hasta que se haya practicado la prueba tras lo cual el Tribunal resolverá sobre la suspensión solicitada (así lo prevé el art. 746.3.2º LECrim)[75]. No sucederá así en el caso que incomparezcan todos

---

(73) GRANADOS PÉREZ, «Estudio de los supuestos en los que el testigo no comparece al juicio oral»; VEGA RUIZ, «Denegación de la suspensión de la vista por incomparecencia de testigos», ambos en *Cuadernos de Derecho Judicial*, CGPJ, Madrid, 1992; GÓMEZ DE LIAÑO, F. J., «La suspensión del juicio oral», *CGPJ, Cuadernos de Derecho Judicial*, n.º 1, 1992.

(74) Véase la doctrina legal respecto al art. 746 LECrim en § 4.6, Capítulo XV.

(75) Esta solución es muy adecuada, ya que en caso que proceda la suspensión del juicio no se obligará a los testigos y peritos comparecidos a volver nuevamente al tribunal el día que se señale para su continuación. Ello sin perjuicio que transcurrido el plazo de treinta días proceda la nulidad de lo actuado.

los testigos y no existan otras pruebas, en cuyo caso procederá la suspensión[76]. En cualquier caso, la suspensión del juicio se acordará con carácter excepcional. Esto es deberá evitarse siempre que no resulte necesaria y motivada. Por lo tanto, el Tribunal o Juez debe denegar la suspensión siempre que disponga de elementos suficientes para juzgar con independencia de los medios de que pueda verse privado en caso de no suspender el juicio. En este sentido el Tribunal Constitucional ha reiterado que no existe vulneración de las garantías constitucionales cuando el órgano decisor no suspende el juicio oral, siempre que motive razonadamente esta decisión[77]. A ese efecto el Tribunal deberá valorar las circunstancias concurrentes referentes no sólo a la importancia de la prueba, sino también a la posibilidad de practicarla dentro del tiempo durante el que se puede prolongar la suspensión del juicio.

> «No todo juicio de pertinencia, formulado por el Tribunal a la vista de la propuesta probatoria de cada una de las partes, mantiene su vigencia por encima de cualquier otra consideración. El desarrollo de las sesiones del plenario y el contenido que ofrezcan otras pruebas ya practicadas, puede desplegar una influencia incuestionable en la valoración del Tribunal acerca de la conveniencia de suspender el juicio oral ante la incomparecencia de una testigo. El juicio de pertinencia sobre una determinada prueba, propuesta como tal en el escrito de conclusiones provisionales, puede resultar luego variado a la vista del desarrollo del resto de la actividad probatoria. Y es que no es idéntica la posición del Tribunal en el momento inicial de la declaración de pertinencia y la que luego le permite valorar la necesariedad de una declaración inicialmente aceptada. En el presente caso, consta que la testigo Antonio se hallaba en paradero desconocido. La suspensión *sine die* del procedimiento, hasta que aquélla fuera localizada por los agentes de policía o tuviera por bien presentarse, supondría una erosión mayor en el contenido material de otros derechos que también convergen en el proceso penal, cuyo sacrificio sólo puede justificarse cuando concurran circunstancias excepcionales que, en el caso que nos ocupa, desde luego, no se evidencian. Es más, la explicación que da el recurrente para justificar la procedencia de aquella declaración, refuerza la corrección del criterio de la Sala». STS Sala Segunda, de lo Penal, Sentencia 249/2008 de 20 May. 2008, Rec. 10983/2007. Ponente: Marchena Gómez, Manuel. LA LEY 68707/2008.

Teniendo en cuenta el principio apuntado de excepcionalidad el Tribunal deberá atender a dos criterios:

---

(76) «La Audiencia denegó en dos oportunidades la citación del único testigo que no es policía. Primeramente en la Providencia de 2-12-1998, en la que la denegación se motivó en el carácter preclusivo de la proposición de prueba, argumento reiterado en el auto de 2-1-1999, al desestimar el recurso de queja. Al inicio del juicio oral el Tribunal "a quo" denegó nuevamente la propuesta del testigo, apoyando su decisión en que el testigo no estaba a su disposición (ver acta del juicio, folio 42).Las decisiones del Tribunal "a quo" sobre el ofrecimiento del testigo infringen, en primer lugar, el principio de proporcionalidad. En efecto, en un caso en el que de la instrucción surge con claridad que sólo hay un testigo, fuera de los policías que intervinieron en la detención del acusado, la pérdida de esta prueba por un error manifiesto del Defensor constituye una sanción procesal extraordinariamente grave para una omisión que, sustancialmente podía ser subsanada sin ningún trastorno que pudiera demorar la celebración del juicio». STS Sala Segunda, de lo Penal, Sentencia 995/2001 de 1 Jun. 2001, Rec. 3134/1999; Ponente: Bacigalupo Zapater, Enrique. LA LEY 5088/2001.

(77) Ver SSTC 116/83, de 7 diciembre; 17/84, de 7 febrero; 48/84, de 4 abril, y 55/84, de 7 mayo.

1º) Que la prueba sea necesaria, ya que si no lo es el Tribunal puede declararse suficientemente informado y no proveer a la suspensión. En este caso, si los testigos han declarado ya en la fase de instrucción podrá procederse a la lectura de su declaración de conformidad con lo previsto en el art. 730 LECrim[78]. Procederá la suspensión si el testigo no hubiese declarado en la fase instructora; su declaración fuese necesaria; y no hubiese comparecido por motivos no imputables al proponente[79].

2º) La conducta procesal de la parte con relación a la petición de la prueba o a su práctica. No cabe acceder a la suspensión del juicio cuando la incomparecencia del testigo fuese imputable a la parte, lo que se deberá deducir de su conducta procesal. Por ejemplo, no se acordará la suspensión del juicio cuando se solicite la declaración de un testigo, una prueba pericial o de cualquier otra clase en el trámite de cuestiones previas sin disponer del perito o el testigo para practicarla (es por ello que el art. 786.2 LECrim se refiere a la admisión de pruebas en el trámite de cuestiones previas: «que se propongan para practicarse en el acto».

La suspensión podrá prolongarse hasta un límite máximo de treinta días conservando su validez los actos realizados, salvo cuando la suspensión se deba a la sustitución del Juez o miembro del Tribunal que regula el art. 746.4. En este caso, se pretende que se vuelva a practicar toda la prueba ante el juzgador que deba fallar, ya que a éste le corresponderá valorar la prueba en conciencia (art. 788.1 LECrim). La previsión de un plazo preclusivo para la reanudación del juicio, con el efecto en caso contrario de nulidad de lo actuado, se fundamenta en el principio de concentración que determina que la prueba directamente inmediada por el tribunal deba realizarse conjunta y sucesivamente en un período de tiempo razonable con la finalidad que pueda procederse a su valoración con la garantía que el Tribunal pueda extraer la consecuencias y realizar las inferencias oportunas entre las distintas pruebas practicadas. De otro modo, transcurrido un tiempo excesivo entre la práctica de las diferentes

---

(78) «El derecho a la prueba no es absoluto e incondicionado, ni desapodera al Tribunal de su facultad de valorar la pertinencia y necesidad de las propuestas (Sentencia del Tribunal Supremo de 6 de noviembre de 1990 y Sentencias del Tribunal Constitucional 59/1991 y 206/1994. Cuando se solicita a través de un cauce excepcional, su denegación en uso de las facultades del Tribunal para determinar lo que es o no "admisible" en función de su pertinencia, necesidad, dilaciones que pueda ocasionar, respeto a los derechos e intereses de las demás partes y de los propios testigos o peritos afectados, no puede considerarse vulneradora de aquel derecho. En el caso presente la denegación fue razonable dado su carácter excepcional, la imposibilidad de práctica inmediata y la naturaleza de la misma. No se constata tampoco que en ningún caso la prueba era tan decisiva que la resolución final del proceso hubiera sido distinta si se hubiera practicado (Sentencia del Tribunal Supremo 276/1996 de 2 de abril, Sentencias del Tribunal Constitucional 116/1983 y 51/1985 y Sentencia del Tribunal de Derechos Humanos de 7 de julio de 1989 (Caso Bricmont)». STS Sala Segunda, de lo Penal, Sentencia 916/2000 de 29 May. 2000, Rec. 817/1999; Ponente: Aparicio Calvo-Rubio, José. LA LEY 8992/2000.

(79) «... En este caso, la indefensión consiste en un impedimento del derecho a alegar y a demostrar en el proceso los propios derechos y, en su manifestación más trascendente, es la situación en la que se impide a una parte, por el órgano judicial, en el curso del proceso, el ejercicio del derecho de defensa, privándole de su potestad de alegar y, en su caso, justificar sus derechos e intereses para que le sean reconocidos, o para replicar dialécticamente las disposiciones contrarias en el ejercicio del indispensable principio de contradicción...». (STC 25/96, de 13 febrero).

pruebas el Tribunal tendrá más dificultades para obtener una representación conjunta y completa de los hechos, lo que puede incidir en una mayor dificultad para realizar la actividad juzgadora.

«La previsión legal establecida en el art. 793.4 LECrim está fundada en la necesidad de señalar un límite razonable que permita conservar la validez de lo actuado en caso de suspensión del juicio, de suerte que, cuando la reanudación de éste tenga lugar después de los treinta días de la suspensión, la prueba ya practicada debe repetirse, pues —como sostiene la doctrina científica— la valoración jurisdiccional debe realizarse sobre el resultado conjunto de la actividad probatoria en términos tales que no vacíen de contenido el principio de concentración procesal, que correría un grave riesgo de ser quebrantado si el Tribunal valora una prueba practicada meses atrás, prescindiendo de las ventajas de una inmediación diluida y olvidada por el transcurso del tiempo». STS Sala Segunda, de lo Penal, Sentencia 520/2001 de 26 Mar. 2001, Rec. 1348/1999; Ponente: Ramos Gancedo, Diego Antonio. LA LEY 4719/2001.

Este plazo resulta en muchos casos insuficiente. Así, en el caso de enfermedad del acusado o su defensor, o cuando deba practicarse nueva prueba como consecuencia de relevaciones o retractaciones inesperadas. Nótese, que la suspensión del juicio oral en el procedimiento por delitos graves no se halla sometido a plazo alguno (arts. 747 a 749 LECrim) (véase sobre la suspensión del juicio en procedimiento ordinario el § 4.6 del Capítulo XV). Es por ello que en casos que la jurisprudencia ha definido como de causa justa (una enfermedad, un accidente) se mantendrá la validez del juicio oral.

«Es cierto que desde el 3 de noviembre al 23 de diciembre de 2014 transcurrieron 34 días hábiles, excediéndose del plazo previsto en el art. 788 de la Ley de Enjuiciamiento Criminal (LA LEY 1/1882); cómputo realizado conforme dispone el artículo 185 de la LOPJ (LA LEY 1694/1985) que dispone que en los plazos señalados por días quedarán excluidos los inhábiles y el artículo 182 que establece que son inhábiles los sábados y domingos. No obstante, hay que tener en cuenta que en el presente supuesto la demora en la continuación del Juicio Oral vino sobradamente justificada por la intervención quirúrgica a que fue sometida la letrada que ostentaba la defensa de uno de los ahora apelantes, Lorena, no habiendo concretado, por otra parte, los recurrentes que hecho, circunstancia omitida o errónea interpretación se ha producido por el transcurso de esos escasos 4 días que exceden del plazo legal, provocando su indefensión; que en todo caso es exigido que concurra conforme a lo dispuesto en el art. 238.3º de la Ley Orgánica del Poder Judicial (LA I FY 1694/1985) para poder declarar la nulidad de actuaciones, que tiene siempre carácter excepcional. En la STS 581/2000, de 7 de abril (LA LEY 8284/2000), se afirma incluso que la ineficacia sobrevenida de las pruebas practicadas en el juicio suspendido por la reanudación de la vista fuera del plazo máximo de treinta días debe entenderse condicionada a la posibilidad de un error en la valoración probatoria. Y en el caso enjuiciado tampoco consta que tras el planteamiento de la cuestión por parte de las letradas defensoras se emitiera protesta ante la denegación de la de suspensión por tal causa solicitada, por la Juzgadora penal. La Jurisprudencia ha mantenido la validez del Juicio Oral en casos similares al presente, como en la Sentencia del Tribunal Supremo núm. 97/2010 de 10 de febrero, rec. 1356/2009 (LA LEY 1553/2010) en la que se afirma que "Aunque las suspensiones, en su cómputo total, superaron el plazo de 30 días, en atención a la incomparecencia por enfermedad de un testigo de cargo, aquellas estaban justificadas" . Y deniega la nulidad solicitada, en cuando "a) Es cierto que se produjo una doble suspensión del juicio oral y si bien cada una de ellas individualmente consideradas (del 12.1 al 4.2.2009 y del 4.2 al 23.2.2009) respetó el plazo del art. 788.1 LECrim (LA LEY 1/1882), en su cómputo total se excedió en 12 días, pero existió justificación para las suspensiones, cual fue en la primera la incomparecencia de una testigo de cargo, art. 746.3 LECrim (LA LEY 1/1882). de indudable relevancia para la causa, y en la segunda, que suponía dilatar las sesiones más de 30 días, los problemas físicos de la testigo derivados de su embarazo, justa causa que posibilitaría la aplicación de lo dispuesto en el art. 202 LECrim (LA LEY 1/1882) (ver STS 969/00 (LA LEY 1720/2001) de 27.7)"; precepto éste último que establece: "Serán improrrogables los términos judiciales cuando la Ley no disponga expresamente lo contrario. Pero podrán suspenderse o abrirse de nuevo, si fuere posible sin retroceder el juicio del estado en que se halle cuando hubiere causa justa y probada. Se reputará causa justa la que hubiere hecho imposible dictar la resolución o practicar la diligencia judicial, independientemente de la voluntad de quienes hubiesen debido hacerlo"». SAP de Valencia, Sección 3ª, Sentencia 19/2017 de 11 Ene. 2017, Rec. 1855/2016. Ponente: Melero Villacañas-Lagranja, María del Carmen. LA LEY 3622/2017.

Otra solución que se puede utilizar, ante el breve plazo de treinta días previsto en la Ley, es no dar inicio al juicio oral. Así, en el caso de que antes de iniciar el juicio se conozca de una causa que determine la suspensión por un plazo presumiblemente superior al de treinta días previsto para la suspensión del juicio, puede decretarse la suspensión del señalamiento hasta otra fecha determinada o determinable en resolución posterior (véase art. 188 LEC). En el caso que se adopte el mismo día del juicio se oirá a las partes en comparecencia y se adoptará la decisión de suspensión, sin abrir en ningún momento el juicio oral, ya que en ese caso operaría la limitación temporal expresada. Por ejemplo en el caso que al dar inicio al juicio oral no compareciere el acusado y no procediera seguir el juicio en ausencia, no se dará inicio al juicio, sino que se celebrará comparecencia en la que se decretará la suspensión del señalamiento y nueva citación o, en su caso, la busca y captura del acusado para su comparecencia en el acto del juicio que se deberá señalar una vez sea hallado y esté a disposición del Tribunal. Finalmente existe otra posibilidad que consideramos perfectamente legal y relativamente frecuente en la práctica forense que consiste en suspender el juicio y señalar en el mismo acto el día en el que se crea que se puede practicar la prueba que falta por practicar aunque el tiempo que deba transcurrir para ello sea superior a treinta días. Para que no exista ninguna clase de impedimento, vicio o nulidad procesal habrá que contar con la conformidad de todas las partes que firmarán la resolución citando a juicio el día escogido a tal efecto, sin que en ese caso proceda ninguna clase de nulidad, siempre que el lapso temporal sea razonable en función de las circunstancias.

En cualquier caso, la nulidad indirectamente establecida por la Ley para los actos de prueba, realizados con anterioridad y una vez transcurrido el plazo de treinta días no sería la de pleno derecho, prevista en el art. 238 LOPJ, ya que para que fuere así debe alegarse y producirse indefensión a la parte. Así lo ha entendido, acertadamente, la jurisprudencia que ha declarado que no se produce nulidad en el caso que la defensa del acusado dé su conformidad a la suspensión de la vista y a su reanudación en fecha posterior al máximo autorizado por el art. 788.1 LECrim.

«B) En el caso de autos, se celebró la primera sesión del acto del juicio oral el día dos de septiembre, al que no acudieron dos de los acusados y dos testigos, por lo que se acordó la suspensión del acto sin que conste oposición de la defensa del recurrente. Por la Sala de instancia se acordó la detención de los acusados no comparecidos para ser presentados en la fecha del nuevo señalamiento y la citación de los testigos, librándose los oportunos despachos, y ante las infructuosas gestiones para averiguar el domicilio de un testigo, se dio traslado a las partes, y se acordó citarle por medio de cédula de citación publicada en el «Boletín Oficial de la Comunidad Autónoma». Finalmente se celebró la continuación del juicio oral el día 21 de diciembre, sin que por ninguna de las defensas se hiciera constar protesta o manifestación alguna, constando en el acta que «Preguntadas las partes si tienen algo que alegar dicen que no...». Lo anterior evidencia la manifiesta ausencia de fundamento del motivo invocado, pues la parte, además de no mostrar el posible efecto en su posición procesal, ni el objeto de celebrar un nuevo juicio a excepción de este motivo», en la continuación del juicio oral no hizo constar su disconformidad con tal decisión, aquietándose a la decisión del Tribunal de dar plena validez a lo ya realizado, por lo que el motivo incurre en la causa de inadmisión del artículo 885.1° de la LECrim ATS 8 de marzo de 2000. Véase también STS de 29 marzo 1999.

En consecuencia, deben valorarse las circunstancias concretas del asunto de que se trate analizando: a) si la decisión del Tribunal de reanudar la vista transcurridos más de treinta días se justificó por la total y absoluta indisponibilidad de días y horas hábiles, lo que justificaría hacer un señalamiento fuera del plazo máximo autorizado con base en el art. 202 LECrim. b) la conducta de las partes; y en caso de considerar que se produce infracción de forma causante de indefensión deben ponerlo así de manifiesto mediante los recursos a su alcance o, en su caso, formulando protesta.

B)   Resolución de las cuestiones planteadas

El Tribunal resolverá las cuestiones planteadas oyendo a todas las partes personadas, en virtud del principio de contradicción que rige en el juicio oral. El art. 786.2 LECrim establece, en relación con la resolución de las cuestiones antes indicadas, que: *«El Juez o Tribunal resolverá en el mismo acto lo procedente sobre las cuestiones planteadas»*. En consecuencia, la norma general, en virtud de los principios de oralidad y concentración que inspiran el desarrollo del acto del juicio, será que el Tribunal resuelva estas cuestiones «in voce», documentándose en el acta levantada por el Letrado de la administración de justicia (STS 24 febrero 1995). Pero, nada obsta para que el Tribunal difiera su decisión y dicte auto posterior al juicio oral y anterior a la sentencia definitiva.

«Si bien este Tribunal de casación ha dictado resoluciones en diferentes sentidos sobre la procedencia de resolver las cuestiones previas previstas en el art. 786.2 de la LECr (LA LEY 1/1882) al inicio de la vista oral del juicio o ya en la sentencia que pone fin a la fase de plenario, lo cierto es que la línea interpretativa predominante en la Sala permite ambas opciones, debiendo atenderse al caso concreto y a la índole de la cuestión suscitada; de modo que en los supuestos en que no resulte imprescindible la práctica de prueba para adoptar una decisión sobre la cuestión planteada, sí cabe que se decida sobre ella al inicio de la vista oral, dejando en cambio la decisión para sentencia cuando fuera precisa la práctica de prueba para conocer sobre el problema suscitado. Es más, el art. 786.2 de la LECr (LA LEY 1/1882) dispone que el Tribunal resolverá en el mismo acto sobre las cuestiones planteadas, otorgando así prioridad a la resolución de la cuestión con anterioridad al momento de la sentencia, siempre que ello resulte factible». STS Sala Segunda, de lo Penal, Sentencia 1048/2013 de 19 Sep. 2013, Rec. 345/2013; Ponente: Jorge Barreiro, Alberto Gumersindo. LA LEY 148697/2013.

O, finalmente, que resuelva la cuestión en la sentencia definitiva que ponga fin al proceso[80]. Sin que en este último caso sea necesario que en la sentencia definitiva se reitere la resolución motivada de la cuestión, cuando ya conste en el Acta del juicio o en auto aparte.

«La sentencia no resuelve las cuestiones de nulidad alegadas por la defensa del acusado en el trámite preliminar de la vista oral. El motivo no puede ser acogido. Examinada el Acta oficial del Juicio Oral, se constata que el Tribunal de instancia dio cumplida respuesta, con los razonamientos jurídicos oportunos, a las cuestiones de nulidad aducidas y que se recogen por el actuario en el documento que firmaron de conformidad las partes procesales. El hecho de que en la sentencia no se repitan los pronunciamientos de la Sala al respecto, efectuados "in voce" no empece la realidad de que las alegaciones del Letrado defensor fueran resueltas por el Tribunal ante el que se plantearon con literal constancia en el acta y conocimiento por aquél de las resoluciones adoptadas, cumplimentándose de este modo la obligación establecida en el art. 793.2 LECrim consistente en que "el Tribunal resolverá en el mismo acto lo procedente sobre las cuestiones planteadas"». STS Sala Segunda, de lo Penal, Sentencia 87/2002 de 28 Ene. 2002, Rec. 254/2000; Ponente: Ramos Gancedo, Diego Antonio. LA LEY 21441/2002.

La decisión que adopte el Tribunal en orden a la resolución de la alegación planteada dependerá, en definitiva, de la naturaleza y características de la infracción denunciada, ya que en muchas ocasiones la vulneración denunciada únicamente podrá apreciarse valorando el resto de pruebas prácticas a fin, por ejemplo, de discernir si aquélla debe conducir, o no, a la nulidad de las actuaciones[81]. En cualquier caso, el

---

(80)   «El legislador al regular el procedimiento abreviado ha asegurado la vigencia del principio de concentración suprimiendo la tramitación y resolución separada de los artículos de previo pronunciamiento (art. 666 LECrim) del sumario ordinario, remitiendo las cuestiones al acto del juicio oral (art. 793.2 LECrim) para su resolución concentrada en la sentencia definitiva que resolverá las cuestiones planteadas y el objeto del proceso "integrándose en la resolución final del juicio y dando lugar, en consecuencia, a un único recurso de casación contra la sentencia que engloba la cuestión resuelta en el juicio oral" (STS 18-10-1996, 24-3-2000). El planteamiento de las cuestiones de nulidad no obliga al Tribunal a una decisión inmediata de las cuestiones, pudiendo remitir la decisión sobre su planteamiento a la sentencia pues, en la mayoría de las ocasiones, las cuestiones deducidas van unidas al examen de la presunción de inocencia al comprobar la regularidad de la prueba a tener en cuenta en el enjuiciamiento». STS Sala Segunda, de lo Penal, Sentencia 224/2001 de 12 Feb. 2001, Rec. 1817/1999; Ponente: Martínez Arrieta, Andrés. LA LEY 35150/2001.

(81)   «La Ley de Enjuiciamiento Criminal no impone ninguna forma específica a la resolución judicial preliminar, mediante la cual el Tribunal llamado a enjuiciar una causa decide las cuestiones previas que pueden suscitar las partes al inicio de las sesiones del juicio oral, en el turno inicial de intervenciones que prevé el art. 793.2 LECrim. Existen razones a favor de que la decisión revista forma de Auto, en el sentido que sostiene el demandante de amparo, con apoyo en el art. 245.1 LOPJ. Pero también existen razones a favor de la fórmula adoptada por la Sala, que resolvió de viva voz, con constancia literal en el acta del juicio, las alegaciones de vulneración de derechos fundamentales presentadas entre otros por el Abogado del actor. Forma de resolución in voce que,

contenido de esta decisión no puede separarse de la sentencia que definitivamente se dicte, ya que ambas resoluciones no pueden ser tratadas como compartimentos estancos que eviten la debida comunicación entre ambas decisiones. Por último, para el supuesto en el que se haya resuelto la cuestión previa en auto independiente, no cabe frente éste otro recurso que el que proceda contra la sentencia. Y especialmente no cabe interponer recurso de casación que sólo cabe frente a los autos a los que se refiere la ley expresamente (art. 848 LECrim).

> «El art. 786.2 LECrim (LA LEY 1/1882) prevé expresamente un trámite de cuestiones previas en el que se contempla específicamente la posibilidad de que las partes puedan proponer nuevas pruebas para ser practicadas en el acto, y se añade además que contra la decisión que al respecto adopte el juez o Tribunal en ese acto no cabe recurso alguno sin perjuicio de la pertinente protesta y de que la cuestión pueda ser reproducida en el recurso que se interponga en su caso contra la sentencia». STS Sala Segunda, de lo Penal, Sentencia 703/2011 de 28 Jun. 2011, Rec. 2067/2010; Ponente: Saavedra Ruiz, Juan. LA LEY 105329/2011.

5.5. Conformidad del acusado en el momento de la celebración del juicio oral

Abierto el juicio oral, el art. 787 LECrim prevé la posibilidad de conformidad del acusado con el escrito de acusación que contenga pena de mayor gravedad. Con la conformidad el acusado reconoce los hechos y acepta la pena para ellos pedida por la acusación renunciando a la celebración de juicio y a la posibilidad de defenderse. De este modo, se produce en el proceso el efecto propio de una confesión, con la consecuencia de inimpugnabilidad de la sentencia dictada en los términos acordados. Por esa razón, la ley somete el acuerdo al control del Tribunal a fin de garantizar la correcta aplicación de la ley y los principios de aplicación en el proceso penal que no pueden mantenerse al margen porque exista pacto entre las partes. Véanse sobre la conformidad en este momento procesal M. 143 y 144. Esta posibilidad de poner fin al proceso mediante la conformidad puede producirse, como se ha expuesto, con anterioridad ya sea reconociendo los hechos (art. 779.5 LECrim) o bien en la calificación (art. 784.3 LECrim)[82]. Sin embargo, cabe señalar que es en este momento

---

al no tratarse de sentencia, no requiere una autorización legal específica (arts. 245.2 y 247 LOPJ). Y que, como indica el Ministerio Fiscal, ha sido admitida, como una solución posible entre varias, por la jurisprudencia del Tribunal Supremo, como muestran las Sentencias de 18 de noviembre de 1991 y de 24 de febrero de 1995, cuyo fundamento jurídico 1.º.1 afirma que "el debate preliminar que introdujo el procedimiento abreviado tiene una naturaleza semejante, aunque no idéntica, a la de los artículos de previo pronunciamiento, pero dotado de una amplitud de posibilidades que van desde la vulneración de derechos fundamentales hasta cuestiones de competencia. La decisión que se adopte no tiene por qué constar necesariamente en forma de auto, pudiendo revestir la forma de un simple Acuerdo debidamente documentado en las actuaciones"». STC 41/1998 de 24 de febrero.

(82) Vid. ORTELLS, «El nuevo procedimiento penal», *Justicia*, 1989, p. 557; ALMAGRO, *El nuevo proceso penal*, Valencia, 1989, pp. 139 y ss.; ZARZALEJOS, en DE LA OLIVA y otros, *Nuevos Tribunales y nuevo proceso penal*, Madrid, 1989, pp. 185 y ss.; FAIRÉN, «La conformidad del sujeto pasivo en el procedimiento de la Ley 7/88», *Justicia*, 1989, p. 7; Idem, «Finalización del proceso: negociaciones y conformidades del sujeto pasivo del proceso penal con el Ministerio Fiscal», *Estudios de Derecho Procesal Civil, Penal y Constitucional*, vol. III, La reforma procesal penal (1988/1992), Madrid, 1992; DE LA OLIVA, «Sobre la conformidad del imputado y la negociación»,

procesal en el que se producen la mayoría de las conformidades en el proceso penal abreviado[83].

La conformidad en el proceso penal es una expresión derivada del principio de consenso u oportunidad. La conformidad supone la finalización del proceso, tras la negociación y acuerdo de las partes sobre la acusación y la pena. Debe distinguirse la conformidad prevista en nuestro derecho procesal penal de otros sistemas de consenso previstos en el sistema del «common law», como el «guilty plea» anglosajón o el «plea bargaining» estadounidense. La diferencia más clara es que en el sistema español de conformidad, a diferencia de los sistemas expuestos no se produce, al menos teóricamente, una transacción jurídico procesal entre el acusado y la acusación. En nuestro sistema, la conformidad se otorga frente a la pena más alta solicitada por la acusación y se manifiesta como un acto procesal y unilateral de la defensa del acusado que reconoce y acepta la pena solicitada por la acusación. La «ratio legis» de esta institución procesal se ampara en razones de oportunidad y economía procesal. Se pretende evitar la celebración del juicio oral, que es la fase más compleja y dilatoria del proceso penal.

«Con independencia de las distintas posturas doctrinales sobre la naturaleza jurídica de la conformidad, en este sentido recordar con la STS 12-7-2006, n.º 778/2006, "que la STS 17.6.91, consideró la conformidad una institución que pone fin al proceso basándose en razones utilitarias o de economía procesal. La conformidad significaría un allanamiento a las pretensiones de la acusación pero sin llegar a su equiparación total y a sus estrictas consecuencias, por cuanto hay que reconocer que en el proceso civil rige el principio dispositivo y la verdad formal, mientras que en el proceso penal prepondera el de legalidad y el indisponibilidad del objeto del proceso, siendo la búsqueda de la verdad material a la que se orienta este proceso, otras opiniones entienden que la debatida figura pugna con el principio conforme al cual nadie puede ser condenado sin ser previamente oído y defendido, aunque lo cierto es que si pudo defenderse y ser oído, renunciando a ello porque quiso, admitiendo y confesando su culpabilidad; si bien la conformidad supone que el hecho sea "aceptado" como existente ello no implica que se trate de una verdadera confesión y por tanto, de una actividad probatoria como sería el interrogatorio del acusado.../... la conformidad es una declaración de voluntad de la defensa, que no constituye

---

Rev. J. Región de Murcia, 1991, n.º 13; DE DIEGO DÍEZ, «El control judicial de la conformidad», PJ, n.º 23, p. 33; FERNÁNDEZ ENTRALGO, «Justicia a cien por hora. El principio de consenso en el procedimiento abreviado», Justicia, 1992, p. 47; GIMENO SENDRA, «La nueva regulación de la conformidad», La Ley, 1990-3, p. 977; BARONA VILAR, S., «Algunas reflexiones en torno al instituto de la conformidad en el proceso penal», La Ley, n.º 3621, 1994; MARTÍN Y MARTÍN, «Conformidad y sentencia en el Proceso Penal», Actualidad Penal, n.º 8, 1992; PUENTE SEGURA, L., La conformidad en el proceso penal español, Madrid, 1994.

(83) Las razones son varias. Entre ellas la esencial las de tipo práctico, ya que a la defensa del acusado le es más favorable pactar antes del juicio oral con el Fiscal que directamente va a ejercer la acusación pública en el juicio, ya que con anterioridad el principio de unidad de actuación de la Fiscalía dificulta la consecución de un acuerdo antes del juicio pues el fiscal que actué en la instrucción no será, probablemente, el mismo que actué en el juicio oral. Por otra parte, a la defensa siempre le resultará más ventajoso esperar hasta el inicio del juicio y valorar en ese momento las posibilidades de la acusación de probar los cargos y del acusado de poder probar en el juicio las circunstancias que puedan acreditar la coartada o atenuantes que pueda plantear en el proceso.

confesión, porque lo contrario pugnaría con el art. 24.2 CE (LA LEY 2500/1978) que recoge el derecho a no confesarse culpable, y se considera que la conformidad constituye una clara consecuencia de la admisión del principio de oportunidad que podrá reportar al acusado substanciales ventajas materiales derivadas de una transacción penal. Entendiéndose por ello que no debe hablarse de la existencia de un pacto subyacente entre las partes —dada la indisponibilidad del objeto del proceso penal— y lo que hay es una concurrencia de voluntades coincidentes. En definitiva, la conformidad no sería una institución que operase sobre el objeto del proceso, sino sobre el desarrollo del procedimiento, posibilitando obviar el trámite del juicio oral"». STS Sala Segunda, de lo Penal, Sentencia 752/2014 de 11 Nov. 2014, Rec. 504/2014; Ponente: Monterde Ferrer, Francisco. LA LEY 161482/2014.

El art. 787.1 LECrim dispone que la conformidad se producirá a instancia de la defensa, estando presente y conforme el acusado, y tendrá lugar antes de iniciarse la práctica de la prueba. Sin embargo, nada obsta y es más conveniente que se plantee de inicio antes del turno de intervenciones para las cuestiones previas, ya que de producirse la conformidad será innecesario plantear cuestión previa alguna. Los requisitos legalmente exigidos para que pueda producirse la conformidad están previstos en el art. 787.1 LECrim. son los siguientes:

a) La conformidad se produce con el escrito de acusación que contenga la pena de mayor gravedad, en caso que esté personada más de una acusación.

«La viabilidad de la conformidad —en aquellos supuestos en los que la ley lo autoriza— está subordinada a que se acepte la pena más grave de las solicitadas por las acusaciones (cfr. arts. 689 (LA LEY 1/1882), 787.1 (LA LEY 1/1882), 784.3 LECrim (LA LEY 1/1882)). La acusación particular, en definitiva, no es en nuestro sistema una parte activa ajena al expediente de la conformidad. La no rebaja por la defensa de la víctima del tope cuantitativo de la pena solicitada, no es un acto procesal de insolidaria intransigencia. Antes al contrario, forma parte del legítimo ejercicio de las facultades que su estatuto procesal le confiere». STS Sala Segunda, de lo Penal, de 25 Sep. 2013, Rec. 10426/2013. Ponente: Marchena Gómez, Manuel. N.º de Sentencia: 767/2013. LA LEY 155862/2013.

b) Este escrito será el que contiene la calificación provisional, o el que se presente en el acto que sustituirá al anterior. El nuevo escrito de acusación presentado en el acto del juicio podrá contener unas conclusiones distintas a aquellas que motivaron la apertura del juicio oral. Ahora bien, no puede referirse a hecho distinto ni contener calificación más grave de la que contenía el originario escrito de acusación.

c) La pena solicitada no puede exceder de seis años de prisión, sin que exista límite para penas de distinta naturaleza. Este límite establecido legal y expresamente en el art. 787.1 LECrim para el procedimiento abreviado también opera en el procedimiento ordinario por delitos graves.

«La jurisprudencia de esta Sala ha interpretado, atendiendo al sentido histórico de la pena correccional y a lo dispuesto en el art. 787.1 de la LECrim (LA LEY 1/1882), que el juicio de conformidad ha de moverse, en todo caso, en un límite de pena inferior a 6 años de prisión (cfr. STS 938/2008, 3 de diciembre y Circular 2/1996 de la Fiscalía General del Estado). Las penas solicitadas por el Fiscal y la acusación particular hacían inviable, por tanto, cualquier acuerdo que permitiera un desenlace consensuado entre las partes, como expresión de una justicia pactada que, por su propia naturaleza, es inidónea para el enjuiciamiento de delitos de especial gravedad, como el que iba a ser objeto de enjuiciamiento». STS Sala Segunda, de lo Penal, de 25 Sep. 2013, Rec. 10426/2013. Ponente: Marchena Gómez, Manuel. N.º de Sentencia: 767/2013. LA LEY 155862/2013.

No cabe eludir el límite legal de seis años, ni en abreviado ni en procedimiento por delitos graves, mediante una conformidad pactada y ratificada en una suerte de aparente juicio oral. Proceder que el Tribunal Supremo considera contrario al principio de legalidad y a un proceso con todas las garantías.

«El conflicto queda concretado en determinar si nos encontramos ante una sentencia de conformidad, dictada fuera de los límites legales, o ante una sentencia de naturaleza común que se ha pronunciado tras la celebración de un juicio oral ordinario en el que se ha practicado, al menos, un mínimo de prueba de cargo consistente en el interrogatorio del acusado.../... el principio de legalidad procesal no puede ser soslayado, máxime en una materia que puede fácilmente generar indefensión. La conformidad no puede ser clandestina o fraudulenta, encubierta tras un supuesto juicio, puramente ficticio, vacío de contenido y que solo pretende eludir las limitaciones legales. Ha de ser transparente y legal, porque con independencia del criterio más o menos favorable que se sostenga respecto de los beneficios que puede aportar el principio de consenso aplicado al proceso penal, este objetivo no puede obtenerse a través de procedimientos imaginativos o voluntaristas, sino que exige en todo caso el estricto respeto de los cauces y limitaciones legales..../... Ello no tiene porqué excluir, con carácter general, la práctica de aligerar la celebración de la prueba cuando el reconocimiento de los hechos por parte del acusado haga aconsejable evitar la sobrecarga del juicio con prueba redundante o innecesaria. Pero en todo caso debe recordarse que la confesión del acusado ya no es, como en el proceso inquisitorial, la reina de las pruebas, por lo que no exime al Juzgador de practicar las diligencias mínimas necesarias para adquirir el convencimiento de su realidad y de la existencia del delito (art 406 Lecrim (LA LEY 1/1882)), y que no puede confundirse una declaración detallada y minuciosa sobre los hechos, propia de la prueba de interrogatorio del acusado practicada en el juicio oral, con la mera conformidad del acusado respecto de la acusación formulada que, tal y como está diseñada en nuestro proceso, se limita a supuestos de delitos de menor entidad, sin que pueda proyectarse su regulación y efectos a acusaciones graves en perjuicio del derecho de defensa». STS Sala Segunda, de lo Penal, Sentencia 291/2016 de 7 Abr. 2016, Rec. 10692/2015; Ponente: Conde-Pumpido Tourón, Cándido. LA LEY 25460/2016[84].

d) Que el acusado no se halle en rebeldía y esté presente, debiendo mostrar su expresa conformidad a la solicitud, efectuada por la acusación y la defensa, de que el Juez o Tribunal dicte sentencia de conformidad. A este efecto una vez que la defensa manifieste su conformidad, el Letrado de la administración de justicia informará al acusado de sus consecuencias y a continuación el Juez o Presidente del Tribunal le requerirá a fin de que manifieste si presta su conformidad. Si el Tribunal tuviere dudas sobre el libre consentimiento, y/o las consecuencias de la conformidad prestada por el acusado, podrá ordenar la continuación del juicio (art. 787.4 LECrim). También

---

(84) En el mismo sentido la STS Sala Segunda, de lo Penal, Sentencia 808/2016 de 27 Oct. 2016, Rec. 10213/2016; Ponente: Sánchez Melgar, Julián. LA LEY 151035/2016.

prevé la Ley que el Tribunal pueda ordenar la continuación del juicio cuando, no obstante la conformidad del acusado su defensor lo considere necesario y el Tribunal estime fundada su petición[85].

Presupuestos estos requisitos la conformidad se producirá en comparecencia ante el Juez pudiendo aportarse la modificación de las calificaciones provisionales por escrito o bien «in voce» documentándose en el acta, siendo lo relevante que el acusado preste su libre consentimiento debidamente asesorado por su abogado. La conformidad prestada debe ser libre, voluntaria y absoluta, sin que pueda someterse a condición, plazo o limitación alguna. Incluye, por tanto, las consecuencias accesorias de la pena.

> «Dicha conformidad, como dice la Sentencia de 1 de marzo de 1988, resumiendo la doctrina de esta Sala, para que surta sus efectos, ha de ser necesariamente "absoluta", es decir, no supeditada a condición, plazo o limitación de cosa alguna; "personalísima", o, dimanante de los propios acusados o ratificada por ellos personalmente y no por medio de mandatario, representante o intermediario; "voluntaria", esto es, consciente y libre; "formal", pues debe reunir las solemnidades requeridas por la ley, las cuales son de estricta observancia e insubsanables; "vinculante", tanto para el acusado o acusados como para las partes acusadoras, las cuales una vez formuladas, han de pasar tanto por la índole de la infracción como por la clase y extensión de la pena mutuamente aceptada e incluso para las Audiencias, salvo en los casos antes expresados». STS Sala Segunda, de lo Penal, Sentencia 752/2014 de 11 Nov. 2014, Rec. 504/2014; Ponente: Monterde Ferrer, Francisco. LA LEY 161482/2014.

No vinculan al Juez o Tribunal las conformidades sobre la adopción de medidas protectoras en los casos de limitación de la responsabilidad penal, ya que corresponde al órgano jurisdiccional su adopción, dada su naturaleza correctora y de prevención especial (art. 787.5 LECrim). Respecto a los efectos de la conformidad sobre las responsabilidades civiles derivadas del hecho punible nada prevé la regulación del procedimiento abreviado. Ante el silencio legal deberá acudirse, por su carácter supletorio, a los arts. 655 y 695, para el supuesto de que no se conformara el acusado con la responsabilidad civil, en los que se dispone la continuación del juicio a los efectos de debatir exclusivamente aquella responsabilidad.

---

(85) Esta posibilidad ha sido objeto de crítica en el Informe del CGPJ a la proposición de Ley considerando poco adecuado un rechazo del Tribunal a la conformidad con base en la existencia de: "dudas" que considera el informe un concepto poco claro, y que en todo caso deberían ponerse de manifiesto cuando la defensa pidiera la no continuación del juicio. Sin embargo, a nuestro juicio este precepto es plenamente acertado y trae causa de la circunstancia usual en la práctica forense en la que el acusado, sin pretender una conformidad, declara al tribunal estar conforme con los hechos que fundamentan la acusación y leídos al inicio del juicio, o bien se confiesa autor del delito, sin alcanzar a comprender la consecuencia de su declaración. Ya sea por ignorancia o bien por estar conforme con los hechos pero atribuyéndoles otra consecuencia jurídica. En definitiva, en esos supuestos en los que en realidad lo que se pretende no es una conformidad el tribunal debe ordenar la continuación del juicio, para lo cual se dirigirá al abogado del acusado requiriéndole del siguiente modo "si a pesar de la confesión de su defendido considera necesaria la continuación del juicio". De esta forma se garantiza la plena libertad en el consentimiento mediante la intervención del abogado que debe avalar y garantizar la conformidad del acusado.

«Ciertamente ello es predicable en cuanto a la sanción penal, pero si, pese a ello, se manifiesta discrepancia sobre la pretensión de declaración de responsabilidad civil, ha de estarse en este tipo de procedimiento, según deriva del artículo 758, a lo dispuesto en el 695, ambos de la Ley de Enjuiciamiento Criminal (LA LEY 1/1882). Es decir que la continuación del juicio y la "discusión y producción de pruebas se concretarán al extremo relativo a la responsabilidad civil no admitida" por el acusado». STS Sala Segunda, de lo Penal, Sentencia 448/2015 de 22 Jun. 2015, Rec. 2384/2014; Ponente: Varela Castro, Luciano. LA LEY 99794/2015.

Si el acusado se conformase también con la responsabilidad civil solicitada y existiera algún responsable civil subsidiario o aseguradores voluntarios procederá: a) En caso de producirse la conformidad en el trámite de calificaciones —art. 784.3º—, se les notificará tal conformidad por si quieren hacer uso de su defensa y les interesa la continuación del proceso, por aplicación analógica del art. 695. b) En caso de producirse la conformidad en el acto del juicio oral podrán aquellos que estuvieran personados, instar la continuación del proceso —art. 695—; y si no estuviesen personados se entenderá precluido su derecho, y se procederá a dictar sentencia de conformidad, de acuerdo al art. 787.1.º LECrim. (Ver M. 144).

No es aceptable en ningún caso en el «procedimiento» de conformidad la intervención en ningún caso del Tribunal, ya sea para invitar a las partes a llegar a un acuerdo, ya sea para aconsejar al acusado tomar una u otra opción o, en fin, realizar alguna clase de intervención de promoción o favorecimiento de un acuerdo negociado. Desgraciadamente estas conductas se producen en la práctica forense en unos tiempos en los que los Tribunales bregan con un exceso de trabajo que en ocasiones les puede conducir a promover conformidades con excesivo entusiasmo. Actuación que consideramos debe estar proscrita. En el este sentido se pronuncia el Tribunal Supremo. Especialmente contundente es la STS de 25 Sep. 2013 (Rec. 10426/2013. Ponente: Marchena Gómez, Manuel. N.º de Sentencia: 767/2013. La Ley 155862/2013) en la que se advierte que el Tribunal debe mantenerse al margen considerando que él no es actor de la conformidad, sino garante de que ésta reúne los requisitos indispensables (voluntariedad, conocimiento de su trascendencia y corrección de la pena interesada) para ser aceptada y para servir de presupuesto de una condena penal. Es por ello que parece necesario que las conversaciones para tratar de una posible conformidad entre las partes se produzcan a espaldas del Juzgador.

«Sí habría desbordado de forma manifiesta el régimen jurídico de la conformidad la iniciativa del Presidente ofreciendo, por sí mismo, una propuesta de pena al procesado. Tal forma de proceder, de haber acaecido realmente y si hubiera sido acreditada, comprometería gravemente el estatuto constitucional de quien está llamado al ejercicio de la función jurisdiccional. Ni el titular de un órgano unipersonal, ni el Presidente de un órgano colegiado, pueden adoptar iniciativa alguna tendente a ofrecer un acuerdo de conformidad. El órgano judicial no puede sumarse a la iniciativa del Fiscal y de las partes en la búsqueda de una sentencia pactada. Lo impide su condición de tercero imparcial al que la LECrim (LA LEY 1/1882) reserva el trascendente papel de fiscalizar si los términos en que esa conformidad ha sido libremente pactada por acusación y defensa puede resultar homologable (cfr. Arts. 787.3 (LA LEY 1/1882), 4 y 5 y 787.3 LECrim (LA LEY 1/1882)). El órgano jurisdiccional, en fin, no es actor de la conformidad, sino garante de que ésta reúne los requisitos indispensables —voluntariedad, conocimiento de su trascendencia y corrección de la pena interesada— para ser aceptada y para servir de presupuesto de una condena penal. De lo contrario, se subvierte de forma grave el esquema jurídico concebido por el legislador para rodear de garantías tan singular forma de allanamiento en el proceso penal. La intervención del Juez alentando la conformidad y, en su caso, explicando las bondades del acuerdo y las consecuencias negativas de su posible rechazo por el acusado, a buen seguro, ha de generar en éste la lógica desorientación acerca de sus derechos como parte pasiva y de las expectativas de defensa de su inocencia que haya podido abrigar durante la investigación de la causa. Quien ha de apreciar en conciencia las pruebas practicadas en el plenario (art. 741 LECrim (LA LEY 1/1882)) no puede anticipar un velado juicio de culpabilidad, exteriorizando las bondades de un acuerdo por él mismo promovido y cuya viabilidad presupone que un acusado, sin necesidad de juicio, es merecedor de las penas propuestas. Si lo hace, desborda y compromete la necesaria imparcialidad, exponiéndose a la activación de los mecanismos jurídicos previstos para alejar toda sospecha de parcialidad. Es posible que ese activismo del órgano judicial para promover el mayor número de conformidades, no sea ajeno a razones directamente ligadas a la agilización de los procesos a su cargo. Pero ni las cifras estadísticas, ni el mayor o menor grado de entusiasmo profesional en el ejercicio de los deberes del cargo, pueden justificar el grave quebranto del estatuto constitucional del Juez. Las garantías que rigen el proceso penal se difuminan de forma irreparable cuando quien es Juez se convierte en parte, entrometiéndose en la búsqueda de un acuerdo que sólo incumbe a las acusaciones y defensas. El acusado no puede percibir que el mayor interesado en que acepte su propia condena es el Juez inicialmente llamado a valorar las pruebas ofrecidas en su contra. La sugerencia por aquél de cualquier rebaja en la pena pedida con carácter provisional por las partes y la advertencia de los efectos de su rechazo, degradan, todavía más, la debilidad de la posición del ciudadano en el momento en que el Estado actúa el ejercicio del *ius puniendi*». STS Sala Segunda, de lo Penal, de 25 Sep. 2013, Rec. 10426/2013. Ponente: Marchena Gómez, Manuel. N.º de Sentencia: 767/2013. La Ley 155862/2013.

Es por ello que aunque la LECrim nada regule al respecto en el Protocolo 1 de abril de 2009, suscrito entre la Fiscalía General del Estado y el Consejo General de la Abogacía, se señala en el art. 5.3.2 que en el juicio oral: «... *el pacto de conformidad se desarrollará con la sola presencia del Ministerio Fiscal y la defensa del acusado, de forma que se preserve la confidencialidad de la negociación*». No es esto lo que sucede en nuestros Tribunales en los que en los últimos tiempos algunos Tribunales están participando activamente en una promoción de las bondades de la conformidad apoyándola activamente desde la misma oficina judicial. Por ejemplo, se están notificando por parte de los Juzgados de Instrucción citaciones a los acusados con la finalidad de: «*intentar una posible conformidad*». Citación que se contiene en un oficio del Juzgado y en el que se advierte que: «*la citación tendrá naturaleza de citación a juicio oral con todas las advertencias de la ley en caso de incomparecencia*». Sobran las palabras. Se trata de una práctica ilegal e ilícita que ataca no sólo los derechos del sometido al proceso penal, sino los fundamentos de la función jurisdiccional. Esta citación la debería hacer en su caso, aunque sin ninguna clase de advertencia o admonición, la Fiscalía que puede citar, si así lo considera conveniente, por sí misma al acusado y su abogado a una comparecencia con la finalidad de poder llegar a una conformidad. Pero lo que no cabe es convocar a esa comparecencia en un oficio judicial y con las advertencias citadas.

La conformidad de las partes en el proceso vincula al Juez en tanto se cumplan los requisitos legales de modo que el Tribunal debe proceder a dictar sentencia de conformidad con el escrito de acusación (art. 787.1 LECrim). Esta cuestión se aclaró a raíz de la modificación de la conformidad por la Ley 38/2002, que modificó entre otras cuestiones el derogado art. 793.3 de la LECrim que establecía la posibilidad de que el Juez dictará la sentencia que procediera, previa audiencia de las partes, sin atenerse estrictamente a la conformidad pactada y sin perjuicio que en este caso cupiera recurso de apelación o casación. Esta posibilidad ya no cabe conforme con el vigente art. 787 LECrim que dispone que cuando el Tribunal considere incorrecta la calificación o la pena solicitada requerirá a la parte para su modificación volviendo a requerir al acusado al efecto de que preste de nuevo su conformidad. En el supuesto que la parte no accediera a la modificación ordenará la continuación del juicio (art. 787.3 LECrim).

> «En consecuencia se modifica la solución procesal en los supuestos de discrepancia del Juez o Tribunal con la calificación mutuamente aceptada, imponiendo en todo caso la celebración del juicio cuando la parte acusadora no acepte la tesis del Tribunal. En estos casos debe respetarse la facultad de la acusación de practicar en el juicio la prueba pertinente y exponer sin cortapisas su argumentación favorable a la calificación propuesta y aceptada por la defensa, y solo tras la celebración del mismo, puede el Tribunal desligarse de dicha calificación. Pero ya no es legalmente posible dictar sentencia de conformidad, sin celebración de juicio, y modificar la calificación mutuamente aceptada por las partes». STS Sala Segunda, de lo Penal, Sentencia 188/2015 de 9 Abr. 2015, Rec. 1972/2014; Ponente: Conde-Pumpido Tourón, Cándido. LA LEY 35306/2015.

El incidente que se regula en el art. 787.3 LECrim únicamente procederá en el supuesto estricto en el que el tribunal considere que la calificación es incorrecta partiendo obviamente de los hechos admitidos. Ello sucederá en el supuesto que el tribunal considere que se ha producido, por ejemplo, un delito de lesiones del art. 147 CP (seis meses a tres años), y se califica y conforma como un delito del art. 148 CP (agravado, de dos a cinco años); o cuando entienda, por ejemplo, que los hechos admitidos se incardinan en un delito contra la salud pública de sustancias que causan grave daño a la salud del 368 CP (tres a nueve años) y se ha calificado como un delito contra la salud pública de sustancias que no tienen esa cualidad (uno a tres años). También procede este incidente si se produce una conformidad en la que se incluye una pena que no procede legalmente, ya sea por exceso, defecto o por incluir alguna de carácter accesorio no prevista en la Ley. Se trata por tanto de un medio puesto a disposición del tribunal con la finalidad de controlar el principio de legalidad en la imposición de las penas. De modo que en estos supuestos el tribunal deberá requerir a la acusación a presentar escrito de acusación conforme a lo previsto en la ley, con el que deberá conformarse el acusado, ordenando, en caso contrario la continuación del juicio.

En este punto se plantea si el Tribunal puede dictar una sentencia absolutoria o inferior a la conformada. En principio esta posibilidad resultaría posible, teniendo en cuenta la supresión de la redacción legal del derogado 793.3 LECrim que se refería a que el Tribunal debía dictar sentencia de: «*estricta conformidad*» que ha sido sustituida por la referencia simple a la conformidad de la sentencia con el escrito de acusación (art. 787.2 LECrim: «*Si a partir de la descripción de los hechos ...el Juez o Tribunal dictará sentencia de conformidad*»), lo que implica esa posibilidad por la que el Tribunal podría dictar sentencia individualizando la condena según proceda en derecho. Curiosamente lo que ha sucedido es todo lo contrario. Así, la Jurisprudencia anterior a la reforma de 2002 venía entendiendo que el Tribunal no estaba vinculado por la calificación o la penalidad a imponer con base en sus facultades de individualización[86]. Mientras que la jurisprudencia posterior se ha mostrado partidaria de potenciar la conformidad, como medio de concluir el proceso de forma consensuada y: «ha reforzado la vinculación del Juez o Tribunal a la conformidad pactada. Y, en consecuencia, las citas jurisprudenciales anteriores a esta reforma deben entenderse modificadas en la medida en que responden a una normativa legal ya derogada y sustancialmente modificada por la citada reforma legal». (STS Sala Segunda, de lo Penal, Sentencia 188/2015 de 9 Abr. 2015, Rec. 1972/2014; Ponente: Conde-Pumpido Tourón, Cándido. LA LEY 35306/2015).

«La reforma legal operada por la Ley 38/2002, de 24 de octubre (LA LEY 1490/2002), al pretender potenciar la conformidad, como medio de concluir el proceso de forma consensuada, ha reforzado la vinculación del Juez o Tribunal a la conformidad pactada. Y, en consecuencia, las citas jurisprudenciales anteriores a esta reforma deben entenderse modificadas en la medida en que responden a una normativa legal ya derogada, y sustancialmente modificada por la citada reforma legal. La reforma potencia la conformidad como un instrumento para asegurar la celeridad procesal, considerando además, desde la perspectiva de los valores constitucionales, que la obtención del consentimiento del acusado a someterse a una sanción implica una manifestación de su autonomía de la voluntad o ejercicio de la libertad y desarrollo de la propia personalidad proclamada en art. 10.1 de la Constitución (LA LEY 2500/1978), y que el reconocimiento de la propia responsabilidad y la aceptación de la sanción implican una actitud resocializadora que facilita la reinserción social, proclamada como fin de la pena, art. 25.2 CE (LA LEY 2500/1978). Para potenciar la conformidad se ha reforzado la vinculación del Juez o Tribunal a la conformidad pactada. En consecuencia se modifica la solución procesal en los supuestos de discrepancia del Juez o Tribunal con la calificación mutuamente aceptada, imponiendo en todo caso la celebración del juicio cuando la parte acusadora no acepte la tesis del Tribunal». STS Sala Segunda, de lo Penal, Sentencia 188/2015 de 9 Abr. 2015, Rec. 1972/2014; Ponente: Conde-Pumpido Tourón, Cándido. LA LEY 35306/2015.

En consecuencia, conforme con la jurisprudencia vigente del Tribunal Supremo el Tribunal se halla vinculado por las peticiones de las partes cuando la calificación y la pena sean correctas y el acusado aceptare libremente la conformidad. En ese caso, el

---

(86) «Es cierto que resulta admisible el recurso de casación interpuesto contra Sentencias que no respeten los términos de la conformidad de las partes, bien en el relato fáctico, bien en la calificación jurídica o bien en la penalidad impuesta, debiendo recordarse que el Tribunal sentenciador no pierde sus facultades de individualizar la pena en cuantía inferior a la solicitada (Sentencias 4 Dic. 1990, 17 Jun. y 30 Sep. 1991, 17 Jul. 1992, 11, 23 y 24 Mar. 1993), teniendo como límite en cuanto a la penalidad no poder imponer pena más grave que la pedida y conformada (Cfr. STS 27 Abr. 1999)». STS Sala Segunda, de lo Penal, Sentencia 2139/2001 de 15 Nov. 2001, Rec. 4023/1999, Ponente: Sánchez Melgar, Julián. LA LEY 475/2002.

Tribunal está vinculado por la conformidad sin que pueda ni siquiera entrar a valorar si hay motivos para considerar que el hecho punible no fue perpetrado.

«Si bien el artículo 787 de la Ley de Enjuiciamiento Criminal (LA LEY 1/1882) confiere al Tribunal la facultad de ordenar continuar el juicio pese a la conformidad, tal decisión deberá fundarse en la incorrección de la calificación o de la pena que, según la misma, procede. También tendrá tal facultad si dispusiere de razones para estimar que el acusado conforme no se manifiesta libremente o cuando lo solicite la defensa y el Tribunal considere fundada la petición de tal defensa técnica. En cualquier otro caso, mantenida la acusación en el marco que es compatible con la conformidad, el Tribunal queda vinculado por la conformidad. Y, dice el artículo 787, ordenará la continuación del juicio, debiendo subrayarse que no le incumbe, en este procedimiento, como por el contrario admite el seguido ante el Tribunal del Jurado, entrar a valorar si hay motivos para no considerar que el hecho justiciable fuera perpetrado (artículo 50 de la LOTJ (LA LEY 1942/1995))». STS Sala Segunda, de lo Penal, Sentencia 448/2015 de 22 Jun. 2015, Rec. 2384/2014; Ponente: Varela Castro, Luciano. LA LEY 99794/2015.

La sentencia de conformidad se dictará oralmente y se documentará, conforme a lo previsto en el art. 789.2 LECrim, en el acta o en un anexo bajo la fe del Letrado de la administración de justicia, sin perjuicio de su ulterior redacción. Si el Fiscal y la partes, conocido el fallo, manifestaran su decisión de no recurrir el Juez declarará en el mismo acto la firmeza de la sentencia y se pronunciará, previa audiencia de las partes, sobre la suspensión o sustitución de la pena impuesta (art. 787.6 LECrim). Únicamente son recurribles las sentencias de conformidad cuando no se hubieren respetado los requisitos o términos de la conformidad, sin que proceda la impugnación por razones de fondo, de la conformidad prestada (art. 787.7 LECrim). Esta norma se fundamenta en las siguientes razones[87]:

a) El principio de que nadie puede ir contra sus propios actos, impugnando lo que ha aceptado libre, voluntariamente y con el asesoramiento jurídico necesario;

---

(87) «La doctrina de esta Sala (STS 483/2013, de 12 de junio (LA LEY 78709/2013) y 752/2014, de 11 de noviembre (LA LEY 161482/2014), entre otras) mantiene una regla general negativa respecto de la posibilidad de combatir sentencias de conformidad a través del recurso de casación, que se sustenta en la consideración de que la conformidad del acusado con la acusación garantizada y avalada por su Letrado defensor comporta una renuncia implícita a replantear, para su revisión por el Tribunal casacional, las cuestiones fácticas y jurídicas que ya se han pactado libremente y sin oposición. Las razones de fondo que subyacen en esta tesis, pueden concretarse en tres: a) el principio de que nadie puede ir contra sus propios actos, impugnando lo que ha aceptado libre, voluntariamente y con el asesoramiento jurídico necesario. b) el principio de seguridad jurídica, fundamentado en la regla "pacta sunt servanda", que quebraría de aceptarse la posibilidad de revocar lo pactado. c) las posibilidades de fraude, derivadas de una negociación dirigida a conseguir, mediante la propuesta de conformidad, una acusación y una sentencia más benévolas, para posteriormente impugnar en casación lo previamente aceptado, sin posibilidades para la acusación de reintroducir otros eventuales cargos más severos, renunciados para obtener la conformidad. Esta regla general está condicionada por una doble exigencia: a) que se hayan respetado los requisitos formales, materiales y subjetivos legalmente necesarios para la validez de la sentencia de conformidad. b) que se hayan respetado en el fallo los términos del acuerdo entre las partes». STS Sala Segunda, de lo Penal, Sentencia 188/2015 de 9 Abr. 2015, Rec. 1972/2014; Ponente: Conde-Pumpido Tourón, Cándido. LA LEY 35306/2015.

«En la STS n.º 123/2016, de 22 de febrero (LA LEY 8152/2016), se recoge la doctrina de esta Sala sobre el particular, en aplicación del precepto citado más arriba, que por otro lado no presenta dificultades para su correcto entendimiento. Se decía en esa sentencia, con cita de otras (STS n.º 188/2015, de 9 de abril (LA LEY 35306/2015), n.º STS 483/2013, de 12 de junio (LA LEY 78709/2013) y STS n.º 752/2014, de 11 de noviembre (LA LEY 161482/2014)), que esta Sala mantiene una regla general negativa respecto de la posibilidad de combatir sentencias de conformidad a través del recurso de casación, que se sustenta en la consideración de que la conformidad del acusado con la acusación garantizada y avalada por su Letrado defensor comporta una renuncia implícita a replantear, para su revisión por el Tribunal casacional, las cuestiones fácticas y jurídicas que ya se han pactado libremente y sin oposición». STS Sala Segunda, de lo Penal, Sentencia 374/2016 de 3 May. 2016, Rec. 1669/2015; Ponente: Colmenero Menéndez de Luarca, Miguel. LA LEY 44015/2016.

Esta regla es aplicable tanto al acusado como a las acusaciones. Aunque el art. 787.7 LECrim se refiere únicamente al acusado al establecer la limitación de recurrir la sentencia de conformidad por razones de fondo.

«El propio art 783 7º de la Lecrim (LA LEY 1/1882) establece que: «Únicamente serán recurribles las sentencias de conformidad cuando no se hayan respetado los requisitos o términos de la conformidad, sin que el acusado pueda impugnar por razones de fondo su conformidad libremente prestada». CUARTO. Esta regla general es también aplicable a las partes acusadoras, que no pueden ir contra sus propios actos cuestionando en casación un relato fáctico, una calificación acusatoria o una individualización de la pena, que han sido propuestas en sus escritos de calificación como base de la conformidad. Las razones de seguridad jurídica alegadas para excluir los recursos de los acusados en contra del principio «pacta sunt servanda» son también aplicables a las acusaciones, así como la evitación de fraudes, que podrían derivarse de la aceptación de los hechos objeto de acusación por parte del acusado, ante una calificación jurídica benévola, seguida de una posterior impugnación de la sentencia de conformidad por la acusación, alegando que los hechos ya admitidos por el acusado son en realidad constitutivos de un delito más grave». STS Sala Segunda, de lo Penal, Sentencia 188/2015 de 9 Abr. 2015, Rec. 1972/2014; Ponente: Conde-Pumpido Tourón, Cándido. LA LEY 35306/2015.

b) el principio de seguridad jurídica, fundamentado en la regla «pacta sunt servanda»; que se quebraría de aceptarse la posibilidad de revocar lo pactado;

c) las posibilidades de fraude, derivadas de una negociación dirigida a conseguir, mediante la propuesta de conformidad, una acusación y una sentencia más benévolas, para posteriormente impugnar en casación lo previamente aceptado, sin posibilidades para la acusación de reintroducir otros eventuales cargos más severos, renunciados para obtener la conformidad[88].

---

(88) «La doctrina de esta Sala, como regla general, considera que son inadmisibles los recursos de casación interpuestos contra sentencias de conformidad (SSTS 9.5.91, 19.7.96, 27.4.99, 17.11.2000, y 6.11.2003), por carecer manifiestamente de fundamento. Este criterio se apoya en la consideración de que la conformidad del acusado con la acusación, garantizada y avalada por su letrado defensor, comporta una renuncia implícita a replantear, para su revisión por el tribunal casacional, las cuestiones fácticas y jurídicas que ya se han aceptado, libremente y sin oposición. Las razones de fondo que subyacen en esta consideración pueden concretarse en tres (SSTS 2.1.2001

«Las razones de fondo que subyacen en esta tesis, pueden concretarse en tres: a) el principio de que nadie puede ir contra sus propios actos, impugnando lo que ha aceptado libre, voluntariamente y con el asesoramiento jurídico necesario. b) el principio de seguridad jurídica, fundamentado en la regla «*pacta sunt servanda*», que quebraría de aceptarse la posibilidad de revocar lo pactado. c) las posibilidades de fraude, derivadas de una negociación dirigida a conseguir, mediante la propuesta de conformidad, una acusación y una sentencia más benévolas, para posteriormente impugnar en casación lo previamente aceptado, sin posibilidades para la acusación de reintroducir otros eventuales cargos más severos, renunciados para obtener la conformidad. Esta regla general está condicionada por una doble exigencia: a) que se hayan respetado los requisitos formales, materiales y subjetivos legalmente necesarios para la validez de la sentencia de conformidad. b) que se hayan respetado en el fallo los términos del acuerdo entre las partes. No es posible, sin embargo, plantear un recurso de casación con la finalidad de cuestionar unos hechos que han sido aceptados de forma libre y suficientemente informada, pues con tal aceptación, de acuerdo con lo previsto en la ley, el acusado renuncia a la práctica de pruebas en su defensa, pero además, impide la práctica de las pruebas de la acusación, que ha de respetar igualmente los términos de la conformidad». STS Sala Segunda, de lo Penal, Sentencia 374/2016 de 3 May. 2016, Rec. 1669/2015; Ponente: Colmenero Menéndez de Luarca, Miguel. LA LEY 44015/2016.

Ahora bien, sí cabe recurrir la sentencia dictada en conformidad cuando la pena impuesta sea inferior o superior a la conformada.

«Así, por ejemplo, desde la primera de dichas perspectivas resulta admisible un recurso interpuesto frente a una sentencia de conformidad (STS 211/2012, de 21 de marzo (LA LEY 39704/2012)), cuando se alegue que se ha dictado en un supuesto no admitido por la ley en razón de la pena, cuando se alegue que no se han respetado las exigencias procesales establecidas (por ejemplo la "doble garantía" o inexcusable anuencia tanto del acusado como de su letrado), cuando se alegue un vicio de consentimiento (error, por ejemplo) que haga ineficaz la conformidad (sentencia 23 de octubre de 1975), o, en fin, cuando, excepcionalmente, la pena impuesta no sea legalmente procedente conforme a la calificación de los hechos, sino otra inferior, vulnerándose el principio de legalidad (SSTS núm. 754/2009, de 13 de julio (LA LEY 125107/2009))». STS Sala Segunda, de lo Penal, Sentencia 188/2015 de 9 Abr. 2015, Rec. 1972/2014; Ponente: Conde-Pumpido Tourón, Cándido. LA LEY 35306/2015.

O en el supuesto de sentencias absolutorias en caso de impugnaciones de las partes acusadoras. O cuando no se hubieren respetado los requisitos formales y materiales establecidos en la Ley, con relación a esta institución.

---

y 6.4.2001): 1) el principio de que nadie puede ir contra sus propios actos, impugnando lo que ha aceptado libre, voluntariamente sin oposición y con el asesoramiento jurídico necesario. 2) el principio de seguridad jurídica, fundamentado en la regla "pacta sunt servanda"; que se conculcaría de aceptarse la posibilidad de revocar lo pactado. 3) las posibilidades de fraude, derivadas de una negociación dirigida a conseguir, mediante la propuesta de conformidad, una acusación y una sentencia más benévolas, para posteriormente impugnar en casación lo previamente aceptado, sin posibilidades para la acusación de reintroducir otros eventuales cargos más severos, renunciados para obtener la conformidad». STS Sala Segunda, de lo Penal, Sentencia 752/2014 de 11 Nov. 2014, Rec. 504/2014; Ponente: Monterde Ferrer, Francisco. LA LEY 161482/2014.

«Dentro del segundo apartado se justificaría un recurso de casación, por ejemplo, cuando se ha condenado por un delito más grave que el que ha sido objeto de conformidad o impuesto una pena superior a la conformada, o, desde la perspectiva de la acusación, cuando se ha dictado sentencia absolutoria sin respetar la conformidad del acusado con la acusación formulada». (STS 355/2013, de 29 de enero) STS Sala Segunda, de lo Penal, Sentencia 188/2015 de 9 Abr. 2015, Rec. 1972/2014; Ponente: Conde-Pumpido Tourón, Cándido. LA LEY 35306/2015.

Finalmente puede impugnarse en recurso de revisión cualquier sentencia dictada en conformidad, en tanto que la revisión no es estrictamente un recurso, sino un remedio que atiende a la justicia material de la resolución dictada[89]. Véase sobre el recurso de revisión el § 8 del Cap. XI.

«No es obstáculo para la revisión reclamada que se trate de una sentencia dictada por conformidad. Recordemos que la revisión no es propiamente un recurso, sino un medio extraordinario y autónomo dirigido a rescindir una sentencia condenatoria firme (STS 472/15, de 9 de julio (LA LEY 99816/2015), entre otras). Por tanto no resulta directamente aplicable el art. 787.7º LECrim (LA LEY 1/1882). Desde luego que no es totalmente neutro el carácter consensuado de la sentencia. Supone que el acusado aceptó los hechos y prestó su conformidad con la pena. No se pueden olvidar las razones de prevalencia de justicia material que inspiran este medio de impugnación de una sentencia firme que es la revisión. Justamente por ello no faltan precedentes de esta Sala Segunda admitiendo la revisión de sentencias de conformidad (SSTS de 4 de diciembre de 1979, 30 de diciembre de 2013, o de 4 de febrero de 2016, entre otras)». STS Sala Segunda, de lo Penal, Sentencia 437/2017 de 20 Jun. 2017, Rec. 20654/2016; Ponente: Granados Pérez, Carlos. LA LEY 84520/2017.

5.6. Práctica de la prueba

La práctica de la prueba se realizará concentradamente en las sesiones consecutivas que sean precisas —art. 788.1.º LECrim—. Al no regularse en el procedimiento abreviado de forma específica los medios y la forma de practicar la prueba, deberá acudirse a las normas previstas para el procedimiento por delitos graves, en virtud de la remisión genérica que efectúa el art. 758 LECrim. Así, la prueba se practicará en el modo previsto en los arts. 688 y ss. LECrim iniciándose con la declaración del acusado, a continuación los testigos, primero de la acusación después de la defensa, la pericial y la documental. Este orden podrá modificarse cuando fuere necesario.

---

(89) «La procedencia del recurso de revisión debe acordarse, aunque nos encontremos ante una sentencia dictada por conformidad, pues esto, hemos dicho en STS 1032/2012 de 30.12, no supone un obstáculo decisivo para la admisibilidad de la solicitud. La revisión no es propiamente un recurso, sino un procedimiento autónomo que se dirige a rescindir una sentencia condenatoria firme. Por tanto no resulta directamente aplicable el art. 787.7 LECrim (LA LEY 1/1882). Siendo así como hemos señalado en reiteradas sentencias de esta Sala (AATS. 792/2009 (LA LEY 49925/2009) de 16.7, 607/2007 de 28.6, con cita sentencias 28.10.2002, 4.4.2003, 28.6.2005)». STS Sala Segunda, de lo Penal, Sentencia 590/2014 de 22 Jul. 2014, Rec. 20807/2011. Ponente: Soriano Soriano, José Ramón. LA LEY 96549/2014. Véase en el mismo sentido STS Sala Segunda, de lo Penal, Sentencia 589/2014 de 14 Jul. 2014, Rec. 20167/2014; Ponente: Soriano Soriano, José Ramón. LA LEY 96548/2014.

Cabe señalar como única especialidad, en la práctica de la prueba, la circunstancia que el informe pericial podrá ser prestado por un solo perito, a diferencia del procedimiento por delitos graves en el que es necesaria la comparecencia de dos peritos a fin de prestar informe en el acto del juicio (art. 788.2 LECrim). Aunque, en realidad en la práctica forense se ha admitido que también en ordinario el informe se realice y comparezca únicamente un perito. Véase, sobre los medios de prueba, la carga y valoración de la prueba y la presunción de inocencia el Capítulo IX al que nos remitimos.

5.7. Conclusiones definitivas

Terminada la práctica de la prueba, el Juez o Presidente del Tribunal requerirá a las partes para que expongan oralmente cuanto estimen procedente sobre la valoración de la prueba, la calificación jurídica de los hechos, y manifiesten si ratifican o modifican sus calificaciones provisionales formuladas en sus respectivos escritos de acusación y defensa (art. 788.3 LECrim).

Será en este momento procesal, una vez finalizada la prueba, cuando queden fijados de forma inamovible los límites del objeto del proceso. La sentencia que recaiga deberá sujetarse al contenido de los respectivos escritos de conclusiones presentados por las partes acusadoras. Las partes no podrán, en lo esencial, variar ni alterar los hechos de sus escritos de calificación provisional, ni referirse a personas distintas, aunque sí podrán los acusadores retirar la acusación respecto de alguno de los acusados.

5.8. Modificación de la calificación provisional al formular las definitivas

Las partes podrán modificar sus conclusiones provisionales para cambiar la tipificación penal de los hechos o apreciar un mayor grado de participación, de ejecución, o circunstancias de agravación de la pena. La modificación de las conclusiones puede producirse por iniciativa de la parte o como consecuencia del requerimiento del tribunal, según se expone en el § 5.9 de este Capítulo, que podrá solicitar un mayor esclarecimiento de los hechos y la valoración jurídica sometiéndoles a debate, a este efecto, una o varias preguntas sobre puntos determinados (art. 788.3.2 LECrim). De modo que las partes podrán elevar a definitivas las conclusiones provisionales o bien modificarlas en el acto del juicio oral una vez finalizada la práctica de la prueba. La modificación se producirá, por lo general, «in voce» dejándose constancia en el acta del juicio oral, sin perjuicio que se solicite que se aporten por escrito al finalizar el acto o al día siguiente[90]. También le cabe a las partes formular conclusiones planteadas de modo subsidiario. Es decir, con una principal y otra formulada

---

(90) La STC 20/87, de 19 febrero, establece que no se vulnera ningún derecho constitucional como consecuencia de introducir modificaciones en los escritos de conclusiones provisionales al presentar las definitivas. Se añade que toda sentencia penal ha de resolver sobre las conclusiones definitivas de las partes y no sobre las provisionales. Vid., asimismo, SSTC 12/81, de 10 abril; 135/86, de 31 octubre. Vid. STC de 26 julio 1988, FJ 1.°, que establece: «La doctrina consolidada de esta Sala, sentencias entre otras de 25 marzo 1987, 8 mayo 1987, reconocida como tal en la STC 20/87, de 19 febrero, es que el verdadero instrumento procesal de la acusación es el escrito de conclusiones definitivas y a él debe ser referida la relación o juicio de congruencia del fallo».

subsidiariamente para el caso que el Tribunal no estimara la primera (art. 732.3.º en relación con el 653 LECrim)[91]. Lo importante es que la modificación conste debidamente documentada, ya que el verdadero instrumento procesal de la acusación es el escrito de conclusiones definitivas y a él debe ser referida la relación o juicio de congruencia del fallo.

La Ley prevé que la acusación pueda introducir modificaciones de su calificación provisional que pueden consistir en: a) cambio de tipificación penal de los hechos; b) apreciación de un mayor grado de participación o de ejecución, y c) apreciación de circunstancias de agravación de la pena. En este caso, la Ley prevé que la defensa pueda solicitar un aplazamiento de las sesiones, hasta el límite de diez días, a fin de preparar adecuadamente sus alegaciones y, en su caso, aportar los elementos probatorios y de descargo que estime convenientes (art. 788.4 LECrim). Se trata de una petición de parte que deberá solicitar expresamente y que tiene por finalidad evitar la indefensión del acusado como consecuencia de la correcta aplicación del principio acusatorio y de igualdad de armas de las partes[92]. Resulta obvio que ante una nueva tipificación de los hechos o de una agravación de la responsabilidad penal, debe permitirse al acusado aportar nuevas pruebas de descargo que le permitan defenderse de una nueva acusación constatada en las conclusiones definitivas[93]. Así lo ha declarado el TS con relación al derogado art. 793.7 LECrim que se reproduce en el vigente art. 788.4 LECrim que regula este incidente[94].

---

(91) El art. 653 LECrim se refiere, en realidad, a la formulación de conclusiones de forma alternativa: *«Las partes podrán presentar sobre cada uno de los puntos que han de ser objeto de la calificación dos o más conclusiones en forma alternativa, para que si no resultare del juicio la procedencia de la primera, pueda estimarse cualquiera de las demás en la sentencia».* Pero ésta es una expresión inadecuada en tanto que no pueden plantearse a los Tribunales peticiones en modo elección, que es lo que sucede cuando se formulan peticiones de modo alternativo.

(92) «La sentencia de instancia explica con suficiente detalle las razones por las cuales no aceptó la objeción del ahora recurrente. Y así señala en su fundamento jurídico quinto (folio 70-71): "que la variación de la calificación penal de los hechos que ha realizado el Mº Fiscal de forma alternativa, considerándolos como integradores de un delito continuado de apropiación indebida, es aceptable (SSTS de 23 de enero, 16 y 28 de febrero y 2 de abril de 1998, al igual que las SSTC 12/1981 (LA LEY 93/1981), 105/1983 (LA LEY 8308-JF/0000), 17/1988 (LA LEY 100731-NS/0000) y 205/1989 (LA LEY 1399-TC/1990)), por estimar que la misma no vulnera el principio acusatorio, pues existe identidad de hecho punible, de forma que ha sido objeto de enjuiciamiento por estar incluido en los escritos de conclusiones provisionales, y constituye el supuesto fáctico de dicho delito"». STS Sala Segunda, de lo Penal, Sentencia 621/2015 de 22 Oct. 2015, Rec. 282/2015; Ponente: Monterde Ferrer, Francisco. LA LEY 164752/2015.

(93) «El contenido de dicha información ha de referirse al momento de la calificación definitiva de la acusación o acusaciones, y no a momentos previos como el de las conclusiones provisionales (SSTC 141/1986, de 12 de noviembre, F. 2, y 11/1992, de 27 de enero, F. 3). También que, dada la instrumentalidad de este derecho con el derecho de defensa, es a la parte a quien corresponde, en primer lugar, dar la oportunidad al órgano judicial de reparar tal indefensión (SSTC 20/1987, de 19 de febrero, F. 5; 91/1987, de 3 de junio, F. 6, y 17/1988, de 16 de febrero, F. 5). Si el defensor de los acusados —hemos dicho— estimaba que la calificación del Ministerio Fiscal era sorpresiva al introducir hechos nuevos, y por ello no le era posible defenderse adecuadamente de ellos, debió, conforme al art. 793.7 LECrim, solicitar la suspensión del juicio para poder articular debidamente la defensa, lo que no hizo». STC 278/2000 de 27 de noviembre.

(94) «La sentencia se corresponde con la acusación del Ministerio Fiscal, debiendo atenerse a la que resulte de las conclusiones definitivas así formuladas en el acto del juicio oral, aunque difie-

Al margen de otras cuestiones que se exponen a continuación, el problema que se plantea es el de la brevedad del plazo para la obtención de elementos probatorios de descargo. No tanto por el previsto en la ley de diez días que no existirá ningún problema en ampliar, sino por el previsto de treinta días durante el cual las actuaciones conservan su validez (art. 788.1 LECrim). Una vez practicada la nueva prueba solicitada por la defensa, las partes acusadoras podrán, a su vez, modificar sus conclusiones definitivas —art. 788.4° *in fine*—.

El supuesto de hecho que prevé este incidente plantea serios problemas de afectación del principio acusatorio y el derecho de defensa del acusado, en tanto que, en principio, cualquiera de las modificaciones a las que hace referencia el art. 788.4 LECrim (agravación, mayor participación, cambio en la tipificación penal de los hechos) pueden suponer una alteración sustancial del objeto procesal con la afectación del principio acusatorio y del derecho de defensa del acusado. En este punto, existe una corriente doctrinal y jurisprudencial que cada vez más asocia y encadena en una suerte de delimitación del objeto del proceso desde el auto de transformación (art. 779.4 LECrim) a las conclusiones provisionales y de estas a la sentencia. Desde esta posición doctrinal que compartimos se postula que en el auto de transformación, cerrada la fase de investigación, se determinan unos hechos y unas imputaciones que deben respetarse como el objeto de la acusación y, por tanto, del proceso penal. Esa imputación es de lo que tiene que defenderse el acusado y que no puede variar a partir de ese momento, más que en lo accesorio, pero no en lo esencial.

> «"La acusación ha de ser precisa y clara respecto del hecho y del delito por el que se formula y la sentencia ha de ser congruente con tal acusación sin introducir ningún elemento nuevo del que no hubiera existido antes posibilidad de defenderse (STS 7/12/96); y que el establecimiento de los hechos constituye la clave de la bóveda de todo el sistema acusatorio del que el derecho a estar informado de la acusación es simple consecuencia (STS 15/7/91) los hechos básicos de la acusación constituyen elementos substanciales e inalterables y la sentencia tiene que ser congruente respecto de los mismos, sin la introducción de ningún nuevo elemento del que no existiera posibilidad de defensa (SSTS 8/2/93, 5/2/94 y 14/2/95). En suma,

ra de la provisionales anteriormente presentadas, siempre que se mantenga la identidad esencial de los hechos sobre los que recae la acusación y se someten a enjuiciamiento. Si así fuere, como sucede en el supuesto que nos ocupa, no se ha producido vulneración del principio acusatorio ni puede aducirse indefensión, ya que el acusado estaba perfectamente impuesto e informado de lo que se le imputaba y ha podido ejercer su defensa sin restricción alguna. .../... El conocimiento de la acusación se garantiza inicialmente mediante las conclusiones provisionales y, una vez finalizada la actividad probatoria en el acto del juicio oral, mediante las definitivas en las que, naturalmente, se pueden introducir las modificaciones fácticas y jurídicas demandadas por aquella actividad, siempre que se respete la identidad esencial de los hechos que han constituido el objeto del proceso. La posibilidad de que en las conclusiones definitivas de la acusación se operen cambios, incluso relevantes, se deduce con toda claridad del art. 793.7 LECrim que concede al Juez o Tribunal, "cuando la acusación cambie la tipificación penal de los hechos, o se aprecien un mayor grado de participación o de ejecución, o circunstancias de agravación de la pena", la facultad de "conceder un aplazamiento de la sesión, hasta el límite de diez días, a petición de la defensa, a fin de que ésta pueda aportar los elementos probatorios y de descargo que estime convenientes"». STS Sala Segunda, de lo Penal, Sentencia de 8 Abr. 1999, Rec. 2071/1998; Ponente: Granados Pérez, Carlos. LA LEY 4549/1999.

como se precisa en S 26/2/94 es evidente: "a) Que sin haberlo solicitado la acusación no puede introducir un elemento "contra reo" de cualquier clase que sea; b) Que el derecho a ser informado de la acusación exige su conocimiento completo; c) Que el inculpado tiene derecho a conocer temporánea y oportunamente el alcance y contenido de la acusación a fin de no quedar sumido en una completa indefensión; y d) Que el objeto del proceso no puede ser alterado por el Tribunal de forma que se configure un delito distinto o una circunstancia penológica diferente a las que fueron objeto del debate procesal y sobre la que no haya oportunidad de informarse y manifestarse el acusado"». STS Sala Segunda, de lo Penal, Sentencia 621/2015 de 22 Oct. 2015, Rec. 282/2015; Ponente: Monterde Ferrer, Francisco. LA LEY 164752/2015.

Es cierto que al acabar la práctica de la prueba la ley prevé el trámite de calificaciones definitivas que pueden suponer una modificación respecto de las provisionales. Ahora bien, los cambios que se produzcan no pueden suponer una acusación sorpresiva que agrave aquello de lo que se ha estado defendiendo el acusado. Véase el § 1.4.B del Cap. X en sede de sentencia sobre la congruencia entre las calificaciones definitivas y la sentencia, donde ya advertimos que en conclusiones definitivas no pueden imputarse hechos punibles que no hubieran sido objeto de acusación y sobre los cuales el acusado no ha tenido ocasión de defenderse[95].

«El proceso acusatorio es aquel en el que —en el enjuiciamiento— el juez aparece concebido como un operador neutral, cuyas funciones se encuentran rígidamente deslindadas de las de las partes. Esto es lo que hace posible que el juicio sea una contienda entre iguales ante un decisor imparcial, seguida a iniciativa de la acusación, a la que compete la afirmación de unos hechos como perseguibles y la aportación de la prueba en apoyo de ese aserto. Así, cualquier apunte de confusión, solapamiento o extralimitación del papel del juez o tribunal con el de la acusación o el de la defensa, afectaría esencialmente al propio curso procesal, introduciendo el inevitable desequilibrio. Pues bien, el hecho de que en esta causa la condena sea a pena más grave que la solicitada por el fiscal en la instancia, conlleva una clara vulneración del principio acusatorio y la infracción del precepto que cita el recurrente, y, por ello, el motivo tiene que estimarse». STS Sala Segunda, de lo Penal, Sentencia 432/2014 de 27 May. 2014, Rec. 2349/2013; Ponente: Andrés Ibáñez, Perfecto Agustín. LA LEY 64298/2014.

Precisamente al analizar la congruencia procesal también dijimos que, en cualquier caso, debe siempre respetarse el principio acusatorio y el derecho de defensa del acusado que puede quedar comprometido cuando no haya tenido oportunidad de defenderse de una acusación nueva, sin perjuicio de que exista homogeneidad

---

(95) «Es el escrito de conclusiones definitivas el instrumento procesal que ha de considerarse esencial a los efectos de la fijación de la acusación en el proceso», y son las conclusiones definitivas las que determinan los límites de la congruencia penal. Por consiguiente, la modificación de las calificaciones provisionales al pasar a definitivas no determina en sí misma ninguna lesión del principio acusatorio, como, por cierto, tampoco toda desviación de las calificaciones definitivas realizada por el órgano judicial en el fallo, pues, de un lado, la congruencia entre la acusación y el fallo sólo exige la identidad de hecho punible y la homogeneidad de las calificaciones jurídicas, y, de otro, más allá de dicha congruencia, lo decisivo a efectos de la lesión del art. 24.2 CE es «la efectiva constancia de que hubo elementos esenciales de la calificación final que de hecho no fueron ni pudieron ser plena y frontalmente debatidos». STC 87/2001 de 2 de abril.

delictiva[96]. Es por ello que desde nuestro punto de vista son muchas las cautelas y reservas que suscita este incidente[97].

Sobre esta cuestión se ha pronunciado recientemente el Tribunal Supremo en un asunto en el que se produjo una modificación de las conclusiones provisionales por el Fiscal que en un procedimiento acusó inicialmente de robo para en conclusiones definitivas acabar acusado de receptación, planteándose el Tribunal lo siguiente: «*sobresale un dato: el Ministerio Fiscal solamente modificó en juicio oral las conclusiones provisionales en el título jurídico por el que instaba la condena, respecto de otros acusados pero no respecto de este recurrente. Pero mantuvo intactos los hechos atribuidos a todos los acusados. Por lo que el debate en la casación debe centrarse en la cuestión de si tales hechos de invocación persistente, pueden amparar o no la condena bajo el nuevo título de condena. Es decir no por robo —delito del que es expresamente absuelto el acusado— sino por receptación del artículo 298 del Código Penal (LA LEY 3996/1995) en su redacción vigente al tiempo de los citados hechos y que ninguna acusación imputó a este recurrente*». STS 762/2016 de 13 Oct. 2016,

---

(96) «No nos compete determinar si ambos preceptos pueden ser, en abstracto, considerados homogéneos, porque esta tarea corresponde a la jurisdicción ordinaria por tratarse de una cuestión de legalidad ordinaria (cfr., en sentido positivo, la Sentencia del Tribunal Supremo de 28 de enero de 1997, recaída en el recurso de casación 125/97), sino si tal homogeneidad se ha producido en el presente caso, desde la exclusiva perspectiva constitucional que nos compete, ya que si así no hubiera ocurrido se habría visto menoscabado el derecho a conocer la acusación, lo que habría incidido, a su vez, en el derecho de defensa del recurrente.../...Lo relevante, sin embargo, no es valorar aquí el comportamiento judicial, sino determinar si el acusado pudo ejercer plenamente su derecho de defensa por conocer la acusación que contra él pesaba. Y, en el caso que nos ocupa, es evidente que no porque el art. 410 CP, por el que fue finalmente condenado, prevé en su apartado segundo que "no incurrirán en responsabilidad criminal las autoridades o funcionarios por no dar cumplimiento a un mandato que constituya una infracción manifiesta, clara y terminante de un precepto de Ley o de cualquier otra disposición general"» STC 71/2005 de 4 de abril.

(97) «En definitiva, se garantiza que nadie será acusado en proceso penal con una acusación de la que no se ha tenido conocimiento suficiente y, por tanto, que no recibirá un trato de desigualdad frente al acusador que le ocasione indefensión (SS. TC. 54/85 de 18 abril (LA LEY 415-TC/1985) y 17/89 de 30 de enero (LA LEY 1206-TC/1989)). Constituye asimismo, según el citado T.C., el primer elemento del derecho de defensa, que condiciona todos los demás, pues mal puede defenderse de algo que no sabe en concreto —s. 44/83 de 24 de mayo (LA LEY 162-TC/1983)—. Consiste substancialmente este derecho en asegurar el conocimiento del acusado acerca de los hechos que se le imputan y de los cargos que contra él se formulan —SS 14/86 de 12 noviembre, 17/88 de 16 febrero (LA LEY 100731-NS/0000) y 30/89 de 7 de febrero (LA LEY 1234-TC/1989)— y se satisface, pues, siempre que haya conocimiento de los hechos imputados para poder defenderse de los mismos- s. 170/90 de 5 noviembre (LA LEY 1571-TC/1991). También el Tribunal Supremo ha reconocido que el derecho a la tutela efectiva comporta, entre otros, el derecho a ser informado de la acusación, como primer elemento del derecho de defensa, que condiciona a todos los demás, SS 4/11/86, 21/4/87 Y 3/3/89, teniendo derecho el acusado a conocer temporáneamente el alcance y contenido de la acusación a fin de no quedar sumido en una completa indefensión, cual sucede si de modo sorpresivo es blanco de novedosas imputaciones exteriorizadas y hechas saber cuándo han precluído sus posibilidades de alegación y de proposición de pruebas exculpatorias S.S. 9/9/87, 8/5/89, 25/5/90, 18/5/92, 1824/93 de 14 julio, 1808/94 de 17 octubre, 229/96 de 14 marzo, 610/97 de 5 mayo, 273/98 de 28 febrero, 489/98 de 2 abril, 830/98 de 12 junio, 1029/98 de 22 septiembre y 1325/2001 de 5 julio (LA LEY 526/2002), entre otras». STS Sala Segunda, de lo Penal, Sentencia 621/2015 de 22 Oct. 2015, Rec. 282/2015; Ponente: Monterde Ferrer, Francisco. LA LEY 164752/2015.

Rec. 1838/2015; Ponente: Varela Castro, Luciano. LA LEY 141700/2016. Pues bien, tras una muy buena y profunda reflexión, como suelen ser las del Magistrado ponente de esta sentencia, el Tribunal repasa su doctrina respecto a la posibilidad de acusar y condenar por un delito distinto pero homogéneo[98] y acaba entendiendo que debe irse al caso concreto y de forma más precisa al análisis sobre si el acusado pudo realmente defenderse de los hechos constitutivos de ese delito de receptación y lo hace analizando la causa desde el auto de transformación hasta la modificación de las conclusiones provisionales en definitivas cuando acaba acusado por receptación y no por robo. Modificación que declara inadmisible por cuanto en la acusación no se incluyó ningún presupuesto objetivo del delito de receptación por lo que el acusado no pudo defenderse de algo que no fue objeto del debate procesal.

«El requisito de la homogeneidad no ha de contemplarse desde una perspectiva meramente formal, nominal o retórica, interpretándolo con tal automatismo que la mera modificación del título de imputación por otro no comprendido en la mismo capítulo del texto legal ya determine necesariamente la vulneración del principio acusatorio. Los criterios de interpretación han de ser mucho más sustanciales y relevantes, descartando por tanto una visión meramente formal o superficial de la cuestión. Debe atenderse, consiguientemente, a que la sustitución del precepto en sentencia genere una real y efectiva indefensión en el acusado por no poder alegar a su debido tiempo argumentos jurídicos susceptibles de desvirtuar la subsunción jurídica que realiza el Tribunal…./…. Es cierto que esta Sala del Tribunal Supremo tiene dictado algunas resoluciones en las que se refiere a la heterogeneidad entre los delitos de robo y receptación (así SSTS 746/2001, de 26-4 (LA LEY 6843/2001); y 2337/2001, de 10-12 (LA LEY 222680/2001)). Sin embargo, tal heterogeneidad no puede establecerse como una regla o un axioma de aplicación ineluctable, sino que habrá que atender a si en el supuesto concreto que se enjuicia la modificación jurídica afecta en algún extremo a la alteración de los hechos o genera algún tipo de indefensión, pues de no ser así, tal como se argumentó, no se vulneraría el principio

---

[98] «En cuanto al apartado a) es sabido que nada impide condenar por delito diverso del imputado si concurre homogeneidad y el que se condena no es más grave que el que se imputa en la acusación. La heterogeneidad entre el sustraer alguien y aprovecharse otro o ayudar otro al sustractor, es, en principio, evidente. En cuanto al apartado b) resulta indiscutible que en el relato de la sentencia no se recogen los elementos del tipo de receptación. A saber: ni la sustracción por alguien diverso del receptor típico, ni que esta recepción obedezca a un ánimo de lucro diverso del ánimo del sustractor. La sentencia ni siquiera dedica una línea a describir esa recepción por el recurrente de lo que luego pone a la guarda de otros. Ciertamente en algún supuesto hemos matizado la exigencia de homogeneidad entre los delitos de robo y receptación en que el recurrente, acusado de robo y condenado como receptor, alegaba que los elementos de este tipo penal no estaban incluidos en el escrito de calificación del Ministerio Fiscal, por lo que no fueron conocidos por el letrado del acusado ni pudo por lo tanto refutarlos probatoriamente. Admite el Tribunal Supremo que, en esa relación entre acusación y sentencia, "nadie puede ser condenado por cosa distinta de la que se le ha acusado y de la que, en consecuencia, no ha podido defenderse de modo contradictorio A estos efectos la pretensión acusatoria se fija en el acto del juicio oral, cuando la acusación o acusaciones establecen sus conclusiones definitiva ...el Juzgador está vinculado a los términos de la acusación con un doble condicionamiento, fáctico y jurídico ... y al Juez le está vedado calificar los hechos de manera que integren un delito penado más gravemente si este agravamiento no fue sostenido en juicio por la acusación, ni imponer una pena mayor que la que corresponda a la pretensión acusatoria fijada en las conclusiones definitivas"». STS 762/2016 de 13 Oct. 2016, Rec. 1838/2015; Ponente: Varela Castro, Luciano.LA LEY 141700/2016.

acusatorio (STS 77/2004, de 21 de enero (LA LEY 639/2004))..../.... Conclusión: la acusación no incluía ningún presupuesto objetivo del delito de receptación, por lo que lo añadido en la sentencia implica una oficiosidad del juzgador, incompatible con su debida imparcialidad y lesiva del derecho de defensa del acusado recurrente. Lo que hace innecesario examinar el déficit derivado de la heterogeneidad del delito acusado respecto del que es objeto de condena. El motivo se estima». STS 762/2016 de 13 Oct. 2016, Rec. 1838/2015; Ponente: Varela Castro, Luciano. LA LEY 141700/2016.

Con base en lo expuesto resulta claro que no cabe el trámite de conclusiones para modificar sorpresivamente los términos del debate procesal aunque no se modifiquen los hechos, ya que la posibilidad de modificar las conclusiones no resulta ilimitada, sino que debe respetar el derecho de defensa y a un juicio justo del acusado, que suponen el derecho a estar informado de la acusación. Sin embargo tratándose de una cuestión de perfiles difusos es claro que hay que estar al caso concreto en una jurisprudencia que en este asunto consideramos no ha meditado suficientemente la importancia de que la acusación mantenga su acusación inicial sin que pueda admitirse nada más que modificaciones accesorias en conclusiones definitivas. De otro modo se estará afectando al derecho de defensa del acusado que se habrá defendido de una acusación que finalmente puede modificarse sorpresivamente al final del juicio. Este proceder se admite en algunas sentencias del Tribunal Constitucional[99] y también del Tribunal Supremo[100]. Véase para acabar este epígrafe la STS n.º

---

(99)   Esta sentencia es curiosa en tanto que argumenta correctamente para finalizar cayendo en el error de dar por buena la petición final de pena contenida en el escrito de conclusiones definitivas: «El derecho fundamental pretende, así, garantizar que la sentencia finalmente dictada no se haya fundado en hechos y preceptos frente a los que el condenado no hubiera podido ejercer su defensa contradictoria; en este sentido, la íntima relación existente entre el principio acusatorio y el derecho a la defensa ha sido asimismo señalada por este Tribunal al insistir en que del citado principio se desprende la exigencia de que el imputado tenga posibilidad de rechazar la acusación que contra él ha sido formulada tras la celebración del necesario debate contradictorio en el que haya tenido oportunidad de conocer y rebatir los argumentos de la otra parte y presentar ante el Juez los propios, tanto los de carácter fáctico como los de naturaleza jurídica (SSTC 4/2002, de 14 de enero (LA LEY 2225/2002), FJ 3; 35/2004 (LA LEY 987/2004), de 8 de marzo, FJ 2). Es esta la razón por la que el Tribunal ha venido reiterando que el instrumento procesal esencial para la fijación de los términos de la acusación en el proceso es el escrito de conclusiones definitivas (SSTC 174/2001, de 26 de julio (LA LEY 7469/2001), FJ 5; 183/2005 (LA LEY 13315/2005), de 4 de julio, FJ 4), dado que estas habrán de ser producto de lo debatido en el acto del juicio oral». STC Sala Primera, Sentencia 75/2013 de 8 Abr. 2013, Rec. 1771/2011; Ponente: Asua Batarrita, Adela. LA LEY 24191/2013.
(100)   «... la modificación efectuada por el Fiscal respetaba escrupulosamente los hechos imputados en la calificación provisional, que permanecieron intactos como fundamento de la definitiva calificación jurídica de los mismos, lo que excluye cualquier atisbo de indefensión porque precisamente el legislador no pretende que la calificación efectuada de manera provisional se mantenga inalterable, sino que prevé que pueda ser modificada como resultado de la práctica de las pruebas en el juicio oral, pues ese trascendental trámite permite a las partes establecer de manera definitiva su posición sobre las consecuencias jurídicas derivadas de los hechos en lo tocante a la tipicidad, culpabilidad, responsabilidad y penalidad, y siempre sobre la base de que aquéllos no pueden ser ampliados respecto de los ya conocidos por el acusado. Tan elemental criterio ha sido ya establecido por esta Sala, cuando en Sentencia de 7 junio 1985, pero que conserva toda su vigencia, expone que lo que el principio acusatorio impide es que se traspasen los límites de la acción, que queda acotada, en la calificación provisional, por los hechos que en ella se com-

276/2014 de 2 Abr. 2014 (Rec. 1998/2013; Ponente: Marchena Gómez, Manuel. LA LEY 35961/2014) en la que el Tribunal Supremo conoció de un asunto en el que el Fiscal que acusaba inicialmente de robo finaliza el juicio acusando alternativamente (*sic*) por robo o realización arbitraria del propio derecho. Nótese la similitud con el expuesto STS 762/2016 de 13 Oct. 2016 citada «supra» en la que se acusó inicialmente de robo y finalmente de receptación. Pues bien allí dijo el Tribunal Supremo que era una modificación inadmisible, mientras que aquí dice lo contrario. La situación de hecho fue la siguiente:

> «El Ministerio Fiscal acusó en un primer momento por un delito de robo con violencia o intimidación y uso de armas. Una vez desarrollada la prueba y en fase de conclusiones definitivas, modificó estimando que los hechos eran constitutivos de un delito de realización arbitraria del propio derecho, previsto y penado en el art. 455 del CP (LA LEY 3996/1995). Esta modificación — a juicio de la defensa— "... sin separar los hechos primigenios en que basó su acusación", habría sido causa de indefensión». STS Sala Segunda, de lo Penal, Sentencia 276/2014 de 2 Abr. 2014, Rec. 1998/2013; Ponente: Marchena Gómez, Manuel. LA LEY 35961/2014.

Frente a esta modificación el Tribunal Supremo niega la razón a la defensa por entender que le cabía a la parte utilizar el trámite aquí estudiado del art. 787.4 LECrim para preparar su defensa. Puede ser que la defensa tuviera que haber utilizado el trámite legal, pero en cualquier caso resulta absolutamente insólito que una mutación como la citada se pueda admitir y pueda fundar una sentencia de condena que es lo que finalmente sucedió.

> «En el presente caso no existe atisbo de indefensión. De una parte, porque —como indica el Fiscal en su dictamen de impugnación— el Letrado recurrente podía haber solicitado un aplazamiento para mejor preparar la defensa y, en su caso, "... aportar los elementos probatorios y de descargo que estime convenientes", conforme autoriza el art. 788.4 de la LECrim (LA LEY 1/1882). La falta de iniciativa en tal sentido sería la mejor muestra de la ausencia de indefensión. De otra parte, por cuanto el Fiscal sí introdujo en sus conclusiones definitivas la rectificación precisa en los hechos para ofrecer al órgano decisorio un doble sustrato fáctico, cada uno de los cuales se correspondía con las calificaciones alternativas que sometió a la consideración del Tribunal *a quo*. Así se desprende con claridad de la lectura del antecedente de hecho 2º de la sentencia cuestionada: "... El Ministerio Fiscal, en sus conclusiones definitivas, calificó los hechos objeto del proceso como constitutivos de un delito del art. 237 y 242.1 y 3 (reforma LO 5/2010 (LA LEY 13038/2010)) del que estimaba criminalmente responsable en concepto de autor al acusado, sin la concurrencia de circunstancias modificativas de la responsabilidad criminal, por lo que consideró su condena a la pena de 4 años de prisión, accesoria, así como al pago de las costas causadas, alternativamente solicita la condena por un delito de realización arbitraria

---

prenden y por las personas a quienes se imputen, pero no que se califiquen adecuadamente esos hechos al evacuarse el trámite de conclusiones definitivas autorizado por el artículo 732 LECrim, en el que, manteniéndose a ultranza la identidad esencial del hecho objeto de acusación —que es el intocable— se puede variar, sin infringir la ley, las modalidades del suceso, sus circunstancias, la participación de los encartados, tipo de delito cometido y grados de ejecución, pues ningún sentido tendría el trámite de modificación de conclusiones si fuesen las provisionales las que acotasen los términos del debate». STS Sala Segunda, de lo Penal, Sentencia 1436/1999 de 18 Nov. 1998, Rec. 2986/1997; Ponente: Ramos Gancedo, Diego Antonio. LA LEY 305/1999.

del propio derecho, sustituyendo el ánimo de lucro en la primera de las conclusiones por el ánimo de obtener el pago de la cantidad, solicitando una pena de 15 de meses multa con una cuota de 20 euros" (*sic*)». STS Sala Segunda, de lo Penal, Sentencia 276/2014 de 2 Abr. 2014, Rec. 1998/2013; Ponente: Marchena Gómez, Manuel. LA LEY 35961/2014.

5.9. Informes orales

Ratificadas o modificadas las conclusiones definitivamente las partes deberán exponer oralmente lo que estimen procedente sobre la valoración de la prueba y la calificación jurídica de los hechos. El legislador ha preferido omitir una regulación detallada de estos informes orales, a diferencia de lo previsto para el procedimiento por delitos graves en los arts. 734 y ss., optando por una formulación genérica en el art. 788.3 LECrim. No debe entenderse que ambos trámites hayan sido agrupados, sino que una vez formuladas las conclusiones definitivas, procederá emitir los informes orales.

El informe se iniciará por las acusaciones y concluirá con las defensas de los abogados de las partes. En éste se expondrán los hechos probados, su calificación, y la participación que en ellos hubiere tenido, a su juicio, el acusado; incluyendo las alegaciones que correspondan sobre la responsabilidad civil. El informe versará sobre hechos debatidos en el acto del plenario, y calificaciones fijadas definitivamente en el trámite de conclusiones sin que se puedan introducir cuestiones nuevas.

El art. 738 LECrim prevé la posibilidad que se permita a las partes un trámite de rectificación de hechos y conceptos, que nada obsta, si fuera necesario, que se lleve a cabo.

5.10. Facultad de interpelación del Tribunal a las partes

El art. 788.3.2.º LECrim faculta al Tribunal para solicitar al Fiscal y a las demás partes personadas al debate sobre una o varias preguntas sobre puntos determinados, para obtener un mayor esclarecimiento de aspectos concretos de la prueba y la valoración jurídica de los hechos. Atendida la literalidad de la redacción legal, la norma expuesta resulta de aplicación en los supuestos en los que el Tribunal considere que procede la condena por un delito distinto pero homogéneo o que concurre una circunstancia eximente o atenuante no solicitada por la defensa. En estos supuestos la interpelación del Tribunal servirá para que las partes tengan conocimiento de una distinta valoración expuesta por el Tribunal, de modo que puedan valorarla en sus respectivos informes finales.

Pero, el ámbito y consecuencias de la interpelación del Tribunal van más allá de lo expuesto, según se deduce de lo establecido en los arts. 789.3 y 788.4 LECrim. En este sentido, el art. 789.3 LECrim, que regula la sentencia en procedimiento abreviado establece que: «*la sentencia no podrá imponer pena que exceda de la más grave de las acusaciones, ni condenar por delito distinto cuando éste conlleve una diversidad de bien jurídico protegido o mutación sustancial del hecho enjuiciado, salvo que alguna de las acusaciones haya asumido el planteamiento previamente expuesto por el Juez o Tribunal dentro del trámite previsto en el párrafo segundo del art. 788.3 LE-*

Crim». Por tanto, el requerimiento del Tribunal a las partes excede de lo que establece el redactado del art. 788.3 LECrim, ya que la interpelación puede plantear una modificación sustancial del hecho o del derecho que, asumida por las partes acusadoras, permitirá al Tribunal condenar con base en esa petición. Pero, en ese caso, el art. 789.3 LECrim exige que: *«alguna de las acusaciones haya asumido el planteamiento previamente expuesto por el Juez o Tribunal».* Es decir, que el mecanismo previsto en el art. 789.3 LECrim exige que el Tribunal interpele a las partes sobre los extremos referidos, de conformidad con lo previsto en el art. 788.3 LECrim, y que alguna parte acusadora asuma el planteamiento. De hacerlo así alguna de las partes acusadoras la defensa tendrá derecho a utilizar el incidente del art. 788.4 LECrim a fin de solicitar el aplazamiento de la sesión y, en su caso, solicitar la práctica de prueba sobre los extremos que han sido objeto de modificación.

El problema que plantea esta regulación es la el de la esencial modificación de los términos de la acusación que permite el art. 789.3 LECrim. En este sentido, se permite que el Tribunal condene: *«por delito distinto...»* o con: *«... mutación sustancial del hecho enjuiciado...».* Esta posibilidad puede afectar al principio acusatorio que establece que sólo cabe condenar con base en los delitos que fueron objeto de acusación y de debate contradictorio en el juicio oral. Así, debe existir una correlación entre la acusación y la sentencia, de tal modo que el acusado pueda haberse defendido de los hechos que se le imputan. Véase sobre esta cuestión «supra» el § 5.8 de ese Capítulo con relación a la modificación de la calificación provisional al formular las definitivas. Véase también el § 1.4 del Cap. X sobre la congruencia procesal. Así lo entiende el Tribunal Constitucional:

> «... El principio acusatorio trasciende al derecho contenido en el art. 24.2 CE y comprende un haz de garantías adicionales, entre las cuales se encuentra la de que el pronunciamiento del órgano judicial se efectúe precisamente sobre los términos del debate tal como han sido planteados en las pretensiones de la acusación y la defensa (por todas, STC 17/1988, F. 5), lo que implica que el juzgador penal está vinculado por la pretensión penal acusatoria compuesta, tanto por los hechos considerados punibles, como por su calificación jurídica, de modo que el órgano judicial no puede pronunciarse sobre hechos no aportados al proceso —ni objeto por lo tanto de acusación—, ni puede calificar estos hechos de forma que integren un delito de mayor gravedad que el definido por la acusación. En definitiva, se trata de que el deber de congruencia exige la adecuada correlación entre la acusación y el fallo (SSTC 11/1992, de 27 de enero, F. 3; 95/1995, de 19 de junio, F. 3; 36/1996, de 11 de marzo, F. 4, y 225/1997, de 15 de diciembre, F. 4)». STC 278/2000 de 27 de noviembre. Véanse también SSTC 19/2000 de 31 de enero.

5.11. Eventual variación de la competencia objetiva para juzgar

La LECrim permite que las partes acusadoras puedan, de forma unilateral, mediante las nuevas conclusiones, conducir a una variación de la competencia objetiva del órgano decisor, como consecuencia de la modificación de sus respectivas calificaciones —art. 788.5.º LECrim—. Podrán darse los siguientes supuestos:

1.º) Cuando todas las acusaciones califiquen los hechos como delitos castigados con pena que exceda de la competencia del Juez de lo Penal, se declarará éste incompetente, dará por terminado el juicio, y remitirá las actuaciones a la Audiencia competente. La cuestión que se plantea con esta previsión legal se centra en la necesidad o no de repetir el juicio oral ante la Audiencia competente. Parece acertado afirmar que será necesaria tal repetición, ya que de lo contrario se vulnerarían los principios procesales de inmediación y concentración, a los efectos de poder el Tribunal valorar en conciencia la prueba practicada. Además, carecen de eficacia los actos realizados ante el Juez objetivamente incompetente. Por ello, el Juez de lo Penal deberá decretar la nulidad del juicio oral actuado ante él, y remitir seguidamente los autos a la Audiencia Provincial competente.

2.º) Cuando sólo alguna de las acusaciones califique los hechos como delitos castigados con pena que exceda de la competencia del Juez de lo Penal.

En este caso, el Juez de lo Penal resolverá lo que estime pertinente acerca de la continuación o finalización del juicio. A este efecto podrá:

a) Dictar auto declarándose incompetente, y decretar la nulidad de actuaciones cuando entienda que las calificaciones que determinan su incompetencia están racionalmente formuladas, remitiendo las actuaciones a la Audiencia.

b) Dictar sentencia sobre el fondo. En la misma deberá fundamentar su competencia objetiva, y no podrá imponer pena que exceda de su competencia. En este caso, cabrá interponer recurso de apelación contra la sentencia, en el que se podrá, con carácter previo, solicitar la nulidad de actuaciones por falta de competencia objetiva del Juez de lo Penal. En caso de decretarse la nulidad de actuaciones, competerá a la Audiencia dictar sentencia en primera y única instancia, contra la que cabrá, en su caso, posterior recurso de casación. En el supuesto de no estimarse la nulidad de actuaciones, deberá la Audiencia decidir la apelación sobre el fondo del asunto.

3.º) Cuando el juicio se celebre ante la Audiencia Provincial y se califiquen los hechos como delitos cuyo enjuiciamiento competa el Juez de lo Penal.

En tales supuestos, la Audiencia deberá concluir el juicio y dictar sentencia, en virtud del principio de economía procesal. Nótese que el art. 788.5 LECrim se refiere únicamente a la incompetencia del juez de lo penal.

4.º) Cuando el juicio se celebre ante la Audiencia y se califiquen los hechos como delito que debe enjuiciarse conforme el procedimiento por delitos graves.

En este supuesto, corresponderá a la Audiencia seguir el juicio y dictar sentencia, ya que este órgano resulta ser el competente objetivamente en ambos casos para enjuiciar la causa. Por ello, en virtud del principio de economía procesal y de conservación de los actos, le corresponderá seguir enjuiciando la causa.

5.º) Cuando todas o alguna de las acusaciones, cualquiera que sea el órgano que esté conociendo, califiquen los hechos como falta.

A nuestro entender, el órgano que esté conociendo, sea la Audiencia o el Juez de lo Penal, deberá concluir el juicio y dictar sentencia, de acuerdo con los principios de economía procesal y conservación de los actos, y, en definitiva, en virtud del principio de que quien puede lo más, puede también lo menos.

5.12. Acta del juicio oral[(101)]

El juicio oral se registrará en soporte apto para la grabación y reproducción del sonido y de la imagen. El Letrado A. Justicia deberá custodiar el documento electrónico que sirva de soporte a la grabación (art. 743 LECrim al que se remite el art. 788.6 LECrim). Este es el modo ordinario de documentar lo acaecido en el juicio oral con ventajas indudables con relación al antiguo y tradicional sistema de acta escrita. Ello sin perjuicio de lo conveniente de una necesaria mejora de la calidad en las grabaciones. En el acta electrónica consta todo el desarrollo del juicio oral incluyendo las peticiones, práctica de la prueba e informe. El Letrado Ad. Justicia deberá custodiar el documento electrónico que sirva de soporte a la grabación. Las partes podrán pedir, a su costa, copia de las grabaciones originales. No es necesario que el Letrado de la Ad. de Justicia esté presente en el acto del juicio, aunque a nuestro entender es muy conveniente (art. 453 LOPJ)[(102)]. De modo que el Letrado A. Justicia garantizará la autenticidad e integridad de lo grabado o reproducido mediante la utilización de la firma electrónica reconocida u otro sistema de seguridad que conforme a la ley ofrezca tales garantías[(103)]. En ese caso, además del documento electrónico, que es el acta del juicio a todos los efectos, se extenderá una simple «diligencia de constancia y documentación de vista» en la que se hará constar las personas comparecientes, la composición del Tribunal, así como la hora de inicio y finalización del juicio oral.

«... la documentación de las vistas ha de efectuarse de una forma u otra dependiendo de los medios técnicos de que disponga el órgano judicial: "en cascada" o con carácter subsidiario. La regla general es la grabación del juicio oral que constituye el acta a todos los efectos...». STS 464/2015 de 7 Jul. 2015, Rec. 1729/2014. Ponente: Moral García, Antonio del. LA LEY 99811/2015.

No obstante lo anterior el Letrado A. Justicia comparecerá en el juicio cuando: — No cuente con los medios tecnológicos necesarios de firma electrónica o similares para garantizar la autenticidad e integridad de lo grabado; — lo soliciten las partes, al menos dos días antes de la celebración de la vista; — de oficio cuando, excepcionalmente lo considere necesario atendiendo a la complejidad del asunto, al número

---

(101) Ver también sobre el acta del juicio oral el § 3.11 Cap. XV en sede de procedimiento por delitos graves.

(102) Art. 453.1 LOPJ: «Corresponde a los Secretarios Judiciales, con exclusividad y plenitud, el ejercicio de la fe pública judicial. En el ejercicio de esta función, dejarán constancia fehaciente de la realización de actos procesales en el Tribunal o ante éste y de la producción de hechos con trascendencia procesal mediante las oportunas actas y diligencias. Cuando se utilicen medios técnicos de grabación o reproducción, las vistas se podrán desarrollar sin la intervención del Secretario Judicial, en los términos previstos en la ley. En todo caso, el Secretario Judicial garantizará la autenticidad e integridad de lo grabado o reproducido».

(103) El Informe de la Comisión Permanente del Consejo General del Poder Judicial de 1 de abril de 1990 señala que: «El Secretario es competente para redactar las actas de los juicios, sin perjuicio de la potestad de dirección del Juez o Tribunal, que se extienden en su caso a resolver las reclamaciones que se formulan sobre el contenido de dichas actas, pero sin que esta última potestad convierta al Juez o Tribunal en redactor de lo que la Ley califica expresamente como una actuación del Secretario, susceptible, además, de la habilitación a los Oficiales de la Administración de Justicia». Vid. SÁEZ GONZÁLEZ, «Consideraciones acerca del ap. 2.°, art. 742 LECrim.», *Justicia*, 1992, p. 39.

y naturaleza de las pruebas a practicar, al número de intervinientes, a la posibilidad de que se produzcan incidencias que no pudieran registrarse, o a la concurrencia de otras circunstancias igualmente excepcionales que lo justifiquen. En estos supuestos, cuando hubiere asistido al juicio, el Letrado A. Justicia extenderá acta sucinta, sin perjuicio de la grabación del juicio en acta ordinaria en formato electrónico[104].

Finalmente deberá comparecer el Letrado A. Justicia en el acto del juicio y levantar acta en el supuesto que no funcionase el sistema de grabación de la vista. Esa será un acta ordinaria en la que el Letrado A. Justicia deberá reflejar lo acaecido en el juicio del modo más fiel que le sea posible: «Cuando los medios de registro previstos en este artículo no se pudiesen utilizar por cualquier causa, el Letrado A. Justicia extenderá acta de cada sesión, recogiendo en ella, con la extensión y detalle necesarios, el contenido esencial de la prueba practicada, las incidencias y reclamaciones producidas y las resoluciones adoptadas» (art. 743.4 LECrim). Ese acta ordinaria al igual que la sucinta a la que antes hemos hecho referencia se deberán redactar por medios informáticos. Únicamente podrá hacerse por escrito en el caso que no se dispusieran de medios informáticos en el Juzgado. El acta sea ordinaria o sucinta será leída por el Letrado A. Justicia a finalizar la sesión, haciendo en ella las rectificaciones que las partes reclamen, si las estima procedentes. El acta se firmará por el Presidente y miembros del Tribunal, por el Fiscal y por los defensores de las partes.

«El levantamiento de acta detallada de la vista se convierte por tanto en un supuesto de excepción, que se emplea únicamente cuando la grabación no resulta posible y tal eventualidad es conocida antes o en el momento de abrirse la sesión, en cuyo caso el acta del Secretario habrá de recoger "con la extensión y detalle necesarios, el contenido esencial de la prueba practicada, las incidencias y reclamaciones producidas y las resoluciones adoptadas" (art. 743.4 LECrim (LA LEY 1/1882)). Al margen de su extensión, el acta ha de levantarse siempre "por procedimiento informático", salvo que el órgano judicial carezca de tal medio técnico (art. 743.5 LECrim (LA LEY 1/1882)). Con estas previsiones legales, el soporte de grabación audiovisual ha venido a desplazar al acta escrita como medio de documentación de las actuaciones orales en todos los órdenes de la jurisdicción, superando las tradicionales limitaciones de esta última. Interesa añadir, en fin, que la misma Ley 13/2009 (LA LEY 19391/2009) modificó también el apartado 6 del art. 788 de la LECrim (LA LEY 1/1882), a fin de prever que en el proceso abreviado —por cuyo cauce, recordemos, se sustanció la primera instancia del proceso seguido contra el recurrente—, "cuanto se refiere a la grabación de las sesiones del juicio oral y a su documentación, serán aplicables las disposiciones contenidas en el artículo 743 de la presente Ley"». STC 55/2015 de 16 Mar. 2015, Rec. 3222/2013. Ponente: Roca Trías, Encarnación. LA LEY 45450/2015.

---

(104) En ese acta sucinta deben constar, conforme con el art. 743 LECrim: «3. Si los mecanismos de garantía previstos en el apartado anterior no se pudiesen utilizar el Secretario judicial deberá consignar en el acta, al menos, los siguientes datos: número y clase de procedimiento; lugar y fecha de celebración; tiempo de duración, asistentes al acto; peticiones y propuestas de las partes; en caso de proposición de pruebas, declaración de pertinencia y orden en la práctica de las mismas; resoluciones que adopte el Juez o Tribunal; así como las circunstancias e incidencias que no pudieran constar en aquel soporte».

El sistema de documentación y garantía y fe pública del juicio oral sigue residenciándose en el Letrado A. Justicia que utilizará unos medios u otros en función de los que están disponibles, quedando siempre como último y residual *«levantar»* el acta manuscrita.

«La documentación de las vistas ha de efectuarse de una forma u otra, dependiendo de los medios técnicos de que disponga el órgano judicial (o que resulten operativos) en cada momento concreto, siendo responsabilidad del Letrado de la Administración de Justicia que la documentación quede suficientemente garantizada, aún con el residual y subsidiario mecanismo de un acta extendida por él sirviéndose de mecanismos informáticos o incluso de manera manuscrita, pues el artículo 453 de la LOPJ (LA LEY 1694/1985) les atribuye "con exclusividad y plenitud, el ejercicio de la fe pública judicial. En el ejercicio de esta función, dejarán constancia fehaciente de la realización de actos procesales en el Tribunal o ante éste y de la producción de hechos con trascendencia procesal mediante las oportunas actas y diligencias", añadiéndose en el artículo 454 del mismo texto legal que ellos son "responsables de la función de documentación que les es propia, así como de la formación de los autos y expedientes ..."». STS 41/2017 de 31 Ene. 2017, Rec. 1001/2016; Ponente: Monterde Ferrer, Francisco. LA LEY 3157/2017.

Respecto a la firma de la partes, el Tribunal Supremo ha declarado que deben constar todas las de los intervinientes, aunque resulta esencial la del Letrado de la administración de justicia por cuanto su ausencia determina la imposibilidad de otorgar al documento el carácter de público.

«El artículo 743 de la Ley procesal penal exige que el acta se firme por el Presidente e individuos del Tribunal, por el Fiscal y los defensores de las partes y otro tanto recoge el artículo 793.9 para el denominado Procedimiento Abreviado. Aunque se acepte la innecesariedad de la firma del acusado, estimando que, incluso con conformidad en el juicio, la de su Abogado defensor y las demás personas señaladas la acreditan, sigue faltando una firma y lo que sí parece es que ninguna tiene semejanza con la del fedatario de la causa, a juzgar por otras muchas que figuran en diversas providencias. Que, como resumen de cuanto ha quedado expuesto, la falta de firma del Secretario en el acta en cuestión hace ineficaz la documentación de la misma. Tiene que ser un documento público y falta la firma del que otorga fe y puede certificar, como dice el documento, que por otra parte señala que es firmada por los concurrentes, lo que no ocurre». STS Sala Segunda, de lo Penal, Sentencia de 14 Sep. 1998, Rec. 444/1997; Ponente: Martínez-Pereda Rodríguez, José Manuel. LA LEY 9751/1998.

La importancia del acta en el proceso penal sigue siendo indudable como medio de garantía de lo acaecido en el juicio y de permitir la posterior impugnación y, en su caso, revisión por un Tribunal superior. Es por ello que no puede otorgarse validez a una grabación, que constituye el acta del juicio, que por la razón que sea no contiene lo acaecido en el juicio ya sea porque falte imagen, sonido o ambas cosas[105].

_____

(105) «... El acta es esencial a efectos de recurso. En ella se incorpora la indispensable constancia documental de las formalidades observadas durante el desarrollo del juicio, las incidencias y reclamaciones que hubieran podido formularse durante las sesiones y el contenido esencial de la actividad probatoria. Por eso su levantamiento y corrección se puede vincular con el derecho a la tutela judicial efectiva y una de sus facetas que es el derecho a interponer los recursos de acuerdo

«Se desprende de los preceptos citados que lo esencial o importante es que el Letrado de la Administración de Justicia, a quien corresponde en exclusiva el ejercicio de la fe pública judicial, consigne el contenido del juicio en medio audiovisual en el que se garantice la autenticidad e integridad de la grabado y, en su defecto o en caso de imposibilidad del uso de tales medios, extenderá la correspondiente acta, que se contempla como algo subsidiario; lo que sí resulta evidente es que en ambos casos el acta —en medio tecnológico apto para la grabación o reproducción de imagen y sonido o en medio informático de texto— cuenta con el amparo de la fe pública. En el caso el acta se levantó por medios audiovisuales de grabación, sin asistencia física al juicio del Letrado de la Administración de Justicia, y sin que exista, por tanto, un acta levantada por éste —en medios de informáticos o manuscrita—. Y el acta levantada puede ser reproducida en imagen pero tiene unos defectos insubsanables en la totalidad de su audición, ya el defecto es adelantado por la defensa en su escrito de recurso, pero también puesto de manifiesto por el Ministerio Fiscal al contestar al escrito de apelación, y esta Magistrada ponente tuvo ocasión de comprobarlo en la copia unida a los autos —irreproducible— y en la segunda copia solicitada al juzgado de instrucción, los defectos de audición, ya con altavoz ya con auriculares, son insalvables pues no permiten escuchar lo que se dice o no se dice en juicio. Es cierto que la lesión a la tutela judicial efectiva no se produciría si el Letrado de la Administración de Justicia hubiese asistido a juicio y redactado acta sucinta en la que se recogiera cuanto de importante hubiera sucedido (en este sentido STS 1 de febrero de 2012, 2 de diciembre de 2010 y 22 de julio de 2010)». SAP A Coruña, Sección 1ª, Sentencia 250/2017 de 31 May. 2017, Rec. 286/2017; Ponente: Cortizas González-Criado, María Teresa. LA LEY 80711/2017.

En ese sentido, es el acta la prueba auténtica de lo actuado en el juicio. Aunque su pérdida no puede de por sí constituir una prueba suficiente de la violación de un derecho fundamental, que en cualquier caso deberá ser acreditada[106].

---

con las previsiones legales. Esa relevancia del acta ha llevado a esta Sala de casación a declarar la nulidad del juicio oral cuando ha desaparecido el documento o no se ha producido la grabación, o la misma es tan defectuosa que deviene imposible su reproducción. "La sentencia que dicta un Tribunal sin contar con la documentación del acta del juicio oral es nula" (STS de 26 de abril de 1989). Incluso en algún caso se ha llegado a la solución, más discutible por suponer un salto entre planos diferentes, de anudar a la pérdida del acta la consecuencia de la absolución, aunque en ese supuesto el extravío se extendía a otras actuaciones (STS 525/1995, de 1 de abril)». STS 464/2015 de 7 Jul. 2015, Rec. 1729/2014. Ponente: Moral García, Antonio del. LA LEY 99811/2015.

(106)   En el caso de pérdida el archivo de la vista sin que haya quedado ninguna copia útil o válida procederá la reconstrucción de actuaciones conforme está previsto en los arts. 232 a 235 de la LEC procediendo como allí se indica a obtener documentación que permita la reconstrucción en lo que fuere posible. Por ejemplo mediante el uso de eventuales grabaciones de los medios de comunicación. Véase la STC 55/2015 de 16 Mar. 2015 que conoce de un asunto de una absoluta falta grabación por mal funcionamiento del sistema y en el que se obtienen imágenes de televisión que a la postre sirvieron parcialmente a ese fin de la reconstrucción: «En primera instancia el propio Juez de la causa consideró posible la reconstrucción con dicho soporte audiovisual y las versiones dadas por las partes y su señoría en relación a lo declarado por los expertos en esa vista, la Audiencia en la apelación de este incidente descartó considerar aquellas versiones subjetivas, pero otorgó validez a la mentada grabación, pese a advertir sus evidentes limitaciones (Auto de 27 de septiembre de 2012, fundamento cuarto), decretando una reconstrucción "parcial". En soporte televisivo no aparece el interrogatorio a los miembros del equipo de reconstrucción de accidentes de tráfico de la Guardia Civil, ni el de los agentes locales (a quienes sólo se ve sentados, de espaldas). La declaración de don Rosendo (control de tráfico en Santa Cruz de Tenerife) sí aparece, pero

«Según se evidencia de lo expuesto, debe concluirse que la documentación de las actuaciones no constituye un requisito de validez de los actos procesales, sino la prueba auténtica que permite constatar la realidad material de lo actuado. Ello podría afectar el ejercicio de algunos derechos fundamentales. Esta doctrina ya se dejó sentada en la STC 4/2004, de 14 de enero, FJ 5, que declaró que la pérdida de la documentación de las actuaciones no comporta en sí misma la vulneración de ninguna de las garantías esenciales del proceso .../... Por tanto, si las periciales no documentadas cuya valoración se propone en apelación no cuestionan la credibilidad de los testigos, ni lo declarado por los propios acusados, y teniendo en cuenta la absoluta lógica de la inferencia judicial, la conclusión que cabe extraer desde nuestra función de control externo, es que la defensa del recurrente no aporta una argumentación verosímil sobre la indefensión que dice sufrir por no poder contar en apelación con el registro audiovisual de dichas declaraciones periciales, de modo que lo manifestado por los peritos carece de toda relevancia para cambiar la relación de hechos probados de la Sentencia de instancia, tanto en lo referido a la velocidad de ambos vehículos, como a la fase semafórica, cuando fueron atropelladas las víctimas». STS 464/2015 de 7 Jul. 2015, Rec. 1729/2014. Ponente: Moral García, Antonio del. LA LEY 99811/2015.

La modificación del sistema de registro y conservación del acta del juicio oral, por medios electrónicos, mejora de forma importante la utilidad del acta permitiendo a las partes y al Tribunal que conozca en vía de recurso conocer de un forma bastante directa toda la prueba y alegaciones que tuvieron lugar en el acto del juicio oral, limitando de ese modo la subjetividad que siempre se puede tener de esas actuaciones.

«Tiene declarado esta Sala (STS 503/2012, de 5-6 (LA LEY 92632/2012)) que el acta es esencial a efectos de recurso, pues en ella se incorpora la indispensable constancia documental de las formalidades observadas durante el desarrollo del juicio, las incidencias y reclamaciones que hubieran podido formularse durante las sesiones y el contenido esencial de la actividad probatoria; añadiendo que, por ello, *"el levantamiento y corrección del acta se puede vincular con el derecho a la tutela judicial efectiva y una de sus facetas que es el derecho a interponer los recursos de acuerdo con las previsiones legales"*. En esta misma sentencia destacábamos que la relevancia del acta ha llevado a esta Sala de casación a declarar la nulidad del juicio oral cuando ha desaparecido el documento o no se ha producido la grabación, o la misma es tan defectuosa que deviene imposible su reproducción (con cita de la STS de 26 de abril de 1989), o incluso en algún caso se ha llegado a la solución, que entendíamos más discutible por suponer un salto entre planos diferentes, de anudar a la pérdida del acta la consecuencia de la absolución, aunque en ese supuesto el extravío se extendía a otras actuaciones (con cita de la STS 525/1995, de 1 de abril)». STS 41/2017 de 31 Ene. 2017, Rec. 1001/2016; Ponente: Monterde Ferrer, Francisco. LA LEY 3157/2017.

Es indudable que contar con una grabación en la que constan preguntas y respuestas mejora mucho el sistema tradicional de acta en la que únicamente constaba el contenido «esencial» de la prueba practicada. Lo que significaba que únicamente

---

presenta cortes de edición y en varias ocasiones falla el sonido, lo que impide conocer el alcance real de sus respuestas». STC 55/2015 de 16 Mar. 2015, Rec. 3222/2013. Ponente: Roca Trías, Encarnación.LA LEY 45450/2015.

se reflejaban las respuestas pero no las preguntas, y de las respuestas únicamente lo esencial. Esta realidad condicionaba realmente la viabilidad de futuros recursos. Máxime teniendo en cuenta que tanto el Tribunal Supremo como el Tribunal Constitucional se habían pronunciado reiteradamente declarando que no cabía alegar infracción o irregularidad por la circunstancia de que no se contuviera en el acta todas las circunstancias, extremos o alegaciones acaecidas en el juicio; y que, en su caso, la irregularidad únicamente podría tener incidencia si produjese indefensión[107]. Ahora bien, como señala el Tribunal Supremo esta mejora en la calidad de la revisión por el Tribunal superior no supone que el recurso de apelación o, especialmente, el de casación amplíen su alcance y ámbito de conocimiento.

> «En todo caso no sobra recalcar aquí a la vista de las alegaciones de las partes que la grabación no modifica la naturaleza y límites de cada tipo de recurso. La posibilidad de visionar mediante la reproducción de la grabación la vista no altera los márgenes del recurso de casación marcados por la necesidad de respetar la valoración de la prueba efectuada en la instancia, con las garantías que proporciona el principio de inmediación. En ningún caso, la grabación del juicio implicará que el Tribunal Supremo pueda valorar de nuevo la prueba practicada ante la Audiencia. Dicha función corresponde exclusivamente al Tribunal de instancia. Así lo reseña entre otras la STS 503/2008, de 17 de julio (LA LEY 79476/2008), Fundamento de Derecho Segundo. Incluso a efectos de un recurso de apelación tampoco se puede exacerbar su valor (STC 120/2009, de 18 de mayo (LA LEY 49468/2009)) ...». STS 464/2015 de 7 Jul. 2015, Rec. 1729/2014. Ponente: Moral García, Antonio del. LA LEY 99811/2015.

En último término, debe señalarse que el Tribunal valora la prueba directamente inmediada, sin que para ello deba ceñirse en exclusiva al contenido literal del acta[108].

___

(107) «La irregularidad principal a la que se refieren los recurrentes, relativa a que en el acta del juicio oral no quedara constancia del nombre de los peritos, no afecta al derecho a utilizar las pruebas pertinentes para la defensa (por todas STC 1/1996, de 15 de enero, pues no supone ni la denegación inmotivada ni la falta de práctica de una prueba propuesta. Tampoco afecta al derecho a la tutela, ni al derecho de defensa, ni al derecho a un proceso con todas las garantías, pues, como afirma el Tribunal Supremo y reitera en sus alegaciones el Ministerio Fiscal, no se precisa ni se observa en qué medida la irregularidad mencionada les ocasionó indefensión. De un lado, no se trata de la falta de conocimiento de la parte del nombramiento de los peritos y del contenido y objeto de la pericial, pues, habiendo sido nombrados en el juicio oral, es evidente que estaban presentes los recurrentes y tuvieron un conocimiento puntual de lo que aconteció, no sólo en cuanto al nombramiento, sino en cuanto al resultado de la prueba que pudieron someter a contradicción. De otro, la irregularidad alegada es la falta de constancia documental en el acta del juicio oral, de manera que la cuestión, puramente fáctica, es si es posible entender que los hechos sucedieron como se afirma en las Sentencias. Como este Tribunal ha declarado (ATC 155/1999), lo que no consta en el acta puede ser probado por otros medios, de manera que en la medida en que este Tribunal no puede revisar las apreciaciones fácticas realizadas por los Tribunales, ordinarios salvo que afecten a algún derecho fundamental, ha de darse por cierto lo relatado por los Tribunales ordinarios». ATC 167/2000 de 7 de julio.

(108) «Todo lo dicho y sucedido en el juicio oral ha sido oído y visto por todas las partes y en la inmediata presencia del Tribunal cuyos miembros pueden conservar en su memoria lo ocurrido y pudieron tomar notas manuscritas, taquigráficas, etc. y que al expresar su parecer en la sentencia no tienen necesidad de referir su impresión de lo presenciado ni a cintas grabadas ni tampoco al acta, y el que lo hagan sólo supone una apoyatura a la precisión de su recuerdo». STS Sala Segunda, de lo Penal, Sentencia de 7 Abr. 1995, Rec. 1263/1994; Ponente: Carrero Ramos, Justo. LA LEY 2408/1995.

Resulta también evidente que la sentencia se construye sobre el conocimiento que el Tribunal obtiene con ocasión de la prueba practicada a su presencia, sin que deba dar traslado a las partes de las notas que haya considerado conveniente recoger durante el plenario para ayudar a su reflexión o memoria. Hemos declarado además que sólo en aquellos casos en que se revelen en el acta hechos absolutamente incompatibles con lo expresado por los Magistrados en su sentencia, podrá suscitarse en rigor cuestión acerca de la veracidad de aquélla (STS 46/2012, de 1-2 (LA LEY 13080/2012), con cita de la sentencia 1403/2003, de 29-10 (LA LEY 36/2004)), si bien sin que el acta pueda reemplazar la percepción de las pruebas de los jueces, que es la única que puede determinar los hechos probados (STS 1265/2005, de 31-10 (LA LEY 14209/2005)). Y desde luego, es constante la doctrina que fija que la indefensión constitucionalmente prohibida es aquella que supone una privación real, efectiva y actual, no potencial, abstracta o hipotética de los medios de alegación y prueba, pues —como reiteradamente ha afirmado el TC (por todas, STC 133/2003, de 30 de junio (LA LEY 12614/2003))— *«el dato esencial para que pueda considerarse vulnerado el derecho fundamental analizado consiste en que las irregularidades u omisiones procesales efectivamente verificadas hayan supuesto para el demandante de amparo una efectiva indefensión, toda vez que la garantía constitucional contenida en el* art. 24.2 CE (LA LEY 2500/1978) *únicamente cubre aquellos supuestos en que la prueba es decisiva en términos de defensa* (STC núm. 25/1991, de 11 de febrero (LA LEY 1644-TC/1991); también SSTC 1/1996, de 15 de enero (LA LEY 1853/1996);219/1998, de 16 de noviembre (LA LEY 10640/1998))». STS 41/2017 de 31 Ene. 2017, Rec. 1001/2016; Ponente: Monterde Ferrer, Francisco. LA LEY 3157/2017.

5.13. La sentencia en el procedimiento abreviado

La sentencia se dictará, conforme establece el art. 789 LECrim, y en la forma prevista en el art. 248.3.º LOPJ, dentro de los cinco días siguientes a la finalización del juicio oral (con relación al procedimiento por delitos graves, el art. 203 LECrim. concede solamente tres días para dictar sentencia). No se establece expresamente la necesidad de motivar la sentencia. Sin embargo, la doctrina constitucional, en aplicación del art. 120.3.º CE, ha reiterado en múltiples ocasiones tal obligatoriedad (Véase 2.2.A.b.5 del Cap. I). (Véanse M. 213 a 216)

«Este Tribunal, en una muy consolidada doctrina, ha venido declarando que el derecho a la tutela judicial efectiva incluye el derecho a obtener de los órganos judiciales una respuesta razonada, motivada y congruente con las pretensiones oportunamente deducidas por las partes por cuanto la motivación de las resoluciones judiciales, aparte de venir requerida por el art. 120.3 CE, es una exigencia derivada del art. 24.1 CE .../... la exigencia de motivación cumple una doble finalidad inmediata: de un lado, exteriorizar las reflexiones que han conducido al fallo como factor de racionalidad en el ejercicio de la potestad jurisdiccional, que paralelamente potencia el valor de la seguridad jurídica, de manera que sea posible lograr el convencimiento de las partes en el proceso respecto de la corrección y justicia de la decisión; de otro, garantizar la posibilidad de control de la resolución por los Tribunales superiores mediante los recursos que procedan, incluido este Tribunal a través del recurso de amparo» STC 108/2001 de 23 de abril.

La motivación es necesaria en todas las resoluciones judiciales incluye la obligación de fundamentar los hechos y la calificación jurídica, así como la pena impuesta. Precisamente ha declarado el TC que este deber resulta especialmente reforzado y exigible en el caso de las Sentencias penales condenatorias cuando el derecho a la tutela judicial efectiva se conecta, directa o indirectamente, con el derecho a la libertad personal. Véanse a este respecto SSTC 139/2000 de 305; 5/2000 de 17 de enero; 25/2000 de 31 de enero; 2/1999, de 25 de enero; 47/1998 de 2 de marzo; 116/1998 de 2 de junio; 81/1997 de 22 de abril; 43/1997 de 10 de marzo; 193/1996 de 26 de noviembre; 27/1993 de 25 de enero. Véase sobre motivación el § 1.2 del Cap. X.

La sentencia se dictará y redactará por escrito. Pero, el art. 789.2 LECrim faculta al Juez de lo Penal para poder dictar sentencias oralmente en el acto del juicio (Véase M. 213), quedando la Audiencia Provincial privada de tal facultad, dado su carácter de órgano colegiado que exige una previa deliberación. No obstante, una vez dictada la sentencia oralmente, se documentará el fallo mediante la fe del Letrado de la administración de justicia, o bien se expresará en un anexo al acta, sin perjuicio de la ulterior redacción de aquélla con arreglo a lo establecido en el art. 248 LOPJ y 209 LEC (Ver M. 213).

Si el Fiscal y las partes, conocido el fallo dictado «in voce», expresaren su decisión de no recurrir, el Juez, en el mismo acto, declarará la firmeza de la sentencia y se pronunciará, previa audiencia de las partes, sobre la suspensión o sustitución de la condena impuesta —art. 789.2.º *in fine*—. En la práctica forense podrá suceder que, dada la celeridad impuesta a la fase de instrucción de este procedimiento, no consten en autos todavía en este momento los antecedentes penales actualizados del acusado, o no esté finalizada aún la pieza de responsabilidad civil. Estas ausencias impedirán a las partes y al propio Juez conocer la existencia o no de los requisitos que exigen los arts. 80 y 88 CP para que pueda operar la suspensión o la sustitución de la condena.

La sentencia se notificará en la forma ordinaria a las partes en el proceso, a efectos del conocimiento de la resolución y de poder interponer los recursos que procedan. Además, el art. 789.4 LECrim dispone que la sentencia se notificará por escrito a los ofendidos y perjudicados por el delito, aunque no se hayan postrado parte en la causa. Cuando la instrucción de la causa hubiera correspondido a un Juzgado de Violencia sobre la Mujer la sentencia será remitida al mismo por testimonio de forma inmediata. Igualmente se le remitirá la declaración de firmeza y la sentencia de segunda instancia cuando la misma fuera revocatoria, en todo o en parte, de la sentencia previamente dictada (art. 779 bis LECrim).

Finalmente, cabe hacer referencia a los requisitos de la congruencia de la sentencia dictada por el Tribunal penal en el procedimiento abreviado que determina la necesaria vinculación del Tribunal a las peticiones de las partes. Aunque esta correlación no es absoluta ni matemática, sino que corresponde al Tribunal determinar la pena de conformidad con los hechos y el delito objeto de acusación. Además, se plantea el problema de la posibilidad que tienen las partes de modificar sus conclusiones provisionales. En este último caso la cuestión no será de congruencia, sino de una posible vulneración del principio acusatorio.

En este punto, y sin perjuicio del comentario de las cuestiones apuntadas en sede de Sentencia (véase § 1.4 Cap. X), debemos atender a la regulación del art. 789.3 LECrim. Este precepto, que regula la sentencia en el procedimiento abreviado, reproduce el contenido del derogado art. 794.3 LECrim con la diferencia que lo que en la regulación anterior constituía un límite a las facultades del Tribunal en orden a la sentencia, en la regulación introducida por la ley 38/2002 constituye una posibilidad. De este modo, en la regulación vigente se contiene: 1º Un principio general que establece que: «*la sentencia no podrá imponer pena que exceda de la más grave de las acusaciones, ni condenar por delito distinto cuando éste conlleve una diversidad de bien jurídico protegido o mutación sustancial del hecho enjuiciado*»; 2º Una excepción de la norma en el supuesto de que: «*alguna de las acusaciones haya asumido el planteamiento previamente expuesto por el Juez o Tribunal dentro del trámite previsto en el párrafo segundo del art. 788.3*». (Véase sobre el incidente de interpelación supra el § 5.10 de este Capítulo).

Como ya expusimos a propósito del incidente de interpelación, el problema que plantea esta norma radica en que por la vía de excepción se puede vulnerar el derecho de defensa que comporta el principio acusatorio. Es decir, que dando por supuesto que alguna parte acusadora asuma la propuesta del Tribunal y acuse, efectivamente, por ese delito distinto, o alterando los hechos, no parece respetuoso con el derecho de defensa del acusado que el Tribunal pueda condenar con base en esa nueva petición. Y esta imposibilidad se fundamenta, no en la vulneración del principio de congruencia procesal, sino en la del principio acusatorio. En consecuencia, no cabe duda de la bondad de la norma, siempre que la modificación de las conclusiones provisionales no suponga una alteración absoluta de la acusación, que es de lo que se ha defendido el acusado, y que es lo que se producirá en el caso que se acabe acusando por un delito distinto o bien alterando: «*sustancialmente el hecho enjuiciado*».

Por tanto se pone de manifiesto la discordancia entre la norma que ya existía en el derogado art. 794.3 LECrim, y la que se ha añadido en la reforma por ley 38/2002. A nuestro juicio, se produce una confusión entre los límites de la congruencia, definidos perfectamente en la primera parte del art. 789.3; y la posible modificación de las conclusiones provisionales de las partes que se halla limitada por el principio acusatorio, aunque esa alteración la haya propuesto el Tribunal. Precisamente, en la redacción del proyecto de ley, la referencia que se contenía en el art. 789.3 *in fine* se hacía al procedimiento de tesis del art. 733 LECrim. Esta redacción se modificó como consecuencia de las enmiendas admitidas. En cualquier caso, el problema que planteaba aquélla redacción, es el mismo que el que suscita la vigente.

La necesidad de conjugar el principio de individualización de la pena y las exigencias del principio acusatorio motivaron el Acuerdo no jurisdiccional de la Sala Penal de 20 de diciembre de 2006 en el que se acordó que el art. 789.3 LECrim debía interpretarse en el sentido de que: «*El Tribunal sentenciador no puede imponer pena superior a la más grave de las pedidas en concreto por las acusaciones, cualquiera que sea el tipo de procedimiento por el que se sustancie la causa*». Acuerdo complementado por el de 27 de noviembre de 2007 que interpreta el Acuerdo de 20 de diciembre de 2006 en el sentido de que: «*el Tribunal no puede imponer pena superior a la más grave de las pedidas por las acusaciones, siempre que la pena solicitada se corresponda con las previsiones legales al respecto, de modo que cuando la pena se omite o no alcanza el mínimo previsto en la ley, la sentencia debe imponer, en todo caso, la pena mínima establecida para el delito objeto de condena*». La finalidad del Tribunal Supremo no es otra que la de ofrecer una solución a los problemas de omisión o error en la petición de pena por las acusaciones. Facultades que si bien no significan la vuelta a la situación anterior a la del Acuerdo de 2006 si es cierto que suponen un menoscabo del principio acusatorio frente a una mayor prevalencia del principio de legalidad.

De este modo, podemos concluir señalando que: 1º El Tribunal debe dictar sentencia en los términos de las peticiones de las partes, aplicando la pena que considere correcta en aplicación de la función jurisdiccional que tiene encomendada. 2º En el caso que el Tribunal considere que procede la concurrencia de una circunstancia no alegada, un mayor grado de participación, delitos distintos pero homogéneos, etc., podrá plantear esta cuestión a las partes acusadoras. Si la asumen con modificación de sus conclusiones el Tribunal resolverá según lo solicitado por las partes con pleno respeto al principio acusatorio. En este sentido, resulta posible la modificación no esencial de los hechos imputados desde que comienza la instrucción hasta que se fija definitivamente la acusación en los escritos de calificación o acusación definitivas (SSTC 302/2000 de 11 de diciembre; 169/1998 de 21 de julio; 41/1998 de 24 de febrero; 20/1987 de 19 de febrero). 3º El Tribunal no puede exceder los límites establecidos de la congruencia procesal y el principio acusatorio. Estos principios determinan la vinculación del Tribunal, principalmente, a los hechos debatidos en el proceso; pero también a la calificación jurídica. Véase, por todas, la STC 302/2000 de 11 de diciembre.

> «... Es decir, que el debate procesal vincula al juzgador de forma que no puede excederse de los términos en que la acusación ha sido formulada ni puede "apreciar hechos o circunstancias que no han sido objeto de consideración en la misma, ni sobre las cuales, por lo tanto, el acusado ha tenido ocasión de defenderse" (SSTC 205/1989, de 11 de diciembre, F. 2; 95/1995, de 19 de junio, F. 2). Sin embargo, esta vinculación no implica la absoluta imposibilidad del juzgador de apartarse de la acusación formulada, pues "no existe infracción constitucional si el Juez valora los hechos y los calibra de modo distinto a como venían siéndolo (STC 104/1986, recogiendo doctrina anterior), siempre, claro, que no se introduzca un elemento o dato nuevo al que la parte o partes, por su lógico desconocimiento, no hubieran podido referirse para contradecirlo en su caso" (STC 10/1988, F. 2). (STC 225/1997, de 15 de diciembre, F. 3). En definitiva, y según nuestra doctrina, es posible el apartamiento del órgano judicial de las calificaciones de la acusación siempre que confluyan dos condiciones: la identidad del hecho punible objeto de acusación y fallo, en el sentido de que el mismo hecho descrito en la acusación, debatido en juicio, y declarado probado constituya el supuesto fáctico de la nueva calificación; y la homogeneidad de los delitos, es decir, que tengan la misma naturaleza y que el hecho que configura los tipos correspondientes sea sustancialmente el mismo (SSTC 12/1981, de 10 de abril, F. 5; 134/1986, de 29 de octubre, F. 2, 225/1997, de 15 de diciembre, F. 3).». STC 302/2000 de 11 de diciembre.

4º El Tribunal penal no podrá imponer mayor pena de la solicitada por las acusaciones, salvo en caso de error u omisión de la que procesa legalmente, en cuyo caso podrá imponer la pena mínima establecida para el delito objeto de condena. Véase sobre la correlación entre acusación y sentencia el § 1.4 del Cap. X en sede de sentencia.

SECCIÓN 6. LOS RECURSOS EN EL PROCEDIMIENTO ABREVIADO[109]

Los recursos que cabe interponer en la sustanciación del procedimiento abreviado se regulan de forma específica en el T. II del Libro IV de la LECrim y concretamente en los arts. 766 y 790 a 793 LECrim. También resulta de aplicación el art. 846 ter LECrim que prevé que el recurso de apelación frente a las sentencias dictadas en primera instancia se sustancie por los trámites previstos en los arts. 790 a 792 LECrim. Los recursos en este procedimiento se examinan en el marco del sistema general de recursos en el proceso penal. Véanse a este efecto los § 1 a 6 del Cap. XI. Entre los recursos que allí se analizan deben distinguirse cuatro clases distintas: 1º) recursos durante la tramitación del procedimiento: reforma y apelación. 2º) recursos contra las sentencias: apelación, ya dicte la sentencia el Juez de lo Penal o la Audiencia Provincial. 3º) Recurso de Queja frente a la resolución que desestime la admisión de un recurso de apelación. 4º) recurso extraordinario de anulación.

De estas cuatro clases de recursos los de reforma y apelación se interponen frente a las resoluciones interlocutorias dictadas en el procedimiento. El recurso de queja únicamente cabe frente a la inadmisión del recurso de apelación El recurso de apelación frente a la sentencia dictada por el Juez de lo penal o la Audiencia provincial son el procedimiento de recurso ordinario que garantiza una segunda instancia. Extendida esta garantía con la Ley 41/2015 a las sentencias dictadas en cualquier procedimiento penal. Finalmente el recurso de anulación es también propio del procedimiento abreviado, ya que sólo cabe en esta clase de proceso penal y se dirige a la impugnación de las sentencias dictadas en ausencia.

---

(109)   Vid., entre otros, FABIÁ MIR P., BENITO LÓPEZ A. (Coord.), *Los recursos de casación y apelación en el orden penal*, Madrid 2007. CALDERÓN CUADRADO Mª.P. *La segunda instancia penal*, Cizur Menor 2005; P. DEL MORAL GARCÍA A., ESCOBAR JIMÉNEZ R., MORENO VERDEJO J., *Los recursos en el proceso penal abreviado*, Granada 1999; MEDINA GUTIÉRREZ V., POZO VILLEGAS J.L., *Guía básica de los recursos en el proceso penal*, Madrid 2002; FONT SERRA, «En torno a la reformatio in peius en el proceso penal», *La Ley*, 1989-4, 1214. GONZÁLEZ-CUÉLLAR GARCÍA, «Los recursos en el procedimiento abreviado», *La Ley*, 1989-4, p. 946; GUTIÉRREZ GONZÁLEZ, «Consideraciones críticas al sistema de recursos del procedimiento abreviado», *RGD*, 1990, pp. 3103 y ss.; FLORS, «Los recursos en la tramitación del procedimiento abreviado», *RGD*, 1992, p. 5107; LÓPEZ BARJA DE QUIROGA y RODRÍGUEZ RAMOS, «La vista oral en los recursos. Criterio del TEDH y su proyección sobre la regulación española», *La Ley*, 1991-2, p. 1244.

SECCIÓN 7. EJECUCIÓN DE LAS SENTENCIAS DICTADAS EN EL PROCEDIMIENTO ABREVIADO

Una vez firme la sentencia, se procederá a su ejecución por el Juez o por la Audiencia que la hubiese dictado en primera instancia, conforme a las disposiciones generales de la Ley, con observancia de las siguientes reglas —arts. 794, 792.3 LECrim—. Véase en general sobre la ejecución de las sentencias penales el Cap. XIX.

7.1. Incidente de fijación de indemnizaciones[(110)]

En la sentencia dictada en procedimiento abreviado se fijará la cuantía de la indemnización que proceda en concepto de responsabilidad civil. En el caso de quedar determinada se procederá a su ejecución por el tribunal que la hubiere dictado procediendo a realizar los embargos y medidas de garantía que se hubieren adoptado en la correspondiente pieza de responsabilidad civil según disponen los arts. 613, 536 LECrim; y las de la LEC para las cuestiones no previstas en la LECrim.

Si la cuantía indemnizatoria no quedara fijada en el fallo su determinación se diferirá al trámite de ejecución, fijándose en la sentencia las bases de la misma. Al efecto de proceder a su exacta cuantificación el art. 794.1º LECrim establece un incidente de breve tramitación en la que existirá una fase de alegaciones de las partes con traslado por un plazo común de diez días; la práctica de la prueba, a instancia de cualquiera de las partes y no de oficio; una fase de conclusiones; tras lo que resolverá el tribunal en forma de auto. El auto dictado por el Juez de los Penal será apelable ante la Audiencia Provincial. Cuando sea la Audiencia el órgano encargado de ejecutar la sentencia, el auto que dicte en esta materia será sólo recurrible en súplica, en virtud de la regla general prevista en el art. 236 LECrim.

En la práctica forense este incidente declaratorio va a constituir un serio obstáculo dilatorio de la ejecución civil de la sentencia penal. Quizá el legislador, preocupado por dotar de celeridad al proceso penal, no ha tenido en cuenta que toda la simplificación conseguida en este proceso en materia de calificación y prueba, ha sido a costa de la determinación de la responsabilidad civil, que deberá fijarse ahora en fase de ejecución.

7.2. Privación del permiso de conducir

Cuando la pena impuesta consista en la privación del permiso de conducir vehículos a motor, se procederá a su inmediata retirada, si tal medida no estuviera ya acordada. Para el buen fin de la medida deberá remitirse mandamiento a la Jefatura Central de Tráfico para que deje sin efecto el permiso retirado, y para que no expida otro nuevo hasta la extinción de la condena —art. 794.2.º *in fine*—. Se entiende que si el condenado no dispone todavía de permiso de conducir en aquel momento, no podrá expedírsele uno hasta vencido el período de la condena.

---

(110) Vid. FONT SERRA, *La acción civil en el proceso penal. Su tratamiento procesal*, La Ley, Madrid, 1991.

7.3. Ejecución provisional de la responsabilidad civil

Establece el actual art. 989 LECrim. que los pronunciamientos sobre responsabilidad civil serán susceptibles de ejecución provisional, conforme a lo dispuesto en el art. 385 LEC. Aunque, este precepto de la LEC está derogado, por lo que esta referencia debe entenderse hecha los arts. 524 y ss. LEC 1/2000, que regulan la ejecución provisional.

De acuerdo con la remisión a la Ley Civil, procederá la ejecución provisional respecto a los pronunciamientos de la sentencia que condenen a pagar una cantidad líquida, o cuya liquidación pueda realizarse por simples operaciones numéricas a tenor de lo dispuesto en el fallo. No procederá en el proceso penal la ejecución de condena no dineraria, por no ser objeto del proceso penal ni de la sentencia esta clase de cuestiones.

Con base en esta norma, la ejecución provisional podrá pedirse en cualquier momento desde la notificación de la admisión del recurso de apelación; y la parte ejecutada podrá oponerse por motivos formales o de fondo, distinguiéndose si la ejecución lo es de condena dineraria o no dineraria.

MODELOS

M. 176. Escrito de querella por delito de alzamiento de bienes

AL JUZGADO

D. [.../...] Procurador de los Tribunales y obrando en nombre de la entidad [.../...], cuya representación acredito mediante escritura de poder a mi favor[1], comparezco y DIGO:

Que por medio de este escrito y por entender que los hechos que describiré son constitutivos de un delito de alzamiento de bienes previsto en el art. 257 CP, formulo querella al amparo de lo dispuesto en el art. 270 y ss. LECrim.

ALEGACIONES

PRIMERO. JUEZ ANTE QUIEN SE PRESENTA:

Esta querella se formula ante el Juzgado de Instrucción de esta ciudad, que por turno de reparto le corresponda, por ser competente, al haber ocurrido los hechos en esta ciudad como luego se indicará.

SEGUNDO. NOMBRE, APELLIDO Y VECINDAD DEL QUERELLANTE:

La entidad querellante es «Banco W., S.A.», con domicilio social en la ciudad de [.../...], calle [.../...], según resulta de la certificación que como documento núm. 1 se acompaña. La entidad según resulta del acuerdo del Consejo de Administración incorporado al poder que ha presentado este Procurador de los Tribunales, facultó en su reunión del pasado día [.../...] al Director de la oficina de Barcelona para que pudiera interponer esta querella. Los datos personales de dicho Director son [.../...] (nombre y apellidos), vecino de [.../...] con domicilio en calle [.../...] piso [.../...]

TERCERO. NOMBRE, APELLIDOS Y VECINDAD DE LOS QUERELLADOS:

Los querellados, sin perjuicio de dirigir las acciones civiles y penales contra otras personas que a lo largo del proceso aparezcan con participación criminal, son Sr. Z.Z.Z., vecino de [.../...] con domicilio en [.../...] y Sr. R.R.R., vecino de [.../...] con domicilio en [.../...]

CUARTO. RELACIÓN CIRCUNSTANCIADA DE LOS HECHOS:

I. Antecedentes. Siguiendo la operativa del objeto social de la entidad aquí querellante, en el mes de [.../...] de [.../...] se concedió una póliza de crédito por cuantía de X mil Euros, a la entidad M.M., S.A., con vencimiento a un año. Dicha suma fue abonada en cuenta de la que M.M., S.A., dispuso inmediatamente, según es de ver por la certificación del Agente de Cambio y Bolsa que se acompaña como documento núm. 2.

M.M., S.A., para la concesión del crédito, ofreció el aval del aquí querellado como documento núm. 3 y que como es de ver dispone de unos bienes que él mismo valora en el triple de la cantidad a que asciende el crédito.

M.M., S.A., suspendió pagos tres meses después de obtener y disponer del crédito concedido por nuestra entidad, siendo ineficaz el aval prestado por el querellado Z.Z.Z. por las maniobras que a continuación se detallan.

II. Lugar en que los hechos han ocurrido. En esta ciudad de [.../...] y si bien pudieron tener una preparación anterior, se consumaron ante la Notaría de D. [.../...]

III. Fecha en que ocurrieron. El día ...... de [.../...] de [.../...]

IV. Concreción del hecho delictivo. Z.Z.Z. disponía de cuantiosos bienes, según es de ver en el ya mencionado documento núm. 3. Pues bien, siendo avalista de un crédito por cuantía de varios miles de Euros con la entidad Banco W., S.A., el día antes de que la entidad M.M., S.A., presente ante el Juzgado solicitud de ser declarada en suspensión de pagos, Z.Z.Z. acude ante el Notario D. [.../...] y vende por precio recibido, con anterioridad, a R.R.R. la totalidad de aquéllos descritos bienes.

Da la circunstancia que R.R.R. es, o era en aquel momento, el chófer del Consejero Delegado de la entidad M.M., S.A., quien no creemos que por su profesión pudiera disponer de una cantidad razonable para adquirir aquellos bienes y por su lugar de trabajo podía muy bien conocer la realidad del préstamo de la entidad querellante y la posibilidad de que Z.Z.Z. tuviera que hacer frente a dicho pago.

Presentada la entidad M.M., S.A., en suspensión de pagos, mi mandante presentó procedimiento civil en reclamación de la suma adeudada por M.M., S.A., contra Z.Z.Z., despachándose embargo preventivo, y según es de ver en el documento adjunto núm. 4, mediante certificación del Juzgado de 1.ª Instancia núm. [.../...] solamente fue trabado embargo sobre un coche valorado en dicho proceso en [.../...] Euros. Este proceso civil fue paralizado por haber presentado Z.Z.Z. una querella sobre una pretendida falsedad de título.

Hechas las oportunas averiguaciones en el Registro de la Propiedad donde figuraban inscritos los bienes a que se refiere la relación del documento núm. 3, resultó que los mismos estaban inscritos a favor de R.R.R. por la escritura de venta ya indicada otorgada ante el Notario D. [.../...]

V. Tipificación. Aun cuando la LECrim. no indica que en este momento procesal deba tipificarse el hecho delictivo, creemos puede ser oportuno indicar que la conducta descrita incide en el art. 257 CP, si bien en este momento no podemos determinar si pese a la profesión que indican los querellados, son o no comerciantes, pero lo que sí es cierto es que ha existido un alzamiento de bienes en perjuicio de los acreedores. Creemos que habrá muchos más acreedores y que la conducta ha sido torticera. Ya de antiguo, se tipificaba quien escondía sus bienes para burlar a sus acreedores; así, en el Derecho medieval catalán hay numerosos preceptos denominados Capítols de Corts que definen a estos sujetos como «latitants», ya que, dado el alto valor de actividad mercantil en Cataluña, fue el primer lugar de España donde se empezaron a sentir las consecuencias de estas actitudes totalmente reprobables.

Es cierto que en la conducta descrita anteriormente existe un ánimo de poner a buen recaudo los bienes para así dejar ineficaz el proceso civil de reclamación de cantidad. Porque lo que parece a todas luces imposible es que en un plazo de cinco meses hayan podido desaparecer los bienes, así como el producto de la venta de los mismos. La actual redacción del art. 257 castiga, según la jurisprudencia más reciente, como infracción contra el patrimonio la caracterizada por la presencia de una deuda, por una dinámica comisiva encaminada a la abolición, merma o disminución fraudulenta del activo del deudor y por la especial atención o ánimo específico de burlar al acreedor legítimo a fin de evadir la responsabilidad universal establecida en los arts. 1111 y 1911 del CC, impidiendo de este modo torticero que los acreedores perciban el importe del crédito, por devenir por tales fraudulentos actos de desposesión de bienes total o parcialmente insolvente. Sentencias del Tribunal Supremo de ...... entre otras.

Es cierto que la conducta de Z.Z.Z. reúne todos los requisitos anteriormente descritos por el alto Tribunal, y la de R.R.R. como coautor necesario de tal evasión de bienes[2].

Quinto. DILIGENCIAS CUYA PRÁCTICA SE SOLICITA:

Con independencia de aquellas que estime oportunas el Instructor, creemos que sería necesario practicar las siguientes:

1. Admisión de la totalidad de los documentos adjuntos.

2. Interrogatorio de los querellados, con intervención de esta parte.

3. Testifical de D. J.J.J., Jefe de Créditos del Banco W., S.A., con domicilio actual en Valencia, calle [.../...], que fue quien recibió la relación de bienes del querellado Z.Z.Z., a fin de que explique las circunstancias de haber recibido dicha relación de bienes.

Por todo lo expuesto, al Juzgado

SUPLICO

Admita esta querella, se practiquen las diligencias interesadas en el número anterior y se tomen las pertinentes medidas cautelares sobre la situación personal y sobre los bienes de los querellados, a las resultas de este proceso.

Lo que pido en [.../...], a [.../...] de [.../...]201 [.../...]

El Procurador de los Tribunales   El abogado

(Firmado)   (Firmado)

El querellante

(No firma por ser el poder especial)

(Copia para el Fiscal y cada uno de los querellados)

(DILIGENCIA DE PRESENTACIÓN)

(1) Respecto del poder del Procurador para la presentación de querellas, vid. § 2.D.b Capítulo VI.

(2) Nótese que no se hace alusión a una posible responsabilidad civil derivada del delito. Ello se debe a que la jurisprudencia viene afirmando que en materia de responsabilidad civil dimanante del delito de alzamiento de bienes, la sentencia penal condenatoria sólo debe, en el ámbito civil, restablecer el orden jurídico perturbado por el delito. En estos supuestos, este restablecimiento consistirá en reintegrar al patrimonio del deudor los bienes ilícitamente extraídos del mismo, por medio de la declaración de nulidad del negocio jurídico fraudulento siempre que figuren encausados todos los intervinientes en éste, a los efectos de poder responder de los créditos pendientes.

El Juez instructor examinará la querella presentada para comprobar si ha sido o no redactada conforme a Derecho (véase sobre los requisitos de la querella § 1.2.D Cap. VI). En caso afirmativo dictará el Auto siguiente:

M. 177. Auto de admisión de querella y subsiguiente incoación de Diligencias previas

AUTO

En [.../...], a [.../...] de [.../...] de 201 [.../...]

HECHOS

1.º El Procurador [.../...], en nombre y representación de [.../...], mediante escrito de fecha [.../...] formuló querella por delito de [.../...] contra [.../...], en la que tras expresar la relación circunstanciada de los hechos y las diligencias a practicar para su comprobación, solicitó la admisión y trámite de las misma y [.../...]

FUNDAMENTOS DE DERECHO

1.º Hallándose redactada con arreglo a Derecho la anterior querella y relatándose en ella hechos que pueden ser constitutivos de delito, procede su admisión y la incoación de Diligencias previas para averiguar los hechos relacionados, practicándose al efecto las diligencias pertinentes.

VISTOS los arts. 277 y 299 y ss., 308 y demás concordantes de la LECrim.

PARTE DISPOSITIVA

SE ADMITE LA QUERELLA formulada por el Procurador [.../...] en nombre de [.../...], al que se le tiene por comparecido y parte en la representación que ostenta, entendiéndose con él las sucesivas diligencias en la forma prevista por la Ley; INCÓENSE Diligencias previas por delito de alzamiento de bienes que se tramitará con arreglo al procedimiento abreviado; insértese la copia de la escritura de poderes con devolución de la original; dense los partes de incoación a los Ilmos. Sres. Presidente y Fiscal de la Audiencia Provincial; regístrese en el libro correspondiente; practíquense las diligencias interesadas; para recibir declaración al querellado (y en su caso a los testigos propuestos) se señala el próximo día [.../...] de [.../...] a las [.../...] horas; líbrense al efecto las correspondientes citaciones por el Agente Judicial; notifíquese esta resolución al Procurador D. [.../...]

Lo manda y firma el Sr. D. [.../...], Juez de Instrucción [.../...], doy fe.

DILIGENCIA. A continuación se cumple lo acordado, doy fe.

(NOTIFICACIÓN. Al Fiscal y a las partes personadas, si las hubiere.)

Cuando las Diligencias previas se incoen en virtud de una denuncia, atestado o de oficio, se dictará por el Juez de Instrucción el siguiente auto:

M. 178. Auto de incoación de diligencias previas

AUTO

En [.../...], a [.../...] de [.../...] de 201 [.../...]

Dada cuenta, y

HECHOS

Las presentes diligencias proceden de [.../...] (atestado, o incoadas de oficio), sin que las actuaciones practicadas sean, hasta el momento, suficientes para formular acusación.

FUNDAMENTOS DE DERECHO

Los hechos que motivan las presentes actuaciones pueden ser constitutivos de delito comprendido en el ámbito del art. 757 LECrim., procediendo, en consecuencia, y de conformidad con lo dispuesto en el art. 760 LECrim, la incoación de las oportunas Diligencias previas a los fines legalmente establecidos. En consecuencia deberán practicarse las diligencias esenciales encaminadas a determinar la naturaleza y circunstancias del hecho, las personas que en él hayan participado y el órgano competente para su enjuiciamiento.

VISTOS los preceptos legales y de general y pertinente aplicación.

PARTE DISPOSITIVA

S.S.ª, ante mí el Letrado de la administración de justicia, DIJO: Incóense Diligencias Previas; dese cuenta de su incoación y de los hechos que la determinen al Fiscal Jefe de la Audiencia Provincial; regístrense en los libros correspondientes y practíquense las siguientes diligencias: [.../...] (deberán acordarse aquí las pruebas encaminadas a lo dispuesto en la parte motivada de la resolución).

Lo mandó y firma el Sr. D. [.../...], Juez de Instrucción de [.../...], doy fe.

DILIGENCIA. Seguidamente se cumple lo acordado y se registran como Diligencias Previas número [.../...], doy fe.

M. 179. **Parte que se envía al Fiscal, comunicándole la incoación de diligencias previas**

JUZGADO DE INSTRUCCIÓN DE [.../...]

REGISTRO GENERAL N.º [.../...]

DILIGENCIAS PREVIAS N.º [.../...]

HECHOS: [.../...]

ILMO. SR.

Participo a V.I. que en el día de hoy inicio Diligencias previas del procedimiento que regula el Título II del Libro IV de la LECrim., con el número y por el hecho que se consignan.

En [.../...], a [.../...] de [.../...] de 201 [.../...]

El Juez de Instrucción

ILMO. SR. FISCAL DE LA AUDIENCIA PROVINCIAL DE [.../...]

M. 180. **Auto mandando archivar las actuaciones por no ser el hecho constitutivo de infracción penal**

AUTO

En [.../...], a [.../...] de [.../...] de 201 [.../...]

Dada cuenta, y

HECHOS

Las presentes actuaciones se iniciaron en virtud de [.../...] (denuncia, atestado, etc.) relativo a [.../...]

FUNDAMENTOS DE DERECHO

Las diligencias practicadas acreditan que el hecho que determinó la incoación del presente procedimiento no reviste caracteres de infracción penal, por lo que, de acuerdo con lo dispuesto en el art. 779.1 LECrim, en relación con el art. 637 LECrim., es procedente acordar el archivo de las presentes actuaciones.

VISTOS los preceptos legales de general y pertinente aplicación,

PARTE DISPOSITIVA

Se decreta el archivo de las diligencias por no ser el hecho denunciado constitutivo de infracción penal.

Notifíquese esta resolución al Ministerio Fiscal y a las partes personadas, haciéndoles saber que contra la misma podrán interponer recurso de apelación, que podrán interponer subsidiariamente con el de reforma o por separado, dentro de los cinco días siguientes a la notificación de esta resolución. *(Si se interpone la apelación subsidiariamente al de reforma éste último debe interponerse en el plazo de tres días)*.

Lo mandó y firma el Sr. D. [.../...], Juez de Instrucción de [.../...], doy fe.

DILIGENCIA. Seguidamente se cumple lo acordado, doy fe.

(NOTIFICACIÓN. A las partes personales, si las hubiere.)

Si aun estimando que el hecho puede ser constitutivo de delito no hubiere autor conocido, acordará el sobreseimiento provisional, ordenando el archivo. El formulario sería el siguiente:

M. 181. Auto acordando el sobreseimiento provisional de las Diligencias por no existir autor conocido de los hechos delictivos

AUTO

En [.../...], a [.../...] de [.../...] de 201 [.../...]

Dada cuenta, y

HECHOS

Las presentes actuaciones se iniciaron en virtud de [.../...] (*denuncia, atestado, de oficio, etc.*), habiéndose practicado cuantas diligencias se estimaron esenciales para determinar la naturaleza y circunstancias del hecho y las personas que en él han participado.

FUNDAMENTOS DE DERECHO

De las actuaciones practicadas se desprende que los hechos investigados son constitutivos de infracción penal, si bien no existen motivos suficientes para atribuir su perpetración a persona alguna determinada y por ello es procedente, de conformidad con lo dispuesto en los arts. 779.1ª, y 641.2.º LECrim., decretar el sobreseimiento provisional de las diligencias y el archivo de las mismas.

VISTOS los preceptos legales de general y pertinente aplicación,

PARTE DISPOSITIVA

Se decreta al sobreseimiento provisional de las actuaciones al no haber autor conocido de los hechos así como el archivo de las diligencias.

Notifíquese esta resolución al Ministerio Fiscal y a las partes personadas, haciéndoles saber que contra la misma podrán interponer recurso de apelación, que podrán interponer subsidiariamente con el de reforma o por separado, dentro de los cinco días siguientes a la notificación de esta resolución. (*Si se interpone la apelación subsidiariamente al de reforma éste último debe interponerse en el plazo de tres días*).

Lo mandó y firma el Sr. D. [.../...], Juez de Instrucción de [.../...], doy fe.

DILIGENCIA. Seguidamente se cumple lo acordado, doy fe.

(NOTIFICACIÓN. A las partes personales, si las hubiere.)

M. 182. Providencia de desarchivo de actuaciones

PROVIDENCIA JUEZ SR. [.../...]

En [.../...], a [.../...] de [.../...] de 201 [.../...]

Por recibido el anterior atestado (escrito) ampliatorio de las Diligencias previas núm. [.../...], únase a las mismas, acordando su desarchivo, participándolo al Ministerio Fiscal y demás partes personadas, si las hubiere, practicándose [.../...]

Lo manda y firma S.S.ª, doy fe.

DILIGENCIA. Seguidamente se cumple lo acordado, doy fe.

(NOTIFICACIÓN. A las partes personadas, si las hubiere.)

Si las diligencias fueran por circulación de vehículos a motor y procediera el archivo o el sobreseimiento de las mismas, el auto sería:

M. 183. Auto declarando el archivo o el sobreseimiento de las Diligencias y disponiendo se dicte auto ejecutivo de responsabilidad civil

AUTO

En [.../...], a [.../...] de [.../...] de 201 [.../...]

Dada cuenta, y

HECHOS

1.º El día [.../...], sobre las [.../...] horas, circulaba el vehículo [.../...] conducido por su propietario [.../...] cuando a la altura del punto kilométrico [.../...] del término municipal de [.../...]

FUNDAMENTOS DE DERECHO

1.º [.../...] (*el que corresponda, tanto si es archivo como sobreseimiento provisional que ponga fin al procedimiento*).

2.º Por tratarse de hechos derivados del uso y circulación de vehículos a motor cubiertos por el seguro obligatorio de responsabilidad civil es procedente adoptar las medidas establecidas en los arts. 764 y 765 LECrim.

VISTOS los preceptos legales citados y demás de pertinente aplicación,

PARTE DISPOSITIVA

Se declaran terminadas las presentes diligencias y se decreta [.../...] (el archivo o sobreseimiento) de las mismas.

Notifíquese esta resolución a las partes personadas, haciéndoles saber que contra la misma cabe recurso de reforma en el plazo de tres días ante este Juzgado. Una vez firme, díctese auto ejecutivo, previa audiencia de los perjudicados y aseguradores, en el que se determinará la cantidad líquida máxima que puede reclamarse como indemnización de daños y perjuicios amparados por el Seguro obligatorio, siempre que no renuncien o se reserven las acciones civiles.

Lo mandó y firma el Sr. D. [.../...], Juez de Instrucción de [.../...], doy fe.

DILIGENCIA. Seguidamente se cumple lo ordenado, doy fe.

(NOTIFICACIÓN. A las partes personadas, si las hubiere.)

El auto ejecutivo que debería dictarse sería:

AUTO

En [.../...], a [.../...] de [.../...] de 201 [.../...]

Dada cuenta, y

HECHOS

1.º Las anteriores diligencias se incoaron por [.../...] (sucinta referencia a los hechos que las motivaron).

2.º En ellas se dictó, con fecha [.../...], auto acordando el archivo de la causa por [.../...]

3.º El vehículo matrícula [.../...] tiene seguro obligatorio a cargo de la Compañía aseguradora [.../...], número de certificado [.../...], y el vehículo matrícula [.../...] tiene seguro obligatorio a cargo de la Compañía aseguradora [.../...], número de certificado [.../...]

4.º Por providencia de fecha [.../...] se acordó proceder a la preparación del presente auto, habiéndose hecho las preceptivas notificaciones al perjudicado [.../...] y a la Compañía aseguradora [.../...] del (de los) vehículo/s que intervinieron en el accidente.

5.º Como gastos médico-farmacéuticos se ha justificado la cantidad de [.../...]

FUNDAMENTOS DE DERECHO

1.º Se estima como perjudicado a consecuencia del hecho que se describe en esta resolución a [.../...]

2.º Conforme a lo dispuesto en los art. 13 y ss. Ley de Responsabilidad Civil y Seguro de 2004, que establece que cuando en un proceso penal incoado por hecho cubierto por el seguro obligatorio de responsabilidad civil derivada del uso y circulación de vehículos de motor, se declare la rebeldía del acusado y recayere sentencia absolutoria, u otra resolución que le ponga fin provisional o definitivamente sin declaración de responsabilidad, si el perjudicado no hubiere renunciado a la acción civil ni la hubiere reservado para ejercitarla separadamente, el Juez o Tribunal que hubiere conocido de la misma dictará auto en el que determinará la cantidad líquida máxima que pueda reclamarse como indemnización de los daños y perjuicios sufridos por cada perjudicado y amparado por dicho seguro obligatorio, y un testimonio de dicho auto, de conformidad con lo dispuesto en art. 517.2.8 LEC constituirá título ejecutivo suficiente para entablar el procedimiento de ejecución regulado en los arts. 538 y ss. LEC.

3.º Por el perjudicado [.../...] no se renunció a la acción civil ni ha sido reservada para ejercitarla posteriormente.

PARTE DISPOSITIVA

Se determina como cantidad líquida máxima que puede reclamar el perjudicado [.../...] por los daños y perjuicios sufridos a consecuencia del accidente, que se describe en este auto, la de [.../...] Euros, a satisfacer por la Compañía aseguradora [.../...] con cargo al certificado de seguro obligatorio número [.../...]

Notifíquese este auto al Ministerio Fiscal y a la Compañía aseguradora referida, haciéndoles saber que contra el mismo no cabe recurso alguno.

Expídase testimonio de este auto, a los solos efectos de constituir título ejecutivo, conforme a las disposiciones legales vigentes y hágase entrega del mismo al perjudicado mencionado.

Lo mandó y firma el Sr. D. [.../...], Juez de Instrucción de [.../...], doy fe.

DILIGENCIA. A continuación se cumple lo acordado, doy fe.

NOTIFICACIÓN.

M. 184. Auto ordenando la remisión de las Diligencias al Juzgado de Instrucción competente por ser los hechos constitutivos de delito leve

(Véase el recurso de reforma frente a este Auto en M. 12).

AUTO

En [.../...], a [.../...] de [.../...] de 201 [.../...]

Dada cuenta, y

HECHOS

Las presentes actuaciones se han iniciado en virtud de [.../...] (atestado, denuncia, de oficio) relativo a [.../...]

FUNDAMENTOS DE DERECHO

Los hechos descritos son constitutivos de un delito leve a los que se refiere el número 1.º del art. 14 LECrim., por lo que el conocimiento del juicio correspondiente compete al Juzgado de Instrucción del lugar en que se hubiese cometido el delito, de manera que, conforme a lo dispuesto en el art. 779.1.2.ª de la misma Ley, procede remitir las diligencias al Decano de los Juzgados de Instrucción de este ciudad para que proceda al reparto de la causa en tanto que este Juzgado no puede conocer al haber participado en la instrucción de la causa.

VISTOS los preceptos legales de general y pertinente aplicación,

PARTE DISPOSITIVA

Remítanse las diligencias al Juzgado Decano de [.../...]a efectos de reparto por ser los hechos constitutivos de delito leve cuyo conocimiento corresponde a los Jueces de Instrucción.

Notifíquese esta resolución al Ministerio Fiscal y a las partes personadas haciéndoles saber que contra la misma podrán interponer recurso de apelación, que podrán interponer subsidiariamente con el de reforma o por separado, dentro de los cinco días siguientes a la notificación de esta resolución. *(Si se interpone la apelación subsidiariamente al de reforma éste último debe interponerse en el plazo de tres días).*

Lo mandó y firma el Sr. D. [.../...], Juez de Instrucción de [.../...], doy fe.

DILIGENCIA. Seguidamente se cumple lo acordado, doy fe.

(NOTIFICACIÓN. Al Ministerio Fiscal y a las partes personadas, si las hubiere.)

M. 185. Auto por el que se acuerda la inhibición de las actuaciones en favor del Juzgado de Menores (o de la Jurisdicción Militar)

AUTO

En [.../...], a [.../...] de [.../...] de 201 [.../...]

Dada cuenta, y

HECHOS

En las presentes diligencias previas se han practicado los actos de investigación de [.../...], encaminados a determinar la naturaleza y circunstancias del hecho, las personas que en él hayan participado y el procedimiento aplicable, y en ellas aparece que los presuntos partícipes en el hecho investigado son menores de dieciocho años.

FUNDAMENTOS DE DERECHO

Conforme al art. 779.1.3.ª LECrim., si todos los imputados fueren menores de dieciséis años, el Juez de Instrucción se inhibirá en favor del órgano competente, y por ello es procedente remitir las diligencias al Juez de Menores.

VISTOS los preceptos legales de general y pertinente aplicación,

PARTE DISPOSITIVA

Procede la inhibición de las actuaciones en favor del Juzgado de Menores (o la jurisdicción militar en su caso) con remisión a dicho Juzgado de lo actuado.

Notifíquese esta resolución al Ministerio Fiscal y a las partes personadas haciéndoles saber que contra la misma podrán interponer recurso de apelación, que podrán interponer subsidiariamente con el de reforma o por separado, dentro de los cinco días siguientes a la notificación de esta resolución. *(Si se interpone la apelación subsidiariamente al de reforma éste último debe interponerse en el plazo de tres días).*

Practíquense las anotaciones en los libros de registro correspondientes.

Lo mandó y firma el Sr. D. [.../...] Juez de Instrucción de [.../...], doy fe.

DILIGENCIA. Seguidamente se cumple lo acordado, doy fe.

(NOTIFICACIÓN. Al Ministerio Fiscal y a las partes personadas si las hubiere.)

M. 186. Auto de transformación de procedimiento abreviado acordando su sustanciación por los trámites del art. 780 y ss. LECrim.

AUTO

En [.../...], a [.../...] de [.../...] de 201 [.../...]

Dada cuenta, y

HECHOS

De lo actuado en las presentes diligencias aparece que los hechos que motivaron su incoación pueden revestir los caracteres de delito de los comprendidos en el art. 757 LECrim., y se han practicado suficientes diligencias para formular acusación.

FUNDAMENTOS DE DERECHO

De conformidad con lo dispuesto en los arts. 779.1.4ª y 798.1 LECrim., procede continuar la tramitación del presente procedimiento por los trámites establecidos en el Capítulo IV del Título II del Libro IV de dicha Ley.

VISTOS los preceptos legales de general y pertinente aplicación,

PARTE DISPOSITIVA

Continúese la tramitación de las presentes Diligencias previas por los trámites del procedimiento abreviado regulado en el Capítulo IV del Título II del Libro IV de la LECrim y dese traslado de la presente causa al Ministerio Fiscal y, en su caso, a las acusaciones personadas para que, en el plazo común de diez días, soliciten lo que tengan por conveniente sobre el sobreseimiento o la apertura del juicio oral, debiendo formular en su caso el correspondiente escrito de acusación o alternativamente, soliciten la práctica de las diligencias complementarias que consideren esenciales.

Notifíquese la presente resolución a las partes haciéndoles saber que contra la misma podrán interponer recurso de apelación, que podrán interponer subsidiariamente con el de reforma o por separado, dentro de los cinco días siguientes a la notificación de esta resolución. *(Si se interpone la apelación subsidiariamente al de reforma éste último debe interponerse en el plazo de tres días).*

Tómense las anotaciones en los libros de registro correspondientes.

Lo mandó y firma el Sr. D. [.../...], Juez de Instrucción de [.../...], doy fe.

DILIGENCIA. Seguidamente se registran las presentes Diligencias previas con el número [.../...] y se cumple todo lo demás acordado.

M. 187. Conformidad del imputado con los hechos y Auto del Juez de Instrucción acordando incoar Diligencias Urgentes y continuar las actuaciones por los tramites del procedimiento para el enjuiciamiento rápido de determinados delitos (art. 779.1.5.ª LECrim.)

El Auto acordando continuar los trámites del procedimiento de enjuiciamiento rápido se prevé en el art. 779.1.5ª LECrim. Aunque, lo usual será que la conformidad se produzca en la comparecencia del imputado ante el Juez de Guardia, de modo que se dicte esta resolución en el acto, y seguidamente se formule escrito de acusación y correlativa sentencia de conformidad que se contiene en el M. 165.

AUTO

En [.../...], a [.../...] de [.../...] de 201 [.../...]

Dada cuenta, y

HECHOS

De lo actuado aparece que los hechos objeto de estas diligencias pueden revestir los caracteres de un delito de [.../...], al que está señalada pena comprendida en los límites de la regla 3.ª del art. 801.1 LECrim.

El imputado [.../...], asistido de su Abogado, ha reconocido los hechos que se le imputan y tanto él como el Ministerio Fiscal han solicitado la continuación de las actuaciones por los trámites previstos en los arts. 800 y 801 LECrim, a efectos de dictar la sentencia de conformidad prevista en el art. 801.1 LECrim.

FUNDAMENTOS DE DERECHO

De conformidad con lo dispuesto en la regla 5.ª del art. 779.1 LECrim., procede incoar diligencias urgentes siguiéndose las actuaciones por los trámites previstos en el art. 800 LECrim, a efecto que las partes formulen escrito de acusación con la conformidad del acusado.

VISTOS los preceptos citados y demás de general y pertinente aplicación.

PARTE DISPOSITIVA

Se acuerda incoar diligencias urgentes y la continuación del proceso por los trámites del procedimiento para enjuiciamiento rápido de determinados delitos, y óigase a las partes para que formulen escrito de acusación de conformidad, a efectos de dictar la sentencia de conformidad prevista en el art. 801.1 LECrim.

(La Ley no niega expresamente la posibilidad de interponer recurso. Ahora bien, del tenor de esta resolución se deduce su irrecurribilidad. En cualquier caso, si no se formula el escrito de conformidad se procederá el procedimiento según el art. 800 LECrim).

Lo mandó y firma el Sr. D. [.../...], Juez de Instrucción de [.../...], doy fe.

DILIGENCIA. Se cumple lo acordado, doy fe.

M. 188. Auto de conversión de las Diligencias previas en sumario

AUTO

En [.../...], a [.../...] de [.../...] de 201 [.../...]

Dada cuenta, y

HECHOS

Las presentes diligencias se iniciaron como consecuencia de hechos posiblemente constitutivos de un delito castigado con penas de las previstas en el art. 757 LECrim., y de las investigaciones hasta el momento realizadas se desprende que a los hechos objeto de las mismas (*puede hacerse aquí una breve referencia a los hechos*) pudiera corresponderles una pena no comprendida en dicho precepto, sino superior.

FUNDAMENTOS DE DERECHO

El art. 760 LECrim. establece que iniciado un proceso de acuerdo con las normas de este Título, en cuanto aparezca que el hecho no se halla comprendido en alguno de los supuestos del artículo anterior, se sustanciará conforme a las disposiciones generales de esta Ley, por lo que atendida la pena que pudiera corresponder a los hechos que determinaron la incoación del procedimiento, superior a nueve años procede la transformación del presente procedimiento en sumario. (*Recuérdese que en este caso únicamente habrá que retroceder en el procedimiento cuando resulte necesario practicar alguna diligencia que deba ajustarse a las prescripciones generales de la LECrim., como, por ejemplo, que los peritajes sean hechos por dos peritos en lugar de por uno solo.*)

VISTOS los preceptos legales de general y pertinente aplicación,

PARTE DISPOSITIVA

Continúese la tramitación del presente procedimiento por las normas del sumario, contenidas en el Libro II de la Ley de Enjuiciamiento Criminal.

Notifíquese la presente resolución al Ministerio Fiscal, al imputado y a las partes personadas, haciéndoles saber que podrán interponer recurso de apelación, que podrán interponer subsidiariamente con el de reforma o por separado, dentro de los cinco días siguientes a la notificación de esta resolución. (*Si se interpone la apelación subsidiariamente al de reforma este último debe interponerse en el plazo de tres días*). Practíquense las oportunas anotaciones en los libros registro de este Juzgado.

Lo mandó y firma el Sr. D. [.../...], Juez de Instrucción de [.../...], doy fe.

DILIGENCIA: Seguidamente se cumple lo acordado y las presentes actuaciones se registran en el libro de sumarios con el número [.../...], doy fe.

(NOTIFICACIÓN. Al Ministerio Fiscal, al imputado y a las partes personadas.)

M. 189. Auto del Juez de Instrucción de conclusión de las diligencias previas, acordando seguir el trámite de preparación del juicio oral

El art. 779.4 dispone que si el hecho constituyera delito comprendido en el art. 757 LECrim acordará seguir el trámite de preparación del juicio oral a cuyo fin dictará auto en el que se contendrá: «la determinación de los hechos punibles y la identificación de la persona a la que se imputan».

AUTO

En [.../...], a [.../...] de [.../...] de 201 [.../...]

HECHOS

De lo actuado aparece que el imputado D. [.../...], con domicilio en [.../...], hijo de [.../...] y [.../...], con antecedentes penales no computables en esta causa; conminó a D. [.../...]a la entrega del dinero que llevara en ese momento consigo, para ello amenazó a la Victima con una navaja de .. cm. de hoja que le fue intervenida. Estos hechos objeto de estas diligencias pueden revestir los caracteres de un delito de los comprendidos en el art. 757 LECrim, y concretamente de un robo con intimidación del art. 237 CP.

FUNDAMENTOS DE DERECHO

De conformidad con lo dispuesto en los arts. 779.1.4.ª y 780.1 LECrim., procede continuar la tramitación procesal por el procedimiento ordenado en el Capítulo IV del Título II de Libro IV de la misma Ley, dando traslado de las presentes diligencias al Ministerio Fiscal y a las acusaciones personadas para que, en el plazo común de diez días, soliciten la apertura del juicio oral formulando escrito de acusación o el sobreseimiento de la causa o, en su caso, la práctica de diligencias complementarias. Y seguidamente al imputado.

VISTOS los preceptos legales de general y pertinente aplicación,

PARTE DISPOSITIVA

Continúese la tramitación de las presentes diligencias previas por el procedimiento regulado en el Capítulo IV del Título II del Libro IV de la Ley de Enjuiciamiento Criminal y dese traslado de la presente causa al Ministerio Fiscal y a las acusaciones personadas para que en el plazo común de diez días soliciten la apertura del juicio oral formulando escrito de acusación o el sobreseimiento de la causa o, excepcionalmente, la práctica de aquellas diligencias que consideren indispensables para formular acusación.

Notifíquese la presente resolución al Ministerio Fiscal y a las partes personadas haciéndoles saber que podrán interponer recurso de apelación, que podrán interponer subsidiariamente con el de reforma o por separado, dentro de los cinco días siguientes a la notificación de esta resolución. *(Si se interpone la apelación subsidiariamente al de reforma éste último debe interponerse en el plazo de tres días).*

Lo mandó y firma el Sr. D. [.../...], Juez de Instrucción de [.../...], doy fe.

DILIGENCIA. Seguidamente se cumple lo acordado.

(NOTIFICACIÓN. Al Ministerio Fiscal y a las partes personadas.)

M. 190. **Recurso de reforma del imputado contra el auto de conclusión de las diligencias solicitando el sobreseimiento de las actuaciones (o la práctica de diligencias complementarias)**

(El imputado podrá solicitar el sobreseimiento de la causa en el procedimiento abreviado en cualquier momento de la sustanciación de las actuaciones; así como podrá pedir diligencias complementarias. El imputado, concretamente, podrá recurrir en reforma el auto de conclusión del sumario a estos fines según el Modelo siguiente. También podrá solicitar el sobreseimiento en el escrito de defensa).

AL JUZGADO

D. [.../...], Procurador de los Tribunales y obrando en nombre de [.../...], cuya representación acredito mediante escrito de designa (o por escrito de apoderamiento) a mi favor, comparezco y DIGO:

Que me ha sido notificada la resolución dictada por este Juzgado en [.../...] con fecha de [.../...], en la que se declara la conclusión de diligencias previas y acuerda la continuación del procedimiento abreviado. Y estimando la misma gravosa a los intereses de mi representado, por medio del presente escrito formulo RECURSO DE REFORMA[1] que baso en las siguientes

ALEGACIONES

PRIMERA. Esta parte considera que de los hechos investigados no se desprende que D. [.../...] ejerciera violencia alguna sobre D. [.../...], más al contrario de las diligencias practicadas se deduce sin ninguna duda que se produjo un error respecto a las intenciones de mi representado [.../...] Con base en este argumento esta parte solicita que se decrete el sobreseimiento libre de la causa por no ser el hecho constitutivo de delito.

SEGUNDA. Para el caso que el Juzgado no considere la anterior petición esta parte solicita la práctica las siguientes diligencias que resultan imprescindibles a fin de aclarar suficientemente los hechos que se imputan y a efecto de la mejor defensa de mi representado: 1) Tómese declaración a [.../...]; 2) Ofíciese a [.../...], para que [.../...]

Por lo expuesto,

AL JUZGADO SUPLICO:

Que dé por admitido este escrito de RECURSO DE REFORMA y tras los trámites pertinentes se acuerde haber lugar al mismo y [.../...][2]

En [.../...], a [.../...] de [.../...] de 201 [.../...]

Firmado por Abogado y Procurador

(DILIGENCIA DE PRESENTACIÓN)

(1) En el caso de interponerse apelación de forma subsidiaria se hace constar «y subsidiariamente recurso de apelación».

(2) Si se ha interpuesto subsidiariamente apelación se solicitará que caso de desestimarse la reforma se tenga por interpuesto el de apelación.

M. 191. Escrito del Fiscal solicitando nuevas diligencias de prueba

Diligencias previas núm. [.../...]

El Fiscal, en las Diligencias al margen indicadas, manifiesta la imposibilidad de formular escrito de acusación por falta de elementos esenciales para la tipificación de los hechos. Por ello, conforme al art. 780.2 LECrim., solicita la práctica de las siguientes diligencias de prueba, indispensables para formular acusación: [.../...] (se deberá especificar las diligencias de prueba a practicar por el Juez de Instrucción).

Por lo expuesto,

AL JUZGADO PIDO acuerde la práctica de las pruebas indicadas, con citación de las partes personadas y del imputado.

En [.../...], a [.../...] de [.../...] de 201 [.../...]

Y el escrito de la acusación personada con la misma solicitud, el siguiente:

M. 192. Auto de la parte acusadora personada solicitando nuevas diligencias de prueba[1]

AL JUZGADO

D. [.../...], Procurador de los Tribunales y obrando en nombre de [.../...] de quien tengo acreditada su representación,

DIGO

Que en fecha [.../...] me fue notificado el auto de este Juzgado de fecha [.../...] en el que se concedía a mi representado un plazo de diez días para solicitar la apertura del juicio oral o el sobreseimiento o, alternativamente, la práctica de diligencias complementarias de prueba.

Ante la imposibilidad de formular escrito de acusación por falta de elementos esenciales para la tipificación de los hechos solicito, conforme al art. 780.2 LECrim., la práctica de las siguientes diligencias de prueba, indispensables para formular acusación: [.../...] (*a continuación se especificarán en párrafos separados las diligencias de prueba que se solicitan*).

Por todo ello,

AL JUZGADO PIDO que sea admitido este escrito y se acuerde la práctica de las diligencias de prueba interesadas con citación del Ministerio Fiscal, del imputado y de las demás partes personadas.

En [.../...], a [.../...] de [.../...] de 201 [.../...]

(Firmas del Abogado y del Procurador)

(1) En cuanto al imputado puede utilizar similar Modelo para la solicitud de nuevas diligencias de prueba.

La resolución acordando la práctica de las diligencias de prueba solicitadas por la parte personada sería la siguiente:

M. 193. Auto acordando la práctica de las diligencias de prueba solicitadas por la parte acusadora personada

AUTO

En [.../...], a [.../...] de [.../...] de 201 [.../...]

Dada cuenta, y

HECHOS

El Procurador D. [.../...] en representación que tiene acreditada en autos de [.../...] ha interesado la práctica de las siguientes diligencias de prueba: [.../...]

FUNDAMENTOS DE DERECHO

El art. 780.2 LECrim establece que cuando la práctica de diligencias de prueba complementarias se solicite por la acusación o acusaciones personadas, el Juez acordará lo que estime procedente, y atendido que las diligencias solicitadas pueden ser esenciales para formular acusación ha de acordarse la práctica de las mismas, con citación del Ministerio Fiscal, de las demás partes acusadoras (si las hubiere) y del imputado.

VISTOS los preceptos legales de general aplicación,

PARTE DISPOSITIVA

Declaro pertinentes y útiles las diligencias de prueba solicitadas por el Procurador [.../...] en la representación que tiene acreditada en autos de [.../...] Cítese para la práctica de las mismas al Ministerio Fiscal, a las partes acusadoras personadas y al imputado, y líbrense los correspondientes despachos para la práctica de las pruebas.

Notifíquese la presente resolución al Ministerio Fiscal y a las demás partes personadas en la causa haciéndoles saber que contra la misma podrán interponer recurso de apelación, que podrán interponer subsidiariamente con el de reforma o por separado, dentro de los cinco días siguientes a la notificación de esta resolución. *(Si se interpone la apelación subsidiariamente al de reforma éste último debe interponerse en el plazo de tres días).*

Lo mandó y firma el Sr. D. [.../...], Juez de Instrucción de [.../...], doy fe.

DILIGENCIA. Seguidamente se cumple lo acordado, doy fe.

(NOTIFICACIÓN. Al Ministerio fiscal y a las partes personadas.)

M. 194. Providencia dando traslado de las actuaciones a las partes tras la práctica de las diligencias complementarias solicitadas

PROVIDENCIA JUEZ

En [.../...], a [.../...] de [.../...] de 201 [.../...]

Habiéndose practicado las diligencias de prueba solicitadas por el Ministerio Fiscal y por la acusación particular, dese nuevo traslado de las actuaciones a dichas partes acusadoras para que en el plazo común de cinco días soliciten lo que tenga por conveniente sobre el sobreseimiento o apertura del juicio oral, debiendo formular en este caso el correspondiente escrito de acusación. Tómense las anotaciones pertinentes en el libro registro que corresponda.

Lo que manda y firma el Ilmo. Sr. Juez de Instrucción de [.../...]

(FIRMA Juez, y Letrado de la administración de justicia)

DILIGENCIA.

M. 195. Escrito del Fiscal solicitando el sobreseimiento de la causa

DILIGENCIAS PREVIAS NÚMERO [.../...]

AL JUZGADO

El Fiscal, en el trámite establecido en el art. 780.1 LECrim.,

DICE: Que instruido de las actuaciones practicadas, y sin estimar necesaria la práctica de diligencia de prueba complementaria, solicita el sobreseimiento de la causa, conforme a lo dispuesto en el art. 780 LECrim, por [.../...] (*se expresarán y explicarán los motivos que concurran en el caso, de los previstos en los arts. 637 y 641 LECrim*).

Por lo expuesto,

PIDO que se acuerde el sobreseimiento de la causa (*y se dejen sin efecto, en su caso, la prisión y demás medidas cautelares acordadas*).

En [.../...], a [.../...] de [.../...] de 201 [.../...]

El auto acordando el sobreseimiento, cuando tal petición hubiera sido formulada por la acusación pública y por la particular, sería:

M. 196. Auto del Juez de Instrucción denegando la apertura del juicio oral, acordando el sobreseimiento de la causa

AUTO

En [.../...], a [.../...] de [.../...] de 201 [.../...]

Dada cuenta, y

HECHOS

1.º Por auto de fecha [.../...] se dio traslado de las presentes diligencias al Ministerio Fiscal (y a las partes acusadoras personadas si las hubiere) para que en el plazo de diez días solicitasen la apertura del juicio oral o el sobreseimiento de la causa.

2.º El Ministerio Fiscal, cumpliendo el anterior trámite, ha solicitado el sobreseimiento de la causa por concurrir en el presente caso [.../...]

3.º El acusador particular, cumplimentando también el anterior trámite, ha solicitado el sobreseimiento de la causa por concurrir en el presente caso [.../...]

FUNDAMENTOS DE DERECHO

El art. 782.1 LECrim. establece que si el Ministerio Fiscal y el acusador particular solicitaren el sobreseimiento de la causa por cualquiera de los motivos que previenen los arts. 637 y 641 de esta Ley, lo acordará el Juez, salvo que concurran los supuestos previstos en los párrafos 1º,2º,3º,5º,6º, del art. 20 CP. Por tanto, no concurriendo los supuestos del art. 20 CP sobre exención de responsabilidad criminal a que se refiere el precepto citado, es procedente acordar el sobreseimiento (libre o provisional) de las actuaciones.

Asimismo, deben dejarse sin efecto la prisión y demás medidas cautelares acordadas, conforme al mismo precepto.

VISTOS los preceptos de general aplicación,

PARTE DISPOSITIVA

Se acuerda el sobreseimiento (libre o provisional) de la presente causa. Asimismo, se deja sin efecto la prisión provisional acordada respecto de [.../...] (Dejar sin efecto cualesquiera específicas medidas de tipo cautelar que se hubieren acordado.)

Notifíquese la presente resolución al Ministerio Fiscal y a las partes personadas haciéndoles saber que contra la misma podrán interponer recurso de apelación, que podrán interponer subsidiariamente con el de reforma o por separado, dentro de los cinco días siguientes a la notificación de esta resolución. *(Si se interpone la apelación subsidiariamente al de reforma éste último debe interponerse en el plazo de tres días).*

Lo mandó y firma D. [.../...], Juez de Instrucción de [.../...], doy fe.

DILIGENCIA.

NOTIFICACIÓN.

M. 197. Escrito de acusación del Fiscal

AL JUZGADO DE INSTRUCCIÓN

El Fiscal, en las Diligencias Previas número [.../...], en el trámite establecido en el art. 780.1 LECrim. e instruido de los hechos objeto de las mismas, solicita la apertura del juicio oral (ante el Juzgado de lo Penal o ante la Audiencia), y conforme al art. 781 de la misma Ley formula escrito de acusación contra [.../...], con base en las siguientes

CONCLUSIONES PROVISIONALES

PRIMERA. Los acusados en la presente causa D. Z.Z.Z. y D. R.R.R., mayores de edad y sin antecedentes penales, el primero actuando como avalista de la entidad M.M., S.A., en una póliza de crédito concedida por el Banco W., S.A., el día antes de que M. M., S.A., presentara ante el Juzgado solicitud de ser declarada en suspensión de pagos, acudió al Notario D. [.../...]y vendió por precio recibido con anterioridad, según se hace constar en la mencionada escritura, a D. R.R.R., la totalidad de los bienes que servían para el aval de dicha póliza.

Maniobra que era perfectamente conocida por el acusado D. R.R.R., que sabía las circunstancias de dichos bienes y la finalidad de la venta, pues era empleado en aquellas fechas en la entidad M.M., S.A. Todo ello ha supuesto un perjuicio a dicha entidad de [.../...] miles de Euros.

SEGUNDA. Los hechos constituyen un delito de alzamiento de bienes del art. 257 CP.

TERCERA. Son autores los acusados.

CUARTA. No concurren circunstancias.

QUINTA. Procede imponer a los acusados la pena de 2 años de prisión, accesorias y costas procesales. Asimismo, y en concepto de responsabilidad civil la cantidad de [.../...] Euros.

Y SOLICITO:

Que tenga por peticionada la apertura del juicio oral y por formulado escrito de acusación contra los imputados [.../...] así como por solicitadas las pruebas indicadas para el acto del juicio, acordándose la práctica de las mismas.

OTROSÍ DICE: Para el acto del juicio oral, este Ministerio propone las siguientes pruebas:

1.ª Interrogatorio de los acusados.

2.ª Testifical, previa citación judicial de:

D. J.J.J., con domicilio en [.../...]

3.ª Documental de lo actuado.

En [.../...], a [.../...] de [.../...] de 201 [.../...]

M. 198. Escrito de acusación del querellante o de la acusación particular

AL JUZGADO DE INSTRUCCIÓN

[.../...], Procurador de los Tribunales y obrando en nombre de la entidad Banco W., cuya representación ya tengo acreditada en la causa [.../...], con arreglo a lo dispuesto en el art. 780 y 782 LECrim., pido la apertura del juicio oral y formulo escrito de acusación contra [.../...], en concepto de autor, y [.../...], con arreglo a las siguientes

CONCLUSIONES PROVISIONALES

PRIMERA. Conforme con la correlativa del Ministerio Fiscal, pero añadiendo que el acusado [.../...] era comerciante según resulta de la escritura de compraventa indicada.

SEGUNDA, TERCERA Y CUARTA. Conforme con las correlativas.

QUINTA. Disconforme con la correlativa. Procede imponer al acusado [.../...] la pena de 4 años de prisión y al acusado [.../...] la pena de tres años de prisión . A ambos accesorias y costas. Asimismo deberán satisfacer conjunta y solidariamente en concepto de responsabilidad civil la cantidad de [.../...] Euros.

Por todo ello, a la Sala

SUPLICO:

Tenga por formalizada la petición de apertura de juicio oral y por efectuada la calificación provisional.

OTROSÍ DIGO, que para el acto del juicio oral propongo la práctica de los siguientes medios de prueba:

1.ª Interrogatorio de los acusados.

2.ª Documental por la lectura de todo lo actuado.

3.ª Testifical consistente en el interrogatorio de los testigos de las demás partes.

En [.../...], a [.../...] de [.../...] de 201 [.../...]

El auto del Juez de Instrucción decretando la apertura del juicio oral sería el siguiente:

M. 199. Auto del Juez de Instrucción decretando la apertura del juicio oral

AUTO

En [.../...], a [.../...] de [.../...] de 201 [.../...]

Dada cuenta, y

HECHOS

Por el Ministerio Fiscal (y en su caso, también por la acusación particular) al cumplimentar el trámite previsto en el art. 780 LECrim., se formuló escrito de acusación, conforme al art. 781 LECrim, y se solicitó la apertura del juicio oral ante el Juzgado de lo Penal, con el contenido que se expresa en dicho escrito de acusación.

FUNDAMENTOS DE DERECHO

1.º El art. 783.1 LECrim. dispone que, solicitada la apertura del juicio oral por el Ministerio Fiscal o la acusación particular, el Juez la acordará, salvo que estimare que concurre el supuesto del núm. 2 del art. 637 de esta Ley o que no existen indicios racionales de criminalidad contra el acusado, por lo que no estimando la concurrencia de dichas circunstancias, ha de acordarse la apertura del juicio oral.

2.º El mismo precepto y número citado, en su párrafo tercero, establece que al acordar la apertura del juicio oral, el Juez de Instrucción resolverá sobre la adopción, modificación, suspensión o revocación de las medidas cautelares interesadas por el Ministerio Fiscal o la acusación particular, por lo que procede, en el presente caso, exigir al acusado, conforme al art. 615 LECrim, que presente una fianza de [.../...] Euros para el aseguramiento de las responsabilidades civiles que para el mismo pudieran derivar de la presente causa.

3.º De conformidad con lo establecido en el art. 784 LECrim., abierto el juicio oral se emplazará al imputado, con entrega de copia de los escritos de acusación, para que comparezca en la causa con Abogado y Procurador, nombrándosele de oficio el Procurador si no lo hiciere.

4.º Procede, asimismo, admitir las pruebas propuestas tanto por el Ministerio Fiscal como por la acusación particular, y acordar la práctica de las mismas, para lo que se expedirán los oportunos despachos.

VISTOS los preceptos citados y demás de pertinente aplicación,

PARTE DISPOSITIVA

S.S.ª, ante mí el Letrado de la administración de justicia, DIJO:

a) Se declara la apertura del juicio oral en la presente causa, teniendo por dirigida la acusación contra [.../...]

b) Se admiten las pruebas propuestas por [.../...]

c) Emplácese, con entrega de la copia de los escritos de acusación, al acusado (o, en su caso, a las partes acusadas) a fin de que en el plazo de tres días comparezca en esta causa con Abogado que le defienda y Procurador que le represente, con la advertencia de que si no lo hace se le nombrarán de oficio.

d) Dese traslado de las actuaciones a los acusados *(que ya tuvieren Abogado en la causa)* y terceros responsables para que en el plazo común de diez días presenten escrito de defensa.

e) Requiérase a [.../...] para que en el término de una audiencia y en cualquiera de las clases admitidas en Derecho preste fianza en la cantidad de [.../...] Euros que le ha sido señalada para las responsabilidades civiles, y en caso de no prestarla procédase al embargo y tasación de sus bienes en cantidad suficiente para cubrirla o acredítese su insolvencia con arreglo a derecho, formándose con testimonio de este particular la pieza separada necesaria (1).

Notifíquese esta resolución al Ministerio Fiscal (y a las demás partes en sus caso) haciéndoles saber que contra la misma no cabe recurso alguno (excepto en lo relativo a la situación personal de los acusados), y tómense las anotaciones oportunas en los libros de registro de este Juzgado.

Lo mandó y firma D. [.../...], Juez de Instrucción de [.../...], doy fe.

DILIGENCIA. Seguidamente se cumple lo acordado, doy fe.

(1) Véase M. 174 en sede de procedimiento ordinario por delitos graves, referentes a la pieza de responsabilidad civil y pieza de situación personal.

M. 200. Escrito de defensa del acusado[(1)]

AL JUZGADO DE INSTRUCCIÓN

D. [.../...], Procurador de los Tribunales y obrando en nombre del acusado [.../...] cuya representación me ha sido conferida por reparto del turno de oficio en la presente causa, que se tramita con el núm. [.../...], DIGO:

Que manifiesto mi disconformidad con el escrito de acusación del [.../...] y, a tenor de lo dispuesto en el art. 784 LECrim., formulo a continuación escrito de defensa conforme a las siguientes

CONCLUSIONES PROVISIONALES

PRIMERA. Niego la correlativa de las acusaciones. Cuando mi mandante suscribió la escritura de venta, la póliza bancaria no estaba vencida. El importe recibido fue destinado íntegramente a satisfacer determinadas deudas de mi mandante.

SEGUNDA. Niego las correlativas de las acusaciones. Los hechos en los que ha participado mi mandante no constituyen delito.

TERCERA. Niego las correlativas. Sin delito no puede hablarse de autoría.

CUARTA. Niego las correlativas. Sin delito y sin autor no pueden coexistir circunstancias que alteren la responsabilidad.

QUINTA. Niego la correlativa de las acusaciones. Procede absolver a mi representado con declaración de las costas de oficio.

Por cuanto antecede, a la Sala

SUPLICO:

Tenga por efectuado el trámite de calificación provisional.

Por ello,

OTROSÍ DIGO, que para el acto del juicio oral propongo la práctica de los siguientes medios de prueba:

1. Interrogatorio de los acusados.

2. Documental:

a) Consistente en solicitar a la entidad [.../...], una certificación acreditativa de la cantidad que les adeudaba mi mandante y fecha del pago.

b) Consistente en admitir la certificación que se adjunta librada por el Letrado de la administración de justicia de la Magistratura de Trabajo núm. [.../...] de [.../...] por la que se acredita la cantidad satisfecha por mi mandante, concepto y fecha.

3. Más Documental consistente en la lectura de la totalidad de los folios de las Diligencias previas.

4. Testifical. Consistente en el examen de los siguientes testigos cuya citación judicial se interesa:

D. [.../...] domicilio [.../...]

D. [.../...] domicilio [.../...]

D. [.../...] domicilio [.../...]

Por todo ello, al Juzgado

SUPLICO:

Acuerde la práctica de los medios de prueba que han quedado indicados.

En [.../...], a [.../...] de [.../...] de 201 [.../...]

DILIGENCIA DE PRESENTACIÓN.

(1) El acusado podrá manifestar su conformidad con la acusación, en cuyo caso se procederá conforme a lo previsto en el art. 787 LECrim (art. 784.3 LECrim)(Véase el M. 135; y § 4.2 de este Capítulo).

El escrito de defensa puede contener una calificación alternativa y distinta de la emitida por las partes acusadoras, y normalmente menos grave, podrá formular el siguiente escrito de calificación:

M. 201. Escrito de defensa del acusado, con formulación de petición subsidiarias

AL JUZGADO DE INSTRUCCIÓN

D. [.../...], Procurador de los Tribunales y obrando en nombre del acusado, cuya representación ya tengo acreditada en la presente causa núm. [.../...] del Juzgado de Instrucción núm. [.../...] de [.../...], digo:

Que evacuando el traslado que me ha sido conferido, formulo a continuación escrito de defensa conforme a las siguientes

CONCLUSIONES PROVISIONALES

SUBSIDIARIA PRIMERA

PRIMERA, SEGUNDA, TERCERA Y CUARTA. Conforme con la correlativa de las acusaciones.

QUINTA. Niego la correlativa. Procede imponer a mi mandante la pena de un SEIS MESES de prisión, accesorias y costas.

SUBSIDIARIA SEGUNDA

PRIMERA. Niego la correlativa de las acusaciones ya que mi mandante desconocía la realidad del aval de la póliza de préstamo formalizada por el vendedor con el Banco aquí querellante.

SEGUNDA, TERCERA Y CUARTA. Niego las correlativas.

QUINTA. Niego la pretensión punitiva de las acusaciones pues procede absolver a mi representado con declaración de las costas de oficio.

A LA SALA PIDO tenga por efectuado con estas conclusiones alternativas el trámite de calificación.

OTROSÍ DIGO que para el acto del juicio oral propongo las siguientes pruebas:

1. Interrogatorio de los acusados.

2. Documental mediante la lectura de los folios de las Diligencias previas.

AL JUZGADO PIDO acuerde la práctica de la prueba solicitada.

En [.../...], a [.../...] de [.../...] de 201 [.../...]

M. 202. Escrito de defensa manifestando la conformidad con el escrito de acusación que contenga pena de mayor gravedad

AL JUZGADO DE INSTRUCCIÓN

D. [.../...], Procurador de los Tribunales y obrando en nombre del acusado [.../...], cuya representación me fue conferida por reparto del turno de oficio en la presente causa, que se tramita con el número [.../...], digo:

Que formulo el escrito de defensa que indica el art. 784.3 LECrim. manifestando nuestra conformidad con el escrito que contiene la pena de mayor gravedad.

Por ello, al Juzgado de Instrucción SOLICITO

Que admita este escrito y tenga por manifestada la conformidad con la acusación más grave, remitiendo lo actuado al Juez de lo Penal competente.

En [.../...], a [.../...] de [.../...] de 201 [.../...]

(Firma del Procurador, Abogado y acusado)

M. 203. Escrito de calificación del responsable civil subsidiario

AL JUZGADO DE INSTRUCCIÓN

D. [.../...], Procurador de los Tribunales y obrando en nombre de la entidad M.M., S.A., cuya representación ya tengo acreditada en la presente causa núm. [.../...] del Juzgado de Instrucción núm. [.../...] de [.../...], digo:

Que evacuando el trámite de calificación, que a esta parte en su calidad de responsable civil subsidiario le ha sido conferido, formulo las siguientes

CONCLUSIONES PROVISIONALES

PRIMERA. Niego las correlativas. La entidad M.M., S.A., es totalmente ajena a la conducta de los acusados. A la entidad M.M., S.A., le es indiferente quién sea su acreedor. La cantidad de la deuda figura en el pasivo del balance definitivo de la suspensión de pagos de la misma. Si el procesado Z.Z.Z. hubiera pagado al Banco querellante por causa del aval, sería el acusado acreedor de mi representado en lugar del Banco. Pero tal variación de acreedor en nada beneficia a mi mandante.

SEGUNDA, TERCERA Y CUARTA. Niego las correlativas.

QUINTA. Mi mandante no puede ser condenada a satisfacer cantidad alguna por la falta de solvencia de los acusados por cuanto no existe relación de dependencia entre la entidad por mí representada y los procesados y en todo caso su actuación fue al margen de su actividad laboral.

AL JUZGADO PIDO tenga por evacuado el trámite a que se refiere.

OTROSÍ DIGO: Que para el acto del juicio oral propongo la siguiente prueba:

1. Interrogatorio de los procesados y la intervención en las demás pruebas propuestas por las demás partes.

AL JUZGADO SUPLICO haga de la anterior el mérito oportuno.

En [.../...], a [.../...] de [.../...] de 201 [.../...]

M. 204. Auto declarando la rebeldía del acusado

AUTO

En [.../...], a [.../...] de [.../...] de 201 [.../...]

Dada cuenta, y

HECHOS

Al ignorar el domicilio o actual paradero del acusado [.../...] se insertaron las correspondientes requisitorias en el tablón de anuncios de este Juzgado y en la Dirección General de la Guardia Civil y de Seguridad del Estado (y cuando se considere oportuno, en los medios de comunicación escrita) con los apercibimientos legales oportunos, no habiendo comparecido dentro del término fijado, y sin que haya sido habido por los agentes de la Autoridad.

FUNDAMENTOS DE DERECHO

Según el art. 784.4, en relación con el 834 LECrim., será declarado rebelde el acusado respecto del que, tras haberse expedido requisitoria para su llamamiento y busca, no compareciere o no fuere hallado, y dándose las restantes condiciones exigidas en el artículo primeramente citado es procedente la declaración de rebeldía del acusado.

VISTOS los preceptos citados y demás de pertinente aplicación,

PARTE DISPOSITIVA

Se declara rebelde a [.../...], suspendiéndose la causa respecto al mismo. Póngase esta resolución en conocimiento del Ministerio Fiscal y, verificado, archívense las diligencias, previa anotación de la rebeldía en los libros de este Juzgado y Registro Central de Penados y Rebeldes, con reserva al perjudicado de las pertinentes acciones civiles.

Contra la presente resolución cabe recurso de reforma dentro de los tres días siguientes a la notificación.

Lo mandó y firma D. [.../...], Juez de Instrucción de [.../...], doy fe.

DILIGENCIA. A continuación se cumple lo acordado, doy fe.

M. 205. Diligencia de Ordenación acordando remitir las actuaciones al órgano jurisdiccional competente para celebrar el juicio oral

No será preciso remitir las actuaciones cuando el enjuiciamiento corresponda al Juez de lo Penal y éste se desplace periódicamente a la sede del Juzgado de Instructor para la celebración de los juicios (art. 784.5 LECrim).

DILIGENCIA DE ORDENACIÓN LETRADO
DE LA ADMINISTRACIÓN DE JUSTICIA [.../...]

En [.../...], a [.../...] de [.../...] de 201 [.../...]

Habiéndose presentado escritos de acusación por el Ministerio Fiscal (y por la acusación particular si la hubiere) así como escrito de defensa por el acusado, remítase lo actuado al Juez de lo Penal (o en su caso, Audiencia Provincial) por ser el órgano competente para su enjuiciamiento, conforme dispone el art. 791.5 LECrim., notificándoselo a las partes.

Así lo acuerdo y pongo en conocimiento de su S.Sª.

DILIGENCIA. Seguidamente se cumple lo acordado, doy fe.

(NOTIFICACIÓN. Al Ministerio Fiscal y demás partes.)

M. 206. Diligencia de Ordenación del Juzgado de lo Penal tras recibir las actuaciones del Juzgado de Instrucción

DILIGENCIA DE ORDENACIÓN LETRADO
DE LA ADMINISTRACIÓN DE JUSTICIA [.../...]

En [.../...], a [.../...] de [.../...] de 201 [.../...]

En el día de hoy se han recibido, del Juzgado de Instrucción [.../...], las presentes Diligencias previas, número [.../...], para su enjuiciamiento por este Juzgado, de lo que se acusará recibo al Juzgado remitente.

Dichas actuaciones se registraron con el número [.../...] en el libro registro de este Juzgado.

Seguidamente doy cuenta al Ilmo. Sr. Juez de lo Penal de que las diligencias se hallan a disposición de este Juzgado para su enjuiciamiento, conforme el art. 785 LECrim., dando cuenta a S.Sª.

(Firma Letrado de la administración de justicia)

DILIGENCIA. Seguidamente se cumple lo acordado, procediéndose a su registro, doy fe.

(NOTIFICACIÓN. A las partes personadas.)

M. 207. Diligencia tras recibir las actuaciones del Juzgado de Instrucción y Providencia con designación de Ponente

DILIGENCIA. Acredito por ella que en el día de hoy y por conducto oficial se ha recibido la anterior comunicación y diligencias que la acompañan, doy fe.

[.../...], a [.../...] de [.../...] de 201 [.../...]

(Firma Letrado de la administración de justicia)

PROVIDENCIA

En [.../...], a [.../...] de [.../...] de 201 [.../...]

Por recibida la anterior comunicación con las diligencias que se acompañan. Practíquense las oportunas anotaciones en los libros de registro, dese el número de orden que corresponda, designándose Ponente a [.../...]

Lo que manda y firma el Presidente del Tribunal, doy fe.

(Firma Presidente)   (Firma Letrado de la administración de justicia)

DILIGENCIA. Seguidamente se cumple lo acordado, quedando registrado el asunto con el número de Rollo [.../...]

(NOTIFICACIÓN. A las partes y al Ministerio Fiscal.)

M. 208. Auto del Juez de lo Penal resolviendo sobre la admisión de las pruebas propuestas y señalando día para el comienzo de las sesiones del juicio oral

AUTO

En [.../...], a [.../...] de [.../...] de 201 [.../...]

Dada cuenta, y

HECHOS

1. En el día de hoy se han recibido las presentes actuaciones procedentes del Juzgado de Instrucción [.../...]

2. En sus respectivos escritos, las partes han propuesto las correspondientes diligencias de prueba, que han sido examinadas.

FUNDAMENTOS DE DERECHO

1.º El art. 785.1 LECrim. establece que en cuanto las actuaciones se encontraren a disposición del órgano competente para el enjuiciamiento, el Juez o Tribunal examinará las pruebas propuestas e inmediatamente dictará auto admitiendo las que considerase pertinentes y rechazando las demás, prevendrá lo necesario para la práctica de la prueba anticipada y señalará el día en que deban comenzar las sesiones del juicio oral.

2.º En el presente supuesto ha de declararse la pertinencia de las pruebas propuestas por todas las partes, para cuya práctica se librarán las comunicaciones pertinentes (*aquí deberá, en su caso, hacerse constar lo que corresponda sobre la prueba anticipada pedida y concretar qué pruebas se rechazan de las que hayan sido propuestas*).

VISTOS los preceptos legales de general aplicación

PARTE DISPOSITIVA

Se admiten las pruebas propuestas por el Ministerio Fiscal (la acusación o acusaciones particulares, si las hubiere) y la defensa (caso de rechazarse alguna prueba, expresarla). Líbrense los despachos y comunicaciones necesarios para su práctica si así lo hubieran solicitado las partes. Se señala el día [.../...] como fecha de comienzo de las sesiones del juicio oral.

Notifíquese esta resolución a las partes haciéndoles saber que contra la misma no cabe recurso alguno, sin perjuicio de que la parte a quien le fue denegada pueda reproducir su petición al inicio de las sesiones del juicio oral.

Lo mandó y firma D. [.../...], Juez de lo Penal de [.../...], doy fe.

DILIGENCIA. A continuación se cumple lo acordado, doy fe.

Y el dictado por la Audiencia:

M. 209. Auto de la Sección correspondiente de la Audiencia resolviendo sobre la admisión de las pruebas propuestas y señalando día para el comienzo de las sesiones del juicio oral

AUTO

ILMOS. SRES.

[.../...]

En [.../...], a [.../...] de [.../...] de 201 [.../...]

HECHOS

De las anteriores Diligencias previas recibidas, tramitadas por el Juez de Instrucción por el procedimiento previsto en el Capítulo IV, Título II del Libro IV de la Ley de Enjuiciamiento Criminal, se desprende que las partes, al formular sus respectivos escritos de acusación y defensa, proponen los medios de prueba de que intentan valerse en el juicio oral.

FUNDAMENTOS DE DERECHO

1.º El art. 785.1 LECrim. establece que en cuanto las actuaciones se encontraren a disposición del órgano competente para el enjuiciamiento, el Juez o Tribunal examinará las pruebas propuestas e inmediatamente dictará auto admitiendo las que considere pertinentes y rechazando las demás, prevendrá lo necesario para la práctica de la prueba anticipada y señalará el día en que deban comenzar las sesiones del juicio oral.

2.º En el presente supuesto ha de declararse la (pertinencia o impertinencia de todas o algunas de las pruebas propuestas, concretándose cuáles de ellas se declaran no pertinentes) para cuya práctica se librarán las comunicaciones necesarias.

VISTOS los preceptos de general aplicación,

PARTE DISPOSITIVA

Se admiten (o deniegan, en su caso) las pruebas propuestas por las partes. Se señala para la celebración del juicio oral de la presente causa el [.../...] a las [.../...] horas. Cítese, para ello, a las partes, acusados, testigos y peritos, en su caso, con los apercibimientos legales, expidiendo las comunicaciones y despachos que sean necesarios.

La presente resolución es firme y contra ella no cabe recurso alguno. *(Respecto de las pruebas denegadas, la parte a quien se le hubiese denegado la práctica podrá reproducir su petición al inicio de las sesiones del juicio oral conforme al art. 785.1, párr. 2.)*

Así lo acordaron y firman los Sres. Magistrados de la Sección, de lo que yo, el Letrado de la administración de justicia, doy fe.

DILIGENCIA. Seguidamente se cumple lo acordado, doy fe.

(NOTIFICACIÓN Y CITACIÓN. Al Ministerio Fiscal y a las partes.)

M. 210. Acta de juicio oral con conformidad del acusado con el escrito de acusación que contenga la pena más grave

En [.../...], a [.../...] de [.../...] de 201 [.../...]

A la hora señalada se constituye el Sr. Juez de lo Penal de [.../...] para conocer en juicio oral y público de la causa número [.../...] que se sigue contra [.../...] por el delito de [.../...] Asiste el acusado, así como su Abogado [.../...] y Procurador [.../...] y el Ministerio Fiscal.

El Sr. Juez de lo Penal declara abierta la sesión y tras la lectura, por mí, de los escritos de acusación y defensa, pregunta al acusado si se declara reo del delito que le imputa la acusación y civilmente responsable por la cantidad que se le pide, respondiendo afirmativamente.

Concedida la palabra a la acusación y a la defensa, solicitan que se proceda a dictar sentencia de conformidad con el escrito de acusación que contenga pena de mayor gravedad, con lo que el acusado muestra su expresa conformidad. En consecuencia, y no procediendo ninguno de los supuestos previstos en el art. 787 LECrim, referentes a la incorrección de la calificación,

S.S.ª da por concluido el juicio, y para que conste expido la presente, que una vez leída firmo con los asistentes al acto, de todo lo cual yo, el Letrado de la administración de justicia, doy fe.

(Firmas del Juez, Letrado de la administración de justicia, Fiscal, Abogados y acusado)

M. 211. Sentencia dictada cuando ha habido conformidad del acusado en el acto del juicio oral

(Encabezamiento: modelo normal, Véase M. 111 y 216)

ANTECEDENTES DE HECHO

1.º El Ministerio Fiscal, en el escrito de acusación, calificó los hechos [.../...] *(V. M. 111)*.

2.º La acusación particular [.../...]

3.º El acusado [.../...] se declaró reo del delito que le imputaba la acusación y responsable civilmente por la cantidad que se le pedía y tanto la acusación como la defensa, con la conformidad del acusado, solicitaron se dictara sentencia de conformidad con el escrito de acusación que contuviera la pena de mayor gravedad.

HECHOS PROBADOS

1.º De conformidad con las partes se declara probado que [.../...]

FUNDAMENTOS JURÍDICOS

1.º El acusado [.../...] se declaró, en el acto del juicio, reo del delito de que era acusado y civilmente responsable de sus consecuencias y tanto él como su abogado mostraron su conformidad con la pena más grave de las solicitadas, por lo que al no exceder la más grave de seis años debe dictarse sentencia de conformidad con la aceptada por las partes, a tenor de lo dispuesto en el art. 787.1 LECrim.

(El resto igual al modelo normal en M. 111)

M. 212. Acta del juicio oral

(Téngase presente que el acta a todos los efectos lo constituye la grabación del juicio (art. 743 LECrim). Ahora bien, cabe la posibilidad de tener que levantarse acta con un programa informático o manuscrita en el caso que el sistema técnico no funcionase).

En [.../...], a [.../...] de [.../...] de 201 [.../...]

A la hora señalada se constituye el Sr. Juez de lo Penal de [.../...] para conocer en juicio oral y público de la causa número [.../...] que se sigue contra [.../...] por el delito de [.../...]

Asisten el acusado [.../...] *(caso de ausencia injustificada del acusado, ver art. 786.1 LECrim.)* así como su Abogado [.../...] y Procurador [.../...], el Ministerio Fiscal (y en su caso, el acusador particular, con Abogado y Procurador) y yo, el Letrado de la administración de justicia.

El Sr. Juez de lo Penal declara abierta la sesión y tras la lectura, por mí, de los escritos de acusación y defensa, no habiéndose solicitado por ninguna de las partes la apertura de un turno de intervenciones previas, solicita a las partes si tienen alguna nueva prueba que proponer, manifestando que [.../...], pasándose seguidamente a la declaración del acusado, a quien se invita a que diga la verdad, previo informe de que no tiene obligación de declarar, y manifiesta que [.../...]

Posteriormente se pasa a practicar las demás pruebas que han sido admitidas *(reseñar la prueba documental aportada en el acto, las declaraciones de testigos y peritos, con sus señas de identificación).*

Seguidamente se pregunta a las partes si ratifican o modifican los escritos inicialmente presentados a lo que [.../...] (*hacer constar las modificaciones que se indiquen por las partes*).

A continuación se concede la palabra a las partes para que expongan cuanto estimen procedente sobre la valoración de la prueba y la calificación jurídica de los hechos, manifestando [.../...], preguntando después el Sr. Juez al acusado si tiene algo que añadir a lo expuesto por su defensor, y contesta [.../...], dándose por concluido el juicio, que ha durado [.../...]

Para que conste expido la presente, que una vez leída firmo con [.../...] asistentes al acto, de todo lo cual, yo, el Letrado de la administración de justicia, doy fe.

M. 213. Sentencia dictada oralmente en el acto del juicio

(*Encabezamiento del Modelo 212 de Acta de juicio oral y tras la ratificación por las partes de los escritos de acusación deberá consignarse lo que sigue.*)

[.../...] informando las acusaciones (*negativa o favorablemente a la remisión condicional de la pena solicitada*).

Por S.S.ª, a continuación, y de conformidad con las facultades que le concede el art. 789.2 LECrim., procede a dictar sentencia que se documenta en esta Acta (*o en anexo al Acta*). Con base en la motivación siguiente: [.../...]

Conocido el fallo por el Ministerio Fiscal, la acusación particular (*en su caso*), la defensa y el propio acusado (*y el responsable civil subsidiario en su caso*) manifiestan su decisión de no recurrir contra la sentencia, por lo que S. Sª decreta la firmeza de la resolución y con respecto a la suspensión de la condena, a la vista de los informes precedentes, acuerda la suspensión en la ejecución de la pena impuesta, siempre que el acusado no vuelva a delinquir en el plazo de [.../...] años.

Por S.S.ª se tiene el juicio por concluso, y firman [.../...]

M. 215. Sentencia dictada por la Audiencia Provincial

AUDIENCIA PROVINCIAL [.../...]

SECCIÓN [.../...]

Rollo

Sumario n.º [.../...]

Juzgado de Instrucción n.º [.../...]

Sentencia Núm.

ILMOS. Srs.

[.../...]

[.../...]

[.../...]

En [.../...] a [.../...]de [.../...]de 201 [.../...]

VISTA en Juicio Oral y público ante la Sección [.../...] de esta Audiencia Provincial la causa número [.../...], Rollo número [.../...], procedente del Juzgado de Instrucción de [.../...], contra [.../...], de [.../...] años de edad, hijo de [.../...] y de [.../...], natural de [.../...], provincia de [.../...], vecino de [.../...], provincia de [.../...], de estado [.../...], con antecedentes penales no computables, solvente y en [.../...] provisional por esta causa [.../...] y representado por el Procurador D. [.../...], siendo parte acusadora el Ministerio Fiscal, querellante particular D. [.../...] representado por el Procurador D. [.../...]; responsable civil subsidiario D. [.../...] y Ponente el Magistrado D. [.../...]

ANTECEDENTES DE HECHO

1.º El Ministerio Fiscal en sus conclusiones definitivas, calificó los hechos de autos como constitutivos de [.../...] delito de [.../...] previsto y penado en el artículo [.../...] del Código Penal, estimando como responsable del mismo, en concepto de [.../...], al acusado, con la concurrencia de circunstancia modificativa de la responsabilidad criminal [.../...]; pidió se le impusiera la pena de [.../...], accesorias correspondientes y pago de costas, y a que en concepto de indemnización satisfaga al perjudicado la suma de [.../...] Euros, solicitando igualmente se le abone el tiempo de prisión [.../...] provisional sufrida.

2.º La acusación particular en igual trámite alegó [.../...]

3.º La defensa del acusado en igual trámite alegó que [.../...]

4.º La defensa del responsable civil subsidiario igualmente alegó en conclusiones definitivas [.../...]

HECHOS PROBADOS

[.../...]

FUNDAMENTOS DE DERECHO

PRIMERO. Los hechos declarados probados son legalmente constitutivos de [.../...] [.../...]

SEGUNDO. De dicho delito es responsable criminalmente, en concepto de [.../...], el acusado [.../...]por haber realizado material y directamente los hechos que integran.

TERCERO. En la realización del expresado delito ha concurrido circunstancia modificativa de la responsabilidad criminal [.../...]

CUARTO. Los responsables criminalmente lo son también civilmente y las costas se entienden impuestas por Ministerio de la Ley a los culpables de delito

VISTOS, además de los citados, los arts. 1, 3, 6, 12, 14, 19, 23, 27, 29, 35, 47, 49, 58, 61, 63, 67, 72, 78, 82 y su tabla 103, 106, 109 y 110 CP; los arts. 142, 239 al 242, 741 y 742 LECrim.

FALLAMOS

Que debemos condenar y condenamos a (o debemos absolver o absolvemos) [.../...] como autor responsable del delito de [.../...], la concurrencia de circunstancia. [.../...], a la pena de [.../...], a las accesorias de [.../...] y al pago de las costas procesales [.../...], así como a que abone a [.../...]la cantidad de [.../...] Euros como indemnización de perjuicios. Declaramos la insolvencia de dicho procesado aprobando el auto que a este fin dictó el Juzgado Instructor en el ramo correspondiente.

Por insolvencia del procesado debemos condenar y condenamos al responsable civil subsidiario D. [.../...]a que abone al perjudicado referido la cantidad de [.../...] [.../...] Euros en concepto de indemnización.

Hágase entrega definitiva de los efectos recuperados al perjudicado [.../...], que los conserva en depósito provisional.

Y para el cumplimiento de la pena principal y responsabilidad subsidiaria que se impone le abonamos el tiempo que ha estado privado de libertad por esta causa [.../...]

Así por esta nuestra sentencia, de la que se unirá certificación al Rollo, lo pronunciamos, mandamos y firmamos.

PUBLICACIÓN. La anterior sentencia ha sido leída y publicada por el Ilmo. Sr. Magistrado Ponente que en la misma se expresa, estando celebrando Audiencia Pública en el día de su fecha, de todo lo cual, como Letrado de la administración de justicia, doy fe.

(NOTIFICACIÓN, añadiendo que contra la citada resolución cabe recurso de casación dentro del plazo de cinco días desde la última notificación, presentándose el escrito de preparación ante este mismo órgano jurisdiccional.)

Si hubiese voto particular, se notificará a las partes junto con la sentencia, publicándose de igual forma que ésta)

M. 216. Sentencia dictada por Juez de lo Penal

JUZGADO DE LO PENAL N.º [.../...]

[.../...]

SENTENCIA N.º [.../...]

En [.../...], a [.../...] de [.../...] de 201 [.../...]

El Sr. D. [.../...], Juez de lo Penal de [.../...], ha visto y oído en juicio oral y público la presente causa, seguida por un delito de [.../...] contra [.../...], con DNI núm. [.../...], nacido el día [.../...], hijo de [.../...] y de [.../...], natural de [.../...] y vecino de [.../...], con domicilio en la calle [.../...], de estado civil [.../...], y [.../...] *(con o sin) antecedentes penales, insolvente (o solvente)* y en [.../...] provisional por esta causa desde [.../...] Han sido partes el Ministerio Fiscal y el mencionado acusado, defendido por el Letrado [.../...] y representado por el Procurador [.../...], como acusadores particulares los perjudicados [.../...] defendidos por el Letrado [.../...] y representados por el Procurador [.../...], como responsable civil subsidiario [.../...] defendido igualmente por el Letrado [.../...] y representado por el Procurador [.../...]

ANTECEDENTES DE HECHO

1.º El Ministerio Fiscal, en sus conclusiones definitivas, calificó los hechos de autos como constitutivos de un delito de [.../...] previsto y penado en el artículo [.../...] del Código Penal, y reputando como autor responsable criminalmente del mismo al referido acusado, apreciando la concurrencia de la circunstancia modificativa de la responsabilidad [.../...], solicitó que se le impusiera la pena de [.../...] con las accesorias correspondientes y pago de costas, así como el de la indemnización de [.../...] Euros a [.../...] solicitando también que se le abonara el tiempo de prisión provisional de [.../...]

2.º La acusación particular, en igual trámite, alegó [.../...]

3.º La defensa del acusado, en sus conclusiones definitivas, [.../...]

HECHOS PROBADOS

[.../...]

FUNDAMENTOS DE DERECHO

PRIMERO. Los hechos declarados probados son legalmente constitutivos de un delito de [.../...] por [.../...]

SEGUNDO. De dicho delito es responsable, en concepto de autor, el acusado [.../...] por haber realizado material y directamente los hechos que lo integran [.../...]

TERCERO. En la realización del expresado delito ha concurrido la circunstancia modificativa de la responsabilidad criminal [.../...]

CUARTO. Los responsables criminalmente de un delito lo son también civilmente y las costas se entienden impuestas por ministerio de la Ley a los culpables del delito [.../...]

VISTOS los artículos citados y demás de pertinente aplicación,

FALLO

Que debo condenar y condeno al acusado [.../...] como autor criminalmente responsable de un delito de [.../...], con la concurrencia de la circunstancia [.../...], a la pena de [.../...], a las accesorias de [.../...] y al pago de las costas procesales, así como a que abone a [.../...] la cantidad de [.../...] Euros en concepto de indemnización. Hágase entrega definitiva de los efectos recuperados al perjudicado [.../...] que los conserva en depósito provisional. Para el cumplimiento de la pena principal y responsabilidad subsidiaria que se impone el abono el tiempo que haya estado privado de libertad por esta causa, de [.../...]

Notifíquese esta resolución al Ministerio Fiscal y a las partes haciéndoles saber que contra la misma cabe recurso de apelación ante la Audiencia Provincial dentro del plazo de diez días a partir del siguiente al de su notificación.

Así por esta mi sentencia, lo pronuncio, mando y firmo.

PUBLICACIÓN. El Sr. Juez de lo Penal lee y publica la presente.

CAPÍTULO XIII

PROCEDIMIENTO ESPECIAL
PARA EL ENJUICIAMIENTO RÁPIDO
DE DETERMINADOS DELITOS

SECCIÓN 1. ÁMBITO DEL PROCEDIMIENTO

1.1. Introducción[1]

Para lograr el enjuiciamiento inmediato y eficaz de determinados delitos cuyo ámbito de aplicación precisamos en el epígrafe siguiente la Ley 38/2002 crea un *procedimiento especial* para el enjuiciamiento rápido de determinados delitos. Se trata de un procedimiento especial, y no de una modalidad especial dentro del procedimiento abreviado. Así se deduce de su ubicación en el Título III del Libro IV de la LECrim como uno más de los procedimientos especiales regulados por la ley.

---

(1) MAGRO SERVET V. (Coord.), *Juicios rápidos. Guía práctica.* Madrid 2003. MELERO BOSCH L., *La Defensa del Imputado en los Juicios Penales Rápidos*, Granada 2008. MORA ALARCÓN J.A., *Los juicios rápidos*, Valencia 2003. GIMENO SENDRA V., «Filosofía y principios de los "juicios rápidos"», *La Ley* nº 5667, 2002. SUBIJANA ZUNZUNEGUI, I. «El sistema de juicios rápidos». *La Ley* núm. 5563, 2002; MAGRO SERVET, V. «Análisis de la reforma procesal penal para la implantación de los juicios rápidos», *La Ley* núm. 5533, 2002 y «El Pacto de Estado de la Justicia y la apuesta por los juicios rápidos». *La Ley* núm. 5494, 2002; «La víctima del delito en la nueva Ley de juicios rápidos». *La Ley* nº 5661, 2002. MARCO COS J.M., «Juicios rápidos y Policía judicial, ¿hacia la codirección del proceso penal?» *Act. Jª Aranzadi* nº 559, 2002. BOTE SAAVEDRA, J. F., «El proceso penal abreviado rápido. Su aplicación conforme a la Constitución y doctrina del Tribunal Constitucional», *La Ley* n.º 3768, 1995; BASSOLS MUNTADA, N., «Dos años de juicios rápidos», *La Ley* n.º 3845, 1995; DOLZ LAGO, M.J., «Alcoholemias y juicios rápidos», *La Ley* n.º 3551, 1994; VARGAS CABRERA, B., «Comentarios y sugerencias en torno a las reformas del proceso penal operadas por la Ley 10/92, de 30 abril (Capítulo 2.º art. 6.º), en especial los llamados juicios rápidos», *La Ley* n.º 3023, 1993; FERNÁNDEZ ESPINAR, «Consideraciones en torno al Ministerio Fiscal y su intervención en los denominados "juicios rápidos"», *La Ley* Univ. Complutense, 1991-92; CONSEJO GENERAL DEL PODER JUDICIAL. *Informe a la proposición de Ley de Grupos Parlamentarios del Congreso de Reforma Parcial de la Ley de Enjuiciamiento Criminal para el enjuiciamiento rápido e inmediato de determinados delitos y faltas y la modificación del procedimiento abreviado*, emitido en Madrid del 5 de junio de 2002.

La incapacidad del procedimiento abreviado para resolver en un plazo razonable el enjuiciamiento de determinados delitos que bien por su frecuencia bien por la alarma social, tienen un tiempo excesivo de enjuiciamiento desde su comisión hasta el fallo por un Tribunal, intentó ser resuelta mediante la implantación de una modalidad del procedimiento abreviado con enjuiciamiento rápido, en el que se eliminaba, prácticamente, el período de instrucción para pasar, de forma casi inmediata, al enjuiciamiento de los hechos. Las normas para la tramitación rápida del procedimiento abreviado se ubicaron en su fase intermedia, correspondiendo al Fiscal solicitar esta posibilidad. A estos efectos, la Ley 10/1992 estableció que, en determinados casos, el procedimiento abreviado se agilizara al máximo, descargando a los órganos sentenciadores de trámites intermedios que realizaban los Juzgados de Guardia[2]. Su implantación fue muy desigual, como reconoce la Exposición de Motivos de la Ley 38/2002 y las estadísticas demuestran el fracaso de la regulación normativa desarrollada por la Ley 10/1992, para el enjuiciamiento rápido de determinados delitos. Solamente, en Barcelona y Sevilla, y en menor medida, Madrid, y más recientemente Valencia y Alicante, se celebraron con cierta normalidad y se da el caso que en Aragón, Navarra, Cantabria y La Rioja ni siquiera se llegaron a celebrar juicios de los denominados de enjuiciamiento rápido. Las razones del fracaso de la regulación tienen su origen en la inadecuación de las estructuras orgánicas judiciales: Juzgados de Guardia, plantillas de éstos órganos y del Ministerio Fiscal así como en la falta de medios materiales para lograr su implantación y la carencia de una normativa adecuada (marginación de los principios de concentración y oralidad así como la insuficiente concreción de las circunstancias y de los delitos). En 1998, el Consejo General del Poder Judicial se pronunciaba en éstos términos aportando soluciones[3] y esta pretensión recogida en el punto 17 del Pacto de Estado señalaba la necesidad de elaboración de una nueva Ley de Enjuiciamiento Criminal que debe abordar: «a) la agilización de los procedimientos, la mejora de los procedimientos abreviados, el enjuiciamiento inmediato de los delitos menos graves y flagrantes y la simplificación de trámites en las grandes causas».

---

(2)   Recuerda el Consejo General del Poder Judicial en el Informe a la Proposición de la presente Ley realizado en 5 junio de 2002, que: «Los acontecimientos culturales y deportivos previstos en Sevilla y Barcelona para el año 1992 ...son los que provocan el Acuerdo del Pleno del CGPJ de 5 de marzo de 1991, creando una Comisión, fruto de la cual fue el denominado "Plan de Agilización de la Justicia Penal" de la que salieron las bases para la reforma instaurada por la Ley 10/1992. No obstante, añade, que pese a que los juicios rápidos se crearon como una formula procesal de aplicación general a todos los partidos judiciales; debido a la falta de medios y coordinación, y a la falta de presencia efectiva del Ministerio Fiscal durante el servicio de guardia, no se realizó una aplicación extensiva y sistemática al resto del Estado, fuera de Sevilla, Barcelona y Madrid».

(3)   El Acuerdo de 16 septiembre de 1998 del CGPJ señala que: A) La infraestructura global con la que se debe contar para poder aplicar con efectividad los juicios rápidos deberá ser: Juzgado de Instrucción, Juzgado de lo Penal y Sección Penal de la Audiencia, de Guardia, presencia efectiva del Ministerio Fiscal, disposición inmediata de los antecedentes penales, asistencia al imputado de Letrado particular o de oficio, agenda de citaciones para la celebración de juicios y Nombramiento de Procurador; B) En cuanto a la Policía, entrega de atestados completos, documentos y efectos al Juzgado de Guardia; C) Disposición de Médicos Forense, Interpretes, Peritos; C) Servicio de identificación dactilar, de análisis de drogas, medios audiovisuales y en general, previsión de medios materiales.

El propósito de la Ley para la implantación de los «juicios rápidos» se centra, como señala la Exposición de Motivos, en lograr la inmediatez y la aceleración en la respuesta estatal ante la delincuencia con la finalidad de evitar fenómenos como los que los imputados aprovechen los retrasos en la sustanciación para ponerse fuera del alcance de la autoridad judicial y, sobre todo, reiterar conductas delictivas lo que genera una impresión generalizada de aparente impunidad y de indefensión de la ciudadanía ante cierto tipo de delitos. No obstante, la defensa social y represiva nunca debe ser la única finalidad (aunque en la presente Ley se la califique como primordial), pues también y no es menos importante se debe buscar compaginar ésta con el cumplimiento de las garantías de acusado y la protección individualizada de las víctimas, sin perjuicio de dejar sentado que la doble finalidad que se reconoce y pretende por la Ley: (a) Aceleración de la respuesta judicial, con brevedad de tramitación de la causa, y (b) Terminar o intentar la disminución de la comisión de determinados delitos que por su incidencia en la sociedad provocan alarma social; no debe ser extraña para el enjuiciamiento criminal, con la finalidad de que sea mirado no con recelo, sino con aprobación y confianza.

Este nuevo procedimiento especial se fundamenta en tres pilares:

a) Una fase de instrucción judicial mínima y concentrada, precedida por la investigación policial necesaria para que el órgano judicial pueda concluirla con rapidez.

b) Preparación y celebración del juicio oral con brevedad, suprimiendo, prácticamente, la fase intermedia que se desarrolla, en sus escasos trámites, casi en su totalidad, ante el Juzgado de Guardia.

c) Potenciar la conformidad del acusado, favoreciendo la finalización rápida del proceso mediante una minoración de las penas. En este caso, y como característica importante de la ley, la sentencia la dictará el Juez de Guardia, remitiéndose todas las actuaciones al Juzgado de lo Penal que corresponda para la ejecución de la sentencia (véase sobre más adelante el § 3.4 de este Capítulo sobre el juicio rápido de conformidad § 3.4). La aplicación de esta regulación exige una perfecta coordinación entre Policía Judicial, Juzgados, Fiscalía, Colegios de Abogados, así como la existencia de suficientes medios materiales. En cuanto a la primera cuestión, y a estos efectos, el Reglamento 1/2005, de los aspectos accesorios de las actuaciones judiciales, regula los Servicios de Guardia con la previsión de las funciones de tramitación de los procedimientos de enjuiciamiento urgente así como de dictar las sentencias de conformidad previstas en el art. 801 LECrim (véase § 3.4 Cap. X). Con este fin el Reglamento establece normas de coordinación entre los Juzgados de Guardia y la policía judicial en la realización de las citaciones, y concretamente prevé que éstas se realicen conforme con una Agenda Programada de citaciones para las que realice la policía judicial (art. 49 R. 1/05). También se prevén Protocolos de colaboración en el ámbito provincial entre policía Judicial, Fiscalía y las Juntas de Jueces representadas por el Decano y la posibilidad de constituir órganos con este objeto en el que podrán participar los Colegios de abogados y Procuradores, Ministerio de Justicia y las Comunidades Autónomas (art. 49.4 R. 1/05). Por su parte las Salas de Gobierno y las Juntas de

Jueces podrán aprobar las normas complementarias, que estimen procedentes, en materia de distribución de asuntos, régimen interno, sustituciones u otras cuestiones de su competencia.

Asimismo el Reglamento regula la necesaria coordinación de señalamientos para juicios orales entre los Juzgados de Guardia, de lo Penal y las Fiscalías de las Audiencias Provinciales (art. 49.1 y 2 R. 1/05). Al objeto de garantizar el correcto funcionamiento de todos los órganos intervinientes el Reglamento también prevé la existencia de una Agenda programada de señalamientos, y la creación de una Comisión mixta en cada Comunidad Autónoma para el seguimiento de los juicios rápidos. Esta comisión estará integrada por el Presidente del Tribunal Superior de Justicia, en representación de la Sala de gobierno, un representante del Ministerio de Justicia y de la Comunidad Autónoma, un representante de la Fiscalía, de los Colegios de Abogados y de Procuradores (art. 49.5 Rº 1/05). Esta Comisión recabará y analizará los datos sobre el funcionamiento de los juicios rápidos e informará periódicamente al CGPJ al efecto de la revisión del sistema organizativo de guardias que se establece en el Reglamento 1/2005.

1.2. Ámbito de aplicación

El procedimiento de enjuiciamiento rápido se aplica a determinados delitos cuya comisión esté castigada con una pena privativa de libertad no superior a cinco años o cualesquiera otras penas, bien sean únicas, conjuntas o alternativas, cuya duración no exceda de diez años (art. 795 LECrim). La Ley prevé para la sustanciación de este procedimiento dos presupuestos que deben concurrir necesariamente y unas circunstancias relativas a la clase y/o la comisión del delito.

En cuanto a los presupuestos son la pena a imponer y el modo de inicio del proceso penal y la disponibilidad de elementos personales y materiales para sustanciar el procedimiento.

1º La pena a imponer, que se constituye en una suerte de presupuesto previo de este procedimiento, se corresponde actualmente con la competencia objetiva para el enjuiciamiento de los Juzgados de lo Penal. Su aplicación se centra en los delitos menos graves, es decir, los sancionados con penas menos graves por el art. 33.3 CP, así como los delitos graves castigados con pena de prisión hasta cinco años o con penas de diferente naturaleza hasta diez años. Nada se dice de los delitos leves, sean o no incidentales, imputables a sus autores. Ante el silencio de la ley cabe entender que su existencia no supone un impedimento para la sustanciación de este procedimiento especial, siempre que, de conformidad con los requisitos previstos en el art. 795 LECrim, no impliquen una mayor complejidad de la instrucción. Por lo tanto, y presuponiendo la falta de complejidad de estos delitos leves, debe entenderse que se incluirán en el enjuiciamiento por los trámites del procedimiento rápido. No será aplicable este procedimiento cuando se trate de delitos conexos y alguno de los cuales no estuviere comprendido en la lista del art. 795.1.2º LECrim. Tampoco se aplicará cuando sea procedente acordar el secreto de las actuaciones (art. 795.2 y 3 LECrim).

2º Las personas y las cosas deben estar disponibles para poder sustanciar el procedimiento penal. A ese respecto el art. 791.1 LECrim dispone que el procedimiento debe incoarse: «... *en virtud de un atestado policial y que la Policía Judicial haya detenido a una persona y la haya puesto a disposición del Juzgado de guardia o que, aun sin detenerla, la haya citado para comparecer ante el Juzgado de guardia por tener la calidad de denunciado en el atestado policial»*. La norma es absolutamente clara y necesaria, ya que ningún sentido tiene disponer la celebración de un juicio rápido si debe procederse a investigar algún extremo de la causa relativo a las cosas o a las personas. Es indiferente si el atestado policial se hubiere iniciado de oficio o bien por denuncia previa. También cabe que no haya tenido lugar la detención o identificación del responsable del hecho, pero aquélla fuese previsible que tenga lugar rápidamente. En ese caso, la policía judicial dará conocimiento inmediatamente del hecho al Juez de guardia y al Fiscal y de la continuación de las investigaciones para su debida constancia. El atestado se remitirá al Juzgado de guardia tan pronto el presunto responsable sea detenido o citado, y en cualquier caso dentro de los cinco días siguientes (art. 796.4 LECrim).

Concurriendo los dos presupuestos citados la Ley dispone que se seguirá este procedimiento cuando en los hechos delictivos objeto del procedimiento concurran cualquiera de las siguientes circunstancias: a) Delitos flagrantes, b) Alguno de los tipos señalados en el art. 795.1.2 LECrim o c) Sea un hecho cuya instrucción se presuma sencilla. En el caso que concurran cualquiera de los presupuestos expresados se podrá iniciar y sustanciar un procedimiento de enjuiciamiento rápido.

a) Delitos flagrantes, que serán aquéllos en los que no haya solución de continuidad entre la comisión del hecho punible y la actuación policial que conduce a la detención o citación, como dice la Exposición de Motivos de la Ley, siendo concretado en el art. 795.1.1 en los dos casos siguientes: a) Que se acabara de cometer el delito cuando el delincuente es sorprendido. Este supuesto se integra no solamente cuando es sorprendido en el momento de la comisión, sino cuando perseguido se le detiene, sin posibilidad de ponerse fuera del alcance de los que le persiguen, b) Se le detiene con objetos o instrumentos provenientes de la comisión del ilícito. La razón que justifica su enjuiciamiento por éste procedimiento parece se encuentra en su facilidad instructora como consecuencia de la proximidad en la obtención de las fuentes de pruebas. En definitiva, se trata de supuestos en que la comisión del ilícito se percibe con evidencia de lo que se infiere la facilidad de la investigación policial, primero, y seguidamente la de instrucción judicial con subsiguiente aceleración en la celebración del juicio oral.

La jurisprudencia interpreta, con carácter general, el concepto de delito flagrante, cuando concurra alguna de las siguientes circunstancias: 1.°) Inmediatez temporal, es decir, que se está cometiendo un delito o que haya sido cometido instantes antes, y 2.°) Inmediatez personal, consistente en que el delincuente se encuentre allí en ese momento en situación tal con relación al objeto o a los instrumentos del delito que ello ofrezca una prueba de su participación en el hecho.

«Por delito de flagrante con base a la definición legal del art. 795.1.1ª LECrim (LA LEY 1/1882), reforma Ley 38/2002 de 24.10 (LA LEY 1490/2002), que entró en vigor el 28.4.2003, se entiende el que reúne las siguientes notas: 1) Inmediatez de la acción (que se esté cometiendo o se haya cometido instantes antes). Esto es actualidad en la comisión del delito —en la terminología acuñada por la jurisprudencia sería inmediatez temporal—, es decir que el delincuente sea sorprendido en el momento de ejecutarlo, aunque también se considera cumplido este requisito cuando el delincuente sea sorprendido en el momento de ir a cometer el delito o en un momento inmediatamente posterior a su comisión. 2) Inmediatez personal (presencia del delincuente en relación con el objeto o instrumento del delito), esto es evidencia del delito y de que el sujeto sorprendido ha tenido participación en él; la evidencia puede resultar de la percepción directa del delincuente en el lugar del hecho "su situación o relación con aspectos del delito que proclamen su directa participación en la acción delictiva", también se admite la evidencia que resulta, no de la percepción directa o inmediata, sino a través de apreciaciones de otras personas (la policía es advertida por algún vecino de que el delito se está cometiendo, por ejemplo); en todo caso, la evidencia solo puede afirmarse cuando el juicio que permite relacionar las percepciones de los agentes con la comisión del delito y/o la participación en él de un sujeto determinado es prácticamente instantáneo; si fuera preciso interponer un proceso deductivo más o menos complejo para establecer la realidad del delito y la participación en él del delincuente, no puede considerarse que se trata de un supuesto de flagrancia. 3) Necesidad urgente de la intervención policial, de tal modo que por las circunstancias concurrentes se vea impelida a intervenir inmediatamente para evitar la progresión delictiva o la propagación del mal que la infracción acarrea, la detención del delincuente, y/o la obtención de pruebas que desaparecerían si se acudiera a solicitar la autorización judicial (SS. 29.3.90, 11.9.91, 9.7.94, 9.2.95, 12.12.96, 4.3 y 14.4.97). Como recuerda la STS 24.2.98, y la STC 341/93 de 18.11 (LA LEY 2272-TC/1993), considera la flagrancia una situación fáctica en la que la comisión del delito se percibe con evidencia y exige inexcusablemente una inmediata intervención, siendo visto el delincuente en el momento de delinquir o en circunstancias inmediatas a la perpetración del delito. Se incluyen los supuestos de persecución en los que el perseguido no se ponga fuera del inmediato alcance de sus perseguidores (SS. 31.1.94, 23.1.98, 133/2004 de 3.2 (LA LEY 863/2004))». STS 71/2017 de 8 Feb. 2017, Rec. 1843/2016; Ponente: Berdugo Gómez de la Torre, Juan Ramón. LA LEY 3460/2017.

La flagrancia a efectos de sustanciar el procedimiento de enjuiciamiento rápido se asocia a la detención del sospechoso. No obstante, la LO 19/2003 ha ampliado el concepto de flagrancia a los supuestos en los que ni siquiera haya tenido lugar la detención o identificación del responsable del hecho, pero se prevea que aquélla tenga lugar rápidamente. En ese caso, la policía judicial dará conocimiento inmediatamente del hecho al Juez de guardia y al Fiscal y continuará con la investigación del hecho. Detenido o citado el presunto responsable la policía judicial remitirá el atestado al Juzgado de guardia, a los efectos de la aplicación del procedimiento rápido (art. 796.4 LECrim).

b) Que se trate de alguno de los siguientes tipos delictivos. a) Delitos contra el patrimonio (hurto, robo, hurto y robo de uso de vehículos) y contra la seguridad del tráfico. Se trata de delitos que se incardinan en el procedimiento examinado con base en el criterio de su facilidad instructora, y su especial incidencia en la seguridad ciudadana. También se sustanciarán por este procedimiento los: b) delitos de lesiones, coacciones, amenazas o violencia física o psíquica habitual, cometidos contra las personas a las que se refiere el art. 173.2 CP y que integran los denominados ilícitos de violencia doméstica. En este supuesto se incluyen delitos que, como señala la Exposición de Motivos de la ley 38/2002, repugnan gravemente a la conciencia social. Finalmente, la

LO 15/2003 añadió a la relación citada los siguientes tipos delictivos: c) contra la salud pública previstos en el art. 368.2 CP, que se refiere a las sustancias que no causen grave daño a la salud (castigados con pena de 1 a 3 años), ya que en otro caso la pena será de 3 a 9 años. Delitos de daños previstos en el art. 263 CP, y delitos flagrantes relativos a la propiedad intelectual e industrial previstos en los arts. 270, 273, 274 y 275 CP.

c) Hecho punible cuya instrucción sea presuma que será sencilla. Es un concepto abierto en el que pueden incardinarse cualesquiera tipos delictivos siempre que concurran los presupuestos expresados con anterioridad. Se trata de un concepto excesivamente laxo que la Exposición de Motivos lo define como aquellos supuestos de investigación sencilla y que, por tanto, podrá terminarse en breve plazo. En cualquier supuesto, la investigación habrá de concluirse ante el Juzgado de Guardia en los plazos señalados en el art. 799 LECrim.

El concepto indeterminado «… *cuya instrucción sea sencilla*» deberá ser apreciado por el Juez de Guardia con criterios, a nuestro entender, restrictivos y previendo siempre que la fase instructora deberá terminar en los breves plazos señalados en el art. 799 LECrim. Por otra parte, se trata de un presupuesto que se encuentra implícito en los dos números anteriores, pues tanto la flagrancia como la incardinación de algunos tipos delictivos dentro del listado del art. 795.1.2 LECrim se ha realizado, como anotábamos, teniendo en cuenta la presumible brevedad de la instrucción, sin perjuicio de que cuando posteriormente se revele insuficiente se acuda al mecanismo corrector del art. 798.1.2 LECrim., transformando el procedimiento en diligencias previas, por considerar insuficientes las practicadas.

SECCIÓN 2. FASE DE INSTRUCCIÓN

2.1. Actuaciones de investigación por la Policía Judicial

El reforzamiento de las funciones de la Policía Judicial resulta inexcusable para que la instrucción ante el Juzgado de Guardia pueda desarrollarse en forma concentrada y con todos los elementos necesarios a su disposición para la conclusión del procedimiento en los breves plazos señalados en el art. 799 LECrim. A este fin la Policía Judicial deberá realizar una «calificación» previa de los hechos, naturalmente sometida al posterior y superior criterio Judicial. Por otra parte resulta de esencial importancia la perfecta coordinación de la policía judicial y los Juzgados de Guardia a los que corresponde la incoación de las diligencias urgentes para el enjuiciamiento rápido. Para ello serán de utilidad los Protocolos de colaboración establecidos entre la Policía Judicial, Fiscalía y las Juntas de Jueces (art. 49.1 R 1/05). Concretamente, se prevé que las Comisiones Provinciales de Policía Judicial será oídas previamente al establecimiento del señalamiento de vistas por la correspondiente Sala de Gobierno, e informarán a ésta de las incidencias y desajustes que se produjeren (art. 49.4 R. 1/2005).

La policía judicial deberá realizar las diligencias de prevención y aseguramiento de los delitos propias de sus funciones, según establece el art. 282 LECrim. Sin perjuicio de ello el art. 796 LECrim dispone que en el ámbito del procedimiento de enjuiciamiento rápido deberá practicar, en el tiempo imprescindible, las diligencias que referimos a continuación. En el supuesto de que se haya incoado atestado con detenido éste plazo se deduce del lapso temporal máximo hasta que es puesto a disposición Judicial. Pero cuando no se ha realizado detención y solo existe un denunciado, al preverse que sea la Policía Judicial quien cite a la personas (denunciado, testigos…) ante el Juzgado de Guardia, no se ha fijado uno determinado (dice la Ley, el tiempo imprescindible) entre la formación y remisión del atestado y la citación, pudiéndose con ello, incluso, incidir en las normas de reparto. A nuestro entender, resultaba conveniente que se hubiere fijado un tiempo preclusivo para estas citaciones en concordancia con lo dispuesto en el art. 295 LECrim., o sea, que las mismas se practiquen en un plazo de 24 horas que es el ordinario para la presentación del atestado ante la Autoridad Judicial.

En cualquier caso, la realización de las citaciones para que denunciado, testigos y demás personas previstas en el art. 796 LECrim. concurran ante el Juzgado de Guardia deberá efectuarse de forma coordinada con éste, dejando constancia de las mismas en la pertinente acta —art. 796.2 LECrim.—. Estas podrán incluso ser realizadas en forma verbal cuando la urgencia lo requiera, sin perjuicio de su comunicación al Juzgado de Guardia y siempre teniendo en cuenta que la Policía Judicial deberá atenerse, exclusivamente, a las instrucciones que recibieren del Juez o Fiscal competente, de conformidad con lo previsto en los arts. 287 y 288 LECrim.

A estos efectos el Reglamento 1/2005 de Aspectos accesorios de las actuaciones judiciales prevé una Agenda Programada de Citaciones (APC), que detallará franjas horarias disponibles en cada Juzgado de Guardia para las citaciones que la Policía Judicial realice ante los Juzgados de Guardia (art. 49.1). Tendrán preferencia las citaciones a testigos extranjeros y nacionales desplazados temporalmente fuera de su localidad con la finalidad de facilitar la práctica de prueba preconstituida de conformidad con el art. 797.2 LECrim. En este precepto se establece la necesidad de practicar inmediatamente, asegurando la debida contradicción, aquella prueba que por razón del lugar de residencia del testigo, o por otro motivo se prevea razonablemente que no podrá practicarse en el acto del juicio oral.

Las citaciones se realizarán para que se comparezca ante el servicio de Guardia que corresponda conforme a las normas de reparto existentes, así como a los acuerdos adoptados por la Comisión Provincial de Coordinación de la Policía judicial (art. 49.1 R. 1/05). El contenido y modo de realización de las diligencias de investigación, que obligatoriamente deberá practicar la Policía Judicial, viene detallado en el art. 796 LECrim, sin perjuicio de ser aplicados los arts. 282 a 298 LECrim, sobre Policía Judicial, y las previsiones especiales que para la realización de actos de investigación por la Policía Judicial se disponen en el procedimiento abreviado (arts. 769 a 772 LECrim), en cuanto no se opongan a lo dispuesto en el art. 796 LECrim. Véase M. 217.

Estas diligencias son las siguientes:

A) En relación con la persona del delincuente y terceros civiles responsables.

1. Informaciones al denunciado —art. 796.1.2 y 3 LECrim.—: Derecho de asistencia de Abogado para comparecer ante el Juzgado de Guardia cuando no procediere a

su detención y si nada manifestare sobre la voluntad de nombramiento de Abogado, se recabará del Colegio de Abogados la designación de un Letrado de oficio para que le asista en la declaración que el Juzgado de guardia le vaya a realizar. Asimismo, le citara para que comparezca en el día y hora que se le señale, con los apercibimientos legales de poder proceder a su detención —art. 797.1.3 en relación con el art. 487 LECrim— (véase sobre el derecho de defensa § 4. Cap. IV). El abogado designado para la defensa tendrá también habilitación legal para la representación de su defendido en todas las actuaciones que se verifiquen ante el Juzgado de guardia —art. 797.3 LECrim—).

2. Citación a las Aseguradoras y Entidades a que se refiere el art. 117 CP para el mismo día y hora, cuando conste su identidad, con la finalidad que el Juzgado de Guardia pueda cumplir con lo dispuesto en el art. 764 LECrim, sobre la prestación de cauciones, entre otros extremos (art. 796.1.5º LECrim).

B) Respecto a los perjudicados, testigos y peritos.

Se procederá a la citación a los ofendidos, perjudicados y testigos para que comparezcan en el Juzgado de Guardia el día y hora que se les indique, que será el mismo para todos los intervinientes, con la finalidad de poder realizar la instrucción concentrada y urgente para preparar el juicio oral, con apercibimiento a los testigos de las consecuencias que de no comparecer a la citación policial en el Juzgado de Guardia se estará a lo dispuesto en el art. 420 LECrim (véase § 2.6.A Cap. VII, sobre los derechos y deberes del testigo). Ahora bien, no será necesaria la citación de las Fuerzas y Cuerpos de Seguridad que hubieren intervenido en el atestado cuando su declaración conste en el mismo (art. 796.1.4ª LECrim).

En el caso que no fuera posible la remisión al Juzgado de Guardia de algún objeto que debiera ser tasado, se solicitará la presencia del perito o servicio correspondiente para que lo examine y emita informe pericial. Este informe pericial podrá ser emitido oralmente ante el Juzgado de guardia. No se trata de un informe pericial judicial y ha de ser sometido a la debida contradicción en el juicio oral para ser valorado como prueba, salvo que fueran aceptada y no impugnado por las partes (STC 24/1991, de 11 febrero) (Véase § 2.8. Cap. VII, sobre informe pericial en Instrucción). Téngase presente que en el caso de mercancías sustraídas en establecimientos comerciales, el valor de aquéllas se fijará atendiendo a su precio de venta al público (art. 365.2 LECrim).

C) Informes de sanidad, análisis de sustancias estupefacientes y alcoholemias.

1. Informes facultativos y/o presencia del Médico Forense. Sin perjuicio del requerimiento a los facultativos o personal sanitario en los términos establecidos en el art. 770.1.1 LECrim para prestar los oportunos auxilios al perjudicado, se solicitará la copia del informe relativo a la asistencia sanitaria prestada para su unión al atestado policial. También se puede solicitar la presencia del Médico Forense, si fuere necesario, su informe pericial cuando la persona que deba ser reconocida no pudiera desplazarse al Juzgado de guardia dentro del plazo previsto en el art. 799. Nótese que la Policía Judicial no puede requerir la presencia del Médico Forense ni obligarle a comparecer, salvo que lo fuera por orden judicial, dados los términos establecidos

en el art. 497.2 LOPJ, por encontrarse bajo la dependencia jerárquica de la Autoridad Judicial o Ministerio Fiscal.

Para las intervenciones corporales se precisará autorización judicial en los términos que señalamos en § 2.11 y 12 Cap. VII. En cambio, los cacheos pueden ser practicados por la Policía Judicial, siempre se observe la debida proporcionalidad (véase § 2.11.A Cap. VII).

2. Análisis de sustancias estupefacientes. Remisión al Instituto de Toxicología o al Laboratorio Territorial de Drogas de las sustancias aprehendidas para su análisis inmediato y expedición de su resultado al Juzgado de Guardia antes del día y hora en que se haya citado a los denunciados, perjudicados y demás intervinientes a comparecer ante el Juzgado de Guardia (art. 796.1.6 LECrim). Excepcionalmente, se autoriza su práctica por la Policía Judicial, sin perjuicio del debido control judicial. Este último inciso resulta de capital importancia para la validez de la prueba, pues ha de tenerse presente que sin dicho control y autorización previa la Policía Judicial carece de competencia para realizar dichos análisis.

Estos informes se introducirán en el proceso como prueba documental de conformidad con lo previsto en el art. 788.2 LECrim que así lo prevé con relación al procedimiento abreviado. Esta norma puede aplicarse a otros informes como los dactiloscópicos que tienen la consideración de prueba pericial, aunque la jurisprudencia permite su valoración como prueba documental, siempre que no los impugne la parte a quien interese. Véase **§ 1.4 Cap. IX.**

3. Análisis sanitarios y control de alcoholemia. En los delitos contra la seguridad del tráfico resulta de vital importancia para la acusación el control de alcoholemia que ha de efectuarse conforme a la legislación de seguridad vial. En el caso de practicarse el análisis de sangre, que constituye un derecho del sometido a la prueba, la policía judicial requerirá al personal sanitario que lo realice para que remita el resultado al Juzgado de guardia por el medio más rápido y, en todo caso, antes del día y hora de la citación ante el Juzgado de guardia (art. 796.1.7 LECrim). Véase sobre la práctica de esta diligencia **§ 2.11.B Cap. VII.**

2.2. Diligencias urgentes de instrucción ante el Juzgado de Guardia

El Juzgado de Guardia al recibir el atestado con los objetos, instrumentos y pruebas incoará, cuando proceda diligencias urgentes practicando las diligencias referidas en el art. 797 LECrim con la participación activa del Ministerio Fiscal, lo que obligará a que en todas las sedes de guardia existan Fiscales permanentemente adscritos. (Véase M. 218). Nótese que la decisión de seguir por el procedimiento de enjuiciamiento rápido la adoptará el Juez de Guardia atendiendo a la concurrencia de los requisitos legales. Esta decisión podrá ser recurrida en el recurso de apelación frente a la sentencia que ponga fin al procedimiento, previa alegación en el trámite de cuestiones previas previsto en el art. 786.2 LECrim.

> «En el presente caso, en contra del parecer del apelante, concurren todos los requisitos exigidos para la incoación de Diligencias Urgentes y posterior celebración de un Juicio Rápido. El delito enjuiciado —malos tratos del artículo 153.1 del CP (LA

LEY 3996/1995)— está castigado con pena de prisión que no excede los cinco años. El procedimiento se inicia tras la presentación de un atestado —el n.º NUM000— por la Policía Nacional. El denunciado es detenido por la Policía Judicial y puesto a disposición del Juzgado de Guardia. Se trata, por último, de un hecho punible cuya instrucción se presume sencilla. Así lo entendió también la defensa del imputado en el acta de enjuiciamiento rápido sin conformidad levantada el 23.9.15, en la que manifestó que no se oponía a la continuación del procedimiento por los trámites de Diligencias Urgentes, siendo ese el momento procesal del que disponía para alegar que las diligencias practicadas no eran suficientes y que procedía la continuación del procedimiento por los trámites de las diligencias previas del procedimiento abreviado (artículo 798.2.2º LECrim (LA LEY 1/1882))». SAP de Granada, Sección 2ª, Sentencia 582/2016 de 11 Oct. 2016, Rec. 152/2016; Ponente: Ruiz Casas, Javier. LA LEY 187533/2016.

Ha de señalarse que dicha participación «activa» como se la califica por el art. 797.1 LECrim solo será necesaria cuando se requiera su presencia como puede suceder con las declaraciones del detenido, imputado, reconocimiento en rueda, careos entre testigos e imputados, pero, sin embargo, por lógica dicha actuación no será necesaria en otras diligencias de instrucción que no precisan de su intervención como la reclamación de antecedentes penales, informe forense, informe al imputado de sus derechos, citaciones … pudiendo efectuarse, cuando proceda, mediante la utilización de las nuevas tecnologías como es la videoconferencia para suplir posibles deficiencias estructurales del Ministerio Público[4].

Nada se dice sobre la actuación de las demás partes o de la defensa del imputado en las diligencias en que se requiera la presencia del Ministerio Fiscal que debe entenderse igualmente necesaria aun cuando nada dice el art. 797 LECrim. todo ello con la finalidad de cumplir con las garantías legales y la debida contradicción. El cumplimiento por el Juez de Guardia de los plazos establecidos en el art. 799 LECrim para realizar la instrucción se erige como requisito de obligada observancia pues, caso contrario, cuando no pudieren practicarse dentro de los lapsos temporales señalados en el art. 799 LECrim, o fueren insuficientes, debe ordenarse, en forma motivada, la transformación de las diligencias en previas y continuación por los trámites del procedimiento abreviado.

A dichos efectos, el art. 799 LECrim distingue entre los Juzgados de Guardia con servicio de 24 horas de los que realicen guardias en tiempo superior. Pueden ser de duración superior a 24 horas, semanales o permanentes, si solo hubiere un Juzgado de Instrucción en el Partido Judicial. En cualquier caso, las diligencias y resoluciones habrán de dictarse y ser adoptadas durante el servicio de Guardia —art. 799.1 LECrim.— y se añade, con la finalidad de hacer operativo el procedimiento y cuando el servicio de Guardia tiene una duración superior a las 24 horas, que el plazo se podrá prorrogar en 72 horas (tras la conclusión de la Guardia, cuando esta semanal, pues

---

(4) El inciso reseñado relativo a la participación activa del Ministerio Fiscal fue introducido por dos Enmiendas de los grupos de Convergencia i Unió y Partido Popular núm. 157 y 189, con la finalidad de «llevar a cabo una regulación más precisa técnicamente de la intervención del Fiscal en este procedimiento, dando paso al mismo tiempo a mayores posibilidades de utilización de Nuevas Tecnologías en el ámbito del proceso penal».

en caso de ser permanente debe entenderse que esta prórroga opera como tiempo máximo de instrucción), siempre que el atestado se hubiera recibido con 48 horas de antelación a la conclusión del servicio de Guardia, previsión realista si tenemos presente que durante la Guardia ha de atenderse no solamente a dicho servicio (por tratarse de Juzgados mixtos) sino también a otras diligencias y señalamientos urgentes.

La viabilidad del procedimiento instaurado se fundamenta en el cumplimiento de los plazos de instrucción y la práctica de las diligencias y dictado de resoluciones durante el servicio de Guardia. Ante el incumplimiento de los plazos, la solución más adecuada será la de la reconversión obligatoria del procedimiento en abreviado.

La instrucción concentrada y realizada dentro de unos límites temporales no puede hacernos olvidar que el objeto de esta fase procesal consiste en preparar el juicio y practicar las diligencias necesarias para averiguar y hacer constar la perpetración de los delitos con todas las circunstancias para el presunto delincuente sean favorables o adversas y puedan influir en su calificación (art. 299 LECrim) (STC 186/91, de 15 noviembre). Por tanto, cualquiera que sea la celeridad que pretenda dársele al procedimiento deben observarse las reglas generales sobre estricto cumplimiento de las garantías legales.

Las diligencias necesarias que debe practicar el Juzgado de Guardia con carácter urgente son las siguientes (art. 797 LECrim):

1. Recabar los antecedentes penales del detenido o persona imputada por el medio más rápido.

2. Declaración al detenido o persona imputada que, caso de incomparecencia, podrá ordenarse su detención de conformidad con el art. 487 LECrim. Asimismo, se dará cumplimiento a las prevenciones dispuestas en el art. 775 LECrim: información de derechos, requerimiento para la designación de domicilio, caso de que no quedara en situación de prisión provisional, y apercibimiento de que la no comparecencia en juicio el día señalado podrá dar lugar a la celebración del mismo en su ausencia.

3. Llevará cabo, en su caso, las informaciones previstas en el art. 776 LECrim por lo que respecta al ofendido y perjudicados. Es decir, ofrecimiento de acciones, medidas de asistencia a las víctimas, derecho a nombrar abogado y ejercicio de acciones[5].

4. Declaración a los testigos citados que hayan comparecido y ante su falta de comparecencia se podrá ordenar su detención y conducción ante el Juzgado de Guardia, pues en el atestado ya se les habrá apercibido de su deber de comparecencia. A este efecto, no procederá a citación de miembros de las Fuerzas y Cuerpos de Seguridad que hubieren intervenido en el atestado cuya declaración

---

(5)   En la reforma de la LECrim por LO 15/2003 se introdujo la precisión legal: «*en su caso*», con relación a la información de derechos a la que se refiere el art. 797.5ª LECrim. De este modo se relativiza la necesidad de realizar esta diligencia por el Juzgado de Guardia, teniendo presente que el art. 776 LECrim ya dispone de su práctica por la policía judicial.

obre en éste. Salvo que el Juez de Guardia considere imprescindible su declaración, en cuyo caso lo acordará mediante resolución motivada (art. 797.8 LECrim).

5. Reconocimiento en rueda de resultar pertinente y la práctica de careos entre testigos e imputados.

Asimismo, cuando fuere necesario para la calificación jurídica de los hechos se ordenará —art. 797.1.2 LECrim.— la práctica de las pruebas periciales cuando no se hubieran recibido, el examen del lesionado o de la víctima, por el Médico Forense, caso de no haberse practicado y la tasación de bienes, diligencia especialmente trascendente en los delitos contra la propiedad para fijar si el hecho cometido es un delito o falta. Igualmente, podrá citarse a las personas que se estimen pertinentes y practicar cualesquiera diligencias urgentes dentro del plazo reseñado en el epígrafe precedente.

Por último, el art. 797.2 LECrim posibilita que, de oficio o a instancia de parte, se practiquen aquellas pruebas que razonablemente se entienda que no se van a poder practicar en el acto del juicio oral o que puedan motivar su suspensión. La ley especifica el supuesto concreto al que se refiere y atiende este precepto. A saber, la declaración del testigo o la víctima cuando por razón del lugar de su residencia no pudiera asistir al juicio. En ese caso se practicará la prueba anticipada cuyos requisitos señalamos en § 2 Cap. IX[6]. Además la ley prevé que la diligencia se documente en soporte apto para la grabación y reproducción del sonido y de la imagen, lo cual ya es regla general conforme con el art. 743 LECrim. A efectos de su valoración como prueba la parte a quien interese deberá instar la reproducción de la grabación o la lectura literal de la diligencia, en los términos del art. 730 LECrim. Fuera de esta concreta petición no parece que el Instructor deba practicar las pruebas solicitadas por las partes con lo cual el Juez de Instructor se convierte en el *dominus* exclusivo de dicha instrucción, lo que puede suponer el cercenamiento de garantías para los imputados y perjudicados que, en cualquier caso, pueden solicitar su práctica para el acto del juicio oral a salvo, como hemos dicho, de aquellas pruebas cuya demora no sea posible y hayan de realizarse como prueba anticipada, con antelación a su señalamiento.

2.3. Conclusión de la fase de instrucción

Practicadas las anteriores diligencias, el art. 798 LECrim dispone que el Juez oirá a las partes personadas y al Ministerio Fiscal, en el mismo servicio de Guardia, sobre cuál de las resoluciones procede adoptar (conclusión con continuación del procedimiento de enjuiciamiento rápido o conversión en procedimiento abreviado, archivo …), pudiendo solicitar cautelas frente al imputado o responsable civil subsidiario, sin perjuicio de las anteriores adoptadas. (Véase M. 219).

---

(6) Las Enmiendas 159 y 190 de los Grupos de Convergencia i Unió y Popular, respectivamente, que introdujeron en la tramitación parlamentaria la citada previsión señalaban en su justificación: que debía precisarse el momento procesal para instar la prueba anticipada y la necesidad de garantizar la práctica de diligencias probatorias que no puedan llevarse a cabo en el acto del juicio oral, especialmente en el caso de que los perjudicados por el delito no residen en el lugar de la celebración del juicio como es el caso de los turistas que vistan nuestro país en períodos de vacaciones.

El Juez de Guardia, tras la audiencia, dictará alguna de las siguientes resoluciones —art. 798 LECrim.—:

1. Auto en forma oral que deberá documentarse, posteriormente, ordenando la continuación del procedimiento. Contra esta resolución no cabe recurso alguno. Las medidas cautelares se adoptarán tras la nueva audiencia a las partes, establecida en el art. 800.1 LECrim.

2. Conversión en diligencias previas del procedimiento abreviado, señalando motivadamente qué diligencias se precisan para concluir la instrucción y la causa o circunstancias que hacen imposible realizarlas en el servicio de Guardia. Se trata de una decisión de inaptitud para la continuación por el juicio rápido al no poderse concluir la instrucción en los tiempos establecidos para la tramitación de la causa en el art. 799 LECrim, siempre que se trate de diligencias *imprescindibles* pues, caso de que pueda formularse acusación, sin necesidad de que sean realizadas durante la instrucción, ha de tenerse en cuenta que la práctica de los medios de prueba debe efectuarse en el juicio oral.

3. Auto acordando alguna de las decisiones previstas en los números primero y tercero del apartado 1 del art. 779 LECrim; es decir determinando si procede el sobreseimiento libre o provisional, que el hecho se encuentra atribuido a la jurisdicción militar o de menores con remisión al Juzgado competente.

En estos casos, acordará lo que proceda sobre las medidas cautelares solicitadas frente al imputado y/o responsable civil. Contra la decisión sobre medidas cautelares caben los recursos de reforma y apelación —arts. 798.3 en relación con el 766 LECrim.— y con relación a los recursos contra la decisión de sobreseimiento, falta o inhibición *vid.* § 3.5, Cap. IX. Asimismo, ordenará, cuando proceda, la devolución de los objetos intervenidos —art. 798.4 LECrim.—.

4. Enjuiciamiento inmediato conforme al procedimiento de juicio por delitos leves cuando el Juez de guardia repute delito leve el hecho que hubiere dado lugar a las diligencias (art. 798.2.1º LECrim).

SECCIÓN 3. PREPARACIÓN Y CELEBRACIÓN DEL JUICIO ORAL

3.1. Trámite previo hasta la apertura del juicio oral

Acordada la continuación del procedimiento, en el mismo acto, tras dictar oralmente la resolución (que posteriormente debe documentarse) contra la que no puede interponerse recurso alguno, se otorga nueva audiencia al Ministerio Fiscal y a todas las partes personadas (acusación particular y defensa) para que se pronuncien sobre si procede la apertura del juicio oral o el sobreseimiento de la causa o, en su caso, si procede adoptar cualesquiera de las tres primeras resoluciones previstas en el art. 779.1 LECrim. Art. 800 LECrim. (Véase M. 219).

Igualmente, en este trámite pueden instar o ratificarse sobre la petición de medidas cautelares. Nótese, como vimos en el epígrafe anterior, que al concluir la instrucción se otorga al Ministerio Fiscal una previa audiencia para pronunciarse sobre la continuación del procedimiento y la adopción de medidas cautelares, quedando la decisión sobre las cautelas diferida a este momento posterior cuando se ordena la continuación del procedimiento. Por ello, se les otorga una segunda oportunidad a las partes acusadoras para solicitar o reiterar la petición de cautelas.

La resolución que adopte el Juez de Guardia dependerá de la posición del Ministerio Fiscal y la acusación particular, si se encontrare personada. En cualquier caso, la apertura del juicio oral debe ir precedida de una petición de acusación formulada por el Ministerio Fiscal o la acusación particular. Si ambas partes o una de ellas solicita la apertura del juicio oral, se estará a lo dispuesto en el art. 783 LECrim, o sea, el Juez puede acordar la apertura del juicio oral o el sobreseimiento provisional o libre. Si acuerda la apertura del juicio oral, dictará auto de forma oral y motivadamente que posteriormente (en el mismo servicio de Guardia) deberá documentarse y no será susceptible de recurso. Si acuerda el sobreseimiento, los recursos procedentes son los previstos en el art. 766 LECrim. Si el Ministerio Fiscal y el acusador particular, si lo hubiere, solicitaran el sobreseimiento, se estará a lo dispuesto en el art. 782 LECrim, cuya exposición detallamos en el procedimiento abreviado en § 4 Cap. XII.

3.2. Apertura de juicio oral y formulación de escritos de acusación

Decretada la apertura del juicio oral, la subsiguiente tramitación depende si se encuentra o no personada acusación particular —art. 800.2 a 5 LECrim.— como se expone a continuación. No cabe recurso frente al auto de apertura de juicio oral (art. 800.1 LECrim). Ahora bien, se ha admitido su recurribilidad en el caso que en el auto de apertura del juicio oral el Juez hubiese excluido los hechos manifestados por las partes en la comparecencia inicial del procedimiento.

> «Mientras que en el Procedimiento Abreviado, a la hora de dictar el auto de apertura de juicio oral el instructor no puede cercenar ni limitar el contenido de la acusación provisional que puedan haber presentado las acusaciones —excepto en el caso de que a su juicio proceda el sobreseimiento por atipicidad de los hechos o falta de indicios incriminatorios contra el acusado tal y como señala el art. 783 de la LECrim (LA LEY 1/1882)—, en las Diligencias Urgentes el instructor sí debe hacer ese efecto delimitador al tratarse de un procedimiento que viene dado por el enjuiciamiento de determinados hechos con cierta apariencia delictiva (los reseñados en el apartado 2° del art 795.1) o donde concurran determinadas circunstancias de aparición (por ej. delitos flagrantes) o de investigación (instrucción sencilla), de tal modo que sólo abrirá el instructor este tipo de procedimiento tras verificar si las circunstancias concurrentes —propias de la sencillez o falta de complejidad fáctica— lo posibilitan. Tal es así que el instructor, previa audiencia de las partes, dicta la apertura de juicio oral antes de que las acusaciones formulen sus calificaciones (en contra de lo que sucede en el Procedimiento Abreviado), decidiendo, de manera vinculante para las acusaciones, sobre qué hechos abre el Juicio Rápido. Solo en el supuesto de que las partes acusadoras, en la audiencia previa a tal pronunciamiento, hubieran manifestado su intención de acusar por hechos (desde luego dentro del ámbito del juicio rápido) que luego han sido excluidos en el auto de apertura de juicio oral, podrán luego recurrir

tal auto (pese a su previsión de irrecurrible) en lo relativo al pronunciamiento de haber dejado fuera tal hecho sobre el que las partes pretendían acusar y así lo habían antes puesto de manifiesto». SAP de Granada, Sección 2ª, Sentencia 681/2016 de 15 Nov. 2016, Rec. 212/2016; Ponente: Ruiz Casas, Javier. LA LEY 201981/2016.

Si no se hubiere constituido acusación particular, el Ministerio Fiscal —art. 800.2 LECrim.— presentará de inmediato, o sea en el mismo acto, escrito de acusación o formulará ésta oralmente, con las prevenciones, caso de no presentarlo, dispuestas en el art. 800.5 LECrim a las que más adelante nos referimos[7]. Ello requiere una importante infraestructura personal y de medios, como fácilmente puede observarse, tanto en el servicio de Guardia como para el Ministerio Fiscal, sin la cual la presente normativa será de imposible cumplimiento. De cumplirse tal grado de concentración podrá afirmarse que la pretendida celeridad alcanzará un alto grado de eficacia. (Véase M. 163). Si se hubiere constituido acusación particular —art. 800.4 LECrim.— emplazará en el acto a aquélla y al Ministerio Fiscal para que presenten sus escritos dentro de un plazo improrrogable no superior a dos días, procediendo seguidamente, conforme a lo dispuesto en el art. 800.2 LECrim, a la presentación del escrito de defensa por el acusado. Esta presentación podrá hacer vía fax o telemática.

> «Respecto de la alegación solicitando la nulidad de lo actuado, la misma no puede tener acogida, al no observarse la concurrencia de los requisitos y circunstancias necesarios que pudieran dar lugar a tal nulidad, pues —tal y como se ponía de manifiesto en la sentencia recurrida— la presencia física del Mº fiscal, no viene entendiéndose necesaria, admitiéndose la remisión, por el mismo, del correspondiente escrito de acusación vía fax, que viene a mostrar, en efecto, la actividad del Mº Fiscal, y, manifestar, así, su voluntad, en lo referido al trámite previsto en el artículo 798 y concordantes de la Ley de Enjuiciamiento Criminal (LA LEY 1/1882), utilizando los nuevos medios tecnológicos, entre los que se encuentra el Fax (como ya ha tenido ocasión de manifestar este órgano), no teniendo trascendencia alguna, en la validez de tal medio empleado, el hecho de que la acusación del Mº Fiscal hubiese variado con la anterior —dato al que se refería la parte recurrente— pues, de tal escrito de acusación (del que, por cierto, también figura su original), tuvo conocimiento la defensa, no observándose, pues, como ya se dijo, la concurrencia de presupuestos necesarios para acordar la nulidad». SAP de Lugo, Sección 2ª, Sentencia 109/2016 de 24 May. 2016, Rec. 87/2016; Ponente: Varela Prada, José Manuel. LA LEY 88351/2016.

Respecto al escrito de defensa caben tres posibilidades: 1ª que se presente por escrito en el acto. 2ª Que se presente oralmente en el acto. 3ª Que el acusado solicite la concesión de un plazo para la presentación de escrito de defensa. En ese caso, el Juez fijará prudencialmente el mismo dentro de los cinco días siguientes, atendidas las circunstancias del hecho imputado y los restantes datos que se hayan puesto de manifiesto en la investigación. En ese caso tanto el acusado como, en su caso, el

---

(7) Art. 800.5 LECrim: «5. Si el Ministerio Fiscal no presentare su escrito de acusación en el momento establecido en el apartado 2 o en el plazo establecido en el apartado 4, respectivamente, el Juez, sin perjuicio de emplazar en todo caso a los directamente ofendidos y perjudicados conocidos, en los términos previstos en el apartado 2 del artículo 782, requerirá inmediatamente al superior jerárquico del Fiscal para que, en el plazo de dos días, presente el escrito que proceda. Si el superior jerárquico tampoco presentare dicho escrito en plazo, se entenderá que no pide la apertura de juicio oral y que considera procedente el sobreseimiento libre».

responsable civil presentarán sus escritos ante el órgano competente para el enjuiciamiento que será el Juez de lo Penal (art. 800.2.2 LECrim).

Como hemos visto los escritos de acusación y defensa se pueden formular oralmente en la comparecencia que con base en el art. 743 LECrim puede grabarse y en ese caso la grabación constituirá el acta a todos los efectos. En el acta constarán las peticiones de las partes y entre ellas la acusación del Fiscal como elemento primero y esencial. Acusación que debe constar, ya que si por algún error, fallo o cualquier circunstancia no apareciese claro y evidente que se formuló esa acusación no se podrá proseguir con el juicio por falta de un presupuesto necesario para su continuación.

«Partiendo del contenido de las manifestaciones que se recogen en el recurso de apelación se ha procedido a interesar del Juzgado de Violencia Sobre la Mujer certificación de la existencia de acusación planteada por el Ministerio Fiscal señalándose que se contiene en uno de los soportes de grabación que se acompañaban, y verificado por el sistema Fidelius se comprueba que en el segundo de los recogidos únicamente se oye una voz sin verse a nadie en la imagen en una sala vacía y sin que guarde directa continuidad con el contenido de lo recogido en el otro soporte acompañado que comprobado igualmente mediante el sistema Fidelius se observa la realización de acto procesal con intervención del Juez, del Ministerio Fiscal y de las partes, al que se da fin ausentándose de la sala las partes, así como el Juez, de lo que se desprende la ausencia de la unidad de actuación que el art. 798.2.1 ° y art. 800 LECRim (LA LEY 1/1882) describen. Junto con lo anterior de la certificación aportada se desprende que no hay constancia concreta en el procedimiento de traslado de la calificación que pudiera haber realizado el Ministerio Fiscal, dando cumplimiento al traslado preceptivo. Por otra parte se ha procedido igualmente al visionado del acto del juicio celebrado en el Juzgado de lo Pena en el que se puede observar que no se procedió a la lectura de los escritos de acusación de las partes que sí constan, así como tampoco del correspondiente al Ministerio Fiscal inexistente en el procedimiento, entrándose directamente al interrogatorio de la ahora recurrente (0:41), de manera que no se ha dado cumplimiento a lo dispuesto en el art. 802.1 (LA LEY 1/1882) y 786.2 LECrim (LA LEY 1/1882)». SAP de La Rioja, Sentencia 50/2017 de 19 May. 2017, Rec. 170/2017; Ponente: Moreno García, Ricardo. LA LEY 80086/2017.

Importante novedad es la contenida en el art. 800.5 LECrim dispuesta para la observancia de los plazos establecidos para formular escrito de acusación por el Ministerio Fiscal. En la práctica forense, por razones varias y entre las no menos importantes la falta de medios personales, los traslados al Ministerio Fiscal eran evacuados fuera de los lapsos temporales dispuestos en la LECrim. Para remediar estos males, se ha introducido el art. 800.5 LECrim. una consecuencia extrema como es el sobreseimiento de la causa cuando no se formule acusación dentro de los plazos señalados, sin perjuicio de las responsabilidades disciplinarias que ello puede comportar[8].

---

(8) Nótese, sin embargo, que en el procedimiento abreviado no se prevé consecuencia alguna para el supuesto que el Fiscal no presente escrito de acusación en el plazo concedido para ello (art. 781.3 LECrim). Aunque, en la redacción del proyecto de ley se preveía la misma consecuencia de sobreseimiento libre que resultó eliminada de la redacción legal como consecuencia de las enmiendas presentadas. Y sin perjuicio que en alguna sentencia se ha acordado esta consecuencia. Véase el § 4.1.C del Cap. XII.

No obstante para acordar el sobreseimiento por falta de presentación del escrito de acusación dentro de plazo se requiere que: a) Caso de no haberse personado todos los interesados en la acción penal, se les emplace en los términos establecidos en el art. 782.2 LECrim, concediéndoles un plazo máximo de quince días para que pueda sostener la acusación, y b) Requerir al superior jerárquico del Fiscal (debe entenderse del Fiscal adscrito al servicio de Guardia) para que, en el plazo de dos días, presente el escrito de acusación. Si en el plazo de dos días tampoco se presenta, se acordará el sobreseimiento libre, es decir, archivo de la causa con imposibilidad de reapertura y con fuerza de cosa juzgada. Contra la presente resolución, a nuestro entender, cabrán los recursos ordinarios previstos en el art. 766 LECrim. Pero, si se hubiera dado traslado a los interesados en la acción penal, hasta tanto no transcurra el período señalado en el emplazamiento a éstos, no puede dictarse el auto de sobreseimiento, sin que proceda la subsanación o el incumplimiento tardío del plazo por el Ministerio Fiscal durante dicho lapso temporal, caso de no haberse formulado el escrito de acusación dentro del plazo de dos días señalado. No resuelve expresamente la Ley si el régimen de preclusiones establecido para el Ministerio Fiscal también se aplica a la acusación particular y por tanto, caso de no presentar el escrito de acusación en dos días, debe entenderse precluido el plazo y acordar el sobreseimiento libre si tampoco el Ministerio Fiscal formulará acusación. A nuestro entender, igual régimen debe aplicarse a la acusación particular y todo ello sin posibilidad de cumplimiento tardío. Por otra parte, ha de señalarse que éste rígido sistema solamente resulta de aplicación en este procedimiento, sin que pueda extenderse, aun cuando ello sería deseable, a todos los demás procedimientos regulados en la LECrim.

Para el cómputo de los plazos referidos ha de entenderse que se trata de días hábiles puesto que si bien son actuaciones que practica el Juzgado de Guardia no son instructoras y, en su consecuencia, quedan fuera del ámbito establecido en el art. 184.1 LOPJ y 201 LECrim., o sea, del mandato que establece que todos los días y horas del año serán hábiles para la instrucción de las causas criminales, sin necesidad de habilitación especial.

> «… cuando se trata de causas criminales, la especialidad en materia de cómputo de plazos procesales, de conformidad con el art. 184 LOPJ, se limita a los actos de instrucción, pareciendo razonable la interpretación de que tal especialidad alcance no sólo a los actos de investigación y aseguramiento en sentido estricto, sino a cuantos actos procesales se lleven a cabo durante la fase destinada a estos fines, pero sin que pueda extenderse lógicamente a otros actos realizados fuera de ella. Por ello, el concepto de instrucción queda referido a aquellos actos procesales que tienen por objeto la finalidad contemplada en el art. 299 LECrim, esto es, la preparación del juicio, por medio de actuaciones encaminadas a averiguar y hacer constar la perpetración de los delitos, sus circunstancias y la culpabilidad de sus autores, así como a asegurar sus personas y responsabilidades pecuniarias…». STC 133/2000, de 16 mayo.

En consecuencia, el cómputo de los plazos establecidos en los arts. 800 a 803 LECrim así como aquellos previstos para deducir recursos de reforma y apelación que se puedan interponer contra las decisiones del Juez de Guardia, son de días hábiles, con exclusión de los inhábiles.

3.3. Convocatoria a juicio. Actuación de la defensa y terceros civiles responsables

Presentado el (los) escritos de acusación y, en su caso, el de defensa se procederá por el Letrado A. Justicia al señalamiento del juicio —art. 800.3 LECrim.—. El juicio se señalará en la fecha más próxima posible y en cualquier caso dentro de los quince días siguiente, en los días y horas predeterminados a este efecto por los órganos enjuiciadores: Juzgados de lo Penal, puesto que atendida la pena a imponer la competencia objetiva se atribuye, exclusivamente, a dichos Tribunales.

A estos efectos se prevé en el art. 800.3 LECrim que las Salas de Gobierno de los Tribunales Superiores de Justicia dispondrán de lo necesario para que los Juzgados de guardia de su respectivo territorio cuente con antelación suficiente con los datos necesarios para realizar los señalamientos y citaciones. Esta norma, con idéntico contenido a lo dispuesto en el art. 965.2 LECrim, para el señalamiento de los juicios por delitos leves que no puedan celebrarse inmediatamente, puede presentar problemas de ajuste de calendarios que las Salas de Gobierno deben coordinar para una adecuada planificación de los señalamientos. A este fin el art. 49 del Reglamento 1/2005 regulador de los aspectos accesorios de las actuaciones judiciales establece las normas de coordinación de señalamientos para la celebración de juicios orales entre los Juzgados de Guardia, Juzgados de lo Penal y Fiscalías de las Audiencias Provinciales. Para ello se prevé una Agenda programada de Señalamientos con un turno de señalamientos entre los Juzgados de lo Penal con la periodicidad que determine la Junta de Jueces. Este turno deberá ser aprobado por la Sala de Gobierno del Tribunal Superior de Justicia y comunicado al CGPJ. A falta de tal Acuerdo el art. 49.2 R. 1/2005 establece las normas que regirán con carácter supletorio[9].

Señalada la fecha del Juicio oral el Letrado A. Justicia procederá a citar a juicio a todas las partes. También citará a la responsable civil si la hubiera. La omisión de su citación a juicio comportará la nulidad parcial de las actuaciones a efectos de con-

---

(9) Art. 49.2 R. 1/2005: «A falta de tal acuerdo regirán de forma supletoria las siguientes normas: a) En aquellas demarcaciones con más de cinco Juzgados de lo Penal, se establecerá un turno diario de lunes a viernes en el que uno o dos Juzgados de lo Penal reservarán íntegramente su Agenda para que los Juzgados de guardia de la demarcación territorial realicen directamente el señalamiento de los juicios orales en estas causas. De acuerdo con el artículo 800.3 de la Ley de Enjuiciamiento Criminal (LA LEY 1/1882), el señalamiento por los Juzgados de guardia deberá realizarse en la fecha más próxima posible a partir del vencimiento del plazo de presentación del escrito de defensa, si éste no se hubiere presentado en el acto o de forma oral. El máximo número de señalamientos por estos procedimientos será de quince, y consecuentemente, en el momento en que se cubra este cupo el señalamiento deberá realizarse para el siguiente día de turno disponible. b) En aquellas demarcaciones con más de un Juzgado de lo Penal y menos de seis se establecerá un turno semanal de señalamientos en el que uno de los Juzgados de lo Penal reservarán su Agenda de lunes a viernes para que los Juzgados de guardia de la demarcación territorial realicen directamente el señalamiento de los juicios orales del nuevo procedimiento de enjuiciamiento urgente. Dentro de este turno semanal, los señalamientos se realizarán para el primer día hábil de la semana, hasta un límite de quince señalamientos, procediéndose entonces al señalamiento para el siguiente día hábil de la semana, y así sucesivamente. c) En aquellas demarcaciones con un único Juzgado de lo Penal, éste reservará en su Agenda uno o dos días a la semana, entre el lunes y el viernes, para que los Juzgados de guardia realicen directamente el señalamiento de los juicios orales del nuevo procedimiento de enjuiciamiento urgente».

vocar una nueva celebración del plenario en el estricto ámbito de la responsabilidad civil con todas las partes personadas (Ministerio Fiscal, acusación particular, defensa del acusado y de la entidad aseguradora referenciada), tras lo que se procederá a dictar nueva sentencia en tal estricto ámbito de la responsabilidad civil.

«A tal efecto, ciertamente la ausencia de traslado del escrito de acusación articulado por el Ministerio Fiscal a la entidad aseguradora Mapfre Familiar solicitado en el escrito de acusación formulado por el Ministerio Fiscal y su ausencia de citación al juicio oral celebrado ante el Juzgado de lo Penal, vino a erigirse en una patente infracción del artículo 800/2-2ª de la Lecrim. (LA LEY 1/1882) determinante de indefensión material a la parte apelante, al haberse privado de este modo a las acusaciones el ejercicio de la acción de responsabilidad civil directa *ex* artículo 76 de la LCS contra dicha entidad aseguradora, pretensión que no puede venir a ser subsanada de otro modo que no sea el de la declaración de nulidad de pleno derecho del juicio celebrado en la instancia y sentencia dictada pero no con carácter de totalidad, pues en consideración aplicativa del artículo 243 de la LOPJ (LA LEY 1694/1985), dicha nulidad no ha de afectar al enjuiciamiento penal de los hechos ni a la sentencia dictada en dicho ámbito, cuya validez ha de ser afirmada, debiendo circunscribirse la declaración de nulidad al estricto ámbito de la responsabilidad civil, para que se proceda a otorgar trámite de audiencia y citación al acto del juicio oral a dicha entidad aseguradora para la celebración del plenario en el estricto ámbito de la responsabilidad civil con todas las partes personadas (Ministerio Fiscal, acusación particular, defensa del acusado y de la entidad aseguradora referenciada), tras lo que se procederá a dictar nueva sentencia en tal estricto ámbito de la responsabilidad civil, no pudiendo ser objeto del presente recurso dicha posible declaración de responsabilidad civil; y debiéndose por todo ello declarar la firmeza del resto de pronunciamientos de la combatida sentencia (pronunciamientos penales). En los término expuestos el recurso ha de ser estimado». SAP de Ciudad Real, Sección 2ª, Sentencia 30/2017 de 20 Mar. 2017, Rec. 14/2017; Ponente: Escribano Cobo, Ignacio. LA LEY 48138/2017.

Además de a las partes el Letrado A. Justicia citará a los testigos o peritos propuestos por las partes cuando se hubiere solicitado al Juez de Guardia en el momento de su proposición. Ello sin perjuicio de la decisión que sobre la admisión de pruebas adopte el Juzgado de lo Penal. Esta previsión es introducida con la finalidad de procurar la máxima celeridad, adoptando resoluciones por el Juez de Guardia que pudieran ser causa de retrasos en la celebración del juicio y ello con el riesgo de su inadmisión por el órgano sentenciador (Juzgado de lo Penal) que, caso de producirse, deberá inmediatamente ordenar lo oportuno para dejar sin efecto la citación.

El escrito de defensa del acusado, y en su caso del responsable civil, se presentarán ante el Juez de lo Penal en el plazo concedido para ello de cinco días (máximo) (cuando no lo hubieren presentado ya ante el Juez de Guardia). El plazo, dentro del máximo señalado, se fijará atendidas las circunstancias del hecho y los restantes datos que se hayan puesto de manifiesto en la investigación. Caso de que el escrito no se presentara dentro del citado plazo resulta de aplicación el art. 784.1.II que señala se entenderá que la defensa se opone a las acusaciones con prosecución del procedimiento, sin perjuicio de la responsabilidad disciplinaria que pudiera incurrir —arts. 448 ss. LECrim.—. Transcurrido aquel plazo igualmente es aplicable el art. 784.1.3 sobre la proposición de los medios de prueba por la defensa que rige para el procedimiento abreviado (§ 4 Cap. XII). (Véase en M. 221 el escrito de defensa del acusado). A diferencia del procedimiento abreviado en que los escritos de defensa se presentan ante el Juzgado de Instrucción, en este procedimiento dichos escritos se presentan directamente ante el Juzgado de lo Penal.

Recibido el escrito o precluido el plazo para su presentación —art. 800.6 LECrim.—, se procederá conforme lo previsto en el art. 785.1 LECrim (§ 5 Cap. XII), salvo en lo previsto para el señalamiento y las citaciones que se hubieran practicado. Por tanto, el Juzgado de lo Penal examinará las pruebas propuestas y dictará auto (inmediatamente) admitiendo las pertinentes y rechazando las demás, con libramiento de las comunicaciones si no se hubieran realizado o dejasen sin efecto las realizadas, cuando se inadmite la prueba propuesta y el testigo o perito hubiera sido citado por el Juez de Guardia. Contra dicha resolución no cabe recurso.

La prueba anticipada se realiza en este procedimiento en el trámite del art. 797.2, según expusimos en supra § 2.2, a diferencia del procedimiento abreviado en el que además de la que puede practicarse en instrucción (art. 777.2 LECrim), también puede practicarse ante el Juez que vaya a conocer del juicio oral, de conformidad con el art. 785 LECrim.

3.4. Conformidad del acusado y sentencia del Juez de guardia

El art. 801 LECrim prevé que el acusado pueda prestar su conformidad ante el Juzgado de Guardia. En estos casos, éste dictará sentencia de conformidad, remitiéndose todas las actuaciones al Juzgado de lo penal que corresponda para la ejecución de la sentencia. (Véase M. 222). Este artículo se reguló por la LO 8/2002 y ha sido modificado por la LO 15/2003. La razón de regular esta norma por Ley orgánica radica en el hecho que se atribuya al Juez de guardia la competencia para dictar la sentencia de conformidad. Precisamente, en la misma LO 8/02 se da nueva redacción al art. 87 LOPJ y se introduce como competencia de los Jueces de Instrucción un segundo párrafo al epígrafe a) con la siguiente redacción: *«Les corresponde asimismo dictar sentencia de conformidad con la acusación en los casos establecidos en la Ley»*. Se trata de un procedimiento especial de conformidad que se añade a otros previstos en la Ley, y que tiene por finalidad asegurar la celeridad procesal, como respuesta del Estado ante infracciones de gran incidencia social que precisan de un enjuiciamiento rápido y preferiblemente en un marco de reconocimiento de la propia responsabilidad y la aceptación de la sanción como muestra de una actitud que facilita la reinserción social, proclamada como fin de la pena.

«Introducen una nueva modalidad de conformidad para los juicios rápidos por delito- que a su vez ya ha sido objeto de una nueva modificación por la Disposición Final primera LO. 15/2003 de 25.11 (LA LEY 1767/2003), con la nueva redacción de los arts. 801, 787.6 y 7, y 795.1.2 LECr .—que ha supuesto una auténtica modificación por vía indirecta del Código Penal, al permitir a modo de atenuante privilegiada con una eficacia especial, la reducción de un tercio de la pena a la fijada por la acusación, lo que determinó la necesidad de conferir al art. 801 el rango de Ley Orgánica del que carecía el inicial Proyecto de Ley, en cuanto además confiere, la competencia al Juez de Instrucción de guardia—, se ha dicho que además de asegurar la celeridad procesal a niveles mínimos para la sociedad, la búsqueda del consenso es un imperativo ético-jurídico que puede venir apoyado por dos parámetros constitucionales: 1° que la obtención del consentimiento del acusado a someterse a una sanción implica una manifestación de la autonomía de la voluntad o ejercicio de la libertad y desarrollo de la propia personalidad proclamada en la Constitución, art. 10.1 . 2° que el reconocimiento de la propia responsabilidad y la aceptación de la sanción implican una actitud resocializadora que facilita la reinserción social, proclamada como fin de la pena, art. 25.2 CE (LA LEY 2500/1978), y que en lo posible no debe ser perturbada por la continuación del proceso y el estigma del juicio oral». STS Sala Segunda, de lo Penal, Sentencia 752/2014 de 11 Nov. 2014, Rec. 504/2014; Ponente: Monterde Ferrer, Francisco. LA LEY 161482/2014.

Se trata de una competencia que, a nuestro entender, no vulnera el derecho al Juez imparcial. Ciertamente, el órgano judicial que instruye no debe fallar lo que se infiere de lo dispuesto en el art. 24 CE en relación con el art. 6.1 del Convenio Europeo para la protección de los Derechos del Hombre, como nos señalaba la STC 145/1988, de 12 de julio que dio origen a LO 7/1988, de 28 diciembre, reguladora del procedimiento abreviado. Ahora bien, no se vulnera el derecho al Juez imparcial puesto que el Juez Instructor (de guardia) no realiza actividad enjuiciadora alguna. El Instructor se limita a plasmar la voluntad conforme del acusado con la pena sin juicio oral ni labor de enjuiciamiento, en sentido propio. No se trata de dictar una sentencia conforme a una íntima convicción ni valorar las pruebas ni las razones expuestas por la acusación y la defensa. Se trata, exclusivamente, de aprobar la voluntad del acusado y dictar una sentencia conforme a lo solicitado por éste. Es cierto que existe un control de conformidad por el Juez de Guardia al ser de aplicación el art. 787 LECrim pero éste no incide, en momento alguno, en el enjuiciamiento y caso de no aprobarse la conformidad, la función enjuiciadora, en cualquier supuesto, corresponde al Juez de lo Penal a quien se remitirán las actuaciones.

La conformidad se producirá tras la formulación del escrito de acusación por el Ministerio Fiscal, y precisa de la concurrencia de los siguientes requisitos —art. 801 LECrim.—:

1. La conformidad únicamente cabe cuando se acuse por hechos que se hubieren calificado como delito castigado con pena privativa de libertad no superior a tres años, pena de multa cualquiera que sea su cuantía, u otra distinta que no exceda de diez años.

2. Tratándose de penas privativas de libertad, que la pena solicitada, o la suma de las solicitadas no supere, reducida en un tercio, los dos años de prisión; aun cuando resulte una pena inferior al límite mínimo previsto en el Código Penal.

3. El acusado se conformará con la pena más grave, ya sea solicitada por el Fiscal o por la acusación particular.

Para acordar la suspensión o sustitución de la pena impuesta bastará con el compromiso del acusado de satisfacer las responsabilidades civiles, caso de que se solicitaren —art. 81 CP.—, y compromiso del acusado de obtener una certificación de centro o servicio público o privado debidamente acreditado de que se encuentra deshabituado o sometido a tratamiento deshabituador —art. 87 CP— en el plazo que se fije por el Juez de Guardia.

Cumplidos los requisitos precedentes, con el apercibimiento de que caso de incumplimiento de los compromisos deberá cumplir la pena impuesta, y tras realizarse el control establecido en el art. 787 LECrim (§ 5.5 Cap. XII), el Juez de Guardia dictará sentencia de conformidad con imposición de la pena solicitada reducida en un tercio y si la pena impuesta fuera privativa de libertad, acordará, en su caso, su suspensión o sustitución —art. 801.2 LECrim.—; así como lo procedente sobre la puesta en libertad o el ingreso en prisión del condenado realizando los requerimientos que sean precisos. La sentencia se documentará conforme con lo previsto en el art. 789.2 LECrim (se contendrá en el Acta, o en un anexo, sin perjuicio de su redacción ulterior), y si las partes expresarán su voluntad de no recurrir el Juez declarará, oralmente, en el acto la firmeza de la sentencia (art. 801.2 LECrim). Finalmente remitirá la sentencia y las actuaciones practicadas al Juzgado de lo Penal que corresponda, que continuará con la ejecución (art. 801.4 LECrim).

Puede suceder que el juicio ante el Juez de guardia queda truncado por la discusión sobre la responsabilidad civil. En ese caso, se considera que debe respetarse la rebaja de la pena pactada previa conformidad aunque la sentencia la dicte finalmente el Juez de lo Penal.

> «Estima la Sala que, aun siendo discutible la cuestión, lo cierto es que se produjo una conformidad con las penas solicitas ante el Juzgado de Instrucción, siendo las mismas inferiores a los dos años de prisión y, por tanto, debió haberse procedido conforme a lo establecido en el indicado precepto. Y si continuó el procedimiento ante el Juzgado de lo Penal exclusivamente por discrepancias en el *quantum* indemnizatorio (en la misma Sentencia se afirma textualmente "continuando la vista oral únicamente en cuanto a la cuestión referida a la responsabilidad civil de la misma"), en una materia en la que va a ser una Aseguradora la que habrá de abonar las indemnizaciones a los perjudicados, no parece adecuado no reconocer en esa sede los efectos penológicos atenuados de una conformidad prestada con todos los requisitos para que desplegara sus efectos. Otra solución implicaría una rigorista interpretación contra reo de una medida legalmente previsto para "incentivar" las conformidades en delitos no graves. La propia Circular 1/2003 de la Fiscalía General del Estado apoya esta interpretación al indicar que "partiendo de la posibilidad que brinda la ley de disociar conformidad penal y seguimiento del juicio exclusivamente para la responsabilidad civil, ha de permitirse la aplicación analógica de esa rebaja de penalidad al Juez de lo Penal cuando el truncamiento de la sentencia de conformidad por parte del Juez de Instrucción sólo vino motivado por el rechazo de un tercero responsable civil"» SAP de Murcia, Sección 2ª, Sentencia 456/2016 de 27 Sep. 2016, Rec. 40/2015; Ponente: Domínguez López, Enrique. LA LEY 151510/2016.

La reducción de pena y la subsiguiente adopción de la suspensión favorecen las conformidades y este es el propósito del legislador. A este fin la conformidad no sólo se prevé para los juicios rápidos, sino también en el procedimiento abreviado para el cual el art. 779.1.5º LECrim prevé que durante la fase de instrucción, y antes de la conclusión de las diligencias previas, podrá el imputado reconocer los hechos y si éstos estuviesen castigados con las penas previstas en el art. 801.1 LECrim, se procederá según el art. 800 y 801 LECrim (véase § 4.2 Cap. XII)[(10)]. Más problemáticos se presentan los efectos de la revocación de la suspensión, caso de incumplimiento de los compromisos señalados precedentemente, lo que deben ser valorado por los Juzgados de lo Penal a quien le corresponden las competencias de ejecución —art. 801.1 LECrim.— alterándose las normas de competencia funcional que otorgan al Juez sentenciador las facultades de ejecución. Por tanto, dictada sentencia de conformidad, el Juez de Guardia remitirá todas las actuaciones al Juzgado Penal que corresponda para la ejecución de la pena.

La sentencia de conformidad, a tenor del pf. 3. II del art. 801 LECrim., contendrá la condena del acusado para el supuesto de que incumpliera sus compromisos, de lo cual se le habrá apercibido. En este caso, y verificado el incumplimiento, el Juez de lo Penal dictará auto por el que se impondrá al acusado la pena que se hubiere impuesto. Los supuestos de revocación son:

1. Impago de las responsabilidades civiles, con independencia de que sea o no declarado insolvente. De algún modo, supone una «prisión por deudas» si el acusado ha sido declarado insolvente, pues no es que no quiera satisfacer las indemnizaciones sino que, por su situación patrimonial, se encuentra impedido para pagarlas. Quizá fuera conveniente realizar una reinterpretación de la norma no procediendo a la revocación cuando ha sido dictado auto de insolvencia. Cierto es que debe procurarse la indemnización de las víctimas pero en estos supuestos de insolvencia debería procederse a su cobertura por otros medios que no sean el cumplimiento de la pena, siempre que la situación patrimonial comprobada del acusado sea la de una real insolvencia.

2. Falta de cumplimiento del deber de presentar el certificado de deshabituación. A nuestro entender, lo razonable no debe ser la falta de cumplimiento formal de la presentación del certificado, sino comprobar por el Juzgado de lo Penal (ejecutor) si se ha iniciado o no el tratamiento deshabituador y su seguimiento. Por ello, la redacción de la norma no debiera realizarse en términos tan formales sino de cumplimiento del compromiso de deshabituación, en consonancia con lo dispuesto en el art. 87 CP.

3.5. Juicio oral y sentencia. Recursos contra la sentencia

El juicio oral en el procedimiento de enjuiciamiento rápido se desarrollará por los trámites previstos en los arts. 786 a 788 y ss. LECrim (§ 6, Cap. XII), con dos especialidades que hacen referencia, exclusivamente, a acortamientos de plazos que son —art. 802 LECrim.—;

---

(10) La extensión de la posibilidad de dictar sentencia de conformidad cuando se instruya procedimiento abreviado se introdujo como consecuencia de una enmienda que se admitió, acertadamente, en la tramitación parlamentaria. Precisamente, el Consejo General del Poder Judicial en su Informe al Anteproyecto (p. 48) se pronunciaba en términos muy duros contra la reducción del juicio de conformidad al procedimiento para el enjuiciamiento rápido, señalando que «... parece injusto beneficiar con un tercio de la condena al delincuente que se conforma en el Juzgado de Guardia mientras no se establece beneficio alguno para aquel otro que, por las razones que sean —siempre ajenas a él— no hubiere podido acogerse a este procedimiento».

1. Cuando el juicio oral no pueda celebrarse en el día señalado o no pueda concluirse en un solo acto, el Juez señalará para su celebración o continuación el día más inmediato posible y en todo caso dentro de los quince días siguientes, notificándoselo a las partes.

2. La sentencia que se redactará conforme a los términos previstos en el art. 789 LECrim, se dictará dentro de los tres días siguientes, en vez de los cinco días previstos en el procedimiento abreviado.

La impugnación de la sentencia dictada por el Juez de lo Penal —recurso de apelación— se sustanciará conforme a lo previsto en los arts. 790 a 792 LECrim (§ 6.3 Cap. XII), con las siguientes especialidades que son también, exclusivamente, de acortamiento de plazos y declaraciones de preferencia del recurso —art. 803.1.4 LECrim.— no siempre cumplidas (véanse M. 133 y ss.): 1º La formalización del escrito de apelación se realiza en el plazo de cinco días, concediéndosele igual plazo para la presentación de alegaciones por las demás partes, en vez de los diez días previsto para el procedimiento abreviado. 2º La sentencia dictada en la segunda instancia se dictará dentro de los tres días (cinco días, en el procedimiento abreviado) siguientes a la celebración de la vista o bien dentro de los cinco días (diez días, en el abreviado) siguientes a la recepción de las actuaciones cuando no se celebrare vista

Respecto de las sentencias dictadas en ausencia del acusado, no se presenta especialidad alguna, remitiéndose el art. 803.2 al art. 793 LECrim (§ 6.4 Cap. XII). La ejecución se desarrollará conforme a las reglas generales y las especiales del art. 794 LECrim, a tenor de lo dispuesto en el art. 803.3 LECrim.

MODELOS

M. 217. Atestado policial por la comisión de delito flagrante de violencia doméstica y actuaciones urgentes de la policía judicial

MINISTERIO DEL INTERIOR

DIRECCIÓN GENERAL DE LA POLICÍA

Registro de Salida [.../...]

COMPARECENCIA

En [.../...], y la comisaría de Distrito del cuerpo Nacional de Policía [.../...], siendo las [.../...] horas del día [.../...] de 201[.../...]

Ante los Funcionarios del citado Cuerpo, ambos con categoría de policía, y carnets profesionales n.º [.../...] y [.../...], habilitados respectivamente como Instructor y Secretario para la práctica de las presentes.

COMPARECE/N

Los funcionarios de la Guardia Urbana de [.../...] con Carnets n.º [.../...] y n.º [.../...]los cuales

PRESENTAN EN CALIDAD DE DETENIDO A: [.../...]

D. [.../...], con domicilio en [.../...], hijo de [.../...] y de [.../...]

HACEN ENTREGA DE: Una bastón de madera de [.../...] cm. De longitud y [.../...] cm de grosor [.../...], en el que se aprecian restos de sangre.

Parte facultativo expedido en el Hospital [.../...] con registro de salida con relación a la asistencia prestada a D.ª [.../...] atendida en el Servicio de Urgencia de dicho Hospital el día de hoy siendo las [.../...] horas [.../...].

Y MANIFIESTAN: Que en el día de hoy y siendo las [.../...] horas mientras prestaban servicio ordinario de vigilancia por la calle [.../...] fueron recurridos por una persona que se reseña posteriormente, a fin que acudieran a un callejón próximo donde un hombre golpeaba a una mujer con un bastón, y que personados en el lugar pudieron observar al detenido golpear a D.ª [.../...], que resultó ser esposa del detenido que se hallaba en el suelo con una herida en la cabeza de la que manaba abundante sangre. Ante los hechos descritos el agente n.º [.../...] quedó con el detenido, al que leyó sus derechos siendo posteriormente trasladado a la Central de la Guardia Urbana; mientras que el agente n.º [.../...] acompaño a la lesionada al Hospital [.../...] donde la atendieron de sus heridas con el resultado que consta en el parte médico que adjunta la Guardia urbana y se une a este Atestado.

(En el supuesto de atestado en el ámbito del procedimiento de juicio rápido, y sin perjuicio de recabar los auxilios a cualquier facultativo o personal sanitario que sea habido, la policía judicial solicitará al facultativo o el personal sanitario que atienda al ofendido copia del informe para su unión al Atestado policial).

Que no tienen nada más que manifestar, firmando la presente una vez leída y hallada conforme, en unión del SR. Instructor, de todo lo cual, como Secretario CERTIFICO.

(Firmas)

DILIGENCIA DE CITACIÓN.— En [.../...] siendo las [.../...], el Instructor y Secretario de las presentes diligencias hacen constar, Que considerando el Instructor que a los hechos objeto de las presentes diligencias le son de aplicación las normas sobre enjuiciamiento rápido de determinados delitos, se cita a los agentes de la Guardia Urbana con carnet profesional n.º [.../...] y [.../...] para comparecer ante el Ilmo. Sr. Juez de Guardia de [.../...], el día [.../...], apercibiéndole que de no comparecer se podrá dictar orden de detención, conforme el art. 796.1.3ª LECrim.

Y para que conste se extiende la presente diligencia, que es firmada por el Instructor, Secretario, y los funcionarios citados.

(Firmas)

A continuación se tomará el Acta de Declaración de la víctima con la correspondiente citación, conforme con el art. 796 LECrim; y al detenido con lectura de Derechos y designación de abogado (Véase M. 61).

M. 218. Auto de incoación y práctica de diligencias urgentes ante el Juzgado de Guardia

JUZGADO DE INSTRUCCIÓN N.º [.../...]

[.../...]

Ref. Diligencias Urgentes [.../...]

AUTO DE INCOACIÓN DE DILIGENCIAS URGENTES

En [.../...], a [.../...] de [.../...] de 201[.../...]

ANTECEDENTES DE HECHO

ÚNICO. Que los hechos a los que se refiere las Diligencias que se incoan, presentan características que hacen presumir la existencia de una infracción penal con caracteres de delito.

FUNDAMENTOS DE DERECHO

ÚNICO. Los hechos que se describen y contienen en el Atestado entregado por la Guardia Civil del puesto de [.../...] *(juntamente con el detenido, en su caso; así como con los objetos, instrumentos y pruebas que lo acompañen)*, pueden ser constitutivos de un tipo delictivo incardinado en art. 795 LECrim, se acuerda la incoación de diligencias urgentes,

Vistos los artículos citados y demás de general aplicación

PARTE DISPOSITIVA

PROCÉDASE A LA INCOACIÓN DE DILIGENCIAS URGENTES, que se registrarán en el libro correspondiente, y se participe de la incoación al Ministerio Fiscal. Y a efecto de determinar la naturaleza y circunstancias de los hechos se acuerda la práctica de las siguientes diligencias: Recíbase declaración al imputado; solicítense sus antecedentes penales, y [.../...]

(Las diligencias señaladas son de práctica necesaria, además se tomará declaración a los testigos citados por la policía judicial, y se informará a la víctima de los derechos que le asisten. Además, cuando resulten pertinentes, podrá acordarse la práctica de las diligencias que se contienen en el art. 797 LECrim y que se refieren al examen del detenido, o la víctima por el Médico forense, o la práctica inmediata de tasación de los objetos aprehendidos, reconocimiento en rueda, careos, o la citación de las personas que considere necesario que comparezcan. En cualquier caso estas diligencias deberán realizarse durante el servicio de guardia (art. 799 LECrim).

Así lo manda y firma el Ilmo. Sr. [.../...] Magistrado Juez del Juzgado de Instrucción [.../...] en funciones de Guardia.

(Firma Juez) *(Firma Letrado A. Justicia)*

DILIGENCIA. Seguidamente se cumple lo acordado y se registra con el núm. [.../...] de diligencias urgentes, doy fe.

M. 219. Comparecencia de las partes personadas ante el Juez de guardia y auto de continuación del procedimiento para el enjuiciamiento rápido

La audiencia de las partes personadas se producirá inmediatamente después de la declaración del imputado, esté detenido o no, comparecido en el Juzgado en virtud de la citación policial.

PROVIDENCIA JUEZ

En [.../...], a [.../...] de [.../...] de [.../...]

Dada cuenta. De conformidad con lo establecido en el art. 798 LECrim, se acuerda celebrar comparecencia ante el Ministerio Fiscal, partes personadas, y el imputado asistido por Letrado, para el día [.../...] hora [.../...], a fin de que puedan realizar alegaciones, pedir pruebas y solicitar la libertad o prisión provisional de [.../...]

Lo manda y firma el Sr. D. [.../...], Juez de Instrucción de [.../...] Doy fe.

(Firma Juez) *(Firma Letrado A. Justicia)*

DILIGENCIA. Seguidamente se cumple lo acordado, doy fe.

(NOTIFICACIÓN Y CITACIÓN. Al Ministerio Fiscal, imputado y partes personadas).

COMPARECENCIA. En [.../...] a [.../...] de [.../...] de [.../...]

Ante S.S.ª y de mí el infrascrito Letrado A. Justicia comparece el Ministerio Fiscal y [.../...], así como el imputado con el Letrado D. [.../...]

Abierto el acto, se concede la palabrá al Ministerio Fiscal quien considera suficientes las diligencias practicadas y solicita que se adopte la medida de prisión provisional del imputado por [.../...]

(A continuación otras partes acusadoras que estuvieren personadas).

El Letrado D. [.../...] que asiste al imputado [.../...] solicita el sobreseimiento de las actuaciones por no existir indicios de criminalidad contra su representado. Subsidiariamente considera que las diligencias practicadas son insuficientes por lo que solicita que se sigan las actuaciones por el trámite de diligencias previas, a fin de practicar, entre otras, las siguientes diligencias [.../...] Asimismo, considera que procede acordar la libertad provisional de su defendido por [.../...]

Por S.S.ª se acuerda dictar AUTO DE CONTINUACIÓN DEL PROCEDIMIENTO DE ENJUICIAMIENTO RÁPIDO, de conformidad con lo previsto en el art. 798.3 LECrim, que fundamenta en los siguientes HECHOS: Que considera que las diligencias practicadas son suficientes para la continuación del procedimiento de enjuiciamiento rápido, rechazando la petición de la defensa del imputado por tratarse de diligencias innecesarias para el esclarecimiento de los hechos objeto de este procedimiento; Y en consecuencia, con base en el art. 798, y 800 LECrim DISPONE, continuar el trámite de PREPARACIÓN DEL JUICIO ORAL, y REQUIERE al Ministerio Fiscal y partes personadas para que se pronuncien sobre si procede la apertura del juicio oral o el sobreseimiento y soliciten o se ratifiquen sobre las medias cautelares solicitadas.

Oído el Ministerio Fiscal solicita la apertura del juicio oral, y se ratifica en la petición de prisión provisional para el imputado.

Por su parte la defensa del imputado solicita el sobreseimiento de las actuaciones, con puesta en libertad de su representado.

Por S.Sª se acuerda sobre la situación personal [.../...] (se transcribe los motivos de su libertad provisional u otra medida cautelar) con base en los siguientes FUNDAMENTOS [.../...]y la APERTURA DEL JUICIO ORAL por un delito de [.../...], contra D. [.../...], con base en los siguientes FUNDAMENTOS DE DERECHO [.../...]

(El Juez de Guardia abrirá el juicio oral de conformidad con lo preceptuado en el art. 783 LECrim, por lo que abrirá el juicio oral si lo solicitan todas las partes acusadora, salvo que considere que procede el sobreseimiento por la causa del art. 637.2 LECrim. El art. 800.1 LECrim dispone que el Juez dicte en forma oral auto motivado de apertura del juicio oral, que especifica que deberá documentarse en escrito aparte. En ese auto deberá pronunciarse sobre la adopción de medidas cautelares. Frente al auto de apertura del juicio oral no cabe recurso alguno. Frente al auto de adopción de medidas cautelares cabe recurso de reforma y apelación (arts. 798.3 LECrim).

A continuación S.Sª requiere al Ministerio Fiscal para la presentación de su escrito de acusación, en forma inmediata, con proposición de prueba, que formula «in voce», y se transcribe a continuación [.../...] *(o aporta en este acto y se une a los autos)*

(El art. 800.2 LECrim establece que el Ministerio Fiscal presentará de inmediato: «su escrito de acusación». Esta norma permite varias posibilidades: que el Ministerio Fiscal anuncie la acusación y aporte el escrito, o bien que lo formule «in voce» y aporte el escrito al final del acto. También cabe la posibilidad de aportarlo en un plazo no superior a dos días, lo que sucederá en el caso que se hubiere constituido acusación particular que hubiere solicitado la apertura del juicio oral. En cualquier caso, se transcribe en M. 163 escrito de Acusación)

Abierto el juicio oral y presentado escrito de acusación S. S.ª acuerda:

A) Se convoca y cita al acusado y a las partes personadas para la celebración del juicio el día [.../...] a las [.../...] horas, citándose a tales efectos a [.../...], sin perjuicio de la admisión de pruebas por el Juez de lo Penal.

(El Juez citará a los comparecientes y a los testigos y peritos propuestos en la prueba de la acusación, llevándose a cabo en el acto las que sean posibles, sin perjuicio de la admisión de la prueba por el Juez de lo penal).

B) *[En su caso, se recabará la presentación urgente del escrito de la acusación particular y del Fiscal en un plazo no superior a dos días].*

C) Dese traslado de las actuaciones a los defensores de [.../...], para que, dentro del plazo de cinco días, comparezcan ante el Juez de lo Penal de [.../...] a fin de formular escrito de defensa, con proposición de pruebas.

(El acusado presentará escrito de defensa ante el Juez de lo Penal competente para el enjuiciamiento, de modo que la solicitud de citación de Testigos y Peritos se formulará en aquél escrito y el Juez de lo Penal conforme al art. 785 LECrim procederá a librar las comunicaciones necesarias. Ahora bien, el art. 801.7 LECrim dispone que en todo caso las partes podrá solicitar al Juzgado de Guardia la citación de los testigos o peritos que tengan la intención de proponer para el acto del juicio. Por lo tanto, es conveniente que la defensa del acusado solicite en el en el mismo Acto de la comparecencia las citaciones que considere convenientes, sin perjuicio de la prueba que solicite y que el Juez de lo Penal finalmente admita).

Con lo cual se da por concluido el presente acto que firma S.S.ª y todos los presentes, doy fe.

(Firma Juez, Letrado A. Justicia y demás asistentes)

(A continuación se dictará Diligencia de ordenación remitiendo las actuaciones al Juzgado de lo Penal que corresponda)

M. 220. Escrito de acusación

JUZGADO DE INSTRUCCIÓN N [.../...]

AL JUZGADO DE INSTRUCCIÓN

EL FISCAL, despachando el trámite previsto en el art. 800.2 *(o 800.4)* LECrim en las Diligencias Urgentes número [.../...], e instruido de los hechos objeto de las mismas, una vez solicitada y decretada por S.Sª la apertura del juicio oral ante el Juzgado de lo Penal, y conforme al precepto citado formula escrito de acusación contra [.../...], con base en las siguientes

CONCLUSIONES PROVISIONALES

PRIMERA. El acusado en la presente causa D. Z.Z.Z., mayor de edad y sin antecedentes penales, el día [.../...] se dirigió a [.../...] y amenazándole con una navaja le conminó a [.../...], obteniendo la cantidad de [.../...]

SEGUNDA. Los hechos constituyen un delito robo con intimidación, del art. 237 y 242.1º CP.

TERCERA. Es autor el acusado por [.../...]

CUARTA. No concurren circunstancias *(o concurren atenuantes o agravantes [.../...])*

QUINTA. Procede imponer a los acusados la pena de 3 años de prisión, accesorias y costas procesales. Asimismo, y en concepto de responsabilidad civil la cantidad de [.../...] Euros.

Y SOLICITO:

OTROSÍ DICE: Para el acto del juicio oral, este Ministerio propone las siguientes pruebas:

1.ª Interrogatorio del acusado.

2.ª Testifical, previa citación judicial de: D. [.../...], con domicilio en [.../...]

3.ª Documental de lo actuado.

En [.../...], a [.../...] de [.../...] de 200 [.../...]

EL FISCAL

M. 221. Escrito de defensa

AL JUZGADO DE INSTRUCCIÓN

D. [.../...], Procurador de los Tribunales y obrando en nombre del acusado [.../...] cuya representación me ha sido conferida por reparto del turno de oficio en la presente causa, que se tramita con el núm. [.../...], DIGO:

Que manifiesto mi disconformidad con el escrito de acusación del [.../...] y, a tenor de lo dispuesto en el art. 801.2 LECrim., formulo a continuación escrito de defensa conforme a las siguientes

CONCLUSIONES PROVISIONALES

PRIMERA. Niego la correlativa de las acusaciones. Mi mandante no con-minó a entrega alguna, ni amenazó a [.../...], sino que le solicitó una ayuda [.../...]

SEGUNDA. Niego las correlativas de las acusaciones. Los hechos en los que ha participado mi mandante no constituyen delito.

TERCERA. Niego las correlativas. Sin delito no puede hablarse de autoría.

CUARTA. Niego las correlativas. Sin delito y sin autor no pueden coexistir circunstancias que alteren la responsabilidad.

QUINTA. Niego la correlativa de las acusaciones. Procede absolver a mi representado con declaración de las costas de oficio.

Por cuanto antecede, a la Sala

SUPLICO:

Tenga por efectuado el trámite de calificación provisional.

OTROSÍ DIGO, que para el acto del juicio oral propongo la práctica de los siguientes medios de prueba:

1. Interrogatorio del acusado.

2. Documental:

a) Consistente en solicitar a la entidad [.../...], una certificación acredita-tiva de [.../...]

b) Consistente en admitir la certificación que se adjunta librada por [.../...] por la que se acredita [.../...]

3. Más Documental consistente en la lectura de la totalidad de los folios de las Diligencias previas.

4. Testifical. Consistente en el examen de los siguientes testigos cuya cita-ción judicial se interesa:

D. [.../...] domicilio [.../...]

D. [.../...] domicilio [.../...]

Por todo ello, al Juzgado

SUPLICO:

Acuerde la práctica de los medios de prueba que han quedado indicados.

En [.../...], a [.../...] de [.../...] de 200 [.../...]

DILIGENCIA DE PRESENTACIÓN.

M. 222.   Sentencia de conformidad

Insertamos una sentencia de conformidad dictada al amparo del art. 801 LECrim. Respecto a la sentencia dictada en el procedimiento de enjuiciamiento rápido no difiere de la ordinaria dictada en el procedimiento abreviado, a la que nos remitimos.

JUZGADO DE INSTRUCCIÓN N.º [.../...]

DILIGENCIAS URGENTES N.º [.../...]

SENTENCIA Núm.

Ilmo. Sr. [.../...]

En [.../...] a [.../...] de [.../...]

VISTA, en nombre de S.M. el Rey, ante el Juzgado de Instrucción n.º [.../...] en funciones de Guardia la presente causa n.º [.../...], por un delito de [.../...] de los arts. [.../...], contra el acusado [.../...] de [.../...] años de edad, hijo de [.../...] y [.../...], natural de [.../...] y vecino de B [.../...]; sin antecedentes penales en libertad provisional por la presente causa, representada por el Procurador D. [.../...] y defendido por la Letrado [.../...], siendo parte el Ministerio Fiscal; y ponente el Ilmo. Sr. Magistrado [.../...]

ANTECEDENTES DE HECHO

PRIMERO. Por conformidad del acusado manifestada ante este Juzgado de Guardia en el trámite de preparación del juicio oral SE DECLARA PROBADO, que siendo las 19,45 horas del día [.../...] D. [.../...] se dirigió hacia D. [.../...] que paseaba por la C/ [.../...]; y le amenazó con sacar una navaja si no le daba todo el dinero que llevase. Ante la amenaza el Sr. [.../...] le entregó [.../...] Euros. Igualmente se declara probado que el Sr. [.../...] en el momento de cometer los hechos era adicto a la heroína, por lo que se hallaban diminiuidas sus capacidades cognoscitivas y volitivas.

SEGUNDO. El Ministerio Fiscal en sus conclusiones definitivas, calificó los hechos de autos como constitutivos de un delito de robo con intimidación, del art. 237 y 242.1º CP, estimando en concepto de autor al acusado, con la concurrencia de la circunstancia modificativa de la responsabilidad criminal de atenuante analógica de drogadicción del 21.6 en relación el art. 21.2 y 20.2 del CP, y pidió se le impusiera la pena de 3 años de prisión, y al pago de las costas.

TERCERO. Por su parte la defensa del acusado ante la conformidad por éste prestada con las formulaciones de la acusación, no consideró necesaria la continuación del juicio.

FUNDAMENTOS DE DERECHO:

PRIMERO: La conformidad del acusado con los hechos objeto de acusación, su calificación jurídica y con las penas solicitadas por la Acusación, manifestada en el trámite de preparación del juicio oral, cuando la Defensa no considera necesaria la prosecución del juicio, determina el contenido de la Sentencia al estimar este Tribunal que concurren todas las circunstancias a que se refiere el art. 801 LECrim, con relación a la solicitud y apertura del juicio oral, y a la pena solicitada que no excede de tres años de privación de libertad, que se impondrá reducida en un tercio.

SEGUNDO: Reunidos en el caso presente todos los requisitos exigidos en el art. 81 del vigente CP, es procedente, haciendo uso de las atribuciones que otorga el art. 80 CP, aplicar los beneficios de la suspensión de la ejecución de la pena impuesta, requiriendo a D. [.../...] para aportar *(en su caso la certificación de estar sometido a tratamiento de deshabituación); o (el compromiso de satisfacer la responsabilidad Civil)*, de conformidad con el art. 801.2 LECrim).

(Nótese que el art. 801.2 LECrim prevé expresamente que en la sentencia de conformidad el Juez resolverá lo procedene sobre sus suspensión o sustitución de la pena).

VISTOS los preceptos legales citados y los demás de aplicación.

FALLO:

Por conformidad del acusado, manifestada en el acto de preparación del juicio oral, CONDENO a [.../...], como responsable en concepto de autor de un delito de robo con intimidación previsto en el art. 237, y 242.1º del CP, del que fue acusado por el Ministerio Fiscal, con la concurrencia de la atenuante de drogadicción prevista en el art. 21.2 con relación al 20.2 del CP, a la pena de DOS años de prisión, y al pago de las costas procesales. Asimismo, se resuelve declarar la suspensión de la pena impuesta por el plazo [.../...] años, del cumplimiento de la pena impuesta en esta causa al sentenciado D. [.../...], durante cuyo tiempo no podrá trasladar su residencia, y si la cambiare, estará obligado a presentarse dentro de los tres días siguientes de la llegada al Juez respectivo, advirtiéndole que si no cumpliese los requisitos establecidos por la Ley, quedará sin efecto la suspensión de la condena y se procederá a dar cumplimiento a ésta.

Notifíquese esta resolución a dicho penado y al Ministerio Fiscal, remitiéndose oficio a la Sección especial de Registro Central de Penados y Rebeldes.

Notífíquese que contra la presente resolución no cabe interponer recurso alguno.

(La Ley no establece cual sea el régimen de recursos frente a esta sentencia, a nuestro juicio no cabe por tratarse de una sentencia de estricta conformidad, en la que el Juez únicamente procede al control de la conformidad. Ello sin perjuicio que se pueda solicitar aclaración, o complemento de la sentencia. O en su caso solicitar la nulidad de la sentencia por causarse indefensión).

Así, por esta mi sentencia, que se remitirá al Juzgado de lo Penal para su ejecución, la que pronuncio, mando y firmo.

PUBLICACION. Leída y publicada ha sido la anterior sentencia en el mismo día de su fecha, por el Ilmo. Sr. Magistrado [.../...], celebrando audiencia pública. DOY FE.

CAPÍTULO XIV

ESPECIALIDADES EN MATERIA DE VIOLENCIA DOMÉSTICA O DE GÉNERO[(1)]

SECCIÓN 1. COMPETENCIA E INSTRUCCIÓN PENAL DE LOS DELITOS DE VIOLENCIA DE GÉNERO

1.1. Ámbito de aplicación de la LO 1/2004

La Ley 1/2004 de 28 de diciembre de Medidas de protección integral contra la violencia de género pretende proporcionar medidas de carácter global al problema específico de la violencia doméstica o de género, según la nueva denominación legal. Esta clase de violencia se produce por la comisión de determinados actos, constitutivos de delito o falta, dirigidos frente a determinadas personas.

Hasta la presente LO 1/2004 de violencia de género el legislador se había referido a este tipo de delitos como de violencia doméstica, en los que no se distinguía el sexo de agresor y víctima. A este respecto, el art. 57 CP que regula las agravantes en los delitos de violencia doméstica se refiere a la violencia ejercida entre quienes sean, o hubieren sido, cónyuges o personas unidas por relación de pareja, sin más distinción. En principio, la conceptuación de la violencia como: «de género», según la nueva regulación, supone una continuación de ese criterio, ya que el concepto género referido a masculino y femenino puede incluir violencia de hombre a mujer y viceversa. Sin embargo, el art. 1 LO 1/2004 acota el ámbito de la Ley, que se aplica únicamente en la violencia ejercida por un género (masculino) sobre otro (femenino). Por si hubiere dudas los nuevos juzgados que crea la LO 1/2004 se denominan de:

---

(1)   Véanse sobre esta materia. ARAGONESES MARTÍNEZ S. y otros, *Tutela penal y tutela judicial frente a la violencia de género*, Madrid 2006. BOIX REIG J., MARTÍNEZ GARCÍA E. (Coord.), *La nueva Ley contra la Violencia de Género*, Madrid 2005. BOLDOVA PASAMAR M.A., RUEDA MARTÍN M., *La reforma penal en torno a la violencia doméstica y de género*, Barcelona 2006. BURGOS LADRÓN DE GUEVARA J., *La Violencia de Género. Aspectos Penales y Procesales*, Granada 2008. DEL POZO PÉREZ M., *Violencia doméstica y juicio de faltas*, Barcelona 2006. MARTÍNEZ GARCÍA E., *La tutela judicial de la violencia de género*, Madrid 2008. RIVAS VALLEJO Mª del P., BARRIOS BAUDOR G., *Violencia de género, práctica forense*, Cizur Menor 2007.

«violencia contra la mujer», lo que supone una definitiva delimitación subjetiva del objeto de la ley.

En cuanto al ámbito objetivo, la LO 1/04 se aplicará cuando se produzcan los siguientes actos, constitutivos de delito o falta: violencia física o psicológica, agresión sexual, amenazas, coacciones o privación arbitraria de libertad (art. 1.3 LO 1/4). Esta relación se completa con la establecida en el art. 14.5 LECrim que establece que los Juzgados de Violencia sobre la mujer son competentes para conocer de la instrucción de los delitos, y por tanto pueden ser constitutivos de violencia de género, los referentes a homicidio, aborto, lesiones, lesiones al feto, delitos contra la libertad y delitos contra la integridad.

El ámbito subjetivo viene delimitado con relación al agresor y la víctima. A este respecto, las previsiones de la LO 1/04 se aplicarán a los delitos que tienen su origen en los actos expuestos siempre que éstos se produzcan de hombre a mujer y exista o hubiere existido relación matrimonial, de pareja o relaciones similares de efectividad, aún sin convivencia (arts. 1.1 LO 1/4 y 14.5 LECrim). También se incluye en el concepto de violencia de género la que se produce sobre los descendientes, propios o de la esposa o conviviente o sobre los menores o incapaces que con él convivan o que se hallen sujetos a la potestad, tutela, curatela, acogimiento o guarda de hecho de la esposa o conviviente, cuando también se haya producido un acto de violencia de género (art. 87 ter LOPJ). Es decir, la violencia frente a las personas señaladas, distintas a la mujer, únicamente tendrá la consideración de violencia de género cuando hubiere existido un acto simultáneo o coetáneo de violencia contra la mujer relacionado con el primero.

La redacción legal del art. 1 LO 1/04 resulta algo más compleja, ya que además de lo expuesto, que constituye la norma de aplicación, el citado precepto añade un requisito referido a la intencionalidad del autor, que resulta de imposible aplicación. A saber la ley dispone que: «*La presente Ley tiene por objeto actuar contra la violencia que, como manifestación de la discriminación, la situación de desigualdad y las relaciones de poder de los hombres sobre las mujeres, se ejerce sobre éstas por parte de quienes sean o hayan sido sus cónyuges ...*». La imposibilidad no resulta de la propia naturaleza del criterio, ya que el Código Penal prevé agravantes fundadas en la intencionalidad del agresor. Así sucede con los arts. 22 y 507 LECrim. con relación a la agravante de racismo y al delito específico de provocación al odio o violencia racistas. El problema reside en la confusión entre una agravante y un delito autónomo. Nótese que lo fundamental en el razonamiento judicial, especialmente en el proceso penal consiste en acreditar los hechos que acreditan el elemento objetivo del delito, sin que pueda perjudicar el hecho que no se halla acreditado el elemento subjetivo, que la mayoría de las ocasiones es intrascendente, salvo a efectos de agravantes o incurrir en subtipo agravado. En cualquier caso, está claro que la citada responde a criterios sociológicos o ideológicos, debiendo entenderse que lo que hace la ley es incluir una suerte de agravante notoria en la misma estructura del delito. Estas cuestiones, ponen de manifiesto la dificultad de introducir la técnica de la discriminación positiva de determinadas víctimas en el derecho penal mediante la regulación de tipos específicos, cuando probablemente la técnica adecuada es la regulación de agravantes específicas para esta clase delitos o bien penas accesorias como se contienen en el art. 57 CP para esta clase de delitos. También se puede optar por regular un delito específico, pero correctamente determinado definiendo cual es el bien jurídico protegido. Así se hizo con el delito contra la integridad moral previsto en el art. 173.2 CP, que, no sin dificultades, regula un tipo específico en el que se penaliza no la lesión o el homicidio que ya están regulados como tal, sino la situación de maltrato y violencia moral que, obviamente, el citado precepto tipifica sin distinción ni discriminación alguna en razón del sexo de la víctima o el agresor.

Siempre en el marco de la expuesta delimitación objetiva y subjetiva la ley establece normas de distinta naturaleza y ámbito de aplicación, lo que resulta lógico dada la pretensión integral de la Ley de ofrecer una protección integral en materia de violencia de género. Así, se regulan normas referentes a la tutela penal y civil, así como a los derechos que se otorgan a las víctimas con incidencia en distintas regulaciones legales.

La investigación preprocesal se encomienda a los Fiscales y a la Policía judicial con las siguientes especialidades: 1º Los arts. 70 y 71 LO 1/2004 anuncian el nombramiento de un Fiscal contra la violencia sobre la mujer, que elaborará los informes y coordinará las actuaciones en esta materia. A este fin el art. 20 EOMF Ley 50/81 prevé que en la Fiscalía General del Estado existirá un Fiscal contra la Violencia sobre la Mujer, con categoría de Fiscal de Sala, que ejercerá funciones de supervisión y coordinación en actuaciones en esta materia. 2º Se anuncia en la Ley la creación de unidades de las Fuerzas y Cuerpos de Seguridad del Estado especializadas en la prevención de la violencia de género (que también tendrán competencia para el control de la ejecución de las medidas judiciales adoptadas). En esas tareas cooperarán las Policías Locales, en el marco de su colaboración con las Fuerzas y Cuerpos de Seguridad del Estado. A ese respecto la Comisión de Seguimiento de la Implantación de la Orden de Protección de las Víctimas de Violencia Doméstica aprobó con fecha de 10 de junio de 2004 el Protocolo de actuación de las fuerzas y cuerpos de seguridad y de coordinación con los órganos judiciales para la protección de las víctimas de violencia doméstica y de género. También se anuncian planes de colaboración entre las Administraciones sanitarias, Administración de Justicia, Fuerzas y Cuerpos de Seguridad y los servicios sociales y organismos de igualdad, para desarrollar los protocolos de actuación necesarios de prevención, detección precoz e intervención continuada con la mujer sometida a violencia de género o en riesgo de padecerla (art. 32 LO 1/2004).

En materia penal la ley modifica los preceptos que regulan los delitos de lesiones, malos tratos y amenazas, que suelen ser los de más frecuente comisión en esta materia, para agravar las penas que tienen aparejados. Concretamente, se introduce la circunstancia de existir relación de pareja como una de las que fundamentan el subtipo agravado de lesiones del art. 148 CP; y se agravan la pena por maltrato (art. 153 CP), amenazas (art. 171 CP) y coacciones (art. 172 CP).

1.2. Competencia penal de los Juzgados de violencia sobre la mujer

Una de las novedades de la LO 1/2004 consiste en la creación de los denominados Juzgados de Violencia sobre la mujer, previstos en el art. 87 bis LOPJ, según la redacción dada por el art. 43 LO 1/2004, a los que se atribuye competencia en el orden penal para conocer de la instrucción de los procesos que se sigan para exigir responsabilidad penal por delitos que puedan calificarse de violencia de género, la adopción de medidas cautelares y el enjuiciamiento y fallo de los delitos leves en esta materia (art. 44 LOPJ y 14.1 y 5 y 17 bis LECrim).

Con más concreción el art. 14.5 LECrim dispone que los Jueces de violencia sobre la mujer serán competentes: a) de la instrucción de los procesos para exigir responsabilidad penal por los delitos recogidos en los títulos del Código Penal relativos a homicidio, aborto, lesiones, lesiones al feto, delitos contra la libertad, delitos contra la integridad siempre que se hubiesen cometido contra quien sea o haya sido su esposa, o mujer que esté o haya estado ligada al autor por análoga relación de afectividad, aun sin convivencia, así como de los cometidos sobre los descendiente, propios o de la esposa o conviviente, o sobre los menores o incapaces que con él convivan o que se hallen sujetos a la potestad, tutela, curatela, acogimiento o guarda de hecho de la esposa o conviviente, cuando también se haya producido un acto de violencia de género. b) De la instrucción de los procesos para exigir responsabilidad penal por cualquier delito contra los derechos y deberes familiares, cuando la víctima sea alguna de las personas señaladas como tales en la letra anterior. c) De la adopción de las correspondientes órdenes de protección a las víctimas, sin perjuicio de las competencias atribuidas al Juez de Guardia. d) Del conocimiento y fallo de los delitos leves previstos en el art. 177.7.2 (amenazas), 172.3 (coacciones) y 173.4 (injurias y vejaciones leves) CP, cuando la víctima sea alguna de las personas señaladas anteriormente en la Ley como víctimas de esta clase de delitos.

Los Juzgados de Violencia sobre la mujer tienen ámbito de partido judicial, al igual que los de primera instancia e instrucción. A este respecto, el art. 87 bis LOPJ dispone que en cada partido habrá uno o más Juzgados de esta clase que extenderán su jurisdicción en todo su ámbito territorial, sea por vía de especialización, de reconversión o compatibilización[2]. Por su parte el art. 87 ter LOPJ especifica las competencias atribuidas a los Juzgados de violencia contra la mujer tanto en instrucción como en enjuiciamiento de delitos leves. La competencia para conocer de la instrucción de estos delitos vendrá determinada por el lugar del domicilio de la víctima, sin perjuicio de que el Juez del lugar de comisión de los hechos pueda adoptar medidas cautelares o de protección (art. 15 bis LECrim). Nótese que de este modo se intenta favorecer los derechos de la víctima «*atrayendo*» el procedimiento hacia el lugar donde vive, en lugar de aplicar el fuero ordinario en el proceso penal que es el del lugar de comisión del delito. La competencia para conocer de los juicios orales

---

(2)   En este sentido, la ley prevé distintas posibilidades: a) Que haya más de un Juzgado de Violencia contra la Mujer en el partido judicial; b) Que un Juzgado de Violencia contra la Mujer extienda su jurisdicción a más de un partido judicial dentro de la misma provincia; c) Que se atribuya a un Juzgado de primera instancia e instrucción, o únicamente de instrucción, de los que existan en el partido el conocimiento de los asuntos atribuidos a los Juzgados de Violencia..., ya sea de forma exclusiva o conociendo también de otras materias. Esta atribución la acordará el CGPJ previo informe de las Salas de Gobierno. d) En los partidos judiciales en que exista un solo Juzgado de Primera Instancia e Instrucción será éste el que asuma el conocimiento de los asuntos atribuidos a los Juzgados de Violencia sobre la mujer (art. 87 bis LOPJ).

en las causas instruidas por los Jueces de Violencia contra la mujer en esta materia corresponde a los Juzgados de lo Penal, Audiencia Provincial y Tribunal de Jurado, sin especialidad alguna. Aunque, el art. 82.1.3 LOPJ establece la especialización de Secciones de la Audiencia Provincial para conocer de los recursos que se interpongan frente a las resoluciones dictadas por los Juzgado de Violencia sobre la mujer.

1.3. Competencia civil de los Juzgados de violencia sobre la mujer

Los Juzgados de Violencia sobre la Mujer también tienen competencia, exclusiva y excluyente, en el orden civil en ciertas materias y con la concurrencia de determinado presupuestos.

Respecto a las materias, los Juzgados de Violencia sobre la Mujer pueden conocer en el orden civil de los procedimientos civiles no dispositivos regulados en Libro IV de la LEC a los que se refiere el art. 87 ter LOPJ. A saber: a) filiación, maternidad y paternidad. b) nulidad del matrimonio, separación y divorcio. c) relaciones paterno filiales. d) la adopción o modificación de medidas de trascendencia familiar. e) sobre guarda y custodia de hijos e hijas menores o sobre alimentos reclamados por un progenitor contra el otro en nombre de los hijos e hijas menores. f) la necesidad de asentimiento en la adopción. g) la oposición a las resoluciones administrativas en materia de protección de menores. Para que un Tribunal de Violencia conozca de los procedimientos citados deben producirse hechos, con carácter penal, de los denominados de violencia de género; de los que sean, respectivamente, víctima y autor, inductor o cooperador necesario los que sean o deban ser parte en los referidos procedimientos. Producido el supuesto de hecho (de la existencia de actos de violencia de género), e iniciado el procedimiento penal, por delito o falta, o bien cuando se hubiere adoptado una orden de protección por estos hechos, el Tribunal de Violencia contra la Mujer conocerá: a) de la instrucción del delito, b) o del enjuiciamiento de la falta, c) de los procedimientos civiles citados que puedan plantearse entre el agresor y la víctima (art. 87 ter.3 LOPJ).

Una cuestión importante es la referida a la calificación de los hechos como de violencia de género. Esta determinación corresponde al Juez de Violencia sobre la Mujer que cuando aprecie que los actos puestos en su conocimiento no tengan esa consideración podrá inadmitir la pretensión, remitiéndola al órgano judicial competente (art. 87 ter LOPJ). La consecuencia de esa calificación resulta esencial a los efectos del devenir del procedimiento. En este sentido, véase que producido el acto de violencia doméstica que dé lugar a delito o falta se producirá la asunción por el Juez penal de los procedimientos en materia de derecho civil de familia. Y esta atribución no carece de importancia, ya que son obvias la ventajas y garantías que se conceden en la LO 1/2004 a las víctimas de violencia doméstica. V.g. derechos laborales y de seguridad social (art. 21 LO 1/2004) o económicos que incluyen ayudas sociales o de empleo, así como la garantía del pago de las pensiones debidas a favor de los hijos menores mediante un Fondo de garantía de pensiones (Disp. Adicional 19ª LO 1/2004). A fin de evitar las perniciosas consecuencias expuestas el párrafo 4º del art. 87 Ter LOPJ establece una cláusula de salvaguarda por la cual el Juez de violencia contra la mujer inadmitirá la pretensión, y la remitirá al órgano judicial competente, cuando apreciara que los actos puestos en su conocimiento no tienen, notoriamente, carácter de violencia de género.

La asunción de competencia puede tener lugar de dos modos y en dos circunstancias distintas[3]: 1º) Que no exista procedimiento civil en las materias citadas (separación, divorcio, nulidad, filiación etc.). En ese caso, el Juez de Violencia contra la mujer conocerá del procedimiento penal y del civil, en su caso, en las materias citadas. 2º) Que exista un procedimiento civil en cualquiera de aquellas materias (separación, divorcio, etc.). En ese caso, pueden darse tres posibilidades: 2.1. Que el Juez de Violencia sobre la Mujer, que estuviere conociendo del procedimiento penal por violencia de género, conozca de la existencia de un proceso civil entre los que comparecen en la causa penal como agresor y víctima. En ese caso, requerirá de inhibición al Juez civil el cual deberá acordar de inmediato su inhibición y la remisión de los autos al órgano requirente. Nótese, que el Juez civil no puede discutir la competencia al Juez de Violencia sobre la mujer, sino que la ley establece, de modo imperativo, que requerido el Juez civil debe inhibirse y remitir los autos al requirente. El requerimiento de inhibición se acompañará de testimonio de la incoación de diligencias previas o de juicio por delitos leves, del auto de admisión de la querella, o de la orden de protección adoptada (art. 49 bis.3 LEC). 2.2. Que el Juez de Primera Instancia tenga conocimiento de la comisión de un acto de violencia de género que haya dado lugar a la iniciación de un proceso penal o a una orden de protección. En este caso, si ya se ha iniciado la fase de juicio oral el Juez civil seguirá conociendo del procedimiento. Si aún no se ha iniciado la fase de juicio oral del proceso, y verificada la concurrencia de los requisitos previstos en el párrafo tercero del artículo 87 ter LOPJ (expuestos «supra»), el Juez civil se inhibirá, sin que resulte el procedente el trámite de audiencia previsto en el art. 48.3 LEC; y remitirá los autos en el estado en que se hallen al Juez de Violencia sobre la Mujer que resulte competente (art. 49 bis.1 LEC).

La circunstancia de producirse actos de violencia de género que hayan dado inicio a un procedimiento penal no podrá fundar una declinatoria, sino que la partes que quieran hacer valer la competencia del Juzgado de Violencia sobre la Mujer lo deberá hacer presentando testimonio de alguna de las resoluciones dictadas por dicho Juzgado (admisión de la querella, incoación de diligencias previas o de juicio por delitos leves, u orden de protección adoptada).

2.3. Que el Juez civil que esté conociendo de un procedimiento civil, tenga noticia de la posible comisión de un acto de violencia de género, que no haya dado lugar a la iniciación de un proceso penal, ni a dictar una orden de protección. En ese caso, tras verificar que concurren los requisitos del art. 87 ter.3 LOPJ citará a las partes, y al Fiscal, a una comparecencia que se celebrará en las siguientes 24 horas a fin de que éste tome conocimiento de cuantos datos sean relevantes sobre los hechos acaecidos, que tendrá que decidir, en las 24 horas siguientes, denunciar los actos de

---

(3) Las normas previstas en la LO 1/2004 entrarán en vigor a los seis meses de su publicación (29-12-2004). Y, en cualquier caso, los procesos civiles o penales sobre hechos contemplados en la presente Ley que se encuentren en tramitación a su entrada en vigor, seguirán sustanciándose por los órganos judiciales que estuvieren conociendo de los mismos.

violencia de género o a solicitar orden de protección ante el Juzgado de Violencia sobre la Mujer que resulte competente. En el supuesto de que se interponga denuncia o se solicite la orden de protección, el Fiscal habrá de entregar copia de la denuncia o solicitud en el Tribunal, el cual continuará conociendo del asunto hasta que sea, en su caso, requerido de inhibición por el Juez de Violencia sobre la Mujer competente (art. 49 bis.2 LEC).

Una vez atribuida la competencia al Juez de Violencia contra la mujer, éste conocerá del procedimiento civil de que se trate conforme con las reglas procesales previstas en la LEC dictando a tal efecto las resoluciones que procedan. Frente a aquéllas caben los recursos ordinarios y extraordinarios previstos en la LEC. La única excepción se halla en la posibilidad de que, según el número de asuntos existentes, se designen una o varias secciones especializadas de conformidad con lo previsto en el artículo 98 LOPJ (art. 82.4 LOPJ).

SECCIÓN 2. ESPECIALIDADES EN MATERIA DE MEDIDAS CAUTELARES

La LO 1/2004 establece normas sobre medidas judiciales de protección y de seguridad de las víctimas que se regulan de modo complementario a las previstas en los procesos civiles y penales. Estas medidas las podrá adoptar el Juez de oficio o a instancia de parte (art. 61 LO 1/2004), mediante auto motivado y con pleno respeto a los principios de audiencia y contradicción. En este sentido, lo ordinario será adoptar las medidas cautelares necesarias en el marco de una orden de protección tras celebrar la audiencia prevista en el art. 544 Ter. 4 LECrim. En la citada orden pueden incluirse medidas de carácter penal y civil. Con la particularidad de que las de carácter civil, a las que se refiere el art. 544 Ter LECrim, tienen una vigencia temporal de treinta días, transcurridos los cuales decaen. Salvo que se inicie un proceso civil, del que conocerá el Juez de violencia sobre la mujer, conforme con el art. 87 Ter LOPJ. Ahora bien, con la finalidad de garantizar un marco de protección adecuado la LO 1/2004 regula determinadas medidas de protección con relación a los hijos y la vivienda, que se pueden adoptar de oficio y que son independientes de la existencia de un proceso civil de separación o divorcio, que debe iniciarlo, obviamente, el interesado.

A los efectos de una mejor explicación debemos distinguir entre medidas de naturaleza penal y civil y la orden de protección que puede incluir medidas de una u otra clase y que será el modo ordinario para su adopción.

a) Medidas de carácter penal: Se regulan en la LO 1/2004 siguiendo las normas previstas en la LECrim. De este modo conforme con el art. 544 bis LECrim y 64 LO 1/04 el Juez podrá adoptar las siguientes medidas cautelares de carácter penal: a) La prohibición de residir en un determinado lugar, barrio, municipio, provincia u otra entidad local, o Comunidad Autónoma. b) La prohibición de acudir a determinados lugares, barrios, municipios, provincias u otras entidades locales, o Comunidades

Autónomas. c) La prohibición de aproximarse o comunicarse, con la graduación que sea precisa, a determinadas personas (víctimas, familiares o terceras personas directamente relacionadas con los delitos cometidos).

La LO 1/2004 añade, a las medidas citadas, la medida cautelar referente a la suspensión del derecho a la tenencia, porte y uso de armas con la obligación de depositarlas (art. 67 LO 1/2004). Además la LO 1/2004 especifica el alcance de cada una de estas medidas, así como a las consecuencias de su quebrantamiento. En este sentido, el 544 bis LECrim se refiere a la prohibición de comunicar, norma que el art. 64 LO 1/2004 también regula incluyendo mayores especificaciones como las referentes a que la prohibición lo es a acercarse a la misma: «*en cualquier lugar donde se encuentre, así como acercarse a su domicilio, a su lugar de trabajo o a cualquier otro que sea frecuentado por ella*». También se regula la posibilidad de utilizar instrumentos con la tecnología adecuada para verificar de inmediato su incumplimiento. Norma que abre la vía de poder «*adosar*» u obligar al inculpado a llevar consigo aparatos de localización. Finalmente, el Juez deberá establecer una distancia mínima entre el inculpado y la persona protegida que no se podrá rebasar, bajo apercibimiento de incurrir en responsabilidad penal. Precisamente, las consecuencias del quebrantamiento de las medidas cautelares adoptadas por el Juez conllevarán la comisión de un delito autónomo tipificado en el art. 468 CP y castigado con una pena de prisión de seis meses a dos años. Además podrán adoptarse medidas cautelares de mayor restricción, v.g. la prisión provisional, al amparo del art. 544 bis *in fine* LECrim.

b) Medidas de carácter civil. Como se ha expuesto, el Juez de violencia sobre la mujer conocerá de los procesos civiles de familia cuando concurran los requisitos previstos en el art. 87 ter.3 LOPJ (cuando se hubiere producido un acto de violencia de género entre los que sean parte en el proceso civil). En el marco de este proceso el Juez podrá adoptar cualquier clase de medida de esa naturaleza que esté prevista en la LEC. Además el art. 64 LO 1/2004 regula una específicas medidas cautelares, que son las siguientes: 1) La salida obligatoria del domicilio por parte del inculpado y la prohibición de volver al mismo. Además, el Juez, con carácter excepcional, podrá autorizar a que la persona protegida concierte, con una agencia o sociedad pública allí donde la hubiere y que incluya entre sus actividades la del arrendamiento de viviendas, la permuta del uso atribuido de la vivienda familiar de la que sean copropietarios, por el uso de otra vivienda, durante el tiempo y en las condiciones que se determinen. 2) la suspensión de la patria potestad; la guardia y custodia de menores; o la suspensión de visitas. Como puede observarse el legislador ha incluido nuevas medidas de carácter civil que intentan ofrecer soluciones a los graves problemas que se plantean a las víctimas de esta clase de delitos. Además la modificación legal incluye la posibilidad de que el Juez adopte estas medidas de oficio, mientras que al amparo del art. 544 Ter LECrim el Juez puede adoptar medidas de naturaleza civil, pero a instancia de parte, y con una vigencia temporal limitada a 30 días (véase el siguiente apartado sobre la orden de protección).

c) La Orden de protección que constituye un procedimiento judicial sumario que tiene por finalidad otorgar un especial estatuto de protección a las víctimas de los delitos contra la vida, integridad física o moral, libertad sexual o la seguridad de alguna de las personas mencionadas en el artículo 173.2 del Código Penal (arts.

13 y 544 ter LECrim); y concretamente a las víctimas de la violencia de género (art. 62 LO 1/2004) (véase sobre la Orden de protección § 4.2, Cap. VIII). Se dictará de oficio o a instancia de parte y se sustanciará ante el juzgado de violencia sobre la mujer, o en su caso ante el Juez de guardia en caso de urgencia. En su ámbito se pueden incluir las medidas cautelares expuestas, o cualquier otra que resulte necesaria de naturaleza penal o civil cuando resulte una situación objetiva de riesgo para las víctimas de la violencia doméstica. La solicitud puede efectuarse directamente ante la autoridad judicial, el Ministerio Fiscal, las Fuerzas y Cuerpos de Seguridad, o las oficinas de atención a la víctima o los servicios sociales o instituciones asistenciales dependientes de las Administraciones públicas. En cualquier caso, se remitirá de forma inmediata al Juzgado de violencia sobre la mujer, o en su caso de Guardia, que deberá resolver sobre la orden de protección y las medidas necesarias para que cumpla su finalidad, sin perjuicio de que Juez pudiera resultar territorialmente competente. Recibida la solicitud de orden de protección, el Juez de Guardia convocará a una audiencia urgente a la víctima o su representante legal, al solicitante y al agresor, asistido, en su caso, de abogado. Asimismo será convocado el Ministerio Fiscal. Cuando excepcionalmente no fuese posible celebrar la audiencia durante el servicio de guardia, el juez ante el que hubiera sido formulada la solicitud la convocará en el plazo más breve posible, sin que pueda exceder de 72 horas desde la petición.

La audiencia coincidirá, según el caso, con la prevista: 1º en el artículo 504 bis 2 de la Ley de Enjuiciamiento Criminal, cuando ésta fuere procedente por la gravedad de los hechos o las circunstancias concurrentes; 2º en el artículo 798 si se tratase causas tramitadas con arreglo al procedimiento de enjuiciamiento rápido; 3º en el acto del juicio delitos leves. La audiencia tendrá por objeto distintos y complejos asuntos. Así, por una parte los estrictamente de carácter penal. Pero, también pueden acordarse medidas de carácter civil con relación a los hijos, vivienda familiar, etc. Estas últimas cuestiones deberán acordarse conforme a las normas de la LEC y, concretamente, puede ser preciso oír a la víctima o a los hijos. En ese caso, el Juez deberá adoptar las medidas oportunas para evitar la confrontación entre el agresor y la víctima, sus hijos y los restantes miembros de la familia. A estos efectos dispondrá que su declaración se realice por separado.

El juez de guardia resolverá mediante auto lo que proceda sobre la solicitud de la orden de protección, así como sobre el contenido y vigencia de las medidas que incorpore, que pueden consistir en cualquiera de las cautelas previstas en la legislación penal y civil, así como cualquier otra de carácter asistencial o de protección social que establezca el ordenamiento jurídico. La orden de protección se inscribirá en el Registro Central para la Protección de las Víctimas de la Violencia Doméstica (RD 355/2004 de 5 de marzo); se notificará a las partes y a las Administraciones públicas competentes para la adopción de medidas de protección, sean éstas de seguridad o de asistencia social, jurídica, sanitaria, psicológica o de cualquier otra índole; y podrá hacerse valer ante cualquier autoridad y Administración pública. El Tribunal que estuviere conociendo de la causa deberá informar permanentemente a la víctima sobre la situación procesal del imputado así como sobre el alcance y vigencia de las medidas cautelares adoptadas. En particular, la víctima será informada en todo momento de la situación penitenciaria del agresor, a cuyo efecto se dará cuenta de la orden de protección a la Administración penitenciaria

Las medidas podrán mantenerse tras la sentencia definitiva y durante la tramitación de los eventuales recursos que correspondiesen. En este caso, deberá hacerse constar en la sentencia el mantenimiento de tales medidas (art. 69 LO 1/2004).

SECCIÓN 3. ESPECIALIDADES EN MATERIA DE EJECUCIÓN DE LAS PENAS DICTADAS POR DELITOS DE VIOLENCIA DE GÉNERO

Los arts. 33 a 35 LO 1/2004 establecen especialidades en materia de suspensión y sustitución de las penas, dirigidas a someter la posibilidad de otorgar esos modos, más beneficiosos, de cumplimiento de la pena al cumplimiento de determinadas condiciones.

1º En materia de suspensión: La regulación se halla en el art. 83 2 CP. Concretamente el art. 83.2 CP dispone que: «cuando se trate de delitos cometidos sobre la mujer por quien sea o haya sido su cónyuge, o por quien esté o haya estado ligado a ella por una relación similar de afectividad, aun sin convivencia, se impondrán siempre las prohibiciones de aproximarse a la víctima o a aquéllos de sus familiares u otras personas que se determine por el juez o tribunal; prohibición de residir en un lugar determinado y la obligación de participar en programas formativos, laborales, culturales, de educación vial, sexual, de defensa del medio ambiente, de protección de los animales, de igualdad de trato y no discriminación, y otros similares. Todos estos requisitos deben cumplirse para que el Juez pueda decretar la suspensión de la pena, su incumplimiento determinará la revocación de la suspensión de la ejecución de la pena (art. 84 CP).

2º En materia de sustitución la Ley 1/2004 modificó el art. 88 CP para establecer que la condena a pena de prisión por delitos relacionados con la violencia de género sólo podrá ser sustituida por la de trabajos en beneficio de la comunidad. Además el Juez o Tribunal impondrá adicionalmente, además de la sujeción a programas específicos de reeducación y tratamiento psicológico la observancia de las obligaciones o deberes previstos en las reglas 1.ª y 2.ª, del art. 83.1 CP (prohibición de reunirse y de acudir a ciertos lugares) de este Código». Sin embargo, el art. 88 CP fue modificado posteriormente por la LO 5/2010 de 22 de junio y posteriormente derogado por la LO 1/2015 de modificación del C.Penal. De modo que no cabe la sustitución de las penas impuestas en esta clase de asuntos.

Finalmente, se establece una norma de garantía en los procesos en esta materia agravando las penas de los que cometieran un delito de maltrato regulado en el art. 173.2 CP quebrantando las medidas cautelares que se hubieren adoptado al amparo de los arts. 544 bis y ter LECrim con relación al 48 CP. Se trata de las medidas de prohibición de residir en determinados lugares o acudir a ellos, la prohibición de aproximarse o de comunicar con la víctima, o a aquéllos de sus familiares u otras personas que determine el juez o tribunal.

SECCIÓN 4. AYUDAS Y ASISTENCIA A LAS VÍCTIMAS DE DELITOS DE VIOLENCIA DE GÉNERO[(4)]

Una de las finalidades de la LO 1/2004 es la de regular los aspectos preventivos, educativos, sociales, asistenciales y de atención a las víctimas. Así se establece en la Ley que proclama que son principios rectores de la ley, entre otros, los siguientes: — Fortalecer el marco penal y procesal vigente para asegurar una protección integral, desde las instancias jurisdiccionales, a las víctimas de violencia de género. — Garantizar derechos en el ámbito laboral y funcionarial que concilien los requerimientos de la relación laboral y de empleo público con las circunstancias de aquellas trabajadoras o funcionarias que sufran violencia de género. — Garantizar derechos económicos para las mujeres víctimas de violencia de género, con el fin de facilitar su integración social. Además la ley también declara la voluntad del legislador de elaborar las normas de coordinación necesarias de los recursos e instrumentos de todo tipo de los distintos poderes públicos para asegurar la prevención de los hechos de violencia de género y, en su caso, la sanción adecuada a los culpables de los mismos.

Estos principios rectores se concretan en una serie de derechos de las mujeres víctimas de la violencia de género, situación que se acreditará, al efecto del reconocimiento de los derechos previstos en la Ley, con la orden de protección a favor de la víctima. Excepcionalmente, será título de acreditación de esta situación, el informe del Ministerio Fiscal que indique la existencia de indicios de que la demandante es víctima de violencia de género hasta tanto se dicte la orden de protección (art. 23 y 26 LO 1/04).

Los derechos y medidas previstos en la LO 1/04 son complementarios de los ya establecidos con carácter general para la protección de la víctima en el proceso penal (véase a ese respecto § 4 del Capítulo II), que se concretan en normas sobre la asistencia de las víctimas, o bien con especialidades procesales respecto a la forma en que se deben practicar determinadas diligencias de instrucción o prueba o respecto de la adopción de medidas cautelares.

Entre las medidas de asistencia y protección ya regulados con anterioridad a la aprobación de la LO 1/2004 se hallan los siguientes: la notificación a la víctima de los distintos trámites procesales (juicio, sentencia, apelación etc.), sin necesidad de haberse personado en la causa (Véase sobre esta cuestión § 3 Cap. IV). También se deberán notificar a la víctima, así como a los directamente ofendidos y perjudicados

---

(4) Véase MAGRO SERVET V., «Hacia la optimización de las órdenes de protección a las víctimas de la violencia doméstica», *La Ley* nº 5562, 2002.

por el delito cuya seguridad pudiera verse afectada por la resolución, los actos procesales que se adopten y puedan afectar a su seguridad (arts. 109 y 544.9 Ter LECrim.); específicamente a las víctimas de los delitos previstos en el art. 57 CP (homicidio, aborto, lesiones, agresión sexual etc.) y en el 173.2 (violencia doméstica). Entre estas resoluciones se hallan las referentes a la situación personal del imputado (art. 506.3 LECrim.). Además, la ley prevé con carácter general un Registro Central para la protección de las víctimas de la violencia doméstica donde se inscribirán las órdenes de protección que se dictaren (art. 544.10 Ter LECrim.).

Los derechos específicos regulados en la LO 1/04 son los siguientes[5]:

1º Derecho a la información y a la asistencia social integral. Se incluye en este apartado la atención psicológica, social, educativa, etc. (arts. 18 y 19 LO 1/2004).

2º Asistencia jurídica (art. 20 LO 1/2004), en los términos y con las condiciones previstas en la Ley de Asistencia Jurídica gratuita 1/1996.

3º Derechos de las trabajadoras, víctimas de violencia de género, a la reducción o reordenación de su tiempo de trabajo, a la movilidad geográfica, al cambio de centro de trabajo, a la suspensión de la relación laboral con reserva de puesto de trabajo y a la extinción del contrato de trabajo que dará lugar a situación legal de desempleo (art. 21 LO 1/2004)[6]. Iguales derechos se prevén para las funcionarias con excepción del referido a la suspensión y extinción de la relación laboral, que no resulta de aplicación (arts. 24 a 26 LO 1/2004).

4º Derecho de acceso a la vivienda y a residencias públicas para mayores como colectivo prioritario (art. 28 LO 1/2004).

5º Derechos económicos, compatibles los previstos en la Ley 35/1995, de 11 de diciembre, de Ayudas y Asistencia a las Víctimas de Delitos Violentos y contra la Libertad Sexual, que se concretan de dos modos:

a) Una ayuda de pago único equivalente al importe de seis meses de subsidio por desempleo, cuando concurran los siguientes requisitos: — Que la víctima carezca de rentas superiores, en cómputo mensual, al 75 por 100 del salario mínimo interprofesional, excluida la parte proporcional de dos pagas

---

(5)   No hacemos referencia a las medidas de carácter educativo, o en distintos ámbitos como el sanitario, o el de la publicidad que trascienden al ámbito de esta obra (arts. 3 a 16 LO 1/2004). También prevé la Ley medidas especiales como son la creación de una Delegación Especial del Gobierno y un observatorio estatal en esta materia (arts. 29 y 30 LO 1/04).

(6)   La Ley se extiende en la descripción de otros derechos de indudable importancia. A saber: — Las ausencias o faltas de puntualidad al trabajo motivadas por la situación física o psicológica derivada de la violencia de género se considerarán justificadas, cuando así lo determinen los servicios sociales de atención o servicios de salud. — A las trabajadoras por cuenta propia víctimas de violencia de género que cesen en su actividad para hacer efectiva su protección o su derecho a la asistencia social integral, se les suspenderá la obligación de cotización durante un período de seis meses, que les serán considerados como de cotización efectiva a efectos de las prestaciones de Seguridad Social. Asimismo, su situación será considerada como asimilada al alta. — Las víctimas de violencia de género inscritas como demandantes de empleo serán beneficiarias de un programa específico de empleo que incluirá medidas para favorecer el inicio de una nueva actividad por cuenta propia regulación (arts. 21 y 22 LO 1/04).

extraordinarias; — que se presuma que debido a su edad, falta de preparación general o especializada y circunstancias sociales, la víctima tendrá especiales dificultades para obtener un empleo y por dicha circunstancia no participará en los programas de empleo establecidos para su inserción profesional[7].

b) La previsión de la garantía de las pensiones de alimentos reconocidos e impagados a favor de los hijos menores de edad, fijados en convenio o en resolución específica. Este derecho no se concreta en la Ley, que se refiere a él en la Disposición Ad. 19ª en el que se anuncia una legislación específica en esta materia que tendrá en cuenta, conforme a la ley, las circunstancias de las víctimas de violencia de género.

Finalmente también debe destacarse la Ley 4/2015 de 27 de abril de Estatuto de la víctima que establece un conjunto de medidas de tipo procesal y de asistencia a las víctimas. Véase sobre estas medidas el § 1 del Cap. IV.

---

(7)   El importe de la ayuda será superior en los siguientes casos: 1º El equivalente a 12 meses de subsidio por desempleo cuando la víctima de la violencia ejercida contra la mujer tuviera reconocida oficialmente una minusvalía en grado igual o superior al 33 por 100.2º El equivalente a 18 meses de subsidio si la víctima tiene responsabilidades familiares; y de 24 meses si la víctima o alguno de los familiares que conviven con ella tiene reconocida oficialmente una minusvalía en grado igual o superior al 33 por 100.

CAPÍTULO XV
EL PROCEDIMIENTO POR DELITOS GRAVES

SECCIÓN 1. INTRODUCCIÓN: ÁMBITO DEL PROCEDIMIENTO POR DELITOS GRAVES

En el procedimiento por delitos graves desprovisto de la adjetivación de «ordinario», por no tener ya esta cualidad, pueden distinguirse las siguientes fases:

a) Fase de instrucción o sumarial: Abarca desde el auto de incoación del sumario hasta el de conclusión del mismo (Véase sobre la fase de instrucción y las diligencias que cabe realizar, el epígrafe siguiente y el Cap. VII).

b) Fase intermedia: En esta fase se trata de determinar si ha sido o no procedente la terminación del sumario confirmando o revocando, en su caso, el auto de conclusión; y si concurren o no los requisitos necesarios para decretar la apertura del juicio oral o el sobreseimiento de la causa (arts. 622 y ss. LECrim).

c) Fase decisoria: Se encuentra regida plenamente por el principio acusatorio y en ella se practica la prueba y se examina todo el material recogido durante la instrucción del sumario (arts. 680 y ss. LECrim). Esta fase finaliza con la sentencia (art. 742 LECrim).

SECCIÓN 2. LA FASE DE INSTRUCCIÓN O DE SUMARIO

2.1. Finalidad y contenido del sumario[1]

La apertura del sumario procede de oficio o a instancia de parte, cuando el Juez de Instrucción tiene conocimiento de hechos que revisten caracteres de delitos gra-

---

(1) Vid. Bibliografía general. Vid. también BELTRÁN CATALÁ, «El secreto sumarial y el derecho a la información», *AP*, n.° 31, 1993; JIMENO BULNES, «El principio de publicidad en el sumario», *Justicia*, 1993-IV; MARTÍN Y MARTÍN, «Instrucción penal y derecho a la tutela judicial efectiva», *AP*, 1990-2, n.° 393; ORAA GONZÁLEZ, «El procedimiento penal ordinario por delito y la garantía de imparcialidad», *La Ley*, 1992-2.

ves, castigados con pena privativa de libertad superior a nueve años (art. 33 CP), salvo que la causa venga atribuida al conocimiento del Jurado, conforme a lo dispuesto en el art. 1 LOTJ. La finalidad de las actuaciones practicadas en el sumario es la fijación y esclarecimiento de los hechos presuntamente delictivos sobre los que va a versar el juicio oral. Además de averiguar tales hechos, en el sumario deberá determinarse la presunta responsabilidad penal y civil de los imputados. A este fin el sumario cumple las siguientes funciones: a) La de investigación o averiguación de los hechos. b) El aseguramiento de las personas y bienes. c) La de asegurar pruebas, documentando los actos de investigación sumarial, que aunque habrán de ser reproducidos en el acto del juicio oral, en algunos y excepcionales casos, dada la irrepetibilidad de aquéllas, tiene un trascendental valor (art. 299 LECrim) (Véase sobre la prueba pre-constituida § 2 Cap. IX).

Un sector de la doctrina ha criticado el término «sumario» utilizado por la Ley para determinar esta fase. Respecto a esta cuestión, se considera que esta expresión equivale a procedimiento breve y, sin embargo, la fase sumarial es la más dilatada del proceso penal. Por esta razón, desde un punto de vista técnico procesal debe considerarse como más correcta la denominación de «fase de instrucción»[2].

Será competente para la instrucción del sumario correspondiente, el Juez de Instrucción del partido en que el delito se hubiere cometido, a tenor de lo dispuesto en el art. 14.2 LECrim., en relación con el art. 87.1 a) LOPJ, y lo establecido por el art. 303 LECrim. Para el conocimiento y fallo de la causa será órgano competente la Audiencia Provincial de la circunscripción donde el delito se hubiera cometido, conforme lo establecido en los arts. 14.4 LECrim y 82.1 LOPJ.

Esta norma debe entenderse sin perjuicio de la competencia de los Juzgados Centrales de Instrucción, con jurisdicción en toda España, que instruirán las causas respecto de los delitos que la Ley determine, cuyo enjuiciamiento corresponda a la Sala de lo Penal de la Audiencia Nacional (artículos citados de la LECrim. y art. 88 LOPJ). La creación de la Audiencia Nacional obedeció según el legislador, a que debía unificarse ante este Tribunal el enjuiciamiento de unos determinados delitos, bien por su especial naturaleza, bien por el carácter organizado de los delincuentes, bien por la amplia extensión territorial donde eran cometidos. Asimismo dispone el art. 300 LECrim que: «Cada delito de que conozca la autoridad judicial será objeto de un sumario, y los delitos conexos se comprenderán, sin embargo, en uno solo».

En el sumario pueden existir cuatro piezas distintas, de las que sólo la primera deberá abrirse necesariamente, dependiendo la formación de las demás de cada caso concreto (Véase M. 234). Estas piezas son: a) Pieza principal. Es la pieza más importante del sumario. Su formación tiene carácter necesario, haciéndose constar en la misma todas las diligencias y actuaciones sumariales. b) Pieza de situación personal.

---

(2) Por otra parte, también se sostuvo que la actividad desempeñada en el sumario tenía carácter administrativo, al tratarse de una simple investigación de los hechos. En consecuencia, se negaba la naturaleza procesal del sumario. Frente a esta postura, la doctrina más autorizada ha negado esta postura y entiende que las actividades que se desarrollan en el sumario tienen naturaleza estrictamente procesal.

En esta pieza se practicarán todas las diligencias relacionadas con los imputados, y que impliquen una medida cautelar de carácter personal tales como: detención, prisión, libertad provisional y prestación de fianzas para garantizar la comparecencia (art. 544 LECrim) (*vid.* sobre medidas cautelares personales § 2, Capítulo VIII). c) Pieza de responsabilidad civil. En esta se harán constar todas las medidas acordadas sobre fianzas y embargos decretados para el aseguramiento de la responsabilidad civil de los imputados (art. 590 LECrim) (*vid.* sobre medidas cautelares reales § 3, Capítulo VIII). d) Pieza de responsabilidad civil de terceras personas: Cuando en la instrucción del sumario aparezca la existencia de responsabilidad civil por parte de un tercero, deberá formarse esta pieza separada donde se hará constar todo lo relativo a aquélla (art. 619 LECrim) (*vid.* § 3.5 Capítulo VIII).

2.2. Iniciación del sumario

La «*notitia criminis*» puede llegar a conocimiento del Juez instructor competente por diversos medios (*vid.* Cap. VI sobre inicio del proceso penal). Así, por medio de denuncia, querella, de un atestado (*vid.* § 2.B Cap. VI); de diligencias de prevención —art. 307 LECrim; véase § 3.B.b Cap. VI—; por testimonio de particulares deducidos por órganos pertinentes; o, finalmente, de oficio cuando lleguen a su conocimiento hechos que puedan ser constitutivos de delito castigado con pena comprendida en el ámbito del sumario. En estos casos el Juez mandará la formación de sumario dictando la resolución pertinente. (Véase M. 224 a 226)[3]. Si el Juez tiene conocimiento de hechos que pueden ser constitutivos de delito, por medio de querella, dictará el auto de admisión de la misma y la incoación de sumario cuando corresponda según la entidad del delito. (Véase M. 226). En todos estos supuestos, mandará el correspondiente parte de notificación de la incoación de sumario al Presidente de la Audiencia Provincial y al Ministerio Fiscal. Recibido el parte de incoación, se formará en la Audiencia el Rollo correspondiente. (Véase M. 227)[4]. La comparecencia del ofendido

---

(3) Aunque, en la práctica no suele incoarse directamente un procedimiento de sumario sino diligencias previas y es, posteriormente, cuando se transforma en sumario. A nuestro entender, se trata de un reprobable uso forense que incluso se viene aplicando «contra legem» para las causas de Jurado, en contra de lo dispuesto en el art. 24 de la Ley de Jurado.

(4) «A los efectos de formación del sumario los preceptos que regulan los extremos relativos a la denuncia, a la querella y a la formación de sumario siempre se están refiriendo a la perpetración de cualquier delito (arts. 259, 264), de manera tal que formulada denuncia es procedente la comprobación del hecho denunciado en relación con un presunto delito "salvo que éste no revistiera el carácter de delito" de conformidad con lo dispuesto en el artículo 269 LECrim. De igual manera el artículo 270 hace referencia al delito, el artículo 282 también hace referencia a la obligación de averiguación en relación con los delitos públicos que se cometieran (como el artículo 284.1). Asimismo cuando de la instrucción se trata el artículo 299 hace referencia que la constitución de sumario tiene por objeto "las actuaciones encaminadas a preparar el juicio y practicadas para averiguar y hacer constar la perpetración de los delitos con todas las circunstancias...". El artículo 303 en relación a la formación del sumario lo es en relación con los delitos que se cometan dentro del partido o demarcación respectiva, lo que así reitera el art. 306, y de manera expresa el art. 308 establece que "inmediatamente que los jueces de instrucción o de paz, en su caso, tuviera noticia de la perpetración de un delito...", desestimándose incluso la querella de conformidad con lo dispuesto en el art. 313 cuando los hechos en que se funde no constituyan delito. Por último el art. 769 LECrim aplicable procedimiento abreviado, contempla que el hecho objeto de actuaciones en el

en el sumario ya iniciado, a diferencia del proceso abreviado, deberá efectuarse por medio del escrito de querella. Véanse Modelo de Querella en M. 64.

Debe destacarse la participación del Ministerio Fiscal en la fase sumarial. En primer lugar, el art. 308 impone a los Jueces de Instrucción la obligación de poner en su conocimiento la noticia de la perpetración de un delito. Además, el art. 306 LECrim establece que los Jueces de Instrucción formarán los sumarios de los delitos públicos bajo la inspección directa del Fiscal del Tribunal competente. A este fin, el Fiscal se constituirá por sí, o por medio de sus auxiliares, al lado del Juez instructor; o bien por medio de testimonios que el Juez le remitirá periódicamente, pudiendo el Fiscal hacer presente sus observaciones y formular sus pretensiones mediante requerimientos en la instrucción (art. 311.1 LECrim).

Durante la fase de instrucción se practicarán aquellas actuaciones encaminadas a esclarecer los hechos y preparar el juicio oral (art. 299 LECrim). Con este fin se realizarán las diligencias que el Juez decida según su propio criterio, y además aquéllas que, habiendo sido propuestas por el querellante, hayan sido admitidas, así como las demás solicitadas por el Fiscal. No puede el Juez instructor ordenar una instrucción prospectiva destinada a averiguar, de forma genérica, los actos de un ciudadano para determinar si ha cometido o no algún tipo de delito. Por ello, están prohibidas las «causas generales».

«Así en la jurisprudencia de las Audiencias Provinciales se recoge: El Auto de la A. P de Madrid, Sección 16ª de fecha 29/6/2.011 nº 451/2.011, afirma: "Coincidimos sin ninguna duda con el apelante en la erradicación en nuestro ordenamiento jurídico procesal del concepto de causa general. No puede llevarse a cabo una instrucción prospectiva, destinada a investigar de manera general y no concreta la vida de una persona y luego determinar si en ese escudriñar de su vida privada, pública o comercial, encontramos un ilícito penal"». AAP Navarra, Sección 1ª, Auto 158/2016 de 13 May. 2016, Rec. 220/2016, LA LEY 82382/2016.

Los hechos objeto de investigación deben ser, según el art. 299 y 777.1º LECrim, determinados y constituir, *ab initio*, un determinado tipo delictivo.

«Y por último el auto de la AP Madrid Sección 17ª, de fecha 8 de octubre de 2013 nº 1226/2.013, afirma: «...habría de encerrar una suerte de Instrucción prospectiva o, dicho con otras palabras, la Investigación en que consiste la fase de Instrucción —cfr. art. 777.1 LECrim (LA LEY 1/1882) en relación con el art. 299 del mismo texto legal— pasa por poner de manifiesto, de manera clara, determinados hechos que, en principio, habrían de ser constitutivos de delito, cosa que no se hace en el presente supuesto. Entender lo contrario, que, a partir de determinado resultado —que, en principio, no habría de considerarse ilícito— hubiera de llegarse a la consideración que los hechos habrían de ser constitutivos de delito, razón por la que habría de procederse a su Investigación habría de ser contrario al principio antes expuesto». AAP Navarra, Sección 1ª, Auto 158/2016 de 13 May. 2016, Rec. 220/2016, LA LEY 82382/2016.

Entre las diligencias a practicar se encuentran, las de inspección ocular; cuerpo del delito; identificación del delincuente y de sus circunstancias personales; decla-

procedimiento abreviado "revista caracteres de delito"». AAP Navarra, Sección 1ª, Auto 158/2016 de 13 May. 2016, Rec. 220/2016, LA LEY 82382/2016.

raciones de los procesados y de los testigos; careos e informe pericial. Se recogen en los arts. 326 y ss. bajo el epígrafe «De la comprobación del delito y averiguación del delincuente», del Título V del Libro II, medidas que se complementan con las del Título VIII, ambos de la LECrim., relativas a la entrada y registro en lugar cerrado, del de libros y papeles y de la detención y apertura de la correspondencia escrita y telegráfica (*vid.* Cap. VII). El Instructor no tiene plena discrecionalidad para ordenar cualquier clase de diligencia de investigación sino sólo aquéllas necesarias para la investigación del hecho delictivo concreto que se instruye, debiendo mantener una proporcionalidad entre los derechos fundamentales que puedan afectarse y la gravedad de los hechos delictivos investigados.

«Por tanto, el Juez de Instrucción no tiene una absoluta discrecionalidad para acordar diligencias de Investigación, sino que dichas diligencias de Investigación han de estar presididas por dos premisas esenciales, como son la necesidad de práctica de las mismas en relación al hecho delictivo que se Instruye y de otra parte la proporcionalidad entre dichas diligencias de Investigación, en la medida en que puedan afectar a derechos fundamentales y la gravedad de los delitos Investigados. No puede llevarse a cabo una Instrucción «prospectiva», destinada a Investigar de manera general y no concreta la vida de una persona y luego determinar si en ese «escudriñar» de su vida privada, pública o comercial, encontramos un Ilícito penal». AAP Navarra, Sección 1ª, Auto 158/2016 de 13 May. 2016, Rec. 220/2016, LA LEY 82382/2016.

Una vez practicadas las diligencias ordenadas en el auto de incoación del sumario y cualesquiera otras que se hayan acordado en la instrucción, cuando el Juez advierta la existencia de indicios racionales de criminalidad, procederá dictar el correspondiente auto de procesamiento (véase § 2.4 de este Capítulo). (Véase M. 230).

2.3. Secreto del sumario

Con el objeto de garantizar el buen fin de la investigación, el art. 301 LECrim establece que las diligencias del sumario serán reservadas y no tendrán carácter público hasta que se abra el juicio oral. Hasta ese momento las actuaciones no son públicas (véase sobre la publicidad y secreto de los actos procesales el § 2.3.C del Cap. V.; y el § 2.2.B.a.2º Cap. I, respecto al secreto sumarial como principio que rige en la fase de Instrucción). Es decir, que a partir de la apertura del juicio oral los que tienen el sumario a su cargo pueden expedir testimonio de cualquiera de las diligencias que lo integran, pero no antes. Esta restricción afecta a terceros, ya que las partes personadas pueden tomar conocimiento de las actuaciones e intervenir en todas las diligencias del procedimiento (art. 301, 302 LECrim).

«Es indudable conforme a los preceptos transcritos que las partes personadas — entre las cuales se encuentra el apelante— están facultadas legalmente para examinar las actuaciones integrantes del procedimiento durante la fase de instrucción y que el Juzgado por tanto debe exhibírselas en un lugar apropiado en el que el examen, conocimiento y toma de notas pueda realizarse con comodidad y sobre todo con eficacia, Igualmente cuando se soliciten testimonios o fotocopias para su conservación, contraste y estudio detallado, pues lo expresado en los preceptos transcritos respecto a los testimonios, con inclusión por tanto de las fotocopias, para los que solo se exige la expresión de su destinatario, y el respeto a los derechos constitucionales de defensa y de tutela judicial efectiva que a todos interesa, abonan la tesis que el apelante sostiene en el recurso. En el caso presente la solicitud de revocación del auto en cuanto a la limitación de entrega de copias de las grabaciones resulta procedente por cuanto la expresión del destinatario en las diligencias de expedición y entrega tiene como esencial finalidad conocer en todo momento la persona que lo recibe con el fin de que quede salvaguardada la obligación de discreción y reserva que le incumbe respecto a todo el contenido y diligencias de investigación integrantes del procedimiento». AAP Madrid, Sección 1ª, Auto 811/2015 de 19 Nov. 2015, Rec. 1295/2015, LA LEY 171552/2015.

El abogado o procurador de cualquiera de las partes que revelare indebidamente el contenido del sumario será corregido con multa de 500 a 10.000 euros. En la misma multa incurrirá cualquier otra persona que no siendo funcionario público cometa la misma falta. El funcionario público, en el caso de los párrafos anteriores, incurrirá en la responsabilidad que el Código Penal señale en su lugar respectivo (art. 301)[5]. La revelación de actuaciones secretas también se encuentra tipificado en el art. 466 Código Penal[6].

> «Con la sanción prevista en el art. 301 LECrim se trata de poner coto a usos abusivos que contravengan el carácter secreto de las diligencias sumariales faltando a los deberes de buena fe y lealtad procesal que todas las partes han de observar en la tramitación procesal de las diligencias sumariales. .../... Por tanto, las sanciones pecuniarias vienen a constituir una herramienta útil para mantener el respeto a las reglas del juego limpio en el proceso, mediante aplicación de correcciones a quien incumple sus mandatos y pone en riesgo una norma tan clara y diáfana como es la establecida en el art. 301.1 LECrim que dispone: "Las diligencias del sumario serán reservadas y no tendrán carácter público hasta que se abra el juicio oral, con las excepciones determinadas en la presente Ley"». ATSJ Cataluña, Sala de lo Civil y Penal, Auto de 25 Jul. 2016, Proc. 1/2015, LA LEY 86156/2016.

La ley permite que el Juez pueda acordar, de oficio o a instancia del Ministerio Fiscal o de la víctima, la adopción de cualquiera de las medidas a que se refiere el art. 681.2 LECrim cuando resulte necesario para proteger la intimidad de la víctima o el respeto debido a la misma o a su familia[7]. Pero el carácter reservado del sumario

---

(5) «El art. 247.3 LEC, de aplicación supletoria a la LECrim, establece que si se estima que alguna de las partes ha conculcado las reglas de la buena fe y respetando el principio de proporcionalidad, podrá imponerse una sanción pecuniaria que en el art. 301 LECrim se acota entre 500 a 10.000 euros. Nótese que en la Exposición de Motivos de la LEC se declaraba que el propósito del legislador no era otro, en estos supuestos de incumplimiento de los deberes de buena fe y lealtad procesal, que reforzar las facultades coercitivas de los Tribunales para sancionar comportamientos manifiestamente contrarios al logro de la tutela judicial efectiva y que, en nuestro caso, pasan por respetar las normas de la LECrim en cuanto disponen el secreto de las diligencias sumariales». ATSJ Cataluña, Sala de lo Civil y Penal, Auto de 25 Jul. 2016, Proc. 1/2015, LA LEY 86156/2016.

(6) Art. 466 CP: «1. El abogado o procurador que revelare actuaciones procesales declaradas secretas por la autoridad judicial, será castigado con las penas de multa de doce a veinticuatro meses e inhabilitación especial para empleo, cargo público, profesión u oficio de uno a cuatro años. 2. Si la revelación de las actuaciones declaradas secretas fuese realizada por el Juez o miembro del Tribunal, representante del Ministerio Fiscal, Secretario Judicial o cualquier funcionario al servicio de la Administración de Justicia, se le impondrán las penas previstas en el artículo 417 en su mitad superior. 3. Si la conducta descrita en el apartado primero fuere realizada por cualquier otro particular que intervenga en el proceso, la pena se impondrá en su mitad inferior».

(7) Art. 681 LECrim: «2. Asimismo, podrá acordar la adopción de las siguientes medidas para la protección de la intimidad de la víctima y de sus familiares: a) Prohibir la divulgación o

no significa, por ejemplo, que no se puedan difundir datos o informaciones sobre una causa determinada cuando se obtengan de fuentes distintas a las del propio sumario. En este sentido, únicamente se verá limitado el derecho a recibir información cuando aquello que se quiera difundir o comunicar haya sido obtenido ilegítimamente, quebrantando el secreto mismo del sumario. De otro modo, el mal entendido secreto del sumario equivaldría a crear una atípica e ilegítima materia reservada sobre los hechos mismos acerca de los cuales investiga el órgano judicial.

«Las fotografías se realizaron antes de que dieran comienzo las actuaciones sumariales, se obtuvieron directamente sobre el lugar donde acaecieron los hechos sin transgredirse para obtener la información ninguna norma o derecho y, desde luego, no fueron extraídas del sumario, ni para su obtención se utilizó información alguna que constara en un sumario ni siquiera abierto en el momento de su realización. En consecuencia, una información obtenida antes y al margen del sumario no puede considerarse atentatoria al secreto sumarial, que sólo limita la libertad de información en cuanto para informar haya previamente que quebrantarlo. Por todo ello, hay que concluir que la resolución judicial de 19 de marzo de 1984 y los posteriores autos de 29 de marzo y de 27 de abril que la confirmaron no encuentran fundamento en la institución del secreto sumarial constitucionalmente interpretada y sí violaron el artículo 20.1.d) de la Constitución al impedir sin fundamento el ejercicio del derecho de la recurrente a la libertad de información, así como, por derivación, el derecho de los ciudadanos a recibir esa misma información». STC 13/1985 de 31 de enero.

Es decir, el carácter reservado del sumario no impide que, por ejemplo, los medios de comunicación publiquen noticias sobre el asunto, siempre que no se hayan obtenido directamente de las actuaciones. El carácter reservado del sumario tampoco puede impedir que los abogados de personas legítimamente interesadas puedan examinar los autos con independencia que estén o no comparecidos en la causa.

Además de esta restricción genérica del derecho de publicidad, si el delito fuere público, el Juez de Instrucción, a propuesta del Ministerio Fiscal, de cualquiera de las partes personadas o de oficio, podrá declarar, mediante auto, el secreto total o parcial del sumario para todas las partes personadas y por tiempo no superior a un mes (art. 302 LECrim), período que con la debida motivación puede ser prorrogado, como se indica más adelante[8]. El secreto del sumario supone una restricción del

---

publicación de información relativa a la identidad de la víctima, de datos que puedan facilitar su identificación de forma directa o indirecta, o de aquellas circunstancias personales que hubieran sido valoradas para resolver sobre sus necesidades de protección. b) Prohibir la obtención, divulgación o publicación de imágenes de la víctima o de sus familiares. 3. Queda prohibida, en todo caso, la divulgación o publicación de información relativa a la identidad de víctimas menores de edad o víctimas con discapacidad necesitadas de especial protección, de datos que puedan facilitar su identificación de forma directa o indirecta, o de aquellas circunstancias personales que hubieran sido valoradas para resolver sobre sus necesidades de protección, así como la obtención, divulgación o publicación de imágenes suyas o de sus familiares».

(8) «Cabe concluir, en coherencia con todo lo expuesto, que el secreto del sumario se predica de las diligencias que lo constituyen, y no es otra cosa, por cierto, dice literalmente el párrafo primero del artículo 301 de la LECr., esto es, de los actos singulares que en cuanto acto formal complejo o procedimiento lo integran. Tal secreto implica, por consiguiente, que no puede transgredirse la reserva sobre su contenido por medio de "revelaciones indebidas" (art. 301.2 LECr.) o a través de un conocimiento ilícito y su posterior difusión. Pero el secreto del sumario no

acceso al conocimiento de las actuaciones que adquiere dos formas. En primer lugar, el art. 301 LECrim establece el principio general del carácter reservado del sumario, que afecta a la garantía constitucional inserta en el art. 120.1 CE, según el cual «las actuaciones judiciales serán públicas con las limitaciones que prevean las leyes de procedimiento»[9]. Por otra parte, el art. 302 LECrim prevé la adopción del secreto para todas las partes personadas, excepto el Ministerio Fiscal, lo cual constituye una limitación del derecho de defensa del sometido al proceso penal. (Véase M. 233). Se trata, en este caso, de una excepción al derecho de defensa del sometido al proceso, que ha sido convalidado por el TC dentro de unos límites[10].

significa, en modo alguno, que uno o varios elementos de la realidad social (sucesos singulares o hechos colectivos cuya conocimiento no resulte limitado o vedado por otro derecho fundamental según lo expuesto por el artículo 20.4 de la CE) sean arrebatados a la libertad de información, en el doble sentido de derecho a informarse y derecho a informar, con el único argumento de que sobre aquellos elementos están en curso unas determinadas diligencias sumariales. De ese modo, el mal entendido secreto del sumario equivaldría a crear una atípica e ilegítima "materia reservada" sobre los hechos mismos acerca de los cuales investiga y realiza la oportuna instrucción el órgano judicial, y no sobre "las actuaciones" del órgano judicial que constituyen el sumario (art. 299 de la LECr.)». STC 13/1985 de 31 de enero.

(9) «La regla que dispone el secreto de las actuaciones sumariales es, ante todo, una excepción a la garantía institucional inscrita en el artículo 120.1 de la Constitución, según el cual "las actuaciones judiciales serán públicas, con las excepciones que prevean las leyes de procedimiento". La admisión que hace esta misma disposición constitucional de excepciones a la publicidad no puede entenderse como un apoderamiento en blanco al legislador, porque la publicidad procesal está inmediatamente ligada a situaciones jurídicas subjetivas de los ciudadanos que tienen la condición de derechos fundamentales: derecho a un proceso público, en el artículo 24.2 de la Constitución, y derecho a recibir libremente información, según puede derivarse de la sentencia 30/1982, de 1 de junio, de la Sala Segunda, fundamento jurídico cuarto. Esta ligazón entre garantía objetiva de la publicidad y derechos fundamentales lleva a exigir que las excepciones a la publicidad previstas en el artículo 120.1 de la Constitución se acomoden en la previsión normativa, y en su aplicación judicial concreta, a las condiciones fuera de las cuales la limitación constitucionalmente posible deviene vulneración del derecho .../... el proceso penal, institución con la que se trata de hacer efectiva la protección del ordenamiento a "derechos reconocidos en este título" (es decir, en el primero de la Constitución, según dice el art. 20.4) puede tener una fase sumaria amparada por el secreto y en cuanto tal limitativa de la publicidad y de la libertad. Pero esta genérica conformidad constitucional del secreto sumarial no está, sin embargo, impuesta o exigida directamente por ningún precepto constitucional y, por lo mismo, se requiere, en su aplicación concreta, una interpretación estricta, no siendo su mera alegación fundamento bastante para limitar más derechos —ni en mayor medida de lo necesario— que los estrictamente afectados por la norma entronizadora del secreto...». STC 13/1985 de 31 de enero.

(10) «Más en concreto, por lo que se refiere a la influencia que sobre el derecho a no padecer indefensión puede tener la declaración judicial del secreto de las actuaciones, este Tribunal ha reiterado que esta declaración no es, en sí misma, una medida limitativa de un derecho fundamental, ya que sólo implica posponer el momento en el que las partes pueden tomar conocimiento de las actuaciones. Sin embargo, también se ha hecho especial incidencia en que puede repercutir en el derecho de defensa, al impedir que se pueda intervenir en las diligencias sumariales que se lleven a cabo en el período en el que las actuaciones permanecen en secreto y suspenderse temporalmente el conocimiento de lo actuado, ya que este conocimiento de las actuaciones es un requisito imprescindible para poder alegar, probar e intervenir en la prueba ajena controlando su correcta práctica y teniendo posibilidad de contradecirla. De ese modo, este Tribunal ha concluido, por un lado, que el tiempo de duración del secreto del sumario no es por sí sólo un dato relevante para apreciar un resultado de indefensión, pero que si esta suspensión temporal se convierte en imposibilidad absoluta de conocimiento de lo actuado hasta el juicio oral, se ocasiona una lesión

«Consecuencia de ello es que cuando el Juez de Instrucción declara el secreto del sumario de conformidad con el art. 302 LECrim, no está acordando una medida en sí misma limitativa de un derecho fundamental, del derecho al proceso público, al que no afecta, sino que tan sólo está adoptando una decisión con base en la cual se pospone el momento en el que las partes pueden tomar conocimiento de las actuaciones y se impide que puedan intervenir en las diligencias sumariales que se lleven a cabo en el período en el que el sumario permanece secreto». STC 174/2001 de 26 Jul. 2001, Rec. 2698/1997.

En todo caso, el secreto debe tener carácter excepcional a los efectos de no vulnerar el principio acusatorio y el principio de contradicción. En todo caso deberá alzarse necesariamente con al menos diez días de antelación a la conclusión del sumario (art. 302.3), teniendo siempre el Abogado del investigado o encausado acceso a los elementos de las actuaciones que resulten esenciales para impugnar la privación de libertad del investigado o encausado (art. 302.4 LECrim).

«Hay que convenir con el recurrente en que el secreto interno del sumario ha de ser una medida excepcional. La reforma procesal de diciembre de 1978 inauguró una nueva concepción de la fase de investigación (arts. 118 y 302 LECrim) trayendo a ella algunas consecuencias de una mayor vigencia del principio de contradicción. Una investigación verificada en su integridad a espaldas de las partes pasivas no es compatible con el proceso penal de un estado democrático de derecho. La operatividad del derecho de defensa no puede quedar arrinconada al acto del juicio oral». STS Sala Segunda, de lo Penal, Sentencia 1073/2012 de 29 Nov. 2012, Rec. 10595/2012, LA LEY 216205/2012.

El conocimiento de las diligencias practicadas durante el período de secreto de sumario es requisito imprescindible para ejercer el derecho de defensa, por tanto, el secreto debe permitir que la defensa pueda controlar y contradecir la prueba de cargo así obtenida antes del juicio oral. De lo contrario se vulnerará el derecho de defensa.

«La suspensión temporal del conocimiento de lo actuado puede, no obstante, incidir en el derecho de defensa del sujeto pasivo del proceso penal (STC 176/1988 (LA LEY 1115-TC/1989), de 4 Oct., FJ 2), ya que el conocimiento del sumario es requisito imprescindible para ejercer el derecho de defensa, esto es,

---

del derecho de defensa pues el acusado no habría estado en disposición de preparar su defensa de manera adecuada y, por otro, que en la medida en que el secreto de las actuaciones restringe la posibilidad de contradecir las diligencias probatorias efectuadas en la fase de instrucción, éstas no podrán aportarse al proceso como pruebas preconstituidas, ya que éstas exigen no sólo que se haya practicado ante el Juez, sino con garantía de contradicción (por todas, STC 174/2001, de 26 de julio (LA LEY 7469/2001), FJ 3)». Por su parte el Tribunal Supremo, en Sentencia de 21 de marzo de 2014 (Sentencia: 290/2014, Recurso: 10598/2013), citando la STS 73/2012, de 29 de noviembre, recuerda que el secreto interno del sumario ha de ser una medida excepcional. La reforma procesal de diciembre de 1978 inauguró una nueva concepción de la fase de investigación (arts. 118 (LA LEY 1/1882) y 302 LECrim (LA LEY 1/1882)) trasladando a esa etapa algunas consecuencias de una anticipación y reforzamiento del principio de contradicción. Una investigación verificada en su integridad a espaldas de las partes pasivas no es compatible con el proceso penal de un estado democrático de derecho. La operatividad del derecho de defensa no puede quedar aplazada y arrinconada al acto del juicio oral. AAP Las Palmas, Sección 2ª, Auto 251/2016 de 14 Abr. 2016, Rec. 323/2016, LA LEY 82411/2016.

para poder alegar, probar e intervenir en la prueba ajena controlando su correcta práctica y teniendo posibilidad de contradecirla (STC 176/1988 (LA LEY 1115-TC/1989), FJ 3); de modo que, aunque el tiempo de duración del secreto del sumario no es por sí solo dato relevante en orden a apreciar un resultado de indefensión (STC 176/1988 (LA LEY 1115-TC/1989), FJ 3), sin embargo, si esta suspensión temporal se convierte en imposibilidad absoluta de conocimiento de lo actuado hasta el juicio oral, se ocasiona una lesión del derecho de defensa pues el acusado no habría estado "en disposición de preparar su defensa de manera adecuada" (STEDH de 18 Mar. 1997, caso Foucher) (LA LEY 12494/1997)». STC 174/2001 de 26 Jul. 2001, Rec. 2698/1997.

Como se ha expuesto, la declaración del secreto del sumario de conformidad con el art. 302 LECrim, no resulta en sí misma limitativa del derecho a un proceso público, sino a lo sumo del derecho de defensa. Se entiende por la jurisprudencia que tan solo se pospone el momento en el que las partes pueden tomar conocimiento de las actuaciones y se impide que puedan intervenir en las diligencias sumariales que se lleven a cabo en el período en el que el sumario permanece secreto. La doctrina jurisprudencial viene recogida en la SAP Pontevedra, Sección 2ª, 156/2016, de 21 julio, Rec. 15/2012, LA LEY 126422/2016

«En definitiva, la declaración del secreto del sumario de conformidad con el art. 302 Ley de Enjuiciamiento Criminal (LA LEY 1/1882), no resulta en sí misma limitativa del derecho a un proceso público, sino a lo sumo del derecho de defensa (STC 100/2002 de 6.5 (LA LEY 5704/2002)), y tan sólo está adoptando una decisión con base a la cual se pospone el momento en el que las partes pueden tomar conocimiento de las actuaciones y se impide que puedan intervenir en las diligencias sumariales que se lleven a cabo en el período en el que el sumario permanece secreto (STC 174/2000 (LA LEY 9001/2000) de 26.7)». SAP Pontevedra, Sección 2ª, 156/2016, de 21 julio, Rec. 15/2012, LA LEY 126422/2016.

La vulneración del derecho de defensa, producida por la restricción de la posibilidad de contradecir las diligencias probatorias practicadas bajo secreto de sumario, impedirá su aportación al juicio oral como pruebas preconstituida[11].

«De otra parte, en la medida en que el secreto del sumario restringe la posibilidad de contradecir las diligencias probatorias efectuadas en fase sumarial, éstas no podrán aportarse al proceso como pruebas preconstituidas, pues, como hemos declarado de forma reiterada (entre muchas, SSTC 62/1985, de 10 May. (LA LEY 60899-NS/0000), FJ 2; 137/1988 (LA LEY 1071-TC/1988), de 7 Jul., FFJJ 2 y 3; 182/1989 (LA LEY 3179/1989), de 3 Nov., FJ 2; 10/1992, de 16 Ene., FJ 2; 200/1996, de 3 Dic., FJ 2; 40/1997, de 27 Feb., FJ 2; 49/1998, de 2 Mar., FJ 3; 7/1999, de 8 Feb., FJ 2), la legitimidad constitucional de la prueba preconstituida exige no solo que se haya practicado ante el Juez, sino con garantía de contradicción, y ello porque constituye una excepción a la regla de que la prueba constitucionalmente válida es solo la que

---

(11) «En el marco de lo alegado en este bloque, sólo podría tener relevancia constitucional la imposibilidad de contradecir las declaraciones testifícales prestadas ante el Juez de Instrucción durante la fase secreta del sumario si se hubieran introducido en el proceso como pruebas pre constituidas, pues, como acabamos de advertir, la legitimidad constitucional de la prueba pre constituida requiere que se haya practicado con garantía de contradicción». SAP Pontevedra, Sección 2ª, 156/2016, de 21 julio, Rec. 15/2012, LA LEY 126422/2016

se practica en el juicio oral en condiciones de publicidad, oralidad, inmediación y contradicción». STC 174/2001 de 26 Jul. 2001, Rec. 2698/1997[12].

Téngase presente que el contenido vigente del art. 302 LECrim es consecuencia de la extensión del principio acusatorio al sumario por aplicación del art. 118 LECrim, desde el mismo momento de la imputación. De este modo, el sospechoso puede ejercitar el derecho de defensa, actuando desde el inicio del procedimiento, adelantando al momento del traslado de la imputación lo que en el sistema original de la LECrim se situaba al final de la fase de instrucción. Es por esta razón que el legislador previó la posibilidad de declarar el secreto de las actuaciones en los supuestos de delitos graves en los que puede quedar afectada la investigación si se permitiera la intervención y el conocimiento de las actuaciones por el inculpado.

«La actual redacción del art. 302 LECrim a consecuencia de la extensión del principio acusatorio al sumario, ha hecho que, si por virtud del art. 118 LECrim —modificado, al igual que el 302, por la Ley 53/1978, de 4 de diciembre— desde el mismo momento de la imputación puede ejercitar toda persona el derecho de defensa —actuando en el procedimiento, adelantando al momento del traslado de la imputación lo que en el sistema original de la LECrim se situaba en el procedimiento—, paralelamente, este mayor protagonismo tiene como límite que el referido conocimiento pueda perjudicar a la investigación; y por eso se arbitra la posibilidad de declarar las actuaciones secretas para las partes en el art. 302 LECrim. La doctrina jurisprudencial relativa al tema que ahora nos ocupa resulta profusamente compendiada y tratada por la reciente STS, Penal, Sección 1ª, de 22 de marzo de 2013 (ROJ: STS 1919/2013)». SAP Pontevedra, Sección 2ª, 156/2016, de 21 julio, Rec. 15/2012, LA LEY 126422/2016[13].

---

(12)   «Como señaló la STC 176/1988, de 4 de octubre, la limitación impuesta por el secreto del sumario no supone violación del derecho de defensa "pues éste encuentra su límite en el interés de la justicia, valor constitucional que se concreta en el art. 302 de la Ley de Enjuiciamiento Criminal" cuando venga objetiva y razonablemente justificada "en circunstancias evidenciadoras de que la medida resulta imprescindible para asegurar la protección del valor constitucional de la justicia, coordinándolo con el derecho de defensa", dando a las partes, bien en la fase instructora posterior o en el juicio oral la posibilidad de contradecir el material probatorio obtenido durante esa fase secreta. Es una lesión a un derecho necesaria para la investigación que se llevaba a cabo mediante intervenciones telefónicas dictadas contra uno de los coimputados». STS Sala Segunda, de lo Penal, Sentencia 10/2002 de 17 Ene. 2002, Rec. 291/2001; Ponente: Martínez Arrieta, Andrés. LA LEY 15135/2002.

(13)   «Ciertamente que la posibilidad de declarar secreto el sumario, como toda norma limitativa de derechos fundamentales, debe ser interpretada de forma restrictiva, y por tanto efectuarse el correspondiente juicio de ponderación que justifique el sacrificio del derecho de defensa en la fase de instrucción con la generosidad y amplitud que le reconoció la reforma del citado artículo 118 ante su colisión con otros intereses igualmente dignos de protección, incluso más dignos de protección, como son los de la realización de la justicia e investigación de los delitos, finalidad de primer orden, en una sociedad democrática, pues no debe olvidarse que la realización de la justicia constituye uno de los valores superiores del ordenamiento jurídico —art. 1 CE—, por lo que es preciso establecer precauciones de salvaguarda cuando la intervención del acusado en las actuaciones judiciales pueda dar lugar a interferencias, manipulaciones u obstaculizaciones de investigación con riesgo de frustrar sus objetivos». STS Sala Segunda, de lo Penal, Sentencia 1179/2001 de 20 Jul. 2001, Rec. 491/2000, Ponente: Giménez García, Joaquín. LA LEY 5828/2001.

A este efecto el Juez deberá adoptar el secreto mediante auto en el que se contengan el debido juicio de ponderación, y los datos que justifiquen la restricción de la publicidad y el consiguiente sacrificio del derecho de defensa en la fase de instrucción.

> «La posibilidad de declarar secreto el sumario, como toda norma limitativa de derechos fundamentales, debe ser interpretada de forma restrictiva, y por tanto efectuarse el correspondiente juicio de ponderación que justifique el sacrificio del derecho de defensa en la fase de instrucción .../... se constata que los hechos objeto de investigación sobre tener una gran trascendencia y gravedad en sí mismos .../... y tratarse de actuaciones en las que todos los implicados, lejos de ser los garantes de la Ley, para la cual se hallaban investidos de la autoridad de que disponían, se habían convertido en sus transgresores, y disponían de efectivas posibilidades de entorpecer y obstaculizar las investigaciones. En este control casacional se constata la razonabilidad de haberse acordado secreto el sumario, el que lo fue de forma motivada formal y materialmente. Es decir revistió forma de auto y se expresaron las razones que justificaban tal medida. En tal sentido pueden citarse, sin ánimo exhaustivo, los autos de .../... acordándose nuevas prórrogas». STS Sala Segunda, de lo Penal, Sentencia 1179/2001 de 20 Jul. 2001, Rec. 491/2000, Ponente: Giménez García, Joaquín. LA LEY 5828/2001.

La solicitud de intervenciones telefónicas y demás medidas reguladas en Capítulo VIII, Libro II CP —arts. 588 bis a y ss. LECrim.— y las actuaciones posteriores relativas a las medidas solicitadas se sustanciarán en una pieza separada y secreta, sin necesidad de que se acuerde expresamente el secreto de la causa (art. 588 bis d)[14]. Es decir, en tales casos el secreto de sumario será automático sin necesidad de auto motivado.

El tiempo de duración del secreto del sumario no es dato relevante en orden a apreciar un resultado de indefensión, ya que ésta depende no del plazo en que se mantenga el secreto, sino de la justificación razonable del mismo y de que, en definitiva, se conceda oportunidad para defenderse frente a las pruebas que durante el citado plazo hayan sido practicadas.

En todo caso, el art. 302.2º dispone que no podrá acordarse el secreto por tiempo superior a un mes, cuando resulte necesario para: a) evitar un riesgo grave para la vida, libertad o integridad física de otra persona; o b) prevenir una situación que pueda comprometer de forma grave el resultado de la investigación o del proceso.

No obstante, una prórroga del tiempo de duración del secreto sumarial ha encontrado justificación constitucional en la necesidad de asegurar la investigación de la verdad de los hechos exigida por el interés de la justicia penal (véase STC 176/88 de 4 octubre). Pero sí vulnerará el derecho de defensa una excesiva prolongación del secreto más allá de su estricta necesidad o bien cuando se haya adoptado sin una plena justificación y ponderación, que produzcan indefensión, en cuyos casos comportará una nulidad de actuaciones.

---

(14) Artículo introducido por LO 13/2015, de 5 de octubre, de modificación de la Ley de Enjuiciamiento Criminal para el fortalecimiento de las garantías procesales y la regulación de las medidas de investigación tecnológica.

«La prolongación excesiva del secreto más allá de su estricta necesidad; o su implantación sin fundamento pueden en abstracto vulnerar el derecho de defensa. Solo en ese caso estaremos ante una infracción con alcance constitucional con eventual eficacia anulatoria de algunas actuaciones: muy excepcionalmente, todas o, generalmente, haciendo jurídicamente imposible utilizar determinado material probatorio obtenido en esos momentos. Vinculada la garantía al derecho de defensa, será necesario un plus: constatar que en efecto se han cercenado de manera relevante las posibilidades de defensa; no en abstracto y por vía de principios, sino en concreto. El abuso del secreto del sumario o su prolongación más allá de lo tolerado legalmente solo arrastra la nulidad cuando efectivamente se haya causado indefensión (*vid*. STC 174/2001, de 26 de julio (LA LEY 7469/2001) o STS 1179/2001, de 20 de julio (LA LEY 5828/2001)). Sucedería eso si, por ejemplo, no se ha podido preguntar contradictoriamente a un testigo (deficiencia soslayable si posteriormente ya alzado el secreto, hay posibilidad de un nuevo interrogatorio: STC 174/2001 o STS 1179/2001, de 20 de julio (LA LEY 5828/2001) en decisión que ha considerado conforme con el Convenio Europeo de Derechos Humanos (LA LEY 16/1950) la STEDH —caso Vaquero Hernández y otros contra España, 2 de noviembre de 2010—); o si se ha impedido proponer una prueba cuya práctica luego deviene imposible». STS de lo Penal, Sentencia 290/2014 de 21 Mar. 2014, Rec. 10598/2013, LA LEY 38974/2014.

Se ha admitido por el TC que el secreto pueda prorrogarse más allá del mes previsto en el art. 302 LECrim pero, también, ha indicado que, en todo caso, el secreto deberá alzarse antes de finalizar la investigación, con una antelación de al menos diez días para garantizar el conocimiento de lo actuado y la posibilidad de defensa, como también previene el art. 302.2. A nuestro entender, se trata de una previsión formal, incompatible con el derecho de defensa, ya que el plazo de 10 días es manifiestamente insuficiente para poder instrumentar una adecuada defensa y poder practicar nuevas diligencias de investigación. Una vez levantado el secreto, debe ofrecerse al acusado la posibilidad de solicitar las diligencias de investigación que convengan a su defensa.

«Es verdad que hace también muchos años que el Tribunal Constitucional convalidó la práctica habitual de considerar que el plazo de un mes al que se refiere el legislador (art. 302) consentía prórrogas (*vid*. el temprano ATC 860/1987 (LA LEY 3658/1987), de 8 de julio o la STC 176/1988 (LA LEY 1115-TC/1989), de 4 de octubre). Pero eso no puede llevar a situaciones que de facto comporten retroceder a épocas pretéritas legislativamente superadas. El Alto Tribunal desconecta el secreto interno del sumario del derecho a un proceso público, vinculándolo al derecho de defensa (STC 174/2001 (LA LEY 7469/2001), de 26 de julio). Por eso en todo caso se fija un límite temporal insoslayable: el secreto ha de alzarse antes de finalizar la investigación, con una antelación de al menos diez días. Sólo así se abre a las partes el conocimiento de lo actuado y la posibilidad de enriquecer la investigación con su propia perspectiva o de neutralizar los indicios que puedan militar en su contra. Esa previsión legal (art. 302) situada en sede de procedimiento ordinario es de aplicación supletoria en el procedimiento abreviado (art. 758). Eso explica la incompatibilidad de esta medida con un Juicio rápido (art. 795.3)». STS Sala Segunda, de lo Penal, Sentencia 1073/2012 de 29 Nov. 2012, Rec. 10595/2012, LA LEY 216205/2012.

El secreto del sumario podrá comprender todos aquellos medios de investigación que se practiquen, sin que alcance a las resoluciones de mera tramitación o las diligencias relativas a la situación personal de los imputados o referidos a su responsabilidad civil, respecto a las personas afectadas[15]. La declaración del secreto del sumario no significa que las partes no puedan ser asistidas de Letrado de su libre designación, que podrá realizar las pertinentes diligencias para el esclarecimiento de los hechos, si bien no podrá conocer lo actuado hasta tanto no sea levantado el secreto de las actuaciones.

La declaración de secreto no altera la obligación que las resoluciones que se adopten, especialmente, las limitativas de derechos deban contener la motivación suficiente, que permita al imputado oponerse por medio de los recursos previstos en la Ley.

«El secreto del sumario autoriza para impedir la publicidad de la situación y resultados de la instrucción judicial y, por ello, permite al Juez no incluir información sobre esos aspectos en las resoluciones que dicte y que haya de notificar a las partes, pero no autoriza sin más a ocultarles todos los fundamentos fácticos y jurídicos de aquéllas. Por ello el Instructor bien hubiera podido dictar un auto de prisión en el que se hiciera referencia de forma escueta a la concurrencia de los presupuestos fácticos (objetivos y subjetivos) y jurídicos que hacen necesaria la adopción de la medida cautelar; se fundamentara su decisión evitando consignar detalles o datos de hecho que pudieran perjudicar la marcha de las investigaciones; y se permitiera, en cambio, conocer al afectado las razones básicas que habían determinado su prisión a efectos de hacerle posible proceder, en su caso, a la impugnación del auto por la vía procesal adecuada. Sin embargo, lo que no cabe es omitir en la notificación al detenido elementos esenciales para su defensa, lo que sin duda genera una situación que vulnera la letra y el espíritu de la Norma fundamental consagrada en el art. 24.1 CE...». STC 18/1999 de 22 de febrero.

2.4. El auto de procesamiento: concepto, naturaleza y recursos[16]

El auto de procesamiento puede definirse como aquella resolución judicial en la que se declara formalmente la presunta culpabilidad de una persona determinada, al

---

(15) «... se circunscribe, por tanto, al contenido de las declaraciones de los imputados y testigos, documentadas en los folios correspondientes, así como los dictámenes periciales y demás documentos que se incorporen a la causa, pero no puede extenderse a resoluciones interlocutorias o de fondo que resuelven cuestiones relativas a la situación personal de los imputados o aquellas relacionadas con las responsabilidades civiles. También carecen de esta consideración sumarial los autos de inhibición o los informes y exposiciones elevados a la superioridad para solventar los pertinentes recursos...» (STS 10 octubre 1995; LA LEY, R-14.789).

(16) Vid. Bibliografía general. Vid. también BARTOLINI FERRO, «El auto de procesamiento», *RDProc.* (Argentina), 1948, p. 293; CARNELUTTI, «Auto de procesamiento», *RDProc.* (Argentina), 1948, p. 216; CLARIA OLMEDO, «Del avocamiento al procesamiento en la instrucción penal», *RDProc.*, 1968, p. 19; FAIRÉN GUILLÉN, V., «Procesamiento, sobreseimiento, acusación», *Temas del Ordenamiento Procesal*, II, Madrid, 1969; Idem, «Supresión o sustitución del procesamiento», Tapia, mayo-junio 1989, pp. 57 y ss.; GIMENO SENDRA, «El auto de procesamiento», *RGD*, 1979, p. 305; JIMÉNEZ ASENJO, «Ventura y riesgo del auto de procesamiento», *RDProc.*, 1964, p. 55; Idem, «La indagatoria», *RDProc.*, 1985, p. 609; MORÁN, «Procesamiento y dogmática penal», *RGD*, 1960; RUIZ GUTIÉRREZ, «El auto de procesamiento debe desaparecer», *RDProc.*, 1965, p. 83; SERRA DOMÍNGUEZ, «Función del indicio en el proceso penal», en *Estudios de Derecho Procesal*, Barcelona, 1969; SOTO VÁZQUEZ, «El Auto de procesamiento y algunos de sus problemas», *RDProc.*, 1966, p. 109.

desprenderse de las actuaciones practicadas indicios racionales de criminalidad que así lo señalan (art. 384 LECrim). Se trata de una resolución judicial de imputación formal y provisional que, en todo caso, ha de ser objeto del correspondiente debate contradictorio en el plenario[17]. (Véase M. 173).

> «El auto de procesamiento representa, en el ámbito del procedimiento ordinario, la resolución por la que el Juez de instrucción formaliza la inculpación y delimita objetiva y subjetivamente el proceso. Y lo hace mediante una resolución motivada que encierra la provisionalidad derivada, tanto de su naturaleza como acto de inculpación susceptible de ser dejado sin efecto en atención al resultado final de la investigación, como de la singular configuración de la fase intermedia en nuestro sistema (art. 627 LECrim). Con su dictado el Juez de instrucción expresa la asunción jurisdiccional de los indicios que justificaron la imputación. Del mismo modo, determina la legitimación pasiva, al convertirse en un requisito previo de la acusación, hasta el punto de que nadie puede ser acusado sin haber sido previamente procesado». STS de lo Penal, Sentencia 78/2016 de 10 Feb. 2016, Rec. 1228/2015, LA LEY 3286/2016[18].

Con el auto de procesamiento el legislador quiso garantizar que, con anterioridad a que una persona se viera formalmente inculpada, el Juez efectuara un enjuiciamiento previo de los hechos para establecer si de los mismos se deducían o no indicios racionales de criminalidad. En definitiva, el auto de procesamiento surgió

---

(17) «En este sentido, conviene no olvidar que, si bien el procesamiento no implica, evidentemente, la imposición de una pena, si es en todo caso una resolución judicial de imputación formal y provisional de criminalidad que ha de tener garantizada la posibilidad de contradicción, pues atribuye un determinado status procesal que puede justificar la adopción de medidas cautelares de importancia dentro del proceso penal, y constituye además en algunos procedimientos (entre otros, en el procedimiento de urgencia para determinados delitos que la LECrim regulaba en el título III, capítulo tercero, en la redacción anterior a la dada por la LO 7/1988, de 28 Dic., que es el seguido en el presente caso) un presupuesto necesario para la apertura del juicio oral, toda vez que, de no estar dirigido el procedimiento contra persona alguna y si concurriese alguno de los supuestos del art. 641 LECrim, el Juez, en el propio Auto de conclusión del sumario debe decretar el sobreseimiento provisional de la causa (art. 795.1 LECrim)». STC 218/1989 de 21 Dic. 1989, Rec. 1069/1987.

(18) «... El procesamiento, pues, constituye sólo una resolución judicial de imputación formal y provisional que ha de ser objeto del correspondiente debate contradictorio y de la ulterior decisión, no implicando la culpabilidad del procesado, ni siquiera la vinculación de los órganos judiciales, habida cuenta de que tanto el propio instructor como la Audiencia Provincial pueden dejar sin efecto el procesamiento si desaparecen los indicios que determinaron su adopción...». (STC 70/90, de 5 abril).

«No debe olvidarse que el auto de procesamiento cumple en el marco del Procedimiento Ordinario la función de constituir un filtro de la tipicidad. En efecto, acordar el procesamiento supone que, practicadas las diligencias necesarias para el esclarecimiento del hecho que dio lugar a la incoación de la causa y de las personas que intervinieron en el mismo, la indiciaria incardinación del hecho objeto de investigación en la parte objetiva del tipo penal de que se trate que motivó y legitimó la incoación del proceso, se ha confirmado tras la preceptiva comprobación "ex post" de los hechos a que se contrae la instrucción sumarial. Ello comporta que para la procedencia jurídica de dictar auto de procesamiento —que sólo implica un acto judicial de imputación formal, que no de acusación— basta, y es preciso, que se acredite de modo racional tras las diligencias efectuadas que la conducta de una u otra persona cumpla indiciariamente la parte objetiva del tipo penal en el sentido de que se acredite que el procesado llevó a cabo libre y voluntariamente actos aparentemente subsumibles en la infracción criminal que se le imputa». AAP Almería, Sección 3ª, Auto 72/2006 de 15 May. 2006, Rec. 295/2005, LA LEY 129609/2006.

en garantía de los futuros acusados y como protección de su derecho de defensa (art. 348.2 LECrim). En este sentido, fue considerado, como «clave de bóveda del proceso penal español». Sin embargo, en la actualidad es una figura sometida a debate doctrinal por distintas razones. En primer lugar, a pesar de su finalidad de implantar la «igualdad de armas» en la primigenia forma inquisitiva del sumario, se ha convertido, en ocasiones, en una institución más afrentosa que beneficiosa, por la extraordinaria carga social que lleva consigo. En segundo lugar, las garantías que incorporaba el auto de procesamiento han quedado rebasadas por las reformas postconstitucionales de los arts. 118 y 520 LECrim., quedando reducido el art. 384.2 LECrim, en lo relativo a asesoramiento de Letrado, a una norma vacía de contenido. Igualmente, la finalidad cautelar del auto de procesamiento se encuentra muy desvirtuada. Por una parte, porque las medidas cautelares relacionadas con las personas se adoptan, normalmente, con independencia de si éstas se hallan o no procesadas. Por otra, porque las que afectan al aseguramiento civil del proceso penal no se hallan concluidas en muchas ocasiones, ni aun cuando se dictan las sentencias definitivas. Por todas estas razones, el auto de procesamiento ha perdido su alcance y naturaleza inicial y sólo le resta un valor formal, si bien podría sostenerse su vigencia en tal calidad y con conocimiento de su alcance real con limitados efectos[19] (vid. STC 70/90, de 5 abril)[20].

«Esta resolución formal de imputación, aunque en algún supuesto puede resultar, por consideraciones ajenas al proceso, dañoso y perjudicial para el crédito y prestigio social del procesado, representa una garantía para él formalmente así inculpado —incluso después de la reforma producida por Ley 53/78, de 4 de diciembre—, ya que permite un conocimiento previo de la imputación en fase de instrucción sumarial, posibilita la primera declaración indagatoria (art. 386 LECrim), y hace surgir la obligación judicial de proveer de Abogado de oficio si el procesado estuviera desasistido de dirección letrada (art. 118.4 LECrim.), además de conferir al procesado la plenitud de la condición de parte con las consecuencias a ello inherentes...». (STC 70/90, de 5 abril).

Por medio del auto de procesamiento se crea el estado o la situación de procesado a la que, normalmente, se une la adopción de medidas cautelares. Se trata de una resolución judicial constitutiva, y supone un presupuesto necesario para que pueda decretarse la apertura del juicio oral. En este sentido, es una garantía para el inculpado, ya que la acusación en el juicio oral sólo podrá dirigirse contra los que en esta resolución aparezcan configurados como procesados. El auto de procesamiento deberá ser motivado y contener unos hechos o datos que constituyan unos indicios racionales serios de una conducta tipificada penalmente. Existirán indicios racionales de criminalidad, cuando se desprenda de los hechos sumariales, de un modo lógico, que un hecho lleva aparejada responsabilidad criminal y pueda ser atribuido a una persona determinada.

---

(19) Vid. FAIRÉN GUILLÉN, «¿Supresión o sustitución del procesamiento?», *Tapia*, mayo-junio 1989, pp. 57 y ss., donde llama la atención sobre la constitucionalidad de la supresión del auto de procesamiento y la necesidad de arbitrar otra solución judicial equivalente.

(20) «Los perjuicios que el recurrente atribuye al auto de procesamiento (publicidad, amenaza del honor, suspensión de empleo y sueldo) son efectos inherentes a la decisión de procesamiento acordado, pero no generadores de indefensión, efectos que además, como destaca el Ministerio Fiscal, igualmente podrían haberse producido en la tramitación de un procedimiento abreviado». STC, Pleno, 229/2003 de 18 Dic. 2003, Rec. 4455/1999.

Dentro del concepto de indicio racional de criminalidad deberán examinarse con carácter primordial las notas de tipicidad, antijuricidad, culpabilidad y punibilidad que caracterizan toda acción delictiva. Cuestión distinta es si, además, deben resolverse las causas excluyentes de antijuricidad y culpabilidad, cuestión que, en principio, ha de rechazarse, salvo supuestos excepcionales de indudabilidad[(21)].

«El auto de procesamiento, con todo el carácter provisional que quiera atribuírsele, no puede limitar su funcionalidad a la definición de quién haya de soportar la acusación. Esta resolución, para cuyo dictado el más clásico de los tratadistas exigía de los Jueces «una moderación y una prudencia exquisitas», es algo más. La garantía jurisdiccional, tal y como fue concebida en el modelo del sumario ordinario no puede contentarse con dibujar el quién de la inculpación. Ha de precisar también el qué y, por supuesto, el porqué. Sólo así cobra pleno sentido el sistema de investigación jurisdiccional al que se somete la fase de investigación en el procedimiento ordinario». STS Sala 2ª, 78/2016 de 10 Feb. 2016, Rec. 1228/2015, LA LEY 3286/2016.

Ahora bien, el análisis de la subsunción entre los hechos y el supuesto de hecho de la norma no deberá hacerse con el mismo rigor como si se tratara de la sentencia, ya que en este estadio procesal sólo interesa conocer si existe o no una apariencia racional de una determinada infracción penal. No vincula plenamente a la acusación. Ésta puede no incorporar a su escrito de acusación, algunos de los hechos acogidos en el auto de procesamiento. Puede también apartarse de la subsunción suscrita por el Instructor y calificar los hechos con una tipicidad alternativa. Puede no acusarse a todos y cada uno de los investigados que fueron declarados procesados por el Juez. Sin embargo, no podrá desbordar el relato fáctico dibujado por el Juez de instrucción ni podrá acusar a quien previamente no haya sido declarado procesado. Son las conclusiones definitivas, una vez practicada la prueba, las que, de modo definitivo, delimitan el ámbito decisorio del órgano jurisdiccional.

«El auto de procesamiento es la primera de las decisiones que contribuye a la fijación de los términos del debate. Indudablemente son las conclusiones provisionales del Fiscal las que permiten a la acusación pública formalizar la pretensión punitiva y delimitar por primera vez el objeto del proceso. Pero son las conclusiones definitivas,

---

(21)   Sobre el extremo citado pueden mantenerse tres teorías: 1) Teoría negativa: Esta elimina el examen de las causas de exclusión de la antijuridicidad con carácter previo al procesamiento y que sean consecuencia directa de su concesión o denegación. En este sentido, FENECH, *Derecho Procesal Penal*, Barcelona, 1960, pp. 878 y ss., y JIMÉNEZ ASENJO, *RDP*, 1949, pp. 876 y ss., después de la reforma de la casación penal operada en 1949, se pronuncia en este sentido; 2) Teoría de la indudabilidad: Esta admite que pueden ser aceptadas las causas de exclusión de la antijuridicidad, siempre que se deduzcan de los hechos sumariales de modo indudable. Los defensores de esta tesis alegan en su favor los principios de equidad y de la realidad social, con el condicionante de que las motivaciones para sostenerla sean diáfanas. Su apoyo legal se halla en una interpretación teleológica del art. 640, en relación con el art. 637.3.º LECrim., que evita la celebración de un juicio oral, y 3) Teoría amplia: Esta se basa en afirmar que dichas causas puedan ser estimadas libremente por el órgano instructor en el auto de procesamiento. Y en caso de duda, se inclina por considerar que deben resolverse, denegándose el procesamiento, si de una libre apreciación de los actos de investigación sumarial se genera en la conciencia del instructor, una resolución de estimación. Esta última que ha encontrado escasos defensores, consiste, en definitiva, en que los criterios de valoración de prueba de la sentencia definitiva son trasladadas al sumario, pudiendo generar trato desigual e indefensión.

una vez practicada la prueba, las que lo dibujan de modo definitivo, delimitando el ámbito decisorio del órgano jurisdiccional. La vinculación objetiva no es identidad objetiva. No es identidad incondicional. Pero sí lo es en lo atinente a los presupuestos fácticos nucleares que definen el tipo objetivo por el que se decretó el procesamiento. La correlación entre ese enunciado fáctico proclamado por el Juez instructor y el que luego asume el escrito de acusación del Fiscal ha de ser interpretada, claro es, con la flexibilidad que permite el progreso de las investigaciones y, en su momento, el desarrollo de la actividad probatoria en el juicio oral». STS Sala 2ª, 78/2016 de 10 Feb. 2016, Rec. 1228/2015, LA LEY 3286/2016.

En consecuencia, el auto de procesamiento no implica la culpabilidad del procesado, ni supone una vinculación de los órganos judiciales al citado auto, ya que tanto el Juez instructor como la Audiencia Provincial pueden dejar sin efecto el procesamiento si desaparecen los indicios que determinaron su adopción. En realidad los hechos que se narran en el auto de procesamiento, además de ser indiciarios, pueden ser alterados en cualquier momento del proceso e incluso reformados de oficio, sin ni siquiera vincular a las partes acusadoras cuando deduzcan sus escritos de calificación provisional. En este sentido, la calificación jurídica del auto de procesamiento únicamente tiene carácter provisional. Es en el escrito de calificación provisional donde se fija, por primera vez, la calificación jurídica como tal. Por tanto, no supone aún ejercicio pleno de la acción penal por lo que no precisa de una calificación exhaustiva y precluyente[22].

«Por otra parte, se ha tomar en consideración que, como indican la SSTS de 22 de junio de 2001 y 29 de enero de 1996, el auto de procesamiento es un simple presupuesto de acceso del proceso a la fase plenaria, acordado en resolución motivada por Juez de instrucción en período sumarial por la que estima que de unos determinados hechos, de carácter ilícito, resultan provisoriamente indicios racionales de criminalidad atribuibles a persona concreta, pero no el instrumento de la acción penal, que únicamente se entiende fijada y promovida en el escrito de calificación de la acusación, desprendiéndose además de la STS 19 de febrero de 1996 que la calificación que en él se contiene no resulta vinculante para las acusaciones y enjuiciamiento. En este sentido la STS 25 de marzo de 1994, con cita de las SSTS 12 enero 1989, 12 junio 1990 y 5 marzo y 20 mayo 1991 y AATC 146/1983, 324/1982 y 340/1985, el procesamiento no supone aún ejercicio de la acción penal y por ello no está precisado de verificar una calificación exhaustiva y precluyente, como se desprende con toda claridad tanto de la propia Exposición de Motivos de la centenaria Ley de Enjuiciamiento Criminal, como de la doctrina del Tribunal Constitucional y de esta Sala de casación. La acusación de la que hay que defenderse en el juicio se produce por la calificación, no por el procesamiento, mero presupuesto para acceder a la otra fase y no requerido en todos los procedimientos penales. Por tanto, no

---

(22) «El auto de procesamiento es un simple presupuesto de acceso del proceso a la fase plenaria, acordado en resolución motivada por Juez de instrucción en período sumarial por la que estima que de unos determinados hechos, de carácter ilícito, resultan provisoriamente indicios racionales de criminalidad atribuibles a persona concreta, pero no el instrumento de ejercicio de la acción penal, que únicamente se entiende fijada y promovida en el escrito de calificación de la acusación». STS Sala Segunda, de lo Penal, Sentencia de 29 Ene. 1996, Rec. 1052/1994; Ponente: Cotta y Márquez de Prado, Fernando. LA LEY 1979/1996

siendo función del auto de procesamiento la incriminación o atribución definitiva de conductas delictivas (STC 66/1989), no es exigible una exacta calificación de los hechos, por lo que carece de trascendencia ahora que la conducta del procesado aquí apelante sea o no susceptible de ser integrada en el art. 369.1.2° CP (pertenencia a una organización)». SAP Castellón, Sección 2ª, Auto 317/2007 de 13 Jul. 2007, Rec. 125/2007, LA LEY 155191/2007.

No debe confundirse el auto de procesamiento con una sentencia condenatoria, pues se trata tan sólo de una imputación «*cautelar*», y como tal, compatible con el derecho fundamental a la presunción de inocencia que proclama el art. 24 CE. La afirmación por el órgano jurisdiccional de instrucción referente a la existencia de indicios racionales de criminalidad en modo alguno desvirtúa la vigencia de aquella presunción de inocencia, que únicamente quedará destruida con la existencia de prueba de cargo contra el acusado plenamente demostrada en el juicio oral (*vid.* SSTC 66/89, de 17 abril; 70/90 de 5 abril; 71/94, de 3 marzo).

Notificado el auto de procesamiento al procesado, y comparecido en el Juzgado, se le interrogará sobre sus datos de identificación personal y sobre los hechos delictivos que se le imputan a los efectos de su esclarecimiento. Esta primera declaración del procesado se conoce con el nombre de «Indagatoria». (Véase M. 231). A continuación, en el supuesto que no se hubieren adoptado medidas cautelares, se acordará la formación de las correspondientes piezas de situación y de responsabilidad civil, donde se desarrollarán todas las diligencias y actuaciones relativas a la libertad o prisión provisional del procesado, y el aseguramiento del objeto civil del proceso penal. A fin de garantizar las responsabilidades pecuniarias que pueden derivarse de la causa que se sigue, el Juez acordará la prestación de fianza por el procesado. Si el procesado garantiza satisfactoriamente sus responsabilidades pecuniarias, a juicio del órgano jurisdiccional, se dictará la correspondiente resolución de solvencia del procesado. Cuando el procesado no haya prestado la fianza señalada en el auto de procesamiento en el plazo de tiempo fijado, el Juez deberá proceder a decretar el embargo de sus bienes. En el supuesto que el procesado no prestase ni la fianza exigida, ni tampoco le fueran hallados bienes para serle embargados, y una vez hechas las oportunas averiguaciones, deberá procederse a declararle insolvente. Ello no enervará la obligación que tiene de hacer frente a las responsabilidades que se hayan derivado, si viniera posteriormente a mejor fortuna.

La Ley ha establecido un complejo sistema de recursos, contra el auto de procesamiento, que podemos esquematizar del siguiente modo:

1) Contra el auto que decrete el procesamiento cabe recurso de reforma[23]. Si se estima, se deja sin efecto el procesamiento, con posibilidad de reiterar la petición

---

(23)   «En efecto, la LECrim dispone que contra los Autos que dicten los Jueces de instrucción decretando el procesamiento de alguna persona podrá utilizarse, por la representación de ésta, recurso de reforma dentro de los tres días siguientes al de la notificación de la resolución (art. 384 LECrim), para el denominado procedimiento ordinario, y 787 —en su anterior redacción— para el procedimiento de urgencia). Es indudable, por tanto, que el demandante de amparo tenía reconocido el derecho a interponer recurso de reforma contra el Auto que había decretado su procesamiento, y así expresamente lo admitió la propia Audiencia Provincial en el Auto de 26 Mar. 1986,

de procesamiento en el trámite de instrucción (art. 627.4 LECrim). Si se desestima la reforma, cabe recurso de apelación, que podrá interponerse de forma subsidiaria con el recurso de reforma (art. 384.5 LECrim)[24]. (Véase M. 232 y M. 233).

2) Contra el auto denegatorio del procesamiento cabe recurso de reforma. Si se estima el recurso de reforma, se dictará auto de procesamiento. Frente a este auto cabrá recurso de reforma y apelación (art. 384.7 LECrim). Si se desestima el recurso de reforma cabe reproducir la petición de procesamiento ante la Audiencia al evacuar trámite para instrucción (art. 384.6 y 627.4 LECrim). Si la Sala admite la petición de procesamiento devolverá el sumario al Juez de Instrucción para que procese (art. 384.6.º), revocando la conclusión sumario (art. 630). Contra este auto cabe recurso de apelación directamente (art. 384.6.º *in fine* LECrim). Si la Sala deniega la petición de procesamiento dictará auto confirmatorio de la conclusión del sumario.

El procesamiento, en principio, no vulnera por sí mismo derecho constitucional alguno. Por ello, como regla general, el auto de procesamiento no es susceptible de recurso de amparo constitucional. Sin embargo, corresponderá al TC revisar la adecuación de la resolución a las exigencias que derivan del art. 24.1 de la Constitución en el caso de que se dictara infundadamente y sin indicio racional de criminalidad alguno. En consecuencia, procederá el amparo constitucional en caso de que el auto de procesamiento se dictara de forma arbitraria y sin un mínimo fundamento[25].

Cuando un Magistrado haya formado parte de un Tribunal que resuelva un recurso contra una resolución del Juez instructor, podrá perder su imparcialidad para proceder luego al enjuiciamiento del fondo del asunto. Será necesario el examen del caso concreto para verificar, a la vista de la resolución dictada, si se contienen en la misma valoración sobre la existencia del hecho o la participación del acusado que sean

---

por el que decretó la nulidad de actuaciones al haber impedido el Juez instructor al procesado, declarando concluso el sumario, la impugnación del Auto de procesamiento». STC 218/1989 de 21 Dic. 1989, Rec. 1069/1987.

(24) «Es relevante a los efectos del presente recurso, y dada la equivalencia procesal del auto de procesamiento con el auto de transformación en procedimiento abreviado, que contra el auto de procesamiento sí está previsto el recurso de apelación, que se sustancia en la Audiencia, con todas las partes, con conocimiento de los autos y con vista del mismo, es decir, se resuelve de conformidad con los principios de publicidad, contradicción, audiencia e igualdad». STS Sala 2ª 3 May. 1999, Rec. 311/1998, LA LEY 8887/1999.

(25) «Este entendimiento de la subsidiariedad del recurso de amparo nos ha llevado en diversas ocasiones a apreciar que la vía judicial estaba ya agotada cuando, sin haber concluido el proceso judicial, el seguimiento exhaustivo del itinerario procesal previo implicaría una injustificada perpetuación en el tiempo de la lesión del derecho fundamental o se consumaría definitivamente la violación, haciéndose imposible o dificultándose gravemente el restablecimiento in integrum por este Tribunal Constitucional del derecho fundamental vulnerado. Así lo hemos entendido en relación con aquellas resoluciones que, por referirse a la situación personal del encausado, pueden afectar de manera irreparable a la libertad personal del mismo (STC 247/1994, de 19 de septiembre (LA LEY 13003/1994)) o, incluso, si se habían acordado simplemente medidas cautelares no privativas sino restrictivas de la libertad personal (STC 236/2001, de 18 de diciembre (LA LEY 1036/2002), FJ 2). Otro supuesto que venimos admitiendo acontece cuando se produce un efecto actual o inmediato de la lesión denunciada...». STC 76/2009 de 23 Mar. 2009, Rec. 6905/2006. Ver también STC 78/2009 de 23 Mar. 2009, Rec. 7048/2006.

más propias de un enjuiciamiento de los hechos. Así debe entenderse cuando haya dictado un auto de inculpación o de procesamiento o de revocación de sobreseimiento[26]. En estos casos se puede estar ante una aparente ausencia de imparcialidad, por lo que debe considerase que el Juez habrá quedado contaminado, no pudiendo intervenir en el Tribunal sentenciador[27].

> «La doctrina de nuestro Tribunal Constitucional y la del TEDH impiden que magistrados que han tomado dicho conocimiento de la instrucción, con la entidad y características de lo puesto de manifiesto, puedan entrar a enjuiciar una causa penal sin haber perdido la garantía de la imparcialidad objetiva, que es la primera característica de todo juicio que se celebre con todas las garantías, exigencia constitucional proclamada en el art. 24.2 de nuestra Carta Magna. Como dijimos en nuestra STS 53/2016, de 3 de febrero (LA LEY 2828/2016), nuestra doctrina es particularmente exigente en los casos de revisión una resolución judicial tan sustancial en la instrucción como es el auto de procesamiento, debiendo las diversas secciones de las Audiencias cruzarse este tipo de asuntos, para que unas resuelvan todo lo concerniente a las resoluciones interlocutorias de la instrucción sumarial, y otras, hagan lo propio con respecto al enjuiciamiento. Y en los casos de Sección única, arbitrarse los medios orgánicos necesarios para que sean otros magistrados quienes enjuicien las causas, sin haber tomado contacto invalidante con la instrucción sumarial». STS Sala 2ª 897/2016 de 30 Nov. 2016, Rec. 1124/2016, LA LEY 174264/2016. Ver también, STS, Sala 2ª, 79/2014, 18 de febrero de 2014, n.º Rec. 829/2013.

2.5. Conclusión del sumario

Una vez firme el auto de procesamiento, se seguirán practicando las diligencias acordadas tendentes a la averiguación y esclarecimiento de los presuntos hechos

---

(26) «Como se dice en la STC del caso "Escuchas del CESID", ya citado "... cuando la decisión en revisión de dejar sin efecto un sobreseimiento o un archivo adoptada por el órgano jurisdiccional que posteriormente conoce de la causa, se fundamenta en valoraciones que, aun cuando provisionales, resultan ser sustancialmente idénticas a las que serían propias de un juicio de fondo sobre la responsabilidad penal, exteriorizando de ese modo, un pronunciamiento anticipado al respecto..." declara el Tribunal Constitucional en dicha sentencia, que deben considerarse objetivamente justificadas tales dudas». STS, Sala 2ª, 380/2016, 4 de mayo de 2016, n° Rec. 1124/2015

(27) «Como regla general, puede decirse que el hecho de que un Magistrado haya formado parte de un Tribunal que resuelve un recurso contra una resolución del Juez instructor, no supone necesariamente que haya perdido su imparcialidad para proceder luego al enjuiciamiento del fondo del asunto. En este sentido, la STEDH de 25 julio 2002, Caso Perote Pellón contra España: "...el simple hecho de que un juez haya adoptado decisiones con anterioridad al proceso no puede, en sí mismo, justificar las aprensiones en cuanto a su imparcialidad (Sentencia Hauschildt)". Es necesario el examen del caso concreto, para verificar si teniendo en cuenta el tipo de resolución dictada, se contienen en la misma valoraciones sobre la existencia del hecho o la participación del acusado que sean más propias de una sentencia sobre el fondo, o, con otras palabras, más cercanas, a las que correspondería hacer al enjuiciar los hechos, (STC 26/2007, de 12 de febrero (LA LEY 3223/2007), FJ 4). Y ello (STC 39/2004 (LA LEY 860/2004)), porque la imparcialidad trata de garantizar también que el juzgador se mantenga ajeno, específicamente, a la labor de incriminación o inculpación del acusado, ya sea ésta indiciaria y provisional, como la que se produce en los Autos de inculpación y procesamiento, ya se efectúe de forma preventiva, como acaece al acordar la adopción de medidas cautelares (STC 310/2000, de 18 de diciembre (LA LEY 2104/2001), F. 4)». STS Sala 2ª 515/2017 de 6 Jul. 2017, Rec. 2254/2016, LA LEY 91107/2017. Ver también STS 618/2011 de TS, Sala 2ª, de lo Penal, 9 de junio de 2011, n° Rec. 2141/2010.

delictivos. Practicadas las diligencias propuestas de oficio o a instancia de parte, si el Juez instructor considerase terminado el sumario, declarará concluso el sumario y mandará remitir los autos y piezas de convicción al Tribunal competente para conocer del delito. En su caso, cuando no hubiere acusador privado y el Ministerio Fiscal considere que en el sumario se han reunido los suficientes elementos para hacer la calificación de los hechos y poder entrar en el trámite del juicio oral, lo pondrá en conocimiento del Juez de Instrucción para que sin más dilaciones remita lo actuado al Tribunal competente (art. 622 LECrim). (Véase M. 237 a M. 239).

El auto de conclusión del sumario se notificará al querellante particular, si lo hubiere, aun cuando sólo tenga el carácter de actor civil, al procesado y a las demás personas contra quienes resulte responsabilidad civil, emplazándolas para que comparezcan ante la Audiencia en el término de diez días, o en el de quince, si el emplazamiento fuese ante el Tribunal Supremo (art. 623 LECrim). (Véase M. 240). La incomparecencia de alguna de las partes dentro del plazo de 10 días no conlleva la pérdida de la condición de parte, siempre que se persone antes de que se produzca el traslado de las actuaciones al Fiscal para calificar, si bien se supone la preclusión de este trámite (art. 627) para el ausente.

> «El artículo 623 dispone el emplazamiento, para ante la Audiencia Provincial, de los personados como partes en el sumario. La incomparecencia dentro de dicho plazo no conlleva la pérdida del *status* de parte siempre y cuando la personación ante la Audiencia, tenga lugar antes del traslado del sumario al Ministerio Fiscal para calificación, siendo así que una personación extemporánea (fuera del término del emplazamiento pero anterior al traslado para calificación) únicamente supondría la preclusión para la referida parte del trámite de instrucción (artículos 627 y 651 en relación con los 110 y 175 LECrim)». SAP Pontevedra Sección 2ª, 10/2006 de 22 Feb. 2006, Rec. 21/2006, LA LEY 34152/2006.

Contra el auto de conclusión de sumario no cabe recurso alguno, ya que al mismo tiempo que se dicta el auto, por su propia naturaleza, el Juzgado pierde la competencia para el procedimiento, trasladándose los autos a la Audiencia y abriéndose la llamada fase intermedia, pudiéndose considerar una excepción al régimen general del recurso de reforma, previsto en el art. 217 LECrim[28].

> «Repetía en sentencia de 3 de junio de 1960 "... que no se puede pedir reforma del auto de conclusión de sumario por la razón de que al dictarla perdió el juez la atribución de conocimiento y traspasó todas sus facultades a la Audiencia", y recordaba el Tribunal Constitucional, en su sentencia 218/1989, de 21 de diciembre (LA LEY 1403-TC/1990), que "conforme a una constante y uniforme jurisprudencia del

---

(28) «Dicho de otra manera, la finalidad y función que se pretendía recurriendo el auto de conclusión, queda suplida con la que está prevista para la "fase intermedia" del proceso, de manera que, si se admitiera un recurso contra aquel auto y luego la parte hiciera uso de los trámites que la ley, expresamente, le concede en la fase intermedia, vendría a duplicar en momentos procesales distintos una misma pretensión, con lo que ello tiene de dilatorio por insistencia de la parte, además de abusivo y, por tanto, contrario al artículo 11 LOPJ, y con la eventual consecuencia de que, en aquellos casos en que distintas secciones de una misma Audiencia conociesen, en uno u otro trámite, de esa pretensión duplicada, pudiera haber resoluciones contradictorias». AAP Madrid, Sección 23ª, 403/2006 de 16 May. 2006, Rec. 204/2006, LA LEY 76126/2006.

Tribunal Supremo, contra los autos de conclusión del sumario no cabe recurso alguno, sino, en su caso, la revocación del mismo por la Audiencia, dado que al decretar la conclusión del sumario pierde el juez la atribución de conocimiento y traspasa todas sus facultades a la Audiencia, ante la cual emplaza a las partes"». AAP Madrid, Sección 23ª, 403/2006 de 16 May. 2006, Rec. 204/2006, LA LEY 76126/2006.

Por lo que, dictado el auto, se elevarán los autos a la Audiencia, emplazando a las partes para que comparezcan ante ella en el plazo de diez días. Será en esta fase intermedia que se inicia donde se aprobará definitivamente el auto de conclusión[29] y donde se podrán realizar las alegaciones pertinentes, conforme a los arts. 623 y siguientes, de lo contrario se duplicaría el trámite para la misma pretensión. Es en el trámite de instrucción del artículo 627 cuando las partes pueden manifestar su disconformidad con el auto del instructor que haya declarado terminado el sumario, pidiendo la práctica de nuevas diligencias. Será la Audiencia, a la vista de las conformidades o disconformidades expresadas por las partes sobre el auto de conclusión, la que dictará auto confirmando o revocando el del Juez de Instrucción (artículo 630). Y si revocase dicho auto, lo devolverá al Juzgado que lo hubiera remitido, expresando las diligencias que hayan de practicarse (artículo 631)[30].

«Segundo. No cabe recurso de apelación contra dicho auto y ello no sólo por lo dispuesto en el artículo 217 LECrim (en el procedimiento sumario, el recurso de apelación puede interponerse únicamente en los casos determinados en la ley) sino también por el contenido de los artículos 622 y ss. LECrim.: el juez, tras dictar el auto de conclusión del sumario, eleva éste a la Audiencia Provincial, donde existe un trámite de instrucción del ponente y de las partes, cumplido el cual la Audiencia dicta auto confirmando o revocando el sumario, expresándose en este último caso las diligencias que han de practicarse (art. 632 LECrim.). Por tanto, la ley prevé un trámite distinto del recurso de apelación si bien con finalidad similar pues la Audiencia deberá dictar, por imperativo legal, una resolución en la que confirmará o revocará el auto que ahora se trata de recurrir». SAP Cantabria, Sección 1ª, Auto 117/2006 de 2 May. 2006, Rec. 54/2006, LA LEY 56575/2006.

La sustanciación de los recursos de apelación admitidos en un solo efecto no impedirá nunca la terminación del sumario. En el supuesto de haberse interpuesto re-

---

(29) «El artículo 217 establece que el recurso de reforma podrá interponerse contra todos los autos del juez de instrucción, y si bien esta disposición pudiera dar a entender que cabe contra todo auto, en cuanto se realiza una interpretación intrasistemática del articulado de la propia Ley Procesal, se llega a la conclusión de que dicha regla está sometida a excepción, una de las cuales es el auto de conclusión del sumario, y es que, siendo presupuesto para la sustanciación del recurso que el órgano que haya de resolverlo tenga competencia, "al mismo tiempo que dicta el auto, por su propia naturaleza, el Juzgado pierde la competencia para el procedimiento, hallándonos en la llamada fase Intermedia"». AAP Madrid, Sección 23ª, 403/2006 de 16 May. 2006, Rec. 204/2006, LA LEY 76126/2006

(30) «En orden al recurso de apelación contra el auto de conclusión del sumario, esta Audiencia estima que el mismo fue indebidamente admitido a trámite por el Juzgado instructor, pues contra tal resolución no cabe recurso de apelación. Medio impugnatorio que, por expresa disposición del artículo 217 LECrim, sólo puede interponerse en los casos determinados en la Ley. No contemplándose la apelación contra los autos de conclusión del sumario, cuya firmeza solo se produce, tal como dispone el artículo 625 del citado texto procesal, cuando sea aprobado por esta Audiencia». SAP Madrid, Sección 16ª, Auto 510/2006 de 6 Oct. 2006, Rec. 376/2006, LA LEY 133075/2006.

cursos de apelación, el Juez instructor habrá expedido el testimonio correspondiente y emplazado a las partes para que se personen en el Tribunal que hubiere de conocer del recurso de apelación (art. 227, 622.4 LECrim). En tales casos, al realizarse la remisión del sumario a la Audiencia, cuidará de expresar los recursos de apelación en un efecto (devolutivos) que haya pendientes. En la Audiencia quedará en suspenso la aplicación de los arts. 627 y ss. (instrucción a las partes acusadoras para que pidan la confirmación o revocación del auto de conclusión del sumario y en el primer caso si debe abrirse el juicio oral o sobreseer la causa, con la decisión del Tribunal sobre tales extremos) hasta que sean resueltas las apelaciones pendientes.

SECCIÓN 3. EL PERÍODO INTERMEDIO. EL SOBRESEIMIENTO: CONCEPTO Y CLASES

3.1. Actuaciones en la fase intermedia

En el proceso por delitos graves, únicamente, se desarrollan en sentido estricto dos fases: la de instrucción o sumario, y la de juicio oral. Sin embargo, existen una serie de actos procesales, que se realizan en período procesal que se desarrolla entre ambas, y que tienen entidad suficiente para configurar un nuevo estadio procesal, al que la doctrina ha denominado período intermedio. En esta fase procesal cabe incluir todas las actuaciones que se producen desde el auto de conclusión del sumario, hasta el auto de apertura del juicio oral o el de sobreseimiento, según los supuestos. Las actuaciones que se practican durante el período intermedio tienen por finalidad: 1) la confirmación o revocación del auto por el que se decretó concluso el sumario, según se entienda que se encuentre debidamente completado o bien que resulte insuficiente, por lo que deberán practicarse nuevas diligencias[31]; 2) que se decrete la apertura del juicio oral, si existen los presupuestos legales necesarios, o bien a que se declare, en caso contrario, el sobreseimiento del proceso.

La sustanciación de esta fase procesal tiene lugar ante la Audiencia Provincial competente, a cuyo Tribunal le habrán sido remitidos los autos y las piezas de convicción por el Juez instructor, a partir del momento en que éste decretó concluso el sumario[32]. En efecto, en dicha fase, no sólo se tiende a dar oportunidad para que se

---

(31) «Los arts. 630 y 631 de la Ley de Enjuiciamiento Criminal facultan al Tribunal en el procedimiento ordinario, para revocar el auto de conclusión del sumario, acordando la práctica de nuevas diligencias por parte del Instructor, cuando así lo hubiere solicitado el Fiscal o alguna de las partes personadas, y el Tribunal lo considere procedente como ocurre en el presente caso». AAP Santa Cruz de Tenerife, Sección 2ª, Auto de 4 Jul. 2006, Rec. 15/2005, LA LEY 98232/2006. Ver también AAP Santa Cruz de Tenerife, Sección 5ª, Auto de 13 Jun. 2006, Rec. 12/2006, LA LEY 102566/2006.

(32) En el período intermedio, sólo estaba previsto que intervinieran el Tribunal y las partes acusadoras. Sin embargo, esta norma fue modificada por la doctrina constitucional, de tal modo que actualmente es necesario dar también intervención a los acusados en dicha fase. Ver STC 66/89, de 17 abril) y STC 43/94, de 15 febrero. La Ley 13/2009 incorporó está previsión al artículo 627 LECrim.

complete el material instructor que permita la adecuada preparación y depuración de la pretensión punitiva, sino que es el momento de determinar si concurren o no los presupuestos necesarios para la apertura del juicio oral. Quienes estén procesados tienen un indudable interés en ambos aspectos, por lo que no puede prescindirse de su intervención, como señaló en su momento el TC. En todo caso las partes omitidas deberán acreditar el perjuicio causado por la omisión[33].

> «Conforme al artículo 238.3 LOPJ la nulidad de pleno derecho de actos judiciales puede proceder cuando prescindiéndose totalmente de las normas esenciales de procedimiento establecidas por la Ley, o con infracción de los principios de audiencia, asistencia y defensa siempre que efectivamente se haya producido indefensión. No hay constancia de que la falta de audiencia de esta recurrente por no aplicación del artículo 627, le hubiera determinado indefensión real, situación que ni siquiera menciona en el motivo, ni refiere de qué forma el no habérsele dado traslado del auto de conclusión del sumario le produjo efecto negativo alguno». STS 14 de febrero de 1997.

La tramitación de las actuaciones incluidas en esta fase será la que se sintetiza a continuación.

Como se ha expuesto, si existiesen apelaciones pendientes, se suspenderá la tramitación hasta que se resuelvan los recursos pendientes (art. 622 LECrim). En caso contrario, salvo inhibición a favor de la jurisdicción de menores o de que el hecho fuere constitutivo de falta, el Tribunal, una vez recibido el sumario y las piezas de convicción[34], abrirá los pliegos y objetos cerrados y sellados que hubiere remitido

---

(33) «Tercero. Debe recordarse que es elemento integrante del derecho fundamental a la tutela judicial efectiva (art. 24.1 de la CE), no sólo el acceso al proceso y a los recursos legalmente establecidos, sino también el adecuado ejercicio del derecho de audiencia bilateral, para que las partes del proceso puedan hacer valer sus derechos e intereses legítimos. El principio de contradicción en cualquiera de las instancias es, además, exigencia imprescindible del derecho al proceso con las garantías debidas (art. 24.2 de la CE), para cuya observancia adquiere una singular relevancia constitucional el deber que incumbe a los órganos judiciales de hacer posible que las partes puedan adoptar la conducta procesal que estimen conveniente a través de los oportunos actos de comunicación establecidos en la Ley Procesal. Sólo la incomparecencia en el proceso o en el recurso debido a la voluntad expresa o tácita de la parte, podría justificar, en principio, una resolución "inaudita parte" (sentencia del TC 112/1987 de 2 de julio, 66/1988 de 14 de abril, 53/1989 de 22 de febrero y 109/1989 de 8 de junio). En consecuencia, la citación y emplazamiento, en la medida en que hacen posible la comparecencia del destinatario y la defensa de las pretensiones en un nuevo estadio del proceso o en otra instancia superior, no constituyen un mero requisito de forma, sino un instrumento ineludible para la observancia de las garantías constitucionales del proceso afectantes a las partes, una carga que corresponde al órgano judicial integrante del contenido esencial consagrado en el art. 24 de la CE (Cfr. sentencias del TC 16/1989 de 30 de enero, 109/1989 de 8 de junio, 110/1989 de 12 de junio y 195/1990 de 29 de noviembre). Sin los oportunos actos de comunicación del órgano judicial, pueden verse bloqueados los derechos o intereses de una parte, impidiéndose su adecuada defensa en el proceso. En el plano constitucional, como ha venido resaltándose, el concepto de indefensión del art. 24.1 de la CE es un concepto material». STS, Sala 2ª, 2 Oct. 1992, LA LEY 15006-R/1992

(34) «En el mismo sentido apunta la STS de 17 de febrero de 2009 (ROJ: STS 1279/2009) cuando señala que "por lo que se refiere a la presencia de las piezas de convicción, ciertamente el art. 668 de la LECriminal prevé que las mismas estarán en la Sala de Audiencias, sin embargo, la ausencia de ese requisito solo supone una mera irregularidad cuando nada se articula ni argumenta que tal ausencia haya podido ser relevante por su incidencia en la solución del caso, y aquí nada

el Juez de Instrucción y extenderá acta de apertura de los mismos, autorizada por el Letrado A. Justicia (art. 626 LECrim).

Seguidamente, pasará el sumario y las piezas de que se compone al Magistrado Ponente para instrucción por el tiempo que falte para la terminación del plazo temporal del emplazamiento. Transcurrido éste se entregará la causa para su instrucción al Ministerio Fiscal (por un mínimo de tres días y un máximo de diez días prorrogables si la causa tiene más de mil folios) y después al querellante y acusador personado, por igual plazo. (Véase M. 240).

En la actualidad, el art. 627 LECrim, modificado como consecuencia de la aplicación de la doctrina constitucional reseñada, prevé dar también a las defensas la oportunidad de manifestar su disconformidad con la conclusión del sumario y solicitud de nuevas pruebas[35]. (Véase M. 245).

Al ser devuelta la causa por las partes, acompañarán escrito en el que señalarán si están conformes con la conclusión o, por el contrario, consideran conveniente su revocación, indicando la práctica de las diligencias sumariales que juzguen oportunas. La solicitud de práctica de pruebas solamente puede fundarse en la ausencia de datos que permiten fijar o asegurar algunos de los elementos integrantes del tipo penal objeto de acusación, pero no por insuficiencia de la prueba, cuando ésta pueda ser completada en el juicio oral (véase en este sentido la Circular 1/89 de la Fiscalía General del Estado, de 8 de marzo). (Véase M. 241, M. 242, M. 243, M. 244 y M. 245 recogiendo distintas posibilidades).

Si estuvieren conformes con la conclusión del sumario, podrán solicitar: 1) el sobreseimiento libre o provisional, o 2) la apertura del juicio oral.

Devuelta la causa, se pasará al Magistrado Ponente, con los escritos antes citados, entrándose en este momento en la denominada fase de decisión sobre la revocación o confirmación del auto de conclusión (véase M. 189). Así, el Tribunal podrá, «a instancia de parte», revocar el auto de conclusión del sumario y practicar las pruebas que se soliciten, en cuyo caso se devuelve éste con las piezas de convicción al Juez de Instrucción expresando las diligencias que hayan de practicarse[36]. También podrá acordar el procesamiento de alguna persona que deberá llevar a efecto el Juez de Instrucción.

En caso de que el Tribunal confirme el auto de conclusión del sumario (Véase M. 190) debe pronunciarse, en forma de auto, por: 1) el sobreseimiento, con el que

---

se ha argumentado. En tal sentido, SSTS de 1 de octubre de 1994, 392/96, 1143/2000 de 26 de junio"». SAP Baleares 120/2016, Sección 1ª, 26 de julio de 2016, Rec. nº 286/2015.

(35)   Vid. STC 66/89, de 17 abril) y STC 43/94, de 15 febrero, antes citadas.

(36)   La STS 19 diciembre 1994 (LA LEY, 1994, R-14.266) sostiene la nulidad del auto dictado por la Audiencia en que acordaba la revocación del auto de procesamiento y el sobreseimiento de actuaciones, en tanto que «... lo que no puede hacerse es, sorpresivamente y a la vez que se estima la apelación tan repetida, sobreseer libremente las actuaciones referentes a un sumario que quedaría entonces sin concluir. No siempre las razones de economía procesal sirven para soslayar trámites formales que, por encima de la benévola predisposición doctrinal existente, se constituyan en esenciales...».

termina el proceso definitivamente (si es libre) o provisionalmente (si es provisional); o 2) la apertura del juicio oral, en cuyo caso se comunicará a las partes acusadoras y acusadas para que califiquen por escrito los hechos, a partir de cuyo momento se desarrolla la denominada fase de plenario o juicio oral (art. 632 LECrim).

El Tribunal acordará la apertura del juicio oral cuando así lo solicite la acusación particular o el Fiscal. Ahora bien, el Tribunal Supremo ha declarado un error subsanable, y que no debe provocar la nulidad, el supuesto en el que la Fiscalía omite la petición de apertura de juicio oral pero actúa posteriormente como acusación interponiendo el debido escrito de calificación provisional.

> «No es que las partes acusadoras no hayan pedido la apertura del juicio oral (lo que sí que sería un vicio insubsanable: que pese a que hubiesen postulado el sobreseimiento se hubiese decretado la apertura del juicio oral), sino que se ha acordado la apertura del juicio oral sin haberlas oído sobre ese extremo, lo que resultaba obligado so pena de causarles indefensión. Si se hubiese decretado sin más el sobreseimiento sí que hubiese sido necesario acordar una nulidad y la consiguiente retroacción del proceso. Por lo tanto, aun detectándose un desorden procedimental, no ha existido afectación de ningún principio esencial. La nulidad no procede (art. 243 LOPJ (LA LEY 1694/1985)). No se ha lesionado el principio acusatorio: existían dos partes decididas a mantener la acusación; así lo han evidenciado a lo largo de todo el proceso y la condena guarda congruencia con las peticiones de las partes». STS Sala Segunda, de lo Penal, Sentencia 66/2014 de 11 Feb. 2014, Rec. 875/2013; Ponente: Monterde Ferrer, Francisco. LA LEY 14778/2014.

Pero, el Tribunal podrá acordar el sobreseimiento, a pesar de que las acusaciones soliciten la apertura del juicio oral, cuando entienda que concurre el motivo de sobreseimiento libre previsto en el art. 637.2 LECrim (cuando el hecho no sea constitutivo de delito) (art. 645 LECrim). Esta posibilidad se restringe únicamente al supuesto citado, que se refiere a que el hecho no sea delito[37].

> «En todo caso, como dice esa STS 301/2007, el Tribunal tiene facultad para acordar el sobreseimiento libre previsto en el art. 637.2, a pesar de la pretensión acusatoria del Ministerio Fiscal o del acusador particular, tal como se previene en el

---

(37) «Según resulta del precepto procesal, en caso de haberse solicitado la apertura del juicio oral, solo es posible acordar el sobreseimiento libre cuando el hecho no sea constitutivo de delito. Este criterio responde a que en esos supuestos lo único que puede discutirse son las cuestiones de derecho o jurídicas, y extremos que dependen de la valoración de las pruebas en el acto del juicio oral. También se apoya en razones de economía procesal y protección de los derechos fundamentales que pueden aconsejar que al Tribunal adoptar esa decisión. Por el contrario, si lo que no estuviera acreditado es que se hubiera perpetrado el hecho o la participación del imputado, que es la razón esgrimida en este procedimiento por el tribunal de instancia al tratarse de una cuestión fáctica y de prueba, resulta determinante el acto del juicio oral, de ahí que en esos casos el legislador hubiese dispuesto la necesidad, cuando hay petición de alguna de las acusaciones, de que se proceda a la apertura del juicio oral. En consecuencia, la falta de acreditación de la participación de los procesados, una vez instada la apertura del juicio oral por una acusación, no autoriza al tribunal el sobreseimiento provisional, pues el artículo 645 sólo autoriza el sobreseimiento libre por no resultar los hechos constitutivos de delito (art. 637.2 LECrim .), cuestión puramente jurídica, no de prueba, por lo que el tribunal, en este supuesto, debe abrir el juicio oral o sobreseer en los términos parecidos en el art. 645 de la Ley procesal que se considerar indebidamente aplicado». STS, Sala 2ª, 1324/2011, 5 de diciembre de 2011, nº Rec. 1077/2011.

art. 645.1, pues al tratarse de una cuestión de derecho y no de hecho, que no puede variar a lo largo del acto del juicio oral, la economía procesal y la protección de los derechos fundamentales del proceso exigen la existencia de esta facultad del Tribunal, siendo la resolución de éste susceptible de recurso de casación en base al art. 848.2 LECrim.». STS, Sala 2ª, 553/2015, 6 de octubre de 2015, 456/2015.

En cualquier otro caso, el Tribunal, siempre que se hubiere solicitado por alguna de las partes, deberá abrir el juicio oral. De este modo no le cabe al Tribunal acordar el sobreseimiento y denegar la apertura del juicio oral cuando entienda, por ejemplo, que no existen indicios racionales de haberse perpetrado el hecho punible, ya que esta es una cuestión de prueba que deberá sustanciarse en el juicio oral[38].

> «El criterio que se mantiene en el citado artículo que, en caso de haberse solicitado la apertura del juicio oral, exclusivamente permite el sobreseimiento libre cuando el hecho no sea constitutivo de delito, responde a que en esos supuestos lo único que se puede discutir son las cuestiones de derecho o jurídicas y ello no puede variar con la práctica de las pruebas en el acto del juicio oral, y, en consecuencia, razones de economía procesal y protección de los derechos fundamentales pueden aconsejar que el Tribunal pueda adoptar esa decisión. Por el contrario, si lo que no estuviera acreditado es que se hubiera perpetrado el hecho que hubiera dado lugar a la incoación de la causa, que es la razón esgrimida en este procedimiento por el Tribunal de instancia para acordar el sobreseimiento libre, al tratarse de una cuestión fáctica y de prueba, resulta determinante el acto del juicio oral, de ahí que en esos casos el legislador hubiese dispuesto la necesidad, cuando hay petición de alguna de las acusaciones, de que se proceda a la apertura del juicio oral. Así las cosas, el Tribunal de instancia no podía acordar como acordó el sobreseimiento libre por entender que no existían indicios racionales de haberse perpetrado el hecho que había dado lugar a la formación de la causa, cuando la acusación particular había solicitado la apertura del juicio oral y con esa decisión se ha vulnerado el derecho a la tutela judicial efectiva que proclama el artículo 24.2 de la Constitución... procede acordar la nulidad del auto recurrido, reponiéndose las actuaciones al momento anterior a dictar esa resolución y que por un Tribunal distinto se dicte otra que sea conforme con lo que se dispone en el artículo 645 de la Ley de Enjuiciamiento Criminal». STS Sala Segunda, de lo Penal, Sentencia 1901/2001 de 15 Oct. 2001, Rec. 828/2000; Ponente: Granados Pérez, Carlos. LA LEY 1235/2002.

En el supuesto de pedir el Ministerio Fiscal el sobreseimiento, si no se hubiere personado acusación particular, el Tribunal podrá acordar que se haga saber la pretensión de sobreseimiento del Fiscal a los interesados en el ejercicio de la acción penal para que comparezcan a defender su acción, si lo consideran oportuno (art. 642 LECrim). Si no hubiere querellante que sostenga la acusación el Tribunal antes de acceder al sobreseimiento podrá acordar que se remita la causa al superior jerárquico del Fiscal (Fiscal de la Audiencia, Tribunal Superior de Justicia, o TS), con el fin que resuelva si procede, o no, sostener la acusación (art. 644 LECrim).

---

(38) «... en el presente caso, y pese a la literalidad, y a que la representación de la actora, como acusadora particular, pidió la apertura del juicio oral y que se dictara sentencia condenatoria del procesado, manteniendo así la acción penal, el Tribunal —por causa no legalmente prevista— decretó el sobreseimiento provisional por la vía del art. 641.2 LECrim... (por lo cual) al impedirse, sin una causa legalmente prevista, que la recurrente obtenga una resolución sobre el fondo de su pretensión, se le ha privado del derecho de la tutela judicial efectiva...». (STC 171/88, de 30 septiembre).

Un supuesto especial es aquel en el que la acusación únicamente se mantiene por la acusación popular. Ya tratamos esta cuestión en el § 2.2.C.b del Cap. IV y en el § 4.2 Cap. XII en sede de procedimiento abreviado. Tal y como allí dijimos debe distinguirse según el tipo de delito que se estuviere sustanciando. De modo que si el delito tuviere un perjudicado directo y ni el Fiscal ni tampoco la acusación particular solicitaran la apertura de juicio oral no podrá abrirse juicio oral a petición única de la Acusación popular (caso Banco Santander (STS 1045/2007 de 17 Dic. 2007, Rec. 315/200, LA LEY 185357/2007)[39]. Ahora bien en el caso que el delito no tenga perjudicado directo y afecte a la colectividad o proteja intereses difusos sí que cabe abrir el juicio oral con la sola petición de la acusación popular. Concretamente en el caso Atuxta el TS defendió que la acción popular no debe ser entendida como un exclusivo mecanismo jurídico de fiscalización de la acusación pública, sino como una defensa de los intereses sociales emanada, no de un poder público, sino de cualquier ciudadano que propugne una visión alternativa a la que, con toda legitimidad, suscribe el Ministerio Fiscal. (Caso Atutxa (STS 54/2008 de 8 Abr. 2008, Rec. 408/2007, LA LEY 6547/2008)[40]. Este es también el criterio seguido en el reciente Caso Noos (SAP AAP Les Illes Balears, Sección 1ª, Auto de 29 Ene. 2016, Rec. 58/2015, LA LEY 182/2016)[41].

---

(39) «Consecuentemente, dado que los derechos del Capítulo Segundo del Título I CE sólo pueden ser limitados expresamente por ley orgánica (arts. 53.1 y 81.1 CE), la omisión en el art. 782.1 LECrim. de acordar facultades a la acusación popular para solicitar por sí la apertura del juicio, no puede ser entendida sino como una enumeración cerrada, pues de otra manera se infringiría la norma constitucional que sólo admite la limitación por ley orgánica de los derechos del Capítulo Segundo, Título I CE, en este caso, el derecho de defensa. .../... Por lo tanto: esa exclusión de la acción popular en el art. 782.1 LECrim. es una decisión consciente del Legislador, no es meramente arbitraria, tiene una justificación plausible desde el punto de vista constitucional, es razonable en lo concerniente a la organización del proceso y al principio de celeridad y equilibra la relación entre derecho de defensa y la multiplicidad de acusaciones. Es correcto, en consecuencia, concluir que la enumeración es cerrada y que no existen razones interpretativas que justifiquen una ampliación del texto legal». STS, Sala 2ª, 1045/2007 de 17 Dic. 2007, Rec. 315/200, LA LEY 185357/2007.

(40) «Como ya expresábamos en nuestra STS 1045/2007, 17 de diciembre, esta Sala no se identifica con una visión de la acción popular como expresión de una singular forma de control democrático en el proceso. La acción popular no debe ser entendida como un exclusivo mecanismo jurídico de fiscalización de la acusación pública. Más allá de sus orígenes históricos, su presencia puede explicarse por la necesidad de abrir el proceso penal a una percepción de la defensa de los intereses sociales emanada, no de un poder público, sino de cualquier ciudadano que propugne una visión alternativa a la que, con toda legitimidad, suscribe el Ministerio Fiscal.». STS, Sala 2ª, 54/2008 de 8 Abr. 2008, Rec. 408/2007, LA LEY 6547/2008, LA LEY 6547/2008.

(41) «En su consecuencia, la doctrina emanada de la STS 1045/2007 (LA LEY 185357/2007), desnaturaliza la institución del acusador popular amparándose en una interpretación asistemática de la norma penal y, en argumentaciones valorativas de la voluntad del legislador que no se ajustan a las realmente queridas, a tenor del sentido literal de las enmiendas y de la exposición de motivos que anteriormente hemos transpuesto. Y, esa desnaturalización se sigue manteniendo si se interpretan en sentido acumulativo los efectos excluyentes a tal limitación, contenidos en las SSTS 54/2008 (LA LEY 6547/2008) y 8/2010 (LA LEY 23/2010). Ello es así, por cuanto que, de exigirse en los supuestos de delitos de naturaleza difusa, colectiva o meta individual en los que exista un perjudicado o perjudicados concretos, que el acusador particular o bien no se persone en la causa o, personado, ejercite la acción penal, para que el acusador popular esté legitimado para accionar, continúa dejándose en manos de tal acusación particular el devenir procesal del acusador popular respecto de delitos que, no lo olvidemos, por los bienes jurídicos que amparan, configuran un espacio donde halla su más plena justificación la participación de los ciudadanos en el proceso. En definitiva, esta doctrina

«La ausencia de identidad entre el supuesto aquí enjuiciado y el contemplado en las precitadas sentencias permitiría *per se* la desvinculación del Tribunal de la meritada doctrina al haber sido cumplidamente justificadas las razones de tal disensión, respetando de este modo las exigencias expresamente previstas en la STS 8/2010, de 20 de enero (LA LEY 23/2010) (Fundamento Jurídico Segundo) y en las SSTC 37/2012, 19 de marzo (FJ 7) y 205/2013, de 5 de diciembre (LA LEY 195762/2013). Precisamente, la cita de esta última sentencia cohonesta inexorablemente con el análisis de la vinculación de este Tribunal a la doctrina emanada del Tribunal Constitucional y con la vulneración del principio de igualdad que, a juicio de las partes, supondría el hecho de que la Sala se aparta de la doctrina nacida de la STS 1045/2007 (LA LEY 185357/2007)». AAP Les Illes Balears, Sección 1ª, Auto de 29 Ene. 2016, Rec. 58/2015, LA LEY 182/2016.

Finalmente, y conforme a lo expuesto, la fase intermedia puede terminar de dos formas: Por sobreseimiento, provisional o libre, cuya exposición se realiza en el epígrafe siguiente; o bien acordándose la continuación de su curso legal a través del juicio oral, entrando así en la fase resolutoria o definitiva del proceso, llamada plenaria o juicio oral que se expone en el § 4 de este Capítulo.

3.2. El sobreseimiento[42]

A) Concepto

El sobreseimiento es una resolución judicial que reviste la forma de auto, y que tiene por objeto producir, cuando es provisional, la suspensión de un proceso penal (art. 641 LECrim), o bien, cuando es libre, la finalización del mismo (art. 637 LECrim), según concurran o no los presupuestos regulados en la LECrim. Téngase presente que

---

jurisprudencial que no halla sustento en la norma procesal penal vigente ni puede ampararse en la voluntad del legislador que, de haber querido, hubiera contemplado tales limitaciones al ejercicio de la acción popular, no puede dejar de cohonestarse con la jurisprudencia del Tribunal Constitucional a la que hacíamos referencia al inicio del presente fundamento de la que se extrae que, la existencia de la acusación popular en el proceso penal -a partir de la previsión legal contenida en los artículos 101 y 270 LECrim-, se integra "en el contenido del derecho a la tutela judicial efectiva y disfruta de la protección que le otorgan los medios constitucionales de garantía (amparo)", como expresa la STC 64/1999, de 26 de abril (LA LEY 5838/1999). Todo ello, permitiría considerar legitimada a la acusación popular para accionar en solitario no ya y, únicamente, respecto del delito fiscal que se erige en el fundamento de la pretensión acusatoria postulada frente a Dña. Carmen, sino también respecto de los delitos que constituyen la pretensión acusatoria postulada frente a las restantes partes que sostienen idéntica cuestión previa en los términos que más adelante expondremos». AAP Les Illes Balears, Sección 1ª, Auto de 29 Ene. 2016, Rec. 58/2015, LA LEY 182/2016.

(42) Vid. Bibliografía general. Vid. también SIGÜENZA LÓPEZ J., *El Sobreseimiento libre*, Pamplona 2002. AGUILAR, «Sobreseimiento libre», *R.Trib*, 1922; DAMIÁN MORENO, J., «La inquisitio generale como alternativa al sobreseimiento provisional», *La Ley*, 29 febrero 1995; GIL MEANA, «El sobreseimiento y su problemática», *AP*, 1988, p. 2073; MASCARELL NAVARRO, *El sobreseimiento provisional en el proceso penal español*, Valencia. 1993; Idem, «El sobreseimiento libre como alternativa a la apertura del juicio oral en el proceso ordinario por delitos más graves», *Justicia*, 1988, p. 885; Idem, «El sobreseimiento en el proceso penal español», *RGD*, 1993, n.º 582; ORAA GONZÁLEZ, «La notificación al perjudicado del archivo de diligencias penales, efectos de su omisión sobre el cómputo del plazo prescriptivo», *La Ley* n.º 3446, 1994; PICO JUNOY, «Un nuevo enfoque sobre la recurribilidad del auto de sobreseimiento provisional», *Justicia*, 1991, II; SÁNCHEZ BARRIOS «Sobreseimiento e imparcialidad», *Justicia*, 1990, 4, p. 873.

la tutela judicial efectiva no otorga a sus titulares un derecho incondicionado a la sustanciación del proceso. En consecuencia, la decisión judicial de archivo de las actuaciones no supone vulneración de derecho constitucional alguno (SSTC 120/1997 de 1 julio; 46/1982 de 12 julio; 31/1985; 136/1986; 212/1991 de 11 de noviembre). No obstante, le cabe al TC examinar si la decisión de sobreseimiento provisional es arbitraria, manifiestamente irrazonada o irrazonable (ATC 175/1997 de 21 de mayo) (véase sobre la tutela judicial efectiva § 2.2.A.b Cap. I).

Una vez decretada la conclusión del sumario, no corresponde al Juez Instructor sino a la Audiencia Provincial dictar auto de sobreseimiento, aunque no haya habido procesamiento. El Instructor solo deberá emplazar a las partes —art. 623— ante la respectiva Audiencia, a la que corresponderá aprobar o no la conclusión del sumario, el sobreseimiento o la apertura de juicio oral.

> «Teniendo en cuenta que este es el trámite previsto en los artículos 622 y siguientes de la LECrim. y que en caso de sumario el sobreseimiento no puede ser decretado por el Juez Instructor, sino que debe decretarse la conclusión del sumario sin procesamiento, siendo el Tribunal competente el que deberá aprobar o no esa conclusión después de los trámites previstos en los artículos 622 y siguientes de la misma Ley, el recurso no debió ser admitido a trámite. SEGUNDO. Lo que procede a la vista del estado de la tramitación del sumario es la devolución del mismo al Juzgado para que proceda al emplazamiento de las partes personadas y del Ministerio Fiscal ante esta Audiencia Provincial en la forma recogida en el artículo 623 de la LECrim. y una vez llevados a cabo los trámites previstos en los artículos siguientes resolveremos sobre la ratificación o no de la conclusión del sumario acordada». AAP Zamora 145/2005 de 7 Nov. 2005, Rec. 143/2005, LA LEY 216601/2005.

Ahora bien, conviene distinguir entre autos de archivo y autos de sobreseimiento. Los autos de archivo pueden obedecer a un tipo de resolución que se dicta en la primera parte de la instrucción —art. 269 y 313 LECrim.— con relación a unos hechos que, *ab initio*, no revisten caracteres de delito. Su finalidad es evitar someter a una persona a un procedimiento penal sobre la base de denuncias o querellas temerarias y/o en base de hechos que manifiestamente no sean constitutivos de infracción penal. Otro tipo de autos de archivo son los que se dictan tras valorar el resultado de las diligencias practicadas, que deben fundarse bien en uno de los tres supuestos de sobreseimiento libre (art. 637); o bien en alguno de los dos de sobreseimiento provisional (art. 641). En este caso suelen dictarse de forma conjunta.

> «Dicho lo anterior debe precisarse el alcance de las resoluciones que se dicten durante la instrucción de las causas penales. En primer lugar nos encontramos en los ya reseñados autos de archivo dictados al amparo de los arts. 269 y 313, que han de equipararse a los de sobreseimiento provisional al no utilizarse legalmente el concepto de sobreseimiento libre, y no admitirse esta fórmula respecto de resoluciones que se limitan a efectuar un control formal sobre los hechos conocidos por la autoridad que no constan caracteres de delito, sin que en consecuencia se haya iniciado ningún tipo de investigación, y que no tienen más finalidad que evitar someter a una persona a un procedimiento penal sobre la base de denuncias o querellas temerarias y/o en base de hechos que manifiestamente no sean constitutivos de infracción penal. Naturaleza distinta tienen las resoluciones de archivo tras la puesta en marcha de denuncia, atestado o querella, sino en las que, ante una inicial configuración delictual,

se valora el resultado de las diligencias practicadas con una apriorística delimitación fáctica y una ulterior y provisoria calificación jurídica. Legalmente caben dos posibilidades: el auto de sobreseimiento libre en los tres supuestos del art. 637 y el de sobreseimiento provisional en los dos del art. 641, equiparándose a las sentencias las primeras de tales resoluciones por sus efectos de cosa juzgada material». ATS, Sala 2ª, 17 Dic. 2013, Rec. 20663/2012, LA LEY 200176/2013[43].

B) Clases

La Ley distingue entre sobreseimiento libre y provisional. A su vez, ambos pueden tener carácter total o parcial (art. 634 LECrim). El sobreseimiento se regula en sede del procedimiento por delitos graves, pero sus normas son también de aplicación supletoria en el procedimiento abreviado y en el proceso ante el Tribunal del Jurado (Véanse § 3.5 y 4.1.B Cap. XII en sede de procedimiento abreviado; y § 5.4 Cap. XVI en sede de Jurado).

Respecto del procedimiento abreviado conviene recordar que se produjo una abundante doctrina jurisprudencial sobre aquellos casos en los que se hacía referencia a un auto de archivo, sin especificar a continuación si se trataba de un sobreseimiento libre o provisional. Se dictaba el archivo «por no ser los hechos constitutivos de delito». Frente a la práctica general y la doctrina del Tribunal Supremo, alguna resolución del TC atribuyó a tal tipo de auto la condición de auto de sobreseimiento libre con la consiguiente eficacia de fuerza de cosa juzgada. Tras la reforma de 2002, se solucionó esta cuestión, especificando el art. 779.1.1ª LECrim que debía decretarse «el sobreseimiento que corresponda», que será el previsto bien en el art. 637.1º o 2º, bien el contemplado por el art. 641.1º LECrim[44].

---

(43) «Tal cuestión, no deja de sorprender a este Instructor, pues parece confundir el Ministerio Fiscal la imputación que se efectúa ab initio desde el momento de la apertura de las diligencias, imputación sin relevancia procesal por la mera indicación en la denuncia o querella o atestado policial, que exige una valoración del instructor, pues si éstas son rechazadas (arts. 269-313 y 297 LECrim.) no producen imputación con relevancia procesal, se trata de meros denunciados o querellados, distinto es cuando admitiendo a trámite una denuncia o querella se acuerda por el Instructor tomar declaración (art. 755 LECrim.) con la citación en calidad de imputado, con la finalidad no solo de indagar su participación delictiva, sino también de permitirle que sea oído por la Autoridad Judicial y pueda exculparse de los cargos que existieran contra él, esta citación cautelar o citación para ser oído tiene lugar necesariamente tanto en las Diligencias Previas como en el Procedimiento Ordinario antes de dictar el auto de procesamiento, estos dos momentos de imputación judicial, simple imputación material ab initio, y la imputación formal, procedimiento ordinario, auto de procesamiento, procedimiento abreviado, auto de transformación diligencias previas en procedimiento abreviado (art. 779.1.4º LECrim.), son imputaciones con valor procesal distinto». ATS, Sala 2ª, 14 Oct. 2013, Rec. 20734/2011, LA LEY 160861/2013

(44) «El auto de archivo "por no ser los hechos constitutivos de infracción penal", se corresponde con una ambigua fórmula del legislador. Su equivocidad ha sido corregida en la reforma de 2002 que ya habla de acordar "el sobreseimiento que corresponda". No tiene sentido confundir la consecuencia de una resolución (el archivo) con su contenido (sobreseimiento). El juez acuerda el sobreseimiento. Corolario de tal resolución es el archivo (art. 634.3º). Pero "archivo" no es sinónimo de "sobreseimiento". El sobreseimiento podrá ser provisional o definitivo. Si solo se habla de "archivo" no se despeja la duda de qué tipo de sobreseimiento se está acordando si el provisional (art. 641) o el libre (art. 637)». STS, Sala 2ª, 980/2013 de TS, Sala 2ª, de lo Penal, 14 de noviembre de 2013, nº Rec. 302/2013.

a) Sobreseimiento total o parcial

El sobreseimiento podrá ser total o parcial cuando existan una pluralidad o litisconsorcio de acusados. Será total cuando afecte a todos los acusados y a todos los hechos delictivos perseguidos. El sobreseimiento parcial se producirá cuando éste se adopte frente a alguno de los acusados, siguiendo el proceso respecto a los demás. También deberá atenderse a la posible acumulación de hechos delictivos enjuiciados, ya que cuando concurra esta acumulación objetiva deberá especificarse en el auto en que se acuerde tanto los hechos perseguidos como los acusados que resulten afectados.

b) Sobreseimiento libre

Será libre el sobreseimiento cuando concurra alguno de los motivos del art. 637 LECrim. Se adopta mediante auto y pone fin anticipadamente al proceso (véase M. 248). Esta resolución produce cosa juzgada e impide la iniciación de un nuevo proceso con idéntico objeto. Un sector doctrinal y reiterada jurisprudencia equiparan esta clase de sobreseimiento a una sentencia absolutoria anticipada por el momento en que se acuerda y los efectos que produce. La razón que justifica esta institución es la necesidad de erradicar cuanto antes los efectos perjudiciales que ocasiona el proceso penal a los inculpados, cuando aquél no resulte debidamente fundado.

Conforme a lo establecido en el art. 637 LECrim procederá el sobreseimiento libre en los siguientes supuestos:

1) Cuando no existan indicios racionales de haberse perpetrado el hecho enjuiciado. Es decir, cuando el hecho delictivo no haya existido, según las diligencias de investigación e instrucción realizadas. No se requerirá la prueba de su inexistencia sino sólo que existan indicios racionales —o un principio de prueba— que permitan dudar de su existencia; es decir, de que se haya perpetrado.

El motivo primero del art. 637 LECrim debe distinguirse del previsto en el art. 641.1 LECrim, que prevé que procederá el sobreseimiento provisional cuando no resulte debidamente justificada la perpetración del delito. Es decir, debe distinguirse entre la inexistencia de indicios y la falta pruebas de cargo para sostener una acusación. En el primer caso procede el sobreseimiento libre y en el segundo el provisional (art. 641.1 LECrim).

Sin embargo, debe destacarse que, en la práctica forense, los Tribunales suelen optar por acordar el sobreseimiento provisional previsto en el art. 641.1 LECrim, y

«Pues bien constituye doctrina consolidada de esta Sala (SSTS 2 de junio de 1993, 16 de febrero de 1995, 3 de febrero y 18 de noviembre de 1998, 20 de marzo de 2000, núm. 488/2000 y 1 de marzo de 2002, núm. 338/2002, entre otras muchas) que los autos de archivo dictados en las diligencias previas del Procedimiento Abreviado al amparo de la regla 1ª del apartado 5 del artículo 789 de la Ley de Enjuiciamiento Criminal, no son equiparables a los autos de sobreseimiento libre a los efectos de apreciar la excepción de cosa juzgada, dado su carácter preliminar o interino que impide otorgarles la eficacia definitiva propia de una resolución de fondo como las sentencias absolutorias o los autos de sobreseimiento libre». STS, Sala 2ª, 601/2015, 23 de octubre de 2015, nº Rec. 532/2015.

no el sobreseimiento libre previsto en el art. 637.1 LECrim. La razón de este proceder reside en la trascendencia procesal y sustantiva que conlleva el sobreseimiento libre, ya que veda la posibilidad de abrir un nuevo proceso penal o que se decida en juicio oral el objeto del proceso penal pendiente. En cierta forma, la jurisprudencia ha contribuido a confirmar esta práctica judicial, ya que exige, para que pueda acordarse el sobreseimiento libre previsto en el art. 637.1 LECrim, que la inexistencia de indicios racionales sea indiscutible, inequívoca o indudable. No obstante, esta jurisprudencia ha sido declarada no ajustada a derecho por el Tribunal Constitucional. Así, la STC 34/83, de 6 de mayo declara que: «... *una cosa es la falta de indicios racionales de haberse cometido el delito, a la que alude la LECrim. y otra muy distinta que se halle probada la inexistencia del delito imputado. La práctica seguida por el Juzgado y la Audiencia en la fundamentación de sus resoluciones no se ajusta, al menos en su motivación expresa (decretar el sobreseimiento provisional ya que el sobreseimiento libre sólo procedería cuando fuese indudable la inexistencia de delito), al sentido objetivo del texto de la LECrim...*». Véase también STC 40/1988 de 10 de marzo.

2) Cuando el hecho no sea constitutivo de delito. En este supuesto se parte de que el hecho existió, pero no está tipificado como delito en el Código Penal. El auto de sobreseimiento libre podrá ser dictado por el Tribunal en la fase intermedia —art. 632 LECrim.— o por el Juez instructor en la fase de instrucción.

«El Instructor actúa con plena libertad para acordar lo que en derecho corresponda. Así una vez practicadas las diligencias pertinentes interesadas por las partes personadas, Ministerio Fiscal y defensa de la imputada, se consideró por las razones expuestas en el auto combatido que los hechos investigados carecían de tipicidad penal y se motivó el porqué procedía el sobreseimiento libre y no el provisional. Y es que el art. 779.1.1 de la LECrim faculta al Juez Instructor para ordenar el archivo de las actuaciones si estimare que el hecho objeto de las mismas no es constitutivo de delito, debiendo entenderse, efectivamente, que dicha facultad está limitada a aquellos supuestos en los que el resultado de las diligencias practicadas evidencie de forma inequívoca y objetiva la falta de tipicidad de los hechos objeto de las mismas. Es al Juez Instructor a quien corresponde instruir el procedimiento y determinar, consecuentemente, la procedencia de la práctica de las diligencias propuestas. Cuando, como en el caso que nos ocupa las ya practicadas son suficientes para ordenar el archivo de las actuaciones por concluirse de ellas, sin duda, que el hecho objeto de las mismas no es constitutivo de delito, no debe prolongarse la instrucción de la causa penal». ATS, Sala 2ª, 6 Oct. 2015, Rec. 20743/2014, LA LEY 148749/2015.

La jurisprudencia del TS ha entendido también incluidos dentro de este motivo aquellos supuestos de hecho tipificados, cuando el sujeto obró amparado por una causa de justificación. Es decir, se trata de hechos que no son antijurídicos por concurrir en ellos una causa de justificación, que provoca la ausencia de uno de los caracteres esenciales del delito. Esta interpretación provoca que sea aplicable el art. 637.2º y no la causa del art. 637.3º LECrim, que queda reservada a los supuestos de inculpabilidad (o inimputabilidad). A este fin, deben diferenciarse dos grupos entre los supuestos de exención de responsabilidad previstos en el art. 20 CP: las causas de justificación y las causas de inculpabilidad. Son causas de justificación las comprendidas en los apartados 4.º y 7.º del art. 20 CP. Las causas de inimputabilidad o inculpabilidad están comprendidas en los apartados 1.º (enajenación), 2.º (intoxicación plena por el consumo de drogas), 3.º (alteraciones de la percepción), 5.º (estado de necesidad) o 6.º (miedo insuperable) del art. 20 CP. Las causas de justificación extinguen la acción civil. Sin embargo, las causas de inculpabilidad no implican la extinción de la acción civil nacida «ex delicto» (art. 1092 CC y arts. 109 y ss. CP), según se deduce inequívocamente de los arts. 118 y 119 CP.

3) Cuando aparezcan exentos de responsabilidad criminal los acusados como autores, cómplices o encubridores. Este motivo opera cuando a pesar de la comisión de un hecho tipificado como delito las personas acusadas de ejecutarlo aparezcan exentos de responsabilidad penal. El TS ha limitado la aplicación de este motivo a los supuestos de inimputabilidad o inculpabilidad, como ya se ha apuntado.

La jurisprudencia ha entendido que en los casos de enajenación mental o trastorno mental transitorio no es procedente acordar el sobreseimiento libre y, seguidamente, adoptar una medida de seguridad restrictiva de la libertad de aquél internamiento en centro psiquiátrico. Por tanto, deberá seguirse el proceso hasta el final, debiendo discutirse la procedencia de la medida, y adoptarse ésta, en su caso, en la sentencia.

Los motivos del art. 637 no tienen carácter de *numerus clausus*. Existen otros supuestos en la Ley que permiten acordar, también, el sobreseimiento libre. Son los previstos en el art. 666.2, 3° y 4° LECrim, como artículos de previo pronunciamiento: cosa juzgada, prescripción del delito; y amnistía o indulto. A nuestro entender, la estimación de la falta de autorización previa o de la ausencia de querella o denuncia cuando sea precisa no permite dictar un auto de sobreseimiento libre por conllevar el efecto de cosa juzgada. En estos casos un vicio procesal impediría iniciar de nuevo el proceso penal a pesar de haber sido aquél ya subsanado.

La muerte del acusado ocurrida antes del juicio oral y el perdón del ofendido, cuando extinga la acción penal, deben considerarse también motivos que dan lugar al sobreseimiento libre. Si se producen una vez iniciado el juicio oral, al haber precluido el plazo para el sobreseimiento, deberá dictarse auto de archivo, en el supuesto de muerte del reo, o bien sentencia absolutoria en caso de perdón.

Cuando se declare haber lugar a cualquiera de los artículos de previo pronunciamiento, comprendidos en el apartado 2, 3, 4 del art. 666 LECrim, se dictará auto de sobreseimiento libre, conforme a lo previsto en el art. 675, decretando, en su caso, la libertada del procesado.

«Los artículos de previo pronunciamiento —artículos 666 y siguientes de la LECrim.— pueden culminar en decisión de sobreseimiento artículo 675 de la misma Ley a dictar por las Audiencias, en el marco del procedimiento ordinario. Tales resoluciones son recurribles en apelación, en caso de que mande seguir la causa, como reza literalmente el artículo 676 de aquella ley procesal. La apelación solamente puede competer al Tribunal Superior de Justicia. Y la decisión de esta apelación es susceptible de casación, si el Tribunal Superior de Justicia, estimando que no procede seguir la causa, ordena el sobreseimiento libre y se encontrare procesado algún imputado (artículo 848). Y lo mismo cabe decir si quien ordena seguir la causa es el Magistrado- Presidente, en causa contra aforado, y, conforme al artículo 676 LECrim, su decisión es recurrida en apelación ante el Tribunal Superior de Justicia. Si éste revoca la decisión del Instructor y ordena el sobreseimiento libre de la causa, respecto de aquél contra el que se ordenó la apertura del juicio oral, su decisión es recurrible en casación, de conformidad con el artículo 848 LECrim (artículos 36.1 y 36.2 de la LOTJ)». STS, Sala 2ª 553/2015 de 6 Oct. 2015, Rec. 456/2015, LA LEY 136682/2015.

c) Sobreseimiento provisional

El sobreseimiento provisional no supone una absolución anticipada, como ocurre con el libre. Produce sólo la suspensión del proceso por la existencia de obstáculos que impiden al Tribunal, temporalmente, optar por decretar la apertura del juicio oral o por el sobreseimiento libre, después de finalizada la fase de instrucción. (Véase M. 249, M. 250).

El sobreseimiento provisional procederá en alguno de los supuestos previstos en el art. 641 LECrim:

1) Cuando no resulte debidamente justificada la perpetración del delito que haya dado motivo a la formación de la causa. Se refiere este supuesto a los casos en que existen dudas razonables sobre la existencia del delito. En este motivo deben incluirse aquellos supuestos en los que la prueba fuere indiciaria y, en cualquier caso, resultase insuficiente para acreditar convincentemente la existencia del hecho delictivo o la concurrencia de todos los elementos del tipo.

2) Cuando resulte del sumario haberse cometido un delito y no haya motivos suficientes para acusar a personas determinadas como autores, cómplices o encubridores[45]. Se trata de un supuesto muy frecuente en la realidad, que se da cuando se ha producido el hecho delictivo pero se ignora la identidad de sus autores o bien no existen pruebas de la participación de personas determinadas en los hechos.

C) Efectos

El sobreseimiento produce distintos efectos según su naturaleza. Con base en las normas de la LECrim, puede distinguirse según se trate de sobreseimiento libre o provisional.

«En términos de la STS de 7-7-2000, procesalmente, el sobreseimiento (arts. 634 y siguientes L.E. Crim) es una resolución dictada en forma de Auto que produce la terminación del proceso (si es libre) o su suspensión (cuando se trata del provisional), por ausencia de los presupuestos necesarios para la apertura del juicio oral. El sobreseimiento libre se configura así como una resolución definitiva, que produce el efecto de la cosa juzgada material, es decir, equivalente a una sentencia absolutoria anticipada, no así en el caso de acordarse el sobreseimiento provisional por desconocerse el autor o no resultar debidamente justificada la perpetración del delito —art. 779-1 en relación con el 641 —1° y 2° LECrim.—, pues dicha resolución no cierra definitivamente el proceso y deja abierta la posibilidad de una eventual reapertura en el caso de que aparecieran nuevos datos o circunstancias relevantes». AAP Madrid, Sección 2ª, Auto 89/2007 de 19 Feb. 2007, Rec. 419/2005, LA LEY 45772/2007.

---

(45) Con relación a este apartado 2.º, la Circular de la Fiscalía del Tribunal Supremo (actualmente, Fiscalía General del Estado) de 15 de septiembre de 1983 dispone que: «Cuando resulte del sumario haberse cometido un delito, pero se hayan desvanecido por completo los indicios de criminalidad que motivaron el procesamiento, no procederá el sobreseimiento libre sino el provisional».

a) Sobreseimiento libre. El auto de sobreseimiento libre determina, con autoridad de cosa juzgada material, la absolución de los inculpados y el archivo definitivo de las actuaciones.

Cuando se acuerde el sobreseimiento libre por el motivo 1º y 2º del art. 637 LE-Crim podrá declararse que la formación de la causa no perjudica a la reputación de los procesados (arts. 638, 640 LECrim). El Tribunal podrá, a instancia del procesado, reservar a este último su derecho para perseguir al querellante por calumnia (art. 638.2.º LECrim.). El Tribunal también podrá proceder de oficio contra el querellante por acusación o denuncias falsas o por calumnia (art. 456.2 CP)[46].

b) Sobreseimiento provisional. El auto que declara el sobreseimiento por esta causa produce la suspensión del curso de proceso y el archivo provisional de las actuaciones. La suspensión del proceso tendrá carácter ilimitado y se mantendrá hasta que suceda algún evento nuevo que determine la reapertura del proceso. Es decir, hechos nuevos que fortalezcan la acusación, ya que, precisamente, en los supuestos de sobreseimiento provisional se produce una ausencia o insuficiencia de hechos incriminatorios respecto a una persona determinada[47].

«Nótese además que se trata de un simple sobreseimiento provisional y que, por tanto, en cualquier momento se puede reabrir. Ninguna irregularidad se observa ni se produjo indefensión alguna. El sobreseimiento provisional no tiene efecto de cosa juzgada». ATS, Sala 2ª, 819/2016 de 12 May. 2016, Rec. 2185/2015, LA LEY 56935/2016.

Ahora bien, la firmeza corresponde tanto al sobreseimiento libre como al provisional. De modo que el auto firme de sobreseimiento provisional, aunque no produce efectos de cosa juzgada, cierra el procedimiento aunque puede ser dejado sin efecto y reabrirse si se cumple, como condición, la aportación de nuevos elementos de comprobación, adquiridos con posterioridad, y que no hubieran sido tenidos en cuenta anteriormente para la decisión de sobreseer[48].

---

(46)   «... Es de advertir que, según la doctrina recogida en la STC 34/83, de 6 mayo, el auto de sobreseimiento provisional tiene el mismo carácter que el sobreseimiento firme a los efectos a los efectos de no impedir al sobreseído reaccionar en vía judicial frente a las acusaciones que dieron lugar al proceso penal, si las tuviese por falsas». (STC 62/84, de 21 mayo).

(47)   «La reapertura del procedimiento una vez firme el auto de sobreseimiento provisional depende de que se aporten nuevos elementos de prueba no obrantes en la causa (STS 75/2014 de 11.2). De esta manera dijimos en la STS 189/2012 de 21 de marzo, el sobreseimiento provisional tiene dos aspectos. Uno que no resulta modificable sin más cuando el auto adquirió firmeza que es el referente a la insuficiencia de los elementos obrantes en la causa para dar paso a la acusación. Lo más tradicional de nuestras doctrinas procesales ha entendido en este sentido el concepto de sobreseimiento al definirlo "el hecho de cesar el procedimiento o curso de la causa por no existir méritos bastantes para entrar en el juicio". El auto contiene también otro aspecto que autoriza su modificación sometida a una condición: la aportación de nuevos elementos de comprobación. Dicho en otras palabras: el auto firme de sobreseimiento provisional cierra el procedimiento aunque puede ser dejado sin efecto si se cumplen ciertas condiciones». STS, Sala 2ª, 795/2016, 25 de octubre de 2016, nº Rec. 86/2016

(48)   «De esta manera, dijimos en la STS 189/2012 de 21 de marzo, el sobreseimiento provisional tiene dos aspectos. Uno, cuando el auto adquiera firmeza no resulta modificable sin más y la más tradicional de nuestras doctrinas procesales ha entendido en este sentido el concepto de sobreseimiento al definirlo "el hecho de cesar el procedimiento o curso de la causa por no existir méritos

«Nuestra jurisprudencia ha señalado que el sobreseimiento provisional de unas diligencias penales de instrucción pueden ser objeto de reapertura del procedimiento cuando nuevos datos o elementos, adquiridos con posterioridad lo aconsejen o lo hagan preciso. STS de 19 de febrero del 2013. En la Sentencia de 10 de octubre de 2012, recordamos que la reapertura de unas diligencias sobreseídas es procedente pues el auto de sobreseimiento no produce efectos de cosa juzgada y puede serlo por el mismo órgano. La reapertura del procedimiento una vez firme el auto de sobreseimiento provisional depende de que se aporten nuevos elementos de prueba no obrantes en la causa. De esta manera, dijimos en la STS 189/2012 de 21 de marzo, el sobreseimiento provisional tiene dos aspectos. Uno que no resulta modificable sin más cuando el auto adquirió firmeza que es el referente a la insuficiencia de los elementos obrantes en la causa para dar paso a la acusación. Lo más tradicional de nuestras doctrinas procesales ha entendido en este sentido el concepto de sobreseimiento al definirlo "el hecho de cesar el procedimiento o curso de la causa por no existir méritos bastantes para entrar en el juicio". El auto contiene también otro aspecto que autoriza su modificación sometida a una condición: la aportación de nuevos elementos de comprobación. Dicho en otras palabras: el auto firme de sobreseimiento provisional cierra el procedimiento aunque puede ser dejado sin efecto si se cumplen ciertas condiciones». STS, Sala 2ª, n.º 75/2014, 11 de febrero de 2014, n.º Rec. 1158/2013.

El auto de sobreseimiento provisional, por su propia naturaleza, no puede jurídicamente afectar a la presunción de inocencia, y, en consecuencia, el sobreseído ha de ser tenido como inocente a todos los efectos, incluido por supuesto el ejercicio de sus derechos, dado que no se ha producido una decisión condenatoria en forma de Sentencia (STC 34/1983, 6 mayo y 62/84, 21 mayo); sin que pueda reabrirse la causa con base en el error que hubiere padecido el Ministerio Fiscal.

«Como dijimos en la STS de 30 de junio de 1997: «Es también claro que el error del Fiscal en el estudio de la causa no puede ser fundamento para privar al acusado del derecho procesal a que el procedimiento sólo sea reabierto cuando se presenten nuevos elementos de comprobación. En efecto, el auto cuya validez se cuestiona más que de reapertura del procedimiento en el sentido implícito del art. 641 LECrim, lo que hace es otorgar a la acusación un nuevo derecho a formalizar la acusación después de su renuncia expresa a hacerlo en el momento procesal oportuno. Tal duplicación de oportunidades en favor de la acusación resulta incompatible con la interdicción de someter al inculpado a un doble juicio penal («double jeopardy»), dado que permite que el Fiscal haya dejado pasar la posibilidad de acusar y luego, sin otra razón que

bastantes para entrar en el juicio". Dos, el auto contiene también otro aspecto, se autoriza su modificación sometida a una condición: la aportación de nuevos elementos de comprobación. Dicho en otras palabras: el auto firme de sobreseimiento provisional cierra el procedimiento aunque puede ser dejado sin efecto si se cumplen ciertas condiciones. Resulta patente que esa provisionalidad en el archivo de las diligencias puede plantear problemas de inseguridad jurídica del afectado por la inicial investigación, sobre quien planea la posibilidad de una reapertura. Esa limitación de sus expectativas de seguridad aparece compensada por las exigencias de nuevos datos que permitan ser consideradas como elementos no tenidos en cuenta anteriormente para la decisión de sobreseer. Es por ello que en la jurisprudencia hemos declarado que el sobreseimiento provisional permite la reapertura del procedimiento "cuando nuevos datos con posterioridad adquiridos lo aconsejen o hagan precisos". Esto quiere decir que la reapertura del procedimiento una vez firme el auto de sobreseimiento provisional depende de que se aporten nuevos elementos de prueba no obrantes en la causa». STS, Sala 2ª, 228/2015, 21 de abril de 2015, nº Rec. 2196/2014.

su propio error, pueda reabrir el procedimiento sin nuevos elementos de prueba. Si el sobreseimiento provisional ofrece dudas desde el punto de vista del derecho a la presunción de inocencia, esas dudas se multiplican al máximo si se lo entiende como una decisión judicial que permite retrotraer el procedimiento en contra del acusado, como si fuera un recurso de revisión en perjuicio del inculpado». STS, Sala 2ª, 75/2014 de TS, Sala 2ª, de lo Penal, 11 de febrero de 2014, n.º Rec. 1158/2013.

c) Sobreseimiento total o parcial. Con independencia de la clase de sobreseimiento, sea libre o provisional, se producen efectos distintos según el alcance del auto de sobreseimiento. Así, si el sobreseimiento fuese total, se mandará que se archive la causa y las piezas de convicción que no tengan dueño conocido, después de haberse practicado las diligencias necesarias para la ejecución de lo mandado (art. 634 LECrim)[49].

Respecto a la entrega de las piezas de convicción, téngase presente que el art. 635 LECrim establece unas normas especiales. Las piezas de convicción, cuyo dueño fuere conocido continuarán retenidas si un tercero lo solicitare, hasta que se resuelva la acción civil que se propusiere entablar. Si el Tribunal accediere a la petición, fijará el plazo dentro del cual deberá acreditarse que la acción se ha entablado. En caso contrario las piezas de convicción se devolverán a su dueño. En el supuesto que las piezas de convicción entrañaren algún peligro para los intereses sociales o individuales, se les dará el destino previsto en las normas legales o, en su caso, se inutilizarán. La ausencia de las piezas durante el juicio solo supone una mera irregularidad cuando nada se articule ni argumente que tal ausencia haya podido ser relevante por su incidencia en la solución del caso[50].

Si el sobreseimiento fuese parcial se decretará la apertura del juicio oral, únicamente respecto de los procesados a quienes no favorezca la resolución judicial (art. 634.1 LECrim).

D) Recursos

En el procedimiento por delitos graves, cabrá recurso de casación por infracción de ley contra los autos que acuerden el sobreseimiento libre dictados por Audiencias

---

(49)   Cuando se hubiere decretado el sobreseimiento libre o provisional de alguna causa se podrá solicitar la expedición de testimonios de particulares del sumario o la causa penal incoada, art. 2 RD de 25 de mayo de 1927.

(50)   «En el mismo sentido apunta la STS de 17 de febrero de 2009 (ROJ: STS 1279/2009) cuando señala que "por lo que se refiere a la presencia de las piezas de convicción, ciertamente el art. 688 LECrim prevé que las mismas estarán en la Sala de Audiencias, sin embargo, la ausencia de ese requisito solo supone una mera irregularidad cuando se articula ni argumenta que tal ausencia haya podido ser relevante por su incidencia en la solución del caso, y aquí nada se ha argumentado. En tal sentido, SSTS de 1 de octubre de 1994, 392/96, 1143/2000 de 26 de junio"». SAP Baleares 120/2016, Sección 1ª, 26 de julio de 2016, Rec. nº 286/2015.

«Así, la parte alega que no hubo en juicio prueba de cargo eficaz, por cuando la practicada no alcanzó a poder acreditar los hechos al no contar con la pieza de convicción intervenida inicialmente al detenido. Pero ya hemos descartado, en el ordinal precedente, la trascendencia de esa ausencia de la barra metálica que pretende el recurso, por lo que contamos con las concluyentes declaraciones de dos agentes de policía que relataron en términos plenamente contestes entre sí, como sorprendieron al recurrente con una barra metálica en sus manos mientras forzaba la puerta de la caseta de obra». SAP Madrid 140/2016, Sección 29ª, 17 de marzo de 2016, Rec. nº 125/2016.

o Sala de la AN y haya una resolución de imputación formal (art. 848 LECrim)[51]. Contra el auto que acuerda el sobreseimiento provisional no cabe recurso alguno, en tanto que se trata de una resolución no definitiva, pudiéndose reabrir el proceso penal. En el caso que el sobreseimiento libre o provisional se acuerde en el ámbito del procedimiento abreviado cabrá recurso de reforma y apelación (art. 766 LECrim). Y frente al auto que desestima el recurso frente al sobreseimiento libre cabe recurso de casación conforme con lo previsto en el art. 848 LECrim. Véase sobre el recurso de casación frente Autos el § 7.2 del Cap. XI.

En el procedimiento por delitos graves debe tenerse en cuenta la doctrina del TC sobre esta materia. Concretamente la STC 171/88 de 30 de septiembre, que declara que en el supuesto que se presentase querellante particular a sostener la acción la única posibilidad de sobreseimiento de que dispone el Tribunal es la recogida en el art. 637.2 LECrim, que, en su caso, sería susceptible del oportuno recurso de casación. Si por el contrario, pese a la literalidad de la Ley, el Tribunal procede a sobreseer provisionalmente, se cierra el paso a una resolución de fondo por una causa no prevista legalmente, que además impide cualquier remedio jurisdiccional aparte del amparo ante el TC. En consecuencia, en estos supuestos cabe recurso de amparo contra el auto de sobreseimiento provisional.

Por último, no cabe que la Audiencia Provincial pueda acordar el sobreseimiento libre en un recurso limitado a impugnar el sobreseimiento provisional adoptado por el Juez de instrucción, ya que este proceder viola el derecho al recurso y el principio prohibitivo de la *reformatio in peius*.

---

(51) «El art. 848 fue reformado por Ley 41/2015. El antiguo precepto establecía que: suprimiendo el requisito "A los fines de este recurso, los autos de sobreseimiento se reputarán definitivos en el solo caso de que fuere libre el acordado, por entenderse que los hechos sumariales no son constitutivos de delito y alguien se hallare procesado como culpable de los mismos". Exponente de esta versión es la siguiente sentencia. El art. 848 p. 1 LECrim ., (anterior reforma Ley 41/2015), aplicable a esta Causa al haberse incoado con anterioridad a la entrada en vigor de la citada Ley, disponía que contra los autos dictados con carácter definitivo por las Audiencias "sólo procede el recurso de casación, y únicamente por infracción de ley, en los casos en que ésta lo autorice de modo expreso"; el art. 636 LECrim (anterior reforma Ley 41/2015) establecía que contra los autos de sobreseimiento solo procederá, en su caso, el recurso de casación; y el art. 848 p. 2 LECrim. (anterior reforma Ley 41/2015) disponía que, "a los fines de este recurso, los autos de sobreseimiento se reputarán definitivos en el solo caso de que fuere libre el acordado, por entenderse que los hechos sumariales no son constitutivos de delito y alguien se hallare procesado como culpable de los mismos". Por lo tanto, los requisitos necesarios, según la normativa aplicable, para que fuera admisible el recurso de casación contra un auto de sobreseimiento son: a) que la resolución judicial declare que los hechos de que se trate no son constitutivos de delito; b) que alguna persona estuviera procesada como culpable de ellos, exigencia ésta que se entiende cumplida en el procedimiento abreviado cuando el Instructor haya acordado alguna medida cautelar que implique la existencia de indicios que permiten considerar imputado a la persona contra la que se han adoptado tales medidas, o cuando se ha dirigido la acusación contra determinada persona, o cuándo se ordena la continuación de la causa por los trámites correspondientes al procedimiento abreviado; y c) que el enjuiciamiento de los hechos fuera competencia de la Audiencia Provincial, pues carecería de sentido admitir un recurso de casación contra un auto de sobreseimiento en una causa en la que tal clase de recurso no sería posible contra la sentencia. Ese criterio fue concretado en el Acuerdo no Jurisdiccional de 9 de febrero de 2005…». ATS, Sala 2ª, 28 Jun. 2017, Rec. 20287/2017, LA LEY 86298/2017.

«Tal modo de proceder viola un principio procesal fundamental, como es el de que un recurso no puede resolverse en sentido contrario al solicitado por el recurrente yendo más allá de lo acordado en la resolución recurrida, a no ser que también haya recurrido la parte contraria (prohibición de la «*reformatio in peius*"): es una manifestación más del principio de congruencia procesal, que obliga al órgano judicial a resolver todas las cuestiones planteadas, pero de conformidad con el contenido de la petición o peticiones planteadas por las partes (salvo que haya posibilidad de resolver de oficio, lo que aquí no existe). Quedó violado tal principio procesal en el caso presente cuando, sin solicitud de parte, la Audiencia Provincial acordó sobreseimiento libre al tiempo que resolvía un recurso respecto de un auto de sobreseimiento provisional: el sobreseimiento libre cierra definitivamente el proceso y supone un archivo definitivo de la causa, mientras que el sobreseimiento provisional permite la reapertura del procedimiento. Indudablemente quedó perjudicada la posición procesal de la recurrente más aún que con lo que había resuelto el Juzgado». STS Sala Segunda, de lo Penal, Sentencia de 5 May. 1997, Rec. 2242/1996; Ponente: Delgado García, Joaquín. LA LEY 6139/1997.

SECCIÓN 4. JUICIO ORAL

4.1. Fase de juicio oral[52]

El juicio oral como última fase del proceso se inicia por el auto de su apertura que dicta el Tribunal que conoce del proceso (arts. 649 y ss. LECrim) (Véase M. 251). Dentro del término «juicio oral» deben distinguirse dos acepciones. En un sentido estricto, como «vista», que comprende el período procesal que transcurre desde el día señalado para el comienzo de las sesiones del debate oral hasta el momento en que se pronuncia el «visto y concluso para sentencia». Desde ese punto de vista, el juicio oral no es sino un acto procesal complejo dentro del proceso en el que la acusación ejercita frente a la otra parte, el acusado, una acción de condena conforme a los principios de contradicción, concentración, inmediación publicidad y libre apreciación de la prueba. En un sentido amplio el juicio oral comprende toda la actividad preparatoria consistente en una serie de actos procesales heterogéneos: la apertura del juicio oral; los artículos de previo pronunciamiento; los escritos de calificación; el juicio oral.

---

(52) Vid. Bibliografía general. Vid. también FAIRÉN GUILLÉN, «Algunas notas sobre la problemática de la expulsión del acusado de las sesiones del juicio oral», *La Ley*, 1984-2, pp. 1169-1180; GARCÍA RODRÍGUEZ, «Garantías fundamentales del proceso justo: La publicidad», *Rev. Vasca Dcho. Proc.*, 1992; GISBERT GISBERT, «La práctica de diligencias de prueba acordada de oficio en el juicio oral», *RGD*, 1992, n.º 573; ORTELLS RAMOS, «Principio acusatorio, poderes oficiales del juzgador y principio de contradicción, una crítica del cambio jurisprudencial sobre correlación entre acusación y sentencia», *Justicia*, 1991- IV; RIVAS CARRERAS, «El planteamiento de la tesis por el tribunal: el art. 733 LECrim. en la Ley y en la Jurisprudencia», *RJC*, 1992, n.º 2; SÁEZ GONZÁLEZ, «Consideraciones acerca del apartado 2.º del art. 743 LECrim.», *Justicia*, 92, n.º 1; SERRA DOMÍNGUEZ, «Juicio oral», en *Estudios de Derecho Procesal*, Barcelona, 1969; VEGA RUIZ, «El acceso de los medios de comunicación a los juicios penales», *La Ley*, 1984-2, pp. 1123-1130.

4.2. Apertura del juicio oral

Si el Tribunal declara la apertura del juicio oral (Véase M. 251) dispondrá que se comunique la causa al Ministerio Fiscal (por el término de cinco días) para que califique por escrito los hechos. Devuelta la causa por el Ministerio Fiscal se pasará por igual término y con el mismo objeto al acusador particular —si lo hubiera— y después, en su caso, al actor civil (arts. 633, 649, 651, 652 LECrim). Seguidamente, se comunicará la causa a los procesados y a los responsables civiles —en su caso— para que en igual término (cinco días) presenten sus escritos de conclusiones manifestando si se encuentran o no conformes con cada una de las conclusiones de los acusadores y consignando los puntos de divergencia, así como las pruebas que hayan de practicarse, con las listas de testigos y peritos[53]. (Véase M. 252).

4.3. Artículos de previo pronunciamiento[54]

Durante los tres primeros días del plazo concedido para calificar los hechos, las partes podrán proponer cualquiera de los artículos o cuestiones de previo pronunciamiento enunciadas en el art. 666 LECrim) (Véase M. 253). Se trata de un plazo preclusivo[55]. La alegación y conocimiento por el Tribunal de las excepciones propuestas como artículos de previo pronunciamiento tiene como finalidad la resolución, antes de entrar a decidir sobre el objeto principal del proceso penal, sobre la existencia, o no, de las citadas excepciones que, en caso de ser estimadas, pueden variar fundamentalmente el resultado final del proceso.

Los artículos de previo pronunciamiento regulados en el art. 666 LECrim son: la declinatoria de jurisdicción; la cosa juzgada; la prescripción del delito; la amnistía o indulto; la falta de autorización administrativa para procesar, cuando fuere necesaria según la Constitución o las Leyes especiales. De entre los artículos de previo pronunciamiento la prescripción y la cosa juzgada resultan las de mayor incidencia procesal[56]. La cosa juzgada se trata en el § 2, Cap. X).

---

(53) La STC 101/89, de 5 junio, precisa que la consignación del plazo para recoger las actuaciones y la orden de dar traslado de las mismas no constituyen garantías establecidas en el art. 649 LECrim. Basta que se «comunique la causa» para que las partes califiquen los hechos por escrito.

(54) Vid. Bibliografía general. Vid. AYO FERNÁNDEZ, M., «El régimen procesal de la prescripción del delito o falta. Especial referencia a los recursos», *La Ley*, 14 de febrero de 1995, n.º 3716; MUÑOZ ROJAS, «Las cuestiones en el proceso penal», *RDProc.*, 1964, p. 95; MUÑOZ SÁNCHEZ, «Indulto», *N.E.J. Seix*, Vol. XII, p. 384; PUIG PEÑA, «Amnistía», en *N.E.J. Seix*, Vol. II, p. 633; VALLS GOMBAU, «El indulto anticipado en el ámbito procesal penal», *RDProc.*, 1978, p. 191; VÁZQUEZ SOTELO, «El indulto general y anticipado», *RJC*, 1975, p. 891.

(55) «... su planteamiento tiene carácter forzosos en el sistema de nuestra LECrim., de modo que si no se hace en el momento previsto de la llamada fase intermedia, concretamente dentro del "término de tres días a contar desde el de la entrega de los autos para la calificación de los hechos" (art. 667 LECrim.), ya no cabe hacerlo después, que es lo que aquí ocurrió .../... sin que en ningún caso pueda reproducirse en el juicio oral (art. LECrim.)...». STS Sala Segunda, de lo Penal, Sentencia de 22 Jul. 1993, Rec. 5327/1990; Ponente: Delgado García, Joaquín. LA LEY 34143-JF/0000.

(56) La falta de autorización administrativa para procesar se trata de un requisito de procedibilidad, establecido en consideración a la función que prestan quienes forman parte del órgano máximo del Poder Ejecutivo, que tiene carácter objetivo, en el sentido de que su falta puede ser denunciada no sólo por el propio interesado, sino también por cualquiera de las partes constituidas

La prescripción del delito se regula en el Ordenamiento Penal por razones de seguridad jurídica. Se trata de una institución de naturaleza material o sustantiva que depende, exclusivamente, de la presencia de elementos objetivos y del transcurso de los plazos legalmente fijados en el art. 131 C. Penal. En cuanto conste la prescripción del delito objeto de la causa debe ponerse fin al procedimiento, conforme a los principios de orden público que rigen el proceso penal y a la finalidad de que no se prolonguen indefinidamente situaciones jurídicas expectantes del ejercicio de acciones penales. En este sentido, no cabe mantener abierta una causa una vez que se ha acreditado la existencia de prescripción, sin que pueda diferirse su apreciación a la celebración del juicio oral. Ese proceder resulta contrario al derecho de tutela judicial efectiva, así como el derecho a un proceso sin dilaciones indebidas. Por otra parte, el Tribunal debe impedir que los imputados sufran la denominada «pena de banquillo», cuando la apertura del juicio oral carece de finalidad práctica al estar prescrito el o los delitos objeto de acusación[57]. Es por ello que el Tribunal podrá apreciarla de oficio por tratarse de una cuestión de orden público al igual que la cosa juzgada[58]. Véase sobre la prescripción de la acción penal su suspensión e interrupción el § 1.1.E del Capítulo II en sede de ejercicio de acciones penales y civiles. De modo que si el Tribunal no la acoge antes la parte podrá denunciar la existencia de prescripción mediante el correspondiente artículo de previo pronunciamiento[59].

---

como tales en el procedimiento, e incluso de oficio por cualquier órgano judicial que por su cargo pudiera tener conocimiento de alguno de estos hechos.

(57) «Es admitida por todas las partes, y también doctrina reiterada de esta sala, la posibilidad de declarar la prescripción del delito, incluso de oficio, en cualquier momento del procedimiento, por tratarse de una cuestión de orden público sobre la que cabe pronunciarse tan pronto como consten en las actuaciones con la necesaria claridad los datos que pudieran justificar tal pronunciamiento. .../... Es excepcional, por tanto, esa resolución sobre la prescripción del delito en la forma anticipada que se adoptó en el caso presente. Y tal posibilidad excepcional solo cabe cuando el tema a resolver se presenta con la necesaria claridad, de modo que, si hay dudas fácticas al respecto, no es posible esa decisión que habrá de someterse entonces a la tramitación propia de los artículos de previo pronunciamiento, según acabamos de decir, o, en todo caso, como una cuestión más a debatir dentro del trámite del juicio oral y a resolver en sentencia». STS, Sala 2ª, 517/2007 de TS, Sala 2ª, de lo Penal, 8 de junio de 2007, 1541/2006.

(58) «Cuando ya exista un pronunciamiento previo que haya adquirido firmeza, la cosa juzgada, y con ella la eficacia de la prohibición del bis in idem, puede hacerse valer en cualquier estado del procedimiento impidiendo su continuación, aunque se prevé expresamente en la regulación de los artículos de previo pronunciamiento o en el trámite de las cuestiones previas en el Procedimiento Abreviado». STS, Sala 2ª, 301/2015 de TS, Sala 2ª, de lo Penal, 19 de mayo de 2015, nº Rec. 1981/2014. Ver también, STS, Sala 2ª, 794/2016 de TS, Sala 2ª, de lo Penal, 24 de octubre de 2016, Rec. nº 171/2016.

«Señala la Sentencia del Tribunal Supremo de 7-5-1997 al referirse precisamente a la cosa juzgada que al afectar al derecho fundamental a un proceso con todas las garantías que se vulneraría al admitir un doble enjuiciamiento por el mismo hecho y ser además una cuestión de orden público procesal, puede ser apreciada de oficio por el Tribunal, por lo que «es irrelevante el cumplimiento o no del plazo previsto en el citado artículo 667 de la Ley de Enjuiciamiento Criminal». SAP Málaga 380/2013, Sección 1ª, 13 de junio de 2013, Rec. nº 21/2008.

(59) «Por eso ha sido correcta la salida buscada por el Instructor a ese «callejón» procesal que parecía no tenerla. Ha tomado él, previa audiencia de las partes, la decisión sobre la prescripción del delito, con el apoyo que le brinda esa clásica jurisprudencia invocada a tenor de la cual la prescripción es una causa de extinción de la responsabilidad penal que ha de operar en el mismo momento en que se constate. No puede perseguirse válidamente un delito una vez producida la

«En definitiva la prescripción debe estimarse siempre que concurren los presupuestos sobre los que asienta —lapso de tiempo correspondiente o penalización del procedimiento— aunque la solicitud no se inserte en el cauce procesal adecuado y dejen de observarse las exigencias procesales formales concebidas al efecto, —como artículo de previo pronunciamiento en el proceso ordinario, art. 666.3 LECrim.—, y como cuestión previa al inicio del juicio en el abreviado, art. 786.2 LECrim, en aras de evitar que resulte una persona que, por especial previsión exprese voluntad de la Ley, tiene extinguida la posible responsabilidad penal (STS 387/2007 de 10.5)». STS Sala Segunda, de lo Penal, Sentencia 760/2014 de 20 Nov. 2014, Rec. 347/2014; Ponente: Berdugo Gómez de la Torre, Juan Ramón. LA LEY 167578/2014.

La relación legal contenida en el art. 666 LECrim no constituye un *numerus clausus*. A pesar de la dicción del precepto legal que se refiere a unas cuestiones concretas con exclusión de cualquier otra (*serán tan sólo objeto de artículos de previo pronunciamiento las cuestiones o excepciones siguientes…*). Por el contrario la jurisprudencia ha venido admitiendo otras peticiones que tienen en común constituir óbices u obstáculos para la sustanciación del proceso. Así, conforme con la Jurisprudencia de nuestros tribunales también deberán alegarse por este cauce procesal las cuestiones prejudiciales[60].

«Como establece la Sentencia del Tribunal Supremo de 23 de noviembre de 1998 "de acuerdo con lo sentado en la Sentencia de esta Sala de 3-10-83, las denominadas cuestiones prejudiciales de los arts. 3 a 7 de la L.E.Cr., de conformidad con las Memorias de la Fiscalía del TS de 1888 y 1910, y con la jurisprudencia de este Tribunal, han de proponerse o plantearse como artículos de previo y especial pronunciamiento conforme a lo dispuesto en el art. 667 de la L.E.Cr. y sustanciarse por el procedimiento regulado en los arts. 667 y ss. de la misma. En el denominado procedimiento abreviado, trámite por el que se siguieron las actuaciones de instancia, es a través del escrito de defensa y en el trámite previsto en el art. 793-2 LECrim al iniciarse el acto del Juicio Oral, cuando procede plantear los artículos de previo y especial pronunciamiento". No habiéndose planteado en el momento procesal oportuno la posible suspensión del proceso por cuestión prejudicial, no es posible plantearla con posterioridad, sin perjuicio, como se decía, de acudir en su caso al recurso de revisión». SAP Barcelona 44/2017, Sección 9ª, 12 de enero de 2017, Rec. n.º 61/2015.

---

prescripción. Los artículos de previo pronunciamiento son un camino procesal idóneo y natural para ese tipo de alegatos, pero no son cauce ni exclusivo ni excluyente. Esa acomodación del trámite a las singularidades del asunto no puede recortar las posibilidades de impugnación. En un procedimiento ordinario la decisión sobre la prescripción cuando existe una persona procesada ha de ser adoptada en último término por el Tribunal competente para el enjuiciamiento y admitirse su revisabilidad por la Sala Segunda del Tribunal Supremo a través de un recurso de casación. Esos dos principios esenciales quedan salvaguardados: a) Aunque la prescripción ha sido acordada inicialmente por el Instructor, se ha concedido apelación para que la Audiencia pueda asumirla o rechazarla. b) Frente a la decisión de la Audiencia se han abierto las puertas de la casación». STS, Sala 2ª, 583/2013 de TS, Sala 2ª, de lo Penal, 10 de junio de 2013, nº Rec. 1078/2012.

(60) «Hay que comenzar señalando que las cuestiones prejudiciales, con carácter general, carecen de regulación procesal en nuestro ordenamiento (vid AAP Cádiz 7 abril 2009). Sin embargo, la jurisprudencia, ya desde la publicación de las Memorias de la Fiscalía del Tribunal Supremo de 1888 y de 1910, exige, que en caso de sumario, su tramitación se acomode a la de los artículos de previo pronunciamiento de los arts. 667 y siguientes de la LECrim, siendo éste el momento procesal para su planteamiento». AAP Barcelona 636/2016, Sección 9ª, 6 de octubre de 2016, Rec. nº 421/2015.

También cabe plantear por este cauce la alegación de una nulidad de actuaciones por vulneración de algún derecho constitucional. Esta es una posibilidad que no se niega, aunque la Jurisprudencia se inclina por la alegación de esta cuestión al inicio del juicio oral en una suerte de cuestiones previas al modo que se regulan en el art. 786.2 para el procedimiento abreviado. Trámite de alegaciones que se ha declarado admisible en juicio ordinario por la Jurisprudencia.

> «La decisión de un Tribunal de resolver en sentencia las invocaciones de nulidad que se hacen por las defensas es cuestión que ha sido examinada por jurisprudencia de esta Sala que se ha pronunciado sobre su corrección legal y constitucional. Así, la Sentencia 195/2014, de 3 de marzo, se pronuncia sobre la admisibilidad de un turno de intervenciones o turno de cuestiones previas (art. 786.2 LECrim (LA LEY 1/1882)) en el procedimiento ordinario, en el que no existe previsión normativa al respecto. Esta Sala, es cierto, ha proclamado en distintas ocasiones la diferencia entre el significado procesal predicable del turno de intervenciones y el que es propio de los artículos de previo pronunciamiento (cfr. SSTS 694/2011, 24 de junio (LA LEY 111642/2011) y 1383/2003, 27 de octubre). Sin embargo, también ha admitido la posibilidad de invocar vulneración de derechos fundamentales por el cauce que ofrecen los arts. 666 y ss. de la LECrim (LA LEY 1/1882), en la medida en que no existe un catálogo cerrado de artículos —cuestiones— de previo pronunciamiento. Así, por ejemplo, la STS 1061/1999, 29 de junio, se mostró partidaria de acoger en el ámbito de los artículos de previo pronunciamiento, el debate sobre nulidad probatoria fundada en la infracción de derechos fundamentales. Pero esta doctrina no puede considerarse plenamente consolidada. De hecho, hemos declarado recientemente que cuando lo que se pretende es obtener la nulidad de determinadas actuaciones por entender que se han producido con violación de derechos fundamentales no cabe hacer uso de la vía de los artículos de previo pronunciamiento, sino que las objeciones correspondientes deberán reservarse para el juicio oral (cfr. SSTS 10/2010, 21 de enero (LA LEY 2377/2010), 1481/2002, 18 de septiembre (LA LEY 7786/2002) y STS 640/2000, de 15 de abril (LA LEY 7958/2000))». STS 706/2014 de 22 Oct. 2014, Rec. 1411/2013; Ponente: Granados Pérez, Carlos. LA LEY 152538/2014.

Pero, no cabe plantear cualquier cuestión procesal en el trámite de artículos de previo pronunciamiento. Debe tenerse en cuenta, a ese respecto, que una de las características principales de los artículos de previo y especial pronunciamiento es precisamente la limitación de conocimiento sobre la alegación planteada, ya que están claramente orientados a la resolución de excepciones muy concretas y puntuales que, de ser aceptadas, deben impedir al Tribunal entrar a conocer del fondo del asunto pero no para anticipar decisiones. Eso sucederá, por ejemplo, cuando se alegue sobre la validez y eficacia de las evidencias obtenidas en la investigación sumarial, puesto que en ese caso se exige resulta aconsejable que se plantee al inicio del juicio oral ofreciendo la posibilidad al Tribunal de diferir su resolución tras la valoración conjunta de todas actuaciones tras la celebración del juicio oral[61].

_____

(61) De hecho en algunas sentencias más antiguas se entendía que únicamente podrá resolverse sobre la nulidad al final de practicada la prueba lo cual no es ahora la jurisprudencia mayoritaria. «La desestimación del motivo, con independencia de su confusión, es evidente. Cuando lo que se pretende es declarar sin efecto o la nulidad de determinadas pruebas por entender que se han obtenido con violación de derechos fundamentales (artículo 11.1 LOPJ), y ello consiste en una cuestión de mero hecho, es decir, atinente a la valoración de las pruebas en presencia, no cabe el planteamiento

La sustanciación de los artículos de previo pronunciamiento se regula en los arts. 667 y ss. LECrim. Conforme a la regulación legal, tras la presentación del escrito, se dictará diligencia de ordenación dando traslado por tres días a las partes, resolviendo luego sobre la petición de recibimiento a prueba del incidente, si se hubiese solicitado (Véase M. 255). Transcurrido el término de prueba, o practicada la propuesta, se señalará día para la vista (Véase M. 256), resolviendo posteriormente el artículo de previo pronunciamiento propuesto.

Con relación a su resolución deben distinguirse, entre las excepciones que se contienen en el art. 666 LECrim, dos grupos claramente diferenciados: 1) En el primer grupo cabe incluir la declinatoria de jurisdicción (véase § 5.3 Cap. III), y la falta de autorización administrativa para procesar (véase § 1 con relación a los procesos especiales en razón de la persona Cap. XV); 2) En el segundo grupo deben integrarse las demás, es decir, la de cosa juzgada, la prescripción del delito, y la de amnistía o indulto[62]. Cuando se estime cualquiera de las excepciones del segundo grupo, el Tribunal sobreseerá libremente el proceso (véase M. 257). Por el contrario, respecto al primer grupo, cuando se estime la declinatoria de jurisdicción, el Juez que resulte incompetente deberá remitir los autos al órgano que se declare competente, para que éste siga las actuaciones iniciadas, absteniéndose de resolver sobre las demás cuestiones, si es que las hubiere (art. 674.2 y 3 LECrim)[63]. Cuando el Tribunal estime la excepción por falta de autorización para procesar, mandará subsanar inmediatamente este defecto, quedando entre tanto la causa en suspenso, reanudándose una vez concedida la autorización (art. 677 LECrim).

Respecto al sistema de recursos, contra las decisiones de la Audiencia que resuelven los artículos de previo pronunciamiento, cabe distinguir: 1) Si se admite la excepción de falta de autorización para procesar se procederá la subsanación del defecto, quedando entre tanto la causa en suspenso. Frente al auto en que se desestime no cabe recurso alguno. 2) Contra el auto que desestime la cosa juzgada, la

previo de la cuestión, ni siquiera en el procedimiento abreviado a través del cauce establecido por el artículo 793.2 LECrim, mucho menos en el procedimiento ordinario visto el elenco cerrado de los artículos de previo pronunciamiento que contiene el 666 del mismo Texto, pues ello pugnaría con el principio de libre valoración de la prueba "ex" artículo 741 LECrim que exige evidentemente el desarrollo de la misma ante el Tribunal en el Plenario». STS Sala Segunda, de lo Penal, Sentencia 640/2000 de 15 Abr. 2000, Rec. 51/1999; Ponente: Saavedra Ruiz, Juan. LA LEY 7958/2000.

(62) La amnistía ha desaparecido del CP como forma de extinción de la responsabilidad criminal. Y respecto al indulto ha de tenerse presente que el art. 62 i) CE prohíbe los indultos generales, y que el art. 130.3 CP lo regula como causa de extinción de responsabilidad criminal, normativa que ha de ser completada con la Ley 18 junio de 1870 modificada por Ley 1/1988, de 14 enero, reguladora del Indulto.

(63) «Como recuerda el Fiscal, la defensa del acusado pudo perfectamente, en el trámite de conclusiones provisionales, por la vía del art. 667 de la LECrim, proponer la falta de competencia que ahora alega, haciéndolo como artículo de previo pronunciamiento (art. 666.1º LECrim). La decisión que se adoptara era, además, susceptible de ser impugnada mediante el recurso de casación que habilita el art. 676.3º de la misma LECrim. El legislador ha querido, por tanto, que al comienzo del juicio oral cualquier controversia acerca de la determinación de la competencia, haya quedado definitivamente zanjada. De ahí que arbitre incluso una casación anticipada contra la resolución que resuelve sobre esta materia en la fase intermedia». STS, Sala 2ª, 822/2013 de TS, Sala 2ª, de lo Penal, 6 de noviembre de 2013, Rec. nº 10661/2013.

prescripción, la amnistía o indulto no cabe recurso alguno, si bien las partes podrán reproducirlas en el juicio oral, como medios de defensa (art. 678 LECrim). 3) Contra el auto que estime la prescripción, cosa juzgada, amnistía o indulto procederá el recurso de apelación (art. 676.3 LECrim) y contra el auto que resuelva desestimando el recurso cabe recurso de casación conforme con el art. 848 LECrim. Conocerá del recurso de apelación la Sala Civil y Penal del TSJ de las CCAA, de conformidad con la reforma del art. 676, por la Disp. Final 2ª.8ª de la LO 5/1995.

> «La estimación de la prescripción o cosa juzgada darán lugar a su sobreseimiento libre que debe tener acceso a la casación (art. 848). Su desestimación no, pues no es una resolución definitiva. La estimación de la prescripción o cosa juzgada darán lugar a su sobreseimiento libre que debe tener acceso a la casación (art. 848). Su desestimación, no, pues no es una resolución definitiva. Sin embargo, en materia de competencia, el principio general (art. 25 y ss.) es la accesibilidad a la casación sea cual sea el sentido de la decisión (inhibición o rechazo). Esa ha sido la interpretación pacifica durante muchos años en la jurisprudencia y en la doctrina al estudiar la regulación de los artículos de previo pronunciamiento en el procedimiento ordinario.../». STS, Sala 2ª, 604/2014, Sala 2ª, de lo Penal, 30 de septiembre de 2014, n.º Rec. 1082/2014.

4) Respecto al recurso contra el auto resolutorio de la declinatoria la ley no resulta clara. Conforme con el art. 676.2 LECrim cabe recurso de apelación independientemente de que la decisión sea estimatoria o desestimatoria. Sin embargo, la Jurisprudencia del Tribunal Supremo había entendido que el citado Auto es recurrible sea estimatorio o desestimatorio en casación no en apelación[64]. Referencia a la apelación que se consideraba un error de la ley, ya que el recurso que procede es el de casación.

> «La referencia a los antecedentes legislativos y a lo establecido en los arts. 19 y siguientes (en particular, 25) de la LECrim (LA LEY 1/1882), han llevado a esa Sala a considerar recurribles en casación, los autos que solventan una declinatoria de jurisdicción en un procedimiento ordinario (Acuerdo de la Junta General no jurisdiccional de esa Sala Segunda de 8.5.98, y sentencias 918/98 de 6.7, 1629/2001 de 10.10 (LA LEY 7728/2001), 327/2003 de 25.2 (LA LEY 1215/2003), 851/2005 de 30.6 y Autos de la Sala Segunda de 21.2.2011 y 19.10.2009 . Ese sería el criterio aplicable al presente supuesto en principio: donde ley dice "apelación" hay que leer "casación"; y donde dice "auto resolutorio de declinatoria", hay que interpretar que son todos los autos que se pronuncia sobre la cuestión de competencia, tanto los que la aceptan, como los que 1 desestiman (como es el caso). Si no, seria innecesaria la mención separada y expresa. (SSTS 918/98 de 6.7, 1629/2001 de 10.10 (LA LEY 7728/2001), 327/2003 de 5.2, 851/2005 de 30.6, autos 19.10.2009, 21.2.2011 y 14.5.2012)». STS Sala Segunda, de lo Penal, Sentencia 604/2014 de 30 Sep. 2014, Rec. 1082/2014, Ponente: Berdugo Gómez de la Torre, Juan Ramón. LA LEY 137005/2014.

---

(64) «Conforme a lo dispuesto en los arts. 676 (LA LEY 1/1882) y 678 LECr. (LA LEY 1/1882), queda claro lo antes dicho: contra lo que se resuelva en este trámite especial de los artículos de previo pronunciamiento, en el caso específico de la declinatoria de jurisdicción, si se rechaza al artículo previo y se abre el juicio oral, no puede volverse a discutir este tema en el juicio oral. Cabe recurso de casación (apelación en el procedimiento del Tribunal del Jurado) contra el auto de la Audiencia Provincial que desestime en esa fase previa de los arts. 666 y ss. tal cuestión de declinatoria de jurisdicción; en estos casos solo se iniciará el juicio oral una vez resuelta esta casación especial» SAP Sala Segunda, de lo Penal, Sentencia 143/2010 de 18 Feb. 2010, Rec. 11221/2009; Ponente: Delgado García, Joaquín. LA LEY 12442/2010.

La duda se plantea tras la reforma de la casación por la Ley 41/2015 al prever el art. 848 LECrim que cabe interponer recurso de casación frente a autos: *«cuando supongan la finalización del proceso por falta de jurisdicción o sobreseimiento libre»*. Conforme con la ley no cabría la casación frente al auto que desestima la declinatoria de jurisdicción. Sin embargo, la recurribilidad de los autos estimatorios o desestimatorios había sido conformada por el Tribunal Supremo en su Acuerdo de la Sala Segunda de 19 de diciembre de 2013 que estableció que: *«Los autos que resuelven una declinatoria de jurisdicción planteada como artículo de previo pronunciamiento son recurribles en casación siempre cualquiera que sea su sentido; es decir, tanto si se estiman como si se desestiman»*[(65)]. No tenemos un criterio seguro que aportar sobre la materia, por lo que habrá que pensar que está abierta la posibilidad de recurrir en casación tanto el auto estimatorio como desestimatorio por las razones que el propio Tribunal Supremo se ha encargado de explicar.

«El auto resolutorio de la declinatoria siempre es recurrible sea cual sea su sentido —de rechazo o admisión—. Este planteamiento legal desborda lógica: si se llegase a estimar la declinatoria el juicio ya celebrado devendría nulo y habría que repetirlo íntegramente ante el órgano finalmente competente. Por eso el legislador quiso que la cuestión de competencia llegase definitivamente aclarada al juicio y por eso prohíbe que vuelva a ser alegada (art. 678), para alejar la posibilidad de una declaración tardía de incompetencia que convierta en inútiles los esfuerzos invertidos en la celebración de un juicio que habría de ser respetado —lo que no sucede en otras cuestiones previas. El inciso final del art. 676 "cuando las desestima" está aludiendo exclusivamente a las excepciones 2, 3 y 4 del art. 666, lo que además es congruente con lo establecido en el art. 678 inciso inicial. El desacuerdo con la competencia establecida no puede ya discutirse pues el legislador dispone la ordenación de trámites de manera que el tema de la competencia llegue ya definitivamente resuelto al juicio oral. Ese régimen concuerda con el general sobre recursos. La estimación de la prescripción o cosa juzgada darán lugar a su sobreseimiento libre que debe tener acceso a la casación (art. 848). Su desestimación, no, pues no es una resolución definitiva. Sin embargo, en materia de competencia el principio general (art. 25 y ss.) y la accesibilidad a la casación sea cual sea el sentido de la decisión (inhibición o rechazo). Esa ha sido la interpretación pacifica durante muchos años en la jurisprudencia y en la doctrina al estudiar la regulación de los artículos de previo pronunciamiento en el procedimiento ordinario». STS Sala Segunda, de lo Penal, Sentencia 604/2014 de 30 Sep. 2014, Rec. 1082/2014, Ponente: Berdugo Gómez de la Torre, Juan Ramón. LA LEY 137005/2014.

4.4. Escritos de calificación provisional. Conformidad del acusado. Petición de prueba

El Fiscal, que habrá recibido el sumario, calificará por escrito los hechos (Véase M. 258), así como la acusación particular (véase M. 259) y posteriormente la defensa

---

(65) «Y para evitar esas discrepancias interpretativas se celebró el Pleno no jurisdiccional de esta Sala Segunda de 19.12.2013, que adoptó el siguiente acuerdo: "Los autos que resuelven una declinatoria de jurisdicción planteada como artículo de previo pronunciamiento son recurribles en casación siempre cualquiera que sea su sentido; es decir, tanto si se estiman como si se desestiman la cuestión"». STS, Sala 2ª, 604/2014 de TS, Sala 2ª, de lo Penal, 30 de septiembre de 2014, nº Rec. 1082/2014.

(Véase M. 260). Para el caso de que hubieren sido propuestas y desestimadas cuestiones de previo pronunciamiento se comunicará nuevamente la causa a cada parte que las hubiere alegado para que lleve a efecto la calificación de los hechos —art. 679 LECrim.—, continuando, en consecuencia, el proceso.

El escrito de calificación provisional, conforme al art. 650 LECrim., se limitará a determinar, en conclusiones precisas y numeradas: 1ª. Los hechos punibles que resulten del sumario. 2ª. La calificación legal de los mismos hechos, determinando el delito que constituyan. 3ª. La participación que en ellos hubieren tenido el procesado o procesados, si fueren varios. 4ª. Los hechos que resulten del sumario y que constituyan circunstancias atenuantes o agravantes del delito y eximentes de responsabilidad penal. 5ª. Las penas en que hayan incurrido el procesado o procesados, si fueren varios, por razón de su respectiva participación en el delito.

El acusador privado, en su caso, y el Ministerio Fiscal cuando sostenga la acción civil, expresarán, además: 1ª. La cantidad en que aprecien los daños y perjuicios causados por el delito, o la cosa que haya de ser restituida. 2ª. La persona o personas que aparezcan responsables de los daños y perjuicios o de la restitución de la cosa, y el hecho en virtud del cual hubieran contraído esta responsabilidad.

Las partes podrán presentar sobre cada uno de los puntos que han de ser objeto de la calificación dos o más conclusiones de forma subsidiaria para que si no resultare del juicio la procedencia de la primera pueda estimarse cualquiera de las demás en la sentencia (art. 653 LECrim).

Asimismo, manifestarán en sus respectivos escritos de calificación las pruebas de que intenten valerse, presentando listas de peritos y testigos que hayan de declarar a su instancia (art. 656 LECrim)[66]. Téngase presente que, a salvo de las excepcionales facultades del Tribunal previstas en el art. 729 LECrim (Véase § 3.1.B Cap. IX), la práctica de las diligencias de prueba se debe constreñir a las propuestas por las partes en los escritos de calificación provisional, precluyendo la petición en dicho momento (art. 728 LECrim). Por otra parte, el escrito de calificación se formaliza cuando se ha abierto ya el juicio oral y ha adquirido firmeza el auto de conclusión del sumario, por lo que no permite la retroacción del procedimiento resucitando una competencia para la investigación del delito que ya no tiene el Juez de Instrucción y que tampoco puede tener la Audiencia Provincial. En consecuencia, solo podrá solicitar actos de prueba que deban practicarse en el acto del juicio oral (arts. 659 y 728 de la LECrim)[67].

---

(66) La recusación de los peritos propuestos habrá de ajustarse a lo previsto en el art. 468 LECrim. y deberá realizarse dentro de los tres días siguientes, sin posibilidad de recusación posterior (arts. 662 y 663 LECrim).

(67) «La fase intermedia del proceso tiene un significado especial cuando se trata del procedimiento ordinario. Y es que el traslado para la formulación del escrito de defensa se produce cuando ya el juicio oral está abierto, se ha prestado conformidad al auto de conclusión del sumario y, precisamente por ello, ya ha decaído la competencia funcional del Juez Instructor, cuya investigación se ha declarado formalmente cerrada a partir de la ratificación por la Audiencia Provincial del auto de conclusión del sumario (arts. 630, 632 y 651 de la LECrim). De ahí que el escrito de defensa, si se ha consentido el auto de conclusión del sumario y no se ha instado

«Tampoco deben ser despreciadas las razones que subrayan, de modo singular en el marco del procedimiento ordinario, la necesidad de que en la fase intermedia no se solicite la práctica de diligencias de naturaleza claramente instructora. La aceptación de esas pruebas, si han de ser practicadas por el Juez instructor, conllevarían la revocación del auto de conclusión del sumario que, sin embargo, ya ha sido confirmado en el trámite previsto en el art. 627 de la LECrim (LA LEY 1/1882). Si, por el contrario, fuera la propia Audiencia la que aceptara su práctica se daría la circunstancia de que un órgano jurisdiccional asume el desarrollo de actos procesales para los que carece de competencia funcional. Por otra parte, tiene razón el Fiscal cuando llama la atención acerca de que, en puridad, no estamos en presencia de una prueba anticipada. Por tal no debe entenderse la que se anticipa a la celebración del juicio oral, sino aquella que por algunas de las razones a que se refiere el art. 448 de la LECrim (LA LEY 1/1882), es más que previsible que no pueda practicarse en el plenario. Está fuera de dudas que el derecho a la prueba goza del rango constitucional que le confiere el art. 24.2 de la CE (LA LEY 2500/1978), sin que su vigencia pueda condicionarse al acatamiento de meras exigencias formales. Pero es también exigible que su ejercicio se acomode a las secuencias procesales que definen cada uno de los procedimientos regulados por la LECrim. (LA LEY 1/1882) En el presente caso —no se olvide—, la petición de una nueva prueba pericial, no lo fue para ser practicada en el acto del juicio oral, sino para la elaboración de un dictamen previo por un perito informático que habría exigido la "... entrega (...) de cuanta documentación y materiales requiera para la elaboración de su informe, sobre el sistema informático SITEL, así como de cualquier otra que manifiesta precisar...", Y formalizada en el momento de la presentación del escrito de defensa. Tal fase del proceso, perfectamente idónea en otro tipo de procedimientos, tiene un significado especial cuando se trata del procedimiento ordinario. Y es que el traslado para la formulación del escrito de defensa se produce cuando ya el juicio oral está abierto, se ha prestado conformidad al auto de conclusión del sumario y, precisamente por ello, ya ha decaído la competencia funcional del Juez Instructor, cuya investigación se ha declarado formalmente cerrada a partir de la ratificación por la Audiencia Provincial del auto de conclusión del sumario (arts. 630 (LA LEY 1/1882), 632 (LA LEY 1/1882) y 651 de la LECrim (LA LEY 1/1882)). De ahí que el escrito de defensa, si se ha consentido el auto de conclusión del sumario y no se ha instado formalmente su revocación, no permita la retroacción del procedimiento resucitando una competencia para la investigación del delito que ya no tiene el Juez de Instrucción y que nunca podrá tener la Audiencia Provincial.

formalmente su revocación, no permita la retroacción del procedimiento resucitando una competencia para la investigación del delito que ya no tiene el Juez de Instrucción y que nunca podrá tener la Audiencia Provincial. Consentir el auto de conclusión del sumario supone aceptar que el régimen jurídico de la declaración de pertinencia de las pruebas propuestas ya no mira a la realización de actos genuinamente instructorios, sino a los actos de prueba que hayan de practicarse en el acto del juicio oral (arts. 659 y 728 de la LECrim) o cuya procedencia surja ex novo obligando a practicar una sumaria instrucción suplementaria (art. 746.6 LECrim). Al procesado le fue notificado el auto de conclusión del sumario y pudo entonces, al amparo de la lectura constitucional de esa fase proclamada por la STC 66/1989, 17 de abril (LA LEY 119983-NS/0000), propugnar cuantos actos de investigación complementaria considerara oportunos. Como es sabido, aquella sentencia llevó a cabo una interpretación integradora del repetido art. 627 LECrim, precisamente para dar oportunidad a los procesados, no sólo de solicitar y razonar la procedencia del sobreseimiento, sino de interesar, en su caso, la práctica de nuevas diligencias distintas de las rechazadas, que pudieran ser pertinentes». STS, Sala 2ª, 955/2009 de 1 Oct. 2009, Rec. 11475/2008, LA LEY 191999/2009.

Consentir el auto de conclusión del sumario supone aceptar que el régimen jurídico de la declaración de pertinencia de las pruebas propuestas ya no mira a la realización de actos genuinamente instructorios, sino a los actos de prueba que hayan de practicarse en el acto del juicio oral (arts. 659 (LA LEY 1/1882) y 728 de la LECrim (LA LEY 1/1882)) o cuya procedencia surja *ex novo* obligando a practicar una sumaria instrucción suplementaria (art. 746.6 LECrim (LA LEY 1/1882))». STS Sala Segunda, de lo Penal, Sentencia 195/2014 de 3 Mar. 2014, Rec. 10575/2013. Ponente: Marchena Gómez, Manuel. LA LEY 37723/2014.

Al escrito de calificación le corresponde la función de orientar el debate, fijando qué hechos constituyen el objeto de la acusación e indicando al acusado la dirección del ataque y las pruebas en que éste ha de basarse, a fin de que el inculpado pueda disponer adecuadamente su defensa. También servirá para perfilar el objeto de la acción civil, ejercitada con la interposición de la querella, en su caso. Ahora bien, las conclusiones que se contienen en el escrito de calificación provisional no resultan absolutamente vinculantes para las partes, ya que una vez practicada la prueba podrán modificar sus conclusiones formulando las denominadas definitivas (art. 732 LECrim). Por tanto, es el escrito de calificación definitiva donde queda definitivamente delimitado el objeto penal y civil del proceso penal seguido: y el que constituye la verdadera referencia para dictar una sentencia congruente (*vid.* § 1.4 Cap. X). Ahora bien, la modificación no puede alterar los términos del debate sobre el que efectivamente se ha defendido el acusado. Así, y principalmente, debe respetarse la identidad del hecho y la homogeneidad delictiva; de modo que no puede calificarse por hechos sustancialmente distintos a los que fueron objeto de calificación provisional.

«La modificación de las calificaciones provisionales al pasar a definitivas no determina en sí misma ninguna lesión del principio acusatorio, como, por cierto, tampoco toda desviación de las calificaciones definitivas realizada por el órgano judicial en el fallo, pues, de un lado, la congruencia entre la acusación y el fallo sólo exige la identidad de hecho punible y la homogeneidad de las calificaciones jurídicas (por todas, SSTC 12/1981, de 10 de abril; 104/1986, de 17 de julio y 225/1997, de 15 de diciembre, y, de otro, más allá de dicha congruencia, lo decisivo a efectos de la lesión del art. 24.2 CE es «la efectiva constancia de que hubo elementos esenciales de la calificación final que de hecho no fueron ni pudieron ser plena y frontalmente debatidos» (ATC 36/1996, de 12 de febrero y STC 225/1997, de 15 de diciembre». STC 87/2001 de 2 de abril.

Véanse sobre estas cuestiones § 4.8 de este Capítulo sobre los escritos de calificación definitiva; § 2.2.A.a Capítulo I sobre el principio acusatorio; y el § 5.8 Cap. XII sobre la modificación de las conclusiones provisionales en el procedimiento abreviado.

Finalmente, con relación a la conformidad, el art. 655 LECrim prevé que si la pena pedida por las partes acusadoras fuese de carácter correccional, el procesado podrá en el trámite de calificación manifestar su conformidad absoluta con la calificación más grave, y solicitar o no, la continuación del juicio. Si no conceptúa necesaria la continuación del juicio, el Tribunal previa ratificación del procesado dictará la sentencia que proceda según la calificación mutuamente aceptada. Frente a la sentencia de conformidad no cabe recurso de casación, por la plena aceptación del acusado, garantizada por la aceptación de su abogado[68]. Aunque sí cabe recurso de revisión[69]. Véase más sobre conformidad el § 5.5 Cap. XII. Ahora bien, esta regla general puede excepcionarse admitiéndose el recurso cuando: a) no se hayan respetado los requisitos formales, materiales y subjetivos legalmente necesarios para la validez de la sentencia de conformidad. b) que no se hayan respetado en el fallo los términos del acuerdo entre las partes[70].

«Esta regla general está condicionada por una doble exigencia: a) que se hayan respetado los requisitos formales, materiales y subjetivos legalmente necesarios para la validez de la sentencia de conformidad. b) que se hayan respetado en el fallo los términos del acuerdo entre las partes. Así, por ejemplo, desde la primera de dichas perspectivas resulta admisible un recurso interpuesto frente a una sentencia de conformidad (STS 211/2012, de 21 de marzo (LA LEY 39704/2012)), cuando se alegue que se ha dictado en un supuesto no admitido por la ley en razón de la pena, cuando se alegue que no se han respetado las exigencias procesales establecidas (por ejemplo la "doble garantía" o inexcusable anuencia tanto del acusado como de su letrado), cuando se alegue un vicio de consentimiento (error, por ejemplo) que haga ineficaz la conformidad (sentencia 23 de octubre de 1975), o, en fin, cuando, excepcionalmente, la pena impuesta no sea legalmente procedente conforme a la

---

(68) «Como recuerda la reciente STS 188/2015, de 9 de abril (LA LEY 35306/2015), la doctrina de esta Sala (STS 483/2013, de 12 de junio (LA LEY 78709/2013) y 752/2014, de 11 de noviembre (LA LEY 161482/2014), entre otras) mantiene una regla general negativa respecto de la posibilidad de combatir sentencias de conformidad a través del recurso de casación, que se sustenta en la consideración de que la conformidad del acusado con la acusación garantizada y avalada por su Letrado defensor comporta una renuncia implícita a replantear, para su revisión por el Tribunal casacional, las cuestiones fácticas y jurídicas que ya se han pactado libremente y sin oposición. Las razones de fondo que subyacen en esta tesis, pueden concretarse en tres: a) el principio de que nadie puede ir contra sus propios actos, impugnando lo que ha aceptado libre, voluntariamente y con el asesoramiento jurídico necesario. b) el principio de seguridad jurídica, fundamentado en la regla "pacta sunt servanda", que quebraría de aceptarse la posibilidad de revocar lo pactado. c) las posibilidades de fraude, derivadas de una negociación dirigida a conseguir, mediante la propuesta de conformidad, una acusación y una sentencia más benévolas, para posteriormente impugnar en casación lo previamente aceptado, sin posibilidades para la acusación de reintroducir otros eventuales cargos más severos, renunciados para obtener la conformidad». STS Sala Segunda, de lo Penal, Sentencia 291/2016 de 7 Abr. 2016, Rec. 10692/2015; Ponente: Conde-Pumpido Tourón, Cándido. LA LEY 25460/2016.

(69) Véase en este sentido entre muchas otras la STS Sala Segunda, de lo Penal, Sentencia 589/2014 de 14 Jul. 2014, Rec. 20167/2014; Ponente: Soriano Soriano, José Ramón. LA LEY 96548/2014.

(70) «En la STS nº 123/2016, de 22 de febrero (LA LEY 8152/2016), se recoge la doctrina de esta Sala sobre el particular, en aplicación del precepto citado más arriba, que por otro lado no presenta dificultades para su correcto entendimiento. Se decía en esa sentencia, con cita de otras (STS nº 188/2015, de 9 de abril (LA LEY 35306/2015), nº STS 483/2013, de 12 de junio (LA LEY 78709/2013) y STS nº 752/2014, de 11 de noviembre (LA LEY 161482/2014)), que esta Sala mantiene una regla general negativa respecto de la posibilidad de combatir sentencias de conformidad a través del recurso de casación, que se sustenta en la consideración de que la conformidad del acusado con la acusación garantizada y avalada por su Letrado defensor comporta una renuncia implícita a replantear, para su revisión por el Tribunal casacional, las cuestiones fácticas y jurídicas que ya se han pactado libremente y sin oposición». STS Sala Segunda, de lo Penal, Sentencia 374/2016 de 3 May. 2016, Rec. 1669/2015; Ponente: Colmenero Menéndez de Luarca, Miguel. LA LEY 44015/2016.

calificación de los hechos, sino otra inferior, vulnerándose el principio de legalidad (STS núm. 754/2009, de 13 de julio (LA LEY 125107/2009)). Dentro del segundo apartado se justificaría un recurso de casación, por ejemplo, cuando se ha condenado por un delito más grave que el que ha sido objeto de conformidad o impuesto una pena superior a la conformada, o, desde la perspectiva de la acusación, cuando se ha dictado sentencia absolutoria sin respetar la conformidad del acusado con la acusación formulada (STS 355/2013 (LA LEY 47356/2013), de 29 de enero)». STS Sala Segunda, de lo Penal, Sentencia 291/2016 de 7 Abr. 2016, Rec. 10692/2015; Ponente: Conde-Pumpido Tourón, Cándido. LA LEY 25460/2016.

El límite de pena que permite la conformidad del acusado debe entenderse referido a los seis años de prisión, de conformidad con lo previsto en el procedimiento abreviado (véase art. 787 LECrim). Aunque el art. 655 LECrim se refiera todavía a la pena correccional que se correspondería con la pena de seis meses a tres años de prisión (Así, lo había entendido alguna sentencia del Tribunal Supremo). Sin embargo, carece de sentido que se limite la conformidad a las peticiones de pena de hasta tres años. En primer lugar, por coherencia con la regulación establecida en el procedimiento abreviado. En segundo lugar, porque de ser así prácticamente no se podría alcanzar conformidad alguna en el procedimiento por delitos graves en razón de la cuantía de las penas que se solicitan en esta clase de procedimiento. Finalmente, este es el criterio que se mantiene en la Jurisprudencia de Tribunal Supremo[71].

«De entrada, las penas solicitadas por el Fiscal y la acusación particular —10 y 12 años de prisión respectivamente— impedían la conformidad. Así se desprende del art. 688, párrafo 2º, que obliga al Presidente a preguntar al procesado si se conforma con la pena solicitada, sólo en el supuesto de que la "... la causa que haya de verse fuese por delito para cuyo castigo se pida la imposición de pena correccional". La jurisprudencia de esta Sala ha interpretado, atendiendo al sentido histórico de la pena correccional y a lo dispuesto en el art. 787.1 de la LECrim (LA LEY 1/1882), que el juicio de conformidad ha de moverse, en todo caso, en un límite de pena inferior a 6 años de prisión (cfr. STS 938/2008, 3 de diciembre y Circular 2/1996 de la Fiscalía General del Estado). Las penas solicitadas por el Fiscal y la acusación particular hacían inviable, por tanto, cualquier acuerdo que permitiera un desenlace consensuado entre las partes, como expresión de una justicia pactada que, por su propia naturaleza, es inidónea para el enjuiciamiento de delitos de especial gravedad, como el que iba a ser objeto de enjuiciamiento». STS Sala Segunda, de lo Penal, de 25 Sep. 2013, Rec. 10426/2013. Ponente: Marchena Gómez, Manuel. N.º de Sentencia: 767/2013. La Ley 155862/2013.

---

(71)   «En el caso actual es claro que nos encontramos en uno de los supuestos en que el recurso contra una sentencia de conformidad es admisible, y además debe ser estimado, pues la pena impuesta (14 años y 3 meses de prisión) supera de modo manifiesto el límite legal establecido para esta modalidad de sentencias. El límite máximo punitivo establecido legalmente para las conformidades es el de seis años de prisión, según lo dispuesto por el art 787 (LA LEY 1/1882) 1 de la Lecrim, para el procedimiento abreviado, regla que es extensible al procedimiento ordinario, en el que el art 655 de la Lecrim (LA LEY 1/1882) establece la conformidad para las penas "correccionales", que son precisamente las que no superan los seis años de privación de libertad». STS Sala Segunda, de lo Penal, Sentencia 291/2016 de 7 Abr. 2016, Rec. 10692/2015; Ponente: Conde-Pumpido Tourón, Cándido. LA LEY 25460/2016.

No cabe eludir el límite legal de seis años mediante una conformidad pactada y ratificada en una suerte de aparente juicio oral. Proceder que el Tribunal Supremo considera contrario al principio de legalidad y a un proceso con todas las garantías[72].

4.5. El juicio oral. Admisión de la prueba

Presentados los escritos de calificación o recogida la causa en poder de quien la tuviere después de transcurrido el plazo del art. 649 LECrim, el Tribunal dictará auto declarando realizada la calificación y mandando que se pase aquélla al Ponente, por término de tres días, para el examen de las pruebas propuestas —art. 658 LECrim.— (Véase M. 263). Devuelta la causa por el Ponente el Tribunal examinará las pruebas propuestas e inmediatamente dictará auto, admitiendo las que considere pertinentes y rechazando las demás —arts. 658 y 659 LECrim.—[73], con señalamiento de día para la vista (véase M. 264). Los recursos contra el contenido de este auto se regulan en el art. 659 LECrim[74]. En el mismo auto señalará el día en que deban comenzar las sesiones del juicio oral, teniendo en consideración la prioridad de otras causas y el tiempo que fuere preciso para las citaciones y comparecencias de los peritos y testigos. Los recursos contra el contenido de este auto vienen establecidos en el art. 659 LECrim.

---

(72)   Véanse en este sentido las SSTS Sala Segunda, de lo Penal, Sentencia 291/2016 de 7 Abr. 2016, Rec. 10692/2015; Ponente: Conde-Pumpido Tourón, Cándido. LA LEY 25460/2016; Sala Segunda, de lo Penal, Sentencia 808/2016 de 27 Oct. 2016, Rec. 10213/2016; Ponente: Sánchez Melgar, Julián. LA LEY 151035/2016.

(73)   «... se puede extraer la conclusión de que la pertinencia de las pruebas es la relación que las mismas guardan con lo que es objeto del juicio y con lo que constituye el thema decidendi para el Tribunal y expresa la capacidad de los medios utilizados para formar la definitiva convicción del Tribunal. Así entendida, la pertinencia de las pruebas es distinta de su eventual relevancia, que consiste en el juicio de necesidad o utilidad de las mismas. Entendida la idea de pertinencia del modo como queda explicado —relación entre los hechos probados y el thema decidendi— surge de inmediato la cuestión de los elementos caracterizadores del juicio sobre la pertinencia. Se encuentran entre ellos, en un primera línea de dificultad menor, el que el objeto de la prueba han de ser hechos y no normas jurídicas o elementos de derechos; el que ha de tratarse de hechos que hayan sido previamente alegados y que estén, por consiguiente, previamente aportados al proceso, y que no se trate de hechos exonerados de prueba, como pueden serlo los hechos establecidos en virtud de una presunción legal... La pertinencia, entendida como constatación de la relación de los medios de prueba propuestos con el thema decidendi, presupone la configuración de este último, que debe realizarse mediante las operaciones de alegación llevadas a cabo por las partes... Es exclusivamente el juicio sobre la pertinencia lo que debe ser medido y en el que ha de considerarse válida la decisión adoptada por los Jueces a quo en tanto no se ofrezcan razones suficientes para destruirla en el proceso de amparo...». (STC 51/85, de 10 abril).

(74)   Contra la resolución en que se acuerde la admisión de pruebas no cabe recurso alguno. Contra la resolución de inadmisión tampoco cabe recurso inmediato, pero debe efectuarse la protesta como trámite previo para la interposición del recurso de casación, de conformidad con el art. 659.4.º LECrim. Son requisitos para la admisión de un recurso de casación por quebrantamiento de forma basado en la denegación de una prueba, en general los siguientes: a) que se haya propuesto la prueba o pruebas, en tiempo y forma, por alguna de las partes; b) que las propuestas hayan sido denegadas por la Audiencia en origen; c) que dicha denegación se haya acordado, pese a la procedencia o pertinencia de su solicitud distinguiéndose la pertinencia de la necesidad, produciendo la denegación efectiva indefensión, y d) que se haya hecho constar la correspondiente protesta en el momento oportuno (Véase § 7.6 Capítulo XI en sede de recurso de casación).

La admisión de la prueba queda sujeta al criterio de pertinencia y necesidad, teniendo en cuenta que el derecho a la prueba es una de las garantías que constitucionaliza el art. 24.2 CE pudiendo ser sustento de un recurso de amparo si se causa indefensión con su denegación[75]. (Véase sobre el derecho a la prueba y los criterios para su admisión § 1 Cap. IX). Por otra parte, la Ley no prevé que pueda solicitarse la práctica de prueba al margen de la petición prevista en el escrito de calificación. Sin embargo, EL Tribunal Supremo ha admitido esta posibilidad en supuestos justificados tal y como está previsto en el art. 785 LECrim en el procedimiento abreviado. Proceder que ha convalidado el Tribunal Constitucional[76]. A ese fin el Tribunal Supremo ha dicho que procederá la posibilidad de presentar petición adicional de prueba con posterioridad al escrito de calificación provisional siempre que: a) Esté justificada de forma razonada. b) No suponga un fraude procesal y c) No constituya un obstáculo a los principios de contradicción e igualdad en garantía de la interdicción de toda indefensión[77].

«Como recuerda la STS 1060/2006 de 11.10 (LA LEY 138568/2006), una no ya reciente línea jurisprudencial abrió la posibilidad de proponer y admitir prueba con posterioridad al de calificación provisional y anterioridad al comienzo del Juicio oral, cuando existan razones justificadas para ello y siempre que concurran los requisitos —obvios— de que esta nueva proposición de pruebas no suponga un fraude procesal y no constituya un obstáculo al principio de contradicción e igualdad de partes

---

(75)   El derecho a la prueba, según SSTC 36/83, de 11 mayo; 116/83, de 7 diciembre; 105/85, de 8 octubre; 102/87, de 17 junio; 44/88, de 17 marzo; 60/88, de 8 abril, es una de las garantías que constitucionaliza el art. 24.2 CE, pudiendo ser sustento de un recurso de amparo si se causa indefensión con su denegación. Así, la STC 116/83, establece que no existió la referida indefensión, a pesar de la negativa a practicar una prueba determinada que se había acordado, pues el Tribunal sentenciador, puesto que valorando la pertinencia o no de la prueba, se consideró suficientemente informado con la práctica de las demás propuestas para formar juicio. En igual sentido, la STC 17/84, de 7 febrero, en la que, ante la alegación de indefensión por el recurrente por no haberse practicado pruebas que estimaba decisivas para su defensa, el Tribunal, siguiendo criterios precedentemente sentados, afirmó que «... la denegación de aquellas pruebas que el juzgador estime inútiles no supone necesariamente indefensión, pues tal facultad denegatoria viene impuesta por evidentes razones prácticas como son evitar dilaciones injustificadas del proceso...». Y en la STC 30/86 se estima el amparo por denegación de una documental, pues «... la prueba no debió descalificarse como impertinente, ya que la misma se pretendió vertiera sobre elementos que, de modo manifiesto, no resultaron ajenos al thema decidendi... y aun cuando el juicio de pertinencia es de mera legalidad, pueden darse supuestos en que el contenido mismo de dicho juicio y la decisión en su virtud adoptada no se atemperen a lo que exige el derecho reconocido en el art. 24.2 CE...».

(76)   «Hemos de rechazar, en primer lugar, que el proceder del órgano judicial haya causado una indefensión material al recurrente, por cuanto el Auto por el que se admitían las pruebas solicitadas por el Ministerio Fiscal fue debidamente notificado al actor con antelación suficiente para que él pudiera proponer, a su vez, pruebas de contraste y combatir de modo contradictorio el potencial incriminatorio de los medios de prueba admitidos.../....Es cierto —y así lo declara el Tribunal Supremo en la Sentencia impugnada— que a diferencia del procedimiento abreviado, el procedimiento ordinario no prevé la posibilidad de solicitar la práctica de medios de prueba una vez cerrado el trámite de conclusiones provisionales (art. 650 ss. LECrim). Pero de la interpretación extensiva de la ley procesal efectuada por los órganos judiciales, aplicando al procedimiento ordinario las reglas del abreviado, no cabe deducir, frente a lo afirmado por el demandante, la vulneración de un derecho constitucional». STC 12/2011, de 28 de febrero de 2011.

(77)   Véase en este sentido la STS 251/2014 de 18 Mar. 2014, Rec. 1504/2013, Ponente: Jorge Barreiro, Alberto Gumersindo. LA LEY 40132/2014.

(STS 13.12.96), posibilidad admisible, por ejemplo, en los supuestos de que la parte concernida estime necesario proponer alguna prueba adicional no conocida o no accesible en el momento de la calificación. En conclusión hay que declarar expresamente la posibilidad de presentar petición adicional de prueba con posterioridad al escrito de calificación provisional siempre que: a) Esté justificada de forma razonada. b) No suponga un fraude procesal y c) No constituya un obstáculo a los principios de contradicción e igualdad en garantía de la interdicción de toda indefensión. Se trata, se insiste, en la STS 1060/2006 de 11.10 (LA LEY 138568/2006) ya citada, de una línea jurisprudencial ya consolidada, y que de alguna manera quedó reforzada con la posibilidad legalmente admitida para el Procedimiento Abreviado tanto competencia del Juzgado de lo Penal como de la Audiencia Provincial de presentar prueba hasta el mismo momento del acto del Juicio Oral como expresamente permite el art. 793-2º de la LECriminal (LA LEY 1/1882), actual artículo 786 tras la reforma dada por la Ley 38/2002 de 24 de octubre (LA LEY 1490/2002), en el marco de la Audiencia Preliminar que precede al debate del Plenario». STS 912/2016 de 1 Dic. 2016, Rec. 355/2016. Ponente: Berdugo Gómez de la Torre, Juan Ramón. LA LEY 177402/2016.

Al Ministerio Fiscal y demás partes acusadoras y las defensas se les citará por medio de su representante legal para el día de celebración del juicio. Sin embargo, la omisión de la citación quedaría convalidada si se personaran en el juicio. No es necesario que sea personal, salvo para el acusado (*Vid.* sobre la citación § 3.2.B Cap. V).

Los debates del juicio oral serán públicos, bajo pena de nulidad (art. 680 LECrim), sin perjuicio de lo dispuesto en los arts. 681 y 682 LECrim que prevé la posibilidad de acordar limitaciones a la publicidad del proceso en razón de la concurrencia de razones de orden público o protección de derechos y libertades de las partes, testigos o cualquier otra persona que pudiera resultar afectada por la publicidad del proceso (art. 232.3 LOPJ). (Véase sobre la publicidad de los actos procesales § 2.2.B.b.2 Cap. I; y § 2.3.C Cap. V). (Véase sobre la declaración de testigos ocultos o protegidos § 1.4.C Cap. IX). Los límites a la publicidad del proceso se fundamentan en los Tratados Internacionales como son el art. 14.1 Pacto Internacional de Derechos Civiles y Políticos y art. 6.1 Convenio Europeo de Protección de Derechos Humanos y Libertades Fundamentales, de los que se deduce que el derecho a un juicio público, y en concreto, el acceso del público y de la prensa a la Sala de audiencia, durante la celebración del juicio oral, puede ser limitado o excluido, entre otras, por razones de orden público justificadas en una sociedad democrática, que estén previstas en las leyes. El Tribunal Constitucional, en reiteradas resoluciones, ha estimado la constitucionalidad de celebrar el juicio a puerta cerrada por razones de orden público y/o moralidad, justificable para facilitar el correcto y ordenado desarrollo del proceso[78].

---

(78) Cuando el Tribunal adopta la decisión de que un juicio se celebre a puerta cerrada, no se encuentra prejuzgando que el inculpado sea o no inocente ni está vulnerando el derecho a la tutela efectiva de Juez y Tribunales, siempre que la decisión de celebrar el juicio a puerta cerrada está fundada en derecho (STC 62/82, de 15 octubre). Tampoco se desvirtúa el carácter público del acto del juicio cuando el Tribunal, por razones de seguridad dado el espacio de la Sala, tuvo que limitar el número de personas que accedieron a presenciarlo, sin poder permitir el acceso a otras (STC 30/86, de 20 febrero). En el supuesto examinado en la STC 65/92, de 29 abril «... la decisión de celebrar el juicio a puerta cerrada... tenía como finalidad el facilitar el correcto y ordenado desarrollo del proceso, evitando cualquier intimidación dirigida a los procesados, sus defensores y los testigos...».

Las citadas excepciones se refieren a la posibilidad de limitar, por resolución motivada del Juez o Tribunal, el ámbito de la publicidad o acordar el carácter secreto de todo o parte de las actuaciones especialmente en el juicio oral que es una fase en la que rige como norma general la publicidad. Así lo prevé el art. 649 LECrim que dispone que una vez abierto el juicio oral serán públicos todos los actos del proceso. También se prevé la publicidad del juicio oral el art. 680 LECrim.). No obstante, también en esta fase se prevé la posibilidad de celebrar las sesiones a puerta cerrada cuando así lo exijan razones de orden público o protección de derechos y libertades de las partes, testigos o cualquier otra persona que pudiera resultar afectada por la publicidad del proceso (art. 681 LECrim). El Juez o Tribunal, previa audiencia de las partes, también puede restringir la presencia de los medios de comunicación audiovisuales en las sesiones del juicio y prohibir que se graben todas o alguna de las audiencias cuando resulte imprescindible para preservar el orden de las sesiones y los derechos fundamentales de las partes y de los demás intervinientes, especialmente el derecho a la intimidad de las víctimas, el respeto debido a la misma o a su familia, o la necesidad de evitar a las víctimas perjuicios relevantes que, de otro modo, podrían derivar del desarrollo ordinario del proceso. A ese efecto, podrá: a) Prohibir que se grabe el sonido o la imagen en la práctica de determinadas pruebas, o determinar qué diligencias o actuaciones pueden ser grabadas y difundidas. b) Prohibir que se tomen y difundan imágenes de alguna o algunas de las personas que en él intervengan. c) Prohibir que se facilite la identidad de las víctimas, de los testigos o peritos o de cualquier otra persona que intervenga en el juicio. (art. 682 LECrim).

> «... la decisión de celebrar el juicio a puerta cerrada supone una excepción del derecho a un juicio público que reconoce y ampara el art. 24.2 CE. Sin embargo, no se trata de un derecho absoluto, y así resulta de lo dispuesto al respecto por la Declaración Universal de Derechos Humanos y por los Tratados Internacionales sobre esta materia suscritos por España, de los que se deduce que puede ser limitado o excluido por razones de orden público justificadas en una sociedad democrática que estén previstas por las leyes...». (STC 65/92, de 29 abril). Véase también STC 96/1997[79].

El Tribunal también puede adoptar medidas de restricción de la publicidad en el caso de la declaración de testigos protegidos (arts. 2, 3, 4 LO 19/1994), menores (arts. 4 y 9 LO 1/1996 de protección jurídica del menor) o víctimas de delitos de agresión sexual (Art. 15.5 Ley 35/1995). (Véase sobre la declaración de estos testigos en el acto del juicio el § 1.4.C del Cap. IX en sede de prueba).

La resolución se tomará por el Tribunal, de oficio o a instancia de parte, previa audiencia de las partes y mediante auto motivado, antes de comenzar el juicio oral o en cualquier momento posterior (arts. 681 y 682 LECrim)[80].

---

(79)   SSTS 61/1982, 96/1987, 176/1988, ATC 96/1981.

(80)   Aunque, tampoco es exigible una especial motivación en las resoluciones que se adopten durante la sustanciación del juicio oral; y en cualquier caso, la ausencia de aquélla constituirá una irregularidad únicamente relevante en el caso de que la decisión aparezca como manifiestamente infundada con la consecuencia de haber producido indefensión a la parte: «En relación a la motivación de la decisión judicial, es evidente que las resoluciones judiciales han de contener la suficiente motivación, principalmente para permitir el control por el Tribunal que ha de conocer las impugnaciones que se efectúen contra las mismas. No obstante, estas exigencias no tienen

«1. El artículo 24.2 de la Constitución (LA LEY 2500/1978) reconoce el derecho a un proceso público. Y el artículo 120 dispone que las actuaciones judiciales serán públicas con las excepciones que prevean las leyes de procedimiento. El artículo 232 de la LOPJ (LA LEY 1694/1985) admite que, excepcionalmente, por razones de orden público y de protección de los derechos y libertades, los Jueces y Tribunales podrán limitar el ámbito de la publicidad y acordar el carácter secreto de todas o parte de las actuaciones. En relación al juicio oral, el artículo 680 de la LECrim (LA LEY 1/1882), luego de disponer la publicidad del plenario, bajo pena de nulidad, contempla la posibilidad de que el Tribunal pueda acordar, tras consulta del Presidente realizada de oficio o a petición de los acusadores, que las sesiones se celebren a puerta cerrada, cuando así lo exijan razones de moralidad o de orden público o el respeto debido a la persona ofendida por el delito o a su familia, consignando su acuerdo en auto motivado». STS 44/2015 de 29 Ene. 2015, Rec. 1553/2014. Ponente: Colmenero Menéndez de Luarca, Miguel. LA LEY 4620/2015.

La Ley no prevé ningún trámite de cuestiones previas del mismo modo que está previsto en el art. 786.2 LECrim para el procedimiento abreviado. Sin embargo, la jurisprudencia se ha pronunciado en el sentido de admitirlo con la finalidad de poner de manifiesto cuestiones procesales que excedieran del ámbito de los artículos previo pronunciamiento[81]. Por ejemplo respecto a la nulidad de una prueba o con relación al derecho de defensa[82].

---

el mismo contenido en todos los casos. Y así, la sentencia de esta Sala de 16 de mayo de 2000, precisamente en su supuesto de aplicación de la Ley 19/1994 de Protección a Testigos y Peritos en Causas Criminales, acordada en el mismo acto del juicio oral que: "una cuestión diferente es la que se refiere a la falta de motivación de la decisión de otorgar a los testigos la condición de protegidos. Sin embargo, la motivación de las decisiones adoptadas en el juicio oral no exigen una exposición escrita. Tampoco es necesario que el Secretario la haya hecho constar en el acta. Por tal razón, la supuesta falta de motivación de tales decisiones sólo pueden ser fundamento del recurso de casación cuando la decisión aparezca ex-post como manifiesta infundada"». STS 2461/2001 de 18 Dic. 2001, Rec. 354/2001; Ponente: Móner Muñoz, Eduardo. LA LEY 1666/2002.

(81) «En el artículo 728 de la LECrim (LA LEY 1/1882) se precisa que en el plenario «no podrán practicarse otras diligencias de prueba que las propuestas por las partes, ni ser examinados otros testigos que los comprendidos en las listas presentadas», dejando a salvo los supuestos previstos en el artículo 729. No obstante, como el propio recurrente reconoce, en la STS nº 872/2008 (LA LEY 193668/2008), se reconocía la posibilidad de "admitir en el proceso Sumario la Audiencia Preliminar del art. 786 LECriminal (LA LEY 1/1882) prevista inicialmente para el Procedimiento Abreviado, y, en consecuencia la posibilidad de proponer nuevas pruebas en dicho incidente con la única limitación de que deban practicarse en el acto, es decir, que la prueba nueva no suponga una suspensión de la vista ...", citando como precedente, entre otros, la STS nº 1060/2006 (LA LEY 138568/2006), en la que se admitía la proposición y admisión de pruebas después del escrito de conclusiones provisionales y antes del juicio oral, si bien el Tribunal deberá verificar que existen razones justificadas para ello, que no supone un fraude procesal y que se respeten los principios de contradicción e igualdad de armas entre las partes». STS 44/2015 de 29 Ene. 2015, Rec. 1553/2014. Ponente: Colmenero Menéndez de Luarca, Miguel. LA LEY 4620/2015.

(82) «Con arreglo a una doctrina jurisprudencial de la que pueden ser expresión las SsTS de 20 de enero de 2010, 31 de mayo y 11 de octubre de 2011, entre otras, la vía del art. 786.2 de la L.E.Crim. (LA LEY 1/1882), prevista para el procedimiento abreviado, es reconducible también al sumario ordinario, de tal manera que se les reconoce ese trámite en la presente causa, tanto a las partes que aprovechan el cauce del art. 666 y siguientes para suscitar ese complemento de denuncias relacionadas con sus derechos de defensa, como a las que sin haber propuesto los artículos de previo pronunciamiento también demuestran un interés en hacer valer aquella proyección del art.

«Se trata, se insiste, en la STS 1060/2006 de 11.10 (LA LEY 138568/2006) ya citada, de una línea jurisprudencial ya consolidada, y que de alguna manera quedó reforzada con la posibilidad legalmente admitida para el Procedimiento Abreviado tanto competencia del Juzgado de lo Penal como de la Audiencia Provincial de presentar prueba hasta el mismo momento del acto del Juicio Oral como expresamente permite el art. 793-2º de la LECriminal (LA LEY 1/1882), actual artículo 786 tras la reforma dada por la Ley 38/2002 de 24 de octubre (LA LEY 1490/2002), en el marco de la Audiencia Preliminar que precede al debate del Plenario En efecto, como recordaba la STS 60/1997 de 25 de enero de 1999: "...El art. 793-2º de la LECriminal (LA LEY 1/1882) permite una controversia preliminar con la finalidad de acumular, en un sólo acto, diversas cuestiones que en el proceso común ordinario daban lugar a una serie de incidencias previas que dilataban la entrada en el verdadero debate que no es otro que el que surge en el momento del Juicio Oral, acentuado de esta manera los principios de concentración y oralidad. Según se desprende del tenor del artículo, esta Audiencia Preliminar puede versar sobre: a) Competencia del órgano judicial. b) Vulneración de algún derecho fundamental. c) Existencia de artículos de previo pronunciamiento. d) Causas de suspensión del Juicio Oral. e) Contenido y finalidad de las pruebas propuestas o que se propongan en el acto para practicarse en las sesiones del Juicio Oral...»". STS 912/2016 de 1 Dic. 2016, Rec. 355/2016. Ponente: Berdugo Gómez de la Torre, Juan Ramón. LA LEY 177402/2016.

Las razones que aduce el Tribunal Supremo para posibilitar este trámite procesal no previsto expresamente en la Ley se contienen en la STS 912/2016 de 1 Dic. 2016, Rec. 355/2016. Ponente: Berdugo Gómez de la Torre, Juan Ramón. LA LEY 177402/2016.

«Sobre si ésta posibilidad es aplicable al sumario ordinario, la STS 94/2007 de 14.2 (LA LEY 3298/2007), insiste en dar una respuesta positiva, y ello por las siguientes razones: a) Por el principio de unidad del ordenamiento jurídico; sería un contrasentido que lo que la Ley permite en un tipo de procesos en aras de potenciar la concentración, oralidad y en definitiva un incremento de las garantías no puede extenderse al Procedimiento por sumario, cuya regulación se mantiene en este aspecto desde la promulgación de la LECriminal (LA LEY 1/1882) en la Ley con fecha de 14 de septiembre de 1882. b) Porque precisamente, el mandato constitucional contenido en el art. 120-3º de que el Procedimiento —sobre todo en material criminal— será predominante oral tiene una mayor realización y amplitud, precisamente en la Audiencia Preliminar que se comenta. c) Porque, en fin, esta línea proclive a extender la Audiencia Preliminar al Procedimiento Ordinario Sumario, que la práctica judicial lo ha aceptado, está expresamente admitido por la jurisprudencia de la Sala como lo acredita, entre otras, las SSTS de 10 de octubre de 2001 o la 2/98 de 29 de julio (LA LEY 7880/1998), en las que se estimó como correcta la actuación del Tribunal de instancia que en procedimientos de Sumario abrió un debate sobre la nulidad de determinadas pruebas suscitadas, en este trámite, por las defensas. Obviamente, si se admite la validez de la Audiencia Preliminar para el cuestionamiento de la validez de algunas pruebas, es claro que también debe aceptarse que en el ámbito de dicho acto, se puede proponer nueva prueba». STS 912/2016 de 1 Dic. 2016, Rec. 355/2016. Ponente: Berdugo Gómez de la Torre, Juan Ramón. LA LEY 177402/2016.

786.2 al proceso ordinario, asegurándose además la decisión conjunta en unidad de acto». SAP de Asturias, Sección 3ª, Auto de 6 Mar. 2015, Rec. 6/2013; LA LEY 246550/2015.

Cuestión distinta es si el Tribunal deba o no resolver sobre la cuestión lo que dependerá del caso concreto.

«La decisión de un Tribunal de resolver en sentencia las invocaciones de nulidad que se hacen por las defensas es cuestión que ha sido examinada por jurisprudencia de esta Sala que se ha pronunciado sobre su corrección legal y constitucional. Así, la Sentencia 195/2014, de 3 de marzo, se pronuncia sobre la admisibilidad de un turno de intervenciones o turno de cuestiones previas (art. 786.2 LECrim (LA LEY 1/1882)) en el procedimiento ordinario, en el que no existe previsión normativa al respecto. De hecho, hemos declarado recientemente que cuando lo que se pretende es obtener la nulidad de determinadas actuaciones por entender que se han producido con violación de derechos fundamentales no cabe hacer uso de la vía de los artículos de previo pronunciamiento, sino que las objeciones correspondientes deberán reservarse para el juicio oral (cfr. SSTS 10/2010, 21 de enero (LA LEY 2377/2010), 1481/2002, 18 de septiembre (LA LEY 7786/2002) y STS 640/2000, de 15 de abril (LA LEY 7958/2000))». STS 706/2014 de 22 Oct. 2014, Rec. 1411/2013; Ponente: Granados Pérez, Carlos. LA LEY 152538/2014.

El juicio se iniciará preguntando al acusado, puesto en pie —art. 685 LECrim.—, sobre las denominadas «generales de la Ley» contenidas en el art. 388 LECrim (circunstancias personales ..) y si conoce o no el motivo por el que es acusado. Cuando su respuesta fuese negativa se le ilustrará en forma clara de los delitos de que fuera acusado y se le preguntará si se confiesa o no culpable de los hechos (art. 688 y ss. LECrim). El art. 688 LECrim prevé la posible conformidad del acusado en este momento procesal que podrá tener lugar, conforme a lo expuesto en el apartado anterior «in fine», cuando la pena no exceda de seis años. En ese caso, y conforme a los arts. 689 y ss. LECrim el Tribunal preguntará al procesado si se confiesa reo del delito, según la calificación más grave. Si contestare afirmativamente se preguntará al defensor si considera necesaria la continuación del juicio. Si contestare negativamente el Tribunal dictará sentencia en los términos expresados en el art. 655 LECrim, sin que pueda imponer pena mayor a la solicitada. El juicio proseguirá si el acusado no se confesare culpable o se opusiera el defensor (art. 696 LECrim), o si el acusado no acepta la responsabilidad civil o la cuantía pedida (art. 695 LECrim).

Seguidamente se concede la palabra al Ministerio Fiscal, partes acusadoras y acusadas para que interroguen al acusado. Y posteriormente se practican las demás pruebas que propuestas hubieren sido admitidas, comenzando por las de la acusación y luego las de la defensa. A este respecto no podrán practicarse otras diligencias de prueba que las propuestas por las partes —art. 728 LECrim.— (STC 33/92, de 18 marzo) (véase sobre los criterios de admisión de la prueba y su práctica § 1.2 Cap. IX). No obstante, el art. 729 LECrim dispone como excepción que podrán practicarse de oficio: Los careos de testigos; y las diligencias de prueba no propuestas por las partes que el Tribunal estime necesarias para la comprobación de los hechos y aquellas otras ofrecidas por las partes que puedan influir en el valor probatorio de la declaración de un testigo y que resulten admisibles (véase sobre esta facultad del Tribunal § 2.1 Cap. IX). Por otra parte, el artículo 726 LECrim autoriza al Tribunal el examen por sí mismo de los libros, documentos, papeles y demás piezas de convicción que puedan contribuir al esclarecimiento de los hechos o a la más segura investigación de la verdad. Además, podrá darse lectura a las diligencias sumariales cuando las pruebas documentadas no puedan ser practicadas por causas independientes a la voluntad de las partes —art. 730 LECrim (Véase sobre especialidades y excepciones al principio de inmediación el §2 Cap. XIV). Finalmente, podrá acordarse la práctica de información suplementaria (Véase sobre la incoación de información suplementaria § 4.7 de este Capítulo). Tras la práctica de las pruebas, se realizarán los escritos de conclusiones definitivas que examinamos en § 4.8 de este Capítulo.

4.6. Suspensión del juicio oral

El juicio oral continuará durante todas las sesiones consecutivas que sean necesarias hasta su conclusión (art. 744 LECrim), aunque cabe la suspensión del juicio oral de conformidad con lo previsto en los arts. 745 y 746 ss. LECrim[83]. (Véase M. 265 a M. 267).

Debe diferenciarse la suspensión de la interrupción[84]. La interrupción tendrá lugar cuando el Tribunal acuerde paralizar la celebración del juicio oral ya iniciado, durante un breve período de tiempo, cuya duración debe fijarse en el propio auto de interrupción (suspensión, según el art. 748 LECrim.). En este caso, los actos procesales realizados antes de la interrupción conservarán su validez no procediendo su repetición —art. 746.1, 2 y 3 LECrim.—. Mientras que la suspensión solo se decretará en unos determinados supuestos —arts. 749 y 746.4.º, 5.º y 6.º LECrim.— en los que la paralización del proceso deberá acordarse por un período de tiempo indefinido. En estos casos, los actos procesales realizados con anterioridad deberán dejarse sin efecto, debiendo citarse a las partes a nuevo juicio para cuando desaparezca la causa de la suspensión o puedan ser reemplazadas aquellas personas que deban serlo. En la práctica no se distingue entre ambas formas que se denominan genéricamente suspensión del proceso. Téngase en cuenta, por otra parte, que en el procedimiento por delitos graves no existe un tiempo máximo de suspensión que es de treinta días en el procedimiento abreviado. Aunque, este plazo en abreviado puede ceder en supuestos de causa justa. Véase sobre esta cuestión el § 5.4.f del Cap. XII.

Los principios que informan la suspensión pueden sintetizarse de la siguiente forma: 1º. El principio general se fundamenta en evitar las suspensiones que no tengan una causa justificada y legalmente prevista, puesto que, en caso contrario, se podría conculcar el derecho a un proceso público sin dilaciones indebidas.

2º. En los supuestos en los que procede, la suspensión del juicio puede tener un carácter discrecional o necesario. Será necesario atender a la suspensión en los casos

(83) Vid. Bibliografía general. Vid. BARONA VILAR, «La incomparecencia de testigos como causa de suspensión de la vista en el proceso penal», *Justicia*, 1984, pp. 907 y ss.; GRANADOS PÉREZ, «Estudio de los supuestos en los que el testigo no comparece al juicio oral», *Cuadernos de Derecho Judicial*, CGPJ, Madrid, 1992; JAÉN VALLEJO, «Los límites de la facultad judicial de no suspensión del juicio oral en el proceso penal», *RGD*, 1989, p. 6417; VEGA RUIZ, «Denegación de la suspensión de la vista por incomparecencia del testigo», en *Cuadernos de Derecho Judicial*, CGPJ, Madrid, 1992.

(84) Vid. GÓMEZ ORBANEJA, *Derecho Procesal Penal*, ob. cit., pp. 259 y ss.; FENECH, *El Proceso Penal*, ob. cit., pp. 381 y ss. Ambos autores han utilizado esta distinción, coincidiendo en el contenido pero utilizando los conceptos terminológicos en sentido totalmente contrapuesto.

de los núms. 1, 2, 4, 5 y 6 del art. 746 LECrim., con las precisiones que en los mismos se señala, pudiéndose decretar de oficio.

Es causa de suspensión, siempre que se encuentre justificada, la enfermedad repentina de algún miembro del Tribunal, Fiscal o defensor de las partes acusadoras o acusadas que no pueda continuar tomando parte en el juicio ni pueda ser reemplazado sin grave quebranto para la defensa del acusado (art. 746.4 LECrim). Es decir, no se trata de una facultad discrecional, salvo en lo relativo al examen y apreciación de la causa de justificación alegada, en tanto que también pesa sobre el órgano judicial el tutelar el derecho eventual de la parte contraria a un proceso sin dilaciones indebidas, debiéndose dar una respuesta expresa y motivada a la solicitud[85]. (Véase M. 265).

No se halla prevista en el art. 746 LECrim la suspensión por causa de cambio en la defensa, aunque es uno de los motivos que pueden justificarla (Véase M. 261 y 262), sin que ello pueda servir para amparar maniobras dilatorias o fraudulentas para obtener la suspensión de la vista[86].

> «Igualmente resultó conforme a derecho la inadmisión de la renuncia al Letrado nombrado de oficio al inicio del junio oral, pues la capacidad de todo imputado de designar a un Abogado de su confianza no ampara estrategias dilatorias ni actuaciones que sean expresivas de una calculada desidia a la hora de hacer valer el propio derecho de defensa (STS 816/2008, de 2 de diciembre (LA LEY 207476/2008)). En el mismo sentido, las SSTS 1989/2000 (LA LEY 88810/2001), 3 de mayo, 1732/2000, 10 de noviembre (LA LEY 1189/2001) y 327/2005, 14 de marzo (LA LEY 59385/2005), señalan que la facultad de libre designación implica a su vez la de cambiar de Letrado cuando lo estime oportuno el interesado en defensa de sus intereses, si bien tal

---

(85) Véase la STC 110/94, de 11 abril: «... Ahora bien, ello supone, por parte de la Sala, una actividad de evaluación y consiguiente fundamentación, relativa la carencia de justificación de la incomparecencia de los defensores de las partes, de manera que la decisión al respecto resulte explícita y motivada... (por ello la)... falta de respuesta razonada no constituye una simple irregularidad procesal sin trascendencia constitucional, puesto que ha determinado que el demandante, por causa ajena a su voluntad, como fue la enfermedad, prevista precisamente en la ley como causa de suspensión, no haya podido argumentar los motivos de su recurso...». Vid. también STC 72/93, de 3 marzo.

(86) «Cuando se le nombra a la persona concernida una defensa de oficio, y no letrado de su elección —y por tanto a cargo del propio inculpado—, tal defensa le es obligatoria y no puede ser renunciada por la persona concernida a no ser que ofrezca razones suficientes para justificar tal renuncia, como pudiera ser la ausencia de toda relación personal entre el letrado y su cliente con anterioridad al juicio u otras semejantes. No existe un derecho de defensa de oficio "a la carta", lo que solo es posible cuando se trata de abogado de elección de la persona concernida, y solo cuando no exista fraude procesal en tal decisión. Además, en este caso, desde que el letrado de oficio formalizó su última actuación en el escrito de defensa, transcurrieron seis meses en absoluto silencio, y fue precisamente en el inicio del Plenario cuando el recurrente manifestó su deseo de cambiar de letrado y que se le nombrara otro. Con independencia de que el Presidente del Tribunal no indagara la causa de tal petición, lo que debió efectuar, es lo cierto que la misma, solo venía sustentada en la propia manifestación del recurrente, sin ninguna argumentación mínimamente admisible, y sin que tampoco aludiese a su voluntad de nombrar abogado de su confianza. En esa situación ofrecía y ofrece todos los caracteres de una estrategia meramente dilatoria dictada con la única finalidad de provocar la suspensión de la Vista». STS 449/2015 de 14 Jul. 2015, Rec. 10127/2015; Ponente: Giménez García, Joaquín. LA LEY 102959/2015.

derecho no es ilimitado pues está modulado, entre otros supuestos, por la obligación legal del Tribunal a rechazar aquellas solicitudes que entrañen abuso de derecho, o fraude de ley procesal según el artículo 11.2 de la LOPJ (LA LEY 1694/1985). Tal modulación, en aras de asegurar otros intereses de la justicia, es igualmente explicitado por el TEDH, que si bien reconoce a todo acusado, de conformidad con el art. 6.3.c) del CEDH (LA LEY 16/1950), el derecho a la asistencia de un defensor de su elección (asunto Pakelli c. Alemania, de 25 de abril de 1983) y pese a la importancia de las relaciones entre abogado y cliente, precisa que tal derecho no es absoluto y está forzosamente sujeto a ciertas limitaciones, pues corresponde a los tribunales decidir si los intereses de la justicia exigen dotar al acusado de un defensor de oficio (asunto Croissant c. Alemania de 25 de septiembre de 1992, § 29); criterio que reitera en Meftah y otros c. Francia [GC], § 45, de 26 de julio de 2002; Mayzit c. Rusia, § 66, de 20 de enero de 2005; Klimentïev c. Rusia, § 116, de 16 noviembre de 2006; Vitan c. Rumania, § 59, de 25 marzo de 2008; Pavlenko c. Rusia, § 98, de 1 de abril de 2010; Zagorodniy c. Ucrania, § 52, de 24 de noviembre de 2011; y Martin c. Estonia, § 90, de 30 de mayo de 2013). Y asimismo, precisa el TEDEH que al contrario del supuesto de la denegación del acceso al letrado, un criterio menos exigente se aplica cuando se alega el problema menos grave del rechazo de la elección de letrado (asunto Dvosrki c. Croacia, de 20 de octubre de 2015)». STS 19 Oct. 2016, Rec. 10332/2016; Ponente: Palomo del Arco, Andrés. LA LEY 146028/2016.

Tampoco se accederá a la suspensión cuando medie tiempo suficiente hasta el señalamiento para que el nuevo abogado se instruya de la causa.

«Ciertamente, la decisión del Tribunal de instancia fue la correcta dada la naturaleza de los hechos objeto de acusación, que no presentan complejidad alguna sin que exija el estudio de las actuaciones un mayor tiempo del que dispuso la defensa del acusado, y otra decisión lo único que hubiese producido era una dilación indebida sin que sea de descartar que ésa pudiera ser la estrategia que se perseguía con la renuncia de los profesionales primeramente designados cuando estaba próxima la fecha de inicio del acto del juicio. No había concurrido ninguna de las causas que vienen previstas en el artículo 746 de la Ley de Enjuiciamiento Criminal para que proceda la suspensión del juicio oral y en modo alguno se ha producido restricción del derecho de defensa del acusado». STS Sala Segunda, de lo Penal, Sentencia 1182/2001 de 11 Jun. 2001, Rec. 2053/1999; Ponente: Granados Pérez, Carlos. LA LEY 7523/2001.

3º. En cambio, será discrecional en el caso del núm. 3 del art. 746 LECrim que prevé que será motivo de suspensión del juicio la incomparecencia de: «los testigos de cargo y de descargo ofrecidos por las partes y el Tribunal considere necesaria la declaración de los mismos». Este motivo se refiere en general a la posibilidad de suspender el juicio por imposibilidad de la práctica de un determinado medio de prueba siéndole aplicables tanto al procedimiento por delitos graves como al abreviado las siguientes reglas:

a) En primer lugar debe tenerse presente la reiterada doctrina constitucional ha declarado que el derecho a utilizar en el juicio oral las pruebas pertinentes para la defensa, en particular la testifical, ha de prevalecer sobre la potestad del órgano judicial de denegar la suspensión del juicio y tenerse por suficientemente informado —SSTC 51/90, de 26 marzo, y 59/91, de 14 marzo—. A este respecto, debe tenerse presente que el derecho a interrogar a los propios testigos es una exigencia recogida en los arts. 6.3 del Convenio de Roma y 14.3 e) del Pacto Internacional de Nueva York, disposiciones referentes no sólo a los acusados, sino de aplicación extensiva para las partes acusadoras. También puede accederse a la suspensión cuando se solicite para estudiar y preparar la prueba aportada por el cauce del art. 786.2 LECrim en procedimiento abreviado.

> «En consecuencia, en el procedimiento abreviado, la suspensión prevenida en el art. 745 debe acordarse no solamente cuando las pruebas que no se encontrasen preparadas fuesen las ofrecidas en el escrito de proposición de prueba, sino también cuando se trate de las pruebas que se propongan en el mismo acto, conforme a lo prevenido en el art. 786 2° siempre que existan motivos ajenos a la voluntad de las partes que justifiquen tanto la imposibilidad de practicar las pruebas en el acto como la de haberlas propuesto en el escrito de calificación, y siempre que la denegación de la suspensión y consiguiente imposibilidad de práctica de la prueba de descargo propuesta en dicho acto, pueda ocasionar material indefensión». STS Sala Segunda, de lo Penal, Sentencia 505/2012 de 19 Jun. 2012, Rec. 2443/2011; Ponente: Conde-Pumpido Tourón, Cándido. LA LEY 89716/2012.

Ahora bien, respecto a la suspensión del juicio por imposibilidad de su práctica deben valorarse criterios de necesidad, no de pertinencia, por ser este último un criterio para la admisión de la prueba[87]. Es decir, que se puede denegar la suspensión del juicio oral para practicar una prueba declarada pertinente, pero que no resulta necesaria a los efectos de justificar la suspensión del juicio. En consecuencia, la suspensión será facultad del Tribunal, supeditada a que se considere necesaria su declaración por su importancia y relevancia, ponderando la diversidad de circunstancias concurrentes[88]. A ese respecto el art. 745.3 LECrim dispone que el Tribunal: «Podrá, sin embargo, el Tribunal acordar en este caso la continuación del juicio y la práctica de las demás pruebas; y después que se hayan hecho, suspenderlo hasta que comparezcan los testigos ausentes».

> «La valoración del Tribunal acerca de la conveniencia de suspender el juicio oral ante la incomparecencia de una testigo. El juicio de pertinencia sobre una determinada prueba, propuesta como tal en el escrito de conclusiones provisionales, puede resultar luego variado a la vista del desarrollo del resto de la actividad probatoria. Y es que no es idéntica la posición del Tribunal en el momento inicial de la declaración de pertinencia y la que luego le permite valorar la necesariedad de una declaración ini-

---

(87) «... el derecho al testigo... no es un derecho absoluto si el desarrollo de la prueba en su día declarada pertinente carece de posibilidad de alterar el resultado de las diligencias por que el hecho en cuestión es sobradamente acreditado... Acontece, además, que lo pertinente en la proposición puede ser innecesario cuando la práctica (de la prueba), según el criterio objetivo y discrecional de los jueces a quo, revisable desde luego casacionalmente. Pertinente es lo oportuno y adecuado, necesario lo que después resulte indispensable y forzoso...». (STC 1263/94, de 14 junio).

(88) Vid. STC 116/83, de 7 diciembre. Se trataba de un supuesto en el que, propuesta por el acusado y el Ministerio Fiscal una prueba testifical, y admitida, la Audiencia no estimó necesario suspender el juicio oral para citar a los testigos. La denegación de la suspensión del juicio tuvo su fundamento en lo que dispone el art. 801, en relación con el art. 747.3.º LECrim., pues la pertinencia de la prueba —requisito de su admisión— no conlleva la necesidad que dice el segundo de los preceptos citados, ya que si el Tribunal se considera suficientemente informado con la prueba practicada para formar juicio completo sobre los hechos, no debe prescribir medidas que, como la suspensión, son dilaciones injustificadas del proceso.

cialmente aceptada. En el presente caso, consta que la testigo Antonio se hallaba en paradero desconocido. La suspensión *sine die* del procedimiento, hasta que aquélla fuera localizada por los agentes de policía o tuviera por bien presentarse, supondría una erosión mayor en el contenido material de otros derechos que también convergen en el proceso penal, cuyo sacrificio sólo puede justificarse cuando concurran circunstancias excepcionales que, en el caso que nos ocupa, desde luego, no se evidencian. Es más, la explicación que da el recurrente para justificar la procedencia de aquella declaración, refuerza la corrección del criterio de la Sala.../... En la práctica, como señalan las Sentencias de esta Sala de 29 enero 1993 y 21 de marzo de 1995, núm. 464/1995, habrá que evaluar cada caso teniendo en cuenta el resto del material probatorio de que se dispuso y la incidencia que la prueba denegada tuviese en la formación de la convicción del órgano decisor para configurar la resolución definitiva del proceso». STS Sala Segunda, de lo Penal, Sentencia 249/2008 de 20 May. 2008, Rec. 10983/2007. Ponente: Marchena Gómez, Manuel. LA LEY 68707/2008.

Debe tenerse presente que el derecho a la prueba, aunque esencial ni tiene carácter absoluto e incondicionado a que se practiquen todas las pruebas propuestas por las partes. No existe para el tribunal la obligación de admitir toda diligencia de prueba propuesta, o, en su caso, a suspender todo enjuiciamiento por imposibilidad de practicar una prueba anteriormente admitida. Es necesario que el Tribunal de instancia realice una ponderada decisión valorando los intereses en conflicto, decidiendo sobre la pertinencia de la prueba y su funcionalidad[89]. En caso de denegación de la petición de suspensión debe hacerse constar la oportuna protesta especificando los puntos o extremos sobre los cuales había de versar el interrogatorio —SSTC 218/91, de 15 noviembre, y 65/92, de 29 abril—. Véanse sobre estas cuestiones referentes al derecho a la prueba, y los criterios de pertinencia y necesidad § 1.1 a 1.3 del Cap. XIV

b) La incomparecencia de alguno de los procesados, citados personalmente, no será causa de suspensión, siempre que, oídas las partes personadas, el Tribunal considere que existen elementos de juicio suficientes para juzgarlos con independencia, haciendo constar las razones de su determinación (véase sobre citación § 3.2 Cap. V). A ese fin serán requisitos para que se pueda continuar, aun con incomparecencia de alguno de los acusados: a) que haya incomparecido uno, siendo varios, por enfer-

---

(89) «La constitucionalidad, por virtud del artículo 24 de la Constitución Española del derecho fundamental a utilizar los medios de prueba como inseparable del derecho mismo a la defensa no se configura como un derecho absoluto e incondicionado a que se practiquen todas las pruebas propuestas por las partes, ya que como señala la doctrina del Tribunal Constitucional y del Tribunal Supremo, el derecho a la prueba no desapodera al Tribunal competente de su facultad para valorar, en cuanto a su admisión, la pertinencia de las propuestas «rechazando las demás» (artículos 659 y concordantes de la Ley de Enjuiciamiento Criminal), y en cuanto a su práctica la necesidad de las admitidas pero cuya realización efectiva plantea dificultades o dilaciones indebidas (Sentencias del Tribunal Supremo 1661/2000 de 27.11). No existe para el tribunal la obligación de admitir toda diligencia de prueba propuesta, o, en su caso, a suspender todo enjuiciamiento por imposibilidad de practicar una prueba anteriormente admitida. Es necesario que el Tribunal de instancia realice una ponderada decisión valorando los intereses en conflicto, decidiendo sobre la pertinencia de la prueba y su funcionalidad. Ha de valorarse, como se ha dicho, los intereses en juego: el derecho de defensa, la pertinencia de la prueba propuesta y, en su caso, la necesidad de realizar el enjuiciamiento impidiendo su demora». STS 7 de marzo de 2007, LA LEY 8974/2007.

medad u otro motivo; b) que hayan sido citados personalmente, equiparándose a esta citación cuando se hallen en prisión, la citación a su Procurador y la orden de conducción desde el establecimiento penitenciario hasta el Tribunal; c) que la Audiencia después de anunciar su intención de no suspender, oiga a las partes personadas; d) que se expongan explícitamente y se hagan constar las razones de su determinación, e) que existan elementos de juicio suficientes para poder juzgar a los procesados presentes con independencia de los ausentes. En su caso, se podrá recurrir en casación con base en el art. 850.5 LECrim siempre que existan y se expongan causas fundadas de oposición mediante la oportuna protesta y los ausentes no hayan sido declarados previamente en rebeldía (véase § 7.6.A.f Cap. XI en sede de recurso de casación).

«Procederá además la suspensión del juicio oral en los casos siguientes... 5.º Cuando alguno de los procesados se halle en el caso del número anterior (enfermedad), en términos de que no pueda estar presente en el juicio . La suspensión no se acordará por esta causa, sino después de haber oído a los facultativos nombrados de oficio para el reconocimiento del enfermo. Hipótesis en las que la suspensión podrá acordarse de oficio (artículo 747). Sobre los efectos de esa causa de suspensión —que no, desde luego, sobreseimiento— se prevé en el artículo 749 de la Ley de Enjuiciamiento Criminal (LA LEY 1/1882): Cuando por razón de los casos previstos en los números 4º y 5º del artículo 746 haya de prolongarse indefinidamente la suspensión del juicio, o por un tiempo demasiado largo, se declarará sin efecto la parte del juicio celebrada... el Secretario judicial señalará día para nuevo juicio cuando desaparezca la causa de la suspensión o puedan ser reemplazadas las personas reemplazables. En lo que ahora importa de manera determinante de nuestra resolución se añade en el artículo 746 penúltimo párrafo: No se suspenderá haciendo constar en el acta del juicio existen elementos suficientes para juzgarles con independencia. el juicio por la enfermedad o incomparecencia de alguno de los procesados citados personalmente, siempre que el Tribunal estimare, con audiencia de las partes y las razones de la decisión». STS Sala Segunda, de lo Penal, Sentencia 626/2016 de 13 Jul. 2016, Rec. 2111/2015; Ponente: Varela Castro, Luciano. LA LEY 85751/2016.

A los motivos expuestos que determinan que se pueda continuar el juicio en ausencia de un acusado se añade otro que es que se presuma que el juicio no podrá reanudarse en un tiempo prudencial. Porque si la enfermedad se presume de corta duración y que no va a impedir la continuación del juicio, debe procederse a la suspensión[90].

---

(90) «La suspensión del juicio por acreditada falta de presencia del ahora enjuiciado, "era obligada, tal como previene el artículo 746.5 de la Ley de Enjuiciamiento Criminal (LA LEY 1/1882), ya que el procedimiento era de previsible pronta reanudación, y esa infracción procesal, por lo demás no denunciada a efectos de exigirse por el recurrente la reanudación del procedimiento partiendo del inicio de la vista, es la causa de que aquel se viera privado de intervenir en la práctica de un medio, allí sí desenvuelto, cual era la declaración de los acusados solicitada por el Ministerio Fiscal; siendo, pues, la causa de la lesión del derecho de defensa esa previa decisión del propio Tribunal de no suspender la vista, la exigencia de admisión del medio solicitado en este recurso resulta tanto más obligada, al menos como reparación de aquella vulneración procesal". Por lo que la comentada STS ordena que se reitere la vista del juicio oral, ante el mismo Tribunal y teniendo por admitidas las pruebas propuestas (que son las testificales de los tres hermanos Doroteo Baldomero y del Sr. Teófilo Constantino), para cuya práctica se dispondrá lo necesario». STS Sala

«El rigor formalista del Tribunal de instancia estuvo paradójicamente ausente cuando no decide suspender la vista del juicio oral, pese a constar que la incomparecencia del ahora recurrente, como coacusado, estaba plenamente justificada. Aquella suspensión era obligada, tal como previene el artículo 746.5 de la Ley de Enjuiciamiento Criminal (LA LEY 1/1882) ya que el procedimiento era de previsible pronta reanudación. Y esa infracción procesal —por lo demás no denunciada a efectos de exigirse por el recurrente la reanudación del procedimiento partiendo del inicio de la vista— es la causa de que el recurrente se viera privado de intervenir en la práctica de un medio, allí sí desenvuelto, cual era la declaración de los acusados solicitada por el Ministerio Fiscal. Siendo, pues, la causa de la lesión del derecho de defensa esa previa decisión del propio Tribunal de no suspender la vista, la exigencia de admisión del medio solicitado en este recurso resulta tanto más obligada, al menos como reparación de aquella vulneración procesal». STS Sala Segunda, de lo Penal, Sentencia 216/2015 de 13 Abr. 2015, Rec. 1519/2014; Ponente: Varela Castro, Luciano. LA LEY 53149/2015.

Finalmente no cabe acordar la suspensión cuando el acusado finge una incapacidad que los forenses dictaminan no existe o no le impide asistir al juicio.

«Los médicos forenses que visitaron al acusado tanto antes de la iniciación de las sesiones del juicio oral como, previamente a cada una de dichas sesiones dictaminaron que aquel se encontraba totalmente capacitado para asistir al juicio y comprender sus consecuencias, tal como más arriba consta. Ello evidencia que el síndrome de estrés postraumático que padecía el acusado y que ha derivado en un síndrome facticio, en ningún caso le incapacitaba para ejercer su derecho de defensa de manera eficaz o activa en el acto del juicio oral. Hay que diferenciar entre el síndrome facticio y la simulación, ya que en caso de simulación la actitud simuladora de unos determinados síntomas, o, en su caso la exageración de los mismos, va encaminada a lograr un determinado objetivo por parte del simulador, como podría ser el conseguir una atenuación de la pena, o el evitar que se celebre el juicio». STSJ de Justicia de Cataluña, Sala de lo Civil y Penal, Sentencia 12/2011 de 5 May. 2011, Rec. 33/2010, Ponente: Bassols Muntada, Nuria. LA LEY 112275/2011.

c) No compareciendo los testigos, tanto en el caso del art. 745 como del art. 746.3.º LECrim., la suspensión será facultad del Tribunal, supeditada a que se considere necesaria su declaración por su importancia y relevancia y no solo por criterios de pertinencia que era la pauta para la admisión de pruebas en la apertura del juicio oral (véase sobre citación § 3.2 Cap. V). Y siempre teniendo en cuenta que la suspensión resulte útil, en tanto que sea posible la comparecencia del testigo.

«b) Con respecto a la incomparecencia del testigo y la no suspensión del juicio es doctrina reiterada que la suspensión del juicio por incomparecencia de testigos y discrecional y potestativo del Tribunal según considere o no innecesaria la declaración de ellos. Para la revisión de la decisión sobre la incomparecencia de testigos y la negativa a la suspensión es necesario que la parte haya designado *nominatim* al testigo, que se haya formulado la protesta, haciéndola constar en acta, así como las preguntas que proyectaba hacer. La protesta tiene por finalidad plantear ante el Tribu-

de lo Penal, Sección 4ª, Sentencia 32/2015 de 4 Dic. 2015, Rec. 2/2013; Ponente: Martel Rivero, Juan Francisco.LA LEY 197507/2015.

nal que denegó la suspensión, la proporcionalidad de la decisión adoptada teniendo en cuenta, nuevamente, los intereses en conflicto desde la protesta de la parte que la propuso, manifestando así su no acatamiento a la decisión adoptada al tiempo que proporciona criterios que permiten el replanteamiento de la decisión». STS 7 de marzo de 2007, LA LEY 8974/2007.

A este respecto no cabe proceder a la suspensión ante la incomparecencia de un testigo que se halla ingresado en la UCI de un Hospital (STS Sala Segunda, de lo Penal, Sentencia 367/2002 de 1 Mar. 2002, Rec. 486/2001; Ponente: Soriano Soriano, José Ramón. LA LEY 47346/2002). Tampoco cabe acordar la suspensión por la incomparecencia de los testigos que no hubieren sido propuestos por quien la solicita. Finalmente, resulta del todo punto paradójico tras la resolución denegatoria de la suspensión por inasistencia del testigo se dicte sentencia absolutoria por falta de prueba[91]. Es por ello que el art. 745.3 LECrim se refiere específicamente a la posibilidad de suspender el juicio cuando no comparezcan los testigos de cargo y de descargo ofrecidos por las partes y el Tribunal considere necesaria la declaración de los mismos[92].

«a) La prueba no fue propuesta por el recurrente sino exclusivamente por el Ministerio Fiscal y se trataba por tanto, al menos «ab initio", de una prueba de cargo. b) Sobre todo, los testigos propuestos no pudieron ser citados por hallarse en ignorado paradero, de ahí que obró perfectamente la Sala al no decretar la suspensión del juicio oral, pues ello hubiera supuesto dilatar "sine die" su celebración y la conclusión del proceso en perjuicio de los propios acusados, máxime cuando, insistimos, lo normal es que esos testigos nada podrían haber aportado en su defensa, más bien lo contrario». STS Sala Segunda, de lo Penal, Sentencia

---

(91) «La decisión de suspender o no el juicio ante la incomparecencia de los testigos ofrecidos por las partes se ha calificado como discrecional y potestativa para el Tribunal, pues el artículo 746.3 LECrim (LA LEY 1/1882) la hace depender a que éste considere necesaria la declaración. No obstante, ha de tenerse en cuenta que si una resolución denegatoria va seguida de una sentencia absolutoria podría argumentarse que sí lo era, de tal manera que lo procedente es que se analicen las circunstancias del caso a la luz de las alegaciones de las partes». SAP de Albacete, Sección 2ª, Sentencia 25/2017 de 24 Ene. 2017, Rec. 818/2016; Ponente: Losada Fernández, José Baldomero. LA LEY 12561/2017.

(92) «El motivo del recurso debe ser estimado. El artículo 746.3 de la Ley de Enjuiciamiento Criminal (LA LEY 1/1882) establece la obligación de suspensión del acto del juicio oral cuando al mismo no comparezcan los testigos de cargo y de descargo ofrecidos por las partes y el tribunal considere necesarias las declaraciones de los mismos. En el presente caso esa necesidad de suspensión resultaba evidente pues constituía una prueba de cargo de la parte acusadora oficial.../... En el presente caso concurren las exigencias para la estimación del recurso. Así, se solicitó en su día por el Ministerio Fiscal la suspensión del juicio ante la incomparecencia de un testigo cuya prueba fue solicitada en tiempo y forma y acordada por el Juzgado, tratándose de un testigo de importancia de la parte acusadora, siendo protestada su denegación. En consecuencia lo procedente es decretar la nulidad del juicio y de la sentencia apelada, al amparo de los arts. 238.3 (LA LEY 1694/1985) y 240.2 LOPJ (LA LEY 1694/1985) y repetir de nuevo el juicio con citación de todos los testigos y del acusado, adoptándose incluso las prevenciones legalmente establecidas para obligar a dichos testigos a acudir al llamamiento judicial si ello fuere necesario, cuyo juicio deberá celebrarse por persona distinta del Juez que presidió el acto anterior, pues el mismo entró a valorar el resto de la prueba solicitada y practicada, por lo que debe preservarse su debida imparcialidad». SAP de Córdoba, Sección 3ª, Sentencia 112/2016 de 1 Mar. 2016, Rec. 211/2016; Ponente: Degayón Rojo, Félix. LA LEY 89673/2016.

2067/2001 de 12 Nov. 2001, Rec. 3313/1999; Ponente: Conde-Pumpido Tourón, Cándido. LA LEY 2668/2002[93].

La denegación de la suspensión del juicio ante la incomparecencia de testigos puede fundar un recurso de casación con base en el art. 850.1 en relación con el 852 LECrim, cuyo éxito precisa del cumplimiento de los siguientes requisitos: a) ha de ser prueba necesaria, en el doble sentido de su relevancia y su no redundancia; b) debe ser posible en el sentido de que deben agotarse razonablemente las posibilidades de traer al testigo a presencia del Tribunal; y c) su falta de realización debe ocasionar indefensión a la parte que formuló el recurso y propuso como propia la prueba. En la práctica «habrá de evaluar cada caso teniendo en cuenta el resto del material probatorio de que se dispuso y la incidencia que la prueba denegada tuviese en la formación de la convicción del órgano decisor para configurar la resolución definitiva del proceso».

«La necesidad es por tanto requisito de fondo distinto de la pertinencia. Ésta se mueve en el ámbito de la admisibilidad, como facultad del Tribunal para determinar inicialmente la prueba que genéricamente es pertinente por admisible (Sentencia de 17 de enero de 1991). La necesidad de su ejecución en cambio se desenvuelve en el terreno de la práctica, de manera que medios probatorios inicialmente admitidos como pertinentes pueden lícitamente no realizarse por muy diversas circunstancias, entre ellas la decisión del Tribunal de no suspender el juicio pese a la incomparecencia de algún testigo, adoptada al amparo de lo prevenido en el artículo 746.3º de la Ley de Enjuiciamiento Criminal. Decisión ésta que se adopta por no «considerar necesaria la declaración de los mismos», bien por su irrelevancia, esto es cuando visto el estado del juicio el contenido del testimonio no es relevante respecto a los hechos determinantes de la subsunción delictiva y circunstancias que afectan a la responsabilidad del acusado (Sentencia de 21 de diciembre de 1992); o bien por su redundancia, es decir, cuando después de haberse desarrollado un amplio debate contradictorio la declaración del testigo que no comparece resulta superflua e innecesaria ya que no aportaría nuevos datos que pueden ser sustanciales a la hora de formar la convicción de la Sala (Sentencia de 27 de febrero de 1990)». STS Sala Segunda, de lo Penal, Sentencia 212/2010 de 29 Ene. 2010, Rec. 1603/2009; Ponente: Prego de Oliver Tolivar, Adolfo. LA LEY 8726/2010.

d) En cuanto a los peritos, su incomparecencia también permite acordar la suspensión del juicio, aunque no se prevé expresamente en el art. 746 LECrim[94]. El cri-

---

(93)   «Todos y cada uno de los presupuestos mencionados en la anterior motivación se han cumplido escrupulosamente por la acusación el hecho de que sean testigos presenciales de lo acontecido, revela la indudable necesidad y trascendencia de lo que las testigos puedan manifestar. Se trata, pues, de prueba que, además de pertinente, es necesaria. En efecto, se trata de extremos esenciales de cara a concretar que es lo que aconteció allí, y si realmente existieron las amenazas por las que se formula acusación, de modo que sin la presencia en el juicio oral de las testigos no se consideró probado la existencia de las amenazas. por lo que no tiene sentido la denegación de la suspensión y sustitución de una prueba admitida porque los testigos no han declarado nunca y porque no quieren problemas y prever que su declaración será en un sentido determinado. Por todo cuanto queda expuesto procede decretar la nulidad del juicio, el cual debe repetirse tras la citación y comparecencia de las testigos Ariadna y Felisa». SAP de Alicante, Sección 1ª, Sentencia 17/2017 de 12 Ene. 2017, Rec. 1726/2016; Ponente: Cerón Hernández, Juan Carlos. LA LEY 58093/2017.

(94)   «... Asimismo, los fundamentos de la Audiencia para no suspender el juicio oral se oponen a los principios que inspiran la jurisprudencia relativa al art. 746.3.º LECrim. (cfr. STS 12 julio

terio es similar al expuesto para los testigos. Es decir, deberá valorarse la necesariedad de la prueba, teniendo en cuenta que tratándose de la incomparecencia del Médico Forense ningún obstáculo se plantea para una nueva citación[95].

4.7. Incoación de información suplementaria

Entre los supuestos de suspensión del juicio oral, también se encuentran los casos de revelaciones o retractaciones inesperadas, que produzcan alteraciones sustanciales en los juicios, haciendo necesarios nuevos elementos de prueba o alguna sumaria instrucción suplementaria (art. 746.6.º LECrim). (Véase M. 268). El Tribunal acordará la práctica de la información suplementaria conforme a las siguientes premisas de: — Tiempo: Se haya abierto el juicio oral y se produzcan antes de su conclusión. — Finalidad: Han de relacionarse con los hechos enjuiciados y las alegaciones de las partes intervinientes en el proceso, y — Contenido: Se refiere a un hecho nuevo, en el sentido de que no haya sido objeto de investigación anterior.

«El apartado 6º de dicho precepto, que se reserva a la aparición de revelaciones o retractaciones inesperadas que produzcan alteraciones sustanciales en el juicio que hagan necesarios nuevos elementos de prueba o alguna sumaria instrucción complementaria, debiendo entenderse esta eventualidad respecto a los hechos objeto de enjuiciamiento y a las responsabilidades penales y civiles derivadas de los mismos, pero no a otros hechos que no han sido objeto del proceso ni han sido imputados al acusado. Máxime cuando, como ocurre en el presente caso, esos otros hechos ajenos al procedimiento aparecen de manera tan sumamente vaga, inconcreta y difusa tanto respecto a una mínima concreción fáctica, como a la mera expectativa de responsabilidad del acusado en los mismos». STS Sala Segunda, de lo Penal, Sentencia 402/2010 de 6 May. 2010, Rec. 1964/2009; Ponente: Ramos Gancedo, Diego Antonio. LA LEY 76125/2010.

Se trata de una facultad discrecional del Tribunal cuya procedencia dependerá de la valoración de las circunstancias o eventualidades surgidas durante las sesiones del juicio oral, debiendo ponderarse tanto el derecho de defensa como el evitar dila-

---

1988 con indicación de los demás precedentes que la apoyan). Si bien el texto de esta disposición sólo se refiere a los testigos en forma expresa, interpretada según las normas de un proceso con todas las garantías (art. 24.2 CE), sus principios se deben hacer extensivos también a la prueba pericial, en tanto ésta tiene idénticas exigencias en lo referente a la realización del principio de contradicción...». STS Sala Segunda, de lo Penal, Sentencia de 26 May. 1992; Ponente: Bacigalupo Zapater, Enrique. LA LEY 2211/1992.

(95) «Es innegable que la prueba rechazada, mediante la denegación de la suspensión del juicio oral para un nuevo señalamiento con citación del facultativo no comparecido con los apercibimientos legales, formaba parte de los medios pertinentes que la Defensa se proponía utilizar legítimamente en favor del acusado, por lo que su denegación merece la sanción casacional que se solicita en el primer motivo del recurso, procediendo en consecuencia acogerlo, casar la Sentencia recurrida, no entrar ya a resolver los demás motivos de casación articulados y, de acuerdo con el art. 901 bis a) LECrim, devolver la causa al Tribunal de instancia para que la reponga al momento inmediatamente anterior a la celebración del juicio oral que habrá de repetirse, con la práctica de la prueba pericial omitida, ante un Tribunal integrado por Magistrados distintos de los que dictaron la Sentencia anulada que resolverán con plenitud de jurisdicción todas las cuestiones planteadas en el caso». STS Sala Segunda, de lo Penal, Sentencia 528/2002 de 15 Mar. 2002, Rec. 1174/2000; Ponente: Jiménez Villarejo, José. LA LEY 4977/2002.

ciones innecesarias[96]. Se trata de la valoración de una circunstancia o eventualidad surgida durante las sesiones del juicio oral, en la que debe ponderarse tanto el derecho de defensa como el evitar dilaciones innecesarias.

> «Asimismo, la jurisprudencia ha puesto especial énfasis en el carácter inesperado o sorpresivo de las retractaciones o revelaciones con incidencia en el *factum*, que no pueden quedar al albur de la voluntad o de la negligencia del propio imputado o de su defensa —ha de tratarse de hechos nuevos de los que no se tuviera antes conocimiento o noticia—, pues "las informaciones suplementarias no son medios complementarios de pruebas ya practicadas, ni modo de suplir la falta de propuesta de prueba"...; (SSTS 29-1-1990, 15-4-1991 y 22-1-2002). La solicitud de suspensión *ex art.* 746.6° exige aportar al Tribunal sentenciador luz suficiente para que éste, en el ejercicio de una potestad discrecional —solo excepcionalmente revisable en vía de recurso— pueda discernir la verosimilitud y trascendencia de lo ocultado hasta el juicio oral, ponderando adecuadamente tanto las exigencias del derecho de defensa, como la necesidad de evitar dilaciones indebidas, sustentadas en pretensiones infundadas o en meros cambios de estrategia procesal (SSTS, 2ª, 3-5-2001 y 22-1-2001)». STSJ Madrid Sala de lo Civil y Penal, Sentencia 14/2014 de 24 Jun. 2014, Rec. 15/2014; Ponente: Santos Vijande, Jesús María. LA LEY 155273/2014.

A este efecto la resolución se fundará en un criterio de necesidad ante un elemento fáctico introducido en las sesiones del juicio oral que, por una parte, produzca una alteración sustancial y que, por otra, haga imprescindible la aportación de nuevos elementos de prueba.

> «La jurisprudencia ha señalado con reiteración que el art. 746.6° LECrim (LA LEY 1/1882) presenta "la singularidad de exigir un retroceso a la fase instructora, clara excepción al principio de preclusión, y ello gracias a que revelaciones (con cuya palabra se significa el conocimiento de algo hasta entonces desconocido) o retractaciones (rectificaciones de lo antes declarado) inesperadas (lo que viene a significar sorpresivamente) han producido alteraciones sustanciales de los presupuestos fácticos merced a los cuales, tanto las partes acusadoras como acusadas, formularon sus conclusiones provisionales fijando el *thema decidendi* del concreto proceso" (STS, 2ª, 11-5-1998). "El precepto se refiere, indudablemente, a cambios sustanciales en las conclusiones fácticas de las partes, es decir, siempre que concurra una mutación de los hechos y por ende del objeto del proceso, esto es lo esencial, lo que conlleva la necesidad de una investigación suplementaria" (por todas, STS, 2ª, 22-1- 2002)». STS

---

(96)   «El artículo 746 LECrim recoge hasta seis causas de suspensión del referido juicio, la última de las cuales presenta la singularidad de exigir un retroceso a la fase instructora, clara excepción al principio de preclusión que en el proceso ordinario por delito se caracteriza por la inexistencia de fases del mismo, y ello gracias a que revelaciones (con cuya palabra se significa el conocimiento de algo hasta entonces desconocido) o retractaciones (rectificaciones de lo antes declarado) inesperadas (lo que viene a significar sorpresivamente) han producido alteraciones sustanciales de los presupuestos fácticos merced a los cuales, tanto las partes acusadoras como acusadas, formularon sus conclusiones provisionales fijando el "thema decidendi" del concreto proceso. Hay que destacar que la necesidad (ante tales revelaciones o retractaciones inesperadas de aportar nuevos elementos de prueba o alguna sumaria información suplementaria, suspendiendo las sesiones del juicio oral, incumbe exclusivamente al Tribunal de instancia, el cual, conforme a su prudencial criterio, lo que es tanto como decir discrecional y facultativamente, podrá decidir la pretendida suspensión o prosecución del juicio oral». STS Sala Segunda, de lo Penal, Sentencia de 5 Dic. 1997, Rec. 829/1997; Ponente: Montero Fernández-Cid, Ramón.LA LEY 1059/1998.

Madrid Sala de lo Civil y Penal, Sentencia 14/2014 de 24 Jun. 2014, Rec. 15/2014; Ponente: Santos Vijande, Jesús María. LA LEY 155273/2014.

En caso contrario se deberá negar su práctica, por cuanto de otro modo se permitiría una aportación probatoria excepcional, o la disposición del desarrollo del proceso por las partes. De este modo, no cabe acceder a la suspensión ante la mera alegación de hechos nuevos por el propio acusado, ya que en realidad éstos no le eran desconocidos. O peticiones dilatorias o incluso con abuso procesal que no responden al fin de este incidente.

«En la propia formulación del motivo, se contiene el motivo de su desestimación; no estamos ante revelaciones o retractaciones inesperadas, la manifestación del Agente, aunque se adjetive como el recurrente afirma, ninguna novedad conllevaba, toda la información estaba en los autos; lo que condujo al reproche de su formulación por la sentencia de instancia: "(...) la instrucción suplementaria tiene el limitado alcance contemplado en el núm. 6º del art. 746 de la Ley de Enjuiciamiento Criminal (LA LEY 1/1882), al que se remite el 749 de la misma Ley para el procedimiento abreviado, según el cual se podrá suspender el juicio y llevar a cabo tal instrucción, que el legislador califica expresamente de sumaria, "cuando revelaciones o retractaciones inesperadas produzcan alteraciones sustanciales en los juicios". Aquí no hay revelación o retractación alguna, ya que toda la información estaba en autos, …/... Es una petición que se basa en un uso abusivo del proceso, que deber ser desterrado del procedimiento, y que no tiene engarce con la regulación legal y con el espíritu y finalidad de la misma"». STS Sala Segunda, de lo Penal, Sentencia 309/2015 de 22 May. 2015, Rec. 2038/2014; Ponente: Palomo del Arco, Andrés. LA LEY 70099/2015.

La competencia para la práctica de las pruebas será del instructor de la causa quien se limitará, en este caso, únicamente, a la realización de los medios de investigación ordenados y que, a instancia de parte, hubiesen sido solicitadas —art. 747 LECrim.—, debiendo remitir seguidamente los autos a la Audiencia.

Finalmente aparecen dos cuestiones. En primer lugar, la de la validez de la parte de juicio que se hubiere celebrado. A este respecto el art. 749.2 LECrim, dispone que el Tribunal podrá acordar dejar sin efecto los actos de prueba practicados si la instrucción suplementaria: «*exigiere algún tiempo*». En cualquier caso se trata de una facultad discrecional del Tribunal. Pero, de no accederse a la nulidad de lo actuado será requisito necesario que conozca del resto del juicio el mismo tribunal que conoció del inicio del juicio.

«No se han infringido los arts. 749 y 793.4 de la LECrim citados por el recurrente, pues el art. 749.2.º contiene una facultad y no una obligación del Tribunal para los supuestos de suspensión acordada por la causa prevenida en el número sexto del art. 746 (información suplementaria), mientras que el art. 793.4 se incluye en la regulación del procedimiento abreviado, tramitándose esta causa por el Ordinario. Por la misma razón de tratarse de una suspensión acordada para la práctica de una información suplementaria no cabe estimar infringido el «principio de concentración» que el recurrente incardina genéricamente en el art. 24 de la CE, pues la propia naturaleza de la «instrucción suplementaria» prevenida como causa de suspensión del juicio oral en el número 6 del artículo 746 de la LECrim impone una cierta dilación temporal, lo que no excluye que en la reanudación del juicio oral —en todo caso por un Tribunal de composición personal idéntica al que acordó la suspensión- se pueda dar validez a la parte del juicio celebrada, máxime cuando ninguna de las partes muestra su oposición a ello. Así sucedió en el caso actual en el que en la reanudación del juicio, por el mismo Tribunal que celebró su parte inicial, se dio lectura a la información suplementaria, se dio por reproducida la prueba documental, no interesando las partes lectura alguna, se mantuvo la renuncia de la defensa a la testifical, se elevaron a definitivas por las partes las conclusiones y se pronunciaron los informes, concediéndose al acusado el derecho a pronunciar la última palabra, sin que se interesase por ninguna de las partes la reproducción de las pruebas practicadas ante el mismo Tribunal en la primera sesión del juicio, ni la declaración de nulidad de lo entonces actuado». STS Sala Segunda, de lo Penal, Sentencia de 18 Feb. 1997, Rec. 3559/1995, Ponente: Conde-Pumpido Tourón, Cándido. LA LEY 5406/1997.

En segundo lugar, puede suceder que practicada una información suplementaria resultaren indicios racionales contra determinada persona no procesada en autos. En este caso, el Juez instructor (que actúa por delegación de la Sala) no puede acordar su procesamiento, al hallarse concluso el sumario. Solamente, tras la petición de revocación del sumario, por alguna de las partes acusadoras, y siempre que dicha revocación sea acordada por la Sala, se podrá acordar el precitado procesamiento, siguiéndose a continuación los demás trámites hasta llegar de nuevo al señalamiento del juicio oral, cuya celebración deberá realizarse nuevamente, con nulidad de todas las actuaciones precedentes desarrolladas en el anterior juicio oral.

4.8. Escritos de calificación definitiva

Tras la práctica de las pruebas las partes formularán las conclusiones finales, ya sea elevando a definitivas las provisionales o efectuando unas nuevas, cuya forma será la prevista en el art. 650 LECrim para las provisionales (*Vid.* «supra» § 4.4) (Véase M. 270). La modificación debe aportarse por escrito, sin perjuicio que pueda admitirse su formulación «in voce» que deberá constar en acta aportando el escrito al finalizar el juicio oral.

> «La falta de consignación por escrito de la modificación de las conclusiones provisionales de la acusación particular supuso, un defecto procesal de carácter formal —con transgresión del párrafo segundo del art. 732 de la LECrim.— que no determinó la nulidad de las conclusiones definitivas, en cuanto éstas constaban recogidas por el Secretario Judicial en el acta, como ocurrió en el supuesto enjuiciado. Y partiendo de lo reseñado en el acta, resulta evidente que no se transgredió el art. 851.4º de la LECrim en la sentencia, ya que fue condenado el acusado por el mismo delito objeto de las conclusiones definitivas de la acusación particular —un delito del art. 179 del CP consumado— y se le impuso una pena de seis años de prisión, inferior a la de doce años pedida por la acusación particular». STS Sala Segunda, de lo Penal, Sentencia 1728/2000 de 5 Abr. 2000, Rec. 4629/1998, Ponente: Marañón Chávarri, José Antonio. LA LEY 75852/2000.

También pueden formularse en forma subsidiaria —art. 732, 2 en relación con el art. 653 LECrim. . Si se formulasen unas nuevas, se entregarán al Presidente del Tribunal —art. 732.2 LECrim.—. Resulta posible la modificación de la calificación provisional. No obstante, el alcance de los posibles cambios en las conclusiones definitivas queda circunscrito al resultado de la prueba en relación con los hechos que hayan sido objeto de la misma; es decir, que ha de observarse, como límite insalvable, la imposibilidad de ampliar la acusación a personas distintas, hechos nuevos o ilícitos que comporten una total alteración del objeto del proceso, respecto a los establecidos en la calificación provisional, ya que en este supuesto se produciría indefensión, por vulneración del principio acusatorio. Concretamente la necesaria correlación entre acusación y defensa. Esta cuestión se analiza extensamente en el § 5.8 del Cap. XII en sede de procedimiento abreviado al que nos remitimos.

El Tribunal queda vinculado por las calificaciones definitivas de las partes acusadoras, salvo la aplicación de la facultad conferida al Tribunal por el art. 733 LECrim. (*vid.* el epígrafe siguiente). La sentencia deberá resolver estas peticiones y darles una respuesta congruente (*vid.* § 1.4 Cap. X). No obstante, en ningún caso, quedará vinculado por la calificación de la defensa. Esto es así porque el debate procesal vincula al juzgador penal, en cuanto que no podrá pronunciarse sobre hechos no aportados al proceso ni objeto de la acusación, ni podrá calificar jurídicamente los hechos de forma que integren un delito de mayor gravedad que el definido en la acusación (STC 17/1988). Tampoco podrá imponer una pena por delito distinto o apreciar una circunstancia no alegada por la acusación.

No obstante, los tribunales penales pueden calificar los hechos que juzgan apartándose de los términos propuestos por la acusación, siempre que se den diversos requisitos de identidad del hecho y de homogeneidad delictiva (véanse SSTC 70/1999 de 26 de abril; 225/1997; 134/1986; 105/1983). La vinculación del Tribunal a las calificaciones de las partes acusadoras no impide que el Tribunal pueda apreciar circunstancias atenuantes ni tampoco para imponer pena superior, dentro de los límites fijados por la Ley para el tipo delictivo, objeto de acusación, en aplicación de la función individualizadora que corresponde a los Tribunales.

4.9. Proposición de la «tesis» por el Tribunal

De acuerdo con lo previsto en el art. 733 LECrim., si el Tribunal entiende, juzgando por el resultado de las pruebas, que el hecho justiciable ha sido calificado con manifiesto error, podrá su Presidente emplear la fórmula legal prevista en el citado precepto, a los efectos de solicitar de las partes que ilustren al Tribunal sobre los extremos expuestos en su tesis. Mediante el planteamiento de la tesis el Tribunal propone a las partes una calificación distinta o la apreciación de circunstancias modificativas de la responsabilidad criminal. De ese modo, asumida la calificación propuesta por alguna de las partes acusadoras el Tribunal podrá condenar de conformidad con aquélla petición de la parte (Véanse SSTC 70/1999 de 26 de abril; 17/1988; 12/1981). La tesis no permite corregir la calificación efectuada por las partes acusadoras antes y durante el juicio oral. Tampoco permite corregir los errores cometidos en los escritos de calificación; así respecto a la apreciación de circunstancias atenuantes o agravantes[97].

---

(97) «Precipitada la dirección técnica de la parte recurrente por esta vía anómala y casacionalmente heterodoxa, afirma asimismo, con relación a la absolución de los dos acusados como cómplices de la violación, que el Tribunal debió hacer uso de su facultad prevista en el art. 733 de la LECrim, estimando que si no existía base para apreciar tal complicidad, sí pudieran haber sido condenados como autores de un delito de omisión del deber de promover la persecución

La aplicación de la tesis del art. 733 LECrim se ha visto matizada, como consecuencia del reforzamiento del principio acusatorio que ha tenido lugar desde la vigencia del art. 24 CE, según reiterada doctrina del Tribunal Constitucional (*vid.* STC 55/93, de 15 febrero). Sucede que esta facultad es excepcional y está sometida a extraordinarias reservas. Téngase en cuenta que el proceso penal se fundamenta en un «sistema complejo de garantías» vinculadas entre sí, que impone la necesidad de que la condena recaiga sobre los hechos que se imputan al acusado, hechos de los que el haya tenido ocasión de defenderse, y que determinan la calificación definitiva. En definitiva, el planteamiento de la Tesis supone, de algún modo, desequilibrar el debate procesal afectando a la posición del Juez o Tribunal que debe ser árbitro imparcial en la contienda judicial y no debe actuar a favor de la acusación, desequilibrando de ese modo la contienda judicial. En este sentido, no resulta fácil hallar supuestos en los que la propuesta de una calificación distinta de los hechos o la apreciación de una circunstancia que determinen la agravación de la pena no produzca indefensión del acusado. Sobre esta cuestión se ha pronunciado el Tribunal Constitucional de modo poco preciso. Aunque en sentido general ha entendido que debe prevalecer el sistema acusatorio[98].

El problema consiste en la afectación que se produce sobre el principio acusatorio que ya viene determinado por una Jurisprudencia constante en el mismo sentido que limita extraordinariamente la posibilidad de modificar las conclusiones provisionales de las partes por afectar esta posibilidad al derecho de defensa del acusado. Es por ello que los cambios que se produzcan no pueden suponer una acusación sorpresiva que agrave aquello de lo que se ha estado defendiendo el

---

de determinados delitos, habiendo impedido esta condena el principio acusatorio. Olvida con tal argumentación el motivo que ello constituye una facultad excepcional, que el Tribunal debe usar con moderación y no es aplicable a los errores —como en este caso— que se hayan cometido en el escrito de calificación que recoge el citado precepto procesal. El reproche dirigido al órgano jurisdiccional de instancia se vuelve contra la parte recurrente, que fue la única acusadora en la causa, porque el Ministerio Fiscal estimó los hechos no constitutivos de delito alguno, no estimando personas responsables, ni posibilidad de imponer pena alguna. Esta parte —acusación particular y ahora impugnante— pudo hacer calificación procesal alternativa para estos acusados con todos los delitos posibles, utilizando los principios procesales de acumulación y eventualidad y al no hacerlo así, volver su reproche a la Sala "a quo" no parece razonable y menos justo». STS Sala Segunda, de lo Penal, Sentencia de 23 Abr. 1999, Rec. 3275/1998; Ponente: Martínez-Pereda Rodríguez, José Manuel. LA LEY 5642/1999.

(98) «Es cierto que el Juzgador puede remediar errores de la acusación, pero dentro de los márgenes que le impone el principio acusatorio, de tal suerte que dicha corrección (salvo mecanismos específicos como los del art. 733 LECrim, que no procedían en casación) no puede aparejar una alteración de los hechos aducidos en el proceso, y tampoco exceder «los márgenes de la pena correspondiente al tipo penal que resulte de la calificación jurídica de los hechos formulada en la acusación y debatida en el proceso» (fundamento jurídico 6.º) [SSTC 105/1983, fundamentos jurídicos 3.º y 4.º; 141/1986, fundamentos jurídicos 1.º y 2.º; 211/1991, fundamento jurídico 1.º; 11/1992, fundamento jurídico 3.º, entre otras]. .../... De este modo se alteraron los términos mismos en que se formulara la acusación por el Ministerio Público, pues el decisivo factor cualificador había sido expresamente excluido en aquélla. Y, en consecuencia, se quebró respecto de la actora la estructura y el orden lógico interno del debate, impidiéndose la contradicción y la defensa sobre los nuevos términos en que éste se hubiera planteado, de hacerse explícitos los nuevos márgenes de la acusación». STC 161/1994 de 23 de mayo.

acusado. Véase el § 1.4.B del Cap. X en sede de sentencia sobre la congruencia entre las calificaciones definitivas y la sentencia, donde ya advertimos que en conclusiones definitivas no pueden imputarse hechos punibles que no hubieran sido objeto de acusación y sobre los cuales el acusado no ha tenido ocasión de defenderse. Véase sobre esta cuestión el § 5.8 Cap. XII en sede de procedimiento abreviado, donde tratamos con extensión el principio acusatorio con relación a la posible modificación en conclusiones definitivas.

En cualquier caso nada impide que se plantee la tesis de conformidad con el art. 733 LECrim sin perjuicio de los límites que el Tribunal finalmente deba observar, que vienen determinados por los Acuerdos de Sala de 20 de diciembre de 2006 en el que se acordó que el art. 789.3 LECrim debía interpretarse en el sentido de que: «*El Tribunal sentenciador no puede imponer pena superior a la más grave de las pedidas en concreto por las acusaciones, cualquiera que sea el tipo de procedimiento por el que se sustancie la causa*»; y el Acuerdo del pleno de la sala segunda, adoptado en su reunión del día 27.11.07 en el que interpreta el Acuerdo de 20 de diciembre de 2006 en el sentido de que: «*el Tribunal no puede imponer pena superior a la más grave de las pedidas por las acusaciones, siempre que la pena solicitada se corresponda con las previsiones legales al respecto, de modo que cuando la pena se omite o no alcanza el mínimo previsto en la ley, la sentencia debe imponer, en todo caso, la pena mínima establecida para el delito objeto de condena*». Véase sobre la correlación entre acusación y sentencia el § 1.4.C del Cap. X en sede de sentencia.

Conforme al art. 733 LECrim la Tesis deberá plantearse en los siguientes casos: a) Cuando el Tribunal califique los hechos como un delito más grave que el calificado por las acusaciones. b) Cuando el Tribunal entienda que los hechos objeto de acusación no han sido adecuadamente calificados, ya que corresponden a otro delito homogéneo —nunca heterogéneo—, de distinta naturaleza, aun cuando éste tuviese asignada pena de igual o inferior gravedad. c) Cuando el Tribunal quiera estimar eximentes o agravantes no apreciadas por las acusaciones[99], y d) Cuando el Tribunal pretenda elevar el grado de participación de los acusados, respecto al calificado por las partes acusadoras. Si el Fiscal o cualesquiera defensores de las partes, indicaren

---

[99] «... el debate procesal vincula al juzgador, impidiéndose excederse de los términos en que viene formulada la acusación o apreciar hechos o circunstancias que no han sido objeto de consideración de la misma, ni sobre los cuales, por tanto, el acusado ha tenido ocasión de defenderse, a no ser que el Tribunal sentenciador los ponga de manifiesto, introduciéndolos en el debate por el cauce que, al efecto, previene el art. 733 LECrim. y, de no hacer uso de la facultad que confiere este precepto, no podrá calificar o penar los hechos de manera más grave a lo pretendido por la acusación, ni condenar por delito distinto, salvo que, respetando la identidad de los hechos se trate de tipos homogéneos... La anterior doctrina, fundada en los principios acusatorio y de contradicción y defensa y, en último término, en la prohibición de la indefensión, obliga a establecer que, sin la tesis previa del citado art. 733, el Tribunal sentenciador no puede apreciar agravantes que no han sido objeto de la acusación...». (STC 55/93, de 15 febrero). Véanse también SSTC 105/83, de 23 noviembre, 104/86, de 17 julio, 29/87, de 19 febrero, 17/88, de 16 febrero; 18/89, de 30 enero, y 205/89 de 14 diciembre. Vid. también RIVAS CARRERAS, «El planteamiento de la tesis por el Tribunal: el art. 733 LECrim. en la ley y la jurisprudencia», *RJC*, 1992, 2.

que no están suficientemente preparados para discutir la cuestión propuesta, se suspenderá la sesión hasta el día siguiente —art. 733 «*in fine*» LECrim.—.

«De todas formas, conviene que el Tribunal utilice el mecanismo previsto en el art. 733 de la Ley de Enjuiciamiento Criminal (LA LEY 1/1882), para que las partes puedan alegar lo que estimen conveniente, se satisfagan las exigencias del acusatorio, y se dé oportunidad a las partes a debatir el tema, para cumplir con el derecho de defensa. Sin embargo, la estimación del motivo anterior, por el que consideramos concurrente la atenuante simple de drogadicción, nos lleva a la aplicación de la regla séptima del apartado 1 del art. 66 del Código penal (LA LEY 3996/1995), compensando, en consecuencia, ambas circunstancias, atenuante y agravante, de manera racional para la individualización penológica, operación que efectuaremos en la segunda sentencia que ha de dictarse». STS Sala Segunda, de lo Penal, Sentencia 706/2009 de 19 Jun. 2009, Rec. 971/2008. Ponente: Sánchez Melgar, Julián. LA LEY 119114/2009.

4.10. Informe de las partes

El último acto procesal en que participarán las partes durante la celebración del juicio oral es el relativo a la exposición de sus informes, que se iniciarán por el del Fiscal y demás partes acusadoras, seguido de las defensas. Aunque, en el caso, que la única parte acusadora en el trámite de conclusiones definitivas sea la Acusación Particular es correcto que informe, en primer lugar, esta parte y a continuación el Ministerio Fiscal. En el informe se expondrán los hechos que consideren probados, su calificación jurídica, la participación de los acusados y la responsabilidad civil de éstos. Los informes deberán acomodarse a las conclusiones definitivas que se hubieran formulado y, en su caso a la propuesta por el Presidente del Tribunal, con arreglo a lo dispuesto en el art. 733 LECrim (art. 737 LECrim). Después de estos informes sólo será permitido a las partes la rectificación de hechos y conceptos (art. 738 LECrim).

El acto de la vista concluirá después de que el Presidente haya preguntado a los procesados si tienen algo que manifestar al Tribunal y haberlos oído, en su caso —arts. 739, 740 LECrim.—. Este derecho a la última palabra no es una mera formalidad, sino la oportunidad final para confesar los hechos, ratificar o rectificar sus propias declaraciones o incluso discrepar de su defensa (SSTC 181/94, de 20 junio y 29/95, de 6 febrero)[100]. Aunque, en la STC 258/2007, de 18 de diciembre, el TC

---

(100) «Igualmente, por lo que hace a la posterior fase de juicio oral, conviene destacar la importancia del "derecho a la última palabra", con independencia de otras expresiones del derecho a la autodefensa contenidas en los artículos 655, 708, 713 y 793.3.º LECrim., en relación, concretamente, con el derecho a la "última palabra" este Tribunal ha tenido ocasión recientemente de destacar cómo el art. 739 LECrim. "ofrece al acusado" el "derecho a la última palabra" (STS de 16 julio 1984), por sí mismo, no como una mera formalidad, sino —en palabras del Fiscal que la Sala asume— "por razones íntimamente conectadas con el derecho a la defensa que tiene todo acusado al que se brinda la oportunidad final para confesar los hechos, ratificar o rectificar sus propias declaraciones o las de los coimputados o testigos, o incluso discrepar de su defensa o completarla de alguna manera". La raíz profunda de todo ello no es sino el principio de que nadie pueda ser condenado sin ser oído, audiencia personal, que, aun cuando mínima, ha de separarse como garantía de la asistencia letrada, dándole todo el valor que por sí misma le corresponde. La viva voz del acusado es un elemento personalísimo y esencial para su defensa en juicio... (STC 181/94, fundamento jurídico 3.º)...». (STC 29/95, de 6 febrero).

declaró que para poder amparar la omisión de esta norma debía acreditarse la indefensión material sufrida[101].

Una cuestión importante es el valor que debe darse a las manifestaciones del acusado, si como un mero derecho de audiencia o de defensa o un verdadero medio de prueba del que pueden extraerse hechos de valor relevante para la causa. Sobre este particular la Jurisprudencia admite que se viene postulando por otorgar valor probatorio a las manifestaciones del acusado en este trámite, aunque no deja de mostrar reservas en tanto que se trata de una declaración que se produce una vez se ha practicado toda la actividad procesal prevista en la Ley[102].

«En este punto la valoración de las manifestaciones del acusado en dicho trámite procesal, ajenas a toda contradicción entre las partes y a todo control por su letrado, presenta serios problemas en la doctrina, en orden a la fijación de los límites de control por el Tribunal de esas manifestaciones especialmente en los casos en los que al margen de cualquier recomendación de su letrado, el acusado confiesa los hechos o pone de manifiesto un dato nada conveniente a su posición procesal. El problema se plantea en relación a si esas manifestaciones pueden formar parte del material probatorio o sólo si son de descargo, partiendo de que cuando se producen la prueba ya ha sido enteramente practicada y cuando, por ello, las partes ya han expuesto definitivamente sus conclusiones de acusación y defensa. Aunque la cuestión no es pacifica la doctrina más autorizada se inclina porque tales palabras han de ser valorables como un medio de prueba, la declaración del acusado. No ofrece duda si se trata de palabras útiles de descargo proferidas por el acusado y deben entenderse que no cabe privar a tal declaración del acusado de valor si en ella aporta de elementos de cargo. Podría argumentarse en contra que este derecho, al igual que las palabras de su defensor en el informe, es solo un medio de defensa y no está concebido como un medio de prueba». STS Sala Segunda, de lo Penal, Sentencia 719/2016 de 27 Sep. 2016, Rec. 10063/2016; Ponente: Berdugo Gómez de la Torre, Juan Ramón. LA LEY 129022/2016.

4.11. Acta del juicio oral y Sentencia

El juicio deberá documentarse en un acta levantada por el Letrado A. Justicia en la que sucintamente se hará constar lo acecido en el Juicio oral. El acta se firmará por

---

(101) «5. En atención a lo expuesto debe concluirse que en el presente caso no concurre la vulneración del derecho a la defensa (art. 24.2 CE) alegada, habida cuenta de que, si bien no se posibilitó a los recurrentes intervenir al final del juicio, tras la intervención de su Letrado, sin embargo, no resulta posible apreciar que dicha circunstancia les haya generado una indefensión material, en todo caso, no acreditada en la demanda». STC 258/2007, de 18 de diciembre.

(102) «No cabe, por tanto, sostener que esas manifestaciones no puedan servir como un elemento de descargo o incluso de cargo. Es cierto que en la práctica resultaría muy fácil disimular el problema. El tribunal puede basar expresamente en sentencia u en otros medios de prueba y así esconder, baja la apariencia de una motivación, incluso completa, una realidad: que esas últimas palabras han tenido un valor decisivo y determinante, pero esta técnica no resulta correcta desde el punto de vista deontológico. El juez está obligado a explicitar en la sentencia, si es que ha sido así, que la última palabra del acusado ha movido su decisión en tal o cual sentido. Solo ese modo permite que se abra la posibilidad de fiscalización en vía de recurso de la cuestión. Solo si se señala en la sentencia que lo manifestado en ese trance por el acusado se utilizó como prueba podrá el tribunal superior decidir si esas palabras son valorables o no como medio de prueba». STS Sala Segunda, de lo Penal, Sentencia 719/2016 de 27 Sep. 2016, Rec. 10063/2016; Ponente: Berdugo Gómez de la Torre, Juan Ramón. LA LEY 129022/2016.

el Presidente, miembros del Tribunal, partes acusadoras y defensas (art. 743 LECrim) (Véase M. 271). Ahora bien, en la actualidad el acta oral del juicio la constituye a todos los efectos la grabación de la vista, firmando los asistentes únicamente la diligencia que levanta el Letrado A. Justicia dando fe de su intervención en la grabación, del lugar la fecha y los asistentes (art. 743 LECrim). Nos remitimos a la explicación contenida en el § 5.12 del Cap. XII sobre esta materia.

Únicamente se levantará acta, preferiblemente mediante por procedimientos informáticos, en casos concretos referidos en el art. 743.2 LECrim, que explicamos en el § 5.12 del Cap. XII. En ese caso al terminar la sesión el Letrado A. Justicia leerá el Acta haciéndose las rectificaciones que las partes reclamen, si el Tribunal en el acto las estima procedentes (art. 743.5 LECrim).

El Tribunal dictará sentencia, en la que se resolverán todas las cuestiones que hayan sido objeto del juicio. No podrá acordar el sobreseimiento de la causa en relación con aquellos acusados que entienda no debe condenar (art. 742 LECrim), ya que en este caso procede la absolución. La sentencia será absolutoria o condenatoria por todos los delitos objeto de acusación (Véase sobre la sentencia Cap. X). (Véase M. 272). La sentencia deberá observar los requisitos constitucionales y legales, y concretamente el de la motivación (Véase sobre el contenido de la sentencia § 1.2, Cap. X). Contra la sentencia que dicten las Audiencias cabe interponer recurso de apelación del que conoce el Tribunal Superior de Justicia (art. 846 ter LECrim) (Véase sobre el recurso de casación § 4.3 Cap. XI) y frente a la sentencia dictada por el TSJ cabe recurso de casación conforme está previsto en el art. 847 LECrim. (Véase sobre el recurso de casación § 7, Cap. XI).

MODELOS

M. 223. Auto decretando el secreto del sumario

AUTO

En [.../...], a [.../...] de [.../...] de 201[.../...]

HECHOS

1.º [.../...] *(se consignarán los datos y una relación sucinta de las diligencias sumariales)*.

FUNDAMENTOS DE DERECHO

1.º El art. 120.1 CE establece la publicidad de las actuaciones judiciales, con las excepciones previstas en las leyes de procedimiento que regula el art. 302 LECrim. para el proceso penal.

Y en el caso de autos, ha de decretarse el secreto del sumario en atención a que [.../...] *(Motivación de la decisión de acordar el secreto)*.

PARTE DISPOSITIVA

Se decreta el SECRETO del presente sumario número [.../...] por el tiempo de un mes[1], no pudiendo las partes[2] tomar conocimiento de las actuaciones ni intervenir en las diligencias.

Lo manda y firma el Sr. D. [.../...], Juez de Instrucción de [.../...], doy fe.

(Firma Juez) (Firma Letrado A. Justicia)

DILIGENCIA. Seguidamente se cumple lo acordado, doy fe.

(NOTIFICACIÓN: A las partes personadas.)

(1) La prórroga del plazo debe acordarse en otra resolución motivada, conforme a las pautas marcadas por la STC 176/88, de 4 octubre.

(2) De conformidad con el art. 302 LECrim., puede decretarse total o parcialmente secreto para todas o algunas de las partes personadas.

M. 224. Auto de incoación de sumario iniciado por atestado o de oficio

AUTO

En [.../...], a [.../...]de [.../...]de 201[.../...]

HECHOS

1.º Las presentes diligencias se han incoado por un atestado (o de oficio) relativo a [.../...] (breve resumen de los hechos).

FUNDAMENTOS DE DERECHO

Único. Los hechos relacionados pueden ser constitutivos de delito, por lo que, de conformidad con lo dispuesto en los arts. 300, 14.4 y concordantes de la LECrim., debe acordarse la formación del oportuno Sumario para el esclarecimiento de los mismos y averiguación de las personas responsables.

PARTE DISPOSITIVA

Incóese el oportuno sumario sobre [.../...] que se registrará en el libro correspondiente, remitiéndose partes de incoación a los Iltmos. Sres. Presidente y Fiscal de la Audiencia de [.../...]; practíquense las diligencias siguientes: [.../...]

Lo manda y firma el Sr. D. [.../...], Juez de Instrucción de [.../...], doy fe.

(Firma Juez) (Firma Letrado A. Justicia)

DILIGENCIA. Seguidamente se cumple lo acordado, doy fe.

(NOTIFICACIÓN. A las partes personadas.)

M. 225. **Escrito de Querella por delito que se debe sustanciar por procedimiento por delitos graves**

AL JUZGADO

D. [.../...] Procurador de los Tribunales y obrando en nombre de la entidad [.../...], cuya representación acredito mediante escritura de poder a mi favor (1), comparezco y DIGO:

Que por medio de este escrito y por entender que los hechos que describiré son constitutivos de un delito de alzamiento de bienes previsto en el art. 257 CP, formulo querella al amparo de lo dispuesto en el art. 270 y ss. LECrim.

ALEGACIONES

PRIMERO. JUEZ ANTE QUIEN SE PRESENTA:

Se presenta la Querella ante el Juzgado de Instrucción de esta ciudad que por turno corresponda, por ser competente, conforme a lo dispuesto en el art. 14 LECrim.

SEGUNDO. NOMBRE, APELLIDO Y VECINDAD DEL QUERELLANTE:

El Querellante es [.../...]

TERCERO. NOMBRE, APELLIDOS Y VECINDAD DE LOS QUERELLADOS:

El querellado es [.../...], mayor de edad, con domicilio en [.../...], de [.../...]

CUARTO. RELACIÓN CIRCUNSTANCIADA DE LOS HECHOS:

I. Antecedentes. La querellante actualmente mayor de edad convivió con el querellado desde el año.. hasta el año [.../...], en razón de ser su sobrina, y hallarse su madre trabajando en el extranjero concretamente en [.../...]. De esa relación y en el período comprendido entre [.../...] y [.../...] el querellado prevaliéndose de su ascendiente sobre la [.../...] accedió carnalmente a ella en las siguientes ocasiones y según el siguiente relato de hechos: 1º, 2º, 3º

II. Lugar en que los hechos han ocurrido. Los hechos ocurrieron en el domicilio familiar.

III. Fecha en que ocurrieron. Los días expresados con anterioridad y concretamente 1º: el día ...... de [.../...] de [.../...]; 2º [.../...]; 3º [.../...]

IV. Concreción y tipificación del hecho delictivo. Los hechos descritos constituyen un delito continuado de agresión sexual previsto en el art. 179 CP en relación con el art. 74 CP, concurriendo la circunstancia agravante de parentesco del art. 23 CP

QUINTO. DILIGENCIAS CUYA PRÁCTICA SE SOLICITA:

Con independencia de aquellas que estime oportunas el Instructor, creemos que sería necesario practicar las siguientes:

1. Admisión de la totalidad de los documentos adjuntos.

2. Interrogatorio del querellado, con intervención de esta parte.

3. Testifical de D. [.../...]

4. Que se oficie AA [.../...]

5. Pericial médica de [.../...]

Por todo lo expuesto, al Juzgado

SUPLICO

Admita esta querella, se practiquen las diligencias interesadas en el número anterior y se tomen las pertinentes medidas cautelares sobre la situación personal y sobre los bienes del querellado, a las resultas de este proceso.

Lo que pido en [.../...], a [.../...] de [.../...] de 200 [.../...]

El Procurador de los Tribunales   El abogado

(Firmado)   (Firmado)

El querellante

(No firma por ser el poder especial)

(Copia para el Fiscal y cada uno de los querellados)

(DILIGENCIA DE PRESENTACIÓN)

(1) Respecto del poder del Procurador para la presentación de querellas, vid. § 2.D.b Capítulo VI.

M. 226. Auto de admisión de querella y subsiguiente incoación de sumario[1]

AUTO

En [.../...], a [.../...] de [.../...] de 201[.../...]

HECHOS

1.º El Procurador [.../...], en nombre y representación de [.../...] mediante escrito de fecha [.../...] formuló querella por delito de [.../...] contra [.../...], en la que tras expresar la relación circunstanciada de los hechos y las diligencias a practicar para su comprobación, solicitó la admisión a trámite de la misma y [.../...]

FUNDAMENTOS DE DERECHO

Único. Relatándose en la querella interpuesta hechos que pueden ser constitutivos de delito, procede su admisión y la incoación de Sumario para averiguar los hechos relacionados en la misma, practicándose al efecto las diligencias pertinentes.

VISTOS los arts. 277 y 299 y ss., 308 y demás concordantes LECrim.

PARTE DISPOSITIVA

SE ADMITE LA QUERELLA formulada por el Procurador [.../...] en nombre de [.../...] al que se le tiene por comparecido y parte en la representación que ostenta, entendiéndose con él las sucesivas diligencias en la forma prevista por la Ley; INCÓESE SUMARIO por [.../...], insértese la copia de la escritura de poderes con devolución de la original; remítanse los partes de incoación a los Iltmos. Sres. Presidente y Fiscal de la Audiencia Provincial; regístrese el sumario en el libro correspondiente; practíquense las diligencias interesadas; para recibir declaración al querellado (y en su caso a los testigos propuestos) se señala el próximo día [.../...] de [.../...] a las [.../...] horas; líbrense al efecto las correspondientes citaciones por el Agente judicial; en cuanto al procesamiento solicitado, en su día se acordará.

Lo manda y firma el Sr. D. [.../...], Juez de Instrucción de [.../...], doy fe.

(Firma Juez)   (Firma Letrado A. Justicia)

DILIGENCIA. Seguidamente se cumple lo acordado, doy fe.

(NOTIFICACIÓN. Al Fiscal y a las partes personadas, si las hubiere.)

(1) Vid. otros Modelos de querella en M. 64

M. 227. Parte de notificación de la incoación de sumario al Presidente de la Audiencia Provincial y al Fiscal

JUZGADO DE INSTRUCCIÓN N.º [.../...]

SUMARIO N.º [.../...] de 201[.../...]

ILMO. SR.:

Tengo el honor de poner en conocimiento de V. E. que en el día de la fecha se ha incoado por este Juzgado el Sumario anotado al margen y por el hecho que asimismo se expresa.

En [.../...], a [.../...] de [.../...] de [.../...]

El Juez de Instrucción

ILMO. SR. [.../...] DE LA AUDIENCIA PROVINCIAL

M. 228. Diligencia de ordenación formando el respectivo rollo al recibirse el parte de incoación

DILIGENCIA DE ORDENACIÓN LETRADO A. JUSTICIA SR. [.../...]

En [.../...], a [.../...] de [.../...] de 201[.../...]

Con el oficio recibido, fórmese el correspondiente Rollo y líbrese comunicación al Juez Instructor, para que con la responsabilidad establecida en el art. 325 LECrim., proceda con arreglo a Derecho, dando parte semanalmente de las causas que impidan su terminación, cuando al mes de incoado no lo hubiera concluido[1], previniéndolo que al remitir el sumario a esta Audiencia se acompañará la pieza de situación y, en su caso, la de responsabilidad civil, si estuviera concluida, dando cuenta de su estado en el supuesto contrario, correspondiendo como Magistrado Ponente[2] al Ilmo. Sr. [.../...]

Lo acuerda y firma el Sr. Letrado A. Justicia, dando cuenta de ello al Magistrado Ponente.

(Firma Letrado A. Justicia)

DILIGENCIA. Seguidamente se cumple lo acordado, doy fe.

(NOTIFICACIÓN. Al Fiscal y a las partes personadas, si las hubiere.)

(1) A pesar de que la LECrim. exige, con claridad meridiana, que los Jueces de Instrucción deben formular tales partes con carácter semanal explicando las razones del retraso, en la práctica, generalmente, tal obligación es desatendida.

(2) La designación de Ponente se hace en la primera resolución que se dicta en el proceso, haciéndoselo saber a las partes —art. 203.2 LOPJ—, así como los sucesivos cambios, con expresión de la causa de sustitución (traslado, jubilación). Los turnos de ponencias se fijan al principio del año judicial y su reparto lo es en base a criterios objetivos preestablecidos.

M. 229. Escrito de querella cuando ya se han iniciado las actuaciones

AL JUZGADO DE INSTRUCCIÓN

D. [.../...], Procurador de los Tribunales y obrando en nombre de [.../...], cuya representación acredito mediante escritura de poder (se hará constar el término «especial», y si así fuera otorgado con la cláusula expresa de formular esta querella), que debidamente bastanteado acompaño, comparezco y digo:

Que por medio de este escrito, formulo querella por delito de robo y homicidio, que baso en las siguientes:

ALEGACIONES

Primero. JUEZ ANTE QUIEN SE PRESENTA:

Esta querella se formula ante el Juzgado de Instrucción de [.../...] por entender ya de los hechos objeto de la misma. (En el supuesto de que no se tratara de comparecer en la causa mediante escrito de querella, debería indicarse «ante el Juzgado de Instrucción que por turno de reparto corresponda», por entender que los hechos han ocurrido en esta ciudad y ser el competente, tal y como se dirá en el apartado cuarto de este escrito).

Segundo. NOMBRE, APELLIDOS Y VECINDAD DEL QUERELLANTE:

Es el querellante, mi mandante [.../...], mayor de edad (estado civil) (profesión), vecino de [.../...], con domicilio en [.../...]

Tercero. NOMBRE, APELLIDOS Y VECINDAD DEL QUERELLADO:

Es el querellado [.../...], cuyos demás datos ya constan en el sumario n.º [.../...] (o diligencias previas si aún no se hubiera incoado el sumario). (En el supuesto de que no se tratara de un escrito de querella para comparecer, debería indicarse en este apartado los datos de identidad del querellado)

Cuarto. RELACIÓN CIRCUNSTANCIADA DE LOS HECHOS:

El querellado [.../...], el día [.../...] de [.../...] de [.../...], adquirió un puñal de 16 cm de longitud de hoja y unos 2,5 cm de anchura, y a última hora del mismo día o primeras del día siguiente, se presentó en las inmediaciones del chalet de los que habían sido sus antiguos patronos, y sigilosamente penetró en él, toda vez que conocía a la perfección la estructura del mismo. Una vez en su interior, aguardó en una habitación contigua al dormitorio, y con la certeza de que sus víctimas estaban dormidas, se apoderó de diversos objetos, previa sustracción de las llaves de la caja de caudales; y acto seguido se dirigió hacia la Caja fuerte momento en el que se vio sorprendido por el propietario de la vivienda que forcejeo con el querellado hasta que éste clavó repetidamente en el abdomen del propietario de la vivienda y víctima de los hechos un número no determinado de puñaladas, pero que al parecer son entre tres y cinco. A continuación, emprendió la huida. Únicamente la rápida actuación de la esposa del agredido que avisó a los servicios de emergencia evitaron un fatal desenlace, ante la gravedad y naturaleza de las heridas.

TIPIFICACIÓN PENAL:

Los hechos relatados son constitutivos de un delito de robo con violencia o intimidación previsto en el art. 242.1 y 2, y uno de homicidio en grado de tentativa del art. 138 en relación con los arts. 16 y 62, en concurso real del art. 74 CP, todos ellos del CP.

DILIGENCIAS A PRACTICAR:

Las diligencias a practicar, las solicitará esta parte, tan pronto se le haya dado vista de las actuaciones.

(De no tratarse de un escrito de querella, compareciendo, ya iniciado el procedimiento, debería interesarse la práctica de diligencias.)

Por todo lo expuesto, y ejercitando en nombre de mi poderdante, la acción penal y civil a ésta inherente, que al mismo corresponde como perjudicado en los expresados delitos,

SUPLICO

Tenga por presentado este escrito, en nombre de mi mandante D. [.../...], se sirva admitir esta querella y tenerme por parte en el Sumario que se incoa contra el aquí querellado [.../...] (*de no ser sumario, debe indicarse la clase de procedimiento*), dándome vista de las actuaciones, y después de practicar las diligencias que se interesan, con intervención de esta parte, dictar auto de procesamiento contra el querellado con todas las consecuencias inherentes a tal resolución, y las medidas complementarias procedentes para el aseguramiento de la responsabilidad civil, y en el caso de que no lo verificara en término, se proceda al oportuno embargo de bienes.

Lo que respetuosamente pido en [.../...], a [.../...] de [.../...] de 201[.../...]

(Firma Letrado)   (Firma Procurador)

El querellante (si el poder es especial, no debe firmar; en caso contrario, sí).

(DILIGENCIA DE PRESENTACIÓN.)

M. 230. Auto de procesamiento

En [.../...], a [.../...] de [.../...] de 201[.../...]

HECHOS

1.º De las diligencias practicadas en el presente sumario aparece como detenido D. [.../...], de [.../...] años de edad, que había prestado servicios como [.../...] desde primeros de año hasta el día [.../...] en la vivienda de D. [.../...], sita en [.../...] Sobre las [.../...] horas del día [.../...] del presente mes, enmascarado con ropa negra, cubierto su rostro con un pasamontañas gris oscuro, provisto de guantes de goma y armado con un puñal, habiendo adquirido todo ello a las [.../...] horas del día anterior en [.../...], penetró en el domicilio reseñado, por la puerta de servicio, la cual abrió sirviéndose de una llave que guardaba del tiempo en que estaba trabajando. Una vez en el interior, ascendió por las dependencias del servicio a la parte superior y, con sumo sigilo y sin necesidad de encender la linterna que llevaba, se dirigió por un pequeño corredor a una dependencia vestidor que comunica, mediante puertas correderas, con el dormitorio de [.../...] [.../...] Llegado allí y sentado sobre la alfombra, esperó pacientemente durante veinticinco minutos, para dirigirse a la caja fuerte y una vez que se cercioró de que D. [.../...] dormía, penetró en el dormitorio por la puerta del cuarto de aseo, situándose junto a la cama, en el lado donde dormía aquél al efecto de abrir la Caja Fuerte; en ese momento, quizá al oír algún ruido extraño, el propietario se despertó y encendió la luz por lo que al ver al reseñado D. [.../...]le gritó y se dirigió hacia él al efecto de detenerle, forcejeando durante unos segundos, hasta que el intruso D. [.../...]atacó con el puñal a D. [.../...] repetidas veces, causándoles graves heridas. Tras ello, y mientras la esposa del agredido le atendía y se disponía a llamar a los servicios de emergencia se cambió los guantes y procurando evitar toda huella, cogió primeramente [.../...] Euros del bolso de la señora y abriendo las dos cajas de caudales que se hallaban empotradas en un armario del vestidor, con las llaves que el dueño de la casa tenía en un cajón de la cómoda, se apoderó de [.../...] Euros, moneda extranjera, numerosas joyas y monedas de oro, pendientes de tasación. Introducido todo lo sustraído en una bolsa que llevaba abandonó la casa por donde entró y se ausentó del lugar sirviéndose del turismo alquilado matrícula [.../...] en el que había llegado. Dentro del coche se fue cambiando de ropa y calzado, arrojando por separado todo ello, al igual que el puñal y el portafolios —previo el traslado de los efectos allí guardados a un bolso maletín de su propiedad—, que más tarde depositó en la Consigna de la Estación de [.../...].

Tras realizar un viaje por la autopista de [.../...], con la finalidad de preparar una coartada, obteniendo para ello comprobantes de paso por control de autopista y adquisición de carburante fechados el día [.../...], regresó a su alojamiento, saliendo posteriormente a dar un paseo y al volver fue detenido por la Policía recuperándose todo lo sustraído e igualmente el puñal y una zapatilla de las que usó para la comisión del hecho. Entre tanto, los servicios de emergencia habían acudido al lugar de los hechos y trasladaron al herido al Hospital donde ingresó con una grave hemorragia y un neumotórax que le hubiere causado la muerte de no haberse actuado con tanta celeridad.

FUNDAMENTOS DE DERECHO

1.º Los hechos que se acaban de relatar pueden ser constitutivos de un delito de robo y un delito de homicidio en grado de tentativa previstos y penados en los arts. 242.1 y 2, y 138, 16 y 62 todos ellos del CP vigente; y de las actuaciones sumariales aparecen méritos bastantes para reputar responsable criminalmente del mismo a [.../...], al que procede declarar procesado, a tenor de lo dispuesto en el art. 384 LECrim., y atendidas las penalidades al mismo señaladas y las circunstancias concurrentes en el inculpado, a tenor de lo previsto en los arts. 503, 504 y 529 de la antedicha Ley Procesal, procediendo también decretar la prisión provisional de [.../...].

2.º Todo responsable criminalmente, lo es también civilmente.

3º En cuanto a la situación personal [.../...] *(se mantiene la situación de prisión provisional del procesado; o se decreta según se expone a continuación).*

PARTE DISPOSITIVA

SE DECLARA PROCESADO, por razón de esta causa, a [.../...], con quien se entenderán las sucesivas diligencias en el modo y forma que determina la LECrim. Y SE DECRETA LA PRISIÓN PROVISIONAL comunicada del referido procesado [.../...], sin señalamiento de fianza por ahora; hágasele saber este auto, enterándole de los derechos y recursos que puede ejercitar; póngase este auto en conocimiento del Ministerio Fiscal por testimonio, y fórmese pieza separada de situación personal.

Recíbase indagatoria al procesado [.../...], aportando sus antecedentes penales, actas de nacimiento e informe de conducta, a cuyo fin expídanse los despachos oportunos.

Requiérase al indicado procesado para que a resultas de la causa preste fianza en cantidad de [.../...], y no verificándolo dentro de una audiencia, embárguensele bienes bastantes para cubrir dicha suma, acreditándose, caso de no poseerlos, su insolvencia legalmente y fórmese pieza separada de responsabilidad civil.

Contra la presente resolución cabe recurso de reforma dentro del plazo de tres días, a partir de la última notificación, ante el Sr. Juez de Instrucción de este Juzgado.

Así lo manda y firma el Sr. D. [.../...], Juez de Instrucción de [.../...], doy fe.

(Firma Juez) (Firma Letrado A. Justicia)

DILIGENCIA. Seguidamente se cumple lo acordado, doy fe.

(NOTIFICACIÓN: Al Fiscal y al procesado.)

Cuando le haya sido notificado el auto de procesamiento al procesado y comparezca en el Juzgado, se le interrogará sobre sus datos de identificación personal y sobre los hechos delictivos que se le imputan a los efectos de su esclarecimiento. Esta primera declaración del procesado se conoce con el nombre de «Indagatoria», y se expone a continuación.

M. 231. Indagatoria

Seguidamente ante el Ilmo. Sr. Juez de Instrucción e infrascrito Letrado A. Justicia, compareció el procesado que exhortado a decir verdad prometió así hacerlo y preguntado convenientemente dijo llamarse [.../...], de [.../...] años de edad, hijo de [.../...], partido de [.../...], provincia de [.../...], vecino de [.../...], con domicilio en la calle de [.../...], de profesión [.../...]; ha sido procesado [.../...] y conoce el motivo por que se le procesa en virtud de la notificación del auto que acaba de hacérsele, con la asistencia del Letrado [.../...] y el Procurador [.../...] (si ya estuviere designado).

Preguntado si es cierto que tuvo la intervención que se le atribuye en el auto de procesamiento que se le acaba de notificar habiendo ocurrido los hechos en la forma que se relata en el mismo

DIJO: [.../...]

Leída esta indagatoria, que ha durado [.../...], firman conmigo los asistentes, doy fe.

(Firma Juez, Letrado A. Justicia, procesado y sus representantes)

Como en el auto de procesamiento debe haber pronunciamiento sobre la situación personal del procesado acordando su prisión o libertad provisional, se procederá a abrir la pieza separada de situación personal, donde se harán constar las distintas vicisitudes por las que pase el procesado.

M. 232. Recurso de reforma contra el auto de procesamiento

AL JUZGADO

D. [.../...] Procurador de los Tribunales y obrando en nombre de [.../...], cuya representación acredito mediante escrito de designa a mi favor, que acompaño, en el Sumario n.º [.../...] de 201[.../...], digo:

Que ha sido notificado a mi mandante el auto de procesamiento dictado en la presente causa. Y estimando el mismo gravoso a los intereses de mi representado, por medio del presente escrito formulo RECURSO DE REFORMA, que baso en los siguientes:

ALEGACIONES

PRIMERA [.../...]

SEGUNDA [.../...]

Por tanto, al Juzgado

AL JUZGADO SUPLICO:

Admita este escrito de recurso y tras sus trámites se acuerde haber lugar al mismo y se deje sin efecto el procesamiento acordado contra mi representado.

En [.../...], a [.../...] de [.../...] de 201[.../...]

(Firma Abogado)   (Firma Procurador)

DILIGENCIA. Seguidamente se cumple lo acordado, doy fe.

M. 233. Recurso de apelación contra el auto denegatorio de la reforma

A LA SALA

D. [.../...], Procurador de los Tribunales y obrando en nombre del procesado [.../...], cuya representación acredito mediante escrito de designa a mi favor que se adjunta, comparezco en el rollo del sumario n.º [.../...] instruido por el Juzgado de Instrucción n.º [.../...] y

EXPONGO, Que por medio de este escrito, formulo RECURSO DE APELACIÓN contra el auto de fecha [.../...] por el que no da lugar a la reforma del auto de procesamiento dictado en la presente causa contra mi representado. Fundamento este recurso en las siguientes

ALEGACIONES

PRIMERA. Con fecha [.../...] se dictó auto de procesamiento que transcribo a continuación: « [.../...]».

SEGUNDA. Contra dicho auto se interpuso dentro de plazo, recurso de reforma, del que destaco los siguientes párrafos: « [.../...]».

TERCERA. Al anterior recurso de reforma recayó la resolución que transcribo: « [.../...]».

CUARTA. Entendemos que en forma alguna se dan los requisitos tipo del delito de [.../...], por cuanto no puede hablarse de este delito como entiende el Juez de Instrucción, por los siguientes motivos: A) [.../...] B) [.../...]

QUINTA. En resumen, ha existido, a nuestro criterio, error del Juez de Instrucción al mantener el procesamiento, puesto que, en síntesis [.../...]

Por cuanto antecede,

A LA SALA SUPLICO

Tenga por admitido el presente escrito y por formulado recurso de apelación contra el auto indicado al inicio de este escrito, y tras sus trámites se dicte nueva resolución por la que se ordene dejar sin efecto el procesamiento indicado.

En [.../...], a [.../...] de [.../...] de 201[.../...]

(Firma Abogado)   (Firma Procurador)

DILIGENCIA. Seguidamente se cumple lo acordado, doy fe.

M. 234. Piezas separadas de situación y de responsabilidad civil

EL LETRADO A. JUSTICIA DEL JUZGADO DE INSTRUCCIÓN NÚM. [.../...] DE ESTA CIUDAD.

CERTIFICO: Que el sumario núm. [.../...] de [.../...] sobre [.../...] contra [.../...] se ha dictado en este día el auto que comprende el particular del tenor siguiente:

Se decreta la [.../...] provisional del procesado [.../...]; notifíquese este auto y enterésele de sus derechos y de los recursos que puede ejercitar; póngase en conocimiento del Ministerio Fiscal (y de las partes personadas) y fórmese la pieza separada de situación personal. Recíbase (etc.). Así lo acordó y firma (etc.). Siguen las firmas.

Concuerda con su original a que me remito. Y para formar la pieza separada de situación, expido el presente certificado en [.../...], a [.../...] de [.../...] de [.../...]

(Firma Letrado A. Justicia)

DILIGENCIA DE ORDENACIÓN LETRADO A. JUSTICIA SR. [.../...]

En [.../...], a [.../...] de [.../...] de 201[.../...]

Dada cuenta, se tiene por librada la anterior certificación con la que se forma la pieza separada de situación, llevándose a cumplimiento el particular del auto que aquélla contiene.

Lo acuerda y firma el Sr. Letrado A. Justicia, dando cuenta de ello a S.S.ª

(Firma Letrado A. Justicia)

NOTIFICACIÓN

En [.../...], a [.../...] de [.../...] de 201[.../...] y hallándose presente el procesado [.../...] le notifiqué en legal forma la anterior providencia y particular del auto a que se refiere, enterándole del derecho legal de presentar recurso de reforma dentro del plazo de tres días ante el mismo órgano judicial y subsiguiente recurso de apelación ante la Audiencia Provincial.

(Firma Letrado A. Justicia y procesado)

DILIGENCIA. Seguidamente se expide mandamiento de [.../...] dispuesto al Director de la Prisión de [.../...], doy fe.

En el auto de procesamiento el Juez ordena al procesado la prestación de la correspondiente fianza para garantizar las responsabilidades pecuniarias, que pueden derivarse de la causa que se sigue. En este sentido, también debe formarse la oportuna pieza separada de responsabilidad civil. Dicha pieza será del siguiente tenor:

EL LETRADO A. JUSTICIA DEL JUZGADO DE INSTRUCCIÓN NÚM. [.../...] DE ESTA CIUDAD.

CERTIFICO: Que el sumario núm. [.../...] de [.../...] sobre [.../...] contra [.../...] se ha dictado en este día el auto que comprende el particular del tenor siguiente:

«REQUIÉRASE A [.../...] indicado(s) procesado(s) para que a las resultas de la causa preste fianza en cantidad de [.../...] Euros. y no verificándolo dentro de una audiencia, embárguensele bienes bastantes para cubrir dicha suma, acreditando, caso de no poseerlos, su insolvencia en la forma legalmente establecida, formando pieza separada. Lo manda y firma (etc.). Siguen las firmas».

Concuerda con su original a que me remito. Y para formar la pieza separada de responsabilidad civil, expido el presente en [.../...], a [.../...] de [.../...]

(Firma Letrado A. Justicia)

DILIGENCIA DE ORDENACIÓN LETRADO A. JUSTICIA SR. [.../...]

En [.../...], a [.../...] de [.../...] de 201[.../...]

Se tiene por formada esta pieza de responsabilidad civil y llévese a efecto lo mandado en el particular que comprende el precedente testimonio.

Lo acuerda y firma el Sr. Letrado A. Justicia, dando cuenta de ello a S.S.ª.

(Firma Letrado A. Justicia)

NOTIFICACIÓN Y REQUERIMIENTO

— En [.../...], a [.../...] de [.../...] de 201[.../...] y hallándose presente el procesado [.../...] le notifiqué en legal forma la anterior providencia y particular del Auto a que se refiere y enterado manifiesta que le es imposible prestar la fianza por carecer de bienes, pudiendo acreditar su insolvencia.

(Firma Letrado A. Justicia y procesado)

DILIGENCIA

En [.../...], a [.../...] de [.../...] de 201[.../...]

Para hacer constar que ha transcurrido el plazo prefijado, sin que el procesado haya prestado la fianza prevenida, doy fe.

Si el procesado ha garantizado satisfactoriamente, a juicio del órgano jurisdiccional, sus responsabilidades pecuniarias, se dictará la correspondiente resolución de solvencia del procesado.

M. 235. Auto de solvencia del procesado

AUTO

En [.../...], a [.../...] de [.../...] de 201[.../...]

HECHOS

1.º En auto de este Juzgado de fecha [.../...] se señaló la suma de [.../...] para garantizar las responsabilidades pecuniarias que en su día pudieran dictarse contra [.../...] en su calidad de [.../...], suma que ha sido garantizada mediante [.../...]

FUNDAMENTOS DE DERECHO

1.º Quedando garantizada la suma señalada de [.../...] Euros es procedente declarar a [.../...] solvente (parcial o total, según los casos).

VISTAS las disposiciones legales aplicables,

PARTE DISPOSITIVA

SE DECLARA SOLVENTE[1] [.../...] a [.../...] para las responsabilidades que en su día pudieran dictarse contra el mismo en las diligencias de que dimana este ramo.

Lo que manda y firma el Sr. D. [.../...], Juez de Instrucción de [.../...], doy fe.

(Firma Juez) (Firma Letrado A. Justicia)

DILIGENCIA. Seguidamente se cumple lo acordado, doy fe.

(NOTIFICACIÓN. Al Fiscal y a las partes personadas.)

(1) El procesado podrá ser declarado solvente total o parcial, según afiance total o parcialmente la cantidad reseñada como responsabilidad pecuniaria en el auto de procesamiento.

M. 236. Auto decretando la insolvencia del procesado

AUTO

En [.../...], a [.../...] de [.../...] de 201[.../...]

HECHOS

1.º En causa criminal seguida contra [.../...] sobre [.../...], se mandó requerirle para que prestara fianza en cantidad de [.../...] a fin de asegurar las responsabilidades pecuniarias que en definitiva pudieran declararse procedentes y de no verificarlo dentro del siguiente día, que se le embargaran bienes por igual suma, formándose pieza separada de responsabilidad civil.

2.º Formada ésta y requerido el procesado, no prestó la fianza prevenida ni fue posible embargarle bienes por no habérselos encontrado, acreditándose por declaración de testigos y por el informe correspondiente que no los posee de clase alguna.

FUNDAMENTOS DE DERECHO

1.º No poseyendo bienes algunos el procesado se está en el caso de declararlo insolvente ya que [.../...]

PARTE DISPOSITIVA

SE DECLARA AL PROCESADO [.../...] INSOLVENTE en el sentido legal para las resultas de la indicada causa, sin perjuicio de que se hagan efectivas las costas y demás responsabilidades pecuniarias que en definitiva pudieran serle impuestas si en lo sucesivo mejora de fortuna.

Lo que manda y firma el Sr. D. [.../...], Juez de Instrucción de [.../...], doy fe.

(Firma Juez) (Firma Letrado A. Justicia)

DILIGENCIA. Seguidamente se cumple lo acordado, doy fe.

(NOTIFICACIÓN. Al Fiscal y a las partes personadas)

M. 237. Auto de conclusión del sumario (con procesado)

AUTO

En [.../...], a [.../...] de [.../...] de 201[.../...]

HECHOS

1.º (Efectuar una breve exposición de las actuaciones procesales)

FUNDAMENTOS DE DERECHO

Único. Practicadas cuantas diligencias se han creído necesarias para la determinación del hecho sumarial y sus circunstancias, sin que aparezca indicada a juicio del que provee ninguna otra, procede concluir el sumario.

VISTO el art. 622 LECrim., y demás de pertinente aplicación,

PARTE DISPOSITIVA

SE DECLARA TERMINADO ESTE SUMARIO. Remítase a la Audiencia Provincial (en su caso, con las piezas de convicción existentes, reseñándolas) y póngase en conocimiento del Ministerio Fiscal. Notifíquese y emplácese al procesado (*y en su caso a quienes menciona el art. 623*) para que en el término de 10 días se persone ante la Audiencia, requiriéndole para que designe Abogado y Procurador con apercibimiento de nombrárselos en turno de oficio.

Contra la presente resolución no cabe recurso alguno.

Así lo manda y firma el Sr. D. [.../...], Juez de Instrucción de [.../...], doy fe.

(Firma Juez) (Firma Letrado A. Justicia)

DILIGENCIA. En el mismo día se puso el anterior auto en conocimiento del Ministerio Fiscal, doy fe.

NOTIFICACIÓN Y EMPLAZAMIENTO. En fecha de [.../...] y teniendo ante mi presencia a [.../...] le notifiqué el anterior auto por lectura íntegra y entrega de copia literal por mí autorizada, emplazándole para que dentro de diez días comparezca ante la Audiencia para hacer uso de sus derechos y requiriéndole a los fines acordados en dicha resolución, firmando a continuación, doy fe.

M. 238. Parte de notificación de la conclusión del sumario al Fiscal

JUZGADO DE INSTRUCCIÓN N.º [.../...]

REG. GRAL. N.º [.../...]

SUMARIO N.º [.../...]

DELITO [.../...]

PROCESADO [.../...]

ILMO. SR.: Tengo el honor de dirigirme a V.I. comunicándole que con esta fecha, y en el sumario de la referencia del margen, se ha dictado auto declarándolo concluso.

En [.../...], a [.../...] de [.../...] de 201[.../...]

(Firma Juez)

DILIGENCIA. Seguidamente se cumple lo acordado, doy fe.

ILMO. SR. FISCAL DE LA AUDIENCIA PROVINCIAL DE [.../...]

M. 239. Oficio de remisión del sumario al Presidente de la Audiencia Provincial

JUZGADO DE INSTRUCCIÓN N.º [.../...]

REG. GRAL. N.º [.../...]

SUMARIO N.º [.../...]

DELITO [.../...]

PROCESADO [.../...]

ILMO. SR.:

Tengo el honor de remitir a V.I., compuesto de [.../...] folios, el sumario al margen referenciado, con sus piezas separadas de [.../...], en virtud del auto de conclusión dictado en el mismo (se precisará si se halla pendiente de resolución algún recurso de apelación admitido en un solo efecto y la relación de piezas de convicción).

En [.../...], a [.../...] de [.../...] de 201[.../...]

(Firma Juez)

DILIGENCIA. Seguidamente se cumple lo acordado, doy fe.

ILMO. SR. PRESIDENTE DE LA AUDIENCIA PROVINCIAL DE [.../...]

M. 240. **Diligencia de ordenación dando traslado de las actuaciones al Fiscal, acusación particular y partes acusadas**

DILIGENCIA DE ORDENACIÓN LETRADO A. JUSTICIA SR. [.../...]

En [.../...], a [.../...] de [.../...] de 201[.../...]

Transcurrido el término fijado para el emplazamiento por el Juez instructor, pásese la causa para instrucción al Ministerio Fiscal por diez días (y luego por igual plazo a la acusación particular, querellante si se hubiese personado y a los acusados).

Así lo acuerdo, dando cuenta de ello al Ponente.

(Firma Letrado A. Justicia)

DILIGENCIA. Seguidamente se cumple lo acordado, doy fe.

NOTIFICACIÓN Y ENTREGA. En el mismo día le notifiqué por lectura íntegra y entrega de copia literal a [.../...] la presente resolución, entregándole a continuación la causa, y en prueba de ello, firman conmigo, doy fe.

M. 241. **Escrito de conformidad del Fiscal con el auto de conclusión del sumario**

A LA SALA

El Fiscal interesa la confirmación del auto de conclusión de sumario y la apertura del juicio oral para los procesados D. [.../...]

En [.../...], a [.../...] de [.../...] de 201[.../...]

(Firma Ministerio Fiscal)

M. 242. **Escrito de conformidad de la acusación particular con el auto de conclusión del sumario**

A LA SALA

D. [.../...], Procurador de los Tribunales y obrando en nombre [.../...], cuya representación tengo ya acreditada, comparezco en el rollo del sumario n.º [.../...] instruido por el Juzgado de Instrucción n.º [.../...] y

DIGO:

Que cumpliendo el trámite que le ha sido conferido a esta parte, manifiesto mi absoluta conformidad con el auto de conclusión y solicito la apertura del juicio oral.

Por ello,

A LA SALA SUPLICO: Tenga por cumplido el trámite de instrucción, conforme con el Auto de conclusión y acuerde la apertura del juicio oral.

Lo pido en [.../...], a [.../...] de [.../...]de 201[.../...]

(Firma Abogado)   (Firma Procurador)

M. 243. Escrito de disconformidad del Fiscal respecto del auto de conclusión del sumario

A LA SALA

El Fiscal interesa la revocación del auto de conclusión de sumario, para la práctica de las siguientes pruebas:

1.º Que se oficie a [.../...]

2.º Que se efectúe un careo entre [.../...] y [.../...]

A LA SALA SUPLICO acuerde la revocación solicitada.

En [.../...], a [.../...] de [.../...] de 201[.../...]

(Firma Ministerio Fiscal)

M. 244. Escrito de la acusación particular de disconformidad con el auto de conclusión del sumario, solicitando pruebas y nuevo procesamiento

A LA SALA

D. [.../...], Procurador de los Tribunales y obrando en nombre [.../...], cuya representación tengo ya acreditada, comparezco en el rollo del sumario n.º [.../...] instruido por el Juzgado de Instrucción n.º [.../...] y

DIGO:

Que cumpliendo el trámite de instrucción, manifiesto mi disconformidad con el auto de conclusión de sumario y solicito la revocación del mismo, ya que:

1.º Debe ampliarse el procesamiento a D. [.../...], por cuanto de los hechos se deduce que el mismo participó en el hecho delictivo. En el folio [.../...] consta nuestra petición de procesamiento, y en el folio [.../...] el auto del Juez de instrucción resolviendo nuestro recurso de reforma ante su denegación.

2.º En todo caso, entendemos debe revocarse para la práctica de las siguientes pruebas:

A) [.../...]

B) [.../...]

Por ello,

A LA SALA SUPLICO: Tenga por admitido este escrito y por solicitada la revocación del auto de conclusión de este sumario, acuerde ordenar se dicte el procesamiento solicitado y se practiquen las pruebas indicadas.

Lo pido en [.../...], a [.../...] de [.../...]de 201[.../...]

(Firma Abogado)   (Firma Procurador)

(DILIGENCIA DE PRESENTACIÓN.)

M. 245. Escrito de la defensa de disconformidad con la conclusión del sumario, solicitando nuevas pruebas

A LA SALA

D. [.../...], Procurador de los Tribunales y actuando en nombre de D. [.../...], cuya representación tengo acreditada en el Sumario [.../...]procedente del Juzgado de Instrucción de [.../...], DIGO:

Que cumpliendo el trámite de instrucción, manifiesto mi disconformidad con el auto de conclusión del sumario, y solicito la revocación del mismo, ya que: Mi representado no es autor del delito por el que ha sido procesado. A dicho fin, resultaría concluyente que se practicaran las siguientes pruebas, que fueron denegadas por el Instructor:

A) [.../...]

B) [.../...]

Por ello,

A LA SALA SUPLICO: Tenga por admitido este escrito y por solicitada la revocación del auto de conclusión de este sumario, acuerde ordenar la práctica de las pruebas indicadas.

Lo pido en [.../...], a [.../...] de [.../...]de 201[.../...]

(Firma Abogado)   (Firma Procurador)

(DILIGENCIA DE PRESENTACIÓN.)

M. 246. Diligencia de ordenación acordando trasladar las actuaciones al Ponente

DILIGENCIA DE ORDENACIÓN LETRADO A. JUSTICIA SR. [.../...]

En [.../...], a [.../...] de [.../...] de 201[.../...]

Devuelta la causa por el Ministerio Fiscal (y, en su caso, el querellante o acusación personada) y la partes acusadas, pásese el Rollo, autos y escritos al Magistrado Ponente, por el término de tres días, de conformidad con el art. 628 LECrim.

Así lo acuerdo, dando cuenta de ello al Magistrado Ponente.

(Firma Letrado A. Justicia)

DILIGENCIA. Seguidamente se cumple lo acordado, doy fe.

M. 247.   Auto confirmatorio de la conclusión del sumario

AUTO

ILTMOS. SRES.

PRESIDENTE

[.../...]

MAGISTRADOS

[.../...]

[.../...]

En [.../...], a [.../...] de [.../...] de 201[.../...]

HECHOS

1.º La presente causa se incoó en virtud de haberse denunciado por D. [.../...]

2.º El Ministerio Fiscal (y la acusación particular, en su caso) solicitan se confirme el auto de conclusión del sumario dictado por el Juez instructor y se dicte posteriormente auto decretando la apertura del juicio oral (o auto de sobreseimiento).

FUNDAMENTOS DE DERECHO

1.º Este sumario puede reputarse completo por hallarse evacuadas todas las diligencias que estaban indicadas para su terminación, no estimándose necesaria la práctica de ninguna otra, y por el resultado de la misma debe dictarse auto de conclusión, de conformidad con el art. 630 LECrim.

VISTO el citado artículo y demás de pertinente aplicación,

PARTE DISPOSITIVA

SE CONFIRMA el auto de conclusión del sumario dictado por el Juez instructor en la presente causa, quedando los autos para resolver sobre la apertura del juicio oral o el sobreseimiento de la misma.

Así lo mandan y firman los Sres. del Tribunal, doy fe.

(Firma Presidente y Magistrados)   (Firma Letrado A. Justicia)

M. 248. Auto de sobreseimiento libre

(Cuando el hecho no sea constitutivo de delito, no existan indicios de haberse perpetrado el hecho o el procesado esté exento de responsabilidad criminal).

AUTO

ILTMOS. SRES.

PRESIDENTE

[.../...]

MAGISTRADOS

[.../...]

[.../...]

En [.../...], a [.../...] de [.../...] de 201[.../...]

HECHOS

1.º La presente causa se incoó en virtud de haberse denunciado por D. [.../...]

2.º El Ministerio Fiscal (y el querellante, en su caso), evacuado el trámite de instrucción solicitaron la confirmación del auto de conclusión del sumario y se dicte auto decretando el sobreseimiento libre de la causa con arreglo al núm. [.../...] del art. 637 LECrim.

FUNDAMENTOS DE DERECHO

1.º Dicho sumario puede reputarse concluso por hallarse evacuadas todas las diligencias que estaban incluidas para su instrucción, no estimándose necesaria la práctica de ninguna más, y de conformidad con lo solicitado debe dictarse el sobreseimiento libre al amparo de lo dispuesto en el art. 637 núm. [.../...] por [.../...]

VISTO el citado artículo y demás de pertinente aplicación,

PARTE DISPOSITIVA

SE SOBRESEE LIBREMENTE por [.../...] declarándose de oficio las costas procesales causadas, poniéndose esta resolución en conocimiento del Juez instructor y devolviéndose el sumario para su archivo y demás efectos procedentes (si lo es por no ser constitutivo de delito, y si además se declara falta, se sustituirá la frase por la de «acordar su remisión al Sr. Juez de Instrucción correspondiente»).

Así lo mandan y firman los Sres. del Tribunal, doy fe.

(Firma Presidente y Magistrados)   (Firma Letrado A. Justicia)

DILIGENCIA. Seguidamente se cumple lo acordado, doy fe.

(NOTIFICACIÓN. Al Fiscal y a las partes personadas.)

M. 249. Auto de sobreseimiento provisional

AUTO

ILTMOS. SRES.

PRESIDENTE

[.../...]

MAGISTRADOS

[.../...]

[.../...]

En [.../...], a [.../...] de [.../...] de 201[.../...]

HECHOS

1.º La presente causa se incoó en virtud de [.../...]

2.º El Ministerio Fiscal (y el querellante, en su caso), evacuado el trámite de instrucción solicitaron la confirmación del auto de conclusión del sumario y solicitó [.../...], habiéndose confirmado el auto de conclusión dictado por el Juez instructor.

FUNDAMENTOS DE DERECHO

1.º Dicho sumario puede reputarse concluso por hallarse evacuadas todas las diligencias que estaban incluidas para su instrucción, no estimándose necesaria la práctica de ninguna más, y de conformidad con lo solicitado debe dictarse el sobreseimiento provisional al amparo de lo dispuesto en el art. 641 núm. [.../...] por [.../...]

VISTO el citado artículo y demás de pertinente aplicación,

PARTE DISPOSITIVA

SE SOBRESEE PROVISIONALMENTE por [.../...] declarándose de oficio las costas procesales causadas, comunicando esta resolución al Juez instructor y devolviéndose el sumario para su archivo y demás efectos procedentes.

Así lo mandan y firman los Sres. del Tribunal, doy fe.

(Firma Presidente y Magistrados)   (Firma Letrado A. Justicia)

DILIGENCIA. Seguidamente se cumple lo acordado, doy fe.

(NOTIFICACIÓN. Al Fiscal y a las partes personadas.)

M. 250. Auto de sobreseimiento provisional parcial

AUTO

ILTMOS. SRES.

PRESIDENTE

[.../...]

MAGISTRADOS

[.../...]

[.../...]

En [.../...], a [.../...] de [.../...] de 201[.../...]

HECHOS

1.º La presente causa se incoó en virtud de [.../...]

2.º El Ministerio Fiscal (y el querellante, en su caso), evacuado el trámite de instrucción solicitó la confirmación del Auto de conclusión del sumario y que se dictara auto decretando el sobreseimiento provisional (o libre) de la causa con arreglo al núm. [.../...] del art. 641 LECrim. (art. 632 LECrim.), con respecto al procesado [.../...], mientras que con respecto al procesado [.../...] pidió se decretara la apertura del juicio oral, habiéndose confirmado el auto de conclusión dictado por el instructor.

FUNDAMENTOS DE DERECHO

1.º Dicho sumario puede reputarse concluso por hallarse evacuadas todas las diligencias que estaban incluidas para su instrucción, no estimándose necesaria la práctica de ninguna más, y de conformidad con lo solicitado debe dictarse el sobreseimiento provisional al amparo de lo dispuesto en el art. 641 núm. [.../...] por [.../...], acordándose la apertura del juicio oral en relación a [.../...]

VISTO el citado artículo y los 632, 633, 641 y 649 LECrim. y demás de pertinente aplicación

PARTE DISPOSITIVA

SE SOBRESEE PROVISIONALMENTE (o LIBREMENTE) por [.../...] con respecto a [.../...], debiéndose decretar la APERTURA DEL JUICIO ORAL en relación a [.../...], comunicándose nuevamente la causa al Ministerio Fiscal, para que en el término de cinco días califique los hechos que de ello resultan.

Así lo mandan y firman los Sres. del Tribunal, doy fe.

(Firma Presidente y Magistrados)   (Firma Letrado A. Justicia)

DILIGENCIA. Seguidamente se cumple lo acordado, doy fe.

(NOTIFICACIÓN. Al Fiscal y a las partes personadas.)

M. 251. Auto de apertura del juicio oral

AUTO

ILTMOS. SRES.

PRESIDENTE

[.../...]

MAGISTRADOS

[.../...]

[.../...]

En [.../...], a [.../...] de [.../...] de 201[.../...]

HECHOS

1.º Recibida en este Tribunal la causa a que el presente Rollo hace referencia, y entregada al Ministerio Fiscal (y a la acusación particular, en su caso) para instrucción, ha evacuado dicho trámite, solicitando la confirmación del auto dictado por el Juzgado Instructor declarando terminada la misma, y pidiendo igualmente la apertura de juicio oral, habiéndose confirmado el auto de conclusión dictado por el instructor.

FUNDAMENTOS DE DERECHO

1.º Solicitado por el Ministerio Fiscal (y acusación particular, en su caso) la apertura de juicio oral, procede así acordarlo, dando traslado posteriormente al Ministerio Fiscal para calificación.

VISTOS los arts. 632 y 649 LECrim. y demás de pertinente aplicación.

PARTE DISPOSITIVA

SE PROCEDE A LA APERTURA DEL JUICIO ORAL y comuníquese nuevamente al Ministerio Fiscal, para que en el término de cinco días califique por escrito los hechos que de ella resultan.

Lo que mandan y firman los Sres. Magistrados del Tribunal, doy fe.

(Firma Presidente y Magistrados)   (Firma Letrado A. Justicia).

DILIGENCIA. Seguidamente se cumple lo acordado, doy fe.

(NOTIFICACIÓN. A las partes personadas, si las hubiere.)

(NOTIFICACIÓN Y ENTREGA. Al Ministerio Fiscal.)

M. 252. Diligencia de ordenación dando traslado de la causa a las partes para que califiquen por escrito los hechos

DILIGENCIA DE ORDENACIÓN LETRADO A. JUSTICIA SR. [.../...]

En [.../...], a [.../...] de [.../...] de 201[.../...]

De conformidad con el art. 651 *(o 652)* LECrim. entréguese la causa para calificación al Procurador [.../...], en nombre y representación de [.../...], a fin de que en el término de cinco días realice los oportunos escritos de conformidad con lo dispuesto en los arts. 650, 653 y 658 LECrim., con el apercibimiento de que transcurrido el anterior término, se procederá a recoger de oficio la presente causa.

Lo acuerda y firma el Sr. Letrado A. Justicia, dando cuenta de ello al Magistrado Ponente.

(Firma Letrado A. Justicia)

DILIGENCIA. Seguidamente se cumple lo acordado, doy fe.

(NOTIFICACIÓN. A las partes personadas.)

M. 253. Escrito de planteamiento de un artículo de previo pronunciamiento

(Véase el M. 12 escrito interponiendo declinatoria como cuestión de previo pronunciamiento).

R [.../...]

A LA SALA

D. [.../...], Procurador de los Tribunales, obrando en nombre del procesado [.../...], cuya representación tengo acreditada en el Sumario [.../...], del Juzgado de Instrucción de [.../...], digo:

Que dentro de los tres primeros días (*no se computan los días inhábiles*) desde que se me entregó el sumario arriba indicado para el trámite de calificación vengo a proponer, al amparo de lo dispuesto en el art. 666 LECrim., artículo de previo pronunciamiento con base en la excepción tercera, prescripción de delito, con base en:

Primero: El día [.../...] de [.../...] de [.../...] fue declarada la rebeldía de mi patrocinado. Designo el folio [.../...] de la pieza de situación.

Segundo: Mi mandante se presentó ante el Juez de Instrucción el día [.../...] de [.../...] de [.../...] Designo el folio [.../...] del sumario.

Tercero: El Ministerio Fiscal en su escrito de calificación solicita una pena privativa de libertad de [.../...] Designo el escrito obrante en el Rollo, fecha [.../...]

Cuarto: El art. 131 CP indica que los delitos castigados con pena de prisión superior a diez años e inferior a quince prescriben a los quince años. Consecuentemente si la causa estuvo paralizada por más de cinco años y siendo la pena inferior a los quince años, es procedente sobreseer el proceso por prescripción del delito.

Quinto: La acusación particular solicita una pena de once años de prisión al concurrir la agravante de [.../...] Pero es lógico que la interpretación realizada conculca las normas más elementales en la aplicación de las penas establecidas en los arts. 61 y ss. CP y más concretamente la desarrollada en [.../...]

Sexto: La calificación, pues, de la acusación particular resulta errónea, y con arreglo a la del Ministerio Fiscal, existe la prescripción de delito y por tanto procede decretar el sobreseimiento del proceso.

Por todo ello, a la Sala,

SOLICITO

Admita este escrito con sus copias, tenga por propuesto dentro del plazo el artículo de previo pronunciamiento, por designados los documentos en que baso la excepción y, tras sus trámites, se señale día para la vista y en su momento se acuerde el sobreseimiento libre al declararse haber lugar a la excepción propuesta.

Lo pido en [.../...], a [.../...] de [.../...] de 201[.../...]

(Firma Abogado)   (Firma Procurador)

(DILIGENCIA DE PRESENTACIÓN)

M. 254. Diligencia de ordenación teniendo por interpuesto el artículo de previo pronunciamiento

DILIGENCIA DE ORDENACIÓN LETRADO A. JUSTICIA SR. [.../...]

En [.../...], a [.../...] de [.../...] de 201[.../...]

Únase el escrito a la presente causa, se tiene por interpuesta en tiempo y forma la excepción de prescripción como artículo de previo pronunciamiento por el Procurador D. [.../...] obrando en representación de [.../...]; dese traslado del mismo al Ministerio Fiscal y [.../...] por el plazo de tres días verificado lo cual se acordará.

Así lo acuerdo, dando cuenta de ello al Magistrado Ponente.

(Firma Letrado A. Justicia)

DILIGENCIA. Seguidamente se cumple lo acordado, doy fe.

(NOTIFICACIÓN. A las partes personadas.)

M. 255. Auto acordando el recibimiento a prueba del incidente

AUTO

ILTMOS. SRES.

PRESIDENTE

[.../...]

MAGISTRADOS

[.../...]

[.../...]

En [.../...], a [.../...] de [.../...] de 201[.../...]

HECHOS

1.º El Procurador Sr. [.../...], en nombre y representación de [.../...], presentó escrito, interponiendo artículo de previo pronunciamiento, alegando que había prescrito el delito sometido a enjuiciamiento por [.../...]

2.º El Ministerio Fiscal se opuso a la petición por estimar no transcurrido el lapso fijado por el CP, para la prescripción, solicitando la peticionaria se recibiera a prueba el presente incidente, reclamando certificación de [.../...]

FUNDAMENTOS DE DERECHO

1.º Siendo necesarios los documentos solicitados por [.../...] para la resolución del incidente, debe acordarse el recibimiento a prueba por el plazo de ocho días, de conformidad con los arts. 670 y 671 LECrim.

VISTOS los preceptos citados y demás de pertinente aplicación.

PARTE DISPOSITIVA

HA LUGAR a recibir el presente incidente a prueba por el plazo de 8 días, reclamándose certificación a [.../...] a cuyo fin se expedirá el despacho oportuno.

Contra la presente resolución no cabe recurso alguno.

Lo que mandan y firman los Sres. Magistrados del Tribunal, doy fe.

(Firma Presidente y Magistrados)   *(Firma Letrado A. Justicia)*

DILIGENCIA. Seguidamente se cumple lo acordado, doy fe.

(NOTIFICACIÓN. Al Ministerio Fiscal y a las demás partes personadas.)

Transcurrido el término de prueba, o practicada la propuesta, se señalará día para la vista, resolviendo posteriormente el artículo de previo pronunciamiento propuesto.

M. 256. Diligencia de ordenación señalando vista

DILIGENCIA DE ORDENACIÓN LETRADO A. JUSTICIA SR. [.../...]

En [.../...], a [.../...] de [.../...] de 201[.../...]

Transcurrido el período probatorio, se señala para la vista el día [.../...] de [.../...], pudiendo informar las partes lo que convenga a su derecho de conformidad con el art. 673 LECrim.

Contra la presente resolución no cabe recurso alguno.

Así lo acuerdo, dando cuenta de ello al Magistrado Ponente.

(Firma Letrado A. Justicia)

DILIGENCIA. Seguidamente se cumple lo acordado, doy fe.

(NOTIFICACIÓN Y CITACIÓN. Al Ministerio Fiscal y demás partes personadas.)

M. 257. Auto resolviendo el incidente sobre el artículo de previo pronunciamiento propuesto (prescripción del delito)

AUTO

ILTMOS. SRES.

PRESIDENTE

[.../...]

MAGISTRADOS

[.../...]

[.../...]

En [.../...], a [.../...] de [.../...] de 201[.../...]

HECHOS

1.º La presente causa se incoó en virtud de [.../...]

2.º Interpuesto por el Procurador Sr. [.../...] incidente de artículo de previo pronunciamiento por considerar que había prescrito el delito sometido a enjuiciamiento y tras darse traslado al Ministerio Fiscal, éste se opuso a la antedicha petición, recibiéndose a prueba este incidente con el resultado probatorio que obra en autos.

FUNDAMENTOS DE DERECHO

1.º En aplicación del art. 131 CP, el delito sometido a enjuiciamiento prescribe a los [.../...] años, siendo la cuestión de prescripción alegada de orden público, que puede ser apreciada incluso de oficio; debiendo puntualizarse que son atendibles las causas de prescripción, siempre que las mismas se deban tanto a la inactividad de las partes como a negligencia del Tribunal, desestimándose en estos últimos supuestos si no existe verdadera paralización por haberse librado los despachos oportunos que no hayan sido cumplimentados, concurriendo en el caso de autos un evidente fraude de Ley por [.../...]

VISTO el precepto citado y demás de pertinente aplicación.

PARTE DISPOSITIVA

NO HA LUGAR a estimar la prescripción del delito propuesto por el Procurador [.../...] como artículo de previo pronunciamiento, desestimando la petición deducida, sin perjuicio de su reproducción en el acto del Juicio Oral, comunicándosele nuevamente la causa por tres días para calificación de los hechos sometidos a debate, con apercibimiento de que transcurridos los mismos, se recogerá de oficio la causa.

Contra la presente resolución no cabe recurso alguno.

Así lo mandan y firman los Sres. del Tribunal, doy fe.

(Firma Presidente y Magistrados)   (Firma Letrado A. Justicia)

DILIGENCIA. Seguidamente se cumple lo acordado, doy fe.

(NOTIFICACIÓN Y ENTREGA. Al Fiscal y a las partes personadas.)

M. 258. Escrito de calificación provisional del Fiscal

A LA SALA

EL FISCAL, en la causa núm. [.../...] de [.../...], formula con carácter provisional las siguientes

CONCLUSIONES:

PRIMERA. El procesado [.../...], de [.../...] años de edad, sin antecedentes penales (o con ellos, en su caso), prestó servicios de empleado doméstico al matrimonio de los Sres. [.../...], de [.../...] años de edad y [.../...] años, respectivamente, desde el día [.../...] hasta el día [.../...], en que fue despedido, dado que estaban descontentos de sus servicios.

A primeras horas del día [.../...] de [.../...], adquirió un puñal de 16 cm. de longitud y 2,5 cm. de anchura, y a última hora el mismo día, después de haber alquilado un coche con el que hizo largos recorridos dentro de la población, se personó en el chalet morada de sus víctimas, con unas zapatillas, con el fin de efectuar sigilosamente la entrada, y aguardó el momento oportuno para no ser descubierto, y aprovechando las llaves de la puerta de servicio que había retenido al cesar en su trabajo, penetró en la morada. Una vez en el interior de la misma, subió a la segunda planta, y sigilosamente se dirigió al vestidor, donde aguardó para cerciorarse que sus futuras víctimas dormían, apoderándose más tarde de las llaves de la caja de caudales, para sustraer diversos objetos guardados en su interior. Labor que hizo provisto de unos guantes con el fin de no dejar huellas. Realizados los actos precedentes, se dirigió al dormitorio, en cuyo momento el marido se despertó, alertado por el ruido, vio al procesado y se abalanzó sobre él para reducirlo, el procesado forcejeó con el propietario y le apuñaló en diversas partes del cuerpo, causándole graves heridas. La esposa de la víctima que se había despertado no sufrió daño alguno y se dirigió a atender a la víctima. A continuación, el procesado se cambió los guantes, registro el dormitorio y se apoderó de [.../...] Euros que encontró en el bolso de la señora, volviendo a la caja fuerte y apoderándose de diversas sumas de dinero, monedas de oro y distintas joyas. Tras abandonar el domicilio, arrojó el puñal y las zapatillas usadas, se cambió de vestimenta en la pensión donde se hospedaba y emprendió la huida.

SEGUNDA. Los hechos relatados son constitutivos de un delito de homicidio en grado de tentativa, previsto y penado en el art. 138, 62, 12 CP, en concurso real con otro de robo con intimidación previsto y penado en el art. 242.1.º y 2.º CP, en relación con el art. 73 del mismo cuerpo legal.

TERCERA. De los expresados delitos es responsable en concepto de autor el procesado.

CUARTA. No concurren circunstancias modificativas de la responsabilidad criminal.

QUINTA. Procede imponer al procesado una pena de 7 años de prisión y accesorias, por la tentativa de homicidio y costas y la de 5 años de prisión menor por el robo con intimidación, con la limitación de los arts. 75 y 76 CP, e indemnizar a la víctima con la suma de 12000 Euros por las heridas y secuelas padecidas por la víctima.

OTROSÍ DIGO: Para el acto del juicio oral, este Ministerio propone la siguiente prueba:

1.ª INTERROGATORIO del procesado.

2.ª TESTIFICAL. Consistente en la declaración de los siguientes testigos, cuya citación judicial se interesa [.../...] (con indicación del nombre y domicilio de cada uno de los testimonios solicitados).

3.ª DOCUMENTAL. De todos los folios del sumario.

4.ª PERICIAL. Consistente en que los médicos forenses,

D. [.../...] y D. [.../...], cuyos demás datos ya obran en el sumario, se ratifiquen en el informe emitido y obrante en autos, y amplíen el contenido del mismo en las preguntas que les sean formuladas.

En [.../...], a [.../...] de [.../...] de 201[.../...]

(Firma Ministerio Fiscal)

M. 259. **Escrito de calificación provisional de la acusación particular**

A LA SALA

D. [.../...], Procurador de los Tribunales y obrando en nombre de [.../...], cuya representación ya tengo acreditada en el sumario [.../...], procedente del Juzgado de Instrucción n.º [.../...] de los de esta ciudad, Rollo [.../...], respetuosamente,

EXPONGO: Que por medio del presente escrito, y de conformidad con lo establecido en el art. 651 y ss. LECrim., evacuo el trámite de calificación, y formulo con carácter provisional, las siguientes

CONCLUSIONES:

PRIMERA. De conformidad con la correlativa del Ministerio Fiscal *(en su caso se indicará la disconformidad)*. En efecto, el procesado [.../...], de [.../...] años de edad, sin antecedentes penales (o con ellos, en su caso), prestó servicios de empleado doméstico al matrimonio de los Sres. [.../...], de [.../...] años de edad y [.../...] años, respectivamente, desde el día [.../...] hasta el día [.../...], en que fue despedido, dado que estaban descontentos de sus servicios.

A primeras horas del día [.../...] de [.../...], adquirió un puñal de 16 cm. de longitud y 2,5 cm. de anchura, y a última hora el mismo día, después de haber alquilado un coche con el que hizo largos recorridos dentro de la población, se personó en el chalet morada de sus víctimas, con unas zapatillas, con el fin de efectuar sigilosamente la entrada, y aguardó el momento oportuno para no ser descubierto, y aprovechando las llaves de la puerta de servicio que había retenido al cesar en su trabajo penetró en la morada.

Una vez en el interior de la misma subió a la segunda planta, y sigilosamente se dirigió al vestidor, donde aguardó para cerciorarse que sus futuras víctimas dormían, apoderándose más tarde de las llaves de la caja de caudales, para sustraer diversos objetos guardados en su interior, lo cual hizo provisto de unos guantes con el fin de no dejar huellas.

Realizados los actos precedentes, se dirigió al dormitorio, en cuyo momento el marido se despertó, alertado por el ruido, vio al procesado y se abalanzó sobre él para reducirlo, el procesado forcejeó con el propietario y le apuñaló en diversas partes del cuerpo, causándole graves heridas. La esposa de la víctima que se había despertado no sufrió daño alguno y se dirigió a atender a la víctima.

A continuación, el procesado procuró limpiar la sangre de su vestimenta y calzado, se cambió los guantes, registro el dormitorio y se apoderó de [.../...] Euros que encontró en el bolso de la señora, volviendo a la caja fuerte y apoderándose de diversas sumas de dinero, monedas de oro y distintas joyas.

Tras abandonar el domicilio, arrojó el puñal y las zapatillas usadas, se cambió de vestimenta en la pensión donde se hospedaba y emprendió la huida.

SEGUNDA. Los hechos relatados son constitutivos de un delito de homicidio en grado de tentativa, previsto y penado en el art. 138, 62, 12 CP, en concurso real con otro de robo con intimidación previsto y penado en el art. 242.1.º y 2.º CP, en relación con el art. 73 del mismo cuerpo legal.

TERCERA. De los expresados delitos es responsable en concepto de autor el procesado.

CUARTA. No concurren circunstancias modificativas de la responsabilidad criminal.

QUINTA. Procede imponer al procesado una penas de 9 años de prisión y accesorias, por el homicidio y costas y la de 5 años de prisión menor por el robo con intimidación, con la limitación de los arts. 75 y 76 CP, e indemnizar a los herederos legales con la suma de 30000 Euros por las lesiones y secuelas sufridas por la víctima.

Por todo ello a la Sala

SUPLICO:

Tenga por admitido el presente escrito y por evacuado el trámite de referencia.

OTROSÍ DIGO: Que esta parte interesa la práctica de los siguientes medios de prueba:

1.ª INTERROGATORIO del procesado.

2.ª TESTIFICAL. Consistente en la declaración de los siguientes testigos, cuya citación judicial se interesa [.../...]

(Debe indicarse el nombre y domicilio de cada uno).

3.ª DOCUMENTAL. De todos los folios del sumario.

4.ª PERICIAL. Consistente en que los médicos forenses, D. [.../...]y D. [.../...], que pueden ser citados en la Clínica Forense de esta ciudad, previo examen del procesado, emitan dictamen con anterioridad al acto del juicio oral, y se ratifiquen en el mismo en las sesiones del juicio oral, acerca de los siguientes extremos:

a) Capacidad volitiva e intelectiva del procesado.

b) Las que se deriven.

5.ª MÁS PERICIAL. Consistente en que los médicos forenses D. [.../...] y D. [.../...], cuyos demás datos ya obran en el sumario, se ratifiquen en el dictamen emitido y obrante en autos, y amplíen el contenido del mismo en cuantas cuestiones les fueren preguntadas.

SUPLICO:

Tenga por admitido el presente escrito y en sus méritos se sirva realizar los medios de prueba propuestos por esta parte.

Lo que pido en [.../...], a [.../...] de [.../...] de 201[.../...]

(Firma Letrado)   (Firma Procurador)

(DILIGENCIA DE PRESENTACIÓN)

M. 260. Escrito de calificación provisional de la defensa

A LA SALA

D. [.../...], Procurador de los Tribunales y obrando en nombre del procesado [.../...], cuya representación ya tengo acreditada en el sumario [.../...], procedente del Juzgado de Instrucción n.º [.../...] de los de esta ciudad, Rollo n.º [.../...], respetuosamente y como mejor en derecho proceda,

EXPONGO: Que por medio del presente escrito, y de conformidad con lo establecido en el art. 652 y ss. LECrim., evacuo el trámite de calificación, y formulo con carácter provisional las siguientes

CONCLUSIONES:

PRIMERA. Niego la correlativa del Ministerio Fiscal y de la acusación particular.

La realidad de los hechos es la siguiente:

El procesado [.../...], afecto de oligofrenia profunda y grave, prestó servicios de empleado doméstico al matrimonio [.../...] y [.../...], desde el día [.../...] al día [.../...], en que fue despedido, siéndole recriminada su conducta por la esposa D.ª [.../...], antes mencionada.

A las primeras horas del día [.../...], adquirió un puñal de 16 cm de longitud y 2,5 cm de anchura, y a última hora del mismo día se personó en el chalé morada de sus víctimas, con objeto de solicitarles explicaciones sobre su despido. Una vez en el interior de la misma subió a la segunda planta, tomando asiento en el vestidor. Sorprendido por los ruidos, el marido que se encontraba acostado y durmiendo, empezó a despertarse, por lo que el procesado se vio sorprendido, en cuyo momento atacó al marido con la única intención de poder huir del lugar, con la fatal consecuencia de herir al propietario de la casa con el puñal que portaba. A continuación, y con el fin de procurarse metálico para posibilitar su huida, se apoderó de dinero y de algunos objetos que se encontraban en la caja fuerte.

SEGUNDA. Niego la correlativa del Ministerio Fiscal y de la acusación particular. Los hechos relatados son constitutivos de un delito agravado de lesiones previsto y penado en el art. 148 CP y otro de robo con fuerza en las cosas previsto y penado en los arts. 237, 238.1.º y 3.º, 240 y 241 CP en concurso real del art. 73 CP.

TERCERA. Niego la correlativa del Ministerio Fiscal y de la acusación particular. Es autor el procesado.

CUARTA. Niego la correlativa del Ministerio Fiscal y de la acusación particular. Concurre la eximente 1.ª del art. 20 CP.

QUINTA. Niego la correlativa del Ministerio Fiscal y de la acusación particular. Procede la libre absolución del procesado, y la aplicación de la medida de internamiento prevista en el art. 101 CP.

Por cuanto antecede, a la Sala

SUPLICO:

Admita el presente escrito y tenga por evacuado el trámite de conclusiones.

OTROSÍ DIGO: Que esta parte interesa la práctica de los siguientes medios de prueba:

1.ª INTERROGATORIO del procesado.

2.ª TESTIFICAL. Consistente en la declaración de los siguientes testigos, cuya citación judicial se interesa [.../...] *(Debe indicarse el nombre y domicilio de cada uno).*

3.ª DOCUMENTAL. De todos los folios del sumario.

4.ª PERICIAL. Consistente en que los médicos forenses, D. [.../...] y D. [.../...], que pueden ser citados en la Clínica Forense de esta ciudad, previo examen del procesado, emitan dictamen con anterioridad al acto del juicio oral, y se ratifiquen en el mismo en las sesiones del juicio oral, acerca de los siguientes extremos:

a) Capacidad volitiva e intelectiva del procesado.

b) Las que se deriven.

5.ª MÁS PERICIAL. Consistente en que los médicos forenses D. [.../...] y D. [.../...], cuyos demás datos ya obran en el sumario, se ratifiquen en el dictamen emitido y obrante en autos y amplíen el contenido del mismo en cuantas cuestiones les fueren preguntadas.

SUPLICO:

Tenga por admitido el presente escrito y en sus méritos se sirva realizar los medios de prueba propuestos por esta parte.

Lo que pido en [.../...], a [.../...] de [.../...] de 201[.../...]

(Firma Letrado)   (Firma Procurador)

(DILIGENCIA DE PRESENTACIÓN.)

M. 261.   Escrito renunciando a la defensa

A LA SALA

D. [.../...], Letrado designado por el procesado [.../...] en méritos del Sumario n.º [.../...], instruido por el Juzgado de Instrucción n.º [.../...] de [.../...], por el supuesto delito de [.../...], comparezco y digo:

Que por medio del presente escrito renuncio a la defensa que venía ostentando del procesado por razones de incompatibilidad en cuanto a la dirección de la defensa se refiere.

Por todo ello,

A LA SALA SUPLICO se sirva admitir el presente escrito y en sus méritos me tenga por renunciado a la defensa de la causa ya anotada respecto del procesado D. [.../...]

Lo que pido en [.../...], a [.../...] de [.../...] de 201[.../...]

(Firma Letrado)   (Firma Procurador)

(DILIGENCIA DE PRESENTACIÓN)

M. 262. Providencia teniendo por renunciado a la defensa del acusado o responsable civil, nombrando posteriormente de oficio a otros defensores

PROVIDENCIA ILTMOS. SRES.

[.../...]

[.../...]

[.../...]

En [.../...], a [.../...] de [.../...] de 201[.../...]

Únase el escrito presentado por [.../...] a las correspondientes diligencias de [.../...] Se tiene por renunciado al Letrado referido y notifíquese la resolución al acusado y demás partes requiriendo al primero a fin de que proceda a nuevo nombramiento, con el apercibimiento de que de no verificarlo en el plazo de [.../...], se le designará de oficio.

Lo que mandan y firman los Sres. Magistrados del Tribunal, doy fe.

(Firma Presidente)   (Firma Letrado A. Justicia)

DILIGENCIA. Seguidamente se cumple lo acordado, doy fe.

NOTIFICACIÓN Y REQUERIMIENTO. Seguidamente y teniendo a mi presencia a [.../...] le notifiqué por medio de lectura íntegra y entrega de copia de la anterior resolución, requiriéndole a los efectos allí prevenidos, y en prueba de ello, firma conmigo, doy fe.

M. 263. Auto dando traslado del rollo al Magistrado Ponente para el examen de las pruebas propuestas

AUTO

ILTMOS. SRES.

[.../...]

[.../...]

[.../...]

En [.../...], a [.../...] de [.../...] de 201[.../...]

HECHOS

1.º Abierto el juicio oral en la presente causa, se comunicó a las partes para calificación, habiendo éstas presentado sus respectivos escritos.

FUNDAMENTOS DE DERECHO

Único. Conforme a lo dispuesto en el art. 658 LECrim., procede declarar hecha la calificación.

VISTO el precepto citado y demás de pertinente aplicación.

PARTE DISPOSITIVA

LA SALA, ante mí el Letrado A. Justicia, ACUERDA:

Se declara hecha la calificación y pásese la causa al Sr. Magistrado Ponente para el examen de las pruebas propuestas.

Lo que propongo a los Sres. Magistrados del Tribunal, doy fe.

Conforme

(Firma Presidente y Magistrados)   (Firma Letrado A. Justicia)

DILIGENCIA. Seguidamente se cumple lo acordado, doy fe.

(NOTIFICACIÓN. A las partes personadas, si las hubiere.)

(NOTIFICACIÓN Y ENTREGA. Al Ministerio Fiscal.)

M. 264. Auto con señalamiento de fecha del juicio oral y admisión o denegación de pruebas

ILTMOS. SRES.

[.../...]

[.../...]

[.../...]

En [.../...], a [.../...] de [.../...] de 201[.../...]

HECHOS

1.º Realizadas las calificaciones en la presente causa, se entregó la misma al Sr. Magistrado Ponente para que proceda al examen de las pruebas propuestas.

FUNDAMENTOS DE DERECHO

1.º Las pruebas solicitadas son pertinentes, debiendo, de conformidad con el art. 659 LECrim., dictarse la resolución procedente.

VISTO el precepto citado y demás de pertinente aplicación.

PARTE DISPOSITIVA

SE ACUERDA dar comienzo a las sesiones del juicio oral y se señala el día [.../...] y hora [.../...] haciéndolo saber a las partes y citándolas al efecto.

SE ADMITEN las pruebas propuestas de [.../...], a cuyos efectos expídanse los oportunos despachos para la citación y presentación ante la Sala en los referidos día y hora de los testigos, con la previsión a éstos de que han de concurrir a dicho llamamiento quedando sujetos a la multa procedente, caso de no verificarlo. *(En caso de inadmisión de pruebas, deberá añadirse: «rechazando las de [.../...]» contra cuya resolución cabrá la interposición del recurso de casación, si se prepara oportunamente con la correspondiente protesta, de conformidad con el art. 659.4.º LECrim.)*

Contra la presente resolución no cabe recurso alguno.

Así lo mandan y firman los Sres. del Tribunal, doy fe.

(Firma Presidente y Magistrados)   (Firma Letrado A. Justicia)

DILIGENCIA. Seguidamente se cumple lo acordado, doy fe.

(NOTIFICACIÓN. Al Fiscal y a las partes personadas.)

M. 265. Escrito solicitando la suspensión del juicio oral, debido a la existencia de otro señalamiento de idéntica fecha en el que interviene el mismo Letrado

El motivo de suspensión del juicio por enfermedad del Letrado o porque el acusado le retire su confianza debe interpretarse y acordarse cautelosamente. No siempre su negativa determinará efectiva indefensión, en cuanto pueda proveerse a otro nombramiento sin grave inconveniente para la defensa del acusado o la causa no se encuentre suficientemente justificada (SSTC 218/88 y 72/93, de 1 marzo).

Rollo [.../...]

A LA SALA

D. [.../...], Procurador de los Tribunales y obrando en nombre del procesado [.../...], cuya representación me fue conferida por reparto del turno de oficio en el Sumario [.../...] del año [.../...] del Juzgado [.../...], DIGO:

Que me ha sido notificada la resolución por la que se señala el día [.../...] de [.../...] de [.../...] para la celebración del acto del juicio oral en la causa arriba indicada. Sin embargo, para el mismo día y a la misma hora la Sección [.../...] de esta Audiencia señaló con anterioridad a la notificación del señalamiento efectuado en la presente causa la celebración de otro juicio oral, en la cual intervengo como Letrado, según justifico con doc. núm. 1 que acompaño al presente escrito. Y como sea que en la causa indicada de la Sección [.../...] existen varios procesados y una larga lista de testigos y peritos no se prevé que puedan celebrarse con la holgura de tiempo precisa ambas vistas, por lo que nos vemos precisados a solicitar se suspenda el acto del juicio oral señalado y se efectúe nuevo señalamiento.

A LA SALA SUPLICO admita este escrito y documento acompañado y acceda a la suspensión solicitada de la presente causa, por los motivos anteriormente expuestos.

Lo que pido en [.../...], a [.../...] de [.../...] de 201[.../...]

(Firma Letrado)   (Firma Procurador)

(DILIGENCIA DE PRESENTACIÓN.)

M. 266. Escrito solicitando la suspensión del juicio oral por enfermedad del acusado

R [.../...]

A LA SALA

D. [.../...], Procurador de los Tribunales y obrando en nombre del procesado [.../...], cuya representación me fue conferida por reparto del turno de oficio en el Sumario [.../...] del año [.../...] del Juzgado [.../...], DIGO:

Que para el día de mañana está acordada la celebración del acto del juicio oral en el sumario arriba indicado. Los familiares del procesado han indicado a esta representación que el mismo se halla enfermo e imposibilitado de acudir a dicho acto por lo que acompaño certificación médica y solicito la suspensión del juicio oral.

A LA SALA SUPLICO admita este escrito y la certificación adjunta y acuerde la suspensión.

OTROSÍ DIGO: Que por si se estima oportuno que el médico forense reconozca al procesado manifiesto que el mismo ha sido internado en la clínica [.../...] con domicilio en [.../...]

A LA SALA SUPLICO tenga por efectuada la anterior manifestación

En [.../...], a [.../...] de [.../...] de 201[.../...]

(Firma Letrado)   (Firma Procurador)

(DILIGENCIA DE PRESENTACIÓN.)

M. 267. **Auto suspendiendo el juicio por enfermedad del acusado, letrado o por otras motivaciones**

Aunque también se suele utilizar en la práctica una providencia para acordar la suspensión, los términos literales del art. 748 LECrim. señalan que debe ser por auto; siendo ésta una facultad exclusiva de la Sala —art. 747 LECrim.—, debiendo además el Presidente proceder a nuevo señalamiento —art. 250 LOPJ—.

ILTMOS. SRES.

[.../...]

[.../...]

[.../...]

En [.../...], a [.../...] de [.../...] de 201[.../...]

HECHOS

1.º Recibido [.../...] *(escrito, telegrama ...)* comunicando [.../...] *(la razón por la cual se solicita la suspensión).*

FUNDAMENTOS DE DERECHO

1.º De conformidad con el art. 746.4º o 5º LECrim procede la suspensión del juicio oral, habiéndose justificado dicho extremo mediante [.../...]

VISTOS el precepto citado y demás de pertinente aplicación.

PARTE DISPOSITIVA

Que debemos acceder y accedemos a la suspensión del señalamiento del juicio oral, volviendo a señalarse para el día [.../...] citándose a todas las partes e intervinientes al acto de la vista, a cuyo fin se expedirán los despachos correspondientes.

(Cuando la suspensión sea debida a enfermedad, es conveniente que sea reconocido por un Médico Forense, o que, a la vista de las certificaciones presentadas, este informe sobre dicha enfermedad en autos).

Contra la presente resolución no cabe recurso alguno.

Así lo mandan y firman los Sres. del Tribunal, doy fe.

(Firma Presidente y Magistrados) (Firma Letrado A. Justicia)

DILIGENCIA. Seguidamente se cumple lo acordado, doy fe.

(NOTIFICACIÓN. Al Fiscal y a las partes personadas.)

M. 268. Resolución en acta acordando la práctica de la información suplementaria

En el acta (*vid. infra* M. 271), se hará constar:

[.../...] A la vista de [.../...] y tras producirse revelaciones que alteran sustancialmente los hechos sometidos a debate, se solicita informe de las partes, acerca de la práctica de la prueba de [.../...]; informando el Ministerio Fiscal [.../...] y la defensa [.../...], acordándose por la Sala, previa deliberación, la suspensión del presente juicio oral y la práctica como información suplementaria de la prueba de [.../...]

(Firma Presidente, Magistrados, representaciones de las partes y Letrado A. Justicia)

M. 269. Diligencia de ordenación acordando la práctica de la información suplementaria

Seguidamente en el Rollo correspondiente se dictará diligencia para que se practique esta información suplementaria.

DILIGENCIA DE ORDENACIÓN LETRADO A. JUSTICIA SR. [.../...]

En [.../...], a [.../...] de [.../...] de 201[.../...]

Remítase al Juzgado de Instrucción correspondiente, certificación de la anterior acta, para la práctica de la información suplementaria allí acordada, señalándose que la misma deberá estar concluida en el plazo de 15 días (o el mínimo posible) y participando, caso negativo, las razones de dicho retraso.

Lo acuerda y firma el Sr. Letrado A. Justicia, dando cuenta de ello al Magistrado Ponente.

(Firma Letrado A. Justicia)

DILIGENCIA. Seguidamente se cumple lo acordado, doy fe.

(NOTIFICACIÓN. Al Fiscal y a las partes personadas, si las hubiere.)

M. 270. Escrito de calificación definitiva modificando alguna conclusión provisional

A LA SALA

D. [.../...], Procurador de los Tribunales, y obrando en nombre del procesado [.../...], cuya representación tengo acreditada en el sumario [.../...] DIGO:

Que por medio de este escrito formulo las siguientes conclusiones definitivas:

1.ª Por reproducida la provisional pero añadiendo que el procesado sufre trastornos que afectan su capacidad de obrar y discernir, trastornos que estaban presentes en el momento de ocurrir los hechos.

2.ª Por reproducida la provisional.

3.ª Por reproducida la provisional.

4.ª Concurre la circunstancia eximente 1.ª del art. 20 CP.

5.ª Procede absolver a mi representado del delito imputado, declarándose de oficio las costas.

A LA SALA SUPLICO tenga por efectuado escrito de calificación definitiva.

En [.../...], a [.../...] de [.../...] de 201[.../...]

(Firma Letrado)   (Firma Procurador)

M. 271. Acta del juicio oral

ILTMOS. SRES.

[.../...]

[.../...]

FISCAL [.../...]

ACUSACIÓN [.../...]

DEFENSA [.../...]

En la Audiencia Provincial de [.../...] a [.../...] de [.../...] de 201[.../...]

Dada cuenta de los hechos, con lectura de los escritos de conclusiones y lista de testigos por el Letrado A. Justicia, se solicitó de las partes si tenían nuevas pruebas que pedir, manifestando que [.../...]; pasando a continuación a la práctica de las propuestas admitidas, comenzando con [.../...]

M. 272. Sentencia penal dictada por un Tribunal colegiado

AUDIENCIA PROVINCIAL [.../...]

SECCIÓN [.../...]
Rollo

Sumario n.º [.../...]
Juzgado de Instrucción n.º [.../...]

Sentencia Núm.

ILMOS. Sres.

[.../...]

[.../...]

[.../...]

En [.../...], a [.../...] de [.../...] de 201[.../...]

Vista en juicio oral y público ante la Sección [.../...] de esta Audiencia Provincial la causa número [.../...], Rollo número [.../...] procedente del Juzgado de Instrucción de [.../...], contra el procesado [.../...], de [.../...] años de edad, hijo de [.../...] y de [.../...], natural de [.../...], provincia de [.../...], vecino de [.../...], provincia de [.../...], de estado [.../...], de profesión [.../...], sin antecedentes penales [.../...], solvente y en [.../...], provisional por causa [.../...] y representado por el Procurador D. [.../...]; siendo parte acusadora el Ministerio Fiscal; querellante particular D. [.../...] representado por el Procurador D. [.../...], responsable civil subsidiario D. [.../...] representado por el Procurador D. [.../...], y Ponente el Magistrado D. [.../...]

ANTECEDENTES DE HECHO

1.º El Ministerio Fiscal en sus conclusiones definitivas, calificó los hechos de autos como constitutivos de [.../...] delito de [.../...], previsto y penado en el artículo [.../...] del Código Penal, estimando como responsable del mismo, en concepto de [.../...] al procesado; la concurrencia de circunstancia modificativa de la responsabilidad criminal [.../...], pidió se le impusiera la pena de [.../...], accesorias y correspondiente y pago de costas y que en concepto de indemnización satisfaga al perjudicado la suma de [.../...] Euros, solicitando igualmente se le abone el tiempo [.../...] de prisión [.../...] provisional sufrida.

2.º La acusación particular en igual trámite alegó [.../...]

3.º La defensa del procesado en igual trámite alegó que [.../...]

4.º La defensa del responsable civil subsidiario igualmente alegó en conclusiones definitivas [.../...]

HECHOS PROBADOS

[.../...]

FUNDAMENTOS DE DERECHO

PRIMERO. Los hechos declarados probados son legalmente constitutivos de [.../...]

SEGUNDO. De dicho delito es responsable criminalmente, en concepto de [.../...], el acusado [.../...], por haber realizado material y directamente los hechos que integran.

TERCERO. En la realización del expresado delito ha concurrido la circunstancia modificativa de la responsabilidad criminal de [.../...]

CUARTO. Los responsables criminales lo son también civilmente y las costas se entienden impuestas por Ministerio de la Ley a los culpables de delito.

VISTOS, además de los citados, los arts. 1, 2, 10, 15, 16, 27, 28, 33, 36, 41, 52, 54, 56, 57, 61, 66, 68, 70, 79, 112, 116, 103, 123 y 124 CP.; los 142, 239 al 242, 741 y 742 LECrim.

FALLAMOS:

Que debemos condenar y condenamos a *(o debemos absolver o absolvemos)* [.../...], como autor responsable del delito de [.../...], con la concurrencia de circunstancia [.../...], a la pena de [.../...], a las accesorias de [.../...] al pago de las costas procesales [.../...], así como a que abone a [.../...] la cantidad de [.../...] Euros como indemnización de perjuicios. Declaramos la solvencia de dicho procesado aprobando el auto que a este fin dictó el Juzgado Instructor en el ramo correspondiente.

Por insolvencia del procesado debemos condenar y condenamos al responsable civil subsidiario D. [.../...] que abone al perjudicado referido la cantidad de [.../...] Euros en concepto de indemnización.

Hágase entrega definitiva de los efectos recuperados al perjudicado [.../...] que los conserva en depósito provisional.

Y para el cumplimiento de la pena principal y responsabilidad subsidiaria que se impone le abonamos el tiempo que ha estado privado de libertad por esta causa.

Así por esta nuestra sentencia, de la que se unirá certificación al Rollo, lo pronunciamos, mandamos y firmamos.

(Firma Presidente y Magistrados)   (Firma Letrado A. Justicia)

PUBLICACIÓN. La anterior sentencia ha sido leída y publicada por el Ilmo. Sr. Magistrado Ponente que en la misma se expresa, estando celebrando Audiencia Pública en el día de su fecha, de todo lo cual, como Letrado A. Justicia, doy fe.

(Firma Letrado A. Justicia)

(NOTIFICACIÓN, añadiendo que contra la citada resolución cabe recurso de casación dentro del plazo de cinco días desde la última notificación, presentándose el escrito de preparación ante este mismo órgano jurisdiccional.)

CAPÍTULO XVI

EL PROCEDIMIENTO POR DELITOS LEVES

SECCIÓN 1. REGULACIÓN Y SUSTANCIACIÓN

1.1. Regulación legal y principios que lo informan[1]

La LECrim reguló el proceso penal partiendo de la división que el CP hacía respecto de las infracciones penales: delitos y faltas. Al primer tipo de infracciones le correspondió, inicialmente, el proceso ordinario por delitos (sumario) (posteriormente se reguló el procedimiento abreviado) y se reservó para el segundo tipo el proceso llamado juicio de faltas[2]. Este juicio de faltas se mantuvo hasta la reforma del Có-

---

(1) Véanse, SEGOVIA LÓPEZ L., *Las faltas y el juicio de faltas*, Barcelona 2004. TENA ARAGÓN M., *Nuevo juicio de faltas*, Madrid 2003. VELÁZQUEZ VIOQUE D., *El juicio de faltas por imprudencia en la seguridad vial*, Barcelona 2008. CALVO SÁNCHEZ C., «El nuevo juicio de Faltas regulado por Ley 38/2002 de reforma parcial de la LECrim (I y II)», *La Ley* nº 5682 y 5683, 2002; DELGADO MARTÍN, J. *El juicio de faltas: la prueba y otras cuestiones procesales*. Ed. Colex. 1998; VILLANUEVA SANTAMARÍA, *Juicios de faltas*, Pamplona, 1982; GENEROSO HERMOSO, *Manual práctico de doctrina constitucional en materia de juicio de faltas*, Madrid, 1992; PUENTE DEL PINEDO, «La doctrina del Tribunal Constitucional y la reforma de los juicios de faltas», *PJ*, n.º 30, 1993; AYO FERNÁNDEZ, M., *Las faltas en el Código Penal y el juicio verbal de faltas*, Pamplona, 1993 SAINZ-CANTERO CAPARROS, B., *Tratado práctico sobre el sistema de responsabilidad civil y penal en el accidente de circulación*, Granada, 1994; CARRASCOSA LÓPEZ, CARRETERO DOMÍNGUEZ, MELO ALVARADO, *El juicio de faltas*, Mérida, 1986; BARRÓN DE BENITO, J. L., *Accidentes de circulación: Juicio verbal civil y juicio de faltas*, Madrid, 1994; GONZÁLEZ CUELLAR SERRANO, N., «El juicio de faltas ante las últimas reformas legales», *Rev. vasca de D.º Procesal y arbitraje*, n.º 2, 1994; CARMONA RUANO, M., «El principio acusatorio y el derecho de defensa en el juicio de faltas», CGPJ, *Cuadernos de Derecho Judicial*, n.º 10, 1994.

(2) El legislador pensó en esta distinción para dotar de celeridad y economía procesal al enjuiciamiento de las infracciones leves o de escasa importancia, castigadas con penas de carácter menor. Pero, desde aquella primera regulación procesal, el juicio de faltas ha experimentado una constante evolución normativa. Importante en este sentido fue el Decreto de 21 de noviembre de 1952, regulador de la Justicia Municipal. En la Exposición de Motivos de este Decreto Legislativo (que desarrollaba la Ley de Bases de 19 julio 1944) se afirmaba que «se ha considerado conveniente traer a este lugar cuantas disposiciones afectan al juicio de faltas y que se encuentren ordenadas en diversas leyes, a fin de armonizar su contenido, dando unidad a dicho proceso». La Ley 3/67, de 3 de abril, reguladora del llamado procedimiento de urgencia —hoy derogado—, modificó el contenido de los arts. 973 y 974 LECrim. De especial importancia debe calificarse la reforma pro-

digo Penal por LO 1/2015 de 30 de marzo, que derogó el concepto legal de falta. Aunque, naturalmente las conductas tipificadas como tal no desaparecieron, sino que aunque algunas se eliminaron la mayoría se han mantenido como delitos leves. Sobre este particular la Exposición de motivos de la LO 1/2015 declara que: «... *se suprimen las faltas que históricamente se regulaban en el Libro III del Código Penal, si bien algunas de ellas se incorporan al Libro II del Código reguladas como delitos leves. La reducción del número de faltas —delitos leves en la nueva regulación que se introduce— viene orientada por el principio de intervención mínima, y debe facilitar una disminución relevante del número de asuntos menores que, en gran parte, pueden encontrar respuesta a través del sistema de sanciones administrativas y civiles».* Eliminadas las faltas subsiste, no obstante, en lo básico el procedimiento de juicio de faltas. Este procedimiento, que también ha sido modificado por la disposición final segunda de LO 1/2015 de 30 de marzo, se regula en los arts. 962 y ss. LECrim, pero cambiando de denominación, ya que ahora será el procedimiento por delitos leves. El procedimiento mantiene las normas básicas que ya se contenían en el juicio de faltas, pero introduciendo alguna norma nueva como la posibilidad que tiene el Juez de instrucción de sobreseer las actuaciones en atención a la falta de gravedad del hecho y la ausencia de interés público (art. 963 y 964 LECrim)[3]. Sigue siendo de aplicación al procedimiento por delitos leves la jurisprudencia constitucional dictada sobre el juicio de faltas que ha permitido, por una parte, aplicar los principios procesales de carácter constitucional y, por otra, servir de pauta al legislador para reformar aquella regulación (V. SSTC 319/94. de 28 noviembre, 137/96, de 28 mayo, 135/1997, de 21 de julio, 142/1997, de 15 septiembre, 230/1997, de 21 enero, 133/2000, de 16 mayo, 52/2001, de 26 febrero). También resulta de especial interés la Circular 1/2015 de 19 de junio, sobre pautas para el ejercicio de la acción penal en relación con los delitos leves tras la reforma penal operada por la LO 1/2015.

A este respecto, el TC se ha pronunciado sobre los principios que atañen a este juicio en el marco de los de aplicación al proceso penal, declarando que: Primero.

---

cesal 10/92 de 30 de abril con relación al juicio de faltas, motivada por la doctrina del TC sobre la normativa de este juicio. Concretamente, el Tribunal Constitucional, desde la STC 84/85 de 8 de julio, criticó la regulación del juicio de faltas que calificó de defectuosa y necesitada de una profunda reforma.

(3)   Sobre la naturaleza del procedimiento por delitos leves se pronuncia la Exposición de motivos de la LO 1/2015 declarando que: «*La reforma se completa con una revisión de la regulación del juicio de faltas que contiene la Ley de Enjuiciamiento Criminal, que continuará siendo aplicable a los delitos leves. En el caso de las infracciones de menor gravedad (los delitos leves) existen habitualmente conductas que resultan típicas pero que no tienen una gravedad que justifique la apertura de un proceso y la imposición de una sanción de naturaleza penal, y en cuya sanción penal tampoco existe un verdadero interés público. Para estos casos se introduce, con una orientación que es habitual en el Derecho comparado, un criterio de oportunidad que permitirá a los jueces, a petición del Ministerio Fiscal, valorada la escasa entidad del hecho y la falta de interés público, sobreseer estos procedimientos. Con esta modificación se introduce un instrumento que permite a los jueces y tribunales prescindir de la sanción penal de las conductas de escasísima gravedad, con lo que se consigue una realización efectiva del principio de intervención mínima, que orienta la reforma del Código Penal en este punto; y, al tiempo, se consigue descargar a los tribunales de la tramitación de asuntos menores carentes de verdadera relevancia que congestionan su actividad y reducen los recursos disponibles para el esclarecimiento, persecución y sanción de las conductas realmente graves».*

No se quebranta la imparcialidad del Juez que dicta sentencia, al no existir, en el juicio de faltas (ahora procedimiento por delitos leves), una instrucción previa. El Juez decisor no debe realizar instrucción alguna. En tal sentido, si el Juez de instrucción hubiere practicado, por cualquier circunstancia (p. ej. Adopción de medidas cautelares, interrogatorio del detenido, inculpación etc.), actos de investigación sumarial no podrá dictar sentencia[4] . Véase sobre el derecho a un juez imparcial § 2.2.A.a.3º Cap. I y § 7 Cap. III sobre la abstención y recusación de Jueces y Magistrados. Segundo. El principio inquisitivo — informador del juicio de faltas, en la regulación primigenia de la LECrim— no era compatible con un sistema de derechos fundamentales y libertades públicas. Consecuencia de ello es la vigencia primordial del principio acusatorio según el cual, en aras a una tutela judicial efectiva y para evitar que se produzca indefensión, los implicados en procedimientos por delitos leves deben ser informados de la acusación existente contra ellos para que puedan defenderse. (*vid.* sobre el principio acusatorio § 2.2.A.a. Cap. I)[5]. Tercero. Tienen plena aplicación y vigencia en el juicio de faltas (ahora procedimiento por delitos leves) los principios de contradicción, oralidad y publicidad, pues solamente mediante un juicio público realizado con efectiva contradicción puede imponerse la correspondiente sanción y, en su caso, la responsabilidad civil derivada de la comisión de un delito leve. Téngase presente que la ausencia justificada del acusado da lugar a la suspensión del juicio (art. 971 LECrim) y si bien la injustificada, por regla general, no comporta la

---

(4) «… cuando se trata de examinar si se ha producido una vulneración del derecho al Juez imparcial en el ámbito del juicio de faltas, no puede olvidarse en este aspecto la especial configuración legal de este proceso, caracterizada por la informalidad y por la concentración de sus trámites .. y en definitiva por la menor intensidad de los actos de investigación previos al juicio oral .. que tienen por exclusiva finalidad la preparación del juicio oral, sin compromiso alguno de su imparcialidad objetiva, en la medida en que en algunos casos no están dirigidos frente a persona determinada alguna, y con carácter general, no revisten la intensidad que caracteriza a los actos propiamente instructorios que puede el Juez realizar en el proceso por delito…». SSTC 137/1996, de 28 mayo y 52/2001, de 26 febrero.

(5) «… Es cierto que tanto el juicio de faltas como el proceso por delitos exigen que se formule acusación para que pueda producirse la condena. Este Tribunal reitera la doctrina de que el reconocimiento por el art. 24 CE de los derechos a la tutela judicial efectiva con interdicción de la indefensión, a ser informados de la acusación y a un proceso con las debidas garantías suponen que en todo proceso penal, incluidos los juicios de faltas, el acusado ha de conocer la acusación contra él formulada en el curso del proceso para poder defenderse de forma contradictoria y que el pronunciamiento del Juez o Tribunal ha de efectuarse precisamente sobre los términos del debate, tal como han sido formulados en las pretensiones de la acusación y la defensa, lo cual significa, entre otras cosas, que ha de existir siempre una correlación entre la acusación y el fallo de la Sentencia —SSTC 54/85, 84/85, 104/85, 163/86, 57/87, 17/88, 168/90, entre otras muchas…—» (STC 182/91, de 30 septiembre). «… Como reiteradamente hemos manifestado, el principio acusatorio forma parte de las garantías sustanciales del proceso penal incluidas en el art. 24 CE, requiriendo en esencia, dicho principio, que en el proceso penal exista una acusación formal contra una persona determinada, pues no puede haber condena sin acusación. Y su infracción significa una doble vulneración constitucional, la del derecho a ser informado de la acusación... y la del derecho a no sufrir indefensión... Siendo, por otra parte, plenamente aplicable el mencionado principio acusatorio al juicio de faltas (STC 47/91, entre otras)...». (STC 125/93, de 19 abril). Vid. SSTC de 18 abril 1985, 186/87, de 23 noviembre, 189/88, de 17 octubre, 202/88, de 31 octubre, 225/88, de 28 noviembre; 240/88, de 19 diciembre; 47/91, de 28 febrero, 83/92, de 28 mayo, 319/94, de 28 diciembre, 225/97, de 15 diciembre.

suspensión del juicio el Juez, de oficio o a instancia de parte, puede decretar para dichos supuestos la suspensión siempre que crea necesaria la declaración de aquel[6].

1.2. Competencia objetiva y funcional

La competencia para conocer del procedimiento por delitos leves corresponde a los Juzgados de instrucción (art. 87.1.c LOPJ) salvo que la competencia corresponda al Juez de Violencia sobre la Mujer (art. 14.1 LECrim). Por tanto, los jueces de paz no tienen competencia para conocer de este procedimiento penal como sucedía con el anterior juicio de faltas, aunque, el art. 100.2 LOPJ todavía atribuye a los Jueces de Paz competencia para conocer de aquellas faltas que les atribuya la ley[7]. En el mismo sentido, el art. 87.1 b) LOPJ sigue mencionando los juicios de faltas. El Juez de violencia contra la mujer será competente para conocer de los delitos leves previstos en el CP y relacionados en el art. 14.5.d) LECrim que son los de amenazas leves (art. 171.7 CP), coacciones leves (art. 172.3 CP) e injuria o vejación injusta de carácter leve (art. 173.4 CP), siempre que la víctima sea: *«quien sea o haya sido su esposa, o mujer que esté o haya estado ligada al autor por análoga relación de afectividad, aun sin convivencia, así como de los cometidos sobre los descendientes, propios o de la esposa o conviviente, o sobre los menores o incapaces que con él convivan o*

---

(6) «... Conforme a doctrina constante de este Tribunal los derechos a la tutela judicial efectiva con interdicción de la indefensión, a ser informados de la acusación y a un proceso con las debidas garantías suponen, considerados conjuntamente, que en todo proceso penal, incluidos los juicios de faltas, el acusado deba conocer la acusación contra él formulada en el curso del proceso para poder defenderse de forma contradictoria frente a ella... lo cual significa, entre otras cosas, que ha de existir siempre una correlación entre la acusación y el fallo de la Sentencia (SSTC 57/87, 47/91, 182/91, 11/92 y 56/94)...» (STC 319/94, de 28 noviembre). Vid también STC 135/1997, de 21 de julio que añade que «... solo es constitucionalmente admisible si se garantiza suficientemente el derecho del acusado a defenderse en un juicio contradictorio... pues nadie puede ser condenado sin conocer la acusación contra él formulada ...dándole, mediante la citación que produzca un conocimiento efectivo, oportunidad de comparecer en él, con anterioridad para que pueda conocer los hechos que se le imputan...». Asimismo, la STC 56/1999, de 18 mayo añade que «..la aplicación del principio de contradicción en el proceso penal hace posible el enfrentamiento dialéctico entre las partes, permitiendo así el conocimiento de los argumentos de la contraria y la manifestación ante el Juez o Tribunal de los propios. Con cita de la STC 162/1997 a la 53/1987, se decía allí que el principio de contradicción ha de garantizarse no sólo en el juicio de primera instancia sino también en la fase del recurso de apelación...».

(7) La atribución de competencias a los Juzgados de Paz para conocer en primera instancia de los hechos punibles calificados de faltas ha venido siendo modificada, tras sucesivas reformas legales, con tendencia progresiva a una disminución de competencias hasta su definitiva desaparición con la Ley 1/2015. Así, el art. 4 Ley 3/67, de 8 de abril, fijaba su competencia respecto a las faltas contra el orden público, contra los intereses generales y régimen de las poblaciones —excepto arts. 572 y 576—, amén de las contenidas en los arts. 583, 585, 590 y 594. La reforma operada por la Ley 7/88, de 28 de diciembre, el art. 14.1 LECrim. fijó sus competencias para el conocimiento de las faltas comprendidas en los Títulos I y II del Libro III, con excepción de los arts. 572 y 576 y las tipificadas en los arts. 585, 590, 594 y 596 CP. La actualización del CP por LO 3/89, de 21 de junio, supuso la destipificación de un buen número de faltas. Así, las faltas contra el orden público. También la LO 10/95 del nuevo Código Penal supuso la desaparición de algunas de las faltas antes recogidas en el Código Penal, con disminución de las competencias de los Juzgados de Paz que eran finalmente meramente testimoniales. Vid. respecto a la evolución del juicio de faltas la SAP Sevilla de 20 octubre 1992, La Ley, 1993, n.º 12.906 donde se realiza un completo razonamiento jurídico relativo al juicio de faltas y su evolución legal y jurisprudencial.

que se hallen sujetos a la potestad, tutela, curatela, acogimiento o guarda de hecho de la esposa o conviviente, cuando también se haya producido un acto de violencia de género» (art. 14.1 y 5 LECrim). Finalmente, conocerán los Jueces de lo Penal, o la Audiencia Provincial, de la circunscripción donde el delito fue cometido o el Juez Central de lo Penal en el ámbito que le es propio de los delitos leves sean o no incidentales imputables a los autores de estos delitos o a otras personas, cuando la comisión del delito leve o su prueba estuviesen relacionadas con aquello —art. 14.3 y 4 LECrim—.

En el procedimiento por delitos leves no resulta obligatoria, con carácter general, la intervención de abogado. Pero entendemos que ello no excluye, en principio, la petición y designación de oficio[8].

> «... el hecho de que la intervención de Letrado no sea preceptiva en ese proceso determinado, con arreglo a las normas procesales, no priva al justiciable del derecho a la defensa y asistencia letrada que le reconoce el art. 24.2 CE, pues el carácter no preceptivo o necesario de la intervención del Abogado en ciertos procedimientos no obliga a las partes a actuar personalmente, sino que les faculta para elegir entre la autodefensa o la defensa técnica pero permaneciendo, en consecuencia, el derecho de asistencia letrada incólume en tales casos, cuyo ejercicio queda a la disponibilidad de las partes...». SSTC 92/1996, de 27 de mayo y 22/2001, de 29 de enero[9].

Ahora bien, el art. 967.2 LECrim establece una excepción con relación a la asistencia de abogado y procurador que dispone será la establecida con carácter general en el supuesto de: *«delitos leves que lleven aparejada pena de multa cuyo límite máximo sea de al menos seis meses, se aplicarán las reglas generales de defensa y representación»*. Se refiere la Ley a aquellos delitos cuya pena tiene una importancia tal que resultaría poco aconsejable que pudiera sustanciarse el procedimiento sin la debida y necesaria asistencia letrada. En este caso no podrá sustanciarse el procedimiento sin la debida asistencia letrada y si se hiciere todas las actuaciones serán nulas.

---

(8) Así estaba previsto en el art. 963.2 LECrim, para el juicio de faltas, que establecía que si alguna de las partes quisiera ser asistida de Abogado, se procederá a su inmediata designación conforme con los arts. 118 y 121 LECrim). Ahora bien, este precepto se derogó por LO 5/2003 de 27 de mayo, por lo que no cabe esa designación en el Juzgado, sin perjuicio que la parte se dirija al colegio de abogados correspondiente a solicitar la designación de abogado. Ahora bien, puede entenderse pertinente la designación de abogado de oficio en aquellos supuestos que el Juez lo estime adecuado mediante auto motivado para garantizar la igualdad de las partes en el proceso, por aplicación del art. 6.4° y 29 Ley 1/1996, de asistencia jurídica gratuita. Es decir, será necesario que lo estime pertinente el órgano judicial, que no se trate de una petición fraudulenta o con ánimo de suspender el juicio y se motive en una posible indefensión, basada en la falta de conocimientos suficientes para su defensa. En todo caso para que pueda estimarse que como consecuencia de la falta de defensa técnica ha existido efectiva indefensión se requiere que ello no resulte ser consecuencia directa del proceder de la parte y que se haya producido un menoscabo real y efectivo (véanse SSTC 22/2001, de 29 de enero; 176/1992, de 2 de noviembre).

(9) «... La presencia de letrado en el juicio de faltas, conforme al régimen jurídico de su procedimiento... resulta meramente potestativa y encomendada a la opción, iniciativa y diligencia de la propia parte. No es posible, por ello, apreciar merma alguna del indicado derecho de defensa por la sola circunstancia de que la recurrente careciera de dicha dirección a asistencia letrada en la primera instancia del juicio de faltas...». STC 176/1992, de 2 de noviembre.

«Para el enjuiciamiento de delitos leves que lleven aparejada pena de multa cuyo límite máximo sea de al menos seis meses, se aplicarán las reglas generales de defensa y representación. A su vez, el artículo 245.2 del C.P. (LA LEY 3996/1995) prevé lo siguiente: 1. Al que con violencia o intimidación en las personas ocupare una cosa inmueble o usurpare un derecho real inmobiliario de pertenencia ajena, se le impondrá, además de las penas en que incurriere por las violencias ejercidas, la pena de prisión de uno a dos años, que se fijará teniendo en cuenta la utilidad obtenida y el daño causado. 2. El que ocupare, sin autorización debida, un inmueble, vivienda o edificio ajenos que no constituyan morada, o se mantuviere en ellos contra la voluntad de su titular, será castigado con la pena de multa de tres a seis meses. Todo lo cual lleva a entender que, al haberse juzgado a los acusados sin las garantías legalmente previstas para su defensa, tal como se desprende de los artículos anteriormente citados, se les ha originado una situación de efectiva indefensión, debiendo estimarse el recurso interpuesto, en el sentido de revocarse la resolución dictada, con retroacción de actuaciones al estado inmediatamente anterior al defecto que se ha producido, debiendo por tanto designarse asistencia letrada a cada uno de los denunciados y acordarse nueva fecha de señalamiento lo antes posible, debiendo designarse asistencia letrada a cada uno de los denunciados y acordarse nueva fecha de señalamiento lo antes posible, debiendo celebrarse dicho juicio por el juez que sustituya al haberse formado el que celebró anteriormente su convicción sobre lo ocurrido». SAP de Madrid, Sección 1ª, Sentencia 103/2017 de 12 Abr. 2017, Rec. 449/2017; Ponente: Chacón Alonso, Manuel. LA LEY 64474/2017.

1.3. Sustanciación del juicio por delitos leves

La sencillez del procedimiento se pone de manifiesto al examinar su desarrollo: a) iniciación, que podrá ser bien de oficio o bien a instancia de parte; b) juicio oral; y c) sentencia. Así pues, se prescinde de la fase de instrucción y del período intermedio[10], pasándose directamente de la fase de iniciación a la del juicio oral donde se concentran todas las actuaciones dictándose a continuación la sentencia que proceda.

«... Es la actividad de investigación directa de los hechos dirigida frente a determinadas personas la que puede considerarse integrante de una verdadera actividad instructora (STC 164/88), de la que puede nacer la impresión de que el Juez no acomete la función de juzgar con verdadera imparcialidad... En relación con el juicio de faltas, este Tribunal ha sostenido la plena aplicación al mismo derecho fundamental a un proceso con todas las garantías, pero subrayando... la necesidad de distinguirlo de los procesos por delito... No hay en este juicio, a diferencia del proceso por delitos, una fase de instrucción o sumario ni una fase intermedia, de manera que, una vez iniciado el proceso, se pasa de inmediato al juicio oral, que es donde se formulan las pretensiones y se practican las pruebas. La acusación se formaliza, pues, en el acto del juicio... No puede olvidarse en este aspecto la especial configuración legal de este proceso, caracterizada por la informalidad y por la concentración de sus trá-

---

(10) «... No hay en este juicio, a diferencia del proceso por delitos, una fase de instrucción o sumario ni una fase intermedia, de manera que, una vez iniciado el proceso, se pasa de inmediato al juicio oral, que es donde se formulan las pretensiones y se practican las pruebas. Ocurre por ello que la acusación se formaliza en el acto del juicio, constituyendo esta formalización el comienzo del mismo (STC 54/87, FJ 1). Y no se produce ausencia de garantías constitucionales siempre que en el juicio se dé oportunidad a quien resulte acusado para que presente prueba de descargo (STC 34/85)...». (STC 182/91, de 30 septiembre).

mites... y en definitiva, por la menor intensidad de los actos de investigación previos al juicio que de estas notas se deriva... Estas características... determinan que, en muchos casos, los actos de investigación realizados por el juez de instrucción tengan por exclusiva finalidad la preparación del juicio oral, sin compromiso alguno de su imparcialidad objetiva...». (STC 137/96, de 28 mayo).

La regulación de este procedimiento acentúa la celeridad para algunos delitos leves (los que causan mayor alarma social como los de violencia doméstica y los delitos leves contra el patrimonio), en aras de la economía procesal acordándose la celebración inmediata del juicio por delitos leves en la sede del Juzgado de Guardia, de conformidad con lo dispuesto en los arts. 962 y 963 LECrim. Esta «psicosis de celeridad» se ratifica para los demás casos al establecerse que cuando no proceda la celebración del juicio en el Juzgado de Guardia se señalará en un plazo no superior a siete días (art. 9651.1 LECrim).

A) Iniciación

El procedimiento podrá iniciarse por denuncia o querella, atestado, o de oficio. La querella habrá de reunir los requisitos del artículo 277 LECrim, salvo que no necesite firma de abogado ni de procurador (art. 969.1 LECrim). De modo que el perjudicado podrá limitarse a presentar una denuncia ante la policía, la Fiscalía o el Juzgado o bien podrá presentar querella. También podrá iniciarse el procedimiento por delitos leves de oficio cuando el Juez tuviere conocimiento de haberse cometido un delito de esta clase o por atestado de la Policía tenga conocimiento de hechos tipificados como falta y perseguibles de oficio. Véanse Modelos de denuncia en M. 273 y M. 275, Atestado en M. 274 y Querella en M. 64.

En el procedimiento por delitos leves no existe instrucción de la causa. Será en el juicio oral donde deben concentrarse y practicarse los medios de prueba, a tenor del art. 969 LECrim. Las diligencias que pueden acordarse con anterioridad a la celebración del juicio se limitarán a la ratificación de la denuncia, ofrecimiento de acciones al ofendido o perjudicado y, excepcionalmente, a la práctica de informes periciales o documentales ampliatorios[11]. Sin que, por lo tanto, se produzca ningún trámite de traslado de los documentos de cualquier clase que se aportarán a la causa para su prueba en el acto del juicio oral.

«Si, como ocurre en el caso que nos ocupa, por mera cortesía procesal una de las partes en el procedimiento, aporta con carácter previo determinada prueba pericial o documental o avisa de la presentación en juicio de un testigo u otra prueba, no existe obligación legal, ni procesal alguna por parte del Juzgado de instrucción, relativa a dar traslado de dichas pruebas. Ello por la simple razón de que dicha parte, como por cierto así hizo la parte apelante, puede aportar en el acto del juicio oral sus pruebas,

---

(11)   La realización de una «instrucción» preliminar y previa al juicio oral podría vulnerar el derecho al Juez imparcial y al de un proceso público con todas las garantías legales. Ahora bien, no siempre que haya existido una previa instrucción ha de calificarse esta como tal a los efectos examinados, pues, en muchas ocasiones, solamente tendrá por exclusiva finalidad de preparación del juicio oral, sin comprometer su imparcialidad objetiva. Al respecto puede verse el alcance de la instrucción y su incidencia en la vulneración del derecho a un Juez imparcial en las SSTC 137/1996, de 28 mayo y 52/2001, de 26 febrero.

sin previo traslado o "advertencia" (valga la expresión) a las otras partes. Si la parte contraria al ahora apelante hubiera aportado dichas pruebas al acto del juicio oral, nadie se hubiera sorprendido, nadie podría haber objetado nada y ninguna indefensión se hubiera generado, pues tal actitud procesal es la que precisamente marca el artículo 967.1 de la LECrim. (LA LEY 1/1882). Por otra parte tales documentos y pruebas estaban en el procedimiento y si la parte apelante lo hubiera consultado con carácter previo al acto del juicio oral, lo habría advertido y en todo caso, no se produjo, en el acto del juicio oral, protesta alguna, ni objeción por parte de la representación letrada del recurrente. Si acaso se hubiera hecho constar tal protesta, el Juzgado sentenciador podría haber reaccionado procesalmente, si hubiera considerado vulnerado algún derecho». SAP de Madrid, Sección 16ª, Sentencia 193/2017 de 24 Mar. 2017, Rec. 376/2017; Ponente: Cubero Flores, Francisco David. LA LEY 43022/2017.

B)   *Citación a juicio y celebración inmediata del juicio oral ante el Juzgado de guardia*

En el procedimiento por delitos leves se ha conservado la regulación introducida por la Ley 38/2002 que apostó por la aplicación de la inmediatez entre la denuncia y/o la comisión de los hechos y la celebración del juicio con una aceleración de la respuesta estatal respecto a esta clase de infracciones penales leves[12]. Así, la regla general será que se celebre el juicio en el propio Juzgado de Guardia. De no ser posible el juicio durante el servicio de guardia, se deberá proceder a la citación de las partes para que el juicio se celebre en un breve plazo no superior a siete días (art. 965 LECrim)[13].

---

(12)   En el Proyecto de Ley presentado en las Cortes, no se realizaba distinción alguna y para todas las faltas se ordenaba la celebración inmediata del juicio oral. Es en el trámite parlamentaria (concretamente, en la Comisión del Congreso de los Diputados) al admitir las Enmiendas 168 del grupo de Convergencia i Unió y 193 del grupo Popular, cuando se redactan los preceptos en la forma como han sido definitivamente aprobados. Es interesante destacar la justificación de dichas Enmiendas que señala «La redacción del precepto posibilita que la Policía Judicial cite a todo denunciante por un hecho tipificado como falta .. aun cuando se desconozca el autor del mismo, determinando así la acumulación de personas en el Juzgado de Guardia, pese a que el procedimiento por delitos leves no podrá celebrarse hasta tanto no se identifique al autor. De otro lado, la práctica de la citación para el procedimiento por delitos leves supone centrar la actuación del Juzgado de Guardia y de la Policía Judicial en actuaciones que en muchos casos aparecen como menos urgentes que los hechos punibles que determinan las diligencias urgentes, que también deben ser realizadas durante el Juzgado de Guardia, teniendo en cuenta la escasa entidad de muchas de las infracciones constitutivas de delito leve. Por ese motivo estimamos que la Policía Judicial debe concretar sus esfuerzos en lograr la práctica de la citación del denunciante, denunciado y testigos ante el Juzgado de Guardia en aquellos supuestos en los que existe una mayor necesidad de celeridad en el enjuiciamiento, atendiendo al valor social de la infracción: violencia doméstica y faltas contra el patrimonio».

(13)   Esta «psicosis de celeridad» que bien entendida puede ayudar a «descongestionar» los órganos jurisdiccionales de trámites y diligencias inútiles, no debe ser sobrevalorada de tal modo que provoque, a su vez, un colapso en los Juzgados de Guardia. Y en materia de celebración del procedimiento por delitos leves, a nuestro entender, no resulta totalmente justificable tal inmediatez para la celebración del juicio, debiéndose haber establecido como excepcional la facultad de señalamiento del juicio en la misma guardia, pues de conseguirse el cumplimiento de los plazos (dentro de los 7 días) para la celebración de estos juicios, puede concluirse que la respuesta estatal es igualmente satisfactoria.

La celebración inmediata del juicio oral se producirá conforme con lo previsto en los arts. 962 a 965 LECrim, que tienen en cuenta razones de alarma social y economía/oportunidad[(14)]. A ese fin, se procederá del siguiente modo:

1°) La Ley distingue según los siguientes supuestos: — Que la Policía Judicial tenga noticia de un hecho que presente los caracteres de delito leve de lesiones o maltrato de obra, de hurto flagrante, de amenazas, de coacciones o de injurias (art. 962.1 LECrim); — Que se trate de cualquier otro delito leve (art. 964.1 LECrim); — Que se presente denuncia directamente ante el órgano judicial (art. 964.2 LECrim). En cualquiera de los casos descritos se podrá sustanciar un juicio inmediato ante el juzgado de guardia.

2°) En el caso que el procedimiento se inicie por la policía corresponde a ésta la citación, ante el Juzgado de Guardia, de los ofendidos y perjudicados, al denunciante, al denunciado y a los testigos que puedan dar razón de los hechos. La Policía Judicial fijará la hora de la comparecencia de las partes y testigos coordinadamente con el Juzgado de guardia mediante un sistema informático de agenda programada. La Policía Judicial hará entrega del atestado al Juzgado de guardia, en el que consten las diligencias y citaciones practicadas y, en su caso, la denuncia del ofendido. En el supuesto de que la competencia para conocer corresponda al Juzgado de Violencia sobre la Mujer la Policía Judicial habrá de realizar las citaciones anteriormente mencionadas ante dicho Juzgado en el día hábil más próximo. Para la realización de las citaciones antes referidas, la Policía Judicial fijará el día y la hora de la comparecencia coordinadamente con el Juzgado de Violencia sobre la Mujer (art. 962.5 LECrim.).

3°) Recibido el atestado de la policía el Juez resolverá sobre si procede: a) El sobreseimiento del procedimiento; b) La celebración inmediata de juicio oral (art. 964.2 LECrim; c) la celebración del juicio dentro de los siete días siguientes cuando no fuere posible celebrarlo de forma inmediata (art. 965.1 LECrim). El Juez acordará el sobreseimiento del procedimiento y el archivo de las diligencias cuando lo solicite el Ministerio Fiscal a la vista de las siguientes circunstancias: a) El

---

(14) En el Proyecto de la Ley 38/2002 presentado en las Cortes, no se realizaba distinción alguna y para todas las faltas se ordenaba la celebración inmediata del juicio oral. Es en el trámite parlamentaria (concretamente, en la Comisión del Congreso de los Diputados) al admitir las Enmiendas 168 del grupo de Convergencia i Unió y 193 del grupo Popular, cuando se redactan los preceptos en la forma como han sido definitivamente aprobados. Es interesante destacar la justificación de dichas Enmiendas que señala «La redacción del precepto posibilita que la Policía Judicial cite a todo denunciante por un hecho tipificado como falta .. aun cuando se desconozca el autor del mismo, determinando así la acumulación de personas en el Juzgado de Guardia, pese a que el juicio de faltas no podrá celebrarse hasta tanto no se identifique al autor. De otro lado, la práctica de la citación para juicio de faltas supone centrar la actuación del Juzgado de Guardia y de la Policía Judicial en actuaciones que en muchos casos aparecen como menos urgentes que los hechos punibles que determinan las diligencias urgentes, que también deben ser realizadas durante el Juzgado de Guardia, teniendo en cuenta la escasa entidad de muchas de las infracciones constitutivas de la falta. Por ese motivo estimamos que la Policía Judicial debe concretar sus esfuerzos en lograr la práctica de la citación del denunciante, denunciado y testigos ante el Juzgado de Guardia en aquellos supuestos en los que existe una mayor necesidad de celeridad en el enjuiciamiento, atendiendo al valor social de la infracción: violencia doméstica y faltas contra el patrimonio».

delito leve denunciado resulte de muy escasa gravedad a la vista de la naturaleza del hecho, sus circunstancias, y las personales del autor, y b) no exista un interés público relevante en la persecución del hecho. En los delitos leves patrimoniales, se entenderá que no existe interés público relevante en su persecución cuando se hubiere procedido a la reparación del daño y no exista denuncia del perjudicado (art. 963.1 LECrim).

4º) Para acordar la celebración inmediata del juicio, será necesario que el asunto le corresponda al Juzgado de guardia en virtud de las normas de competencia y de reparto. Será además necesario que el denunciado esté identificado y fuere posible citar a todas las personas que deban ser convocadas para que comparezcan mientras dure el servicio de guardia y concurran el resto de requisitos exigidos por el artículo 963 LECrim (art. 964 LECrim). El Juicio tendrá lugar en el caso de que hayan comparecido las personas citadas o de que, aun no habiendo comparecido alguna de ellas, el juzgado reputare innecesaria su presencia. Asimismo, para acordar la inmediata celebración del juicio, el Juzgado de guardia tendrá en cuenta si ha de resultar imposible la práctica de algún medio de prueba que se considere imprescindible (art. 963 LECrim).

> «Ello obliga a recordar, al menos en sus rasgos esenciales, nuestra doctrina al respecto, que parte de la tajante afirmación de la plena aplicabilidad y vigencia en el juicio de faltas de los principios y garantías constitucionales correspondientes al penalmente imputado, y, muy en particular, del derecho a la presunción de inocencia ... que exige cuando menos que cualquier condena penal se funde en auténticos actos de prueba, obtenidos en el juicio oral con plena vigencia de los principios de igualdad, contradicción, inmediación y publicidad ...». STC 9/1999, de 8 febrero. *Vid.* también 74/1999, de 26 abril y 183/1999, de 11 octubre entre otras.

Las citaciones se harán al Ministerio Fiscal (salvo que el delito leve fuere perseguible sólo a instancia de parte), al querellante o denunciante, si lo hubiere, al denunciado y a los testigos y peritos que puedan dar razón de los hechos. La citación la realizará el Juzgado (art. 964 LECrim) o bien la policía judicial en el caso que el procedimiento se inicie por atestado (art. 962 LECrim)[15]. Al practicar las citaciones, se apercibirá a las personas citadas de las respectivas consecuencias de no comparecer ante el Juzgado de guardia, se les informará que podrá celebrarse el juicio aunque no asistan, y se les indicará que han de comparecer con los medios de prueba de que intenten valerse. Al denunciado se le informará por escrito sucintamente de los hechos en que consista la denuncia y del derecho que le asiste de comparecer asistido de abogado (art. 962.2 LECrim).

C) Convocatoria a juicio oral cuando no proceda la celebración inmediata del juicio

En el caso que no proceda la celebración inmediata del juicio durante el servicio de guardia el Letrado A. Justicia procederá al señalamiento para la celebración del

---

(15) Las citaciones se efectuarán conforme a la Agenda Programada de Citaciones (APC) que está prevista en el art. 49 del Reglamento 1/05 de Actuaciones Accesorias según las franjas horarias disponibles en cada Juzgado de Guardia para las citaciones que la Policía Judicial realice ante los Juzgados de Guardia.

juicio y a las citaciones procedentes para el día hábil más próximo posible dentro de los predeterminados a tal fin, y en cualquier caso en un plazo no superior a siete días (art. 965.1.1ª LECrim)[16]. Ello sin perjuicio de que si el juez estimare que la competencia para el enjuiciamiento corresponde a otro juzgado, el Letrado A. Justicia le remitirá lo actuado para que se proceda a realizar el señalamiento del juicio y las citaciones con arreglo a lo dispuesto en la ley (art. 965.1.2 LECrim).

Para estos supuestos, las Salas de Gobierno — art. 965.2 LECrim.— dispondrán de lo necesario con la finalidad de que los Juzgados de Guardia de su respectivo territorio dispongan, con antelación suficiente, de los datos necesarios para realizar los señalamientos, previsión que en la práctica puede presentar problemas de ajuste de calendarios entre los Juzgados de Guardia y los Juzgados de Instrucción del Partido, cuando fueran varios.

El señalamiento para la celebración del juicio oral podrá suspenderse cuando por motivo justo no pudiera celebrarse en el día señalado o de que no pueda concluirse en un solo acto, el Letrado A. Justicia señalará para su celebración o continuación el día más inmediato posible y, en todo caso, dentro de los siete siguientes, haciéndolo saber a los interesados (art. 968 LECrim). Las citaciones para la celebración del juicio se harán al Ministerio Fiscal, al querellante o denunciante, si lo hubiere, al denunciado y a los testigos y peritos que puedan dar razón de los hechos. A ese fin se solicitará a cada uno de ellos en su primera comparecencia ante la Policía Judicial o el Juez de Instrucción que designen, si disponen de ellos, una dirección de correo electrónico y un número de teléfono a los que serán remitidas las comunicaciones y notificaciones que deban realizarse. Si no los pudieran facilitar o lo solicitaren expresamente, las notificaciones les serán remitidas por correo ordinario al domicilio que designen. A la citación del denunciado se acompañará copia de la querella o de la denuncia que se haya presentado (art. 967 LECrim). En la citación se apercibirá a las partes de que podrá celebrarse el juicio de forma inmediata en el Juzgado de guardia, incluso aunque no comparezcan y de que deberán acudir al juicio con los medios de prueba de que intenten valerse (art. 967 LECrim)[17]. Esta obligación se extiende a todos los citados que deberán comparecer al juicio con la consecuencia que de no hacerlo, los

---

(16) El señalamiento se realizará para días laborales y en horas de audiencia (art. 49.3 R. 1/2005). Para estos supuestos, las Salas de Gobierno —art. 965.2 LECrim.— dispondrán de lo necesario con la finalidad de que los Juzgados de Guardia de su respectivo territorio dispongan, con antelación suficiente, de los datos necesarios para realizar los señalamientos, previsión que en la práctica puede presentar problemas de ajuste de calendarios entre los Juzgados de Guardia y los Juzgados de Instrucción del Partido, cuando fueran varios.

(17) En la citación se informará al denunciante y al ofendido o perjudicado de sus derechos en los términos previstos en los artículos 109, 110 y 967 LECrim, incluyendo el derecho a asistir con abogado a la vista del juicio (art. 962.2 LECrim): «*1. En las citaciones que se efectúen al denunciante, al ofendido o perjudicado y al investigado para la celebración del juicio, se les informará de que pueden ser asistidos por abogado si lo desean y de que deberán acudir al juicio con los medios de prueba de que intenten valerse. A la citación del investigado se acompañará copia de la querella o de la denuncia que se haya presentado. Sin perjuicio de lo dispuesto en el párrafo anterior, para el enjuiciamiento de delitos leves que lleven aparejada pena de multa cuyo límite máximo sea de al menos seis meses, se aplicarán las reglas generales de defensa y representación*». (art. 967.1 LECrim).

citados como partes, testigos o peritos, ni aleguen justa causa para dejar de hacerlo, podrán ser sancionados con una multa de 200 a 2.000 euros (art. 967.2 LECrim). La multa tendrá el carácter de acuerdo gubernativo (art. 244 LOPJ) y se podrá impugnar mediante recurso de audiencia en justicia ante el propio Juez en el plazo de tres días y subsidiaria o directamente recurso de alzada ante la Sala de Gobierno del TSJ correspondiente en plazo de cinco días (art. 556 LOPJ)[18].

La citación habrá de efectuarse directamente al denunciado bien personalmente, bien por correo con acuse de recibo, por telégrafo o por cualquier otro medio que asegure la constancia de su práctica[19] (STC 155/94, de 23 mayo y 170/97, de 14

---

(18) «Efectivamente, en sentencia de 18 de marzo de 2016 de esta misma Audiencia Provincial, dijimos que "el art. 967.2 de la Ley de Enjuiciamiento Criminal (LA LEY 1/1882)permite en el seno del procedimiento del juicio de faltas imponer una multa de 200 a 2.000 euros al testigo que no comparezca ni alegue justa causa para dejar de hacerlo. Por otro lado, la decisión judicial por la que se impone tal sanción tiene la naturaleza jurídica de un mero acuerdo gubernativo.../....Se trata, por tanto, de un mecanismo de dirección procesal y de policía de estrados que no constituye propiamente materia jurisdiccional sino gubernativa, de modo que aquel acuerdo sancionatorio puede adoptarse en el mismo procedimiento o en otro incoado a tal efecto, pero frente a él podrá interponerse recurso de audiencia en justicia ante el propio Juez en el plazo de tres días, y subsidiaria o directamente recurso de alzada ante la Sala de Gobierno del TSJ correspondiente en plazo de cinco días, todo lo cual se deriva de lo dispuesto en los arts. 191 a 195 (LA LEY 1694/1985) y 557 de la LOPJ (LA LEY 1694/1985). Con todo, lo que resulta evidente que en el presente supuesto no es competente este Tribunal, vía apelación, para examinar la procedencia o no de la imposición de multa a la denunciante por su incomparecencia al juicio". Y añadíamos que "la falta de competencia funcional necesariamente determina la nulidad de la resolución que admitió a trámite el recurso de apelación, por aplicación de lo dispuesto en el art. 238.1 (LA LEY 1694/1985) y 240.2 de la LOPJ (LA LEY 1694/1985), y conforme al art. 243.2 de la misma, la parcial de la sentencia únicamente en lo relativo a la imposición de la multa impuesta al testigo y denunciante, acordando dejar sin efecto tal pronunciamiento, de manera que para el caso en que el Juzgado verdaderamente considere que existen motivos suficientemente sólidos para ello, deberá abrir un trámite de audiencia a fin de que el ahora recurrente pueda formular las alegaciones correspondientes al motivo de su incomparecencia, para a continuación dictar el acuerdo que proceda, imponiendo o no sanción, conforme al art. 967.2 de la LECrim (LA LEY 1/1882) y notificar dicho acuerdo a fin de posibilitar el régimen de recursos previstos en la LOPJ (LA LEY 1694/1985)"». SAP de Lleida, Sección 1ª, Sentencia 113/2017 de 23 Mar. 2017, Rec. 21/2017; Ponente: Segura Sancho, Francisco. LA LEY 71634/2017.

(19) «... Más en concreto, en relación con el juicio de faltas, este Tribunal ha subrayado en diversas resoluciones (SSTC 22/87, 41/87, 141/91) que la finalidad esencial de la citación para la celebración de dicho juicio es la de garantizar el acceso al proceso y la efectividad del derecho de defensa constitucionalmente reconocido, por lo que no puede reducirse a un mero requisito formal para la realización de los siguientes actos procesales, sino que es necesario que la forma en que se realice la citación garantice en la mayor medida posible que aquélla ha llegado efectivamente a poder del destinatario, siendo esencial al referido acto de comunicación la recepción de la cédula por el destinatario y la constancia en las actuaciones, a salvo los casos de citación edictal, de que se ha entregado a quien debía recibirla, siempre con el designio de que, llegando a poder del interesado, pueda éste disponer su defensa (SSTC 1/85, 142/89, 110/89). Ello significa que cualquiera que sea la forma en que se realice, ha de asegurarse en todo caso el cumplimiento de los requisitos que la Ley de Enjuiciamiento Criminal establece para las notificaciones, citaciones y emplazamientos, y que, en definitiva, la verificación de la citación ha de proporcionar al órgano judicial elementos necesarios que permitan identificar al receptor de la cédula y comprobar así si se ha cumplido con lo preceptuado en la mencionada Ley...». (STC 17/92, de 10 febrero). Vid SSTC 309/93 de 25 octubre; 327/93, de 8 noviembre.

octubre y 134/2002, de 3 junio)[20]. Será de aplicación lo previsto en el art. 166 y ss. LECrim y en el art. 271 LOPJ, así como lo dispuesto en el art. 156 LEC, de aplicación supletoria, sin que p. ej. resulte válida la citación telefónica al denunciado pues no puede asegurarse la persona del interlocutor. Ahora bien, el art. 796.3 LECrim, en sede de procedimiento para el enjuiciamiento rápido de determinados delitos, prevé que en caso de urgencia, como puede ser el caso, las citaciones podrán hacerse por cualquier medio de comunicación, incluso verbalmente, sin perjuicio de dejar constancia de su contenido en la pertinente acta. En cualquier caso, esta solución sigue siendo de dudosa utilidad, precisamente por la dificultad de identificar al interlocutor[21]. Así lo ha entendido la Jurisprudencia de las Audiencias que considera que es esencial que la citación a juicio delitos leves se realice correctamente conforme está previsto en la regulación del procedimiento por delitos leves, entre otras razones por la ausencia de abogado en esta clase de juicio[22].

(20) «... No le falta razón al Juez ad quem cuando, en la Sentencia en sede de apelación, afirma que el art. 271 de la LOPJ permite que las citaciones se expidan por medio de telegrama. Mas no debe olvidarse que, como ya hemos declarado en otras ocasiones, cuando de la citación depende la personación de la parte en el proceso, su mero envío no basta para entender cumplido este requisito si no se tiene constancia, mediante el oportuno acuse de recibo, de que la citación ha llegado efectivamente a su destinatario en la fecha requerida, ya que, de lo contrario, la exigencia de citación se convertiría en un mero formalismo, ignorándose su verdadera esencia de medio de comunicación que posibilita el ejercicio del derecho a la defensa (SSTC 142/89, 157/87 y 72/88)...». (STC 155/94, de 23 mayo).

(21) En todos estos supuestos, se plantea el problema de la citación efectiva del denunciado a efectos de poder celebrar el juicio en su ausencia sin que se produzca menoscabo alguno de su derecho de defensa. Así, se ha admitido por el TC, la citación por edictos como remedio último, cuando resulte imposible conocer el domicilio del denunciado. No obstante, de conformidad con la doctrina en la STC 135/1997, de 21 julio, esta forma de citación sólo resulta válida cuando existan datos que permitan concluir que el denunciado conoció por otros medios la existencia del proceso. Nótese, que la condena en ausencia del acusado en los juicios penales sólo es constitucionalmente admisible si se garantiza suficientemente el derecho del acusado a defenderse en un juicio contradictorio. El problema carece de una solución clara. Es decir, no cabe duda que ante la renuencia del denunciado a la citación el tribunal podrá celebrar el juicio cuando se hubiere practicado la citación en los modos admitidos en nuestro derecho. Incluso en el caso que se hubiere citado telefónicamente dejando constancia en acta del contenido de la citación, cuando concurra urgencia de conformidad con el art. 796.3 LECrim. Ahora bien, en cualquier caso, le cabe al condenado la impugnación de la sentencia una vez le sea notificada en forma, de conformidad con lo previsto en el art. 790.1 por remisión del art. 976 LECrim.

(22) «En el juicio por delito leve el respeto a las garantías procesales se hace especialmente necesario en los trámites de citación a juicio y de notificación de sentencia, en tanto que es precisamente es en estos actos procesales donde se debe garantizar de forma efectiva la posibilidad de asistencia y defensa en juicio y el derecho a los recursos establecidos en la ley respectivamente. Dado que en el juicio por delito leve no es necesaria la representación por Procurador ni la defensa de Abogado, se debe realizar un especial esfuerzo para garantizar que tanto la citación a juicio como la sentencia llegan a conocimiento personal de los destinatarios. Así y en cuanto a las notificaciones, los artículos 171 (LA LEY 1/1882) y 172 de la LECRIM (LA LEY 1/1882) prevén que se haga en la persona que haya de ser notificada y en su domicilio y solo en el caso de que no fuera hallada se permite la entrega de la cédula a pariente, familiar o empleado. En cuanto a las notificaciones el artículo 178 de la LECRIM (LA LEY 1/1882) presume que deberán hacerse personalmente y en el domicilio conocido del destinatario. También los artículos 967.1 y 973.2 presumen la citación a juicio y la notificación de la sentencia de forma personal. En este caso la notificación de la resolución por la que se señalaba día y hora para la celebración del juicio no

«En el supuesto de autos, no sólo no se ha entregado la citación al denunciado o a cualquiera de las personas indicadas en el artículo 172, sino que simplemente estamos ante un oficio remitido por la Guardia Civil al Juzgado el mismo día de celebración del juicio en el que se indica que por teléfono han hablado con quien "manifestó llamarse Marcos y tras informarle del auto judicial y de la fecha del mismo, esta persona no quiso aportar ningún dato para su localización". Pues bien, dicha comunicación no permite dejar constancia de que el denunciado hubiese sido efectivamente citado para el acto del juicio. No tenemos constancia de que la persona que habló con el agente de la Guardia Civil fuese realmente don Marcos. Además, desconocemos de qué auto judicial se le informó y tampoco es claro el oficio de la Guardia Civil con respecto a si se le informó de la fecha del auto, como se sugiere en el propio oficio, o de la fecha de celebración del juicio. En todo caso, el artículo 966.2 LECRIM (LA LEY 1/1882) exige que se informe a la persona denunciada sucintamente de los hechos en que consista la denuncia y del derecho que le asiste de comparecer asistido de abogado y que esta información se proporcione por escrito, requisitos que no se cumplieron en el supuesto de autos a la vista de la lectura de las actuaciones». SAP de A Coruña, Sección 6ª, Sentencia 94/2017 de 24 May. 2017, Rec. 157/2017, Ponente: Cid Carballo, Jorge Ginés. LA LEY 80244/2017.

En consecuencia, el órgano judicial deberá procurar que la citación llegue efectivamente a su destinatario y que quede constancia en autos de su recepción. No cabe reducir este trámite a un mero requisito procesal, ya que de su efectivo cumplimiento dependerá la efectividad del derecho de defensa[23].

«El correcto emplazamiento de las partes para la celebración de una vista oral en el juicio de faltas exige un especial cuidado en el órgano judicial, al depender de ello la presencia en un acto en el que, concentradamente, se articula la acusación, se proponen y practican pruebas y se realizan los alegatos en defensa de los intereses de las partes. El legal y correcto emplazamiento al denunciado, además, se ve especialmente exigido por la posibilidad de que … se produzca la celebración y resolución del juicio de faltas en su ausencia cuando conste habérsele citado con las formalidades prescritas en la ley». STC 134/2002, 3 junio.

En todos estos supuestos, se plantea el problema de la citación efectiva del denunciado a efectos de poder celebrar el juicio en su ausencia sin que se produzca menoscabo alguno de su derecho de defensa. Así, se ha admitido por el TC, la citación

---

fue realizada de forma personal. Se debe realizar la notificación donde se pueda y donde se tenga la confianza en que será recibida, pero para que tenga eficacia se debe tener la certeza de que la citación o la notificación ha llegado a conocimiento efectivo del destinatario ya que, en otro caso, el acto de comunicación será nulo (artículo 180 LECRIM (LA LEY 1/1882))». SAP de Madrid, Sección 15ª, Sentencia 229/2017 de 10 Abr. 2017, Rec. 220/2017; Ponente: Herrero Pérez, María del Carmen. LA LEY 64144/2017.

(23) «… Por lo que se refiere, más en concreto, al juicio de faltas, este Tribunal ha subrayado en distintas resoluciones (SSTC 22/87, 41/87, 141/91 y 17/92) que la finalidad esencial de la citación para la celebración del juicio es la de garantizar el acceso al proceso y la efectividad del derecho de defensa, por lo que no puede reducirse a un mero requisito formal para la realización de los siguientes actos procesales, sino que es necesario que la forma en que se realice la citación garantice en la mayor medida posible que aquélla ha llegado efectivamente a poder del destinatario, siendo esencial la recepción de la cédula por el destinatario y la constancia en las actuaciones…». (STC 10/1995, de 16 enero).

por edictos como remedio último, cuando resulte imposible conocer el domicilio del denunciado[(24)]. No obstante, de conformidad con la doctrina en la STC 135/1997, de 21 julio, esta forma de citación sólo resulta válida cuando existan datos que permitan concluir que el denunciado conoció por otros medios la existencia del proceso. Nótese, que la condena en ausencia del acusado en los juicios penales sólo es constitucionalmente admisible si se garantiza suficientemente el derecho del acusado a defenderse en un juicio contradictorio (véase sobre la citación del inculpado § 3.2.B Cap. V en sede de Actos procesales).

> «... la decisión del juez de instrucción de no suspender el juicio de faltas al constatar la incomparecencia del denunciado, edictalmente convocado al mismo, es constitucionalmente incorrecta, no sólo por las razones que derivan de la irregularidad de la citación, sino por otras que vienen exigidas por el derecho a conocer de la acusación formulada. En efecto, en el proceso penal por faltas la citación del denunciado para comparecer en juicio constituye el único medio que se les ofrece para conocer la existencia del proceso y, por ello, para preservar el mandato constitucional según el cual nadie puede ser condenado sin conocer previamente la acusación contra él formulada ...». STC 135/1997, de 21 julio.

El problema carece de una solución tasada. Es decir, no cabe duda que ante la renuencia del denunciado a la citación el tribunal podrá celebrar el juicio cuando se hubiere practicado la citación en los modos admitidos en nuestro derecho (véase § 3.2 Cap. V). Incluso en el caso que se hubiere citado telefónicamente dejando constancia en acta del contenido de la citación, cuando concurra urgencia de conformidad con el art. 796.3 LECrim. Ahora bien, en cualquier caso, le cabe al condenado la impugnación de la sentencia una vez le sea notificada en forma, de conformidad con lo previsto en el art. 790.1 por remisión del art. 976 LECrim.

La ausencia del acusado no suspenderá la celebración ni la resolución del juicio, siempre que conste habérsele citado con las formalidades prescritas en esta Ley, a no ser que el Juez, de oficio o a instancia de parte, crea necesaria la declaración de aquél (art. 971 LECrim). Por su parte, el denunciado podrá excusarse de comparecer al juicio en el caso que residiera fuera de la demarcación del Juzgado. En ese caso podrá dirigir al Juez escrito alegando lo que estime conveniente en su defensa, así como apoderar a abogado o procurador que presente en aquel acto las alegaciones y las pruebas de descargo que tuviere (art. 970 LECrim). Esta es una facultad excepcional que quiebra el principio de inmediación que rige en el proceso penal y que como tal ha de interpretarse, de modo que únicamente deberá admitirse cuando exista una causa especialmente justificada que impida su comparecencia ante el Juzgado de Instrucción.

---

(24) «... No obstante, en el juicio de faltas el artículo 971 de esta misma Ley no obliga a suspender el acto por ausencia del acusado si fue citado con las formalidades legales, entre ellas mediante edictos, forma reconocida en el artículo 178. Esta forma de citación a juicio, que ha de entenderse como un último recurso al que sólo cabe acudir cuando el domicilio o paradero no fuera conocido (STC 196/89, fundamento jurídico 2.º) según la misma Sentencia exige, para la interpretación según la Constitución de aquel precepto, que antes se utilicen los medios que permiten la citación o emplazamiento directos, cosa que no ocurrió en el caso que nos ocupa como antes se ha puesto de relieve». (STC 123/91, de 3 junio).

D) Celebración del juicio oral

El juicio será público. Se iniciará con la lectura de la acusación —querella o denuncia— y seguirá con el examen de los testigos, si los hubiere, y la práctica de las demás pruebas propuestas por los acusadores y que declare el Juez admisibles. Seguidamente se oirá al acusado, se examinarán los testigos y se practicarán las demás pruebas propuestas por la defensa y admitidas por el Juez[25]. A continuación informarán las partes verbalmente sobre los hechos, delito leve aplicable y, en su caso, indemnización solicitada, iniciando el turno el Fiscal —si asistiere—, los demás acusadores y, por último, el acusado — art. 969 LECrim.—[26]. Del desarrollo del juicio se levantará acta por el Letrado A. Justicia que firmarán todas las partes —art. 972 LECrim.— (Véase M. 279). Sobre el Acta véase el § 5.12 del Cap. XII en sede de abreviado.

> «Su simplicidad procesal, pues las pruebas se proponen en el mismo acto del juicio y no en trámite previo, no significa merma de garantías procesales. Se reviste de las fases propias de todo proceso penal, sólo que más concentradas. Así, se procede a la lectura de la querella o denuncia, el examen de los testigos y demás pruebas propuestas en el acto por el querellante, denunciante y fiscal, se oye al acusado, se oyen los testigos y demás pruebas de la defensa y acto continuo las partes —entre ellas el denunciante— expondrán de palabra lo que crean conveniente en apoyo de sus pretensiones, hablando primero el fiscal, si asistiera, después el querellante particular o denunciante y, por último, el acusado, artículo 969.1 de la LECrim (LA LEY 1/1882). Es en este trámite donde es oído el denunciante quien puede insistir en su petición de condena o renunciar a ella. Lo que no se puede es omitir dicho trámite de audiencia tras la fase de pruebas en perjuicio del denunciante, cuando éste comparece a juicio y narra los hechos denunciados y no tiene obligación de asistir con letrado, omisión en la que se incurrió en la instancia —sólo consta el informe del fiscal pidiendo absolución—. No se puede en estos casos dictar una sentencia absolutoria por ausencia de acusación. Dicha omisión respecto del denunciante afectó a su elemental derecho de tutela efectiva, toda vez que la vigencia del principio acusatorio en el juicio de faltas hace imprescindible que en ese acto pueda, si le conviene, formular sus pretensiones ad hoc». SAP de Barcelona, Sección 10ª, Sentencia 172/2017 de 14 Mar. 2017, Rec. 36/2017; Ponente: Lagares Morillo, José Antonio. LA LEY 51781/2017.

El art. 967.2 LECrim dispone que cuando los citados como partes, así como testigos o peritos, no comparezcan al juicio ni aleguen justa causa podrán ser sancionados con una multa de 200 a 2000 Euros. La ausencia *injustificada* del denunciado no suspenderá la celebración ni la resolución del juicio, siempre que conste habérsele

---

(25) En la práctica forense, no se sigue este proceder puesto que se observa el sistema general de todos los juicios penales, o sea, ratificación del denunciante y la posibilidad del perdón, caso de denuncias perseguibles solo a instancia de parte, para oír luego al denunciado, con práctica seguidamente de las pruebas solicitadas por la acusación y defensa, tal como atinadamente se señala por el Consejo General del Poder Judicial en el Informe a la proposición de Ley de juicios rápidos.

(26) «... En el juicio de faltas la acusación se formaliza en el acto del juicio, constituyendo esa formalización el comienzo del mismo, de manera que una vez conocida la acusación, pueden formularse por el acusado las alegaciones y proponer las pruebas que estime oportunas para su defensa, por lo que siempre que en el juicio de faltas se dé oportunidad para que el acusado presente prueba de descargo sobre la acusación allí formulada, no puede decirse que no haya conocido a tiempo la acusación...». (STC 211/91, de 11 noviembre).

citado con las formalidades prescritas en esta Ley y con los requisitos del arts. 965 y 966, a no ser que el Juez, de oficio o a instancia de parte, crea necesaria su declaración (art. 971 LECrim[27]). No obstante, si el denunciado reside fuera de la demarcación del Juzgado no tendrá obligación de concurrir al acto del juicio y podrá dirigir al Juez escrito alegando lo que estime conveniente en su defensa, con apoderamiento en favor de Abogado o Procurador (no resulta procedente el apoderamiento a favor de cualquier persona, como venía admitiéndose anteriormente) que presente en aquel acto las pruebas de descargo que tuviere. No obstante, se trata de una facultad excepcional que quiebra el principio de inmediación que rige en el proceso penal y que como tal ha de interpretarse cuando exista una causa justificada que impida su comparecencia ante el Juzgado de Instrucción (art. 970 LECrim).

En el acta se contendrán las alegaciones y pruebas practicadas que, según las SSTC 276/93, de 20 septiembre, 307/93, de 25 octubre y 25/97, de 11 febrero, adquiere una relevante importancia por tratarse de un juicio, eminentemente oral, sin que su contenido, amparado por la fe pública judicial, pueda ser impugnado en vía de recurso. No prevé la ley que se conceda el derecho a la última palabra, aunque nada impide que se haga así. Más aún resulta aconsejable aplicar también al juicio delitos leves todas las garantías previstas en otra clase de juicios. En cualquier caso, la falta de práctica de este derecho no supone una infracción que determine la nulidad del juicio, salvo que se hubiere producido una situación de indefensión material[28].

---

(27)   La ausencia del acusado no suspenderá la celebración ni la resolución del juicio, siempre que conste habérsele citado con las formalidades prescritas en esta Ley y con los requisitos del art. 965, a no ser que el Juez, de oficio o a instancia de parte, crea necesaria la declaración de aquél (art. 971 LECrim.): «... No obstante, en el juicio de faltas el art. 971 de esta misma Ley no obliga a suspender el acto por ausencia del acusado si fue citado con las formalidades legales, entre ellas mediante edictos, forma reconocida en el art. 178. Esta forma de citación a juicio, que "ha de entenderse como un último recurso al que sólo cabe acudir cuando el domicilio o paradero no fuera conocido" (STC 196/89, fundamento jurídico 2.°), según la misma Sentencia exige, para la interpretación según la Constitución de aquel precepto, que antes se utilicen los medios que permiten la citación o emplazamiento directos, cosa que no ocurrió en el caso que nos ocupa como antes se ha puesto de relieve. Y por otra parte, ante la evidencia de que esos medios no habían sido apurados, como resulta de los propios hechos (los daños se causaron por un vehículo automóvil cuya matrícula se conocía, el denunciante señala que el autor era un "vecino de parcela", el nombre erróneo no se rectificó pese a obrar el correcto en el atestado, etc.), el juzgador debió aplicar la facultad que otorga el propio art. 971, o sea, suspender a pesar de todo la celebración por considerar necesaria la declaración del ausente. Interpretación aplicable incluso cuando la citación edictal tuvo lugar correctamente según la Sentencia citada (fundamento jurídico 3.°) "pues es evidente que el juez ha de considerar que tal declaración es indispensable cuando, habiéndose hecho la citación a través de edictos, la comparecencia personal (o al menos la certidumbre de que había sido posible) es el único medio que permite afirmar con certeza que fue informado, al menos de lo esencial, de la acusación"...». STC 123/91, de 3 junio. Vid. También STC 78/92, de 25 mayo.

(28)   «Siendo voluntaria la disposición por la persona física acusada de la asistencia letrada, caso de hacer uso de dicha posibilidad, el término señalado debe entenderse referido a la parte acusada, pudiendo perfectamente practicarse dicha audiencia únicamente respecto del profesional que le asista, por lo que la falta de la concreta audiencia del acusado únicamente determinará la vulneración del derecho de defensa en aquellos supuestos en que de lo actuado resulte la efectiva indefensión del mismo por causa de dicha falta de audiencia, lo que será objeto de valoración en cada caso por parte del Tribunal de apelación, no siendo posible el establecimiento de una solución aplicable con carácter general a todos los procedimientos de juicio de faltas en que habiéndose

«En conclusión, y como se ha dicho antes, la vulneración del derecho a la última palabra, en tanto que manifestación del derecho a la autodefensa, como una de las garantías contenidas en el derecho a la defensa previsto en el art. 24.2 CE, no se debe configurar como una mera infracción formal desvinculada de la comprobación de que se ha generado una indefensión material, cuya argumentación es una carga procesal del recurrente en amparo .../... 5. En atención a lo expuesto debe concluirse que en el presente caso no concurre la vulneración del derecho a la defensa (art. 24.2 CE) alegada, habida cuenta de que, si bien no se posibilitó a los recurrentes intervenir al final del juicio, tras la intervención de su Letrado, sin embargo, no resulta posible apreciar que dicha circunstancia les haya generado una indefensión material, en todo caso, no acreditada en la demanda. En efecto, con independencia de si cabe considerar que el art. 969 LECrim configura legalmente la última palabra como una garantía de los denunciados en el juicio de faltas —lo que es negado por la Sentencia de apelación impugnada y defendido por el Ministerio Fiscal— lo cierto, desde la perspectiva constitucional, que es la única que cabe analizar en esta jurisdicción de amparo, es que el que no se otorgara a los recurrentes la posibilidad de que tomaran la palabra en último lugar no implica en el presente caso que se haya producido la vulneración del derecho a la defensa (art. 24.2 CE) aducida por los recurrentes. Como se ha adelantado, no resulta posible apreciar que dicha omisión haya generado a los recurrentes una indefensión material». STC 258/2007, de 18 de diciembre de 2007.

De todos modos, y para finalizar este apartado, debemos señalar la diferencia existente entre el derecho a la última palabra «*stricto sensu*» (que no regula la ley para este procedimiento) y el derecho de alegación y petición que tienen las partes en cualquier procedimiento jurisdiccional y que en el de delitos leves adquiere mayor importancia especialmente cuando se concurre al juicio sin abogado. Este último derecho naturalmente que debe ser especialmente protegido al margen de la mayor o menor calidad técnica de la intervención y/o las peticiones del denunciante cuando actúe sin abogado.

«En efecto, el examen de lo actuado, y más puntualmente la audición de la grabación verificada en relación al acto del juicio, pone de manifiesto, tal y como señala el Ministerio Fiscal en su recurso, y mantiene también Matías en su adhesión, que en dicho acto no se dio al mencionado denunciado la posibilidad de hacer las alegaciones que pudiera tener por convenientes, tras el desarrollo del juicio, con infracción de lo dispuesto en los artículos 969 (LA LEY 1/1882) y 739 de la Ley de Enjuiciamiento Criminal (LA LEY 1/1882), e igualmente que no se le preguntó tampoco acerca de si tenía alguna prueba que proponer, a fin de que se practicara la misma en ese mismo acto del juicio, con infracción también de lo dispuesto en ese ya citado art. 969.../...

asistido de Abogado el destinatario de la acusación, no sea objeto de audiencia personal con carácter previo a ser declarado el juicio visto para sentencia, toda vez que dicha prevención carece de cobijo legal en el texto del aludido art. 969, contrariamente a lo que ocurre en el denominado procedimiento ordinario, en el que tras la audiencia de los Abogados defensores se prevé la de los procesados en el art. 739 de la LECrim (LA LEY 1/1882), y en los denominados procedimiento abreviado y procedimiento para el enjuiciamiento rápido de determinados delitos, en que no obstante no contener disposición expresa al respecto en los arts. 787 y 802, por aplicación de la norma genérica contenida en el art. 758 cabe entender aplicable en el acto del juicio a practicar en dichos procedimientos el expresado art. 739 de la LECrim (LA LEY 1/1882)». SAP de Asturias, Sección 3ª, Sentencia 525/2016 de 22 Dic. 2016, Rec. 1298/2016; Ponente: Rodríguez Luengos, Francisco Javier. LA LEY 202944/2016.

Es evidente, en consecuencia, que se ha ocasionado a Matías una clara indefensión, dado que no ha tenido oportunidad de proponer prueba alguna y tampoco de hacer las consideraciones que pudiera tener por oportunas, y que dicha indefensión motiva, de conformidad con lo dispuesto en el art. 238 de la Ley Orgánica del Poder Judicial (LA LEY 1694/1985), la declaración de nulidad de las actuaciones, en concreto del mencionado juicio y la necesidad de la celebración de otro, que se desarrolle con total respeto de la normativa pertinente». SAP de Guipúzcoa, Sección 2ª, Sentencia 23/2017 de 27 Feb. 2017, Rec. 2007/2017; Ponente: Domeño Nieto, Yolanda. LA LEY 42641/2017.

a)   Asistencia del Ministerio Fiscal a la vista oral[29]

El art. 969.2.º LECrim. establece que el Fiscal asistirá a los juicios por delito leve siempre que sea citado. Sin embargo, el Fiscal General del Estado impartirá instrucciones sobre los supuestos en los que, en atención al interés público, los fiscales podrían dejar de asistir al juicio y de emitir los informes a que se refieren los artículos 963.1 y 964.2, cuando la persecución del delito leve exija la denuncia del ofendido o perjudicado[30]. Véase sobre esta cuestión la Circular de la Fiscalía 1/2015 de 19 de junio donde se contienen las normas que aplica la Fiscalía en esta cuestión. En estos casos, la declaración del denunciante en el juicio afirmando los hechos denunciados tendrá valor de acusación, aunque no los califique ni señale pena (art. 969.2 LECrim)[31]. Esta regulación es objeto de crítica doctrinal, ya que parece claro que el Fiscal debe siempre tener interés en estar personado en delitos aunque sean leves y

---

(29)   El Consejo General del Poder Judicial en el informe sobre la proposición de Ley de juicios rápidos señalaba que «… parece necesario establecer y no dejar al arbitrio de instrucciones de la Fiscalía General del Estado, la asistencia potestativa del Ministerio Fiscal a los juicios de faltas en que fuera citado y que exijan la previa denuncia del perjudicado u ofendido, salvando siempre la intervención en caso de ser los mismos menores o ausentes».

(30)   Nos encontramos, pues, ante una delegación legislativa, que faculta al Fiscal General del Estado para determinar los casos en los que sea o no necesaria la presencia del Fiscal. Como consecuencia de esta delegación, el Fiscal General del Estado dictó la Instrucción 6/92, de 23 de septiembre de la Fiscalía General del Estado que califica al art. 969.2.º LECrim como «una suerte de norma procesal en blanco que necesita para su eficacia, de forma indispensable, el complemento de una Instrucción del Fiscal General del Estado» y añade que se trata de una «anómala delegación legislativa o, si se quiere, de una heterodoxa concesión de potestad reglamentaria». En cuanto a su contenido se formulan las siguientes instrucciones: a) El Fiscal deberá intervenir en los escasos supuestos en los que deba denunciar por tratarse de personas desvalidas; b) El Fiscal podrá dejar de asistir, de forma general, a los juicios referentes a faltas contra las personas. También en el caso de faltas contra la propiedad y a ciertos supuestos de daños por imprudencia. c) El Fiscal deberá, por otra parte, intervenir en los casos de faltas de imprudencias médicas y laborales y en las derivadas de la circulación de ferrocarriles y de vehículos de motor, en los que las víctimas carezcan de la protección de un seguro obligatorio. También asistirán a aquellos en los que se enjuicie un resultado de muerte o lesiones graves, aunque medie la cobertura de los seguros obligatorios en tales casos.

(31)   Con esta norma, el legislador ha querido solucionar aquellos supuestos en los que no se haya formulado acusación. Para ello, ha tenido que acudir a que sea el criterio judicial el que, en la vista oral, estime que se ha formulado la calificación jurídica de los hechos y la pena ajustada a aquéllos, para que el acusado pueda ejercitar su derecho de defensa. Nótese que con ello se está diluyendo, en parte, la aplicación del principio acusatorio en el juicio por delitos leves.

se exija la denuncia del perjudicado. Tampoco resulta clara la redacción legal con relación a la mención a la existencia de un interés público que salvaguardar. Se trata de un concepto jurídico indeterminado de difícil contorno. Además resulta paradójico que sea el interés público el que determine la no asistencia de los Fiscales al acto del juicio.

Estas cuestiones fueron debatidas por el Tribunal Constitucional a raíz de cinco cuestiones de inconstitucionalidad planteadas por diversos Juzgados de Instrucción. Resolvió el TC en sentencia 56/94, de 24 febrero declarando que dicho precepto es plenamente constitucional y, por tanto, aplicable en el ámbito del procedimiento por delitos leves (antes juicio de faltas), puesto que lo relevante no es la presencia del Ministerio Fiscal, sino la existencia de acusación que puede mantener el denunciante. Desde ese punto de vista el art. 969.2 LECrim se habría limitado a relativizar el interés público en la punición y persecución de determinadas infracciones, atribuyendo su denuncia y ejercicio de la acusación al particular ofendido.

> «... Por consiguiente, debe existir también en el juicio de faltas acusación exteriorizada y explícita que permita al inculpado defenderse y haga posible un debate contradictorio a resolver por el Juez para imponer la condena o pronunciar la absolución. Más las inasistencia al juicio del Fiscal no implica necesariamente la ausencia de acusación, siempre que ésta pueda ser formulada por el denunciante, ofendido o perjudicado. Es la ausencia de la acusación y no la del Ministerio fiscal lo que implicaría una sentencia condenatoria con arreglo al art. 24 CE. El art. 969.2 de la LECrim. se ha limitado a relativizar el interés público en la persecución y punición de determinadas infracciones atribuyendo su denuncia y el ejercicio de la acusación al particular ofendido y relevando al Fiscal de hacerlo, no siempre, sino en aquellos casos en que lo autorice el Fiscal General del Estado...». (STC 56/94, de 24 febrero).

La sentencia que recaiga deberá notificarse, en todo caso, al Fiscal, aunque no haya intervenido, en virtud de lo dispuesto en el art. 962 LECrim. Nada impide que el Fiscal recurra la sentencia en apelación, cuando considere que así lo exige el interés público. En este caso no podrá introducir nuevas peticiones, debiendo limitarse a las formuladas en la primera instancia.

b) Suspensión de la celebración del juicio oral

El Juez puede suspender la celebración de la vista oral cuando exista motivo justo —art. 968 LECrim.—. El Tribunal Constitucional ha entendido que existe causa justificada para la suspensión cuando el acusado no ha sido citado en forma (STC 155/94, de 23 mayo[32]) o acredite que no le ha sido posible preparar la defensa (STC 211/91,

_____

(32) «... La recepción tardía del telegrama en el que se contenía la citación al acto del juicio oral no impidió al Letrado de la actora acudir a dicho acto ni exponer en ese momento cuantos extremos consideró convenientes para la defensa... Entre otras posibilidades, contaba con la de aducir la infracción del art. 965 LECrim., que ahora se denuncia en vía de amparo, a efectos de basar en ella la concurrencia de una "causa bastante" para solicitar la suspensión del juicio y su señalamiento en una fecha más lejana, de conformidad... No lo hizo así, sin embargo, ni formuló protesta alguna fundamentada en dicha infracción, ni alegó en ningún momento la forma defectuosa en que su representada había sido citada...». (STC 155/94, de 23 mayo).

de 11 noviembre[33]). También por inasistencia justificada del letrado defensor (STC 208/92, de 30 noviembre[34]), si bien no debe ser imputable a éste la falta de asistencia (STC 25/97, de 11 febrero). Asimismo, el acusado podrá solicitar la suspensión bien por escrito previamente o bien verbalmente en dicho acto. En este último caso, deberá solicitar que conste en acta tal petición, a efectos de alegar posteriormente su indefensión y solicitar nulidad de actuaciones en el recurso de apelación (STC 170/97, de 18 noviembre).

Cuando el Juez acuerde la suspensión, señalará el día más inmediato posible para su celebración y en todo caso dentro de los siete días siguientes, haciéndolo saber así a los interesados —art. 968 LECrim.—.

E) Sentencia

El Juez dictará sentencia «in voce» al finalizar el juicio y de no ser posible dentro de los tres días siguientes. La sentencia deberá estar motivada. A ese fin el Juez apreciará la prueba libremente y en conciencia teniendo en cuenta las razones expuestas por el Fiscal y por las demás partes o sus defensores y lo manifestado por los propios acusados. En cuanto al elemento jurídico deberá expresar si ha tomado en consideración los elementos de juicio que el precepto aplicable le obligue a tener en cuenta (art. 973.1 LECrim). Véase sobre motivación de las sentencias **§ 2.2.A.b.5 del Cap. I, y § 1.2 Cap. X.** *Vid.* también la STC 116/1998, de 2 junio que formula la doctrina general sobre motivación de la sentencia y su aplicación a la primera y segunda instancia del juicio de delitos leves (faltas). La sentencia se notificará a los ofendidos y perjudicados por el delito leve, aunque no se hayan mostrado parte en el procedimiento. En la notificación se harán constar los recursos procedentes contra

---

(33)   «... Sin que sea imputable al órgano judicial el hecho de que la citación llegara a poder del demandante de amparo la víspera de la celebración del juicio, tal y como se afirma en la demanda, ya que se trata, en todo caso, de una negligencia de la persona que se hizo cargo de la cédula de citación. Por tanto, cuando el demandante acude a juicio sabía cuál era el objeto del mismo, o tiene los medios a su alcance para saberlo, enterándose en el acto del juicio oral de la acusación, teniendo así mismo la oportunidad de formular alegaciones y proponer las pruebas que estimara oportunas para su defensa, pudiendo pedir, a tenor de lo dispuesto en los arts. 6 Decreto 21 de noviembre de 1952 (normas procesales de la Justicia Municipal) y 968 LECrim., la suspensión del juicio para preparar la defensa...». STC 211/91, de 11 noviembre. Vid. también SSTC STC 34/85, de 7 marzo y 154/91, de 10 julio.

(34)   Dentro del amplio concepto del derecho de defensa, ha considerado el TC que cabe solicitar y obtener la suspensión del juicio de faltas por inasistencia justificada del letrado defensor: «... No puede admitirse como motivo válido el esgrimido por los órganos judiciales de instancia y de apelación al justificar la no suspensión del juicio de faltas instada por la representación del recurrente por considerar que no siendo preceptiva en dicho procedimiento la asistencia del defensor para la validez del acto, la incomparecencia al mismo del Abogado de una de las partes no constituye motivo suficiente para decretar la suspensión de la vista. Por el contrario, debe señalarse que la pervivencia del derecho a la asistencia letrada, incluso en aquellos procedimientos en los que no resulta preceptiva, impone a los órganos judiciales la obligación de favorecer el efectivo ejercicio de ese derecho, una vez manifestada la voluntad inequívoca de cualquiera de las partes de ser asistida por un Abogado de su elección, así como la de abstenerse de interponer obstáculos impeditivos a dicho ejercicio, sin otras limitaciones que aquellas que pudieran derivarse del derecho de la otra parte a un proceso sin dilaciones indebidas (STC 47/87)...». (STC 208/92, de 30 noviembre).

la resolución comunicada, así como el plazo para su presentación y órgano judicial ante quien deba interponerse (art. 973.2 LECrim). (Véase M. 280). *Vid.* § 1.4 Capítulo X, sobre la congruencia de la sentencia penal.

En hechos lesivos con resultado de daños a personas, ocurridos con motivo de la circulación de vehículos de motor, cuando la sentencia fuese absolutoria, o bien se dictara otro tipo de resolución no condenatoria que pusiese fin provisional o definitivamente al proceso penal y el perjudicado no hubiere renunciado a la acción civil el Juez dictará auto en el que se determinará la cantidad líquida máxima que puede reclamarse como indemnización de los daños y perjuicios sufridos por cada perjudicado, amparado por el seguro obligatorio, de conformidad con el art. 13 de la Ley de Responsabilidad Civil y seguro en la circulación de vehículos de motor RDL 8/2004 de 29 de octubre. Este auto será título suficiente para su reclamación por los cauces del juicio ejecutivo, en la vía civil, o por la vía del declarativo ordinario.

La sentencia dictada en el procedimiento por delitos leves debe ser congruente con las peticiones de las partes como condición ineludible de su validez[35]. Sin embargo, se ha discutido si este requisito de la sentencia es exigible en esta clase de procedimiento habida cuenta de los términos del art. 973.1 LECrim (… y siempre que haga uso del libre arbitrio que para la calificación de la falta o para la imposición de la pena le otorga el Código Penal, deberá expresar si ha tomado en consideración los elementos de juicio que el precepto aplicable de aquél obligue a tener en cuenta). Y del art. 969.2 *in fine* LECrim que establece que: «*la declaración del denunciante en el juicio afirmando los hechos denunciados tendrá valor de acusación, aunque no los califique ni señale pena*». Preceptos que parecen indicar que el Juez no está determinado estrictamente por las peticiones de las partes. Correlativamente se plantea si en este procedimiento rige el principio acusatorio en forma plena (Véase sobre el principio acusatorio § 2.2.A.a del Capítulo I), cuestión que se resuelve de modo afirmativo por la doctrina mayoritaria de las Audiencias Provinciales.

> «Debemos destacar que En los artículos. 100 (LA LEY 1/1882), 101, y 105 de la LECrim (LA LEY 1/1882) en sentido general y del artículo 962 del mismo cuerpo legal en relación con el artículo 970, en sentido estricto se establece la necesidad de que exista acusación para poder, no solo perseguir hechos constitutivos de delitos, sino para poder llevar a cabo su condena. En todos los procedimientos penales rige el principio acusatorio, que constata la necesidad de que se ejercite y sostenga la acusación, pudiendo en los delitos leves ser sostenida por el denunciante, si solamente son perseguibles a instancia de parte, o por el Ministerio Fiscal si son delitos

---

(35) La STC 100/2000, de 10 abril declara «…en la demanda de amparo se alegan dos motivo … referidos uno a la exigencia de motivación de las resoluciones judiciales y el otro a la proscripción de toda incongruencia … A la vista de las circunstancias concurrentes en el caso, no cabe interpretar razonablemente la falta de respuesta expresa como una desestimación tácita .. toda vez que se dejó sin respuesta el único motivo aducido en el recurso de apelación (condena de la CLEA) …(lo cual) representa una denegación de la tutela judicial efectiva». Vid también la STC 74/1999, de 26 abril señala que «…sin embargo la exigencia de congruencia referida a la pretensión misma es más rigurosa, pues, en este caso, para poder apreciar una respuesta tácita y no de mera omisión es necesario que del conjunto de los razonamientos contenidos en la resolución pueda deducirse razonablemente no solo que el órgano judicial ha valorado la pretensión deducida, sino además, los motivos fundamentadores de la respuesta tácita …».

leves de carácter público. El principio acusatorio aparece como una garantía para la posible condena de las posibles infracciones cometidas, así aparece concebido por el legislador y posteriormente configurado por el Tribunal Constitucional en reiteradas sentencias(de 8 de julio de 1984 y de 4 de octubre de 1985 entre otras), de tal manera que la falta de acusación obliga al juzgador en a dictar una sentencia absolutoria, puesto que de otra forma se vulneraría el derecho de toda persona a no ser condenada sin una acusación previa, garantizando con ello la correcta defensa de la misma en el proceso penal. En el caso objeto de enjuiciamiento, la acusación en el acto del juicio no ha sido sostenida por el Ministerio Fiscal ni por la parte denunciante quien no compareció al mismo ni solicitó su suspensión, por tanto el motivo del recurso debe ser desestimado al no apreciar el gravamen aducido». SAP de Tarragona, Sección 4ª, Sentencia 101/2017 de 13 Mar. 2017, Rec. 27/2017; Ponente: Revuelta Muñoz, Francisco José. LA LEY 52403/2017.

La STC 56/94, de 24 febrero estimo la constitucionalidad del art. 969 LECrim, en una redacción anterior modificada, entiende que el debate contradictorio y el conocimiento de la acusación se cumplen con el conocimiento inicial de la denuncia, si bien puntualiza que será en cada caso concreto cuando habrá de apreciarse si existe o no acusación, lo que comporta un criterio de relatividad muy criticable en el enjuiciamiento criminal, aunque se trate de contravenciones con una pena leve[36]. En consecuencia, admitiendo la flexibilidad y relatividad aplicable a esta cuestión está claro que deben rechazarse las condenas sorpresivas o inesperadas. Este fue el criterio de la STC 230/97, de 16 diciembre que declaró que el conocimiento de la acusación contra una persona no puede presumirse en función de expresiones más o menos inequívocas. Aunque, encontramos otras sentencias con criterios dispares y no muy afortunados (*vid*. La citada STC 56/94, de 24 febrero matizada en la STC 230/97 de 16 diciembre).

En consecuencia podemos decir a modo de resumen que si se han deducido acusaciones debe estarse a lo solicitado por las partes acusadoras cuando hubieran formulado sus alegaciones por escrito o queden reflejadas en el acta. En ese caso, de acusación expresa, el Juez no podrá modificar las peticiones de las partes, sin perjuicio de su atenuación en estos procesos cuando el denunciante no califique el hecho o no señale pena, de conformidad con lo dispuesto en el art. 969.2 «*in fine*» LECrim[37]. Véase el caso de la SAP de Madrid, Sección 17ª, Sentencia 138/2016 de

---

(36)   Declara la STC 56/1994, de 24 febrero que «... la remisión al criterio del Juez cuando el juicio de faltas comience con una denuncia que identificando suficientemente el hecho denunciado no lo califica penalmente, o no pide una concreta pena para el mismo, no puede significar que se le atribuya una función acusadora, ni tampoco que tenga que formular y anticipar su criterio acerca de dichos extremos. Se trata, simplemente, de que para orientar el debate, informe a las partes del precepto o preceptos donde están tipificados los hecho que se denuncian y, genéricamente, de las penas que en aquellos se prevén...».

(37)   Ante una petición de absolución por parte del Ministerio Fiscal, para dictar sentencia condenatoria en juicio por delitos leves, sin vulnerar el principio acusatorio, son posibles las siguientes soluciones: a) preguntar al denunciante si mantiene la acusación; b) comparecer el denunciante con profesionales del Derecho; c) hacer uso, con carácter previo, por el Juez del art. 644 LECrim.; y d) aplicar el Juez por analogía el art. 642 LECrim. y suspender el juicio si el denunciante no está representado con arreglo al art. 109 LECrim. a fin de que pueda comparecer debidamente asistido y ejercitar la acción penal conforme al art. 101 LECrim. Vid. FISCALÍA GENE-

21 Mar. 2016, en la que la Audiencia niega que se pueda aplicar el procedimiento de rebaja de la pena previsto en el art. 801 LECrim debiendo el Juez estar a la pena pedida por las acusaciones que podrá imponer en su grado mínimo, pero no por debajo de ese umbral. No sólo porque no es aplicable el art. 801, sino también porque el Juez está vinculado por la acusación en este caso del Ministerio Fiscal.

> «No existe una previsión equivalente en la regulación del juicio de faltas ni en la actual del enjuiciamiento por delitos leves, y nada autoriza a extender analógicamente el incentivo punitivo establecido en el artículo 801. Añádase a lo anterior que, como razona convincentemente el Ministerio Fiscal, la conformidad no coincide con el mero reconocimiento de la culpabilidad por la comisión de los hechos constitutivos de la infracción imputada. En efecto, el objeto sustancial del proceso penal es la pretensión punitiva, de imposición de una pena determinada fundada en aquella culpabilidad, y a ella habrá de allanarse el acusado. De la lectura del invocado artículo 787 se infiere la diferencia entre la descripción de los hechos que se imputan a éste, su calificación jurídica y la pena cuya aplicación se pretende, disponiendo el Juez o Tribunal de un margen de control sobre la corrección legal de estos dos últimos extremos. El acusado habrá de estar conforme con los tres antes enunciados. Se insiste en que no está previsto aquel incentivo punitivo para el caso de juicio de faltas y que, dictado verbalmente el fallo en el curso del juicio, el Ministerio Fiscal se reservó su decisión de interponer contra él recurso». SAP de Madrid, Sección 17ª, Sentencia 138/2016 de 21 Mar. 2016, Rec. 1571/2015; Ponente: Fernández Entralgo, Jesús. LA LEY 36833/2016.

La sentencia se llevará a cabo inmediatamente transcurrido el plazo de los cinco días siguientes a su notificación si no hubiere apelado ninguna de las partes, de conformidad con los arts. 974.1 y 212.3 LECrim, incluyendo la notificación de los ofendidos o perjudicados puesto que resulta preceptiva su notificación aun cuando no hubieran sido parte en el juicio[38]. Añade el art. 975 LECrim. que si las partes, conocido el fallo, expresan su decisión de no recurrir, el Juez en el mismo acto, declarará la firmeza de la sentencia siempre que conste su notificación a todas las partes se encuentren o no personadas. El inicio del cómputo del plazo de impugnación de cinco días comienza desde la última de las notificaciones.

Contra la sentencia que se dicte en primera instancia podrá interponerse recurso de apelación en el plazo de cinco días siguientes a su notificación —art. 976.1 LECrim— que debe comenzar, desde la última notificación a las partes; incluyéndose a los ofendidos o perjudicados aun cuando no se hubieran mostrado parte en el procedimiento —art. 976.3 LECrim.— (Véase M. 281). El plazo de cinco días, y no de 10 que está previsto en el art. 790 LECrim, viene determinado por la aplicación del art. 976.1 que así lo expresa literalmente y también del art. 212.3 LECrim que se refiere expresamente a la sentencia dictada en esta clase de procedimiento y concede también un plazo de cinco días para la interposición del recurso de apelación

RAL DEL ESTADO, «Consulta 6/87, de 17 de diciembre, sobre teoría y práctica en la aplicación de los arts. 642-644 LECrim. en los juicios de faltas como efecto de la vigencia para los mismos del principio acusatorio», Supl. Boletín Información M.º Justicia, n.º 1486, p. 68.

(38) Si en la sentencia se hubiere condenado al pago de indemnización por responsabilidad civil sin fijar su importe en cantidad líquida se estará a lo que dispone el art. 984 LECrim (art. 974.2.º LECrim); precepto que remite a las reglas establecidas en la Ley de Enjuiciamiento Civil.

que se computarán, por ser plazo procesal, con exclusión de los días inhábiles (STC 133/2000, de 16 mayo).

«La circunstancia de que, de conformidad con la legislación vigente, el conocimiento y fallo de los juicios de faltas corresponda al Juez de instrucción o de Paz, en su caso, sin que exista una fase de instrucción propiamente dicha, no autoriza a interpretar la totalidad del juicio de faltas como instrucción y menos aún el recurso de apelación interpuesto contra la sentencia recaída en este juicio...». (STC 133/2000, de 16 de mayo)[39].

También cabe en este procedimiento el recurso de anulación previsto en el art. 795 LECrim como ha admitido el Tribunal Constitucional. En ese caso, el momento inicial para él cómputo del plazo para recurrir será a partir del conocimiento efectivo de la sentencia (*vid.* § 5 Cap. XI)[40].

«...la condena *"in absentia"* en juicios penales sólo es constitucionalmente admisible si se garantiza suficientemente el derecho del acusado a defenderse en un juicio contradictorio, dándose, mediante la citación que produzca un conocimiento efectivo, oportunidad de comparecer ... la citación edictal no fue correcta por no venir precedida de un agotamiento de otras posibilidades de citación personal, la decisión de no suspender el juicio no tuvo en cuenta que el denunciado no conocía la acusación, la notificación edictal de la sentencia condenatoria en ausencia no permitió su conocimiento al recurrente de forma que la pudiera recurrir en plazo ante un Tribunal superior y, por último, la inadmisión a trámite del recurso de apelación impidió impugnarla y plantear en la vía judicial la indefensión padecida ....». STC 135/1997, de 21 julio.

---

(39) Añade esta STC 133/2000, de 16 de mayo que «... En consecuencia, el recurso de apelación formulado por el recurrente contra la sentencia recaída en el juicio de faltas debió ser admitido a trámite, al haber sido presentado dentro del plazo de cinco días computados de conformidad con lo dispuesto en los arts. 182 y 185 LOPJ, esto es, excluyendo a los inhábiles y entendiendo prorrogado el plazo del primer día hábil siguiente, si el último día de plazo fuere inhábil ...».

(40) «...bien comenzando a computar el plazo para interponer el recurso de apelación a partir del conocimiento efectivo de la sentencia, o bien aplicando analógicamente las normas que regulan el recurso de anulación en el procedimiento abreviado, debió abrirse la posibilidad de un juicio rescisorio respecto a la sentencia pronunciada in absentia, pues un proceso penal sin posibilidad de contradicción no es, desde la perspectiva del art. 24 CE, un juicio justo que garantice el debido ejercicio del derecho de defensa. Y, por consiguiente, la sentencia condenatoria así dictada no puede cerrar el paso a toda impugnación ulterior..../... 5.º). De acuerdo con tales principios constitucionales, nuestras leyes, o prohíben la condena en rebeldía o, cuando limitadamente la admiten, exigen que se abra la posibilidad de un juicio rescisorio. Así, en el procedimiento ordinario, la condena en ausencia está sencillamente vedada. En el procedimiento abreviado se admite limitadamente el juicio en ausencia mas está limitada posibilidad tiene siempre como reverso la previsión de un juicio rescisorio sobre la sentencia condenatoria dictada in absentia. Y en la STC 11/1983, fundamento jurídico 4.º, este Tribunal razonó acerca de la exigencia de juicio rescisorio respecto de las condenas en ausencia a efectos de extradición, sobre la base implícita del contenido constitucional de la misma. Pues bien, puesto que en el juicio de faltas, pese a su menor entidad, se ventilan cuestiones de la misma índole que en los demás juicios penales y que, por lo tanto, afectan a los mismos derechos fundamentales, no es posible, desde un punto de vista constitucional otorgar en él validez a la condena in absentia sin posibilidad de juicio rescisorio, sin que competa a este Tribunal, sino, en su caso, a la jurisdicción». STC 135/1997 de 21 de julio.

SECCIÓN 2.   LA SEGUNDA INSTANCIA EN EL PROCEDIMIENTO POR DELITOS LEVES

2.1.   Sustanciación

El derecho a la doble instancia viene siendo aplicado como vigente para el juicio por delitos leves, como recuerda el TC[(41)], sin perjuicio de tener presente que el art. 2.1 del Protocolo núm. 7 al Convenio Europeo de Derechos Humanos reconoce la posibilidad de excepcional el derecho al recurso en relación con el enjuiciamiento de las infracciones penales leves.

> «El Pacto internacional de Derechos Civiles y Políticos ...consagra en su art. 14.5 el derecho de toda persona declarada culpable de un delito a que el fallo condenatorio y la pena que se le haya impuesto sean sometidos a un Tribunal superior… Por ello, en general, la existencia de un recurso legalmente previsto impone a Jueces y Tribunales una interpretación de la norma procesal teleológicamente funda y orientada a no impedir el acceso al conocimiento judicial por formalismos irrazonables...». STC 133/2000, de 16 mayo.

El conocimiento del recurso corresponderá a la Audiencia Provincial, constituida, a estos efectos, con un solo magistrado —art. 82.2 LOPJ[(42)]— (Véase M. 282). Durante la sustanciación de la segunda instancia, las actuaciones deberán encontrarse en Secretaría a disposición de las partes. El recurso se formalizará por escrito y se tramitará conforme a lo dispuesto en los arts. 790 a 792 LECrim (art. 976.2 LECrim.). Es decir, la apelación de un juicio por delitos leves seguirá el mismo procedimiento que el previsto para la apelación de una sentencia dictada por un Juez de lo Penal en un procedimiento abreviado. Regulación a la que nos remitimos con carácter general (*Vid.* § 4.3 Cap. XI)[(43)]. Cuando se proponga prueba o el órgano de segunda instancia

---

(41)   «La doble instancia en la jurisdicción penal, configurada precisamente como garantía del condenado... conlleva la posibilidad de impugnar las decisiones judiciales ante un Juez superior... Existen varias modalidades para los recursos y entre ellas la más común es la apelación cuya naturaleza de medio ordinario de impugnación está reconocida por todos y conlleva, con el llamado efecto devolutivo, que el juzgador ad quem asuma la plena jurisdicción sobre el caso en idéntica situación que el Juez a quo no sólo por lo que respecta a la subsunción de los hechos en la norma, sino también para la determinación de tales hechos a través de la valoración de la prueba. En tal sentido hemos explicado muchas veces que el recurso de apelación otorga plenas facultades al Juez o Tribunal ad quem para resolver cuantas cuestiones se planteen, sean de hecho o de Derecho, por tratarse de un recurso ordinario que permite un *novum iudicium* (SSTC 124/83, 54/85, 145/87, 194/90 y 21/93)...». (STC 158/95, de 6 noviembre).

(42)   Respecto a la constitucionalidad de dicha composición de la Audiencia se pronuncia la STC 183/1999, de 11 de octubre «... entienden los recurrentes que la composición unipersonal del Tribunal que conoció en apelación ... vulneró el derecho al Juez ordinario predeterminado por la Ley ...(pero) no cabe confundir el contenido de (este Derecho) con el derecho a que las normas sobre distribución de competencias entre los órganos jurisdiccionales se interpreten en determinado sentido...».

(43)   Son aplicables a la apelación del juicio de faltas todas las consideraciones expuestas con relación a la apelación frente a sentencias definitivas del Juez de lo Penal y la Audiencia provincial. Por ejemplo es aplicable la adhesión a la apelación que se regula en el art. 790.1 LECrim y que el Tribunal Constitucional ha considerado admisible y aplicable a la apelación del procedimiento por delitos leves: «Al respecto, este Tribunal ha afirmado reiteradamente que la configuración del con-

considerase necesaria la celebración de vista se deberá realizar la citación de las partes, sin que quepa en ningún caso dictar resolución *inaudita parte* (STC 105/93, de 22 marzo[44]), debiéndose informar a la víctima aunque no se haya mostrado parte ni sea necesaria su intervención —art. 791.2 LECrim.—.

La sentencia dictada en segunda instancia no es susceptible de recurso ordinario alguno. Tras su notificación, procederá la devolución de los autos al Juez de instancia, con certificación de la resolución dictada, para que proceda a su ejecución —art. 977 LECrim—. Por si quedase alguna duda sobre la irrecurribilidad de las sentencias dictadas en este procedimiento el Tribunal Supremo lo ha reafirmado en su Acuerdo de Sala de 9 Jun. 2016 en el que señala que el art. 847 1º letra b) LECrim debe ser interpretado en sus propios términos, lo cual significa que únicamente permite el recurso de casación frente a las sentencias dictadas en apelación por las Audiencias Provinciales y la Sala de lo Penal de la Audiencia Nacional, pero no a las sentencias de apelación dictadas en el procedimiento por delitos leves.

2.2. La aplicación del principio acusatorio y la prohibición de la reforma peyorativa en la segunda instancia del juicio delitos leves

El enjuiciamiento en apelación se constituye en una revisión completa no sólo de la sentencia dictada en juicio por delitos leves, sino también del juicio de primera instancia. De este modo el recurrente puede reproducir las alegaciones realizadas en primera instancia y el órgano judicial *ad quem* realizará un nuevo enjuiciamiento y valoración, tanto de las pruebas realizadas como del derecho aplicado, con respeto, en cualquier caso, del principio acusatorio que resulta aplicable a este procedimiento como reiteradamente recuerda la doctrina constitucional[45]. Así, para que pueda recaer sentencia condenatoria será preciso que haya existido en primera instancia acusación contra los imputados. Ahora bien, la ausencia de acusación en primera instancia no puede subsanarse ni variarse en segunda instancia, ya que ello vulneraría el principio acusatorio:

tenido y alcance de la apelación adhesiva en el proceso penal es cuestión que pertenece al ámbito de la interpretación de la legalidad ordinaria y que, por consiguiente, incumbe de modo exclusivo a los Jueces y Tribunales ... Ciertamente, este Tribunal no ha rechazado en ningún momento la posibilidad de caracterizar la apelación adhesiva como un verdadero medio impugnatorio a través del cual puedan deducirse pretensiones autónomas, incrementando con ello el alcance devolutivo del recurso de apelación...». STC 223/2001, de 5 noviembre. Vid también STC 56/1999, de 18 mayo.

(44)   «... Ha señalado este Tribunal reiteradamente que la falta de citación en un acto de trámite tan importante como lo es el de la vista de un recurso, cuando es debida a la omisión del órgano judicial y cualquiera que sea su causa, no sólo infringe la Ley ordinaria, sino que trasciende el ámbito constitucional, por implicar una situación de indefensión evidente (SSTC 192/89, 212/89, 78/92, 131/92), al impedir a la parte conocer que dicho acto va a celebrarse en el término del señalamiento, privándose del derecho a comparecer e intervenir en la vista oral para defender su pretensión impugnatoria (SSTC 156/92 y 196/92)...» (STC 105/93, de 22 marzo).

(45)   Vid. SSTC 84/1995, de 5 junio (FJ 2), 115/1986. De 6 octubre (FJ 2), 6/1987, de 28 enero (FJ 2), 116/1988, de 20 enero (FJ 2), 16/2000, de 31 enero (FJ 5) y 200/2000, de 24 julio (FJ. 2) señalando que con el fin de preservar el principio acusatorio y evitar el agravamiento de la situación del condenado apelante por su solo recurso, cuando ejercita el derecho a la segunda instancia en el orden penal resulta aplicable lo dispuesto en el art. 902 LECrim, para el recurso de casación, a los juicio de faltas (por delitos leves).

«... Conforme a doctrina constante de este Tribunal, los derechos a la tutela judicial efectiva con interdicción de la indefensión, a ser informados de la acusación y a un proceso con las debidas garantías suponen, considerados conjuntamente, que en todo proceso penal, incluidos los juicios de faltas, el acusado deba conocer la acusación contra él formulada... No puede dejar de recordarse que este Tribunal, en consonancia con la doctrina según la cual la interdicción de la indefensión ha de garantizarse en las dos instancia (STC 28/81), ha reconocido que el principio acusatorio también debe regir en cada una de ellas, de donde resulta que no basta con la acusación formulada en primera instancia si no vuelve a formularse en la segunda, como tampoco puede admitirse que una acusación introducida por primera vez en apelación salve la falta de acusación en primera instancia (SSTC 53/89, 168/90, 47/91, 100/92, 283/93)...». (STC 319/94, de 28 noviembre)[46].

Por ello, el Juez no podrá actuar de oficio, ni en primera ni en segunda instancia, y deberá procurar que tenga siempre plena aplicación el principio acusatorio que resulta de aplicación de tal modo que no puede fallarse por motivos distintos a los pretendidos en el recurso.

«Esta incongruencia supuso la introducción de un elemento en el debate procesal sobre el que la parte apelada no tuvo oportunidad de defenderse; pues, de un lado, ni la apelación del condenado penalmente ni la del responsable civil suscitaron esta pretensión; y, de otro, fue introducida en la sentencia por el Juez de apelación, cuando ya no era posible alegar adecuadamente en su contra. Por tanto, la incongruencia ocasionó la indefensión material del recurrente (revocación de la sentencia fundada en un error en la apreciación del prueba de la que deriva un determinado hecho probado que constituye una pretensión netamente distinta a la absolución que se pretendía fundada en la infracción de un precepto penal con base en el art. 586 bis CP) ...». STC 215/1999, de 29 noviembre.

La situación jurídica de un recurrente no puede resultar empeorada como consecuencia de su recurso exclusivo, salvo que las otras partes recurridas apelen también la sentencia. En todo caso el órgano *ad quem* deberá encuadrar el contenido de su sentencia dentro del marco de las peticiones efectuadas por las partes personadas en la segunda instancia (*Vid.* sobre la congruencia de la sentencia, en general § 1.4 Capítulo X). Véase sobre el principio prohibitivo de la «*reformatio in peius*» § 4.3.H Cap. XI.

«... En efecto, este Tribunal ha tenido ocasión de reiterar en múltiples pronunciamientos que la interdicción de la reforma peyorativa o de la *reformatio in peius*, principio conforme al cual no puede gravarse más al apelante de lo que ya estaba en la primera instancia por efecto exclusivo de su recurso y a salvo, claro está, de que recurra también el apelado o se adhiera a una apelación ya interpuesta, es una mani-

---

(46) «... Pues es evidente que el derecho a la tutela judicial efectiva "sin que en ningún caso pueda producirse la indefensión", requiere que todos los implicados en cualquier tipo de proceso penal —y, por consiguiente, también los que lo estén en un juicio de faltas— sean informados de la acusación que contra ellos se formula para poder defenderse contra ella de manera contradictoria. Dicha exigencia debe mantenerse en cada una de las instancias, sin que la formulación de acusación en segunda instancia pueda subsanar la ausencia de la misma en la primera, pues ello supondría una violación del derecho a la doble instancia en materia penal (SSTC 84/85, de 8 julio; 17/88, de 16 febrero y 240/88, de 19 diciembre)...». (STC 78/92, de 28 marzo).

festación del principio de congruencia en la segunda instancia y, en último término, del dispositivo aplicable a la acción civil derivada del ilícito penal que puede acumularse en el juicio de faltas (SSTC 116/88, 15/87, 202/88, 40/90)...». STC 279/94, de 17 octubre[47].

La prohibición de la reforma peyorativa en contra del único recurrente es también aplicable a la responsabilidad civil *ex delicto*, que impide que ésta pueda ser modificada en contra del recurrente. En consecuencia, la sentencia dictada en segunda instancia no puede sobrepasar el límite de la acordada en primera instancia, salvo que los perjudicados hubieren también apelado y solicitado una mayor condena lo que resulta aplicable tanto al ámbito de la falta o contravención como a la responsabilidad civil derivada del ilícito penal.

> «Finalmente, hemos mantenido que respecto de la acción civil derivada del ilícito penal … rige también la imposibilidad de alterar en perjuicio del único apelante las indemnizaciones concedidas en la instancia por aplicación del principio *tantum devolutum quantum appellatum*, salvo que existan otros recursos de apelación autónomos o adherentes al recurso del apelante, pues en este caso se incrementa el alcance devolutivo del recurso … En definitiva, desde el punto de vista de la acción civil vinculada a la acción penal, se producirá la *reformattio in peius* cuando la modificación operada en fase de apelación no sea consecuencia de una petición deducida ante el Tribunal…». STC 200/2000, de 24 julio[48].

Sin embargo, en algunas resoluciones, se cuestionan estos principios y su aplicación al juicio por delitos leves (antes de faltas). Así la STC 359/93, de 29 noviembre

---

(47) «... La aplicación de la prohibición de la reformatio in peius a las apelaciones de los juicios de faltas, aunque sin un precepto legal que así lo disponga, ha sido reiteradamente reconocido por la jurisprudencia del TC, que, además de otorgar efectividad al principio acusatorio en este tipo de procesos, ya declaró que el derecho a la tutela judicial efectiva, puesto en relación, por un lado, con el deber de los Jueces y Tribunales de actuar con independencia e imparcialidad y, por otro, con la obligación de que exista en el proceso penal una acusación, determina la exigencia constitucional de evitar que el Juez actúe como parte en el proceso contradictorio, sin que el Juez superior pueda actuar agravando la situación del apelante, con violación del *axioma tantum apellatum, tantum devolutum*; por todo ello no puede el Juez ad quem, de oficio, imponer superiores sanciones o mayor número de penas o crear o ampliar el contenido de las indemnizaciones establecidas por el Juez a quo, salvo si concurren otras partes apelantes que con sus peticiones permitieran efectuar una decisión de superior contenido, pues, aunque la apelación se considere un *novum iudicium*, la revisión que supone debe encuadrarse dentro de las pretensiones ejercitadas en la segunda instancia...». (STC 19/1992, de 14 febrero). Vid también SSTC 56/1999, de 18 mayo y 200/2000 de 24 julio.

(48) «... Traída esta doctrina al presente caso, es decir, a su eventual aplicación en materia de incremento de las indemnizaciones civiles derivadas de la falta cometida acordado en segunda instancia, la respuesta, como señala el Ministerio Fiscal, ha de ser claramente afirmativa. En efecto, de acuerdo con una línea jurisprudencial claramente consolidada (SSTC 15/87, fundamento jurídico 2.º; 116/88, fundamento jurídico 2.º; 202/88, fundamento jurídico 3.º, la responsabilidad civil ex delicto queda plenamente integrada en la garantía que supone la interdicción de la reforma peyorativa; es decir, al Juez ad quem le está vedado decretar una responsabilidad civil que supere el límite de la ya acordada en primera instancia si no ha existido pedimento alguno al respecto en la segunda, salvo que sea consecuencia de la aplicación de normas de orden público que debe efectuar el Juez, en todo caso, con independencia de que se haya pedido o no por las partes...». (STC 40/90, de 12 marzo). Vid., asimismo, SSTC 242/88, de 19 diciembre, 40/90, de 12 marzo; 182/91, de 30 septiembre, 56/1999, de 18 mayo y 16/2000, de 3 marzo.

estimó que no incurría en «*reformatio in peius*» la sentencia dictada en segunda instancia que introdujo una indemnización adicional, no reclamada en la instancia, pues ello era razonablemente previsible, con estimación de la denominada acusación implícita que resulta criticable. Y la STC 31/1987, de 12 marzo, declaró que el aumento de la cuantía, en segunda instancia, no comporta reforma peyorativa puesto que aparece como una actualización de la valoración del daño, por el Tribunal sentenciador.

MODELOS

M. 273. Denuncia por delito leve en el caso de que la víctima sea familia directa del agresor

MINISTERIO DEL INTERIOR

DIRECCIÓN GENERAL DE LA POLICÍA

Registro de Salida [.../...]

COMPARECENCIA

En [.../...], y la comisaría de Distrito del cuerpo Nacional de Policía [.../...], siendo las [.../...] horas del día [.../...] de 201[.../...]

Ante los Funcionarios del citado Cuerpo, ambos con categoría de policía, y carnets profesionales n.º [.../...] y [.../...], habilitados respectivamente como Instructor y Secretario para la práctica de las presentes.

COMPARECE/N

En calidad de denunciante [.../...] con DNI, n.º [.../...], domiciliado en la C/ [.../...] de [.../...], nacido el día [.../...], hijo de [.../...] y de [.../...]

Y MANIFIESTA:

Que en el día de la fecha y siendo las [.../...] se ha personado en su domicilio D. [.../...] del que se halla en régimen de separación legal al objeto de recoger a su hijo en cumplimiento del régimen de visitas, marchando del lugar su hijo [.../...] y su ex-marido, para volver instantes después únicamente su marido, al que la denunciante ha preguntado por su hijo respondiéndole que estaba en el coche para a continuación la ha empujado e insultado con frase tales como: guarra, puta, [.../...], tras lo cual le ha escupido en el rostro y ha marchado del lugar.

Que denuncia los hechos expuestos, que atribuye a su ex-marido D. [.../...], con domicilio en [.../...]

Y no teniendo nada más que manifestar firman la presente en señal de conformidad con lo en ella escrito, en unión del Instructor de lo que como Secretario CERTIFICO.

(firmas del denunciante, Instructor y Secretario)

A continuación la policía judicial citará al denunciado a las dependencias policiales a fin de informarle, sucintamente, de los hechos en que consista la denuncia, y le citará a comparecer ante el Juzgado de Guardia, informándole de su derecho a comparecer ante el Juzgado de Guardia asistido de abogado (art. 962 y 796.2 LECrim).

Finalmente se redactará Diligencia de Remisión según se expone a continuación:

DILIGENCIA DE REMISIÓN

Se extiende siendo las [.../...] del día [.../...], para hacer constar que [.../...]

En este Estado las presentes diligencias se remiten al JUZGADO DE INSTRUCCIÓN DE GUARDIA DE [.../...]. Se adjunta a las presentes las Diligencias y Citaciones practicadas así como la denuncia del ofendido.

CONSTE Y CERTIFICO

(Firmas)

M. 274. Atestado por delito de hurto

MINISTERIO DEL INTERIOR

DIRECCIÓN GENERAL DE LA POLICÍA

Registro de Salida [.../...]

COMPARECENCIA

En [.../...], y la comisaría de Distrito del cuerpo Nacional de Policía [.../...], siendo las [.../...] horas del día [.../...] de 201[.../...]

Ante los Funcionarios del citado Cuerpo, ambos con categoría de policía, y carnets profesionales n.º [.../...] y [.../...], habilitados respectivamente como Instructor y Secretario para la práctica de las presentes.

COMPARECE/N

Los funcionarios de la Guardia Urbana de [.../...] con Carnets n.º [.../...] y n.º [.../...]los cuales

PRESENTAN EN CALIDAD DE DETENIDO A: [.../...]D. [.../...], con domicilio en [.../...], hijo de [.../...] y de [.../...]HACEN ENTREGA DE: Parte facultativo expedido en el Hospital [.../...] con registro de salida con relación a la asistencia prestada a D. [.../...] atendido en el Servicio de Urgencia de dicho Hospital el día de hoy siendo las [.../...] horas [.../...]

Y MANIFIESTAN: Que en el día de hoy y siendo las .. horas mientras prestaban servicio ordinario de vigilancia por la calle [.../...] pudieron observar como el detenido se acercaba sigilosamente hacia un ciudadano que estaba hablando con otra persona e introducía su mano en el bolsillo de su pantalón para extraer rápidamente algún objeto, momento en el que el ciudadano se ha vuelto hacia el detenido al percibir algo extraño, y el detenido ha emprendido la huida por lo que le han requerido a detenerse interceptándole tras breve carrera. En su mano llevaba una cartera que el ciudadano que comparece con los agentes ha identificado como de su propiedad en la que se contenía la cantidad de 20 Euros.

Que no tienen nada más que manifestar, firmando la presente una vez leída y hallada conforme, en unión del SR. Instructor, de todo lo cual, como Secretario CERTIFICO.

(Firmas)

DILIGENCIA DE CITACIÓN.— En [.../...] siendo las [.../...], el Instructor y Secretario de las presentes diligencias hacen constar, Que considerando el Instructor que a los hechos objeto de las presentes diligencias le son de aplicación las normas sobre citación inmediata en el caso de la comisión de delitos leves flagrantes previstas en el art. 234 CP, se cita a los agentes de la Guardia Urbana con carnet profesional n.º [.../...] y [.../...] para comparecer ante el Ilmo. Sr. Juez de Guardia de [.../...], el día [.../...], apercibiéndoles que de no comparecer se podrá dictar orden de detención, conforme el art. 796.1.3ª LECrim. [.../...]

Y para que conste se extiende la presente diligencia, que es firmada por el Instructor, Secretario y los funcionarios citados.

(Firmas)

A continuación se tomará el Acta de Declaración de la víctima con la correspondiente citación, conforme con la diligencia anterior; y se procederá a la identificación del detenido y citación inmediata para juicio delitos leves según la Diligencia siguiente

DILIGENCIA DE CITACIÓN.— En [.../...] siendo las [.../...], el Instructor y Secretario de las presentes diligencias hacen constar, Que considerando el Instructor que a los hechos objeto de las presentes diligencias le son de aplicación las normas sobre citación inmediata en el caso de la comisión de delitos leves flagrantes previstas en el art. 234 CP, se cita al denunciado D. [.../...] para comparecer ante el Ilmo. Sr. Juez de Guardia de [.../...], el día [.../...] pudiendo hacerlo asistido de abogado, con las pruebas de que intente valerse, apercibiéndole que de no comparecer se podrá dictar orden de detención, conforme el art. 796.1.3ª LECrim; y asimismo que podrá celebrarse el juicio delitos leves de forma inmediata en el Juzgado de Guardia, incluso aunque no comparezca.

Y para que conste se extiende la presente diligencia, que es firmada por el Instructor, Secretario, y los funcionarios citados.

(Firmas)

Finalmente se redactará Diligencia de Remisión al Juzgado de Guardia conforme M. 58.

M. 275. Denuncia al Juzgado de Instrucción por una falta de daños ocasionada por la conducción de vehículo a motor

AL JUZGADO

D. [.../...], de estado civil [.../...], con domicilio en la calle [.../...], provisto de DNI n.º [.../...], expedido en fecha [.../...], comparece y EXPONE:

Que en fecha ... de [.../...] de [.../...], cuando circulaba conduciendo el vehículo de mi propiedad (marca y matrícula) por la calle [.../...] de esta ciudad, al llegar al cruce de ésta con la de [.../...] aminoré la velocidad para observar a los vehículos que pudieran venir por cualquiera de las calles adyacentes, y cuando me hallaba en pleno cruce, fui colisionado en la parte lateral izquierda por el turismo (marca y matrícula) que conducido por su propietario (indicar nombre y apellidos) se adentró velozmente en el cruce de calles proveniente de la izquierda, según mi sentido en marcha, y causándome distintas lesiones, que precisaron tratamiento médico durante 15 días según consta en el parte médico que adjunto, y daños en el vehículo de mi propiedad pericialmente valorados en [.../...] Euros.

Lo que pongo en conocimiento del Juzgado, al objeto de que tenga por formulada la oportuna denuncia contra [.../...] y tras seguir los trámites oportunos se dicte sentencia condenando al mismo como autor de un delito de daños por imprudencia grave cometida con vehículo a motor, art. 263 CP, a la pena e indemnización que corresponda.

En [.../...], a [.../...] de [.../...] de 201 [.../...]

Firma del denunciante

(DILIGENCIA DE PRESENTACIÓN.)

M. 276.   Providencia admitiendo denuncia por imprudencia (1)

PROVIDENCIA JUEZ SR. [.../...]

En [.../...], a [.../...] de [.../...] de 201[.../...]

Dada cuenta. Por recibidas las anteriores diligencias, fórmese expediente de juicio delitos leves que se registrará en el libro correspondiente, practicándose las siguientes diligencias: [.../...]

Lo manda y firma el Sr. D. [.../...], Juez de Instrucción de [.../...], doy fe.

(1) Estimamos más correcta la fórmula de providencia, pues se trata de un acto de solución que corresponde al Juez, pudiendo ser no sólo de admisión sino también de inadmisión.

M. 277.   Providencia acordando la inmediata celebración de juicio por delitos leves (art. 963 LECrim)

PROVIDENCIA JUEZ

En [.../...], a [.../...] de [.../...] de 201[.../...]

Dada Cuenta. Recibido Atestado policial por la comisión de una falta flagrante del art. 234 CP, estimando procedente la incoación de procedimiento por delitos leves y habiendo comparecido las partes citadas (o no habiendo comparecido cuando el juzgado reputare innecesaria su presencia), se acuerda la celebración inmediata del Juicio delitos leves en la Sala de vistas del Juzgado.

Lo que manda y firma el Sr. Juez, doy fe.

Conforme   Ante mí

NOTIFICACIÓN A LAS PARTES PERSONADAS Y AL MINISTERIO FISCAL. En el mismo día y en el acto, yo, el Letrado A. Justicia, teniendo a mi presencia al Sr. Fiscal, y D. [.../...] en calidad de denunciante y a D. [.../...] denunciado en estas actuaciones, les notifiqué en legal forma, mediante lectura íntegra y entrega de copia literal, la anterior providencia, citándole al propio tiempo a los fines en ella contenidos, y en consecuencia, firma conmigo, doy fe.

M. 278. Providencia convocando a las partes a juicio por delitos leves (art. 965 LECrim)

PROVIDENCIA JUEZ

En [.../...], a [.../...] de [.../...] de 201[.../...]

Vistas las anteriores actuaciones, convóquese a las partes a la celebración del correspondiente juicio, que tendrá lugar en la Sala de Audiencia de este Juzgado el día [.../...] a las [.../...] horas, para cuyo acto se citará al Sr. Fiscal y a las partes, advirtiéndoles que al acto deberán concurrir con las pruebas de que intenten valerse, bajo los apercibimientos legales al que deje de comparecer. Expídanse al efecto los despachos necesarios.

Lo que manda y firma el Sr. Juez, doy fe.

Conforme   Ante mí

NOTIFICACIÓN AL MINISTERIO FISCAL. En el mismo día, yo, el Letrado A. Justicia, teniendo a mi presencia al Sr. Fiscal, le notifiqué en legal forma, mediante lectura íntegra y entrega de copia literal, la anterior providencia, citándole al propio tiempo a los fines en ella contenidos, y en consecuencia, firma conmigo, doy fe.

M. 279. Acta de celebración del juicio por delitos leves

En [.../...], a [.../...] de [.../...] de 201[.../...]

Siendo el día y hora señalados para la celebración del juicio, ante el Sr. D. [.../...], Juez de Instrucción (o de Paz) [.../...] estando en audiencia pública asistido de mí el Letrado A. Justicia y presente el Ministerio Fiscal, comparecen el denunciante (indicar nombre y apellidos) y el denunciado (indicar nombre y apellidos) cuyas circunstancias personales ya constan[1].

Abierto el acto por S.S.ª y dada lectura a las actuaciones [.../...]

En este estado se declara el presente juicio visto para sentencia y leída la presente acta la firman todos los concurrentes, a continuación el Sr. Juez y el Sr. Fiscal, doy fe.

(1) No resulta obligada la asistencia del acusado cuando resida fuera de la demarcación del Juzgado. En ese caso podrá dirigir al Juez escrito alegando lo que estime conveniente en su defensa, así como apoderar a Abogado o Procurador para que presente en el acto las alegaciones y las pruebas de descargo que tuviere (art. 970 LECrim). Pero, contrariamente a lo que establecía el derogado 967 LECrim, los testigos tienen la obligación de comparecer con independencia del lugar donde residan. Si dejaren de hacerlo sin justa causa podrán ser sancionados con multa de 200 a 2000 Euros (art. 967 LECrim).

M. 280. Sentencia dictada en procedimiento por delitos leves

SENTENCIA

En [.../...], a [.../...] de [.../...] de 201[.../...]

El Sr. D. [.../...], Juez de Instrucción de [.../...], ha visto los presentes autos de juicio por delitos leves seguidos en este Juzgado con el número [.../...] sobre [.../...], en virtud de (denuncia, atestado, etc.), apareciendo como denunciante D. [.../...]y denunciado D. [.../...], cuyas demás circunstancias personales constan suficientemente en las actuaciones, habiendo sido parte el Ministerio Fiscal.

ANTECEDENTES DE HECHO

1.º Celebrado el juicio correspondiente en fecha [.../...] con la asistencia del Ministerio Fiscal y de las partes, el Sr. Fiscal en su informe estimó que los hechos eran constitutivos de [.../...]y solicitó para el denunciado, en concepto de autor, la pena de [.../...] e indemnización al denunciante de [.../...] Euros. El perjudicado, por su parte, solicitó la condena del denunciado a la pena de [.../...] y pago de [.../...] Euros. El denunciado solicitó su absolución.

2.º En la tramitación del juicio se han observado las prescripciones legales.

HECHOS PROBADOS

[.../...]

FUNDAMENTOS DE DERECHO

Primero. [.../...]

Segundo. A tenor de los arts. 116 y 123 CP, toda persona criminalmente responsable de un delito o falta lo es también civilmente y viene obligada al pago de las costas procesales.

Tercero. De conformidad con el art. 72 CP, en la aplicación de las penas procederán los Tribunales según su prudente arbitrio, dentro de los límites de cada una, atendiendo a las circunstancias del caso y del culpable.

VISTOS los artículos citados y demás de pertinente aplicación.

FALLO

Que debo condenar y condeno a [.../...] como autor de una falta de [.../...] a la pena de [.../...], así como a que en concepto de responsabilidad civil indemnice a [.../...] en la suma de [.../...] Euros, condenándole asimismo al pago de las costas procesales.

Contra esta resolución cabe recurso de apelación dentro del plazo de un día siguiente a la última notificación, a interponer en este mismo órgano para su resolución por el Magistrado de la Audiencia Provincial que por turno corresponda constituido en Tribunal unipersonal (1).

Así, por esta mi sentencia, lo pronuncio, mando y firmo.

PUBLICACIÓN. La anterior sentencia ha sido leída y publicada por el Sr. Juez que la suscribe, en audiencia pública, el día [.../...], doy fe.

(NOTIFICACIÓN. Al Ministerio Fiscal, a las partes personadas y al interesado.)

M. 281. Recurso de apelación contra la sentencia dictada en procedimiento por delitos leves

A LA AUDIENCIA PROVINCIAL

D. [.../...], Abogado actuando en nombre de [.../...] en el Juicio delitos leves número [.../...], DIGO:

Que me ha sido notificada la sentencia recaída en la expresada causa, y estimando la misma no ajustada a derecho así como gravosa a los intereses de mi representado, por medio de este escrito interpongo recurso de apelación, en base a los fundamentos siguientes:

1.º INFRACCIÓN DE LAS NORMAS DEL ORDENAMIENTO JURÍDICO: Fundado 1º en la infracción del principio constitucional de presunción de inocencia. La valoración de la prueba efectuada por el Juez de lo Penal no es respetuosa con la presunción de inocencia que ampara y protege a todo ciudadano en el enjuiciamiento del proceso penal, conforme al art. 24.2 CE, ya que ni documental ni testificalmente ha podido acreditarse que mi representado colmara las exigencias típicas de la falta de lesiones por la que ha sido condenado. 2º En la falta de proporcionalidad de la pena de multa impuesta [.../...]

2.º POR ERROR EN LA APRECIACIÓN DE LA PRUEBA: Este motivo se fundamenta en la falta de prueba que pueda fundamentar la condena por . [.../...]

Por ello, al Juzgado PIDO:

Admita este escrito y tenga por formulado recurso de apelación contra la sentencia dictada en este juicio, y que le dé el trámite oportuno.

OTROSÍ DIGO: Que cumpliendo lo dispuesto en el art. 790.2 *in fine*, designa como domicilio para las notificaciones el situado en la calle [.../...] de esta ciudad.

En [.../...], a [.../...] de [.../...] de 201[.../...]

(Firma de Abogado y Procurador)

M. 282. Sentencia de la Audiencia Provincial resolviendo el recurso de apelación

Del recurso de apelación conocerá la Audiencia Provincial constituida con un sólo Magistrado.

AUDIENCIA PROVINCIAL DE [.../...]

ROLLO [.../...]

PROCEDIMIENTO POR DELITOS LEVES N.º [.../...]

JUZGADO DE INSTRUCCIÓN N.º [.../...]

SENTENCIA Núm.

En la ciudad de [.../...], a [.../...] de [.../...]

VISTO en grado de apelación por el Ilmo. Sr. Magistrado de la Sección [.../...] de esta Audiencia Provincial D. [.../...], el juicio delitos leves seguido bajo el número [.../...] por el Juzgado de Instrucción n.º [.../...] de [.../...] por un delito de lesiones, en virtud del recurso de apelación interpuesto por [.../...] contra la sentencia de fecha [.../...] de [.../...] de [.../...] dictada por la Srª. Magistrada-Juez del expresado Juzgado.

ANTECEDENTES DE HECHO

PRIMERO. La parte dispositiva de la sentencia apelada es del tenor literal siguiente: «FALLO: Que debo condenar y condeno a [.../...] a la pena de 30 días multa a razón de 6 Euros día a abonar en el plazo de treinta días desde que una vez firme la sentencia sea requerido para su pago, con responsabilidad subsidiaria caso de impago de día de privación de libertad por cada dos cuotas de multa, y al pago de las costas del presente procedimiento, y a que en concepto de responsabilidad civil indeminice a [.../...] en la cantidad de 3.050 euros, más el incremento del 25% en concepto de factor de corrección sobre dicha cantidad, por días de curación de las lesiones y en la cantidad de 539,71 Euros por gastos acreditados, siendo la responsabilidad civil directa de la compañía Banco vitalicio, la cual habrá de abonar además de un interés anual equivalente al legal del dinero incrementado en el 50% respecto de la cantidad a cuyo pago se le condena y a partiru de la fecha del siniestro. Con la absolución del consorcio de Compensación de Seguros».

SEGUNDO. Contra la anterior sentencia se interpuso recurso de apelación por D. [.../...] se siguieron los trámites legales y se señaló el día [.../...] para la celebración de la vista pública, a la que compareció el Ministerio Fiscal y la parte apelada y no la apelante, con el resultado que obra en la precedente diligencia; poniéndose previamente de manifesto las actuaciones a las partes en la secretaria de esta Sección por término de cuarenta y ocho horas.

TERCERO. En el presente juicio se han observado y cumplido las prescripciones legales.

HECHOS PROBADOS

Se aceptan en su totalidad los hechos y fundamentos jurídicos de la Sentencia apelada.

FUNDAMENTOS DE DERECHO

PRIMERO: En primer lugar, debe ponerse de manifesto la causa de inadmisión en la que incurre el recurso interpuesto, que lo fue por el letrado [.../...] que se dice mandatario verbal y que interpuso el recurso de apelación y no el condenado D. [.../...] que ni siquiera firma el escrito de recurso, ni tampoco comparece al acto de la vista del recurso de apelación de modo que pudiera refrendar ese mandato al que se refiere el letrado, y que esta Sala, aún reprobando la forma y teniendo en cuenta que el recurso fue admitido a trámite y elevado a esta Sala, considera otorgado al letrado que interpone el recurso debiendo responder y entrar en el fondo del asunto en aras a proveer a la tutela judicial efectiva del apelante.

SEGUNDO: En segundo lugar, entrando en el recurso interpuesto debe rechazarse completamente por cuanto lo que hace el apelante es reincidir en las excusas absolutorias del Sr. [.../...] que en la sentencia se rechazan por su absoluta inconsistencia e inverosimilitud. Contrariamente a lo que expresa el apelante la condena se fundó en hechos objetivos y absolutamente acreditados que denotan una clara peligrosidad y aboluto desprecio a las normas jurídicas establecidas, sin que las alegaciones demuestren donde se halle el error del juzgador.

TERCERO: No cabe apreciar tampoco la petición de revisión de la cuantía de la multa impuesta. Téngase en cuenta que la cuota oscila desde 1,2 Euros a 300 euros) imponiendo el juzgador una cuota de 6 Euros que se halla claramente en el tramo inferior de la pena por lo que considera esta Sala que está perfectamente ajustada a las condiciones económicas del Sr. [.../...]

CUARTO: Teniendo en cuenta la temeridad del recurso interpuesto en tanto que carece del menor fundamento, habiendo determinado la comparecencia en la Sala de la parte apelada y perjudicada al acto de la vista oral a la que no compareció la parte apelante, procede imponer las costas causadas en esta alzada, de conformidad con lo previsto en el art. 240 LECrim.

En consecuencia, sin haber lugar a más argumentación debe decaer el recurso interpuesto.

VISTOS los preceptos de general aplicación

FALLO

Que se DESESTIMA el recurso de apelación interpuesto por D. [.../...], contra la sentencia de fecha [.../...] de [.../...] de [.../...] dictada por la Iltrmª Magistrado-Juez del Juzgado de Instrucción n.º [.../...] de [.../...] en el Procedimiento por delitós leves n.º [.../...] seguido ante el mencionado Juzgado y, en consecuencia, CONFIRMO ÍNTEGRAMENTE LA SENTENCIA impugnada, con imposición al apelante de las costas causadas en esta alzada.

Notifíquese la presente resolución a las partes, haciéndoles saber que contra la misma no cabe interponer recurso ordinario alguno. Devuélvánse los autos originales al Juzgado de su procedencia.

Así por esta mi sentencia, de la que se unirá certificación al rollo, lo pronuncio, mando y firmo.

PUBLICACION.— Leída y publicada ha sido la anterior sentencia en el mismo día de su fecha, por el Ilmo. Sr. Magistrado ponente, celebrando audiencia pública. DOY FE.

M. 283. Auto ejecutivo

AUTO

En [.../...], a [.../...] de [.../...] de 201[.../...]

Dada cuenta, y

HECHOS

1.º [.../...]

2.º En las referidas diligencias se dictó [.../...] con fecha [.../...], acordando el archivo de la causa por [.../...]

3.º El vehículo matrícula [.../...] tiene seguro obligatorio a cargo de la Compañía Aseguradora [.../...]número de certificado [.../...], y el vehículo matrícula [.../...] tiene seguro obligatorio a cargo de la Compañía Aseguradora [.../...], número de certificado [.../...]

4.º Por Providencia de fecha [.../...] se acordó proceder a la preparación del presente Auto, habiéndose hecho las preceptivas notificaciones al perjudicado .[.../...]y a la Compañía Aseguradora [.../...]del (de los) vehículo(s) que intervinieron en el accidente.

5.º Como gastos médico-farmacéuticos se ha justificado la cantidad de [.../...] Euros.

FUNDAMENTOS DE DERECHO

1.º Se estima como perjudicado a consecuencia del hecho que se describe a [.../...]

2.º Conforme a lo dispuesto en el art. 13 de la Ley de Responsabilidad Civil y seguro en la circulación de vehículos de motor RDL 8/2004 de 29 de octubre, que establece que cuando en un proceso penal incoado por hecho cubierto por el seguro obligatorio de responsabilidad civil derivada del uso y circulación de vehículos de motor, se declare la rebeldía del acusado o recayere sentencia absolutoria, u otra resolución que le ponga fin provisional o definitivamente sin declaración de responsabilidad, si el perjudicado no hubiere renunciado a la acción civil, ni la hubiere reservado para ejercitarla separadamente, el Juez o Tribunal que hubiere conocido de la misma dictará Auto en el que determinará la cantidad líquida máxima que pueda reclamarse como indemnización de los daños y perjuicios sufridos por cada perjudicado amparados por dicho seguro obligatorio; y un testimonio de dicho Auto, de conformidad con lo dispuesto en el art. 17 de la Ley de Responsabilidad Civil y seguro en la circulación de vehículos de motor RDL 8/2004 de 29 de octubre constituirá título ejecutivo suficiente para entablar el procedimiento correspondiente.

3.º Por el perjudicado [.../...] no se renunció a la acción civil ni ha sido reservada para ejercitarla separadamente.

VISTOS los arts. 13 y 17 de la Ley de Responsabilidad Civil y seguro en la circulación de vehículos de motor RDL 8/2004 de 29 de octubre y demás disposiciones de pertinente aplicación.

PARTE DISPOSITIVA

Que debo determinar y determino como cantidad líquida máxima que puede reclamar el perjudicado [.../...]por los daños y perjuicios sufridos a consecuencia del accidente que se describe en punto 1.º de los hechos de este Auto, la de [.../...], cantidad a satisfacer por la Compañía Aseguradora [.../...]. con cargo al certificado de seguro obligatorio número [.../...]

Notifíquese este Auto al Ministerio Fiscal y a la Compañía Aseguradora referida.

Expídase testimonio de este Auto, a los exclusivos efectos de constituir título ejecutivo, conforme a las disposiciones legales vigentes, y hágase entrega del mismo al perjudicado [.../...] mencionado.

Así lo manda y firma el Sr. D. [.../...], Juez de Instrucción de [.../...], doy fe.

DILIGENCIA. Seguidamente se cumple lo acordado, doy fe.

NOTIFICACIÓN. A las partes personadas, haciendo constar que contra esta resolución no cabe recurso alguno —art. 13 *in fine* Ley de Responsabilidad Civil y seguro en la circulación de vehículos de motor RDL 8/2004 de 29 de octubre—.

CAPÍTULO XVII
EL PROCESO ANTE EL TRIBUNAL DEL JURADO

SECCIÓN 1.   INTRODUCCIÓN[1]

La introducción del actual Jurado en nuestro ordenamiento procesal penal, tras las anteriores experiencias negativas del Jurado en nuestra historia, se realizó por medio de la LO 5/95, de 22 de mayo, del Tribunal del Jurado (LJ), modificada por la LO 8/95,

---

(1)   Véase sobre esta materia, DE LA OLIVA, Coordinador, *Comentarios a la Ley del Jurado*, Madrid, 1999; MONTERO AROCA y GÓMEZ COLOMER, Coordinadores, *Comentarios a la Ley del Jurado*, Pamplona, 1999; GÓMEZ COLOMER, *El proceso penal especial ante el Tribunal de Jurado*, Madrid, 1996; MONTERO AROCA, *Los recursos en el proceso ante el Tribunal de Jurado*, Granada, 1996; LORCA NAVARRETE, *El Jurado Español. La nueva Ley del Jurado*, Madrid, 1996; ESCUSOL BARRA, *El procedimiento penal para las causas ante el Tribunal de Jurado*, Madrid, 1996; LÓPEZ MUÑOZ, *Comentarios a la LO 5/95, del Tribunal del Jurado*, Madrid, 1995; GÓMEZ DE LIAÑO, F., *El proceso penal ante el Tribunal del Jurado*, Oviedo, 1995; BURGOS LADRÓN DE GUEVARA, J. (Director-Coordinador), *I Jornadas sobre el Jurado*, Universidad de Sevilla, Secretariado de Publicaciones, 1995; NARVÁEZ RODRÍGUEZ, A., *El Jurado en España. Notas a la Ley Orgánica del Tribunal del Jurado*, Granada, 1995; GIMENO SENDRA, «El Jurado y la Constitución», *Documentación Jurídica*, 1985, Tomo XII, enero-junio, 1985, nº 45-46; CABANAS GANCEDO, J. M.ª, «El Jurado y su futuro», La Ley, 1993; SÁNCHEZ MELGAR, J., «Constitución del Tribunal del Jurado», *La Ley*, 23 de enero de 1996, n.º 3958; DEL MORAL GARCÍA, A., «La fase intermedia en el proceso ante el Tribunal del Jurado», *Actualidad Penal*, n.º 7/12-18 de febrero de 1996; MACÍA GÓMEZ y ROIG ALTOZANO, «El nuevo sistema de adopción de la medida cautelar de prisión provisional», *Actualidad Penal*, n.º 5/29 enero-4 febrero 1996; MARTÍN Y MARTÍN, J. A., «Consideraciones sobre la instrucción en el procedimiento regulado en la nueva Ley del Tribunal del Jurado», *Actualidad Penal*, n.º 14/1-7 abril 1996. Vid. también: Circulares de la Fiscalía General del Estado: Circular 2/95, Nuevo régimen procesal de la prisión preventiva. Circular 3/95, El proceso ante el Tribunal del Jurado; su ámbito de aplicación. Circular 4/95, de 29 de diciembre, El proceso ante el Tribunal del Jurado; las actuaciones en el Juzgado de instrucción. Vid. también: Instrucciones y Circulares de la Fiscalía General del Estado: — INS 1/1997, de 6 de octubre, Acerca de algunos aspectos relativos a la presencia de la representación del Ministerio Fiscal en los recursos de apelación en el procedimiento ante el jurado. — Circular 3/95, El proceso ante el Tribunal del Jurado; su ámbito de aplicación. — Circular 4/95, de 29 de diciembre, El proceso ante el Tribunal del Jurado; las actuaciones en el Juzgado de instrucción.

de 16 de noviembre[2]. Con la promulgación de esta Ley se vino a dar cumplimiento al art. 125 de nuestra Constitución, según el cual «los ciudadanos podrán... participar en la Administración de Justicia mediante la institución del Jurado, en la forma y con respecto a aquellos procesos penales que la ley determine...».

El retraso de casi dieciséis años en el cumplimiento del mandato constitucional se debió, fundamentalmente, a diversas razones. Entre otras, a las discrepancias existentes en torno a si el Jurado mejoraría o no nuestra Administración de Justicia. En segundo lugar, a la negativa influencia del recuerdo del fracaso del Jurado en nuestra experiencia histórica y, también, las dudas sobre el tipo de Jurado a implantar[3].

Respecto a esta última cuestión, el modelo que nos ofrecían casi todos los países de nuestro entorno era el del Jurado escabinado, compuesto por ciudadanos legos y jueces profesionales que se pronuncian conjuntamente en torno a los hechos y la aplicación del derecho[4]. Sin embargo, el legislador español optó por el Jurado puro o anglosajón, en el que los ciudadanos se pronuncian sobre hechos y el Juez profesional recoge en la sentencia el veredicto de los ciudadanos jurados e impone, en su caso, la pena.

La LJ —que no concede la posibilidad de elegir entre ser juzgado por el Tribunal del Jurado o por Jueces profesionales (opción que es posible en otros países)—, no sólo regula los aspectos orgánicos del Tribunal del Jurado, sino también un nuevo procedimiento penal para sustanciar las causas que deba enjuiciar el Jurado, cuyos principios se pretende que informen la futura modificación de la LECrim. (Disp. final 4.ª LJ).

---

(2) El Pleno del Congreso aprobó la LJ, sin la introducción de las enmiendas aprobadas por el Senado, al no obtener éstas votos favorables suficientes, por ausencia de algunos diputados. Esto obligó a presentar una nueva proposición de LO para introducir las enmiendas del Senado. De ahí que la LO de 22 de mayo fuera modificada a los pocos meses por la LO 8/95. Hay que tener en cuenta, también, que la disp. final 2.ª de la LO 10/95, de 23 de noviembre, que aprueba el nuevo CP, modifica el apartado 2.º del art. 1 LJ, adaptándolo al nuevo Código Penal.

(3) El Jurado, al que se hacía mención en el Estatuto de Bayona (art. 106.2) y en la Constitución de Cádiz (art. 307), fue instaurado, con competencias limitadas, por la Ley de Imprenta de 1820 y adicional de 1822. La vigencia de estos textos legales concluyó al final del llamado trienio liberal. Posteriormente, durante la Primera República se procede a un nuevo reconocimiento legal del Jurado, a través de las Leyes de 23 de junio de 1870 y 22 de diciembre de 1872, atribuyéndosele competencia para delitos de imprenta, delitos políticos y delitos comunes más graves. El Jurado resultó un fracaso, y su regulación legal fue suspendida por D de 3 de enero de 1875. Algunos años más tarde, el Jurado se restableció por la Ley de 20 de abril de 1888, volviendo a suspenderse por D de 4 de febrero de 1907. Finalmente con la Segunda República se restableció el Jurado por D de 27 de abril, 18 de junio y 22 de septiembre de 1931 y la Ley de 27 de julio de 1933, procediéndose a la suspensión de estas disposiciones por D 8 de septiembre de 1936 del Presidente de la Junta de Defensa Nacional.

(4) Así, por ejemplo, Alemania, Francia, Italia y Portugal.

SECCIÓN 2. COMPETENCIA DEL TRIBUNAL DEL JURADO

2.1. Competencia objetiva

Como es sabido, para la delimitación de la competencia objetiva y el tipo de procedimiento, la LECrim atiende a la pena asignada en abstracto frente a la infracción penal. Este sistema se ha visto alterado por la LJ, que atribuye la competencia al Jurado por la naturaleza de la infracción penal, con independencia de la pena que lleve aparejada[5]. La competencia objetiva se regula en el art. 1 LJ, que consta de dos apartados: El primero se destina a determinar la competencia por rúbricas o categorías de delitos; y el segundo a concretar el catálogo concreto de delitos[6]. (Véase en general sobre jurisdicción y competencia Cap. III).

Conforme a lo previsto en este art. 1.1°, el Tribunal del Jurado tendrá competencia para conocer de los siguientes delitos[7]:

a) Delitos contra las personas.

b) Delitos cometidos por los funcionarios públicos en el ejercicio de sus cargos.

c) Delitos contra el honor.

d) Delitos contra la libertad y la seguridad.

El apartado 2° del art. 1 LJ concreta los siguientes:

a) Del homicidio (artículos 138 a 140).

b) De las amenazas (artículo 169.1°).

c) De la omisión del deber de socorro (artículos 195 y 196).

d) Del allanamiento de morada (artículos 202 y 204).

e) De la infidelidad en la custodia de documentos (artículos 413 a 415).

f) Del cohecho (artículos 419 a 426).

g) Del tráfico de influencias (artículos 428 a 430).

h) De la malversación de caudales públicos (artículos 432 a 434).

i) De los fraudes y exacciones ilegales (artículos 436 a 438).

j) De las negociaciones prohibidas a funcionarios (artículos 439 y 440).

k) De la infidelidad en la custodia de presos (artículo 471).

---

(5) Vid. sobre esta materia la importante Circular 3/95, de la Fiscalía General del Estado, sobre «El proceso ante el Tribunal del Jurado; su ámbito de aplicación».

(6) Con esta técnica legislativa se deja abierta la vía para ampliar o restringir, con el tiempo, la lista de delitos, siempre que los nuevos delitos que se añadan estén incluidos en las rúbricas del art. 1.1° LJ. Así sucedió con la reforma realizada por la disposición final tercera de la L.O. 1/2015, de 30 de marzo, por la que se modificó la L.O. 10/1995, de 23 de noviembre, del Código Penal.

(7) Conforme a L.O. 1/2015, de 30 de marzo, por la que se modifica la L.O. 10/1995, de 23 de noviembre, del Código Penal («B.O.E.» 31 marzo), Disposición final tercera.

f) Del cohecho (artículos 419 a 426).

g) Del tráfico de influencias (artículos 428 a 430).

h) De la malversación de caudales públicos (artículos 432 a 434).

i) De los fraudes y exacciones ilegales (artículos 436 a 438).

j) De las negociaciones prohibidas a funcionarios (artículos 439 y 440).

k) De la infidelidad en la custodia de presos (artículo 471).

La determinación de la competencia se hará atendiendo al presunto hecho delicti-vo, cualquiera que sea la participación o el grado de ejecución atribuido al acusado, salvo en el caso de los delitos contra las personas (homicidio y asesinato), de los que únicamente conocerá el Jurado si, efectivamente, se ha consumado el delito; es decir, se ha producido la muerte de una persona (art. 5.1 LJ).

De todo lo anterior resulta que, para delimitar la competencia objetiva del Tri-bunal del Jurado, se optó no por el criterio del escalado de penas, sino por el de la naturaleza o clase de delito «*ratione materiae*», enumerando incluso (art. 1.2º LJ) los correspondientes preceptos del CP, a los efectos de evitar dudas de remisión. Así cuando resulte del escrito de denuncia o querella, la imputación de un delito de los enumerados en el art. 1 LJ, deberá seguirse el procedimiento específico previsto en dicha Ley, según dispone el art. 24 LJ. La competencia del Tribunal de Jurado será exclusiva y excluyente para enjuiciar este catálogo de delitos, indistintamente que, según su gravedad, estuvieren atribuidos a la Audiencia Provincial o al Juez de lo Penal, de acuerdo con lo dispuesto en el art. 14.3º.2º y 14.4º.2º LECrim.

El juicio del Jurado se celebrará sólo en el ámbito de la Audiencia Provincial y, en su caso, en el de los Tribunales que correspondan por razón del aforamiento del acusado[8], quedando sólo excluidos de la competencia del Jurado los delitos cuyo enjuiciamiento venga atribuido a la Audiencia Nacional (art. 1.3 LJ).

De los delitos que se enumeran en el art 1.2 de la ley reguladora, siempre y sólo conocerá el Tribunal del Jurado. Si se ha de conocer de varios delitos que todos sean competencia del Tribunal del Jurado, como regla general se seguirá un procedimien-to para cada uno de ellos sin acumulación de causas. Será excepción la prevista en el art. 17 LECrim.: serán investigados y enjuiciados en la misma causa cuando la investigación y la prueba en conjunto de los hechos resulten convenientes para su esclarecimiento y para la determinación de las responsabilidades procedentes salvo que suponga excesiva complejidad o dilación para el proceso.

---

(8)   Según la Circular 3/95, de la FGE, con relación a los aforamientos de la Constitución, sus arts. 102.1 y 71.3 no pueden verse modificados por la LJ. Por tanto, cuando el aforado sea el Presidente o un miembro del Gobierno, un Diputado o un Senador, no podrá ser enjuiciado por el Tribunal del Jurado, sino a través del procedimiento que corresponda, atribuyendo el enjuicia-miento a la Sala Segunda del TS. Respecto a otros problemas que suscitan los aforamientos, vid. MARCOS AYJON, «Los problemas que suscitan los aforamientos en la Ley del Tribunal del Jurado», *La Ley*, 9 de mayo de 1996.

También conocerá de las causas que pudieran seguirse por otros delitos cuya competencia no le esté en principio atribuida en los casos en que resulte ineludiblemente impuesta la acumulación pero que sean conexos. La procedencia de tal acumulación derivará de la necesidad de evitar la ruptura de la continencia de la causa. Se entiende que no existe tal ruptura si es posible que respecto de alguno o algunos de los delitos pueda recaer sentencia de fallo condenatorio o absolutorio y respecto de otro u otros pueda recaer otra sentencia de sentido diferente (Acuerdo Pleno 21 junio 2017, transcrito a continuación en nota).

2.2. Reglas complementarias de competencia objetiva. Tratamiento de la conexión[9]

Como consecuencia del carácter excluyente que el legislador dio a la competencia objetiva del Jurado, estableció, como regla general, que siempre que exista un concurso de delitos —real o ideal— y uno de éstos figure en el catálogo de art. 1.2° LJ, será competente para conocer del concurso el Tribunal de Jurado (art. 5.2° LJ). Con esta regla, la Ley recogió alguno de los supuestos de conexión previstos en el art. 17 LECrim., salvo alguno como el referente a la conexión subjetiva, que es el de naturaleza más amplia y que contempla los delitos que se imputan a una misma persona cuando tengan analogía o relación entre sí y no hubieran sido hasta entonces sentenciados.

En este sentido, dispone el art. 5.2.° párr. I LJ, la competencia del Tribunal del Jurado se extenderá, por regla general, al enjuiciamiento de delitos conexos (aunque sean competencia de los Juzgados y Tribunales ordinarios), siempre que la conexión tenga su origen en alguno de los siguientes supuestos:

1) Que dos o más personas reunidas cometan distintos delitos (ver art. 17.1° LECrim.).

2) Que dos o más personas cometan más de un delito en distintos lugares o tiempos, si hubiese precedido concierto para ello.

3) Que alguno de los delitos se haya cometido para perpetrar otros, facilitar su ejecución o para procurar la impunidad de otros delitos.

Del examen de estos supuestos de conexión expuestos, puede afirmarse, en síntesis, que serán conexos todos aquellos delitos que se hubieran cometido en un mismo tiempo o lugar por una o más personas, o bien cuando persigan un mismo propósito u obedezcan a un mismo plan preconcebido. El TS ha entendido que en los supuestos de concurso ideal pluriofensivo —una sola acción que provoque dos delitos distintos— es de aplicación el art. 5.3[10] y si uno de ellos —en este caso el

---

(9) Vid. COLMENERO MENÉNDEZ DE LUARCA, «La conexidad en la competencia del tribunal del jurado», *Estudios de derecho judicial*, ISSN 1137-3520, N°. 96, 2006. ORDUÑA NAVARRO, «Conexidad y juicio por jurado (1) y (2)», *Diario La Ley*, 2013, n° 8027 y 8028. MUERZA ESPARZA, J.J., «Sobre la competencia del tribunal del jurado por conexión», *Actualidad jurídica Aranzadi*, n° 798, 2010, pág. 19. DE URBANO CASTRILLO, E., «La nueva doctrina sobre la conexidad delictiva, en el Tribunal del Jurado», *Revista Aranzadi Doctrinal*, n° 11 (marzo 2010), 2010, págs. 37-48.

(10) Art. 5.3 LJ: «Cuando un solo hecho pueda constituir dos o más delitos será competente el Tribunal del Jurado para su enjuiciamiento si alguno de ellos fuera de los atribuidos a su conocimiento.

más grave— es competencia del Tribunal del Jurado, todos deben ser enjuiciados conjuntamente por el procedimiento del Jurado[11].

> «Por consiguiente ha de concluirse en la estimación del motivo analizado, a fin de que conozca de las presentes actuaciones el Tribunal del Jurado, sin considerar necesaria la anulación de los actos precedentes a la propia etapa de enjuiciamiento, convalidando por tanto, las fases previas de instrucción e intermedia en cuanto a la presentación de los escritos de acusación, toda vez que en las mismas no se vulneraron dichas fundamentaciones del acusado ni se le causó indefensión alguna. El principio de seguridad jurídica y el de necesidad de conservación de los actos procesales, art. 242 LOPJ, en los que no se haya observado la vulneración de normas esenciales del procedimiento que hayan ocasionado indefensión, inclinan a mantener la validez de los actos procesales (*vid*. art. 760 y 309 bis LECrim)». STS 604/2014 de 30 Sep. 2014, Rec. 1082/2014.

La interpretación de esta regla extensiva de la competencia objetiva del Tribunal del Jurado generó un amplio debate doctrinal, que concluyó en los Acuerdos adoptados por el Pleno no jurisdiccional de la Sala Segunda del Tribunal Supremo de 20 de enero y 23 de febrero de 2010[12]. En estos Acuerdos se precisó[13] que la competencia

---

Asimismo, cuando diversas acciones y omisiones constituyan un delito continuado será competente el Tribunal del Jurado si éste fuere de los atribuidos a su conocimiento.»

(11)   STS 604/2014 de 30 Sep. 2014, Rec. 1082/2014: «La correcta interpretación del referido Pleno nos debe llevar a considerar que la aplicación del art. 5.2 c, LOTJ que tiene cuenta al móvil, objetivo o finalidad que guio al acusado se refiere a los supuestos de varias acciones que constituyen dos o más delitos, siendo uno de ellos el medio para cometer los otros —concurso medial— pero cuando nos encontramos en el supuesto de concurso ideal pluriofensivo, una sola acción que provoque dos delitos distintos, es de aplicación el art. 5.3 y si uno de ellos —en este caso el más grave— es competencia del Tribunal del Jurado, todos deben ser enjuiciados conjuntamente por el procedimiento del Jurado».

(12)   Acuerdo del Pleno no jurisdiccional de la Sala Segunda del TS de fecha 23 febrero 2010. Este acuerdo debe entenderse que sustituye al de 20 enero 2010, complementándolo: «Cuando se imputen varios delitos y alguno de ellos sea de los enumerados en el artículo 1.2 de la LOTJ: 1. La regla general es el enjuiciamiento separado, siempre que no lo impida la continencia de la causa. a) Se entenderá que pueden juzgarse separadamente distintos delitos si es posible que respecto de alguno o algunos pueda recaer sentencia de fallo condenatorio o absolutorio y respecto de otro u otros pueda recaer otra sentencia de sentido diferente. b) La analogía o relación entre varios hechos constitutivos de varios delitos, en ningún caso exige, por sí misma, el enjuiciamiento conjunto si uno o todos ellos son competencia del Tribunal del jurado (artículo 1.2 LOTJ). 2. La aplicación del artículo 5.2.a) no exige que entre los diversos imputados exista acuerdo. Se incluyen los casos de daño recíproco. 3. La aplicación del artículo 5.2.c) requiere que la relación funcional a la que se refiere se aprecie por el órgano jurisdiccional en atención a la descripción externa u objetiva de los hechos contenidos en la imputación. La competencia se extenderá al delito conexo siempre que se haya cometido teniendo como objetivo principal perpetrar un delito que sea de la competencia del Tribunal del Jurado, es decir, que ha de ser de la competencia del Jurado aquel cuya comisión se facilita o cuya impunidad se procura. Por el contrario, si el objetivo perseguido fuese cometer un delito que no es competencia del Tribunal del Jurado y el que se comete para facilitar aquél o lograr su impunidad fuese alguno de los incluidos en el artículo 1.2, en estos casos la competencia será del Juzgado de lo Penal o de la Audiencia Provincial, salvo que, conforme al apartado 1 de este acuerdo, puedan enjuiciarse separadamente. Cuando existieren dudas acerca de cuál es el objetivo principal perseguido por el autor de los hechos objeto de las actuaciones y uno de ellos, al menos, constituya delito de los atribuidos al Tribunal del Jurado (art. 1.2 LOTJ), la competencia se determinará de acuerdo con la que corresponda al delito más gravemente penado de entre los imputados. 4. El artículo 5.3,

se extenderá al delito conexo siempre que se hubiera cometido teniendo como objetivo principal perpetrar un delito que sea de la competencia del Tribunal del Jurado[14] y si existieren dudas acerca de cuál es el objetivo principal perseguido por el autor de los hechos objeto de las actuaciones y uno de ellos, al menos, constituya delito de los atribuidos al Tribunal del Jurado (art. 1. 2º), la competencia se determinará de acuerdo con la que corresponda al delito más gravemente penado[15].

Con posterioridad, el Pleno no jurisdiccional de la Sala 2ª del TS dictó un nuevo Acuerdo, de fecha 21 junio 2017, en el fija su postura respecto a la incidencia en el procedimiento de la Ley de Jurado de las reglas de conexión, introducidas en el art. 17 LECrim, por Ley 41/2015, de 5 de octubre, de modificación de la Ley de Enjuiciamiento Criminal para la agilización de la justicia penal y el fortalecimiento de

---

al mencionar un solo hecho que pueda constituir dos o más delitos, incluye los casos de unidad de acción que causaren varios resultados punibles. 5. Se excluye el caso de la prevaricación, que nunca será competencia del Tribunal del Jurado. 6. En consecuencia, cuando no se aprecie alguna de las finalidades previstas en el artículo 5.2.c) o el delito fin no sea de los enumerados en el artículo 1.2 (cuando hubiere dudas sobre cuál es el delito fin se atenderá al criterio de la gravedad); no concurran las circunstancias de los apartados a) o b) del artículo 5.2; no se trate de un caso de concurso ideal o de unidad de acción; o, en cualquier caso, siempre que uno de los delitos sea el de prevaricación, y no pueda procederse al enjuiciamiento separado sin romper la continencia de la causa, la competencia será del Juzgado de lo Penal o de la Audiencia Provincial».

(13)   STS 668/2015 de 3 Nov. 2015, Rec. 10294/2015: «hay que recordar que en los Acuerdos de los días 20 de enero y 23 de febrero de 2010, se establecieron por el Pleno no jurisdiccional de esta Sala Segunda del Tribunal Supremo, como pautas de interpretación del art. 5 de la LOTJ, las previstas en los mismos .../...».

(14)   STS 350/2011 de 5 May. 2011, Rec. 11323/2010: «El 20 de enero de 2010 se convoca un Pleno no jurisdiccional, sobre la competencia del Tribunal del Jurado en los supuestos de conexidad delictiva, que es lo que concurre en el caso presente. Según el acuerdo mayoritario, se examinan y resuelven distintas posibilidades. En relación con el caso concreto, se decide que "La competencia se extenderá al delito conexo siempre que se haya cometido teniendo como objetivo principal perpetrar un delito que sea de la competencia del Tribunal del Jurado, es decir que ha de ser de la competencia del Jurado aquel cuya comisión se facilita o cuya impunidad se procura". 4. En otro Pleno no jurisdiccional, de 23 de febrero de 2010, complementa el anterior precisando que "Cuando existieren dudas acerca de cuál es el objetivo principal perseguido por el autor de los hechos objeto de las actuaciones y uno de ellos, al menos, constituya delito de los atribuidos al Tribunal del Jurado (art. 1.2) la competencia se determinará de acuerdo con la que corresponda al delito más gravemente penado"».

(15)   STS 42/2011 de 21 Sep. 2011, Rec. 11285/2010: «La interpretación de esta regla extensiva de la competencia objetiva del Tribunal del Jurado, generó un amplio y encendido debate doctrinal que concluyó en el Acuerdo adoptado por el Pleno no jurisdiccional de esta Sala Segunda del Tribunal Supremo de 23 de febrero de 2010, que en su apartado tercero establecía que la aplicación del art. 5.2 .c) requiere que la relación funcional a la que se refiere se aprecie por el órgano jurisdiccional en atención a la descripción externa u objetiva de los hechos contenidos en la imputación. La competencia se entenderá al delito conexo siempre que se haya cometido teniendo como objetivo principal perpetrar un delito que sea de la competencia del Tribunal del Jurado, es decir, que ha de ser de la competencia del Jurado aquel cuya comisión se facilita o cuya impunidad se procura. Por el contrario, si el objetivo perseguido fuese cometer un delito que no es competencia del Tribunal del Jurado y el que se comete para facilitar aquél o lograr su impunidad fuese alguno de los incluidos en el art. 1.2, en estos casos la competencia será del Juzgado de lo Penal o de la Audiencia Provincial, salvo que, conforme el apartado 1 de este acuerdo, puedan enjuiciarse separadamente».

las garantías procesales[16]. Este Acuerdo de 21 junio 2017 entiende con relación al supuesto del art. 5. 1.1 (a): «4. Existirá conexión determinante de la acumulación en los supuestos del art 5 de la LOTJ. 5. Que en el supuesto del art 5.2 a, se entenderá que también concurre la conexión conforme al actual art 17.6º cuando se trate de delitos cometidos por diversas personas cuando se ocasionen lesiones o daños recíprocos. Cuando se atribuyan a una sola persona varios hechos delictivos cometidos simultáneamente en unidad temporal-espacial y uno de ellos sea competencia del Tribunal del Jurado, se considerarán delitos conexos por analogía con lo dispuesto en el artículo 5.2.a) de la LOTJ, por lo que, si deben enjuiciarse en un único procedimiento, el Tribunal del Jurado mantendrá su competencia sobre el conjunto».

---

(16)   Acuerdo, de fecha 21 junio 2017, del Pleno no jurisdiccional de la Sala 2ª del TS: «1.- De los delitos que se enumeran en el art 1.2 de la ley reguladora, siempre y sólo conocerá el Tribunal del Jurado. Si se ha de conocer de varios delitos que todos sean competencia del Tribunal del Jurado, como regla general se seguirá un procedimiento para cada uno de ellos sin acumulación de causas. Será excepción la prevista en el nuevo art 17 de la Ley de enjuiciamiento criminal: serán investigados y enjuiciados en la misma causa cuando la investigación y la prueba en conjunto de los hechos resulten convenientes para su esclarecimiento y para la determinación de las responsabilidades procedentes salvo que suponga excesiva complejidad o dilación para el proceso. 2.- También conocerá de las causas que pudieran seguirse por otros delitos cuya competencia no le esté en principio atribuida en los casos en que resulte ineludiblemente impuesta la acumulación pero que sean conexos. 3.- La procedencia de tal acumulación derivará de la necesidad de evitar la ruptura de la continencia de la causa. Se entiende que no existe tal ruptura si es posible que respecto de alguno o algunos de los delitos pueda recaer sentencia de fallo condenatorio o absolutorio y respecto de otro u otros pueda recaer otra sentencia de sentido diferente. 4.- Existirá conexión determinante de la acumulación en los supuestos del art 5 de la LOTJ. 5.- Que en el supuesto del art 5.2 a, se entenderá que también concurre la conexión conforme al actual art 17.6º cuando se trate de delitos cometidos por diversas personas cuando se ocasionen lesiones o daños recíprocos Cuando se atribuyan a una sola persona varios hechos delictivos cometidos simultáneamente en unidad temporo-espacial y uno de ellos sea competencia del Tribunal del Jurado, se considerarán delitos conexos por analogía con lo dispuesto en el artículo 5.2.a) de la LOTJ, por lo que, si deben enjuiciarse en un único procedimiento, el Tribunal del Jurado mantendrá su competencia sobre el conjunto. 6.- En los casos de relación funcional entre dos delitos (para perpetrar, facilitar ejecución o procurar impunidad) si uno de ellos es competencia del Tribunal del Jurado y otro no, conforme al artículo. 5.2.c) de la Ley del Tribunal del Jurado, se estimará que existe conexión conociendo el Tribunal del Jurado de los delitos conexos. 7.- No obstante en tales supuesto de conexión por relación funcional, la acumulación debe subordinarse a un estricta interpretación del requisito de evitación de la ruptura de la continencia, especialmente cuando el delito atribuido al Jurado es de escasa gravedad y el que no es en principio de su competencia resulta notoriamente más grave o de los excluidos de su competencia precisamente por la naturaleza del delito. 8.- Tampoco conocerá el Tribunal del Jurado del delito de prevaricación aunque resulte conexo a otro competencia de aquél. Pero sí podrá conocer, de mediar tal conexión, del delito de homicidio no consumado. 9.- Cuando un solo hecho pueda constituir dos o más delitos será competente el Tribunal del Jurado para su enjuiciamiento si alguno de ellos fuera de los atribuidos a su conocimiento. Asimismo, cuando diversas acciones y omisiones constituyan un delito continuado será competente el Tribunal del Jurado si éste fuere de los atribuidos a su conocimiento. 10.- A los efectos del art 17.2.3 de la LECrim se considerarán conexos los diversos delitos atribuidos a la misma persona en los que concurra, además de analogía entre ellos, una relación temporal y espacial determinante de la ineludible necesidad de su investigación y prueba en conjunto, aunque la competencia objetiva venga atribuida a órganos diferentes. En tales casos, si de uno de los delitos debiera conocer el Tribunal del Jurado, se estará a lo establecido en el apartado 5 párrafo segundo de este acuerdo».

Y añadió el citado Acurdo de 2017 que «10. A los efectos del art 17.2.3 de la LECrim se considerarán conexos los diversos delitos atribuidos a la misma persona en los que concurra, además de analogía entre ellos, una relación temporal y espacial determinante de la ineludible necesidad de su investigación y prueba en conjunto, aunque la competencia objetiva venga atribuida a órganos diferentes. En tales casos, si de uno de los delitos debiera conocer el Tribunal del Jurado, se estará a lo establecido en el apartado 5 párrafo segundo de este acuerdo».

Por otra parte, entendió el TS que la aplicación del artículo 5.2.c) LJ requiere que la relación funcional a la que se refiere este precepto se aprecie por el órgano jurisdiccional en atención a la descripción externa u objetiva de los hechos contenidos en la imputación. La competencia se extenderá al delito conexo siempre que se haya cometido teniendo como objetivo principal perpetrar un delito que sea de la competencia del Tribunal del Jurado[17].

En el Acuerdo 21 junio 2017 el TS declaró que en los casos de relación funcional entre dos delitos (para perpetrar, facilitar ejecución o procurar impunidad) si uno de ellos es competencia del Tribunal del Jurado y otro no, conforme al artículo. 5.2.c) de la Ley del Tribunal del Jurado, se estimará que existe conexión conociendo el Tribunal del Jurado de los delitos conexos. No obstante, en tales supuesto de conexión por relación funcional, la acumulación debe subordinarse a un estricta interpretación del requisito de evitación de la ruptura de la continencia, especialmente cuando el delito atribuido al Jurado es de escasa gravedad y el que no es en principio de su competencia resulta notoriamente más grave o de los excluidos de su competencia precisamente por la naturaleza del delito.

Por otra parte, el legislador precisó (art. 5.2°.2° LJ), que en ningún caso podrá enjuiciarse por conexión el delito de prevaricación, así como aquellos delitos conexos cuyo enjuiciamiento pueda efectuarse por separado sin que se rompa la continencia de la causa. A estos supuestos debe, también, añadirse el previsto en el art. 5.1° LJ, referente a la exclusión de la competencia del Jurado de los delitos de homicidio no

---

(17) STS 62/2013 de 29 Enc. 2013, Rec. 10145/2012: «4. Sobre la pertinencia de acudir, llegados a este punto, a un tribunal profesional en lugar de a un jurado popular para el conocimiento y fallo del objeto del proceso, se explica efectivamente a través del contenido de los Acuerdos del Pleno no jurisdiccional celebrados por esta Sala los días 20/01/2010 y 23/02/2010, interpretativos del art. 5 LOTJ, debiendo reseñar que en concreto el Acuerdo de 23/02/2010 —que esta Sala ha recogido ya en diversas resoluciones como las SSTS núm. 215/2010, de 8 de marzo, 358/2010, de 4 de marzo, 854/2010, de 29 de septiembre, y 1116/2010, de 22 de octubre— ofrece en su inciso 3 la pauta aplicable al caso cuando señala: "(...) 3. La aplicación del artículo 5.2.c) requiere que la relación funcional a la que se refiere se aprecie por el órgano jurisdiccional en atención a la descripción externa u objetiva de los hechos contenidos en la imputación. La competencia se extenderá al delito conexo siempre que se haya cometido teniendo como objetivo principal perpetrar un delito que sea de la competencia del Tribunal del Jurado, es decir, que ha de ser de la competencia del Jurado aquel cuya comisión se facilita o cuya impunidad se procura. Por el contrario, si el objetivo perseguido fuese cometer un delito que no es competencia del Tribunal del Jurado y el que se comete para facilitar aquél o lograr su impunidad fuese alguno de los incluidos en el artículo 1.2, en estos casos la competencia será del Juzgado de lo Penal o de la Audiencia Provincial, salvo que, conforme al apartado 1 de este acuerdo, puedan enjuiciarse separadamente", salvedad esta última no aplicable en el presente caso».

consumado. El Acuerdo de 21 junio 2017 sentó sobre este punto que: «8. Tampoco conocerá el Tribunal del Jurado del delito de prevaricación aunque resulte conexo a otro, competencia de aquél. *Pero sí podrá conocer, de mediar tal conexión, del delito de homicidio no consumado*».

Según el Acuerdo 21 junio 2017: «la procedencia de tal acumulación derivará de la necesidad de evitar la ruptura de la continencia de la causa. Se entiende que no existe tal ruptura si es posible que respecto de alguno o algunos de los delitos pueda recaer sentencia de fallo condenatorio o absolutorio y respecto de otro u otros pueda recaer otra sentencia de sentido diferente».

En la práctica forense este conjunto de normas sobre conexión han producido en el tiempo importantes divergencias interpretativas, en especial las referentes a la conexión subjetiva de varias causas (art. 17.5º LECrim.)[18]. Según se interpreten estas normas, podrán dar lugar a que se enjuicie cada delito por separado o bien que se agrupen diversas causas en un sólo proceso. No es pacífico el criterio de la competencia a favor del Tribunal de Jurado o bien a favor de la Audiencia.

Existe, en primer lugar, una norma general, que no es discutible, contenida en el art. 5.2º y 5.2º.2º LJ, en la que se dispone que si existe conexidad entre delitos que son competencia del Jurado con otros que no lo son, se podrán enjuiciar por separado por tribunales distintos, *siempre que no se rompa la continencia de la causa*. El TS ha ido sentando criterios sobre esta materia. En concreto, ha declarado que la regla general es el enjuiciamiento separado, siempre que no lo impida la continencia de la causa[19].

De lo expuesto, podrían diferenciarse, como reglas complementarias sobre competencia objetiva, las siguientes:

1º) Cuando se impute a un acusado la comisión de dos delitos contra las personas (homicidio o asesinato), uno consumado y otro intentado. Según el art. 5.1 LJ, el Jurado sólo será competente para enjuiciar los delitos de esta índole que hayan sido consumados. No lo será por conexión subjetiva, ya que ésta se encuentra excluida del art. 5.2º LJ. En consecuencia, cada uno de estos delitos debería ser enjuiciado por separado: el consumado por el Tribunal de Jurado y el intentado por la Audiencia.

---

(18)   La conexión del n.º 5 del art. 17 LECrim., aunque excluida por la LJ, puede crear problemas en aquellos supuestos en que una persona cometa dos o más delitos conexos, que no sean todos competencia del Tribunal del Jurado. Cfr. al respecto CFGE 3/95.

(19)   Ver STS 668/2015 de 3 Nov. 2015, Rec. 10294/2015 antes citada.

6. En consecuencia, cuando no se aprecie alguna de las finalidades previstas en el art. 5.2.c) o el delito fin no sea de los enumerados en el art. 1.2 (cuando hubiere dudas sobre cuál es el delito fin se atenderá al criterio de la gravedad); no concurran las circunstancias de los apartados a) o b) del art. 5.2; no se trate de un caso de concurso ideal o de unidad de acción; o, en cualquier caso, siempre que uno de los delitos sea el de prevaricación, y no pueda procederse al enjuiciamiento separado sin romper la continencia de la causa, la competencia será del Juzgado de lo Penal o de la Audiencia Provincial.

Cuando existieren dudas acerca de cuál es el objetivo principal perseguido por el autor de los hechos objeto de las actuaciones y uno de ellos, al menos, constituya delito de los atribuidos al Tribunal del Jurado —art. 1.2 LOTJ—, la competencia se determinará de acuerdo con la que corresponda al delito más gravemente penado de entre los imputados».

Ahora bien, este planteamiento conduce a la división de la continencia de la causa, prohibida por el art. 5.2°2° LJ.

Surgido este problema interpretativo, el Tribunal Supremo lo pretendió resolver mediante Acuerdo del Pleno no jurisdiccional de la Sala Segunda, de fecha 5 de febrero de 1999, adoptado por mayoría, por el que se otorgó la competencia única, en estos casos, a la Audiencia Provincial[20].

> «Aclarado este extremo, debemos pasar a la segunda cuestión, de fondo, que no es otra que la de determinar la competencia del Tribunal que debe juzgar esta causa en la que existe un delito de homicidio consumado y otro en tentativa. De acuerdo con el art. 5 de la LOTJ en relación con el art. 1, corresponde el conocimiento del delito de homicidio al Tribunal del Jurado, pero solo será competente dicho Tribunal respecto del delito de homicidio consumado. Esta Sala, como último intérprete de la legalidad ordinaria penal, acordó en el Pleno no Jurisdiccional de 5 de octubre de 1999 que: "... En los problemas de determinación de la competencia entre el Tribunal del Jurado y la Audiencia Provincial en aquellos casos en los que se imputan a una persona dos delitos contra las personas, uno consumado y otro intentado, con riesgo de romper la continencia de la causa, el enjuiciamiento corresponderá siempre a la Audiencia Provincial...". Este Acuerdo mantiene al día de hoy toda su vigencia y en modo alguno ha quedado modificado o afectado por el Acuerdo del Pleno no Jurisdiccional de 23 de febrero del presente año que abordó los temas de conexidad delictiva en relación al Tribunal del Jurado. Como ya apuntaba el auto de la Audiencia Provincial de Madrid de 9 de septiembre de 2009 son muy numerosas las sentencias de esta Sala que han venido manteniendo el Acuerdo del Pleno indicado, que por lo expuesto debe ser mantenido toda vez que queda fuera de toda duda que los hechos deben ser enjuiciados conjuntamente no pudiéndose romper la continencia de la causa». STS 1116/2010 de 22 Dic. 2010, Rec. 902/2010[21]. Ver también STS 604/2014 de 30 Sep. 2014, Rec. 1082/2014.

---

(20) El contenido de este Acuerdo del TS dispone: «En los problemas de determinación de la competencia entre el Tribunal de Jurado y la Audiencia Provincial en aquellos casos en los que se imputan a una persona dos delitos contra las personas, uno consumado y otro intentado, con el riesgo de romper la continencia de la causa, el enjuiciamiento corresponderá a la Audiencia Provincial».

(21) «En cualquier caso, y en el supuesto actual, lo cierto es que la cuestión controvertida (la competencia para el enjuiciamiento de delitos conexos de asesinato consumado e intentado), que no es sencilla en el ámbito de la interpretación de la legalidad ordinaria y ha dado lugar a fuertes debates doctrinales así como a soluciones dispares en la práctica judicial, ha quedado resuelta por la Audiencia Provincial de instancia de un modo conforme a nuestra doctrina jurisprudencial .../... Lo cierto es que esta Sala Segunda del Tribunal Supremo reunida en Sala General a los efectos de unificación de criterios con fecha 5 de febrero de 1999, acordó mayoritariamente que «cuando se imputen a una persona dos delitos contra las personas, uno consumado y otro intentado, con el riesgo de que el enjuiciamiento separado rompa la continencia de la causa, el enjuiciamiento corresponderá a la Audiencia Provincial». Criterio que se ha reflejado en las sentencias núm. 70/1999, de 18 de febrero y 716/2000, de 19 de abril, constituyendo por tanto jurisprudencia consolidada que hay que respetar. En consecuencia el enjuiciamiento de los hechos por parte de la Audiencia Provincial no sólo responde a una interpretación razonable de las reglas de competencia —lo que en cualquier caso excluye la infracción constitucional denunciada del derecho fundamental al Juez predeterminado por la ley— sino también a la interpretación más correcta conforme a la doctrina jurisprudencial STS Sala Segunda, de lo Penal, Sentencia 132/2001 de 6 Feb. 2001, Rec.

Un supuesto frecuente es el de un delito de robo con homicidio, constituyendo el robo el objetivo principal perseguido por el delincuente. En estos casos el enjuiciamiento no será competencia del Jurado, aunque el delito de homicidio sea de mayor gravedad que el robo, ya que el homicidio es sólo el medio para cometer el robo o encubrir su comisión. La competencia para su enjuiciamiento conjunto corresponderá a la Audiencia Provincial[22]. Pero el Acuerdo de 2017 señaló que el TJ podrá conocer, de mediar tal conexión, del delito de homicidio no consumado.

2º) Los delitos que no sean conexos pero hayan sido cometidos por la misma persona y tengan analogía o relación entre sí, cuando sean de la competencia del mismo órgano judicial, podrán ser enjuiciados en la misma causa, a instancia del Ministerio Fiscal, si la investigación y la prueba en conjunto de los hechos resultan convenientes para su esclarecimiento y para la determinación de las responsabilidades procedentes, salvo que suponga excesiva complejidad o dilación para el proceso (art. 17.3º LECrim).

La aplicación de este precepto dependía de la interpretación que quisiera darse a la no inclusión en el art. 5 LJ, del supuesto de conexión subjetiva regulado en el antiguo art. 17.5º LECrim. En el Acuerdo de 21 junio 2017 del TS se precisó que: «A los efectos del nuevo art 17.3 de la LECrim se considerarán conexos los diversos delitos atribuidos a la misma persona en los que concurra, además de analogía entre ellos, una relación temporal y espacial determinante de la ineludible necesidad de su investigación y prueba en conjunto, aunque la competencia objetiva venga atribuida a órganos diferentes. En tales casos, si de uno de los delitos debiera conocer el Tribunal del Jurado, se estará a lo establecido en el apartado 5 párrafo segundo de este acuerdo[23]». Es decir, se arrastra la competencia al TJ.

1154/1999-P/1999; Ponente: Conde-Pumpido Tourón, Cándido. LA LEY 31066/2001. Ver también la STS 18 febrero 1999, La Ley 1999, 2459.

(22) ATS 546/2015 de 18 Mar. 2015, Rec. 10943/2014: «En lo que se refiere a la vía procesal a seguir, en el acuerdo del Pleno no jurisdiccional de fecha 20 de enero de 2010 se decidió que cuando se imputen varios delitos y alguno de ellos sea de los enumerados en el artículo 1.2 LTJ, la regla general es el enjuiciamiento separado, siempre que no lo impida la continencia de la causa. La competencia se extenderá al delito conexo siempre que se haya cometido teniendo como objetivo principal perpetrar un delito que sea de la competencia del Tribunal del Jurado, es decir, que ha de ser de la competencia del Jurado aquel cuya comisión se facilita o cuya impunidad se procura. Por el contrario, si el objetivo perseguido fuese cometer un delito que no es competencia del Tribunal del Jurado y el que se comete para facilitar aquél o lograr su impunidad fuese alguno de los incluidos en el artículo 1.2, en estos casos la competencia será del Juzgado de lo Penal o de la Audiencia Provincial, salvo que, conforme al apartado 1 de este acuerdo, puedan enjuiciarse separadamente. Por tanto, resulta de aplicación a la presente causa el contenido del párrafo tercero del apartado 3 del referido Acuerdo, conforme al cual al constituir el delito de robo, para cuyo enjuiciamiento no es competente el Jurado, el objetivo principal perseguido por la recurrente, siendo el homicidio, aunque de evidente mayor gravedad que el anterior, sólo el medio para cometer aquel o encubrir su comisión, la competencia para su enjuiciamiento conjunto corresponde a la Audiencia Provincial».

(23) Apartado 5º, párrafo 2º: «Cuando se atribuyan a una sola persona varios hechos delictivos cometidos simultáneamente en unidad temporo-espacial y uno de ellos sea competencia del Tribunal del Jurado, se considerarán delitos conexos por analogía con lo dispuesto en el artículo 5.2.a) de la LOTJ, por lo que, si deben enjuiciarse en un único procedimiento, el Tribunal del Jurado mantendrá su competencia sobre el conjunto».

Sin embargo, de acuerdo con la *praxis* judicial predominante hasta la fecha de dicho Acuerdo, la interpretación que se había dado a aquel silencio del antiguo art. 17.5 LECrim se inclinó por excluir del ámbito del Tribunal de Jurado, a favor de la Audiencia, la competencia por conexión subjetiva, por entender que así lo decidió el legislador al no incluirla expresamente en el art. 5 LJ, como sí hizo con el resto de los supuestos del art. 17 LECrim. Una justificación de este criterio se encontraba, según el TS, en la necesidad de tutelar la institución del Jurado, evitándole el enjuiciamiento de supuestos muy complejos y diversos, que dificultaría su funcionamiento[24]. Se pretendió con ello favorecer el buen funcionamiento del Jurado, impidiendo por la vía de la conexidad su desbordamiento, aun cuando ello signifique una disminución de sus intervenciones[25]. Por tanto, la doctrina del TS aplicó el criterio de prevalencia

---

(24) «... Pese a ello, se estimó mayoritariamente que debía respetarse la voluntas legis que excluye claramente el supuesto del art. 17.5 LECrim. de la vis atractiva por conexión favorable a la competencia del Tribunal del Jurado, debiendo primar el criterio legal de favorecer el buen funcionamiento de la Institución evitando su desbordamiento por la vía de la conexidad, aun cuando pueda determinar una limitación en el número de sus intervenciones. Criterio que, obviamente, puede ser sometido a crítica doctrinal pero que vincula jurisprudencialmente a los órganos jurisdiccionales, pues precisamente la función de la unificación jurisprudencial es la de proporcionar seguridad jurídica y predictibilidad en las decisiones de los Tribunales Penales». Sala Segunda, de lo Penal, Sentencia 857/2001 de 29 Jun. 2001, Rec. 888/2000; Ponente: Conde-Pumpido Tourón, Cándido. LA LEY 7536/2001.

(25) Esta doctrina reiterada del TS, apoyada por un gran sector de la doctrina, ha sido discutida en alguna sentencia, que no ha sido tenida en cuenta en otras posteriores. Véase en este sentido la STS de 29 noviembre 2000 (Ponente Martín Pallín): «Esta posición, que comparte en gran medida la doctrina, presenta puntos débiles y nos puede llevar a consecuencias realmente desorbitadas. Volviendo al ejemplo antes citado, pensemos en una causa en la que se están persiguiendo los delitos de homicidio, amenazas, allanamiento de morada e incendios forestales, pero al que se anade un delito de incendios con grave peligro para la vida o la integridad física de las personas, en indudable conexión o analogía con los anteriores. No podemos sostener, sin quebrar los principios racionales del sistema, que la competencia tendría que ser sustraída al Tribunal del Jurado. Si además tenemos como punto de referencia legal sobre la competencia del Tribunal del Jurado, la postura adoptada sobre los delitos que estén en relación de concurso ideal o que constituyan una modalidad de delito continuado, podemos llegar a la conclusión de que las normas reguladoras de la competencia no pueden considerarse como rígidas e inflexibles. La fuerza atractiva del Tribunal del Jurado puede y debe extenderse a supuestos en los que se ofrezcan peculiaridades que no encajen de manera exacta e incontrovertida en las reglas desarrolladas, con carácter general, en el art. 5 LOTJ. La conexidad subjetiva se establece no sólo en función de criterios objetivos o cuantitativos, sino que se debe tener en cuenta que la concentración en un sólo proceso, de los varios delitos que se imputen a una persona, no es base suficiente para su acumulación, sino que se requiere que guarden analogía o relación ente sí, lo que en todo caso, deberá ser valorado por el Tribunal que en definitiva vaya a juzgar. Por ello estimamos que el criterio de gravedad de hecho enjuiciado es una pauta suficiente y necesaria para establecer la competencia en algunas modalidades de pluralidad delictiva que presentan analogía con determinadas modalidades de concursos delictivos en los que concurren delitos de la competencia de Tribunal de Jurado, con otros cuyo enjuiciamiento vendría atribuido a los Jueces y Tribunales técnicos. Una solución contraria, nos llevaría a la desertización de la competencia de los tribunales populares, que cedería indebidamente su fuero preferente y que vería, cómo la aparición de un hecho delictivo accesorio de distinta naturaleza a los originariamente encomendados al jurado, se llevaría la competencia privando a éste de la posibilidad de ejercer su auténtica y natural función de enjuiciamiento». STS Sala Segunda, de lo Penal, Sentencia 1832/2000 de 29 Nov. 2000, Rec. 298/2000; Ponente: Martín Pallín, José Antonio. LA LEY 1387/2001.

de la competencia a favor de la Audiencia Provincial con base a la regla especial de los supuestos contemplados en el art. 5 LJ[26]. Este criterio restrictivo fue también sustentado por la Circular de la Fiscalía General del Estado 3/1995, de 27 de diciembre (apartado VI, letra a). En la misma se argumenta que cuando los delitos estén tan íntimamente relacionados con su comisión que su enjuiciamiento por separado rompería la continencia de la causa, entonces deberá conocer conjuntamente de ellos la Audiencia o Juez de lo Penal, ya que no es competente el Jurado por haberse excluido la conexidad subjetiva de su ámbito.

La doctrina ha discutido la inclusión en el proceso penal del concepto «división de la continencia de la causa», que es genuino del proceso civil, sin explicar su contenido. Concepto, además, que ha desaparecido de la LEC 1/2000. Sin duda, el legislador ha querido evitar con su inclusión el enjuiciamiento separado de delitos conexos, que pudieran dar lugar a sentencias contradictorias[27].

> «C) En el caso presente no puede sostenerse de ninguna manera que la no atribución de la competencia al Tribunal del Jurado haya sido infundada y, mucho menos, arbitraria. Tal y como se recoge en la sentencia recurrida en el fundamento jurídico

(26) STS 308/2009 de 23 Mar. 2009, Rec. 1732/2008: «Este criterio de prevalencia de la competencia del tribunal ordinario, es decir de la Audiencia Provincial o, en su caso, del Juzgado de lo penal, en los supuestos de varios delitos no atribuidos todos al procedimiento de la Ley del Jurado, ha de aplicarse más allá de los términos literales de este acuerdo, como lo acredita la sentencia citada en la sentencia recurrida, la 982/2007 de 27 de noviembre, referida precisamente a un caso de cohecho enjuiciado junto con otro relativo a tráfico de drogas, Véanse las sentencias de esta sala 70/1999, 716/2000, 1093/2002, 119/2003 y 370/2003 que aplicaron también ese acuerdo de 5 de febrero de 1999. El fundamento de tal acuerdo se encuentra en que precisamente el art. 5.1 de tal Ley del Tribunal del Jurado omite el n° 5° del art. 17 LECrim., el relativo a la conexión subjetiva (varios delitos imputados a una misma persona cuando tuvieran analogía o relación entre sí), tras haber acogido antes los otros cuatro supuestos del mismo art. 17. Esta ley especial ha querido limitar la competencia del jurado de modo que solo pueda conocer de los delitos recogidos expresamente en su art. 1».

(27) «Para enjuiciar el delito de homicidio la competencia correspondía, en principio, al Tribunal del Jurado porque así lo dispone el art. 1, apartado 1 a) y 2 a) de la LO 5/1995 del Tribunal del Jurado (LOTJ). Por este mismo precepto "a contrario" y por el art. 14.4° de la LECrim la competencia correspondía a la Audiencia Provincial para enjuiciar, por las normas generales de la LECrim, el delito de agresión sexual. La conexidad indudable, en el caso enjuiciado, entre ambos delitos seguía atribuyendo la competencia, como regla general, al Tribunal del Jurado por imperativo de lo dispuesto en el apartado primero del art. 5.2 de la LOTJ pero esa regla general tenía que ceder ante la excepción contemplada, en el apartado segundo del mismo artículo y número, cuando juzgar por separado los dos delitos podía romper la continencia de la causa, pudiendo dar lugar a sentencias contradictorias, como resolvió con acierto el Tribunal de instancia siguiendo en lo que era aplicable, porque los supuestos no son iguales, la argumentación de la sentencia de esta Sala núm. 70/1999, de 18 de febrero. Desdoblar el enjuiciamiento, en un caso tan grave, hubiera supuesto escenificar repetida y dolorosamente en instancias judiciales distintas el drama de unos hechos que se habían producido prácticamente de forma casi simultánea en la breve franja de tiempo de apenas dos horas y en el pequeño espacio de un apartamento, con el riesgo —ya señalado— de sentencias contradictorias. Tenían que residenciarse en un solo Tribunal y siendo juez ordinario en este caso tanto el del Jurado como la Audiencia Provincial había que atribuirlo a ésta, para cumplir el art. 117.3 de la CE, según las normas de competencia antes expuestas». STS Sala Segunda, de lo Penal, Sentencia 1531/2000 de 5 Oct. 2000, Rec. 1316/1999; Ponente: Aparicio Calvo-Rubio, José. LA LEY 178380/2000.

primero, el objetivo perseguido por los acusados era la comisión de un robo con violencia o intimidación, que no es de la competencia del Tribunal del Jurado, además los hechos no son susceptibles de enjuiciamiento separado. La imposibilidad del enjuiciamiento separado de los distintos delitos radica en que su atribución a todos los imputados pasa por la común valoración del concierto alcanzado para la comisión del robo con violencia o intimidación con uso de arma, existiendo un riesgo de pronunciamientos contradictorios». ATS 523/2014 de 27 Mar. 2014, Rec. 10905/2013.

O bien que la dictada en un proceso pudiera vincular al Juez del otro proceso, por el efecto de cosa juzgada. Sin embargo, al no delimitar su contenido y alcance se ha dejado su aplicación a una interpretación casuística, con la evidente disminución de la seguridad jurídica que esto implica.

«Como esta misma Sala ya tuvo ocasión de exponer (Auto de 23 de febrero de 2001, en rollo de apelación n.º 978/2000), la competencia del Tribunal del Jurado se extiende a delitos no comprendidos en el art. 1.2 LOJT y Disposición Final 2ª.2 de la LO 10/95, de 23 de noviembre, del Código Penal, *sólo* cuando sean conexos y si enjuiciándolos separadamente se rompiera la continencia de la causa. La ruptura de la continencia de la causa no es un concepto estrictamente equivalente al del art. 162 de la antigua LEC (concepto no recogido como tal en la vigente LEC 1/2000), por obvias razones de disparidad del proceso civil y el proceso penal. No obstante, en su esencia, coinciden en la idea de que deben verse en un mismo proceso aquellas pretensiones de tal modo enlazadas que la resolución de una determine la resolución de la otra, esto es, que la sentencia que se dictara en un proceso separado por una de ellas produjera efecto de cosa juzgada en el seguido por la otra». (Auto AP Barcelona, Sec. 9ª, de 31 mayo 2002).

Cuando no exista el riesgo de división de la causa, se enjuiciarán los delitos cometidos por una persona por cada Tribunal competente:

«Con los datos que los autos del recurso y los remitidos por el Tribunal de instancia ponen al alcance de la Sala de casación, ésta carece de elementos para asegurar que los delitos de estafa y falsedad que parecen cometidos por el acusado tengan, con respecto a los de malversación de caudales públicos e infidelidad en la custodia de documentos, que igualmente se le imputan, alguna de las relaciones de conexidad que se enumeran en el párrafo primero del art. 5.2 LOTJ. Parece, pues, atendible la pretensión del Ministerio Fiscal en cuanto interesa la casación y anulación del auto recurrido para que el Tribunal del Jurado no extienda su competencia al conocimiento de los posibles delitos de estafa y falsedad, cuya exclusión de la lista de delitos atribuidos a dicho Tribunal no carece evidentemente de fundamento porque se trata de infracciones cuya apreciación, en el mero plano de los hechos, puede revestir graves problemas técnicos. Ahora bien, tampoco tiene elementos esta Sala para decidir que existe, entre los delitos de que debe conocer el Tribunal del Jurado y los que pertenecen al ámbito de competencia de la Audiencia Provincial una relación de tal naturaleza que no sea posible, sin romper la continencia de la causa, efectuar por separado su respectivo enjuiciamiento. Y parece lógico que si esta posibilidad es bastante para sustraer del conocimiento del Tribunal del Jurado los delitos conexos para los que, en principio, tendría competencia, lo sea también para que no le sea substraído el conocimiento de los delitos directa y expresamente encomendados a su tarea juzgadora. Por ello, y en tanto no surjan datos de los que se deduzca la imposibilidad de enjuiciar por separado los delitos de falsedad y estafa por una parte y los de malversación de caudales públicos e infidelidad en la custodia de documentos por otra, esta Sala estima que los dos primeros deben ser atribuidos a la competencia de la Audiencia Provincial y los dos últimos a la del Tribunal del Jurado». STS Sala Segunda, de lo Penal, Sentencia 93/2002 de 31 Ene. 2002, Rec. 528/2001; Ponente: Jiménez Villarejo, José. LA LEY 3703/2002.

3º) Cuando un solo hecho pueda constituir dos o más delitos, si uno de ellos compete al Jurado, conocerá éste de todos aquéllos (art. 5.3 LJ). En este supuesto se recoge el denominado concurso ideal propio, ya que se refiere al supuesto de que con una sola acción (no varias, como ocurre con los supuestos de conexión), se hayan cometido dos o más infracciones diversas, sin diferenciar entre la gravedad de los delitos, a los efectos de determinar la competencia. La imposición de penas se hará conforme a lo previsto en el art. 77 CP.

4º) Cuando diversas acciones y omisiones constituyan un delito continuado que figure en el catálogo del art. 1 LJ, será competente el Jurado (art. 5.3.2 LJ). Se trata de una regla congruente con la general establecida en el apartado 2º de este mismo precepto, referente a la ampliación de la competencia objetiva por conexión. La imposición de penas se hará conforme a lo previsto en el art. 74 CP.

5º) Cuando deban enjuiciarse delitos menos graves relacionados con un delito que deba conocer el Jurado, serán aquéllos, también, enjuiciadas por éste. No contempla esta posibilidad la LJ, si bien este silencio no debe interpretarse como exclusión intencionada. En consecuencia, aplicando por analogía los preceptos 142.5 y 742 LECrim y los principios de economía procesal y de la indivisión de la continencia de la causa, el Jurado conocerá de los delitos incidentales o conexos[28], que hayan sido cometidos por el autor del delito, cuyo enjuiciamiento corresponda a aquél[29].

---

(28) Vid. Concepto de falta incidental en el art. 142.5 LECrim.

(29) STSJ de Cataluña, Sala de lo Civil y Penal, Sentencia 17/2009 de 25 Jun. 2009, Rec. 30/2008: «En estas condiciones de aparente orfandad de cualquier criterio jurisprudencial, atendida la singularidad del supuesto de autos, de cuya necesidad de enjuiciamiento conjunto no es posible dudar razonablemente, se hace preciso examinar si en la regla del párrafo primero del apartado 3 del art. 5 LOTJ sólo tienen cabida estricta los supuestos de concurso previstos en el art. 77 CP, entre los cuales no estaría el presente por la diferencia de sujetos activos, o si por el contrario —como sostuvo la última de las partes apeladas en el trámite de informe oral de la vista de este incidente—, no es posible dicha asimilación por las diferentes naturalezas y finalidades de uno (art. 5 LOTJ) y otro (art. 77 CP) precepto, de manera que no cabe introducir por vía hermenéutica en aquél una precisión que no contiene ("ubi lex non distinguit, nec nos distinguere debemus"). Por lo pronto, resulta evidente que, a diferencia de lo que sucede en el apartado 2 del art. 5 LOTJ, el apartado 3 no contiene ninguna excepción a las dos reglas que establece en sus dos párrafos, como tampoco contiene ninguna modulación de las mismas, de manera que en las previsiones allí contenidas no será posible atender al mayor número de delitos o a la mayor gravedad de alguno de ellos para excluir del Tribunal del jurado el hecho único integrante de varios delitos o el delito continuado formado por diversas infracciones. En tales casos, bastará con que uno de tales delitos o una de tales infracciones sea de la competencia del Jurado para atribuir a éste el enjuiciamiento de todos sin exclusión. Por otro lado, la ausencia de referencia expresa a precepto alguno tanto de la LECrim como del Código Penal no permite atribuir al primer párrafo del art. 5.3 LOTJ una correspondencia absoluta con el concurso del art. 77.1 CP, con el que, si bien presenta indudables similitudes, no es enteramente coincidente, como sí ha advertido expresamente en alguna ocasión nuestro Tribunal Supremo (STS 2ª núm. 458/2005 de 14 abr .), por lo que, de la misma manera que

2.3. Competencia territorial

La competencia territorial del Tribunal del Jurado se ajustará a las normas generales (art. 5.4 LJ), celebrándose los juicios en el ámbito de las Audiencias Provinciales (arts. 1.3 LJ y 83 LOPJ). Estas normas se examinan en el Cap. II, Secc. 4ª, donde se estudian los distintos fueros aplicables, previstos en los art. 14 y ss. LECrim.

2.4. Competencia funcional

Cuando el juicio del Jurado se celebre en el ámbito de la AP, la instrucción de las causas corresponde a los juzgados de instrucción [art. 87.1.º a) LOPJ y art 14.2.º LECrim.]. Cuando se celebre en el ámbito del TSJ o del TS, instruirá un Magistrado de la Sala correspondiente, conforme a un turno preestablecido (arts. 57.2.º, 61.2.º y 73.4.º LOPJ).

El conocimiento y fallo, en todo caso, corresponde, obviamente, al Tribunal del Jurado constituido en el ámbito de la AP, del TSJ o del TS.

Las sentencias dictadas en el ámbito de la AP, y en primera instancia, por el Magistrado-Presidente del Tribunal del Jurado, así como los autos resolutorios de cuestiones previas, serán apelables ante la Sala de lo Civil y Penal del TSJ de la correspondiente Comunidad Autónoma [art. 846.bis a) LECrim.].

La Sala de lo Penal del TS conocerá del recurso de casación por infracción de ley o por quebrantamiento de forma contra las sentencias dictadas por la Sala de lo Civil y Penal de los TSJ (art. 847 LECrim.).

2.5. Tratamiento procesal

El control de la correcta aplicación de las reglas sobre competencia objetiva, territorial y funcional corresponde, necesariamente, a los tribunales, que deberán realizarlo de oficio, por su carácter de imperativas. Las partes, también, podrán denunciar la infracción de estas normas a través de los siguientes medios:

a) Competencia objetiva y funcional: la primera posibilidad de denunciarlas será en el momento de la comparecencia prevista en el art. 25, en el que se da traslado a las partes de la imputación. Una nueva posibilidad se prevé en la ce-

en la regla del apartado 2 tienen perfecta cabida todos supuestos de delitos instrumentales, incluidos aquellos que no sean medio necesario para cometer otro delito y que, por tanto, no podrían integrar el concurso medial del art. 77 CP, cabe afirmar también que en el apartado 3 tienen cabida supuestos como el que es objeto del presente recurso de apelación que ameritan un enjuiciamiento único, sin necesidad de acudir a reglas de preferencia, como la de la gravedad del delito (STS 2ª núm. 904/2004 de 12 jul.), que por lo demás también abonaría en este caso la competencia del Tribunal del Jurado. Finalmente, no puede dejar de considerarse un argumento de conveniencia o puramente economicista, con incidencia en el derecho fundamental a un proceso sin dilaciones indebidas, argumento que ha sido considerado por el Tribunal Supremo en ocasiones similares (SSTS 2ª núm. 512/2000 de 23 mar. y núm. 50/2004 de 30 jun.) cuando, pese a reconocerse la viabilidad de las razones esgrimidas por un recurrente para ser enjuiciado por uno u otro tribunal (el Jurado o la Audiencia provincial) y por las normas de uno u otro procedimiento, aprecia que la nulidad de actuaciones y la retroacción del procedimiento habría de producir para todos mayores perjuicios que beneficios, sobre todo cuando no se advierte situación de indefensión alguna».

lebración de la audiencia preliminar, regulada en el art, 31.3 y 32.4 LJ. También podrá alegarse como cuestión previa al tiempo de personarse ante el Tribunal de Jurado, según permite el art. 36.1.a) LJ.

b) Competencia territorial: aun cuando la LJ no prevé ninguna norma de impugnación de este tipo de competencia durante la fase de instrucción, a nuestro entender, cabe esta denuncia conforme al régimen general previsto en el art. 19 LECrim. En particular, podrá denunciarse en la comparecencia prevista en el art 25 LJ y en la audiencia preliminar del art. 31 LJ. Sí está previsto expresamente su planteamiento como cuestión previa en el art. 36.1.a) LJ. Esta única referencia no debe llevar a interpretar que la ausencia de su regulación durante la fase instructora obedezca a una voluntad del legislador de posponer su denuncia hasta una vez trasladada la causa al Tribunal de Jurado, dado el carácter estrictamente procesal de esta materia.

SECCIÓN 3. COMPOSICIÓN DEL TRIBUNAL DEL JURADO, ESTATUTO JURÍDICO Y DESIGNACIÓN DE LOS JURADOS

3.1. Composición del Tribunal del Jurado

El Tribunal del Jurado se compone de nueve jurados (y dos suplentes, para el caso de que algún jurado titular no pudiera asistir al juicio por causa justificada) y un Magistrado de la Audiencia Provincial, que lo presidirá (art. 2.1 LJ). El Magistrado será el que por turno corresponda.

Si por razón del aforamiento del acusado, el juicio del Jurado debe celebrarse en el ámbito del TS o de un TSJ, presidirá el Tribunal del Jurado un Magistrado de la Sala de lo Penal del TS o de la Sala de lo Civil y Penal del TSJ (art. 2.2 LJ).

3.2. Estatuto jurídico de los jurados

La función de los jurados es emitir veredicto declarando o no probado el hecho justiciable que el Magistrado-Presidente haya declarado como tal, así como aquellos otros que decidan incluir en su veredicto y no impliquen variación de aquél (art. 3 LJ). También deberán proclamar la culpabilidad o inculpabilidad de cada acusado por su participación en el hecho o hechos delictivos respecto a los cuales el Magistrado-Presidente hubiese admitido acusación (art. 2.1 y 2 LJ)[30].

(30) «... la función esencial de los Jurados, tal y como se define en el art. 3 de la LOTJ, es la de emitir veredicto, "declarando probado o no probado el hecho justiciable que el Magistrado-Presidente haya determinado como tal, así como aquellos otros hechos que decidan incluir en su veredicto y no impliquen variación sustancial de aquél"; por lo que debe quedar claro que la misión del Jurado es la de optar entre diversas proposiciones fácticas y no entre las calificaciones jurídicas de las acusaciones y la defensa. Por lo que se refiere al veredicto de culpabilidad (que debería consistir en una sola palabra: culpable o inocente), el art. 3 de la LOTJ dispone expresa-

Los jurados participan, por tanto, en la función jurisdiccional. De ahí que en el ejercicio de sus funciones deban actuar con arreglo a los principios de independencia, sumisión a la ley y responsabilidad, a los que se refiere el art. 117 de la Constitución para los miembros del Poder Judicial (art. 2.3 LJ).

Y como la garantía de la independencia es fundamental, los jurados que se consideren inquietados o perturbados en su independencia podrán dirigirse al Magistrado-Presidente para que les ampare en el desempeño de su cargo (art. 3.4 LJ).

Respecto a la responsabilidad de los jurados, la disposición adicional segunda de la LJ se refiere, en concreto, a algunas infracciones penales. Los jurados que abandonen sus funciones sin causa legítima, o que persistan en su negativa de jurar el cargo, o en su negativa de votar el veredicto incurrirán en pena de multa de 600 a 3.000 Euros. Los que incumplan con la obligación de guardar secreto de lo deliberado incurrirán en la pena de arresto y multa de 600 a 3.000 Euros.

En el estudio del estatuto personal de los jurados hay que distinguir los siguientes aspectos:

A) Derecho y deber de jurado

La función de jurado no sólo es un derecho para aquellos ciudadanos en los que no concurra motivo que lo impida, sino que también se impone como un deber para quienes no estén incursos en incompatibilidades, prohibiciones o excusas (art. 6 LJ).

B) Requisitos (art. 8 LJ)

Son requisitos para ser jurado, los siguientes:

---

mente que los Jurados "también proclamarán la culpabilidad o inculpabilidad de cada acusado por su participación en el hecho o hechos delictivos respecto de los cuales el Magistrado-Presidente hubiese admitido acusación". En consecuencia el veredicto de culpabilidad se limita a declarar al acusado culpable "por su participación en los hechos" que se han declarado previamente probados, sin que pueda añadir nada a la calificación o valoración de los mismos que no esté en el previo relato fáctico. Este ya debe contener todos los elementos necesarios para que el Magistrado-Presidente pueda subsumirlos jurídicamente en la calificación correcta, incluidos, en su caso, los elementos subjetivos del tipo así como todos los datos objetivos que hayan permitido inducir dichos elementos subjetivos .../... El veredicto de culpabilidad "por la participación en el hecho o hechos delictivos" no constituye más que una mera consecuencia del relato fáctico, que expresa un reproche social por los hechos declarados acreditados, pero no debe contener calificación jurídica alguna (el Jurado español es un Jurado "de hechos", integrado de modo expreso por ciudadanos legos en derecho, art. 10.9 LOTJ, función calificadora que corresponde al Magistrado-Presidente (art. 9 LOTJ y 70 LOTJ). Por consiguiente el veredicto de culpabilidad por la participación en el hecho delictivo no debe incluir el "nomen iuris" delictivo (el acusado es culpable para el Jurado de los hechos declarados probados, no de "asesinato", "homicidio", "lesiones dolosas en concurso con homicidio" u "homicidio imprudente"), ni tampoco contener una especie de mini calificación autónoma ("es culpable de haber matado alevosa e intencionadamente al acusado"), pues esta incorrecta modalidad de redacción del veredicto de culpabilidad no constituye más que una fuente de posibles contradicciones e incongruencias con el veredicto expresado en el relato fáctico». STS Sala Segunda, de lo Penal, Sentencia 439/2000 de 26 Jul. 2000, Rec. 1266/1999; Ponente: Conde-Pumpido Tourón, Cándido. LA LEY 1164/2001.

1°) Ser español mayor de edad.

2°) Encontrarse en el pleno ejercicio de sus derechos políticos.

3°) Saber leer y escribir.

4°) Ser vecino, al tiempo de la designación, de cualquiera de los municipios de la provincia en que el delito se hubiere cometido.

5°) No estar impedido física, psíquica o sensorialmente para el desempeño de la función de jurado.

C) *Incapacidades (art. 9 LJ)*

Están incapacitados para ser jurado:

1.°) Los condenados por delito doloso, que no hayan obtenido la rehabilitación.

2.°) Los procesados y aquellos acusados respecto de los cuales se hubiera acordado la apertura de juicio oral y quienes estuvieren sufriendo detención, prisión provisional o cumpliendo pena por delito.

3.°) Los suspendidos, en un procedimiento penal, en su empleo o cargo público, mientras dure dicha suspensión.

D) *Incompatibilidades (art. 10 LJ)*

Serán incompatibles para el desempeño de la función de jurado:

1.°) El Rey y los demás miembros de la Familia Real Española incluidos en el Registro Civil que regula el Real Decreto 2917/81, de 27 de noviembre, así como sus cónyuges.

2.°) El Presidente del Gobierno, los Vicepresidentes, Ministros, Secretarios de Estado, Subsecretarios, Directores generales y cargos asimilados. El Director y los Delegados provinciales de la Oficina del Censo Electoral. El Gobernador y el Subgobernador del Banco de España.

3.°) Los Presidentes de las Comunidades Autónomas, los componentes de los Consejos de Gobierno, Viceconsejeros, Directores generales y cargos asimilados de aquéllas.

4.°) Los Diputados y Senadores de las Cortes Generales, los Diputados del Parlamento Europeo, los miembros de las Asambleas Legislativas de las Comunidades Autónomas y los miembros electos de las Corporaciones locales.

5.°) El Presidente y los Magistrados del Tribunal Constitucional. El Presidente y los miembros del Consejo General del Poder Judicial y el Fiscal General del Estado. El Presidente y los miembros del Tribunal de Cuentas y del Consejo de Estado, y de los órganos e instituciones de análoga naturaleza de las Comunidades Autónomas.

6.°) El Defensor del Pueblo y sus adjuntos, así como los cargos similares de las Comunidades Autónomas.

7.°) Los miembros en activo de la Carrera Judicial y Fiscal, de los Cuerpos de Letrado A. Justicia, Médicos Forenses, Oficiales, Auxiliares y Agentes y demás personal al servicio de la Administración de Justicia, así como los miembros en activo de las unidades orgánicas de Policía Judicial. Los miembros del Cuerpo Jurídico Militar de Defensa y los Auxiliares de la Jurisdicción y Fiscalía Militar en activo.

8.°) Los Delegados del Gobierno en las Comunidades Autónomas, en las Autonomías de Ceuta y Melilla, los Delegados insulares del Gobierno y los Gobernadores civiles.

9.°) Los letrados en activo al servicio de los órganos constitucionales y de las Administraciones Públicas o de cualesquiera Tribunales, y los abogados y procuradores en ejercicio. Los profesores universitarios de disciplinas jurídicas o de medicina legal.

10.°) Los miembros en activo de las Fuerzas y Cuerpos de Seguridad.

11.°) Los funcionarios de Instituciones Penitenciarias.

12.°) Los Jefes de Misión Diplomática acreditados en el extranjero, los Jefes de las Oficinas Consulares y los Jefes de Representaciones Permanentes ante Organizaciones Internacionales.

E) Prohibiciones (art. 11 LJ)

Nadie podrá formar parte como jurado del Tribunal que conozca de una causa en la que:

1.°) Sea acusador particular o privado, actor civil, acusado o tercero responsable civil.

2.°) Mantenga con quien sea parte alguna de las relaciones a que se refiere el artículo 219, en sus apartados 1 al 8, de la Ley Orgánica del Poder Judicial que determinan el deber de abstención de los Jueces y Magistrados.

3.°) Tenga con el Magistrado-Presidente del Tribunal, miembro del Ministerio Fiscal o Letrado A. Justicia que intervenga en la causa o con los abogados o procuradores el vínculo de parentesco o relación a que se refieren los apartados 1, 2, 3, 4, 7, 8 y 11 del artículo 219 de la Ley Orgánica del Poder Judicial.

4.°) Haya intervenido en la causa como testigo, perito, fiador o intérprete.

5.°) Tenga interés, directo o indirecto, en la causa.

F) Excusas (art. 12 LJ)

Podrán excusarse para actuar como jurado:

1.°) Los mayores de sesenta y cinco años.

2.°) Los que hayan desempeñado efectivamente funciones de jurado dentro de los cuatro años precedentes al día de la nueva designación.

3.°) Los que sufran grave trastorno por razón de las cargas familiares.

4.°) Los que desempeñen trabajo de relevante interés general, cuya sustitución originaría importantes perjuicios al mismo.

5.°) Los que tengan su residencia en el extranjero.

6.°) Los militares profesionales en activo cuando concurran razones de servicio.

7.°) Los que aleguen y acrediten suficientemente cualquier otra causa que les dificulte de forma grave el desempeño de la función de jurado.

G) Retribución y efectos laborales y funcionariales

El desempeño de la función de jurado será retribuido e indemnizado en la forma y cuantía que reglamentariamente se determine (art. 7.1 LJ)[31].

Por otra parte, el desempeño de la función de jurado tendrá la consideración de cumplimiento de un deber inexcusable de carácter público y personal a efectos del ordenamiento laboral y funcionarial (art. 7.2 LJ).

3.3. Designación de los jurados

El sistema selectivo de los jurados se caracteriza, según la Exposición de Motivos de la LJ: a) por la sucesión de etapas que permiten garantizar la presencia de candidatos en número adecuado para evitar suspensiones en los señalamientos; b) por la transparencia y publicidad del proceso selectivo, y c) por el sorteo a partir de las listas censales como sistema coherente con el fundamento mismo de la participación.

Las etapas del sistema selectivo o designación de los jurados son las siguientes:

A) Listas de candidatos jurados (art. 13 LJ)

Las Delegaciones Provinciales de la Oficina del Censo Electoral efectuarán un sorteo por cada provincia, dentro de los quince últimos días del mes de septiembre de los años pares, a fin de establecer la lista bienal de candidatos jurados[32]. (Véase M. 284).

El número de candidatos a jurados a sortear es el solicitado por los Presidentes de las AP. Dicho número se calculará multiplicando por 50 el número de causas que se prevea vaya a conocer el Tribunal del Jurado.

---

(31)   Vid. RD 385/96, de 1 de marzo (BOE, día 14), por el que se establece el régimen retributivo e indemnizatorio del desempeño de las funciones del jurado. De acuerdo con esta disposición, las cantidades a percibir por los candidatos jurados y por los Jurados responderán a los conceptos de retribuciones e indemnizaciones, y serán revisadas periódicamente. Así, la retribución de un jurado será actualmente la de 60,70 Euros diarios (la retribución única de candidatos no seleccionados como Jurado 30,35 Euros), y sus indemnizaciones comprenden: a) gastos de viaje (por uso de motocicleta 0,07 Euros por Km, por automóvil 0,17 euros por Km.); b) gastos de alojamiento y manutención (58,90 Euros por alojamiento incluido desayuno y 18,33 Euros por cada comida y por cada cena).

(32)   El sorteo de los candidatos a jurado se realizará utilizando medios informáticos, mediante el llamado método sistemático con arranque aleatorio, conforme al RD 1398/95, de 4 de agosto (BOE, día 5), modificado por el RD 2067/96, de 23 de septiembre (BOE, día 14).

Antes del 15 de octubre, la AP resolverá, por resolución motivada no susceptible de recurso, comunicando lo decidido a la Delegación de la Oficina del Censo Electoral, la cual elevará posteriormente la lista de candidatos a la AP, quien la remitirá a los Ayuntamientos y al BOP. (Véase M. 285 a M. 288).

Por su parte, el Letrado A. Justicia de la AP notificará por correo a cada candidato su inclusión en la referida lista, indicándole las causas de incapacidad, incompatibilidad y excusa, y el procedimiento para su alegación. (Véase M. 289).

B) Reclamaciones contra la inclusión en las listas (arts. 14 y 15 LJ)

Durante los quince primeros días del mes de noviembre, los candidatos a jurados que entendieren que concurre en ellos la falta de requisitos para serlo, o una causa de incapacidad, incompatibilidad o excusa, podrán formular reclamación ante el Juez decano del partido (véase M. 290). También podrá formular reclamación, al respecto, cualquier otro ciudadano. (Véase M. 291).

Por su parte, los Secretarios de los Ayuntamientos remitirán al Juez decano del partido la relación de personas que, incluidas en la lista de candidatos a jurados, pudieran estar incursas en falta de requisitos o causa de incapacidad o incompatibilidad. El Juez decano, tras dar traslado de la reclamación o advertencia al interesado no reclamante y practicar, en su caso, diligencias informativas, dictará resolución motivada antes del 30 de noviembre. (Véase M. 292 a M. 296). El TC ha entendido que no cabe oponerse a la condición de jurado, mediante el planteamiento de un recurso de amparo, hasta que un candidato sea designado formalmente jurado en una causa (STC 216/99, de 29 noviembre, expuesta a continuación).

C) Comunicación y rectificación de las listas definitivas (art. 16 LJ)

Ultimada la lista definitiva por cada provincia, la Delegación Provincial de la Oficina del Censo Electoral la enviará al Presidente de la AP, quien remitirá copia al Presidente del TSJ correspondiente y al Presidente de la Sala de lo Penal del TS. Asimismo remitirá copia a los Ayuntamientos, para que la lista quede expuesta durante los dos años de vigencia.

Durante estos dos años, cualquier ciudadano o el Alcalde del Ayuntamiento podrán comunicar a la AP las causas de incapacidad o incompatibilidad en que pueda incurrir el candidato a jurado. La AP, tras practicar diligencias informativas y oír al interesado no reclamante, resolverá motivadamente. El TC ha entendido que no cabe plantear recurso de amparo hasta que uno sea designado formalmente candidato en una causa.

«La inclusión en la lista de candidatos a jurado sólo determina la obligación de comunicar a la Audiencia Provincial correspondiente cualquier cambio de domicilio o circunstancia que influya en los requisitos, en su capacidad o determine incompatibilidad para intervenir como jurado (art. 16.2). Es más, no puede pasarse por alto que la propia Ley permite que el candidato seleccionado en el siguiente sorteo presente nuevamente excusas o alegue causa de incapacidad, incompatibilidad o prohibición (art. 22), en los mismos términos y con la misma amplitud con que pudo hacerlo ante su inclusión en la lista de candidatos. Ello supone que cuando la presunta lesión se encuentra en curso de materializarse con ocasión del segundo sorteo, el candidato elegido puede aún oponer reparos a su designación, entre otras, si así lo estima conveniente, razones de conciencia. Y aún podrá hacerlo nuevamente en el momento señalado para el juicio y antes del tercer y definitivo sorteo (art. 38.2). Sólo cuando esos reparos fuesen rechazados por el Magistrado-Presidente podría, en hipótesis, plantearse el problema de la alegada existencia de una lesión efectiva y real de derechos fundamentales». (STC 216/99, 29 noviembre)

D) *Relación de causas, designación de candidatos a jurados para cada causa y citación de los designados con entrega de un cuestionario (arts. 17, 18 y 19 LJ)*

Las AP y, en su caso, los TSJ y el TS, 40 días antes al período de sesiones correspondiente[33], efectuarán un alarde de las causas señaladas para juicio oral en las que deban intervenir jurados. Se deberá proceder después a realizar un sorteo, de entre los candidatos a jurados de la lista de la provincia, de 36 candidatos a jurado para cada causa señalada en el período de sesiones (véase M. 297 y M. 298). Este sorteo se realizará por el Letrado A. Justicia, con anticipación de al menos 30 días hábiles al señalado para la primera vista de juicio oral, en audiencia pública y habiendo citado a las partes. (Véase M. 299).

«En el caso actual el sorteo se celebró con una anticipación superior a los treinta días naturales (el día 21 de octubre de 1997, señalándose para el comienzo de la primera sesión del juicio el 24 de noviembre), pero la recurrente alega, ahora, que no llegaron a transcurrir treinta días hábiles, y en esto consiste toda la infracción procesal denunciada. Como señala el Tribunal Superior de Justicia en su sentencia de apelación, conforme a lo dispuesto en el art. 185 de la LOPJ, ha de convenirse en que el referido plazo debe computarse en días hábiles. Pero lo cierto es que la parte hoy recurrente tuvo pleno conocimiento de las fechas en que se realizó el sorteo y en que se señaló el comienzo del juicio oral sin formular recurso, alegación, protesta o reclamación alguna, cuando dicha infracción formal aún podía ser subsanada. Por otra parte ha de señalarse que la anticipación prevenida en el art. 18 de la LOTJ tiene como obvia finalidad la de facilitar tiempo suficiente para la realización de los trámites necesarios para la efectiva constitución del Jurado, incluido el nuevo sorteo prevenido en el art. 23 para el supuesto de que, como consecuencia de recusaciones o excusas, la lista de candidatos para Jurados quedase reducida a menos de veinte. En el caso actual no se produjo esta circunstancia, y el Jurado se constituyó legalmente, por lo que la antelación del sorteo fue, en la práctica, suficiente, no ocasionándose consecuencia negativa alguna. Ni la recurrente menciona, ni cabe imaginar, en qué sentido podría haberle ocasionado indefensión la infracción procedimental denunciada, absolutamente irrelevante». (STS Sala Segunda, de lo Penal, Sentencia de 31 May. 1999, Rec. 1303/1998 Ponente: Conde-Pumpido Tourón, Cándido. LA LEY 7430/1999).

E) *Alegación de excusas o advertencias por parte de los candidatos a jurados a través del cuestionario. Recusación por el MF, de oficio y por las demás partes (arts. 20 a 23 LJ)*

---

(33) Al respecto, se determinan los siguientes períodos de sesiones: 1) desde el 1 de enero al 20 de marzo; 2) desde el 21 de marzo al 10 de junio; 3) desde el 11 de junio al 30 de septiembre; 4) desde el 1 de octubre al 31 de diciembre.

Dentro de los cinco días siguientes a la recepción del cuestionario, los candidatos a jurados lo devolverán, debidamente cumplimentado, acompañando en su caso las justificaciones documentales que estimen oportunas. (Véase M. 300).

Los cuestionarios cumplimentados se entregarán al MF y a las demás partes, para que puedan formular, dentro de los cinco días siguientes, recusación, por concurrir en algún candidato a jurado la falta de los requisitos previstos, o cualquiera de las causas de incapacidad, incompatibilidad o prohibición. (Véase M. 301).

En el supuesto de que se formule recusación, o de que resulte excusa o advertencia de algún candidato a jurado a través de la devolución del cuestionario, el Magistrado-Presidente del Tribunal del Jurado señalará día para la vista, practicará las diligencias que se propongan y resolverá (art. 22 LJ)[34]. (Véase M. 302).

La LTJ prevé varios momentos en que se puede formular la recusación: Sobre la base de las respuestas contenidas en los cuestionarios (art. 21 LOTJ); tras el interrogatorio realizado a los candidatos a jurados convocados que concurrieran a la audiencia del art. 38 LOTJ; finalmente, sin sujeción a causa o «sin alegación de motivo determinado», tras el nuevo interrogatorio a practicar para la selección de los nueve titulares y a los dos suplentes (art. 40 LOTJ). Sin embargo, de conformidad

---

(34) STS 1307/2004 de 11 Nov. 2004, Rec. 71/2004: «Sostiene el recurrente, como fundamento de la supuesta situación de indefensión que denuncia, que la no convocatoria de la vista prevista en el art. 22 para resolver acerca de las recusaciones de tres candidatos a jurado, y su acumulación al trámite que con el mismo fin previene el art. 38, le impidió interrogar a aquéllos, reiterando que "por este motivo se vio privado del derecho a interrogar a todos y cada uno de los candidatos a jurado que se desprende de la L.O.P.J." Ante estas alegaciones, debe señalarse:

a) que las recusaciones solicitadas por las partes al amparo del art. 21 L.O.P.J. se resuelven en el trámite previsto en el art. 22, en el que también el Magistrado-Presidente resolverá las advertencias y excusas presentadas por los candidatos, a cuyo fin son citadas a la vista las partes y quienes hayan expresado advertencia o excusa, pero no aquellos candidatos que hayan sido recusados, de manera que la Defensa no hubiera podido interrogar en dicho acto procesal a quienes recusó al no estar previsto en la Ley. Claro es que la Defensa hubiera podido proponer como prueba para practicar en ese trámite, el interrogatorio de los candidatos recusados, pero no propuso tal diligencia, sino "... practicar como único medio de prueba la pericial médica de los candidatos jurados que se contemplan en los apartados B), C), E), H) a fin de resolver sobre las excusas, advertencias y recusaciones".

b) En el trámite previo a la selección de los jurados que regula el art. 38 L.O.T.J. «el Magistrado-Presidente interrogará nuevamente a los candidatos a jurados por si en ellos concurriera falta de requisitos, alguna causa de incapacidad, incompatibilidad, prohibición o excusa prevista en esta Ley. También podrán las partes por sí o a través del Magistrado-Presidente interrogar a los jurados respecto a las materias relacionadas en el párrafo anterior. También las partes podrán recusar a aquellos en quienes afirmen concurre causa de incapacidad, incompatibilidad o prohibición. Las recusaciones se oirán y resolverán en el propio acto por el Magistrado-Presidente, ante la presencia de las partes y oído el candidato a jurado afectado. El Magistrado-Presidente decidirá sobre la recusación, sin que quepa recurso, pero sí protesta a los efectos del recurso que pueda ser interpuesto contra la sentencia».

Examinada el acta de dicho trámite, hemos constatado que la defensa del acusado no ejerció su derecho de interrogar a los candidatos a jurado, pudiendo haberlo hecho de acuerdo con la facultad que le otorga la norma, y, desde luego, no hay en la mencionada acta ninguna referencia a que le fuera negado al letrado defensor tal derecho, siendo así que éste firmó de conformidad el acta sin poner reparo alguno.»

con lo dispuesto en art. 223.1 LOPJ, deberá proponerse tan pronto como se tenga conocimiento de la causa en que se funde. También podrá ser estimada de oficio[35].

Si al estimarse alguna recusación, advertencia o excusa, la lista de candidatos a jurados quedase reducida a menos de 20, el Magistrado-Presidente dispondrá que el Letrado A. Justicia proceda al inmediato sorteo (de igual forma que el inicial) para completar el número hasta 36. Estos nuevos candidatos deberán ser citados de la misma forma que los iniciales, y el Magistrado deberá resolver, en su caso, en torno a sus excusas y advertencias, o en torno a su recusación. (Véase M. 303 y M. 304).

SECCIÓN 4. FASE DE INSTRUCCIÓN

4.1. Introducción

El procedimiento para las causas ante el Tribunal del Jurado se resiste a ser clasificado como un procedimiento ordinario o como un procedimiento especial ya que, en realidad, la LJ introduce un procedimiento distinto de los ordinarios y de los especiales en nuestro sistema de enjuiciamiento criminal. Sin embargo, dada su naturaleza y el ámbito de su aplicación debe ser estudiado junto con el proceso por delitos graves y el abreviado.

Este nuevo sistema de enjuiciar, que el legislador pretendió generalizar, anunciando su introducción también en la LECrim en una próxima reforma (Disp. final cuarta LJ), no fue bien acogido por la mayor parte de la doctrina procesal. No se ha criticado sólo que el legislador no se haya limitado a establecer especialidades en la fase de juicio oral (que es cuando interviene el Jurado), sino el procedimiento en su totalidad. Las disposiciones sobre el procedimiento y las instituciones procesales desde la incoación hasta la sentencia —se ha dicho— constituyen la parte más acientífica de la LJ, ante su complejidad y enrevesamiento en muchos casos desde el punto de

---

(35)   STS 315/2011 de 16 Abr. 2011, Rec. 2612/2010: «Por ello, conforme al art. 223.1 LOPJ ("la recusación deberá proponerse tan pronto como..."), es procedente que se exija a la parte que pretende denunciar la pérdida de la imparcialidad de alguno o de todos los miembros del Jurado la diligente utilización de dicho remedio desde el momento en que tenga conocimiento de la causa en que pretenden fundarse, sin esperar a denunciar su concurrencia sólo cuando haya recaído una resolución desfavorable, excepto en los supuestos en que le sea exigible al órgano judicial el planteamiento de oficio, por tratarse de circunstancias cuya apreciación no dependa de elementos valorativos (SSTS 1084/2003 de 18 jul y 529/2005 de 27 abr.; SSTC 310/2000 (LA LEY 2104/2001) y 39/2004 (LA LEY 860/2004); STEDH de 28 octubre 1998, Castillo de Algar vs. España). Por ello, tiene razón el Tribunal de instancia cuando cuestiona el comportamiento de la parte recurrente, no considerando de recibo que, habiendo renunciado en su día la defensa a plantear la cuestión de la imparcialidad de todos o de parte de los miembros del Jurado por la vía procesalmente reservada a tal efecto (arts. 21 y 30 LOTJ), preguntándoles a cada uno de ellos sobre el grado de conocimiento que pudieran tener antes de comenzar las sesiones del juicio oral acerca de los hechos objeto de enjuiciamiento y los posibles prejuicios, lo haga después en esta fase procesal una vez que conoce el contenido condenatorio de la sentencia».

vista conceptual, en otros la falta de técnica procesal respecto a su redacción literal y lo que se quiere decir exactamente[36].

El primero de los artículos de la LJ que se refiere al procedimiento establece que regirá supletoriamente la LECrim. (art. 24.2 LJ), sin especificar si serán aplicables las normas del procedimiento por delitos graves o las del procedimiento abreviado. La Circular 4/95 de la FGE señala que cuando la LJ remite a la LECrim. hay que entender que lo hace a las normas generales, sin perjuicio de que ante alguna cuestión no contemplada en el procedimiento ordinario, pero sí en el abreviado, pueda plantearse la procedencia de acudir a la regulación específica del procedimiento abreviado.

Para exponer el procedimiento de la LJ diferenciaremos: a) Fase de instrucción; b) Fase de intermedia; c) Fase de juicio oral.

4.2. Fase de instrucción

La LJ, que llama incoación e instrucción complementaria a la fase de instrucción de las causas ante el Tribunal del Jurado, no regula la totalidad de instrucción, sino sólo las especialidades (En cuanto a las diligencias de instrucción judicial véase Cap. VII).

Ahora bien, estas especialidades tienen el alcance de limitar la iniciativa del Juez de Instrucción, potenciando al MF, y de incrementar la contradicción y la oralidad de una fase del proceso penal que en la LECrim se caracteriza, como es sabido, por ser predominantemente escrita.

A) Incoación del procedimiento

Como regla, la fase de instrucción, sea cual sea el origen de la *notitia criminis*, empezará incoándose diligencias previas, pero en el momento en que exista imputación de un delito cuyo enjuiciamiento venga atribuido al enjuiciamiento del Tribunal del Jurado, el Juez de Instrucción, previa valoración de su verosimilitud, dictará resolución de incoación del procedimiento de la LJ (art. 24.1 LJ) (Véase sobre el inicio del proceso penal Cap. VI). (Véase M. 305). No obstante, si en la querella o denuncia se cumple ya estos presupuestos, el Juez, previa valoración de su verosimilitud, acordará la incoación inmediata de este procedimiento.

Para incoar el procedimiento para las causas ante el Tribunal del Jurado es imprescindible, por tanto:

a) que alguien ajeno al Juez formule una imputación contra una persona determinada (véase escrito de querella M. 306);

b) que el Juez valore como verosímil la imputación[37].

---

(36) GÓMEZ COLOMER, *El proceso penal especial ante el Tribunal del Jurado*, Madrid, 1996, p. 81.

(37) No parece que verosimilitud pueda equipararse a indicios racionales de criminalidad. Según la Circular 4/95 FGE, lo que deba entenderse por verosímil no es cuestión fácil de precisar, pues estamos ante un nuevo término judicial. La cuestión ha de resolverse atendiendo al caso con-

El concepto de imputación verosímil carece de precedentes en nuestro ordenamiento procesal penal. Atendiendo a su significado etimológico debe interpretarse que la imputación debe tener apariencia de verdadera. En principio, no debe entenderse que exija una mayor y más profunda ponderación de los hechos que la exigida para el proceso por delitos graves o para el abreviado, según se desprende de los arts. 269 y 313 LECrim, con relación al trámite de admisión de la denuncia o querella. Esta interpretación viene avalada por la utilización de esta expresión por el TC, en su STC 186/1990, de 15 de noviembre, que resolvió la cuestión de constitucionalidad planteada frente al art. 790.1 LECrim (que parece ser la fuente inspiradora de este art. 24). En su FJ 5º expone que debe garantizarse el acceso al proceso penal ordinario de toda persona a quién se le atribuya, *más o menos fundadamente*, un acto punible, y acaba afirmando que: «Por ello, tan pronto como el Juez instructor, tras efectuar una provisional ponderación de la verosimilitud de la imputación de un hecho punible contra persona determinada, cualquiera que sea la procedencia de ésta, deberá considerarla imputada con ilustración expresa del hecho punible cuya participación se le atribuye para permitir su autodefensa, ya que el conocimiento de la imputación forma parte del contenido esencial del derecho fundamental a la defensa en la fase de instrucción».

Por otra parte, se faculta al Juez instructor para practicar, en todo caso, aquellas actuaciones inaplazables a que hubiera lugar (art. 24.1, *in fine*, LJ). Dentro de este grupo de actuaciones deben entenderse incluidas las previstas en el art. 13 LECrim, dado el carácter general de este precepto, así como la audiencia prevista en el art. 504 bis 2 LECrim, cuando exista un detenido. Cuando se estime necesario, podrá, también, acordarse el secreto de las actuaciones, conforme a lo previsto en el art. 302 LECrim y 232 LOPJ y a la doctrina sentada por las STC 13/85, de 31 enero y 176/88, de 4 octubre. Esta declaración de secreto no impedirá que el imputado, asistido de Abogado, pueda solicitar la realización de la diligencias que estime pertinentes para el esclarecimiento de los hechos, con la salvedad de lo declarado secreto. En el procedimiento de Jurado esta declaración de secreto podrá provocar un retraso justificado en la convocatoria y celebración de la comparecencia prevista en el art. 25 LJ, a fin de preservar el objetivo perseguido con el secreto de las actuaciones.

La resolución judicial por la que se acuerde o deniegue la incoación de este procedimiento adoptará la forma de auto. Si bien el art. 24 no prevé la posible impugnación de esta resolución, sí la contempla el art. 309 bis 2º LECrim. En este precepto se establece que las partes podrán instar del juez que dicte auto de incoación de este procedimiento, quien deberá resolverlo en el plazo de una audiencia. Si no lo hiciere o desestimare la petición, las partes podrán recurrir directamente en queja ante la Audiencia Provincial, sin necesidad de previa reforma. Este recurso de queja deberá resolverse en el plazo de ocho días, recabando previamente informe del Juez instructor por el medio más rápido. Igual recurso cabrá cuando el auto denegatorio se haya dictado sin petición expresa de parte. Cuando el auto sea estimatorio no cabrá recurso y podrá impugnarse la inadecuación de procedimiento en los trámites de la comparecencia (art. 25) o de la audiencia preliminar (art. 30), o cuando así

---

creto, procurando mantener un equilibrio entre lo que será la precipitada incoación del proceso y su indebida postergación a un momento avanzado de la investigación.

resulte de las diligencias practicadas (art. 28). También podrá alegarse en el escrito de calificaciones (art. 29.5) o bien podrá acordarse de oficio la transformación del procedimiento (art. 32.4).

B) Comparecencia de imputación

Dictado auto incoando el procedimiento, el Juez de Instrucción citará, en el plazo de cinco días, al MF y a todas las partes a una comparecencia. Si hubiere ofendidos o perjudicados no personados se les citará también, instruyéndoles al ser citados del derecho que les asiste a ejercitar las acciones penales y civiles que procedan. Al imputado, con la citación se le dará traslado de la denuncia o querella, si tal traslado no se hubiese efectuado con anterioridad. (Véase M. 307).

Nótese que el plazo de cinco días no incidirá en la posibilidad de recurso prevista en el art. 309 bis 2 LECrim., ya que sólo será recurrible el auto denegatorio de incoación pero no el que lo acuerde. Otra cuestión es la posibilidad material de cumplir este plazo de cinco días por las partes, ya que muy difícil puede resultarles a los imputados con residencia fuera del término del Juzgado, o aquellos cuya dirección se ignora, o por la necesidad de nombrar abogado para asistir al acto (no se precisa intervención de Procurador). En consecuencia, deberá interpretarse este precepto en el sentido de que dentro del plazo de cinco días naturales[38], después de dictado el auto o en el propio auto, se efectúe la convocatoria de la comparecencia, que deberá señalar un término prudencial para la celebración de aquélla, atendidas las circunstancias del caso y las personas afectadas. Mantener la rigidez del plazo único de cinco días puede conducir, de hecho, a la suspensión de numerosas comparecencias por ausencia de los afectados con nueva convocatoria; o a celebrarlas con los comparecidos y convocar una nueva para los ausentes. Ambas situaciones provocan más inconvenientes que ventajas procesales.

La comparecencia, a la que concurrirán el MF y las partes asistidas de letrado (al imputado se le designará de oficio, en su caso) tiene por objeto comunicar y concretar formalmente la imputación. Se podrá también solicitar, en su caso, la práctica de diligencias de investigación e impugnar la competencia.

Se oirá en primer lugar al MF, después a los acusadores particulares y por último al imputado, quien, además de manifestar lo que estime oportuno para su defensa, podrá instar el sobreseimiento libre o provisional (art. 25 LJ).

C) Decisión sobre la continuación de procedimiento

Oídas las partes, el Juez de Instrucción decidirá la continuación del procedimiento (resolviendo en tal caso sobre la pertinencia de las diligencias de investigación solicitadas), o el sobreseimiento si hubiera causa para ello (art. 26.1 LJ)[39]. (Véase M. 308).

---

(38) Vid. Art. 201 LECrim. y 184, 185 LOPJ que establecen que todos los días del año y todas las horas serán hábiles para la instrucción de las causas penales.

(39) Vid. SÁNCHEZ LINDE, «El sobreseimiento tras la primera comparecencia en el procedimiento ante el Tribunal del Jurado», *La Ley Penal: revista de derecho penal, procesal y penitenciario*, ISSN 1697-5758, nº. 111, 2014.

Si el MF y todos los acusadores hubieran solicitado el sobreseimiento, el Juez podrá acordar que se haga saber tal solicitud a los interesados en el ejercicio de la acción penal no personados, para que puedan personarse para defender su acción si lo estiman oportuno. Si no compareciesen, en el plazo prudencial que les señale, el Juez acordará el sobreseimiento (véase M. 310). También podrá determinar el Juez de Instrucción, ante la solicitud de sobreseimiento, que se remita la causa al superior jerárquico del Fiscal, para que éste resuelva si procede o no sostener la acusación (art. 26.2.I LJ).

El auto por el que el Juez de Instrucción acuerde el sobreseimiento será apelable ante la AP (art. 26.II LJ). (Véase M. 309, M. 311, M. 312, M. 313).

D) Diligencias de investigación

Si la resolución del Juez de Instrucción hubiera sido la de continuar el procedimiento (Véase M. 314), no ordenará la práctica de todas las diligencias que pudieran ser oportunas, sino sólo la de aquellas que considere imprescindibles para decidir sobre la procedencia de la apertura del juicio oral y no pudieran practicarse directamente en la audiencia preliminar que se ha de celebrar posteriormente (art. 27.1 LJ).

Además de estas diligencias solicitadas por las partes en la comparecencia de imputación, se prevé que éstas puedan solicitar la práctica de nuevas diligencias de investigación dentro de los cinco días siguientes al de la comparecencia o al de aquél en que se practicase la última diligencia de las ordenadas (art. 27.2 LJ). (Véase M. 315 a M. 317).

Podrá también ordenar el Juez la práctica de otras diligencias de investigación, siempre que sean complementarias a las solicitadas por las partes y se limiten a la comprobación del hecho justiciable y respecto de las personas objeto de imputación por las partes acusadoras (art. 27.3 LJ).

Debe resaltarse la diferente naturaleza de las diligencias de investigación previstas en la LECrim referentes al proceso por delitos graves o al procedimiento abreviado, de las reguladas en la LTJ en donde rige el principio acusatorio puro. En la instrucción del jurado, el Juez instructor solo debe decidir sobre la apertura del juicio oral o el sobreseimiento; o la transformación del procedimiento, de acuerdo con lo previsto en el art. 32 LT. La fase de instrucción no sirve para preparar el juicio oral sino solo para que el Juez decida sobre el trámite a seguir[40].

---

(40) «La cuestión no es baladí, pues en definitiva y atendiendo al papel que cumple el auto de apertura ha de determinarse si el Juez a quo se colocó en igual postura que la descrita por la LOTJ, o bien actuó con parámetros procesales de la LECrim, de tal forma que las diligencias practicadas conforme a este último posicionamiento serán nulas, pero no así las demás realizadas en la forma anteriormente dicha. Es sabido, o debería serlo, que la fase de instrucción en el procedimiento ante el Tribunal el jurado reúne una serie de peculiaridades derivadas de la aplicación del principio acusatorio puro. Estas peculiaridades son consecuencia de haber sido concebida la instrucción en el proceso ante el Tribunal del Jurado como una actividad dirigida a la decisión del Juez instructor sobre la apertura del juicio oral o el sobreseimiento ¿o la transformación del procedimiento?, en los términos del artículo 32 LOTJ, y vigentes en tal fase los principios procesales antes referidos, y como ya referíamos necesariamente debe producirse un importante cambio en la actitud de las partes y del propio Juez, que no siempre es asumido. En este caso, y siguiendo la

Por tanto, en este tipo de proceso solo deberán practicarse aquellas diligencias que se consideren imprescindibles por lo que deberá estarse a la procedencia y no a la oportunidad de las mismas. Son diligencias destinadas a la comprobación de los hechos y no a la recogida de pruebas. Se trata de una instrucción severamente limitada[41].

Si de las diligencias de investigación practicadas resultasen indicios racionales de delito distinto del que es objeto del procedimiento, o la participación de personas que no se hallaran imputadas, el Juez convocará una nueva comparecencia de imputación o, en su caso, incoará el procedimiento que corresponda al delito distinto (art. 28 LJ). Es decir, si de las investigaciones practicadas apareciese un nuevo delito, puede suceder lo siguiente: a) Si no comporta un cambio de procedimiento por ser el nuevo delito competencia del Jurado, el Juez convocará a una nueva comparecencia del art. 25 LJ; b) Si el nuevo delito es conexo con el que se está enjuiciando, se estará a lo expuesto a las reglas de competencia del art. 5 LJ (*Vid*. Sección 2ª de este Cap.); c) Si el nuevo delito no es competencia del Jurado, se procederá a la adecuación del procedimiento procedente; d) Si apareciesen como imputados nuevas personas, se convocará una nueva comparecencia, con arreglo a lo previsto en el art. 25 LJ.

SECCIÓN 5. FASE INTERMEDIA

5.1. Preparación del juicio oral

Aunque ningún artículo de la LJ aluda a la fase intermedia (que, como es sabido, es una fase del proceso penal delimitada por la doctrina), en la Exposición de Motivos de la LJ se hace mención expresa a la denominada fase intermedia.

---

doctrina sobre "El Tribunal del Jurado", las diligencias de investigación no tiene el objeto previsto en el art. 299 del al LECrim de preparar el juicio oral, sino de aportar material para que el Juez decida sobre si procede o no la apertura del juicio oral, esto es, las diligencias no se aportan al procedimiento para preparar el juicio oral que otro órgano jurisdiccional debe resolver, sino que se unen al procedimiento para que el Juez del caso pueda resolver —a la vista de ellas, única y exclusivamente— si procede o no la apertura del juicio oral». AAP de Barcelona, Sección 9ª, Auto 400/2006 de 29 Mar. 2006, Rec. 57/2006.

(41) «El instructor debe practicar sólo aquellas que considere imprescindibles, para decidir sobre la apertura de juicio oral, y que no puedan realizarse directamente en la audiencia preliminar, lo que no es el caso de ninguna de las propuestas por las partes. La decisión judicial ha de referirse no a la oportunidad de las diligencias solicitadas sino a la procedencia de las mismas en méritos de su licitud, la comprobación del hecho justiciable y las personas objeto de imputación por las partes acusadoras. Y no debe olvidarse que nos encontramos ante unas diligencias de comprobación de los hechos, no de recogida de pruebas, pudiendo la acusación particular solicitar cuantas diligencias de prevención sean necesarias para impedir la ocultación de pruebas, o comprobación del delito y sus responsables. Estas diligencias, a diferencia de lo que sucede en el Procedimiento Abreviado o en el Sumario, deben ser imprescindibles, porque en este procedo la instrucción se halla severamente limitada, ya que en ningún caso, el contenido de estas diligencias puede ir dirigido a obtener una prueba total y definitiva de los hechos, extremos que se reservan para el plenario, y, en todo caso, serán aquellas que no puedan practicarse directamente en la diligencia preliminar del art. 31». SAP de Valladolid, Sección 4ª, Auto 97/2007 de 2 Mar. 2007, Rec. 705/2006.

Esta fase, en el procedimiento para las causas ante el Tribunal del Jurado, hay que situarla después de la comparecencia de imputación o, en su caso, después de la práctica de las diligencias de investigación que se hayan considerado oportunas. Se inicia con el escrito de calificación y solicitud de juicio oral de las partes acusadoras. Finaliza, después de la audiencia preliminar, con el auto de sobreseimiento o de apertura del juicio oral.

Esta fase intermedia (que en el procedimiento por delitos graves está destinada a examinar si se han practicado todas las posibles diligencias de investigación e instrucción y a valorar si procede el sobreseimiento o la apertura del juicio oral) en el procedimiento para las causas ante el Tribunal del Jurado queda solapada con la fase de instrucción, ya que en la misma, además de valorarse el fundamento de la acusación, se pueden continuar practicando diligencias de investigación.

5.2. Escritos de calificación provisional o de acusación y defensa

Cuando el Juez considere suficientes las diligencias practicadas, aun cuando no hubiera finalizado la práctica de las ya ordenadas, dará nuevo traslado de la causa a las partes acusadoras, a fin de que en el plazo de cinco días insten la apertura del juicio oral, formulando escrito de conclusiones provisionales (Véase M. 320 y M. 321), en los siguientes casos (art. 27.4 LJ):

a) Cuando ninguna de las partes haya solicitado diligencia alguna de investigación, ni en la comparecencia de imputación, ni en los cinco días siguientes a la misma.

b) Cuando haya denegado la práctica de las diligencia instadas por las partes y no haya acordado ninguna de oficio.

c) Cuando hayan transcurrido cinco días desde la notificación a las partes de la práctica de la última diligencia de investigación y no se haya solicitado ninguna otra.

d) Cuando considere innecesaria la práctica de más diligencias, aun las ya acordadas, a la vista de las llevadas a cabo (art. 27 LJ y Circular 4/95 FGE).

Sólo si las partes acusadoras pidiesen la apertura del juicio, formulando conclusiones provisionales, se dará traslado de las actuaciones a las partes acusadas (este traslado no se producirá si solicitan el sobreseimiento de la causa).

El escrito solicitando la apertura del juicio oral tendrá el mismo contenido que el escrito de calificación provisional de las partes acusadoras en el procedimiento ordinario por delitos (art. 29.1 LJ). De dicho escrito se dará traslado a la representación del acusado, para que califique, asimismo, provisionalmente los hechos, de un modo correlativo a la calificación de las partes acusadoras (art. 29.2 LJ). (Véase M. 322 y M. 323).

En sus respectivos escritos, las partes, además de calificar, podrán:

a) Presentar conclusiones alternativas, conforme prevé el art. 653 LECrim. Se trata de una facultad útil en la práctica, ya que permite al Jurado debatir sobre peticiones alternativas.

b) Proponer diligencias complementarias para su práctica, en la audiencia preliminar, sin que puedan ser reiteradas las que ya hayan sido practicadas.

c) Proponer la transformación del procedimiento y remisión, en su caso, al órgano competente, cuando entiendan que los hechos delictivos no corresponden al conocimiento del Tribunal del Jurado (art. 29.4 y 5 LJ).

d) Proponer, mediante otrosí, los medios de prueba, que consideren pertinentes.

Con relación a los medios de prueba, es en estos escritos donde deberán solicitarse, sin perjuicio de poder hacerlo en la audiencia preliminar. Corresponderá al Magistrado Presidente resolver sobre su admisión (art. 37.d LJ)[(42)].

5.3. Audiencia preliminar

Inmediatamente después de presentado el escrito de calificación de la defensa, pero con anterioridad a la convocatoria de la llamada audiencia preliminar (véase M. 324), el Juez practicará las diligencias de investigación pertinentes, solicitadas por la defensa antes de su escrito de calificación, que no hubieran sido practicadas (art. 30.1.I LJ). Practicadas estas diligencias, resolverá sobre la admisión y práctica de las diligencias interesadas por las partes en sus escritos de calificación para el acto de la audiencia preliminar y señalará el día más próximo posible para el acto de dicha audiencia preliminar (art. 30.1.I LJ).

_____

(42)   STSJ de Castilla-La Mancha, Sala de lo Civil y Penal, Sentencia 1/2016 de 28 Ene. 2016, Rec. 7/2015: «El momento más propio para proponer las pruebas precisamente es el escrito de las partes solicitando la apertura del juicio oral y evacuando el trámite de calificación provisional —regulado en el art. 29 de la Ley— y que debe tener precisamente el contenido del art. 650 de la LEcrim, uno de cuyos objetos precisamente es de la proposición de los medios de prueba para practicar en el juicio oral, sin perjuicio de la posibilidad de pedir diligencias complementarias para practicar en la audiencia preliminar a que nos hemos referido anteriormente. Sobre dicha prueba propuesta el momento de resolución es el auto de hechos justiciables regulado en el art. 37 de la Ley. No obstante, antes de dicho momento, en el trámite de cuestiones previas ante el Magistrado-Presidente del Tribunal del Jurado, conforme al art. 36.1 e) las partes podrán impugnar los medios de prueba propuestos por las demás partes y proponer nuevos medios de prueba. Y por último, iniciado el juicio oral, el trámite de las alegaciones previas del Jurado, siendo requisito necesario que en estos dos últimos momentos los medios de prueba propuestos sean nuevos, en el sentido de que las pruebas no pudieron solicitarse en un momento anterior por su desconocimiento o eran conocidas pero por imposibilidad no atribuida a las partes no se podía utilizar. Ello significaría que las partes no pudieron proponerlas ni en el escrito de calificación ni en el trámite de cuestiones previas por imposibilidad, esto es, por circunstancias ajenas a la voluntad de las partes. Una segunda condición tiene que tener las nuevas pruebas y es la susceptibilidad para ser practicadas en ese acto. El Magistrado-Presidente, previa audiencia de las partes, resuelve sobre su admisión, teniendo en cuenta la pertinencia con el objeto del proceso y su disponibilidad para ser practicadas en el acto del juicio. Como señala la STS 77/2000: "tal disposición sólo puede interpretarse en el sentido de que solo podrán admitirse aquellas pruebas que, tenidas por pertinentes, puedan practicarse en el acto, debiendo, por ende, rechazarse, tanto las que se declaren impertinentes como aquéllas otras que, aun siendo pertinentes, no puedan practicarse en el acto". Así pues existen diversos momentos para proponer y practicar pruebas en el procedimiento ante el Tribunal del Jurado y diversas exigencias de tiempo y de forma que no resultan inocuas y que deben cumplirse con la diligencia procesal de las partes que la Ley requiere para que pueda satisfacerse su derecho de tutela judicial en esta variante».

Cuando el Juez resuelva denegar la práctica de las diligencias solicitadas, la parte solicitante podrá interponer contra el auto recurso de reforma y posterior de queja, conforme al régimen general de recursos. La celebración de la audiencia debería quedar aplazada hasta la resolución de los recursos interpuestos, ya que de lo contrario, debería volverse a repetir aquélla. La audiencia preliminar podrá ser renunciada por la defensa de los acusados, siempre que la renuncien todos, aquietándose con la apertura del juicio oral (art. 30.2 LJ). (Véase M. 325). En el caso de que el Juez no acordara la convocatoria de la audiencia preliminar, las partes podrán acudir en queja ante la AP (art. 30.1.II LJ). (Véase M. 326).

«Efectivamente; en el supuesto de que, por no haberse renunciado a ella, se hubiera celebrado la audiencia preliminar, a la conclusión de la misma y según se establece en el artículo 31.3 de la repetida Ley Orgánica, habría de oírse a las partes, no sólo respecto de la procedencia de la apertura del juicio oral, sino, en su caso, sobre la competencia del Tribunal del Jurado, tras lo cual y de acuerdo con su artículo 32.4 podría ordenarse la acomodación al procedimiento que correspondiera cuando no fuese aplicable el en dicha Ley regulado, remitiendo la causa a la Audiencia Provincial o al Juzgado de lo Penal, según correspondiera y si debiera tramitarse por las normas del procedimiento abreviado. En el caso de que, a pesar de que alguna de las partes hubiera planteado la inadecuación del procedimiento, no se hubiera acordado así, sino que se hubiera decretado la apertura del juicio oral ante el Tribunal del Jurado, es claro que, siendo irrecurrible dicho auto, cabría —artículo 32.2— la posterior formulación de la cuestión previa. Por el contrario, en el supuesto de que se hubiere renunciado a la audiencia preliminar, el artículo 30.2 establece que el Juez decretará, sin más, la apertura del juicio oral en los términos del artículo 33. Por tanto, si en este artículo 33 no se prevé ya que pueda acordarse la acomodación del procedimiento a otro distinto del a celebrar ante el Tribunal del Jurado, que donde se prevé es en el artículo 32.4 y para el supuesto de que se hubiere celebrado la audiencia preliminar, parece que debe llegarse a la conclusión de que no podría acordarse ya esa inadecuación de procedimiento, máxime teniendo en cuenta que, fijándose en el artículo 34 que en el auto de apertura del juicio oral de acuerdo con el artículo 33 habrá de acordarse también la deducción y elevación al Tribunal correspondiente del oportuno testimonio, el procedimiento a seguir habrá de ser necesariamente el del Tribunal del Jurado, puesto que, de no ser así, lo que deberá elevarse a la Audiencia o al Juzgado de lo Penal no será testimonio alguno, sino, antes bien, la propia causa original». STSJ de Andalucía, Sala de lo Civil y Penal, Auto 18/2004 de 14 Abr. 2004, Rec. 13/2004.

La audiencia preliminar se iniciará con la práctica de las diligencias propuestas por las partes en sus escritos de calificación y con la de las que propongan para que se practiquen en el acto. El Juez denegará la práctica de toda diligencia que no sea imprescindible para la adecuada decisión sobre la procedencia de la apertura del juicio oral (art. 31.1 y 2 LJ). (Véase M. 327). Terminada la práctica de las diligencias admitidas, se oirá a las partes:

a) Sobre la competencia del Tribunal del Jurado para el enjuiciamiento. (Véase M. 318).

b) Sobre su petición de apertura de juicio oral, cuyos términos podrán ser modificados, siempre que no se introduzcan nuevos elementos que alteren el hecho justiciable o la persona acusada (art. 31.3 LJ). (Véase M. 319).

5.4. Auto de sobreseimiento o de acomodación a otro tipo de procedimiento

Antes de resolver sobre el sobreseimiento o apertura del juicio oral, el Juez podrá ordenar la práctica de alguna diligencia complementaria (art. 32.3 LJ).

De no haber sido imprescindible la práctica de alguna diligencia complementaria, concluida la audiencia preliminar, o dentro de los tres días siguientes, el Juez dictará auto por el que decidirá la apertura del juicio oral o el sobreseimiento (art. 32.1 LJ). La resolución que acuerde el sobreseimiento es apelable ante la AP.

También, en su caso, el Juez podrá ordenar la apertura del juicio oral, acomodando el procedimiento al previsto para los delitos graves o al abreviado, y ordenando la remisión de la causa a la AP o al Juzgado de lo Penal (art. 32.4 LJ). (Véase M. 319 y M. 329, M. 330)[43].

5.5. Auto de apertura de juicio oral

El auto de apertura de juicio oral tiene como función que el Juez instructor realice sobre los hechos que son objeto de acusación la correspondiente valoración jurídica, conducente a determinar la procedencia de su enjuiciamiento por el Tribunal de Jurado. Este auto, por el momento procesal en que se dicta, obliga a considerar que no debe ser objeto del mismo la calificación jurídica penal de los hechos objeto de acusación. La tipificación de los hechos dentro de un determinado delito deberá hacerse, posteriormente, en el auto de hechos justiciables, regulado en el art. 37 LJ (*Vid*. § 6.3 de este Cap.).

El auto de apertura de juicio oral expresa, en definitiva, que se celebrará el juicio oral por los hechos que en el mismo se exponen, frente a las personas que aparecen en él como acusadas[44].

---

(43) TSJ Canarias, Sala de lo Civil y Penal, Auto 2/2005 de 27 Jul. 2005, Rec. 2/2005: «A tenor del contenido del art. 32.4 LOTJ, el Juez puede acordar, tras la práctica de la audiencia preliminar, la transformación o acomodación del proceso ante el Tribunal del Jurado en procedimiento abreviado, debiendo ordenar, en tales casos, su remisión a la Audiencia Provincial o Juez de lo Penal correspondiente. Cuando de la instrucción del proceso aparezca con claridad que los hechos que constituyen su objeto no son los de la competencia del Tribunal del Jurado, el Juez Instructor, de oficio o a instancia de parte, deberá ordenar la transformación del procedimiento, dictando el auto correspondiente. Así, si considera que los hechos deben seguir el trámite del procedimiento ordinario deberá acordar la formación de sumario y dictar, en su caso, el oportuno auto de procesamiento, aún en el caso en que las partes ya hayan ya calificado los hechos. Como se ha visto a través de lo hasta ahora manifestado, la LOTJ vuelve a efectuar una reiteración de trámites para que las partes puedan instar, de nuevo ahora en la audiencia preliminar, la transformación o acomodación del proceso, y de igual modo, permite al Juez acordar tal transformación o acomodación. En este caso, por ninguna de las partes personadas ni por el propio Juez de oficio, se procediera a ello».

(44) Véase el AAP de Barcelona de 20 marzo 2001 (nº orden 32/2000; procedimiento nº 4/99-G; Magistrado Presidente Thomás Andreu), F.J. Primero: «... El Auto de apertura de juicio oral (Artículo 33) significa el control jurisdiccional de la imputación formulada, de modo que, sobre los hechos que son objeto de acusación, y sólo sobre ellos, el Juez de Instrucción debe realizar la correspondiente valoración jurídica sobre la procedencia de su enjuiciamiento por el Tribunal del Jurado. Así se expresa claramente cuando el precepto, en su apartado a) dice, textualmente, «... determinará: a) El hecho o hechos justiciables de entre los que han sido objeto de acusación...» De los artículos 32 y 33 LOTJ se deduce inmediatamente que, celebrada la audiencia preliminar

El auto de apertura del juicio oral tendrá el siguiente contenido: a) El hecho o hechos justiciables, de entre los que han sido objeto de acusación y respecto a los cuales se estime procedente el enjuiciamiento. b) La persona o personas que podrán ser juzgados como acusados o terceros responsables civilmente. c) La fundamentación de la procedencia de la apertura del juicio con indicación de las disposiciones legales aplicables. d) El órgano competente para el enjuiciamiento

La resolución que acuerde el sobreseimiento es apelable ante la AP (véase M. 328). La que acuerde la apertura del juicio oral no es recurrible, sin perjuicio de que las partes al personarse puedan plantear cualquiera de las cuestiones previas previstas en el art. 36 LJ. (Véase M. 331).

5.6. Testimonios, emplazamientos y personación

En el auto de apertura del juicio oral, el Juez acordará que se deduzca testimonio, según el art. 34 LJ, de:

a) Los escritos de calificación de las partes. b) La documentación de las diligencias no reproducibles y que hayan de ser ratificadas en el juicio oral. c) El auto de apertura del juicio oral (art. 34.1 LJ).

---

y practicadas en ella las diligencias, a salvo de las que con el carácter complementario puedan ordenarse, el Juez puede acordar: a) la no apertura del juicio oral, esto es, el sobreseimiento o la acomodación al procedimiento que corresponda; b) la apertura del juicio oral, bien sea —en el supuesto de considerar que los hechos deben conocerse a través del procedimiento abreviado— ante el Juzgado de lo Penal o la Audiencia Provincial, en cuyo caso abre el juicio ante el órgano que corresponda ("... *para que prosigan el conocimiento de la causa en los términos de los artículos 792 y siguientes...*" *Nótese que no se refiere al Artículo 790, puesto que el juicio oral ya esté abierto*), o bien sea porque los considera de la competencia del Tribunal del Jurado, en cuyo caso el Auto se sujeta a los contenidos del artículo 33 LOTJ. c) También puede acordar el sobreseimiento parcial o, debe deducirse, la "acomodación parcial" si valora que entre los hechos que correspondería enjuiciar a otro Tribunal y los que correspondería enjuiciar al Tribunal del Jurado no se cumplen las normas de conexidad del artículo 5 LOTJ. La valoración jurídica que al respecto debe realizar el Juez tendrá, naturalmente, en cuenta la calificación jurídico-penal de los hechos; pero otra cosa es el valor de tal calificación y aún más distinto es que deba o no exponer en la parte dispositivo del Auto qué concreto tipo delictivo considera aplicable. El artículo 33.c) LOTJ se refiere a «... *la fundamentación de la procedencia de la apertura del juicio, con indicación de las disposiciones legales aplicables*». El momento procesal en que se da tal resolución y los efectos que produce conduce a la consideración de que la falta de toda mención expresa a la calificación jurídico-penal de los hechos no es un olvido del legislador, sino que —al margen de la motivación de la resolución— expresamente deja el control jurisdiccional sobre tal calificación a un momento posterior: el del artículo 37 LOTJ, por el Magistrado-Presidente. Así, el juicio oral se abre respecto de unos hechos, que han sido objeto de acusación y respecto de una persona respecto de la que el Juez ha apreciado —como resultado de la audiencia preliminar— indicios racionales de participación culpable en aquellos; pero no respecto de un determinado tipo delictivo que resulte de consideración obligada e inamovible. En otras palabras, se abre el juicio oral porque los hechos la víctima reviste caracteres de delito sometido al conocimiento del Tribunal del Jurado, ha sido imputado a personas determinadas y el Juez valora que existen indicios de participación —culpable a título de dolo— de dichas personas, pero no abre el juicio oral por asesinato u homicidio. El auto de apertura de juicio oral significa o resuelve que «habrá juicio oral» por los hechos que expone y en, él serán acusadas las personas que indica».

El testimonio, efectos e instrumentos del delito ocupados, y demás piezas de convicción serán remitidas al Tribunal del Jurado (art. 34.1.2 LJ). No se remite toda causa para que el Tribunal no pueda dejarse influenciar por el contenido de las diligencias de investigación practicadas durante la fase de instrucción.

Las partes podrán pedir, en cualquier momento, los testimonios que les interesen para su ulterior utilización en el juicio oral (art. 34.3 LJ).

> «El tercer motivo de recurso alega indefensión por no haberse incorporado la totalidad del sumario al testimonio que debía examinar e Jurado. El motivo ya ha sido respondido correctamente en la propia sentencia del Presidente del Tribunal del Jurado y en la sentencia de apelación dictada por el Tribunal Superior de Justicia, por lo que no procede reiterar los argumentos allí expuestos, que no han sido desvirtuados en absoluto por el recurrente. Es claro que conforme a lo dispuesto en el art. 34 de la LOTJ los únicos testimonios que deben remitirse al Tribunal competente para el enjuiciamiento son los que se relacionan en el apartado 1-a) del referido precepto. La pretensión del recurrente de que se incluyesen "todos y cada uno de los folios del sumario" es manifiestamente contraria a la Ley». STS Sala Segunda, de lo Penal, Sentencia 591/2001 de 9 Abr. 2001, Rec. 487/2000; Ponente: Conde-Pumpido Tourón, Cándido. LA LEY 76467/2001.

También, en el mismo auto de apertura del juicio oral, el Juez mandará emplazar a las partes para que se personen dentro del plazo de 15 días ante el Tribunal competente para el enjuiciamiento (art. 35.1.° LJ).

SECCIÓN 6.   FASE DE JUICIO ORAL

6.1.   Inicio de la fase de juicio oral y designación de Magistrado Presidente

Como es sabido, la fase de juicio oral es la fase esencial del proceso penal. Esta fase es, obviamente, la que presentó más novedades en la LJ, al ser la fase que se desarrolla ante el Tribunal del Jurado (art. 35.2 y ss. LJ). Recibidas las actuaciones en la AP, se designará al Magistrado, que por turno corresponda, para presidir el Tribunal del Jurado (art. 35.2 LJ).

6.2.   Funciones del Magistrado Presidente

Las funciones del Magistrado Presidente son diversas durante la tramitación del procedimiento. Dispone el art. 4 LJ que éste, además de otras funciones, dictará sentencia en la que recogerá el veredicto del Jurado e impondrá, en su caso, la pena y medidas de seguridad que correspondan y decidirá sobre la responsabilidad civil.

Además de esta función esencial, pueden distinguirse éstas otras: 1. Anteriores al juicio oral: a) Resolución de las cuestiones previas (art. 36 LJ); b) Auto de hechos justiciables (art. 37 LJ); c) Constitución del Tribunal de Jurado (art. 38 LJ). 2. Durante la celebración del juicio oral: a) Forma de celebración (art. 43 LJ); b) Admisión de nuevas pruebas (art. 45 LJ); c) Suspensión del juicio (art. 47 LJ); d) Disolución anticipada del jurado (art. 49 LJ). 3. Posteriores al juicio oral: a) Determinación del objeto del veredicto (art. 52 LJ); b) Instrucciones a los jurados (art. 54 LJ); c) Devolución del acta al jurado (art. 63 LJ); d) Sentencia (art. 70 LJ).

> «La función del Magistrado-Presidente del Tribunal del Jurado, es la de garantizar, durante el juicio y en su resolución, el respeto al principio de legalidad, material y procesal, así como a los derechos constitucionales implicados en el proceso. Suya es la responsabilidad de que se respeten los principios fundamentales de presunción de inocencia, proscripción de la indefensión, prohibición de valoración de la prueba ilícitamente obtenida, utilización de los medios de prueba pertinentes para la defensa, derecho a ser informado de la acusación, a no declarar contra sí mismo y a no confesarse culpable, etc., y suya es también la responsabilidad de que en el juicio se atienda cumplidamente la normativa procesal, respetándose todas las garantías, y de que el veredicto sea congruente con el Derecho Penal Material, ya que en caso de contradicción entre el pronunciamiento sobre los hechos y el veredicto sobre la culpabilidad (culpable o inocente), está obligado a devolver el Acta al Jurado [art. 63.1° d) de la LOTJ]. Esta importante labor del Magistrado-Presidente, controlando la buena marcha del juicio, velando por el respeto a la legalidad y por el cumplimiento de las garantías constitucionales, determina un papel relevante que no se caracteriza por la pasividad, aunque sí por la imparcialidad. Ahora bien, sentado firmemente este principio básico de imparcialidad no cabe confundirlo con una obligación de pasividad. El Magistrado-Presidente debe velar, como se ha expresado, por la buena marcha del proceso, por el cumplimiento de la legalidad y de las garantías procesales, y ello determina una presencia activa, de carácter o talante institucional, sin condicionamientos derivados de una consideración paternalista del Jurado, que despreciando la madurez y ciudadanía de sus integrantes, ve en cualquier intervención institucional o funcional del Magistrado-Presidente un signo misterioso que pudiese influir en el Jurado, como si éste, a quien la Constitución y la ley le han atribuido el poder de juzgar en conciencia previa serena y secreta deliberación de sus integrantes, estuviese compuesto por inmaduros augures pendientes de la interpretación de los signos procedentes del Magistrado-Presidente para determinar el sentido de su decisión». STS Sala Segunda, de lo Penal, Sentencia de 31 May. 1999, Rec. 1303/1998; Ponente: Conde-Pumpido Tourón, Cándido. LA LEY 7430/1999.

6.3. Planteamiento de cuestiones previas

Las posibles cuestiones previas se resolverán por el Magistrado-Presidente, sin intervención de los jurados, pues el Tribunal del Jurado no se constituye hasta el día y hora señalados para el juicio (art. 36.1 LJ).

Al tiempo de personarse[45], las partes podrán, como cuestiones previas:

---

(45) «El momento procesal de planteamiento de las cuestiones previas que regula el artículo 36 LOTJ, entre las que sin duda se encuentra la vulneración de derechos fundamentales, es al tiempo de personarse las partes ante la Audiencia Provincial momento en que la representación de acusado Jesús María podía haber alegado la vulneración de un derecho fundamental que le generaba indefensión (epígrafe b) del citado precepto) lo que se hubiera tramitado por el procedimiento de los artículos 668 a 677 de la LECrim., y ante la resolución negativa del Magistrado Presidente, podía haber recurrido en apelación ante esta Sala. En este caso no se plantearon cuestiones previas, ni siquiera se alegó nada al respecto en el turno de intervenciones previas al inicio del Juicio Oral

a) Plantear alguno de los artículos de previo pronunciamiento previstos en el art. 666 LECrim., o alegar lo que estimen oportuno sobre la competencia o inadecuación de procedimiento.

b) Alegar la vulneración de algún derecho fundamental. (Véase M. 332).

c) Interesar la ampliación del juicio a algún hecho respecto del cual hubiese inadmitido la apertura del juicio oral el Juez de Instrucción. (Véase M. 333).

d) Pedir la exclusión de algún hecho sobre el que se hubiera abierto el juicio oral, si se denuncia que no estaba incluido en los escritos de acusación.

e) Impugnar los medios de prueba propuestos por las demás partes y proponer medios de prueba.

Presentado el escrito interponiendo las cuestiones previas, se dará traslado a las demás partes, para que en el plazo de tres días puedan instar por escrito su inadmisión (art. 36.1.II LJ). (Véase M. 334).

La ley no admite el planteamiento de cuestiones previas con posterioridad a este trámite[46]. Así pues, las infracciones procesales o de pruebas consideradas nulas o ilícitamente obtenidas cometidas con anterioridad a este momento deberán alegarse en este trámite del art. 36 LJ[47].

---

al que se refiere el artículo 45 de la LOTJ». (STSJ de Madrid, Sala de lo Civil y Penal, Sentencia 17/2014 de 15 Sep. 2014, Rec. 29/2014).

(46) «Habiendo alegado las defensas cuestiones previas, realizadas ante este Tribunal procede preguntarse: ¿Es posible volver a plantear las cuestiones previas del art. 36 LOTJ con posterioridad a este trámite? ¿Cabe su alegación al comenzar las sesiones del juicio oral? Hay que responder en sentido negativo a tal pregunta, de forma que se concluya en la imposibilidad del planteamiento de cuestiones previas (art. 36), con posterioridad a este trámite, dada la prohibición expresa contenida en el art. 678.2 LECrim. De otro lado, el art. 45 LOTJ concreta expresamente la intervención de las partes al comienzo del juicio y tras la lectura por el Secretario de los escritos de calificación: "... abrirá un turno de intervención de las partes para que expongan al Jurado las alegaciones que estimen convenientes a fin de explicar el contenido de sus respectivas calificaciones y la finalidad de la prueba que han propuesto". No hay, pues, soporte legal alguno que permita abrir un debate al inicio del plenario sobre cuestiones previas, ni siquiera relacionadas con la vulneración de derechos fundamentales, tal y como sucede, por el contrario, con la previsión del art. 793.2 LECrim para el procedimiento abreviado. La lectura de este precepto y su confrontación con el antes citado —45 de la Ley del Jurado— es claramente expresiva de la opinión que acabamos de sustentar». SAP Cuenca, 10/2013 de 1 Jul. 2013, Rec. 1/2013.

(47) Esta es la doctrina sentada por la jurisprudencia de la Sala 2º del Tribunal Supremo, pudiendo señalarse por todas la sentencia de 10-4-2007 (nº 293/2007) cuando en su Fundamento segundo dice lo siguiente: «La censura carece de todo fundamento y debe ser desestimada por las mismas razones que expone la sentencia impugnada, dado que, en efecto, la existencia de infracciones procesales o de pruebas consideradas nulas o ilícitamente obtenidas —cuando de juicio ante el Jurado se trate y se hayan cometido las infracciones denunciadas con anterioridad o en fase de instrucción, particularmente en lo relativo al material probatorio propuesto por las partes acusadoras o la defensa, incluso respecto de las decisiones adoptadas por el Magistrado-Presidente en lo relativo a la exclusión de diligencias probatorias a practicar ante el Tribunal del Jurado—, deben hacerse valer en la vía impugnatoria expresamente prevenida al respecto en cuanto al planteamiento de las cuestiones previas establecidas en el art. 36 de la Ley del Jurado o mediante la impugnación prevenida en el art. 37 de la misma, todo ello en relación con lo dispuesto en los arts. 666, 668 a 677 y 846- bis-a) de la LECrim». (SAP de Sevilla, Sección 1ª, 17/2012 de 4 Dic.

Las cuestiones previas se sustanciarán a través de los trámites previstos en la LECrim. para los artículos de previo pronunciamiento (art. 36.2 LJ). Contra el auto resolutorio de estas cuestiones cabe recurso de apelación (art. 846 bis a) LECrim.). Las partes no podrán reproducir en el juicio oral las cuestiones previas desestimadas, sin perjuicio de poder alegarse al recurrir la sentencia (art. 678.2 LECrim.)[48]. Todas las cuestiones previas deberán ser resueltas definitivamente antes del inicio del juicio oral ante el Jurado[49].

> «Dicha práctica si bien neutraliza el riesgo de soluciones anulatorias que no tomen en cuenta el juego de excepciones sin embargo comporta otros. El más importante: el efecto contaminante psicológico que puede producir sobre el Tribunal la práctica de medios probatorios o la recepción de fuentes probatorias afectadas de nulidad. Sobre ello se ha dicho que los tribunales profesionales disponen de mecanismos de asepsia valorativa del cuadro probatorio que les permite aislar o reducir significativamente en el proceso decisional el riesgo de contaminación. Ello explicaría, precisamente, la diferencia con el régimen de tratamiento de las nulidades probatorias en el procedimiento ante el Tribunal del Jurado donde su análisis y resolución previa (artículo 37 LOTJ (LA LEY 1942/1995)) como artículo de previo pronunciamiento sólo con la intervención del magistrado-presidente constituye una necesidad estructural para evitar que el Jurado pueda acceder al material probatorio afecto de nulidad, pues sus miembros no disponen de capacidad técnica para excluir su efectos sobre la convicción alcanzada. Dicha justificación del doble régimen no es enteramente convincente. Parte, en todo caso, de una presunción hipotética poco verificable cual es que los jueces profesionales no se contaminan de forma significa-

---

2012, Rec. 5720/2007). Ver también, SAP Sevilla, Sección 1ª, Sentencia 17/2012 de 4 Dic. 2012, Rec. 5720/2007.

(48) «Las cuestiones previas previstas en el art. 36 LOTJ deben ser tramitadas, de acuerdo con el apartado 2 de esta norma, como los artículos de previo pronunciamiento enunciados en el art. 666 LECrim, pero la desestimación de aquéllas no autoriza a reproducirlas en el juicio oral como medios de defensa —art. 678, párrafo segundo— "sin perjuicio de lo que pueda alegarse al recurrir contra la Sentencia". Si la prohibición de reproducir en el juicio oral las cuestiones previas inadmitidas está plenamente justificada, en el procedimiento del Tribunal de Jurado, por la posibilidad que ha tenido la parte de recurrir en apelación la resolución que las haya inadmitido, la posibilidad, a su vez, de reproducirlas en el recurso de apelación que se interponga contra la Sentencia, tiene que estar indeclinablemente condicionada por la previa apelación contra aquella primera resolución puesto que si el Auto de inadmisión no se ha impugnado, esto es, si la parte que promovió las cuestiones previas no ha expresado oportunamente su formal discrepancia con el mismo y lo ha tácitamente consentido, principios tan elementales para el buen orden del proceso como los de buena fe y preclusión impiden que, al amparo del recurso contra la Sentencia, se cuestione una anterior resolución que fue recibida con pacífico aquietamiento». STS Sala Segunda, de lo Penal, Sentencia 118/2000 de 4 Feb. 2000, Rec. 366/1999; Ponente: Jiménez Villarejo, José. LA LEY 5120/2000.

(49) «En este sentido, la sentencia del Tribunal Superior de Justicia de Valencia de 2 de febrero de 1999, a cuyo "depurado razonamiento" se refiere, para compartirlo, la STS. de 4 de febrero de 2000, llegó a la conclusión de que en el ámbito del procedimiento de la LOTJ "no puede alegarse nada relativo a las cuestiones previas cuando se recurra contra la sentencia", por cuanto ello supondría desvirtuar la "regla esencial de que todas las cuestiones previas han de quedar resueltas definitivamente antes del inicio del juicio oral ante el Jurado"». TSJ de Andalucía, Sala de lo Civil y Penal, 9/2012 de 2 May. 2012, Rec. 8/2012. Ver también, STSJ Andalucía, Sala de lo Civil y Penal, Sentencia 8/2013 de 11 Mar. 2013, Rec. 44/2012; STSJ Andalucía, Sala de lo Civil y Penal, Sentencia 9/2012 de 2 May. 2012, Rec. 8/2012.

tiva por la producción de pruebas nulas. Toda hipótesis basada en difusos juicios de probabilidad resulta débil. La existencia de un riesgo de que la recepción cognitiva de los resultados probatorios procedentes de medios declarados posteriormente nulos en sentencia afecte a la percepción del Tribunal sobre la inocencia del acusado permite cuestionar el modelo». (Tarragona, Sección 4ª, Sentencia 24/2015 de 21 Feb. 2015, Rec. 34/2012).

6.4. Auto de hechos justiciables, procedencia de prueba y señalamiento de día para la vista del juicio oral

En este auto deberán recogerse, con una redacción precisa y clara, tanto los hechos objeto de acusación como los que sean objeto de defensa. Se hará constar la calificación acusatoria, determinando el tipo de delito cometido y su grado de ejecución, participación de los acusados y las posibles circunstancias modificativas de la responsabilidad. Es decir, en este auto se delimita lo que va a constituir el objeto del juicio oral y la prueba que se va a practicar. Frente al auto de apertura del juicio, cuya función es ordenar que se celebre el juicio, este auto de hechos justiciables no es una mera repetición de aquél, sino una delimitación de lo que va a ser objeto de debate en el juicio oral[50].

Personadas las partes y resueltas, en su caso, las cuestiones previas propuestas, el Magistrado-Presidente dictará el auto de hechos justiciables (véase M. 335). La finalidad de este auto es facilitar la acusación y defensa, y la posterior tarea de los jurados (art. 37 LJ). El contenido de este auto será el siguiente:

---

(50) Véase AAP de Barcelona de 20 marzo 2001, antes citada, FJ Primero: «1º) El Auto previsto en el artículo 37 LOTJ no puede ser considerado como una mera repetición —esta vez por el Magistrado-Presidente— del Auto de apertura de juicio oral del Artículo 33 LOTJ en lo referente a los hechos y a la calificación jurídica de los mismos. El Auto de apertura de juicio oral (Artículo 33) significa el control jurisdiccional de la imputación formulada, de modo que, sobre los hechos que son objeto de acusación, y sólo sobre ellos, el Juez de Instrucción debe realizar la correspondiente valoración jurídica sobre la procedencia de su enjuiciamiento por el Tribunal del Jurado. Así se expresa claramente cuando el precepto, en su apartado a) dice, textualmente, "... determinará: a) El hecho o hechos justiciables de entre los que han sido objeto de acusación...". El Auto de apertura de juicio oral significa o resuelve que "habrá juicio oral" por los hechos que expone y en, él serán acusadas las personas que indica. 2º) Lo dicho anteriormente es así porque da sentido al Auto del Magistrado-Presidente que prevé, el Artículo 37 LOTJ en cuanto, en primer lugar, como hechos justiciables deben recogerse ya no sólo los hechos objeto de acusación, sino también objeto de defensa. No sólo deben precisarse los hechos en que se basa una determinada calificación acusatorio, sino también los que determinan el grado de ejecución, la participación del acusado y aún las circunstancias modificativas de la responsabilidad, siempre apreciado todo ello en los hechos objeto de acusación y defensa que resultan de los expuestos por Acusación y Defensa. Pero, aquí sí, no es suficiente con la fijación de los hechos que será n objeto de debate, también determinará el delito o delitos que dichos hechos constituyan. La distinción entre uno y otro Auto no es gratuita y el hecho de que apartado c) del artículo 37 fuera introducido específicamente por la aprobación de enmienda en el Senado pone de manifiesto la importancia de la distinción. El Auto de hechos justiciables ya no significa que "habrá juicio oral", sino sobre qué, hechos delictivos versarán los debates, incluyendo, obviamente, la participación de los acusados y las circunstancias excluyentes o modificativas de la responsabilidad; y la determinación de todo ello se deja al Magistrado-Presidente».

a) Precisará en párrafos separados el hecho o hechos justiciables, sin que puedan incluirse en cada párrafo términos susceptibles de ser tenidos por probados unos y por no probados otros. Se incluirán tanto los hechos alegados por las acusaciones como por la defensa, aunque si la afirmación de uno supone la negación del otro, sólo se incluirá una proposición.

b) Seguidamente se expondrán, también en párrafos separados, los hechos que configuren el grado de ejecución del delito y el de participación del acusado, así como la posible concurrencia de exención, agravación o atenuación de responsabilidad criminal.

c) A continuación, determinará el delito o delitos que dichos hechos constituyen.

d) Asimismo, resolverá sobre la propuesta de medios de prueba y sobre la anticipación de su práctica.

e) También señalará día y hora para la vista del juicio oral, ordenando citar a peritos y testigos, y disponiendo que los imputados que se hallen en prisión sean citados y conducidos a la cárcel de la población donde deba celebrarse el juicio.

El auto de hechos justiciables no es susceptible de recurso alguno, aunque si deniega la práctica de algún medio de prueba, cabrá formular oposición o protesta, a efectos de ulterior recurso (art. 37.d.2.º LJ).

6.5. Constitución del Tribunal del Jurado

Los 36 candidatos a jurado para cada causa, designados y citados para el día señalado para la vista del juicio oral, deberán concurrir este día ante el Magistrado-Presidente y el Letrado A. Justicia, con presencia de las partes. (Véase M. 336).

Concurriendo al menos 20 de los convocados, se abrirá la sesión. Inmediatamente, el Magistrado-Presidente interroga a los candidatos, por si en ellos concurrieran falta de requisitos o alguna causa de incapacidad, incompatibilidad o excusa. Igual facultad de interrogar tienen las partes (art. 38.1 y 2 LJ)[51].

---

(51) «El razonamiento no es válido, porque no fue la incomparecencia de candidatos —supuesto del artículo 38.1 de la Ley Orgánica del Tribunal del Jurado—, ni la eliminación de los incursos en causa legal de exclusión —supuesto del 38.2—, lo que redujo su número a menos de veinte, situación que hubiese dado lugar al sorteo complementario previsto en el 39, sino que fue consecuencia de simultanear indiscriminada e indebidamente las actuaciones reguladas en el citado artículo 38 con las establecidas en el 40 para las recusaciones sin causa, a formular —estas últimas— sobre no menos de veinte candidatos previamente depurados de las causas de exclusión legalmente establecidas, no al propio tiempo de dilucidarse éstas, lo que supone un quebrantamiento de forma sustancialmente distinto al que se alega. CUARTO. En efecto, la aplicación de ambos filtros conjuntamente a veintitrés candidatos, en vez de cada uno y sucesivamente a un mínimo de veinte, redujo su número a ocho, lo que se tradujo en una imposibilidad de constituir el Jurado que no puede solventarse obviando las recusaciones sin causa ya formuladas y volviendo a convocar a todos los no incursos en causa legal de exclusión, recusados y no recusados, en compañía de los no comparecidos y de otros ocho procedentes de un nuevo sorteo, como si estuviésemos todavía en el trámite del artículo 39 de la Ley Orgánica, no sólo porque las partes ya han mostrado, en condiciones inadecuadas, su opinión sobre ellos, sino sobre todo porque ese sistema,

Después del interrogatorio, las partes pueden recusar a aquellos en quienes afirmen que concurre alguna causa de incapacidad, incompatibilidad o prohibición. Las recusaciones se resolverán por el Magistrado-Presidente en el mismo acto, sin que quepa recurso alguno, aunque sí protesta a efectos del recurso que pueda ser interpuesto contra la sentencia (art. 38.3 y 4 LJ). La jurisprudencia admite que el Magistrado Presidente excluya de oficio a cualquier candidato que no reúna los requisitos legales. Si bien la LTJ permite plantear la recusación en diversos momentos, deberá hacerse tan pronto se conozca la causa de recusación.[52]

---

previsto por la Ley para resolver la falta de candidatos comparecidos o resultante de las exclusiones legales, no está indicado para solucionar los problemas derivados del sometimiento de menos de veinte candidatos idóneos a las recusaciones sin causa del artículo 40, cuya vulneración supone una nulidad en el procedimiento no susceptible de otro remedio que el radical y común establecido para la anulación de los actos procesales en general, al que se ha acogido con todo acierto el Magistrado-Presidente». (STSJ de Castilla y León de Burgos, Sala de lo Civil y Penal, Sentencia 4/2007 de 22 Oct. 2007, Rec. 5/2007).

(52) STSJ de Castilla y León de Burgos, Sala de lo Civil y Penal, Sentencia 1/2007 de 15 Ene. 2007, Rec. 9/2006: «SEGUNDO. Nada dice el recurrente ni en el momento de efectuar la protesta en relación con la primera de las infracciones que denuncia (irregular exclusión de uno de los candidatos en el acto de constitución del Jurado), ni al reproducirla en sus alegaciones, para explicar el efecto contrario a los intereses del condenado que se deriva de esta exclusión, sin que pueda considerarse satisfecha la exigencia de acreditar la realidad de la indefensión suponiendo que con el concurso del jurado excluido hubiera podido cambiar de signo del veredicto de culpabilidad recaída. Como antes se ha dicho no basta con la presencia de un defecto procesal si no implica un menoscabo efectivo y no meramente hipotético del derecho de defensa en relación con algún interés de quien lo invoca. Pero es que en el caso que nos ocupa no llega ni a producirse defecto procesal alguno en la fase de constitución del jurado toda vez que la acción del Magistrado Presidente excluyendo a un candidato en quien no concurren los requisitos previstos en el artículo 8 de la Ley de Jurado, tal y como se refleja con la suficiente claridad en el acta, responde a un escrupuloso cumplimiento de las previsiones contempladas en los artículos 38 y 42 de la misma. En efecto la Ley de Jurado constituye al Magistrado Presidente en "director de las actuaciones" erigiéndose en autentico garante de que el juicio se celebre con estricto acatamiento de todas las garantías constitucionales y procesales exigibles, por ello las funciones que le otorga en todas las fases del proceso le obligan a mantener una postura activa que en la constitución del jurado se concreta tanto en hacer valer el derecho de las partes a recusar a aquellos candidatos afectados de una tacha que afecta a su capacidad o imparcialidad como el excluirlos de oficio de apreciar la concurrencia de causas que los inhabiliten. En este sentido resultan suficientemente explícitos los términos en los que se expresa el apartado 2 del artículo 38 de la Ley de Jurado, que puesto en relación con el resto de los preceptos en los que se señalan las funciones del Magistrado Presidente (arts. 36, 37, 52, 54 ...) ponen de manifiesto que la Ley al constituirle en director del proceso no solo le reconoce la potestad para excluir de oficio los candidatos no idóneos en la fase de constitución del jurado, sino que le impone el deber de hacerlo, con el fin de evitar, incluso contra la voluntad de las partes, que una defectuosa constitución del jurado, invalide el resultado definitivo del juicio».

Ver también STS 315/2011 de 16 Abr. 2011, Rec. 2612/2010: «Por ello, conforme al art. 223.1 LOPJ ("la recusación deberá proponerse tan pronto como..."), es procedente que se exija a la parte que pretende denunciar la pérdida de la imparcialidad de alguno o de todos los miembros del Jurado la diligente utilización de dicho remedio desde el momento en que tenga conocimiento de la causa en que pretenden fundarse, sin esperar a denunciar su concurrencia sólo cuando haya recaído una resolución desfavorable, excepto en los supuestos en que le sea exigible al órgano judicial el planteamiento de oficio, por tratarse de circunstancias cuya apreciación no dependa de elementos valorativos (SSTS 1084/2003 de 18 jul. y 529/2005 de 27 abr.; SSTC 310/2000 (LA LEY 2104/2001) y 39/2004 (LA LEY 860/2004); STEDH de 28 octubre 1998, Castillo de Algar vs. España). Por ello, tiene razón el Tribunal de instancia cuando cuestiona el comportamiento de la parte recurrente, no

Si al acto de constitución hubieran concurrido menos de 20 candidatos, o resultasen también menos de este número como consecuencia del interrogatorio y recusaciones, se procederá a un nuevo señalamiento dentro de los 15 días siguientes. Se citará al efecto a los comparecidos, a los ausentes y a un número no superior a ocho, que serán designados en el acto, mediante un sorteo entre los de la lista bienal (art. 39.1 LJ)[53]. Si en la segunda convocatoria tampoco se obtuviera el número mínimo de candidatos a jurado, es decir, el de 20, se procederá de igual manera que en la primera convocatoria: es decir, se procederá a sucesivas convocatoria y sorteos complementarios hasta obtener el número de 20 candidatos (art. 39.3 LJ)[54]. Una vez se haya obtenido el número mínimo de 20 candidatos, sea en la primera o en posteriores convocatorias, se procederá a un nuevo sorteo para seleccionar a los nueve jurados que formarán parte del Tribunal y otros dos más como suplentes (art. 41.1 LJ).

Introducidos los nombres de los candidatos en una urna, serán extraídos uno a uno por el Letrado A. Justicia, quien leerá en alta voz el nombre de cada jurado titular (art. 41.2 LJ). Leído el nombre, las partes podrán interrogar al nombrado y recusarlo, sin alegación de motivo alguno, hasta cuatro de los nombrados por las acusaciones y otros cuatro por las defensas (art. 40.3 LJ)[55].

La recusación podrá ser de dos tipos: la recusación objetiva, o fundada en motivos legalmente tasados (amistad íntima, enemistad manifiesta, tener interés en el asunto, vínculo de parentesco, etc.); y la recusación sin causa o perentoria, que no exige motivación por el interesado. Esta última es la ejercitable en este momento de la constitución definitiva del Tribunal del Jurado, presentes ya los veinte candidatos para ser sorteados de entre ellos los once que resultan necesarios —nueve Jurados y dos suplentes— (art. 40 LJ).

Este tipo de recusación sin alegación de causa objetiva o de carácter subjetivo sirve para excluir a aquellos candidatos que hubieren pasado los anteriores controles de capacidad, compatibilidad y objetividad pero que, a juicio del acusador o de la defensa, revelen una proclividad predeterminada. Las partes penales —no el actor civil ni los responsables civiles— les someten a un interrogatorio informal con el fin de conocer datos u opiniones suyos, que puedan influir en su debida imparcialidad o bien que revelen actitudes presuntamente mediatizadas.

considerando de recibo que, habiendo renunciado en su día la defensa a plantear la cuestión de la imparcialidad de todos o de parte de los miembros del Jurado por la vía procesalmente reservada a tal efecto (arts. 21 y 30 LOTJ), preguntándoles a cada uno de ellos sobre el grado de conocimiento que pudieran tener antes de comenzar las sesiones del juicio oral acerca de los hechos objeto de enjuiciamiento y los posibles prejuicios, lo haga después en esta fase procesal una vez que conoce el contenido condenatorio de la sentencia».

(53)   Si las partes alegasen respecto a los sorteados alguna causa de incapacidad, incompatibilidad o prohibición, que fuese aceptada por el Magistrado-Presidente, sin protesta de las demás partes, se completará el sorteo hasta obtener la cifra de ocho candidatos complementarios (art. 39.1 LJ).

(54)   Al candidato a jurado que no comparezca a la primera citación, ni justifique su ausencia, se le impondrá la multa de 150 €. Si no compareciese a la segunda citación, la multa será de 600 a 1500 € (art. 39.2 LJ).

(55)   Si hubiere varias partes acusadoras o varias partes acusadas deberán actuar de mutuo acuerdo. El actor civil y los terceros responsables civiles no pueden formular recusación (art. 40.3 LJ).

La doctrina que defiende esta institución entiende que también sirve para armonizar el resultado aleatorio de un sorteo, al poder éste provocar una composición excesivamente homogénea, susceptible de orientar el veredicto en un determinado sentido. Así puede resultar un Jurado de personas excesivamente jóvenes, o excesivamente maduras, o mayoritarias de un determinado sexo[56]. Con este tipo de recusación se podrá reequilibrar la composición final del Tribunal. Téngase en cuenta, que es prácticamente imposible, que la ley contemple toda la pluralidad posible de causas objetivas de recusación, que deben tener siempre carácter de «numerus clausus». Por el contrario, esta recusación perentoria —peremptory challenge, se le denomina en inglés— no está sujeta a limitación alguna[57]. El problema que puede plantearse en la práctica es que se intente buscar un Jurado propicio a los intereses del Fiscal, o del defensor, más que un Jurado justo. En todo caso, a nuestro entender el Magistrado-Presidente deberá aplicar un criterio amplio y flexible en la admisión de preguntas, aun cuando, en ocasiones invadan esferas personales, sentimientos, prejuicios, creencias, experiencias, etc. Sin duda, estas preguntas constituyen un valioso instrumento en manos del Fiscal y del Abogado para garantizar la imparcialidad de los jurados.

Para evitar un uso abusivo y arbitrario de esta recusación que impida el buen funcionamiento del sistema del Jurado, como ocurrió con la Ley de 1888, se ha limitado a cuatro el número de estas recusaciones posibles por cada parte —art. 40.3 LJ—. A nuestro entender, existe una tendencia en la práctica forense, a interrogar a cada candidato a medida que van resultando designados, debiendo cada parte decidir, en el acto, si lo recusa o no. Así podrá haberse agotado su cupo, ignorando el perfil de los restantes, que puede ser incluso peor para sus intereses que los anteriormente recusados. Mucho más racional resulta la otra vía posible: una vez designados los once Jurados, cada parte formulará sus preguntas a cada Jurado, debidamente aislado de los demás. Una vez finalizado el interrogatorio a todos los jurados, cada parte estará, entonces, en disponibilidad de recusar hasta un máximo de cuatro. Esta es la forma adecuada y que responde al fin de esta institución.

Sin embargo, el art. 40 LJ no especifica si los miembros seleccionados deban permanecer juntos en la Sala o si deben estar aislados. En alguna sentencia, sin mostrarse contraria a la posibilidad de interrogar de forma aislada a los candidatos, se requiere que se justifique que de no procederse así se pueda comprometer la imparcialidad del jurado. Funda, de forma escasamente sólida, en parte este criterio en las posibles dilaciones que se pueden producir con las entradas y salidas[58].

---

(56) Es usual la recusación de las mujeres cuando la víctima es también de este sexo; o de personas de colectivos marginados, para determinados tipos de delitos.

(57) A título ilustrativo algunas de las preguntas del interrogatorio podrían ser: a) En un caso de violación, si debe darse más credibilidad al testimonio de un hombre o al de una mujer; b) En un caso de homicidio por un drogadicto, si considera a este tipo de personas enfermos o delincuentes; c) En un caso de cohecho a un policía, si tiene algún pariente policía o guardia civil; d) En un homicidio, si justifica algún tipo de violencia, si pertenece a algún tipo de movimiento social o político, etc.

(58) AP de Toledo, Sección 1ª, Sentencia 28/2011 de 28 Sep. 2011, Rec. 2/2011: «La Ley Orgánica 5/1995 reguladora del procedimiento ante el Tribunal del Jurado omite, en trámite de

A continuación se procederá de igual manera para la designación de los jurados suplentes. Cuando sólo resten dos para ser designados suplentes, no se admitirá la recusación sin causa (art. 40.4 LJ). Finalizado el sorteo, del que levantará acta el Letrado A. Justicia, se constituirá el Tribunal del Jurado (art. 40.5 LJ). (Véase M. 337).

Una vez el Tribunal se haya constituido, se procederá a recibir juramento o promesa a los seleccionados para actuar como jurados (véase M. 338). Quien se negase a prestar juramento o promesa será conminado con el pago de una multa de 300 Euros, que se impondrá en el acto, y si el conminado persiste en su negativa, se deducirá el oportuno tanto de culpa y, en su lugar, será llamado el suplente (art. 41 LJ). (Véase M. 339).

6.6. Disolución anticipada del Jurado

Son varios los momentos procesales en los que puede disolverse anticipadamente el Jurado. Corresponderá adoptar la decisión, en todo caso, al Magistrado Presidente mediante auto. Podrá tener lugar:

a) Disolución por suspensión del juicio oral. Cuando durante la celebración del juicio oral tuviera que suspenderse éste por cualquier motivo de los previstos en el art. 746 y 788.1 y 4 LECrim., el Magistrado Presidente deberá acordar la disolución del Jurado, si aquélla tuviera que prorrogarse por cinco o más días. Si el plazo fuese inferior será facultativa de aquél (art. 47 LJ). La brevedad del plazo

---

elección de los miembros de jurado, regular algunos extremos que pudieran resultar importantes y ello ha dado pie a que incluso en vía casacional el Tribunal Supremo se haya tenido que pronunciar acerca de la forma en la que se ha de proceder a la conformación del jurado. Buen ejemplo de ello son las sentencias 202/2003 de 25 de noviembre y 555/2010 de 7 de junio, en donde se tratan distintas cuestiones relativas a la selección de los candidatos a formar parte del jurado. El art. 40 de la citada ley Orgánica nada dice de las circunstancias espaciales que han de rodear el momento, limitándose a señalar que se incluirán los nombres de todos los candidatos comparecidos y serán extraídos uno por uno y a continuación se preguntara al candidato. No se dice que ello sea sin la presencia del resto de candidatos, los cuales, por otro lado, tienen derecho a estar presentes en el momento en que se procede a la introducción de los nombres en la urna y la extracción de la papeleta con el nombre del candidato que ha de ser interrogado. El hacer entrar y salir a todos los candidatos cada vez que se procede al sorteo implica una innecesaria dilación que nada aporta en cuanto a garantías para las partes. Por otro lado esa selección no es en audiencia pública. Para justificar la protesta se ha indicado que con ello los candidatos conocen el contenido de las preguntas, lo que les resta espontaneidad, y que se afecta a sus derechos a la intimidad y a la propia imagen. Lo último supone la asunción, por parte del letrado de la defensa, de una representación de la que carece puesto que serán los candidatos los que deban valorar si esa forma de selección les inquieta o incomoda en sus derechos y ninguno ha realizado la más mínima queja. Además hablar de intimidad en un acto que aun no siendo público sí que se realiza fuera del marco de la privacidad es un contrasentido como también hablar de la propia imagen puesto que de ninguna de las maneras la imagen, entendida en sentido físico como conocimiento y determinación de los rasgos de cada uno de los candidatos, queda mermada desde el momento en que todos ellos ya se han visto, y es de hacer ver que serían aquellos receptores de la imagen, y los que resulten elegidos continuaran durante un tiempo más o menos largo en contacto directo. Y tampoco por ese hecho tienen conocimiento de ningún dato privado más. Otra cosa sería con ello se comprometiera la imparcialidad del jurado en cuyo caso es evidente que tendría razón el letrado de la defensa, pero no se ha dicho nada sobre tal extremo, ni por tanto actuado en consecuencia que sería la recusación del número total de candidatos que permite la ley».

y la rigidez de la norma pueden alentar la mala fe de alguna de las partes, cuando el Tribunal no le resulte satisfactorio, provocando la suspensión (inasistencia de testigos, hipotéticas enfermedades, medios de prueba, etc.). En este supuesto debería haber primado la discrecionalidad del Magistrado Presidente, a los efectos de ponderar en cada caso sobre la conveniencia o no de la disolución.

b) Disolución por ausencia de prueba de cargo. Procederá ésta, una vez concluidos los informes de la acusación, si de los debates resultase la inexistencia de prueba de cargo que permitiera fundar una condena del acusado (art. 49 LJ). Podrá acordarse de oficio o a instancia de la defensa. Se excluye a las partes acusadoras, ya que éstas deberían en este caso desistir en sus informes de su petición de condena. En todo caso, el Magistrado, antes de adoptar su decisión, podrá solicitar a la parte acusadora un mayor esclarecimiento de los hechos concretos de prueba y de su valoración jurídica, según establece el art. 788.3 LECrim para el procedimiento abreviado.

La introducción de esta facultad debe entroncarse directamente con el derecho constitucional a la presunción de inocencia, que exige una mínima actividad probatoria de cargo para poder condenar. Carecería de sentido provocar la continuación del Jurado, una vez conocida la ausencia de prueba inculpatoria. En estos casos, se dictará sentencia absolutoria en el plazo de tres días, susceptible de recurso de apelación. Si existiesen varios acusados y el juicio debiera continuar frente a los restantes, deberá abrirse una pieza separada en el supuesto de recurso de aquélla, a la que se incorporará testimonio de todas las actuaciones, tramitándose ambas causas por separado.

Ahora bien, esta facultad no tiene carácter absoluto. Debe limitarse a los casos de una ausencia de la más mínima actividad probatoria o cuando se trate de pruebas obtenidas ilícitamente para evitar que las valore el Jurado[59].

«Al respecto debemos decir que, la facultad del Magistrado/a Presidente/a, no solo se refiere al examen de la validez de la prueba, sino también a si cumple su condición incriminatoria de prueba de cargo, no cabe otra interpretación del artículo 49 de la LOTJ: "... si estima que del juicio no resulta la existencia de prueba de cargo

_____

(59) STS 262/2005 de 28 Feb. 2005, Rec. 2677/2003: «De lo que se acaba de exponer y de las sentencias de esta Sala, antes reseñadas, se obtiene una clara conclusión: la facultad del Magistrado-Presidente de disolver anticipadamente el Jurado, por inexistencia de prueba, no es tan absoluta ni amplia como para cercenar la facultad de valoración probatoria que corresponde al verdadero órgano de enjuiciamiento que es el Jurado. Se trata de evitar que el Jurado pueda pronunciarse sobre pruebas que se han obtenido con vulneración de las garantías que deben presidir un juicio justo, impidiéndose que surtan efecto las obtenidas violentando derechos o libertades fundamentales (art. 11 LOPJ) o cuando existe una ausencia de la más mínima actividad probatoria. En todo caso, esta facultad debe ejercerse con la ponderación y moderación que exige el respeto que merece el Jurado como órgano de enjuiciamiento y por consiguiente, de valoración sobre la suficiencia o no de la prueba de cargo practicada. En el supuesto que examinamos, el Magistrado-Presidente, al decidir la disolución anticipada del Jurado, ha entrado a valorar la suficiencia o no de los elementos incriminatorios ofrecidos por el Ministerio Fiscal y la acusación particular, y ello desborda la facultad que le confiere el artículo 49 de la Ley del Tribunal del Jurado, sin que pueda olvidarse que se trata de delitos de máxima gravedad, cuya decisión, cuando no es competencia de un Tribunal de Jurado, corresponde a un órgano colegiado».

que pueda fundar una condena del acusado". De lo anterior se desprende que es la Magistrada Presidenta la que debe analizar si existe prueba válida y suficiente de cargo, pero ella no es la destinataria de la convicción por lo que no debe analizar la actividad probatoria. Solo se disuelve el Jurado cuando no existe ninguna prueba, o las mismas no son válidas, se trata de una disolución de oficio aunque exista acusación, pero si existe alguna prueba valorable no se debe disolver. Al respecto, afirma la Sentencia del Tribunal Supremo, de fecha 28 de febrero de 2005, que "no es sencillo delimitar el alcance de la facultad que tiene el Magistrado Presidente de disolver anticipadamente el Jurado y qué criterios deben presidir esa decisión". Acude la sentencia a la cita de otras anteriores de la misma Sala, como es el caso de las sentencias de 4 de noviembre de 2003, 17 de enero de 2003, 13 de noviembre de 2002 y 11 de septiembre de 2000. Cita, a continuación, la Exposición de Motivos de la LOTJ y concluye afirmando: "De lo que se acaba de exponer y de las sentencias de esta Sala, antes reseñadas, se obtiene una clara conclusión: la facultad del Magistrado Presidente de disolver anticipadamente el Jurado, por inexistencia de prueba, no es tan absoluta ni amplia como para cercenar la facultad de valoración probatoria que corresponde al verdadero órgano de enjuiciamiento que es de Jurado. Se trata de evitar que el Jurado pueda pronunciarse sobre pruebas que se han obtenido con vulneración de las garantías que deben presidir un juicio justo, impidiéndose que surtan efecto las obtenidas violando derechos o libertades fundamentales (art. 11 LOPJ) o cuando existe una ausencia de la más mínima actividad probatoria. En todo caso, esta facultad debe ejercerse con la ponderación y moderación que exige el respeto que merece el Jurado como órgano de enjuiciamiento y por consiguiente, de valoración sobre la suficiencia o no de la prueba de cargo practicada"». (STSJ de Madrid, Sala de lo Civil y Penal, Sentencia 18/2013 de 20 Nov. 2013, Rec. 13/2013)

c) Disolución por conformidad de las partes. Este supuesto se produce cuando el acusado se manifiesta conforme con el escrito de calificación que solicite la pena de mayor gravedad o con el escrito suscrito por todas las partes, en el que no deberán incluirse nuevos hechos ni una calificación más grave. En ningún caso podrá exceder la pena conformada de seis años (art. 50 LJ). Esta conformidad podrá realizarse de forma conjunta por la acusación y defensa por aplicación supletoria de la LECrim[60]

d) Disolución por desistimiento. También se ha previsto que, si todas las partes acusadoras personadas manifestaren en sus conclusiones definitivas o en cualquier momento anterior al juicio que desisten de su petición de condena, el Magistrado disolverá el Jurado y dictará sentencia absolutoria. En realidad, se trata de un supuesto de renuncia más que de desistimiento, quedando la acción juzgada con fuerza de cosa juzgada.

6.7. Conformidad del acusado

En la LJ no se utiliza la expresión del ya derogado art. 793.3.1 LECrim. (Introducido por LO 7/1988, de 28 diciembre), referente al procedimiento abreviado, que ordenaba dictar en estos casos «sentencia de estricta conformidad». El vigente art. 787 LECrim., sustituto de aquél, ha suprimido también esta expresión y se limita a

---

(60) SAP de Castellón, Sección 1ª, Sentencia 2/2013 de 25 Oct. 2013, Rec. 2/2013. Ver también, SAP de Madrid, Sección 5ª, Sentencia 18/2012 de 30 Ene. 2012, Rec. 4/2011.

señalar que el Tribunal dictará sentencia de conformidad, si concurren los requisitos establecidos en el propio precepto; en otro caso ordenará seguir el juicio (art. 787.3 LECrim.). Por su parte, el art. 50.1 LJ regula los requisitos que deben concurrir para la conformidad, y el art. 50.2 LJ, establece que si hay conformidad, el Juez dictará «la sentencia que corresponda, atendidos los hechos admitidos por las partes». Es decir, la especialidad que presenta la LJ es que el Juez no queda vinculado con el objeto del proceso conformado, sino sólo con relación a los hechos admitidos, salvo que aquél entienda que no han sido los hechos perpetrados; que no lo fueron por el acusado; que no son constitutivos de delito; o que concurre alguna eximente o atenuante (art. 50.2 y 3 LJ)[61].

«En el mismo sentido, la sentencia de la Audiencia Provincial de Barcelona n.º 15/2015, de 9 de abril (LA LEY 67500/2015), expone; "La conformidad del acusado con los hechos objeto de acusación y su calificación jurídica y penas interesadas, ratificada por su Letrado, en la comparecencia ante la Magistrada-Presidente y en presencia de las partes, de acuerdo con los establecido en los artículos 50, 45, 24.2 de la Ley Orgánica 5/1999, de 22 de mayo, del Tribunal del Jurado, en relación con el artículo 655, párrafo 2º, de la LECrim, determina que debe procederse a dictar, sin más trámites, la sentencia según la calificación aceptada, sin que proceda, por tanto, la constitución del Jurado y la celebración de juicio ante el mismo. La Ley Orgánica del Tribunal del Jurado regula, si bien de forma ciertamente defectuosa, por deficitaria e incompleta, expresamente la conformidad en el artículo 50 de su articulado, como una forma más de disolución del Jurado, y, por tanto, una vez que éste ha sido constituido o incluso con anterioridad a su constitución formal, y, si bien no contiene específica previsión normativa acerca de la posibilidad de la conformidad en la fase intermedia, ello se desprende de la posibilidad de integrar aquélla supletoriamente con las normas de la LECrim que no se contraríen en lo dispuesto por aquélla, como se infiere del artículo 24.2 de la ley del Jurado, referido a la instrucción complementaria y que comprende hasta las mismas calificaciones complementarias y en que dispone expresamente la aplicación supletoria de las normas de la LECrim, y por tanto, del artículo 655 de la misma, en el que se regula la conformidad en el escrito de calificación provisional del acusado, y ordena, previa ratificación personal del mismo, se dicte sentencia sin más trámites"». (SAP La Rioja, Sentencia 31/2016 de 4 Mar. 2016, Rec. 2/2015).

En realidad, más que una conformidad con el escrito de calificación que solicite pena de mayor gravedad, se trata de una conformidad con los hechos admitidos calificados con la pena de mayor gravedad por las partes. Esta precisión nos conduce a dos conclusiones: a) Si el Magistrado entiende que procede dictar sentencia condenatoria, dictará la que corresponda, que no podrá poner pena mayor que la conformada si entiende adecuada la calificación, en virtud del principio de congruencia penal; b) Si estimase procedente dictar sentencia absolutoria o disminuidora de responsabilidad por aplicación de alguna circunstancia modificativa de la responsabilidad penal, de acuerdo con lo previsto en el art. 50.2 y 3 LJ, sin disolver el Jurado,

---

(61)   Vid. TOMÉ GARCÍA, *Comentarios a la LJ*, Madrid 1999, p. 494 ss.; MUERZA ESPARZA, *Comentarios a la LJ*, Pamplona 1999, p. 718 ss.; DE DIEGO DÍEZ, «La conformidad en la LJ», *La Ley* nº 3986, de 1 marzo 1996.

ordenará proseguir el juicio. Es decir, la LJ dispone que este supuesto es competencia directa del Jurado.

Esta conformidad, como ya se ha indicado, podrá realizarse de forma conjunta por la acusación y defensa por aplicación supletoria de la LECrim[62]

De lo dispuesto en la LJ y en la LECrim, que rige como supletoria, se desprende que tres son los posibles momentos para expresar la conformidad del acusado y su defensa con la pena más grave solicitada por la acusación (véase sobre la conformidad en el procedimiento abreviado § 3.4, 4.2, 5.5 Cap. XII):

1°) En la contestación al escrito de solicitud de apertura de juicio oral y de calificación de la parte acusadora (art. 29.2 LJ) (final de la fase de instrucción e inicio de la fase de juicio oral, en relación con el art. 655 LECrim). En este supuesto, deberá la el acusado mostrar en aquella contestación su conformidad con el escrito de calificación provisional del acusador y también con la petición de apertura de juicio oral. Consecuencia de esta conformidad y de su aceptación de la apertura del juicio oral, el Juez Instructor la decretará sin más trámites, según dispone el art. 30.2 LJ, con emplazamiento de las partes para que comparezcan ante la Audiencia competente.

---

(62) SAP de Castellón, Sección 1ª, Sentencia 2/2013 de 25 Oct. 2013, Rec. 2/2013: «PRIMERO. La Ley del Jurado solo regula la conformidad en el art. 50 LOTJ, para indicar que, ante la conformidad del acusado, procede la disolución del Jurado y que la sentencia la dicta el Magistrado-Presidente. La LECrim es supletoria (art. 24.2 LOTJ) y dicha ley prevé la posibilidad de conformarse en el cruce de los escritos de calificación provisional (arts. 655 y 787) incluso formalizándose conjuntamente con la acusación del Fiscal (art. 784.3). La aplicación de estos preceptos en las causas ante el Tribunal del Jurado no supone ninguna contradicción interna; antes bien, su contenido suple alguna de las muchas carencias de la LOTJ, integrando y completando en cierta medida la institución de la conformidad. En estos casos puede evitarse, además, la costosa e innecesaria constitución del Jurado. Pues bien, el art. 787.1 de la Ley de Enjuiciamiento Criminal dispone que antes de iniciarse la práctica de la prueba, la acusación y la defensa con la conformidad del acusado presente, podrán pedir al Juez o Tribunal que proceda a dictar sentencia de conformidad con el escrito de acusación que contenga pena de mayor gravedad, o con el que se presentara en dicho acto, que no podrá referirse a hecho distinto, ni contener calificación más grave que la del escrito de acusación, debiendo dictarse sentencia de estricta conformidad con la pena aceptada si la misma no excediera de seis años. Establece asimismo el art. 784.3 LECrim que dicha conformidad podrá ser también prestada con el nuevo escrito de acusación que conjuntamente firmen los acusadores y el acusado junto con su Letrado, en cualquier momento anterior a la celebración del juicio oral. Tal es el caso en que nos encontramos, al haberse presentado escrito de conformidad con carácter previo al comienzo del juicio y de la constitución del Jurado...». Ver también, SAP de Madrid, Sección 5ª, Sentencia 18/2012 de 30 Ene. 2012, Rec. 4/2011: «PRIMERO. La Ley Orgánica 5/1996, del Tribunal del Jurado (L.O.T.J.), tan sólo contempla de forma expresa la conformidad del acusado y de su defensa con el escrito de calificación que solicite pena de mayor gravedad una vez celebrado el juicio oral, siendo causa de disolución del Jurado (vid. artículo 50.1). Ahora bien, el artículo 24.2 de la L.O.T.J. también dispone que la aplicación de la LECrim será supletoria en lo que no se oponga a sus preceptos, de manera que cabe entender que la remisión del artículo 29.2 en cuanto a la formulación del escrito de defensa en los términos del artículo 652 LECrim (con la posibilidad de conformidad prevista en ese trámite por el artículo 655) o la remisión del artículo 42 de la L.O.T.J, en cuanto a la celebración del juicio oral, a los artículos 680 y siguientes LECrim (cuyo artículo 688 también permite la conformidad de los acusados), no sólo autoriza, sino que impone la finalización del proceso mediante sentencia que acoja la calificación mutuamente aceptada, incluso en un momento previo a la propia constitución del Tribunal del Jurado, como sucede en el presente caso».

Recibidas las actuaciones en la Audiencia, se designará Magistrado Presidente (art. 35 LJ). Planteada la conformidad en este momento procesal, se evitan todos los trámites de la constitución de un jurado, que no llegará a desarrollar actividad alguna. A nuestro entender, el principio de economía procesal, la complejidad, los costes personales y económicos y la inutilidad de la constitución del Jurado, justifican plenamente esta posibilidad de conformidad[63]. Así el Magistrado Presidente, después de oír a las partes sobre la concurrencia de los presupuestos legales exigidos, sobre la posible concesión de los beneficios de remisión condicional de la pena, y sobre la innecesariedad de constituir el Jurado, pasará a dictar sentencia. Así lo ha entendido la doctrina de las AP y de los TSJ[64].

---

(63)   SAP de Asturias, Sección 3ª, Sentencia 56/2011 de 11 Mar. 2011, Rec. 4/2010: «PRIMERO. Que antes de entrar en lo que es propiamente materia del fondo de la causa es ajustado a derecho trazar aunque sea un breve comentario sobre si es factible en los juicios por Jurado la conformidad del acusado antes de constituirse el Jurado. Son 2 las premisas que podemos predicar sobre la respuesta afirmativa: a) El artículo 50 de la Ley del Jurado 5/95 que aunque contempla la conformidad en el juicio propiamente dicho es aplicable su transposición antes del juicio teniendo en cuenta sobre todo una razón de economía dado que sería perjudicial para las arcas del Estado constituir un jurado con 9 titulares y 2 suplentes para luego disolverlo con todos los gastos que ello conlleva —gasto de desplazamiento, manutención en su caso, retribuciones a los miembros del Jurado, etc.—.

b) Por razón del artículo 24 de la Ley del Jurado al aplicarse la Ley de enjuiciamiento Criminal como supletoria.»

Ver también SAP de Tarragona, Sección 4ª, Sentencia 540/2010 de 15 Nov. 2010, Rec. 4/2010: «PRIMERO.- En primer término, resulta oportuno poner de relieve que si bien la específica regulación del Procedimiento de Tribunal de Jurado establece el mecanismo de conformidad como un supuesto de terminación anticipada del juicio oral ya iniciado y, por ende, constituido dicho Tribunal —vid. art. 50—, ello no empece la aplicación analógica de la conformidad previa prevista en la LECrlm. (LA LEY 1/1882) —art. 786—, cuya regulación deviene supletoria al establecerlo así el párrafo 2º del art. 24 L.O 5/95. En este sentido, la ratio que justifica el adelantamiento de la decisión sobre la base de la conformidad previa de las partes, reside, precisamente, en que como consecuencia de dicho mecanismo desaparece toda controversia sobre los hechos, objeto de la acusación, que constituyen, a la vez, objeto de veredicto. De tal manera, la ausencia de contradicción fáctica priva de sentido y de eficacia a la propia constitución del Jurado, por cuanto desaparece el objeto sobre el que recae su competencia jurisdiccional». Ver también STSJ de Cataluña, Sentencia 5/2010 de 11 Mar. 2010, Rec. 25/2009.

(64)   «La Ley Orgánica 5/1996, del Tribunal del Jurado, sólo contempla de forma expresa la conformidad del acusado y de su Defensa con el escrito de calificación que solicite pena de mayor gravedad una vez celebrado el juicio oral, siendo causa de disolución del jurado (artículo 50.1 LOTJ). Ahora bien, el artículo 24.2 LOTJ también dispone que la aplicación de la LECrim será supletoria en lo que no se oponga a sus preceptos. De tal manera que cabe entender que la remisión del artículo 29.2 LOTJ, en cuanto a la formulación del escrito de defensa, a los términos del artículo 652 LECrim —con la posibilidad de conformidad prevista en ese trámite por el artículo 655—; o la remisión del artículo 42 LOTJ, en cuanto a la celebración del juicio oral, a los artículos 680 y siguientes de la LECrim. —cuyo artículo 688 también permite la conformidad de los acusados— no solamente autorizan, sino que imponen la finalización del proceso mediante sentencia que contenga la calificación aceptada, incluso en un momento previo al de la constitución del propio jurado, como en el presente caso sucede. SEGUNDO. Así pues, al haber sido reconocidos los hechos por el acusado, constar la absoluta conformidad de su Defensa con el escrito de calificación del Ministerio Fiscal —única acusación personada— y no exceder la pena solicitada de seis años de privación de libertad, debe dictarse sin más trámites la sentencia correspondiente a partir de los hechos procesales admitidos por las partes, no dándose ninguno de los supuestos de continuación

«... De todas formas, la posibilidad de que el acusado muestre su conformidad antes de llegar a los escritos de calificación definitiva parece que puede derivar de los amplios términos en que está redactado el art. 24.2 LJ, que señala a la LECrim. como norma de subsidiaria aplicación y con ello al concreto art. 655 que no es más que la procesal consecuencia del escrito de conformidad redactado conforme al art. 652 (de expresa cita). De hecho, la posibilidad de que el acusado se conforme con la pena pedida por la acusación y se dicte sentencia condenatoria por el Magistrado Presidente sin previa composición del Tribunal del Jurado se ha dado ya en varias ocasiones (concretamente en siete) en la misma Audiencia Provincial de Barcelona, con total aquietamiento del Ministerio Fiscal. Parece, pues, incuestionable la previsión legal tácita de una conformidad en la denominada fase intermedia del proceso...». (STS Cataluña de 10 septiembre 1997, n.º 435, La Llei de Catalunya i Balears, n.º 187, de 15 diciembre 1997). Ver, también, SAP Girona, Sec. 3ª, de 22 julio 1998, n.º 81, La Llei de Catalunya i Balears de 15 febrero 1999.

2º) Después del trámite de calificación provisional y antes de la constitución del Tribunal de Jurado. Con la misma motivación expresada en al apartado anterior, se puede sostener que, si antes del inicio del juicio oral es conocida la conformidad del acusado, pueda el Magistrado Presidente dictar sentencia en los términos del art. 50 LJ, sin necesidad de constituir el Jurado y previa audiencia de las partes. Para ello bastará que todas las partes presenten ante Secretaría un escrito conjunto, solicitando, con carácter inmediato, sentencia de conformidad, debiendo reunir aquél los requisitos exigidos para tal fin (SAP Madrid, de 28 nov 1996).

«Carecería, en ese caso, de sentido, a nuestro juicio, que, conocida, antes del comienzo del jurado, como en nuestro caso ocurre, la voluntad de conformidad del acusado, se proceda a esa constitución con el exclusivo objeto de escuchar la conformidad para, seguidamente, sin mayor intervención, pasar a su disolución, a fin de que se dicte sentencia, por el Magistrado Presidente, de acuerdo con la conformidad entre las partes. Ello iría contra la más elemental economía procesal u, lo que es más, contra la esencia misma de la institución del jurado, ante la segura inutilidad de su presencia en un acto que no va a requerir de pronunciamiento alguno de su parte, ya que la Ley reserva, en el único lugar en el que aborda esta cuestión (art. 50.1 2. y 3 LJ), tan solo al Magistrado Presidente, y no al jurado, la facultad de comprobación y censura de la pertinencia y viabilidad de la conformidad manifestada... Es por ello que se ha optado, en este caso, por eludir... el trámite de constitución del jurado, pasando directamente, tras oír a las partes ... a dictar la presente resolución condenatoria. (SAP Madrid, de 28 nov 1996, n.º 957, La Ley, de 18 febrero 1997).

3º) Al inicio del juicio oral (art. 42.1 LJ, en relación con el 688 LECrim). No existe problema en entender que la conformidad puede expresarse, una vez finalizada la fase instructora, en el momento de iniciarse el juicio oral, al amparo del art. 42.1 LJ, que remite para los trámites del juicio oral a los arts. 680 y ss. LECrim. El Letrado A. Justicia dará lectura a los escritos de calificación (art. 45 LJ). Después, el Magistrado-Presidente preguntará a cada uno de los acusados si se confiesa reo del delito que se haya imputado en el escrito de calificación y responsable civilmente a la restitución de la cosa o al pago de la cantidad fijada en dicho escrito por razón de daños y per-

---

del juicio que se hallan previstos en el artículo 50, apartados 2 y 3, de la LOTJ». Ver también SAP de Zaragoza, Sección 1ª, Sentencia 175/2010 de 21 Abr. 2010, Rec. 1/2010.

juicios (art. 688 LECrim.), según la calificación más grave y la cantidad mayor cuyo pago se solicite, si hubiese varias partes acusadoras (art. 689 LECrim.).

Si en la causa no hubiese más que un acusado y contestase afirmativamente —y además la pena conformada no excediere de seis años de privación de libertad, sola o conjuntamente con las de multa y privación de derechos—, el Magistrado-Presidente preguntará al defensor si considera necesaria la continuación del juicio oral. Si éste contestase negativamente, el Magistrado-Presidente disolverá el Jurado y dictará la sentencia que corresponda, atendidos los hechos admitidos por las partes (art. 694 LECrim., en relación con art. 50.1 y 2 LJ)[65]. (Véase M. 341). Cuando fuesen varios los acusados en la misma causa, y todos se hubieran conformado con pena que no exceda de seis años de privación de libertad, se procederá asimismo a la disolución del Jurado y a dictarse por el Magistrado-Presidente la sentencia que corresponda, a no ser que los defensores consideren necesaria la continuación del juicio (art. 697.1 LECrim., en relación con el art. 50.1 y 2 LJ). Si cualquiera de los acusados no se confiesa reo del delito que se le haya imputado en la calificación, o el defensor considera necesaria la continuación del juicio, se celebrará el juicio (art. 697.2 LECrim.)[66].

Hay que tener en cuenta, de todos modos, que la conformidad no siempre produce disolución del Jurado, ya que:

a) Si el Magistrado-Presidente entendiese que existen motivos bastantes para estimar que el hecho justiciable no ha sido perpetrado o que no lo fue por el acusado, no disolverá el Jurado, y mandará seguir el juicio (art. 50.2 LJ).

b) Si el Magistrado-presidente entendiera que los hechos aceptados pudieran no ser constitutivos de delito, o que pueda resultar la concurrencia de alguna causa de exención o de preceptiva atenuación, no disolverá el Jurado y, previa audiencia de las partes, someterá a aquél por escrito el objeto del veredicto.

4º) Después de practicada la prueba en el juicio oral ante el Tribunal del Jurado, en la contestación al informe de las conclusiones definitivas de la acusación (art. 50 LJ). También en este supuesto corresponderá, previa disolución del Jurado, exclusivamente al Magistrado Presidente dictar sentencia —art. 50 LJ—. Posibilidad ésta criticada por la doctrina, ya que propicia que el acusado sólo pida la conformidad al final del juicio oral si la prueba le resulta perjudicial, con un claro fraude del fin de la institución. No obstante, no aparecen claras las ventajas para el acusado, ya que debe conformarse con la máxima pena a que podía ser condenado —principio de congruencia penal—, salvo que se hubiera pactado con la acusación la pena solicitada.

---

(65) Si el acusado confesase su responsabilidad criminal pero no la civil o, aún aceptada ésta, no se conformase con la cantidad fijada en la calificación, el Magistrado-Presidente mandará que continúe el juicio, que versará sólo sobre la responsabilidad civil (art. 695 LECrim). Ahora bien, como es función exclusiva del Magistrado-Presidente resolver sobre la responsabilidad civil del penado y/o del tercero civil responsable (art. 4.II LJ), se procederá a la disolución del Jurado.

(66) Si el disentimiento fuese tan sólo respecto a la responsabilidad civil, el juicio continuará versando sólo sobre la responsabilidad civil, cuya resolución corresponde exclusivamente al Magistrado-Presidente (art. 4.II LJ) Consecuentemente, se disolverá el Jurado.

6.8. Celebración del juicio oral

A) Consideraciones generales

A la celebración del juicio oral se le aplican las disposiciones de la LECrim relativas al juicio oral del procedimiento por delitos graves (art. 42.1 LJ) (véase § 4, Cap. XV).

La celebración del juicio oral requiere la asistencia del acusado y su abogado defensor. Si hubiese varios acusados y alguno de ellos deja de comparecer, el Magistrado-Presidente, oídas las partes, podrá acordar la continuación del juicio para los que hayan comparecido (art. 44.I y II LJ).

La ausencia injustificada del tercero civil responsable en debida forma no producirá la suspensión ni impedirá su enjuiciamiento (art. 44.III LJ). El juicio oral ante el Tribunal del Jurado tendrá para los letrados prioridad frente a cualquier otro señalamiento o actuación procesal (art. 44.I LJ). El Magistrado-Presidente podrá decidir la celebración del juicio a puerta cerrada, previa consulta al Jurado y oídas las partes (art. 43 LJ).

B) Inicio del juicio

Tras el juramento o promesa de los jurados, se dará comienzo a la celebración del juicio (art. 42.1 LJ). Una vez se haya procedido a dar lectura a los escritos de calificación por el Letrado A. Justicia (art. 45 LJ), podrán las partes mostrar su conformidad con la acusación ante el Tribunal, según se acaba de exponer. (Véase M. 340).

C) Alegaciones previas de las partes al Jurado

Inmediatamente después del trámite relativo a la conformidad, cuando el juicio deba proseguir ante el Jurado, el Magistrado-Presidente abrirá un turno de intervención de las partes, para que expongan al Jurado las alegaciones que estimen convenientes a fin de explicar el contenido de sus respectivas calificaciones y la finalidad de la prueba que han propuesto (art. 45 LJ).

Con ocasión de este turno, cada una de las partes podrá proponer nuevas pruebas para practicarse en el acto de la vista, resolviendo el Magistrado-Presidente, tras oír a las demás partes (art. 45.1 LJ)[67]. Para que puedan ser admitidas estas pruebas deberán cumplir dos requisitos: a) Deben ser nuevas, no habiéndose podido solicitar con anterioridad; y b) Que puedan ser practicadas en dicho acto.

«No obstante, antes de dicho momento, en el trámite de cuestiones previas ante el Magistrado-Presidente del Tribunal del Jurado, conforme al art. 36. 1 e) las partes

---

(67) «Tratándose del proceso de jurado, las partes podían proponer pruebas, además de en los escritos de calificación, en el trámite de personación ante la Audiencia Provincial previsto en el art. 36 de la LO 5/1995, y en el de alegaciones previas establecido en el art. 45 de la misma Ley. La resolución sobre la prueba en el indicado proceso de jurado, se verificaría en el auto de hechos justiciables previsto en el art. 37 de la LO 5/1995, y por el Magistrado Presidente en el trámite de alegaciones previas previsto en el art. 45 de la LO 5/1995». STS Sala Segunda, de lo Penal, Sentencia de 14 Feb. 2000, Rec. 2123/1998; Ponente: Marañón Chávarri, José Antonio. LA LEY 6342/2000.

podrán impugnar los medios de prueba propuestos por las demás partes y proponer nuevos medios de prueba. Y por último, iniciado el juicio oral, el trámite de las alegaciones previas del Jurado, siendo requisito necesario que en estos dos últimos momentos los medios de prueba propuestos sean nuevos, en el sentido de que las pruebas no pudieron solicitarse en un momento anterior por su desconocimiento o eran conocidas pero por imposibilidad no atribuida a las partes no se podía utilizar. Ello significaría que las partes no pudieron proponerlas ni en el escrito de calificación ni en el trámite de cuestiones previas por imposibilidad, esto es, por circunstancias ajenas a la voluntad de las partes. Una segunda condición tiene que tener las nuevas pruebas y es la susceptibilidad para ser practicadas en ese acto. El Magistrado-Presidente, previa audiencia de las partes, resuelve sobre su admisión, teniendo en cuenta la pertinencia con el objeto del proceso y su disponibilidad para ser practicadas en el acto del juicio. Como señala la STS 77/2000: "tal disposición sólo puede interpretarse en el sentido de que solo podrán admitirse aquellas pruebas que, tenidas por pertinentes, puedan practicarse en el acto, debiendo, por ende, rechazarse, tanto las que se declaren impertinentes como aquéllas otras que, aun siendo pertinentes, no puedan practicarse en el acto"». (STSJ de Castilla-La Mancha, Sala de lo Civil y Penal, Sentencia 1/2016 de 28 Ene. 2016, Rec. 7/2015).

D) Especialidades probatorias

Estas especialidades, según el art. 46 de la LJ, son las siguientes:

1º) Los jurados podrán preguntar por escrito sobre los hechos a testigos, peritos y acusados.

2º) Los jurados examinarán los libros, documentos y demás piezas de convicción.

3º) Para la prueba de inspección ocular, se constituirá el Tribunal en su integridad, con los jurados, en el lugar del suceso.

4º) Los jurados podrán solicitar que se les exhiba la documentación de las diligencias de investigación no reproducibles, que deban ser ratificadas en el juicio oral que habían sido remitidas (remitidas por el Juez Instructor).

5º) Las partes podrán interrogar al acusado, testigo[68] y peritos sobre las contradicciones que estimen que existen entre lo que manifiesten en el juicio oral y lo dicho en fase de instrucción[69]. No debe olvidarse que la convicción del jurado no se forma con las declaraciones sumariales, sino con las manifestaciones expresadas en el juicio a través de las cuales los deponentes se retractan o bien explican sus anteriores declaraciones del sumario[70].

---

(68) Vid. BEGUÉ LEZAUN, «La prueba testifical en el proceso ante el Tribunal del Jurado: especialidades contextuales y procedimentales», *Estudios jurídicos*, Vol. 4, nº 2, 2012, Ministerio de Justicia: Centro de Estudios Jurídicos.

(69) Vid. APARICIO DÍAZ, L., «Aproximación a las especialidades procesales previstas en el artículo 46.5 LOTJ desde la jurisprudencia del Tribunal Supremo: ¿qué ocurre cuando el acusado se niega a declarar en el juicio oral?», *Diario La Ley*, nº 7444, 2010.

(70) «Conviene recordar que el artículo 46 LOTJ), vinculado a las "especialidades probatorias" de este tipo de proceso, según su propia rúbrica, refiere, en su apartado 5, que "el Ministerio Fiscal, los letrados de la acusación y los de la defensa podrán interrogar al acusado, testigos y peritos sobre las contradicciones que estimen que existen entre lo que manifiesten en el juicio oral

6º) La prueba se debe practicar en el acto del juicio. Las declaraciones efectuadas en la fase de instrucción, salvo las resultantes de prueba anticipada, no tendrán valor probatorio de los hechos en ellas afirmados[71]. Por tanto, no podrá darse lectura a las declaraciones previas prestadas en la instrucción de la causa[72]. Aunque el MF y los letrados podrán interrogar al acusado, testigos y peritos

y lo dicho en la fase de instrucción. La convicción del jurado no se forma con las declaraciones sumariales, sino con las manifestaciones expresadas en el juicio a través de las cuales los deponentes se retractan o bien explican sus anteriores declaraciones del sumario, aclarando las eventuales divergencias entre unas y otras, de tal suerte que las declaraciones sumariales son así atraídas y reconducidas al juicio oral y sometidas en él a la debida contradicción de las partes. Desde entonces, constituyen prueba válida y eficaz del plenario, que podrá ser apreciada en conciencia por los jurados, junto con el restante material probatorio. Lo relevante en todo caso es que la confrontación entre lo declarado con anterioridad y en el juicio oral sea directa con la presencia personal del interrogado"». (Zaragoza, Sección 1ª, Sentencia 288/2015 de 30 Nov. 2015, Rec. 2/2014).

(71) «Como anticipamos abordamos ahora la afirmación del Tribunal que, desde una interpretación literal del art. 46.5 de la LOTJ, niega que las declaraciones en el sumario del acusado y puedan ser valoradas por el Tribunal de Jurado. Hemos de recordar la doctrina de esta Sala sobre la posibilidad de valorar la prueba del sumario. Partiendo de una regla general según la cual la prueba valorable es la producida en el juicio oral con las garantías señaladas en la ley, también se contemplan excepciones derivadas de la admisibilidad de la valoración de la prueba sumarial preconstituida y anticipada siempre y cuando se observen los requisitos materiales, subjetivos, objetivos, de fondo y formales que la ley y los principios constitucionales aplicables al proceso penal exigen. Así, en los supuestos de imposibilidad o constatada y razonable dificultad de su práctica en el juicio oral, con necesaria intervención del Juez de instrucción, garante de la imparcialidad y de la legalidad, y con presencia de las partes que garantizan la contradicción en la producción de la prueba, las declaraciones obrantes en el sumario pueden ser objeto de valoración por el Tribunal encargado del enjuiciamiento (Cfr. STC 80/1986; 26/1988, 140/1991 y STDH Caso Isgro, de 19 de febrero de 1991). Este criterio general con sus excepciones expuestas no aparece contradicho por el art. 46.5 de la LOTJ. El precepto, como señala la STS 1240/2000, de 11 de septiembre, "reproduce de modo muy sintético, la doctrina constitucional y jurisprudencial", la regla general y la excepción a la regla en orden al momento de realización de la prueba en el sentido de reafirmar que ésta es la que se desarrolla en el juicio oral, y la excepción, el supuesto de prueba anticipada. La consideración de prueba anticipada presenta una doble inteligencia. De una parte, la contenida en el art. 448 de la Ley de Enjuiciamiento Criminal como supuesto excepcional de práctica de la prueba con anterioridad a la fecha señalada en el juicio oral. De otra, los supuestos de prueba del sumario, que participa de una naturaleza preconstituida y a la que nos hemos referido esta Sala en nuestra Jurisprudencia y también recogida en la del Tribunal Constitucional abarcando los supuestos de prueba preconstituida, prueba del sumario o las excepciones del art. 730 de la Ley de Enjuiciamiento Criminal que en puridad no son una prueba anticipada pero han sido introducidas en su comprensión por la Jurisprudencia y así consideradas por los operadores jurídicos». STS Sala Segunda, de lo Penal, Sentencia 1443/2000 de 20 Sep. 2000, Rec. 1158/1999; Ponente: Martínez Arrieta, Andrés. LA LEY 10742/2000.

(72) «La Ley Reguladora del Procedimiento ante el Tribunal de Jurado, en su art. 46.5 señala que no tendrán valor probatorio las declaraciones del acusado, testigos y partes efectuadas en la fase de instrucción, "salvo los resultantes de la prueba anticipada". En el supuesto de retractaciones podrán ser objeto de interrogatorio las contradicciones sin que "pueda darse lectura a dichas previas declaraciones" aunque se unirá al acta testimonio de aquéllas. La contradicción que aparentemente resulta al impedir su lectura y permitir su incorporación por testimonio postula una interpretación según la cual son las partes las que deben interrogar sobre las contradicciones y el testimonio que se incorpora servirá al Jurado para comprobar la realidad de la contradicción y formarse una convicción a la luz del interrogatorio. Lo que puede ser objeto de valoración son las declaraciones en el juicio oral en tanto que la documentación va dirigida a la valoración de

sobre las contradicciones entre lo que manifiestan en el juicio oral y lo que hubieran manifestado en la fase de instrucción[73]. En este caso, se aportarán en el acto testimonio de las declaraciones previas.

«La interpretación del art. 46.5 LOTJ está respaldada por el propio texto de la ley y por ello no puede ser *"contra legem"*. En efecto, como ya lo han puesto de manifiesto varios precedentes, esta Sala ha entendido que la ley del jurado no excluye el procedimiento de confrontación que prevé el art. 714 LECrim, sino que lo autoriza expresamente en el art. 46 LOTJ. Por lo tanto, si las partes pueden señalar a los testigos, peritos y acusados sus contradicciones y éstas pueden ser objeto del debate, es evidente que el jurado tomará conocimiento de las contradicciones, aunque las actas del sumario no se puedan leer durante el juicio. Carecería de sentido procesal que, informado de la existencia de las contradicciones entre las declaraciones previas y la que el declarante presta en presencia de los jurados, se le impidiera al jurado verificar por sí dichas contradicciones. Precisamente esa es la razón por la cual el art. 53.3 LOTJ dispone que el acta del juicio, a la que se deben agregar los testimonios de la declaración rectificadas, según lo dispuesto en el propio art. 46.5 LOTJ, sea entregada al jurado antes de que éste pronuncie el veredicto. Por lo tanto, no cabe hablar de valoración de pruebas que está permitido valorar ni de la consecuente vulneración del derecho a la presunción de inocencia». STS Sala Segunda, de lo Penal, Sentencia 1970/2001 de 30 Oct. 2001, Rec. 133/2001-P/2001; Ponente: Bacigalupo Zapater, Enrique. LA LEY 1823/2002.

Debe censurarse que no se autorice, en caso de contradicción, la lectura de las declaraciones de la fase de instrucción y sí en cambio se permita la incorporación de su testimonio. Hubiera sido más coherente permitir que se confrontaran las declaraciones contradictorias en la fase el juicio oral.

«La Ley Reguladora del Procedimiento ante el Tribunal de Jurado, en su art. 46.5 señala que no tendrán valor probatorio las declaraciones del acusado, testigos la prueba personal». STS Sala Segunda, de lo Penal, Sentencia 1443/2000 de 20 Sep. 2000, Rec. 1158/1999; Ponente: Martínez Arrieta, Andrés. LA LEY 10742/2000.

(73) «... se consagra legalmente respecto a los juicios por el Tribunal del jurado el establecimiento de una barrera para que se acojan con fines de prueba actividades llevadas a cabo en la investigación sumarial, en conformidad con el "desideratum" afirmado en la exposición de motivos de la Ley de que se erradique en este Tribunal la tendencia a que se busque la verdad, antes que en las pruebas del plenario, en las diligencias sumariales practicadas a espaldas del acusado, para lo que se propone la práctica ante el jurado de toda la prueba. De acuerdo con este criterio en el artículo 46.5 de la Ley se admite la posibilidad de interrogar al acusado, testigos y peritos sobre contradicciones que puedan estimar el fiscal o los letrados de acusación y defensa que existen entre lo que manifiesten en el juicio oral y lo que antes, dijera en la fase de instrucción, pero no se podrá dar lectura a las previas declaraciones que, además, salvo que se hubieran hecho como prueba anticipada, no tendrán valor probatorio de los hechos en ellas afirmados. En forma incongruente se añade en el mismo Texto Legal que, sin embargo, se unirá al acta el testimonio que quien interroga presente en el acto. No se admitió ese testimonio en el presente caso, pero, como las declaraciones que habría de contener sólo podrían ser las efectuadas en fase instructoria y su contenido carece de valor probatorio de los hechos, y además se había hecho objeto de debate en la vista las contradicciones de la testigo, es claro que haber prescindido indebidamente de unir el testimonio es inoperante para la prueba a que se pudiera dirigir y, por lo tanto, su carencia no pudo determinar indefensión alguna al recurrente». STS Sala Segunda, de lo Penal, Sentencia de 26 Ene. 1998, Rec. 609/1997; Ponente: Martín Canivell, Joaquín. LA LEY 2879/1998.

y partes efectuadas en la fase de instrucción, "salvo los resultantes de la prueba anticipada". En el supuesto de retractaciones podrán ser objeto de interrogatorio las contradicciones sin que "pueda darse lectura a dichas previas declaraciones" aunque se unirá al acta testimonio de aquéllas. La contradicción que aparentemente resulta al impedir su lectura y permitir su incorporación por testimonio postula una interpretación según la cual son las partes las que deben interrogar sobre las contradicciones y el testimonio que se incorpora servirá al Jurado para comprobar la realidad de la contradicción y formarse una convicción a la luz del interrogatorio. Lo que puede ser objeto de valoración son las declaraciones en el juicio oral en tanto que la documentación va dirigida a la valoración de la prueba personal». STS Sala Segunda, de lo Penal, Sentencia 1443/2000 de 20 Sep. 2000, Rec. 1158/1999; Ponente: Martínez Arrieta, Andrés. LA LEY 10742/2000.

Las declaraciones efectuadas en la fase de instrucción, salvo las resultantes de prueba anticipada o a aquellas pruebas sumariales irreproducibles en el juicio oral, no tendrán valor probatorio de los hechos en ellas afirmados. (Véase sobre prueba anticipada y preconstituida § 1.5, Cap. XIV). No obstante, el TS ha matizado que lo que se quiere proclamar es que, por sí solas, las pruebas sumariales son insuficientes para enervar la presunción de inocencia, de forma que la interpretación combinada de los artículos 46.5, 34.3 y 53.3 LOTJ lo que pone de manifiesto es que el legislador no ha propugnado un rechazo, siempre y en todo caso, de las declaraciones sumariales, sino que permite la incorporación de aquéllas a la prueba cuando se detecten contradicciones y retractaciones entre lo dicho en el juicio oral y lo declarado en la instrucción de la causa; o bien en los supuestos de imposibilidad o razonable dificultad de su práctica en el juicio oral[74].

---

(74) «Como anticipamos abordamos ahora la afirmación del Tribunal que, desde una interpretación literal del art. 46.5 de la LOTJ, niega que las declaraciones en el sumario del acusado y puedan ser valoradas por el Tribunal de Jurado. Hemos de recordar la doctrina de esta Sala sobre la posibilidad de valorar la prueba del sumario. Partiendo de una regla general según la cual la prueba valorable es la producida en el juicio oral con las garantías señaladas en la ley, también se contemplan excepciones derivadas de la admisibilidad de la valoración de la prueba sumarial preconstituida y anticipada siempre y cuando se observen los requisitos materiales, subjetivos, objetivos, de fondo y formales que la ley y los principios constitucionales aplicables al proceso penal exigen (SSTS 284/2000 de 21 de febrero, 1240/2000 de 11 de septiembre. Así, en los supuestos de imposibilidad o constatada y razonable dificultad de su práctica en el juicio oral, con necesaria intervención del Juez de instrucción, garante de la imparcialidad y de la legalidad, y con presencia de las partes que garantizan la contradicción en la producción de la prueba, las declaraciones obrantes en el sumario pueden ser objeto de valoración por el Tribunal encargado del enjuiciamiento. Este criterio general con sus excepciones expuestas no aparece contradicho por el art. 46.5 de la LOTJ. El precepto, como señala la STS 1240/2000, de 11 de septiembre, "reproduce de modo muy sintético, la doctrina constitucional y jurisprudencial", la regla general y la excepción a la regla en orden al momento de realización de la prueba en el sentido de reafirmar que ésta es la que se desarrolla en el juicio oral, y la excepción, el supuesto de prueba anticipada. La consideración de prueba anticipada presenta una doble inteligencia. De una parte, la contenida en el art. 448 de la Ley de Enjuiciamiento Criminal como supuesto excepcional de práctica de la prueba con anterioridad a la fecha señalada en el juicio oral. De otra, los supuestos de prueba del sumario, que participa de una naturaleza preconstituida y a la que nos hemos referido esta Sala en nuestra Jurisprudencia y también recogida en la del Tribunal Constitucional abarcando los supuestos de prueba preconstituida, prueba del sumario o las excepciones del art. 730 de la Ley de Enjuiciamiento Criminal que en puridad no son una prueba anticipada pero han sido introducidas

«En esta línea, la Sala de Casación se ha mostrado favorable a acoger el valor de aquellos testimonios teniendo en cuenta, como expone la STS citada en primer lugar (435/07), que los principios relativos a la valoración de la prueba tienen carácter estructural sin que su vigencia pueda depender de las variaciones que cada modalidad de procedimiento acoge; tampoco la literalidad del artículo 46.5 *"in fine"* sería un obstáculo para esta conclusión favorable a acoger el valor probatorio de los testimonios citados, pues cuando dicho texto legal afirma que las declaraciones efectuadas en fase de instrucción, salvo las resultantes de la prueba anticipada, no tendrán valor probatorio, lo que se quiere proclamar es que, por sí solas, son insuficientes para enervar la presunción de inocencia, de forma que la interpretación combinada de los artículos 46.5, 34.3 y 53.3 LOTJ lo que pone de manifiesto es que el legislador no ha propugnado un rechazo, siempre y en todo caso, de las declaraciones sumariales, permitiendo la incorporación de aquéllas al acervo probatorio cuando se detecten contradicciones y retractaciones entre lo dicho en el juicio oral y lo declarado en la instrucción de la causa». (Madrid, Sección 16ª, Sentencia 759/2015 de 12 Nov. 2015, Rec. 1/2013).

Por tanto, la aportación de testimonio permitirá al Jurado que valore la prueba apreciar la implicación de las posibles contradicciones que puedan existir pero, en ningún caso, la existencia de tales contradicciones permitirán, *per se*, fundamentar la prueba de un hecho en la declaración prestada en fase de instrucción.

«…lo dispuesto en el art. 46.5 de la LOTJ, que bajo el epígrafe "especialidades probatorias" establece que "las declaraciones efectuadas en la fase de instrucción, salvo las resultantes de la prueba anticipada, no tendrán valor probatorio de los hechos en ella afirmadas", por lo que, a tenor de la literalidad de la norma la prueba carece de validez incriminatoria, ya que la "especialidad" viene determinada en el párrafo anterior, que permite, en contraste con el art. 714 LECrim, aportar testimonio de la declaración prestada en fase de instrucción supuestamente contradictoria con la prestada en juicio oral, pero no su lectura (el 714 si lo permite). La norma es clara: la aportación de testimonio permitirá a quien valore la prueba (en este caso los jurados) valorar la implicación de las posibles contradicciones que puedan existir pero, en ningún caso, la existencia de tales contradicciones permitirán, *per se*, fundamentar la prueba de un hecho en la declaración prestada en fase de instrucción». (STS de Galicia, Sala de lo Civil y Penal, Sentencia 5/2014 de 20 May. 2014, Rec. 8/2014).

También se afirma por la jurisprudencia que no podrá negarse valor probatorio al material recogido durante la fase de instrucción, si posteriormente es objeto de debate en el juicio oral.

«Toda la fuerza argumental del motivo se basa fundamentalmente en la apreciación de las pruebas realizadas en el acto del juicio oral, desvalorizando totalmente las proporcionadas por el recurrente en la fase de instrucción. Es evidente que el principal efecto probatorio, se deriva con más fuerza de las pruebas realizadas con la debida contradicción en la fase de plenario, pero no por ello se debe descartar radicalmente el material probatorio acopiado a lo largo de la fase de instrucción, siempre que su contenido sea objeto de debate en el seno de sesiones del plenario.

en su comprensión por la Jurisprudencia y así consideradas por los operadores jurídicos». STS Sala Segunda, de lo Penal, Sentencia 1443/2000 de 20 Sep. 2000, Rec. 1158/1999; Ponente: Martínez Arrieta, Andrés. LA LEY 10742/2000.

Incluso en el procedimiento de jurados, en el que es exigible con más rigor la oralidad y publicidad de las pruebas, se pueden utilizar, como base del interrogatorio, todos los datos que se han obtenido en la fase de investigación judicial. Así se ha mantenido por jurisprudencia de esta Sala dictada con ocasión de procedimientos de esta naturaleza. La sentencia de 19 de abril de 2000, establece que la acusación podrá interrogar al imputado, utilizando las anteriores declaraciones vertidas en la fase de investigación tanto en su vertiente inculpatoria como exculpatoria. Es muy revelador y sugerente, a los efectos de su valoración posterior, que los miembros del jurado comprueben y conozcan que existen discordancias entre las manifestaciones iniciales y las que ahora se vierten en el momento del juicio oral». STS Sala Segunda, de lo Penal, Sentencia 316/2001 de 5 Mar. 2001, Rec. 171/2000; Ponente: Martín Pallín, José Antonio. LA LEY 49438/2001.

E) *Suspensión del juicio oral*

Cuando, en los supuestos previstos en la LECrim., haya de suspenderse el juicio oral, el Magistrado-Presidente podrá decidir la disolución del Jurado, y la acordará, en todo caso, siempre que dicha suspensión se haya de prolongar durante cinco o más días (art. 47 LJ). Véase sobre suspensión del juicio oral § 4.6 Cap. XI. (Véase M. 342).

«1° El art. 746.6 de la LECrim al que se remite el art. 47 de la L.O.T.J., permite suspender el juicio oral cuando revelaciones o retractaciones inesperadas produzcan alteraciones sustanciales en los juicios, haciendo necesarios nuevos elementos de prueba o alguna sumaria instrucción suplementaria. Esta posibilidad ha de interpretarse en el sentido de que la información suplementaria procede para una mejor reconstrucción o tratamiento del caso enjuiciado, tal como ha quedado definido el objeto de la controversia en el auto de hechos justiciables, tanto por lo que se refiere a dichos hechos como a la persona acusada. Por el contrario, cuando esa información novedosa sugiere, simplemente, la posible participación de terceras personas, esta novedad habrá de ser investigada y, en su caso, enjuiciada separadamente, deduciéndose el correspondiente testimonio de las declaraciones que contengan los nuevos datos. Sin embargo, el juicio continuará para que el Tribunal del Jurado pueda, en su caso, pronunciarse sobre los hechos justiciables que constituyen el objeto de su conocimiento y sobre la culpabilidad o inculpabilidad de la persona concretamente acusada. 2° El tratamiento que el art. 47 de la L.O.T.J., y el breve plazo de suspensión establecido para la instrucción suplementaria (cinco días) avalan esta interpretación, ya que de otro modo, habría no solo que suspender el juicio, sino también disolver el Jurado para la reanudación de otro nuevo, con una impredecible utilidad de esta información suplementaria, dado el contenido de la información de los testigos, lo que podría producir una dilación indebida en la resolución del caso y una vulneración del principio de seguridad jurídica, en contradicción con lo establecido por el art. 24 de la Constitución Española. 3° En la Ley del Jurado no se prevé esta eventualidad en la fase del juicio oral, a diferencia de lo dispuesto solo para la fase de instrucción en los arts. 25 y 28 de la L.O.T.J. Más aún, la posibilidad legal de que diferentes acusados por un mismo hecho puedan ser enjuiciados en distintos juicios y ante tribunales del jurado igualmente diferentes, avalan la decisión de proseguir el presente juicio, a reserva de lo que pueda resolverse en sentencia, a la vista de las manifestaciones de los testigos, cuestión que se resolverá posteriormente en esta resolución». (SAP de Madrid, Sección 23ª, Sentencia 42/2000 de 14 Abr. 2000, Rec. 2000/1999).

F) Conclusiones definitivas e informes

Respecto a las conclusiones definitivas e informes, la LJ remite expresamente a lo dispuesto en el procedimiento abreviado (el art. 48 LJ remite al art. 793 LECrim., apartados 6 y 7).

La única especialidad se produce en el supuesto de que las partes en sus conclusiones definitivas calificasen los hechos como constitutivos de un delito de los no atribuidos al enjuiciamiento del Tribunal del Jurado, pues en tal caso se establece que el Tribunal continuará conociendo (lo que viene a significar, inconcebiblemente, que el Tribunal del Jurado podrá conocer de delitos que no están atribuidos a su competencia).

Y tal conclusión la avala el artículo 48.3 de la LOTJ que, pareciendo acoger el principio de la *perpetuatio iurisdictionis* establece aun cuando en sus conclusiones definitivas las partes calificasen los hechos como constitutivos de un delito de los no atribuidos al enjuiciamiento del Tribunal del Jurado, éste continuará conociendo, lo que viene a contener una atribución de competencia objetiva abierta y residual al Tribunal de Jurado. Supuesto mayormente aplicable en el presente caso cuando es la propia sentencia la que tipifica el hecho como homicidio imprudente. (STSJ de Galicia, Sala de lo Civil y Penal, Sentencia 1/2009 de 16 Feb. 2009, Rec. 8/2008)[75].

G) Disolución anticipadas del Jurado por desistimiento en la petición de condena y por falta de prueba de cargo

Cuando el MF y todas las demás partes acusadoras en cualquier momento del juicio o en sus conclusiones definitivas desistiesen de la petición de condena, el Magistrado-Presidente disolverá el Jurado y dictará sentencia absolutoria (art. 51 LJ). (Véase M. 343, y M. 344).

Por otra parte, el Magistrado-Presidente, de oficio o a solicitud de la defensa, una vez concluidos los informes, puede disolver el Jurado y dictar sentencia absolutoria, si estima que no existe prueba de cargo que pueda fundar una condena del acusado (art. 49.1 y 3 LJ).

Si la inexistencia de prueba de cargo sólo afecta a algunos hechos o acusados, el Magistrado-Presidente podrá decidir que no ha lugar a emitir veredicto en relación con aquellos hechos o con aquellos acusados (art. 49.2 LJ).

SECCIÓN 7. EL VEREDICTO

7.1. Introducción

Los jurados emitirán veredicto, declarando probado o no probado el hecho justiciable que el Magistrado-Presidente haya determinado como tal, así como aquellos

---

(75) Ver STS 1058/2005 de 28 Sep. 2005, Rec. 2033/2004.

otros hechos que decidan incluir en su veredicto y no impliquen variación sustancial de aquél (art. 3.1 LJ).

También proclamarán la culpabilidad o inculpabilidad de cada acusado por su participación en el hecho o hechos delictivos, respecto a los cuales el Magistrado-Presidente hubiese admitido acusación (art. 3.2 LJ).

«4. Esta Sala recuerda y subraya en la sentencia 323/2013, de 23-4, con cita de otros precedentes jurisprudenciales anteriores (SSTS 721/1999, de 6-5; 439/2000, de 26-7; 1618/2000, de 19-10 (LA LEY 16/2001); 1276/2004, de 11-11 (LA LEY 236751/2004); y 1145/2006, de 23-11 (LA LEY 154858/2006)) que la función del Jurado consiste muy específicamente en pronunciarse sobre hechos, incluso los de carácter subjetivo, concretamente sobre si deben considerarse o no probados y si el acusado participó y en qué forma en ellos. El veredicto de culpabilidad se limita a declarar al acusado culpable «por su participación en los hechos» que se han declarado previamente probados, sin que pueda añadir nada a la calificación o valoración de los mismos que no esté en el previo relato fáctico. Este ya debe contener todos los elementos necesarios para que el Magistrado-Presidente pueda subsumirlos jurídicamente en la calificación correcta, incluidos, en su caso, los elementos subjetivos del tipo así como todos los datos objetivos que hayan permitido inducir dichos elementos subjetivos. Ello no supone, sin embargo, encomendar a los Jurados legos pronunciamientos sobre cuestiones jurídicas que corresponden al Magistrado-Presidente, técnicamente preparado para resolverlas. El objeto del veredicto no debe incluir ninguna proposición que contenga una calificación jurídica. Y precisan también las referidas sentencias que el reparto de funciones en el juicio con Jurado resulta bastante sencillo: los jurados se pronuncian sobre los hechos enjuiciados y declaran si el acusado ha participado o no en su comisión y, en consecuencia, si debe ser considerado culpable o no en función de su participación en los mismos y de la concurrencia o no de los hechos determinantes de alguna causa excluyente de la culpabilidad, constituyendo este pronunciamiento el veredicto del Jurado. Seguidamente el Magistrado-Presidente, como jurista técnico que debe respetar y hacer respetar el principio de legalidad, subsume en la norma jurídica procedente los referidos hechos, que deben ser suficientemente detallados para contener todos los elementos del tipo así como los integradores de cualquier circunstancia modificativa de la responsabilidad aplicable, realizando el juicio de derecho o calificación jurídica e imponiendo la pena legalmente procedente. La diferenciación en las funciones del Jurado y del Presidente del Tribunal del Jurado deslinda en la sentencia la función fáctica que corresponde al Jurado en cuanto declara el hecho probado y la función técnica de subsunción que realiza el Presidente del Tribunal de Jurado. Por lo tanto, el objeto del veredicto no debe contener calificaciones jurídicas y el Jurado no debe pronunciarse sobre esos extremos. Si lo hiciera, por una defectuosa redacción del objeto del veredicto, no puede afirmarse que el Magistrado-Presidente quede vinculado al realizar la calificación al indebido pronunciamiento del Jurado». (STS 360/2014 de 21 Abr. 2014, Rec. 1016/2013)[76].

---

(76) «En definitiva, pese a las alambicadas expresiones de la exposición de motivos ("un hecho, en una concreta selección de su proteica accidentabilidad, se declara probado sólo en tanto en cuanto jurídicamente constituye un delito"), el reparto de funciones en el juicio con Jurado resulta bastante sencillo: los jurados se pronuncian sobre los hechos enjuiciados y declaran si el acusado ha participado o no en su comisión, y en consecuencia, si debe ser considerado culpable o no en función de su participación en los mismos, y de la concurrencia o no de los hechos determinantes

Por tanto, la función del Jurado es fáctica, en cuanto declara probados o no los hechos enjuiciados y la participación de los acusados en los mismos. Al Magistrado Presidente, en cambio, le corresponde una función técnica, consistente en subsumir, en su caso, en un tipo penal los hechos enjuiciados y dictar sentencia.

«El apartado del veredicto referido a la acusación sobre la culpabilidad o inculpabilidad "por su participación en el hecho o hechos delictivos" es la conclusión de la previa decisión sobre la consideración de hecho probado del hecho justiciable sometido por el Magistrado-Presidente y por las inclusiones no sustanciales introducidas por el propio Jurado. La decisión del Jurado, en este apartado, se contrae a determinar si el acusado, o acusados, es culpable o inocente de los hechos que ha declarado probados, sin que esa decisión abarque la subsunción jurídica de los hechos y, concretamente, si el delito es doloso o culposo, si homicidio o asesinato, consumado o frustrado, sino que conformarán un relato fáctico del que deberá extraerse las consideraciones jurídicas precisas para la sentencia que el Presidente del Tribunal del Jurado dicta. Esta diferenciación en las funciones del Jurado y del Presidente del Tribunal del Jurado deslinda en la sentencia la función fáctica, que corresponde al Jurado en cuanto declara el hecho probado, y la función técnica de subsunción que realiza el Presidente del Tribunal del Jurado. Sobre los hechos declarados y previas calificaciones de las partes, el Presidente del Tribunal del Jurado subsume el hecho en la norma penal». STS Sala Segunda, de lo Penal, Sentencia 1618/2000 de 19 Oct. 2000, Rec. 659/1999; Ponente: Martínez Arrieta, Andrés. LA LEY 16/2001.

7.2. Determinación del objeto del veredicto

Finalizado el juicio oral, donde se habrán practicado todas las pruebas, corresponderá al Magistrado Presidente, según las reglas que fija el art. 52, determinar el objeto del veredicto. El veredicto del Jurado consistirá como se ha indicado, en la emisión de un juicio de culpabilidad o inculpabilidad, fundado en unos hechos declarados probados.

A) Objeto del veredicto (art. 52 LJ)

El objeto del veredicto se determina mediante una serie de cuestiones, que deberán ser redactadas por el Magistrado-Presidente y sometidas a consideración del Jurado. (Véase M. 345). Ha señalado la doctrina que el éxito del modelo de Jurado, que ha regulado la vigente ley, depende, en gran medida, del acierto de este escrito. Al solicitarse del Jurado que se pronuncie sobre el hecho delictivo por el que el acu-

de alguna causa excluyente de la culpabilidad, y este pronunciamiento constituye el Veredicto del Jurado. Seguidamente el Magistrado-Presidente, como jurista técnico, que debe respetar y hacer respetar el principio de legalidad, subsume en la norma jurídica procedente los referidos hechos, que deben ser suficientemente detallados para contener todos los elementos del tipo así como los integradores de cualquier circunstancia modificativa aplicable, realizando el juicio de derecho o calificación jurídica, e imponiendo la pena legalmente procedente. Para ello tendrá también en consideración el veredicto de culpabilidad, pero éste no puede alterar la conclusión derivada del veredicto fáctico pues debe ser necesariamente congruente con los hechos, ya que en caso de no serlo el Magistrado-Presidente debió previamente haberlo devuelto conforme a lo prevenido en el art. 63 d) de la LOTJ». STS Sala Segunda, de lo Penal, Sentencia 439/2000 de 26 Jul. 2000, Rec. 1266/1999; Ponente: Conde-Pumpido Tourón, Cándido. LA LEY 1164/2001.

sado debe ser declarado culpable o no culpable, es evidente que no se le exige sólo una declaración sobre un hecho histórico, sino también sobre la calificación jurídica propuesta por el Magistrado Presidente, a la vista de las conclusiones de las partes; es decir, se le pide que adjudique un «*nomen iuris*» a los hechos objeto del veredicto, previamente delimitado por el Magistrado. Con esta opción legislativa nuestro sistema de Jurado se aleja tanto de la forma mixta como de la pura.

«En definitiva, aun siendo discutido por un sector doctrinal que estima que estos juicios de inferencia nunca deberían incluirse en el relato fáctico formando parte de la fundamentación jurídica y en consecuencia de las funciones exclusivas del Magistrado-Presidente cuando actúe el Tribunal del Jurado, ha de estimarse que el Jurado puede pronunciarse sobre elementos intencionales (ánimo de matar), pero esta decisión constituye un juicio de inferencia que tiene que tener su base objetiva en datos externos que se declaren expresamente como probados en una propuesta previa obrante en el objeto del veredicto, y además es revisable por vía de recurso. Por ello no es procedente proponer al Jurado exclusivamente como objeto de veredicto la conclusión o inferencia, si no se formulan previamente las proposiciones fácticas, objetivas, suficientemente detalladas, que deben constituir el fundamento del que se extrae (mediante deducción racional) la valoración sobre el elemento interno o subjetivo». STS Sala Segunda, de lo Penal, Sentencia 439/2000 de 26 Jul. 2000, Rec. 1266/1999; Ponente: Conde-Pumpido Tourón, Cándido. LA LEY 1164/2001.

Este escrito deberá confeccionarse mediante proposiciones —no meras preguntas—, que deberán redactarse en términos que provoquen una unidad de concepto en las contestaciones del Jurado y de forma clara[77]. En cada proposición secuencial no podrán formularse cuestiones contradictorias o excluyentes. El contenido de es-

---

(77) «Mención especial se ha de realizar sobre la articulación de las cuestiones objeto del veredicto, en relación con la audiencia a las partes, prevista en el art. 53 de la L.O.T.J., trámite de suma importancia, porque al entregarse a los jurados, junto con el objeto del veredicto, el acta del juicio, en la que también constan las peticiones de inclusión o exclusión de las partes que hayan sido denegadas, al final, aún por esta vía indirecta, y aunque hayan sido denegadas las peticiones formuladas, pueden tener influencia en la deliberación del Jurado, al tener conocimiento de las mismas. El objeto del veredicto se ha pretendido redactar de forma clara, siguiendo el orden marcado en el art. 52.1 a) de la L.O.T.J. En efecto, el objeto del veredicto no tiene que contener la totalidad del relato propuesto por las partes; éstas tienen libertad de redacción de las alegaciones, pero ello no significa que el objeto del proceso se identifique con la narración introducida por las partes del hecho que se juzgue. Lo contrario supone, además, introducir complicaciones innecesarias y elementos de confusión, llevar al Jurado a entrar en ámbitos de decisión que no le corresponden, al estar reservados por el legislador al Magistrado-Presidente (art. 4 L.O.T.J.). Esto lleva a excluir del objeto del veredicto aquellas menciones que, o bien carecen de toda relevancia jurídica o bien su relevancia se despliega sólo en el ámbito de las circunstancias a tener en cuenta para determinar la pena (arts. 66 (LA LEY 3996/1995) y 68 del Código Penal (LA LEY 3996/1995)). Los anteriores criterios y el empleo del singular "hecho justificable" por el art. 3.1, en relación con el art. 37, ambos de la L.O.T.J. llevaría a la razonable conclusión de que lo que ha de plantearse al Jurado en primer lugar, es el «hecho» objeto de la acusación. Se trata pues de un hecho individualizado históricamente y calificado jurídicamente cuya descripción habrá de contener las menciones necesarias para su individualización (tiempo, lugar, sujetos, etc.), y para su calificación (elementos fácticos tanto objetivos como subjetivos) del delito objeto de la acusación, pero excluyendo de él "toda mención que no resulte absolutamente imprescindible para su calificación", como exige el art. 37 en su apartado a) inciso tercero». (Madrid, Sección 23ª, Sentencia 126/2011 de 12 Dic. 2011, Rec. 1/2011).

te escrito delimitará el objeto del veredicto y recogerá los hechos alegados por las partes, diferenciando entre los que fueren contrarios al acusado y los que resultaren favorables.

«Objeto de veredicto redactado sin seguir el orden marcado en el artículo 52.1, a), segundo párrafo, precepto que obliga a exponer los hechos principiando por los de la acusación y siguiendo luego por los alegados por la defensa. Una vez más no es asumible la tesis del Tribunal Superior en el sentido de que una incorrección no propicia indefensión pues ello no significa dirigir a los miembros del Jurado hacia un veredicto parcial. La sola posibilidad, anímicamente hablando, de que la incorrecta formulación del objeto del veredicto, influya subjetivamente, o pueda influir, sobre la mente de unos Jueces legos, circunstancia que no puede obviarse, es suficiente como para pensar en la indefensión que el texto legal preconiza como última "ratio" del quebrantamiento de la forma exigible en el proceso». STS Sala Segunda, de lo Penal, Sentencia de 11 Mar. 1998, Rec. 2381/1997; Ponente: Montero Fernández-Cid, Ramón. LA LEY 4226/1998.

No podrán en este escrito añadirse hechos de oficio por el Magistrado —art. 52.1. LJ—.

«De manera que este hecho, aducido por los testigos en el acto del plenario fue conocido por la Defensa y pudo ser objeto de contradicción, de modo que su incorporación al objeto del veredicto no lo fue de manera sorpresiva y con desconocimiento de la Defensa al efecto de poder rebatirlo. Es cierto que, como se dice en la sentencia de esta Sala de 28 abril 1998, no es posible incluir en el objeto del veredicto hechos no alegados por las partes según el artículo 52 de la Ley del Tribunal del Jurado, pero aparte de lo expresado con anterioridad, el hecho cuestionado no puede entenderse como uno enteramente nuevo, sino como una matización o complemento del que era ya objeto de acusación por el Ministerio Fiscal». STS Sala Segunda, de lo Penal, Sentencia 669/2001 de 18 Abr. 2001, Rec. 485/1999; Ponente: Móner Muñoz, Eduardo. LA LEY 7489/2001.

El escrito del Magistrado Presidente no está sujeto a requisitos formales sino que deberá procurar que resulte claro para evitar la confusión de los jurados y favorecer que éstos puedan pronunciarse adecuadamente sobre los hechos y cuestiones planteadas en el mismo, evitando reiteraciones innecesarias[78].

---

(78) «... recogiendo la doctrina jurisprudencial dictada en tal sentido por el Tribunal Supremo, que dispone: "Con carácter general ha de recordarse que las reglas que la LOTJ contiene en el artículo 52 para la formulación del objeto del veredicto, lejos de perseguir la observancia de requisitos formales, pretenden que el Magistrado Presidente redacte el objeto del veredicto con la necesaria claridad de manera que tienda a excluir la confusión de los jurados, y de forma que éstos puedan pronunciarse adecuadamente sobre los hechos que sustentan todas las cuestiones planteadas por las partes. Así, de su redacción ha de resultar una relación secuencial, a la que no es ajeno un criterio cronológico, que recoja los hechos sostenidos por las partes, respetando una articulación lógica interna del conjunto de lo propuesto. En consecuencia, aunque los hechos cuya existencia sostienen las partes han de quedar plasmados con claridad en función de su relevancia jurídica, debe evitarse la reiteración del planteamiento de aspectos que ya queden resueltos en las respuestas a otros apartados del referido objeto del veredicto. En consecuencia, no darán lugar a la nulidad del juicio las omisiones de cuestiones fácticas en los apartados propuestos por las partes cuando puedan ser solucionadas a través de las respuestas requeridas del jurado respecto de otros apartados distintos del objeto del veredicto, pues en esos casos no es posible apreciar indefensión y,

La narración de estos hechos debe ser correlativa a la contenida en los escritos de conclusiones definitivas, de igual forma que debe existir correlación entre los hechos narrados en el auto de hechos justiciables y los alegados en los escritos de calificación de la acusación y defensa. Las instrucciones, a las que deberá ajustarse el Magistrado Presidente para redactar este escrito, vienen reguladas de forma detallada en la ley —art. 52 LJ—. Su infracción será denunciable cuando pueda influir en el veredicto.

«La Sentencia de esta Sala de 30 de enero de 1998, ya declaró la nulidad del objeto del veredicto propuesto al Jurado cuando —se dice— es una especie de proposición general, no siguiendo el orden marcado por el art. 52 de la LOTJ y variándose los hechos tal y como fueron configurados por las acusaciones. Aquí ocurre lo propio .../... Como hemos señalado, la LOTJ ha partido de una articulación secuencial del objeto del veredicto en el art. 52 de la misma, estructurando las diversas cuestiones que han de someterse a la consideración del Tribunal de Jurado, y que son trasunto, como es lógico, de las alegaciones fácticas de las partes incorporadas a sus escritos de acusación y de defensa. Tal articulación es consecuencia de una serie de premisas, de las que parte la ley: primero, sirven para que el Magistrado-Presidente pueda redactar los hechos probados de la Sentencia que haya de dictarse, condenatoria o absolutoria, incorporando al *"factum"* todos los elementos que el jurado entienda como probados y que construyan el propio hecho probado, desde su comienzo hasta su consumación, con todos los avatares que las partes hayan planteado como acontecidos, incluidos también todos los elementos del llamado juicio de culpabilidad y de sus circunstancias en relación con la capacidad mental del acusado. En segundo lugar, sirven también para que la motivación se estructure en cada una de las proposiciones que se les formulan, sin que sea necesario naturalmente que tal motivación sea incardinable en cada una de las preguntas o proposiciones, sino que bastará una motivación general, con tal que el jurado explique sucinta pero suficientemente las pruebas en que se ha basado para dictar su veredicto. Pero tal estructuración secuencial de proposiciones sin duda facilitan la labor intelectual de motivación, pues supone detenerse mentalmente en cada uno de los grados o estructuras de los hechos en su configuración secuencial para determinar en qué elementos probatorios se apoyó el jurado, dejando nota sucinta de tal explicación». STS Sala Segunda, de lo Penal, Sentencia 384/2001 de 12 Mar. 2001, Rec. 4665/1999; Ponente: Sánchez Melgar, Julián. LA LEY 54618/2001

El escrito se confeccionará con una estructura secuencial de proposiciones para facilitar la labor intelectual de motivación[79], conforme a las siguientes reglas:

---

por el contrario, puede afirmarse que el jurado pudo pronunciarse de forma coherente sobre todos los aspectos fácticos que resultaban relevantes...»» (STTS de Cataluña, Sala de lo Civil y Penal, Sentencia 7/2013 de 18 Feb. 2013, Rec. 33/2012). Ver también STSJ de Andalucía, Sala de lo Civil y Penal, Sentencia 8/2014 de 24 Feb. 2014, Rec. 46/2013: «Por ello, la Ley impone una serie de requisitos en su confección cuya finalidad es que el Jurado deba pronunciarse sobre cuestiones de naturaleza fáctica bien claras, comprensibles y definidas, sobre las que quepa una respuesta afirmativa o negativa, así como que tales respuestas sean inmediatamente traducibles a las consecuencias jurídicas pertinentes, al seleccionarse únicamente los aspectos con trascendencia jurídico-penal, es decir, que admitan la subsunción en las normas penales».

(79) «El Tribunal Supremo —SSTS de 1 de marzo y 20 de abril de 2005, 8 de junio de 2006 y 17 de julio de 2008— afirma que "la LOTJ ha partido de una articulación secuencial del objeto del veredicto en el art. 52 de la misma, estructurando las diversas cuestiones que han de someterse

a) Los hechos alegados por las partes que el Jurado deba declarar probados o no, diferenciando entre los que fuesen contrarios al acusado y los que resulten favorables.

b) Los hechos alegados que puedan determinar la estimación de una causa de exención de responsabilidad.

c) Los hechos que determinen el grado de ejecución, participación o modificación de la responsabilidad.

d) El hecho delictivo por el cual el acusado habrá de ser declarado culpable o no culpable.

e) Si fuesen varios los delitos enjuiciados, se efectuará la redacción separada y sucesivamente para cada delito y para cada acusado.

f) Igual hará si fueren varios los acusados.

---

a la consideración del Tribunal del Jurado, y que son trasunto, como es lógico, de las alegaciones fácticas de las partes incorporadas a sus escritos de acusación y de defensa. Tal articulación es consecuencia de una serie de premisas, de las que parte la ley: primero, sirven para que el Magistrado-Presidente pueda redactar los hechos probados de la Sentencia que haya de dictarse, condenatoria o absolutoria, incorporando al "factum" todos los elementos que el jurado entienda como probados y que construyan el propio hecho probado, desde su comienzo hasta su consumación, con todos los avatares que las partes hayan planteado como acontecidos, incluidos también todos los elementos del llamado juicio de culpabilidad y de sus circunstancias en relación con la capacidad mental del acusado. En segundo lugar, sirven también para que la motivación se estructure en cada una de las proposiciones que se les formulan, sin que sea necesario naturalmente que tal motivación sea incardinable en cada una de las preguntas o proposiciones, sino que bastará una motivación general, con tal que el jurado explique sucinta pero suficientemente las pruebas en que se ha basado para dictar su veredicto". Tal estructuración secuencial de proposiciones sin duda facilita la labor intelectual de motivación, pues supone detenerse mentalmente en cada uno de los grados o estructuras de los hechos en su configuración secuencial para determinar en qué elementos probatorios se apoyó el Jurado, dejando constancia sucinta de tal explicación. Por ello la formulación de los hechos que han de incluirse en el objeto del veredicto habrá de responder a una articulación lógica interna, de modo que las proposiciones alternativas o mutuamente excluyentes se relacionen entre sí con la advertencia expresa de tal alternatividad o relación lógica. De este modo aunque por exigencias procesales de congruencia o incluso por estrictas necesidades lógicas de claridad del pronunciamiento fáctico, resulte relativamente frecuente la formulación de proposiciones de hecho cuya declaración simultánea de probadas resultaría incompatible; esta incompatibilidad ha de ser puesta de manifiesto y explicada claramente al Jurado en el propio documento que se le entregue, precisamente para evitar la posibilidad de pronunciamientos contradictorios, que es lo buscado por el Legislador». (STSJ Andalucía, Sala de lo Civil y Penal, Sentencia 8/2013 de 11 Mar. 2013, Rec. 44/2012). Ver también, STS 45/2014 de 7 Feb. 2014, Rec. 1077/2013: «La delimitación del objeto del veredicto —decíamos en nuestras SSTS 486/2013, 31 de mayo (LA LEY 85600/2013) y 933/2012, 22 de noviembre— es un acto jurisdiccional con una incuestionable vocación propedéutica. Lo que el art. 52 de la LOTJ pide del Magistrado-Presidente es que elabore una propuesta secuencial de síntesis que reordene y sistematice el objeto del proceso. Se trata, por tanto, de facilitar la aproximación decisoria de los integrantes del Jurado, recibiendo éstos un relato histórico debidamente sistematizado, en función de la relevancia jurídica de cada una de las proposiciones. Quien ha presidido el desarrollo del plenario asume ahora la tarea de llevar a cabo un fraccionamiento lógico del contenido de las respectivas propuestas acusatorias y defensivas a fin de parcelar su valoración jurídica por los miembros del Jurado».

g) El Magistrado Presidente, a la vista del resultado de la prueba, podrá añadir hechos o calificaciones jurídicas favorables al acusado, siempre que no impliquen una variación sustancial del hecho justiciable ni ocasionen indefensión.

Resulta discutible esta facultad del Presidente de añadir hechos o calificaciones jurídicas favorables al acusado, a la vista del resultado de la prueba. Si esta facultad quedara circunscrita a la variación de la calificación jurídica —de un delito doloso se pasase a uno culposo—, respetando los hechos sustanciales, nada podría objetarse. Sin embargo, la facultad de introducir hechos nuevos puede suponer un elemento perturbador, que puede vulnerar el principio acusatorio, por no quedar aquellos sujetos a los principios de contradicción y defensa. Por esto, esa posibilidad de añadir se condiciona a que el aquellos hechos queden evidenciados por el resultado de la prueba practicada en el juicio.

«El apartado g) del artículo 52.1 LOTJ contempla, como una posibilidad, que el Magistrado Presidente, a la vista del resultado de la prueba, añada al objeto del veredicto hechos favorables al acusado, a pesar de no haber sido alegados por las partes, siempre que no impliquen una variación sustancial del hecho justiciable ni ocasiones indefensión, pero esa posibilidad se condiciona a que el aquellos hechos queden evidenciados por el resultado de la prueba practicada en el juicio, siendo esa circunstancia lo que le permite proponer a los jurados que deliberen y decidan sobre la realidad de esos hechos concretos por él apreciados. Pero eso es algo que no aconteció en el caso examinado, según se explica con todo detalle por la Sra. Magistrado Presidente en el apartado III del Fundamento de derecho Quinto de la sentencia». (STSJ Comunidad Valenciana, Sala de lo Civil y Penal, Sentencia 3/2011 de 8 Feb. 2011, Rec. 1/2011).

Por otra parte, debe subrayarse, que este precepto habla solo de añadir por lo que en ningún caso podrá sustituir los hechos propuestos por las acusaciones por otros distintos.

«Ahora bien: el citado artículo 52 permite solo añadir hechos o calificaciones jurídicas (hechos delictivos, en puridad, puesto que el veredicto de culpabilidad no se pronuncia sobre delitos); no sustituir por otros los propuestos por las acusaciones, lo que sin duda constituiría a estos efectos una variación sustancial del hecho justiciable, vedada por la propia norma, aunque la sustitución respetase las exigencias del principio acusatorio». (SAP Sevilla, Sección 4ª, 134/2013 de 27 Mar. 2013, Rec. 6369/2012).

Asimismo, el Magistrado-Presidente recabará, en su caso, el criterio del Jurado sobre la aplicación de los beneficios de suspensión condicional de la pena y la petición o no de indulto en la propia sentencia (art. 52.2). La Ley no se refiere al carácter necesario o no del pronunciamiento del Jurado sobre la concesión de la remisión condicional y sobre el indulto.

A nuestro entender, el pronunciamiento sobre ambas cuestiones no es vinculante ni obligatorio para el Jurado. Aquél se limitará, en los casos que así lo decida el Tribunal, a manifestar su parecer sobre la concesión de estos beneficios, cuya concesión no debe olvidarse, dependerá de la concurrencia de unos requisitos objetivos en la remisión condicional y de una decisión política, en último término, en el supuesto del indulto. Así parece haberlo entendido, también, la sentencia del TSJ de Andalucía de 5 de marzo de 1997, cuando niega que se produzca incongruencia en la sentencia, cuando ésta no se pronuncie sobre la petición de indulto y la aplicación de la condena condicional. Considera procesalmente correcto diferir para el trámite de ejecución de sentencia el pronunciamiento sobre estas cuestiones.

«Esta Sala ha destacado la significativa modificación del texto original del art. 52.2 de la LOTJ 5/1995, de 22 de mayo, por la LO 8/1995, de 16 de noviembre, en un supuesto próximo al aquí contemplado, en el que se impugnaba la decisión del Magistrado Presidente de no proponer un indulto parcial en contra del criterio favorable de seis de los Jurados, destacando también la singularidad de la votación para que se solicite el indulto y la no inclusión de la misma en las causas de devolución del veredicto. La sentencia 1458/1998, de 27 de noviembre, estableció que aun cuando el criterio del Jurado sobre la petición de indulto deba fijarse a través de la preceptiva votación (art. 60.3 LOTJ) y aparezca consignado en el correspondiente apartado del Acta [art. 61.c), 2º LOTJ], tales prescripciones no integran el contenido esencial del veredicto, como se postulaba en aquel recurso, como decisión que vincula al Magistrado-Presidente, que sólo está ineludiblemente ligado al pronunciamiento del Jurado acerca de los hechos y sobre la culpabilidad o inculpabilidad del acusado... En este sentido la sentencia añade que no cabe extender la naturaleza vinculante del veredicto al criterio del Jurado sobre la aplicación de los beneficios de la remisión condicional y la petición de indulto basándose, "de un lado, en que la modificación del texto normativo del citado art. 52.2º, en el que se sustituyó el vocablo "someterá" por el de "recabará", expresa una voluntad legislativa de que lo que, en principio, era un imperativo mandato, quede reducido a una mera consulta para conocer el criterio del Jurado y, por otro, la especificidad del régimen de votación —reduciendo siempre a cinco el número de votos— sobre tales cuestiones (art. 60.3º de la referida Ley Orgánica) y el hecho de que la ausencia de pronunciamiento sobre las mismas no constituye causa de devolución (art. 63.1º del Texto Legal citado), constituyen razones de sistemática interpretativa que justifican sobradamente el rechazo de la tesis recurrente"». STS Sala Segunda, de lo Penal, Sentencia 2153/2001 de 15 Nov. 2001, Rec. 4645/1999; Ponente: Aparicio Calvo-Rubio, José. LA LEY 205432/2001.

Será, por tanto, función del Magistrado Presidente, por un lado, encontrar la redacción más adecuada de cada cuestión; y por otro descartar, de entre todo el material propuesto por las partes, aquél que o bien carezca de trascendencia jurídica, o bien no haya sido objeto del debate procesal, o bien adolezca de una completa inexistencia de prueba de cargo[80].

---

(80) «La Sala Segunda del Tribunal Supremo, en su reciente sentencia de treinta de septiembre de dos mil trece, ha declarado que: "a) el objeto del veredicto ha de respetar los límites derivados del principio acusatorio, recogidos sustancialmente en el art. 24.2 CE, de modo que no podrán formularse al Jurado proposiciones que, de ser asumidas —o en su caso, de ser rechazadas— determinarían la vulneración de tales límites. b) El objeto del veredicto ha de ser congruente con las proposiciones de las partes, de modo que a través de él se dé respuesta, dentro de lo que constituye el ámbito de decisión del Jurado, a todas las cuestiones introducidas por las partes y que hayan sido objeto de debate procesal, por exigencia del reconocimiento constitucional del derecho a la tutela judicial efectiva. De ahí la trascendencia de la delimitación correcta del objeto del debate procesal en el auto de hechos justiciables. c) La decisión que vaya a adoptar el Jurado al pronunciarse sobre el objeto del veredicto ha de respetar el principio de legalidad reconocido en el art. 25.1 CE, de modo que al proponerlo, habrá que evitar que esa decisión sea susceptible de vulnerar tal principio. De ahí la necesidad de una calificación jurídica previa por parte del

El legislador, consciente de la decisiva importancia de este escrito delimitador del objeto del veredicto para el buen funcionamiento del Jurado, quiso introducir dos mecanismos de control que garantizaran su correcta confección: a) La audiencia e intervención de las partes; y b) Las instrucciones a los jurados. Es la Exposición de Motivos de la Ley la que advierte sobre la importancia de estos instrumentos, de los que hace depender el éxito o fracaso del enjuiciamiento por Jurado. Advierte, sin embargo, que su justificación no es otra que la de suplir el desconocimiento técnico de la Ley por los Jurados y que el Magistrado no podrá extenderse a aspectos que requieran la espontaneidad de los Jurados.

B) Intervención de las partes (art. 53 LJ)

El Magistrado, antes de entregar aquel escrito al Jurado, deberá oír a las partes, que podrán solicitar las inclusiones o exclusiones que estimen pertinentes (véase M. 346). Aunque el art. 53, sólo prevé la inclusión en el acta que levante el Letrado A. Justicia de las peticiones denegadas, a efectos de recurso posterior, debe entenderse que en la misma se incorporarán todas las alegaciones de las partes. Dada la importancia de este trámite, para la adecuada configuración del objeto de veredicto, al poder tener influencia en la deliberación del Jurado, por tener éste conocimiento de todas las alegaciones, el Magistrado deberá redactar nuevamente aquel escrito cuando se hubiesen formulado objeciones. Se integrarán en él las alegaciones aceptadas, que deberán ser congruentes con el resto del contenido del escrito, y se adicionarán, como apéndice, las rechazadas, en aras de la sencillez del material que debe llegar al Jurado en toda su integridad. Las partes deberán formular protesta cuando fueran rechazadas sus propuestas. La exigencia de esta protesta previa no es un mero requisito de forma, sino que se considera necesaria para solicitar una posterior declaración de nulidad.

Magistrado-Presidente de cada una de las proposiciones formuladas, se trata, pues de un hecho individualizado históricamente y calificado jurídicamente, cuya descripción habrá de contener, por tanto, las menciones necesarias para su individualización (menciones de tiempo, de lugar, de sujetos, etc.) y para su calificación (elementos fácticos, tanto objetivos como subjetivos, del delito objeto de acusación)"».

La misma STS añade que «el Legislador pretende que lo que se presente al Jurado no sea un relato, sino exclusivamente un hecho delictivo que ha sido objeto de acusación. Por ello cada uno de los hechos habrá de llevar implícita una calificación jurídica previa, de modo que al proponerla, el Magistrado-presidente tenga in mente cual sería la consecuencia jurídica concreta de su declaración por el Jurado como probada o como no probada. Habrán de guardar también —como ya se ha señalado— una estricta relación de congruencia con las proporciones formuladas por las partes en una calificación definitiva —dentro de los límites a que está sujeta la formulación de ésta y en especial, de los límites de la limitación del objeto del proceso respecto del fijado en el auto de hechos justiciables—, congruencia tanto positiva (no podían formularse proposiciones distintas), como negativa (habrán de ser formuladas todas sus proposiciones). La única excepción a este principio es la posibilidad, contemplada en el apartado g) del art. 52.1 de que el Magistrado-Presidente introduzca, de oficio, hechos favorables al acusado, con las restricciones que el mismo precepto establece "El Magistrado-Presidente, a la vista del resultado de la prueba, podrá añadir hechos o calificaciones jurídicas favorables al acusado siempre que no impliquen una variación sustancial del hecho justiciable, ni ocasionen indefensión"». (STSJ de Andalucía, Sala de lo Civil y Penal, Sentencia 8/2014 de 24 Feb. 2014, Rec. 46/2013).

«No podemos olvidar que dada la trascendencia del trámite que señala el objeto del veredicto, el Legislador no ha excluido a las partes, muy al contrario, les ha otorgado una importante intervención, haciéndoles igualmente responsables de su contenido, en cuanto tiene conferido el derecho a participar en su redacción definitiva mediante la oportuna audiencia. Así se plasma en el art. 53.1 LOTJ, pudiendo las partes solicitar las inclusiones y exclusiones que estimen pertinentes y pudiendo formular protesta respecto a las peticiones que les fueran rechazadas. La doctrina más autorizada considera que la Ley, con muy buen criterio, parte de que los defectos que pueden subsanarse en la instancia deben quedar subsanados en la misma y de que no puede resultar favorecido por la nulidad, bien quien contribuyó a ella, bien quien pudo evitarla y no lo hizo. La exigencia de protesta previa no es un mero requisito de forma del que pueda decirse que cabe incurrir en formalismo, si se exige su aplicación con rigor técnico, es un requisito que hace al correcto desarrollo del proceso, pretendiendo evitar declaraciones de nulidad que hacen desmerecer en el concepto público la sentencia (SSTS 264/2005, 1721/2002 (LA LEY 11254/2003) ATS 10.12.2006) (STS, Sala 2ª, núm. 487/2008, de 17 de julio)». (TSJ de Madrid, Sala de lo Civil y Penal, Sentencia 17/2014 de 15 Sep. 2014, Rec. 29/2014). En el caso de que las peticiones de las partes sean rechazadas, podrán formular protesta a efectos de posterior recurso. El escrito con el objeto del veredicto se incorporará al acta del juicio, haciendo constar todas las peticiones de las partes, en especial las que fuesen denegadas, entregando copia del acta a las partes y a cada uno de los jurados.

«Es cierto que el artículo 52 de la Ley Orgánica del Tribunal del Jurado establece que concluido el juicio oral "el Magistrado-Presidente procederá a someter al Jurado por escrito el objeto del veredicto, conforme a las siguientes reglas: a) Narrará en párrafos separados y numerados los hechos alegados por las partes...". Pero también establece el artículo 53.1 de aquella Ley orgánica que "antes de entregar a los jurados el escrito con el objeto del veredicto, el Magistrado-Presidente oirá a las partes, que podrán solicitar las inclusiones o exclusiones que estimen pertinentes, decidiendo aquél de plano lo que corresponda"... Por tanto, en este punto, el objeto del veredicto quedó redactado precisamente de acuerdo con la propuesta de la defensa, sin que por ella se alegara nada relativo a que el contacto se realizó en un campo de tiro público... Si por aquélla se hubiera pretendido hacer constar esa otra alternativa, hubiera podido aprovechar el trámite del artículo 53 de la Ley Orgánica del Tribunal del Jurado, para solicitar su inclusión, y en el caso de ser rechazada, formular la oportuna protesta a los efectos del recurso, según establece el número 2º del artículo mencionado. Nada de eso se hizo, lo que denota que consentía su exclusión, bien por no considerar esencial este punto o por no estimarlo suficientemente probado». STS Sala Segunda, de lo Penal, Sentencia 669/2001 de 18 Abr. 2001, Rec. 485/1999; Ponente: Móner Muñoz, Eduardo. LA LEY 7489/2001.

El Letrado A. Justicia del Tribunal del Jurado incorporará el escrito con el objeto del veredicto al acta del juicio, entregando copia de ésta a las partes y a cada uno de los jurados, y hará constar en aquélla las peticiones de las partes que fueren denegadas (art. 53.3 LJ).

«Mención especial se ha de realizar sobre la articulación de las cuestiones objeto del veredicto, en relación con la audiencia a las partes, prevista en el art. 53 de la L.O.T.J., trámite de suma importancia, porque al entregarse a los jurados, junto con el objeto del veredicto, el acta del juicio, en la que también constan las peticiones de inclusión o exclusión de las partes que hayan sido denegadas, al final, aún por esta vía indirecta, y aunque hayan sido denegadas las peticiones formuladas, pueden tener influencia en la deliberación del Jurado, al tener conocimiento de las mismas. El objeto del veredicto se ha pretendido redactar de forma clara, siguiendo el orden marcado en el art. 52.1 a) de la L.O.T.J. En efecto, el objeto del veredicto no tiene que contener la totalidad del relato propuesto por las partes; éstas tienen libertad de redacción de las alegaciones, pero ello no significa que el objeto del proceso se identifique con la narración introducida por las partes del hecho que se juzgue. Lo contrario supone, además, introducir complicaciones innecesarias y elementos de confusión, llevar al Jurado a entrar en ámbitos de decisión que no le corresponden, al estar reservados por el legislador al Magistrado-Presidente (art. 4 L.O.T.J.). Esto lleva a excluir del objeto del veredicto aquellas menciones que, o bien carecen de toda relevancia jurídica o bien su relevancia se despliega sólo en el ámbito de las circunstancias a tener en cuenta para determinar la pena (arts. 66 y 68 del Código Penal). Los anteriores criterios y el empleo del singular "hecho justificable" por el art. 3.1, en relación con el art. 37, ambos de la L.O.T.J. llevaría a la razonable conclusión de que lo que ha de plantearse al Jurado en primer lugar, es el "hecho" objeto de la acusación. Se trata pues de un hecho individualizado históricamente y calificado jurídicamente cuya descripción habrá de contener las menciones necesarias para su individualización (tiempo, lugar, sujetos, etc.), y para su calificación (elementos fácticos tanto objetivos como subjetivos) del delito objeto de la acusación, pero excluyendo de él "toda mención que no resulte absolutamente imprescindible para su calificación", como exige el art. 37 en su apartado a) inciso tercero». (Madrid, Sección 23ª, Sentencia 126/2011 de 12 Dic. 2011, Rec. 1/2011).

C) Instrucciones a los jurados

Inmediatamente, el Magistrado-Presidente, en audiencia pública, antes de iniciar su deliberación, y en presencia de las partes, procederá a entregar a los jurados el escrito de petición de veredicto. El Magistrado deberá expresar a los jurados que deben emitir el veredicto sobre la base exclusiva de las pruebas practicadas en el juicio oral, con expresa exclusión de las pruebas declaradas ilícitas. Expondrá, también, de forma inteligible, con un lenguaje claro y sin tecnicismos legales, la naturaleza de los hechos enjuiciados, las circunstancias constitutivas de delito imputado y las referentes a las causas modificativas de la responsabilidad. Se le prohíbe al Magistrado expresar su opinión sobre el resultado probatorio y se le indica que debe expresar a los miembros del Jurado que, en caso de tener dudas sobre el resultado de la prueba, deberán decidir en el sentido más favorable al acusado (art. 54 LJ) (Véase M. 347).

«Se debe añadir que es evidente que la adecuada aplicación del artículo 54 de la LOTJ constituye una de las claves de este nuevo proceso en desarrollo —no sin largas dilaciones— de lo exigido por el artículo 125 de la CE. Las instrucciones que haga el Magistrado-Presidente a los miembros o vocales del Jurado tiene su claro precedente en las "Jury Instructions" del Derecho anglosajón debiéndose recalcar que su propósito fundamental dentro de dicho sistema procesal es que puedan ser entendidas eficazmente por la gente común, es decir, más concretamente, por las personas jurídicamente profanas: por Jueces "legos" y, por ello, no técnicos en derecho. Está claro, pues, que en esta singular instancia previa a la deliberación, el Magistrado-Presidente tiene la obligación profesional de asumir por entero la gravísima carga de "contener" al máximo en el curso de su exposición la jerga jurídica y el empleo de frases y vocablos estrambóticos, crípticos, inusuales o de estilo altisonante que lejos de cumplir la función de informar e instruir dejen perplejos a algunos de los jurados». STS Sala Segunda, de lo Penal, Sentencia de 11 Mar. 1998, Rec. 2381/1997; Ponente: Montero Fernández-Cid, Ramón. LA LEY 4226/1998.

Así conforme al art. 54 LOTJ se les instruirá:

a) Sobre la función que tienen conferida, reglas que rigen su deliberación y votación, y la forma en que deben reflejar su veredicto.

b) Sobre los hechos en torno a los que deben emitir su veredicto, cuidando de no hacer alusión alguna a su opinión sobre el resultado probatorio, pero informándoles de que no deben atender a los medios probatorios que hayan sido declarados ilícitos o nulos.

c) Sobre el deber de decidir en el sentido más favorable al acusado, si tras la deliberación no les hubiese sido posible resolver las dudas que tuvieran sobre el resultado de la prueba (art. 54 LJ).

7.3. Deliberación y veredicto

A) Deliberación

El Jurado se retirará a la sala destinada para su deliberación y actuará aislado y de forma soberana. Su primera actuación irá destinada a la elección de portavoz, al que le corresponderá la dirección de los debates y la redacción del acta de la votación. Será la persona encargada de contactar con el Presidente, en caso de incidencias[81]. A tal fin se constituirá la primera sesión, presidida por aquél cuyo nombre hubiese salido primero en el sorteo. La deliberación será secreta, sin que ninguno de los jurados pueda revelar lo en ella manifestado (art. 55 LJ).

La función del Jurado debe limitarse a optar entre las distintas alegaciones fácticas y no entre las calificaciones jurídicas de las partes.

> «... por lo que debe quedar claro que la misión del Jurado es la de optar entre diversas proposiciones fácticas y no entre las calificaciones jurídicas de las acusaciones y la defensa (SSTS núm. 439/2000, de 26 de julio (LA LEY 1164/2001) y núm. 1715/2001, de 19 de octubre (LA LEY 186573/2001))». (STSJ de Madrid, Sala de lo Civil y Penal, Sentencia 13/2016 de 17 May. 2016, Rec. 24/2016).

En ningún caso podrán estar presentes los jurados suplentes en las deliberaciones del Tribunal de Jurado[82], sino que deberán deben permanecer a disposición del Tribunal en el lugar que se les indique (art. 66.2 LOTJ).

---

(81) Existen estudios realizados en USA, en los que se indica que los jurados no suelen invertir excesivo tiempo en la elección de su portavoz. Normalmente suele resultar elegida la primera persona que se ofrece para el cargo. No reviste excesiva importancia el status profesional ni el sexo.

(82) «En el caso actual consta que la presencia de los jurados suplentes fue consecuencia de una decisión del Magistrado Presidente para no tener que reiniciar la deliberación, caso de que uno de ellos tuviese que incorporarse al jurado titular por incapacitación de alguno de sus miembros. Decisión errónea, que no debió ser adoptada, pues el Magistrado Presidente es el encargado de velar porque se cumplan los estrictos términos de la ley del Jurado. Pero, en todo caso, esta decisión se adoptó con la prevención de que los jurados suplentes eran meros «convidados de piedra», sin

«Es claro que los jurados suplentes no pueden ni deben estar presentes en las sesiones del Tribunal del Jurado destinadas a la deliberación y votación de los puntos objeto de veredicto, pues estas sesiones son secretas (art. 55.3 LOTJ), no permitiendo la ley que los miembros titulares del jurado mantengan comunicación con persona alguna hasta que hayan emitido el veredicto (art 56.1 LOTJ), y además la ley establece expresamente que, hasta que se lea el veredicto, los jurados suplentes deben permanecer a disposición del Tribunal en el lugar que se les indique (art. 66 2 LOTJ), que indudablemente no debe ser la Sala donde deliberan los jurados titulares. Por tanto la presencia de los jurados suplentes durante la deliberación constituye una irregularidad procesal, y una contravención legal. Pero para que pueda calificarse como una vulneración constitucional del derecho a un juicio con todas las garantías o del derecho al juez legalmente predeterminado, con la drástica consecuencia de la anulación y repetición del juicio por otro jurado, es necesario que esta irregularidad formal haya generado algún efecto material». STS 468/2016 de 31 May. 2016, Rec. 10757/2015.

El veredicto no debe contener el tipo delictivo cometido —*nomen iuris*— sino solo los hechos probados. Tampoco puede contener un relato diferente a los efectos de encajar los hechos en otro tipo penal.

«Este relato fáctico previo ya debe contener todos los elementos necesarios para que el Magistrado-Presidente pueda subsumirlos jurídicamente en la calificación correcta, incluidos, en su caso, los elementos subjetivos del tipo así como todos los datos objetivos que hayan permitido inducir dichos elementos subjetivos. Es por ello por lo que el veredicto de culpabilidad por la participación en el hecho delictivo no incluye el "*nomen iuris*" delictivo: el acusado es culpable para el Jurado de los hechos declarados probados, no de "asesinato" o "homicidio". Y tampoco es procedente burlar esta limitación confeccionando un nuevo mini-relato para el pronunciamiento del veredicto de culpabilidad, pretendiendo que el Jurado opte (de forma encubierta, es decir, sin *nomen iuris* del delito), por una u otra calificación jurídica». (STSJ de Madrid, Sala de lo Civil y Penal, Sentencia 13/2016 de 17 May. 2016, Rec. 24/2016).

Será también impugnable el veredicto que contenga contradicciones, bien en la redacción del veredicto; o bien entre las dos proposiciones que integran el hecho básico. La jurisprudencia en estos casos exige: que la esencia de la contradicción debe consistir en emplear en el hecho probado términos o frases que, por ser antitéticos, resultan incompatibles entre sí, de suerte que la afirmación de uno resta eficacia al otro al excluirse uno al otro produciendo una laguna en la fijación de los hechos[83].

---

voz ni voto, que ni podían participar en las deliberaciones ni expresar su opinión en las decisiones. En el Acta no consta que su presencia como asistentes silentes ocasionase incidencia alguna y todas las decisiones aparecen adoptadas exclusivamente por los Jurados titulares. En consecuencia, no cabe apreciar que esta irregularidad formal generase efecto alguno que pudiese afectar al correcto funcionamiento del proceso de deliberación y decisión de los jurados titulares». STS 468/2016 de 31 May. 2016, Rec. 10757/2015.

(83) «El análisis de este alegato tiene que ser efectuado desde la doctrina jurisprudencial conteste y que reseña, entre muchas, la STS, 2ª, de 11 de febrero de 2014 (ROJ STS 250/2014), cuando dice (FJ 7.B): "En cuanto a la contradicción, como la jurisprudencia ha recordado en sentencias 121/2008 de 26.2, 754/2007 de 2.10 y 253/2007 de 26.3, la esencia de la contradicción consiste en el empleo en el hecho probado de términos o frases que, por ser antitéticos, resultan incompatibles entre sí, de suerte que la afirmación de uno resta eficacia al otro al excluirse uno

No les será permitida comunicación con persona alguna, hasta la emisión del veredicto (art. 56 LJ). Distinto será la información que reciban por la prensa durante la celebración del juicio. En este caso no podrá alegarse contaminación salvo que quede acreditado que dichas informaciones han influido en su voto.

«Pues bien, por lo que se refiere en concreto a la eventual contaminación procedente de los medios de comunicación, a raíz de las noticias y de las opiniones difundidas públicamente sobre los distintos elementos que conforman un proceso penal en curso, en particular cuando se produce al tiempo del juicio oral y versa sobre la culpabilidad o la inocencia del acusado o sobre la pena a imponer (ATC 195/1991 de 26 jun. —FD6—; STEDH 26 abr. 1979 Sunday Times vs. UK), debe tenerse en cuenta que el simple conocimiento por el Jurado de tales informaciones no puede traducirse necesariamente como falta de imparcialidad (STS 2ª 223/2005 de 24 feb. y 529/2005 de 27 abr.), .../... de manera que «lo importante no es tanto que el jurado conozca o no el hecho, lo cual en ocasiones no será posible evitar, sino que en su

---

al otro produciendo una laguna en la fijación de los hechos (STS 259/2004 de 4.3). La doctrina jurisprudencial reiterada 717/2003 de 21.5, 2349/2001 de 12.12 (LA LEY 224746/2001), 776/2001 de 8.5 (LA LEY 5283/2001), 1661/2000 de 27.11 (LA LEY 1316/2001), señala para la prosperabilidad de este motivo los siguientes requisitos: a) que la contradicción sea manifiesta y absoluta en el sentido gramatical de la palabra. Por ello, la contradicción debe ser ostensible y debe producir una incompatibilidad entre los términos cuya contradicción se denuncia; en otras palabras, que se trata de una contradicción en sentido propio, es decir gramatical, de modo que la afirmación de un hecho implique necesariamente la negación del otro, de modo irreconocible y antitético y no de una mera contradicción ideológica o conceptual, de suerte que no hay contradicción a estos efectos sí la misma es resultado de los razonamientos, acertados o desacertados, de quien lee la declaración probada. b) debe ser insubsanable, pues aún a pesar de la contradicción gramatical, la misma no pueda subsumirse en el contexto de la sentencia; es decir que no exista posibilidad de superar la contradicción armonizando los términos antagónicos a través de otros pasajes del relato. Por ello la contradicción debe ser absoluta, esto es, debe enfrentar a términos o frases que sean antitéticos, incompatibles entre sí, e insubsanable, de forma que no puede ser remediada acudiendo a otras expresiones contenidas en el mismo relato. c) que sea interna en el hecho probado, pues no cabe esa contradicción entre el hecho y la fundamentación jurídica, esto es, no puede ser denunciada la contradicción que se advierta o crea advertirse entre el factum y la fundamentación jurídica de la resolución. A su vez, de este requisito se excepcionan aquellos apartados del Fundamento Jurídico que tengan su indudable contenido fáctico; esto es, la contradicción ha de darse entre los fundamentos fácticos tanto si se han incluido correctamente entre los hechos probados como si se trata de complementos fácticos integrados en los fundamentos jurídicos. d) la contradicción ha de producirse respecto a algún apartado del fallo, siendo relevante para la calificación jurídica, de tal forma que si la contradicción no es esencial ni imprescindible a la resolución no existirá el quebrantamiento de forma. Por ello debe ser esencial, en el sentido de que afecte a pasajes fácticos necesarios para la subsunción jurídica, de modo que la material exclusión de los elementos contradictorios, origine un vacío fáctico que determine la falta de idoneidad para servir de soporte a la calificación jurídica debatida. En definitiva, como decíamos en la STS 1250/2005 de 28.10 (LA LEY 14219/2005) "como consecuencia de la contradicción, que equivale a la afirmación simultánea de contrarios con la consiguiente destrucción de ambos, debe sobrevenir un vacío que afecte a aspectos esenciales del sustrato fáctico en relación con la calificación jurídica en que consiste el "iudicium", lo que se suele significar diciendo que la contradicción sólo es motivo de casación cuando es causal y determinante de una clara incongruencia entre lo que se declara probado y sus consecuencias jurídicas". En la misma línea, la STS 542/2015, de 30 de septiembre (ROJ STS 3979/2015), FJ 1.4"». (STSJ de Madrid, Sala de lo Civil y Penal, Sentencia 13/2016 de 17 May. 2016, Rec. 24/2016). Ver también STSJ de la Comunidad Valenciana, Sala de lo Civil y Penal, Sentencia 11/2013 de 15 Nov. 2013, Rec. 24/2013.

ánimo prevalezca la opinión que sustente la presunción de inocencia y la necesidad de atender al juicio antes de emitir una opinión acerca del valor de las pruebas que se practiquen a su presencia y de la culpabilidad o no culpabilidad de la persona cuya conducta se juzga» —STS 2ª 223/2005 de 24 feb.—». (STSJ de Cataluña, Sala de lo Civil y Penal, Sentencia 26/2010 de 28 Oct. 2010, Rec. 25/2010).

Si alguno de los jurados tuviere duda sobre cualquiera de los aspectos del objeto del veredicto, podrá pedir la presencia del Magistrado-Presidente para que amplíe instrucciones. En tal caso, la comparecencia de éste se hará en audiencia pública y en presencia del MF y de las demás partes (art. 57.1 LJ).

Cuando la deliberación, que se celebrará a puerta cerrada y en secreto, durase más de dos días, se permite que el Magistrado, potestativamente, convoque a los Jurados para impartirles aquellas instrucciones que tiendan a evitar una innecesaria prolongación de la deliberación que, según expresa la Exposición de Motivos de la Ley, afectaría al prestigio de la institución. A tal fin, el art. 57 establece que si transcurridos dos días desde el inicio de la deliberación sin que los jurados hiciesen entrega del acta de la votación, el Magistrado-Presidente podrá convocarles a comparecencia, en audiencia pública y presencia de las partes, por si fuera necesaria la ampliación de instrucciones. Si en esta comparecencia ninguno de los jurados expresara duda alguna sobre cualquiera de los aspectos del objeto del veredicto, el Magistrado-Presidente les apremiará para que emitan el veredicto (apremio al que se atribuyen los mismos efectos que a la devolución del acta de votación por el Magistrado-Presidente al Jurado, cuestiones que expondremos más adelante) (art. 57.2 LJ).

B) Votación[84]

La votación será nominal, en alta voz y por orden alfabético, votando en último lugar el portavoz (art. 58.1 LJ).

Ninguno de los jurados podrá abstenerse de votar. Si alguno insistiera en abstenerse será sancionado disciplinariamente y si persistiera en su actitud incurrirá en responsabilidad penal[85]. De todos modos, si se diera el caso, la abstención se entenderá como voto favorable a las tesis de la defensa del acusado.

La votación versará sobre los hechos, sobre la culpabilidad o inculpabilidad y sobre la suspensión condicional de la pena y petición de indulto.

Respecto a la votación sobre los hechos (tal como fueron propuestos por el Magistrado-Presidente en el escrito de petición del veredicto), para que sean estimados probados o no probados, exige la mayoría de cinco votos cuando fuesen favorables al acusado y de siete votos cuando fuesen contrarios (art. 59.1 LJ).

Se plantea la duda sobre si un hecho relevante para la calificación del hecho principal, sometido a votación, no obtuviese la mayoría necesaria de votos para ser

---

(84) Vid. DELGADO CÁNOVAS, JB., Sala 2ª. «Las mayorías necesarias para alcanzar un veredicto en el proceso ante el Tribunal del Jurado», *Rev. Poder Judicial*, nº 96, 2013, págs. 61-70.

(85) La sanción disciplinaria prevista es de 450 € de multa (art. 58.2 LJ) y la penal de 600 a 3.000 € de multa (Disp. Adic. 2. ª.1 LJ).

declarado probado, si debe o no ser nuevamente sometido a votación para declararlo no probado, según lo previsto en el art. 59 LJ. Es decir, si un ensañamiento que obtiene 6 votos a favor y 3 en contra, requiere de una nueva votación en la que se declare no probado por 5 votos a favor. La respuesta debe ser negativa, ya que si un hecho desfavorable se rechaza por no alcanzar los votos necesarios, la consecuencia lógica es que se considere no probado sin más.

Si no se obtuviesen estas mayorías, podrá someterse a votación el correspondiente hecho con las matizaciones que estime pertinentes quien propone la alternativa, siempre que las matizaciones no supongan alteraciones sustanciales ni determinen la agravación de la responsabilidad (art. 59.2 LJ)[86].

Para dictar veredicto se requiere siete votos, al menos, cuando fuesen contrarios al acusado, y cinco votos, cuando fuesen favorables (art. 59.1). Si se hubiese obtenido la mayoría necesaria en la votación sobre los hechos se someterá a votación la culpabilidad o inculpabilidad, siendo necesarios siete votos para establecer la culpabilidad y cinco votos para la inculpabilidad (art. 60.1 y 2). Si no se hubiese pronunciado sobre la culpabilidad o inculpabilidad el Magistrado-Presidente devolverá el acta al Jurado (art. 63.1 b); devolución que puede llegar a repetirse hasta tres veces, dando lugar en ese caso a la disolución del Jurado y convocatoria de juicio oral con un nuevo Jurado y Presidente (art. 65.1). La cuestión se plantea cuando en la votación no se llega a alcanzar las mayorías necesarias (7 votos o 5) sino p. ej. al resultado de 6 y 3. Ante esta situación caben dos interpretaciones: a) el Magistrado-Presidente debe devolver el acta de votación al Jurado si éste no se ha pronunciado sobre la culpabilidad o inculpabilidad del acusado, hasta tres veces si es necesario, y si a la tercera no se han conseguido los votos necesarios para declarar la culpabilidad o inculpabilidad del acusado, disolver el Jurado y convocar un nuevo juicio oral con nuevo Jurado; b) el Magistrado-Presidente debe dictar una sentencia absolutoria, aun cuando el Jurado no se haya pronunciado sobre la culpabilidad o inculpabilidad del acusado.

«En apoyo de esta tesis se citaba la sentencia de esta Sala STS 595/2008 de 3 de octubre, que en una situación idéntica a la expuesta —mayorías 6/3, por tanto no las exigidas en la Ley— en cuya situación la sentencia del Magistrado-Presidente fue la de absolver al acusado en tanto que la del Tribunal Superior de Justicia de Cataluña ante el que se recurrió el fallo, fue la de declarar nula tal sentencia dictada en primera instancia. Finalmente recurrida en casación, esta Sala anuló, a su vez la sentencia en apelación manteniendo la validez de la sentencia del Tribunal del Jurado, argumentando el carácter excepcional del recurso de casación y las graves consecuencias a las que conduciría la celebración de un nuevo juicio para el absuelto, citando asimismo la STS 1574/2001 de 14 de noviembre (LA LEY 948/2002), que se hacía eco

---

(86) En la práctica forense se han confeccionado unos modelos impresos, que se entregan a los Jurados, junto con el escrito que contiene el objeto del veredicto y el acta del juicio. A estos impresos se adjunta también una hoja de instrucciones para su redactado. Ciertamente este sistema evita problemas técnicos procesales pero encierra en sí mismo graves peligros. Basta sólo con analizar cualquiera de las actas de veredicto emitidas para comprobar que el Jurado se limita, en muchos casos, a rellenar con, prácticamente, monosílabos los espacios reservados al efecto. Esta realidad dista mucho del sistema que quería implantarse, según la Exposición de Motivos de la Ley, consistente en que el Jurado expresase su opinión motivada.

de tales argumentos, recogiendo el siguiente párrafo de dicha resolución: "... Quien ya fue juzgado, con todas las garantías y requisitos legales para ello, tanto materiales como formales, obteniendo un indiscutible pronunciamiento fáctico, adoptado también de acuerdo a los requisitos establecidos en la propia Ley, que declaraba la insuficiencia de acreditación de su participación delictiva en los hechos enjuiciados, todo ello conforme a la convicción de un Jurado compuesto expresamente para ese enjuiciamiento, ahora se enfrentaría a la eventualidad contradictoria de ser hallado partícipe en ellos, por un nuevo y distinto Tribunal, y lo que pudiera resultar aún más insoportable, incluso con una nueva calificación jurídica de lo acaecido..."». (STS 302/2013 de 27 Mar. 2013, Rec. 324/2012).

La opción más conforme con esta situación, normalmente llamada de «jurado colgado», es la de dictar sentencia absolutoria de acuerdo con el principio de seguridad jurídica, ya que la persona concernida ya había sido juzgada y absuelta por una mayoría de los miembros del Jurado, y que en tal situación el sometimiento del absuelto a un nuevo juicio no queda justificado en la medida que se vuelve a someter al absuelto a las graves consecuencias que pudieran derivarse de un nuevo juicio. El TS se planteó si se debía seguir el criterio de la STS 595/2008, con lo que ya se obtendría una doctrina consolidada al respecto (sentencia absolutoria); o, por el contrario, habría de estarse a las previsiones literales de la propia Ley del Jurado, que en el art. 63, prevé expresamente la devolución del acta al Jurado cuando éste no se haya pronunciado sobre la culpabilidad o inculpabilidad del acusado —art. 60—con repetición de juicio con nuevo Jurado. La solución se llevó a un Pleno no jurisdiccional[87], el cual optó, por mayoría, por este segundo criterio con argumentos nada convincentes, como lo acredita la falta de unanimidad de la propia Sala:

«La Ley del Jurado tiene un sistema de mayorías necesarias quedando sancionado su incumplimiento con la devolución del acta, al no hacerlo así el operador judicial se aparta de la previsión legal —sobre cuya constitucionalidad no cabe duda— y provoca un apartamiento del proceso que denunciado vía casación, debe resolverse declarando la primacía del ordenamiento jurídico y la consiguiente obligatoriedad de seguirlo, por lo que, en este momento procesal, siendo imposible la devolución del acta, solo cabe la repetición del juicio con nuevo Jurado y nuevo Presidente, sin que los riesgos de someter al absuelto a nuevo juicio deban impedir tal solución, pues el absuelto lo fue indebidamente. Esta Sala como último intérprete de la legalidad penal ordinaria no puede dejar de ser garante de tal legalidad, sin que el nuevo sometimiento a juicio del que fue indebidamente absuelto ni atente al principio de presunción de inocencia ni menos a la interdicción del doble enjuiciamiento. .../... Por otra parte, el argumento de que no adoptada la precisión legal para solucionar la crisis decisoria por el Magistrado Juez Presidente del Tribunal del Jurado —devolución del veredicto ex art. 63 LOTJ— no puede ser acordada la solución de decretar la nulidad del juicio y nombramiento de nuevo jurado porque cuestiona y pondría en riesgo a la persona

---

(87)   El Pleno no Jurisdiccional tuvo lugar el 13 de marzo de 2013, y por mayoría se adoptó el siguiente Acuerdo que en lo que aquí interesa es como sigue: a) Para declarar probado un hecho un hecho desfavorable será necesario el voto de, al menos, siete jurados. b) Para declarar no probado el hecho desfavorable son necesarios al menos, cinco votos. c) Si no se alcanza alguna de esas mayorías, no habrá veredicto válido y habrá que operar en la forma prevista en los arts. 63 y 65 LOTJ (supuestos de seis o cinco votos a favor de declarar probado el hecho desfavorable). (STS 302/2013 de 27 Mar. 2013, Rec. 324/2012).

que ha sido absuelta al someterla a nuevo enjuiciamiento, sobre no cuestionar ni el derecho a la presunción de inocencia, ni la interdicción de doble enjuiciamiento, como ya se ha razonado, supondría toda una invitación a consolidar tal proceder de actuación que ya quedaría en la práctica, legitimada no siendo acorde a la Ley e impidiendo que esta Sala Casacional pueda ejercer su actividad de último intérprete de la legalidad penal y procesal ordinaria». (STS 302/2013 de 27 Mar. 2013, Rec. 324/2012).

Si se hubiese obtenido la mayoría necesaria en la votación sobre los hechos, se someterá a votación la culpabilidad o inculpabilidad de cada acusado por cada hecho delictivo imputado. Serán necesarios siete votos para establecer la culpabilidad y cinco votos para establecer la inculpabilidad (art. 60.1 y 2 LJ)[88]. Por último, el criterio del Jurado sobre la aplicación al declarado culpable de la suspensión condicional de la pena, así como sobre la petición de indulto en la sentencia, requerirán el voto favorable de cinco jurados (art. 60.3 LJ).

Cuando el veredicto no se pronuncie sobre si un hecho ha sido o no probado, esta falta de afirmación no debe interpretarse que dicho hecho deba tenerse por no probado. El art. 59.1 LJ dispone que: «los jurados votarán si estiman probados o no dichos hechos» y añade que «para ser declarados tales, se requieran siete votos, al menos, cuando fuesen contrarios al acusado, y cinco votos, cuando fuesen favorables». La doctrina del TS se ha pronunciado por la aplicación a los supuestos de hechos no probados por la necesidad de que se aplique lo dispuesto para la votación en el art. 59.1 LJ.

«La sentencia de esta Sala núm. 323/2013, de 23 de abril (LA LEY 35098/2013), contiene la doctrina al respecto, tras analizar las posiciones sobre esta cuestión: B) No obstante esta Sala casacional en STS 2199/2001 de 18 de febrero, en un supuesto análogo al presente desestimó el recurso interpuesto por el Ministerio Fiscal, y la acusación particular que sostenían que de los arts. 59 y 61 de la LOTJ, debía llegarse a la conclusión de que, si el penado no alcanza la mayoría de 7 votos para dar por probado un hecho contrario al acusado, o la de 5, para entender probado un hecho favorable, para dar por no probados tales hechos se requerirá una votación en que se obtenga la misma mayoría, entendiendo que para dar por no probado un hecho contrario al acusado se necesitarán por tanto siete votos. Si no se consigna la mayoría

---

(88)   No se justifica técnicamente la distinción de mayorías, según se trate de hechos favorables o desfavorables al acusado, ya que supone un aumento en la carga de la acusación y una rebaja en la carga de la prueba de la defensa. En todo caso, la presunción de inocencia y el principio de «in dubio pro reo» exigiría que en caso de no obtener la mayoría, cualquiera que esta fuese, para declarar probado un hecho desfavorable al acusado, se tuviese el hecho como no probado sin más. Fue el propio Consejo General del Poder Judicial, el que señaló, en su Informe sobre el Anteproyecto de esta Ley, que a la vista de los precedentes del Derecho Comparado, así como las modernas investigaciones de carácter psicológico y sociológico en cuanto al comportamiento de los jurados, el Consejo se mostraba decidido partidario de que la unanimidad debiera ser la pretensión inicial del Jurado, pues ésta es la que provoca una verdadera y auténtica deliberación, ya que con ella todos los jurados son conscientes de la importancia de su voto. Esta opinión del Consejo es totalmente ajustada a la realidad. El sistema de mayorías evita, normalmente, que se profundice en el análisis de los hechos y suele conducir a rápidos e inmediatos veredictos. Especialmente, ocurre cuando en la primera votación se detecta que ya existe una mayoría, lo que provoca el desinterés del equipo minoritario para imponer su criterio.

precisa para dar por probados los hechos y para darlos por no probados, procederá la devolución del acta del veredicto del Jurado, conforme previene el art. 63.1.c) de la LOTJ, y a la tercera devolución sin obtenerse las mayorías necesarias, se procederá a la disolución del jurado y a la repetición del juicio ante uno nuevo, según lo prevenido en el art. 65.1 de la LOTJ, por lo que las acusaciones recurrentes entendían que al no haberse obtenido los siete votos necesarios para no dar por probado el hecho principal, lo correcto hubiese sido que el Magistrado-Presidente hubiera devuelto el acta para que el hecho se hubiese sometido a nueva votación». (STS 753/2014 de 13 Nov. 2014, Rec. 689/2014).

Si no se obtuviese la mayoría prevista en el art. 59 LJ, podrá someterse a votación el correspondiente hecho con las precisiones que se estimen pertinentes por quien proponga la alternativa y, nuevamente redactado así el párrafo, será sometido a votación hasta obtener la indicada mayoría. La modificación no podrá suponer dejar de someter a votación la parte del hecho propuesta por el Magistrado-Presidente. En estos casos lo procedente será acudir al trámite previsto en el art. 57 LJ, de ampliación de instrucciones, para evitar posibles motivos de impugnación.

«Por otro lado, como recuerda la sentencia de apelación, la modificación interesada por el Tribunal del Jurado fue puesta en conocimiento de la Magistrada Presidenta, la cual en comparecencia abierta de ampliación de instrucciones, puso en conocimiento de todas la partes la propuesta de modificación interesada por el Jurado, manifestando las partes su conformidad con la nueva redacción, acordándose posteriormente por parte de la Magistrada Presidente la introducción del párrafo interesado en la pregunta A1 de los hechos objeto del veredicto». (STS 25/2015 de 3 Feb. 2015, Rec. 10239/2014).

Pero podrá incluirse un párrafo nuevo, o no propuesto, siempre que no suponga una alteración sustancial ni determine una agravación de la responsabilidad imputada por la acusación (art. 59.2.2 LJ). La interpretación del término «alteración sustancial» debe entenderse directamente vinculado con la posible indefensión del acusado.

«… la expresión "sustancial" debe entenderse en este contexto en relación con el derecho de defensa, es decir que el límite de la flexibilidad de los jurados en la redacción del hecho se encuentra en la incorporación de modificaciones fácticas de las que la parte recurrente no pudo defenderse». (STS 25/2015 de 3 Feb. 2015, Rec. 10239/2014).

C)   *Acta y lectura del veredicto. Motivación del veredicto*[89]

Una vez concluida la votación, se extenderá un acta de la misma, según señala el art .61.1 LJ (Véase M. 348). Técnicamente no es acertada esta denominación de acta, ya que realmente no lo es, induciendo a errores innecesarios. Este precepto lo que en realidad regula es la redacción y contenido del veredicto debidamente motivado.

«La Sentencia de esta Sala de 11 de marzo de 1998, dejó sentado que en realidad el acta del que habla el art. 61 de la LOTJ no es realmente un acta, sino es propiamente el veredicto, por lo que hubiera sido mejor que la Ley empleara otra expresión para

---

(89)   Vid. SAGÜILLO TEJERINA, E., «La motivación del veredicto del jurado en la reciente jurisprudencia del Tribunal Supremo», *Diario La Ley*, nº 8680, 2016.

evitar confusiones, pero se deduce de los términos del artículo que examinamos que es del veredicto de lo que en él se trata». STS Sala Segunda, de lo Penal, Sentencia 1775/2000 de 17 Nov. 2000, Rec. 1458/1999; Ponente: Sánchez Melgar, Julián. LA LEY 1464/2001.

No será necesaria una transcripción literal de las cuestiones formuladas por el Magistrado sobre los hechos.

«El acta del que habla el artículo 61 de la LOTJ no es realmente un acta: Es el veredicto. Habría sido mejor que la Ley empleara otra expresión para evitar confusiones, pero se deduce de los términos del artículo que examinamos que es del veredicto de lo que en él se trata. El veredicto se redactará con arreglo a lo que este artículo dispone y aunque no será precisa la transcripción íntegra de las preguntas que sobre los hechos les haya formulado el Magistrado-Presidente, sino que basta con indicar su número siempre que no se haya introducido modificación alguna en el texto propuesto. Si ha habido cambio será preciso escribir el correspondiente hecho con las precisiones pertinentes, y, nuevamente redactado el párrafo, someterlo a votación indicando su resultado» STS Sala Segunda, de lo Penal, Sentencia de 11 Mar. 1998, Rec. 2381/1997, Ponente: Montero Fernández-Cid, Ramón. LA LEY 4226/1998.

La motivación del veredicto va precedida del acta de la votación, que constituye su base (art. 61 LJ).

«Por lo que respecta a la motivación del Jurado, una doctrina de esta Sala, que está muy consolidada (SSTS 816/2008, de 2 de diciembre (LA LEY 207476/2008); 300/2012, de 3 de mayo (LA LEY 58016/2012); 72/2014 de 29 de enero (LA LEY 10182/2014); 45/2014, de 7 de febrero (LA LEY 5973/2014); 454/2014, de 10 de junio (LA LEY 74595/2014) y 694/2014, de 29 de octubre, entre otras), argumenta que la motivación de la sentencia del Tribunal del Jurado viene precedida del acta de votación, que constituye su base y punto de partida, pues contiene la expresión de los elementos de convicción y una sucinta explicación de las razones por las que el colegio decisorio ha admitido o rechazado determinados hechos como probados, pero debe ser desarrollada por el Magistrado-Presidente al redactar la sentencia, expresando el contenido incriminatorio de esos elementos de convicción señalados por los jurados y explicitando la inferencia cuando se trate de prueba indiciaria o de hechos subjetivos». (STS 850/2015 de 26 Oct. 2015, Rec. 10343/2015).

La motivación no tiene por qué ser exhaustiva por lo que no es necesario que deba referirse a todos los medios de prueba, correspondiendo al Magistrado Presidente completar, en su caso, las omisiones del resultado de aquellas pruebas no determinantes del veredicto.

«En cuanto al deber de motivación, en sentido estricto, hay que tener en cuenta que la STS de fecha de 25 de enero de 2014 explica que, la justificación del jurado haya de ser sucinta significa, entre otras cosas, que no debe ser exhaustiva, por ello no es imprescindible que haga alusión a absolutamente todos los medios de prueba, "El colegio de legos ha de fundar sus decisiones sucintamente, lo que supone señalar no necesariamente todos los medios de prueba tomados en consideración"; y añade que el Magistrado Presidente al explicar a posteriori su decisión de no disolver el jurado sí puede comprobar el total de fuentes de prueba manejado por el Jurado y en su caso, sin suplir la labor del jurado, referirse a otros medios de prueba, que, "aunque no estén citados por el jurado por no ser los determinantes o decisivos o incidir sobre aspectos no cuestionados" no hay duda de que han sido valorados». (STSJ de Madrid, Sala de lo Civil y Penal, Sentencia 2/2016 de 22 Ene. 2016, Rec. 111/2015).

La motivación contendrá una sucinta explicación de las razones por las que han declarado o rechazado declarar determinados hechos como probados (art. 61.d) LJ). Por tanto, no deben señalar necesariamente todos los medios de prueba tomados en consideración, ni detallar ineludiblemente todo el itinerario mental recorrido para llegar a la decisión. Bastará con que se expresen, de forma sucinta, las pruebas que han determinado su convicción[90].

«Es preciso, diferenciar entre el deber de motivación que la LOTJ impone al jurado y el que exige de los Tribunales profesionales. Para el Tribunal del Jurado no es que sea suficiente una sucinta explicación (art. 61.1 d) LOTJ); es que es justamente eso lo que le exige la Ley. Sería "alegal" una motivación exhaustiva. El colegio de legos ha de fundar sus decisiones sucintamente, lo que supone señalar no necesariamente todos los medios de prueba tomados en consideración ni detallar ineludiblemente todo el itinerario mental recorrido para llegar a la decisión. Ese método expositivo, por otra parte, muchas veces no sería conciliable con la naturaleza de una decisión colegiada. En algunos puntos las razones de unos y otros integrantes del colectivo (nueve) pueden ser parcialmente divergentes (algún miembro del jurado puede haber puesto el acento en una fuente de prueba a la que otro da menos crédito; unos jurados pueden haber despreciado totalmente un dato incriminatorio que, sin embargo, para otro es decisivo...). Basta con que expresen de forma sucinta las pruebas que han determinado su convicción, de manera que posteriormente pueda testarse la razonabilidad de esas conclusiones y la suficiencia de las pruebas tomadas en consideración para fundar la responsabilidad penal. .../... En otro orden de cosas, aquí especialmente relevante, cuando no se trata de dar por probado, sino de considerar "no probado" algún hecho, el nivel exigible de motivación se atenúa». (STS 231/2014 de 10 Mar. 2014, Rec. 11007/2013).

El contenido de la motivación del Jurado ya se ha expuesto que no tiene que ser exhaustiva. Tampoco está sujeta a formalismo alguno y debe aplicarse con un criterio laxo, salvo que el Jurado ofrezca explicaciones específicas sobre valoración de pruebas.

«El criterio de esta Sala acerca del grado de exigibilidad de la motivación del veredicto de un Jurado es notablemente laxo y ajeno a cualquier rigorismo formal. De modo que, tal como se ha reseñado en la jurisprudencia anteriormente citada,

---

(90)   «La jurisprudencia ha reiterado una y otra vez la innecesariedad de justificar plenamente la decisión de enumerar de modo exhaustivo las pruebas que se hayan tenido en cuenta, doctrina que ha sido recogida una vez más en la reciente STS 13 septiembre 2005. El carácter lego de los jurados no les permite, ni les es exigible, el mismo nivel de razonamiento lógico-jurídico que a los jueces técnicos. Ese, y no otro, es el sentido de la calificación de "escueto" que emplea la ley con el significado de simple, elemental, estricto y accesible, o susceptible de ser cumplido por cualquier persona desconocedora del derecho. Tampoco se exige la motivación de todas y cada una de las decisiones que sobre un determinado punto del objeto del veredicto se realicen, bastando unas elementales explicaciones que permitan conocer a los terceros interesados cuáles han sido las razones decisorias y los datos o elementos probatorios esenciales que fundamentan su decisión, siendo el Magistrado-Presidente quien al dictar sentencia debe motivar la subsunción realizada y la existencia de prueba de cargo que desvirtúe la presunción de inocencia (art. 70.2 LOTJ)». (SAP Barcelona, Sección 10ª, Sentencia 5/2015 de 9 Feb. 2015, Rec. 25/2013).

incluso se ha considerado en algunas sentencias que es suficiente con que el Jurado especifique los elementos probatorios de cargo que sustentan su convicción para entender que el veredicto está fundamentado, sin que se precise un análisis específico y pormenorizado de los motivos concretos por los que un testigo es considerado fiable y creíble para el Tribunal de legos. Ahora bien, una vez que el Jurado da explicaciones específicas sobre cómo ha obtenido su convicción sobre una prueba personal de suma relevancia no cabe considerar correctamente motivada la prueba si el razonamiento se apoya en un dato objetivo que resulta manifiestamente erróneo». (STS 130/2016 de 23 Feb. 2016, Rec. 1283/2015).

El objeto del veredicto debe respetar los límites del principio acusatorio. Debe ser congruente con las alegaciones de las partes y deberá sujetarse al principio de legalidad.

«La Sala Segunda del Tribunal Supremo —STS de 30 de septiembre de 2013— ha declarado que: a) el objeto del veredicto ha de respetar los límites derivados del principio acusatorio, recogidos sustancialmente en el art. 24.2 CE, de modo que no podrán formularse al Jurado proporciones que, de ser asumidas —o en su caso, de ser rechazadas— determinarían la vulneración de tales límites. b) El objeto del veredicto ha de ser congruente con las proposiciones de las partes, de modo que a través de él se dé respuesta, dentro de lo que constituye el ámbito de decisión del Jurado, a todas las cuestiones introducidas por las partes y que hayan sido objeto de debate procesal, por exigencia del reconocimiento constitucional del derecho a la tutela judicial efectiva. De ahí la trascendencia de la delimitación correcta del objeto del debate procesal en el auto de hechos justiciables. c) La decisión que vaya a adoptar el Jurado al pronunciarse sobre el objeto del veredicto ha de respetar el principio de legalidad reconocido en el art. 25.1 CE, de modo que al proponerlo, habrá que evitar que esa decisión sea susceptible de vulnerar tal principio. De ahí la necesidad de una calificación jurídica previa por parte del Magistrado-Presidente de cada una de las proposiciones formuladas, se trata, pues de un hecho individualizado históricamente y calificado jurídicamente, cuya descripción habrá de contener, por tanto, las menciones necesarias para su individualización (menciones de tiempo, de lugar, de sujetos, etc.) y para su calificación (elementos fácticos, tanto objetivos como subjetivos, del delito objeto de acusación)». (STSJ de Andalucía, Sala de lo Civil y Penal, Sentencia 10/2014 de 3 Mar. 2014, Rec. 56/2013).

La falta de motivación del veredicto:

Es, a nuestro juicio, uno de los problemas que ha quedado planteado en muchas de las causas seguidas ante el Tribunal del Jurado, que exige el art. 61.1.d LJ. Esta exigencia legislativa obedece a un mandato de nuestra Constitución. Aun cuando se expresa que el veredicto es el testimonio de la conciencia pública, la convicción pública del Jurado debe provenir de una libre, pero meditada valoración de las pruebas practicadas en el juicio oral. Esta meditada valoración de la prueba debe plasmarse, por mandato de la Ley, en el acta del veredicto. Esta constancia si bien debe ser sucinta, como establece el citado precepto, los razonamientos tienen que ser lo suficientemente extensos para que puedan ilustrar sobre el curso argumental seguido a la hora de aceptar o no un hecho como probado. La labor que corresponderá al Magistrado Presidente será la redacción de la sentencia, en la que incorporará, además del veredicto, la motivación jurídica correspondiente; es decir, la subsunción del hecho delictivo en el tipo penal aplicable.

«En sintonía con la jurisprudencia del Tribunal Supremo, hemos repetido hasta la saciedad —sentencias de 19 de diciembre de 2005, 1 de junio de 2007 y 29 de mayo de 2009, por citar algunas a modo de ejemplo—, que la exigencia de motivación del veredicto no puede concebirse desde una perspectiva formal, sino material y ajustada a las peculiaridades de cada caso, de tal modo que de lo que se trata es de que resulte claro que el Jurado ha considerado las tesis cruzadas en el debate procesal entre acusación y defensa, y que su decisión no es arbitraria. Esa es precisamente la razón de que en unos casos la mera enumeración de las pruebas practicadas no sea suficiente para reputar motivado el veredicto —lo que sucede, por ejemplo, en los supuestos de concurrencia de pruebas complejas y equívocas, o de selección de alguna prueba frente a otras contundentes en sentido contrario, sin explicar la causa de esa selección—, mientras que en otros casos bastará sin duda alguna con hacer referencia a la declaración de un testigo o a la resultancia de la prueba pericial cuando, por ejemplo, la lectura de dicha declaración o de la pericial resulten por sí solas elocuentes con relación a lo que constituía la duda o debate de ese caso concreto». (STSJ de Andalucía, Sala de lo Civil y Penal, Sentencia 8/2014 de 24 Feb. 2014, Rec. 46/2013).

Debe diferenciarse entre valoración arbitraria de la prueba —valoración errónea—, cuya estimación vía recurso comporta la revocación de la sentencia de instancia y falta de motivación que impida conocer las razones por las que se llega al veredicto. En este caso la consecuencia procesal es la retroacción de actuaciones para, una vez motivado adecuadamente el fallo, se dicte nueva sentencia —veredicto—. En los casos de jurado esta falta de motivación supondrá, al haberse disuelto el Jurado, la repetición del juicio con un nuevo Jurado.

«Bien se comprende que una cosa es que el Jurado haya valorado arbitrariamente la prueba y otra que no se sepa por qué ha llegado a una conclusión o a otra. La valoración arbitraria no deja de ser una valoración errónea a los efectos casacionales (y también a los efectos de este recurso extraordinario de apelación), y por ello su consecuencia ha de ser la revocación de la sentencia. La falta de motivación puede esconder la arbitrariedad, pero no necesariamente, pues lo que sucede es que no se sabe cuáles han sido las razones determinantes del veredicto, lo que por tanto no permite su corrección, sino su refacción con la debida motivación, si bien, dadas las características del juicio con jurados, y en particular la disolución del Jurado una vez emitido el veredicto, comporta la necesidad de la repetición del juicio oral con nuevo Tribunal de Jurado, sin que esta Sala desconozca el desmesurado perjuicio que puede implicar la repetición del juicio». (STSJ de Andalucía, Sala de lo Civil y Penal, Sentencia 8/2014 de 24 Feb. 2014, Rec. 46/2013).

El contenido del acta constará de los siguientes apartados:

a) Un primer apartado en el que se indicarán los hechos que se han encontrado probados con expresión del resultado de los votos emitidos.

b) Un segundo, donde constarán los hechos que se han encontrado no probados, indicando su correlativo en el escrito del objeto del veredicto y el resultado de los votos emitidos.

c) En el tercero, se expresará la culpabilidad o no culpabilidad del acusado, en pronunciamientos separados por cada delito y acusado y, en su caso, el criterio en torno a la aplicación de la suspensión condicional de la pena y petición de indulto.

«El artículo 61.1 c) de la Ley Orgánica del Tribunal del Jurado, al regular el acta de la votación establece que, en un tercer apartado, los jurados por unanimidad o mayoría, deberán manifestar si encuentran al acusado culpable o no culpable del hecho delictivo. Ello supone que el pronunciamiento de los jurados debe recaer sobre elementos fácticos de carácter objetivo, sin que tengan que entrar en calificaciones jurídicas sobre los hechos que estiman probados y que determinan la culpabilidad o inculpabilidad del reo. La conexión del hecho con el derecho, se realiza a través de esta fórmula, que algún sector de la doctrina ha criticado y que se considera original del sistema de jurados elegido por el legislador español. En todo caso, el pronunciamiento se produce después de la valoración de la prueba, por lo que resulta evidente que los jurados se pronuncian sobre la culpabilidad o inculpabilidad, en función de la estimación o desestimación de los hechos que han sido sometidos a su consideración». STS Sala Segunda, de lo Penal, Sentencia 590/2001 de 9 Abr. 2001, Rec. 631/2000; Ponente: Martín Pallín, José Antonio. LA LEY 75530/2001.

d) En el cuarto, los elementos de convicción que se han tenido en cuenta con una sucinta explicación de las razones por las que se han declarado probados o no probados los hechos.

e) En el quinto, los incidentes acaecidos en la deliberación, evitando toda identificación que rompa el secreto de ésta, salvo la del que se negare a votar (art. 61.1 LJ).

En definitiva, el acta de votación del jurado ha de contener dos elementos distintos: a) la enumeración de los elementos que han empleado o a los que han atendido para llegar a su convicción; y, b) una sucinta explicación del por qué esos elementos probatorios les han convencido en un determinado sentido.

«De esta forma, el acta de votación del jurado ha de contener dos elementos distintos: en primer lugar, "la enumeración de los elementos que han empleado o a los que han atendido para llegar a su convicción"; y, en segundo lugar, "una sucinta explicación del por qué esos elementos probatorios les han convencido en un determinado sentido. O dicho en términos de la Ley, de las razones por las que han declarado o rechazado declarar determinados hechos como probado" (STS 7/2013, de 16 de enero (LA LEY 481/2013)».

D) Valoración de la prueba

La ley no ofrece ninguna previsión a seguir por el Jurado para pronunciarse sobre la valoración de la prueba, a pesar de reconocer en la Exposición de Motivos, que esta motivación obedece a un mandato constitucional. En este sentido, la doctrina del Tribunal Constitucional, entiende que la apreciación en conciencia de la prueba debe hacerse sobre la base de una actividad probatoria que pueda calificarse de cargo, de la que deberá deducirse lógica y racionalmente la culpabilidad del acusado —STC 174/1985 de 17 diciembre y 64/1986, de 21 mayo—. De acuerdo con la doctrina constitucional, deberá constar en el acta del veredicto el razonamiento que explique el valor que se otorga a la prueba practicada[91]. De esta forma, constará

_____

(91) «Este deber de motivar el veredicto es sin duda una de las características más acusadas que presenta la Ley del Jurado en relación a otros ordenamientos del derecho comparado. En

que el Tribunal no ha actuado de modo arbitrario, y, en todo caso, permitirá a las partes argumentar fundadamente sus recursos. No será admisible, en ningún caso, una remisión genérica y sucinta al resultado de una prueba meramente enunciada[92]. La jurisprudencia del TS ha dado respuesta a esta cuestión, diciendo que tratándose de sentencias dictadas por el Tribunal del Jurado es obvio que no puede exigirse a los ciudadanos que integran el Tribunal el mismo grado de razonamiento intelectual y técnico que debe exigirse al Juez profesional[93]. Por ello sólo les será exigible una

---

efecto, tanto el Jurado puro o el mixto también llamado escabinado, en los países que lo tienen implantado en su sistema de justicia penal aparece vertebrado por dos coordenadas: se trata de un Tribunal que no motiva su decisión y que actúa como Tribunal de instancia única al no existir recurso de apelación. La institución que regula la LO 5/1995, de 22 de mayo, es la primera y por tanto sin precedentes en otras legislaciones, dice la Sentencia de esta Sala de 25 de octubre de 1999, que altera estas dos características que han acompañado la institución que se comenta desde su nacimiento al exigir la motivación del veredicto y al arbitrar un recurso de apelación —además del de casación—. Esta doble característica es consecuencia, en cuanto al deber de motivación de la exigencia constitucional contenida en el art. 120.3º que no establece excepción alguna, y en cuanto a la doble instancia una anticipación de la exigencia de la misma contenida en el Protocolo núm. 7 al Convenio Europeo para la Protección de los Derechos Humanos y de las Libertades Públicas de 22 de noviembre de 1984. En el caso sometido a nuestra consideración, el mandato a que se ha hecho referencia, aparece cumplido, pues la jurisprudencia de esta Sala ha declarado (Sentencia de 3 de marzo de 1999, entre otras) que un veredicto, aunque parco, debe reputarse suficiente, si la motivación del Jurado, atendidas las circunstancias del caso, y las concretas pruebas a que hace referencia y que fundamentan sus declaraciones, son suficientes para conocer el diseño probatorio en que los jurados hicieron descansar su convicción. El Magistrado-Presidente, completando o explicitando, que no supliendo dicha convicción, conforme a sus características de órgano técnico de la institución, de la que indudablemente también forma parte, al tener que dictar Sentencia, recogiendo en sus aspectos jurídicos el veredicto del Jurado, y pronunciándose individualmente sobre la pena y la responsabilidad civil». STS Sala Segunda, de lo Penal, Sentencia 1775/2000 de 17 Nov. 2000, Rec. 1458/1999; Ponente: Sánchez Melgar, Julián. LA LEY 1464/2001.

(92) Así ocurriría si se hiciera constar en el acta de veredicto de un Tribunal de Jurado los siguientes términos: Los Jurados han atendido como elemento de convicción para hacer las precedentes declaraciones a las pruebas siguientes: «El testimonio de los testigos, las pruebas de los peritos y las pruebas materiales presentadas en la Sala».

(93) «Las razones a esgrimir para justificar el rechazo de la censura que ahora se analiza son las que incorpora el fundamento jurídico décimo de la resolución recurrida a cuyo contenido nos remitimos, no sólo para evitar innecesarias reiteraciones, sino porque recoge las exigencias implantadas al efecto en la Sentencia de esta Sala de 8-10-1998 —citada en la combatida— y en aquellas otras más recientes como las de 29-5 y 11-9-2000 y que, en síntesis, vienen a confirmar que la motivación debe satisfacer la exigencia derivada de la interdicción de la arbitrariedad (art. 9.3 de la Constitución) y, en el caso de Sentencias condenatorias, además, debe expresar las razones por las que entiende que el derecho fundamental a la presunción de inocencia ha sido enervado por una actividad probatoria tenida por prueba de cargo, si bien "tratándose de sentencias dictadas por el Tribunal del Jurado es obvio que no puede exigirse a los ciudadanos que integran el Tribunal el mismo grado de razonamiento intelectual y técnico que debe exigirse al Juez profesional y, por ello, la Ley Orgánica del Tribunal de Jurado impone una "sucinta explicación de las razones..." [art. 61.1 d)] de la convicción, las cuales deberán ser complementadas por el Magistrado-Presidente en tanto en cuanto pertenece al Tribunal atento al desarrollo del juicio, en los términos antes analizados, motivando la sentencia de conformidad con el art. 70.2 de la LOTJ". En definitiva, lo único rechazable es que el veredicto o la sentencia, se limite a "una escueta y simple calificación o encaje de los hechos declarados probados en una norma jurídica", desterrando toda motivación; ésta ha de existir aunque no es preciso que sea exhaustiva, sino que puede ser concisa y escueta. Por lo tanto consideramos con los impugnantes del Recurso, que el veredicto en absoluto adolece de falta de

sucinta explicación de las razones de su convicción, que serán motivadas jurídicamente por el Magistrado-Presidente en tanto en cuanto pertenece al Tribunal atento al desarrollo del juicio[94]. Pero en todo caso, deberá contener un mínimo legal consistente en señalar los concretos elementos de prueba tenidos en cuenta para dictar la sentencia; una justificación de la atribución a éstos de un determinado valor convictivo; y una expresión de los elementos que le han servido de convicción.

> «Especificando el contenido de este deber de motivación del Tribunal de Jurado, el Tribunal Supremo ha destacado que, si bien procede su modulación, su observancia no puede quedar por debajo del mínimo legal consistente en la Identificación — señalando su fuente— de los concretos elementos de prueba tenidos en cuenta para dictar la sentencia, acompañada de una Indicación, siquiera elemental, del porqué de la atribución a éstos de un determinado valor convictivo, destacando que lo que la ley quiere es que el Jurado diga qué Información considera de valor probatorio y por qué, expresando qué cosa de las escuchadas (y de quién), le sirven como elemento de convicción o de juicio, y por qué. A modo de síntesis (tal y como se refleja en la STS 132/2010, de 18 de febrero (LA LEY 3129/2010)) de la doctrina jurisprudencial sobre la materia se pueden extraer las siguientes ideas rectoras: *El deber de motivación impuesto legalmente al Jurado no puede desconectarse de la condición de sus Integrantes como personas no técnicas en derecho. *El nivel de exigencia ha de modularse de manera diferente en función de que el Jurado suscriba un pronunciamiento de culpabilidad o inculpabilidad, debiendo ser, en este último caso, menor

---

motivación, sino que es clara, concisa y, sobre todo, precisa, impidiendo una valoración aleatoria o infundada de las pruebas practicadas. Ello significa que la concreción de la prueba de cargo exigida por la garantía constitucional de la presunción de inocencia, simplifica, en gran medida, la exigencia al Jurado de la motivación del veredicto, que sólo debe consistir en la referencia a los elementos de convicción que ha tomado en consideración para efectuar sus pronunciamientos fácticos —según previene el art. 61.1.d) de la Ley Orgánica del Tribunal del Jurado— como sucinta explicación de las razones que determinan su convicción, pues ésta, como constatación de la realidad de una proposición fáctica, se fundamenta en el resultado de las pruebas que avalan la realidad de tal proposición». STS Sala Segunda, de lo Penal, Sentencia 77/2000 de 29 Ene. 2001, Rec. 1612/1999-P/1999; Ponente: García-Calvo y Montiel, Roberto. LA LEY 24305/2001.

(94) «Criterio que refuerza el legislador en el precepto transcrito en relación con el juicio por jurado de forma que converge una doble exigencia: la atinente a la Sentencia del Magistrado-Presidente (artículo 70 LOTJ) y la específicamente dirigida a los jurados en el apartado d) del artículo 61 citado al principio, no distinguiéndose entre hechos favorables y desfavorables (cuestión distinta es el "quorum" exigible, artículo 59 LOTJ). A este respecto debemos tener en cuenta lo siguiente: a) la sucinta explicación o motivación exigida a los jurados no puede ser otra que la puramente fáctica o de hecho, es decir, la expresión del curso del juicio de hecho mediante la aportación de los elementos de convicción tenidos en cuenta al objeto de poder constatar la racionalidad del mismo; b) la exigencia de su contenido no puede ser equiparable a la de los jueces técnicos, pero su nucleo sustancial, por breve o esquemático que sea, debe alcanzar la satisfacción del derecho a obtener la tutela judicial efectiva de las partes implicadas en el proceso; y c) sí cabe una modulación de su contenido a partir de la naturaleza de los elementos de convicción existentes y su conclusión favorable o desfavorable para el imputado, pues en este último caso debe ser anudada (la motivación) a la exigencia que impone el derecho fundamental a la presunción de inocencia, mientras que el juicio de no culpabilidad se satisface con la expresión de la duda sobre la existencia del hecho o la participación en el mismo del inculpado, sin que sea suficiente erigir la duda en sí misma como causa de la absolución o expresar una motivación sin contenido o aparente». STS Sala Segunda, de lo Penal, Sentencia 424/2001 de 19 Abr. 2001, Rec. 4961/1998; Ponente: Saavedra Ruiz, Juan. LA LEY 80416/2001.

riguroso. *No es necesario dar respuestas acabadas y absolutamente detalladas, sin que sea exigible al Jurado llevar a cabo un minucioso y exhaustivo análisis de toda la actividad probatoria desplegadas por las partes. Se precisa, por lo tanto, que el veredicto se auto-explique, Indicando las razones que justifiquen la decisión alcanzada». (SAP Guipúzcoa, Sección 1ª, 37/2014 de 3 Feb. 2014, Rec. 1091/2011).

La motivación sobre los hechos supone la parte esencial de la exigencia motivadora en tanto es aquella por la que se conoce el proceso de convicción del órgano jurisdiccional sobre la culpabilidad de una persona, en el sentido de participación en el hecho delictivo imputado, la que justifica el ejercicio de la jurisdicción. Esta función sólo la puede realizar el órgano jurisdiccional que ha percibido la prueba con la inmediación derivada de la práctica de la misma.

«Tratándose de sentencias dictadas por el Tribunal del Jurado es obvio que no puede exigirse a los ciudadanos que integran el Tribunal el mismo grado de razonamiento intelectual y técnico que debe exigirse al Juez profesional y por ello la Ley Orgánica del Tribunal del Jurado exige una "sucinta explicación de las razones..." [art. 61 d)] en la que han de expresarse las razones de la convicción, las cuales deberán ser complementadas por el Magistrado-Presidente en tanto en cuanto pertenece al Tribunal atento al desarrollo del juicio, en los términos antes analizados, motivando la sentencia de conformidad con el art. 70.2 de la LOTJ». STS Sala Segunda, de lo Penal, Sentencia 960/2000 de 29 May. 2000, Rec. 2239/1999, Ponente: Martínez Arrieta, Andrés. LA LEY 8793/2000.

En consecuencia, debe diferenciarse la motivación sobre los hechos de la motivación sobre la aplicación del derecho[95]. No puede exigirse a los ciudadanos que emitan el veredicto con el mismo grado de razonamiento intelectual y técnico que un juez profesional[96]. Solo deberá constar en el acta de votación la expresión de los elementos de convicción y una sucinta explicación de las razones por las que han admitido o rechazado como probados unos determinados hechos. Y corresponderá al Magistrado-Presidente, al redactar la sentencia, complementarla y expresar el contenido incriminatorio de esos elementos de convicción señalados por los jurados y expresar la inferencia cuando se trate de prueba indiciaria o de hechos subjetivos[97].

---

(95)   Sobre la diversidad de funciones sobre motivación que la LJ atribuye al Magistrado-Presidente y al Jurado, Ver STS 166/2015 de 24 Mar. 2015, Rec. 10649/2014.

(96)   «Por otra parte, tratándose de sentencias dictadas por el Tribunal del Jurado es obvio que no puede exigirse a los ciudadanos que integran el tribunal el mismo grado de razonamiento intelectual y técnico que debe exigirse al Juez profesional y por ello la Ley Orgánica del Tribunal de Jurado exige una "sucinta explicación de las razones..." (art. 61.1 d) en el que ha de expresarse las razones de la convicción, las cuales deberán ser complementadas por el Magistrado-Presidente en tanto en cuanto pertenece al tribunal atento al desarrollo del juicio, en los términos antes analizados, motivando la sentencia de conformidad con el art. 70.2 de la LOTJ —STS 1232/2004—». (STSJ de Madrid, Sala de lo Civil y Penal, Sentencia 14/2015 de 1 Oct. 2015, Rec. 71/2015).

(97)   «Y cuando se trata de la motivación del objeto del veredicto, en la Sentencias dictadas por el Tribunal de Jurado, tiene declarado esta Sala, como es exponente la Sentencia 694/2014, de 20 de octubre, que no puede exigirse a los ciudadanos que emitan el veredicto el mismo grado de razonamiento intelectual y técnico que un juez profesional. Por ello la LOTJ solo requiere en el artículo 61.1.d) que conste en el acta de votación la expresión de los elementos de convicción y una sucinta explicación de las razones por las que han admitido o rechazado como probados unos determinados hechos. Con ello se configura la motivación del veredicto, que debe ser lo suficien-

El acta será redactada por el portavoz, salvo que disienta del parecer mayoritario, en cuyo caso los jurados designarán al redactor. En todo caso, quien deba redactar el acta podrá ser auxiliado por el Letrado A. Justicia o por un oficial, siempre que solicite y obtenga la autorización del Magistrado-Presidente (art. 61.2 LJ).

El acta será firmada por todos los jurados, haciéndolo el portavoz por el que no pueda hacerlo por sí. Si alguno se negara a firmar, se hará constar en el acta tal circunstancia (art. 61.3 LJ).

Extendida el acta, los jurados lo harán saber al Magistrado-Presidente, entregándole una copia. Este, salvo que proceda la devolución del acta, convocará inmediatamente a las partes para que se lea el veredicto en audiencia pública por el portavoz del Jurado (art. 62 LJ) (véase M. 349).

E) Devolución del acta y disolución del Jurado

El Magistrado-Presidente devolverá el acta al Jurado, no permitiendo la lectura del veredicto si, a la vista de la copia que se le ha entregado, apreciase alguna de las siguientes circunstancias (véase M. 350):

---

temente explícita para que el Magistrado-Presidente pueda cumplir con la obligación de concretar la existencia de prueba de cargo que le impone el artículo 70.2 de la Ley, completando aquellos aspectos (SSTS 816/2008, de 2-12 (LA LEY 207476/2008); 300/2012, de 3-5 (LA LEY 58016/2012); 72/2014, de 29-1 (LA LEY 10182/2014); 45/2014, de 7-2 (LA LEY 5973/2014); y 454/2014, de 10-6 (LA LEY 74595/2014), entre otras). Y en las mismas sentencias que se acaban de citar también se argumenta que la motivación de la sentencia del Tribunal del Jurado viene precedida del acta de votación, que constituye su base y punto de partida, pues contiene la expresión de los elementos de convicción y una sucinta explicación de las razones por las que el colegio decisorio ha admitido o rechazado determinados hechos como probados. Pero debe ser desarrollada por el Magistrado-Presidente al redactar la sentencia, expresando el contenido incriminatorio de esos elementos de convicción señalados por los jurados y explicitando la inferencia cuando se trate de prueba indiciaria o de hechos subjetivos. Se trata de una responsabilidad que la Ley impone a quien puede cumplirla, pues el Magistrado-Presidente ha debido asistir atento al juicio y a sus incidencias, ha estimado en el momento procesal correspondiente que existe prueba valorable que impide la disolución anticipada, ha redactado el objeto del veredicto y ha debido impartir al Jurado instrucciones claras sobre su función y la forma de cumplirla adecuadamente. Visto lo cual, debe estar en condiciones de plasmar con el necesario detalle en cada caso cuáles son las pruebas tenidas en cuenta por los jurados y cuál es su contenido incriminatorio, así como, en caso de prueba indiciaria y de elementos subjetivos, cuál es el proceso racional que conduce de forma natural desde unos hechos indiciarios ya probados hasta otros hechos, objetivos o subjetivos, inferibles de aquéllos. Se añade en esta sentencia, sobre esa motivación complementaria atribuible al Magistrado-Presidente que para que pueda operar esta labor complementaria se ha de contar siempre con una mínima motivación probatoria que le permita actuar como instrumento técnico colaborador del colegio de legos. Sin que pueda, obviamente, desempeñar su función ancilar en la redacción de la sentencia cuando el Jurado no le proporcione los elementos de convicción de los que se valió para obtener el veredicto ni tampoco una sucinta explicación. De no entenderlo así, se dictaría una sentencia sin una intervención real del Jurado, puesto que éste no habría llegado a plasmar una convicción probatoria mínimamente razonada sobre los hechos, por lo que la decisión sobre la premisa fáctica solo contaría con la convicción de un juez profesional, que actuaría autónomamente y no como un mero complemento, desnaturalizando y adulterando la esencia del juicio mediante Jurado al no poder operar con la base de la convicción del Tribunal popular que decide sobre la certeza de los hechos». (STS 130/2016 de 23 Feb. 2016, Rec. 1283/2015).

a) Que no se ha pronunciado sobre la totalidad de los hechos.

b) Que no se ha pronunciado sobre la culpabilidad o inculpabilidad de todos los acusados y respecto de la totalidad de los hechos delictivos imputados.

c) Que no se han obtenido en alguna de las votaciones las mayorías necesarias[98].

d) Que los diversos pronunciamientos son contradictorios.

e) Que se ha incurrido en algún defecto relevante en el procedimiento de deliberación y votación (art. 63.1 LJ).

En cambio, no se devolverá el acta que incluya cualquier declaración de probado de un hecho que, no siendo de los propuestos por el Magistrado, implique una alteración sustancial o determine una responsabilidad más grave que la imputada. Simplemente se tendrá por no puesta tal declaración (art. 63.2 LJ).

Antes de devolver el acta se procederá en la forma que se procedió antes de entregar a los jurados el escrito con el objeto del veredicto; es decir, se oirá a las partes para que puedan solicitar lo que estimen oportuno al respecto (art. 53.3 LJ).

Por otra parte, al tiempo de devolver el acta, constituido el Tribunal y en presencia de las partes, el Magistrado-Presidente explicará las causas que justifican la devolución y precisará la forma en que se deben subsanar los defectos de procedimiento o los puntos sobre los que se deberán emitir nuevos pronunciamientos (art. 54 LJ) (véase M. 351).

Estimamos, atendiendo a la lectura de la propia LJ, que la justificación para la devolución del Acta puede cumplirse en el propio acto de devolución del acta de veredicto, incluyéndose allí el particular siguiente:

Si después de una tercera devolución permanecieren sin subsanar los defectos denunciados o no se hubiesen obtenido las necesarias mayorías, el Jurado será disuelto

---

(98) «Por ello, como el «hecho A», de cuya apreciación se derivaría la aceptación de la agravante de ensañamiento, era claramente desfavorable, exigía para ser estimado como probado la concurrencia de siete votos, y como sólo obtuvo seis, la consecuencia es que el hecho no fue declarado probado por el Jurado, por lo que el Magistrado Presidente procedió correctamente al no devolver el acta y dictar sentencia de conformidad con el resultado de la votación. Estima la Sala que no procedía en el supuesto enjuiciado el juego del art. 63.1 c) de la LOTJ, que previene la devolución del acta del veredicto al jurado cuando no se ha obtenido en algunas de las votaciones la mayoría necesaria sobre la culpabilidad o inculpabilidad de los acusados o respecto de los hechos delictivos, puesto que la culpabilidad de Mohammad F. por el delito de homicidio se habría aprobado por unanimidad, según refleja el acta de votación, al folio 106, y los hechos delictivos del objeto de veredicto declarados probados, ... Respecto a lo hechos A2 y C4, no se declararon probados, porque en la votación de los mismos no se alcanzó la mayoría precisa. Entiende la Sala que el art. 63.1 C) de la LOTJ hubiera sido de aplicación, si los hechos A2 y C4 se hubiesen considerado probados, pese a no haber obtenido la mayoría necesaria de siete y cinco votos respectivamente. También hubiera procedido la devolución del acta si se hubiese declarado culpable o inculpable el acusado pese a no haberse votado una y otra opción por siete y por cinco votos, según lo prescrito en el art. 60 de la LOTJ». Sala Segunda, de lo Penal, Sentencia 2199/2001 de 18 Feb. 2002, Rec. 36/2001; Ponente: Marañón Chávarri, José Antonio. LA LEY 37854/2002.

y se convocará juicio oral con un nuevo Jurado. (Véase M. 352). Si celebrado el nuevo juicio no se obtuviere un veredicto por parte del segundo Jurado, por cualquiera de las causas previstas en el apartado anterior, el Magistrado-Presidente procederá a disolver el Jurado y dictará sentencia absolutoria (art. 65 LJ).

«PRIMERO. Dado el contenido del veredicto emitido por el Jurado, en el que consta que no se han alcanzado, tras tres devoluciones del Acta correspondiente, las mayorías necesarias, determinadas por la Ley del Jurado, para declarar probado que fuesen los acusados los autores del hecho descrito, art. 63.c, y siendo esta la segunda vez que se celebraba el presente juicio por aplicación del art. 65.1 de dicha ley, se está en la obligación de disolver el presente Jurado y dictar sentencia absolutoria, de acuerdo con lo establecido en el art. 65.2 de la Ley del Tribunal del Jurado». (SAP de Madrid, Sección 5ª, 1727 BIS/2000 de 1 Dic. 2000, Rec. 5/1998).

Si celebrado el nuevo juicio, no lograra tampoco obtenerse un veredicto del segundo Jurado por las mismas causas, el Magistrado-Presidente deberá proceder a disolver el Jurado y a dictar sentencia absolutoria (art. 65.2 LJ) (Véase M. 353).

Si el Magistrado Presidente devolviese el acta al Jurado, dará vista previa a las partes, que podrán intervenir de forma amplia (art. 63.3 LJ)[99]. Si no la devolviese, se procederá la lectura del veredicto sin que las partes puedan poner ya de manifiesto los posibles errores en que se haya incurrido en el veredicto, pudiendo recurrir en apelación posterior sin necesidad de protesta[100].

«Puede, pues, afirmarse que el Magistrado Presidente debe estar atento a las posibles dudas que surjan respecto a la concurrencia de motivos para devolver el acta del veredicto a los jurados, con la finalidad de subsanar defectos que, de permanecer, podrían dar lugar a la anulación del juicio y de la sentencia con los efectos negativos ya conocidos, procediendo en esos casos a la apertura del trámite relativo a la devolución del acta a los jurados, oyendo a las partes como previenen los artículos 63 (LA LEY 1942/1995) y 53 de la LOTJ, y tomando seguidamente la decisión que considere procedente. Es claro, de otro lado, que de no proceder a la apertura de dicho trámite, no puede exigirse a las partes que pongan de relieve los defectos que pudieran apreciar en el veredicto, al carecer realmente de un trámite u ocasión efectiva para ello. Como conclusión, pues, en los casos en los que el Magistrado Presidente del tribunal

---

(99) «La remisión que hace el art. 63.3 de LOTJ al art. 53 de la misma norma establece la participación de las partes, que podrán intervenir y alegar lo que estimen oportuno. La jurisprudencia (TS 2ª 10/2/2003; 21/2/2000, entre otras) interpretan de modo amplio la posible participación de las partes en el acto de devolución del acta al jurado, pues admite la alegación de concurrencia de alguna de las circunstancias del art. 63,1 de LOTJ —además de la que estima el Magistrado-Presidente—, concluyendo que si bien la obligación de devolución se impone al Magistrado-presidente, nada impide que colaboren las partes». (STSJ de Cataluña, Sala de lo Civil y Penal, Sentencia 12/2013 de 14 Mar. 2013, Rec. 28/2012).

(100) «El Magistrado Presidente, conforme a la ley, artículo 62 de la LOTJ, convocó a las partes para la lectura del veredicto en audiencia pública por el portavoz del jurado. Fue en ese momento, al mismo tiempo que el jurado finalizaba su función, cuando las partes conocieron el veredicto y el contenido del acta de votación, sin que, consiguientemente, existiera ya ocasión de realizar reclamación alguna y sin que la protesta tuviera ya razón de ser, en tanto que la discrepancia con el veredicto, como se ha dicho, solo era ya posible a través del recurso de apelación. La ley tampoco exige a las partes que en ese momento anuncien si intención de recurrir». (STS 331/2015 de 3 Jun. 2015, Rec. 10691/2014).

del jurado no proceda a la apertura del trámite previsto en el artículo 63 de la LOTJ, no es exigible a las partes la reclamación de subsanación o la protesta como requisitos previos para la interposición del recurso de apelación, cuando se base en defectos del veredicto o en el procedimiento de deliberación y votación». (STS 331/2015 de 3 Jun. 2015, Rec. 10691/2014).

F) Cese del Jurado en sus funciones

Leído el veredicto, el Jurado cesará en sus funciones. Hasta este momento los suplentes habrán permanecido a disposición del Tribunal en el lugar que se les hubiere indicado (art. 66 LJ).

SECCIÓN 8. LA SENTENCIA[(101)]

8.1. Contenido de la sentencia

Concluida la votación se extenderá el acta del veredicto, conforme a los requisitos previstos en la Ley —art. 61 LJ—, y una vez recibida por el Magistrado Presidente, éste procederá a dictar sentencia. Ahora bien, la soberana facultad conferida al Jurado para valorar las pruebas practicadas en el juicio oral y proclamar la culpabilidad o inculpabilidad del acusado, no puede ser sometida a censura, comentario ni crítica alguna por el Magistrado Presidente en la sentencia.

La sentencia debe ser motivada y estar en consonancia con el veredicto del Jurado (art. 70 LJ).Tratándose de sentencias dictadas por el Tribunal del Jurado es obvio que no puede exigirse a los ciudadanos que integran el Tribunal el mismo grado de razonamiento intelectual y técnico que debe exigirse al Juez profesional y por ello la Ley Orgánica del Tribunal del Jurado exige una «sucinta explicación de las razones...» [art. 61 d)] en la que han de expresarse las razones de la convicción, las cuales deberán ser complementadas por el Magistrado-Presidente en tanto en cuanto pertenece al Tribunal atento al desarrollo del juicio, en los términos antes analizados, motivando la sentencia de conformidad con el art. 70.2 de la LOTJ (STS 29 de mayo de 2000).

Cualquier valoración, en los distintos planos contemplados, requiere previamente que se haya practicado prueba de cargo desvirtuadora de la presunción de inocencia, cuya comprobación que exige, obviamente, conocimientos jurídicos, no es competencia del Jurado sino del Magistrado-Presidente (art. 49 LOTJ), que en el caso de estimar que no concurren debe dar por concluido el juicio y dictar sentencia absolutoria (art. 49.3º LOTJ). En el caso contrario, y si se llegara a un veredicto de culpabilidad, la sentencia del Magistrado-Presidente ha de concretar en su sentencia la existencia

---

(101) LORCA NAVARRETE, *Jurisprudencia comentada de las sentencias del tribunal supremo sobre el proceso penal con tribunal del jurado*, Instituto Vasco de Derecho Procesal, D.L. 2013-2014. ISBN 978-84-87108-84-6, San Sebastián.

de la correspondiente prueba de cargo, como aquí se hizo y se dejó constancia en el fundamento tercero de esta sentencia de casación.

La exigencia al jurado de la motivación del veredicto debe limitarse a los elementos de convicción que ha considerado para efectuar sus pronunciamientos fácticos, que es lo que impone el art. 61.1 d) de la LOTJ, como sucinta explicación. Basta la lectura del veredicto y de la sentencia para constatar que cumplieron suficientemente con la exigencia legal y constitucional[(102)].

Si el veredicto fuese de inculpabilidad, el Magistrado-Presidente dictará en el acto sentencia absolutoria del acusado (Véase M. 354), ordenando, en su caso, la inmediata puesta en libertad (art. 67 LJ) (véase en general sobre la sentencia el Cap. XVI). La sentencia y, en concreto, el fallo absolutorio se dictará de viva voz, sin perjuicio de su ulterior redacción.

«El artículo 67 de la LOTJ ordena que si el veredicto fuese de inculpabilidad el Magistrado-Presidente dicte «en el acto» sentencia absolutoria del acusado. Aunque el precepto no lo dice expresamente, la exigencia de que el pronunciamiento absolutorio se dicte de modo inmediato a la lectura del veredicto —exigencia, por otra parte, de una lógica irreprochable— parece sugerir que se trata de uno de los supuestos de aplicación del artículo 245.2 de la LOPJ, según el cual las sentencias podrán dictarse de viva voz cuando lo autorice la Ley; tratándose más exactamente de una anticipación oral del fallo absolutorio, sin perjuicio de la ulterior redacción y documentación de la sentencia propiamente dicha. Por ello, en el acto del juicio se pronunció *in voce* el fallo absolutorio derivado del veredicto de no culpabilidad, y se redacta ahora esta sentencia en la forma ordinaria». SAP Alicante, Sección 7ª, Sentencia 5/2014 de 7 Jul. 2014, Rec. 2/2014.

Cuando se trate de una sentencia absolutoria en virtud de un veredicto de inculpabilidad del Jurado, la exigencia de motivación es menor, bastando satisfacer la exigencia derivada de la interdicción de la arbitrariedad.

«Se ha de tener en cuenta, además, que en las sentencias absolutorias no está en juego el derecho fundamental a la presunción de inocencia, con la consiguiente disminución del rigor en la exigencia motivadora. .../... También conviene poner de manifiesto que, tratándose en este caso de una sentencia absolutoria en razón del

---

(102) «... la motivación a la que se refiere el artículo 61.1 d) LOTJ tiene por objeto explicar sucintamente las razones por las que los componentes del Jurado han declarado o rechazado declarar determinados hechos como probados, que es cabalmente lo que hace el Jurado en el acta (folio 378) en relación con los hechos objeto de controversia por las partes, mientras que la motivación jurídica, como subsunción del hecho delictivo y sus circunstancias en el precepto penal aplicable, corresponde al Magistrado-Presidente en la sentencia (artículo 70 LOTJ), que deberá ajustarse a lo dispuesto en el artículo 248.3 LOPJ, respetando en todo caso el contenido correspondiente del veredicto, es decir, la motivación del Jurado integra la sentencia (artículo 70.3 LOTJ) y ésta es complementaria de aquélla. Por ello la subsunción del dolo eventual y de la alevosía la hace el Magistrado-Presidente en la resolución, como también «ex» artículo 70.2 citado concreta la prueba de cargo (fundamento jurídico cuarto) existente, lo cual constituye su labor técnica (ver artículo 49 LOTJ), siendo la valoración de la misma competencia exclusiva del Jurado, como así se hace». STS Sala Segunda, de lo Penal, Sentencia 654/2001 de 18 Abr. 2001, Rec. 603/2000-P/2000; Ponente: Saavedra Ruiz, Juan. LA LEY 79763/2001.

veredicto de inculpabilidad pronunciado por el Jurado, esa amplia Jurisprudencia del Tribunal Supremo tiene establecido que la exigencia legal y constitucional de la motivación es distinta según se trate de sentencia condenatoria o absolutoria. Así, respecto de estas últimas, tiene mantenido —sentencias, por sólo citar algunas, de 29 de mayo, 11 de septiembre, 17 y 22 de noviembre de 2000 y 10 de octubre y 11 de diciembre de 2001— que «en este supuesto la motivación debe satisfacer la exigencia derivada de la interdicción de la arbitrariedad —artículo 9.3 de la Constitución—, en tanto que el órgano jurisdiccional debe señalar que en el ejercicio de su función no ha actuado de manera injustificada, sorprendente y absurda, en definitiva arbitraria», concretándose en la de 22 de noviembre de 2000 que, no constituyendo la motivación un requisito formal sino un imperativo de la decisión «constituye una motivación suficiente aquella que permite a un observador imparcial apreciar que la decisión tiene un fundamento razonable y no es fruto de la mera arbitrariedad». SAP Alicante, Sección 7ª, Sentencia 5/2014 de 7 Jul. 2014, Rec. 2/2014.

No es competencia del Jurado pronunciarse sobre la responsabilidad civil *ex delicto*[(103)].

«De los artículos 4.2, 52, 54, 61 y 68 LOTJ se deduce que el Jurado carece de toda competencia en materia de responsabilidad civil derivada de delito: no sólo respecto de la determinación de la cuantía indemnizatoria, sino también sobre la estimación de las circunstancias de hecho que hayan de tenerse en cuenta para tal cuantificación. Así lo establecieron dos sentencias del Tribunal Supremo de la misma fecha (4 de mayo de 2004) y la de 8 de septiembre de 2005». (STSJ de Andalucía, Sala de lo Civil y Penal, 15/2013 de 15 Abr. 2013, Rec. 7/2013). Ver también STSJ de Andalucía, Sala de lo Civil y Penal, 8/2014 de 24 Feb. 2014, Rec. 46/2013.

La sentencia que dicte el Magistrado-Presidente será susceptible de recurso de apelación ante la Sala de lo civil y penal del Tribunal Superior de la correspondiente Comunidad Autónoma. Contra la sentencia que resuelva la apelación, cabrá recurso de casación ante el Tribunal Supremo.

Cuando el veredicto fuese de culpabilidad, antes de dictar la sentencia condenatoria (véase M. 355), el Magistrado-Presidente concederá la palabra al Fiscal y demás partes para que, por su orden, informen sobre la pena o medidas que debe imponerse a cada uno de los declarados culpables y sobre la responsabilidad civil. El informe se referirá, además, a la concurrencia de los presupuestos legales de la aplicación de la suspensión condicional de la pena, si el Jurado hubiese emitido un criterio favorable a ésta (art. 68 LJ).

---

(103) «De los artículos 4.2, 52, 54, 61 y 68 LOTJ se deduce que el Jurado carece de toda competencia en materia de responsabilidad civil derivada de delito, no sólo respecto de la determinación de la cuantía indemnizatoria, sino también sobre la estimación de las circunstancias de hecho que hayan de tenerse en cuenta para tal cuantificación. Así lo ha declarado reiteradamente el TS». (STSJ de Andalucía, Sala de lo Civil y Penal, Sentencia 8/2014 de 24 Feb. 2014, Rec. 46/2013).

SECCIÓN 9.   LOS RECURSOS

9.1.   Sistema de recursos[(104)]

El sistema de recursos del procedimiento ante el Tribunal del Jurado incluye recursos comunes con el procedimiento penal por delitos graves, por aplicación supletoria de la LECrim., y recursos específicos, establecidos mediante la técnica de modificar la LECrim. a través de la disposición final segunda de la LJ (véase sobre el sistema de recursos Cap. XI).

En tema de recursos la Exposición de Motivos de la LJ destaca una idea que importa desmentir. No es cierta la afirmación de que el recurso de apelación contra la sentencia definitiva del Tribunal del Jurado colme el derecho a la doble instancia y cumpla suficientemente con la exigencia de que tanto el fallo condenatorio como la pena impuesta sean sometidas a un tribunal superior. En primer lugar, y fundamentalmente, porque un recurso de apelación con motivos tasados que, como veremos, no permite realizar un examen completo de los hechos y de la valoración de la prueba, no abre una segunda instancia. Después, porque tampoco se puede olvidar que el Tribunal superior, que conoce del recurso de apelación, no es un Tribunal del Jurado superior, sino las Salas de lo Civil y Penal de los TSJ; es decir, más que un tribunal superior, conoce otro tribunal. Frente a estas objeciones, el TC ha dejado fuera de toda duda el carácter constitucional de este recurso y del Tribunal competente para conocer del mismo[(105)].

> «Las sentencias dictadas por el Tribunal del Jurado, no son menos, pero tampoco más, intangibles frente a los recursos que las dictadas por las Audiencias: los límites esenciales de su revisión se encuentran en el respeto al principio de inmediación y, como consecuencia de ello, a la potestad exclusiva del órgano sentenciador para la valoración en conciencia de la prueba practicada en el juicio oral. Pese a las deficiencias técnicas que cabe apreciar en su regulación legal, el sistema de recursos previsto para las sentencias dictadas por el Tribunal del Jurado no puede ser calificado de restrictivo o limitado. En efecto, mientras las sentencias dictadas por los Juzgados de

---

(104)   Vid. sobre esta materia MAZA MARTÍN, JM., *Cuestiones de interés judicial en el sistema de recursos de la ley orgánica del tribunal del jurado*, Consejo General del Poder Judicial, 2009, ISBN 978-84-92596-09-6, págs. 355-438. MONTERO AROCA, *Los recursos en el proceso ante el Tribunal del Jurado*, Granada, 1996; FLORS MATIES, «Consideraciones sobre los recursos contra las resoluciones del Juez de Instrucción y del Magistrado Presidente en el proceso especial del TJ», *RGD* 1996, pág. 12767 ss

(105)   «Desde la primera de las perspectivas (la del derecho al juez ordinario predeterminado por la Ley) hemos mantenido (por todas, véase la reciente STC 147/2000, de 29 de mayo, F. 2) que el derecho constitucional al juez ordinario predeterminado por la Ley reconocido en el art. 24.2 CE exige que el órgano judicial haya sido creado previamente por la norma jurídica, que ésta le haya investido de jurisdicción y competencia con anterioridad al hecho motivador de la actuación o proceso judicial y que su régimen orgánico y procesal no permita calificarle de órgano especial o excepcional, exigencias estas que se cumplen en el caso de las Salas de lo Civil y Penal de los Tribunales Superiores de Justicia a quienes la Ley Orgánica 5/1995, de 22 de mayo, del Tribunal del Jurado, atribuyó en su Disposición final segunda la competencia para conocer de los recursos de apelación contra las sentencias dictadas por el Magistrado Presidente, lo que ha de conllevar la decisión sobre las medidas cautelares personales». (STC 231/2000, 2 octubre).

lo Penal únicamente son recurribles en apelación y las de las Audiencias solamente en casación, las del Tribunal del Jurado son doblemente recurribles, en apelación y casación. El análisis sistemático y no meramente superficial de los motivos de apelación relacionados en el art. 846 bis c) LECrim. permite apreciar la relativa amplitud de las vías de revisión prevenidas, análogas a las casacionales, que incluyen el vasto campo de la infracción de preceptos constitucionales (que por la vía, por ejemplo, de la presunción de inocencia permite incluso alterar, en beneficio del reo, el relato fáctico), el quebrantamiento de forma (siempre que haya ocasionado indefensión), y la infracción de ley (que tiene, como motivo de recurso, una mayor virtualidad que la que se le está reconociendo en la práctica, y que conforme a una reiterada doctrina jurisprudencial permite cuestionar los denominados hechos subjetivos o juicios de inferencia, como la concurrencia o no de *animus necandi*)». STS 31 May. 1999, Rec. 1303/1998.

No obstante, la introducción de este sistema, entendemos que fue una aportación positiva, al permitir la apelación de este tipo de sentencias. La antigua ley, siguiendo los criterios liberales de la época, había optado por la única instancia para evitar que se desnaturalizara la función juzgadora del Jurado, ya que al entender de la misma causa un órgano superior profesional podía revocar la sentencia. Los problemas suscitados por algunas de las sentencias dictadas al amparo de la Ley de 1995, han ratificado el acierto de esta norma que permite la doble instancia y su nuevo examen por otro Tribunal.

Ha sido la doctrina del TS que ha entendido aplicable el ámbito de la apelación, la jurisprudencia constitucional y del TEDH, restringiéndola a los casos de infracción legal y exigiendo la audiencia al acusado y la percepción directa de las pruebas personales, en su caso, cuando el Tribunal se enfrente con cuestiones de hecho[106].

«TERCERO. 1. En cuanto a los límites del control que compete al Tribunal Superior de Justicia como tribunal de apelación en las causas seguidas conforme a la LO-

---

(106) «2. Así se recordaba en la STS nº 590/2003, citando el contenido de la STS nº 1077/2000, de 24 de octubre (LA LEY 11055/2000), que «el Tribunal de apelación extravasa su función de control cuando realiza una nueva valoración —legalmente inadmisible— de una actividad probatoria que no ha percibido directamente, quebrantando con ello las normas del procedimiento ante el Jurado (art. 3º LOTJ) así como del procedimiento ordinario (art. 741 LECrim, de las que se deduce que es el Tribunal que ha presenciado el Juicio Oral el que debe valorar la prueba, racionalmente y en conciencia. Concretamente no puede el Tribunal de apelación revisar la valoración de pruebas personales directas practicadas ante el Jurado (testificales, periciales o declaraciones de los imputados o coimputados) a partir exclusivamente de su fragmentaria documentación en el Acta, vulnerando el principio de inmediación, o ponderar el valor respectivo de cada medio válido de prueba para sustituir la convicción racionalmente obtenida por el Jurado por la suya propia. En el mismo sentido la STS nº 300/2012». (STS 652/2014 de 10 Oct. 2014, Rec. 905/2014).

Ver también STSJ del País Vasco, Sala de lo Civil y Penal, Sentencia de 17 Mar. 2008, Rec. 1/2008: «En aplicación de dicha doctrina, por tanto, no cabe que la Sala de lo Civil y Penal del Tribunal Superior de Justicia realice una nueva valoración de una actividad probatoria que no ha percibido directamente, y que las sentencias dictadas por el Tribunal del Jurado no son menos, pero tampoco más, intangibles frente a los recursos que las dictadas por las Audiencias: los límites esenciales de su revisión se encuentran en el respeto al principio de inmediación y, como consecuencia de ello, a la potestad exclusiva del órgano sentenciador para la valoración en conciencia de la prueba practicada en el juicio oral (STS 20.09.2000).

TJ, resulta aplicable la jurisprudencia de esta Sala, del Tribunal Constitucional y del Tribunal Europeo de Derechos Humanos, en tanto que ha establecido, con carácter general, serios límites a la posibilidad de empeorar la situación del acusado en vía de recurso, limitándola a los casos de infracción legal, es decir, cuando se ventilen cuestiones exclusivamente jurídicas, y exigiendo la audiencia al acusado y la percepción directa de las pruebas personales, en su caso, cuando el Tribunal se enfrente con cuestiones de hecho». (STS 652/2014 de 10 Oct. 2014, Rec. 905/2014).

9.2. Recursos contra las resoluciones dictadas por el Juez de Instrucción[107]

En muy pocos supuestos, la LJ establece específicamente cuál es el recurso procedente contra las resoluciones que dicte el Juez de Instrucción. Por tanto, como regla, se deberá acudir a la aplicación supletoria de la LECrim. (art. 24.2 LJ).

Esto plantea el problema de determinar si el régimen de recursos aplicable es el del procedimiento por delitos graves o el del procedimiento abreviado. Al respecto, aunque el procedimiento abreviado haya pasado a ser el procedimiento más común, la remisión de la LJ (art. 24.2) a la LECrim hay que entenderla a las normas generales: es decir, a las que se establecen para el procedimiento por delitos graves.

Así pues, salvo lo establecido específicamente en la LJ, los recursos que cabrá interponer contra las resoluciones dictadas por el Juez de Instrucción serán los de reforma, apelación y queja (arts. 216 y ss. LECrim.).

9.3. Recursos contra las resoluciones dictadas por el Magistrado-Presidente

Contra las resoluciones interlocutorias dictadas por éste cabe recurso de reforma. Contra los autos resolutorios de la reforma, cabe recurso de apelación, que resolverá el TSJ. También cabe la apelación directa los autos impugnables previstos en la LJ y en LECrim. (Véase M. 357).

9.4. Recurso de apelación contra la sentencia definitiva y determinados autos[108]

La introducción de este recurso presenta, sin embargo, el problema de la delimitación del ámbito de la apelación. No se trata de una apelación ordinaria con un amplio examen de los autos por el Tribunal «ad quem» (con admisión de nuevas pruebas «nova reperta», etc.), sino de una apelación restringida —o híbrida como la califica alguna doctrina—, que sólo puede fundarse en alguno de los cinco motivos tasados y enumerados en la Ley —art. 846 bis c) LECrim—. Así lo han entendido el TSJ de Cataluña —S. 27 diciembre 1996— y el de Andalucía —S. 5 marzo 1997—, que lo califican de un recurso extraordinario, de naturaleza casi idéntica, en ciertos aspectos, al recurso de casación (Véase sobre el recurso de apelación § 4 y sobre el recurso de casación § 7 Cap. XI).

---

(107) Vid. TODOLÍ GÓMEZ, A., «Aspectos procesales en el régimen de recursos contra las resoluciones interlocutorias en el proceso ante el Tribunal del Jurado», *Diario La Ley*, nº 7585, 2011.

(108) Vid. DUERTO ARGEMÍ, T., *La segunda instancia en el procedimiento del Tribunal de Jurado, Estudios Jurídicos*, Ministerio de Justicia: Centro de Estudios Jurídicos, 2011.

El Tribunal «*ad quem*» sólo podrá conocer de las cuestiones planteadas por las partes recurrentes, subsumidas en alguno de aquellos motivos, sin que pueda examinar los autos con carácter ilimitado. No será necesario —como indica el TC, entre otras, en la STC 187/1995, de 18 diciembre—, que se cite correctamente el artículo y el apartado en que se fundamenta el recurso. Será suficiente que la descripción que se realice, sirva para identificarla y subsumirla en alguno de los motivos legales, con lo que además, se enmiendan y superan las propias deficiencias y confusiones de la vigente Ley.

Debido también a este ámbito restringido de la apelación, no cabrá una nueva valoración de la prueba, salvo cuando se alegue la infracción del motivo del apartado e). De forma limitada se permite en este último caso una nueva valoración, cuando, atendida la prueba practicada, la condena impuesta careciese de toda base razonable.

Si el legislador hubiese querido conceder al Tribunal «*ad quem*» la facultad de revisar plenamente la prueba practicada en el juicio oral, lo hubiese dispuesto expresamente. Igual ocurre con la posibilidad de practicar nuevas pruebas, admitida para las apelaciones en el procedimiento abreviado —arts. 790 y 791 LECrim— y en el juicio de por delitos leves —art. 803 LECrim—. Al no efectuar ninguna remisión expresa a estas normas, debe entenderse que el legislador no quiso regular estas facultades.

También debe señalarse que, según el motivo del art. 846 bis c) e) LECrim, tanto el ámbito de este recurso como la legitimación son más restringidos que lo previsto para el recurso de casación por error en la apreciación de la prueba, ya que:

a) En primer lugar se exige que la condena carezca de toda clase de base razonable, en relación con la prueba practicada. Esta razonabilidad obedece a un concepto jurídico indeterminado, utilizado en el art. 5.3º del Convenio Europeo de Derechos del Hombre, para conectar la duración de un proceso con el de la detención. Posteriormente este concepto ha sido utilizado por el Tribunal de Estrasburgo y por el TC. Su aplicación deberá hacerse de forma casuística en cada proceso.

b) En segundo lugar, sólo podrá alegar este motivo el acusado condenado, que denuncie la violación de la presunción de inocencia. Esta restricción impide a las partes acusadoras y a los acusados no condenados que puedan denunciar aquella violación con clara infracción del principio de igualdad de armas.

La Ley del Jurado ha establecido un procedimiento propio y unas normas específicas, por lo que no cabe acudir a otras normas de la LECrim como supletorias o complementarias, en cuanto contradigan el espíritu de aquéllas —art. 24.2 LJ—. No debe olvidarse que en el juicio por Jurado corresponde exclusivamente a éste, pronunciarse sobre los hechos probados con base en la prueba practicada ante él. Permitir una nueva valoración de la prueba y nuevas pruebas en segunda instancia ante un Tribunal técnico sería, en opinión de algunos autores, vulnerar el fin esencial del Jurado y desvirtuar la esencia de la participación popular en la Administración de Justicia.

Deberán plantearse en el recurso de apelación todos los motivos alegables y sólo si son desestimados se podrá recurrir en casación. No se admitirá un motivo *per saltum* en casación si no se ha alegado antes en apelación. Se ha planteado, también, la posible contaminación del Magistrado Presidente por haber formado parte de la sección de la Audiencia que, en vía de apelación, hubiese resuelto sobre la prisión provisional del acusado, acordada en fase de instrucción, por constituir ello una infracción del derecho a un Juez imparcial.

Sobre esta materia se ha pronunciado el TC —STC 85/1992, de 8 junio y 60/1995, de 17 mayo—, entendiendo que sólo puede existir contaminación cuando el Tribunal tenga contacto con el acusado o con las pruebas; es decir, cuando realice actividades instructoras, pero no cuando se limite a adoptar medidas de ordenación del proceso, en virtud de las competencias otorgadas por Ley. En todo caso, la recusación debe plantearse al tiempo de personarse en la Audiencia, una vez designado el Magistrado Presidente —art. 36 LJ—.

Serán apelables para ante la Sala de lo Civil y Penal del TSJ de la correspondiente Comunidad Autónoma (Véase M. 356):

a) Las sentencias dictadas, en el ámbito de la AP y en primera instancia, por el Magistrado-Presidente del Tribunal del Jurado.

b) Los autos dictados por el Magistrado-Presidente, que se dicten resolviendo cuestiones a que se refiere el art. 36 LJ, así como en los casos señalados en el art. 676 LECrim. [art. 846 bis a) LECrim.][109].

Pueden interponer el recurso de apelación, dentro de los 10 días siguientes a la última notificación de la sentencia:

a) El MF, el condenado y las demás partes.

b) El declarado exento de responsabilidad criminal, si se le impusiera una medida de seguridad o se declarase su responsabilidad civil.

La parte que no haya apelado en el plazo indicado podrá formular apelación en el trámite de impugnación, pero este recurso quedará supeditado a que el apelante principal mantenga el suyo [art. 846 bis b) LECrim.].

El recurso de apelación deberá fundamentarse en alguno de los siguientes motivos tasados en el art. 846 bis c) LECrim:

a) Quebrantamiento de las normas y garantías procesales, incluyendo la violación de derechos fundamentales, tanto en el desarrollo del procedimiento como en la sentencia, siempre que se haya producido efectiva indefensión y, además, se haya formulado protesta al producirse la infracción denunciada. Dentro de este apartado se incluye el supuesto de defectos en el veredicto.

b) Que la sentencia haya incurrido en infracción de precepto constitucional o legal en la calificación jurídica de los hechos, o en la determinación de la pena o de las medidas de seguridad o de la responsabilidad civil.

---

(109)   El recurso de apelación cabe, por tanto, contra los autos resolutorios de las cuestiones previas al juicio ante el Tribunal del Jurado (art. 36 LJ) y contra los autos resolutorios de la declinatoria y los que admitan, como artículos de previo pronunciamiento, la cosa juzgada, la prescripción del delito y la amnistía o indulto.

c) Que se hubiese solicitado la disolución del Jurado por inexistencia de prueba de cargo y tal petición se hubiese desestimado indebidamente, siempre que además se hubiere formulado la oportuna protesta.

d) Que se hubiere acordado la disolución del Jurado y no procediese hacerlo, habiéndose formulado la oportuna protesta.

e) Vulneración del derecho a la presunción de inocencia, atendida la prueba practicada en el juicio [art. 846 bis c) LECrim.].

Sin duda, el motivo referente a los defectos en el veredicto será uno de los que más recursos fundamentará, como así sucede ya en la práctica forense. Cabe señalar que el precepto legal que lo regula —art. 846 bis c) a) LECrim.—, exige que aquéllos hayan producido indefensión. A nuestro entender, esta exigencia última no responde a una fundada reflexión. Pueden existir numerosos defectos en la proposición del objeto del veredicto que no producen necesariamente indefensión, sin que por ello pueda ser vedada la apelación. Igual sucede cuando se den, de forma incorrecta, las instrucciones a los Jurados por el Magistrado Presidente, incurra o no éste en parcialidad. En estos casos, deberá sobreentenderse, en sentido finalista, la existencia de indefensión.

«Desde la perspectiva expuesta, el Tribunal encargado del conocimiento de la impugnación podrá controlar el ejercicio de la función jurisdiccional, en la atinente al control de la presunción de inocencia, comprobando si existió actividad probatoria, si ésta fue regularmente obtenida, si tiene un sentido razonable de cargo y si la deducción que el Tribunal obtiene de la inmediación responde a criterios lógicos y de razonabilidad expresadas en la sentencia. De esta manera ese recurso es un medio efectivo de control del ejercicio de la jurisdicción. El Tribunal Superior de Justicia en ejercicio de su función jurisdiccional de control sobre el contenido del derecho fundamental dejó aparte del acervo probatorio la declaración de acusado, a la que en un posterior fundamento nos referiremos, y también ha realizado una nueva valoración de la prueba pericial que en este procedimiento es una prueba de percepción inmediata por el Jurado y sujeta, esencialmente, a su valoración pues su práctica se desarrolló ante los miembros del Jurado de forma oral y sin documentación previa alguna. La valoración que de la misma realiza el Tribunal Superior de Justicia, órgano encargado de la apelación, no se ciñe a la estructura racional de la prueba sino que se extiende sobre el ámbito de la inmediación. 4. Consecuentemente en este supuesto la Sentencia del Tribunal Superior de Justicia extravasa su función de control y realiza una nueva valoración de una actividad probatoria que no ha percibido directamente con quebrantamiento de las normas del procedimiento ante el Tribunal de Jurado y del procedimiento ordinario (art. 741 LECrim), al señalar que sólo el Tribunal que ha presenciado el juicio oral puede valorar la prueba en lo referente al que hemos denominado primer nivel de valoración, la percepción sensorial de una prueba. El Tribunal Superior al realizar una nueva valoración de la prueba pericial desde su documentación olvida el contenido inmediato de esa prueba que sólo puede percibir el Tribunal de Jurado, salvo en los extremos referidos en la estructura racional de la prueba». STS Sala Segunda, de lo Penal, Sentencia 1443/2000 de 20 Sep. 2000, Rec. 1158/1999; Ponente: Martínez Arrieta, Andrés. LA LEY 10742/2000.

Del escrito interponiendo recurso de apelación se dará traslado a las demás partes (véase M. 358), las que, en un plazo de cinco días, podrán formular recurso supeditado de apelación. Si lo interpusieren se dará traslado a las demás partes [art. 846 bis d) I LECrim.] (véase M. 359).

Concluido el plazo de cinco días sin que se formule apelación supeditada o, si se formuló, efectuado el traslado a las demás partes, se emplazará a todas ante la Sala de lo Civil y Penal del TSJ, para que se personen en el plazo de 10 días [art. 846 bis d) II LECrim.] (véase M. 360 y M. 361).

Para conocer de este recurso, la Sala de lo Civil y Penal del Tribunal Superior de Justicia estará constituida por tres Magistrados.

Si el apelante principal no se personare o manifestare su renuncia al recurso, se devolverán los autos a la AP, declarándose firme la sentencia y procediendo a su ejecución [art. 846 bis d) III LECrim.] (véase M. 362).

Personado el apelante, se señalará día para la vista del recurso, citando a las partes personadas y, en todo caso, al condenado y tercero responsable civil [art. 846 bis e) I LECrim.] (véase M. 363).

La vista se celebrará en audiencia pública, comenzando por el uso de la palabra la parte apelante, seguido del MF, si éste no fuese el que apeló, y demás partes apeladas [art. 846 bis e) LECrim.].

Si se hubiese formulado recurso supeditado de apelación, esta parte intervendrá después del apelante principal que, si no renunciase, podrá replicarle [art. 846 bis e) III LECrim.].

Dentro de los cinco días siguientes a la vista, deberá dictarse sentencia, la cual, si estimase el recurso por quebrantamiento de normas y garantías procesales o por disolución improcedente del Jurado, mandará devolver la causa a la Audiencia para la celebración de nuevo juicio. En los demás supuestos, la sentencia resolverá lo que corresponda [art. 846 bis f) LECrim.] (Véase M. 364).

9.5. Recurso de casación[(110)]

Procede el recurso de casación por infracción de ley o por quebrantamiento de forma contra las sentencias dictadas por la Sala de lo Civil y Penal de los TSJ en única instancia (aforamientos) o en segunda instancia (art. 847 LECrim.)[(111)] (Véase sobre el recurso de casación § 6, Cap. XVII). (Véase M. 365).

La sentencia objeto de recurso de casación será la dictada en apelación por el Tribunal Superior de Justicia de la Comunidad correspondiente, y, por ello, no pue-

(110) Vid. REDONDO HERMIDA, A, *Singularidades de la preparación de la casación en el procedimiento del tribunal del jurado*, Estudios Jurídicos, Ministerio de Justicia: Centro de Estudios Jurídicos, 2010.

(111) En cuanto al recurso de casación hay que estar, claro está, a la regulación de este recurso en los arts. 847 y ss. LECrim. Téngase en cuenta además el Acuerdo del pleno de la sala segunda del Tribunal Supremo, adoptado en su reunión del día 22/07/2008, que aclaró que el recurso de casación interpuesto frente a las sentencias dictadas por las Salas dictadas por los TSJ resolviendo las apelaciones en procedimiento de tribunal de Jurado procederá por los motivos previstos en los número 1 y 2 del art. 849 de la LECrim.

den ser objeto de denuncia cuestiones ajenas a lo debatido en el recurso de apelación, que quedaron fuera del ámbito de éste. Es decir, el TS quiere dejar claro que la función de la casación es la de control de la interpretación y aplicación de la Ley —principio de legalidad y seguridad jurídica—.

«De lo expuesto, se deriva con claridad que la sentencia objeto del recurso de casación es, precisamente, la dictada en apelación por el Tribunal Superior de Justicia de la Comunidad correspondiente, y por ello, no pueden ser objeto de denuncia cuestiones ajenas a lo debatido en el recurso de apelación, o dicho de otro modo, el marco de la disidencia en el recurso de casación, queda limitado por lo que fue objeto del recurso de apelación, y por tanto, lo que quedó fuera del ámbito de la apelación, no puede ser objeto del recurso de casación, en la medida que ello supondría obviar la existencia del previo control efectuado en la apelación, por tanto el control casacional se construye, precisamente, sobre lo que fue objeto del recurso de apelación». (STS 302/2013 de 27 Mar. 2013, Rec. 324/2012).

Aun cuando no debería ser revisable en casación el error de hecho en la valoración de la prueba, ya que se supone corregir la apreciación del Jurado en un delito de su exclusiva competencia, el TS lo admite, aplicando su doctrina general sobre casación referente a esta materia.

«Al amparo del artículo 849.2 de la Ley de Enjuiciamiento Criminal se alega error de hecho en la apreciación de la prueba. Pone de relieve el Ministerio Fiscal en su escrito, y con carácter previo, la posibilidad de si el motivo de casación por error de hecho es viable en un proceso de Jurado y en este sentido se ha dicho por cierta parte de la doctrina que esa alegación por error es incompatible con esos procesos por suponer que el Tribunal Profesional corregiría al Jurado lego en lo que parece ser "su reducto competencial básico e intangible, la valoración de la prueba". Pese a ello, es constante y pacífica jurisprudencia de esta Sala la posibilidad de alegarse el "error facto" en la casación cuando se trata de impugnar sentencias dictadas en primera instancia por los Tribunales del Jurado (sentencias de 26 de enero, 25 de febrero y 1 de marzo de 1998)». Sala Segunda, de lo Penal, Sentencia 329/2001 de 26 Feb. 2001, Rec. 293/2000; Ponente: García Ancos, Gregorio. LA LEY 45294/2001.

Los pronunciamientos sobre proposiciones fácticas relativas a elementos subjetivos, que la Jurisprudencia denomina «juicios de inferencia», son revisables en casación por la vía del art. 849.1° de la LECrim, tanto si se incluyen en el relato fáctico de una sentencia dictada por una Audiencia Provincial como por un Tribunal del Jurado.

«Las cuestiones propuestas al Jurado en el veredicto sobre los hechos deben contener proposiciones fácticas, y no jurídicas, evitando en todo caso la introducción de conceptos jurídicos que predeterminen el fallo. Entre estas proposiciones fácticas deben introducirse, cuando sea necesario, las relativas a elementos subjetivos del tipo, como el "animus necandi", que en todo caso deben deducirse de datos objetivos sobre los que se efectúan pronunciamientos anteriores [art. 52.1 a), apartado final]. Este es el criterio que ya siguió la jurisprudencia tradicional sobre la Ley del Jurado de 1888 (Por ejemplo Sentencia de 5 de marzo de 1897). Estos elementos subjetivos tienen en realidad una naturaleza mixta fáctico-jurídica, en el sentido de que su valoración o apreciación está íntimamente vinculada a valoraciones o conceptos netamente jurídicos (por ejemplo la consideración o no como doloso del resultado de muerte incluye una valoración fáctica sobre la intencionalidad del sujeto, pero también una valoración jurídica o conceptual sobre la naturaleza y requisitos del "dolo" y específicamente del dolo eventual). Es por ello por lo que este tipo de pronunciamientos, que la Jurisprudencia denomina "juicios de inferencia", son revisables en casación por la vía del núm. 1º del art. 849 de la LECrim, tanto si se incluyen en el relato fáctico de una sentencia dictada por una Audiencia Provincial como por un Tribunal del Jurado.(STS 31 de mayo de 1999, núm. 851/1999)». STS Sala Segunda, de lo Penal, Sentencia 439/2000 de 26 Jul. 2000, Rec. 1266/1999; Ponente: Conde-Pumpido Tourón, Cándido. LA LEY 1164/2001.

No cabe plantear un recurso de casación por un motivo que antes no se hubiera alegado en el pertinente recurso de apelación. No se admitirá, por tanto, la casación «*per saltum*»[112].

«El primer motivo de recurso, articulado al amparo del art. 851.3º de la LECrim, por quebrantamiento de forma en relación con el art. 5.4º de la LOPJ, denuncia la supuesta infracción del derecho a la motivación de las resoluciones judiciales, por insuficiencia de la motivación fáctica del veredicto del Jurado. El motivo resulta inadmisible porque se plantea *per saltum* en casación, sin haberse formulado previamente en el preceptivo recurso de apelación. El sistema de recursos establecido contra las sentencias dictadas por el Tribunal del Jurado tiene una gran amplitud pues admite tanto la apelación como la casación, pero no alcanza a facultar a la parte para elegir libremente en qué grado de recurso se planteará un determinado motivo de impugnación: todos ellos deben suscitarse en el recurso de apelación ante el Tribunal Superior de Justicia competente, y solamente si no son estimados es posible replantear la cuestión ante el Tribunal Supremo, en casación, pues este recurso tiene una naturaleza extraordinaria y subsidiaria. Como se deduce de lo dispuesto en el art. 847 de la LECrim, el recurso de casación se formula contra la sentencia dictada en segunda instancia por la Sala Civil y Penal del Tribunal Superior de Justicia, por lo que no es posible impugnar en casación una cuestión que no ha sido tratada en absoluto por dicha sentencia, al no haber sido en momento alguno planteada. La imposibilidad de una casación *per saltum* en materia de Jurado se ha señalado ya en otras sentencias de esta Sala, como la número 895/1999, de 4 de junio, o la número 851/1999, de 31 de mayo. En esta última se indica expresamente (F. tercero) que «el recurso de casación se formula contra la sentencia dictada por el Tribunal de Apelación, no pudiéndose introducir cuestiones nuevas que no pudieron ser examinadas por éste». STS Sala Segunda, de lo Penal, Sentencia 591/2001 de 9 Abr. 2001, Rec. 487/2000; Ponente: Conde-Pumpido Tourón, Cándido. LA LEY 76467/2001.

---

(112) «En primer lugar debe señalarse, como ya ha establecido esta Sala en resoluciones anteriores (entre otras STS núm. 1980/2000, de 25 de enero de 2001 que la mera existencia de una discrepancia interpretativa sobre la normativa legal que distribuye la competencia entre órganos de la jurisdicción penal ordinaria, no constituye infracción del derecho fundamental al Juez ordinario predeterminado por la Ley. Las cuestiones de competencia tienen en el proceso penal ordinario su cauce adecuado de proposición con anterioridad a la celebración del juicio (declinatoria de jurisdicción, art. 666 de la LECrim), y su propio sistema de recursos, por lo que carece de sentido alguno que no habiéndose suscitado oportunamente dicha cuestión se planteen en casación "per saltum" y extemporáneamente, a través del cauce de la supuesta infracción constitucional al que se pretende dar una amplitud desmesurada y que privaría de sentido a toda la regulación procesal expresamente prevista para que las cuestiones de competencia queden resueltas en una fase anterior del proceso». STS Sala Segunda, de lo Penal, Sentencia 132/2001 de 6 Feb. 2001, Rec. 1154/1999-P/1999; Ponente: Conde-Pumpido Tourón, Cándido. LA LEY 31066/2001.

Se exige que exista congruencia impugnativa entre lo alegado en apelación y en casación, por lo que no es admisible el mantenimiento de posiciones contradictorias en ambas instancias.

«El sistema de recursos que establecen nuestras leyes procesales permiten a las partes, involucradas en un proceso penal, seleccionar las distintas posiciones de cada modalidad de recurso que el sistema ofrece de manera taxativa o ilimitada. Cuando las posibilidades de recurso superan la doble instancia, como sucede en los supuestos de las causas tramitadas por la ley del jurado, es necesario observar una postura ordenada y coherente, de manera que se evite la ruptura de la congruencia impugnativa eludiendo, en todo caso, el mantenimiento de posiciones contradictorias». Sala Segunda, de lo Penal, Sentencia 316/2001 de 5 Mar. 2001, Rec. 171/2000; Ponente: Martín Pallín, José Antonio. LA LEY 49438/2001.

El Jurado podrá pronunciarse sobre elementos subjetivos del tipo penal en que encajen los hechos enjuiciados, siempre que puedan deducirse de datos objetivos sobre los que ha debido antes pronunciarse el propio Jurado Estos pronunciamientos —juicios de inferencia— podrán ser revisados en casación.

«Las cuestiones propuestas al Jurado en el veredicto sobre los hechos deben contener proposiciones fácticas, y no jurídicas, evitando en todo caso la introducción de conceptos jurídicos que predeterminen el fallo. Entre estas proposiciones fácticas deben introducirse, cuando sea necesario, las relativas a elementos subjetivos del tipo, como el *"animus necandi"*, que en todo caso deben deducirse de datos objetivos sobre los que se efectúan pronunciamientos anteriores [art. 52.1 a), apartado final]. Este es el criterio que ya siguió la jurisprudencia tradicional sobre la Ley del Jurado de 1888 (por ejemplo Sentencia de 5 de marzo de 1897). Estos elementos subjetivos tienen en realidad una naturaleza mixta fáctico-jurídica, en el sentido de que su valoración o apreciación está íntimamente vinculada a valoraciones o conceptos netamente jurídicos (por ejemplo la consideración o no como doloso del resultado de muerte incluye una valoración fáctica sobre la intencionalidad del sujeto, pero también una valoración jurídica o conceptual sobre la naturaleza y requisitos del "dolo" y específicamente del dolo eventual). Es por ello por lo que este tipo de pronunciamientos, que la Jurisprudencia denomina "juicios de inferencia", son revisables en casación por la vía del núm. 1º del art. 849 de la LECrim, tanto si se incluyen en el relato fáctico de una sentencia dictada por una Audiencia Provincial como por un Tribunal del Jurado. (STS 31 de mayo de 1999, núm. 851/1999)». STS Sala Segunda, de lo Penal, Sentencia 439/2000 de 26 Jul. 2000, Rec. 1266/1999; Ponente: Conde-Pumpido Tourón, Cándido. LA LEY 1164/2001.

MODELOS

M. 284. Oficio del Presidente de la Audiencia Provincial al Delegado Provincial de la Oficina del Censo Electoral

Por medio del presente me dirijo a V., en cumplimiento de lo previsto en el artículo 13 de la Ley Orgánica 5/95, de 22 de mayo, del Tribunal del Jurado, para poner en su conocimiento que el número de candidatos a jurados que se estima necesario obtener para el sorteo a celebrar dentro de esta Provincia, deberá ser el de [.../...] (cantidad que resulte de multiplicar por 50 el número de causas previstas, y teniendo en cuenta un posible incremento siendo la lista bienal), en atención al número de causas previsto para conocer de ellas por el Tribunal del Jurado.

Lugar y fecha.

El Presidente de la Audiencia Provincial

Sr. Delegado Provincial de la Oficina del Censo Electoral. Ciudad.

El sorteo se celebrará en sesión pública. Está previsto que, dentro de los siete días siguientes al sorteo, cualquier ciudadano pueda formular reclamación contra el acto del sorteo ante la AP.

M. 285. Reclamación de un ciudadano ante la Audiencia Provincial contra el acto del sorteo

Ilmo. Sr.

D. [.../...], mayor de edad, de profesión [.../...], con DNI número [.../...], y NIF letra [.../...], domiciliado en la localidad de [.../...], de esta Provincia, calle [.../...], número [.../...], se dirige a V.I., y

EXPONE

Que en el sorteo para la designación de candidatos a jurados celebrado en fecha [.../...] *(la fecha debe estar comprendida dentro de los siete días siguientes al de la celebración del sorteo)* en la capital de esta Provincia y en el local de la Delegación Provincial de la Oficina del Censo Electoral, a cuyo acto asistí, me interesé ante el Sr. Delegado, que presidía, sobre si mi nombre figuraba entre aquellos que iban a ser sorteados, respondiéndome dicho Sr. Delegado que no, dado que existía constancia de que había sido suspendido, en un procedimiento penal, en mi empleo, encontrándome, en consecuencia, incapacitado para poder ser jurado, de conformidad con lo establecido en el artículo 9.3 de la Ley del Jurado.

Debo decir que, en la actualidad, tal medida acordada durante el proceso que se sigue contra mí ante el Juzgado de Instrucción núm. [.../...], y que en su día se me impuso ha sido revocada mediante Auto de fecha y, por tanto, gozo de la libertad para poder desempeñar mi trabajo, por lo que, por medio de la presente, formulo reclamación contra dicho acto de sorteo y solicito se me incluya entre los demás que han de ser sorteados.

En [.../...], a [.../...] de [.../...] de 201[.../...]

Ilmo. Sr. Presidente de la Audiencia Provincial de [.../...]

M. 286. Acuerdo de la Audiencia Provincial sobre el anterior escrito

Ilmos. Sres.

[.../...]

[.../...]

[.../...]

En [.../...], a [.../...] de [.../...] de 200[.../...]

Por presentado el anterior escrito por D. [.../...], fórmese el correspondiente expediente, que se registrará entre los de su clase. Atendido el contenido del hecho denunciado, recábese informe sobre el extremo alegado del Sr. Delegado Provincial de la Oficina del Censo Electoral, y líbrese oficio al Juzgado de Instrucción núm. [.../...], de [.../...], a fin de que aporte testimonio del Auto de fecha [.../...] en que revoca la suspensión de empleo a D. [.../...] acordada en la causa [.../...]

Así lo acuerdan los Ilmos. Sres. del margen y firma el Ilmo. Sr. Presidente, de lo que yo, el Letrado A. Justicia del Tribunal (o de la Sección Primera), certifico.

El Presidente   El Letrado A. Justicia

M. 287. Resolución de la Audiencia Provincial mediante acuerdo motivado

Ilmos. Sres.

[.../...]

[.../...]

[.../...]

En [.../...], a [.../...] de [.../...] de 201[.../...]

Esta Sala, constituida conforme a lo previsto en el artículo 13, apartado tercero, de la Ley Orgánica 5/95, de 22 de mayo, del Tribunal del Jurado, modificada por la Ley Orgánica 8/95, de 16 de noviembre, ha tomado, de conformidad a lo ordenado en el párrafo tercero de dicho artículo y apartado, el siguiente ACUERDO

HECHOS:

PRIMERO. Por D. [.../...], cuyas circunstancias personales constan en este expediente, mediante escrito de fecha [.../...], formuló reclamación contra el acto del sorteo para candidatos a jurados, celebrado en esta ciudad el día [.../...], por no figurar en la lista de esos candidatos, y habiendo interesado al mismo Sr. Delegado Provincial de la Oficina del Censo Electoral que le indicara la razón de su exclusión, por éste se le manifestó que no figuraba ni podía figurar en la lista por hallarse incurso en la causa de incapacidad que para ser jurado se contempla en el artículo 9, número 3 de la Ley Orgánica del Tribunal del Jurado. D. [.../...] refería en su escrito no hallarse en la actualidad suspendido de su empleo al haberse revocado mediante Auto [.../...] por el Juzgado de Instrucción núm. [.../...] de [.../...], en fecha [.../...] Terminaba solicitando se le incluyera en la mencionada lista de candidatos a jurado.

SEGUNDO. Esta Sala acordó, en conformidad a lo establecido en el párrafo segundo del mentado artículo 13, apartado tercero, de la referida Ley del Jurado, las diligencias que estimó oportunas y que figuran unidas al expediente.

FUNDAMENTOS JURÍDICOS:

Único. De las diligencias practicadas se desprende que si bien figura como imputado en la causa seguida ante el Juzgado de Instrucción núm. [.../...] de la localidad de [.../...] y que se dictó, por este Juzgado Auto en fecha [.../...] acordando la medida de suspensión de empleo, también es cierto que por el mismo Juzgado se revoca el día [.../...] la medida adoptada mediante Auto de fecha [.../...], conllevando, en virtud del artículo 9, apartado 3 de la Ley Orgánica del Tribunal del Jurado, que D. [.../...] no se halla incurso en causa de incapacidad, procediendo comunicarlo así al Sr. Delegado Provincial de la Oficina del Censo Electoral para que proceda a su inclusión en la lista electoral de candidatos a jurado. Contra este Acuerdo no procede recurso alguno.

Así lo acuerdan los Ilmos. Sres. del margen, y firma el Ilmo. Sr. Presidente de esta Audiencia Provincial, de todo lo que yo, el Letrado A. Justicia del Tribunal (o de la Sección Primera), certifico.

El Presidente   El Letrado A. Justicia

M. 288. Acuerdo de la Sala de la Audiencia a la recepción de la lista de jurados

ILMOS. SRES.

[.../...]

[.../...]

[.../...]

En [.../...], a [.../...] de [.../...] de 201[.../...]

Por recibida de la Delegación Provincial de la Oficina del Censo Electoral la lista de candidatos a jurado, únase la misma a su expediente. Remítase la citada lista, testimoniada, a todos los Ayuntamientos de esta Provincia y al Boletín Oficial de la misma, para su exposición y publicación, respectivamente, durante los últimos quince días del mes de octubre corriente.

Lo manda la Sala y firma el Ilmo. Sr. Presidente de esta Audiencia, de lo que yo, el Letrado A. Justicia del Tribunal (*o de la Sección Primera*), certifico.

El Presidente   El Letrado A. Justicia

M. 289. Oficio del Letrado A. Justicia del Tribunal (o de la Sección Primera) a los jurados incluidos en la lista y pertinente documentación

En [.../...], a [.../...] de [.../...] de 200[.../...]

Por haberlo así acordado la Sala de esta Ilma. Audiencia Provincial, en resolución del día [.../...], me dirijo a Vd. para notificarle que ha sido incluido en la lista de candidatos a jurado, lista que fue confeccionada mediante sorteo y ordenada por Municipios y que se celebró el día [.../...] en los locales de esta Audiencia Provincial. Lo que pongo en su conocimiento a los oportunos efectos. Le acompaño a este oficio la documentación que exige la Ley del Jurado, relativa a las causas de incapacidad, incompatibilidad y excusa, así como el procedimiento para su alegación.

El Letrado A. Justicia

M. 290. Reclamación de un candidato a jurado contra la inclusión en las listas

ILMO. SR.

D. [.../...], nacido el día [.../...] de [.../...] de [.../...] con DNI número [.../...], y NIF letra [.../...], domiciliado en la localidad de [.../...], de esta provincia, calle [.../...], número [.../...], piso [.../...], a VI.

EXPONE

Que con fecha [.../...] de octubre pasado he recibido oficio del Sr. Letrado A. Justicia de la Audiencia Provincial de [.../...], acompañado de anexo en el que se incluyen determinados artículos de la Ley Orgánica 5/95, de 22 de mayo, del Tribunal del Jurado, expresando los requisitos para poder ser jurado, así como las causas de incapacidad, incompatibilidad, prohibición y excusa, indicándose, asimismo, el procedimiento para reclamar contra la inclusión en las listas de candidatos a jurado.

Que si bien cumplo con los requisitos y no me afecta ninguna de las causas de incompatibilidad, capacidad o prohibición para ser candidato a jurado, sí me encuentro dentro de la excusa número primera del artículo 12 de la citada Ley, pues tengo sesenta y siete años, como indico en el inicio de este escrito.

Por ello, intereso de VI me tenga por excusado como candidato a jurado, disponiendo se me excluya de la lista en que como tal figuro.

En [.../...], a [.../...] de noviembre (*la fecha deberá ser la de los primeros 15 días de noviembre*) de [.../...]

Ilmo. Sr. Juez Decano de los Juzgados de Primera Instancia e Instrucción de [.../...]

M. 291. Reclamación de cualquier ciudadano que entiende que algún candidato a jurado carece de los requisitos necesarios

ILMO. SR.

D. [.../...], mayor de edad, de profesión [.../...], natural y vecino de [.../...], Partido Judicial de [.../...] de esta Provincia, con DNI número [.../...], y NIF letra [.../...], y con domicilio en la calle [.../...], número [.../...], piso [.../...], a VI.

EXPONE

Que el vecino de esta localidad D. [.../...], mayor de edad, de profesión [.../...], con domicilio en la calle [.../...], número [.../...], piso [.../...], aparece en la lista de este Municipio como candidato al puesto de jurado, no pudiendo serlo porque, según me consta, tiene pasaporte extranjero, concretamente de (país), y por tanto no es español. Es por ello que creo que no puede ser jurado ni estar en la lista de este Municipio como tal, lo que pongo en conocimiento de VI a los efectos que procedan.

En [.../...] lugar y fecha (*la fecha deberá ser antes del 15 de noviembre*).

Ilmo. Sr. Juez Decano de los Juzgados de Primera Instancia e Instrucción de [.../...]

M. 292. Traslado de la reclamación al interesado no reclamante

ACUERDO DEL JUEZ-DECANO DE [.../...]

En [.../...], a [.../...] de [.../...] de 201[.../...]

Dada cuenta del escrito de D. [.../...] (*el reclamante*), natural y vecino de [.../...] y cuyas demás circunstancias constan en el mismo. Por formulada reclamación contra la inclusión en la lista como candidato a jurado de D. [.../...] (interesado no reclamante). Fórmese expediente, que se registrará entre los de su clase, poniendo por cabeza el referido escrito, y dese traslado del mismo a D. [.../...] (*interesado no reclamante*), por plazo de tres días para que alegue lo que a su derecho interese.

Así lo acuerda y firma S.S.ª Certifico.

El Juez-Decano   El Letrado A. Justicia

M. 293. Contestación del interesado no reclamante

ILMO. SR.

D. [.../...], mayor de edad, de profesión [.../...], natural de [.../...], y vecino de [.../...], Partido Judicial de [.../...] de esta Provincia, con DNI número [.../...] y NIF letra [.../...], ante VI comparece y

EXPONE

Que por este Juzgado se me ha dado traslado de escrito presentado por D. [.../...] (reclamante) en el que afirma que carezco de la nacionalidad española, y que por esta razón no puedo ser jurado ni figurar en la lista de candidatos a jurado de este Municipio.

Tengo que manifestar a VI que, si bien al llegar a la mayoría de edad adquirí la nacionalidad [.../...] (extranjera), no es menos cierto, por ello, que no posea además la española, por cuanto que gozo de la doble nacionalidad, estándome permitida la misma por cuanto reúno todos y cada uno de los requisitos exigidos en el Tratado bilateral entre ambos países de fecha [.../...] y cuya opción acogí en fecha [.../...], expidiéndoseme el correspondiente Pasaporte, teniendo, desde entonces, ambas nacionalidades.

Lo que pongo en conocimiento de VI a fin de que no se me excluya de la citada lista de candidatos a jurado de este Municipio, al cumplir el requisito de ser español que exige la Ley del Tribunal del Jurado.

En [.../...] lugar y fecha (en el plazo de tres días concedidos por la LJ, a partir de la recepción de la copia del escrito y del oficio acompañatorio).

Ilmo. Sr. Juez-Decano de los Juzgados de Primera Instancia e Instrucción de [.../...]

M. 294. Resolución de las anteriores reclamaciones

ACUERDO DEL JUEZ-DECANO DE [.../...]

En [.../...], a [.../...] de [.../...] de 201[.../...]

Dada cuenta del escrito (del reclamante de candidato a jurado, de cualquier ciudadano o del interesado no reclamante), vecino de [.../...] y cuyas demás circunstancias constan en el expediente, únase al mismo. Por formulada en el mismo (excusa, reclamación contra la inclusión o contestación a la misma) en la lista como candidato a jurado de [.../...] líbrese comunicación a los Registros Civiles correspondientes para que certifique acerca del extremo denunciado en el repetido escrito.

Así lo acuerda y firma S.S.ª Certifico.

El Juez-Decano   El Letrado A. Justicia

M. 295. Resolución motivada del Juez-Decano resolviendo la reclamación o advertencia

ACUERDO DEL JUEZ DECANO DE [.../...]

En [.../...], a [.../...] de [.../...] de 201[.../...]

HECHOS

Único. Por este Decanato se siguió expediente número [.../...] de [.../...] (año), sobre reclamación de [.../...], cuyas circunstancias personales constan en el expediente, que mediante escrito de fecha [.../...] ponía de manifiesto no podía, a su entender, figurar en la lista de candidatos a jurado de su Municipio por comprenderle la excusa número 1 del artículo 12 de la Ley Orgánica 5/95, de 22 de mayo, del Tribunal del Jurado, modificada mediante Ley Orgánica 8/95, de 16 de noviembre, dado que el reclamante ostenta la edad de sesenta y ocho años.

FUNDAMENTOS DE DERECHO

Único. El artículo 12, número primero, indica como excusa que puede alegarse para no desempeñar el cargo de jurado el de ser mayor de sesenta y cinco años.

Visto el artículo citado

PARTE DISPOSITIVA.

ACUERDO aceptar la excusa para el ejercicio de la función de jurado alegada por [.../...] (nombre del reclamante).

Póngase esta resolución en conocimiento de la Delegación Provincial de la Oficina del Censo Electoral al efecto de que se le dé de baja en la lista electoral del Municipio de [.../...] (localidad) a [.../...] (nombre del reclamante) y notifíquese la misma al excusado. Contra esta resolución no procede recurso alguno.

Así lo acuerda y firma el Ilmo. Sr. Juez Decano de los de Primera Instancia e Instrucción (o Juez Decano de los de Instrucción) de [.../...] (localidad). Certifico.

El Juez Decano   El Letrado A. Justicia

M. 296. Resolución motivada del Juez-Decano resolviendo la reclamación de un ciudadano contra la inclusión en la lista de jurados

ACUERDO DEL JUEZ DECANO DE [.../...]

Lugar y fecha (deberá ser antes del día 30 de noviembre)

HECHOS

Único. Se ha seguido expediente número [.../...] de [.../...] (año), sobre reclamación de [.../...], cuyas circunstancias personales ya constan, el cual en escrito dirigido a este Decanato de fecha [.../...] ponía de manifiesto que [.../...] (interesado no reclamante), cuyas circunstancias personales también constan, no podía, a su entender, figurar en la lista de candidatos a jurado de su Municipio por carecer de la nacionalidad española. Alegada por el interesado la doble nacionalidad española y [.../...] (país), por Acuerdo de fecha [.../...] se ordenó se librara comunicación a los correspondientes Registros Civiles y de la certificación obrante en el expediente librada por los referidos Registros consta que [.../...] (nombre) ostenta, efectivamente, la nacionalidad española conjuntamente con la de [.../...] (país).

FUNDAMENTOS DE DERECHO

Único. El apartado primero del artículo 8 de la Ley Orgánica 5/95, de 22 de mayo, modificada por la Ley Orgánica 8/95, de 16 de noviembre, establece como requisito para ser jurado ser español mayor de edad.

Visto el artículo citado

PARTE DISPOSITIVA.

ACUERDO rechazar la reclamación efectuada por [.../...] y, en consecuencia, proceder a la inclusión en la lista de candidatos a jurado del Municipio de [.../...] (localidad) de este Partido Judicial, a [.../...] (nombre y apellidos).

Póngase esta resolución en conocimiento de la Delegación Provincial de la Oficina del Censo Electoral a los efectos oportunos y notifíquese del mismo modo al reclamante y al excluido.

Contra esta resolución no cabe recurso alguno.

Así lo acuerda, manda y firma. S.S.ª Certifico.

El Juez Decano   El Letrado A. Justicia

M. 297. Sorteos de candidatos a jurados

ACUERDO DEL ILMO. SR. MAGISTRADO-PRESIDENTE

En [.../...], a [.../...] de [.../...] de 201[.../...]

Con arreglo a lo dispuesto en el artículo 18 de la Ley Orgánica 5/95, de 22 de mayo, del Tribunal del Jurado, modificada por la Ley Orgánica 8/95, de 16 de noviembre, procédase por el Sr. Letrado A. Justicia de este Tribunal, en audiencia pública, que tendrá lugar el día [.../...] en la Sala de este Tribunal, a la realización del sorteo, debiendo extraerse 36 candidatos a jurados para cada causa señalada para el próximo período de sesiones.

(Deberá especificarse, en este punto, el período de sesiones correspondiente que, según el artículo 17, párrafo segundo, son los siguientes:

1) desde el 1 de enero al 20 de marzo;

2) desde el 21 de marzo al 10 de junio;

3) desde el 11 de junio al 30 de septiembre, y

4) del 1 de octubre al 31 de diciembre).

Cítense para este acto a las partes y procédase, del mismo modo, el Sr. Letrado A. Justicia al cumplimiento de lo dispuesto en el artículo 19 de la citada Ley Orgánica, dando traslado previamente de este Acuerdo a las partes citadas y a los efectos de lo que dispone el artículo 21 de la mencionada Ley Orgánica.

Así lo acuerda y firma el Ilmo. Sr. [.../...] Magistrado-Presidente del Tribunal del Jurado, de lo que yo, el Letrado A. Justicia del Tribunal (o de la Sección Primera) certifico.

El Magistrado-Presidente   El Letrado A. Justicia

M. 298. Realización del sorteo

ACTA DEL SORTEO

En [.../...], a [.../...] de [.../...] de 201[.../...]

Siendo la hora señalada, yo, el Letrado A. Justicia del Tribunal (o de la Sección Primera), y conforme viene acordado, procedo a realizar el sorteo de 36 candidatos a jurados de la lista de esta Provincia, para cada una de las causas señaladas en el período de sesiones [.../...] *(el correspondiente según lo señalado en el párrafo segundo del artículo 17 LJ)*.

Asisten a este acto el Ministerio Fiscal y los representantes de las partes personadas *(la inasistencia no suspende el acto)*.

Efectuado por mí, el Letrado A. Justicia, el sorteo, el resultado es el siguiente:

1. Candidatos a jurados para la causa número [.../...] de [.../...] (año), los siguientes: —*nombre y apellidos del candidato a jurado*—.

(Así sucesivamente hasta completar los 36 candidatos a jurado).

2. Candidatos a jurados para la causa número [.../...] de [.../...] (año), los siguientes:

(Nombre y apellidos de los 36 candidatos a jurado).

3. Igual que en los casos anteriores hasta completar todas las causas del período correspondiente.)

Con lo que se da por terminado este acto, levantándose la correspondiente acta, que firman conmigo todos los asistentes. Doy fe.

Después se notificará a los 36 candidatos a jurado para cada causa su designación y se les citará para que comparezcan el día señalado para la vista del juicio oral.

A la cédula de citación se acompañará información sobre la función de los jurados, derechos, deberes y retribución, y también un cuestionario para que manifiesten la falta de requisitos o causas de incapacidad, incompatibilidad o prohibición y puedan alegar los supuestos de excusa.

M. 299. Citación de los candidatos a jurados designados para una causa

CÉDULA DE NOTIFICACIÓN Y CITACIÓN

En virtud de lo acordado en la causa número [.../...] de [.../...] (año), que se sigue ante esta Secretaría por el Ilmo. Sr. Magistrado-Presidente del Tribunal del Jurado, le notifico a Vd. que en el sorteo realizado en fecha [.../...] para la designación de candidatos a jurados para actuar como jurados en las causas del período de sesiones correspondiente a [.../...] (período correspondiente), ha sido Vd. nombrado por la suerte para ser candidato a jurado en la causa ya mencionada.

Al mismo tiempo le cito para que comparezca el día [.../...] para la vista del juicio oral en [.../...] (lugar en que se haya de celebrar).

Se adjunta un cuestionario en el que se especifican las eventuales faltas de requisitos, causas de incapacidad, incompatibilidad o prohibición, así como los supuestos de excusa que puede Vd. alegar, debiendo devolver el cuestionario por correo con franqueo oficial debidamente cumplimentado y acompañado de las justificaciones documentales que estime oportunas dentro de los cinco días siguientes a la recepción de este cuestionario al Magistrado que haya de presidir el Tribunal del Jurado. Igualmente se acompaña a la presente cédula información acerca de la función constitucional que está llamado a cumplir, los derechos y deberes inherentes a dicha función y la retribución que le corresponde.

En [.../...], a [.../...] de [.../...] de 201[.../...]

El Letrado A. Justicia

M. 300. Devolución del cuestionario

ILMO. SR.

D. [.../...] (nombre y apellidos), mayor de edad, de profesión [.../...], con DNI núm. [.../...], NIF núm. [.../...] y domiciliado en [.../...] (calle, número, piso y localidad) de esta Provincia, a VI.

EXPONE

Que con fecha [.../...], he recibido oficio del Sr. Letrado A. Justicia de la Audiencia Provincial de [.../...], acompañado de cuestionario en el que se indican los requisitos para poder ser jurado, así como los supuestos de incapacidad, incompatibilidad, prohibición y excusa, así como el procedimiento para poder reclamar contra la inclusión en las listas de candidatos a jurados.

Que habiendo examinado el referido cuestionario, me encuentro en una causa de incompatibilidad, concretamente la establecida en el número 9 del artículo 10 de la Ley Orgánica del Tribunal del Jurado, ya que imparto clases de Derecho Penal en la Facultad de Derecho de [.../...], y por tanto soy profesor universitario de una disciplina jurídica, extremo que acredito con [.../...] *(justificación documental)*.

Es por ello que intereso a VI me tenga por excluido de la lista de candidato a jurado.

En [.../...], a [.../...] del año [.../...]

Ilmo. Sr. Magistrado-Presidente del Tribunal del Jurado.

M. 301. Escrito de recusación del Ministerio Fiscal o de las demás partes

ILMO. SR.

EL FISCAL *(o la parte personada en la causa)*, en la causa número [.../...], del Tribunal del Jurado, dentro del plazo establecido en el artículo 20 de la Ley Orgánica 5/95 de 22 de mayo, del Tribunal del Jurado, modificada por la Ley Orgánica 8/95 de 16 de noviembre (cinco días siguientes al de la entrega del cuestionario cumplimentado por los candidatos a jurados), a VI.

EXPONE

Que, por medio del presente escrito, este Ministerio *(o la parte personada)* pasa a formular recusación respecto del candidato a jurado [.../...] *(nombre, apellidos y demás circunstancias personales)* en base a que el mismo fue condenado por el Juzgado de lo Penal núm. [.../...] de [.../...] como autor de un delito de robo con fuerza en las cosas a la pena de [.../...] meses de arresto mayor en la causa núm. [.../...] seguida ante el Juzgado de Instrucción núm. [.../...] de [.../...], y a cuyo condenado le fue suspendida la ejecución de la pena por dos años mediante resolución de fecha [.../...] sin que en la actualidad haya transcurrido dicho plazo, no habiendo alcanzado la remisión condicional, presupuesto necesario para obtener su rehabilitación y consiguiente cancelación de antecedentes penales.

Por todo ello, el candidato a jurado [.../...] *(nombre y apellidos)* se halla en la causa de incapacidad 1 del artículo 9 de la citada Ley del Tribunal del Jurado.

Este Ministerio interesa que se recabe hoja histórico-penal al Registro Central de Penados y Rebeldes a fin de dejar constancia del extremo denunciado.

Por lo expuesto,

SOLICITO de VI tenga por presentado dicho escrito en tiempo y forma, y por solicitado incidente de recusación, en cumplimiento del artículo 21 de la Ley Orgánica del Tribunal del Jurado, interesando igualmente dicte resolución en la que, acogiendo la recusación formulada, deje sin efecto ni valor dicho nombramiento como candidato a jurado para la causa núm. [.../...] de [.../...] (año) de [.../...] (nombre y apellidos).

En [.../...], a [.../...] de [.../...] de 201[.../...]

El Fiscal

Ilmo. Sr. Magistrado-Presidente del Tribunal del Jurado.

M. 302. Citación a las partes personadas para la celebración de la vista

ACUERDO DEL ILMO. SR. MAGISTRADO-PRESIDENTE

Lugar y fecha.

Dada cuenta; por presentado el anterior escrito de recusación del candidato a jurado (nombre y apellidos), por el Ministerio Fiscal (o por la parte personada en la causa), designado para ejercer sus funciones en esta causa, en virtud del artículo 21 de la Ley Orgánica del Tribunal del Jurado, únase a la causa de su razón. Líbrese el despacho solicitado y de conformidad con lo dispuesto en el artículo 22 de la citada Ley, cítense a las partes personadas en estas actuaciones para la celebración de la correspondiente vista (de la excusa, advertencia o recusación presentada), que tendrá lugar el día [.../...], a las [.../...] horas.

Lo acuerda y firma el Ilmo. Sr. Magistrado-Presidente, de lo que yo, el Letrado A. Justicia del Tribunal, certifico.

El Magistrado-Presidente   El Letrado A. Justicia

M. 303. Resolución de la recusación, siendo la lista de candidatos de 20 o más.

ACUERDO DEL ILMO. SR. MAGISTRADO-PRESIDENTE

Lugar y fecha.

HECHOS

Único. Por este Decanato se ha seguido expediente número [.../...] de [.../...] (año), del Tribunal del Jurado en el que mediante escrito de fecha [.../...], el Ministerio Fiscal pone de manifiesto que el candidato a jurado [.../...] (nombre y apellidos) no puede figurar en la lista de candidatos a jurado de su Municipio por comprenderle la causa de incapacidad establecida en el número primero del artículo 9 de la Ley Orgánica del Tribunal del Jurado, al no haber transcurrido el plazo de dos años para alcanzar la remisión condicional de la pena otorgada al mismo mediante resolución de fecha [.../...], y, en consecuencia, no ha obtenido la rehabilitación o extinción de los efectos de la pena que le fue impuesta por delito doloso.

FUNDAMENTOS DE DERECHO

Único. El número primero del artículo 10 de la Ley Orgánica del Tribunal del Jurado indica como una de las causas de incapacidad para ser jurado la de haber sido condenado por delito doloso, no habiendo obtenido la rehabilitación, debiéndose acoger dicha alegación al constar en los antecedentes penales de [.../...] (nombre y apellidos), que efectivamente no ha transcurrido el tiempo necesario para obtener la rehabilitación.

En su virtud,

PARTE DISPOSITIVA.

ACUERDO acoger la causa de recusación formulada por el Ministerio Fiscal y, en consecuencia, proceder a la exclusión de [.../...] *(nombre y apellidos)* de la lista de candidatos a jurados designados para esta causa. Confecciónese por el Letrado A. Justicia del Tribunal nueva lista de jurados, con la consiguiente exclusión acordada.

Así lo acuerda y firma el Ilmo. Sr. Magistrado-Presidente, de lo que yo, el Letrado A. Justicia del Tribunal, certifico.

El Magistrado-Presidente   El Letrado A. Justicia

M. 304. Resolución de la recusación, cuando el número de candidatos no llegare a 20

En este caso, la parte dispositiva del modelo anterior queda modificada en los siguientes término:

En su virtud,

PARTE DISPOSITIVA.

ACUERDO acoger la causa de recusación formulada por el Ministerio Fiscal, y en consecuencia proceder a la exclusión de [.../...] (nombre y apellidos) de la lista de candidatos a jurados designado para esta causa. Y habiendo quedado la lista de candidatos a jurados, con dicha exclusión, reducida a menos de veinte, procédase por el Sr. Letrado A. Justicia a la celebración de nuevo sorteo, según previene el artículo 23 de la Ley Orgánica del Tribunal del Jurado, el cual se efectuará con arreglo a lo dispuesto en el artículo 18 de la citada Ley.

Así lo acuerda y firma el Ilmo. Sr. Magistrado-Presidente, de lo que yo, el Letrado A. Justicia del Tribunal, certifico.

El Magistrado-Presidente   El Letrado A. Justicia

M. 305. Auto de incoación del procedimiento por delito cuyo enjuiciamiento viene atribuido al Tribunal del Jurado

AUTO

En [.../...], a [.../...] de [.../...] de 201[.../...]

HECHOS

PRIMERO. Con fecha [.../...] se incoó procedimiento bajo el núm. [.../...] de [.../...] por muerte de [.../...], hecho denunciado por la Guardia Civil, habiéndose practicado hasta el momento las diligencias necesarias en averiguación de tal hecho, sus circunstancias y la persona o personas participantes en el mismo.

SEGUNDO. Con fecha [.../...], ha sido detenido y puesto a disposición del Juzgado a [.../...] (nombre y apellidos), vecino de esta ciudad [.../...], como presunto imputado en los hechos relacionados y comprobada la conformidad de su verosimilitud por la declaración prestada a la presencia judicial por los testigos presenciales D. [.../...] y D. [.../...]

FUNDAMENTOS DE DERECHO

PRIMERO. Estando el delito que se imputa a [.../...] incluido en el Código Penal en el artículo 138 y, por tanto, viniendo atribuido su enjuiciamiento al Tribunal del Jurado, de acuerdo con los artículos 1 y 24 de la Ley Orgánica 5/95, de 22 de mayo, procede incoar el procedimiento para el juicio ante dicho Tribunal.

SEGUNDO. Habiéndose actuado con anterioridad al conocimiento del imputado, procede la unión de las diligencias practicadas anteriormente al presente procedimiento.

TERCERO. Conforme a lo dispuesto en el artículo 306 de la Ley de Enjuiciamiento Criminal, procede poner en conocimiento del Ministerio Fiscal esta incoación, quien comparecerá e intervendrá en cuantas actuaciones se lleven a cabo ante el Tribunal del Jurado. Lo mismo se hará con el imputado y demás partes personadas, como dispone el artículo 25 de la Ley del Tribunal del Jurado y 309 de la Ley de Enjuiciamiento Criminal.

CUARTO. Habiendo sido puesto a disposición del Juzgado el detenido [.../...] procede, de conformidad con lo dispuesto en el artículo 504 bis 2 de la Ley de Enjuiciamiento Criminal, convocar a audiencia al Ministerio Fiscal, demás partes personadas y al imputado, para resolver sobre la procedencia o no de la prisión o libertad provisionales, dentro del término señalado por la Ley.

PARTE DISPOSITIVA

1.º) Incóese el procedimiento para el juicio ante el Tribunal del Jurado, dándole número y registrándolo en el Libro de los de su clase de este Juzgado. Tramítese de acuerdo con la Ley Orgánica 5/95 del Tribunal del Jurado y de la Ley de Enjuiciamiento Criminal, cuya aplicación será supletoria en lo que no se oponga a los preceptos de aquélla. Póngase en conocimiento del imputado [.../...] quien será convocado el día [.../...] a una comparecencia, así como al Ministerio Fiscal y la representación de los herederos del fallecido, D. [.../...] y D. [.../...] Al tiempo de ser citados, se dará traslado al imputado de la denuncia formulada por la Guardia Civil y se le notificará la necesidad de estar asistido de Letrado de su elección y de no designarlo, de Letrado de oficio.

Únanse las diligencias practicadas con anterioridad al presente procedimiento.

2.º) Convóquese a una comparecencia para el día [.../...], dentro de las setenta y dos horas en que el detenido [.../...] haya sido puesto a disposición del Juzgado, al Ministerio Fiscal, demás partes personadas y al imputado, que deberá estar asistido de Letrado por él elegido o designado de oficio, a fin de resolver sobre la procedencia o no de la prisión o libertad provisionales. Al tiempo de ser citados, se les advertirá que en dicha comparecencia podrán proponer los medios de prueba que puedan practicarse en el acto o dentro de las veinticuatro horas siguientes, sin rebasar en ningún caso las setenta y dos horas indicadas.

Lo manda y firma el Ilmo. Sr. D. [.../...], Magistrado Juez de Instrucción del Juzgado núm. [.../...] de [.../...], doy fe.

DILIGENCIA. Seguidamente se cumple lo acordado, doy fe.

NOTIFICACIÓN. A las partes personadas.

M. 306. Escrito de querella

AL JUZGADO DE INSTRUCCIÓN

D. ..., Procurador de los Tribunales, obrando en nombre de D. ...., cuya representación acredito mediante escritura de poder que acompaño con el presente escrito, comparezco y DIGO:

Que por medio del presente escrito y por entender que los hechos que describiré son constitutivos de un delito [.../...] *(cuyo enjuiciamiento viene atribuido al Tribunal del Jurado, artículo 1 de la LJ)*, previsto en el artículo [.../...] del Código Penal, formulo QUERELLA al amparo de lo dispuesto en el artículo 270 y ss. de la Ley de Enjuiciamiento Criminal, así como en el artículo 24 de la Ley Orgánica del Tribunal del Jurado, y de acuerdo con el artículo 277 del primer texto legal mencionado,

ALEGACIONES

1.ª Juez ante quien se presenta: Esta querella se formula ante el Juzgado de Instrucción de esta ciudad (que por turno de reparto corresponda), por ser competente, conforme a lo dispuesto en el artículo 5 de la Ley Orgánica del Tribunal del Jurado. (El artículo 5 de la LJ, en sus cuatro apartados, determina la competencia del Tribunal del Jurado.)

2.ª Nombre, apellidos y vecindad del querellante: El querellante es D. [.../...], vecino de [.../...]

3.ª Nombre, apellidos y vecindad de los querellados: Los querellados, sin perjuicio de dirigir las acciones penales y civiles contra otras personas que a lo largo del proceso aparezcan relacionadas con los hechos, son ...

4.ª Relación circunstanciada de los hechos:

1. Antecedentes [.../...]

2. Lugar en que han ocurrido los hechos [.../...]

3. Fecha en que ocurrieron [.../...]

4. Concreción del hecho delictivo [.../...]

5. Tipificación de los hechos delictivos (es opcional puesto que la Ley no lo exige en este momento procesal, debiendo ser en la comparecencia a que se refiere el artículo 25 de la LJ donde, según el apartado tercero, deberá concretarse la imputación).

5.ª Diligencias cuya práctica se solicita (la Ley del Jurado, ciertamente, determina que el momento para solicitar diligencias de investigación es en la comparecencia regulada en el artículo 25 de la LJ y no en el escrito de querella, donde únicamente el Juez de Instrucción practicará aquellas actuaciones inaplazables a que hubiere lugar. Por ello, en el escrito de querella pueden solicitarse como diligencias aquellas denominadas por la LECrim., en su artículo 13, como primeras diligencias y que son las siguientes):

— interesar se dé protección a los perjudicados,

— que se consignen las pruebas del delito que puedan desaparecer,

— recoger y poner en custodia cuanto conduzca a su comprobación y a la identificación del delincuente, y

— detener, en su caso, a los reos presuntos.

(Sin embargo, no procede aquí solicitar la prueba documental, testifical o el interrogatorio de los querellados.)

AL JUZGADO SUPLICO, sea admitida esta querella y, en virtud de lo establecido en el artículo 24 de la Ley Orgánica del Tribunal del Jurado, dicte resolución de incoación del procedimiento para el juicio ante el Tribunal del Jurado, practique las actuaciones interesadas en el número 5.º y aquellas otras inaplazables a que hubiere lugar y convoque a la comparecencia en los términos señalados en el artículo 25 de dicha Ley.

OTROSÍ DIGO: Que necesitando para otras actuaciones el poder que se acompaña, pido su devolución dejando aquí constancia del mismo, y

AL JUZGADO SUPLICO, que se acuerde la devolución del poder, dejando en los asuntos testimonio del mismo.

Lo pido en [.../...], a [.../...] de [.../...] de 201[.../...]

El Procurador de los Tribunales   El Abogado

(Firma)   (Firma)

M. 307. **Comparecencia del imputado, Ministerio Fiscal y representación de los ofendidos y perjudicados**

ACTA DE COMPARECENCIA

En [.../...], a [.../...] de [.../...] de 201[.../...]

Ante S.S.ª Ilma. D. [.../...], Magistrado Juez de Instrucción del Juzgado núm. [.../...] de esta ciudad, comparece el Ministerio Fiscal, el Letrado D. [.../...] por parte de la acusación particular, y el Letrado del imputado D. [.../...], designado por turno de oficio.

Por su S.S.ª se concede la palabra al Ministerio Fiscal, quien enumera las circunstancias y diligencias practicadas hasta el momento respecto a la muerte intencionada de D. [.../...] y concreta la imputación de la misma a D. [.../...] por reunir todos y cada uno de los requisitos que el Código Penal exige respecto al delito de asesinato.

El Ministerio Fiscal entiende que los hechos ocurrieron [.../...] *(concreción del hecho delictivo)*.

Por ello lo considera responsable de tal acción en concepto de autor, sin la concurrencia de agravantes ni atenuantes que puedan modificar la responsabilidad penal.

A continuación se concede la palabra a la acusación particular, quien por su Letrado manifiesta su conformidad con el relato de los hechos efectuado por el Ministerio Público.

Seguidamente se concede la palabra al Letrado del imputado, quien manifiesta su disconformidad con la versión de los hechos dada por el Ministerio Fiscal y acusación particular, relatando dicho Letrado que el imputado *(concreción de los hechos)* [.../...] Tales aseveraciones se hallan contenidas en las declaraciones testificales de quienes declararon en este sentido. Por ello, dicho Letrado, usando del derecho conferido por el artículo 25.3 de la Ley del Tribunal del Jurado, insta el sobreseimiento libre del artículo 637, apartado [.../...]

A continuación, por las partes se solicitan como diligencias de investigación la reconstrucción del hecho en presencia del imputado y de los testigos presenciales D. [.../...] y D. [.../...], con lo que se da por terminada la presente, que firma S.S.ª Ilma. y partes comparecientes, de que doy fe.

Firma del Magistrado Juez

Firma del Letrado A. Justicia

Firma de las partes comparecientes

M. 308. Auto acordando la continuación del procedimiento con práctica de diligencias de investigación

AUTO

En [.../...], a [.../...] de [.../...] de 201[.../...]

HECHOS

Único. En el presente procedimiento para el juicio ante el Tribunal del Jurado, en el que figura/n como imputado/s [.../...] por delito de [.../...], se ha celebrado el día [.../...] la comparecencia señalada en el artículo 25 de la Ley Orgánica del Tribunal del Jurado, en cuyo acto [.../...] (indicar las peticiones de las partes).

FUNDAMENTOS DE DERECHO

Primero. A la vista de lo solicitado por las partes acusadoras en el acto de la comparecencia y de lo actuado hasta este momento, procede, según lo previsto en el artículo 26.1 de la citada Ley, acordar la continuación del procedimiento en atención a que [.../...] (exposición argumental de la decisión judicial).

Segundo. En la expresada comparecencia se ha solicitado la práctica de las siguientes diligencias de investigación [.../...] (indicar diligencias solicitadas) de las que se estima imprescindibles para decidir sobre la apertura del juicio oral las [.../...] (señalar cuáles y el razonamiento de su admisión) [.../...]

Tercero. (En el supuesto de existencia de responsabilidades civiles) Dispone el artículo 589 de la Ley de Enjuiciamiento Criminal, de aplicación a este procedimiento de conformidad a lo previsto en el artículo 24.2 de la citada Ley del Jurado, que desde que resulten indicios de criminalidad contra una persona, se mandará que preste fianza bastante para asegurar las responsabilidades pecuniarias que en definitiva puedan declararse procedentes, decretándose el embargo de sus bienes en cantidad suficiente para asegurar dichas responsabilidades si no se prestare la fianza exigida.

Cuarto. (En el supuesto de acordarse también la práctica de diligencias de oficio) Sin perjuicio de las diligencias de investigación solicitadas y que se han declarado pertinentes, también se estima necesario practicar, para la más acertada decisión sobre la apertura del juicio oral, y al amparo de la facultad concedida en el artículo 27.3 de la indicada Ley Orgánica, las siguientes [.../...] (indicar diligencias).

PARTE DISPOSITIVA

Continúese la tramitación del presente procedimiento para juicio ante el Tribunal del Jurado contra [.../...] por el delito de [.../...]

(En el supuesto de existencia de responsabilidades pecuniarias): Requiérase al imputado para que en el plazo de un día preste fianza en la cantidad de [.../...] para asegurar las responsabilidades pecuniarias que, en definitiva, pudieran imponérsele, en cualquiera de las clases señaladas en los artículos 591 y 784.5 de la Ley de Enjuiciamiento Criminal, con el apercibimiento de que de no prestarla se le embargarán bienes en cantidad suficiente para asegurar la suma señalada. Y con testimonio de este particular fórmese pieza separada.

Se acuerda la práctica de las siguientes diligencias [.../...]

Póngase esta resolución en conocimiento del Ministerio Fiscal y demás partes personadas, previniéndoles que contra la misma podrán interponer, ante este Juzgado, recurso de reforma en el plazo de tres días siguientes a la última notificación practicada a las partes.

Lo mandó y firma el Sr. D. [.../...], Juez de Instrucción de [.../...], doy fe.

DILIGENCIA. Seguidamente se cumple lo ordenado, doy fe.

NOTIFICACIÓN. Al Ministerio Fiscal y a las partes personadas.

M. 309. Auto acordando el sobreseimiento

AUTO

En [.../...], a [.../...] de [.../...] de 201[.../...]

HECHOS

Único. Por la comparecencia celebrada en fecha [.../...] y en la que asistieron el Ministerio Fiscal, el Letrado de la acusación particular y el Letrado de la Defensa, por este último se instó el sobreseimiento libre del artículo 637, apartado [.../...] de la Ley de Enjuiciamiento Criminal.

FUNDAMENTOS DE DERECHO

Único. De conformidad con lo establecido en el artículo 26 de la Ley Orgánica 5/95, modificada por Ley Orgánica 8/95, del Tribunal del Jurado, procede acordar el sobreseimiento libre de las actuaciones por entender que hay causa para ello y aplicar la norma contenida en el número [.../...] del artículo 637 de la Ley de Enjuiciamiento Criminal, toda vez que, de la declaración de los testigos presenciales D. [.../...] y D. [.../...], se deduce que ..

Notifíquese esta resolución al Ministerio Fiscal y a las partes personadas, advirtiéndoles que contra esta resolución cabe recurso de apelación ante la Audiencia Provincial.

PARTE DISPOSITIVA

SE ACUERDA el sobreseimiento libre de las actuaciones al aparecer justificada en el imputado la causa oportunamente alegada.

Así lo acuerda, manda y firma el Ilmo. Sr. D. [.../...] Magistrado Juez de Instrucción del Juzgado núm. [.../...] de [.../...]

DILIGENCIA. Seguidamente se cumple lo acordado, doy fe.

NOTIFICACIÓN. Al Fiscal y a las partes personadas.

M. 310. Providencia llamando a los interesados en el ejercicio de la acción penal cuando el Ministerio Fiscal pida el sobreseimiento (arts. 26.2 LJ y 642 LECrim.)

PROVIDENCIA JUEZ

En [.../...], a [.../...] de [.../...] de 201[.../...]

Por emitido el anterior informe del Ministerio Fiscal pidiendo el sobreseimiento libre de la causa en base al núm. 2 del artículo 637 de la Ley de Enjuiciamiento Criminal, y no habiéndose presentado en la misma acusador particular dispuesto a sostener la acusación, se acuerda hacer saber tal petición al perjudicado D. [.../...] para que, dentro del plazo de [.../...], comparezca a defender su acción si lo considera oportuno con la prevención de que, de no hacerlo, se acordará el sobreseimiento solicitado por el Ministerio Fiscal.

Lo manda y firma el Magistrado Juez, doy fe.

Magistrado Juez   Firma del Letrado A. Justicia

M. 311. Providencia acordando improcedente la petición de sobreseimiento del Ministerio Fiscal (arts. 26.2 LJ y 644 LECrim.)

PROVIDENCIA JUEZ

En [.../...], a [.../...] de [.../...] de 201[.../...]

Antes de acceder al sobreseimiento libre interesado por el Ministerio Fiscal y no habiendo acusador particular que sostenga la acción penal, se acuerda remitir la causa al Fiscal del Tribunal Superior de Justicia de [.../...], inmediato superior jerárquico del Fiscal solicitante de aquella resolución a fin de que, con conocimiento de la misma, resuelva si procede o no sostener la acusación con devolución de la causa a este Juzgado.

Lo manda y firma el Magistrado Juez de Instrucción, doy fe.

Magistrado Juez de Instrucción.   Firma del Letrado A. Justicia

M. 312. Escrito de la acusación particular interponiendo recurso de apelación contra el Auto de sobreseimiento

AL JUZGADO

D. [.../...], Procurador de los Tribunales, en nombre de D. [.../...] como ofendido y perjudicado en el presente procedimiento, interpongo RECURSO DE APELACIÓN contra el Auto de sobreseimiento dictado por este Juzgado en fecha [.../...] y como mejor proceda en derecho, comparezco y DIGO:

Primero. Que por el Letrado del imputado en la comparecencia celebrada en fecha [.../...] se instó el sobreseimiento libre de las actuaciones en base a lo dispuesto en el artículo 25.3.º de la Ley Orgánica 5/95 del Tribunal del Jurado, modificada por la Ley Orgánica 8/95, y en base al artículo 637, apartado [.../...] de la Ley de Enjuiciamiento Criminal.

Segundo. Que por el Juzgado, con fecha [.../...] se dictó Auto acordando el sobreseimiento de las actuaciones por existir causa para ello, en base a las declaraciones de los testigos D. [.../...] y D. [.../...]

Tercero. Mostramos nuestra disconformidad con dicha resolución dado que [.../...]

Es por ello por lo que interponemos RECURSO DE APELACIÓN, como subsidiario del de reforma, con base en el artículo 26.2, párrafo 2.º de la Ley del Tribunal del Jurado, contra el Auto estimatorio del sobreseimiento.

En su virtud,

SUPLICO AL JUZGADO, que teniendo por presentado en tiempo y forma este escrito, previo los trámites indicados en el artículo 222 y siguientes de la Ley de Enjuiciamiento Criminal, acceda en la reforma del Auto indicado, y subsidiariamente, caso de no ser estimada, se tenga por interpuesto RECURSO DE APELACIÓN en ambos efectos contra el Auto de fecha [.../...], mandando remitir los autos originales a la Audiencia Provincial de [.../...] y emplazar a las partes para que se personen ante la misma en el plazo legal.

Lo que pido en [.../...], a [.../...] de [.../...] de [.../...]

Firma del Letrado de la acusación particular

M. 313. Auto de la Audiencia Provincial estimando la apelación contra el Auto de sobreseimiento

PROCEDIMIENTO DE JURADO N.º [.../...]

CAUSA N.º [.../...]

JUZGADO DE INSTRUCCIÓN [.../...]

AUTO

Ilmos. Sres. [.../...]

[.../...]

[.../...]

[.../...]

En [.../...], a [.../...] de [.../...] de 201[.../...]

HECHOS

PRIMERO. Que por el Juzgado de Instrucción núm. [.../...] de esta ciudad se dictó Auto de fecha [.../...], por el que se decretó el sobreseimiento libre de las actuaciones en base al artículo 26.1 de la Ley Orgánica del Tribunal del Jurado y al artículo 637, apartado [.../...] de la Ley de Enjuiciamiento Criminal.

SEGUNDO. Que por la representación de la acusación particular se interpuso contra dicho Auto recurso de reforma y subsidiario de apelación. Habiendo sido aquélla denegada y remitidas las actuaciones ante esta Audiencia y personadas las partes en el rollo correspondiente.

TERCERO. Con fecha [.../...] se celebró la vista de apelación, asistiendo el Ministerio Fiscal y la representación de las partes y el Letrado del inculpado, solicitándose por el Ministerio Fiscal y la representación de la acusación particular la revocación del Auto apelado y por el Letrado del inculpado, la confirmación del mismo.

FUNDAMENTOS DE DERECHO

ÚNICO. Que siendo de apreciar los argumentos expuestos por el Ministerio Fiscal y la acusación particular, procede revocar el Auto de sobreseimiento dictado por el Magistrado Juez de Instrucción en el procedimiento núm. [.../...] de [.../...] porque (fundamentación jurídica) [.../...]

PARTE DISPOSITIVA

Que, desestimando el recurso de apelación interpuesto por la representación de la acusación particular contra el Auto denegatorio del recurso de reforma del Auto de sobreseimiento dictado por el Juzgado de Instrucción núm. [.../...] de esta ciudad con fecha [.../...] en el procedimiento del Tribunal del Jurado núm. [.../...], debemos revocar y revocamos la referida resolución con declaración de las costas de oficio. Notifíquese esta resolución al Ministerio Fiscal y partes personadas, con remisión al Juez de Instrucción de certificación de la misma.

Así lo acordaron, mandaron y firmaron el Ilmo. Sr. Presidente e Ilmos. Sres. Magistrados componentes de este Tribunal.

Firma del Presidente y Magistrados

M. 314. Providencia del Juez acordando la continuación del procedimiento

PROVIDENCIA JUEZ

Magistrado Juez Sr. [.../...]

En [.../...], a [.../...] de [.../...] de 201[.../...]

Por recibidas las actuaciones y la anterior certificación del Auto dictado por esta Ilma. Audiencia Provincial revocando el Auto de sobreseimiento de este Juzgado y conforme determina el artículo 26 de la Ley Orgánica del Tribunal del Jurado, se decide la continuación del procedimiento, estimándose procedente la práctica de la diligencia de reconstrucción de los hechos, solicitada por el Ministerio Fiscal y la acusación particular. Se señala, al efecto, día para la práctica de dicha prueba, con asistencia de las partes, quienes deberán ser citadas en legal forma.

Así lo manda y firma S.S.ª Ilma. Doy fe.

Firma del Magistrado Juez   Firma del Letrado A. Justicia

DILIGENCIA. Seguidamente se cumple lo acordado.

M. 315.   Escrito de la acusación particular instando la práctica de nuevas diligencias

AL JUZGADO

D. [.../...], Procurador de los Tribunales, en nombre de D. [.../...], quien es parte en este procedimiento del Tribunal del Jurado en calidad de acusador particular, y cuya representación ya tengo acreditada, como mejor proceda en derecho, comparezco y DIGO:

Que habiendo sido notificada esta parte y las demás personadas que han transcurrido cinco días desde que se practicó la última diligencia ordenada (o bien, que han transcurrido cinco días desde la comparecencia señalada en el artículo 25.3 LJ), es por lo que venimos a solicitar, por convenir a nuestros intereses, la práctica de nuevas diligencias consistentes en [.../...]

En su virtud,

SUPLICO AL JUZGADO: Que, teniendo por presentado este escrito, se digne admitirlo y se dicte resolución admitiendo la práctica de la diligencia de [.../...] como tiene previsto el artículo 27.2 de la Ley Orgánica del Tribunal del Jurado.

En [.../...], a [.../...] de [.../...] de [.../...]

Firma del Procurador de la Acusación Particular

M. 316.   Providencia dando traslado de nuevas diligencias solicitadas después de la comparecencia

PROVIDENCIA JUEZ

En [.../...] a [.../...] de [.../...] de 201[.../...]

El anterior escrito presentado por el Procurador D. [.../...], en nombre y representación de [.../...] únase al procedimiento de juicio ante el Jurado de su razón.

Con entrega de copia del escrito se confiere traslado a las demás partes personadas para que, de conformidad con lo dispuesto en el artículo 27 de la Ley del Tribunal del Jurado, puedan en el plazo de cinco días instar lo que a su derecho convenga y a la vista de lo expuesto se acordará.

Esta resolución es firme y contra la misma no cabe recurso.

Lo que manda y firma el Sr. Juez, doy fe.

El Sr., Juez.   El Letrado A. Justicia

DILIGENCIA. Seguidamente se cumple lo acordado, doy fe.

NOTIFICACIÓN. A las partes interesadas.

M. 317. Providencia admitiendo diligencias solicitadas después de la comparecencia

PROVIDENCIA JUEZ

Ilmo. Sr. [.../...]

En [.../...], a [.../...] de [.../...] de 201[.../...]

Habiéndose deducido la petición de diligencias por [.../...] *(indicar parte)* dentro del plazo señalado en el artículo 27.2 de la Ley Orgánica del Tribunal del Jurado y estimando las mismas imprescindibles para decidir sobre la apertura del juicio, se declaran pertinentes para su práctica [.../...] *(señalar diligencias admitidas)*.

(En el supuesto de admitirse diligencias de oficio): De acuerdo con lo dispuesto en el artículo 27.3 de la Ley Orgánica del Tribunal del Jurado y como complemento de las anteriores se acuerda la práctica de las diligencias siguientes ... *(señalar diligencias admitidas)*.

Esta resolución es firme y contra la misma no cabe recurso.

Lo manda y firma el Sr. D. [.../...], Juez de Instrucción de [.../...], doy fe.

M. 318. Auto del Juez estimando indicios de distinto delito o atribuyendo la participación en personas distintas a las inicialmente imputadas

AUTO

En [.../...], a [.../...] de [.../...] de 201[.../...]

HECHOS

Único. En fecha ... se incoó el presente procedimiento por supuesto delito de [.../...], cuyo enjuiciamiento viene atribuido al Tribunal del Jurado, habiéndose practicado las diligencias oportunas para el esclarecimiento de los hechos.

FUNDAMENTOS DE DERECHO

Único. De conformidad con lo previsto en el artículo 28 de la Ley Orgánica del Tribunal del Jurado, se estima que, de las diligencias practicadas, resultan indicios racionales de delito distinto del que es objeto de este procedimiento (también cabe en este punto aludir a que resulta participación de personas distintas a la del imputado inicialmente), aunque dentro de los que la Ley Orgánica del Tribunal del Jurado extiende su competencia, por lo que procede convocar al Ministerio Fiscal y a las demás partes personadas a la comparecencia que señala el artículo 25 de esta Ley, procediéndose del modo allí establecido.

PARTE DISPOSITIVA

SE ACUERDA convocar al imputado [.../...] para el día [.../...], así como al Ministerio Fiscal y a los ofendidos o perjudicados [.../...]

Al tiempo de ser citados se procederá a dar traslado al imputado de la denuncia formulada contra él, así como se le notificará la necesidad de estar asistido de Letrado de su elección o, caso de no designarlo, de Letrado de oficio.

Así lo acuerda, manda y firma el Ilmo. Sr. D. [.../...], Magistrado Juez del Juzgado de Instrucción núm. [.../...], doy fe.

DILIGENCIA. Seguidamente se cumple lo ordenado, doy fe.

M. 319. Auto del Juez incoando el procedimiento correspondiente por ser el delito de los no atribuidos al Tribunal del Jurado

AUTO

En [.../...], a [.../...] de [.../...] de 201[.../...]

HECHOS

Primero. El presente procedimiento para juicio ante el Tribunal del Jurado se ha incoado mediante Auto de fecha [.../...], figurando como imputado/s [.../...] por el delito de [.../...] atribuido a la competencia de dicho Tribunal.

Segundo. Celebrada la comparecencia prevista en la Ley para concretar la imputación, se han practicado las diligencias oportunas para averiguar los hechos y personas participantes en los mismos.

FUNDAMENTOS DE DERECHO

Primero. Dispone el artículo 28 de la Ley Orgánica del Tribunal del Jurado, que si de las diligencias practicadas con posterioridad a la incoación del procedimiento resultasen indicios racionales de delito distinto del inicialmente investigado, que no fuera de los atribuidos al conocimiento de aquel Tribunal, el Juez de Instrucción incoará el procedimiento que corresponda a este delito.

Segundo. En el presente caso, de la relación expuesta en los antecedentes de hecho de esta resolución se desprende la existencia de indicios racionales de la comisión de un delito de [.../...], que no es atribuido a la competencia del Tribunal del Jurado, por lo que procede acomodar el presente procedimiento al de [.../...] (clase de procedimiento), que es el correspondiente al delito que se imputa.

PARTE DISPOSITIVA

SE ACUERDA incoar las diligencias previas correspondientes, por el supuesto delito de [.../...], registrándose en los libros de su clase de este Juzgado.

Así lo acuerda, manda y firma el Ilmo. Sr. D. [.../...], Magistrado Juez de Instrucción núm. [.../...], doy fe.

DILIGENCIA. Seguidamente se cumple lo ordenado, doy fe.

NOTIFICACIÓN. A las partes personadas.

M. 320. Escrito de solicitud de apertura de juicio oral y de calificación provisional del Ministerio Fiscal o de la acusación particular

AL JUZGADO

EL FISCAL *(o la parte acusadora, representada mediante Procurador)* ante el Juzgado comparece en la causa núm. [.../...] del año [.../...], sobre [.../...] *(tipo de delito de los recogidos en el artículo 1.1 de la LJ)*, delito del que aparece como inculpado [.../...], interesando la apertura del juicio oral formulando con carácter provisional las siguientes

CONCLUSIONES

Primera. El acusado [.../...], de ... años de edad, sin antecedentes penales *(o con ellos, en su caso)*, el cual [.../...] *(relato de los hechos)*.

Segunda. Los hechos relatados son legalmente constitutivos de [.../...] *(determinar el delito, que debe ser de los competentes para conocer el Tribunal del Jurado)* previstos y penados en el artículo [.../...] del Código Penal.

Tercera. De los expresados delitos es responsable en concepto de [.../...] *(grado de participación)* el acusado.

Cuarta. No concurren circunstancias modificativas de la responsabilidad criminal *(o concurre la circunstancia modificativa [.../...] del Código Penal)*.

Quinta. Procede imponer al acusado la pena de [.../...] años de [.../...], accesorias legales *(en su caso)* y costas.

Será de abono el tiempo transcurrido en prisión preventiva *(en el supuesto de que haya estado en situación de prisión provisional)*.

Responsabilidad civil. En este concepto deberá indemnizar al perjudicado/s [.../...] en la suma de [.../...] Euros.

OTROSÍ DIGO: Para el acto del juicio oral, este Ministerio propone la siguiente prueba:

1.ª Interrogatorio del acusado.

2.ª Testifical, consistente en la declaración de los siguientes testigos, cuya citación judicial se interesa: D. [.../...], con domicilio en [.../...]

3.ª Documental, de los folios [.../...] del sumario.

4.ª Piezas de convicción (art. 34 LJ), de los documentos [.../...] unidos al presente procedimiento.

5.ª Pericial, consistente en que los peritos [.../...], cuyos datos ya constan en el sumario, se ratifiquen en el informe emitido y obrante en autos, y amplíen el contenido del mismo en las preguntas que les sean formuladas.

(Las partes podrán proponer, en sus respectivos escritos, diligencias complementarias para su práctica en la audiencia preliminar, sin que puedan ser reiteradas las que hayan sido ya practicadas con anterioridad, art. 29 LJ; una interpretación conforme a la Constitución de esa limitación impone entender que no será reiteración de diligencias anteriores la solicitud de una testifical cuando se justifique cumplidamente que la declaración versará sobre extremos distintos de aquellos contenidos en su declaración anterior. Circular 4/95.)

(Asimismo, las partes, cuando entiendan que todos los hechos delictivos objeto de acusación no son de los que tienen atribuido su enjuiciamiento al Tribunal del Jurado, instarán, por otrosí, en sus respectivos escritos la pertinente adecuación del procedimiento).

En [.../...], a [.../...] de [.../...] de 201[.../...]

Firma del Fiscal

M. 321. Escrito de calificación del actor civil

AL JUZGADO

D. [.../...], Procurador de los Tribunales, en nombre de D. [.../...], cuya representación tengo acreditada en concepto de actor civil, como mejor proceda en derecho, comparezco y DIGO:

Que evacuado el traslado conferido por la Sala en virtud de lo establecido en el artículo 651.2 de la Ley de Enjuiciamiento Criminal, así como a lo previsto en los dos últimos puntos del artículo 650 de dicha Ley, paso a formular las siguientes:

CONCLUSIONES PROVISIONALES:

1.ª Los daños y perjuicios que se han causado como consecuencia del delito se cifran en la cantidad de [.../...] Euros, en concepto de daños materiales y morales sufridos por mi representado.

2.ª Consideramos responsable de la indicada suma al acusado [.../...]

3.ª Dicha responsabilidad se contrae al hecho descrito por el Ministerio Fiscal.

Esta representación propone la siguiente prueba:

PERICIAL, consistente en que por el perito D. [.../...], se dictamine acerca de la cuantía de los daños [.../...] (procede aquí detallar los daños producidos).

Se interesa que dicho perito sea citado judicialmente.

En su virtud,

SUPLICO AL JUZGADO: Que teniendo por presentado este escrito y por devuelta la causa de unión a las piezas correspondientes, se me tenga por evacuado el traslado conferido para calificación provisional como actor civil.

En [.../...], a [.../...] de [.../...] de 201[.../...]

Firma del Procurador y del Abogado

M. 322. Providencia dando traslado a la representación del inculpado para calificación

PROVIDENCIA JUEZ

En [.../...], a [.../...] de [.../...] de 201[.../...]

Por presentado el anterior escrito de calificación del actor civil (o Ministerio Fiscal, acusador particular) con los correspondientes autos de esta causa; dese traslado con los mismos por término de cinco días a la representación del procesado/s para que por orden manifieste/n por conclusiones numeradas y correlativas a las de la calificación de las acusaciones si están o no conformes con cada una, o en otro caso consigne/n los puntos de divergencia y pudiendo presentar sobre cada uno de ellos dos o más conclusiones alternativas para ser apreciadas en su caso, en sentencia, la que proceda.

Lo que manda y firma el Magistrado Juez, doy fe.

El Magistrado Juez. El Letrado A. Justicia

M. 323. Escrito de calificación de la defensa del imputado

AL JUZGADO

D. [.../...], Procurador de los Tribunales, en nombre del procesado D. [.../...], representación que tengo acreditada en el procedimiento núm. [.../...] como mejor proceda en derecho, comparezco y DIGO:

Que evacuado el traslado conferido para calificación con el presente escrito formulo correlativas a las del Ministerio Fiscal y acusación particular, en base a las siguientes conclusiones provisionales:

1.ª No conforme con el Ministerio Fiscal ni acusación particular, dado que los hechos ocurrieron del siguiente modo [.../...] (concreción del hecho).

2.ª Niego las correlativas de las acusaciones, pues al ocurrir los hechos como han quedado relatados éstos no son constitutivos del delito de [.../...] (y de no estimarse, en forma alternativa, apreciamos que pueden ser constitutivos del delito de [.../...]).

3.ª Niego las correlativas de las acusaciones en orden a la participación y autoría respecto a los hechos de conclusiones provisionales.

4.ª Niego las correlativas. Sin delito y sin autor no pueden coexistir circunstancias que alteren la responsabilidad.

5.ª No procede imponer pena alguna por no ser los hechos constitutivos de delito.

6.ª Ante la inexistencia de delito, en disconformidad con la petición del acusador particular en orden a la responsabilidad civil.

En su virtud,

SUPLICO AL JUZGADO, tenga por presentado el presente escrito y por cumplido por esta defensa con lo dispuesto en el artículo 652 de la Ley de Enjuiciamiento Criminal.

PRIMER OTROSÍ, DIGO;

Que junto con la calificación provisional, el número 1 del artículo 29 de la Ley del Tribunal del Jurado indica que se solicitará la apertura del juicio oral. Y,

SUPLICO AL JUZGADO, tenga por efectuada esta solicitud.

SEGUNDO OTROSÍ, DIGO:

Que con arreglo a lo previsto en el artículo 29.4 de la citada Ley Orgánica, esta defensa propone, para su práctica en la audiencia preliminar del artículo 30 de la referida Ley, las diligencias complementarias siguientes:

— Interrogatorio del acusado.

— Testifical, consistente en la declaración de los siguientes testigos, cuya citación interesamos al Juzgado: D. [.../...] con domicilio en [.../...], D [.../...] con domicilio en [.../...] y D. [.../...] domiciliado en [.../...]

SUPLICO AL JUZGADO: Que teniendo por presentado este escrito, se tenga por evacuado el traslado conferido para la calificación, por devueltos los autos de esta causa admitiéndose en su totalidad la prueba propuesta.

En [.../...], a [.../...] de [.../...] de 201[.../...]

Firma del Procurador y del Abogado

M. 324.   Providencia convocando a las partes a una audiencia preliminar

PROVIDENCIA JUEZ

En [.../...], a [.../...] de [.../...] de 201[.../...]

Solicitada por el Ministerio Fiscal y la acusación particular la apertura del juicio oral, se señala para el día [.../...] audiencia preliminar de las partes sobre la procedencia de la apertura del juicio oral, habiéndose practicado en su totalidad las diligencias de investigación solicitadas por la defensa del imputado y que en su día se declararon pertinentes.

Se admiten las diligencias complementarias solicitadas por el Ministerio Fiscal y la acusación particular, teniendo lugar su práctica el día señalado para la expresada comparecencia.

Lo manda y firma el Magistrado Juez, doy fe.

El Magistrado Juez. El Letrado A. Justicia

M. 325.   Escrito de la defensa del acusado por el que renuncia a la audiencia preliminar

AL JUZGADO

D. [.../...], Procurador de los Tribunales y del inculpado D. [.../...], cuya representación tengo acreditada en el procedimiento núm. [.../...] de [.../...] del Tribunal del Jurado, como mejor proceda en derecho, comparezco y DIGO: Que se le ha notificado la Providencia de este Juzgado por la que se le convoca a una audiencia preliminar en unión de las demás partes para el día [.../...] a fin de que se manifieste la procedencia de la apertura del juicio oral y al mismo tiempo resolver sobre la práctica de las diligencias interesadas por las restantes partes para dicho acto.

Estando conforme esta parte con la apertura del juicio oral de esta causa solicitada por el Ministerio Fiscal y la acusación particular, venimos por medio de este escrito a renunciar a dicha audiencia preliminar. *(En el supuesto de haber más de un acusado, para que la renuncia surta efecto ha de ser solicitada por la defensa de todos los acusados. Art. 30.2 in fine LJ.)*

En su virtud,

SUPLICO AL JUZGADO: Que, teniendo por presentado este escrito, se sirva admitirlo y tener por renunciada a esta parte a la audiencia preliminar señalada para el día [.../...] y en su consecuencia, proceda a decretar la apertura del juicio oral en los términos del artículo 33 de la Ley Orgánica del Tribunal del Jurado.

En [.../...], a [.../...] de [.../...] de 201[.../...]

Firma del Procurador   Firma del Letrado

M. 326. Escrito del Ministerio Fiscal interponiendo recurso de queja ante la Audiencia Provincial por falta de convocatoria de la audiencia preliminar por parte del Juez

A LA AUDIENCIA PROVINCIAL

El Fiscal, en el procedimiento para el Tribunal del Jurado núm. [.../...] de [.../...] comparece ante la Audiencia Provincial y dice: Que interpone recurso de queja contra el acto de omisión efectuado por el Juez de Instrucción de [.../...] ante la falta de convocatoria de la audiencia preliminar que exige el artículo 30 de la Ley Orgánica del Tribunal del Jurado, toda vez que, habiéndose practicado las diligencias de investigación interesadas por la defensa del imputado, no se ha procedido a efectuar el referido señalamiento.

Una vez que por el Juez se emita el informe preceptivo, la Sala resuelva lo que estime oportuno.

En [.../...], a [.../...] de [.../...] de 201[.../...]

Firma del Fiscal

M. 327. Acta de audiencia preliminar

ACTA

Constituido el Ilmo. Sr. D. [.../...], Magistrado Juez de Instrucción núm. [.../...], siendo el día y hora señalados, con mi asistencia y la del Ministerio Fiscal, letrados de la acusación particular y de las defensas de los acusados.

Se da comienzo del acto para la práctica de las diligencias complementarias propuestas por el Ministerio Fiscal en su escrito de calificación. A estos efectos, son llamados y comparecen D. [.../...], médico forense del Juzgado de Instrucción núm. [.../...] de esta ciudad, y D. [.../...], médico forense del Juzgado de Instrucción núm. [.../...] de la misma ciudad. Quienes a preguntas del Sr. Juez manifiesta el primero que el acusado ha sido reconocido por el dicente presentando ...

A continuación por el médico forense Sr. D. [.../...] se manifiesta, a preguntas de S.S.ª, que muestra su conformidad con el informe emitido por el médico forense Sr. D. [.../...]

Por el Letrado de la acusación particular, se formula la pregunta a dichos peritos de que [.../...]

Seguidamente, por la defensa del acusado se propone la práctica de la prueba [.../...]

Finalmente, por S.S.ª se oye a las partes sobre la procedencia de apertura del juicio oral y sobre la competencia del Tribunal del Jurado para enjuiciamiento de todos los hechos de este caso. En cuanto a la primera cuestión, por todas las partes se muestran conformes con la apertura del juicio oral, y respecto al pronunciamiento sobre la competencia del Tribunal del Jurado para el enjuiciamiento de estos hechos, muestran las partes igual conformidad a esta cuestión.

Con lo que se da por terminada la presente audiencia preliminar firmando S.S.ª Ilma. con los demás concurrentes a la misma. De que doy fe.

Firma del Magistrado Juez   Firma de los concurrentes

M. 328.   Auto denegando la apertura del juicio oral y acordando el sobreseimiento (art. 32.1 LJ)

AUTO

En [.../...], a [.../...] de [.../...] de 201[.../...]

HECHOS

Único. Con fecha [.../...] se celebró la audiencia preliminar de las partes sobre la procedencia de apertura del juicio oral, habiéndose practicado las diligencias complementarias propuestas por el Ministerio Fiscal, consistentes en [.../...], respecto del inculpado D. [.../...]

FUNDAMENTOS DE DERECHO

Primero. Que practicadas las diligencias propuestas en la audiencia preliminar respecto del acusado, procede, de conformidad con lo establecido en el artículo 32 de la Ley Orgánica del Tribunal del Jurado, denegar la apertura del juicio oral, procediendo acordar el sobreseimiento libre previsto en el artículo 637, apartado [.../...] de la Ley de Enjuiciamiento Criminal.

PARTE DISPOSITIVA

SE ACUERDA denegar la apertura del juicio oral respecto del acusado [.../...] y decretar el sobreseimiento libre del núm. [.../...] del artículo 637 de la Ley de Enjuiciamiento Criminal.

Notifíquese esta resolución al Ministerio Fiscal y demás partes personadas, con indicación de que contra la misma cabrá recurso de apelación ante la Audiencia Provincial.

Así lo acuerda, manda y firma el Ilmo. Sr. D. [.../...], Magistrado Juez de Instrucción del Juzgado núm. [.../...] de [.../...], doy fe.

DILIGENCIA. Seguidamente se cumple lo ordenado, doy fe.

M. 329. **Auto de acomodación del Procedimiento de Jurado a Procedimiento Ordinario (art. 32.4 LJ)**

AUTO

En [.../...], a [.../...] de [.../...] de 201[.../...]

HECHOS

Único. En el presente procedimiento para juicio ante el Tribunal del Jurado, en el que figura/n como imputado/s [.../...] por el delito de [.../...], el Ministerio Fiscal y parte/s personada/s han solicitado su acomodación al procedimiento ordinario, regulado en la Ley de Enjuiciamiento Criminal, por entender que el/los delito/s perseguido/s no son de la competencia de dicho Tribunal y que por la pena señalada al/a los mismo/s corresponde este procedimiento.

(La petición de acomodación a otro procedimiento puede ser solicitada por todas las partes o sólo una de ellas)

FUNDAMENTOS DE DERECHO

Primero. Dispone el artículo 32.4 de la Ley Orgánica del Tribunal del Jurado, que el Juez ordenará la acomodación al procedimiento que corresponda, cuando no fuese aplicable el regulado en esta Ley.

Segundo. En el presente supuesto [.../...] (exposición de razonamientos del caso específico).

PARTE DISPOSITIVA

SE ACUERDA acomodar el presente procedimiento para juicio ante el Tribunal del Jurado, al regulado con carácter ordinario en la Ley de Enjuiciamiento Criminal, incoándose el correspondiente sumario por el presunto delito de [.../...], dándose los oportunos partes de reapertura al Presidente de la Audiencia Provincial y al Ministerio Fiscal; regístrese y désele número.

(Puede acordarse, en lugar de la incoación del sumario, la reapertura del mismo, en cuyo caso se hará constar que «se procede a la reapertura del sumario seguido en este Juzgado con el número [.../...] por el presunto delito de [.../...], dándose los oportunos partes de reapertura al Presidente de la Audiencia Provincial y al Ministerio Fiscal; regístrese».)

Se acuerda la práctica de las siguientes diligencias [.../...]

Póngase este Auto en conocimiento del Ministerio Fiscal y demás partes personadas, previniéndoles que contra el mismo podrán interponer recurso de reforma en el plazo de tres días a contar desde la última notificación practicada a las partes.

Así lo acuerda, manda y firma el Ilmo. Sr. D. [.../...], Magistrado Juez del Juzgado de Instrucción núm. [.../...] de [.../...], doy fe.

DILIGENCIA: Seguidamente se cumple lo ordenado, doy fe.

M. 330. Auto de acomodación al Procedimiento Abreviado

AUTO

En [.../...], a [.../...] de [.../...] de 201[.../...]

HECHOS

Primero. En el presente procedimiento para juicio ante el Tribunal del Jurado, el Ministerio Fiscal en el escrito de conclusiones provisionales ha solicitado la apertura del juicio oral respecto de [.../...] por el delito [.../...]

(En el caso de existir otras acusaciones, debe añadirse a este párrafo lo siguiente: En el mismo trámite el Procurador D. [.../...], en nombre y representación de [.../...], el cual interviene como acusador particular, ha solicitado igualmente la apertura del juicio oral respecto de [.../...] por el delito de [.../...])

Segundo. El Procurador D. [.../...], en nombre y representación de [.../...] que figura como acusado en el trámite de conclusiones provisionales, ha solicitado [.../...] (petición y acomodación).

(En el caso de haberse celebrado la audiencia preliminar, añadir lo siguiente:)

Tercero. En la audiencia preliminar celebrada para decidir sobre la apertura del juicio oral o sobreseimiento, las partes han ratificado (o rectificado) sus anteriores peticiones [.../...]

(En el supuesto de no haberse celebrado la audiencia preliminar, añadir lo siguiente):

Cuarto. La defensa del acusado ha renunciado a la celebración de la audiencia preliminar prevista en la Ley Orgánica del Tribunal del Jurado para decidir sobre la apertura del juicio oral, aquietándose con la petición de juicio oral solicitada por la acusación.

FUNDAMENTOS DE DERECHO

Primero. Según dispone el artículo 32, apartado 4, de la Ley Orgánica del Tribunal del Jurado, el Juez de Instrucción acomodará el procedimiento tramitado en conformidad a dicha Ley, al que corresponda, cuando el delito objeto de la acusación no sea de la competencia de aquel Tribunal.

Segundo. Dispone igualmente el precepto mencionado que en tal supuesto, si el procedimiento correspondiente es el regulado en el Título III del Libro IV de la Ley de Enjuiciamiento Criminal, el Juez debe acordar, en el estado actual del procedimiento, la apertura del juicio oral y la remisión de la causa al órgano competente para su enjuiciamiento.

Tercero. En el presente caso [.../...] (añadir razonamientos en relación al supuesto específico).

PARTE DISPOSITIVA

SE ACUERDA acomodar el presente procedimiento para juicio ante el Tribunal del Jurado, al regulado en el Título III del Libro IV de la Ley de Enjuiciamiento Criminal, que es el previsto para el Procedimiento Abreviado.

Se decreta la apertura del juicio oral y se tiene por formulada acusación contra [.../...] por el delito de [.../...], declarándose órgano competente para el conocimiento y fallo de la causa a [.../...]

Remítase la causa al órgano declarado competente para que la continúe en los términos previstos en los artículos 785 y siguientes de la Ley de Enjuiciamiento Criminal.

Póngase este Auto en conocimiento del Ministerio Fiscal y demás partes personadas, previniéndoles que contra el mismo podrá interponerse recurso de reforma en el plazo de tres días a contar desde la última notificación practicada a las partes.

Así lo manda y firma el Ilmo. Sr. D. [.../...], Juez de Instrucción de [.../...], doy fe.

DILIGENCIA. Seguidamente se cumple lo acordado, doy fe.

M. 331. Auto de apertura del juicio oral

AUTO

En [.../...], a [.../...] de [.../...] de 201[.../...]

HECHOS

PRIMERO. En el presente procedimiento para juicio ante el Tribunal del Jurado, el Ministerio Fiscal en su escrito de conclusiones provisionales ha solicitado la apertura del juicio oral respecto de [.../...], por el delito de [.../...]

(En el supuesto de solicitud por otras acusaciones, añadir lo siguiente: En el mismo trámite el Procurador D. [.../...], en nombre y representación de [.../...], como acusador particular ha solicitado igualmente la apertura del juicio oral respecto de [.../...] por el delito de [.../...])

SEGUNDO. El Procurador D. [.../...], en nombre y representación de [.../...] que figura como acusado en la presente causa, en el trámite de conclusiones provisionales ha solicitado [.../...]

[NOTA: en el supuesto de haberse celebrado audiencia preliminar añadir el siguiente punto:

TERCERO. En la audiencia preliminar celebrada para decidir sobre la apertura del juicio oral o sobreseimiento, las partes han ratificado (o rectificado) sus anteriores peticiones [.../...]

En el supuesto de haberse renunciado a la audiencia preliminar, añadir el siguiente apartado:

CUARTO. La defensa del acusado [.../...] ha renunciado a la celebración de la audiencia preliminar prevista en la Ley Orgánica del Tribunal del Jurado para decidir sobre la apertura del juicio oral, aquietándose con la petición de juicio oral solicitada.]

QUINTO. De los hechos que han sido objeto de acusación se estima que procede el enjuiciamiento, respecto de los siguientes [.../...] (describir qué hechos son objeto de enjuiciamiento).

SEXTO. Asimismo se estima que la persona/s que debe/n ser juzgada/s como acusada/s por los hechos, respecto de los que procede el enjuiciamiento, es/son [.../...] y como responsable/s civil/les [.../...]

FUNDAMENTOS DE DERECHO

PRIMERO. Dispone el artículo 32 de la Ley Orgánica del Tribunal del Jurado, que celebrada la audiencia preliminar, el Juez de Instrucción dictará Auto decidiendo la apertura del juicio oral o el sobreseimiento de la causa, con las determinaciones, en el primer caso, que señala el artículo 33 de la citada Ley.

En el presente caso, procede la apertura del juicio oral, en atención a [.../...] (añadir motivos).

(En lugar del párrafo transcrito, si no se ha celebrado audiencia preliminar, sustituir por lo siguiente:

PRIMERO. Conforme a lo dispuesto en el artículo 30 de la Ley Orgánica del Tribunal del Jurado, si, como es el caso, la defensa de todos los acusados se aquieta con la petición de apertura del juicio oral interesado por la acusación, el Juez de Instrucción debe dictar Auto de apertura del mismo, con las determinaciones que señala el artículo 33 de la misma Ley).

SEGUNDO. Abierto el juicio oral procede, de conformidad con lo previsto en el artículo 34 de la citada Ley, la remisión al Tribunal encargado del enjuiciamiento del testimonio de los escritos de calificación de las partes, del Auto de apertura del juicio oral y de aquellas diligencias no reproducibles y que deban ser ratificadas en el juicio, emplazándose a las partes, según el artículo siguiente, para que comparezcan ante dicho Tribunal en el plazo de quince días.

TERCERO. Es competente para el enjuiciamiento del delito, objeto de acusación [.../...], en atención a [.../...]

PARTE DISPOSITIVA

SE ACUERDA decretar la apertura del juicio oral, para el enjuiciamiento de los hechos justiciables, descritos en el apartado cuarto de los hechos de esta resolución, siendo acusado/s [.../...] y responsable/s civil/les [.../...]

Es órgano competente para el enjuiciamiento el Tribunal del Jurado de la Audiencia Provincial de [.../...]

Dedúzcase testimonio, para su remisión a dicho Tribunal, de los escritos de calificación de las partes, del presente Auto y de las siguientes diligencias [.../...]

Emplácese a las partes para que en el término de quince días comparezcan ante el Tribunal competente para el enjuiciamiento.

Esta resolución no es susceptible de recurso, sin perjuicio de lo previsto en el artículo 36 de la Ley Orgánica del Tribunal del Jurado.

Así lo acuerda, manda y firma el Ilmo. Sr. D. [.../...], Magistrado Juez de Instrucción de [.../...], doy fe.

DILIGENCIA. Seguidamente se cumple lo acordado, doy fe.

M. 332. Escrito de personación ante el Tribunal del Jurado alegando vulneración de derecho fundamental

AL MAGISTRADO-PRESIDENTE DEL TRIBUNAL DEL JURADO

D. [.../...], Procurador de los Tribunales, en nombre de D. [.../...], como acusador particular, cuya representación tengo acreditada en el procedimiento del Tribunal del Jurado, cuya causa se ha seguido ante el Juzgado de Instrucción número [.../...] de [.../...], como mejor proceda en derecho, comparezco y DIGO:

Que al tiempo de personarse en esta Audiencia Provincial (o en su caso, ante la Sala de la Civil y Penal del Tribunal Superior de Justicia de [.../...], actuando como Sala de lo Penal), al amparo de lo establecido en el artículo 36 e) de la Ley Orgánica del Tribunal del Jurado, vengo a alegar la vulneración del Derecho Fundamental contenido en el artículo [.../...] de la Constitución.

Entiende mi mandante que el referido precepto de nuestra Carta Magna ha sido vulnerado por cuanto [.../...]

Según reiteradas sentencias del Tribunal Constitucional, entre ellas las de fecha [.../...], acogen esta posición.

En su virtud,

SUPLICO AL MAGISTRADO-PRESIDENTE: Que teniendo por presentado este escrito en tiempo y forma, me tenga por personado en estos autos, tener por alegada como cuestión previa la vulneración de la norma constitucional contenida en el artículo [.../...] de la Constitución Española y, en su consecuencia, disponga la subsanación del [.../...]

En [.../...], a [.../...] de [.../...] de 201[.../...]

Firma del Procurador y Letrado

M. 333. Escrito de personación ante el Presidente del Tribunal del Jurado solicitando la ampliación de algún hecho inadmitido en la apertura del juicio oral por el Juez de Instrucción

AL MAGISTRADO-PRESIDENTE DEL TRIBUNAL DEL JURADO

D. [.../...], Procurador de los Tribunales, en nombre de D. [.../...] como acusador particular, cuya representación tengo acreditada en el procedimiento número [.../...] ante el Tribunal del Jurado seguido ante el Juzgado de Instrucción de esta ciudad, como mejor proceda en derecho, comparezco y DIGO:

Que al tiempo de personarme ante el Tribunal del Jurado, al amparo de lo dispuesto en el artículo 36 c) de la Ley Orgánica del Tribunal del Jurado, intereso la ampliación del hecho número [.../...] del escrito de calificación provisional respecto al cual no se admitió la apertura del juicio oral por el Juez de Instrucción.

En su virtud,

SUPLICO AL MAGISTRADO-PRESIDENTE: Que teniendo por presentado este escrito en tiempo y forma, me tenga por personado en estos autos, tener por alegada como cuestión previa la ampliación del juicio al hecho número [.../...] de nuestro escrito de calificación respecto del cual se inadmitió la apertura por el Juez de Instrucción y previos los trámites preceptivos, se acuerde la referida ampliación y su inclusión posterior en el auto de hechos justiciables que se dicte después de la resolución de la cuestión planteada.

En [.../...], a [.../...] de [.../...] de 201[.../...]

Firma del Procurador y Letrado

M. 334. Diligencia de ordenación dando traslado a las partes personadas para contestación de la cuestión previa planteada

DILIGENCIA DE ORDENACIÓN

Letrado A. Justicia Sr. [.../...]

En [.../...], a [.../...] de [.../...] de 201[.../...]

Presentado el anterior escrito del Procurador de [.../...] personándose en este procedimiento, se da traslado con su copia al Ministerio Fiscal y demás partes personadas para que en el plazo de tres días contesten sobre la cuestión previa planteada acompañando los documentos en que fundan sus pretensiones.

Firma del Letrado A. Justicia

M. 335. Auto de hechos justiciables

AUTO

En [.../...], a [.../...] de [.../...] de dos mil [.../...]

HECHOS

Único. Recibido en esta Audiencia Provincial (Oficina del Jurado) el testimonio previsto en el Artículo 34 de la Ley Orgánica 5/1995, de 23 de mayo, del Tribunal del Jurado (LOTJ en lo sucesivo), remitido por la Iltma. Sra. Magistrada-Juez del Juzgado de Instrucción n.º [.../...] de [.../...], transcurrió el término de emplazamiento de las partes, sin que se presentaran alegaciones previas.

FUNDAMENTOS DE DERECHO

Primero. Formulada acusación por el Ministerio Fiscal y formulado también escrito de conclusiones por la Defensa del acusado, y una vez abierto el juicio oral por el Sr. Magistrado-Juez instructor, procede, con arreglo al Artículo 37 LOTJ la determinación y precisión de los hechos justiciables, esto es, aquellos sobre que deben versar los debates del juicio oral ante el Tribunal del Jurado, para, según el resultado del mismo y conforme con el Artículo 52 LOTJ fundar los que deben ser objeto del veredicto del Jurado, tanto en lo referente a su realidad o prueba, como en lo relativo a la participación y culpabilidad o inculpabilidad del acusado; así como determinar que, delito o delitos constituyen tales hechos.

Precisamente en relación a este último punto, la determinación del delito o delitos que constituyen los hechos justiciables conviene, con carácter previo, hacer las siguientes consideraciones:

1º) El Auto previsto en el artículo 37 LOTJ no puede ser considerado como una mera repetición —esta vez por el Magistrado-Presidente— del Auto de apertura de juicio oral del Artículo 33 LOTJ en lo referente a los hechos y a la calificación jurídica de los mismos.

El Auto de apertura de juicio oral (artículo 33) significa el control jurisdiccional de la imputación formulada, de modo que, sobre los hechos que son objeto de acusación, y sólo sobre ellos, el Juez de Instrucción debe realizar la correspondiente valoración jurídica sobre la procedencia de su enjuiciamiento por el Tribunal del Jurado. Así se expresa claramente cuando el precepto, en su apartado a) dice, textualmente, «... determinará: a) El hecho o hechos justiciables de entre los que han sido objeto de acusación...»

De los artículos 32 y 33 LOTJ se deduce inmediatamente que, celebrada la audiencia preliminar y practicadas en ella las diligencias, a salvo de las que con el carácter complementario puedan ordenarse, el Juez puede acordar:

a) la no apertura del juicio oral, esto es, el sobreseimiento o la acomodación al procedimiento que corresponda;

b) la apertura del juicio oral, bien sea —en el supuesto de considerar que los hechos deben conocerse a través del procedimiento abreviado— ante el Juzgado de lo Penal o la Audiencia Provincial, en cuyo caso abre el juicio ante el órgano que corresponda («... *para que prosigan el conocimiento de la causa en los términos de los Artículos 785 y siguientes...» Nótese que no se refiere al artículo 783, puesto que el juicio oral ya esté abierto*), o bien sea porque los considera de la competencia del Tribunal del Jurado, en cuyo caso el Auto se sujeta a los contenidos del Artículo 33 LOTJ. El Auto de apertura de juicio oral significa o resuelve que «habrá juicio oral» por los hechos que expone y en, él serán acusadas las personas que indica.

2º) Lo dicho anteriormente es así porque da sentido al Auto del Magistrado-Presidente que prevé, el artículo 37 LOTJ en cuanto, en primer lugar, como hechos justiciables deben recogerse ya no sólo los hechos objeto de acusación, sino también objeto de defensa. No sólo deben precisarse los hechos en que se basa una determinada calificación acusatorio, sino también los que determinan el grado de ejecución, la participación del acusado y aún las circunstancias modificativas de la responsabilidad, siempre apreciado todo ello en los hechos objeto de acusación y defensa que resultan de los expuestos por Acusación y Defensa. Pero, aquí sí, no es suficiente con la fijación de los hechos que ser n objeto de debate, también determinará el delito o delitos que dichos hechos constituyan.

La distinción entre uno y otro Auto no es gratuita y el hecho de que apartado c) del Artículo 37 fuera introducido específicamente por la aprobación de enmienda en el Senado pone de manifiesto la importancia de la distinción.

El Auto de hechos justiciables ya no significa que «habrá juicio oral», sino sobre qué hechos delictivos versarán los debates, incluyendo, obviamente, la participación de los acusados y las circunstancias excluyentes o modificativas de la responsabilidad; y la determinación de todo ello se deja al Magistrado-Presidente.

Segundo. Los hechos de la Acusación que deberán fijarse como hechos justiciables según se dirá en la parte dispositivo, en cuanto a la causación de la muerte de [.../...], son expuestos por el Ministerio Fiscal en los siguientes términos: «[.../...] le golpearon ambos reiteradamente en la cabeza, con las manos y con los puños cerrados, con gran brutalidad. Además el acusado se situó sobre el cuerpo del Sr. [.../...]

De tales hechos no se desprende la concurrencia de la circunstancia que cualifica el delito de asesinato por ensañamiento [.../...]

Tercero. En relación a la prueba propuesta por el Ministerio Fiscal en su escrito de conclusiones provisionales, siendo procedente la misma debe ser admitida, a excepción de: 1º) la testifical de Don [.../...], por ser el objeto de la misma impertinente a los hechos objeto de acusación; 2) la prueba pericial señalada en el apartado 2)» por no ser propuesta en forma, aunque dicha denegación debe entenderse sin perjuicio de lo dispuesto en el Artículo 45

LOTJ, en cuanto se aporten los Sres. Peritos que eventualmente se propongan; 3») la documental relativa a los folios […/…] por idéntica razón a la expuesta en el apartado […/…] del presente FUNDAMENTO DE DERECHO; y la documental relativa a los folios […/…] a […/…]

Cuarto. Idénticos razonamientos son aplicables a los medios probatorios propuestos por la Defensa de ambos acusados, en cuanto adheridos a la petición de prueba del Ministerio Fiscal, debiendo ser rechazadas las pruebas documentales solicitadas por la Defensa de […/…], consistentes en «Historial Médico del Sr. […/…], solicitado en el segundo otrosí», por no expresarse el objeto de la misma y, en consecuencia, no poder valorarse su pertinencia ni poder deducirse de los hechos que se exponen en el escrito de calificación de la misma; y la consistente en «Antecedentes Penales de […/…], solicitado también en segundo otrosí», por impertinente a los hechos objeto de debate.

Quinto. De conformidad con lo dispuesto en el antes citado artículo 37 LOTJ y de acuerdo con las disponibilidades de Sala de Vistas de esta Audiencia Provincial, es procedente el señalamiento del juicio oral para la fecha que se dirá en la parte dispositivo y la adopción de las medidas que asimismo se dirán. Igualmente, y de conformidad con lo dispuesto en el artículo 18 LOTJ procede la realización del sorteo entre los candidatos a jurados previsto en el mismo.

VISTOS los preceptos legales citados y los demás de aplicación.

El Iltmo. Sr. D. […/…], Magistrado-Presidente del Tribunal del Jurado, RESUELVE:

Primero. Son HECHOS JUSTICIABLES sobre los que versar el juicio oral ante el Tribunal del Jurado, el cual deber determinar la realidad de los mismos a través de los debates, los siguientes:

A) Si […/…] falleció, en la noche del […/…] al […/…] de […/…] de […/…], en su domicilio de la Calle […/…] de […/…], como consecuencia de haber sido golpeado durante aproximadamente una hora cuando estaba ebrio, tendido en un colchón y sin ofrecer resistencia.

B) Si dichos golpes, así como una herida con un cuchillo de monte en el tercio medio del antebrazo izquierdo, le fueron inferidas para obtener de, él la entrega de una cantidad de dinero.

Segundo. Son también HECHOS JUSTICIABLES que se someten al veredicto del Jurado:

C) Si los referidos golpes le fueron inferidos por […/…] y […/…], con manifiesta frialdad e indiferencia sobre las consecuencias que sobre la vida de […/…] pudieran tener.

D) Si los citados […/…] y […/…] golpearon e hirieron con un cuchillo a […/…] para obtener de, él una cantidad de dinero que, no obstante, no obtuvieron.

Tercero. De quedar establecida la realidad de los hechos justiciables, tal como vienen expuestos en el anterior apartado, podrían constituir el delito de ASESINATO del artículo 139.3 y un delito de ROBO CON VIOLENCIA CON EMPLEO DE ARMA O INSTRUMENTO PELIGROSO en grado de TENTATIVA de los artículos 242.1 y 2, 237 y 16.l, todos del Código Penal; respecto del que el Jurado deber pronunciar veredicto de culpabilidad o inculpabilidad de [.../...] y de [.../...]

Cuarto. Se admiten las pruebas propuestas por el Ministerio Fiscal, a excepción de:

1º) la testifical de [.../...]

2º) la prueba pericial señalada en el apartado [.../...] por no propuesta en forma, con la salvedad expuesta en el RAZONAMIENTO JURÍDICO SEGUNDO de esta resolución;

3º) la documental relativa a los folios [.../...] y [.../...]; y

4º) la documental relativa a los folios [.../...] a [.../...] en los términos también expuestos en el citado RAZONAMIENTO.

Quinto. Se admiten las pruebas propuestas por la Defensa del acusado [.../...], que se adhirió a las solicitadas por el Ministerio Fiscal, con las excepciones dichas, y no se admiten las pruebas documentales propuestas por aquélla consistentes en:

— Historial médico del Sr. [.../...], y

— Antecedentes Penales de [.../...]

Se admiten asimismo las pruebas propuestas por la Defensa de la acusada [.../...], adherida a las propuestas por el Ministerio Fiscal, con las salvedades antes expuestas.

Sexto. Se señala el día, para la celebración del juicio oral, en la Sala del Tribunal del Jurado, del Palacio de Justicia.

Séptimo. Cítese al acusado y a los testigos propuestos y admitidos. Reclámese del Instructor la remisión de los originales de los documentos admitidos como prueba documental.

Octavo. De conformidad con lo dispuesto en el artículo 18 LOTJ, practíquese por la Iltre. Sra. Secretaria Judicial el sorteo de candidatos a jurado, en audiencia pública y con citación de las partes, a cuyo efecto se señala el próximo día

Notifíquese a las partes, con expresión de que contra esta resolución no cabe recurso alguno sin perjuicio de lo dispuesto en el artículo 37.d).20 LOTJ en cuanto a la denegación de pruebas propuestas.

Así lo resuelve y firma el Iltmo. Sr. Magistrado-Presidente del Tribunal del Jurado. Doy fe.

M. 336. Concurrencia de los integrantes del Tribunal del Jurado y recusación de jurados

ACTA

En [.../...], a [.../...] de [.../...] de 201[.../...]

En este día y siendo la hora señalada se constituye en audiencia pública el Ilmo. Sr. Magistrado-Presidente de este Tribunal, asistido de mí, el Letrado A. Justicia, para la práctica de las diligencias a que se refiere el artículo 38 de la Ley Orgánica del Tribunal del Jurado.

Se hallan presentes en este acto las partes personadas en la presente causa. De igual modo, se encuentran presentes en los estrados del Tribunal los jurados [.../...] (se indicará el número de jurados asistentes, siendo el número mínimo el de 20 miembros).

Declarado abierto el acto por el Magistrado-Presidente, se procede por él mismo a interrogar a los jurados presentes, siguiendo el orden alfabético de la lista que contiene el nombre de los comparecidos, sobre si en alguno o algunos de ellos concurre causa de incapacidad, incompatibilidad, prohibición o excusa, a cuyo fin procede a leerles el contenido de los artículos 9, 10, 11 y 12 de la mentada Ley Orgánica, con las explicaciones precisas a aquellos que lo han solicitado.

Sobre la posible causa de incompatibilidad del jurado [.../...] éste manifiesta que [.../...]

Por las demás partes, se renuncia al interrogatorio de los jurados.

A continuación, el Magistrado-Presidente pregunta a las partes sobre si quieren recusar a algún o algunos de los jurados, manifestando el Ministerio Fiscal que recusa a [.../...]

Las demás partes responden negativamente.

Por el Magistrado-Presidente se interroga al recusado, el cual manifiesta que no es cierta la existencia de causa de recusación, afirmándose y ratificándose en lo dicho con anterioridad.

El Magistrado-Presidente decide no dar lugar a la recusación solicitada por el Ministerio Fiscal respecto de [.../...], indicando a los presentes que contra esta decisión no cabe recurso alguno, si bien es procedente la protesta a efectos del recurso que pueda interponerse contra la sentencia.

Con lo cual se da por terminada la presente comparecencia, de la que se levanta acta, que leída y hallada conforme, la firma el Ilmo. Sr. Magistrado-Presidente y los demás asistentes, de todo lo que yo, el Letrado A. Justicia, doy fe.

Firma del Magistrado-Presidente

Firma del Letrado A. Justicia

Firma de los asistentes

M. 337.   Selección de jurados y constitución del Tribunal

ACTA

En [.../...], a [.../...] de [.../...] de 201[.../...]

En este día y siendo la hora señalada, se constituye en audiencia pública el Ilmo. Sr. D. [.../...], Magistrado-Presidente de este Tribunal, asistido de mí, el Letrado A. Justicia, para proceder a la selección de jurados y a la constitución del Tribunal del Jurado a que se refiere el artículo 40 de la Ley Orgánica del Tribunal del Jurado.

Declarado abierto el acto por el Magistrado-Presidente, y concurriendo en este acto [.../...] jurados (indicar el número de jurados asistentes, constituyendo el número mínimo el de 20 miembros), se procede a la selección de los nueve jurados que deben formar parte del Tribunal, así como otros dos en calidad de suplentes.

El Magistrado-Presidente dispone que se proceda del modo establecido en el artículo 40 de la mencionada Ley Orgánica.

Asisten al acto las partes personadas en el procedimiento.

En virtud de lo ordenado se procede por mí, el Letrado A. Justicia, a introducir en la urna destinada al efecto papeletas con el nombre de los jurados en cada una de ellas, y extraídas una a una las papeletas, y leídas los nombres en ellas escritos, aparecen los siguientes:

— Jurados que formarán parte del Tribunal del Jurado:

1. [.../...]

2. [.../...]

(Hasta completar el número de nueve seleccionados)

— Jurados suplentes:

1. [.../...]

2. [.../...]

Celebrado el sorteo, por el Magistrado-Presidente se concede la palabra a las partes personadas a fin de que formulen las preguntas que estimen oportunas, tras la declaración de pertinencia del Magistrado-Presidente.

Por el Ministerio Fiscal se pregunta a los jurados [.../...], [.../...], y [.../...] si se encuentran comprendidos en las causas de [.../...] que para ser jurado se exige en el apartado [.../...] del artículo [.../...] de la Ley del Jurado, y, una vez contestada a la pregunta por todos ellos, el Ministerio Fiscal formula recusación contra los tres jurados citados.

Por las demás partes, no se formula recusación.

Por el Magistrado-Presidente, tras oír a los tres jurados, no se accede a la recusación peticionada.

Seguidamente, por el Magistrado-Presidente, se declara constituido el Tribunal del Jurado.

Con lo que se da por terminado el acto de sorteo, levantándose la presente acta que, leída y hallada conforme, la firman todos los asistentes luego del Magistrado-Presidente. Doy fe.

Firma del Magistrado-Presidente

Firma del Letrado A. Justicia

Firma de los asistentes

M. 338. Juramento o promesa de los jurados designados

ACTA

En [.../...], a [.../...] de [.../...] de 201[.../...]

En este día y siendo la hora señalada, se constituye en audiencia pública el Ilmo. Sr. D. [.../...], Magistrado-Presidente de este Tribunal, asistido de mí, el Letrado A. Justicia, para proceder a recibir juramento o promesa a los seleccionados para actuar como jurados a que se refiere el artículo 41 de la Ley Orgánica del Tribunal del Jurado. Asisten a este acto las partes personadas.

Declarado abierto el acto por el Magistrado-Presidente, y puestos en pie todos los jurados, por el Magistrado-Presidente se procede a decir:

¿Juran o prometen desempeñar bien y fielmente la función de jurado, con imparcialidad, sin odio ni afecto, examinando la acusación, apreciando las pruebas y resolviendo si son culpables o no culpables de los delitos objeto del procedimiento los acusados [.../...], así como guardar secreto de las deliberaciones?

Luego de pronunciado lo anterior, y aproximándose al estrado presidencial, los jurados, de uno a uno, y colocados frente a la presidencia, prestan juramento (o promesa), usando la expresión «sí juro» (o «sí prometo»), ordenando el Magistrado-Presidente, tras haber prestado todos y cada uno de ellos el juramento (o la promesa), y conforme van prestándolo, tomen asiento en el lugar designado al efecto.

A continuación, el Magistrado-Presidente manda comenzar la audiencia pública.

Con lo que se da por terminado este acto de juramento o promesa de los jurados, del que se extiende la presente acta que, leída y hallada conforme, la firman todos los asistentes luego del Magistrado-Presidente. Doy fe.

Firma del Magistrado-Presidente

Firma del Letrado A. Justicia

Firma de los asistentes

M. 339. Negativa de algún jurado a prestar juramento o promesa

ACTA

En [.../...], a [.../...] de [.../...] de 201[.../...]

En este día y siendo la hora señalada, se constituye en audiencia pública el Ilmo. Sr. Magistrado-Presidente de este Tribunal, asistido de mí, el Letrado A. Justicia, para proceder a la selección de los jurados y constitución del Tribunal del Jurado a que se refiere el artículo 40 de la Ley Orgánica 5/95, de 22 de mayo, del Tribunal del Jurado.

Declarado abierto el acto por el Magistrado-Presidente, y concurriendo a este acto [.../...] (señalar número de jurados concurrentes, siendo el mínimo el de 20 miembros), número suficiente para seleccionar a los nueve jurados que formarán parte del Tribunal y otros dos como suplentes, por el presidente del acto se dispone se proceda a lo prescrito en el citado artículo de la mencionada Ley Orgánica. Asisten al acto las partes personadas en estas actuaciones.

Llamado el jurado [.../...] (nombre y apellidos), designado titular, se niega a prestar juramento o promesa.

Por el Magistrado-Presidente se le advierte que de no prestar juramento o promesa le impondrá una multa de 300 €.

Insistiendo en su negativa, le impone de plano y en el acto la citada multa y, persistiendo en su negativa, ordena se deduzca el oportuno tanto de culpa, llamándose en su lugar al primer suplente [.../...] (nombre y apellidos), a quien el Magistrado-Presidente informa que pasa a tener la condición de titular en sustitución de [.../...] (nombre y apellidos).

Celebrado el sorteo con el resultado reflejado, por el Magistrado-Presidente se concede la palabra a las partes, por su orden, para que [.../...] (continuar según el formulario sobre «selección de jurados y constitución del Tribunal»).

M. 340. Acta de constitución del Jurado y comienzo de la celebración del juicio

ACTA

En [.../...], a [.../...] de [.../...] de 201[.../...]

Siendo la hora señalada para el comienzo del juicio oral, se constituye el Ilmo. Sr. D. [.../...], Magistrado-Presidente, el Ministerio Fiscal y demás partes personadas, con mi asistencia, estando presente todos los miembros del Jurado que han sido designados y prestado juramento o promesa para desempeñar su función. Declarada abierta la sesión por el Magistrado-Presidente, por él mismo se ordena al Letrado A. Justicia del Tribunal se proceda a la lectura de los escritos de calificación, cumpliéndose por mí, el Letrado A. Justicia, lo ordenado.

Concluida la anterior lectura, por el Magistrado-Presidente se abre turno de intervención de las partes para que expongan al Jurado lo que estimen conveniente a fin de explicar el contenido de sus respectivas calificaciones y la finalidad de las pruebas que han propuesto.

Concedida la palabra al Ministerio Fiscal, por él mismo se procede a explicar al Jurado las razones que ha tenido en consideración para la calificación del delito y de sus circunstancias, concluyendo que la finalidad de la prueba propuesta tiene por objeto afirmar la existencia del delito y de sus circunstancias, según especifica en su escrito de calificación. Propone, en este acto, nueva prueba consistente en [.../...], la cual la considera relevante para reforzar la acusación.

Concedida, a continuación, la palabra a la parte acusadora [.../...], por su letrado se da cuenta, del mismo modo, de las razones que le han llevado a formular su escrito de calificación y de la necesidad de la prueba propuesta para demostrar el contenido de aquél.

Por el letrado de la defensa, asimismo, se explica al Tribunal el contenido de su escrito de calificación y la justificación de la prueba que tiende a demostrar la inocencia de su defendido.

Por el Magistrado-Presidente se interesa de las restantes partes acusadoras y de la defensa que manifiesten su opinión sobre la nueva propuesta de prueba interesada por el Ministerio Fiscal, mostrándose de acuerdo con ella las partes acusadoras y contraria la defensa.

El Magistrado-Presidente decide la admisión de nueva prueba propuesta por el Ministerio Fiscal, la cual se practicará junto con las demás interesadas por el citado Ministerio Público.

(Transcripción en el acta de la continuación del acto del juicio oral, según LJ)

Con lo que se da por terminada esta sesión del juicio oral, de la que se levanta la presente acta que, leída y hallada conforme, la firman los asistentes luego del Magistrado-Presidente. Doy fe.

Firma del Magistrado-Presidente

Firma del Letrado A. Justicia

Firma de los asistentes

M. 341. Particular del acta del juicio oral sobre disolución del Jurado por conformidad de las partes

«... A continuación, el Magistrado-Presidente pregunta al acusado si se confiesa reo del delito por el que se le acusa, según la calificación más grave solicitada y si se considera civilmente responsable por la cantidad mayor que se hubiese fijado, contestando afirmativamente, así como el resto de las partes, quienes interesan se dicte sentencia de conformidad también con dicho escrito.

Por ello, el Magistrado-Presidente acuerda la disolución del Jurado y que queden concluidas las actuaciones para dictar la sentencia que corresponda, atendidos los hechos admitidos por las partes sin inclusión de otros hechos distintos de los que son objeto de este juicio ni calificación más grave que la incluida en las mencionadas calificaciones provisionales. Respecto a la pena conformada, ésta no podrá exceder de seis años de privación de libertad, sola o conjuntamente con la multa y privación de derechos...»

M. 342. **Suspensión del procedimiento y disolución del Jurado por el Magistrado-Presidente (supuesto de que la suspensión se prolongue cinco o más días)**

AUTO

Ilmo. Sr. [.../...]

En [.../...], a [.../...] de [.../...] de 201[.../...]

HECHOS

Primero. Dado comienzo el juicio oral en esta causa seguida por el procedimiento que viene establecido en la Ley Orgánica del Tribunal del Jurado, y celebrada la primera de sus sesiones a que se refiere el artículo 45 de dicha Ley Orgánica, se dispuso por Providencia de fecha [.../...], que el día [.../...] se celebraría nueva sesión para la práctica de las pruebas admitidas a las partes, con las especialidades que para las mismas vienen prevenidas en el artículo 46 de la misma Ley.

Segundo. Mediante escrito de la defensa del acusado, de fecha [.../...], se solicitaba se suspendiera el juicio oral en el estado procesal en que se hallaba y se acordara retrasar la celebración de la prueba [.../...] durante el plazo de cinco (o más días), dada la complejidad de la misma, pues [.../...]

Tercero. El Tribunal accedió a la solicitud formulada por la defensa mediante Providencia de fecha [.../...], acordándose en la misma la suspensión del juicio oral durante los días solicitados y señalándose, en consecuencia, su reanudación el día [.../...]

FUNDAMENTOS DE DERECHO

Primero. Con arreglo a lo dispuesto en el artículo 47 de la Ley Orgánica del Tribunal del Jurado, el Magistrado-Presidente podrá decidir la disolución del Jurado, que acordará cuando dicha suspensión deba prolongarse durante cinco o más días.

Segundo. El artículo 745 de la Ley de Enjuiciamiento Criminal, aplicable en este supuesto, concede al Presidente del Tribunal la facultad de suspender las sesiones cuando las partes por motivos independientes de su voluntad no tuvieran preparadas las pruebas ofrecidas en sus respectivos escritos.

PARTE DISPOSITIVA

DISPONGO la disolución del Jurado designado para la presente causa. Practíquense las diligencias que vienen establecidas en los artículos 18 a 23 de la Ley Orgánica del Tribunal del Jurado y, cumplidos, dese cuenta para acordar lo necesario. Contra esta resolución no procede recurso alguno.

Así por este Auto, lo acuerda, manda y firma el Ilmo. Sr. Magistrado-Presidente de este Tribunal del Jurado. Doy fe.

DILIGENCIA. Seguidamente se cumple lo acordado, doy fe.

NOTIFICACIÓN. A las partes personadas.

M. 343. Particular del acta del juicio oral en el que la acusación desiste de la petición de condena del acusado

«... Concluida la práctica de la prueba, el Magistrado-Presidente requiere a la acusación y a la defensa para que manifiesten si ratifican o modifican sus conclusiones provisionales, así como para que expongan oralmente cuanto estimen conveniente acerca de la valoración de la prueba y sobre la calificación jurídica de los hechos. Por el Ministerio Fiscal se desiste de la petición de condena del acusado, por lo que el Magistrado-Presidente procede a la disolución del Jurado, dándose por terminado el juicio, dictándose sentencia absolutoria.

Con lo que se da por finalizada la presente, que firma el Magistrado-Presidente junto con el Ministerio Fiscal, el Jurado y demás partes concurrentes. Doy fe.»

Firma del Magistrado-Presidente

Firma de los jurados

Firma de las partes concurrentes al acto

Firma del Letrado A. Justicia

M. 344. Particular del acta del juicio oral sobre disolución anticipada del Jurado

«... Seguidamente, concluidos los informes de la acusación, la defensa solicitó del Magistrado-Presidente la disolución del Jurado por estimar que del juicio no resulta la existencia de prueba de cargo que pueda fundar una condena del acusado. Con lo que se da por terminada la presente para dictar dentro del tercer día sentencia absolutoria motivada que firman los concurrentes con el Magistrado-Presidente, las partes y los miembros del Jurado. Doy fe.

Firma del Magistrado-Presidente

Firma de las partes concurrentes

Firma de los jurados

M. 345.   Objeto del veredicto

Escrito del Magistrado-Presidente

El Ilmo. Sr. [.../...], Magistrado-Presidente de este Tribunal del Jurado, somete al Jurado, por medio del presente escrito, el objeto del veredicto, que se rige por las siguientes reglas:

Primera: El Jurado deberá pronunciarse acerca de si se declaran o no probados los siguientes hechos (relato del hecho principal de la acusación).

Segunda: Deberá el Jurado pronunciarse sobre si se declaran probados o no los hechos siguientes (relato del hecho principal de las defensas).

Tercera: Ni la acusación ni la defensa han alegado hechos que puedan determinar la estimación de una causa de exención de responsabilidad, no debiendo, por tanto, el Jurado pronunciarse sobre su existencia o inexistencia.

Cuarta: De las alegaciones de la acusación y defensa se desprende que:

— Para la acusación debe entenderse que el hecho principal se consumó. Por la defensa se niega la consumación del hecho.

— Para la acusación la participación de [.../...] en el hecho, lo fue en concepto de autor. Por la defensa se niega la participación en el hecho del acusado.

— Para la acusación no concurren causas modificativas de la responsabilidad penal. Por la defensa, en el mismo sentido.

Quinta: El hecho delictivo sobre el que el Jurado debe pronunciarse es el de si el acusado originó la muerte de [.../...] o, por el contrario, no la originó (o cualquier delito competencia del Tribunal del Jurado), debiendo, en un caso o en el otro, declararlo culpable o no culpable.

Sexta: Si el Jurado se decide por la culpabilidad del acusado en el hecho que le viene imputado, deberá manifestar si, a su entender, procede la aplicación de los beneficios de la remisión condicional de la pena y si procede o no procede la petición de indulto para el mismo.

Antes de entregar a los jurados el escrito con el objeto del veredicto, óigase a las partes a fin de que puedan solicitar las inclusiones o exclusiones que estimen pertinentes. Incorpórese este escrito al acta del juicio y entréguese copia del mismo a las partes personadas y a cada uno de los jurados.

Firma del Magistrado-Presidente

M. 346. Audiencia a las partes

ACTA

En [.../...], a [.../...] de [.../...] de 201[.../...]

Constituido el Ilmo. Sr. Magistrado-Presidente de este Tribunal del Jurado en audiencia pública, con mi asistencia, al objeto de oír a las partes sobre el contenido del escrito del objeto del veredicto a que se refiere el artículo 52 de la Ley Orgánica del Tribunal del Jurado, y con la asistencia de las partes personadas, por el Magistrado-Presidente se concede la palabra, por su orden, a las partes presentes a fin de que manifiesten lo que consideren oportuno sobre las inclusiones o exclusiones que estimen pertinentes que deban verificarse en el referido escrito.

El Ministerio Fiscal interesa se incluya en el mismo lo siguiente: en el apartado [.../...] del escrito [.../...] (transcripción de la petición fiscal).

La acusación particular se adhiere a la solicitud del Ministerio Fiscal.

La defensa no solicita inclusión ni exclusión alguna.

El Magistrado-Presidente decide, seguidamente, sobre lo solicitado por el Ministerio Fiscal y la acusación particular, no dando lugar a dicha petición, formulándose por ellos la oportuna protesta a los efectos del recurso a que haya lugar contra la sentencia.

Con lo que se da por terminada la presente comparecencia, de la que se extiende la presente acta, que leída y hallada conforme, la firman los comparecientes luego del Magistrado-Presidente. Doy fe.

Firma del Magistrado-Presidente

Firma del Letrado A. Justicia

Firma de los asistentes

M. 347. Instrucciones a los jurados

ACTA

En [.../...], a [.../...] de [.../...] de 201[.../...]

Constituido en audiencia pública el Ilmo. Sr. Magistrado-Presidente de este Tribunal del Jurado, con mi asistencia, y estando presentes las partes personadas y los jurados componentes del citado Tribunal, por el Magistrado-Presidente se hace entrega a cada uno de los jurados del escrito objeto del veredicto.

A continuación, por el Magistrado-Presidente se procede a instruir a los jurados sobre el contenido de su función, concretamente:

— A que los jurados emitan veredicto declarando probado o no probado el hecho justiciable que fue determinado como tal, así como aquellos otros que decidan incluir en su veredicto y no impliquen variación sustancial de aquél. También proclamarán la culpabilidad o inculpabilidad de cada acusado por su participación en los hechos delictivos respecto de los cuales se hubiese admitido acusación.

Asimismo, se advierte a los jurados que deben actuar, en el ejercicio de sus funciones, con arreglo a la Ley según el artículo 117 de la Constitución, para los miembros del Poder Judicial y si se considerasen inquietados o perturbados en ella, podrán acudir a la Sala de Gobierno del Tribunal Superior de Justicia en los términos previstos por el artículo 14 de la Ley Orgánica del Poder Judicial.

— De las reglas que rigen, su deliberación y votación, así como de la forma en que deben reflejar su veredicto. A tal fin se procede por el Magistrado-Presidente a dar lectura de los artículos 55, 56, 57, 58, 59, 60 y 61 de la Ley Orgánica del Tribunal del Jurado, explicándoles el sentido que se refleja en los referidos artículos.

— De igual modo, se les expone detenidamente y con claridad la naturaleza de los hechos sobre los que ha versado el juicio, con determinación precisa de las circunstancias constitutivas del delito imputado a los acusados y las que se refieren a supuestos de exención o modificación de la responsabilidad penal. Todo ello con referencia a los hechos recogidos en el escrito con el objeto del veredicto que se les ha hecho entrega.

— Finalmente, se les previene sobre la necesidad de que no atiendan a aquellos medios probatorios que han sido propuestos por las partes y cuya ilicitud o nulidad hubiese sido declarada por el mismo Magistrado-Presidente.

Igualmente, se les informa de que, si tras la deliberación, no les hubiese sido posible resolver las dudas que tuvieran sobre la prueba que se ha practicado, deberán decidir en el sentido más favorable para el acusado.

Con lo que se da por terminada esta comparecencia, de la que se extiende la presente acta que leída y hallada conforme, la firman todos los asistentes. Doy fe.

Firma del Magistrado-Presidente

Firma del Letrado A. Justicia

Firma de todos los asistentes

M. 348. Acta de votación del Jurado

ACTA DE VOTACIÓN

En [.../...], a [.../...] de [.../...] de 201[.../...]

Reunido el Jurado y habiendo deliberado sobre todos y cada uno de los extremos sometidos a su consideración, han emitido el siguiente veredicto:

Primero. Los jurados han deliberado sobre los hechos sometidos a su resolución y han encontrado probados, y así lo declaran (por unanimidad o mayoría), los siguientes [.../...]:

Segundo. Asimismo, han encontrado no probados y así lo declaran (por unanimidad o mayoría), los hechos descritos en los números siguientes del escrito sometido a nuestra decisión:

1.º [.../...]

2.º [.../...]

(números de los párrafos del escrito objeto del veredicto, pudiendo reproducir su texto).

Tercero. Por lo anterior, los jurados (por unanimidad o mayoría) encontramos al acusado [.../...] culpable/no culpable del hecho delictivo de [.../...]

(debe hacerse un pronunciamiento separado por cada delito y acusado).

De igual forma efectuamos un pronunciamiento favorable (o desfavorable) en cuanto a la aplicación del declarado culpable D. [.../...] de los beneficios de remisión condicional de la pena a imponer, y del mismo modo nos mostramos favorables *(o desfavorables)* respecto a la petición de indulto en la sentencia.

Cuarto. Los jurados han atendido como elementos de convicción para hacer las precedentes declaraciones a los siguientes [.../...]; la mayoría de los jurados han tenido como cierto que se cometió un delito, cuyo resultado fue [.../...] Que en dicho acto tuvo participación D. [.../...], autor material de dicho delito, por lo que se le declara culpable del mismo. Entiende el Jurado que no puede dar por probado, y así se declara, la versión de los hechos ofrecida por la defensa, según la cual [.../...]

Quinto. Tanto en la deliberación como en la votación no se han producido incidentes entre los reunidos que sean de especial trascendencia que hagan necesaria su constancia en la presente acta.

Con lo que se dio por terminada la presente, que firman los jurados en unión del portavoz que, además, lo hace por D. [.../...], el cual se halla imposibilitado para ello, y a excepción de D. [.../...], que se niega a firmar.

Firma del portavoz

Firma de los jurados

M. 349. Lectura del veredicto

ACTA

En [.../...], a [.../...] de [.../...] de 201[.../...]

Hallándose constituido en audiencia pública el Ilmo. Sr. Magistrado-Presidente de este Tribunal del Jurado, con mi asistencia, para proceder a la lectura del veredicto emitido por el Jurado, y hallándose presentes las partes personadas, se procede a dar lectura del citado veredicto por el portavoz del Jurado, y siendo éste de culpabilidad, el Magistrado-Presidente, al no darse ninguna circunstancia de las previstas en la Ley para dar lugar a la devolución del acta del veredicto, concede la palabra al Ministerio Fiscal y demás partes personadas, para que por su orden informen sobre la pena o medidas que deben imponerse a cada uno de los declarados culpables y sobre la responsabilidad civil, así como sobre la concurrencia de los presupuestos legales de la aplicación de los beneficios de la remisión condicional de la pena.

(Procede informar sobre este último extremo si el Jurado hubiere emitido un criterio favorable a la remisión.)

Por el Ministerio Fiscal se interesa para el acusado [.../...] se imponga la pena [.../...], así como que, en concepto de responsabilidad civil, abone al perjudicado D. [.../...] la cantidad de [.../...]

(De igual modo, se harán constar las peticiones de las demás partes)

A continuación, por el Magistrado-Presidente se manifiesta que, tras la lectura del acta del veredicto, el Jurado cesa en sus funciones.

De lo que se extiende la presente, que leída y hallada conforme, la firman las partes asistentes y el portavoz del Jurado luego del Magistrado-Presidente. Doy fe.

Firma del Magistrado-Presidente

Firma del Letrado A. Justicia

Firma del portavoz y asistentes

M. 350. Lectura del acta del veredicto y su devolución por el Magistrado-Presidente

ACTA

En [.../...], a [.../...] de [.../...] de 201[.../...]

Hallándose constituido en audiencia pública el Ilmo. Sr. Magistrado-Presidente de este Tribunal del Jurado, con mi asistencia, para proceder a la lectura del veredicto emitido por el Jurado, y hallándose presentes las partes personadas, se procede a dar lectura del citado veredicto por el portavoz del Jurado, apreciándose por el Magistrado-Presidente que el Jurado no se ha pronunciado sobre la totalidad de los hechos. Antes de devolver el acta del veredicto al Jurado se acuerda oír a las partes a fin de que soliciten las inclusiones o exclusiones que estimen pertinentes.

Por el Ministerio Fiscal se muestra favorable a la devolución del acta del veredicto y que se incluya en la redacción el extremo referente a [.../...]

Por la acusación particular se pronuncia en los mismos términos.

Por el Letrado de la defensa del acusado se interesa la no devolución del acta por cuanto existe pronunciamiento sobre la totalidad de los hechos en el acta.

El Magistrado-Presidente, después de oír a las partes personadas, decide admitir las inclusiones solicitadas por la acusación, rechazando la proposición efectuada por la defensa del acusado, quien formula respetuosa protesta a los efectos del recurso que haya lugar contra la sentencia.

(En este punto se incluirá el particular expuesto en el formulario siguiente)

De lo que se extiende la presente, que leída y hallada conforme, la firman las partes asistentes y el portavoz del Jurado luego del Magistrado-Presidente. Doy fe.

Firma del Magistrado-Presidente

Firma del Letrado A. Justicia

Firma del portavoz y asistentes

M. 351. Justificación de la devolución del acta

Estimamos, atendiendo a la lectura de la propia LJ, que dicha justificación puede cumplirse en el propio acto de devolución del acta de veredicto, incluyéndose allí el particular siguiente:

ACTA

[.../...]

A continuación, por el Magistrado-Presidente al tiempo que devuelve el acta del veredicto al Jurado, explica detenidamente las causas que justifican la devolución y precisa la forma en que deben subsanar el extremo referente a [.../...] sobre el que deberán emitir nuevo pronunciamiento.

[.../...]

Si después de una tercera devolución permanecieren sin subsanar los defectos denunciados o no se hubiesen obtenido las necesarias mayorías, el Jurado será disuelto y se convocará juicio oral con un nuevo Jurado (art. 65.1 LJ).

M. 352. Disolución del Jurado y nuevo juicio oral

AUTO DEL MAGISTRADO-PRESIDENTE

AUTO

Ilmo. Sr. [.../...]

En [.../...], a [.../...] de [.../...] de 201[.../...]

HECHOS

Único. Apreciados por esta Presidencia la circunstancia [.../...] para la devolución del acta del veredicto al Jurado a que hace referencia el artículo 63 de la Ley Orgánica del Tribunal del Jurado, sin que, pese a que esa devolución lo ha sido hasta tres veces, hayan sido subsanados los defectos denunciados (o bien no se han obtenido las necesarias mayorías), procede aplicar en este caso el artículo 65 de la mencionada Ley Orgánica.

FUNDAMENTOS DE DERECHO

Único. El artículo 65 de la Ley Orgánica del Tribunal del Jurado preceptúa que, si después de una tercera devolución del acta de la votación del Jurado permaneciesen sin subsanar los defectos denunciados o no se hubiesen obtenido las necesarias mayorías, el Jurado será disuelto y se convocará juicio oral con un nuevo Jurado.

PARTE DISPOSITIVA

DISPONGO disolver el Jurado designado para esta causa; fórmese nuevo Jurado, procediéndose para ello con arreglo a las normas establecidas en la Ley Orgánica del Tribunal del Jurado y una vez constituido el mismo, dese cuenta para proceder a convocar juicio oral. Notifíquese esta resolución al Jurado y a las partes personadas, con indicación de que contra la misma no procede recurso alguno.

Así lo acuerda, manda y firma el Ilmo. Magistrado-Presidente. Doy fe.

DILIGENCIA: Seguidamente se cumple lo acordado, doy fe.

M. 353. Disolución del Jurado por no obtener veredicto el segundo Jurado

Auto del Magistrado-Presidente

AUTO

Ilmo. Sr. [.../...]

En [.../...], a [.../...] de [.../...] de 201[.../...]

HECHOS

Único. En la presente causa se acordó la disolución del Jurado por la circunstancia prevista en el artículo 65, apartado primero, de la Ley Orgánica del Tribunal del Jurado, procediéndose, en consecuencia, al nombramiento de un segundo Jurado y una vez constituido, señalar nuevo juicio oral. Celebrado éste no se ha obtenido veredicto, después de una tercera devolución del acta de votación por haberse observado en ella los defectos denunciados (o no se hubiesen obtenido las necesarias mayorías), conforme dispone el artículo 63, procediendo la aplicación del artículo 65.2 de la Ley Orgánica del Tribunal del Jurado.

FUNDAMENTOS DE DERECHO

Único. El artículo 65.2 de la mencionada Ley Orgánica del Tribunal del Jurado establece que si celebrado nuevo juicio no se obtuviere un veredicto por parte del segundo Jurado, por cualquiera de las causas previstas en el apartado anterior, el Magistrado-Presidente procederá a disolver el Jurado y dictará sentencia absolutoria.

PARTE DISPOSITIVA

DISPONGO disolver el segundo Jurado designado para esta causa. Notifíquese esta resolución al Jurado y a las partes personadas, con indicación de que contra la misma no procede recurso alguno, y tráiganse los autos a la vista para acordar lo necesario.

Así lo acuerda, manda y firma el Ilmo. Sr. Magistrado-Presidente. Doy fe.

DILIGENCIA. Seguidamente se cumple lo acordado, doy fe.

M. 354. Sentencia absolutoria

Vistos por el Ilmo. Sr. [.../...], Magistrado-Presidente de este Tribunal del Jurado, con arreglo a lo dispuesto en las normas establecidas en la Ley Orgánica del Tribunal del Jurado, la presente causa número [.../...] del año [.../...], seguida por delito de [.../...] contra [.../...] (circunstancias personales), en situación de [.../...] (libertad o prisión provisional), representado por el Procurador de los Tribunales D. [.../...] y defendido por el letrado D. [.../...], siendo parte acusadora el Ministerio Fiscal.

El Jurado, en su veredicto, declara como probados y no probados los siguientes

HECHOS

Hechos probados:

(Transcripción de los hechos probados relatados por el Jurado en su veredicto).

Hechos no probados:

(Transcripción de los hechos no probados que se relacionan en el veredicto).

A los anteriores hechos, que se reflejan en el veredicto del Jurado, son de aplicación los siguientes

FUNDAMENTOS DE DERECHO

Primero. Los hechos declarados probados y los no declarados probados por el Jurado no son constitutivos de delito alguno, siendo de aplicación al presente caso el artículo 6 bis b) del Código Penal, reputándose fortuito el hecho.

Segundo. Al no existir delito, nadie es responsable de estos hechos.

Tercero. Tampoco concurren circunstancias modificativas de la responsabilidad criminal.

Vistos los artículos citados y demás de general aplicación

FALLO

Que ABSUELVO a [.../...] del delito de [.../...] de que venía siendo acusado en estas actuaciones, declarando de oficio las costas causadas; notifíquese esta resolución al Ministerio Fiscal y demás partes personadas con la indicación de que contra la misma procede recurso de apelación ante la Sala de lo Penal de este Tribunal Superior de Justicia; y llévese testimonio de la misma a los autos, archivándose el original en legal forma.

Así por esta mi sentencia, lo pronuncio, mando y firmo.

Firma del Magistrado-Presidente

PUBLICACIÓN: La anterior sentencia ha sido leída y publicada por el Ilmo. Sr. Magistrado-Presidente, que la ha dictado en el día de su fecha, de todo lo cual, como Letrado A. Justicia, doy fe.

NOTIFICACIÓN: Con indicación de la procedencia del recurso de apelación ante la Sala de lo Penal del Tribunal Superior de Justicia, dentro de los 10 días siguientes a contar desde la última notificación.

M. 355. Sentencia condenatoria

Vistos por el Ilmo. Sr. [.../...], Magistrado-Presidente de este Tribunal del Jurado, con arreglo a lo dispuesto en las normas establecidas en la Ley Orgánica del Tribunal del Jurado, la presente causa número [.../...] del año [.../...], seguida por delito de [.../...] contra [.../...] (circunstancias personales del acusado), en situación de (libertad o prisión provisional), representado por el Procurador de los Tribunales D. [.../...], y asistido por el letrado D. [.../...], siendo parte acusadora el Ministerio Fiscal y querellante particular D. [.../...]

El Jurado, en su veredicto, ha declarado como probados y no probados los siguientes

HECHOS

Hechos probados: [.../...] (transcripción de los hechos probados contenidos en el veredicto).

1. (Relación circunstanciada de los hechos).

2. El hecho relatado constituye un delito de [.../...]

3. Es responsable en concepto de [.../...] (grado de participación), el acusado.

4. Concurre la circunstancia modificativa de la responsabilidad criminal [.../...] del artículo [.../...], apartado [.../...] del Código Penal.

Hechos no probados: [.../...] (transcripción de los hechos no probados que se contienen en el veredicto del Jurado).

(NOTA: Procede determinar en este punto la inexistencia de datos concretos que inciden en la valoración jurídica de los hechos, como por ejemplo la carencia de pruebas respecto de alguna circunstancia modificativa de responsabilidad criminal.)

A los anteriores hechos, reflejados en el veredicto del Jurado, son de aplicación los siguientes

FUNDAMENTOS DE DERECHO

Primero. Los hechos declarados probados son legalmente constitutivos de [.../...] por [.../...]

Segundo. De dicho delito es responsable, en concepto de autor, el acusado [.../...] por haber realizado material y directamente los hechos que lo integran [.../...]

Tercero. En la realización del expresado delito ha concurrido la circunstancia modificativa de la responsabilidad criminal [.../...]

Cuarto. Los responsables criminalmente de un delito lo son también civilmente y las costas se entienden impuestas por ministerio de la Ley a los culpables del delito [.../...]

Vistos los artículos citados y demás de pertinente aplicación,

FALLO

Que debo condenar y condeno al acusado [.../...], como autor criminalmente responsable de un delito de [.../...], con la concurrencia de la circunstancia [.../...], a la pena de [.../...], a las accesorias de [.../...] y al pago de las costas procesales, así como a que abone a [.../...] la cantidad de [.../...] Euros en concepto de indemnización.

Hágase entrega definitiva de los efectos recuperados al perjudicado [.../...] que los conserva en depósito provisional.

Para el cumplimiento de la pena principal que se impone será de abono al acusado todo el tiempo de prisión preventiva impuesta por esta causa.

Notifíquese esta resolución al Ministerio Fiscal y a las partes, haciéndoles saber que contra la misma cabe recurso de apelación ante la Sala de lo Penal de este Tribunal Superior de Justicia, lo pronuncio, mando y firmo.

Firma del Magistrado-Presidente

PUBLICACIÓN: La anterior sentencia fue leída y publicada por el Ilmo. Sr. Magistrado-Presidente, que la ha dictado en el día de su fecha. Doy fe.

NOTIFICACIÓN: Con indicación de la procedencia del recurso de apelación ante la Sala de lo Penal del Tribunal Superior de Justicia, dentro de los 10 días siguientes a contar desde la última notificación.

M. 356. Escrito de interposición del recurso de apelación

AL MAGISTRADO-PRESIDENTE DEL TRIBUNAL DEL JURADO

D. [.../...], Procurador de los Tribunales y obrando en nombre de [.../...], cuya representación tengo acreditada en el procedimiento núm. [.../...] de [.../...] del Tribunal del Jurado, como mejor proceda en Derecho, comparezco y DIGO:

Que con fecha [.../...] se le ha notificado a mi mandante la sentencia dictada por este Tribunal del Jurado en el procedimiento citado, seguido por el delito de [.../...] y por el que se le condena a la pena de [.../...] Y estimando la misma gravosa a los intereses de mi representado, por medio del presente escrito formulo RECURSO DE APELACIÓN ante la Sala de lo Penal del Tribunal Superior de Justicia, por [.../...] [quebrantamiento de las normas y garantías procesales, infracción de precepto constitucional o legal, desestimación indebida a la petición de la disolución del Jurado al no existir prueba de cargo, disolución del Jurado improcedente o vulneración del derecho a la presunción de inocencia. Artículo 846 bis c) de la Ley de Enjuiciamiento Criminal].

FUNDAMENTOS PROCESALES

Primero. Se interpone el presente recurso de apelación, como dispone el artículo 846 bis a) de la Ley de Enjuiciamiento Criminal, contra sentencia dictada en el ámbito de la Audiencia Provincial y en primera instancia por el Magistrado-Presidente del Tribunal del Jurado, ante la Sala de lo Civil y Penal, actuando como Sala de lo Penal, del Tribunal Superior de Justicia de la correspondiente Comunidad Autónoma, en este caso de [.../...]

Segundo. Se funda el recurso de apelación en los motivos [.../...], apartados [.../...] del artículo 846 bis c) de la Ley de Enjuiciamiento Criminal [en concordancia con el párrafo 2.º del artículo 70 de la Ley Orgánica del Tribunal del Jurado; para el supuesto de que los motivos alegados sean los de vulneración del derecho constitucional a la presunción de inocencia y quebrantamiento de las normas y garantías procesales, apartados a) y e) del artículo 846 bis c) de la LECrim.].

Tercero. Se interpone el recurso en el plazo de diez días siguientes a la última notificación de la sentencia, conforme lo dispuesto en el artículo 846 bis b) de la mencionada Ley Procesal.

Cuarto. El presente escrito, siguiendo las normas procedimentales comunes, se firma por Abogado y Procurador con poder bastante.

Quinto. Se interpone en nombre de [.../...], parte en el juicio criminal, según establece el mentado precepto en su apartado b).

ANTECEDENTES

Primero. En el acta de la votación de los jurados de fecha [.../...] se contiene el veredicto en el que se indican los hechos sometidos a su consideración y encontrándolos probados por unanimidad, son los que a continuación se exponen:

HECHOS QUE SE DECLARAN PROBADOS [.../...] (se transcriben íntegramente).

Segundo. Asimismo, el veredicto encuentra al acusado (culpable, no culpable) del delito de [.../...], mostrando (caso de veredicto de culpabilidad) un criterio desfavorable a la aplicación de los beneficios de remisión condicional de la pena que se le impusiere, así como sobre la petición de indulto en la sentencia.

Tercero. Igualmente en el veredicto se contiene como elementos de convicción para hacer la anterior declaración de culpabilidad (o inculpabilidad) y las razones para admitir los anteriores hechos como probados, los siguientes [.../...]

Cuarto. En el Fundamento Jurídico primero de la sentencia se inserta que [.../...] (transcripción de dicho fundamento donde se efectúa una valoración jurídica de los hechos basada en determinadas pruebas y que determinan la responsabilidad penal o inculpabilidad del acusado por los hechos acaecidos).

Quinto.—El fallo de la sentencia dictada por el Magistrado-Presidente es del tenor siguiente:

«Que debo condenar y condeno (o absolver) al acusado [.../...] (se transcribe íntegro el fallo de la sentencia) [.../...] »

MOTIVACIÓN DEL RECURSO

Primero. QUEBRANTAMIENTO DE LAS NORMAS Y GARANTÍAS PROCESALES.

Al amparo de lo dispuesto en el apartado a) del artículo 846 bis c), el cual establece que «El recurso de apelación deberá fundamentarse en alguno de los motivos siguientes:

a) Que en el procedimiento o en la sentencia se ha incurrido en quebrantamiento de las normas y garantías procesales, que causare indefensión, si se hubiere efectuado la oportuna reclamación de subsanación. Esta reclamación no será necesaria si la infracción denunciada implicase la vulneración de un derecho fundamental constitucionalmente garantizado».

DESARROLLO DEL MOTIVO

(Deberá, en este punto, desarrollarse la argumentación del motivo. Seguirán tantos motivos como los que se impugnen en el presente recurso de apelación.)

Por todo ello,

SUPLICO al Magistrado-Presidente del Tribunal del Jurado que teniendo por presentado este escrito, lo admita y tenga por interpuesto en tiempo y forma recurso de apelación contra la sentencia dictada en fecha [.../...] dándose traslado a las demás partes, las que en término de cinco días puedan formular recurso supeditado de apelación y previo los demás trámites previstos en el artículo 846 bis, d) de la Ley de Enjuiciamiento Criminal, se emplace a todas las partes ante la Sala de lo Civil y Penal del Tribunal Superior de Justicia de [.../...], competente para conocer del presente recurso.

En [.../...], a [.../...] de [.../...] de 201[.../...]

Firma del Letrado

Firma del Procurador

M. 357. Escrito interponiendo recurso de apelación contra un auto

AL MAGISTRADO-PRESIDENTE DEL TRIBUNAL DEL JURADO

D. [.../...], Procurador de los Tribunales, en nombre de [.../...] (inculpado o acusación particular), cuya representación tengo acreditada en el procedimiento núm. [.../...] de [.../...] del Tribunal del Jurado, comparezco y como mejor proceda en derecho, DIGO:

Que con esta fecha se me ha notificado el Auto dictado en el indicado procedimiento, estimando [.../...]

(Procede el recurso contra un auto acordando el sobreseimiento; o cualquier cuestión previa de las enumeradas en el artículo 36 de la Ley Orgánica del Tribunal del Jurado; o en el caso previsto en el artículo 676 de la LECrim., que establece que «contra el auto resolutorio de la declinatoria y contra el que admita las excepciones 2.ª, 3.ª y 4.ª del artículo 666, procede recurso de apelación y contra el que las desestime, no se da recurso alguno salvo el que proceda contra la sentencia, sin perjuicio de lo dispuesto en el artículo 678» —párrafo tercero del artículo 676 de la LECrim., modificado por la Ley Orgánica 5/95 de 22 de mayo del Tribunal del Jurado—),

y considerando que no es ajustado a derecho y perjudicial a los intereses de mi representado, interpongo recurso de apelación contra dicho auto al amparo de lo establecido en el artículo 846 bis a) de la Ley Orgánica del Tribunal del Jurado (y en el artículo 36 LJ; en el párrafo tercero del artículo 676 de la LECrim., según los casos), y ello en base a los siguientes argumentos:

Primero. El auto resolviendo [.../...] se fundamenta en [.../...]

Segundo. Nos oponemos a la fundamentación del referido auto debido a que [.../...]

Tercero. No procede, en consecuencia, como contrariamente efectúa el auto impugnado, estimar [.../...] (la excepción de [.../...]) [.../...], sino por el contrario [.../...]

En su virtud,

SUPLICO al Magistrado-Presidente del Tribunal del Jurado: Que teniendo por presentado este escrito en tiempo y forma lo admita y tenga por interpuesto recurso de apelación contra el auto de fecha [.../...], dándose traslado a las demás partes para que en el término de cinco días puedan formular escrito supeditado de apelación y previos los demás trámites establecidos en el artículo 846 bis, d) de la Ley de Enjuiciamiento Criminal, sean emplazadas todas ellas ante la Sala de lo Civil y Penal del Tribunal Superior de Justicia de [.../...] (Comunidad Autónoma) [.../...], competente para conocer del presente recurso.

En [.../...], a [.../...] de [.../...] de 201[.../...]

Firma del Letrado

Firma del Procurador

M. 358. Providencia dando traslado a las partes del escrito de interposición del recurso de apelación

PROVIDENCIA MAGISTRADO PRESIDENTE

En [.../...], a [.../...] de [.../...] de 201[.../...]

Por presentado el anterior escrito formulado por la representación del condenado [.../...] se admite y se tiene por interpuesto en tiempo y forma recurso de apelación contra la sentencia (o auto) dictada en estos autos de fecha [.../...]

Dese traslado de dicho escrito, una vez transcurrido el término para recurrir a las demás partes, las que, en término de cinco días, podrán formular recurso supeditado de apelación.

Lo manda y firma el Magistrado Presidente. Doy fe.

El Magistrado-Presidente. El Letrado A. Justicia

DILIGENCIA: La pongo yo, el Letrado A. Justicia, para hacer constar que con esta fecha ha transcurrido el plazo de diez días siguientes desde la última notificación de la sentencia habiendo recurrido sólo la representación del condenado por lo que, cumpliendo lo ordenado, se da traslado del escrito del recurso interpuesto mediante copia del mismo a las demás partes a los fines acordados.

En [.../...], a [.../...] de [.../...] de 201[.../...]

Firma del Letrado A. Justicia

M. 359. Escrito interponiendo escrito supeditado de apelación

AL MAGISTRADO-PRESIDENTE DEL TRIBUNAL DEL JURADO

D. [.../...], Procurador de los Tribunales, en nombre de [.../...], cuya representación tengo acreditada en el procedimiento del Tribunal del Jurado núm. [.../...] de [.../...], como mejor proceda en derecho, comparezco y DIGO:

Que con fecha [.../...] ha concluido el término para recurrir la sentencia dictada en el indicado procedimiento, interponiéndose contra la misma recurso de apelación por la representación de [.../...], dándoseme traslado de aquél, vengo, al amparo de lo dispuesto en el artículo 846 bis d) de la Ley de Enjuiciamiento Criminal, a interponer en tiempo y forma recurso supeditado de apelación, en base a las siguientes alegaciones:

Primera. El apelante principal interpone recurso fundándolo en el motivo [.../...] del artículo 846 bis c) de la Ley de Enjuiciamiento Criminal, por [.../...] (mención del motivo en que el apelante principal basa el recurso con argumentación dada al mismo), motivación en la que mostramos nuestra absoluta conformidad.

Segunda. (En el supuesto de no compartir el criterio respecto de algún extremo del recurso del apelante principal cabe aducirlo en este punto).

En su virtud,

SUPLICO al Magistrado-Presidente del Tribunal del Jurado: Que, teniendo por presentado en tiempo y forma este escrito y por interpuesto recurso supeditado de apelación, efectúe traslado del mismo a las demás partes, emplazándolas ante la Sala de lo Civil y Penal del Tribunal Superior de Justicia de [.../...] (Comunidad Autónoma), para que se personen en el término legal.

En [.../...], a [.../...] de [.../...] de 201[.../...]

Firma del Letrado

Firma del Procurador

M. 360. Providencia ordenando el traslado del escrito del recurso y posterior emplazamiento

PROVIDENCIA MAGISTRADO PRESIDENTE

En [.../...], a [.../...] de [.../...] de 201[.../...]

Por presentado el anterior escrito formulado por la representación de [.../...], se tiene por interpuesto en tiempo y forma recurso supeditado de apelación contra la sentencia de fecha [.../...] dictada en este procedimiento. Dese traslado a las demás partes y, efectuado el mismo, emplácese a todas ante la Sala de lo Civil y Penal del Tribunal Superior de Justicia de [.../...] (Comunidad Autónoma) para que se personen en el plazo de diez días.

Lo manda y firma el Magistrado Presidente, doy fe.

El Magistrado-Presidente. El Letrado A. Justicia

M. 361. Escrito de la representación del apelante personándose ante la Sala de lo Civil y Penal del Tribunal Superior de Justicia

A LA SALA DE LO CIVIL Y PENAL DEL TRIBUNAL SUPERIOR DE JUSTICIA

D. [.../...], Procurador de los Tribunales, en nombre de [.../...], cuya representación acredito mediante escritura de poder que debidamente bastanteada acompaño a este escrito, como mejor proceda en derecho, comparezco y DIGO:

Que en el término legal de diez días esta parte ha sido emplazada para comparecer ante este Tribunal como consecuencia del recurso de apelación interpuesto por la representación de [.../...], por lo que al amparo de lo establecido en el artículo 846 bis d), párrafo segundo, de la Ley de Enjuiciamiento Criminal y dentro del plazo concedido, vengo a personarme en el mentado recurso de apelación en nombre de mi representado.

En su virtud,

SUPLICO A LA SALA: Que teniendo por presentado este escrito en tiempo y forma, se me tenga por comparecido y parte apelante de mi representado [.../...] contra la mencionada sentencia dictada por el Magistrado-Presidente del Tribunal del Jurado.

En [.../...], a [.../...] de [.../...] de 201[.../...]

Firma del Letrado

Firma del Procurador

M. 362. Auto declarando firme la sentencia por falta de personación o renuncia del apelante principal

AUTO

En [.../...], a [.../...] de [.../...] de 201[.../...]

Ilmos. Sres.

[.../...]

[.../...]

[.../...]

HECHOS

Primero. Que con fecha [.../...] se interpuso por la representación de [.../...] recurso de apelación contra la sentencia de fecha [.../...], dictada por el Magistrado-Presidente del Tribunal del Jurado de esta Audiencia Provincial.

Segundo. Admitido dicho recurso de apelación, se acordó por el Magistra-do-Presidente dar traslado a las demás partes para que, en el término de cinco días, pudieran formular, en su caso, recurso supeditado de apelación, lo que tuvo lugar por la representación de [.../...], emplazándose posteriormente a todas las partes para que se personaren ante este Tribunal Superior de Justicia en el plazo de diez días.

Tercero. Que ha transcurrido el plazo de emplazamiento sin que el ape-lante principal haya comparecido personándose en este recurso (o bien se persona el apelante principal en el plazo de emplazamiento manifestando su renuncia al recurso).

FUNDAMENTOS DE DERECHO

Único. De conformidad con lo establecido en el párrafo 3.º del artículo 846 bis d) de la Ley de Enjuiciamiento Criminal, no habiéndose personado el apelante principal (o habiéndose personado el apelante principal mani-festando su renuncia al recurso), procede devolver los autos a la Audiencia Provincial, declarándose firme la sentencia y procediendo a su ejecución.

PARTE DISPOSITIVA

Se declara firme la sentencia dictada por el Magistrado-Presidente del Tri-bunal del Jurado en el procedimiento núm. [.../...] de [.../...] con devolución de los autos a la Audiencia Provincial a fin de que proceda a su ejecución.

Así lo mandan y rubrican los Sres. del Tribunal, doy fe.

NOTIFICACIÓN. A las partes personadas.

M. 363. Providencia señalando día para la vista del recurso de apelación

PROVIDENCIA

Ilmo. Sr [.../...]

En [.../...], a [.../...] de [.../...] de 201[.../...]

Por recibidos los anteriores autos del procedimiento núm. [.../...] de [.../...] del Tribunal del Jurado, así como los escritos de las representaciones del apelante principal, el condenado [.../...], y del apelante del recurso su-peditado, el condenado [.../...], comparecidos como apelados el Ministerio Fiscal y la Acusación Particular.

Fórmese con los autos el oportuno rollo quedando registrado con el núm. [.../...] y proveyendo a aquellos escritos se tienen por personados y partes en este recurso a los apelantes principal y del recurso supeditado, así como a los apelados.

Se señala día [.../...] y hora [.../...] para la celebración de la vista de este recurso, y para ello cítense a las partes personadas y, en todo caso, al conde-nado y tercero responsable civil.

Así lo mandan y firman el Presidente de la Sala. Doy fe.

El Presidente de la Sala. El Letrado A. Justicia.

DILIGENCIA: Seguidamente se cumple lo ordenado, doy fe.

M. 364. Sentencia dictada por la Sala de lo Civil y Penal del Tribunal Superior de Justicia resolviendo el recurso de apelación

SENTENCIA

ROLLO N.º […/…]

TRIBUNAL DEL JURADO […/…]

AUTOS DEL JUICIO ORAL N.º […/…]

SENTENCIA N.º […/…]

Excmos. e Ilmos. Sres.

[…/…]

[…/…]

[…/…]

En […/…], a […/…] de […/…] de 201[…/…]

En el recurso de apelación que pende ante esta Sala de lo Penal del Tribunal Superior de Justicia, interpuesto por el Procurador … en nombre y representación de … contra la sentencia dictada por el Tribunal del Jurado en la causa número […/…] de […/…], habiendo comparecido la parte apelante y el Ministerio Fiscal.

VISTO siendo Ponente el Ilmo. Sr. …

ANTECEDENTES DE HECHO

1.º El fallo de la sentencia apelada dice: «FALLO: […/…] »

2.º Interpuesto recurso de apelación por el Procurador … (o por el Ministerio Fiscal o cualquier otra parte), alego los motivos […/…]

3.º Tramitado el presente recurso de apelación con arreglo a lo establecido en la Ley Orgánica del Tribunal del Jurado, se celebró vista el día …, con asistencia del Letrado y del Procurador de la parte apelante, que solicitó la revocación de la sentencia, y del Ministerio Fiscal, que seguidamente interesó […/…]

HECHOS PROBADOS

Se aceptan (o se rechazan) los hechos probados declarados en la sentencia recurrida (caso de rechazarse deberán expresarse los hechos que se estimen probados).

FUNDAMENTOS DE DERECHO

Se aceptan los fundamentos jurídicos de la sentencia recurrida (o se rechazan) y

Primero. [.../...]

(En uno o varios fundamentos de Derecho se motivará la resolución del recurso interpuesto.)

Segundo. Procede (o no) la imposición de costas a la parte apelante por su temeridad o mala fe.

VISTOS los preceptos legales citados y demás de pertinente aplicación,

FALLAMOS

Que [.../...] (supuestos que caben);

1) Estimación del recurso; «Debemos revocar y revocamos [.../...] ».

[NOTA: Si estimase el recurso por algunos de los motivos a que se refieren las letras a) y d) del artículo 846 bis c), mandará devolver la causa a la Audiencia para celebración de nuevo juicio]

2) Desestimación del recurso: «Debemos confirmar y confirmamos [.../...]».

3) Estimación parcial del recurso: «Debemos revocar y revocamos parcialmente» o «Debemos confirmar y confirmamos la resolución recurrida, salvo [.../...] ».

Se imponen al recurrente las costas de la apelación formalizada; y póngase esta resolución en conocimiento de las partes personadas, con indicación de que contra la misma procede recurso de casación dentro de los cinco días siguientes al de la última notificación de esta sentencia.

Así por nuestra sentencia, de la que se unirá certificación al rollo correspondiente, lo pronunciamos, mandamos y firmamos.

Firma Magistrados

M. 365. Recurso de casación contra la sentencia dictada en segunda instancia por el Tribunal Superior de Justicia

A LA SALA SEGUNDA DEL TRIBUNAL SUPREMO

D. [.../...], Procurador de los Tribunales y obrando en nombre de [.../...], cuya representación acredito mediante escritura de poder que debidamente bastanteada acompaño para unirse mediante testimonio a los autos, con devolución del original, como mejor proceda en derecho,

DIGO

Que por medio del presente escrito y del modo ordenado en el artículo 874 de la Ley de Enjuiciamiento Criminal y demás preceptos concordantes, comparezco y formulo, dentro del plazo para ello conferido, recurso de casación por infracción de ley y por quebrantamiento de forma contra la sentencia dictada por la Sala de lo Civil y Penal del Tribunal Superior de Justicia de [.../...], dictada en segunda instancia en el Procedimiento número [.../...] de [.../...] del Tribunal del Jurado; Rollo núm. [.../...] de la Audiencia Provincial de [.../...], habiendo sido preparado en tiempo y forma el presente recurso al haber sido entregada a esta parte la cédula de emplazamiento en fecha [.../...] y verificado el cómputo con arreglo a derecho, no ha transcurrido aún el término fijado.

Dicho recurso tiene por base los siguientes

FUNDAMENTOS PROCESALES

Primero. Se interpone el presente recurso de casación por infracción de ley contra la sentencia dictada en segunda instancia por la Sala de lo Civil y Penal del Tribunal Superior de Justicia de [.../...], dictada en fecha [.../...]

Segundo. Se ha preparado el recurso de conformidad con lo establecido en los artículos 855 y ss. de la Ley de Enjuiciamiento Criminal.

Tercero. Se funda el recurso por infracción de ley, al amparo del número 1.º del artículo 849 de la mencionada Ley Procesal.

Cuarto. Se interpone el recurso en el plazo de quince días por ser sentencia dictada por Tribunal residente en la Península conforme al artículo 873, en concordancia con el artículo 859, ambos de la misma Ley Rituaria.

Quinto. El escrito se firma por Abogado y Procurador con poder bastante, según exige el artículo 874 de la Ley Procesal, acompañando las copias simples de dicho escrito.

Sexto. Se interpone en nombre del condenado, parte en el juicio criminal según establece el artículo 854 de la Ley de Enjuiciamiento Criminal.

ANTECEDENTES

Primero. La sentencia, objeto del presente recurso, establece la siguiente declaración de hechos probados, que es la siguiente [.../...] (se copia literalmente el hecho probado de la sentencia recurrida).

Segundo. Establece la sentencia que recurrimos en los Fundamentos de Derecho [.../...] (se copia literalmente el primer fundamento de Derecho y así sucesivamente todos los que existieran en la sentencia recurrida).

Tercero. El fallo de la sentencia dictada es el siguiente:

[.../...] (se copia el fallo de la sentencia recurrida).

MOTIVOS DE CASACIÓN

Primero. Por infracción de Ley del número 1.º del artículo 849 de la Ley de Enjuiciamiento Criminal, dados los hechos que se declaran probados en la sentencia recurrida, en que se infringe el artículo [.../...] del Código Penal, resultando de dicha infracción la aplicación indebida de dicho precepto por no cumplir con los requisitos exigidos en el mismo.

Segundo. Por quebrantamiento de forma del número [.../...] del artículo [.../...] (850 u 851) de la Ley de Enjuiciamiento Criminal, por [.../...] (enunciar el motivo).

(A continuación se desarrollan cada uno de los motivos de casación).

PRIMER MOTIVO DE CASACIÓN POR INFRACCIÓN DE LEY

BREVE EXTRACTO DE SU CONTENIDO

(El número 1.º del artículo 874 de la Ley de Enjuiciamiento Criminal dispone que cada motivo de casación estará encabezado por un breve extracto de su contenido. En este punto deberá consignarse, a modo de resumen, el motivo, cuya argumentación y desarrollo se deja para el apartado siguiente).

ALEGACIONES LEGALES Y DOCTRINALES

(Deberá, en este punto, desarrollarse la argumentación del motivo).

Por todo ello, a la Sala 2.ª del Tribunal Supremo

PIDO:

Tenga por formalizado en tiempo y forma recurso de casación por [.../...] (cabe, como hemos visto, por infracción de ley y por quebrantamiento de forma contra las sentencias que enumera el artículo 847 de la Ley de Enjuiciamiento Criminal, así como contra los autos indicados en el artículo 848 de la misma Ley), a fin de que, tras sus trámites, dicte sentencia por la que estimando el primer motivo de casación, dé lugar al mismo y dicte nueva sentencia por la que [.../...] (aquí deberá indicarse «se absuelva al acusado [.../...] », «no se aplique el precepto» —que se hubiere impugnado en el motivo— en el supuesto de que se trate de una circunstancia modificativa de la responsabilidad criminal o de una cualificación del tipo, que no afecte al precepto base, o en su caso que aplique, o asimismo se aplique el precepto básico que no fue aplicado por el Tribunal de instancia), casando la anterior que recurro en este extremo.

(En cada uno de los puntos del Suplico se consignará la petición correlativa con el motivo que anteceda en el escrito)

OTROSÍ DIGO:

(En el supuesto de que el recurrente sea solvente, deberá aportar certificación acreditativa de haber efectuado el depósito a que se refiere el artículo 875 de la Ley de Enjuiciamiento Criminal. Caso de que litigase con beneficio de justicia gratuita, deberá consignar la promesa de efectuar el depósito a que se refiere el artículo mencionado, en el supuesto de que llegase a mejor fortuna)

(En el primer supuesto, este OTROSÍ deberá decir:

«Que con el presente escrito acompaño certificación acreditativa de haber efectuado el depósito a que se refiere el artículo 875 de la Ley de Enjuiciamiento Criminal. A la Sala

PIDO:

Tenga por efectuado el depósito legal. Madrid, a […/…] »).

(En el segundo supuesto, este OTROSÍ deberá decir:

«Que formulo la promesa solemne de constituir el depósito a que se refiere el artículo 875 de la Ley de Enjuiciamiento Criminal en el supuesto de que mi mandante llegare a mejor fortuna. A la Sala

PIDO:

Tenga por efectuada la anterior promesa de constituir el depósito legal en el supuesto de que mi mandante llegase a mejor fortuna».)

SEGUNDO OTROSÍ DIGO (en el supuesto de que al recurrente le interese la celebración de vista): Esta parte manifiesta que conceptúa necesaria la celebración de vista del presente recurso. En su virtud, como facultan los artículos 882 bis) y 893 bis a) de la Ley de Enjuiciamiento Criminal, solicito que se acuerde dicha celebración. A la Sala

PIDO:

Se sirva tener por hecha la anterior manifestación acordando la celebración de la vista en el presente recurso.

En […/…], a […/…] de […/…] de 201[…/…]

Firma y número de colegiado del Letrado

y del Procurador

CAPÍTULO XVIII

PROCEDIMIENTO POR ACEPTACIÓN DE DECRETO

SECCIÓN 1.   INTRODUCCIÓN, REQUISITOS Y OBJETO DEL PROCESO[1]

1.1.   Introducción

Este procedimiento especial fue introducido por la Ley 41/2015, de 5 de octubre, de modificación de la Ley de Enjuiciamiento Criminal para la agilización de la justicia penal y el fortalecimiento de las garantías procesales. Su finalidad fue la de conseguir descongestionar los órganos judiciales; reducir las instrucciones y consiguientes juicios orales; un acortamiento de los procesos; y dispensar una rápida respuesta judicial ante delitos de escasa gravedad. Así lo proclama la Exposición de Motivos de la citada Ley: «Siguiendo un modelo de probado éxito en el Derecho comparado, se instaura un mecanismo de aceleración de la justicia penal que es sumamente eficaz para descongestionar los órganos judiciales y para dispensar una rápida respuesta punitiva ante delitos de escasa gravedad cuya sanción pueda quedar en multa o trabajos en beneficio de la comunidad, totalmente respetuoso con el derecho de defensa».

La citada Exposición de Motivos entiende que este proceso supone una trasposición del proceso monitorio al ámbito penal, en cuanto persigue que se convierta en sentencia firme una propuesta sancionadora del Fiscal, cuando se cumplan los requi-

---

(1)   Vid. LÓPEZ SIMÓ, F, *El proceso por aceptación de decreto o monitorio penal*, Editorial Reus, 2017; MAGRO SERVET, Vicente, «El nuevo proceso de aceptación por decreto en la reforma de la LECrim.», *Diario La Ley*, nº 8584, sección tribuna, 16 julio 2015, Ref. D-287; ORTEGA CALDERÓN, Juan Luis, «El pretendido proceso monitorio penal: una oportunidad perdida», *Diario La Ley*, sección doctrina, 19 enero 2016, Ref. D-26; CASTILLEJO MANZANARES, Raquel, «Últimas reformas procesales. El proceso por aceptación de decreto», *Diario La Ley*, Nº 8544, Sección Doctrina, 21 de mayo de 2015, Ref. D-203. BLANCO GARCÍA Y MONTESINOS GARCÍA, «Proceso por aceptación de decreto: el nuevo monitorio penal», *Revista Boliviana de Derecho*, ISSN-e 2070-8157, Nº. 22, 2016, págs. 290-299; GARCÍA SANMARTÍN, J., «Consideraciones en torno al Anteproyecto de Ley Orgánica de modificación de la Ley de Enjuiciamiento Criminal para la agilización de la justicia penal, el fortalecimiento de las garantías procesales y la regulación de las medidas de investigación tecnológicas», *Diario La Ley*, núm. 8468, Sección Doctrina, 28 de enero 2015.

sitos legales. En este sentido manifiesta aquélla que: «Se trata de un procedimiento monitorio penal que permite la conversión de la propuesta sancionadora realizada por el Ministerio Fiscal en sentencia firme cuando se cumplen los requisitos objetivos y subjetivos previstos y el encausado da su conformidad, con preceptiva asistencia letrada». Su implantación se basa en la aplicación del principio de oportunidad, que libera al Fiscal y al acusado de seguir un proceso penal, permitiendo su rápida conclusión, sin merma aparente de garantías procesales para el acusado (asistencia letrada obligatoria y posibilidad de no aceptación del Decreto). Se trata de una alternativa al proceso, similar a otras fórmulas como la institución de la conformidad.

El inicio de este proceso queda reservado a la iniciativa del Ministerio Fiscal, si bien no es muy amplio su ámbito de aplicación. Es discutible su interferencia con otros mecanismos de simplificación del proceso penal, como a continuación se comentará.

1.2. Otros procedimientos de agilización procesal: diferencias

1) Juicios rápidos: Se tramitan por el cauce de los juicios rápidos (arts. 795 y ss. LECrim.) la instrucción y enjuiciamiento de delitos castigados con pena privativa de libertad que no exceda de 5 años, o con cualesquiera otras penas, bien sean únicas, conjuntas o alternativas, cuya duración no exceda de 10 años, cualquiera que sea su cuantía, siempre que reúnan los requisitos del art. 795 LECrim. Cabe también la conformidad del acusado con beneficio penalógico (art. 801.2 LECrim. Los requisitos que, en especial, se exigen para que pueda seguirse este procedimiento, son que debe tratarse de delitos flagrantes; de alguno de los tipos delictivos descritos en el mismo; y que el procedimiento se incoe por atestado). Estos son los elementos específicos, que delimitan su ámbito de aplicación, a diferencia de los previstos para el procedimiento de aceptación por decreto, que son distintos y más restrictivos.

b) Reconocimiento de los hechos: según el art. 779.1º.5º LECrim, si en cualquier momento de la práctica de diligencias de investigación, el investigado asistido de su abogado hubiere reconocido los hechos a presencia judicial, y éstos fueran constitutivos de delito castigado con pena incluida dentro de los límites previstos en el artículo 801, mandará convocar inmediatamente al Ministerio Fiscal y a las partes personadas a fin de que manifiesten si formulan escrito de acusación con la conformidad del acusado. En caso afirmativo, el Juzgado de Guardia, incoará diligencias urgentes y ordenará la continuación de las actuaciones por los trámites previstos en los artículos 800 y 801 LECrim. Producida la conformidad en la comparecencia, se transformará la causa y se continuará ante el mismo Juzgado de Guardia por los trámites de los juicios rápidos.

En estos casos, el Juzgado de Guardia realizará el control de la conformidad prestada en los términos previstos en el artículo 787 y, en su caso, dictará oralmente sentencia de conformidad que se documentará con arreglo a lo previsto en el apartado 2 del artículo 789, en la que impondrá la pena solicitada reducida en un tercio, aun cuando suponga la imposición de una pena inferior al límite mínimo previsto en el Código Penal. Si el fiscal y las partes personadas expresasen su decisión de no recurrir, el juez, en el mismo acto, declarará oralmente la firmeza de la sentencia y, si la pena impuesta fuera privativa de libertad, resolverá lo procedente sobre su suspensión o sustitución. Para que se acuerde la suspensión de la pena privativa de libertad bastará, a los efectos de lo dispuesto en el artículo 81.3. ª del Código Penal, que exista el compromiso del acusado de satisfacer las responsabilidades civiles que se hubieren originado en el plazo prudencial que el juzgado de guardia fije (art. 801 LECrim).

Por tanto, la sentencia de conformidad que se dicte gozará de los beneficios previstos en el citado art. 801.2 LECrim. Este mecanismo se utiliza con frecuencia en la práctica, dadas las ventajas que conlleva frente a una conformidad procesalmente más tardía. Este mecanismo debe considerarse similar al de la aceptación de decreto, si bien con un ámbito de aplicación más amplio, aunque posiblemente más lento y de resultado menos previsible, ya que se habrán incoado Diligencias Previas.

Una diferencia importante es que en el supuesto de reconocimiento de hechos, en la comparecencia que se señale deberán las partes personadas manifestar si formulan escrito de acusación con la conformidad del acusado. En caso afirmativo, se incoarán diligencias urgentes y se ordenará la continuación de las actuaciones por los trámites previstos en los arts. 800 y 801 (juicios rápidos). En el procedimiento de aceptación de decreto, se convoca la comparecencia para aceptar, directamente, la propuesta de sanción del Fiscal con lo que se eliminan trámites y es más ágil el trámite.

3) Diligencias de investigación del Fiscal[2]: Cuando el Ministerio Fiscal tenga noticia de un hecho aparentemente delictivo, bien directamente o por serle presentada una denuncia o atestado, informará a la víctima de los derechos recogidos en la legislación vigente; practicará él mismo u ordenará a la Policía Judicial que practique las diligencias que estime pertinentes para la comprobación del hecho; y, en su caso, caso instará del Juez de Instrucción la incoación del procedimiento que corresponda con remisión de lo actuado, poniendo a su disposición al detenido, si lo hubiere, y los efectos del delito. Será en este momento procesal cuando podrá acudir al procedimiento de aceptación de decreto[3].

---

(2)   Art. 773.2 LECrim: «Cuando el Ministerio Fiscal tenga noticia de un hecho aparentemente delictivo, bien directamente o por serle presentada una denuncia o atestado, informará a la víctima de los derechos recogidos en la legislación vigente; efectuará la evaluación y resolución provisionales de las necesidades de la víctima de conformidad con lo dispuesto en la legislación vigente y practicará él mismo u ordenará a la Policía Judicial que practique las diligencias que estime pertinentes para la comprobación del hecho o de la responsabilidad de los partícipes en el mismo. El Fiscal decretará el archivo de las actuaciones cuando el hecho no revista los caracteres de delito, comunicándolo con expresión de esta circunstancia a quien hubiere alegado ser perjudicado u ofendido, a fin de que pueda reiterar su denuncia ante el Juez de Instrucción. En otro caso instará del Juez de Instrucción la incoación del procedimiento que corresponda con remisión de lo actuado, poniendo a su disposición al detenido, si lo hubiere, y los efectos del delito».

(3)   Exposición de Motivos ley 41/2015: «También responde a la posibilidad de culminar la fase de diligencias de investigación del Ministerio Fiscal con una elevación de las actuaciones al juzgado de instrucción que implique no ya la puesta en conocimiento del hecho sino, de facto, la solicitud de la sentencia y pena correspondiente».

1.3. Requisitos del proceso por aceptación de decreto (art. 803 bis a LECrim)

La LECrim exige que se cumplan unos determinados requisitos para que pueda seguirse este procedimiento. Estos son:

a) Requisito temporal de solicitud de este procedimiento: Podrá seguirse el proceso por aceptación de decreto en cualquier momento después de iniciadas diligencias de investigación por la Fiscalía o de incoado un procedimiento judicial y hasta la finalización de la fase de instrucción. Por tanto, no será posible seguir este procedimiento cuando se haya dictado ya el auto de transformación, previsto en el art. 779 LECrim. No será necesario que el investigado sea llamado a declarar pero nada impide que declare. Deberán siempre cumplirse, *cumulativamente,* los requisitos objetivos y subjetivos del art. 803 bis a) LECrim.

b) Requisitos objetivos: 1º) Que el delito esté castigado con pena de multa o de trabajos en beneficio de la comunidad o con pena de prisión que no exceda de un año y que pueda ser suspendida de conformidad con lo dispuesto en el artículo 80 del Código Penal, con o sin privación del derecho a conducir vehículos a motor y ciclomotores. 2º) Que el Ministerio Fiscal entienda que la pena en concreto aplicable es la pena de multa o trabajos en beneficio de la comunidad y, en su caso, la pena de privación del derecho a conducir vehículos a motor y ciclomotores.

c) Requisito subjetivo: Que no esté personada acusación popular o particular en la causa. El legislador ha querido vedar la intervención de la víctima del delito en este tipo de procedimiento. Por esta razón no podrá seguirse este procedimiento contra los delitos perseguibles a instancia de parte (delitos de injurias entre particulares (art. 804, 808 LECrim; delitos leves de lesiones, según art. 147. 2 y 3 CP).

1.4. Objeto y contenido del decreto (art. 803 bis b. LECrim.)

El proceso por aceptación de decreto corresponde iniciarlo solo al Ministerio Fiscal y corresponde su conocimiento y fallo al Juez de Instrucción del lugar que determinen las normas de competencia territorial. Tiene por objeto una acción penal ejercitada para la imposición de una pena de multa o trabajos en beneficio de la comunidad y, en su caso, de privación del derecho a conducir vehículos a motor y ciclomotores.

En principio, quedan excluidos de este procedimiento aquellos delitos en los que, además de la pena principal de prisión inferior al año que pueden suspenderse conforme está previsto en el art. 80 CP, conlleven otra pena adicional que no sea la de la de privación del de derecho a conducir vehículos a motor y ciclomotores. Por ejemplo, los delitos leves de amenazas o lesiones en el ámbito familiar del art. 153 CP. Además, este precepto, junto con el art. 803 bis c. 5º y 803 bis a. 2ª LECrim, permiten al Fiscal dictar el decreto solo por una de las penas señaladas en dichos artículos sin que se pueda acumular a otra.

Es confusa la introducción dentro del ámbito de este procedimiento de la pena de prisión que no exceda de un año, que pueda la misma ser suspendida de conformidad con el art. 80 CP. La conclusión a la que se llega es que esta pena no puede ser solicitada por el Fiscal, ya que no lo permite la propia regulación de este procedimiento. Además, la suspensión de la ejecución no depende del Fiscal sino de la valoración que en su momento realice el Juez competente para la ejecución. Por tanto, este supuesto no podrá darse en este tipo de procedimiento.

Dentro de los supuestos en que se utilice este procedimiento[4], el más frecuente será para los delitos contra la seguridad vial del art. 379 y 384 CP; y en los casos de quebrantamiento de condena (art. 468 CP). Añade el art. 803 bis b. 2 LECrim que este procedimiento puede tener, además, por objeto la acción civil dirigida a la obtención de la restitución de la cosa y la indemnización del perjuicio. A pesar de esta dicción legal, el Fiscal no solo podrá ejercitar la acción civil, sino que tendrá que plantearla de forma necesaria cuando debe repararse el daño causado, según exige el art. 109 CP y art. 108 LECrim.

No es fácil en esta fase inicial que el Ministerio Fiscal pueda determinar la oportunidad de la sustitución de la pena privativa por una de multa, ya que no podrá acreditarse la concurrencia de todos los presupuestos que justifican la concesión de tal beneficio. Por ello, como señala acertadamente la doctrina[5], no todo hecho ilícito que recaiga objetivamente dentro del ámbito de este proceso deba seguirse por sus trámites. En principio, sólo aquéllos en los que esté suficientemente acreditado el hecho punible y la participación de su autor. Esto ocurrirá, claramente, en los casos de delitos flagrantes o cuando se obtengan los suficientes indicios incriminatorios contra un determinado autor.

---

(4)   Vid. ORTEGA CALDERÓN, Juan Luis, «El pretendido proceso monitorio penal: una oportunidad perdida», *Diario La Ley*, sección doctrina, 19 enero 2016, Ref. D-26: «Sobre la base de los presupuestos anteriores resulta que el ámbito de las infracciones penales susceptibles de ser castigadas mediante este expediente procesal son: A) Los siguientes delitos menos graves: las lesiones imprudentes tipificadas en el art. 152.1.1.º CP, la participación en riña, art. 154 CP; las lesiones al feto por imprudencia grave, art. 158 CP, las amenazas no condicionales art. 171.1 CP, el acoso sexual tipificado en el art. 184 CP, los delitos de exhibicionismo y provocación sexual tipificados en los arts. 185 y 186 CP; los delitos de omisión del deber de socorro, art. 195.1 y 2 CP; el delito contra la intimidad tipificado en el art. 197.7 CP; abandono de familia por impago de pensiones, art. 227 CP, delito contra las relaciones familiares tipificado en el art. 233.1 con las limitaciones derivadas del art. 233 CP; delitos de frustración de la ejecución previstos en los arts. 258 y 258 bis CP; delito de daños, art. 263.1 CP; delito contra los derechos de los consumidores, art. 282 CP; delito de sustracción de cosa propia a su utilidad social y cultural, art. 289 CP; 304 bis uno CP; 311 bis CP; 317 en relación con el art. 316 CP; 318 bis 1 CP; 324 CP; delitos contra la seguridad vial tipificados en el art. 379 y 384 CP —alcoholemias, exceso de velocidad, conducción sin permiso, con pérdida de puntos o privación por sentencia—; 397 CP; 399 CP; 402 bis CP; 455 CP; 456.1.2.º y 3.º CP; 457 CP; 463.1 CP; quebrantamiento de medida cautelar o condena no privativa de libertad, 468.1 in fine CP; 504.1 párrafo primero CP; 522 CP; 524 CP; 525 CP; 526 CP; 543 CP; delitos de desobediencia tipificados en el art. 556.1 y 2 CP; delitos contra el orden público tipificados en los arts. 558 CP, 559 CP. B) Los delitos leves».

(5)   Vid. CASTILLEJO MANZANARES, Raquel, «Últimas reformas procesales. El proceso por aceptación de decreto», *Diario La Ley*, Nº 8544, Sección Doctrina, 21 de mayo de 2015, Ref. D-203.

SECCIÓN 2. SUSTANCIACIÓN Y RESOLUCIÓN DEL PROCEDIMIENTO

2.1. Tramitación (arts. 803 bis d, e, f, g, h, i, j LECrim.)

Corresponde exclusivamente al Fiscal decidir si acude o no a este procedimiento en función de la concurrencia o no de los requisitos legalmente exigibles. Se iniciará mediante escrito del Fiscal, denominado Decreto de propuesta de imposición de pena. Este decreto dictado por el Ministerio Fiscal se remitirá al Juzgado de Instrucción para su autorización y notificación al investigado.

2.2. Contenido del Decreto de propuesta de imposición de pena (art. 803 bis c LECrim.)

El decreto de propuesta de imposición de pena emitido por el Ministerio Fiscal tendrá un contenido similar al del escrito de calificación provisional, regulado en el art. 650 LECrim, con la diferencia que en este Decreto no se propone prueba. El Decreto tendrá el siguiente contenido:

1º) Identificación del investigado. Aunque la ley no lo mencione, deberá hacerse referencia al grado de participación de cada acusado, así como la concurrencia de posibles circunstancias modificativas de la responsabilidad penal.

2º) Descripción del hecho punible.

3º) Indicación del delito cometido y mención sucinta de la prueba existente.

4º) Breve exposición de los motivos por los que entiende, en su caso, que la pena de prisión debe ser sustituida. Respecto de esta exposición, la ley se refiere a que en aquellos delitos que esté prevista la pena de prisión y otra de forma alternativa (trabajos en beneficio de la comunidad o multa), y el Fiscal opta por alguna alternativa y no por la de privación de libertad. En este caso se le pide que razone que si se hubiese optado por la pena de prisión, ésta debería ser suspendida en virtud de lo previsto en el art. 80 CP.

5º) Penas propuestas. A los efectos de este procedimiento, el Ministerio Fiscal podrá proponer la pena de multa o trabajos en beneficio de la comunidad, y, en su caso, la de privación del derecho a conducir vehículos a motor y ciclomotores, reducida hasta en un tercio respecto de la legalmente prevista, aun cuando suponga la imposición de una pena inferior al límite mínimo previsto en el Código Penal. Se ha establecido un beneficio que permite la reducción de la pena hasta en un tercio de la prevista. La redacción no es clara ya que podría interpretarse que este beneficio solo afecta a la pena de privación del derecho a conducir vehículos a motor y ciclomotores, ya que el citado beneficio va a continuación de esta pena, separado solo por una coma. Pero ésta no debe ser la interpretación rígida y literal de una mala redacción, ya que si se examina con criterio palingenésico se llega a la conclusión que el beneficio es aplicable a todas las penas previstas para este procedimiento. De lo contrario el ámbito de aplicación de este procedimiento quedaría reducido solo a los delitos cuya única pena fuera la de la privación del derecho a conducir. Además no se justificaría que para los juicios rápidos, el art. 801.2 LECrim extiende ilimitadamente este beneficio a la pena solicitada, aun cuando la reducción de la misma suponga la imposición de una pena inferior al límite mínimo previsto en el CP. De no entenderse así, se convertiría este procedimiento de peor condición con lo que no se aceptaría por la defensa al no beneficiarse de una conformidad. En tales casos, si se rechazase la propuesta del Fiscal, se continuaría la instrucción, pudiendo reconocer el acusado los hechos y pedir la transformación de los autos al juicio rápido, de acuerdo a lo previsto en el art. 779.1.5 LECrim, con los beneficios de la conformidad regulada en el art. 801.2 LECrim.

6º) Peticiones de restitución e indemnización, en su caso. Si bien nada se dice, deberá especificarse la existencia de posibles responsables civiles directos o subsidiarios (Aseguradoras) a los efectos de su intervención, evitando su indefensión. El art. 803 bis a. 3º LECrim exige que no esté personada acusación popular o particular en la causa. Por tanto, a nuestro entender no excluye la intervención del perjudicado para exigir exclusivamente una posible pretensión de responsabilidad civil. El perjudicado o víctima debe poder solicitar, previa acreditación de la valoración de los daños y perjuicios irrogados por la comisión del delito, la correspondiente indemnización, de lo contrario sería separar la acción civil de la penal para los perjudicados, infringiendo lo dispuesto en el art. 109 CP y en art. 108 LECrim. No parece acertado obligar a acudir al perjudicado a un proceso civil posterior para solicitar una modificación de la posible indemnización recaída solo a instancia del Fiscal sin la intervención de los perjudicados (p.ej. delitos contra la seguridad vial, derivados de vehículos a motor y motocicletas). También pueden solicitarse medidas de aseguramiento del objeto de la restitución hasta su total ejecución.

2.3. Resolución y notificación (art. 803 bis e, f LECrim.)

El Juzgado de Instrucción autorizará el decreto de propuesta de imposición de pena cuando se cumplan los requisitos establecidos en el artículo 803 bis a. Si el Juzgado de Instrucción no autoriza el decreto, éste quedará sin efecto (art. 803 bis e LECrim). Este trámite no está destinado a valorar la responsabilidad penal del acusado sino solo a comprobar que se cumplen los requisitos para tramitar este tipo de procedimiento. El juez, una vez autorice la tramitación de la causa por la vía de este procedimiento, no tendrá otra facultad que dictar sentencia, si el acusado acepta la propuesta del Fiscal, sin posibilidad de alterar, modificar o rechazar ésta. Es decir, el Juez carece de facultades decisorias, quedando limitada su función a comprobar si en el Decreto se cumplen los requisitos legales exigibles, a diferencia de lo que sucede en otros países de nuestro entorno (Alemania o Italia), que si se le permite discrepar[6].

Cuando el Fiscal traslade el decreto al Juzgado deberá éste incoar Diligencias previas caso de no estar ya abiertas para poder hacer la valoración del decreto sobre si se cumplen los requisitos antes señalados. Dictado auto de autorización del decreto por el Juzgado de Instrucción, lo notificará junto con el decreto al encausado, a quien

---

(6) Vid. CASTILLEJO MANZANARES, Raquel, «Últimas reformas procesales. El proceso por aceptación de decreto», *Diario La Ley*, Nº 8544, Sección Doctrina, 21 de mayo de 2015, Ref. D-203.

citará para que comparezca ante el tribunal en la fecha y en el día que se señale. En la notificación del decreto se informará al encausado de la finalidad de la comparecencia, de la preceptiva asistencia de letrado para su celebración y de los efectos de su incomparecencia o, caso de comparecer, de su derecho a aceptar o rechazar la propuesta contenida en el decreto. También se le informará de que, en caso de no encontrarse defendido por letrado en la causa, debe asesorarse con un abogado de confianza o solicitar un abogado de oficio antes del término previsto en el artículo siguiente (art. 803 bis f LECrim).

La ley no prevé la notificación del auto de autorización al Fiscal ni tampoco prevé la presencia e intervención de éste en la posterior comparecencia. Con esta falta de notificación y ausencia se persigue la celeridad, pero a la vez se sacrifica la posibilidad de aprovechar la comparecencia para modificar la propuesta del Fiscal, por lo que solo cabe que el acusado lo acepte o lo rechace.

2.4. Comparecencia y aceptación de la propuesta (art. 803 bis g, h, i, j LECrim.)

Si el encausado carece de asistencia letrada se le designará abogado de oficio para su asesoramiento y asistencia. Para que la comparecencia pueda celebrarse, la solicitud de designación de abogado de oficio debe realizarse en el término de cinco días hábiles antes de la fecha para la que esté señalada.

Para la aceptación de la propuesta de sanción el encausado habrá de comparecer en el juzgado de instrucción asistido de letrado. Si el encausado no comparece o rechaza la propuesta del Ministerio Fiscal, total o parcialmente en lo relativo a las penas o a la restitución o indemnización, quedará la misma sin efecto. Si el encausado comparece sin letrado, el juez suspenderá la comparecencia de acuerdo con lo dispuesto en el artículo 746 y señalará nueva fecha para su celebración. La ley no regula una segunda citación o medida para el caso de incomparecencia del acusado. Simplemente, equipara esta incomparecencia al rechazo de la propuesta del Fiscal, quedando ésta sin valor alguno.

En la comparecencia el juez, en presencia del letrado (el Fiscal no será citado), se asegurará de que el encausado comprende el significado del decreto de propuesta de imposición de pena y los efectos de su aceptación. La comparecencia será registrada íntegramente por medios audiovisuales, documentándose conforme a las reglas generales en caso de imposibilidad material. Si el encausado acepta en la comparecencia la propuesta de pena en todos sus términos, el Juzgado de Instrucción le atribuirá el carácter de resolución judicial firme, que en el plazo de tres días documentará en la forma y con todos los efectos de sentencia condenatoria, la cual no será susceptible de recurso alguno (art. 803 bis i LECrim).

La Ley no regula el mecanismo a aplicar cuando se trate de varios encausados, de los que sólo alguno decida aceptar la propuesta, mientras que los restantes decidan oponerse. En estos casos, como señala la doctrina[7], el aquietamiento del aceptante

---

(7) Vid. CASTILLEJO MANZANARES, Raquel, «Últimas reformas procesales. El proceso por aceptación de decreto», *Diario La Ley*, Nº 8544, Sección Doctrina, 21 de mayo de 2015, Ref. D-203.

no podrá extenderse a quien formule oposición, de manera que, frente a éste o éstos se iniciará el procedimiento correspondiente, sin que el contenido del Decreto, resulte vinculante en relación con el nuevo proceso que se siga.

No es muy acertada la técnica procesal utilizada, al establecer que si se acepta la propuesta del decreto del Fiscal, el Juez le atribuirá a dicho decreto carácter de resolución judicial firme. Lo cierto es que el decreto del Fiscal no es una resolución judicial, por lo que lo correcto es que el Juez en estos casos, aprovechando que la ley establece que «en el plazo de tres días debe documentarse en la forma y con todos los efectos de sentencia condenatoria», dicte sentencia condenatoria, sin posibilidad de recurso, con el contenido del decreto. Así es como se regula en los juicios rápidos en el art. 801.2. LECrim.

No se determinan normas para la ejecución de la «sentencia condenatoria firme». Ante el silencio de la Ley, una vez dictada ésta, deberá acudirse a las normas de ejecución de sentencia previstas para los juicios rápidos, como regula el art. 779.5 LECrim, para los casos de reconocimiento de hechos a presencia judicial, y aplicar el contenido del art. 801.4 LECrim. Sin embargo, la regulación de la suspensión de la pena, modificada por LO 2015, obliga a adaptar una interpretación adaptada a la misma. La rebaja de un tercio de la pena de trabajos sociales o de multa se contradice con la suspensión de la pena. Por lo que habrá de conjugarse con lo dispuesto en el art. 84 CP[8].

Si el decreto de propuesta de pena deviene ineficaz por no ser autorizado por el Juzgado de Instrucción, por incomparecencia o por falta de aceptación del encausado, el Ministerio Fiscal no se encontrará vinculado por su contenido y proseguirá la causa por el cauce que corresponda (art. 803 bis j LECrim).

No prevé la Ley el supuesto de varios acusados en los que solo alguno de ellos acepte la propuesta del Fiscal. La duda surge sobre si debe entenderse que en estos casos la aceptación de alguno afectará o no a los demás, frente a los que se proseguirá la causa por el cauce que corresponda. A nuestro entender, en estos casos, deberá proseguir la causa para todos tal como se regula para el procedimiento ordinario, abreviado y rápido en los arts. 655.4º, 697.2º, 787.2º y 801.2º LECrim. De optarse por proseguir solo para los acusados no conformados, se plantea la cuestión sobre los efectos de una posible sentencia absolutoria posterior contradictoria con la sanción aceptada previamente por el conformado. De producirse esta situación debería el acusado conformado acudir a un recurso de revisión. Por otra parte, para evitar posibles reparaciones, en estos casos, debería suspenderse la ejecución de la sentencia firme conformada hasta que recayera sentencia firme en el segundo proceso, a resultas de su contenido. Tal situación infringiría la finalidad de agilización y el principio de celeridad, convirtiéndose en una situación realmente compleja, privando de sentido el presente procedimiento.

---

(8) Vid. GÓMEZ-ESCOLAR MAZUELA, «Cinco cuestiones sobre la nueva suspensión-sustitución de las penas privativas de libertad», *Diario La Ley* 25 enero 2016, nº 8688.

MODELOS

M. 366. Escrito de la defensa interesando la tramitación por la vía del proceso por aceptación

LA LEY 5560/2016

AL JUZGADO DE INSTRUCCIÓN N.º [.../...] DE [.../...]

D. [.../...], Abogado del Ilustre Colegio de Abogados de [.../...], con n.º de colegiado [.../...] y con despacho profesional abierto en calle [.../...], de [.../...], CP [.../...], en representación del acusado, D. [.../...], en el procedimiento [.../...] / [.../...], comparezco ante el Juzgado y, como mejor proceda en derecho,

DIGO:

Que, habiéndose incoado las citadas Diligencias previas n.º [.../...], interesa a mi defendido, que se sigan tramitando por la vía del proceso por aceptación de decreto, previsto en art. 803 bis a LECrim. con traslado al Ministerio Fiscal de esta solicitud al no haberse tramitado las diligencias como urgentes.

Dado que el delito que es objeto de investigación es el del art. [.../...] CP y concurren los presupuestos del art. 803 bis a LECrim:

1.º Que el delito esté castigado con pena de multa o de trabajos en beneficio de la comunidad o con pena de prisión que no exceda de un año y que pueda ser suspendida de conformidad con lo dispuesto en el artículo 80 del Código Penal, con o sin privación del derecho a conducir vehículos a motor y ciclomotores.

2.º Que el Ministerio Fiscal entienda que la pena en concreto aplicable es la pena de multa o trabajos en beneficio de la comunidad y, en su caso, la pena de privación del derecho a conducir vehículos a motor y ciclomotores.

3.º Que no esté personada acusación popular o particular en la causa.

En este sentido, la defensa solicita se dé traslado del presente escrito a la Fiscalía para que sea esta la que inste el proceso por aceptación de decreto del art. 803 bis a) LECRIM, en base a lo dispuesto y con el contenido del art. 803 bis c LECrim.

Al estar sancionado el delito del art. [.../...] CP con pena de multa es viable que se aplique esta vía y que la pena interesada por la fiscalía sea la de trabajos en beneficio de la comunidad de [.../...], dada la ausencia de actividad laboral del acusado y en su caso la privación del permiso de conducir por tiempo de [.../...] al posibilitarlo el art. 803 bis a 2º LECrim.

Por lo expuesto,

SUPLICO AL JUZGADO:

Que tenga por presentado este escrito, lo admita, tenga por evacuado el trámite y por interesado el traslado a la Fiscalía en los términos interesados, a fin de que se dicte auto por el juzgado y se me cite a la comparecencia prevista en el art. 803 bis f LECrim), a fin de aceptar la propuesta contenida en el decreto.

Es de Justicia que pido en [.../...] a [.../...] de [.../...] de [.../...].

Firma de Abogado y número de colegiado: [.../...]

CAPÍTULO XIX

EL PROCEDIMIENTO DE DECOMISO AUTÓNOMO y LA INTERVENCIÓN DE TERCEROS AFECTADOS POR EL DECOMISO

SECCIÓN 1. INTRODUCCIÓN[1]

La regulación del procedimiento de decomiso autónomo se justificó en la Exposición de Motivos de la Ley 41/2015, de 5 de octubre, de modificación de la Ley de Enjuiciamiento Criminal para la agilización de la justicia penal y el fortalecimiento de las garantías procesales. Esencialmente, se debió a la necesidad de trasponer a nuestro sistema procesal penal la Directiva 2014/42/UE del Parlamento Europeo y del Consejo, de 3 de abril de 2014, sobre el embargo y el decomiso de los instrumentos y del producto del delito en la Unión Europea. Esta Directiva exige a los Estados miembros articular cauces para su implementación, en especial para permitir la efectividad de las nuevas figuras de decomiso[2].

---

(1) OCAÑA RODRÍGUEZ, A., *Medidas cautelares reales en el proceso penal de decomiso*, Edit. Sepin, Madrid 2016. GASCÓN INCHAUSTI, F., *Las nuevas herramientas procesales para articular la política criminal de decomiso total: la intervención en el proceso penal de terceros afectados por el decomiso y el proceso para el decomiso autónomo de los bienes y productos del delito, Revista General de Derecho Procesal*, ISSN-e 1696-9642, Nº. 38, 2016. NIEVA FENOLL, J., «El procedimiento de decomiso autónomo. En especial, sus problemas probatorios», *Diario La Ley*, nº 8601, Sección doctrina, 9 septiembre 2015, Ref. D. 322.

(2) «Por último, tanto el art. 127 como el art. 374, incluyen dentro del objeto del comiso las ganancias provenientes del delito, cualesquiera que sean las transformaciones que hayan podido experimentar. Se trata así de establecer claramente como consecuencia punitiva la pérdida del provecho económico obtenido directa o indirectamente del delito. Sobre las ganancias procedentes de operaciones anteriores a la concreta operación descubierta y enjuiciada, la Sala Segunda en Pleno de 5.10.98, acordó extender el comiso "siempre que se tenga por probada dicha procedencia y se respete en todo caso el principio acusatorio". Finalmente el límite a su aplicación vendría determinado por su pertenencia a terceros de buena fe no responsables del delito que los hayan adquirido legalmente, bien entendido que la jurisdicción penal tiene facultades para delimitar situaciones fraudulentas y a constatar la verdadera realidad que subyace tras una titularidad jurídica aparente

Con este procedimiento el legislador persigue conseguir un equilibrio entre la agilidad del mismo y las garantías para las personas demandadas. Su objetivo es permitir la privación de la titularidad de los bienes procedentes del delito aun cuando el autor no pueda ser juzgado. El legislador ha optado para una tramitación mixta al acudir a los trámites del juicio verbal civil para la sustanciación del proceso a los efectos de facilitar la localización de los bienes decomisables, que se encuentren en poder del condenado o de terceros. En cambio, en materia de recursos se remite al sistema del procedimiento abreviado de la LECrim.

La regulación sustantiva de esta materia ya fue transpuesta al Código Penal mediante la LO 1/2015 de reforma del mismo. La regulación sustantiva vigente del decomiso se contiene en los arts. 127, y 127 bis a 128 octies CP y regula el decomiso de bienes, medios, instrumentos, efectos y ganancias del delito (art. 127 CP). Los tipos regulados con la reforma son:

a) El decomiso ampliado: «*El juez o tribunal ordenará también el decomiso de los bienes, efectos y ganancias pertenecientes a una persona condenada por alguno de los siguientes delitos cuando resuelva, a partir de indicios objetivos fundados, que los bienes o efectos provienen de una actividad delictiva, y no se acredite su origen lícito...*». Es decir, aunque no se haya podido probar que concretamente provengan del delito objeto de condena, por lo que se produce una inversión de la carga de la prueba (art. 127 bis CP). En este tipo de decomiso los bienes o efectos decomisados provienen de actividades ilícitas del condenado, distintas a los hechos por los que se le condena, que no han sido objeto de prueba plena. No se puede probar una conexión causal entre la actividad delictiva y el enriquecimiento, sino solo la existencia de indicios objetivos y fundados que indican que aquellos bienes provienen de una actividad delictiva, cuyo origen lícito no se puede acreditar. Su objetivo es evitar que quede impune el patrimonio ilícitamente obtenido, proveniente de un hecho delictivo y se consume un enriquecimiento injusto[3]. Algunos de estos indicios o presunciones vienen recogidos en el art. 127 bis 2 CP.

---

empleada para encubrir o enmascarar la realidad del trafico jurídico y para enmascarar el origen ilícito del dinero empleado en su adquisición. Por ello, a diferencia de las penas que tienen un carácter personalísimo y solo pueden imponerse al culpable de un hecho delictivo, la aplicación del comiso en el proceso penal no está vinculada a la pertenencia del bien al responsable criminal, arts. 127 y 374 CP, sino únicamente a la demostración del origen ilícito del producto o las ganancias o de su utilización para fines criminales, por lo que en principio, aun habiendo sido absuelto una persona o perteneciendo el bien a un tercero, podría acordarse el comiso del dinero intervenido, desvirtuando la presunción de buena fe de los arts. 433 y 434 C. Civil y acreditando que era un tercero aparente o limitado para encubrir su origen ilícito». (STS 857/12, de 9 noviembre).

(3) Exposición de Motivos de la LO 1/2015, de 30 marzo, que modificó el Código Penal: «el decomiso ampliado se caracteriza, precisamente, porque los bienes o efectos decomisados provienen de otras actividades ilícitas del sujeto condenado, distintas a los hechos por los que se le condena y que no han sido objeto de una prueba plena. Por esa razón, el decomiso ampliado no se fundamenta en la acreditación plena de la conexión causal entre la actividad delictiva y el enriquecimiento, sino en la constatación por el juez, sobre la base de indicios fundados y objetivos, de que han existido otra u otras actividades delictivas, distintas a aquellas por las que se condena al sujeto, de las que deriva el patrimonio que se pretende decomisar. Véase que la exigencia de una prueba plena determinaría no el decomiso de los bienes o efectos, sino la condena por aquellas otras actividades delictivas de las que razonablemente provienen.

El decomiso ampliado, según explica la Exposición de Motivos de la LO 1/15, permitirá a los jueces y tribunales, en los supuestos de condenas por delitos que normalmente generan una fuente permanente de ingresos, como ocurre con el tráfico de drogas, terrorismo o blanqueo de capitales, ordenar el decomiso de bienes y efectos del condenado procedentes de otras actividades delictivas, siempre que existan indicios objetivos fundados de la procedencia ilícita de los efectos decomisados. La regulación contempla así una figura que se encuentra ya recogida por el Derecho comparado y que será de aplicación generalizada en el ámbito de la Unión Europea como consecuencia de la mencionada Directiva 2014/42/UE.

b) El decomiso sin sentencia de condena: «*El juez o tribunal podrá acordar el decomiso previsto en los artículos anteriores aunque no medie sentencia de condena, cuando la situación patrimonial ilícita quede acreditada en un proceso contradictorio y se trate de alguno de los siguientes supuestos: a) Que el sujeto haya fallecido o sufra una enfermedad crónica que impida su enjuiciamiento y exista el riesgo de que puedan prescribir los hechos; b) se encuentre en rebeldía y ello impida que los hechos puedan ser enjuiciados dentro de un plazo razonable; o c) no se le imponga pena por estar exento de responsabilidad criminal o por haberse ésta extinguido*» (art. 127 ter CP). La Exposición de Motivos de la LO 1/2015, señala que como ha afirmado el Tribunal Europeo de Derechos Humanos, el decomiso sin condena no tiene una naturaleza propiamente penal, pues no tiene como fundamento la imposición de una sanción ajustada a la culpabilidad por el hecho, sino que «es más comparable a la restitución del enriquecimiento injusto que a una multa impuesta bajo la ley penal» pues «dado que el decomiso se limita al enriquecimiento (ilícito) real del beneficiado por la comisión de un delito, ello no pone de manifiesto que se trate de un régimen de sanción» (Decisión 696/2005, Dassa Foundation vs. Liechtenstein).

c) El decomiso de bienes, efectos o ganancias transferidos a terceras personas: «*Los jueces y tribunales podrán acordar también el decomiso de los bienes, efectos y ganancias a que se refieren los artículos anteriores que hayan sido transferidos a terceras personas, o de un valor equivalente a los mismos, en los siguientes casos: a) En el caso de los efectos y ganancias, cuando los hubieran adquirido con conocimiento de que proceden de una actividad ilícita o cuando una persona diligente habría tenido motivos para sospechar, en las circunstancias del caso, de su origen ilícito; b) En el caso de otros bienes, cuando los hubieran adquirido con conocimiento de que de este modo se dificultaba su decomiso o cuando una persona diligente habría tenido motivos para sospechar, en las circunstancias del caso, que de ese modo se dificultaba su decomiso. Se presumirá, salvo prueba en contrario, que el tercero ha conocido o ha tenido motivos para sospechar que se trataba de bienes procedentes*

El decomiso ampliado no es una sanción penal, sino que se trata de una institución por medio de la cual se pone fin a la situación patrimonial ilícita a que ha dado lugar la actividad delictiva. Su fundamento tiene, por ello, una naturaleza más bien civil y patrimonial, próxima a la de figuras como el enriquecimiento injusto. El hecho de que la normativa de la Unión Europea se refiera expresamente a la posibilidad de que los tribunales puedan decidir el decomiso ampliado sobre la base de indicios, especialmente la desproporción entre los ingresos lícitos del sujeto y el patrimonio disponible, e, incluso, a través de procedimientos de naturaleza no penal, confirma la anterior interpretación.»

de una actividad ilícita o que eran transferidos para evitar su decomiso, cuando los bienes o efectos le hubieran sido transferidos a título gratuito o por un precio inferior al real de mercado» (art. 127 quater CP).

d) El decomiso de bienes, efectos y ganancias provenientes de una actividad delictiva previa continuada del condenado: *«Los jueces y tribunales podrán acordar también el decomiso de bienes, efectos y ganancias provenientes de la actividad delictiva previa del condenado, cuando se cumplan, cumulativamente, los siguientes requisitos...»* (art. 127 quinquies CP). *A los efectos de lo previsto en el artículo anterior serán de aplicación las siguientes presunciones...»* (art. 127 sexies CP).

SECCIÓN 2. OBJETO, COMPETENCIA Y PARTES

2.1. Objeto del proceso (art. 803 ter e. LECrim.)

El procedimiento de decomiso autónomo, regulado en el Título III ter (arts. 803 ter y ss.), permite solicitar el decomiso de bienes, efectos o ganancias cuando no haya recaído sentencia penal o cuando el autor responsable penal no pueda ser juzgado. La acción que se ejercite servirá para solicitar el decomiso de bienes, efectos o ganancias, o un valor equivalente a los mismos, cuando no hubiera sido ejercitada con anterioridad (por esto se denomina autónomo), salvo lo dispuesto en el artículo 803 ter p., en el que se establece que el contenido de la sentencia de este procedimiento de decomiso autónomo no vinculará en el posterior enjuiciamiento penal del encausado, si éste se produce.

La norma permite acudir a este procedimiento tanto en el supuesto que se siga un proceso penal en el que pueda acordarse el decomiso, con tal que haga en dicho proceso penal reserva de acudir a este procedimiento; como en aquellos otros supuestos de imposibilidad de juzgar a los responsables penales. Sin embargo, lo procesalmente procedente sería acudir a éste procedimiento autónomo solo en el segundo supuesto, limitándose cuando se estuviera tramitando el proceso penal a acordar y practicar el decomiso en dicho proceso. Pero la ley lo permite en ambos supuestos.

La LECrim. dispone que, en particular, será aplicable este procedimiento en los siguientes casos:

a) Cuando el fiscal se limite en su escrito de acusación a solicitar el decomiso de bienes pero reserve expresamente para este procedimiento su determinación. En este caso de reserva de la acción por el fiscal, el procedimiento de decomiso autónomo solamente podrá ser iniciado cuando el proceso en el que se resuelva sobre las responsabilidades penales del encausado hubiera concluido con sentencia firme.

b) Cuando se solicite como consecuencia de la comisión de un hecho punible cuyo autor haya fallecido o no pueda ser enjuiciado por hallarse en rebeldía o incapacidad para comparecer en juicio. Dentro de este apartado debe entenderse incluido los supuestos de enfermedad que impidan la comparecencia en juicio.

2.2. Competencia (art. 803 ter f. LECrim)

Será competente para el conocimiento del procedimiento de decomiso autónomo:

a) el juez o tribunal que hubiera dictado la sentencia firme. Por tanto, podrá ser tanto el de instancia, si no se hubiese recurrido la sentencia, como el tribunal que hubiera resuelto el último recurso.

b) el juez o tribunal que estuviera conociendo de la causa penal suspendida.

c) el juez o tribunal competente para el enjuiciamiento de la misma cuando ésta no se hubiera iniciado, en las circunstancias previstas en el artículo 803 ter e.

2.3. Legitimación activa (art. 803 ter g. LECrim.). Exclusividad del Ministerio Fiscal en el ejercicio de la acción (art. 803 ter h LECrim.)

Serán aplicables al procedimiento de decomiso autónomo las normas que regulan el juicio verbal regulado en los arts. 437 y ss. de la Ley de Enjuiciamiento Civil en lo que no sean contradictorias con las establecidas en este capítulo. Es decir, se trata de una remisión a los trámites del juicio verbal civil pero que en caso de contradicción primarán las normas de la LECrim.

La acción de decomiso en el procedimiento de decomiso autónomo será ejercitada *exclusivamente* por el Ministerio Fiscal. Se trata de una norma que solo admite como parte activa al Ministerio fiscal. Queda vedado a la víctima, perjudicada por el delito, poder solicitar la apertura de este procedimiento. Sin embargo, esta norma choca con lo previsto en el art. 367 quinquies LECrim, en la que se dispone que el producto de la venta de los efectos judiciales (art. 367 bis LECrim) se ingresará en la cuenta de consignaciones del juzgado para cubrir las responsabilidades civiles y costas declaradas en el proceso penal. No tiene sentido impedir a la víctima que puede iniciar este procedimiento cuando le afecta directamente, a parte de también al Estado. Por tanto, para evitar, además, la indefensión de aquélla se debería admitir el ejercicio de la acción de decomiso por parte de la víctima, máxime cuando se encuentre constituida como acusación particular; o bien su entrada en este proceso cuando se hubiera iniciado por el Fiscal.

2.4. Legitimación pasiva y citación a juicio (art. 803 ter j. LECrim.)

Serán citados a juicio como demandados los sujetos contra los que se dirija la acción por su relación con los bienes a decomisar. El encausado rebelde será citado mediante notificación dirigida a su representación procesal en el proceso suspendido y la fijación de edicto en el tablón de anuncios del tribunal. El tercero afectado por el decomiso será citado de conformidad con lo previsto en el apartado 3 del artículo 803 ter b.

2.5. Asistencia letrada (art. 803 ter i. LECrim.)

Serán aplicables a todas las personas cuyos bienes o derechos pudieren verse afectados por el decomiso las normas reguladoras del derecho a la asistencia letrada del encausado previstas en la LECrim. Por tanto, deberán comparecer siempre con asistencia letrada. Caso de no disponer, se les nombrará de oficio.

2.6. Comparecencia del encausado rebelde o con la capacidad modificada judicialmente (art. 803 ter k. LECrim)

Si el encausado declarado rebelde en el proceso suspendido no comparece en el procedimiento autónomo de decomiso se le nombrará procurador y abogado de oficio, que asumirán su representación y defensa.

La comparecencia en el procedimiento de decomiso autónomo del encausado con la capacidad modificada judicialmente para comparecer en el proceso penal suspendido se regirá por las normas de la Ley de Enjuiciamiento Civil. Es decir, art. 7.2 LEC en los casos de incapaces que tengan representación. En caso de que carezcan de ésta, al no ser posible nombrarles el defensor judicial previsto en el art. 8 LEC, por corresponder esta defensa al Fiscal —incompatible con su carácter activo en este procedimiento—, deberá quedar el procedimiento en suspenso.

SECCIÓN 3. PROCEDIMIENTO

3.1. Normas procesales aplicables (art. 803 ter i LECrim.)

Serán aplicables al procedimiento de decomiso autónomo las normas que regulan el juicio verbal, previstas en los arts. 437 y ss. de la Ley de Enjuiciamiento Civil, en lo que no sean contradictorias con las establecidas en este capítulo II (arts. 803 ter e a 803 ter u) LECrim.

Con relación a la normativa aplicable al decomiso cuando afecte a Estados de la Unión Europea, se estará a lo dispuesto en la Ley 23/2014, de 20 de noviembre, de Reconocimiento mutuo de resoluciones penales en la Unión Europea. Esta Ley dedica su Título VIII (arts. 157 a 172) a regular el régimen de la resolución de decomiso en el ámbito europeo. Regula el procedimiento a través del cual se van a transmitir, por parte de las autoridades judiciales españolas, aquellas sentencias firmes por las que se imponga un decomiso, a otros Estados miembros de la Unión Europea. También establece el modo en el que las autoridades judiciales españolas van a reconocer y a ejecutar tales resoluciones cuando le sean transmitidas por otro Estado miembro.

La LECrim. ha optado por acudir al juicio verbal civil para conseguir una tramitación rápida, olvidando que en la vía penal debe prevalecer y garantizarse ante todo el derecho de defensa y, en consecuencia, el de prueba. Cuestiones que no pueden afirmarse sin matices del juicio verbal civil. Es rechazable esta premura en un proceso penal donde se afectan derechos fundamentales de las partes, como es el de propiedad. La fase de alegaciones debería disponer de más posibilidades y plazo para ejercer adecuadamente el derecho de defensa.

En todo caso no debe confundir esta remisión. En realidad, no se trata de un reenvío a un juicio verbal civil sino que la remisión debe entenderse realizada a los trámites a seguir; a que se tramite por los trámites de este tipo de juicio pero de acuerdo con unas especialidades que, precisamente, lo alejan de aquella naturaleza civil. En este sentido, se iniciará el procedimiento mediante demanda, que solo podrá presentar el Fiscal, de redactado más complejo que la que rige en el ámbito civil, ya que deberá incluirse el hecho punible y su relación con el bien a decomisar; la calificación penal del hecho punible; y la situación de la persona contra la que se dirige la solicitud respecto al bien. Al tener carácter sancionador deberá operar la presunción de inocencia para todos los implicados, debiendo acreditarse el origen delictivo de los bienes objeto de decomiso, regulándose a estos efectos una larga serie de indicios en los arts. 127 bis y ss. CP. En la demanda deberá proponerse prueba y solicitar, en su caso, medidas cautelares y supondrá un incidente, que se tramita por separado, en pieza separada, del proceso penal.

3.2. Demanda y admisión de solicitud de decomiso autónomo (art. 803 ter l LECrim.)

La demanda de decomiso autónomo se presentará por escrito en la que se expresará en apartados separados y numerados: a) Las personas contra las que se dirige la solicitud y sus domicilios. b) El bien o bienes cuyo decomiso se pretende. c) El hecho punible y su relación con el bien o bienes. d) La calificación penal del hecho punible. e) La situación de la persona contra la que se dirige la solicitud respecto al bien. f) El fundamento legal del decomiso. g) La proposición de prueba. h) La solicitud de medidas cautelares, justificando la conveniencia de su adopción para garantizar la efectividad del decomiso, si procede.

Admitida la demanda, el órgano competente adoptará las siguientes resoluciones: 1º) Acordará o no las medidas cautelares solicitadas. 2º) Notificará la demanda de decomiso a las partes pasivamente legitimadas, a quienes otorgará un plazo de veinte días para personarse en el proceso y presentar escrito de contestación a la demanda de decomiso. 3º) Adoptará o no de las medidas cautelares solicitadas. La adopción con o sin audiencia, la oposición, modificación o alzamiento de las medidas cautelares y la prestación de caución sustitutoria se desarrollará de acuerdo con lo previsto en los arts. 721 y ss. de la Ley de Enjuiciamiento Civil en lo que no sea contradictorio con las normas establecidas en este capítulo (art. 803 ter l, 3. LECrim.)[4].

Esta posibilidad de asegurar los bienes viene, también, recogida en el Código Penal, que permite realizarla desde las primeras diligencias. Esta posibilidad debe entenderse operativa no solo en el proceso penal sino también en este autónomo, según prevé el art. 803 ter l. h LECrim. En este sentido se establece que los bienes, medios, instrumentos y ganancias objeto de decomiso podrán ser aprehendidos o embargados y puestos en depósito por la autoridad judicial desde el momento de las primeras diligencias, a los efectos de garantizar la efectividad del decomiso. Corresponderá al juez o tribunal resolver, conforme a lo dispuesto en la Ley de Enjuiciamiento Crimi-

---

(4) Art. 20 Ley Hipotecaria: «En los procedimientos criminales y en los *de decomiso* podrá tomarse anotación de embargo preventivo o de prohibición de disponer de los bienes, como medida cautelar, cuando a juicio del juez o tribunal existan indicios racionales de que el verdadero titular de los mismos es el encausado, haciéndolo constar así en el mandamiento».

nal, sobre la realización anticipada o utilización provisional de los bienes y efectos intervenidos (art. 127 octies CP).

3.3. Contestación a la demanda de decomiso (art. 803 ter m LECrim.)

El escrito de contestación a la demanda de decomiso contendrá, en relación con los correlativos del escrito de demanda, las alegaciones de la parte demandada y la prueba propuesta. Si el demandado no interpusiera su escrito de contestación en el plazo conferido o si desistiera del mismo, el órgano competente acordará el decomiso definitivo de los bienes, efectos o ganancias, o de un valor equivalente a los mismos. Es decir, no procederá la declaración de rebeldía sino la terminación anticipada del proceso.

El plazo para presentar el escrito de contestación es el de veinte días, de acuerdo con lo previsto en el art. 438.1 LEC. Como ya se ha expuesto, la falta de contestación provocará, de acuerdo con el art. 803 ter m LECrim., el decomiso definitivo de los bienes, efectos o ganancias, o de un valor equivalente a los mismos, en aras de la celeridad del proceso y evitar su desaparición o deterioro.

Durante la tramitación del proceso y al final, una vez dictada sentencia, el Fiscal podrá llevar a cabo, por sí mismo, a través de la Oficina de Recuperación y Gestión de Activos o por medio de otras autoridades o de los funcionarios de la Policía Judicial, las diligencias de investigación que resulten necesarias para localizar los bienes o derechos titularidad de la persona con relación a la cual se hubiera acordado el decomiso.

Cuando el fiscal considere necesario llevar a cabo alguna diligencia de investigación o medida cautelar que deba ser autorizada judicialmente, presentará la solicitud al juez o tribunal que hubiera conocido el procedimiento de decomiso, si no lo hubiere hecho al presentar la demanda conforme a lo que establece el art. 803 ter l, h LECrim. (art. 803 ter . LECrim.).

3.4. Resolución sobre prueba y vista (art. 803 ter n LECrim.)

Presentada y contestada la demanda, el órgano competente resolverá sobre la prueba propuesta por auto, en el que señalará fecha y hora para la vista, de acuerdo a las reglas generales. Esta resolución no será recurrible, aunque la solicitud de prueba podrá reiterarse en el juicio cuando resulte rechazada.

3.5. Vista y sentencia (art. 803 ter o LECrim.)

El juicio —o vista— se desarrollará conforme a lo dispuesto en el artículo 433 de la Ley de Enjuiciamiento Civil. Se podrá reiterar los medios de prueba rechazados al admitir la demanda y contestación, conforme a lo dispuesto en el art. 803 ter n LECrim. Aunque la norma no lo exprese, se podrá también proponer nueva prueba en el acto del juicio, al igual que ocurre en el procedimiento abreviado en aras del principio de defensa y porque así lo permite el art. 443.3.2 LEC referente al juicio verbal. Practicadas las pruebas, el tribunal podrá conceder a las partes un turno de palabra para formular oralmente conclusiones. A continuación se dará por terminada la vista (art. 447.1 LEC).

El juez o tribunal resolverá mediante sentencia en el plazo de 20 días desde su finalización, con alguno de los siguientes pronunciamientos: 1º) Estimar la demanda de decomiso y acordar el decomiso definitivo de los bienes. 2º) Estimar parcialmente la demanda de decomiso y acordar el decomiso definitivo por la cantidad que corresponda. En este caso, se dejarán sin efecto las medidas cautelares que hubieran sido acordadas respecto al resto de los bienes. 3º) Desestimar la demanda de decomiso y declarar que no procede por concurrir alguno de los motivos de oposición. En este caso, se dejarán sin efecto todas las medidas cautelares que hubieran sido acordadas.

Cuando la sentencia estime total o parcialmente la demanda de decomiso, identificará a los perjudicados y fijará las indemnizaciones que fueran procedentes. El pronunciamiento en costas se regirá por las normas generales previstas en la LECrim.

Dispone, por su parte, el art. 127 octies CP que los bienes, instrumentos y ganancias decomisados por resolución firme, salvo que deban ser destinados al pago de indemnizaciones a las víctimas, serán adjudicados al Estado, que les dará el destino que se disponga legal o reglamentariamente.

3.6. Recursos (art. 803 ter r. 1 LECrim.)

Son aplicables en el procedimiento de decomiso autónomo las normas reguladoras de los recursos aplicables al proceso penal abreviado (ver Cap. IX. Sec. 6). Por tanto, cabrá recurso de apelación y recurso de casación en aquellos casos en que hubiere conocido la Audiencia Provincial en primera instancia.

3.7. Efectos de la sentencia de decomiso (art. 803 ter p LECrim.)

La sentencia, debidamente motivada, desplegará los efectos materiales de la cosa juzgada en relación con las personas contra las que se haya dirigido la acción y la causa de pedir planteada, consistente en los hechos relevantes para la adopción del decomiso, relativos al hecho punible y la situación frente a los bienes del demandado. Más allá de este efecto material de la cosa juzgada, el contenido de la sentencia del procedimiento de decomiso autónomo no vinculará en el posterior enjuiciamiento penal del encausado, si se produce. De acuerdo con esta previsión, si la sentencia del proceso penal posterior fuese contradictoria con la de decomiso, esta última podrá ser objeto de rescisión. Así lo contempla el art. 954.2 LECrim. al regular esta contradicción como motivo de revisión de sentencia firme: *Será motivo de revisión de la sentencia firme de decomiso autónomo la contradicción entre los hechos declarados probados en la misma y los declarados probados en la sentencia firme penal que, en su caso, se dicte.*

En el proceso penal posterior contra el encausado, si se produce, no se solicitará ni será objeto de enjuiciamiento el decomiso de bienes sobre el que se haya resuelto con efecto de cosa juzgada en el procedimiento de decomiso autónomo. A los bienes decomisados se les dará el destino previsto en esta ley y en el Código Penal.

Cuando el decomiso se hubiera acordado por un valor determinado, se requerirá a la persona con relación a la cual se hubiera acordado para que proceda al pago de la cantidad correspondiente dentro del plazo que se le determine; o, en otro caso, designe bienes por un valor suficiente sobre los que la orden de decomiso pueda hacerse efectiva. Si el requerimiento no fuera atendido, se procederá del modo previsto en el artículo 803 ter q. LECrim, para la ejecución de la orden de decomiso.

3.8. Ejecución dirigida por el Ministerio Fiscal (art. 803 ter q LECrim.)

La fase de ejecución de los bienes decomisados acordados en la sentencia será dirigida por el Fiscal. La ejecución debe sujetarse a los bienes identificados en la demanda y afectados, en su caso, mediante las medidas cautelares oportunas (art. 803 ter l. «b» y «h» LECrim.). No cabe una sentencia genérica, que permita en fase de ejecución indagar sobre posibles bienes del sujeto a decomiso para su concreción —p.ej. cualesquiera posibles cuentas o bienes en el extranjero—. Esta opción vulneraría el principio de defensa al no poder haber sido contradichos en el proceso. En este sentido debe interpretarse el art. 803 ter q LECrim., que faculta al Fiscal para llevar a cabo, por sí mismo, por medio de la Oficina de Recuperación y Gestión de Activos o por medio de otras autoridades o de los funcionarios de la Policía Judicial, las diligencias de investigación que resulten necesarias para localizar los bienes o derechos titularidad de la persona con relación a la cual se hubiera acordado el decomiso.

Cuando se habla de «localizar los bienes o derechos titularidad» del sujeto pasivo, debe entenderse referido a los bienes ya identificados pero que no han podido ser localizados. Pero en el caso de no haber sido identificados durante la tramitación de este proceso, el Fiscal podrá, si lo estima oportuno, volver a presentar una nueva solicitud, conforme establece el art. 803 ter u. LECrim., para que el Juez, en su caso, pueda dictar o no una nueva orden de decomiso.

Las autoridades y funcionarios de quienes el Ministerio Fiscal recabase su colaboración vendrán obligadas a prestarla bajo apercibimiento de incurrir en un delito de desobediencia, salvo que las normas que regulen su actividad dispongan otra cosa o fijen límites o restricciones que deban ser atendidos, en cuyo caso trasladarán al fiscal los motivos de su decisión. Cuando el fiscal considere necesario llevar a cabo alguna diligencia de investigación que deba ser autorizada judicialmente, presentará la solicitud al juez o Tribunal que hubiera conocido el procedimiento de decomiso. Asimismo, el Ministerio Fiscal podrá dirigirse a las entidades financieras, organismos y registros públicos y personas físicas o jurídicas para que faciliten, en el marco de su normativa específica, la relación de bienes o derechos del ejecutado de los que tengan constancia.

SECCIÓN 4. REVISIÓN DE SENTENCIAS FIRMES, INCOMPARECENCIA DEL REBELDE Y NUEVA SOLICITUD DE DECOMISO

4.1. Revisión de sentencias firmes (art. 803 ter r.2 LECrim.)

Son aplicables al procedimiento de decomiso autónomo las normas reguladoras de la revisión de sentencias firmes, como se acaba de expresar en el epígrafe 3.7 de este Capítulo (Ver sobre revisión y nulidad los § 8 y 10 del Cap. XI).

4.2. Incomparecencia del encausado rebelde y del tercero afectado (art. 803 ter s LECrim.)

La incomparecencia del encausado rebelde y del tercero afectado en el procedimiento de decomiso autónomo se regirá por lo dispuesto en el artículo 803 ter d. LECrim. Así, conforme a este precepto, la rebeldía del tercero afectado se regirá por las normas establecidas por la LEC respecto al demandado rebelde, incluidas las previstas para las notificaciones, los recursos frente a la sentencia y la rescisión de la sentencia firme a instancia del rebelde, si bien, en caso de rescisión de la sentencia, la misma se limitará a los pronunciamientos que afecten directamente al tercero en sus bienes, derechos o situación jurídica. En tal caso, se remitirá certificación al tribunal que hubiera dictado sentencia en primera instancia, si es distinto al que hubiera dictado la sentencia rescindente y, a continuación, se seguirán las reglas siguientes:

a) Se otorgará al rebelde y, en su caso, al tercero un plazo de diez días para presentar escrito de contestación a la demanda de decomiso, con proposición de prueba, en relación con los hechos relevantes para el pronunciamiento que le afecte.

b) Presentado el escrito en plazo, el órgano jurisdiccional resolverá sobre la admisibilidad de prueba mediante auto y, con arreglo a las normas generales, se señalará fecha para la vista, cuyo objeto se ceñirá al enjuiciamiento de la acción civil planteada contra el tercero o de la afección de sus bienes, derechos o situación jurídica por la acción penal.

c) Frente a la sentencia se podrán interponer los recursos previstos en esta ley.

Si no se presenta escrito de contestación a la demanda en plazo o el tercero no comparece en la vista debidamente representado se dictará, sin más trámite, sentencia coincidente con la rescindida en los pronunciamientos afectados. Los mismos derechos previstos en el apartado anterior se reconocen al tercero afectado que no hubiera tenido la oportunidad de oponerse al decomiso por desconocer su existencia.

4.3. Acumulación de solicitud de decomiso contra el encausado rebelde o persona con la capacidad modificada judicialmente en la causa seguida contra otro encausado (art. 803 ter t LECrim.)

En el supuesto en que la causa seguida contra el encausado rebelde o persona con la capacidad modificada judicialmente continúe para el enjuiciamiento de uno o más encausados, podrá acumularse en la misma causa la acción de decomiso autónomo contra los primeros.

4.4. Presentación de nueva solicitud de decomiso (art. 803 ter u LECrim.)

Si apareciesen bienes, cuya existencia o titularidad era desconocida, el Ministerio Fiscal podrá solicitar al juez o tribunal que dicte una nueva orden de decomiso cuando:

a) se descubra la existencia de bienes, efectos o ganancias a los que deba extenderse el decomiso pero de cuya existencia o titularidad no se hubiera tenido conocimiento cuando se inició el procedimiento de decomiso, y

b) no se haya resuelto anteriormente sobre la procedencia del decomiso de los mismos.

SECCIÓN 5. LA OFICINA DE RECUPERACIÓN

La Oficina de recuperación y Gestión de activos es un organismo especializado, integrado por funcionarios, cuya misión es la averiguación y localización de patrimonios procedentes de actividades delictivas. También le corresponde realizar las actuaciones necesarias para gestionar, del modo económicamente más eficaz, la conservación, realización o utilización de los bienes intervenidos[5]. Tiene carácter auxiliar del Juez y persigue con su mejor experiencia y mejores medios materiales cumplir los fines que le han sido encomendados. Su regulación se encuentra en la Disposición adicional quinta, de la Ley 41/2015, de 6 octubre de modificación LECrim y en los arts. 367 quater, 367 quinquies, 367 sexies y 367 septies LECrim.

Será el juez o tribunal, de oficio o a instancia del Ministerio Fiscal o de la propia Oficina de Recuperación y Gestión de activos, quien podrá encomendar la localización, la conservación y la administración de los efectos, bienes, instrumentos y ganancias procedentes de actividades delictivas cometidas en el marco de una organización criminal a la Oficina de Recuperación y Gestión de Activos. La organización y funcionamiento de dicha Oficina se regularán reglamentariamente (art. 367 septies LECrim). La Disposición Adicional quinta dispone que:

Cuando resulte necesario para el desempeño de sus funciones y realización de sus fines, la Oficina de Recuperación y Gestión de Activos podrá recabar la colaboración de cualesquiera entidades públicas y privadas, que estarán obligadas a prestarla de conformidad con su normativa específica.

Los recursos que se encomienden a la Oficina de Recuperación y Gestión de Activos con anterioridad a que se dicte resolución judicial firme de decomiso se podrán gestionar a través de la cuenta de depósitos y consignaciones judiciales cuando se trate del dinero resultante del embargo o la realización anticipada de los efectos. Para los restantes bienes, en atención a las circunstancias, la Oficina podrá gestionarlos de cualquiera de las formas previstas en la legislación aplicable a las Administraciones Públicas. Los intereses del dinero y los rendimientos y frutos de los bienes se destinarán a satisfacer los costes de gestión, incluyendo los que correspondan a la Oficina; la cantidad restante se conservará a resultas de lo que se disponga mediante resolución judicial firme de decomiso.

Cuando recaiga resolución judicial firme de decomiso, los recursos obtenidos serán objeto de realización y la cantidad obtenida se aplicará en la forma prevista en el artículo 367 quinquies de la Ley de Enjuiciamiento Criminal. La cantidad restante, así como el producto obtenido por la gestión de los bienes durante el proceso, se transferirá al Tesoro como ingreso de derecho público, del que una vez deducidos los gastos

---

(5) El precedente normativo se encuentra en la Decisión Marco del Consejo 2007/845/JAI de 6 de diciembre de 2007, sobre cooperación entre Oficinas de Recuperación de Activos de los Estados Miembros de la Unión Europea, en el campo de la localización e identificación de las ganancias del crimen o de propiedades relacionadas con el delito. En su art. 1 establece que cada Estado miembro designará como mínimo un organismo nacional de recuperación de activos, los cuales facilitaran el seguimiento y la identificación de productos de actividades delictivas y otros bienes relacionados con delitos y proporcionarán a los demás Estados la información requerida.

de funcionamiento y gestión de la Oficina de Recuperación y Gestión de Activos, dotados en el Presupuesto del Ministerio de Justicia, se afecta hasta un 50 por ciento a la satisfacción de los fines señalados en el apartado siguiente. Estos ingresos generarán crédito en el presupuesto del Ministerio de Justicia, de acuerdo con lo establecido en la Ley General Presupuestaria. Los costes de gestión y los gastos previstos en los párrafos anteriores podrán estimarse de la forma en que se determine reglamentariamente.

Son fines propios de los recursos obtenidos por la Oficina de Recuperación y Gestión de Activos como consecuencia de las resoluciones judiciales de decomiso los siguientes:

a) el apoyo a programas de atención a víctimas del delito, incluido el impulso y dotación de las Oficinas de Asistencia a las Víctimas,

b) el apoyo a los programas sociales orientados a la prevención del delito y el tratamiento del delincuente,

c) la intensificación y mejora de las actuaciones de prevención, investigación, persecución y represión de delitos,

d) la cooperación internacional en la lucha contra las formas graves de criminalidad,

e) y los que puedan determinarse reglamentariamente[6].

SECCIÓN 6.   INTERVENCIÓN EN EL PROCESO PENAL DE LOS TERCEROS QUE PUEDAN RESULTAR AFECTADOS POR EL DECOMISO

6.1.   Introducción

La Exposición de Motivos de la LO 1/2015, de 30 marzo, de reforma del Código Penal explica que en no pocas ocasiones, los bienes y efectos procedentes de actividades delictivas son transferidos por sus autores a terceras personas[7]. Además, con la finalidad de incrementar la eficacia de la nueva regulación, se recoge en la ley expresamente la posibilidad de que, en todos aquellos supuestos en los que el decomiso de los bienes o efectos procedentes del delito no resulte posible en todo o en parte (porque no es posible localizarlos, se encuentran fuera del alcance de los tribunales, han sido destruidos, se ha disminuido su valor con relación al que tenían cuando fueron incorporados al patrimonio del sujeto, o por cualquier otra circunstancia), el juez o tribunal pueda, mediante la estimación y valoración de la actividad desarrollada, determinar una cantidad hasta cuyo importe quede autorizado el decomiso de bienes.

---

(6)   La Disp. Adicional quinta *in fine* establece que: «En la Ley de Presupuestos Generales del Estado de cada año se determinará el porcentaje objeto de afectación a los fines señalados en esta disposición. Los criterios para la distribución de los recursos afectados serán fijados anualmente mediante acuerdo del Consejo de Ministros».

(7)   La regulación del decomiso de bienes en poder de terceros ya estaba prevista en nuestra legislación, si bien la reforma operada por LO 1/15 introdujo algunas mejoras técnicas orientadas a incrementar la eficacia y seguridad jurídica en la aplicación de esta regulación.

La Directiva 2014/42/UE en su art. 6 establece que: Los Estados miembros adoptarán las medidas necesarias para posibilitar el decomiso de productos del delito u otros bienes cuyo valor corresponda a productos que, directa o indirectamente, hayan sido transferidos a terceros por un sospechoso o un acusado, o que hayan sido adquiridos por terceros de un sospechoso o un acusado, al menos cuando esos terceros tuvieran o hubieran debido tener conocimiento de que el objetivo de la transferencia o adquisición era evitar el decomiso, basándose en hechos y circunstancias concretas, entre ellas la de que la transferencia o adquisición se haya realizado gratuitamente o a cambio de un importe significativamente inferior al valor de mercado. Este decomiso no perjudicará los derechos de terceros de buena fe.

La Directiva contempla en el art. 8 las garantías que deberán existir para los terceros afectados. Así el art. 8, apartados 6, 7 y 8 disponen que: los Estados miembros adoptarán las medidas necesarias para garantizar que todas las resoluciones de decomiso estén razonadas y se comuniquen al interesado. Los Estados miembros deberán prever la posibilidad efectiva de que la persona que sea objeto de la resolución de decomiso la recurra ante un órgano jurisdiccional. 7. Sin perjuicio de lo dispuesto en la Directiva 2012/13/UE y en la Directiva 2013/48/UE, las personas cuyos bienes se vean afectados por la resolución de decomiso tendrán derecho a acceder a un abogado durante todo el procedimiento de decomiso, por lo que respecta a la determinación de los productos e instrumentos, con el fin de ejercer sus derechos. Las personas afectadas deberán ser informadas de este derecho. 9. Los terceros tendrán derecho a reclamar la titularidad de un bien u otros derechos de propiedad, incluso en los casos a los que hace referencia el artículo 6, antes expuesto.

Por tanto, la función principal de este procedimiento es regular la intervención en el procedimiento de aquellos terceros que puedan verse afectados por el decomiso de sus bienes y a la vez garantizar sus derechos sobre tales bienes.

El art. 127 quater CP regula el decomiso de bienes y ganancias del delito en poder de terceros. Así dispone que: Los jueces y tribunales podrán acordar también el decomiso de los bienes, efectos y ganancias a que se refieren los artículos anteriores que hayan sido transferidos a terceras personas, o de un valor equivalente a los mismos, en los siguientes casos: a) En el caso de los efectos y ganancias, cuando los hubieran adquirido *con conocimiento* de que proceden de una actividad ilícita o cuando una persona diligente habría tenido motivos para *sospechar*, en las circunstancias del caso, *de su origen ilícito*. b) En el caso de otros bienes, cuando los hubieran adquirido *con conocimiento de que de este modo se dificultaba su decomiso* o cuando una persona diligente habría tenido motivos para *sospechar*, en las circunstancias del caso, que de ese modo *se dificultaba su decomiso*. Se presumirá, salvo prueba en contrario, que el tercero ha conocido o ha tenido motivos para sospechar que se trataba de bienes procedentes de una actividad ilícita o que eran transferidos para evitar su decomiso, cuando los bienes o efectos le hubieran sido transferidos a título gratuito o por un precio inferior al real de mercado.

Se regula, también, la figura del decomiso por valor equivalente, que permite decomisar otros bienes de valor parecido o similar al de los bienes de procedencia ilícita cuando éstos *por cualquier circunstancia* no pudieran ser objeto de incautación. No obstante, este tipo de decomiso alcanza su verdadero fin cuando se trate del comiso de las ganancias, ya que con ello se trata de conjurar un enriquecimiento patrimonial derivado de una actividad ilícita. Pero no tiene sentido cuando se trate de decomisar los instrumentos o efectos del delito a los efectos de evitar su peligrosidad delictiva.

Así, el art. 127 septies LECrim establece que: Si la ejecución del decomiso no hubiera podido llevarse a cabo, en todo o en parte, a causa de la naturaleza o situación de los bienes, efectos o ganancias de que se trate, o por cualquier otra circunstancia, el juez o tribunal podrá, mediante auto, acordar el decomiso de otros bienes, incluso de origen lícito, que pertenezcan a los criminalmente responsables del hecho por un valor equivalente al de la parte no ejecutada del decomiso inicialmente acordado. De igual modo se procederá, cuando se acuerde el decomiso de bienes, efectos o ganancias determinados, pero su valor sea inferior al que tenían en el momento de su adquisición.

Vemos que la norma específica solo algunos motivos por los que se puede acudir a este tipo de decomiso: «Si la ejecución del decomiso no hubiera podido llevarse a cabo, en todo o en parte, *a causa de la naturaleza o situación de los bienes*, efectos o ganancias de que se trate»; pero a continuación introduce un concepto genérico: «o por cualquier otra circunstancia», cuyo alcance, al poder vulnerar la seguridad jurídica, debería limitarse a supuestos en que el impedimento se deba solo a causas dolosas o imprudentes provocadas por el responsable penal. Por otra parte, como ya ha señalado la doctrina, este decomiso por el valor equivalente sólo adquiere pleno sentido respecto del comiso de ganancias, con él se persigue evitar un enriquecimiento patrimonial que tiene su origen en un hecho delictivo, pero no debería proceder en el caso de los instrumentos o efectos del delito si su fundamento es el de neutralizar la peligrosidad objetiva de la cosa y no evitar un enriquecimiento injusto.

6.2. Llamada del tercero al proceso (art. 803 ter a LECrim.)

A diferencia del proceso autónomo de decomiso, aquí la ley regula la llamada de acceso al proceso de aquellas terceras personas que, ajenas al proceso penal incoado, puedan verse afectadas por una sentencia que contenga un pronunciamiento de decomiso, a los efectos de que puedan intervenir y defenderse. Esta intervención se producirá en el seno del proceso penal en el que se solicite el decomiso, en el que podrán realizar todos los actos y recursos que estén relacionados con el decomiso.

Esta intervención se dará tanto cuando se trate de bienes titularidad de terceros como de derechos de terceros sobre los bienes, efectos o ganancias provenientes de actividades ilícitas, objeto de decomiso, cuando los hubieran adquirido con conocimiento o sospecha de que proceden de una actividad ilícita o bien con conocimiento o sospecha de que de este modo se dificultaba su decomiso. El art. 127 quáter CP introduce una presunción *iuris tantum* por la que se consideran que se dan estas circunstancias cuando los bienes o efectos hubieran sido transferidos a un tercero a título gratuito o por un precio inferior al real de mercado[8].

---

(8) Artículo 127 quáter Código Penal: «1. Los jueces y tribunales podrán acordar también el decomiso de los bienes, efectos y ganancias a que se refieren los artículos anteriores que hayan sido transferidos a terceras personas, o de un valor equivalente a los mismos, en los siguientes casos:

Las garantías procesales previstas en estos artículos, encuentran su justificación en el derecho de defensa y en la rigurosidad de las mismas, ya que a diferencia de las medidas cautelares, cuando se acuerde el decomiso no se podrá sustituir por una fianza sino que, según el art. 127 octies CP, los bienes, medios, instrumentos y ganancias podrán ser aprehendidos o embargados y puestos en depósito por la autoridad judicial desde el momento de las primeras diligencias a fin de garantizar la efectividad del decomiso. Además, se podrá resolver sobre la realización anticipada o utilización provisional de los bienes y efectos intervenidos[9].

Será necesaria para su adopción una resolución judicial, que adoptará la forma de auto, por la que acuerde la llamada del tercero al proceso penal. En este sentido, el juez o tribunal acordará, de oficio o a instancia de parte, la intervención en el proceso penal de aquellas personas que puedan resultar afectadas por el decomiso cuando consten hechos de los que pueda derivarse razonablemente: a) que el bien cuyo decomiso se solicita pertenece a un tercero distinto del investigado o encausado, o b) que existen terceros titulares de derechos sobre el bien cuyo decomiso se solicita que podrían verse afectados por el mismo.

Esta llamada deberá producirse, necesariamente, en el momento que, como consecuencia de alguna medida cautelar adoptada, se compruebe en el Registro de la Propiedad que existen terceros afectados por las medidas acordadas o bien como consecuencia de alguna diligencia de investigación. Aunque la ley no se refiera, expresamente, a la entrada en el proceso a petición de los propios terceros, no puede haber ningún impedimento, ya que está prevista de forma genérica la petición a instancia de parte y su intervención es consustancial con su derecho de defensa.

La Directiva 2014/42/UE, en su art. 8.9, establece que los terceros tendrán derecho a reclamar la titularidad de un bien u otros derechos de propiedad, incluso en los casos a los que hace referencia el artículo 6.[10], en el que prohíbe perjudicar los

---

a) En el caso de los efectos y ganancias, cuando los hubieran adquirido con conocimiento de que proceden de una actividad ilícita o cuando una persona diligente habría tenido motivos para sospechar, en las circunstancias del caso, de su origen ilícito. b) En el caso de otros bienes, cuando los hubieran adquirido con conocimiento de que de este modo se dificultaba su decomiso o cuando una persona diligente habría tenido motivos para sospechar, en las circunstancias del caso, que de ese modo se dificultaba su decomiso. 2. Se presumirá, salvo prueba en contrario, que el tercero ha conocido o ha tenido motivos para sospechar que se trataba de bienes procedentes de una actividad ilícita o que eran transferidos para evitar su decomiso, cuando los bienes o efectos le hubieran sido transferidos a título gratuito o por un precio inferior al real de mercado».

(9)   Debe tenerse en cuenta lo dispuesto en el art. 367 quáter LEcrim.: «1. Podrán realizarse los efectos judiciales de lícito comercio, sin esperar al pronunciamiento o firmeza del fallo, y siempre que no se trate de piezas de convicción o que deban quedar a expensas del procedimiento, en cualquiera de los casos siguientes: .../... salvo que concurra alguna de las siguientes circunstancias: a) Esté pendiente de resolución el recurso interpuesto por el interesado contra el embargo "decomiso de los bienes o efectos. b) La medida pueda resultar desproporcionada, a la vista de los efectos que pudiera suponer para el interesado y, especialmente, de la mayor o menor relevancia de los indicios en que se hubiera fundado la resolución cautelar de decomiso".»

(10)   Directiva 2014/42/UE, art. 6: «Los Estados miembros adoptarán las medidas necesarias para posibilitar el decomiso de productos del delito u otros bienes cuyo valor corresponda a productos que, directa o indirectamente, hayan sido transferidos a terceros por un sospechoso o un acusado, o que hayan sido adquiridos por terceros de un sospechoso o un acusado, al menos

derechos de los terceros de buena fe. Por tanto, en el supuesto que se hubiera acordado el decomiso de bienes de tercero de buena fe y no hubiera sido llamado, éste podrá solicitar la intervención en el proceso en el que se ventile el decomiso por no pertenecer los bienes decomisados al investigado o encausado o por ser titular de algún derecho sobre los bienes decomisados (art. 803 ter a.1 LECrim). En cualquier caso, antes de proceder a la llamada de estos terceros, el instructor debería citarlos y tomarles declaración previa. En el caso de que se acordare recibir declaración del afectado por el decomiso, se le instruirá del contenido del artículo 416. A la vista de lo declarado será cuando acuerde o no su llamada al proceso.

El tercero podrá ser llamado al proceso penal desde el inicio del mismo y hasta el momento en que las acusaciones presenten sus escritos de calificación provisionales en los que deberá identificarse el tercero y fijarse la determinación o las bases para determinar los bienes y efectos a decomisar o cuantificar las indemnizaciones. En estos escritos las acusaciones podrán, en su caso, optar por solicitar, de forma subsidiaria, para el caso que resultase acreditada la buena fe del tercero y, en consecuencia, la inaplicabilidad del art. 127 quáter Código Penal, la responsabilidad civil del art. 122 CP[11]; o bien pedir exclusivamente el Fiscal (ya que es el único legitimado) el decomiso, haciendo reserva expresa de ejercitar la acción en el proceso de decomiso autónomo para llevarlo a efecto.

Se podrá prescindir de la intervención de los terceros afectados en el procedimiento cuando: a) no se haya podido identificar o localizar al posible titular de los derechos sobre el bien cuyo decomiso se solicita, o b) existan hechos de los que pueda derivarse que la información en que se funda la pretensión de intervención en el procedimiento no es cierta, o que los supuestos titulares de los bienes cuyo decomiso se solicita son personas interpuestas vinculadas al investigado o encausado o que actúan en connivencia con él.

Contra la resolución por la que el juez declare improcedente la intervención del tercero en el procedimiento podrá interponerse recurso de apelación[12].

Si el afectado por el decomiso hubiera manifestado al juez o tribunal que no se opone al decomiso, no se acordará su intervención en el procedimiento o se pondrá fin a la que ya hubiera sido acordada.

Nada dice la ley como deberá oponerse el tercero a las medidas cautelares adoptadas en el decomiso provisional, o como solicitar su modificación o alzamiento. An-

---

cuando esos terceros tuvieran o hubieran debido tener conocimiento de que el objetivo de la transferencia o adquisición era evitar el decomiso, basándose en hechos y circunstancias concretas, entre ellas la de que la transferencia o adquisición se haya realizado gratuitamente o a cambio de un importe significativamente inferior al valor de mercado. 2. El apartado 1 no perjudicará los derechos de terceros de buena fe».

(11)   Art. 122 CP: «El que por título lucrativo hubiere participado de los efectos de un delito, está obligado a la restitución de la cosa o al resarcimiento del daño hasta la cuantía de su participación».

(12)   Directiva 2014/42/UE del PARLAMENTO EUROPEO Y DEL CONSEJO, de 3 de abril de 2014, sobre el embargo y el decomiso de los instrumentos y del producto del delito en la Unión Europea. Art. 8: «Los Estados miembros deberán prever la posibilidad efectiva de que la persona que sea objeto de la resolución de decomiso la recurra ante un órgano jurisdiccional».

te este silencio deberá acudirse a la regulación de estas medidas en la LEC, aplicando por analogía lo previsto en el art. 803 ter I.3 LECrim, referente a al procedimiento de decomiso autónomo[13].

6.3. Especialidades de la intervención y citación a juicio del tercero afectado (art. 803 ter b LECrim.)

El afectado por el decomiso será citado al juicio de conformidad con lo dispuesto en esta LECrim. En la citación se indicará que el juicio podrá ser celebrado en su ausencia y que en el mismo podrá resolverse, en todo caso, sobre el decomiso solicitado. El afectado por el decomiso podrá actuar en el juicio por medio de su representación legal, sin que sea necesaria su presencia física en el mismo. La incomparecencia del afectado por el decomiso no impedirá la continuación del juicio, que será declarado en rebeldía conforme a lo previsto en el art. 803 ter d LECrim, más adelante expuesto.

La persona que pueda resultar afectada por el decomiso podrá participar en el proceso penal desde que se hubiera acordado su intervención, aunque esta participación vendrá limitada a los aspectos que afecten directamente a sus bienes, derechos o situación jurídica y no se podrá extender a las cuestiones relacionadas con la responsabilidad penal del encausado. Para la intervención del tercero afectado por el decomiso será preceptiva la asistencia letrada.

6.4. Notificación e impugnación de la sentencia (art. 803 ter c LECrim.)

La sentencia en la que se acuerde el decomiso será notificada a la persona afectada por el mismo aunque no hubiera comparecido en el proceso, sin perjuicio de lo dispuesto en el apartado 2 del artículo 803 ter a. La persona afectada podrá interponer contra la sentencia los recursos previstos en esta ley, aunque deberá circunscribir su recurso a los pronunciamientos que afecten directamente a sus bienes, derechos o situación jurídica, y no podrá extenderlo a las cuestiones relacionadas con la responsabilidad penal del encausado.

6.5. Incomparecencia del tercero afectado por el decomiso (art. 803 ter d LECrim.)

La incomparecencia del tercero afectado por el decomiso que fue citado de conformidad con lo dispuesto en esta ley tendrá como efecto su declaración en rebeldía. La rebeldía del tercero afectado se regirá por las normas establecidas por la Ley de Enjuiciamiento Civil respecto al demandado rebelde, incluidas las previstas para las notificaciones, los recursos frente a la sentencia y la rescisión de la sentencia firme a instancia del rebelde, si bien, en caso de rescisión de la sentencia, la misma se limitará a los pronunciamientos que afecten directamente al tercero en sus bienes, derechos o situación jurídica. En tal caso, se remitirá certificación al tribunal que

_____

(13)   Art. 803 ter I.3 LECrim: «Adoptadas las medidas cautelares, la oposición, modificación o alzamiento de las mismas y la prestación de caución sustitutoria se desarrollará de acuerdo con lo previsto en el Título VI del Libro III de la Ley de Enjuiciamiento Civil en lo que no sea contradictorio con las normas establecidas en este capítulo».

hubiera dictado sentencia en primera instancia, si es distinto al que hubiera dictado la sentencia rescindente y, a continuación, se seguirán las reglas siguientes:

a) Se otorgará al tercero un plazo de diez días para presentar escrito de contestación a la demanda de decomiso, con proposición de prueba, en relación con los hechos relevantes para el pronunciamiento que le afecte.

b) Presentado el escrito en plazo, el órgano jurisdiccional resolverá sobre la admisibilidad de prueba mediante auto y, con arreglo a las normas generales, se señalará fecha para la vista, cuyo objeto se ceñirá al enjuiciamiento de la acción civil planteada contra el tercero o de la afección de sus bienes, derechos o situación jurídica por la acción penal.

c) Frente a la sentencia se podrán interponer los recursos previstos en esta ley.

Si no se presenta escrito de contestación a la demanda en plazo o el tercero no comparece en la vista debidamente representado se dictará, sin más trámite, sentencia coincidente con la rescindida en los pronunciamientos afectados.

Los mismos derechos previstos en el apartado anterior se reconocen al tercero afectado que no hubiera tenido la oportunidad de oponerse al decomiso por desconocer su existencia. De acuerdo con la remisión que se hace a la LEC sobre rebeldía, la rescisión de la sentencia firme solo será posible, de acuerdo con el art. 501 LEC, en los casos de rebeldía involuntaria, es decir cuando se haya producido por causa de fuerza mayor ininterrumpida; por desconocimiento de la demanda y del pleito cuando la citación o emplazamiento se hubiese practicado por cédula, a tenor del art. 161, y no se hubiera recibido; y por desconocimiento de la demanda y del pleito cuando la citación o emplazamiento se hubiese practicado por edictos y haya estado ausente. Debe añadirse aquí la opción que recoge este artículo 803 ter.d.2 LECrim, que otorga el mismo tratamiento al tercero afectado que no hubiera tenido la oportunidad de oponerse al decomiso por desconocer su existencia.

No obstante, el legislador no se ha planteado que un tercero interviniente no puede ser considerado nunca rebelde, condición que solo puede ostentar el demandado en el proceso civil. Además, en el proceso penal la rebeldía tiene una consideración distinta. En aras a una correcta técnica procesal, la posibilidad de rectificar la situación de incomparecencia involuntaria del tercero debería haberse resuelto por medio de los recursos previstos en el procedimiento abreviado, como prevé el art. 803 ter r LECrim para el procedimiento de decomiso autónomo al que debe acudirse por analogía y, concretamente, mediante el recurso de anulación del art. 793 LECrim.

Otra duda que plantea esta defectuosa técnica es que clase de vista se celebrará tras la rescisión en el nuevo juicio, ya que en el art. 507 1.1ª LEC dispone que se seguirá por los trámites del juicio declarativo que corresponda. Ante esta duda deberá acudirse de nuevo, por analogía, a lo previsto en el art. 803 ter g LECrim para el procedimiento de decomiso autónomo, que dispone que se aplicarán las normas reguladoras del juicio verbal (arts. 437 y ss. de la LEC).

MODELOS

M. 367. Escrito de contestación a la demanda de decomiso

Procedimiento [.../...] N.º [.../...]

AL JUZGADO DE [.../...]

D. [.../...] Procurador de los tribunales, en nombre y representación de D. [.../...], como acredito mediante poder general para pleitos que acompaño para su testimonio en autos y devolución por necesitarlo para otros usos, bajo la dirección letrada de D. [.../...], ante el tribunal comparezco y, en términos de Derecho,

DIGO:

Que se ha admitido a trámite demanda de decomiso interpuesta por el Ministerio Fiscal contra mi representado, y que conforme a lo dispuesto en el artículo 803 ter m, de la LECrim, paso a formular, en tiempo y forma, mediante el presente escrito, CONTESTACIÓN A LA DEMANDA, con oposición a los hechos correlativos expresados de contrario, conforme al orden establecido en el artículo 803 ter l LECrim:

a) Persona/s contra la/s que se dirige la solicitud

Es correcta la titularidad del bien. No obstante, el Fiscal ha dirigido su acción de decomiso en exclusiva contra mi persona, cuando el bien pertenece al Sr. o la Sociedad [.../...], según se acredita mediante nota simple del Registro de la Propiedad, que se aporta como documento 1. En su consecuencia, se produce una situación de litisconsorcio pasivo necesario, que obliga a litigar en el mismo proceso.

b) Bien o bienes a decomisar

El bien que se pretende decomisar pertenece a mi representado.

c) Hecho punible y su relación con el bien/bienes a decomisar

El bien objeto de la pretensión del Fiscal no es producto de ningún hecho punible, puesto que su origen es lícito, toda vez que el bien procede de haberse adquirido por título de [.../...], según se acredita mediante escritura pública de fecha [.../...] (se aporta como documento 2 de la contestación).

d) Calificación penal del hecho punible

Los hechos constitutivos de la demanda de decomiso constituyen infracción penal alguna de cuyas consecuencias accesorias deba responder el citado bien (o derecho), objeto del presente procedimiento.

e) Situación de la persona contra la que se dirige la solicitud respecto al bien

Mi representado tiene un derecho de [.../...] en relación al bien objeto de la solicitud del Fiscal.

f) El fundamento legal del decomiso

Debe estarse a la regulación del decomiso efectuada en los artículos 127 a 127 octies y 128 del Código Penal, para poder discutir los presupuestos del decomiso que se pretende en función de su clase.

g) La proposición de prueba

Debe dejarse constancia de los medios probatorios para su práctica en el acto del juicio (ej.: citación de testigos, mandamientos a Registros, anunciar la pericial que se vaya a aportar, etc.). Impugnación de la prueba alegada de contrario.

Solicitud, en su caso, de levantamiento de medidas cautelares (p.ej. alzamiento anotación de demanda, o de embargo, de prohibición de disponer, etc.)

Por lo expuesto,

SUPLICO AL JUZGADO, que teniendo por presentado este escrito, con las copias que lo acompañan, lo admita, y tenga por formulada contestación, en tiempo y forma, en nombre y representación de [.../...], a la demanda de decomiso interpuesta de contrario, admita los medios de prueba propuestos; se proceda a citarme a juicio, de conformidad con lo dispuesto en el artículo 803 ter n, de la LECrim para, una vez celebrado, dictar sentencia desestimando la demanda de decomiso del bien objeto del presente procedimiento.

Es justicia que pido en [.../...], a [.../...] de [.../...] de [.../...]

Firma [.../...]

M. 368. Escrito de personación de tercero disconforme con el decomiso de un bien de su propiedad

Procedimiento LA LEY 5348/2015

[.../...] N.º [.../...]

AL JUZGADO DE [.../...]

D. [.../...] Procurador de los tribunales, en nombre y representación de D. [.../...], como acredito mediante poder general para pleitos que acompaño para su testimonio en autos y devolución por necesitarlo para otros usos, bajo la dirección letrada de D. [.../...], ante el tribunal comparezco y, en términos de Derecho,

DIGO:

Que se ha acordado por ese tribunal, mediante resolución de fecha [.../...], la intervención de mi representado en esta causa ante el eventual decomiso del bien de su propiedad, situado en [.../...], y no estando conforme con dicha resolución,, de conformidad con lo establecido en los arts. 803 ter a, y siguientes LECrim, mediante el presente escrito,

SUPLICO AL JUZGADO/AUDIENCIA, que teniendo por presentado este escrito, con las copias que lo acompañan, lo admita y me tenga por personado y parte, en nombre y representación de [.../...], entendiéndose conmigo las sucesivas diligencias, procediendo a citarme a juicio, de conformidad con lo dispuesto en el artículo 803 ter b de la LECrim, para, tras su celebración, dictar sentencia desestimando la demanda de decomiso del bien antes reseñado.

Es justicia que pido en [.../...], a [.../...] de [.../...] de [.../...].

Firma [.../...]

CAPÍTULO XX

PROCEDIMIENTOS Y PROCESOS ESPECIALES

SECCIÓN 1. PROCEDIMIENTOS ESPECIALES POR RAZÓN DE LA MATERIA Y LA PERSONA

1.1. Procedimiento por delitos de injurias y calumnias[1]

En la LECrim se distingue entre las injurias y calumnias contra particulares que se realizan verbalmente o por escrito sin publicidad; y las cometidas por medio de imprenta, grabado u otros que comporten publicación o difusión y los cometidos, según el art. 823 bis LECrim, por medio de medios sonoros o fotográficos, difundidos por escrito, radio, televisión, cinematógrafo u otros similares. Las primeras se regulan en los arts. 804 y ss. LECrim; y las del segundo grupo en los arts. 816 ss. LECrim. Además deben tenerse presentes los arts. 205 y ss. CP que regulan los delitos contra el Honor distinguiendo entre la calumnia (arts. 205 a 207 CP)[2] y la injuria (arts. 208

---

[1] Vid. Bibliografía general. Vid. también SOTO RODRÍGUEZ, «Protección al derecho al honor. La calumnia y la injuria», *Diario La Ley*, n.º 7990, 26 de diciembre de 2012, Rcf. D-454, ALBERDI ALONSO, «El Poder Judicial como garante y sujeto del derecho a la información», *PJ*, n.º especial XI; BELLOCH JULBE, «Los jueces y la libertad de información», *PJ*, n.º especial XI; BERNAL DEL CASTILLO, «Conflicto entre derecho al honor y la información en el ámbito penal», *La Ley*, n.º 3, 1993; DEL MORAL, I., «Sobre la intervención del MF en los procesos por calumnias o injurias con publicidad contra particulares», *PJ*, n.º 7, septiembre 1987; HERNÁNDEZ PLASENCIA, «Delitos contra el honor y libertad de expresión en el proyecto de código penal», *AP*, n.º 5, 1994; IBÁÑEZ LÓPEZ-POZAS, *Especialidades procesales en el enjuiciamiento de delitos privados y semiprivados*, Madrid, 1993; LÓPEZ ORTEGA, «Libertad de información y proceso penal a la luz de la doctrina del TEDH», *Justicia*, 1992, n.º 1; MANAUT, «Los delitos de prensa, ¿puede un juez de instrucción acordar la suspensión de un periódico incurso en responsabilidades de índole penal?», *RT*, 1931; MONTON REDONDO, «Posicionamiento procesal ante los delitos de calumnia o injuria, ¿qué procedimiento debe seguirse?», *La Ley*, n.º 3644, 1994; SERRA, «El procedimiento especial para los delitos de injurias», *Estudios de Derecho Procesal*, Barcelona, 1969, p. 792; TASENDE CALVO, «La nueva configuración de los delitos contra el honor en el proyecto de código penal de 1992», *AP*, n.º 36, 1993.

[2] «El delito de calumnia, como entre muchas señala la sentencia del Tribunal Supremo 90/1995, de 1 de febrero, ostenta los requisitos siguientes: a) imputación a una persona de un

a 210 CP) hechas con o sin publicidad (art. 21 CP); y la Consulta 7/1997 de la Fiscalía General del Estado sobre la legitimación del Ministerio Fiscal en procesos penales por los delitos de calumnias e injurias; y Circular 1/2015, de 19 de junio de 2015, de la Fiscalía General del Estado, sobre pautas para el ejercicio de la acción penal en relación con los delitos leves tras la reforma penal operada por la LO 1/2015.

Es reiterada la doctrina del TC sobre la confrontación entre el derecho al honor y el derecho de libertad de expresión e información. En primer lugar deberá confrontarse el derecho de información y la libertad de expresión, teniendo en cuenta que esta última tiene un ámbito más amplio.

> «El derecho al honor, según reiterada jurisprudencia, se encuentra limitado por las libertades de expresión e información. Esta limitación afecta también al derecho al honor en su modalidad relativa al prestigio profesional. La libertad de expresión, reconocida en el art. 20 CE, tiene un campo de acción más amplio que la libertad de información (SSTC 104/1986, de 17 de julio (LA LEY 629-TC/1986) y 139/2007 (LA LEY 26303/2007), de 4 de junio), porque no comprende la narración de hechos, sino la emisión de juicios, creencias, pensamientos y opiniones de carácter personal y subjetivo. La libertad de información comprende la comunicación de hechos susceptibles de contraste con datos objetivos y tiene como titulares a los miembros de la colectividad y a los profesionales del periodismo. No siempre es fácil separar la expresión de pensamientos, ideas y opiniones garantizada por el derecho a la libertad de expresión de la simple narración de unos hechos garantizada por el derecho a la libertad de información, toda vez que la expresión de pensamientos necesita a menudo apoyarse en la narración de hechos, y a la inversa (SSTC 29/2009, de 26 de enero (LA LEY 1738/2009), FJ 2, 77/2009, de 23 de marzo (LA LEY 14343/2009), FJ 3). Cuando concurren en un mismo texto elementos informativos y valorativos es necesario separarlos, y solo cuando sea imposible hacerlo habrá de atenderse al elemento

hecho delictivo, lo que equivale a atribuir, achacar o cargar en cuenta de otro una infracción criminal de tal rango, es decir, de las más graves y deshonrosas que la ley contempla, en la inicial y básica distinción entre delitos y faltas advertida ya en el mismo quicio del Código punitivo; b) dicha imputación ha de ser falsa, subjetivamente inveraz, con manifiesto desprecio de toda confrontación con la realidad, o a sabiendas de su inexactitud; la falsedad de la imputación ha de determinarse fundamentalmente con parámetros subjetivos, atendiendo al criterio hoy imperante de la "actual malice" sin olvidar los requerimientos venidos de la presunción de inocencia, c) no bastan atribuciones genéricas, vagas o analógicas, sino que han de recaer sobre un hecho inequívoco, concreto y determinado, preciso en su significación y catalogable criminalmente, dirigiéndose la imputación a persona concreta e inconfundible, de indudable identificación, en radical aseveración, lejos de la simple sospecha o débil conjetura, debiendo contener la falsa asignación los elementos requeridos para la definición del delito atribuido, según su descripción típica, aunque sin necesidad de una calificación jurídica por parte del autor; d) dicho delito ha de ser perseguible de oficio, es decir, tratarse de delito público; y e) en último término ha de precisarse la concurrencia del elemento subjetivo del injusto, consistente en el ánimo de infamar o intención específica de difamar, vituperar o agraviar al destinatario de esta especio delictiva; voluntad de perjudicar el honor de una persona, animus infamando revelador del malicioso propósito de atribuir a otro la comisión de un delito, con finalidad del descrédito o pérdida de estimación pública, sin que sea exigible tal ánimo como única meta del ofensor, bastando con que aflore, trascienda u ostente papel preponderante en su actuación sin perjuicio de que puedan hacer acto de presencia cualesquiera otros móviles inspiradores, criticar, informar, divertir, etc., con tal de que el autor conozca el carácter ofensivo de su impugnación, aceptando la lesión y el menoscabo del honor resultante de su actuar». SAP Zaragoza, Sección 3ª, Sentencia 214/2015 de 31 Jul. 2015, Rec. 208/2015.

preponderante (STC 107/1988 (LA LEY 3675-JF/0000), de 8 de junio, 105/1990 (LA LEY 55897-JF/0000) y 172/1990 (LA LEY 1569-TC/1991))». STS 94/2013 de 18 Feb. 2013, Rec. 931/2010.

En cuanto a la confrontación y posibles limitaciones entre los derechos de información y derecho a libertad de expresión con el derecho al honor se aplicará caso por caso con las siguientes premisas: a) Debe respetarse la posición prevalente que ostenta el derecho a la libertad de información sobre el derecho al honor. Ésta alcanza un máximo nivel cuando es ejercitada por los profesionales de la información. b) Si la información tiene relevancia pública o interés general o se proyecta sobre personas que ejerzan un cargo público o una profesión de notoriedad, el peso de la libertad de información es más intenso.

> «La limitación del derecho al honor por la libertad de expresión e información tiene lugar cuando se produce un conflicto entre ambos derechos, el cual debe ser resuelto mediante técnicas de ponderación, teniendo en cuenta las circunstancias del caso (SSTS de 13 de enero de 1999, 29 de julio de 2005 y 22 de julio de 2008). B) La técnica de ponderación exige valorar, en primer término, el peso en abstracto de los respectivos derechos fundamentales que entran en colisión. Desde este punto de vista (i) la ponderación debe respetar la posición prevalente que ostenta el derecho a la libertad de información sobre el derecho al honor por resultar esencial como garantía para la formación de una opinión pública libre, indispensable para el pluralismo político que exige el principio democrático (STS 11 de marzo de 2009 (LA LEY 6915/2009), RC n.º 1457/2006). La protección constitucional de las libertades de información y de expresión alcanza un máximo nivel cuando la libertad es ejercitada por los profesionales de la información a través del vehículo institucionalizado de formación de la opinión pública que es la prensa, entendida en su más amplia acepción (SSTC 105/1990 (LA LEY 55897-JF/0000), de 6 de junio, FJ 4, 29/2009, de 26 de enero (LA LEY 1738/2009), FJ 4). (ii) También se debe tener en cuenta que la libertad de expresión, según su propia naturaleza, comprende la crítica de la conducta de otro, aun cuando sea desabrida y pueda molestar, inquietar o disgustar a aquel contra quien se dirige (SSTC 6/2000, de 17 de enero (LA LEY 4012/2000), F. 5; 49/2001, de 26 de febrero (LA LEY 3251/2001), F. 4; y 204/2001 (LA LEY 8640/2001), de 15 de octubre, F. 4), pues así lo requieren el pluralismo, la tolerancia y el espíritu de apertura, sin los cuales no existe "sociedad democrática" (SSTEDH de 23 de abril de 1992, Castells c. España, § 42, y de 29 de febrero de 2000, Fuentes Bobo c. España, § 43). C) La técnica de ponderación exige valorar también el peso relativo de los respectivos derechos fundamentales que entran en colisión. Desde el punto de vista de la información (i) la ponderación debe tener en cuenta si la información tiene relevancia pública o interés general o se proyecta sobre personas que ejerzan un cargo público o una profesión de notoriedad o proyección pública (STC 68/2008 (LA LEY 86259/2008); SSTS 25 de octubre de 2000, 14 de marzo de 2003 (LA LEY 1448/2003), RC n.º 2313/1997, 19 de julio de 2004 (LA LEY 13503/2004), RC n.º 5106/2000, 6 de julio de 2009 (LA LEY 125066/2009), RC n.º 906/2006), pues entonces el peso de la libertad de información es más intenso, como establece el artículo 8.2.a) LPDH (LA LEY 1139/1982) en relación con el derecho a la propia imagen aplicando un principio que debe referirse también al derecho al honor». STS 94/2013 de 18 Feb. 2013, Rec. 931/2010.

Además de las consecuencias penales, la vulneración del derecho al honor puede hacerse valer en la vía civil, A este respecto el art. 1º.2º Ley 1/82, de 5 de mayo, reguladora de la protección civil del derecho al honor, a la intimidad personal y a la propia imagen, tras la reforma operada por la Disposición Final Cuarta de la LO 10/95, de 23 de noviembre, del Código Penal, ha establecido que el ofendido puede optar por acudir a la vía penal o civil. Se trata de una facultad reservada al perjudicado quien al acudir al ejercicio de la acción civil renuncia a la criminal, con derogación de la preferencia de la vía criminal frente a la civil debido a la naturaleza privada de estos delitos. En cualquier caso, resultan aplicables los criterios de la Ley 1/82, para la determinación de la responsabilidad civil derivada de delito que se desarrollan en el art. 9 de la misma[3]. También deben confrontarse el ejercicio del derecho fundamental de libertad de expresión e información con el derecho al honor y una conducta constitutiva de delito, ya que ambos son incompatibles[4].

«Ello entraña la necesidad de que el enjuiciamiento se traslade a un distinto plano, en el que el Juez penal debe examinar, en aquellos casos en los que se haya alegado el ejercicio legítimo de las libertades del art. 20.1 a) y d) de la Constitución, si los hechos no han de encuadrarse, en rigor, dentro de ese alegado ejercicio de los derechos fundamentales protegidos en el citado precepto constitucional, ya que, de llegar a esa conclusión, la acción penal no podría prosperar puesto que las libertades del art. 20.1 a) y d) CE operarían como causas excluyentes de la antijuridicidad de esa conducta (STC 104/1986, de 13 de agosto, reiterada en las SSTC 105/1990, de 6 de junio; 85/1992, de 8 de junio; 136/1994, de 9 de mayo; 297/1994, de 14 de noviembre; 320/1994, de 28 de diciembre; 42/1995, de 18 de marzo; 19/1996, de 12 de febrero; 232/1998, de 30 de diciembre). Es obvio que los hechos probados no pueden ser a un mismo tiempo valorados como actos de ejercicio de un derecho fundamental y como conductas constitutivas de un delito (SSTC 2/2001, de 15 de enero; 185/2003, de 27 de octubre). Pero no es menos cierto que la propia Constitución, no obstante la trascendencia y el carácter preponderante que se debe atribuir a la

---

(3)   Vid. LORENZO JIMENEZ, «Las garantías jurisdiccionales penal y civil en la Ley de protección jurisdiccional de los derechos fundamentales de la persona», *RDProc.*, 1987, p. 291.

(4)   «Reiterada jurisprudencia de nuestro Tribunal Constitucional (Sentencias de 27.11.89; de 13.2.95, de 22.5.95) exige que el ejercicio del derecho a la libertad de expresión o información, para que no supere los límites del derecho al honor, ha de superar un triple test: test de veracidad, test de relevancia y test de proporcionalidad. Lo primero significa que se hayan adoptado elementales medidas de "contraste" de fuentes de la información ofrecida. El test de relevancia implica que la persona o institución afectada tenga, por su condición de persona o entidad de carácter público, una especial obligación de soportar la crítica ajena. El test de proporcionalidad implica que las expresiones proferidas no sean de por sí, en sí mismas, insultantes. A todas las anteriores consideraciones sobre la libertad de información debe sumarse que estamos en el campo del derecho penal y ello exige, debemos insistir, la concurrencia de dos elementos fundamentales: uno objetivo, constituido por actos o expresiones que tengan en si la suficiente potencia ofensiva para lesionar la dignidad de la persona, menoscabando su fama o atentando contra su propia estimación y otro subjetivo pues es imprescindible que concurra el elemento intencional de lesionar la dignidad, menoscabando la fama o estimación personal. El elemento subjetivo del injusto en la injuria, lo constituye lo que se ha venido denominando «animus injuriandi», que como dolo específico de esta infracción penal, eminentemente tendencial, implica la intención de causar un ataque a la dignidad ajena, el propósito de ofender la dignidad personal, de menoscabar la fama de la persona, o atentar contra su propia estima. La determinación de sí concurre o no, en el sujeto esa intención o animus, no puede, generalmente, hacerse de modo directo, sino que, por afectar a la esfera íntima de la persona, habrá de inferirse indirectamente,…». SAP Santa Cruz Tenerife 31/2016, Sección 6ª, 28 enero 2016.

libertad de expresión, reconoce en su artículo 20.4 que no es un derecho ilimitado y absoluto, y que existen límites por el respeto debido a otros derechos fundamentales y en concreto hace expresa referencia al derecho al honor». SAP Zaragoza 139/2016, Sección 3ª, 28 marzo 2016[5].

Con relación al régimen de perseguibilidad de los delitos expuestos, de conformidad con el art. 215 CP y la regulación de la LECrim, deben distinguirse los siguientes supuestos:

a) Si estos delitos se cometen contra sujetos particulares, bien sea verbalmente o por escrito con o sin publicidad, incluso la realizada por medio de la imprenta, precisan de querella de la persona ofendida o de su representante legal, no siendo parte el Ministerio Fiscal (art. 804 LECrim). (Véase M. 372 y M. 369).

b) Cuando las injurias o calumnias se dirijan contra funcionarios públicos, Autoridad o Agente de la misma sobre hechos concernientes al ejercicio de su cargo, bastará la denuncia. Se trata de delitos semipúblicos, puesto que no podrá iniciarse el proceso hasta tanto no se presente la oportuna denuncia por el afectado. Una vez deducida la misma, el Fiscal podrá intervenir como parte en el proceso penal (art. 810 CP).

c) Si se hubieran producido en juicio, para proceder será necesaria la autorización del Juez o Tribunal ante el cual se hubieran inferido —art. 805 LECrim. y 215.2 CP—.

Se trata de una restricción constitucionalmente fundada que constituye una limitación razonable en la medida que se trata de proteger a quienes han comparecido en un proceso frente a los perjuicios que la causa penal pueda causarles (*Vid*. ATC 1026/86, de 3 diciembre, y STC 100/87, de 12 junio).

Se excluyen del ámbito de este especial procedimiento las injurias y calumnias cometidas contra la persona del Rey, ascendientes o descendientes y demás personas comprendidas en el art. 490. 3 CP. o determinadas Instituciones del Estado tipificadas en los arts. 496, 504 y 505 CP. En estos supuestos se trata de delitos públicos, perseguibles de oficio que se sustancian por los procedimientos ordinarios ya expuestos. Pero, el art. 504. 2 CP establece que el culpable de calumnias o injurias contra las Instituciones reseñadas en el art. 504. 1 CP., quedará exento de pena si se dan las circunstancias de los arts. 207 y 210 CP. Es decir, le cabe al responsable de los hechos justificar la veracidad de las afirmaciones que hubiere realizado. El ámbito de

---

(5)   «En ese obligado análisis previo a la aplicación del tipo penal el Juez debe valorar, desde luego, si en la conducta enjuiciada concurren aquellos elementos que la Constitución exige en su artículo 20, apartado 1º, a) y d), para tenerla por un ejercicio de las libertades de expresión e información, o que le impone comprobar, si de opiniones se trata, la ausencia de expresiones manifiestamente Injuriosas e innecesarias para lo que se desea manifestar, y, de tratarse de Información, que ésta sea veraz. Pues si la opinión no es formalmente injuriosa e innecesaria o la información es veraz no cabe la sanción penal, ya que la jurisdicción penal, que debe administrar el ius puniendi del Estado, debe hacerlo teniendo en cuenta que la aplicación del tipo penal no debe resultar, ni desalentadora del ejercicio de las libertades de expresión e información, ni desproporcionada, ya que así lo Impone la interpretación constitucionalmente conforme de los tipos penales...». SAP 193/2016, de 17 mayo 2016, Juzgado de lo Penal nº 11 de Málaga.

aplicación de la *exceptio veritatis* o veracidad de las afirmaciones realizadas, para el delito de injurias, requiere la conjunción de dos elementos como son que se dirijan contra funcionarios públicos (en el ejercicio de sus cargos) o las Instituciones públicas anteriormente referidas y que se trate de imputaciones y no de juicios de valor u opiniones. Véase sobre esta cuestión *«infra»* § 1.1.B de este Capítulo.

El acto de conciliación previo será necesario tanto para las injurias realizadas por escrito como en las verbales[6], con la excepción de las inferidas por medio de la imprenta, grabado y otros medios mecánicos de publicación, sonoros o fotográficos, difundidos por escrito, radio, televisión, cinematógrafo u otros medios similares (art. 278 y 804 LECrim). Para su acreditación se presentará, junto con el escrito de querella, certificación de haberse realizado.

La presentación de la solicitud de conciliación no interrumpe la prescripción del hecho delictivo.

«En la casuística jurisprudencial se ha considerado que no interrumpen: el acto de conciliación en los delitos de calumnias e injurias (STS 18-3-1992), las diligencias policiales (STS 10-3-1993), actuaciones judiciales "de relleno" sin otro fin que interrumpir la prescripción, al ser evidente que no generaron la práctica de diligencia alguna ni constituir necesaria actividad procesal (STS 17-11-1994), ...». SAP Madrid 182/2016, Sección 23ª, 15 marzo 2016.

El acto de conciliación únicamente se exigirá en el supuesto de las injurias y calumnias contra particulares, aunque se haya derogado la Ley 62/78, por la Disp. Derogatoria 1ª de la Ley 38/2002 que establecía expresamente en su art. 4.1 la exclusión del acto de conciliación en los supuestos de injurias y calumnias con publicidad. Téngase presente que se trata de un formalismo que no puede imponerse salvo norma expresa que lo establezca; resultando de la aplicación de los arts. 278 y 804 LECrim que no se precisa la conciliación previa.

El procedimiento aplicable se presenta complejo, dada la conjunción de los preceptos de la LECrim —arts. 804 ss. —, y por la incidencia de la Ley 5/1995, de 22 de diciembre, del Jurado.

Por una parte, los arts. 804 ss. LECrim parece que contemplen el sumario como procedimiento aplicable. Así, el art. 807 y 823 LECrim se refieren al sumario y en el 812 se alude al auto de procesamiento y el art. 821 al procesado. Y en el art. 1. 1 c) del Jurado se contemplan los delitos de honor como competencia del Jurado. No obstante, el art. 1.2 no hace referencia alguna a los delitos de injuria y calumnia, por lo cual ha de excluirse su aplicación. Y la simple literalidad de los arts. 807 y 812 LECrim, no permiten deducir que resulte aplicable la normativa procesal del sumario ordinario.

A nuestro entender, el procedimiento aplicable será el abreviado que es el que corresponde por razón de la pena que llevan aparejados esta clase de delitos, que habrá de seguirse con las especialidades que se establezcan en las normas específicas

---

(6) El acto de conciliación tendrá lugar ante el Letrado A. Justicia conforme con lo previsto en el art. 456 LOPJ.

establecidas para estos delitos de calumnia e injurias[7]. Así lo entiende también el TS, porque el «procedimiento abreviado» es el más idóneo para estas causas por su mayor simplicidad y brevedad (no en vano la Exposición de Motivos de la LECrim., destaca estos caracteres en los procesos especiales). En consecuencia, el procedimiento aplicable para el enjuiciamiento de los delitos de injuria y calumnia será el desarrollado en los arts. 757 y ss. LECrim, cuyo fallo corresponderá al Juez de lo Penal, ya que las penas de este tipo de delitos —arts. 205 y ss. CP—, quedan encuadradas en el art. 14.3 LECrim (véase sobre las normas de competencia objetiva § 2 Cap. III).

A) *Procedimiento por delitos de injurias y calumnias verbales o por escrito contra particulares*[8]

Cuando se tratase de injurias o calumnias inferidas verbalmente, una vez admitida la querella (véase M. 372, M. 373 y M. 374), el Juez instructor mandará convocar a juicio verbal al querellante, al querellado y a los testigos que puedan dar razón de los hechos. A tal fin señalará día y hora para la celebración del juicio (art. 808 LECrim)[9]. Este juicio preliminar se celebrará en el seno de las Diligencias previas, a los efectos de que el Juez instructor pueda resolver posteriormente, conforme a lo previsto en el art. 779.1 LECrim. El acto se ajustará a lo regulado y se recogerá en un acta, que firmarán los concurrentes que supieren —art. 815 LECrim —. Se excluyen los testigos

---

(7)   Vid. en este sentido la Circular 1/89, de 8 de marzo, de la Fiscalía General del Estado. Vid., asimismo, MONTON REDONDO, «Posicionamiento procesal ante los delitos de calumnia o injuria, ¿qué procedimiento debe seguirse?», *La Ley*, 4 de noviembre de 1994. También vid. Consulta a la Fiscalía General del Estado 2/94, de 28 de noviembre, sobre procedimiento idóneo para el enjuiciamiento de los delitos de injuria y calumnia.

(8)   Vid. Bibliografía general. SOTO RODRÍGUEZ, M L., «Protección al derecho al honor. La calumnia y la injuria», *Diario La Ley*, N.º 7990, 26 de diciembre de 2012, Ref. D-454. ECHARRI CASI, F., «Derecho al honor "versus" libertad de expresión e información (A propósito del juicio de ponderación)», *Diario La Ley*, N.º 8096, Año XXXIV, 3 de junio de 2013, Ref. D-206. FERNÁNDEZ JIMÉNEZ, A., «La protección penal o civil del honor», *Diario La Ley*, N.º 6744, Año XXVIII, 27 de junio de 2007, Ref. D-150. MUÑOZ LORENTE, J., «Injurias, calumnias y libertades de expresión e información. Elementos de interacción», *La Ley Penal*, N.º 28, junio 2006. SERRA, «El procedimiento especial para los delitos de injurias», *Estudios de Derecho Procesal*, Barcelona, 1969, p. 792. Vid. también BACIGALUPO, «Colisión de derechos fundamentales y justificación en el delito de injuria», *RED Cent.*, 1987, n.º 20, p. 83; CARDENAL MURILLO Y GONZÁLEZ DE MURILLO, *Protección penal del honor*, Madrid, 1993; DEL MORAL GARCÍA, *Delitos de injuria y calumnia: régimen procesal*, 1990; HERNÁNDEZ PLASENCIA, «Delitos contra el honor y libertad de expresión en el proyecto de código penal», *AP*, n.º 5, 1994; TASENDE CALVO, «La nueva configuración de los delitos contra el honor en el proyecto de código penal de 1992», *AP*, n.º 36, 1993. LORENZO JIMÉNEZ, «Las garantías jurisdiccionales penal y civil en la Ley de protección jurisdiccional de los derechos fundamentales de la persona», *RDProc.*, 1987, p. 291; MARTÍNEZ-PEREDA RODRÍGUEZ, «El acto de conciliación en el proceso penal», *RDProc.*, 1969; Idem, *El proceso por delito privado*, Barcelona, 1976; MONTON REDONDO, «Posicionamiento procesal ante los delitos de calumnia o injuria, ¿qué procedimiento debe seguirse?», *La Ley*, n.º 3644, 1994; MORAL GARCÍA, A., *Delitos de calumnia e injuria; régimen procesal*, Ed. Colex, Madrid, 1990, Idem, «Sobre la intervención del Ministerio Fiscal en los procesos de calumnia o injurias contra particulares», *PJ*, 1987, n.º 7;

(9)   Debe entenderse vigente la celebración de este juicio verbal. Vid. en este sentido la conclusión 3.ª de la Consulta a la Fiscalía General del Estado 2/94, de 28 de noviembre (suplemento al BIMJ, n.º 1732, p. 26).

de referencia —art. 813 LECrim.[(10)]—, siendo limitados los medios de investigación destinados a la comprobación del hecho, con la excepción de que fuera posible la justificación de la *exceptio veritatis* —art. 810 LECrim—[(11)]; en cuyo caso podrán solicitarse la práctica de prueba sobre dicho extremo, de conformidad con lo previsto en el art. 207 y 210 CP (véase sobre esta cuestión el epígrafe siguiente)[(12)]. Con este trámite se persigue proporcionar al instructor los elementos necesarios para decidir la procedencia, no del procesamiento como establece el art. 812, sino de la adopción de alguna de las resoluciones del actual art. 779 —antes 789.5º LECrim.—.

«TERCERO. Si ha de ser estimado no obstante el segundo de los motivos alegados, pues admitida a trámite la querella, aunque no de manera expresa, si implícitamente al ratificarse el querellante mediante comparecencia como se le exigía en el auto de incoación, no se pueden obviar por el Juez Instructor los trámites establecidos en los arts. 808 y ss. LECrim., porque la celebración en fase instructora de la comparecencia a la que se denomina juicio verbal, en la que se concreten los hechos con audiencia de las partes y la práctica de la prueba que se estimen oportunas salvo los testigos de referencia, constituye la mayor particularidad en el procedimiento por estos delitos, que en los demás se regirán por las normas del Procedimiento Abreviado —art. 757 y ss.— y que tiene por finalidad precisamente, como entiende la doctrina y la FGE en Consulta 2/94, proporcionar al instructor los elementos necesarios para decidir la procedencia, no del procesamiento como establece el art. 812, sino de la adopción de alguna de las resoluciones del actual art. 779 —antes 789.5º LECrim.—». AAP Jaén, Sección 2ª, 161/2005 de 8 Sep. 2005, Rec. 101/2005.

Si las injurias o calumnias hubieran sido realizadas por escrito, sin publicidad, se presentará, siendo posible, el documento que las contenga, que deberá ser reconocido por el responsable. Tras la acreditación de su responsabilidad, se darán por concluidas las diligencias previas incoadas —arts. 806 y 807 LECrim.—. Asimismo, deberá comprobar si ha existido o no la publicidad prevista en el art. 211 CP.

En cualquier caso, otorgado el perdón, de conformidad con lo dispuesto en el art. 215 CP., se dictará auto de archivo (779.1.1ª LECrim.). No habiéndose otorgado

---

(10) «Pero que la prueba testifical indirecta sea un medio probatorio admisible (con la sola excepción del proceso por injurias y calumnias verbales: art. 813 LECrim)...». SAP ÁLAVA 48/2016, Sección 2ª, 19 febrero 2016.

(11) «Frente a ello, la parte apelante parece oponer una exceptio veritatis, al amparo del art. 207 del C.P. (LA LEY 3996/1995), la cual debe de ser acreditada por el autor de las expresiones calumniosas. Sin embargo, no consta la demostración de la veracidad de la imputación por lo que ha de entrar en juego la presunción de inocencia de la calumniada, ...». SA Granada Sección 2ª, Sentencia 718/2016 de 25 Nov. 2016, Rec. 175/2016.

(12) «Por su parte, debemos reconocer la existencia de la llamada "exceptio veritatis" en el delito de calumnias (art. 207 del Código Penal, de suerte que si quien afirma al existencia de un delito por parte de una tercera persona consigue acreditar la veracidad de sus afirmaciones, el procedimiento quedará vacío de contenido, pues el informador, el presunto calumniador, no habrá hecho otra cosa que cumplir con su obligación procesal de denunciar aquellos delitos de los que tenga conocimiento. Es más, la "exceptio veritatis" actúa en el proceso penal como un verdadero medio de defensa de suerte que la activación de la misma está en la mano de quien produce y transmite la presunta información delictiva, pues, como es doctrina jurisprudencial, desde lejos, las imputaciones calumniosas se reputarán como falsas mientras no se pruebe lo contrario por el calumniador». SAP Zaragoza, Sección 3ª, Sentencia 214/2015 de 31 Jul. 2015, Rec. 208/2015.

el perdón, se seguirán las actuaciones por los trámites del procedimiento abreviado, adoptando alguna de las resoluciones previstas en el citado art. 779.1 LECrim.

Realizados estos trámites dará el Juez por concluida la fase de instrucción, de acuerdo con lo previsto en el art. 779 LECrim (art. 807 LECrim), prosiguiendo el procedimiento según las normas establecidas para el procedimiento abreviado (arts. 780 LECrim), del que conocerá en su fase de juicio oral el Juez de lo Penal —art. 785 y ss. LECrim.—. (Véase M. 375).

Cuando las injurias o calumnias vayan dirigidas a funcionarios públicos sobre hechos concernientes al ejercicio de sus cargos, el art. 810 LECrim regula que los acusadores deberán determinar con toda precisión y claridad los hechos imputados para que los acusados puedan preparar sus pruebas exculpatorias.

> «Carga la Ley sobre el acusado la prueba de la veracidad de los hechos imputados o de haber procedido con la mínima diligencia para cerciorarse de que sus imputaciones estaban fundadas para excluir el reproche por temerario desprecio por la verdad. .../... Esto no obstante, no existe pronunciamiento alguno del Tribunal Constitucional sobre este extremo, ni se ha cuestionado por las partes, durante todo el procedimiento, la contradicción de la norma invocada con nuestra Ley Fundamental». SAP Huelva 19/2012, Sección 1ª, 30 enero 2012.

No se produce infracción de este precepto 810 LECrim, cuando se deniegue por el instructor la admisión de alguna prueba solicitada, ya que no permite la admisión de todas las que se soliciten sino solo aquellas que se justifique que resultan útiles y pertinentes, conforme establece el art. 311 LECrim. También se justifica esta limitación al entender que la tramitación se sigue actualmente por los trámites del procedimiento abreviado y no por el ordinario (sumario)[13].

> «La recurrente, tras alegar que se está incumpliendo el procedimiento del art. 810 LECrim previsto de forma específica para las injurias y calumnias, entiende que se ha conculcado sus derechos por la Sra. Juez Instructora … Pues bien, la Sala no puede más que confirmar el auto recurrido en el que se hace una motivación explícita y racional de la innecesariedad de la práctica de las pruebas que se solicitan, sin que en este recurso la parte recurrente desvirtúe dichas razones, al no proporcionarse argumento alguno relativo a la utilidad y pertinencia de las pruebas solicitadas a las que se alude en el art. 311 LECrim». AAP Barcelona 494/2011, Sec. 10ª, 11 julio 2011.

El juicio oral se sustanciará sin más especialidades, con excepción de las previstas en los arts. 214 y 216 CP, con relación a la imposición de la pena. El primero dispone que en el supuesto de reconocimiento en el acto del juicio oral de la falsedad de los hechos o de la falta de certeza de las imputaciones se aplicará la pena inferior en grado y podrá dejar de imponer la pena de inhabilitación. En ese caso, se entregará testimonio de la retractación al ofendido que podrá solicitar que se publique en el

---

(13) «Este precepto —que algunos especialistas consideran anacrónico— parte de la aplicación del que, al tiempo de entrar en vigor la Ley de Enjuiciamiento Criminal, era el procedimiento ordinario por delito, pero actualmente, dadas las penas con que se conminan los delitos contra el honor, se aplican las normas del Procedimiento Abreviado, lo que genera inevitables dificultades de ajuste procedimental». SAP Huelva, 19/2012, Sec. 1ª, 30 enero 2012. Ver también SAP Almería 90/2008, Sección 2ª, 10 abril 2008

mismo medio en que se verificó la calumnia o injuria. En cuanto al art. 216 CP establece que la reparación del daño comprende también la publicación o divulgación de la sentencia condenatoria, a costa del condenado, en el tiempo y forma que el Juez o Tribunal consideren más adecuado, oídas las partes.

B) *Procedimiento por delito de injurias o calumnia cometidos por medios mecánicos de publicación o difusión*

La Ley regula este procedimiento en los arts. 816 y ss. LECrim[14]. Igualmente resulta de aplicación la Ley 14/66, de 18 de marzo, de Prensa e Imprenta, con sus sucesivas modificaciones, entre ellas la aprobada por la LO 2/84, de 26 de marzo, sobre el derecho de rectificación. También se incluyen dentro de este procedimiento especial el enjuiciamiento de delitos cometidos a través de medios sonoros o fotográficos, difundidos por escrito, radio, televisión, cinematógrafo «u otros similares», incluido Internet (art. 823bis LECrim, introducido por la L. O. 8/2002, de 24 de octubre)[15]. Estas normas se refieren únicamente a determinadas especialidades procesales, siendo de aplicación el procedimiento abreviado, con base en las razones expuestas «*supra*»[16]. La competencia territorial vendrá determinada, según constante jurisprudencia, por el lugar donde se edite la publicación y no por el lugar de residencia del presunto agraviado ni de su autor.

La querella se formulará en el modo legalmente establecido en los arts. 270 y ss. LECrim, sin necesidad de acto de conciliación previo[17] (véase M. 369 y M. 370). Además la jurisprudencia exige que se aporte justificación de la falta de veracidad de las afirmaciones que se reputan injuriosas. Aunque este requisito cabe referirlo a hechos que permitan una fácil demostración de su falsedad.

Interpuesta la denuncia o la querella, cuando fuese procedente por la naturaleza de los delitos (p. ej. para los delitos de injurias o calumnias cometidos por estos me-

---

(14) «La querella que se presenta es por un supuesto delito de injurias cometido a través de Televisión, y tiene su regulación específica no el Título IV de la LECrim, sino en el Título V del citado texto legal, por lo que, evidentemente, el legislador le hubiera querido dar el mismo tratamiento que al delito de injurias contenido en el Título IV se hubiera limitado, sin más, a incluir dicha especialidad delictiva en el mismo título». AAP Madrid 83/2010, Sec. 2ª, 4 febrero 2010

(15) «En segundo lugar, debe notarse que, como se indicaba en el escrito de querella, nos encontramos ante el procedimiento especial para enjuiciar los delitos cometidos por medio de la imprenta, el grabado u otro medio mecánico de publicación (arts. 816 a 823bis LECrim), cuyas normas se aplican también —no debe olvidarse— al enjuiciamiento de delitos cometidos a través de medios sonoros o fotográficos, difundidos por escrito, radio, televisión, cinematógrafo "u otros similares" (art. 823bis LECrim, introducido por la L. O. 8/2002, de 24 de octubre), debiendo entenderse incluidos en este último inciso las aplicaciones posibilitadas por los nuevos medios digitales de difusión y comunicación a distancia, como Internet». AAP Guadalajara 148/2008, Sec. 1ª, 25 noviembre 2008.

(16) «... Lo cierto es que recentísima jurisprudencia de esta Sala (SSTS 79/94, de 24 enero y 970/94, de 3 mayo ha establecido incluso para los delitos de injuria/calumnia por escrito o con publicidad la procedencia del procedimiento abreviado y competencia para el enjuiciamiento en primera instancia del Juez de lo Penal; lo que sin precisión de insistencias fundamentadoras que serían simples reiteraciones, comporta la desestimación del recurso...». STS Sala Segunda, de lo Penal, Sentencia de 16 Jul. 1994; Ponente: Montero Fernández-Cid, Ramón. LA LEY 3709/1994.

(17) ATSJ Cataluña nº 7/2014, Sala de lo civil y penal, 20 enero 2014.

dios), habrá de resolverse antes que sobre su admisión (véase M. 370), la adopción o no de las medidas cautelares urgentes solicitadas, ya que en el art. 816 se dispone que se acordarán «inmediatamente» que se dé principio a un procedimiento de este Título. Además, de lo contrario, dada la naturaleza de este tipo de delitos carecería de sentido adoptarlas pasado un tiempo[18]. A continuación se acordará si fuere procedente, y así se solicitare, el secuestro de los ejemplares del impreso o de la estampa o moldes, y a averiguar la autoría real del escrito (art. 816 LECrim) (Véase M. 371). Estas dos son las principales finalidades de la instrucción de este procedimiento especial, que sirven para proporcionar celeridad a la tramitación de la investigación sumarial, mediante la averiguación de su autor y unión del impreso, grabado u otro medio mecánico utilizado. De esta forma quedarán ya concluidas las diligencias (art. 823 LECrim.), con la excepción de que siendo admisible la *exceptio veritatis* (en supuestos de injurias y calumnias contra funcionarios[19]) pueda justificar que las afirmaciones vertidas eran falsas (arts. 207 y 210 CP).

A estos efectos, se reclamará el impreso o grabado original de cualesquiera personas que lo tuvieren a su disposición —art. 817. 2 LECrim.—. Éstas, en su caso, si no lo tuvieren en su poder pondrán en conocimiento del Juez la persona a la que se lo hayan entregado. Ha de notarse que solamente se consideran como instrumentos o efectos del delito los ejemplares impresos del escrito o estampa o el molde de ésta —art. 822 LECrim—.

La regulación de la *exceptio veritatis* es una muestra del principio de presunción de inocencia a la víctima de la calumnia que establece que toda persona es inocente mientras no se demuestre lo contrario y que la carga de la prueba de dicha demostración no pesa sobre quien resulta acusado sino sobre quien efectúa la acusación. Pero aunque carezca de pruebas de la verdad de la afirmación, no por ello se producirá la necesaria condena del acusado, ya que corresponde a la acusación el elemento subjetivo del delito[20].

---

(18)   «Por tanto no procede tampoco la inadmisión de la querella en tanto no se decidan sobre si se han de aplicar medidas cautelares y averiguaciones exigidas por el citado art. 816 LECrim., y una vez tomada dicha decisión podrá el instructor suspender el procedimiento...» AAP Madrid 117/2008, Sec. 2ª, 25 febrero 2008. Ver también, AAP Madrid 83/2010, Sec. 2ª, 4 febrero 2010.

(19)   Ver SAP Madrid 671/2014, Sec. 23ª, 30 junio 2014.

(20)   «Esta regulación no vulnera el derecho a la presunción de inocencia del supuesto calumniador porque éste no necesita acudir a la "exceptio veritatis" para sostener su inocencia. Aunque carezca de pruebas para acreditar el hecho delictivo que hubiese imputado le basta afirmar que desconocía la falsedad de la imputación y que no actuó "con temerario desprecio a la verdad", para que automáticamente le ampare su propia presunción de inocencia y la carga de la prueba de la concurrencia de dichos elementos típicos subjetivos recaiga sobre la acusación. En definitiva, cuando se ha acreditado —por la acusación— la concurrencia del elemento objetivo del tipo de injuria —la imputación a otro de un delito— el acusado puede acudir a dos medios de defensa, que son compatibles. Si se acude a la "exceptio veritatis", sólo la demostración de la veracidad de la imputación permitirá el amparo de esta causa de justificación, pues de otro modo entra en juego la presunción de inocencia de los calumniados, que determina la falsedad de una imputación delictiva no acreditada. Pero en todo caso queda a salvo la vía de la negativa de la concurrencia del otro elemento que integra el tipo delictivo (el elemento subjetivo) que determina necesariamente la carga para la acusación de probar —a través de los medios adecuados para la acreditación de los elementos subjetivos— el conocimiento de la falsedad o la actuación con temerario desprecio a

La *exceptio veritatis* sirve para acreditar la certeza o realidad de los hechos que se imputan a otra persona en el delito de calumnias. Actúa en el proceso penal como un verdadero medio de defensa. Si quien afirma la existencia de un delito por parte de una tercera persona, consigue acreditar la veracidad de sus afirmaciones, el procedimiento será absolutorio para el acusado.

«Debemos reconocer la existencia de la llamada «*exceptio veritatis*» en el delito de calumnias, de suerte que si quien afirma la existencia de un delito por parte de una tercera persona consigue acreditar la veracidad de sus afirmaciones, el procedimiento quedará vacío de contenido, pues el informador, el presunto calumniador, no habrá hecho otra cosa que cumplir con su obligación procesal de denunciar aquellos delitos de los que tenga conocimiento. Es más, la *"exceptio veritatis"* actúa en el proceso penal como un verdadero medio de defensa de suerte que la activación de la misma está en la mano de quien produce y transmite la presunta información delictiva, pues, como es doctrina jurisprudencial desde lejos, las imputaciones calumniosas se reputarán como falsas mientras no se pruebe lo contrario por el calumniador». SAP Sevilla 410/2013, Sec. 3ª, 28 junio 2013. *Vid.* también SAP Zaragoza, Sección 3ª, Sentencia 214/2015 de 31 Jul. 2015, Rec. 208/2015, antes citada.

No será bastante la confesión de un supuesto autor para que se le tenga como tal y para que no se dirija el procedimiento contra otras personas, si existieren indicios para ello (art. 820 LECrim).

«... ni, en definitiva, su culpabilidad puede predicarse (más que si se aplicase un vedado Principio "contra reo", y no el contrario, como en lo concreto sería el caso) de su mera y sola confesión, ausente prueba de cargo complementaria que la avale, en tanto está vedado Legalmente (arts. 406 y 820, ambos, LECrim) y así es reconocido jurisprudencialmente (Vgr. de entre otras, las STS de 25-3-1987 o 20-1-1989, y del TC, en la Sentencia de 29-11-1993) tanto por razones históricas (piénsese en una confesión bajo los "convincentes" efectos de tortura) o lógicas». SAP Palencia, 21/2005 de 25 Ene. 2005, Rec. 26/2005[21].

Produce la exención de responsabilidad cuando estos hechos se vean incardinados en el delito de calumnias del art. 205 del Código penal, pero no es aplicable al delito (o falta) de injurias.

«Por último, tampoco podemos acoger la alegación exculpatoria que bajo denominación de *"exceptio veritatis"* se contiene en el recurso. La invocada figura pasa por la acreditación de certeza o realidad de los hechos que se imputan a otra persona, y produce la exención de responsabilidad cuando estos hechos se vean incardinados en el delito de calumnias del art. 205 del Código penal, pero no es aplicable al delito (o falta) de injurias. Mientras la calumnia es la falsa imputación de un delito, la injuria es la expresión o la acción ofensiva, de menoscabo de la dignidad o estima de otra persona. Ambas figuras son constitutivas de delitos contra el honor, participando en el Código Penal de una ubicación sistemática común en función del bien jurídico,

la verdad». STS Sala Segunda, de lo Penal, Sentencia 192/2001 de 14 Feb. 2001, Rec. 4846/1998, Ponente: Conde-Pumpido Tourón, Cándido. LA LEY 37095/2001.

(21) «Recuérdese que en nuestro sistema de libre convicción del juzgador la confesión carece de decisiva eficacia (véanse, arts. 406 y 820 LECrim p. ej.), por lo que la de este acusado no determina de manera vinculante el juicio que merece el caso». SAP Álava, Sección 2ª, 152/2005 de 19 Sep. 2005, Rec. 88/2005.

pero resulta evidente que se distinguen por numerosos elementos, entre los cuales se encuentra la virtualidad exculpatoria de la verdad en que descansen las expresiones que puedan constituir el elemento objetivo. La llamada *"exceptio veritatis"* aplicada a las injurias, tan sólo tiene reconocimiento en el Código Penal como causa exculpatoria cuando la acción o expresión enjuiciada haya sido dirigida contra funcionarios públicos, y sobre hechos concernientes al ejercicio de sus cargos, de conformidad con lo dispuesto en el art. 210 . Al no ser éste el supuesto que concurre en los hechos que originan la presente causa, no puede verse acogido el motivo de recurso». SAP Madrid 671/2014, Sec. 23ª, 30 junio 2014.

La determinación del responsable criminal deberá realizarse conforme a lo dispuesto en el art. 30 CP. Es decir, se determinará en forma escalonada, excluyente o subsidiaria, aplicando los siguientes criterios: — Quienes hayan redactado el texto o producido el signo de que se trate, y quienes les hayan inducido a realizarlo; — Los directores de la publicación o programa en que se difunda; — Los directores de la empresa editora, emisora o difusora, y, — Los directores de la empresa grabadora, reproductora o impresora. Cuando no pudiere averiguarse quien es el autor real del escrito se dirigirá el procedimiento contra las personas subsidiariamente responsables (art. 819 LECrim y 30. 3 CP). Cuando hubiese recaído ya sentencia firme contra éstos, no podrá ya perseguirse a quien fuera realmente su autor. No será bastante la confesión del supuesto autor de los hechos para establecer su responsabilidad, para lo que deberán ser practicadas todas las diligencias que se estimen indispensables para su esclarecimiento (art. 820 LECrim). Si durante la causa apareciera persona criminalmente responsable, según el orden de preferencia señalado, se sobreseerá la causa respecto al posterior (art. 821 LECrim).

Concluida la investigación de los hechos la sustanciación posterior del procedimiento se ajustará a las normas del procedimiento abreviado (arts. 757 y ss. LECrim), con base en las razones expuestas «*supra*», en el epígrafe anterior.

También se enjuiciarán por este procedimiento los delitos cometidos a través de medios sonoros o fotográficos, difundidos por escrito, radio, televisión, cinematógrafo u otros similares. En tales casos, desde el mismo inicio del procedimiento, se podrán acordar medidas urgentes de secuestro o prohibición de la difusión. Estas medidas, dada su finalidad y urgencia, se podrán acordar *inaudita parte*, ya que su retraso provocaría, en la mayoría de casos, su ineficacia. Contra esta resolución cabe recurso directo de apelación (art. 823 bis LECrim).

> «Y en cuanto al otro pretendido defecto procesal, el relativo a la adopción de una medida limitativa de un derecho fundamental relativo a libertad de expresión o información del art. 20 CE sin audiencia previa del querellado ni del Ministerio Fiscal, basta con que pongamos aquí de relieve lo que dice una norma específica que regula esta materia, que introdujo en nuestra LECrim. el art. 823 bis por medio de LO 8/2002 de 24 de octubre. Esta especial norma procesal, en su párrafo 2, permite que los jueces, al iniciar el procedimiento puedan acordar, entre otras medidas, la prohibición de difundir el medio a través del cual se produjo la actividad delictiva, entre otros la transmisión por televisión. Pues bien en esta norma, que tiene fecha posterior a la de nuestra Constitución, nada se dice que para adoptar tal medida sea necesaria la audiencia ni del interesado ni del Ministerio Fiscal. En la misma línea de lo dispuesto en el art. 278.2 LECrim se permite que cuando haya razones de ur-

gencia para proteger a la víctima (art. 13 de tal ley procesal) pueda adoptarse esta prohibición de emisión de un programa de televisión. Estimamos que tales razones de urgencia existían en el presente caso, en el cual desde varios días antes, desde el 10 de marzo, se había estado emitiendo de un modo ininterrumpido un programa de Telemar cuyo contenido no conocemos, pero que se dice gravemente perjudicial para el buen nombre del querellante Luis y de otras personas;...». STS 308/2009 de 23 Mar., Rec. 1732/2008.

1.2. Procedimientos penales contra aforados[22]

A) Senadores, Diputados y Parlamentarios Europeos

El art. 71 CE, pfos. 1 a 3, completado por los arts. 10 a 14 del Reglamento del Congreso de los Diputados y por los arts. 22 y 23 del Reglamento del Senado, regulan las prerrogativas procesales de los miembros de las Cortes Generales. Esta normativa viene completada por la LECrim, que en sus arts. 750 a 756 la desarrolla, aunque de forma inadecuada. También se refiere a este Procedimiento el art. 118 bis LECrim introducido por la LO 7/2002, al efecto de garantizar la defensa del aforado desde que se interpone la denuncia o querella, y hasta que no se procede a solicitar el suplicatorio[23]. Será preciso, en todo caso, acudir a la Ley de 9 febrero 1912, sobre competencia y procedimiento, para conocer de las causas contra Senadores y Diputados[24].

Las prerrogativas de estos parlamentarios son:

---

(22) Vid. sobre este tema ARMENGOT VILAPLANA, «La imputación de las personas aforadas o cómo interpretar el artículo 118 bis Ley de Enjuiciamiento Criminal», *Diario La Ley* n° 8209, 11 dic. 2013; ASENCIO MELLADO, «Aforamientos y conexión penal», *Práctica de Tribunales*, n° 65, noviembre 2009, Editorial La Ley. MARCOS AYJON, M., «Los problemas que suscitan los aforamientos en la Ley del Tribunal del Jurado», *La Ley*, 6 de mayo de 1996; LÓPEZ GIL, Milagros, «Las prerrogativas parlamentarias en el ordenamiento jurídico español», *Actualidad Penal*, 2000, Ref. V, pág. 89, tomo 1, Editorial La Ley; GERPE LANDIN, M., «La inmunidad parlamentaria y la doctrina del Tribunal Constitucional», *RJC*, 1994, IV; MARTÍN OSTOS, «El enjuiciamiento penal de Diputados y Senadores en la Constitución Española de 1978», *RDProc.*, 1981, pp. 619 y ss., y en *Constitución, Derecho y Proceso*, Estudios en Memoria de los Profs. Herce Quemada y Duque Barragués, Univ. de Zaragoza, 1983; PORTERO GARCÍA, *Inviolabilidad e inmunidad parlamentaria*, Málaga, 1979; REINOSO Y REINO, «Notas sobre la inmunidad parlamentaria», *BIMJ*, n.° 1121, 1978, p. 6; FENECH, *El proceso penal*, 1982, p. 233; HERCE QUEMADA, *Derecho Procesal Penal*, Madrid, 1981, p. 351; RODRÍGUEZ RAMOS, «Inviolabilidad e inmunidad de los parlamentarios», en «Comentarios a la legislación penal», T. I, *Derecho penal y Constitución*, Madrid, 1982; MARTÍN PALLIN, «Momento procesal para pedir el suplicatorio en las causas contra los Diputados y Senadores», *Act. Aranzadi*, n.° 29. Vid. también DEL PARDO, «El problema de los suplicatorios», en *BICAM*, 1986, enero/febrero; FERNÁNDEZ VIAGAS, *La inviolabilidad e inmunidad de Diputados y Senadores, la crisis de los «privilegios parlamentarios»*, Madrid, 1990; FERNÁNDEZ-MIRANDA Y CAMPOAMOR, A., «Origen histórico de la inviolabilidad e inmunidad parlamentaria», *Rev. de la Fac. de Derecho de Madrid*, 1986, n.° 10, p. 175; FIGUERUELO BURRIEZA, «Derechos fundamentales y abuso de inmunidad», *La Ley*, 1989-1, p. 991;

(23) Vid. ARMENGOT VILAPLANA, A., «La imputación de las personas aforadas o cómo interpretar el artículo 118 bis Ley de Enjuiciamiento Criminal», *Diario La Ley*, n° 8209, Año XXXIV, 11 de diciembre de 2013, Ref. D-422.

(24) Vid. Consulta 1/2005, 31 de marzo de 2005, sobre competencia de las Fiscalías para tramitar diligencias de investigación que afecten a personas aforadas.

1) Inviolabilidad (art. 71.1 CE): Supone la irresponsabilidad por las opiniones manifestadas y los votos emitidos en las Cámaras legislativas, que continúa, aun después de haber cesado en el cargo, por las vertidas durante su mandato. Se extiende, igualmente, al margen de su actuación parlamentaria, si su actuación es «política», pero decae su protección cuando los actos son realizados por su autor en calidad de ciudadano[25].

2) Inmunidad (art. 71.2 CE): Consiste en un especial reforzamiento de las garantías procesales, en relación con la actuación de los Tribunales y el ejercicio de las acciones jurisdiccionales contra los mismos. Tiene un doble aspecto: En primer lugar, respecto a la detención, ya que no podrán ser detenidos, salvo caso de flagrante delito, excluyéndose el cuasi-flagrante. En segundo lugar, con relación a la inculpación o procesamiento. Para ello se precisa la concesión del suplicatorio previo de las Cámaras legislativas, extremo que les diferencia de los Parlamentarios de las Comunidades Autónomas; sin perjuicio del ejercicio del derecho de defensa del aforado en tanto no se obtenga el suplicatorio (art. 118 bis LECrim).

Gozarán de esta prerrogativa durante el período de su mandato, aun cuando sólo tengan el carácter de electos.

«La condición de aforados, con las consiguientes prerrogativas procesales, se reconoce a los Diputados y Senadores «durante el período de su mandato» (v. art. 71.2 CE, art. 11 del Reglamento del Congreso de los Diputados y art. 22.1 del Reglamento del Senado), "aun cuando sólo tengan el carácter de electos" (art. 1 de la Ley de 9 de febrero de 1912). El fundamento de inmunidad parlamentaria no es otro que el tratar de evitar que por medio de la vía penal pueda perturbarse el funcionamiento de las Cámaras legislativas, de ahí que pierda su razón de ser cuando las personas aforadas pierdan la condición de Diputados y Senadores. En cualquier caso, la inmunidad parlamentaria, como privilegio procesal que es, habrá de ser interpretada y aplicada con carácter taxativo y restrictivo, como ha declarado reiteradamente esta Sala (v. autos de 24 de marzo de 1983, 8 de julio de 1986, 12 y 27 de julio de 1993, entre otros)». ATS 13 mayo 2016, Rec. 20137/2016. Ver también ATS 11 mayo 2010, Rec. 20343/2009.

Los aforamientos deben ser aplicados con carácter restrictivo, al tratarse de criterios que rectifican normas generales de competencia.

«El carácter excepcional de todo aforamiento y, en consecuencia, la necesidad de una interpretación restrictiva, ha sido expresamente proclamada por la jurisprudencia constitucional (cfr. SSTC 68 y 69, 2001 y 55/1990, 28 de marzo (LA LEY 55896-JF/0000)). No faltan pronunciamientos de esta misma Sala que insisten en la idea de que, como toda norma de rectificación de los criterios generales de competencia, su aplicación ha de ajustarse a un criterio de excepcionalidad (cfr. por todas, SSTS

---

(25) Vid. SSTC 51/85, de 10 abril, y 90/85, de 22 julio, en la cual se declaraba que la inviolabilidad debe ser conforme con la finalidad que la institución persigue amenazas de tipo político a través de la utilización de la vía penal con el propósito de perturbar el funcionamiento de las Cámaras o alterar su composición, sin que en ningún caso pueda convertirse en un privilegio personal incondicionado e irrazonable, quedando sometido al examen del Tribunal Constitucional en relación a la infracción de preceptos constitucionales, tanto si su denegación fue o no motivada. (En el presente caso se concedió el amparo basándose en que el escrito presuntamente delictivo base de la querella sólo tenía carácter estrictamente literario).

277/2015, 3 de junio (LA LEY 78499/2015); 1335, 19 de julio y ATS 22 julio 2015)». ATS 30 Jul. 2015, Rec. 20518/2015.

El órgano judicial encargado de la instrucción de la causa y su enjuiciamiento será la Sala 2.ª del Tribunal Supremo —arts. 71.3 CE y 57.2º LOPJ—. La LO 7/88, de 28 de diciembre, añadió un segundo párrafo estableciendo que para la instrucción se designará a uno de los miembros de la Sala que no formará parte de la misma en el enjuiciamiento del ilícito[26]. A estos efectos el TS, es el Juez ordinario predeterminado por la Ley[27]. La inmunidad parlamentaria, como privilegio procesal que es, opera durante el período del mandato.

> «En ellas se decía que la «La competencia para el conocimiento de los hechos delictivos imputados a Diputados y Senadores corresponde a la Sala de lo Penal del Tribunal Supremo (arts. 71.3 CE y 57.1.2 LOPJ)"». ATS 22 Jul. 2015, Rec. 20362/2015.

Cuestión distinta se plantea cuando se impute o investigue a otras personas junto con un aforado sobre si debe extenderse a todos la competencia del aforado. El TS ha establecido que solo se producirá esta atracción cuando se aprecie una conexión material inescindible con los imputados a las personas aforadas.

> «En cuanto a la posibilidad de atraer a la competencia de esta Sala respecto de hechos ejecutados por personas no aforadas ante la misma, de un lado, y sin olvidar la importancia que puede presentar la visión de conjunto, procede señalar la conveniencia de que se respete en la máxima medida posible el derecho al juez ordinario respecto de cada una de las personas a las que se imputan hechos punibles (Autos de 29 de junio de 2006 y 23 de junio de 2009) .../... En consecuencia, la extensión de la competencia a hechos cometidos por personas no aforadas ante el Tribunal Supremo solamente será procedente cuando se aprecie una conexión material inescindible con los imputados a las personas aforadas, lo cual puede apreciarse, en algunos casos, desde un primer momento, y, en otros, ser resultado de la investigación, lo que determinará, en este último supuesto, que la Sala adopte las pertinentes resoluciones sobre el particular, a propuesta del instructor». ATS 13 Nov. 2014, Rec. 20619/2014.

En el supuesto que cesara la condición de aforado una vez concedido el suplicatorio se procederá a la devolución de la causa al Juez de instrucción que corresponda, declarando el TC que, en cualquier caso, esta es una cuestión de configuración legal.

> «La competencia de esta Sala viene determinada en exclusiva por la condición de aforada de D.ª Valentina derivada del cargo que ostentaba y una vez extinguida la razón de atribuir competencia a la Sala Segunda para la instrucción de los hechos denunciados, procede remitir la causa al órgano jurisdiccional competente, teniendo en cuenta la condición de miembro de la Carrera Judicial de la citada. Cabe indicar que, en otras causas especiales contra aforados —entre otras muchas, causa especial núm.

---

(26)   RIZO GÓMEZ, B., «El derecho al juez ordinario predeterminado por la ley y la predeterminación de la competencia. Principios que deben inspirar toda reforma competencial del sistema judicial español», *Diario La Ley*, n.º 8372, Año XXXV, 8 de septiembre de 2014, Ref. D-271.

(27)   «La Sala Segunda del Tribunal Supremo es, respecto de las acciones penales dirigidas contra Diputados y Senadores, "el Juez determinado por la Ley" a que se refiere el art. 24.2 CE, esto es, aquel constituido con arreglo a las normas procesales de competencia preestablecidas, en este caso, por la Constitución misma en su art. 71.3 [SSTC 22/1997, de 11 de febrero, F. 6; 68/2001, de 17 de marzo, F. 2 b); 69/2001, de 17 de marzo, F. 5 b)]» STC 123/2001 de 4 de junio.

20357/2016 (providencia de 5 de mayo de 2016); causa especial núm. 20550/2012 (providencia de 4 de mayo de 2016); o causa especial núm. 20483/2015 (providencia de 5 de mayo de 2016)— esta Sala ha optado por acordar la paralización provisionalísima de las mismas hasta la constatación oficial de la existencia de los presupuestos fácticos que determinaban la competencia, pero en este supuesto, siendo la propia interesada la que ha manifestado su voluntad de ejercer su derecho de defensa, actuando de forma inmediata en el proceso penal abierto contra ella, procede actuar conforme a lo expuesto». ATS 13 mayo 2016, Rec. 20137/2016.

Si la renuncia o pérdida de condición de aforado se produce al final de la instrucción, el TS ha señalado que en estos casos la resolución judicial que acuerda la apertura del juicio oral constituye el momento en el que queda definitivamente fijada la competencia del Tribunal de enjuiciamiento —la *perpetuatio jurisdictionis*—, aunque con posterioridad a dicha fecha se perdiese la condición de aforado. La competencia que se determine en este momento será la vigente hasta la sentencia[28].

«Tiene razón el Ministerio Fiscal cuando afirma que no existe una doctrina jurisprudencial consolidada en relación a la competencia de los Tribunales de enjuiciamiento y fallo en relación a los juicios con personas aforadas para el caso de la pérdida de esta condición, por ello, esta Sala Casacional consciente de la importancia de la cuestión suscitada, y asimismo con la finalidad de sentar un criterio uniforme y general que ofrezca la seguridad jurídica en la que esta Sala Casacional encuentra una de sus principales razones de ser, dada su condición de último intérprete de la legalidad penal y procesal ordinaria, llevó la cuestión a un Pleno no Jurisdiccional de Sala a fin de fijar con carácter general el momento en el que se produce la "perpetuatio iurisdiccionis" en los procesos con personas aforadas, de suerte que con posterioridad al momento previsto, la pérdida de la condición de aforado no acarrearía una pérdida sobrevenida de la competencia del Tribunal. .../... La decisión unánime del Pleno de la Sala Segunda llevada a cabo el 2 de diciembre de 2014 (LA LEY 1/2214), estimó que tratándose de Causas Especiales por razón de aforamiento, sin perjuicio de reconocer que la determinación del momento en que se fija la competencia del Tribunal de enjuiciamiento y fallo es cuando se toma la decisión de admitir la denuncia o querella, con nombramiento de un instructor de la causa que concluida la misma, remite la causa a dicho Tribunal para el enjuiciamiento y fallo, pero asimismo consideró que el efecto de la "perpetuatio iurisdiccionis" en favor del Tribunal concernido quedaba definitivamente fijado cuando concluida la instrucción, el Sr. Juez Instructor acordaba la apertura del Juicio Oral —que en el presente caso tuvo lugar por auto de 1 de julio de 2013—».STS 869/2014 de 10 Dic. 2014, Rec. 958/2014.

Si el supuesto fuera que se hubiere adquirido la condición de diputado o Senador una vez dictada sentencia condenatoria pendiente de casación, no será necesario solicitar suplicatorio: «*cuando nos encontramos ante una sentencia definitiva, y la condición de Senador se adquiere durante la fase de los recursos, no se estima necesaria la solicitud de Suplicatorio*».

En la iniciación del proceso debe distinguirse:

---

(28) GIMÉNEZ ONTAÑÓN, «La competencia del Tribunal de enjuiciamiento en las causas con aforados queda fijada con la apertura del juicio oral», *Diario La Ley*, N.º 8499, 12 de marzo de 2015, Ref. D-98, Editorial LA LEY.

a) Si la querella se dirige ya inicialmente contra un Senador o Diputado, la competencia es de la Sala 2.ª del Tribunal Supremo que, según el Auto 7 noviembre 1991, debe admitirla siempre que sea órgano competente y los hechos en los que se funda sean constitutivos de delito.

b) Si los hechos han sido denunciados ante el Juez ordinario, acreditada la condición de Diputado o Senador, existiendo posteriormente indicios de responsabilidad contra éste, deberán remitirse los antecedentes necesarios a la Sala 2.ª a fin de que decida sobre su competencia. Por tanto, si una causa se instruye por un Juez de Instrucción, éste deberá elevar los antecedentes del caso juntamente con el suplicatorio, solicitando su resolución por la Sala 2.ª del Tribunal Supremo[29].

A efectos del período de instrucción contra un aforado, la jurisprudencia distingue entre dos fases. Cuando solo existan en los autos meras sospechas o leves indicios; y cuando existan ya indicios sólidos. Es en este segundo momento es cuando el instructor deberá remitir una Exposición Razonada al Tribunal Supremo o al Tribunal Superior de Justicia, al efecto de que proceda a admitir la competencia en la instrucción si lo considerase pertinente y a nombrar un instructor.

«QUINTO. A la luz pues de la doctrina de esta Sala, y del refrendo que ha recibido, en principio, del Tribunal Constitucional, podría decirse que en la tramitación de la fase de instrucción de los procedimientos de aforados habría que distinguir dos subfases procesales. En un primer escalón, cuando la instrucción todavía se muestra incipiente, es posible que el juez ordinario prosiga practicando diligencias al concurrir en el caso lo que podría denominarse meras sospechas o indicios débiles o livianos sobre la intervención en los hechos de un aforado. En cambio, cuando en la investigación aparezcan lo que la jurisprudencia viene denominando indicios sólidos, cualificados, graves, consistentes o fundados contra un aforado, se entraría en un segundo escalón en que ya tendría que operar el juez predeterminado por la ley para los aforados, para cuya materialización habría que remitir una Exposición Razonada al Tribunal Supremo o al Tribunal Superior de Justicia, al efecto de que procediera a admitir la competencia en la instrucción si lo considerase pertinente y a nombrar un instructor». ATS 22 Jul. 2015, Rec. 20362/2015

La Sala 2.ª decidirá, una vez recibido el anterior escrito y los anteriores, sobre su competencia. Resuelta esta cuestión en sentido favorable, remitirá orden al órgano inferior para que éste, a su vez, mande las diligencias originales. Con esta comunicación, el órgano inferior, tras unirla a los autos, deberá acordar por proveído la remisión al Tribunal Supremo de las citadas diligencias. En la misma resolución

---

(29) La práctica forense había consagrado una fórmula de elevación de diligencias por medio del auto inhibitorio en favor del superior jerárquico. No obstante, el Tribunal Supremo en el Auto 21 marzo 1984 ha venido a descalificar esta práctica, ordenando que se cumpla lo previsto en los arts. 21, 22.3, 303.5 y 309 LECrim. «a fin de que se abstenga de remitir los autos en curso, si estima que no le corresponde la competencia, ni menos dictar resolución al respecto, sino que, en su caso, deberá remitir los antecedentes necesarios para resolver esta Sala a quien corresponde dictar luego la orden para que deje de conocer o no». Es decir, no procede que el órgano inferior jerárquico remita todos los autos, ni que decida sobre su competencia territorial, sino que deberá limitarse a remitir los testimonios y antecedentes que estime necesarios para que el superior jerárquico pueda resolver.

de admisión de la querella o de su competencia, cuando se remita la causa por el Juez ordinario, se nombrará Magistrado Instructor y será, posteriormente, cuando se solicite el correspondiente suplicatorio. (Véase M. 376). Con relación a la Fiscalía, practicará las diligencias que le competen si es la legitimada para actuar ante el órgano competente en aras del aforamiento; en caso contrario remitirá las diligencias al órgano competente[30]

Téngase presente que el aforado podrá ejercitar su derecho de defensa plenamente sin perjuicio de la ausencia de suplicatorio (art. 118 bis. LECrim). Esta norma se introdujo por LO 7/2002 de 5 de julio con la finalidad de evitar la inculpación «material» que puede tener efecto por la primera instrucción que tiene lugar por el Juez que inicialmente conoce del asunto. De este modo se posibilita que el aforado tenga pleno conocimiento de la denuncia o querella y tomar conocimiento de las actuaciones, así como declarar ante el Juez a fin de poder ofrecer su versión de los hechos y poner fin a la elevación del asunto al Tribunal Supremo de modo que se ponga fin a querellas sin base ni fundamento alguno.

Para proceder contra un Diputado o Senador se precisa la concesión del pertinente suplicatorio, cuya tramitación se realizará por la Sala 2ª del TS. Constituye un requisito de procedibilidad[31] ante la eventualidad de que la vía penal sea utilizada con la intención de perturbar el funcionamiento de las Cámaras o alterar su posible composición, como han sostenido la SSTC 90/85 y 206/1992, de 27 noviembre[32].

---

(30)   Ver Consulta 1/2005, 31 de marzo de 2005, sobre competencia de las Fiscalías para tramitar diligencias de investigación que afecten a personas aforadas.

(31)   «SEGUNDO. Que, a la vista de lo anterior, como requisito de procedibilidad y de conformidad con lo dispuesto en el art. 11 del Reglamento del Congreso de los Diputados en relación con el art. 71.2 de la Constitución Española y del art. 5 de la ley de 9 de febrero de 1912, no cabe inculpar a quien ostenta la condición de Diputado sin la previa tramitación del correspondiente Suplicatorio.

En efecto, conforme a dicha norma: Los Diputados no podrán ser inculpados ni procesados sin la previa autorización de la Cámara, solicitada a través del correspondiente suplicatorio. Esta autorización será también necesaria en los procedimientos que estuvieren instruyéndose contra personas que, hallándose procesadas o inculpadas, accedan al cargo de Diputado». ATS 28 May. 2013, Rec. 20734/2011.

(32)   «La inmunidad parlamentaria no se puede concebir como un privilegio personal, es decir, como un derecho particular de determinados ciudadanos que se vieran así favorecidos respecto del resto (SSTC 90/1985, de 22 de julio, F. 6; 206/1992, de 27 de noviembre, F. 3), ni tampoco como expresión de un pretendido "ius singulare" (STC 22/1997, de 11 de febrero, F. 5), sino que responde al interés superior de la representación nacional de no verse alterada ni perturbada, ni en su composición ni en su funcionamiento, por eventuales procesos penales que puedan dirigirse frente a sus miembros, por actos producidos tanto antes como durante su mandato, en la medida en que de dichos procesamientos o inculpaciones pueda resultar la imposibilidad de un parlamentario de cumplir efectivamente sus funciones (STC 206/1992, de 27 de noviembre, F. 3). Así pues, en cuanto garantía del desempeño de la función parlamentaria se integra, en tanto que reflejo de la que corresponde al órgano del que forma parte (STC 22/1997, de 11 de febrero, F. 5), en el "status" propio del cargo parlamentario, de modo que el derecho fundamental directamente afectado frente a posibles constricciones ilegítimas a aquella prerrogativa es el recogido en el art. 23.2 CE, pues, en definitiva, se trata de preservar, frente a tales constricciones, uno de los elementos integrantes del estatuto propio del cargo». STC 124/2001 de 4 de junio.

«Es en este contexto donde se sitúa la necesidad de obtener la autorización de las Cámaras respectivas como condición de procedibilidad para inculpar o procesar a cualquiera de sus miembros. Lo que la Constitución ha querido es que sean las propias Cámaras las que aprecien y eviten por sí mismas, en cada caso concreto y atendiendo a sus circunstancias, la eventualidad de que la vía penal sea utilizada con la intención de perturbar el funcionamiento de las Cámaras o alterar la composición que les ha dado la voluntad popular, es decir, si la inculpación o procesamiento puede producir el resultado objetivo de alterar indebidamente su composición o funcionamiento, realizando algo que no pueden llevar a cabo los órganos jurisdiccionales, como es una valoración del significado político de tales acciones (SSTC 90/1985, de 22 de julio, F. 6; 206/1992, de 27 de noviembre, F. 3)». STC 124/2001 de 4 de junio.

La inmunidad no constituye un privilegio personal sino una característica de la inviolabilidad de las Cámaras Legislativas. En este sentido, conforme establece reiterada doctrina constitucional (SSTC 90/85, 92/85, 125/85, 243/85, 186/89, 9/90 y 206/92), el suplicatorio responde a un interés trascendente como es el de que la representación nacional no pueda verse alterada ni modificada. La valoración de las circunstancias para su concesión, corresponde a las Cámaras Legislativas y no puede ser sustituida por los órganos de naturaleza jurisdiccional, sin perjuicio de que por el TC se realice un control del juicio de oportunidad o de intencionalidad, en términos razonables[33].

«La garantía de aforamiento prevista en el art. 71.3 CE para los Diputados y Senadores este Tribunal Constitucional tiene declarado que, si bien esta garantía parlamentaria y las otras dos que se proclaman en el art. 71 CE pueden ser reivindicadas a través del proceso de amparo en cuanto se incorporan sin mayor dificultad al contenido del derecho fundamental reconocido en el art. 23.2 CE, aquella garantía, en virtud de su carácter específico, dirigido a determinar el órgano judicial competente para el conocimiento de las causas seguidas contra Diputados y Senadores, entronca más directamente con el derecho al Juez ordinario predeterminado por la ley (art. 24.2 CE), de modo que el instituto del aforamiento especial, dada su propia y específica autonomía, encuentra su acomodo natural también en el art. 24.2 CE (STC 22/1997, de 11 de febrero, F. 2). Desde esta perspectiva hemos señalado que «la Sala Segunda del Tribunal Supremo es, respecto de las acciones penales dirigidas contra Diputados y Senadores, «el Juez ordinario predeterminado por la ley» a que se refiere el art. 24.2 CE, esto es, aquél constituido con arreglo a normas procesales de competencia preestablecidas, en este caso, por la Constitución misma en su art. 71.3» («ibidem», F. 6)... no basta para la operatividad de la prerrogativa de aforamiento del art. 71.3 CE la mera imputación personal, sin datos o circunstancias que la corroboren, a un aforado, requiriéndose la existencia de indicios fundados de responsabilidad contra

_____

(33) De este modo, según doctrina sentada en las SSTC 90/85 y 206/92, de 27 noviembre: «... El control que a este Tribunal Constitucional corresponde, según hemos indicado antes, acerca de la conformidad de las decisiones adoptadas en ejercicio de la inmunidad respecto al artículo 24.1 de la CE, no puede llevarnos a revisar o a sustituir esa valoración, pero sí a constatar que el juicio de oportunidad o de intencionalidad se ha producido en las Cámaras, y ello de modo suficiente, esto es, en términos razonables o argumentales. De la existencia o inexistencia de semejante juicio depende, en efecto, que el ejercicio de esa facultad, potencialmente restrictiva del derecho a la tutela judicial, se haya realizado conforme a su propia finalidad y depende, por consiguiente, en el supuesto de que la decisión parlamentaria sea contraria a permitir dicha tutela, que el derecho fundamental a ésta haya de considerarse o no vulnerado...».

él, dado que los aforamientos personales constituyen normas procesales de carácter excepcional que, por tal circunstancia, deben ser interpretadas y aplicadas restrictivamente. STC 69/2001 de 17 de marzo.

La petición de suplicatorio comporta la paralización del procedimiento hasta tanto no se pronuncien el Congreso o el Senado, conforme dispone el art. 753 LECrim., sin perjuicio de adoptar las medidas oportunas para evitar la ocultación del delito o la fuga del presunto delincuente. Cuando se trate de supuestos de delito flagrante, será aplicable lo establecido en los arts. 751 LECrim. y arts. 2 y 5 de la Ley de 1912: proceder a su detención con comunicación inmediata al Cuerpo Legislador correspondiente.

El momento para pedir este suplicatorio a las Cámaras Legislativas será desde el mismo instante en que aparezca alguna persona aforada como imputado o querellado. Se solicitará sin esperar a dictar auto de procesamiento o realizar la correspondiente acta de acusación en el procedimiento abreviado; sin perjuicio que sea necesario realizar una mínima actividad de investigación. A ese efecto el art. 118 bis LECrim permite la defensa del investigado desde el primer momento en el que se inicien las diligencias de investigación.

> «En el llamado proceso ordinario el suplicatorio habría de solicitarse en cuanto existieran indicios racionales de criminalidad, que son el soporte del procesamiento. En relación con el término "inculpados", que a diferencia del anterior estima que carece de una realidad legislativa procesal inequívoca, consideró que la condición de inculpado no se identifica con la de querellado y que para que tal situación procesal se produzca es necesario un juicio judicial de inculpación, obviamente provisional, con base en la existencia de indicios racionales de criminalidad o fundadas sospechas o serios indicios de la participación, en cualquiera de sus formas, en un hecho penal, lo que puede requerir y hacer necesario, como aconteció en este supuesto, una previa investigación judicial... la Sala Segunda del Tribunal Supremo entiende posible, en supuestos como el examinado, una previa investigación judicial en orden a la determinación de la relevancia penal de los hechos y a la participación en los mismos de las personas aforadas contra las que se dirige la querella, dándoles traslado de la denuncia o querella de acuerdo con el art. 118 LECrim al objeto de que puedan ejercer desde el primer momento, como ha sucedido en este caso, el derecho de defensa, y considera que la condición de inculpado, a los efectos del art. 71.2 CE, no se adquiere con la mera admisión de la querella, sino que requiere un juicio judicial de inculpación por la existencia de indicios racionales o sospechas fundadas de su participación en los hechos, de modo que antes de la formalización de ese juicio de inculpación es cuando ha de solicitarse el suplicatorio a la Cámara respectiva». STC 124/2001 de 4 de junio.

El Auto 18 noviembre 1992 (Sala 2.ª), tras analizar los principios y facultades del instructor en la fase preparatoria, advierte que su actuación debe estar presidida por la celeridad, simplificación y la necesidad de la comparecencia de los imputados, sin dilación, salvo que se opusieren a ello sin la previa concesión del suplicatorio. No pueden ser cuestionadas por la interposición de recursos ante el Tribunal superior si determinadas pruebas (en el caso examinado, periciales) son o no esenciales para la instrucción.

Respecto a la concesión o denegación del suplicatorio debe señalarse que:

— Caso de denegación, procederá el sobreseimiento libre de las actuaciones (art. 754 LECrim. en relación con el art. 7 Ley de 9 de febrero de 1912), con efectos de cosa juzgada material y sin posibilidad de reapertura de diligencias[34]. El rechazo del suplicatorio no debe ser arbitrario sino que ha de realizarse dentro de los límites de su actuación política, conforme a los parámetros anteriormente reseñados[35]. Si existieren otros encausados no aforados se remitirá la causa al Juez ordinario que por Ley le corresponda su enjuiciamiento.

— Si se concediera el suplicatorio se seguirá la tramitación de la causa, sin posibilidad de recurso, continuándose el procedimiento hasta que recaiga resolución o sentencia firme. Tampoco se paralizará si antes de dictarla fueren disueltas las Cortes a que perteneciere el Senador o Diputado objeto de enjuiciamiento, de conformidad con el art. 7 «*in fine*» de la Ley de 9 de febrero de 1912[36].

Por último, debe tenerse en cuenta que tras la firma y ratificación del Tratado de Adhesión a las Comunidades Europeas, los miembros del Parlamento Europeo gozarán de inviolabilidad e inmunidad con fuero especial. También es de interés el Acuerdo General sobre privilegios e inmunidades del Consejo de Europa de 2 de septiembre de 1949 y, especialmente, el Protocolo sexto de 5 de marzo de 1996 que extiende la inmunidad de jurisdicción a los Jueces del Tribunal Europeo de Derechos Humanos.

«La norma de indiscutida aplicación al caso, a saber el art. 10 del Protocolo sobre los Privilegios y las Inmunidades de las Comunidades Europeas de 8 de abril de 1965, dispone literalmente lo siguiente: "Mientras el Parlamento Europeo esté en período de sesiones, sus miembros gozarán: a) En su propio territorio nacional, de las inmunidades reconocidas a los miembros del Parlamento de su país. b) En el territorio de cualquier otro Estado miembro, de inmunidad frente a toda medida de detención y a toda actuación judicial. Gozarán igualmente de inmunidad cuando se dirijan al lugar de reunión del Parlamento Europeo o regresen de éste". Es evidente que la norma que regula las prerrogativas de los miembros del Parlamento Europeo, y que, por tanto, dispone funcionalmente para aquéllos un régimen objetivo especial con el que se pretende garantizar la libertad, e independencia de la Asamblea, ha tomado en consideración el criterio de la territorialidad como factor de modulación del alcance jurídico de dichas prerrogativas, cuyo contenido difiere en función del lugar en que se encuentre el Diputado europeo». ATC 236/2000 de 9 de octubre.

Pero téngase presente que el TS ha distinguido entre la inmunidad y el aforamiento. La inmunidad como condición de procedibilidad, y el aforamiento como norma especial de atribución competencial «ratione personae» y que por tanto nada afecta

---

(34)   Vid. STC 90/85, de 24 julio.

(35)   Vid. FIGUERUELO, «Derechos fundamentales y abuso de inmunidad», *La Ley*, 1989-1, p. 991.

(36)   En el mismo sentido el art. 1.3.º Ley de 1912 dispone que una vez iniciado el proceso, se deberá concluir por la Sala, «con independencia de la vida legal de las Cortes a que pertenecieren los acusados». Este precepto debe entenderse aplicable a los demás Parlamentarios de Comunidades Autónomas, o sea, que si el órgano especialmente previsto por su condición de aforado ya ha asumido su competencia y dirigido el procedimiento contra éste, aunque durante la tramitación pierda su condición, deberá concluirlo la misma Sala.

al sistema de garantías del proceso penal. De modo que a los parlamentarios europeos les ampara la inmunidad, pero no el aforamiento previsto en nuestra legislación, que no rige en otros ordenamientos europeos[37].

«Así, en el, territorio del Estado al que pertenece, el parlamentario europeo cuenta con las mismas prerrogativas que los demás miembros del Parlamento nacional, lo que, por referencia a nuestra Constitución (art. 71), se traduce en las de inviolabilidad, inmunidad y aforamiento. Sin embargo, el nacional de otro Estado miembro únicamente disfruta de la prerrogativa de inmunidad en el sentido y con el

---

(37) «La consecuencia de la inmunidad es la necesaria autorización de la Cámara para proceder judicialmente contra uno de sus miembros que en palabras del Tribunal Constitucional —STC 90/1985, de 22 de julio— se establece en atención al conjunto de funciones parlamentarias respecto a las que tiene como finalidad primordial su protección, de ahí que el ejercicio de la facultad concreta que de la inmunidad deriva se haga en forma de decisión que adopta toda la Cámara, pues a ella le corresponde valorar si la vía penal utilizada contra un parlamentario lo es con intención "... de perturbar el funcionamiento de las Cámaras o de alterar la composición que a las mismas ha dado la voluntad popular...". Cuestión diferente y accesoria es que levantada en su caso la inmunidad, el órgano judicial encargado de la instrucción sea uno específico determinado por la Ley de cada Estado, o lo que ocurre en otros Estados de la Unión no exista especialidad alguna determinándose la competencia por las normas procesales generales. En España —art. 71.3º— se residencia en esta Sala Segunda la instrucción y fallo de causas penales contra Diputados y Senadores, cuestión que afecta a la competencia objetiva —aforamiento— y que por ello es independiente y en nada afecta a la Inviolabilidad e Inmunidad Parlamentarias. Desde la distinción apuntada entre el núcleo de las prerrogativas del parlamentario integrado por la inviolabilidad y la inmunidad y el aforamiento o competencia objetiva no puede prosperar la tesis del solicitante de extender el aforamiento a persona no integrante de las Cámaras Legislativas del Reino de España porque sobre lo dicho en el apartado anterior relativo a un trato diferenciado querido por la propia norma comunitaria, tal pretendida equiparación iría —además— en contra de las normas de derecho interno español según las cuales, el reconocimiento de fueros especiales para el enjuiciamiento de determinadas personas, en la medida que suponen una excepción al principio del Juez natural no pueden tener una interpretación extensiva. En tal sentido Autos de esta Sala de fechas 15 de diciembre de 1993, 2 de diciembre de 1994, 13 y 25 de enero de 1995 y 25 de septiembre de 1996, entre otros. Dicho más claramente, esta Sala no puede reinterpretar una norma comunitaria cuya significación es clara y su vigencia indiscutida dando lugar a una recreación de la norma que desconozca la diversidad de situaciones queridas por ésta, pues ello, sobre invadir competencias residenciadas en el propio Parlamento Europeo, iría además en contra de normas interpretativas del propio derecho interno español contrario a toda interpretación extensiva de situaciones privilegiadas que en cuanto excepción a las reglas de competencia objetiva sólo deben aplicarse a los supuestos expresamente previstos, sin que la invocación a los principios de derecho comunitario y en concreto al de no discriminación puedan operar porque es la propia norma comunitaria la que previó ambas situaciones. Finalmente, de seguirse el planteamiento del solicitante de estimar que la garantía a que se refiere el art. 10 b) del Protocolo, es una garantía complementaria y de mínimos que debe interpretarse en clave de equiparación con el estándar y nivel de inmunidades y privilegios de los parlamentarios del país en el que la Justicia pretenda actuar contra ellos, se puede dar la paradójica e insólita situación de que por esa equiparación pueda tener un parlamentario fuera de su país de origen, un fuero competencial especial del que carecen los propios parlamentarios connacionales por no estar prevista tal especialidad en su país de origen. Esta es la situación, entre otros, de Francia y de la propia República Italiana, cuyos parlamentarios tienen reconocida la inviolabilidad e inmunidad en el doble sentido señalado, pero concedida la autorización por la Cámara, la causa es instruida por el Juez correspondiente de acuerdo con las normas generales de atribución competencial». ATS Sala Segunda, de lo Penal, Auto de 11 May. 2000, Rec. 970/2000; Ponente: Giménez García, Joaquín. LA LEY 246273/2000.

doble alcance que le confiere el apartado b) del transcrito art. 10 del Protocolo». ATC 236/2000 de 9 de octubre.

B) Agentes Diplomáticos, Consulares y afines

El art. 31 del Convenio de Viena de 18 de abril de 1961, ratificado por España el 21 de noviembre de 1967, establece la inmunidad de los Agentes Diplomáticos en relación con la jurisdicción penal del Estado receptor. Es un fuero renunciable por el Estado acreditante —art. 32—, puesto que como establece el Preámbulo del Convenio, se trata de beneficios que se conceden no a las personas, sino con el fin de garantizar el desempeño eficaz de las misiones diplomáticas en calidad de representantes de los Estados.

> «El representante diplomático acreditado ante el país receptor no puede ser sometido a la ley extranjera y, por otra parte, los representantes diplomáticos deben gozar de la libertad necesaria para desempeñar cumplidamente su misión: libertad de la que carecerían si pudieran ser acusados, más o menos mendazmente, ante las autoridades judiciales del país donde ejerzan su ministerio y juzgados y encausados por dichos tribunales, lo que, en definitiva, redundaría en mengua y desdoro de la soberanía de la Potencia acreditante. En realidad, se añade, no se trata, singularmente en los casos de comisión de un delito común en el país receptor, de una concesión de impunidad, sino, como señala la doctrina científica internacionalista, de que la nación o Estado ante el que se halle acreditado le declare persona *"non grata"* y sea enjuiciado por su propia país, tras removerle del puesto diplomático, en virtud del llamado en Derecho Internacional Público "principio de representación"». STS Sala Segunda, de lo Penal, Sentencia de 21 Oct. 1991; Ponente: Montero Fernández-Cid, Ramón. LA LEY 693/1992.

Igual protección ostentan los Agentes Consulares, en virtud del Convenio hecho en Viena, el 24 de abril de 1964, sobre Relaciones Consulares. Instrumento de adhesión de España de 3 de febrero de 1970. La inmunidad de jurisdicción penal está reconocida en el art. 43, con limitaciones para el proceso civil. Este fuero es renunciable, de acuerdo con lo previsto en el art. 45 del Convenio.

Otro aforamiento de reciente incorporación, debido a las nuevas estructuras internacionales, se deriva del Convenio para la creación de un Instituto Universitario Europeo y Protocolo de privilegios e inmunidades del mismo de 19 de abril de 1972, ratificado por España en 25 de agosto de 1988 (BOE 7 de marzo de 1989), cuyo art. 7 establece que los representantes de los Estados contratantes y Consejeros durante el desempeño de sus cargos y en el curso de sus viajes gozarán de inmunidad de retención personal, de jurisdicción e inviolabilidad de papeles y documentos oficiales.

C) Parlamentarios de las Comunidades Autónomas[38]

_____

(38) La normativa de los fueros especiales está regulada en los Estatutos, a los que se remite el art. 57.2 LOPJ. Pondremos en primer lugar los preceptos referidos a los miembros del Parlamento y en segundo lugar los referidos a los miembros del Gobierno Autonómico: art. 26.6.º y 7.º y art. 32 LO 3/79, de 16 de diciembre (Estatuto Vasco); arts. 31.2.º y 38 LO 4/79, de 18 de diciembre (Estatuto Catalán); arts. 11.3.º y 18 LO 1/81, de 6 de abril (Estatuto Gallego); arts. 26.3.º y 40 LO 6/81, de 30 de diciembre (Estatuto de Andalucía); art. 26.2.º LO 7/81, de 30 de diciembre (Estatuto

La configuración autonómica del Estado español ha dado lugar a nuevos fueros personales. Las personas que obtengan la condición de parlamentario en los respectivos Parlamentos Autonómicos gozarán de unas especiales prerrogativas, sin que puedan asimilarse a las de Diputados y Senadores, ni serles aplicado el procedimiento para concesión del suplicatorio previsto en la Ley de 9 de noviembre de 1912. Estas diferencias han sido deslindadas por el Tribunal Constitucional en STC 12 noviembre 1981, que declaró la inconstitucionalidad de la Ley 2/1981, de 12 de febrero, del Parlamento Vasco que equiparaba sus prerrogativas a la de los Diputados y Senadores de las Cortes Generales[39]. También por el TS.

> «La autorización de la Cámara legislativa —instada a través del suplicatorio— sólo se requiere para decidir sobre la inculpación o el procesamiento de los miembros de las Cortes Generales (art. 71.2 CE (LA LEY 2500/1978)). No se contempla como prerrogativa de los parlamentarios autonómicos». STS 54/2008 de 8 Abr. 2008, Rec. 408/2007.

Por tanto, sus prerrogativas son, según sus respectivos Estatutos:

1) Inviolabilidad por las opiniones y votos emitidos durante el período legislativo, y aun después de éste siempre que tuvieran relación con aquéllas.

---

de Asturias); arts. 11.1.º y 20 LO 8/81, de 30 de diciembre (Estatuto de Cantabria); art. 18 LO 3/82, de 9 de junio (Estatuto de La Rioja); arts. 33.7.º y 25.2.º LO 4/82, de 4 de junio (Estatuto de Murcia); arts. 12.3.º y 19 LO 5/82, de 1 de julio (Estatuto de Valencia); arts. 18.5.º, 6 y 25 LO 8/82, de 10 de agosto (Estatuto de Aragón); arts. 10.3.º y 17 LO 9/82, de 10 de agosto (Estatuto de Castilla-La Mancha); arts. 9.3.º y 18.2.º LO 10/82, de 10 de agosto (Estatuto de Canarias); arts. 13.2.º, 14.1.º y 27 LO 13/82, de 10 de agosto, de Reintegración y Amejoramiento del Régimen Foral de Navarra; arts. 26 y 38 LO 1/83, de 25 de febrero (Estatuto de Extremadura); arts. 23.1.º, 32.6.º y 33.5.º LO 2/83, de 25 febrero (Estatuto de Baleares); arts. 12.2.º y 3.º y 24 LO 3/83, de 25 de febrero (Estatuto de Madrid); art. 11.3.º LO 4/83, de 25 de febrero (Estatuto de Castilla y León). Vid. CILLAN APALATEGUI, «La Administración de Justicia en el Estatuto Vasco», PJ, Madrid, 1983, pp. 815-841; DÍEZ MORENO, «El Poder Judicial en la Comunidad Autónoma del País Vasco», PJ, Madrid, 1983, pp. 945-970; CRUZ VILLALÓN, «La Administración de Justicia en el Estatuto de Andalucía», PJ, Madrid, 1983, pp. 913-943; ELIZALDE Y AYMERICH, «La jurisprudencia de los Tribunales Superiores de Justicia, posibilidad y límites», PJ, Madrid, 1983, pp. 1045-1094; DÍAZ VALCÁRCEL, «Poder Judicial y Comunidades Autónomas», PJ, Madrid, 1983, pp. 85-104; LASARTE ÁLVAREZ y MORENO CATENA, «Los Tribunales Superiores de Justicia y sus competencias», PJ, Madrid, 1983, pp. 1647-1695; VALLS GOMBAU, «Las competencias penales de los Tribunales Superiores», PJ, 1989, n.º 13, pp. 55 y ss.; FISCALÍA GRAL. DEL ESTADO, «Órgano jurisdiccional competente para conocer de los hechos delictivos cometidos por parlamentarios de la CC.AA. dentro de su territorio», ADP, enero-abril, 1985, pp. 189-192; ASENCIO MELLADO, «Aforamientos y conexión penal», Práctica de Tribunales, N.º 65, noviembre 2009, Editorial La Ley.

(39)   Por la Ley 2/81, de 12 febrero, del Parlamento Vasco, se pretendió que los Parlamentarios de las Comunidades Autónomas, concretamente la Vasca, gozaran de iguales prerrogativas que los Diputados y Senadores de las Cortes Españolas, en lo relativo a la necesidad del previo suplicatorio al Parlamento Autónomo para la concesión o no de aquél, a fin de someterle o no a la jurisdicción del Tribunal Superior de Justicia. Interpuesta cuestión de anticonstitucionalidad la STC 12 noviembre 1981 declaró anticonstitucional esta norma, ciñendo sus prerrogativas a las reseñadas, no precisando el libramiento de suplicatorio del Parlamento Autonómico para someter a los aforados a la presunta responsabilidad penal en que hubieran incurrido. Vid. también MARTÍN OSTOS, «El enjuiciamiento penal de los Diputados y Senadores», RDProc., 1981; LÓPEZ GIL, Milagros, «Las prerrogativas parlamentarias en el ordenamiento jurídico español», Actualidad Penal, 2000, Ref. V, pág. 89, tomo 1, Editorial LA LEY.

2) Inmunidad relativa o fuero especial, ya que cualquier decisión sobre su prisión, inculpación o procesamiento, deberá ser adoptada por el Tribunal Superior de Justicia de la correspondiente Comunidad Autónoma, cuando los hechos fueran cometidos dentro de su ámbito territorial. Si tales hechos se cometiesen fuera de dicho ámbito, la competencia correspondería al Tribunal Supremo (Sala 2.ª), feneciendo dicho fuero con el cargo.

Estas prerrogativas tienen dos finalidades. La primera, sustraer estas materias al régimen procesal común mediante la concesión de aforamiento. La segunda, atribuir a unos determinados órganos jurisdiccionales el conocimiento de un cierto tipo de causas penales, esto es, delimitar o enmarcar la competencia de los mismos. Y sólo pueden establecerse por los Estatutos de Autonomía, siendo inconstitucional cualquier otra Ley autonómica que los declare, como se señalaba en la citada resolución.

D) *Miembros del Ejecutivo de la Administración Central y Comunidades Autónomas. Delegados del Gobierno. Otras especialidades por razón del cargo*[40]

El art. 102 CE ha introducido profundas modificaciones respecto a los miembros del Ejecutivo de la Administración Central. Según este precepto, el conocimiento de las causas derivadas de la responsabilidad criminal del Presidente y demás miembros del Gobierno corresponde a la Sala 2.ª del Tribunal Supremo[41] (la anterior regulación atribuía la competencia al Pleno de dicho Tribunal). No obstante, tratándose de traición o de delitos contra la seguridad el Estado, cometidos en el ejercicio de sus funciones, la acusación sólo podrá plantearse por iniciativa de la cuarta parte de los miembros del Congreso —art. 102.2 CE—.

Respecto a la amplitud que quepa atribuir a la expresión «miembros del gobierno», en unas primeras resoluciones, el Tribunal Supremo se pronunció en el sentido de que el aforamiento establecido en el art. 102 CE se extendía no sólo al Presidente, Vicepresidente y Ministros, sino también a Secretarios de Estado, Subsecretarios y Secretarios generales que tuvieren rango de Subsecretario (en virtud del art. 98 CE y Ley 10/83, de 16 de agosto, que en su art. 8.1 los señalaba como órganos superiores de los Departamentos Ministeriales, junto al Presidente, Vicepresidente y Ministros). Posteriormente en otras sentencias, por el contrario, se ha sentado reiterada jurisprudencia en la que establece que el aforamiento alcanza, únicamente, a los miembros del Gobierno, sin que por lo tanto sea aplicable al resto de órganos superiores de los Departamentos ministeriales.

En aplicación de esta doctrina, gozan de este fuero, en virtud de la aplicación de los arts. 98.1.º CE y 8.1.º LO 10/83, de 16 de agosto, el Presidente del Gobierno, los Vicepresidentes, y los Ministros.

(40) Vid. ÁLVAREZ-LINERA, «Enjuiciamiento de autoridades y funcionarios locales y autoridades autonómicas», *La Ley*, 1989-3, p. 868; GARCÍA PÉREZ, «La competencia objetiva y funcional en el enjuiciamiento penal de los gobernadores civiles», *Justicia*, 1988-II, p. 379. SÁNCHEZ FUENTES, «El recurso de apelación en el procesamiento de autoridades de la Administración local», *RDProc.*, 1977, pp. 255 y ss.

(41) ATS 1 Jul. 2011, Rec. 20327/2011: «SEGUNDO.- Constando que el denunciado es miembro del Gobierno de la Nación la competencia corresponde a esta Sala conforme al art. 102.1 CE y art. 57.1.2º LOPJ».

Corresponde también al Tribunal Supremo el conocimiento de las causas criminales contra las autoridades que se indican en el art. 57.2.º LOPJ: Presidente y Magistrados del Tribunal Constitucional, Presidente y Vocales del Consejo General del Poder Judicial, Presidente y Consejeros del Tribunal de Cuentas, Presidente y Consejeros del Consejo de Estado y Defensor del Pueblo y todos aquellos asimilados que se determinen en los Estatutos de Autonomía.

El art. 3 Ley 17/83, de 16 de noviembre, establece para los Delegados del Gobierno que el enjuiciamiento de las acciones u omisiones producidas en el ejercicio de sus cargos serán conocidas por la Sala 2.ª del Tribunal Supremo.

Por lo que respecta a las Autoridades locales, el art. 78 Ley de Régimen Local de 2 de abril de 1985 establece que la responsabilidad civil y penal por actos u omisiones realizados en el ejercicio de su cargo, serán enjuiciados por los Tribunales de Justicia competentes y se tramitarán por el procedimiento ordinario aplicable. Posteriormente, nada se ha previsto ni desarrollado al respecto. En consecuencia, derogado el art. 385 del Reglamento de Organización, Funcionamiento y Régimen Jurídico de la Administración Local, que establecía que el procesamiento de Alcaldes y Concejales, por delitos cometidos en el ejercicio de sus cargos, debía ser resuelto por la Audiencia Provincial, en la actualidad ha quedado sin vigor el fuero especial para el enjuiciamiento de las causas seguidas contra ellos, siguiéndose el procedimiento ordinario sin especialidad alguna.

En relación con los miembros de los Ejecutivos Autonómicos, los Estatutos de Autonomía adoptan diversas fórmulas en su articulado sobre la competencia de los Tribunales ordinarios. Teniendo en cuenta la peculiaridad de la función básicamente política de estos órganos, si bien carecen de la prerrogativa de la inviolabilidad, debe señalarse que su enjuiciamiento se realizará por los Tribunales Superiores de Justicia (Sala Penal) o el TS (Sala 2ª), según las normas de los Estatutos de Autonomía aplicables[42].

La STC 159/91, de 18 julio, declara que estas prerrogativas van orientadas a dos funciones:

«... una, sustraer a los citados Consejeros al régimen procesal común mediante la concesión de aforamiento; otra, atribuir a unos determinados órganos jurisdiccionales el conocimiento de un cierto tipo de causas penales, esto es, delimitar o enmarcar la competencia de los mismos...»

Y sólo pueden establecerse por los Estatutos de Autonomía, siendo inconstitucional cualquier ley autonómica que los declare, pues, como continúa señalándose en la citada resolución:

«... La LOPJ, en ejercicio de esa competencia exclusiva de la legislación del Estado, dispone en su art. 73.3 a) que a la Sala de lo Civil y Penal de los TSJ le corres-

---

(42)   Otros supuestos de aforamientos reglamentados fuera de la LOPJ y Estatutos de Autonomía los desarrolla la Ley 36/85, de 6 de noviembre, que somete a los titulares de Instituciones Autonómicas similares al Defensor del Pueblo (Síndic de Greuges en Cataluña, Justicia de Aragón, Valedor del Pueblo en Galicia, Diputado Común en Canarias) a la Sala competente Civil y Penal del Tribunal Superior de Justicia para el enjuiciamiento de las causas penales dirigidas contra ellos.

ponde, como Sala de lo Penal, el conocimiento de las causas penales que la EE.AA. y no otra ley, y desde luego ninguna otra Ley autonómica reservan a dichos Tribunales. Por consiguiente, resulta constitucionalmente inaceptable que una Ley autonómica, como la 6/84, del Principado de Asturias, proceda por sí misma a establecer *ex novo* el fuero jurisdiccional penal de los miembros del Consejo de Gobierno de la CA, siendo así que se trata de una materia que pertenece a la exclusiva competencia estatal». (STC 159/91, de 18 de julio).

En algunos casos se asimilan los fueros a los de los Parlamentarios respectivos (País Vasco, Cataluña). Así, los miembros del Ejecutivo tienen privilegios procesales respecto de los órganos competentes para su enjuiciamiento, por hechos cometidos en el territorio de la Comunidad Autónoma, no pudiendo ser detenidos ni retenidos, sino en caso de flagrante delito, correspondiendo decidir, en todo caso, sobre su inculpación, prisión o procesamiento y juicio al Tribunal Superior de Justicia; difiriendo la competencia para los actos cometidos fuera de su territorio a la Sala 2.ª del TS. Otros Estatutos (Andalucía) siguen un régimen mixto, quedando sometido el Presidente a la Sala 2.ª del TS, mientras que en cuanto a los miembros de su Gobierno, se diferencia el lugar de comisión de los presuntos hechos delictivos. Por otra parte, en otros, únicamente se hace una remisión a las Leyes del Estado (La Rioja).

Algunos Estatutos habían introducido normas por las que, en forma incorrecta, se supeditaba la actuación de los Tribunales de Justicia, a la autorización de los órganos legislativos de la Comunidad Autónoma, con necesidad previa de concesión de suplicatorio[43]. Sin embargo, de acuerdo con la doctrina del Tribunal Supremo, referida a la Comunidad Autónoma de Cantabria, dichas normas deben entenderse inaplicables. Así, la STS 10 julio 1995 ha sostenido que ninguna norma constitucional o estatutaria permite fundadamente la tesis de que la responsabilidad criminal del Presidente y de los Consejeros del Gobierno Cántabro se encuentre procesalmente supeditada a la autorización de la Asamblea Legislativa regional. Precisamente también con relación al Ex-Presidente de la citada Comunidad el TS en STS 8 de marzo 2002, La Ley 3445, ha declarado la competencia para del TSJ de la Comunidad Autónoma para el enjuiciamiento penal de quien ha perdido la condición de aforado en calidad de miembro del ejecutivo autonómico.

E) Especialidades y problemas procesales en la tramitación de las causas por aforamiento

a) La posible renuncia del fuero

En primer lugar, puede cuestionarse si al aforado le es posible renunciar al fuero, manteniendo el cargo. En principio la respuesta ha de ser afirmativa, puesto que éste sigue a la función que desempeña mientras la ostenta y la renuncia es una causa de extinción de su función[44]. Por otra parte, ha de tenerse presente que existirán casos

---

(43) En este sentido, vid. art. 19 del Estatuto de Autonomía de Valencia, señala respecto a la responsabilidad penal de estos aforados que «ésta se exigirá a propuesta de las Cortes Valencianas».

(44) Pueden existir casos excepcionales que por razones lógicas y de «interés social» nos permiten dar una respuesta positiva. Así el Auto de 11 junio 1987 del Pleno de la AT Barcelona, aceptó la renuncia del fuero de un parlamentario catalán, sin pérdida del cargo, para sustanciar una

que no deberían quedar amparados por el fuero, debiendo ser críticos respecto a su aplicación en el enjuiciamiento de ilícitos que no inciden en su función «pública» o «política» (véase imprudencias derivadas de accidentes de circulación)[45]. No obstante, el TS ya admite la renuncia del aforado.

«El fundamento de inmunidad parlamentaria no es otro que el tratar de evitar que por medio de la vía penal pueda perturbarse el funcionamiento de las Cámaras legislativas, de ahí que pierda su razón de ser cuando las personas aforadas pierdan la condición de Diputados y Senadores; figurando entre las causas de pérdida de tal condición la "renuncia" de los interesados (v. art. 22.4ª del Reglamento del Congreso y art. 18, g del Reglamento del Senado)». ATS 20 Abr. 2016, Rec. 20325/2016[46].

En este sentido, se regula en el art. 32.2 del Convenio de Viena respecto a inmunidades de Agentes diplomáticos y en el art. 45 del Convenio referente a los Agentes Consulares, que permite al «Estado acreditante» renunciar a la inmunidad de jurisdicción de sus Agentes diplomáticos frente al «Estado receptor». Dicha renuncia puede ser realizada *a posteriori*, removiendo el óbice de procedibilidad que implica la inmunidad diplomática[47].

---

causa criminal seguida por presunta falta de imprudencia derivada de accidente de circulación. No obstante, ha de tenerse en cuenta que la doctrina legal —ATS 25 octubre 1917 y 21 marzo 1984—, viene señalando que el fuero va unido al cargo de modo que despliega su eficacia desde que se accede al mismo hasta que se cesa.

(45)   En este sentido el Auto del TSJ La Rioja de 5 febrero 1992 (LA LEY, 1992-2, p. 552) interpreta restrictivamente el privilegio y declara: «... Para la debida interpretación de esta norma (art. 18.5 LO 3/82, de 9 de junio, Estatuto de Autonomía de La Rioja) hay que tener en consideración que en su punto de partida no se refiere al término infracciones penales en sentido genérico, sino al más estricto de actos delictivos, con exclusión, por tanto, de aquellas contravenciones tipificadas como faltas en nuestro ordenamiento legal punitivo, y sin bien es cierto que tal expresión técnico-jurídica la utiliza en un principio para referirse al supuesto concreto en que los diputados puedan o no ser detenidos o retenidos, hay que entender que cuando a continuación determina el órgano judicial a quien corresponde decidir sobre su inculpación, prisión, procesamiento y juicio, empleando entonces el término "en todo caso" no parece que con esta expresión pretenda extender el ámbito de tal decisión a toda clase de conductas punitivas, con inclusión, por tanto, de las que sean constitutivas de falta, sino que, como se desprende de todo su contexto, lo que parece que trata de dejar bien sentado es que, con independencia de aquella prerrogativa específica referente a la privación de libertad del diputado, la competencia decisoria corresponde siempre al Tribunal de superior categoría que allí se menciona, cuando naturalmente se trate de los actos delictivos a que, como decimos, se contrae el precepto...».

(46)   «1. La resolución recurrida, dictada por la Sala de lo Civil y Penal del Tribunal Superior proclama que carece ya de competencia para conocer del procedimiento que ante ella se seguía por razón del aforamiento de uno de los imputados y, en consecuencia que debe inhibirse a favor del Juzgado Central de Instrucción nº 5. La inhibición fue solicitada por el aforado D. Gaspar tras acreditarse la pérdida —por su renuncia como Diputado Autonómico— de su condición de aforado. Recuerda la Sala de instancia que al tiempo de su resolución también habían decaído en la condición de aforados todos los demás coimputados». STS 471/2015 de 8 Jul. 2015, Rec. 682/2015.

(47)   La STS 1 junio 1987, entiende que la renuncia puede formularse a priori o a posteriori, sin que ello suponga dar retroactividad alguna ni infracción de lo dispuesto en los arts. 23 CP o 9.3 CE, puesto que el art. 32.2 del Convenio faculta al Estado para que pueda abdicar de un privilegio y de un status especial que sólo tiene sentido en relación con el desempleo de un servicio diplomático.

El TS ha determinado que el momento en que queda definitivamente fijada la competencia del órgano que debe juzgar a un aforado es el auto de apertura del juicio oral, por lo que será hasta este momento cuando la renuncia o pérdida del cargo tenga incidencia en la modificación del órgano competente para el enjuiciamiento.

«En cuanto a la competencia de esta Sala para seguir conociendo de la presente causa, a la vista del escrito de renuncia a la condición de Senadora que ostentaba en la presente Legislatura D.ª Alicia, el Pleno no jurisdiccional de la Sala Segunda del Tribunal Supremo, ha acordado en el día de ayer, que es el auto de apertura de juicio oral el que determina la imposibilidad de una renuncia del aforamiento con efectos procesales». ATS 3 Dic. 2014, Rec. 20222/2012.

b) Concurrencia de aforados competencia del TS con otros de competencia del TSJ

En estos casos, la regla general es que cada aforado debe ser juzgado por el órgano jurisdiccional que le viene asignado por la norma de competencia en función de su cargo. La excepción que permite la acumulación ante el órgano de mayor grado es la conexión delictiva, de forma que no se divida o rompa la continencia de la causa.

«Figurando entre los querellados, el Excmo. Sr. Don Cosme, en la actualidad y según se acredita, Presidente del Gobierno de la Nación, conforme al art. 102.1 de la Constitución y el art. 57.1.2º LOPJ, correspondería a esta Sala, la instrucción y, en su caso, el enjuiciamiento de las causas contra el Presidente del Gobierno, por lo que procede declarar la competencia, con respecto a éste único aforado. En cambio, los otros dos querellados Don Jesús y Don Jose Carlos, son miembros del Parlamento de Cataluña, cuya competencia para decidir sobre inculpación, prisión, procesamiento y juicio de los miembros del Parlamento de Cataluña, correspondería, en principio al Tribunal Superior de Justicia de Cataluña, conforme al art. 31 del Estatuto de Autonomía de Cataluña (Ley Orgánica 4/1979, de 18 de diciembre) y art. 73.3.a) LOPJ, de modo que carecerían de aforamiento ante esta Sala Segunda, salvo el efecto de atracción producido por el aforamiento del anterior querellado de modo que no se rompiera la continencia de la causa.» ATS 26 Abr. 2006, Rec. 20077/2006.

c) Concurrencia de aforados y no aforados

En el caso de delitos conexos en los que hubieren intervenido aforados y no aforados, la competencia corresponde al Tribunal Superior de Justicia o al Tribunal Supremo (art. 272.2.º LECrim.), sustrayéndolos a los segundos de su Juez natural y a la posibilidad de una doble instancia. A este efecto, el Pleno de la Sala de lo Penal del Tribunal Supremo en Auto de 24 de septiembre de 1997 sostuvo en relación con la conexidad que: «*en los asuntos complejos, relativos a actividades múltiples de un mismo grupo o grupos más o menos coordinados entre sí, como pudo ocurrir con la actuación de los llamados GAL, si se utilizara un criterio amplio en cuanto al concepto de delitos conexos, podríamos llegar a incluir dentro del mismo procedimiento una pluralidad de hechos posiblemente delictivos de tal magnitud que fuera prácticamente imposible manejar el correcto funcionamiento procesal de la causa penal por sus desmesuradas proporciones. Para evitar esto es necesario que adoptemos respecto de la conexión (que obligaría a incluir en un solo proceso el conocimiento de los diferentes delitos unidos entre sí por determinados elementos —arts. 17, 18 y*

300 LECrim—) un criterio estricto y riguroso, lo que, por otro lado, es asimismo una exigencia derivada del carácter excepcional que el TS tiene como órgano judicial cuando conoce de la instrucción y enjuiciamiento de determinadas causas penales».

En el presente caso la norma atributiva de competencia (artículo 73 de la Ley Orgánica del Poder Judicial (LA LEY 1694/1985)) no prevé la extensión de competencia a causas conexas. Extensión que resultará obligada si la unidad del proceso resulta inescindible.

> «La unificación de procedimiento tiene una funcionalidad de mera facilitación de tramitación o de resolver los problemas derivados de la inescindibilidad del enjuiciamiento. Desde luego así ocurriría en caso de unidad de delito y pluralidad de partícipes, caso que, en puridad, no cabe considerar de conexidad. Por ello, cuando la unidad procedimental se erige en escollo, causa de dificultades, o cuando desaparece esa inescindibilidad, la unidad de procedimiento es relevada por la misma ley, como ocurre en el caso del artículo 762 y a salvo de las específicas excepciones dirigidas a mantener la competencia específica previstas en la ley, que no la unidad procedimental (art. 65 LOPJ, art. 16 LECrim cuando establece la prevalencia de la jurisdicción ordinaria frente al aforamiento, artículo 272 de la misma que atribuye la competencia al tribunal al que uno de los querellados estuviere sometido por disposición especial de la ley, o art. 5 LOTJ)». STS 471/2015 de 8 Jul. 2015, Rec. 682/2015[48].

De este modo, la regla general será la de la aplicación de la conexidad con carácter restrictivo, lo que determina que sea necesario que el Juez de Instrucción individualice la conducta de aforados y no aforados, de modo que se agote la instrucción respecto a los hechos sin dirigir el procedimiento frente al aforado, solicitando a partir de ese momento el correspondiente suplicatorio.

> «... esta Sala venga exigiendo, cuando se imputan actuaciones criminales a un grupo de personas y alguna de ellas tiene el carácter de aforado, no sólo que se individualice la conducta concreta que respecto a este aforado pudiera ser constitutiva de delito, sino también que haya algún indicio o principio de prueba que pudiera servir de apoyo a tal imputación como persona concreta (véanse los autos de esta Sala de 26 y 29 de enero de 1998 y 7 de octubre de 1999 entre otros). En estos supuestos ha de tramitarse, en su caso, el proceso penal ante el órgano judicial que sea competente conforme a las normas generales de nuestras leyes procesales y, si este órgano entendiera que hay indicios de responsabilidad criminal contra algún aforado, agotada la investigación en todo lo que fuere posible, sin dirigir el procedimiento contra éste, procederá a remitir a esta Sala la correspondiente exposición para que podamos resolver aquí, conforme a lo dispuesto en los arts. 21 y 782.2º LECrim y 52 LOPJ. Tal modo de resolver es respetuoso con el derecho a la tutela judicial efectiva del artículo 24.1 CE, pues no cierra el camino al trámite judicial correspondiente, al tiempo que limita el conocimiento de esta Sala de lo Penal del Tribunal Supremo sólo

---

(48)   «El Tribunal Supremo, al apreciar la conexidad, ha tenido en cuenta el tenor de las normas de la Ley de Enjuiciamiento Criminal (arts. 17, 18, 272.3 y 300) y ha utilizado un criterio de ponderación, que, de un lado, es riguroso en atención al carácter excepcional de su competencia como órgano de enjuiciamiento, y, de otro, atiende a las exigencias de una buena Administración de Justicia en materia penal, criterios que se proyectan sobre el conocimiento de todos los afectados por el proceso. Por lo que ha de desestimarse la queja aquí examinada». STC 66/2001 ce 17 de marzo.

a aquellos procedimientos que son propiamente de su competencia con arreglo a la constitución y leyes procesales en vigor». ATS Sala Segunda, de lo Penal, Auto de 4 Ene. 2002, Rec. 6/2001; Ponente: Martín Pallín, José Antonio. LA LEY 230655/2002.

En caso de enjuiciamiento conjunto, si se declarase exento de responsabilidad al aforado, la causa deberá nuevamente remitirse al Juez o Tribunal previsto en el art. 14 LECrim., con la excepción de que siguiéndose el procedimiento por delitos graves se hubiera ya dictado auto de procesamiento, de conformidad con el art. 7 Ley de 9 de febrero de 1912, aunque posteriormente el aforado pierda su condición[49]. Igualmente sucedería para los casos en que el trámite seguido fuera el de procedimiento abreviado o el de juicio por delitos leves, y se hubiera procedido a la apertura de juicio oral[50].

d) Inicio del proceso. Instrucción y Enjuiciamiento

En fase de iniciación, la querella o denuncia deberá ser interpuesta ante el Tribunal competente, entre los anteriormente enumerados. Para el caso de que el Juez de Instrucción estime, una vez iniciadas las diligencias, que se deduce de los hechos investigados alguna presunta responsabilidad contra un aforado, suspenderá sus actuaciones y de conformidad con el art. 23 LECrim remitirá los antecedentes necesarios al Tribunal Superior de Justicia o al Tribunal Supremo, quienes resolverán de plano y sin ulterior recurso. Ello, sin perjuicio de que se sigan practicando las diligencias necesarias y de reconocida urgencia (arts. 22.2 y 23 «in fine» LECrim.).

En la fase de investigación, admitida la querella o denuncia, en su caso, la Sala procederá a nombrar un instructor entre los miembros del Tribunal, de conformidad con los arts. 57.2, 61.2 y 73.4 LOPJ, que derogan el art. 303 LECrim en dicho extremo. La precedente previsión, introducida por la LO 7/88 con la finalidad de evitar la inconstitucionalidad de la LOPJ y de los Estatutos de Autonomía, plantea, no obstante, la cuestión acerca del contenido y facultades que tendrá dicho Instructor.

La competencia del Tribunal quedará definitivamente determinada en el auto de apertura del juicio oral, de forma que si se pierde la condición de aforado antes de este momento procesal, los autos deberán remitirse al órgano competente.

> «Acreditada, pues, la renuncia a su condición de parlamentario del Sr. Anselmo, así como *el Acuerdo del Pleno de la Sala Segunda del Tribunal Supremo de 2 de diciembre pasado*, que establece que es el auto de apertura de juicio oral el que determina la imposibilidad de una renuncia del aforamiento con efectos procesales, esta Sala deja de ser el órgano jurisdiccional competente para la instrucción y el enjuiciamiento de esta causa. En consecuencia, procede declararlo así y ordenar la remisión de las actuaciones al órgano que se estime competente para ello». ATS 12 Ene. 2015, Rec. 20002/2012.

---

(49) Aunque el ATS 24 octubre 1983 restringe la aplicación de la Ley a Diputados y Senadores, dicha afirmación no puede ser mantenida para la generalidad de todos los problemas, debido a las lagunas procesales que presenta, actualmente, la regulación de los aforamientos. AGUILERA DE PAZ, *Comentarios a la LECrim.*, T. V, Madrid, 1914, p. 625.

(50) No obstante, si antes de la apertura del juicio oral tramitándose como sumario, se solicita nuevamente el procesamiento del aforado, deberá volverse a remitir la causa ante el Tribunal correspondiente a fin de que resuelva sobre dicha petición.

A este respecto, no se trata de un Delegado del Tribunal (art. 303 LECrim.) sino que actuará con jurisdicción propia e independiente de la Sala. Asimismo, practicará todas las actuaciones encaminadas a la investigación de los hechos hasta la conclusión del sumario o preparación del juicio oral, cuando se tramitase por el procedimiento abreviado. Adoptará, en su caso, las medidas cautelares, las resoluciones previstas en los arts. 789.5 y 790 y ss. LECrim. e incluso, el auto de procesamiento, si fuera procedente. Contra sus resoluciones podrán interponerse los recursos establecidos en la LECrim[51].

En la fase de juicio oral, el proceso continuará hasta que recaiga sentencia firme, como señala el art. 7 Ley de 1912.

e) Sentencia y recursos

La sentencia dictada en las causas de aforados no presenta especialidad alguna si bien, firme la resolución e independientemente de la separación del cargo como efecto accesorio, deberá comunicarse al Cuerpo Legislativo, Ejecutivo o a aquél al que perteneciese, según establece el art. 9 de la Ley citada[52].

Contra la sentencia dictada por el Tribunal Supremo (Sala 2.ª) no cabrá recurso alguno.

«La literalidad del art. 71.3 CE no impone el conocimiento de las causas penales contra Diputados y Senadores en única instancia por la Sala de lo Penal del Tribunal

---

(51)   La LO 7/88, de 28 de diciembre, no debió haberse limitado a establecer la necesaria separación entre las funciones instructoras y decisoras sino, además, debía haber modificado los arts. 303 y ss. LECrim., regulando las facultades de dichos instructores. Frente a quienes parecen mantener (Consulta 4/88, de 4 de noviembre, y Circular 1/89, de la Fiscalía General del Estado) que deberá dictar el procesamiento o acordar la prisión, en las causas seguidas contra aforados, la propia Sala, en lugar del instructor, y que con ello no se viola la doctrina mantenida por el TC en sus SS 145/88, de 12 julio, 164/88, de 26 septiembre, y 11/89, de 24 enero, puesto que, según afirma, lo realmente trascendente no es dictar determinadas resoluciones sumariales, sino la investigación directa y el contacto con los medios de instrucción (así, no sería recusable el Tribunal cuando haya resuelto por vía de revisión dichas decisiones); resulta más apropiado y concorde con el espíritu y finalidad de la doctrina del TC que sea el Instructor nombrado quien la adopte (sin perjuicio de los recursos que quepa interponer), como sostiene la mejor doctrina. Vid. CLIMENT DURÁN, «El Tribunal Superior de Justicia de la Comunidad Valenciana», PJ, 10, pp. 97 y ss. Ello tiene igualmente su apoyo en que al no cercenarse expresamente las facultades del instructor, por la LO 7/88, deben comprenderse todas las que normalmente le corresponda, mientras no sean exceptuadas por una norma legal.

(52)   «... Los motivos que señalan los anteriores preceptos en cuanto al cese de los miembros de las respectivas Cámaras o Asambleas no suponen un sistema de causas tasadas en el que no puede incluirse la sentencia judicial firme de condena contra el Presidente del Gobierno o sus miembros, por cuanto que la tesis contraria llevaría a conclusiones absurdas; tal sería la imposibilidad de incoar procedimiento penal contra quien preside o forma parte del Gobierno, mientras ejercieron esa función, o la igual imposibilidad de ejecutar pena de inhabilitación para el cargo que sustentaren... No es, pues, cierto jurídicamente que la responsabilidad criminal del Presidente y de los demás miembros del gobierno sólo pueda exigirse tras su cese, de igual manera que la condena firme que conlleve la inhabilitación de cargo público al Presidente o Consejeros de gobierno sería causa del cese de sus funciones aunque no se contenga ello en el art. 101 CE, en conexión con el 66 Ley de Régimen Jurídico...». STS Sala Segunda, de lo Penal, Sentencia de 10 Jul. 1995, Rec. 3546/1994; Ponente: Vega Ruiz, José Augusto de. LA LEY 14652/1995.

Supremo, sin embargo, ha de entenderse que el constituyente efectuó una inicial ponderación del derecho al doble grado de jurisdicción de Diputados y Senadores y de las necesidades de protección tanto de la independencia de la propia institución parlamentaria como del Poder Judicial. Ponderación que, como también acabamos de recordar, no resulta ajena al entendimiento de los países de nuestro entorno jurídico-constitucional respecto del alcance de este derecho, pues como excepción al mismo se admite el caso en el que el Tribunal Superior en el orden penal haya conocido en primera y única instancia (art. 2.2 del Protocolo 7 CEDH). Dicha ponderación convierte en innecesaria una ulterior valoración expresa de la proporcionalidad de la restricción de este derecho fundamental, en otro caso imprescindible, dado que, como este Tribunal tiene declarado, toda restricción de derechos fundamentales debe responder a un fin constitucionalmente legítimo y ser instrumento necesario y adecuado para alcanzar dicho objetivo (por todas SSTC 62/1982, de 15 de octubre, FF. 3, 4 y 5; 175/1997, de 27 de octubre, F. 4; y 49/1999, de 5 de abril, F. 7). STC 66/2001 de 17 de marzo.

Contra la dictada por el Tribunal Superior de Justicia podrá interponerse el de casación o la queja, caso de denegación del primero.

Cabe plantearse si tal impugnación es posible en todos los supuestos o viene restringida a los delitos más graves. La respuesta debe ser de admisibilidad para todas las sentencias dictadas por los Tribunales Superiores de Justicia, tanto si los delitos se hallan castigados con pena inferior a la de 6 años o son de distinta naturaleza e incluso cuando se trate de delitos leves. Aunque ello no se prevé en la LECrim., el art. 847.1.º de la misma debe interpretarse extensivamente a la luz del art. 14.5 del Pacto Internacional de Derechos Civiles de 1966, que consagra el derecho a la doble instancia en las causas penales, que salvo las excepciones apuntadas (causas falladas por la Sala 2.ª del TS, en aforamientos) no presenta otra excepción[53].

1.3. Otras especialidades en razón del sujeto

A) Responsabilidad Criminal de Jueces y Magistrados y Fiscales[54]

La responsabilidad penal de Jueces y Magistrados se exigirá conforme a lo previsto en la LOPJ (art. 405 LOPJ)[55]. Concretamente los arts. 405 a 409 LOPJ se refieren al

(53)   El TC en su S 51/85 declaró que la exigencia de doble instancia no puede mantenerse «a ultranza» cuando ha sido la excepcionalidad del cargo lo que ha llevado a su enjuiciamiento por el Supremo Tribunal, dentro de la organización judicial. En el mismo sentido se expresa la Consulta 4/88, de 4 noviembre, de la Fiscalía General del Estado, y la STC 33/89, de 13 febrero, respecto a la desestimación de querella.

(54)   MOLERES MURUZÁBAL y ÁLVAREZ-BUYLLA BALLESTEROS, «La Responsabilidad de los Jueces y Magistrados en el ejercicio de sus funciones», *Diario La Ley*, Nº 7118, Sección Tribuna, 19 de febrero de 2009, Año XXX, Ref. D-58; SOTO NIETO, «La responsabilidad penal de los Jueces y Magistrados», *La Ley*, 1987-1, p. 927; SÁNCHEZ Y SÁNCHEZ, «Notas sobre el antejuicio para exigir responsabilidad penal a los Jueces y Magistrados», *La Ley*, 1983-1, p. 28; ZARZALEJOS NIETO, J., «Aspectos constitucionales y procesales del antejuicio», *BICAM*, 1987, n.º 4, p. 63; Idem, *Proceso penal contra jueces y magistrados, la especialidad del antejuicio*, CGPJ, Madrid, 1992; FENECH, *El Proceso Penal*, Madrid, 1982, p. 234; HERCE QUEMADA, *Derecho Procesal Penal*, 1981, pp. 354 y ss.; DE MIGUEL y ALONSO, «Antejuicio», *N.E.J. Seix*, vol. II, p. 692.

(55)   La LECrim. en su redacción originaria preveía un procedimiento denominado de antejuicio (arts. 757 a 778, derogados), que pretendía asegurarse, en el caso de que un ciudadano

proceso que se iniciará por providencia del Tribunal competente, o por querella del perjudicado u ofendido o mediante el ejercicio de la acción popular.

«El art. 406 LOPJ no permite incoar procedimiento penal contra Jueces o Magistrados por medio de escrito de un particular. Se exige para ello, bien providencia del Tribunal competente, bien querella del Ministerio Fiscal, del ofendido o incluso de quien, sin serlo, desea ejercitar la acción popular. La querella ha de presentarse siempre por medio de procurador con poder bastante y suscrita por letrado con las demás exigencias previstas en el art. 277 LECrim. La falta de intervención de tales profesionales impide ponerla a trámite. Una acusación penal en forma de querella, dada la importancia que tiene, por llevar consigo la imputación de un hecho delictivo ante el órgano judicial competente para la instrucción correspondiente, no puede ponerse a trámite sin la intervención de los mencionados profesionales del Derecho que han de firmarla». ATS Sala Segunda, de lo Penal, Auto de 12 Dic. 2000, Rec. 3700/2000; Ponente: Delgado García, Joaquín. LA LEY 247725/2000.

La aplicación de estas normas al Ministerio Fiscal viene determinado por el art. 60 del Estatuto del Orgánico del Ministerio Fiscal, que dispone que la responsabilidad penal de los miembros del Ministerio Fiscal se regirá por lo dispuesto en la LOPJ.

«… la apertura de un procedimiento penal contra integrantes del Ministerio Fiscal está sometida a unas especiales condiciones formales, derivadas de la especial función que desempeñan, por lo que no basta la presentación de una simple denuncia contra los mismos, sino que es precisa la formulación de querella. El artículo 60 del Estatuto Orgánico del Ministerio Fiscal dispone que la responsabilidad penal de los miembros del Ministerio Fiscal se regirá por lo dispuesto en la Ley Orgánica del Poder Judicial para Jueces y Magistrados, y el artículo 406 de la Ley Orgánica del Poder Judicial limita la incoación del juicio de responsabilidad penal contra Jueces y Magistrados a aquellos casos en los que el Tribunal competente lo acuerde de oficio o cuando se formule querella por el Ministerio Fiscal, o el perjudicado u ofendido, o el que ejercite de la misma forma la acción popular». ATSJ Madrid 27/2012 de 30 Mar. 2012, Rec. 14/2012. Ver también, ATSJ Madrid 15/2012 de 23 Feb. 2012, Rec. 5/2012.

---

dirigiese una acción penal contra un Juez o Magistrado por delitos cometidos en el ejercicio de sus funciones, de que existiese motivación suficiente para que prosperase aquélla. Por ello, optó por exigir, como presupuesto de procedibilidad, la tramitación de un antejuicio en el que pudiera apreciarse, con carácter previo, la existencia o no de fundamentos para el ejercicio de la acción penal, evitándose así la incoación de procesos penales contra personal jurisdicente, sin que existan los caracteres esenciales del delito que se imputa. Este procedimiento fue declarado constitucional por el TC que declaró que la importante función que desempeñan Jueces y Magistrados justifica, sobradamente, la exigencia de mayores garantías procesales para el caso de que la acción penal se dirija contra algunas de estas personas. Con ello se pretendía evitar que el descontento de los particulares por alguna actuación judicial se tradujese, en la práctica, en la presentación de denuncias o querellas contra los titulares de los órganos jurisdiccionales. Finalmente el antejuicio garantizaba la independencia y la dignidad de la función jurisdiccional (STC 61/82, de 13 octubre). Sin embargo, este procedimiento se suprimió por la Disposición Adicional primera de la LO 5/95 de 22 de mayo, del Tribunal del Jurado, opción legal que debe ser censurada precisamente por las razones esgrimidas por el TC. Es esa la razón que ha conducido a modificar el art. 410 LOPJ en el sentido expuesto por LO 19/2003 de modificación de la LOPJ.

La única especialidad en el enjuiciamiento de Magistrados, Jueces y Fiscales se refiere al Tribunal competente para conocer de los delitos cometidos en el ejercicio de sus cargos. A saber:

— A la Sala 2ª del TS le corresponde la instrucción y el enjuiciamiento por delitos cometidos por el Presidente y Magistrados del Tribunal Supremo y del Presidente y Magistrados de la Audiencia Nacional y de los Tribunales Superiores de Justicia, así como de los Jueces Centrales de la Audiencia Nacional. También del Fiscal General del Estado y Fiscales de Sala del Tribunal Supremo —art. 57. 2 y 3 LOPJ—.

— A la Sala Penal del Tribunal Superior de Justicia de la instrucción y fallo de las causas penales contra Jueces, Magistrados y miembros del Ministerio Fiscal por delitos cometidos en el ejercicio de su cargo en la Comunidad Autónoma, siempre que está atribución no corresponda al Tribunal Supremo.

El aforamiento permanece en el caso de cese en la condición de Magistrado (STS Sala Segunda, de lo Penal, Sentencia 1245/2000 de 5 Nov. 2001, Rec. 2679/2000; Ponente: Marañón Chávarri, José Antonio. LA LEY 980/2002). Para el caso de los Jueces Sustitutos el TS ha declarado que la competencia se determina en el momento de la apertura del juicio oral (STS Sala Segunda, de lo Penal, Sentencia 378/2002 de 6 Mar. 2002, Rec. 2306/2000; Ponente: Andrés Ibáñez, Perfecto Agustín. LA LEY 3589/2002).

El procedimiento será el que corresponda en razón del delito. Pero, al efecto de evitar acusaciones infundadas que puedan desvirtuar o menoscabar la función judicial el art. 410 LOPJ exige que se presente querella, no una simple denuncia.

«Ahora bien, en cuanto a la admisibilidad, de los arts. 405 y 406 LOPJ se desprende que para exigir responsabilidad penal contra Jueces y Magistrados por los delitos cometidos en el ejercicio de las funciones de su cargo resulta precisa la formulación de querella por el perjudicado y ofendido». ATSJ Madrid 14/2012 de 23 Feb. 2012, Rec. 10/2012.

En el caso de interponerse querella frente a Juez o Magistrado el instructor de la causa, con carácter previo a la admisión de la querella, podrá recabar los antecedentes que considere oportunos a fin de determinar su propia competencia, así como la relevancia penal de los hechos objeto de la misma o la verosimilitud de la imputación[56]. La norma se refiere a la situación en la que la parte o interesado interponga querella frente al Juez o Tribunal que deba resolver, pero cabe entender que se aplicará en el supuesto en el proceso en el que se produjo la infracción penal ya hubiere finalizado.

---

(56) «O, como con más precisión se indica en la redacción del artículo 410 LOPJ, cuando se trata de querellas contra jueces o magistrados, que tales hechos tengan "relevancia penal" y la imputación resulte "verosímil". Ello significa que el órgano judicial competente para el conocimiento de tales querellas ha de realizar un primer juicio, o juicio preliminar, tendente a evitar la apertura de Diligencias Previas cuando de ese primer análisis resulte con toda claridad la inexistencia de relevancia penal alguna de los hechos en los que se basa, o la total inverosimilitud de la imputación, ...». ATSJ Extremadura 3/2012 de 15 Mar. 2012, Rec. 4/2012.

«Este precepto, conforme a reiterada jurisprudencia, se configura como un procedimiento previo a la admisión de querellas contra Jueces y Magistrados, que otorga la posibilidad de recabar antecedentes para rechazar las que sean inverosímiles, así como las que describen hechos que puedan carecer de relevancia penal. La delimitación del ámbito de este precepto ha sido definida por la Sala a partir de una interpretación integradora, que ha tomado en cuenta sus precedentes históricos, desde la redacción inicial ofrecida por la LO 6/1985, 1 de julio y sus sucesivas reformas, operadas por las leyes orgánicas 5/1995, 22 de mayo y 19/2003 de 23 de diciembre. Son muchos los precedentes de esta Sala, en procesos penales seguidos contra Magistrados sujetos a este Tribunal por razón del aforamiento, en los que nos hemos pronunciado acerca de la funcionalidad del trámite a que se refiere el art. 410 de la LOPJ. En el auto de fecha 28 de enero de 2016, recaído en la causa especial 20788/2016, recordábamos que el art. 410 de la LOPJ «... tiene como finalidad evitar la admisión de querellas que, injustificadamente, pudieran perturbar el correcto ejercicio de la función judicial. Prevé que el órgano competente, antes de decidir acerca de la admisión a trámite de la querella y con significado y finalidad distintos al propio de la instrucción de la causa, pueda acordar algunas actuaciones, que en otro caso habrían de ser practicadas una vez iniciado el procedimiento». ATS 13 abril 2016, Rec. 20137/2016. Ver también, AAP Álava 112/2007 de 14 Dic. 2007, Rec. 579/2007.

Con esta previsión del art. 410 LOPJ de poder recabar los antecedentes que considere oportunos se pretende evitar querellas que, injustificadamente, pudieran perturbar el correcto ejercicio de la función judicial.

«En particular, se refiere a la posibilidad de recabar antecedentes que aquél considere oportunos a fin de determinar su propia competencia, así como la relevancia penal de los hechos objeto de la misma o la verosimilitud de la imputación (cfr. ATS 28 de febrero de 2010, causa especial 20339/2009). Con este trámite "... se conjura el riesgo de las querellas originadas por finalidades espurias o sencillamente maliciosas. Y entre ellas las que obedezcan a un designio de minar la independencia del querellado o apartarle del conocimiento de asuntos determinados. Y también las que sean fruto de oportunistas designios de venganza o notoriedad" (cfr. ATS 2 de febrero de 2009, dictado en la causa especial 20296/2008, y STS 14 octubre 2009, sección 8ª, Sala de lo Contencioso)». ATS 13 abril 2016, Rec. 20137/2016.

B) Miembros de las Fuerzas y Cuerpos de la Seguridad del Estado[57]

No se trata de aforamientos sino de determinadas reglas de competencia o de procedimiento especial, que difieren al enjuiciamiento de hechos ilícitos a Tribunales distintos de los normalmente competentes. Las mencionadas reglas de competencia se hallan reguladas en la LO 2/86, de 13 de marzo, de Fuerzas y Cuerpos de Seguridad del Estado (LOFCSE)[58].

---

(57) FISCALÍA GENERAL DEL ESTADO, «El procedimiento a seguir en las AP por delitos cometidos en el ejercicio de sus funciones por los componentes de las Fuerzas y Cuerpos de Seguridad», *ADP*, septiembre-diciembre, 1987, pp. 851-855; ROBLES GARZÓN y SENES MONTILLA, «Normas de competencia en materia criminal de la LO 2/86, de 13 de marzo», *La Ley*, 1990-3.

(58) LÓPEZ RODRÍGUEZ, José Antonio, «La Policía Judicial y la obsoleta Ley de Enjuiciamiento Criminal», *Diario La Ley*, n.º 7637, Año XXXII, 25 de mayo de 2011, Ref. D-218.

La citada Ley establece, en su art. 8.1, con carácter general, que los delitos cometidos en el ejercicio de sus funciones por miembros de los Cuerpos de Seguridad del Estado, Policías Autonómicas y Locales, serán competencia de la jurisdicción ordinaria[59]. Ahora bien, con la particularidad de que si el hecho enjuiciado constituye delito será conocido, en la fase de juicio oral (no en instrucción), por la Audiencia Provincial, aunque la competencia, por la penalidad atribuida, sea del Juez de lo Penal. Esta norma —art. 8.1—, fue declarada constitucional por el TC, salvo el apartado segundo del art. 8.1º[60].

[59]   En relación a la competencia de la jurisdicción ordinaria en el enjuiciamiento de los delitos cometidos por los miembros de las Fuerzas y Cuerpos de Seguridad o contra los mismos, cabe señalar dos importantes extremos, respecto a los conflictos de jurisdicción que plantean en esta materia: A) Principios rectores para solucionar los conflictos de jurisdicción. Los principios que deberán tenerse presentes para solucionar estos conflictos serán: a) La jurisdicción ordinaria gozará de vis atractiva y será preferente sobre las jurisdicciones especiales (AATS 18 abril 1980) y 7 julio 1982]; b) El principio constitucional consistente en el derecho que tiene toda persona al Juez ordinario predeterminado por la Ley —art. 117.5.º CE—, quedando reducida la jurisdicción militar al ámbito estrictamente castrense —art. 3.2.º LOPJ— y a los supuestos de estado de sitio (vid. en este sentido, la interpretación de estas limitaciones realizadas por SERRANO ALBERCA, en *Comentarios a la Constitución*, de GARRIDO FALLA, Madrid, 1980, p. 1223); y c) Debe distinguirse entre el fuero militar de la Guardia Civil y el del Cuerpo Nacional de Policía, que es un Instituto armado de naturaleza civil dependiente del Ministerio del Interior (art. 9). B) Criterios de la doctrina legal. La doctrina del Tribunal Supremo al pronunciarse sobre esta materia ha dejado establecido que: 1) Los delitos cometidos contra miembros de los Cuerpos de Seguridad, son competencia de la jurisdicción ordinaria, excepto que por razón del lugar (cuando tenga carácter militar), o de la persona (que afecte a un servicio militar) corresponda la competencia a otra jurisdicción. 2) Los delitos cometidos por los aludidos miembros en el ejercicio de sus funciones de Policía son de competencia de la jurisdicción ordinaria, salvo que por razón del delito (violaciones de normas internas de la organización militar o acciones comunes restrictivamente interpretadas que afecten a los Ejércitos) o del lugar resulte competente otra Jurisdicción. Los AATS 24 marzo 1983 y 11 julio 1983, declaran competente la jurisdicción ordinaria en supuestos de malos tratos ocasionados por un guardia civil en un cuartel, en aplicación de los principios enunciados y de la STC 75/82 de 13 diciembre. Esta resolución establece que «la limitación por razón del lugar sólo concurrirá cuando se lesionen intereses de carácter militar y el ejercicio de funciones de policía comporta la pérdida del fuero militar». 3) Fuera de las funciones de policía, según la redacción de la Ley 55/78, de 4 de diciembre, y dejando aparte a los miembros de la Guardia Civil que tienen fuero militar, se discutía si a los miembros del Cuerpo Nacional de Policía se les debe aplicar la legislación militar (Código Penal Militar) respecto de delitos no estrictamente militares, o bien la legislación ordinaria. En el primer sentido se ha pronunciado el ATS 5 noviembre 1981 y en el segundo sentido el ATS de 8 noviembre 1979 y la Comunicación de 2 mayo 1980 de la Sala Especial de Conflictos de Jurisdicción del Tribunal Supremo.

[60]   «A modo de resumen, concluye el Tribunal Constitucional (STC 55/1990, 28 marzo): "En consecuencia, ha de declararse que el art. 8.1, segundo, LOFCS, es inconstitucional, por contrario al derecho a un Juez imparcial, en cuanto que asigna a un mismo órgano judicial la instrucción, el procesamiento y el conocimiento y fallo de este tipo de delitos" (FJ. 7º, inciso 5º). Y por si aún restaran dudas sobre los límites de la declaración de inconstitucionalidad, en el fallo se declara la nulidad del art. 8.1, segundo, LOFCS únicamente "en cuanto que atribuye la competencia para seguir la instrucción y ordenar, en su caso, el procesamiento, de los miembros de las Fuerzas y Cuerpos de Seguridad por delitos cometidos en el ejercicio de sus funciones a la Audiencia correspondiente" (apartado 1º), desestimando en lo demás la cuestión de inconstitucionalidad núm. 487/1996 (apartado 2º) y desestimando en su integridad las restantes cuestiones de inconstitucionalidad planteadas (apartado 3º). La consecuencia que necesariamente se sigue de cuanto antecede es que la eliminación, por contraria a las garantías procesales, de la atribución conjunta de las facultades de instrucción, procesamiento y enjuiciamiento no afecta a la competencia funcional atribuida por

«Hay que convenir en la consistencia de la argumentación del Ministerio Fiscal. Ciertamente, la acusación lo es por delitos dolosos, pero no es lo menos que los mismos se cometieron cuando los agentes se hallaban en el ejercicio de sus funciones, de uniforme y patrullando en un vehículo oficial. No se está en un caso de extralimitación de sus funciones, sino de clara comisión de delitos dolosos —siempre en clave de juicio de probabilidad como corresponde a todo escrito de acusación—, pero la posible comisión de los mismos se produjo cuando formalmente estaban desempeñando sus funciones oficiales, por lo que es claro que de acuerdo con el art. 8 de la Ley de Cuerpos y Fuerzas de Seguridad del Estado, en la interpretación dada por la STC 55/1990, el enjuiciamiento y fallo —y solo eso— corresponde a la Audiencia Provincial, a la que se le remitió la causa tras la conclusión de la instrucción». STS 446/2014 de 3 Jun. 2014, Rec. 43/2014.

El TC se pronunció respecto a esta cuestión en la STC 55/90, de 28 marzo que resolvió varias cuestiones de inconstitucionalidad planteadas por varios Juzgados de instrucción, estableciendo las siguientes reglas[61]:

a) El enjuiciamiento de los delitos leves por los Jueces de Instrucción coincide actualmente con la regla general. Por tanto, no existe ni siquiera una regla especial de competencia[62].

b) En los casos de delitos cuyo procedimiento sea el abreviado, la instrucción corresponderá al Juez de Instrucción y el fallo a la Audiencia Provincial. Esta regla especial de competencia no elimina ni restringe los derechos de defensa de las posibles víctimas ni tampoco de la acusación pública, puesto que las normas de procedimiento son idénticas salvo la atribución de competencia para el fallo a la Audiencia Provincial en lugar de al Juez de lo Penal, lo cual no puede ser considerado como un privilegio, sino como una mayor garantía de acierto.

c) En los demás casos de delitos seguidos contra miembros de las Fuerzas y Cuerpos de Seguridad del Estado, en que se establecía por el art. 8.2.2 que correspondía la instrucción y fallo a la Audiencia Provincial se estimó su inconstitu-

el precepto a las Audiencias Provinciales respecto del conocimiento y fallo en estos casos, en los que se ven involucrados en una causa penal por delito menos grave individuos pertenecientes a las Fuerzas y Cuerpos de Seguridad por actos relacionados con el ejercicio de sus funciones». STS 414/2012 de 13 Abr. 2012, Rec. 1858/2011.

(61)   La causa de las cuestiones de inconstitucionalidad se plantearon como consecuencia de las sucesivas reformas introducidas en la LOPJ y en la LECrim, por LO 7/88, de 28 de diciembre, que modificaron sustancialmente la planta judicial, así como determinadas reglas para la sustanciación de los procedimientos contra personas aforadas. Ante la nueva regulación legal, las reglas competenciales del art. 8.1 LO 2/86 presentaban importantes disfunciones con claras connotaciones de inconstitucionalidad. El problema se planteaba en tres ámbitos distintos, contemplados en el art. 8.1 LOFCS. En primer lugar con referencia a la instrucción y enjuiciamiento de las faltas. El segundo, relativo a la atribución en primera instancia a la Audiencia Provincial, tratándose de delitos. El tercero y último se planteaba respecto a la atribución a la Audiencia Provincial de la instrucción y fallo de las causas seguidas contra los miembros de las Fuerzas y Cuerpos de Seguridad del Estado.

(62)   «... En materia de faltas, aunque el art. 8.1.3 LOFCS, supuso originariamente la asignación a los Juzgados de Instrucción de las competencias propias de los Juzgados de distrito, desaparecidos éstos, el precepto supone en la actualidad tan sólo que los Juzgados de Instrucción asuman las competencias, más bien marginales, que en materia de faltas están asignadas a los Jueces de Paz...». (STC 55/90, de 28 marzo).

cionalidad, en cuanto que la Audiencia Provincial acumula funciones decisoras e instructoras y concretamente el procesamiento. Para salvar esta inconstitucionalidad no cabe alegar que la Audiencia Provincial podría delegar bien en uno de sus miembros o en el Juez de Instrucción. En su consecuencia, habrán de seguirse las normas generales del sumario, correspondiendo la instrucción incluido el procesamiento al Juez de instrucción y fallando la Audiencia Provincial.

C) Personal militar de los Estados Unidos de América y fuerzas de la OTAN

El Estado español ha suscrito sucesivos Convenios con los Estados Unidos de América referentes a la Defensa y Cooperación[63]. Actualmente está en vigor el Convenio sobre Cooperación para la Defensa, de 1 de diciembre de 1988, publicado en el BOE de 6 mayo 1989. En todos los Convenios que se han ido firmando se han mantenido unas determinadas garantías jurisdiccionales para el personal militar o afín de los Estados Unidos ubicado en territorio español.

También se han previsto normas sobre jurisdicción preferente y garantías procesales en el Convenio sobre el Estatuto de Fuerzas de la OTAN, firmado en Londres el 19 de junio de 1951, que deberán ser de aplicación en los procesos penales dirigidos contra los miembros aforados de estas Fuerzas estacionadas en España. Este último Convenio fue ratificado por España por Instrumento de 17 de julio de 1987, y publicado en el BOE del 10 septiembre 1987[64].

Las especialidades a tener en cuenta conforme a estos Convenios son:

a) *Jurisdicción preferente del Estado de origen*: Se extiende al conocimiento de los delitos cometidos por miembros de sus fuerzas militares o afines castigados únicamente en este Estado de origen y no por el Estado receptor, que afecten a la seguridad de aquel Estado (art. VII, ap. 1.º a) y 2.º a) del Estatuto de las Fuerzas de la OTAN).

b) *Jurisdicción preferente del Estado receptor*: Abarca los delitos cometidos por miembros de una fuerza o elemento civil que afecten a la seguridad de este Estado y no de las Fuerzas de la OTAN.

c) *Jurisdicción concurrente* (art. VII, ap. 3 Estatuto OTAN): Cuando el derecho a ejercer la jurisdicción sea concurrente, se aplicarán las siguientes normas:

— Tendrá preferencia el Estado de origen en relación con los delitos que afecten: a la propiedad o seguridad de aquel Estado; a la persona o a la propiedad de otro miembro de la fuerza o elemento civil de este Estado, o de una persona dependiente de dicho miembro; delitos derivados de cualquier acto u omisión durante la ejecución de actos de servicio oficial.

---

(63) Vid. Convenio de Amistad, Defensa y Cooperación entre España y Estados Unidos, de 2 de julio de 1982, completado con Convenios complementarios y anejos, publicados en el BOE de 20 mayo 1983.

(64) Vid. RODRÍGUEZ LAINZ, «Cesión de jurisdicción, transmisión de procedimientos e intercambio espontáneo de información en materia penal», *Diario La Ley*, Nº 8657, Sección Doctrina, 2 de diciembre de 2015, Ref. D-453, Editorial La Ley, LA LEY 6831/2015.

— Tendrá preferencia el Estado receptor para el conocimiento de cualquier otro delito distinto de los enunciados en el apartado anterior.

d) *Renuncia*: El Estado que tenga derecho preferente podrá renunciar a favor del otro Estado. También podrá solicitar esta renuncia el Estado que carezca de preferencia, debiendo considerar esta petición el Estado requerido de forma benévola (art. VII, ap. 3 c) Estatuto OTAN y art. 39 Convenio España-USA).

e) *Custodia de acusados*: Cuando se trate de miembros de una fuerza o elemento civil sobre el que deba ejercer jurisdicción el Estado receptor y estén en poder del Estado de origen, retendrá éste la custodia hasta que el Estado receptor formule la acusación (art. VII, ap. 5 c). Esta custodia se prorrogará durante todo el procedimiento en caso que el acusado sea norteamericano (art. 41.1.º Convenio USA).

f) *Cumplimiento de condena*: Las penas de privación de libertad impuestas por un Tribunal español a miembros de las fuerzas USA, elemento civil o dependiente será cumplida en los centros convenidos a este fin por el Comité Permanente y la Dirección General de Instituciones Penitenciarias e incluso en Estados Unidos (art. 42 Convenio USA).

g) *Tramitación preferente de los procesos*: Los procesos en los que juzgue a miembros aforados deberán ser objeto de tramitación preferente (art. VII ap. 9, Estatuto OTAN, y art. 41.3.º Convenio USA).

h) *Notificación del arresto de un aforado*: Las autoridades del Estado receptor notificarán con la debida diligencia al Estado de origen del miembro acusado el arresto de éste (art. VII, ap. 5.º 6.º Estatuto OTAN). (Véase M. 377).

Con relación a las fuerzas USA, el Convenio regulador ha previsto la creación de un Comité Permanente Hispano-Norteamericano, a los efectos de intervenir en las distintas peticiones de renuncia de jurisdicción a favor de Estados Unidos, previsto en el art. 39 del Convenio. También intervendrán en los certificados de exención de responsabilidad penal emitidos por las autoridades USA, cuando éstos ofrezcan dudas —art. 40 del Convenio—[65].

De la síntesis expuesta se deduce que tras la iniciación de unas diligencias contra un miembro de las fuerzas militares o afín de Estados Unidos o de la OTAN destinados en España, previa acreditación sumarial de su condición de aforado, el Juzgado que conozca deberá practicar las diligencias más urgentes y notificar sin dilación la existencia de este proceso al Comité Permanente si se trata de un miembro USA, o a las autoridades del Estado de origen a que pertenezca el aforado cuando se trate de fuerzas de la OTAN. Será órgano jurisdiccional competente para conocer de esta renuncia la Sala de lo Penal de la Audiencia Nacional, conforme a lo establecido en el art. 65.3.º LOPJ.

---

(65)   El Comité Permanente Hispano-Norteamericano ha sido creado por RD 916/89, de 14 de julio (BOE de 26 julio 1989). La actual sede de este Organismo radica en el Cuartel General del Ministerio del Aire.

Recibida la comunicación, se continuarán las diligencias, si el Comité Permanente acuerda que el enjuiciamiento corresponde a los órganos jurisdiccionales ordinarios españoles. En caso contrario, se inhibirán éstos en favor del órgano correspondiente que se acuerde[66].

La tramitación, tanto durante la práctica de las diligencias urgentes, como posteriormente si corresponde al enjuiciamiento de los hechos a la jurisdicción española, lo será conforme a las leyes de procedimiento españolas, con las modificaciones siguientes:

— *Relativas a la custodia de detenidos y presos*, y comparecencia ante los Tribunales, según lo previsto en los arts. 39, 40, 41 y 42 Convenio USA, y art. VII Estatuto OTAN.

— *Relativos a cooperación entre las autoridades* de ambos Estados para la investigación de los hechos y presentación de pruebas; a la cosa juzgada y demás garantías procesales, de conformidad con el artículo VII, del Estatuto de Fuerzas de la OTAN.

1.4. Procedimiento contra reos ausentes[67].

La declaración de ausencia de un reo se producirá cuando no comparezca ante el órgano jurisdiccional que conozca de la causa, en el plazo que se haya fijado en la requisitoria dictada al efecto. El legislador entendió que no procedía declarar au-

---

(66)   El Ministerio de Asuntos Exteriores, en mayo de 1983, divulgó una nota sobre la aplicación del Convenio de Amistad, Defensa y Cooperación entre España y Estados Unidos en materia de conflictos de jurisdicción, aplicable por extensión a las Fuerzas de la OTAN y al Convenio vigente actualmente. Con relación a la jurisdicción preferente se señaló que se ejercerá la del Estado de origen en los casos de: a) Delitos que afecten únicamente a la propiedad o seguridad de los EE.UU. o delitos cometidos únicamente contra la persona o propiedad de otro miembro de la fuerza o elemento civil de los EE.UU., o de una persona a cargo de cualquiera de ellos. b) Delitos cometidos por acción u omisión, durante la ejecución de actos de servicio oficial (la acreditación del acto de servicio se realizará mediante la expedición del certificado a que se refiere el art. 5 del Convenio Complementario n.º 5, al que se concede una presunción iuris tantum de legitimidad, actualmente art. 40 del Convenio vigente). Se considerará, en cambio, como jurisdicción preferente la española, en cualquier otro supuesto no comprendido en los casos anteriores. Por otra parte, las personas que hubieran resultado perjudicadas por delitos cometidos en acto de servicio, deberán dirigir sus reclamaciones en vía administrativa contra el Ejército español correspondiente, en aplicación a lo previsto en el art. 9 del Convenio Complementario n.º 5, al efecto de conseguir el pleno ejercicio de su derecho y el posterior reembolso por el Gobierno Español en el seno del Comité Conjunto Político-Militar-Administrativo. Actualmente lo contempla el art. 44 del Convenio, y el art. VIII del Estatuto OTAN. En relación con este tema, VILAR BADIA, «Jurisdicción penal militar», *PJ*, septiembre 1984, pp. 121 y ss., declara inaceptable el contenido no razonado de las peticiones de renuncia a la jurisdicción española instadas por autoridades militares de los EE.UU. Añade que no basta la acreditación documental (antes señalada), sino que deben exponerse razonadamente los motivos de importancia que para el Estado requirente tenga la renuncia, en relación a las necesidades del control disciplinario y de la eficacia operativa de las fuerzas de EE.UU.

(67)   Vid. Bibliografía general. También MONTERO AROCA, «La ausencia del imputado en el proceso penal», RDProc., 1977, p. 581; VIADA, «La ausencia del acusado en el proceso penal», *RDProc.*, 1962, p. 577; ORTELLS RAMOS, «La ausencia del imputado en el proceso penal», *RDProc.*, 1978, p. 433; JIMÉNEZ ASENJO, «El procedimiento contra reos ausentes, hoy 1980», *RDProc.*, 1980, p. 679; MUÑOZ ROJAS, *El imputado en el proceso penal*, Pamplona, 1958; MARTÍNEZ GARCÍA, «Los reos ausentes», *La Ley*, 1990-3, p. 965.

tomáticamente la rebeldía de un inculpado, si éste no comparecía en el proceso pese haber sido citado en forma. Por ello, introdujo la llamada requisitoria, cuya finalidad es localizar al inculpado —arts. 835, 836 y 837 LECrim.— como paso previo a su declaración de rebeldía. (Véase M. 378 a M. 381).

> «Es cierto que en algunas ocasiones esta Sala ha negado que la orden de busca y captura pueda tenerse por diligencia que, por sí misma, pueda tildarse de "sustancial" e interrumpir los plazos de prescripción (entre otras muchas, SSTS núm. 1250/2011, de 22 de noviembre (LA LEY 232380/2011), o 66/2008, de 4 de febrero de 2009, así como SSTS de 05/01/1998 y 10/03/1993), no lo es menos que la equiparación entre extradición y orden de busca y captura que sirve de primer fundamento a las conclusiones del órgano "*a quo*" no resulta aceptable. Y no sólo por el hecho de que ambas actuaciones cuentan con resortes específicos en la centenaria Ley de Enjuiciamiento Criminal (LA LEY 1/1882), separados entre sí bajo los respectivos Títulos VI ("del procedimiento para la extradición") y VII ("del procedimiento contra reos ausentes") del Libro IV, dedicado a los "procedimientos especiales". Es principalmente su diferente naturaleza lo que impide equiparar una orden de busca y captura a la solicitud extradicional. En este punto, ha de convenirse con las acusaciones recurrentes en que la orden de busca y captura no precisa de ese componente transnacional que, sin embargo, resulta inherente a toda extradición. De mismo modo, como con acierto expresa el Ministerio Fiscal, en la naturaleza de la orden de busca y captura subyace precisamente el desconocimiento del concreto paradero del individuo afectado, siendo la ignorancia de este extremo lo que justifica su emisión, según se desprende de las causas que para su adopción respecto del requisitoriado articula la Ley Procesal (art. 835 LECrim (LA LEY 1/1882)). Por el contrario, la extradición parte de la base de la aportación por el Estado solicitante de un cúmulo de datos que no sólo permitan la perfecta identificación del sujeto sobre el cual se vierte tal petición, sino muy especialmente de su punto de localización y/o residencia en el territorio del Estado reclamado, pues sólo así podrá cursarse, llegado el caso, su extradición. De hecho, si estas exigencias o presupuestos formales fueren insuficiente o defectuosamente cumplimentados por el Estado requirente en la documentación aportada a tal fin, deberá el requerido comunicárselo a la mayor brevedad para su subsanación, no dando curso entretanto a su petición». STS Sala Segunda, de lo Penal, Sentencia 297/2013 de 11 Abr. 2013, Rec. 928/2012. Ponente: Monterde Ferrer, Francisco. LA LEY 28444/2013.

La no incorporación del inculpado no produce siempre declaración de rebeldía. Así, no resulta indispensable su presencia para la conclusión de la fase de diligencias previas o sumariales, ni durante la sustanciación del recurso de apelación o casación interpuesto contra la sentencia. Sin embargo, rigiendo en el proceso penal el principio acusatorio, que exige la forma contradictoria en el juicio oral, si el acusado no se halla presente, deberá suspenderse aquél hasta que sea habido salvo en el llamado procedimiento abreviado y en los juicios por delitos leves, que constituyen la mayoría de los procedimientos incoados. Concretamente en el procedimiento abreviado cabe juzgar en ausencia cuando la pena solicitada no exceda de dos años, con cumplimiento de los requisitos previstos en la ley (art. 786.1 LECrim) (Véase § 5.3 Cap. XII). En el caso del juicio por delitos leves, la ausencia injustificada del acusado no suspenderá el juicio (art. 971 LECrim).

El procedimiento contra reos ausentes viene regulado en los arts. 834 a 846, 512 a 515, 784.4 y 791.4 LECrim. Ahora bien, conviene señalar que la rebeldía no constituye un tipo de procedimiento especial, aun cuando reciba esta denominación en el Título VII, Libro IV LECrim., que es el que regula esta materia. Por el contrario, la rebeldía supone una situación o estado jurídico que produce unas concretas consecuencias jurídicas determinadas en la Ley, por lo que precisa que sea declarado por medio de la correspondiente resolución judicial, que adoptará la forma de auto. (Véase M. 382 a M. 384)[68].

El derecho a la tutela judicial y la necesidad de que no se produzca indefensión, se conjugan en este procedimiento por el Tribunal Constitucional en sus SS 87/84, de 24 julio, y 149/86, de 26 noviembre, entendiendo que el derecho a la tutela judicial efectiva no es un derecho absoluto susceptible de ser ejercitado en todo caso y al margen del proceso legalmente establecido. El principio rector del proceso ordinario por el delito, que es la sujeción del acusado al procedimiento, le impone el deber jurídico de la comparecencia personal, y una de las concreciones de este principio se realiza en el procedimiento contra reos ausentes

> «... La cuestión, pues, consiste en determinar si la exigencia del requisito de la comparecencia personal es razonable y no incide substancialmente en el derecho de defensa. Respecto al primer punto, pocas dudas puede haber respecto a la razonabilidad del requisito. Ya se ha dicho antes que la presencia personal del acusado en el proceso penal es un deber...; el acusado debe estar a disposición de la justicia para sufrir, en su caso, el cumplimiento coactivo de la pena. De otro lado, su propia presencia puede ser conveniente y aun necesaria para el esclarecimiento de los hechos. Por último, si la situación persiste, concluido el sumario, no puede celebrarse la vista oral ni haber sentencia respecto del rebelde, con lo que se paraliza el procedimiento, al menos parcialmente... Quien incumple ese deber y se substrae voluntariamente a la acción de la justicia y pretende además sustituir la obligada comparecencia personal por una comparecencia por medio de representante... se coloca en una situación anómala respecto al proceso al exigir sus derechos, al mismo tiempo que incumple sus deberes...». (STC 87/84, de 27 julio).

Por ello, el Tribunal Constitucional reitera la razonabilidad y no incidencia sustancial en el derecho de la defensa de esta exigencia a la comparecencia personal, entendiendo que la situación de indefensión que en la fase sumarial soporta el procesado rebelde es debida a su propia contumacia, pero nunca es imputable al juez.

> «... La razonabilidad y no incidencia sustancial en el derecho de defensa de esta existencia previa han sido ya reconocidas y declaradas... con fundamento, respecto a la primera, en el deber del acusado de someterse personalmente al proceso penal en

---

(68) «SEGUNDO. Nuestra Ley de Enjuiciamiento Criminal regula, como un procedimiento más, aunque de carácter especial, el relativo a los reos ausentes (Libro IV, Título VII), si bien lo cierto es que se trata en realidad de una situación jurídica derivada de la ausencia del imputado, en la que la regla general es la necesidad de la presencia del imputado y sólo cuando es habido o se presenta, se puede continuar el proceso, hasta el punto de que si no se le localiza deberá ser buscado por requisitorias y declarado rebelde (cuando haya transcurrido el plazo a que se refiere el artículo 839), suspendiéndose el proceso hasta su localización.» AAP Valladolid 212/2005 de 22 Jun. 2005, Rec. 414/2005.

garantía del mejor esclarecimiento de los hechos... y, respecto a la segunda, en que la suspensión de la causa, mientras dura la situación de rebeldía, impide que el procesado sea condenado en su ausencia y le permite ejercitar su derecho de defensa, cuando se procesa a su reapertura por haberse presentado o ser habido... Debe, además, considerarse que la situación de indefensión que, en fase sumarial, soporta el procesado rebelde, no es imputable al Juez Instructor, sino a la contumacia del procesado, el cual puede hacer cesar aquella situación desde el mismo momento en que se ponga a disposición de la acción de la justicia... carece de relevancia constitucional la indefensión que se origina y depende de la voluntad propia..». (STC 149/86, de 26 noviembre).

Corresponde iniciar este procedimiento cuando concurra alguna de las situaciones previstas en el art. 835 LECrim.; así, el procesado al que no pudiera serle notificada una resolución judicial por hallarse en ignorado paradero o no tuviese domicilio conocido, el que se hubiera fugado del establecimiento en que se hallase detenido o preso, el que hallándose en libertad provisional, deje de concurrir a presencia judicial cuando le correspondiere.

El *iter* procesal que deberá seguirse hasta la declaración de rebeldía será el siguiente: Cuando haya transcurrido el plazo de la requisitoria sin que el reo haya comparecido, se le declara rebelde (véase M. 382). Con relación a la prescripción, del delito, presuntamente cometido por el rebelde, se pronuncia el Tribunal Supremo, considerando, que paralizado el procedimiento, transcurre el plazo de prescripción.

«En suma, debemos entender que la solicitud de extradición cursada por las autoridades españolas en este caso se ajustó al protocolo fijado. Es indudable que una petición de extradición desplegada de acuerdo con el procedimiento exigible, oportunamente fijado en la norma, que cumple además los presupuestos y garantías preconcebidos por ambos Estados en el ejercicio de su potestad soberana y que, no adoleciendo de defectos sustanciales, ha sido tramitada a través de los órganos específicamente habilitados a tal fin, constituye una actuación material de dirección del proceso contra el presunto responsable. De ello se sigue la necesaria consecuencia de interrumpir el plazo de prescripción. Como de nuevo con acierto expresan las acusaciones recurrentes, tal efecto no puede quedar supeditado al resultado final, favorable o adverso a la extradición, siempre que la solicitud inicial reúna todos los presupuestos materiales necesarios. No sería un criterio ajustado a parámetros de seguridad jurídica aquél que validara una interrupción de los plazos de prescripción del delito o de la pena supeditada a su resultado, siempre que, como decimos, hayan concurrido "ab initio" los presupuestos que justificaron una fundada petición extradicional. Hacer depender de lo propicio o no de su resultado el efecto procesal que, a estos fines, deba predicarse de la extradición supone minimizar la importancia de una diligencia que, por su propia naturaleza, precisa de un procedimiento dotado de especial complejidad que combina la actuación estrictamente judicial con otras de índole gubernativo y diplomático, y que en todo caso persigue la entrega del sujeto para su enjuiciamiento o bien para el cumplimiento de la pena que ya le ha sido impuesta por un hecho delictivo». STS Sala Segunda, de lo Penal, Sentencia 851/2012 de 24 Oct. 2012, Rec. 869/2012; Ponente: Saavedra Ruiz, Juan. LA LEY 162472/2012.

Si existen varios procesados, la causa se continuará con respecto a los demás, y si existe sólo uno, procede el archivo, previo «Visto» del Ministerio Fiscal, haciéndose ambas declaraciones en el mismo auto por economía procesal. Cuando se trate de un sumario ordinario o abreviado, el juez dictará un auto por el que se declare la rebeldía. Tres cuestiones deben precisarse respecto a esta resolución: a) No se suspenderá la instrucción del sumario hasta que se decrete su conclusión, archivándose los autos posteriormente, al igual que las piezas de convicción que pudieran conservarse y no fueran de un tercero irresponsable. b) Se someterá este auto a consulta de la superioridad al elevar las actuaciones. c) Cuando el rebelde se presentase o fuere habido se abrirá nuevamente la causa para su continuación —art. 846 LECrim—.

Podrá decretarse también la rebeldía cuando se hallare pendiente el juicio oral, en cuyo caso se suspenderá éste y se archivarán los autos —art. 841 LECrim.—.

> «Esta Sala considera que difícilmente puede acordarse la continuación del proceso si las personas imputadas se encuentran en paradero desconocido. Expedidas las oportunas requisitorias en las Ordenes Generales de las Fuerzas y Cuerpos de Seguridad, no compareciendo los imputados en el plazo fijado en aquéllas o no siendo habidos, de conformidad con lo dispuesto en el artículo 839 de la LECrim. el Juez deberá declararse su rebeldía, archivándose provisionalmente el procedimiento en espera de que sean hallados.» AAP Toledo 25/2006 de 31 Ene., Rec. 9/2006.

Si hubiese varios procesados, o encausados, se continuará la causa con respecto a los demás, suspendiéndose únicamente con respecto al declarado rebelde —arts. 786.1 y 842 LECrim.—. En este supuesto, considera el Tribunal Supremo que cabe otorgar valor probatorio a la declaración sumarial del coacusado, declarado rebelde.

> «... El juzgador *a quo*... se plantea el dilema de si es posible o no ponderar a efectos enervatorios del principio presuntivo de "inocencia" el dicho preprocesal y sumarial del coacusado y declarado rebelde y, por ello, incomparecido a plenario... y se inclina por la afirmativa, ya que si esta Sala otorga valor probatorio a los efectos indicados a las declaraciones de testigos fallecidos antes del juicio oral... no aprecia obstáculo insalvable para extender dicha doctrina al acusado rebelde, siempre y cuando el dicho del mismo haya sido llevado a cabo con las formalidades constitucionales y procesales requeridas al efecto, no se observa ánimo espurio en el dicho incriminatorio y efectivamente sea de cargo...». STS Sala Segunda, de lo Penal, Sentencia de 8 Abr. 1995, Rec. 2835/1994; Ponente: Hernández Hernández, Agustín. LA LEY 2387/1995.

Cabrá recurso de casación cuando solo se haya notificado la sentencia al Procurador pero no al condenado, dada su situación de rebeldía.

> «La Sección Cuarta justifica la denegación del recurso dada la ausencia del recurrente, sin embargo el art. 845 de la LECrim., establece "... si el reo se hubiere fugado y ocultado después de notificada la sentencia y estando pendiente el recurso de casación, éste se substanciará hasta definitiva, nombrándose al rebelde Abogado y procurador de oficio" y en relación con este primer párrafo el último del mismo artículo dice "... Lo mismo sucederá si habiéndose ausentado u ocultado el reo después de haberle sido notificada la sentencia, se interpusiese el recurso por su representación o por el Ministerio Fiscal después de su ausencia u ocultación...". Así procedería la estimación de la queja y, en consecuencia, la revocación del auto, debiendo tener por preparado el recurso porque es de aplicación el citado art. 845 LECrim. y al no poderse llevar a cabo la notificación personal al procesado, como así se desprende del escrito de interposición del recurso de queja, el párrafo segundo del art. 160 LECrim y, por tanto, bastará la notificación a su Procurador si consta que por cualquier circunstancia, como puede ser la rebeldía, no se pudo hacer la notificación personal». ATS 16 Mar. 2010, Rec. 20101/2010.

La solicitud de extradición cursada de conformidad con el procedimiento legalmente establecido constituye una actuación material de dirección del proceso contra el presunto responsable, que interrumpe el plazo de prescripción[69].

«En suma, debemos entender que la solicitud de extradición cursada por las autoridades españolas en este caso se ajustó al protocolo fijado. Es indudable que una petición de extradición desplegada de acuerdo con el procedimiento exigible, oportunamente fijado en la norma, que cumple además los presupuestos y garantías preconcebidos por ambos Estados en el ejercicio de su potestad soberana y que, no adoleciendo de defectos sustanciales, ha sido tramitada a través de los órganos específicamente habilitados a tal fin, constituye una actuación material de dirección del proceso contra el presunto responsable. De ello se sigue la necesaria consecuencia de interrumpir el plazo de prescripción. Como de nuevo con acierto expresan las acusaciones recurrentes, tal efecto no puede quedar supeditado al resultado final, favorable o adverso a la extradición, siempre que la solicitud inicial reúna todos los presupuestos materiales necesarios. No sería un criterio ajustado a parámetros de seguridad jurídica aquél que validara una interrupción de los plazos de prescripción del delito o de la pena supeditada a su resultado, siempre que, como decimos, hayan concurrido "ab initio" los presupuestos que justificaron una fundada petición extradicional». STS 851/2012, 24 octubre[70].

1.5. Otras especialidades procedimentales

A)   Delitos cometidos por bandas armadas y elementos terroristas

El art. 55.2 CE estableció la posibilidad de que, por medio de Ley Orgánica, pudieran quedar suspendidos, en forma individual, con la necesaria intervención judicial y adecuado control parlamentario, los derechos reconocidos en sus arts. 17.2

---

(69)   Vid. NIETO GARCÍA, «Prescripción penal y orden de extradición vs orden de busca y captura: a propósito de la STS 851/2012, de 24 de octubre», *Diario La Ley*, N.º 8069, Año XXXIV, 24 de abril de 2013, Ref. D-148, Editorial La Ley.

(70)   «En suma, debemos entender que la solicitud de extradición cursada por las autoridades españolas en este caso se ajustó al protocolo fijado. Es indudable que una petición de extradición desplegada de acuerdo con el procedimiento exigible, oportunamente fijado en la norma, que cumple además los presupuestos y garantías preconcebidos por ambos Estados en el ejercicio de su potestad soberana y que, no adoleciendo de defectos sustanciales, ha sido tramitada a través de los órganos específicamente habilitados a tal fin, constituye una actuación material de dirección del proceso contra el presunto responsable. De ello se sigue la necesaria consecuencia de interrumpir el plazo de prescripción. Como de nuevo con acierto expresan las acusaciones recurrentes, tal efecto no puede quedar supeditado al resultado final, favorable o adverso a la extradición, siempre que la solicitud inicial reúna todos los presupuestos materiales necesarios. No sería un criterio ajustado a parámetros de seguridad jurídica aquél que validara una interrupción de los plazos de prescripción del delito o de la pena supeditada a su resultado, siempre que, como decimos, hayan concurrido «ab initio» los presupuestos que justificaron una fundada petición extradicional. Hacer depender de lo propicio o no de su resultado el efecto procesal que, a estos fines, deba predicarse de la extradición supone minimizar la importancia de una diligencia que, por su propia naturaleza, precisa de un procedimiento dotado de especial complejidad que combina la actuación estrictamente judicial con otras de índole gubernativo y diplomático, y que en todo caso persigue la entrega del sujeto para su enjuiciamiento o bien para el cumplimiento de la pena que ya le ha sido impuesta por un hecho delictivo». STS Sala Segunda, de lo Penal, Sentencia 851/2012 de 24 Oct. 2012, Rec. 869/2012; Ponente: Saavedra Ruiz, Juan. LA LEY 162472/2012.

CE (libertad individual) y 18.2 y 3 CE (inviolabilidad de domicilio y secreto de las comunicaciones), en relación con las investigaciones correspondientes a actuación de bandas armadas o elementos terroristas o rebeldes. Nótese, que no se precisa declaración del estado de excepción o sitio, sino que en situación de normalidad democrática, por la especial naturaleza de los delitos, se prevén especialidades procesales respecto a los derechos y libertades fundamentales establecidas en la C, que, en la actualidad, han quedado incorporadas a la LECrim.

En desarrollo de esta previsión se promulgó la Ley 1 de diciembre de 1980, derogada por la LO 9/84, de 26 de diciembre, contra la actuación de bandas armadas y elementos terroristas en desarrollo del art. 55.2 de la CE que, posteriormente, tras la estimación parcial de inconstitucionalidad por la STC 199/87, de 16 diciembre, fue modificada por LO 4/1988, de 25 de mayo, incorporando las oportunas excepciones en los arts. 384 bis, 504 bis. 1 y bis. 2 y 520 bis LECrim. y modificaciones en los arts. 553, 579 y 779. 3 LECrim. Asimismo, debe tenerse presente que la STC 71/94, de 3 de marzo, estimó la constitucionalidad de los arts. 384 bis y 504 bis. 2, introducidos por la LO 4/88, y la inconstitucionalidad del art. 504 bis. 1 por cuanto «... viene a privar al detenido o preso de la garantía de intervención judicial...», con suspensión de la excarcelación durante el plazo de un mes en tanto la resolución no sea firme, si interpusiera recurso el Ministerio Fiscal[71].

Ley Orgánica 2/2015, de 30 de marzo, por la que se modificó la Ley Orgánica 10/1995, de 23 de noviembre, del Código Penal, en materia de delitos de terrorismo, reguló esta materia, que se divide en dos secciones y comprende los artículos 571 a 580, según explica su Exposición de Motivos:

La sección 1.ª lleva por rúbrica «De las organizaciones y grupos terroristas» y mantiene la misma lógica punitiva que la regulación hasta ahora vigente, estableciendo la definición de organización o grupo terrorista y la pena que corresponde a quienes promueven, constituyen, organizan o dirigen estos grupos o a quienes se integran en ellos.

La sección 2.ª lleva por rúbrica «De los delitos de terrorismo» y comienza con una nueva definición de delito de terrorismo en el artículo 573 que se inspira en la Decisión Marco 2002/475/JAI del Consejo de la Unión Europea, de 13 de junio de 2002, sobre la lucha contra el terrorismo, modificada por la Decisión Marco 2008/919/JAI, de 28 de noviembre de 2008. La definición establece que la comisión de cualquier delito grave contra los bienes jurídicos que se enumeran en el apartado 1 constituye delito de terrorismo cuando se lleve a cabo con alguna de las finalidades que se especifican en el mismo artículo: l.ª) Subvertir el orden constitucional, o suprimir o desestabilizar gravemente el funcionamiento de las instituciones políticas o de las estructuras económicas o sociales del Estado, u obligar a los poderes públicos a realizar un acto o a abstenerse de hacerlo; 2.ª) Alterar gravemente la paz pública; 3.ª) Desestabilizar gravemente el funcionamiento de una organización internacional; 4.ª) Provocar un estado de terror en la población o en una parte de ella.

---

(71) Circular 2/2011, de 2 de junio de 2011, de la Fiscalía General del Estado sobre la reforma del Código Penal por Ley Orgánica 5/2010 en relación con las organizaciones y grupos criminales.

El artículo 573 bis establece la pena que corresponde a cada delito de terrorismo, partiendo de que si se causa la muerte de una persona se aplicará la pena de prisión por el tiempo máximo previsto en el Código Penal.

El artículo 574 establece la tipificación de todas aquellas conductas relacionadas con el depósito de armas y explosivos, su fabricación, tráfico, suministro o la mera colocación o empleo de los mismos, cuando se persigan las finalidades enumeradas en el apartado 1 del artículo 573. Se recoge de manera particular la agravación de la pena cuando se trate de armas, sustancias o aparatos nucleares, radiológicos, químicos o biológicos, o cualesquiera otros de similar potencia destructiva.

El artículo 575 tipifica el adoctrinamiento y el adiestramiento militar o de combate o en el manejo de toda clase de armas y explosivos, incluyendo expresamente el adoctrinamiento y adiestramiento pasivo, con especial mención al que se realiza a través de internet o de servicios de comunicación accesibles al público, que exige, para ser considerado delito, una nota de habitualidad y un elemento finalista que no es otro que estar dirigido a incorporarse a una organización terrorista, colaborar con ella o perseguir sus fines. También se tipifica en este precepto el fenómeno de los combatientes terroristas extranjeros, esto es, quienes para integrarse o colaborar con una organización terrorista o para cometer un delito de terrorismo se desplacen al extranjero.

El artículo 576 establece la pena para las conductas relacionadas con la financiación del terrorismo incluyendo a quien, por cualquier medio, directa o indirectamente, recabe, adquiera, posea, utilice, convierta, transmita o realice cualquier otra actividad con bienes o valores de cualquier clase con la intención de que se utilicen, o a sabiendas de que serán utilizados, en todo o en parte, para cometer cualquiera de los delitos comprendidos en este Capítulo. La tipificación incluye las formas imprudentes de comisión del delito, como la negligente omisión de los deberes emanados de la normativa sobre blanqueo de capitales y prevención de la financiación del terrorismo.

El artículo 577 recoge la tipificación y sanción de las formas de colaboración con organizaciones, grupos o elementos terroristas, o que estén dirigidas a cometer un delito de terrorismo. Se contemplan específicamente las acciones de captación y reclutamiento al servicio de organizaciones o fines terroristas, agravando la pena cuando se dirigen a menores, a personas necesitadas de especial protección o a mujeres víctima de trata.

En los artículos 578 y 579 se castiga el enaltecimiento o justificación públicos del terrorismo, los actos de descrédito, menosprecio o humillación de las víctimas, así como la difusión de mensajes o consignas para incitar a otros a la comisión de delitos de terrorismo. En la tipificación de estas conductas se tiene en especial consideración el supuesto en que se cometan mediante la difusión de servicios o contenidos accesibles al público a través de medios de comunicación, internet, o por medio de servicios de comunicaciones electrónicas o mediante el uso de tecnologías de la información, articulando, además, la posibilidad de que los jueces puedan acordar como medida cautelar la retirada de estos contenidos.

El artículo 579 bis incorpora, siempre que se den las circunstancias enumeradas en dicho precepto, las penas de inhabilitación absoluta y la novedosa pena de inhabilitación especial para profesión u oficio educativos, en los ámbitos docente, deportivo y de tiempo libre, por un tiempo superior entre seis y veinte años al de la duración de la pena de privación de libertad impuesta en su caso en la sentencia. Además, se prevé la posibilidad de atenuación de la pena a quienes hayan abandonado voluntariamente sus actividades delictivas y colaboren con las autoridades, y también en el caso de que el hecho sea objetivamente de menor gravedad, atendidos el medio empleado o el resultado producido.

Finalmente, el artículo 580 contempla que, en todos los delitos de terrorismo, la condena de un juez o Tribunal extranjero será equiparada a las sentencias de los jueces o tribunales españoles a los efectos de aplicación de la agravante de reincidencia.

La competencia para el conocimiento de estos delitos viene atribuido para su instrucción a los Jueces Centrales de Instrucción (arts. 88 LOPJ y 14. 3 LECrim.). El enjuiciamiento corresponderá a los Jueces Centrales de lo Penal y a la Audiencia Nacional (arts. 65 y 89 bis. 3º LOPJ y 14. 3 y 4 LECrim.), sin que pueda cuestionarse su carácter de Juez ordinario y predeterminado por la Ley. En el caso que se trate de Menores corresponderá el enjuiciamiento al Juez Central de menores (art. 96.2 LOPJ).

El concepto de «banda armada» no debe ceñirse a unas eventuales actuaciones susceptibles de ser configuradas como «terroristas», sino ante todo como una actividad propia de organizaciones o de grupos en las que se pretenda difundir una situación de alarma o de inseguridad social como consecuencia del carácter sistemáticamente reiterado y muy frecuentemente indiscriminado de actividad delictiva, sin incluir, exclusivamente, aquellas que tengan objetivo político. No rige, como sucedía con la Ley 9/84, un criterio formal para la fijación de la materia, según el tipo delictivo, sino por su catalogación como banda armada; es decir, como conjunto o pluralidad de personas que con idea de permanencia y estabilidad se enfrentan al orden sociológico y jurídico organizado.

Las especialidades del procedimiento respecto a los delitos cometidos por las bandas armadas, son:

1) Relativas a la detención y situación de incomunicación (art. 520 bis LECrim.).

La detención gubernativa de 72 horas podrá prolongarse el tiempo necesario para los fines investigadores hasta un plazo máximo de otras 48 horas siempre que, solicitada tal prórroga mediante comunicación motivada, dentro de las primeras 48 horas desde la detención, sea autorizada por el Juez en las 24 horas siguientes. Asimismo, podrá solicitarse del Juez que decrete la incomunicación del detenido que deberá ser resuelta por el órgano judicial en el plazo de 24 horas, ratificación judicial que será necesaria para su validez (STC 199/87).

El carácter constitucional de esta norma fue refrendado por el TC cuando los tribunales al aplicarla se ciñan a lo regulado en la misma.

«En consecuencia, el régimen de detención incomunicada del recurrente cumplió estrictamente las previsiones legales en cuanto al tiempo y a la autoridad competente para acordarla, ya que la petición de confirmación de la incomunicación por parte de la autoridad gubernativa y la decisión judicial de acordar la detención incomunicada fueron realizadas de manera inmediata y sin interrupción el mismo día en que tuvo lugar la detención del recurrente (STC 196/1987 (LA LEY 903-TC/1988), de 16 Dic.)». STC 127/2000, de 16 mayo.

Solicitada la incomunicación, lo será sin perjuicio del derecho de defensa y la posibilidad de que en todo momento pueda requerirse información y conocer, personalmente o por delegación del Juez de Instrucción del partido o demarcación, la situación del detenido. Debe considerarse excepcional por lo que deberán extremarse las medidas de control.

«La incomunicación de los detenidos es una medida excepcional y restrictiva de los derechos de defensa del detenido por lo que las medidas de control deben extremarse, de conformidad con lo dispuesto en la Constitución española para evitar cualquier posibilidad de malos tratos, inhumanos o degradantes (arts. 10.2 y 96.1 de la CE), y los tratados internacionales de los que España es parte .../...». Auto Juzg. Central Inst. n.º 5 de 12 Dic. 2006, Rec. 187/2005.

2) Registros domiciliarios e intervención de comunicaciones postales, telegráficas y telefónicas (arts. 553 LECrim).

Los Agentes de policía podrán proceder a la inmediata detención de personas integradas en bandas armadas, cualquiera que fuese el lugar o domicilio en que se ocultaren y proceder a la ocupación de los efectos o instrumentos del delito, dándose cuenta al Juez competente, con indicación de las causas que lo motivaron y de los resultados obtenidos en el mismo. La observación de las comunicaciones podrá ser ordenada por el Ministerio del Interior o en su defecto por el Director de la Seguridad del Estado (Secretario de Estado de Seguridad), con comunicación al Juez, quien de forma motivada revocará o confirmará la resolución en el plazo máximo de 72 horas. Véase sobre los requisitos, la doctrina del TS en STS 423/2016 de 18 May, Rec. 1286/2015.

3) Suspensión de cargo público (art. 384 bis) y clausura de medios de difusión (art. 129.2 CP).

Firme el auto de procesamiento y decretada la prisión provisional por delito cometido por persona integrada o relacionada con banda armada, quedará automáticamente suspendido en el ejercicio del cargo público que ostentare mientras dure la situación de prisión. La STC 71/94, de 3 marzo declaró su constitucionalidad —junto a la inconstitucionalidad del anteriormente referido art. 504 bis para el plazo de excarcelación—, ya que al afectar a procesados o presos existen indicios de actividad delictiva que amenazan con su actividad criminal la voluntad democrática del Estado.

Por otra parte, la STC. 199/87, de 16 diciembre estimó la inconstitucionalidad del art. 21. 1 de la LO 9/1984, que establecía la posibilidad de que admitida una querella, por delitos cometidos por medio de imprenta realizada por bandas armadas y elementos terroristas, se procediera a la clausura del medio de difusión. Se declaró que no resultaba suficiente la admisión de la querella por cuanto podía operar como una coerción indirecta sobre el ejercicio de las libertades de expresión e información del art. 20 CE. Actualmente, dichas medidas han de adoptarse conforme lo dispuesto en el art. 129.2 CP, como medida cautelar proporcionada a los fines del ilícito cometido.

B) Delitos de contrabando[72]

La LO 12/1995, de 12 diciembre, de represión del contrabando, promulgada con posterioridad al CP, y modificada por LO 6/2011 de 30 junio, adaptó la normativa anterior desarrollada por la LO 7/92, de 13 julio, a la nueva situación creada por la Unión Europea que ha traído consigo la libertad de circulación de mercancías sin sometimiento a controles, como consecuencia de la supresión de las fronteras interiores. En este sentido, nótese que la aduana española ha dejado de actuar como frontera fiscal para el tráfico con otros Estados miembros de la Unión.

La LO 12/95, modificada por LO 6/11, reordenó en el artículo 2 los tipos penales mediante su agrupación en función del bien jurídico protegido y de la gravedad de la conducta en relación con el mismo, introduciendo en su número 5 la imprudencia grave como modo de realización del delito de contrabando y previendo en sus números 6 y 7 la responsabilidad penal de las personas jurídicas y de las empresas, organizaciones, grupos, entidades o agrupaciones carentes de personalidad jurídica, en línea con las últimas modificaciones del Código Penal.

En el apartado 1° del artículo 2 se definen las conductas típicas relacionadas con las mercancías de lícito comercio, excluidas las estancadas o prohibidas cuya regulación se realiza en sus números 2 y 3, y se eleva a 150.000 euros el límite cuantitativo mínimo del ilícito penal, con el fin de ajustar su *quantum* al perjuicio social ocasionado en consonancia con el fijado para el delito contra la Hacienda Pública.

Como especialidades del procedimiento se establecen: 1) Comiso de los bienes, efectos o instrumentos del contrabando (art. 5)[73]. 2) Intervención y enajenación anticipada de bienes (arts. 6 a 9)[74]. En relación con la entrega, guarda, custodia y

---

(72)   FARALDO CABANA; PUENTE ABA, «El comiso en los delitos de contrabando. La situación en España», *Tribuna Fiscal*, N.º 276, enero-febrero 2015, Editorial CISS; PÉREZ ALONSO, «El delito de contrabando de bienes culturales», *La Ley Penal*, n.º 52, septiembre 2008; PUYOL TORRELLES, «La posesión como conducta típica en el delito de contrabando de especies protegidas», *La Ley Penal*, N.º 112, enero-febrero 2015; MILANS DEL BOSCH, «Lo que no es el servicio de vigilancia aduanera: ni fuerza ni cuerpo del Seguridad del Estado. Ni policía judicial», *La Ley Penal*, N.º 116, septiembre-octubre 2015; GUTIÉRREZ RODRÍGUEZ, María, «La nueva regulación de los delitos de contrabando Régimen jurídico tras la reforma de la LO 6/2011, de 30 de junio», *Diario La Ley*, N.º 7790, Año XXXIII, 3 de febrero de 2012, Ref. D-51.

(73)   Aquél se extiende no sólo a las mercancías, sino a los materiales, instrumentos, maquinaria, medios de transporte, ganancias obtenidas y cuantos bienes y efectos, de la naturaleza que fueren, hayan servido de instrumento para la comisión del delito, salvo que hayan sido adquiridos por tercero de buena fe. Y los mismos se adjudicarán en la sentencia definitiva, caso de que proceda, al Estado. Téngase presente la reforma de los arts. 127 a 129 CP, por LO 1/2015, en los que se regula las consecuencias accesorias del delito, en general, si bien en el art. 6 LO. 12/95 se adaptaron, en su momento, a la especialidad comisiva del ilícito de contrabando.

(74)   La intervención de bienes se realiza con depósito de los mismos bien a los presuntos responsables, a favor de los monopolios públicos (si son mercancías de tal naturaleza) o, en su caso, para que sean utilizados provisionalmente por las fuerzas o servicios encargados de la persecución del contrabando. Estos bienes intervenidos podrán ser enajenados sin esperar al pronunciamiento o firmeza de la sentencia si existe expreso abandono o se estime que su conservación resulta peligrosa para la salud o seguridad pública o comporta una disminución de su valor. Esta será acordada por la Autoridad judicial y el importe quedará en depósito a resultas del correspondiente proceso penal.

enajenación debe tenerse presente que en la actualidad está regulado por la Disposición Adicional 5ª de la Ley 41/2015 de reforma de la LECrim, que deroga cualquier otro sistema[75].

La LO 1/2015, 30 marzo de reforma del Código Penal no ha modificado el contenido de esta Ley de contrabando. Tampoco se hace alusión a la misma en la Ley 41/2015, de 5 octubre, de reforma de la LECrim, en la que se crea el procedimiento para la intervención de terceros afectados por un decomiso —arts. 803 a) a 803 ter d) LECrim— y el procedimiento autónomo de decomiso —arts. 803 ter e) a 803 ter u) LECrim—.

No existen especialidades en orden a la competencia de los Juzgados de Instrucción, atribuyéndose a cualesquiera de aquéllos donde se hayan encontrado pruebas materiales de su comisión, dentro del territorio nacional, en aplicación del denominado principio de relatividad; sin perjuicio de que si son cometidos por bandas armadas lo sea de los Juzgados Centrales de Instrucción.

C)   Delitos contra la propiedad industrial o intelectual

La propiedad intelectual o derecho de autor viene regulado por el RDL 1/1996, de 12 abril (LPI), que armoniza las disposiciones legales vigentes sobre la materia, modificadas por la Ley 5/1998, de 6 de marzo (que incorpora una Directiva Comunitaria sobre protección jurídica de base de datos)[76]. En cuanto a la propiedad industrial se regula en la Ley de Patentes 24/2015, 24 julio; y la Ley 17/2001, 7 diciembre de Marcas.

Los delitos contra la propiedad industrial o intelectual son perseguibles a instancia de parte, lo que determinaba la dificultad de la actuación preventiva de la policía[77].

---

(75)   Disp. Adicional 5ª Ley 41/2015: «1. La Oficina de Recuperación y Gestión de Activos es el órgano administrativo al que corresponden las funciones de localización, recuperación, conservación, administración y realización de efectos procedentes de actividades delictivas en los términos previstos en la legislación penal y procesal.

Cuando sea necesario para el desempeño de sus funciones y realización de sus fines, la Oficina de Recuperación y Gestión de Activos podrá recabar la colaboración de cualesquiera entidades públicas y privadas, que estarán obligadas a prestarla de conformidad con su normativa específica .../...»

(76)   La propiedad intelectual queda integrada por derechos de carácter personal y patrimonial que atribuyen al autor la plena disposición y el derecho exclusivo a la explotación de la obra —art. 2 LPI—. Inicialmente la LPI. de 1879 contemplaba un amplio elenco de sanciones gubernativas y penales de contenido defraudatorio. A partir de la Ley 22/1987 y sus sucesivas modificaciones se han invertido los términos, en el sentido de que la responsabilidad civil derivada de delito queda regulada por las normas generales aplicables a las contravenciones civiles en los arts. 139 y 140 LPI, relativos al cese de la actividad ilícita y a la indemnización de daños y perjuicios. Las medidas cautelares penales que podrán adoptarse en el marco del art. 589 LECrim. lo serán conforme lo establecido en el art. 143 LPI, según los arts. 141 y 142 LPI, en cuanto les fuera de aplicación. O sea, frente a una integración de la protección jurisdiccional civil por las normas sancionadoras y penales contenidas en la LPI 1879, actualmente, las consecuencias civiles de la infracción delictiva —art. 272 CP— deben quedar heterointegradas por las disposiciones del Libro III de la LPI, desarrolladas, en principio, para su aplicación al proceso civil.

(77)   Circular 1/2006, 5 de mayo de 2006, sobre los delitos contra la propiedad intelectual e industrial tras la reforma de la Ley Orgánica 15/2003.

Por esta razón, el art. 282.2 LECrim, modificado por la ley 38/2002 establece que la ausencia de denuncia no impedirá la práctica de las primeras diligencias de prevención y aseguramiento de esta los delitos relativos a la propiedad intelectual e industrial[78].

El procedimiento a seguir, teniendo presente las penas previstas para en ley, será el abreviado o el de enjuiciamiento rápido cuando el delito sea flagrante, conforme con el art. 795.1.2.h LECrim (véase sobre enjuiciamiento rápido Cap. XIII). Las especialidades procedimentales son: 1) Medidas cautelares patrimoniales (art. 143 LPI, art. 41.1º.a) y c) Ley Marcas, y art. 127 L Patentes)[79]. 2) La sentencia condenatoria podrá ser publicada en un periódico oficial a costa del infractor. La responsabilidad civil comprenderá tanto el cese de la actividad ilícita como la indemnización de daños y perjuicios, de conformidad con el art. 272 CP en relación con los arts. 139 y 140 LPI (cierre temporal, con un límite de 5 años, o definitivo de la industria o establecimiento del demandado —art. 271 CP—). El aseguramiento de estos pronunciamientos queda preservado con la adopción de las cautelas referidas que habrán de ser, en todo caso, proporcionadas a la infracción cometida, con la finalidad de procurar el cumplimiento y efectividad de la sentencia condenatoria que pudiera dictarse.

---

(78) CABAÑAS GARCÍA, Juan Carlos, «Especialidades procesales en la persecución de los delitos contra la propiedad industrial e intelectual», *La Ley Penal*, N.º 6, junio 2004; AMÉRIGO SÁNCHEZ, José Luis, «El conocimiento del registro en los delitos contra la propiedad industrial», *Diario La Ley*, N.º 8678, 11 de enero de 2016, Ref. D-11; FERNÁNDEZ LAGO, Belén, «Reflexiones en torno al delito tipificado en el vigente artículo 274 del Código Penal de 1995», *La Ley Penal*, N.º 79, febrero 201.

(79) Las medidas que podrán acordarse serán las dispuestas en el art. 141 LPI, art. 127 LP y art. 41 LM que establece en forma enunciativa, no taxativa —pues no impide la adopción de cualesquiera otras establecidas en la legislación procesal penal— una serie de cautelas para conjurar que la necesaria mora del proceso penal no incida negativamente en el cumplimiento de la sentencia condenatoria que pueda recaer, siempre que se precise una protección urgente de los derechos de propiedad intelectual infringidos. Estas medidas cautelares pueden ser, entre otras: a) de aseguramiento como intervención y depósito de ingresos obtenidos (núm. 1); b) de suspensión de las actividades infractoras (núm. 2); c) secuestro de materiales (núm. 3); y d) embargo de equipos, aparatos y materiales (núm. 4). La adopción de las medidas cautelares deberá realizarse en la pieza separada de responsabilidad civil y se observarán las reglas del art. 142 LPI, en lo que fuera pertinente. Con ello se plantea un problema de incompatibilidad de normas, puesto que las establecidas p. ej. en su pfo. 1, relativas al Juzgado competente, en el orden civil, resultan inaplicables para el enjuiciamiento criminal. El legislador debió ser más preciso en la delimitación de los preceptos procesales aplicables para la adopción de las cautelas patrimoniales penales.

SECCIÓN 2.   EL PROCEDIMIENTO DE «*HABEAS CORPUS*»[(80)]

El proceso de «*habeas corpus*» tiene por objeto velar por el derecho a la libertad personal frente a posibles arbitrariedades del poder público. Este procedimiento está previsto en el art. 17.4 CE que dispone que su finalidad consiste en la inmediata puesta a disposición judicial de toda persona detenida ilegalmente, como medio sustantivo del derecho de libertad. (Véanse M. 388 y ss.). Se regula en la Ley Orgánica 6/1984, de 24 de mayo, reguladora del Procedimiento «*habeas corpus*». Véase sobre la detención y los derechos del detenido el § 2.1 del Cap. VIII.

> «a) El procedimiento de *habeas corpus*, previsto en el inciso primero del art. 17.4 CE, y desarrollado por la Ley Orgánica 6/1984, de 6 de mayo (LOHC), supone una garantía reforzada del derecho a la libertad para la defensa de los demás derechos sustantivos establecidos en el resto de los apartados del art. 17 CE, cuyo fin es posibilitar el control judicial a *posteriori* de la legalidad y de las condiciones en las cuales se desarrollan las situaciones de privación de libertad no acordadas judicialmente mediante la puesta a disposición judicial de toda persona que se considere está privada de libertad ilegalmente». STC 303/2005, 24 noviembre.

El art. 17 CE ha establecido dos plazos para fijar los límites temporales de la detención preventiva: Uno relativo y otro máximo absoluto. El primero consiste en el tiempo estrictamente necesario para la realización de las averiguaciones tendentes al esclarecimiento de los hechos que, como es lógico, puede tener una determinación temporal variable en atención a las circunstancias del caso[(81)]. Sin embargo, el plazo máximo absoluto presenta una plena concreción temporal y está fijado en las setenta y dos horas computadas desde el inicio de la detención, que no tiene que coincidir necesariamente con el momento en el cual el afectado se encuentra en las dependencias policiales. Es decir, debe computarse desde el mismo momento de la detención

---

(80)   MÉNDEZ TOJO, R., «La inadmisión «a limine litis» de los procedimientos de "habeas corpus", una práctica equivocada», *Diario La Ley*, n. º 8709, 24 de febrero de 2016, Ref. D-82; CAMPANER MUÑOZ, J., «Hacia el 30º aniversario de la trivialización de las detenciones ilegales. O de la inoperancia del procedimiento de Habeas Corpus», *Diario La Ley*, n.º 8140, Año XXXIV, 3 de septiembre de 2013, Ref. D-292; GUTIÉRREZ ROMERO, F., «El procedimiento de habeas corpus: competencia del Juzgado de Instrucción o del Juzgado de Violencia sobre la Mujer», *Diario La Ley*, n.º 7291, Año XXX, 25 de noviembre de 2009, Ref. D-363; GIMENO SENDRA, «La protección jurisdiccional del derecho a la libertad: el habeas corpus», *La Ley*, 1985, IV, p. 1178; Idem, «Naturaleza jurídica y objeto procesal del procedimiento de habeas corpus», *PJ*, junio, 1984, p. 75; Idem, *El proceso del «habeas corpus»*, Madrid, 1985.; SORIANO, *El derecho de «habeas corpus»*, Madrid, 1985; SHARPE, *The Law of «habeas corpus»*, Oxford, 1976; FAIRÉN GUILLÉN, «*Habeas Corpus*», *Estudios de Derecho Procesal Civil, Penal y Constitucional*, Madrid, 1983; Idem, «El procedimiento de manifestación y el británico de habeas corpus», *Temas de Ordenamiento Procesal*, Madrid, 1969, T. I; Idem, «Comentarios a la Constitución de 1978: el habeas corpus del art. 17.4 y la manifestación de personas», Estudios de Derecho *Procesal Civil, Penal y Constitucional*, Madrid, 1983; SEGOVIA LÓPEZ, «El procedimiento de Habeas Corpus», *BIMJ*, n.º 1368, 1984, p. 3; DE VEGA RUIZ, «El Habeas Corpus», *BIMJ*, 1983, n.º 1329, pp. 3 y ss.; MARTÍN OSTOS, «El procedimiento de habeas corpus», *La Ley*, 1983-3, pp. 1943 y ss.; JAÉN VALLEJO, «Habeas corpus», *RGD*, 1986, pp. 4937 y ss.; LÓPEZ MUÑOZ, *Auténtico «habeas corpus»*, *Constitución y leyes*, Madrid, 1992.

(81)   Vid. STS 224/2002 de 25 Nov. 2002, Rec. 104/2002.

(STC 88/2011, de 6 de junio). La superación de cualquiera de ambos plazos vulnera el art. 17.2 CE.

«Este sometimiento de la detención a plazos persigue la finalidad de ofrecer una mayor seguridad de los afectados por la medida, evitando así que existan privaciones de libertad de duración indefinida, incierta o ilimitada ... En consecuencia, la vulneración del citado art. 17.2 CE se puede producir, no sólo por rebasarse el plazo máximo absoluto, es decir, cuando el detenido sigue bajo el control de la autoridad gubernativa o sus agentes una vez cumplidas las setenta y dos horas de privación de libertad, sino también cuando, no habiendo transcurrido ese plazo máximo, se traspasa el relativo, al no ser la detención ya necesaria por haberse realizado las averiguaciones tendentes al esclarecimiento de los hechos y, sin embargo, no se procede a la liberación del detenido ni se le pone a disposición de la autoridad judicial (STC 23/2004, de 23 de febrero (LA LEY 11618/2004), FJ 2)». Por ello, hemos afirmado de manera concluyente en la STC 250/2006, de 24 de julio (LA LEY 92701/2006), que «pueden calificarse como privaciones de libertad ilegales, en cuanto indebidamente prolongadas o mantenidas, aquellas que, aún sin rebasar el indicado límite máximo, sobrepasen el tiempo indispensable para realizar las oportunas pesquisas dirigidas al esclarecimiento del hecho delictivo que se imputa al detenido, pues en tal caso opera una restricción del derecho fundamental a la libertad personal que la norma constitucional no consiente» (FJ 3). STC 95/2012 de 7 May. 2012, Rec. 6377/2010.

Por tanto, se limita a resolver sobre la legalidad de la medida adoptada, sin otras consecuencias que la terminación o modificación de la misma. Es reiterada la doctrina del TC sobre este procedimiento —STC 204/2015 de 5 Oct. 2015, Rec. 4887/2013[82]—.

En este procedimiento se distinguen dos fases: a) Una previa de admisión; y b) Una fase que afecta al fondo. En la fase de admisión no se produce la comparecencia del detenido ante el Juez de Instrucción competente. En esta primera fase de realiza un juicio de admisibilidad previo sobre la concurrencia de los requisitos para su tramitación[83]. Solo se podrá denegar la admisión, previo dictamen del Fiscal, si no se cumplen los requisitos formales exigidos en el art. 4 LOHC[84]. Contra la resolución que recaiga, en uno u otro sentido, no cabrá recurso alguno (art. 6 LOHC).

---

(82) «Ante todo, es de señalar que este Tribunal ha tenido ocasión de pronunciarse en reiteradas ocasiones sobre el reconocimiento constitucional del procedimiento de "habeas corpus" en el art. 17.4 CE, como garantía fundamental del derecho a la libertad, y en qué medida puede verse vulnerado por resoluciones judiciales de inadmisión a trámite de la solicitud de su incoación, generando una consolidada doctrina, recogida en las TC SS 94/2003, de 19 de mayo (LA LEY 12121/2003), FJ 3, 23/2004, de 23 de febrero (LA LEY 11618/2004), FJ 5, y 122/2004, de 12 de julio (LA LEY 13457/2004), FJ 3». STC 303/2005, 24 noviembre.

(83) Vid. MÉNDEZ TOJO, «La inadmisión "a limine litis" de los procedimientos de "habeas corpus", una práctica equivocada», *Diario La Ley*, N.º 8709, 24 de febrero de 2016, Ref. D-82, Editorial La Ley; CAMPANER MUÑOZ, Jaime, «Hacia el 30º aniversario de la trivialización de las detenciones ilegales. O de la inoperancia del procedimiento de Habeas Corpus», *Diario La Ley*, N.º 8140, Año XXXIV, 3 de septiembre de 2013, Ref. D-292, Editorial La Ley; GONZÁLEZ MALABIA, Sergio, «Reflexiones sobre los aciertos y desaciertos de la Ley Orgánica reguladora del procedimiento de habeas corpus», *Actualidad Penal*, 2001, Ref. XIV, pág. 263, tomo 1, Editorial La Ley.

(84) Art. 4 LOHC: «El procedimiento se iniciará, salvo cuando se incoe de oficio, por medio de escrito o comparecencia, no siendo preceptiva la intervención de Abogado ni de Procurador.

«c) De acuerdo con la específica naturaleza y finalidad constitucional de este procedimiento, y teniendo en cuenta su configuración legal, adquiere especial relevancia la distinción, explícitamente prevista en los arts. 6 y 8 LOHC, entre el juicio de admisibilidad y el juicio de fondo sobre la licitud de la detención objeto de denuncia. Y ello porque, en el trámite de admisión, no se produce la puesta a disposición judicial de la persona cuya privación de libertad se reputa ilegal, tal y como pretende el art. 17.4 CE, ya que la comparecencia ante el Juez de dicha persona sólo se produce, de acuerdo con el párrafo 1 del art. 7 LOHC, una vez que el Juez ha decidido la admisión a trámite mediante el auto de incoación.

d) De ese modo, aun cuando la Ley Orgánica reguladora del procedimiento de *habeas corpus* permita realizar un juicio de admisibilidad previo sobre la concurrencia de los requisitos para su tramitación, posibilitando denegar la incoación del procedimiento, previo dictamen del Ministerio Fiscal, la legitimidad constitucional de tal resolución liminar debe reducirse a los supuestos en los cuales se incumplan los requisitos formales (tanto los presupuestos procesales como los elementos formales de la solicitud) a los que se refiere el art. 4 LOHC. Por ello, si se da el presupuesto de la privación de libertad y se cumplen los requisitos formales para la admisión a trámite, no es lícito denegar la incoación del *habeas corpus*. Ahora bien, este Tribunal ha admitido el rechazo liminar en supuestos en los cuales no se daba el presupuesto de privación de libertad o de falta de competencia del órgano judicial». STC 303/2005, 24 noviembre. Ver también, STC 204/2015, 5 octubre.

No cabe la inadmisión, aunque el Juez tuviera dudas sobre la legalidad de las circunstancias alegadas, si el solicitante estuviere detenido[85]. En estos casos, de acuerdo con el art. 1 LOHC, procede la admisión a trámite, debiendo resolverse sobre aquellas en el procedimiento sobre el fondo, ya que de lo contrario quedaría desvirtuado este procedimiento especial.

Es reiterada y consolidada la doctrina del TC sobre la inadmisión de este procedimiento, que puede verse resumida en la STC 35/2008, de 25 de febrero (LA LEY 1703/2008)[86]. En síntesis establece que: a) Aun cuando la Ley Orgánica reguladora

---

En dicho escrito o comparecencia deberán constar: El nombre y circunstancias personales del solicitante y de la persona para la que se solicita el amparo judicial regulado en esta Ley. El lugar en que se halle el privado de libertad, autoridad o persona, bajo cuya custodia se encuentre, si fueren conocidos, y todas aquellas otras circunstancias que pudieran resultar relevantes. El motivo concreto por el que se solicita el "Habeas Corpus"».

(85) «e) Por ello, en los casos en los cuales la situación de privación de libertad exista (requisito que, junto con los exigidos en el art. 4 de la Ley Orgánica 6/1984, es preciso cumplir para poder solicitar la incoación de este procedimiento), si hay alguna duda en cuanto a la legalidad de las circunstancias de ésta, no procede acordar la inadmisión, sino examinar dichas circunstancias, ya que el enjuiciamiento de la legalidad de la privación de libertad, en aplicación de lo previsto en el art. 1 LOHC, debe llevarse a cabo en el juicio de fondo, previa comparecencia y audiencia del solicitante y demás partes, con la facultad de proponer y, en su caso, practicar pruebas, según dispone el art. 7 LOHC, pues, en otro caso, quedaría desvirtuado el procedimiento de habeas corpus. De ese modo no es posible fundamentar la improcedencia de la inadmisión de este procedimiento cuando ésta se funda en la afirmación de que el recurrente no se encontraba ilícitamente privado de libertad, precisamente porque el contenido propio de la pretensión formulada en el habeas corpus es el de determinar la licitud o ilicitud de dicha privación». STC 303/2005, 24 noviembre.

(86) «En relación con la cuestión suscitada, este Tribunal ya ha tenido ocasión de pronunciarse en reiteradas ocasiones sobre el reconocimiento constitucional del procedimiento de habeas

del procedimiento de *habeas corpus* (LOHC) permita realizar un juicio de admisibilidad previo sobre la concurrencia de los requisitos para la tramitación del *habeas corpus*, posibilitando denegar la incoación del procedimiento, previo dictamen del Ministerio Fiscal, la legitimidad constitucional de tal resolución liminar debe reducirse a los supuestos en los cuales se incumplan los requisitos formales (tanto los presupuestos procesales como los elementos formales de la solicitud) a los que se refiere el art. 4 LOHC. b) Si se da el presupuesto de la privación de libertad no acordada judicialmente y se cumplen los requisitos formales para la admisión a trámite, no procede acordar la inadmisión del *habeas corpus*, ya que el enjuiciamiento de la legalidad de la privación de libertad, en aplicación de lo previsto en el art. 1 LOHC, debe llevarse a cabo en el juicio de fondo, previa comparecencia y audiencia del solicitante y demás partes, con la facultad de proponer y, en su caso, practicar pruebas, según dispone el art. 7 LOHC, pues, en otro caso, quedaría desvirtuado el procedimiento de *habeas corpus*. De ese modo, no es constitucionalmente legítimo fundamentar la inadmisión de este procedimiento en la afirmación de que el recurrente no se encontraba ilícitamente privado de libertad, precisamente porque el contenido propio de la pretensión formulada en el *habeas corpus* es el de determinar la licitud o ilicitud de dicha privación. c) En conclusión, la inadmisión liminar de un procedimiento de *habeas corpus* basada en la legalidad de la situación de privación de libertad supone, en sí misma, una vulneración del art. 17.4 CE, al implicar una resolución sobre el fondo que sólo puede realizarse una vez sustanciado el procedimiento. Los únicos motivos legítimos para inadmitir un procedimiento de *habeas corpus* serán los basados, bien en la falta del presupuesto mismo de la situación de privación de libertad, bien en la no concurrencia de sus requisitos formales.

A pesar de la rotundidad de esta reiterada doctrina se sigue incumpliendo frecuentemente por Juzgados de Instrucción, como reconoce el propio TC[87], lo que lleva consigo la consumación de una detención ilegal.

corpus en el art. 17.4 CE (LA LEY 2500/1978), como garantía fundamental del derecho a la libertad, y en qué medida puede verse vulnerado por resoluciones judiciales de inadmisión a trámite de la solicitud de habeas corpus, generando una consolidada doctrina, recogida, entre otras muchas, en las SSTC 86/1996, de 21 de mayo (LA LEY 7129/1996), 94/2003, de 19 de mayo (LA LEY 12121/2003), 23/2004, de 23 de febrero (LA LEY 11618/2004), 122/2004, de 12 de julio (LA LEY 13457/2004), y 46/2006, de 13 de febrero (LA LEY 16774/2006), a cuya fundamentación resulta pertinente remitirse y que puede resumirse, a los efectos que a este recurso de amparo interesan, en los siguientes puntos...». STC 35/2008, de 25 de febrero.

(87) «El frecuente incumplimiento de esta jurisprudencia constitucional que este Tribunal puede observar es grave, carece de justificación y dota de especial trascendencia constitucional a este recurso. De ese modo, se hace necesario reiterar que este Tribunal ha declarado que el procedimiento de habeas corpus no puede verse mermado en su calidad o intensidad; y que el control judicial de las privaciones de libertad que se realicen a su amparo debe ser plenamente efectivo, y no solo formal, para evitar que quede menoscabado el derecho a la libertad, ya que la esencia histórica y constitucional de este procedimiento radica en que el Juez compruebe personalmente la situación de quien pide el control judicial, siempre que la persona se encuentre efectivamente detenida, ofreciéndole una oportunidad de hacerse oír (STC 95/2012, de 7 de mayo (LA LEY 66247/2012), FJ 4). Por otra parte, también es preciso recordar que es a los órganos judiciales a los que corresponde la esencial función de garantizar el derecho a la libertad mediante el procedimiento de habeas corpus controlando las privaciones de libertad no acordadas judicialmente; que en esa función están vinculados por la Constitución; y que tienen la obligación de aplicar e interpretar las

Con relación a la situación de detención, deben cumplirse dos requisitos: a) Que ésta sea real y efectiva; y b) Que no haya sido acordada judicialmente. En consecuencia, si la hubiese acordado un Juez, sería admisible la inadmisión de la solicitud de *habeas corpus*[88].

f) Por lo que respecta a la existencia de una situación de privación de libertad, como presupuesto para la admisibilidad del *habeas corpus*, se ha reiterado que debe cumplirse una doble exigencia. Por un lado, que la situación de privación de libertad sea real y efectiva, ya que, si no ha llegado a existir tal situación, las reparaciones que pudieran proceder han de buscarse por las vías jurisdiccionales adecuadas, de tal modo que «cuando el recurrente no se encuentra privado de libertad, la misma podía ser denegada de modo preliminar, en virtud de lo dispuesto en el art. 6 de la Ley Orgánica 6/1984, puesto que en tales condiciones no procedía incoar el procedimiento». Y, por otra parte, que la situación de privación de libertad no haya sido acordada judicialmente, ya que sólo en estos supuestos tendría sentido la garantía que instaura el art. 17.4 CE de control judicial de la privación de libertad, de modo que es plenamente admisible el rechazo liminar de la solicitud de *habeas corpus* contra situaciones de privación de libertad acordadas judicialmente. En tal sentido este Tribunal ya ha afirmado que tienen el carácter de situaciones de privación de libertad no acordadas judicialmente y, por tanto, que con independencia de su legalidad no pueden ser objeto de rechazo liminar las solicitudes de *habeas corpus* dirigidas contra ellas, las detenciones policiales, las detenciones impuestas en materia de extranjería o las sanciones de arresto domiciliario impuestas en expedientes disciplinarios por las autoridades militares.» STC 303/2005, 24 noviembre. Ver también STC 61/2003, 24 marzo.

La posibilidad de inadmisión a trámite de este procedimiento viene regulada en el art. 6 LOHC[89]. No cabe fundamentar la decisión de no admisión en que el recurrente no se encontraba ilícitamente privado de libertad por no concurrir ninguno de los supuestos del art. 1 LOHC, ya que esto implica dictar una resolución sobre el fondo. Los únicos motivos que permiten la inadmisión es el incumplimiento de los requisitos formales a los que se refiere el art. 4 LOHC.

«Este Tribunal ha sentado una consolidada jurisprudencia en relación con esta previsión constitucional y la incidencia que sobre ella tienen las decisiones judiciales

---

leyes según los preceptos y principios constitucionales, conforme a la interpretación de los mismos que resulte de las resoluciones dictadas por el Tribunal Constitucional en todo tipo de procesos (art. 5.1 de la Ley Orgánica del Tribunal Constitucional)». STC 21/2014, de 10 de febrero.

(88)   «Por ello, conforme a la referida doctrina de este Tribunal, las inadmisiones a limine de las solicitudes de habeas corpus fundadas en la legalidad de la detención (constando que antes de la decisión de inadmisión no ha existido una actuación judicial de control de la legalidad de la detención), como ha sucedido en el presente caso, han de considerarse lesivas del art. 17.4 CE, por lo que procede otorgar el amparo solicitado». STC 173/2008, de 22 de diciembre. Ver también STC 147/2008, de 10 de noviembre.

(89)   Art. 6 LOHC: «Promovida la solicitud de "Habeas Corpus" el Juez examinará la concurrencia de los requisitos para su tramitación y dará traslado de la misma al Ministerio Fiscal. Seguidamente, mediante auto, acordará la incoación del procedimiento, o, en su caso, denegará la solicitud por ser ésta improcedente. Dicho auto se notificará, en todo caso, al Ministerio Fiscal. Contra la resolución que en uno u otro caso se adopte, no cabrá recurso alguno».

de no admisión a trámite de la solicitud de *habeas corpus*. Ha declarado que, aun cuando la Ley Orgánica de regulación del procedimiento de *habeas corpus* posibilita denegar la incoación de un procedimiento de *habeas corpus* en su artículo 6, vulnera el art. 17.4 CE fundamentar la decisión de no admisión en que el recurrente no se encontraba ilícitamente privado de libertad por no concurrir ninguno de los supuestos del art. 1 LOHC, ya que esto implica dictar una resolución sobre el fondo, cosa que solo puede realizarse una vez sustanciado el procedimiento. Los únicos motivos constitucionalmente legítimos para no admitir un procedimiento de *habeas corpus* son los basados en la falta del presupuesto necesario de una situación de privación de libertad no acordada judicialmente o en el incumplimiento de los requisitos formales a los que se refiere el art. 4 LOHC (STC 35/2008, de 25 de febrero (LA LEY 1703/2008), FJ 2). Esta jurisprudencia es reiterada e inequívoca, y ha sido aplicada últimamente en las SSTC 12/2014, de 27 de enero (LA LEY 6133/2014), 21/2014, de 10 de febrero (LA LEY 15114/2014), y 32/2014 (LA LEY 22391/2014), de 24 de febrero, por limitarnos a citar las más recientes». STC 195/2014 de 1 Dic. 2014, Rec. 4970/2013[90].

Tampoco cabe fundar la inadmisión en el motivo de que la detención se había adoptado correctamente y cumplía con los requisitos y formalidades establecidas por la ley y, por tanto, era procedente.

«En el presente caso, según hemos visto ya (fundamento jurídico 1) y se ha expuesto con más detalle en los antecedentes, la solicitud de *habeas corpus* presentada por el Abogado de los detenidos denunciaba la innecesariedad de la medida, motivo que como bien apunta el Fiscal tiene cabida en el art. 1 a) LOHC, y sin embargo el Juzgado acordó denegar la incoación del procedimiento en el trámite liminar del art. 6 LOHC basándose, no en el incumplimiento de ningún requisito formal de los previstos en el art. 4 LOHC, que es la única causa admitida por la jurisprudencia de este Tribunal, sino en la consideración de que la detención cumplía con los requisitos y formalidades establecidas por la ley. Una argumentación que venía a coincidir entonces con el contenido propio de la pretensión formulada en la solicitud de *habeas corpus* y que nuestra doctrina considera incompatible con el art. 17.4 CE, según acabamos de exponer». STC 195/2014 de 1 Dic. 2014, Rec. 4970/2013.

El procedimiento de *habeas corpus*, aun siendo un proceso ágil y sencillo, de cognición limitada, no puede verse reducido en su calidad o intensidad, por lo que es necesario que el control judicial de las privaciones de libertad que se realicen a su amparo sea plenamente efectivo[91]. De lo contrario la actividad judicial no sería un

---

(90)   En conclusión, la inadmisión liminar de un procedimiento de habeas corpus basada en la legalidad de la situación de privación de libertad supone, en sí misma, una vulneración del art. 17.4 CE, al implicar una resolución sobre el fondo que sólo puede realizarse una vez sustanciado el procedimiento. Los únicos motivos legítimos para inadmitir un procedimiento de habeas corpus serán los basados, bien en la falta del presupuesto mismo de la situación de privación de libertad, bien en la no concurrencia de sus requisitos formales. STC 122/2004 de 12 Jul. 2004, Rec. 284/2004.

(91)   «Según esta doctrina (recogida en las SSTC 95/2012 (LA LEY 66247/2012), de 7 de mayo, FJ 4 y 88/2011 (LA LEY 83077/2011), de 6 de junio, FJ 4), este procedimiento, aun siendo un proceso ágil, sencillo y de cognición limitada, no puede verse reducido en su calidad o intensidad, por lo que es necesario que el control judicial de las privaciones de libertad que se

verdadero control, sino un mero expediente ritual o de carácter simbólico, lo cual, a su vez, implicaría un menoscabo en la eficacia de los derechos fundamentales y, en concreto, de la libertad[92].

No se entiende cumplidos los trámites de la LOHC y por tanto vulnerado el derecho del detenido cuando la comparecencia se realice ante el Letrado de la Administración de Justicia y no en presencia del Juez.

> «Sin embargo, los diversos actos desarrollados por el Juzgado de Instrucción en este caso no pueden ser considerados equivalentes al control judicial exigido por nuestra jurisprudencia. La comparecencia se realizó ante la Secretaria judicial y este acto no puede colmar la exigencia de que, una vez incoado el procedimiento de *habeas corpus*, el detenido sea oído por el Juez». STC 32/2014 de 24 Feb. 2014, Rec. 3485/2013.

Se trata de un control judicial limitado a vigilar la regularidad o legalidad de una detención en el sentido dispuesto en el art. 5, ap. 1° y 4° Convenio Europeo de protección de los derechos humanos y libertades fundamentales. Nótese, que según la citada norma, en su ap. 5, se dispone que: «*Toda persona privada de su libertad mediante detención preventiva o internamiento tendrá derecho a presentar un recurso ante un órgano judicial, a fin de que se pronuncie en breve plazo sobre la legalidad de su privación de libertad y ordenar su puesta en libertad si fuera ilegal*».

> «De la regulación legal del procedimiento de "*habeas corpus*" se desprende, en una delimitación conceptual negativa, que no es ni un proceso contencioso-administrativo sobre la regularidad del acto o vía de hecho que origina la privación de libertad, ni tampoco un proceso penal sobre la eventual comisión de un delito de detención ilegal. El que ha sido privado de su libertad puede reaccionar contra tal

---

realicen a su amparo sea plenamente efectivo. De lo contrario la actividad judicial no sería un verdadero control, sino un mero expediente ritual o de carácter simbólico, lo cual, a su vez, implicaría un menoscabo en la eficacia de los derechos fundamentales y, en concreto, de la libertad (entre otras, SSTC 93/2006, de 27 de marzo (LA LEY 36220/2006), FJ 3 y 165/2007 (LA LEY 91927/2007), de 2 de julio, FJ 4). Por ello, hemos afirmado que la esencia de este proceso consiste, precisamente, en que "el Juez compruebe personalmente la situación de la persona que pida el control judicial, siempre que se encuentre efectivamente detenida, es decir, "haber el cuerpo" de quien se encuentre detenido para ofrecerle una oportunidad de hacerse oír, y ofrecer las alegaciones y pruebas" (STC 37/2008, de 25 de febrero (LA LEY 1705/2008), FJ 3)». STC 12/2014 de 27 Ene. 2014, Rec. 2570/2013.

(92) «Mediante el procedimiento de "habeas corpus", previsto en el art. 17.4, inciso primero, CE, se ha articulado un medio de defensa de los derechos establecidos en el art. 17 CE al efecto de poner remedio, "a posteriori", a las situaciones irregulares de privación de libertad, mediante la puesta a disposición judicial de toda persona detenida ilegalmente con la esencial finalidad de verificar judicialmente la legalidad y condiciones de la detención "en un procedimiento ágil y sencillo que permita, sin complicaciones innecesarias, el acceso a la autoridad judicial". Esta delimitación del ámbito del control jurisdiccional deriva del hecho de que el "habeas corpus" sea un procedimiento de cognición limitada, nada tiene que ver con la cualidad o intensidad del mismo, de tal manera que ha de tratarse de un control plenamente efectivo pues, en otro caso, se vería reducido a un mero expediente ritario o de carácter simbólico, no apto para afirmar la garantía de la libertad que "ex" art. 17.4 CE se ha establecido (SSTC 233/2000, F. 3, y 232/1999, F. 3). 4. Este Tribunal ha destacado, por ello, de acuerdo con la específica naturaleza y finalidad del procedimiento de "habeas corpus"». STC 287/2000 de 27 de noviembre. Ver, también, STC 303/2005, 24 noviembre

privación optando por una cualquiera de estas tres vías, de naturaleza distinta y sin que se confundan entre sí, o incluso por varias o todas ellas, ya que no se excluyen mutuamente. Esta selección del sistema de impugnación se puede efectuar con plena libertad, ya que es a los ciudadanos a quienes corresponde elegir la vía de reacción más conveniente contra la detención sufrida (STC 31/1996, de 27 de febrero, F. 9)». STC 194/2001 de 1 de octubre.

La Ley Orgánica que ha venido a regular este procedimiento fue la 6/84, de 24 de mayo (LOHC). En esta Ley, el legislador estableció una serie de garantías frente a las eventuales detenciones no justificadas de ciudadanos. Por ello, se ha configurado mediante una comparecencia del detenido ante el Juez, a quien expone sus alegaciones contra la detención o las condiciones de la misma, para que el Juez, tras el acuerdo de denegación o incoación del procedimiento, decida, en caso de incoación, en el plazo de veinticuatro horas, sobre la legalidad o no de la misma. Todo esto se entiende sin perjuicio de los ilícitos que hubieran podido cometerse con motivo de la detención. Su finalidad es enjuiciar la legalidad de la detención preventiva practicada fuera del control judicial.

«Sin embargo, lo que sí constituye el objeto propio del procedimiento antes indicado, en el contexto de la cognición limitada a que anteriormente hemos hecho referencia, es el enjuiciamiento de la legalidad de la detención practicada —en el presente caso, por agentes policiales— para lo cual resulta imprescindible, una vez constatada la concurrencia de los requisitos formales, tramitar el procedimiento conforme a lo establecido en el art. 6 y siguientes de la citada Ley Orgánica, so riesgo, en caso contrario, de desnaturalizar la finalidad propia del referido procedimiento». STC 12/2014 de 27 Ene. 2014, Rec. 2570/2013.

El presupuesto mínimo y básico de la tramitación del procedimiento de «habeas corpus» es la existencia de una situación de privación de libertad, derivada de una detención; y los elementos que lo configuran son: a) sencillez y carencia de formalismos; b) celeridad, y c) generalidad, tanto respecto de las personas, como de los supuestos de detención. Se trata de un procedimiento judicial sumarísimo, cuyo único objetivo radica en que las detenciones ilegales o las detenciones mantenidas en condiciones ilegales finalicen teóricamente en un espacio de pocas horas desde que se produzcan.

«El art. 17 de la Constitución ha sido desarrollado por la Ley Orgánica 6/1984, con pretensión de "universalidad" como proclama la exposición de motivos de esta norma instauradora del habeas corpus, es decir, que la protección de este instituto alcanza no sólo a los supuestos de detención ilegal, por ausencia o insuficiencia del presupuesto material habilitante sino también "a las detenciones que, ajustándose originariamente a la legalidad, se mantienen o prolongan ilegalmente o tienen lugar en condiciones ilegales", y en concordancia con ello, el art. 1 c) de mencionada Ley incluye entre los supuestos de detención ilegal a la producida por plazo superior al señalado en las Leyes, sin poner al detenido transcurrido el mismo, en libertad o a disposición del Juez». STC 224/1998 de 24 de noviembre.

El ámbito de este procedimiento, en consonancia con el principio de generalidad aplicable, no se circunscribe a las detenciones ilegales por exceso de plazo o violación de garantías, sino que también alcanza a todas aquellas que pudieran ser arbitrarias, dentro de la declaración general del art. 17 CE (Así, y en ciertos supuestos, las detenciones gubernativas de extranjeros encaminadas a la expulsión de los mismos

(STC 179/2000 de 26 de junio)[93]. También detenciones de menores o de enajenados mentales, según se desprende del art. 211 CC[94] y, en definitiva, cualquier clase de privación de libertad, incluido el arresto domiciliario[95].

En los supuestos que los funcionarios que hubieren practicado la detención se negaran a tramitar la solicitud de *habeas corpus* requerida por el detenido, pero lo pusieran a disposición judicial dentro de los límites temporales legalmente previstos, no incurrirán en detención ilegal pero sí podrían incurrir en un delito de los tipificados en el art. 542 del Código Penal, incluido dentro del Capítulo relativo a los «delitos contra las garantías constitucionales», en la Sección correspondiente a los «delitos cometidos por los funcionarios públicos contra otros derechos individuales».

«La negativa de la autoridad gubernativa, agente de la misma o funcionario público a poner inmediatamente en conocimiento del Juez competente la solicitud de *"Habeas corpus"*, al margen de la responsabilidad disciplinaria en que pudiera incurrir quien así actuare, podría, en su caso, comportar responsabilidad criminal no por el delito tipificado en el art. 530 del C. Penal por el que formuló acusación el Ministerio Fiscal y sí por el delito previsto y penado en el art. 542 del mismo Cuerpo Legal, incardinado también dentro del Capítulo relativo a los "delitos contra las garantías

---

(93)   «... Será de añadir que aunque se entendiese acreditado que la detención de la ahora recurrente tenía su origen en un expediente de expulsión... ello no sería bastante para justificar siempre y en todo caso la privación de libertad, que ha de ser controlada en el proceso de habeas corpus atendiendo a la causa de expulsión invocada, a la situación legal y personal del extranjero, a la mayor o menor probabilidad e huida... dado que el internamiento del extranjero debe regirse por el principio de excepcionalidad y la libertad debe ser respetada, salvo que se estime indispensable la pérdida de su libertad por razones de cautela o de prevención, que habrán de ser valoradas por el órgano judicial (SSTC 115/87, 144/90 y 12/94)... ante una detención, aunque venga acordada, como aquí, por el funcionario administrativo que ostenta competencia, si existe alguna duda en cuanto a la legalidad de sus circunstancias, aunque no, por supuesto, las cuestiones relativas a la dispensa del visado, su obtención por silencio, o incluso la procedencia de la expulsión, ya que el Juez del habeas corpus "debe controlar la legalidad material de la detención administrativa"...». (STC 66/96, de 16 abril). Vid. también SSTC 12/94, de 17 enero, y 21/96, de 12 febrero.

(94)   «... A los fines del art. 17.1 CE, para privar al enajenado de su libertad debe establecerse judicialmente que el afectado padece una perturbación mental real, comprobada médicamente de forma objetiva, y que esa perturbación presenta un carácter o magnitud que justifique ese internamiento, por no poder vivir esa persona libremente en sociedad; además, ese internamiento no puede prolongarse lícitamente sino en la medida en que persista esa situación de perturbación que le impida la vida en libertad (Cfr. SSTED 24 octubre 1979 y 8 mayo 1985)...». (STC 104/90, de 4 junio).

Procede la solicitud del habeas corpus respecto de los incapacitados y menores, por parte de su representante legal (art. 3 a). Sobre este tema, vid. VILLA GÓMEZ, «Problemáticas procesales de los internamientos civiles de enfermos mentales», *BIMJ*, n.º 1361, 1984, pp. 12 y ss. Téngase en cuenta, además, que de conformidad con lo que establece el art. 3.º de dicha Ley Orgánica, podrá instarse el procedimiento de habeas corpus por el Ministerio Fiscal y por el Defensor del Pueblo, y que también lo podrá iniciar de oficio el Juez competente.

(95)   «... A la luz de la doctrina sentada por este Tribunal en relación con el derecho a la libertad, es evidente que el Juez de Instrucción incurrió en un error manifiesto y notorio al considerar que «el arresto domiciliario» que sufría el demandante de amparo como consecuencia de la sanción disciplinaria que le había sido impuesta no implicaba la privación de su libertad, puesto que, como es sobradamente conocido, no sólo este Tribunal Constitucional ha dicho que entre la libertad y la detención no existen zonas intermedias (STC 98/86), sino también que el arresto domiciliario implica inequívocamente una privación de libertad (STC 31/85, entre otras), susceptible también de protección a través del recurso de habeas corpus...». (STC 61/95, de 29 marzo).

constitucionales" pero en la Sección correspondiente a los "delitos cometidos por los funcionarios públicos contra otros derechos individuales", precepto que configura como típica la actuación de la autoridad o funcionario público que, a sabiendas, impida a una persona el ejercicio de otros derechos cívicos reconocidos por la Constitución y las Leyes. Se está ante una norma residual que extiende la protección penal a otros derechos ajenos a los que ya son objeto de protección en los preceptos del C. Penal previos al mismo. La referencia en la norma a los derechos cívicos ha venido entendiéndose jurisprudencialmente como alusiva a los derechos fundamentales que la CE recoge en el Capítulo II del Título I, "Derechos y Libertades" —arts. 14 a 29— (SS 22 Dic. 1992, 1 Oct. 1993 y 7 Feb. 1994, entre otras). De tal naturaleza debe gozar por tanto el derecho contemplado en el art. 17.4 de la CE donde se dispone que la Ley regulará un procedimiento de "*habeas corpus*" para producir la inmediata puesta a disposición judicial de toda persona detenida ilegalmente». SAP Barcelona, Sección 2ª, Sentencia 114-BIS/2003 de 5 Feb. 2003, Rec. 45/2002.

La competencia objetiva y territorial corresponde al Juez de Instrucción del lugar en que se encuentre la persona privada de libertad. Si aquél no constare, el del lugar en que se produzca la detención; y, en defecto de los anteriores, el del lugar donde se hayan tenido las últimas noticias sobre el paradero del detenido —art. 2 LOHC—. No obstante, si la detención obedece a la aplicación de la Ley Orgánica que desarrolla los supuestos del art. 55.2 CE o se produce en el ámbito de la jurisdicción castrense, la competencia será de los Jueces Centrales de Instrucción o del Juez Togado Militar de Instrucción, respectivamente (art. 2.2.º y 3.º LOHC).

El conocimiento del *habeas corpus* corresponderá a la jurisdicción militar, de conformidad con el art. 2.3 LOHC, cuando tiene como origen una sanción impuesta a un miembro de las Fuerzas Armadas o de la Guardia Civil, ya que la Guardia Civil es un Instituto armado, de naturaleza militar[96]. En el supuesto de que la solicitud se presentara ante un Juez de Instrucción, y fuese competencia de los anteriormente reseñados, procederá su inhibición en favor de aquéllos. Dicha resolución, conforme declara la STC 153/88, no vulnera los derechos garantizados en los arts. 17 y 24 CE, puesto que no se diluye el «inmediato» conocimiento y puesta a disposición judicial de toda persona detenida ilegalmente, no comprendiendo, por otro lado, la garantía examinada la de su conocimiento por un órgano determinado, salvo, naturalmente, aquel que disponga la Ley (arts. 117.3 y 24.2 CE).

El procedimiento se iniciará, salvo cuando se incoe de oficio, por medio de escrito o de comparecencia —art. 4 LOHC— no siendo preceptiva la intervención de Abogado ni Procurador. (Véanse M. 388 a M. 391). El escrito de petición de iniciación del proceso de *habeas corpus* puede cumplir plenamente su función con una sucinta mención de los datos indicados en el art. 4 LOHC, pues su contenido se ha

---

(96) «... No procede la estimación del amparo y la concesión por este Tribunal Constitucional del habeas corpus, porque, tratándose de una solicitud... instada por un miembro de la Guardia Civil y como consecuencia de una sanción disciplinaria impuesta por la dirección General de dicho cuerpo... el Juzgado de Instrucción ... carecía de competencia para enjuiciar dicha solicitud, pues dicho enjuiciamiento tal y como ha declarado ese Tribunal en infinidad de ocasiones... correspondía a los órganos integrantes de la jurisdicción militar...». (STC 61/95, de 29 marzo). Vid. también SSTC 196/89, de 16 noviembre, 44/91, de 25 febrero, 106/92, de 1 julio, 1/95, de 10 enero, y 25/95, de 6 febrero.

de ver completado en el trámite de audiencia de la persona privada de libertad o de su abogado...». (STC 66/96, de 16 abril). *Vid.* también STC 21/96, de 12 febrero. Tras el dictamen del fiscal o simultáneamente al traslado efectuado, se examinarán los presupuestos de admisibilidad relativos al hecho de la privación de libertad denunciado, circunstancias personales del solicitante y a favor de quien se pide el amparo, lugar donde se encuentre y motivo por el que se solicita el «*habeas corpus*». Seguidamente, se dictará el correspondiente auto denegando o acordando la incoación del procedimiento, que no será recurrible —art. 6 LOHC—. Se trata de un primer control sobre el fundamento o no de la petición deducida con la finalidad de que no se utilice de forma abusiva o torticera; pero sin que sea lícito inadmitir «*a limine*» la petición por entender que no existe una situación de detención. (Véase M. 395 a M. 397)[(97)].

> «Aun cuando la Ley Orgánica 6/1984 permita realizar un juicio de admisibilidad previo sobre la concurrencia de los requisitos para su tramitación, e incluso denegar la incoación del procedimiento, previo dictamen del Ministerio Fiscal, la legitimidad de tal inadmisión a trámite debe reducirse a los supuestos en que se incumplan los requisitos formales —tanto los presupuestos procesales, como los elementos formales de la solicitud— a los que se refiere el art. 4. LOHC. Por ello, constatada la existencia de la detención, si existe alguna duda en cuanto a la legalidad de las circunstancias de la misma, no procede acordar la inadmisión, sino examinar dichas circunstancias. Así, hemos declarado expresamente improcedente la inadmisión fundada en la afirmación de que el recurrente no se encontraba ilícitamente detenido, pues "el enjuiciamiento de la legalidad de sus circunstancias ha de realizarse en el fondo", lo que obliga al juez a examinarlas y, consecuentemente, a oír al solicitante del "*habeas corpus*" (SSTC 174/1999, de 27 de septiembre, F. 6, y 232/1999, de 13 de diciembre, F. 4). Como dijimos en la mencionada STC 86/1996 (F. 10), si existe una situación de privación de libertad no es lícito denegar la incoación del "*habeas corpus*", ya que es de esencia a este proceso especial dirigido a resguardar la libertad personal que el juez compruebe personalmente la situación de la persona que pide el control judicial, siempre que se encuentre efectivamente detenida». STC 263/2000 de 30 de octubre.

O por falta de legitimación del solicitante (STC 224/1998 de 24 de noviembre). En todo caso, el órgano judicial, en el supuesto de denegar la incoación del procedimiento deberá motivar la misma, en debida forma, de acuerdo a la doctrina reiterada

---

(97)   «La especial relevancia constitucional que en dicho procedimiento adquiere la distinción, explícitamente prevista en los arts. 6 y 8 LOHC, entre el juicio de admisibilidad y el juicio de fondo sobre la licitud de la detención objeto de denuncia» (SSTC 174/1999, de 27 de septiembre, F. 6 y 232/1999, F. 4), atendido que «en el trámite de admisión no se produce la puesta a disposición judicial de la persona cuya detención se reputa ilegal, tal y como pretende el art. 17.4 CE, ya que la comparecencia ante el Juez de la persona detenida sólo se produce, de acuerdo con el párrafo 1 del art. 7 LOHC, una vez que el Juez ha decidido la admisión a trámite mediante el Auto de incoación» (SSTC 208/2000, 209/2000 y 233/2000, FF. 5). Como afirmamos en nuestra reciente STC 263/2000, «aun cuando la Ley Orgánica 6/1984 permita realizar un juicio de admisibilidad previo sobre la concurrencia de los requisitos para su tramitación, e incluso denegar la incoación del procedimiento, previo dictamen del Ministerio Fiscal, la legitimidad de tal inadmisión a trámite debe reducirse a los supuestos en que se incumplan los requisitos formales —tanto los presupuestos procesales, como los elementos formales de la solicitud— a los que se refiere el art. 4 LOHC». (SSTC 232/1999, F. 4 y 208/2000 y 209/2000, F. 5).

del Tribunal Constitucional en esta materia (STC 21/96, de 12 febrero y 66/96, de 16 abril)[(98)].

«Este procedimiento tiene como objeto propio el juicio "sobre la legitimidad de la situación de privación de libertad" (STC 21/1996, fundamento jurídico 4º), el control de "la legalidad material de la detención administrativa" (STC 66/1996, fundamento jurídico 3º). Por ello, hemos reiterado que esta decisión de fondo no puede adoptarse en el trámite de admisión, es decir, sin la previa comparecencia y audiencia de la persona privada de libertad, ya que la finalidad última del referido procedimiento radica, precisamente, en la puesta en presencia del Juez de toda persona privada de libertad que denuncie la ilegalidad de la privación de libertad de la que es objeto (STC 86/1996, fundamento jurídico 12, entre otras). ... En suma, la motivación contenida en el Auto recurrido pone de manifiesto que la denegación de la incoación del procedimiento se adoptó vulnerando la regulación contenida en la Ley Orgánica 6/1984 y con ello el derecho consagrado en el art. 17.4 CE, ya que la inadmisión a trámite de la solicitud de *habeas corpus* se basó exclusivamente en un juicio sobre la legalidad de la detención, admitiendo la existencia de una causa de expulsión y enjuiciando así el fondo de la cuestión sin las garantías procesales propias del procedimiento de *habeas corpus* y entre ellas sin la garantía, de especial relieve constitucional, de la puesta en presencia del Juez de la persona privada de libertad (STC 144/1990, fundamento jurídico 4º, y 86/1996, fundamento jurídico 12)». STC 174/1999 de 27 de septiembre.

No se admite la legitimación activa de asociaciones de tipo social para interponer demanda de amparo en defensa del derecho a la libertad personal (arts. 17.2, 3 y 4 CE) y del derecho a la tutela judicial efectiva (art. 24.1 CE) frente a la decisión judicial de denegar la incoación de oficio del procedimiento de *habeas corpus* instado por alguna asociación.

«3. La aplicación de la doctrina expuesta lleva a negar la legitimación activa de la asociación Algeciras Acoge para interponer demanda de amparo en defensa del derecho a la libertad personal (arts. 17.2, 3 y 4 CE) y del derecho a la tutela judicial efectiva (art. 24.1 CE) frente a la decisión judicial de denegar la incoación de oficio del procedimiento de *habeas corpus* instado por dicha asociación. El art. 3 de la Ley Orgánica 6/1984, de 24 de mayo, de regulación del procedimiento de *habeas corpus* (LOHC) establece que sólo pueden instar este procedimiento, además del titular del derecho, esto es, el privado de libertad, su cónyuge o persona unida por análoga relación de afectividad, descendientes, ascendientes, hermanos, el Ministerio Fiscal y el Defensor del Pueblo y, finalmente respecto a los menores y personas incapacitadas, también sus representantes legales. Asimismo, lo podrá iniciar, de oficio, el Juez competente. Por tanto, no se establece en la regulación de este procedimiento ante la jurisdicción ordinaria, ningún tipo de legitimación en favor de organizaciones o asociaciones. A lo anterior se debe añadir que tampoco a la recurrente, podría reconocérsele un "interés legítimo" para acudir en amparo, en tanto que dicho interés,

---

(98) «... El procedimiento de habeas corpus es una garantía procesal específica prevista por la Constitución para la protección del derecho fundamental a la libertad personal cuyo acceso no puede ser en modo alguno denegado sin que a la persona que acuda al mismo no se le haga saber la precisa razón legal de dicha denegación, so pena de incurrir el órgano judicial que así proceda de una vulneración del derecho a obtener una resolución judicial motivada...». (STC 154/95, de 24 octubre).

no puede residenciarse como afirma la demandante, en la contribución "al efectivo ejercicio del derecho a la tutela judicial efectiva de las personas extranjeras", pues, como se ha expuesto en el fundamento anterior, no debe confundirse el "interés legítimo" [art. 162.1 b) CE, con un «interés genérico en la preservación de derechos». STC 154/2016 de 22 Sep. 2016, Rec. 6144/2014.

Si admite la petición, el Juez de Instrucción dirigirá el requerimiento de manifestación a la Autoridad (funcionario o persona) responsable de su custodia, quien deberá traerlo a su presencia, sin demora alguna, bajo sanción de incurrir en delito de desobediencia si incumpliere la orden. Sin embargo, de forma excepcional, cuando le conste la comisión de un ilícito (torturas...), podrá constituirse en el lugar de la detención (art. 318 LECrim.).

Posteriormente, se abre una fase de alegaciones (art. 7 LOHC) de todas aquellas personas que pudiesen esclarecer los hechos. Concluida la fase precedente, se abre otra fase sumaria para la prueba (art. 7.3.º y 4.º LOHC). La admisión de los medios que se propongan, sin limitación alguna, y su práctica, tiene un término perentorio de veinticuatro horas.

Practicadas las actuaciones precedentes, se procederá a dictar la oportuna resolución que podrá ser: a) archivo de las actuaciones; b) puesta en libertad del detenido; c) su puesta a disposición de la Autoridad Judicial, si hubiese transcurrido el plazo legalmente establecido para su detención, y d) continuación de la detención en establecimiento distinto o bajo la custodia de persona distinta.

> «... El de *habeas corpus* es un proceso especial a través del cual se ha de juzgar solamente sobre la legitimidad de la situación de privación de libertad, pero sin otras consecuencias que la terminación o modificación de la misma (art. 8.2 LO 6/84), adoptando, en su caso, alguna de las decisiones a que se refiere el art. 9 de la misma Ley (SSTC 98/86, 104/90, y 12/94)...». (STC 21/96, de 12 febrero).

Asimismo, podrá el Juez: a) deducir testimonio de particulares para la persecución y castigo de presuntos delitos cometidos, y b) remitir testimonio si existiere delito de denuncia o acusación falsa, caso de que hubiese desestimado la petición (arts. 8 y 9 LOHC).

La sentencia que recaiga en este procedimiento no tendrá efecto de cosa juzgada respecto a la existencia o no de detención ilegal por tratarse de un proceso sumario, con limitación de pruebas.

> «Y en cuanto a la alegación del "*habeas corpus*", tiene razón el Fiscal al impugnar la queja cuando sostiene que el procedimiento de *habeas corpus* es un procedimiento rápido y sumario, con limitación de pruebas, y que no tiene efecto de cosa juzgada respecto a la existencia o no de detención ilegal. En especial en este caso, en que es después de la instrucción del procedimiento cuando resulta claro que la minuta y las manifestaciones de los policías eran falsas, aunque crearan una apariencia de licitud de la detención». STS 1237/2011 de 23 Nov. 2011, Rec. 708/2011,

Contra la decisión judicial nada se dispone si bien, al no hallarse previsto el recurso de apelación, cabrá deducir recurso de queja ante la Audiencia Provincial, de conformidad con el art. 218 LECrim.

SECCIÓN 3. PROCEDIMIENTOS DE EXTRADICIÓN[99]

3.1. Naturaleza, caracteres y regulación de los procedimientos de extradición

El instituto de la extradición es esencialmente un acto de asistencia jurídica internacional por el que se entrega un delincuente a otro Estado para su enjuiciamiento, o para el cumplimiento de la pena impuesta. Comporta, por lo general, una actividad de los órganos judiciales del país que solicita la entrega (extradición activa) y otra en los del país en que se encuentra la persona reclamada (extradición pasiva).

En derecho comparado existen diferencias de criterio sobre la naturaleza gubernativa o judicial del procedimiento, así en unos países, la decisión de acceder a la solicitud de extradición se atribuye a organismos del ejecutivo; en otros a judiciales, y en otros como España, en la decisión intervienen organismos administrativos y judiciales.

«El instituto de la extradición, como es sobradamente conocido, constituye una figura jurídica propia de la cooperación procesal internacional, y ha de reconocerse

(99) Véase sobre la extradición BAUTISTA SAMANIEGO, C., «Los principios extradicionales a la luz de la jurisprudencia», *La Ley Penal*, N.º 108, mayo-junio 2014, Editorial La Ley; MESTRE DELGADO, JF., «Extradición activa y justicia universal. Comentarios a la sentencia Tribunal Supremo de 31 de mayo de 2005», *La Ley Penal*, N.º 25, marzo 2006; NIETO GARCÍA, A.J., «Prescripción penal y orden de extradición vs orden de busca y captura: a propósito de la STS 851/2012, de 24 de octubre», *Diario La Ley*, N.º 8069, Año XXXIV, 24 de abril de 2013, Ref. D-148. ALARCÓN BRAVO J., «La práctica extradicional: cuestiones», *Boletín I. Del Mº de Justicia* nº 1848, 1999. GARCÍA PÉREZ, S., «Las fuentes de extradición y los derechos fundamentales», *Cuadernos de derecho judicial*, n.º XI, 1994; BUENO ARÚS, «Notas sobre los más recientes Tratados de Extradición suscritos por España», *BIMJ*, n.º 1516, pp. 63 y ss.; Idem, «La Ley de Extradición Pasiva de 21 de marzo de 1985», *AP*, 1987, n.º 27, p. 1257; Idem, «El delito político y la extradición en la legislación española», *BIMF*, 1990, núm. 1561, p. 2028; COBO DEL ROSAL y BOIX REIG, «Perfil constitucional de la extradición», *Comentarios a la legislación Penal*, T. I, Derecho Penal y Constitución, Madrid, 1982; CERRI, «Previsioni bilaterale del fatto in materia di estradizione: oricutamenti della gurisprudenza italiana», *Cassazione penale*, 1983, pp. 199-203; GARCÍA BARROSO, *El procedimiento de extradición*, Madrid, 1988; HARREMOES, «Une novelle Convention du Conseil de l'Europe: le transferement des personnes condemnées», *Revue de science criminalle et de droit pénal comparé*, 1983, pp. 235-241; MARZADURI, «Autorita giudizari e autorita amministrativa nel procedimento di estradizione passiva», *Riv. italiana di diritto e procedura penale*, 1983, pp. 611-644; MANZANARES SAMANIEGO, «El principio de reciprocidad en el Convenio Europeo de Extradición», *PJ*, n.º 15, junio 1985, pp. 55 y ss.; Idem, *El Convenio europeo de extradición*, Barcelona, 1986; Idem, «La extradición por delitos fiscales (su problemática general y el Convenio Europeo de Extradición)», *La Ley*, 1986, núm. 1429; PASTOR BORGOÑON, «Comentarios a la Ley 4/85, de 21 de marzo, de Extradición», *PJ*, n.º 15, junio 1985, pp. 97 y ss.; Idem, *Aspectos procesales de la extradición en Derecho español*, Madrid, 1986; Idem, «La nueva Ley de Extradición Pasiva», *BICAM*, 1985, julio/agosto, Comentarios a la Ley 4/1985, n.º 15; CID CEBRIÁN, «La nueva Ley de extradición pasiva», *BICAM*, 1985, n.º 5, p. 9; LÓPEZ AGUILAR, «Reflexiones a propósito de la extradición pasiva», *AJ Ar.*, n.º 66; DE MIGUEL ZARAGOZA, «La cooperación judicial en los Pactos de Schengen», *Boletín de Información del Ministerio de Justicia*, n.º 1676, 1993; «Algunas causas de rechazo de la Extradición», *BIMJ* 1847, 1999. GARCÍA DE ENTERRÍA, «El principio de proporcionalidad en la extradición», *PJ*, 1989, núm. 15; MUÑOZ CAMPOS, J., «La Ley 4/1985, de 21 de marzo, de extradición pasiva», *Rev. Jur. de Cataluña*, 1987, n.º 2, p. 485; BAUTISTA SAMANIEGO, «Los principios extradicionales a la luz de la jurisprudencia», *La Ley Penal*, N.º 108, mayo-junio 2014, Editorial La Ley.

que, de modo particular la extradición pasiva es objeto de una compleja regulación legal (*vid*. STC 11/1985, de 30 de enero). La concesión de la extradición está considerada como un acto de soberanía y los sistemas que la regulan —doctrinalmente hablando— puede calificarse de políticos o gubernativos, judicialistas y mixtos, según que la correspondiente decisión de conceder, o denegar, la extradición solicitada por otro Estado la tomen exclusivamente las autoridades gubernativas competentes, en el primer caso, los Jueces y Tribunales, en el segundo, o exista un recíproco condicionamiento entre ambas autoridades, en el último, en cuanto las gubernativas no pueden concederla sin la previa resolución positiva de la autoridad judicial competente que, por su parte, tampoco puede impugnar la decisión última de aquéllas; sistema —este último— que es el prevalente en el derecho comparado continental europeo. ATS Sala Segunda, de lo Penal, Auto de 6 Mar. 2000, Rec. 620/2000; Ponente: Puerta Luis, Luis Roman. LA LEY 245471/2000.

En nuestro ordenamiento jurídico puede distinguirse entre: a) la extradición activa, que consiste en la reclamación del Estado español a otro Estado para la entrega de un delincuente que se encuentre allí; b) la extradición pasiva, en la que un Estado reclama al Estado español la entrega de un delincuente que se halle en territorio nacional; y c) el reconocimiento mutuo de resoluciones penales en la Unión Europea, en el que se encuentra regulada la euroorden para los países de la UE.

«El procedimiento extradicional cuenta así con un mecanismo cruzado, activo y pasivo, según sea reclamante o reclamado el Estado en cada caso. En nuestro sistema procesal penal, tal mecanismo debe ajustarse en línea de principio a la Ley 4/1985, de 21 de marzo, de Extradición Pasiva cuando España es Estado requerido, y a los arts. 824 a 833 LECrim cuando es requirente. Sin embargo, no se detienen en dicha normativa las reglas de obligado cumplimiento en un proceso extradicional. Habitualmente esas normas generales se ven complementadas por otras más específicas que adoptan el modelo de Convenio o Pacto, anticipadamente suscrito bajo un formato bilateral o multilateral entre los Estados implicados en el proceso de extradición, y siempre inspirados en los principios de reciprocidad y colaboración mutua. A través del Pacto, los Estados firmantes se comprometen a ajustarse al concreto mecanismo convenido. Bajo sus pautas deberá tramitarse imperativamente cada extradición». STS 851/2012 de 24 Oct. 2012, Rec. 869/2012.

Otros supuestos especiales son las extradiciones de tránsito que comportan el paso por territorio nacional de sujetos sometidos a extradición por tercer país (art. 20 LEP y art. 12 Ley 23/14); y la reextradición que consiste en la entrega a otro Estado por el país al que ha sido inicialmente extraditado y la ampliación de la extradición (art. 21 LEP y 60-62 Ley 23/14).

La extradición activa viene regulada en la LECrim. (arts. 824 a 833) y la extradición pasiva se halla recogida en la Ley 4/85, de 21 de marzo[(100)]; y la norma aplicable para los países de la UE es la Ley 23/2014, de 20 noviembre de reconocimiento mutuo de

---

(100)   La Ley 4/85, de 21 de marzo, siendo sus líneas básicas: 1º) adecuación constitucional del tiempo máximo de prisión provisional, que se fija como máximo en 80 días; 2º) sistema de identidad normativa en cuanto a los hechos que pueden dar lugar a la extradición; 3º) el Gobierno podrá denegar la extradición, aun siendo considerada procedente por los Tribunales, no pudiendo ser objeto de extradición los nacionales, y 4º) mantenimiento de las dos fases procedimentales, regulando una posible amplitud de una adaptación de las extradiciones en tránsito.

resoluciones penales en la Unión Europea. Por otra parte, el art. 88 LOPJ encarga la tramitación de los expedientes de extradición pasiva a los Juzgados Centrales de Instrucción, y a la Sala Penal de la Audiencia Nacional su enjuiciamiento (art. 65.4.º LOPJ). Asimismo, ha de tenerse presente lo convenido en los Tratados internacionales, ya que en esta materia cobra especial importancia el Derecho Internacional. Así lo ha recogido la CE en su art. 13.3.º, que establece que: «La extradición sólo se concederá en cumplimiento de un Tratado o de la Ley, atendiendo al principio de reciprocidad». Así, el art. 1 de la Ley 4/85, de extradición pasiva, señala que: «las condiciones, los procedimientos y los efectos de la extradición pasiva se regirán por la presente Ley, excepto en lo expresamente previsto en los Tratados en los que España sea parte».

En este sentido, en el ámbito de la UE, son directamente aplicables todos aquellos preceptos referidos a la extradición, máxime desde el Tratado de Lisboa, que obliga a que determinadas disposiciones nacionales deban ser interpretadas a la luz de las normas europeas contenidos tanto en el Convenio Europeo de Extradición de 13 de diciembre de 1957 (ratificado por España en 1982) y el Convenio relativo al procedimiento simplificado de extradición entre los Estados miembros de la Unión europea de 10 de marzo de 1995; como en otros instrumentos multilaterales como el Convenio de Schengen (CAAS) de 1990 (aplicación del Acuerdo de 1985), ratificado por España por Instrumento de 23 de julio de 1993, que entró en vigor el 26 de marzo de 1995. La Carta de los Derechos Fundamentales de la Unión Europea (CEDF), hecha en Estrasburgo de 12 de diciembre de 2007. Véase el § 4 del Cap. V, sobre cooperación y auxilio judicial Internacional.

La regulación europea sobre esta materia se convirtió en muy prolífica y, por consiguiente, compleja para su transposición al Ordenamiento interno. Fue la Ley 23/2014, de 20 de noviembre, de Reconocimiento mutuo de resoluciones penales en la Unión Europea, la que incorporó al Derecho español todas las normas europeas, intentando su armonización. Así se recogió en la Disposición Final Tercera de dicha Ley[101]. Debido a esta complejidad para ir trasportando las normas europeas al de-

---

(101) Disposición final tercera Ley 23/2014, de 20 noviembre: «Incorporación de derecho de la Unión Europea. Mediante esta ley se incorporan al Derecho español: a) La Decisión Marco 2002/584/JAI, de 13 de junio de 2002, relativa a la orden de detención europea y a los procedimientos de entrega entre Estados. b) La Decisión Marco 2003/577/JAI, de 22 de julio de 2003, relativa a la ejecución en la Unión Europea de las resoluciones de embargo preventivo de bienes y aseguramiento de pruebas. c) La Decisión Marco 2005/214/JAI, de 24 de febrero de 2005, relativa a la aplicación del principio de reconocimiento mutuo de sanciones pecuniarias. d) La Decisión Marco 2006/783/JAI, de 6 de octubre de 2006, relativa a la aplicación del principio de reconocimiento mutuo de resoluciones de decomiso. e) La Decisión Marco 2008/909/JAI, de 27 de noviembre de 2008, relativa a la aplicación del principio de reconocimiento mutuo de sentencias en materia penal por las que se imponen penas u otras medidas privativas de libertad a efectos de su ejecución en la Unión Europea. f) La Decisión Marco 2008/947/JAI, de 27 de noviembre de 2008, relativa a la aplicación del principio de reconocimiento mutuo de sentencias y resoluciones de libertad vigilada con miras a la vigilancia de las medidas de libertad vigilada y las penas sustitutivas. g) La Decisión Marco 2008/978/JAI, de 18 de diciembre de 2008, relativa al exhorto europeo de obtención de pruebas para recabar objetos, documentos y datos destinados a procedimientos en materia penal (Esta Decisión Marco 2008/978/JAI fue derogada por el artículo 1 del Reglamento (UE) 2016/95 del Parlamento Europeo y del Consejo de 20 de enero de 2016 por el que se derogaron determinados actos en el ámbito de la cooperación policial y judicial en materia penal ("D.O.U.E.L." 2 febrero).

recho interno, la Exposición de Motivos de la Ley 23/14 explica que: *Por ello, se ha decidido modificar la técnica normativa empleada hasta ahora en la incorporación de estas normas europeas, .../... De este modo, la presente Ley da por amortizada la técnica de la incorporación individual de cada decisión marco o directiva europea en una ley ordinaria y su correspondiente ley orgánica complementaria, y se presenta como un texto conjunto en el que se reúnen todas las decisiones marco y la directiva aprobadas hasta hoy en materia de reconocimiento mutuo de resoluciones penales. Incluye tanto las ya transpuestas a nuestro Derecho como las que están pendientes, evitando la señalada dispersión normativa y facilitando su conocimiento y manejo por los profesionales del Derecho. Además, se articula a través de un esquema en el que tiene fácil cabida la incorporación de las futuras directivas que puedan ir adoptándose en esta materia.*

Este nuevo modelo de cooperación judicial supuso un cambio radical en las relaciones entre los Estados miembros de la Unión Europea, al sustituir las antiguas comunicaciones entre las autoridades centrales o gubernativas por la comunicación directa entre las autoridades judiciales, suprimir el principio de doble incriminación en relación con un listado predeterminado de delitos y regular como excepcional el rechazo al reconocimiento y ejecución de una resolución, a partir de un listado tasado de motivos de denegación. Además, se simplificaron y agilizaron los procedimientos de transmisión de las resoluciones judiciales, mediante el empleo de un formulario o certificado que deben completar las autoridades judiciales competentes para la transmisión de una resolución a otro Estado miembro.

Con la aprobación de la citada Ley, se perfeccionó el procedimiento que permite a cualquier autoridad judicial española solicitar la entrega de una persona a otro Estado miembro para: a) el seguimiento de actuaciones penales; o b) el cumplimiento de una condena impuesta, cuando la solicitud proceda de la autoridad judicial de otro Estado miembro. Este sistema supuso una sustitución de los procedimientos de extradición existentes por un nuevo procedimiento de entrega» más ágil y eficaz, basado en los principios de confianza recíproca y reconocimiento mutuo y conformado en torno a una «cooperación judicial directa», sin apenas intervención del ejecutivo, según reza la Exposición de Motivos[102].

Junto a estos importantes Convenios multilaterales de la Unión Europea, se han suscrito por el Estado Español otros bilaterales, especialmente, con países americanos (Brasil, Canadá, Estados Unidos, México, Venezuela, Uruguay, Argentina ..), y otros

---

h) La Decisión Marco 2009/299/JAI, de 26 de febrero de 2009, por la que se modifican las Decisiones Marco 2002/584/JAI, 2005/214/JAI, 2006/783/JAI, 2008/909/JAI y 2008/947/JAI, destinada a reforzar los derechos procesales de las personas y a propiciar la aplicación del principio de reconocimiento mutuo de las resoluciones dictadas a raíz de juicios celebrados sin comparecencia del imputado. i) La Decisión Marco 2009/829/JAI, de 23 de octubre de 2009, relativa a la aplicación, entre Estados miembros de la Unión Europea, del principio de reconocimiento mutuo a las resoluciones sobre medidas de vigilancia como sustitución de la prisión provisional. j) Y la Directiva 2011/99/UE, de 13 de diciembre de 2011, del Parlamento Europeo y del Consejo, sobre la orden europea de protección»

(102) Vid. GUDÍN RODRÍGUEZ-MAGARIÑOS, «La extradición de los ciudadanos de la Unión Europea», *La Ley* nº 8834, 29 sept. 2016.

(Australia, Nueva Zelanda, Kenia, Emiratos Árabes Unidos, Mauritania, Cabo Verde, Argelia...). En los supuestos de existencia de convenio bilateral y multilateral prevalecerá éste último (p. ej. caso de Italia que tiene suscrito Convenio bilateral y el de Schengen).

Además, algunos Convenios multilaterales reguladores de otras cuestiones del Derecho penal internacional, se han incluido disposiciones referentes a la extradición: Convenio para la prevención y la sanción del delito de genocidio de la Asamblea General de las Naciones Unidas de 9 de diciembre de 1948; Convenio para la represión del apoderamiento de aeronaves de La Haya, de 16 de diciembre de 1970; y el Convenio para la represión de actos ilícitos contra la seguridad de la aviación civil, de Montreal, de 23 de septiembre de 1971.

3.2. Extradición activa

La extradición puede definirse como el mecanismo por el que un Estado interesa de otro la entrega de una persona física que pudiere haber cometido un hecho delictivo con el fin de que sea juzgada, o bien para el efectivo cumplimiento de la condena judicialmente dictada contra aquélla en el país solicitante. Por medio de este acto, el Estado requerido podrá hacer entrega al Estado requirente de dicho individuo con aquellas únicas finalidades, sometiéndose en cualquier caso el proceso a reglas previamente establecidas, con frecuencia consensuadas entre ambos Estados[103].

La normas aplicables dependerán de si se trata de países europeos —Ley 23/2014 de 20 noviembre—; de otros países —Convenios suscritos con ellos—; y a falta de convenio las normas de la LECrim —arts. 824 a 833—.

A) Orden europea de detención y entrega[104]

Cuando se trate de una Orden Europea de detención y entrega, se estará a lo dispuesto en la Ley 23/2014, de 20 noviembre, de reconocimiento mutuo de resoluciones penales en la Unión Europea. Como ya se ha apuntado, en Europa, la extradición se tramita por un sencillo procedimiento de entrega, que está basado en un sistema de confianza y solidaridad recíproca, con las debidas garantías procesales necesarias y respeto de los derechos fundamentales de los justiciables. Se dispone en el art. 34

---

(103) Vid. STS 851/2012 de 24 Oct. 2012, Rec. 869/2012.

(104) Vid. ORMAZÁBAL SÁNCHEZ, G., «La Orden europea de detención y entrega y la extradición de nacionales propios a la luz de la jurisprudencia constitucional alemana [Especial consideración de la Sentencia del Tribunal Constitucional alemán de 18 de julio de 2005 (2 BvR 2236/04)]», *Diario La Ley*, N.º 6394, Año XXVII, 5 de enero de 2006, Ref. D-4. SÁNCHEZ DOMINGO, B., *La armonización legislativa en la orden de detención y procedimiento de entrega*, Revista penal, Tirant lo Blanch, nº 24, 2009, págs. 151-176. ROMERO REINARES, A., *La extradición y la orden europea de detención y entrega: denuncias a efectos procesales y trasmisión de procedimientos, el traslado de personas condenadas*, Estudios Jurídicos, Ministerio de Justicia: Centro de Estudios Jurídicos, 2006. GARCIANDÍA GONZÁLEZ, P., «Motivos de paralización de la orden europea de detención y entrega: denuncia y efectiva vulneración del derecho de asistencia letrada. Comentario a las SSTC 339/2005, de 20 de diciembre y 81/2006, de 13 de marzo de 2006», *Revista General de Derecho Europeo*, 2006, nº 10. CUERDA RIEZU, A.R., *De la extradición a la «euro orden» de detención y entrega: con un análisis de la doctrina del Tribunal Constitucional español*, Centro de Estudios Ramón Areces, 2003. ISBN 84-8004-616-3.

Ley 23/2014, 20 noviembre, que la orden europea de detención y entrega es una resolución judicial dictada en un Estado miembro de la Unión Europea con vistas a la detención y la entrega por otro Estado miembro de una persona a la que se reclama para el ejercicio de acciones penales o para la ejecución de una pena o una medida de seguridad privativas de libertad o medida de internamiento en centro de menores.

Son Autoridades competentes en España para emitir y ejecutar una orden europea de detención y entrega: 1) Para emitirla, el Juez o Tribunal que conozca de la causa en la que proceda tal tipo de órdenes; 2) Para ejecutarla, el Juez Central de Instrucción de la Audiencia Nacional. Cuando la orden se refiera a un menor, la competencia corresponderá al Juez Central de Menores (art. 35 Ley 23/2014).

— Emisión de una orden europea de detención y entrega:

La orden europea de detención y entrega se documentará según consta en el formulario que figura en el anexo I de la Ley 23/2014 (art. 36). La autoridad judicial española podrá dictar una orden europea de detención y entrega en los supuestos regulados en el art. 37 Ley 23/14 y además, se cumplan los previstos en el art. 39. Deberá referirse a alguno de los delitos enumerados en el art. 20 y cumplir las condiciones exigidas por la Ley para cada tipo de instrumento de reconocimiento mutuo.

La autoridad judicial española podrá dictar una orden europea de detención y entrega en los siguientes supuestos: a) Con el fin de proceder al ejercicio de acciones penales, por aquellos hechos para los que la ley penal española señale una pena o una medida de seguridad privativa de libertad cuya duración máxima sea, al menos, de doce meses, o de una medida de internamiento en régimen cerrado de un menor por el mismo plazo; y b) Con el fin de proceder al cumplimiento de una condena a una pena o una medida de seguridad no inferior a cuatro meses de privación de libertad, o de una medida de internamiento en régimen cerrado de un menor por el mismo plazo (art. 37).

Con carácter previo a la emisión de una orden europea de detención y entrega, el Juez competente podrá solicitar autorización al Estado en el que se encuentre la persona reclamada con el fin de tomarle declaración a través de una solicitud de auxilio judicial al amparo del Convenio de Asistencia Judicial en materia penal entre los Estados miembros de la Unión Europea, de 29 de mayo de 2000 (art. 38).

— Transmisión de una orden europea de detención y entrega:

Cuando se conozca el paradero de la persona reclamada, la autoridad judicial española podrá comunicar directamente a la autoridad judicial competente de ejecución la orden europea de detención y entrega. Por tanto, no será necesaria la intervención de las autoridades gubernativas. En caso de no ser conocido dicho paradero, la autoridad judicial de emisión española podrá decidir introducir una descripción de la persona reclamada en el Sistema de Información Schengen.

Si la autoridad de ejecución condicionara la entrega de su nacional o residente a que el mismo sea devuelto al Estado de ejecución para el cumplimiento de la pena o medida de seguridad privativa de libertad o de la medida de internamiento de un menor que pudieran pronunciarse contra él en España, cuando la autoridad judicial española de emisión fuese requerida para comprometerse en tal sentido, el Juez o Tribunal oirá a las partes personadas por tres días y tras ello dictará auto aceptando o no la condición. El auto que comprometiese a transmitir al otro Estado la ejecución de la pena o medida privativa de libertad será vinculante para todas las autoridades judiciales que, en su caso, resulten competentes en las fases ulteriores del procedimiento penal español (art. 44).

El procedimiento a seguir cuando el reclamado sea puesto a disposición de la autoridad española reclamante, será: a) Si se hubiera emitido la orden para el ejercicio de acciones penales, el Juez convocará una comparecencia por ésta en los plazos y forma previstos en la LECrim o, cuando proceda, en la L.O. reguladora de la responsabilidad penal de los menores, a fin de resolver sobre la situación personal del detenido; b) Si se hubiera emitido para el cumplimiento de una pena privativa de libertad por el penado, se decretará su ingreso en prisión a resultas de la causa que motivó la orden (art. 45).

B) Orden europea de investigación (OEI)[105]

De conformidad con la Directiva 2014/41/CE, la orden europea de investigación (OEI) es una resolución judicial emitida o validada por una autoridad judicial de un

---

(105)   Directiva 2014/41/CE del Parlamento Europeo y del Consejo, de 3 de abril de 2014, relativa a la orden europea de investigación en materia penal: art. 34: «*Relaciones con otros instrumentos jurídicos, acuerdos y pactos*.
1. Sin perjuicio de su aplicación entre los Estados miembros y terceros Estados y de su aplicación temporal en virtud del artículo 35, la presente Directiva sustituye, a partir del 22 de mayo de 2017, a las disposiciones correspondientes de los siguientes convenios aplicables a las relaciones entre los Estados miembros vinculados por la presente Directiva:
a) Convenio Europeo 29 May. 2000, hecho en Bruselas, de Asistencia Judicial en Materia Penal del Consejo de Europa; de 20 de abril de 1959, hecho en Estrasburgo, así como sus dos protocolos adicionales y los acuerdos bilaterales celebrados con arreglo a su artículo 26; e Instrumento de Ratificación 14 Jul. 1982. b) Convenio relativo a la aplicación del acuerdo de Schengen 14 Jun. 1985, sobre supresión gradual de los controles en las fronteras comunes. Instrumento de Ratificación). c) Convenio relativo a la asistencia judicial en materia penal entre los Estados miembros de la Unión Europea y su Protocolo.
2. Queda sustituida la Decisión Marco 2008/978/JAI por la presente Directiva para todos los Estados miembros vinculados por la presente Directiva. Las disposiciones de la Decisión Marco 2003/577/JAI quedan sustituidas por la presente Directiva para todos los Estados miembros vinculados por la presente Directiva en relación con el aseguramiento de pruebas.
Para los Estados miembros vinculados por la presente Directiva, las referencias de la Decisión marco 2008/987/JAI y, en lo que respecta a la inmovilización de activos, a la Decisión marco 2003/577/JAI, se entenderán hechas a la presente Directiva.
Decisión Marco 2008/978 JAI del Consejo, de 18 Dic. (exhorto europeo de obtención de pruebas para recabar objetos, documentos y datos destinados a procedimientos en materia penal) Decisión marco 2003/577/JAI del Consejo, de 22 Jul. 2003 (ejecución en la Unión Europea de las resoluciones de embargo preventivo de bienes y de aseguramiento de pruebas)
3. Además de la presente Directiva, los Estados miembros podrán celebrar o seguir aplicando acuerdos o arreglos bilaterales o multilaterales con otros Estados miembros después del 22 de mayo de 2017, siempre que ello permita el mejor cumplimiento de los objetivos de la presente Directiva y contribuir a simplificar o a facilitar más los procedimientos para la obtención de pruebas, y a condición de que se respete el nivel de las salvaguardias previstas en la presente Directiva.
4. Los Estados miembros notificarán a la Comisión, a más tardar el 22 de mayo de 2017, los acuerdos y arreglos vigentes mencionados en el apartado 3 que deseen seguir aplicando. Los Estados miembros notificarán asimismo a la Comisión, en el plazo de tres meses desde su firma, cualquier nuevo acuerdo o convenio contemplado en el apartado 3.»

Estado miembro («el Estado de emisión») para llevar a cabo una o varias medidas de investigación en otro Estado miembro («el Estado de ejecución») con vistas a obtener pruebas con arreglo a la presente Directiva. También se podrá emitir una OEI para obtener pruebas que ya obren en poder de las autoridades competentes del Estado de ejecución. Los Estados miembros ejecutarán una OEI sobre la base del principio de reconocimiento mutuo y de conformidad con la presente Directiva. La emisión de una OEI puede ser solicitada por una persona sospechosa o acusada (o por un abogado en su nombre), en el marco de los derechos de la defensa aplicables de conformidad con el procedimiento penal nacional. La presente Directiva no podrá tener por efecto modificar la obligación de respetar los derechos fundamentales y los principios jurídicos enunciados en el artículo 6 del TUE, incluido el derecho de defensa de las personas imputadas en un proceso penal, y cualesquiera obligaciones que correspondan a las autoridades judiciales a este respecto permanecerán incólumes (art. 1 Directiva 2014/41/CE).

La OEI[106] debe centrarse en la medida de investigación que vaya a llevarse a cabo. Debe optarse por la OEI cuando la ejecución de una medida de investigación se considere proporcionada, adecuada y aplicable al caso concreto. Al emitir una OEI, la autoridad de emisión debería prestar especial atención a garantizar el pleno respeto de los derechos reconocidos en el artículo 48 de la Carta de los Derechos Fundamentales de la Unión Europea (la Carta). La presunción de inocencia y los derechos de la defensa en los procesos penales, son una piedra angular de los derechos fundamentales reconocidos en la Carta en el ámbito de la justicia penal.

Debido a su ámbito de aplicación, la presente Directiva trata de las medidas cautelares encaminadas a la obtención de pruebas. Debe subrayarse, en tal sentido, que cualquier objeto, incluidos los activos financieros podrá someterse a medidas cautelares en el curso de un procedimiento penal, no solo con vistas a la obtención de pruebas sino también a su decomiso.

La presente Directiva debe aplicarse teniendo en cuenta las Directivas 2010/64/UE (5), 2012/13/UE (6) y 2013/48/UE (7) del Parlamento Europeo y del Consejo relativas a derechos procesales en procedimientos criminales. Son necesarios límites temporales para garantizar que la cooperación entre los Estados miembros en materia penal se lleve a cabo de forma rápida, eficaz y coherente. La OEI establece un régimen único para la obtención de pruebas. No obstante, son necesarias normas adicionales para determinados tipos de medidas de investigación que deben indicarse en la OEI, como el traslado temporal de detenidos, las comparecencias por teléfono o videoconferencia, la obtención de información relacionada con cuentas o transacciones bancarias, las entregas vigiladas o las investigaciones encubiertas. Las medidas de investigación que impliquen la obtención de pruebas en tiempo real, de manera continua o durante un determinado período de tiempo deben estar cubiertas por la OEI, pero cuando sea necesario los Estados de emisión y de ejecución deben

---

(106)   Vid. Introducción a la Directiva 2014/41/CE del Parlamento Europeo y del Consejo, de 3 de abril de 2014, relativa a la orden europea de investigación en materia penal.

poder acordar entre sí disposiciones prácticas, a fin de dar cabida a las diferencias existentes entre sus Derechos internos.

La presente Directiva establece normas para la práctica de una medida de investigación en cualquiera de las fases del procedimiento penal, incluida la de la vista, si es preciso con la participación del interesado, a efectos de la obtención de pruebas. Puede emitirse, por ejemplo, una OEI a efectos del traslado temporal de la persona en cuestión al Estado de emisión, o para la realización de una comparecencia por videoconferencia. No obstante, si se debe trasladar a la persona a otro Estado miembro a efectos de su enjuiciamiento, con inclusión de su puesta a disposición de un órgano jurisdiccional para ser sometida a juicio, deberá emitirse una orden de detención europea de conformidad con la Decisión Marco 2002/584/JAI del Consejo.

Podrá emitirse una OEI para la obtención de pruebas relativas a las cuentas de cualquier naturaleza que posea la persona sometida a un procedimiento penal en cualquier banco u otra entidad financiera no bancaria. Deberá interpretarse esta posibilidad en sentido amplio, como referida no solo a quienes sean investigados o acusados, sino también a cualquier persona respecto de la cual las autoridades competentes consideren necesaria dicha información en el curso de procedimientos penales. Cuando se emita una OEI para obtener los «datos» de una cuenta especificada, se debe entender que los «datos» incluyen al menos el nombre y el domicilio del titular, los pormenores de los poderes de representación otorgados sobre esa cuenta y cualesquiera otros detalles o documentos que haya suministrado el titular en el momento de la apertura de la cuenta y que obren todavía en poder del banco[107].

---

(107) «La orden europea de investigación reportará las siguientes ventajas:
• Crea un único instrumento de gran alcance. La orden europea de investigación sustituirá al fragmentado marco jurídico actual para la obtención de pruebas. Abarcará todo el proceso de obtención de pruebas, desde el aseguramiento de pruebas hasta la transferencia de los elementos de prueba existentes, para los Estados miembros participantes.
• Establece plazos estrictos para la obtención de las pruebas solicitadas. Los Estados miembros disponen de hasta 30 días para decidir si aceptan una solicitud. Si se acepta, el plazo para ejecutar la medida de investigación solicitada es de 90 días. En caso de producirse un retraso, se comunicará al Estado miembro que ha emitido la orden de investigación.
• Restringe los motivos para rechazar una solicitud. La autoridad receptora solo podrá negarse a ejecutar una orden en determinadas circunstancias como, por ejemplo, en caso de una solicitud contraria a los principios fundamentales del Derecho del país en cuestión o perjudicial para sus intereses de seguridad nacional.
• Reduce los trámites administrativos gracias a la introducción de un formulario único normalizado, en la lengua oficial del Estado ejecutor, para la solicitud de ayuda a las autoridades en la obtención de pruebas.
• Protege los derechos fundamentales de la defensa. Las autoridades solicitantes deben evaluar la necesidad y la proporcionalidad de la medida de investigación solicitada. Las órdenes europeas de investigación deben ser emitidas o validadas por una autoridad judicial, y la emisión de una orden puede ser solicitada por una persona sospechosa o acusada, o por un abogado que actúe en su nombre, de acuerdo con los derechos de la defensa y los procedimientos penales nacionales. Los Estados miembros deben garantizar que las vías judiciales disponibles sean equivalentes a las correspondientes a un caso interno similar, y velar por que las personas afectadas sean debidamente informadas de estas posibilidades.
En particular, la orden europea de investigación permite:
• el traslado temporal de detenidos con el fin de reunir pruebas;

En una OEI que contenga una solicitud de intervención de telecomunicaciones, la autoridad de emisión debe dar a la autoridad de ejecución información suficiente, como los datos de la actividad delictiva investigada, para que la autoridad de ejecución esté en condiciones de evaluar si la medida se autorizaría en un caso interno similar.

La Unidad de Cooperación Internacional de la Fiscalía General del Estado[108] emitió un dictamen, dirigido a todas las fiscalías, para tramitar las Ordenes Europeas de Investigación (OEI), que entraron el 22 de mayo en vigor, mientras España incorpora a su ordenamiento la Directiva 2014/41/CE del Parlamento Europeo y del Consejo, de 3 de abril de 2014 (LA LEY 6702/2014), que las regula. La Directiva aprobada por la Fiscalía General del Estado desarrolla los mecanismos jurídicos internacionales para que los fiscales puedan solicitar directamente a sus homólogos de la Unión Europea

---

• la consulta de las cuentas bancarias y las operaciones financieras de los sospechosos o acusados;

• las investigaciones encubiertas y la interceptación de telecomunicaciones;

• medidas de protección de pruebas.» *Ver Diario La Ley, Unión Europea* nº 49, junio 2017.

(108) Dictamen 1/2017, de 19 de mayo de 2007, de la Fiscal de Sala de Cooperación Internacional: «La Directiva responde al objetivo, marcado en el Programa de Estocolmo, de constitución de un sistema general de obtención de prueba transfronteriza bajo el principio de reconocimiento mutuo. Respondiendo a este objetivo la DIR OEI crea un instrumento único uniformizado —como el de la Orden Europea de Detención y Entrega—, para solicitar y practicar cualquier tipo de diligencias de investigación penal —y en algunos casos administrativa— en otro país de la Unión Europea (a excepción de Irlanda y Dinamarca que se mantienen fuera de este instrumento). Con la incorporación de la obtención de pruebas al reconocimiento mutuo se pretende sustituir el fragmentario sistema de práctica de diligencias de investigación a través de la cooperación internacional que resultó tras la fallida regulación del exhorto europeo establecido en la DM/978/JAI, ante su limitado ámbito de actuación y su necesaria convivencia con el régimen tradicional de asistencia judicial internacional a través de los Convenios internacionales. Por eso, la OEI va a sustituir no solo a lo que fue el exhorto europeo, sino que, tal y como dispone el arto 34 de la Directiva, sustituirá a los Convenios Internacionales que actualmente regulan en la Unión Europea la asistencia judicial internacional en materia de obtención de pruebas. Esencialmente la OEI supone el relevo, en todo aquello que la OEI regula, del Convenio de Asistencia Judicial Penal entre los Estados Miembros de la Unión Europea de 29 de mayo de 2000, del Protocolo de 2001 a este Convenio, del Convenio de Cooperación en Materia Penal del Consejo de Europa de 20 de abril de 1959 y sus dos Protocolos y del Convenio de Aplicación de los Acuerdos de Schengen de 1990. Estos Convenios se mantendrán únicamente aplicables en el futuro en aquellos aspectos no regulados por la OEI, así como respecto de aquellos países —Irlanda y Dinamarca— no vinculados por la DIR OEI. La Directiva 2014/41/CE (LA LEY 6702/2014) que crea este nuevo instrumento establece en su artículo 36.1 que los Estados miembros deberán haber tomado las medidas para dar cumplimiento a las disposiciones contenidas en la Directiva a más tardar el 22 de mayo de 2017. España no ha desarrollado esta Directiva en su derecho interno (ni tan siquiera se ha presentado un Anteproyecto de regulación), lo que genera una situación de incertidumbre a la que debe darse una respuesta. El dilema resulta evidente cuando se comprueba que se trata de un sistema que originariamente no contempla un periodo transitorio (dada la especial previsión de sustitución de los Convenios de cooperación vigentes que contiene el art 34 de la Directiva) pero que se sustenta en la debida transposición de la DIR OEI en una fecha determinada. Siendo así que esta última premisa no va a verse cumplida (ya que conforme se informa en la página web de la Red Judicial Europea, un relevante número de Estados Miembros no tendrán transpuesta la misma en la fecha indicada) resulta evidente la gravedad de la situación, toda vez que es preciso ahora decidir cómo se van a emitir y ejecutar las peticiones que deberían regirse plenamente por la DIR OEI, con todas las implicaciones que ello puede tener desde la perspectiva de la validez de la prueba que pueda obtenerse mediante estos mecanismos».

las pruebas pertinentes para su incorporación en los procesos abiertos en España. Dada la importancia de este documento y hasta que la transposición sea efectiva, la Fiscalía General del Estado, a través de la fiscal de Sala de Cooperación Penal Internacional, Rosa Ana Morán, ha emitido el citado Dictamen para tratar de paliar este retraso legislativo[109].

3.3. Extradición activa no sujeta a Tratado

A) Requisitos

Los requisitos exigidos para la extradición activa para los países fuera de la UE y sin Tratado se regulan en los arts. 825 a 828 LECrim. Sólo podrá pedirse o proponerse la extradición de españoles que, habiendo delinquido en España, se refugiasen en país extranjero, o que habiendo atentado en el extranjero contra la seguridad exterior del Estado, se hubiesen refugiado en país distinto del que delinquieron. También podrá solicitarse de los extranjeros que, debiendo ser juzgados en España, se hubiesen refugiado en un país que no sea el suyo (art. 825 y 826 LECrim.). Si se tratara de solicitarla a Países europeos se estará a lo dispuesto en la Ley 23/2014, de 20 noviembre, de reconocimiento mutuo de resoluciones penales en la Unión Europea.

Procederá la petición: 1.°) En los casos que se determinan en los Tratados vigentes con el Estado en cuyo territorio se hallare el individuo reclamado. 2.°) En defecto de Tratado, según el Derecho escrito o consuetudinario vigente en el territorio a cuya nación se pida la extradición, y 3.°) En defecto de los dos casos anteriores, cuando la extradición proceda según el principio de reciprocidad (art. 827 LECrim.). En cualquier caso, debe haberse dictado auto de prisión o recaído sentencia firme contra los imputados cuya extradición se pretende (art. 825 LECrim.).

B) Tramitación

El procedimiento interno se iniciará bien de oficio, bien a instancia de parte, debiendo informar siempre el Ministerio Fiscal (art 829 LECrim).

El Juez o Tribunal que estuviere conociendo de la causa puede acordar la detención preventiva por medio de la Interpol para, una vez detenida la persona reclamada, solicitar su extradición, o cuando se conozca el lugar de residencia, enviar los documentos de solicitud por vía diplomática. Por su parte, los Fiscales pueden solicitar al Juez o Tribunal que acuerde solicitar la extradición de los procesados o condenados en los que concurran los requisitos expresados en el apartado anterior.

De todas formas, la jurisprudencia ha tratado de diferenciar una resolución de extradición con una orden de busca y captura. La justificación de este tipo de orden es, normalmente, el ignorado paradero de la persona afectada y se solicita su búsqueda y captura. En cambio, en la solicitud de extradición no solo constan los datos identifi-

---

(109) Según este documento, hasta que entre en vigor la Ley de transposición «los fiscales velarán porque se tramiten conforme a los Convenios o normas europeas invocadas y aplicables al caso las solicitudes recibidas de otros Estados miembros, tanto si se trata de comisiones rogatorias como de ordenes europeas de investigación».

cativos del buscado sino también su localización en el Estado requerido. En este caso se persigue la entrega del sujeto extraditado para su enjuiciamiento o cumplimiento de una pena de prisión en el país reclamante.

> «Lo anterior nos lleva a afirmar que, en la medida en que toda extradición es una decisión de ámbito supranacional que afecta, cuando menos, a dos Estados (requirente y requerido) con actuación efectiva tanto de sus órganos judiciales como de sus Gobiernos, necesariamente rebasa en importancia el ámbito de la simple orden de busca y captura … en la naturaleza de la orden de busca y captura subyace precisamente el desconocimiento del concreto paradero del individuo afectado, siendo la ignorancia de este extremo lo que justifica su emisión, según se desprende de las causas que para su adopción respecto del requisitoriado articula la Ley Procesal (art. 835 LECrim). Por el contrario, la extradición parte de la base de la aportación por el Estado solicitante de un cúmulo de datos que no sólo permitan la perfecta identificación del sujeto sobre el cual se vierte tal petición, sino muy especialmente de su punto de localización y/o residencia en el territorio del Estado reclamado, pues sólo así podrá cursarse, llegado el caso, su extradición. Son también muy diferentes los fines que guían a una y otra. En la extradición, como ya hemos señalado, la misiva fundamental es la entrega del sujeto extraditado para su enjuiciamiento en el país reclamante o bien para el cumplimiento efectivo en él de una condena ya impuesta, bajo los concretos parámetros especificados en cada Convenio. Por el contrario, la busca y captura, si presenta el formato de una requisitoria, irá dirigida a localizar al procesado que, ausentado del domicilio designado para notificaciones, no fuere hallado en el mismo y careciere de otra residencia conocida en la que poder localizarlo; también se dictará respecto de quien se hubiere evadido del establecimiento en el que se hallare detenido o preso; e igualmente de quien incumpliere su deber de presentación «apud acta» o ante cualquier llamamiento judicial, estando en libertad provisional (art. 835 LECrim). Estos tres supuestos parten, por tanto, como premisa esencial del ya señalado carácter ilocalizable del sujeto al que se dirigen, cuya necesidad de ubicación puede obedecer, como también queda visto, a fines bien distintos de los de enjuiciamiento o ejecución de condena que directamente justifican la extradición». STS 851/2012 de 24 Oct. 2012, Rec. 869/2012.

La resolución que se dicte será motivada y susceptible de recurso de apelación, tanto si se acuerda como si se deniega la petición, si la hubiere dictado un Juez de Instrucción (art. 830 LECrim). Firme el auto en el que se solicita la extradición, deberá elevarse el oportuno suplicatorio al Ministro de Justicia —art. 831— que lo remitirá por vía consular o diplomática. Se exceptúan los casos en que, de acuerdo con los convenios internacionales suscritos, puedan hacerse las peticiones directamente al país en cuyo territorio se halle el procesado (art. 177 LEC y 276 LOPJ.). (Véase M. 398 a M. 401).

La decisión final de solicitar la extradición de una persona concreta no dependerá de la voluntad del Poder ejecutivo, sino que éste está vinculado por la decisión judicial previamente adoptada, aunque no siempre fue pacífico este criterio[110]. La

---

(110) «Cobran especial relevancia las observaciones hechas al respecto por el Ministerio Fiscal (en el informe emitido en la causa 420/2000) respecto de la falta de una concreta y clara delimitación de las facultades y deberes de las autoridades españolas —en el ámbito interno— respecto de los procedimientos de extradición activa, cuando afirma que es igualmente de razonable

doctrina actual es que la decisión de solicitar la extradición corresponde de modo exclusivo y excluyente al Tribunal que conoce de la causa, términos en los que se expresa el art. 828 LECrim, mientras que la función de los órganos de la Administración del Estado no va más allá de trasladar a los órganos de la Administración del Estado requerido esa decisión judicial para que aquéllos adopten la resolución que a ellos compete.

> «la cuestión esencial que separa a las partes en litigio, se trata de saber cuál es el papel que la Administración del Estado desempeña en esta fase de auxilio jurisdiccional entre Estados, con el que se pretende la entrega de un individuo para que sea enjuiciado o para que cumpla la condena que se le ha impuesto. A juicio de la Sala, la decisión de solicitar la extradición corresponde de modo exclusivo y excluyente al Tribunal que conoce de la causa, términos en los que se expresa el art. 828 LECrim, mientras que la función de los órganos de la Administración del Estado no va más allá de trasladar a los órganos de la Administración del Estado requerido esa decisión judicial para que aquéllos adopten la resolución que a ellos compete. Que la Ley utilice términos como los Fiscales pedirán y el Tribunal propondrá no es más que una fórmula de cortesía al uso en la relación entre poderes, como la utilizada por el art. 831 cuando afirma que la petición se hará en forma de suplicatorio dirigido al Ministro de Gracia y Justicia. Eran expresiones rituales usadas durante siglos y que una ley de finales del siglo XIX aún no había decidido abandonar, pero que no se correspondían ya entonces con la división de poderes, y que no se puede sostener en este momento histórico en modo alguno. Repetimos que la decisión de solicitar o no la extradición está exclusivamente confiada a los órganos jurisdiccionales, sin que el Consejo de Ministros en este caso pueda cuestionar en modo alguno la decisión». STS Sala Tercera, de lo Contencioso-administrativo, Sección 6ª, Sentencia de 31 May. 2005, Rec. 242/2003[111].

---

desde el punto de vista del derecho positivo sostener que al Juez de Instrucción sólo le corresponde "proponer" la extradición porque sólo a esa facultad se refieren los arts. 824 y siguientes de la Ley Procesal Penal, siendo de interpretación restrictiva su ámbito de competencias (vid. art. 117.4 de la Constitución), correspondiendo toda la tramitación ulterior (incluida la decisión sobre dar o no curso a la petición de extradición) al Gobierno de la Nación. Y también es defendible jurídicamente que sería el Juez competente para decidir también cuando se trate de posibles medidas de impugnación frente a decisiones puramente políticas. Por eso, aunque el recurrente lograse convencer a esa Sala de que la decisión contra la que el Ministro decidió no recurrir desoyendo la sugerencia del Juzgador se enmarcaba en la fase judicial..., la conclusión sería la misma: no habría responsabilidad penal porque no existe claridad acerca de que en ese caso el ordenamiento interno imponga al Ejecutivo un seguidismo ciego de las decisiones del órgano judicial requirente». ATS Sala Segunda, de lo Penal, Auto de 6 Mar. 2000, Rec. 620/2000; Ponente: Puerta Luis, Luis Roman. LA LEY 245471/2000.

(111) «A diferencia de lo que sucede cuando de extradición pasiva se trata, en la que efectivamente el Gobierno apelando a razones de soberanía nacional, artículo 6.2 de la Ley de extradición pasiva, Ley 4 de 1.985, de 21 Mar., puede denegar la extradición, aun siendo firme la decisión de los tribunales españoles de concederla, y sin que quepa recurso alguno frente a esa decisión, cuando se trata de extradición activa el acuerdo de solicitarla no es tanto un acto de "iure imperii" como de «iure gestionis» encomendado al Consejo de Ministros, órgano superior de la Administración General del Estado. Así resulta de la regulación de la materia que se encomienda al Ministerio de Justicia como Autoridad central, otorgando esas funciones en su estructura orgánica básica, Real Decreto 688 de 2000, de 12 May., a la Dirección General de Política Legislativa y Cooperación Jurídica Internacional,...». STS Sala Tercera, de lo Contencioso-administrativo, Sección 6ª, Sentencia de 17 Jun. 2003, Rec. 495/2001.

La solicitud de extradición activa cursada conforme a los requisitos legalmente exigibles constituye una actuación material de dirección del proceso contra el presunto responsable, lo que comporta la interrupción del plazo de prescripción. La seguridad jurídica impide supeditar esta interrupción al resultado final de la extradición.

> «En suma, debemos entender que la solicitud de extradición cursada por las autoridades españolas en este caso se ajustó al protocolo fijado. Es indudable que una petición de extradición desplegada de acuerdo con el procedimiento exigible, oportunamente fijado en la norma, que cumple además los presupuestos y garantías preconcebidos por ambos Estados en el ejercicio de su potestad soberana y que, no adoleciendo de defectos sustanciales, ha sido tramitada a través de los órganos específicamente habilitados a tal fin, constituye una actuación material de dirección del proceso contra el presunto responsable. De ello se sigue la necesaria consecuencia de interrumpir el plazo de prescripción. Como de nuevo con acierto expresan las acusaciones recurrentes, tal efecto no puede quedar supeditado al resultado final, favorable o adverso a la extradición, siempre que la solicitud inicial reúna todos los presupuestos materiales necesarios. No sería un criterio ajustado a parámetros de seguridad jurídica aquél que validara una interrupción de los plazos de prescripción del delito o de la pena supeditada a su resultado, siempre que, como decimos, hayan concurrido "ab initio" los presupuestos que justificaron una fundada petición extradicional». STS 851/2012 de 24 Oct. 2012, Rec. 869/2012.

Todos los suplicatorios se elevarán por conducto del Excmo. Sr. Presidente del Tribunal Supremo, Tribunal Superior de Justicia o de la Audiencia correspondiente. Ha de tenerse en cuenta que al suplicatorio se debe acompañar testimonio de todas las resoluciones, informes y preceptos mencionados en la parte dispositiva de la resolución anterior, no olvidando que el Letrado A. Justicia deberá certificar, como preceptos de aplicación, los del Código Penal relativos a la figura delictiva que se trate, los correspondientes al Tratado Internacional suscrito con las autoridades del país al que se solicita la extradición, si lo hubiere, y los de la LECrim. mencionados en el auto solicitando la extradición.

3.4. Extradición pasiva

Como se ha expuesto, la extradición pasiva, en la que un Estado reclama al Estado español la entrega de un delincuente que se halle en territorio nacional.

La normas aplicables dependerán de si se trata de países europeos —Ley 23/2014 de 20 noviembre—; de otros países —Convenios suscritos con ellos—; y a falta de convenio, por las normas de la Ley 4/1985, de 21 de marzo, de extradición pasiva.

A) Euroorden de detención y entrega

Con relación a los países de la Unión Europea, la Ley 23/2014, de 20 noviembre, de reconocimiento mutuo de resoluciones penales en la Unión Europea regula que cuando se trate de una Orden Europea de detención y entrega, se estará a lo dispuesto en dicha Ley. Como ya se ha apuntado, en Europa, la extradición se tramita por un sencillo procedimiento de entrega, que está basado en un sistema de confianza y solidaridad recíproca, con las debidas garantías procesales necesarias y respeto de los derechos fundamentales de los justiciables.

Se dispone en el art. 34 Ley 23/2014, 20 noviembre, que la orden europea de detención y entrega es una resolución judicial dictada en un Estado miembro de la Unión Europea con vistas a la detención y la entrega por otro Estado miembro de una persona a la que se reclama para el ejercicio de acciones penales o para la ejecución de una pena o una medida de seguridad privativas de libertad o medida de internamiento en centro de menores.

La STUE de 6 septiembre 2016 introdujo la obligación de dar la oportunidad al Estado miembro del que es nacional la persona cuya extradición se solicita de poder emitir una orden europea de detención y entrega ante el Estado miembro requerido, en el caso de que el primer Estado fuera competente para poder juzgar (o, en su caso, ejecutar la condena) a un nacional suyo por una infracción cometida en un Estado no miembro de la Unión Europea con el que no exista un acuerdo de extradición específico con la Unión que regule esta cuestión.

«Los arts. 18 TFUE y 21 TFUE deben interpretarse en el sentido de que, cuando un Estado miembro al que se ha desplazado un ciudadano de la Unión, nacional de otro Estado miembro, recibe una solicitud de extradición de un Estado tercero con el que el primer Estado miembro ha celebrado un acuerdo de extradición, deberá informar al Estado miembro del que dicho ciudadano es nacional y, en su caso, a solicitud de este último Estado miembro, entregarle a este ciudadano, con arreglo a las disposiciones de la Decisión Marco 2002/584 (LA LEY 8343/2002), siempre que este Estado miembro tenga competencia, conforme a su Derecho nacional, para procesar a esta persona por hechos cometidos fuera de su territorio nacional». (STJUE de 6 de septiembre de 2016, asunto C-182/15: Petruhhin).

Por otra parte, cuando un Estado miembro de la UE reciba una petición extradicional por parte de un tercer país, respecto de un ciudadano nacional de un segundo Estado miembro, el primero tiene la obligación de comprobar que la entrega no vulneraría los derechos recogidos en el art. 19 de la CDFU, esto es, que el extradendus no sería condenado a pena de muerte, ni sería sometido a tortura u otros tratos inhumanos o degradantes (STJUE de 6 de septiembre de 2016, asunto C-182/15: Petruhhin)[112]. Por tanto, el *status* de ciudadanía de la UE da derecho al nacional de un Estado miembro desplazado a otro Estado miembro a gozar en el mismo de igual protección frente a la extradición solicitada por un Estado no miembro concedida al nacional de ese Estado[113].

Los Estados disponen de autonomía para determinar la atribución de competencia a unos determinados órganos jurisdiccionales. Son Autoridades competentes en

---

(112) Vid. GIMBERNAT DÍAZ, E., «Protección de la ciudadanía europea frente al procedimiento de extradición (STJUE de 6 de septiembre de 2016, asunto C-182/15: Petruhhin)», *La Ley Unión Europea*, nº 44, 31 enero 2017. Ver también STUE de 5 Abr. 2016, C-404/2015: Pál Aranyosi, sobre aplazamiento de la ejecución de orden de detención y entrega hasta excluir la existencia de riesgo de reclusión inhumana o degradante en el Estado miembro emisor.

(113) Vid. también RODRÍGUEZ-PIÑERO Y BRAVO FERRER, «Extradición y ciudadanía Europea», *La Ley*, nº 8834, 29 sept. 2016.

España para ejecutar una orden europea de detención y entrega: el Juez Central de Instrucción de la Audiencia Nacional. Cuando la orden se refiera a un menor la competencia corresponderá al Juez Central de Menores (art. 35 Ley 23/2014)[114].

— Ejecución de una orden europea de detención y entrega:

Se acordará la entrega por la autoridad judicial española: a) cuando el delito pertenezca a una de las categorías de delitos enumeradas en el apartado 1 del artículo 20 y dicho delito estuviera castigado en el Estado de emisión con una pena o una medida de seguridad privativa de libertad o con una medida de internamiento en régimen cerrado de un menor cuya duración máxima sea, al menos, de tres años; b) En los restantes supuestos siempre que estén castigados en el Estado de emisión con una pena o medida de seguridad privativa de libertad o con una medida de internamiento en régimen cerrado de un menor cuya duración máxima sea, al menos, de doce meses o, cuando la reclamación tuviere por objeto el cumplimiento de condena a una pena o medida de seguridad no inferior a cuatro meses de privación de libertad, según lo previsto en el art. 47.2 L 23/14.

Se denegará la ejecución de la orden europea de detención y entrega, además de en los supuestos previstos en los artículos 32 y 33, en los casos previstos en el art. 48. También se denegará cuando el imputado no haya comparecido en el juicio del que derive la resolución, a menos que en la orden europea de detención y entrega conste, de acuerdo con los demás requisitos previstos en la legislación procesal del Estado de emisión, que no se notificó personalmente al imputado la resolución pero se le notificará sin demora tras la entrega, conforme establece el art. 49[115].

En el plazo máximo de setenta y dos horas tras su detención, la persona detenida será puesta a disposición del Juez Central de Instrucción de la Audiencia Nacional. Esta circunstancia será comunicada a la autoridad judicial de emisión. Puesta la persona detenida a disposición judicial, se le informará de la existencia de la orden europea de detención y entrega, de su contenido, de la posibilidad de consentir en el trámite de audiencia ante el Juez y con carácter irrevocable su entrega al Estado emisor, así como del resto de los derechos que le asisten (art. 50).

---

(114)   Vid. RODRÍGUEZ-PIÑERO Y BRAVO-FERRER, «Resolución judicial y autoridad judicial en la orden de detención europea», *La Ley*, nº 8876, 5 diciembre 2016.

(115)   ARIAS RODRÍGUEZ, JM., «Sobre las cuestiones prejudiciales planteadas en el auto del Tribunal Constitucional de 9 de junio de 2011 sobre la orden de detención europea», *La Ley* nº 7726, 31 oct. 2011, entiende que «Lo que impide el art. 4 bis (actual art. 49 Ley 23/14), interpretado a contrario sensu, es que pueda denegarse la ejecución si el imputado fue citado y, teniendo conocimiento de la celebración del juicio, dio un mandato a un abogado para que le defendiese en dicho acto rituario y efectivamente le defendió, por lo que ya no puede condicionarse la entrega en los términos del art. 5.1 de la Decisión Marco 2002/584/JAI en su redacción original. Así se colige de forma irrefutable del propio Preámbulo de la Decisión Marco 2009/299/JAI del Consejo, donde se dispone claramente que "No deberán denegarse el reconocimiento ni la ejecución de las resoluciones dictadas a raíz de juicios celebrados sin la comparecencia del imputado cuando éste, conociendo la fecha prevista del juicio, haya sido defendido por un letrado al que haya dado el correspondiente mandato, garantizando con ello que la asistencia letrada es real y efectiva"».

La audiencia de la persona detenida se celebrará en el plazo máximo de setenta y dos horas desde la puesta a disposición judicial, con asistencia del Ministerio Fiscal, del abogado de la persona detenida y, en su caso, de intérprete, debiendo realizarse conforme a lo previsto para la declaración del detenido por la LECrim. Asimismo, se garantizará el derecho de defensa y, cuando legalmente proceda, la asistencia jurídica gratuita (art. 51).

En primer lugar, se oirá a la persona detenida sobre la prestación de su consentimiento irrevocable a la entrega. Si la persona afectada hubiera consentido ser entregada al Estado de emisión y el Juez Central de Instrucción no advirtiera causas de denegación o condicionamiento de la entrega, acordará mediante auto su entrega al Estado de emisión. Contra este auto no cabrá recurso alguno.

Si no hubiere consentido, el Juez Central de Instrucción convocará a las partes para la celebración de vista, que deberá celebrarse en un plazo máximo de tres días y a la que asistirá el Ministerio Fiscal, la persona reclamada asistida de abogado y, si fuera necesario, de intérprete. En dicha vista podrán practicarse los medios de prueba admitidos relativos a la concurrencia de causas de denegación o condicionamiento de la entrega. El Juez Central de Instrucción oirá a las partes sobre tales extremos y admitirá o denegará la prueba propuesta para acreditar las causas alegadas.

El Juez Central de Instrucción resolverá mediante auto que deberá dictarse en el plazo máximo de diez días tras la vista. Contra este auto podrá interponerse recurso de apelación directo ante la Sala de lo penal de la Audiencia Nacional, en los términos previstos en la LECrim. La tramitación de este recurso tendrá carácter preferente (art. 51). La decisión podrá consistir en una entrega: condicionada; suspendida; o determinación de prioridad en caso de concurrencia de solicitudes (arts. 55-57). El Juez Central de Instrucción, a instancia de la autoridad judicial emisora o de oficio, intervendrá y entregará, de conformidad con el Derecho interno, los objetos que constituyan medio de prueba o efectos del delito, sin perjuicio de los derechos que el Estado español o terceros puedan haber adquirido sobre los mismos (art. 59).

a) Euroorden europea de Investigación (OEI)

La OEI se reguló en la Directiva 2014/41/CE del Parlamento Europeo y del Consejo, de 3 de abril de 2014, relativa a la orden europea de investigación en materia penal. Se podrá emitirse una OEI para la obtención de pruebas relativas a las cuentas de cualquier naturaleza que posea la persona sometida a un procedimiento penal en cualquier banco u otra entidad financiera no bancaria. Deberá interpretarse esta posibilidad en sentido amplio, como referida no solo a quienes sean investigados o acusados, sino también a cualquier persona respecto de la cual las autoridades competentes consideren necesaria dicha información en el curso de procedimientos penales. Cuando se emita una OEI para obtener los «datos» de una cuenta especificada, se debe entender que los «datos» incluyen al menos el nombre y el domicilio del titular, los pormenores de los poderes de representación otorgados sobre esa cuenta y cualesquiera otros detalles o documentos que haya suministrado el titular en el momento de la apertura de la cuenta y que obren todavía en poder del banco.

En una OEI que contenga una solicitud de intervención de telecomunicaciones, la autoridad de emisión debe dar a la autoridad de ejecución información suficiente, como los datos de la actividad delictiva investigada, para que la autoridad de ejecución esté en condiciones de evaluar si la medida se autorizaría en un caso interno similar.

La Unidad de Cooperación Internacional de la Fiscalía General del Estado[116] emitió un dictamen, dirigido a todas las fiscalías, para tramitar las Ordenes Europeas de Investigación (OEI), que entraron el 22 de mayo en vigor, mientras España incorpora a su ordenamiento la Directiva 2014/41/CE del Parlamento Europeo y del Consejo, de 3 de abril de 2014 (LA LEY 6702/2014), que las regula (*Vid.* & 3.2.2 de este Cap., donde es expone).

---

(116)   Dictamen 1/2017, de 19 de mayo de 2007, de la Fiscal de Sala de Cooperación Internacional: «La Directiva responde al objetivo, marcado en el Programa de Estocolmo, de constitución de un sistema general de obtención de prueba transfronteriza bajo el principio de reconocimiento mutuo. Respondiendo a este objetivo la DIR OEI crea un instrumento único uniformizado —como el de la Orden Europea de Detención y Entrega—, para solicitar y practicar cualquier tipo de diligencias de investigación penal —y en algunos casos administrativa— en otro país de la Unión Europea (a excepción de Irlanda y Dinamarca que se mantienen fuera de este instrumento). Con la incorporación de la obtención de pruebas al reconocimiento mutuo se pretende sustituir el fragmentario sistema de práctica de diligencias de investigación a través de la cooperación internacional que resultó tras la fallida regulación del exhorto europeo establecido en la DM/978/JAI, ante su limitado ámbito de actuación y su necesaria convivencia con el régimen tradicional de asistencia judicial internacional a través de los Convenios internacionales. Por eso, la OEI va a sustituir no solo a lo que fue el exhorto europeo, sino que, tal y como dispone el arto 34 de la Directiva, sustituirá a los Convenios Internacionales que actualmente regulan en la Unión Europea la asistencia judicial internacional en materia de obtención de pruebas. Esencialmente la OEI supone el relevo, en todo aquello que la OEI regula, del Convenio de Asistencia Judicial Penal entre los Estados Miembros de la Unión Europea de 29 de mayo de 2000, del Protocolo de 2001 a este Convenio, del Convenio de Cooperación en Materia Penal del Consejo de Europa de 20 de abril de 1959 y sus dos Protocolos y del Convenio de Aplicación de los Acuerdos de Schengen de 1990. Estos Convenios se mantendrán únicamente aplicables en el futuro en aquellos aspectos no regulados por la OEI, así como respecto de aquellos países —Irlanda y Dinamarca— no vinculados por la DIR OEI.

La Directiva 2014/41/CE (LA LEY 6702/2014) que crea este nuevo instrumento establece en su artículo 36.1 que los Estados miembros deberán haber tomado las medidas para dar cumplimiento a las disposiciones contenidas en la Directiva a más tardar el 22 de mayo de 2017. España no ha desarrollado esta Directiva en su derecho interno (ni tan siquiera se ha presentado un Anteproyecto de regulación), lo que genera una situación de incertidumbre a la que debe darse una respuesta. El dilema resulta evidente cuando se comprueba que se trata de un sistema que originariamente no contempla un periodo transitorio (dada la especial previsión de sustitución de los Convenios de cooperación vigentes que contiene el art. 34 de la Directiva) pero que se sustenta en la debida transposición de la DIR OEI en una fecha determinada. Siendo así que esta última premisa no va a verse cumplida (ya que conforme se informa en la página web de la Red Judicial Europea, un relevante número de Estados Miembros no tendrán transpuesta la misma en la fecha indicada) resulta evidente la gravedad de la situación, toda vez que es preciso ahora decidir cómo se van a emitir y ejecutar las peticiones que deberían regirse plenamente por la DIR OEI, con todas las implicaciones que ello puede tener desde la perspectiva de la validez de la prueba que pueda obtenerse mediante estos mecanismos.

B) Estados sin Tratado internacional

Cuando se trate de una extradición pasiva solicitada entre Estados no vinculados por Tratado internacional se estará a las normas contenidas en la Ley 4/1985, de 21 de marzo, de extradición pasiva:

a) Regulación. Principios que rigen en la extradición pasiva

La norma reguladora de la extradición pasiva es La Ley 4/85, de 21 de marzo, que se dictó para acomodar esta institución a la Constitución y a la normativa europea, sustituyendo a la anterior Ley de extradición pasiva de 26 de diciembre de 1958. La ratificación por España de varios Convenios europeos sobre la materia —Represión del Terrorismo, en 9 de mayo de 1980; el de Asistencia Judicial en Materia Penal, en 14 de julio de 1982 y, especialmente, el de Extradición, de 21 de abril de 1982— obligó a esta revisión y adaptación.

La presente Ley mantiene, según su Exposición de Motivos, el mismo sistema y principio cardinal de la anterior, en cuanto que la extradición, como acto de soberanía en relación con otros Estados, es función del Poder Ejecutivo, bajo el imperio de la Constitución y de la Ley, sin perjuicio de su aspecto técnico penal y procesal que han de resolver los Tribunales en cada caso con la intervención del Ministerio Fiscal.

Esta Ley de Extradición 4/85, de 21 de marzo, se adscribió al sistema denominado continental que es el seguido por España en la mayoría de los Tratados bilaterales concertados y por el Convenio Europeo de 12 de diciembre de 1957. Según este sistema los Tribunales del país requerido no tienen atribución competencial para censurar ni fiscalizar la valoración probatoria efectuada por el requirente, sino sólo para entender y decidir si concurren o no los requisitos legalmente exigidos para la concesión o denegación de la extradición. En cambio en el denominado sistema anglosajón, se permite a la jurisdicción del país requerido valorar si son o no son suficientes los indicios o pruebas tenidas en cuenta para perseguir a los reclamados.

La regulación de la LO 4/85 se aplica con carácter general, excepto lo expresamente previsto en los Tratados Internacionales, y concretamente en el propio Convenio Europeo de Extradición cuyas normas prevalecen (art. 1 LO 4/85).

El procedimiento de extradición se encuadra dentro del ejercicio de competencias de auxilio judicial internacional, y se compone de tres fases: a) La primera fase es gubernativa (revisable jurisdiccionalmente en cuanto a la observancia de los requisitos); b) La segunda es judicial, no siendo la decisión que se acuerde en la resolución que se dicte vinculante para la Administración; y c) La tercera es gubernativa no recurrible. Esta tercera fase de los procedimientos de extradición finaliza con una resolución del Consejo de Ministros, que se dicta en el ejercicio de una competencia constitucional, establecida en el artículo 13.3 de la Constitución, que no está sujeta a Derecho Administrativo, ni está vinculada por la decisión previa de los Tribunales, ya que, según el artículo 6 de la Ley 4/1985, puede denegarla en el ejercicio de su soberanía nacional atendiendo al principio de proporcionalidad o razones de seguridad, orden público o intereses esenciales para España.

«Una constante jurisprudencia del Tribunal Supremo (así sentencia de 22 de noviembre de 2002, 20 de enero de 2003 y 7 de noviembre de 2006) ha abordado la naturaleza del procedimiento de extradición, conforme a la cual ... es un procedimiento mixto, de naturaleza administrativa y judicial, en el que se pueden distinguir tres fases: dos gubernativas, la primera y la última, estando en medio la decisiva fase judicial. Estas tres fases están perfectamente delimitadas por la Ley, siendo por otro lado totalmente independientes aunque se subsigan unas y otras. La primera de las mentadas fases, en la que nos encontramos, está regulada en los arts. 7 a 11 de la Ley 4/85, de 21 de marzo, de Extradición Pasiva, y tiene la finalidad de iniciar el procedimiento de extradición, ante las solicitudes deducidas por el país extranjero que corresponda y de decidir si ha lugar o no, a continuar el procedimiento en vía judicial sobre la base de los arts. 2 a 5 de igual texto legal. La segunda, es la fase judicial, prevista en los arts. 12 a 18 de la Ley 4/85, en esta fase, como recuerda también esta Sala en las sentencias arriba reseñadas, "no se decide acerca de la hipotética culpabilidad o inocencia del sujeto reclamado, ni se realiza un pronunciamiento condenatorio, sino simplemente se verifica el cumplimiento de los requisitos y garantías previstos en las normas para acordar la entrega del sujeto afectado". La tercera fase, está contemplada en el art. 18 en relación al art. 6 de la Ley de Extradición Pasiva, se concreta a la actuación del Gobierno decidiendo la entrega física de la persona reclamada o a la denegación de la extradición, una vez que se le ha comunicado el auto del Tribunal declarando procedente la extradición. Esta denegación, sin embargo, se limita a los supuestos específicamente previstos en el párrafo segundo del citado art. 6 de la Ley 4/85, esto es: "Atendiendo al principio de reciprocidad, o a razones de seguridad, orden público o demás intereses esenciales para España"». STS, Sala 3ª, 16 marzo 2015, Rec. 449/2014. Ver también STS, Sala 3ª, 16 marzo 2015, Rec. 451/2014.

Los principios generales y pautas para la aplicación de la ley son los siguientes:

1. Se concederá atendiendo al principio de reciprocidad por hechos que en España y en el país en cuestión se sancionen con penas privativas de libertad por más de un año, o con otras sanciones por más de cuatro meses (art. 2.1 LEP). Para apreciar la concurrencia de reciprocidad, corresponde al órgano judicial comprobar si se cumplen los requisitos en la normativa jurídica del país requirente. Corresponde al Gobierno de la Nación, una vez concluida aquella fase judicial, aplicar la reciprocidad política, según se establece en los arts. 1.2 LEP y el art. 278.2 LOPJ.

«No cabe confundir la reciprocidad jurídica, basada en el examen de la normativa del país, a fin de comprobar si el Ordenamiento Jurídico del Estado reclamante no prohíbe la extradición de personas de la misma condición que aquella a la que se reclama, de la reciprocidad política, cuyo examen no es competencia del Tribunal que resuelve sobre la procedencia en fase jurisdiccional de la extradición, correspondiendo su examen al Gobierno de la Nación, debiendo efectuarse una vez concluida la fase judicial del procedimiento de extradición. En tal sentido se ha pronunciado reiteradamente el Tribunal Constitucional recordando que, tal y como establecen los arts. 1.2 LEP y el art. 278.2 LOPJ, por lo que nada impide que, en la siguiente fase gubernativa del expediente de extradición, la misma sea nuevamente valorada por el órgano correspondiente del Poder Ejecutivo. Así, a tenor del art. 6 LEP». AA Nacional, sent. n.º 8/2015 —Sala de lo penal—, 13 febrero de 2015.

El principio de reciprocidad se configura como una condición de aplicación de las dos fuentes de la extradición pasiva: el tratado y la ley. En este sentido, la extradición sólo podrá concederse cuando, además de resultar procedente con arreglo a las normas convencionales o legales, el Estado solicitante de la extradición atienda en la práctica las solicitudes de extradición activa realizadas por las autoridades españolas.

«En relación con la observancia del principio de reciprocidad, éste tiene como antecedentes legislativos el artículo 13.3 de la Constitución española, al establecer que «la extradición sólo se concederá en cumplimiento de un tratado o de la ley, atendiendo al principio de reciprocidad», añadiendo el artículo 1 párrafo 2º de la Ley de Extradición Pasiva que «en todo caso, la extradición sólo se concederá atendiendo al principio de reciprocidad». También debe tenerse presente que el artículo 278.2 de la Ley Orgánica del Poder Judicial dispone que «la determinación de la existencia de reciprocidad con el Estado requirente corresponderá al Gobierno, a través del Ministerio de Justicia», hasta el punto que, con arreglo al artículo 6 párrafo 2º de la Ley de Extradición Pasiva, aunque el Tribunal declare procedente la extradición, el Gobierno «podrá denegarla en el ejercicio de la soberanía nacional, atendiendo al principio de reciprocidad o a razones de seguridad, orden público o demás intereses esenciales para España». De lo anterior puede deducirse que el principio de reciprocidad viene a constituirse en una condición de aplicación de las dos fuentes de la extradición pasiva, el tratado y la ley, pues la extradición sólo podrá concederse cuando, además de resultar procedente con arreglo a las normas convencionales y/o legales, el Estado solicitante de la extradición atienda en la práctica las solicitudes de extradición activa realizadas por las autoridades españolas». AAN 12/2011 —Sala de lo penal—, 8 de abril de 2011.

2. El hecho ha de ser punible por las leyes de ambos países, lo que la doctrina denomina doble incriminación o principio de identidad normativa.

«El principio de la doble incriminación está incluido en el derecho fundamental a la legalidad penal (SSTC 11/1983 y 102/1997; ATC 95/1999) y su significado consiste en que el hecho sea delictivo y esté sancionado con una determinada penalidad en las legislaciones punitivas del Estado requirente y del Estado requerido (STC 102/1997 y ATC 23/1997), si bien no implica la identidad de penas en ambas legislaciones, sino que basta que se cumplan los mínimos penales previstos en las normas aplicables, en este caso los establecidos en el art. 2.1 del Convenio Europeo de Extradición (ATC 95/1999)». ATC 121/2000 de 16 de mayo.

Cuando se trate de países de la UE, no se aplicará el principio de la doble incriminación. El art. 20 Ley 23/14 establece que en los casos en que una orden o resolución dictada en otro Estado miembro sea transmitida a España para su reconocimiento y ejecución, estos instrumentos no estarán sujetos al control de la doble tipificación por el Juez o Tribunal español, en la medida en que se refiera a alguno de los delitos enumerados en el art. 20.

3. Especialidad, que determina que el reclamado o extraditado una vez entregado no puede ser juzgado por delitos distintos de los que justificaron la extradición, salvo consentimiento o excepción en el Tratado en que se fundó la extradición[117]. En el

---

(117) Entre los principios esenciales que rigen la materia, cabe destacar el de especialidad, ATS de 6 noviembre 1976 y STS de 26 abril 1982, «conforme al cual, el reclamado o extraído, una vez entregado, no puede ser juzgado sino por delitos cuya perpetración justificó la extradición y no por otros distintos, salvo su consentimiento expreso o que el Tratado vigente con la potencia de que fue extraditado contenga otras excepciones».

ámbito de la UE, la aplicación del principio de especialidad a la ejecución de una orden europea de detención y entrega se regula en el art. 60-61 Ley 23/14.

4. No se concederá contra españoles ni contra extranjeros que deban ser juzgados por los mismos hechos por un Tribunal español (art. 3 LEP).

Tampoco se concederá la extradición en los supuestos previstos en los arts. 4 y 5 de la LEP. A saber: delitos políticos, delitos contra el jefe del Estado, militares, de prensa, privados (excepto los que atentan a la libertad sexual), cuando el inculpado haya de ser juzgado por un Tribunal de excepción, cuando la responsabilidad criminal se hubiera extinguido, cuando la persona reclamada haya sido o esté siendo juzgada en España, cuando no se den garantías de que no va a ser ejecutada o sufrirá penas inhumanas o degradantes, cuando no se garantice que se le volverá a juzgar si fue condenada en rebeldía; y tampoco se concederá cuando encierre una persecución racial, religiosa, política o de semejante índole, ni a los menores de 18 años, ni a los asilados[118]. No se incluyen entre los delitos políticos los de terrorismo, los crímenes contra la humanidad, y genocidio, que tienen una regulación específica. Véase a estos efectos el Convenio Europeo para la represión de del Terrorismo de 1977.

Ahora bien, cabe acordar la extradición de un español cuando así lo prevea un Tratado Internacional. Este es el caso del Convenio Europeo de Extradición de 1957, teniendo en cuenta que España no ha hecho reserva alguna al art. 6 del Convenio que permite la entrega de nacionales[119].

Corresponde la determinación de la nacionalidad al tribunal competente para conocer de la extradición (art. 3 LEP), que es el Juzgado Central de la Audiencia Nacional. Sus resoluciones no son recurribles ante la vía contenciosa-administrativa.

«Que, de conformidad con el artículo 3 de la Ley 4/1985 de 21 de marzo, la cualidad de nacional corresponde enjuiciarla al Tribunal competente para conocer de la extradición, y añadíamos que al mismo corresponde el pronunciamiento acerca de la nacionalidad española, el cual no puede ser controlado, como pretende el recurrente, ante esta jurisdicción, revisora exclusivamente del acuerdo del Consejo de

---

(118)   La Ley 5/84, de 26 de marzo, que regula el derecho de asilo y de la condición de refugiado, establece en su art. 5.2 que: «La solicitud de asilo basada en cualquiera de las causas previstas en esta Ley suspenderá, hasta la decisión definitiva, el fallo de cualquier proceso de extradición del interesado que se halle pendiente o, en su caso, la ejecución del mismo. A tal fin, la solicitud de concesión de asilo será comunicada inmediatamente al órgano ante el que tuviera lugar el correspondiente proceso».

(119)   «Alegada por aquél su condición de ciudadano español para oponerse a la extradición, la Sección Primera de la Sala de lo Penal de la Audiencia Nacional estimó que la condición de español no es, en el ámbito del Convenio Europeo de Extradición de 13 de diciembre de 1957 (ratificado por España el 21 de abril de 1982), un obstáculo para la entrega del requerido, pues dicho Tratado (art. 6) contiene simplemente una cláusula potestativa de entrega que puede ser sometida a reserva por los respectivos Estados signatarios y que, en el caso de España, no ha sido hecha efectiva. El Convenio (sigue diciendo la resolución judicial) debe prevalecer frente a lo dispuesto en el art. 3 de la Ley de Extradición Pasiva (LEP), que no permite la extradición de los nacionales; y debe estimarse cumplida la exigencia de reciprocidad que se solicitó de las Autoridades italianas con la respuesta facilitada por éstas» STC 102/2000 de 10 de abril.

Ministros...». AAN Sala 3ª, 8 julio 2009, Rec. 316/2009. Ver también ATS, Sala 3ª, 2 julio 2009, Rec. 316/2009.

No se concederá la extradición de Españoles, ni de los extranjeros por delitos de que corresponda conocer a los tribunales Españoles, según el Ordenamiento nacional (art. 3 LEP). No obstante, se podrá conceder, ya que el art. 13.2 CE no lo prohíbe, solo cuando se trate de delitos de singular gravedad.

«En esta materia, y en relación con la extradición de nacionales españoles, el auto de Pleno de esta Sala de fecha 11 de mayo de 2015, recuerda el auto de la Sección Segunda de esta Sala de fecha 29 de marzo de 2012 que a su vez se remitía a otro auto de 4 de julio de 2002, en el que se indicaba que "El Pleno de la Sala de lo Penal de la Audiencia Nacional ha interpretado el alcance de la cláusula del artículo 4, entendiendo que es posible acceder a la extradición de un nacional a los Estados Unidos de América, dado que la Constitución en su artículo 13.3 no prohíbe la extradición de nacionales. Una doctrina equivalente se ha mantenido desde entonces, lo que nos ha llevado a acceder a la las reclamaciones de extradición formuladas contra ciudadanos españoles por diversos países de la Unión Europea y de Latinoamérica. Ahora bien, es obvio que el hecho de que el Tratado reconozca la posibilidad de acceder, no significa la obligación de hacerlo; y este Tribunal cuando, ha accedido a la entrega de los propios nacionales lo ha hecho partiendo de la base de que se trataba de delitos de singular gravedad, como lo es el de tráfico de estupefacientes (autos de 30 de julio de 1998 y 17 de junio de 1999)", como así sucede en el caso de autos». AAN. 75/2015 —Sala de lo Penal—, 25 septiembre 2015.

Será posible la extradición de ciudadanos que ostenten la doble nacionalidad del país requirente y del requerido (España), ya que impide conceder primacía a la nacionalidad española y la aplicación dl art. 3.1 LEP.

«Esta situación de doble nacionalidad efectivamente ejercida por el reclamado, impide conceder primacía a lo establecido en el art. 3.1 de la Ley de Extradición Pasiva, sobre prohibición de extraditar a los nacionales españoles, ya que se reitera que el reclamado también es nacional egipcio por voluntad propia. Obrar de otro modo, como pretende la defensa del interesado, crearía un espacio de impunidad contrario a los principios de respeto a las reglas de la buena fe y de proscripción del abuso del derecho, respectivamente consagrados en los artículos 11.1 de la Ley Orgánica del Poder Judicial y 7.2 del Código Civil». STC 232/2012, 10 diciembre.

5. Mantenimiento de la regla de que la extradición es función del Poder Ejecutivo, sin perjuicio de que su aspecto técnico, procesal y penal ha de resolverse por los Tribunales, con la intervención del Ministerio Fiscal.

«En el proceso en vía judicial de la extradición no se decide acerca de la hipotética culpabilidad o inocencia del sujeto reclamado, ni se realiza un pronunciamiento condenatorio, sino simplemente se verifica el cumplimiento de los requisitos y garantías previstos en las normas para acordar la entrega del sujeto afectado, de manera que la queja del recurrente no se halla en el ámbito propio del expresado derecho fundamental, sin que, por lo demás, como señala el Ministerio Fiscal, el recurrente se refiera en su demanda de amparo a una eventual vulneración del derecho fundamental a la legalidad penal, reconocido en el artículo 25.1 CE». ATC 138/01 de 1 de junio. Véase también STC 134/2000, de 16 de mayo.

La circunstancia de otorgar al Poder Ejecutivo la facultad última de considerar la demanda de extradición, amparándose en un acto de soberanía, podrá dar lugar a la discrecionalidad. Si bien es cierto, y así se señala, que el Poder Ejecutivo no podrá decretar la entrega una vez que la extradición ha sido denegada por el Tribunal, también lo es que en base a los principios de reciprocidad, soberanía, seguridad, orden público y otros intereses nacionales, puede rechazar cualquier demanda aun después de que el Tribunal se hubiera pronunciado favorablemente[120].

6. Posibilidad de adoptar medidas cautelares dirigidas exclusivamente a evitar la fuga del sometido a extradición —art. 8.3— LEP (véase *infra* § 3.3.B.d de este Capítulo).

7. Control de las garantías y derechos del reclamado.

Ni en el régimen general de las extradiciones bajo el CEEx (Convenio Europeo de Extradición) ni en el regulado con carácter supletorio en ausencia de lo previsto en los Tratados en la Ley de Extradición Pasiva, se prevé ninguna clase de control por parte las autoridades reclamadas sobre insuficiencia probatoria o sobre el cumplimiento de sus derechos y garantías procesales.

> «Ni en el régimen general de las extradiciones bajo el CEEx (Convenio Europeo de Extradición) ni en el regulado con carácter supletorio en ausencia de lo previsto en los Tratados en la Ley de Extradición Pasiva no se prevé ninguna clase de control por parte las autoridades reclamadas sobre la suficiencia probatoria que ha de sustentar la imputación fáctica sobre la que se basa la extradición, ni en cuanto a elementos de identificación de los posibles responsables penales de los hechos ni en cuanto a la concurrencia de los elementos típicos penales que conforman el delito o delitos imputados. Tampoco se prevé ningún específico control, fuera del más obvio referido al debido respeto de los derechos humanos más básicos e irrenunciables, en cuanto a las formalidades en la obtención de las pruebas, ni en sí mismo del sistema de garantías propias del procedimiento penal del Estado reclamante, singularmente en lo referente a si el imputado estuvo o no presente en la fase de investigación de procedimiento, limitándose este control a si efectiva el reclamado ha tenido o no posibilidades de ejercitar de forma efectiva su derecho de defensa en el momento de llevarse a cabo el enjuiciamiento (Protocolo segundo al CEEx)». AAN 1/2008 —Sala de lo penal—, 8 de enero de 2008.

Si la solicitud de extradición se basa en sentencia dictada en rebeldía del reclamado, en la que este haya sido condenado a pena que, con arreglo a la legislación Española, no puede ser impuesta a quien no haya Estado presente en el acto del juicio oral, se concederá la extradición condicionándola a que la representación diplomática en España del País requirente, en el plazo que se le exija, ofrezca garantías suficientes de que el reclamado será sometido a nuevo juicio en el que deberá estar presente y debidamente defendido (art. 2.3 LEP). En estos casos bastará la garantía a un nuevo proceso, sin que se pueda exigir al Estado requirente la asistencia del acusado.

---

(120) Vid. GARCÍA BARROSO, ob. cit. en nota 53, p. 57; LÓPEZ AGUILAR, ob. cit.

«Por otra parte, incluso en el ámbito de competencia del órgano judicial penal, a pesar de lo que sostiene el promotor del amparo, no se trata de la mera transcripción de preceptos procesales, sino de un compromiso de la representación diplomática en España del Estado requirente que, en aplicación de la legislación vigente en Bélgica, garantiza el derecho de la persona condenada en rebeldía a otro proceso en presencia de las partes interesadas. Únicamente lo que no puede garantizar es que "Jean Louis Paul utilizará tal derecho o que después de formular oposición, no vaya a renunciar a dicho derecho"». ATC 924/1987, 15 de julio 1987.

Aunque la condena se haya dictado en ausencia del condenado, puede admitirse su extradición con base en la circunstancia de que la existencia de Tratados garantiza la homogeneidad constitucional y jurídico-penal y que en el proceso celebrado en el Estado reclamante se observaron las garantías mínimas exigidas por el derecho de defensa[121].

«Por el contrario, ante solicitudes de extradición cubiertas normativamente por el Convenio Europeo de Extradición, que faculta a los Estados para la entrega de los nacionales, no puede entenderse, en principio, que sea arbitraria la entrega en el caso concreto, pues, de un lado, como acabamos de afirmar, la existencia del Tratado constituye al menos un indicio de la presencia de la mínima homogeneidad constitucional y jurídico-penal que ha de estimarse necesaria a efectos de despejar posibles recelos ante la hipotética desigualdad que pudiera producirse a un nacional como consecuencia de su enjuiciamiento bajo las leyes de otro Estado. Y, de otro, no se puede olvidar que la extradición de nacionales en el ámbito de los países firmantes del Convenio de Roma, e Italia lo es, no puede suscitar sospechas genéricas de infracción de los deberes estatales de garantías y protección de los derechos constitucionales de los ciudadanos, dado que se trata de países que han adquirido un compromiso específico de respeto de los derechos humanos y que se han sometido voluntariamente a la jurisdicción del Tribunal Europeo de Derechos Humanos, garante en última instancia de los derechos fundamentales de todos con independencia de las diferentes culturas jurídicas de los países firmantes de dicho Convenio. En este marco ha de insertarse la afirmación del Auto del Pleno de la Audiencia Nacional (F. 3) de que la "legislación de Italia garantiza un juicio con todas las garantías en el marco del Convenio Europeo de Derechos Humanos", pues con ella se está efectuando una remisión implícita al *status* mínimo común en materia de derechos fundamentales, y, en todo caso, a que el Tribunal Europeo de Derechos Humanos es, en último término también, el garante de los derechos fundamentales de los españoles. A la vista de lo anterior no puede decirse que las resoluciones judiciales impugnadas carezcan de motivación, o que ésta sea irracional, arbitraria o errónea, sino que han de considerarse producto de una de las interpretaciones posibles de normas infraconstitucionales que no se opone al derecho a la tutela judicial del reclamado». STC 102/2000 de 10 de abril. En el mismo sentido STC 110/2002 de 6 de mayo[122].

---

(121) RODRÍGUEZ SOL, L., *La extradición a Italia de personas condenadas en rebeldía, analizada en el marco del espacio judicial Europeo*.

(122) «Como este Tribunal ha tenido ocasión de constatar al dictar las SSTC 141/1998, de 29 de junio, 147/1999, de 4 de agosto, 91/2000, 134/2000, de 16 de mayo, 162/2000 y 163/2000 de 12 de junio (que impugnaban resoluciones judiciales dictadas en materia de extradición), con posterioridad a los Autos de 1994 y 1996, ofrecidos en la demanda de amparo como término de comparación, el Pleno de la Sala de lo Penal de la Audiencia Nacional ha venido sosteniendo reiteradamente que la interpretación conjunta del art. 1 del Convenio Europeo de Extradición y las pre-

La cosa juzgada será motivo de denegación de la extradición (art. 4.5º LEP) cuando los hechos perseguidos en la demanda de extradición hayan sido objeto de un previo proceso y sentencia sobre el fondo, ya sea condenatoria o absolutoria[123]. En cambio, las resoluciones que resuelven los procedimientos de extradición no producen efectos de cosa juzgada, ya que solo se pronuncian sobre el cumplimiento de los requisitos y garantías previstos en las normas para acordar la entrega del sujeto reclamado. Esta doctrina, sentada por el TC[124], deberá también ser aplicada no solo cuando la resolución haya sido dictada por la Audiencia Nacional en España, sino cuando la resolución denegatoria haya sido dictada por otro Estado miembro[125], ya que de lo contrario se vulneraría el art. 13.1 CE[126].

8. Denegación por posible vulneración de derechos

Cuando se alegue por el reclamado una posible vulneración presente o futura de sus derechos por el Estado requirente no deberá acreditarlo de modo pleno y absoluto, ya que sería de, prácticamente, imposible prueba. Bastará que justifique la existencia un temor racional y fundado a que se produzca la vulneración.

---

visiones del Título III del Segundo Protocolo Adicional al mismo permiten conceder la extradición también en caso de que la reclamación tenga como título una condena dictada "in absentia" si los órganos de la Jurisdicción Española consideran que en el proceso celebrado en el Estado reclamante se observaron las garantías mínimas exigidas por el derecho de defensa. Y éste es, precisamente, el argumento utilizado en los Autos impugnados para justificar la decisión favorable a la extradición. Por ello, como dijimos en la STC 91/2000, F. 4, al margen de su acierto, tal razonamiento permite contemplar las resoluciones impugnadas como expresión de un criterio jurídico fundado, y no como un acto de arbitrariedad, que introduce una diferencia de trato artificiosa o injustificada por no venir fundadas en criterios objetivos y razonables». STC 110/2002 de 6 de mayo.

(123)　Art. 50 Carta de derechos fundamentales de la Unión Europea: *«Nadie podrá ser juzgado o condenado penalmente por una infracción respecto de la cual ya haya sido absuelto o condenado en la Unión mediante sentencia penal firme conforme a la ley».*

(124)　«Por lo que se refiere, en particular, a la posibilidad de otorgar efecto de cosa juzgada a las resoluciones que resuelven sobre la procedencia o no de la entrega con causa extradicional, hemos declarado que, en atención precisamente a la propia naturaleza del proceso extradicional, «las resoluciones que resuelven los procedimientos de extradición no producen el efecto de cosa juzgada y, por lo tanto, pueden en determinados supuestos ser sustituidas por otras». (SSTC 227/2001, de 26 de noviembre (LA LEY 1125/2002), FJ 5; 156/2002, de 23 de julio (LA LEY 6511/2002), FJ 3; 83/2006, de 13 de marzo (LA LEY 21996/2006), FJ 3)». STC 177/2006, de 5 de junio.

(125)　BAUTISTA SAMANIEGO, C.M., «Cosa juzgada y denegación de la extradición», *La Ley* nº 8852, 27 octubre 2016: «La cuestión que ahora se plantea es la de si dicha resolución anterior denegatoria tiene iguales efectos vinculantes si, en vez de provenir de la Audiencia Nacional, se origina en otro país de la Unión. Existe la posibilidad de que, interpretando el art. 50 de la Carta de derechos fundamentales de la Unión Europea (LA LEY 12415/2007), se alcance dicha conclusión por el Tribunal de Justicia de la Unión Europea, cuya doctrina es aplicable en todos los países de la Unión. Otra opción es que la Audiencia Nacional, de manera directa, a través del art. 82 del TFUE (LA LEY 6/1957), llegue a dicha conclusión. De lege ferenda sería una opción normativa considerar a nivel europeo».

(126)　Vid. BAUTISTA SAMANIEGO, C.M., «Cosa Juzgada y denegación de la extradición», *Diario La Ley*, nº 8852, Sección Tribuna, 27 de octubre de 2016, Ref. D-378; GÓMEZ-JARA DÍEZ, C., «Artículo 54 del Convenio Schengen y proceso de extradición: a propósito del auto de la Audiencia Nacional de 14 de enero de 2013 y el concepto de cosa juzgada europea», *Diario La Ley*, nº 8042, Sección Doctrina, 13 de marzo de 2013, Ref. D-98.

«Para estimar esta eventual vulneración no cabe, como tienen establecido tanto el Tribunal Constitucional como el Tribunal Europeo de Derechos Humanos, exigir que la "persona acredite de modo pleno y absoluto la vulneración de sus derechos en el extranjero, de la que van a derivarse consecuencias perjudiciales para la misma, o que esa vulneración va a tener lugar en el futuro, toda vez que ello supondría normalmente una carga exorbitante para el afectado" (STC 32/2003, de 13 de febrero). Así debe estimarse suficiente que se justifique la existencia un temor racional y fundado de que estos derechos del reclamado pueden ser vulnerados por parte de los órganos del Estado requirente, y deberá excluirse la entrega la entrega de sujetos que, presumiblemente, con cierto grado de seguridad, puedan sufrir vulneraciones relevantes, por existir al respecto un temor racional y fundado». AAN 73/2015 —Sala de lo Penal—, 22 septiembre 2015.[127]

No se entenderá que existe una vulneración de derechos fundamentales cuando solo se alegue un temor a no recibir una adecuada asistencia sanitaria.

«Otra cosa es que el reclamado sienta el temor de no recibir la adecuada asistencia sanitaria. Ciertamente, el informe facultativo forense obrante en autos estima ser precisa la estricta observancia de pautas dietéticas, de tratamiento y de control médico, si bien se añade que las patologías padecidas permiten al reclamado hacer una vida normal. Tal alegación acerca de las afirmadas carencias sanitarias escapa de las posibilidades resolutorias de la Sala, tanto más cuanto la manifestación del recurrente al respecto lo considera como riesgo eventual, por lo que deberá aducirse ante la autoridad judicial o penitenciaria de la Federación de Rusia en función, además, de las garantías ofrecidas por la Fiscalía de la Federación de Rusia en escrito de 22/mayo/09 (f. 172)». AAN 25/2011 —Sala de lo Penal—, 19 mayo, Rec. 24/2011.

b) Tramitación

1) Fase gubernativa previa

La fase gubernativa previa de la solicitud de extradición se formulará por vía diplomática o por el Ministerio de Justicia. Se acompañará de la sentencia condenatoria, auto de procesamiento o prisión, o resolución análoga según la legislación del país requirente, que contengan relación de los hechos imputados (art. 9 LEP).

El Ministerio de Asuntos Exteriores pasará al de Justicia la solicitud, y éste, en el plazo de ocho días, elevará al Gobierno propuesta razonada sobre si ha lugar o no a continuar el procedimiento en vía judicial. Si el acuerdo del Gobierno fuere denegatorio, se comunicará al Estado requirente por el mismo conducto. Cuando el Gobierno acuerde lo contrario, oficiará al Ministerio del Interior para la detención de la persona reclamada. Cualquiera de los dos acuerdos señalados se tomará en el

---

(127) «En tales condiciones, y valorando que el interesado ha dejado sin acreditar de forma mínima que quede sujeto a un tribunal excepcional o "ad hoc", sin las garantías que aseguren el derecho al proceso debido, en función de hechos que puedan encubrir razones políticas, se está en el caso de dar prevalencia al interés público frente al interés particular del apelante. En consecuencia, la denegación de la suspensión de la ejecución debe llevar a que el acto administrativo despliegue sus efectos, de acuerdo con la norma general establecida en el artículo 56 y 57 de la Ley 30/1992, de 26 de noviembre, de Régimen Jurídico de las Administraciones Públicas y del Procedimiento Administrativo Común». SAN Sala de lo contencioso, 29 abril 2009, Rec. 166/2009.

plazo de quince días. Estos acuerdos del Consejo de Ministros serán recurribles en vía contencioso administrativa, ya que tienen la consideración de actos de mero de trámite no susceptible de ser recurrido en esta sede jurisdiccional.

«Debemos reiterar lo que ya decíamos en el fundamento de derecho tercero de nuestra anterior sentencia de 16 de marzo de 2015 del texto literal siguiente: Este Tribunal ha tenido ocasión de pronunciarse en numerosas sentencias sobre la posibilidad de impugnar en sede contencioso-administrativa los Acuerdos del Consejo de Ministros que deciden continuar con el procedimiento de extradición pasiva solicitada por otro Estado. Como ya dijimos en sentencia de 29 de enero de 2004, con cita de la de 24 de junio de 2003 y reiteramos en la de 2 de febrero de 2010 —recurso de casación 255/2009— y 22 de septiembre de 2014 (rec. 419/2013) "El citado acuerdo por el que se decide por el Gobierno continuar la extradición tiene indudables efectos, culminando esta primera fase del procedimiento complejo y originando, si fuere denegatorio de la continuación, la notificación al Juez, si el reclamado estuviera en prisión, para que acuerde su libertad y abriendo, de acordarse la continuación del procedimiento en vía judicial, la segunda fase procedimental ya ante el Juzgado Central de Instrucción y, como dispone el artículo 11 de la Ley, si el reclamado no estuviera en prisión, el Ministerio de Justicia oficiará también al Ministerio del Interior para que se practique la detención"». STS, Sala 3ª, 22 febrero 2016, rec. 814/2015. Ver también, STS, Sala 3ª, 22 febrero 2016, Rec. 813/2015

El expediente de extradición se remitirá al Juzgado Central de Instrucción —art. 11— y se comunicará al Juzgado que tuviera al sujeto en prisión preventiva, y si no fuera ésta la situación personal, verificada la detención, la policía redactará el oportuno atestado y en el plazo de 24 horas lo entregará con el detenido y documentos, efectos o dinero, al Juzgado Central de Instrucción.

No cabe solicitar información genérica que puede afectar a terceras personas para comprobar la estadística de aplicación del principio de reciprocidad, y su aplicación en expedientes administrativos de extradición con relación a un determinado país.

«Debiéramos decir entonces que el acceso a documentos sobre procedimientos de extradición en tanto en cuanto contiene los datos personales de personas reclamadas por la presunta comisión de delitos está vedada a un tercero en virtud de los apartados 2 (intimad de las personas) y 3 por la analogía de la limitación de acceso a documentos de expedientes sancionadores o disciplinarios dada la mayor gravedad que implica la posible comisión de un delito. Por este motivo no podía permitirse el acceso a estos documentos insertos en expedientes nominativos tramitados por la presunta comisión de un delito, todavía en el ámbito exclusivo del artículo 37 de la Ley 30/92 como desarrollo del artículo 105 de la Constitución en que se dictaron los actos. .../... De los artículos reproducidos se deduce que se reconoce, con carácter general, el derecho de acceso a registros y documentos que formen parte de un expediente administrativo finalizado solicitado en una forma concreta, formulando petición individualizada de los documentos que se desee consultar y no solicitud genérica sobre una materia o conjunto de materias, que no impida el normal funcionamiento del servicio. De hecho es precisamente porque se permite el acceso al propio documento por lo que no se reconoce el derecho a tal acceso al tercero (no sujeto del expediente) cuando contiene datos sobre la intimidad personal ni aquellos que versen sobre cuestiones trascedentes para el Estado o instituciones políticas». STSJ

Madrid 268/2015, Sala de lo contencioso, 19 mayo 2015. Ver también STSJ Madrid 237/2015, Sala de lo contencioso, 19 mayo 2015.

La decisión administrativa que acuerde el Gobierno en esta primera fase sirve solo para que continúe el procedimiento por cumplirse formalmente los requisitos del art. 2 a 5 LEP, ya que la valoración sustantiva del cumplimiento de los mismos corresponderá al órgano jurisdiccional en la siguiente fase.

«En el supuesto que nos ocupa, nos encontramos en la primera de estas fases, en la que el Gobierno decide continuar con el procedimiento de extradición. Se trata de una decisión administrativa que tiene un alcance limitado, pues tal y como ha precisado una numerosa jurisprudencia (entre las más recientes STS de 22 de septiembre de 2014, rec. 419/2013) "... se trata de una decisión administrativa, con los efectos que antes se han indicado para la continuación del procedimiento, a la vista de los requisitos establecidos en los referidos arts. 2 a 5 de la Ley, pero sin que ello suponga una resolución administrativa sobre la concurrencia de los mismos ni menos aún vincule o condicione la valoración que corresponde efectuar al órgano jurisdiccional, el cual decide de forma originaria sobre la concurrencia de los requisitos en cuestión y no revisando la apreciación que haya podido llevar a cabo la Administración en la fase inicial del procedimiento". De modo que esta decisión no puede asumir un control sustantivo de los requisitos previstos en la Ley para conceder o denegar la extradición, reservado a la fase judicial posterior, pero indudablemente tiene un contenido positivo que, aunque limitado, abarca el control de las formalidades extrínsecas de la solicitud de extradición formulada por otro Estado, en donde se incluye, entre otros, la comprobación de dicha solicitud se formule por el conducto y la autoridad correspondiente y vaya acompañada de la documentación prevista en la Ley 4/1985, de 21 de marzo de Extradición Pasiva y, en su caso, en los Tratados bilaterales o multilaterales suscritos por España con el país solicitante de la extradición». STS, Sala 3ª, 16 marzo 2015, Rec. 451/2014.

Si faltasen los documentos que necesariamente deben acompañar a la solicitud del Estado requirente, conforme a los arts. 7 y 8 LEP, se deberá denegar la continuación del procedimiento, evitando que pase a la segunda fase, de carácter jurisdiccional. El acompañamiento de estos documentos persigue que en el expediente obren todas aquellas circunstancias que, conforme a los artículos 2 a 5 de la Ley, determinan la extradición y cuya valoración corresponde efectuar en fase jurisdiccional, a un órgano judicial, en procedimiento contradictorio[128].

---

(128) «El artículo 7 de la Ley 4/1985, de 21 de marzo, de Extradición Pasiva, al indicar los documentos que deben acompañarse con la solicitud de extradición y los datos que deben ser facilitados, persigue que en el expediente obren todas aquellas circunstancias que conforme a los artículos 2 a 5 de la Ley determinan la extradición y cuya valoración corresponde efectuar en fase jurisdiccional, a un órgano judicial, en procedimiento contradictorio, cuyo pronunciamiento goza del valor decisorio propio de las resoluciones judiciales, a diferencia del acuerdo del Consejo de Ministros de la fase previa, decisión administrativa con los efectos limitados de continuación del procedimiento y a la vista de los requisitos establecidos en los referidos artículos 2 a 5 de la Ley, pero sin que ello suponga, siguiendo sentencia de 2 de marzo de 2010 —recurso 255/09— "... una resolución administrativa sobre la concurrencia de los mismos ni menos aun vincule o condicione la valoración que corresponde efectuar al órgano jurisdiccional, el cual decide de forma originaria sobre la concurrencia de los requisitos en cuestión y no revisando la apreciación que haya podido

«Frente a ello no puede compartirse la alegación del Abogado del Estado consistente en entender que la ausencia de los documentos que deben acompañar a la solicitud de extradición no impide la continuación del procedimiento, pasando a la fase judicial, pues el art. 12 de la Ley 4/1985, de 21 de marzo, de Extradición Pasiva permite que… Y ello porque tal previsión legal implica la posibilidad de solicitar información complementaria a la que necesariamente ha de constar ya en la petición de extradición pues de lo contrario dejaría vacía de contenido la primera fase del procedimiento de extradición y el control que en ella es necesario realizar, en los términos que hemos razonado anteriormente. Por otra parte, esta información complementaria no abarca la aportación de la orden de detención que necesariamente ha de acompañar a la solicitud de extracción y sin la cual no es posible dar trámite a la misma». STS, Sala 3ª, 16 marzo 2015, Rec. 451/2014.

2) Fase judicial

La competencia corresponde al Juez Central de Instrucción, de acuerdo con el art. 88 LOPJ. La fase judicial comienza con la inmediata comparecencia del detenido que deberá valerse de Abogado y en su caso de intérprete, además de la preceptiva intervención del Ministerio Fiscal (arts. 11 ss. LEP.). Una vez identificado, le invitará a que manifieste si consiente en la extradición o se opone a ella (véase M. 402 y M. 403). En 24 horas, el Juez dictará auto en el que podrá acceder a la extradición, si la consintiere y no existen obstáculos legales (art. 12.2 LEP), o bien acordar la libertad o prisión del detenido, con elevación de lo actuado a la Sala Penal de la Audiencia Nacional. (Véase M. 404).

En esta fase no se decide sobre la culpabilidad del sometido al procedimiento, sino sobre la existencia de todos los requisitos y garantías previstos en la Ley para autorizar la entrega del sujeto.

«En el proceso en vía judicial de la extradición no se decide acerca de la hipotética culpabilidad o inocencia del sujeto reclamado ni se realiza un pronunciamiento condenatorio, sino simplemente se verifica el cumplimiento de los requisitos y garantías previstos en las normas para acordar la entrega del sujeto afectado (SSTC 102/1997, 222/1997 y 5/1998; AATC 307/1986, 263/1989 y 277/1997)». Así pues, la queja del recurrente en amparo no se halla propiamente en el ámbito del expresado derecho fundamental, sino en el del derecho a un proceso público con todas las garantías, derecho al que nos referimos a continuación». STC 134/2000 de 16 de mayo.

En la Audiencia Nacional se pondrá de manifiesto al Fiscal y al Abogado defensor por un plazo sucesivo de tres días, y se señalará día para la vista dentro de los 15 siguientes, en la que también podrá intervenir un representante del Estado requirente. Celebrada la vista, el Tribunal dictará auto en el plazo de tres días resolviendo sobre la procedencia de la extradición.

Contra la resolución de la Audiencia cabe únicamente recurso de súplica ante el Pleno de la Sala de lo Penal de la Audiencia Nacional, sin que pueda ser designado ponente ninguno de los Magistrados que dictaren el auto suplicado – art. 15. 2 LEP—.

---

llevar a cabo la Administración en la fase inicial del procedimiento"». STS, Sala 3ª, 30 enero 2013, Rec. 374/2012.

Los procesos de extradición pasiva pueden ser objeto de recurso de amparo, siempre que se solicite en base a una violación de los derechos reconocidos en los arts. 14 a 29 y 30 CE (STC 11/83, de 21 febrero).

> «De otra parte tampoco puede desconocerse el deber del Estado de proteger y garantizar los derechos fundamentales de quienes integran y constituyen su propia razón de ser, al punto de que el Estado debe garantizar, al menos, que con la entrega del nacional no va a contribuir a la vulneración de los derechos del extraditado al ser sometido a juicio (SSTC 13/1994, de 17 de enero, F. 4, 141/1998, de 29 de junio, F. 1 y Sentencia del Tribunal Europeo de Derechos Humanos de 7 de julio de 1989 [TEDH 1989\2], caso "Soering", A. 161, § 85 y ss.). Y este deber es tanto más relevante en ausencia de Tratado, por cuanto su existencia constituye una mínima garantía de homogeneidad de los ordenamientos jurídico-constitucionales de los Estados firmantes». STC 102/2000 de 10 de abril.

Aunque, el TC ha declarado que no se vulnera el principio de defensa, cuando el Estado requirente asume el compromiso de cumplir las garantías fijadas por el Tribunal competente del Estado español.

El Ministerio de Justicia remitirá el auto concediendo o denegando la extradición al Ministerio de Asuntos Exteriores, y éste lo notificará al representante diplomático del país reclamante (art. 17).

3) Fase final gubernativa

La fase final, tras la resolución judicial, es administrativa puesto que el auto que concede la extradición no vincula al Gobierno, ya que éste podrá denegarla en el ejercicio de la soberanía nacional, por razones de reciprocidad, soberanía, seguridad, orden público y otros intereses nacionales, y esta resolución será irrecurrible (art. 18 LEP.).

> «Conforme se indica en la sentencia citada de 27 de enero de 2010 la decisión del Consejo de Ministros prevista en el artículo 6 de la Ley 4/1985, de 21 de marzo, que es la en definitiva adoptada en la resolución aquí recurrida, es una decisión de carácter político excluida del control jurisdiccional en cuanto al fondo y respecto de la cual solamente cabe el control por la jurisdicción de los elementos reglados de la misma a los que al recurso ni siquiera hace referencia». STS, Sala 3ª, 13 mayo 2011, Rec. 142/2010.[129]

---

(129) «Sobre la base de la normativa vigente —que es la que hemos de aplicar—, en la que, como hemos dicho, se ha recogido el sistema mixto, tanto por parte de España como del Reino Unido, de tal modo que la última palabra sobre la concesión de la extradición pasiva corresponde al Poder Ejecutivo, que puede denegarla por razones de oportunidad política —al corresponder al Gobierno la dirección de la política interior y exterior del Estado (art. 97 CE)—, una razón de analogía (art. 4.1 Código Civil) justificaría la aplicación de un mismo criterio sobre el órgano del Estado al que corresponde la última palabra sobre la extradición activa, por cuanto tanto en una como en otra pueden concurrir razones de oportunidad política». ATS Sala Segunda, de lo Penal, Auto de 6 Mar. 2000, Rec. 620/2000; Ponente: Puerta Luis, Luis Roman. LA LEY 245471/2000. Ver también STS, Sala 3ª, 11 junio 2008, Rec. 475/2006: «La posibilidad de actuación que corresponde al Gobierno tras la decisión favorable a la extradición que haya adoptado la Audiencia Nacional, está regulada en los artículos 6 y 18.1 de la Ley 4/85, estableciendo el primero que la declaración de la procedencia de la extradición no resulta vinculante para el Gobierno que podrá denegarla

Acordada la entrega, el Ministerio de Justicia lo comunicará al de Asuntos Exteriores para que sea puesto en conocimiento del país reclamante y al interesado, así como el lugar y la fecha de la entrega por agente español. Si el sujeto objeto de extradición cumple condena o está siendo juzgado en España, podrá aplazarse la entrega, y si ésta no fuera recibida, podrá el sujeto ser puesto en libertad en quince días, y necesariamente en treinta días (art. 19 LEP).

4) Medidas de aseguramiento

Entre estas cabe acordar la vigilancia a domicilio, la orden de no ausentarse de un lugar, de presentarse periódicamente, retirada de pasaporte, o la prestación de fianza que, en cualquier caso únicamente pueden adoptarse para evitar el riesgo de fuga[130].

Como medida de aseguramiento en la extradición podrá pedirse la detención como medida preventiva urgente. Se trata de una cautela con la única finalidad de evitar la fuga del sometido a la extradición, que queda sometida a criterios específicos de esta materia.

> «Cierto es que la privación cautelar de libertad en estos casos es, por sus efectos materiales, idéntica a la que cabe acordar en el proceso penal, pero mantiene puntos diferenciales que han de ser resaltados. Así, se produce en un proceso judicial dirigido exclusivamente a resolver sobre la petición de auxilio jurisdiccional internacional en que la extradición consiste. No se ventila en él la existencia de responsabilidad penal, sino el cumplimiento de las garantías previstas en las normas sobre extradición, y, por ello, no se valora la implicación del detenido en los hechos que motivan la petición de extradición, ni se exige la acreditación de indicios racionales de criminalidad, ni son aplicables en bloque las normas materiales y procesales sobre la prisión provisional previstas en la LECrim, aunque el párrafo tercero del art. 10 LEP se remita, subsidiariamente, a los preceptos correspondientes de la misma reguladores del límite máximo de la prisión provisional y los derechos que corresponden al detenido. Además, su adopción, mantenimiento y duración se regula expresamente en la LEP y se dirige exclusivamente a evitar la fuga del sometido a extradición —art. 8.3— LEP. Y se decreta, por último, sobre quien no está dispuesto a comparecer ante los Tribunales que le reclaman sean o no de su nacionalidad pues para ello ha huido de su territorio o se niega a regresar a él». STC 207/2000 de 24 de julio. Véanse también SSTC 71/2000, 5/1998, de 12 de enero.

---

en el ejercicio de la soberanía nacional, atendiendo al principio de reciprocidad o razones de seguridad, orden público o demás intereses esenciales para España, disponiendo el art. 18 que si el Tribunal dictare Auto declarando procedente la extradición, librará sin dilación testimonio del mismo al Ministerio de Justicia y el Gobierno decidirá la entrega de la persona reclamada o denegará la extradición, de conformidad con lo dispuesto en el precepto anterior».

(130) «El art. 8.3 de la Ley 4/1985, de Extradición Pasiva determina que la finalidad de la libertad bajo fianza de un reclamado en una solicitud de extradición es únicamente la de evitar su fuga. El precepto no tiene en cuenta otros posibles objetivos, como por ejemplo el cumplimiento de una condena, ya que el proceso extraditorio no tiene por objeto determinar si existe o no responsabilidad penal, sino si la pretensión del Estado requirente de que se le entregue a un sujeto para enjuiciarle o para ejecutar la pena o medida de seguridad, cumple las garantías formales y materiales previstas en las disposiciones a las que se refiere el art. 13.3 de la Constitución». ATC 158/2000 de 15 de junio.

La solicitud se formulará bien por vía diplomática al Ministerio de Justicia, o por conducto de la Organización Internacional de Policía Criminal. También es posible solicitar la detención provisional, por medios de una descripción introducida en el Sistema de Información de Schengen (art. 64 del Convenio); y se hará constar que existe sentencia condenatoria o mandamiento de detención firmes, con expresión de la fecha, hechos, tiempo y lugar de la comisión de éstos y filiación de la persona cuya detención se interesa (art. 8.1 LEP).

Para estos casos de detención provincial deberá ponerse al detenido, en un plazo máximo de 24 horas, a disposición del Juzgado Central de Instrucción, pues el procedimiento de extradición en esta fase, aunque sigue teniendo carácter gubernativo, resulta necesaria la intervención judicial para mantener privado de libertad al reclamado más de setenta y dos horas, por imperativo del art. 17.2 CE[131].

En todo caso, decretada la prisión provisional, quedará ésta sin efecto si, transcurridos 40 días, el país requirente no hubiera presentado en forma la solicitud de extradición. Si se hubiese presentado dentro de dicho plazo, podrá ampliarse por otro plazo de 40 días (art. 10 LEP.). Ello sin perjuicio de proceder a una nueva detención y/o posterior extradición, si posteriormente a dicho plazo llegara la solicitud de extradición. A este respecto el TC ha declarado que no se precisará la previa petición para que pueda ser acordada o mantenida la prisión provisional (Véase la STC 207/2000 de 24 de julio; ATC 277/1997).

Una vez que concluya el procedimiento de extradición por auto firme la prisión provisional se regirá por las normas de la LECrim, según establece el art. 10 LEP, incluyendo el tiempo máximo de permanencia en esta situación que será el previsto de modo general en la LECrim, sin perjuicio de la superposición de distintos períodos de cumplimiento[132].

---

(131) «... La fijación de un plazo máximo de prisión cuando la Ley no lo fija... no es un ataque a aquel derecho sino todo lo contrario, una medida dirigida a su protección... bastando, al respecto, que dentro de este plazo el Ministerio de Justicia le comunique al Juez haberse recibido la solicitud, pues el procedimiento de extradición en esta fase sigue teniendo carácter gubernativo, aunque sea necesario la intervención judicial para mantener privado de libertad al reclamado más de setenta y dos horas, por imperativo del art. 17.2 CE...». (STC 13/85, de 31 enero).

(132) «Una vez que concluye la fase judicial de extradición mediante Auto firme en el que se declara procedente la extradición, la Ley de Extradición Pasiva reconoce implícitamente la posibilidad de que continúe la situación de prisión provisional. Así cabe deducirlo del art. 18.3 LEP, donde se indica que si el Gobierno deniega la extradición, lo comunicará al Tribunal para que acuerde la puesta en libertad de la persona reclamada. La misma conclusión se deriva del art. 19.3 LEP, en el que, habiendo acordado el Gobierno la entrega, se establece que si la persona reclamada no hubiera sido recibida por las autoridades o agentes del Estado requirente en la fecha y lugar fijados, podrá ser puesta en libertad transcurridos quince días a contar desde dicha fecha y necesariamente a los treinta. La doctrina de este Tribunal ha reconocido que en el ámbito de la extradición pasiva hay que tener en cuenta como límite máximo para la prisión provisional bien el contemplado en los Convenios internacionales aplicables (SSTC 11/1985, de 30 de enero; 115/1987, de 7 de julio, F. 1 como "obiter dicta"; 222/1997, de 4 de diciembre, F. 8 y 5/1998, de 12 de enero, F. 4 y AATC 308/1984, de 23 de mayo, F. 1 y 277/1997, de 16 de julio, F. 3), bien el previsto en la Ley de Enjuiciamiento Criminal (así, SSTC 2/1994, F. 3; 13/1994, de 17 de enero, F. 6; 222/1997, F. 8 y 5/1998, F. 4 y AATC 93/1986, de 29 de enero y 277/1997, F. 3). Simultáneamente resulta preciso tener en cuenta la exigencia del carácter razonable de un período de prisión provisional, previsto en el art.

3.5. Transmisión por los tribunales españoles de una resolución condenatoria europea por la que se impone una pena o medida privativa de libertad (Ley 23/2014)

La exposición de Motivos de la Ley 23/2014 de 20 noviembre, de reconocimiento mutuo de resoluciones penales en la Unión Europea, explica el sistema de reconocimiento mutuo de sentencias penales en el ámbito de los países de UE.

Así indica que el principio de reconocimiento mutuo, basado en la confianza mutua entre los Estados miembros y consagrado en el Consejo Europeo de Tampere como la «piedra angular» de la cooperación judicial civil y penal en la Unión Europea, ha supuesto una auténtica revolución en las relaciones de cooperación entre los Estados miembros, al permitir que aquella resolución emitida por una autoridad judicial de un Estado miembro sea reconocida y ejecutada en otro Estado miembro, salvo cuando concurra alguno de los motivos que permita denegar su reconocimiento. Finalmente, el Tratado de Funcionamiento de la Unión Europea (LA LEY 6/1957) ha supuesto la consagración como principio jurídico del reconocimiento mutuo, en el que, según su artículo 82, se basa la cooperación judicial en materia penal.

Añade que este nuevo modelo de cooperación judicial conlleva un cambio radical en las relaciones entre los Estados miembros de la Unión Europea, al sustituir las antiguas comunicaciones entre las autoridades centrales o gubernativas por la comunicación directa entre las autoridades judiciales, suprimir el principio de doble incriminación en relación con un listado predeterminado de delitos y regular como excepcional el rechazo al reconocimiento y ejecución de una resolución, a partir de un listado tasado de motivos de denegación. Además, se ha logrado simplificar y agilizar los procedimientos de transmisión de las resoluciones judiciales, mediante el empleo de un formulario o certificado que deben completar las autoridades judiciales competentes para la transmisión de una resolución a otro Estado miembro.

A) Requisitos

Las sentencias cuyo régimen de reconocimiento y ejecución se regula en el Título III —arts. 63 y siguientes— de la Ley 23/2014, de 20 noviembre, de reconocimiento mutuo de resoluciones penales en la Unión Europea, son aquellas resoluciones judiciales firmes emitidas por la autoridad competente de un Estado miembro tras la cele-

---

5.3 del Convenio Europeo de Derechos Humanos, y que el Tribunal Europeo ha considerado aplicable a los supuestos de extradición (SSTEDH de 24 de septiembre de 1992, asunto Kolompar c. Bélgica, aps. 40 y 46; de 22 de marzo de 1995, asunto Quinn c. Francia, ap. 48; de 18 de diciembre de 1996, asunto Scott c. España, ap. 74)... La medida cautelar sigue teniendo la naturaleza material de prisión provisional incluso después de que los órganos judiciales hayan declarado procedente la extradición, pues supone una auténtica privación de libertad en el sentido del apartado 1 del art. 17 CE y, consecuentemente, también en el sentido del apartado 4 del mismo precepto (STC 56/1997, F. 10). Además dicha medida no se impone para la ejecución de la extradición, entendida en sentido estricto, ya que ésta consiste en la entrega efectiva del reclamado a las autoridades del Estado requirente, y en el momento procesal al que se ha hecho referencia todavía falta el acuerdo del Gobierno favorable —o en su caso desfavorable— a la extradición. Y por lo tanto la prisión provisional también ha de quedar sometida a la existencia de un plazo máximo de duración, en virtud del art. 17.4 CE». STC 147/2000 de 29 de mayo.

bración de un proceso penal, por las que se condena a una persona física a una pena o medida privativa de libertad como consecuencia de la comisión de una infracción penal, incluidas las medidas de internamiento impuestas de conformidad con la Ley Orgánica reguladora de la responsabilidad penal de los menores. Lo dispuesto en este Título III se aplica únicamente a las penas o medidas pendientes, total o parcialmente, de ejecución. Cuando hayan sido totalmente cumplidas, su consideración en un nuevo proceso penal se regirá por la Ley Orgánica 7/2014, de 12 de noviembre, sobre intercambio de información de antecedentes penales y consideración de resoluciones judiciales penales en la Unión Europea

Son autoridades competentes para la transmisión de una resolución por la que se impone una pena o medida privativa de libertad los Jueces de Vigilancia Penitenciaria, así como los Jueces de Menores cuando se trate de una medida impuesta de conformidad con la Ley Orgánica reguladora de la responsabilidad penal de los menores. En los supuestos en los que no se haya dado inicio al cumplimiento de la condena, será autoridad competente el tribunal que hubiera dictado la sentencia en primera instancia. La autoridad judicial remitirá al Ministerio de Justicia, en el plazo de tres días desde su emisión o desde su reconocimiento y ejecución, una copia de los certificados transmitidos o reconocidos en España (art. 64 Ley 23/14).

La transmisión de una resolución por la que se impone una pena o medida privativa de libertad se podrá realizar tanto de oficio por la autoridad judicial española competente como a solicitud del Estado de ejecución o de la persona condenada. La solicitud de la persona condenada para que se inicie un procedimiento para la transmisión de la resolución se podrá efectuar ante la autoridad competente española o ante la del Estado de ejecución.

Las solicitudes de la autoridad competente del Estado de ejecución y de la persona condenada no obligarán a la autoridad judicial española competente a la transmisión de la resolución. Antes del inicio de la ejecución de la condena, en caso de que la persona condenada no estuviera cumpliendo ninguna otra, el Juez o Tribunal sentenciador, una vez que la sentencia sea firme, podrá transmitir la resolución a la autoridad competente del Estado de ejecución directamente o a través del Juez de Vigilancia Penitenciaria (art. 65).

a) Que el condenado se encuentre en España o en el Estado de ejecución; b) Que la autoridad judicial española considere que la ejecución de la condena por el Estado de ejecución contribuirá a alcanzar el objetivo de facilitar la reinserción social del condenado, después de haber consultado al Estado de ejecución, cuando corresponda; y c) Que medie el consentimiento del condenado, salvo que el mismo no sea necesario, en los términos previstos en el artículo siguiente.

El hecho de que, además de la condena a la pena o medida de seguridad privativa de libertad, se haya impuesto una sanción pecuniaria o decomiso que todavía no haya sido abonada o ejecutado no impedirá la transmisión de la resolución por la que se imponen penas o medidas privativas de libertad. Los pronunciamientos condenatorios de carácter patrimonial podrán amparar la transmisión de resoluciones judiciales de decomiso o de sanciones pecuniarias por parte del Juez o Tribunal sentenciador. Antes de transmitir la resolución, la autoridad judicial competente se asegurará de que no existe ninguna sentencia condenatoria pendiente de devenir firme en relación al condenado (art. 66).

a) Consentimiento del condenado

La transmisión de la resolución por la que se impone una pena o medida privativa de libertad por la autoridad judicial española competente a otro Estado miembro para su reconocimiento y ejecución, exigirá recabar previamente el consentimiento del condenado ante la autoridad judicial competente, que a tal efecto deberá estar asistido de abogado y en su caso, de intérprete y habrá tenido que ser informado en términos claros y comprensibles de la finalidad de la audiencia y del consentimiento. Sin embargo, no será necesario su consentimiento cuando el Estado de ejecución sea:

a) El Estado de nacionalidad del condenado en que posea vínculos atendiendo a su residencia habitual y a sus lazos familiares, laborales o profesionales; b) El Estado miembro al que el condenado vaya a ser expulsado una vez puesto en libertad sobre la base de una orden de expulsión o traslado contenida en la sentencia o en una resolución judicial o administrativa derivada de la sentencia; c) El Estado miembro al que el condenado se haya fugado o haya regresado ante el proceso penal abierto contra él en España o por haber sido condenado en España.

En todo caso, la autoridad judicial competente dará la oportunidad al condenado que se encuentre en España de formular verbalmente o por escrito su opinión. Ésta se tendrá en cuenta al decidir sobre la transmisión de la resolución y se remitirá a la autoridad del Estado de ejecución junto con el resto de la documentación. Cuando la persona condenada, a causa de su edad o estado físico o psíquico, no pueda dar su opinión, la misma se recabará a través de su representante legal (art. 67).

b) Consultas sobre la transmisión de la resolución condenatoria entre el Estado de emisión y el de ejecución

Antes de la transmisión de la resolución por la que se impone una pena o medida privativa de libertad, la autoridad judicial competente podrá consultar a la autoridad competente del Estado de ejecución, por todos los medios apropiados, sobre aquellos aspectos que permitan concluir que la transmisión de la resolución contribuirá a facilitar la reinserción del condenado. Esta consulta será obligatoria en los casos en que la resolución se transmita a un Estado de ejecución distinto de aquél en que el condenado vive y del que es nacional o de aquél al que vaya a ser expulsado una vez puesto en libertad.

Cuando el Estado de ejecución haya respondido a la consulta formulada, la autoridad judicial competente decidirá si transmite o no la resolución o si la retira, en caso de que ésta hubiera sido ya transmitida (art. 68).

B) *Tramitación de la solicitud de ejecución*

Una vez decidida por la autoridad judicial competente la ejecución de la sentencia condenatoria en otro Estado miembro de la Unión Europea, transmitirá a la autoridad competente dicha sentencia junto con el certificado que figura en el anexo II de la Ley, debidamente cumplimentado (art. 69).

El auto por el que la autoridad judicial competente acuerde la transmisión de la resolución por la que se impone una pena o medida privativa de libertad se notificará personalmente al condenado, asistido de intérprete si fuera necesario y de acuerdo con el certificado del anexo III. Cuando, al dictarse el auto, el condenado se encuentre en el Estado de ejecución se transmitirá el certificado del anexo III a la autoridad judicial competente de aquél para que lleve a cabo esa notificación (art. 70).

La resolución por la que se impone una pena o medida privativa de libertad se transmitirá a un único Estado de ejecución. Se podrá transmitir a uno de los siguientes Estados miembros:

a) El Estado del que el condenado es nacional y en el que tenga su residencia habitual; b) El Estado del que el condenado es nacional y al que, de acuerdo con la sentencia o una resolución administrativa, será expulsado una vez puesto en libertad; c) Cualquier otro Estado miembro cuya autoridad competente consienta que se le transmita la resolución; y d) Cualquier otro Estado miembro, sin necesidad de recabar su consentimiento, cuando así lo haya declarado ante la Secretaría General del Consejo de la Unión Europea, siempre que exista reciprocidad y concurra al menos uno de los siguientes requisitos: 1º) Que el condenado resida de forma legal y continuada en ese Estado desde hace al menos cinco años y mantenga en él su derecho de residencia permanente; 2º) Que sea nacional de ese Estado de ejecución pero no tenga su residencia habitual en el mismo; 3º) La transmisión de la resolución se comunicará al Juez o Tribunal que dictó la sentencia condenatoria.

Si el condenado se encuentra en el Estado de ejecución, el Juez de Vigilancia Penitenciaria, a instancia del Ministerio Fiscal, podrá pedir a la autoridad competente del Estado de ejecución que adopte una medida restrictiva de la libertad personal del condenado o cualquier otra medida destinada a garantizar su permanencia en dicho territorio. Esta solicitud podrá hacerse incluso antes de que la autoridad de ejecución reciba la resolución por la que se impone una pena o medida privativa de libertad o antes de que decida si procede a su ejecución. De adoptarse por la autoridad de ejecución una medida privativa de libertad del condenado, el tiempo que transcurra privado de libertad se abonará en la correspondiente liquidación de condena (art. 72).

a) Traslado del condenado al Estado de ejecución

Cuando la autoridad de ejecución comunique que acepta la ejecución de la resolución por la que se impone una pena o medida privativa de libertad, se procederá al traslado del condenado al Estado de ejecución si éste se encontrara en España. El plazo para hacer efectivo este traslado no podrá superar los treinta días desde la adopción por el Estado de ejecución de la resolución firme sobre el reconocimiento y la ejecución de la resolución por la que se impone una pena o medida privativa de libertad.

En caso de que, por circunstancias imprevistas, no sea posible el traslado en plazo, la autoridad judicial competente informará de inmediato a la autoridad de ejecución, acordando una nueva fecha para el traslado, que se realizará en un plazo máximo de diez días desde la nueva fecha acordada (art. 73).

b) Retirada de la resolución condenatoria por el Juez de Vigilancia Penitenciaria emisor

Antes del comienzo de la ejecución de la condena, el Juez de Vigilancia Penitenciaria, tras oír al Ministerio Fiscal y a las partes personadas por cinco días, podrá acordar la retirada del certificado mediante auto motivado que deberá dictarse en el plazo de cinco días y en el que se solicitará al Estado de ejecución que no adopte medida alguna de ejecución. La retirada del certificado podrá llevarse a cabo en los siguientes casos:

a) Si no ha habido consulta previa alguna y recibiera de la autoridad de ejecución un dictamen o parecer relativo a que el cumplimiento de la condena en el Estado de ejecución no contribuirá al objetivo de facilitar la reinserción social ni la reintegración con éxito del condenado en la sociedad; b) Si no se alcanza un acuerdo con la autoridad de ejecución en relación con la ejecución parcial de la condena; c) Si, tras solicitar información a la autoridad de ejecución sobre las disposiciones aplicables en materia de libertad anticipada o condicional, no se alcanza un acuerdo sobre su aplicación.

Cuando se solicite por el Estado de ejecución, el Juez de Vigilancia Penitenciaria podrá comunicar a la autoridad de ejecución las disposiciones aplicables en Derecho español en relación con la libertad anticipada o condicional del condenado, así como solicitarle información sobre las disposiciones aplicables en esta materia en virtud de la legislación del Estado de ejecución. El Juez de Vigilancia Penitenciaria, recibida esta información y tras oír a las partes personadas por cinco días, dictará auto motivado en el plazo de otros cinco. El auto contendrá las disposiciones a aplicar por la autoridad de ejecución o acordará retirar el certificado (art. 74).

c) Consecuencias en el proceso español de la ejecución en otro Estado miembro de la resolución condenatoria

Una vez iniciada la ejecución de la resolución por la que se impone una pena o medida privativa de libertad, el Juez de Vigilancia Penitenciaria dejará de ser competente para adoptar resoluciones sobre la pena o medida privativa de libertad impuesta al condenado, incluidos los motivos de la libertad anticipada o condicional, sin perjuicio de lo previsto en el apartado 2 del artículo anterior. Esta circunstancia, así como la posterior retirada del certificado o la reversión de la ejecución a España, se comunicará a los órganos sentenciadores que hubieran pronunciado la condena privativa de libertad cuya ejecución ha sido transmitida, retirada o revertida (art. 75). Podrá reanudarse la ejecución de la condena en España cuando la autoridad competente del Estado de ejecución informe al Juez de Vigilancia Penitenciaria de la no ejecución de la condena como consecuencia de la fuga del condenado (art. 76).

3.6. Reconocimiento y ejecución en España de una resolución condenatoria europea

Las sentencias cuyo régimen de reconocimiento y ejecución se regulan en el Título III de la Ley 23/14 —arts. 63 y ss.— son aquellas resoluciones judiciales firmes emitidas por la autoridad competente de un Estado miembro tras la celebración de un proceso penal, por las que se condena a una persona física a una pena o medida privativa de libertad pendientes, total o parcialmente, de ejecución, como consecuencia de la comisión de una infracción penal, incluidas las medidas de internamiento impuestas de conformidad con la Ley Orgánica reguladora de la responsabilidad penal de los menores. Cuando aquéllas hayan sido totalmente cumplidas, su consideración en un nuevo proceso penal se regirá por la Ley Orgánica 7/2014, de 12 de noviembre, sobre intercambio de información de antecedentes penales y consideración de resoluciones judiciales penales en la Unión Europea (art. 63 Ley 23/14).

La autoridad competente para reconocer y acordar la ejecución de una resolución condenatoria europea por la que se impone una pena o medida privativa de libertad será el Juez Central de lo Penal. Para llevar a cabo la ejecución de la misma, será competente el Juez Central de Vigilancia Penitenciaria. Cuando la resolución se refiera a una medida de internamiento en régimen cerrado de un menor la competencia corresponderá al Juez Central de Menores. La autoridad judicial remitirá al Ministerio de Justicia, en el plazo de tres días desde su emisión o desde su reconocimiento y ejecución, una copia de los certificados transmitidos o reconocidos en España (art. 64).

El Juez Central de lo Penal reconocerá las resoluciones por las que se imponen penas o medidas privativas de libertad transmitidas por otros Estados miembros de la Unión Europea cuando de esta forma se facilite la reinserción social del condenado y se dé alguna de las siguientes circunstancias: a) Que el condenado sea español y resida en nuestro país; b) Que el condenado sea español y vaya a ser expulsado a España con motivo de esa condena; y c) Aun cuando no se den estas condiciones, si el Juez Central de lo Penal ha consentido la ejecución de la sentencia en España salvo que, en virtud de las declaraciones efectuadas por el Estado español, este consentimiento no sea necesario (art. 77).

A) *Requisitos para el reconocimiento y la ejecución en España*

El Juez Central de lo Penal reconocerá las resoluciones por las que se imponen penas o medidas privativas de libertad transmitidas por otros Estados miembros de la Unión Europea cuando de esta forma se facilite la reinserción social del condenado y se dé alguna de las circunstancias del art. 77.1 Ley 23/14.

La ejecución en España de una resolución por la que se impone una pena o medida privativa de libertad transmitida por el Estado de emisión no estará sujeta a control de la doble tipificación cuando se refieran a hechos tipificados como algunos de los delitos que se enumeran en el apartado 1 del artículo 20 de esta Ley, siempre que estén castigados en el Estado de emisión con penas o medidas privativas de libertad cuya duración máxima sea de al menos tres años (art. 77.2).

El Juez Central de lo Penal contestará las solicitudes de información dirigidas por la autoridad de emisión, relativas a la transmisión a nuestro país de una resolución por la que se impone una pena o medida privativa de libertad en un plazo máximo de veinte días desde su recepción. Cuando la consulta tenga por objeto conocer las posibilidades de reinserción social del condenado en España, el Juez Central de lo Penal oirá a éste si estuviera en España, recabará la información que entienda necesaria sobre el arraigo del condenado en nuestro país, oirá al respecto al Ministerio

Fiscal, y remitirá su respuesta a la autoridad que ha realizado la consulta. En los casos en que no haya habido consulta y una vez se hayan transmitido la sentencia y el certificado, el Juez Central de lo Penal podrá remitir un dictamen sobre la eventual ejecución de la condena en España y su contribución a la reinserción social del condenado (art. 78).

El Juez Central de lo Penal, de oficio o a solicitud del condenado, podrá solicitar a la autoridad competente del Estado de emisión, previa audiencia al Ministerio Fiscal o a iniciativa de éste, la transmisión de una resolución por la que se impone una pena o medida privativa de libertad para su ejecución en España (art. 79).

El Juez Central de lo Penal consultará a la autoridad competente del Estado de emisión sobre el posible reconocimiento y ejecución parcial de la resolución condenatoria, antes de decidir que deniega el reconocimiento y la ejecución de la resolución de manera total. El acuerdo sobre el reconocimiento y la ejecución parciales de la resolución no podrá suponer, en ningún caso, el aumento de la duración de la condena (art. 80).

B)   Procedimiento para el reconocimiento de la resolución condenatoria a efectos de su cumplimiento en España

Dentro de los cinco días siguientes a la recepción del certificado, se dará traslado al Ministerio Fiscal para que en el plazo de diez días se pronuncie sobre la procedencia del reconocimiento y la ejecución de la resolución. El Juez Central de lo Penal comprobará si concurre alguna causa de denegación del reconocimiento o de la ejecución, y también si el consentimiento del condenado ha sido prestado, salvo que el mismo no sea necesario en virtud de la legislación del Estado de emisión. En todo caso, no será necesario el consentimiento del condenado cuando:

a) Sea español y resida en España; b) Vaya a ser expulsado a España una vez puesto en libertad en el Estado de emisión sobre la base de una orden de expulsión o traslado contenida en la sentencia o en una resolución judicial o administrativa derivada de la sentencia; y c) Se haya fugado o haya regresado a España por la condena dictada o por el proceso penal seguido en el Estado de emisión.

El Juez Central de lo Penal resolverá mediante auto en el plazo de otros diez días el reconocimiento de la resolución condenatoria o su denegación. En todo caso, en el plazo de noventa días el auto motivado que reconozca o deniegue la ejecución deberá ser firme y se remitirá, en su caso, al Juez Central de Vigilancia Penitenciaria para que se ejecute la pena o medida privativa de libertad. En el auto se determinará el período total de privación de libertad que haya de cumplirse en España, deduciendo exclusivamente del mismo el que ya se haya cumplido en el Estado de emisión o el que proceda en virtud del tiempo que haya permanecido el condenado en prisión preventiva o cualquier otra medida restrictiva de su libertad que, adoptada por la autoridad del Estado de emisión, fuese computable (art. 81).

Si la autoridad competente del Estado de emisión notificara la retirada del certificado antes del comienzo de la ejecución de la condena, el Juez Central de lo Penal archivará el procedimiento y le remitirá lo actuado. En la devolución del certificado se hará constar el tiempo que, en su caso, el condenado hubiera permanecido privado de libertad en España en cumplimiento de alguna medida cautelar (art. 82).

En el caso de que la duración de la condena impuesta en la resolución sea incompatible con la legislación española vigente en el momento en el que se solicita el reconocimiento de la resolución por superar el límite de la pena máxima prevista para ese delito, el Juez Central de lo Penal podrá adaptar la condena. La adaptación consistirá en limitar la duración de la condena al máximo de lo previsto en la referida legislación para los delitos por los que el afectado fuera condenado. En el caso de que la condena, por su naturaleza, sea incompatible con la legislación española, el Juez Central de lo Penal podrá adaptar la condena a la pena o medida contemplada en nuestra legislación para los delitos por los que el afectado fuera condenado. La pena adaptada debe corresponder a la pena impuesta en la resolución judicial extranjera y, en consecuencia, no podrá transformarse en pena de otra naturaleza como la pena de multa. En ninguno de estos supuestos podrá la adaptación agravar la condena impuesta en el Estado de emisión (art. 83).

El Juez Central de lo Penal aplazará el reconocimiento de la resolución condenatoria cuando el certificado que le haya remitido la autoridad competente del Estado de emisión esté incompleto o no corresponda manifiestamente a la resolución que debe ejecutarse. El nuevo plazo concedido para que la autoridad de emisión pueda completar o corregir el certificado no podrá superar los sesenta días (art. 84).

a) Denegación del reconocimiento y la ejecución de la resolución condenatoria

El Juez Central de lo Penal denegará el reconocimiento y la ejecución de la resolución por la que se impone una pena o medida privativa de libertad, además de en los supuestos previstos en los artículos 32 y 33, en los siguientes casos:

a) Cuando en virtud de su edad, la persona condenada no habría podido ser declarada penalmente responsable por los hechos motivadores de la resolución condenatoria, de acuerdo con la legislación penal española.; b) Cuando la autoridad judicial española competente constate que, en el momento de recibir la resolución condenatoria, la parte de la condena que queda por cumplir es inferior a seis meses; c) Cuando, sin perjuicio de lo previsto en el artículo 81, la resolución transmitida imponga una medida privativa de libertad que no resulte ejecutable de acuerdo con el Derecho español; d) Cuando, antes de decidir sobre el reconocimiento y la ejecución de la resolución condenatoria, el Juez Central de lo Penal presente una solicitud para que la persona de que se trate sea procesada, condenada o privada de libertad en España por una infracción cometida con anterioridad a su traslado y distinta de la que lo hubiera motivado, y la autoridad competente del Estado de emisión no diera su consentimiento; y e) Cuando no se cumplan los requisitos exigidos para la transmisión de una resolución por la que se impone una pena o medida privativa de libertad.

En caso de que concurra alguno de los motivos de denegación del reconocimiento y la ejecución previstos en las letras a) y c) del apartado 1 o en el apartado 3 del artículo 32, en el apartado 1 del artículo 33 o en las letras c) y e) del apartado anterior, antes de denegar el reconocimiento y la ejecución de la resolución, el Juez Central de lo Penal consultará a la autoridad competente del Estado de emisión para que aclare la situación y, en su caso, subsane el defecto en que se hubiera incurrido (art. 85).

b) Ejecución de la resolución condenatoria extranjera europea

El Juez Central de Vigilancia Penitenciaria deberá ejecutar la resolución condenatoria de acuerdo con lo dispuesto en el ordenamiento jurídico español, con deducción del período de privación de libertad ya cumplido, en su caso, en el Estado de emisión en relación con la misma resolución condenatoria, del período total que haya de cumplirse en España.

No obstante, los efectos de la resolución transmitida sobre las condenas dictadas por los Tribunales españoles, o sobre las resoluciones que, conforme a lo dispuesto en el párrafo tercero del artículo 988 LECrim, fijen los límites de cumplimiento de condena, se determinarán con arreglo a lo dispuesto en el artículo 14 y la disposición adicional única de la Ley Orgánica 7/2014, de 12 de noviembre, sobre intercambio de información de antecedentes penales y consideración de resoluciones judiciales penales en la Unión Europea.

El Juez Central de Vigilancia Penitenciaria será la única autoridad competente para determinar el procedimiento de ejecución y las medidas conexas a adoptar, incluida la eventual concesión de la libertad condicional. Si la autoridad de emisión informara de la fecha en virtud de la cual el condenado tendría derecho a disfrutar de la libertad condicional, con arreglo a su ordenamiento jurídico, el Juez Central de Vigilancia Penitenciaria podrá tenerla en cuenta (art. 86).

Si el condenado se encuentra en España, a instancias de la autoridad de emisión o del Ministerio Fiscal, el Juez Central de lo Penal podrá adoptar medidas cautelares restrictivas de la libertad del condenado que garanticen su permanencia en España hasta el reconocimiento y ejecución de la condena (art. 87).

c) Traslado del condenado a España para el cumplimiento de la privación de libertad y suspensión de la ejecución

Si la persona condenada se encuentra en el Estado de emisión será trasladada a España en el momento acordado entre la autoridad de emisión y el Juez Central de lo Penal, siempre dentro de los treinta días siguientes a la firmeza del auto de reconocimiento y ejecución de la resolución. Si debido a circunstancias imprevistas no pudiera efectuarse el traslado del condenado en el momento acordado se fijará una nueva fecha, inmediata a la desaparición de esas circunstancias, desde la que debe verificarse el traslado en el plazo de diez días (art. 88).

El Juez Central de lo Penal suspenderá la ejecución de la resolución tan pronto como la autoridad competente del Estado de emisión le informe de la adopción de cualquier resolución o medida que tenga por efecto anular o dejar sin efecto la resolución (art. 89).

Si durante la ejecución de la resolución por la que se impone una pena o medida privativa de libertad se fugara el condenado, el Juez Central de Vigilancia Penitenciaria lo pondrá en conocimiento, sin dilación, del Juez Central de lo Penal que, además de comunicar esta incidencia a la autoridad de emisión, investigará las responsabilidades penales en que hubiera podido incurrir el condenado. Cuando proceda la devolución del certificado se hará constar el tiempo que el condenado ha permanecido privado de libertad en España en ejecución de esta resolución (art. 90).

Cuando se deniegue o se condicione una orden europea de detención y entrega con fundamento en la nacionalidad española del condenado, el Juez Central de lo Penal aplicará las disposiciones de este Capítulo a efectos de cumplimiento de la condena impuesta en el otro Estado miembro, impidiendo la impunidad del condenado (art. 91).

d) Aplicación del principio de especialidad a la ejecución de una resolución condenatoria

La persona trasladada a España en el marco de un proceso de reconocimiento y ejecución de una resolución por la que se impone una pena o medida privativa de libertad no podrá ser procesada, condenada, ni privada de libertad en España como consecuencia de la comisión de una infracción anterior y distinta de la que hubiera motivado el traslado (art. 92).

SECCIÓN 4. DETENCIÓN Y EXPULSIÓN DE EXTRANJEROS[133]

4.1. Introducción

El art. 13 CE establece que los extranjeros gozarán en España de las libertades públicas que garantiza su Título I, en los términos que establezcan los Tratados y la Ley[134]. La Ley que cumplimentó el mandato constitucional fue la LO 4/00, de 11 de

---

(133) Vid. RECIO JUÁREZ, M, *La expulsión de extranjeros en el proceso penal*, Edit. Dykinson, 2016; YÁÑEZ VELASCO, R., *Extranjero y proceso penal*, Editorial Reus, 2015; PLASENCIA DOMÍNGUEZ, N., «Jurisdicción penal y medidas repatriativas de extranjería», *Diario La Ley*, nº 8984, Sección Doctrina, 22 de mayo de 2017; MAGARIÑOS YÁÑEZ, J.A., «La expulsión de ciudadanos extranjeros sometidos a procedimientos penales antes de su finalización. Presupuestos y efectos en el proceso», *La Ley* nº 8799, 8 julio 2016; MARTÍNEZ PARDO V., *Detención e internamiento de extranjeros*, Pamplona 2006. ALONSO PÉREZ, «Privaciones de libertad en la legislación de extranjería», *La Ley* nº 5441, 2001. DEL RÍO FERNANDEZ L.J., «Detención e internamiento de extranjeros: Estatuto Jurídico I», *La Ley* nº 5422 y 5423, 2001; «Garantías en la detención y expulsión de extranjeros», *La Ley* nº 4471, 1998. ADAM MUÑOZ, «El internamiento preventivo del extranjero durante la tramitación del expediente de expulsión», *La Ley*, 1991-3, p. 970; CALVO SÁNCHEZ, «Expulsión de Ciudadano Comunitario. Conexión con las libertades de residencia y circulación», *La Ley*, 1991-3, p. 150; MIQUEL CALATAYUD, *Estudios sobre extranjería*, Barcelona, 1987; RODRÍGUEZ CANDELA Y GARCÍA ESPAÑA, «La devolución del extranjero», *La Ley*, n.º 4114, 1996. «Extranjeros», *Cuadernos de Derecho Judicial*, CGPJ, 1994, T. XXXVII. Vid. también la Circular n.º 1/94, de 15 de febrero, sobre intervención del Ministerio Fiscal en relación con determinadas situaciones de los extranjeros en España.

(134) Vid. ORDUNA NAVARRO, B., «Derechos y libertades de los extranjeros. Perspectiva constitucional». *La Ley*, nº 7184, 28 mayo 2009.

enero sobre Derechos y Libertades de los Extranjeros en España y su integración social (LODLEE) modificada, sucesivamente, por la LO 8/2000 de 22 de diciembre[135], LO 11/2003, por la LO 14/2003 de 20 de noviembre; LO 2/2009, de 11 diciembre; LO 8/2015, de 22 julio. Tampoco, las normas reglamentarias han escapado a las sucesivas modificaciones legales[136]. Después de la LO 2/2009, se aprobó el Real Decreto 557/2011, de 20 de abril, por el que se aprobó un nuevo Reglamento de la Ley Orgánica 4/2000, posteriormente modificado por RD 844/2013, de 31 de octubre, por el que se modifica el Reglamento de la ley orgánica 4/2000, de 11 de enero. El Real Decreto 2393/2004, de 30 de diciembre, fue derogado, excepto las previsiones relativas al régimen de internamiento de los extranjeros, por la disposición derogatoria única del R.D. 557/2011, de 20 de abril, por el que se aprobó el Reglamento de la LO 4/2000, sobre derechos y libertades de los extranjeros en España y su integración social. El Real Decreto 162/2014, de 14 de marzo, por el que se aprueba el reglamento de funcionamiento y régimen interior de los centros de internamiento de extranjeros (B.O.E. 15 marzo 2014), que acabó de derogar el Real Decreto 2393/2004, de 30 de diciembre.[137]

En desarrollo de la Disposición transitoria 4ª de la LO 8/2000, de 22 diciembre, se promulgó el Real Decreto 142/2001, de 16 de febrero, por el que se establecieron los requisitos para la regularización prevista en la LO 8/200, que permiten, sin necesidad de presentar nueva documentación, la regularización de los extranjeros que se encuentren en España y que habiendo presentado solicitud de regularización, al amparo de lo previsto en el Real Decreto 239/2000 (LA LEY 788/2000), hayan visto denegada la misma exclusivamente por no cumplir el requisito de encontrarse en España antes del 1 de junio de 1999. En esta norma se regula un procedimiento de reexamen de las solicitudes denegadas, y se delimitan los requisitos que los interesados deben reunir para obtener su regularización en nuestro territorio. Lo dispuesto en el art. 25 LO 4/2000 no será de aplicación a los extranjeros que soliciten acogerse al derecho de asilo en el momento de su entrada en España, cuya concesión se regirá por lo dispuesto en su normativa específica (art. 25.3 LO 4/2000).

Esta regulación se complementa con las siguientes disposiciones: Circular 7/2015, sobre la Expulsión de ciudadanos extranjeros como medida sustitutiva de la pena de

---

(135)   Debe tenerse presente la STC 236/2007 de 7 de noviembre que declaró inconstitucionales, por aplicación de su propia doctrina, distintos preceptos de la LO 8/2000 de modificación de la Ley de Extranjería. Concretamente, los arts. 7.1 referente al derecho de reunión, art. 8 referente al derecho de reunión, el art. 9.3 con relación a la restricción del derecho a la educación, el art. 11 respecto a la plena libertad sindical conforme con lo establecido en el art. 28.1 CE y el art. 22.2 con relación a la exigencia de que el extranjero fuera residente para poder acceder a la justicia gratuita.

(136)   El RD 2393/2004, de 30 de diciembre fue modificado, puntualmente, por el RD 1019/2006, de 8 septiembre, que añadió un nuevo párrafo al art. 13.

(137)   El Real Decreto 2393/2004, de 30 de diciembre, fue derogado, excepto las previsiones relativas al régimen de internamiento de los extranjeros, por la disposición derogatoria única del R.D. 557/2011, de 20 de abril, por el que se aprobó el Reglamento de la L.O. 4/2000, sobre derechos y libertades de los extranjeros en España y su integración social. Con la entrada en vigor del Real Decreto 162/2014, de 14 de marzo, por el que se aprueba el reglamento de funcionamiento y régimen interior de los centros de internamiento de extranjeros (B.O.E. 15 marzo 2014), debe entenderse totalmente derogado el Real Decreto 2393/2004, de 30 de diciembre.

prisión tras la reforma operada por lo 1/2015; Circular 5/2011, de 2 noviembre, sobre criterios para la unidad de actuación especializada del Ministerio Fiscal en materia de extranjería e inmigración; Circular 2/2006, 27 de julio de 2006, sobre diversos aspectos relativos al régimen de los extranjeros en España; Circular 3/2001 sobre la actuación del Ministerio Fiscal en materia de extranjería. Instrucciones n.º 2/2001 sobre interpretación del art. 35 LO 4/00; 4/2001 de 25 de julio sobre la Autorización judicial de la expulsión de los extranjeros imputados en procedimientos penales. Consulta n.º 1/2001 sobre el retorno de extranjeros que pretenden entrar ilegalmente en España: alcance y límites. Véase también el RD 239/2000 de 18 de febrero sobre el procedimiento de regularización de extranjeros.

Con relación a los ciudadanos de la Unión Europea, el art. 1.3 Ley 4/2000 establece que: *Los nacionales de los Estados miembros de la Unión Europea y aquéllos a quienes sea de aplicación el régimen comunitario se regirán por la legislación de la Unión Europea, siéndoles de aplicación la presente ley en aquellos aspectos que pudieran ser más favorables.*

Fue el Real Decreto 240/2007, de 16 de febrero, sobre entrada, libre circulación y residencia en España de ciudadanos de los Estados miembros de la Unión Europea y de otros Estados parte en el Acuerdo sobre el Espacio Económico Europeo, el que traspuso a nuestro ordenamiento jurídico la Directiva 2004/38/CE (LA LEY 5248/2004), que es la que regula el derecho de entrada y salida del territorio de un Estado miembro, el derecho de residencia de los ciudadanos de la Unión y de los miembros de su familia, y los trámites administrativos que deben realizar ante las Autoridades de los Estados miembros. Este RD fue modificado por el Real Decreto 987/2015, de 30 de octubre[138]. La disposición adicional vigésima, punto primero,

---

(138)   «... La Directiva 2004/38/CE, del Parlamento Europeo y del Consejo, de 29 de abril de 2004 (LA LEY 5248/2004), regula el derecho de entrada y salida del territorio de un Estado miembro, el derecho de residencia de los ciudadanos de la Unión y de los miembros de su familia, y los trámites administrativos que deben realizar ante las Autoridades de los Estados miembros. Asimismo regula el derecho de residencia permanente, y finalmente establece limitaciones a los derechos de entrada y de residencia por razones de orden público, seguridad pública o salud pública. En todo caso, la aprobación de la citada Directiva 2004/38/CE, de 29 de abril de 2004 (LA LEY 5248/2004), ha hecho necesario proceder a incorporar su contenido al Ordenamiento jurídico español, todo ello de acuerdo a lo dispuesto por los artículos 17 y 18 del Tratado constitutivo de la Comunidad Europea relativos a la ciudadanía de la Unión, así como a los derechos y principios inherentes a la misma, y al principio de no discriminación por razón de sexo, raza, color, origen étnico o social, características genéticas, lengua, religión o convicciones, opiniones políticas o de otro tipo, pertenencia a una minoría nacional, patrimonio, nacimiento, discapacidad, edad u orientación sexual. Por otra parte, y de conformidad con lo dispuesto en el artículo 1.3 de la Ley Orgánica 4/2000, de 11 de enero (LA LEY 126/2000), sobre derechos y libertades de los extranjeros en España y su integración social, en su redacción dada por las Leyes Orgánicas 8/2000, 11/2003 y 14/2003, debe recordarse que dicha Ley Orgánica es de aplicación para las personas incluidas en el ámbito de aplicación de este real decreto en aquellos aspectos que pudieran serles más favorables. Igualmente, el derecho a la reagrupación familiar se determina como un derecho inherente al ciudadano de un Estado miembro, pero asociado necesariamente al ejercicio de su derecho de libre circulación y residencia en el territorio de los otros Estados miembros, todo ello de conformidad con la normativa comunitaria y con la Jurisprudencia del Tribunal de Justicia de las Comunidades Europeas. En este sentido, para regular la reagrupación familiar de ciudadanos españoles que no han ejercido el derecho de libre circulación, se introduce una Disposición final tercera que, a su vez, introduce dos

del Real Decreto 2393/2004, establece que «el Real Decreto 240/2007, de 16 de febrero, sobre entrada, libre circulación y residencia en España de ciudadanos de los Estados miembros de la Unión Europea y de otros Estados parte del Acuerdo sobre el Espacio Económico Europeo, será de aplicación, cualquiera que sea su nacionalidad, y en los términos previstos por éste, a los familiares de ciudadano español, cuando le acompañen o se reúnan con él y estén incluidos en alguna de las siguientes categorías: a) A su cónyuge siempre que no haya recaído el acuerdo o declaración de nulidad del vínculo matrimonial, divorcio o separación legal».

En el ámbito europeo resultan de aplicación la Directivas 2004/38/CE, del Parlamento Europeo y del Consejo, de 29 de abril de 2004, relativa al derecho de los ciudadanos de la Unión y de los miembros de sus familias a circular y residir libremente en el territorio de los Estados miembros por la que se modifica el reglamento(CEE) n.º 1612/68 y se derogan las Directivas 64/221 CEE, 68/360/CEE, 72/194/CEE, 73/148/ CEE, 75/34 CEE, 90/364/CEE, 90/365/CEE, 93/96/CEE.

La Directiva 2008/115/CE del Parlamento europeo y Consejo, de 16 diciembre de 2008, relativa a normas y procedimientos comunes en los Estados miembros para el retorno de los nacionales de terceros países en situación irregular; que modifica la Directiva 98/8/CE del Parlamento Europeo y del Consejo[139]; Reglamento (UE) n.º 610/2013 del Parlamento Europeo y del Consejo, de 26 de junio de 2013, por el que se modifica el Reglamento (CE) n.º 562/2006 del Parlamento Europeo y del Consejo, por el que se establece un Código comunitario de normas para el cruce de personas por las fronteras (Código de fronteras Schengen), el Convenio de aplicación del Acuerdo de Schengen, los Reglamentos del Consejo (CE) n.º 1683/95 y (CE) n.º 539/2001 y los Reglamentos del Parlamento Europeo y del Consejo (CE) n.º 767/2008 y (CE) n.º 810/2009 («D.O.U.E.L.» 29 junio).

También es de aplicación la Directiva 2001/40/CE, de 28 de mayo de 2001, relativa al reconocimiento mutuo de las decisiones en materia de expulsión de nacionales de terceros países; 2001/51/CE, de 28 de junio de 2001, por la que se completan las disposiciones del artículo 26 del Convenio de aplicación del Acuerdo de Schengen y 2002/90/CE, de 28 de noviembre de 2002, destinada a definir la ayuda a la entrada, a la circulación y a la estancia irregulares[140]. Resolución del Parlamento Europeo,

---

nuevas Disposiciones adicionales, decimonovena y vigésima, en el Reglamento de la Ley Orgánica 4/2000, sobre derechos y libertades de los extranjeros en España y su integración social, aprobado por Real Decreto 2393/2004, de 30 de diciembre. Estas Disposiciones protegen especialmente al cónyuge o pareja de ciudadano español y a sus descendientes menores de veintiún años, mayores de dicha edad que vivan a su cargo, o incapaces». STSJ Castilla y León de Burgos, sec. 1ª, Sent. 368/2013, de 8 noviembre.

(139)   Esta Directiva ha sido interpretada por el TJUE en el sentido de reforzar el deber de los Estados de cumplir con los procedimientos de retorno de los extranjeros, según se desprende de las STJUE de 28 de abril de 2011, asunto C-61/2011 PPU; de 6 de diciembre de 2011, asunto C-329/2011 y de 6 de diciembre de 2012, asunto C-430/2011).

(140)   El Acuerdo relativo a la supresión gradual de los controles en las fronteras comunes firmado en Schengen el 14 de junio de 1985 y al que España se adhirió por Protocolo de 25 de junio de 1991 determinó la progresiva desaparición de las fronteras dc los países de la Unión Europea, con la consecuencia de producirse el traslado de los controles a los países de la Unión con fronteras externas como es el caso de España. A este efecto, el Tratado de Ámsterdam estableció en

de 25 de octubre de 2011, sobre el fomento de la movilidad de los trabajadores en la Unión Europea (2010/2273(INI)) («D.O.U.E.C.» 8 mayo 2013. Decisión 2004/573/CE del Consejo, de 29 de abril de 2004, que se refiere a los vuelos conjuntos para la expulsión de los inmigrantes de terceros países que tienen resoluciones de expulsión.

La Ley Orgánica 4/2000 parte del criterio interpretativo general de equiparación de derechos entre españoles y extranjeros, sin perjuicio de su ejercicio en los términos establecidos en los Tratados Internacionales y en la LO de Derechos y libertades de los extranjeros en España, que regulan el ejercicio de cada uno de aquéllos (art. 1 LODLEE).

«Los Estados Contratantes tienen derecho, en virtud de una ley reconocida internacional y dentro del marco de obligaciones a las que sus tratados, incluido el Convenio, les obligan, a controlar la entrada, la residencia y la expulsión de extranjeros. Sin embargo, al ejercer su derecho de expulsión, los Estados Contratantes deben respetar el artículo 3 del Convenio que recoge uno de los valores fundamentales en las sociedades democráticas. La expulsión de un extranjero puede dar lugar a una controversia siempre y cuando existieran sólidas razones para creer que la persona en cuestión, en caso de ser expulsada, se enfrentaría a un riesgo real de padecer un trato contrario al artículo 3 en el país que lo recibe. En dichas circunstancias, el artículo 3 lleva implícita la obligación de no expulsar al individuo a dicho país (véase, Sentencia Ahmed contra Austria, de 17 diciembre 1996 [TEDH 1996\69], Repertorio de sentencias y resoluciones 1996-VI, aps. 38-39, y Sentencia de Chahal contra el Reino Unido de 15 noviembre 1996 [TEDH 1996\61], Repertorio 1996-V, ap. 73-74)». STEDH 6 de marzo de 2001.

En ese sentido se ha pronunciado el Tribunal Constitucional que ha declarado que el legislador puede establecer restricciones y límites a los derechos de los que son titulares los extranjeros en España, pero que estas limitaciones no pueden afectar a los derechos esenciales asociados a la condición de persona que están reconocidos en nuestro sistema jurídico por el art. 10.1 CE.

«El art. 13 CE autoriza al legislador a establecer "restricciones y limitaciones" a tales derechos, pero esta posibilidad no es incondicionada por cuanto no podrá afectar a aquellos derechos que "son imprescindibles para la garantía de la dignidad de la humana que, conforme al art. 10.1 CE, constituye fundamento del orden político español", ni "adicionalmente, al contenido delimitado para el derecho por la Constitución o los Tratados Internacionales suscritos por España", FJ 4). De nuestra jurisprudencia se deduce que éste sería el régimen jurídico de derechos tales como el derecho al trabajo (STC 107/1984, FJ 4), el derecho a la salud (STC 95/2000, FJ 3), el derecho a percibir una prestación de desempleo (STC 130/1995, de 11 de septiem-

---

su art. 2 como objetivo de la Unión «mantener y desarrollar la Unión como un espacio de libertad, seguridad y justicia en el que esté garantizada la libre circulación de personas conjuntamente con medidas adecuadas respecto al control de las fronteras exteriores, el asilo, la inmigración y la prevención y la lucha contra la delincuencia»; y el art. 20 del Acuerdo de Schengen encomienda a las Partes: «la armonización de sus políticas en materia de visados, así como las condiciones de entrada en sus territorios». Con base en esta situación se han firmado distintos acuerdos y convenios con la finalidad de regular un único sistema de solicitud de asilo (véase Convenio relativo a la determinación del Estado responsable del examen de las solicitudes de asilo presentadas en los Estados miembros de las Comunidades Europeas, hecho en Dublín el 15 de junio de 1990.

bre, FJ 2), y también con matizaciones el derecho de residencia y desplazamiento en España (SSTC 94/1993, FJ 3; 242/1994, FJ 4; 24/2000, de 31 de enero, FJ 4)». STC 236/2007 de 7 de noviembre.

Concretamente el derecho del extranjero a permanecer en territorio español está condicionado al cumplimiento de una serie de requisitos y obligaciones, la primera la de estar en posesión de un visado salvo en los casos en los que se establezca lo contrario —art. 25.2 LO 4/00 y arts. 4 y ss. RD 2393/04—; cuyo incumplimiento puede dar lugar a la apertura de un procedimiento sancionador que puede tener por consecuencia la expulsión del extranjero previa, incluso, su detención[141].

> «El derecho de los extranjeros a entrar en España está condicionado, con carácter general, al cumplimiento de los requisitos del art. 25.1 y 2 de la Ley Orgánica 4/2000, de 11 de enero, sobre Derechos y Libertades de los Extranjeros en España y su Integración Social (parcialmente reformada por la Ley Orgánica 8/2000, de 22 de diciembre)». STC 53/2002 de 27 de febrero.

El derecho a entrar en España no tiene carácter absoluto, sino que está condicionado al cumplimiento de los requisitos determinados legalmente —art. 25 LO 4/2000—.

> «TERCERO. Respecto del resto de los motivos, debemos recordar que el permiso de entrada, en dicho régimen general, se encuentra condicionado en cada específico caso por los compromisos internacionales y por la normativa interna especial aplicable al supuesto concreto de que se trate. En virtud de los artículos 5, 10 y 15 del Convenio de Aplicación del Acuerdo de Schengen, los visados para estancias de corta duración sólo podrán expedirse si el solicitante cumple las siguientes condiciones de estancia: 1) Poseer un documento o documentos válidos que permitan el cruce de la frontera, determinados por el Comité Ejecutivo; 2) En su caso, presentar los documentos que justifiquen el objeto y las condiciones de la estancia prevista y disponer de medios adecuados de subsistencia, tanto para el período de estancia previsto como para el regreso al país de procedencia o el tránsito hacia un tercer Estado en el que su admisión esté garantizada, o estar en condiciones de obtener legalmente; 3) No estar incluido en la lista de no admisibles. Esta normativa se completa con la regulación contenida en los artículos 14 y ss. del Reglamento (CE) n.º 810/2009, de 13 de julio de 2009 (LA LEY 16455/2009), y es la normativa, como dijimos, a la que se remite el artículo 30.1 del Real Decreto 557/2011 (LA LEY 8579/2011), para la concesión

---

(141)   «Los extranjeros sólo gozan del derecho a residir en España en virtud de autorización concedida por autoridad competente, de conformidad con los tratados internacionales y la ley (arts. 13 y 19 CE, SSTC 99/1985, de 30 de septiembre, F. 2, y 94/1993, de 22 de marzo, F. 3; y Declaración de 1 de junio de 1992, relativa al Tratado de la Unión Europea). Por tanto, es lícito que la Ley de Extranjería subordine el derecho de los extranjeros a residir en España al cumplimiento de determinadas condiciones, como son, entre otras, la de no estar implicados en actividades contrarias al orden público, o la de no cometer delitos de cierta gravedad. Conclusión que se ve corroborada por la jurisprudencia del Tribunal Europeo de Derechos Humanos que, sin dejar de recordar que los Estados europeos deben respetar los derechos humanos plasmados en el Convenio de Roma, no ha dejado de subrayar la amplia potestad de que disponen los poderes públicos para controlar la entrada, la residencia y la expulsión de los extranjeros en su territorio (SSTEDH Abdulaziz, de 28 de mayo de 1985, Berrehab, de 21 de junio de 1988 [TEDH 1988\3], Moustaquim, de 18 de febrero de 1991, y Ahmut, de 28 de noviembre de 1996), como este Tribunal ha tenido ocasión de recordar en STC 242/1994, de 20 de julio, y ATC 331/1997, de 3 de octubre». STC 24/2000 de 31 de enero.

del visado de estancia de corta duración —que habilita para permanecer en España por un período ininterrumpido o suma de periodos sucesivos cuya duración total no exceda de noventa días por semestre a partir de la fecha de la primera entrada—». STSJ Madrid, S. C. Advo, Sent. 1214/2015, 21 diciembre, LA LEY 217856/2015.[142]

No tienen la consideración de derechos esenciales para los extranjeros el derecho de libre circulación y de residencia, ya que no son imprescindibles para la garantía de la dignidad humana y, por tanto, no pertenecen a todas las personas en cuanto tales, sino como a ciudadanos.

«De otro lado, tampoco es claro que la devolución pueda considerarse como medida restrictiva de derechos. Es cierto que los extranjeros pueden ser titulares de los derechos fundamentales a residir y a desplazarse libremente —art. 19 C.E.—. Pero como indicó la STC 94/1993, de 22 de marzo, "... la libertad de circulación a través de las fronteras del Estado, y el concomitante derecho a residir dentro de ellas, no son derechos imprescindibles para la garantía de la dignidad humana (art. 10.1 C.E.), y STC 107/1984, fundamento jurídico 3), ni por consiguiente pertenecen a todas las personas en cuanto tales al margen de su condición de ciudadano. De acuerdo con la doctrina sentada por la citada sentencia, es pues lícito que las leyes y los tratados modulen el ejercicio de esos derechos en función de la nacionalidad de las personas, introduciendo tratamientos desiguales entre españoles y extranjeros en lo que atañe a entrar y salir de España, y a residir en ella...". A mayor abundamiento, la STC 116/1993, de 29 de marzo, matiza que "... los extranjeros son titulares de los derechos fundamentales a residir y a desplazarse libremente que recoge la Constitución en su artículo 19, si bien en los términos que establezcan los tratados y la Ley (art. 13.1. C.E.) ...", lo que significa que el reconocimiento y efectividad de este derecho está supeditado al cumplimiento de los requisitos establecidos para el acceso y estancia en territorio español por parte de los ciudadanos extranjeros». STSJ Andalucía-Málaga, Sala. C. advo, Sent. 2942/2015 de 30 Dic. 2015.[143]

---

(142) «SEGUNDO. Para resolver la cuestión objeto de autos se ha de recordar, en primer lugar, que del contenido de las normas integradoras de nuestro vigente Ordenamiento Jurídico en la presente materia no se deriva un derecho subjetivo de acceso al territorio nacional a favor de todo ciudadano extranjero y en cualquier circunstancia. Efectivamente, el permiso de entrada se encuentra condicionado en cada específico caso por los compromisos internacionales y por la normativa interna especial aplicable al supuesto concreto de que se trate. En virtud de los artículos 5 y 18 del Convenio de Aplicación del Acuerdo de Schengen, los visados para estancias de larga duración, superior a tres meses, serán visados nacionales expedidos por cada Parte contratante con arreglo a su propia legislación y será válido para transitar por el resto de los países contratantes salvo si no cumple las condiciones de entrada contempladas en las letras a), d) y e) del apartado 1 del artículo 5 o si figura en la lista nacional de no admisibles de la Parte contratante por cuyo territorio desee transitar». STSJ Madrid, Sala C: Advo, Sent 1230/2015, 23 diciembre, LA LEY 217871/2015.

(143) «Por ello, como ya ha dicho reiteradas veces esta Sala en múltiples sentencias, ha de partirse, para la solución del caso, de lo dispuesto en el artículo 19 de la Constitución Española, a cuyo tenor los extranjeros pueden ser titulares de los derechos fundamentales a residir y desplazarse libremente. Interpretando dicho precepto, el Tribunal Constitucional tiene señalado de manera reiterada que la libertad de circulación a través de las fronteras del Estado, y el concomitante derecho a residir dentro de ellas, no son derechos imprescindibles para la garantía de la dignidad humana, ni por consiguiente pertenecen a todas las personas en cuanto tales al margen de su condición de ciudadano. Resulta lícito, por tanto, que las leyes y los Tratados modulen el ejercicio de esos derechos en función de la nacionalidad de las personas, introduciendo tratamientos desiguales entre

Solo podrán gozar del derecho a residir en España aquellos extranjeros que hayan obtenido autorización de la autoridad competente, de acuerdo con la legislación aplicable.

> «Por tanto, los extranjeros sólo gozan del derecho a residir en España en virtud de autorización concedida por autoridad competente, de conformidad con los Tratados internacionales y la Ley (arts. 13 y 19 C.E., SSTC 99/1985, de 30 de septiembre, y 94/1993, de 22 de marzo; y Declaración de 1-06-1992, relativa al Tratado de la Unión Europea). Conclusión que se ve reafirmada por la jurisprudencia del Tribunal Europeo de Derechos Humanos que, sin dejar de recordar que los Estados europeos deben respetar los derechos humanos plasmados en el Convenio de Roma, no ha dejado de subrayar la amplia potestad de que disponen los poderes públicos para controlar la entrada, la residencia y la expulsión de los extranjeros en su territorio (SSTEDH Abdulaziz, de 28 de mayo de 1985, Berrehab, de 21 de junio de 1988, Moustaquim, de 18 de febrero de 1991, y Ahmut, de 28 de noviembre de 1996), lo que también ha tenido ocasión de recordar el TC en Sentencia 242/1994, de 20 de julio (LA LEY 10112/1994), y Auto 331/1997, de 3 de octubre (LA LEY 15667/1997)». TSJ Andalucía de Málaga, Sala C. advo, Sent. 2942/2015 de 30 Dic.

Son muchas y complejas la situaciones reguladas en la Ley que permiten la entrada y estancia o residencia de los extranjeros en España, distinguiéndose entre situaciones de tránsito, estancia, residencia, estudiantes, apátridas, indocumentados y refugiados, residencia de menores, etc. (arts. 29 y ss. LO 4/00). Cada una de éstas puede dar lugar a distintos regímenes de permanencia de los extranjeros en España. Una situación especial es la de del asilo al que nos referimos puntualmente en § 4.3 de este Capítulo.

Las infracciones en materia de extranjería se regulan en los arts. 52 a 54 LODLEE 4/2000. La Ley distingue entre infracciones leves, graves y muy graves que llevan aparejadas sanciones económicas de hasta de 60.000 Euros para las sanciones muy graves —e incluso hasta 500.000 Euros respecto a las compañías de transporte respecto de las infracciones previstas en el art. 54.2 LODLEE—. En los supuestos de infracciones muy graves o graves podrá aplicarse una sanción consistente en una multa, o bien la expulsión del territorio español, previa la tramitación del correspondiente expediente administrativo; sin que, en ningún caso, puedan imponerse conjuntamente las sanciones de expulsión y multa (art. 57 LODLEE). Pero, no cabe acordar la expulsión en dos supuestos de faltas graves: la que tiene lugar por la comisión de tres faltas leves —art. 53.e—; y la que se comete al salir de territorio español por puesto no habilitado, sin exhibir la documentación o contraviniendo las prohibiciones legalmente impuestas —art. 53.g—.

Los supuestos de infracciones (arts. 54 y 53 LODLEE) que pueden comportar la expulsión son, de acuerdo con el art. 57, los siguientes:

1) Participar en actividades contrarias a la seguridad exterior del Estado o que pueden perjudicar las relaciones de España con otros países, o estar implicados

---

españoles y extranjeros en lo que atañe a entrar y salir de España, y a residir en ella». STSJ Madrid, Sala C. Advo, Sec 6ª, Sent. 2/2016, 5 enero, LA LEY 2711/2016.

en actividades contrarias al orden público previstas como muy graves en la Ley Orgánica 1/1992, de 21 de febrero, sobre Protección de la Seguridad Ciudadana.

2) La comisión de una tercera infracción grave siempre que en un plazo de un año anterior hubiera sido sancionado por dos faltas graves de la misma naturaleza.

3) Encontrarse irregularmente en territorio español, por no haber obtenido la prórroga de estancia, carecer de autorización de residencia o tener caducada más de tres meses la mencionada autorización y siempre que el interesado no hubiere solicitado la renovación de la misma en el plazo previsto reglamentariamente.

4) Encontrarse trabajando en España sin haber obtenido autorización de trabajo o autorización administrativa previa para trabajar, cuando no cuente con autorización de residencia válida.

5) Incumplir con la obligación establecida en el art. 4.2 LODLEE.

6) Incurrir en ocultación dolosa o falsedad grave en el cumplimiento de la obligación de poner en conocimiento del Ministerio del Interior los cambios que afecten a nacionalidad, estado civil o domicilio.

7) El incumplimiento de las medidas impuestas por razón de seguridad pública, de presentación periódica o de alejamiento de fronteras o núcleos de población concretados singularmente, de acuerdo con lo dispuesto en la Ley.

8) La participación por el extranjero en la realización de actividades contrarias al orden público previstas como graves en la Ley Orgánica 1/1992, de 21 de febrero, sobre Protección de la Seguridad Ciudadana.

9) La condena al extranjero dentro o fuera de España por conducta dolosa que constituya en nuestro país delito sancionado con pena privativa de libertad superior a un año, salvo que los antecedentes penales se hubieren cancelado (art. 57.2 LO 4/00). (Precepto declarado constitucional por el TC en la STC 236/07 de 7 de noviembre).

La expulsión únicamente podrá acordarse en el caso de infractores extranjeros. Además, la ley no permite imponer la sanción de expulsión a los extranjeros en los que concurran especiales circunstancias de vinculación con España u otras razones de carácter benéfico en atención a especiales circunstancias personales (art. 57.5 y 6 LODLEE)[144]. Este precepto permite que pueda aplicarse, en atención al principio

---

(144) Arts. 57.5 y 6 LO 4/2000: «5. La sanción de expulsión no podrá ser impuesta, salvo que la infracción cometida sea la prevista en el artículo 54, letra a) del apartado 1, o suponga una reincidencia en la comisión en el término de un año de una infracción de la misma naturaleza sancionable con la expulsión, a los extranjeros que se encuentren en los siguientes supuestos: a) Los nacidos en España que hayan residido legalmente en los últimos cinco años. b) Los que tengan reconocida la residencia permanente. c) Los que hayan sido españoles de origen y hubieran perdido la nacionalidad española. d) Los que sean beneficiarios de una prestación por incapacidad permanente para el trabajo como consecuencia de un accidente de trabajo o enfermedad profesional ocurridos en España, así como los que perciban una prestación contributiva por desempleo o sean beneficiarios de una prestación económica asistencial de carácter público destinada a lograr su inserción o reinserción social o laboral.

de proporcionalidad, la expulsión del territorio español, previa la tramitación del correspondiente expediente administrativo y mediante la resolución motivada que valore los hechos que configuran la infracción, en lugar de la sanción de multa. En ningún caso podrán imponerse conjuntamente las sanciones de expulsión y multa (art. 57.3). Esta regla de sanción alternativa ha sido considerada por el TJUE contraria e incompatible con la Directiva 2008/115/CE, de forma que la sanción pertinente en caso de la infracción correspondiente debe ser la devolución o retorno del extranjero.

«Decíamos en el fundamento jurídico precedente que el análisis de esta cuestión no puede omitir el significativo cambio que ha supuesto la implantación, a partir del año 2008, de una política armonizada en el seno de la Unión Europea sobre el retorno de los nacionales de terceros países en situación irregular. La aprobación de la Ley Orgánica 2/2009 supone la incorporación a nuestro ordenamiento jurídico de las Directivas aprobadas con posterioridad a la última reforma de la Ley 4/2000 (esto es, la del año 2003) y entre ellas destaca precisamente, por su importancia, la ya citada Directiva 2008/115/CE, a la que no hace referencia el Tribunal Constitucional en su sentencia 17/2013 posiblemente porque, ratione temporis, no era aplicable a la legislación española de 2003 objeto del recurso que había de fallar (sí se refiere a otras directivas comunitarias y al Acuerdo de Schengen). La Directiva 2008/115/CE ha sido, además, interpretada por el Tribunal de Justicia de la Unión Europea en términos que refuerzan de modo considerable el deber de los Estados de proceder cuanto antes a asegurar la eficacia de los procedimientos de retorno de los extranjeros en situación irregular, eficacia que implica para los Estados miembros "la obligación de llevar a cabo la expulsión, tomando todas las medidas necesarias" (sentencias de 28 de abril de 2011, asunto C-61/11 PPU; de 6 de diciembre de 2011, asunto C-329/11 y de 6 de diciembre de 2012, asunto C-430/11). Jurisprudencia del Tribunal de Justicia que, por lo demás, posiblemente obligará a modular la interpretación hasta ahora efectuada, y la aplicación de las normas legales que permiten en ciertos supuestos "elegir" entre la expulsión y la multa de los extranjeros en situación irregular. "Y, en efecto, la más reciente STJUE (Sala Cuarta) de 23 de abril de 2015 (LA LEY 35981/2015), asunto ZAIZOUNE (C-38/14), dictada a instancia de la Sala de lo Contencioso-administrativo del Tribunal Superior de Justicia del País Vasco, ha tenido ocasión de pronunciarse sobre si la Ley española de extranjería es conforme con la Directiva 2008/115/CE, relativa a normas y procedimientos comunes en los Estados miembros para el retorno de los nacionales de terceros países en situación irregular, y sus consideraciones aclaran más aún el debate que hoy se revisa, en sentido desfavorable a las posiciones de la parte actora, pues el TJUE ha considerado que la sanción alternativa administrativa de multa o expulsión establecida por la Ley española de extranjería es incompatible con la Directiva 2008/115/CE"». STSJ Castilla y León de Valladolid, Sala Con. Advo, Sent. 2756/2015 de 9 Dic.

Precisamente, otras infracciones, graves o muy graves, contenidas en los arts. 53 y 54 LO 4/2000 tienen por destinatario básicamente a los nacionales españoles, de modo que sólo comportarán la expulsión cuando se cometan por extranjeros. En

---

6. Tampoco podrán ser expulsados los cónyuges de los extranjeros, ascendientes e hijos menores o incapacitados a cargo del extranjero que se encuentre en alguna de las situaciones señaladas anteriormente y hayan residido legalmente en España durante más de dos años, ni las mujeres embarazadas cuando la medida pueda suponer un riesgo para la gestación o para la salud de la madre.»

caso contrario se impondrá la sanción económica legalmente prevista. Estas infracciones son las siguientes[145]:

a) Inducir, promover, favorecer o facilitar, formando parte de una organización con ánimo de lucro, la inmigración clandestina de personas en tránsito o con destino al territorio español siempre que el hecho no constituya delito.

b) la realización de conductas de discriminación por motivos raciales, étnicos, nacionales o religiosos, en los términos previstos en el artículo 23 de la presente Ley, siempre que el hecho no constituya delito. Únicamente conllevarán la consecuencia de la expulsión en el caso que el infractor fuere extranjero

c) La contratación de trabajadores extranjeros sin haber obtenido con carácter previo el correspondiente autorización de trabajo, incurriéndose en una infracción por cada uno de los trabajadores extranjeros ocupados.

d) El transporte de extranjeros por vía aérea, marítima o terrestre, hasta el territorio español, por los sujetos responsables del transporte, sin que hubieran comprobado la validez y vigencia, tanto de los pasaportes, títulos de viaje o documentos de identidad pertinentes, como, en su caso, del correspondiente visado, de los que habrán de ser titulares los citados extranjeros.

A los efectos de establecer las situaciones de irregularidad de los extranjeros en España, que son las que motivarán la mayoría de los expedientes de expulsión, tanto la LO 4/00 como el RD 2393/2004 establecen los requisitos para la entrada del territorio español (arts. 25 y ss. LO 4/00, y 4 RD 2393/2004); los documentos exigidos a este fin (arts. 5 a 9 RD); y las situaciones de los extranjeros en España: estancia, residencia, estancia de estudiantes (arts. 29 a 35 LO y 29 y ss. RD). De modo que la situación irregular por la falta de cumplimiento de los requisitos exigidos por la ley para la entrada y permanencia en España comportará una infracción que conlleva la expulsión (art. 53.a), 57 LO 4/2000).

A estos efectos los extranjeros quedará identificados, además, de por la documentación expedida por su país de origen que acredite su identidad (art. 4 LO 4/00), del modo siguiente: a) todos los extranjeros que cuenten con una autorización para permanecer en España serán dotados de un documento en el que constará el tipo de autorización que se les haya concedido (arts. 102 y 105 RD 2393/2004). Los extranjeros están obligados a conservar el pasaporte o documento con el que hu-

---

(145) La infracción muy grave referida a los transportistas no conlleva la expulsión del territorio nacional, sino, en su caso, la imposición de una sanción. Esta infracción es la prevista en el art. 54.2 referida al incumplimiento de la obligación que tienen los transportistas de hacerse cargo del extranjero transportado que, por deficiencias en la documentación antes citada, no haya sido autorizado a entrar en España. Esta obligación incluye los gastos de mantenimiento del citado extranjero y, si así lo solicitan las autoridades encargadas del control de entrada, los derivados del transporte de dicho extranjero, que habrá de producirse de inmediato, bien por medio de la compañía objeto de sanción o, en su defecto, por medio de otra empresa de transporte, con dirección al Estado a partir del cual le haya transportado, al Estado que haya expedido el documento de viaje con el que ha viajado o a cualquier otro Estado donde esté garantizada su admisión. Con las excepciones en los casos de solicitud de asilo (art. 54.3, de conformidad con lo establecido en el artículo 4.2 de la Ley 5/1984, de 26 de marzo, modificada por la Ley 9/1994, de 19 de mayo.

bieran efectuado su entrada en España y, en su caso, la tarjeta señalada, así como a exhibirlos cuando fueran requeridos por las autoridades o sus agentes (art. 100 RD 2393/2004)[146]. b) Se otorgará a los extranjeros un número personal, único y exclusivo, de carácter secuencial, que será el identificador del extranjero (NIE) y deberá figurar en todos los documentos que se le expidan o tramiten, así como en las diligencias que se estampen en su pasaporte o documento análogo (arts. 4 LO 4/00, y 101 RD 2393/2004).

Este número se atribuirá de oficio, por la Dirección General de la Policía, a la que corresponde la organización y gestión de los servicios de expedición de las tarjetas de extranjeros. Esta Dirección General llevará un Registro Central de Extranjeros en el que se anotarán todos los datos de relevancia del extranjero[147]; y un Registro de Menores Extranjeros no acompañados en situación de legal desamparo a efectos puramente identificadores (art. 111 RD 2393/2004)[148].

La información del Registro Central de Extranjeros será puesta a disposición de los órganos de las Administraciones públicas para el ejercicio de competencias en materia de extranjería, así como de los interesados, de conformidad con lo dispuesto en la Ley Orgánica 15/1999, de 13 de diciembre, de Protección de Datos de Carácter Personal, en la Ley 30/1992, de Régimen Jurídico de las Administraciones Públicas y del Procedimiento Administrativo Común, modificada por Ley 4/1999, y en sus normas de desarrollo.

---

(146) «... Con carácter previo, es preciso recordar que las personas que no poseen la nacionalidad española sólo tienen derecho a residir en España, y a circular dentro del territorio nacional, cuando se le otorga la disposición de una ley o de un Tratado, o la autorización concedida por una autoridad competente. La LO de extranjería requiere la posesión de dos tipos de documentos: el pasaporte u otro documento equivalente, que permita acreditar la identidad y la nacionalidad del particular; y el visado, permiso de residencia, u otro documento similar, que permita acreditar el derecho a transitar y permanecer en territorio español...». (STC 86/96, de 21 mayo).

(147) Art. 109. RD 2393/04: «1. Existirá, en la Dirección General de la Policía, un Registro Central de Extranjeros en el que se anotarán: a) Declaración de entrada. b) Documentos de viaje. c) Prórrogas de estancia. d) Cédulas de inscripción. e) Autorizaciones de entrada y estancia. f) Autorización de estancia por estudios. g) Autorizaciones de residencia. h) Autorizaciones para trabajar. i) Inadmisiones a trámite, concesiones y denegaciones de asilo. j) Concesiones y denegaciones del estatuto de apátrida y de desplazado. k) Cambios de nacionalidad, domicilio o estado civil. l) Limitaciones de estancia. m) Medidas cautelares adoptadas, infracciones administrativas cometidas y sanciones impuestas en el marco de la Ley Orgánica 4/2000, de 11 de enero, y de este Reglamento. n) Denegaciones y prohibiciones de entrada en el territorio nacional y sus motivos. ñ) Devoluciones. o) Prohibiciones de salida. p) Expulsiones administrativas o judiciales. q) Salidas obligatorias. r) Autorizaciones de regreso. s) Certificaciones de número de identidad de extranjero. t) Retorno de trabajadores de temporada. u) Cartas de invitación. v) Cualquier otra resolución o actuación que puede pueda adoptarse en aplicación de este Reglamento».

(148) Art. 111 RD 2393/2004, que dispone que el Registro de menores contendrá: «a) Nombre y apellidos, nombre de los padres, lugar de nacimiento, nacionalidad, última residencia en el país de procedencia. b) Su impresión decadactilar. c) Fotografía. d) Centro de acogida donde resida. e) Organismo público bajo cuya protección se halle. f) Resultado de la prueba médica de determinación de la edad, según informe de la clínica médico forense. g) Cualesquiera otros datos de relevancia a los citados efectos de identificación, incluidos los que puedan facilitar la escolarización del menor».

4.2. Adopción de medidas cautelares: La detención e internamiento preventivo[149]

El art. 61 LO 4/00 y los arts. 21 y ss. Real Decreto 162/2014, de 14 de marzo, por el que se aprueba el reglamento de funcionamiento y régimen interior de los centros de internamiento de extranjeros[150], prevén la posibilidad de adoptar medidas cautelares desde que se incoe o mientras se sustancie el expediente sancionador en el que se formule propuesta de expulsión[151]. En este caso, con el fin de asegurar la eficacia de la resolución final que pudiera recaer, la autoridad gubernativa competente para su resolución podrá acordar, a instancia del Instructor, la adopción de alguna de las siguientes medidas cautelares: a) Presentación periódica ante las autoridades competentes. b) Residencia obligatoria en determinado lugar. c) Retirada del pasaporte o documento acreditativo de su nacionalidad, previa entrega al interesado de resguardo acreditativo de tal medida. d) Detención cautelar, por la autoridad gubernativa o sus agentes, por un período máximo de setenta y dos horas, previas a la solicitud de internamiento. En cualquier otro supuesto de detención, la puesta a disposición judicial se producirá en un plazo no superior a setenta y dos horas. e) También puede acordarse el decomiso de vehículos, embarcaciones, aeronaves, y cuantos bienes muebles o inmuebles, de cualquier naturaleza que sean, hayan servido de instrumento para la comisión de la infracción; o la clausura del establecimiento o local desde seis meses a cinco años (art. 55.5 y 6 LO 4/00). Estas medidas no se regulan expresamente como cautelas en el art. 61, pero sí en el art. 55 LO 4/00.

Incoado el expediente por alguno de los supuestos contemplados en las letras a) y b) del artículo 54.1, en las letras a), d) y f) del artículo 53.1 y en el artículo 57.2 de la LO 4/2000, en el que pueda proponerse expulsión del territorio español, el

---

(149) Vid. § 4, Capítulo IV sobre derechos de asistencia al detenido, y doctrina de los arts. 17 CE y 520 LECrim., y en particular la STC 74/87, de 25 mayo, que garantiza la asistencia de intérprete cuando el extranjero no conozca suficientemente el idioma español, conforme art. 30.2 LOE. Vid. PLASENCIA DOMÍNGUEZ, N., «Jurisdicción penal y medidas repatriativas de extranjería», *Diario La Ley*, nº 8984, Sección Doctrina, 22 de mayo de 2017; DAUNIS RODRÍGUEZ, A., «Reglamento de los centros de internamiento de extranjeros: una nueva oportunidad perdida», *Diario La Ley*, N.º 8418, Año XXXV, 11 de noviembre de 2014, Ref. D-374.

(150) El Real Decreto 2393/2004, de 30 de diciembre, fue derogado, excepto las previsiones relativas al régimen de internamiento de los extranjeros, por la disposición derogatoria única del R.D. 557/2011, de 20 de abril, por el que se aprobó el Reglamento de la L.O. 4/2000, sobre derechos y libertades de los extranjeros en España y su integración social. Con la entrada en vigor del Real Decreto 162/2014, de 14 de marzo, por el que se aprueba el reglamento de funcionamiento y régimen interior de los centros de internamiento de extranjeros (B.O.E. 15 marzo 2014), debe entenderse totalmente derogado el Real Decreto 2393/2004, de 30 de diciembre.

(151) Las medidas cautelares del art. 61.1 c) se refieren a la fase de instrucción, mientras que las del art. 63.2 LO 4/00 también a la fase de ejecución: «Respecto al segundo motivo, tampoco puede prosperar ya que en este caso no resulta aplicable el art. 61.1.c) LOEX, por referirse a la fase de instrucción del procedimiento y no a la fase de ejecución del mismo que era en el que se encontraba en la fecha del dictado de la resolución impugnada, resultando de esta manera aplicable el art. 63.2 de la LOEX que admite expresamente la posibilidad de adoptar las medidas cautelares del art. 61 y que, como ya hemos señalado, tiene naturaleza de Ley Orgánica; y sin que, por otra parte, pueda considerarse vulnerado el principio de legalidad, en atención a la circunstancia de no haber sido dictada la resolución impugnada por el Sr. Delegado del Gobierno por estar solamente ello previsto para la resolución sancionadora en el art. 55.2 de la LOEX». STSJ Asturias, Sala Contencioso-administrativo, Sección 1ª, Sentencia 122/2016 de 26 Feb. 2016, Rec. 49/2016.

instructor podrá solicitar al Juez de Instrucción competente que disponga el ingreso del extranjero en un centro de internamiento en tanto se realiza la tramitación del expediente sancionador (art. 62 LO 4/00).

El Juez, previa audiencia del interesado y del Ministerio Fiscal[152], resolverá mediante auto motivado, en el que, de acuerdo con el principio de proporcionalidad, tomará en consideración las circunstancias concurrentes y, en especial, el riesgo de incomparecencia por carecer de domicilio o de documentación identificativa, las actuaciones del extranjero tendentes a dificultar o evitar la expulsión, así como la existencia de condena o sanciones administrativas previas y de otros procesos penales o procedimientos administrativos sancionadores pendientes. Asimismo, en caso de enfermedad grave del extranjero, el juez valorará el riesgo del internamiento para la salud pública o la salud del propio extranjero.

Contra la resolución judicial cabrá interponer los recursos previstos con carácter general en los arts. 216 y ss. LECrim. por así exigirlo 5.4 el art. Convenio Europeo para la Protección de los Derechos Humanos y Libertades Fundamentales (LA LEY 16/1950)[153]. También se recoge en la Circular Fiscalía General del Estado 2/2006, 27 de julio de 2006, sobre diversos aspectos relativos al régimen de los extranjeros en España.

Existen diferencias sustanciales con las detenciones preventivas de carácter penal, no sólo en las condiciones físicas de su ejecución, sino también en función del diverso papel que cumple la Administración en uno y otro caso. En el procedimiento de expulsión, la decisión final sobre la misma corresponde al órgano gubernativo, y por ello es una decisión que puede condicionar la propia situación del extranjero detenido. Ello significa que el órgano que solicita el internamiento persigue un interés específico estatal, relacionado con la policía de extranjeros, y no actúa ya, como en la detención penal, como un mero auxiliar de la justicia, sino como titular de intereses públicos propios[154].

---

(152) Vid. Circular Fiscalía General Estado 3/2001, de 21 de diciembre (LA LEY 52/2001), sobre actuación del Ministerio Fiscal en materia de extranjería.

(153) «La decisión judicial, en relación con la medida de internamiento del extranjero pendiente de expulsión ha de ser "adoptada mediante resolución judicial motivada" (TC S 41/1982 (LA LEY 13796-JF/0000) de 2 Jul.), que debe respetar los derechos fundamentales de defensa (art. 24.1 y 17.3 CE), incluidos los previstos en el art. 30.2 LO 7/1985, de 1 Jul., en conexión con el art. 6.3 Convenio Europeo para la Protección de los Derechos Humanos y Libertades Fundamentales (LA LEY 16/1950), así como la interposición de los recursos que procedan contra la resolución judicial y eventualmente los reconocidos en el art. 35 LO 7/1985, de 1 Jul., en conexión con el art. 5.4 del citado Convenio Europeo para la Protección de los Derechos Humanos y Libertades Fundamentales (LA LEY 16/1950)». STC Pleno, Sentencia 115/1987 de 7 Jul. 1987, Rec. 880/1985

(154) «… los derechos que asisten al extranjero y, en particular el de defensa, tiene diferencias sustanciales con las detenciones preventivas de carácter penal, no sólo en las condiciones físicas de su ejecución, sino también en función del diverso papel que cumple la Administración en uno y otro caso. En materia penal, una vez puesto el detenido en el órgano gubernativo a disposición judicial, la suerte penal del detenido se condiciona a decisiones judiciales posteriores, tanto en lo relativo a la detención preventiva como en el resultado del proceso penal posterior. En el procedimiento de expulsión, la decisión final sobre la misma corresponde al órgano gubernativo, y por ello es una decisión que puede condicionar la propia situación del extranjero detenido.

El internamiento se mantendrá por el tiempo imprescindible para los fines del expediente, siendo su duración máxima de 60 días, y sin que pueda acordarse un nuevo internamiento por cualquiera de las causas previstas en un mismo expediente.

Cuando hayan dejado de cumplirse las condiciones descritas en el art. 62.1°, el extranjero será puesto inmediatamente en libertad por la autoridad administrativa que lo tenga a su cargo, poniéndolo en conocimiento del Juez que autorizó su internamiento. Del mismo modo y por las mismas causas, podrá ser ordenado el fin del internamiento y la puesta en libertad inmediata del extranjero por el Juez, de oficio o a iniciativa de parte o del Ministerio Fiscal.

No podrá acordarse el ingreso de menores en los centros de internamiento, sin perjuicio de lo previsto en el artículo 62 bis 1. i) de esta Ley. Los menores extranjeros no acompañados que se encuentren en España serán puestos a disposición de las entidades públicas de protección de menores conforme establece la Ley Orgánica de Protección Jurídica del Menor y de acuerdo con las normas previstas en el artículo 35 de esta Ley.

La incoación del expediente, las medidas cautelares de detención e internamiento y la resolución final del expediente de expulsión del extranjero serán comunicadas al Ministerio de Asuntos Exteriores y a la embajada o consulado de su país.

A los efectos del presente artículo, el Juez competente para autorizar y, en su caso, dejar sin efecto el internamiento será el Juez de Instrucción del lugar donde se practique la detención. El Juez competente para el control de la estancia de los extranjeros en los Centros de Internamiento y en las Salas de Inadmisión de fronteras, será el Juez de Instrucción del lugar donde estén ubicados, debiendo designarse un concreto Juzgado en aquellos partidos judiciales en los que existan varios. Este Juez conocerá, sin ulterior recurso, de las peticiones y quejas que planteen los internos en cuanto afecten a sus derechos fundamentales. Igualmente, podrá visitar tales centros cuando conozca algún incumplimiento grave o cuando lo considere conveniente (art. 62 LO 4/2000).

La naturaleza jurídica de los Centros de Internamiento y su funcionamiento se regula en el RD 162/2014, de 14 de marzo, por el que se aprueba el reglamento de funcionamiento y régimen interior de los centros de internamiento de extranjeros. En concreto en su art. 1 dispone que estos centros son establecimientos públicos de carácter no penitenciario, dependientes del Ministerio del Interior, destinados a la custodia preventiva y cautelar de extranjeros para garantizar su expulsión, devolución o regreso por las causas y en los términos previstos en la legislación de extranjería, y de los extranjeros que, habiéndoseles sustituido la pena privativa de libertad por la medida de expulsión, el juez o tribunal competente así lo acuerde en aplicación de lo dispuesto por el artículo 89.6 del Código Penal. El ingreso y estancia en los centros

---

Ello significa que el órgano que solicita el internamiento persigue un interés específico estatal, relacionado con la policía de extranjeros, y no actúa ya, como en la detención penal, como un mero auxiliar de la justicia, sino como titular de intereses públicos propios». STS Sala Segunda, de lo Penal, Sentencia 992/2013 de 20 Dic. 2013, Rec. 816/2013. Vid también STC, Pleno, 115/1987, 7 julio, Rec. 880/85.

tendrá únicamente finalidad preventiva y cautelar, y estará orientado a garantizar la presencia del extranjero durante la sustanciación del expediente administrativo y la ejecución de la medida de expulsión, devolución o regreso.

El principio de proporcionalidad en los medios utilizados y objetivos perseguidos, el de intervención menos restrictiva y el de atención especializada a personas vulnerables regirán, entre otros, la gestión de los centros. A estos efectos se entenderán por personas vulnerables menores, personas discapacitadas, ancianos, mujeres embarazadas, padres solos con hijos menores y personas que hayan padecido tortura, violación u otras formas graves de violencia psicológica, física o sexual (art. 1 RD 162/2014, 14 marzo).

Nadie podrá ser internado en un centro sin que medie resolución dictada por la autoridad judicial competente que expresamente así lo autorice u ordene. En todo caso el extranjero internado queda a disposición del juez o tribunal que autorizó u ordenó el internamiento. Además, al Juez competente para el control de la estancia de los extranjeros en el centro le corresponde conocer, sin ulterior recurso, de las peticiones y quejas que planteen los internos en cuanto afecten a sus derechos fundamentales y visitar los centros cuando conozca algún incumplimiento grave o lo considere conveniente (art. 2 RD 162/2014)[155].

Los requisitos legales del ingreso y plazo máximo de estancia se regulan en el art. 21 RD 162/2014: 1. El ingreso en los centros solamente se podrá realizar en virtud de resolución de la autoridad judicial competente, en los supuestos y con los efectos previstos en la Ley Orgánica 4/2000, de 11 de enero, y en el artículo 89.6 del Código Penal. 2. El período de internamiento se mantendrá por el tiempo imprescindible para los fines del expediente y no podrá exceder en ningún caso de sesenta días. La decisión judicial que lo autorice, atendiendo a las circunstancias concurrentes en cada caso, podrá establecer un período máximo de duración del internamiento inferior al citado. 3. Podrá solicitarse un nuevo internamiento del extranjero, por las mismas causas que determinaron el internamiento anterior, cuando habiendo ingresado con anterioridad no hubiera cumplido el plazo máximo de sesenta días, por el período que resta hasta cumplir éste. Igualmente se podrán solicitar nuevos ingresos del extranjero si obedecen a causas diferentes, en este caso por la totalidad del tiempo legalmente establecido[156].

---

(155)   Artículo 3 RD 163/2014: Competencias: «1. Las competencias de dirección, coordinación, gestión e inspección de los centros corresponden al Ministerio del Interior y serán ejercidas a través de la Dirección General de la Policía, que también será responsable de su seguridad y vigilancia, sin perjuicio de las facultades judiciales concernientes a la autorización de ingreso y al control de la permanencia de los extranjeros. Corresponde a la Comisaría General de Extranjería y Fronteras coordinar los ingresos y salidas en los centros con el objeto de optimizar su ocupación. 3. Los centros se hallan bajo la dependencia orgánica y funcional de la plantilla policial donde radiquen, sin perjuicio de la superior competencia de la Comisaría General de Extranjería y Fronteras en su gestión y coordinación».

(156)   Ver STS (Sala 3.ª) de 10 febrero 2015, Rec. 373/2014, que modifica el contenido de este apartado, declarado inválidos y nulos determinados incisos: «1. Declaramos inaplicable el inciso "y existan en el centro módulos que garanticen la unidad e intimidad familiar" del artículo 62 bis 1.i) de la Ley Orgánica 4/2000, de 11 de enero; se declaran inválidos y nulos los incisos»,

La solicitud de ingreso se formalizará de manera motivada ante la autoridad judicial, según lo establecido en la Ley Orgánica 4/2000, de 11 de enero, por el instructor del expediente administrativo[157]. El instructor que solicite la autorización de internamiento de un extranjero dispondrá su presentación ante el juez de instrucción competente, junto con aquellos documentos que formen parte del expediente o resolución de expulsión, devolución o denegación de entrada. Asimismo, el instructor aportará al juez certificado de todos los periodos de internamiento en centro o centros por dicho extranjero de los que se tenga constancia, con indicación de los expedientes administrativos de los que derivaron tales medidas cautelares y los juzgados que las acordaron, así como de su resolución (art. 23 RD 162/14)[158].

En el caso que se proceda a la detención la autoridad gubernativa, que acuerde tal detención, se dirigirá al Juez de Instrucción del lugar en que hubiese sido detenido el extranjero en el plazo de 72 horas, interesando el internamiento a su disposición en el centro de internamiento previsto, que no podrá tener carácter penitenciario (art. 62.6). También el control de la procedencia y condiciones del internamiento corresponde al juzgado de instrucción, por medio de los recursos previstos en la LECrim, y no al orden contencioso-administrativo[159] (véase M. 405 y M. 406). Pero sería distinto si se suspendiera la orden de expulsión, en cuyo caso, como la medida de internamiento es instrumental, quedaría sin efecto aquél.

«SEGUNDO. Respecto del primero de los motivos, la Ley Orgánica sobre Derechos y Libertades de los Extranjeros en España y sobre Integración Social, en su artículo 62, prevé el internamiento del extranjero en Centros de internamiento mediante decisión de Juez de Instrucción, en tanto se sustancia el expediente sancionador en el que se encuentra incurso y siempre que se vaya a proponer su expulsión, cuando concurran las causas señaladas en los artículos 53 y 54 de dicha Ley. Igualmente, el artículo 61.1 de dicha Ley, en la redacción dada por la Ley Orgánica 11/2003 de 29

---

en la medida de lo posible, del artículo 7.3, segundo párrafo, y «y existan en el centro módulos que garanticen la unidad e intimidad familiar» del artículo 16.2.k) del Reglamento de Funcionamiento y Régimen Interior de los Centros de Internamiento de Extranjeros. 2. Se declara inválido y nulo el inciso «Podrá solicitarse un nuevo internamiento del extranjero, por las mismas causas que determinaron el internamiento anterior, cuando habiendo ingresado con anterioridad no hubiera cumplido el plazo máximo de sesenta días, por el período que resta hasta cumplir éste» del artículo 21.3 del Reglamento impugnado; se anulan, por conexión, los términos «Igualmente» y «en este caso», del segundo inciso del mismo apartado, cuya redacción queda de la siguiente manera: «Se podrán solicitar nuevos ingresos del extranjero si obedecen a causas diferentes, por la totalidad del tiempo legalmente establecido». 3. Se declara inválido y nulo el apartado 2 del artículo 55 del Reglamento impugnado, debiendo aplicarse las medidas de registro personal contempladas en el artículo 62 quinquies, apartado 1, de la Ley Orgánica 4/2000, de 11 de enero (LA LEY 126/2000), de conformidad con los criterios expresados en el fundamento de derecho séptimo.

(157) Vid. Circular 6/2014 de la Dirección General de la Policía, sobre criterios para solicitar el ingreso de ciudadanos extranjeros en los centros de internamiento.

(158) Art. 24 RD 162/14: «El juez o tribunal que acuerde la expulsión de un extranjero en los supuestos previstos en el artículo 89.6 del Código Penal será el competente para ordenar su ingreso en un centro con el fin de asegurar la ejecución de la resolución».

(159) «En todo caso son medidas legalmente previstas en los arts. 61 y 62 de la LO 4/00 (LA LEY 126/2000) con carácter cautelar y, finalmente, quien debe adoptarla no es un Juzgado del orden contencioso-administrativo, sino la jurisdicción penal, a quien se le propone». STSJ Madrid, sala Cont., sec. 1ª, Sent. 22/2013, de 11 enero.

de septiembre, establece que desde el momento en que se incoe un procedimiento sancionador en el que pueda proponerse la expulsión el instructor, a fin de asegurar la resolución final que pudiera recaer, podrá adoptar como medida cautelar, entre otras, el internamiento preventivo, previa autorización judicial en los centros de internamiento (artículo 61.1 e) de la Ley Orgánica 11/2003 de 29 de septiembre y en el mismo sentido se pronuncia el artículo 62 en su párrafo primero de dicha disposición legal. Ahora bien, ha de entender la letrada del recurrente que tanto la Ley Orgánica (art. 62) como su Reglamento (art. 131.5) atribuyen la competencia para autorizar el referido internamiento al Juzgado de Instrucción. Así las cosas, como lo que en realidad se trasladaba en la petición de medidas cautelarísimas, y así lo entendió el Juzgado de lo Contencioso, era el control de la procedencia del internamiento, que no corresponde al orden contencioso-administrativo, sino al juzgado de instrucción, el juzgado de lo contencioso no podía acordar lo solicitado, toda vez que ese aspecto, el del internamiento, ha sido acordado por el Juzgado de Instrucción y no por la Administración y solo puede recurrible o revisable a través de los recursos previstos en la LECrim. Cuestión distinta sería que se suspendiera la orden de expulsión, en cuyo caso, como la medida de internamiento es instrumental, quedaría sin efecto. Pero aunque el objeto del recurso de apelación lo constituye el auto que denegó las medidas cautelarísimas, en realidad lo que se combatía era la procedencia del internamiento, cuyo examen, insistimos, no corresponde al orden contencioso, sino al penal, lo que conduce a desestimar esta alzada». STSJ Madrid, Sala Cont. Advo, Sec. 1ª, Sent. 285/2011 de 31 Mar.

Respecto al plazo máximo de detención, se ha pronunciado el Tribunal Constitucional, considerando que se vulnera el derecho fundamental de la libertad, cuando, detenido el extranjero por no poder acreditar su situación legal, se le mantiene detenido una vez concluidas las diligencias policiales de investigación.

«... Desde el mismo momento en que las averiguaciones tendentes al esclarecimiento de los hechos fueron finalizadas, y no constando la existencia de otras circunstancias, la detención policial del actor quedó privada de fundamento constitucional. En ese instante, que nunca puede producirse después del transcurso de 72 horas, pero sí antes, la policía tenía que haberlo puesto en libertad, o bien haberse dirigido al Juez competente, para demandar o solicitar que autorizase el internamiento del extranjero pendiente del trámite de expulsión. Al no actuar así, poniéndolo inmediatamente en libertad o a disposición judicial, y mantener su situación de detención más allá del tiempo estrictamente necesario, el derecho fundamental a la libertad personal del actor fue vulnerado...». (STC 86/96, de 21 mayo).

El internamiento se mantendrá por el tiempo imprescindible para los fines del expediente, siendo su duración máxima de 60 días, y sin que pueda acordarse un nuevo internamiento por cualquiera de las causas previstas en un mismo expediente (art. 62.2).

Por otra parte, el Tribunal Constitucional se ha pronunciado con relación al internamiento previsto en el art. 62 LO 4/2000[160], que si ha sido acordado por autoridad

---

(160) Anteriormente el TC se había pronunciado en contra de la detención gubernativa, si bien esta medida quedó corregida en la LO 4/2000: «3. Ya en este punto, por lo que se refiere a las detenciones producidas en el ámbito propio de la legislación de extranjería, ha de señalarse que nuestras resoluciones en recursos de amparo se han referido a detenciones o retenciones gubernativas (así, TC

judicial y se respetan los plazos legales previstos, no cabe formular un procedimiento de *habeas corpus*.

«Las garantías que para la libertad personal se derivan del régimen de control judicial que acaba de describirse equivalen, desde el punto de vista material y de eficacia, a las que pueden alcanzarse por medio del "*habeas corpus*", lo que haría redundante la posibilidad añadida de este remedio excepcional, sólo justificable en el plazo de la estricta detención cautelar gubernativa (durante las primeras setenta y dos horas) o, en su caso, superado el plazo acordado por la autoridad judicial para el internamiento, si el extranjero continúa privado de libertad. El "*habeas corpus*" sólo es factible, por tanto, en los supuestos de privación de libertad que no tienen otro fundamento que la sola voluntad de la autoridad gubernativa, quedando excluido como remedio procesal para las situaciones de privación de libertad dispuestas por el Juez y en el espacio temporal por el que éste las haya autorizado. En consecuencia, un internamiento decidido judicialmente que se extienda más allá del plazo señalado en el auto dictado al efecto pasa a ser una situación de privación de libertad que, por carecer ya del fundamento judicial que lo hizo constitucionalmente legítimo, no tiene más apoyo que la voluntad gubernativa, lo que la hace objeto posible de una solicitud de "*habeas corpus*", siendo éste el sentido cabal en el que ha de entenderse lo afirmado en la citada STC 115/1987 para la LO 7/1985, una vez que se proyecta sobre la nueva legislación en la materia. .../... Y es que el procedimiento de "*habeas corpus*" queda manifiestamente fuera de lugar cuando, como es el caso, la intervención judicial ya se ha producido con la aplicación de la Ley de Extranjería, sin que todavía hubiera transcurrido el plazo que para la duración del internamiento se había fijado por el Juez». STC 303/2005, 24 noviembre

f) Internamiento preventivo, previa autorización judicial en los centros de internamiento previstos a tal efecto.

La medida de internamiento podrá acordarse en los supuestos a los que se refiere el art. 62 LO 4/00, que se tramitarán por el procedimiento preferente respecto al

---

SS 21/1996, de 12 de febrero; 174/1999, de 27 de septiembre; 179/2000, de 26 de junio), es decir, a privaciones de libertad realizadas por la policía sin previa autorización judicial y al amparo de la normativa vigente en materia de extranjería. Típico supuesto, pues, de privación de libertad necesitada de un control judicial a posteriori sobre su legalidad, articulado en nuestro Derecho —con carácter general y al margen de mecanismos específicos establecidos por la legislación de extranjería—, a través del procedimiento de "habeas corpus". Sin embargo, en la STC 115/1987, de 7 de julio, en recurso directo, en lo que ahora importa, dirigido contra el art. 26 de la LO 7/1985, de 1 de julio, sobre derechos y libertades de los extranjeros en España, descartábamos la inconstitucionalidad de su apartado 2, que permitía el internamiento de extranjeros tras interesarlo del Juez de instrucción la autoridad gubernativa, haciendo una interpretación del régimen legal entonces vigente en la que concluíamos que "el precepto impugnado respeta y ha de respetar el bloque de competencia judicial existente en materia de libertad individual, incluyendo el derecho de "habeas corpus" del art. 17.4 de la Constitución, tanto en lo que se refiere a la fase gubernativa previa, dentro de las setenta y dos horas, como también respecto a esa prolongación del internamiento en caso necesario, más allá de las setenta y dos horas, en virtud de una resolución judicial" (FJ 1). Esta afirmación se hizo en un contexto en el que importaba dejar claro que "la disponibilidad sobre la pérdida de libertad es judicial, sin perjuicio del carácter administrativo de la decisión de expulsión y de la ejecución de la misma". Por ello se subrayaba el estricto sometimiento de la autoridad gubernativa al control de los Tribunales, que no derivaba de forma terminantemente clara de la literalidad del texto legal». STC 303/2005, 24 noviembre. Ver también STC 12/94, de 17 enero; STC 66/96, de 16 abril.

que se regula esta cautela (véase art. 110.6 RD 864/01). Se trata de los supuestos de infracciones muy graves previstas en el art. 54.1.a y b) LO 4/00 que se refieren a: «*a) Participar en actividades contrarias a la seguridad exterior del Estado o que pueden perjudicar las relaciones de España con otros países, o estar implicados en actividades contrarias al orden público previstas como muy graves en la Ley Orgánica 1/1992, de 21 de febrero, sobre Protección de la Seguridad Ciudadana. b) Inducir, promover, favorecer o facilitar, formando parte de una organización con ánimo de lucro, la inmigración clandestina de personas en tránsito o con destino al territorio español siempre que el hecho no constituya delito*». O a las faltas graves del art. 53.a), d) y f): «*a) Encontrarse irregularmente en territorio español, por no haber obtenido o tener caducada más de tres meses la prórroga de estancia, la autorización de residencia o documentos análogos, cuando fueren exigibles, y siempre que el interesado no hubiere solicitado la renovación de los mismos en el plazo previsto reglamentariamente. d) El incumplimiento de las medidas impuestas por razón de seguridad pública, de presentación periódica o de alejamiento de fronteras o núcleos de población concretados singularmente, de acuerdo con lo dispuesto en la presente Ley. f) La participación por el extranjero en la realización de actividades contrarias al orden público previstas como graves en la Ley Orgánica 1/1992, de 21 de febrero, sobre Protección de la Seguridad Ciudadana*».

No podrá acordarse el ingreso de menores en los centros de internamiento, sin perjuicio de lo previsto en el artículo 62 bis 1. i). Los menores extranjeros no acompañados que se encuentren en España serán puestos a disposición de las entidades públicas de protección de menores conforme establece la Ley Orgánica de Protección Jurídica del Menor y de acuerdo con las normas previstas en el artículo 35 de esta LO 4/2000 (art. 62.4)[161].

Los centros de internamiento de extranjeros son establecimientos públicos de carácter no penitenciario; el ingreso y estancia en los mismos tendrá únicamente finalidad preventiva y cautelar, salvaguardando los derechos y libertades reconocidos en el ordenamiento jurídico, sin más limitaciones que las establecidas a su libertad ambulatoria, conforme al contenido y finalidad de la medida judicial de ingreso acordada. En particular, el extranjero sometido a internamiento tiene los derechos previstos en el art. 62 bis.

Incoado el expediente por las causas expuestas el juez, previa audiencia del interesado, resolverá mediante auto motivado, atendidas las circunstancias concurrentes y, en especial, el hecho de que carezca de domicilio o de documentación, así como la existencia de condena o sanciones administrativas previas y de otros procesos penales o procedimientos administrativos sancionadores pendientes (art. 62.1 LO 4/00). La motivación del auto debe contener la motivación necesaria en la que se valore adecuadamente la necesidad y proporcionalidad de la medida. Sobre este particular, se han pronunciado algunas sentencias de Audiencia, aplicando la doctrina del TC sobre las medidas de restricción de libertad.

---

(161)   Vid. LÓPEZ LÓPEZ, Alberto Manuel, «Expulsión, retorno y devolución de extranjeros menores de edad», *La Ley* nº 6121, 5 nov. 2004.

El internamiento se mantendrá por el tiempo imprescindible para los fines del expediente sin que pueda exceder, en ningún caso, de sesenta días, ni acordarse un nuevo internamiento por cualquiera de las causas previstas en un mismo expediente[162]. Esta decisión se acordará en auto motivado que, conforme a lo expuesto, podrá acordar un período máximo de duración inferior al de cuarenta días (art. 62 LO 4/00). (Véase M. 405). En cualquier caso se respetará el derecho fundamental de defensa, rigiendo en todo momento el principio de excepcionalidad, según establece la STC 144/90, de 26 septiembre. El auto que decrete el internamiento se notificará al interesado con instrucción de sus derechos y recursos. Contra el auto cabe recurso de Queja ante la Audiencia provincial.

El extranjero internado queda sometido a un régimen especial de derechos y obligaciones establecido en los arts. 62 bis, 63 ter y quáter LO 4/2000. La relación de derechos es la siguiente:

a) A ser informado de su situación[163]. b) A que se vele por el respeto a su vida, integridad física y salud, sin que puedan en ningún caso ser sometidos a tratos degradantes o a malos tratos de palabra o de obra y a que sea preservada su dignidad y su intimidad. c) A que se facilite el ejercicio de los derechos reconocidos por el ordenamiento jurídico, sin más limitaciones que las derivadas de su situación de internamiento. d) A recibir asistencia médica y sanitaria adecuada y ser asistidos por los servicios de asistencia social del centro. e) A que se comunique inmediatamente a la persona que designe en España y a su abogado el ingreso en el centro, así como a la oficina consular del país del que es nacional. f) A ser asistido de abogado, que se proporcionará de oficio en su caso, y a comunicarse reservadamente con el mismo, incluso fuera del horario general del centro, cuando la urgencia del caso lo justifique[164]. g) A comunicarse en el horario establecido en el centro, con sus familiares, funcionarios consulares de su país u otras personas, que sólo podrán restringirse por resolución judicial. h) A ser asistido de intérprete si no comprende o no habla castellano y de forma gratuita, si careciese de medios económicos. i) A tener en su compañía a sus hijos menores, siempre que el Ministerio Fiscal informe favorablemente tal medida y existan en el centro módulos que garanticen la unidad e intimidad familiar (art. 62 bis LO 14/2003)[165].

---

(162) El órgano judicial habrá de adoptar libremente su decisión teniendo en cuenta las circunstancias que concurren en el caso (causa de expulsión, situación legal y personal del extranjero y probabilidad de huida). La disponibilidad sobre la pérdida de libertad es judicial, sin perjuicio del carácter administrativo de la decisión de expulsión. El internamiento debe regirse por el principio de excepcionalidad, en aplicación del principio favor libertatis (vid. STC 32/87, de 12 marzo).

(163) El art. 62.1 quáter LO 4/2000 concreta el ámbito del derecho a la información al extranjero sometido a internamiento: 1) Los extranjeros recibirán a su ingreso en el centro información escrita sobre sus derechos y obligaciones, las cuestiones de organización general, las normas de funcionamiento del centro, las normas disciplinarias y los medios para formular peticiones o quejas. La información se les facilitará en un idioma que entiendan.

(164) El derecho a abogado y a la asistencia jurídica gratuita se extiende a todos los extranjeros que acrediten insuficiencia de recursos para litigar, conforme con el art. 22.2 LO 4/2000 conforme con la interpretación del TC en su STC 236/2007 de 7 de noviembre.

(165) Las obligaciones se contienen en el art. 62 ter LO 4/00 y se refieren, entre otras cuestiones a la obligación de permanecer en el centro a disposición del juez de instrucción que hubiere

El art. 62 quinquies LO 4/00 regula también las medidas de vigilancia y seguridad en los centros y el protocolo de actuación en supuestos de actos de fuga, daños o resistencia de los internos en los que se podrán utilizar medios de contención o acordar la separación preventiva del interno en habitación individual, previa autorización del director del centro, salvo que razones de urgencia no lo permitan, en cuyo caso se pondrá en su conocimiento inmediatamente. A su vez, el director deberá comunicar lo antes posible a la autoridad judicial que autorizó el internamiento la adopción y cese de los medios de contención física personal, con expresión detallada de los hechos que hubieren dado lugar a dicha utilización y de las circunstancias que pudiesen aconsejar su mantenimiento. El juez, en el plazo más breve posible y siempre que la medida acordada fuere separación preventiva del agresor, deberá si está vigente, acordar su mantenimiento o revocación.

Los internados podrán formular, verbalmente o por escrito, peticiones y quejas sobre cuestiones referentes a su situación de internamiento. Dichas peticiones o quejas también podrán ser presentadas al director del centro, el cual las atenderá si son de su competencia o las pondrá en conocimiento de la autoridad competente, en caso contrario (art. 62.2 quáter LO 4/00.

4.3. Expediente sancionador. Garantías jurídicas

No se impondrá sanción alguna por infracciones a los preceptos establecidos en la Ley Orgánica 4/2000, de 11 de enero, sino en virtud de procedimiento instruido al efecto, de acuerdo con lo establecido en el art. 216.2 Rgto. aprobado por RD 557/2011, de 20 de abril. El ejercicio de la potestad sancionadora por la comisión de las infracciones administrativas previstas en la Ley Orgánica 4/2000, de 11 de enero, se tramitará por los procedimientos ordinario, preferente y simplificado, según proceda conforme a lo dispuesto en dicha Ley Orgánica y en el Reglamento 557/2011 (art. 217 RD 557/2011), que más adelante se exponen.

Con anterioridad a la iniciación del procedimiento se podrán realizar actuaciones previas para determinar con carácter preliminar si concurren circunstancias que justifiquen tal iniciación. Estas actuaciones se orientarán especialmente a determinar con la mayor precisión posible los hechos susceptibles de motivar la incoación del procedimiento, la identificación de la persona o personas que pudieran resultar responsables y las circunstancias relevantes que concurran en unos y otros (art. 218 RD 557/2011).

El procedimiento se iniciará de oficio por acuerdo del órgano competente por propia iniciativa, como consecuencia de orden superior, a petición razonada de otros órganos o por denuncia. Serán competentes para ordenar la incoación del procedimiento sancionador los Delegados del Gobierno en las Comunidades Autónomas uniprovinciales, los Subdelegados del Gobierno, los Jefes de Oficinas de Extranjería, el Comisario General de Extranjería y Fronteras, el Jefe Superior de Policía, los Comisarios Provinciales y los titulares de las comisarías locales y puestos fronterizos. El supuesto más frecuente de inicio será, normalmente, de oficio por el funcionario

---

autorizado su ingreso; a observar las normas por las que se rige el centro y cumplir las instrucciones impartidas.

policial que constata que el extranjero se halla comprendido en alguno de los supuestos ya reseñados de irregularidad por no acreditar que su estancia en España se halla amparada por alguna de las situaciones previstas en la Ley.

En el acuerdo de incoación del procedimiento se nombrarán instructor y secretario, que deberán ser funcionarios del Cuerpo Nacional de Policía, sin perjuicio de que tales nombramientos puedan recaer en otros funcionarios de las Oficinas de Extranjería cuando se trate de procedimientos sancionadores que se tramiten por las infracciones leves e infracciones graves de las letras e) y h) del artículo 53.1 de la Ley Orgánica 4/2000, de 11 de enero (art. 220 RD 557/2011).

Los Delegados del Gobierno en las Comunidades Autónomas uniprovinciales y los Subdelegados del Gobierno dictarán resolución motivada que confirme, modifique o deje sin efecto la propuesta de sanción y decida todas las cuestiones planteadas por los interesados y aquéllas otras derivadas del procedimiento. La resolución no podrá tener en cuenta hechos distintos de los determinados en la fase de instrucción del procedimiento, sin perjuicio de su diferente valoración jurídica. Para la determinación de la sanción que se imponga, además de los criterios de graduación a que se refieren los apartados 3 y 4 del artículo 55 de la Ley Orgánica 4/2000, de 11 de enero, se valorarán también, a tenor de su artículo 57, las circunstancias de la situación personal y familiar del infractor (art. 222 RD 557/2011).

El extranjero manifestará, a los efectos previstos en el art 22.3 LO 4/2000, de 11 de enero, su voluntad expresa de recurrir, cuya constancia se acreditará por medio del apoderamiento regulado en el artículo 24 LEC[166]. En el caso de que el extranjero se hallase privado de libertad podrá manifestar su voluntad de interponer recurso contencioso-administrativo o ejercitar la acción correspondiente contra la resolución de expulsión ante el Delegado o Subdelegado del Gobierno competente o el Director del Centro de Internamiento de Extranjeros bajo cuyo control se encuentre, que lo harán constar en acta que se incorporará al expediente (art. 223 RD).

La ejecución de las resoluciones sancionadoras se efectuará de conformidad con lo dispuesto en los arts. 242 y ss., referentes a supuestos en que procede el procedimiento de expulsión, sin perjuicio de las particularidades establecidas para el procedimiento preferente. En la resolución se adoptarán, en su caso, las disposi-

---

(166)   «La asociación actora considera que este precepto no incluye como un requisito para recurrir la manifestación de la voluntad del extranjero, pues interpreta que la previsión contenida en el último apartado del art. 22 citado, tras la última redacción, en la que se suprimió la conjunción "y" que se contemplaba en el Anteproyecto, supuso la desaparición de esta exigencia a los extranjeros para recurrir .../... Pues bien, la premisa de la que parte la recurrente resulta incorrecta, pues, se fundamenta en una parcial y subjetiva interpretación del precepto legal que desarrolla el reglamento. No cabe entender, como considera la Asociación catalana, que la mención que se incluye en el apartado tercero del art. 22 de la Ley, no constituya un requisito o una exigencia para recurrir en los procesos contencioso administrativos en materia de denegación de entrada, devolución o expulsión. La Ley establece claramente los términos en los que ha de cumplirse la exigencia y así lo hemos interpretado en la Sentencia de 30 de junio de 2011, dictada en recurso de casación en interés de ley promovido por el Colegio de Abogados de Madrid, en la que reiteramos el carácter personal del derecho de acceso a la jurisdicción, reconocido por el artículo 24 de la Constitución». STS, Sala 3ª, De lo contencioso, 11 junio 2013, nº rec. 341/2011.

ciones cautelares precisas para garantizar su eficacia en tanto no sea ejecutiva. Las mencionadas disposiciones podrán consistir en el mantenimiento de las medidas provisionales que, en su caso, se hubieran adoptado de conformidad con el artículo 61 de la LO 4/2000, de 11 de enero. No obstante lo anterior y de acuerdo con lo previsto en el artículo 63 bis de la LO 4/2000, de 11 de enero, no podrá adoptarse la medida cautelar de internamiento preventivo durante el plazo de cumplimiento voluntario que se hubiera fijado en la resolución de expulsión (art. 224.1.2).

Las resoluciones administrativas sancionadoras serán recurribles con arreglo a lo dispuesto en las leyes. Su régimen de ejecutividad será el previsto con carácter general. En todo caso, cuando el extranjero no se encuentre en España, podrá cursar los recursos procedentes, tanto en vía administrativa como jurisdiccional, a través de las representaciones diplomáticas o consulares correspondientes, que los remitirán al organismo competente (art. 224.3.4)

El plazo máximo en que debe dictarse y notificarse la resolución que resuelva el procedimiento será de seis meses desde que se acordó su iniciación, sin perjuicio de lo dispuesto para el procedimiento simplificado en el artículo 238. Transcurrido dicho plazo sin haberse resuelto y notificado la expresada resolución se producirá la caducidad del procedimiento y se procederá al archivo de las actuaciones a solicitud de cualquier interesado o de oficio por el órgano competente para dictar la resolución, excepto en los casos en que el procedimiento se hubiera paralizado por causa imputable a los interesados o en aquellos supuestos en que se hubiese acordado su suspensión (art. 225.1).

La acción para sancionar las infracciones previstas en la Ley Orgánica 4/2000, de 11 de enero, prescribe a los tres años si la infracción es muy grave; a los dos años si es grave, y a los seis meses si es leve, contados a partir del día en que los hechos se hubiesen cometido. La prescripción se interrumpirá por cualquier actuación de la Administración de la que tenga conocimiento el denunciado. El plazo de prescripción se reanudará si el procedimiento estuviera paralizado durante más de un mes por causa no imputable al expedientado (art. 225 RD 557/2011).

El plazo de prescripción de la sanción será de cinco años si la sanción impuesta lo fuera por infracción muy grave; de dos años si lo fuera por infracción grave, y de un año si lo fuera por infracción de carácter leve. Si la sanción impuesta fuera la expulsión del territorio nacional, la prescripción no empezará a contar hasta que haya transcurrido el período de prohibición de entrada fijado en la resolución, que será establecido de acuerdo con lo dispuesto en el apartado 2 del artículo 245 del presente Reglamento. El plazo de prescripción de la sanción comenzará a contarse desde el día siguiente a aquél en que adquiera firmeza la resolución por la que se imponga la sanción.

La prescripción, tanto de la infracción como de la sanción, se aplicará de oficio por los órganos competentes en las diversas fases de tramitación del expediente. Tanto la prescripción como la caducidad exigirán resolución en la que se mencione tal circunstancia como causa de terminación del procedimiento, con indicación de los hechos producidos y las normas aplicables, según lo establecido en el artículo 42.1 de la Ley 30/1992, de 26 de noviembre (art. 225.4.5)

4.4. Expediente de expulsión[167]

La expulsión[168] se acordará en un procedimiento preferente[169] o bien en uno ordinario[170], de conformidad con lo previsto en los arts. 63 y siguientes LO 4/00 y arts. 234 y siguientes del Real Decreto 557/2011, de 20 de abril, por el que se aprueba el Reglamento de la Ley Orgánica 4/2000, sobre derechos y libertades de los extranjeros en España y su integración social (tras su reforma por Ley Orgánica 2/2009)[171]. Más adelante es expone su tramitación.

Cuando haya expirado el plazo de cumplimiento voluntario sin que el extranjero haya abandonado el territorio nacional, se procederá a su detención y conducción hasta el puesto de salida por el que se deba hacer efectiva la expulsión. Si la expulsión no se pudiera ejecutar en el plazo de setenta y dos horas, podrá solicitarse la medida de internamiento regulada en los artículos anteriores, que no podrá exceder del período establecido en el artículo 62 de esta Ley (art. 64 LO 4/2000).

La ejecución de la resolución de expulsión se efectuará, en su caso, a costa del empleador que hubiera sido sancionado por las infracciones previstas en el artículo 53.2 a) o 54.1.d) de esta Ley o, en el resto de los supuestos, a costa del extranjero si tuviere medios económicos para ello. De no darse ninguna de dichas condiciones, se comunicará al representante diplomático o consular de su país, a los efectos oportunos (art. 64 LO 4/2000). Cuando un extranjero sea detenido en territorio español y se constate que contra él se ha dictado una resolución de expulsión por un Estado

---

(167) Vid. RECIO JUÁREZ, M, *La expulsión de extranjeros en el proceso penal*, Edit. Dykinson, 2016.

(168) Vid. Directiva 2008/115/CE del Parlamento Europeo y del Consejo, de 16 de diciembre de 2008 (LA LEY 19517/2008), relativa a normas y procedimientos comunes en los Estados miembros para el retorno de los nacionales de terceros países en situación irregular. Esta Directiva se aplicará a los nacionales de terceros países en situación irregular en el territorio de un Estado miembro.

(169) «En cuanto a la utilización del procedimiento preferente para tramitar la expulsión, hacer saber que en el momento de incoarse el expediente concurrían en el interesado las circunstancias previstas en el art. 63 de la LOEX y art. 234 del RD 557/2011 de 20 de abril ya que existía un posible riesgo de incomparecencia por cuanto carecía de domicilio fijo o estable (folio 7 del expediente administrativo), se desconocía el tiempo que llevaba residiendo en España (dado que no figuraba sello de entrada en su pasaporte), no acreditaba ingresos o medios de vida y no se le conocían vínculos familiares. A mayor abundamiento, la Directiva 2008/115/CE permite a los Estados miembros abstenerse de conceder plazo para la salida voluntaria en los casos relacionados en el art. 7.4 de la misma». STSJ Cataluña, Sala de lo Contencioso-administrativo, Sección 2ª, Sentencia 8/2017 de 12 Ene. 2017, Rec. 640/2015.

(170) «Por lo expuesto, considera la Sala que no se ha vulnerado los trámites del procedimiento ordinario por el hecho de que la infracción grave prevista en el art. 53.1.a) de la LO 4/2000 se haya tramitado por los cauces del procedimiento preferente. Y para el hipotético supuesto de que preceptivamente hubiera tenido que tramitarse el procedimiento ordinario para dicha infracción nada impediría que por la hipotética concurrencia de esta causa de nulidad pudiera mantenerse la validez del procedimiento y la resolución dictada en relación con el supuesto expulsión previsto en el art. 57.2 de la LO 4/2000, para cuya tramitación se prevé el procedimiento preferente finalmente tramitado». STSJ Castilla y León de Burgos, Sala de lo Contencioso-administrativo, Sección 1ª, Sentencia 386/2013 de 22 Nov. 2013, Rec. 171/2013.

(171) Vid. FERNÁNDEZ PÉREZ, A., «La regulación de las devoluciones y expulsiones de extranjeros: la ilegalidad de las devoluciones de extranjeros efectuadas sin las debidas garantías», *La Ley* nº 8382, 22 sept. 2014.

miembro de la Unión Europea, se procederá a ejecutar inmediatamente la resolución, sin necesidad de incoar nuevo expediente de expulsión. Se podrá solicitar la autorización del Juez de instrucción para su ingreso en un centro de internamiento, con el fin de asegurar la ejecución de la sanción de expulsión, de acuerdo con lo previsto en la presente Ley.

Se suspenderá la ejecución de la resolución de expulsión cuando se formalice una petición de protección internacional, hasta que se haya inadmitido a trámite o resuelto, conforme a lo dispuesto en la normativa de protección internacional.

No será precisa la incoación de expediente de expulsión: a) para proceder al traslado, escoltados por funcionarios, de los solicitantes de protección internacional cuya solicitud haya sido inadmitida a trámite en aplicación de la Ley 12/2009, de 30 de octubre, reguladora del derecho de asilo y de la protección subsidiaria, al ser responsable otro Estado del examen de la solicitud, de conformidad con los convenios internacionales en que España sea parte, cuando dicho traslado se produzca dentro de los plazos que el Estado responsable tiene la obligación de proceder al estudio de la solicitud. b) para proceder al traslado, escoltados por funcionarios, manutención, o recepción, custodia y transmisión de documentos de viaje, de los extranjeros que realicen un tránsito en territorio español, solicitado por un Estado miembro de la Unión Europea, a efectos de repatriación o alejamiento por vía aérea (art. 64.6 LO 4/2000).

4.5. Derecho de asilo

No es posible en esta obra atender, en toda su integridad, al problema del Asilo que se halla implicado con el de la extranjería, ya que en muchas ocasiones el traslado del extranjero a España tiene por causa solicitar y obtener el asilo. A este respecto, la Carta de Derechos Fundamentales de la Unión Europea —solemnemente proclamada en Niza el 7 de diciembre de 2000— incluye entre las «Libertades» del Capítulo II el derecho de asilo (art. 18) y a no ser expulsado, extraditado o devuelto a un Estado donde haya grave riesgo de ser sometido a pena de muerte, tortura o a otras penas o tratos inhumanos o degradantes (art. 19). Por su parte el art. 33.1 de la Convención de Ginebra sobre el Estatuto de los Refugiados de 28 de julio de 1951 (al que está adherida España) establece que: «Ningún Estado contratante podrá, por expulsión o devolución, poner en modo alguno a un refugiado en las fronteras de territorios donde su vida o su libertad peligre por causa de su raza, religión, nacionalidad, pertenencia a determino grupo social o de sus opiniones políticas».

El derecho de asilo se regula en Ley 12/2009, de 30 de octubre, reguladora del derecho de asilo y de la protección subsidiaria (que derogó la Ley 5/1984 de 26 de marzo, reguladora del derecho de asilo y de la condición de refugiado). El solicitante de asilo disfruta del derecho a la libertad (art. 17.1 CE) frente a los poderes públicos de España.

Por otra parte, el art. 1º (Ley 12/2009) establece que, de acuerdo con lo previsto en el art. 13.4 de la Constitución, tiene por objeto establecer los términos en que las personas nacionales de países no comunitarios y las apátridas podrán gozar en España de la protección internacional constituida por el derecho de asilo y la protección subsidiaria, así como el contenido de dicha protección internacional. El derecho de asilo es la protección dispensada a los nacionales no comunitarios o a los apátridas a quienes se reconozca la condición de refugiado en los términos definidos en el artículo 3 de esta Ley y en la Convención sobre el Estatuto de los Refugiados, hecha en Ginebra el 28 de julio de 1951, y su Protocolo, suscrito en Nueva York el 31 de enero de 1967 (art. 2 Ley 12/2009).

El derecho de asilo no es un derecho ilimitado sino que puede ser denegado si no se cumplen los requisitos legalmente previstos. En concreto, puede ser denegado en aquellos casos previstos en el artículo 12, apartado 2, letra c), y el artículo 12, apartado 3, de la Directiva 2004/83 (LA LEY 5286/2004). Éstos deben interpretarse en el sentido de que pueden justificar la exclusión del estatuto de refugiado aquellos actos de participación en una organización terrorista aun cuando no se haya demostrado que la persona de que se trate haya cometido un acto de terrorismo. Esta exclusión no puede limitarse a quienes hayan cometido efectivamente actos de terrorismo, sino que puede extenderse también a quienes realicen actividades de reclutamiento, organización, transporte o equipamiento de las personas que viajan a un Estado distinto de sus Estados de residencia o nacionalidad para cometer, planificar o preparar actos terroristas.

> «69. Se deriva de lo anterior que la aplicación de la exclusión del estatuto de refugiado prevista en el artículo 12, apartado 2, letra c), de la Directiva 2004/83 (LA LEY 5286/2004) no puede limitarse a quienes hayan cometido efectivamente actos de terrorismo, sino que puede extenderse también a quienes realicen actividades de reclutamiento, organización, transporte o equipamiento de las personas que viajan a un Estado distinto de sus Estados de residencia o nacionalidad para cometer, planificar o preparar actos terroristas. 70. Por otro lado, se desprende de lo dispuesto en el artículo 12, apartado 2, letra c), de la Directiva 2004/83 (LA LEY 5286/2004), en relación con el artículo 12, apartado 3, de la misma Directiva, que la exclusión del estatuto de refugiado prevista en la primera de esas disposiciones puede extenderse también a las personas sobre las que existan motivos fundados para considerar que han incitado a la comisión de los delitos o actos contrarios a las finalidades y a los principios de las Naciones Unidas o han participado en ellos. Habida cuenta de lo expuesto en los apartados 48 y 66 de la presente sentencia, la aplicación conjunta de estas disposiciones no exige que el solicitante de protección internacional haya incitado a la comisión de un acto de terrorismo o haya participado en él. 71. A este respecto, la Comisión señala acertadamente que la participación en las actividades de un grupo terrorista puede abarcar un amplio catálogo de comportamientos de gravedad variable». STEDH Sala Gran Sala, Sentencia de 31 Ene. 2017, C-573/2014, N.° de Recurso: C-573/2014 (Diario La Ley, N.° 8930, Sección Jurisprudencia, 27 de febrero de 2017)

La condición de refugiado se reconoce a toda persona que, debido a fundados temores de ser perseguida por motivos de raza, religión, nacionalidad, opiniones políticas, pertenencia a determinado grupo social, de género u orientación sexual, se encuentra fuera del país de su nacionalidad y no puede o, a causa de dichos temores, no quiere acogerse a la protección de tal país, o al apátrida que, careciendo de nacionalidad y hallándose fuera del país donde antes tuviera su residencia habitual, por los mismos motivos no puede o, a causa de dichos temores, no quiere regresar a él, y no esté incurso en alguna de las causas de exclusión del artículo 8 o de las causas de denegación o revocación del art. 9 (art. 3 Ley 12/2019)[172]. El TS tiene sentado que la apreciación de las causas que determinen la protección deberá hacerse con un criterio flexible, dada la dificultad de prueba de las mismas[173].

La Ley pretende objetivar, por otra parte, la clase de actos de persecución que son necesarios para que los «temores» de persecución sean en efecto «fundados», con exclusión, de esa manera, de cualesquiera otros de relevancia menor (art. 6). En el artículo 7 se establecen criterios para valorar los motivos por los que el agente perseguidor puede actuar para que la persecución denunciada y probada, aun cuando lo sea mediante indicios de alguna relevancia, sea en efecto incardinable en la situación que habilita la condición de refugiado. En los artículos 13 y 14 de la repetida Ley se describe quiénes pueden ser agentes de persecución y, en su caso, de protección. Y en el artículo 21 se establecen las causas que permiten una denegación «acelerada» de las solicitudes de protección.

---

(172)   «Debemos recordar también, como justificación de nuestra decisión, que, en la Sentencia de esta misma Sala y Sección del Tribunal Supremo de fecha 2 de enero de 2009 (recurso de casación 4251/2005 (LA LEY 1205/2009)), hemos declarado que la Directiva europea 83/2004, de 29 abril, sobre normas mínimas relativas a los requisitos para el reconocimiento y el estatuto de nacionales de terceros países o apátridas como refugiados o personas que necesitan otro tipo de protección internacional y al contenido de la protección concedida, en su artículo 4.5 dispone que …. En relación con la prueba exigible en esta materia, esta Sala ya ha expresado en anteriores ocasiones la dificultad que entraña acreditar extremos relativos a una persecución real y efectiva, y no es preciso hacer mayores razonamientos para comprender claramente que una persona que sale de su país por motivos de persecución, hostigamiento o violencia no suele estar en condiciones de obtener los medios probatorios que acrediten de modo directo tales conductas —más bien sucede justamente lo contrario—, lo que permitiría apreciar los hechos y valorar las circunstancias con amplitud. Ello significa que a diferencia de lo que sucede, en cuanto a exigencia probatoria, en otra clase de procesos y asuntos, en materia de asilo es aceptable una prueba semiplena o indiciaria cuando en ella se respetan esas exigencias y cuando de su evaluación crítica por parte de los Tribunales cabe extraer como conclusión la presencia de un temor fundado a padecer persecución en su país de origen y que dicha persecución racionalmente temida obedezca a motivos, como hemos visto, de "raza, religión, nacionalidad, opinión política o pertenencia a un grupo social determinado...", y provenga, tal como se exige en los artículos 13 y 14 de la Ley de Asilo, por acción o por omisión probada, de agentes gubernamentales, en un sentido amplio de la expresión, sin que como esta Sala ha declarado reiteradamente, el derecho de asilo sea un instrumento jurídico idóneo para conjurar las supuestas amenazas para la vida, integridad física o libertad del peticionario cuando procede de personas o grupos ajenos al Estado, de delincuentes comunes o del crimen organizado, a menos que, como tan repetidamente se ha dicho, no haya podido obtenerse la tutela o protección de éste, porque no haya podido o no haya querido dispensarla». SAN Sala de lo Contencioso-administrativo, Sección 2ª, Sentencia 85/2017 de 16 Feb. 2017, Rec. 246/2016.

(173)   «La jurisprudencia del Tribunal Supremo ha establecido que el examen y apreciación de las circunstancias que determinan la protección no ha de efectuarse con criterios restrictivos, pues atendidas las especiales circunstancias que concurren en la mayor parte de los solicitantes de asilo la exigencia de prueba plena de la persecución conduciría a la imposibilidad de otorgamiento de protección en la mayor parte de los casos, desnaturalizándose esta institución que pasaría a tener un carácter excepcionalísimo. Basta pues la existencia de indicios que conduzcan a una convicción racional de que concurren las circunstancias que dan lugar a la concesión del asilo pero del examen del conjunto de elementos probatorios cabe concluir que estos indicios no se han aportado en el supuesto enjuiciado». STS Sala Tercera, de lo Contencioso-administrativo, Sección 3ª, Sentencia 2658/2016 de 19 Dic. 2016, Rec. 2318/2016.

Ahora bien, ese derecho fundamental no es absoluto e ilimitado (SSTC 178/1985, de 19 de diciembre; 341/1993 de 18 de noviembre. A este respecto, se deberá seguir un procedimiento que se inicia con la presentación de la solicitud, que deberá efectuarse mediante comparecencia personal de los interesados que soliciten protección en los lugares que reglamentariamente se establezcan, o en caso de imposibilidad física o legal, mediante persona que lo represente. En este último caso, el solicitante deberá ratificar la petición una vez desaparezca el impedimento. La comparecencia deberá realizarse sin demora y en todo caso en el plazo máximo de un mes desde la entrada en el territorio español o, en todo caso, desde que se produzcan los acontecimientos que justifiquen el temor fundado de persecución o daños graves. A estos efectos, la entrada ilegal en territorio español no podrá ser sancionada cuando haya sido realizada por persona que reúna los requisitos para ser beneficiaria de la protección internacional prevista en esta Ley (art. 17). Los efectos de la presentación de la solicitud se regulan en el art. 19 Ley 12/2009.

Cuando una persona extranjera que no reúna los requisitos necesarios para entrar en territorio español presente una solicitud de protección internacional en un puesto fronterizo, el Ministro del Interior podrá no admitir a trámite la solicitud mediante resolución motivada cuando en dicha solicitud concurra alguno de los supuestos previstos en el apartado primero del artículo 20. En todo caso, la resolución deberá ser notificada a la persona interesada en el plazo máximo de cuatro días desde su presentación.

Contra la resolución de inadmisión a trámite o de denegación de la solicitud se podrá, en el plazo de dos días contados desde su notificación, presentar una petición de reexamen que suspenderá los efectos de aquélla. La resolución de dicha petición, que corresponderá al Ministro del Interior, deberá notificarse a la persona interesada en el plazo de dos días desde el momento en que aquélla hubiese sido presentada[174].

_____

(174) «El cómputo de los dos días referidos en el artículo 5.7 de la Ley 5/84 no ha de regirse necesariamente por lo dispuesto en el artículo 48.4 de la Ley 30/92, de Régimen Jurídico de las Administraciones Públicas y del Procedimiento Administrativo Común (con la consecuencia, entonces, de que el cómputo habría de comenzar al día siguiente de la notificación —artículo 48.4— y de que en él habrían de excluirse los días inhábiles, —artículo 48.1—), y ello por las siguientes razones: 1ª. La propia regulación de la Ley 30/92 admite que por Ley puedan establecerse otros cómputos. Y ello es lo que ocurre en la Ley 5/84, cuyo artículo 5.7 computa el plazo de dos días para la resolución sobre el reexamen no desde un día determinado, sino desde un momento específico, a saber, desde "la presentación" de la petición de reexamen. Se trata de una norma con rango de Ley que contiene una regulación especial y distinta en beneficio de la urgencia que el caso requiere, como veremos. 2º. La Ley 5/84, de 26 de marzo, regula en su artículo 5 un procedimiento para decidir sobre la inadmisión a trámite y sobre la solicitud de reexamen que se rige por los principios de rapidez y urgencia; buena prueba de ello es que el plazo para solicitar el reexamen se fija por horas (veinticuatro horas desde la notificación de la inadmisión), lo que no es frecuente en el Derecho Administrativo (v.g., en la propia Ley 30/92 sólo se hace referencia a plazos por horas en los artículos 24.1-a) y 27.3, con referencia a ciertos extremos del funcionamiento de los órganos colegiados, y, fuera de ella, apenas si hay ejemplos distintos a la regulación del derecho de reunión por Ley 9/1983, de 15 de julio). Así que el establecimiento de plazos por horas es rigurosamente excepcional en el Derecho Administrativo. 3ª. Un procedimiento en que la persona tiene limitada su libertad de movimientos (v.g. artículo 5.7, párrafo tercero de la Ley 5/84, a cuyo tenor el interesado ha de "permanecer en el puesto fronterizo" y en las "dependencias adecuadas"

El transcurso del plazo fijado para acordar la inadmisión a trámite, o la denegación de la solicitud en frontera, la petición de reexamen, o del previsto para resolver el recurso de reposición sin que se haya notificado la resolución de forma expresa, determinará su tramitación por el procedimiento ordinario, así como la autorización de entrada y permanencia provisional de la persona solicitante, sin perjuicio de lo que pueda acordarse en la resolución definitiva del expediente (art. 21 Ley 12/2009).

Sólo en esos precisos y limitados términos autoriza la Ley la entrada provisional en España de extranjeros solicitantes de asilo. Fuera de esas condiciones el solicitante de asilo en frontera carece de todo derecho, ni constitucional ni legal, a entrar o circular por España (véase la STC 53/2002 de 27 de febrero). Aunque el TC, en algunas sentencias, ha declarado que la situación del solicitante de asilo es de privación de libertad, que no puede prolongarse más allá de lo estrictamente necesario[175].

Una situación similar es la que se produce respecto a los extranjeros a los que se no se permite la entrada en España por no cumplir los requisitos exigidos para ello, que quedan sometidos a un estado de compulsión administrativa en la Zona de

---

mientras se resuelve la petición de asilo y la solicitud de reexamen), no se compadece en absoluto con un sistema de cómputo que, por excluir los días inhábiles, puede retrasar la resolución de forma sustancial, al ser posible que se sucedan en el tiempo varios días festivos seguidos mezclados con días hábiles, no siendo infrecuente, como la experiencia señala, que, según ese cómputo, un plazo de dos días pueda convertirse en uno de cuatro. Esta posibilidad es contraria a los principios de celeridad y urgencia que rigen el procedimiento de inadmisiones a trámite y reexamen en las solicitudes de asilo. Y no cabe decir que el Reglamento 203/95 ya previene en su artículo 20.1-d) que el solicitante sólo puede permanecer en las dependencias fronterizas un plazo máximo de 72 horas, porque ese es un plazo máximo, y cualquier interpretación que, dentro de ese plazo, alargue la permanencia en las dependencias fronterizas debe ser descartada como contraria a la rapidez y urgencia del procedimiento. En consecuencia, el plazo de dos días debe computarse de hora a hora, o de momento a momento, y sin exclusión de días inhábiles». STS Sala Tercera, de lo Contencioso-administrativo, Sección 5ª, Sentencia de 30 Jun. 2006, Rec. 5386/2003; Ponente: Yagüe Gil, Pedro José. LA LEY 70450/2006.

(175) «En el caso que ahora enjuiciamos nos encontramos también ante un supuesto en el que la privación de libertad que ha padecido el recurrente tiene como objeto garantizar la ejecución del acto administrativo por el que se le deniega la petición de asilo ya que este acto, a tenor de lo dispuesto en el art. 17.1 de la Ley 5/1984, de 26 de marzo, modificada por la Ley 9/1994, de 19 de mayo, reguladora del Derecho de Asilo y de la condición de refugiado, determina, en este caso, el rechazo del extranjero en frontera cuando, como aquí ocurre, el solicitante no reúne los requisitos exigidos para entrar en España. Esta privación de libertad tiene, por tanto, una finalidad lícita —impedir la entrada ilegal en España de un extranjero; supuesto expresamente previsto en el art. 5.1 f) del Convenio Europeo de Derechos Humanos como uno de los casos en los que, en principio, se puede acordar una medida privativa de libertad— y además, como ya se ha señalado, se encuentra legalmente prevista. Ahora bien, para que esta privación de libertad respete el derecho fundamental que consagra el art. 17.1 CE es preciso que tenga una duración acorde con el principio de limitación temporal que, como hemos señalado, se induce del art. 17.2 CE, y por ello, aunque, por las razones antes expuestas, no es necesario que respete el plazo máximo de setenta y dos horas que establece este precepto constitucional, no puede, sin embargo ni durar más que el tiempo que requiera adoptar las medidas necesarias que permitan ejecutar este acto administrativo, lo que determina que no pueda tener una duración mayor que la estrictamente necesaria para proceder a la devolución del extranjero a su país de procedencia, ni tampoco tener una duración que en sí misma pueda considerarse que es muy superior a la que en condiciones normales conllevaría la ejecución del acto». STC 179/2000 de 26 de junio.

rechazados. Se trata de un supuesto de privación de libertad, que tiene una finalidad lícita —impedir la entrada ilegal en España de un extranjero art. 5.1 f) del Convenio Europeo de Derechos Humanos, al que no es de aplicación el plazo de 72 horas establecido en el art. 17.2 CE.

«En todo caso, debe señalarse que estas otras privaciones de libertad distintas de la específicamente prevista en el art. 17.2 CE, por imperativo de lo dispuesto en el art. 17.1 CE "sólo pueden tener lugar "en los casos y en la forma previstos en la Ley" y deben ser conformes al principio de limitación temporal que se induce del art. 17.2 CE" (STC 174/1999, F. 4), teniendo en cuenta además que, como afirmamos en la STC 341/1993 y recordamos en la STC 174/1999, esta remisión a la Ley no pueda entenderse como una habilitación al legislador para prever privaciones de libertad de duración indefinida, incierta o ilimitada, lo que no significa, como también se precisa en las Sentencias citadas, que a estas otras situaciones de privación de libertad les resulte de aplicación necesariamente el plazo de setenta y dos horas previsto en el art. 17.2 CE. 3. Uno de estos supuestos en los que puede existir una privación de libertad distinta de la detención preventiva a la que expresamente se refiere el art. 17.2 CE es aquél en que la ejecución de un acto administrativo conlleva adoptar medidas de compulsión personal que determinen una privación de libertad. En concreto hemos sostenido que la ejecución forzosa de una "orden de devolución" por la que se actualiza la prohibición de entrada en territorio español impuesta a un extranjero mediante una previa resolución administrativa legitima un estado de compulsión en "la zona de rechazados" de un aeropuerto; medida a la que hemos considerado que no le resulta necesariamente de aplicación el límite temporal de setenta y dos horas al que se refiere el art. 17.2 CE (STC 174/1999, F. 4)». (STC 179/2000 de 26 de junio).

Aunque el TC en otras sentencias declara que la situación de compulsión sin fundamento alguno puede comportar que se califique a la situación de detención preventiva, con lo que serían de aplicación los derechos previstos en estas situaciones, especialmente el preceptivo control judicial. A este efecto procede analizar caso por caso concreto las circunstancias que rodean a la estancia forzosa de cada persona en la zona de tránsito, o «zona de rechazados» de un aeropuerto, y la existencia de una previa orden actual de expulsión o devolución[176].

---

(176) «La situación de compulsión personal, identificable en quien se encuentra en una "sala de rechazados", puede ser en ocasiones calificable como detención preventiva y, por tanto, reconducible al ámbito de garantías del art. 17.2 CE. Es necesario analizar en cada caso concreto las circunstancias que rodean a la estancia forzosa de cada persona en la zona de tránsito, o "zona de rechazados", de un aeropuerto... Pero si a la situación de compulsión personal en la "zona de rechazados" no precede una orden actual de expulsión o devolución, entonces la situación sólo puede calificarse de detención preventiva, aplicándose en consecuencia el límite máximo de setenta y dos horas contadas desde el inicio de la situación de privación de libertad. La libertad de salida a otros países desde la "zona de rechazados" (ATC 55/1996, fundamento jurídico 5º), de la que sin duda disfruta el extranjero, no evita la existencia de una verdadera "situación fáctica" de detención preventiva con respecto al resto del territorio español. Pues lo relevante aquí es la limitación de movimientos del extranjero, sin ningún título jurídico que lo legitime, a un único espacio limitado y cerrado de territorio español. Por último, el que los extranjeros carezcan del derecho fundamental a circular libremente por España (SSTC 94/1993, fundamento jurídico 3º; 86/1996, fundamento jurídico 2º) no jurídica una "situación fáctica" de detención preventiva con exceso respecto de lo dispuesto en el art. 17.2 CE [SSTC 115/1987, fundamento jurídico 1º; 331/1993, fundamento jurídico 6 A)]. La situación jurídica de ejecución forzosa de una "orden de devolución" legitima un estado

Los extranjeros sometidos a expediente sancionador, y en general en los procedimientos administrativos que se establecen en materia de extranjería, tienen derecho a la tutela judicial efectiva y especialmente en lo relativo a la publicidad de las normas, contradicción, audiencia del interesado, motivación de las resoluciones, derecho al recurso contra los actos administrativos, asistencia jurídica gratuita, y derecho a la asistencia de interprete si no comprenden o hablan la lengua oficial que se utilice (arts. 20 a 22, 62.f y h bis y 63.2 LO 4/2000)[177].

Las garantías jurídicas adquieren una especial importancia cuando el extranjero se hallare residiendo legalmente en España, de conformidad con los arts. 13, 19 y 24 CE interpretados según el arts. 13 del Pacto Internacional de Derechos Civiles y Políticos que determina que: «el extranjero que se halle legalmente en el territorio de un Estado parte en el presente Pacto sólo podrá ser expulsado de él en cumplimiento de una decisión adoptada conforme a la ley y, a menos que razones imperiosas de seguridad nacional se opongan a ello, se permitirá a tal extranjero exponer las razones que le asistan en contra de su expulsión, así como someter su caso a revisión ante la autoridad competente o bien ante persona o personas designadas especialmente por dicha autoridad competente, y hacerse representar con tal fin ante ellas». Véanse también SSTC 94/1993, de 22 de marzo y 242/1994, de 20 de julio. De este modo y conforme a la jurisprudencia del TC para la expulsión de un extranjero que resida legalmente es necesario: la predeterminación en una norma de las condiciones en que procede la expulsión; y la apertura de posibilidades de defensa del extranjero afectado, exponiendo «las razones que le asisten en contra de su expulsión».

«Si se cumplen esas garantías, cualquier extranjero incurso en alguno de los supuestos de expulsión previstos en el art. 26.1 de la Ley de Extranjería puede ser expulsado del territorio español por la autoridad gubernativa (STC 94/1993, de 22 de marzo, F. 4), sin perjuicio de la intervención autorizatoria del Juez Penal en el supuesto de que los hechos que justifican la medida de expulsión puedan ser delictivos (art. 21.2, párrafo primero, de la Ley de Extranjería), intervención judicial que supone para este extranjero disponer de mayores garantías respecto a los demás extranjeros sujetos exclusivamente a expediente de expulsión». STC 24/2000 de 31 de enero.

---

de compulsión en la "zona de rechazados" de un aeropuerto, pero no excluye por sí y *a limine litis el procedimiento de habeas corpus*. Así lo hemos dicho tanto en relación con las "órdenes de devolución" (STC 12/1994, fundamento jurídico 6º) como por referencia a las "órdenes de expulsión" (STC 21/1996, fundamento jurídico 7º). Basamos esta afirmación en la consideración del *habeas corpus* como garantía procesal aplicable a todos los supuestos de "privación de la libertad no acordada por el Juez" (SSTC 31/1985, fundamento jurídico 6º; 341/1993, fundamento jurídico 6º; 21/1997, fundamento jurídico 6º). De manera que ante una situación fáctica de compulsión o sujeción personal será función del Juez del *habeas corpus* comprobar si existe propiamente una "orden de devolución" o si, por no concurrir aquella resolución administrativa, se trata de una situación de detención preventiva (que a su vez podrá ser lícita o ilícita)». (STC 174/99 de 27 septiembre).

(177) Con relación a estas garantías deben tenerse en cuenta los límites previstos en el art. 27, en relación con el art. 20, respecto a la falta de necesidad de motivar determinadas resoluciones de denegación de visado. Norma legal declarada constitucional por la STC 236/2007 de 7 de noviembre.

4.6. Tramitación de expedientes

Como se ha indicado, el ejercicio de la potestad sancionadora por la comisión de las infracciones administrativas previstas en la Ley Orgánica 4/2000, de 11 de enero, se tramitará por los procedimientos ordinario, preferente y simplificado, según proceda conforme a lo dispuesto en dicha Ley Orgánica y en el RD 557/2011, de 20 de abril, por el que se aprueba el Reglamento de la Ley Orgánica 4/2000, sobre derechos y libertades de los extranjeros en España y su integración social, tras su reforma por Ley Orgánica 2/2000.

En la tramitación del expediente serán de aplicación la LO 4/2000 (arts. 63 y ss.), el RD 557/2011, de 20 abril; la Ley 39/2015, de 1 octubre, del Procedimiento común de las Administraciones Públicas. Los procedimientos aplicables son el simplificado, preferente y ordinario (art. 113, RD 2393/2004):

A) Procedimiento ordinario

El procedimiento que se seguirá normalmente será el ordinario salvo en los supuestos especificados en el artículo 234 del presente Reglamento, que se tramitarán por el procedimiento preferente; o bien los previstos para que se tramiten por el procedimiento simplificado (art. 226 RD 557/11).

El acuerdo de iniciación del procedimiento se formalizará con el contenido mínimo, previsto en el art. 227 RD 557/11, excepto en los supuestos calificados como infracción grave del artículo 53.1.b) y 53.2.a) o muy grave del artículo 54.1.d) y f) de la Ley Orgánica 4/2000, de 11 de enero, en los que se estará a lo dispuesto en su artículo 55.2. El contenido mínimo del acuerdo de iniciación será: a) Identificación de la persona o personas presuntamente responsables. b) Hechos que motivan la incoación del procedimiento sucintamente expuesto, su posible calificación y las sanciones que pudieran corresponder, sin perjuicio de lo que resulte de la instrucción. c) Instructor y, en su caso, secretario del procedimiento, con expresa indicación del régimen de recusación de éstos. d) Órgano competente para la resolución del expediente y norma que le atribuye tal competencia. e) Indicación de la posibilidad de que el presunto responsable pueda reconocer voluntariamente su responsabilidad. f) Medidas de carácter provisional que se hayan acordado por el órgano competente para iniciar el procedimiento sancionador, sin perjuicio de las que se puedan adoptar durante éste de conformidad con los artículos 55 y 61 de la Ley Orgánica 4/2000, de 11 de enero. En caso de que el procedimiento tramitado fuera de carácter ordinario no podrá adoptarse la medida cautelar de internamiento (art. 244 RD 557/11). g) Indicación del derecho a formular alegaciones y a la audiencia en el procedimiento y de los plazos para su ejercicio.

El acuerdo de iniciación se comunicará al instructor con traslado de cuantas actuaciones existan al respecto y se notificará a los interesados, entendiéndose en todo caso por tal al expedientado. En la notificación se advertirá a los interesados que, de no efectuar alegaciones sobre el contenido de la iniciación del procedimiento en el plazo previsto en el artículo siguiente, no realizarse propuesta de prueba o no ser admitidas, por improcedentes o innecesarias, las pruebas propuestas, la iniciación podrá ser considerada propuesta de resolución cuando contenga un pronunciamiento preciso acerca de la responsabilidad imputada, con los efectos previstos en los artículos 229 y 230.

En los procedimientos en los que pueda proponerse la sanción de expulsión de territorio español el extranjero tendrá derecho a la asistencia letrada que se le proporcionará de oficio, en su caso, y a ser asistido por intérprete si no comprende o no habla castellano, de forma gratuita en el caso de que careciese de medios económicos de acuerdo con lo previsto en la normativa reguladora del derecho de asistencia jurídica gratuita (art. 227 RD 557/11).

Los interesados dispondrán de un plazo de quince días para aportar cuantas alegaciones, documentos o informaciones estimen convenientes y, en su caso, proponer las pruebas y concretar los medios de que pretendan valerse, sin perjuicio de lo dispuesto en el artículo 227. Cursada la notificación a que se refiere el apartado anterior, el instructor del procedimiento realizará de oficio cuantas actuaciones resulten necesarias para el examen de los hechos, y recabará los datos e informaciones que sean relevantes para determinar, en su caso, la existencia de responsabilidades susceptibles de sanción.

Si como consecuencia de la instrucción del procedimiento resultase modificada la determinación inicial de los hechos, de su posible calificación, de las sanciones imponibles o de las responsabilidades susceptibles de sanción, se notificará todo ello al expedientado en la propuesta de resolución (art. 228 RD 557/11).

Recibidas las alegaciones o transcurrido el plazo señalado en el artículo anterior, el órgano instructor podrá acordar la apertura de un período de prueba por un plazo no superior a treinta días ni inferior a 10 días. En el acuerdo, que se notificará a los interesados, se podrá rechazar de forma motivada la práctica de aquellas pruebas que, en su caso, hubiesen propuesto aquéllos cuando por su relación con los hechos se consideren improcedentes.

La práctica de las pruebas que el órgano instructor estime pertinentes, entendiéndose por tales aquellas distintas de los documentos que los interesados puedan aportar en cualquier momento de la tramitación del procedimiento, se realizará de conformidad con lo establecido en el artículo 81 de la Ley 30/1992, de 26 de noviembre. Cuando la prueba consista en la emisión de un informe de un órgano administrativo o entidad pública y sea admitida a trámite, éste tendrá los efectos previstos en el artículo 83 de la citada Ley 30/1992, de 26 de noviembre.

Cuando la valoración de las pruebas practicadas pueda constituir el fundamento básico de la decisión que se adopte en el procedimiento por ser pieza imprescindible para la evaluación de los hechos, deberá incluirse en la propuesta de resolución (art. 229 RD 557/11).

Concluida en su caso la prueba, el órgano instructor del procedimiento formulará la propuesta de resolución en la que se fijarán de forma motivada los hechos y se especificarán los que se consideren probados y su exacta calificación jurídica, se determinará la infracción que, en su caso, aquéllos constituyan y la persona o personas que resulten responsables y se fijará la sanción que propone que se imponga y las medidas provisionales que se hubieran adoptado, en su caso, por el órgano competente para iniciar el procedimiento o por su instructor, o bien se propondrá la declaración de inexistencia de infracción o responsabilidad. En todo caso, la determinación de la propuesta de sanción será realizada en base a criterios de proporcionalidad, debiendo tenerse en consideración el grado de culpabilidad de la persona infractora, así como el daño o riesgo producido con la comisión de la infracción (art. 231 RD 557/11).

La propuesta de resolución se notificará a los interesados. A la notificación se acompañará una relación de los documentos que obren en el procedimiento para que los interesados puedan obtener las copias de los que estimen convenientes y se les concederá un plazo de quince días para formular alegaciones y presentar los documentos e informaciones que estimen pertinentes ante el instructor del procedimiento. Salvo en el supuesto previsto por el párrafo final del artículo 227.2, se podrá prescindir del trámite de audiencia cuando no figuren en el procedimiento ni sean tenidos en cuenta otros hechos ni otras alegaciones y pruebas que las aducidas, en su caso, por el interesado, de conformidad con lo previsto en el artículo 228.1. La propuesta de resolución se cursará inmediatamente al órgano competente para resolver el procedimiento, junto a todos los documentos, alegaciones e informaciones que obren en aquél (art. 232 RD 557/11).

Antes de dictar la resolución, el órgano competente para resolver podrá decidir mediante acuerdo motivado la realización de las actuaciones complementarias indispensables para resolver el procedimiento. El acuerdo de realización de actuaciones complementarias se notificará a los interesados, a quienes se concederá un plazo de siete días para formular las alegaciones que tengan por pertinentes. Las actuaciones complementarias deberán practicarse en un plazo no superior a quince días. El plazo para resolver el procedimiento quedará suspendido hasta la terminación de las actuaciones complementarias. No tendrán la consideración de actuaciones complementarias los informes que preceden inmediatamente a la resolución final del procedimiento.

El órgano competente dictará resolución motivada, que decidirá todas las cuestiones planteadas por los interesados y aquellas otras derivadas del procedimiento. La resolución se adoptará en el plazo de 10 días desde la recepción de la propuesta de resolución y los documentos, alegaciones e informaciones que obren en el procedimiento, salvo lo dispuesto en los apartados 1 y 3. En la resolución no se podrán aceptar hechos distintos de los determinados en la fase de instrucción del procedimiento, salvo los que resulten, en su caso, de la aplicación de lo previsto en el apartado 1, con independencia de su diferente valoración jurídica. No obstante, cuando el órgano competente para resolver considere que la infracción reviste mayor gravedad que la determinada en la propuesta de resolución, se notificará al interesado para que aporte cuantas alegaciones estime convenientes, a cuyos efectos se le concederá un plazo de quince días.

Las resoluciones de los procedimientos sancionadores, además de contener los elementos previstos en el artículo 89.3 de la Ley 30/1992, de 26 de noviembre, incluirán la valoración de las pruebas practicadas y, especialmente, de aquéllas que constituyan los fundamentos básicos de la decisión, fijarán los hechos y, en su caso, la persona o personas responsables, la infracción o infracciones cometidas y la sanción o sanciones que se imponen o bien la declaración de inexistencia de infracción o responsabilidad. La sanción se determinará en base a criterios de proporcionalidad, debiendo tenerse en consideración el grado de culpabilidad de la persona infractora, así como el daño o riesgo producido con la comisión de la infracción. Las resoluciones se notificarán al interesado y cuando el procedimiento se hubiese iniciado como consecuencia de orden superior se dará traslado de la resolución al órgano administrativo autor de aquélla (art. 233 RD 557/11).

B) Procedimiento preferente

Se tramitarán, de acuerdo con el art. 234 RD 557/11, por el procedimiento preferente los expedientes en los que pueda proponerse la expulsión, cuando la infracción imputada sea alguna de las previstas en las letras a) y b) del artículo 54.1, así como en las letras d) y f) del artículo 53.1 y en el artículo 57.2 de la Ley Orgánica 4/2000, de 11 de enero[178].

También se tramitarán por el procedimiento preferente aquellas infracciones previstas en la letra a) del artículo 53.1 de la Ley Orgánica 4/2000, de 11 de enero, cuando concurra alguna de las siguientes circunstancias: a) Riesgo de incomparecencia; b) Que el extranjero evite o dificulte la expulsión, sin perjuicio de las actuaciones en ejercicio de sus derechos; c) Que el extranjero represente un riesgo para el orden público, la seguridad pública o la seguridad nacional. El procedimiento se iniciará cuando de las investigaciones se deduzca la oportunidad de decidir la expulsión[179]. De conformidad con el art. 235 RD 557/11, se dará traslado del acuerdo de iniciación motivado por escrito al interesado para que alegue en el plazo de cuarenta y ocho horas lo que considere adecuado y se le advertirá que de no efectuar alegaciones por sí mismo o por su representante sobre el contenido de la propuesta, no realizar propuesta de prueba o si no ser admitidas de forma motivada, por improcedentes o innecesarias, las pruebas propuestas, el acuerdo de iniciación del expediente será considerado como propuesta de resolución.

En todo caso el extranjero tendrá derecho a la asistencia letrada que se le proporcionará de oficio, en su caso, y a ser asistido por intérprete si no comprende o no ha-

---

(178) La constitucionalidad de este procedimiento ha sido refrendada por el TC en la STC 236/07 de 7 de noviembre en la que declara que: «la regulación de este procedimiento no puede reputarse contraria al art. 24 CE. Ciertamente se trata de un procedimiento administrativo sancionador, ya que en estos casos la expulsión es consecuencia de una conducta tipificada como infracción administrativa, y por consiguiente le son aplicables los principios esenciales reflejados en el art. 24 CE .../... Ahora bien, la pretendida indefensión que generaría el precepto no es tal, pues hemos dicho reiteradamente que la brevedad de los plazos no implica per se la vulneración del derecho a la tutela judicial efectiva si con ello se tiende a hacer efectivo el principio de celeridad en el proceso, ya que es constitucionalmente inobjetable que el legislador prevea tal reducción en los plazos cuando dicha decisión responde a una finalidad razonable y necesaria, acorde con los principios que han de regir el procedimiento correspondiente». STC 236/07 de 7 de noviembre.

(179) Art. 237 RD 557/11: «La incoación del expediente, las medidas cautelares de detención y de internamiento y la resolución de expulsión serán comunicadas a la embajada o consulado del país del extranjero y se procederá a su anotación en el Registro Central de Extranjeros de la Dirección General de la Policía y de la Guardia Civil. Esta comunicación se dirigirá a Ministerio de Asuntos Exteriores y de Cooperación cuando no se haya podido notificar al consulado o éste no radique en España».

bla castellano, de forma gratuita en el caso de que careciese de medios económicos de acuerdo con lo previsto en la normativa reguladora del derecho de asistencia jurídica gratuita. En la notificación del acuerdo de iniciación se advertirá al interesado que, de no efectuar alegaciones sobre el contenido del acuerdo en el plazo previsto en el apartado 1, dicho acuerdo será considerado como propuesta de resolución con remisión del expediente a la autoridad competente para resolver. Si el interesado o su representante formulasen alegaciones y realizaran proposición de prueba dentro del plazo establecido, el órgano instructor valorará la pertinencia o no de ésta.

Si no se admitiesen las pruebas propuestas por improcedentes o innecesarias, se le notificará al interesado de forma motivada y se le dará trámite de audiencia conforme a lo previsto en el párrafo siguiente. En este supuesto, el acuerdo de iniciación del expediente, sin cambiar la calificación de los hechos, será considerado como propuesta de resolución con remisión a la autoridad competente para resolver. De estimarse por el instructor la pertinencia de la realización de prueba propuesta, ésta se realizará en el plazo máximo de tres días. Practicada en su caso la prueba, el instructor formulará propuesta de resolución que se notificará al interesado y le dará trámite de audiencia en el que se le concederá un plazo de cuarenta y ocho horas para formular alegaciones y presentar los documentos que estime pertinentes. Transcurrido dicho plazo se procederá a elevar la propuesta de resolución, junto con el expediente administrativo, a la autoridad competente para resolver.

En tanto se realiza la tramitación del expediente, el instructor podrá solicitar al juez de instrucción competente que disponga el ingreso del extranjero expedientado en un Centro de Internamiento de Extranjeros. La solicitud de internamiento deberá ser motivada. El período de internamiento se mantendrá por el tiempo imprescindible para los fines del expediente y no podrá exceder en ningún caso de sesenta días. La decisión judicial que lo autorice, atendiendo a las circunstancias concurrentes en cada caso, podrá establecer un período máximo de duración del internamiento inferior al citado. No podrá acordarse un nuevo internamiento por cualquiera de las causas previstas en el mismo expediente.

Cuando el instructor solicite el internamiento y la autoridad judicial lo deniegue, el instructor, con el fin de asegurar la eficacia de la resolución final que pudiera recaer, podrá adoptar alguna o algunas de las siguientes medidas cautelares: a) Retirada del pasaporte o documento acreditativo de su nacionalidad, previa entrega al interesado de recibo acreditativo de tal medida; b) Presentación periódica ante el instructor del expediente o ante otra autoridad que éste determine en los días que, en atención a las circunstancias personales, familiares o sociales del expedientado, se considere aconsejable; c) Residencia obligatoria en lugar determinado; d) Cualquier otra medida cautelar que el juez estime adecuada y suficiente (art. 235 RD 557/11). La resolución, en atención a la naturaleza preferente y sumaria del procedimiento, se dictará de forma inmediata. Deberá ser motivada y resolverá todas las cuestiones planteadas en el expediente; no podrá aceptar hechos distintos de los determinados en el curso del procedimiento, con independencia de su diferente valoración jurídica; y será notificada al interesado. La ejecución de la orden de expulsión recaída en estos procedimientos, una vez notificada al interesado, se efectuará de forma inmediata.

De no haber sido puesto en libertad el extranjero por la autoridad judicial dentro del plazo de sesenta días a que se refiere el art. 235.5º, deberá interesarse de la propia autoridad judicial el cese del internamiento para poder llevar a cabo la conducción al puesto de salida. La excepción de la aplicación del régimen general de ejecutividad de los actos administrativos en el caso de la resolución que ponga fin al procedimiento de expulsión con carácter preferente, establecida en el artículo 21.2 de la Ley Orgánica 4/2000, de 11 de enero, no excluirá el derecho de recurso por los legitimados para ejercerlo, sin perjuicio de la inmediatez de la expulsión y de la improcedencia de declarar administrativamente efecto suspensivo alguno en contra de ella. En la resolución, además de la motivación que la fundamente, se harán constar los recursos que frente a ella procedan, el órgano ante el que hubieran de presentarse y plazo para interponerlos (art. 236 RD 557/11).

C) Procedimiento simplificado

Este procedimiento se tramitará cuando los hechos denunciados se califiquen como infracción de carácter leve prevista en alguno de los supuestos contemplados en el artículo 52 de la Ley Orgánica 4/2000, de 11 de enero.

Este procedimiento se iniciará de oficio por acuerdo dictado al efecto por alguno de los órganos competentes establecidos en el artículo 219.2 de este Reglamento o por denuncia formulada por los agentes del Cuerpo Nacional de Policía, excepto cuando la infracción imputada sea alguna de las establecidas en las letras c), d) y e) del citado artículo 52, caso en el cual se estará a lo dispuesto en el artículo 55.2 de la Ley Orgánica 4/2000, de 11 de enero. Este procedimiento simplificado deberá resolverse en el plazo máximo de dos meses desde que se inició (art. 238 RD 557/11).

El órgano competente, al dictar el acuerdo de iniciación, especificará en éste el carácter simplificado del procedimiento. Dicho acuerdo se comunicará al órgano instructor y simultáneamente será notificado a los interesados. En el plazo de diez días a partir de la comunicación y notificación del acuerdo de iniciación, el órgano instructor y los interesados efectuarán, respectivamente, las actuaciones pertinentes, la aportación de cuantas alegaciones, documentos o informaciones estimen convenientes y, en su caso, la proposición y práctica de prueba. Transcurrido dicho plazo el instructor formulará una propuesta de resolución en la que se fijarán de forma motivada los hechos. Ésta especificará los hechos que se consideren probados y su exacta calificación jurídica, con determinación de la infracción, de la persona o personas responsables, y la sanción que propone, así como de las medidas provisionales que se hubieren adoptado, o bien propondrá la declaración de inexistencia de infracción o responsabilidad.

Si el órgano instructor apreciara que los hechos pueden ser constitutivos de infracción grave o muy grave, acordará que continúe el expediente por los trámites del procedimiento ordinario de este Reglamento y lo notificará a los interesados para que, en el plazo de cinco días, formulen alegaciones si lo estiman conveniente. La iniciación por denuncia formulada por funcionarios del Cuerpo Nacional de Policía se atenderá a las siguientes normas: a) Las denuncias formuladas por funcionarios del Cuerpo Nacional de Policía se extenderán por ejemplar duplicado. Uno de ellos se entregará al denunciado, si fuera posible, y el otro se remitirá al órgano correspondiente con competencia para acordar la iniciación del procedimiento. Dichas denuncias serán firmadas por el funcionario y por el denunciado, sin que la firma de este último implique conformidad con los hechos que motivan la denuncia sino únicamente la recepción del ejemplar a él destinado. En el caso de que el denunciado se negase a firmar o no supiera hacerlo, el funcionario lo hará constar así; b) Las denuncias se notificarán en el acto a los denunciados haciendo constar los datos a que hace referencia este artículo. En el escrito de denuncia se hará constar que con ella queda incoado el correspondiente expediente y que el denunciado dispone de un plazo de 10 días para alegar cuanto considere conveniente para su defensa y proponer las pruebas que estime oportunas ante los órganos de instrucción ubicados en la dependencia policial del lugar en que se haya cometido la infracción; c) Recibida la denuncia en la dependencia policial de la Dirección General de la Policía y de la Guardia Civil, se procederá a la calificación de los hechos y graduación de la multa, se impulsará la ulterior tramitación o se propondrá por el órgano instructor a la autoridad competente la correspondiente resolución que declare la inexistencia de infracción en los casos de que los hechos denunciados no fuesen constitutivos de aquélla (art. 239 RD 557/11).

En el plazo de tres días desde que se reciba el expediente, el órgano competente para resolver dictará resolución en la forma y con los efectos procedentes que para las resoluciones de sanción de multa se prevén en el procedimiento ordinario de este Reglamento (art. 240 RD 557/11). Si durante la tramitación del expediente, se acreditase la existencia de una concurrencia de procedimientos previstos en el RD 557/11, se estará a lo previsto en el art. 241 del citado RD.

D) Colaboración del extranjero contra redes organizadas

La Ley pretende potenciar la colaboración de los extranjeros que hayan sido testigos como víctimas o perjudicados, o fueren conocedores de actos de tráfico ilícito de seres humanos, inmigración ilegal, o de tráfico ilícito de mano de obra o de explotación en la prostitución abusando de la situación de necesidad de las personas. En estos casos, el testigo podrá quedar exento de responsabilidad administrativa y no será expulsado si denuncia a las autoridades competentes a los autores o cooperadores de dicho tráfico, o coopera y colabora con los funcionarios policiales competentes en materia de extranjería, proporcionando datos esenciales o testificando, en su caso, en el proceso correspondiente contra aquellos autores. A este efecto, los órganos administrativos competentes encargados de la instrucción del expediente sancionador harán la propuesta oportuna a la autoridad que deba resolver (art. 59 y 59 bis LO 4/00).

El extranjero que haya quedado exento de responsabilidad administrativa podrá optar por el retorno a su país de procedencia o la estancia y residencia en España, así como autorización de trabajo y facilidades para su integración social, de acuerdo con lo establecido en la presente Ley.

E) Expulsión en sustitución de multa

Establece el art. 242 RD 557/11 que, sin perjuicio de lo dispuesto en el artículo 57.5 y 6 de la Ley Orgánica 4/2000, de 11 de enero, cuando el infractor sea extranjero y realice alguna o algunas de las conductas tipificadas como muy graves o conductas graves de las previstas en las letras a), b), c), d) y f) del apartado 1 del artículo 53 de esta Ley Orgánica, podrá aplicarse en lugar de la sanción de multa la expulsión del territorio español. Asimismo, constituirá causa de expulsión la condena, dentro o fuera de España, por una conducta dolosa que constituya en nuestro país un delito sancionado con pena privativa de libertad superior a un año, salvo que los antecedentes penales hubieran sido cancelados.

Como ya se ha señalado, el TJUE ha declarado que la opción de sanción que plantea el art. 57.1 LO 472000, sobre la posibilidad de aplicar, en atención al principio de proporcionalidad, en lugar de la sanción de multa, la expulsión del territorio español, no se ajusta a lo dispuesto en la Directiva 2008/115/CE y que, de acuerdo con la misma solo cabe la expulsión, salvo en los casos previstos en los apartados 2 a 5 del artículo 6 de la citada Directiva 2008/115/CE.

«En conclusión, dicha sentencia (STJUE de 23 de abril de 2015, asunto (C-38/14), señala que la legislación española y la jurisprudencia que la interpreta se opone a los artículos 4.2, 4.3 y 6.1 de la Directiva 2008/115, en cuanto permiten sancionar la situación irregular de un extranjero exclusivamente con una sanción económica que, además, resulta incompatible con la sanción de expulsión. De esta forma declara que: "la Directiva 2008/115/CE del Parlamento Europeo y del Consejo, de 16 de diciembre de 2008, relativa a normas y procedimientos comunes en los Estados miembros para el retorno de los nacionales de terceros países en situación irregular, en particular sus artículos 6, apartado 1, y 8, apartado 1, en relación con su artículo 4, apartados 2 y 3, debe interpretarse en el sentido de que se opone a la normativa de un Estado miembro, como la controvertida en el procedimiento principal, que, en caso de situación irregular de nacionales de terceros países en el territorio de dicho Estado, impone, dependiendo de las circunstancias, o bien una sanción de multa, o bien la expulsión, siendo ambas medidas excluyentes entre sí". A la vista de esta sentencia y del principio de interpretación conforme al Derecho comunitario de la normativa interna (sentencia Van Munster de 5 de octubre de 1994 (C-195/1991), de 5 de octubre de 1994 y la sentencia Marleasing, C-106/89, de 13 de noviembre de 1990), considera esta Sala que los Tribunales españoles ya no pueden acordar la sustitución de la sanción de expulsión por la de multa, sino que deben adoptar una resolución de retorno, a salvo de que concurra alguno de los supuestos excepcionales previstos en los apartados 2 a 5 del artículo 6 de la citada Directiva 2008/115/CE y, en consecuencia, ya no cabe la solución que venían adoptando hasta ahora de sustituir aquella sanción de expulsión por la de multa. En el artículo 6 de la citada Directiva 2008/115/CE, bajo la rúbrica de Decisión de retorno, tras proclamar, en su número primero que los "Estados miembros dictarán una decisión de retorno contra cualquier nacional de un tercer país que se encuentre en situación irregular en su territorio", agrega que "sin perjuicio de las excepciones contempladas en los apartados 2 a 5"». STSJ Murcia 951/2015, Sala de lo contencioso, 21 diciembre 2015.

F) *Normas procesales específicas para la tramitación, resolución y ejecución del expediente de expulsión*

Las normas específicas procedimentales que regula este RD 557/2011 se encuentran en los arts. 242 y ss. Estas normas deben considerarse complementarias de las reguladas en cada tipo de procedimiento, en que pueda adoptarse este tipo de sanción —expulsión— (procedimiento ordinario y procedimiento preferente, que se acaban de exponer).

En cuanto a las resoluciones que resuelvan este tipo de procedimientos, deberán ser motivadas y resolverán todas las cuestiones planteadas en el expediente; no podrá aceptar hechos distintos de los determinados en el curso del procedimiento, con independencia de su diferente valoración jurídica; y será notificada al interesado (art. 236).

El órgano competente dictará resolución motivada, que decidirá todas las cuestiones planteadas por los interesados y aquellas otras derivadas del procedimiento. La resolución se adoptará en el plazo de 10 días desde la recepción de la propuesta de resolución y los documentos, alegaciones e informaciones que obren en el procedimiento, salvo lo dispuesto en los apartados 1 y 3. En la resolución no se podrán aceptar hechos distintos de los determinados en la fase de instrucción del procedimiento, salvo los que resulten, en su caso, de la aplicación de lo previsto en el apartado 1, con independencia de su diferente valoración jurídica. No obstante, cuando el órgano competente para resolver considere que la infracción reviste mayor gravedad que la determinada en la propuesta de resolución, se notificará al interesado para que aporte cuantas alegaciones estime convenientes, a cuyos efectos se le concederá un plazo de quince días.

Las resoluciones de los procedimientos sancionadores, además de contener los elementos previstos en el artículo 89.3 de la Ley 30/1992, de 26 de noviembre, incluirán la valoración de las pruebas practicadas y, especialmente, de aquéllas que constituyan los fundamentos básicos de la decisión, fijarán los hechos y, en su caso, la persona o personas responsables, la infracción o infracciones cometidas y la sanción o sanciones que se imponen o bien la declaración de inexistencia de infracción o responsabilidad. La sanción se determinará en base a criterios de proporcionalidad, debiendo tenerse en consideración el grado de culpabilidad de la persona infractora, así como el daño o riesgo producido con la comisión de la infracción (art. 233).

El órgano competente dictará resolución motivada confirmando, modificando o dejando sin efecto la propuesta de sanción y resolverá todas las cuestiones planteadas en el expediente. Incluirá la debida motivación y valoración de las pruebas practicadas, y especialmente de aquellas que constituyan los fundamentos básicos de la decisión, fijarán los hechos y, en su caso, la persona o personas responsables, la infracción o infracciones cometidas y la sanción o sanciones que se imponen, o bien la declaración de inexistencia de infracción o responsabilidad. En la resolución no se podrán aceptar hechos distintos de los determinados en la fase de instrucción del procedimiento, salvo lo previsto en el art. 233.3. Como ya se ha expuesto, debe entenderse derogada la posibilidad de optar, de acuerdo con el art. 51.1 LO 4/00, por una sanción de expulsión o de multa, según tiene declarado la jurisprudencia y el TJUE (STSJ Murcia, Sec. 2ª, Sent. 950/2015, 21 diciembre. Ver también STSJ Castilla y León de Valladolid, Sala Con. Advo, Sent. 2756/2015 de 9 Dic.).

La sanción a imponer se determinará, por los criterios de graduación previstos en el art. 55 de la Ley en el que se establece que para la graduación de las sanciones, el órgano competente en imponerlas se ajustará a criterios de proporcionalidad, valorando el grado de culpabilidad y, en su caso, el daño producido o el riesgo derivado de la infracción y su trascendencia. Y para la determinación de la cuantía de la sanción se tendrá especialmente en cuenta la capacidad económica del infractor.

«La orden de expulsión decretada por la autoridad gubernativa competente no es una pena, pero sí una sanción administrativa que, como tal sanción, ha de encontrar cobertura en la legislación de extranjería, por imperativo del art. 25.1 CE (SSTC 94/1993, de 22 de marzo, y 116/1993, de 29 de marzo) y respetar el derecho de defensa, dándose audiencia al extranjero antes de acordar la expulsión (STC 242/1994, de 20 de julio), al igual que sucede con la medida judicial de internamiento preventivo previo a la expulsión (SSTC 140/1990, de 20 de septiembre, 96/1995, de 19 de junio, y 182/1996, de 12 de noviembre)». STC 24/2000 de 31 de enero.

La resolución de expulsión se notificará al interesado con indicación de los recursos que contra la misma cabe interponer, órgano que el que hubieren de presentarse y plazo para presentarlos (art. 57.9 y 58 LO 4/00). La resolución en que se adopte la expulsión tramitada mediante el procedimiento ordinario incluirá un plazo de cumplimiento voluntario para que el interesado abandone el territorio nacional. La duración de dicho plazo oscilará entre siete y treinta días y comenzará a contar desde el momento de la notificación de la citada resolución. El plazo de cumplimiento voluntario de la orden de expulsión podrá prorrogarse durante un tiempo prudencial en atención a las circunstancias que concurran en cada caso concreto, como pueden ser, la duración de la estancia, estar a cargo de niños escolarizados o la existencia de otros vínculos familiares y sociales (art. 63 bis LO 4/2000). Expirado el plazo de cumplimiento voluntario sin que el extranjero haya abandonado el territorio nacional, se procederá a su detención y conducción hasta el puesto de salida por el que se deba hacer efectiva la expulsión. Si la expulsión no se pudiera ejecutar en el plazo de setenta y dos horas, podrá solicitarse la medida de internamiento regulada en los artículos anteriores, que no podrá exceder del período establecido en el artículo 62 de esta Ley (art. 64.1 LO 4/2000).

La ejecución de la resolución de expulsión se efectuará, en su caso, a costa del empleador que hubiera sido sancionado por las infracciones previstas en el artículo 53.2 a) o 54.1.d) de esta Ley o, en el resto de los supuestos, a costa del extranjero si tuviere medios económicos para ello. De no darse ninguna de dichas condiciones, se comunicará al representante diplomático o consular de su país, a los efectos oportunos (art. 64.3 LO 4/2000).

Cuando el Ministerio Fiscal tenga conocimiento de que un extranjero, contra el que se ha dictado una resolución de expulsión, aparezca en un procedimiento penal como víctima, perjudicado o testigo y considere imprescindible su presencia para la práctica de diligencias judiciales, lo pondrá de manifiesto a la autoridad gubernativa competente para que valore la inejecución de su expulsión y, en el supuesto de que se hubiese ejecutado esta última, se procederá de igual forma a los efectos de que autorice su regreso a España durante el tiempo necesario para poder practicar las diligencias precisas, sin perjuicio de que se puedan adoptar algunas de las medidas previstas en la Ley Orgánica 19/1994, de 23 de diciembre, de protección a testigos y peritos en causas criminales (art. 59.4 LO 4/2000).

La expulsión llevará consigo la prohibición de entrada en territorio español. La duración de la prohibición se determinará en consideración a las circunstancias que concurran en cada caso y su vigencia no excederá de cinco años. Excepcionalmente, cuando el extranjero suponga una amenaza grave para el orden público, la seguridad pública, la seguridad nacional o para la salud pública, podrá imponerse un período de prohibición de entrada de hasta diez años. En las circunstancias que se determinen reglamentariamente, la autoridad competente no impondrá la prohibición de entrada cuando el extranjero hubiera abandonado el territorio nacional durante la tramitación de un expediente administrativo sancionador por alguno de los supuestos contemplados en las letras a) y b) del artículo 53.1 de esta Ley Orgánica, o revocará la prohibición de entrada impuesta por las mismas causas, cuando el extranjero abandonara el territorio nacional en el plazo de cumplimiento voluntario previsto en la orden de expulsión (art. 58 LO 4/2000).

Las resoluciones administrativas sancionadoras serán recurribles con arreglo a lo dispuesto en las leyes. El régimen de ejecutividad de las mismas será el previsto con carácter general. En todo caso, cuando el extranjero no se encuentre en España, podrá cursar los recursos procedentes, tanto en vía administrativa como jurisdiccional, a través de las representaciones diplomáticas o consulares correspondientes, quienes los remitirán al organismo competente (art. 65 LO 4/2000).

Téngase en cuenta que el TEDH ha declarado que se produce violación del Convenio ante la ausencia de recurso para impugnar la orden de expulsión[180].

4.7. Procedimiento de devolución[181]

El retorno de un ciudadano extranjero al país de procedencia no supone una medida sancionadora ni restrictiva de derechos. Los ordenamientos de cada Estado pueden regular y modular la entrada y residencia en sus respectivos países, exigiendo el cumplimiento de unos determinados requisitos.

«Ha de tenerse claro, en cuanto a la devolución, que no se está ante medida sancionadora, sino tendente a restablecer la legalidad alterada —restituyendo al ciudadano extranjero al país de procedencia—, lo que explica que no sea necesario para ello expediente de expulsión, ni en definitiva trámite al que deban trasladarse las exigencias del art. 24 C.E. Porque únicamente se trata, frente a la constatación de la entrada ilegal en territorio español, de restaurar el orden legal conculcado. De

---

(180) «El Tribunal recuerda que el artículo 13 garantiza la disponibilidad a nivel nacional de un recurso para asegurar el cumplimiento de los derechos y libertades del Convenio en todas sus formas para que estén asegurados en el orden legal interno. La finalidad de este artículo es, por lo tanto, exigir la concesión de un recurso efectivo que permita a la autoridad nacional competente tanto juzgar el fundamento de la queja del Convenio como conceder la reparación adecuada, aunque los Estados Contratantes dispongan de cierta potestad en cuanto a la manera en la que cumplen con sus obligaciones con arreglo a este artículo. Asimismo, en determinadas circunstancias, el conjunto de recursos que ofrece el derecho interno puede satisfacer las exigencias del artículo 13 (ver Sentencia Chahal, previamente mencionada, págs. 1869-70, ap. 145)». STEDH 11 de julio de 2000.

(181) Vid. FERNÁNDEZ PÉREZ, A., «La regulación de las devoluciones y expulsiones de extranjeros: la ilegalidad de las devoluciones de extranjeros efectuadas sin las debidas garantías», *Diario La Ley*, N.º 8382, Año XXXV, 22 de septiembre de 2014, Ref. D-288; ALONSO PÉREZ, F., *Las medidas de «devolución» y «retorno» en la legislación de extranjería: innovaciones introducidas por la STS de 20 de marzo de 2003.*

otro lado, tampoco es claro que la devolución pueda considerarse como medida restrictiva de derechos. Es cierto que los extranjeros pueden ser titulares de los derechos fundamentales a residir y a desplazarse libremente —art. 19 C.E.—. Pero como indicó la STC 94/1993, de 22 de marzo (LA LEY 2187-TC/1993), "... la libertad de circulación a través de las fronteras del Estado, y el concomitante derecho a residir dentro de ellas, no son derechos imprescindibles para la garantía de la dignidad humana (art. 10.1 C.E. y STC 107/1984 (LA LEY 9386-JF/0000), fundamento jurídico 3), ni por consiguiente pertenecen a todas las personas en cuanto tales al margen de su condición de ciudadano. De acuerdo con la doctrina sentada por la citada sentencia, es pues lícito que las leyes y los tratados modulen el ejercicio de esos derechos en función de la nacionalidad de las personas, introduciendo tratamientos desiguales entre españoles y extranjeros en lo que atañe a entrar y salir de España, y a residir en ella...". A mayor abundamiento, la STC 116/1993, de 29 de marzo (LA LEY 2194-TC/1993), matiza que "... los extranjeros son titulares de los derechos fundamentales a residir y a desplazarse libremente que recoge la Constitución en su artículo 19, si bien en los términos que establezcan los tratados y la Ley (artículo 13.1. C.E.)...", lo que significa que el reconocimiento y efectividad de este derecho está supeditado al cumplimiento de los requisitos establecidos para el acceso y estancia en territorio español por parte de los ciudadanos extranjeros». STSJ Andalucía de Málaga, Sala C. advo, Sent. 2942/2015 de 30 Dic. 2015.

La devolución difiere tanto de la expulsión de los extranjeros como del rechazo o denegación de entrada en nuestro país (art. 26 Ley 4/2000) y se enmarca en el más amplio concepto de «retorno» de los extranjeros en situación irregular que emplea la Directiva 2008/115/CE, de 16 de diciembre de 2008. No tiene carácter sancionador. De la misma forma que las personas que entran legalmente pueden verse rechazadas por motivos legales, igual debe entenderse cuando se aplica una devolución respecto de los que pretenden entrar de forma ilegal.

«Tercero. En efecto, como destaca la reciente STS 12 marzo 2013 (recurso 343/2011) la devolución, en cuanto figura jurídica con contornos propios difiere tanto de la expulsión de los extranjeros como del rechazo o denegación de entrada en nuestro país (artículo 26 de la Ley 4/2000) y se enmarca en el más amplio concepto de "retorno" de los extranjeros en situación irregular que emplea la Directiva 2008/115/CE, de 16 de diciembre de 2008, del Parlamento Europeo y el Consejo, relativa a las normas y procedimientos en los Estados miembros para el retorno de los nacionales de terceros países en situación irregular, respondiendo las medidas u órdenes de "devolución" de extranjeros previstas en las dos hipótesis del artículo 58.3 de la Ley Orgánica 4/2000 a dos realidades diferenciadas, con perfiles propios cada una: a) Cuando se ordena la "devolución" del extranjero que fue expulsado y ha vuelto a nuestro país contraviniendo la prohibición, para él vigente, de entrar en España, dicha «devolución» no es sino un acto de ejecución material de aquella prohibición y carece de sustantividad sancionadora autónoma. b) Las órdenes de devolución contra los extranjeros "que pretendan entrar ilegalmente en el país" se aproximan más, sin embargo, a las medidas administrativas de rechazo o denegación de entrada que adoptan —pueden adoptar— los funcionarios encargados del control en los puestos fronterizos. Como afirma el Alto Tribunal en la STS 12 marzo 2013 citada ...este segundo género de órdenes de "devolución" tampoco tienen carácter sancionador. En sí mismas consideradas no son sino medidas impeditivas de la entrada ilegal en España frente a quienes "pretendan" eludir la preceptiva entrada por los puestos de control fronterizos. Si quienes optan por la "entrada legal" a través de dichos puestos pueden verse rechazados, sin que ello constituya una sanción administrativa, ese mismo rechazo o denegación de entrada —ahora convertido en «devolución»— puede aplicarse a quienes sean aprehendidos, en la misma frontera o en sus inmediaciones, cuando intentan burlar el control reglamentario. No existe, a nuestro juicio, diferencia sustancial entre un supuesto y otro desde la perspectiva de su naturaleza jurídica aun cuando en la Ley 4/2000 ambos tengan un régimen diferenciado: se trata de actuaciones administrativas enmarcadas en la lógica propia de un sistema de control de entrada de los extranjeros en España, no en la del ejercicio del *ius puniendi* del Estado. De hecho, la asimilación de ambas figuras subyace también en el artículo 2 de la Directiva 2008/115/CE, a tenor del cual se permite a los Estados miembros no aplicarla «a los nacionales de terceros países a los que se deniegue la entrada con arreglo al artículo 13 del Código de fronteras Schengen, o que sean detenidos o interceptados por las autoridades competentes con ocasión del cruce irregular de las fronteras exteriores terrestres, marítimas o aéreas de un Estado miembro". El carácter no sancionador de las órdenes de devolución, en sí mismas consideradas, ha sido expresamente reconocido en la STC 17/2013, de 31 de enero, dictada en recurso de inconstitucionalidad interpuesto contra diversos preceptos de la Ley Orgánica 14/2003, de 20 de noviembre, de reforma de la Ley Orgánica 4/2000». STSJ de Andalucía de Málaga, Sala de lo Contencioso-administrativo, Sección 1ª, Sentencia 377/2016 de 22 Feb. 2016, Rec. 1784/2014

El retorno (o devolución) no exige para su adopción de procedimiento administrativo alguno[182]. Con la orden de devolución solo se pretende poner fin a una situación

---

(182) «De otro lado, en cuanto a la devolución, no se está ante medida sancionadora, sino tendente a restablecer la legalidad alterada —restituyendo al ciudadano extranjero al país de procedencia—, lo que explica que no sea necesario para ello expediente de expulsión, ni en definitiva trámite al que deban trasladarse las exigencias del art. 24 C.E. (LA LEY 2500/1978) . Porque únicamente se trata, frente a incumplimiento de prohibición de entrada impuesta en acuerdo de expulsión llevado a término, de restaurar —mediante ejecución de ese acto firme, sin nuevo procedimiento— el orden legal conculcado. Tampoco es claro que la devolución pueda considerarse como medida restrictiva de derechos. Es cierto que los extranjeros pueden ser titulares de los derechos fundamentales a residir y a desplazarse libremente —art. 19 C.E.—. Pero como indicó la STC 94/1993, de 22 de marzo, "... la libertad de circulación a través de las fronteras del Estado, y el concomitante derecho a residir dentro de ellas, no son derechos imprescindibles para la garantía de la dignidad humana (art. 10.1 C.E., y STC 107/1984, fundamento jurídico 3), ni por consiguiente pertenecen a todas las personas en cuanto tales al margen de su condición de ciudadano. De acuerdo con la doctrina sentada por la citada sentencia, es pues lícito que las leyes y los tratados modulen el ejercicio de esos derechos en función de la nacionalidad de las personas, introduciendo tratamientos desiguales entre españoles y extranjeros en lo que atañe a entrar y salir de España, y a residir en ella...". A mayor abundamiento, la STC 116/1993, de 29 de marzo, matiza que "... los extranjeros son titulares de los derechos fundamentales a residir y a desplazarse libremente que recoge la Constitución en su artículo 19, si bien en los términos que establezcan los tratados y la Ley (art. 13.1. C.E...)", lo que significa que el reconocimiento y efectividad de este derecho está supeditado al cumplimiento de los requisitos establecidos para el acceso y estancia en territorio español por parte de los ciudadanos extranjeros. Por tanto, los extranjeros sólo gozan del derecho a residir en España en virtud de autorización concedida por autoridad competente, de conformidad con los Tratados internacionales y la Ley (arts. 13 y 19 C.E., SSTC 99/1985, de 30 de septiembre, y 94/1993, de 22 de marzo (LA LEY 2187-TC/1993); y Declaración de 1-06-1992, relativa al Tratado de la Unión Europea). Conclusión que se ve reafirmada por la jurisprudencia del Tribunal Europeo de Derechos Humanos que, sin dejar de recordar que los Estados europeos deben respetar los dere-

de ilegalidad, sin que tenga naturaleza sancionadora, por lo que tampoco le son de aplicación los principios que rigen en los procedimientos administrativos.

«Así pues, la orden de devolución en este supuesto asimilado a la entrada ilegal en España no requiere la instrucción de un procedimiento sancionador y por tanto, no tiene sentido que se apliquen los principios de culpabilidad, de presunción de inocencia o de proporcionalidad de la medida puesto que la irregularidad administrativa en su origen y su permanencia en el tiempo no permiten tomar en consideración el grado de culpabilidad o el principio de presunción de inocencia para impedir el restablecimiento de la situación jurídica irregular existente. Con la devolución tan sólo se pretende, en tales casos, poner fin a una situación de irregularidad previa y no sobrevenida. .../... Esta posición es la sostenida por la Sentencia del Pleno del Tribunal Constitucional 17/2013 de 31 de enero, que sostiene la naturaleza no sancionadora de la medida de devolución a la que se asigna la naturaleza de medida de ejecución administrativa de las políticas migratorias y de control de fronteras». STSJ de Andalucía de Málaga, Sala de lo Contencioso-administrativo, Sección 1ª, Sentencia 2925/2015 de 17 Dic. 2015, Rec. 2201/2014.

No será preciso expediente de expulsión en los siguientes casos[183]: a) para la devolución de aquellos extranjeros que, habiendo sido ya expulsados, contravengan

---

chos humanos plasmados en el Convenio de Roma, no ha dejado de subrayar la amplia potestad de que disponen los poderes públicos para controlar la entrada, la residencia y la expulsión de los extranjeros en su territorio (SS.TEDH Abdulaziz, de 28 de mayo de 1985, Berrehab, de 21 de junio de 1988, Moustaquim, de 18 de febrero de 1991, y Ahmut, de 28 de noviembre de 1996), lo que también ha tenido ocasión de recordar el T.C. en Sentencia 242/1994, de 20 de julio (LA LEY 10112/1994), y Auto 331/1997». STSJ Andalucía de Málaga, Sala Contencioso-administrativo, Sent. 2742/2015 de 11 Dic. 2015, Rec. 467/2014.

(183) «En efecto, la expulsión contemplada en el precepto impugnado consiste en una medida que se acuerda legítimamente por parte del Estado español en el marco de su política de extranjería, en la que se incluye el establecimiento de los requisitos y condiciones exigibles a los extranjeros para su entrada y residencia en España, que no es un derecho fundamental del que aquéllos sean titulares con fundamento en el art. 19 CE (STC 72), de ahí que la misma Ley Orgánica 4/2000 establezca los requisitos para la entrada en el territorio español (art. 25), así como las causas de prohibición de dicha entrada, que son las «legalmente establecida(s) o en virtud de convenios internacionales en los que sea parte España» (art. 26.1, redactado conforme a la Ley Orgánica 8/2000). Al respecto, merece destacarse la normativa europea relativa al estatuto de los nacionales de terceros países residentes de larga duración (Directiva 2003/109/CE, del Consejo, de 25 de noviembre de 2003), que autoriza a los Estados miembros a denegar dicho estatuto por motivos de orden público o de seguridad pública mediante la correspondiente resolución, tomando en consideración «la gravedad o el tipo de delito contra el orden público o la seguridad pública» (art. 6). Asimismo, la normativa europea relativa al reconocimiento mutuo de las decisiones en materia de expulsión de nacionales de terceros países (Directiva 2001/40/CE del Consejo, de 28 de mayo de 2001), contempla la expulsión basada en una amenaza grave y actual para el orden público o la seguridad nacionales que puede adoptarse en caso de "condena del nacional de un tercer país por el Estado miembro autor a causa de una infracción sancionable con una pena privativa de libertad de al menos un año" (art. 3). Es, por tanto, lícito que la Ley de extranjería subordine el derecho a residir en España al cumplimiento de determinadas condiciones, como la de no haber cometido delitos de cierta gravedad. Conclusión que se ve corroborada por la jurisprudencia del Tribunal Europeo de Derechos Humanos que, sin dejar de recordar que los Estados europeos deben respetar los derechos humanos plasmados en el Convenio de Roma, no ha dejado de subrayar la amplia potestad de que disponen los poderes públicos para controlar la entrada, la residencia y la expulsión de los extranjeros en su territorio (SSTEDH caso Abdulaziz, 28 de mayo de 1985; caso

la prohibición de nueva entrada en España. Igual se procederá respecto de aquellos que hayan entrado ilegalmente (careciendo de la documentación o de los requisitos exigibles, por lugares que no sean los pasos habilitados[184] o contraviniendo las prohibiciones de entrada legalmente impuestas[185] —art. 58 LO 4/00[186]—. b) En el caso de extranjeros detenidos en territorio español frente a los que se haya dictado una resolución de expulsión por un Estado miembro de la Unión Europea (art. 64.4 LO 4/00). Podrán ser objeto de rechazo en frontera los extranjeros que sean detectados en la línea fronteriza de la demarcación territorial de Ceuta o Melilla mientras intentan superar los elementos de contención fronterizos para cruzar irregularmente la frontera podrán ser rechazados a fin de impedir su entrada ilegal en España. En todo caso, el rechazo se realizará respetando la normativa internacional de derechos humanos y de protección internacional de la que España es parte. Las solicitudes de protección internacional se formalizarán en los lugares habilitados al efecto en los pasos fronterizos y se tramitarán conforme a lo establecido en la normativa en materia de protección internacional (Disp. Adicional 10ª Ley 4/2000).

«Por tanto, los extranjeros sólo gozan del derecho a residir en España en virtud de autorización concedida por autoridad competente, de conformidad con los Tratados internacionales y la Ley (arts. 13 y 19 C.E., SSTC 99/1985, de 30 de septiembre, y 94/1993, de 22 de marzo; y Declaración de 1-06-1992, relativa al Tratado de la

Berrehab, 21 de junio de 1988; caso Moustaquim, 18 de febrero de 1991, y caso Ahmut, de 28 de noviembre de 1996: ATC 331/1997, de 3 de octubre, FJ 4)». STSJ de Marcia 246/2014, Sala de lo Contencioso, 28 marzo. Ver también STSJ Andalucía de Málaga, Sent. 200/2016 de 29 Ene. 2016, Rec. 1499/2014.

(184) «En definitiva, ha de concluirse que la Administración, al constatar la presencia del recurrente, indocumentado, en un control de identidades, y acordar su devolución, se atemperó al ordenamiento jurídico, pues, no procedía iniciar expediente administrativo alguno ex artículo 58.2 de la Ley Orgánica 4/2000, sino, como correctamente hizo la Administración, decretar su devolución, reiniciando el cómputo del plazo de la prohibición de entrada que autoriza el apartado 6 de dicho precepto, añadido por la Ley Orgánica 14/2003, de 20 de noviembre». STSJ de Málaga, Sala de lo Contencioso-administrativo, Sentencia 2530/2012 de 11 Oct. 2012, Rec. 1207/2010.

(185) Como afirma el Alto Tribunal en la STS 12 marzo 2013 citada «Este segundo género de órdenes de "devolución" tampoco tienen carácter sancionador. En sí mismas consideradas no son sino medidas impeditivas de la entrada ilegal en España frente a quienes "pretendan" eludir la preceptiva entrada por los puestos de control fronterizos. Si quienes optan por la "entrada legal" a través de dichos puestos pueden verse rechazados, sin que ello constituya una sanción administrativa, ese mismo rechazo o denegación de entrada —ahora convertido en "devolución"— puede aplicarse a quienes sean aprehendidos, en la misma frontera o en sus inmediaciones, cuando intentan burlar el control reglamentario. No existe, a nuestro juicio, diferencia sustancial entre un supuesto y otro desde la perspectiva de su naturaleza jurídica aun cuando en la Ley 4/2000 ambos tengan un régimen diferenciado: se trata de actuaciones administrativas enmarcadas en la lógica propia de un sistema de control de entrada de los extranjeros en España, no en la del ejercicio del ius puniendi del Estado». STSJ de Andalucía de Málaga, Sala de lo Contencioso-administrativo, Sentencia 456/2015 de 27 Feb. 2015, Rec. 442/2012.

(186) La STC, Pleno, 17/2013, de 31 enero, declara inconstitucional y nulo el inciso «Asimismo, toda devolución acordada en aplicación del párrafo b) del mismo apartado de este artículo llevará consigo la prohibición de entrada en territorio español por un plazo máximo de tres años» del anterior número 6 del artículo 58, en la redacción dada al mismo por el artículo 1.31 de la Ley Orgánica 14/2003, de 20 de noviembre y que actualmente se corresponde con el número 7 del mismo artículo.

Unión Europea (LA LEY 109/1994)). Conclusión que se ve reafirmada por la jurisprudencia del Tribunal Europeo de Derechos Humanos que, sin dejar de recordar que los Estados europeos deben respetar los derechos humanos plasmados en el Convenio de Roma, no ha dejado de subrayar la amplia potestad de que disponen los poderes públicos para controlar la entrada, la residencia y la expulsión de los extranjeros en su territorio (SSTEDH Abdulaziz, de 28 de mayo de 1985, Berrehab, de 21 de junio de 1988, Moustaquim, de 18 de febrero de 1991, y Ahmut, de 28 de noviembre de 1996), lo que también ha tenido ocasión de recordar el TC en Sentencia 242/1994, de 20 de julio (LA LEY 10112/1994), y Auto 331/1997, de 3 de octubre (LA LEY 15667/1997). Todo ello explica que, al no tener carácter sancionador, y ni siquiera tampoco restrictivo de derechos (por no haber ningún derecho previo de los extranjeros a la entrada en territorio español), la norma del art. 58.3 L.O. 4/2000 (LA LEY 126/2000), al decir que no será preciso expediente de expulsión para la devolución de los extranjeros en los supuestos que se contemplan, dicha norma —decimos— no merezca tacha alguna de posible inconstitucionalidad. Y explica que en el procedimiento en que se acuerda la devolución, por alguno de esos supuestos, no sea exigible el traslado para alegaciones al interesado o audiencia del art. 84 de la Ley 30/1992, con anterioridad a la decisión que le pone fin (no obstante lo cual el interesado podrá manifestar en vía de recurso de alzada cuanto tenga por conveniente). Como, del mismo modo, que lo relativo a probanza de hechos que fundamentan la resolución discutida, no deba abordarse desde la perspectiva del principio de presunción de inocencia, sino desde la de la carga de la prueba de las partes. Debe asimismo significarse que las circunstancias particulares que pueda invocar quien recurre carecen de virtualidad frente a la devolución acordada, al ser ésta la respuesta jurídica procedente, conforme a la legalidad. Por último, respecto a las razones humanitarias expuestas en su demanda, debemos precisar que esta situación de estancia irregular no se convalida como pretende mediante la alegación genérica de circunstancias socio políticas en el país de origen del recurrente, que sólo en contrarían encaje en el supuesto de exención de visado del art. 25.3 de LOEX para el caso de solicitud de asilo, o en el caso de autorización de entrada extraordinaria por circunstancias humanitarias del art. 25.4 de LOEX». STSJ Andalucía de Málaga, Sala C. advo, Sent. 2942/2015 de 30 Dic. 2015[187]

---

(187) «Por otro lado, ha de tenerse claro, en cuanto a la devolución, que no se está ante medida sancionadora, sino tendente a restablecer la legalidad alterada —restituyendo al ciudadano extranjero al país de procedencia—, lo que explica que no sea necesario para ello expediente de expulsión, ni en definitiva trámite al que deban trasladarse las exigencias del art. 24 C.E . Porque únicamente se trata, frente a la constatación de la entrada ilegal en territorio español, de restaurar el orden legal conculcado. Tampoco es claro que la devolución pueda considerarse como medida restrictiva de derechos. Es cierto que los extranjeros pueden ser titulares de los derechos fundamentales a residir y a desplazarse libremente —art. 19 C.E.—. Pero como indicó la STC 94/1993, de 22 de marzo (LA LEY 2187-TC/1993), "... la libertad de circulación a través de las fronteras del Estado, y el concomitante derecho a residir dentro de ellas, no son derechos imprescindibles para la garantía de la dignidad humana (art. 10.1 C.E., y STC 107/1984 (LA LEY 9386-JF/0000), fundamento jurídico 3), ni por consiguiente pertenecen a todas las personas en cuanto tales al margen de su condición de ciudadano. De acuerdo con la doctrina sentada por la citada sentencia, es pues lícito que las leyes y los tratados modulen el ejercicio de esos derechos en función de la nacionalidad de las personas, introduciendo tratamientos desiguales entre españoles y extranjeros en lo que atañe a entrar y salir de España, y a residir en ella...". A mayor abundamiento, la STC 116/1993, de 29 de marzo (LA LEY 2194-TC/1993), matiza que "... los extranjeros son titulares de los derechos fundamentales a residir y a desplazarse libremente que recoge la Constitución en su artículo 19, si bien en los términos que establezcan los tratados y la Ley (artículo 13.1. C.E.) ...", lo que significa que

En el primer caso, la devolución será acordada por la autoridad gubernativa competente para la expulsión: Los Delegados del Gobierno en las Comunidades Autónomas uniprovinciales y los Subdelegados del Gobierno en la provincia en el resto de los casos. En el supuesto de haberse dictado Orden de expulsión en el ámbito de la Unión se procederá a ejecutar inmediatamente la resolución. Cuando la devolución no se pudiera ejecutar en el plazo de 72 horas, se solicitará de la autoridad judicial la medida de internamiento prevista para los expedientes de expulsión (art. 58.6 LO 4/2000).

En el caso que el extranjero solicitara asilo no se llevará a cabo la devolución hasta que se dedica la inadmisión a trámite de la petición (art. 58.3 en relación con el 64.5 LO 4/00). Tampoco podrán ser devueltas la mujeres embarazadas cuando la medida pueda suponer un riesgo para la gestación o para la salud de la madre (art. 58.4 *in fine* LO 4/00).

Cuando la devolución no se pudiera ejecutar en el plazo de 72 horas, se solicitará de la autoridad judicial la medida de internamiento prevista para los expedientes de expulsión (art. 58.6 LO 4/00).

La devolución acordada frente a los que, habiendo sido expulsados, contravengan la prohibición de entrada en España conllevará la reiniciación del cómputo del plazo de prohibición de entrada que hubiese acordado la resolución de expulsión quebrantada (art. 58.7 LO 4/00).

4.8. Intervención judicial para autorizar la salida o la expulsión de imputados en procesos en tramitación o condenados en proceso penal

El art. 57.7 LO 4/00 y el art. 247 RD 557/2011 establecen la posibilidad de que el extranjero no residente legalmente en España afecto a un procedimiento penal, pueda ser autorizado a salir del territorio español por la autoridad jurisdiccional competente en alguno de los siguientes casos. Véase también la Instrucción 4/2001 de 25 de julio sobre la Autorización judicial de la expulsión de los extranjeros imputados en procedimientos penales. Se pueden dar los siguientes supuestos.

---

el reconocimiento y efectividad de este derecho está supeditado al cumplimiento de los requisitos establecidos para el acceso y estancia en territorio español por parte de los ciudadanos extranjeros. Por tanto, los extranjeros sólo gozan del derecho a residir en España en virtud de autorización concedida por autoridad competente, de conformidad con los Tratados internacionales y la Ley (arts. 13 y 19 C.E., SSTC 99/1985, de 30 de septiembre (LA LEY 481-TC/1986), y 94/1993, de 22 de marzo (LA LEY 2187-TC/1993); y Declaración de 1-06-1992, relativa al Tratado de la Unión Europea (LA LEY 109/1994)). Conclusión que se ve reafirmada por la jurisprudencia del Tribunal Europeo de Derechos Humanos que, sin dejar de recordar que los Estados europeos deben respetar los derechos humanos plasmados en el Convenio de Roma, no ha dejado de subrayar la amplia potestad de que disponen los poderes públicos para controlar la entrada, la residencia y la expulsión de los extranjeros en su territorio (SSTEDH Abdulaziz, de 28 de mayo de 1985, Berrehab, de 21 de junio de 1988, Moustaquim, de 18 de febrero de 1991, y Ahmut, de 28 de noviembre de 1996), lo que también ha tenido ocasión de recordar el T.C. en Sentencia 242/1994, de 20 de julio (LA LEY 10112/1994), y Auto 331/1997, de 3 de octubre (LA LEY 15667/1997)». STSJ Andalucía de Málaga, Sala de lo Contencioso-administrativo, Sentencia 455/2016 de 26 Feb. 2016, Rec. 1679/2014.

A) Extranjeros encausados penalmente con carácter previo al expediente de expulsión

De conformidad con el art. 57. 7 LO 4/2000, cuando el extranjero se encuentre procesado o imputado en un procedimiento judicial por delito o falta para el que la Ley prevea una pena privativa de libertad inferior a seis años o una pena de distinta naturaleza, y conste este hecho acreditado en el expediente administrativo de expulsión, en el plazo más breve posible y en todo caso no superior a tres días, el Juez, previa audiencia del Ministerio Fiscal, autorizará la expulsión salvo que, de forma motivada, aprecie la existencia de circunstancias que justifiquen su denegación. En el caso de que el extranjero se encuentre sujeto a varios procesos penales tramitados en diversos juzgados, y consten estos hechos acreditados en el expediente administrativo de expulsión, la autoridad gubernativa instará de todos ellos la autorización a que se refiere el párrafo anterior. No obstante lo señalado en el párrafo anterior, el juez podrá autorizar, a instancias del interesado y previa audiencia del Ministerio Fiscal, la salida del extranjero del territorio español en la forma que determina la Ley de Enjuiciamiento Criminal. No serán de aplicación las previsiones contenidas en los párrafos anteriores cuando se trate de delitos tipificados en los artículos 312.1, 313.1 y 318 bis del Código Penal.

Con relación a esta materia, el art. 247 RD 557/2011 añade que en los supuestos del art. 57.7 LO 4/00, en el caso de que el extranjero se encuentre sujeto a varios procesos penales tramitados en diversos juzgados y consten estos hechos acreditados en el expediente administrativo de expulsión, la autoridad gubernativa instará de todos ellos la autorización a que se refiere el párrafo anterior. A los efectos de lo dispuesto en este artículo, se considerará que consta acreditado en el expediente administrativo de expulsión la existencia de procesos penales en contra del expedientado, cuando sea el propio interesado quien lo haya acreditado documentalmente en cualquier momento de la tramitación, o cuando haya existido comunicación de la autoridad judicial o del Ministerio Fiscal al órgano competente para la instrucción o resolución del procedimiento sancionador, en cualquier forma o a través de cualquier tipo de requisitoria.

Como medidas comunes a los casos anteriores, la resolución de expulsión será comunicada a la embajada o consulado del país del extranjero y a la Secretaría de Estado de Inmigración y Emigración, así como anotada en el Registro Central de Extranjeros. Esta comunicación se dirigirá al Ministerio de Asuntos Exteriores y de Cooperación cuando no se haya podido notificar al consulado del país del extranjero o éste no radique en España (art. 248 RD 557/11).

Un supuesto específico se regula en el art. 765.2 LECrim con relación a los imputados en procesos relativos al uso y circulación de vehículos a motor residentes en el extranjero. En esta clase de procesos el Juez o Tribunal podrá autorizar, previa audiencia del Fiscal, a los imputados que no estén en situación de prisión preventiva y que tuvieran su domicilio o residencia habitual en el extranjero, para ausentarse del territorio español. Para ello será indispensable que dejen suficientemente garantizadas las responsabilidades pecuniarias de todo orden derivadas del hecho punible, designen persona con domicilio fijo en España que reciba las notificaciones, citaciones y emplazamientos que hubiere que hacerles, con la prevención contenida en el artículo 775 en cuanto a la posibilidad de celebrar el juicio en su ausencia, y que presten caución no personal, cuando no esté ya acordada fianza de la misma clase, para garantizar la libertad provisional y su presentación en la fecha o plazo que se les señale (Véase M. 407).

La adopción de la medida de expulsión es discrecional, por lo que el extranjero no tiene derecho a que, en lugar del expediente de expulsión, se siga el procedimiento judicial hasta su terminación por sentencia (STC 24/2000 de 31 de enero. El TC ha declarado que esta autorización no puede considerarse una sanción, y que la resolución judicial no implica automatismo alguno en la decisión administrativa posterior sobre la expulsión del extranjero.

> «La autorización del Juzgado de Instrucción no sustituye a la resolución administrativa, de suerte que la medida de expulsión sigue siendo una decisión que corresponde a la Administración, y constituye una sanción administrativa, sujeta a control jurisdiccional... en el presente caso no nos hallamos todavía ante una orden de expulsión, sino ante una resolución judicial que resulta necesaria para que la Administración pueda llevar a efecto la expulsión de un extranjero "encartado", de conformidad con el primer párrafo del art. 21.2 de la Ley Orgánica 7/1985, de 1 de julio, sobre Derechos y Libertades de los Extranjeros en España, de modo que si la Administración decreta finalmente la expulsión, ésta surta efectos inmediatos, al no resultar necesario esperar a la celebración del juicio penal. Tal autorización de expulsión, por tanto, no puede ser calificada como una "sanción" sustitutiva de la sanción penal» .STC 24/2000 de 31 de enero.

Cabe interponer recurso de amparo frente al auto que autoriza la expulsión, aunque el procedimiento administrativo pueda continuar con el recurso contra la orden administrativa de expulsión (STC 24/2000 de 31 de enero)[188].

No podrá acordarse la salida o expulsión cuando los delitos de que se trate sean los previstos en el art. 312.1, 313.1, 318.bis. CP, que tipifican como delito el tráfico ilegal de personas o de mano de obra en sus distintas variantes y posibilidades.

---

(188) «Es cierto que la autorización del Juez Penal para que la Administración pueda proceder a decretar la expulsión del extranjero no es óbice para que la Jurisdicción Contencioso-Administrativa pueda controlar la ulterior decisión administrativa de expulsión (arts. 35 y 36 de la Ley Orgánica 7/1985, de 1 de julio, sobre Derechos y Libertades de los Extranjeros en España y STC 115/1987), pudiendo incluso el Tribunal Contencioso-Administrativo que conoce de la orden de expulsión acordar la suspensión de la ejecución de la misma en tanto se resuelve el recurso, como indica la Abogacía del Estado. Pero ello no significa que la vía judicial no esté agotada en lo que se refiere a la intervención de la Jurisdicción Penal, pues el efecto procesal inmediato de la resolución judicial de autorización es precisamente la paralización, respecto al solicitante de amparo, de un procedimiento penal aún en fase de diligencias previas. Por consiguiente, el procedimiento en vía penal que conduce a la resolución judicial que autoriza a la Administración para decretar la expulsión produce para el recurrente el efecto jurídico de agotar la vía previa a efectos del amparo, pues cabalmente su pretensión consiste en que se continúe el procedimiento penal —en cuanto más garantista que el procedimiento administrativo— para la determinación de los hechos presuntamente delictivos que se le imputan». STC 24/2000 de 31 de enero.

B) Extranjeros condenados a pena privativa de libertad (art. 89 CP[189]) o medidas de seguridad (art. 108 CP): Sustitución por la expulsión[190]

Dos son los posibles supuestos de expulsión que pueden encontrarse los extranjeros que carezcan de residencia legal en España: a) la expulsión administrativa de extranjeros, que se encuentren sometidos a procedimientos penales todavía no finalizados. Y, b) la expulsión como sustitución de la ejecución de la pena de prisión, cuya regulación expresa se encuentra en el art. 89 Código Penal.

Cuando se trata del segundo supuesto, no existe ninguna referencia, ni a sus presupuestos ni a sus efectos, en las normas procesales penales[191]. De conformidad con el art. 89[192] Código Penal, las penas de prisión de más de un año impuestas a un ciudadano extranjero serán sustituidas por su expulsión del territorio español. Excepcionalmente, cuando resulte necesario para asegurar la defensa del orden jurídico y restablecer la confianza en la vigencia de la norma infringida por el delito, el juez o tribunal podrá acordar la ejecución de una parte de la pena que no podrá ser superior a dos tercios de su extensión, y la sustitución del resto por la expulsión del penado del territorio español. En todo caso, se sustituirá el resto de la pena por la expulsión del penado del territorio español cuando aquél acceda al tercer grado o le sea concedida la libertad condicional (art. 89.1 CP).

Según la Circular de la Fiscalía 7/2015, las penas de prisión de duración igual o inferior a un año no son susceptibles de sustitución por expulsión. Procederá, en consecuencia, su ejecución penitenciaria o su suspensión condicional si concurren los requisitos de los arts. 80 y ss. CP.

Si una sentencia impone al mismo ciudadano extranjero dos o más penas de prisión y ninguna de ellas individualmente considerada excede la duración de un año, no procederá su expulsión aunque la suma de las penas rebase dicho límite. En cambio, si a un ciudadano extranjero se le imponen en la misma sentencia dos o más penas de prisión de las que sólo una o algunas superan el umbral de un año de duración, se podrá solicitar, si concurren los restantes requisitos para la aplicación de la medida, la sustitución de todas ellas por expulsión. Igual solución cabe dar cuando

---

(189)   Reformado por LO 1/2015, de 30 marzo.

(190)   Ver Circular de la Fiscalía General del Estado 7/2015, sobre la expulsión de ciudadanos extranjeros como medida sustitutiva de la pena de prisión tras la reforma operada por lo 1/2015. Ver también Circular 2/2006, 27 de julio de 2006, sobre diversos aspectos relativos al régimen de los extranjeros en España; Circular 2/2006, 27 de julio de 2006, sobre diversos aspectos relativos al régimen de los extranjeros en España. Esta Circular actualiza y adecua al nuevo panorama legislativo, relativo al régimen de los extranjeros en España, las anteriores Circulares dictadas sobre la materia.

(191)   MAGARIÑOS YÁNEZ, «La expulsión de ciudadanos extranjeros sometidos a procedimientos penales antes de su finalización. Presupuestos y efectos en el proceso», *Diario La Ley*, Nº 8799, Sección Doctrina, 8 de julio de 2016, Ref. D-275, Editorial La Ley; MONTERO PÉREZ DE TUDELA, E., «Las medidas repatriativas en el ámbito penitenciario: especial mención al traslado de personas condenadas a la luz de las nuevas reformas legislativas», *La Ley Penal*, N.º 115, julio-agosto 2015; LEGANÉS GÓMEZ, S., «La expulsión de los penados en el Código Penal de 2015», *Diario La Ley*, N.º 8579, 9 de julio de 2015, Ref. D-275;

(192)   Modificado por LO 1/2015, de 30 de marzo, por la que se modifica la L.O. 10/1995, de 23 de noviembre, del Código Penal («B.O.E.» 31 marzo).

la pena o penas de prisión de duración superior a un año van acompañadas de otras penas de distinta naturaleza, esto es, la concurrencia de dichas penas no impedirá la aplicación de la medida de expulsión.

En los supuestos del art. 89.1 CP —penas de prisión de más de un año y hasta cinco— los Sres. Fiscales solicitarán la sustitución completa de la pena por expulsión del territorio nacional. Excepcionalmente instarán la sustitución parcial cuando a la vista de la naturaleza y gravedad de los hechos que han motivado la condena se aprecie una necesidad efectiva de afirmar el ordenamiento jurídico mediante su cumplimiento en Centro Penitenciario, a cuyo fin se tomarán en consideración los criterios orientativos fijados en el apartado 4.1 de la presente Circular. En ningún caso se emitirá dictamen favorable a la suspensión condicional en los términos del art. 80 y ss. CP.

Cuando hubiera sido impuesta una pena de más de cinco años de prisión, o varias penas que excedieran de esa duración, el juez o tribunal acordará la ejecución de todo o parte de la pena, en la medida en que resulte necesario para asegurar la defensa del orden jurídico y restablecer la confianza en la vigencia de la norma infringida por el delito. En estos casos, se sustituirá la ejecución del resto de la pena por la expulsión del penado del territorio español, cuando el penado cumpla la parte de la pena que se hubiera determinado, acceda al tercer grado o se le conceda la libertad condicional (art. 89.2 CP).

En los supuestos del art. 89.2 CP, los Sres. Fiscales interesarán el cumplimiento total o parcial de la condena en atención a las circunstancias concretas del caso y a la necesidad de realizar los fines de prevención general en los términos indicados en el apartado 4.1 de esta Circular. En todo caso, iniciada la ejecución de la pena de prisión, el acceso al tercer grado de clasificación penitenciaria y la obtención de la libertad condicional traerán consigo la expulsión del extranjero en sustitución del resto de la pena. Como consecuencia de ello, los Fiscales interesarán del juez o tribunal que determine en sentencia o en auto motivado posterior que la expulsión se producirá cuando acceda el penado al tercer grado de clasificación penitenciaria o a la libertad condicional y concretarán en sus escritos de calificación el plazo de prohibición de regreso a España que se le habrá de imponer a contar desde que la expulsión se haga efectiva.

El juez o tribunal resolverá en sentencia sobre la sustitución de la ejecución de la pena siempre que ello resulte posible. En los demás casos, una vez declarada la firmeza de la sentencia, se pronunciará con la mayor urgencia, previa audiencia al Fiscal y a las demás partes, sobre la concesión o no de la sustitución de la ejecución de la pena. No procederá la sustitución cuando, a la vista de las circunstancias del hecho y las personales del autor, en particular su arraigo en España, la expulsión resulte desproporcionada (véase M. 408).

La expulsión sustitutiva no se aplicará, en ninguna de sus modalidades, si resulta desproporcionada. Para valorar la proporcionalidad de la medida se tomará en consideración el tiempo de residencia del penado en España, su situación familiar y económica, su integración laboral, social y cultural y los vínculos con el país de origen. En cualquier caso el arraigo familiar exige para poder excluir la aplicación del art. 89 una relación de convivencia real y estable y sólo puede provenir de las relaciones con los parientes próximos, entendiéndose por tales los padres y hermanos, cónyuges o parejas de hecho, e hijos —matrimoniales o no—, siempre que residan en España, u otros familiares con los que se acredite una relación estable de dependencia material o económica.

Cuando la expulsión del extranjero haya sido desechada por resultar desproporcionada, no habrá impedimento para que pueda serle aplicada alguna de las modalidades de suspensión condicional previstas en los arts. 80 y ss. CP si reúne los requisitos necesarios para beneficiarse de ellas.

Si desde la firmeza de la sentencia o auto que acuerden la expulsión sustitutiva de un ciudadano extranjero transcurren, por cualquier causa, más de dos años sin que ésta se haya ejecutado, podrá reconsiderarse la decisión judicial si hay motivos suficientes para creer que la situación del extranjero ha experimentado tal variación, en sentido favorable a su arraigo en España, que el cumplimiento de la medida haya devenido desproporcionado. Los Sres. Fiscales interesarán en tal caso que se abra un incidente en la ejecutoria con el fin de dar audiencia al penado asistido por su Letrado y a las restantes partes, si las hubiere. Este incidente se abrirá automáticamente si se trata de ciudadanos de la UE. Cabrá también excepcionalmente la reconsideración antes de los dos años, si concurre causa justificada. En todo escrito de calificación provisional en el que se dirija la acusación contra un ciudadano extranjero, los Sres. Fiscales expondrán su postura en lo que atañe a la aplicación del art. 89 CP (Circular 7/2015).

Si hubiera residido en España durante los diez años anteriores procederá la expulsión cuando además: a) Hubiera sido condenado por uno o más delitos contra la vida, libertad, integridad física y libertad e indemnidad sexuales castigados con pena máxima de prisión de más de cinco años y se aprecie fundamentalmente un riesgo grave de que pueda cometer delitos de la misma naturaleza. b) Hubiera sido condenado por uno o más delitos de terrorismo u otros delitos cometidos en el seno de un grupo u organización criminal. En ambos supuestos será en todo caso de aplicación lo dispuesto en el apartado 2 de este artículo 89.

El extranjero no podrá regresar a España en un plazo de cinco a diez años, contados desde la fecha de su expulsión, atendidas la duración de la pena sustituida y las circunstancias personales del penado. La expulsión llevará consigo el archivo de cualquier procedimiento administrativo que tuviera por objeto la autorización para residir o trabajar en España. Si el extranjero expulsado regresara a España antes de transcurrir el período de tiempo establecido judicialmente, cumplirá las penas que fueron sustituidas, salvo que, excepcionalmente, el juez o tribunal, reduzca su duración cuando su cumplimiento resulte innecesario para asegurar la defensa del orden jurídico y restablecer la confianza en la norma jurídica infringida por el delito, en atención al tiempo transcurrido desde la expulsión y las circunstancias en las que se haya producido su incumplimiento. No obstante, si fuera sorprendido en la frontera, será expulsado directamente por la autoridad gubernativa, empezando a computarse de nuevo el plazo de prohibición de entrada en su integridad.

Cuando, al acordarse la expulsión en cualquiera de los supuestos previstos en este artículo 89, el extranjero no se encuentre o no quede efectivamente privado de libertad en ejecución de la pena impuesta, el juez o tribunal podrá acordar, con el fin de asegurar la expulsión, su ingreso en un centro de internamiento de extranjeros, en los términos y con los límites y garantías previstos en la ley para la expulsión gubernativa. En todo caso, si acordada la sustitución de la pena privativa de libertad por la expulsión, ésta no pudiera llevarse a efecto, se procederá a la ejecución de la pena originariamente impuesta o del período de condena pendiente, o a la aplicación, en su caso, de la suspensión de la ejecución de la misma. No serán sustituidas las penas que se hubieran impuesto por la comisión de los delitos a que se refieren los artículos 177 bis, 312, 313 y 318 bis (art. 89 CP).

Los apátridas e indocumentados no están excluidos del régimen del art. 89 del CP. No obstante, en ambos casos habrán de tenerse en cuenta las enormes dificultades que la medida de expulsión entraña. En el caso de los apátridas, deberá ofrecérseles un plazo de 30 días prorrogables para que se pueda gestionar su admisión legal en otro país, según la Circular 7/2015.

La resolución de expulsión no constituye una pena sino «una posibilidad de suspender la potestad estatal de hacer ejecutar lo juzgado, que se aplica al extranjero para salvaguardar los fines legítimos que el Estado persigue con ello» (STC 242/1994, de 20 de julio); y sin que el extranjero ostente derecho alguno en orden a la sustitución (SSTC 24/2000 de 31 de enero; 203/1997 de 25 de noviembre, ATC 33/1997, de 10 de febrero).

> «Desde una lectura constitucional del artículo 89.1 del Código Penal en su redacción vigente al dictarse la sentencia impugnada y en la actualidad, la jurisprudencia de esta Sala ha establecido que no puede entenderse que la sustitución de la pena por la expulsión en supuestos como el que nos ocupa tenga un carácter automático, solo alterado por la posibilidad de una excepción para determinados casos, sino que es preciso que el órgano sentenciador examine algún elemento más que le permita valorar la conveniencia de acordar la expulsión o, excepcionalmente, de proceder al cumplimiento de la pena en España (SSTS 901/2004, de 8 de julio y 710/2005, de 7 de junio). Por lo tanto, al no ser automática la sustitución de la pena por la expulsión, en cuanto exige algunos requisitos sobre los que puede practicarse prueba y en cuanto cabe una excepción basada en las características del hecho criminal, incluyendo en ellas las circunstancias del culpable, es preciso oír al acusado sobre la cuestión, que haya existido la posibilidad de que el acusado proponga prueba sobre los hechos pertinentes y alegue lo que le convenga sobre el particular así como que por el Tribunal de instancia se efectué una motivación suficiente en función de las características del caso que justifique la resolución finalmente adoptada». ATS Sala Segunda, de lo Penal, Auto 697/2007 de 29 Mar. 2007, Rec. 5/2007; Ponente: Giménez García, Joaquín. LA LEY 13940/2007.

No resultan aplicables a estos supuestos las normas sobre suspensión o sustitución de la pena previstas en los artículos 80, 87 y 88 del Código Penal. Ahora bien, en el caso de recaer una condena por los delitos previstos en el art. 312, 313 y 318. bis. CP, la expulsión se producirá una vez cumplida la pena privativa de libertad (art. 57.8 LO 4/2000).

En el supuesto de haberse impuesto una medida de seguridad el Juez o Tribunal acordará en la sentencia, previa audiencia de aquél, la expulsión del territorio nacional como sustitutiva de las medidas de seguridad que le sean aplicables, salvo que el juez o tribunal, previa audiencia del Ministerio Fiscal, excepcionalmente y de forma motivada, aprecie que la naturaleza del delito justifica el cumplimiento en España. Será necesaria también la audiencia del condenado y la motivación de la resolución, aunque la el art. 108 CP no la exige, ya que de lo contrario se verían afectados sus derechos[193].

> «Invoca el recurrente, como tercer motivo de impugnación, la indebida aplicación del artículo 89.1 y 108.1 del Código Penal, alegando que la sentencia de instancia impone la sustitución de la ejecución de la pena privativa de libertad por la expulsión el territorio nacional sin que previamente haya sido oído el condenado. El motivo debe ser estimado, pues según una reiterada doctrina jurisprudencial del Tribunal Supremo (entre otras, SSTS de 8 de julio de 2004, 17 de mayo de 2005 y 24 de julio de 2006). Para lograr la adecuada ponderación y la salvaguarda de derechos fundamentales superiores, en principio, al orden público o a una determinada política criminal, parece imprescindible ampliar la excepción de la expulsión, incluyendo un estudio de las concretas circunstancias del penado, arraigo y situación familiar para lo que resulta imprescindible el trámite de audiencia al penado y la motivación de la decisión. Por ello habrá de concluirse con la necesidad de insertar tal trámite como única garantía de que en la comisión de los bienes en conflicto, en cada caso, se ha salvaguardado el que se considere más relevante, con lo que se conjura, eficazmente, la tacha de posible inconstitucionalidad del precepto, tal y como está en la actualidad». SAP Santa Cruz de Tenerife, Sección 5ª, Sentencia 540/2007 de 30 Nov. 2007, Rec. 200/2007.

La expulsión así acordada llevará consigo el archivo de cualquier procedimiento administrativo que tuviera por objeto la autorización para residir o trabajar en España. En el supuesto de que, acordada la sustitución de la medida de seguridad por la expulsión, ésta no pudiera llevarse a efecto, se procederá al cumplimiento de la medida de seguridad originariamente impuesta. El extranjero no podrá regresar a España en un plazo de 10 años, contados desde la fecha de su expulsión. El extranjero que intentara quebrantar una decisión judicial de expulsión y prohibición de entrada a la que se refieren los apartados anteriores será devuelto por la autoridad gubernativa, empezando a computarse de nuevo el plazo de prohibición de entrada en su integridad (art. 108 CP).

---

(193) «... La parte sostiene que en el proceso de instancia, en que se acordó la medida de expulsión como sustitutiva del cumplimiento de la pena... no se le concedió audiencia previa, pues no sería suficiente para entender cumplido el trámite —como por el contrario sostiene la Audiencia Provincial en apelación— la pregunta genérica efectuada por el Juzgador al procesado, una vez concluidos los informes de la acusación y de la defensa, acerca de si tenía algo que manifestar, en los términos a que se hace referencia en el art. 739 LECrim... Parece evidente que... la expulsión no puede ser calificada como pena... ahora bien, precisamente porque la medida de que se trata afecta a la efectividad de un derecho constitucionalmente tutelado en los términos antes expuestos, se hace preciso que la audiencia tenga lugar en términos que, de forma clara e inequívoca, permitan a este requisito alcanzar la finalidad descrita...». (STC 242/94, de 20 julio).

4.9. Excepciones. Ciudadanos de la Unión Europea[194]

Los nacionales de los Estados miembros de la Unión Europea y aquéllos a quienes sea de aplicación el régimen comunitario se regirán por las normas que lo regulan, siéndoles de aplicación la LO 4/2000 en aquellos aspectos que pudieran ser más favorables, según dispone el art. 1.3 LO 4/2000. A estos ciudadanos les será de aplicación el Real Decreto 240/2007, de 16 de febrero[195], sobre entrada, libre circulación y residencia en España de ciudadanos de los Estados miembros de la Unión Europea

---

(194)   Vid. GUDÍN RODRÍGUEZ-MAGARIÑOS, A.E., «La extradición de los ciudadanos de la Unión Europea», *Diario La Ley*, N.º 8021, Año XXXIV, 12 de febrero de 2013, Ref. D-57. ORTEGA MARTÍN, E., «Un régimen excluido: ciudadanos de la Unión Europea», *Manual práctico de derecho de extranjería*, 4ª edición, Editorial La Ley, Madrid, marzo 2010. ALONSO PÉREZ, F., *Entrada y permanencia en España de ciudadanos de países miembros de la Unión Europea, del espacio económico europeo y de nacionalidad suiza: innovaciones introducidas por el Real Decreto 178/2003, de 14 de febrero*. ÁLVAREZ RODRÍGUEZ, A., «Régimen de extranjería comunitaria en el ordenamiento jurídico español», *La Ley*, n.º 80, 1993. CALVO SÁNCHEZ, «Expulsión de Ciudadano Comunitario. Conexión con las libertades de residencia y circulación», *La Ley*, 1991-3, p. 150.

(195)   Es importante tener en cuenta que la STS, Sala Tercera, de 1 junio 2010, LA LEY 21851/2010, BOE 3 noviembre 2010 anuló/modificó algunos artículos del RD 240/2007: «Que del expresado Real Decreto anulamos los siguientes artículos, apartados o Disposiciones: a) Artículo 2º, párrafo primero: la expresión "otro Estado miembro". b) Artículo 2º. La expresión "separación legal" que se contiene en los apartados a), c) y d) del citado artículo 2º. c) Artículo 9º. La misma expresión "separación legal" que se contiene (i) en el enunciado del precepto, (ii) en su apartado 1, (iii) en su apartado 4, y (iv) en su apartado 4.a). d) Artículo 9º. La expresión "cónyuge separado legalmente" que se contiene en el artículo 9.4.d). e) Artículo 2º. La expresión "que impida la posibilidad de dos registros simultáneos en dicho Estado" que se contiene dentro de su párrafo 1, apartado b). f) Artículo 3º. La expresión "exceptuando a los descendientes mayores de veintiún años que vivan a cargo, y a los ascendientes a cargo contemplados en el artículo 2.d) del presente Real Decreto", que se contiene en el apartado 2, párrafo primero. g) Artículo 3º. La expresión "No alterará la situación de familiar a cargo la realización por éste de una actividad laboral en la que se acredite que los ingresos obtenidos no tienen el carácter de recurso necesario para su sustento, y en los casos de contrato de trabajo a jornada completa con una duración que no supere los tres meses en cómputo anual ni tenga una continuidad como ocupación en el mercado laboral, o a tiempo parcial teniendo la retribución el citado carácter de recurso no necesario para el sustento", contenida en el párrafo segundo del apartado segundo del precepto. h) Artículo 4º. La expresión "expedida por un Estado que aplica plenamente el Acuerdo de Schengen, de 14 de junio de 1985, relativo a la supresión gradual de los controles en las fronteras comunes, y su normativa de desarrollo", contenida en el párrafo segundo del apartado 2º.i) Artículo 9. La expresión "Transcurridos seis meses desde el fallecimiento salvo que haya adquirido el derecho a residir con carácter permanente, el familiar deberá solicitar una autorización de residencia, de conformidad con lo previsto en el artículo 96.5 del Reglamento de la Ley Orgánica 4/2000, de 11 de enero, sobre derechos y libertades de los extranjeros en España y su integración social. Para obtener la nueva autorización deberá demostrar que está en alta en el régimen correspondiente de Seguridad Social como trabajador, bien por cuenta ajena o bien por cuenta propia, o que disponen, para sí y para los miembros de su familia, de recursos suficientes, o que son miembros de la familia, ya constituida en el Estado miembro de acogida, de una persona que cumpla estos requisitos", que constituye el párrafo segundo del apartado 2 del precepto. j) Artículo 18. La expresión "Excepto en casos de urgencia debidamente justificados, en los que la resolución se ejecutará de forma inmediata", que se contiene en el apartado 2 de dicho precepto. k) Disposición final tercera, apartado Uno (disposición adicional decimonovena del Real Decreto 2393/2004, de 30 de diciembre). La expresión "parentesco hasta segundo grado" que se contiene en su párrafo primero, apartado a). Así como la palabra otro de la expresión ciudadano de otro Estado miembro, del mismo apartado. l) Disposición Final Tercera, apartado Dos (Disposición Adicional Vigésima del Real Decreto 2393/2004, de 30 de diciembre)».

y de otros Estados parte en el Acuerdo sobre el Espacio Económico Europeo. Ello sin perjuicio de que puedan acogerse, en su caso, a la Ley de extranjería en lo que les pudiera ser más favorable[196].

La normativa aplicable a los ciudadanos comunitarios establece un régimen privilegiado con relación a las condiciones para el ejercicio de los derechos de entrada y salida, libre circulación, estancia, residencia, residencia de carácter permanente y trabajo en España por parte de los ciudadanos de otros Estados miembros de la Unión Europea y de los restantes Estados parte en el Acuerdo sobre el Espacio Económico Europeo, así como las limitaciones a los derechos anteriores por razones de orden público, seguridad pública o salud pública (art. 1). Esta regulación se fundamenta en lo previsto en los arts. 17 y 18 del Tratado constitutivo de la Comunidad Europea relativos a la ciudadanía de la Unión y, concretamente, en la Directiva 2004/38/CE, del Parlamento Europeo y del Consejo, de 29 de abril de 2004, que regula el derecho de entrada y salida del territorio de un Estado miembro, el derecho de residencia de los ciudadanos de la Unión y de los miembros de su familia, los trámites administrativos que deben realizar ante las Autoridades de los Estados miembros, el derecho de residencia permanente y las limitaciones a los derechos de entrada y de residencia por razones de orden, seguridad o salud pública.

La regulación se aplica a los ciudadanos comunitarios y también, cualquiera que sea su nacionalidad, a su cónyuge, pareja con la que mantenga una unión análoga a la conyugal inscrita en un registro público, descendientes y ascendientes directos y a los de su cónyuge o pareja registrada (art. 1 RD 240/07). Estos ciudadanos podrán entrar, salir, circular y permanecer libremente en el territorio español. Bastando para ello la presentación del pasaporte o tarjeta de identidad (arts. 3 y 4).

El Real Decreto 240/07, sobre residencia en España de ciudadanos de la Unión Europea, es aplicable a los cónyuges, cualquiera que sea su nacionalidad, siempre que no haya recaído el acuerdo o la declaración de nulidad del vínculo matrimonial, divorcio o separación legal (artículo 2.a y 9.bis. 1).

«La condición de comunitario se adquiere desde el momento de la celebración del matrimonio. Si reside en España durante más de tres meses está obligado a solicitar la tarjeta de residencia familiar de ciudadano de la Unión (artículo 3.3). Pero esta tarjeta no es constitutiva de la condición de comunitario que es inherente a la relación matrimonial y que sólo se pierde tras su nulidad o disolución. Por ello el artículo 8.2 dice que la tenencia de la tarjeta no podrá constituir condición previa para el ejercicio de otros derechos o la realización de trámites administrativos, siempre que el beneficiario de los derechos pueda acreditar su situación por cualquier otro medio de prueba. Aunque el incumplimiento de la obligación de solicitar la tarjeta constituya infracción administrativa en los mismos términos que para los españoles por carecer de documento nacional de identidad (artículo 15.8). Alegado y probado en el procedimiento sancionador por el recurrente su condición de comunitario, corresponde a la Administración comprobar la realidad del certificado de matrimonio o la extinción del vínculo matrimonial. En caso contrario ha de tener por cierta la

---

(196) Vid. Circular Fiscalía General del Estado 2/2006, 27 de julio de 2006, sobre diversos aspectos relativos al régimen de los extranjeros en España, aptdo. 3º.

existencia del matrimonio con ciudadana italiana y en consecuencia reconocerle la condición de comunitario. Por lo expuesto sí es aplicable la doctrina restrictiva sobre la expulsión de comunitarios prevista en el capítulo VI del citado Real Decreto 240/2007, el cual ha de ser interpretado de conformidad con las correspondientes directivas comunitarias. Al no haberse aplicado este Reglamento, no es conforme a Derecho la expulsión». STSJ Canarias de Santa Cruz de Tenerife, Sala de lo Contencioso-administrativo, Sentencia 25/2015 de 27 Feb. 2015, Rec. 53/2014.

También se podrá solicitar la aplicación de las disposiciones previstas en este real decreto (240/07) para miembros de la familia, no incluidos en el art. 2, de un ciudadano de un Estado miembro de la Unión Europea o de otros Estados parte en el Acuerdo sobre el Espacio Económico Europeo, que figuran relacionados en el art. 2 bis RD 240/07[197].

En cuanto a la residencia la normativa distingue según el tiempo durante el que se prolongue la residencia. Si ésta es inferior a tres meses no será preciso el cumplimiento de ningún trámite (art. 6), que sí será necesario cuando la estancia se prolongue más de tres meses (art. 3.3 RD 240/07). En ese caso, los interesados están obligados, dentro del plazo de los tres meses, a solicitar su inscripción en el Registro Central de Extranjeros. Esta petición se efectuará personalmente en la Oficina de Extranjeros de la provincia donde pretendan permanecer o fijar su residencia o, en su defecto, ante la Comisaría de Policía correspondiente (art. 7). El actual contenido del art. 7[198] se introdujo para hacer efectivo el principio de igualdad de trato en las prestaciones derivadas de la acción protectora de la seguridad social entre los ciudadanos comunitarios europeos, sea cual sea su lugar de origen, asimilando éstas a las de los ciudadanos del país donde se presten[199].

La autorización de residencia en España por un período superior a tres meses (art. 7) y la residencia permanente (art. 10) tienen cada una de ellas su propio régimen normativo, autónomo y claramente diferenciado en el reglamento, aprobado por RD

---

(197) Artículo introducido por RD 987/2015, de 30 octubre.

(198) El art. 7 RD 240/07 fue redactado por la disposición final quinta del RD Ley 16/2012, de 20 de abril, de medidas urgentes para garantizar la sostenibilidad del Sistema Nacional de Salud y mejorar la calidad y seguridad de sus prestaciones. Véase Orden PRE/1490/2012, de 9 de julio, por la que se dictan normas para la aplicación del artículo 7 del R.D. 240/2007.

(199) En la Introducción, apartado III, del RD Ley 16/2012, de 20 abril, se explica que: «el Real Decreto 240/2007, de 16 de febrero, sobre entrada, libre circulación y residencia en España de ciudadanos de los Estados miembros de la Unión Europea y de otros Estados parte en el Acuerdo sobre el Espacio Económico Europeo no ha transpuesto el artículo 7 de la Directiva 2004/38/CE, del Parlamento Europeo y del Consejo, de 29 de abril de 2004, en sus términos literales. Esta circunstancia ha supuesto, y seguirá suponiendo si no se modifica, un grave perjuicio económico para España, especialmente en cuanto a la imposibilidad de garantizar los retornos de los gastos ocasionados por la prestación de servicios sanitarios y sociales a ciudadanos europeos. .../... Y es, precisamente, esta materia la que se encuentra regulada en el Capítulo I de este real decreto-ley, donde se regula la condición de asegurado, en su Disposición final tercera, por la que se modifica el artículo 12 de la Ley Orgánica 4/2000, de 11 de enero, sobre derechos y libertades de los extranjeros en España y su integración social, precepto que no tiene naturaleza orgánica según establece la disposición final cuarta de dicha ley, así como en su Disposición final quinta en la que se modifica el artículo 7 del Real Decreto 240/2007, de 16 de febrero».

240/07. Por tanto, no son aplicables los requisitos del art. 7 a la residencia permanente, regulada en el art. 10.

«Por tanto, para la concesión de la autorización de residencia permanente que se discute en los autos, la norma aplicable no sólo no exige criterios económicos, sino que los excluye expresamente "Este derecho no estará sujeto a las condiciones previstas en el capítulo III del presente real decreto", siendo ese capítulo III en el que está comprendido el artículo 7 (que se constriñe a normar el derecho de residencia en España por un período superior a tres meses), indebidamente aplicado en la vía administrativa y en la jurisdiccional. Y esto es así porque, la residencia en España por un período superior a tres meses (art. 7) y la residencia permanente (art. 10) tienen cada una de ellas su propio régimen normativo, autónomo y claramente diferenciado en el mencionado reglamento, por lo que es incorrecto y contraviene la citada normativa reglamentaria, realizar una interpretación extensiva de los requisitos del art. 7 para aplicárselos a una autorización, distinta y diferenciada, contemplada en el artículo 10». STSJ País Vasco, Sala Contencioso-administrativo, Sección 3ª, Sentencia 139/2016 de 31 Mar. 2016, Rec. 451/2015.

La obtención del permiso de residencia no comporta automáticamente la existencia de un seguro de enfermedad, sino que deben cumplirse los presupuestos establecidos en el art. 7 RD 240/2007.

«Hemos de rechazar la presunción esgrimida por la sentencia de que la condición de autorización de residencia según el art. 7 del R.D. 240/2007 comporta la existencia de seguro de enfermedad, y ello porque una cosa son los requisitos acreditados al tiempo de solicitar y obtener el permiso de residencia así como las particulares condiciones probatorias en que se acreditó tal seguro (naturaleza, vigencia, ámbito, etc.) y otra muy distinta los requisitos que con distinto objeto (protección social de la salud pública gallega) deben ser examinados y verificados en un procedimiento específico. De ahí que el solo hecho de contar con permiso de residencia en España como ciudadano de la Unión Europea no comporta necesariamente la presunción de posesión de seguro de enfermedad para cubrir sus riesgos en España. Por ello, el fundamento de la resolución impugnada para denegar lo peticionado por la recurrente se desmorona por falta de amparo jurídico ya que la constatación de un permiso vigente de residencia en España no enerva el deber de instruir el procedimiento para verificar si concurren o no los presupuestos». STSJ de Galicia, Sala de lo Contencioso-administrativo, Sección 1ª, Sentencia 244/2016 de 13 Abr. 2016, Rec. 506/2015.

También podrán solicitar la residencia de los familiares, no comunitarios, de los ciudadanos de la Unión, quedando sometidos a los trámites, más complejos, necesarios para obtener la «tarjeta de residencia de familiar de ciudadano de la Unión», conforme está previsto en el art. 8 RD 240/2007. La expedición de la tarjeta de residencia de familiar de ciudadano de la Unión deberá realizarse en el plazo de los tres meses siguientes a la presentación de la solicitud. Debe tenerse presente que, en cualquier caso, no existe un control de la fecha de entrada en España, de modo que el cumplimiento de los plazos expresados resulta supeditado a la manifestación de voluntad del peticionario que solicite la residencia.

Con relación a la aplicación del RD 240/2007 a los familiares extracomunitarios de los ciudadanos españoles, la jurisprudencia ha resuelto esta laguna, estableciendo que en estos casos no es aplicable el art. 7, ya que los requisitos exigidos en este precepto van dirigidos a los ciudadanos de la Unión que pretendan residir en España o reagrupar a sus familiares no comunitarios (los considerados en el art. 2 del RD 240/2007); pero no se puede exigir a los españoles, cuyo derecho a residir en España deriva directamente del art. 19 CE, por lo que no precisan de requisito alguno al serles de aplicación el art. 2 del RD[200].

«En el análisis jurídico del conflicto planteado hay que empezar diciendo que esta Sala se ha pronunciado en pleno sobre un asunto similar en la sentencia 451/2015, en la que se analizó la cuestión de la aplicación del RD 240/2007 a los familiares extracomunitarios de los ciudadanos españoles y se construyó un criterio al respecto, el cual debemos seguir en este caso. Procederemos a transcribir los fundamentos de la sentencia 451/2015; pero antes abordaremos la resolución de la presente apelación partiendo de la síntesis de la tesis desarrollada en dicha sentencia. Aunque la Directiva 2004/38, que es la que implementa el RD 240/2007, contempla la situación de los ciudadanos de la unión (entre ellos, los españoles) que, en ejercicio de su derecho a la libre circulación, se desplazan desde su país de origen a otro de la Unión, o desde éste regresan al de origen y quieren que sus familiares no comunitarios se reúnan o regresen con él, la sobredicha norma española de desarrollo de la directiva es aplicable analógicamente a los familiares de ciudadanos españoles que no hayan ejercido aquel derecho y mantengan su residencia en España, dado que esta concreta situación no se regula en la normativa interna sobre derechos de los extranjeros (Ley Orgánica 4/2000, el RD 557/2011) y es preciso cubrir ese vacío normativo, según se desprende de la STS 7339/2011 . La aplicación del RD 240/2007 a la demandante (cónyuge de ciudadano español) conlleva la posibilidad de obtener la tarjeta de residencia de familiar comunitario. Tal posibilidad no lo niega la Administración, pero entiende que para su concreción han de cumplirse los requisitos previstos en el art. 7. Tal tesis no la comparte la Sala, pues dichos requisitos se dirigen a los ciudadanos de la Unión que pretendan residir en España o reagrupar a sus familiares no comunitarios (los considerados en el art. 2 del RD 240/2007), y no se puede exigir a los españoles, cuyo derecho a residir en España deriva directamente de la CE —art. 19— y no precisa de requisito alguno. Los únicos requisitos que cabe exigir a los familiares no comunitarios del ciudadano español para obtener la tarjeta de residencia regulada en RD 240/2007, son los que este reglamento establece respecto de los mismos. El precepto a tener en cuenta es el art. 2, y en el mismo no se dispone, para el cónyuge, el requisito de estar a cargo del ciudadano de la Unión, ni ningún otro». STSJ de Cantabria, Sala de lo Contencioso-administrativo, Sentencia 50/2016 de 11 Feb. 2016, Rec. 199/2015. Ver también STSJ País Vasco, Sala de lo Contencioso-administrativo, Sección 3ª, Sentencia 63/2016 de 9 Feb. 2016, Rec. 454/2015.

La expedición de la tarjeta de residencia de familiar de ciudadano de la Unión deberá realizarse en el plazo de los tres meses siguientes a la presentación de la solicitud (art. 8.4). En caso de no resolverse en dicho plazo, se entenderá concedida en virtud de silencio positivo. Así se desprende de lo previsto en el art. 24[201] Ley

---

(200) Ver STSJ Aragón, Sala de lo Contencioso-administrativo, Sección 1ª, Sentencia 50/2016 de 8 Feb. 2016, Rec. 108/2015, que aplica el art. 2.c RD 240/07 al hijo extranjero de una pareja de hecho del mismo sexo, en la que una era española.

(201) Art. 24.1 Ley 39/2015, de 1 de octubre, del Procedimiento Administrativo Común de las Administraciones Públicas: «En los procedimientos iniciados a solicitud del interesado, sin perjuicio de la resolución que la Administración debe dictar en la forma prevista en el apartado 3 de

39/2015, de 1 de octubre, del Procedimiento Administrativo Común de las Administraciones Públicas (antiguo art. 43.2 de la Ley 30/1992)[202]. La resolución favorable tendrá efectos retroactivos, entendiéndose vigente la situación de residencia desde la fecha acreditada de entrada en España siendo familiar de ciudadano de la Unión. Esta tarjeta de residencia de familiar de ciudadano de la Unión tendrá una validez de cinco años a partir de la fecha de su expedición, o por el período previsto de residencia del ciudadano de la Unión o de un Estado parte en el Acuerdo sobre el Espacio Económico Europeo, si dicho período fuera inferior a cinco años (art. 8.4º y 5º).

El fallecimiento del ciudadano de un Estado miembro de la Unión Europea o de un Estado parte en el Acuerdo sobre el Espacio Económico Europeo, su salida de España, o la nulidad del vínculo matrimonial, divorcio, *separación legal*[203] o cancelación de la inscripción como pareja registrada, no afectará al derecho de residencia de los miembros de su familia ciudadanos de uno de dichos Estados (art. 9.1).

El recurso a la asistencia social en España de un ciudadano de algún Estado miembro de la Unión Europea o de otro Estado parte en el Acuerdo sobre el Espacio Económico Europeo o de un miembro de su familia no tendrá por consecuencia automática una medida de expulsión (art. 9 bis).

La residencia permanente podrá solicitarse, con carácter general, por los ciudadanos de la Unión, y los miembros de su familia que no sean nacionales de uno de dichos Estados, que hayan residido legalmente en España durante un período continuado de cinco años. También podrán solicitar la residencia permanente, antes de que finalice el período de cinco años, los trabajadores, y sus familiares, que se hallen en alguna de las situaciones previstas en la norma. A saber: — trabajadores por cuenta propia o ajena que hayan alcanzado la edad prevista en la legislación española para acceder a la jubilación con derecho a pensión, o el trabajador por cuenta ajena que deje de ocupar la actividad remunerada con motivo de una jubilación antici-

---

este artículo, el vencimiento del plazo máximo sin haberse notificado resolución expresa, legitima al interesado o interesados para entenderla estimada por silencio administrativo, excepto en los supuestos en los que una norma con rango de ley o una norma de Derecho de la Unión Europea o de Derecho internacional aplicable en España establezcan lo contrario».

(202) «Por todo ello, resulta aplicable el art. 43.2 de la Ley 30/1992, redactado por la Ley 4/1999, que expresamente dispone el efecto estimatorio o silencio positivo de la eventual inactividad administrativa ante las solicitudes de los interesados en todos los casos, salvo que una norma con rango de Ley o una norma de Derecho Comunitario Europeo disponga lo contrario. Pues bien, las consecuencias del silencio administrativo positivo vienen determinadas en el art. 43, apartados 3 y 4.a) de la reseñada Ley 30/1992. Con arreglo al primero de esos preceptos, "la estimación por silencio administrativo tiene a todos los efectos la consideración de acto administrativo finalizador del procedimiento". Y de acuerdo con el segundo, "en los casos de estimación por silencio administrativo, la resolución expresa posterior a la producción del acto sólo podrá dictarse de ser confirmatoria del mismo". Y estas consecuencias han sido ratificadas por la Sala Tercera del Tribunal Supremo en diversas sentencias, entre ellas la citada en la sentencia aquí apelada. Por tanto, es ajustada a Derecho la decisión del juzgador de instancia en cuanto considera que la solicitud del ciudadano extranjero ha sido estimada por silencio positivo». STSJ Madrid, Sec. 5ª, Sent. 995/2014, 22 julio.

(203) La expresión «separación legal» del artículo 9.1 fue anulada por Sentencia TS (Sala 3.ª, Sección 5.ª) de 1 de junio de 2010.

pada, cuando hayan ejercido su actividad en España durante, al menos, los últimos doce meses y hayan residido en España de forma continuada durante más de tres años. — El trabajador por cuenta propia o ajena que haya cesado en el desempeño de su actividad como consecuencia de incapacidad permanente, habiendo residido en España durante más de dos años sin interrupción. No será necesario acreditar tiempo alguno de residencia si la incapacidad resultara de accidente de trabajo o de enfermedad profesional que dé derecho a una pensión de la que sea responsable, total o parcialmente, un organismo del Estado español. — El trabajador por cuenta propia o ajena que, después de tres años consecutivos de actividad y de residencia continuadas en territorio español desempeñe su actividad, por cuenta propia o ajena, en otro Estado miembro y mantenga su residencia en España, regresando al territorio español diariamente o, al menos, una vez por semana. A los exclusivos efectos del derecho de residencia, los períodos de actividad ejercidos en otro Estado miembro de la Unión Europea se considerarán cumplidos en España (art. 10).

La Administración deberá pronunciarse sobre la concurrencia o no de todos los requisitos necesarios para la concesión de la residencia en una solo resolución, sin que pueda dictar sucesivas resoluciones para pronunciarse sobre idéntica cuestión.

«Por último, el Abogado del Estado reclama con carácter subsidiario que "la Administración pueda valorar la concurrencia o no del resto de requisitos necesarios para acordar la residencia de familiar de ciudadano de la Unión", alegando en apoyo de tal pretensión que en la propia resolución de 24 de septiembre de 2012 se indicó expresamente que, aparte de los antecedentes del solicitante, no se había entrado a valorar el resto de la documentación contenida en la solicitud. La Sala no puede acoger la tesis del apelante, que choca frontalmente con el art. 89.1 de la Ley 30/1992, de 26 de noviembre, que dispone: "La resolución que ponga fin al procedimiento decidirá todas las cuestiones planteadas por los interesados y aquellas otras derivadas del mismo". La Administración está obligada a resolver en una sola resolución cada solicitud que se presenta ante ella y no puede dictar sucesivos acuerdos para pronunciarse sobre idéntica cuestión, siendo inadmisible pretender que, una vez descartada la concurrencia del motivo de denegación inicialmente invocado, se retrotraigan las actuaciones para volver a pronunciarse sobre la misma petición, si bien analizando ahora documentos que, por razones desconocidas, no valoró en principio a pesar de estar incorporados al expediente. Si la Administración estimaba que, además de los antecedentes penales del solicitante, concurrían otras causas para denegar la petición, tenía que haberlas expuesto en la resolución que puso fin al procedimiento, no pudiendo perjudicar al administrado su silencio o su pasividad». STSJ Madrid, Sec. 5ª, Sent. 995/2014, 22 julio.

Cuando se haya solicitado un permiso de residencia para extranjeros al amparo del RD 557/2011, pero fuese aplicable el régimen previsto en el RD 240/2007 por tratarse de un familiar de un ciudadano de la Unión, deberá solicitarse una nueva autorización al amparo de esta normativa sin que pueda subsanarse la anterior.

«Ello supone que la denegación realizada se encuentra en sí ajustada a derecho; si bien, en el supuesto presente lo que procede, si se cumplen los requisitos, es el otorgamiento de una "tarjeta de residencia de familiar de ciudadano de la Unión", que debe ser solicitada conforme exige el art. 8 del Real Decreto 240/2007. Indudablemente, no se puede expulsar de España a un extranjero padre o madre de un menor español que se encuentre sujeto a su guarda y custodia y que depende del mismo, pues ello implicaría tanto como expulsar al español, lo que supondría vulnerar directamente lo recogido en el art. 19 de la Constitución. Por tanto, si la autorización no procede concederla conforme a la Ley Orgánica 4/2000, esta autorización de residencia, con todas sus consecuencias legales, puede ser concedida en base a otra normativa; normativa que no es otra que la recogida en el Real Decreto 240/2007. Ahora bien, la resolución administrativa dictada se ajusta a derecho, y es el solicitante el que debe presentar nueva solicitud, no de residencia por arraigo, sino de tarjeta de residencia de familiar de ciudadano de la Unión». STSJ Castilla y León de Burgos, sec. 1ª, Sent. 368/2013, 8 noviembre.

El régimen expuesto podrá quedar excepcionado por motivos de orden público[204], seguridad y salud pública. Con base en estos motivos el Estado español podrá acordar la siguientes limitaciones respecto de los ciudadanos de la Unión y sus familiares: a) Impedir la entrada en España, aunque los interesados presenten la documentación prevista en la norma; b) Denegar la inscripción en el Registro Central de Extranjeros, o la expedición o renovación de las tarjetas de residencia previstas en el presente real decreto; c) e incluso Ordenar la expulsión o devolución del territorio español. Pero, únicamente podrá adoptarse una decisión de expulsión respecto a ciudadanos de un Estado miembro de la Unión Europea por razones graves de orden o seguridad pública[205]. Razones que deben fundarse en motivos imperiosos

---

(204) «Pero es más, igual interpretación ha acogido el Tribunal Supremo español conforme a la doctrina sentada por el Tribunal de las Comunidades Europeas (TJCE). La STS de 11-12-2003 se basaba en la STJCE de 19 de marzo de 1999 (asunto C-348/96, Donatella Calfa), que, siguiendo su propia doctrina (Sentencia 27 de octubre de 1977, Bouchereau 30/77) en relación con la expulsión de un ciudadano de un Estado miembro, asimila las razones de orden público con la existencia de "una amenaza real y suficientemente grave que afecte a un interés fundamental de la sociedad, sin que la mera existencia de condenas penales constituya por sí sola motivo para la adopción de dicha medida". Recientemente, la STJCE de 10-7-2008, C-33/2007 (LA LEY 86253/2008), se pronuncia sobre las facultades de los Estados de limitar la libertad de circulación de los ciudadanos de la Unión o de los miembros de sus familias por razones de orden público o de seguridad pública, y declara: "[23] la jurisprudencia ha aclarado que el concepto de orden público requiere, en todo caso, aparte de la perturbación del orden social que constituye cualquier infracción de la ley, que exista una amenaza real, actual y suficientemente grave que afecte a un interés fundamental de la sociedad (véanse, en particular, las sentencias antes citadas Rutili, apartado 28, y Bouchereau, apartado 35, así como la sentencia de 29 de abril de 2004, Orfanopoulos y Oliveri, C-482/01 y C-493/01, Rec. p. I-5257, apartado 66)". Y prosigue: "24. Tal enfoque de las excepciones al citado principio fundamental que pueden ser invocadas por un Estado miembro implica, en particular, según se deduce del artículo 27, apartado 2, de la Directiva 2004/38 (LA LEY 5248/2004), que las medidas de orden público o de seguridad pública, para estar justificadas, deberán basarse exclusivamente en la conducta personal del interesado, y no podrán acogerse justificaciones que no tengan relación directa con el caso concreto o que se refieran a razones de prevención general". Por si no bastara con estas citas, igual doctrina ha sido aplicada por esta misma Sala del Tribunal Superior, por ejemplo en SS 1604/2005, de 15-12, y 812/2007, de 13-12, de su Sección 1ª, y 307/2008, de 24-3, de la Sección 3ª. Y también en este mismo sentido se pronuncia STSJ de Extremadura, Sala de lo Contencioso-administrativo, de 21 de Julio de 2009, dictada en el recurso 203/2009». STSJ Castilla y León de Burgos, Sala de lo Contencioso-administrativo, Sección 1ª, Sentencia 24/2016 de 5 Feb. 2016, Rec. 178/2015

(205) «Con esta base normativa, se concluye que a los ciudadanos rumanos y búlgaros no se les puede sancionar actualmente con la expulsión por el simple hecho de no poseer la documentación personal en regla; justamente porque los nacionales rumanos y búlgaros —como ya se ha

de seguridad pública en los siguientes supuestos: «a) Si hubiera residido en España durante los diez años anteriores, o: b) Si fuera menor de edad, salvo si la repatriación es conforme al interés superior del menor, no teniendo dicha repatriación, en ningún caso, carácter sancionador» (art. 15.6). Teniéndose en cuenta a ese efecto la duración de la residencia e integración social y cultural del interesado en España, su edad, estado de salud, situación familiar y económica, y la importancia de los vínculos con su país de origen (art. 15).

También el Código Penal se pronuncia sobre esta materia. Dispone que la expulsión de un ciudadano de la Unión Europea solamente procederá cuando represente una amenaza grave para el orden público o la seguridad pública en atención a la naturaleza, circunstancias y gravedad del delito cometido, sus antecedentes y circunstancias personales (art. 89.4.2° CP).

La sustitución de la pena de prisión impuesta a un ciudadano de la UE y asimilados por expulsión del territorio español sólo será posible si concurren graves razones de orden público o seguridad pública; si lleva más de diez años residiendo en España será preciso, además, que se encuentre incluido en alguno de los supuestos tasados en el art. 89.4, 3 CP. La sustitución será siempre parcial (Circular Fiscalía 7/2015, conclusión 10ª).

Aquellas personas que hayan sido objeto de una decisión de prohibición de entrada en España podrán presentar una solicitud de levantamiento de la misma en un plazo razonable que será determinado por la Autoridad competente en función de las circunstancias concurrentes y que constará en la resolución por la que se determine la prohibición de entrada. La solicitud de levantamiento de la prohibición de entrada se realizará con alegación de los motivos que demuestren un cambio material de las circunstancias que justificaron la prohibición de entrada en España. En todo caso, dicha solicitud podrá ser presentada transcurridos tres años desde la ejecución de la decisión de prohibición de entrada en España. La Autoridad competente que resolvió dicha prohibición de entrada deberá resolver dicha solicitud en un plazo máximo de tres meses a partir de su presentación. Durante el tiempo en el que dicha solicitud es examinada, el afectado no podrá entrar en España (art. 15.2).

referido— tienen la consideración de ciudadanos europeos, y no les es de aplicación la Ley Orgánica 4/2000 (LA LEY 126/2000), al menos en cuanto al régimen sancionador aquí concernido, por aplicación de lo dispuesto en su artículo 1.3, a cuyo tenor "los nacionales de los Estados miembros de la Unión Europea y aquellos a quienes sea de aplicación el régimen comunitario se regirán por la legislación de la Unión Europea, siéndoles de aplicación la presente Ley en aquellos aspectos que pudieran ser más favorables". Con estas consideraciones, ya detalladas por el Abogado del Estado, ha de determinarse que la expulsión de un ciudadano comunitario ha de quedar referido a la aplicación del art. 15 del referido RD 240/07 (LA LEY 1381/2007), cuando existen motivos graves de orden público o seguridad pública. Y precisamente esta concurrencia se acredita en la resolución administrativa, cuya suspensión se insta en la pieza cautelar de la que dimana este rollo de apelación, con las referencias a la condena impuesta al recurrente en sentencia firme de 29-12-2009 dictada por la AP de Logroño por un delito de asesinato en grado de tentativa a la pena de 3 años, 11 meses y 25 días de prisión, con prohibición de acercarse a menos de 1000 metros de la víctima». STSJ Granada sec. 1ª, sent. 3136/2013 4 noviembre.

La caducidad del documento de identidad o del pasaporte con el que el interesado efectuara su entrada en España, o, en su caso, de la tarjeta de residencia, no podrá ser causa de expulsión. El incumplimiento de la obligación de solicitar la tarjeta de residencia o del certificado de registro conllevará la aplicación de las sanciones pecuniarias que, en idénticos términos y para supuestos similares, se establezca para los ciudadanos españoles en relación con el Documento Nacional de Identidad (art. 15.7 y 8).

> «Además, conforme al art. 15.8 del aludido Real Decreto 240/2007, la omisión y/o retraso, en su caso, en el cumplimiento de las formalidades administrativas a las que está sujeta la presencia del recurrente en España, al igual que la del resto de ciudadanos comunitarios, no se puede catalogar como «estancia irregular» a los efectos previstos en el art. 53.a) de la L.O. 4/2000, sino que puede conllevar la aplicación de las sanciones pecuniarias, pero en ningún caso puede dar lugar a la expulsión del territorio español por aplicación del art. 53.a), precitado». STSJ Comunidad Valenciana, Sala de lo Contencioso-administrativo, Sección 1ª, Sentencia 639/2014 de 27 Jun. 2014, Rec. 2/2013.

El Real Decreto establece normas concretas respecto a las causas que pueden fundar la adopción de alguna de estas medidas[206]. Estas normas tienen por finalidad garantizar el *status* preferente que la normativa comunitaria establecen, especialmente respecto al acuerdo de expulsión de un residente para el que se en el que se requerirá, con anterioridad a que se dicte, el informe previo de la Abogacía del Estado, salvo en casos en que concurran razones de urgencia debidamente motivadas. Además, y sin perjuicio de la interposición de los recursos administrativos y judiciales que procedan, la resolución de expulsión será sometida, previa petición del interesado, a examen de la Dirección del Servicio Jurídico del Estado o de la Abogacía del Estado en la provincia. El interesado podrá presentar personalmente sus medios de defensa ante el órgano consultivo, a no ser que se opongan a ello motivos de seguridad del Estado. El dictamen de la Abogacía del Estado será sometido a la autoridad competente para que confirme o revoque la anterior resolución (art. 16).

Las resoluciones de expulsión serán dictadas por los Subdelegados del Gobierno o Delegados del Gobierno en las comunidades autónomas uniprovinciales y en ellas se fijará el plazo en el que el interesado debe abandonar el territorio español. Excepto en casos de urgencia debidamente justificados, en los que la resolución se ejecutará

---

(206) El art. 15.5 disponen que la adopción de alguna de las medidas citadas de prohibición de entrada, denegación de residencia se atenderá a los siguientes criterios: «a) Habrá de ser adoptada con arreglo a la legislación reguladora del orden público y la seguridad pública y a las disposiciones reglamentarias vigentes en la materia. b) Podrá ser revocada de oficio o a instancia de parte cuando dejen de subsistir las razones que motivaron su adopción. c) No podrá ser adoptada con fines económicos. d) Cuando se adopte por razones de orden público o de seguridad pública, deberán estar fundadas exclusivamente en la conducta personal de quien sea objeto de aquéllas, que, en todo caso, deberá constituir una amenaza real, actual y suficientemente grave que afecte a un interés fundamental de la sociedad, y que será valorada, por el órgano competente para resolver, en base a los informes de las Autoridades policiales, fiscales o judiciales que obren en el expediente. La existencia de condenas penales anteriores no constituirá, por sí sola, razón para adoptar dichas medidas».

de forma inmediata. En la resolución se contendrá la información sobre los recursos procedentes, plazo y autoridad ante quien se debe formalizar (art. 18).

El interesado podrá solicitar en su recurso administrativo o judicial la suspensión del acuerdo de expulsión, sobre la que se pronunciará el órgano competente. Entre tanto, la expulsión quedará en suspenso, excepto en los siguientes supuestos: a) Que la resolución de expulsión se base en una decisión judicial anterior. b) Que las personas afectadas hayan tenido acceso previo a la revisión judicial, o c) Que la resolución de expulsión se base en motivos imperiosos de seguridad pública. En el caso de que no se estimase la petición de suspensión el interesado no podrá permanecer en territorio español, salvo en el trámite de vista, en que podrá presentar personalmente su defensa, excepto que concurran motivos graves de orden público o de seguridad pública o cuando el recurso se refiera a una denegación de entrada en el territorio (art. 17).

SECCIÓN 5.   EL PROCESO DE MENORES[(207)]

5.1.   Regulación y principios generales

En primer lugar, debe traerse a colación la Directiva (UE) 2016/800 del Parlamento Europeo y del Consejo de 11 de mayo de 2016 relativa a las garantías procesales de los menores sospechosos o acusados en los procesos penales, publicada en el Diario Oficial de 21 de mayo de 2016. Su objeto es, por un lado, establecer garan-

---

(207)   Véase sobre el proceso de menores: RICHARD GONZÁLEZ, Manuel, «El nuevo proceso de menores», *La Ley*, nº 5085 de 2000; SERRANO MASIP, M., «La incorporación al proceso penal español de la normativa UE sobre el interrogatorio o la exploración de la víctima menor de edad», en *Delitos contra la libertad e indemnidad sexual de los menores. Adecuación del Derecho español a las demandas normativas supranacionales de protección*, Aranzadi, 2015; VV.AA., *La responsabilidad penal de los menores*, Edit. Sepin, 2015; SAGÜILLO TEJERINA, E., «Algunas cuestiones procedimentales sobre la exigencia de responsabilidad civil en el proceso penal contra menores», *Diario La Ley*, n.º 8695, 4 de febrero de 2016, Ref. D-52. LORENZO SOLIÑO, JA, «La víctima menor de edad en el procedimiento penal: su estatuto jurídico y protección (1)», en La Ley Derecho de Familia: *Revista jurídica sobre familia y menores*, ISSN-e 2341-0566, Nº. 7, 2015 (Ejemplar dedicado a: Situación de los menores en juicio). URBANO CASTRILLO, E., «La subjurisdicción de menores: principios informadores y especialidades en materia de recursos», *La Ley Penal*, n.º 36, marzo 2007, Editorial La Ley. GONZÁLEZ CANO, M.I., «Valoración de las reformas procesales operadas por la LO 8/2006, de 4 de diciembre, por la que se modifica la Ley Orgánica de responsabilidad penal de los menores», *Diario La Ley*, n.º 6742, 6743 Año XXVIII, 25 y 26 de junio de 2007, Ref. D-148. MARTÍN BRAÑAS, C., «La incorporación de la acusación particular al proceso de menores», *La Ley Penal*, N.º 3, marzo 2004. GIMENO SENDRA V., «El proceso penal de menores», *La Ley* nº 5386 2001. COQUILLAT VICENTE A., *Proceso Penal de Menores Esquemas y Formularios*, Valencia 2008. DE URBANO CASTRILLO E., DE LA REOSA CORTINA J.M., *La responsabilidad penal de los menores*, Cizur menor 2007. GARCÍA ROSTÁN CALVIN G., *El proceso penal de los menores*. Funciones del Ministerio Fiscal y del Juez de Instrucción, el período intermedio y las medidas cautelares, Cizur Menor 2007. MORENILLA ALLARD P., *El proceso penal del menor*, Madrid 2007. PORTAL MANRUBIA J., *Medidas cautelares personales en el proceso penal de menores*, Madrid 2008. VALBUENA GARCÍA E., *Medidas cautelares en el procedimiento*

tías procesales para que los menores, es decir, las personas de menos de 18 años, sospechosos o acusados en procesos penales puedan comprender y seguir dichos procesos, a fin de permitirles ejercer su derecho a un juicio justo, prevenir su reincidencia y fomentar su inserción social. Por otro lado, mediante el establecimiento de normas mínimas comunes sobre la protección de los derechos procesales de los menores sospechosos o acusados, se pretende reforzar la confianza de los Estados miembros en los sistemas de justicia penal de cada uno de ellos y contribuir de este modo a facilitar el reconocimiento mutuo de las resoluciones judiciales en materia penal. Dichas normas mínimas comunes deben suprimir también los obstáculos a la libre circulación de los ciudadanos en el territorio de los Estados miembros.

La regulación en el Ordenamiento español del proceso de menores se encuentra desarrollada por la Ley Orgánica 5/2000 de 12 de enero, modificada por las LO 7/00 y 9/02, LO 15/2003, la LO 8/2006 de 4 de diciembre y LO 8/2012 de 27 Dic. La LO 5/2000, con sus sucesivas modificaciones, se complementa con el RD 1774/2004 de 30 de julio que tiene por objeto desarrollar la Ley en lo referente a distintas cuestiones referidas a la actuación del equipo técnico y de la policía Judicial y, especialmente, la ejecución de las medidas cautelares y definitivas que se hubieren adoptado[208].

---

de menores, Cizur menor 2008. MARTÍN OSTOS, José, «El nuevo Proceso de menores», *La Ley* nº 3482, 1994, «Aspectos procesales de la LO reguladora de la competencia y el Procedimiento de los Juzgados de menores», *Cuadernos de Derecho Judicial sobre menores privados de libertad*, CGPJ, Madrid 1997; DOLZ LAGO, Manuel, «Algunos aspectos de la legislación penal de menores», *La Ley* nº 4450, 1998; RAPOSO FERNANDEZ, José Manuel, «Estudio crítico del proceso contra menores delincuentes. Aspectos necesitados de reforma». *La Ley* nº 4433, 1997; DÍAZ MARTÍN, Fernando-Ricardo, «Tratamiento procesal de la delincuencia de menores», *La Ley* nº 4908, 1999; TAPIA PARREÑO, José Jaime, «El derecho al Juez imparcial, en su aspecto objetivo, en la ley orgánica reguladora de la competencia y el procedimiento de los juzgados de menores. Su posible inconstitucionalidad y la sentencia del Tribunal constitucional de 17 de marzo de 1995», *La Ley* nº 3805, 1995; DE LAMO RUBIO, Jaime, «La víctima en el actual proceso de menores: Presencia y ausencias», *La Ley* nº 4897, 1999; GISBERT JORDA, TERESA, «La Ley de protección jurídica del menor», *Boletín de información del Ministerio de Justicia*, nº 1776; CORONADO BUITRAGO, Mª J. «La singular posición de la víctima en la justicia de menores», *Cuadernos de derecho Judicial sobre victimología*, CGPJ, Madrid 1993. DE DIEGO DÍEZ, «Recursos interlocutorios en el enjuiciamiento de los menores». *La Ley*, nº 5159, 2000. LANDROVE DÍAZ, G. «La LO reguladora de la Responsabilidad Penal de Menores», *La Ley* 5083, 2000; y «Marco operativo de la LORPM», *La Ley* 5084, 2000. SEBASTIÁN OTONES M., «La instrucción penal en el nuevo procedimiento de Menores», *La Ley* nº 5371, 2001. CÓRDOBA RODA J., «La LRPM. Aspectos críticos». *Rev. Jª de Catalunya*, nº 2, 2002. YÁÑEZ VELASCO R., «Inhibición a favor de la jurisdicción de menores del enjuiciamiento de un co-imputado en el proceso penal de adultos». *Economist § Iurist* mayo de 2001. BARREDA HERNÁNDEZ, A., «La trascendencia de la solidaridad de padres o guardadores dentro de la pieza separada de responsabilidad civil instaurada en la LORPM», *La Ley* nº 5493, 2002. TESÓN MARTÍN F., «La responsabilidad civil en la nueva Ley penal de menores», *La Ley* nº 5418, 2001. LÓPEZ LÓPEZ, A.M., «Instrucción del expediente de menores: la declaración del imputado», *Actualidad Jª Aranzadi* nº 495 2001; «Tratamiento policial de los menores de edad penal. Comentarios prácticos a la LO 5/00», *La Ley* nº 5366, 2001. IZAGUIRRE GUERRICAGOITIA, J.M., «La aplicación al menor de edad de la legislación procesal antiterrorista a la luz de la LRPM», *La Ley* nº 5240, 2001. VAQUER ALOY A., «La responsabilidad civil en la LORPM: Una propuesta de interpretación», *La Ley* nº 5224, 2001.

(208) Véanse las siguientes Circulares, Instrucciones y Consultas de la Fiscalía en esta materia: Circular 9/2011, de 16 de noviembre, de la Fiscalía General del Estado, sobre criterios para la Unidad de Actuación Especializada del Ministerio Fiscal en materia de Reforma

La Instrucción 1/2009, de 27 de marzo de 2009, de la Fiscalía General del Estado, sobre la organización de los servicios de protección de las secciones de menores; y Circular 1/2010, de 23 de julio de 2010, de la Fiscalía General del Estado, sobre el tratamiento desde el sistema de justicia juvenil de los malos tratos de los menores contra sus ascendientes

La aprobación de la Ley resultó necesaria tras la STC 36/1991, de 14 febrero que declaró inconstitucional una gran parte de las normas reguladoras del anterior procedimiento, en aplicación de la normativa constitucional y supranacional. La protección integral de la infancia es un principio rector de la política social previsto en el art. 39. 1 CE, que viene informada por lo dispuesto en los acuerdos internacionales que velan por sus derechos. Estos constituyen no solo principios programáticos, sino reglas de necesaria observancia para dotar al menor de un adecuado marco jurídico, entre las que debe destacarse la Convención de Derechos del Niño de 20 de noviembre de 1989, ratificada por España, en 30 de noviembre de 1990 (especialmente su art. 40. 2), así como las denominadas reglas mínimas de las Naciones Unidas para la Justicia de Menores o «reglas de Bejing», aprobadas en 1985 y la Recomendación del Comité de Ministros del Consejo de Europa de 17 de septiembre de 1987. Asimismo, ha de tenerse presente el art. 14 del Pacto Internacional de Derechos Civiles y Políticos que, en su pfo. 4, establece que en el procedimiento aplicable a los menores de edad, a efectos penales, se tendrá en cuenta esta circunstancia y la importancia de estimular su readaptación social.

A) Principios generales

La responsabilidad penal en la que incurrieran los mayores de 14 años y menores de 18 años por la comisión de hechos tipificados como delitos en el Código Penal se exigirá de acuerdo con los establecido en la LO 5/2000, que regula con vocación unitaria la responsabilidad del menor y el procedimiento de imposición de las sanciones establecidas, atendiendo a la doctrina jurisprudencial sentada por el TC en las sentencias 71/90, de 5 de abril, 36/91, de 14 de febrero, 211/93, de 23 de junio, 233/93, de 12 de julio y 60/95, de 17 de marzo. También conforme a los principios rectores regulados en la Directiva (UE) 2016/800, de 11 de mayo de 2016.

de Menores; Circular 3/2009, de 10 de noviembre de 2009, de la Fiscalía General del Estado, sobre protección de los menores víctimas y testigos; Circular 1/2007 23 de noviembre de 2007 sobre criterios interpretativos tras la reforma de la Legislación Penal de Menores de 2006; Circular 1/2000 de 18 de diciembre sobre los criterios de aplicación de la LO 5/2000; Instrucción 3/08 sobre el Fiscal de Sala Coordinador de menores y las secciones de menores; Instrucción 5/2006 sobre la derogación del art. 4 de la LO 5/2000; Consulta 4/05 de 7 de diciembre de 2005, sobre la asistencia letrada en el proceso penal de menores; Consulta 2/05 de 12 de julio de 2005 sobre el derecho del menor a entrevistarse con su letrado; Instrucción 2/2000 de 27 de diciembre sobre aspectos organizativos de las secciones de Menores de las Fiscalías; Instrucción 1/2000 de 26 de diciembre sobre la acomodación a la LRPM de la situación personal de los menores infractores que se hallen cumpliendo condena en centro penitenciario. Véase también el Acuerdo Reglamentario 2/2002 de 8 de mayo de CGPJ que modifica el Reglamento 5/1995 de aspectos accesorios de las Actuaciones judiciales, con relación al Servicio de Guardia de los Juzgados de menores.

Los principios que inspiran la Ley pueden esquematizarse del siguiente modo:

a)   Derecho supletorio aplicable

Tendrán el carácter de normas supletorias, para lo no previsto expresamente en esta Ley Orgánica, el Código Penal y las Leyes penales sustantivas en el ámbito sustantivo; y la Lecrim., en especial las normas del procedimiento abreviado —arts. 757 y ss. LECrim.— en el ámbito procesal.

b)   Derechos del menor

Con carácter general serán de aplicación el catálogo de derechos del menor, reflejados en la Directiva (UE) 2016/800 del Parlamento Europeo y del Consejo de 11 de mayo de 2016, relativa a las garantías procesales de los menores sospechosos o acusados en los procesos penales[209].

Desde la incoación del expediente y en toda su tramitación el menor gozará de todos los derechos reconocidos en la Constitución, en la Ley de protección jurídica del menor 1/96, así como en la Convención de los derechos del niño, en otros Tratados sobre esta materia válidamente celebrados por España (art. 1.2 LRPM) y en la Directiva (UE) 2016/800. Concretamente, el menor deberá ser informado por la policía, el Fiscal y el Juez de menores de los derechos que le asisten de los siguientes derechos: 1) A designar abogado que le defienda o que se le asigne de oficio, con el que podrá entrevistarse reservadamente antes de prestar declaración (arts. 17, 22 LRPM). 2) Proponer y solicitar diligencias de instrucción y participar en las que se realicen (arts. 22.1.c y 26 LRPM); 3) Ser oído por el Juez o Tribunal antes de adoptarse cualquier resolución que le concierna personalmente (art. 22 LRPM); 4) Asistencia afectiva y psicológica en cualquier momento del procedimiento, con la presencia de los padres o de otra persona que indique el menor, si el Juez autoriza su presencia (arts. 17 y 22 LRPM); 5) La asistencia de los servicios del equipo técnico adscrito al Juzgado de menores (arts. 22.1.f, y 27 LRPM).

c)   Intervención del Ministerio Fiscal y la acusación particular

El Ministerio Fiscal tiene atribuida por la Ley, con carácter general, la defensa de los derechos que a los menores reconocen las leyes, la vigilancia de las actuaciones que deban efectuarse en su interés y la observancia de las garantías del procedimiento. A este efecto dirigirá personalmente la investigación de los hechos, e impulsará

---

(209)   De conformidad con la Directiva (UE) 2016/800, los menores sospechosos o acusados en un proceso penal, serán informados con prontitud acerca de tal condición y de su derecho a: i) que el titular de la patria potestad sea informado (art. 5), ii) a la asistencia letrada (art. 6), iii) a la protección de su vida privada (art. 14), iv) a estar acompañado por el titular de la patria potestad durante determinadas fases del proceso que no sean las vistas (art. 15, apartado 4) v) a la asistencia jurídica gratuita (el art. 18). Igualmente, en la fase inicial del proceso en que ello resulte adecuado, será también informado de su derecho a: i) a una evaluación individual (art. 7), ii) a un reconocimiento médico, incluido el derecho a asistencia médica (art. 8), iii) a la limitación de la privación de libertad y al uso de medidas alternativas, incluido el derecho a la revisión periódica de la detención (artículos 10 y 11), iv) a estar acompañado por el titular de la patria potestad durante las vistas (art. 15, apartado 1), v) a estar presente en el juicio (art. 16), vi) a vías de recurso efectivas (art. 19).

el procedimiento, sin perjuicio de dar cuenta de la incoación del expediente al Juez de menores (art 6 LRPM) (véase sobre la intervención del Fiscal la Circular 1/2000 de 18 de diciembre). Especial importancia reviste la competencia atribuida al Ministerio Fiscal referida a las facultades de investigación, que en el enjuiciamiento criminal ordinario se hallan encomendadas al Juez de instrucción. A este respecto corresponde al Fiscal la instrucción de los procedimientos que afecten a los menores por la comisión de hechos tipificados como delitos (arts. 16 y 23 LRPM).

Pero, al mismo tiempo, el Fiscal no pierde su naturaleza de especial garante de los derechos de los menores, a cuyo efecto vigilará las actuaciones que deban realizarse en su interés (art. 6 LRPM). Así como practicará aquellas medidas instructoras dirigidas a proteger el interés del menor. Todo ello conduce a una situación en la que el Fiscal adopta una posición supraordenada a los distintos intereses presentes en esta materia, sin que, a nuestro entender, se halle delimitado del todo su compleja situación, que se pone de manifiesto en el trámite de remisión del expediente al Juez de menores. En ese trámite, el Fiscal calificará, y pedirá prueba para la defensa de su interés procesal y, además, podrá proponer la participación en la audiencia de personas o representantes de instituciones públicas o privadas que puedan aportar al proceso elementos valorativos del interés del menor (art. 30 LRPM). Es decir, que, al margen de la defensa que pueda ejercitar el menor, el fiscal propondrá además de su acusatoria, la que favorezca el interés del menor, lo cual en la mayoría de los supuestos resultará antitético.

Podrán personarse en el procedimiento como acusadores particulares las personas directamente ofendidas por el delito, sus padres, sus herederos o sus representantes legales si fueran menores de edad o incapaces, con las facultades y derechos que derivan de ser parte en el procedimiento (art. 25 LORPM). A ese fin, el secretario judicial les informará en los términos previstos en los artículos 109 y 110 de la Ley de Enjuiciamiento Criminal, instruyéndoles de su derecho a nombrar abogado o instar el nombramiento de abogado de oficio en caso de ser titulares del derecho a la asistencia jurídica gratuita. Asimismo, les informará de que, de no personarse en el expediente y no hacer renuncia ni reserva de acciones civiles, el Ministerio Fiscal las ejercitará si correspondiere. Los que se personaren podrán desde entonces tomar conocimiento de lo actuado e instar la práctica de diligencias y cuanto a su derecho convenga (art. 4 LORPM).

La primera redacción de la ley no autorizaba el ejercicio de acciones penales por los particulares ofendidos por el delito, que únicamente podían ejercitar acciones civiles. Aunque, el derogado art. 25 LRPM permitía al ofendido intervenir en el procedimiento con determinadas facultades, en el supuesto de delitos atribuidos a mayores de 16 años cuando los hechos implicaran violencia, intimidación o con grave riesgo para las personas. Sin embargo, la realidad social ha demostrado un alto grado de insatisfacción en la ciudadanía impedida de comparecer en los procedimientos de menores, especialmente en el supuesto de delitos muy graves. Estas circunstancias determinaron la modificación del art. 25 LRPM por LO 15/2003 para permitir, con carácter general, la personación del perjudicado por el delito como acusación particular, con las facultades y derechos que derivan de ser parte procesal. Posteriormente, la LO 8/2006 acabó de concretar los derechos de las víctimas y perjudicados especialmente en el supuesto en el que aquéllas no se personaran en el procedimiento. Para este supuesto el art. 4 LORPM prevé que el secretario judicial deberá comunicar a las víctimas y perjudicados, se hayan o no personado, todas las resoluciones que se adopten en el procedimiento, cuando puedan afectar a sus intereses. Especialmente, se les notificará la resolución del Fiscal desistiendo de la incoación del expediente y la sentencia que recaiga en el procedimiento.

Concretamente la ley enumera las siguientes facultades de la acusación particular: a) Ejercitar la acusación particular durante el procedimiento. b) Instar la imposición de las medidas a las que se refiere esta ley. c) Tener vista de lo actuado, siendo notificado de las diligencias que se soliciten y acuerden. d) Proponer pruebas que versen sobre el hecho delictivo y las circunstancias de su comisión, salvo en lo referente a la situación psicológica, educativa, familiar y social del menor. e) Participar en la práctica de las pruebas, ya sea en fase de instrucción ya sea en fase de audiencia; a estos efectos, el órgano actuante podrá denegar la práctica de la prueba de careo, si esta fuera solicitada, cuando no resulte fundamental para la averiguación de los hechos o la participación del menor en los mismos. f) Ser oído en todos los incidentes que se tramiten durante el procedimiento. g) Ser oído en caso de modificación o de sustitución de medidas impuestas al menor. h) Participar en las vistas o audiencias que se celebren. i) Formular los recursos procedentes de acuerdo con esta ley (art. 25 LO 15/2003).

Además, el perjudicado por el delito puede ejercitar acciones para exigir responsabilidad civil. En el caso que no lo haga el interesado la acción civil se ejercitará por el Ministerio Fiscal, salvo que el perjudicado renuncie a ella, la ejercite en el plazo de un mes desde la notificación apertura de la pieza separada o se la reserve para ejercitarla en la vía civil ordinaria (art. 61.1 LRPM).

d) Separación de las funciones instructoras y decisorias, con vigencia del principio acusatorio

Como ha sido expuesto, corresponde al Ministerio Fiscal la instrucción, y una vez finalizada remitirá el expediente al Juzgado de menores que abrirá la fase de audiencia. No obstante, debe ponerse de manifiesto que será el Juez de menores el que adopte las medidas restrictivas de derechos fundamentales precisas para el buen fin de las investigaciones, con la consiguiente posibilidad de quedar comprometida su imparcialidad objetiva para dictar sentencia (ver arts. 23 y 28 LRPM). Sin embargo, respecto a esta cuestión la STC 60/95 ha declarado que no se produce tal menoscabo de la necesaria imparcialidad del Juez por cuanto las citadas medidas no se equiparan a actos de investigación o de instrucción al estar encomendadas al Ministerio Fiscal, y los limitativos de los derechos lo son siempre, a solicitud del Fiscal y nunca de oficio, con la asistencia, en todo caso, de Letrado.

Por otra parte, en el procedimiento de menores tiene vigencia el principio acusatorio, ya que según establece el art. 8 el Juez de menores no podrá imponer una medida que suponga una mayor restricción de derechos ni por un tiempo superior a la medida solicitada por el Ministerio Fiscal o la acusación particular, sin perjuicio de lo que más adelante se expondrá (art. 8 LRPM).

e) Publicidad limitada de las actuaciones

La publicidad viene restringida por el interés del menor. Concretamente, la Ley establece que en interés del menor el Juez podrá acordar que las sesiones del juicio no sean públicas; y, en ningún caso, se permitirá que los medios de comunicación social obtengan o difundan imágenes del menor, ni datos que permitan su identificación (art. 35.2 LRPM). Respecto a la fase de instrucción, también cabe declarar, mediante auto motivado, el secreto del expediente, a solicitud del Ministerio Fiscal, del menor o de su familia, ya sea en su totalidad o parcialmente y durante toda la instrucción o sólo una parte de la misma. En cualquier caso, el letrado del menor deberá conocer en su integridad el expediente al evacuar el trámite de alegaciones (art. 24 LRPM).

Al respecto, conviene señalar, como establece la STC 36/91, que ya en la regla 8 de las llamadas «Reglas de Bejing» se señala la no divulgación de información alguna que pueda dar lugar a la individualización de un menor delincuente. También ha de tenerse presente que la regla general de publicidad del art. 120.1 CE admiten excepciones que, en el presente caso, quedan plenamente justificadas.

f) Asistencia del equipo técnico en la tramitación del expediente

La Ley prevé la asistencia en el procedimiento de un equipo técnico que estará adscrito al Juzgado de menores y dependerá funcionalmente del Fiscal, con independencia de su dependencia orgánica. Esta asistencia trasciende de una función de mero asesoramiento, por cuanto la Ley otorga a este equipo técnico funciones de propuesta respecto a la situación del menor y la conveniencia o no de proseguir el procedimiento. Este equipo técnico se formará con los anunciados Cuerpos de psicólogos, educadores y trabajadores sociales Forenses, que la Disposición Final 3ª.5ª de la Ley prevé[210]. Pero, también podrán elaborar el informe del menor las entidades públicas o privadas que trabajen en el ámbito de la educación de los menores y que conozcan la situación del menor aunque no sea la que este adscrita de forma habitual a la Fiscalía correspondiente (art. 27 *in fine* LRPM).

En cuanto a sus funciones de asesoramiento, y en la fase de instrucción, el equipo técnico atenderá al menor desde el mismo momento en que pueda resultar imputado, informando sobre la situación psicológica, educativa y familiar de aquél, sobre su entorno y demás circunstancias que considere relevantes. Así, se oirá al equipo Técnico ante de adoptar una medida cautelar (art. 28 LRPM). Específicamente cuando se trate de adoptar una medida de internamiento cautelar el equipo técnico asistirá a la comparecencia en la que informará sobre la conveniencia de la medida desde la perspectiva del interés del menor; y con relación a la detención el art. 17.3 de la Ley prevé que mientras dure ésta los menores recibirán los cuidados, protección y asistencia social, psicológica y física que requieran habida cuenta de su edad, sexo

---

(210) La Directiva (UE) 2016/800 establece una especial formación del personal que traten asuntos relacionados con menores: el personal de las autoridades policiales y de los centros de detención que traten asuntos relacionados con menores deberán recibir formación específica de un nivel que sea el adecuado al tipo de contacto con los menores, en materia de derechos de los menores, técnicas de interrogatorio adecuadas, psicología infantil y comunicación en un lenguaje adaptado al menor.

y características individuales. El resultado de la atención y estudio del menor se hará constar en un informe elaborado por el equipo técnico que podrá incluir el complemento de otros estudios realizados por entidades públicas o privadas que trabajen en el ámbito de la educación de menores y conozcan la situación del menor. Este informe se entregará al Ministerio fiscal en un plazo de 10 a 30 días según la complejidad del caso, en el que se harán constar todas las circunstancias concurrentes en el menor a los efectos de adoptar alguna de las medidas previstas en la Ley, que incluye desde una intervención socio-educativa a una medida de internamiento. El Ministerio Fiscal remitirá el informe al Juez de menores, entregando copia al letrado del menor (art. 27.5 LRPM).

Pero, tal y como se ha anunciado, las funciones del equipo técnico trascienden a las de mero asesoramiento. En este sentido, podrá proponer una determinada intervención socio-educativa sobre el menor; o la posibilidad de llevar a término una mediación entre el menor y la víctima o perjudicado, informando al Ministerio Fiscal de los compromisos adquiridos y de su grado de cumplimiento. Más aún la Ley prevé que el equipo técnico pueda proponer la conveniencia de que no prosiga el expediente, por haber sido expresado suficientemente el reproche a través de los trámites ya practicados, o por considerar inadecuada para el interés del menor cualquier intervención dado el tiempo transcurrido desde la comisión de los hechos (art. 27.4 LRPM).

Por último, también está prevista una intervención privilegiada del equipo técnico en otras fases del proceso. Así, en la fase de audiencia en la que comparecerá un representante del equipo que evacuó el informe técnico preceptivo que informará respecto a la procedencia de las medidas propuestas (art. 37.2 LRPM); en el trámite de suspensión de ejecución de la sentencia a efectos de su adopción y condiciones (art. 40 LRPM); y, en su caso, en el trámite del recurso de apelación y de casación (arts. 41 y 42 LRPM).

g)   Finalidad de la pena

Las medidas que se imponen en esta jurisdicción deben tener un carácter esencialmente educativo, debiendo primar el interés superior del menor. Sin embargo, este interés superior del menor debe ser compatible con la adecuación entre las sanciones que deban imponerse y la gravedad de las infracciones cometidas.

«De estos preceptos de la LORRPM se desprende el carácter esencialmente educativo de las medidas que se imponen en esta jurisdicción, en la que prima el interés superior del menor y la necesidad de conseguir a través de ellas la resocialización de los menores mediante una intervención educativa de especial intensidad que va dirigida precisamente a incidir en aquellos aspectos de la personalidad y entorno del menor que se han revelado como condicionantes de la comisión del delito. Ahora bien, como señala expresamente la Exposición de Motivos de la LO 8/06 de 4 de diciembre, de modificación de la LO 5/2000 de 12 de enero, el interés superior del menor es perfectamente compatible con el objetivo de conseguir una mayor proporcionalidad entre la respuesta sancionadora y la gravedad del hecho cometido. No puede entenderse que el interés superior del menor es no sólo superior, sino también único y excluyente de otros bienes constitucionales a cuyo aseguramiento obedece toda norma punitiva o correccional». Juzgado de Menores n° 1 Lleida, Sentencia 52/2014, Rec. 275/2013.

Ahora bien, el Juez de Menores debe además tener en cuenta la medida solicitada por la acusación, por cuanto en esta jurisdicción rige también el principio acusatorio que impide imponer una medida que suponga una mayor restricción de derechos (conforme a la enumeración que establece el art. 7 de dicha Ley), o por un tiempo superior a la solicitada por el Ministerio Fiscal o por el acusador particular (art. 8 de la LORRPM).

h)   Principio de celeridad

El principio de celeridad no se encuentra expresamente recogido en la LORPM. Por el contrario, esta ley regula, de forma estricta, los plazos para las distintas actuaciones procesales. La Circular de la Fiscalía General del Estado 1/2000 ya declaraba al respecto que ...*el proceso penal que tiene por sujeto pasivo al menor de edad exige una actitud institucional que huya de la conformista aceptación de que los plazos legales resultan, al fin y al cabo, inexigibles.*

Es uno de los principios nucleares en la ordenación del sistema de justicia juvenil. Por las propias características de los destinatarios del proceso de menores, éste debe ser especialmente ágil y breve. En tanto la Justicia de menores tiene por objeto educar, la necesidad de conectar temporalmente la consecuencia jurídica (medida) con el hecho cometido (delito o falta) es esencial. No puede demorarse el proceso, pues ello usualmente genera el incumplimiento de los objetivos perseguidos e intervenciones inútiles o incluso contraproducentes. La filosofía socializadora que inspira el Derecho penal de menores impone la necesidad de celeridad. El transcurso del tiempo es vivido en la psique del menor de forma radicalmente distinta. Las dilaciones en este proceso especial son mucho más perturbadoras que en el proceso de adultos. En especial, la fase de instrucción debe ser muy breve y simplificarse al máximo, y ello pese a que la LORPM no establece ningún límite temporal expreso para su sustanciación[211].

5.2.   Juzgados de Menores: sus competencias. Ámbito del procedimiento de menores

Corresponderá a los Juzgados de Menores el enjuiciamiento de los menores que hubieren incurrido en conductas tipificadas por la Ley como delito o falta (art. 97 LOPJ y 2 LRPM)[212]. Los Jueces de menores serán asimismo competentes para conocer de la responsabilidad civil derivada de los hechos cometidos por menores incluidos en el ámbito de aplicación de la Ley. En el ámbito de la Audiencia Nacional existirá un Juzgado Central de menores que conocerá del enjuiciamiento de los menores que hubieren incurrido en conductas tipificadas como delitos de terrorismo (arts.

---

(211)   Ver Circular 1/2010, de 23 de julio de 2010, de la Fiscalía General del Estado, sobre el tratamiento desde el sistema de justicia juvenil de los malos tratos de los menores contra sus ascendientes.

(212)   La Directiva (UE) 2016/800 señala que, con relación a los jueces y fiscales que se ocupen de procesos penales relacionados con menores, deberán disponer de aptitudes específicas en la materia, o tener acceso efectivo a una formación específica, o ambos.

571 a 580 CP) (art. 2.4 LORPM). En el supuesto que los hechos delictivos hubiesen sido cometidos conjuntamente por mayores y menores de edad penal, el Juez de instrucción que estuviere conociendo remitirá testimonio de los particulares precisos al Ministerio Fiscal a efectos de incoación del procedimiento de menores con relación a los afectados por esta Ley (art. 16.5 LRPM).

Será competente el Juez de menores cuando el menor acusado no hubiera cumplido los 18 años en el momento de cometer el hecho delictivo, aun cuando el juicio comenzase con posterioridad. La infracción de esta norma de competencia comportará la nulidad de actuaciones. Su competencia objetiva viene determinada en el art. 1 LRPM, que establece que corresponderá a estos juzgados el enjuiciamiento de los hechos cometidos *por mayores de catorce años de edad y menores de dieciocho años*, tipificados como delitos en las Leyes penales. Cuando el autor de los citados hechos sea menor de catorce años será puesto, en su caso, a disposición de las Instituciones administrativas de protección de menores.

«Con el escrito de recurso de apelación se ha aportado justificación documental de que el acusado Andrés tenía diecisiete años cuando sucedieron los hechos enjuiciados. Así resulta de la fotocopia de su pasaporte de Senegal y del escrito del Consejo del Menor, según el cual esta institución pública asumió su tutela desde el 15 de abril de 2011 (dos semanas después del día de autos) hasta el 4 de junio, que cumplió dieciocho años. Constatado este hecho cronológico, resulta claro que la competencia para enjuiciar el caso correspondía al Juzgado de Menores (arts. 1.1 y 2 L.O.R.P.M.), previa investigación a cargo del Ministerio Fiscal (art. 6 L.O.R.P.M.), de lo que deriva que el juicio y la sentencia del Juzgado de Instrucción n.º 2 vulneran el derecho al juez ordinario predeterminado por la ley y el derecho a un proceso con todas las garantías (art. 24.2 C.E.), y, tratándose de actos realizados sin competencia objetiva, concurre la causa de nulidad prevista en el artículo 238.1º LOPJ». SAP Álava, Sección 2ª, Sentencia 342/2011 de 28 Oct. 2011, Rec. 149/201.

En definitiva, la infracción denunciada por la parte recurrente no conlleva la solicitada absolución, sino la nulidad de actuaciones y la remisión del proceso a los órganos competentes.

Los Juzgados de menores no son órganos judiciales especiales, sino «especializados», dentro de la jurisdicción ordinaria integrada en el Poder Judicial (SSTC 7/90, 36/91, 233/93). Los procedimientos utilizados son auténticos procesos que tienen como finalidad la protección del menor para su corrección o reforma, sin que puedan considerarse procesos penales en sentido estricto.

De conformidad con el art. 96 LOPJ y art. 3 LPD, cuando el volumen de trabajo lo aconseje, podrán establecerse Juzgados de Menores con jurisdicción que se extienda o bien a uno o varios partidos, o a dos o más provincias de la misma Comunidad Autónoma. La sede será determinada en la capital del partido que se señale por la Ley de la correspondiente Comunidad Autónoma y tomarán el nombre del municipio correspondiente —art. 8. 2 LPD—.

Será competente el Juez de menores del lugar donde se hubiere cometido el hechos delictivo (art. 2.3 LRPM). Pero, en el supuesto en el que existiese una pluralidad de delitos cometidos en distintos territorios la competencia se determinará atendiendo al lugar donde el menor tuviere su domicilio y, subsidiariamente, con arreglo a los criterios establecidos en el art. 18 LECrim (art. 20 LRPM).

El conocimiento de las cuestiones de competencia territorial que se susciten entre los Juzgados de Menores de la misma provincia se atribuye a la Audiencia Provincial —art. 82. 3 LOPJ—. Si fueren de distinta provincia de la Comunidad Autónoma serán resueltos por la Sala Civil del Tribunal Superior de Justicia (art. 73. 5 LOPJ).

Las medidas que pueden imponerse en este procedimiento pueden consistir en el internamiento en régimen cerrado, semiabierto o abierto, la prohibición de aproximarse o comunicarse con la víctima, prestaciones en beneficio de la comunidad etc. (art. 7 LORPM). Las medidas de internamiento constarán de dos períodos: el primero se llevará a cabo en el centro correspondiente y el segundo en régimen de libertad vigilada, en la modalidad elegida por el Juez, que lo deberá especificar en la sentencia. La duración total no puede exceder del tiempo máximo previsto en la Ley que con carácter general será de dos años, salvo las reglas especiales contenidas en el art. 10 LORPM.

El internamiento en régimen cerrado sólo podrá acordarse cuando el hecho que se hubiere cometido fuese calificado como delito grave; delito menos grave cuando en su ejecución se haya empleado violencia o intimidación en las personas o se haya generado grave riesgo para la vida o la integridad física de las mismas; o cuando los hechos se hubieren cometido en grupo o el menor perteneciere o actuare al servicio de una banda, organización o asociación (art. 9). En estos casos, la medida de internamiento podrá alcanzar tres años de duración si al tiempo de cometer los hechos el menor tuviere catorce o quince años de edad; o seis años si tuviere dieciséis o diecisiete años de edad. Medida de internamiento que, en los casos que el hecho revista extrema gravedad (incluyendo en ese concepto la reincidencia), podrá complementarse sucesivamente con otra medida de libertad vigilada con asistencia educativa hasta un máximo de cinco años (art. 10). Sólo podrá hacerse uso de lo dispuesto en los artículos 13 y 51.1 de esta Ley Orgánica una vez transcurrido el primer año de cumplimiento efectivo de la medida de internamiento.

Distingue la Ley finalmente las penas que pueden imponerse en el caso de la comisión de determinados delitos de especial gravedad. A saber: arts. 138 (homicidio), 139 (asesinato), 179, 180 (agresión sexual), 571 a 580 (terrorismo), del Código Penal), y aquéllos otros sancionados con pena de prisión igual o superior a quince años. En esos casos el Juez de menores podrá imponer: una medida de internamiento en régimen cerrado de uno a cinco años de duración, complementada en su caso por otra medida de libertad vigilada de hasta tres años, cuando el menor tuviere catorce o quince años de edad al tiempo de cometer los hechos; internamiento en régimen cerrado de uno a ocho años de duración, complementada en su caso por otra de libertad vigilada con asistencia educativa de hasta cinco años, si al tiempo de cometer los hechos el menor tuviere dieciséis o diecisiete años de edad. En este supuesto sólo podrá hacerse uso de las facultades de modificación, suspensión o sustitución de la medida impuesta a las que se refieren los artículos 13, 40 y 51.1 de esta Ley Orgánica, cuando haya transcurrido al menos, la mitad de la duración de la medida de internamiento impuesta (art. 10).

5.3. Adopción de medidas cautelares. La detención del menor

Las medidas cautelares se adoptarán por el Juez de menores a petición del Ministerio Fiscal o la acusación particular cuando existan indicios racionales de la comisión de un delito y el riesgo de eludir u obstruir la acción de la justicia por parte del menor o de atentar contra los bienes jurídicos de la víctima (art. 28). Entre las medidas cautelares que pueden acordarse destaca, por su singularidad, la detención que será la primera medida adoptada frente al menor que hubiere cometido un hecho de carácter delictivo. Además, podrá acordarse, como medida cautelar, el internamiento en un centro en el régimen adecuado, libertad vigilada, prohibición de aproximarse o comunicarse con la víctima o con aquéllos de sus familiares u otras personas que determine el Juez, o convivencia con otra persona, familia o grupo educativo (art. 28.1 LRPM)[213]. En cualquier caso, debe observarse la necesaria proporcionalidad en la adopción de la medida, conforme a las circunstancias personales del menor y la infracción que se le imputa, sin olvidar las necesidades de la sociedad y el interés general[214].

1º) La detención es una medida cautelar limitativa del derecho fundamental a la libertad que se llevará a cabo, por lo general, por agentes de la fuerzas de seguridad. Dados sus efectos deberá aplicarse con criterios de proporcionalidad, excepcionalidad y restrictividad en los supuestos determinados expresamente en la ley, y en la forma que menos perjudique al menor. Mientras dure la detención el menor deberá permanecer en dependencias distintas a las que utilicen los mayores de edad, y recibirá la atención social, psicológica y médica que requieran según su edad, sexo y circunstancias personales (art. 17.3 LRPM).

En la detención se deberá informar al menor de los hechos que se le imputan, de las razones de su detención y de los derechos que le asisten, según lo dispuesto en el art. 520 LECrim (art. 17.1 LRPM). Concretamente serán de aplicación todas las garantías constitucionales relativas a los derechos establecidos en el art. 520. 2 LECrim, tales como los derechos de guardar silencio y no declararse culpable, la asistencia letrada, ser asistido por interprete y reconocido por un médico forense. De forma inmediata se deberá notificar la detención y el lugar de la custodia a los representantes legales del menor y al Ministerio Fiscal, y si fuera extranjero a la autoridad consular (art. 17.1 LRPM).

Al menor se le podrá tomar declaración en las dependencias policiales, pero será precisa la presencia de su letrado que podrá entrevistarse de forma reservada con el menor con anterioridad y al término de la práctica de la diligencia de toma de decla-

---

(213) En el supuesto de concurrir en el menor una situación de enajenación mental u otras de las previstas en los apartados 1º a 3º del art. 20 CP, se adoptarán las medidas precisas para la protección y custodia del menor, instando, en su caso, su incapacitación (art. 29 LRPM).

(214) Véase la STC 233/93, de 12 julio, declara que la privación de libertad debe acordarse con carácter subsidiario, una vez fracasadas las medidas sustitutorias y entre ellas la asistencia del educador, debiendo mantenerse el menor tiempo posible. Por otra parte, en el supuesto de concurrir en el menor una situación de enajenación mental u otras de las previstas en los apartados 1º a 3º del art. 20 CP, se adoptarán las medidas precisas para la protección y custodia del menor, instando, en su caso, su incapacitación (art. 29 LRPM).

ración. Además, deberán estar presentes en la declaración quienes ejerzan la patria potestad, tutela o guarda del menor. No obstante, la Ley prevé que pudiera resultar contraproducente la presencia de los representantes del menor. En ese caso, así como cuando estos no comparecieren por cualquier causa, la declaración se realizará en presencia de un representante del Ministerio Fiscal distinto al que deba ser instructor del expediente (art. 17.2 LRPM).

La detención no podrá durar más del tiempo estrictamente necesario para la realización de las averiguaciones precisas para el esclarecimiento de los hechos, debiendo ser puesto en libertad o a disposición del Ministerio Fiscal, dentro del plazo máximo de veinticuatro horas[215]. En el supuesto de ser puesto a disposición del Fiscal, y dentro de las cuarenta y ocho horas desde la detención, éste resolverá la adopción de alguna de las siguientes medidas: 1) La puesta en libertad del menor; 2) El desistimiento de la incoación del expediente; 3) La incoación del expediente poniendo el menor a disposición del Juez de menores competente, e instando la adopción de las medidas cautelares para la defensa y custodia del menor expedientado.

2º) Entre las medidas cautelares que se pueden adoptar resulta especialmente restrictiva la de internamiento en un centro en cualquiera de los regímenes previstos en la Ley. Para ese supuesto el art. 28.2 prevé que se atenderá a la gravedad de los hechos, las circunstancias personales y sociales del menor, la existencia de un peligro cierto de fuga, y, especialmente, el que el menor hubiera cometido o no con anterioridad otros hechos graves de la misma naturaleza[216]. Para su adopción se celebrará una comparecencia a la que asistirán las partes personadas, el representante del equipo técnico y el de la entidad pública de protección o reforma de menores y en la que podrán practicarse pruebas en el acto o dentro de las veinticuatro horas siguientes (art. 28.3).

La medida de internamiento durará el tiempo imprescindible y como máximo seis meses, prorrogables a instancia del Ministerio Fiscal, previa audiencia del letrado del menor y mediante auto motivado, por otros tres meses como máximo. El tiempo de cumplimiento de las medidas cautelares se abonará en su integridad para el cumplimiento de las medidas que se puedan imponer en la misma causa, o en otras que hubieren tenido por objeto hechos anteriores a la adopción de aquéllas (art. 28.3 y 5 LRPM).

3º) También podrá solicitarse la prohibición de aproximarse o comunicarse con la víctima o con aquellos de sus familiares u otras personas que determine el Juez, o convivencia con otra persona, familia o grupo educativo. No se determina el plazo máximo de duración. El TS ha entendido que es de aplicación el plazo de dos años previsto en el art. 9.3 LRPM.

---

(215) La Ley también prevé que se adopten las medidas de prolongación de la detención previstas en el art. 520 bis cuando los hechos delictivos se refieran a los previstos en el art. 384. bis LECrim. El Juez competente para conocer del procedimiento de «habeas corpus» será el de instrucción del lugar donde se produjo la detención (art. 17.6 LRPM).

(216) La STC. 233/93, de 12 julio, declara que la privación de libertad debe acordarse con carácter subsidiario, una vez fracasadas las medidas sustitutorias y entre ellas la asistencia del educador, debiendo mantenerse el menor tiempo posible.

«Ni la medida de alejamiento ni la de libertad vigilada impuestas con carácter cautelar en el procedimiento de menores tienen señalado un plazo legal máximo. La prohibición de acercamiento y de comunicación fueron introducidas en el elenco del art. 28.1 LORPM en una de las últimas reformas de la legislación de menores (LO 8/2006). Antes, ese alejamiento podía integrarse en una medida de libertad vigilada cautelar como regla de conducta (Consulta 3/2004 de 26 de noviembre de la Fiscalía General del Estado que sugería esa vía: art. 7.1 h) LORPM). Tras esa reforma ha cobrado la medida autonomía y sustantividad. Ya no es una regla embebida en la genérica libertad vigilada. Puede ser impuesta autónomamente. Así se ha hecho aquí. El Juzgado de Menores acordó dos medidas cautelares independientes: libertad vigilada y "alejamiento". A diferencia del internamiento cautelar que tiene unos periodos máximos establecidos en la Ley, para otras medidas cautelares no existen esas previsiones garantistas. Tan solo se dice que pueden prolongarse hasta que recaiga sentencia firme (art. 28.1 LORPM). Se explica esa anomía por su menor contenido aflictivo y restrictivo. La Medida Cautelar de Internamiento, tiene un plazo máximo de 6 meses, prorrogables otros 3 —art. 28.3 LORPM—. Igual sucede en la legislación procesal penal común: hay plazos máximos para la prisión preventiva, pero no para otras medidas cautelares. b) Sin embargo la duración máxima de esas medidas impuestas ya con carácter definitivo es de dos años como proclama el art. 9.3 LORPM. Las medidas de Libertad Vigilada y de Prohibición de aproximación o comunicación no pueden exceder de 2 años». STS, Sala 2ª, 146/2014 de 14 Feb. 2014, Rec. 1599/2013

5.4. Procedimiento

El procedimiento de menores se desarrolla en el título III de la ley, en los arts. 16 a 37 LRPM componiéndose de las siguientes fases: 1º Incoación e instrucción del expediente (art. 16 a 27 LRPM); 2º Conclusión de la instrucción (art. 30); 3º Fase de Audiencia (art. 31 a 36); y Sentencia (art. 37).

A) Incoación e instrucción del expediente. Sobreseimiento del expediente por conciliación o reparación (arts. 16 a 27 LRPM)

El procedimiento se iniciará por el Ministerio Fiscal de oficio o por denuncia de cualquier persona que tuviera conocimiento de la comisión de alguno de los hechos descritos como delito o falta en el Código Penal por un menor de dieciocho años. El Fiscal admitirá a trámite la denuncia si considera que los hechos son, indiciariamente, constitutivos de delito. Siendo así practicará las diligencias que estime pertinentes para la comprobación de los hechos y la responsabilidad del menor en su comisión, tras lo cual puede resolver el archivo de las actuaciones cuando entendiera que los hechos denunciados no constituyen delito, o bien no existiera autor conocido[217]. En caso contrario el Fiscal incoará el expediente (véase M. 409) que será notificado al menor y a quien aparezca como perjudicado desde ese mismo momento, y dará cuenta al Juez de menores que iniciará las diligencias de trámite que correspondan y la pieza separada de responsabilidad civil (art. 16 LRPM). (Véase M. 410). Para el

---

(217)   En ese caso, el Fiscal dará traslado de lo actuado a la entidad pública de protección de menores que deberá promover las medidas de protección adecuadas a las circunstancias de aquél conforme a lo dispuesto en la LO 1/96 de protección del menor (arts. 3 y 18 LRPM).

caso de que el conocimiento de los hechos no corresponda al Juzgado de Menores se remitirá directamente, por el Fiscal, al órgano competente (art. 21 LRPM).

El Ministerio Fiscal desistirá de la incoación del expediente cuando los hechos denunciados no constituyan ninguna clase de infracción penal tipificada como tal. También podrá desistir cuando los hechos constituyan delitos menos graves sin violencia o delitos leves (art. 18 LRPM). En este supuesto y si no consta que el menor haya cometido con anterioridad otros hechos de la misma naturaleza no se requiere ningún requisito adicional para desistir de incoar el expediente. En caso contrario el Fiscal deberá incoar el procedimiento. Ello sin perjuicio de la posterior posibilidad de remitir el expediente al Juez con propuesta de sobreseimiento, en el caso que el equipo técnico propusiera en su informe la conveniencia de no continuar la tramitación del expediente en interés del menor, por haber sido expresado suficientemente el reproche al mismo a través de los trámites ya practicados o por considerar inadecuada para el interés del menor cualquier intervención, dado el tiempo transcurrido desde la comisión de los hechos (art. 27.4).

El desistimiento del Fiscal también puede producirse en el supuesto de producirse una conciliación entre el menor y la víctima en la que aquél haya asumido el compromiso de reparar el daño causado a la víctima o al perjudicado por el delito, o se haya comprometido a cumplir la actividad educativa propuesta por el equipo técnico en su informe[218]. Este desistimiento sólo procederá cuando el hecho imputado al menor constituya delito menos grave o falta y atendiendo a la gravedad y circunstancias de los hechos y del menor, de modo particular a la falta de violencia o intimidación graves en la comisión de los hechos. A estos efectos se entenderá producida la conciliación cuando el menor reconozca el daño causado, se disculpe ante la víctima y éste las acepte. Bastará a efectos de la reparación el compromiso asumido por el menor y la víctima, que puede incluir el cumplimiento de actividades en beneficio de la comunidad o educativas determinadas, seguidas de su realización efectiva. Si la víctima fuere menor el compromiso se asumirá por el representante legal del menor, con la aprobación del Juez de menores. Debe distinguirse entre la conciliación y el compromiso de reparación, ya que en el primer caso, producida aquélla el Fiscal dará por concluida la instrucción y solicitará al Juez el sobreseimiento y archivo. Sin embargo, cuando se produzca un compromiso el Fiscal no solicitará el sobreseimiento y archivo hasta que no se haya procedido al cumplimiento de los compromisos, o bien cuando no pudieran llevarse a efecto por causa no imputable al menor (art. 19.4 LRPM). Es decir, que se desarrolla una suerte de desestimación provisional del expediente. Efectivamente, el párrafo 5º del art. 19 de la Ley establece que: «En el caso de que el menor no cumpliera la reparación o la actividad educativa acordada, el Ministerio Fiscal continuará la tramitación del expediente».

---

(218)   Las funciones de mediación se realizarán con intervención del equipo técnico que informará al Ministerio Fiscal sobre los compromisos adquiridos, y controlará el cumplimiento de los compromisos adquiridos. Especialmente de aquéllos referidos a las actividades educativas que se hubieran previsto (art. 19.3 LRPM). La propuesta de conciliación o compromiso puede partir del equipo técnico, que realizará un informe tal y como ha sido expuesto (art. 27.3 LRPM).

No ha sido pacífica la jurisprudencia en determinar qué resolución se entiende que interrumpe la prescripción del hecho delictivo al no regularlo la LRPM. Por una parte, se dice que será la resolución que dicte el Juez de Menores al amparo del artículo 33 de la L.O. 5/00, pues es la primera vez en la que el Juez puede adoptar una decisión de fondo sobre el procedimiento[219]. Por otra, el auto de incoación del procedimiento, en cuanto determina el inicio del mismo[220].

La competencia para instruir el expediente de menores por la comisión de hechos tipificados como delitos se atribuye al Ministerio Fiscal (arts. 16 y 23 LRPM). Pero, al mismo tiempo, el Fiscal no pierde su naturaleza de especial garante de los derechos de los menores, a cuyo efecto practicará y vigilará las actuaciones que deban realizarse en su interés (art. 6 LRPM).

En esta fase el Ministerio Fiscal investigará los hechos ordenando a la policía judicial que practique las actuaciones pertinentes, impulsando el procedimiento y, caso necesario, solicitará del Juzgado de Menores, que resolverá por auto motivado, la práctica de diligencias restrictivas de derechos fundamentales que no puede efectuar por sí mismo (art. 23 LRPM). Asimismo, si resulta procedente, se solicitarán las medidas cautelares personales proporcionadas a las circunstancias del menor y de los hechos. También requerirá del equipo técnico, que a estos efectos dependerá del fiscal funcionalmente, para que realice informe sobre el menor (art. 27.1 LRPM).

El Fiscal también deberá practicar las diligencias de instrucción solicitadas por el letrado del menor o de la acusación particular. Si éste pidiere la declaración del menor el Fiscal proveerá, necesariamente, su práctica[221]. De cualquier modo, enten-

---

(219) «De hecho tanto, las resoluciones de inicio del expediente judicial y de apertura del trámite de audiencia deberían de ser providencias en cuanto que tiene por objeto la ordenación material del proceso —artículo 145.1.a) LOPJ—. La primera resolución judicial con capacidad para interrumpir la prescripción es la que dicte el Juez de Menores al amparo del artículo 33 de la L.O. 5/00, pues es la primea vez en la que el Juez puede adoptar una decisión de fondo sobre el procedimiento, acordando su continuación, el sobreseimiento, el archivo o la remisión de las diligencias al Juez competente, lo que exige efectuar una valoración sobre la existencia de indicios de la participación del menor en una hecho punible». SAP Girona, Sección 4ª, Sentencia 581/2013 de 23 Sep. 2013, Rec. 821/2013

(220) «La consecuencia de seguirse esta línea interpretativa subsidiaria es la entrada en juego de la llamada "suspensión de la prescripción", consagrada en el art. 132.2.2 CP. Para ello hay que observar que en la jurisdicción de menores lo que se presenta ante el Juzgado de Menores no es una denuncia o querella, sino el parte de incoación del expediente de reforma del Fiscal. En estricta lógica, dicho parte tendría la misma virtualidad que la presentación de una denuncia o querella ante el Juez de Instrucción en la jurisdicción ordinaria. Por ello, desde la fecha de la recepción en el Juzgado de Menores de ese parte quedaría en suspenso la prescripción durante dos o seis meses, según se tratara de falta o de delito. Y conforme a la previsión contenida en el siguiente inciso del art. 132.2.2ª, en el momento en que se dictara el auto de incoación de expediente en el Juzgado, la interrupción de la prescripción se entendería retrotraída a la fecha de presentación del parte de incoación del Fiscal». SAP A Coruña, Sección 2ª, Sentencia 58/2015 de 6 Feb. 2015, Rec. 1645/2014.

(221) La Directiva (UE) 2016/800 establece la necesaria grabación audiovisual de los interrogatorios. Los Estados miembros velarán por que el interrogatorio a que se someta a un menor por parte de la policía u otras autoridades policiales durante el proceso penal sea grabado por medios audiovisuales, cuando ello sea proporcionado en las circunstancias del caso, habida cuenta, entre

demos que es necesario que el Fiscal, en tanto que instructor del expediente oiga al menor antes de concluir la instrucción, máxime cuando finalmente formula escrito de acusación. No es un requisito expresamente regulado; sin embargo, de lo contrario se podría vulnera el derecho de defensa del menor. Si se tratase de cualquier otra diligencia el Fiscal decidirá su admisión, cuando la considere necesaria, por resolución motivada que notificará al letrado y pondrá en conocimiento del Juez de menores. En caso de inadmisión el abogado del menor podrá reproducir su petición, en cualquier momento, ante el Juez de menores (art. 26 LRPM).

Las personas directamente ofendidas, o sus representantes o herederos, pueden personarse en el procedimiento en calidad de acusación particular. La Ley no exige expresamente la formulación de querella, por lo que cabe entender que, al igual que sucede en el procedimiento abreviado, es suficiente con un escrito de personación intervenido por abogado. Una vez admitida por el Juez de Menores la personación del acusador particular, se le dará traslado de todas las actuaciones sustanciadas de conformidad con esta ley y se le permitirá intervenir en todos los trámites en defensa de sus intereses, conforme a lo previsto en el art. 25 LRPM (véase § 5.1.c de este Capítulo). En consecuencia, podrá conocer de lo actuado, así como ser notificado de las diligencias solicitadas y las que se puedan acordar. También podrá proponer diligencias de investigación respecto al hecho delictivo y las circunstancias de su comisión. En el supuesto de denegarse una diligencia de investigación podrá el perjudicado recurrir conforme a lo previsto en el art. 41.2 LRPM. A saber: contra los autos y providencias de los Jueces de menores cabe recurso de reforma en tres días y posterior de apelación.

B) Conclusión de la instrucción

Finalizada la instrucción el Ministerio Fiscal resolverá la conclusión del expediente, notificándolo a las partes personadas. El expediente puede concluir solicitando al Juez de menores que se abra la fase de audiencia o bien el sobreseimiento de las actuaciones cuando entienda que concurre alguno de los motivos previstos en la LECrim (art. 30 LRPM). (Véase M. 411). El fiscal remitirá las actuaciones al Juzgado de menores junto con las piezas de convicción y con un escrito de alegaciones en el que hará constar los siguientes extremos: — la descripción de los hechos; — la valoración jurídica de los mismos y el grado de participación del menor; — una breve reseña de las circunstancias personales y sociales de éste; — la proposición de alguna medida de las previstas en esta Ley con exposición razonada de los fundamentos jurídicos y educativos que la aconsejen, y, en su caso, la exigencia de responsabilidad civil; — la proposición de la prueba de que intente valerse el Ministerio Fiscal para la defensa de su pretensión procesal; — la proposición de alguna de las medidas de las previstas en la Ley, con exposición razonada de los fundamentos jurídicos y educativos que la aconsejen; — la proposición para que participen en el acto de la audiencia aquellas

---

otras, de si está presente o no un letrado y de si el menor está privado de libertad o no, a condición de que el interés superior del menor siempre constituya la consideración primordial (art. 9). A falta de grabación por medios audiovisuales, se dejará constancia del interrogatorio por otros medios adecuados, por ejemplo levantando acta debidamente verificada.

personas o representantes de instituciones públicas y privadas que puedan aportar al proceso elementos valorativos en interés del menor (art. 30 LRPM).

C) Fase de audiencia (art. 31 a 36 LRPM)

Recibido el expediente por el Juez de menores se abrirá el trámite de audiencia, en el que, previamente, a la celebración de la audiencia propiamente dicha se producirá una fase intermedia. Como es sabido, la existencia de una fase intermedia entre las dos fases esenciales del proceso penal, la instructora y de juicio oral, ha sido objeto de discusión doctrinal. Pero, al margen de las distintas consideraciones respecto a la autonomía procedimental de esta fase, es indudable que entre la instrucción del procedimiento y la fase de audiencia ha de determinarse si concurren o no los presupuestos necesarios para la apertura del juicio oral o de audiencia o, en caso negativo, proceder a decretar el sobreseimiento de la causa.

En el procedimiento de menores el legislador ha optado por el sistema seguido en el procedimiento por delitos graves en el que es el propio Tribunal competente para el enjuiciamiento de los hechos el que decidirá sobre la celebración de la audiencia o el sobreseimiento o archivo de las actuaciones. Esta regulación viene condicionada por la instrucción del expediente que se atribuye al Ministerio Fiscal.

En primer lugar, recibido el expediente, las piezas de convicción, efectos y demás elementos procesales remitidos por el Fiscal, el Juez de menores los incorporará a sus diligencias que ya había abierto una vez se inició el expediente y dará traslado simultáneamente a quienes ejerciten la acción penal y la civil para que en un plazo común de cinco días hábiles formulen sus respectivos escritos de alegaciones y propongan las pruebas que consideren pertinentes (art. 31). Posteriormente dará traslado al menor a fin de que, en cinco días hábiles, formule escrito de alegaciones con el mismo contenido expresado respecto al del Ministerio Fiscal y proponga la prueba que considere pertinente. El menor También puede expresar en ese escrito la conformidad con las peticiones del Fiscal, siempre que éstas no sean de internamiento. (Véase M. 412) (véase sobre los efectos de la conformidad el apartado siguiente). Cualquiera de las partes puede solicitar en su escrito de alegaciones la práctica de diligencias de investigación que hubieran sido denegadas por el Fiscal durante la fase de instrucción. Petición de diligencias que el art. 26 dispone que las partes podrán hacer en cualquier momento.

A la vista de las alegaciones del Fiscal y del letrado del menor, y si éste no hubiere expresado su conformidad con las peticiones del Fiscal, el Juez de menores adoptará alguna de las siguientes resoluciones: 1) la celebración de la audiencia; 2) el sobreseimiento, mediante auto motivado, de las actuaciones; 3) el archivo de las actuaciones por sobreseimiento cuando así lo hubiere solicitado el Fiscal; 4) la remisión de las actuaciones al Juez competente cuando el Juez de menores se declare incompetente; 5) la práctica de las diligencias solicitadas por las partes, que hubieran sido rechazadas por el Fiscal en la fase de instrucción del expediente que fueren relevantes y no pudieran practicarse en el acto de la audiencia.

Acordada la continuación del expediente, el Juez de menores dictará auto de apertura de la audiencia, en el que acordará lo procedente sobre la pertinencia de las pruebas propuestas, y señalará el comienzo de la misma dentro de los diez días siguientes (art. 34 LRPM). Si, por el contrario, adoptara alguna de las otras resoluciones expuestas no dará lugar a la apertura de la audiencia. Concretamente, si acordara la práctica de diligencias de investigación, éstas se llevarán a cabo dándose traslado de su resultado al Ministerio fiscal y al letrado del menor que podrán presentar escrito de alegaciones en la forma expuesta[222].

Contra las resoluciones adoptadas en este trámite caben los recursos previstos en la Ley: reforma y apelación (art. 41.2 LRPM).

D) *Audiencia del procedimiento de menores. Conformidad del menor (art. 35 a 37 LRPM)*

Recibido el expediente por el Juez de menores se abrirá el trámite de audiencia con traslado del expediente y el escrito de alegaciones al letrado del menor para que en el plazo de cinco días hábiles formule a su vez escrito de alegaciones según la forma expuesta para el escrito del Fiscal, proponiendo la prueba que considere pertinente (art. 31 LRPM). El menor y su letrado podrán mostrar su conformidad con las medidas solicitadas por el Ministerio Fiscal, siempre que éstas no impliquen privación de libertad. En ese supuesto se celebrará una comparecencia en la que se ratificará la conformidad, dictando el Juez sentencia sin más trámite (art. 32 LRPM).

A la vista de las alegaciones del Fiscal y del letrado del menor, si no hubiera existido conformidad, el Juez de menores adoptará alguna de las siguientes resoluciones: 1) la celebración de la audiencia; 2) el sobreseimiento, mediante auto motivado, de las actuaciones; 3) el archivo de las actuaciones por sobreseimiento cuando así lo hubiere solicitado el Fiscal; 4) la remisión de las actuaciones al Juez competente cuando el Juez de menores se declare incompetente; 5) la práctica de las diligencias solicitadas por el letrado del menor, que hubieran sido rechazadas por el Fiscal en la fase de instrucción del expediente (art. 33).

Acordada la continuación del expediente, el Juez de menores dictará auto de apertura de la audiencia, acordará lo procedente sobre la pertinencia de las pruebas propuestas, y señalará el comienzo de la misma dentro de los diez días siguientes (art. 34 LRPM).

La audiencia se celebrará con asistencia del Fiscal, las partes personadas, el letrado del menor, un representante del equipo técnico, y el propio menor que podrá estar acompañado de sus representantes legales. Igualmente, deberán comparecer la persona o personas a quienes se exija responsabilidad civil; aunque su inasistencia injustificada no será por sí misma causa de suspensión de la audiencia. La publicidad de esta audiencia tendrá carácter restringido. A ese fin el Juez podrá acordar, en interés de la persona imputada o de la víctima, que las sesiones no sean públicas y en

---

(222)   La Ley no establece expresamente esta posibilidad. Sin embargo, siendo de aplicación subsidiaria las normas de la LECrim es de aplicación lo dispuesto en ésta. Así en la fase intermedia del procedimiento abreviado una vez practicadas las diligencias de investigación acordadas por el Juez de instrucción, se dará nuevo traslado de las actuaciones a las partes acusadoras para el trámite previsto en el art. 780 LECrim.

ningún caso se permitirá que los medios de comunicación social obtengan o difundan imágenes del menor ni datos que permitan su identificación (art. 35 LRPM)[(223)].

La comparecencia se iniciará con la información por el Juez al menor, en forma clara y adaptada a su edad, de los hechos objeto de las diligencias. La Ley no lo establece de forma explícita pero cabe entender que el menor gozará de todos los derechos que asisten al acusado en el proceso penal. Así el Juez deberá informarle, también, de su derecho a no prestar declaración y a no reconocerse autor de los hechos por los que se le acusa. A continuación el Juez preguntará al menor si presta su conformidad con los hechos, las medidas solicitadas y la responsabilidad civil. Si así lo hace, oído el letrado del menor, el Juez podrá dictar resolución de conformidad. Si el letrado manifestara su disconformidad con la conformidad prestada por el propio menor, el Juez resolverá sobre la continuación o no de la audiencia (art. 36 LRPM).

El menor también puede prestar su conformidad con los hechos, pero no con la medida solicitada. En este caso, se sustanciará el trámite de audiencia, con el único objeto de determinar la medida a aplicar a los hechos previamente reconocidos (art. 36.3 LRPM). Cuando el menor o la persona o personas contra quienes se dirija la acción civil no estuvieren conformes con la responsabilidad civil solicitada, se sustanciará el trámite de la audiencia sólo en lo relativo a este último extremo, practicándose la prueba propuesta a fin de determinar el alcance de aquélla (art. 36.4 LRPM).

Tras la lectura de los hechos y los derechos que asisten al menor se abrirá un trámite de cuestiones previas en el que las partes manifestarán lo que estimen conveniente sobre la práctica de pruebas no propuestas o la vulneración de derechos fundamentales. Cuestiones que el Juez resolverá acordando la admisión de la prueba o la subsanación del vicio procesal o denegando las peticiones en cuyo caso resolverá las cuestiones en la sentencia (art. 37 LRPM).

La Ley dispone que el Juez de menores pueda poner de manifiesto a las partes la posibilidad de aplicar una distinta calificación o medida de las que se hubieran solicitado (37.1 LRPM). A nuestro entender, esta posibilidad vulnera el principio acusatorio y puede causar indefensión a las partes. Esta norma no se ajusta a lo previsto en el art. 8 en el que se proclama la vigencia del principio acusatorio en el proceso de menores. De modo que si lo que se pretende es dotar de flexibilidad al procedimiento de menores, entendemos que sería más adecuado que el Juez de menores planteara esta cuestión en el auto de apertura de la audiencia, en el que debieran ya quedar fijados los términos del debate.

---

(223) La Ley incluso prevé que de oficio o a instancia de parte el Juez de menores podrá acordar, motivadamente, que el menor abandone la Sala cuando de lo practicado en el juicio pueda derivarse algún perjuicio para el menor, siguiéndose las actuaciones hasta que el menor pueda retornar al acto del juicio. Esta posibilidad prevista en el art. 37.4 LRPM no parece que tenga excesivo sentido, por cuanto siendo juzgados menores mayores de catorce años no se acaba de entender que ventajas pueda derivarse de la no presencia del menor cuando se está decidiendo sobre la imposición de una medida determinada. Considero que la Ley en este punto adopta una actitud paternalista cuya intención benéfica puede quedar superada por la realidad, ya que parece evidente que si un menor puede ser juzgado lo debe ser con todas las garantías y la primera de estas consiste en conocer de todo lo actuado en juicio.

Seguidamente se practicará la prueba propuesta y admitida. Al no establecer la Ley norma alguna sobre los medios de prueba, cabrá practicar todas aquellas pruebas previstas en la LECrim. Concretamente, se deberá oír al equipo técnico sobre las circunstancias del menor. Practicada la prueba el Ministerio Fiscal y el letrado del menor realizarán informe de conclusiones, que se referirá a la valoración de la prueba, su calificación jurídica y la procedencia de las medidas propuestas. También se oirá al equipo técnico y, en su caso, a la entidad pública de protección o reforma de menores con relación a las medidas propuestas. Finalmente se oirá al menor (art. 37 LRPM).

E) Sentencia (art. 38 y ss. LPMR)

El procedimiento de menores finaliza por sentencia. También podrá anticiparse oralmente el fallo, sin perjuicio de su documentación posterior. La sentencia observará todos los requisitos que prevé la LOPJ (art. 39 LRPM); especialmente los relativos a su motivación, consignando los hechos que se declaren probados y la prueba de la que se derive la convicción judicial. También se contendrá en la sentencia el pronunciamiento que proceda sobre la responsabilidad civil derivada de los hechos objeto del procedimiento[224] (véase M. 413).

La LRPM regula un modelo de responsabilidad penal del menor de naturaleza sancionadora-educativa que se funda, como principio fundamental, en el hecho de la sanción imponible tenga como referente, no solo la valoración jurídica de los hechos, sino también la edad, las circunstancias familiares y sociales, la personalidad y el interés del menor, debiendo el juez motivar en la sentencia las razones por las que elige una medida y diseña un plazo de duración para la misma, a efectos de la valoración del mencionado interés del menor (artículo 7.3 LORPM[225].

> «Por todo lo expuesto se concluye que en la aplicación de la medida al menor debe existir un margen amplio de discrecionalidad, que no arbitrariedad, en la elección por el Juez atendiendo a las circunstancias concretas de cada caso y la valoración del mencionado interés del menor. En este sentido, la decisión concerniente a la medida a aplicar y a su duración ha de buscar, en principio, el interés del menor, pero sin que la norma prescinda absolutamente de los hechos y de su gravedad. Y es que, en definitiva, ambas cosas (el interés del menor y la gravedad de los hechos), aparentemente autónomas, presentan notables espacios de intersección, pues a nadie conviene tanto como al propio menor, la necesidad de comprender el rechazo social que su comportamiento merece, siendo preciso para su completa formación que perciba la repugnancia que provoca en la sociedad su conducta». SAP Málaga, Sección 8ª, Sentencia 137/2015 de 3 Mar. 2015, Rec. 295/2014.

El Juez está vinculado por el principio acusatorio de modo que el Juez no podrá imponer una medida que suponga mayor restricción de derechos ni por un tiempo superior a la solicitada por el Fiscal (art. 8 LRPM). Sin embargo, el Juez dispone de

---

(224) Vid. DÍAZ MARTÍNEZ, M, «El régimen especial de la responsabilidad civil en el proceso penal de menores», *Diario La Ley*, nº 6515. Jueves, 29 de junio de 2006.

(225) Ver también, SAP Ciudad Real, Sección 1ª, Sentencia 2/2015 de 16 Ene. 2015, Rec. 16/2014.

un margen discrecional y flexible para determinar en la sentencia el tipo de medida que debe imponerse, en atención al interés del menor sin ignorar la gravedad de los hechos[226].

«Por todo lo expuesto se concluye que en la aplicación de la medida al menor debe existir un margen amplio de discrecionalidad, que no arbitrariedad, en la elección por el Juez atendiendo a las circunstancias concretas de cada caso y la valoración del mencionado interés del menor. En este sentido, la decisión concerniente a la medida a aplicar y a su duración ha de buscar esencialmente el interés del menor, pero sin que en la norma se prescinda absolutamente de los hechos al menos como base inicial para tal valoración. Y es que, en definitiva, ambas cosas (el interés del menor y la gravedad de los hechos), aparentemente autónomas, presentan notables espacios de intersección, pues a nadie conviene tanto como al propio menor, la necesidad de comprender el rechazo social que su comportamiento merece, siendo preciso para su completa formación que perciba la repugnancia que provoca en la sociedad su conducta». SAP Badajoz, Sección 1ª, Sentencia 121/2014 de 26 Sep. 2014, Rec. 22/2014.

Además, en la elección de la medida adoptada el Juez de Menores deberá atender de modo flexible, a las circunstancias y gravedad de los hechos; la personalidad, edad, situación, necesidades y entorno familiar y social del menor y, en definitiva, al interés del menor según conste en los informes técnicos obrantes en la causa (Véase sobre las medidas que pueden imponerse el apartado 5.2). El Juez no está vinculada por el criterio orientador del equipo técnico, sino que puede escogerla pena que estime adecuada entre las penas legales previstas.

«La individualización de la medida a imponer exige, por tanto, la valoración de todas las circunstancias que han concurrido en la comisión de los hechos. Por un lado, las subjetivas relativas a la personalidad del menor, la sumisión del mismo a medidas reeducadoras con anterioridad y el resultado de tales medidas, así como la posibilidad de reiteración delictiva y, por otro lado, las objetivas que vienen referidas al delito cometido, es decir, a la falta o concurrencia de violencia o intimidación graves en la comisión del delito y a la alarma social que puedan producir hechos de esa naturaleza. En todo caso, la medida debe guardar siempre la proporcionalidad debida con la gravedad del hecho cometido. En el caso de autos la medida que la ha sido impuesta al recurrente, solicitada por el Ministerio Público en su escrito de alegaciones, es una de las previstas legalmente y su duración además se enmarca en las previsiones contenidas en la Ley, con lo que se trata de una decisión incardinable en el margen de discrecionalidad judicial que a su vez aparece debidamente motivado en el fundamento de derecho tercero de aquella resolución, y se estima también en esta alzada ajustada, proporcionada y acorde tanto a la personalidad del menor, como a la valoración jurídica de los hechos, por cuanto no debemos olvidar tampoco que el art. 11 de la LORPM dispone que «para determinar la medida o me-

---

(226) «Para la elección de la medida o medidas adecuadas se deberá atender de modo flexible, no sólo a la prueba y valoración jurídica de los hechos, sino especialmente a la edad, las circunstancias familiares y sociales, la personalidad y el interés del menor, puestos de manifiesto los dos últimos en los informes de los equipos técnicos y de las entidades públicas de protección y reforma de menores cuando éstas hubieran tenido conocimiento del menor por haber ejecutado una medida cautelar o definitiva con anterioridad, conforme a lo dispuesto en el artículo 27 de la presente Ley». SAP Tarragona, Sección 2ª, Sentencia 173/2015 de 10 Jun. 2015, Rec. 5/2015

didas a imponer, así como su duración, deberá tener en cuenta, además del interés del menor, la naturaleza y el número de infracciones, tomando como referencia la más grave de todas ella». Y todo ello sin perjuicio de que la medida acordada por la juez de instancia no fuera la indicada por el equipo técnico, por cuanto aquélla no está vinculada por el criterio orientador del referido equipo, sino que puede escoger entre las penas legales procedentes la que considere adecuada, por cuanto lo contrario implicara que la medida correspondiente la impusiera el Juez partiendo de lo que dijera el equipo mencionado». SAP Lleida, Sección 1ª, Sentencia 81/2016 de 3 Mar. 2016, Rec. 3/2016.

La sentencia se motivará expresando con detalle los hechos que se declaren probados y la prueba de la que se derive la convicción judicial. Además deberá contener las razones de aplicar una u otra medida, y todas las circunstancias relativas a la misma, especialmente, su duración (39 LRPM) (véase sobre las medidas que pueden imponerse el apartado 5.2)[227].

«El Juez deberá motivar en la sentencia las razones por las que aplica una determinada medida, así como el plazo de duración de la misma, a los efectos de la valoración del mencionado interés del menor. Tiene razón el Ministerio Público en que por regla general la comisión de hechos tan graves como el realizado por el menor apelado deben dar lugar a medidas que impongan más severamente la reeducación o corrección de su autor, sin embargo en este caso en el fundamento jurídico segundo de la sentencia se explican las circunstancias excepcionales que determinan una medida tan leve como la de amonestación. Es el primer y único expediente que se le ha abierto, forma parte de una familia estructurada y ha venido trabajando con sus padres para sostener a la familia, el menor ha corregido su conducta obteniendo licencia para conducir ciclomotores y consta que, por un lado trabaja y por otro practica un ocio saludable, por lo que una medida más invasiva sólo le perjudicaría laboralmente». SAP Albacete, Sección 1ª, Sentencia 173/2010 de 2 Dic. 2010, Rec. 114/2010.

Las medidas a imponer están reguladas en los arts. 7 a 12 LRPM.

F) Recursos (art. 41 y ss.)

a) Frente a resoluciones interlocutorias

Cabe recurso de reforma contra las providencias y autos del Juez de menores en el plazo de tres días, a partir de su notificación ante el propio órgano, que se sustanciará según el régimen general de la LECrim (arts. 216 y ss. LECrim) (art. 41.2 LRPM). Frente al auto resolutorio del recurso de reforma cabe recurso de apelación con base en la redacción literal de la Ley que prevé que: *«El auto que resuelva la impugnación de la*

---

(227) Las medidas que pueden ser impuestas a los menores se prevén en el art. 7 LRPM. A este respecto, pueden imponerse las siguientes medidas: internamiento en régimen cerrado, semiabierto, abierto, o terapéutico; tratamiento ambulatorio; libertad vigilada; convivencia con persona, familia, o grupo educativo; tratamientos educativos o formativos; prestaciones en beneficio de la comunidad; otras prohibiciones u obligaciones establecidas «ad hoc» siempre que no atenten contra la dignidad del menor; o la amonestación por el Juez de menores. No se podrá imponer una pena de privación de libertad de duración superior a la que se hubiere impuesto si el menor fuere mayor de edad y se hubiese impuesto una pena determinada en el Código Penal (art. 8.2 LRPM).

providencia será susceptible de recurso de apelación». De modo que cabe recurso de apelación frente al auto que resuelve la reforma ya se hubiere interpuesto la reforma frente a un auto o una providencia. Así, se entiende en algunas sentencias.

Sin embargo, la norma no tiene excesivo sentido por establecer la posibilidad de recurrir en apelación frente al auto que resuelve el recurso de reforma. Más aún, de la norma pudiera discutirse si cabe apelación frente al recurso de reforma que resuelva la impugnación de autos. A nuestro juicio este precepto es fruto del error que, increíblemente, no se ha enmendado en las sucesivas reformas de la Ley —la última la LO 8/2006—, ya que la probable, y lógica voluntad del Legislador consistía, precisamente, en no permitir el recurso de apelación, sino en los supuestos previstos en el punto tercero del art. 41 ya expuesto difiriendo la impugnación del resto de autos resolutorios del de reforma a la que se pudiera interponer contra sentencia definitiva. De otro modo el sistema resulta complejo y, en definitiva, ni siquiera es comprensible[228].

Cabe recurso de apelación frente a los autos que pongan fin al procedimiento o resuelvan determinados incidentes previstos en la Ley que se refieren a la modificación o suspensión de la medida impuesta (arts. 13 y 40), o a la adopción de medidas cautelares (arts. 28 y 29). Del recurso de apelación conocerá la Audiencia Provincial, y se sustanciará según las normas del procedimiento abreviado (art. 41.3 LRPM); o,

---

(228) La redacción originaria del art. 41.2 del Proyecto de la Ley del menor establecía, simplemente, que contra los autos y providencias cabía recurso de reforma, y a continuación que el auto que resolviera la impugnación de la providencia no era susceptible de apelación. A continuación la Ley disponía en el punto tercero del art. 41 cuales eran los autos interlocutorios susceptibles de apelación ante el Tribunal Superior de Justicia, atribución de competencia que se modificó por LO 9/00. Esta redacción adolecía, a nuestro entender de dos errores. En primer lugar, entendemos que el sentido del art. 41.2 era negar la apelación del auto resolutorio de la reforma ya se tratase de impugnación de autos o de providencias. A pesar de ello, creemos que por error, se deslizó el término «providencia», cuando en realidad debía decir, sencillamente, que contra el auto que resuelva la reforma no cabe recurso alguno; excepto claro está los supuestos expresamente previstos en la Ley. También existía otro error referente al art. 41.3 que omitió la posibilidad de recurrir contra el auto que adoptaba medidas cautelares, por ejemplo la de internamiento. Ante esta redacción del Proyecto, el Grupo vasco presentó una enmienda a este artículo 41 en la que, de modo insólito, se profundizó aún más en el error, ya que se propuso que el art. 41.2 dispusiera que: «El auto que resuelve la impugnación de la providencia será susceptible de recurso de apelación», y ello se justificaba por cuanto: «resultaría un contrasentido que contra un auto de prisión provisional quepa el recurso de apelación (art. 504 bis LECrim) y contra el auto de internamiento provisional del menor sólo quepa el recurso de reforma». Evidentemente, esa justificación se refería a que el punto tercero del art. 41 contemplase expresamente la apelación contra los autos dictados sobre medidas cautelares, y no a que cupiera apelación contra el auto resolutorio de la reforma contra providencias. Sin embargo, se aprobó la reforma del art. 41.2 con la regulación expuesta que finalmente se aprobó, que no tiene excesivo sentido. Así, permite la apelación contra todos los autos que resuelvan la reforma, ya que si cabe contra el auto que resuelve el de recurso de reforma contra una providencia con más razón debe caber contra el que resuelva la reforma contra autos. Pero por otra parte en el Congreso también se modificó el punto tercero para prever la apelación contra autos dictados sobre medidas cautelares. En conclusión, esta última modificación era la única precisa ya que daba solución al problema de no permitirse la apelación contra la adopción de cautelas. Pero, no cabía más modificación del art. 41.2, que la que se refiere, justamente, a especificar que en ningún caso el auto que resuelve la reforma es susceptible de apelación salvo que expresamente así lo prevea la Ley.

en su caso, la Sala de lo Penal de la Audiencia Nacional contra los autos que dicte el Juez Central de Menores de la Audiencia Nacional, cuando fuere competente (art. 41.4).

b) Contra la sentencia definitiva

La sentencia dictada por el Juez de Menores es recurrible en apelación ante la Audiencia provincial o, en su caso, la Sala de lo Penal de la Audiencia Nacional (véase M. 414), por los que fueron parte en el procedimiento en primera instancia. El menor, el Ministerio Fiscal y la acusación particular. El recurso se interpondrá ante el mismo Juez de menores en el plazo de cinco días. La Ley no dispone cual sea el contenido de este recurso, aunque prevé que se podrá solicitar la práctica de prueba conforme a las reglas de la LECrim. En cualquier caso, parece claro que los motivos de apelación serán los propios de esta clase de recurso, previstos en el art. 790 LECrim: infracción procesal, infracción de ley y error en la apreciación de la prueba.

No resulta claro si el escrito de interposición debe contener la fundamentación del recurso, al igual que está previsto para la apelación frente a sentencia definitiva en procedimiento abreviado (art. 790 LECrim). La cuestión se plantea al prever la Ley la celebración de una vista pública (art. 41), lo que permite entender que será, precisamente, en el acto de la vista donde se fundamentará el recurso. A este respecto la brevedad del plazo de cinco días para interponer el recurso, distinto del de diez en la apelación contra la sentencia dictada en procedimiento abreviado por el Juez de lo penal, nos lleva a pensar que no es preciso fundamentar la impugnación en el escrito de recurso, sino en el acto de la vista oral. La vista oral podrá celebrarse a puerta cerrada si así lo aconsejaran las circunstancias del asunto. Asistirán a la vista las partes y, si el tribunal lo considera oportuno, el representante del equipo técnico o de la entidad pública de protección o reforma de menores que hubieren intervenido en el procedimiento.

Las sentencias dictadas en apelación por la Audiencia Provincial o la Audiencia Nacional son recurribles en casación ante la Sala Segunda del TS, siempre que se hubiere condenado a una medida de privación de libertad de las previstas en el art. 10 de la Ley (art. 42.1). Precepto que establece el tiempo de duración de las medidas de privación de libertad en los supuestos de hechos calificados como delitos graves o menos graves con la concurrencia de determinadas circunstancias. El tiempo de duración mínimo de la medida para estos supuestos es de tres años. El recurso de casación tendrá por objeto la unificación de la doctrina con ocasión de sentencias dictadas en apelación que fueran contradictorias entre sí, o con sentencias del Tribunal Supremo, respecto de hechos y valoraciones de las circunstancias del menor que, siendo sustancialmente iguales, hayan dado lugar, sin embargo, a pronunciamientos distintos.

El recurso podrá prepararlo el Ministerio Fiscal o cualquiera de las partes mediante escrito en el que se contendrá la contradicción alegada, con designación de las sentencias aludidas y de los informes en que se funde el interés del menor valorado en sentencia. El escrito de preparación del recurso se presentará ante la Audiencia Provincial, o en su caso la Sala de lo Penal de la Audiencia Nacional, que lo inadmitirá cuando se hubieren hubiere incumplido de modo manifiesto e insubsanable los requisitos establecidos. Admitida la preparación del recurso requerirá testimonio de las sentencias citadas a los Tribunales que las dictaron, y en un plazo de diez días remitirá la documentación a la Sala Segunda del Tribunal Supremo, emplazando al recurrente (y al Fiscal) a comparecer ante el TS ante el que se interpondrá el recurso. La interposición, sustanciación y resolución del recurso seguirá lo dispuesto en la LECrim (art. 42).

G) *Ejecución, suspensión y modificación de las medidas. Mayoría de edad del condenado. Quebrantamiento de condena (art. 43 y ss. LRPM)*

La ejecución de las medidas acordadas en sentencia firme corresponderá a las Instituciones dependientes de las Comunidades Autónomas donde se ubique el Juzgado de Menores que haya dictado la sentencia (art. 45 LRPM) y se realizará bajo el control del Juez de menores que hubiese dictado la sentencia, de acuerdo con las funciones que le vienen atribuidas en el art. 44 LRPM[229]. La ejecución de las medidas impuestas se producirá conforme con lo previsto en los arts. 43 60 LRPM y el RD 1774/2004 de 30 de julio, donde se prevén las normas sobre la liquidación y refundición de las medidas impuestas, traslados a Centros, apertura de expedientes personales, informes del Centro sobre la ejecución y quebrantamiento de la ejecución. La Ley también prevé la suspensión, modificación o sustitución de la medida impuesta.

Las resoluciones adoptadas por el Juez de menores en la ejecución de las medidas podrán ser recurridas por escrito por el letrado del menor. También podrá recurrir el menor por escrito o verbalmente ante el Juez de menores o manifestar al Director del Centro de internamiento su intención de recurrir, quien deberá dar traslado de la manifestación al Juez dentro del día siguiente hábil. Admitido el recurso, el Juez recabará informe del Fiscal, oirá al letrado del menor (cuando no hubiere interpuesto el recurso), y resolverá mediante auto motivado. Contra el auto que resuelva cabe recurso de apelación ante la Audiencia provincial conforme al art. 41 LRPM (art. 52 LRPM).

---

(229)   La Directiva (UE) 2016/800 determina unas determinadas Medidas específicas relativas sobre la privación de libertad de los menores: La privación de libertad de los menores en cualquier fase del proceso lo será por el menor tiempo posible y debiendo tenerse debidamente en cuenta la edad y situación individual del menor, así como las circunstancias particulares del caso (art. 10). En todo caso, la privación de libertad, y en particular la detención, se impondrá a los menores solamente como último recurso y con base en una decisión motivada que pueda ser objeto de control jurisdiccional.

Durante su privación de libertad los menores detenidos deberán estar separados de los adultos, salvo si se considera que no hacerlo sirve mejor al interés superior del menor (art. 12). Esta disposición se mantendrán en el supuesto de que los menores detenidos cumplan dieciocho años y siempre que ello sea compatible con el interés superior de los menores que estén detenidos junto con esa persona.

Respecto a los menores que estén detenidos, los Estados miembros adoptarán medidas adecuadas para: a) garantizar y salvaguardar su salud y su desarrollo físico y mental; b) garantizar su derecho a la educación y la formación, también en el caso de menores con discapacidades físicas, sensoriales o intelectuales; c) garantizar el ejercicio regular y efectivo de su derecho a la vida familiar; d) garantizar el acceso a programas que fomenten su desarrollo y su reinserción social, y e) garantizar el respeto de su libertad de religión o creencias.

El régimen disciplinario en los Centros de cumplimiento de las medidas se regula en el art. 60 LORPM y los arts. 59 y ss. del RD 1774/04. Con base en ese régimen se podrán imponer sanciones al menor por la comisión de faltas muy graves, graves y leves atendiendo a las circunstancias de los hechos. Las resoluciones sancionadoras pueden ser recurridas, antes del inicio de su cumplimiento, ante el Juez de menores. Si interpusiere el recurso el letrado del menor lo hará por escrito y directamente ante el Juez de menores. Si lo interpusiere el menor lo podrá formular por escrito o verbalmente ante el Director del establecimiento que, en el plazo de veinticuatro horas, remitirá el escrito o el testimonio del recurso formulado verbalmente al Juez de menores que resolverá, oído el Ministerio Fiscal, confirmando, modificando o revocando la sanción. Frente a ese auto no cabe recurso alguno (art. 60.7 LORPM).

La medida impuesta puede quedar suspendida durante un tiempo determinado, no superior a dos años, mediante acuerdo motivado del Juez de menores adoptado de oficio o a instancia de parte cuando la medida impuesta no sea superior a dos años. Se exceptúa de la suspensión el pronunciamiento sobre responsabilidad civil. La suspensión puede adoptarse en la sentencia o por auto motivado cuando aquélla sea firme. En el auto se expresarán las condiciones de suspensión que pueden consistir en no ser condenado en sentencia firme a pena o medida, que el menor asuma el compromiso se reintegrarse a la sociedad, el cumplimiento de las actividades socio-educativas establecidas por el Juez según recomendación del equipo técnico. En el supuesto de incumplimiento, el Juez alzará la suspensión y se procederá a ejecutar la sentencia (art. 40 LRPM).

Las medidas acordadas en sentencia pueden ser sustituidas o modificadas durante su ejecución[230]. El acuerdo lo adoptará el Juez mediante auto motivado, de oficio o a instancia del fiscal, el letrado del menor o la Administración competente, previa audiencia de los legitimados para solicitar la modificación, así como el equipo técnico y, en su caso, de la entidad pública de protección o reforma de menores. También deberá ser oída, en su caso, la acusación particular (art. 25.g). La modificación podrá consistir en dejar sin efecto la medida impuesta, reducir su duración o sustituyéndola por otra que se estime más adecuada, con el único requisito que la modificación

---

(230) La posibilidad de modificar o sustituir la medida impuesta se limita en dos supuestos: — cuando se trate de hechos que revistan extrema gravedad (contemplados en el art. 9.2) en cuyo caso sólo podrá acordarse la modificación una vez transcurrido el primer año de cumplimiento efectivo de la medida de internamiento (art. 10.1.b). — Cuando el hecho sea constitutivo de alguno de los delitos tipificados en los artículos 138, 139, 179, 180 y 571 a 580 del Código Penal o de otro delito castigado con pena de prisión igual o superior a quince años, sólo podrá producirse la modificación cuando hubiere transcurrido, al menos, la mitad de la duración de la medida de internamiento impuesta (art. 10.2.b). El TS se ha pronunciado sobre la aplicación o interpretación del art. 10.2. b LRPM en el punto relativo a la posibilidad de modificación de la medida de internamiento en régimen cerrado sin haber transcurrido la mitad de la duración de la medida, en el caso de los delitos de extrema gravedad previstos en dicho art. 10.2 cuando el menor tuviera 16 o 17 años al tiempo de comisión de los hechos. En este supuesto entiende que sólo podrá hacerse uso de las facultades de modificación, suspensión o sustitución de la medida impuesta a las que se refieren los artículos 13, 40 y 51.1 de esta Ley Orgánica, cuando haya transcurrido al menos, la mitad de la duración de la medida de internamiento impuesta. Ver STS, Sala 2ª, Sentencia 74/2014 de 12 Feb. 2014, Rec. 20620/2013.

redunde en el interés del menor y se exprese suficientemente a éste el reproche merecido por su conducta (arts. 13 y 51 LRPM). Entre los motivos que puedan dar lugar a la modificación de la medida se halla la conciliación entre el menor y la víctima según los términos expuestos en el art. 19. Si ésta se produjere el Juez a propuesta del Fiscal o del letrado del menor y oído el equipo técnico y la entidad pública podrá dejarla sin efecto cuando juzgue que se ha cumplido suficientemente el fin de la medida (art. 51.3 LRPM). El auto que decida sobre esta cuestión es recurrible en apelación (arts. 13.2, 51.4 y 41.3 LRPM).

Una de las cuestiones de mayor interés en justicia de menores es el problema de decidir cuál debe ser el régimen aplicable a los sometidos a la Ley de menores una vez que éstos hayan cumplido más de 18 años y, por tanto, ya no tengan esa consideración de menores de edad. Esta cuestión se regula en el art. 14 de la Ley que distingue: — Medidas cualesquiera que no sean de internamiento en régimen cerrado: En ese caso la mayoría de edad del condenado no afectará al cumplimiento de la medida que continuará hasta alcanzar los objetivos propuestos en la sentencia en que se le impuso conforme a los criterios expresados en los artículos anteriores[231]. — Medidas de internamiento en régimen cerrado. Para este supuesto la Ley prevé un régimen complejo que depende de la edad de la persona. Hasta 21 años el cumplimiento de la medida continuará en el centro de menores, salvo que la conducta del condenado no responda a los objetivos propuestos en la sentencia. En ese caso el Juez de Menores, oído el Ministerio Fiscal, el letrado del menor, el equipo técnico y la entidad pública de protección o reforma de menores, podrá ordenar en auto motivado que su cumplimiento se lleve a cabo en un centro penitenciario de adultos. Cuando la persona ya hubiere cumplido los 21 años, y aún no haya finalizado el cumplimiento (o también cuando al imponerle la medida ya tuviera esa edad[232]) el régimen general será el del cumplimiento de la medida en un Centro Penitenciario de adultos, salvo que, excepcionalmente, el Juez entienda en consideración a las circunstancias concurrentes que procede la modificación de la medida impuesta o la permanencia en el centro de menores en cumplimiento de tal medida cuando el menor responda a los objetivos propuestos en la sentencia.

---

(231)   «En nada se opone a esta conclusión la dicción del art. 14.1 de la LORPM (LA LEY 147/2000), que regula con toda claridad un supuesto distinto al prorrogar el régimen de cumplimiento a pesar de que el menor haya alcanzado la mayoría de edad, precepto que no puede tener otro alcance que el que su redacción propone, y que no cabe adoptar como una rehabilitación general del régimen de la minoría de edad con carácter además vinculante para todas las situaciones posibles y a todos los efectos, afirmación que se encuentra en las sentencias citadas en el fundamento jurídico primero de esta resolución, y que implica una aplicación extensiva del texto legal por mero voluntarismo del intérprete». SAP Madrid, Sección 3ª, Sentencia 374/2013 de 25 Jul. 2013, Rec. 275/2013.

(232)   Téngase presente que la Ley de menores se aplicará a los hechos cometidos por menores con independencia de que se puedan ser juzgados cuando el menor ya no lo fuera. De ahí que la medida de internamiento pueda imponerse a un mayor de edad y cuando el condenado hubiese cumplido 21 años la regla general será el cumplimiento en una prisión. También sucederá así cuando el condenado ya hubiere cumplido, con anterioridad al inicio de la ejecución de la medida, una pena de prisión sea total o parcialmente.

Cuando el menor que haya alcanzado la mayoría de edad y quebrantara la medida de internamiento que le fue impuesta cuando era menor, la jurisprudencia entiende subsumibles esta conducta en el tipo de quebrantamiento de condena del art. 468 Código Penal. Pues este supuesto es distinto al del menor sometido a una medida que cumpliera la mayoría de edad, en cuyo caso deberá continuar cumpliendo la medida hasta alcanzar los supuestos propuestos en la sentencia.

«Pues bien, ambos preceptos (arts. 14 y 50) se refieren a supuestos en los que el responsable es un menor, como no podía ser de otra manera. El primero prevé el caso de que un menor sometido a una medida cumpliera la mayoría de edad, señalando que deberá continuar cumpliendo la medida hasta alcanzar los supuestos propuestos en la sentencia. El segundo contempla el supuesto de quebrantamiento de una medida por parte de un "menor", ya que en el caso de que fuera ya mayor de edad debería quedar sometido al Código Penal conforme a lo dispuesto en el art. 19 del Código Penal y al art. 1.1 de la LRPM. A diferencia del art. 14, el art. 50 no establece excepción alguna para el supuesto de que el menor hubiera alcanzado la mayoría de edad. Tampoco es necesario que en este caso se indique la necesidad de deducir testimonio para su remisión al juzgado de instrucción competente, ya que tal obligación se contempla expresamente en el art. 262 LECrim. .../... En este mismo sentido se pronuncia la doctrina mayoritaria de la Audiencia Provincial de Madrid adoptado en la Junta de Magistrados de esta Audiencia Provincial de fecha 18 de junio 2009, reunida para unificación de criterios de conformidad con lo dispuesto en el artículo 264 LOPJ en relación con el artículo 58.3 del Reglamento 1/2000, del CGPJ, regulador de los Órganos de Gobierno de Tribunales, en la que se acordó por mayoría que el quebrantamiento de medida impuesta a menor cuando ya ha alcanzado la mayoría de edad es constitutivo de una conducta típica del delito de quebrantamiento de condena. Igual acuerdo se alcanzó en el Pleno de las dos Secciones penales de la Audiencia Provincial de Valladolid, Sección 2ª y Sección 4ª celebrado el 09.05.2008 y por el Pleno de las Secciones de la Audiencia Provincial de León. En análogos términos se pronuncian también, entre otras muchas, la Audiencia Provincial de Las Palmas, sec. 1ª, S 22-11- 2011; la Audiencia Provincial de Palencia, sec. 1ª, S 27-10-2011; la Audiencia Provincial de Valladolid, sec. 2ª, S 26-9-2011; la Audiencia Provincial de Jaén, sec. 3ª, S 12-11-2009; la Audiencia Provincial de Madrid, sec. 3ª, S 2-4-2009; la Audiencia Provincial de Pontevedra, sec. 5ª, S 2-3-2009; la Audiencia Provincial de Pontevedra, sec. 4ª, S 20-5-2008; y la Audiencia Provincial de Asturias, sec. 8ª, S 13-4-2007». SAP Madrid, Sección 17ª, Sentencia 662/2012 de 11 mayo 2012, Rec. 187/2012. Ver también SAP Madrid, Sección 3ª, Sentencia 374/2013 de 25 Jul. 2013, Rec. 275/2013.

H) Responsabilidad Civil (arts. 61 y ss. LRPM)

La comisión del acto delictivo que hubiere cometido el menor obliga a reparar los daños y perjuicios causados, según se establece en la Ley (art. 80 CP), y comprende tanto la restitución de la cosa, como la reparación del daño ocasionado, y la indemnización de perjuicios materiales y morales —art. 110 CP— (art. 61 LRPM). Cuando los hechos delictivos se hubieren cometido por un menor de edad, responderán solidariamente éste y sus padres, tutores, acogedores, y guardadores legales o de hecho por este orden. No obstante, el Juez podrá moderar la responsabilidad de los padres o demás obligados solidarios cuando entienda que éstos no hubieren favorecido la conducta del menor (art. 61.3 LRPM). Se produce en estos casos una inversión de la carga de la prueba por lo corresponderá a éstos probar que procede la moderación[233].

Se trata, pues, de una responsabilidad cuasi-objetiva desde el momento en que excluye la posibilidad de exención de la responsabilidad y tan solo permite su eventual moderación[234].

«Sin embargo el artículo 61.3 de la LORRPM establece una responsabilidad cuasi-objetiva desde el momento en que excluye la posibilidad de exención de la responsabilidad y tan solo permite su eventual moderación. Además, y en segundo lugar, también excluye el requisito de la convivencia, lo que acentúa la responsabilidad cuasi objetiva derivada de la patria potestad, de manera que es irrelevante —a estos efectos— el que hubiera vínculo matrimonial o que éste hubiera quedado disuelto por causa de divorcio, ya que en ninguno de estos casos se extinguen las obligaciones inherentes a la patria potestad, entre las que se encuentra tanto la obligación in educando como la obligación *in vigilando*, que son de las que deriva la responsabilidad civil a consecuencia de los daños y perjuicios causados por el hijo menor de edad. De este modo, y con arreglo a éste régimen de responsabilidad, se satisface una doble finalidad: en primer lugar, se garantizan los derechos de las víc-

---

(233) «El art. 61.3 supone la inversión de la carga de la prueba puesto que una vez que el Ministerio Fiscal y las acusaciones, en su caso, hayan logrado desvirtuar la presunción de inocencia y se declare culpable al menor, le corresponde a éste y a sus responsables civiles solidarios demostrar que procede la moderación. Y no se trata de una mera innovación sino de una auténtica actividad probatoria. Son ellos los que deben probar y acreditar que han empleado las precauciones adecuadas para impedir la actuación delictiva del menor de forma que si no prueban en modo alguno que obraron con la diligencia debida en su deber de vigilancia, educación y formación integral respecto del menor, no procederá moderación alguna. Y eso es justamente lo que acaece en el caso presente». SAP Jaén, Sección 2ª, Sentencia 200/2015 de 22 Sep. 2015, Rec. 678/2015
Ver también: «El art. 61.3 LO 5/2.000 establece que la responsabilidad civil de los padres, tutores, acogedores y guardadores del menor podrá ser moderada por el Juez, según los casos, cuando éstos no hubieren favorecido la conducta del menor con dolo o negligencia grave. Sobre este particular, como señala la sentencia de la Audiencia Provincial de Huelva de 30 de diciembre de 2.008, con cita de las sentencias de la Audiencia Provincial de Asturias de 16/12/04 y de Alicante de 17/12/04, partiendo de la responsabilidad objetiva que establece respecto de los padres, tutores o guardadores el art. 61.3, la posibilidad de aminorar tal responsabilidad desplaza a quien la invoca la carga de la prueba,...». SAP Málaga, Sec. 8ª, 432/2015 de 15 Jul. 2015, Rec. 196/2015.
(234) «Dicha responsabilidad civil de los padres y asimilados por los actos ilícitos de los hijos que se encuentran bajo su guarda, se configura como una responsabilidad en gran medida solidaria y objetiva. 3.- El fundamento de dicha responsabilidad está en la trasgresión del deber de vigilancia que a los padres y asimilados incumbe, en el desempeño de la patria potestad, y que comprende también los deberes de educación y formación integral del menor, en la tolerancia y respeto de los derechos individuales y propiedad de los demás, estimándose inadecuadas tanto las conductas de dejadez en la educación, como las actitudes de protección y de justificación a ultranza de la conducta del menor. 4.- Es no obstante posible una moderación de dicha responsabilidad civil a cargo de los padres y asimilados, tanto ad intra (en su relación con el menor) como ad extra (en relación con las víctimas del delito) 5.- La dicción legal implica la inversión en la carga probatoria para proceder a la moderación, de manera que es a los padres o asimilados que invocan la procedencia de la moderación, a quienes corresponde acreditar que han empleado las precauciones adecuadas para impedir la actuación delictiva del menor, de forma que cuando no prueben en modo alguno que obraron con la diligencia debida en su deber de vigilancia, educación y formación integral respecto de su hijo menor de edad, no procederá efectuar moderación alguna». SAP Alicante, Sección 3ª, Sentencia 445/2015 de 9 Sep. 2015, Rec. 39/2015.

timas en la medida en que se las protege de las insolvencias más que probables en las que pueden encontrarse los menores responsables y, en segundo lugar, también se procura —como dice la SAP de Barcelona de 5 de noviembre de 2009— «una mayor implicación de los padres y demás responsables en el proceso de socialización de los menores, responsabilizándolos de las consecuencias civiles que los menores cometan al transgredir los deberes que tienen sobre ellos». Además, y como antes hemos adelantado, el fundamento de dicha responsabilidad se encuentra tanto en la infracción del deber de vigilancia que corresponde a los padres como los deberes de educación y formación integral del menor que también les incumbe, de manera que —como dice la citada sentencia— resultaría completamente injusto que dicha dejadez resultara beneficiada con una exención de la responsabilidad civil por los hechos cometidos por su hijo». SAP Lleida, Sección 1ª, Sentencia 80/2016 de 3 Mar. 2016, Rec. 1/2016.

No existirá responsabilidad solidaria de los padres cuando el menor hubiera sido emancipado, salvo si la emancipación se hubiese realizado con fraude de ley.

«En el caso concreto, frente a lo afirmado en la resolución recurrida, consideramos que no es posible concluir que la emancipación otorgada por la madre al menor se hubiera efectuado en fraude de ley, esto es, como una vía de los padres para liberarse de su obligación en relación al menor, según viene a exigir la mencionada Circular 9/2011 de la Fiscalía. Así, hemos de tener en cuenta, en primer lugar, que el hecho que origina el nacimiento de la obligación de reparar el daño causado se produce un año y nueve meses después de que el menor hubiera sido legalmente emancipado, es decir, transcurrió un lapso en principio suficientemente dilatado y amplio para llevar a cabo una intencionada vinculación o conexión entre ambos hechos. De otro lado, tanto la madre como el propio menor han afirmado que la concesión de la emancipación fue motivada por la circunstancia de que éste se trasladó a residir a la Comunidad de Cantabria, hecho de naturaleza incontrovertido y que además resulta adverado por la información proporcionada por el Equipo Técnico, informes en los que consta que el menor permaneció ocho meses en el Centro de Socialización de Pedrosa (Cantabria). A la circunstancia de que la madre acompañara al menor a las entrevistas con el Equipo Técnico no se puede anudar *per se* que dicha emancipación no fuera real o que ésta se llevara a cabo en fraude de ley, pues aun cuando el menor pudiera desarrollar una vida independiente de la madre, resulta lógico y razonable que a dichas entrevistas fuera acompañado por una persona más adulta y de referencia, como en todo caso habría de ser su madre. Asimismo, no consta ni se ha aportado ningún dato concluyente o inequívoco del que se pueda inferir que la concesión de la emancipación por la madre se encontrara directamente relacionada con la finalidad de eludir las posibles y futuras responsabilidades de contenido patrimonial en que pudiera incurrir el menor, pues no obran en las actuaciones remitidas al Tribunal otros expedientes abiertos al menor en los que le fueran aplicadas medidas a raíz de la comisión de hechos delictivos de naturaleza patrimonial o de análoga índole. En consecuencia, estimaremos el recurso de apelación interpuesto por la madre del menor y dejaremos sin efecto la condena a la madre a abonar la responsabilidad civil ex delicto con carácter conjunto y solidario». SAP Guipúzcoa, Sección 1ª, Sentencia 83/2016 de 26 Abr. 2016, Rec. 1003/2016.

Corresponderá la responsabilidad civil solidaria al Centro público que tenga encomendada la guarda y custodia del menor, aunque éste hubiere derivado su custodia a un Hogar residencial de acogimiento.

«En el caso de autos es clara la responsabilidad civil de la Comunidad Autónoma recurrente, como guardadora legal del menor, situación ésta que desplaza a la responsabilidad de los padres, por cuanto la guarda supone que las funciones tuitivas o de protección respecto del menor son asumidas por la entidad pública, precisamente, porque los padres no pueden cuidar al menor; sin que la existencia de un acogimiento residencial excluya la responsabilidad civil de la entidad pública, pues ésta se limita a delegar en el Director del Centro de Menores el ejercicio de la guarda, pero conservando el control de la guarda y, en tal concepto, le corresponde decidir el tipo de acogimiento que procede, más aún, cuando, como ocurre en el presente caso, es conocedora de la situación del menor y de su especial y conflictiva conducta». SAP Las Palmas, Sección 1ª, Sentencia 235/2015 de 20 Oct. 2015, Rec. 650/2015. Ver también, SAP Lugo, Sección 2ª, Sentencia 62/2015 de 31 Mar. 2015, Rec. 7/2015; SAP Barcelona, Sección 3ª, Sentencia 969/2013 de 11 Dic. 2013, Rec. 130/2013.

Los aseguradores que hubieran asumido el riesgo de las responsabilidades pecuniarias derivadas de los actos de los menores a los que se refiere la Ley serán responsables civiles directos hasta el límite de la indemnización legalmente prevista (seguro obligatorio) o convencionalmente pactada (seguro voluntario), sin perjuicio del derecho de repetición contra quien corresponda (*vid*. arts. 63 LRPM y 117 CP, en concordancia con el art. 76 Ley 50/80, de 8 de octubre, del Contrato de Seguro)[235].

«Muy cuestionable resulta, en primer lugar, la legitimación de un acusado, como es la Generalitat, para ejercer funciones de acusación, como es pedir la condena, o la agravación de las circunstancias de la condena, de otra parte. Pero es que, además, y en cuanto al fondo, tampoco pueden acogerse los argumentos que esgrime. La responsabilidad civil directa frente a los perjudicados, a que aluden los preceptos citados, viene referida al asegurado, de tal modo que el asegurador se coloca en el lugar del asegurado, asumiendo la responsabilidad de éste, de tal modo que si el asegurado, como ocurre en el presente caso es declarado responsable civil subsidiario, la responsabilidad del asegurador no puede ir más allá. Distinto sería, en este caso, si el asegurado fuera la Generalitat, de cuya responsabilidad civil directa participaría la aseguradora. Cita la recurrente, y aporta, una sentencia de esta Sala, confirmando otra dictada por el Juzgado de Menores n.º 3, que declara la responsabilidad civil

---

(235) También cabe solicitar responsabilidad civil subsidiaria, por insolvencia del responsable directo, a los siguientes obligados: 1º) Al Estado y los Entes públicos por hechos cometidos por el personal a su servicio. Esta responsabilidad se prevé expresamente en el art. 61.4 LRPM. 2º) A los padres o tutores, por los daños y perjuicios causados por los mayores de edad, a los que se aplique la Ley del menor, sujetos a su patria potestad o tutela, cuando vivan en su compañía y haya mediado culpa o negligencia. 3º) Las personas naturales o jurídicas, por los delitos o faltas cometidos en los establecimientos de que sean titulares, cuando se hayan infringido los reglamentos de policía o las disposiciones gubernativas relacionadas con el hecho punible, de modo que éste no se hubiera producido sin dicha infracción. 4º) Las personas naturales o jurídicas dedicadas a cualquier género de industria, por los delitos o faltas en que hubiesen incurrido sus empleados o dependientes en el desempeño de sus obligaciones o servicios. 5º) Las personas naturales o jurídicas propietarias de vehículos, por la comisión de delitos o faltas realizados por sus dependientes, representantes o personas autorizadas en la utilización de aquéllos. Se trata en los dos últimos supuestos de una responsabilidad que descansa sobre presupuestos meramente objetivos, configurándose, en cierto modo, como una responsabilidad «in re ipsa». Esta se funda sobre todo en el principio de que quien se benefició de una actividad de otro que puede generar perjuicio para tercero, está obligado a asumir la carga económica de las acciones perpetradas por el responsable principal, en tanto en cuanto no pueden ser resarcidas con el peculio de éste.

directa del asegurador de una compañía a la que se condena como responsable civil subsidiaria, pero, como puede fácilmente comprobarse, ninguna alusión hace la nuestra a esta cuestión, que no fue objeto de recurso». SAP Valencia, Sección 5ª, Sentencia 290/2011 de 6 May. 2011, Rec. 43/20.

La responsabilidad civil se sustanciará en pieza separada que abrirá el Juez de menores, dada cuenta por el Fiscal de la incoación del expediente, al propio tiempo que las diligencias principales (art. 16.4). Los perjudicados por el hecho dañoso serán notificados por el Letrado A. Justicia de su derecho a ser parte en la causas y del plazo para el ejercicio de la acción (art. 64.1); o por el Fiscal que, una vez incoado el expediente, notificará a quien aparezca como perjudicado la posibilidad de ejercer las acciones civiles que le correspondan, para lo cual deberá personarse ante el Juez de menores en la pieza de responsabilidad civil (art. 22.3). También podrán personarse en la pieza de responsabilidad civil las aseguradoras o cualesquiera otros perjudicados que se tengan por parte interesada. En cualquier caso, el Juez de menores resolverá sobre la condición de parte de todos los personados.

La acción para exigir la responsabilidad civil se ejercitará por el Fiscal, salvo que el perjudicado renuncie a ella, la ejercite por sí mismo o se la reserve para ejercitarla ante la jurisdicción civil (art. 4), y se resolverá en la sentencia que recaiga en el procedimiento principal (art. 39).

SECCIÓN 6. EL PROCESO MILITAR[236]

6.1. Ámbito de la jurisdicción militar

La jurisdicción militar queda reducida al ámbito estrictamente castrense en situaciones de normalidad democrática, según la prevención desarrollada en los arts. 3.2 LOPJ y 12 ss. LCOM (Ley Orgánica 4/1987, de 15 de julio, de la competencia y organización de la Jurisdicción Militar). La jurisdicción militar se extiende en materia penal, tutela jurisdiccional en vía disciplinaria y demás materias que, en garantía de algún derecho y dentro del ámbito estrictamente castrense, vengan determinadas por las leyes así como las que establezca la declaración de estado de sitio (art. 4 LCOM). El régimen de Justicia Militar es relativamente complejo y se regula además de por la Ley citada (LO 4/1987) por la siguiente regulación: Ley Orgánica 2/1989, de 13 de abril, Procesal Militar; Ley Orgánica 8/2014, de 4 de diciembre, de Régimen Disciplinario de las Fuerzas Armadas y Ley Orgánica 12/2007, de 22 de octubre, del régimen

---

(236)   Vid. PÉREZ ESTEBAN, «La competencia de la jurisdicción militar: lo estrictamente castrense», *La Ley Penal*, N.º 7, julio 2004, Editorial La Ley; JUANES PECES, Ángel, «Relaciones entre el Código Penal Común y el Código de Justicia Militar», *La Ley Penal*, N.º 7, julio 2004, Editorial La Ley. ORTEGO PÉREZ, F., «Consideraciones respecto al ejercicio de la acusación particular en el proceso penal militar (A propósito de la STC 179/2004, de 21 de octubre)», *Diario La Ley*, N.º 6227, 8 de abril de 2005, Ref. D-81.

disciplinario de la Guardia Civil. Además debemos tener presente la Ley Orgánica 14/2015, de 14 de octubre, del Código Penal Militar.

EL TC se ha pronunciado en reiteradas ocasiones sobre el carácter constitucional de la jurisdicción militar, entendiendo que se ajusta a la Constitución[237], si bien debe quedar circunscrita, en tiempo de normalidad constitucional, al ámbito de lo estrictamente castrense, noción que ha de ser interpretada a la luz de otros preceptos constitucionales, en particular al Juez ordinario predeterminado por la Ley y a un proceso con todas las garantías (art. 24.2 CE)[238].

> «El reconocimiento por la Constitución, y ésta es la primera afirmación que debe consignarse, de una "jurisdicción militar" en el ámbito estrictamente castrense (art. 117.5 CE, inciso 2) no excepciona el ejercicio de los derechos reconocidos en el art. 24 CE. El propio art. 117.5, inciso segundo, C.E. solo prevé la existencia de una jurisdicción militar "de acuerdo con los principios de la Constitución", entre los cuales ocupa una posición central el que se traduce en el derecho fundamental a la tutela efectiva de los Jueces y Tribunales. La jurisdicción militar, pues, más allá de todas sus peculiaridades reiteradamente reconocidas por este Tribunal (STC 97/1985, fundamento jurídico 4; 180/1985, fundamento jurídico 2; 60/1991, fundamento jurídico 4) ha de ser "jurisdicción", es decir, ha de ser manifestación de la función constitucional a la que, como derecho fundamental, se confía la tutela judicial efectiva. Esta misma idea se encuentra corroborada, en negativo, por el art. 117.6 CE cuanto al declarar lapidariamente que "se prohíben los Tribunales de excepción", excluye la existencia de órganos judiciales que excepcionen el derecho al Juez ordinario predeterminado por la Ley. Quiere ello decir, más concretamente, que en los procedimiento seguidos ante la jurisdicción militar son plenamente exigibles los derechos al Juez ordinario predeterminado por la Ley y a un proceso con todas las garantías (art. 24.2 CE), derechos que, con arreglo al art. 10.2 C.E., no deben ser interpretados en contradicción, particularmente, con el derecho que toda persona tiene a que su causa sea oída "por

---

(237)   CALDERÓN CEREZO, ÁNGEL, «Delimitación constitucional de la Jurisdicción Militar», La Ley Penal, N.º 98, noviembre 2012, Editorial LA LEY

(238)   «Este Tribunal ha tenido oportunidad de pronunciarse en varias ocasiones acerca de la jurisdicción militar. Así, en la STC 60/1991(FJ 3º) afirmábamos que: "El art. 117.5 CE ha establecido límites y exigencias muy estrictos de la Ley reguladora de la jurisdicción militar. Impone al legislador una transformación radical de su configuración y alcance, dejándola sometida a los principios constitucionales relativos a la independencia del órgano judicial y a las garantías sustanciales del proceso y de los derechos de defensa, y además reduce a límites muy estrechos su posible ámbito competencial, eliminando la hipertrofia del mismo, que ha venido caracterizando en la España moderna a la jurisdicción militar, tanto en las etapas liberales como, mucho más acentuadamente, en las dictatoriales. Siguiendo en parte la pauta de la Constitución republicana de 1931, y también la de otras Constituciones extranjeras, el art. 117.5 CE impide una extensión inadecuada de la jurisdicción militar, vedando tanto la creación de un fuero privilegiado, que excluya el sometimiento de los miembros de las Fuerzas Armadas a los Tribunales ordinarios, como la sujeción indebida al conocimiento por los Tribunales militares de cuestiones que, por no ser estrictamente castrenses, deben corresponder en todo caso a los Tribunales ordinarios. El art. 117.5 CE no deja lugar a dudas del propósito constitucional de limitar el ámbito de la jurisdicción militar a lo estrictamente indispensable, asegurando que, en tiempo de normalidad constitucional, la jurisdicción militar sólo pueda conocer de lo estrictamente castrense, noción que ha de ser interpretada a la luz de otros preceptos constitucionales, en particular los arts. 8 y 30 CE"». STC, Pleno, 13/1995 de 6 Jul. 1995, Proc. 1650/1989.

un Tribunal independiente e imparcial" (art. 6.1 C.E.D.H.)». STC 204/1994 de 11 Jul. 1994, Rec. 1949/1991.

Excepcionalmente su actuación se extiende: a) A cualquier clase de delito cometidos por tropas desplazadas fuera del territorio nacional. b) En estado de sitio y de guerra a los delitos especificados en la LCOM. Para el estado de sitio, el art. 35 de la LCOM, establece que el Congreso de Diputados podrá determinar los delitos que durante su vigencia quedan sometidos a la Jurisdicción Militar. Y en estado de guerra, el art. 13 de la LCOM, desarrolla su ámbito. Nótese, que la LO 11/95, de 27 noviembre, que ha modificado dicha Ley (LCOM) y el Código procesal Militar, mantienen —como único supuesto en nuestro ordenamiento vigente— la pena de muerte para tiempo de guerra, estableciéndose como alternativa, y no como pena única, en aplicación del art. 15 CE.

La jurisdicción militar forma parte del principio de unidad jurisdiccional, correspondiendo, en última instancia, el conocimiento del recurso de casación sobre esta materia a la Sala Quinta del Tribunal Supremo. El art. 1 LCOM es claro al respecto y establece que: La jurisdicción militar, integrante del Poder Judicial del Estado, administra justicia en nombre del Rey, con arreglo a los principios de la Constitución y a las leyes.

> «Lo que ocurre es que ese tácito rechazo de esta concreta alegación fue, a juicio de la parte, indebido, y por eso reproduce ante nosotros esa doctrina que fundamenta en la propia Ley de Organización y Funcionamiento de la Administración General del Estado, cuyo título es ya expresivo de que la unidad de personalidad jurídica que esgrime la parte en apoyo de su postura ha de predicarse de esa Administración General del Estado, lo que no es óbice para que otro Poder del mismo Estado, independiente, como es el Judicial —al que pertenece la jurisdicción militar según resulta inequívocamente del art. 117.5º de la Constitución Española y del art. 1º de la Ley Orgánica 4/1987, de 15 Jul., de la Competencia y Organización de la Jurisdicción Militar, que preceptúa que la jurisdicción militar, integrante del Poder Judicial del Estado, administra justicia en nombre del Rey, con arreglo a los principios de la Constitución y las leyes— tenga sus propias normas». STS, Sala Quinta, de lo Militar, Sentencia de 17 May. 2000, Rec. 84/1999.

Las normas reguladoras del procesal penal militar vienen desarrolladas en primer lugar en la Ley Orgánica 4/87, de 15 de julio de competencia y organización de la jurisdicción militar (LCOM)   que regula lo referente a los Tribunales militares y sus competencias. Por su parte, la LO 2/1989, de 13 de abril, Procesal Militar, regula lo referente a los procedimientos de justicia militar. Los conflictos de jurisdicción con la ordinaria se resuelven con base en la prevalencia de esta última (art. 9. 3 LOPJ, 10 LECrim, 19 LCOM y 7 ss. LPM) (vid. § 1.2.C Cap. III). La militar se restringe a los supuestos de lesión de bienes jurídicos de naturaleza militar; es decir, dentro del ámbito castrense, en conjunción con hechos tipificados como delitos militares por el art. 20 CJM.

La atribución de competencia a la jurisdicción militar no se realiza en función de que la persona sea o no militar, sino según la naturaleza del delito y el bien jurídico protegido. Frente a una tesis amplia representativa de la competencia de la jurisdicción militar a todo delito cometido por militar, se restringe su ámbito, en tiempo de paz: a) A los delitos que se encuentren tipificados en el Código Penal Militar. Los militares que cometieren delitos ordinarios no quedan sometidos a la jurisdicción castrense. b) Los cometidos por militares o civiles, durante la vigencia del estado de sitio, que se determinen en su declaración. c) Aquéllos que señalen (por la Ley penal y los Tratados Internacionales) para la presencia de tropas fuera del territorio nacional.

6.2. Organización de la Jurisdicción militar

La organización de la justicia militar es, según la LCOM, la siguiente:

— Sala de lo Militar del Tribunal Supremo integrada en este Alto Tribunal como Sala Quinta (art. 55. 5 LOPJ). Su competencia y funciones se establecen en los arts. 22 ss. LO. 4/87.

— Tribunal Militar Central (arts. 32 ss. LCOM), con competencia en todo el territorio nacional y sede en Madrid.

— Tribunales Militares Territoriales (arts. 44 ss. LCOM), cuya sede se establece conforme a la división territorial jurisdiccional militar, en las Capitanías Generales, desarrollada por la Ley 9/1988, de 21 de abril, de planta y organización territorial de la Jurisdicción Militar, y

— De los Juzgados Togados Militares (arts. 53 ss. LCOM). Les corresponde la instrucción de los procedimientos judiciales cuyo conocimiento sea competencia de la jurisdicción militar.

La Fiscalía Jurídico Militar dependiente del Fiscal General del Estado, se organiza conforme a lo dispuesto en los arts. 87 y 93 ss. LCOM., quedando sus miembros integrados dentro del Ministerio Fiscal.

El ejercicio de la potestad jurisdiccional militar, juzgando y haciendo ejecutar lo juzgado en los asuntos de su competencia, corresponde exclusivamente a los órganos judiciales militares (art. 2 LCOM). El ejercicio de esta función no es sino la aplicación específica de la plenitud jurisdiccional, consagrada en el art. 117. 3 CE., para todos órganos integrados en el Poder Judicial.

Todo órgano judicial militar, en el ámbito de su competencia, constituye el Juez ordinario predeterminado en la Ley conforme al art. 24 CE (art. 3 LCOM). Sus miembros gozan de la debida independencia en el ejercicio de sus funciones que debe ser respetada, y de la garantía de inamovilidad (art. 6 LCOM).

En tiempo de paz, la jurisdicción militar será competente en materia penal para conocer de los siguientes delitos (art. 12 LCOM):

1. Los comprendidos en el Código Penal Militar (LA LEY 2929/1985). Salvo lo dispuesto en el artículo 14, en todos los demás casos la Jurisdicción Militar conocerá de los delitos comprendidos en el Código Penal Militar, incluso en aquellos supuestos en que siendo susceptibles de ser calificados con arreglo al Código Penal común, les corresponda pena más grave con arreglo a este último, en cuyo caso se aplicará éste.

1 bis. Los previstos en los Capítulos I al VIII del Título XX del Libro Segundo del Código Penal, cometidos en relación con los delitos y procedimientos militares o respecto a los órganos judiciales militares y establecimientos penitenciarios militares.

2. Los cometidos durante la vigencia del estado de sitio que se determinen en su declaración, conforme a la Ley Orgánica que lo regula.

3. Aquellos que señalen los tratados, acuerdos o convenios internacionales en que España sea parte, en los casos de presencia permanente o temporal fuera del territorio nacional de Fuerzas o Unidades españolas de cualquier ejército.

4. En los casos del número anterior y cuando no existan tratados, acuerdos o convenios aplicables, todos los tipificados en la legislación española siempre que el inculpado sea español y se cometan en acto de servicio o en los lugares o sitios que ocupan Fuerzas o Unidades militares españolas. En este supuesto, si el inculpado regresare a territorio nacional y no hubiera recaído sentencia, los órganos de la jurisdicción militar se inhibirán en favor de la ordinaria, salvo en los supuestos contemplados en los números 1 y 2 de este artículo.

En tiempo de guerra y en el ámbito que determine el Gobierno, además de lo dispuesto en el artículo anterior, la jurisdicción militar se extenderá a los siguientes delitos (art. 13 LCOM):

1. Los que se determinen en tratados con potencia u organización aliadas.

2. Los comprendidos en la legislación penal común, cuyo conocimiento se le atribuya por las leyes, por las Cortes Generales, o por el Gobierno, cuando estuviere autorizado para ello.

3. Todos los tipificados en la legislación española, si se cometen fuera del suelo nacional, y el inculpado es militar español o persona que siga a las Fuerzas o Unidades españolas.

6.3. Reglas generales de aplicación a los procesos militares

Las normas contenidas en la LCOM y la LPM, tras su adecuación a los principios constitucionales, son las reguladas de las reglas del enjuiciamiento criminal ordinario, con algunas especialidades. Así:

a) Vigencia del principio de legalidad. El art. 1 LPM establece que sólo podrán imponerse penas en virtud de sentencia dictada por el Juez o Tribunal competente y con arreglo al procedimiento establecido.

b) Separación de las funciones de investigación, acusación y enjuiciamiento. La iniciación de la fase de investigación puede realizarse tanto a instancia de parte como de oficio (arts. 129 ss. LPM). El art. 130 LPM. diferencia entre la iniciación de oficio por el Juez Togado, por denuncia, a excitación del Fiscal Jurídico Militar o Tribunal Territorial, y también por querella en el supuesto previsto en el art. 108 LCOM y por denuncia del agraviado en los delitos perseguibles a instancia de parte.

Para la prevención de los procedimientos rigen los arts. 115 y 116 LCOM. y 141 ss. LPM, con la formación de las primeras diligencias de averiguación. Las funciones separadas de instrucción y decisión vienen reguladas en los arts. 293 y 294 LPM., para los delitos, y 415 y 424 LPM, para las faltas militares. También debe tenerse presente las funciones investigadoras concedidas al Ministerio Fiscal en los arts. 123 y 149 LPM en consonancia con lo dispuesto en el art. 773 LECrim. (Véase § 2.3 Cap. XII).

c) Aplicación del principio acusatorio y la congruencia entre acusación y sentencia. Los arts. 87 a 89 desarrollan dicho principio en el ámbito militar, por lo que, solamente, podrá condenarse o absolverse en el fallo a quienes hubieren sido acusados y únicamente por los hechos que hubieran sido objeto de acusación en el procedimiento.

No obstante, de la literalidad del art. 88. 2 LPM parece que resulte inaplicable el art. 733 LECrim., en el ámbito del proceso militar, en el sentido de que la sentencia no podrá imponer pena que exceda de la más grave de las acusaciones. Sin embargo, las SSTS (Sala 5ª) 16 Dic. 1993 y 29 Nov. 95, sostienen que debe aplicarse el art. 733 LECrim., por *mor* de una interpretación integradora conforme a la supletoriedad de la LECrim. (DA Primera LPM).

Como desviación del principio acusatorio formal, se ha otorgado especial legitimación para la interposición del recurso de casación a los Mandos Militares Superiores predeterminados en Ley, en defensa de la disciplina y otros intereses esenciales de la Institución Militar (art. 111 ss. LCOM.)

d) Ejercicio del derecho de defensa y acción civil. Acumulación de la acción civil a la penal. Los arts. 102 a 117 LCOM desarrollan el derecho de defensa, la libre elección de defensor y la posibilidad de defensa por sí mismo del inculpado que sea Licenciado en Derecho. En el art. 125 se regula la defensa del inculpado, con excepciones para el ejercicio del cargo de defensor militar en el art. 126 LPM.

Al perjudicado se le habrá de realizar el pertinente ofrecimiento de acciones. Cuando la comisión de un delito o falta lesionare derechos de los particulares, el perjudicado podrá mostrarse parte en la causa (art. 108.1 LCOM.) La defensa del Estado, como responsable civil, se otorga a los Servicios Jurídicos del Estado —art. 128 LPM—.

e) Vigencia de los principios de oralidad, publicidad y contradicción. De los arts. 40, 68, 274 y 310 LPM se deriva que las actuaciones judiciales serán predominantemente orales y públicas, salvo excepciones —arts. 70 y 295 LPM—. Toda persona a quien se le impute su participación en un hecho delictivo deberá ser oída, con asistencia de su defensor y el Fiscal Jurídico Militar (arts. 162 ss. LPM).

No obstante, las diligencias del sumario serán secretas (art. 147 LPM.), regla que debe entenderse atemperada por la posibilidad de que el Fiscal, acusador particular y el defensor se personen en el sumario y puedan tomar conocimiento de lo actuado e intervenir en la práctica y proposición de pruebas. A pesar de ello, el sumario podrá decretarse total o parcialmente secreto también para las partes por tiempo no superior a un mes que habrá de levantarse, necesariamente, como mínimo, con diez días de antelación.

f) Libre valoración de la prueba. El art. 322. LPM establece que el Tribunal apreciará las pruebas y dictará sentencia con valoración en conciencia al modo establecido en el art. 741 LECrim.

g) Medidas cautelares patrimoniales y personales. Las cautelas reales se regulan en los arts. 190 ss. LPM, y las medidas personales en los arts. 199 ss. LPM, con cierta similitud al procesal penal ordinario. Como especialidad tenemos la prisión atenuada en los arts. 225 LPM, que se establece para circunstancias excepcionales no determinadas, frente a lo dispuesto en el art. 505 LECrim, prevista solamente por razones de enfermedad o grave peligro de salud.

h) Gratuidad de la justicia militar. El art. 10 LCOM establece que la justicia militar se administrará gratuitamente.

i) Derecho a un juez imparcial. En aplicación del artículo 6.1 del Convenio Europeo para la Protección de los Derechos Humanos y de las Libertades Fundamentales, de 4 de noviembre de 1950, se regula la imparcialidad objetiva del juez (art. 41). El Juez que haya intervenido en la fase de instrucción o haya entrado en contacto con el material probatorio o emitido alguna valoración o juicio sobre los hechos investigados, no podrá formar parte del Tribunal sentenciador (Tribunal Europeo de Derechos Humanos, precisamente en procedimientos seguidos ante la Jurisdicción Militar, en sentencias de fechas 28 de octubre de 1998 (LA LEY 115249/1998) y 25 de julio de 2002).

j) Acción popular y particular en el proceso penal militar[239]. Con relación a la acción popular el TC entendió que se trataba de una cuestión de legalidad ordinaria y al no estar regulada en el ámbito de jurisdicción militar no existe una exigencia constitucional sin que se entienda incluida en el derecho de tutela judicial efectiva[240]. Y añade la STC 179/2004, FJ 4, que la interpretación que la jurisdicción castrense viene realizando sobre el silencio que guarda la Ley procesal militar sobre la acción

---

(239)   ORTEGO PÉREZ, F., «Consideraciones respecto al ejercicio de la acusación particular en el proceso penal militar (a propósito de la STC 179/2004, de 21 de octubre)», *Diario La Ley*, N.º 6227, 8 de abril de 2005, Ref. D-81.

(240)   «En su momento (fundamento jurídico 2.) condicionábamos la eventual relevancia constitucional de la selección de la norma aplicable y su interpretación al hecho de que se diera una respuesta positiva a la cuestión acerca de si existe o no una exigencia constitucional, derivada del art. 24.1 C.E, sobre el establecimiento de la acción popular en todo tipo de procesos, quedando en caso contrario relegada la selección de la norma y su interpretación a la mera legalidad ordinaria, dependiendo de dicha respuesta positiva o negativa la posible utilización del criterio de la interpretación más favorable al derecho fundamental.

Resuelto ya, según lo antes argumentado, que la acción popular solo existe cuando la ley la establece, sin que su existencia venga ligada a un imperativo del derecho de tutela judicial efectiva, es visto que las cuestiones relativas a si en el ámbito del proceso penal militar, regido por las Leyes Orgánicas 4/1987 y 2/1989, tiene o no cabida dicha acción, sobre si es aplicable en ese ámbito supletoriamente la L.E.Crim, en razón de lo dispuesto en la Disposición adicional primera de la última de las leyes, y sobre la compatibilidad entre la regulación de la acción popular en la L.E.Crim. y la L.O. 2/1989, corresponden al ámbito de la legalidad ordinaria, en el que la jurisdicción le corresponde a los Tribunales ordinarios, limitándose por nuestra parte el control de las resoluciones de aquéllos al de su falta de fundamento o error patente». STC 64/1999 de 26 Abr. 1999, Rec. 3921/1994.

popular «no determina vulneración constitucional alguna». Es decir, mientras la ley no lo regule no es inconstitucional la no admisión de la acción popular en el proceso militar.

En cuanto a la acusación particular, el Tribunal Constitucional, en la Sentencia 179/2004, de 21 de octubre, al resolver la cuestión de inconstitucionalidad planteada de acuerdo con el art. 55.2 LOTC en la Sentencia 115/2001, de 10 de mayo, declaró que era anticonstitucional la prohibición de ejercitar la acusación particular entre militares que se hallaren en relación jerárquica de subordinación. Y, en consecuencia, declaró la nulidad del art. 108, párrafo 2, de la Ley Orgánica 4/1987, de 15 de julio, de la competencia y organización de la jurisdicción militar, así como del art. 127, párrafo 1, de la Ley Orgánica 2/1989, de 13 de abril, procesal militar, en el inciso «excepto cuando ofendido e inculpado sean militares y exista entre ellos relación jerárquica de subordinación».

> «En virtud de lo razonado hemos de concluir que la prohibición del ejercicio de la acción penal, en calidad de acusador particular, así como de la acción civil derivada de delito o falta, en el ámbito del proceso militar, cuando ofendido e inculpado sean militares y exista entre ellos relación jerárquica de subordinación, contenida en el art. 108.2 LOJM y en el art. 127.1 LOPM, no encuentra justificación constitucional suficiente en la protección de la disciplina militar y en el principio jerárquico en que se asienta la organización de las Fuerzas Armadas y de los institutos armados de naturaleza militar, ni resulta proporcionada a la pretendida finalidad de preservar la disciplina militar, por lo que conculca el principio constitucional de igualdad en la ley reconocido por el art. 14 CE y el derecho fundamental a la tutela judicial efectiva sin indefensión garantizado por el art. 24.1 CE, en su vertiente de acceso a la jurisdicción». STC 179/2004 de 21 Oct. 2004, Rec. 2885/2001.

k) Respeto al principio prohibitivo del non bis in ídem con relación especialmente a la doble sanción de una falta como delito penal y como falta administrativa sancionadora.

> «En esta línea, y siguiendo las Sentencias de esta Sala de 3 de febrero de 2009 y 31 de marzo de 2011 hemos de partir de que "al formular esta alegación la parte actora desconoce la doctrina constitucional recaída a propósito del principio invocado (SSTC 02/2003, de 16 de enero; 188/2005, de 7 de julio (LA LEY 1591/2005); y 48/2007, de 12 de marzo (LA LEY 8332/2007)), y la jurisprudencia invariable de esta Sala creada en aplicación, "mutatis mutandis", de aquella doctrina al caso de la Falta disciplinaria muy grave consistente en la previa condena penal (SS 24.09.2001; 19.12.2002; 22.06.2004; 20.05.2005; 23.09.2005; 10.02.2006; 05.06.2006; 24.04.2007 y 25.05.2007, entre otras). Hemos dicho, con el Tribunal Constitucional, que la garantía de no ser sometido a "bis in idem" constituye un derecho fundamental vinculado a los principios de tipicidad y legalidad de las infracciones, que en su vertiente material impide la sanción plural del mismo hecho en base al mismo fundamento, ya se produzca la reiteración sancionadora mediante el seguimiento de dos o más procedimientos, cualquiera que sea su naturaleza penal o administrativa, o bien dentro de un mismo procedimiento. La doble respuesta sancionadora queda proscrita en los casos en que concurra la triple identidad de sujetos, hechos y fundamentos, pero no cuando existiendo las dos primeras identidades la reacción contra el mismo infractor se produzca en el seno de una relación de supremacía o de sujeción especial, de la que se deriven deberes y obligaciones asimismo

infringidos cuya protección no quedaría cubierta meramente con la pena precisando además de la reacción disciplinaria, para que la sanción de esta clase abarque la totalidad de la actuación antijurídica protagonizada por el mismo sujeto", añadiendo que "de nuestra jurisprudencia forma parte asimismo que la condena penal constituye la razón de ser de la sanción disciplinaria y no los hechos que fueron objeto de enjuiciamiento, cuya doble sanción desde la misma perspectiva resultaría entonces lesiva del esencial principio obstativo del *"bis in idem"* (SS 10.02.2006; 20.02.2006; 11.07.2006; 19.10.2006; 26.01.2007; 29.03.2007; 24.04.2007 y 15.05.2007, entre otras)"». STS Sala Quinta, de lo Militar, Sentencia de 19 Jul. 2012, Rec. 2/35/2012; Ponente: Pignatelli Meca, Fernando. LA LEY 135540/2012.

6.4. Procedimientos

Incoadas diligencias previas conforme disponen los arts. 141[(241)] a 143 LPM, 115[(242)] y 116 LCOM, cuando no sea posible determinar cuál debe ser el procedimiento aplicable, se practican las actuaciones esenciales para determinar el mismo y si el hecho es o no constitutivo de infracción criminal. El Juez Togado podrá acordar las medidas cautelares previstas en esta Ley, y si se transforman las diligencias previas en sumario o diligencias preparatorias, lo actuado no necesitará de posterior ratificación.

Concluidas las mismas podrá acordar: — Si el hecho es constitutivo de delito competencia de la jurisdicción militar se mandará la formación de sumario (procedimiento ordinario) o de diligencias preparatorias (procedimiento con especialidades), según proceda. Y en tiempo de guerra, el procedimiento sumarísimo. — Si el hecho es constitutivo de falta penal lo remitirá al Juez Togado para su enjuiciamiento, conforme lo dispuesto en los arts. 415 ss. LPM. — Si el hecho corresponde a la Jurisdicción ordinaria se inhibirá a su favor. — Si de lo actuado se deduce que resultan méritos para proceder contra personas aforadas se remite testimonio para su enjuiciamiento

---

(241) Art. 141 LPM: «Los Jueces Togados Militares iniciarán el procedimiento judicial penal correspondiente, si hubiere méritos para ello. Sólo en el caso en que no fuese posible determinar el procedimiento a seguir, podrán incoar diligencias previas, que tendrán por objeto las actuaciones esenciales para determinar la naturaleza y circunstancias del hecho, las personas que en él han participado y el procedimiento penal aplicable. Darán cuenta de la incoación y de los hechos al Fiscal Jurídico-Militar y al Tribunal Militar de quien dependa, pudiendo aquél intervenir en las diligencias previas, en cualquier momento, así como el perjudicado por el hecho, con las excepciones de los artículos 108 y 168 de la Ley Orgánica de Competencia y Organización de la Jurisdicción Militar».

(242) Art. 115 LCOM: «Los Jefes de Unidad independiente, Fuerzas destacadas, aisladas o con atribuciones militares sobre un territorio, tan pronto como tengan conocimiento de la comisión de un delito de la competencia de la jurisdicción militar, perpetrado por quien les esté subordinado o cometido en el lugar o demarcación de sus atribuciones, deberán comunicarlo por el medio más rápido posible al Juez Togado Militar competente y nombrar a un Oficial a sus órdenes, asistido de Secretario, para que incoe el correspondiente atestado. Ello sin perjuicio de las facultades disciplinarias que puedan ejercer».

Art. 116 LCOM: «El atestado se limitará a las primeras diligencias de averiguación del delito y del culpable, detención de éste, si procede, aseguramiento del mismo, levantamiento de cadáveres con asistencia de facultativo, si es posible, solicitud de autopsia si procede, asistencia a las víctimas y recogida de todos los efectos, instrumentos o pruebas del delito. Tan pronto como comience a actuar el Juez Togado Militar, cesarán las diligencias de prevención, entregándose el atestado a dicho Juez».

al Tribunal que corresponda, que deberá sustanciar la causa conforme establecen los arts. 433 ss. LPM. — Si estimare que constituye falta disciplinaria, dictará auto de archivo y lo remitirá a la Autoridad militar para la incoación del oportuno expediente.

A) procedimiento ordinario

El procedimiento ordinario para la sustanciación de las causas en el ámbito del proceso militar se denomina sumario y constituye el proceso modelo tipo, a cuyas normas se remiten los demás procedimientos militares con especialidades.

Finalizada la instrucción, y abierto juicio oral, todas las actuaciones durante el juicio oral serán públicas, levantándose el secreto de las que se hubieran declarado así en el sumario (art. 274).

Abierto el juicio oral pasarán las actuaciones al Fiscal Jurídico-Militar y sucesiva-mente al acusador particular para que, en plazo de cinco días, que podrá prorrogarse a diez según el volumen y complejidad del proceso, se instruyan y formule su escrito de conclusiones provisionales que, unido a la causa, devolverá al Tribunal. El traslado de las actuaciones también podrá efectuarse mediante fotocopia de las mismas (art. 275). El Fiscal Jurídico-Militar y las partes, en el mismo escrito de conclusiones provisionales, manifestarán las pruebas de que intenten valerse en el acto de la vista, con expresa mención de las que deban celebrarse con anterioridad por ser imposible su práctica en dicho acto. Presentados los escritos de calificación o recogida la causa en poder de quien la tuviere después de transcurrido el plazo señalado en el artículo 279, el Tribu-nal dictará auto declarando hecha la calificación, y mandando que se pase al Ponente, por término del tercer día, para el examen de las pruebas propuestas (283, 284).

Devuelta la causa por el Ponente, el Tribunal examinará las pruebas propuestas, e inmediatamente dictará auto admitiendo las que considere pertinentes y rechazan-do las demás. Presentados los escritos de calificación o recogida la causa en poder de quien la tuviere después de transcurrido el plazo señalado en el artículo 279, el Tribunal dictará auto declarando hecha la calificación, y mandando que se pase al Ponente, por término del tercer día, para el examen de las pruebas propuestas. Devuelta la causa por el Ponente, el Tribunal examinará las pruebas propuestas, e inmediatamente dictará auto admitiendo las que considere pertinentes y rechazando las demás (art. 284).

Sólo podrán proponerse como artículos de previo y especial pronunciamiento las cuestiones o excepciones los previstos en el art. 286. Inmediatamente después de señalarse el día en que deban comenzar las sesiones de la vista se procederá al nombramiento de los Vocales Militares que correspondan, conforme se determina en los artículos 39 y 49 de la Ley Orgánica de Competencia y Organización de la Jurisdicción Militar (art. 294).

En el acto de la vista se practicarán, en la forma prevista en la Ley de Enjuicia-miento Criminal, todas las pruebas que, propuestas por las partes en sus respectivos escritos de conclusiones provisionales o en el acto de la vista, hubiesen sido de-claradas pertinentes por el Tribunal, salvo aquellas que se hubiesen celebrado con anterioridad por no ser posible su práctica en el acto de la vista (art. 319).

Terminada la práctica de la prueba en la vista, las partes acusadoras y defensoras deberán ratificar o modificar, verbalmente, sus respectivas conclusiones provisionales, formulando la acusación y defensa. A continuación, el Auditor Presidente concederá la palabra al Fiscal Jurídico-Militar y seguidamente a las partes acusadoras, si las hubiera formularán sus conclusiones (art. 314).

El Letrado A. Justicia del Tribunal levantará acta de la sesión o sesiones de la vista, con expresa mención literal de lo que pidan las partes y hubiere acordado el Auditor Presidente. Declarada que sea conclusa la vista el Tribunal se reunirá para deliberar y votar la sentencia (art. 321). Contra las sentencias y autos de sobreseimientos definitivos, en procedimientos por delito, dictados por los Tribunales Militares siempre que no sean firmes, podrá interponerse el recurso de casación ante la Sala de lo Militar del Tribunal Supremo. No procederá este recurso contra las mismas resoluciones dictadas por esta Sala (art. 324).

En sus arts. 146 a 384 ss. LPM se desarrollan detalladamente las normas aplicables referidas a las disposiciones generales, modo de practicar los actos sumariales y las medidas personales y patrimoniales de aseguramiento que corresponden a la primera fase de investigación. Posteriormente, se desarrolla la fase intermedia, en sus arts. 274 a 292 ss. LPM., y finalmente, la fase de juicio oral en los arts. 293 a 323 LPM. En los arts. 338 al 383 LPM se regula la ejecución penal en el ámbito de la jurisdicción castrense.

B) Procedimientos especiales

Junto al proceso ordinario o «de sumario» se establecen como procedimientos especiales los siguientes:

a) Diligencias preparatorias

El denominado procedimiento denominado de «diligencias preparatorias» es un proceso específico en atención al objeto determinado por el ámbito de los delitos conforme al art. 384 LPM y de trámites simplificados (arts. 389 a 396 LPM.).

Una vez el Juez Togado Militar tenga conocimiento de la realización de hechos que pudieran ser constitutivos de alguno o algunos de los delitos enumerados en el artículo 384 de esta Ley, acordará, mediante auto, que comunicará al Fiscal Jurídico-Militar y pondrá en conocimiento del Tribunal Militar Territorial del que dependa la incoación de este procedimiento regulado en los arts. 389 a 396.

b) Procedimiento sumarísimo

El procedimiento sumarísimo (arts. 397 a 406 LPM.). Serán juzgados en juicio sumarísimo:

1) Los procesados por flagrante delito militar incluidos los comprendidos en el artículo 9, apartado 2, párrafos a) y b) del Código Penal Militar, castigados con la pena de prisión cuyo límite mínimo sea igual o superior a diez años, teniendo en cuenta la pena que pudiera corresponder por el resultado lesivo conforme al Código Penal.

2) Los procesados por delitos de que conozca la Jurisdicción Militar que afecten gravemente a la moral o a la disciplina de las Fuerzas Armadas o a la seguridad de las Unidades, plazas, buques, aeronaves o bases militares, y así se declare por el Gobierno.

Se consideran delitos flagrantes los que se estuvieren cometiendo o se acabaren de cometer cuando el delincuente o los delincuentes fuesen sorprendidos. Se entenderá sorprendido en el acto de ejecutar el delito no sólo el delincuente que sea aprehendido en el momento de estarlo cometiendo, sino el detenido o perseguido inmediatamente después de cometerlo, si la persecución durare o no se suspendiere mientras el delincuente no se ponga fuera del alcance de los que le persiguen o, aunque se pusiere de momento, quedara dentro de la zona de dicha persecución y se presentare o aprehendiere en las cuarenta y ocho horas siguientes al delito y existan pruebas notorias de haberlo ejecutado (art. 398).

Las personas implicadas en el delito por el que se instruye el procedimiento sumarísimo que no deban ser juzgadas en el mismo, por no haber sido sorprendidas «in fraganti», serán juzgadas en procedimiento ordinario ante los Tribunales competentes (art. 399).

La tramitación del procedimiento sumarísimo se ajustará a la del ordinario en todo aquello que no esté modificado por las normas de los arts. 397 a 406 LPM. En concreto, se aplicarán las normas siguientes (art. 400):

1ª) El procesado permanecerá siempre en situación de prisión preventiva.

2ª) Las declaraciones de los procesados se recibirán sin intervalo alguno, aunque separadamente, a la mayor brevedad.

3ª) Las declaraciones de los testigos y los reconocimientos que éstos verifiquen para la identificación de las personas detenidas se harán constar en un acta breve que firmarán los testigos, autorizándolas el Juez Togado y el Letrado A. Justicia. Los testigos podrán ser careados entre sí o con el procesado por decisión del Juez Togado de oficio o a instancia de las partes.

4ª) No será necesario esperar el resultado de las lesiones para la conclusión del sumario, salvo que resulte obligado para comprobar el delito.

5ª) Se podrá acordar, cuando se considere necesario, que las cuestiones relativas a las responsabilidades civiles queden deferidas al período de ejecución de sentencia, sustanciándose tan sólo la pieza principal.

6ª) Formulada la recusación del Juez Togado, el Tribunal resolverá sin dilación y sin ulterior recurso.

7ª) Contra las resoluciones del Juez Togado no se dará recurso alguno, sin perjuicio de la facultad del Tribunal que ha de conocer del procedimiento, de variarlas de oficio.

c) Procedimiento contra reos ausentes

También se contempla como procedimiento especial el incoado contra reos ausentes (arts. 407 a 414 LPM.) que, como señalábamos, no se trata propiamente de un proceso especial, sino de la sustanciación de una causa en atención a la ausencia del imputado o procesado (§ 1.4 de este Capítulo).

d)   Juicio de faltas

El juicio de faltas militares se regula en los arts. 415 a 431 LPM con simplificación de trámites por la especialidad de la materia y penalidad ínfima de las contravenciones. Se desarrolla ante el Juez Togado Militar Central o Territorial de la demarcación donde hubieren ocurrido los hechos, conforme los arts. 57. 2 y 61. 2 LCOM.

6.5.   Apelación de las sentencias dictadas por los jueces togados

La segunda instancia se desarrolla en los arts. 425 a 431 LPM. El recurso de apelación contra las sentencias dictadas por el Juez Togado en faltas penales cuyo conocimiento esté atribuido a la Jurisdicción Militar habrá de interponerse, dentro del plazo señalado en el artículo anterior, ante el mismo Juzgado Togado que dictó el fallo (art. 425).

Admitida la apelación en ambos efectos por el Juzgado Togado, se remitirán los autos al Tribunal Militar del que dependa el Juzgado, emplazándose al Fiscal Jurídico-Militar y al acusado para que comparezcan ante aquel Tribunal en término de cinco días (art. 426). Posteriormente, se señala la vista y contra la sentencia dictada no cabe recurso alguno (art. 430).

MODELOS

M. 369. Escrito de querella por delito de injurias en un medio de comunicación social

AL JUZGADO DE INSTRUCCIÓN

D. [.../...], Procurador de los Tribunales, y obrando en nombre y representación de D.ª A.P.Z., según acredito mediante la escritura de poder especial, que debidamente bastanteado acompaño, comparezco y digo:

Que por medio de este escrito, interpongo querella por delito de injurias contra D. [.../...], Director de la revista [.../...], en base a los siguientes

ALEGACIONES

Primero: JUEZ ANTE QUIEN SE PRESENTA

Esta querella se presenta ante el Juzgado de Instrucción de [.../...], que por turno de reparto le corresponda, por entender que los hechos han ocurrido en esta ciudad y ser el competente como luego se verá.

Segundo: NOMBRE, APELLIDOS Y VECINDAD DE LA QUERELLANTE

La querellante, es D.ª [.../...], mayor de edad vecina de [.../...], c/ [.../...], n.º [.../...]

Tercero: NOMBRE, APELLIDOS Y VECINDAD DEL QUERELLADO

El querellado es D. [.../...], Director de la revista [.../...], con domicilio en [.../...], c/ [.../...], n.º [.../...]

Cuarto: RELACIÓN CIRCUNSTANCIADA DE LOS HECHOS

En cierta ocasión que mi mandante no ha podido precisar, pero ocurrida a finales del año pasado, fue requerida con el fin de proponerle la realización de una película; en la misma venía exigida por el guion la aparición de algunas escenas de desnudo. Por dicho motivo y con el fin de poder juzgar la idoneidad artística de mi mandante para el papel, le fueron efectuadas unas pruebas cinematográficas, que al parecer no fueron consideradas idóneas para la finalidad perseguida, ya que mi mandante nunca más supo de ello.

En el mes de marzo del presente año, mi mandante recibió la noticia de que en la revista [.../...], n.º [.../...] de fecha [.../...] del mismo mes, se insertaba un reportaje en el que aparecía la erótica exhibición de su cuerpo. Sorprendida, consternada y dolorida, mi mandante no lograba reparar en cómo podía haber aparecido, ya que nunca había tenido contacto alguno ni directa ni indirectamente con la revista [.../...], logrando tan sólo relacionarlo con lo anteriormente relatado.

Todo ello no revela otro móvil por parte del querellado, que el de servir sin escrúpulo de medios al propósito de lucro que consecuentemente guía a toda empresa periodística, cuyo objetivo es la mayor difusión de la tirada, y en cuya consecución se insertaron, previa selección, aquellas fotografías en color de desnudo femenino, que descubren íntegramente su anatomía, adoptando posturas que tienden a despertar la lubricidad de las gentes, lo que evidencia un hacer pornográfico; el cual, dadas las especiales características en que se produce ausencia total de consentimiento por parte de mi mandante lesionan el honor y buena fama de quien sin haber prestado jamás su consentimiento y sin haber ni tan siquiera sido consultada, se ve instrumentalizada en un obrar de tal repulsivo interés pornográfico.

Quinto: TIPIFICACIÓN PENAL

Los hechos relatados son constitutivos de un delito de injurias graves del art. 208, en relación con los arts. 209 y 211, todos ellos del CP.

Para la determinación de la responsabilidad civil, serán aplicables los criterios que establece la Ley Orgánica 1/82 de 5 de mayo de protección civil del derecho al honor, a la intimidad personal y familiar y a la propia imagen, según se señala en el artículo 1.º, 2 de la citada Ley.

Sexto: DILIGENCIAS A PRACTICAR

Las diligencias a practicar son:

1.ª Que se reciba declaración, con intervención de esta parte, al querellado D. [.../...], con domicilio en [.../...], c/ [.../...], n.º [.../...]

2.ª Documental, se acompaña original de la publicación.

Por cuanto antecede, al Juzgado de Instrucción

SUPLICO

Que teniendo por presentado este escrito, en nombre de D.ª [.../...], con los documentos que se acompañan, se sirva decretar la admisión de esta querella, y tenerme por parte en las Diligencias que se incoen, en las que se inserten los poderes con devolución del original, practicar las diligencias interesadas con intervención de esta parte, con el fin de que se dirija el procedimiento contra el querellado D. [.../...], con todas sus consecuencias legales; que se adopten las medidas complementarias procedentes para el aseguramiento de las responsabilidades civiles que pudieran exigirse y en el caso de que no lo verificara se proceda al oportuno embargo de bienes; disponiendo asimismo, se me dé vista de las actuaciones.

OTROSÍ, que se proceda al secuestro de los ejemplares de la revista.

Al Juzgado de Instrucción SUPLICO, que se tenga por realizada la anterior manifestación.

En [.../...], a [.../...] de [.../...] de 201[.../...]

DILIGENCIA DE PRESENTACIÓN

Recibida la querella, se procederá a su admisión o inadmisión, añadiéndose en cualquier supuesto la posibilidad de ordenar el secuestro de la publicación. A causa de su diferente tramitación, en caso de recurso y debido a la mayor urgencia que requiere el secuestro, es aconsejable dictar para cada caso resoluciones distintas. Así, para el primer supuesto, es decir, cuando se trata de admitir o inadmitir la querella, el auto procedente será el siguiente:

M. 370. Auto de admisión de la querella

AUTO

En [.../...], a [.../...] de [.../...] de 201[.../...]

Dada cuenta, y

HECHOS

1.º El Procurador D. [.../...], en nombre y representación de D.ª [.../...], formuló querella contra D. [.../...], que versa sobre [.../...] [breve resumen de los hechos].

FUNDAMENTOS DE DERECHO

1.º Los hechos relatados pueden ser constitutivos de un delito de injurias previstas en el art. 208 y ss. CP y consiguientemente un atentado al honor realizado por [.../...], delito perseguible a instancia de parte, que no precisa querella, bastando denuncia de la persona agraviada, ni acto de conciliación previo, por lo cual, procede incoar las correspondientes Diligencias Previas dándosele el trámite previsto en el Título II del Libro IV de la LECrim.

VISTOS los preceptos citados y demás de pertinente aplicación.

PARTE DISPOSITIVA

Se admite la presente querella interpuesta por el Procurador

D. [.../...] en nombre y representación de D.ª [.../...] contra D. [.../...], por presuntas injurias, entendiéndose con el citado Procurador las sucesivas diligencias, testimoniándose el poder con devolución del original (1). Incóense las correspondientes Diligencias Previas y remítanse los partes prevenidos al Ilmo. Fiscal (*si se trata de medios de comunicación social*) de la Audiencia Provincial; regístrese y se acuerda [.../...] (2).

Contra la presente resolución no cabe recurso alguno. [Si fuere de inadmisión, el de reforma y apelación]

Así lo manda y firma el Sr. D. [.../...], Juez de Instrucción de [.../...], doy fe.

DILIGENCIA DE REGISTRO. Seguidamente se cumple lo acordado y se registra con el número [.../...] en el Libro de Diligencias Previas y con el número [.../...] del año [.../...] en el Registro General, doy fe.

[NOTIFICACIÓN. Al querellante y al Ministerio Fiscal (3)]

(1) En caso de que el poder no fuese especial, podrá admitirse como denuncia, o bien deberá ratificarse aquélla.

(2) Aquí se han de observar las prevenciones especiales de los arts. 817 y ss. LECrim., para la declaración del autor del artículo, director o impresor, en su caso, así como la unión de los ejemplares aportados y demás pruebas que se soliciten.

(3) La necesaria intervención del Ministerio Fiscal, se basa para estos casos de delitos anteriormente privados en que basta para su persecución la denuncia, sin necesidad de formular querella.

M. 371. Auto acordando el secuestro de la publicación

Caso de que se solicitara el secuestro de la publicación y se acordase deberá dictarse el correspondiente auto que, será apelable de forma directa, sin interponer previamente el recurso de reforma, y resuelto por la Audiencia en el plazo de 5 días (art. 766 LECrim)

El auto se dictará a continuación de la admisión de la querella, de forma sucesiva a ésta.

AUTO

En [.../...], a [.../...] de [.../...] de 201[.../...]

Dada cuenta, y

HECHOS

1.º Interpuesta querella por el Procurador D. [.../...], en nombre de D.ª [.../...], por el presunto delito de injurias inferidas en [.../...] [breve extracto de los hechos].

2.º En fecha de [.../...] se procedió a la admisión de la querella [o la denuncia, en su caso], por reunir los requisitos legales.

FUNDAMENTOS DE DERECHO

1.º De conformidad con los arts. 816 LECrim, los Jueces de Instrucción al iniciar el procedimiento, podrán acordar, según los casos, el secuestro de la publicación o la prohibición de difundir o proyectar el medio a través del cual se produjo la actividad delictiva, justificándose esta medida por [.../...]

PARTE DISPOSITIVA

Se acuerda el secuestro de [.../...], debiéndosele notificar la presente resolución al director de la publicación con entrega de copia y documentos, enterándole de sus derechos, librándose el correspondiente oficio a la Policía Judicial a fin de que se lleve a cabo la actividad ordenada anteriormente.

Contra la presente resolución cabe interponer recurso de apelación dentro del plazo de cinco días.

Así lo manda y firma el Sr. D. [.../...], Juez de Instrucción de [.../...], doy fe.

DILIGENCIA. Seguidamente se cumple lo ordenado, doy fe.

(NOTIFICACIÓN. A las partes personadas)

M. 372. Escrito de querella por injurias verbales

AL JUZGADO DE INSTRUCCIÓN

D. [.../...], Procurador de los Tribunales, y obrando en nombre de D. [.../...], cuya representación acredito mediante escritura de poder especial, DIGO:

Que al amparo de lo dispuesto en el Título IV del Libro IV de la Ley de Enjuiciamiento Criminal, formulo querella por delito de injuria verbal que baso en los siguientes

ALEGACIONES

Primero. JUEZ ANTE QUIEN SE PRESENTA. Esta querella se formula ante el Juzgado de [.../...], por haberse inferido la injuria en este partido judicial.

Segundo. NOMBRE, APELLIDOS Y VECINDAD DEL QUERELLANTE. Mi mandante es D. [.../...], vecino de [.../...], con domicilio en [.../...]

Tercero. NOMBRE, APELLIDOS Y VECINDAD DEL QUERELLADO. El querellado es D. [.../...], vecino de [.../...], con domicilio en [.../...]

Cuarto. RELACIÓN CIRCUNSTANCIADA DE LOS HECHOS. En la ciudad de [.../...] y a la salida de la proyección de la película «...» proyectada en la Sala de cine sita en la c/ [.../...] el querellado, dirigiéndose a mi mandante que se encontraba saliendo de la proyección con un numeroso grupo de personas, dijo: «Eres un sinvergüenza y un canalla, eres igual que el protagonista de la película, careces de moral y vives de tu mujer; valiente chorizo estás hecho».

Tales hechos son constitutivos de delito de injuria verbal previsto en el art. 208 CP.

Quinto. EXPRESIÓN DE DILIGENCIAS A PRACTICAR. Para la comprobación del hecho delictivo solicitamos la práctica de los siguientes medios de prueba:

1.º Admisión de haberse celebrado el acto de conciliación, dando cumplimiento así al requisito del art. 804 LECrim.

2.º Citación del querellante, querellado y testigos cuya relación se adjunta para la celebración del juicio, dando así cumplimiento a lo dispuesto en el art. 808 de la Ley de Trámites.

Por todo ello, al Juzgado

SUPLICO

Admita este escrito y acuerde la admisión de la querella, y señalar fecha para la celebración del juicio.

Lo pido en [.../...], a [.../...] de [.../...] de 201[.../...]

M. 373. Auto de admisión de la querella

Recibida la querella, se procederá a su examen dictándose el auto que sigue, en caso de que proceda su admisión:

AUTO

En [.../...], a [.../...] de [.../...] de 201[.../...]

Dada cuenta, y

HECHOS

1.º El Procurador D. [.../...], en nombre y representación de D. [.../...], formuló querella contra D. [.../...], aportándose certificación de haberse intentado la conciliación sin efecto, así como poder especial para interponer la querella, que versa sobre injurias verbales inferidas en [.../...] *[breve resumen de los hechos].*

FUNDAMENTOS DE DERECHO

1.º Los hechos relatados pueden ser constitutivos de un delito de injurias previstas en el art 208 CP y consiguientemente un atentado al honor realizado verbalmente, perseguible a instancia de parte, por lo cual procede incoar las correspondientes Diligencias previas, dándosele el trámite previsto en los arts. 808 y ss. LECrim.

VISTOS los preceptos citados y demás de pertinente aplicación.

PARTE DISPOSITIVA

SE ADMITE la querella interpuesta por el Procurador D. [.../...] en nombre y representación de D. [.../...] contra D. [.../...], por presuntas injurias inferidas verbalmente, entendiéndose con el citado Procurador las sucesivas diligencias, testimoniándose el poder con devolución del original conforme a lo solicitado. Incóense las correspondientes Diligencias previas, remitiéndose los partes de incoación al Ilmo. Sr. Presidente de la Audiencia, regístrese y se convoca a las partes para juicio verbal en día [.../...] (1) a las [.../...] horas, citándose al querellante, querellado, testigos propuestos (2), con entrega al querellado de la copia de la presente querella y documentos en el momento de su citación (3).

Así lo manda y firma el Sr. D. [.../...], Juez de Instrucción de [.../...], doy fe.

DILIGENCIA. Seguidamente se cumple lo acordado, remitiéndose los correspondientes partes de incoación, despachos y entrega de cédulas de citación al Agente Judicial, doy fe.

DILIGENCIA DE REGISTRO. Seguidamente queda registrado con el número [.../...] del año [.../...] en el Libro de Sumarios y con el número [.../...] del año [.../...] en el Registro General, doy fe.

(NOTIFICACIÓN. Al querellante.)

(1) El plazo para su celebración no puede ser superior a tres días, si bien puede ampliarse hasta ocho cuando exista causa justa que deberá reseñarse (art. 809 LECrim.), aunque difícilmente se cumplirán estos plazos; no admitiéndose la certeza de las imputaciones durante el juicio, salvo excepciones (arts. 810 LECrim. y 210 CP).

(2) No se admitirán durante el juicio testigos de referencia (art. 813 LECrim.), debiéndose rechazar si alguno ha sido propuesto, o en su caso, desestimarse su proposición, en el acto del juicio verbal.

(3) A esta prevención contemplada en el art. 811 LECrim., debe igualmente añadirse que la ausencia del querellado no suspenderá la celebración ni resolución del juicio, siempre que resulte habérsele citado en forma (art. 814 LECrim.) Contra la presente resolución no cabe recurso alguno.

M. 374. Auto de inadmisión de la querella

Cuando proceda desestimar la querella, se dictará el siguiente auto:

AUTO

En [.../...], a [.../...] de [.../...] de 201[.../...]

Dada cuenta, y

HECHOS

1.º [Ver formulario anterior].

FUNDAMENTOS DE DERECHO

1.º No siendo los hechos narrados, objetivamente injuriosos, pues las palabras proferidas [.../...] [breve explicación de su contenido objetivo no injurioso], procede desestimar la querella interpuesta.

VISTOS los preceptos citados y demás de pertinente aplicación.

PARTE DISPOSITIVA

Que debía desestimar y desestimaba la querella interpuesta por el Procurador D. [.../...], en nombre y representación de D. [.../...] contra D. [.../...], incoándose Diligencias indeterminadas.

Contra la presente resolución cabe el recurso de reforma dentro del plazo de tres días [y subsidiaria o posteriormente el de apelación].

Así lo manda y firma el Sr. D. [.../...], Juez de Instrucción de [.../...], doy fe.

DILIGENCIA. Seguidamente se cumple lo acordado, quedando registrado con el núm. [.../...] del año [.../...] de diligencias indeterminadas y núm. [.../...] del año [.../...] de Registro General, doy fe.

(NOTIFICACIÓN. Al querellante.)

M. 375. Acta del juicio verbal

En [.../...], a [.../...] de [.../...] de 201[.../...]

Ante el Sr. D. [.../...], Juez de Instrucción, y el Letrado A. Justicia D. [.../...], comparecen a la hora señalada previamente, el querellante D. [.../...] y el querellado D. [.../...], asistidos respectivamente por sus Letrados D. [.../...] y D. [.../...], así como [en su caso] los Procuradores D. [.../...] y D. [.../...]

Seguidamente se da por su S.S.ª inicio al acto, ratificándose el querellante en la solicitud, añadiéndose [.../...]; y por la querellada se proponen para este acto a los testigos D. [.../...] y D. [.../...], admitiéndose todos ellos.

Preguntado el querellante, tras ser juramentado, ofrece decir verdad y manifiesta [.../...]

Preguntado el querellado, a quien se le exhorta a decir verdad, manifiesta [.../...]

A continuación se pasa a la práctica de la prueba solicitada por el querellante, llamándose al testigo D. [.../...], quien, juramentado en legal forma, ofrece decir verdad y manifiesta [.../...] [posteriormente se sigue con la prueba solicitada por el querellado, y caso de que no pudiera practicarse toda en la misma sesión, se deberá señalar otro día para su continuación en la misma acta, antes de darse por concluida, siendo conveniente sea lo más próximo posible].

Con lo cual se da por concluido el presente juicio, firmando con S.S.ª, todos los asistentes, doy fe.

Supuesto de otorgamiento de perdón.

Si durante el acto se otorgase el perdón se consignaría en los siguientes términos:

«Que el querellante D. [.../...], mayor de edad, manifiesta: Que habiendo recibido suficiente satisfacción del querellado, y a la vista de sus declaraciones, quiere otorgar el perdón, acto que realiza de forma libre y sin ningún tipo de coacciones.»

A continuación se da por concluido el acto y de conformidad con los arts. 215 CP y 779.1.º.1.ª LECrim., dictará auto de archivo.

No habiéndose otorgado el perdón, se seguirán las actuaciones por los trámites del procedimiento abreviado, adoptando alguna de las resoluciones previstas en el citado art. 779.1 LECrim.

M. 376. Suplicatorio

EXCMO. SR.:

D. [.../...], Juez de Instrucción de [.../...]

EXPONGO:

Que en las Diligencias núm. [.../...] seguidas por el delito de [.../...], en virtud de [.../...], ante este Juzgado de Instrucción, resulta que en la comisión del hecho, se acredita una presunta participación de [.../...] aforado por su condición de [.../...], a cuyos efectos se acompaña testimonio de [.../...] que [.../...]

Es por lo que

PIDO: A V.E., tenga por recibido el presente escrito y antecedentes, a fin de resolver sobre la elevación de la causa a esa Sala 2.ª del Tribunal Supremo, ordenando lo que con arreglo a derecho corresponda.

En [.../...], a [.../...] de [.../...] de 201[.../...]

EXCMO. SR. PRESIDENTE DE LA SALA SEGUNDA DEL TRIBUNAL SUPREMO

M. 377. Oficio de comunicación de la causa incoada contra un miembro de Fuerza militares de EEUU o de la OTAN

SR. JUEZ DE INSTRUCCIÓN NÚM. [.../...]

AL PRESIDENTE DEL COMITÉ PERMANENTE HISPANO NORTEAMERICANO

Pongo en conocimiento de V.E. que en el día de hoy he iniciado procedimiento contra [.../...], relativo a un presunto delito de [.../...], habiendo justificado el mencionado su condición de personal comprendido en el art. 1.º del Estatuto de la OTAN (o en el art. 36 del Convenio sobre Cooperación para la Defensa entre España y Estados Unidos), quedando en situación de libertad provisional (o prisión provisional), solicitando a la mayor urgencia posible resuelva sobre la jurisdicción competente en orden al enjuiciamiento de los hechos cometidos; remitiéndose por correo ordinario el correspondiente testimonio de las actuaciones.

En [.../...], a [.../...] de [.../...] de 201[.../...]

El Juez de Instrucción

M. 378.   Forma de la requisitoria

REQUISITORIA

D. [.../...], JUEZ DE INSTRUCCIÓN DEL JUZGADO N.º [.../...] de [.../...]

Por la presente que se expide en mérito de [.../...] n.º [.../...] de 200[.../...] sobre [.../...] cometido en [.../...] (breve referencia del hecho), se cita y llama a [.../...], [.../...], hijo de [.../...] y de [.../...], natural de [.../...], de estado [.../...], profesión [.../...], de [.../...] años de edad, domiciliado últimamente en [.../...], para que dentro del término de diez días comparezca ante este Juzgado de Instrucción, para constituirse en prisión como comprendido en el n.º [.../...] del art. 835 LECrim.; bajo apercibimiento, si no lo verifica, de ser declarado rebelde.

Al propio tiempo ruego y encargo a todas las Autoridades y ordeno a los agentes de la Policía Judicial que tan pronto tengan conocimiento del paradero del mencionado inculpado procedan a su captura y traslado, con las seguridades convenientes, a la Prisión correspondiente a disposición de este Juzgado (1).

En [.../...], a [.../...] de [.../...] de 201[.../...]

El Juez de Instrucción   El Letrado A. Justicia

(1) Tras su inserción en el tablón de anuncios, se hará constar en la parte posterior de la requisitoria, por diligencia del Letrado A. Justicia, su exposición en el plazo legal, uniéndose a continuación a la pieza de situación.

M. 379.   Oficio remitiendo la requisitoria para su publicación

SUMARIO [.../...]

AÑO [.../...]

DELITO [.../...]

Adjunto a V. I. la requisitoria relativa al procesado [.../...] recaída en las diligencias que al margen se relacionan, a los efectos de su inserción en el BOE (o en el BO de la Provincia), debiendo acusar recibo de la misma y de su inserción.

En [.../...], a [.../...] de [.../...] de 201[.../...]

EXCMO. SR. GOBERNADOR CIVIL DE (cuando se solicita su inserción en el BO de la Provincia) y DIRECTOR DEL BOE (cuando lo es en dicho Boletín).

M. 380. Requisitoria dirigida al Director General de la Guardia Civil y al de la Seguridad del Estado

SUMARIO [.../...]

AÑO [.../...]

DELITO [.../...]

ILMO. SR.

Tengo el honor de dirigir a V.I el presente, interesándole tenga a bien disponer la busca y captura del procesado [.../...], de [.../...] años de edad, de estado [.../...] hijo de [.../...] y de [.../...], de profesión, [.../...], natural de [.../...], vecino últimamente de [.../...], el que en caso de ser habido será ingresado en prisión a disposición de este Juzgado, en méritos de las diligencias anotadas al margen por razón de [.../...] (breve referencia del hecho).

Solicito tenga a bien acusar recibo.

En [.../...], a [.../...] de [.../...] de 201[.../...]

El Juez de Instrucción

ILMO. SR. DIRECTOR GENERAL DE LA GUARDIA CIVIL [o de la SEGURIDAD DEL ESTADO](1).

(1) En las grandes poblaciones es conveniente también su remisión a la Jefatura Superior de Policía correspondiente.

M. 381. Auto acordando la prisión, si procede, y llamamiento por requisitorias, de acuerdo con lo previsto en el art. 835 LECrim.

AUTO

En [.../...], a [.../...] de [.../...] de 201[.../...]

HECHOS

1.º Según aparece de las diligencias [.../...] se desconoce el actual paradero de [.../...]

FUNDAMENTOS DE DERECHO

Único. Por ello, procede decretar su prisión y llamarle por requisitorias en el modo y forma que previene la ley, bajo apercibimiento, si no comparece dentro de diez días, de ser declarado rebelde.

VISTOS los arts. 834, 835 y demás de pertinente aplicación,

PARTE DISPOSITIVA

Se decreta la prisión provisional de [.../...] interesando su busca y captura al Ilmo. Sr. Director de Seguridad del Estado y Guardia Civil; llámesele por requisitorias que se publicarán en el Boletín Oficial del Estado y de esta Provincia y se fijarán en el tablón de anuncios de este Juzgado, bajo apercibimiento, si no lo verifica, de ser declarado en rebeldía; particípese al Ministerio Fiscal.

Así lo manda y rubrica el Sr. D. [.../...], Juez de Instrucción de [.../...]

DILIGENCIA. Seguidamente se expiden las requisitorias y oficios a la Dirección de la Seguridad del Estado y Guardia Civil y se participa al Ministerio Fiscal, fijándose las requisitorias en estrados; doy fe.

M. 382. Auto declarando en rebeldía a un inculpado en el procedimiento abreviado

AUTO

En [.../...], a [.../...] de [.../...] de 201[.../...]

Dada cuenta, y

HECHOS

1.º Al ignorarse el domicilio o actual paradero del acusado [.../...] se insertaron las correspondientes requisitorias en el Tablón de Anuncios de este Juzgado y en las Direcciones Generales de Policía y Guardia Civil, con los apercibimientos legales oportunos, no habiendo comparecido dentro del término fijado, ni ha sido habido por los Agentes de la Autoridad.

FUNDAMENTOS DE DERECHO

Único. Según el art. 834 LECrim. será declarado rebelde el procesado que en el término fijado en las requisitorias no comparezca ni fuese habido ni presentado ante el Juez o Tribunal que conozca de la causa, y cumplidos los requisitos de los arts. 835 y 784.4.º LECrim., tras haberse abierto el Juicio Oral.

VISTOS los preceptos citados y demás de pertinente aplicación.

PARTE DISPOSITIVA

Se declara rebelde a [.../...], suspendiéndose con respecto al mismo la causa, poniendo esta resolución en conocimiento del Ministerio Fiscal, y verificado, archívense los autos (1), previa anotación de la rebeldía en los libros de este Juzgado y Registro Central de Penados y Rebeldes, con reserva al perjudicado de las pertinentes acciones civiles.

Contra la presente resolución cabe recurso de reforma dentro de los tres días siguientes a la última notificación.

Así lo manda y firma el Sr. D. [.../...] Juez de Instrucción de [.../...], doy fe.

DILIGENCIA. Seguidamente se cumple lo acordado, doy fe.

[NOTIFICACIÓN. Al Fiscal y a las partes personadas, si las hubiere.]

(1) Si existen varios procesados, la causa se continuará con respecto a los demás, y si existe sólo uno, procede el archivo, previo «Visto» del Ministerio Fiscal, haciéndose ambas declaraciones en el mismo auto por economía procesal. Cuando se trate de un sumario ordinario o abreviado, el juez dictará un auto por el que se declare la rebeldía. Dos puntos deben precisarse respecto a esta resolución:

a) No se suspenderá la instrucción del sumario hasta que se decrete su conclusión, archivándose los autos posteriormente, al igual que las piezas de convicción que pudieran conservarse y no fueran de un tercero irresponsable.

b) Se someterá este auto a consulta de la superioridad al elevar las actuaciones.

M. 383. Auto declarando en rebeldía a un procesado

AUTO

En [.../...], a [.../...] de [.../...] de 201[.../...]

Dada cuenta, y

HECHOS

1.º *[Igual que el formulario anterior.]*

FUNDAMENTOS DE DERECHO

Único. Según el art. 834 LECrim., será declarado en rebeldía el procesado que en el término fijado en las requisitorias no comparezca ni fuese habido ni presentado ante el Juez o Tribunal que conozca de la causa, y cumplidos los requisitos del art. 835 LECrim.

PARTE DISPOSITIVA

Se declara rebelde el procesado [.../...], suspendiéndose respecto del mismo la causa, poniendo esta resolución en conocimiento del Ministerio Fiscal y de la Audiencia Provincial, tras su conclusión y a efectos de su aprobación.

Contra la presente resolución cabe recurso de reforma dentro del plazo de tres días siguientes a la última notificación.

Así lo manda y rubrica el Sr. D. [.../...], Juez de Instrucción de [.../...], doy fe.

DILIGENCIA. Seguidamente se cumple lo acordado, doy fe.

(NOTIFICACIÓN. Al Fiscal y a las partes personadas, si las hubiere.)

M. 384. Auto declarando al reo en rebeldía por la Audiencia Provincial o por el Juez de lo Penal

AUTO

ILMOS. SRES.

[.../...]

[.../...]

[.../...]

En [.../...], a [.../...] de [.../...] de 201[.../...]

HECHOS

1.º Decretada la prisión provisional del procesado [.../...], llamado y buscado por requisitorias, no ha comparecido ni ha sido habido a pesar de haber transcurrido el término que se fijó en aquéllas.

FUNDAMENTOS DE DERECHO

1.º En tales circunstancias procede declarar rebelde a dicho procesado suspendiéndose el curso de la causa y archivándose, a tenor de lo dispuesto en los arts. 839 y 840 LECrim.

VISTOS los artículos citados y demás de pertinente aplicación.

PARTE DISPOSITIVA

Se declara rebelde el procesado D. [.../...] suspendiéndose el curso de la causa que se archivará hasta tanto que aquél se presente o sea habido; se reservan a la parte perjudicada las acciones que puedan corresponderle; y póngase esta resolución en conocimiento del Juez de Instrucción para que tome nota de la rebeldía en el libro correspondiente y demás efectos procedentes.

Contra la presente resolución cabe recurso de súplica dentro de los tres días siguientes a la última notificación (1).

Así lo mandan y firman los Sres. del Tribunal, doy fe.

DILIGENCIA. Seguidamente se cumple lo ordenado, doy fe.

(NOTIFICACIÓN. Al Fiscal y a las partes personadas si las hubiere)

(1) Si es el Juez de lo Penal quien dicta el Auto en el procedimiento abreviado, el recurso será de reforma.

M. 385. Providencia acordando el desarchivo de la causa cuando el rebelde sea habido

(Cuando sea habido el rebelde por el Juez Instructor, si la rebeldía ha sido declarada en fase de instrucción, o bien por la Sala o el Juez de lo Penal, se dictará la siguiente resolución):

PROVIDENCIA JUEZ

En [.../...], a [.../...] de [.../...] de 201[.../...]

Por recibido el anterior [.../...] (oficio o comunicación que manifiesta ser habido el rebelde, o presentación ante el Juzgado de Instrucción, en su caso), únase el mismo a los autos, desarchivándose la causa con respecto al mismo y continuándose el procedimiento, que se pondrá en conocimiento del Ministerio Fiscal (y el Ilmo. Sr. Presidente de la Audiencia Provincial, si fuese sumario) llevándose testimonio de esta resolución a la pieza de situación a fin de acordar lo correspondiente.

Lo que manda y firma el Sr. D. [.../...], Juez de Instrucción de [.../...], doy fe.

El Juez de Instrucción. El Letrado A. Justicia.

DILIGENCIA. Seguidamente se cumple lo acordado, doy fe.

(NOTIFICACIÓN. Al Fiscal y a las partes personadas si las hubiere)

M. 386. Providencia referente a la situación del procesado

Tras el testimonio de esta resolución, en la pieza de situación, si se mantiene la prisión, se dictará la resolución que a continuación se expone. En caso contrario, debe reformarse la situación, dejando sin efecto la orden de busca y captura.

PROVIDENCIA JUEZ SR. [.../...]

En [.../...], a [.../...] de [.../...] de 201[.../...]

Dada cuenta, notifíquese (1) al [.../...] el correspondiente auto de prisión dictado en esta pieza, instruyéndole de sus derechos; líbrese mandamiento al Sr. Director de la Prisión de [.../...] (y ratifíquese la prisión dentro del plazo legal, en su caso), dejándose sin efecto las órdenes de busca y captura.

Contra la presente resolución cabe recurso de reforma dentro de los tres días siguientes a la última notificación.

Lo manda y rubrica S.S.ª, doy fe.

DILIGENCIA. Seguidamente se cumple lo acordado, librándose mandamiento de prisión y órdenes de anulación de requisitorias, doy fe.

(NOTIFICACIÓN. Al Fiscal y a las partes personadas, si las hubiere)

(1) Optamos por la fórmula de resolución del Juez al ser una medida limitativa de derechos.

M. 387. Anulación de la requisitoria y de la Orden de busca y captura

Por medio del presente escrito se deja sin efecto la requisitoria de fecha [.../...] de 201[.../...] expedida en el sumario que se instruye por el Juzgado con el n.º [.../...] de 201[.../...], por [.../...], por la que se interesaba la busca y captura del procesado en dicho sumario [.../...], en razón a que el mismo ha sido habido.

Dado en [.../...], a [.../...] de [.../...] de 201[.../...]

El Letrado A. Justicia

Anulación de la orden de busca y captura

Tengo el honor de dirigir a V.E. el presente, interesándole tenga a bien dejar sin efecto la orden de busca y captura de [.../...] (nombre y apellidos) en méritos al procedimiento de las anotaciones al margen.

Solicito acuse recibo para constancia en el indicado procedimiento.

En [.../...], a [.../...] de [.../...] de 201[.../...]

SR. DIRECTOR GENERAL DE LA GUARDIA CIVIL (O DE LA SEGURIDAD DEL ESTADO).

M. 388. Escrito del detenido solicitando el habeas corpus

AL JUZGADO DE INSTRUCCIÓN (1) DE [.../...] mayor de edad, de estado civil [.../...], de profesión [.../...], provisto de D.N.I. núm. [.../...], con domicilio en [.../...], calle [.../...], número [.../...], respetuosamente DIGO:

Que de conformidad con lo dispuesto en la LO 6/84, de 24 de mayo, insto el presente procedimiento de *habeas corpus* en base a las siguientes

ALEGACIONES:

Primera. Nombre y circunstancias personales del solicitante y de la persona para la que se solicita el amparo judicial del *habeas corpus*:

El solicitante y persona interesada en el amparo judicial es [.../...], cuyas demás circunstancias personales se expresan en el encabezamiento de este escrito.

Segunda. Lugar en que se halla el privado de libertad:

Me encuentro privado de libertad en [.../...] (2).

Tercera. Persona bajo cuya custodia se encuentra:

Me hallo detenido bajo la custodia de [.../...] (3).

Cuarta. Circunstancias de la privación de libertad, que pueden ser relevantes para el acuerdo del *habeas corpus*: [.../...]

Procede acordar la tramitación de este procedimiento, pues en mi privación de libertad concurren las siguientes circunstancias: [.../...] (4).

Quinta. Motivo concreto por el que se solicita este *habeas corpus*: [.../...]

Con fundamento de las referidas circunstancias y concretamente en el hecho de que [.../...] (5), es por lo que se solicita este procedimiento, de conformidad con lo que disponen los apartados a), b), c), o d) del art. 1.º de la aludida Ley de 24 de mayo de 1984.

Esta solicitud se funda en el derecho fundamental a la libertad del art. 17.3 CE, habiendo establecido el TC que la inadmisión solo debe reducirse a los supuestos en los cuales se incumplan los requisitos formales (tanto los presupuestos procesales como los elementos formales de la solicitud) a los que se refiere el art. 4 LOHC. Si se da el presupuesto de la privación de libertad no acordada judicialmente y se cumplen los requisitos formales para la admisión a trámite, no procede acordar la inadmisión del *habeas corpus*, ya que el enjuiciamiento de la legalidad de la privación de libertad, en aplicación de lo previsto en el art. 1 LOHC, debe llevarse a cabo en el juicio de fondo, previa comparecencia y audiencia del solicitante y demás partes, con la facultad de proponer y, en su caso, practicar pruebas, según dispone el art. 7 LOHC, pues, en otro caso, quedaría desvirtuado el procedimiento de *habeas corpus* (STC 21/2014, 10 febrero).

Por todo ello,

AL JUZGADO DE INSTRUCCIÓN SUPLICO:

Que, admitiendo este escrito y tras examinar la efectiva concurrencia de los requisitos para su tramitación, dé traslado del mismo al Ministerio Fiscal, acuerde la incoación del procedimiento solicitado, ordenando a la expresada autoridad [funcionario o persona particular], bajo cuya custodia me hallo, que me ponga de manifiesto ante el Juez al que tengo el honor de dirigirme, sin pretexto ni demora; o constituyéndose el mismo Juez en el lugar en que encuentro, me oiga [y oiga a mi abogado] (6), admita las pruebas pertinentes y en el plazo de 24 horas acuerde mi puesta en libertad [en su defecto, mi puesta inmediata a disposición judicial, o, en su caso, el mantenimiento de la privación de libertad con todos los requisitos y garantías legales].

Lo que pido en [.../...], a [.../...] de [.../...] de 201[.../...]

OTROSÍ DIGO: Que habiendo intentado solicitar la incoación de este procedimiento con anterioridad e incumplido la autoridad [funcionario o particular] bajo cuya custodia me encuentro, su obligación de poner en inmediato conocimiento de este Juzgado tal solicitud, corresponde el oportuno apercibimiento a la referida autoridad.

AL JUZGADO DE INSTRUCCIÓN SUPLICO:

Que teniendo en cuenta la manifestación que antecede, se proceda al apercibimiento de la aludida autoridad [funcionario o persona particular], sin perjuicio de cuantas responsabilidades penales y disciplinarias se deriven de su actuación.

OTROSÍ DIGO SEGUNDO: Que designo para mi defensa al Abogado D. [.../...], del Iltre. Colegio de [.../...]

AL JUZGADO SUPLICO:

Que tenga designado para mi defensa ha expresado Abogado.

Lo que pido en el lugar y fecha indicados.

(DILIGENCIA DE PRESENTACIÓN)

(1) O Juez Central de Instrucción correspondiente si la detención obedece a la aplicación de la Ley Orgánica que desarrolla los supuestos previstos en el art. 55.2 CE (suspensión de determinados derechos respecto de bandas armadas y elementos terroristas); o bien Juez Togado Militar de Instrucción, constituido en la cabecera de la circunscripción jurisdiccional donde se efectuó la detención. [Tal como dispone el art. 2.º en sus pfos. 2.º y 3.º LO 6/84, de 24 de mayo.]

(2) Lugar: comisaría, población, calle, número, ignorado paradero pero con últimas noticias sobre el mismo referentes a tal lugar.

(3) La policía, comisario o funcionario, agente de la autoridad o autoridad que sea, o el particular que fuere (art. 4 b).

(4) Indicar las circunstancias que fueren relevantes: formalidades legales, momento de la detención, duración de la misma, persona que la llevó a cabo, modo en que se hizo, lugar al que se condujo al detenido, si no se respetaron derechos garantizados por la Constitución y leyes procesales, salud del detenido

(5) Señalar el concreto motivo (art. 4 c): véanse las circunstancias a que se refiere el art. 1.º LO 6/84.

(6) No es preceptiva la designación de Abogado ni de Procurador (art. 4, párr. 1.º).

M. 389. Escrito de solicitud de habeas corpus del cónyuge o persona unida por análoga relación de afectividad, descendiente o ascendiente o hermano del privado de libertad

AL JUZGADO DE INSTRUCCIÓN (1) DE [.../...],

mayor de edad, de estado civil [.../...], de profesión [.../...], provisto de D.N.I. número [.../...], con domicilio en [.../...], calle [.../...], número [.../...], respetuosamente comparece y DICE:

Que solicita el *habeas corpus* de la persona de su [.../...] (2) Don [.../...], mayor de edad, de estado [.../...], de profesión [.../...], con D.N.I. número [.../...], domiciliado en [.../...], calle [.../...], número [.../...], el cual fue detenido el día [.../...], ignorando el motivo de su detención y las circunstancias en que se encuentra. [O bien: el cual se halla privado de libertad en [.../...] (3), bajo la custodia de [.../...] (4), en las siguientes circunstancias [.../...] (5).

Que se solicita el procedimiento de *habeas corpus*, por el siguiente motivo: [.../...] (6).

AL JUZGADO SUPLICO:

Que admita este escrito y acuerde la tramitación del procedimiento solicitado.

En [.../...], a [.../...] de [.../...] de 201[.../...]

(1) O Juez Central de Instrucción correspondiente si la detención obedece a la aplicación de la Ley Orgánica que desarrolla los supuestos previstos en el art. 55.2 CE (suspensión de determinados derechos respecto de bandas armadas y elementos terroristas); o bien Juez Togado Militar de Instrucción, constituido en la cabecera de la circunscripción jurisdiccional donde se efectuó la detención. (Tal como dispone el art. 2 en sus párs. 2.º y 3.º LO 6/84, de 24 de mayo.)

(2) Cónyuge, persona unida por análoga relación de afectividad, hijo, nieto, padre, abuelo, hermano (art. 3.a). Conviene hacer notar que mientras el sujeto activo de este procedimiento será una persona física, el sujeto pasivo puede ser una institución —art. 177 LO 6/84, de 14 de mayo, y art. 211 CC—.

(3) Lugar: comisaría, población, calle, número, ignorado paradero pero con últimas noticias sobre el mismo referentes a tal lugar.

(4) La policía, comisario o funcionario, agente de la autoridad o autoridad que sea, o el particular que fuere (art. 4 b).

(5) Indicar las circunstancias que fueren relevantes: formalidades legales, momento de la detención, duración de la misma, persona que la llevó a cabo, modo en que se hizo, lugar al que se condujo al detenido, si no se respetaron derechos garantizados por la Constitución y leyes procesales, salud del detenido.

(6) Señalar el concreto motivo (art. 4 c): véanse las circunstancias a que se refiere el art. 1 LO 6/84.

M. 390. Escrito de solicitud de habeas corpus del representante legal del menor o del incapaz privado de libertad

AL JUZGADO DE INSTRUCCIÓN DE [.../...], mayor de edad, de estado [.../...], de profesión [.../...], provisto de D.N.I. número [.../...], con domicilio en [.../...], calle [.../...], número [.../...], como mejor en derecho proceda, respetuosamente comparece y DICE:

Que, en su calidad de representante legal de D. [.../...], menor (mayor) de edad (1), hijo de [.../...] y de [.../...], con D.N.I. número [.../...], y domiciliado en [.../...], calle [.../...], número [.../...] [el cual es persona incapacitada por [.../...] (2)], solicita se acuerde procedimiento de *habeas corpus* en favor de su representado, quien se halla privado de libertad, ignorando el motivo de su detención y las circunstancias en que se encuentra (o bien: en [.../...] (3), bajo la custodia de [.../...] (4), en las siguientes circunstancias [.../...] (5).

Que por el siguiente motivo solicita el referido *Habeas corpus*: [.../...] (6).

Por todo ello,

AL JUZGADO SUPLICO:

Que, admitiendo este escrito, acuerde la tramitación del procedimiento de *habeas corpus* en favor de [.../...]

En [.../...], a [.../...] de [.../...] de 201[.../...]

(1) O bien de tantos meses o tantos años de edad.

(2) Causa de la incapacidad

(3) Lugar: comisaría, población, calle, número, ignorado paradero pero con últimas noticias sobre el mismo referente a tal lugar.

(4) La policía, comisario o funcionario, agente de la autoridad o autoridad que sea, o el particular que fuere (art. 4.b).

(5) Indicar las circunstancias que fueren relevantes: formalidades legales, momento de la detención, duración de la misma, persona que la llevó a cabo, modo en que se hizo, lugar al que se condujo al detenido, si no se respetaron derechos garantizados por la CE y leyes procesales, salud del detenido.

(6) Señalar el concreto motivo (art. 4.c): véanse las circunstancias a que se refiere el art. 1.º LO 6/84.

El procedimiento se iniciará, salvo cuando se incoe de oficio, por medio de escrito o de comparecencia —art. 4 LOHC—. Dicho escrito se formulará en el modo siguiente:

M. 391. Escrito de designación de Abogado (1)

AL JUZGADO DE INSTRUCCIÓN (1) DE [.../...], mayor de edad, de estado [.../...], de profesión [.../...], provisto de D.N.I. número [.../...], y domiciliado en [.../...], calle [.../...], número [.../...], respetuosamente DICE:

Que hallándose privado de libertad en las circunstancias que se expresarán (o bien expresadas) en la oportuna solicitud de *habeas corpus*, designo para mi defensa y para la tramitación de dicho procedimiento al Abogado del Iltre. Colegio de los de [.../...], D. [.../...]

AL JUZGADO SUPLICO, que, habiendo por presentado este escrito, tenga por designado para mi defensa, en especial en la tramitación del correspondiente procedimiento de *habeas corpus*, al referido Abogado.

En [.../...], a [.../...] de [.../...] de 200[.../...]

(1) No es preceptiva la designación de Abogado ni Procurador (art. 4 párr. 1.º).

M. 392. Providencia subsiguiente a la recepción de la solicitud de habeas corpus

PROVIDENCIA

En [.../...], a [.../...] de [.../...] de 201[.../...]

Recibido el anterior escrito junto con la designación (1) de don [.../...] como Abogado de [.../...] para la tramitación del procedimiento de *habeas corpus*, y examinada la concurrencia de los requisitos para ésta, dese traslado de aquél al Ministerio Fiscal.

Contra la presente resolución no cabe recurso alguno.

Lo que manda y firma el Juez de Instrucción, doy fe.

(Firma Juez) (Firma Letrado A. Justicia)

DILIGENCIA. Seguidamente se cumple lo acordado, doy fe.

(DILIGENCIA DE PRESENTACIÓN)

(1) Ver nota 1 al formulario anterior.

Tras el dictamen fiscal o simultáneamente al traslado efectuado, se examinarán los presupuestos de admisibilidad. A dichos efectos, se dictará el correspondiente auto denegando o acordando la incoación del procedimiento.

M. 393. Auto denegando la solicitud de habeas corpus

AUTO

En [.../...], a [.../...] de [.../...] de 201[.../...]

Dada cuenta, y

HECHOS

1.º En el día de hoy, se ha recibido el anterior escrito de solicitud del procedimiento de *habeas corpus* en favor de [.../...], al parecer privado de libertad en [.../...], bajo la custodia de [.../...], dando traslado al Ministerio Fiscal.

2.º En dicha solicitud se invocaba la existencia en la privación de libertad que la motivó de la circunstancia mencionada en el apartado a), b), c) o d) del art. 1 LO 6/84, de 24 de mayo.

FUNDAMENTOS DE DERECHO

1.º Del contenido de dicha solicitud en modo alguno resulta, ni por las circunstancias ni por los motivos de la privación de libertad alegados, la concurrencia de los elementos que el artículo aludido incluye en la ilegalidad de una detención, procediendo a su denegación de conformidad con los arts. 1 y 6 LO 6/84, de 14 de mayo (1).

VISTOS los preceptos citados y demás de pertinente aplicación.

PARTE DISPOSITIVA

Se deniega la solicitud de incoación del procedimiento de *habeas corpus* presentada; se declaran las costas de oficio, todo lo cual se comunicará al detenido y a la Autoridad bajo cuya custodia se halla. Archívense las presentes actuaciones. Contra la presente resolución no cabe recurso alguno (2).

Lo manda y rubrica el Sr. D. [.../...], Juez de Instrucción de [.../...], doy fe.
DILIGENCIA. Seguidamente se cumple lo acordado.

(NOTIFICACIÓN. A las partes comparecidas)

(1) Si se aprecia temeridad o mala fe se condenará al solicitante al pago de las costas del procedimiento.

(2) El art. 6 LO 6/84, de 24 de mayo, prescribe la inexistencia de recurso.

M. 394. Auto acordando la incoación del procedimiento

AUTO

En [.../...], a [.../...] de [.../...] de 201[.../...]

Dada cuenta, y

HECHOS

1.º En el día de hoy se ha recibido el anterior escrito de solicitud del procedimiento de *habeas corpus* en favor de [.../...], al parecer privado de libertad en [.../...], sujeto a la custodia de [.../...]

2.º Igualmente se ha recibido la designación de [.../...] como Abogado de dicho detenido.

3.º A continuación se dio traslado de la aludida solicitud al Ministerio Fiscal, habiendo éste dictaminado en el sentido de que procede la tramitación del procedimiento pretendido.

FUNDAMENTOS DE DERECHO

1.º Del contenido de dicha solicitud y del mencionado dictamen resulta la concurrencia de la circunstancia expresada en el apartado [.../...] a), b), c) o d) del art. 1 LO 6/84, de 24 de mayo, entendiendo por ello que D. [.../...] se halla ilegalmente detenido.

2.º De conformidad con el art. 6 LO 6/84 procede la tramitación del procedimiento en ella regulado.

VISTOS los preceptos indicados y demás de pertinente aplicación.

PARTE DISPOSITIVA

Se acuerda la incoación del procedimiento de *habeas corpus* en favor de D. [.../...]; póngale la Autoridad (funcionario o persona) responsable de su privación de libertad de manifiesto ante mí, sin pretexto ni demora alguna; y llévense a término las demás actuaciones procedentes en el plazo de veinticuatro horas.

Contra la presente resolución no cabe recurso alguno.

Lo manda y rubrica el Sr. D. [.../...], Juez de Instrucción [.../...], doy fe.

DILIGENCIA. Seguidamente se cumple lo acordado, doy fe.

(NOTIFICACIÓN. A las partes personadas)

M. 395. Auto acordando la incoación del procedimiento, oponiéndose al dictamen contrario del Fiscal

AUTO

En [.../...], a [.../...] de [.../...] de 201[.../...]

Dada cuenta, y

HECHOS

1.º En el día de hoy se ha recibido el anterior escrito de solicitud del procedimiento de *habeas corpus* en favor de D. [.../...], al parecer privado de libertad en [.../...], bajo la custodia de [.../...]

2.º Igualmente se ha recibido la designación de [.../...] como Abogado de dicho detenido.

3.º A continuación se dio traslado de la aludida solicitud al Ministerio Fiscal, habiendo éste dictaminado en el sentido de que no procedía la tramitación del procedimiento pretendido.

FUNDAMENTOS DE DERECHO

1.º Del contendio de dicha solicitud resulta la concurrencia de la circunstancia expresada en los apartados [.../...] a), b), c) o d) del art. 1 LO 6/84, de 24 mayo, sin que las alegaciones emitidas por el representante del Ministerio Fiscal desvirtúen tal concurrencia.

2.º De conformidad con el art. 6.2 LO 6/84 procede la tramitación en este caso del procedimiento en ella regulado.

VISTOS los preceptos indicados y demás de pertinente aplicación.

PARTE DISPOSITIVA

Se acuerda la incoación del procedimiento de *habeas corpus* en favor de D. [.../...]; póngale la Autoridad (el funcionario o la persona) responsable de su privación dc libertad de manifiesto ante mí, sin pretexto ni demora alguna; y llévense a término las demás actuaciones procedentes en el plazo de veinticuatro horas.

Lo manda y rubrica el Sr. D. [.../...], Juez de Instrucción de [.../...], doy fe.

DILIGENCIA. Seguidamente se cumple lo acordado, doy fe.

(NOTIFICACIÓN. A las partes comparecidas)

M. 396.   Diligencia ordenando la tramitación de las actuaciones subsiguientes al auto de incoación del procedimiento

DILIGENCIA DE ORDENACIÓN

SECRETARIO SR. [.../...]

En [.../...], a [.../...] de [.../...] de 201[.../...]

Óigase a D. [.../...] (o en su caso, a su representante legal y Abogado, D. [.../...], que se tiene por designado) (y a su Abogado [.../...] que se tiene por designado); óigase en justificación de su proceder a la autoridad (funcionario o persona) bajo cuya custodia se detuvo y privó de libertad a D. [.../...], así como a quien bajo cuya custodia se halle actualmente éste; terminado el cumplimiento de esos extremos, dese a conocer a todos ellos las declaraciones de dicho detenido; apórtense las pruebas que en justicia los interesados crean pertinentes.

Lo acuerda y firma el Sr. Letrado A. Justicia, dando cuenta de ello a S.S.ª

DILIGENCIA. Seguidamente se cumple lo acordado.

(NOTIFICACIÓN. Al Ministerio Fiscal y demás partes)

M. 397.   Auto subsiguiente a la práctica de las actuaciones derivadas del auto de incoación del procedimiento de habeas corpus, acordando el archivo de las actuaciones

AUTO

En [.../...], a [.../...] de [.../...] de 201[.../...]

Dada cuenta, y

HECHOS

1.º Por auto del día de ayer se acordó la incoación del procedimiento de *habeas corpus* y se dio traslado del mismo al Ministerio Fiscal, quien dictaminó en el sentido de que procedía dicha incoación (o de que no procedía).

2.º A continuación fue oído el detenido tras ser puesto de manifiesto ante mí por quien mantenía su privación de libertad.

3.º Posteriormente se han realizado las demás actuaciones derivadas del aludido auto de incoación de este procedimiento, aportándose y practicándose las pruebas pertinentes.

FUNDAMENTOS DE DERECHO

1.º De todo lo actuado resulta en el presente caso la no concurrencia de ninguna de las circunstancias que el art. 1.º de la Ley Orgánica de 24 mayo

1984 establece, por lo que [.../...] no se halla ni se ha hallado en un supuesto de detención ilegal.

2.º De conformidad con el art. 8, apartado 1, de dicha Ley, procede el archivo de las presentes actuaciones.

VISTOS los preceptos citados y demás de pertinente aplicación.

PARTE DISPOSITIVA

Se acuerda el archivo de las presentes actuaciones, y se declara conforme a derecho la privación de libertad de [.../...] que las ha motivado, así como las circunstancias en que se está realizando. Se declaran las costas de oficio (si se aprecia temeridad o mala fe, se condenará al solicitante al pago de las costas del procedimiento).

Contra la presente resolución cabe recurso de reforma dentro del tercer día a partir de su notificación.

Lo manda y rubrica el Sr. D. [.../...], Juez de Instrucción de [.../...], doy fe.

DILIGENCIA. Seguidamente se cumple lo acordado.

(NOTIFICACIÓN. A las partes comparecidas)

M. 398. Auto solicitando la extradición de una persona

AUTO

En [.../...], a [.../...] de [.../...] de 201[.../...]

Dada cuenta, y

HECHOS

1.º Habiéndose incoado Sumario n.º [.../...] por el presunto delito de [.../...], practicadas las pruebas que se consideraron pertinentes, se dictó el correspondiente auto de procesamiento y prisión contra [.../...], el cual fue declarado en rebeldía por auto de [.../...], desarchivándose la causa al haberse recibido comunicación de [.../...] que el precitado se hallaba en [.../...]

2.º Tras haberse comunicado al Ministerio Fiscal, éste evacuó informe solicitando se adoptaran las resoluciones procedentes para solicitar por el Gobierno español la extradición a las autoridades de [.../...] del procesado [.../...]

FUNDAMENTOS DE DERECHO

1.º De conformidad con los arts. 826, 827 y 829 LECrim. y con el dicta-men fiscal, es procedente proponer al Gobierno de la Nación que solicite la extradición de [.../...] a las Autoridades de [.../...]

VISTOS los preceptos citados y demás de pertinente aplicación.

PARTE DISPOSITIVA

Se acuerda proponer al Gobierno que solicite la extradición de [.../...], procesado en este sumario, que según informe obrante en autos se halla residiendo actualmente en [.../...], elevándose a tal fin suplicatorio dirigido al Excmo. Sr. Ministro de Justicia al que se acompaña testimonio del atestado, auto de procesamiento, auto de rebeldía, comunicaciones de su actual paradero, dictamen emitido por el Ministerio Fiscal, así como de los artículos correspondientes de la LECrim. y Código Penal relativos a este caso, acompañando otro dirigido al Excmo. Sr. Ministro de Asuntos Exteriores.

Contra la presente resolución cabe recurso de reforma dentro de los tres días siguientes a la última notificación (1).

Así lo manda y firma el Sr. D. [.../...], Juez de Instrucción de [.../...], doy fe.

DILIGENCIA. Seguidamente se cumple lo ordenado, doy fe.

(NOTIFICACIÓN. Al Fiscal y a las partes personadas, si las hubiere)

(1) Vid. art. 830 LECrim., que prescribe la posibilidad de interponer recurso de apelación contra el auto denegando o acordando la extradición, cuando lo hubiese dictado un Juez de Instrucción.

M. 399. Suplicatorio al Ministro de Justicia

EXCMO. SR. MINISTRO DE JUSTICIA

D. [.../...], Juez de Instrucción de [.../...], a V.E. expone:

Que en dicho Juzgado y con el n.º [.../...], se instruye Sumario por el delito de [.../...] contra [.../...], el cual tiene decretada la prisión provisional por auto dictado en [.../...] y según comunicación de la [.../...], se halla actualmente en [.../...], por lo que de conformidad con el dictamen emitido por el Ministerio Fiscal, se ha dictado auto en el día de hoy, acordando proponer al Gobierno que solicite la extradición de dicho procesado, y a tal fin adjunto se remite suplicatorio para el Excmo. Sr. Ministro de Asuntos Exteriores, juntamente con tres testimonios de particulares de la causa referida, según la Ley preceptúa, y

SUPLICO A V. E. que si a bien lo tiene se digne dar al suplicatorio adjunto y testimonio que le acompaño el curso correspondiente, para que, si lo estima procedente, se proponga al Gobierno que solicite la extradición del procesado [.../...], pues así es de hacer en méritos de la recta administración de Justicia.

En [.../...], a [.../...] de [.../...] de 201[.../...]

M. 400. Suplicatorio al Ministro de Asuntos Exteriores

EXCMO. SR. MINISTRO DE ASUNTOS EXTERIORES (1)

D. [.../...], Juez de Instrucción de [.../...], a V.E. expone:

Que en dicho Juzgado y con el n.º [.../...], se instruye Sumario por el delito de [.../...] contra [.../...], el cual tiene decretada la prisión provisional por auto dictado [.../...] y según comunicación de [.../...], se halla actualmente en [.../...], por lo que de conformidad con el dictamen emitido por el Ministerio Fiscal, se ha dictado auto en el día de hoy, acordando proponer al Gobierno que solicite la extradición de dicho procesado, adjuntándose el presente a los efectos procedentes testimonio de particulares deducido del sumario, de conformidad con lo dispuesto en los arts. 825.1.º, 826, 828 y 829 LECrim., y en su virtud:

SUPLICO A V.E. que si a bien lo tiene se digne proponer al Gobierno que solicite la extradición del procesado [.../...], que se halla declarado en rebeldía en el sumario aludido, y que según informa [.../...], se encuentra actualmente en [.../...], pues así es de hacer en méritos de la recta administración de Justicia.

En [.../...], a [.../...] de [.../...] de 201[.../...]

(1) Para los casos en que no se pueda remitir directamente por el Ministerio de Justicia.

M. 401. Suplicatorio al Presidente del Tribunal competente

EXCMO. SR. PRESIDENTE DE [.../...]

D. [.../...], Juez de Instrucción de [.../...], a V.E. expone:

Que en dicho Juzgado y con el n.º [.../...], se instruye Sumario por el delito de [.../...] contra [.../...], el cual tiene decretada la prisión provisional por auto dictado en [.../...] y según comunicación de la [.../...], se halla actualmente en [.../...], por lo que de conformidad con el dictamen emitido por el Ministerio Fiscal, se ha dictado auto en el día de hoy acordando proponer al Gobierno que solicite la extradición de dicho procesado, y a tal fin adjunto se remite suplicatorio para el Excmo. Sr. Ministro de Justicia, juntamente con testimonios de particulares de la causa referida, según la Ley preceptúa, y

SUPLICO A V. E. que, si a bien lo tiene, se digne dar al suplicatorio adjunto, y testimonio que le acompaño, el curso correspondiente, para que, si lo estima procedente, se proponga al Gobierno que solicite la extradición del procesado [.../...], pues así es de hacer en méritos de la recta administración de Justicia.

En [.../...], a [.../...] de [.../...] de 201[.../...]

M. 402. Auto para el caso en que el afectado no se oponga a la extradición

AUTO

En [.../...], a [.../...] de [.../...] de 201[.../...]

Dada cuenta, y

HECHOS

1.º Habiéndose incoado procedimiento de extradición pasiva n.º [.../...] contra [.../...] a instancia del Estado de [.../...], se celebró la preceptiva comparecencia de [.../...] con asistencia de su Letrado (en su caso, de intérprete) y con intervención del Ministerio Fiscal.

2.º El interesado consintió en la extradición.

3.º El Ministerio Fiscal evacuó informe solicitando [.../...]

FUNDAMENTOS DE DERECHO

Único. De conformidad con los arts. [.../...] de la Ley 4/85, de 21 de marzo, y con el dictamen fiscal, vista la solicitud del interesado y estimándola legal, es procedente acceder a la demanda de extradición.

VISTOS los preceptos citados y demás de pertinente aplicación.

PARTE DISPOSITIVA

Se acuerda acceder a la demanda de extradición interesada por el Estado de [.../...] de D. [.../...], elevándose a tal fin comunicación al Ministerio de Justicia con testimonio de esta resolución firme que sea la misma.

Contra la presente resolución cabe recurso de reforma dentro del plazo de tres días siguientes a la última notificación.

Así lo manda y firma el Sr. D. [.../...], Juez Central de Instrucción n.º [.../...], doy fe.

DILIGENCIA. Seguidamente se cumple lo ordenado, doy fe.

(NOTIFICACIÓN. Al Ministerio Fiscal y a las partes personadas)

M. 403. Auto para el caso en que se oponga a la extradición

AUTO

En [.../...], a [.../...] de [.../...] de 201[.../...]

Dada cuenta, y

HECHOS

1.º Habiéndose incoado procedimiento de extradición pasiva n.º [.../...] contra [.../...] a instancia del Estado de [.../...], se celebró la preceptiva comparecencia de [.../...], con asistencia de su Letrado (en su caso, de intérprete) y con la intervención del Ministerio Fiscal.

2.º El interesado se opuso a la extradición.

3.º El Ministerio Fiscal evacuó informe solicitando [.../...]

FUNDAMENTOS DE DERECHO

Único. De conformidad con los arts. [.../...] de la Ley 4/85, de 21 de marzo, y con el dictamen del Ministerio Fiscal, vista la oposición del interesado, procede mantener la prisión del detenido (o acordar su libertad, con o sin fianza) y elevar todo lo actuado a la Audiencia Nacional.

VISTOS los preceptos citados y demás de pertinente aplicación.

PARTE DISPOSITIVA

No procede acceder a la demanda de extradición interesada por el Estado [.../...] de [.../...] Se acuerda mantener la prisión del detenido (o su libertad con o sin fianza) elevando todo lo actuado a la Audiencia Nacional. Líbrese testimonio de la presente resolución al Ministerio de Justicia.

Contra la presente resolución cabe recurso de reforma dentro de los tres días siguientes a su última notificación.

Así lo manda y firma el Sr. D. [.../...], Juez Central de Instrucción n.º [.../...], doy fe.

DILIGENCIA. Seguidamente se cumple lo acordado.

(NOTIFICACIÓN. Al Fiscal y a las partes personadas)

M. 404. Auto resolviendo sobre la procedencia de la extradición

AUTO

ILMOS. SRES.

[.../...]

[.../...]

[.../...]

En Madrid, a [.../...] de [.../...] de 201[.../...]

HECHOS

1.º Por el Juzgado Central de Instrucción n.º [.../...] se elevó procedimiento de extradición pasiva n.º [.../...] contra [.../...], a instancia del Estado de [.../...] Se celebró la preceptiva vista con asistencia del reclamado (asistido de intérprete), de su Letrado defensor, de [.../...] como representante del Estado requirente y con intervención del Ministerio Fiscal.

2.º El interesado mantuvo su oposición a la extradición en base a [.../...]

3.º El representante del Estado requirente interesó la extradición alegando [.../...]

4.º El Ministerio Fiscal informó en el sentido [.../...]

5.º Se practicó prueba (sólo se admite prueba sobre la Ley o el Tratado aplicable).

FUNDAMENTOS DE DERECHO

Único. De conformidad con los arts. [.../...] de la Ley 4/85, de 21 de marzo, es procedente acceder (o denegar) la extradición solicitada (1).

VISTOS los preceptos citados y demás de pertinente aplicación.

PARTE DISPOSITIVA

Que debemos acceder y accedemos a la extradición solicitada de [.../...] por el Estado de [.../...], y tan pronto sea firme esta resolución, elévese comunicación al Ministerio de Justicia para su posterior comunicación al Ministerio de Asuntos Exteriores.

Contra este auto cabe recurso de súplica ante el Pleno de la Sala Penal (2) de la Audiencia Nacional dentro del plazo de tres días siguientes a la última notificación.

Así lo mandan y firman los Sres. del Tribunal, doy fe.

DILIGENCIA. Seguidamente se cumple lo ordenado.

(NOTIFICACIÓN. Al Ministerio Fiscal y a las partes)

(1) La concesión de la extradición puede condicionarse a determinados requisitos. A título de ejemplo señalamos: «Constando que el reclamado tiene pendiente en España [.../...] tendrá que estarse a que deje cumplida dicha responsabilidad en España»;«De conformidad con el art. 3.º del art. 2 Ley 4/85, exigiéndose nuevo enjuiciamiento del encausado con las debidas garantías procesales a cuyo fin se concede un plazo de 60 días para que las autoridades reclamantes ofrezcan garantías suficientes de que el reclamado será sometido a nuevo juicio en el que deberá estar presente y debidamente defendido».

(2) Art. 15.2 Ley 4/85, y no podrá ser ponente ninguno de los Magistrados que hubiese dictado el auto suplicado.

En el caso de no acceder a la extradición solicitada, el contenido de la Parte Dispositiva, sería del siguiente tenor:

Que debemos acordar y acordamos denegar la extradición solicitada de [.../...] por el Estado de [.../...] Remítase testimonio del presente auto al Ministerio de Justicia para su posterior comunicación al Ministerio de Asuntos Exteriores, y firme que sea esta resolución, se decreta la libertad de [.../...] (con devolución de la fianza).

Contra la resolución de la Audiencia cabe únicamente recurso de súplica ante el Pleno de la Sala de lo Penal de la Audiencia Nacional.

Si se hubiere interpuesto recurso de súplica, y en su resolución se acordara o confirmara la extradición, la Parte Dispositiva acordará también:

Remítanse, sin dilación, testimonios de este auto al Excmo. Sr. Ministro de Justicia y Sres. Directores de Interpol (España) y del Centro Penitenciario en que se encuentra internado el reclamado; y devuélvanse las actuaciones a la Sección de procedencia, para conocimiento y cumplimiento; la que acusará recibo.

El Ministerio de Justicia remitirá el auto concediendo o denegando la extradición al Ministerio de Asuntos Exteriores, y éste lo notificará al representante diplomático del país reclamante.

M. 405. Auto acordando la detención e internamiento preventivo de un extranjero sujeto a expediente de expulsión

AUTO

En [.../...], a [.../...] de [.../...] de 201[.../...]

HECHOS

1.º Las presentes actuaciones han sido incoadas por (*Brigada del Cuerpo Nacional de Policía [.../...]*) siguiéndose DILIGENCIAS INDETERMINADAS N.º [.../...] a D. [.../...] en virtud de [.../...]

FUNDAMENTOS DE DERECHO

Único. El art. 61.1 LO 4/2000 Derechos y Libertades de los Extranjeros en España, faculta al Juez para acordar la detención del extranjero sujeto a expediente de expulsión cuando así se lo interese la autoridad gubernativa, conforme a las reglas generales de la Ley y en el caso presente [.../...] (*reseña de los motivos por los que se acuerda esta resolución*).

VISTOS el precepto citado y demás de pertinente aplicación.

PARTE DISPOSITIVA

Se decreta el internamiento de [.../...], cuyas circunstancias personales son [.../...], en el centro de detención de extranjeros de [.../...], a disposición de la autoridad gubernativa que interesó estas actuaciones.

Notifíquese al Ministerio Fiscal y al interesado instruyéndole de sus derechos.

Contra la presente resolución cabe recurso de reforma en el plazo de tres días desde la última notificación.

Así lo manda y firma el Sr. D. [.../...], Juez de Instrucción de [.../...], doy fe.

DILIGENCIA. Seguidamente se cumple lo ordenado, doy fe.

(NOTIFICACIÓN. Al Ministerio Fiscal y al interesado, instruyéndole de sus derechos)

M. 406. **Auto acordando prolongar la duración de la detención preventiva hasta el máximo autorizado**

AUTO

En [.../...], a [.../...] de [.../...] de 201[.../...]

HECHOS

1.º D. [.../...] se halla sujeto a detención preventiva en el Centro de Detención de Extranjeros de [.../...] desde [.../...] por auto de fecha [.../...] en méritos de las presentes Diligencias indeterminadas.

2.º Pendiente de resolución el expediente de expulsión seguido contra D. [.../...], la autoridad gubernativa solicita prorrogar la detención hasta el máximo legal autorizado de 40 días.

FUNDAMENTOS DE DERECHO

Único. De conformidad con el art. 62.2 LO 4/2000 de Derechos y Libertades de los Extranjeros en España, el internamiento no podrá prolongarse por más tiempo del imprescindible para la práctica de la expulsión, sin que pueda exceder de cuarenta días.

VISTOS el precepto citado, y demás de pertinente aplicación.

PARTE DISPOSITIVA

Que debía acordar la prolongación de la detención provisional de D. [.../...] hasta el límite máximo de 40 días, por las razones aludidas. Notifíquese al interesado, a la autoridad gubernativa y al Ministerio Fiscal.

Contra la presente resolución cabe recurso de reforma dentro de los tres días siguientes a la última notificación.

Así lo manda y firma el Sr. D. [.../...], Juez de Instrucción de [.../...], doy fe.

DILIGENCIA. Seguidamente se cumple lo ordenado, doy fe.

(NOTIFICACIÓN. Al interesado, a la autoridad gubernativa y al Ministerio Fiscal)

M. 407. **Auto autorizando a los encausados extranjeros en los procedimientos por delitos menos graves, a ausentarse del territorio español**

AUTO

En [.../...], a [.../...] de [.../...] de 201[.../...]

HECHOS

1.º Las presentes actuaciones han sido incoadas por [.../...] siguiéndose Diligencias previas (procedimiento abreviado n.º [.../...]), por un delito de [.../...]

2.º El encausado solicitó autorización para ausentarse del territorio español ofreciendo la fianza que legalmente se determine, señalando a D. [.../...], domiciliado en [.../...], a efectos de notificaciones, habiendo garantizado las responsabilidades civiles señaladas.

3.º Dada vista al Ministerio Fiscal, éste informó en el sentido [.../...].

FUNDAMENTOS DE DERECHO

Único. El art. 57.7 LO 4/2000 de Derechos y Libertades de los Extranjeros en España faculta al Juez para autorizar previa audiencia del Ministerio Fiscal, y de conformidad con lo establecido en el art. 765.2 LECrim., a los encausados en los procedimientos por delitos menos graves y que con anterioridad tuvieran su domicilio o residencia habitual en el extranjero, para ausentarse del territorio español, siendo indispensable que dejen garantizadas las responsabilidades pecuniarias que se deriven del hecho a enjuiciar, designen persona con domicilio fijo en España que reciba las notificaciones, citaciones y emplazamientos que hubiere que hacerle y que presten caución no personal cuando no esté acordada fianza de la misma clase, para garantizar la libertad provisional que responda de su presentación en la fecha o plazo que se señale.

(Se reseñarán las garantías con que se hayan cubierto las responsabilidades pecuniarias, la persona con domicilio fijo en España y la caución no personal o fianza señalada.)

VISTOS los preceptos señalados y demás de pertinente aplicación.

PARTE DISPOSITIVA

Se autoriza la salida del territorio español de D. [.../...] previa la prestación de la fianza de [.../...], con designación de la persona y domicilio de [.../...] a efectos de notificaciones, citaciones y emplazamientos. Notifíquese esta resolución al Ministerio Fiscal, al interesado y demás partes personadas.

Contra la presente resolución cabe recurso de reforma dentro de los tres días siguientes a la última notificación.

Así lo manda y firma el Sr. D. [.../...], Juez de Instrucción de [.../...], doy fe.

DILIGENCIA. Seguidamente se cumple lo ordenado, doy fe.

(NOTIFICACIÓN. Al interesado, al Ministerio Fiscal y a las partes personadas)

M. 408. Auto del Juez o Tribunal sentenciador acordando la expulsión del extranjero condenado por delito menos grave

AUTO

En [.../...], a [.../...] de [.../...] de 201[.../...]

HECHOS

1.º En fecha [.../...] se dictó sentencia en esta causa en virtud de la cual se condenaba a D. [.../...] a la pena de [.../...] por delito de [.../...] Esta Sentencia es firme.

2.º En la preceptiva audiencia, D. [.../...] interesó la sustitución de la pena impuesta por la expulsión del territorio español, y acreditó la satisfacción de las responsabilidades civiles acordadas.

Dada la vista al Ministerio Fiscal, éste informó en el sentido [.../...] (1)

FUNDAMENTOS DE DERECHO

Único. De conformidad con los arts. 57.7.3º LO 4/2000 de Derechos y Libertades de los Extranjeros en España, y 89 CP, si el extranjero fuere condenado, por sentencia firme, a penas privativas de libertad inferiores a seis años impuestas a extranjero no residente legalmente en España, el Juez o Tribunal podrán acordar, previa audiencia de aquél, su expulsión del territorio nacional como sustitución de las penas que le fueran aplicables, asegurando en todo caso la satisfacción de las responsabilidades civiles que hubiera lugar, todo ello sin perjuicio de cumplir, si regresara a España, la pena que le fuere impuesta.

VISTOS el precepto citado y demás de pertinente aplicación.

PARTE DISPOSITIVA

Que debía acordar y acordaba la expulsión del territorio nacional de D. [.../...] como sustitución de la pena que le ha sido impuesta por sentencia firme de este Juzgado de fecha [.../...], sin perjuicio de cumplir, si regresara a España, la pena que le fue impuesta. Notifíquese esta resolución al interesado y al Ministerio Fiscal.

Contra la presente resolución cabe recurso de reforma dentro de los tres días siguientes a la última notificación.

Así lo manda y firma el Sr. D. [.../...], Juez de lo Penal de [.../...], doy fe.

DILIGENCIA. Seguidamente se cumple lo ordenado, doy fe.

(NOTIFICACIÓN. Al interesado y al Ministerio Fiscal)

M. 409. Decreto del Fiscal incoando Expediente de Menores

FISCALÍA GENERAL DEL ESTADO

FISCALÍA DE MENORES

EXPEDIENTE N º [.../...]

En [.../...] a [.../...] de [.../...]

DECRETO

De la Fiscalía de Menores de [.../...] para incoar Expediente de Menores n.º [.../...], con base en los siguientes FUNDAMENTOS,

Que el Grupo de la Policía de Menores ha presentado a esta Fiscalía el Menor [.../...] de [.../...] años, nacido, [.../...], al que han detenido en la C/ [.../...] a instancia de la denuncia de D. [.../...], que ha denunciado los siguientes hechos [.../...], que pueden constituir un delito de [.../...].

Teniendo en cuenta la gravedad de los hechos denunciados se acuerda incoar el presente expediente y la práctica de las diligencias necesarias para el esclarecimiento de los hechos y circunstancias concurrentes, poniendo al Menor a disposición del Juez de Menores para instar la adopción de la medida cautelar de internamiento conforme con los arts. 17.5 y 28 LRPM.

Notifíquese al Menor la incoación del presente Expediente, y dese cuenta al Juez de Menores.

EL FISCAL

M. 410. Auto del Juez de Menores abriendo pieza separada de responsabilidad Civil

AUTO

En [.../...], a [.../...] de [.../...] de 201[.../...]

HECHOS

ÚNICO. Con fecha de [.../...] se dio cuenta a este Juzgado por la Fiscalía de menores de la incoación del Expediente n.º [.../...] contra el menor [.../...] por unos hechos consistentes en [.../...] denunciados por [.../...] en los que aparecen indiciariamente como, perjudicados D. [.../...] y D. [.../...], y como responsables civiles [.../...]

FUNDAMENTOS DE DERECHO

ÚNICO. De conformidad con el art. 16.4 y 64 LRPM se acuerda abrir pieza separada de responsabilidad civil, que se notificará a los perjudicados por los hechos descritos, al efecto que puedan comparecer como parte en su tramitación en el plazo de un mes desde la notificación de esta resolución *(el perjudicado puede ejercitar la acción en la pieza de responsabilidad civil, o bien reservarse su ejercicio para ejercitarla ante el orden jurisdiccional civil competente).*

VISTAS las disposiciones legales aplicables,

PARTE DISPOSITIVA

SE ACUERDA LA APERTURA de la pieza separada de responsabilidad Civil en el Expediente de menores n.º [.../...] al efecto de determinar las responsabilidades civiles que en su día pudieran dictarse contra el mismo en las diligencias de que dimana este ramo.

Lo que manda y firma el Sr. D. [.../...], Juez de Menores de [.../...], doy fe.

(Firma Juez) (Firma Letrado A. Justicia)

DILIGENCIA. Seguidamente se cumple lo acordado, doy fe.

(NOTIFICACIÓN. Al Fiscal y a las partes personadas y perjudicados que consten en las actuaciones)

M. 411.   Escrito de alegaciones del Fiscal remitiendo al Juez el Expediente

Finalizada la instrucción del expediente el Fiscal resolverá su conclusión y lo remitirá al Juzgado de menores con las piezas de convicción, y un escrito de Alegaciones según se expone:

AL JUZGADO DE MENORES [.../...]

El Fiscal, finalizado y concluido el Expediente número [.../...] contra el menor [.../...], y en el trámite establecido en el art. 30 LRPM, formula escrito de ALEGACIONES

PRIMERA. DESCRIPCIÓN DE LOS HECHOS: El menor [.../...] en el presente expediente fue detenido por la Brigada de menores como consecuencia de la denuncia de [.../...] con relación a un robo con intimidación [.../...]

SEGUNDA. VALORACIÓN JURÍDICA: Los hechos constituyen un delito de [.../...]

TERCERA. Es autor el menor [.../...] al que se imputan los hechos.

CUARTA. *(Breve reseña de las circunstancias personales y sociales del menor).*

QUINTA. Se propone imponer al menor la medida de [.../...], que se entiende adecuada a las circunstancias del menor y a los fines educativos [.../...]

SEXTA. RESPONSABILIDAD CIVIL. Que se concreta en la cantidad de [.../...] Euros.

Y SOLICITO:

Que tenga por peticionada la apertura del trámite de audiencia y por formulado escrito de alegaciones contra el menor imputado [.../...] así como por solicitadas las pruebas indicadas para el acto de la audiencia, acordándose la práctica de las mismas.

OTROSÍ DICE: Para el acto de la Audiencia, este Ministerio propone las siguientes pruebas:

1.ª Interrogatorio del menor [.../...]

2.ª Testifical, previa citación judicial de:

D. J. J. J., con domicilio en [.../...]

3.ª Documental de lo actuado.

En [.../...], a [.../...] de [.../...] de 201[.../...]

M. 412.   Escrito de alegaciones del Menor

AL JUZGADO DE MENORES

D. [.../...], Procurador de los Tribunales y obrando en nombre del menor imputado [.../...] cuya representación me ha sido conferida por reparto del turno de oficio en la presente causa, que se tramita con el núm. [.../...], DIGO:

Que manifiesto mi disconformidad con el escrito de alegaciones del Fiscal y, a tenor de lo dispuesto en el art. 31 LRPM, formulo a continuación escrito de defensa conforme a las siguientes

CONCLUSIONES PROVISIONALES

PRIMERA. Niego la correlativa de las acusaciones, ya que mi representado no se hallaba en el lugar   que se cita en el Expediente, siendo confundido con otro menor de similares características [.../...]

SEGUNDA. Mi representado nada sabe de los hechos, por lo que de su conducta no se desprende actividad delictiva alguna.

TERCERA. Niego las correlativas. Sin delito no puede hablarse de autoría.

CUARTA. No procede la imposición de medida alguna a mi representado.

Por cuanto antecede, al Juzgado de Menores

SUPLICO:

Tenga por efectuado el trámite de alegaciones.

Por ello,

OTROSÍ DIGO, que para el acto del juicio oral propongo la práctica de los siguientes medios de prueba:

1. Interrogatorio del menor [.../...]

2. Documental:

a) Consistente en solicitar a la entidad [.../...], una certificación acreditativa de [.../...]

3. Más Documental consistente en la lectura de la totalidad de los folios de las Diligencias previas.

4. Testifical. Consistente en el examen de los siguientes testigos cuya citación judicial se interesa:

D. [.../...] domicilio [.../...]

D. [.../...] domicilio [.../...]

D. [.../...] domicilio [.../...]

Por todo ello, al Juzgado de Menores

SUPLICO:

Acuerde la práctica en la Audiencia de los medios de prueba que han quedado indicados.

En [.../...], a [.../...] de [.../...] de 201[.../...]

DILIGENCIA DE PRESENTACIÓN.

M. 413. Sentencia dictada en procedimiento de Menores

JUZGADO DE MENORES [.../...]

EXPEDIENTE N.º [.../...]

SENTENCIA

En [.../...], a [.../...] de [.../...] de 201[.../...]

El Ilmo. Sr. D. [.../...], Juez de Menores de [.../...], ha visto el presente procedimiento de menores seguidos en este Juzgado con el número de expediente [.../...] sobre [.../...], en virtud de (*denuncia, atestado, etc.*), apareciendo como perjudicado D. [.../...] contra el menor D. [.../...], cuyas demás circunstancias personales constan suficientemente en las actuaciones, habiendo sido parte el Ministerio Fiscal.

ANTECEDENTES DE HECHO

1.º Celebrada la audiencia correspondiente en fecha [.../...] con la asistencia del Ministerio Fiscal, el menor asistido de letrado, así como el representante del equipo técnico, se practicó la prueba propuesta por las partes, y el Sr. Fiscal en su informe estimó que el Menor [.../...] era el autor responsable de los hechos y que procedía la medida de internamiento cerrado por el plazo de una año teniendo en cuenta la gravedad de los hechos constitutivos de un delito de robo con intimidación, teniendo en cuenta que el menor tiene más de dieciséis años. El perjudicado, por su parte, informó sobre los hechos que consideró plenamente acreditados, Por su parte el letrado del Menor no consideró acreditados los hechos que se atribuyen al menor. El menor se declaró no responsable de los hechos denunciados.

2.º En la tramitación del juicio se han observado las prescripciones legales.

HECHOS PROBADOS

[.../...]

FUNDAMENTOS DE DERECHO

PRIMERO. De los hechos probados resulta acreditado que el menor cometió un hecho calificado como delito en el que se ha empleado violencia resultando el perjudicado con heridas consistentes en [.../...] Por otra parte, debe tenerse en cuenta que el menor en el momento de cometerse los hechos ya había cumplido dieciséis años. [.../...] Por su parte el equipo técnico ha informado sobre la situación, personalidad y [.../...] respecto a la que este Tribunal considera que debe modular la medida impuesta [.../...]

SEGUNDO. De lo expuesto y de conformidad con el art. 7.1.a y 9.2ª LRPM procede imponer al menor D. [.../...] una medida de internamiento en régimen cerrado por un período de un año que se entiende proporcionado por [.../...], en que se deberán desarrollar las actividades educativas [.../...]

TERCERO. Respecto a la responsabilidad civil ha quedado acreditada la existencia de daños consistentes en ..... de los que deben responder los progenitores del menor conforme con lo previsto en el art. 115 CP.

VISTOS los artículos citados y demás de pertinente aplicación.

FALLO

Que debo IMPONER E IMPONGO a [.../...] como responsable de autor de hechos determinantes de un delito de [.../...] la medida de UN AÑO de internamiento en régimen cerrado, durante el cual deberá seguir las actividades educativas [.../...] Asimismo se impone la condena al pago de la cantidad de .... € en concepto de responsabilidad civil .

Contra esta resolución cabe recurso de apelación dentro del plazo de cinco días siguientes a contar desde su notificación a interponer en este mismo órgano para su resolución por la Audiencia Provincial.

Así, por esta mi sentencia, lo pronuncio, mando y firmo.

PUBLICACIÓN. La anterior sentencia ha sido leída y publicada por el Sr. Juez que la suscribe, en audiencia pública, el día [.../...], doy fe.

(NOTIFICACIÓN. Al Ministerio Fiscal, a las partes personadas y al menor interesado)

M. 414. Recurso de apelación contra la sentencia del Juez de Menores interpuesta por el perjudicado

A LA AUDIENCIA PROVINCIAL

D. [.../...], Procurador de los Tribunales y obrando en nombre de [.../...], cuya representación ya tengo acreditada en mi calidad de PERJUDICADO en el procedimiento de menores seguido ante El Juzgado de Menores n.º [.../...], con el número [.../...], DIGO:

Que me ha sido notificada la sentencia recaída en las expresadas Diligencias, y en el plazo de cinco días a que se refiere el art. 41.1 LRPM, me veo precisado a formalizar recurso de apelación, pidiendo que se revoque la sentencia dictada y se dicte otra conforme con lo expuesto, que se basa en las siguientes

ALEGACIONES

ÚNICA: POR INFRACCIÓN DE LEY AL CALIFICAR INDEBIDAMENTE LOS HECHOS. El art. 25 *in fine* LRPM prevé la posibilidad que el perjudicado pueda interponer recurso de apelación con base en la alegación de defecto o error en la calificación de los hechos, que es lo que acaece en el supuesto de autos en el que el Juzgado ha calificado los hechos como una falta de imprudencia grave con resultado de muerte, cuando en realidad se ha acreditado una imprudencia grave causante de muerte, tipificada como delito en el art. 142.1 del Código Penal. A este efecto, de la propia declaración de hechos probados, aparece que el menor era conocedor de la peligrosidad del arma y [.../...]

En consecuencia, el hecho ha de ser calificado como constitutivo de un delito de homicidio por imprudencia grave, previsto en el art. 142.1 del Código Penal.

Por lo expuesto, al Juzgado de lo Penal SOLICITO:

Tenga por formalizado, en tiempo y forma, recurso de apelación contra la sentencia dictada en este Procedimiento de menores, y dando al recurso el trámite oportuno, en su día se dicte sentencia revocando la sentencia impugnada y dictando otra atendiendo a la calificación de los hechos.

OTROSÍ DIGO: Que cumpliendo lo dispuesto en el art. 790.2 *in fine*, designa como domicilio para las notificaciones el situado en la calle [.../...] de esta ciudad.

Lo que pido en [.../...], a [.../...] de [.../...] de 201[.../...]

(Firma de Abogado y Procurador)

CAPÍTULO XXI

LA EJECUCIÓN DE LA SENTENCIA PENAL[(1)]

SECCIÓN 1. LA EJECUCIÓN DE LA SENTENCIA

1.1. La ejecución penal: naturaleza, objeto, y órganos

La ejecución en el orden penal se incluye en el marco de la potestad de los Tribunales de justicia, como aquella actividad encaminada a dar cumplimiento de los

---

(1) Vid. Bibliografía general. Vid. también NISTAL BURÓN, FERNÁNDEZ AREVALO, *Derecho penitenciario*, Lex Nova, 2016; CERVELLÓ DONDERIS, Vicenta, *Derecho penitenciario*, Edit. Tirant lo Blanch, 2016; GARCÍA SAN MARTÍN, J., *Las medidas alternativas al cumplimiento de las penas privativas de libertad, adaptado a las reformas del Código Penal y de la ley de Enjuiciamiento Criminal de 2015*, Edit. Dykinson, 2015; NAVARRO VILLANUEVA, *Ejecución de la Pena Privativa de Libertad. Garantías Procesales*, Edit. J.M. Bosch Editor, 2017; GARCÍA SAN MARTÍN, J., *Las medidas alternativas al cumplimiento de las penas privativas de libertad*, Edit. Dykinson, 2017; RÍOS MARTÍN, PASCUAL RODRÍGUEZ, ETXEBARRÍA ZARRABEITIA, *Manual de ejecución penitenciaria*, Universidad Pontificia Comillas (Publicaciones), 2016; DAUNIS RODRÍGUEZ, A., *Ejecución de penas en España. Una reinserción social en retirada*, Edit. Comares, 2016; FERNÁNDEZ APARICIO, J.M., *Guía práctica de Derecho penitenciario (Adaptada a la LO 1/2015, de reforma del Código Penal, y a la Ley 4/2015, del Estatuto de la Víctima del Delito*, Edit. Scpin, 2016, CERVELLÓ DONDERIS, Vicenta, *Derecho Penitenciario*, Edit. Tirant lo Blanch, 4ª Edición, 2016; OSSET BELTRÁN, N., *Suspensión de la pena privativa de libertad. Especial referencia al supuesto por enfermedad muy grave con padecimientos incurables*, Edit. Ministerio del Interior, 2016; FERNÁNDEZ APARICIO, J.M., *La ejecución penal*, Edit. Sepin, 2015; CORDERO LOZANO, C, *Ejecución penal*, Editorial Bosch, 2011; MAGRO SERVET V., *Manual Práctico sobre la Ejecución Penal. Las Medidas Alternativas*, Madrid 2008; CHIANG REBOLLEDO M.E., *Procedimiento ante el Juzgado de vigilancia penitenciaria*, Barcelona, 2003. MARTÍN DIZ F., *El Juez de vigilancia Penitenciaria*, Granada 2002. GARCÍA ALBERO R.M., TAMARIT SUMILLA Mª, *La reforma de la ejecución penal*, Valencia 2004; GARRIDO GUZMÁN, *Compendio de ciencia penitenciaria*, Valencia, 1976. AA.VV., *La ejecución de la sentencia penal*, CGPJ, Madrid, 1994; AA.VV., «Individualización y ejecución de la pena», *Cuadernos de derecho judicial*, n.º IX, Madrid; 1993; AA.VV., «La ejecución de la sentencia penal», *Cuadernos de derecho judicial* n.º XV, Madrid, 1994; ALONSO DE ESCAMILLA, «La ejecución de la pena privativa de libertad», CGPJ, *Cuadernos de Derecho Judicial*, n.º 9; 1993; DEL MORAL GARCÍA, A., «Recursos frente a autos en el procedimiento abreviado y en la jurisdicción de vigilancia penitenciaria», CGPJ, *Cuadernos de Derecho Judicial*, n.º 10, 1994; HINOJOSA SEGOVIA, R., «Regulación general de la ejecución penal», CGPJ, *Cuadernos de Derecho Judicial*, n.º 15, 1994; VELASCO NÚÑEZ, E., *Ejecución de sentencias penales*, Madrid, 1994.

pronunciamientos condenatorios penales y, en su caso, civiles de las resoluciones judiciales penales. Los conceptos de ejecución de sentencias penales y de ejecución de penas no son equivalentes, ya que en el proceso penal no solo se ejecutan las penas, sino, también, los pronunciamientos civiles de la sentencia penal. De este modo, en el ejercicio de su potestad jurisdiccional los tribunales penales deben enjuiciar y dictar sentencia respecto de los hechos que las partes acusadoras le presentan como delictivos, resolviendo todas las cuestiones planteadas incluyendo las referentes a la responsabilidad civil *ex delicto* que hayan sido objeto del juicio. Además, por mandato constitucional y legal deben proceder a ejecutar lo juzgado (art. 117.3 CE, art. 2.1 LOPJ, arts. 984 y 985 LECrim.).

Las normas referentes a la ejecución penal adolecen de falta de uniformidad y sistemática, ya que se hallan en disposiciones de distinto rango legal y, en ocasiones, de contenido contradictorio. También debe señalarse la discusión doctrinal acerca de la naturaleza que cabe atribuir a la actividad de ejecución en el proceso penal, especialmente, la referida a las penas de prisión. Téngase en cuenta, que en la ejecución de esa clase de penas interviene, con una gran incidencia, la administración penitenciaria mediante distintos órganos destinados al control del condenado. De este modo, cabe concluir que en la ejecución material de los pronunciamientos de condena a prisión se produce una actividad de naturaleza administrativa, y otra superior de naturaleza jurisdiccional. Esta última se manifiesta en la intervención del Tribunal sentenciador en la liquidación de la condena, la aprobación de la libertad definitiva, o en los incidentes de suspensión o sustitución de la pena. Además, el Juez de vigilancia penitenciaria será competente para las incidencias que surjan en el cumplimiento material de la pena, y para la salvaguarda de los derechos de los internos frente a la administración penitenciaria. Estas razones, sirven para poder considerar la ejecución penal de naturaleza sustancialmente jurisdiccional con matizaciones.

En materia de ejecución penal debe tenerse en cuenta la confluencia de un gran número de disposiciones de distinto carácter normativo. Así, además de los arts. 25.2 y 117.3 CE, debe atenderse a los Tratados Internacionales sobre la materia (Convenio de Roma para la protección de los derechos humanos y libertades fundamentales de 1950, Convenio de Estrasburgo sobre traslado de personas condenadas de 1983, y de Bruselas de 1987); Convenio del consejo de Europa n.º 70 sobre la validez internacional de las sentencia penales, hecho en la Haya en 1970, ratificado por España por Instrumento publicado en el BOE el 30 de marzo de 1996[2]; la Ley Orgánica del poder judicial (arts. 94, 95 y DA. 5ª); la Ley Orgánica general Penitenciaria de 1/1979, y el Reglamento Penitenciario RD 190/1996; la Ley de demarcación y planta judicial (arts. 3, 8, 18, 45, y anexo X); la LECrim (arts. 521 a 527 y 983 a 998); El Código penal (Títulos I al VII del Libro I); RD 840/2011 de 17 Jun. (Circunstancias de ejecución de las penas de trabajo en beneficio de la comunidad y de localización permanente en centro penitenciario, de determinadas medidas de seguridad, y de la suspensión de la ejecución de la penas); Real Decre-

---

(2) Véase BUJOSA VADELL L., «Reconocimiento y ejecución de sentencias penales extranjeras», *La Ley* nº 5350, 2001.

to 1436/1984, de 20 de junio, sobre normas provisionales de coordinación de las Administraciones Penitenciarias. Acuerdos de CGPJ sobre materia de ejecución de penas y penitenciaria. Todas estas normas han sido modificadas de forma notable por las siguientes leyes orgánicas: 5/03 y 6/03 de modificación de la LGP; 7/03 de modificación de la LGP respecto de medidas de reforma para el cumplimiento íntegro y efectivo de las penas; LO 1/2015 de modificación del Código Penal. Por último, téngase en cuenta que la Legislación penitenciaria es competencia exclusiva del Estado. No obstante, algunos Estatutos de Autonomía se atribuyen competencia en materia de ejecución de la legislación del Estado, habiendo recibido la transferencia como es el caso de Cataluña. En algunas Autonomías siguen pendientes de su transferencia (vg. País Vasco, Andalucía, Navarra). Además, las normas de la LEC son de aplicación supletoria, pero necesaria, en materia de ejecución de la responsabilidad civil y demás responsabilidades pecuniarias.

El título de ejecución es la sentencia condenatoria firme. La firmeza la declarará el Juez o Tribunal que la hubiere dictado, cuando ya no quepa contra la misma recurso alguno ordinario ni extraordinario (art. 988.1 LECrim) (véase M. 415).

En principio, no cabe ejecutar la sentencia absolutoria. Sin embargo, será susceptible de ejecución la sentencia absolutoria en la que, después de adoptar alguna medida de seguridad respecto al sujeto declarado exento de responsabilidad criminal, se fijen las responsabilidades civiles procedentes (arts. 118 y 119 CP). El resto de sentencias absolutorias, o los autos de sobreseimiento, no permiten la ejecución, ya que el único efecto que producen es el del alzamiento de las medidas cautelares personales y reales que se hayan adoptado durante el procedimiento penal. Por otra parte, frente al criterio que defiende la ejecución de las sentencias no firmes, entendemos que es indudable que el único título que permite entrar en la ejecución penal es la sentencia de condena firme. Ello no es óbice para que algunos autos produzcan en el acusado similares efectos a la ejecución de la condena. Así, los autos que acuerdan el sobreseimiento (art. 634 LECrim); el auto de adopción de una medida cautelar de prisión o el que acuerda dejarla sin efecto (art. 504 LECrim); la condena en costas contenida en una sentencia absolutoria; o también la posibilidad de ejecución provisional de los pronunciamientos sobre responsabilidad civil del art. 989 LECrim).

Una vez firme la sentencia se procederá a su ejecución en la forma y tiempo prescritos en el Código Penal, la Ley General Penitenciaria y su Reglamento (arts. 988.II, 989 y 794 LECrim). La competencia para conocer de la ejecución se atribuye al Juez o Tribunal que hubiera dictado la sentencia en única o primera instancia. Es decir, los Juzgados de lo Penal o las Audiencias Provinciales en causas por delito (arts. 794, 985 LECrim). Con la única salvedad de las sentencias dictadas por el Juez de Guardia en el procedimiento de conformidad, previsto en el art. 801 LECrim (véase § 3.4 Cap. X en sede de procedimiento para el enjuiciamiento rápido de determinados delitos), cuya ejecución corresponde al Juez de lo Penal que corresponda (art. 801.1 LECrim.)[3].

---

(3) Vid RODRÍGUEZ LAINZ, J.L., «Juzgado de Guardia y ejecución de sentencias de conformidad», *Diario La Ley*, 10 septiembre 2010, Nº 7465.

En consecuencia, el órgano que conoció de la apelación o de la casación devolverá los autos originales al órgano competente con la certificación de la sentencia (arts. 984 a 986 LECrim.). En el supuesto que el Juez o Tribunal a quien corresponda la ejecución no pudiera practicar por sí mismo todas las diligencias necesarias (lo cual debe ser interpretado restrictivamente), comisionará al Juez del partido o demarcación en que deban tener efecto, el cual dará inmediatamente cuenta del cumplimiento de las mismas (arts. 987 y 997 LECrim.). Las competencias concretas respecto a la ejecución de la sentencia, que corresponden al Tribunal sentenciador, se expondrán a continuación con relación a las distintas penas establecidas en el Código penal.

Cuando se trate de ejecución en España de sentencias dictadas por Tribunales extranjeros, como consecuencia de lo dispuesto en Tratados o Convenios internacionales, la competencia corresponde a la Sala de lo Penal de la Audiencia Nacional (art. 65.2 LOPJ).

Para la ejecución de las penas privativas de libertad, con reclusión del condenado en un establecimiento penitenciario, habrá en cada provincia uno o varios Juzgados de Vigilancia Penitenciaria. El Juez de Vigilancia tendrá atribuciones para hacer cumplir la pena impuesta, resolver los recursos referentes a las modificaciones que pueda experimentar con arreglo a lo prescrito en las leyes y reglamentos, salvaguardar los derechos de los internos en los establecimientos penitenciarios, y corregir los abusos y desviaciones que puedan producirse en el cumplimiento de los preceptos del régimen penitenciario (arts. 94 LOPJ y 76.2, 97.1 LGP).

El Juez de vigilancia penitenciaria fue establecido, previamente a la aprobación de la Ley orgánica del Poder Judicial, en la Ley General Penitenciaria de 1979. Posteriormente en los Acuerdos del CGPJ de julio de 1981 y octubre de 1983 y, finalmente en el art. 94 LOPJ estableció que en cada provincia habrá uno o varios Juzgados de vigilancia penitenciaria, competentes en materia de ejecución de penas privativas de libertad y medidas de seguridad, control jurisdiccional de la potestad disciplinaria de las autoridades penitenciarias, amparo de los derechos y beneficios de los internos en los establecimientos penitenciarios y demás que señale la Ley. Además la DA 5ª de la LOPJ estableció el sistema de recursos contra las resoluciones del Juez de vigilancia penitenciaria en la forma que se expondrá.

El Ministerio Fiscal también interviene en la ejecución penal, velando por el cumplimiento de las sentencias penales, en tanto que son resoluciones que afectan al interés público y social (arts. 3.9 EOMF). A tal fin, se da vista al MF de todas las diligencias que se realizan desde el inicio de la ejecución hasta el archivo de la causa. El Fiscal será parte en cuántos recursos se interpongan contra las resoluciones del Juez de vigilancia penitenciaria (DA 5ª LOPJ).

También es resaltable la participación de la víctima en la ejecución de penas privativas de libertad que ha atribuido la Ley 4/2015, de 27 de abril, del Estatuto de la Víctima[4].

----

(4) Vid. PLASENCIA DOMÍNGUEZ, N., «Participación de la víctima en la ejecución de las penas privativas de libertad», *Diario La Ley* 18 enero 2016, nº 8683; LEGANÉS GÓMEZ, S., «La víctima del delito en la ejecución penitenciaria»; *Diario La Ley* 6 octubre 2015, nº 8619.

1.2. Clases y refundición de penas

El Código Penal de 1995 adoptó un criterio dualista para la defensa de la sociedad: las penas y las medidas de seguridad. Las penas sancionan las acciones y omisiones previstas como delitos (art. 1 CP). El Código Penal prevé, con carácter principal o accesorio, tres clases de penas: privativas de libertad, privativas de otros derechos, y multa (arts. 1 y 32 CP)[5] (véase M. 423 a M. 425). Las medidas de seguridad se fundamentan en la peligrosidad de un sujeto, declarado exento de responsabilidad criminal, exteriorizada en la comisión de un hecho previsto como delito (art. 6 CP). El Código Penal prevé medidas de seguridad privativas y no privativas de libertad (art. 96 CP)[6].

Nuestro sistema de imposición de penas se fundamenta en el denominado concurso real para la extinción de todas las penas impuestas por cada uno de los delitos cometidos, bajo el principio del cumplimiento simultáneo de todas ellas si fuera posible, y cuando ello no lo fuere, opta por el principio del cumplimiento sucesivo, con ciertas correcciones. Este sistema se fundamenta en tres reglas: 1) la acumulación aritmética de las penas de la misma especie (art. 73 CP 1995); 2) la ejecución sucesiva de las mismas por el orden de su gravedad, que en el caso de la prisión se

---

(5)   Las penas privativas de libertad previstas en el Código Penal son la prisión, la localización permanente y la responsabilidad personal subsidiaria por impago de multa (art. 35 CP). Las penas privativas de derechos son las inhabilitaciones y suspensiones (inhabilitación absoluta, inhabilitación especial para empleo o cargo público, profesión, oficio, industria o comercio, o de los derechos de patria potestad, tutela, guarda o curatela, derecho de sufragio pasivo o cualquier otro derecho y la suspensión de empleo o cargo público), la privación del derecho a conducir vehículos a motor y ciclomotores, la privación del derecho a residir en determinados lugares o acudir a ellos; la prohibición de aproximarse a la víctima o a aquellos de sus familiares u otras personas que determinen el Juez o Tribunal y los trabajos en beneficio de la Comunidad (art. 39 CP). Las clases de penas se han modificado por LO 15/2003 que ha modificado algunas de las previstas. Por ejemplo, se ha sustituido la pena de arresto de fin de semana por la localización permanente. Estas modificaciones entraron en vigor en fecha de 1 de octubre de 2004.

(6)   Respecto a las medidas de seguridad se aplican por el Juez o Tribunal, previos los informes convenientes, a las personas declaradas exentas de responsabilidad criminal que hubieren cometido un hecho previsto como delito. Además se exige que del hecho y las circunstancias del sujeto pueda deducirse un pronóstico de comportamiento futuro que revele la probabilidad de la comisión de nuevos hechos de aquélla naturaleza (art. 95.1.2 CP). Las medidas de seguridad privativas de libertad son el internamiento en centros psiquiátricos, de deshabituación, o educativos especiales. Son medidas de seguridad no privativas de libertad: la prohibición, o la obligación de estancia en lugares determinados; la privación del derecho a conducir o de licencia de armas; la inhabilitación profesional; la expulsión del territorio nacional; la sumisión a tratamiento médico; la custodia familiar etc. (arts. 96 y 105 CP). También respecto a estas medidas la LO 15/2003 ha modificado la relación de medidas de seguridad para introducir las referentes a la custodia familiar o la prohibición de aproximarse a la víctima. La ejecución de las medidas de seguridad se controlarán por quienes tenga la custodia del sometido a la medida, por lo general médicos o profesionales de distintas disciplinas. Por su parte, el Juez de Vigilancia Penitenciaria, con base en los informes facultativos, elevara, al menos, anualmente un informe al Tribunal sentenciador una propuesta de mantenimiento, cese, sustitución o suspensión de la medida (art. 97 CP). Por su parte, el Tribunal sentenciador podrá, previa propuesta del Juez de Vigilancia Penitenciaria y en procedimiento contradictorio, decretar el cese de cualquier medida de seguridad cuando desaparezca la peligrosidad criminal del sujeto; o dejar en suspenso la medida en atención al resultado de su aplicación condicionado a que el individuo no delinca (art. 97 CP).

determinará por su duración (art. 75 CP 1995); 3) la limitación del tiempo de ejecución (art. 76 CP 1995) (STS Sala Segunda, de lo Penal, Sentencia 197/2006 de 28 Feb. 2006, Rec. 598/2005; Ponente: Sánchez Melgar, Julián. LA LEY 338/2006).

De modo que al responsable de dos o más delitos o faltas se le impondrán todas las penas correspondientes a las diversas infracciones para su cumplimiento, que el Código Penal prevé que sea, preferentemente simultáneo si fuera posible, por la naturaleza y efectos de las mismas (art. 73 CP). En caso de que no fuere posible el condenado las cumplirá sucesivamente por orden de gravedad (art. 75 CP). Ahora bien, la aplicación automática de esa norma determinaría, en determinados supuestos, la prolongación para toda la vida de la pena de prisión. Es decir una cadena perpetua que no está expresamente prevista en nuestra legislación y que podría colisionar con los derechos constitucionales. Es por ello que: «*el legislador diseña un sistema de limitaciones temporales para el cumplimiento de las diversas penas que hayan sido impuestas al mismo culpable, cuando todas ellas no puedan ser cumplidas simultáneamente. Tales limitaciones no son fruto de los más recientes Códigos, sino que fueron ya proclamadas por el Código penal de 1870*» (STS Sala Segunda, de lo Penal, Sentencia 197/2006 de 28 Feb. 2006, Rec. 598/2005; Ponente: Sánchez Melgar, Julián. LA LEY 338/2006). A ese fin la Ley prevé el máximo de cumplimiento efectivo de la condena, que no podrá exceder del triple del tiempo de la pena más grave, declarando extinguidas las que procedan desde que las ya impuestas cubran dicho máximo, que no podrá exceder de veinte años (art. 76.1 CP). Excepcionalmente, este límite máximo será: a) De veinticinco años cuando el sujeto haya sido condenado por dos o más delitos y alguno de ellos esté castigado por la ley con pena de prisión de hasta veinte años. b) De treinta años, cuando el sujeto haya sido condenado por dos o más delitos y alguno de ellos esté castigado por la ley con pena de prisión superior a veinte años. c) De 40 años, cuando el sujeto haya sido condenado por dos o más delitos y, al menos, dos de ellos estén castigados por la ley con pena de prisión superior a 20 años. d) de 40 años, cuando el sujeto haya sido condenado por dos o más delitos de terrorismo de la sección segunda del capítulo V del título XXII del libro II del CP y alguno de ellos esté castigado por la ley con pena de prisión superior a 20 años e) Cuando el sujeto haya sido condenado por dos o más delitos y, al menos, uno de ellos esté castigado por la ley con pena de prisión permanente revisable, se estará a lo dispuesto en los artículos 92 y 78 bis (art. 76.1 CP)[7].

La limitación se aplicará aunque las penas se hayan impuesto en distintos procesos cuando lo hayan sido por hechos cometidos antes de la fecha en que fueron enjuiciados los que, siendo objeto de acumulación, lo hubieran sido en primer lugar (art. 76.2 CP). La norma del art. 76 CP supone una corrección del sistema de imposición de penas en caso de concurso real de delitos. Corrección que se refuerza con lo previsto en el art. 76.2 CP[8].

---

(7) Pero, estas normas no se aplicarán cuando un solo hecho constituya dos o más infracciones o cuando una de ellas sea medio necesario para cometer la otra. En ese caso, se impondrá la pena prevista para la infracción más grave, en su mitad superior sin que pueda exceder de la que represente la suma de las que correspondería aplicar si se penaran separadamente las infracciones. En ese último caso las infracciones se sancionarán por separado (art. 77 CP).

(8) «Todos los delitos que sean imputados a una persona, pueden ser (o podrían haber sido), objeto de enjuiciamiento conjunto (en su solo proceso), abriendo la vía de la acumulación jurídica,

La jurisprudencia para la aplicación de este precepto entiende que lo relevante a efectos de refundición más que la analogía o relación entre los distintos delitos sancionados, es la conexidad «tempora» es decir que los hechos —atendiendo al momento de su comisión— pudiesen haberse enjuiciado en un solo proceso. En este sentido, la acumulación de penas deberá realizarse partiendo de la sentencia más antigua[9].

«La doctrina de esta Sala (SSTS 1249/1997, 11/1998, 109/1998, 328/1998, 1159/2000 (LA LEY 9381/2000), 649/2004 (LA LEY 112385/2004), 192/2010 (LA

con el efecto de la aplicación de tales limitaciones. Únicamente se excluyen aquellos hechos delictivos que pretendan acumularse a otros que ya hayan sido objeto de enjuiciamiento, existiendo, por consiguiente, una previa sentencia firme. Este criterio cronológico es, por el contrario, firme y rigurosamente exigido por la jurisprudencia, de modo que los hechos posteriores cometidos tras una sentencia condenatoria no pueden ser, de modo alguno, objeto de acumulación a otros ya enjuiciados. Se fundamenta tan estricto criterio en razones legales (pues procesalmente nunca podrían haber sido juzgados en un proceso anterior, cerrado por la previa constitución de una relación litigiosa, que ha devenido en el dictado de una sentencia), y en razones de política criminal, pues en otro caso se crearía una verdadera patente impunidad. Dicho criterio cronológico ha sido incorporado recientemente al texto de la ley, y así, el art. 76.2 del vigente Código penal, tras la modificación operada por LO 7/2003, condiciona la acumulación de las diversas infracciones del penado al momento de su comisión, en clara referencia al expresado criterio cronológico. Hemos acordado recientemente (Pleno no Jurisdiccional, de 29 de noviembre de 2005) que la fecha a tener en cuenta para cerrar ese ciclo cronológico no es la fecha de la sentencia firme, sino la fecha de la sentencia condenatoria definitiva, y hemos mantenido también que, por no poderse juzgar en un mismo proceso, no es posible materialmente la acumulación de ciertos delitos (como el quebrantamiento de condena, respecto a la sentencia en ejecución), o los delitos cometidos en el seno de la propia institución penitenciaria, cuyo ingreso quedó determinado por la condena previa». (STS Sala Segunda, de lo Penal, Sentencia 197/2006 de 28 Feb. 2006, Rec. 598/2005; Ponente: Sánchez Melgar, Julián. LA LEY 338/2006)

(9) «Doctrina ésta que no se ha visto alterada por el art. 76.2 CP), en su redacción actual (LO 1/2015 de 30.3.2015) y por el Peno no jurisdiccional de esta Sala Segunda de 3.2.2016, que aprobó el siguiente acuerdo en aras a la interpretación del apartado controvertido: "La acumulación de penas deberá realizarse partiendo de la sentencia más antigua, pues al contenerse en ella los hechos enjuiciados en primer lugar, servirá de referencia respecto de los demás hechos enjuiciados en las otras sentencias. A esa condena se acumularán todas las posteriores relativas a hechos cometidos antes de esa primera sentencia. Las condenas cuya acumulación proceda respecto de esta sentencia más antigua, ya no podrán ser objeto de posteriores operaciones de acumulación en relación con las demás sentencias restantes. Sin embargo, si la acumulación no es viable, nada impediría su reconsideración respecto de cualquiera de las sentencias posteriores, acordando su acumulación si entre sí son susceptibles de ello". En este sentido la STS. 153/2016 de 26.2 (LA LEY 8600/2016), dictada con posterioridad al citado Pleno precisa: "La acumulación de condenas conforme a lo dispuesto en el artículo 988 de la LECrim tiende a hacer efectivas las previsiones del Código Penal en lo referente a los tiempos máximos de cumplimiento efectivo en los supuestos de condenas diferentes por varios delitos, según los límites que vienen establecidos en el artículo 76 de dicho Código, que consisten, de un lado, en el triple del tiempo por el que se le imponga la más grave de las penas en que haya incurrido y, de otro lado, en veinte, veinticinco, treinta o cuarenta años, según los casos. La doctrina de esta Sala ha establecido que para que proceda la acumulación de condenas sólo se requiere que entre los hechos exista una determinada conexión cronológica, la cual se apreciará siempre que los delitos sancionados hubieran podido ser enjuiciados en un solo proceso, teniendo en cuenta las fechas de las sentencias dictadas y las de comisión de los hechos enjuiciados en las mismas, de manera que no se transforme en una exclusión de la punibilidad abierta para todo delito posterior"». STS S 2ª 406/2016 de 13 May. 2016, Rec. 10815/2015

LEY 6894/2010), 253/2010 (LA LEY 21123/2010), 1169/2011 o 219/2016 (LA LEY 16513/2016) entre muchas otras y visualizada particularmente en Acuerdo de Pleno no jurisdiccional de la Sala de 29/11/2005), ha sostenido un criterio favorable al reo en la interpretación del requisito de la conexidad exigido para la acumulación jurídica de penas en los indicados artículos 988 de la Ley de Enjuiciamiento Criminal (LA LEY 1/1882) y art. 76 del Código Penal (LA LEY 3996/1995), indicando que más que la analogía o relación entre los distintos delitos sancionados, lo relevante a efectos de refundición es la conexidad "temporal", es decir que los hechos —atendiendo al momento de su comisión— pudiesen haberse enjuiciado en un solo proceso. De modo que sólo deberían ser excluidos de la refundición: 1°) Los hechos que ya estuviesen sentenciados cuando se inicia el período de acumulación contemplado, es decir, cuando se comete el delito enjuiciado en la sentencia que determina la acumulación; y 2°) Los hechos posteriores a la sentencia que determina la acumulación». STS S 2ª 178/2017 de 22 Mar. 2017, Rec. 10592/2016[10].

El apartado 1.º del artículo 76 del mismo texto legal —no obstante lo dispuesto en el artículo anterior—, fija como límite de cumplimiento que el máximo de cumplimiento efectivo no podrá exceder del triple del tiempo por el que se haya impuesto al condenado la más grave de las penas por los delitos en que hubiera incurrido, de-

---

(10) «Estas exclusiones se asientan, como hemos dicho (STS 1376/2001, de 11 de julio (LA LEY 6479/2001), entre otras), en no dotar a los penados de un patrimonio punitivo que les provea de inmunidad o de una relevante reducción de penalidad, para los delitos futuros, es decir los que puedan cometer después del cumplimiento de su condena o durante la misma, tanto en caso de quebrantamiento, como de delitos ejecutados durante los permisos o en el interior de la prisión. Salvaguarda que se obtenía con la indicación del artículo 76.2 del Código Penal/1995 (en su redacción anterior a la LO 1/2015), que exigía que los delitos cuyas condenas pretendan acumularse se hubieran podido enjuiciar "en un solo proceso". El criterio temporal, es por ello un criterio legal que tiene su fundamento material en respetables consideraciones de política criminal. La STS 1376/2001 (LA LEY 6479/2001) decía expresamente: "Extender la acumulación a delitos futuros (o incluir en la acumulación futura los delitos ya sentenciados cuando se cometieron los que se pretenden acumular) constituiría un factor criminógeno para quienes, sabiendo cumplida de antemano total o parcialmente la pena que pudiera corresponderles, podrían actuar delictivamente —en el propio Centro Penitenciario, durante los permisos o tras el cumplimiento de la condena— sin el freno o inhibición que representa la conminación de una pena legal, con lo que se haría dejación de la función de tutela de bienes jurídicos que incumbe de modo irrenunciable al sistema penal". El criterio jurisprudencial de considerar conexos a efectos de limitación de cumplimiento de las penas, todos los delitos que satisfagan la conexidad "temporal" en los términos expuestos y hacerlo con independencia de la analogía o relación que pueda haber entre ellos (criterio de inspiración humanitaria como ya indicamos en las SSTS 108/13, de 13 de febrero (LA LEY 7999/2013) o 481/13, de 6 de junio (LA LEY 64782/2013)), se ha explicitado en la nueva redacción que ha dado al artículo 76.2 del Código Penal, su reciente reforma operada por LO 1/2015. Dispone hoy el mentado artículo que "La limitación se aplicará aunque las penas se haya impuesto en distintos procesos cuando lo hayan sido por hechos cometidos antes de la fecha en que fueron enjuiciados los que, siendo objeto de acumulación, lo hubieran sido en primer lugar". El precepto introduce una leve novedad respecto del criterio jurisprudencial que venía aplicándose, pues si antes la refundición venía determinada por la fecha de la sentencia de primera instancia (en Pleno no jurisdiccional de la 29 de noviembre de 2005, la Sala acordó que no era precisa la firmeza de la sentencia para determinar el límite de la acumulación), la regulación legal actualmente vigente parecía establecer como momento de cierre del periodo de la refundición el de la fecha de enjuiciamiento de los hechos primeramente juzgados, por lo que nuestro acuerdo de 3 de febrero de 2016 aclaró que por enjuiciamiento a los efectos del artículo 76.2 CP hay que estar a la fecha de la sentencia en la instancia y no la de juicio». STS S 2ª 178/2017 de 22 Mar. 2017, Rec. 10592/2016.

clarándose extinguidas las penas que resulte procedente desde que las ya impuestas cubran dicho máximo.

«De manera complementaria, el artículo 76.2 del Código Penal (LA LEY 3996/1995) (en su redacción anterior a la introducida por LO 1/2015 (LA LEY 4993/2015)) preceptuaba que la aludida limitación se aplicaría, aunque las penas se hubieran impuesto en distintos procedimientos, si los hechos, por su conexión o el momento de su comisión, pudieran haberse enjuiciado en uno solo. Previsión que encuentra su correspondencia en las normas reguladoras del proceso de ejecución establecidas en la Ley de Enjuiciamiento Criminal, estableciendo su artículo 988 de que "Cuando el culpable de varias infracciones penales haya sido condenado en distintos procesos por hechos que pudieron ser objeto de uno solo, conforme a lo prevenido en el art. 17 de esta Ley, el Juez o Tribunal que hubiera dictado la última sentencia, de oficio, a instancia del Ministerio Fiscal o del condenado, procederá a fijar el límite del cumplimiento de las penas impuestas conforme a lo dispuesto en el artículo 76 del Código Penal"». STS S 2ª 178/2017 de 22 Mar. 2017, Rec. 10592/2016.

La fijación del máximo de pena que deberá cumplir el condenado se fijará, con aplicación de las reglas expuestas, en el expediente de acumulación o refundición de penas (art. 17 LECrim, y 76.2 CP)[11] (véase M. 427). A ese fin, el Juez o Tribunal que hubiera dictado la última sentencia de oficio, a instancia del Ministerio Fiscal o del condenado procederá a fijar el límite máximo del cumplimiento de las penas, conforme a los arts. 76 y ss. CP (art. 988 LECrim)[12]. Con este fin, reclamará la hoja histórico-penal del Registro de Penados y Rebeldes y testimonio de las sentencias condenatorias. Previo dictamen del MF cuando no sea el solicitante, dictará auto en el que se relacionarán todas las penas impuestas al reo, y el máximo de cumplimiento de las mismas[13]. Contra el auto del Tribunal cabe recurso de casación por infracción de Ley que podrán interponer el Ministerio Fiscal o el condenado (art. 988.3 LECrim).

---

(11) Para apreciar este requisito de la conexidad de los hechos, debe tenerse en cuenta la interpretación realizada por el TS con base en la finalidad de la pena, según establece el art. 25.2 CE. En este sentido, el TS considera que lo más relevante para establecer la conexidad de los hechos no es tanto la analogía o relación entre ellos, sino la conexidad temporal. Es decir, que los hechos pudieran haber sido enjuiciados en un mismo proceso atendiendo al momento de su comisión.

(12) En relación a la consulta sobre qué órgano es el competente para la refundición de penas, si el último Tribunal sentenciador o el Juez de Vigilancia Penitenciaria del lugar en que el interno se halle cumpliendo condena, el Consejo General del Poder Judicial, en informe publicado en el Boletín n.º 57 (abril de 1987) estableció que, para la refundición de penas, era preciso formular un juicio sobre la conexidad de los hechos que están en la base de las distintas condenas, lo que implica un enjuiciamiento que excede del marco de las funciones puramente ejecutivas atribuidas a los Jueces de Vigilancia Penitenciaria y, por ello, la competencia corresponde al Tribunal sentenciador y, en el supuesto de pluralidad de condenas, al que hubiera pronunciado la recaída en último lugar de conformidad con lo que ordena el art 988 LECrim. El TC en STC 11/87, de 30 enero, estableció que solicitada por el recurrente la refundición de penas de las diversas causas pendientes contra el mismo debió abrirse el trámite del art. 988 LECrim., con audiencia del interesado, asistido de letrado, y resolverse por auto, contra el que pudiera presentarse recurso de casación, de manera que, al no proceder así, se vulneraron los derechos de defensa reconocidos en el art. 24 CE.

(13) En el auto del Tribunal deberán estar debidamente fundamentadas las cuestiones de hecho y de derecho. Así deben incluirse las fechas de las acciones sometidas a enjuiciamiento, los

«Como hemos señalado ya con reiteración SSTS 139, 314, 361, 548 o 976/2016, entre otras, "el Pleno no Jurisdiccional de la Sala Segunda de 03/02/2016 aprobó el siguiente Acuerdo en aras a la interpretación del artículo 76.2 CP (LA LEY 3996/1995): "la acumulación de penas deberá realizarse partiendo de la sentencia más antigua, pues al contenerse en ella los hechos enjuiciados en primer lugar, servirá de referencia respecto de los demás hechos enjuiciados en las otras sentencias. A esa condena se acumularán todas las posteriores relativas a hechos cometidos antes de esa primera sentencia.— Las condenas cuya acumulación proceda respecto de esta sentencia más antigua, ya no podrán ser objeto de posteriores operaciones de acumulación en relación con las demás sentencias restantes. Sin embargo, si la acumulación no es viable, nada impediría su reconsideración respecto de cualquiera de las sentencias posteriores, acordando su acumulación si entre sí son susceptibles de ello". La STS 139/2016 (LA LEY 10077/2016), posterior al Acuerdo, se ocupa de su alcance y contenido cuando argumenta que el Tribunal Supremo lo que establece (en el Acuerdo) «no es un principio sustantivo penal sino una regla práctica y metodológica sobre el modo de proceder en la acumulación jurídica de las penas, fijando un criterio uniforme para su realización práctica, de forma que ello no debe impedir, a partir de dicho esquema, la posibilidad de su reconsideración teniendo en cuenta los principios sustantivos que deben tenerse en cuenta en esta materia, lo que desde luego no puede excluir otras posibilidades combinatorias siempre y cuando no se traspasen las reglas fijas e inamovibles establecidas por la Sala desde siempre: que los hechos sean siempre anteriores a la sentencia que sirve de referencia a la acumulación, que los mismos no estén sentenciados con anterioridad a la misma y que la operación debe ser completa porque como afirma la STS ya citada (706/2015) "acumular supone, en realidad, la realización de la operación completa prevista en el artículo 76, y no solo la posibilidad de considerarla". De ahí la necesidad de establecer una regla metodológica que recoja en principio el punto de partida de la totalidad de las penas potencialmente acumulables. Según ello, cuando el apartado 2 del artículo 76 se refiere a que los hechos objeto de acumulación hayan sido cometidos antes de la fecha en que hubieren sido enjuiciados los que sirven de referencia, ello no significa necesariamente que esta sentencia deba ser la de fecha más antigua de todas las potencialmente acumulables sino anterior a las que hayan enjuiciado los hechos que sean objeto de acumulación en relación con la que sirve de referencia en cada caso". De la misma forma, cuando el límite máximo sea superior a las penas impuestas, podrá reconsiderarse la combinación de las descartadas en la primera operación para el examen de otra posibilidad de acumulación distinta, siempre que se cumplan las reglas fijas señaladas más arriba». STS S 2ª 180/2017 de 22 Mar. 2017, Rec. 10549/2016.

La existencia de refundiciones o acumulaciones anteriores no impide un nuevo examen de la situación cuando se conozcan nuevas condenas que pudieran ser susceptibles asimismo de acumulación, sin que por ello sea aplicable la excepción de cosa juzgada.

«Por otro lado y en cuanto a la posibilidad de revisar acumulaciones de penas acordadas mediante resolución firme (véase entre otras STS 214/2012, de 20 de marzo (LA LEY 29897/2012)), que declara que, según la jurisprudencia de esta Sala, la

---

delitos cometidos y su tipificación, así como las fechas de las respectivas sentencias cuyas condenas han de ser objeto de acumulación. En caso contrario, debe declararse la nulidad de lo actuado.

existencia de refundiciones o acumulaciones anteriores no impide un nuevo examen de la situación cuando se conozcan nuevas condenas que pudieran ser susceptibles asimismo de acumulación, sin que por ello sea aplicable la excepción de cosa juzgada. Ello es consecuencia de la adopción del criterio cronológico que se lleva a la práctica con todas sus consecuencias, de forma que apareciendo una condena por delitos no contemplados en la acumulación anterior, pero que podían haberlo sido, no existen razones suficientes para no incluirlos con posterioridad ampliando la acumulación ya practicada. Un auto de acumulación ha de estar abierto siempre a la posibilidad de que aparezca después otra pena no acumulada, pero que tenía que haberlo sido de haber existido una tramitación normal. En estos supuestos no cabe hablar de eficacia de cosa juzgada que pudiera impedir una reconsideración del caso en beneficio del reo. Si aparecieran nuevas condenas por delitos no contemplados en la anterior resolución sobre acumulación dictada conforme al art. 988 de la LECr. (LA LEY 1/1882) ., habrá de dictarse un nuevo auto para hacer un cómputo que abarque la totalidad de las condenas (SSTS 146/2010, de 4-2 (LA LEY 5322/2010); 181/2010, de 24-2 (LA LEY 6886/2010); y 1261/2011, de 14-11 (LA LEY 232382/2011), entre otras)». STS S 2ª 150/2017 de 9 Mar. 2017, Rec. 10588/2016.

La refundición que se opere con motivo de un nuevo examen solo será procedente cuando, en su conjunto, ésta resulte favorable al reo.

«La nueva refundición que se opere solo será procedente cuando, en su conjunto, ésta resulte favorable al reo, dado que la condena posterior no puede perjudicar retroactivamente la acumulación ya realizada (STS 707/2013, de 30 de septiembre (LA LEY 148699/2013)), una vez que se entra a revisar una acumulación anterior, la revisión no se limita a las penas efectivamente acumuladas, sino a todas las que fueron objeto de examen en el Auto, sin perjuicio de que entonces su acumulación se considerara improcedente ya que sí podrían ser acumulables con la nueva Sentencia». STS S 2ª 150/2017 de 9 Mar. 2017, Rec. 10588/2016.

La pena resultante de la acumulación constituirá el máximo de cumplimiento del penado en un centro penitenciario. De modo que en el auto de acumulación no se dicta una nueva pena, distinta de las sucesivamente impuestas al reo, ni tampoco una pena resultante de todas las anteriores, sino el máximo de cumplimiento con las limitaciones máximas contenidas en el art. 76 CP. Limitaciones que han sido puestas en entredicho por establecer la impunidad de los delitos cuya pena exceda del máximo de cumplimiento.

«Principio constitucional de cumplimiento de las penas, que resulta del contenido del art. 118 de la Constitución española ("es obligado cumplir las sentencias... firmes de los Jueces y Tribunales ..."), y establece un cierto principio de impunidad, por el que resulta que el autor de más de tres delitos de la misma gravedad, no cumplirá sanción alguna por todos los restantes, sin fundamento alguno, cualquiera que sea su número, y que origina situaciones de trato discriminatorio respecto de otro sujeto que cometiendo idénticas infracciones tenga ya alguna sentencia condenatoria que rompa con la posibilidad de tal acumulación». STS Sala Segunda, de lo Penal, Sentencia 197/2006 de 28 Feb. 2006, Rec. 598/2005; Ponente: Sánchez Melgar, Julián. LA LEY 338/2006.

Esta posibilidad de reducción efectiva del tiempo de cumplimiento de la pena impuesta ha determinado la regulación de una norma que sirve como una suerte de contrapeso que previene sobre esta posibilidad de reducción excesiva del tiempo de condena efectivo para establecer que cuando la pena a cumplir resultase inferior a la mitad de la suma total de las impuestas, el Juez o Tribunal, atendida la peligrosidad criminal del penado, podrá acordar motivadamente que los beneficios penitenciarios y el cómputo del tiempo para la libertad condicional se refieran a la totalidad de la penas impuestas en las sentencias, sin perjuicio de lo que, a la vista del tratamiento, pueda resultar procedente. Este acuerdo será preceptivo en los supuestos previstos en los párrafos a), b), c) y d) del art. 76.1 CP (varias condenas y alguna de ellas castigada con pena de prisión de hasta veinte años o superior), cuando la pena a cumplir resulte inferior a la mitad de la suma total de las impuestas. No obstante, el Juez de Vigilancia Penitenciaria, valorando en su caso las circunstancias personales del reo, la evolución del tratamiento reeducador y el pronóstico de reinserción social, podrá acordar, oído el MF, la aplicación del régimen general de cumplimiento (art. 78 CP). Pero, con la excepción de los condenados por delitos de terrorismo o cometidos en el seno de organizaciones criminales, a los que únicamente se podrá acordar la aplicación de régimen ordinario respecto: a) Al tercer grado penitenciario, cuando quede por cumplir una quinta parte del límite máximo de cumplimiento de la condena. b) A la libertad condicional, cuando quede por cumplir una octava parte del límite máximo de cumplimiento de la condena (art. 78.3 CP).

El cumplimiento de la condena se efectuará principiando por el orden de la respectiva gravedad de las penas impuestas, aplicándose los benéficos y redenciones que procedan con respecto a cada una de las penas que se encuentre cumpliendo. Una vez extinguida la primera, se dará comienzo al cumplimiento de la siguiente, y así sucesivamente, hasta que se alcanzan las limitaciones, de cumplimiento máximo de penal, dispuestas en la regla segunda del art. 76 CP. Así, está establecido jurisprudencialmente en doctrina consolidada del TS contenida en las SSTS 28 Feb. 2006 LA LEY 338/2006 (Caso Parot) y en otras posteriores como la STS 924/2006, de 29 de septiembre (LA LEY 138590/2006), STS 29 Mar. 2007, LA LEY 13876/2007 o STS 14 de noviembre de 2008 (violador del Eixample).

«El término a veces empleado, llamando a esta operación una "refundición de condenas", sea enormemente equívoco e inapropiado. Aquí nada se refunde para compendiar todo en uno, sino para limitar el cumplimiento de varias penas hasta un máximo resultante de tal operación jurídica. Consiguientemente, las varias penas se irán cumpliendo por el reo con los avatares que le correspondan, y con todos los beneficios a los que tenga derecho. Por tanto, en la extinción de las penas que sucesivamente cumpla aquél, se podrán aplicar los beneficios de la redención de penas por el trabajo conforme al art. 100 del Código penal (T.R. 1973). De tal modo, que la forma de cumplimiento de la condena total, será de la manera siguiente: se principiará por el orden de la respectiva gravedad de las penas impuestas, aplicándose los beneficios y redenciones que procedan con respecto a cada una de las penas que se encuentre cumpliendo. Una vez extinguida la primera, se dará comienzo al cumplimiento de la siguiente, y así sucesivamente, hasta que se alcanzan las limitaciones dispuestas en la regla segunda del art. 70 del Código penal de 1973. Llegados a este estadio, se producirá la extinción de todas las penas comprendidas en la condena total resultante». ATS Sala Segunda, de lo Penal, Auto 707/2007 de 29 Mar. 2007, Rec. 10924/2006; Ponente: Giménez García, Joaquín. LA LEY 13876/2007.

Consecuencia de lo expuesto es que no existe una predeterminación del momento de puesta en libertad del reo conforme resulta del auto de acumulación de condenas, ya que el tiempo que finalmente se prolongue la condena no depende absoluta y necesariamente de la fecha fijada en la resolución de acumulación y liquidación de condena, sino que deberá fijarse en el auto de licenciamiento definitivo en el que se deberá valorar el modo de cumplimiento y su adecuación a la Ley. Principalmente con relación al cómputo de los beneficios penitenciarios.

«... a los Autos que resuelven sobre el licenciamiento definitivo en expedientes de Acumulación de Condenas les corresponde la esencial función de comprobar antes del término de la ejecución el cómo del cómputo de las penas acumuladas o forma de cumplimiento de las mismas a fin de constatar si tal forma de cumplimiento se ha ajustado a la legalidad vigente y ha podido suponer una modificación del límite establecido en el Auto de Acumulación. Por consiguiente, y como corolario de estas consideraciones, el expediente histórico-penal del recluso en el que se recojan las acumulaciones de condenas y cuantas vicisitudes puedan afectar a la liquidación en su día practicada, ha de considerarse "vivo" en tanto no recaiga Auto de licenciamiento definitivo y éste adquiera firmeza, lo que evidencia su importancia y, por otro lado, la existencia de un trámite procesal con intervención del Ministerio Fiscal que, en su caso, podrá impugnar la resolución. Con esta última afirmación se pone de manifiesto que la resolución recurrida carece de razón cuando sostiene que después de practicada la liquidación de condena ya no existe ningún trámite legal que permita la modificación de dicha liquidación. El trámite legal es el Auto de licenciamiento, que no es en absoluto baladí, automático o meramente ritual, sino que tiene la importante función de verificar la forma en que se cumplen las penas acumuladas, el cómputo de éstas y la manera de efectuarse ese cómputo. Buena prueba de ello, es que se dio traslado al Ministerio Fiscal para que informara». STS Sala Segunda, de lo Penal, Sentencia 734/2008 de 14 Nov. 2008, Rec. 10566/2008; Ponente: Ramos Gancedo, Diego Antonio. LA LEY 169465/2008.

1.3. La ejecución de las penas privativas de libertad

A) Sustitución y suspensión de las penas privativas de libertad

La modificación del Código Penal operada por la LO 1/2015 pretendió dar un tratamiento procesal unificado a las distintas modalidades de sustitución, de suspensión de las penas privativas de libertad, expulsión de extranjeros y libertad condicional. Para ello, las englobó todas dentro del concepto de formas sustitutivas de la ejecución de las penas privativas de libertad y de la libertad condicional, caracterizándose todas ellas por tratarse de suspensiones condicionales[14]. La reforma quiso dar mayor

---

(14) «En efecto, en la regulación establecida por la referida Ley Orgánica 1/2015 (LA LEY 4993/2015) de las formas sustitutivas de la ejecución de las penas privativas de libertad, en términos generales y concretamente en los que son de específica aplicación a las concretas circunstancias caso que ahora nos ocupa, se ha "mejorado pro reo", el anterior sistema. De este modo la suspensión y la sustitución de la ejecución son objeto de regulación unitaria bajo el título referido de "formas sustitutivas de la ejecución de las penas privativas de libertad". Dicha novedosa regulación, acoge la doctrina constitucional y jurisprudencial, con arreglo a la cual, la decisión de suspensión, debe mostrar la expresión de una decisión jurisdiccional, basada en que: "... Sea razonable esperar que la ejecución de la pena no sea necesaria para evitar la comisión futura por el penado de nuevos delitos". Sentencia del Tribunal Constitucional número 202/2004 de 15 de noviembre de

margen de discrecionalidad a los Jueces al dejar más abierta su regulación normativa, a la vez que flexibilizó las condiciones de la suspensión[15].

La suspensión de la ejecución de la pena tiene como finalidad evitar, en ciertos casos, el cumplimiento de penas cortas privativas de libertad por aquellos condenados que presenten un pronóstico favorable de no cometer delitos en el futuro, por los efectos negativos que pudieran derivarse de su cumplimiento.[16]

«Como dijimos en la STC 251/2005, de 15 de noviembre, FJ 7, la finalidad de la referida figura reside en la necesidad de evitar en ciertos casos el cumplimiento de

---

2004 (LA LEY 10004/2005). Así como la que establece las exigencias tantas veces consideradas en precedentes resoluciones de este Tribunal de apelación referentes a que han de ser específicamente valoradas en cada caso: "... las circunstancias del delito cometido, las circunstancias personales del penado, sus antecedentes, su conducta posterior al hecho, en particular su esfuerzo para reparar el daño causado, sus circunstancias familiares y sociales, y los efectos que quepa esperar de la propia suspensión de la ejecución y del cumplimiento de las medidas que fueren impuestas"». SAP Navarra, Sección 2ª, Auto 299/2015 de 26 Oct. 2015, Rec. 372/2015.

«Es clara la voluntad actual del legislador en favorecer medidas de suspensión alternativas a la prisión para penados con penas cortas de prisión y no sean reos habituales y no adeuden responsabilidades civiles. De esta forma la LO 1/2015, establece un nuevo sistema de regulación de la ejecución de la penas cortas de prisión, que justifica en el Preámbulo "por la conveniencia de introducir una mayor flexibilidad y discrecionalidad judicial en el régimen de la suspensión" y se afirma que dicho texto legal "introduce modificaciones que intentan hace más efectivo el sistema y que ofrecen a los jueces y tribunales una mayor flexibilidad para la resolución justa de las diversas situaciones que puedan plantearse". Se ha optado por un sistema diferente de ejecución, de tal forma que ha desaparecido la sustitución de la pena de prisión impuesta, por multa o trabajos en beneficio de la comunidad, que venía regulándose en el anterior artículo 88 CP, y se acude a un sistema genérico de suspensión, más amplio y con posibilidades variadas, pues contempla, aparte del caso específico de drogadicciones y dependencias, dos tipos de suspensión, la ordinaria que venía siendo regulada en el artículo 80.1, y la que podíamos denominar extraordinaria, pues alcanza penas que individualmente no excedan de dos años de prisión, en el artículo 80.3 CP, y que se configura como una suspensión sustitutiva, es decir, la suspensión de la pena con medidas de cumplimiento tales como la multa o los TBC, además de las medidas del art. 83 CP. Como novedad se cuenta con la posibilidad de aplicar la suspensión de la ejecución de la pena aun teniendo antecedentes penales vigentes, siempre que carezcan de relevancia para valorar la probabilidad de comisión de delitos futuros, y no todo delito cometido durante el periodo de suspensión da lugar a su revocación, pues como establece el nuevo artículos 86 CP, será causa de revocación "cuando ponga de manifiesto que la expectativa en la que se fundaba la decisión de suspensión adoptada ya no puede ser mantenida"». SAP Barcelona, Sección 10ª, Sentencia 807/2016 de 22 Nov. 2016, Rec. 145/2016.

(15) Vid. MATA Y MARTÍN, R.M., «Ámbitos de la ejecución penitenciaria afectados por la reforma del Código Penal. A propósito de la LO 1/2015», Diario La Ley 2 marzo 2016, nº 8713.

(16) «El beneficio de la remisión condicional de la condena —se dice en nuestra STC 224/1992 (LA LEY 2072-TC/1992)— viene inspirado por la necesidad de evitar el cumplimiento de penas cortas privativas de libertad por aquellos condenados que presenten un pronóstico favorable de no cometer delitos en el futuro, dado que, en tales casos, la ejecución de una pena de tan breve duración no solo impediría alcanzar resultados positivos en materia de resocialización y readaptación social del penado, sino que ni siquiera estaría justificada dada su falta de necesidad desde el punto de vista preventivo». «La condena condicional —se lee en la STC 165/1993 (LA LEY 2264-TC/1993)— está concebida para evitar el probable efecto corruptor de la vida carcelaria en los delincuentes primarios y respecto de las penas privativas de libertad de corta duración, finalidad explícita en el momento de su implantación». STC 209/1993 de 28 Jun. 1993, Rec. 262/1990. Ver, también, STC 81/2014 de 28 May. 2014, Rec. 2643/2013, FJ 4.3º.

penas cortas privativas de libertad por aquellos condenados que presenten un pronóstico favorable de no cometer delitos en el futuro, dado que en tales supuestos no sólo la ejecución de una pena de tan breve duración impediría alcanzar resultados positivos en materia de resocialización y readaptación social del penado, sino que ni siquiera estaría justificada dada su falta de necesidad desde un punto de vista preventivo (vid. en el mismo sentido, SSTC 115/1997, de 16 de junio (LA LEY 7574/1997), FJ 2; 164/1999, de 27 de septiembre (LA LEY 275/2000), FJ 2; 264/2000, de 13 de noviembre (LA LEY 11790/2000), FJ 2; 8/2001, de 15 de enero (LA LEY 2367/2001), FJ 2; y 110/2003 (LA LEY 106833/2003), de 16 de junio, FJ 4)».

La suspensión de la ejecución ha sido concebida, tanto por el TS como por el TC, como una modalidad alternativa a la ejecución en sus propios términos de las penas de prisión, esto es, a la efectiva privación de libertad. El fundamento de este criterio se basa en que si el penado se abstiene de delinquir durante el período fijado y, en caso de ser impuestas, cumple con obligaciones y deberes fijados en la resolución que le otorga el beneficio, se producirá el mismo resultado que si hubiera cumplido en su literalidad la pena de prisión impuesta en sentencia.[17]

El otorgamiento de la suspensión de la ejecución de una pena privativa de libertad, por tratarse de una modalidad de cumplimiento de la pena, debe entenderse como causa de interrupción de la prescripción de la pena. Por tanto, durante su vigencia impide que se compute la prescripción de la pena, lo que provoca que la revocación de la suspensión otorgada (arts. 84.1 y 87.5,1° CP), comporte que la pena impuesta se ejecute en sus justos términos (art. 85.1 CP). En cambio, si el penado no delinquiese durante el plazo de suspensión fijado y, en su caso, cumpliese las reglas de conducta, entonces se acordará la remisión de la pena (art. 85.2 y 87.5.2 CP), con la consiguiente extinción de la responsabilidad penal que establece el art. 130.3 CP.

«Por lo que se refiere a éstas, el CP 1995, tras enunciar como una de las causas de extinción de la responsabilidad criminal la prescripción de la pena (art. 130.7 CP), se limita a señalar los plazos de prescripción de las penas impuestas por sentencia firme, así como a declarar la no prescripción de las penas impuestas por la comisión de determinados delitos (art. 133 CP) y a determinar el dies a quo del cómputo de dichos plazos (art. 134 CP). Al respecto este último precepto dispone que "el tiempo de la prescripción de la pena se computará desde la fecha de la sentencia firme, o desde el quebrantamiento de la condena, si ésta hubiera comenzado al cumplirse". Aunque el precepto se circunscribe a establecer dos momentos del inicio del cómputo del tiempo de la prescripción, implícitamente cabe inferir de su redacción, como pacíficamente admite la doctrina, que en él se contempla el cumplimiento de la pena como causa de interrupción de la prescripción (SSTC 97/2010, de 15 de noviembre (LA LEY 208794/2010), FJ 4; y 152/2013 (LA LEY 145706/2013), de 9 de septiembre, FJ 5)». STC 81/2014 de 28 May. 2014, Rec. 2643/2013, FJ 3.7°[18]

---

(17)   STC 81/2014 de 28 May. 2014, Rec. 2643/2013, FJ 4; STC 110/2003, de 17 de julio, FJ 4°.

(18)   «El hecho de que no se compute la prescripción durante la suspensión de la ejecución no contraviene la finalidad constitucional asociada al instituto prescriptivo, puesto que ha sido el legislador quien ha establecido un modo alternativo a la ejecución de la condena que, durante su vigencia, veda el cumplimiento material de las penas privativas de libertad que exige la literalidad de la sentencia firme. Además, si se cumplen los requisitos impuestos en la resolución judicial se

Tampoco interrumpe la prescripción la interposición de un recurso de amparo o una petición de indulto.

> «Este Tribunal, en su STC 97/2010, de 15 de noviembre (LA LEY 208794/2010), FJ 4, descartó que la suspensión de la ejecución de la pena durante la tramitación de una solicitud de indulto —como también de un recurso de amparo— despliegue un efecto interruptivo sobre el plazo señalado a la prescripción de la pena, poniendo de relieve la carencia de específica previsión legal al efecto, en la medida en que el art. 134 CP se limita a indicar como *dies a quo* para el cómputo del plazo de prescripción de la pena la fecha en que la sentencia deviene firme o bien aquélla en que la condena es quebrantada…/ Como hemos señalado, la suspensión de la ejecución durante la tramitación de una solicitud de indulto ni interrumpe la prescripción de la pena ni suspendía el cómputo del plazo. Tampoco el requerimiento para el ingreso en prisión y la orden misma, no materializada, provocan la interrupción en tanto en cuanto no pueden asimilarse al cumplimiento, *in natura* o por sustitución, de la pena de prisión». STC 14/2016 de 1 Feb. 2016, Rec. 7419/2014.

Sin embargo, existe una diferencia importante entre aquellos supuestos en que se suspende la ejecución por la tramitación de una petición de indulto o la sustanciación de un recurso de amparo y la suspensión de la ejecución de las penas privativas de libertad regulada en el artículo 80 y ss. CP. En el primer caso la suspensión solamente produce la paralización del cumplimiento de la sanción impuesta, en espera del acaecimiento de un suceso futuro y de resultado incierto que, eventualmente, podría afectar al título de ejecución, es decir, a la sentencia condenatoria. Por el contrario, la suspensión de la ejecución de las penas privativas de libertad, regulada en el artículo 80 y ss. CP, no tiene por finalidad preservar la efectividad de una potencial modificación del fallo, sino articular un modo de ejecución alternativa al cumplimiento material de la pena privativa de libertad que, basado en el comportamiento favorable del penado, produce un resultado del todo coincidente con el cumplimiento efectivo de la pena.[19]

a) Presupuestos para la suspensión de la pena

Los jueces o tribunales, mediante resolución motivada, podrán dejar en suspenso la ejecución de las penas privativas de libertad no superiores a dos años cuando sea razonable esperar que la ejecución de la pena no sea necesaria para evitar la comisión futura por el penado de nuevos delitos (art. 80.1 CP).

> «Por lo que respecta al canon reforzado de motivación imperante en materia de suspensión de la ejecución de penas privativas de libertad existe ya una doctrina consolidada, que sustancialmente puede sintetizarse en dos consideraciones de

produce ope legis el mismo efecto que si la pena se hubiera cumplido: la extinción de la responsabilidad penal». STC 81/2014 de 28 May. 2014, Rec. 2643/2013.

(19) «Dicho en otras palabras, mientras que la paralización de la ejecución, por los motivos enunciados en primer lugar, tiene por objeto evitar que la hipotética concesión del indulto o la eventual estimación del recurso de amparo pierda su finalidad, el otorgamiento de la suspensión de la ejecución de las penas deja intacto el contenido de la sentencia condenatoria, limitándose a habilitar un cauce para el desarrollo de la ejecución que, por evidentes razones de política criminal, tendrá un contenido distinto de la ejecución in natura». STS 81/2014 de 28 mayo 2014, Rec. 2643/2013, FJ 5.

signo contrario. Por un lado, en sentido negativo, se ha rechazado reiteradamente que la simple referencia al carácter discrecional de la decisión del órgano judicial constituya motivación suficiente del ejercicio de dicha facultad, en el entendimiento de que "la facultad legalmente atribuida a un órgano judicial para que adopte con carácter discrecional una decisión en un sentido o en otro no constituye por sí misma justificación suficiente de la decisión finalmente adoptada, sino que, por el contrario, el ejercicio de dicha facultad viene condicionado estrechamente a la exigencia de que tal resolución esté motivada, pues sólo así puede procederse a un control posterior de la misma" (SSTC 224/1992, de 14 de diciembre (LA LEY 2072-TC/1992) FJ 3; 115/1997, de 16 de junio (LA LEY 7574/1997) FJ 2; 25/2000, de 31 de enero (LA LEY 4148/2000) FJ 2; 163/2002, de 16 de septiembre (LA LEY 7808/2002) FJ 4; y 202/2004, de 15 de diciembre (LA LEY 10004/2005) FJ 3, entre otras). Por otro lado, ya en sentido positivo, se ha especificado que el deber de fundamentación de estas resoluciones judiciales requiere la ponderación de las circunstancias individuales del penado, así como de los valores y bienes jurídicos comprometidos en la decisión, teniendo en cuenta la finalidad principal de la institución, la reeducación y reinserción social, y las otras finalidades, de prevención general, que legitiman la pena privativa de libertad (por todas SSTC 25/2000, de 31 de enero (LA LEY 4148/2000) FFJJ 4 y 7; 8/2001, de 15 de enero (LA LEY 2367/2001) FJ 3; 163/2002, de 16 de septiembre (LA LEY 7808/2002) FJ 4; y 202/2004, de 15 de diciembre (LA LEY 10004/2005) FJ 3)». STC 320/2006 de 15 Nov. 2006, Rec. 7208/2005.

También deberá motivarse la denegación de la suspensión.

«En el caso de la remisión condicional de la pena se confiere a los Tribunales la atribución de otorgarla motivadamente (art. 92 CP), exigencia predicable implícitamente también de la contraria, es decir que, en definitiva, también la denegación del beneficio ha de ser motivada por exigencia del art. 24 CE». STC 264/2000 de 13 Nov. 2000, Rec. 85/1997.

Para adoptar esta resolución el juez o tribunal valorará las circunstancias del delito cometido, las circunstancias personales del penado, sus antecedentes, su conducta posterior al hecho, en particular su esfuerzo para reparar el daño causado, sus circunstancias familiares y sociales, y los efectos que quepa esperar de la propia suspensión de la ejecución y del cumplimiento de las medidas que fueren impuestas. Por tanto, la concesión de este beneficio de suspensión no será automático por cumplir los requisitos que, como condiciones necesarias se establecen en el art. 80.2 CP, sino que corresponde al Juez valorar su oportunidad[20].

___

(20) «La suspensión de la ejecución de la pena es, como prevé el art. 80 CP, una facultad discrecional del Juez o Tribunal sentenciador en la que se debe ponderar si se cumple con este beneficio la función preventivo especial de amenaza de ejecución de la pena, estableciéndose una serie de factores a tener en cuenta, con anterioridad a la LO 1/2015 se hablaba de la peligrosidad criminal y la existencia de otros procedimientos penales, y en la nueva redacción el art. 80.1 dispone que: "Los jueces o tribunales, mediante resolución motivada, podrán dejar en suspenso la ejecución de las penas privativas de libertad no superiores a dos años cuando sea razonable esperar que la ejecución de la pena no sea necesaria para evitar la comisión futura por el penado de nuevos delitos. Para adoptar esta resolución el juez o tribunal valorará las circunstancias del delito cometido, las circunstancias personales del penado, sus antecedentes, su conducta posterior al hecho, en particular su esfuerzo para reparar el daño causado, sus circunstancias familiares y sociales, y los efectos que quepa esperar de la propia suspensión de la ejecución y del cumpli-

Serán requisitos necesarios para dejar en suspenso la ejecución de la pena, los siguientes (art. 80.2 CP):

1.ª Que el condenado haya delinquido por primera vez. A tal efecto no se tendrán en cuenta las anteriores condenas por delitos imprudentes o por delitos leves, ni los antecedentes penales que hayan sido cancelados, o debieran serlo con arreglo a lo dispuesto en el artículo 136. Tampoco se tendrán en cuenta los antecedentes penales correspondientes a delitos que, por su naturaleza o circunstancias, carezcan de relevancia para valorar la probabilidad de comisión de delitos futuros.

Este apartado debe interpretarse que se cumplirá el presupuesto de la primera vez en aquellos supuestos en los que aun cuando existan sentencias condenatorias por hechos anteriores, éstas devengan firmes con posterioridad a los hechos delictivos objeto de condena respecto de la que se solicite su suspensión[21]. Esta interpretación se funda en que debe atenderse en estos casos a la fecha de la firmeza de la sentencia condenatoria. Y, por otra parte, se deja a criterio del Tribunal valorar la relevancia de los antecedentes penales correspondientes a delitos graves o menos graves del condenado a los efectos de prever una futura comisión de otros delitos, ya que el legislador no ha marcado ninguna pauta para determinar tales delitos. De acuerdo con esta previsión, se pueden encuadrar en ella, entre otros, los delitos de poca entidad, los cometidos por menores en tránsito a adultos, o los casos en los que faltase escaso tiempo para la cancelación de antecedentes. Con relación a los ciudadanos de la Unión Europea, el art. 94 bis CP[22] ha equiparado las sentencias dictadas por los tribunales de la UE con las de los tribunales españoles, a los efectos de la suspensión de la ejecución de penas.

2.ª Que la pena o la suma de las impuestas no sea superior a dos años, sin incluir en tal cómputo la derivada del impago de la multa. Este tope máximo debe enten-

---

miento de las medidas que fueren impuestas". Por tanto, no basta sólo con cumplir los requisitos que como condiciones necesarias se establecen en el art. 80.2 (antes 81.1): delincuente primario, pena que no exceda de dos años y satisfacción de la responsabilidad civil, para que se conceda automáticamente el beneficio de la suspensión». SAP Jaén, Sección 2ª, Sentencia 90/2016 de 12 Abr. 2016, Rec. 260/2016.

(21) «La expresión "que el reo haya delinquido por primera vez", recogida en el art. 93 CP 73 para definir el primer requisito que se exige para la aplicación de la remisión condicional, ha venido refiriéndose, según práctica constante de nuestros juzgados y tribunales, a aquellos casos en los que hay una sentencia firme condenatoria, pues solo la existencia de una condena firme por delito doloso impedía la aplicación de la remisión condicional, no el hecho de haberse cometido un delito que es sancionado después de la comisión de aquel para el que la citada remisión se aplica. Esto es precisamente lo ocurrido en el caso presente, en el que, como se ha dicho y repetido, el delito segundo (falso testimonio) se cometió durante la celebración del juicio oral por el primero (calumnias). Sólo puede decirse que se ha delinquido cuando hay una sentencia firme que así lo establece. Únicamente entonces el haber cometido un delito puede tener relevancia jurídica, en este caso para impedir la aplicación de la remisión condicional. No basta haberse realizado el hecho que después es sancionado como delito». STS S 2ª 1196/2000 de 17 Jul. 2000, Rec. 1277/1999.

(22) Art. 94 bis CP: «*A los efectos previstos en este Capítulo III, las condenas firmes de jueces o tribunales impuestas en otros Estados de la Unión Europea tendrán el mismo valor que las impuestas por los jueces o tribunales españoles salvo que sus antecedentes hubieran sido cancelados, o pudieran serlo con arreglo al Derecho español*».

derse respetado cuando por razón de un indulto parcial hubiese quedado reducida la pena privativa de libertad dentro de este límite.

«Esta Sala de lo Penal del Tribunal Supremo, cierto es que sin argumentación alguna por no haberse suscitado cuestión sobre el tema, en alguna resolución (sentencia de 22-4-1996) y en algunos informes emitidos en expedientes de indulto (al menos en dos, uno de 27-6-2000 —recurso de casación 3943/1998— y otro de 15-2-2001 —recurso de casación 2068/1997—), ha venido proponiendo o informando con relación a esta materia en sentido contrario al ahora defendido por el Ministerio Fiscal, de modo que, en algunas ocasiones, al proponer o informar sobre algún indulto parcial lo venimos haciendo con el criterio de que la pena fijada en la sentencia quede reducida a unos límites tales (ahora no superior a esos dos años de prisión), que permitan a la Audiencia Provincial aplicar esa suspensión de ejecución de la pena si lo estima oportuno. Es decir, venimos reconociendo a los tribunales de instancia la facultad de aplicar esta suspensión de ejecución de la pena de prisión cuando ésta, reducida por el indulto parcial, no resulta superior a esos dos años a que se refiere el mencionado art. 81.2ª CP. Consideramos que debemos mantener esta postura, a fin de que, en aquellos casos en que se estime equitativo acordar sólo el indulto parcial de una pena de privación de libertad superior al mencionado límite de dos años, sea posible evitar el ingreso en prisión del indultado, cuando la pena residual no supere este límite. Estimamos que hay que dejar la puerta abierta a esta posibilidad». ATS Sala Segunda, de lo Penal, Auto de 29 mayo 2001, Rec. 2530/1995; Ponente: Delgado García, Joaquín. LA LEY 3943/2001.

3.ª Que se hayan satisfecho las responsabilidades civiles que se hubieren originado y se haya hecho efectivo el decomiso acordado en sentencia conforme al artículo 127. Este requisito se entenderá cumplido cuando el penado asuma el compromiso de satisfacer las responsabilidades civiles de acuerdo a su capacidad económica y de facilitar el decomiso acordado, y sea razonable esperar que el mismo será cumplido en el plazo prudencial que el juez o tribunal determine. El juez o tribunal, en atención al alcance de la responsabilidad civil y al impacto social del delito, podrá solicitar las garantías que considere convenientes para asegurar su cumplimiento.

Según este apartado, el requisito se cumplirá si el condenado se compromete a satisfacer las responsabilidades civiles de acuerdo a su capacidad económica en el plazo prudencial que el juez considere pertinente. Si bien se podrán las garantías que considere convenientes para asegurar su cumplimiento. Es discutible la apelación «al impacto social del delito», ya que introduce un factor de inseguridad jurídica y de falta de igualdad ante la ley. No debe entrarse a valorar el impacto mediático sino las condiciones legales del art. 80.

«Tras la reforma introducida por aquella modificación legal citada el art. 80.2 del CP mantiene esencialmente las condiciones expuestas si bien excluye la salvedad prevista para la tercera (la declaración de imposibilidad de hacer frente a las responsabilidades civiles) y concibe la satisfacción de la responsabilidad como equivalente al compromiso del penado de satisfacer las responsabilidades civiles de acuerdo con su capacidad económica». Sent. Juzg. de lo Penal 1º, de Santiago de Compostela, 17 Mar. 2017, Rec. 47/2016.

Excepcionalmente, aunque no concurran las condiciones del art. 80.1º, 1.ª y 2.ª, y siempre que no se trate de reos habituales, podrá acordarse la suspensión de las penas de prisión que *individualmente* no excedan de dos años cuando las circunstancias personales del reo, la naturaleza del hecho, su conducta y, en particular, el esfuerzo para reparar el daño causado, así lo aconsejen. En estos casos, la suspensión se condicionará siempre a la reparación efectiva del daño o la indemnización del perjuicio causado conforme a sus posibilidades físicas y económicas, o al cumplimiento del acuerdo a que se refiere la medida 1.ª del artículo 84. Asimismo, se impondrá siempre una de las medidas a que se refieren los numerales 2.ª o 3.ª del mismo precepto, con una extensión que no podrá ser inferior a la que resulte de aplicar los criterios de conversión fijados en el mismo sobre un quinto de la pena impuesta.

El propio legislador ha establecido el ámbito del concepto reo habitual. Así el art. 94 CP dispone que: *A los efectos previstos en la sección 2.ª de este capítulo* (art. 80.3 CP), *se consideran reos habituales los que hubieren cometido tres o más delitos de los comprendidos en un mismo capítulo, en un plazo no superior a cinco años, y hayan sido condenados por ello. Para realizar este cómputo se considerarán, por una parte, el momento de posible suspensión o sustitución de la pena conforme al artículo 88 y, por otra parte, la fecha de comisión de aquellos delitos que fundamenten la apreciación de la habitualidad*[23].

Los jueces y tribunales podrán otorgar la suspensión de cualquier pena impuesta sin sujeción a requisito alguno en el caso de que el penado esté aquejado de una enfermedad muy grave con padecimientos incurables, salvo que en el momento de la comisión del delito tuviera ya otra pena suspendida por el mismo motivo.

«Del precepto (art. 80.4 CP) se desprende con toda claridad que el otorgamiento de la suspensión exige, como primer e inexorable requisito, que el penado esté aquejado de una enfermedad muy grave con padecimientos incurables. Ciertamente, como resulta de la STC 25/2000 (LA LEY 4148/2000) (FJ 4), los órganos judiciales sentenciadores cuentan con un amplio margen valorativo para la apreciación de si el penado está aquejado de una enfermedad que pueda ser calificada como muy grave y de si le ocasiona padecimientos incurables. Pero si el órgano judicial llega, de forma jurídicamente regular, a la conclusión de que tal presupuesto para el otorgamiento de la suspensión no existe, simplemente no podrá otorgar la suspensión. Y debe recordarse que en la STC 25/2000 (LA LEY 4148/2000) (FJ 6) pusimos de manifiesto también que este Tribunal Constitucional no puede afirmar ni cuestionar la concurrencia en cada caso de una enfermedad grave que ocasiona padecimientos incurables, ni tampoco imaginar las razones que podrían avalar una u otra hipótesis, al constituir su apreciación tarea atribuida a los Tribunales ordinarios, a los que sólo debemos exigir, como señalábamos, para satisfacer las exigencias del derecho fundamental a la tutela judicial efectiva, que expresen su decisión al respecto de forma

---

(23) «Tal decisión ha de ser respetada, pues aun cuando la penada sea reincidente en dicha tipología delictiva no alcanza la habitualidad, pues conforme al art. 94 CP es necesaria la comisión de tres o más delitos del mismo capítulo del código penal en un período de cinco años, que lógicamente ha de computarse partiendo de la fecha actual de la decisión hacia atrás, es decir, en los cinco años inmediatos anteriores a la sentencia de 21 de enero de 2016 que es donde se concede la suspensión, lo que nos sitúa en 21 de enero de 2011 como fecha inicial del período, siendo así que sólo son dos los robos violentos, de ahí que ha entrado a valorar la juzgadora a tenor del art. 80.3 las circunstancias personales y la actitud de reparación del daño...». SAP Jaén, Sección 2ª, Sentencia 90/2016 de 12 Abr. 2016, Rec. 260/2016.

motivada y razonable, sin caer en la arbitrariedad o en el error patente». STC 5/2002 de 14 Ene. 2002, Rec. 5341/1998.

Aun cuando no concurran las condiciones 1.ª y 2.ª previstas en el apartado 2 de este artículo, el juez o tribunal podrá acordar la suspensión de la ejecución de las penas privativas de libertad no superiores a cinco años de los penados que hubiesen cometido el hecho delictivo a causa de su dependencia de las sustancias señaladas en el numeral 2.º del artículo 20, siempre que se certifique suficientemente, por centro o servicio público o privado debidamente acreditado u homologado, que el condenado se encuentra deshabituado o sometido a tratamiento para tal fin en el momento de decidir sobre la suspensión.

El juez o tribunal podrá ordenar la realización de las comprobaciones necesarias para verificar el cumplimiento de los anteriores requisitos[24]. En el caso de que el condenado se halle sometido a tratamiento de deshabituación, también se condicionará la suspensión de la ejecución de la pena a que no abandone el tratamiento hasta su finalización. No se entenderán abandono las recaídas en el tratamiento si éstas no evidencian un abandono definitivo del tratamiento de deshabituación[25]. Se requiere una relación de causa efecto entre la adicción grave a las drogas y la comisión del delito[26].

---

(24)   «Asimismo, y si bien el nuevo artículo 80.4 del código penal, dispone que "los jueces y tribunales podrán otorgar la suspensión de cualquier pena impuesta sin sujeción a requisito alguno en el caso de que el penado esté aquejado de una enfermedad muy grave con padecimientos incurables, salvo que en el momento de la comisión del delito tuviera ya otra pena suspendida por el mismo motivo", lo cierto es que las dolencias que padece el acusado, y que constan en los informes médicos y médico forense unidos a la causa, en modo alguno pueden ser consideradas como constitutivas de una enfermedad muy grave con padecimientos incurables, tal y como exige el mencionado precepto, entendiendo la sala que tanto los padecimientos físicos como los psíquicos del penado pueden ser perfectamente tratados en el ámbito penitenciario, motivo por el cual no puede entenderse aplicable al presente caso el artículo invocado». SAP Cantabria, Sección 3ª, Auto 447/2015 de 28 Oct. 2015, Rec. 797/2015.

(25)   «La suspensión prevista en el artículo 87.1 del Código Penal exige, entre otros requisitos no controvertidos, que el condenado se encuentre deshabituado o sometido a tratamiento para tal fin en el momento de decidir sobre la suspensión que incluso, concurriendo todos los presupuestos, no es de concesión obligatoria. Sometido a tratamiento de deshabituación no se identifica con la expectativa, promesa o posibilidad de someterse una vez en libertad, y además en el presente caso consta informe del CP Madrid IV relativo a la inclusión de Carlos María en la Unidad de Atención a Drogodependientes en dos periodos, siendo el segundo de 4 de julio de 2005 al 31 de octubre de igual año, causando baja por no realizar un control analítico, exponiéndose además en el informe que durante la última estancia el nivel de abstinencia fue bastante bajo, constando varios positivos, con baja motivación e interés en la solución de su problema de dependencia de sustancias. Por ello la denegación de la suspensión aparece como plenamente correcta». SAP Madrid, Sección 3ª, Auto 291/2006 de 12 May. 2006, Rec. 252/2006.

(26)   «El beneficio extraordinario de la suspensión de la ejecución pena para los que cometieron el delito a causa de su adicción a las drogas regulado en el art. 87 del anterior CP y actual 80.5 en términos similares, es una facultad que el Tribunal puede conceder de forma discrecional y una vez se cumplan las condiciones establecidas .../... pues es sabido que no basta la condición de consumidor y estar en la actualidad siguiendo un tratamiento deshabituador siendo necesario que exista una relación causal entre la adicción grave a la droga y la comisión del delito, en definitiva la condición objetiva que permite apreciar la atenuante del art. 21.2 CP».

Para el otorgamiento de la suspensión de la ejecución no es suficiente con la mera constancia de que el delincuente era toxicómano en el momento de cometer los hechos, sino que, además, el condenado acredite, en el momento de decidir sobre la suspensión, que se encuentra deshabituado o que está en tratamiento para tal fin.

> «El fundamento de la suspensión de la ejecución de la pena para sujetos drogo-dependientes ha de buscarse en la idea de que el internamiento en un centro penitenciario puede frustra cualquier posibilidad de tratamiento deshabituador y además como establece el TS en la Sentencia 409/2002, de 7 de marzo (LA LEY 4999/2002), es "una alternativa a la pena privativa de libertad capaz de suponer, al mismo tiempo, una respuesta al hecho delictivo, siempre necesaria para afirmar la vigencia de la norma, y una consecuencia que posibilita la reinserción que interesa, indudablemente, al autor del hecho delictivo condicionado por la drogadicción". Ahora bien el apartado 5 del art. 80 CP establece el requisito de estar deshabituado o sometido a tratamiento de deshabituación. De este modo, para otorgar la suspensión de la ejecución no es suficiente con la mera constancia de que el delincuente era toxicómano en el momento de cometer los hechos, sino que, además, el condenado acredite, en el momento de decidir sobre la suspensión, que se encuentra deshabituado o que está en tratamiento para tal fin». SAP Pontevedra, Sección 2ª, Sentencia 233/2016 de 1 Dic. 2016, Rec. 51/2016.

En los delitos que sólo pueden ser perseguidos previa denuncia o querella del ofendido, los jueces y tribunales oirán a éste y, en su caso, a quien le represente, antes de conceder los beneficios de la suspensión de la ejecución de la pena.

b) Supuestos especiales de suspensión de la ejecución

Como casos especiales de suspensión de la ejecución de la pena, se establecen los siguientes:

1) La LO 8/2002 introdujo la posibilidad de que el Juez de Instrucción en funciones de Guardia pudiera, en determinados casos, dictar sentencia de conformidad sin necesidad de enjuiciamiento de los hechos (véase sobre este procedimiento § 3.4 Cap. XIII). Este supuesto se limita a penas privativas de libertad cuya suma no supere, reducida en un tercio, los dos años de prisión (art. 801.3º LECrim). Una especialidad se refiere a la posibilidad de obtener la suspensión de la condena en el supuesto de personas que hubiesen cometido el delito a causa de su dependencia a sustancias tóxicas, en que bastará el compromiso del acusado de obtener el certificado de sometimiento a desintoxicación.

2) Cuando se trate de un penado mayor de setenta años o que esté aquejado de una enfermedad muy grave, con padecimientos incurables, se podrá otorgar la suspensión de cualquier pena impuesta sin sujeción a requisito alguno, salvo que, en el momento de la comisión del delito, tuviera ya otra pena suspendida por el mismo motivo, así como la obtención de la libertad condicional, de conformidad, en este caso, con lo que dispone el art. 91 CP.

3) En los supuestos de petición de indulto de oficio por el Tribunal sentenciador, en los supuestos expresados en el art. 4.4 CP.

4) En los supuestos de interposición del recurso de amparo, el TC podrá, de oficio o instancia del recurrente, cuando la ejecución del acto o sentencia impugnados produzca un perjuicio al recurrente que pudiera hacer perder al amparo su finalidad, disponer la suspensión, total o parcial, de sus efectos, siempre y cuando la suspensión no ocasione perturbación grave a un interés constitucionalmente protegido, ni a los derechos fundamentales o libertades de otra persona. Por tanto, la suspensión no es automática sino que deberá ser ponderada por el TC (art. 56 LOTC)[(27)].

5) En los casos de demencia sobrevenida. La ejecución de la pena privativa de libertad se suspenderá cuando, después de pronunciada sentencia firme, se aprecie en el penado una situación duradera de trastorno mental grave que le impida conocer el sentido de la pena. En ese caso, el Juez de Vigilancia Penitenciaria suspenderá la ejecución de la pena garantizando que reciba la asistencia médica precisa (art. 60.1 CP).

En este sentido, la LECrim prevé que los confinados que se supongan en estado de demencia serán constituidos en observación, instruyéndose al efecto por el director del presidio un expediente informativo, en el que se consignarán el dictamen médico o la certificación de los facultativos que hayan examinado al presente demente (art. 991 LECrim)[(28)]. Confirmada el estado de demencia, el director del establecimiento

---

(27) «El presupuesto para que el Tribunal Constitucional pueda acordar en el proceso de amparo, de oficio o a petición del recurrente, la suspensión de la resolución impugnada (o cualquier otra medida cautelar), es siempre la necesidad de evitar que el recurso de amparo pierda su finalidad (periculum in mora) en caso de que finalmente fuera estimado (art. 56.2 y 3 LOTC). Como regla general, la medida cautelar de suspensión, o cualquier otra que pudiera resultar procedente, se acordará por el Tribunal Constitucional, en su caso, una vez admitida la demanda de amparo a trámite y tras oír a las partes y al Ministerio Fiscal sobre la pretensión cautelar suscitada (art. 56.4 LOTC). No obstante, en supuestos de urgencia excepcional que demandan una inmediata decisión cautelar, so pena de convertir en inútil el recurso de amparo, el Tribunal Constitucional puede acordar la suspensión de la resolución impugnada (u otra medida cautelar) inaudita parte, como así lo ha venido haciendo este Tribunal desde la inicial redacción del art. 56 LOTC, en la propia resolución de admisión a trámite del recurso de amparo e incluso antes de la admisión a trámite, posibilidad que actualmente ha sido expresamente prevista en dicho precepto tras su reforma por la LO 6/2007, de 24 de mayo…/ Conforme a lo expuesto y en perfecta coherencia con ello, el art. 56.3 LOTC faculta a este Tribunal, ante la concurrencia de circunstancias singularísimas de excepcional urgencia debidamente acreditadas, acordar inaudita parte la suspensión de la resolución impugnada (o cualquier otra medida cautelar que pueda resultar adecuada) incluso antes de decidir sobre la admisión a trámite del recurso de amparo, y ello para impedir que, mientras se decide sobre la admisión del recurso conforme a la nueva configuración de este trámite que resulta de la reforma introducida por la LO 6/2007, pueda consumarse de manera irreversible la lesión de algún derecho fundamental que se alega por el demandante de amparo, provocando con ello la pérdida de la finalidad de su recurso, pues no debe olvidarse que "el recurso de amparo, en todo caso, sigue siendo un recurso de tutela de derechos fundamentales" (STC 155/2009 (LA LEY 99408/2009), FJ 2) y que el fundamento de la tutela cautelar en el proceso de amparo constitucional no es otra que la necesidad de evitar que el amparo pierda su finalidad en caso de que finalmente sea estimado (art. 56.2 y 3 LOTC)». ATC Auto 16/2011 de 25 Feb. 2011, Rec. 8640/2010.

(28) Conforme con el art. 39 LGP 1/1979 los diagnósticos psiquiátricos que afecten a la situación penitenciaria de los internos deberán realizarse por un equipo técnico, integrado por un especialista en psiquiatría, un Médico Forense y el del establecimiento, acompañándose en todo

dará cuenta inmediatamente, con copia literal del expediente instruido, al Juez de Vigilancia penitenciaria que suspenderá la ejecución de la pena privativa de libertad que se le hubiera impuesto, garantizando que reciba la asistencia médica precisa, para lo cual podrá decretar la imposición de una medida de seguridad privativa de libertad de las previstas en este Código que no podrá ser, en ningún caso, más gravosa que la pena sustituida. Si se tratase de una pena de distinta naturaleza, el Juez de Vigilancia Penitenciaria apreciará si la situación del penado le permite conocer el sentido de la pena y, en su caso, suspenderá la ejecución imponiendo las medidas de seguridad que estime necesarias[29].

Este incidente previsto en la LECrim para los supuestos de demencia sobrevenida se sustanciará en todos sus trámites cuando la pena privativa de libertad se esté cumpliendo en régimen ininterrumpido. Sin embargo, en los supuestos en que la demencia sobrevenga antes de iniciarse la ejecución o cumpliéndose una pena de trabajos en beneficio de la comunidad o de localización permanente, deberá interpretarse que el incidente se sustanciará cuando el órgano sentenciador tenga conocimiento de la posible demencia (a través de las partes o del director del Centro de trabajo donde se desarrollen los trabajos) y que no precisará el expediente informativo del director del establecimiento penitenciario.

Restablecida la salud del penado, continuará el cumplimiento de la sentencia o de la medida de seguridad impuesta, si la pena no hubiere prescrito y sin perjuicio de que el Juez o Tribunal, por razones de equidad, pueda dar por extinguida la condena o reducir su duración, en la medida en que el cumplimiento de la pena resulte innecesario o contraproducente. El Juez de Vigilancia Penitenciaria comunicará al Fiscal la próxima extinción de la pena a efectos de la aplicación de la Disp. Ad. 1ª del CP (art. 60.1 CP). Es decir a los efectos que el Ministerio Fiscal inste, si fuera procedente, la declaración de incapacidad ante la Jurisdicción Civil, salvo que la misma hubiera sido ya anteriormente acordada.

c) Plazos de suspensión

El plazo de suspensión será de dos a cinco años para las penas privativas de libertad no superiores a dos años, y de tres meses a un año para las penas leves, y se fijará por el juez o tribunal, atendidos los criterios expresados en el párrafo segundo del apartado 1 del artículo 80. En el caso de que la suspensión hubiera sido acordada de conformidad con lo dispuesto en el art. 80.5, el plazo de suspensión será de tres a cinco años (art. 81 CP).

---

caso informe del Equipo de Observación o de Tratamiento. Véanse también arts. 183 a 187 RD 190/1996.

(29) La LECrim dispone que se remita el expediente al órgano sentenciador, aunque esa referencia debe entenderse hecha al Juez de Vigilancia Penitenciaria al que el art. 60.1 CP, modificado por LO 15/2003, otorga la competencia en esta materia. Además, los arts. 993 a 995 LECrim regulan un incidente en el que, previa instrucción del Juez de instrucción y la práctica de prueba pericial, resolverá el órgano sentenciador dictando el fallo que corresponda, que las partes pueden impugnar supuesto en el que el Tribunal resolverá en juicio contradictorio. Sin embargo, esta regulación ha quedado derogada tácitamente ante su incompatibilidad con la prevista en el art. 60 CP, modificado por LO 15/2003.

El juez o tribunal resolverá en sentencia sobre la suspensión de la ejecución de la pena siempre que ello resulte posible[30]. En los demás casos, una vez declarada la firmeza de la sentencia, se pronunciará con la mayor urgencia, previa audiencia a las partes, sobre la concesión o no de la suspensión de la ejecución de la pena. El plazo de suspensión se computará desde la fecha de la resolución que la acuerda. Si la suspensión hubiera sido acordada en sentencia, el plazo de la suspensión se computará desde la fecha en que aquélla hubiere devenido firme. No se computará como plazo de suspensión aquél en el que el penado se hubiera mantenido en situación de rebeldía (art. 82 CP).

Con relación a la previsión de que el juez resuelva en sentencia sobre la suspensión, debe subrayarse que al tratarse de sentencias condenatorias y pendientes de firmeza, esta previsión puede generar una indefensión al acusado si la deniega. Es decir, al pronunciarse en el propio fallo condenatorio, se está obligando a las partes en desacuerdo exclusivamente en ese apartado a recurrir la sentencia, y además la denegación del beneficio de la suspensión de condena se habrá efectuado sin audiencia expresa a la partes o, en todo caso, audiencia condicionada y con relación a una condena aún no firme. Al tener que examinarse la concurrencia de diversos requisitos se ajusta más a los derechos del condenado acudir a una fase contradictoria que limitarse a una rápido pronunciamiento en la propia sentencia[31].

> «Este Tribunal estima, tal y como señala el Ministerio Fiscal, que el artículo 82.1 del CP (LA LEY 3996/1995) en su primer párrafo, pese a su defectuosa redacción, se está refiriendo a aquellos supuestos de concesión del beneficio o de conformidad o acuerdo entre las partes sobre el pronunciamiento a adoptar respecto a dicha suspensión, a fin de agilizar la causa y evitar posponer y diferir para un momento posterior de la ejecución de sentencia un pronunciamiento respecto del que ya se cuenta, en el momento del dictado de la sentencia, con todos los elementos necesarios para tal decisión, incluida la opinión de las partes respecto de tal beneficio. En definitiva,

---

(30) Téngase en cuenta que este pronunciamiento adicional puede provocar su impugnación, al margen del contenido principal de la sentencia, con lo que se dilatará la firmeza de la misma. Esta previsión tiene su pleno sentido en los supuestos en que haya habido conformidad del condenado.

(31) «Al respecto considera esta Sala que, aun cuando el artículo 82.1 del Código Penal (LA LEY 3996/1995) vigente establece que el juez o tribunal resolverá sobre ello siempre que sea posible, tal pronunciamiento no puede desconectarse de los principios que rigen nuestro ordenamiento, ni del propio tenor del último inciso del artículo 82.1 según el cual, en los demás casos, una vez declarada la firmeza de la sentencia, se pronunciará el órgano judicial con la mayor urgencia, previa audiencia de las partes. Quiere ello decir que es preciso un proceso contradictorio en el que las partes puedan argumentar y acreditar, en su caso, la concurrencia de aquellas circunstancias que puedan hacerle merecedor del beneficio de la suspensión en las diversas modalidades previstas por el legislador, circunstancias que van más allá de los antecedentes penales, máxime cuando éstos se corresponden con hechos antiguos, de forma tal que bien pueden haber variado su situación personal, familiar o laboral, siendo igualmente valorables los posibles antecedentes policiales posteriores o incluso el compromiso de pago de la responsabilidad civil al que al legislador otorga especial importancia. Pues bien, en el presente caso nada de esto se debatió en el acto del juicio, puesto que ni tan siquiera se abrió un turno de intervenciones para que las partes pudieran informar al respecto, sustrayendo tal pronunciamiento a toda contradicción y al derecho del penado a intentar acreditar el merecimiento de tal beneficio». SAP Madrid, Sección 3ª, Sentencia 1/2016 de 7 Ene. 2016, Rec. 1959/2015.

anticipar la denegación de la concesión del beneficio de la suspensión de condena al momento del dictado de un fallo condenatorio de esta naturaleza tiene difícil acomodo con el necesario respeto de los derechos del acusado a fin de evitar toda posible indefensión pues, en supuestos como el presente, o bien se adopta sin que los partes sean oídas expresamente sobre tal posibilidad ya que aún no hay condena, o bien tal trámite es incompleto y apresurado, pues las partes no cuentan con todos los elementos necesarios para pronunciarse, con las necesarias garantías, respecto a tan esencial decisión(entre otros motivos porque aún se ignora si la sentencia será recurrida y por tanto se desconoce el contenido de la sentencia que vaya a dictarse en segunda instancia, en su caso, y que, sin duda, puede ser relevante para tal resolución en supuestos de estimación parcial, nulidad, etc...)». SAP Málaga, Sección 8ª, Sentencia 24/2016 de 26 Ene. 2016, Rec. 285/2015.

Una vez declarada la firmeza de la sentencia sin pronunciarse sobre la suspensión y acreditadas las condiciones para dejar en suspenso la pena, los Jueces y Tribunales se pronunciarán, en forma de auto, con la mayor urgencia sobre la concesión o no de la suspensión de la ejecución de la pena (arts. 82 CP y 141 LECrim)[32] (Véase M. 429 y M. 430). Además, será necesario dar trámite de audiencia al interesado, especialmente en caso de denegación de la petición de suspensión.

> «Como hemos declarado en otras ocasiones son varios los preceptos del Código penal que, específicamente en relación con la institución de la suspensión de la ejecución de las penas privativas de libertad, requieren la audiencia de las partes (arts. 80.2, 81.3, 84.2, 87.1). Dicha audiencia, aunque no se establezca de forma expresa en caso de denegación de la suspensión, constituye una exigencia constitucional ineludible que deriva directamente de la prohibición constitucional de indefensión (art. 24.1 CE) y que resulta tanto más relevante cuando lo que se dilucida es el cumplimiento efectivo de una pena de prisión mediante el ingreso del condenado en un centro penitenciario (SSTC 248/2004, de 20 de diciembre (LA LEY 10460/2005), FJ 3; 76/2007, de 16 de abril (LA LEY 14415/2007), FJ 5). Pero también hemos de recordar que, conforme a nuestra doctrina, no se produce indefensión material en aquellos supuestos en los cuales, aun privado el recurrente en un determinado trámite o instancia procesal de sus posibilidades de defensa, sin embargo pudo obtener en sucesivos trámites o instancias la subsanación íntegra del menoscabo causado a través de sus posibilidades de discusión sobre el fondo de la cuestión planteada y, en su caso, de la proposición y práctica de pruebas al respecto (SSTC 134/2002, de 3 de junio (LA LEY 6265/2002), FJ 3; 94/2005, de 18 de abril (SIC) (LA LEY 85970/2005), FJ 5)». STC 222/2007 de 8 de octubre.

En todo caso será necesaria la motivación de la resolución que se adopte.

---

(32)   En el procedimiento abreviado si se dicta sentencia in voce, si el MF y las partes, expresaran su decisión de no recurrir, el Juez en el mismo acto, declarará la firmeza de la sentencia y se pronunciará, previa audiencia de las partes, sobre la condena condicional (art. 789.2 LECrim.), lo cual habitualmente exigirá un aplazamiento de la resolución para que el MF y las partes puedan fundamentar sus argumentaciones. En las causas ante el Tribunal del Jurado, el Magistrado Presidente someterá, en su caso, la aplicación de la suspensión de la ejecución de la pena, al Jurado, requiriendo el voto favorable de 5 jurados (arts. 52.2 y 60.3 LOTJ). Además, al conceder la palabra, en su caso, al fiscal y las demás partes para que informen sobre la pena o medidas de seguridad, se prevé que el informe se referirá a la concurrencia de los presupuestos legales de la aplicación de la suspensión de la ejecución de la pena (art. 68 LOTJ).

«Esa afectación al valor libertad exige que esta resolución, no sólo represente la aplicación no arbitraria de las normas adecuadas al caso, sino también que su adopción sea presidida, más allá de por la mera exteriorización de la concurrencia o no de los requisitos legales de ella, por la ponderación, de conformidad con los fines constitucionalmente fijados a las penas privativas de libertad, de los bienes y derechos en conflicto (por todas, SSTC 8/2001, de 15 de enero (LA LEY 2367/2001), FJ 2; 25/2000, de 31 de enero (LA LEY 4148/2000), FFJJ 2 y 3; 110/2003, de 16 de junio (LA LEY 106833/2003), FJ 4; 57/2007, de 12 de marzo (LA LEY 8335/2007), FJ 2). En particular, y dado que la suspensión constituye una de las medidas que tienden a hacer efectivo el principio de reeducación y reinserción social contenido en el art. 25.2 CE, las resoluciones judiciales en las que se acuerde deben ponderar las circunstancias individuales de los penados, así como los valores y bienes jurídicos comprometidos en las decisiones a adoptar, teniendo presente tanto la finalidad principal de las penas privativas de libertad, la reeducación y la reinserción social, como las otras finalidades de prevención general que las legitiman (SSTC 163/2002, de 16 de septiembre (LA LEY 7808/2002), FJ 4; 248/2004, de 20 de diciembre (LA LEY 10460/2005), FJ 4; 320/2006, de 15 de noviembre (LA LEY 154694/2006), FJ 2; 57/2007, de 12 de marzo (LA LEY 8335/2007), FJ 2)». STC 222/2007 de 8 de octubre.

La decisión del Juez o Tribunal sentenciador sobre la concesión o no de este beneficio puede ser objeto de recurso, ya que discrecionalidad no es sinónimo de imposibilidad de control por órgano jerarquice superior. Contra el auto que decide la suspensión cabe solo recurso de súplica cuando lo haya dictado un órgano colegiado, y si se trata de un órgano unipersonal de reforma y ulterior apelación, en aplicación del art. 766 LECrim[33].

«Y si bien la suspensión de la ejecución de la pena no es un derecho del penado sino facultad discrecional que el ordenamiento reconoce al Juez o Tribunal sentenciador como excepción al principio general conforme al cual las sentencias se deben cumplir en sus propios términos, el carácter discrecional de la decisión no significa que no pueda ser revocada por vía de recurso mediante el control de dichas facultades, así en primer lugar se valorará si concurren o no los elementos reglados a los que, ha de ajustarse la decisión y si se ha seguido el procedimiento establecido para su adopción y la adecuación de la decisión adoptada a los principios generales o su eventual apartamiento de la finalidad contemplada en la norma jurídica que reconoce la facultad discrecional, pero sin que este control pueda implicar la sustitución pura y simple del criterio adoptado». SAP Huelva, Sección 1ª, Sentencia 193/2016 de 24 Jun. 2016, Rec. 137/2016

---

(33)   En la anterior regulación del CP, al estar sólo previsto el recurso de casación por infracción de ley cuando la condena condicional debía concederse por ministerio de la ley, surgió el problema de si cabía o no recurso cuando la concesión era discrecional. En el ámbito del procedimiento abreviado, la jurisprudencia de las AP entendió que cabían los recursos de reforma y posterior queja por aplicación del derogado art. 787.1 LECrim. (por ej., Auto AP Madrid Sección Quinta de 22 diciembre 1995). Por su parte, según Consulta 1/95, de 16 de febrero, de la FGE, «contra los autos que conceden o deniegan discrecionalmente el beneficio de la condena condicional no cabe recurso alguno, a excepción del recurso de súplica o, si se trata de un órgano unipersonal, de reforma y ulterior queja siempre que, en todo caso, se funden en error de hecho o defectuosa observación de los elementos imprescindibles para otorgar el beneficio». Con la regulación vigente, sin embargo, el recurso que cabe frente a los autos del Juez de lo Penal que no estén excluidos de recurso es el de apelación (art. 766.1 LECrim).

Cuando se trate del supuesto excepcional del art. 80.3 CP, que prevé la suspensión simultánea de la ejecución de más de una pena privativa de libertad impuestas en una misma sentencia cuando ninguna de la pena exceda de dos años a pesar de que la suma de las mismas excedan del citado límite, los plazos de suspensión se computarán simultáneamente desde la fecha de la resolución que la acuerde; y si se acordase en sentencia, el plazo se computará desde la fecha en que aquélla hubiere devenido firme.

El otorgamiento de la suspensión de la ejecución de una pena privativa de libertad, por tratarse de una modalidad de cumplimiento de la pena, debe entenderse, como se ha expuesto al inicio de este epígrafe, como causa de interrupción de la prescripción de la pena. Por tanto, durante su vigencia impide que se compute la prescripción de la pena, lo que provoca que la revocación de la suspensión otorgada (arts. 84.1 y 87.5,1º CP), comporte que la pena impuesta se ejecute en sus justos términos (art. 85.1 CP).

d) Posibles condiciones a la suspensión de la pena

El juez o tribunal podrá condicionar la suspensión al cumplimiento de las siguientes prohibiciones y deberes cuando ello resulte necesario para evitar el peligro de comisión de nuevos delitos, sin que puedan imponerse deberes y obligaciones que resulten excesivos y desproporcionados (art. 83.1 CP):

1.ª Prohibición de aproximarse a la víctima o a aquéllos de sus familiares u otras personas que se determine por el juez o tribunal, a sus domicilios, a sus lugares de trabajo o a otros lugares habitualmente frecuentados por ellos, o de comunicar con los mismos por cualquier medio. La imposición de esta prohibición será siempre comunicada a las personas con relación a las cuales sea acordada.

2.ª Prohibición de establecer contacto con personas determinadas o con miembros de un grupo determinado, cuando existan indicios que permitan suponer fundamentadamente que tales sujetos pueden facilitarle la ocasión para cometer nuevos delitos o incitarle a hacerlo.

3.ª Mantener su lugar de residencia en un lugar determinado con prohibición de abandonarlo o ausentarse temporalmente sin autorización del juez o tribunal.

4.ª Prohibición de residir en un lugar determinado o de acudir al mismo, cuando en ellos pueda encontrar la ocasión o motivo para cometer nuevos delitos.

5.ª Comparecer personalmente con la periodicidad que se determine ante el juez o tribunal, dependencias policiales o servicio de la administración que se determine, para informar de sus actividades y justificarlas.

6.ª Participar en programas formativos, laborales, culturales, de educación vial, sexual, de defensa del medio ambiente, de protección de los animales, de igualdad de trato y no discriminación, y otros similares.

7.ª Participar en programas de deshabituación al consumo de alcohol, drogas tóxicas o sustancias estupefacientes, o de tratamiento de otros comportamientos adictivos.

8.ª Prohibición de conducir vehículos de motor que no dispongan de dispositivos tecnológicos que condicionen su encendido o funcionamiento a la comprobación previa de las condiciones físicas del conductor, cuando el sujeto haya sido condenado por un delito contra la seguridad vial y la medida resulte necesaria para prevenir la posible comisión de nuevos delitos.

9.ª Cumplir los demás deberes que el juez o tribunal estime convenientes para la rehabilitación social del penado, previa conformidad de éste, siempre que no atenten contra su dignidad como persona.

Cuando se trate de delitos cometidos sobre la mujer por quien sea o haya sido su cónyuge, o por quien esté o haya estado ligado a ella por una relación similar de afectividad, aun sin convivencia, se impondrán siempre las prohibiciones y deberes indicados en las reglas 1.ª, 4.ª y 6.ª del art. 83.1 CP.

Esta previsión tiene carácter imperativo por lo que deberá siempre acompañar a una sentencia que condene por tales delitos. En caso de omisión de tales pronunciamiento deberá subsanarse mediante una resolución posterior..

«La suspensión de la condena, como señala el Mº Fiscal, se tiene que condicionar por imperativo legal a los parámetros contenidos en los arts. 83 y 84 del Código Penal y apreciada una omisión de un imperativo legal, la juez de lo penal tenía que corregir el error advertido por el Mº Fiscal, de manera que ninguna vulneración de derecho constitucional ni legal se advierte en estas actuaciones, lo que nos lleva a la desestimación del recurso de apelación y la confirmación de la resolución recurrida». SAP Salamanca, 3/2017 de 23 Ene. 2017, Rec. 58/2016

La imposición de cualquiera de las prohibiciones o deberes de las reglas 1.ª, 2.ª, 3.ª o 4.ª del art. 83.1 será comunicada a las Fuerzas y Cuerpos de Seguridad del Estado, que velarán por su cumplimiento. Cualquier posible quebrantamiento o circunstancia relevante para valorar la peligrosidad del penado y la posibilidad de comisión futura de nuevos delitos, será inmediatamente comunicada al Ministerio Fiscal y al juez o tribunal de ejecución.

El control del cumplimiento de los deberes a que se refieren las reglas 6.ª, 7.ª y 8.ª del art. 83.1 CP corresponderá a los servicios de gestión de penas y medidas alternativas de la Administración penitenciaria. Estos servicios informarán al juez o tribunal de ejecución sobre el cumplimiento con una periodicidad al menos trimestral, en el caso de las reglas 6.ª y 8.ª, y semestral, en el caso de la 7.ª y, en todo caso, a su conclusión. Asimismo, informarán inmediatamente de cualquier circunstancia relevante para valorar la peligrosidad del penado y la posibilidad de comisión futura de nuevos delitos, así como de los incumplimientos de la obligación impuesta o de su cumplimiento efectivo.

e)   Suspensión condicional (prestaciones, medidas y acuerdo de mediación).

El juez o tribunal también podrá condicionar la suspensión de la ejecución de la pena al cumplimiento de alguna o algunas prestaciones o medidas (art. 84 CP)[34].

---

(34)   Vid. GÓMEZ-ESCOLAR MAZUELA, «Cinco cuestiones sobre la nueva suspensión-sustitución de las penas privativas de libertad», *Diario La Ley* 25 enero 2016, nº 8688.

No se trata de una sustitución de una pena de prisión por una de multa o trabajos sociales sino de una posibilidad discrecional del Juez (salvo el supuesto excepcional imperativo del art. 80.3 CP) de suspender dicha pena si se cumplen las prestaciones o medidas impuestas.[35]

Las prestaciones o medidas son (art. 84.1 CP):

1.ª El cumplimiento del acuerdo alcanzado por las partes en virtud de mediación. Se trata de un reconocimiento a la posibilidad que en el proceso penal se sustituya la pena por un acuerdo de mediación que permita la suspensión de la pena.

2.ª El pago de una multa, cuya extensión determinarán el juez o tribunal en atención a las circunstancias del caso, que no podrá ser superior a la que resultase de aplicar dos cuotas de multa por cada día de prisión sobre un límite máximo de dos tercios de su duración. La norma no fija un mínimo sino solo un máximo; es decir dos cuotas de multa por cada día de prisión. Permite al Juez conforme a su criterio pondere el importe de la multa.

3.ª La realización de trabajos en beneficio de la comunidad, especialmente cuando resulte adecuado como forma de reparación simbólica a la vista de las circunstancias del hecho y del autor. La duración de esta prestación de trabajos se determinará por el juez o tribunal en atención a las circunstancias del caso, sin que pueda exceder de la que resulte de computar un día de trabajos por cada día de prisión sobre un límite máximo de dos tercios de su duración. Tampoco esta medida no tiene un límite mínimo sino solo un máximo. El Juez podrá imponer como pena (medida) sustitutiva un máximo de dos días de trabajo por cada tres días de prisión.

Cuando se trate de un supuesto de sustitución imperativa regulado en el art. 80.3.2º CP, el Juez estará obligado a imponer una multa o bien trabajos en beneficio de la comunidad por cuotas o por duración equivalente, que no podrá ser inferior a un quinto de la pena de prisión que deba sustituir[36].

(35) «No estamos, pues, ante una sustitución de prisión por multa o trabajos en beneficio de la comunidad, sino ante una suspensión condicionada al cumplimiento de unas prestaciones o medidas, que pueden ser impuestas de forma discrecional por el órgano sentenciador, como así lo dispone el art. 84 en su primer apartado, pero lo serán de forma obligatoria en los supuestos de suspensión excepcional del art. 80.3, lo cual responde lógicamente a la necesidad de cumplir mayores exigencias por parte de los penados que tienen algún antecedente anterior o la pena es más elevada, a pesar de lo cual existe cierta expectativa de reinserción, y por ello es por lo que se les sujeta al cumplimiento de tales medidas, cuya extensión no coincide con la anterior fórmula utilizada para la sustitución». SAP A Coruña, Sección 1ª, Sentencia 582/2016 de 2 Nov. 2016, Rec. 808/2016.

(36) «Se prevé así un supuesto excepcional de suspensión para los no primarios (siempre que no sean habituales) o condenados a penas que aun cuando sumen más de dos años, individualmente consideradas no alcancen dicho límite punitivo, cuando concurran circunstancias indicativas de estar el penado en vías de reinserción social, de entre las cuales cobra especial importancia la actitud proclive a la reparación del daño causado a la víctima, de ahí que si el órgano sentenciador valorando no sólo sus antecedentes sino su conducta y el esfuerzo de reparación considera que existe aún expectativa o inicio de reinserción, pueda otorgar la suspensión, pero condicionada a:

Si se hubiera tratado de un delito cometido sobre la mujer por quien sea o haya sido su cónyuge, o por quien esté o haya estado ligado a ella por una relación similar de afectividad, aun sin convivencia, o sobre los descendientes, ascendientes o hermanos por naturaleza, adopción o afinidad propios o del cónyuge o conviviente, o sobre los menores o personas con discapacidad necesitadas de especial protección que con él convivan o que se hallen sujetos a la potestad, tutela, curatela, acogimiento o guarda de hecho del cónyuge o conviviente, el pago de la multa a que se refiere la medida 2.ª del apartado anterior solamente podrá imponerse cuando conste acreditado que entre ellos no existen relaciones económicas derivadas de una relación conyugal, de convivencia o filiación, o de la existencia de una descendencia común.

f)   Modificación posterior de la decisión que acordó la suspensión de la pena

Durante el tiempo de suspensión de la pena, y a la vista de la posible modificación de las circunstancias valoradas, el juez o tribunal podrá modificar la decisión que anteriormente hubiera adoptado conforme a los artículos 83 y 84, y acordar el alzamiento de todas o alguna de las prohibiciones, deberes o prestaciones que hubieran sido acordadas, su modificación o sustitución por otras que resulten menos gravosas (art. 85 CP). Será una facultad discrecional del Juez liberar, reducir, sustituir o modificar todas o algunas de las condiciones impuestas al condenado para la concesión de la suspensión acordada de la pena. La norma no impone ningún requisito salvo que, en caso de modificación o sustitución, deberán resultar menos onerosas.

g)   Revocación de la suspensión

El juez o tribunal revocará la suspensión y ordenará la ejecución de la pena cuando do el penado (art. 86.1 CP):

a) Sea condenado por un delito cometido durante el período de suspensión y ello ponga de manifiesto que la expectativa en la que se fundaba la decisión de suspensión adoptada ya no puede ser mantenida. Por tanto, la sola comisión de un nuevo delito no será causa automática de revocación, sino a la frustración de la expectativa que había fundado la suspensión[37].

b) Incumpla de forma grave o reiterada las prohibiciones y deberes que le hubieran sido impuestos conforme al artículo 83, o se sustraiga al control de los servicios de gestión de penas y medidas alternativas de la Administración penitenciaria[38].

---

primero, reparación, indemnización o cumplimiento de acuerdo de este tipo (se incluye aquí el acuerdo alcanzado tras un proceso de mediación) y, segundo, el cumplimiento de las medidas de multa o trabajos en beneficio de la comunidad, tal y como se regulan en el art. 84 CP». SAP A Coruña, Sección 1ª, Sentencia 582/2016 de 2 Nov. 2016, Rec. 808/2016.

(37)   «Así que valorando, ex art. 86 CP, "la expectativa en la que se fundaba la decisión de suspensión adoptada", no puede ser mantenida la suspensión, por la comisión de otros delitos, de distinta naturaleza, lo que denota una notable inclinación delictiva». SAP Navarra, Sección 2ª, Auto 13/2016 de 19 Ene. 2016, Rec. 468/2015

(38)   «Tras la reforma operada por la Ley Orgánica 1/2015 de 30 de marzo, la dicción del antiguo artículo 83 se reitera en el actual artículo 83, pero la del artículo 84 se ha visto modificada en el actual artículo 86, que exige en su apartado 1.b) para revocar la suspensión, que el incum-

c) Incumpla de forma grave o reiterada las condiciones que, para la suspensión, hubieran sido impuestas conforme al artículo 84[39].

d) Facilite información inexacta o insuficiente sobre el paradero de bienes u objetos cuyo decomiso hubiera sido acordado; no dé cumplimiento al compromiso de pago de las responsabilidades civiles a que hubiera sido condenado, salvo que careciera de capacidad económica para ello; o facilite información inexacta o insuficiente sobre su patrimonio, incumpliendo la obligación impuesta en el artículo 589 LEC.

Si el incumplimiento de las prohibiciones, deberes o condiciones no hubiera tenido carácter grave o reiterado, el juez o tribunal podrá (art. 86.2 CP)[40]:

a) Imponer al penado nuevas prohibiciones, deberes o condiciones, o modificar las ya impuestas.

b) Prorrogar el plazo de suspensión, sin que en ningún caso pueda exceder de la mitad de la duración del que hubiera sido inicialmente fijado.

En el caso de revocación de la suspensión, los gastos que hubiera realizado el penado para reparar el daño causado por el delito conforme al apartado 1 del artículo 84 no serán restituidos. Sin embargo, el juez o tribunal abonará a la pena los pagos y la prestación de trabajos que hubieran sido realizados o cumplidos conforme a las medidas 2.ª y 3.ª del art. 84 CP.

En todos los casos anteriores, el juez o tribunal resolverá después de haber oído al Fiscal y a las demás partes. Sin embargo, podrá revocar la suspensión de la ejecu-

---

plimiento sea grave o reiterado, pudiendo, cuando no lo sea, bien imponer nuevas prohibiciones, deberes o condiciones, bien modificar las ya impuestas, bien prorrogar el plazo de suspensión». SAP Cantabria, Sección 3ª, Auto 420/2015 de 13 Oct. 2015, Rec. 688/2015

(39) «Ciertamente el régimen de revocación, ha quedado modificado, en la configuración de las formas sustitutivas de la ejecución de las penas privativas de libertad, que se conforma en la LO 1/2015; en la nueva regulación, en vigor desde el pasado 1 de julio, por tanto al tiempo de pronunciamiento del auto de 2 de septiembre, se ha modificado el régimen de modificación o revocación de la suspensión, para el caso de infracción de los de las obligaciones o deberes impuestos, contemplado en la antigua redacción del artículo 84.2 en relación con el artículo 83. Y así frente a la previsión de revocación de la suspensión de la ejecución de la pena para el caso de que el «incumplimiento fuere reiterado» —antiguo art. 84.2 c)—. Ahora se contempla además la posibilidad de revocación de la suspensión también en el caso de que el expresado incumplimiento lo fuere de "forma grave" —artículo 86.1 c) Nuevo CP—». AP Navarra, Sección 2ª, Auto 20/2016 de 22 Ene. 2016, Rec. 613/2015.

(40) «Es un incumplimiento, pero no es ni muy grave, ni es reiterado. Por consiguiente cabe adoptar alguna de las medidas previstas en el artículo 86.2 del Código Penal, y la Sala habrá de adoptar las siguientes: 1ª) Realizar en el primer llamamiento que se le haga el curso o programa de diez meses pautado por el Servicio de Gestión de Penas y Medidas Alternativas (C.I.S. José), advirtiéndole que, caso de interrumpirlo sin causa justificada, o de no presentarse al mismo, la revocación de la suspensión será automática; 2ª) Prorrogar un año más el período de la suspensión, de forma tal que dicho plazo o período terminará el 25 de octubre de 2.017, debiendo tener presente el penado recurrente que en dicho plazo: a) No podrá delinquir; b) No podrá aproximarse a la víctima Dª María Virtudes, ni comunicar con ella. De quebrantar cualquiera de estas condiciones en el citado período, la revocación de la suspensión devendrá automática». SAP Cantabria, Sección 3ª, Auto 42/2016 de 9 Feb. 2016, Rec. 993/2015.

ción de la pena y ordenar el ingreso inmediato del penado en prisión cuando resulte imprescindible para evitar el riesgo de reiteración delictiva, el riesgo de huida del penado o asegurar la protección de la víctima. El juez o tribunal podrá acordar la realización de las diligencias de comprobación que fueran necesarias y acordar la celebración de una vista oral cuando lo considere necesario para resolver.

h)   Remisión de la pena

Transcurrido el plazo de suspensión fijado sin haber cometido el sujeto un delito que ponga de manifiesto que la expectativa en la que se fundaba la decisión de suspensión adoptada ya no puede ser mantenida, y cumplidas de forma suficiente las reglas de conducta fijadas por el juez o tribunal, éste acordará la remisión de la pena (art. 87.1 CP).

No obstante, para acordar la remisión de la pena que hubiera sido suspendida conforme al apartado 5 del artículo 80, deberá acreditarse la deshabituación del sujeto o la continuidad del tratamiento. De lo contrario, el juez o tribunal ordenará su cumplimiento, salvo que, oídos los informes correspondientes, estime necesaria la continuación del tratamiento; en tal caso podrá conceder razonadamente una prórroga del plazo de suspensión por tiempo no superior a dos años (art. 87.2 CP).

B)   Pena sustitutiva de expulsión de extranjeros del territorio español

Las penas de prisión de más de un año impuestas a un ciudadano extranjero serán sustituidas por su expulsión del territorio español[41]. Excepcionalmente, cuando resulte necesario para asegurar la defensa del orden jurídico y restablecer la confianza en la vigencia de la norma infringida por el delito, el juez o tribunal podrá acordar la ejecución de una parte de la pena que no podrá ser superior a dos tercios de su extensión, y la sustitución del resto por la expulsión del penado del territorio español. En todo caso, se sustituirá el resto de la pena por la expulsión del penado del territorio español cuando aquél acceda al tercer grado o le sea concedida la libertad condicional (art. 89 CP). La norma no distingue entre extranjeros por lo que no queda su aplicación restringida a los extranjeros residentes ilegalmente en España sino que debe entenderse de aplicación a toda clase de extranjeros, sin perjuicio de lo establecido en el art. 84.4 CP.

Cuando hubiera sido impuesta una pena de más de cinco años de prisión, o varias penas que excedieran de esa duración, el juez o tribunal acordará la ejecución de todo o parte de la pena, en la medida en que resulte necesario para asegurar la defensa del orden jurídico y restablecer la confianza en la vigencia de la norma infringida por el delito. En estos casos, se sustituirá la ejecución del resto de la pena por la expulsión del penado del territorio español, cuando el penado cumpla la parte de la pena que se hubiera determinado, acceda al tercer grado o se le conceda la libertad condicional (art. 89.2 CP).

---

(41)   Vid. LEGANÉS GÓMEZ, S, «La expulsión de los penados en el Código Penal de 2015», *Diario La Ley* 9 julio 2015, nº 8579.

El juez o tribunal resolverá en sentencia sobre la sustitución de la ejecución de la pena siempre que ello resulte posible. En los demás casos, una vez declarada la firmeza de la sentencia, se pronunciará con la mayor urgencia, previa audiencia al Fiscal y a las demás partes, sobre la concesión o no de la sustitución de la ejecución de la pena (art. 89.3 CP). Esta previsión legal es copia literal del procedimiento establecido en el art. 82.1 CP, al regular la concesión de la suspensión, por lo que nos remitido a lo expuesto al examinar el mismo.

No procederá la sustitución cuando, a la vista de las circunstancias del hecho y las personales del autor, en particular su arraigo en España, la expulsión resulte desproporcionada (art. 84.4.1 CP). Esta norma permite al Juez que pondere, discrecionalmente, la proporcionalidad de la pena sustitutiva y valore el arraigo y las circunstancias del hecho delictivo en el caso de los extranjeros ajenos a la UE.

Por lo que respecta a la expulsión de un ciudadano de la Unión Europea solamente procederá cuando represente una amenaza grave para el orden público o la seguridad pública en atención a la naturaleza, circunstancias y gravedad del delito cometido, sus antecedentes y circunstancias personales. Además, es aplicable a éstos la siguiente previsión[42]: Si hubiera residido en España durante los diez años anteriores procederá la expulsión cuando además:

a) Hubiera sido condenado por uno o más delitos contra la vida, libertad, integridad física y libertad e indemnidad sexuales castigados con pena máxima de prisión de más de cinco años y se aprecie fundadamente un riesgo grave de que pueda cometer delitos de la misma naturaleza. b) Hubiera sido condenado por uno o más delitos de terrorismo u otros delitos cometidos en el seno de un grupo u organización criminal.

En estos supuestos será en todo caso de aplicación lo dispuesto en el art. 84.2º —delitos cometidos sobre la mujer por su cónyuge, asimilado o familiar— (art. 84.4 CP). Debe tenerse en cuenta lo previsto en los arts. 109 a 129 sobre medidas sustitutivas a la prisión provisional referentes a ciudadanos de la UE, reguladas en la Ley 23/2014, de 20 de noviembre, de reconocimiento mutuo de resoluciones de la Unión Europea. También debe tenerse en cuenta la Decisión Marco 2009/829, relativa a las medidas de vigilancia como sustitutivas de la prisión provisional; y la Decisión Marco 2008/947, sobre la libertad vigilada; y la Directiva 2004/38/CE, de 29 abril 2004[43] y RD 240/2007, de 16 febrero.

---

(42) Así se desprende de la tramitación parlamentaria, donde al sufrir diversas modificaciones, quedó este apartado descolgado del apartado anterior, referido expresamente a los ciudadanos comunitarios. Por otra parte, una interpretación integradora así lo aconseja ya que sino el anterior apartado no supondría ninguna regulación concreta y específica para aquellos sino meramente genérica. También lo establece así el art. 1.3º LO 4/2000, de extranjería: «*Los nacionales de los Estados miembros de la Unión Europea y aquellos a quienes sea de aplicación el régimen comunitario se regirán por las normas que lo regulan, siéndoles de aplicación la presente Ley en aquellos aspectos que pudieran ser más favorables*».

(43) Ver art. 28 de la Directiva 2004/38/CE: «*1. Antes de tomar una decisión de expulsión del territorio por razones de orden público o seguridad pública, el Estado miembro de acogida deberá tener en cuenta, en particular, la duración de la residencia del interesado en su territorio, su edad, estado de salud, situación familiar y económica, su integración social y cultural en el Estado miem-*

El extranjero no podrá regresar a España en un plazo de cinco a diez años, contados desde la fecha de su expulsión, atendidas la duración de la pena sustituida y las circunstancias personales del penado (art. 89.5 CP). La expulsión llevará consigo el archivo de cualquier procedimiento administrativo que tuviera por objeto la autorización para residir o trabajar en España (art. 89.6 CP). Si el extranjero expulsado regresara a España antes de transcurrir el período de tiempo establecido judicialmente, cumplirá las penas que fueron sustituidas, salvo que, excepcionalmente, el juez o tribunal, reduzca su duración cuando su cumplimiento resulte innecesario para asegurar la defensa del orden jurídico y restablecer la confianza en la norma jurídica infringida por el delito, en atención al tiempo transcurrido desde la expulsión y las circunstancias en las que se haya producido su incumplimiento. No obstante, si fuera sorprendido en la frontera, será expulsado directamente por la autoridad gubernativa, empezando a computarse de nuevo el plazo de prohibición de entrada en su integridad (art. 89.7 CP).

Cuando, al acordarse la expulsión en cualquiera de los supuestos previstos en este artículo, el extranjero no se encuentre o no quede efectivamente privado de libertad en ejecución de la pena impuesta, el juez o tribunal podrá acordar, con el fin de asegurar la expulsión, su ingreso en un centro de internamiento de extranjeros, en los términos y con los límites y garantías previstos en la ley para la expulsión gubernativa. En todo caso, si acordada la sustitución de la pena privativa de libertad por la expulsión, ésta no pudiera llevarse a efecto, se procederá a la ejecución de la pena originariamente impuesta o del período de condena pendiente, o a la aplicación, en su caso, de la suspensión de la ejecución de la misma (art. 89.8 CP).

No serán sustituidas las penas que se hubieran impuesto por la comisión de los delitos a que se refieren los artículos 177 bis, 312, 313 y 318 bis.[44] (art. 89.9 CP).

C) La ejecución de la pena de prisión

Frente al tradicional sistema de nuestros Códigos Penales, que establecían diferentes penas de prisión otorgándoles distintos nombres (reclusión mayor y menor, prisión mayor y menor, arresto mayor y menor), el Código Penal de 1995 establece una única pena privativa de libertad, con una duración mínima de tres meses y máxima de la

---

bro de acogida y la importancia de los vínculos con su país de origen. 2. El Estado miembro de acogida no podrá tomar una decisión de expulsión del territorio contra un ciudadano de la Unión Europea o un miembro de su familia, independientemente de su nacionalidad, que haya adquirido un derecho de residencia permanente en su territorio, excepto por motivos graves de orden público o seguridad pública. 3. No se podrá adoptar una decisión de expulsión contra un ciudadano de la Unión, excepto si la decisión se basa en motivos imperiosos de seguridad pública tal que definidos por los Estados miembros, cuando éste: a) haya residido en el Estado miembro de acogida durante los diez años anteriores (téngase en cuenta la Sentencia TJUE (Sala Gran Sala) de 22 mayo 2012, que resuelve petición de decisión prejudicial que versa sobre la interpretación del artículo 28, apartado 3, letra a) de la presente Directiva); o b) sea menor de edad, salvo si la expulsión es necesaria en interés del niño, tal como establece la Convención de las Naciones Unidas sobre los Derechos del Niño, de 20 de noviembre de 1989».

(44) Art. 177 bis CP: De la trata de seres humanos; art. 312: De los delitos contra el tráfico ilegal de mano de obra; art. 313: Determinación o favorecimiento de la emigración ilegal; art. 318bis: La ayuda a la emigración ilegal.

prisión permanente revisable, salvo supuestos excepcionales (art. 33 y ss. CP). A la vez, se prevé la duración de la prisión para cada delito que se castiga con esta pena.

Frente a esta simplificación de la pena de prisión, su ejecución continúa siendo una materia normativamente compleja. En primer lugar, porque la LECrim dispone que las penas se ejecutarán en la forma y tiempo prescritos en el Código Penal y en los reglamentos (art. 990 LECrim). De este modo, debe acudirse al CP, a la L Gral. Penit., al Rgto. Penitenciario y a otras disposiciones reglamentarias, a fin de delimitar el ámbito de la ejecución de la pena de prisión, del de otras materias propiamente punitivas y penitenciarias. En segundo lugar, por la dificultad de determinar por vía de interpretación normativa, las atribuciones que corresponden al Juez que dictó la sentencia en única o primera instancia (a quien la LECrim atribuía exclusivamente la ejecución de las sentencias), y las que corresponden al Juez de Vigilancia Penitenciaria (creado en el año 1979 por la LGP para hacer cumplir la pena impuesta y controlar la potestad disciplinaria de las autoridades penitenciarias) (art. 76 LGP y art. 94 LOPJ)[(45)].

La ejecución de la pena de prisión se realizará atendiendo las competencias que corresponden a los Jueces y Tribunales sentenciadores, y la atribuida a los Jueces de vigilancia penitenciaria. Los primeros son competentes para: 1) Dictar auto, declarando la firmeza de la sentencia (art. 988.1 LECrim) (véase M. 415); 2) Adoptar sin dilación las medidas necesarias para que el condenado, en situación de libertad, ingrese en el establecimiento penitenciario destinado al efecto, a cuyo fin deberá requerir el auxilio de las autoridades administrativas, que se lo prestarán sin pretexto alguno (art. 990.2 LECrim). 3) Una vez el penado fuese habido, o si se encontrase en situación de prisión provisional, el Juez o Tribunal sentenciador deberá remitir al establecimiento penitenciario mandamiento de penado, por duplicado, con el testimonio de la sentencia. En el caso de presentación voluntaria del penado, el director del establecimiento lo comunicará, inmediatamente, a la autoridad judicial y recabará el correspondiente mandamiento y testimonio de la sentencia (art. 15 LGP y arts. 15 y 16 RP). 4) Remitido el mandamiento de penado y el testimonio de la sentencia, corresponde al órgano sentenciador proceder a la liquidación de la condena. El tiempo de privación de libertad sufrido preventivamente (incluyendo el tiempo en que el delincuente haya estado privado de libertad en condición de detenido) se abonará en su totalidad para el cumplimiento de la pena o penas impuestas en la causa en que dicha privación haya sido acordada o, en su defecto, de las que pudieran imponerse contra el reo en otras, siempre que hayan tenido por objeto hechos anteriores al ingreso en prisión (art. 58 CP) (véase sobre la prisión provisional y el abono del tiempo transcurrido en esa situación § 2.4.C Cap. VIII). 5) Practicada la liquidación de la condena por el Secretario judicial, el órgano sentenciador deberá aprobarla, previo informe del Ministerio Fiscal y audiencia del penado. El auto aprobando la liquidación de la condena deberá ser notificado al interesado, y se comunicará al estableci-

---

(45) La LO 5/2003 creó la figura del Juez Central de Vigilancia Penitenciaria, que tiene las funciones jurisdiccionales previstas en la Ley General penitenciaria, en relación a los delitos competencia de la Audiencia Nacional (art. 94.4 LOPJ).

miento penitenciario[46] (Véanse M. 416 a M. 419). 6) Por último, es competencia del tribunal sentenciador la aprobación de la libertad definitiva, tras el cumplimiento de la condena (art. 17.3 LGP y arts. 24 y 55 RP).

El cumplimiento de la pena de prisión comienza propiamente con el ingreso del penado en el establecimiento penitenciario, y se ejecutará conforme a un sistema de individualización científica, separado en grados, orientado hacia la reeducación y reinserción social del penado (art. 25 CE)[47].

El primer grado corresponde a los internos calificados de peligrosidad extrema o inadaptación manifiesta y grave a las normas generales de convivencia. Esta clasificación determina la aplicación de las normas del régimen cerrado de los establecimientos penitenciarios. El segundo grado se otorga a los penados en quienes concurran unas circunstancias personales y penitenciarias de normal convivencia, pero sin capacidad para vivir por el momento en semilibertad. Esta clasificación implica la aplicación de las normas correspondientes al régimen ordinario de los establecimientos. El tercer grado se aplicará a los internos que, por sus circunstancias personales y penitenciarias, estén capacitados para llevar a cabo un régimen de vida en semilibertad. Este grado determina el régimen abierto en cualquiera de sus modalidades. El último grado es el de libertad condicional (véase el apartado siguiente) (*Vid.* arts. 72 y ss. LGP y arts. 100 y ss. Rº Penitenciario). Tras el ingreso los internos se clasificarán en cualquiera de los grados, salvo en el de libertad condicional, si de la observación del interno resultare estar en condiciones para ello. En ningún caso se mantendrá a un interno en un grado inferior, cuando por la evolución de su tratamiento se haga merecedor a su progresión. Pero, a la vez, procederá la regresión de grado cuando se aprecie en el interno, en relación al tratamiento, una evolución negativa.

En esta materia resulta de especial interés la LO 7/2003 que modificó, restrictivamente, la LGP respecto a los criterios para acordar el tercer grado. Concretamente, se requerirá que el penado haya satisfecho la responsabilidad civil derivada del delito cuando tuviere oportunidad para ello (art. 72.5 LGP)[48], sin perjuicio de las

_____

(46) La liquidación de la condena, que regulaba el art. 21 del Reglamento de Prisiones de 1956 (no vigente), se continúa practicando en nuestra realidad forense, pese a que no está prevista expresamente en la vigente legislación penitenciaria.

(47) «I. La clasificación penitenciaria tiene su base en la evolución en el tratamiento del interno, procediendo la progresión de grado cuando se advierte una evolución positiva en aquellos sectores o rasgos de la personalidad directamente relacionados con la actividad delictiva que lleven a acrecentar la confianza que se tiene en el mismo y la atribución de responsabilidades, cada vez más importantes, para lo cual es preciso tener en cuenta la conducta global del interno (art. 65.2 de la L.O.G.P. y 106.2 del Reglamento Penitenciario aprobado por RD 190/1996 de 9 de febrero, procediendo la clasificación en tercer grado de aquellos internos que, por sus circunstancias personales y penitenciarias, estén capacitados para llevar a cabo un régimen de vida en semilibertad, estableciendo el Art. 72.5 de la Ley Orgánica General Penitenciaria, en la redacción dada al mismo por L.O. 7/2003 …». Auto Juzg. Vigilancia Penitenciaria nº 5 Madrid, 8 Jun. 2017, Rec. 2425/2017, LA LEY 65099/2017.

(48) A tales efectos el art. 72.5 LGP establece que: «La clasificación o progresión al tercer grado de tratamiento requerirá, además de los requisitos previstos por el Código Penal, que el penado haya satisfecho la responsabilidad civil derivada del delito, considerando a tales efectos la conducta efectivamente observada en orden a restituir lo sustraído, reparar el daño e indemnizar

especialidades para aquellas personas condenadas por delitos de terrorismo (art. 72.6)[49].

Con relación al requisito del pago de la responsabilidad civil para obtener el acceso al tercer grado penitenciario, se puede plantear si debe ser interpretado de forma literal y absoluta, de forma que no puedan ponderarse los factores concurrentes (no puede acceder si no ha pagado); o si, por el contrario, puede ser valorado en función de las circunstancias patrimoniales, personales y conducta del penado. En contra del primer criterio se puede afirmar que, en cierto modo, esta prohibición supondría reintroducir en nuestro sistema la prisión por deudas y una desigualdad que debería soportar el interno sin recursos. Por ello quedaría afectado el derecho a una reinserción social de éstos afectados. En consecuencia, no solo deberá atenderse al cumplimiento del pago de la deuda civil, sino también las circunstancias concurrentes relativas a la situación y conducta del penado y la naturaleza del hecho, para ponderar si el referido incumplimiento excluye la posibilidad de acceso al tercer grado penitenciario.

«La confusión de la norma es aún mayor si cabe por la referencia que la última norma citada hace al «singular» cumplimiento de las norma en relación con determinados delitos. Fuera de la consideración que pueda merecer esta aparente graduación de la norma, lo cierto es que la misma parece abundar en la relativización del requisito, de manera que aquel debe ser valorado también en función de la naturaleza del delito cometido. En consecuencia, es obligado considerar no sólo el pago de la deuda civil, sino también las circunstancias concurrentes relativas a

---

los perjuicios materiales y morales; las condiciones personales y patrimoniales del culpable, a efectos de valorar su capacidad real, presente y futura para satisfacer la responsabilidad civil que le correspondiera; las garantías que permitan asegurar la satisfacción futura; la estimación del enriquecimiento que el culpable hubiera obtenido por la comisión del delito y, en su caso, el daño o entorpecimiento producido al servicio público, así como la naturaleza de los daños y perjuicios causados por el delito, el número de perjudicados y su condición. Singularmente, se aplicará esta norma cuando el interno hubiera sido condenado por la comisión de alguno de los siguientes delitos: a) Delitos contra el patrimonio y contra el orden socioeconómico que hubieran revestido notoria gravedad y hubieran perjudicado a una generalidad de personas. B) Delitos contra los derechos de los trabajadores. c) Delitos contra la Hacienda Pública y contra la Seguridad Social. d) Delitos contra la Administración pública comprendidos en los capítulos V al IX del título XIX del libro II del Código Penal».

(49)   Del mismo modo, la clasificación o progresión al tercer grado de tratamiento penitenciario de personas condenadas por delitos de terrorismo de los arts. 571 y ss. CP o cometidos en el seno de organizaciones criminales, requerirá, además de los requisitos previstos por el Código Penal y la satisfacción de la responsabilidad civil con sus rentas y patrimonio presentes y futuros en los términos del apartado anterior, que muestren signos inequívocos de haber abandonado los fines y los medios terroristas, y además hayan colaborado activamente con las autoridades, bien para impedir la producción de otros delitos por parte de la banda armada, organización o grupo terrorista, bien para atenuar los efectos de su delito, bien para la identificación, captura y procesamiento de responsables de delitos terroristas, para obtener pruebas o para impedir la actuación o el desarrollo de las organizaciones o asociaciones a las que haya pertenecido o con las que haya colaborado, lo que podrá acreditarse mediante una declaración expresa de repudio de sus actividades delictivas y de abandono de la violencia y una petición expresa de perdón a las víctimas de su delito, así como por los informes técnicos que acrediten que el preso está realmente desvinculado de la organización terrorista y del entorno y actividades de asociaciones y colectivos ilegales que la rodean y su colaboración con las autoridades (art. 72.6 LGP).

la situación y conducta del penado y la naturaleza del hecho, para ponderar si el referido incumplimiento excluye la posibilidad de acceso al tercer grado penitenciario. En este sentido autos de la Sección 5ª de la Audiencia Provincial de Madrid n° 509/2004, de 27 de febrero (LA LEY 50524/2004) y de la Sección 9ª de la Audiencia Provincial de Barcelona de 20 de julio de 2004 (LA LEY 171193/2004), así como la Instrucción de la Dirección General de Instituciones Penitenciarias 2/2005 (LA LEY 131/2005), aclarada por la 3/2005». Auto Juzg. Vigilancia Penitenciaria n.º 5 Madrid, 8 Jun. 2017, Rec. 2425/2017, LA LEY 65099/2017.

La aplicación de este sistema de cumplimiento de la pena de prisión compete a la Administración penitenciaria, además de la dirección, organización y vigilancia del establecimiento penitenciario y todas las cuestiones relativas al tratamiento del condenado. Corresponderán al Juez de Vigilancia Penitenciaria competencias en dos órdenes distintos.

En primer lugar, para hacer cumplir la pena impuesta y resolver los recursos referentes a las modificaciones que pueda experimentar con arreglo a lo prescrito en las leyes y en los reglamentos. A este fin, corresponde al Juez de Vigilancia Penitenciaria adoptar todas las decisiones necesarias para que los pronunciamientos de las resoluciones en orden a las penas privativas de libertad se lleven a cabo; resolver sobre las propuestas de libertad condicional de los penados y acordar las revocaciones que procedan; y aprobar las propuestas que formulen los establecimientos sobre beneficios penitenciarios que puedan suponer acortamiento de la condena [art. 76.2 a) b) y c) LGP].

En segundo lugar, para salvaguardar los derechos de los internos y corregir los abusos y desviaciones que puedan producirse en el cumplimiento de los preceptos del régimen penitenciario (art. 76.1 LGP). Para salvaguardar los derechos de los internos se atribuye a los Juzgados de Vigilancia Penitenciaria las siguientes funciones: aprobar las sanciones de aislamiento en celda de duración superior a catorce días; resolver por vía de recurso las reclamaciones que formulen los internos sobre sanciones disciplinarias; resolver con base en los estudios de los Equipos de Observación y de Tratamiento, y en su caso de la Central de Observación, los recursos referentes a clasificación inicial y a progresiones y regresiones de grado; acordar lo que proceda sobre peticiones que los internos formulen en relación con el régimen penitenciario, en cuanto afecten a los derechos fundamentales o a los derechos y beneficios penitenciarios; realizar las visitas a los establecimientos penitenciarios que previene la LECrim; autorizar los permisos de salida, cuya duración sea superior a dos días, excepto de los clasificados en tercer grado; y conocer del paso a los establecimientos de régimen cerrado de los reclusos a propuesta del director del establecimiento [art. 76.2 aps. d), e), f), g), h), i) y j) LGP].

El régimen de recursos se regula en la Disp. Adicional 5ª LOPJ, modificada sucesivamente por la LO 5/2003 y la LO 7/2003. En primer lugar cabe recurso de reforma frente a todos los autos dictados por el Juez de vigilancia Penitenciaria pronunciándose sobre recursos o peticiones de los internos, en el marco de sus competencias. El auto que resuelve el recurso de reforma es recurrible en apelación y queja (si se deniega la admisión de la apelación), distinguiéndose si la materia lo es de ejecución de penas o de régimen penitenciario. Contra las resoluciones excluidas del recurso ante la Audiencia Provincial cabe, en su caso, recurso contencioso-administrativo[50].

En el primer caso, en materia de ejecución de la pena, la competencia para conocer del recurso se atribuye al Tribunal sentenciador. En el caso de que el penado se halle cumpliendo varias penas, la competencia para resolver el recurso corresponderá al juzgado o tribunal que haya impuesto la pena privativa de libertad más grave, y en el supuesto de que coincida que varios juzgados o tribunales hubieran impuesto pena de igual gravedad, la competencia corresponderá al que de ellos la hubiera impuesto en último lugar (Disp. adic. quinta LOPJ). En el segundo caso, cuando se trate de régimen penitenciario y demás materias que no se refieran a la ejecución de la pena, de la apelación conocerá la Audiencia Provincial en cuya demarcación se halle el establecimiento penitenciario. En aquellas Audiencias donde haya más de una sección, mediante las normas de reparto, se atribuirá el conocimiento de los recursos que les correspondan según esta disposición, con carácter exclusivo, a una o dos secciones (Disposición Ad. 5ª.10ª LOPJ). Finalmente, cuando la resolución recurrida sea un Juzgado Central de Vigilancia Penitenciaria, tanto en materia de ejecución de penas como de régimen penitenciario y demás materias, la competencia para conocer del recurso de apelación y queja, siempre que no se haya dictado resolviendo un recurso de apelación contra resolución administrativa, corresponderá a la Sala de lo Penal de la Audiencia Nacional (Disp. Ad. 5ª.6ª LOPJ).

Están legitimados para interponer recurso de apelación el Ministerio Fiscal y el interno o liberado condicional. En el recurso de apelación, que se tramitará con carácter preferente y urgente, será necesaria la defensa de letrado y, si no se designa procurador, el abogado tendrá también habilitación legal para la representación de su defendido. En todo caso, debe quedar garantizado siempre el derecho a la defensa de los internos en sus reclamaciones judiciales. El recurso se sustanciará conforme con las normas previstas en el art. 766 LECrim para el procedimiento abreviado. Cuando la resolución objeto del recurso de apelación se refiera a materia de clasificación de penados o concesión de la libertad condicional y pueda dar lugar a la excarcelación del interno, siempre y cuando se trate de condenados por delitos graves, el recurso tendrá efecto suspensivo que impedirá la puesta en libertad del condenado hasta la resolución del recurso o, en su caso, hasta que la Audiencia Provincial o la Audiencia Nacional se haya pronunciado sobre la suspensión.

Contra el auto por el que se determine el máximo de cumplimiento o se deniegue su fijación, cabrá recurso de casación por infracción de ley ante la Sala de lo Penal del Tribunal Supremo, que se sustanciará conforme a lo prevenido en la Ley de

---

(50) «Las cuestiones aquí planteadas han sido resueltas en la citada STC 128/1998, que en su F. 8º subraya que el de apelación es "un recurso comúnmente utilizado" respecto de las resoluciones que dicten los Juzgados de Vigilancia Penitenciaria decidiendo sobre "quejas" de los internos en un establecimiento penitenciario —ésta es la correcta calificación del primer escrito dirigido por el hoy demandante de amparo al Juez de Vigilancia Penitenciaria [art. 76, 2, g) de la LO 1/1979, de 29 de septiembre, General Penitenciaria y art. 162 del Reglamento Penitenciario—, pues se viene entendiendo que "son resoluciones dictadas en primera instancia y, por tanto, susceptibles de recursos de reforma y apelación"». STC 65/2002 de 11 de marzo.

Enjuiciamiento Criminal (Disp. Ad. 5ª.7ª LOPJ). Contra los autos de las Audiencias Provinciales y, en su caso, de la Audiencia Nacional, resolviendo recursos de apelación, que no sean susceptibles de casación ordinaria, podrán interponer, el Ministerio Fiscal y el letrado del penado, recurso de casación para la unificación de doctrina ante la Sala de lo Penal del Tribunal Supremo, el cual se sustanciará conforme a lo prevenido en la Ley de Enjuiciamiento Criminal para el recurso de casación ordinario, con las particularidades que de su finalidad se deriven. Los pronunciamientos del Tribunal Supremo al resolver los recursos de casación para la unificación de doctrina en ningún caso afectarán a las situaciones jurídicas creadas por las sentencias precedentes a la impugnada (Disp. Ad. 5ª. 8ª LOPJ).

D) Suspensión de la ejecución de la pena y concesión de la libertad condicional

Como consecuencia de la reforma del Código Penal operada por LO 1/2015, la institución de la libertad condicional se ha transformado en una modalidad de suspensión condicional de la ejecución de la pena que quede por cumplir[51]. Su consecuencia es que el tiempo pasado bajo el régimen de libertad condicional no computa como tiempo de cumplimiento de la pena, ya que se considera suspensión condicional de ésta. De forma que si se incumplen las condiciones impuestas para disfrutar de este régimen, se reingresará en prisión para continuar cumpliendo el resto de condena pendiente[52].

La actual regulación de la libertad condicional, recogida en los arts. 90 y ss. CP, y por remisión expresa, en los arts. 87 y 136 del citado CP, puede generar importantes problemas en los supuestos de extinción de la condena privativa de libertad con acceso a la libertad condicional al final de su cumplimiento para la determinación de la fecha de extinción de la pena[53], incluido la del *dies ad quem* derivado de la

---

(51) Vid. ORTEGA CALDERÓN, J.L., «El nuevo régimen temporal de la libertad condicional en el Código Penal tras la reforma operada por LO 1/2015, de 30 de marzo», *Diario La Ley* 24 noviembre 2015, nº 8652.

(52) Vid. ORTEGA CALDERÓN, J.L., «La revocación de la libertad condicional tras la LO 1/15 de 30 de marzo: competencia, partes, causas y efectos», *Diario La Ley* 20 marzo 2017, nº 8944.

(53) «Es imprescindible examinar en cada caso los términos de la acumulación realizada. Pues el momento de extinción de algunas de las penas integradas en la misma podrá ser perfectamente individualizado, en particular el de las más graves, que por ello se ejecutarán materialmente primero según el orden que determina el artículo 75 CP. Habrá otras que sólo resulten parcialmente cumplidas de manera efectiva e incluso puede que algunas, por exceder del límite máximo de cumplimiento fijado, queden extinguidas por efecto de la acumulación sin ni siquiera haberse iniciado su cumplimiento real. Para estas últimas y para las que solo se cumplan en parte, esa fecha límite marcará la de su extinción por cumplimiento, pero no para todas las restantes. La solución que apunta la recurrente aporta criterios de certeza, pero se aparta de la necesaria orientación pro reo en la medida que dilata el inicio del plazo de cancelación de todas las penas jurídicamente acumuladas, con lo que se llega a lesionar derechos adquiridos por el penado en relación al mismo. Porque es evidente que algunas de las penas, y desde luego la de mayor duración, se han cumplido antes de alcanzar el límite máximo que la triplica. Y una vez cumplida de manera efectiva, no existen razones fundadas para entender que no hace nacer un plazo de cancelación respeto al antecedente que integra. Plazo que a tenor de lo dispuesto en el artículo 136 solo se interrumpe por la comisión de un nuevo delito. Sin olvidar que incluso la doctrina de esta Sala desde el Pleno de 8 de mayo de 1997 referido al artículo 70 del CP de 1973, y más recientemente mantenida en las SSTS

liquidación de la que trae causa y, también, en cuanto al cómputo del período de cancelación de los antecedentes penales[54]-[55].

a) Requisitos ordinarios

El juez de vigilancia penitenciaria acordará la suspensión de la ejecución del resto de la pena de prisión y concederá la libertad condicional al penado que cumpla los siguientes requisitos (art. 90.1 CP): a) Que se encuentre clasificado en tercer grado. b) Que haya extinguido las tres cuartas partes de la pena impuesta. c) Que haya observado buena conducta.

Para resolver sobre la suspensión de la ejecución del resto de la pena y concesión de la libertad condicional, el juez de vigilancia penitenciaria valorará la personalidad del penado, sus antecedentes, las circunstancias del delito cometido, la relevancia de los bienes jurídicos que podrían verse afectados por una reiteración en el delito, su conducta durante el cumplimiento de la pena, sus circunstancias familiares y sociales y los efectos que quepa esperar de la propia suspensión de la ejecución y del cumplimiento de las medidas que fueren impuestas. No se concederá la suspensión si el penado no hubiese satisfecho la responsabilidad civil derivada del delito en los supuestos y conforme a los criterios establecidos por los apartados 5 y 6 del artículo 72 de la Ley Orgánica 1/1979, de 26 de septiembre, General Penitenciaria .

También podrá acordar la suspensión de la ejecución del resto de la pena y conceder la libertad condicional a los penados que cumplan los siguientes requisitos (art.

297/2008 de 15 de mayo (LA LEY 74078/2008), 434/2013 de 23 de mayo (LA LEY 47360/2013) o 172/2014 de 5 de marzo (LA LEY 22144/2014) referidas ya al CP de 1996 ha admitido que se incluyan en la acumulación que se realiza con base en el artículo 76.1 CP penas que ya habían sido cumplidas y respecto a las que produjo el licenciamiento definitivo, porque el incidente de acumulación no puede quedar condicionado al azar de una tramitación procesal más o menos rápida, aspecto ajeno a la conducta del sujeto y del que no debe resultarle perjuicio. Siempre partiendo de una orientación en beneficio del reo que no puede tornarse en su contra haciéndole perder un derecho en cuanto al inicio del cómputo de cancelación que ya ha adquirido». STS, Sala 2ª, 885/2016 de 24 Nov. 2016, Rec. 597/2016, LA LEY 174268/2016.

(54) «En casos de duda sobre la cancelabilidad del antecedente la jurisprudencia de esta Sala ha aplicado tajantemente el principio in dubio. No puede ser otra la respuesta. Si los datos de la sentencia consienten la posibilidad de que el antecedente sea cancelable, no puede optarse por la alternativa más perjudicial para el acusado. En ese punto, como apunta el Fiscal, este Tribunal opera con una extraordinaria rigidez, exigencia de garantías y principios en los que no pueden abrirse orificios. La STS 675/2012, de 24 de julio (LA LEY 138281/2012) constituye un botón de muestra de una línea jurisprudencial consolidada …». STS, Sala 2ª, 211/2015 de 14 Abr. 2015, Rec. 10859/2014, LA LEY 53136/2015

(55) Vid. ORTEGA CALDERÓN, J.L., «La influencia del nuevo régimen jurídico de la libertad condicional en la cancelación de los antecedentes penales», Diario La Ley, nº 9007, Sección Doctrina, 23 de junio de 2017: «Se trata en suma de resolver si la nueva duración de la pena resultante de la suma del período de tiempo de duración de la libertad condicional provoca una alteración de la duración misma de la pena y por ende de su naturaleza jurídica, o si por el contrario está constreñida por la duración de la pena impuesta en sentencia. Debo advertir que no encuentro una solución pacífica. La literalidad del legislador, y tal vez la pereza al no plantearse las peculiaridades de la libertad condicional omitiendo construir un régimen jurídico propio y específico, una vez más en materia penitenciaria, permitiría en línea de principio dos soluciones contrapuestas…».

90.2 CP): a) Que hayan extinguido dos terceras parte de su condena. b) Que durante el cumplimiento de su pena hayan desarrollado actividades laborales, culturales u ocupacionales, bien de forma continuada, bien con un aprovechamiento del que se haya derivado una modificación relevante y favorable de aquéllas de sus circunstancias personales relacionadas con su actividad delictiva previa. c) Que acredite el cumplimiento de los requisitos a que se refiere el apartado anterior, salvo el de haber extinguido tres cuartas partes de su condena.

A propuesta de Instituciones Penitenciarias y previo informe del Ministerio Fiscal y de las demás partes, cumplidas las circunstancias de las letras a) y c) del apartado anterior, el juez de vigilancia penitenciaria podrá adelantar, una vez extinguida la mitad de la condena, la concesión de la libertad condicional en relación con el plazo previsto en el apartado anterior, hasta un máximo de noventa días por cada año transcurrido de cumplimiento efectivo de condena. Esta medida requerirá que el penado haya desarrollado continuadamente las actividades indicadas en la letra b) de este apartado y que acredite, además, la participación efectiva y favorable en programas de reparación a las víctimas o programas de tratamiento o desintoxicación, en su caso.

b) Requisitos especiales

Excepcionalmente, el juez de vigilancia penitenciaria podrá acordar la suspensión de la ejecución del resto de la pena y conceder la libertad condicional a los penados en que concurran los siguientes requisitos (art. 90.3 CP): a) Que se encuentren cumpliendo su primera condena de prisión y que ésta no supere los tres años de duración. b) Que hayan extinguido la mitad de su condena. c) Que acredite el cumplimiento de los requisitos a que se refiere al apartado 1, salvo el de haber extinguido tres cuartas partes de su condena, así como el regulado en la letra b) del apartado anterior.

Este régimen no será aplicable a los penados que lo hayan sido por la comisión de un delito contra la libertad e indemnidad sexuales. Por otra parte, el juez de vigilancia penitenciaria podrá denegar la suspensión de la ejecución del resto de la pena cuando el penado hubiera dado información inexacta o insuficiente sobre el paradero de bienes u objetos cuyo decomiso hubiera sido acordado; no dé cumplimiento conforme a su capacidad al compromiso de pago de las responsabilidades civiles a que hubiera sido condenado; o facilite información inexacta o insuficiente sobre su patrimonio, incumpliendo la obligación impuesta en el artículo 589 LEC. También podrá denegar la suspensión de la ejecución del resto de la pena impuesta para alguno de los delitos previstos en el Título XIX del Libro II de este Código, cuando el penado hubiere eludido el cumplimiento de las responsabilidades pecuniarias o la reparación del daño económico causado a la Administración a que hubiere sido condenado (art. 90.4 CP).

En los casos de suspensión de la ejecución del resto de la pena y concesión de la libertad condicional, resultarán aplicables las normas contenidas en los artículos 83, 86 y 87. El juez de vigilancia penitenciaria, a la vista de la posible modificación de las circunstancias valoradas, podrá modificar la decisión que anteriormente hubiera adoptado conforme al artículo 83, y acordar la imposición de nuevas prohibiciones, deberes o prestaciones, la modificación de las que ya hubieran sido acordadas o el alzamiento de las mismas. Asimismo, el juez de vigilancia penitenciaria revocará la suspensión de la ejecución del resto de la pena y la libertad condicional concedida cuando se ponga de manifiesto un cambio de las circunstancias que hubieran dado lugar a la suspensión que no permita mantener ya el pronóstico de falta de peligrosidad en que se fundaba la decisión adoptada. El plazo de suspensión de la ejecución del resto de la pena será de dos a cinco años. En todo caso, el plazo de suspensión de la ejecución y de libertad condicional no podrá ser inferior a la duración de la parte de pena pendiente de cumplimiento. El plazo de suspensión y libertad condicional se computará desde la fecha de puesta en libertad del penado (art. 90.5 CP).

La revocación de la suspensión de la ejecución del resto de la pena y libertad condicional dará lugar a la ejecución de la parte de la pena pendiente de cumplimiento. El tiempo transcurrido en libertad condicional no será computado como tiempo de cumplimiento de la condena (art. 90.6 CP).

c) Resolución

El juez de vigilancia penitenciaria resolverá de oficio sobre la suspensión de la ejecución del resto de la pena y concesión de la libertad condicional a petición del penado. En el caso de que la petición no fuera estimada, el juez o tribunal podrá fijar un plazo de seis meses, que motivadamente podrá ser prolongado a un año, hasta que la pretensión pueda ser nuevamente planteada (art. 90.7 CP).

El expediente de tramitación de libertad condicional se tramitará por la Junta de Tratamiento, conforme a las reglas establecidas en el Reglamento Penitenciario, aprobado por Real Decreto 190/1996, de 9 de febrero, que lo elevará al Juzgado de Vigilancia Penitenciaria para su concesión (arts. 192 y ss.). El Juez de Vigilancia Penitenciaria, al decretar la libertad condicional del penado, podrá imponerle la observancia de una o varias reglas de conducta, en concreto de las previstas en el art. 83 CP en sede de suspensión de la pena. A saber: Prohibición de acudir a determinados lugares, aproximarse a la víctima, o a aquellos de sus familiares u otras personas que determine el juez o tribunal, o de comunicarse con ellos o de ausentarse sin autorización del juez o tribunal del lugar donde resida; Comparecer personalmente ante el juzgado o tribunal, o servicio de la Administración que éstos señalen, para informar de sus actividades y justificarlas; participar en programas formativos, laborales, culturales, de educación vial, sexual y otros similares; y Cumplir los demás deberes que el juez o tribunal estime convenientes para la rehabilitación social del penado, previa conformidad de éste, siempre que no atenten contra su dignidad como persona.

Frente a las resoluciones del Juez de Vigilancia Penitenciaria sobre libertad condicional cabe recurso de apelación, que se tramitará con carácter preferente y urgente, y se sustanciará conforme con las normas previstas en el art. 766 LECrim para el procedimiento abreviado. Cuando la resolución objeto del recurso de apelación pueda dar lugar a la excarcelación del interno, siempre y cuando se trate de condenados por delitos graves, el recurso tendrá efecto suspensivo que impedirá la puesta en libertad del condenado hasta la resolución del recurso o, en su caso, hasta que la Audiencia

Provincial o la Audiencia Nacional se haya pronunciado sobre la suspensión. (Disp. Adicional 5ª.5 LOPJ).

d) Supuestos de delitos de terrorismo

En el caso de personas condenadas por delitos cometidos en el seno de organizaciones criminales o por alguno de los delitos regulados en el Capítulo VII del Título XXII del Libro II Código Penal (arts. 571 y ss., referente a delitos cometidos por las organizaciones y grupos terroristas y de los delitos de terrorismo), la suspensión de la ejecución del resto de la pena impuesta y concesión de la libertad condicional requiere que el penado muestre signos inequívocos de haber abandonado los fines y los medios de la actividad terrorista y haya colaborado activamente con las autoridades, bien para impedir la producción de otros delitos por parte de la organización o grupo terrorista, bien para atenuar los efectos de su delito, bien para la identificación, captura y procesamiento de responsables de delitos terroristas, para obtener pruebas o para impedir la actuación o el desarrollo de las organizaciones o asociaciones a las que haya pertenecido o con las que haya colaborado, lo que podrá acreditarse mediante una declaración expresa de repudio de sus actividades delictivas y de abandono de la violencia y una petición expresa de perdón a las víctimas de su delito, así como por los informes técnicos que acrediten que el preso está realmente desvinculado de la organización terrorista y del entorno y actividades de asociaciones y colectivos ilegales que la rodean y su colaboración con las autoridades.

Los apartados 2 y 3 no serán aplicables a las personas condenadas por la comisión de alguno de los delitos regulados en el Capítulo VII del Título XXII del Libro II Código Penal (arts. 571 y ss.) o por delitos cometidos en el seno de organizaciones criminales (art. 90.8 CP).

e) Libertad condicional a mayores de setenta años o en casos de enfermedad grave

No obstante lo dispuesto en el artículo anterior, los penados que hubieran cumplido la edad de setenta años, o la cumplan durante la extinción de la condena, y reúnan los requisitos exigidos en el artículo anterior, excepto el de haber extinguido las tres cuartas partes de aquélla, las dos terceras partes o, en su caso, la mitad de la condena, podrán obtener la suspensión de la ejecución del resto de la pena y la concesión de la libertad condicional. El mismo criterio se aplicará cuando se trate de enfermos muy graves con padecimientos incurables, y así quede acreditado tras la práctica de los informes médicos que, a criterio del juez de vigilancia penitenciaria, se estimen necesarios (art. 91.1 CP). Corresponderá al Juez valorar no con base a argumentos jurídicos sino en los dictámenes médicos e informes penitenciarios oportunos aportados, de forma motivada[56], si concurren los requisitos previstos en

---

(56) «La concurrencia o no de los requisitos para conceder la suspensión de la condena por razón de enfermedad, constituye una cuestión meramente fáctica cuya apreciación es competencia de los Tribunales ordinarios, que no requiere argumentos jurídicos, sino que ha de estar basada en criterios de experiencia del juzgador y del contenido de las pericias aportadas. En este orden de cuestiones se sostiene que el concepto de gravedad de la enfermedad requiere una valoración atendiendo al fundamento de la facultad que el art. 80.4 CP concede al juzgador, que lejos de

este precepto para la concesión del beneficio[57]. La resolución del Juez será apelable y si la dicta la Audiencia cabrá recurso de súplica. Contra la resolución de éste no cabe apelación[58].

Constando a la Administración penitenciaria que el interno se halla en cualquiera de los casos previstos en los párrafos anteriores, elevará el expediente de libertad condicional, con la urgencia que el caso requiera, al juez de vigilancia penitenciaria, quien, a la hora de resolverlo, valorará junto a las circunstancias personales la dificultad para delinquir y la escasa peligrosidad del sujeto (art. 91.2 CP).

Si el peligro para la vida del interno, a causa de su enfermedad o de su avanzada edad, fuera patente, por estar así acreditado por el dictamen del médico forense y de los servicios médicos del establecimiento penitenciario, el juez o tribunal podrá, sin necesidad de que se acredite el cumplimiento de ningún otro requisito y valorada la falta de peligrosidad relevante del penado, acordar la suspensión de la ejecución del resto de la pena y concederle la libertad condicional sin más trámite que requerir al centro penitenciario el informe de pronóstico final al objeto de poder hacer la valoración a que se refiere el apartado anterior. En este caso, el penado estará obligado a facilitar al servicio médico penitenciario, al médico forense, o a aquel otro que se determine por el juez o tribunal, la información necesaria para poder valorar sobre la evolución de su enfermedad. El incumplimiento de esta obligación podrá dar lugar a la revocación de la suspensión de la ejecución y de la libertad condicional (art. 91.3 CP).

---

configurarlo como una medida de gracia humanitaria, que no sería competencia de los órganos jurisdiccionales, pretende dar una solución de política penitenciara para aquellos supuestos en los que la ejecución de las penas carece de eficacia para el cumplimiento de los fines rehabilitadores y de reeducación que son propios de las sanciones penales». STC 25/2000 de 31 Ene. 2000, Rec. 2768/1997.

(57) «Ciertamente, como resulta de la STC 25/2000 (LA LEY 4148/2000) (FJ 4), los órganos judiciales sentenciadores cuentan con un amplio margen valorativo para la apreciación de si el penado está aquejado de una enfermedad que pueda ser calificada como muy grave y de si le ocasiona padecimientos incurables. Pero si el órgano judicial llega, de forma jurídicamente regular, a la conclusión de que tal presupuesto para el otorgamiento de la suspensión no existe, simplemente no podrá otorgar la suspensión. Y debe recordarse que en la STC 25/2000 (LA LEY 4148/2000) (FJ 6) pusimos de manifiesto también que este Tribunal Constitucional no puede afirmar ni cuestionar la concurrencia en cada caso de una enfermedad grave que ocasiona padecimientos incurables, ni tampoco imaginar las razones que podrían avalar una u otra hipótesis, al constituir su apreciación tarea atribuida a los Tribunales ordinarios, a los que sólo debemos exigir, como señalábamos, para satisfacer las exigencias del derecho fundamental a la tutela judicial efectiva, que expresen su decisión al respecto de forma motivada y razonable, sin caer en la arbitrariedad o en el error patente». STC 5/2002 de 14 Ene. 2002, Rec. 5341/1998.

(58) «No cabe estimar el mencionado recurso de queja, ya que la resolución que se pretendió recurrir ante esta Sala de lo Penal del Tribunal Supremo no es susceptible de tal recurso conforme a lo dispuesto en los arts. 847 y 848 LECr. Este último sólo permite recurso de casación contra autos en aquellos casos en que la ley "lo autorice de modo expreso". No todos los autos que resuelven de modo definitivo una determinada cuestión tienen acceso al Tribunal Supremo. No basta ese carácter definitivo para acceder al recurso de casación. Es claro que hay materias que quedan excluidas, y una de ellas es la relativa a la suspensión de ejecución de pena prevista en el art. 80.4 CP por razón de enfermedad muy grave con padecimientos incurables». ATS S 2ª 5 Nov. 2003, Rec. 78/2003

Son aplicables al supuesto regulado en este artículo las disposiciones contenidas en los apartados 4, 5 y 6 del artículo 90 (art. 91.4 CP).

f) Suspensión de la ejecución de la pena de prisión permanente

El tribunal acordará la suspensión de la ejecución de la pena de prisión permanente revisable cuando se cumplan los siguientes requisitos (art. 92.1 CP): a) Que el penado haya cumplido veinticinco años de su condena, sin perjuicio de lo dispuesto en el artículo 78 bis para los casos regulados en el mismo. b) Que se encuentre clasificado en tercer grado. c) Que el tribunal, a la vista de la personalidad del penado, sus antecedentes, las circunstancias del delito cometido, la relevancia de los bienes jurídicos que podrían verse afectados por una reiteración en el delito, su conducta durante el cumplimiento de la pena, sus circunstancias familiares y sociales, y los efectos que quepa esperar de la propia suspensión de la ejecución y del cumplimiento de las medidas que fueren impuestas, pueda fundar, previa valoración de los informes de evolución remitidos por el centro penitenciario y por aquellos especialistas que el propio tribunal determine, la existencia de un pronóstico favorable de reinserción social.

En el caso de que el penado lo hubiera sido por varios delitos, el examen de los requisitos a que se refiere la letra c) se realizará valorando en su conjunto todos los delitos cometidos. El tribunal resolverá sobre la suspensión de la pena de prisión permanente revisable tras un procedimiento oral contradictorio en el que intervendrán el Ministerio Fiscal y el penado, asistido por su abogado.

Si se tratase de delitos referentes a organizaciones y grupos terroristas y delitos de terrorismo del Capítulo VII del Título XXII del Libro II Código Penal (arts. 571 y ss.), será además necesario que el penado muestre signos inequívocos de haber abandonado los fines y los medios de la actividad terrorista y haya colaborado activamente con las autoridades, bien para impedir la producción de otros delitos por parte de la organización o grupo terrorista, bien para atenuar los efectos de su delito, bien para la identificación, captura y procesamiento de responsables de delitos terroristas, para obtener pruebas o para impedir la actuación o el desarrollo de las organizaciones o asociaciones a las que haya pertenecido o con las que haya colaborado, lo que podrá acreditarse mediante una declaración expresa de repudio de sus actividades delictivas y de abandono de la violencia y una petición expresa de perdón a las víctimas de su delito, así como por los informes técnicos que acrediten que el preso está realmente desvinculado de la organización terrorista y del entorno y actividades de asociaciones y colectivos ilegales que la rodean y su colaboración con las autoridades (art. 92.2 CP).

La suspensión de la ejecución tendrá una duración de cinco a diez años. El plazo de suspensión y libertad condicional se computará desde la fecha de puesta en libertad del penado. Son aplicables las normas contenidas en el párrafo segundo del apartado 1 del artículo 80 y en los artículos 83, 86, 87 y 91.

El juez o tribunal, a la vista de la posible modificación de las circunstancias valoradas, podrá modificar la decisión que anteriormente hubiera adoptado conforme al artículo 83, y acordar la imposición de nuevas prohibiciones, deberes o prestaciones, la modificación de las que ya hubieran sido acordadas, o el alzamiento de las mismas. Asimismo, el juez de vigilancia penitenciaria revocará la suspensión de la ejecución del resto de la pena y la libertad condicional concedida cuando se ponga de manifiesto un cambio de las circunstancias que hubieran dado lugar a la suspensión que no permita mantener ya el pronóstico de falta de peligrosidad en que se fundaba la decisión adoptada (art. 92.3 CP).

Extinguida la parte de la condena a que se refiere la letra a) del apartado 1 de este artículo o, en su caso, en el artículo 78 bis, el tribunal deberá verificar, al menos cada dos años, el cumplimiento del resto de requisitos de la libertad condicional. El tribunal resolverá también las peticiones de concesión de la libertad condicional del penado, pero podrá fijar un plazo de hasta un año dentro del cual, tras haber sido rechazada una petición, no se dará curso a sus nuevas solicitudes (art. 92.4 CP).

E) La ejecución de la pena de localización permanente

La localización permanente es una pena de privación de libertad prevista en el CP como una pena leve impuesta con carácter principal (art. 33.4.h CP). Tendrá una duración de hasta tres meses y obliga al penado a permanecer en su domicilio o en el lugar que determine el Juez en la sentencia (art. 37.1 CP). Si el reo lo solicitare y las circunstancias lo aconsejaren el tribunal, oído el Fiscal, podrá acordar que la condena se cumpla durante los sábados y domingos o de forma no continuada (art. 37.2 CP). Esta norma pretende que el cumplimiento de la pena no perjudique las obligaciones laborales, formativas o familiares del condenado. También es aplicable a esta cuestión el RD 840/2011, de 17 de junio, por el que se establecen las circunstancias de ejecución de las penas de trabajo en beneficio de la comunidad y de localización permanente en centro penitenciario, de determinadas medidas de seguridad, así como de la suspensión de la ejecución de la penas privativas de libertad y sustitución de penas.

La pena de localización permanente sustituye a la de arresto de fin de semana que se suprimió por la LO 15/2003 de modificación del CP. La supresión de la pena de arresto de fin de semana se justifica en la Exposición de motivos de la referida Ley orgánica 15/2003 por las dificultades prácticas que plantea. En este sentido, el arresto de fin de semana se cumplía en el Centro Penitenciario más próximo al domicilio del condenado o en depósitos municipales, lo que suponía una excesiva complejidad para tratarse de una pena leve. Por esa razón, con la pena de localización permanente se vuelve a las anteriores formas de arresto que se cumplían preferentemente en el domicilio del condenado u en otro lugar, que no tiene por qué ser un centro penitenciario u oficial. Debe tenerse presente, que el problema de control del cumplimiento de la pena que se plantean pueden quedar resueltos con el uso de los modernos sistemas electrónicos de seguimiento y control, a los que se refiere expresamente el art. 48.4 CP con relación a la penas de prohibición de acudir, aproximarse o comunicarse con la víctima.

En caso de incumplimiento, el Juez o Tribunal sentenciador deducirán testimonio para proceder por un delito de quebrantamiento de condena (art. 37.3 CP). Esta pena también puede imponerse como sustitutiva de la pena de multa, cunado esta no se satisficiera y se tratase de delitos leves (art. 53.1 CP).

«La cuestión que plantea el recurrente no es materia del recurso de apelación, sino del momento de ejecución de la sentencia. Es en dicho momento, cuando se procede a requerirle del pago de la multa, cuando habrá de manifestar que carece de medios y que solicita o bien el aplazamiento en el pago o bien la fijación de la responsabilidad personal subsidiaria del artículo 53 CP que puede ser sustituida por localización permanente o por trabajos en beneficio de la comunidad». SAP Vizcaya, Sección 2ª, Sentencia 90302/2016 de 22 Nov. 2016, Rec. 80/2016

1.4. La ejecución de la pena de multa, trabajos comunitarios, y privativa de derechos

A) *La ejecución de la pena de multa y de la responsabilidad personal subsidiaria en caso de impago*

La pena de multa consiste en la imposición al condenado de una sanción pecuniaria, que el Código Penal de 1995 diferencia en dos sistemas: días-multa, y proporcional (art. 50 y 52 CP). En el supuesto que el condenado no satisficiere, voluntariamente o por vía de apremio, la multa impuesta quedará sujeto a responsabilidad personal subsidiaria, según se expone a continuación (art. 53 CP).

1) El sistema de días-multa (arts. 50, 51 CP). Se aplica cuando la Ley no dispone expresamente otra cosa. Consiste en la imposición de una sanción pecuniaria individualizada por su duración en el tiempo (días, meses, años), y por las cuotas diarias de dinero que deben pagarse al Estado. La extensión mínima de la pena de multa será de diez días y la máxima de dos años (a efectos de cómputo, se entenderá que los meses son de treinta días y los años de trescientos sesenta días). La extensión máxima podrá superarse, cuando al imponerse la multa como sustitutiva de otra pena, su duración deba determinarse aplicando las reglas de sustitución de penas privativas de libertad, previstas en el art. 88 del Código Penal.

Los Jueces o Tribunales determinarán motivadamente la extensión de la pena dentro de los límites establecidos para cada delito. Igualmente, fijarán en la sentencia, el importe de estas cuotas, teniendo en cuenta para ello exclusivamente la situación económica del reo, deducida de su patrimonio, ingresos, obligaciones y cargas familiares y demás circunstancias personales del mismo (art. 50.5 CP)[59]. No es exigible una investigación exhaustiva del patrimonio del acusado sino que el Tribunal tendrá en cuenta solo los datos esenciales aquél.[60]

---

(59) Véase sobre la imposición concreta de la pena de multa proporcional el Acuerdo del pleno de la sala segunda del Tribunal Supremo, adoptado en su reunión del día 22/07/2008, que dispone que: «1. En los casos de multa proporcional, la inexistencia de una regla específica para determinar la pena superior en grado, impide su imposición, sin perjuicio de las reglas especiales establecidas para algunos tipos delictivos. 2. El grado inferior de la pena de multa proporcional, sin embargo, sí podrá determinarse mediante una aplicación analógica de la regla prevista en el art. 70 del C.P. La cifra mínima que se tendrá en cuenta en cada caso será la que resulte una vez aplicados los porcentajes legales. 3.- El art. 370.2, último párrafo del C.P. añade una segunda multa a lo que resulte de aplicar las reglas generales».

(60) «La cuestión sometida al conocimiento de este Tribunal fue examinada en la jurisprudencia del Tribunal Supremo, y entre otras, en la sentencia de 320/2012, de 3 de mayo (LA LEY

El Tribunal establecerá el modo de pago de la multa que podrá ser: en los plazos que determine o de una vez. También podrá, por causa justificada, autorizar el pago de la multa dentro de los dos años siguientes desde la firmeza de la sentencia (art. 50.6 CP). La cuota diaria, por su parte, tendrá un mínimo de 4 Euros y un máximo de 400 Euros[61]. La determinación de la cuota se fijará, motivadamente, en la sentencia dentro de los límites legalmente establecidos en cada caso, así como el tiempo y forma del pago de cuotas. Las cuotas se fijarán teniendo en cuenta la situación económica del reo, deducida de su patrimonio, ingresos, obligaciones, cargas familiares y demás circunstancias personales. Si después de la sentencia el penado empeorase su

---

56776/2012), que desestima un recurso de casación en el que se denunciaba la inaplicación de los artículos 50.5 (LA LEY 3996/1995), 52.1 (LA LEY 3996/1995) y 52 .2 CP, por falta de motivación de una cuota de multa de diez euros diarios, afectando con ello a la proporcionalidad de la pena. Señala esta sentencia que, efectivamente, el artículo 50.5 dispone que en la determinación de la cuota diaria el tribunal tendrá en cuenta exclusivamente la situación económica del reo, deducida de su patrimonio, ingresos, obligaciones y cargas familiares y demás circunstancias personales del mismo. La jurisprudencia ha considerado (STS nº 87/2011) que la cuota debería fijarse teniendo en cuenta los datos que resulten de las actuaciones, aunque, como señalan las sentencias núm. 175/2001, de 12 de febrero y STS nº 1265/2005 (LA LEY 14209/2005), que la cita, "con ello no se quiere significar que los Tribunales deban efectuar una inquisición exhaustiva de todos los factores directos o indirectos que pueden afectar a las disponibilidades económicas del acusado, lo que resulta imposible y es, además, desproporcionado, sino únicamente que deben tomar en consideración aquellos datos esenciales que permitan efectuar una razonable ponderación de la cuantía proporcionada de la multa que haya de imponerse". De otro lado, no siempre es procedente la imposición de la cuantía mínima, que debe quedar para supuestos de indigencia, miseria o similares. Igualmente esta Sala ha señalado en alguna ocasión (STS nº 996/2007), que la fijación de una cuota cercana a la cuantía mínima no precisa de una especial motivación». SAP Valencia, Sección 4ª, 444/2015 de 29 Jun. 2015, Rec. 194/2015

(61) «Como es sabido el tramo mínimo de la cuota debe reservarse a los supuestos de indigencia acreditada, y al respecto citar las Sentencias del Tribunal Supremo de fecha 11 y 14 de julio de 2001 y 15 de marzo de 2002 de acuerdo con las cuales y en relación con el importe diario de la multa impuesta no puede entenderse que la cuota de 6 euros sea desproporcionada ni excesiva, al no desprenderse de las actuaciones que el acusado se encuentre en una situación de indigencia o carente de recursos a no ser que, como refería la STS de fecha 11 y 14 de julio de 2001 y 15 de marzo de 2002 "se pretenda variar el contenido del sistema de penas establecido en el CP, convirtiendo la pena de multa en algo meramente simbólico, en el que el contenido efectivo de las penas impuestas por hechos tipificados en el Código Penal acabe resultando inferior a las sanciones impuestas por infracciones administrativas de menor entidad, debiendo quedar reservado el reducido nivel mínimo de la pena de multa del Código Penal para casos extremos de indigencia o miseria, por lo que en casos ordinarios en que no concurren dichas circunstancias extremas, resulta adecuada la imposición de una cuota prudencial situada en el tramo inferior, próximo al mínimo"». SAP Pontevedra, Sección 2ª, 176/2011 de 14 Jun. 2011, Rec. 64/2011

«Tras una cierta evolución en la materia podemos indicar que en la actualidad la praxis del foro tiene establecida ad una base pecuniaria de seis euros en los casos en los que no se ha acreditado la capacidad económica de la persona acusada y se no aporta ninguna prueba de descargo suficientemente acreditativa de su estado de precariedad económica o cargas familiares preferentes, único supuesto en que debería señalarse la mínima (hoy 2 euros, tras la reforma operada por la L.O. 15/03 (LA LEY 1767/2003) de 29 de noviembre), reservada para los casos de indigencia o ausencia absoluta de ingresos. Criterio éste también expuesto y sostenido por la Sala II del TS, en la reciente STS 4844/2010 de 21-9-2010 (FD 4º) en el que se establece "En conclusión, ha de imponerse tal sanción en esa cuantía, respetando la cuota diaria de 6 € que es la usual en los tribunales penales, salvo en casos de conocida indigencia"». SAP Sección 10ª, Sentencia 216/2016 de 3 Mar. 2016, Rec. 318/2015.

fortuna, el Juez o Tribunal, excepcionalmente, y tras la debida indagación al respecto, podrá reducir el importe de las cuotas.

2) El sistema de multa proporcional (art. 52 CP). Este sistema se aplica en aquellos delitos caracterizados por la obtención de grandes beneficios económicos, en los que la multa por cuotas resultaría excesivamente leve y, por tanto, ineficaz[62]. Consiste en imponer la sanción pecuniaria en proporción al daño causado, al valor del objeto del delito o al beneficio reportado por el mismo. En cualquier caso, para determinar la cuantía de la multa proporcional, dentro de los límites señalados por el tipo penal, los Jueces y Tribunales deben tener en cuenta, junto con las circunstancias atenuantes y agravantes que concurran, así como la situación económica del culpable. (Véase M. 420). A este efecto, si después de la sentencia, empeorase la situación económica del penado, el juez o tribunal, excepcionalmente y tras la debida indagación de dicha situación, podrá reducir el importe de la multa dentro de los límites señalados por la ley para el delito de que se trate, o autorizar su pago en los plazos que se determinen.

3) Modificación de la situación económica e incumplimiento de la pena de multa (arts. 51 y 52.3 CP).

En el supuesto que después de la sentencia, variase la situación económica del penado, el juez o tribunal que esté conociendo de la ejecutoria, excepcionalmente y tras la debida indagación de dicha situación, podrá modificar tanto el importe de las cuotas periódicas como los plazos para su pago (arts. 51 y 52.3 CP).

«El artículo 51 CP otorga al juez o tribunal que esté conociendo de la ejecutoria y no al de apelación o casación la facultad de modificar tanto del importe de las cuotas periódicas como los plazos para su pago, si la situación económica del penado variarse, excepcionalmente y tras la debida indagación de dicha situación. Por ello debería de haberse planteado tal circunstancia ante el juez de ejecutorias precisamente en base a este artículo 51. Sin embargo y por razones de economía procesal esta Sala entiende que a la vista de los documentos presentados procede rebajar la multa a un mes al no justificarse en sentencia a la aplicación de la pena en su mayor grado». SAP Madrid, Sección 2ª, 294/2012 de 1 Oct. 2012, Rec. 207/2012

En el supuesto de incumplimiento del condenado la ley prevé una responsabilidad subsidiaria del condenado, que plantea un problema de justicia material que se produce como consecuencia de la prelación de responsabilidades pecuniarias establecida en el art. 126 CP. De acuerdo con este precepto, la multa es el último concepto al que se imputan los pagos que haga el penado. Esto supone que cuando los bienes del penado alcanzan la multa, pero no a las demás responsabilidades, como éstas deben satisfacerse previamente, se hace depender la responsabilidad personal subsidiaria (pena privativa de libertad) de la total solvencia del condenado. Por tanto, cabe dudar de la erradicación en nuestro Derecho de la prisión por deudas, como lo ha venido denunciando la doctrina procesal, a pesar que el TC en S 54/86 de 7 mayo,

---

(62)   Este tipo de multa se impone en el ámbito de los delitos societarios (arts. 291 y ss.), receptación (art. 305.1), contra la Hacienda Pública y la Seguridad Social (arts. 306 y ss.), tráfico de drogas (arts. 368 y ss.), falsificación de moneda (art. 386), tráfico de influencias (arts. 428 y ss.), etc.

haya declarado la regularidad constitucional del orden de prelación del anterior art. 111 del CP reproducido por el actual art. 126.

Si el condenado no satisficiere, voluntariamente o por vía de apremio, la multa impuesta, quedará sujeto a una responsabilidad personal subsidiaria que difiere según el tipo de multa impuesta. Será Juez competente el de la ejecución de la sentencia, que resolverá de forma discrecional.

«La cuestión que plantea el recurrente no es materia del recurso de apelación, sino del momento de ejecución de la sentencia. Es en dicho momento, cuando se procede a requerirle del pago de la multa, cuando habrá de manifestar que carece de medios y que solicita o bien el aplazamiento en el pago o bien la fijación de la responsabilidad personal subsidiaria del artículo 53 CP que puede ser sustituida por localización permanente o por trabajos en beneficio de la comunidad». SAP Vizcaya, Sección 2ª, 90302/2016 de 22 Nov. 2016, Rec. 80/2016.

El impago de la multa no va unido automáticamente a la responsabilidad personal subsidiaria sino que en este caso supuesto será de aplicación el art. 53.1 CP.

«Ello es así porque no es correcto ligar el impago de la pena de Multa con la responsabilidad personal subsidiaria de forma automática puesto que el art. 53.1 CP lo que dice es: .../... Y el párrafo segundo del mismo inciso establece otra posibilidad: " También podrá el juez o tribunal, previa conformidad del penado, acordar que la responsabilidad subsidiaria se cumpla mediante trabajos en beneficio de la comunidad. En este caso, cada día de privación de libertad equivaldrá a una jornada de trabajo". Es por ello que lo que resulta técnicamente correcto es imponer la multa a secas o, decir que, en caso de impago, se aplicará el art 53.1 C. Penal, puesto que su impago, no acarrea el ingreso en prisión, no sin antes haber hecho —la oficina judicial— investigación de bienes y vía de apremio en su caso, al ser UNA EXIGENCIA LEGAL y, pudiendo el penado acogerse al cumplimiento sustitutivo de la Multa por T.B.C.». SAP Barcelona, Sección 5ª, 7 Nov. 2014, Rec. 168/2014

Si se hubiere impuesto una multa por días se le impondrá un día de privación de libertad por cada dos cuotas diarias no satisfechas, que, tratándose de faltas, podrá cumplirse mediante localización permanente, sin que resulte de aplicación la limitación de 12 días prevista en el artículo 37.1 CP. También podrá el juez o tribunal, previa conformidad del penado, acordar que la responsabilidad subsidiaria se cumpla mediante trabajos en beneficio de la comunidad. En este caso, cada día de privación de libertad equivaldrá a una jornada de trabajo (art. 53.1 CP). En los supuestos de multa proporcional los Jueces y Tribunales establecerán, según su prudente arbitrio, la responsabilidad personal subsidiaria que proceda, que no podrá exceder, en ningún caso, de un año de duración. También podrá el Juez o Tribunal acordar, previa conformidad del penado, que se cumpla mediante trabajos en beneficio de la comunidad (art. 53.2 CP).

Si el condenado no satisface la multa voluntariamente, se acudirá a la vía de apremio conforme a las normas de la LEC, al objeto de hacerla efectiva con sus bienes. En el supuesto de insolvencia (pero no como opción), el condenado quedará sujeto a la pena de responsabilidad personal subsidiaria (pena privativa de libertad). En cualquiera de los dos sistemas de multa, la responsabilidad personal subsidiaria no puede decretarse cuando la pena privativa de libertad impuesta en la sentencia sea superior a cinco años (art. 53.3 CP)[63], aunque se sobrepase este límite por acumulación de penas[64]. Con el cumplimiento de la responsabilidad personal subsidiaria se extingue la obligación de pago de la multa, aunque el reo mejore de fortuna (art. 53.4 CP).

En caso de que el condenado no cumpliera con el pago de la pena de multa por devenir insolvente de forma fraudulenta, se estaría ante un supuesto del art. 53.2 CP pero no ante un posible alzamiento de bienes, ya que su obligación no deriva de una deuda sino de una pena, por lo que quedará sujeto a la responsabilidad personal subsidiaria.[65]

B) La ejecución de la pena de trabajos en beneficio de la comunidad

Los trabajos en beneficio de la comunidad pueden imponerse como pena leve o grave por un período de uno a treinta días o de 31 a 180 días respectivamente (arts. 33.3 y 4 CP), o como pena sustitutiva de la responsabilidad personal subsidiaria por impago de multa (art. 53.1 CP)[66].

---

(63) «En efecto, dicho precepto establece que la responsabilidad personal subsidiaria no se impondrá a los condenados a pena privativa de libertad superior a cinco años, límite éste incrementado a raíz de la reforma operada por LO 15/2003. La jurisprudencia, en la interpretación del precepto referido, entiende ya sin fisuras que dicho límite es asimismo aplicable a las penas impuestas por otros delitos en la misma sentencia e incluso a la suma de varias penas privativas de libertad cuyo resultado supere los cinco años de prisión (SSTS 1419/2003, de 31.10 (LA LEY 473/2004) y 982/2013, de 23.12 (LA LEY 213795/2013)). Es más, así fue resuelto por Acuerdo del Pleno no jurisdiccional del TS de 1/3/2005, cuando incluso afirma que respecto del cómputo de la pena privativa de libertad, a los efectos de la responsabilidad personal subsidiaria por impago de multa, ésta debe sumarse a la pena privativa de libertad a los efectos del límite del art. 53 CP». SAP Granada, Sección 1ª, Sentencia 344/2015 de 26 May. 2015, Rec. 52/2014.

(64) Véase STC 230/91, de 10 diciembre.

(65) «A estos argumentos hay que añadir los siguientes: A) El fin de la norma en el alzamiento de bienes es el de proteger el cumplimiento de las obligaciones civiles, cualquiera que sea la fuente de esas obligaciones —la ley, el contrato, etc.— en las relaciones de los administrados entre sí (relaciones particulares) e incluso en las relaciones con la administración pero siempre que esas relaciones sean fuente de obligaciones. El alzamiento de bienes es un delito contra el orden socio-económico o contra el patrimonio no un delito contra la Administración de Justicia (como el quebrantamiento de condena) ni tampoco contra la Hacienda Pública (como el fraude fiscal). Estos bienes jurídicos se defienden o protegen en otros títulos del Código (título XX, título XIV). B) La consecuencia del impago de la multa está en la Ley (art. 53 CP), sujeción a la responsabilidad personal subsidiaria. En definitiva, no hay alzamiento de bienes...». Y la misma tesis viene a deducirse incluso de Sentencias más recientes de Audiencias Provinciales. Y así, por ejemplo, la Audiencia Provincial de Pontevedra, Sección 5ª, en Sentencia de 23.06.2014, recurso 1114/2012, viene a establecer que .../... deduciéndose por tanto de tal argumentación que cuando es una sanción, una pena, (como en el caso que nos ocupa; que es una multa impuesta en Sentencia penal firme), no encaja en el tipo penal del alzamiento de bienes». SAP Cuenca, Sentencia 127/2014 de 9 Dic. 2014, Rec. 105/2014.

(66) «Es cierto lo que dicen la defensa del recurrente y el Ministerio Fiscal: el artículo 53 CP no exige para poder ejecutar la responsabilidad personal subsidiaria mediante trabajos en beneficio de la comunidad que el reo no sea habitual, como sí lo exige el artículo 88 del mismo cuerpo legal para poder sustituir la pena de prisión. Que no se exija no supone, sin embargo, que el juez o tribunal no pueda considerar la habitualidad del reo a la hora de decidir la naturaleza de la responsabilidad personal subsidiaria a imponer. Porque no es menos cierto que el artículo 53.1, 2º CP, configura la posibilidad de ejecutar la responsabilidad personal subsidiaria mediante trabajos en beneficio de la comunidad como una facultad potestativa del juzgador, y así el precepto

Su peculiaridad consiste en que únicamente pueden imponerse con consentimiento del penado y su ejecución consistirá en la obligación de prestar el penado su cooperación no retribuida en determinadas actividades de utilidad pública, interés social, y valor educativo. Su finalidad no estriba en el logro de intereses económicos, sino servir de reparación para la comunidad perjudicada por el ilícito penal (arts. 49 CP y 1 RD 609/96, de 26 de abril, por el que se establecen las circunstancias de ejecución de las penas de trabajo en beneficio de la comunidad). En este sentido, podrán consistir, en relación con delitos de similar naturaleza al cometido por el penado, en labores de reparación de los daños causados o de apoyo o asistencia a las víctimas.

El trabajo será facilitado por la Administración Penitenciaria que establecerá los convenios que fueren precisos con las Administraciones Públicas o entidades públicas o privadas que desarrollen actividades de utilidad pública o social (arts. 49.3º CP y 2.1 RD 690/96). En caso de inexistencia de convenio o insuficiencia de plazas, el penado podrá proponer un trabajo concreto. Tras el oportuno informe de la Administración Penitenciaria, el Tribunal sentenciador adoptará la decisión que corresponda (art. 2.2 RD 690/96). Estos trabajos, no pueden atentar contra la dignidad del penado (art. 49.2.ª CP), y gozarán de la protección dispensada a los penados en materia de Seguridad Social, y por la normativa laboral en materia de seguridad e higiene en el trabajo (arts. 49.4.º CP y 11 RD 609/96). Cada jornada de trabajo tendrá una extensión máxima de ocho horas diarias y mínima de cuatro. El penado será indemnizado por los gastos de transporte y, en su caso, manutención (arts. 49 CP y 5 RD 690/96).

La ejecución de la pena se hará efectiva por la Administración Penitenciaria, de acuerdo con lo que haya determinado el Tribunal, tras recibir el testimonio de la resolución y los particulares necesarios (art. 3 RD 690/96). Tras la correspondiente entrevista y conformidad del penado con el trabajo que se le proponga, la Administración Penitenciaria elevará la propuesta al Juez o Tribunal (art. 4 RD 690/96). La ejecución de la pena se desarrollará bajo el control del Juez de Vigilancia Penitenciaria que, a tal efecto, requerirá los informes sobre el desempeño del trabajo a la Administración, entidad pública o asociación de interés general en que se presten los servicios (art. 49.1º CP y art. 6 RD 690/96)).

La Administración Penitenciaria, por su parte, está obligada a comprobar el cumplimiento efectivo del trabajo impuesto e informar al Juez de Vigilancia de las incidencias que puedan producirse. En todo caso deberá comunicar las siguientes conductas del penado: a) Se ausenta del trabajo durante al menos dos jornadas laborales, siempre que ello suponga un rechazo voluntario por su parte al cumplimiento de la pena. b) A pesar de los requerimientos del responsable del centro de trabajo, su rendimiento fuera sensiblemente inferior al mínimo exigible. c) Se opusiera o incumpliera de forma reiterada y manifiesta las instrucciones que se le dieren por

utiliza la expresión "también podrá". El juzgador tiene, por consiguiente, la opción de configurar la responsabilidad personal subsidiaria bien mediante privación de libertad, bien mediante trabajos en beneficio de la comunidad —y en las faltas, también mediante localización permanente—, y lo único que debe hacer es motivar por qué opta por una o por otra». SAP Cantabria, Sección 3ª, Auto 144/2015 de 23 Mar. 2015, Rec. 210/2015.

el responsable de la ocupación referida al desarrollo de la misma. d) Por cualquier otra razón, su conducta fuere tal que el responsable del trabajo se negase a seguir manteniéndolo en el centro. Una vez valorado el informe, el Juez de Vigilancia Penitenciaria podrá acordar su ejecución en el mismo centro, enviar al penado para que finalice la ejecución de la misma en otro centro o entender que el penado ha incumplido la pena. Si el penado faltara del trabajo por causa justificada no se entenderá como abandono de la actividad. No obstante, el trabajo perdido no se le computará en la liquidación de la condena, en la que se deberán hacer constar los días o jornadas que efectivamente hubiese trabajado del total que se le hubiera impuesto. En caso de incumplimiento, se deducirá testimonio para proceder, de conformidad con el artículo 468, por un delito de quebrantamiento de condena (art. 49.6ª *in fine* CP).

C) La ejecución de las penas privativas de otros derechos

Las penas privativas de derechos previstas en el Código penal son las inhabilitaciones, las suspensiones, la privación del derecho de conducir vehículos a motor y ciclomotores, la privación del derecho a la tenencia y porte de armas, la privación del derecho a residir en determinados lugares o acudir a ellos, la prohibición de aproximarse a la víctima o a aquellos de sus familiares u otras personas que determine el juez o tribunal, la prohibición de comunicarse con la víctima o con aquellos de sus familiares u otras personas que determine el juez o tribunal (art. 39 CP). Además de los trabajos en beneficio de la comunidad analizados en el apartado anterior.

Las penas de inhabilitación, suspensión, la privación del derecho a residir en determinados lugares o acudir a ellos y la prohibición de aproximarse o comunicarse son penas accesorias en los casos en que, no imponiéndolas especialmente, la Ley declare que otras penas las llevan consigo (arts. 54 y ss. CP). Para la ejecución de estas penas, el Juez o Tribunal sentenciador dirigirá las oportunas comunicaciones a órganos administrativos, registros públicos, colegios profesionales, etc., para que den cumplimiento a lo dispuesto en la condena. Su contenido es el siguiente:

a) La inhabilitación absoluta

La pena de inhabilitación absoluta tendrá una duración de seis a 20 años; las de inhabilitación especial, de tres meses a 20 años, y la de suspensión de empleo o cargo público, de tres meses a seis años y produce la privación definitiva de todos los honores, empleos y cargos públicos que tenga el penado, aunque sean electivos. Además, produce el efecto de incapacitar al condenado para obtener los mismos o cualquiera otros honores, cargos o empleos públicos, y la de ser elegido para cargo público, durante el tiempo de la condena (art. 41 CP)[67].

b) La inhabilitación especial para empleo o cargo público

La pena de inhabilitación especial para empleo o cargo público produce la privación definitiva del empleo o cargo sobre el que recayere, aunque sea electivo, y de los honores que le sean anejos. Además produce la incapacidad para obtener el

---

(67) Los honores, empleos o cargos de los que se priva al condenado han de ser públicos.

mismo u otros análogos, durante el tiempo de la condena. En la sentencia habrán de especificarse los empleos, cargos y honores sobre los que recae la inhabilitación (art. 42 CP).

«Como hemos dicho en STS. 259/2015 de 30.4 (LA LEY 50342/2015), la pena de inhabilitación para empleo o cargo público, puede revestir el carácter de pena principal, como se establece en el art 42 CP, o accesoria, art 56 CP, y solo en este caso se exige para la imposición de la pena una relación directa entre el delito sancionado y el derecho del que se priva al condenado con la imposición de la inhabilitación». STS, S 2ª,426/2016 de 19 May. 2016, Rec. 2107/2015.

La inhabilitación absoluta o la especial suponen la extinción de la relación funcionarial o laboral con las Administraciones Públicas. Cumplida la condena, obviamente, el condenado puede acceder al mismo u otro empleo o cargo públicos.

c) La suspensión de empleo o cargo público

La suspensión de empleo o cargo público priva de su ejercicio al penado durante el tiempo de la condena (art. 43 CP). La diferencia entre inhabilitación especial y suspensión está en que mientras la inhabilitación supone la pérdida de la condición de funcionario, la suspensión sólo priva del ejercicio del cargo, conservándose aquella condición.

d) La inhabilitación especial para el derecho de sufragio pasivo

La inhabilitación especial para el derecho de sufragio pasivo priva al penado, durante el tiempo de la condena, del derecho de ser elegido para cargos públicos (art. 44 CP). Se deberá remitir testimonio de la sentencia a la Junta Electoral Central.

e) La inhabilitación especial para profesión, oficio, industria o comercio, o cualquier otro derecho

La inhabilitación especial para profesión, oficio, industria o comercio o cualquier otro derecho, que ha de concretarse expresa y motivadamente en la sentencia, priva al penado de la facultad de ejercerlos durante el tiempo de la condena (art. 45 CP).

Para decretar estas penas, con carácter accesorio, es preciso que la profesión, oficio, industria o comercio, o cualquier otro derecho, hubieran tenido relación con el delito cometido, debiendo determinarse expresamente en la sentencia esta vinculación (art. 56 CP). Por otra parte, no será fácil controlar el cumplimiento de estas penas, cuando se trate de oficios, profesiones, etc., que no exijan habilitación, permiso oficial o colegiación.

f) La inhabilitación especial para el ejercicio de la patria potestad, tutela, curatela, guarda o acogimiento

La inhabilitación especial para el ejercicio de la patria potestad, tutela, curatela, guarda o acogimiento priva al penado de los derechos inherentes a la primera y supone la extinción de los demás, así como la incapacidad para obtener nombramiento para dichos cargos durante el tiempo de la condena. El juez o tribunal podrá acordar esta pena respecto de todos o de alguno de los menores que estén a cargo del penado, en atención a las circunstancias del caso. (art. 46 CP).

Acordada esta inhabilitación especial, el Juez o Tribunal lo comunicará de inmediato a la entidad pública que, en el respectivo territorio, tenga encomendada la protección de los menores y al MF, para que actúen de conformidad con sus respectivas competencias (disp. adic. 2.ª CP).

g) La privación del derecho a conducir vehículos a motor y ciclomotores

La imposición de la pena de privación del derecho a conducir vehículos a motor y ciclomotores inhabilitará al penado para el ejercicio de ambos derechos durante el tiempo fijado en la sentencia (art. 47.1 CP). (Véase M. 421 y M. 422).

La condena prevista en el Código Penal se refiere a la privación del derecho a conducir, con independencia de que el penado estuviera o no en posesión del permiso. Así, si el penado no se halla habilitado legalmente para conducir podrá realizar las oportunas pruebas, pero no se le proporcionará el permiso, ni podrá conducir, durante el tiempo determinado en la sentencia. Cuando el penado esté en posesión del permiso, se procederá a la inmediata retirada, si tal medida no estuviera ya acordada cautelarmente, dejando unido el documento a los autos, y remitiendo mandamiento a la Jefatura Central de Tráfico para que lo deje sin efecto y no expida otro hasta la extinción de la condena (art. 794.2ª LECrim.).

En la liquidación de la condena deberá abonarse el tiempo en el que el penado hubiera estado privado del derecho durante la tramitación de la causa por habérsele intervenido el permiso (art. 764.4 LECrim), o por estar en prisión provisional (*vid.* art. 59 CP respecto al abono de condena cuando las medidas cautelares y la pena sean de distinta naturaleza).

h) La privación del derecho a la tenencia y porte de armas

La imposición de la pena de privación del derecho a la tenencia y porte de armas inhabilitará al penado para el ejercicio de este derecho por el tiempo fijado en la sentencia (art. 47.2 CP).

i) La privación del derecho a residir en determinados lugares o acudir a ellos

La privación del derecho a residir en determinados lugares o acudir a ellos impide al penado volver al lugar en que se haya cometido el delito, o aquél en que resida la víctima o su familia, si fueran distintos (art. 48.1 CP).

j) La prohibición de aproximarse o comunicarse con la víctima u otras personas

La prohibición de aproximarse a la víctima, o a aquéllos de sus familiares u otras personas que determine el juez o tribunal, impide al penado acercarse a ellos, en cualquier lugar donde se encuentren, así como acercarse a su domicilio, a sus lugares de trabajo y a cualquier otro que sea frecuentado por ellos, quedando en suspenso, respecto de los hijos, el régimen de visitas, comunicación y estancia que, en su caso, se hubiere reconocido en sentencia civil hasta el total cumplimiento de esta pena (art. 48.2 CP).

La prohibición de comunicarse con la víctima, o con aquéllos de sus familiares u otras personas que determine el juez o tribunal, impide al penado establecer con ellas, por cualquier medio de comunicación o medio informático o telemático, contacto escrito, verbal o visual (art. 48.3 CP).

Se trata de penas que pueden imponerse con carácter principal, y que según su cuantía, pueden tener el carácter de graves (más de cinco años), menos graves (de seis meses a cinco años) o leves (de un mes a seis meses). También pueden imponerse como pena accesoria, necesaria o no.

En primer lugar, el tribunal podrá, según su criterio, y a petición de parte adoptar una medida de prohibición, conforme con lo previsto en el art. 57 CP, en el caso de delitos de homicidio, aborto, lesiones, contra la libertad, de torturas y contra la integridad moral, la libertad e indemnidad sexuales, la intimidad, el derecho a la propia imagen y la inviolabilidad del domicilio, el honor, el patrimonio y el orden socioeconómico. La pena de prohibición se impondrá por un período de tiempo no superior a cinco o diez años según la clase de delito. También podrá imponerse esta pena accesoria por la comisión de las faltas contra las personas de los artículos 617 y 620, por un período de tiempo que no excederá de seis meses. A este fin el tribunal valorará la gravedad de los hechos y el peligro que el delincuente represente. Si coincidiera la situación de prisión con la pena accesoria de prohibición las penas se cumplirán necesariamente por el condenado de forma simultánea.

En segundo lugar, el tribunal acordará en todo caso la prohibición de aproximarse a la víctima en los supuestos de los delitos mencionados en el párrafo anterior cometidos contra quien sea o haya sido el cónyuge, o sobre persona que esté o haya estado ligada al condenado por una análoga relación de afectividad aun sin convivencia, o sobre los descendientes, ascendientes o hermanos por naturaleza, adopción o afinidad, propios o del cónyuge o conviviente, o sobre los menores o incapaces que con él convivan o que se hallen sujetos a la potestad, tutela, curatela, acogimiento o guarda de hecho del cónyuge o conviviente, o sobre persona amparada en cualquier otra relación por la que se encuentre integrada en el núcleo de su convivencia familiar, así como sobre las personas que por su especial vulnerabilidad se encuentran sometidas a su custodia o guarda en centros públicos o privados (art. 57.2 CP).

Para el correcto cumplimiento de estas medidas el juez o tribunal podrá acordar que el control se realice a través de aquellos medios electrónicos que lo permitan (art. 48.4 CP).

1.5. La ejecución de la responsabilidad civil

A) El cumplimiento de la responsabilidad civil y demás responsabilidades pecuniarias

La responsabilidad patrimonial declarada en la sentencia penal puede comprender la responsabilidad civil derivada de los hechos delictivos (incluso en los casos de exención de responsabilidad del art. 20 CP), las costas procesales y la multa (arts.

109 y ss. CP). El pago de las indemnizaciones, los intereses, y de las restantes responsabilidades pecuniarias declaradas en la condena se realizará por comparecencia del condenado en el Juzgado[68] (Véase M. 434). Si el condenado acata la sentencia, haciendo frente a las responsabilidades determinadas en la misma y en la tasación de costas, la ejecución será innecesaria. La sentencia debe motivar la valoración de los daños con concreción de los mismos.

> «En el presente caso, explica el Juez de Instancia que, de las pruebas practicadas, se evidencia la realidad de los hechos que se declaran probados, y analiza debida y extensivamente los motivos por los que cuantifica la valoración de los daños en el edificio colapsado en 57.501,91 euros. Cumple con ello con lo establecido en el artículo 115 CP, precepto que obedece a la necesidad advertida por la jurisprudencia y particularmente por el Tribunal Constitucional de que la declaración que la sentencia haga de la responsabilidad civil obedezca al mismo rigor de motivación y concreción que el resto de contenido de aquélla». SAP Alicante, Sección 3ª, 4/2014 de 8 Ene. 2014, Rec. 247/2013.

La sentencia debe dejar sentados, entre los hechos que estima probados, aquellos que resulten imprescindibles para deducir el menoscabo patrimonial efectivo de la víctima, como elemento objetivo de la declaración indemnizatoria y, además, debe quedar acreditada la relación de causalidad efectiva y eficaz entre el hecho punible y el daño que se reclama.

> «El derecho al resarcimiento en razón a la responsabilidad "ex delicto", constituye un valor económico perteneciente a la víctima, e integra un derecho de reclamación hasta cubrir el importe de los daños y perjuicios causados por la transgresión punible, para cuyo reconocimiento es necesario que la sentencia siente, entre los hechos que estima probados, los imprescindibles para deducir el menoscabo patrimonial efectivo, como elemento objetivo de la declaración indemnizatoria y, además, debe quedar acreditada la relación de causalidad efectiva y eficaz entre el hecho punible y el daño que se reclama, porque únicamente aquellos perjuicios que sean consecuencia directa y necesaria del hecho delictivo son los que deben indemnizarse, de suerte que para que pueda establecerse legalmente la responsabilidad civil procedente de la infracción penal, es absolutamente indispensable que se pruebe no sólo la existencia del daño y el perjuicio, sino también que éstos fueron consecuencia directa del delito o falta (véase, entre otras, STS de 9 de octubre de 1990). (STS 747/2002,

---

(68) El art. 576 LEC aplicable a las sentencias dictadas en cualquier orden jurisdiccional, señala que las cantidades líquidas determinadas en la resolución dictada devengarán los intereses legales correspondientes desde el momento de haberse dictado la referida resolución hasta su completo pago. Caso que no hubiesen sido solicitados, cabe su introducción de oficio en la sentencia o previa solicitud de la parte de su ejecución. La cuantía del interés legal, tras la Ley 22/84, de 29 de junio, viene determinada por el tipo básico señalado por el Banco de España, incrementado en dos puntos, salvo que se hubiese pactado otro distinto por las partes y con la especialidad referente a su abono por el Estado, en caso de condena del mismo, ya que en este supuesto vendrá limitado por lo fijado en la Ley Presupuestaria correspondiente (arts. 36 y ss. Ley Presupuestaria) que declara de aplicación supletoria en el procedimiento penal a la LECrim.). En los supuestos de apelación, si la sentencia fuese revocada parcialmente, el Tribunal resolverá conforme a su prudente arbitrio, razonando al efecto si corresponde o no el devengo de intereses desde la resolución de instancia hasta su pago. Caso de confirmación, siempre procederá el devengo desde la resolución de instancia.

de 23 de abril (LA LEY 5960/2002))». SAP Madrid, Sección 30ª, 105/2012 de 9 Abr. 2012, Rec. 340/2011

Si el responsable condenado no realiza el pago, se procederá a la ejecución de la responsabilidad civil determinada en la sentencia y, una vez practicada y aprobada la tasación de costas, a la ejecución de éstas (véase M. 435 y M. 436). Cuando los bienes del responsable civil no sean bastantes para satisfacer de una vez todas las responsabilidades pecuniarias, el Juez o Tribunal, previa audiencia del perjudicado, podrá fraccionar su pago señalando según su prudente arbitrio y en atención a las necesidades del perjudicado y las posibilidades económicas del responsable, el período y el importe de los plazos (art. 125 del CP). Esta posibilidad pretende evitar una ejecución infructuosa, aunque también cabe el fraccionamiento como consecuencia de que el metálico procedente de la ejecución sea insuficiente para cubrir todas las responsabilidades pecuniarias[69].

Los pagos que se efectúen por el responsable se imputarán por el orden siguiente: 1º A la reparación del daño causado e indemnización de los perjuicios. 2º A las costas del acusador privado, si se hubieran impuesto, cuando el delito hubiese sido de los que sólo pueden perseguirse a instancia de parte. 3º A la indemnización al Estado por el importe de los gastos que se hubieran hecho por su cuenta en la causa. 4.º A las costas del acusador particular cuando se impusiesen en la sentencia. 5.º A las demás costas procesales, incluso las de la defensa del procesado, sin preferencia entre los interesados. 6.º A la multa (art. 126 CP).

B) Ejecución de la responsabilidad civil

La responsabilidad civil derivada del delito comprende la restitución, la reparación del daño y la indemnización de perjuicios materiales y morales (*vid.* § 3, Cap. II). La restitución consiste en la devolución a su legítimo propietario de la cosa de la que ha sido desposeído. Deberá restituirse, siempre que sea posible, el mismo bien, con abono de los deterioros y menoscabos que el Juez o Tribunal determinen. La restitución tendrá lugar aunque el bien se halle en poder de un tercero y éste lo haya adquirido, legalmente y de buena fe. Queda a salvo el derecho del tercero de repetir contra quien corresponda y, en su caso, ser indemnizado por el responsable civil del delito o falta. Sin embargo, no procederá la restitución cuando el tercero hubiere adquirido el bien en la forma y con los requisitos legales para hacerlo irreivindicable (art. 111 CP).

La reparación del daño podrá consistir en obligaciones de dar, de hacer o de no hacer, que el Juez o Tribunal establecerá atendiendo a la naturaleza del daño y a las

---

(69) «Examinadas con detenimiento las presentes actuaciones, la sala consciente de la dificultad de conciliar el derecho de la víctima a ser resarcida íntegra y prontamente de los daños y perjuicios sufridos a consecuencia del delito, con la necesaria fijación de plazos para su pago que posibiliten que tal cobro se haga efectivo; a la vista la capacidad económica de la condenada y de las demás circunstancias concurrentes entiende que la resolución recurrida cumple los criterios establecidos en el artículo 125 CP, debiendo por ello respetarse el prudente arbitrio del juez a quo a la hora de fijar tanto el periodo como el importe de los plazos». AAP Cantabria, Sección 3ª, Auto 127/2015 de 13 Mar. 2015, Rec. 188/2015.

condiciones personales y patrimoniales del culpable[70]. También determinará si han de ser cumplidas por él mismo o pueden ser ejecutadas a su costa (art. 112 CP; *vid.* como supuestos concretos de reparación del daño los arts. 193 y 216 del CP). A este fin, y al efecto de ejecutar la responsabilidad civil derivada del delito o falta, y sin perjuicio de la aplicación de las disposiciones de la Ley de Enjuiciamiento Civil, los jueces o tribunales podrán encomendar a la Agencia Estatal de Administración Tributaria o, en su caso, a los organismos tributarios de las haciendas forales las actuaciones de investigación patrimonial necesarias para poner de manifiesto las rentas y el patrimonio presente y los que vaya adquiriendo el condenado hasta tanto no se haya satisfecho la responsabilidad civil determinada en sentencia (art. 989 LECrim, modificado por LO 7/2003).

Por último, la indemnización de perjuicios materiales y morales comprenderá no sólo los que se hubiesen causado al agraviado, sino también los que se hubiesen irrogado a sus familiares y a terceros.

La actividad de ejecución de la responsabilidad civil en el proceso penal sigue, en lo general, las normas de la LEC reguladoras de la ejecución de la sentencia civil, en concreto las normas sobre ejecución de condenas pecuniarias y las normas sobre ejecución de condenas no pecuniarias. Sin embargo, una diferencia notable es que en el proceso penal la ejecución se iniciará sin necesidad de instancia o impulso de parte. Obsérvese, que la ejecución de responsabilidad civil más frecuente en el proceso penal es la destinada a obtener una cantidad de dinero del patrimonio del responsable y entregarlo al perjudicado. Este tipo de ejecución se regula en la LECrim sobre la base de que, en la fase de instrucción del proceso, se han tramitado las piezas de responsabilidad civil, asegurando las responsabilidades pecuniarias, al amparo de las normas sobre ejecución de la responsabilidad civil (arts. 613 y 536 LECrim.), que se remiten en todo lo que no esté previsto a la LEC (arts. 614 y 989 LECrim). En el supuesto de que no se hubiere procedido al aseguramiento cautelar de las responsabilidades pecuniarias, y resultase imprescindible embargar bienes del condenado, el Juez o Tribunal, de acuerdo con la remisión general del art. 614 LECrim a las normas procesales civiles, procederá al embargo de bienes como primera actividad ejecutiva[71].

Aunque, el art. 989.1 LECrim dispone que los pronunciamientos sobre responsabilidad civil serán susceptibles de ejecución provisional con arreglo a lo dispuesto en la Ley de Enjuiciamiento Civil lo que supone la petición de parte, conforme con el art. 526 LEC.

---

(70) «No procede en este caso determinar indemnización alguna sino como no puede ser de otra manera acordar en virtud del precepto aludido y en relación con los arts. 111 y 112 del CP, la demolición de lo ilegalmente construido, esto es, el muro de contención con vallado construido a base de fábrica de bloques, y el garaje, que se mencionan en los hechos probados, reponiendo la parcela a su estado inicial previo a la obra». SAP Las Palmas, Sección 6ª, 291/2016 de 14 Sep. 2016, Rec. 992/2015.

(71) Sólo respecto al juicio de faltas, en el que no está previsto la adopción de medidas cautelares, la LECrim. remite a todos los trámites de ejecución de la sentencia del juicio verbal civil, incluyendo, claro está, la fase de embargo (art. 984 LECrim.).

En el procedimiento abreviado el art. 794 LECrim autoriza, expresamente, la liquidación de sentencias líquidas en trámite de ejecución. Dicha liquidación hasta entonces sólo era posible en el juicio de faltas por la remisión general a los trámites de ejecución del juicio verbal civil[72]. En la actualidad, esta liquidación posterior es posible en todos los procedimientos penales, pues el art. 115 del CP permite, con carácter general, fijar la cuantía de los daños e indemnizaciones en la propia resolución o en el momento de su ejecución. También se permite, con carácter general, la ejecución provisional de los pronunciamientos sobre la responsabilidad civil con arreglo a lo dispuesto en los arts. 524 y ss. LEC (art. 989 LECrim).

Así, en el procedimiento abreviado, con base en el art. 794 LECrim, se prevé que si en el fallo no se hubiese fijado la cuantía indemnizatoria cualquiera de las partes podrá instar, durante la ejecución de sentencia, la práctica de las pruebas que estime oportunas para su determinación. El Juzgado dará traslado del escrito a las demás partes para que, en el plazo de diez días, pidan por escrito lo que a su derecho convenga. A continuación se practicarán las pruebas propuestas referidas a las bases fijadas en la sentencia y el Juez o Tribunal rechazará las que no se refieran a aquéllas. Practicadas las pruebas, y oídas las partes por un plazo común de cinco días, se fijará mediante auto, en los cinco días siguientes, la cuantía de la responsabilidad civil. El auto dictado por el Juez de lo penal será apelable ante la Audiencia respectiva.

1.6. Conclusión de la ejecución

A) Conclusión normal de la ejecución

Concluida la ejecución de la sentencia en todos sus extremos posibles, se dictará resolución, previo informe de Ministerio Fiscal, archivando la causa, provisional o definitivamente. Procede el archivo definitivo cuando la sentencia ha sido cumplida en todos sus extremos. El archivo provisional se produce cuando penda de cumplimiento algún pronunciamiento, por ejemplo: a) No se hayan satisfecho todas las responsabilidades civiles, manteniéndose en trámite la ejecutoria hasta que el penado venga a mejor fortuna. b) Cuando concedida la suspensión condicional por el plazo correspondiente, transcurra el precitado plazo, desarchivándola para cumplimiento de pena o para la remisión definitiva. c) Cuando al ser excesivamente dilatado el período de cumplimiento de una pena (por ejemplo, 10 años), no se considere pertinente su tramitación como pendiente, desarchivándose para la aprobación del licenciamiento definitivo. A continuación, si procede, se dictará resolución que, por su importancia, es aconsejable adopte la forma de propuesta de auto, aunque en la práctica forense, en ocasiones, se dicta una providencia, archivando definitiva o provisionalmente la causa (véanse M. 438).

Respecto a la pena de prisión, el cumplimiento de la condena extingue la responsabilidad criminal (art. 130.2 CP). En consecuencia, procede la liberación del

---

(72) En el procedimiento ordinario por delitos graves, la jurisprudencia interpretaba que las indemnizaciones debían regularse en congruencia con la cantidad económica en que las partes acusadoras apreciaran sus daños en los escritos de calificación, no pudiendo diferirse el quantum indemnizatorio hasta el período de ejecución.

condenado para lo que será necesaria la aprobación de la libertad definitiva por el Tribunal sentenciador, con intervención del MF y dándose vista al interesado (art. 17.3 LGP y art. 24.1 RP).

A estos efectos, con una antelación mínima de dos meses al cumplimiento de la condena, el director del establecimiento penitenciario formulará al Tribunal sentenciador una propuesta de libertad definitiva para el día en que el penado deje previsiblemente extinguida su condena, con arreglo a la liquidación practicada en la sentencia (art. 24.2 RP). Si quince días antes de la fecha propuesta para la libertad definitiva no se hubiese recibido respuesta, el director reiterará la propuesta al Tribunal sentenciador, significándole que, de no recibirse orden expresa en contrario, se procederá a liberar al recluso en la fecha propuesta (art. 24.3 RP). Producida la liberación, en el expediente personal del penado se extenderá la oportuna diligencia de libertad definitiva, expidiéndose y remitiéndose certificaciones de libertad definitiva al Tribunal sentenciador y al Juez de Vigilancia Penitenciaria (art. 24.5 RP).

Con relación a la ejecución de la responsabilidad civil, una vez satisfechas las responsabilidades civiles se procederá a expedir los despachos de cancelación de las fianzas y embargos obrantes en las piezas de responsabilidad civil, que hubiesen sido constituidos durante la causa según la fianza adoptada (personal, pignoraticia o hipotecaria) (arts. 589 y ss. LECrim)[73]. En su caso, se procederá a cancelar la fianza dineraria para garantizar la presencia en juicio de la pieza de situación, si tras aquél no se hubiese cancelado[74].

B) Otros modos de conclusión de la ejecución

Son causas anormales de conclusión de la ejecución: la muerte del reo, la prescripción de la pena, el perdón del ofendido, la rescisión de la sentencia, y el indulto.

La muerte del condenado extingue la responsabilidad criminal y, en su caso, el cumplimiento de la condena (art. 130 CP) (véase M. 433). El mismo efecto produce la prescripción de la pena. El tiempo de la prescripción se computará desde la fecha de la sentencia firme, o desde el quebrantamiento de la condena, si ésta hubiese comenzado a cumplirse (art. 134 CP).

Según establece el art. 133 CP, las penas impuestas por sentencia firme prescriben: a los veinticinco años, las de prisión de quince o más años. A los veinte, las de inhabilitación por más de diez años y las de prisión por más de diez y menos de quince. A los quince, las de inhabilitación por más de seis y menos de diez años. A los diez, las restantes penas graves. A los cinco, las penas menos graves. Al año, las penas leves. No prescriben, sin embargo, las penas de genocidio. Por su parte,

---

(73) Si se trata de la incautación de una cantidad producida durante la tramitación de la causa a resultas del proceso esta cantidad queda afecta al cumplimiento de las responsabilidades pecuniarias y no tenía por qué ser devuelta al procesado como poseedor inicial de la misma, dada la trascendencia que puede representar en su declaración de solvencia sin que pueda reputarse esta retención como una pena adicional.

(74) En caso de sentencia absolutoria pero pendiente de recurso, el Tribunal deberá razonar la cancelación de la fianza. Véase a este respecto, la STC 108/84, de 26 noviembre.

las medidas de seguridad prescriben a los diez años si fueran privativas de libertad iguales o inferiores a tres años o tuvieran otro contenido (art. 135 CP).

El perdón del ofendido es una causa de terminación de la ejecución penal de las condenas dictadas respecto de los delitos privados, y de algunos de carácter semipúblico. Es decir, aquéllos perseguibles sólo a instancia de parte, o bien que exigen la previa denuncia del ofendido.

Así, respecto de los primeros (calumnia o injuria), el perdón del ofendido produce la exención de responsabilidad criminal del condenado (art. 215.3 CP). Respecto de los semipúblicos, el perdón del ofendido también produce la extinción de la pena impuesta. Así, el descubrimiento y revelación de secretos (art. 201 CP); los daños causados por imprudencia grave en cuantía superior a diez millones (art. 267 CP); y las faltas perseguibles a instancia de parte (art. 639 CP).

El perdón se otorgará de forma expresa antes de iniciada la ejecución de la pena impuesta. A este efecto, declarada la firmeza de la sentencia, el Juez o Tribunal sentenciador oirá al ofendido por el delito antes de ordenar la ejecución de la pena. El perdón del ofendido, dada la naturaleza de esta clase de delitos, tendrá plena eficacia. Sin embargo, cuando se trate de menores o incapacitados, el Tribunal, oído el Ministerio Fiscal y el representante del menor o incapaz, podrá rechazar la eficacia del perdón otorgado por los representantes de aquéllos, ordenando el cumplimiento de la condena (art. 130 CP).

La rescisión de la sentencia puede producirse como consecuencia de la estimación del recurso de revisión o de amparo. La estimación del recurso de revisión produce la anulación de la sentencia y, en consecuencia, la ejecución de la sentencia concluye. Sin embargo, debe distinguirse según el motivo de revisión acogido en la sentencia. Así, en el supuesto del motivo 2º del art. 954 LECrim (condena como autor de homicidio de una persona cuya existencia se acredite posteriormente) se anulará la sentencia y se procederá inmediatamente a la puesta en libertad del condenado. Por el contrario, cuando el TS estime el recurso por los otros motivos del art. 954 LECrim, anulará la sentencia y devolverá la causa al órgano jurisdiccional competente para su instrucción y nuevo enjuiciamiento (art. 958 LECrim). En este caso, el condenado tiene la consideración de inculpado y en esa calidad el Juez de instrucción adoptará las medidas cautelares oportunas en orden a la situación de libertad o prisión de aquél. En el supuesto del recurso de amparo, su estimación y otorgamiento del amparo conllevará, en su caso, la declaración de nulidad de la sentencia (vid. art. 55 LOTC), con los efectos previstos para los supuestos anteriores.

Por último, el art. 130 CP prevé que la responsabilidad criminal se extingue por el indulto, que se tramitará conforme a la Ley provisional de 18 junio 1870, modificada por la Ley 1/1988, 4 enero y las disposiciones del Código Penal. Obsérvese que no existe referencia alguna en el Código Penal a la amnistía, que ha sido descartada de nuestro ordenamiento, ya que el art. 62.i de la Constitución establece que no podrán autorizarse indultos generales.

El indulto puede ser total o parcial (art. 4), y puede beneficiar a los condenados por cualquier clase de delito. Para poder solicitarlo el condenado debe estar a disposición del tribunal sentenciador para el cumplimiento de la condena firme. No pueden beneficiarse de esta medida de gracia los reincidentes en el mismo o en otro delito por el cual hubiesen sido condenados por sentencia firme, excepto que el Tribunal sentenciador considere que existen razones suficientes de justicia, equidad o conveniencia pública para otorgarles el indulto (art. 2). Las solicitudes de indulto se dirigirán al Ministerio de Justicia, por el Tribunal que dictó la sentencia, el fiscal, el propio interesado, sus parientes o cualquier otra persona en su nombre (arts. 19 y 22). También lo puede solicitar el Juez de vigilancia penitenciaria, previa solicitud de la Junta de Tratamiento del Centro (art. 206 Reglamento Penitenciario). Respecto al Tribunal, el art. 4.3 CP dispone que el Tribunal acudirá al Gobierno exponiendo lo conveniente sobre la concesión de indulto cuando de la rigurosa aplicación de la Ley resulte penada una acción u omisión que, a juicio del Juez o Tribunal, no debiera serlo, o cuando la pena sea notablemente excesiva, atendidos el mal causado por la infracción y las circunstancias personales del reo.

El Gobierno podrá también mandar formar el oportuno expediente, con arreglo a las disposiciones legales, para la concesión de indultos que no hubiesen sido solicitados por los particulares ni propuestos por los Tribunales de Justicia (art. 21). En cualquier caso, el art. 15 de la Ley establece como condiciones o requisitos que deben cumplirse para conceder el indulto las siguientes: 1º Que no cause perjuicio a tercera persona o no lastime sus derechos; 2º Que haya sido oída la parte ofendida, cuando el delito por el que hubiere sido condenado el reo fuere de los que solamente se persiguen a instancia de parte.

La solicitud o propuesta de indulto no suspende la ejecución de la pena, que continuará su curso en tanto no se resuelve la petición (art. 32). No obstante, mediando petición de indulto, si el Tribunal apreciara motivadamente que el cumplimiento de la pena puede vulnerar el derecho a un proceso sin dilaciones indebidas, suspenderá la ejecución de la condena, en tanto no se resuelva la petición. Del mismo modo, suspenderá la ejecución cuando de ser ejecutada la sentencia no pudiera cumplirse la finalidad del indulto (art. 4.4 CP).

La petición de indulto se tramitará con formación del oportuno expediente, e informe del Tribunal sentenciador, y del Centro penitenciario sobre la conducta del penado. El Tribunal hará constar las circunstancias personales del condenado, fortuna, méritos, antecedentes penales y circunstancias de los mismos. El indulto se acordará por Real Decreto del Gobierno, y se publicará en el BOE, extinguiéndose la responsabilidad criminal y el cumplimiento de la pena.

MODELOS

M. 415. Auto de firmeza de la sentencia

AUTO

En [.../...], a [.../...] de [.../...] de 201[.../...]

HECHOS

1.º Ha sido notificada a las partes la presente sentencia dictada en la causa núm. [.../...] contra [.../...] sobre [.../...] y habiendo transcurrido el término legal sin que contra la misma se haya interpuesto recurso alguno.

FUNDAMENTOS DE DERECHO

1.º Según lo dispuesto en el art. 988.1.º LECrim., cuando una sentencia sea firme conforme al art. 141 de esta misma Ley, y habiendo trascurrido el plazo de cinco días que señala el art. 212 de la misma, lo declarará así el Juez o Tribunal que la hubiere dictado, conforme al art. 794 LECrim.

VISTOS los preceptos citados y los arts. 983 y ss. LECrim. y demás de pertinente aplicación.

PARTE DISPOSITIVA

Se declara firme y ejecutoria la sentencia dictada en la presente causa (1), desde el día [.../...], recaída contra [.../...] (2), procediendo a librar los correspondientes testimonios, uno que servirá de encabezamiento a la presente ejecutoria; practíquense las anotaciones en los Libros Registro de este Juzgado (3), remítase la oportuna ficha al Registro Central de Penados y Rebeldes (4).

[Acordar, en su caso, otras diligencias.]

Contra la presente resolución cabe interponer recurso de reforma dentro del plazo de tres días ante este Juzgado de lo Penal.

Lo manda y firma el Sr. Juez de lo Penal, doy fe.

DILIGENCIA. Seguidamente se cumple lo ordenado y se registra en los Libros correspondientes, doy fe.

[NOTIFICACIÓN. Al Ministerio Fiscal y a las partes personadas]

(1) Puede acordarse, por ejemplo, una declaración parcial de firmeza con respecto a un condenado, cuando el otro hubiese interpuesto recurso de casación.

(2) Si es absolutoria, tras acordar en este mismo auto, que se dejen sin efecto las medidas cautelares contenidas en las piezas previo informe del Ministerio Fiscal, se procede a su archivo definitivo. Si no hubieren medidas procede directamente el archivo, con el Visto del Ministerio Fiscal.

(3) En la práctica forense se utiliza, para dar una mayor celeridad a la ejecutoria, una concentración de trámites aconsejable, y así en ésta pueden acordarse otros pronunciamientos, como por ejemplo condena a una pena de multa y una indemnización dineraria, siendo el reo solvente: «Remítase testimonio de la parte dispositiva de la sentencia al pueblo de naturaleza del penado e igual testimonio a la Junta Electoral, pásense las actuaciones para la oportuna tasación de costas a que será requerido el penado juntamente con el cumplimiento del resto de las indemnizaciones, citándolo al efecto».

(4) A partir de este momento, las sucesivas comunicaciones con el condenado se pueden realizar directamente a su persona.

M. 416. Diligencia de ordenación acordando se practique liquidación de condena

DILIGENCIA DE ORDENACIÓN

SECRETARIO SR. [.../...]

En [.../...], a [.../...] de [.../...] de 201[.../...]

Hallándose el penado Sr. [.../...] en el Centro de [.../...], practíquese la oportuna liquidación de condena y previo informe del Ministerio Fiscal remítase copia de ésta junto con el testimonio de la condena al precitado Centro, a fin de su cumplimiento.

Lo acuerda y firma el Sr. Letrado A. Justicia, dando cuenta de ello a S.S.ª

DILIGENCIA. Seguidamente se cumple lo acordado, doy fe.

M. 417. Oficio remisorio de la certificación de la sentencia condenatoria al Centro de cumplimiento

JUZGADO DE LO PENAL DE [.../...]

Procedimiento Abreviado N.º [.../...]

Ilmo. Sr.

Penado: [.../...]: Adjunto remito la certificación de la Sentencia dictada contra [.../...], recluso en ese centro de su dirección, en la causa al margen expresada, y asimismo la liquidación de condena aplicada al referido; ruego acuse recibo y remita a este Juzgado la cartilla de licenciamiento del penado en el día que le corresponda.

En [.../...], a [.../...] de [.../...] de 201[.../...]

SR. DIRECTOR DEL CENTRO DE [.../...]

M. 418. Liquidación de condena privativa de libertad e informe fiscal

Liquidación de Condena relativa a la pena [.../...] del penado: [.../...]

DILIGENCIAS [.../...] NÚMERO [.../...] de 201[.../...]

Pena impuesta	=	días
Abono	=	días
Desde	=	días
Restan por cumplir un total de	=	días
Comienza el día [.../...] del mes	=	días
Año (o mes según la detención)	=	días

Año [.../...]

Año [.../...]

suma   días

Concluye el día [.../...] del mes [.../...] del año [.../...]

En [.../...], a [.../...] de [.../...] de 201[.../...]

El Letrado A. Justicia

INFORME FISCAL

El Ministerio Fiscal se halla conforme con la anterior liquidación.

En [.../...], a [.../...] de [.../...] de 201[.../...]

M. 419. Auto aprobando la liquidación de condena

AUTO

En [.../...], a [.../...] de [.../...] de 201[.../...]

HECHOS

1.° Practicada la correspondiente liquidación de condena en [.../...] Ejecutoria núm. [.../...] seguida contra [.../...] correspondiente a [.../...] y dada vista al Ministerio Fiscal ha emitido informe en el sentido de [.../...]

FUNDAMENTOS DE DERECHO

1.° La anterior liquidación de condena se ha practicado de conformidad con las disposiciones legales, por lo que procede aprobarla, teniendo en cuenta el dictamen Fiscal.

VISTOS los arts. 990 LECrim. y demás de pertinente y general aplicación.

PARTE DISPOSITIVA

Se aprueba la Liquidación de Condena de [.../...] Notifíquese esta resolución al Ministerio Fiscal y al interesado. Remítase testimonio de la misma al Sr. Director del Centro de Cumplimiento de [.../...], solicitando acuse de recibo.

Lo manda y firma el Sr. Juez de lo Penal, doy fe.

DILIGENCIA. Seguidamente se cumple lo acordado, doy fe.

(NOTIFICACIÓN. Al Ministerio Fiscal y al interesado)

M. 420. Ejecución de una pena de multa proporcional

En el Auto de firmeza podrá acordarse que el condenado sea citado para requerirle al pago de la multa y una vez comparezca se hará constar así:

REQUERIMIENTO. En [.../...], a [.../...] de [.../...] de 201[.../...]

Teniéndolo en mi presencia, requerí a [.../...] con la finalidad de que satisficiera en el término de una audiencia la cantidad de [.../...] Euros, impuesta como multa en la sentencia, con los apercibimientos legales oportunos, manifestando que [.../...]; y en prueba de ello firma conmigo, doy fe.

DILIGENCIA. En [.../...], a [.../...] de [.../...] de 201[.../...]

Para hacer constar que en el día de la fecha comparece el penado [.../...] quien previamente requerido, hace entrega de la cantidad de [.../...]. Euros en papel de pagos al Estado, que se unen a autos, y en prueba de ello, firma conmigo, doy fe.

M. 421. Ejecución de la pena de privación del derecho a conducir vehículos a motor y ciclomotores

En la misma resolución en que se declare la firmeza de la sentencia puede acordarse que se cite al condenado para que entregue el carnet de conducir y hecho esto, se acordará la siguiente diligencia:

DILIGENCIA DE ORDENACIÓN

SECRETARIO SR. [.../...]

En [.../...], a [.../...] de [.../...] de 201[.../...]

Practíquese la oportuna liquidación de condena, relativa al permiso de conducir, verificado lo cual, dese traslado para su informe al Ministerio Fiscal.

Lo acuerda y firma el Sr. Letrado A. Justicia, dando cuenta de ello a S.S.ª

DILIGENCIA. Seguidamente se cumple lo ordenado, doy fe.

Liquidación de condena relativa a la privación del derecho a conducir de [.../...]

DILIGENCIAS [.../...] número [.../...] de 201[.../...]

Privación impuesta [.../...] meses [.../...] =   días

Abono *(si hubiese sido retenido)*

desde [.../...] hasta [.../...] =   días

Restan por cumplir, un total de [.../...]   días

Comienza el día del mes [.../...]   días

Mes de [.../...]   días

Mes de [.../...]   días

(y así sucesivamente [.../...])

Total días

CONCLUYE el día [.../...] del mes [.../...] de 201[.../...]

En [.../...] a [.../...] de [.../...] de 201[.../...]

El Letrado A. Justicia

INFORME FISCAL

El Fiscal se halla conforme con la anterior liquidación (1).

En [.../...], a [.../...] de [.../...] de 201[.../...]

(1) En caso contrario, se razona la disconformidad y si contra dicho parecer, se aprueba la liquidación, el Ministerio Fiscal puede recurrir, según las normas generales previstas para los recursos contra los autos dictados por los órganos judiciales.

M. 422. Auto aprobando la liquidación de condena del derecho a conducir, practicada de conformidad con el informe fiscal: entrega del permiso, concluido el período de privación.

AUTO

En [.../...], a [.../...] de [.../...] de 201[.../...]

HECHOS

1.º Practicada la correspondiente liquidación de condena en las presentes diligencias núm. [.../...], Ejecutoria núm. [.../...] [.../...], seguidas contra [.../...], correspondiente a [.../...], y dada vista al Ministerio Fiscal, ha emitido informe en el sentido de [.../...]

FUNDAMENTOS DE DERECHO

1.º La anterior liquidación de condena se ha practicado de conformidad con las disposiciones legales, por lo que procede acordar como se hará, teniendo en cuenta el dictamen Fiscal.

PARTE DISPOSITIVA

Se aprueba la Liquidación de Condena practicada en esta causa de [.../...] Notifíquese esta resolución al Ministerio Fiscal

y [.../...] remítase el oportuno oficio a la Jefatura Superior de Tráfico, citándose al condenado, una vez termine la condena, para retirar su permiso de conducir.

Contra esta resolución cabe recurso de reforma ante este Juzgado en el plazo de tres días desde su notificación.

Lo que manda y firma el Sr. Juez de lo Penal, doy fe.

DILIGENCIA. Seguidamente se cumple lo acordado, doy fe.

(NOTIFICACIÓN. Al Fiscal y a los interesados)

DILIGENCIA. En [.../...], a [.../...] de [.../...] de 201[.../...]

Para hacer constar que en el día de la fecha, y por haber cumplido la totalidad de la pena de privación del derecho a conducir, le hago entrega del permiso a [.../...], y en prueba de recibo firma, de lo que doy fe.

A continuación se enviará Oficio remitiendo a la Jefatura Superior de Tráfico la liquidación de condena practicada a efecto de anotación. (Igualmente sirve para cualquier otra medida preventiva acordada en la instrucción.)

M. 423. Oficio remitiendo al Juez encargado del Registro Civil testimonio de condena para su anotación

JUZGADO PENAL DE [.../...]

ILMO SR.:

Causa n.º [.../...]

Año [.../...]

PENADO [.../...]

Inscrito en el Registro Civil, a folio [.../...], n.º [.../...] Tomo [.../...]

De orden de S.S.ª, y en virtud de lo acordado en resolución de esta fecha dictada en la Ejecutoria de [.../...] seguida por este Juzgado y que al margen se expresa, tengo el honor de remitir a V.S. adjunto testimonio de condena referente al penado que así mismo se indica. Sírvase acusar recibo, para constancia en dicha ejecutoria.

En [.../...], a [.../...] de [.../...] de 201[.../...]

El Letrado A. Justicia

SR. JUEZ ENCARGADO DEL REGISTRO CIVIL DE [.../...]

M. 424. **Oficio remitiendo al Presidente de la Junta Electoral Central testimonio de condena para la ejecución de la privación del derecho de sufragio pasivo**

JUZGADO PENAL DE [.../...]

Ejecutoria n.° [.../...]

Causa n.° [.../...]

Año [.../...]

PENADO [.../...]

A efectos de anotación tengo el honor de remitir a V.I. adjunto testimonio de condena relativa al penado que al margen se indica. Rogándole acuse recibo, para constancia en la ejecutoria que se expresa.

En [.../...], a [.../...] de [.../...] de 201[.../...]

El Juez de lo Penal

SR. PRESIDENTE DE LA JUNTA ELECTORAL CENTRAL DE [.../...]

M. 425. **Certificación de condena que se acompaña a los anteriores oficios**

D. [.../...], Letrado A. Justicia del Juzgado de lo Penal de esta Ciudad y partido de [.../...]

CERTIFICO: Que en la causa seguida en este Juzgado con el núm. [.../...] de 201[.../...] Diligencias [.../...], sobre [.../...], contra [.../...], de [.../...] años de edad, hijo de [.../...] y de [.../...], de estado [.../...], profesión [.../...], natural de [.../...], se dictó por [.../...], el día [.../...] de dos mil [.../...] sentencia declarada firme, condenándolo a la pena de [.../...]

Así resulta de las diligencias anteriormente expresadas a que me remito. Y para que conste y en virtud de lo ordenado libro la presente en [.../...], a [.../...] de [.../...] de 201[.../...]

La forma en que deberá cumplimentarse el exhorto, en el supuesto que se hayan practicado unas determinadas diligencias de ejecución ordenadas por la Audiencia Provincial o un Juzgado de lo Penal, será dictando la siguiente resolución:

M. 426. Cumplimiento de diligencias de ejecución por el Juzgado que no dictó la sentencia

PROVIDENCIA JUEZ SR. [.../...]

En [.../...], a [.../...] de [.../...] de 201[.../...]

Dada cuenta, habiéndose recibido el anterior exhorto, regístrese, cumpliméntese y [.../...]

Lo manda y firma su S.S.ª el Juez de lo Penal de [.../...], doy fe.

DILIGENCIA. Seguidamente se cumple lo acordado, doy fe.

M. 427. Auto aprobando la liquidación que resulte de la refundición de penas

AUTO

ILMOS. SRES.

[.../...]

En [.../...], a [.../...] de [.../...] de 201[.../...]

HECHOS

1.º Remitida instancia por el penado [.../...] (o a instancia del Ministerio Fiscal o de oficio por el Tribunal), se reclamaron al Registro Central de Penados y Rebeldes los antecedentes penales del precitado penado, resultando de los mismos que fue condenado en las causas que se dirán a las siguientes penas: [.../...] (se harán constar las penas que serán objeto de refundición).

2.º Iniciado el expediente, se solicitaron los testimonios de las sentencias dictadas en los distintos procedimientos seguidos contra el penado [.../...], uniéndose y comunicándose seguidamente al Ministerio Fiscal, quien ha informado que «muestra su conformidad con la aplicación al penado, de los beneficios del art. 76 CP, con la limitación que en el mismo se establece».

FUNDAMENTOS DE DERECHO

1.º La pena más grave impuesta al penado es la de [.../...] que corresponde a la causa [.../...], por lo cual procede imponer al mismo como pena máxima a cumplir el triplo de dicha pena, con las limitaciones de no ser superior a la de 20 años de cumplimiento y no exceder de las sumas parciales de cada una de ellas, ninguno de cuyos extremos concurre en el presente caso.

VISTOS los arts. 988, 989 LECrim. y 76 CP y demás de pertinente aplicación.

PARTE DISPOSITIVA

Se fija como límite máximo a cumplir por el penado [.../...] la pena de [.../...] correspondiente al triplo de la más grave. Partícipese esta resolución al Sr. Director del Centro Penitenciario de Cumplimiento de [.../...], donde se halla recluido el penado, interesando al propio tiempo indique la prisión preventiva que se puede abonar al presente expediente, para proceder a la práctica de la correspondiente liquidación de condena, así como la fecha de inicio del cumplimiento de la pena; remítase testimonio de esta resolución a las causas correspondientes a los diferentes órganos sentenciadores, solicitando acuse de recibo.

Contra la presente resolución cabe interponer recurso de súplica dentro del tercer día a partir de su notificación, ante este Tribunal.

Lo que mandan y firma los Ilmos. Sres. del Tribunal, doy fe.

DILIGENCIA. Seguidamente se cumple lo acordado, doy fe.

(NOTIFICACIÓN. Al Ministerio Fiscal y al interesado)

Con la remisión del tiempo de abono de prisión preventiva, se practicará la pertinente liquidación conforme a los modelos ya reseñados.

M. 428. Diligencia de ordenación e informe fiscal previo a resolver sobre la suspensión condicional de la ejecución de penas privativas de libertad

DILIGENCIA DE ORDENACIÓN

SECRETARIO SR. [.../...]

En [.../...], a [.../...] de [.../...] de 201[.../...]

Visto el contenido de las anteriores actuaciones, pudiendo reunir el penado los requisitos exigidos remítanse las precedentes al Ministerio Fiscal a fin de que informe sobre la procedencia de la concesión de los beneficios de la suspensión de la ejecución de la pena.

Lo acuerda y firma el Sr. Letrado A. Justicia, dando cuenta de ello a S.S.ª

DILIGENCIA. Seguidamente se cumple lo acordado, doy fe.

INFORME FISCAL

El Ministerio Fiscal no se opone a la concesión a [.../...] de los beneficios de la suspensión de la ejecución de la pena.

En [.../...], a [.../...] de [.../...] de 201[.../...]

[o bien]

El Ministerio Fiscal, se opone a la concesión a [.../...] de los beneficios de la suspensión de la ejecución de la pena por [.../...]

En [.../...], a [.../...] de [.../...] de 201[.../...]

M. 429. Auto acordando la suspensión condicional

AUTO

En [.../...], a [.../...] de [.../...] de 201[.../...]

HECHOS

1.º El día [.../...] de [.../...] de 201[.../...], se dictó, en la presente causa, sentencia condenando a [.../...] como autor del delito de [.../...] a la pena de [.../...]; y dada la vista al Fiscal, dictaminó en el sentido de que [.../...] procede aplicar a dicho penado tales beneficios.

FUNDAMENTOS DE DERECHO

1.º Reunidos en el caso presente todos los requisitos exigidos por el art. 81 del vigente CP, y teniendo en cuenta la peligrosidad criminal, es procedente, haciendo uso de las atribuciones que otorga el art. 80 CP, aplicar los beneficios de dicha ley.

VISTOS los preceptos citados y demás de pertinente aplicación.

PARTE DISPOSITIVA

Se acuerda la suspensión por el plazo [.../...] años, del cumplimiento de la pena impuesta en esta causa al sentenciado D. [.../...], durante cuyo tiempo no podrá trasladar su residencia, y si la cambiare, estará obligado a presentarse dentro de los tres días siguientes de la llegada al Juez respectivo, advirtiéndole que si no cumpliese los requisitos establecidos por la Ley, quedará sin efecto la suspensión de la condena y se procederá a dar cumplimiento a ésta. Notifíquese esta resolución a dicho penado y al Ministerio Fiscal, remitiéndose oficio a la Sección especial de Registro Central de Penados y Rebeldes.

Contra esta resolución cabe recurso de reforma ante este Juzgado en el plazo de tres días desde su notificación.

Así lo manda y firma el Sr. D. [.../...], Juez de lo Penal de [.../...], doy fe.

DILIGENCIA. Seguidamente se cumple lo acordado, doy fe.

(NOTIFICACIÓN. Al Fiscal)

M. 430. Acta de notificación de la suspensión condicional de la condena

En [.../...], a [.../...] de [.../...] de 201[.../...]

Constituido el Sr. D. [.../...] Juez de lo Penal n.º [.../...] de los de esta ciudad, en audiencia pública, y asistido de mí, el Letrado A. Justicia, comparece el penado D. [.../...], a quien se le notifica el contenido del auto que antecede, por el que se le conceden los beneficios de la suspensión de la ejecución de la pena, y asimismo S.S.ª le advierte de las oportunas prevenciones que marca la Ley, y manifiesta quedar enterado.

Leída, se afirma y ratifica firmando con S.S.ª, de lo que doy fe.

M. 431.   Diligencia de ordenación e informe fiscal previo a la remisión definitiva de la pena

DILIGENCIA DE ORDENACIÓN

SECRETARIO SR. [.../...]

En [.../...], a [.../...] de [.../...] de 201[.../...]

Habiendo transcurrido el plazo señalado para la suspensión condicional de la pena, solicítense del Registro Central de Penados y Rebeldes y del pueblo de naturaleza del condenado los datos relativos a las condenas impuestas, verificado lo cual pásese al Ministerio Fiscal para evacuar el pertinente dictamen sobre la remisión definitiva de la condena impuesta, o su cumplimiento (y en su caso, si la causa se encuentra archivada provisionalmente, desarchívese la presente causa).

Lo acuerda y firma el Sr. Letrado A. Justicia, dando cuenta de ello a S.S.ª

DILIGENCIA. Seguidamente se cumple lo acordado, doy fe.

Recibidos los datos, se pasa al Ministerio Fiscal.

INFORME FISCAL

El Fiscal, evacuando el traslado, informa que [.../...] *(procede el cumplimiento de la pena o su remisión definitiva).*

En [.../...], a [.../...] de [.../...] de 201[.../...]

Si procede el cumplimiento, se seguirán los trámites normales y en caso contrario, se dicta resolución procediendo a la remisión definitiva y archivo de la causa, si no hubiese otros pronunciamientos en la sentencia pendientes de ejecución.

M. 432.   Auto acordando la remisión definitiva de la pena

AUTO

En [.../...], a [.../...] de [.../...] de 201[.../...]

HECHOS

1.º Por auto de [.../...] de [.../...] de 201[.../...], se concedieron al condenado en esta causa [.../...] los beneficios de la suspensión de la aplicación de la pena, por tiempo de [.../...] años, y en audiencia pública del día [.../...] de [.../...] de 201[.../...], se le hicieron las prevenciones legales, cuyo plazo ya ha transcurrido.

2.º Solicitados del Registro Central de Penados y Rebeldes, y del pueblo de la naturaleza del condenado, datos relativos a las condenas impuestas al penado [.../...] de dichos datos resulta [.../...]

3.º Dado el traslado de la causa al Ministerio Fiscal, por éste se ha informado en el sentido de [.../...]

FUNDAMENTOS DE DERECHO

1.º Concluido el tiempo de suspensión de condena, sin que haya condena posterior que produzca el efecto de evitar la remisión de la suspendida en esta causa, procede acordar dicha remisión [.../...]

PARTE DISPOSITIVA

Se declara remitida definitivamente la condena impuesta en esta causa al penado [.../...], Notifíquese a dicho penado la remisión acordada y para ello, líbrese el despacho correspondiente.

Tómese nota de la remisión en los Libros de Registro de este Juzgado; póngase dicha remisión en conocimiento del Juzgado de residencia del penado. Y una vez que obren en este Juzgado los correspondientes acuses de recibo y despachos mandados expedir, únanse y archívese la causa.

Contra la presente resolución cabe recurso de reforma dentro del plazo de tres días a partir de su notificación, ante este Juzgado.

Así lo manda y firma el Sr. D. [.../...], Juez de lo Penal de [.../...], doy fe.

DILIGENCIA. Seguidamente se cumple lo acordado, doy fe.

(NOTIFICACIÓN. Al Fiscal y al interesado)

M. 433. Auto declarando extinguida la responsabilidad criminal por fallecimiento del condenado (o acusado)

AUTO

ILMOS. SRES.

[.../...]

En [.../...], a [.../...] de [.../...] de 201[.../...]

HECHOS

1.º D. [.../...] ha aportado a autos, certificación de defunción del condenado [o acusado] [.../...] y dada vista de la presente causa al Ministerio Fiscal, ha dictaminado que procede declarar la extinción de la responsabilidad criminal con reserva de las actuaciones civiles.

FUNDAMENTOS DE DERECHO

1.º De conformidad con el dictamen fiscal y a tenor de lo dispuesto en los arts. 130 CP y 115 LECrim., procede declarar extinguida la responsabilidad penal de [.../...], al haberse acreditado su fallecimiento.

VISTOS los preceptos citados y demás de pertinente aplicación.

PARTE DISPOSITIVA

Se declara extinguida por fallecimiento, la responsabilidad criminal del [.../...], con declaración de oficio de las costas causadas y reserva de las acciones civiles.

Notifíquese a las partes y al Ministerio Fiscal la presente resolución, póngase en conocimiento del Juez Instructor y archívese la presente causa (si fuere sólo un acusado), tomando nota en los Libros Registro.

Así lo mandan y firman los Sres. del Tribunal, doy fe.

DILIGENCIA. Seguidamente se cumple lo ordenado, doy fe.

(NOTIFICACIÓN. A las partes personadas)

M. 434. Comparecencia del condenado ante el Juzgado para satisfacer pago, indemnización y demás responsabilidades pecuniarias

COMPARECENCIA

En [.../...], a [.../...] de [.../...] de 201[.../...]

Ante S.S.ª, y de mí el Letrado A. Justicia, comparece [.../...], quien acredita su personalidad mediante exhibición de [.../...], haciendo entrega de la cantidad de [.../...] Euros y en prueba de ello firma conmigo, doy fe.

M. 435. Escrito solicitando la fijación de la indemnización en ejecución de sentencia

AL JUZGADO DE LO PENAL

D. [.../...], Procurador de los Tribunales, obrando en nombre y representación de los perjudicados [.../...], cuya designación consta en estos autos, DICE:

Que en el presente procedimiento se ha dictado sentencia, actualmente firme, en cuyo fallo, se establece, entre otras circunstancias, que respecto a la cuantía de la indemnización que corresponde a mis representados como perjudicados por el delito, aquélla estará en función de los perjuicios causados en las plantaciones de las fincas de regadío de su propiedad, que se calcularán atendiendo al importe de los beneficios dejados de obtener por la venta de los productos cosechados.

Como quiera que debido a la contaminación que se produjo en las aguas que sirven al riego de las fincas propiedad de mis representados resultaron profundamente afectadas las tierras y las plantaciones que en ellas había, no se pudo cosechar ni, en consecuencia, vender la cosecha, por lo que mis representados sufrieron un considerable perjuicio económico.

Al objetivo de fijar la cuantía de la indemnización correspondiente solicito la práctica de las siguientes pruebas, conforme al art. 794, regla 1.ª, LECrim.:

A) Documental, consistente en que se tengan por aportados los planos de las fincas de mis representados, así como los títulos de propiedad de los mismos, que acompaño en documentos números [.../...]

B) Pericial, con el objeto de que por un perito agrónomo se especifique el rendimiento medio en kilogramos de trigo que por cada hectárea de regadío se puede obtener en la zona en que se ubican las fincas, así como se especifique el precio medio del kilogramo de trigo en la campaña agrícola de [.../...], en que se produjo el perjuicio.

Por lo expuesto, y atendiendo al art. 794 LECrim., al Juzgado de lo Penal SOLICITO:

Que admita el presente escrito con los documentos acompañatorios y sus copias y acuerde la práctica de las pruebas solicitadas en el mismo. Asimismo, que dé al presente escrito el trámite correspondiente, y finalmente dicte auto fijando la cuantía de la indemnización que les corresponde a mis perjudicados.

En [.../...], a [.../...] de [.../...] de 201[.../...]

Del anterior escrito, el Juzgado dará traslado a las demás partes para que en el plazo de diez días pidan por escrito lo que a su derecho convenga, y se rechazarán por el Juez o Tribunal la práctica de las pruebas que no se refieran a las bases fijadas en la sentencia.

Practicadas las pruebas y oídas las partes por un plazo común de cinco días se fijará mediante auto, en los cinco días siguientes, la cuantía de la responsabilidad civil.

M. 436. Auto fijando la cuantía de la responsabilidad civil

AUTO

En [.../...], a [.../...] de [.../...] de 201[.../...]

HECHOS

1.º En fecha de [.../...] se dictó sentencia por este Juzgado en cuya parte dispositiva se determinaron las bases para la fijación de la indemnización consecuente a los perjuicios dimanantes del delito, habiéndose solicitado por los perjudicados la práctica de la prueba pertinente tendente a la cuantificación de aquéllos, de cuya petición se dio traslado a las restantes partes en el proceso y se practicó la prueba solicitada.

FUNDAMENTOS DE DERECHO

Único. El art. 794 LECrim. establece que si la cuantía indemnizatoria no se hubiese fijado en el fallo de la sentencia, el Juez la establecerá en fase de ejecución atendiendo, para ello, a las pruebas realizadas a instancias de las partes. De las practicadas en el presente supuesto, y particularmente de las periciales de los peritos agrónomos y de las documentales, valoradas conforme a las reglas del art. 741 LECrim., aparece que el precio del kilogramo de trigo en la zona de [.../...] en la campaña de [.../...] fue de [.../...] Euros y la producción media estimada por hectárea fue de [.../...] kilogramos, por lo que el valor de las pérdidas asciende a [.../...] Euros, que es la cuantía en que se estima el perjuicio sufrido, conforme al art. 1106 CC.

PARTE DISPOSITIVA

Se fija en [.../...] Euros la cuantía de la responsabilidad civil dimanante del delito contra el medio ambiente. Del pago de dicha suma es responsable [.../...], quien deberá abonarla a [.../...]

Contra la presente resolución cabe recurso de apelación ante la Audiencia Provincial en el plazo de cinco días.

Así lo manda y firma el Sr. D. [.../...], Juez de lo Penal de [.../...], doy fe.

DILIGENCIA. Seguidamente se cumple lo acordado, doy fe.

(NOTIFICACIÓN. Al Ministerio Fiscal y a las partes del proceso)

M. 437. Diligencia de ordenación dando traslado al Fiscal para informe sobre archivo provisional de la causa

DILIGENCIA DE ORDENACIÓN

SECRETARIO SR. [.../...]

En [.../...], a [.../...] de [.../...] de 201[.../...]

Pásese al Ministerio Fiscal la pertinente ejecutoria a fin de que se pronuncie sobre si procede al archivo provisional o definitivo de la causa.

Lo acuerda y firma el Sr. Letrado A. Justicia, dando cuenta de ello a S.S.ª

DILIGENCIA. Seguidamente se cumple lo acordado, doy fe.

INFORME FISCAL

El Fiscal informa que procede el archivo [.../...] de la presente ejecutoria.

En [.../...], a [.../...] de [.../...] de 201[.../...]

[o bien]

El Fiscal informa que antes de proceder al archivo debe [.../...]

A continuación, si procede, se dictará resolución, que por su importancia, es aconsejable adopte la forma de auto, aunque en la práctica forense, en ocasiones, se dicta una providencia, archivando definitiva o provisionalmente la causa.

M. 438. Auto acordando el archivo provisional o definitivo de la ejecutoria

AUTO

En [.../...], a [.../...] de [.../...] de 201[.../...]

HECHOS

1.º En las presentes Diligencias núm. [.../...], Ejecutoria núm. [.../...], seguidas contra [.../...], se han practicado las diligencias de ejecución de ellas derivadas y en el trámite correspondiente el Ministerio Fiscal ha interesado su archivo [.../...]

FUNDAMENTOS DE DERECHO

1.º En mérito de lo expuesto es procedente acordar como se hará, de conformidad con el dictamen Fiscal.

VISTOS el art. 998 LECrim. y demás de pertinente aplicación.

PARTE DISPOSITIVA

Archívese [.../...] la presente causa, tomando las notas necesarias en los libros de este Juzgado. Notifíquese esta resolución al Ministerio Fiscal.

Contra la presente resolución cabe recurso de reforma ante este Juzgado de lo Penal, dentro de los tres días siguientes a partir de su notificación.

Lo que manda y forma el Sr. Juez para que manifieste su conformidad.

DILIGENCIA. Seguidamente se cumple lo acordado y se toman notas en los Libros de este Juzgado; doy fe.

NOTIFICACIÓN. Seguidamente y teniendo a mi presencia a [.../...], le notifico mediante lectura íntegra y entrega de copia literal con expresión del asunto a que se refiere la anterior resolución y en prueba de quedar enterado, firma; doy fe.

(NOTIFICACIÓN. Al Ministerio Fiscal por remisión de copia, acusando recibo)

CAPÍTULO XXII

RESPONSABILIDAD PATRIMONIAL DEL ESTADO POR ERROR JUDICIAL Y POR EL FUNCIONAMIENTO ANORMAL DE LA ADMINISTRACIÓN DE JUSTICIA

SECCIÓN 1. RESPONSABILIDAD PATRIMONIAL DEL ESTADO[1]

1.1. Introducción

La Constitución española, después de recoger en el artículo 106.2 el principio general de responsabilidad patrimonial del Estado por el funcionamiento de los servi-

---

(1) Vid. RODRÍGUEZ RAMOS, Luis, «La irresponsabilidad patrimonial de la Administración de Justicia. El Ancien Régime aún persiste en el siglo XXI», *Diario La Ley*, N.º 7835, Año XXXIII, 11 de abril de 2012, Ref. D-147; MANZANARES SAMANIEGO, J.L., *El funcionamiento anormal de la Administración de Justicia*, 2012, Las Rozas (Madrid) Edit. La Ley; LANZAROTE MARTÍNEZ P., *La vulneración del plazo razonable en el proceso penal*, Granada 2005. MANJÓN-CABEZA OLMEDA, A., *La atenuante analógica de dilaciones indebidas*. Barcelona 2007. QUINTANA CARRETERO, J.P. (Coord.), *La responsabilidad personal del Juez*, Vitoria 2008. ALMAGRO NOSETE, «El sistema español de responsabilidad judicial», *PJ*, 1983, p. 460; DÍEZ PICAZO, I., *Poder Judicial y responsabilidad*, Madrid, 1990; FERNÁNDEZ LÓPEZ, M. A.; RIFA SOLER, J. M.ª; VALLS GOMBAU, J. F., «Juicio de responsabilidad de Jueces y Magistrados y responsabilidad patrimonial de la Administración», *Derecho Procesal Práctico*, T. IV, Ed. C.E.R.A., 1998, pp. 1283 y ss.; GARCÍA MANZANO, «Responsabilidad del Estado por funcionamiento anormal de la Administración de Justicia», *PJ*, n.º especial V, pp. 177 y ss.; GIMÉNEZ RODRÍGUEZ, *La responsabilidad del Estado por el anormal funcionamiento de la Justicia*, Granada, 1991; PARADA RAMÓN, *Régimen jurídico de las Administraciones públicas y procedimiento administrativo común*, Madrid, 1993; REYES MONTERREAL, *La responsabilidad del Estado por error y anormal funcionamiento de la Administración de Justicia*, Madrid, 1987; GARCÍA PONS, E., «El derecho a un proceso sin dilaciones indebidas en el orden jurisdiccional penal», *La Ley*, 30 septiembre 1996; RUIZ VADILLO, E., «Algunas leves consideraciones sobre las dilaciones indebidas en el proceso penal español», *BIMJ*, n.º 1690, 1993, p. 117; FERNÁNDEZ VIAGAS, B., *El derecho a un proceso sin dilaciones indebidas*, Madrid, 1994; GISBERT GISBERT, A., «El derecho a un proceso sin dilaciones indebidas en el orden penal», *RGD*, 1992, p. 2582; CLIMENT DURAN, C., «Sobre las dilaciones indebidas: el descarte constitucional de una determinada solución judicial», *RGD*, 1994, p. 7804; BELLOCH JULBE, J. A., «Las dilaciones indebidas», *Rev. Jueces para la Democracia*, n.º 7, 1989, p. 49.

cios públicos, contempla de manera específica en el artículo 121 la responsabilidad patrimonial por el funcionamiento de la Administración de Justicia, reconociendo el derecho a ser indemnizado en los daños causados por error judicial o consecuencia del funcionamiento anormal de la Administración de Justicia. El Título V del Libro III de la LOPJ desarrolla en los artículos 292 y siguientes el referido precepto constitucional, recogiendo los dos supuestos genéricos ya citados de error judicial y funcionamiento anormal de la Administración de Justicia, e incluyendo un supuesto específico de error judicial en el artículo 294, relativo a la prisión preventiva seguida de absolución o sobreseimiento libre por inexistencia del hecho.

La Constitución en su art. 121 establece que: «Los daños causados por error judicial, así como los que sean consecuencia del funcionamiento anormal de la Administración de Justicia, darán derecho a una indemnización a cargo del Estado, conforme a la ley». El Tribunal Constitucional señaló que esta ley debía regular el alcance de tal derecho y el procedimiento para hacerlo valer, pero su existencia nace de la Constitución y ha de ser declarada por el mismo Tribunal —Sentencia 13/84, de 14 marzo—.

> «La Ley Orgánica del Poder Judicial, a la cual remite la Constitución, no contiene una definición de lo que sea el error judicial, convirtiéndolo así en un concepto jurídico indeterminado, cuya concreción ha de hacerse casuísticamente, en el plano de la legalidad, por los Jueces y Tribunales». ATC 220/2001 de 18 de julio.

Ahora bien, el derecho reconocido en el art. 121 CE exige el cumplimiento de los requisitos establecidos por el legislador en su desarrollo, concretamente en la LOPJ, sin que exista un automatismo entre la estimación de un recurso de amparo y el derecho a ser indemnizado. Se trata en definitiva de un derecho de configuración legal, que no es exigible por la vía del recurso de amparo[2]; sin perjuicio que el error grave y manifiesto pueda vulnerar el derecho a la tutela judicial efectiva (véanse los requisitos en la STC 168/2000 de 26 de junio, que se analizan en el epígrafe siguiente).

> «El derecho a la tutela judicial efectiva requiere respuestas judiciales fundadas en criterios jurídicos razonables, de modo que un error notorio del órgano judicial, que sea determinante de tal respuesta y que produzca consecuencias perjudiciales para el justiciable, constituye una infracción del art. 24.1 CE». STC 96/00 de 10 de abril.

De este modo, el error puede fundamentar un recurso de amparo por vulneración de la tutela judicial efectiva siempre que concurran unos determinados requisitos: a) Que la resolución judicial sea el producto de un razonamiento equivocado que no se corresponde con la realidad; b) Que produzca efectos negativos en la esfera jurídica del ciudadano; c) Que sea atribuible al órgano judicial; d) Que el error sea determinante de la decisión adoptada[3].

---

(2) STC 220/2001 de 18 de julio: «el derecho reconocido en el art. 121 CE y desarrollado por los arts. 292 y ss. de la Ley Orgánica del Poder Judicial no tiene el carácter de derecho fundamental protegible a través del recurso de amparo (SSTC 50/1989, 81/1989, 128/1989, 85/1990, 114/1990 y 132/1994)».

(3) «En primer lugar, se requiere que el error sea determinante de la decisión adoptada, esto es, que constituya el soporte único o básico de la resolución (ratio decidendi), de modo que, constatada su existencia, la fundamentación jurídica pierda el sentido y alcance que la justificaba, y no pueda

«En este sentido es jurisprudencia plenamente asentada de este Tribunal que para que un error llegue a determinar la vulneración del derecho a la tutela judicial efectiva es preciso que concurran varios requisitos: 1) en primer lugar, se requiere que el error sea determinante de la decisión adoptada; esto es, que constituya el soporte único o básico de la resolución (*ratio decidendi*), de modo que, constatada su existencia, la fundamentación jurídica de la resolución judicial pierda el sentido y alcance que la justificaba, y no pueda conocerse cuál hubiese sido su sentido de no haberse incurrido en el error; 2) es necesario, en segundo lugar, que sea atribuible al órgano judicial; es decir, que no sea imputable a la negligencia de la parte, pues en caso contrario no existirá en sentido estricto una vulneración del derecho fundamental, tal y como presupone el art. 44.1 b) LOTC; 3) en tercer lugar, ha de ser de carácter eminentemente fáctico, además de patente; es decir, inmediatamente verificable de forma incontrovertible a partir de las actuaciones judiciales por conducir a una conclusión absurda o contraria a los principios elementales de la lógica y de la experiencia; y 4) ha de producir, por último, efectos negativos en la esfera del ciudadano, de modo que las meras inexactitudes que no produzcan efectos para las partes carecen de relevancia constitucional (por todas, SSTC 96/2000, de 10 de abril, FJ 4; 55/2001, de 26 de febrero, FJ 4; 36/2002, de 11 de febrero, FJ 6; y 59/2003, de 24 de marzo, FJ 7)». STC 105/2006, 3 abril.

También el art. 960 LECrim. prevé la posibilidad de que si en virtud de un recurso de revisión se dictase sentencia absolutoria, los interesados o sus herederos tendrán derecho a la correspondiente indemnización civil a satisfacer por el Estado, sin perjuicio del derecho de éste a repetir contra el Juez o Tribunal sentenciador declarado responsable, y en análogo sentido, art. 979 Código de Justicia Militar.

La LOPJ, en su Libro III, Título V —arts. 292 y ss.—, ha dado contenido al precepto constitucional, regulando de forma detallada la responsabilidad patrimonial del Estado derivada del funcionamiento de la Administración de Justicia. La regulación, además de instaurar unos principios generales aplicables a cualquiera de las situaciones posibles, parte de la distinción entre la figura genérica del funcionamiento anormal y la más específica del error judicial propiamente dicho, distinguiendo, además, casos diferenciados causantes de perjuicios como los derivados de una privación provisional de libertad indebidamente acordada, o los daños causados por culpa grave o dolo de Jueces o Magistrados.

«La LOPJ contiene en los artículos 292 y siguientes previsiones orientadas a que tenga lugar un efectivo resarcimiento patrimonial en los dos supuestos contem-

---

conocerse cuál hubiese sido el sentido de la resolución, de no haberse incurrido en el mismo. Es necesario, en segundo término, que la equivocación sea atribuible al órgano judicial, es decir, que no sea imputable a la negligencia de la parte, pues en caso contrario no existirá en sentido estricto una vulneración del derecho fundamental, tal y como presupone el art. 44.1 LOTC. En tercer lugar, el error ha de ser patente o, lo que es lo mismo, inmediatamente verificable de forma incontrovertible a partir de las actuaciones judiciales, por haberse llegado a una conclusión absurda o contraria a los principios elementales de la lógica y de la experiencia. Y, por último, la equivocación ha de producir efectos negativos en la esfera del justiciable, de modo que las meras inexactitudes que no produzcan efectos para las partes carecen, pues, de relevancia constitucional (por todas, SSTC 96/2000, de 10 de abril, FJ 5; 150/2000, de 12 de junio, FJ 2; 217/2000, de 18 de septiembre, FJ 3; 55/2001, de 26 de febrero, FJ 4; 171/2001, de 19 de julio), FJ 4; 142/2005, de 6 de junio, FJ 2; y 167/2005, de 20 de junio), FJ 4)». STC 337/2005, 20 diciembre. Vid también, STC 140/2006, 8 mayo.

plados en su artículo 292.1 : a) daños causados en cualesquiera bienes o derechos por error judicial y b) los que sean consecuencia del funcionamiento anormal de la Administración de Justicia. Estos dos casos distintos tienen también un tratamiento procesal diferente, como ha señalado esta Sala entre otros en los autos de 30 de noviembre de 2012 (Rec. 20714/2012) y de 22 de julio de 2013 (Rec. 20113/2013), pues en el supuesto de error judicial se precisa una previa declaración judicial, que reconozca su existencia, art. 293.1, mientras que en el segundo supuesto, basta con formular petición indemnizatoria directamente al Ministerio de Justicia, art. 293.2. El caso singularizado de indemnización por padecimiento de prisión preventiva en causas en las que recae posteriormente un auto de sobreseimiento libre o una sentencia absolutoria por inexistencia del hecho imputado queda asimilado procedimentalmente a las reclamaciones por funcionamiento anormal (art. 294.3 LOPJ) (Auto de 22 de setiembre de 2014, Rec. 20350/2014), de manera que la petición indemnizatoria se dirigirá directamente al Ministerio de Justicia y contra su resolución cabe recurso contencioso-administrativo». ATS, Sala Penal, 15 Mar. 2016, Rec. 20920/2015.

Cuando la responsabilidad nazca de un error judicial, habrá de referirse siempre a específicas equivocaciones judiciales y deberá ser declarado como tal judicialmente, mientras que por el anormal funcionamiento de la Administración de Justicia no es necesaria ninguna declaración previa[4].

Para diferenciar estas dos grandes categorías, es necesario distinguir en la Administración de Justicia una actividad jurisdiccional, de juzgar y hacer ejecutar lo juzgado, y otra actividad material o residual de funcionamiento que afecta a todos los que colaboran con la Administración de Justicia. A la primera le corresponde el error judicial, y a la segunda el denominado funcionamiento anormal[5]. En aras de la tutela judicial efectiva, la doctrina del TS admite la posibilidad de que aun cuando la acción se hubiera debido plantear, en pura técnica jurídica, en el marco del «error judicial», no releva al Tribunal de examinar si el mismo puede ser imputado

(4) El Consejo General del Poder Judicial al informar el Anteproyecto de LOPJ en el Pleno de 25 de junio de 1985 estimó que el reconocimiento autónomo por el Ministerio de Justicia de la existencia de un funcionamiento anormal de la Administración de Justicia podría suponer algún grado de lesión a la independencia judicial, y estimaba igualmente necesario un pronunciamiento previo —atribuido al propio Consejo— que reconociese la existencia de un funcionamiento anormal de la justicia. Vid. Boletín Información CGPJ, año IV, núm. extraordinario, marzo 1984.

(5) GARCÍA MANZANO («Responsabilidad del Estado por funcionamiento anormal de la Administración de Justicia», *PJ*, n.º especial V, pp. 177 y ss.), señala que el punto de referencia del art. 292 LOPJ reside en que el origen del daño lo encontramos en el «complejo organizativo» de la Administración de Justicia, atendidos los niveles medios de la actividad de prestación de tutela efectiva. En cambio, en el error judicial nos hallamos ante «una actividad técnica» del Juez bien al declarar el Derecho (hechos y norma aplicable), bien al ejecutar lo decidido. Así, la STS 15 noviembre 1990 declara: «El art. 121 de la Constitución, y los preceptos en que se refleja y realiza de la Ley Orgánica del Poder Judicial, completan y cierran el círculo de posibilidades que al ciudadano —como administrado o como justiciable— se le ofrecen para obtener la reparación de los perjuicios que puedan derivar del desenvolvimiento y dinámica de los servicios públicos, en especial los emanantes del funcionamiento anormal de la Administración de Justicia, figurando, como subespecie muy caracterizada, el error judicial, desajuste entre resolución judicial y realidad fáctica o normativa legal al que la Ley acude en solicitud protectora del perjudicado alcanzado por sus consecuencias».

causalmente a circunstancias determinantes de anormal funcionamiento de la Administración de Justicia[6].

«El Tribunal Supremo también ha declarado que tratamiento diferencial que el Título V LOPJ señala en los artículos 292 y 293 para el ejercicio de la acción de responsabilidad, según se trate de daños causados en cualquiera de los bienes o derechos por error judicial y los que dimanen o sean consecuencia del funcionamiento anormal de la Administración de Justicia, no impide, sin embargo, según la sentencia de dieciocho de abril de dos mil cuatro —fundamento jurídico sexto— que "la inexistencia del error judicial al que pueda imputarse directamente el resultado dañoso producido ... no releva al Tribunal de examinar si el mismo puede ser imputado causalmente a circunstancias determinantes de anormal funcionamiento de la Administración de Justicia. Conforme lo anterior, es admisible la posibilidad de que aun cuando la acción hubo de plantearse, en pura técnica jurídica, en el marco del "error judicial", pueda también contemplarse dentro del concepto amplio de funcionamiento de la Administración de Justicia del artículo 292 LOPJ, mas ello en cuanto la pretensión del supuesto analizado se ciña a una disfunción de la Administración de Justicia". Pero, como más arriba se ha señalado, recaía sobre el recurrente la carga de alegar con claridad y precisión la actividad o inactividad constitutiva de disfunción en la administración de justicia, determinante del daño cuya reparación reclama, pero en el caso litigioso no se ha cumplido con dicha carga de modo que se permita conocer el concreto alcance con trascendencia para la declaración de responsabilidad patrimonial por funcionamiento anormal de la Administración de Justicia». SAN, Sala C. advo, Sec. 3, 397/2016 de 6 Jun., Rec. 433/2014.

1.2. Error judicial[7]

Es la constatación de un error de hecho o de derecho cometido por los Jueces y Tribunales en el ejercicio de sus funciones propiamente jurisdiccionales de juzgar y ejecutar lo juzgado, que produce un daño evaluable económicamente, siempre que la conducta equivocada no constituya delito o sea debida a negligencia o ignorancia inexcusable de su autor o causada por una acción culposa o dolosa del perjudicado.

La reclamación de indemnización debe ir precedida de una decisión judicial que la reconozca[8]. La acción deberá ser ejercitada dentro del plazo de caducidad de

---

(6) SAN, Sala de lo Contencioso-administrativo, Sección 3ª, Sentencia 398/2016 de 6 Jun. 2016, Rec. 376/2014.

(7) Vid. ESCUSOL, *Estudio sobre la LOPJ*, Madrid, 1989; SERRANO BUTRAGUEÑO, «El Error judicial», *BIMJ*, abril 1993, pp. 109 y ss.

(8) «El error judicial consiste, en los términos que ha reconocido la jurisprudencia de esta Sala —sentencias de dieciséis de junio de mil novecientos noventa y cinco (LA LEY 8070/1995), seis de mayo y veintiséis de junio de mil novecientos noventa y seis (LA LEY 8142/1996) y trece de junio de mil novecientos noventa y nueve—, en la desatención del juzgador a datos de carácter indiscutible en una resolución que rompe la armonía en el orden jurídico o en la decisión que interpreta equivocadamente el orden jurídico, si se trata de una interpretación no sostenible por ningún método interpretativo aceptable en la práctica judicial, y tal error judicial, según declaramos en nuestra sentencia de veintiuno de octubre de dos mil cuatro (LA LEY 10286/2005) —recurso de casación 3534/2000— debe ir precedido «de una decisión judicial que expresamente lo reconozca y que puede consistir en una sentencia dictada en recurso de revisión o emanada de este Alto Tribunal en los términos previstos en el apartado 1 b) del artículo 293 de la Ley Orgánica del Poder Judicial ... sin que tal exigencia legal de la previa declaración del error judicial en los términos

tres meses, según establece el art. 293.1 LOPJ, tras haber agotado todos los recursos ordinarios y extraordinarios.

El TS ha declarado reiteradamente que el concepto de «error judicial» debe ser interpretado con un criterio restrictivo para evitar que el proceso por error se convierta en una tercera instancia o en una encubierta casación[(9)]. De otro modo pueden quedar afectados los derechos y principios constitucionales como son el de seguridad jurídica —art. 9.3—, tutela judicial efectiva —art. 24.1—, y la exclusividad en el ejercicio de la potestad jurisdiccional a los Juzgados y Tribunales determinados por las leyes —art. 117.3—.

«Esta sala ha declarado recientemente en su sentencia 1/2015, de 23 de abril (LA LEY 45803/2015) (autos de error judicial A 61/15/2013), reiterando la doctrina ya fijada previamente en sus sentencias de 5 de febrero de 2013 (autos de error judicial A 61/8/2012) y de 14 de mayo de 2012 (autos de error judicial A 61/4/2011) en relación con las características que ha de reunir el error judicial, lo siguiente: "(a), solo un error craso, evidente e injustificado puede dar lugar a la declaración de error judicial; (b) el error judicial, considerado en el artículo 293 LOPJ como consecuencia del mandato contenido en al artículo 121 CE, no se configura como una tercera instancia ni como un claudicante recurso de casación, por lo que solo cabe su apreciación cuando el correspondiente tribunal haya actuado abiertamente fuera de los cauces legales, y no puede ampararse en el mismo el ataque a conclusiones que no resulten ilógicas o irracionales; (c) el error judicial es la equivocación manifiesta y palmaria en la fijación de los hechos o en la interpretación o aplicación de la Ley; (d) el error judicial es el que deriva de la aplicación del derecho basada en normas inexistentes o entendidas fuera de todo sentido y ha de dimanar de una resolución injusta o equivocada, viciada de un error craso, patente, indubitado e incontestable, que haya provocado conclusiones fácticas o jurídicas ilógicas, irracionales, esperpénticas o absurdas, que rompan la armonía del orden jurídico; (e) no existe error judicial cuando el tribunal mantiene un criterio racional y explicable dentro de las normas de la hermenéutica jurídica, ni cuando se trate de interpretaciones de la norma que, acertada o equivocadamente, obedezcan a un proceso lógico; (f) no toda posible equivocación es susceptible de calificarse como error judicial; esta calificación ha de reservarse a supuestos especiales cualificados en los que se advierta una desatención del juzgador, por contradecir lo evidente o por incurrir en una aplicación del derecho fundada en normas inexistentes, pues el error judicial ha de ser, en definitiva, patente, indubitado e incontestable e, incluso, flagrante; y (g) no es el desacierto de una resolución judicial lo que se trata de corregir con la declaración de error de aquélla, sino que, mediante la reclamación que se configura en el artículo 292 y se desarrolla

_____

previstos en dicho precepto pueda ser sustituida por una posible apreciación de lo resultante de un pronunciamiento del Tribunal Constitucional dado que el mismo no resuelve acerca de posibles errores en los términos exigidos en el artículo 293 de la Ley Orgánica citada, sino que se pronuncia sobre infracción del derecho fundamental...». STS 23 de mayo de 2006, la ley 48745/2006.

(9) «Conforme viene reiterando la jurisprudencia de esta Sala, el proceso por error judicial, regulado en el artículo 293 de la LOPJ como consecuencia del mandato contenido en el artículo 121 CE, no es una tercera instancia o casación encubierta "en la que el recurrente pueda insistir, ante otro Tribunal, una vez más, en el criterio y posición que ya le fue desestimado y rechazado anteriormente", sino que este sólo puede ser instado con éxito cuando el órgano judicial haya incurrido en una equivocación «manifiesta y palmaria en la fijación de los hechos o en la interpretación o aplicación de la Ley». STS, Sala 3ª, 1343/2016 de 8 Jun. 2016, Rec. 36/2014.

en el siguiente artículo 293, ambos de la Ley Orgánica del Poder Judicial, se trata de obtener el resarcimiento de unos daños ocasionados por una resolución judicial viciada por una evidente desatención del juzgador a datos de carácter indiscutible, que provocan una resolución absurda que rompe la armonía del orden jurídico"». STS, Sala especial art. 61 LOPJ, 9 Dic. 2015, Rec. 4/2015, La Ley 196468/2015.

El error judicial es la equivocación manifiesta y palmaria en la fijación de los hechos o en la interpretación o aplicación de la Ley. Debe tratarse de un error craso, evidente e injustificado. Debe producirse como consecuencia de una desatención del Juzgador.

«En definitiva, tal y como señala la sentencia del Tribunal Supremo de 7 de abril de 2006 (rec. 16/2004 (LA LEY 36396/2006)) señala: "Tanto la Sala Especial de este Tribunal del art. 61 de la Ley Orgánica del Poder Judicial (LA LEY 1694/1985) como esta Sección Segunda de la Sala Tercera tienen declarado que: a) El error judicial es la equivocación manifiesta y palmaria en la fijación de los hechos o en la interpretación o aplicación de la Ley; b) Solo un error craso, evidente e injustificado puede dar lugar a la declaración de error judicial que haya provocado conclusiones fácticas o jurídicas ilógicas o irracionales; c) La calificación de error judicial ha de reservarse a supuestos en los que se advierta una desatención del Juzgador"». SAN, Sala de lo Contencioso-administrativo, Sección 3ª, Sentencia 398/2016 de 6 Jun. 2016, Rec. 376/2014.

Entiende el TS que los hechos deben haber sido tenidos por existentes de forma absolutamente gratuita y caprichosa. Cuando se trate de error jurídico, para que sea subsumible en la categoría de error judicial, será preciso que la aplicación de la norma al caso enjuiciado haya sido disparatada, extravagante o irracional[10].

«La jurisprudencia de esta Sala ha tenido ya múltiples ocasiones de pronunciarse sobre el significado que debe reconocerse al concepto "error judicial" y ha mantenido invariablemente —ss. entre otras muchas, de 26.05.1992; 2.07.1992; 30.03.1993; 28.01.1998 y 3.03.1998— que debe ser interpretado con un criterio

---

(10) «En todo caso, esta Sala ha dejado claro que no existe error judicial "cuando el Tribunal mantiene un criterio racional y explicable dentro de las normas de la hermenéutica jurídica", "ni cuando se trate de interpretaciones de la norma que, acertada o equivocadamente, obedezcan a un proceso lógico", o, dicho de otro modo, que no cabe atacar por este procedimiento excepcional "conclusiones que no resulten ilógicas o irracionales", dado que "no es el desacierto lo que trata de corregir la declaración de error judicial, sino la desatención, la desidia o la falta de interés jurídico, conceptos introductores de un factor de desorden, originador del deber, a cargo del Estado, de indemnizar los daños causados directamente, sin necesidad de declarar la culpabilidad del juzgador". En este sentido, entre muchas otras, véanse las SSTS de esta Sala y Sección de 27 de marzo de 2006, FD Primero; de 20 de junio de 2006 (FD Primero); de 15 de enero de 2007 (FD Segundo); de 12 de marzo de 2007 (FD Primero); de 30 de mayo de 2007 (FD Tercero); de 14 de septiembre de 2007 (FD Segundo); de 30 de abril de 2008 (FD Cuarto); y de 9 de julio de 2008 (FD Tercero)». STS, Sala 3ª, 1343/2016 de 8 Jun. 2016, Rec. 36/2014. "En síntesis, el error judicial en la interpretación o aplicación del derecho consiste en el desconocimiento palmario del ordenamiento jurídico y por ello patente falta de aplicación de una norma diáfanamente aplicable al caso o en la conculcación arbitraria de la misma, pues si lo que se suscita es una interpretación distinta de la norma dicha revisión del derecho constituye el contenido propio de una nueva instancia judicial, ordinaria o extraordinaria, pero no la existencia o inexistencia de un supuesto de error judicial según la doctrina reseñada anteriormente"». STS Sala Segunda, de lo Penal, Sentencia 575/2002 de 9 Abr. 2002, Rec. 3370/2000; Ponente: Saavedra Ruiz, Juan. LA LEY 5929/2002.

restrictivo para evitar que el proceso se convierta en una tercera instancia o en una encubierta casación. Sólo podrá incluirse en el art. 293 de la LOPJ el error judicial en la fijación de los hechos que sea claro y evidente, como cuando los hechos incorporados a la declaración probada o indiciaria han sido tenidos por existentes de forma absolutamente gratuita y caprichosa, por no tener los mismos relación alguna con la actividad probatorio desarrollada en el proceso. En cuanto al error jurídico, para que sea subsumible en la categoría de error judicial que contempla el citado art. 293, será preciso que la aplicación de la norma al caso enjuiciado haya sido disparatada, extravagante o desprovista de todo fundamento legal y doctrinal». ATS, Sala 2ª, 27 Abr. 2007, Rec. 20029/2007.

No se considera que existe error judicial cuando el Tribunal mantiene un criterio racional y explicable dentro de las normas de la hermenéutica jurídica, ni cuando se trate de interpretaciones de la norma que, acertada o equivocadamente, obedezcan a un proceso lógico.

«En todo caso, esta Sala ha dejado claro que no existe error judicial "cuando el Tribunal mantiene un criterio racional y explicable dentro de las normas de la hermenéutica jurídica", "ni cuando se trate de interpretaciones de la norma que, acertada o equivocadamente, obedezcan a un proceso lógico", o, dicho de otro modo, que no cabe atacar por este procedimiento excepcional "conclusiones que no resulten ilógicas o irracionales", dado que «no es el desacierto lo que trata de corregir la declaración de error judicial, sino la desatención, la desidia o la falta de interés jurídico, conceptos introductores de un factor de desorden, originador del deber, a cargo del Estado, de indemnizar los daños causados directamente, sin necesidad de declarar la culpabilidad del juzgador». En este sentido, entre muchas otras, véanse las SSTS de esta Sala y Sección de 27 de marzo de 2006 (LA LEY 23461/2006); de 20 de junio (sic) de 2006 (LA LEY 21854/2006); de 15 de enero de 2007 (LA LEY 266/2007); de 12 de marzo de 2007 (LA LEY 9762/2007); de 30 de mayo de 2007 (LA LEY 52041/2007); de 14 de septiembre de 2007 (LA LEY 154092/2007); de 30 de abril de 2008 (LA LEY 61806/2008); y de 9 de julio de 2008 (LA LEY 96280/2008)». STS, Sala 3ª, 1346/2016 de 8 Jun. 2016, Rec. 14/2015

La decisión judicial que expresamente reconozca la existencia de error judicial puede resultar directamente de una resolución dictada en virtud de la interposición de un recurso de revisión art. 960 LECrim o de una sentencia que expresamente reconozca la existencia de ese error tras ejercitar el perjudicado la acción regulada en el art. 293.1.º LOPJ[11]. La acción deberá tramitarse de acuerdo al procedimiento

---

(11) «En consecuencia, para que prospere una demanda de error judicial es imprescindible: 1) Un daño probado, no presunto, efectivo, evaluable económicamente e individualizado respecto de una persona o de un grupo de personas, tanto físicas como jurídicas o morales. 2) El agotamiento que en cada caso corresponda de las posibilidades de impugnación para facilitar en la medida de lo posible la corrección del error, si existe, por vías ordinarias, sin necesidad de acudir a este procedimiento especial que, por consiguiente, tiene carácter subsidiario. 3) Que la actividad jurisdiccional constituya un desajuste objetivo, patente e indudable. En otras palabras, se trata de equivocaciones manifiestas y palmarias en la fijación de los hechos o en la aplicación de la ley, siempre en el ámbito de lo ilógico, de lo irracional o de lo arbitrario. En todo caso, la doctrina de esta Sala, viene interpretando el art. 293 de la Ley Orgánica del Poder Judicial (LA LEY 1694/1985), con un criterio restrictivo, evitando que el proceso especial de declaración de error judicial se convierta en una tercera instancia o en una casación encubierta. De manera que está vedada la posibilidad

señalado para el recurso de revisión civil, arts. 510 y siguientes de la Ley de Enjuiciamiento Civil, con las especificaciones propias señaladas para el proceso penal, como el informe del órgano judicial. Esta regulación no previene una específica resolución de inadmisión a trámite, pero su posibilidad resulta de una interpretación armónica con la regulación del proceso de revisión penal, art. 957 LECrim[12].

Las reglas procesales son las siguientes (véase M 439):

a) El plazo para ejercitar la acción es de tres meses desde el día en que pudo ejercitarse, tras haber agotado todos los recursos ordinarios y extraordinarios, según establece el art. 293.1 LOPJ.

En cuanto al plazo se entiende que es de caducidad al poner fin a situaciones de incertidumbre por razones de interés general, para lo cual basta constatar el dato objetivo del transcurso del tiempo. El cómputo del plazo de tres meses deberá realizarse conforme al art. 5.1 CC; es decir, de fecha a fecha. Cuando el «*dies a quo*» fuese otro distinto del de la firmeza de la resolución deberá señalarse y justificarlo el solicitante al hallarnos ante un proceso inequívocamente civil aun cuando corresponda su enjuiciamiento, en determinados casos, a la Sala 2.ª del TS.

La interposición de la demanda de error judicial ante un Tribunal incompetente no interrumpe el plazo de caducidad establecido.

«El artículo 293 de la LOPJ, tras establecer que la reclamación de indemnización por causa de error deberá ir precedida de una decisión judicial que expresamente lo reconozca, añade en el apartado 1.a que "la acción judicial para el reconocimiento del error deberá instarse inexcusablemente en el plazo de tres meses a partir del día en que pudo ejercitarse". Este plazo es equivalente al que establece el art. 512.2 de la Ley de Enjuiciamiento Civil para la interposición de las demandas de revisión de sentencias firmes. El carácter autónomo de la demanda de error judicial, al igual que ocurre con las demandas de revisión de sentencias firmes, lleva consigo que el plazo para su interposición no tenga la naturaleza de plazo procesal, sino de plazo sustantivo de caducidad del derecho que se rige por las normas establecidas en el artículo 5.2 del Código Civil (SSTS de 20 de octubre de 1990 [Sala 1ª], 22 de diciembre de 1989 [Sala 1 ª] y 14 de octubre de 2003 [Sala 1ª] y AATS de 11 de diciembre de 2003 [Sala 1ª rec. 20/2003] y 9 de marzo de 2012 [Sala art. 61 LOPJ], entre otras muchas resoluciones). Decía a este respecto la STS de 22 de septiembre de 2008 [Sala art. 61 LOPJ] "la jurisprudencia de este Tribunal, y especialmente la jurisprudencia de la Sala Primera, viene entendiendo que el plazo de tres meses establecido para la interposición de la demanda de revisión constituye, así, un plazo no procesal, que se computa

de la valoración o el análisis de la prueba o de los razonamientos jurídicos de la sentencia, ya que ello convertiría a este proceso en una nueva instancia». STS, Sala especial art. 61 LOPJ, 30 Nov. 2012, Rec. 3/2012.

(12) «Deberá tramitarse de acuerdo al procedimiento señalado para el recurso de revisión civil, arts. 510 y siguientes de la Ley de Enjuiciamiento Civil, con las especificaciones propias señaladas para el proceso penal, como el informe del órgano judicial. Esta regulación no previene una específica resolución de inadmisión a trámite, pero su posibilidad resulta de una interpretación armónica con la regulación del proceso de revisión penal, art. 957 LECrim, máxime en el presente supuesto en el que la cuestión objeto de la pretensión de error judicial no requiere, diligencia de prueba alguna». ATS, Sala 2ª, 25 julio 2003, Rec. 1/2003.

de fecha a fecha de acuerdo con el art. 5.1 del CC, y del que no pueden descontarse los días inhábiles, ni tampoco el mes de agosto, pues la falta de carácter hábil de los días que lo componen se limita a la práctica de actuaciones judiciales (art. 183 LOPJ) y no alcanza a los plazos de carácter sustantivo establecidos para el ejercicio de las acciones". En convergencia con lo anterior tiene declarado la jurisprudencia que la interposición de la demanda de error judicial ante un Tribunal incompetente no interrumpe el plazo de caducidad establecido. Tal conclusión guarda armonía con el criterio sostenido por la Sala 1ª TS al resolver sobre demandas de revisión de sentencias firmes, cuyo procedimiento es el aplicable a las demandas de solicitud de error judicial según el artículo 293.1.c) de la LOPJ (SSTS de 2 de diciembre de 2010 y 14 de febrero de 2011)». ATS, Sala 2ª, 1 octubre 2013, Rec. 20510/2013

El plazo no se interrumpe por la eventual interposición del recurso de amparo ante el Tribunal Constitucional. Debe plantearse ante la Sala del Tribunal Supremo correspondiente al mismo orden jurisdiccional que el órgano al que se imputa el error.

«Al regular la reclamación de indemnización por causa de error, el artículo 293.1. LOPJ exige la previa declaración judicial en que expresamente se reconozca su existencia, en los casos en que aquélla no resulte directamente de una sentencia dictada en recurso de revisión, el ejercicio de la acción se somete a unas reglas de plazo, ya que ha de ejercitarse dentro de los tres meses en que pudo hacerse, sin que este plazo se interrumpa por la eventual interposición del recurso de amparo ante el Tribunal Constitucional (Ss. TS de 13 de junio de 1996 y de 2 de julio de 1999, entre otras) y ha de plantearse ante la Sala del Tribunal Supremo correspondiente al mismo orden jurisdiccional que el órgano al que se imputa el error». SAN, Sala de lo Contencioso-administrativo, Sección 3ª, Sentencia 406/2016 de 2 Jun. 2016, Rec. 1995/2014.

Téngase presente, que el plazo se computa desde la notificación de la resolución contra la que no quepa recurso ordinario o extraordinario, sin que entre estos se incluya el de amparo.

b) Será competente la Sala del Tribunal Supremo del mismo orden jurisdiccional que el órgano a quien se imputa el error[13], y si éste se atribuyese a una Sala o Sección del Tribunal Supremo la competencia corresponderá a la Sala que se establece en el artículo 61. Cuando se trate de órganos de la jurisdicción militar, la competencia corresponderá a la Sala Quinta de lo Militar del Tribunal Supremo.

c) El procedimiento será el propio del recurso de revisión en materia civil, en todo aquello no regulado expresamente en la LOPJ. Se trata de un proceso declarativo especial que se sustancia por los trámites del recurso de revisión, con ciertas especialidades (véanse arts. 509 a 516 LEC). Su fin es obtener aquella declaración como trámite previo para poder solicitar la pertinente indemnización ante el Ministerio de Justicia (Véase § 2.3 de este Capítulo).

---

(13)   Si el error se atribuye a una Sala o Sección del Tribunal Supremo, la competente será una Sala formada por el Presidente de dicho Tribunal, los Presidentes de todas las Salas y el Magistrado más antiguo y el más moderno de cada una de ellas —art. 61.5.º LOPJ— y si se trata de órganos de la Jurisdicción militar, la competente es la Sala Quinta de lo Militar del Tribunal Supremo —art. 293 b) LOPJ—.

«Se trata de un proceso que incluye una cognición limitada y en el que no puede someterse a examen el acierto o desacierto de la resolución o de las resoluciones judiciales a las que se imputa el error, sino únicamente si ésta o éstas se han mantenido dentro de los límites de la lógica y de la razonabilidad en la apreciación de los hechos y en la interpretación del derecho, pues sólo un error craso, evidente e injustificado puede dar lugar a la declaración de un error judicial, al no ser este procedimiento una nueva instancia a la que acude el recurrente para insistir una vez más en el criterio y en la posición que no le fueron estimados y para volver a plantear las mismas cuestiones que ya fueron resueltas, debiendo ser el error fuente de situaciones fácticas o jurídicas ilógicas o irracionales, lo que impide que puedan denunciarse, al amparo de un supuesto error judicial, presuntas violaciones sobre interpretación de las normas o sobre los criterios judiciales relativos al alcance y efectos de una disposición». STS Sala Segunda, de lo Penal, Sentencia 575/2002 de 9 Abr. 2002, Rec. 3370/2000; Ponente: Saavedra Ruiz, Juan. LA LEY 5929/2002.

Se trata de un proceso especial que tiene carácter subsidiario por lo que sólo podrá prosperar cuando se hubieran agotado previamente todos los cauces procesales, según entiende el TC.

«... ya en la STC 114/90 tuvimos ocasión de afirmar que la responsabilidad patrimonial del Estado derivada de órganos judiciales es, por naturaleza, subsidiaria de la propia reparación en vía jurisdiccional... La necesidad de dar oportunidad a los órganos judiciales para remediar el error padecido exige agotar los cauces arbitrados por la Ley que sean idóneos a tal efecto, aunque este procedimiento no constituya un recurso en su acepción procesal estricta...». (STC 28/93, de 25 enero).

A dichos efectos, se requiere que: a) la resolución haya adquirido firmeza, y b) se hayan utilizado todos los recursos ordinarios y extraordinarios posibles[14].

«No es jurídicamente correcto disentir de una determinada resolución judicial y luego no recurrirla, ejercitando los recursos legalmente previstos, que es precisamente lo que hizo en el presente caso la Sociedad demandante, tras habérsele notificado la sentencia del Juzgado de lo Penal núm. 2 de Lugo a la que ahora se tilda de errónea». ATS Sala Segunda, de lo Penal, Auto de 23 May. 2001, Rec. 1970/2000; Ponente: Puerta Luis, Luis Roman. LA LEY 242521/2001.

Pero, sin que entre estos sea exigible el recurso de amparo, por lo que no es preciso haber obtenido la anulación de la resolución a la que se refiere el error en vía de amparo constitucional.

«El reconocimiento del derecho a ser indemnizado no viene condicionado de forma absoluta por la previa anulación por este Tribunal de la resolución a la que se imputa el error. La estimación de un recurso de amparo no es condición necesaria ni

---

(14) A dichos efectos ha de incluirse el «recurso» de aclaración, «pues si bien es cierto que por su naturaleza no constituye un auténtico medio de impugnación encaminado a la sustitución de la decisión adoptada, sino que tiende tan sólo a la corrección de errores materiales, dejando subsistente la resolución una vez que aquéllos son subsanados, en el caso, conforme al art. 161 LECrim., era el único medio procesal adecuado para la rectificación atribuida a la sentencia de apelación, consistente en la falta de correspondencia entre la cifra indemnizatoria consignada en su fundamentación jurídica y la que figuraba en su fallo» (STC 114/90, de 21 junio). Asimismo, vid. STC 28/93, de 25 enero: «la necesidad de dar oportunidad a los órganos judiciales para remediar el error padecido exige agotar los cauces arbitrados por la ley que sean idóneos a tal efecto...».

suficiente para la apreciación de error judicial, aunque sí declara definitivamente la inconstitucionalidad de la resolución recurrida. Esta inconstitucionalidad declarada puede servir de título (STC 33/1997 y 109/1997) para reclamar, si se dan el resto de los presupuestos exigibles para ello, una indemnización por funcionamiento anormal de la Administración de Justicia (no deducible automáticamente de la revocación o anulación de una resolución judicial —art. 292.3 LOPJ—)». ATC 220/2001 de 18 de julio.

Y ello por el carácter subordinado que tiene esta vía reparadora, tratándose, pues, de una resolución que no pueda subsanarse dentro del proceso concreto, puesto que el no uso de las vías ordinarias de los recursos determina su inviabilidad, debiendo el perjudicado pechar con las consecuencias perjudiciales de conformidad con lo dispuesto en el ap. f) del art. 293.1 LOPJ.

> «El concepto de error judicial debe ser interpretado con un criterio restrictivo para evitar que el proceso por error se convierta en una tercera instancia o una encubierta casación. De no entenderlo así se vulnerarían principios básicos de la actuación jurisdiccional como la seguridad jurídica, la tutela judicial efectiva y la exclusividad de la jurisdicción que corresponde a los Jueces y Tribunales determinados por las leyes. La interpretación de estos principios exige que no pueda cuestionarse de forma indefinida los pronunciamientos jurisdiccionales si no es por los procedimientos legalmente previstos en las leyes, por los órganos jurisdiccionales legalmente señalados en la ley para el conocimiento de los procesos penales, y su impugnación por las vías legalmente señaladas». STS Sala Segunda, de lo Penal, Sentencia 43/2002 de 22 Ene. 2002, Rec. 3080/2000; Ponente: Martínez Arrieta, Andrés. LA LEY 4194/2002.

Sin embargo, el TS exige que, previamente a la interposición de la demanda para el reconocimiento por error judicial, se promueva incidente de nulidad de actuaciones frente a la resolución judicial a la que imputa el error, comenzando el cómputo del plazo para interponer aquélla a partir de la resolución denegatoria del Incidente de nulidad de actuaciones.

> «Es cierto, igualmente, que esta Sala venía estableciendo que el plazo para la interposición de la demanda para el reconocimiento de error judicial no se interrumpía por la formalización y desarrollo de un Incidente de nulidad de actuaciones ni tampoco por la interposición de un Recurso de amparo. Sin embargo, a partir de la STS de 23 de septiembre de 2013 de la Sala Especial del artículo 61 LOPJ, esta Sala de lo Contencioso-Administrativo del Tribunal Supremo, asumiendo plenamente los razonamientos contenidos en la citada sentencia, ha considerado que el Incidente de nulidad de actuaciones se incardina dentro del ámbito del artículo 293.1.f) de la LOPJ, lo que exige que, previamente a la interposición de la demanda para el reconocimiento por error judicial, se promueva Incidente de nulidad de actuaciones frente a la resolución judicial a la que imputa el error, comenzando el cómputo del plazo para interponer aquélla a partir de la resolución denegatoria del Incidente de nulidad de actuaciones. Por todas, SSTS de 16 de enero, 17 de julio y 2 de septiembre de 2014, dictadas en los Recursos para reconocimiento de error judicial números 41/2013, 9/2013 y 18/2013, respectivamente». STS, Sala 3ª, 1347/2016 de 8 Jun. 2016, Rec. 38/2015.

En todo caso, serán partes el Ministerio Fiscal y la Administración del Estado, representada por un Abogado del Estado, como parte demandada —art. 293.1 c)

LOPJ—, siendo preceptivo el informe del órgano jurisdiccional a quien se atribuye el error.

Es decir, presentada la solicitud, se oirá al Ministerio Fiscal y al Abogado del Estado, y se declarará, en su caso, admisible la demanda; se emplazará a las partes y a quien pudiera resultar afectado por la resolución que recaiga, y se sustanciará por los trámites del juicio verbal según el art. 514.2 LEC. Antes de dictar sentencia ha de solicitarse informe del órgano jurisdiccional a quien se atribuye el error.

El Tribunal dictará sentencia en el plazo de quince días, sin que contra la misma quepa recurso alguno. Y cuando el error no fuese apreciado se impondrán las costas al peticionario.

Por otra parte, hemos de reseñar que la mera solicitud de declaración de error, no afecta la ejecutividad de la resolución judicial a la que se impute el error.

Los requisitos que deben concurrir para que pueda estimarse la acción declarando un error judicial son los siguientes:

A) Actividad judicial realizada dentro de las funciones propiamente jurisdiccionales.

Como hemos señalado, reside en este requisito su fundamental diferencia con los supuestos de funcionamiento anormal del art. 292 LOPJ. Estos casos constituyen un régimen autónomo y propio que lo diferencia de la responsabilidad general de la Administración, si bien en el plano del art. 40.3 LRJAE el equivalente a error judicial lo encontraríamos en la responsabilidad nacida de actos administrativos, mientras que la derivada de hechos o actividad material sería, en la LOPJ, el funcionamiento anormal. Sin embargo, en la práctica quizá no podrá, en ocasiones, realizarse una clara delimitación e incluso admitimos una coexistencia concurrente difícil de deslindar.

B) Determinante de la decisión adoptada[15].

«Para que el error llegue a determinar la vulneración de la tutela judicial efectiva, es preciso que cumpla varios requisitos. En primer lugar, se requiere que el error sea determinante de la decisión adoptada, esto es, que constituya el soporte único o básico de la resolución («*ratio decidendi*»), de modo que, constatada su existencia, la fundamentación jurídica pierda el sentido y alcance que la justificaba y no pueda conocerse cuál hubiese sido el sentido de la resolución de no haberse incurrido en el mismo...». STC 96/00 de 10 de abril.

C) Que constituya una acción u omisión del Juez que no constituya delito ni pueda calificarse de negligencia o ignorancia inexcusable, ya derive de la valoración de hechos o por aplicación del derecho; excluyendo aquel que sea producto de conducta dolosa o culposa del perjudicado.

---

(15) SSTC 55/1993, de 15 de febrero, 203/1994, de 11 de julio, 13/1995, de 24 de enero, 117/1996, de 25 de junio, 58/1997, de 18 de marzo, 63/1998, 112/1998, 180/1998, 146/1999, de 27 de julio, 165/1999, de 27 de septiembre, 193/1999, de 25 de octubre y 206/1999, de 8 de noviembre.

«... que la equivocación sea imputable al juzgador, o sea, que no haya sido indu-
cida por mala fe o ligereza de la parte, que en tal caso no podría quejarse en sentido
estricto de haber sufrido un agravio del derecho fundamental, tal y como presupone
el art. 44.1 LOTC. En tercer lugar, el error ha de ser patente, es decir inmediatamente
verificable de forma clara e incontrovertible en las propias actuaciones judiciales por
haberse llegado a una conclusión absurda o contraria a los principios elementales
de la lógica y de la experiencia y, por último, la equivocación ha de producir efectos
negativos en el ámbito del ciudadano (STC 167/1999, de 27 de septiembre)». STC
168/2000 de 26 de junio.

La acción del juzgador no ha de ser delictiva, dado el carácter preferente de la
vía penal, ni debida a una voluntad negligente o de ignorancia inexcusable, si bien
tampoco ha de reducirse a las acciones meramente involuntarias. En el ámbito de
responsabilidad civil se plantea un problema de «doble vía», cauce muy criticable,
que debería ser objeto de una regulación positiva más clarificadora.

La acción errónea puede ser *de iure* como de facto y abarca tanto los errores en
la decisión *in iudicando* como *in procedendo*.

«El error judicial entraña la desatención del Juzgador de datos de carácter indiscutible, con o sin culpa, generadora de una resolución absurda que rompe la armonía
del concierto jurídico, introduciendo un factor de desorden en el que se origina, en
su caso, el deber del Estado de indemnizar sin necesidad de que sea declarada la
responsabilidad del Juzgador, incluyendo equivocaciones manifiestas y palmarias en
la fijación de los hechos o en la interpretación o aplicación de la Ley, pues puede
entenderse desde dos perspectivas, una, cuando se proyecta sobre hechos, y otra,
en relación al ordenamiento jurídico aplicable, cuando se funda esa aplicación en
normas inexistentes, caducas o interpretadas de manera abierta y palmaria en sentido
contrario en pugna con la legalidad llegándose a situaciones absurdas e ilógicas, generando una ruptura en el concierto jurídico y una situación de desorden». STS Sala
Segunda, de lo Penal, Sentencia 575/2002 de 9 Abr. 2002, Rec. 3370/2000; Ponente:
Saavedra Ruiz, Juan. LA LEY 5929/2002.

a) Puede basarse en los hechos enjuiciados por contradecir lo que es evidente
o aplicar normas inexistentes o entendidas de modo palmario fuera de su sentido o
alcance. Se trataría de una actuación del Juez abiertamente fuera de los cauces legales, partiendo de hechos distintos de aquellos que han sido objeto del debate o de
los que se haya tenido un conocimiento o realizado una valoración equivocada por
causas extraprocesales (no causadas por las partes que pueden inducir y determinar
el error), así como la aplicación irrazonable del derecho que no equivale a decir
desacertada[16].

---

(16) «El error judicial que puede hacer nacer una obligación dineraria para el Estado no se
conforma con una discutible valoración jurídica de un hecho, o con una interpretación razonable
de la norma frente a la que quepa otra interpretación, sino con un error esencial que manifieste
una contradicción abierta, palmaria e inequívoca entre la realidad acreditada en el proceso y las
conclusiones que el juzgador obtiene de esa realidad. Por ello el error judicial no comprende
el supuesto de un análisis de los hechos y de sus pruebas, ni interpretaciones de la norma que,
acertadamente o no obedezcan a un proceso lógico, ni tampoco el desacierto del juzgador, sino
la desatención de éste con respecto a datos de carácter indiscutible». STS Sala Segunda, de lo

«Esta tacha extrema de arbitrariedad... supone que la resolución judicial impugnada no es expresión de la Administración de Justicia sino mera apariencia de la misma (STC 148/1994), lo que implica "negación radical de la tutela judicial" (STC 54/1997, fundamento jurídico 3), sin que nada de ello pueda confundirse con el error en la interpretación y aplicación del Derecho. Existe arbitrariedad, en este sentido, cuando, aun constatada la existencia formal de una argumentación, la resolución resulta fruto del mero voluntarismo judicial o expresa un proceso deductivo "irracional o absurdo" (STC 244/1994, fundamento jurídico 2)». (STC 160/1997, de 2 de octubre, F. 7). STC 82/2002 de 22 de abril.

b) Las motivaciones o razonamientos subjetivos del juzgador no son siempre constitutivos de error judicial, puesto que, aunque las soluciones jurisprudenciales puedan unas ser reputadas jurídicamente más correctas que otras, no corresponde en este procedimiento examinar si el criterio aplicado es el único aceptable o existen otros también razonables.

Por tanto, no puede fundarse el error en la discrepancia respecto a la apreciación de prueba de hecho o de derecho, al pertenecer a la libre apreciación del Tribunal.

«La discrepancia del ahora demandante frente a la valoración probatoria y ponderación porcentual del grado de relevancia causal de unos y de otros factores respecto al resultado final, por legítima que sea, no la convierte en erróneo el criterio de los juzgadores de la primera instancia y de la apelación, criterio que —fuese o no el más correcto—, se encuentra dentro de los posibles, sin que pueda ahora revisarse el grado de mayor o menor acierto de una decisión que no se sitúa fuera de lo razonable y de lo razonado». STS Sala Segunda, de lo Penal, Sentencia 766/2000 de 8 May. 2000, Rec. 1490/1999; Ponente: Prego de Oliver Tolivar, Adolfo. LA LEY 8603/2000.

Téngase en cuenta, por otra parte, que el derecho a la tutela judicial efectiva no incluye el derecho al «acierto» del Juzgador en la selección, interpretación y aplicación de las disposiciones legales, salvo que con ellas se afecte el contenido de otros derechos fundamentales; pero en este caso serían esos derechos los vulnerados, y no el art. 24.1 CE.

«Cuando lo que se debate es..., la selección, interpretación y aplicación de un precepto legal que no afecta a los contenidos típicos del art. 24.1 CE o a otros derechos fundamentales, tan sólo podrá considerarse que la resolución judicial impugnada vulnera el derecho a la tutela judicial efectiva cuando el razonamiento que la funda incurra en tal grado de arbitrariedad, irrazonabilidad o error que, por su evidencia y contenido, sean tan manifiestos y graves que para cualquier observador resulte patente que la resolución de hecho carece de toda motivación o razonamiento». STC 82/2002 de 22 de abril.

En su consecuencia, no sería el desacierto lo que se trata de corregir, sino la desatención del juzgador a datos de carácter indiscutible que provocan una resolución absurda[17].

Penal, Sentencia 43/2002 de 22 Ene. 2002, Rec. 3080/2000; Ponente: Martínez Arrieta, Andrés. LA LEY 4194/2002.

(17) «Sólo cabe su apreciación cuando el Tribunal haya actuado abiertamente fuera de los cauces legales partiendo de unos hechos distintos de aquellos que fueron objeto de debate, sin que puedan traerse a colación el ataque a conclusiones que no resulten ilógicas. En definitiva,

«Esta Sala ha afirmado reiteradas veces, en relación con el error que podemos llamar jurídico, que no puede considerarse tal la interpretación susceptible de ser enfrentada con otra también razonable, sino sólo la que abierta y manifiestamente se presenta como disparatada, extravagante o desprovista de todo fundamento legal y doctrinal, casi equivalente a lo que podría ser la arbitraria resolución del caso con una norma inexistente en el ordenamiento jurídico. La doctrina jurisprudencial, en lo concerniente al error "de facto", es coincidente en exigir no la concurrencia de meras equivocaciones o desaciertos cometidos en la resolución judicial sino errores esenciales entendiendo por tales aquellos que manifiesten una contradicción abierta, palmaria o inequívoca entre la realidad acreditada en el proceso y las conclusiones que el juzgador obtiene respecto a dicha realidad. Se ha dicho así, en formulación expresiva que condensa dicha línea jurisprudencial, que desde el punto de vista negativo, "no comprende, por tanto, el supuesto de un análisis de los hechos y de sus pruebas, ni interpretaciones de la norma, que, acertada o equivocadamente, obedezcan a un proceso lógico y que, por ello, sirvan de base a la formación de la convicción psicológica en la que consiste la resolución", y acercándose al aspecto positivo, se añade que "no es el desacierto lo que trata de corregir la declaración de error judicial, sino la desatención por parte del juzgador a datos de carácter indiscutible", tal como se pronuncia la sentencia de la Sala 1ª de este Tribunal de 16 de junio de 1988». STS Sala Segunda, de lo Penal, Auto de 24 May. 2001, Rec. 3150/2000; Ponente: Granados Pérez, Carlos. LA LEY 243159/2001.

Tampoco puede integrar el error judicial el cambio jurisprudencial, o una interpretación posible, pero no arbitraria ni insostenible, de la legalidad vigente. De modo que el cambio jurisprudencial no habilita para un juicio de revisión.

«Existe una consolidada doctrina jurisprudencial de esta sala que tiene declarado que el error judicial al que se refiere el art. 121 de la Constitución y su desarrollo operado en los artículos 292 y siguientes de la LOPJ, no supone una nueva vía de recurso o una tercera instancia, sino que como se ha declarado por la jurisprudencia de esta Sala se trata de un "remedio" que tiene como presupuesto, precisamente, el agotamiento de los recursos previstos en la Ley, y por ello dicho error se vertebra sobre una decisión judicial fuera del margen normal de divergencia en el juicio, por implicar una desatención del juzgador a datos de carácter indiscutible, por ello queda extramuros del concepto de error judicial una mera divergencia de criterios internos en relación a la aplicación de unas normas, que de entrarse en su valoración supondría la conversión de la demanda de error judicial en lo que no puede ser: una nueva instancia». STS Sala Segunda, de lo Penal, Sentencia 1420/2001 de 31 Jul. 2001, Rec. 3300/1997; Ponente: Giménez García, Joaquín. LA LEY 153595/2001.

c) El error judicial, en definitiva, no se configura como una tercera instancia ni como un claudicante recurso de casación, por lo cual no cabe ni pueden ser analizadas las conclusiones del Tribunal que no resulten ilógicas o irracionales, dentro del esquema traído al proceso bajo los principios de contradicción y bilateralidad, pues de otra forma se establecería una inexistente y nueva instancia con evidente fisura de la seguridad jurídica.

---

equivocaciones flagrantes que puedan afectar al fondo o a la forma, esto es ha de tratarse de un error palmario, patente o manifiesto y del que no pueda hacerse cuestión de equivocidad (STS 93/1998, de 28 de enero)». STS Sala Segunda, de lo Penal, Sentencia 43/2002 de 22 Ene. 2002, Rec. 3080/2000; Ponente: Martínez Arrieta, Andrés. LA LEY 4194/2002.

«El procedimiento regulado en los artículos 292 y siguientes LOPJ, que desarrolla el mandato del artículo 121 CE, "tiene por objeto obtener un reconocimiento formal del error judicial que servirá de título para reclamar frente al Estado la indemnización correspondiente, y no pretende una modificación del tenor de la resolución en que se haya cometido el supuesto error, salvo cuando se derive de una privación de derechos fundamentales, pues de lo contrario este procedimiento se convertiría en una nueva instancia y ya no tendría sentido reclamar una indemnización al Estado. También ha señalado el Tribunal Constitucional que el error no tiene naturaleza de derecho fundamental (STC 128/1989) y que la Ley Orgánica del Poder Judicial no contiene una definición del mismo y por ello se trata de un concepto jurídico indeterminado cuya concreción ha de hacerse casuísticamente por los Jueces y Tribunales en el plano de la legalidad (STC 325/1994), siendo el derecho que dimana del error judicial emanación del artículo 9.3 CE que sanciona la responsabilidad de todos los poderes públicos"». STS Sala Segunda, de lo Penal, Sentencia 575/2002 de 9 Abr. 2002, Rec. 3370/2000; Ponente: Saavedra Ruiz, Juan. LA LEY 5929/2002.

A) Justificación de un daño concreto derivado de los actos referidos que sea indemnizable, que no pueda repercutirse en la parte que en principio debía ser responsable, por lo que deberá ser afrontado por el erario público. La acreditación y cuantificación del daño deberá realizarse mediante la pertinente reclamación de responsabilidad patrimonial del Estado, una vez obtenida la previa resolución judicial que declara el error judicial. En todo caso, éste debe ser real y efectivo, no hipotético ni presunto, debiéndose justificar por parte de quien lo alegó. Cabe sean indemnizados no solamente los daños materiales, sino también los morales.

«La razón de la regulación del proceso de declaración del error judicial (arts. 292 y 293 LOPJ) es posibilitar una reclamación frente a la administración de justicia por los daños y perjuicios ocasionados con la actuación judicial que, conforme a lo expuesto, merece la consideración de error judicial. Por eso es necesario que del error denunciado pueda haberse derivado un daño efectivo, evaluable económicamente e individualizado con relación a quien insta el proceso, que no se pueda repercutir en la parte que en principio debía ser responsable, y por tanto deba ser afrontado por el erario público. Aunque la acreditación y cuantificación del daño haya de realizarse mediante la pertinente reclamación de responsabilidad patrimonial del Estado, una vez obtenida la previa resolución judicial que declara el error judicial, es necesario que en este previo procedimiento de declaración de error judicial se constate no sólo la existencia de tal error judicial sino también que el mismo es susceptible de ocasionar un concreto daño respecto del que luego se pretenderá la indemnización con cargo al erario público porque ya no pueda obtener aquello a lo que tiene derecho frente a la parte en el litigio en el que pretendidamente se produjo el error». STS, Sala 1ª, 410/2016 de 15 Jun. 2016, Rec. 37/2014[18].

_____

(18) «El error ha de ser, como ya se ha advertido, patente o, lo que es lo mismo, inmediatamente verificable de forma incontrovertible a partir de las actuaciones judiciales por haberse llegado a una conclusión absurda o contraria a los principios elementales de la lógica y de la experiencia... Y, por último, la equivocación ha de producir efectos negativos en la esfera del ciudadano... Las meras inexactitudes que no produzcan efectos para las partes, carecen pues de alcance constitucional». STC 96/00 de 10 de abril.

1.3. Funcionamiento anormal de la Administración de Justicia

Cabe definirlo como aquellos actos u omisiones de los órganos judiciales que no se ajustan al ordenamiento jurídico, causando un daño injusto que el ciudadano no tiene por qué soportar.

El Consejo General del Poder Judicial ha señalado que el art. 292.1.º LOPJ viene ambigua y genéricamente expuesto, sin concreciones o supuestos de casos concretos que pudieran aclarar e interpretar el pensamiento del legislador, pareciendo desde el punto de vista lógico, armónico y hasta gramatical que esa anormalidad en el funcionamiento de los órganos de la Administración de Justicia venga referido a cualquier irregularidad del proceso, en el marco de prestación de servicios y tutela efectiva a los litigantes. Se trata, pues, de posibles disfunciones del complejo de la Administración de Justicia como «organización», que puedan ocasionar un daño evaluable a través de su actividad, sin que sea necesario que medie una conducta negligente. Cabe solicitarse incluso por responsabilidad objetiva.

La reclamación por los daños causados por un funcionamiento anormal de la Administración de Justicia no requiere declaración judicial previa, a diferencia del error judicial, sino que la dirigirá directamente ante el Ministerio de Justicia., tramitándose con arreglo a las normas reguladoras de la responsabilidad patrimonial del Estado, según establece el art. 293.2 LOPJ. Sin embargo, si el perjudicado opta por la vía del error en lugar de por ésta, el Tribunal deberá valorarla igualmente.

«El Tribunal Supremo también ha declarado que tratamiento diferencial que el Título V LOPJ señala en los artículos 292 y 293 para el ejercicio de la acción de responsabilidad, según se trate de daños causados en cualquiera de los bienes o derechos por error judicial y los que dimanen o sean consecuencia del funcionamiento anormal de la Administración de Justicia, no impide, sin embargo, según la sentencia de dieciocho de abril de dos mil cuatro —fundamento jurídico sexto— que "la inexistencia del error judicial al que pueda imputarse directamente el resultado dañoso producido ... no releva al Tribunal de examinar si el mismo puede ser imputado causalmente a circunstancias determinantes de anormal funcionamiento de la Administración de Justicia. Conforme lo anterior, es admisible la posibilidad de que aun cuando la acción hubo de plantearse, en pura técnica jurídica, en el marco del "error judicial", pueda también contemplarse dentro del concepto amplio de funcionamiento de la Administración de Justicia del artículo 292 de la Ley Orgánica del Poder Judicial (LA LEY 1694/1985), mas ello en cuanto la pretensión del supuesto analizado se ciñera a una disfunción de la Administración de Justicia". Pero, como más arriba se ha señalado, recaía sobre el recurrente la carga de alegar con claridad y precisión la actividad o inactividad constitutiva de disfunción en la administración de justicia, determinante del daño cuya reparación reclama, pero en el caso litigioso no se ha cumplido con dicha carga de modo que se permita conocer el concreto alcance con trascendencia para la declaración de responsabilidad patrimonial por funcionamiento anormal de la Administración de Justicia» .SAN, Sala de lo Contencioso-administrativo, Sección 3ª, Sentencia 398/2016 de 6 Jun. 2016, Rec. 376/2014.

Al igual que en los casos de error judicial quedan excluidas las actuaciones en las que los funcionarios hubiesen obrado con negligencia o ignorancia manifiesta.

En todo caso no es necesaria la declaración previa jurisdiccional para que pueda solicitarse la pertinente indemnización.

No queda comprendido dentro de los supuestos de funcionamiento anormal de la administración de justicia, el sometimiento a un proceso penal con sustento en una acusación infundada.

> «En definitiva, si el supuesto de hecho que determina la reclamación de responsabilidad patrimonial es, como se desprende de la propia descripción que de él hace el actor, uno de sometimiento a un proceso penal con sustento en una acusación infundada, hemos de compartir el criterio de la Sala de instancia, rechazando que el concreto o específico título de imputación a esgrimir pueda ser en tal caso aquél del "funcionamiento anormal de la Administración de Justicia"». STS, Sala 3ª, Sección 4ª, de 28 Sep. 2010, Rec. 5433/2008.

La doctrina del TS exige para la viabilidad de este tipo de acción la concurrencia de unas determinadas circunstancias:

> «La sentencia del Tribunal Supremo de 21-1-1999 declaró lo siguiente (en lo que ahora interesa): "cuando se trata de exigir la responsabilidad patrimonial por el funcionamiento anormal de la Administración de Justicia, la viabilidad de la acción requiere la concurrencia de las siguientes circunstancias: a) que exista un daño efectivo, individualizado y evaluable económicamente; b) que se haya producido un funcionamiento anormal de la Administración de Justicia; c) que exista la oportuna relación de causalidad entre el funcionamiento de la Administración de Justicia y el daño causado de tal manera, que éste aparezca como una consecuencia de aquél y por lo tanto resulte imputable a la administración; y d) que la acción se ejecute dentro del plazo de un año desde que la producción del hecho determinante del daño propició la posibilidad de su ejercicio"». STS, Sala Tercera, Sección 6ª, de 26 Oct 2015, Rec. 1581/2014[19].

Podríamos fijar cuatro grandes causas por las que puede apreciarse el funcionamiento anormal de la Administración de Justicia:

1.º Causas basadas en la prisión preventiva. Se origina cuando haya existido una confusión en la identificación de la persona y puede proceder cuando la prisión preventiva sea superior a la pena impuesta, y cuando no exista ulterior declaración de responsabilidad o le siga sentencia absolutoria (dejamos para el § 2.1 de este Capítulo, un estudio más detallado el supuesto específico del art. 294 LOPJ, que incluye exclusivamente los casos de inexistencia objetiva y subjetiva).

No cabe indemnización por prisión preventiva indebida cuando el acusado hubiera sido posteriormente declarado inocente si el Juez de Instrucción acordó aquella medida de forma razonada y jurídicamente motivada.

2.º Causas basadas en la desaparición de dinero, objetos o actuaciones de los órganos judiciales en las mismas sedes o en la remisión de un órgano a otro.

---

(19) Vid. STS, Sala 3ª, Sección 6ª, de 12 Nov. 2010, Rec. 2801/2006; STS, Sala 3ª, Sección 4ª, de 6 Jul. 2011, Rec. 5958/2007.

3.º Reclamaciones fundadas en el contenido de las resoluciones judiciales, teniendo en cuenta que la mera revocación o anulación no presupone por sí sola derecho a indemnización. Ello quiere decir que sin más, arbitrariamente, no procederá la acción indemnizatoria, porque de lo contrario los presuntos perjudicados podrían saltarse toda la gama de recursos que establecen las leyes y, en consecuencia, proliferarían de manera exagerada los «presuntos perjudicados» exigiendo indemnizaciones a todas luces improcedentes.

> «La estimación de un recurso de amparo contra dicha resolución no es condición necesaria ni suficiente para la apreciación de error judicial, aunque sí declara definitivamente la inconstitucionalidad de la resolución recurrida. Esta inconstitucionalidad declarada puede servir de título (SSTC 33/1997 y 109/1997) para reclamar, si se dan el resto de los presupuestos exigibles para ello, una indemnización por funcionamiento normal de la Administración de Justicia (no deducible automáticamente de la revocación o anulación de una resolución judicial —art. 292.3 LOPJ—), que, en desarrollo del art. 121 CE, regula la LOPJ en sus arts. 292 y ss., pero la declaración de error judicial, como supuesto singular y distinto al funcionamiento anormal, exige un plus de irracionalidad en la resolución judicial que ha ido decantando el Tribunal Supremo al interpretar el precepto». ATC 49/00 de 16 de febrero.

Ha lugar a su admisión, por ejemplo, cuando el Juzgado hace constar que no ha comparecido el apelante para mantener un recurso de apelación en juicio por delitos leves a pesar de haber comparecido dentro del plazo legal; cuando el Ministerio Fiscal al calificar reconoce la existencia de daños y no pide la condena a su pago dejando incompleto el ejercicio de la acción civil del art. 108 LECrim.; cuando se cita para comparecer ante la Audiencia Provincial de Málaga a un vecino de Madrid en fecha que no es, o cuando se efectúa indebidamente un requerimiento de pago de multa por una cuantía superior a la que fue condenado.

4.º Reclamaciones por retraso en la tramitación —dilaciones indebidas—[20]. Es el supuesto más típico de funcionamiento anormal de la Administración de Justicia. Merece especial atención por la exigencia constitucional —art. 24.2.º— de un proceso sin dilaciones indebidas[21]. El Tribunal Constitucional ha hecho suya la doctrina del Tribunal Europeo de Derechos Humanos y considera como criterios adecuados para determinar la concurrencia o no de las dilaciones indebidas, la complejidad del asunto, el comportamiento de los litigantes y autoridades judiciales, contexto político y social, la forma en que el litigio haya sido llevado por los Tribunales, así como las consecuencias que del litigio presuntamente demorado se siguen para los

---

(20) Vid MANZANARES SAMANIEGO, José Luis, «Otros funcionamientos anormales de la administración de justicia», *Diario La Ley*, Nº 7782, Sección Doctrina, 24 de enero de 2012, Año XXXIII, Ref. D-31; referente a un estudio sobre las dilaciones indebidas.

(21) Vid. SSTC 223/88, de 25 noviembre 81/89, de 8 mayo 313/93, de 25 octubre, entre otras. A tenor de la STS Sala 2.ª 11 octubre 1993, (LA LEY, 15.759-R); «El concepto de dilación indebida tiene carácter indeterminado, lo que obliga a una definición o delimitación por vía de interpretación judicial en la que confluyen las doctrinas del TEDH, TC y TS, habiéndose intentado una definición del proceso sin dilaciones indebidas diciendo que es aquel que se desenvuelve en condiciones de normalidad, dentro del tiempo requerido y en el que los intereses legítimos postulados pueden recibir una pronta satisfacción».

interesados[22]. En consecuencia, la simple inobservancia de los plazos procesales no conlleva una actuación defectuosa de los tribunales, pero sí las «graves dilaciones con frecuentes e injustificadas lagunas en el seguimiento de los autos e indebidas paralizaciones», los retrasos que originan prescripción, o un retraso de cuatro años en resolver un recurso de reposición con paralización del procedimiento, o una demora notoria e inexplicable en la tramitación del sumario o adopción de unas medidas cautelares[23]. El simple incumplimiento de los plazos procesales no conlleva un funcionamiento anormal, a diferencia de una duración inusual del proceso. Véase sobre dilaciones indebidas el § 2.2.B Cap. I.

> «El simple incumplimiento de los plazos procesales meramente aceleratorios constituye una irregularidad procesal que no comporta, pues, por sí misma, una anormalidad funcional que genere responsabilidad. Sí constituye anormalidad, en cambio, una tardanza, tomando en cuenta la duración del proceso en sus distintas fases, que sea reconocida por la conciencia jurídica y social como impropia de un Estado que propugna como uno de sus valores superiores la justicia y reconoce el derecho a una tutela judicial eficaz». STS, Sala 3ª, Sección 6ª, Sentencia de 26 Oct. 2015, Rec. 1581/2014.

Sin embargo, la vulneración del derecho fundamental a la resolución del proceso sin dilaciones indebidas no produce indefensión ni afecta a la regularidad del proceso. Pero, aun cuando las dilaciones indebidas que sean consecuencia de deficiencias estructurales pueden exonerar a los titulares de los órganos jurisdiccionales de la responsabilidad personal por los retrasos con que sus decisiones se produzcan, no privan a los ciudadanos del derecho a reaccionar frente a tales retrasos ni permiten considerarlos como inexistentes (STC 37/91, de 14 febrero). En cualquier caso, la apreciación de la dilación indebida no comporta una absolución del acusado sino un derecho, en principio y como mínimo a ser indemnizado:

> «La dilación indebida no puede conducir a la absolución del acusado, pues ello vulneraría el principio de legalidad garantizado en el art. 9.3 CE... El único modo de que el transcurso del tiempo por inactividad procesal dé lugar a la extinción de responsabilidad penal es que se produzca por los plazos y con las condiciones... (legalmente establecidas)... para la prescripción de los delitos, pero bien entendido que una y otra cuestión —dilación indebida y prescripción— son independientes y producen efectos distintos (Cfr. TC 1.ª S 83/89, de 10 mayo; LA LEY, 1989-4, 134, y TC 2.ª S 224/91, de 25 noviembre; LA LEY, 1992-2, 47)». (STS 2.ª 11 octubre 1993)[24].

---

(22) Vid. SSTC 24/81, de 14 julio; 36/84, de 14 marzo; 50/89, de 21 febrero; 35/94, 148/94, de 12 mayo, 20/95, de 24 enero y 100/96, de 11 junio. Y SSTEDH 13 julio 1983, caso Zimmermann y Steiner; 25 junio 1987, caso Milasi (BJC, n.º 90, octubre 1988, p. 1367); 25 junio 1987, caso Baggetta (BJC, n.º 92, diciembre 1988, p. 1611); 29 marzo 1990, caso Bock (BJC, n.º 120, 1991, p. 121); 27 abril 1989, caso Neves e Silva; 7 julio 1989, caso Unión Alimentaria Sanders, S.A. (BJC, n.º 128, 1991, p. 89) y 26 abril 1990, caso Clerc (BJC, n.º 145, p. 266).

(23) Véase Informe del Pleno del CGPJ de 13 de mayo de 1986. Véase sobre el principio de celeridad el § 2.2.B.c.1 del Capítulo I; y STC 215/92, de 1 diciembre, sobre las dilaciones indebidas respecto a la adopción de medidas cautelares, y las SSTC 148/94, de 12 mayo, y 20/95, 24 enero, en relación con la ejecución de sentencias penales.

(24) «Basándose en la existencia de dilaciones indebidas no es posible dictar sentencia condenatoria y suspender o dejar sin efecto su ejecución, pues ello no sólo representaría una vulneración del principio de legalidad, sino también un grave incumplimiento por parte del órgano

Ni tampoco comporta la inejecutabilidad de la sentencia condenatoria o la exoneración de la responsabilidad penal[25]:

«En cuanto a sus efectos, esta Sala ha descartado sobre la base del artículo 4.4º del Código Penal, que la inexistencia de dilaciones indebidas sea un presupuesto de la validez del proceso y por ello de la sentencia condenatoria. Por el contrario, partiendo de la validez de la sentencia, ha admitido la posibilidad de proceder a una reparación del derecho vulnerado mediante una disminución proporcionada de la pena en el momento de la individualización, para lo que habrá de atender a la entidad de la dilación. El fundamento de esta decisión radica en que la lesión causada injustificadamente en el derecho fundamental como consecuencia de la dilación irregular del proceso, debe ser valorada al efecto de compensar una parte de la culpabilidad por el hecho, de forma análoga a los efectos atenuatorios que producen los hechos posteriores al delito recogidos en las atenuantes 4ª y 5ª del artículo 21 del Código Penal. Precisamente en relación con estas causas de atenuación, las dilaciones indebidas deben reconducirse a la atenuante analógica del artículo 21.6ª del Código Penal, criterio este fijado en el Pleno no jurisdiccional de

___

judicial que así obrara de su función constitucional de hacer ejecutar lo juzgado —art. 117.3—. Si se pudo dictar sentencia condenatoria es porque el proceso se consideró válido... Análogo rechazo ha merecido el punto de vista que considera que el proceso debe declararse nulo, porque la ausencia de dilaciones indebidas constituiría un presupuesto del proceso justo». (STS Sala 2.a 11 octubre 1993; LA LEY, 15.759-R).

(25) «Para delimitar el alcance del control que este Tribunal puede ejercer sobre la decisión judicial cuestionada resulta necesario realizar dos consideraciones previas. De una parte, aunque no parece dudoso que la decisión legal de prever como circunstancia atenuante de la responsabilidad penal determinados casos de dilaciones indebidas encuentra su fundamento en principios y valores constitucionales, este Tribunal ha descartado en su doctrina que forme parte del contenido del derecho a un proceso sin dilaciones indebidas la exoneración o atenuación de la responsabilidad penal prevista por la comisión del delito objeto del proceso en el que la dilación se ha producido (SSTC 381/1993, de 20 de diciembre; 8/1994, de 17 de enero; 35/1994, de 31 de enero; 148/1994, de 12 de mayo y 295/1994, de 7 de noviembre). Así, la STC 381/1993, FJ 4, señaló ya que "constatada judicialmente la comisión del hecho delictivo y declarada la consiguiente responsabilidad penal de su autor, el mayor o menor retraso en la conclusión del proceso no afecta... a ninguno de los extremos en que la condena se ha fundamentado, ni perjudica la realidad de la comisión del delito y las circunstancias determinantes de la responsabilidad criminal. Dada la manifiesta desconexión entre las dilaciones indebidas y la realidad del ilícito y la responsabilidad, no cabe pues derivar de aquellas una consecuencia sobre éstas ni, desde luego, hacer derivar de las dilaciones la inejecución de la sentencia condenatoria". La decisión legal no es, por tanto, desarrollo constitucionalmente obligado del derecho. En segundo lugar, debemos resaltar también que, en anteriores resoluciones hemos señalado que la apreciación o no de la concurrencia de circunstancias eximentes o atenuantes de la responsabilidad es una cuestión de estricta legalidad penal cuya resolución corresponde a los órganos judiciales competentes, y cuyo control en esta sede se limita a comprobar que la respuesta de éstos sea suficientemente motivada y no arbitraria, irrazonable o patentemente errónea (SSTC 211/1992, de 30 de noviembre, FJ 5; 133/1994, de 9 de mayo, FJ 4; 63/2001, de 17 de marzo, FJ 11; 239/2006, de 17 de julio, FJ 5; 5/2010, de 7 de abril, FJ 5 y 142/2012, de 2 de julio, FJ 7). De la misma forma, en la STC 25/2011, de 14 de marzo (FJ 6), descartamos la existencia de lesión del derecho a la tutela judicial efectiva por falta de motivación en un caso como el presente en el que, sin referencia alguna a la atenuante de dilaciones indebidas alegada, la pena impuesta fue la mínima legalmente prevista para el delito por el que el demandante había sido condenado, al apreciar que la referencia a la atenuante "carecería de toda virtualidad dada la citada aplicación de la pena mínima"». STC 78/2013 de 8 Abr. 2013, Rec. 6915/2011.

esta Sala Segunda de 21.5.1999)». STS, Sala 2ª, 199/2015 de 30 Mar. 2015, Rec. 1087/2014[26].

Los efectos que produce la violación del art. 24.2 CE por dilaciones indebidas en el proceso civil son siempre los de reparación del daño, indemnizando al perjudicado por los daños y perjuicios (vid. § 2.3 de este Capítulo).

> «La reparación a quien se considere lesionado en su derecho por dilaciones indebidas es siempre posterior al daño y fruto de una acreditación previa de éste, por lo que es *res sperata* y sólo a través de un expediente o investigación colateral al proceso principal podrá averiguarse, bien si la dilación indebida ha producido tan sólo perjuicios materiales o morales, cuya reparación proceda en el orden patrimonial... (Cfr. TC 2.ª SS 81/89, de 8 mayo; LA LEY, 1989-4, 44, y 224/91, de 25 noviembre; LA LEY, 1992-2, 47, y TC 1.ª S 37/91, de 14 febrero; LA LEY, 1991-2, 75)...». (STS 2.ª 11 octubre 1993, R-15.759).

Ahora bien, jurisprudencia y doctrina han estimado insuficiente la fórmula del «*quid interest*» y acuden a fórmulas más efectivas que comporten una reparación más inmediata del derecho lesionado. Así, entre las más frecuentes nos encontramos con el indulto, remisión condicional de la pena o libertad condicional penitenciaria[27]. Otras soluciones no acogidas, pero que deberían ser objeto de una seria meditación son la inejecución de la sentencia, aplicación de una eximente o la prescripción, expresamente rechazadas por el TC[28].

Finalmente se impuso el criterio de considera las dilaciones indebidas como una atenuante, regulada en el art. 21.6 CP[29].

---

(26) «El objeto de los presentes recursos viene constituido por unas resoluciones judiciales en las que, tras declararse la existencia de conductas delictivas y de la responsabilidad penal de sus autores, a la vista de las dilaciones indebidas habidas en los respectivos procesos penales, se acordó no ejecutar la condena impuesta a los imputados en aquéllos... Nuestra legislación penal no ha previsto como supuesto de inejecución de la condena penal la existencia de dilaciones indebidas en el curso del proceso, ni tampoco del art. 24.2 CE cabe derivar esta consecuencia de inejecución...». (STC 148/94, de 12 mayo). Vid. también STC 35/94, de 31 enero

(27) «... No es ocioso recordar que el órgano judicial ha estimado que la ejecución de la sentencia podía producir efectos indeseados y ha utilizado el instrumento previsto en el ordenamiento jurídico, el indulto o la remisión condicional de la pena, fórmulas que sin desvirtuar la obligación constitucional de ejecutar lo juzgado y sin desnaturalizar el contenido a un proceso sin dilaciones deben permitir obtener de manera jurídicamente correcta el fin de no ejecución de la condena...». (STC 381/93, de 20 diciembre). Vid. también SSTC 8/94, de 7 enero, y 35/94, de 31 enero.

(28) «... Como hemos dicho en la STC 255/88, la apreciación de una dilación indebida ha de conducir a adoptar las medidas necesarias para que cese esa dilación o justificar una reparación de los daños causados por vía indemnizatoria, pero no puede dar lugar al reconocimiento de un derecho a la prescripción si el procedimiento no ha estado paralizado el tiempo legal...». (STC 382/93, de 20 diciembre).

(29) Y debemos añadir ahora, en cuanto a la pretensión de la defensa en este motivo que, como dijimos en la STS 126/2014 de 21 de febrero: «Si para la atenuante ordinaria se exige que las dilaciones sean extraordinarias, es decir que estén "fuera de toda normalidad"; para la cualificada será necesario que sean desmesuradas. Y en la STS 357/2014 de 16 de abril (LA LEY 57221/2014) insistimos: si la atenuante simple exige unos retrasos extraordinarios, para su cualificación, habrá de reclamarse mucho más: una auténtica desmesura que no pueda ser explicada. Atenuante ordinaria requiere dilación extraordinaria, ("fuera de toda normalidad"); eficacia extraordinaria de la

«En los casos en que esta Sala hace referencia a ello, por ejemplo STS. 30.3.2010, lo que debe entenderse es que la gravedad de la pena debe adecuarse a la gravedad del hecho y en particular a su culpabilidad, y que si la dilación ha comportado la existencia de un mal o privación de derecho, ello debe ser tenido en cuenta para atenuar la pena. Siendo así en relación a la atenuante de dilaciones indebidas, la doctrina de esta Sala, por todas SSTS. 875/2007 de 7.11 (LA LEY 180036/2007), 892/2008 de 26.12 (LA LEY 198357/2008), 443/2010 de 19.5 (LA LEY 60033/2010), 457/2010 de 25.5 (LA LEY 67121/2010), siguiendo el criterio interpretativo del TEDH en torno al art. 6 del Convenio para la Protección de Derechos Humanos y de las Libertadas Fundamentales que reconoce a toda persona "el derecho a que la causa sea oída en un plazo razonable", ha señalado los datos que han de tenerse en cuenta para su estimación, que son los siguiente: la complejidad del proceso, los márgenes ordinarios de duración de los procesos de la misma naturaleza en igual período temporal, el interés que arriesga quien invoca la dilación indebida, su conducta procesal y la de los órganos jurisdiccionales en relación con los medios disponibles». STS, Sala 2ª, 539/2015 de 1 Oct. 2015, Rec. 279/2015. *Vid.* también, STS, Sala 2ª, 199/2015 de 30 Mar. 2015, Rec. 1087/2014.

SECCIÓN 2. SUPUESTOS DE RESPONSABILIDAD PATRIMONIAL DEL ESTADO[30]

2.1. Supuesto específico de prisión preventiva

Siguiendo la tendencia de otros ordenamientos jurídicos europeos que regulan la responsabilidad por prisión provisional injusta, la LOPJ, en su art. 294, ha establecido una vía para exigir la indemnización correspondiente en determinados supuestos de prisión preventiva, constituyendo una subdivisión dentro del error judicial y del funcionamiento anormal de la Administración de Justicia[31]. Este supuesto procederá cuando se haya sufrido prisión preventiva en causas en las que recae posteriormente un auto de sobreseimiento libre o una sentencia absolutoria por inexistencia del hecho imputado, este supuesto queda asimilado procedimentalmente a las reclamaciones por funcionamiento anormal (art. 294.3 LOPJ); es decir, deberá dirigirse directamente ante el Ministerio de Justicia[32].

---

atenuante solo podrá aparecer ante dilación "archiextraordinaria", desmesurada, inexplicable». STS 586/2014 de 23 Jul. 2014, Rec. 263/2014

(30) Vid. AROZAMENA LASO, «La responsabilidad del Estado por el funcionamiento de la Administración de Justicia: el supuesto de la prisión preventiva», *AP*, 1988, p. 1773; MARTÍNEZ-CARDOS RUIZ, «Prisión preventiva y obligación estatal de indemnizar», *La Ley*, n.º 1906; FUENTE ÁLVAREZ, F., «El derecho a indemnización en el supuesto de prisión preventiva seguida de sentencia absolutoria», *Actualidad Aranzadi*, n.º 85, 1993; SERRANO BUTRAGUEÑO, I., «Las indemnizaciones por prisión indebida o injustificada», *Actualidad Aranzadi*, n.º 105, 1993.

(31) Francia, Ley de 17 de julio de 1970; Austria, Ley de 8 julio de 1969, y Alemania, Ley de 8 de marzo de 1971.

(32) «El caso singularizado de indemnización por padecimiento de prisión preventiva en causas en las que recae posteriormente un auto de sobreseimiento libre o una sentencia absolutoria

«En el supuesto de error judicial se precisa un previa declaración judicial, que reconozca la existencia del mismo, art. 293.1 LOPJ, en el segundo supuesto, el anormal funcionamiento de la Administración de Justicia, basta con formular petición indemnizatoria directamente al Ministerio de Justicia, art. 293.2. El demandante acude a la primera vía y funda su pretensión en el error judicial que nace, a su juicio, de lo ya expuesto, pero reclama al considerar que ha estado en prisión indebidamente desde el 11.01.11 hasta el 22 de marzo de 2011, procedería igualmente la inadmisión a trámite de la demanda, por las razones que seguidamente se exponen: a) La situación de prisión, ya sea preventiva ya sea de cumplimiento: es conocido que la LOPJ habilita un procedimiento específico en su art. 294 para la indemnización por dicha prisión. En estos supuestos no es necesario la previa declaración de error judicial por parte de un órgano jurisdiccional (art. 293 1): la solicitud ha de dirigirse directamente al Ministerio de Justicia, sin que esta Sala tenga competencia alguna para intervenir en esa reclamación (v.s. de 7 de mayo y 26 de septiembre de 1999 entre otras). b) El art. 294 establece unos condicionantes para el reconocimiento de un derecho a indemnización por prisión injustificada (absolución por inexistencia del hecho —objetiva o subjetiva— o sobreseimiento libre o de mayor tiempo de permanencia de la que correspondía) que no concurren siempre. La interpretación última de esos requisitos corresponderá a la jurisdicción contencioso-administrativa, como competente para conocer en vía jurisdiccional sobre las resoluciones administrativas que puedan producirse al respecto. c) La absolución (o sobreseimiento) por inexistencia del hecho de quien ha sufrido prisión preventiva, o como en el supuesto que nos ocupa, de cumplimiento de pena ya prescrita. Pero esta pretensión, ha de plantearse a través de la vía de la responsabilidad patrimonial anormal, que recogen los arts. 139 y siguientes de la Ley 30/1992, de Régimen Jurídico de las Administraciones Públicas y del Procedimiento Administrativo Común, origina una lógica presunción legal de que la privación de libertad no estuvo justificada y merece una reparación, de ahí que el art. 294 considera innecesaria, por superflua, toda tarea tendente a constatar la existencia de un error». ATS, Sala 2ª, 1 octubre 2013, Rec. 20510/2013.

La jurisprudencia ha evolucionado. En un principio, se incardinan aquellos casos en que alguien, después de haber sufrido prisión preventiva, fuese absuelto por inexistencia del hecho imputado o no quedase justificada su participación o por la misma causa se dictase auto de sobreseimiento libre[33]. Actualmente solo existirá responsabilidad patrimonial directa en los casos de absolución por inexistencia objetiva del hecho, dejando los demás casos de prisión preventiva no seguida de condena en el marco del artículo 293.1, incluso los referidos a la llamada inexistencia subjetiva del hecho[34].

---

por inexistencia del hecho imputado queda asimilado procedimentalmente a las reclamaciones por funcionamiento anormal (art. 294.3 LOPJ) (Auto de 22 de setiembre de 2014, Rec. 20350/2014), de manera que la petición indemnizatoria se dirigirá directamente al Ministerio de Justicia y contra su resolución cabe recurso contencioso-administrativo». ATS, Sala 2ª, 21 abril 2015, Rec. 20115/2015, LA LEY 41972/2015.

(33) En las Conclusiones del V Congreso de la Abogacía Española se acordó que: «La indemnización prevista en el art. 294 LOPJ debería extenderse a determinados supuestos de sobreseimiento provisional».

(34) «Pero este criterio jurisprudencial ha sido modificado en referidas sentencias de 23-11-2010, considerando que en el marco del art. 294 de la LOPJ sólo tiene cabida la «inexistencia objetiva ya que "no puede perderse de vista que la interpretación y aplicación del indicado precepto ha

«La jurisprudencia ha seguido en su interpretación de estos preceptos una evolución que, por efecto de la doctrina del TEDH, especialmente STEDH de 25 de abril de 2006, caso Puig Panella c. España y STEDH de 13 de julio de 2010, caso Tendam c. España, ha finalizado entendiendo que, en el momento actual, en el ámbito del artículo 294 solo han de incluirse los supuestos coincidentes con los presupuestos expresamente exigidos, es decir, absolución por inexistencia objetiva del hecho, dejando los demás casos de prisión preventiva no seguida de condena en el marco del artículo 293.1, incluso los referidos a la llamada inexistencia subjetiva del hecho. No obstante, es necesario tener en cuenta que, como ha recordado la Sala 3ª del Tribunal Supremo, en dos SSTS de 23 de noviembre de 2010, citadas en el Auto de esta Sala de 22 de setiembre de 2014, antes mencionado, la regulación legal "en modo alguno contempla la indemnización de todos los casos de prisión preventiva que no vaya seguida de sentencia condenatoria", «ni siquiera de todos los casos en los que el proceso termina por sentencia absolutoria o auto de sobreseimiento libre, planteamiento que, por lo demás y según se desprende de las referidas sentencias del TEDH, no supone infracción del art. 6.2 del Convenio, pues, como se indica en las mismas, ni el art. 6.2 ni ninguna otra cláusula del Convenio dan lugar a reparación por una detención provisional en caso de absolución y no exigen a los Estados signatarios contemplar en sus legislaciones el derecho a indemnización por prisión preventiva no seguida de condena». ATS, Sala 2ª, 15 Mar. 2016, Rec. 20920/2015. Ver también, ATS, Sala 2ª, 21 abril 2015, Rec. 20115/2015, La Ley 41972/2015[35].

Los supuestos, que el cambio de doctrina legal ha dejado fuera del error judicial, deberán tramitarse por la vía general del art. 293, referente al funcionamiento anormal de la Administración de Justicia[36].

---

de mantenerse, en todo caso, dentro de los límites y con el alcance previstos por el legislador, que en modo alguno contempla la indemnización de todos los casos de prisión preventiva que no vaya seguida de sentencia condenatoria, como se ha indicado antes, ni siquiera de todos los casos en los que el proceso termina por sentencia absolutoria o auto de sobreseimiento libre, planteamiento que, por lo demás y según se desprende de las referidas sentencias del TEDH, no supone infracción del art. 6.2 del Convenio, pues, como se indica en las mismas, ni el art. 6.2 ni ninguna otra cláusula del Convenio dan lugar a reparación por una detención provisional en caso de absolución y no exigen a los Estados signatarios contemplar en sus legislaciones el derecho a indemnización por prisión preventiva no seguida de condena". Así lo afirma el TS en dos sentencias de 23-11-2010 [(recursos de casación 4288/2006 y 1908/2006] con cita de las sentencias del TEDH de 25 de abril de 2006 [asunto PUIG PANELLA c. España, nº 1483/02] y de 13 de julio de 2010 [asunto TENDAM c. España, nº 25720/05]. El Tribunal Supremo pasa así a dejar fuera del ámbito de responsabilidad patrimonial amparado por el artículo 294 LOPJ aquellos supuestos de lo que ha venido denominando «inexistencia subjetiva», que hasta ahora venía reconociendo. Según referidas SSTS ello resulta impuesto por el respeto a la doctrina de las sentencias del Tribunal Europeo de Derechos Humanos de 25 de abril de 2006 [asunto PUIG PANELLA c. España, nº 1483/02] y de 13 de julio de 2010 [asunto TENDAM c. España, nº 25720/05]. En referidas sentencias el Tribunal Supremo fundamenta su decisión denegatoria del reconocimiento de responsabilidad patrimonial del Estado reiterando el argumento de una "imposibilidad legal" de indemnizar siempre que hay absolución. Así excluye, entre otros, los casos de prisión preventiva seguidos de sentencia absolutoria por falta de prueba de la participación del afectado (es decir, en aplicación del principio "in dubio pro reo", que constituye una expresión concreta del principio de presunción de inocencia)». STS Sala Tercera, Sección 6ª, Sentencia 1104/2016 de 17 May, Rec. 3696/2014.

(35)   STS, Sala 3ª, Sección 6ª, Sentencia 1104/2016 de 17 May. 2016, Rec. 3696/2014.

(36)   «El caso singularizado de indemnización por padecimiento de prisión preventiva en causas en las que recae posteriormente un auto de sobreseimiento libre o una sentencia absolutoria

«Es evidente que con dicho cambio de doctrina quedan fuera del ámbito de responsabilidad patrimonial amparado por el art. 294 de la LOPJ aquellos supuestos de inexistencia subjetiva que hasta ahora venía reconociendo la jurisprudencia anterior, pero ello resulta impuesto por el respeto a la doctrina del TEDH que venimos examinando junto a la mencionada imposibilidad legal de indemnizar siempre que hay absolución. Por otra parte, ello no resulta extraño a los criterios de interpretación normativa si tenemos en cuenta que, como hemos indicado al principio, el tantas veces citado art. 294 LOPJ contiene un supuesto específico de error judicial, que queda excepcionado del régimen general de previa declaración judicial del error establecida en el art. 293 de dicha LOPJ y aparece objetivado por el legislador, frente a la idea de culpa que late en la regulación de la responsabilidad patrimonial por el funcionamiento de la Administración de Justicia en cuando viene referida al funcionamiento anormal de la misma, por lo que una interpretación estricta de sus previsiones se justifica por ese carácter singular del precepto. Ha de añadirse que ello no supone dejar desprotegidas las situaciones de prisión preventiva seguida de sentencia absolutoria o sobreseimiento libre, que venían siendo indemnizadas como inexistencia subjetiva al amparo de dicho precepto, sino que con la modificación del criterio jurisprudencial tales reclamaciones han de remitirse a la vía general prevista en el art. 293 de la LOPJ». STS, Sala 3ª, Sección 4ª, Sentencia de 14 Jun. 2011, Rec. 4241/2010.

La petición se formulará en el plazo de un año desde que pudo ejercitarse, declarando el TS que el cómputo, en los supuestos de inexistencia subjetiva, es decir por falta de participación del sometido a prisión, se iniciará desde que se dicte sentencia una vez agotado el proceso en todas sus fases jurisdiccionales.

Quedan comprendidos en este supuesto específico del art. 294 LOPJ los casos de inexistencia objetiva del hecho (por no haber sucedido el evento o aun cuando hubiese ocurrido no sea calificable como una acción típica o antijurídica). Los de inexistencia subjetiva, es decir, por la justificada falta de participación en el hecho ilícito deben entenderse incluidos en los supuestos del art. 293.1 (ATS, Sala 2ª, 15 Mar. 2016, Rec. 20920/2015[37]). No lo son por insuficiencia de prueba, sino porque demuestre y justifique su falta de intervención[38].

«El error judicial que puede hacer nacer una obligación dineraria para el Estado no se conforma con una discutible valoración jurídica de un hecho, o con una interpretación razonable de la norma frente a la que quepa otra interpretación, sino con un error esencial que manifieste una contradicción abierta, palmaria e inequívoca entre la realidad acreditada en el proceso y las conclusiones que el juzgador obtiene

por inexistencia del hecho imputado queda asimilado procedimentalmente a las reclamaciones por funcionamiento anormal (art. 294.3 LOPJ) (Auto de 22 de septiembre de 2014, Rec. 20350/2014 (LA LEY 138584/2014)), de manera que la petición indemnizatoria se dirigirá directamente al Ministerio de Justicia y contra su resolución cabe recurso contencioso-administrativo». ATS, Sala 2ª, 27 May. 2016, Rec. 20319/2016

(37) ATS, Sala 2ª, 21 Abr. 2015, Rec. 20115/2015, La Ley 41972/2015.

(38) «La inexistencia subjetiva del hecho que confiere el derecho a ser indemnizado ha de deducirse del examen conjunto de la resolución penal, pero que no concurre cuando se produce una falta de convicción por inexistencia de pruebas válidas sobre la participación en los delitos de los que el reclamante fue acusado y luego absuelto en virtud del principio constitucional de presunción de inocencia». STC 82/2002 de 22 de abril.

de esa realidad. Por ello el error judicial no comprende el supuesto de un análisis de los hechos y de sus pruebas, ni interpretaciones de la norma, que, acertadamente o no, obedezcan a un proceso lógico, ni tampoco el desacierto del juzgador, sino la desatención de éste con respecto a datos de carácter indiscutible (Sala 1ª STS 16-6-1999). Por ello, hemos dicho, que sólo cabe su apreciación cuando el Tribunal haya actuado abiertamente fuera de los cauces legales partiendo de unos hechos distintos de aquellos que fueron objeto de debate, sin que puedan traerse a colación el ataque a conclusiones que no resulten ilógicas. En definitiva, equivocaciones flagrantes que puedan afectar al fondo o a la forma, esto es ha de tratarse de un error palmario, patente o manifiesto y del que no pueda hacerse cuestión de equivocidad (STS 93/1998, de 28 de enero). (STS n.º 43/2002, de 22 de enero (LA LEY 4194/2002))». ATS, Sala 2ª, 15 Mar. 2016, Rec. 20920/2015.

De este modo no procede indemnización cuando se absuelva por aplicación del derecho a la presunción de inocencia.

«El Tribunal Supremo pasa así a dejar fuera del ámbito de responsabilidad patrimonial amparado por el artículo 294 de la Ley Orgánica del Poder Judicial (LA LEY 1694/1985) aquellos supuestos de lo que ha venido denominando "inexistencia subjetiva", que hasta ahora venía reconociendo. Según referidas SSTS ello resulta impuesto por el respeto a la doctrina de las sentencias del Tribunal Europeo de Derechos Humanos de 25 de abril de 2006 [asunto PUIG PANELLA c. España, n.º 1483/02] y de 13 de julio de 2010 [asunto TENDAM c. España, n.º 25720/05]. En referidas sentencias el Tribunal Supremo fundamenta su decisión denegatoria del reconocimiento de responsabilidad patrimonial del Estado reiterando el argumento de una «imposibilidad legal» de indemnizar siempre que hay absolución. Así excluye, entre otros, los casos de prisión preventiva seguidos de sentencia absolutoria por falta de prueba de la participación del afectado (es decir, en aplicación del principio *"in dubio pro reo"*, que constituye una expresión concreta del principio de presunción de inocencia)». STS, Sala 3ª, Sección 6ª, Sentencia 1104/2016 de 17 May. 2016, Rec. 3696/2014.

Aunque a estos efectos el Tribunal deberá examinar la Sentencia atendiendo no a la literalidad de aquélla, sino al fundamento de la absolución, sin que sea decisivo que el Juzgador declare absolver por aplicación del principio de presunción de inocencia cuando, en realidad, no existió el hecho o no existió participación del acusado. Tampoco procede indemnización cuando se absuelva en aplicación del principio de *"in dubio pro reo"*. En cambio, para los demás supuestos se precisará acudir a la declaración del error judicial (*vid.* § 1.2 de este Capítulo) y habrán de ponderarse las circunstancias del caso[39].

«a) No se infiere en el presente caso el error de una sentencia absolutoria por inexistencia del hecho enjuiciado o de un sobreseimiento libre, en cuyo caso el dere-

---

(39) «... como ha señalado reiteradamente esta Sala, no constituye tal error ordenar una prisión cuando la persona afectada puede ser probablemente autor de unos delitos que por las penas a imponer a los mismos justificaban dicha medida (S 3 abril 1990), no debiendo olvidarse que el Auto de prisión era la lógica y natural consecuencia de entenderse que era partícipe de los hechos delictivos que se le atribuían y que se daban todos los condicionantes exigidos en los artículos 503, 504 y 529 de la Ley de Enjuiciamiento Criminal, ... siendo absuelto por motivos exclusivos de insuficiente prueba de cargo (S 12 febrero 1990)». (STS Sala Segunda, de lo Penal, Sentencia de 13 Nov. 1991, Ponente: Martínez-Pereda Rodríguez, José Manuel. LA LEY 680/1992).

cho a la indemnización está establecida en el art. 294 de la LOPJ. b) No cabe calificar de error fáctico craso y evidente la apreciación de indicios de intervención en una operación de tráfico de drogas de Francisco Javier M. R., por el hecho de que el día 10 de abril de 1997, hubiese sido sorprendido por la Policía, estando en contacto con Manuel M. T. y cuando éste le mostraba el interior del vehículo Peugeot M-...-LD, mediante la apertura del maletero, comprobando la policía en aquel momento que en el turismo se guardaban 5 paquetes con 5 kilos de heroína. c) No se considera disparatado la subsunción provisional de la actuación descrita de Marchena en una presunta participación en delito de tráfico de drogas del art. 368 del CP, referente a sustancia estupefaciente que causa grave daño a la salud, y en cantidad de notoria importancia. Y tampoco puede considerarse arbitraria la aplicación de los arts. 503 y 504 de la LECrim y la adopción de la medida de prisión provisional contra Francisco Javier M. R. Eran apreciables indicios racionales de criminalidad en dicho procesado, que no dejan de ser constatables por el hecho de que en fase posterior, de enjuiciamiento y sentencia, no se apreciase una prueba bastante en que apoyar la condena y Marchena fuese por tanto absuelto». ATS Sala Segunda, de lo Penal, Auto de 29 Mar. 2001, Rec. 4270/2000; Ponente: Marañón Chávarri, José Antonio. LA LEY 242032/2001.

Ahora bien, dada la objetividad de estos presupuestos en el caso del art. 294 LOPJ, amparados en el derecho constitucional a la presunción de inocencia del art. 24.2.[40], se facilita el acceso directo a la acción indemnizatoria, caso de que no puedan actuarse otras medidas más efectivas como el indulto o remisión condicional de la pena, sin necesidad de la previa declaración de error judicial dirigiéndose la petición al Ministerio de Justicia. Para su indemnización, como dispone la LOPJ, será necesario acreditar que se han irrogado perjuicios, fijándose la cuantía de la misma en función del tiempo de privación de libertad y de las consecuencias personales y familiares producidas (*vid.* Sección 2.3 de este Capítulo). El Tribunal Supremo, en un caso en que se cumplió condena por más tiempo del debido y sobrevinieron unas lesiones, señala como criterios orientativos, el salario dejado de percibir, el tiempo indebido de prisión, la importancia y trascendencia de las lesiones, tanto en el puro orden personal como en el profesional y el daño moral padecido; teniendo en cuenta que los perjuicios no son idénticos en todos los casos. En cualquier caso, la reparación debe entenderse en su integridad, sin excluir ningún concepto indemnizable que se acredite por el peticionario.

2.2. Dolo o culpa grave de Jueces y Magistrados

La LO 7/2015, de 21 julio, modificó la LO 6/1985 del Poder Judicial en esta materia suprimiendo los preceptos referentes a la responsabilidad civil de jueces y magistrados, contenida en los art. 411 a 413. La justificación de esta medida la explicó la Exposición de Motivos de la citada LO 7/2015: Se elimina la responsabilidad civil directa de los Jueces y Magistrados, escasísimamente utilizada en la práctica. Con ello se alinea la responsabilidad de los Jueces con la del resto de los empleados públicos y se da cumplimiento a las recomendaciones del Consejo de Europa en

---

(40) Una vez consagrada constitucionalmente la presunción de inocencia ha dejado de ser un principio general del derecho que ha de informar la actividad procesal, para convertirse en un derecho fundamental que vincula a todos los poderes públicos y que es de aplicación inmediata. Vid. § 3, Capítulo X.

esta materia. Esa exención de responsabilidad no excluye lógicamente, que la Administración pueda repetir, en vía administrativa, contra el Juez o Magistrado si éste ha incurrido en dolo o culpa grave.

Conforme al art. 296 LOPJ[41], los daños y perjuicios causados por los Jueces y Magistrados en el ejercicio de sus funciones darán lugar, en su caso, a responsabilidad del Estado por error judicial o por funcionamiento anormal de la Administración de Justicia sin que, en ningún caso, puedan los perjudicados dirigirse directamente contra aquéllos. Si los daños y perjuicios provinieren de dolo o culpa grave del Juez o Magistrado, la Administración General del Estado, una vez satisfecha la indemnización al perjudicado, podrá exigir, por vía administrativa a través del procedimiento reglamentariamente establecido, al Juez o Magistrado responsable el reembolso de lo pagado sin perjuicio de la responsabilidad disciplinaria en que éste pudiera incurrir, de acuerdo con lo dispuesto en esta Ley. El dolo o culpa grave del Juez o Magistrado se podrá reconocer en sentencia o en resolución dictada por el Consejo General del Poder Judicial conforme al procedimiento que éste determine. Para la exigencia de dicha responsabilidad se ponderarán, entre otros, los siguientes criterios: el resultado dañoso producido y la existencia o no de intencionalidad.

De acuerdo con el art. 296 LOPJ no cabe reclamar la responsabilidad civil directamente al Juez o Magistrado. Solo se podrá reclamar la responsabilidad patrimonial por error judicial o por funcionamiento anormal de la Administración de Justicia. Esta responsabilidad se solicitará directamente al Ministerio de Justicia, y se tramitará de acuerdo con las normas reguladoras de la responsabilidad patrimonial del Estado, previstas en Ley 39/2015, de 1 de octubre, del Procedimiento Administrativo Común de las Administraciones Públicas —arts. 81 y ss.—. El Estado responderá directamente de los daños y perjuicios causados por los Jueces y Magistrados en el ejercicio de sus funciones.

Si los daños y perjuicios provinieren del dolo o culpa grave del Juez o Magistrado, se podrá reconocer en sentencia[42] o en resolución dictada por el Consejo General

---

(41)   Modificado por la L.O. 7/2015, de 21 de julio.

(42)   «En la reciente sentencia del TS 1.ª de 6-2-1998 (núm. 73/1998, Rec. 31/1994. Pte.: González Poveda, Pedro) reiterando muchas anteriores, se dice: "Interpretando los arts. 903 de la Ley de Enjuiciamiento Civil y 411 de la Ley Orgánica del Poder Judicial, dice la sentencia de 5 de octubre de 1990 que «es reiterada la de que los recursos como el presente exigen que la responsabilidad se limite al caso en que se haya procedido con infracción manifiesta de la Ley o faltado a algún trámite o solemnidad mandado observar bajo pena de nulidad, y caso de haber producido perjuicios estimables en metálico, cuya realización encuentra su causa directa o inmediata en un actuación dolosa o culposa del Juez o Magistrado lo que nos conduce a la asimilación, mutatis mutandi, con lo prevenido en el art. 1902. Es decir que la exigencia de esa responsabilidad ha de descansar forzosamente en esa actuación dolosa o culposa del Juez o Magistrado que se capta cuando ha infringido una ley sustantiva o procesal, siempre que en este caso esté sancionada su infracción con la nulidad de la actuación o trámite correspondiente, pero ha de ser calificable como manifiesta para que sea cohonestable con la "voluntad negligente o ignorancia inexcusable" a que se refiere el art. 903 de la Ley de Enjuiciamiento Civil, pues de otra suerte solamente podría conceptuarse como simple "error judicial" o "deficiente o anormal funcionamiento de la Administración de Justicia", como lo designan los arts. 121 de la Constitución Española, 410 de la Ley de Régimen Jurídico de la Administración del Estado y el art. 292 de la Ley Orgánica del Poder

del Poder Judicial conforme al procedimiento que éste determine. Para la exigencia de dicha responsabilidad se ponderarán, entre otros, los siguientes criterios: el resultado dañoso producido y la existencia o no de intencionalidad. En estos casos, la Administración podrá exigir, por vía administrativa a través del procedimiento reglamentariamente establecido, al Juez o Magistrado responsable el reembolso de lo pagado sin perjuicio de la responsabilidad disciplinaria en que éste pudiera incurrir, de acuerdo con lo dispuesto en esta Ley[43].

La responsabilidad civil de jueces y magistrados exige que concurran los siguientes requisitos: a) la infracción de una norma jurídica sustancial y en el grado de manifiesta, esto es, de evidente, denegación de lo dispuesto de manera clara en la misma; b) la infracción de una norma procesal de aquellas que implican nulidad de actuaciones[44].

El art. 296 LOPJ regula un motivo especial de responsabilidad del Estado diferente de los generales de error judicial y de funcionamiento de la Administración de Justicia, fundado en la conducta ilícita de Jueces y Magistrados en el ejercicio de sus cargos sin que esta forma de responsabilidad se pueda calificar como «objetiva». La responsabilidad del Estado, que en el ámbito penal sería subsidiaria (artículos 121 del Código penal y 1062 del Código de Justicia Militar), es en el ámbito civil es directa. Ahora bien, su exigencia requiere con carácter previo la constatación del dolo o la culpa grave, lo que debe realizarse en el proceso correspondiente, bien penal, bien civil, según la responsabilidad del Juez o Magistrado que se exija.

2.3. Acción indemnizatoria

La acción indemnizatoria se ejercita fuera de los cauces propiamente judiciales, ya que el interesado debe dirigir su petición indemnizatoria directamente al Ministerio de Justicia, tramitándose la misma con arreglo a las normas reguladoras de la responsabilidad patrimonial del Estado, previstas en la Ley 39/2015, de 1 octubre[45].

Podrá ejercitarse esta acción en el supuesto de error judicial previamente declarado cuando se cause un daño por el anormal funcionamiento de la Administración

---

Judicial. En el caso no se alcanza a comprender en que puede consistir la culpa o negligencia de los Magistrados demandados al resolver la cuestión litigiosa con estricta sujeción a los términos en que quedó planteado el debate judicial en los escritos de demanda y contestación y no entrando a examinar una cuestión que no fue alegada en la primera instancia ni era acogible de oficio y que la parte hoy recurrente intentaba, al parecer, hacer valer en la vista del recurso de apelación contradiciendo, incluso, los términos del suplico de su escrito de contestación a la demanda"». Tribunal Supremo, Sala Primera, de lo Civil, Sentencia 549/2006 de 7 Jun. 2006, Rec. 3577/1999

(43) Vid. MANZANARES SAMANIEGO, José Luis, «Dos apuntes sobre la indemnización en la responsabilidad patrimonial de la Administración de Justicia», *Diario La Ley*, Nº 7797, Sección Doctrina, 14 de febrero de 2012, Año XXXIII, Ref. D-69.

(44) Vid. STSJ Comunidad Valenciana, Sala de lo Civil y Penal, Sentencia 9/2006 de 18 Jul. 2006, Rec. 18/2006.

(45) Según se desprende de las SSTC 36/84, de 14 marzo; 5/85, de 23 enero, y 50/89, de 21 febrero, debe tenerse en cuenta que cuando el restablecimiento in natura no es posible ha de acudirse a fórmulas sustitutorias reparadoras, y entre ellas, a la de indemnización, como ha entendido el Tribunal Europeo de Derechos Humanos sobre la base del art. 50 del Convenio Europeo.

de Justicia —no sanable por otros medios— y en los casos de una indebida prisión preventiva (art. 294 LOPJ), de conformidad a lo dispuesto en el art. 293.2.º LOPJ; el derecho a reclamar prescribe al año partir del día en que pudo ejercitarse (véase para el supuesto de prisión provisional el epígrafe § 2.1 de este Capítulo). Y contra la resolución que se dicte cabrá recurso contencioso-administrativo.

Existe doctrina jurisprudencial consolidada en la que se establecen las pautas que deberán tenerse presentes para la evaluación de los daños y perjuicios[46], a saber:

a) El principio de la indemnidad o de la reparación integral de todos los daños y perjuicios sufridos, de modo que la reparación atienda a objetivos totalizadores e integrales[47].

b) El daño indemnizable es únicamente el que se ha producido de una forma real y efectiva, no siendo indemnizables los meramente conjeturados, eventuales o hipotéticos, pero sí los morales[48].

c) Es necesario acreditar, mediante una prueba suficiente que corresponderá al solicitante, la existencia de daños.

d) Ante la imposibilidad de evaluar cuantitativamente y con exactitud el daño material y moral sufrido por el administrado, la fijación de la cuantía de la indemnización se efectuará, generalmente, de un modo global, atemperándose a los módulos valorativos convencionales utilizados por las jurisdicciones civil, penal y laboral, y sin que, en ningún caso, la cantidad globalmente fijada deba ser necesariamente la representada por la suma de las parciales con que se cuantifiquen los diversos factores tomados en consideración[49].

A los efectos de determinar el *quantum* de la indemnización deberán tenerse presentes, en concreto, los siguientes requisitos[50]:

---

(46) Vid. MANZANARES SAMANIEGO, José Luis, «Dos apuntes sobre la indemnización en la responsabilidad patrimonial de la Administración de Justicia», *Diario La Ley*, Nº 7797, Sección Doctrina, 14 de febrero de 2012, Año XXXIII, Ref. D-69.

(47) Las SSTS 14 octubre 1994 y 11 febrero 1995 (LA LEY, R. 14.483) declararon que la «indemnización por responsabilidad patrimonial de la Administración debe cubrir todos los daños y perjuicios sufridos hasta conseguir la reparación integral de los mismos...».

(48) Vid. STS 24 noviembre 1986, que en un proceso de revisión por responsabilidad estatal basada en error judicial señala que «la simple existencia de un error —material o no— en la decisión judicial no determina, sin más, la declaración formal de su existencia a los efectos de peticionar la correspondiente indemnización al Ministerio de Justicia, sino que es indispensable que complementariamente se produzca un daño físico o moral evaluable económicamente y una relación de causalidad entre el error y el daño indemnizable». Vid. también STS 14 octubre 1994 (Sala 3.ª).

(49) Vid. STS 11 febrero 1995 (LA LEY, R-14.438), que declara necesario «... se haya producido un daño efectivo, evaluable económicamente e individualizado...». (Cfr. SSTS 3.ª, Sección 6.ª 20 febrero 1991, 4 diciembre 1993 y 27 septiembre 1994).

(50) Las SSTS (Sala 4.ª) 3 febrero 1989 (LA LEY, 1989-4, p. 422) y 18 octubre 1994 (LA LEY, 1995, 4736) señalan que la falta de dictamen del Consejo de Estado no produce la nulidad de actuaciones dadas las especiales características que concurren en el proceso, puesto que el debate se ciñe en el ejercicio de esta acción en determinar el quantum indemnizatorio, quedando firme y siendo aceptada la concurrencia de los requisitos exigidos para la viabilidad de la misma.

a) Que se haya producido un daño efectivo en un bien o en un derecho. Se incluye tanto el daño emergente como el lucro cesante o los perjuicios; sean materiales o morales. Los bienes o derechos pueden ser tanto de los intervinientes en el proceso, como de terceros —art. 960 LECrim. y art. 979 Código de Justicia Militar—. Es imprescindible la existencia de un nexo causal entre la actividad —u omisión judicial— y el perjuicio ocasionado[51]. b) Que sea evaluable económicamente[52]. c) Que no haya sido causada por fuerza mayor —imposible de haberse evitado— ni tuviera su causa en una conducta dolosa o culposa del perjudicado. d) Que sea individualizada con relación a una persona o grupo de personas.

Concretamente, el art. 91.2 Ley 39/15 establece que en los casos de procedimientos de responsabilidad patrimonial, será necesario que la resolución se pronuncie sobre la existencia o no de la relación de causalidad entre el funcionamiento del servicio público y la lesión producida y, en su caso, sobre la valoración del daño causado, la cuantía y el modo de la indemnización, cuando proceda, de acuerdo con los criterios que para calcularla y abonarla se establecen en el artículo 34 de la Ley de Régimen Jurídico del Sector Público.

La acción indemnizatoria se tramitará con arreglo a las normas reguladoras de la responsabilidad patrimonial del Estado. Este procedimiento que se iniciará con petición dirigida al Ministro de Justicia se encuentra reglado en los arts. 81 y ss. Ley de Régimen Jurídico de las Administraciones Públicas y del Procedimiento Administrativo Común, aprobado por Ley 39/2015, de 1 octubre. Los procedimientos de responsabilidad patrimonial de las Administraciones públicas han sido desarrollados reglamentariamente por RD 429/93, de 26 de marzo.

En el ámbito de la Administración General del Estado, los procedimientos de responsabilidad patrimonial se resolverán por el Ministro respectivo o por el Consejo de Ministros en los casos del artículo 32.3 de la Ley de Régimen Jurídico del Sector Público o cuando una ley así lo disponga. En el ámbito autonómico y local, los procedimientos de responsabilidad patrimonial se resolverán por los órganos correspondientes de las Comunidades Autónomas o de las Entidades que integran la Administración Local. En el caso de las Entidades de Derecho Público, las normas que determinen su régimen jurídico podrán establecer los órganos a quien corresponde la resolución de los procedimientos de responsabilidad patrimonial. En su defecto, se aplicarán las normas previstas en el art. 92 (art. 92 Ley 39/15).

---

(51) La STS 24 noviembre 1986 en proceso de revisión por responsabilidad estatal basada en error judicial señala que «la simple existencia de un error —material o no— en la decisión judicial no determina, sin más, la declaración formal de su existencia a los efectos de peticionar la correspondiente indemnización al Ministerio de Justicia, sino que es indispensable que complementariamente se produzca un daño físico o moral evaluable económicamente y una relación de causalidad entre el error y el daño indemnizable».

(52) Su determinación cuantitativa es labor jurisprudencial; así la STS 9 octubre 1986 en una indemnización por muerte señaló que «la cuantía debe obtenerse guardando una moderada adecuación de los módulos valorativos convencionales utilizados por las otras jurisdicciones civil, penal y laboral, en casos de accidentes mortales...».

En el caso de los procedimientos de responsabilidad patrimonial será preceptivo solicitar informe al servicio cuyo funcionamiento haya ocasionado la presunta lesión indemnizable, no pudiendo exceder de diez días el plazo de su emisión. Cuando las indemnizaciones reclamadas sean de cuantía igual o superior a 50.000 euros o a la que se establezca en la correspondiente legislación autonómica, así como en aquellos casos que disponga la Ley Orgánica 3/1980, de 22 de abril, del Consejo de Estado, será preceptivo solicitar dictamen del Consejo de Estado o, en su caso, del órgano consultivo de la Comunidad Autónoma (art. 81.1 y 2 Ley 39/15).

A estos efectos, el órgano instructor, en el plazo de diez días a contar desde la finalización del trámite de audiencia, remitirá al órgano competente para solicitar el dictamen una propuesta de resolución, que se ajustará a lo previsto en el artículo 91, o, en su caso, la propuesta de acuerdo por el que se podría terminar convencionalmente el procedimiento. El dictamen se emitirá en el plazo de dos meses y deberá pronunciarse sobre la existencia o no de relación de causalidad entre el funcionamiento del servicio público y la lesión producida y, en su caso, sobre la valoración del daño causado y la cuantía y modo de la indemnización de acuerdo con los criterios establecidos en esta Ley (art. 81.2 Ley 39/15).

En el caso de reclamaciones en materia de responsabilidad patrimonial del Estado por el funcionamiento anormal de la Administración de Justicia, será preceptivo el informe del Consejo General del Poder Judicial que será evacuado en el plazo máximo de dos meses (art. 81.3 Ley 39/15)

Las especialidades de la resolución en los procedimientos en materia de responsabilidad patrimonial vienen recogidas en el art. 91 y ss. Ley 39/15.

Una vez recibido, en su caso, el dictamen al que se refiere el artículo 81.2 o, cuando éste no sea preceptivo, una vez finalizado el trámite de audiencia, el órgano competente resolverá o someterá la propuesta de acuerdo para su formalización por el interesado y por el órgano administrativo competente para suscribirlo. Cuando no se estimase procedente formalizar la propuesta de terminación convencional, el órgano competente resolverá en los términos previstos en el apartado siguiente.

Transcurridos seis meses desde que se inició el procedimiento sin que haya recaído y se notifique resolución expresa o, en su caso, se haya formalizado el acuerdo, podrá entenderse que la resolución es contraria a la indemnización del particular (art. 91 Ley 39/2015).

Contra la resolución que dicte el Ministerio de Justicia en estos expedientes cabrá recurso contencioso-administrativo ante la Sala de dicho órgano jurisdiccional de la Audiencia Nacional —art. 66 LOPJ—. El derecho a reclamar la indemnización prescribirá al año desde que pudo ejercitarse (art. 293.2 LOPJ).

MODELOS

M. 439. Escrito solicitando el reconocimiento de error judicial

A LA SALA SEGUNDA DEL TRIBUNAL SUPREMO

[.../...] Procurador de los Tribunales en representación de [.../...], según acredito mediante escritura de poder que acompaño en forma, ante el Juzgado comparezco y DIGO:

Que en la representación que ostento deduzco solicitud de declaración de ERROR JUDICIAL conforme a lo dispuesto en el art. 293 LOPJ contra la sentencia dictada por [.../...] en la causa núm. [.../...] seguida por [.../...] contra [.../...] en base a los siguientes:

HECHOS

Primero. El Juzgado de Instrucción de [.../...] en autos de juicio por delitos leves de [.../...] seguidos por [.../...] se dictó sentencia con fecha de [.../...] que acompaño por testimonio como doc. núm. 1, absolviendo a [.../...] y [.../...], por no justificarse la culpa de los reseñados conductores de los vehículos [.../...] y [.../...]

Segundo. Tras la declaración de firmeza de la sentencia se procedió a dictar auto de cuantía máxima con fecha de [.../...] en el que se señala como antecedentes que:

«...»

Se acompaña como doc. núm. 2, testimonio del citado auto dictado por el Juzgado de Instrucción de [.../...] en el juicio por delitos leves [.../...]

Tercero. Interpuesta demanda ejecutiva ante el Juzgado de 1.ª Instancia de [.../...], y seguidos los trámites legales pertinentes se dictó resolución no dando lugar a dictar sentencia de remate, a cuyos efectos me remito a los autos de juicio ejecutivo [.../...], acompañando como doc. núm. 3, testimonio de la sentencia.

En los fundamentos de la reseñada resolución de fecha [.../...] se declara probado que el vehículo [.../...] conducido [.../...] se encontraba asegurado en la Cía. AB, S.A. y no en la Cía. YZ, S.A. —como se reseña en el auto ejecutivo— a pesar de que tras el vencimiento de la póliza se suscribió una nueva con la Cía. AB, extremos que constaban en autos y que no fueron recogidos en el auto ejecutivo, desatención que ha provocado un error manifiesto y palmario con graves daños en el patrimonio de mi representado.

Cuarto. Plazo de ejercicio de la acción.

La presente demanda se deduce dentro de los tres meses a partir del día en que pudo ejercitarse, es decir, desde el momento en que adquirió firmeza la sentencia recaída en el reseñado juicio ejecutivo.

FUNDAMENTOS DE DERECHO

1.º Competencia de la Sala Segunda del Tribunal Supremo

Art. 293.1 b) LOPJ. La demanda solicitando la declaración del error judicial se deducirá ante la Sala del TS correspondiente al mismo orden jurisdiccional a quien se imputa el error, es decir, la Sala Segunda de lo Penal, puesto que el error se produjo al dictar auto ejecutivo el Juzgado de Instrucción de [.../...] con manifiesta y clara incorrección.

2.º Procedimiento

Art. 293.1 c). El procedimiento para sustanciar la pretensión será el del recurso de revisión en materia civil, es decir, por los cauces del juicio verbal de conformidad con lo dispuesto en el art. 514.2 LEC.

3.º Legitimación

La activa la ostenta mi representado por ser perjudicado por la actuación jurisdiccional que ha sido la causante del error, y respecto a la pasiva han de intervenir como partes además de quienes lo fueron en el litigio precedente, el Ministerio Fiscal y la

Administración del Estado, que será parte demandada, de conformidad con el art. 293.1 LOPJ.

4.º Fundamentos de derecho material de la acción deducida

Arts. 292 y ss. LOPJ. Los requisitos para que pueda estimarse la acción declarando un error judicial son: a) Comisión del error en una actuación judicial encuadrable dentro de las funciones jurisdiccionales como sucede en el caso de autos que se consumó tras dictarse auto ejecutivo de cuantía máxima posteriormente a la sentencia absolutoria dictada en el juicio por delitos leves [.../...], b) Acción u omisión del Juez que no constituya delito ni pueda calificarse de ignorancia inexcusable y que provenga de la valoración de hechos o de la aplicación del derecho, quedando excluido el producido por una conducta culposa o dolosa del perjudicado, de conformidad con los arts. 295 y 296 LOPJ.

Al respecto, la STS 14 abril 1993 (Sala 2.ª) en un caso análogo al de autos declaró que

«... siendo incierto que la compañía aseguradora del vehículo [.../...], causante del siniestro el día de autos se encontraba Asegurado en [.../...], cuando la realidad era que había suscrito seguro con la Cía. [.../...] según póliza [.../...] es inconcuso que se cometió un error evidente, notorio e insalvable y no un simple error material de transcripción [.../...] lo que obliga a declarar la existencia de error...».

c) Justificación de un daño efectivo, evaluable económicamente e individualizado con relación a una persona y que se concreta en el supuesto de autos en 48.000 Euros, cantidad que se señalaba en el auto ejecutivo.

d) Agotamiento de los recurso legales dentro del proceso en tanto que la resolución que ha originado el error ha adquirido firmeza y se han utilizado todos los recursos ordinarios posibles, y

e) Ejercicio de la acción dentro del plazo de tres meses como se ha razonado precedentemente.

5.º Costas

Han de imponerse al litigante cuyas peticiones se hayan visto rechazadas, rigiendo el principio de vencimiento objetivo.

Por todo lo expuesto,

SUPLICO A LA SALA: Tenga por presentado este escrito con el poder, documentos y copias, los admita, con devolución del poder original por precisarlo para otros usos, previo testimonio para su unión a autos, dándose a las copias el curso legal; por comparecido y parte en la representación que ostento al Procurador [.../...] en nombre de [.../...], entendiéndose conmigo las sucesivas actuaciones. Y por promovida demanda de ERROR JUDICIAL respecto al auto ejecutivo de cuantía máxima de fecha [.../...] dictado por el Juzgado de Instrucción [.../...] en los autos de juicio por delitos leves [.../...]; reclámense los autos originales de este juicio para su incorporación a las presentes actuaciones, ordenándose emplazar a [.../...] para que dentro del plazo de cuarenta días comparezcan a usar de sus derechos, librándose el oportuno despacho. Y tras la sustanciación del procedimiento seguido por el trámite incidental, con la audiencia del Ministerio Fiscal y de la Administración del Estado representada por el Abogado del Estado, se dicte sentencia declarando el error judicial del reseñado órgano judicial y todo ello con expresa condena de las costas del presente procedimiento a quien se opusiere.

PRIMER OTROSÍ DIGO: Que interesa a esta parte el recibimiento a prueba, por lo que

A LA SALA SUPLICO: Se sirva recibir a prueba el presente juicio.

En Madrid a [.../...] de [.../...] de [.../...] de [.../...]

(Firma de Abogado y Procurador)